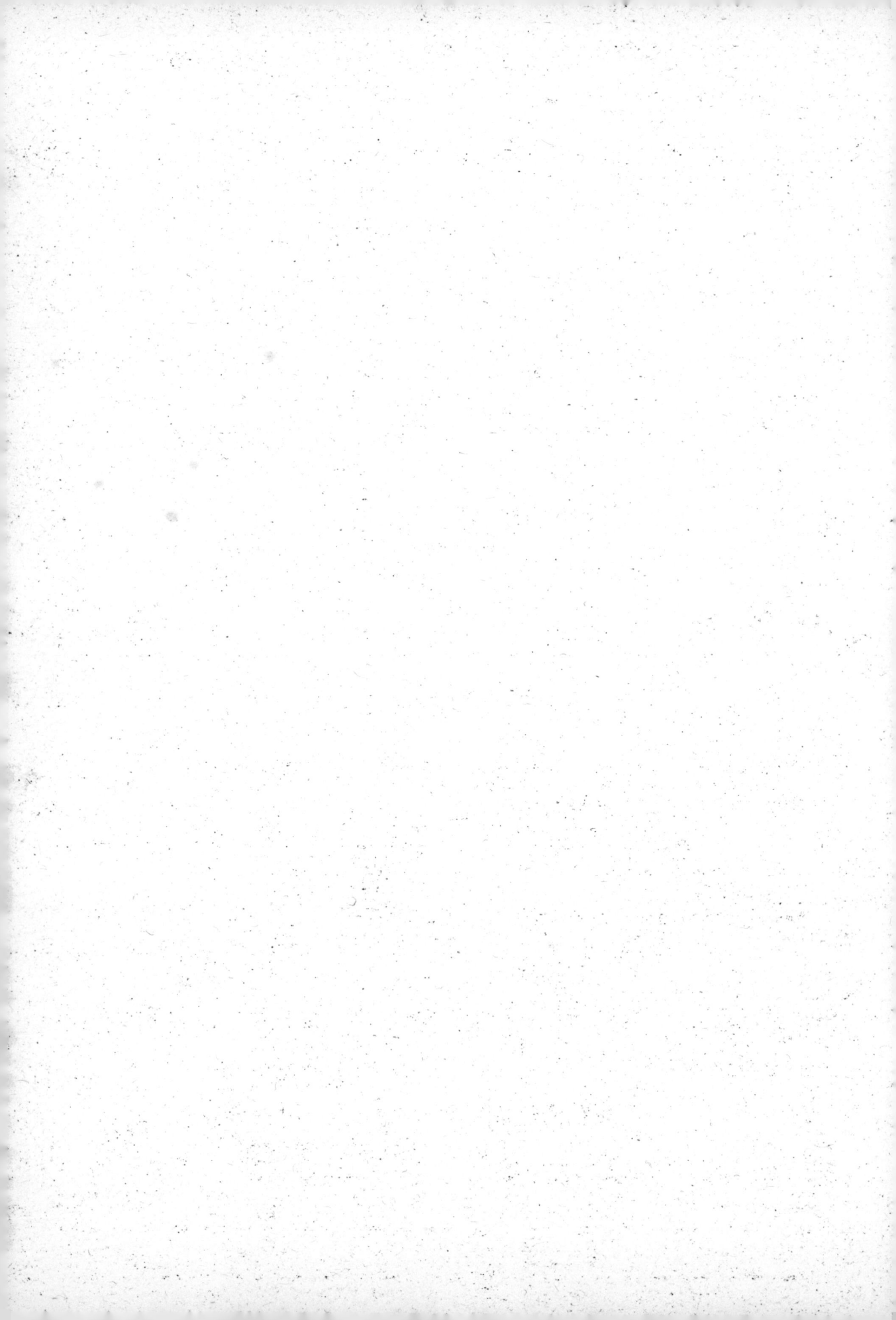

本 書 承 蒙

行政院文化建設委員會補助編輯費用

四庫全書索引叢刊之三

四庫全書傳記資料索引

上　　冊

中華文化復興運動推行委員會
四 庫 全 書 索 引 編 纂 小 組 主編

臺 灣 商 務 印 書 館 發 行

四庫全書索引序

書是人類表達思想、交換經驗、傳播知識最主要的媒體。人類文明所以能日新又新，精進不已，書的貢獻首推第一。我國素稱文明大國，自來就重視文化的發展，在圖書方面的成就，也最爲輝煌。紙、墨、筆、硯的製造，雕版、活字印刷的發明，固然開創了生產圖書便捷的途徑，而歷代聖哲賢良苦心用思的著作，更富麗了人類的生活。由於人事日繁，學術日進，書籍日多，治學便需有一套正確的方法，才足以以簡御繁，提高速率與效果，因此許多幫助人們迅速掌握書中線索的參考工具用書，於焉相繼問世。

論語說：「工欲善其事，必先利其器。」工具書就是治學的利器。索引是工具書的一種，它分析圖書的內容，標明各種資料的所在，方便學人按圖索驥，功用良多，所以近代以來，世界各國學術機構，無不全力以赴，聘請專家，編製各種圖書索引。按索引一詞，固然創自歐西，其實，早在清儒章學誠即以爲「典籍浩繁，聞見有限，在博雅者，且不能細究無遺，況其下乎？」而提出應依我國字韻的特性，編製人名、官階、書目等一切有名可稽的檢索書。在某字本韻之下，注明原書出處及先後篇第，來節省讀書人的精力。清代汪祖輝的史姓韻篇，便等於二十四史的人名索引，而阮元等的經籍籑詁，也相當於變相的群經索引。以此看來，追求進步的研究方法，無論中外，在理念上是一致的。

民國創建，學術自由，風氣大開，各門學問，蓬勃發展。研究國學的人士，更利用各種科學簡便的方法，以求達到最豐碩的成績。因而編製古書索引，需求日亟。胡適先生認爲編製索引是整理國學的首步。法國著名漢學家伯希和也說：「你們中國治理國學，第一要作各種索引。」這正符合了何炳松氏擬編中國舊籍索引例議所說的：「索引果成，則昔日秘而難得之腹笥，至是寶

藏畢露，任人取求，榛蕪既開，坦途乃築，發揚國粹，餉遺後人，其事甚勞，其功甚偉。」行政院文化建設委員會，職司國家歷史文物的維護與國粹的宣揚，對於任何有助於國家文化推展的工作，均樂於提倡或協助其完成。玆見於臺灣商務印書館影印出版文淵閣四庫全書，已陸續告竣。這部網羅我國古代著作精華的大書，將化身千百，分享學林，既無虞災厄威脅，復必隨人人得就近取閱，而擴大中華文化研究的開展。然而全書卷帙浩博，如無各種索引爲之指南，取檢不便，可以想見。從前四庫全書束諸高閣，而總目提要雖僅區區二百卷，已被視爲治學的瓌寶，日本東京帝國大學及美國國會圖書館，均曾爲其編製索引行世，則此四庫全書影印行世，索引之編纂，爲各界殷殷期盼，乃理之必然。本會有見於此，乃委由中華文化復興運動推行委員會商請專家，組成四庫全書索引編纂小組，依全書性質，編製索引若干種，以方便研究取閱之助。然因全書浩瀚，將來值得編製的專題索引正多，今本會爲之開端，用作引玉之磚，同時也深盼藉著索引編纂，通過歸納和比較，或亦將可以訂證許多原始材料的錯誤和疏漏，則此次本會所資助的索引編纂計劃，當不止於嘉惠學林，便捷參考而已！今既欣見第一種索引編竣即將刊布行世，謹綴數言爲之序。

中華民國七十五年六月 陳 奇 祿 謹序於行政院文化建設委員會

序

七十二年八月，臺灣商務印書館決定影印國立故宮博物院所藏文淵閣四庫全書，余以其卷帙鉅大，所收四部之籍種類繁多，且每書之首鮮冠卷目，查閱匪易，爲期使此全書便於利用，而達文化傳播之功能，乃先擬具五年編纂三種索引計劃，承蒙行政院文化建設委員會核准資助，於七十三年六月開始，在中華文化復興運動推行委員會下，設置「四庫全書索引編纂小組」，徵集各大學文史系所畢業有志於整理國故之青年若干人充任編輯，及約雇工讀同學若干人，司抄寫之事，無定員，視工作進度隨時增減之。初租賃羅斯福路四段房屋一間充辦公處所，展開編輯工作，兩年後租約期滿，遷南昌路一段四十一號迄今。

七十三年七月籌備就緒，編輯工作展開，余發凡起例，同仁分配工作，自全書採擷資料，編製卡片，迄七十七年初告一段落，得資料卡片八十三萬餘張，於是分類排卡，編繕索引定本，先於七十五年出版「欽定遼金元三史國語解索引」一冊，繼於七十七年四月開始陸續校印「四庫全書文集篇目分類索引」迄七十八年三月，五巨冊全部出版竣事。

傳記資料之採編，原則以能供研究參考者爲主，凡全書中記載其姓名、里貫、及事履者皆予編製資料卡片，但載姓名而乏事履者不取。此類傳記資料以史部爲多，集部次之，經子兩部雖少，然亦不乏，共獲資料卡逾四十萬張。於文集篇目分類索引校印蕆事後，排比整合，猶盈三十萬條，先於七十九年五月出版傳記資料中之傳人字號檢索一冊，茲傳記資料索引二巨冊亦告編排校印竣工。溯自索引編輯工作展開以來，余以本身公務繁瑣，未克躬親參與，僅能略予指導，或爲之析疑解惑，幸賴諸同仁凜於貢獻文化之職責，不計待遇非薄，黽勉奮發，數年以成，終於有成，而始終綜理其事者陳仕華君，其功實有足多，余不過因人成事耳。際茲傳記資料索引出版之日，余謹略綴數語，弁諸簡首，以示對諸工作同仁之辛勞，聊表感謝之微忱。

中華民國八十年三月　孝感昌彼得謹識於士林外雙溪

四庫全書傳記資料索引 凡例

一、本索引依據民國七十五年臺灣商務印書館影印之文淵閣四庫全書編纂。

二、本索引取材以史部爲主。其他各部有傳記事蹟足敍者，皆摘取之。如文集中傳記文之傳主，亦悉收錄。

三、本索引以姓氏筆畫爲序。同一姓氏中，先單名後複名，各就其名之筆畫多寡排列。姓名後列朝代及出自某冊、某頁、某卷。爲節省篇幅，依據商務版之四庫全書冊碼爲冊數標示。至於各書名稱，則列對照表於凡例之後，以供參考。

四、本索引有正目、附目之分，玆說明如下：

1. 知姓名者，以姓名爲正目，而列其別姓名爲附目。
2. 以字行者，以字爲正目，而姓名爲附目。
3. 由於避諱而改姓名或由帝王賜姓名者，以通行姓名爲正目，原姓名爲附目。其中涉清諱者，皆予訂正，亦不另立附目。
4. 僧尼之名以法名爲正目，俗姓名爲附目。
5. 皇帝以稱號爲正目，並冠以國號，姓名則爲附目。
6. 宗室以姓名爲主而列其封號爲附目。
7. 婦女以姓名爲正目，而列其父若夫之名爲附目。
8. 有附目者，皆與正目互見，俾便尋檢。

五、同姓名者以朝代辨別。如又同朝，則以字號、籍貫等資料識別之。例：

楊　鏡明（謚節愍）　456-556-　7

楊　鏡明（林縣人）　538-　93-　64

六、本索引別附字號索引，以供查檢。

七、四庫著錄之書，卷帙浩繁，摘取編排資料，疏漏難免，尚祈方家不吝指教，是所幸甚。

引用全書冊次、頁碼、書名對照表

經　部

易　類

冊次	頁碼	書　　名
7	1	子夏易傳
	129	周易鄭康成註
	147	增補鄭氏周易
	185	陸氏易解
	201	周易註
	283	周易註疏
	584	附：周易略例
	603	周易集解
8	1	周易口訣義
	105	周易舉正
	125	易數鈎隱圖
	160	附：遺論九事
	169	周易口義
	449	繫辭
	547	卷末　說卦　序卦　雜卦
	565	溫公易說
	659	橫渠易說
	760	附:橫渠先生行狀
9	1	東坡易傳
	155	伊川易傳
	401	易學辨惑
	413	了齋易說
	459	吳園周易解
	569	附錄
	577	周易新講義
10	1	紫巖易傳
	263	讀易詳說
	459	易小傳
11	1	漢上易傳
	308	卦圖
	361	叢說
	395	周易窺餘
	597	易璇璣
	627	易變體義
12	1	周易經傳集解
	505	易原
	599	周易古占法
	609	周易章句外編
	625	原本周易本義
	705	別本周易本義
13	1	郭氏傳家易說
	275	周易義海撮要
	625	南軒義說
	681	復齋易說
14	1	楊氏易傳
	215	周易玩辭
	449	趙氏易說
	513	誠齋易傳
15	1	大易粹言
	753	易圖說
	779	古周易
	809	易傳燈
	851	易裨傳
	863	外篇
16	1	厚齋易學
	5	易輯注
	69	易輯傳
	593	易外傳
	819	附錄：先儒著述
17	1	童溪易傳
	379	周易總義
	621	西谿易說
	775	丙子學易編
	797	易通
18	1	周易卦爻經傳訓解
	107	易象意言
	123	周易要義
	303	易翼傳
	415	文公易說
19	1	易學啓蒙小傳
	17	附：易學啓蒙古經傳
	25	周易輯聞
	286	附：易雅
	317	筮宗
	349	用易詳解
	579	淙山讀周易
20	1	周易傳義附錄
	7	綱領
	31	圖說
	653	易學啓蒙通釋
	741	三易備遺
21	1	周易集說
	395	讀易舉要
	473	易象義
	479	卷首：易統論
	789	易圖通變
	821	易筮通變
22	1	讀易私言
	9	易附錄纂註
	199	周易啓蒙翼傳
	399	易纂言
	595	易纂言外翼
	697	易源奧義
	710	周易原旨
23	1	周易程朱傳義折衷
	447	周易衍義
24	1	易學濫觴
	17	大易緝說
	300	附：續刊大易緝說始末
	305	周易本義通釋
	577	周易本義集成
25	1	大易象數鈎深圖
	97	學易記
	417	周易集傳
	509	讀易考原
	537	易精蘊大義
26	1	易學變通
	69	周易會通
	609	附錄
	617	周易圖說
27	1	周易爻變易緼
	195	周易參義
	423	周易文詮

28	1	周易傳義大全
29	1	易經蒙引
30	1	讀易餘言
	95	啓蒙意見
	195	易經存疑
31	1	周易辯錄
	131	易像鈔
	421	周易象旨決錄
	651	易象鈎解
32	1	周易集註
	429	讀易紀聞
	585	葉八白易傳
33	1	讀易述
	559	像象管見
34	1	周易劄記
	2	卷首：易學啓蒙集略
	67	周易易簡說
	171	易義古象通
	369	周易像象述
	371	卷首：像象述金針
35	1	易用
	101	易象正
	457	兒易內儀以
	524	兒易外儀
	524	卷首：義例八明
	651	卦變考略
36	1	古周易訂詁
	379	附：解經處答客問
	383	周易玩辭困學記
37	1	易經通注
	201	日講易經解義
38	1	御纂周易折中
	595	御纂周易述義
39	1	讀易大旨
	2	卷首：總論
	133	周易稗疏
	161	附：考異
	165	易酌
	597	田間易學
40	1	易學象數論
	155	周易象辭
	678	附：周易尋門餘論
	734	圖學辯惑
41	1	周易筮述
	183	仲氏易
	479	推易始末
	519	春秋占筮書
	549	易小帖
42	1	易俟
	2	卷首：易俟圖
	261	讀易日鈔
	535	周易通論
	611	周易觀象
43	1	周易淺述
	317	周易淺述圖
	349	易原就正
44	1	大易通解
	565	附錄：讀啓蒙雜說
	581	易經衷論
	639	易圖明辨
45-46	1	合訂刪補大易集義粹言
47	1	周易傳註
	196	附：周易筮考
	209	周易劄記
	249	周易傳義合訂
	427	周易玩辭集解
	675	惠氏易說
48	1	周易函書約存
	399	周易函書約註
	817	周易函書別集
	819	易學須知
	859	易解辨異
	915	篝燈約旨
49	1	易箋
	239	學易初津
	287	易翼宗
	471	易翼說
50	1	周易孔義集說
	525	易翼述信
51	1	周易淺釋
	181	周易洗心
	383	豐川易說
	386	卷首通論
52	1	周易述
	301	易漢學
	371	易例
	421	易象大意存解
	451	大易擇言
53	1	周易辨畫
	421	周易圖書質疑
	671	周易章句證異
		附　錄
	821	乾坤鑿度
	840	易緯稽覽圖
	864	易緯辨終備
	866	周易乾鑿度
	884	易緯通卦驗
	899	易緯乾元序制記
	903	易緯是類謀
	909	易緯坤靈圖

書　類

冊次	頁碼	書名
54	1	尙書注疏
	451	洪範口義
	485	書傳
55	1	尙書全解
56	1	禹貢指南
	53	禹貢論
	108	禹貢後論
	117	禹貢山川地理圖
	169	尙書講義
	393	夏氏尙書詳解
57	1	禹貢說斷
	127	增修東萊書說
	467	尙書說
	601	五誥解
	627	絜齋家塾書鈔
58	1	書經集傳
	141	尙書精義
59	1	陳氏尙書詳解
	459	融堂書解
	647	洪範統一
60	1	尙書要義
	2	序說
	193	書集傳或問
	281	胡氏尙書詳解
	431	尙書表注
61	1	書纂言
	201	書集傳纂疏
	449	讀書叢說
	531	書傳輯錄纂註
62	1	尙書通考
	209	書蔡氏傳旁通
	443	讀書管見
	511	書義斷法
	580	附：作義要訣
	587	尙書纂傳
	885	尙書句解
63	1	書傳會選
	185	書經大全

冊次	頁碼	書名
	200	圖說
64	1	尚書考異
	99	尚書疑義
	221	尚書日記
	679	尚書砭蔡編
	703	尚書注考
	725	尚書疏衍
	797	洪範明義
65	1	日講書經解義
	375	欽定書經傳說彙纂
	375	書序
66	1	尚書稗疏
	127	尚書古文疏證
	523	附錄：朱子古文書疑
	543	古文尚書寃詞
	631	尚書廣聽錄
	687	尚書埤傳
	691	附：書經考異
	964	卷末：古文尚書逸篇
67	1	禹貢長箋
	5	卷首：圖
	211	禹貢錐指
	212	卷首：略例
	225	圖
68	1	洪範正論
	99	尚書七篇解義
	143	書經衷論
	217	尚書地理今釋
	249	禹貢會箋
	258	圖

附錄

冊次	頁碼	書名
	385	尚書大傳
	420	補遺
	425	書義矜式

詩類

冊次	頁碼	書名
69	1	詩序
	43	毛詩注疏
	48	卷首：毛詩譜附考證
	106	附：毛詩注疏原目
	112	毛詩注解傳述人
70	1	毛詩草木鳥獸蟲魚疏
	23	陸氏詩疏廣要
	169	毛詩指說
	181	詩本義
	301	附：鄭氏詩譜
	311	蘇氏詩集傳
	535	毛詩名物解
71	1	毛詩李黃集解
72	1	詩補傳
	433	詩總聞
	745	詩經集傳
73	1	慈湖詩傳
	321	呂氏家塾讀詩記
	799	續呂氏家塾讀詩記
74	1	絜齋毛詩經筵講義
	43	毛詩講義
	271	詩童子問
	421	段氏毛詩集解
	423	卷首：學詩總說
75	1	詩緝
	499	詩傳遺說
	597	詩考
	633	詩地理考
76	1	詩集傳名物鈔
	261	詩傳通釋
	789	詩傳旁通
77	1	詩經疏義會通
	2	綱領
	14	圖說
	531	詩經疑問
	566	附：詩辨說
	577	詩纘緒
78	1	詩演義
	191	詩解頤
	307	詩傳大全
	308	綱領
	326	朱子詩序辨說
79	1	詩說解頤
	505	讀詩私記
	549	詩故
80	1	六家詩名物疏
	5	引用書目
	11	提要
	579	重訂詩經疑問
81	1	詩經世本古義
82	1	待軒詩記
	5	卷首：學詩小箋總論
	37	讀詩略記
	338	卷首：論小序
83	1	欽定詩經傳說彙纂
	774	朱子詩序辨說
84	1	御纂詩義折中
	395	田間詩學
	769	詩經稗疏
85	1	詩經通義
	327	毛詩稽古編
86	1	詩所
	171	毛詩寫官記
	213	詩札
	233	詩傳詩說駁義
	275	續詩傳鳥名卷
	307	詩識名解
	543	詩傳名物集覽
87	1	詩說
	33	詩經箚記
	49	讀詩質疑
88	1	毛詩類釋
	197	續編
	211	詩疑辨證
	499	三家詩拾遺
	593	詩瀋
89	1	詩序補義
	5	卷首：綱領
	371	虞東學詩
	374	詩說

附錄

冊次	頁碼	書名
	775	韓詩外傳

禮類

一、周禮之屬

冊次	頁碼	書名
90	1	周禮注疏
91	1	周官新義
	176	附：考工記解
	197	周禮詳解
	603	周禮復古編
92	1	禮經會元
	185	太平經國書
	261	周官總義
93-94	1	周禮訂義
95	1	鬳齋考工記解
	105	周禮句解
	251	周禮集說
	761	周官集傳

96	1	周禮傳
	284	周禮圖說
	375	周禮翼傳
	483	周禮全經釋原
	1036	附錄：周禮通今續論
97	1	周禮註疏刪翼
98-99	1	欽定周官義疏
100	1	周禮述註
	541	周禮纂訓
101	1	周官集注
	387	禮說
	665	周官祿田考
	715	周禮疑義舉要

二、儀禮之屬

冊次	頁碼	書名
102	1	儀禮注疏
103	1	儀禮識誤
	31	儀禮集釋
	521	儀禮釋宮
104	1	儀禮圖
	315	儀禮旁通圖
	341	儀禮要義
105	1	儀禮逸經
	33	儀禮集說
	635	經禮補逸
	725	附錄
106-107	1	欽定儀禮義疏
108	1	儀禮鄭註句讀
	244	附:儀禮監本正誤
	249	儀禮石本誤字
	253	儀禮商
	283	附錄
	295	儀禮述註
109	1	儀禮析疑
	289	儀禮章句
	489	補饗禮
	499	禮經本義
	801	宮室考
	827	天子肆獻祼饋食禮
	883	儀禮釋宮增注
	899	儀禮小疏
110-111	1	儀禮集編
		附　錄
111	709	內外服制通釋
112-114	1	讀禮通考
	7	引用書目

三、禮記之屬

冊次	頁碼	書名
115-116	1	禮記註疏
116	537	月令解
117-120	1	禮記集說
121	1	禮記纂言
	679	陳氏禮記集說
122	1	禮記大全
	783	月令明義
	833	表記集傳
	921	附:春秋表記問業
	927	坊記集傳
	1003	附:坊記春秋問業
	1013	緇衣集傳
	1119	儒行集傳
123	1	日講禮記解義
124-126	1	欽定禮記義疏
127	1	深衣考
	15	陳氏禮記集說補正
	279	禮記述註
128	1	禮記析疑
	273	檀弓疑問
	287	禮記訓義擇言
	389	深衣考誤
		附　錄
	399	大戴禮記
	541	夏小正戴氏傳

四、三禮總義之屬

冊次	頁碼	書名
129	1	三禮圖集注
	285	三禮圖
	425	學禮質疑
	475	讀禮志疑
	569	郊社禘祫問
	585	參讀禮志疑

五、通禮之屬

冊次	頁碼	書名
130	1	禮書
131	1	儀禮經傳通解
131-132	605	儀禮經傳通解續
133-134	1	禮書綱目
134	578	附：論律呂
	612	深衣考誤
135-142	1	五禮通考

六、雜禮書之屬

冊次	頁碼	書名
142	457	書儀
	527	家禮
	579	附錄
	591	泰泉鄉禮
	663	朱子禮纂
	743	辨定祭禮通俗譜

春秋類

冊次	頁碼	書名
143-144	1	春秋左傳注疏
	9	諸家序
	35	附:春秋三傳注解傳述人
145	1	春秋公羊傳注疏
	535	春秋穀梁傳注疏
	863	箴膏肓
	869	起廢疾
	876	發墨守
146	1	春秋釋例
	375	春秋集傳纂例
	537	春秋集傳微旨
	595	春秋集傳辨疑
	685	春秋名號歸一圖
	719	春秋年表
147	1	春秋尊王發微
	127	春秋皇綱論
	159	春秋通義
	171	春秋權衡
	363	劉氏春秋傳
	485	劉氏春秋意林
	541	春秋傳說例
	551	孫氏春秋經解
148	1	蘇氏春秋集解
	107	春秋辨疑

	173	崔氏春秋經解
	335	附：春秋例要
	345	春秋本例
	459	春秋五禮例宗
	535	春秋通訓
149	1	葉氏春秋傳
	247	春秋考
	495	春秋三傳讞
	496	春秋左傳讞
	645	春秋公羊傳讞
	744	春秋穀梁傳讞
150	1	呂氏春秋集解
151	1	胡氏春秋傳
	8	春秋諸國興廢說
	11	春秋提要
	251	高氏春秋集註
	593	春秋後傳
152	1	左氏傳說
	4	卷首：看左氏規模
	143	左氏傳續說
	144	綱領
	295	左氏博議
153	1	春秋比事
	253	春秋左傳要義
154	1	春秋分記
	8	卷首：春秋分記例要
155	1	春秋講義
	175	春秋集義
	180	諸家姓氏事略
	184	綱領
156	1	張氏春秋集注
	3	綱領
	179	春秋王霸列國世紀編
	289	春秋通說
	457	洪氏春秋說
157	1	春秋經筌
	477	呂氏春秋或問
	664	附：春秋五論
158	1	春秋集傳詳說
	6	綱領
	509	讀春秋編
159	1	春秋集傳釋義大成
	3	諸家傳序
	13	綱領
	15	春秋世次圖說
	335	春秋纂言
	335	總例

	428	春秋纂言
	753	春秋提綱
	865	春秋諸國統紀
160	1	春秋本義
	6	春秋傳人名氏
	12	春秋綱領
	32	春秋本義通論
	35	春秋本義問答
	519	程氏春秋或問
161	1	三傳辨疑
162	1	春秋讞義
	163	春秋會通
	166	春秋諸傳序
	176	讀春秋綱領
163	1	春秋闕疑
164	1	春秋集傳
	253	春秋師說
	311	附錄
	327	春秋左氏傳補註
	413	春秋金鎖匙
	441	春秋屬辭
165	1	春秋胡傳附錄纂疏
	753	春秋春王正月考
	788	辨疑
	807	春秋書法鉤元
166	1	春秋大全
	3	序論
	19	諸國興廢說
	25	列國圖說
	26	二十國年表
167	1	春秋經傳辨疑
	37	春秋正傳
	674	附錄
	683	左傳附注
	746	後錄
	753	春秋胡氏傳辨疑
168	1	春秋明志錄
	323	春秋正旨
	335	春秋輯傳
	336	宗旨
	355	春秋凡例
169	1	春秋億
	83	春秋事義全考
	491	春秋左傳屬事
	937	春秋胡傳考誤
	953	左氏釋
	979	春秋質疑
170	1	春秋孔義

	155	春秋辯義
171	1	讀春秋略記
	3	卷首：總論
	227	春秋四傳質
	323	左傳杜林合注
	327	春秋提要
172	1	日講春秋解義
	11	總說
173	1	欽定春秋傳說彙纂
174	1	御纂春秋直解
	287	左傳杜解補正
	341	春秋稗疏
	385	春秋四傳糾正
	409	春秋平義
175	1	讀左日鈔
	231	讀左日鈔補
	263	左傳事緯
	620	附：左傳事緯前集
176	1	春秋毛氏傳
	409	春秋簡書刊誤
	441	春秋屬辭比事記
	479	春秋地名考略
	681	春秋管窺
177	1	三傳折諸
	1	左傳折諸
	537	公羊折諸
	642	穀梁折諸
	739	春秋闕如編
178	1	春秋宗朱辨義
	2	卷首：總論
	291	春秋通論
	351	春秋世族譜
	393	春秋長歷
	627	惠氏春秋說
179-180	1	春秋大事表
180	602	附錄
	614	讀春秋偶筆
	632	輿圖
181	1	春秋識小錄
	119	惠氏春秋左傳補註
	231	春秋左傳小疏
	247	春秋地理考實
	329	三正考
	347	春秋究遺
	351	春秋總說
	357	春秋比例
	661	春秋隨筆

附 錄

	697	春秋繁露

孝經類

册次	頁碼	書名
182	1	古文孝經孔氏傳
	19	附:宋本古文孝經
	23	孝經注疏
	85	孝經指解
	103	孝經刊誤
	111	孝經大義
	127	孝經定本
	141	孝經述註
	155	孝經集傳
	255	御定孝經注
	269	御纂孝經集註
	281	孝經問

五經總義類

册次	頁碼	書名
182	295	駁五經異義
	314	補遺
	325	鄭志
	355	經典釋文
183	1	公是七經小傳
	45	程氏經說
	137	六經圖
	455	六經正誤
	559	九經三傳沿革例
	579	融堂四書管見
	737	四如講稿
184	1	六經奧論
	3	總文
	123	明本排字九經直音
	245	五經說
	343	十一經問對
	433	五經蠡測
	539	簡端錄
	679	五經稽疑
	779	經典稽疑
185-189	1	欽定繙譯五經四書
185	3	御製繙譯易經
	9	周易圖說
	23	筮儀
	32	周易上下篇義
	212	御製繙譯書經
	405	御製繙譯詩經
186	1	御製繙譯禮記
187-189	1	御製繙譯春秋
	12	綱領
189	282	御製繙譯四書
	282	繙譯大學
	305	繙譯中庸
	340	繙譯論語
	452	繙譯孟子
190	1	七經孟子考文補遺
191	1	九經誤字
	7	經問
	221	經問補
	251	十三經義疑
	359	九經古義
	503	經稗
192	1	十三經注疏正字
193	1	朱子五經語類
	3	易
	372	書
	458	詩
	524	春秋
	557	禮
194	1	羣經補義
	61	經咫
	93	九經辨字瀆蒙
	353	古經解鉤沉
		附 錄
	807	古微書

四書類

册次	頁碼	書名
195	1	孟子注疏
	333	論語集解義疏
	525	論語注疏
196	1	論語筆解
	29	孟子音義
	45	論語拾遺
	53	孟子解
	63	論語全解
	229	孟子傳
	517	尊孟辨
	549	尊孟續辨
	564	尊孟辨別錄
197	1	四書章句集注
	3	大學章句
	14	論語集注
	90	孟子集注
	198	中庸章句
	215	四書或問
198	1	論孟精義
	4	綱領
	6	論語精義
	420	孟子精義
	555	中庸輯略
199	1	石鼓論語答問
	111	論語意原
	189	癸巳論語解
	321	癸巳孟子說
	553	蒙齋中庸講義
200	1	四書集編
	3	大學集編
	44	中庸集編
	100	論語集編
	238	孟子集編
	383	孟子集疏
	557	論語集說
	713	中庸指歸
	721	中庸分章
	737	大學發微
	740	大學本旨
201	1	四書纂疏
	1	大學纂疏
	77	中庸纂疏
	200	論語纂疏
	496	孟子纂疏
202	1	大學疏義
	35	論孟集註考證
	37	論語集註考證
	102	孟子集註考證
	149	四書集義精要
	331	四書辨疑
	529	讀四書叢說
203	1	四書通
	8	大學通
	40	中庸通
	105	論語通
	381	孟子通
	637	四書通證
	641	大學章句或問通證
	650	論語集註通證
	702	孟子集註通證
	734	中庸章句或問通證
	745	四書疑節

冊次	頁碼	書名
	891	四書經疑貫通
204	1	四書纂箋
	2	大學纂箋
	49	中庸纂箋
	125	論語纂箋
	302	孟子纂箋
	507	四書通旨
	675	四書管窺
	961	大學中庸集說啓蒙
	964	大學集說啓蒙
	1007	中庸集說啓蒙
205	1	四書大全
	2	大學章句大全
	49	大學或問
	103	論語集註大全
	529	孟子集註大全
	868	中庸章句大全
	948	中庸或問
206	1	四書蒙引
	728	四書蒙引別錄
	753	四書因問
207	1	問辨錄
	97	論語類考
	289	孟子雜記
	357	學庸正說
	431	論語商
	505	論語學案
	709	四書留書
208	1	日講四書解義
	649	四書近指
	831	孟子師說
	905	大學翼真
209	1	四書講義困勉錄
	839	松陽講義
210	1	榕村四書說
	2	大學古本說
	11	中庸章段
	27	中庸餘論
	42	讀論語箚記
	89	讀孟子箚記
	133	論語稽求篇
	207	四書賸言
	250	補
	277	大學證文
	315	四書釋地
	340	四書釋地續
	370	四書釋地又續
	435	四書釋地三續
	483	四書箚記
	521	此木軒四書說
	657	四書逸箋
	713	鄉黨圖考

樂　類

冊次	頁碼	書　名
211	1	皇祐新樂圖記
	23	樂書
212	1	律呂新書
	49	瑟譜
	93	韶舞九成樂補
	115	律呂成書
	189	苑洛志樂
	643	鐘律通考
213-214	1	樂律全書
215	1	御製律呂正義
	2	上編：正律審音
	91	下編：和聲定樂
	184	續編：協均度曲
215-218	223	御製律呂正義後編
219	1	欽定詩經樂譜全書
	918	附:欽定樂律正俗
220	1	古樂經傳
	97	古樂書
	197	聖諭樂本解說
	219	皇言定聲錄
	291	竟山樂錄
	339	李氏學樂錄
	369	樂律表微
	511	律呂新論
	547	律呂闡微
	549	卷首：皇言定聲
	687	琴旨
	687	卷首：御製文

小學類

一、訓詁之屬

冊次	頁碼	書　名
221	1	爾雅注疏
	237	爾雅註
	281	輶軒使者絕代語釋別國方言
	383	釋名
	425	廣雅
	471	匡謬正俗
222	1	羣經音辨
	59	埤雅
		附：音釋
	239	爾雅翼
	515	駢雅
	549	字詁
	585	續方言
	607	別雅

二、字書之屬

冊次	頁碼	書　名
223	1	急就篇
	63	說文解字
	385	說文繫傳
	791	說文繫傳考異
	843	附錄
	849	說文解字篆韻譜
224	1	重修玉篇
	237	附:玉篇反紐圖
	240	玉篇分毫字樣
	243	干祿字書
	251	五經文字
	295	九經字樣
	307	汗簡
	309	目錄敍略
	377	佩觿
	413	古文四聲韻
225	1	類篇
	503	歷代鐘鼎彝器款識法帖
	679	復古編
	749	班馬字類
	791	漢隸字源
226	1	六書故
	3	卷首：六書通釋
	619	字通
	647	龍龕手鑑
227	1	六書統
228	1	周秦刻石釋音
	17	字鑑
	75	說文字原
	106	六書正譌
	183	漢隸分韻
	285	六書本義
	289	綱領
	296	圖考
	375	奇字韻

冊次	頁碼	書名
	399	古音駢字
	432	古音駢字續編
	539	俗書刊誤
	587	字孿
229-231	1	御定康熙字典
	9	總目
	17	檢字
	31	辨似
	36	等韻
231	598	補遺
	632	備考
232-233	1	御製增訂清文鑑
233	315	補編
	448	總綱
	730	補編總綱
234	1	御製滿珠蒙古漢字三合切音清文鑑
235	1	欽定西域同文志
	431	隸辨
	845	篆隸考異

三、韻書之屬

冊次	頁碼	書名
236	1	原本廣韻
	223	重修廣韻
	433	集韻
237	1	切韻指掌圖
	44	附檢圖之例
	55	韻補
	133	附釋文互註禮部韻略
	300	附：貢舉條式
	333	增修互註禮部韻略
	587	增修校正押韻釋疑
	590	卷首：校正條例
	767	九經補韻
238	1	五音集韻
	357	古今韻會舉要
	364	韻母
	837	四聲全形等子
	853	經史正音切韻指南
239	1	洪武正韻
	241	古音叢目
	278	古音獵要
	294	古音餘
	323	古音附錄
	333	古音略例
	349	轉注古音略
	403	毛詩古音考
	519	屈宋古音義
240	1	御定音韻闡微
	13	卷首：韻譜
	359	欽定同文韻統
	449	欽定叶韻彙輯
	853	欽定音韻述微
241	1	音論
	33	詩本音
	143	易音
	167	唐韻正
	521	古音表
	535	韻補正
242	1	古今通韻
	297	易韻
	337	孫氏唐韻考
	438	古韻標準
	490	卷首：詩韻舉例

附　錄

冊次	頁碼	書名
	581	六藝綱目
	636	附錄：字原
	640	六藝綱目發原

史部

正史類

冊次	頁碼	書名
243-244	1	史記
244	964	補史記三皇本紀
	966	史記正義論例謚法解列國分野
245-246	1	史記集解
246	447	史記索隱
247-248	1	史記正義
	16	附：史記正義論例謚法解
248	421	讀史記十表
	673	史記疑問
249-251	1	前漢書
251	431	班馬異同
252-253	1	後漢書
253	735	補後漢書年表
	821	兩漢刊誤補遺
254	1	三國志
	13	魏志
	547	蜀志
	694	吳志
	937	三國史辨誤
	949	三國志補注
	1038	附：諸史然疑
255-256	1	晉書
256	1007	晉書音義
257-258	1	宋書
259	1	南齊書
260	1	梁書
	511	陳書
261-262	1	魏書
263	1	北齊書
	391	周書
264	1	隋書
265	1	南史
266-267	1	北史
268-271	1	舊唐書
272-276	1	新唐書
276	530	唐書釋音
	617	新唐書糾謬
277-278	1	舊五代史
	8	目錄
279	1	新五代史
	539	五代史纂誤
280-288	1	宋史
	5	目錄
289	1	遼史
	737	遼史拾遺
290-291	1	金史
292-295	1	元史
296	1	欽定遼金元三史國語解
	3	欽定遼史語解

冊次	頁碼	書名
	118	欽定金史語解
	244	欽定元史語解
297-302	1	明史

編年類

冊次	頁碼	書名
303	1	竹書紀年
	43	竹書統箋
	203	前漢紀
	491	後漢紀
	829	元經
	955	唐創業起居注
304-310	1	資治通鑑
311	1	資治通鑑考異
	317	資治通鑑釋例
	321	資治通鑑目錄
312	1	通鑑地理通釋
	217	通鑑釋文辨誤
	381	通鑑胡注舉正
	391	稽古錄
	527	資治通鑑外紀
	527	資治通鑑外紀目錄
313	1	皇王大紀
	779	中興小紀
314-322	1	續資治通鑑長編
323	1	綱目續麟
	3	綱目續麟凡例
	14	綱目續麟附錄
	439	綱目續麟彙覽
	513	綱目分註拾遺
	647	綱目訂誤
324	1	大事記
	98	大事記通釋
	124	大事記解題
325-327	1	建炎以來繫年要錄
328	1	九朝編年備要
	873	續宋編年資治通鑑
329	1	西漢年紀
	407	靖康要錄
	685	兩朝綱目備要
	961	宋季三朝政要
330-331	1	宋史全文
332	1	資治通鑑前編
	376	資治通鑑前編舉要
	435	通鑑續編
333-334	1	大事記續編
334	449	元史續編
335-339	1	御批歷代通鑑輯覽
339	737	附：明唐桂二王本末
340	1	御定資治通鑑綱目三編
341	1	皇清開國方略
	3	御製開國方略聯句
	23	卷首：發祥世紀
342-345	1	資治通鑑後編

紀事本末類

冊次	頁碼	書名
346-349	1	通鑑紀事本末
349	445	春秋左氏傳事類始末
	713	附錄
350-352	1	三朝北盟會編
352	481	蜀鑑
	603	炎徼紀聞
353	1	宋史紀事本末
	753	元史紀事本末
354	1	平定三逆方略
354-355	425	聖祖仁皇帝親征平定朔漠方略
	436	卷首：聖祖仁皇帝御製親征朔漠紀略
356	1	欽定平定金川方略
357-359	1	平定準噶爾方略
	1	前編
358	1	正編
359	506	續編
360-361	1	平定兩金川方略
	8	卷首：天章
	78	藝文
362	1	欽定剿捕臨清逆匪紀略
	233	欽定蘭州紀略
	234	卷首：天章
	487	欽定石峯堡紀略
	489	卷首：天章
363	1	欽定臺灣紀略
	3	卷首
	847	綏寇紀略
364	1	滇考
	117	明末紀事本末
365-368	1	繹史
	18	世系圖
	30	年表
369	1	左傳紀事本末
	557	平臺紀略
	584	附：東征集

別史類

冊次	頁碼	書名
370	1	逸周書
	65	東觀漢記
	225	建康實錄
371	1	隆平集
	205	古史
372-381	1	通志
382	1	東都事略
383	1	路史
	655	欽定重訂契丹國志
	805	欽定重訂大金國志
384	1	古今紀要
	385	蕭氏續後漢書
	688	義例
	689	附：續後漢書音義
385-386	1	郝氏續後漢書
386	589	春秋別典
387-391	1	御定歷代紀事年表
	2	三元甲子編年
392-401	1	欽定續通志
402	1	補歷代史表
	325	後漢書補逸
403	1	春秋戰國異辭
	8	春秋戰國通表
	1045	摭遺
404-405	1	尚史

雜史類

冊次	頁碼	書名
406	1	國語
	187	國語補音
	239	戰國策
	469	鮑氏戰國策注
407	1	戰國策校注
	337	貞觀政要
	555	渚宮舊事
	604	補遺
	609	東觀奏記
	631	五代史闕文
	641	五代史補
	685	北狩見聞錄
	695	松漠紀聞
	704	續
	713	燕翼詒謀錄
408	1	太平治迹統類
	797	咸淳遺事
	833	大金弔伐錄
	933	汝南遺事
	959	錢塘遺事
	1035	平宋錄
409-410	1	弇山堂別集
410	529	革除逸史
	549	欽定蒙古源流

詔令奏議類

一、詔令之屬

冊次	頁碼	書名
411	1	太祖高皇帝聖訓
	39	太宗文皇帝聖訓
	97	世祖章皇帝聖訓
	145	聖祖仁皇帝聖訓
412	1	世宗憲皇帝聖訓
413	1	世宗憲皇帝上諭八旗
	313	上諭旗務議覆
	483	諭行旗務奏議
414-415	1	世宗憲皇帝上諭內閣
416-425	1	世宗憲皇帝硃批諭旨
426	1	唐大詔令集
	971	兩漢詔令
	971	西漢詔令
	1062	東漢詔令

二、奏議之屬

冊次	頁碼	書名
427	1	范文正奏議
	73	包孝肅奏議集
	183	盡言集
	319	讜論集
	389	左史諫草
	404	附:左史呂公家傳
	411	監簿呂公家傳
	417	商文毅疏稿
	453	王端毅奏議
	705	馬端肅奏議
428	1	關中奏議
	559	胡端敏奏議
	749	楊文忠三錄
429	1	何文簡疏議
	263	垂光集
	289	孫毅菴奏議
	351	玉坡奏議
	409	南宮奏稿
	559	訥谿奏疏
	587	譚襄敏奏議
430	1	潘司空奏疏
	189	兩河經略
	249	兩垣奏議
	259	周忠愍奏疏
	303	張襄壯奏疏
	451	靳文襄奏疏
	451	治河題藁
	713	附：撫皖題藁
	729	華野疏稿
431-432	1	宋名臣奏議
433-442	1	歷代名臣奏議
443-444	1	名臣經濟錄
445	1	御選明臣奏議

傳記類

一、聖賢之屬

冊次	頁碼	書名
446	1	孔子編年
	57	東家雜記

二、名人之屬

冊次	頁碼	書名
446	95	晏子春秋
	161	魏鄭公諫錄
	209	李相國論事集
	251	杜工部年譜
	259	杜工部詩年譜
	273	紹陶錄
	305	金佗稡編
	528	金佗續編
447	1	象臺首末
	47	附錄
	55	魏鄭公諫續錄
	91	忠貞錄
	122	附錄
	127	諸葛忠武書
	227	寧海將軍固山貝子功績錄
	245	朱子年譜
	364	朱子年譜考異
	414	朱子論學切要語

三、總錄之屬

冊次	頁碼	書名
448	1	古列女傳
	74	續古列女傳
	85	高士傳
	115	卓異記
	123	春秋臣傳
	283	廉吏傳
	345	紹興十八年同年小錄
	411	伊洛淵源錄
449	1	宋名臣言行錄前集
	125	後集
	292	宋名臣言行錄續集
	362	別集
	642	外集
450	1	名臣碑傳琬琰之集
	2	上集
	225	中集
	668	下集
451	1	錢塘先賢傳贊
	19	慶元黨禁
	47	宋寶祐四年登科錄
	119	京口耆舊傳
	219	昭忠錄
	251	敬鄉錄

冊次	頁碼	書名
	409	唐才子傳
	497	元朝名臣事略
452	1	浦陽人物記
	37	古今列女傳
	121	殿閣詞林記
	421	嘉靖以來首輔傳
453	1	明名臣琬琰錄
	275	明名臣琬琰續錄
	503	今獻備遺
	723	百越先賢志
	763	元儒考略
454	1	欽定宗室王公功績表傳
	217	欽定外藩蒙古回部王公表傳
455-456	1	欽定八旗滿洲氏族通譜
456	393	欽定勝朝殉節諸臣錄
457	1	明儒學案
	4	發凡
458	1	中州人物考
	173	東林列傳
	484	卷末附：熹宗原本本紀
	519	儒林宗派
	591	明儒言行錄
	993	明儒言行錄續編
459	1	史傳三編
460	1	閩中理學淵源考

四、雜錄之屬

冊次	頁碼	書名
460	827	征南錄
	833	驂鸞錄
	847	吳船錄
	875	入蜀記
	923	西使記
	929	保越錄
	943	粵閩巡視紀略
	1125	松亭行紀
	1153	扈從西巡日錄

史鈔類

冊次	頁碼	書名
461	1	兩漢博聞
461-462	201	通鑑總類
462	483	南史識小錄
	574	北史識小錄

載記類

冊次	頁碼	書名
463	1	吳越春秋
	73	越絕書
	131	華陽國志
	305	鄴中記
	315	十六國春秋
	1105	別本十六國春秋
464	1	蠻書
	43	釣磯立談
	69	江南野史
	119	江南別錄
	131	江表志
	149	江南餘載
	163	三楚新錄
	175	錦里耆舊傳
	203	五國故事
	221	蜀檮杌
	247	馬氏南唐書
	383	陸氏南唐書
	492	南唐書音釋
	497	吳越備史
	576	補遺
	591	安南志略
465-466	1	十國春秋

附錄

冊次	頁碼	書名
466	367	朝鮮史略
	559	越史略

時令類

冊次	頁碼	書名
467	1	歲時廣記
	39	御定月令輯要
	45	卷首：圖說

地理類

一、宮殿簿之屬

冊次	頁碼	書名
468	1	三輔黃圖
	37	禁扁

二、總志之屬

冊次	頁碼	書名
468	131	元和郡縣志
469-470	1	太平寰宇記
471	1	元豐九域志
	233	輿地廣記
	521	方輿勝覽
472-473	1	明一統志
474-483	1	大清一統志

三、都會郡縣之屬

冊次	頁碼	書名
484	1	吳郡圖經續記
	53	乾道臨安志
	109	淳熙三山志
485	1	吳郡志
	337	新安志
	527	剡錄
486	1	會稽志
	440	會稽續志
	567	赤城志
487	1	寶慶四明志
	347	開慶四明續志
	493	海鹽澉水志
	523	景定嚴州續志
488-489	1	景定建康志
490	1	咸淳臨安志
491	1	至元嘉禾志
	267	昌國州圖志
	319	延祐四明志
	685	齊乘
	810	附：釋音
492	1	至大金陵新志
	653	無錫縣志
493	1	姑蘇志
494	1	武功縣志
	47	朝邑縣志
	61	嶺海輿圖
	97	滇略
	251	吳興備志
495-496	1	欽定熱河志
497-499	1	欽定日下舊聞考
499	451	欽定滿洲源流考
500	1	欽定皇輿西域圖志

冊次	頁碼	書名
	19	卷首：天章
501-503	1	欽定盛京通志
504-506	1	畿輔通志
507-512	1	江南通志
513-518	1	江西通志
	10	繪圖
519-526	1	浙江通志
527-530	1	福建通志
	15	圖
531-534	1	湖廣通志
535-538	1	河南通志
539-541	1	山東通志
	19	輿圖
542-550	1	山西通志
551-556	1	陝西通志
557-558	1	甘肅通志
559-561	1	四川通志
562-564	1	廣東通志
565-568	1	廣西通志
568	737	附：補纂
569-570	1	雲南通志
571-572	1	貴州通志
572	571	歷代帝王宅京記

四、河渠之屬

冊次	頁碼	書名
573	1	水經注
574	1	水經注集釋訂訛
575	1	水經注釋
	679	附錄
	706	水經注箋刊誤
576	1	吳中水利書
	15	四明它山水利備覽
	43	河防通議
	71	治河圖略
	83	浙西水利書
	137	河防一覽
	517	三吳水利錄
	562	附：續增
	567	北河紀
	724	北河紀餘
577	1	敬止集
	87	三吳水考
578	1	吳中水利全書
579	1	欽定河源紀略
	317	崑崙河源考
	347	兩河清彙
	348	圖
	485	居濟一得
	613	治河奏績書
	746	附：河防述言
	781	直隸河渠志
580-582	1	行水金鑑
583	1	水道提綱
	317	海塘錄

五、邊防之屬

冊次	頁碼	書名
584	1	籌海圖編
	443	鄭開陽雜著

六、山水之屬

冊次	頁碼	書名
585	1	南嶽小錄
	13	廬山記
	42	附：廬山略記
	45	赤松山志
	59	西湖遊覽志
	284	西湖遊覽志餘
	637	桂勝
	739	附：桂故
586	1	欽定盤山志
	337	西湖志纂

七、古蹟之屬

冊次	頁碼	書名
587	1	洛陽伽藍記
	53	吳地記
	66	吳地記後集
	73	長安志
	239	洛陽名園記
	249	雍錄
	405	洞霄圖志
	469	長安志圖
	513	汴京遺蹟志
588	1	武林梵志
	287	江城名蹟
	375	營平二州地名記
	401	金鼇退食筆記
	433	石柱記箋釋
	479	關中勝蹟圖志

八、雜記之屬

冊次	頁碼	書名
589	1	南方草木狀
	13	荆楚歲時記
	29	北戶錄
	63	桂林風土記
	79	嶺表錄異
	99	益部方物略記
	109	岳陽風土記
	125	東京夢華錄
	175	六朝事迹編類
	251	會稽三賦
	289	中吳紀聞
	365	桂海虞衡志
	389	嶺外代答
590	1	都城紀勝
	13	夢粱錄
	173	武林舊事
	301	增補武林舊事
	433	歲華紀麗譜
	438	附：牋紙譜
	440	蜀錦譜
	443	吳中舊事
	459	平江記事
	471	江漢叢談
	499	閩中海錯疏
591-592	1	蜀中廣記
592	735	益部談資
	759	顏山雜記
	827	嶺南風物記
	841	龍沙紀略
	861	臺海使槎錄
	985	東城雜記

九、遊記之屬

冊次	頁碼	書名
593	1	遊城南記
	17	河朔訪古記
	61	徐霞客遊記

十、外紀之屬

冊次	頁碼	書名
593	611	佛國記
	635	大唐西域記
	811	宣和奉使高麗圖經
	909	附：宋故尚書刑部員外郎徐公行狀
594	1	諸蕃志
	43	溪蠻叢笑
	53	眞臘風土記
	71	島夷志略
	105	朝鮮賦
	117	海語
	137	東西洋考
	279	職方外紀
	337	赤雅
	369	朝鮮志
	395	皇清職貢圖
	729	坤輿圖說
	793	異域錄
	847	海國聞見錄

職官類

一、官制之屬

冊次	頁碼	書名
595	1	唐六典
	295	翰林志
	303	麟臺故事
	341	翰苑羣書
	417	南宋館閣錄
	467	續錄
	549	玉堂雜記
596	1	宋宰輔編年錄
	753	祕書監志
	859	翰林記
597-598	1	禮部志稿
599	1	太常續考
	331	土官底簿
	421	詞林典故
600	1	欽定國子監志
601-602	1	欽定歷代職官表

二、官箴之屬

冊次	頁碼	書名
602	617	州縣提綱
	651	官箴
	657	百官箴
	705	晝簾緒論
	729	三事忠告
	761	御定人臣儆心錄

政書類

一、通制之屬

冊次	頁碼	書名
603-605	1	通典
606-607	1	唐會要
607	439	五代會要
608	1	宋朝事實
	239	建炎以來朝野雜記
	239	甲集
	449	乙集
609	1	西漢會要
	449	東漢會要
	779	漢制考
610-616	1	文獻通考
617-618	1	明會典
618	765	七國考
619	1	欽定大清會典
620-625	1	欽定大清會典則例
626-631	1	欽定續文獻通考
632-638	1	欽定皇朝文獻通考
639-641	1	欽定續通典
642-643	1	欽定皇朝通典
644-645	1	欽定皇朝通志
645	687	元朝典故編年考

二、儀制之屬

冊次	頁碼	書名
646	1	漢官舊儀
	16	補遺
	19	大唐開元禮
	897	諡法
647	1	政和五禮新儀
	36	政和御製冠禮
	85	政和五禮新儀目錄
648	1	紹熙州縣釋奠儀圖
	27	大金集禮
	309	大金德運圖說
	323	廟學典禮
649-650	1	明集禮
651	1	頖宮禮樂疏
	417	明臣諡考
	419	附：釋義
	458	訂誤
	463	明諡紀彙編
	603	明宮史
652	1	幸魯盛典
653-654	1	萬壽盛典初集
655	1	欽定大清通禮
656	1	皇朝禮器圖式
657	1	國朝宮史
	619	欽定滿洲祭神祭天典禮
658-659	1	欽定南巡盛典
660-661	1	八旬萬壽盛典
662	1	歷代建元考
	155	北郊配位尊西向議
	167	廟制圖考

三、邦計之屬

冊次	頁碼	書名
662	233	救荒活民書
	298	拾遺
	311	熬波圖
	365	錢通
663	1	捕蝗考
	13	荒政叢書
	203	附錄

冊次	頁碼	書名
	223	欽定康濟錄

四、軍政之屬

冊次	頁碼	書名
663	437	歷代兵制
	481	補漢兵志
	503	馬政紀
664-671	1	欽定八旗通志

五、法令之屬

冊次	頁碼	書名
672	1	唐律疏義
672-673	377	大清律例

六、考工之屬

冊次	頁碼	書名
673	399	營造法式
	699	補遺
	709	欽定武英殿聚珍版程式

目錄類

一、經籍之屬

冊次	頁碼	書名
674	1	崇文總目
	153	郡齋讀書志
	301	附志
	386	後志
	435	遂初堂書目
	491	子略
	525	直齋書錄解題
675	1	漢藝文志考證
	111	文淵閣書目
	231	授經圖義例
	335	欽定天祿琳琅書目
676	1	千頃堂書目
677-680	1	經義考

二、金石之屬

冊次	頁碼	書名
681	1	集古錄
	147	金石錄
	377	法帖刊誤
	395	法帖釋文
	427	籀史
	443	隸釋
	759	隸續
682	1	絳帖平
	37	石刻鋪敍
	61	法帖譜系
	73	蘭亭考
	155	蘭亭續考
	181	寶刻叢編
	517	輿地碑記目
	583	寶刻類編
683	1	古刻叢鈔
	25	名蹟錄
	83	附錄
	93	吳中金石新編
	223	金薤琳琅
	357	法帖釋文考異
	417	金石林時地考
	445	石墨鐫華
	514	附錄
	533	金石史
	559	欽定重刻淳化閣帖釋文
	659	求古錄
	701	金石文字記
	833	石經考
	853	萬氏石經考
684	1	來齋金石刻考略
	97	嵩陽石刻集記
	164	附：紀遺
	169	金石文考略
	447	分隸偶存
	503	淳化祕閣法帖考正
	643	竹雲題跋
	711	金石經眼錄
	765	石經考異

史評類

冊次	頁碼	書名
685	1	史通
	157	史通通釋
	462	附：新唐書劉知幾本傳
	469	唐鑑
	639	唐史論斷
	700	附錄
	703	唐書直筆
686	1	通鑑問疑
	13	三國雜事
	29	經幄管見
	75	涉史隨筆
	95	六朝通鑑博議
	185	宋大事記講義
	413	兩漢筆記
	571	舊聞證誤
	617	通鑑答問
687	1	歷代名賢確論
688	1	歷代通略
	109	附:歷代通略蒙求
	111	十七史纂古今通要
	337	學史
	451	史糾
689-691	1	御批資治通鑑綱目
692	1	御批資治通鑑綱目前編
	577	舉要
693-694	1	御批續資治通鑑綱目
694	417	評鑑闡要
	583	欽定古今儲貳金鑑

子部

儒家類

冊次	頁碼	書名
695	1	孔子家語
	115	荀子
	307	孔叢子
	359	附：連叢子
	369	新語
	387	新書
	475	鹽鐵論
696	1	說苑
	187	新序
	269	揚子法言
	355	潛夫論
	432	附:後漢書王符傳
	433	申鑒
	465	中論
	503	傅子
	521	中說
	587	帝範
	619	續孟子
	629	伸蒙子
	645	素履子
	657	家範

	725	帝學
	781	儒志編
	803	附錄
697	1	太極圖說述解
	15	西銘述解
	21	通書述解
	75	張子全書
	320	附錄
	333	注解正蒙
	411	正蒙初義
698	1	二程遺書
	263	附錄
	281	二程外書
	355	二程粹言
	439	公是弟子記
	473	節孝語錄
	497	儒言
	515	童蒙訓
	545	省心雜言
	565	上蔡語錄
	595	袁氏世範
	643	延平答問
	669	附錄
699	1	近思錄
	127	近思錄集註
	129	附說
	357	近思錄集註
	489	雜學辨
	516	附：記疑
	521	御定小學集註
700-702	1	朱子語類
703	1	戒子通錄
	109	知言
	150	附錄
	159	明本釋
	219	少儀外傳
	265	麗澤論說集錄
	457	曾子全書
	487	子思子全書
	509	通言
	553	木鍾集
704	1	經濟文衡
	1	前集
	157	後集
	315	續集
	497	大學衍義
705-706	1	西山讀書記
706	425	心經
	441	政經
	471	項氏家說
	561	附錄
	585	先聖大訓
707-708	1	黃氏日抄
709	1	北溪字義
	58	附：嚴陵講義
	63	準齋雜說
	91	性理羣書句解
	291	東宮備覽
	319	孔子集語
	351	朱子讀書法
	421	家山圖書
	457	讀書分年日程
	535	辨惑編
	588	附錄
	595	治世龜鑑
	617	管窺外篇
	721	內訓
	741	理學類編
710-711	1	性理大全書
711	541	讀書錄
	702	續錄
712-713	1	大學衍義補
714	1	居業錄
	111	楓山語錄
	134	附：行實
	137	東溪日談錄
	275	困知記
	317	續錄
	358	附錄
	373	讀書劄記
	451	士翼
	521	涇野子內篇
715	1	周子抄釋
	22	附錄
	31	張子抄釋
	107	二程子抄釋
	251	朱子抄釋
	281	中庸衍義
716	1	格物通
717	1	世緯
	27	呻吟語摘
	99	劉子遺書
	100	聖學宗要
	121	學言
	175	人譜
	186	人譜類記
	271	榕壇問業
	521	溫氏母訓
	531	御定資政要覽
	574	附：後序
	589	聖諭廣訓
	613	聖祖仁皇帝庭訓格言
	663	御製日知薈說
718-719	1	御定孝經衍義
719	347	御定內則衍義
	589	御纂性理精義
720-721	1	御纂朱子全書
722	1	欽定執中成憲
722-723	125	御覽經史講義
724	1	思辨錄輯要
	341	正學隅見述
	373	雙橋隨筆
725	1	榕村語錄
	477	讀朱隨筆
	561	三魚堂賸言
	627	松陽鈔存
	661	讀書偶記

兵家類

冊次	頁碼	書名
726	1	握奇經
	9	六韜
	43	孫子
	57	吳子
	65	司馬法
	71	尉繚子
	89	黃石公三略
	99	三略直解
	127	黃石公素書
	143	李衛公問對
	163	太白陰經
	235	武經總要
	235	前集
	583	後集
727	1	虎鈐經

冊次	頁碼	書名
	131	何博士備論
	175	守城錄
	177	靖康朝野僉言後序
	185	守城機要
	191	建炎德安守禦錄
	205	武編
	205	前集
	511	後集
	675	陣紀
728	1	江南經略
	487	紀效新書
	687	練兵實紀
	799	練兵雜紀

法家類

冊次	頁碼	書名
729	1	管子
	275	管子補注
	553	鄧子
	561	商子
	597	韓非子
	795	疑獄集
	822	補疑獄集
	861	折獄龜鑑
	969	棠陰比事
	988	附錄

農家類

冊次	頁碼	書名
730	1	齊民要術
	6	附：雜說
	169	農書
	193	附：蠶書
	195	農桑輯要
	291	農桑衣食撮要
	315	農書
	609	救荒本草
731	1	農政全書
	931	泰西水法
	979	野菜博錄
732	1	欽定授時通考

醫家類

冊次	頁碼	書名
733	1	黃帝內經素問
		附：釋文
	317	靈樞經
	429	難經本義
	435	附：彙考
	439	闕誤總類
	441	圖說
	509	鍼灸甲乙經
734	1	金匱要略論註
	201	傷寒論注釋
	307	附：傷寒明理論
	347	傷寒論方
	365	肘後備急方
	541	褚氏遺書
	549	巢氏諸病源候總論
735	1	備急千金要方
	945	銀海精微
736-737	1	外臺祕要方
738	1	顱顖經
	15	銅人鍼灸經
	51	明堂灸經
	97	博濟方
	217	蘇沈良方
	283	壽親養老新書
	417	脚氣治法總要
	439	旅舍備要方
	451	素問入式運氣論奧
	499	附：黃帝內經素問遺篇
	541	傷寒微旨論
	575	傷寒總病論
	661	附：傷寒論音訓
	663	修治藥法
739	1	聖濟總錄纂要
740	1	證類本草
741	1	全生指迷方
	49	小兒衞生總微論方
	375	類證普濟本事方
	469	太平惠民和劑局方
	706	指南總論
	745	傳信適用方
	813	衞濟寶書
742	1	醫說
	229	鍼灸資生經
	435	婦人大全良方
	447	辨識修製藥物法度
743	1	太醫局諸科程文格
	117	產育寶慶集
	149	三因極一病證方論
	433	集驗背疽方
	449	濟生方
	525	產寶諸方
744	1	仁齋直指
	570	附:仁齋傷寒類書
	665	急救仙方
	703	素問玄機原病式
	745	宣明方論
	847	傷寒直格方
	904	傷寒標本心法類萃
745	1	病機氣宜保命集
	99	儒門事親
	363	內外傷辯惑論
	401	脾胃論
	469	蘭室祕藏
	573	此事難知
	631	醫壘元戎
	909	湯液本草
746	1	瑞竹堂經驗方
	43	世醫得效方
	637	格致餘論
	675	局方發揮
	697	金匱鉤玄
	755	扁鵲神應鍼灸玉龍經
	799	外科精義
	863	脈訣刊誤
	924	附：脈書要語
	931	矯世惑脈論
	937	醫經溯洄集
747-761	1	普濟方
761	560	附：直音略
762	1	玉機微義
	571	仁端錄
763-764	1	薛氏醫案
765	1	推求師意
	41	鍼灸問對
	111	外科理例
	278	附方
	325	石山醫案
	386	附錄
	411	名醫類案
766	1	赤水玄珠
	1079	醫旨緒餘
767-771	1	證治準繩
772-774	1	本草綱目
	11	附圖

774	549	奇經八脈考
	571	瀕湖脈學
775	1	傷寒論條辨
	129	附：本草鈔
	140	或問
	149	痙書
	159	先醒齋廣筆記
	287	神農本草經疏
776	1	類經
	688	附：類經圖翼
	957	類經附翼
777-778	1	景岳全書
779	1	瘟疫論
	53	補遺
	63	痎瘧論疏
	97	本草乘雅半偈
780-782	1	御纂醫宗金鑑
783	1	尙論篇
	146	後編
	271	醫門法律
	604	附：寓意草
	699	傷寒舌鑑
	735	傷寒兼證析義
	779	絳雪園古方選註
	923	附：得宜本草
784-785	1	續名醫類案
785	343	蘭臺軌範
	557	神農本草經百種錄
	581	傷寒類方
	639	醫學源流論

天文算法類

二、推步之屬

冊次	頁碼	書名
786	1	周髀算經
	69	音義
	79	新儀象法要
	133	六經天文編
	221	原本革象新書
	273	重修革象新書
	311	七政推步
	449	聖壽萬年歷
	547	附錄
	556	附：律歷融通
	658	音義
787	1	古今律歷考
	755	乾坤體義
	807	表度說
	835	簡平儀說
	851	天問略
788-789	1	新法算書
789	815	測量法義
	833	測量異同
	837	句股義
	851	渾蓋通憲圖說
	925	圜容較義
	945	歷體略
	948	圖
790-791	1	御製歷象考成
	7	上編
	618	下編
791	1	表
792	1	御製歷象考成後編
793	1	欽定儀象考成
	2	奏議
	451	曉菴新法
	533	中星譜
	565	天經或問前集
	647	天步眞原
	661	天學會通
794-795	1	歷算全書
795	819	大統歷志
	961	勿菴歷算書記
	993	中西經星同異考
796	1	全史日至源流
	607	數學
	779	續數學

二、算書之屬

冊次	頁碼	書名
797	1	九章算術
	126	音義
	139	孫子算經
	161	數術記遺
	173	海島算經
	179	五曹算經
	193	五經算術
	227	夏侯陽算經
	251	張邱建算經
	303	緝古算經
	323	數學九章
798	1	測圓海鏡
	127	測圓海鏡分類釋術
	243	益古演段
	305	弧矢算術
	339	同文算指
	339	前編
	380	通編
	563	幾何原本
799-801	1	御製數理精蘊
	3	上編
799-800	198	下編
800-801	378	表
802	1	幾何論約
	91	數學鑰
	233	數度衍
	541	附：幾何約
	593	句股引蒙
	679	句股矩測解原
	697	少廣補遺
	717	莊氏算學
	859	九章錄要

術數類

一、數學之屬

冊次	頁碼	書名
803	1	太玄經
	100	釋音
	107	太玄本旨
	217	元包經傳
	242	附：元包數總義
	263	潛虛
	283	附：潛虛發微論
	291	皇極經世書
804	1	皇極經世索隱
	37	皇極經世觀物外篇衍義
	197	易通變
805	1	觀物篇解
	193	附：皇極經世解起數訣
	245	皇極經世書解
	667	易學

	697	洪範皇極內篇
806	1	天原發微
	9	附：各類圖
	23	問答節要
	313	大衍索隱
	371	易象圖說
	375	內篇
	407	外篇
	435	三易洞璣
	437	略例

二、占候之屬

冊次	頁碼	書名
807	1	靈臺祕苑
	159	唐開元占經

三、相宅相墓之屬

冊次	頁碼	書名
808	1	宅經
	11	葬書
	39	撼龍經
	58	疑龍經
	72	葬法倒杖
	83	青囊序
	89	青囊奧語
	91	天玉經
	91	內傳
	107	外編
	113	靈城精義
	153	催官篇
	189	發微論

四、占卜之屬

冊次	頁碼	書名
808	197	靈棋經
	269	焦氏易林
	439	京氏易傳
	471	六壬大全
	849	卜法詳考

五、命書相書之屬

冊次	頁碼	書名
809	1	李虛中命書
	29	玉照定眞經
	45	星命溯源
	105	珞琭子賦注
	157	珞琭子三命消息賦注
	177	三命指迷賦
	191	星命總括
	237	演禽通纂
	285	星學大成
810	1	三命通會
	693	月波洞中記
	713	玉管照神局
	759	太清神鑑
	823	人倫大統賦

六、陰陽五行之屬

冊次	頁碼	書名
810	855	太乙金鏡式經
	921	遁甲演義
	999	禽星易見
811	1	御定星歷考原
	109	欽定協紀辨方書
	110	奏議

藝術類

一、書畫之屬

冊次	頁碼	書名
812	1	古畫品錄
	7	書品
	13	續畫品
	17	貞觀公私畫史
	31	書譜
	37	書斷
	77	述書賦
	101	法書要錄
	277	歷代名畫記
	357	唐朝名畫錄
	375	墨藪
	416	附:法帖音釋刊誤
	421	畫山水賦
	424	附：筆法記
	427	思陵翰墨志
	433	五代名畫補遺
	445	宋朝名畫評
	477	益州名畫錄
	507	圖畫見聞誌
	571	林泉高致集
	590	附錄
	595	墨池編
	937	德隅齋畫品
813	1	畫史
	27	書史
	51	寶章待訪錄
	63	海嶽名言
	67	宣和畫譜
	207	宣和書譜
	315	山水純全集
	329	廣川書跋
	443	廣川畫跋
	503	畫繼
	553	續書譜
	563	寶眞齋法書贊
814	1	書苑菁華
	205	書小史
	283	書錄
	314	外篇
	317	竹譜
	419	畫鑒
	441	衍極
	475	附圖
	477	法書考
	541	圖繪寶鑑
	625	續編
	635	寓意編
	645	書史會要
	792	補遺
	810	續書史會要
815	1	珊瑚木難
	263	趙氏鐵網珊瑚
816	1	墨池瑣錄
	15	書畫跋跋
	112	續
	153	書訣
	189	繪事微言
	243	書法雅言
	263	寒山帚談
	317	附：拾遺
	323	寒山金石林甲乙表
	324	金石林緒論
	335	書法離鉤
	403	畫史會要
	587	書畫題跋記
	768	續題跋記
817	1	清河書畫舫
	511	眞蹟日錄
	607	清河書畫表
	613	書畫見聞表
	619	南陽書畫表
	620	法書表
	624	名畫表

冊次	頁碼	書名
818	1	珊瑚網
819-823	1	御定佩文齋書畫譜
	12	纂輯書籍
823	443	祕殿珠林
824-825	1	石渠寶笈
826	1	庚子銷夏記
	101	繪事備考
	321	書法正傳
	467	江村銷夏錄
827-829	1	式古堂書畫彙考
829	541	南宋院畫錄
830-838	1	六藝之一錄
838	547	續編
	701	小山畫譜
	741	傳神祕要

二、琴譜之屬

冊次	頁碼	書名
839	1	琴史
	71	松絃館琴譜
	139	松風閣琴譜
	164	附：抒懷操
	179	琴譜合璧

三、篆刻之屬

冊次	頁碼	書名
839	839	學古編
	850	附錄
	853	印典

四、雜技之屬

冊次	頁碼	書名
839	979	羯鼓錄
	989	樂府雜錄
	1001	棋經
	1009	棋訣

譜錄類

一、器物之屬

冊次	頁碼	書名
840	1	古今刀劍錄
	9	鼎錄
	15	嘯堂集古錄
	91	考古圖
	271	續考古圖
	351	釋文
	371	重修宣和博古圖
	1019	宣德鼎彝譜
	1066	附：宣爐博論
841-842	1	欽定西清古鑑
842	407	奇器圖說
	545	諸器圖說
843	1	文房四譜
	63	硯史
	73	歙州硯譜
	79	歙硯說
	83	辨歙石說
	87	端溪硯譜
	91	硯譜
	97	硯箋
	133	欽定西清硯譜
	625	墨譜法式
	649	墨經
	655	墨史
	677	墨法集要
844	1	欽定錢錄
	217	香譜
	239	陳氏香譜
	349	香乘

附　錄

冊次	頁碼	書名
	583	雲林石譜

二、飲饌之屬

冊次	頁碼	書名
844	609	茶經
	627	茶錄
	631	品茶要錄
	635	宣和北苑貢茶錄
	647	附：北苑別錄
	655	東溪試茶錄
	661	續茶經
	790	附錄
	807	煎茶水記
	813	北山酒經
	835	酒譜
	839	糖霜譜

三、草木禽魚之屬

冊次	頁碼	書名
845	1	洛陽牡丹記
	9	揚州芍藥譜
	15	劉氏菊譜
	29	史氏菊譜
	33	范村梅譜
	37	范村菊譜
	41	百菊集譜
	44	卷首：諸菊品目
	107	補遺
	121	金漳蘭譜
	133	海棠譜
	153	荔枝譜
	161	橘錄
	171	竹譜
	181	筍譜
	205	菌譜
845-847	207	御定佩文齋廣羣芳譜
847	677	禽經
	689	蟹譜
	703	蟹略
	733	異魚圖贊
	751	異魚圖贊箋
	815	異魚圖贊補
	845	閏集

雜家類

一、雜學之屬

冊次	頁碼	書名
848	1	鬻子
	19	墨子
	149	子華子
	181	尹文子
	193	慎子
	199	鶡冠子
	245	公孫龍子
	257	鬼谷子
	271	呂氏春秋
	505	淮南鴻烈解
	759	人物志
	791	金樓子
	881	劉子
	937	顏氏家訓
849	1	長短經
	213	兩同書
	227	化書
	253	昭德新編

冊次	頁碼	書名
	277	芻言
	295	樂菴語錄
	317	附：宋史李衡傳
	323	習學記言
	811	本語

二、雜考之屬

冊次	頁碼	書名
850	1	白虎通義
	75	獨斷
	97	古今注
	114	附：中華古今注
	143	資暇集
	167	刊誤
	185	蘇氏演義
	209	兼明書
	253	近事會元
	301	東觀餘論
	385	靖康緗素雜記
	431	猗覺寮雜記
	501	能改齋漫錄
	853	雲谷雜記
	855	卷首：書帖識語
	907	卷末：奏狀題跋
	913	西溪叢語
851	1	學林
	265	容齋隨筆
	401	續筆
	534	三筆
	662	四筆
	790	五筆
852	1	考古編
	67	演繁露
	208	續集
	253	緯略
	411	甕牖閒評
	483	芥隱筆記
	505	蘆浦筆記
	547	野客叢書
	801	附：野老紀聞
853	1	坦齋通編
	15	考古質疑
	69	經外雜鈔
	107	古今考
	129	續古今考
	629	潁川語小
	653	賓退錄
854	1	學齋佔畢
	61	鼠璞
	101	朝野類要
	137	困學紀聞
	507	識遺
	613	愛日齋叢鈔
	697	日損齋筆記
	708	附錄
855	1	丹鉛餘錄
	123	續錄
	226	摘錄
	325	總錄
	671	譚菀醍醐
856	1	藝彀
	41	補
	47	正楊
	159	疑耀
	299	名義考
	451	徐氏筆精
857	1	通雅
858	1	巵林
	251	補遺
	257	拾遺錄
	295	義府
	367	日知錄
859	1	藝林彙考
	8	棟宇篇
	105	服飾篇
	185	飲食篇
	254	稱號篇
	371	植物篇
	381	潛邱劄記
	567	湛園札記
	645	白田雜著
	781	樵香小記
860	1	義門讀書記
861	1	管城碩記
	431	訂譌雜錄
	519	識小編

三、雜說之屬

冊次	頁碼	書名
862	1	論衡
	349	風俗通義
	415	封氏聞見記
	467	尙書故實
	481	灌畦暇語
	499	春明退朝錄
	533	宋景文筆記
	555	東原錄
	577	王氏談錄
	595	麈史
	649	文昌雜錄
	704	補遺
	707	夢溪筆談
	858	補筆談
863	1	仇池筆記
	21	東坡志林
	99	珩璜新論
	141	晁氏客語
	171	師友談記
	191	楊公筆錄
	207	呂氏雜記
	237	冷齋夜話
	285	曲洧舊聞
	353	元城語錄解
	392	附：行錄
	401	孏眞子
	451	春渚紀聞
	535	石林燕語
		附：考異
	629	避暑錄話
	721	巖下放言
	747	卻掃編
	801	五總志
	821	紫微雜說
	849	辯言
864	1	墨莊漫錄
	103	寓簡
	171	欒城遺言
	181	東園叢說
	237	常談
	259	雲麓漫抄
	411	示兒編
	585	游宦紀聞
	643	密齋筆記
	686	續筆記
	691	梁谿漫志
	769	澗泉日記
865	1	老學庵筆記
	91	愧郯錄
	201	袪疑說
	221	琴堂諭俗編
	253	鶴林玉露
	405	補遺
	409	貴耳集
	430	二集

冊次	頁碼	書名
	449	三集
	469	吹劍錄外集
	505	脚氣集
	537	藏一話腴
	539	內編
	555	外編
	573	佩韋齋輯聞
	611	書齋夜話
	635	齊東野語
866	1	困學齋雜錄
	19	隱居通議
	283	湛淵靜語
	319	敬齋古今黈
	417	日聞錄
	433	勤有堂隨錄
	439	玉堂嘉話
	513	庶齋老學叢談
	561	研北雜志
	609	北軒筆記
	629	閒居錄
	645	雪履齋筆記
	657	霏雪錄
	699	蠡海集
	733	草木子
867	1	胡文穆雜著
	27	讕言長語
	69	蟫精雋
	189	震澤長語
	233	井觀瑣言
	255	南園漫錄
	327	雨航雜錄
	357	採芹錄
	419	畫禪室隨筆
	485	六研齋筆記
	569	二筆
	656	三筆
	741	物理小識
	743	總論
868-869	1	春明夢餘錄
869	309	居易錄
870	1	池北偶談
	379	香祖筆記
	543	分甘餘話
	597	古夫于亭雜錄

四、雜品之屬

冊次	頁碼	書名
871	1	洞天清錄
	31	負暄野錄
	45	雲煙過眼錄
	81	續錄
	85	格古要論
	115	竹嶼山房雜部
	329	遵生八牋
872	1	清祕藏
	31	長物志
	91	韻石齋筆談
	119	七頌堂識小錄
	129	硯山齋雜記

五、雜纂之屬

冊次	頁碼	書名
872	197	意林
	273	紺珠集
873	1	類說
874	1	事實類苑
875	1	仕學規範
	203	自警編
	463	言行龜鑑
876-882	1	說郛
883	1	玉芝堂談薈
884	1	元明事類鈔

六、雜編之屬

冊次	頁碼	書名
885	1	儼山外集
885-886	225	古今說海
886	165	少室山房筆叢正集
	511	鈍吟雜錄

類書類

冊次	頁碼	書名
887	1	古今同姓名錄
	37	編珠
	70	附：補遺
	110	續編珠
887-888	137	藝文類聚
889	1	北堂書鈔
	851	龍筋鳳髓判
890	1	初學記
	499	元和姓纂
891-892	1	白孔六帖
892	623	小名錄
	651	蒙求集註
	799	事類賦
893-901	1	太平御覽
	8	經史圖書綱目
902-919	1	册府元龜
920	1	事物紀原
	293	實賓錄
	455	書敍指南
921	1	海錄碎事
922	1	古今姓氏書辯證
	383	帝王經世圖譜
923	1	職官分紀
	893	歷代制度詳說
	989	八面鋒
924	1	錦繡萬花谷
	1	前集
	513	後集
	828	續集
925-929	1	古今事文類聚
	1	前集
926	1	後集
927	1	續集
	518	別集
928	1	附：古今事文類聚新集
929	1	外集
	328	古今事文類聚遺集
930-932	1	記纂淵海
933	1	名賢氏族言行類稿
934	1	羣書會元截江網
935	1	全芳備祖集
	3	前集
	266	後集
936-938	1	羣書考索
	1	前集
937	1	後集
938	1	續集
	685	別集

939-941	1	古今合璧事類備要
	8	前集
	552	後集
940	393	續集
941	1	別集
	444	外集
942	1	古今源流至論
	1	前集
	157	後集
	331	續集
	509	別集
943-948	1	玉海
948	268	附：辭學指南
	379	小學紺珠
	633	姓氏急就篇
	701	小字錄
	731	雞肋
	739	六帖補
949-950	1	翰苑新書
	3	前集
	536	後集上
	693	後集下
950	1	別集
	118	續集
951	1	韻府羣玉
952	1	純正蒙求
	61	排韻增廣事類氏族大全
	63	綱目
	593	名疑
953-955	1	荆川稗編
956-957	1	萬姓統譜
957	824	附：氏族博考
958-959	1	喻林
960-963	1	經濟類編
964	1	同姓名錄
	326	錄補
	341	說略
965-967	1	天中記
	46	附：週天大象賦
968-972	1	圖書編
972	850	附：章斗津先生行狀
973	1	駢志
974-978	1	山堂肆考
	510	補遺
979	1	古儷府
980-981	1	廣博物志
982-983	1	御定淵鑑類函
994-1004	1	御定駢字類編
1005-1007	1	御定分類字錦
1008-1010	1	御定子史精華
1011-1028	1	御定佩文韻府
1029-1030	1	御定韻府拾遺
1031-1032	1	格致鏡原
1033	1	讀書紀數略
1034	1	花木鳥獸集類
	113	別號錄
	215	宋稗類鈔

小說家類

一、雜事之屬

冊次	頁碼	書名
1035	1	西京雜記
	29	世說新語
	215	朝野僉載
	287	唐新語
	403	次柳氏舊聞
	411	唐國史補
	453	劉賓客嘉話錄
	469	因話錄
	507	明皇雜錄
	520	補遺
	527	大唐傳載
	541	教坊記
	551	幽閒鼓吹
	557	松窗雜錄
	563	雲谿友議
	619	玉泉子
	641	雲仙雜記
	695	唐摭言
	809	中朝故事
	823	金華子雜編
	843	開元天寶遺事
	867	鑑誡錄
	927	南唐近事
	941	附：鄭仲賢遺集
1036	1	北夢瑣言
	127	賈氏譚錄
	133	洛陽搢紳舊聞記
	175	南部新書
	265	王文正筆錄
	275	儒林公議
	315	涑水記聞
	469	澠水燕談錄
	531	歸田錄
	557	嘉祐雜誌
	579	東齋記事
	609	青箱雜記
	657	錢氏私志
1037	1	龍川略志
	38	別志
	61	後山談叢
	95	孫公談圃
	119	談苑
	155	畫墁錄
	179	甲申雜記
	191	聞見近錄
	211	隨手雜錄
	219	附：甲申聞見二錄補遺
	225	湘山野錄
	268	續錄
	283	玉壺野史
	355	侯鯖錄
	415	東軒筆錄
	507	泊宅編
	533	珍席放談
	551	鐵圍山叢談
	631	國老談苑
	645	道山清話
	673	墨客揮犀
1038	1	唐語林
	207	楓窻小牘
	235	南窻記談

	245	過庭錄
	273	萍洲可談
	313	高齋漫錄
	325	默記
	363	揮麈錄
	363	前錄
	400	後錄
	534	三錄
	566	餘話
	617	玉照新志
	681	投轄錄
	707	張氏可書
	715	聞見錄
1039	1	清波雜志
	92	別志
	127	雞肋編
	213	聞見後錄
	363	北窗炙輠錄
	399	步里客談
	407	桯史
	523	獨醒雜志
	587	耆舊續聞
	637	四朝聞見錄
1040	1	癸辛雜識
	1	前集
	31	後集
	60	續集
	111	別集
	165	隨隱漫錄
	199	東南紀聞
	223	歸潛志
	331	山房隨筆
	343	山居新話
	379	遂昌雜錄
	397	樂郊私語
	409	輟耕錄
1041	1	水東日記
	231	菽園雜記
	379	先進遺風
	425	觚不觚錄
	441	何氏語林

二、異聞之屬

冊次	頁碼	書名
1042	1	山海經
	85	山海經廣注
	245	穆天子傳
	265	神異經
	273	海內十洲記
	281	漢武故事
	289	漢武帝內傳
	299	洞冥記
	311	拾遺記
	365	搜神記
	469	搜神後記
	499	異苑
	553	續齊諧記
	561	還冤志
	573	集異記
	585	博異記
	597	杜陽雜編
	625	前定錄
	641	續錄
	649	桂苑叢談
	661	劇談錄
	697	宣室志
	779	補遺
	785	唐闕史
	823	甘澤謠
	835	附：東坡刪改圓澤傳
	839	開天傳信記
	849	稽神錄
	901	江淮異人錄
	915	茅亭客話
1043-1046	1	太平廣記
1047	1	分門古今類事
	197	陶朱新錄
	221	睽車志
	265	夷堅支志
	267	支甲
	327	支乙
	388	支丙
	450	支丁
	511	支戊

三、瑣記之屬

冊次	頁碼	書名
1047	573	博物志
	611	述異記
	637	酉陽雜俎
	769	續集
	837	清異錄
	931	續博物志

釋家類

冊次	頁碼	書名
1048	1	弘明集
		附音釋
	219	廣弘明集
	221	音釋
1049-1050	1	法苑珠林
		附：校譌
		音釋
1051	1	開元釋敎錄
1052	1	宋高僧傳
	425	法藏碎金錄
	611	道院集要
	639	禪林僧寶傳
	781	附:補禪林僧寶傳
	784	臨濟宗旨
	791	林間錄
	861	後集
	873	羅湖野錄
1053	1	五燈會元
1054	1	釋氏稽古略
	221	佛祖歷代通載

道家類

冊次	頁碼	書名
1055	1	陰符經解
	11	陰符經考異
	19	陰符經講義
	45	老子道德經
	75	道德指歸論
	137	老子道德經
	187	老子解
	239	道德寶章
	257	道德眞經註
	323	老子翼
	436	考異
	445	御定道德經註
	481	老子說略
	519	道德經註
	546	附：陰符經註
	551	關尹子
	573	列子
	651	沖虛至德眞經解
1056	1	莊子注
	169	南華眞經新傳
	350	拾遺

	355	莊子口義
1057	1	南華眞經義海纂微
1058	1	莊子翼
	278	附：莊子闕誤
	284	附錄
	305	文子
	371	文子纘義
	487	列仙傳
	509	周易參同契通眞義
	557	周易參同契考異
	581	周易參同契解
	625	周易參同契發揮
	733	釋疑
	749	周易參同契分章注
	811	古文參同契集解
1059	1	抱朴子內外篇
	1	內篇
	124	外篇
	253	神仙傳
	313	眞誥
	509	亢倉子
	527	亢倉子注
	549	玄眞子
	563	附：天隱子
	567	无能子
	583	續仙傳
1060-1061	1	雲笈七籤
1061	429	悟眞篇註疏
	517	附：直指詳說
	535	古文龍虎經註疏
	577	易外別傳
	597	席上腐談
	627	道藏目錄詳註

集部

楚辭類

冊次	頁碼	書名
1062	1	楚辭章句
	115	楚詞補注
	299	楚辭集注
	379	楚辭辯證
	402	楚辭後語
	455	離騷草木疏
	495	欽定補繪蕭雲從離騷全圖
	601	山帶閣註楚辭
	723	楚辭餘論
	772	楚辭說韻

別集類

冊次	頁碼	書名
1063	1	揚子雲集
	137	蔡中郎集
	231	孔北海集
	245	附錄
	263	曹子建集
	327	附：疑字音釋
	329	嵇中散集
	389	陸士龍集
	464	附：晉書本傳
	467	陶淵明集
	469	總論
	529	璇璣圖詩讀法
	563	鮑明遠集
	611	謝宣城集
	647	昭明太子集
	691	何水部集
	713	江文通集
1064	1	庾開府集箋註
	297	庾子山集
	791	徐孝穆集箋注
	792	附：陳書本傳
	925	徐孝穆集箋注卷六備考
1065	1	東皐子集
	24	附：東皐子集傳
	27	附錄
	29	寒山詩集
	56	附：豐干拾得詩
	61	王子安集
	182	附錄
	187	盈川集
	286	附錄
	293	盧昇之集
	341	駱丞集
	524	附錄
	527	陳拾遺集
	648	附錄
	661	張燕公集
1066	1	李北海集
	47	附錄
	57	曲江集
	219	李太白文集
	437	李太白集分類補註
1067	1	李太白集注
1068	1	九家集注杜詩
1069	1	補注杜詩
	5	傳序碑銘
	16	年譜辨疑
	32	集注杜詩姓氏
	663	集千家註杜工部詩集
1070	1	杜詩攟
	91	杜詩詳註
	1002	附：補註
1071	1	王右丞集箋注
	346	附錄
	373	高常侍集
	425	常建詩
	435	附錄
	437	孟浩然集
	471	儲光羲詩集
	509	次山集
	585	顏魯公集
	686	補遺
	697	年譜
	706	行狀
	717	神道碑
	723	宗玄集
	758	附：玄綱論
	770	南統大君內丹九章經
	772	吳尊師傳
	775	杼山集
1072	1	劉隨州集
	77	韋蘇州集
	159	毘陵集
	314	附:獨孤公神道銘
	317	蕭茂挺文集
	345	李遐叔文集
	441	錢仲文集
	503	華陽集
	562	附：顧非熊詩
	565	翰苑集
	797	權文公集
1073	1	韓集舉正
	113	外集舉正
	118	韓集舉正敍錄
	127	原本韓集考異
	261	別本韓文考異
	688	補遺
	694	外集
	733	附錄

1074	1	五百家注昌黎文集
	5	評論詁訓音釋諸儒名氏
1075	1	東雅堂昌黎集註
	6	遺文
	13	朱子校昌黎集傳
	490	外集註
	533	韓集點勘
	576	附：文道先生墓誌銘
	577	文道先生傳
1076	1	柳河東集
	446	外集
	464	新編外集
	469	柳河東集注
	850	別集注
	872	外集注
	888	柳河東集注附錄
1077	1	五百家註柳先生集
	3	看柳文綱目
	4	柳先生年譜
	12	評論詁訓諸儒名氏
	259	新編外集
	281	龍城錄
	291	附錄
	323	劉賓客文集
	517	外集
	595	呂衡州集
1078	1	張司業集
	63	皇甫持正集
	101	李文公集
	195	歐陽行周文集
	259	附錄
	265	李元賓文編
	294	外編
	311	孟東野詩集
	389	長江集
	437	昌谷集
	474	外集
	478	附：李長吉小傳
	481	箋註評點李長吉歌詩
	548	外集
	555	絳守居園池記
	573	補注
	575	附錄
	577	王司馬集
1079	1	沈下賢集
	79	追昔遊集

	107	會昌一品集
	241	李衞公別集
	305	李衞公外集
	334	附：李衞公本傳
	347	元氏長慶集
	638	補遺
	663	附錄
1080	1	白氏長慶集
1081	1	白香山詩集
	11	附：舊唐書白居易本傳
	21	白香山年譜
	29	舊本白文公年譜
	531	鮑溶詩集
	557	集外詩
	561	樊川文集
	695	姚少監詩集
1082	1	李義山詩集
	79	李義山詩集注
	228	附錄
	232	李義山詩譜
	237	李義山文集箋註
	447	溫飛卿詩集箋注
	555	丁卯詩集
	605	補遺
	619	文泉子集
1083	1	李羣玉詩集
	22	後集
	39	黎嶽集
	63	孫可之集
	95	麟角集
	123	附：省題詩
	127	曹祠部集
	144	附：曹唐詩
	153	文藪
	229	笠澤藂書
	269	補遺
	279	甫里集
	408	附錄
	417	咏史詩
	449	雲臺編
	487	司空表聖文集
	547	韓內翰別集
	549	附：新唐書本傳
	583	唐風集
1084	1	唐英歌詩
	43	玄英集

	83	附錄
	87	黃御史集
	183	附錄
	191	羅昭諫集
	287	徐正字詩賦
	327	白蓮集
	423	禪月集
	526	補遺
	531	浣花集
	576	補遺
	585	廣成集
1085	1	騎省集
	237	河東集
	347	附：行狀
	353	咸平集
	355	附:田司徒墓誌銘
	358	田司徒神道碑陰
	565	逍遙集
	575	乖崖集
	653	附錄
	667	忠愍集
1086	1	小畜集
	303	南陽集
	351	武夷新集
	615	林和靖集
1087	1	穆參軍集
	28	附錄遺事
	31	元獻遺文
	45	文莊集
	339	春卿遺稿
	346	附傳
	349	東觀集
	401	元憲集
1088	1	景文集
	609	文恭集
1089	1	武溪集
	215	安陽集
	551	范文正集
	769	別集
	797	補編
1090	1	河南集
	146	附錄
	157	孫明復小集
	181	徂徠集
	333	附錄
	337	端明集
1091	1	祠部集

	397	鐔津集
	641	祖英集
1092	1	蘇學士集
	127	蘇魏公文集
	761	伐檀集
1093	1	華陽集
	447	附錄
	497	古靈集
	705	附錄
1094	1	傳家集
	739	清獻集
1095	1	盱江集
	4	李直講年譜
	336	外集
	351	金氏文集
	401	公是集
1096	1	彭城集
	393	邕州小集
	405	都官集
	553	丹淵集
	801	拾遺
1097	1	西溪集
	109	鄖溪集
	379	錢塘集
1098	1	淨德集
	289	安岳集
	345	元豐類藁
	778	附錄
	791	龍學文集
	882	附：源流始末
1099	1	宛陵集
	429	附錄
	439	拾遺
	443	忠肅集
	679	無爲集
1100	1	王魏公集
	83	范太史集
	573	潞公文集
1101	1	擊壤集
	173	鄱陽集
	325	曲阜集
	415	周元公集
	503	南陽集
	766	附錄
	770	行狀
	779	節孝集
1102-1103	1	文忠集
	6	四朝國史本傳
	11	年譜
1103	580	附錄
1103	643	歐陽文粹
1104	1	樂全集
	517	附錄
	541	范忠宣集
	735	奏議
	787	遺文
	810	附錄
	815	補編
	845	嘉祐集
	976	附錄
1105	1	臨川文集
1106	1	王荊公詩注
	392	補遺
	393	廣陵集
	563	附錄
1107-1108	1	東坡全集
	7	附：宋史本傳
	19	東坡先生墓誌銘
	28	東坡先生年譜
1109	1	東坡詩集註
1110	1	施註蘇詩
	49	卷首注蘇例言
	56	王注正譌
	63	注蘇姓氏
	66	宋史本傳
	78	東坡先生墓誌銘
	87	東坡先生年譜
	696	蘇詩續補遺
1111	1	蘇詩補註
	12	年表
	19	采輯書目
1112	1	欒城集
	585	欒城後集
	783	欒城第三集
	844	欒城應詔集
1113	1	山谷集
	5	內集
	320	外集
	539	別集
	741	詞
	769	簡尺
	819	年譜
1114	1	山谷內集詩注
	235	山谷外集詩注
	481	山谷別集詩注
	511	後山集
	741	后山詩注
1115	1	柯山集
	427	淮海集
	653	後集
	686	長短句
	701	濟南集
1116	1	參寥子詩集
	91	寶晉英光集
	143	石門文字禪
	571	青山集
	753	附錄
	757	青山續集
1117	1	畫墁集
	55	陶山集
	199	倚松詩集
	263	長興集
	361	西塘集
	503	附錄
	515	雲巢編
1118	1	景迂生集
	407	雞肋集
1119	1	樂圃餘藁
	56	附錄
	60	補遺
	63	龍雲集
	334	附錄
	339	雲溪居士集
1120	1	演山集
	391	姑溪居士前集
	628	後集
1121	1	潏水集
	161	道鄉集
	533	學易集
	627	游廌山集
1122	1	西臺集
	257	樂靜集
	415	北湖集
	473	溪堂集
	559	竹友集
	615	日涉園集
1123	1	灌園集
	193	慶湖遺老詩集
	277	拾遺
	289	補遺

	293	附錄
	297	摛文堂集
	485	附錄
	491	襄陵文集
	599	浮沚集
	695	東堂集
1124	1	給事集
	57	劉左史集
	113	竹隱畸士集
	271	眉山集
	272	眉山詩集
	322	眉山文集
	395	洪龜父集
	421	跨鼇集
	657	忠愍集
	693	附錄
	695	忠肅集
1125	1	宗忠簡集
	101	龜山集
1125-1126	491	梁谿集
1126	869	年譜
	882	行狀
1127	1	初寮集
	163	橫塘集
	353	西渡集
	368	補遺
	369	附錄
	377	老圃集
	397	丹陽集
	669	毘陵集
1128	1	浮溪集
	335	浮溪文粹
	423	附錄
	429	莊簡集
	635	忠正德文集
1129	1	東窗集
	181	忠惠集
	304	附錄
	319	松隱集
	587	建康集
	663	簡齋集
1130	1	北山集
	403	檆溪居士集
	583	筠谿集
	829	樂府
	842	附:筠谿李公家傳
1131	1	華陽集
	257	忠穆集
	339	紫微集
1132	1	苕溪集
	297	東牟集
	521	相山集
	757	三餘集
1133	1	大隱集
	115	龜谿集
	257	栟櫚集
	373	默成文集
	391	鄱陽集
	425	韋齋集
	429	卷首行狀
	548	附：玉瀾集
	561	澹齋集
	760	附錄
	763	陵陽集
	809	灊山集
1134	1	雲溪集
	97	盧溪文集
	341	脫藁
	342	附錄
	351	屏山集
	521	北海集
	809	附錄
1135	1	鴻慶居士集
	467	內簡尺牘
	577	崧菴集
	641	豫章文集
	644	年譜
	783	藏海居士集
1136	1	和靖集
	63	王著作集
	109	郴江百詠
	121	雙溪集
	283	少陽集
	333	歐陽修撰集
	416	附:歐陽修撰事蹟
	427	東溪集
	454	附錄
	459	岳武穆遺文
	473	茶山集
	547	雪溪集
	581	蘆川歸來集
	671	附錄
	679	東萊詩集
1137	1	澹菴文集
	58	附錄
	87	五峰集
	257	斐然集
	755	大隱居士詩集
	785	浮山集
1138	1	北山集
	293	橫浦集
	445	湖山集
	585	文定集
	825	縉雲文集
	895	附錄
1139	1	嵩山集
	299	默堂集
	541	知稼翁集
	615	唯室集
	656	附錄
	661	漢濱集
1140	1	香溪集
	189	鄭忠肅奏議遺集
	225	雲莊集
	307	竹軒雜著
	369	拙齋文集
	532	拾遺
	535	附錄
	539	于湖集
	755	附錄
1141	1	太倉稊米集
	505	夾漈遺稿
	529	鄮峰眞隱漫錄
1142	1	海陵集
	193	燕堂詩稿
	207	竹洲集
	297	附：棣華雜著
	303	高峯文集
	461	羅鄂州小集
	541	附錄
	551	艾軒集
	654	附錄
1143-1146	1	晦庵集
1146	424	續集
	544	別集
1147-1149	1	文忠集
1149	286	附錄
	343	雪山集
	509	梁谿遺稿
	529	方舟集
	853	網山集

1150	1	東萊集
	162	別集
	366	外集
	440	附錄
	493	止齋集
	918	附錄
1151	1	格齋四六
	45	梅溪集
	50	廷試策
	63	奏議
	109	梅溪前集
	302	後集
	634	附:有宋龍圖閣學士王公墓誌銘
	639	香山集
	751	蒙隱集
	779	宮教集
1152	1	倪石陵書
	27	樂軒集
	119	定庵類稿
	197	澹軒集
1152-1153	263	攻媿集
1154	1	尊白堂集
	141	東塘集
	405	涉齋集
	537	義豐集
	571	蠹齋鉛刀編
	690	附：拾遺詩
1155	1	乾道稿
	17	淳熙稿
	332	章泉稿
	411	雙溪類稾
	759	止堂集
1156	1	緣督集
	237	象山集
	500	外集
	540	附：語錄
	605	慈湖遺書
	927	附錄
1157	1	絜齋集
	331	雲莊集
	507	舒文靖集
	563	定齋集
1158	1	九華集
	218	附錄
	223	野處類稾
	243	盤洲文集
	792	附錄
1159	1	應齋雜著
	69	芸庵類稾
	143	浪語集
	593	石湖詩集
1160-1161	1	誠齋集
1162-1163	1	劍南詩稾
1163	307	渭南文集
	710	放翁逸稿
	727	放翁詩選
	729	前集
	769	後集
	802	別集
1164	1	金陵百詠
	17	頤菴居士集
	33	水心集
	527	南湖集
1165	1	南澗甲乙稿
	379	自鳴集
	427	客亭類稿
	549	石屏詩集
	551	卷首：東臯子詩
	661	蓮峯集
1166	1	江湖長翁集
	521	燭湖集
	764	附編
1167	1	昌谷集
	271	省齋集
	402	附：原跋十七首
	407	附錄
	413	南軒集
1168	1	勉齋集
	501	北溪大全集
	896	外集
1169	1	山房集
	123	後稾
	133	橘山四六
	423	竹齋詩集
	455	附錄
	463	後樂集
1170	1	華亭百詠
	11	梅山續稾
	119	菊磵集
	142	附：林湖遺稿
	144	江邨遺稿
	146	疎寮小集
	151	性善堂稿
	275	漫塘集
1171	1	克齋集
	145	芳蘭軒集
	159	二薇亭詩集
	171	西巖集
	189	清苑齋詩集
	205	瓜廬集
	221	洺水集
	497	龍川集
1172	1	龍洲集
1172-1173	75	鶴山集
1174	1	西山文集
1175	1	方泉詩集
	39	東山詩選
	63	白石道人詩集
	85	附：集外詩
	86	諸賢酬贈詩
	89	野谷詩稿
	133	平齋集
	331	蒙齋集
	573	康範詩集
	584	附：康範續錄
	586	康範實錄
	597	附錄外集
	599	清獻集
1176	1	鶴林集
	397	東澗集
	565	方是閒居士小稿
	625	翠微南征錄
	687	浣川集
	769	漁墅類稿
	845	安晚堂集
	889	滄洲塵缶編
1177	1	四六標準
1178	1	篔窻集
	89	友林乙稿
	117	方壺存稿
	145	鐵菴集
	333	壺山四六
	365	默齋遺稿
	389	履齋遺稿
	391	附：宋史本傳
	441	臞軒集
	683	東野農歌集
	703	敝帚稾略
	805	清正存稿

	946	附錄
1179	1	寒松閣集
	27	滄浪集
	69	泠然齋詩集
	163	可齋雜藁
	503	續藁前
	568	續藁後
1180	1	後村集
	563	澗泉集
1181	1	矩山存稿
	53	附錄
	61	雪窗集
	62	本傳
	100	附錄
	113	文溪集
	230	附錄
	235	庸齋集
	305	彝齋文編
	369	張氏拙軒集
	441	玉楮集
	501	靈巖集
	599	楳埜集
1182	1	恥堂存稿
	131	秋崖集
	617	芸隱橫舟稿
	627	芸隱勌游稿
	639	蒙川遺稿
	689	雪磯叢稿
1183	1	北磵集
	175	西塍集
	187	梅屋集
	213	孝詩
	253	字溪集
	429	附錄
	473	勿齋集
	501	巽齋文集
1184	1	雪坡集
	359	文山集
	805	文信國集杜詩
	843	疊山集
1185	1	本堂集
	525	端平詩雋
	553	竹溪鬳齋十一藁續集
1186	1	魯齋集
	293	潛山集
	401	須溪集
	637	須溪四景詩集
	663	葦航漫遊稿
	719	蘭皐集
	737	雲泉詩
	765	嘉禾百咏
	783	柳塘外集
1187	1	碧梧玩芳集
	181	四明文獻集
	275	覆瓿集
	323	閬風集
	449	北遊集
	475	秋堂集
	490	附錄
	495	蛟峯文集
	582	附：山房遺文
	592	蛟峯外集
	625	山房外集
	627	秋聲集
1188	1	牟氏陵陽集
	221	湖山類稿
	251	水雲集
	273	附錄
	281	晞髮集
	330	晞髮遺集
	343	遺集補
	346	附:天地間集
	349	西臺慟哭記註
	361	冬青樹引註
	365	潛齋集
	518	附：家傳
	520	鐵牛翁遺稿
	531	梅巖文集
	591	四如集
	683	拾遺
	687	霽山文集
	761	勿軒集
	841	古梅遺稿
1189	1	佩韋齋集
	167	廬山集
	221	英溪集
	233	西湖百詠
	273	則堂集
	365	富山遺稿
	447	眞山民集
	463	百正集
	489	月洞吟
	501	伯牙琴
	521	補遺
	525	存雅堂遺稿
	561	吾汶藁
	629	在軒集
	653	紫巖詩選
	687	九華詩集
	711	附：釋希坦詩
	713	寧極齋稿
	734	附：愼獨叟遺稿
	739	自堂存藁
	783	仁山文集
	835	心泉學詩稿
1190	1	拙軒集
	55	滏水集
	267	滹南集
	515	續編詩
	519	莊靖集
1191	1	遺山集
	471	附錄
	487	湛然居士集
	633	藏春集
	691	附錄
	703	淮陽集
	717	附錄：詩餘
1192	1	陵川集
	471	歸田類稿
	663	白雲集
1193	1	稼村類藁
	219	桐江續集
	729	野趣有聲畫
	777	月屋漫稿
1194	1	剡源文集
	397	剩語
	429	養蒙文集
	527	牆東類稿
1195	1	青山集
	115	桂隱文集
	207	附錄
	213	桂隱詩集
	335	水雲村稾
	507	巴西集
	579	屛巖小稿
	627	玉斗山人集
	659	谷響集
	739	竹素山房詩集
	763	附錄
1196	1	紫山大全集
	487	松鄉集
	597	松雪齋集
	745	外集
1197	1	吳文正集

	923	附錄
1198	1	金淵集
	63	山村遺集
	87	湛淵集
	104	附：元故湛淵先生白公墓銘
	107	牧潛集
	159	小亨集
	219	還山遺稿
	221	考歲略
	256	附錄
	273	魯齋遺書
	481	靜修集
	668	續集
	689	青崖集
1199	1	養吾齋集
	323	存悔齋稿
	351	附遺
	355	雙溪醉隱集
	493	東庵集
	529	白雲集
	605	附錄
	609	畏齋集
	707	默庵集
	735	雲峯集
1200-1201	1	秋澗集
1201	401	牧庵集
	770	附：年譜
1202	1	雪樓集
	464	附：元史本傳
	466	年譜
	475	曹文貞公詩集
	535	後錄
	543	芳谷集
	613	陳剛中詩集
	662	附錄
	673	秋巖詩集
	693	玉井樵唱
	727	蘭軒集
1203	1	清容居士集
1204	1	此山詩集
	55	霞外詩集
	171	申齋集
	361	西巖集
	525	蒲室集
1205	1	弁山小隱吟錄
	57	續軒渠集
	148	附錄
	151	定宇集
	152	年表
	427	別集
	451	艮齋詩集
	523	知非堂稿
	595	雲林集
	667	梅花字字香
	669	前集
	676	後集
1206	1	中庵集
	201	文忠集
	263	靜春堂詩集
	295	惟實集
	362	附錄
	377	勤齋集
	459	石田文集
	653	附錄
	659	榘菴集
1207	1	道園學古錄
	707	道園遺稿
1208	1	楊仲弘集
	67	范德機詩集
	149	文安集
	301	補遺
	303	翠寒集
	335	檜亭集
	391	伊濱集
1209	1	淵穎集
	210	附錄
	215	文獻集
1210	1	圭齋文集
	172	附錄
	177	待制集
	527	附錄
	543	所安遺集
	567	閑居叢稿
1211	1	至正集
	574	附：元史本傳
	579	圭塘小藁
	684	別集
	717	續集
1212	1	禮部集
	302	附錄
	311	積齋集
	367	燕石集
	523	秋聲集
	565	雁門集
	665	杏庭摘槀
1213	1	安雅堂集
	181	傅與礪詩文集
	181	詩集
	298	文集
	364	附錄
	373	瓢泉吟稿
	427	筠軒集
	597	俟菴集
	600	墓志銘
	832	附錄
1214	1	滋溪文稿
	361	青陽集
	427	鯨背吟集
	433	經濟文集
	505	近光集
	542	扈從集
	551	純白齋類稿
	687	圭峯集
	754	附錄
1215	1	蛻菴集
	91	五峰集
	185	野處集
	227	夢觀集
	261	金臺集
	307	子淵詩集
	355	午溪集
	419	葯房樵唱
	451	附錄
	459	栲栳山人詩集
	491	梅花道人遺墨
	509	玩齋集
	723	拾遺
	738	附錄
1216	1	羽庭集
	121	不繫舟漁集
	272	附錄
	277	居竹軒詩集
	351	句曲外史集
	389	附錄
	394	補遺
	411	附
	421	僑吳集
	614	附錄
	619	詠物詩
	635	鹿皮子集
	699	林外野言
	725	傲軒吟稿

冊次	頁碼	書名
1217	1	師山集
	67	師山遺文
	101	附錄
	129	友石山人遺稿
	143	聞過齋集
	253	學言稿
	317	北郭集
	354	補遺
	361	附：述古齋集
	365	玉笥集
	473	青村遺稿
	493	鶴年詩集
	543	附：丁孝子傳
	547	貞素齋集
	668	附錄
	685	一山文集
	795	江月松風集
1218	1	龜巢稿
	457	石初集
	535	山窗餘稿
	563	梧溪集
1219	1	吾吾類稿
	45	樵雲獨唱
	123	桐山老農集
	155	靜思集
	253	九靈山房集
	256	年譜
	608	補編
	617	灤京雜咏
	629	雲陽集
1220	1	南湖集
	49	佩玉齋類藳
	127	玉山璞稿
	151	清閟閣全集
	357	麟原文集
	357	前集
	455	後集
	566	附錄
	569	來鶴亭集
	615	補遺
	621	雲松巢集
	649	環谷集
1221	1	性情集
	43	花谿集
	111	樗隱集
	159	東山存稿
	365	附：東山趙先生汸行狀
	373	東維子集
	709	附錄
1222	1	鐵崖古樂府
	79	樂府補
	123	復古詩集
	145	麗則遺音
	176	附錄
	181	夷白齋藳
	356	外集
	395	庸菴集
	499	可閒老人集
	619	石門集
	667	玉笥集
1223	1	明太祖文集
1223-1224	235	文憲集
1224	563	宋景濂未刻集
1225	1	誠意伯文集
	493	鳳池吟稿
	567	陶學士集
	809	西隱集
	922	附錄
1226	1	王忠文集
	515	翠屏集
	647	說學齋稿
	755	雲林集
	773	白雲集
1227	1	林登州集
	200	附錄
	205	槎翁詩集
	563	東臯錄
	649	覆瓿集
	725	附錄
	733	柘軒集
1228	1	白雲稿
	77	密菴集
	179	清江詩集
	290	文集
	509	蘇平仲文集
1229	1	胡仲子集
	139	始豐稿
	385	王常宗集
	431	補遺
	437	續補遺
	445	白石山房逸藳
	468	附錄
	475	滄螺集
	513	臨安集
	563	尚絅齋集
	653	趙考古文集
	713	劉彥昺集
	771	藍山集
	833	藍澗集
1230	1	大全集
	253	鳧藻集
	329	眉菴集
	484	補遺
	489	靜菴集
	547	北郭集
1231	1	鳴盛集
	80	附錄
	83	白雲樵唱集
	205	附錄
	209	草澤狂歌
	279	半軒集
	440	半軒集補遺
	458	方外補遺
	468	附：王半軒傳
	471	西菴集
	575	南邨詩集
	637	望雲集
	673	蚓竅集
	721	西郊笑端集
1232	1	草閣詩集
	58	拾遺
	81	文集
	85	附：筠谷詩集
	93	樗菴類藳
	123	春草齋集
	125	詩集
	177	文集
	259	耕學齋詩集
	361	可傳集
	383	強齋集
	523	海桑集
	711	畦樂詩集
1233	1	竹齋集
	92	續集
	101	附錄
	107	獨醉亭集
	161	海叟集
	217	榮進集
	273	梁園寓稿
	335	自怡集
	349	附錄
	353	斗南老人集

	581	希澹園詩集
	629	鵞湖集
1234	1	滎陽外史集
	651	繼志齋集
	785	全室外集
	853	續篇
1235	1	中丞集
	37	中丞遺事附錄
	43	遜志齋集
	725	貞白遺稿
	805	靜學文集
	806	附：本傳
1236	1	芻蕘集
	135	巽隱集
	209	易齋集
	210	附：本傳
	261	野古集
	263	年譜
	318	附錄
	337	峴泉集
	519	唐愚士詩
	591	文毅集
	836	附錄
1237	1	虛舟集
	81	王舍人詩集
	172	附錄
	177	泊菴集
	431	毅齋集
	545	頤庵文選
	681	青城山人集
1238-1239	1	東里集
	1	文集
	300	詩集
	370	續集
1239	579	別集
1240	1	文敏集
	403	附錄
	433	省愆集
	481	忠靖集
	536	附錄
	573	金文靖集
1241-1242	1	抑菴文集
	304	抑菴文後集
1242	407	運甓漫稿
	521	梧岡集
	659	古廉文集
	888	附錄
1243	1	曹月川集
	18	附錄
	31	敬軒文集
	403	兩谿文集
1244	1	忠肅集
	396	附錄
	419	蘭庭集
	481	古穰集
1245	1	武功集
	235	倪文僖集
	603	襄毅文集
1246	1	陳白沙集
	333	附錄
	353	類博稿
	455	附錄
	467	竹巖集
	513	補遺
	516	附錄
	521	平橋藁
	676	附錄
1247	1	彭惠安集
	101	清風亭稿
	179	方洲集
	581	附：讀史錄
1248	1	重編瓊臺藁
	521	謙齋文錄
1249	1	椒邱文集
	529	外集
	559	石田詩選
	729	東園文集
	858	附錄
1250	1	懷麓堂集
1251	1	青谿漫稿
	357	康齋集
	597	樓居雜著
	615	野航詩稿
	618	野航文稿
	623	野航附錄
	629	一峯文集
1252-1253	1	篁墩文集
1253	767	拾遺
1254	1	楓山集
	142	附錄
	145	定山集
	351	補遺
	367	未軒文集
	576	補遺
	625	醫閭集
	721	翠渠摘稿
	872	續編
1255	1	家藏集
	791	補遺
1256	1	歸田稿
	119	震澤集
	529	鬱洲遺稿
1257	1	見素集
	325	奏議
	454	續集
	576	附錄
	591	古城集
	737	補遺
	755	虛齋集
1258	1	容春堂集
	1	前集
	225	後集
	400	續集
	722	別集
1259	1	圭峯集
	351	吳文肅摘稿
	431	立齋遺文
	477	附錄
	487	熊峯集
	685	西村集
1260	1	胡文敬集
	79	方簡肅文集
	169	小鳴稿
	363	懷星堂集
1261	1	整菴存稿
	273	東江家藏集
	878	附：風聞言事論
1262	1	空同集
1263	1	山齋文集
	135	顧華玉集
	135	浮湘藁
	173	山中集
	262	憑几集
	312	憑几集續編
	337	息園存稿詩
	453	息園存稿文
	612	緩慟集
1264	1	華泉集
	245	東田遺稿
	315	清惠集
	483	沙溪集

1265-1266	1	王文成全書
1266	251	雙溪集
	317	對山集
	465	柏齋集
	645	竹澗集
	755	奏議
	811	附錄
1267	1	大復集
	352	附錄
	369	洹詞
	673	莊渠遺書
1268	1	儼山集
	651	續集
	733	迪功集
	777	附：談藝錄
	783	太白山人漫藁
1269	1	少谷集
	331	苑洛集
	711	東洲初稿
	1033	附錄
1270	1	升菴集
1271	1	東巖集
	55	文簡集
	673	方齋存稿
1272	1	考功集
	122	附錄
	131	雲村集
	285	小山類稿
	531	夢澤集
1273	1	甫田集
	293	附：先君行略
	299	泰泉集
	397	西村詩集
	434	補遺
	439	天馬山房遺稿
	561	蘇門集
	653	愚谷集
1274	1	遵巖集
	577	陸子餘集
1275	1	念菴文集
	523	皇甫司勳集
1276	1	楊忠介集
	126	附錄
	183	荊川集
	491	皇甫少玄集
	673	外集
1277	1	瑤石山人稿
	205	止山集
	206	南行集
	219	東遊集
	225	北觀集
	245	山中集
	305	張莊僖文集
	401	洞麓堂集
	653	具茨集
	653	詩集
	723	文集
	868	遺藁
1278	1	青霞集
	165	年譜
	173	滄溟集
	572	附錄
	579	山海漫談
	611	楊忠愍集
	680	附錄
1279-1281	1	弇州四部稿
1282-1284	1	弇州續稿
1285	1	讀書後
	97	方麓集
	477	存家詩稿
	543	海壑吟稿
	665	伐檀齋集
	780	附:諸名家贈答詩
1286	1	備忘集
	229	石洞集
1287	1	宗子相集
	225	衡廬精舍藏稿
	702	衡廬續稿
1288	1	薜荔園詩集
	137	鯤溟詩集
	209	亦玉堂稿
	361	溫恭毅集
1289	1	震川集
	422	別集
	605	四溟集
	755	蠛蠓集
1290	1	少室山房集
	4	附：石羊生傳
1291	1	穀城山館詩集
	193	宗伯集
	597	臨皐文集
	765	淡然軒集
1292	1	涇皐藏稿
	253	小辨齋偶存
	329	高子遺書
1293	1	少墟集
	377	石隱園藏稿
	669	仰節堂集
1294	1	願學集
	301	劉蕺山集
1295	1	學古緒言
	293	檀園集
	411	忠介燼餘集
	439	文忠集
1296	1	幔亭集
	197	白谷集
	379	集玉山房稿
	543	宋布衣集
	589	忠肅集
1297	1	倪文貞集
	212	續編
	231	奏疏
	324	講編
	343	詩集
	379	凌忠介公集
	471	申忠愍詩集
	505	茅簷集
	621	陶菴全集
1298-1299	1	聖祖仁皇帝御製文集
	1	初集
	320	第二集
1299	1	第三集
	377	第四集
1300	1	世宗憲皇帝御製文集
	1	目錄
	233	御製樂善堂全集定本
	233	序
	541	跋
1301	1	御製文集
	1	初集
	271	二集
	563	三集
	684	餘集
1302-1311	1	御製詩集
	1	初集
1303-1304	1	二集
1305-1306	1	三集

1307-1308	1	四集
1309-1311	1	五集
1311	521	餘集
1312	1	梅村集
	421	湯子遺書
	622	附錄
	645	兼濟堂文集
1313	1	學餘堂文集
	359	詩集
	849	外集
1314	1	范忠貞集
	195	林蕙堂全集
1315	1	精華錄
	203	堯峯文鈔
1316	1	午亭文編
	745	讀書齋偶存稿
1317	1	松桂堂全集
	305	延露詞
	342	南洼集
1317-1318	389	曝書亭集
1318	535	附：葉兒樂府
	541	于清端政書
1319	1	愚菴小集
	195	附：傳家質言
	199	抱犢山房集
	200	附：嵇留山先生傳
	275	文端集
1320-1321	1	西河集
1322	1	陳檢討四六
	275	蓮洋詩鈔
	278	墓誌銘
	386	附錄
	389	張文貞集
1323	1	西陂類稿
	521	鐵廬集
	571	外集
	593	湛園集
1324	1	古歡堂集
	395	附：黔書
	469	長河志籍考
	525	榕村集
1325	1	三魚堂文集
	194	外集
	281	外集附錄
	301	因園集
	433	懷清堂集
	633	二希堂文集
1326	1	敬業堂詩集
	713	望溪集
1327	1	存研樓文集
	375	香屑集
	567	鹿洲初集
1328	1	樊榭山房集
	144	續集
	287	果堂集
	381	松泉集
	391	詩集
	691	文集

總集類

冊次	頁碼	書名
1329	1	文選註
1330-1331	1	六臣註文選
1331	573	文選顏鮑謝詩評
	631	玉臺新詠
	725	玉臺新詠考異
1332	1	高氏三宴詩集
	8	附：香山九老詩
	11	篋中集
	19	河嶽英靈集
	63	國秀集
	95	御覽詩
	125	中興間氣集
	149	極玄集
	163	松陵集
	281	二皇甫集
	321	唐四僧詩
	341	薛濤李冶詩集
	357	竇氏聯珠集
	381	才調集
	561	搜玉小集
	573	古文苑
1333-1342	1	文苑英華
1342	733	文苑英華辨證
1343-1344	1	唐文粹
1344	487	西崑詶唱集
	523	同文館唱和詩
	563	唐百家詩選
1345	1	會稽掇英總集
	177	清江三孔集
	543	三劉家集
	585	二程文集
	742	附錄
1346	1	宋文選
	463	坡門酬唱集
1347-1348	1	樂府詩集
1348	207	歲時雜詠
	523	嚴陵集
	607	南嶽倡酬集
	625	附錄
1349	1	萬首唐人絕句
	1	七言
	673	五言
	805	聲畫集
1350-1351	1	宋文鑑
1351	715	古文關鍵
	793	回文類聚
	822	補遺
1352-1353	1	五百家播芳大全文粹
	3	姓氏
1354	1	崇古文訣
	291	成都文類
1355	1	文章正宗
	5	綱目
1356	1	續文章正宗
	409	天臺前集
	444	前集別編
	458	續集
	517	續集別編
	615	赤城集
	783	妙絕古今
	861	唐僧弘秀集
	925	衆妙集
1357	1	江湖小集
	719	江湖後集
1358	1	三體唐詩
	71	論學繩尺
	73	論訣
	589	吳都文粹
1359	1	古文集成前集
	541	文章軌範
	617	月泉吟社詩
1360	1	文選補遺
1361	1	蘇門六君子文粹

	505	三國志文類
	781	增注唐策
1362	1	詩家鼎臠
	27	十先生奧論註
	27	前集
	118	後集
	239	續集
1362-1364	327	兩宋名賢小集
1364	871	柴氏四隱集
1365	1	中州集
	359	附：中州樂府
	379	唐詩鼓吹
	523	二妙集
	593	谷音
	613	河汾諸老詩集
1366	1	瀛奎律髓
	559	梅花百詠
	580	附錄
	591	天下同文集
	711	古賦辯體
	863	圭塘欸乃集
	913	忠義集
	955	宛陵羣英集
1367	1	元文類
1368	1	元風雅
	1	前集
	90	後集
	173	唐音
	427	古樂府
1369	1	玉山名勝集
	147	外集
	175	草堂雅集
	481	玉山紀遊
	511	大雅集
	579	元音遺響
1370	1	風雅翼
	229	荊南倡和詩集
	254	附錄
	259	乾坤清氣
	403	元音
	583	雅頌正音
1371	1	唐詩品彙
	3	敘目
	44	歷代敘論
	47	姓氏爵里詳節
	924	附：唐詩拾遺
1372	1	廣州四先生詩

	33	三華集
	34	錄苔軒集
	87	種菊庵集
	115	錦樹集
	183	閩中十子詩
	441	滄海遺珠
	491	元詩體要
1373	1	中州名賢文表
		附：元史本傳
1373-1374	483	明文衡
1375-1376	1	新安文獻志
	2	先賢事略
1377	1	海岱會集
	79	經義模範
1377-1378	101	文編
1379-1380	1	古詩紀
1380	703	詩紀匡謬
1381	1	全蜀藝文志
1382	1	古今詩刪
	291	唐宋元名表
	421	文氏五家集
	597	宋藝圃集
	941	元藝圃集
1383-1384	1	唐宋八大家文鈔
1385-1386	1	吳都文粹續集
1386	690	補
1387-1394	1	石倉歷代詩選
1394	293	四六法海
1395	1	古樂苑
	543	衍錄
1396	1	皇霸文紀
	185	西漢文紀
1397	1	東漢文紀
1398	1	西晉文紀
	471	宋文紀
1399	1	南齊文紀
	231	梁文紀
	595	陳文紀
1400	1	北齊文紀
	57	後周文紀
	197	隋文紀

1400-1401	409	釋文紀
1402-1410	1	文章辨體彙選
1411	1	古詩鏡
	3	詩鏡總論
	303	唐詩鏡
1412-1416	1	漢魏六朝百三家集
1416	291	古今禪藻集
	665	三家宮詞
	689	二家宮詞
1417-1418	1	御選古文淵鑒
1419-1422	1	御定歷代賦彙
	1	正集
1422	1	外集
	366	附：逸句
	391	補遺
1423-1431	1	御定全唐詩
1432-1434	1	御定佩文齋詠物詩選
1435-1436	1	御定歷代題畫詩類
1437-1444	1	御選宋金元明四朝詩
1437-1438	1	御選宋詩
	6	姓名爵里
1439	1	御選金詩
	1	姓名爵里
1439-1441	419	御選元詩
	419	姓名爵里
1442-1444	1	御選明詩
	1	姓名爵里
1445	1	御訂全金詩增補中州集
1446	1	御選唐詩
1447	1	御定千叟宴詩
	99	御選唐宋文醇
1448	1	御選唐宋詩醇
1449-1450	1	皇清文穎
1451	1	欽定四書文

冊次	頁碼	書名
	10	化治四書文
	73	正嘉四書文
	200	隆萬四書文
	315	啓禎四書文
	576	本朝四書文
1452	1	欽定千叟宴詩
1453-1458	1	明文海
1459	1	唐賢三昧集
	61	二家詩選
	85	唐人萬首絕句選
1459-1460	173	明詩綜
1461-1462	1	宋詩鈔
1463-1464	1	宋元詩會
1465	1	粵西詩載
1465-1467	427	粵西文載
1467	343	粵西叢載
1468-1471	1	元詩選
1468-1469	1	初集
	2	卷首
1470-1471	1	二集
1471	231	三集
1472-1473	1	御定全唐詩錄
1474	1	甬上耆舊詩
1475	1	檇李詩繫
1476	1	古文雅正
	267	鄱陽五家集
	489	南宋襍事詩
1477	1	宋百家詩存

詩文評類

冊次	頁碼	書名
1478	1	文心雕龍
	71	文心雕龍輯注
	189	詩品
	203	文章緣起
	231	本事詩
	247	六一詩話
	257	續詩話
	265	中山詩話
	279	後山詩話
	291	臨漢隱居詩話
	299	優古堂詩話
	329	詩話總龜
	329	前集
	665	後集
	907	彥周詩話
	927	紫薇詩話
	941	四六話
	961	珊瑚鉤詩話
	985	石林詩話
1479	1	藏海詩話
	13	風月堂詩話
	31	歲寒堂詩話
	53	庚溪詩話
	79	韻語陽秋
	215	碧溪詩話
	257	唐詩紀事
1480	1	觀林詩話
	19	四六談麈
	27	環溪詩話
	45	漁隱叢話
	45	前集
	385	後集
	665	竹坡詩話
	683	文則
	709	二老堂詩話
	725	誠齋詩話
	747	餘師錄
	809	滄浪詩話
1481	1	詩人玉屑
	301	後村詩話
	461	娛書堂詩話
	485	荊溪林下偶談
	519	草堂詩話
	549	竹莊詩話
	803	文章精義
	813	浩然齋雅談
	853	對床夜語
1482	1	詩林廣記
	1	前集
	105	後集
	243	文說
	255	修辭鑑衡
	289	金石例
	371	作義要訣
	379	墓銘舉例
	435	懷麓堂詩話
	459	頤山詩話
	473	詩話補遺
	509	秇圃擷餘
	519	唐音癸籤
1483	1	歷代詩話
	819	金石要例
	831	漁洋詩話
	881	師友詩傳錄
	894	師友詩傳續錄
	903	聲調譜
	923	談龍錄
1484-1485	1	宋詩紀事
1486	1	全閩詩話
	453	五代詩話

詞曲類

一、詞集之屬

冊次	頁碼	書名
1487	1	珠玉詞
	21	六一詞
	43	樂章集
	79	安陸集
	101	東坡詞
	151	山谷詞
	179	淮海詞
	195	書舟詞
	219	小山詞
	253	晁无咎詞
	281	姑溪詞
	297	溪堂詞
	307	東堂詞
	337	片玉詞
	370	補遺
	373	初寮詞
	383	聖求詞
	405	友古詞
	431	和清眞詞
	449	石林詞
	467	丹陽詞
	479	筠谿樂府
	499	坦菴詞
	523	酒邊詞
	549	無住詞
	555	潄玉詞
	561	竹坡詞
	585	蘆川詞

冊次	頁碼	書名
	615	東浦詞
	623	孏窟詞
	637	逃禪詞
1488	1	于湖詞
	31	海野詞
	49	審齋詞
	61	介菴詞
	85	歸愚詞
	95	克齋詞
	103	龍川詞
	109	補遺
	111	稼軒詞
	203	西樵語業
	213	樵隱詞
	223	放翁詞
	245	知稼翁詞
	253	蒲江詞
	259	平齋詞
	269	白石道人歌曲
	300	別集
	305	夢窗稿
	371	補遺
	375	惜香樂府
	433	龍洲詞
	445	竹屋癡語
	463	山中白雲詞
	535	附錄
	537	附：樂府指迷
	543	竹山詞
	563	竹齋詩餘
	581	梅溪詞
	605	散花菴詞
	613	石屏詞
	623	斷腸詞
	629	天籟集
	657	蛻巖詞
	685	珂雪詞

二、詞選之屬

冊次	頁碼	書名
1489	1	花間集
	67	尊前集
	97	梅苑
	167	樂府雅詞
	278	拾遺
	305	花菴詞選
	394	續集
	531	草堂詩餘
1490	1	絕妙好詞箋
	101	樂府補題
	113	花草粹編
1491-1493	1	御選歷代詩餘
1493	427	詞綜
1494	1	十五家詞

三、詞話之屬

冊次	頁碼	書名
1494	505	碧雞漫志
	527	沈氏樂府指迷
	531	渚山堂詞話
	551	西河詞話
	571	詞苑叢談

四、詞譜詞韻之屬

冊次	頁碼	書名
1495	1	御定詞譜
1496	1	詞律

五、南北曲之屬

冊次	頁碼	書名
1496	383	顧曲雜言
	395	御定曲譜
	657	中原音韻

四庫全書傳記資料索引 上册

首字筆畫檢索

一畫

一 1
乙 1

二畫

二 1
刁 1
十 2
丁 2
七 8
了 8
力 8
刀 8
乃 8
卜 8
几 9
九 9
乂 9
八 9

三畫

亡 9
下 9
弋 10
三 10
工 10
土 10
士 10
子 11
干 12
于 12
兀 16
弓 16
也 17
万 17
才 17
尸 17
大 17
小 18
上 18
山 19
夕 20
凡 20
么 20
乞 20
女 20
千 20

四畫

卞 20
六 21
心 21
亢 21
斗 21
方 21
文 29
之 33
火 33
云 33
戈 33
不 33
尤 33
太 34
歹 35
王 35
五 144
井 144
亓 144
元 144
无 152
屯 152
比 152
扎 152
巴 153
予 155
孔 155
牙 163
尹 163
天 168
夫 168
支 168
木 169
友 169
夬 169
及 169
止 169
日 169
中 169
毋 169
少 170
内 170
水 170
公 170
壬 174
丹 174
月 175
仁 175
仇 175
今 176
幻 176
牛 176
午 178
毛 178
升 182
什 182
化 182
氏 182
介 182
允 182
勿 182
仍 182
殳 182

五畫

玄 182
立 183
主 183
氾 183
市 183
必 183
永 183
玉 184
去 184
丙 184
朮 184
瓦 184
戊 184
弘 184
正 185
巨 185
甘 185
古 187
本 187
左 188
右 189
石 189
丕 196
司 196
加 202
召 202
平 203
可 203
世 204
打 204
札 204
布 204
充 206
尼 206
弗 207
功 207
末 207
皮 207
以 208
只 208
母 208
占 208
旦 208
目 208
且 208
田 208
由 214
四 214
冉 214
北 215
申 215
甲 218
叱 218
出 218
史 218
冬 225
付 225
代 225
令 225

生	226	冰	251	灰	260	牟	278	快	363	束	494
句	226	米	251	吐	260	伊	279	戒	363	扶	495
仕	226	戎	252	同	260	朱	283	志	363	投	495
丘	227	寺	252	曲	260	朵	311	赤	363	夾	495
白	229	共	252	因	261	休	311	甫	364	改	495
仝	233	朴	252	回	261	伋	311	求	364	貝	495
台	233	戍	252	光	261	**七畫**		成	364	里	495
用	233	圭	252	早	261	宏	311	尨	365	呈	495
包	233	吉	252	吁	261	汴	311	忍	365	困	495
匄	235	舌	253	艾	261	沁	311	孛	365	呂	495
他	235	西	253	夙	262	冷	311	孝	366	壯	506
仙	235	扣	254	多	262	究	312	均	366	岑	506
卯	235	百	254	伏	263	汪	312	豆	366	芒	507
弁	235	在	254	兆	263	沔	320	酉	366	芋	507
幼	235	有	254	舟	263	言	320	巫	366	芊	507
失	235	存	254	旭	263	冶	321	抗	366	旴	507
禾	235	至	254	名	263	完	321	扯	366	邑	507
外	235	羽	254	伭	263	牢	329	杜	366	別	507
瓜	235	丞	255	伍	263	沈	329	李	379	吽	508
奴	235	匡	255	任	265	汧	343	杏	487	虬	508
六畫		邗	255	臼	271	沅	343	吾	487	兕	508
亦	236	刑	255	自	271	沛	343	君	487	步	508
亥	236	考	255	向	271	沖	343	弄	487	助	508
守	236	老	255	后	273	沂	344	邢	487	吳	508
安	236	圯	255	全	273	辛	344	車	490	足	539
江	239	地	255	合	274	亨	346	克	491	吹	539
汝	246	邛	255	好	274	罕	346	把	491	岐	539
宇	246	臣	255	如	274	序	347	折	491	我	540
宅	249	托	255	年	275	忻	347	杆	492	似	540
汗	249	列	260	先	275	沙	347	杞	492	佟	540
池	249	死	260	竹	275	汾	347	邪	492	伶	540
忙	249	匠	260	危	275	宋	347	即	492	系	540
州	249	夸	260	色	276	汶	362	尾	492	佘	540
羊	249	聿	260	仲	276	沐	362	那	492	余	540
并	251	阡	260	仵	277	汲	362	阮	492	孚	546
交	251	次	260	仰	277	沃	362	坊	494	坐	546
衣	251	夷	260	印	278	良	363	杉	494	谷	546
		吏	260	行	278			辰	494	告	547

角 547
佳 547
伽 547
侶 547
但 547
作 547
伯 547
狂 548
含 548
妞 548
希 548
邠 549
邦 549
利 549
禿 549
免 549
佗 549
伴 549
何 549
佛 564
伸 564
兒 564
彤 564
秀 564
努 564
妙 565
廷 565
攸 565
狄 565
夋 566

八 畫

宗 566
法 569
泠 571
於 571
京 571
府 572
官 572
宜 572
空 572
注 572
沼 572
沮 572
油 572
泗 572
治 572
底 572
怛 572
性 572
怡 573
並 573
社 573
宛 573
河 573
泄 573
泯 573
泥 573
況 573
卒 573
庖 573
祁 573
冼 574
羌 574
卷 574
宓 574
初 574
炒 574
定 574
波 575
泒 575
放 575
夜 575
庚 575
炔 575
炎 575
武 575
封 578
雨 578
其 578
拔 578
杯 578
松 578
奈 578
弦 578
附 578
怜 578
青 578
盂 579
吞 579
者 579
亞 579
坦 579
昔 579
拉 579
拓 579
招 581
拘 581
杭 581
直 581
門 581
居 581
孟 581
阻 587
奉 587
幸 587
坤 587
邴 587
邯 587
巷 587
拙 587
拖 587
抱 587
杼 587
析 588
奇 588
邳 588
奔 588
奄 588
到 588
刷 588
屈 588
邵 589
郲 593
函 593
陀 593
阿 594
表 598
長 598
坡 600
坱 600
東 600
臥 601
兩 601
抹 601
披 601
枝 601
林 601
枚 617
板 618
來 618
承 619
孤 619
芸 619
具 619
忠 619
典 619
尚 619
肯 620
些 620
旺 620
昌 620
明 620
帖 622
帕 622
固 622
沓 623
芭 623
花 623
虎 623
卓 623
盱 624
昆 624
昇 624
昂 624
昕 624
咄 624
呼 624
浙 625
岸 625
岷 625
芳 625
芬 625
易 625
芮 626
叔 626
果 627
旻 627
昊 627
杲 627
忽 627
侍 627
念 628
姒 628
竺 628
知 628
季 629
和 630
委 631
朋 631
周 631
咎 660
佳 660
非 660
狉 660
狗 660
征 660
金 660
舍 666
姑 666
妲 666
始 666
乳 667
斧 667
肥 667
佴 667
岱 667
侃 667
岳 667
兒 669
帛 669
卑 669
阜 669
邱 669
邸 670
郃 670
所 670
妽 670
房 670
受 672
采 672
秉 672
牧 672
服 672
佼 672
依 672
佽 672
臾 672

狐 672
欣 672
延 672

九 畫

突 673
洪 673
冠 677
炳 677
為 677
宣 677
室 677
客 677
洼 677
洞 677
活 677
洵 677
洛 677
音 678
恆 678
恪 678
恤 678
恰 678
炤 678
衵 678
姜 678
首 681
宦 681
洋 681
津 681
洗 681
帝 682
計 682
施 682
亭 684
亮 684
兗 684
祇 684
祈 684
軍 684
郎 684
穿 686
洩 686
彥 686
染 686
哀 686
弈 686
度 686
玹 686
封 686
持 687
拱 687
咸 687
威 688
春 688
玷 688
珊 688
垣 688
胡 688
要 706
按 706
拾 706
柱 706
枯 706
柘 706
相 706
查 706
柏 707
厚 708
耍 708
奎 708
胥 708
屋 708
眉 708
盈 708
珂 708
匽 708
剌 708
柯 708
柳 709
革 715
南 715
耶 716
邽 721
郁 721
郅 722
既 722
韋 722
弭 730
屏 730
羿 730
飛 730
降 730
珍 730
勃 730
耏 730
勇 730
契 730
政 731
故 731
殃 731
致 731
述 731
迦 731
柔 731
癸 731
建 731
芮 731
茂 731
苻 731
貞 731
思 732
省 732
苦 732
若 732
苫 732
苴 732
苗 732
苟 733
昭 733
冒 733
星 733
咼 734
哈 734
范 735
茀 746
苑 746
茆 746
盼 746
則 746
曷 746
毗 746
幽 746
苾 746
茅 746
眇 747
茉 747
英 747
是 747
迪 747
迴 747
風 748
急 748
負 748
怤 748
俄 748
禹 748
待 748
怒 748
姚 748
紂 756
約 756
垂 756
香 756
胙 756
訇 756
昝 756
重 756
信 756
皇 757
扃 759
盆 759
娃 759
紅 759
紇 759
拜 759
科 759
种 760
郲 761
郇 761
郈 761
郍 761
郃 761
帥 761
扁 761
胤 761
衍 761
律 761
俞 761
紀 765
爰 766
秋 766
奐 766
胈 766
便 766
俠 766
侵 766
侯 766
保 771
俟 771
俊 771
段 771
泉 776
迭 776
迮 776
後 776
食 776

十 畫

浦 776
海 776
涂 777
冥 777
悔 777
宮 777
容 778
酒 778
涇 778
淯 778
涅 778
涓 778
浮 778
浩 778
娑 778
高 778
唐 797
祖 808
祇 810
悟 810
朗 810
益 810
朔 810
烟 810
宰 810
浣 810
浙 810
託 810
訓 810

庫 810
席 811
神 812
祝 812
悅 814
剡 814
拳 814
窈 814
涉 814
旁 814
祕 814
粉 814
家 814
浪 815
浚 815
旅 815
衷 815
庭 815
凌 815
凍 816
兼 816
迷 816
素 816
泰 816
秦 816
索 821
馬 822
貢 837
城 837
埒 837
恭 837
眞 837
桃 838
辱 838
烈 838
原 838
孫 839
班 858
珪 859
耆 859
盍 859
哲 859
桂 860
桓 861
栖 862
桐 862
格 862
晉 863
書 865
弱 865
琉 865
耽 865
起 865
軒 865
哥 865
郝 865
郕 867
郟 867
院 867
珠 867
袁 868
耿 876
栗 878
振 879
根 879
殊 879
夏 879
破 885
[illegible] 885
酒 885
退 885
閃 885
展 885
桑 885
陜 886
陡 886
茂 886
茶 886
茲 886
時 886
晁 887
員 888
恩 888
峨 889
蚩 889
荀 889
荅 891
茹 891
晏 891
晊 892
喣 892
骨 892
圂 892
党 892
荆 892
草 893
郢 893
畔 893
剛 893
荔 893
茨 893
茱 893
虔 893
柴 893
峻 895
特 895
倶 895
息 895
射 895
烏 896
鬼 898
徐 898
娥 923
矩 923
脂 923
倍 923
倩 923
倡 923
們 923
倭 923
留 923
倉 924
翁 924
紐 925
釗 926
耕 926
俸 926
倚 926
俺 926
倒 926
倪 926
郤 928
郗 928
部 929
倫 929
師 929
臯 931
卿 931
狶 931
能 931
邕 931
姬 931
純 931
脇 931
修 931
奚 931
笑 932
秧 932
乘 932
臬 932
殷 932
般 935
狼 935
桀 935
叟 935
徒 935
屒 935
納 935

四庫全書傳記資料索引

一　畫

一宋　524-397-199
一九清　512-769-196
一天明　572-162- 32
一如明　585-178- 11
　1238-296- 25
一行張遂　唐　271-634-191
　472-136- 4
　474-484- 23
　505-938- 85
　524-424-200
　538-343- 70
　677-161- 15
　1052- 55- 5
　1054-115- 3
　1054-456- 12
　1054-459- 13
　1054-462- 13
　1054-464- 13
　1082-540- 9
一庵元　472-614- 25
　541- 97- 30
一新唐　473-506- 71
　481-338-308
　561-226-38之3
一漚明　1475-780- 33
一齋明　476-265-110
　547-503-159
一辯元　541- 96- 30
一鉢和尚唐　1052-143- 11
一瓢道人明(嘗持一瓢浪遊鄂岳間)　821-485- 58
乙商　243- 85- 3
　537-174- 53
乙海後魏　261-609- 44
　266-509- 25
　379- 60-147
　933-728- 50
乙渾太原王　後魏　544-206- 62
乙逸晉　496-419- 90
　496-596-103
乙瑄明　511-242-145
乙瑛漢　683-237- 3
乙瑗後魏　261-609- 44
　266-509- 25
　379- 60-147
　546- 17-115
　933-728- 50
乙瓌後魏　261-609- 44
　266-509- 25
　379- 60-147
　546- 17-115
　933-728- 50
乙弗朗後魏　267- 71- 49
　379-356-151
　546- 29-115
　547-191-148
　552- 30- 18
乙弗肅北周　見趙肅
乙弗貴北周　見趙貴
乙弗瑗女　西魏　見乙弗皇后
乙弗鳳北周　546- 41-116
乙弗瓊女　西魏　見乙弗皇后
乙弗繪後魏　267-557- 80
　380- 21-165
乙失鉢也咥小可汗、野咥可汗　唐　271-785-199下
　276-313-217下
乙那樓郍樓馮　劉宋　258-640- 96
　381-459-195
乙邦才明　301-586-272
　456-462- 4
　1315-555- 34
乙乾歸後魏　261-609- 44
　266-509- 25
　379- 60-147
　546- 17-115
　933-728- 50
乙弗弘禮唐　271-622-191
　276- 99-204
　401- 93-580
　541-105- 31
乙弗皇后西魏　魏文帝后、乙弗瑗女、乙弗瓊女
　266-287- 13
　373-105- 20
　537-185- 53
乙利可汗乙剌可汗　唐
　271-678-194下
　276-262-215下
乙剌可汗唐　見乙利可汗
乙息記可汗後魏　見科羅
乙速孤佛保後魏　267-641- 85
　380- 60-166
　544-214- 62
　545-546-103
　554-116- 50
乙注車鼻可汗唐　見斛勃
乙毗射匱可汗唐
　271-680-194下
　276-263-215下
乙毗沙鉢羅葉護可汗　唐　見薄布特勒
乙彌泥孰俟利苾可汗　唐　見思摩

二　畫

二武清　456-126- 58
二姚夏　少康妻(二個姚姓女子)
　544-177- 61
二格清(納喇氏)　455-404- 24
二格清(彰錦氏)　456- 63- 54
二梵唐　533-755- 74
二格色清　456-117- 58
　456-323- 75
二碩色清　456-155- 61
二世和尚五代　1053-301- 8
刁氏宋　胥偃妻　285-686-294
刁氏宋　滕感妻、刁允成女
　1089-686- 12
刁弘晉　256-163- 69
刁正明　545-221- 91
刁代元　483-184-385
刁白金　1365-283- 8
　1439- 8- 0
　1445-515- 39
刁包清　474-247- 12
　505-870- 78
　676- 13- 1
刁光唐　813-159- 15
刁沖後魏　262-239- 84
　266-528- 26
　379- 74-147
　474-338- 17
　505-871- 78
　547-187-148
　933-253- 18
刁協晉　256-161- 69
　370-322- 7
　377-735-126
　384- 98- 5
　469-534- 65
　472- 67- 2
　505-743- 72
　933-253- 18

刁宣後魏 379- 75-147
刁勃戰國 933-253- 18
刁柔北齊 263-333- 44
266-529- 26
379-503-155
505-871- 78
547-148-147
933-253- 18
刁約宋 451-123- 1
471-604- 3
472-276- 11
475-276- 63
486- 48- 2
494-301- 5
820-355- 32
933-253- 18
1106-280-38
1110-287-13
刁衎宋 288-214-441
400-643-559
451-121- 1
472-176- 6
472-324- 14
472-997- 40
472-1014-41
475- 73- 53
475-276- 63
477-542-176
479-133-223
479-377-234
489-678- 49
492-585-13下之上
494-296- 5
494-318- 6
511- 72-139
523-114-151
1085-184- 24
1104-471- 39
1437- 7- 1
刁湛宋 451-122- 1
1104-471- 39
刁間刁閒 漢 244-938-129
251-150- 91
380-530-180
933-253- 18
刁閒漢 見刁間
刁肅後魏 261-537- 38
刁逵晉 256-163- 69
377-736-126
刁雍刁廱 後魏 261-533- 38
266-528- 26
379- 73-147
384-130- 7
469-534- 65
472- 67- 2
474-337- 17
478-593-204
505-743- 72
933-253- 18
刁暢晉 256-163- 69
刁銛明 1475-197- 8
刁遵後魏 266-528- 26
379- 74-147
933-253- 18
刁整後魏 261-538- 38
266-529- 26
379- 75-147
933-253- 18
刁駿宋 485-536- 1
刁璹宋 523- 76-149
刁彝晉 256-163- 69
377-736-126
474-377- 17
485- 65- 10
493-674- 37
933-253- 18
刁曜漢 402-454- 9
刁韙漢 376-914-111下
384- 67- 3
385-121- 12
475-425- 70
511-220-144
540-629- 27
933-253- 18
刁雙後魏 261-538- 38
266-531- 26
379- 75-147
474-338- 17
476-179-106
476-853-145
540-667- 27
540-728-28之1
933-253- 18
刁鵬明 458-168- 8
473-298- 62
480-242-269
532-668- 44
刁廱後魏 見刁雍
刁廱宋 523- 78-149
刁子都漢 252-589- 51
刁化神明 456-583- 8
刁允成女 宋 見刁氏
刁光胤唐 554-905- 64
592-702-106
812-492- 中
812-522- 2
821- 93- 48
刁君績宋 1088-401- 45
刁怡文明 483-140-380
刁彥能五代 511-910-173
刁派羅妻 明 見招囊猛
刁茂先妻 元 見劉氏
刁思遵妻 後魏 見魯氏
刁國器元 1200-472- 37
刁麟游宋 1437- 35- 2
十八姨不詳 592-478- 90
丁八元 547-541-160
丁川明 479-239-227
523-306-160
676-505- 19
丁文明 1240-854- 9
丁文妻 明 見楊觀
丁元宋 288-369-453
400-163-513
丁中宋 515-332- 67
丁公丁固 漢 244-661-100
丁仁宋 473-339- 63
475-700- 86
510-463-117
533- 95- 50
丁氏漢 劉康妻 251-299- 97下
丁氏齊 吳翼之母 259-541- 55
265-1041- 73
380- 99-167
479-250-228
486-317- 14
524-657-210
丁氏宋 洪慶善妻 820-472- 36
丁氏宋 唐公翊妻、丁宗道女
1124-641- 29
丁氏宋 張晉卿妻 288-455-460
401-158-590
472-667- 27
477- 93-153
丁氏宋 陳質妻 493-1080- 57
丁氏宋 黃希攽妻、丁文惠女
1123-189- 20
丁氏宋 劉元默妻、丁瑜女
1146-193- 93
丁氏宋 丁謂女 589-304- 2
丁氏宋 陳之奇母 485-204- 27
丁氏宋(自號清風居士)
1218-626- 2
丁氏元 鄭伯文妻 295-629-200
401-178-593
473- 31- 49
479-498-239
516-230- 97
丁氏元 韓寬妻 472-313- 13
丁氏明 王守時妻 474-191- 9
506- 8- 86
丁氏明 王序禮妻 302-234-302
475-856- 94
丁氏明 王堯儒妻 473-158- 56
丁氏明 宋允孝妻 480-177-266
丁氏明 李英妻 472-100- 3
474-654- 34
506-169- 90
丁氏明 吳皞妻 472-685- 27
丁氏明 吳繼養妻 473-625- 77
丁氏明 唐醴生妻 533-660- 71
丁氏明 袁蘭妻 472-403- 18
丁氏明 陸璠妻 506- 72- 88
丁氏明 張誦妻 477-380-167
丁氏明 馮士一妻、馮士翼妻
479-611-244
516-387-102
丁氏明 馮學海妻 480-652-289
丁氏明 黃友杭妻 473-625- 77
丁氏明 黃廷才妻 475-534- 77
丁氏明 彭元鼎妻 473-131- 55
丁氏明 喬銓妻 494- 40- 3
丁氏明 楊文懿妻、丁瑄女
1250-526- 49
丁氏明 楊賓朝妻 480-467-279
丁氏明 萬一洵妻 480- 95-262
丁氏明 鄭尚敬妻 481-725-333
丁氏明 劉蒨妻 482-353-356
丁氏明 蕭士清妻 474-778- 42
503- 28- 93
丁氏明 聶端冕妻 479-751-251
丁氏明 尹逵母 1256-398- 25

丁氏明 見于氏
丁氏清 汪必達妻 475-333- 65
丁氏清 沈敦妻 479-335-232
丁氏清 宋沾妻 477-136-155
538-203- 67
丁氏清 李元會妻 512-216-182
丁氏清 李蓮若妻 512-217-182
丁氏清 林緯妻 530- 32- 54
丁氏清 林世英妻 530- 41- 54
丁氏清 卓人月妻 524-482-203
丁氏清 馬昺妻 478-438-196
丁氏清 徐廷繡妻 512-418-187
丁氏清 徐祇先妻 475-235- 61
丁氏清 徐毓桂妻 506-125- 89
丁氏清 梅鎮妻 503- 62- 95
丁氏清 張天才妻 506- 67- 87
丁氏清 陳莊齡妻 476-791-141
丁氏清 黃化寧妻 512-331-185
丁氏清 楊永寧妻 474-194- 9
丁氏清 楊玉龍妻 482-566-369
丁氏清 楊皋雲妻 483- 99-378
丁氏清 趙應榜妻 479-254-228
丁氏清 劉鷺妻、丁僴女
476-678-136
541- 44- 29
丁氏清 韓三星妻 477-171-157
丁立宋 1104-482- 39
丁玉丁國珍 明 299-269-134
473-750- 83
476-123-102
481- 23-291
559-248- 6
1467-57- 64
丁丙明 494- 42- 3
丁平明 1269-792- 5
丁旦明 511-322-148
丁存元 523-615-176
丁至丁謙亙 宋 451- 75- 2
丁列妻 明 見張氏
丁光齊 812-332- 7
821- 23-45
丁先清 483-184-385
丁罕宋 285-418-275
396-676-315
472- 26- 1
472-202- 7
474-166- 8
511-423-152
丁沂明 472-178- 6
丁辛明 528-533- 31
丁玘明 528-496- 30
丁圻妻 清 見崔氏
丁克宋 1168-474- 39
丁里宋 見丁守廉
丁注宋 674-833- 17
丁初陳 820-109- 24
丁放明 547- 23-141
丁直明 505-676- 69
丁奉吳 254-824- 10
370-278- 4
377-360-119
384- 80- 4
384-580- 30
472-200- 7
472-326- 14
473-112- 54
477-543-176
479-663-247
511-415-152
516-204- 95
933-430- 29
丁奉明 676-541- 22
1442- 44-附3
1459-906- 38
丁邯漢 370-169- 16
402-402- 6
476-110-102
478- 98-180
478-242-186
545-350- 96
丁表唐 472-960- 38
523- 72-149
丁固漢 見丁公
丁固丁密 吳 254-840- 12
370-279- 4
385-568- 63
470- 63- 96
471-625- 6
471-785- 28
479-229-227
933-430- 29
丁固明 1251-291-21
丁明宋 451-183- 6
472-277- 11
511-773-166
丁明宋 見丁希閔
丁倜妻 明 見彭氏
丁姓漢 477-126-155
丁佩明 1259-423- 4
丁洪明 515-885- 86
丁袓明 483-200-388
483-331-397
570-125-21之1
571-548- 20
丁亮明 1242- 76- 26
丁亮妻 明 見應氏
丁彥清 1475-583- 25
丁彥妻 清 見沈理
丁彥妻 清 見鄒蓮午
丁度宋 285-653-292
371- 84- 8
382-400- 63
384-352- 18
397-112-326
450- 25-上3
472-660- 27
477- 77-152
494-295- 5
537-391- 57
540-755-28之2
545- 42- 84
933-432- 29
丁美明 524-134-185
丁珏明 302-372-308
丁珏清 523-394-164
483-184-385
569-680- 19
丁珏妻 清 見吳氏
丁相明 511-799-167
丁珉元 1439-438- 1
丁飛丁飛舉 唐 479- 60-219
524-302-194
585-165- 10
820-265- 29
1083-263- 4
1083-392- 17
丁茂漢 453-758- 4
482-226-348
564- 8- 44
879-164-58上
丁彔妻 明 見張氏
丁約唐 592-205- 73
丁約後唐 820-313- 31
丁俊明 515-368- 68
528-451- 29
丁泉明 473-570- 74
473-616- 77
481-644-330
481-720-333
528-510- 31
528-552- 32
540-791-28之3
丁庫明 523-573-174
丁袗唐 見丁袗
丁泰明 472-312- 13
473-631- 77
511-242-145
丁泰清 476-789-141
540-856-28之4
丁泰妻 清 見李氏
丁恭漢 253-536-109下
370-168- 16
380-270-172
402-385- 4
472-550- 23
476-881-146
540-700-28之1
675-297- 15
933-430- 29
丁眞陳 814-257- 7
丁原漢 253-420-102
254-140- 7
丁翊明 476-753-139
540-794-28之3
丁珣明 546-621-135
554-282- 53
丁晉明 558-473- 40
丁珩清 511-353-149
丁時清 540-863-28之4
丁恕明 472-360- 15
511-624-161
丁倬明 515-367- 68
丁能明 524-204-188
丁焴宋 472-898- 35
478-717-211
558-401- 36
丁焴明 585-580- 22
丁密漢 453-754- 4
482-452-362
564- 9- 44
567-376- 82

568-495-118
879-164-58上
1467-162- 68
丁密吳 見丁固
丁祥明 571-553- 20
丁袍明 523-132-152
丁袗丁袗 唐 451-182- 6
511-173-143
丁衮明 1283-492-105
丁掄明 456-667- 11
丁紹晉 256-465- 90
380-173-170
459-862- 52
472- 84- 3
474- 90- 3
474-433- 21
505-627- 67
933-430- 29
丁偃宋 485-183- 25
493-920- 49
丁紳明 494- 45- 3
丁逢宋 451- 25- 0
472-260- 10
511-145-142
丁善明 1458-126-426
丁普宋 476- 40- 98
丁湛明(彭澤人) 479-609-244
516-131- 92
丁湛明(汝州人) 538-113- 64
丁湜宋 485-501- 9
丁竦宋 486- 49- 2
丁隆明 515-379- 68
473- 26- 49
528-512- 31
丁堯宋 460-301- 20
1146-219- 94
丁開宋 1365-603-下
1366-945- 6
丁彭清 524- 14-178
丁琰宋 515-182- 62
1384-249-102
丁琳明 515-836- 84
丁森明 1260-627- 18
丁貴明(金壇人) 482-559-369
569-658- 19
丁貴明(垣曲人) 547-111-145
丁華明 563-804- 41
丁覘梁 814-254- 7
820-104- 24
丁晛宋 812-549- 4
813-192- 18
821-168- 50
丁勝宋 493-779- 42
494-266- 1
494-396- 11
丁勝明 1467- 60- 64
丁鈇明 676- 61- 2
679-663-203
丁傑明 515-373- 68
丁傑清 559-333-7下
丁復漢 523-541-173
539-348- 8
丁復元 524- 63-181
1208-336-附
1208-389-附
1369-332- 8
1439-431- 1
1470-522- 16
丁進明 524- 58-180
丁斐魏 254-183- 9
丁義晉 479-752-251
516-425-103
丁義女 晉 見丁季英
丁慈明 473-606- 76
丁煒清 515- 72- 58
丁雷宋 524- 63-181
丁瑄明(御史) 299-641-165
481-644-330
丁瑄明(山西岢嵐人)
554-281- 53
丁瑄女 明 見丁氏
丁楷明 523-216-156
丁瑜女 宋 見丁氏
丁煦元 400-309-526
477- 85-152
丁嵩明 483-138-380
494-164- 6
570-121-21之1
676-490- 19
丁敬清 477- 90-153
537-417- 57
丁鉉明(字用濟) 299-662-167
473- 24- 49
479-489-239
515-362- 68
丁鉉明(字九玉) 524-186-187
丁鉞明 1248-494- 23
丁鉞妻 明 見蔡佛娥
丁愈明 524-168-186
丁會後唐 277-494- 59
279-278- 44
384-312- 16
396-409-292
511-416-152
933-430- 29
丁儁宋 473-338- 63
480-407-277
515-516- 73
丁賓明 300-640-221
479- 97-221
510-294-112
523-275-158
676-607- 25
1442- 75- 5
1475-341- 14
丁實明 483-294-394
571-532- 19
丁廙魏 254-355- 19
254-381- 19
386-82-71上
丁誥明 494- 45- 3
丁福明 559-288-7上
丁寧明 511-381-150
丁槙明 511-626-161
丁瑨清 524-194-188
丁碧明 476-251-110
478-434-196
554-734- 61
丁聚元 563-714- 39
564-826- 60
丁遠晉 812-323- 5
821- 14- 45
丁鳳明 505-811- 74
丁僖宋 545-641-106
丁綝漢 252-814- 67
370-155- 15
376-733-108
402-412- 6
472-737- 29
477-364-167
丁寬漢 251-104- 88
380-248-172
472-410- 18
472-680- 27
475-423- 70
477-125-155
538- 22- 62
675-237- 3
677- 56- 5
933-430- 29
丁寬齊 812-332- 7
821- 23- 45
丁廣明 1244-684- 19
丁澄女 元 見丁臨
丁憪女 清 見丁氏
丁潭晉 256-296- 78
377-830-128
472-1026- 42
472-1070- 45
479-229-227
479-317-232
486-295- 14
486-349- 16
494-262- 1
523-299-160
814-238- 5
820- 63- 23
933-430- 29
丁毅明(字士弘) 475-708- 86
511-336-149
丁毅明(字德剛) 511-861-170
676-380- 14
丁瑾妻 清 見王氏
丁璋明 476-222-108
545-331- 95
丁鼒妻 清 見趙氏
丁震明 475-329- 65
丁璡宋(交阯人) 288-796-488
丁璡宋(字元甫) 482- 35-340
564- 41- 44
丁璡明 545-187- 90
丁模明(如皋人) 480- 52-259
丁模明(字克承) 1269-801- 5
丁儀魏 254-355- 19
254-381- 21
386- 82-71上
475-425- 70
511-786-166
1259-681- 10
丁銳明 559-320-7上
丁鲂漢 681-627- 17
丁緩漢 554-891- 64

丁憲明 545-185- 90
丁諷宋 472-789- 31
477-409-169
537-326- 56
丁謂吳 472-964- 38
479- 45-218
丁謂宋 285-533-283
371- 46- 4
382-311- 49
384-339- 17
384-346- 18
397- 28-322
450-687-下3
471-886- 42
471-892- 43
471-985- 57
471-998- 60
473-489- 70
485-184- 25
488-377- 13
493-873- 48
544-234- 63
589-295- 1
591-697- 49
674-276-4中
821-155- 50
933-431- 29
1386-226- 37
1437- 9- 1
丁謂女 宋 見丁氏
丁遵南北朝 523- 71-149
丁璣明 458-799- 6
473- 61- 51
473-674- 79
475-278- 63
483-382-402
511-687-163
515-202- 63
572-160- 32
676- 21- 1
676- 41- 2
676-514- 20
678-281- 97
1257-268- 24
1257-290- 26
1257-571- 12
1271- 12- 1
1458-715-474
丁豫明 515- 32- 58
523-435-167
1475-167- 7
丁蕙清 479-496-239
515-457- 70
528-468- 29
540-677- 27
丁興唐 486-311- 14
524-131-185
丁曄宋 494-410- 12
丁暹明 473-641- 78
丁積明 301-742-281
473-189- 58
479-823-256
482- 33-340
516-174- 94
518-160-140
563-752- 40
1246-124- 4
丁儒唐 528-489- 30
丁衡宋 523-396-165
丁穆晉 256-456- 89
380- 43-166
477-358-166
511-499-156
537-310- 56
丁錟宋 473- 21- 49
515-327- 67
677-354- 32
丁鴻漢 252-814- 67
370-155- 15
376-733-108
384- 61- 3
384- 62- 3
402-418- 7
472-651- 27
477-366-167
538- 28- 62
541-109- 31
675-262- 7
680-668-285
933-430- 29
丁濬元 533-324- 57
丁謐魏 254-183- 9
375-164-79下
385-427- 48
丁濟元 472-1085- 46
523-129-152
丁謙南唐 511-872-170
812-441- 0
812-530- 2
813-205- 20
821-120- 49
丁襄明 567-111- 66
1467- 84- 65
丁燫宋 480-635-288
丁璐明 473-465- 69
515-376- 68
丁臨元 陳騰實妻、丁澄女
1210-358- 11
丁邁丁德孫 宋 451- 95- 3
丁鎡明 511-300-148
丁鍊明 473- 27- 49
丁謹明 475-215- 60
510-365-114
546-201-122
丁禮漢 535-552- 20
丁禮明 511-774-166
676- 34- 2
678-590-126
820-601- 40
丁璿宋 288-796-488
丁璿明(字仲衡) 299-559-159
472-178- 6
475- 74- 53
511- 74-139
1241-850- 22
丁璿明(字大器) 494- 41- 3
494- 43- 3
丁魏宋 820-446- 35
丁瀠明 511-514-157
丁麒明 1475-169- 7
丁壐妻 明 見崔氏
丁疇宋 523-151-153
丁黼宋 288-380-454
400-180-514
472-369- 16
473-428- 67
475-642- 83
481- 21-291
511-485-155
515-198- 63
559-297-7上
559-503- 12
591-687- 47
丁鏞明 676-511- 20
丁騫宋 見丁希閔
丁騭宋 472-258- 10
485-187- 25
493-926- 50
511-680-163
丁藻清 511-611-160
丁覽吳 254-840- 12
486-293- 14
524-129-185
丁蘭漢 469-444- 53
471-936- 50
472-719- 28
473-248- 60
473-777- 84
477-246-161
477-454-171
480-299-271
511-905-172
533-445- 62
538- 99- 64
554-881- 64
568-495-118
丁鏓明 472-360- 15
丁權宋(金壇人) 451-182- 6
丁權宋(字子卿) 524-365-197
821-227- 51
丁鑑妻 明 見王氏
丁[illegible]清 476-676-136
540-865-28之4
丁儼元 515-344- 67
676-707- 29
丁儼明 1230-326- 5
丁麟明 1442- 7- 1
1459-418- 13
1475-171- 7
丁顯明 473-605- 76
529-613- 47
567-446- 86
1467-155- 67
丁巘丁瓛 明 554-478-57上
559-288-7上
丁鑛清 524-188-187
丁瓛明 見丁巘
丁讚明 524-193-188
丁一中明 1442- 67- 4
丁一統明 456-662- 11
丁七郎妻 明 見謝彩
丁士奇明 510-487-118

丁士美明 511-195-143
475-329- 65
丁士梅明 480- 51-259
丁士温明 1227-684- 4
丁大有妻 清 見王氏
丁大全宋 288-267-474
401-365-617
408-986- 4
丁大志妻 明 見趙氏
丁大相明 511-637-161
丁大勇清 456-354- 77
丁大訓明 570-165-21之2
丁大榮宋 523-169-154
丁大綬清 524-102-183
丁大穀丁大轂 明
456-629- 10
540-831-28之3
丁大德妻 明 見郭氏
丁大聲宋 494-340- 7
丁大轂明 見丁大穀
丁大轂妻 清 見聶氏
丁文孝元 400-314-526
丁文忠元 295-606-197
400-314-526
477-480-173
538-117- 64
547-194-148
丁文明明 456-459- 4
523-408-165
丁文昇明 563-745- 40
丁文炳明 523-123-151
526-117-262
丁文美明 見丁肇亨
丁文惠女 宋 見丁氏
丁文盛清 502-617- 76
537-226- 54
丁文華明 572- 85- 28
丁文暹明 821-408- 56
丁之翰明 515-356- 68
丁文衡妻 明 見康氏
丁之鴻妻 明 見宋氏
丁之鴻清 533- 33- 47
丁元公明 1442-116- 7
1460-679- 74
丁元吉明 511-687-163
丁元甫明 1282-388- 29
丁元規宋 1088-943- 37
丁元善明 1232-218- 3
丁元貴明 533-280- 56
丁元復明 1442- 75- 5
1460-362- 56
丁元薦明 301- 25-236
458-449- 22
479-145-223
523-283-159
1294-554- 14
1442- 81- 5
丁孔應明 456-553- 7
558-435- 37
丁天祐明 524-237-189
丁夫錫宋 511-594-159
丁日章清 529-696- 50
丁少微宋 288-474-461
472-686- 27
477-138-155
478-358-191
511-939-175
538-337- 70
554-982- 65
丁公伋西周 見呂級
丁公著唐 271-529-188
275-297-164
384-260- 13
400-291-523
472-227- 8
475-129- 56
485-168- 22
486- 44- 2
493-868- 47
511-519-157
523- 7-146
537-298- 56
933-430- 29
丁公膺宋 473-338- 63
480-408-277
533-398- 61
丁月娥明 見月娥
丁允元宋 563-682- 39
丁允元清 475-123- 55
510-340-113
540-841-28之4
丁允中女 明 見丁妙圓
丁立祺妻 明 見姜氏
丁必稱南唐 515-131- 61
533-169- 52
丁永祚明 515-420- 69
丁玉川明 821-399- 56
丁玉蘭妻 清 見李氏
丁正明女 明 見丁美音
丁正高妻 清 見李氏
丁本培妻 清 見劉氏
丁孕乾清 516-141- 92
丁可久宋 451-183- 6
丁可成明 528-532- 31
丁世元宋 1123-668- 7
丁世平明 460-777- 81
丁世昇妻 清 見左氏
丁世貞明 299-134-123
丁世雄宋 524-209-188
1164-282- 14
1356-751- 15
丁世雄妻 宋 見戴氏
丁以忠祖母 明 見熊氏
丁以忠明 473- 30- 49
515-397- 68
563-739- 40
676-573- 23
1283-817-131
丁由義明 545-194- 90
丁令光梁 梁武帝貴嬪、丁仲遷女 260- 98- 7
265-201- 12
370-555- 18
373- 87- 20
丁令威漢 472-351- 15
474-789- 42
503- 18- 92
511-937-175
1061-276-110
丁令威南北朝 516-434-103
丁仕卿明 524-174-187
丁仕能明 494- 41- 3
丁仙芝唐 472-276- 11
511-772-166
丁守中明 676-213- 8
丁守廉丁里 宋 1186-550- 7
丁守節宋 485- 85- 12
493-766- 42
丁安常宋 1127-528- 13
丁安義宋 見丁安議
丁安議丁安義 宋
523- 98-150
1132-244- 49
丁汝謙明 476- 85-100
546-615-135
丁汝夔明 300-358-204
丁有名妻 清 見宛氏
丁有周明 554-254- 52
丁有儀妻 明 見陳氏
丁光偉清 533-305- 57
丁光彩明 456-679- 11
丁光耀明 456-679- 11
丁此召明 676-345- 12
丁此呂明 300-763-229
515-415- 69
1442- 78- 5
1460-393- 58
丁自申明 460-615- 60
529-544- 45
1467-128- 66
丁自勸明 540-823-28之3
丁好禮元 295-596-196
400-279-522
472- 27- 1
472- 56- 2
474-243- 12
505-633- 67
505-844- 76
丁如浣明 456-678- 11
丁仲統明 1227-117- 14
丁仲修宋 288-366-453
400-131-511
479-404-235
523-415-166
丁仲遷女 梁 見丁令光
丁仲德元 1222-288- 20
丁仲謙元 1194-577- 5
丁竹崖女 明 見丁貞娥
丁印姑明 胡增煌妻
524-481-203
丁宏緒妻 清 見梅氏
丁良玉明 1268-415- 65
丁志方丁志芳 明
299-353-141
456-697- 12
540-784-28之3
丁志夫宋 1127-335- 19
丁志芳明 見丁志方
丁君窑宋 1163-462- 20
丁克明明 1232-404- 2
丁伯杞宋 1180-416- 38
丁伯初宋 1097-103- 10

丁伯虎宋 494-410- 12
丁伯桂宋 529-502- 44
1180-367- 34
丁伯通明 546-689-138
丁伯堂元 1208-540- 17
丁希亮宋 524- 62-181
1164-281- 14
丁希度明 570-161-21之2
丁希閔丁明、丁騫 宋
1170-784- 36
丁妙圓明 張翥妻、丁允中女
1247-559- 25
丁廷玉元 524-217-189
丁廷捄妻 清 見李氏
丁宗閔清 511-332-149
丁宗道女 宋 見丁氏
丁宗魏宋 511-177-143
丁宗夔清 511-802-167
丁定姑明 黃均妻
530-166- 59
丁庚甲妻 清 見游氏
丁松年宋 494-349- 7
丁居晦唐 820-257- 29
丁居實元 1200-691- 52
1200-772- 59
1373-408- 26
丁東阜明 1320-385- 45
丁林聲清 505-804- 74
丁兩生明 見眞從
丁長發妻 明 見景翩翩
丁尚義妻 元 見李氏
丁尚賢妻 元 見李氏
丁昌期宋 523-626-177
丁昌期妻 宋 見蔣氏
丁昌期明 456-640- 10
丁明仲宋 1131-188- 31
丁明登明 676-271- 10
丁易東元 473-369- 64
480-485-280
533-289- 56
676- 16- 1
676-700- 29
677-478- 43
丁芝仙唐 475-275- 63
丁叔通明 524-236-189
丁叔顯明 524-236-189
丁季英晉 丁義女
516-425-103
丁知幾宋 529-674- 49
丁恒信妻 明 見羅氏
丁美音明 夏學程妻、丁正明女
302-219-301
480-566-284
533-706- 72
丁咸序梁 489-675- 49
492-579-13下之上
丁南隱宋 517-391-125
丁飛擧唐 見丁飛
丁致祥明 511-152-142
554-220- 52
丁柔立唐 275-481-180
1079-345-附
丁茂桂明 456-521- 6
476-675-136
丁思孔清 474- 95- 3
480-363-275
502-623- 77
505-642- 67
510-300-112
532-607- 42
丁思僅五代 407-660- 3
丁貞娥明 丁竹崖女
524-456-202
丁重任妻 清 見李氏
丁紀功清 456-354- 77
丁浦江宋 1094-643-70
丁泰亨宋 1173-243-81
丁泰運明 302-102-294
456-431- 2
477-244-161
537-291- 55
546-217-122
丁眞一宋 493-1063- 56
843-667- 中
丁晉公宋 484- 46- 下
丁起濬明 532-727- 46
1442- 84- 5
丁陟臣妻 清 見王氏
丁振先明 456-658- 11
丁時正妻 清 見桑氏
丁時習宋 529-763- 53
丁師孔明 524-206-188
丁師善元 1194-596- 6
丁師羲明 302- 42-291
456-521- 6
483-117-379
570-130-21之1
丁修身妻 清 見陳氏
丁清溪元 821-330- 54
丁惟清宋 558-218- 32
丁惟寧明 545-225- 91
丁祥一元 400-316-526
524-133-185
丁淑英不詳 1061-347-115
丁康臣宋 528-483- 30
丁乾學明 301-169-245
458-225- 4
479-244-227
505-835- 76
523-387-164
676-635- 26
1442- 93- 6
1460-537- 66
丁崇先明 456-658- 11
丁崇德清 456-312- 74
丁處榮宋 471-1033- 65
473-465- 69
559-369- 8
丁國兵妻 宋 丁國賓妻
288-456-460
401-159-590
475-799- 90
480-545-283
丁國珍明 見丁玉
丁國泰清 456-354- 77
丁國瑞妻 清 見甘氏
丁國賓宋 1170-677- 29
丁國賓妻 宋 見丁國兵妻
丁國寶清 1324-328- 31
丁野夫元 821-316- 54
丁野堂宋 821-260- 52
丁野鶴元 479- 74-219
524-390-198
丁得孫元 528-447- 29
丁啟明清 511-822-167
丁啟睿明 301-417-260
丁啟濬明 529-550- 45
丁紹曾母 明 見瞿氏
丁逢吉宋 472-115- 4
丁從信妻 元 見李冬兒
丁從龍宋 481-697-332
529-628- 48
丁善淵金 476-407-120
547-540-160
丁善源明 孫士英妻
1240-394- 25
丁普郎明 299-254-133
480- 90-262
533-364- 60
丁焜南明 570-164-21之2
丁雲鵬明 821-453- 57
1442- 98- 6
1460-595- 69
丁期昌清 480-129-264
532-753- 46
丁登瀛明 1457- 75-349
丁堯彩妻 清 見胡氏
丁貴鼎妻 明 見孔廷娘
丁華一明 475-709- 86
511-641-161
丁睎顏宋 820-409- 34
821-210- 51
丁象咸清 511-780-166
丁象鼎清 505-673- 69
丁象觀妻 清 見方氏
丁進忠清 456-354- 77
丁源祖明 533-465- 63
丁裕芳妻 清 見陳氏
丁煒宗妻 清 見劉氏
丁運亨清 483- 17-370
570-145-21之2
丁運昌清 538- 56- 63
丁運選明 456-500- 5
丁道矜梁 820-105- 24
丁道眞隋 820-126- 25
丁道護隋 814-264- 8
820-126- 25
丁聖時明 515-126- 60
533-285- 56
丁暐仁金 291-292- 90
399-175-431
472- 35- 1
472-457- 20
472-694- 28
474-178- 8
474-236- 12
474-651- 34
476- 78-100
476-248-110
505-718- 71
545-178- 89
丁熙拱明 511-844-168

丁嘉運丁嘉遇、于嘉遇、于嘉運 明 456-605- 9
456-658- 11
丁嘉遇明 見丁嘉運
丁夢松元 524-211-188
丁維辰妻 明 見周泰
丁維南明 515-359- 68
丁維南妻 明 見徐德
丁肇亨丁文美 明 1442- 84- 5
丁魁楚明 301-418-260
458-171- 8
505-640- 67
丁養浩明 571-521- 19
676-333- 12
丁賜第妻 清 見周氏
丁德孫宋 見丁邁
丁德隅宋 493-1055- 56
820-409- 34
丁德裕宋 285-404-274
472-115- 4
505-763- 72
丁德興明 299-213-130
475-752- 88
511-417-152
丁遵道明 512-778-196
丁穎詮清 524-115-183
丁曇孃清 524-720-212
丁興宗宋 400-132-511
丁學顯清 533-114- 50
丁錦奴明 見丁錦孥
丁錦孥丁錦奴 明 唐方妻 302-211-301
479-251-228
524-678-210
丁應正清 524-141-185
丁應桂元 1197-732- 76
丁應掄明 456-628- 10
丁應復宋 494-410- 12
丁應震明 541-107- 31
丁應選明 559-506- 12
丁應璧明 473- 19- 49
476-674-136
515- 53- 58
540-828-28之3
丁應觀明 546-501-131
554-348- 54
丁謙垕宋 見丁至

丁懋遜明 300-810-233
540-818-28之3
丁寶臣宋 472-258- 10
480-340-273
485-533- 1
486- 66- 3
494-325- 6
511-551-158
523-147-153
1102-203- 25
1102-384- 50
1103-141-112
1105-761- 91
1106- 97- 14
1356-165- 8
1378-566- 61
1378-608- 63
1383-659- 58
1384-135- 92
1410-191-686
1410-342-708
1437- 13- 1
丁耀先明 540-829-28之3
丁繼宗明 473-631- 77
丁繼嗣明 515- 62- 58
1474-529- 26
丁鶴年明 301-812-285
473-212- 59
479-188-225
480- 56-260
524-317-194
525-362-235
533-722- 73
676-466- 17
1217-494- 附
1217-495- 附
1217-543- 附
1217-545- 附
1219-465- 19
1232-212- 2
1439-454- 2
1457-718-411
1469-643- 63
丁顧年宋 491-344- 2
丁哈八石丁哈巴石、丁哈噶斯元 1206-574- 8
1211-480- 68
1211-667- 11
1367-628- 48
丁哈巴石元 見丁哈八石
丁哈噶斯元 見丁哈八石
七十清(賽密勒氏) 455-558- 36
七十清(張佳氏) 456-254- 69
七十八清 455-527- 33
七仙女不詳 567-459- 87
七哈拉清 502-555- 73
七莽阿清 455-636- 44
了一宋 588-227- 10
1053-709- 16
1135-328- 32
了元宋 472-278- 11
475-284- 63
479-538-241
511-925-174
516-472-104
524-387-198
588-251- 10
1052-773- 29
1053-669- 16
1054-178- 4
1054-647- 19
1109-417- 21
了白明 547-493-159
了用明 561-227-38之3
了他宋 530-209- 60
了宗宋 821-270- 52
了空元 472-440- 19
476-312-113
547-526-160
了性宋(餘杭人) 820-471- 36
了性宋(字東庵) 1053-876- 20
了性元 1054-767- 22
了明宋 588-223- 10
了威宋 1053-771- 18
了悟宋 588-194- 9
了悟明 561-227-38之3
了拳唐 530-206- 60
564-621- 56
了眞宋 585-780- 7
了翁宋 524-448-201
了彬宋 1183-20- 2
了通元 511-919-174
了堂明 516-498-105
了常宋 1053-772- 18
了然唐 516-428-103
1053-176- 4

了然宋 486-902- 35
524-426-200
1054-202- 4
了然清 511-936-175
了義從一 元 524-404-199
588-270- 11
1207-685- 49
了義嵇隆柢 清 1323-800- 6
了萬元 524-444-201
1204-606- 12
了敬元 1196-686- 7
了演宋 486-340- 15
524-418-200
588-190- 9
1053-877- 20
了機明 533-765- 74
了燦宋 1053-850- 19
了贇宋 1053-895- 20
了覺唐 554-954- 65
561-216-38之3
了覺明 547-497-159
力斤後魏 544-209- 62
力金万金、萬金 明 511-919-174
676-678- 28
820-765- 44
1442-118- 8
1460-825- 89
1475-739- 31
力牧上古 404-383- 23
933-754- 52
力題漢 933-754- 52
力僧護唐 533-440- 62
刀幹孟明 302-506-314
刀暹答明 302-534-315
乃哥清 569-619-18下之2
乃瑪台元 見奈曼台
乃蠻台元 見奈曼台
乃兒不花明 見鼐爾巴哈
乃顏帖木兒明 見納延特穆爾
卜氏明 周宗彝妻 524-504-203
卜氏清 霍士建妻 478-438-196
卜台明 見蔣信
卜式漢 250-394- 58
376-196-98下
384- 45- 2
469- 22- 3

472-586- 24
472-640- 26
472-743- 29
477- 46-151
477-307-164
537-346- 56
540-643- 27
933-717- 49
卜同明 511-768-166
卜年明 1475-646- 27
卜宣明 512-783-196
卜珝晉 256-552- 95
380-606-182
547-198-148
卜淇明 1475-645- 27
卜商卜子夏、子夏 春秋
244-384- 67
246- 25- 67
371-487- 32
375-653- 88
384- 29- 1
386-706- 12
386-731- 14
405-429- 84
469-466- 56
472-458- 20
472-707- 28
505-708- 71
537-363- 57
539-490-11之2
539-633-11之6
547-166-147
554-878- 64
675-275- 11
839- 9- 1
933-717- 49
卜理元 473-298- 62
卜偃郭偃 春秋 380-545-181
404-742- 46
448-148- 5
472-458- 20
547-545-161
卜勝元 見卜勝榮
卜雍妻 清 見劉氏
卜萬明 299-361-142
456-696- 12
卜福漢 370-208- 21
卜齊明 見布濟克
卜壽妻 明 見高氏
卜夔明 554-678- 60
卜靜吳 254-779- 7
485-172- 23
485-532- 1
486- 65- 3
493-864- 47
卜謙明 472-208- 7
511-359-150
卜燦妻 清 見萬氏
卜懷明 476-699-137
524-147-185
卜子夏春秋 見卜商
卜大有明 676- 80- 3
676-135- 5
676-581- 24
680-241-248
1442-64- 4
1460-232- 50
卜大同明 523-437-167
1442- 64- 4
1460-232- 50
1475-307- 13
卜大順明 1442- 64- 4
1460-232- 50
卜大經明 456-616- 9
481-403-313
卜大觀明 1283-418- 99
卜小峰明 456-597- 9
卜之先宋 1117-179- 15
卜之儀清 見卜陳彝
卜云吉明 1285-329- 10
卜不矜清 1475-570- 25
卜元吉元 524-329-195
卜元吉妻 清 見高氏
卜孔時明 559-353- 8
卜天生劉宋 258-574- 91
265-1038- 73
380- 51-166
卜天與劉宋 258-574- 91
265-1037- 73
380- 50-166
451- 6- 附
472-965- 38
479- 46-218
523-352-163
卜天璋元 295-550-191
400-367-534
459-924- 56
472-677- 27
472-751- 29
473- 44- 50
473-673- 79
477- 54-151
477-124-155
479-527-241
480-242-269
481-803-338
515-218- 63
537-255- 55
卜曰乂明 1475-389- 16
卜永昇清 477-244-161
卜世臣明 1475-431- 18
卜世儼清 483-307-395
571-546- 20
卜失兔明 見布色圖
卜各吉明 483-194-387
卜伯宗劉宋 380- 51-166
卜招父戰國 380-545-181
547-545-161
554-888- 64
卜金錫明 1475-639- 27
卜則巍宋 516-528-106
卜馬祥明 473-318- 62
480-463-279
533-406- 61
卜徒父春秋 380-552-181
554-888- 64
卜陳彝卜之儀 清
1318-462- 73
卜尊賢清 539-633-11之6
卜景雲明 524-439-201
卜景超清 559-336-7下
卜舜年明 1442-115- 7
1460-665- 74
1475-417- 18
卜勝榮卜勝 元 295-608-197
400-316-526
475-375- 68
511-572-159
卜楚丘春秋 404-548- 33
卜爾侯妻 清 見張氏
卜夢龍明 533-799- 75
卜履吉明 511- 83-139
820-736- 44
卜彊本宋 1117-179- 15
卜理牙敦元 見布琳尼敦
卜顏鐵木兒元 見布哈特穆爾
几蘧氏上古 383- 30- 5
九一明 541-100- 30
九仙漢（兄弟九人，同日昇舉）
516-480-105
九格清 456-175- 63
九峰明 516-453-104
九隆不詳 381-556-197
九塞清 455-377- 23
九方皋春秋 405-320- 76
九元子不詳 1061-268-110
九江王漢 見黥布
九僊女宋（韓氏九女，修道仙去） 564-617- 56
九天玄女上古 1061-343-114
九眞仙女唐(於九眞山修煉)
533-752- 74
九源丈人不詳 1061-269-110
九嵕山禪師五代
1053-230- 6
乂德唐 1049-673- 45
八公漢 1061-266-109
八札海牙元 見巴克扎喀
八忒麻失里元 見巴特瑪實哩
八哈納武德女 元 見托克托沁

三　畫

亡名唐(印度人) 1052-271- 19
亡名唐(住漢州開元寺)
1052-306- 21
亡名唐(鄧州人) 1052-307- 21
亡名唐(人呼爲興元上座)
1052-307- 21
亡名唐(滎陽人) 1052-347- 24
亡名唐(居南瓦窯)
1052-415- 30
亡名後晉 1052-315- 22
亡名後漢 1052-359- 25
亡波漢 569-534- 17
下邳王漢 見劉衍
下邳王漢 見劉意
下邳王晉 見司馬晃

下陋女明 482-353-356
1467-264- 72
弋氏清 陳中振妻 477-456-171
弋潤金 1191-270- 24
弋潤女 金 見弋庭英
弋潤女 金 見弋彀英
弋諫戈諫 明 483-138-380
559-277- 6
570-121-21之1
弋諫妻 明 見韓氏
弋謙戈謙 明 299-622-164
476-333-115
546-405-128
弋庭英金 弋潤女
1191-271- 24
弋彀英金 弋潤女
1191-271- 24
三公宋(兄弟三人) 530-201- 60
三丹清 455-628- 43
三平唐 472-1056- 44
479-437-236
524-447-201
三布清 456- 38- 52
三台清(納喇氏) 455-387- 23
三台清(錫爾馨氏) 456-182- 64
三存清 455-466- 28
三休明 533-799- 75
三坦清 455-617- 42
三姑元 483- 48-372
三岱清 456-334- 76
三苗上古 404-399- 23
三昧明 516-499-105
524-400-199
三拜清 456-293- 72
三保清 456-123- 58
三泰清(碧魯氏) 455-518- 32
三泰清(烏蘇氏) 455-569- 37
三泰清(烏色氏) 456- 7- 50
三泰清(趙氏) 456-381- 79
三泰清(位至副都統)
1304-589-89
三晉清 502-755- 85
三修明(自言三世為僧)
572-165- 32
三覃清 455-227- 12
三陽清(赫舍里氏) 455-200- 10
三鼐清(瓜爾佳氏) 455-117- 4
三鼐清(劉氏) 456-300- 73
三檀清 455-393- 24
三譚清 455- 40- 1
三蘇清 456-295- 72
三目僧唐 547-491-159
三仙女唐(何許陳三姓)
533-754- 74
三朵花宋(戴三朵花)
480-322-272
821-257- 52
1436- 21-62
三貞姑明(姊妹三人)
511-933-175
三城王明 見朱芝垝
三娘子明 徹哩克妻、鄂爾多斯女 302-763-327
三崇阿清 455-490- 30
三達色清(納喇氏) 455-365- 22
三達理清(瓜爾佳氏)
455-119- 4
三達理清(正黃旗人)
455-157- 6
三達理清(鑲藍旗人)
455-158- 6
三達理清(赫舍里氏)
455-204- 10
三達理清(伊爾根覺羅氏)
455-256- 14
三達理清(舒穆理氏)
456-118- 58
三齊哈清 455-217- 11
三寶珠徹寶珠 元
294-541-144
523-226-156
585-577- 22
1439-450- 2
三刀法師唐(安史之亂時為劉寧捕獲斫之三刀俱折)
479-735-250
516-442-104
1052-348- 24
三刀禪師唐(黃巢之亂時賊執而斫之三刀無血) 472-330- 14
475-715- 86
511-938-175
三河公主遼 見耶律實格
三洞法師唐 1065-335- 7
三無道人明 554-990- 65
三溪烈婦山溪烈婦 清
475-614- 81
512- 96-179
三銅道人清(為人治病索銅三斤) 547-564-161
三濟扎布清(齊巴克雅喇木丕勒長子) 454-518- 48
三濟扎布清(烏默客弟)
454-552- 54
三濟扎勒清 454-405- 26
三藏法師晉 564-617- 56
三都克扎布清 454-670- 73
三丕勒多爾濟清
454-637- 69
三丕爾多爾濟清
496-219- 76
三都布多爾濟清
454-535- 51
三達克多爾濟清
454-529- 50
工彀宋 523-115-151
工師喜漢 535-552- 20
工師藉周 404-492- 29
工博文宋 472-893- 35
工尹商陽春秋 405- 38- 58
土主張行七 宋 533-756- 74
土門伊利可汗 後魏
264-1151- 84
267-880- 99
381-661-200
土兒罕明 見圖爾哈
土領阿明 見都薩阿
土木得兒明 見圖們德勒
土門巴彥清 496-217-76
士一吳 見士壹
士仁蜀漢 254-692- 15
士匄范匄、范宣子 春秋
375-740- 90
384- 17- 1
404-659- 40
448-200- 15
472-460- 20
545-696-108
933-516- 34
933-629- 41
士匄春秋 見士文伯
士匡吳 254-756- 4
士伯春秋 見士渥濁
士希實實岱 元 1202-316- 22
士武三國 470-523-164
士茁春秋 404-792- 48
546-430-129
士珪宋 524-443-201
592-388- 84
1053-851- 20
士弱士莊子 春秋 404-666- 40
448-214- 17
545-728-109
士峴宋 494-268- 2
士袞宋 1121-614- 8
士富春秋 545-697-108
士壹士一 吳 254-755- 4
470-523-164
473-778- 84
482-452-362
士蔿春秋 375-716- 90
384- 17- 1
404-652- 40
448-142- 4
472-458- 20
545-692-108
933-516- 34
士會士武子、范季、范武子、隨季、隨武子 春秋
375-736- 90
384- 17- 1
404-654- 40
448-169- 10
472-459- 20
545-693-108
933-516- 34
933-629- 41
1340-591-780
士鞅范鞅、范獻子 春秋
375-743- 90
384- 17- 1
404-661- 40
448-234- 19
472-460- 20
545-697-108
933-516- 34
933-629- 41
士鞅妻 春秋 448- 32- 3
452- 80- 2
472-469- 20
547-237-150

士慶春秋 533-123- 51
士廞吳 473-778- 84
士璋元 588-233- 10
士蔑春秋 545-724-109
士魴彘季、彘恭子 春秋
384- 17- 1
404-659- 40
545-696-108
933-517- 34
士縠春秋 933-516- 34
士燮士文子、范文子 春秋
371-457- 28
375-738- 90
384- 17- 1
404-656- 40
448-191- 14
472-459- 20
545-695-108
550- 70-211
550- 76-211
933-516- 34
933-629- 41
士燮吳 254-755- 4
370-243- 1
377-321-119
384- 78- 4
384-544- 26
385-118- 11
453-760- 4
470-523-164
473-777- 84
473-891- 90
482-185-346
482-452-362
483-697-422
563-608- 38
567-290- 76
594-266- 12
679-347-173
1467-162- 68
士燮隋 267-513- 77
477-249-161
537-477- 58
士徽吳 254-755- 4
士䵋吳 254-755- 4
470-523-164
士亹春秋 405- 22- 57
533-124- 51

士子孔春秋 404-880- 54
士子裘春秋 404-659- 40
士文子春秋 見士燮
士文伯士匄、伯瑕 春秋
380-548-181
384- 20- 1
404-666- 40
472-460- 20
545-729-109
士吉射范昭子 春秋
404-664- 40
士武子春秋 見士會
士建中宋 1090-273-13
士貞子春秋 見士渥濁
士孫張漢 554-803- 63
933-795- 58
士孫萌魏 254-122- 6
533-734- 73
554-831- 63
士孫瑞漢 253-355- 96
254-122- 6
376-955-112
478-103-180
554-831- 63
933-795- 58
士莊子春秋 見士弱
士莊伯春秋 見鞏朔
士渥濁士伯、士貞子 春秋
404-665- 40
448-185- 12
545-728-109
933-517- 34
士景伯春秋 見士彌牟
士彌牟士景伯、司馬彌牟 春秋
375-779- 90
384- 20- 1
404-667- 40
404-725- 44
448-259- 25
545-729-109
士孫天與後魏 262- 80- 71
552- 41- 18
554-560- 58
子人語、公子語 春秋
404-852- 53
子工公子鑄 春秋 404-608- 37
子山春秋 405-124- 63
子文春秋 見鬬穀於菟

子之戰國 405-155- 65
子元春秋 404-851- 53
子元宋 588-240- 10
子木春秋 404-832- 51
子反公子側 春秋 375-844- 92
384- 24- 1
405- 44- 58
448-182- 11
子氏春秋 見仲子
子立唐 見慧立
子主漢 1058-503- 下
1061-253-108
子玉春秋 見成得臣
子皮春秋 404-837- 52
子皮春秋 見罕虎
子犯春秋 見狐偃
子西春秋 見公子申
子羽春秋(衛國人) 404-832- 51
子羽公子羽 春秋(鄭國人)
404-881- 54
子羽春秋(晉國人)
546-510-132
子印公子子印 春秋
384- 24- 1
404-877- 54
子言宋 591- 70- 5
1053-864- 20
子良春秋 404-880- 54
子良春秋 見公子去疾
子成唐 554-953- 65
子伯春秋 404-837- 52
子邦宋 1053-695- 16
子奇戰國 405-242- 71
472-588- 24
491-793- 6
子來宋 1053-694- 16
子虎春秋 404-839- 52
子昕宋 1163-450- 18
子洩春秋 見公山不狃
子思戰國 見孔伋
子英上古 見昊英氏
子英漢 1058-502- 下
子英宋 1053-692- 16
子羔春秋 見高柴
子容春秋 404-688- 42
子涓宋 592-460- 89
1053-910- 20
子朗五代 478-251-186

子貢春秋 見端木賜
子珪宋 1107-826- 58
子夏春秋 見卜商
子桑春秋 見公孫枝
子展春秋 404-837- 52
子員春秋 545-735-109
子晏明 476-158-104
547-493-159
子豹春秋 742- 24- 1
子淳宋(嗣道楷) 592-454- 89
1053-587- 14
子淳宋(字或號圓濟禪師)
1053-702- 16
子產春秋 見公孫僑
子祥志庠 五代 564-621- 56
1053-617- 15
子梅元 1204-628- 14
子游公子遊 404-809- 49
子游春秋 見言偃
子琪宋 1053-701- 16
子琦宋 1053-723- 17
子發母 春秋 448- 14- 1
452- 80- 2
473-304- 62
533-503- 66
子然公子然(鄭國人)
404-879- 54
子然春秋(晉國人) 545-857-113
子猷宋 1163-621- 40
子温宋 524-391-198
820-470- 36
821-269- 52
1194-236- 18
子瑀唐 524-402-199
1052-372- 26
1071-856- 9
子閔宋 491-435- 6
子榎元 1442-119- 8
子圓宋 1053-497- 12
子路春秋 見仲由
子禽春秋 404-485- 28
子經宋 1053-765- 18
子旗春秋 見欒施
子端明 547-521-160
子榮宋 1053-650- 15
子臧公子臧 春秋 404-852- 53
子臧春秋 見公子欣時
子廣元 1196-318- 18

子鄭唐 541- 91- 30
1052- 31- 3
子賢元 1369-477- 14
1471-648- 16
子履夏 383-245- 23
子儀春秋 404-837- 52
子儀宋 588-228- 10
1053-324- 8
子興宋 1053-327- 8
子鴻宋 1053-680- 16
子襄春秋 405-453- 85
539-640-11之6
子聰劉侃、劉秉忠 元
295-129-157
399-453-462
399-453-462
451-569- 7
459-685- 41
472-108- 4
474-409- 20
477-169-157
503- 19- 92
505-757- 72
515-471- 71
547-179-147
547-502-159
820-489- 37
1054-709- 21
1191-691- 6
1439-419- 1
1468-232- 12
子輿漢 547-547-161
子嬰秦 見秦王子嬰
子鮮公子鱄 春秋 404-837- 52
448-244- 21
537-365- 57
子璿宋 472-986- 39
491-119- 14
524-396-199
1053-493- 12
1954-168- 4
1054-617- 18
子豐公子子豐 春秋
384- 24- 1
404-878- 54
子蟜春秋 404-837- 52
子歸宋 1053-596- 14
子亹春秋 見鄭子亹
子囊春秋 見公子貞
子麟後唐 524-407-199
子贛春秋 見端木賜
子人九春秋 404-852- 53
子太叔春秋 見游吉
子正封宋 820-359- 32
子列子春秋 見列禦寇
子服它春秋 404-515- 31
子服回子服昭伯 春秋
384- 14- 1
404-517- 31
子服何子服景伯 春秋
375-708- 89
384- 14- 1
404-517- 31
405-449- 85
448-278- 30
子服湫春秋 見子服椒
子服椒子服湫、子服惠伯、孟琳 375-707- 89
384- 13- 1
404-515- 31
448-243- 21
子家駒春秋 見子家羈
子家羈子家駒、子家懿伯 春秋 375-710- 89
384- 15- 1
404-545- 33
448-254- 24
子師僕春秋 404-887- 55
子淵捷春秋 見公孫捷
子越椒春秋 見鬬椒
子揚窻春秋 405- 36- 58
子襄氏上古 見朱襄氏
子蘭子春秋 386-738- 15
子州支父上古 448- 89-上
879-147-57下
子車仲行春秋 554-682- 61
子車奄息春秋 554-682- 61
子車鍼虎春秋 554-682- 61
子叔黑背春秋 404-837- 52
子叔敬子春秋 見叔弓
子叔齊子春秋 見叔老
子叔昭伯春秋 見子服回
子服惠伯春秋 見子服椒
子服景伯春秋 見子服何
子家懿伯春秋 見子家羈
干木明 545-395- 97
干氏明 見于氏
干特清 516-111- 91
干將春秋 386-679- 9
485-214- 29
493-1060- 56
干將妻 春秋 見莫邪
干閔宋 485-536- 1
干準明 516- 71- 90
干鳳明 473-130- 55
干霈明 1240-389- 24
干犨春秋 見干讎
干寶晉 256-351- 82
370-321- 7
377-874-129下
384-100- 5
469- 85- 11
472-793- 31
472-964- 38
477-416-169
482-432-361
486- 64- 3
492-613- 14
524- 18-179
538-146- 65
567- 28- 63
677-114- 11
933-217- 15
干讎干犨、干犫 春秋
404-819- 50
933-217- 15
干犫春秋 見干讎
干文傳于文傳 元
295-482-185
400-370-534
472-229- 8
472-377- 16
472-1085- 46
475-131- 56
475-562- 79
479-134-223
479-174-225
493-967- 51
494-345- 7
510-426-116
511- 94-140
523-117-151
590-466- 0
1375- 36-下
1439-440- 2
1471-385- 7
干天寶劉宋 見于天寶
干汝功宋 485-537- 1
干肖龍清 537-553- 59
干建邦清 見于建邦
干德昌明 559-420-10上
干顯偲明 473-130- 55
479-682-248
515-551- 74
于方唐 554-929- 64
于中明 567-302- 77
1467-185- 69
于公漢 250-587- 71
472-307- 13
476-779-141
510-380-115
540-694-28之1
于仁明 1242- 75- 26
于氏元 吉天弼母
1206-671- 2
于氏明 王杲妻、于鎰女
1285-327- 10
于氏明 王興胤妻
1312-553- 7
于氏明 沈彥清妻 473-305- 62
480-252-269
于氏明 宋寬妻 506- 76- 88
于氏明 李嵩妻 472-668- 27
于氏明 李如峰妻
1295-555- 7
于氏明 李重耀妻 506- 70- 88
于氏清 柏起鵠妻 480-546-283
533-688- 71
于氏明 荊滦妻 302-255-303
475-282- 63
于氏干氏 明 徐景仁妻、干得泉女、于得泉女 493-1084- 57
512- 20-177
于氏明 張鐸妻 302-249-303
477-503-174
于氏明 張大經妻 474-191- 9
506- 8- 86
于氏明 張雲祥妻
1467-276- 72
于氏明 賀鼎妻 475-282- 63
512-470-188
于氏明 程黼妻 472-668- 27
于氏明 逯經生妻 476-531-128

于氏明 趙雲妻、趙澐妻
474-778- 42
503- 30- 93
于氏明 趙志業妻 477-503-174
于氏丁氏 明 鄧任妻
302-245-303
475-782- 89
于氏明 劉繼業妻 541- 10- 29
于氏清 王珍妻、王玉珍妻
474-826- 44
503- 67- 95
于氏清 王惺妻 506- 27- 86
于氏清 王其楫妻 477-380-167
于氏清 王樂善妻 474-195- 9
于氏清 王應科妻 474-196- 9
于氏清 李之芳妻、于斯發女
1324-339- 32
于氏清 李應善妻 474-194- 9
于氏清 林嶸妻 541- 46- 29
于氏清 姜鋥妻 506- 17- 86
于氏清 胡國永妻 474-194- 9
于氏清 馬廷輔妻 476-870-145
于氏清 夏繡文妻 512-466-188
于氏清 陳天性妻 474-196- 9
于氏清 陳抒泰妻 506- 68- 87
于氏清 陳興魁妻 503- 52- 95
于氏清 雷兆英妻 479-502-239
于氏清 劉五妻 503- 58- 95
于氏清 劉可立妻 506-123- 89
于氏清 謝國柱妻 481-337-308
于立元 516-103- 91
1369-389- 11
1439-457-附2
1471-629- 16
于永漢 376-309-100
540-694-28之1
933-115- 8
于永妻 漢 見劉施
于石宋 524-292-193
1439-426- 1
1457-689-408
1470-252- 9
于申唐 1076-113- 12
1076-569- 12
1077-140- 12
于吉吳 472-560- 23
476-792-141
493-1098- 58
541- 86- 30
1061-278-111
于至宋 559-390- 9上
592-582- 98
于光明 299-259-133
453-543- 4
473- 77- 52
478-516-200
479-581-243
516-102- 91
558-177- 31
1224-244- 22
于向唐 482-349-356
567-362- 81
1467-165- 68
于成妻 元 見張壽玉
于材明 473-391- 65
533-322- 57
于京妻 明 見李氏
于玠元 472-604- 25
于玭于玼明 478-546-202
540-807-28之3
558-202- 31
于玭妻 明 見劉氏
于邵唐 270-628-137
276- 87-203
384-223- 12
400-612-556
472-836- 33
473-445- 68
478-117-181
484- 84- 3
546- 55-116
554-839- 63
559-280- 6
567-428- 86
585-751- 3
820-220- 28
821- 71- 47
1394-668- 10
1467-141- 67
于忠于登 後魏 261-457- 31
266-467- 23
379- 47-146
545- 5- 83
933-116- 8
于旺明 510-376-114
于岩明 494- 40- 3
于昕後魏 261-461- 31
于芬妻 明 見劉氏
于果後魏 261-462- 31
379- 49-146
546- 23-115
于岳元 1213-765- 24
于房宋(浦陽人) 452- 20- 下
523-608-176
于房宋(知奉化縣)
472-1084- 46
于郊後魏 544-206- 62
于軍漢 552- 17- 18
于革宋 515-326- 67
于勁後魏 262-224-83下
266-469- 23
379- 49-146
546- 25-115
933-116- 8
于勁女 北魏 見于皇后
于貞元 王仁甫妻
1197-750- 78
于海明 473-757- 83
567- 85- 66
于祚後魏 261-457- 31
于栻妻 明 見徐式
于烈後魏 261-455- 31
266-465- 23
379- 45-146
476-255-110
546- 22-115
933-116- 8
于桂明 505-677- 69
于玼明 見于玭
于時明 540-797-28之3
于恕宋 486-898- 34
524-328-195
于淵元 1226-892- 7
于章明 494- 56- 2
于敖唐 270-781-149
274-331-104
395-361-214
554-839- 63
820-233- 28
于通明 540-836-28之3
于通妻 明 見趙氏
于冕明 299-693-170
510-313-113
于紹北周 552- 44- 19
于紹明 559-365- 8
于敏明 547- 8-141
于湛明 511-181-143
581-695-116
于寔于實 北周 263-526- 15
266-473- 23
379-533-156
478-165-182
544-215- 62
552- 43- 19
554-119- 50
554-569- 58
933-116- 8
于寔女 隋 見于茂德
于敦後魏 261-461- 31
于琮唐 270-781-149
274-331-104
384-281- 14
395-361-214
478-121-181
482- 74-341
554-701- 61
563-640- 38
于琮妻 唐 見廣德公主
于琮宋 820-401- 34
于博明 302-156-297
547- 42-142
于閔明 1242-190- 30
于登後魏 見于忠
于肅唐 270-780-149
于琳清 1475-604- 26
于提後魏 262-258- 87
267-639- 85
380- 59-166
384-143- 7
476-255-110
546- 24-115
于景後魏 261-461- 31
266-469- 23
379- 49-146
于凱元 517-525-128
于傅妻 明 見賈氏
于智隋 559-260- 6
于欽元 472-594- 24
476-672-136
540-779-28之2
1210-369- 11
1214- 57- 5

1439-432- 1
于棐明 1285-330- 10
于棐妻 明 見蔣氏
于溥宋 475-214- 60
510-359-114
于義隋 264-699- 39
266-479- 23
379-536-156
384-153- 8
477-309-164
554-439- 56
933-117- 8
于準明 472-240- 9
1260- 42- 2
于準清 545-902-114
于資妻 明 見高氏
于禁魏 254-330- 17
377-158-115下
384- 84- 4
384-679- 44
933-116- 8
于暉後魏 262-224-83下
266-469- 23
379- 49-146
544-207- 62
于敬明 472-968- 38
于臬宋 559-310-7上
于頎唐 270-752-146
275-140-149
于實北周 見于寔
于禎明 537-210- 54
559-365- 8
于壽明 494- 42- 3
于嘉明 1442-101- 6
于兢後梁 812-523- 2
821-107- 49
于頔唐 271- 22-156
275-389-172
384-238- 12
384-257- 13
396- 56-257
471-611- 4
472-220- 8
472-997- 40
473-246- 60
475-118- 55
479-133-223
485- 71- 11
493-688- 38
494-290- 4
510-323-113
523-114-151
554-929- 64
820-218- 28
933-117- 8
于頔妻 唐 見李氏
于睿明 472-559- 23
于鳳明 472-174- 6
于寬明 554-484-57上
于濆唐 451-473- 7
1371- 72- 附
于潛宋 400-150-512
于潛明 458-165- 8
472-665- 27
473- 97- 53
515-185- 62
537-399- 57
540-649- 27
于慶明 1237-516- 6
于賢明 473-210- 59
480- 51-259
于震明 528-561- 32
1442- 49-附3
1460- 53- 42
于敷南北朝 524-118-184
于履五代 524-290-193
于鋭宋 491-433- 6
于範唐 820-266- 29
于範明 1467-110- 66
于夐唐 1343-814- 60
于諝妻 明 見鄺氏
于穎明 1442-107- 7
1460-651- 73
于璠明 473-247- 60
于興宋 400-187-514
于興明 1253-154- 48
于興妻 明 見孫氏
于錫唐 812-354- 10
813-158- 15
821- 87- 48
于濤唐 485-285- 40
485-498- 9
485-516- 9
于謙明 299-687-170
443- 45- 3
453-343- 6
453-598- 16
472-431- 19
472-647- 26
472-969- 38
473- 15- 49
475-871- 95
476-916-148
479- 52-218
479-452-237
505-634- 67
515- 36- 58
523-356-163
537- 7- 48
537-212- 54
545- 67- 85
585-106- 4
585-390- 8
587-628- 11
587-629- 11
587-710- 16
588-182- 8
676-480- 18
820-620- 41
1244-397- 附
1244-410- 附
1247-451- 19
1251-275- 21
1252-580- 34
1280-622-102
1283-245- 85
1284-355-163
1408-700-554
1442- 22-附2
1459-589- 21
于謙妻 明 見董氏
于聰明 1253- 95- 45
1376-546- 93
于懋明 540-791-28之3
于翼北周 263-651- 30
264-895- 60
266-477- 23
379-533-156
472- 26- 1
472-738- 29
473-266- 61
474- 90- 3
474-166- 8
477-309-164
478-514-200
480-199-267
505-628- 67
537-196- 54
545-261- 93
558-188- 31
933-116- 8
于謹于巨引、于巨彌 北周
263-521- 15
266-470- 23
379-529-156
384-130- 7
472-482- 21
472-744- 29
477-309-164
505-782- 73
535-556- 20
546- 38-116
552- 30- 18
554-119- 50
933-116- 8
1400-113- 3
于蕭宋 491-807- 6
于璧明 476-430-121
545-276- 93
545-387- 97
于藁明 545-466-100
于鵠唐 451-432- 3
533-724- 73
1365-489- 8
于鎦宋 1170-690- 29
于鎰明 511-687-163
676-293- 11
于鎰女 明 見于氏
于簡于什門 後魏 262-256- 87
267-637- 85
380- 57-166
384-143- 7
472-481- 21
476-254-110
496-422- 90
546- 12-115
933-117- 8
于瀛明 559-393-9上
于璽隋 264-895- 60
266-478- 23
379-535-156
473-347- 63

480-435-278
532-723- 46
545-452- 99
554-440- 56
933-117- 8
于鏊明 511-369-150
820-673- 42
1269-408- 5
于頔隋 264-894- 60
266-473- 23
379-533-156
933-116- 8
于纓明 511-657-162
于一川明 1283-473-103
于一鳴妻 明 見張氏
于九思于伯顏 元
523-151-153
1194-262- 20
于子仁明 472-587- 24
476-658-135
480-438-278
540-649- 27
于大本元 295-591-195
400-271-521
473- 60- 51
479-557-242
515-199- 63
540-781-28之2
于大世清 456-359- 77
于大來妻 清 見李氏
于大節明 472- 71- 2
473- 25- 49
474-312- 16
505-817- 74
515-373- 68
540-618- 27
569-676- 19
于心齋妻 明 見樊氏
于文傳元 見干文傳
于元損唐 524-119-184
于元葉明 571-552- 20
于元璜妻 清 見范氏
于元肅元 821-324- 54
于元隱宋 554-982- 65
于孔兼明 300-786-231
458-437- 21
458-953- 9
475-279- 63
511-688-163
676-613- 25
680-321-258
458-755-478
于天良妻 清 見張氏
于天恩後魏 505-650- 68
546- 25-115
于天祥妻 清 見王氏
于天經明 476- 31- 97
545-155- 88
于天篤妻 明 見王氏
于天寶干天寶 劉宋
258-610- 94
265-1095- 77
381- 12-184
于公異唐 270-629-137
276- 88-203
384-239- 12
400-613-556
472-227- 8
485-168- 22
493-1018- 54
511-726-165
933-117- 8
于什門後魏 見于簡
于化龍明 456-455- 4
于立政唐 820-139- 26
于永壽明 張晟妻
524-479-203
于永綬清 528-556- 32
于玉立明 301- 26-236
511-185-143
于正夫元 1222-307- 24
于正封宋 452- 20- 下
于巨引北周 見于謹
于巨彌北周 見于謹
于可舉明 528-465- 29
于世奇明 456-517- 6
于世封宋 452- 20- 下
678-102- 79
于世俊清 474-481- 23
505-913- 81
于世尊不詳 592-288- 78
于世傑清 456-391- 80
于仕華明 561-202-38之1
于仕廉明 475-279- 63
476-726-138
511-184-143
540-658- 27
于幼卿唐 486- 42- 2
于守志明 456-455- 4
于守禮明 472-604- 25
476-699-137
554-220- 52
于有慶清 559-333-7下
于有聲宋 524- 62-181
于同祖妻 元 見李氏
于同祖妻 元 見曹氏
于光庭唐 683-318- 15
于仲文隋 264-891- 60
266-474- 23
379-736-161
384-154- 8
472-482- 21
476-910-148
477-310-164
546-675-137
547-182-148
554-572- 58
933-116- 8
于仲寬於仲寬 明
473-144- 56
515-149- 61
于休烈唐 270-779-149
274-329-104
384-201- 11
384-214- 11
395-360-214
472-836- 33
478-115-181
554-839- 63
933-117- 8
于志可元 498-466- 94
于志祥清 456-359- 77
于志寧唐 269-757- 78
274-327-104
384-166- 9
384-179- 10
395-358-214
469- 22- 3
472-834- 33
478-111-181
554-634- 60
681-326- 24
933-117- 8
1340-181-737
于成龍清(字北溟) 474- 95- 3
475- 22- 49
476-184-106
480-129-264
481-115-296
482-372-357
505-641- 67
508-240- 38
510-301-112
515- 72- 58
528-468- 29
532-642- 43
545-897-114
559-329-7下
1298-209- 23
1316-595- 41
于成龍清(字振甲) 474- 95- 3
474-776- 41
475- 72- 52
502-662- 79
505-641- 67
510-320-113
于克成明 1475-408- 17
于克明元 540-779-28之2
于克恭明 1237-501- 5
于伯顏元 見于九思
于希明元 1213-778- 25
于妙惠明 1238-249- 21
于廷采明 475-526- 77
于宗禹妻 清 見蘇氏
于宗堯清 475-123- 55
502-626- 77
510-341-113
于法開晉 486-336- 15
1054- 58- 2
1054-313- 6
于定國漢 248-620- 8
250-587- 71
376-308-100
384- 48- 2
472-549- 23
476-779-141
491-795- 6
540-694-28之1
933-115- 8
1412-127- 5
于武陵唐 451-460- 6
1371- 71- 附

于青年宋 見于清吉
于孟遜明 1237-334- 7
于明善明 545-404- 98
于明傑妻 清 見劉氏
于芝祐妻 清 見王氏
于季友唐 275-390-172
472-1084- 46
479-173-225
491-343- 2
523-125-152
于季友妻 唐 見梁國公主
于朋舉于鵬舉 清
476-919-148
511-189-143
537-228- 54
1315-320- 12
于房若妻 清 見王氏
于延陵唐 473-598- 76
于宣敏隋 264-700- 39
266-479- 23
379-740-161
384-153- 8
933-117- 8
于宣道隋 264-700- 39
266-479- 23
379-740-161
554-749- 62
933-117- 8
于洛拔後魏 261-454- 31
266-465- 23
379- 45-146
496-364- 86
546- 16-115
933-116- 8
于洛侯後魏 262-271- 89
267-666- 87
380-227-171
384-143- 7
于前光清 見于前先
于前先于前光 清
481-185-300
559-438-10下
于彥英明 545-157- 88
于奕正于繼魯 明
505-881- 79
于建邦干建邦 清
479-581-243
516-111- 91

于茂德隋 韓顗妻、于寔女
264-1117- 80
267-731- 91
381- 66-185
477-318-164
538-251- 68
555- 8- 66
于若瀛明 540-819-28之3
676-614- 25
820-732- 44
1442- 80- 5
1460-418- 59
于皇后北魏 魏宣武帝后、于勁女 261-217- 13
266-284- 13
373-102- 20
于涥然妻 清 見文氏
于祚永妻 清 見步氏
于庭式宋 491-435- 6
于栗磾後魏 261-453- 31
266-465- 23
379- 45-146
384-130- 7
472-481- 21
472-717- 28
472-738- 29
476-253-110
476-910-148
477-241-161
537-195- 54
545- 4- 83
933-116- 8
于振宗妻 清 見蔣氏
于時耀清 見于時躍
于時躍于時耀、於時躍 清
474-824- 44
477-568-177
482-323-354
502-638- 78
537-227- 54
554-222- 52
567-151- 69
于清言于青年、於清言 宋
511-872-170
821-225- 51
于國璉清 474-775- 41
502-778- 86
563-892- 42

于國寶妻 元 見劉氏
于得泉女 明 見于氏
于敏中清 475-281- 63
于敏直妻 唐 見張氏
于逢辰宋 821-248- 52
于從政明 505-685- 69
于善慶元 1198-238- 上
于翔漢清 478-201-184
502-640- 78
554-261- 52
于登俊清 533-326- 57
于斯昌明 見於斯昌
于斯發女 清 見于氏
于景休唐 820-272- 29
于景凱妻 清 見高氏
于慎行明 300-581-217
476-827-143
540-815-28之3
676-604- 25
1442- 73- 5
1460-349- 56
于道淵元 547-494-159
于道顯金 1191-346- 31
1445-780- 61
于嗣宗元 479-225-227
于嗣明妻 清 見康氏
于嗣登清 474-246- 12
505-815- 74
于經野唐 820-156- 26
于滿川不詳 1061-285-112
于嘉運明 見丁嘉運
于嘉遇明 見丁嘉運
于鳳翱妻 清 見李氏
于僧翰唐 684-485- 下
812-749- 3
813-310- 20
814-279- 10
820-266- 29
于養麟明 554-876- 64
于震孫宋 559-379-9上
于德文元 476-478-125
540-649- 27
于德辰後周 278-434-131
于德芳唐 486- 41- 2
于德晦唐 485-497- 9
于澤長清 545-230- 91
于興宗唐 471-632- 7
471-1053- 68

472-1026- 42
479-318-232
523-183-155
于應泰明 456-681- 11
于應雷元 515-760- 80
1197-820- 87
于應舉清 456-359- 77
于懷漢清 476-262-110
547- 54-143
于鵬翰清 479-678- 248
515-138- 61
于鵬舉清 見于朋舉
于騰雲于騰蛟 明
301-505-266
456-525- 6
474-187- 9
505-837- 76
于騰蛟明 見于騰雲
于騰潮妻 清 見劉氏
于覺世清 476-530-128
540-858-28之4
于繼綸妻 清 見莫氏
于繼魯明 見于奕正
于繼勳明 559-374- 8
于躍江妻 清 見張氏
于鑒之明 1442-100- 6
兀元唐 554-234- 52
兀台明 見烏塔
兀甸妻 明 見王氏
兀里卜金 見沃哩布
兀良合台元 見烏蘭哈達
兀剌阿互明 見烏蘭阿古
兀納失里明 見温納實哩
兀古倫榮祖金 見烏庫哩榮祖
兀孫帖木兒明 見烏遜特穆爾
兀顏訛出虎金 見烏雅恩徹亨
弓工妻 春秋 448- 54- 6
452-101- 3
472-469- 20
547-237-150
弓祉漢 933- 42- 2
弓蚝前秦 見張蚝
弓翊後魏 933- 42- 2
弓逸唐 933- 42- 2
弓力本明 821-370- 55
弓大成清 476-203-108

547- 57-143
弓志元唐 474-616- 32
933- 42- 2
弓志弘唐 933- 42- 2
弓里戊漢 545-125- 87
弓彭祖唐 933- 42- 2
弓嗣宗唐 933- 42- 2
弓嗣業唐 933- 42- 2
弓羲之唐 933- 42- 2
也先明 見額森
也速元 見伊蘇
也不干延安王 元552- 72- 19
也先不花元 1197-658- 67
也先不花元 見額森布哈
也先忽都元 見額森呼圖克
也兒吉尼元 見額爾吉訥
也連答兒元 見伊蘇岱爾
也蘇岱爾伊蘇岱爾 元
294-355-129
399-499-468
1207-344- 24
1367-304- 25
也咥小可汗唐 見乙失鉢
万金明 見力金
万俟洛北齊 263-220- 27
267-119- 53
379-369-152
546-114-119
933-798- 58
万俟卨宋 288-621-474
401-361-617
1135-382- 36
万俟普北齊 263-219- 27
267-119- 53
379-369-152
546-114-119
933-798- 58
万俟湜宋 473-233- 60
532-644- 43
万俟紹之宋 1357-848- 11
才氏清 任玉秀妻 503- 59- 95
才寬明 472-144- 5
472-521- 22
505-842- 76
510-383-115
537-217- 54
540-660- 27

545-246- 92
554-173- 51
才瓚妻 清 見李氏
才改姐才柱才女 清
474-826- 44
503- 59- 95
才柱才女 清 見才改姐
尸子尸佼 戰國 244-455- 74
384- 32- 1
405-462- 86
933- 71- 4
尸利唐 1053-189- 5
尸佼戰國 見尸子
尸毘上古 554-939- 65
尸棄不詳 1053- 4- 1
1054-224- 1
尸黎蜜多羅晉 1054- 52- 2
大千明(居玉龍庵) 483- 18-370
570-251- 25
大千明(居淨蓮寺) 570-250- 25
大川唐(居漢川棲賢寺)
592-359- 82
1052-287- 20
大川大湖 唐(嗣希遷)
1053-186- 5
大氏金 完顏宗幹妻、大昊天女
291- 7- 63
393-338- 79
大本明 1442-119- 8
1460-837- 90
大同大回 明 676-679- 28
1442-119- 8
1460-838- 90
大生明 1475-777- 33
大用唐 480-209-267
533-760- 74
大安唐(號大安) 1052- 48- 4
大安唐(號懶安) 1052-161- 12
1053-137- 4
大安明 516-501-105
大圭元 530-200- 60
676-679- 28
1391-920-366
1460-837- 90
1471-218- 26
大同唐 475-540- 77
511-931-175
1052-172- 13

1053-209- 5
1054-144- 3
大回明 見大同
大光唐 524-402-199
1052-348- 24
1341-504-865
大行唐 541- 96- 30
1052-347- 24
大志隋 516-491-105
1050-816-115
大成明 516-455-104
大泓明 1475-770- 32
大空唐 820-312- 31
大空清 541-101- 30
大定明 1475-777- 33
大奈唐 271-677-194下
大居明 1475-772- 32
大明唐 1410-261-697
大受明 1475-778- 33
大昊大托卜嘉、大托布嘉、大塔不也、大撻不野 金
291-178- 80
399-123-427
472-625- 25
474-736- 40
502-345- 61
505-632- 67
大封上古 404-382- 23
大持持衡 明 1442-121- 8
1475-775- 33
大柄明 547-543-160
大孩晉 見烏紇堤
大述明 1475-773- 32
大茅唐 1053-157- 4
大香吳鼎芳 明 676-646- 26
1442- 99- 6
1460-602- 70
大佷何弘仁 明 510-496-118
523-391-164
1314-441- 12
1323-775- 5
大祐明 493-1096- 58
大浪五代 1053-570- 14
大姬周 周武王女 554- 41- 49
大涵清 511-921-174
524-394-198
大章上古 545-685-108
大訢元 473- 33- 49

479-504-239
516-423-103
524-391-198
585-493- 14
588-249- 10
821-334- 54
1439-459- 2
1469-756- 67
大梵五代 1053-552- 13
大通宋 585-483- 14
大陳明 476-130-102
547-517-160
大常上古 404-382- 23
大湖唐 見大川
大善唐 1053-125- 3
大雲元 570-247- 25
大費伯益、伯翳、隤凱 上古
243-122- 5
383-148- 17
404-395- 23
545-687-108
大雅唐 820-297- 30
大陽唐 1053-129- 3
大款上古 933-668- 44
大然函潛、倪嘉慶 明
511- 85-139
516-447-104
676-652- 27
1442-103- 7
1460-614- 71
大智宋 1053-707- 16
大智方以智 明(字密之)
475-531- 77
480-584-285
511-801-167
516-447-104
677-723- 64
1442-110- 7
大智明(燕人) 570-255- 25
大智明(字南溟) 820-550- 39
820-764- 44
大舜上古 見舜
大義唐(謚慧覺禪師)
516-464-104
1053-121- 3
1054-123- 3
1054-512- 15
大義唐(字元貞) 1052-204- 15

大慈唐 1052-183- 14
大廉夏 545-688-108
大遂明 見天遂
大塡上古 933-668- 44
大愚唐 476-213-107
547-507-159
大徹唐 472-1043- 43
479-360-233
大澍明 1475-784- 33
大慧明 511-936-175
大輪元 496-427- 90
大儀唐 1052- 54- 5
大磐大富色克 金 291-180- 80
399-124-427
大機明 1237-243- 4
大駱周 243-123- 5
大歷宋 1053-634- 15
大靜五代 486-901- 35
大鴻鬼臾區、鬼容區 上古
404-385- 23
大臨上古 546-235-123
大檀後魏 262-490-103
381-646-200
大嶺五代 1053-236- 6
大壑明 1442-120- 8
1460-848- 91
大瓊明 1442-122- 8
1460-854- 91
大顚唐 473-702- 80
482-147-344
564-620- 56
1054-532- 15
1054-537- 15
大願唐 1052- 45- 4
大覺五代 1053-435- 11
大夫種文種 春秋
371-514- 37
384- 24- 1
405-136- 64
448-279- 30
453-725- 1
470-385-146
472-1085-46
523-371-164
大公鼎遼 289-696-105
400-353-532
472-625- 25
474-166- 8
474-557- 28
474-732- 40
496-393- 88
502-261- 54
大仁秀唐 276-344-219
大仲象唐 276-343-219
384-296- 15
401-518-635
大邦基金 見大興國
大武藝唐 276-343-219
384-296- 15
大昊天女 金 見大氏
大叔遺大叔僖子、世叔遺 春秋 404-827- 51
大祚榮唐 271-796-199下
276-343-219
401-518-635
大庭氏上古 539-336- 8
大庭氏上古 見神農氏
大乘多元 1202-100- 8
大康乂遼 289-636- 88
399- 36-419
472-625- 25
474-736- 40
502-328- 59
大眼師不詳(晝夜不寐)
486-339- 15
大勝努元 295-581-195
400-260-521
大欽茂唐 271-797-199下
276-344-219
401-518-635
大慈多元 1202-101- 8
大達色清 456- 65- 54
大嵩璘唐 271-797-199下
大腹子明 516-454-104
大碩色清 456-319- 75
大興國大邦基 金
291-762-132
401-502-633
大簡之金 821-278- 52
大懷貞金 291-310- 92
399-178-431
474-737- 40
474-817- 44
476-248-110
496-373- 86
502-264- 54
大隗氏上古 383- 12- 3
大邏便阿波可汗 隋
264-1151- 84
大戎狐姬狐姬 春秋 晉獻公夫人 404-760- 46
大耳禪師唐 505-940- 85
大托卜嘉金 見大臭
大托布嘉金 見大臭
大叔僖子春秋 見大叔遺
大叔懿子世叔申 春秋
404-827- 51
大陸子方春秋 見東郭賈
大富色克金 見大磐
大渡可汗唐 見波執
大悲和尚五代(居大悲院)
1053-443- 11
大慈寺僧後周 1052-316- 22
大塔不也金 見大臭
大撻不野金 見大臭
大覺和尚五代(居大覺院)
1053-444- 11
大且渠蒙遜北涼 見涼太祖
大乘山和尚五代
1053-569- 14
小乙商 537-173- 53
小卜周 569-671- 19
小甲商 537-173- 53
小沈唐 見小澄
小辛商 372-105-3上
537-173- 53
小陳明 547-517-160
小賀明 見陸恩
小澄小沈 唐 483- 99-378
494-238- 10
570-254- 25
小靜五代 486-901- 35
小子憖春秋 405-322- 76
小王子明 302-754-327
小水人明 1442-128- 8
小戎子春秋 晉獻公夫人
404-760- 46
小臣稷春秋 404-612- 37
448- 90- 上
491-791- 6
871-884- 19
879-148-57下
小昊氏上古 見少皞氏
小釋迦唐 473-689- 80
小扎木素清 454-492- 44
小常村民婦宋 481-650-330
上弘上恆 唐 516-454-104
1052-219- 16
1054-529- 15
1080-462- 41
1340-646-786
1341-514-866
1344- 17- 62
1410-529-735
上志明 494- 55- 2
上忠明 494- 57- 2
上明清 516-467-104
上音清 1321-223-110
上恆唐 見上弘
上泉宋 1053-404- 10
上都元 295-590-195
400-270-521
533-384- 60
上不害漢 535-552- 20
上成公漢 253-612-112下
380-582-181
472-669- 27
477- 98-153
538-349- 70
上岐婦清 564-372- 50
上官氏唐 李靈龜妻、上官懷仁女 271-652-193
276-108-205
401-149-589
452- 93- 2
478-135-181
555- 9- 66
上官氏宋 鄒衡妻
530-150- 58
上官氏宋 上官恢女
1165-366- 22
上官氏明 朱榮妻
530-156- 58
上官氏清 王振麟妻
547-267-151
上官正父 宋 1085-624- 8
上官正宋 286- 79-308
371-178- 18
397-270-335
472-659- 27
477- 73-152
481- 18-291

537-387- 57
559-512- 12
上官安漢 248-615- 8
1412-123- 5
上官安女 漢 見上官皇后
上官均宋 286-702-355
382-643- 99
384-382- 19
397-743-365
460-209- 13
471-651- 10
472-388- 17
473-643- 78
481-695-332
486- 50- 2
528-537- 32
529-622- 48
679-100-148
上官怡宋 529-689- 50
上官洎唐 481-695-332
529-621- 48
上官亮妻 明 見李氏
上官恢宋 460-211- 13
485-502- 9
528-504- 31
529-623- 48
上官恢女 宋 見上官氏
上官拯宋 528-537- 31
上官祐明 529-747- 51
上官悟宋 460-211- 13
481-696-332
529-626- 48
上官桀漢 244-884-123
248-615- 8
1412-123- 5
上官基宋(字仲立) 460-212- 13
481-696-332
529-626- 48
上官基宋(字子固) 528-504- 31
上官愔宋 460-211- 13
529-625- 48
678-107- 80
上官喜明 530-214- 61
上官廉明 523-100-150
上官損宋 481-719-333
528-550- 32
529- 83- 35
上官鉉清 476- 86-100
上官鉝清 545-798-111
上官疑宋 見上官凝
上官蓋明 見上官草蓋
上官儀唐 269-789- 80
274-347-105
384-179- 10
395-357-213
469- 39- 6
472-745- 29
477-524-175
538- 72- 63
814-268- 9
820-141- 26
937-790- 57
1371- 49- 附
1387-255- 16
1394-361- 2
上官儀明 480- 51-259
481-648-330
529-585- 46
532-617- 43
上官凝上官疑 宋
473-642- 78
475-640- 83
481-695-332
510-445-117
529-622- 48
上官融宋 1089-714- 13
上官鴻漢 558-168- 31
上官謐宋 460-212- 13
529-746- 51
上官濟宋 529-689- 50
上官謙明 567-304- 77
上官璨唐 820-196- 27
上官璪元 1213-770- 25
上官徽宋 484-384- 28
上官藎上官蓋 明
302- 39-291
456-517- 6
474-169- 8
545-791-111
上官夔宋 400-198-515
473-490- 70
481-236-303
上官鑑清 545-799-111
上洛王北齊 見高思宗
上洛王明 見朱同鋘
上高王明 見朱宸濠
上黨王蜀漢 見劉虔
上黨王後魏 見元天穆
上黨王後魏 見長孫稚
上黨王後魏 見長孫道生
上黨王北齊 見高渙
上黨王北齊 見高紹信
上余日昌上古 1061-173-101
上官一清明 529-692- 50
上官必克宋 820-438- 35
上官弘基清 481-182-300
559-330-7下
上官世守明 529-693- 50
上官世安明 529-693- 50
上官志眞明 1242-748- 5
上官成一妻 元 見李氏
上官伯達明 530-214- 61
821-363- 55
上官叔權元 820-531- 38
上官皇后漢 漢昭帝后、上官安女 251-280-97上
上官庭芝女 唐 見上官婉兒
上官婉兒唐 唐中宗昭容、上官庭芝女 269-425- 51
274- 14- 76
393-259- 71
819-574- 19
1065-782- 16
1339-621-700
1342-231-933
1371- 78- 附
1388-781-112
1394-637- 9
1410-190-685
上官渙酉宋 510-389-115
529-627- 48
上官渙然宋 460-212- 13
529-628- 48
上官粹中宋 529-626- 48
上官懷仁女 唐 見上官氏
上官顯願北齊 546-182-121
上海烈婦明 475-187- 59
上庸公主藍田公主 後魏 陸子彰妻、元禧女 476-262-110
上黄先生不詳 1061-268-110
上虞孝婦漢 479-249-228
524-671-210
上藍和尚五代(居上藍院)
407-649- 1
山氏明 王昌年妻
1283-334- 93
山允晉 255-742- 43
山青明 472-413- 18
山昱漢 481- 14-291
山胤劉宋 820- 91- 24
山康唐 見少康
山強後魏 267- 85- 50
546- 22-115
山偉後魏 262-200- 81
267- 85- 50
379-365-151
933-232- 16
山惲唐 546-700-138
山雲明 299-649-166
453-436- 15
453-575- 10
472-414- 18
473-750- 83
475-432- 70
482-321-354
511-400-151
567- 89- 66
568-490-118
1467- 64- 64
山該晉 255-742- 43
山遐晉 255-744- 43
377-513-122
472-1026- 42
479-317-232
486- 67- 3
523-143-153
933-232- 16
山圖不詳 472-898- 35
478-520-200
1058-501- 下
1061-253-108
山濤晉 255-739- 43
377-509-122
384- 91- 5
469-444- 53
472- 84- 3
472-719- 28
474- 90- 3
477-247-161

505-626- 67, 537-476- 58, 814-232- 4, 820- 53- 23, 933-232- 16, 1221-561- 18, 1232-692- 9
山濤妻 晉 見韓氏
山謨晉 255-743- 43
山曜晉 540-667- 27
山曜妻 明 見鄭氏
山簡晉 255-742- 43, 370-287- 5, 377-512-122, 471-815- 32, 472-719- 28, 473-245- 60, 532-551- 40, 537-476- 58, 933-232- 16
山子道漢 554-891- 64
山行章五代 471-958- 53, 473-513- 71, 559-309-7上
山陰僧宋 820-471- 36
山陽王漢 見劉定
山陽王漢 見劉康
山陽王劉宋 見劉休祐
山龍伊清 456-290- 72
山山武毅元 見尚實烏葉
山東義婦元 1206- 15- 1
山陽女趙唐 276-114-205
山溪烈婦清 見三溪烈婦
夕斌蜀漢 933-753- 52
凡伯春秋 384- 13- 1
么氏明 諶娃妻 473- 89 -52
乞弟宋 288-911-496
乞居後魏 267-629- 84
乞立贊唐 276-285-216下
乞伏保後魏 262-252- 86, 267-629- 84, 380-117-167
乞伏慧乞伏令和 隋 263-152- 19, 264-846- 55, 267-462- 73, 379-765-161, 476-281-111, 476-853-145, 478-634-206, 480-239-269, 532-563- 40, 540-667- 27, 544-216- 62, 544-221- 62, 546-124-119, 567- 32- 63, 933-803- 59
乞伏令和隋 見乞伏慧
乞伏保高北朝 933-803- 59
乞伏乾歸西秦 見秦高祖
乞伏國仁西秦 見秦烈祖
乞伏慕末乞伏暮末 西秦 262-440- 99, 267-774- 93, 381-338-191, 384-145- 7, 558-766- 50
乞伏暮末西秦 見乞伏慕末
乞伏熾磐西秦 見秦太祖
乞伏熾盤西秦 見秦太祖
女丸不詳 1958-505-下
女艾夏 546-425-129
女志修己 上古 鯀妻、有莘氏女 544-177- 61, 555- 1- 66
女希上古 見女媧氏
女宗周 鮑蘇妻 448- 21- 2, 452-100- 3, 472-685- 27, 538-196- 67
女英上古 舜妃、堯女 404-389- 23, 404-390- 23, 448- 8- 1, 452- 40- 1, 544-176- 61, 879-171-58上
女皇中山夫人 上古 堯妃、富宜氏女 544-176- 61
女娟春秋 趙鞅妻 448- 57- 6, 452- 84- 2, 547-237-150, 550-447-222
女童唐 485-305- 46
女節上古 黃帝妃 404-386- 23
女齊女叔齊、司馬侯、司馬女叔、司馬叔侯、司馬女叔齊、叔侯 春秋 375-769- 90, 404-710- 43, 384- 20- 1, 448-236- 20, 545-733-109
女寬春秋 見女叔寬
女叔游司馬叔游 春秋 404-712- 43, 545-733-109
女叔齊春秋 見女齊
女叔寬女寬 春秋 404-711- 43, 545-734-109
女皇氏上古 見女媧氏
女媧氏女希、女皇氏、炮媧 上古 244-964- 0, 383- 83- 11, 537- 77- 49, 544-145- 61, 550-278-219, 550-338-221, 550-374-221, 554- 2- 48
女奚烈守愚金 見鈕祜祿守愚
女奚烈資祿金 見鈕祜祿資祿
女奚烈斡出金 見鈕祜祿恩楚
女稀烈守愚金 見鈕祜祿守愚
千牛元 見齊諾
千乘王漢 見劉伉
千乘王漢 見劉健
千乘王漢 見劉寵
千金公主唐 見安定公主

四 畫

卞氏宋 陳仲孫妻 1122-408- 30
卞氏元 潘元紹妻 493-1083- 57, 1386-265- 39
卞氏明 錢行所妻 1292-201- 17
卞氏清 徐承烈妻 474-194- 9
卞氏清 趙履祥妻 483- 99-378
卞氏清 韓朝用妻 474-195- 9
卞同明(姑蘇人) 473- 75- 52, 515-234- 64
卞同明(漢陰人) 480-541-283
卞忌漢 253-131- 80, 375-148-79上
卞盱晉 256-179- 70, 377-749-126
卞和春秋 472-198- 7, 473-248- 60, 533-127- 51, 839- 19- 2, 933-675- 45
卞玹明 511-574-159
卞珏元 820-499- 37, 821-327- 54
卞眈晉 256-180- 70, 377-750-126
卞俊晉 256-180- 70, 377-750-126, 540-713-28之1
卞盼晉 256-179- 70, 377-749-126
卞袞宋 285-451-277, 396-700-317, 475-603- 81, 481- 76-294
卞堅宋 481-438-316
卞彬齊 259-508- 52, 265-1016- 72, 380-364-176, 384-122- 6, 486- 66- 3, 933-676- 45, 1394-469- 5
卞崇漢 493-999- 53, 511-541-158
卞偉明 554-188- 51, 559-372- 8
卞統晉 256-175- 70, 377-746-126
卞敦晉 256-180- 70, 377-750-126, 480- 48-259

532-612- 43
540-715-28之1
933-675- 45
卞琛元 295-574-194
400-253-520
474-479- 23
505-858- 77
卞華梁 260-400- 48
265-1001- 71
380-291-173
472-553- 23
476-858-145
493-737- 41
540-722-28之1
933-676- 45
卞壼晉 256-175- 70
370-311- 7
377-746-126
384- 98- 5
459-316- 19
472-552- 23
475-434- 70
476-858-145
488-109- 7
489-351- 31
489-614- 48
510-275-112
540-716-28之1
814-236- 5
820- 60- 23
933-675- 45
卞瑛元 820-499- 37
卞粹晉 256-175- 70
377-746-126
476-858-145
535-555- 20
540-713-28之1
卞榮明 676-494- 19
1442- 26-附2
1458-199-431
1459-630- 24
卞遠女 魏 見卞皇后
卞綸明 見姚綸
卞誕晉 256-180- 70
377-750-126
卞震宋 285-451-277
396-700-317
473-431- 67
481- 76-294
481-113-296
559-340- 8
591-696- 49
卞諶明 472-985- 39
473- 61- 51
515-203- 63
523-436-167
卞隨夏 404-403- 24
卞圜宋 487-128- 8
491-436- 6
523-589-175
679-797-216
卞錫明 1442- 62- 4
1460-200- 49
1475-317- 13
卞賽明 820-770- 44
卞禮明 472- 51- 2
494- 54- 2
554-347- 54
卞瞻晉 256-180- 70
377-750-126
卞蘭魏 476-780-141
卞三元清 480- 13-257
532-603- 42
卞大亨宋 487-128- 8
524-315-194
678-104- 79
卞小十元 295-574-194
400-253-520
卞文斗明 456-658- 11
卞文瑜明 511-867-170
821-475- 58
卞之釗清 479-227-227
523-165-153
卞孔時明 301- 36-237
480- 52-259
卞日華宋 1089-198- 20
卞仲子元 821-327- 54
卞仲祥元 820-498- 37
卞妙覺宋 張思明妻
1175-549- 18
卞延之劉宋 472-1066- 45
486- 68- 3
523-144-153
卞洪載明 523-583-175
1475-439- 19
卞洪勳明 676-636- 26
1442- 95- 6
1460-548- 67
卞南仲元 676-702- 29
卞思義元 1369-430- 13
1439-442- 2
1471-459- 10
卞皇后魏 魏武帝后、卞遠女
254-105- 5
373- 53- 19
385-263-29上
1360-615- 39
卞莊子春秋 386-744- 15
933-675- 45
卞範之晉 256-628- 99
370-386- 10
377-935-130
933-675- 45
卞應聘明 563-766- 40
六十元 1386-471- 47
六十清 456-237- 68
六格清(舒舒覺羅氏)
455-285- 16
六格清(鑲白旗人) 456-352- 77
六格清(丁氏) 456-354- 77
六十三清 455-529- 33
六安王漢 見劉恭
六安王漢 見劉慶
六指兒清 505-917- 81
心如明 533-751- 74
心泉元 1215-609- 6
心道宋 480-101-262
561-225-38之3
592-422- 86
1053-844- 19
亢謙妻 清 見劉氏
亢以倎清 547- 29-141
亢良玉明 547- 17-141
亢孟檜亢孟禬、孟元檜 明
302- 78-293
456-557- 7
545-791-111
554-303- 53
亢孟禬明 見亢孟檜
亢思謙明 545-783-111
1442- 60- 4
亢起鳳妻 元 見張氏
亢起鳳媳 元 見韓氏
亢時律妻 清 見李氏
亢時偕妻 清 見吳氏
亢時霖明 554-485-57上
亢得時清 476-919-148
537-226- 54
546-417-128
亢慶鴻明 546-410-128
554-291- 53
斗望宋 288-899-496
401-556-639
斗敖宋 288-901-496
斗蓋宋 288-901-496
473-465- 69
斗還宋 288-901-496
斗孃明 1442-123- 8
1460-773- 84
斗落妹宋 288-901-496
方宋(居越州) 1053-491- 12
方宋(居眞州) 1053-492- 12
方宋(居鄧州) 1053-576- 14
方干唐 451-485- 8
471-617- 5
472-1015- 41
479-379-234
486-316- 14
524- 79-182
674-270-4中
1084- 44- 附
1084- 83- 附
1371- 72- 附
1375- 3- 上
1388-642- 97
1473-567- 89
方才妻 清 見田氏
方勺宋 451-295- 5
524- 70-181
1129-610- 3
1212-230- 16
方文明 472-255- 10
510-362-114
方太後晉 278-157- 94
方壬宋 460-157- 9
529-501- 44
1180-439- 40
方中明 473-211- 59
523-492-170
532-591- 41
方仁明 515-882- 86
方印妻 明 見張文娥

方升明 523-231-156
676-560- 23
方介明 523-176-154
方氏宋 呂大同妻、方元矩女
1163-586- 36
方氏宋 呂大器妻、方元矩女
1150-412- 5
方氏宋 何瑗妻 472-1018- 41
方氏宋 林松妻 1168-448- 38
方氏宋 周灼克妻
1218-755- 5
方氏宋 陳君興妻、方允女
1097-105- 10
方氏宋 趙叔驍妻、方倜女
1123-472- 14
方氏宋 鄭玠妻 1138- 86- 6
方氏宋 劉文禮妻、方采女
1180-446- 41
方氏宋 劉彌正妻
1180-400- 37
方氏宋 薛瓊妻、方偕女
530- 69- 55
方氏宋 方固女 1166-674- 12
方氏宋 方參女 1142-651- 9
方氏宋 陳暉媳 820-474- 36
821-272- 52
方氏元 楊眞祐妻 530- 86- 56
方氏明 王忞妻 473-396- 66
方氏明 王朝卿妻 473- 32- 49
方氏明 江巖龍妻 512-481-189
方氏明 朱自省妻 482-118-343
方氏明 朱伸域妻 478-600-204
558-549- 43
方氏明 朱原震妻
1236-205- 4
方氏明 汪鳳時妻、方渭女
1408-571-538
方氏明 沐英妻、方復女
1374-688- 89
方氏明 李杜妻 506-128- 89
方氏明 李燦妻 1253- 98- 45
方氏明 阮尚科妻 530- 7- 54
方氏明 余欽妻、方璚女
524-756-214
方氏明 林愈妻、方惠女
530- 6- 54
方氏明 林實夫妻 530- 65- 55
方氏明 林槐庭妻、方和叔女
1263-100- 17
方氏明 林纘振妻 530-113- 57
方氏明 周聞妻 530- 59- 55
方氏明 周宗明妻 524-756-214
方氏明 胡亨華妻 472-383- 16
475-578- 79
方氏明 秦煦妻 1467-264- 72
方氏明 孫有芳妻 512-105-179
方氏明 袁堅妻 302-227-302
479-333-232
方氏明 徐應芳妻 479-383-234
方氏明 梅紀妻 473-317- 62
方氏明 陶繼妻 302-218-301
472-340- 14
475-533- 77
方氏明 陶子舸妻 512- 24-177
1289-386- 27
1289-573- 9
方氏明 陳泉妻 530- 66- 55
方氏明 陳順妻 472-329- 14
方氏明 莫志喜妻 530- 68- 55
方氏明 莫銘琨妻 530- 68- 55
方氏明 甯威妻 558-532- 43
方氏明 黃項妻 482-145-344
方氏明 黃質菴妻
1247- 29- 2
方氏明 程庠妻 530- 67- 55
方氏明 葉天佑妻、方雄女
1286-720- 16
方氏明 趙元亨妻 506- 8- 86
方氏明 趙天麟妻 530- 12- 54
方氏明 潘泗妻 1274-350- 12
方氏明 劉廷相妻 473-271- 61
方氏明 錢秉鐙妻 302-254-303
方氏明 方瀾女 302-235-302
481-560-327
方氏明 方孟鉠女 480- 62-260
方氏明 黃顒母 1258-186- 17
方氏清 丁象觀妻 475-857- 94
方氏清 王蘭妻 506- 25- 86
方氏清 朱保穀妻 479-537-241
方氏清 汪尚德妻 480-300-271
方氏清 沈家椿妻 475-857- 94
方氏清 吳一初妻 512-337-185
方氏清 吳宏綱妻、方茂春女
479-384-234
方氏清 林簡妻 530- 75- 55
方氏清 林日覲妻 482-145-344
方氏清 林向升妻 530- 76- 55
方氏清 林君政妻 530- 38- 54
方氏清 金文煇妻 515-329-185
方氏清 金慎言妻 524-470-202
方氏清 席廿二妻 479-360-233
方氏清 栗克昌妻 530- 98- 56
方氏清 徐進侯妻 479-298-230
方氏清 徐應熛妻 474-195- 9
方氏清 曹永盛妻 506-124- 89
方氏清 張茂信妻 476-405-119
547-456-158
方氏清 陳士錄妻 524-476-202
方氏清 湯榮妻 512-466-188
方氏清 葉聯雲妻 530- 40- 54
方氏清 詹洛妻 512-328-185
方氏清 蔣錫朋妻 479-386-234
方氏清 劉蕃妻 533-655- 70
方氏清 謝人騏妻 530- 27- 54
方氏清 蘇俟妻 475-651- 83
方允女 宋 見方氏
方玉明 481- 71-293
559-268- 6
方玉明 洪鑕妻、方桓女
1260-132- 6
方正明(知考城縣) 472-678- 27
方正明(合肥人) 475-708- 86
511-336-149
820-595- 40
方正明(績溪人) 511-620-160
方召明 301-644-644
456-542- 7
475-611- 81
479-353-233
1313-211- 17
方可明 511-602-160
方冊明 516- 62- 89
563-803- 41
方史宋 1178-325- 35
方生五代 524-374-197
方生妻 清 見錢氏
方仕明 473-368- 64
523- 54-148
532-726- 46
532-738- 46
方用元 511-698-164
方用明 483- 15-370
569-660- 19
方禾宋 460-157- 9
方守明 529-509- 44
1247- 37- 2
1257-155- 14
方吉清(舒穆祿氏) 455-158- 6
方吉清(完顏氏) 455-466- 28
方回上古 404-399- 23
1058-490-上
1061-248-108
方回元 475-569- 79
494-323- 6
511-806-167
524-337-195
677-410- 38
1375- 17-上
1376-586-95上
1439-422- 1
1468-119- 7
方早明 523- 85-149
方舟明 523- 87-149
方舟妻 明 見劉氏
方舟清 475-532- 77
511-803-167
方旭明 456-664- 11
559-528- 12
方旬宋 528-522- 31
方向明 299-842-180
473-738- 82
475-529- 77
480-171-266
482-266-350
511-254-146
532-647- 43
559-320-7上
563-831- 41
676-516- 20
1442- 35-附2
1459-739- 29
方向妻 清 見唐氏
方印明(字欽佩) 515- 93- 59
方印明(字與信) 523-174-154
方印妻 明 見張文娥
方行明 524- 65-181
方用元 1391-602-336
1439-451- 2
1460-802- 87
1471-472- 10
方耒宋 460-156- 9
529-500- 44

1180-342- 32
方沆明 494-158- 5
529-732- 51
569-653- 19
676-604- 25
1442- 74- 5
1460-358- 56
方沃明 524- 76-181
方孝王雙蘭 清 1321-220-110
方吾妻 明 見吳氏
方玘明(莆田人) 563-839- 41
方玘明(字公佩) 570-140-21之2
方岑明 511-210-144
方見明 511-850-169
方岐明 見方素易
方佐明 523-452-168
方佑方祐 明 472-339- 14
475-529- 77
511-253-146
554-188- 51
567-449- 86
1257-223- 20
1467- 75- 64
方伸清 511-313-148
方宗明 821-483- 58
方法明 299-349-141
456-697- 12
475-528- 77
481- 23-291
511-473-155
559-504- 12
方宜清 524-393-198
方宙宋 529-490- 44
方泌明 676-504- 19
方初明 511-603-160
方定明 524- 82-182
方庚宋 523-566-174
方松明 1229-692- 2
方直明 529-613- 47
方匡元 821-334- 54
方坤妻 清 見李氏
方來清 524-106-183
方固女 宋 見方氏
方昇明 473-318- 62
533-111- 50
方岡宋 1142-646- 9
方叔周 404-445- 26
554- 89- 50
933-407- 26
方旻明 1253-162- 48
方昊唐 479-379-234
524-296-193
方杲明 472- 86- 3
方金明 545-893-114
方岱明 511-601-160
方岳宋 475-568- 79
511-272-147
515-120- 60
676-689- 29
1375- 12- 上
1376-313- 79
1437- 29- 2
方岳清 559-329-7下
方采女 宋 見方氏
方迎元 楊敬妻、方寀女
1224-330- 24
1224-606- 下
1410-247-693
方洪宋 288-335-450
400-192-515
451-243- 0
方祉明 511-604-160
方恬宋 1375- 10- 上
方恪宋 524-269-191
方炯明 820-643- 41
方柱清 455- 75- 2
方珍明 見方眞
方政明 472-403- 18
494-158- 5
511-504-156
544-251- 63
545- 69- 85
559-504- 12
567- 88- 66
569-677- 19
方某明(諡貞惠) 1228-742- 11
方苻方符 宋 460-154- 9
529-500- 44
1180-417- 38
方昱方曄 宋 524-297-193
1140-362- 6
方苞清 475-532- 77
方迪明 1271-817- 8
方泉明 540-627- 27
方俌宋 475-604- 81
方勉明 475-570- 79
511-807-167
676-478- 18
1375- 30- 上
1376-603-95下
方俊明 564-147- 45
方海明 見方朝宗
方容宋 933-407- 26
方祐宋 529-665- 49
1178-303- 32
方祐明 見方佑
方唐隋 511-938-175
方悅明 559-276- 6
方宸明 569-668- 19
方宸明 見方震
方涑唐 見方竦
方效明 1460-291- 53
方泰明 458- 7- 1
676-298- 11
方烈妻 宋 見王氏
方眞方珍 明 1224- 87- 17
方珪明 523- 42-148
529-508- 44
方桓女 明 見方玉
方珤明 477-419-169
方員明 563-739- 40
方峻宋 460-155- 9
529-490- 44
方豹清 564-302- 48
方倜女 宋 見方氏
方釗明 533-444- 62
方笈宋 288-358-452
400-148-512
方适宋 529-494- 44
方淇明 820-717- 43
方淳妻 明 見居氏
方清明 533-404- 61
方淦女 元 見方友弟
方望漢 478- 97-180
方淵宋 1188-500- 10
方淵明 524- 82-182
方庸明 516-131- 92
方祥明 1260-618- 18
方袍妻 明 見俞氏
方寀元 1224-485- 29
方寀女 見方迎
方淑宋 494-349- 7
524-312-194
方訥南唐 1085-117- 15
方乾明 820-659- 42
方授明 511-849-169
1460-745- 80
方貫明 524-162-186
方略宋 529-725- 51
933-407- 26
方冕明(字尚周) 524-157-186
方冕明(字元服) 676-495- 19
方崙明 515-883- 86
方符母 宋 見陳氏
方符宋 見方苻
方偕宋 286- 37-304
397-243-333
473-598- 76
473-631- 77
475- 16- 49
479- 41-218
481-551-327
481-672-331
484- 92- 3
523- 74-149
528-521- 31
529-489- 44
1090-651- 37
方偕女 宋 見方氏
方參女 宋 見方氏
方滋宋(字務德) 471-829- 34
486- 53- 2
488- 13- 1
488-454- 14
493-714- 39
585-763- 5
1153-622-106
1165-331- 21
方滋宋(知嘉興府) 472-981- 39
方渭明 545-340- 96
方渭女 明 見方氏
方詔明 524- 45-180
方竦方涑 唐 473- 62- 51
477-544-176
515-853- 85
537-607- 60
方琮明 1242-184- 30
方惠女 明 見方氏
方棫宋 528-445- 29
方閎宋 472-1016- 41
方琯清 456-182- 64
方喜宋 529-496- 44

方雄女 明 見方氏
方登明 676-641- 26
820-708- 43
821-432- 57
1442-100- 6
方堪明 510-503-118
方琬妻 元 見翁氏
方開清 455-206- 10
方軫宋 473-632- 77
481-553-327
524-315-194
529-495- 44
方揚明 511-285-147
523-106-150
676-607- 25
678-213- 90
680- 48-229
1283-669-119
1442- 76- 5
1460-365- 56
方琛明 473-112- 54
523-445-168
方琳妻 明 見程玉
方琡唐 933-407- 26
方逵宋 1178-323- 35
方逵妻 宋 見林守貞
方華清 511-642-161
方叟妻 清 見孟氏
方智明 1246-500- 下
方絢宋 460-155- 9
529-761- 53
820-661- 42
方鈍明 300-322-202
480-466-279
510-349-114
533-111- 50
580-395- 25
方欽明 475-709- 86
511-711-164
方策明 554-509-57下
方進明 515-173- 62
方復女 明 見方氏
方寘宋 529-435- 43
方溥明 528-512- 31
方新明(青陽人) 300-416-207
554-188- 51
方新明(江都人) 511-876-170
方廉明 475-176- 59
479- 54-218
510-350-114
523-265-158
1283-365- 95
方道宋 見方導
方遂明 510-448-117
方瑄妻 明 見沈氏
方瑄妻 明 見袁氏
方塘妻 清 見鄭氏
方輅明(任太平知縣)
523-176-154
方輅明(字宏載) 1475-236-10
方椿元 1219-414- 14
方瑛明(諡忠襄) 299-652-166
472-403- 18
475-798- 90
483-222-390
511-424-152
571-531- 19
1244-594- 11
方瑛明(字廷蘊) 524- 76-181
方達五代 933-407- 26
方萬宋 1178-322- 35
方萬妻 宋 見鄭氏
方圓明 473-790- 85
1467- 57- 64
方嵩明(任邵武府學教授)
473-641- 78
方嵩明(字惟嶽) 563-804- 41
方鼎宋 1090-651- 37
方過宋 1178-327- 35
方鉉女 清 見方馨娘
方鉞明 821-374- 55
方會宋(知廣州) 486- 50- 2
方會宋(宜春人) 516-433-103
1052-766- 28
1053-791- 19
1054-172- 4
1054-620- 18
方會宋(字子元) 529-493- 44
方賓明(錢塘人) 299-454-151
472-968- 38
方賓明(巴陵人) 533-111- 50
方演宋 485-500- 9
方誌明 517-611-130
方寧妻 元 見官勝娘
方漸宋 460-139- 8
471-843- 36
473-701- 80
529-726- 51
方說妻 明 見姚氏
方滿妻 明 見徐氏
方漢明 523-567-174
676-497- 19
方豪明 301-838-286
475-122- 55
510-336-113
523-487-170
563-746- 40
585-469- 13
676-540- 22
1442- 44-附3
1459-904- 38
方榮明(大興人) 474-184- 9
505-895- 80
方榮明(錢塘人) 505-702- 70
方熙明 529-730- 51
1442- 25-附2
1459-620- 24
方壽宋 1120-231- 34
方與宋 1149-886- 4
方榕明 1242-208- 31
方翥宋 460-156- 9
529-498- 44
1142-643- 9
方聞宋 524- 80-182
方遠清 456-323- 75
方蒙唐 933-407- 26
方鳳方景山 宋 452- 25- 下
524- 71-181
1189-557- 5
1209-366- 5
1210-341- 10
1374-354- 57
1457-688-408
方鳳明 475-136- 56
511-106-140
676-539- 22
1282-697- 53
1284-161-149
1442- 44-附3
1459-901- 38
方鳳妻 明 見張氏
方銓明 472-969- 38
523-428-167
532-647- 43
方縉方念五哥 宋 448-376- 0
方綱宋 288-408-456
400-297-524
472-368- 16
475-642- 83
511-631-161
方寬明 524- 82-182
方諒妻 明 見陳氏
方誼宋 472-982- 39
491-111- 13
方澂明 537-288- 55
方毅明 299-653-166
方慶明 480-403-277
方慤宋 472-1016- 41
479-379-234
523-622-177
679- 35-141
方闇宋 524- 80-182
方輗宋 480-464-279
533-324- 57
方鼐明 1227-121- 14
方閱唐 933-407- 26
方震方宸 明(嘉魚人)
473-216- 59
480- 58-260
方震明(四川人) 554-347- 54
方璥明 540-650- 27
方嶠宋 460-157- 9
528-437- 29
528-548- 32
529-490- 44
方鄠宋 1356-694- 10
方儀宋 460-150- 9
529-665- 49
1254-595- 下
方畿清 505-697- 70
方銳宋 1053-498- 12
方銳明 302-198-300
方銳女 明 見方皇后
方儆明 1269-168- 12
方徵明 299-330-139
477-244-161
529-505- 44
方導方道 宋 493-717- 40
494-341- 7
1153-622-106
方澤宋 473-209- 59
480- 49-259

方澤明 524-400-199
1442-120- 8
1457-673-406
1460-843- 91
1475-752- 32
方澤妻 明 見邵氏
方澥明 460-545- 52
473-634- 77
529-730- 51
676- 49- 2
方澥女 明 見方肅英
方輶明 524-233-189
方璘明 1271-767- 5
方擇明 1475-767- 32
方樸明 529-729- 51
方選明 516- 77- 90
563-806- 41
方興宋 480-464-279
方曄宋 見方昱
方暹宋 480-464-279
533-278- 56
533-344- 58
方錝明 529-733- 51
方積元 見方叔高
方儕漢 524- 78-182
方錫清 511-332-149
528-556- 32
方濬元 1224-174- 19
方濬明 563-838- 41
方謙明(字克和) 523-492-170
方謙明(字純吉) 676-530- 21
方輿妻 明 見周玉簫
方擢清 524-181-187
方韓清 524- 83-182
方邁清(字子向) 529-724- 51
方邁清(字仲拔) 1475-583- 25
方鍾妻 明 見徐蓮姑
方儲漢(字聖明) 402-450- 9
475-668- 84
511-636-161
方儲漢(字聖公) 472-1015- 41
485-475- 8
511-933-175
1376-691-100上
方顏方鄭哥 宋 448-378- 0
方謨明 1442- 26-附2
方璹女 明 見方氏
方擴宋 1142-642- 9
方豐明 554-311- 53
方翹妻 清 見吳氏
方覲清 478-772-215
523- 70-149
方彝宋 524-161-186
方鎔宋 523-622-177
方鎰元 524-204-188
1224-227- 21
方鯉明 472-695- 28
473-634- 77
537-268- 55
方疇宋 471-771- 26
473- 63- 51
480-545-283
515-861- 85
方鵬明(字時舉) 452-447- 2
475-136- 56
567-121- 67
676-539- 22
1282-697- 53
1284-161-149
1442- 43-附3
1459-900- 38
方鵬明(字其大) 511-601-160
1467-117- 66
方鏜明 524-157-186
方鯤明 511-699-164
方臘宋 288-555-468
401- 80-578
方寶明 559-270- 6
方瀾元 1469-246- 47
方瀾明 820-603- 40
方瀾女 明 見方氏
方蘋宋 515-196- 63
方鐘妻 明 見徐蓮姑
方夔方一夔 宋 523-623-177
1189-366- 附
1437- 31- 2
1468-175- 10
方鐸明 523-119-151
方瓘明 300-432-208
475-573- 79
511-618-160
方麟明 1265-687- 25
方觀明 473-349- 63
480-438-278
方一木明 679-657-203
方一桂明 529-516- 44
方一御清 478-419-195
方一鳳明 480- 91-262
533-303- 57
方一夔宋 見方夔
方一麟明 1457-613-399
方九功明 538-145- 65
676-587- 24
1442- 61- 4
1460-197- 49
方九敘明 676-578- 24
1442- 59- 3
1460-176- 48
方士亮明 301-368-258
475-576- 79
511-292-147
方士達清 511-629-161
方士寧宋 460-155- 9
方士端宋 1146-171- 92
方士穎清 524- 83-182
方士繇方伯休、方伯體 宋
460-158- 9
529-501- 44
684-491- 下
820-435- 35
1163-590- 36
方子方宋 1181-750- 10
方子京宋 524- 81-182
方子明宋 516-512-106
方子建宋 1257- 95- 9
方子容宋 460-155- 9
方干隱宋 933-407- 26
方于魯方大激 明
1442- 98- 6
1460-595- 69
方大化女 清 見方閣英
方大任明 511-260-146
676-634- 26
1442- 92- 6
1460-530- 66
方大壯宋 460-154- 9
529-500- 44
方大東宋 1180-418- 38
方大林妻 明 見段氏
方大姑明 徐悅妻
524-744-213
方大美明 479-456-237
511-258-146
515- 60- 58
532-739- 46
方大琮宋 460-152- 9
473-633- 77
528-443- 29
528-506- 31
529-502- 44
563-669- 39
676-688- 29
1180-378- 35
1180-441- 40
1181-180- 10
1257- 40- 5
方大道妻 宋 見章氏
方大鉉女 明 見方維則
方大激明 見方于魯
方大樂明 1467-112- 66
方大輿宋 1180-440- 40
方大鎮明 475-530- 77
505-693- 70
511-699-164
523- 59-148
676-305- 11
677-669- 60
1442- 82- 5
1460-440- 60
方大鎮女 明 見方孟式
方大鎮女 明 見方維儀
方大鏞妻 宋 見薛式
方山王明 見朱美垣
方山京宋 524-253-190
494-322- 6
方文啟清 533-303- 57
方文華清 524-106-183
方文瑞清 533-150- 51
方文龍宋 843-673- 下
方之斗妻 明 見陳氏
方之玔清 533-325- 57
方之壯明 523-251-157
方之屏清 1314-439- 12
方之益妻 清 見李氏
方之泰宋 460-157- 9
方之琪清 524-163-186
方之綱明 511-602-160
方太古明 524-294-193
1283-319- 92
1442- 37-附2
1459-770- 30
方元恪宋 1150-102- 12

方元彥明 511-287-147
方元矩女 宋(呂大用妻) 見方氏
方元矩女 宋(呂大器妻) 見方氏
方元修宋 524- 80-182
方元寀宋 460-155- 9
529-490- 44
方元啟清 474-472- 23
505-694- 70
523-489-170
方元渙明 820-695- 43
1442- 66- 4
方元瑀妻 清 見林氏
方元蕩唐 472-358- 15
方元龜宋 524-225-189
方元儒明 見方欽儒
方元懷明 820-744- 44
方予泰清 524-181-187
方引禖妻 清 見毛氏
方孔炤明 301-419-260
481-746-334
511-260-146
528-564- 32
677-691- 61
1442- 92- 6
方孔炤妻 明 見吳令儀
方孔昭妻 明 見吳令儀
方天生女 明 見方錦僊
方天雨明 523-492-170
方天明清 482- 44-340
方天保宋 491-436- 6
方天眷明 456-637- 10
523-360-163
方天瑞元 1224-252- 22
方天驥宋 1187-581- 7
方天驥妻 宋 見潘氏
方友弟元 林貞妻、方淦女
472-604- 25
524-696-211
1224-262- 22
方友信明 511-607-160
方日升妻 明 見林氏
方日旭妻 明 見劉氏
方日乾明 523-120-151
1263-473- 2
方中發清 511-611-160
方中愈明 456-690- 12
方中憲明 456-690- 12
方公袞宋 481-552-327
529-493- 44
方公輔宋 480-582-285
方公權宋 460-155- 9
529-504- 44
677-411- 38
方月貞明 汪渭妻、方邦用女
765-392- 附
方升之宋 529-496- 44
方允武宋 288-360-452
400-166-513
475-214- 60
479-355-233
510-359-114
523-409-166
方立禮清 511-577-159
方必壽明 472- 27- 1
方永進妻 明 見謝氏
方永齡宋 524-217-189
方弘道明 473- 61- 51
方弘靜明 475-573- 79
511-283-147
676-582- 24
680-242-248
1442- 60- 4
1460-190- 49
方正化明 302-302-305
方本素妻 清 見仇氏
方本清明 554-300- 53
方本誠妻 明 見方淑清
方左鉞宋 1180-401- 37
方召南妻 明 見鄭采蘩
方可正明 528-564- 32
方可成妻 清 見王氏
方可璉妻 明 見沈氏
方世京宋 1180-410- 38
方世英妻 清 見王氏
方世龍明 1273-507- 5
方民懷明 480-133-264
533- 45- 48
方以正明 1240-164- 11
方以智明 見大智
方仝翁明 524-284-192
方用晦明 530-211- 61
方幼學明 676-464- 17
方守禋宋 1090-651- 37
方汝一宋 529-727- 51
方汝成明 524-162-186
方汝榮明 473-585- 75
方汝彊宋 511-817-167
方式大妻 清 見陳氏
方式玉清 511-810-167
方有開宋 472-1016- 41
524- 80-182
1166-655- 11
1375- 9-上
1437- 26- 2
方有臨元 1227-176- 21
方在淵明 529-667- 49
方存業妻 明 見譚氏
方次彭宋 473-632- 77
529-491- 44
方兆吉妻 清 見王氏
方自申妻 清 見夏氏
方自勉明 511-856-169
方自新明 523-463-169
方旭伯妻 明 見戴節英
方如川妻 清 見王氏
方仲弓宋 494-337- 7
方仲永宋 1410-779-771
方仲宇宋 460-158- 9
方仲剛妻 元 見吳埠
方仲舒妻 清 見吳氏
方仲謀宋 472-1015- 41
524- 79-182
方仲夔明 460-527- 48
529-722- 51
方休徵女 明 見方宜順
方良永明 300-306-201
460-561- 15
473-635- 77
478-767-215
481-556-327
523- 47-148
529-510- 44
563-746- 40
567-112- 67
676-523- 21
1467- 89- 65
方良俊明 533-345- 58
方良規妻 明 見章氏
方良節明 300-307-201
563-780- 40
676-524- 21
1442- 38-附2
1459-779- 31
方良蕙明 金惟義妻
524-745-213
方良曙明 511-283-147
569-654- 19
1283- 16- 68
方志充明 1291-913- 6
方志充妻 明 見熊氏
方志通妻 明 見易氏
方志道宋 484-378- 27
方赤哥宋 見方簡輿
方成芝妻 清 見徐氏
方成郯清 524-228-189
方孝友明 456-690- 12
方孝聞明 524-146-185
方孝孺明 299-347-140
452-246- 6
456-690- 12
457-735- 43
458-998- 1
472-1105- 47
478-246-186
479-291-230
508-215- 37
508-253- 39
523-398-165
554-337- 54
561-208-38之2
561-528- 44
676-472- 18
677-540- 49
820-583- 40
886-148-139
1375- 37-下
1442- 16-附1
1459-513- 18
方孝孺妻 明 見鄭氏
方君瑞元 821-323- 54
方克勤明 301-730-281
476-881-146
479-290-230
523-472-169
540-634- 27
1224-301- 24
1235-588- 21
1374-704- 91
方位齋妻 清 見曹氏
方伯元明 456-664- 11

方伯休宋 見方士繇
方伯善明 李廷舉妻 530- 63- 55
方伯載元 529-760- 53
方伯禧元 1217-728- 4
方伯騫宋 528-439- 29
529-490- 44
方伯鑑元 1375- 21- 上
方伯體宋 見方士繇
方希文妻 明 見項淑美
方希叔明 511-882-171
方希則宋 1102-508- 64
方邦用女 明 見方月貞
方邦望明 1442- 49-附3
1460- 56- 42
方邦慶明 517-656-131
方妙壽明 郁惟敬妻 524-479-203
方廷玉明 480-464-279
533-280- 56
方廷臣明 1247- 41- 2
方廷珪吳越 820-315- 31
方廷揚妻 明 見陳瑞蘭
方廷實方庭實 宋460-151- 9
528-440- 29
529-495- 44
方廷璽明 676-550- 22
方攸宜妻 明 見林氏
方宗史唐 451- 10- 0
方宗昇宋 1166-662- 12
方宗秩明 533-345- 58
方宜順明 程麗甫妻、方休徵女 530- 63- 55
方泳之方芹之 宋460-157- 9
方雨娘清 方登鑾女 530- 81- 55
方其娠妻 明 見陳氏
方亞夫宋 529-726- 51
方直溫唐 見房直溫
方孟式明 張秉文妻、方大鎮女 676-675- 28
821-491- 58
1442-125- 8
1460-780- 85
方孟卿宋 516- 14- 87
方孟縉明 473- 28- 49
515-405- 69
方孟鏌女 明 見方氏

方奇冶妻 清 見林氏
方邵娘明 陳在良妻 530- 71- 55
方來朋元 見吳來朋
方來崇明 515-407- 69
方承恩妻 清 見仇氏
方尚用明 511-615-160
方尚恂明 523-493-170
676-632- 26
1442- 92- 6
1460-526- 65
方尚震妻 清 見吳氏
方肯堂明 564-124- 45
方明棟明 483-282-393
571-541- 20
方昌齡女 明 見方淑貞
方芹之宋 見方泳之
方叔完宋 528-438- 29
方叔和明 524-374-197
方叔高方積 元 517-208-120
1217- 29- 4
1439-431- 1
方叔誠元 1375- 23- 上
方叔毅明 821-484- 58
方昊祖妻 明 見汪氏
方和叔妻 明 見朱氏
方和叔女 明 見方氏
方岳貢明 301-262-251
475-177- 59
480-298-271
505-652- 68
510-354-114
533-390- 60
方阜鳴宋 528-483- 30
1180-405- 37
方秉白宋 460-139- 8
529-761- 53
方亮采明 523-249-157
方彥老宋 1171-774- 27
方彥明明 1229-656- 1
方南一元 515-871- 85
方南強宋 491-436- 6
方致堯宋 475-607- 81
511-482-155
方述振妻 清 見晉氏
方柔則元 劉安德妻、方逢吉女 1203-413- 31
方茂春女 清 見方氏

方思尹宋 見方師尹
方思廣元 515-871- 85
563-717- 39
方思潤明 511-276-147
方思賢明 482-433-361
567-139- 68
1467-132- 66
方思憲明 1269-982- 13
方重杰明 300-307-201
529-667- 49
方重桂元 1235-588- 21
方重熙明 1273-504- 5
方信於宋 475-367- 67
方信孺宋 287-415-395
398-412-391
460-150- 9
472-291- 12
473-633- 77
473-673- 79
481-554-327
482- 33-340
482- 74-341
510-388-115
516-200- 95
529-502- 44
563-675- 39
567- 73- 65
585-768- 5
1180-354- 33
1180-524- 48
1363-653-206
1437- 25- 2
1467- 47- 63
方皇后明 明世宗后、方銳女 299- 17-114
方紀達明 511-281-147
567-119- 67
1467-107- 65
方祖純妻 清 見謝氏
方家禎明 529-678- 49
方庭玉明 473-318- 62
1241-573- 11
方庭實宋 見方廷實
方素易方岐 明 472-197- 7
472-1027- 42
475-853- 94
480-508-281
516- 56- 89
523-188-155
532-706- 45
方貢孫明 1376-399- 85
方城王明 見朱諟鏴
方振寰明 456-573- 8
554-711- 61
方時化明 511-288-147
方時發元 472-369- 16
511-632-161
方時澄妻 清 見王氏
方剛寧妻 明 見鄭晉
方翁怡明 1290-179- 29
方師尹方思尹、方彭老 宋 448-396- 0
473-143- 56
515-861- 85
方師誨清 533-147- 51
方逢時明 533-416- 62
方清孫宋 1180-452- 41
方惟深宋 485-189- 25
493-923- 50
511-892-172
529-725- 51
530-371- 66
589-323- 3
590-449- 0
674-876- 20
1130-325- 33
1437- 15- 1
方祥美清 475-645- 83
511-635-161
方祥慶明 1278-457- 22
方祥慶妻 明 見姚北眞
方淡然明 523-250-157
方淑忠明 505-677- 69
方淑貞明 林魯儒妻、方昌齡女 530- 60- 55
方梅叔方應龍 宋 1178-593- 11
方理娘清 530-122- 57
方問孝明 511-852-169
方都翰明 見方都韓
方都韓方都翰 明 456-637- 10
511-608-160
方捷武妻 清 見余敦宋
方崧卿宋 515-255- 65
523-127-152

529-500- 44
933-407- 26
1147-752- 71
1164-359- 19
方處和宋 511-299-148
方國珍明 299-128-123
568- 30- 98
方國棟清 510-299-112
1315-318- 12
325-173- 11
方國棟妻 清 見梁氏
方國儒明 302- 51-292
456-482- 5
475-575- 79
480-319-272
511-481-155
533-392- 60
方紹伯清 482-143-344
方紹魁明 528-514- 31
方啟元清 481-699-332
524-181-187
529-696- 50
方啟念明 483-162-382
569-675- 19
方啟參明 545-119- 86
方敏中元 453-797- 4
533-324- 57
方敏東清 456-367- 77
方逢吉女 元 見方柔則
方逢年明 301-289-253
458-330- 12
676-652- 27
1442-103- 7
1460-612- 71
方逢辰方夢魁 宋
472-1017- 41
479-380-234
493-721- 40
515-105- 60
523-623-177
676-693- 29
677-381- 35
1187-609- 3
1187-617- 3
1209-649-10下
1437- 31- 2
1198-128- 3
方逢辰妻 宋 見邵滿
方逢郁妻 清 見徐氏
方逢振宋 523-623-177
方逢時明 300-649-222
475-605- 81
475-873- 95
505-684- 69
510-438-116
533- 13- 47
545-294- 94
1442- 58- 3
1460-166- 48
方逢時妻 明 見余氏
方逢堯明 516- 80- 90
563-827- 41
方逢嘉宋 524-296-193
方從吉清 517-753-134
方從哲明 300-594-218
505-803- 74
方從義元 516-518-106
820-548- 39
821-329- 54
1439-457- 2
方從龍宋 451- 96- 3
方從禮宋 1127-341- 19
方從鯤明 1273-451- 2
方富宇妻 清 見謝氏
方雲槐明 524-162-186
方朝宗方海 明 1247- 85- 7
方登鑾女 清 見方雨娘
方堯相明 302-118-295
456-582- 8
480-137-264
481- 71-293
559-507- 12
方肅英明 陳公裕妻、方瀞女
530- 63- 55
方揚遠宋 1457-688-408
方彭老宋 見方師尹
方景山宋 見方鳳
方景温明 524-224-189
方喀拉清(他塔喇氏)
455-222- 11
方喀拉清(西林覺羅氏)
455-293- 17
方喀拉清(輝和氏) 455-589- 39
方喀拉清(錫墨勒氏)
456-100- 57
方喀納清 456-122- 58
方順存妻 明 見胡壬壽
方喬植清 529-723- 51
方欽儒方元儒 明
1289-337- 23
方象瑛清 479-382-234
524- 83-182
方象璜清 523-493-170
方進貴妻 明 見楊氏
方愫一妻 明 見張氏
方愼言宋 460-152- 9
528-481- 30
529-489- 44
方愼從宋 460-152- 9
481-610-329
528-490- 30
529-489- 44
方義文清 456-366- 78
方義夫方夢得 宋451- 55- 0
方道堅宋 蔡湍妻
1161-656-129
方道叡方道壑 元
472-1017- 41
479-380-234
523-623-177
676- 67- 2
676-711- 29
678-438-111
1439-454- 2
方道壑元 見方道叡
方戩之明 523-520-171
方椿年宋 821-232- 51
方殿元清 1475-957- 41
方萬山明 569-655- 19
方萬里宋 493-964- 51
524-225-189
方鼎爵清 482-143-344
方會終宋 933-407- 26
方演孫宋(莆陽人) 473- 96- 53
515-184- 62
方演孫宋(字景行) 529-502- 44
方福娃清 479-335-232
方端衡妻 清 見戴氏
方壽明方慶龍 宋451- 78- 2
方壽祥明 299-653-166
方輔圓清 524-269-191
方與時明 457-508- 32
方槐生明 676-274- 10
方爾郅清 1314-409- 10
方爾豐妻 清 見謝氏
方閣英清 方大化女
524-473-202
方遠宜明 523-247-157
方夢得宋 見方義夫
方夢暘明 511-605-160
方夢魁宋 見方逢辰
方夢龍明 676-177- 7
方鳴鸞清 529-688- 50
方蒙仲宋 見方澄孫
方維則明 吳紹忠妻、方大鉉女
1442-125- 8
1460-782- 85
方維銓妻 清 見段氏
方維儀明 姚孫棨妻、方大鎭女
512- 10-176
676-675- 28
1442-125- 8
1460-781- 85
方廣益清 564-301- 48
方審權宋 460-158- 9
529-727- 51
方澄孫方蒙仲 宋460-154- 9
481-693-332
528-540- 32
529-504- 44
1375- 14-上
方澄澈明 523-236-156
方鄭哥宋 見方顏
方慶龍宋 見方壽明
方震孺明 301-209-248
475-754- 88
481-807-338
511-498-156
528-516- 31
563-740- 40
1442- 91- 6
方履泰明 456-526- 6
方儀鳳明 511-410-152
方質夫明 1273-141- 20
方德至元 460-458- 35
方德初明 524-198-188
方德明妻 明 見朱清
方德益元 511-599-160
方德順宋 1145-711- 82
方澤明宋 532-614- 43
方靜眞宋 趙公用妻
1386-237- 38

方霖孫宋 451- 64- 2
方興邦明 1460-292- 53
方學尹明 511-605-160
方學漸明 457-593- 35
511-699-164
1442- 69- 4
1460-331- 55
方學箕明 1442- 69- 4
1460-331- 55
方學龍明 523-493-170
方龜年宋 460-151- 9
529-725- 51
方錦僊明 程恕妻、方天生女
1253- 57- 43
方應庚明 516- 85- 90
方應明明 545-196- 90
545-227- 91
方應星明 480-243-269
533-386- 60
方應旂明 511-476-155
方應時明(字朝中) 456-579- 8
523-407-165
方應時明(字以中) 523-624-177
方應秩清 479-332-232
524-154-185
方應祥明 523-621-177
方應張妻 清 見周氏
方應尊妻 明 見胡氏
方應節明 554-313- 53
方應旗明 456-677- 11
方應龍宋 見方梅叔
方應選明 676-627- 26
1442- 80- 5
方應禱清 559-329-7下
564-301- 48
方應瀚明 515-895- 86
方懋勣妻 清 見陳氏
方懋德宋 494-347- 7
511-297-148
523- 77-149
1141-501- 70
方聲宏清 524-106-183
方環子元 1205-145- 10
方謹言宋 933-407- 26
方豐之宋 1163-417- 14
方簡輿方赤哥 宋448-389- 0
方懷珍妻 明 見李氏
方懷溪妻 明 見梁氏
方寶印宋 451- 99- 3
方馨娘清 方鉉女
564-375- 50
方獻夫方獻科 明
300-218-196
452-446- 2
457-467- 30
482- 37-340
564- 96- 45
677-588- 53
1442- 41-附2
1459-824- 33
方獻科明 見方獻夫
方繼曾妻 明 見林氏
方繼學明 524- 88-182
方纍氏上古 黃帝妃
383-127- 14
方觀承清 474- 96- 3
475-532- 77
1308-298- 59
方驥之宋 563-701- 39
方念五哥宋 見方縉
文南朝 256-591- 97
259-571- 58
260-461- 54
265-1111- 78
381-570-198
文宋(嗣義青) 1053-587- 14
文宋(嗣宗顯) 1053-787- 18
文妻 金 見唐古實格
文子春秋 見叔孫舒
文子春秋 見季孫行父
文才元 547-532-160
1054-751- 22
文方明 559-357- 8
文友元 1221-588- 20
文升元 1467-154- 67
文斤晉 473-350- 62
480-441-278
516-413-103
533-790- 75
文氏宋 孫臯妻 516-280- 99
文氏宋 韓治妻 477-169-157
文氏宋 文同女 821-271- 52
文氏宋 文寶龜女
1098-212- 27
文氏元 唐斗輔妻、文少質女
482-353-356
1467-259- 72
文氏明 向達妻 480-566-284
文氏明 胡盡忠妻 480-253-269
文氏明 傅乘乾妻 480-254-269
文氏明 劉恭妻 1242- 73- 26
文氏明 文曉女 481-119-296
文氏明 文少白女 555- 56- 66
文氏明 文在中女
1442-124- 8
1460-777- 84
文氏清 于浡然妻 506- 69- 87
文氏清 伍永興妻 480-616-287
478-575-203
文氏清 徐昆妻 481-159-298
文氏清 黃之璠妻 482-524-367
文氏清 鮮于德妻 481-250-303
文氏清 關于袞妻 482-525-367
文立晉 254-654- 12
256-472- 91
380-278-173
473-478- 69
476-853-145
481-439-316
559-351- 8
591-621- 45
933-177- 12
文幼宋 541- 92- 30
文朴明 494- 41- 3
文同宋 288-243-443
382-757-115
400-657-561
471-611- 4
471-961- 53
471-966- 54
471-977- 56
471-1013- 62
471-1021- 63
471-1023- 64
471-1054- 68
472-866- 34
473-447- 68
473-536- 72
478-244-186
479-133-223
481-385-312
481-405-313
494-542- 28
523-115-151
554-242- 52
556-398- 91
559-311-7上
559-319-7上
559-391-9上
561-211-38之2
561-351- 41
561-570- 45
561-592- 46
561-612- 46
591-611- 44
592-588- 98
592-656-103
592-726-108
674-286-4下
674-819- 17
812-533- 3
813-202- 20
820-371- 33
821-173- 50
933-180- 12
1106- 94- 13
1110-144- 3
1112-274- 26
1112-744- 20
1205- 84- 3
1437- 15- 1
1461-545- 26
文同女 宋 見文氏
文佘宋 1147-434- 40
文旭明 482-524-367
1467-213- 70
文忳漢 879-173-58下
文育北周 482- 32-340
文芊春秋 鄭文公夫人
404-885- 55
文芊女 春秋 見鄭二姬
文伯春秋 見穀
文作明 545-468-100
559-358- 8
文宗宋 541- 92- 30
文沼明 524-410-199
文初宋 473-515- 71
559-384-9上
591-653- 46
文武唐 276-362-220
文林明 301-843-287
479-402-235

511-738-165
523-230-156
676-511- 20
1255-766- 76
1386-317- 41
1392-549-417
1442- 34-附2
1458-196-431
1459-729- 28
文林妻 明 見吳氏
文忠元 546-359-126
文明明(東安人) 533-322- 57
文明明(字用晦) 1272-441- 13
文岱清 455-119- 4
文洪明 493-992- 52
676-508- 20
1386-674- 56
1442- 33-附2
1459-706- 28
文洪女 明 見文玉清
文室明 821-462- 57
文姜春秋 魯桓公夫人、齊僖公女 404-564- 34
448- 66- 7
文炬文矩、涅槃 唐
473-636- 77
530-198- 60
1053-171- 4
文春漢 473-332- 63
532-687- 45
681-579- 11
文柱清 455-203- 10
文奎明 見文徵靜
文郁明 494- 41- 3
文述元 1219-479- 19
文政宋 1121-595- 6
文貞明 1442-121- 8
1475-782- 33
文茂明 524-184-187
文思隋 559-260- 6
文昭唐 528-520- 31
文昭明 547-115-145
554-280- 53
文昱宋 1053-731- 17
文英宋 592-399- 84
文信元 1369-476- 14
1439-458- 2
文高清 456-379- 79
文祖宋 588-262- 11
1053-683- 16
文悟宋 516-444-104
文益後周 490-722- 70
524-438-201
1052-178- 13
1052-659- 4
1053-374- 10
1054-152- 3
1054-600- 17
文悅宋 516-423-103
1052-739- 22
1053-494- 12
1054-177- 4
1054-627- 18
文泰漢 559-388-9上
文桂明 1467-229- 70
文晉妻 明 見陳氏
文陞元 567-445- 86
1367-862- 65
文振明(三水人) 554-654- 60
文振明(永昌人) 558-429- 37
文殊唐 1053-220- 6
文殊五代 1053-240- 6
文殊石賴 不詳 592-334- 81
文虔不詳 879-163-58上
文矩唐 見文炬
文矩元 1197-760- 80
1439-428- 1
1470-207- 8
文翁文黨 漢 251-120- 89
380-152-169
459-811- 49
471-920- 48
471-928- 49
471-945- 51
472-338- 14
473-424- 67
475-702- 86
481- 64-293
511- 61-138
559-257- 6
591-739- 55
933-177- 12
591-655- 47
1087-682- 36
1088-424- 47
1354-827- 48
1381-608- 44
文卿元(姓名缺) 1221-491- 12
文乘明 456-635- 10
文俶文鴦 魏 254-483- 28
386- 73-70中
文清明 554-497-57上
文淵明 502-783- 87
文淨明 541-100- 30
文章明 563-756- 40
567-338- 79
文淑明 趙均妻、文彥可女
512- 8-176
821-491- 58
文理妻 清 見王氏
文帶明 482-239-349
564-252- 47
文掞清 511-836-168
文爽唐 1052-308- 21
文爽宋 1098-109- 14
文偃五代 472-986- 39
479-108-221
482- 80-341
491-119- 14
524-396-199
1052-646- 2
1053-607- 15
1054-148- 3
1054-598- 17
文參漢 591- 7- 1
文富元 528-508- 31
文惺清 533-783- 75
文湛明 1442-120- 8
1460-842- 90
1475-742- 31
文惠女 明 見文素延
文喜唐 491-120- 14
524-395-199
585-477- 14
588-248- 10
1052-168- 12
1052-285- 20
1053-365- 9
1054-141- 3
1054-517- 15
文雅宋 516-496-105
1053-747- 17
文階明 475-526- 77
文登明 547-116-145
文琬明 1255-339- 39
文肅隋 549-372-194
文彭明 301-844-287
475-136- 56
511-742-165
684-499- 下
820-666- 42
821-411- 56
1284-167-149
1442- 64- 4
1460-236- 50
文軫宋 680-495-272
文森明 1273-203- 26
1392-554-417
1442- 36-附2
1459-752- 29
文森妻 明 見談氏
文貴明 472-223- 8
683-146- 4
文勛宋 494-326- 6
820-386- 33
821-180- 50
文順元 1208-284- 13
文程清 502-596- 76
文晧明 476-402-119
546-600-135
文勝宋 588-187- 9
1053-420- 10
文欽魏 254-482- 28
377-235-117
384-684- 44
386-71-70中
文欽五代 1053-321- 8
文義五代 1053-326- 8
文義宋 1053-692- 16
文溶明 569-660- 19
文準宋 1053-744- 17
1054-193- 4
1116-557- 30
文煒妻 清 見楊氏
文遂宋 1053-396- 10
文瑞明 476-183-106
540-618- 27
545-889-114
文瑞清 456-301- 73
文聘魏 254-341- 18
377-167-116
384-682- 44

385-361- 35
472-771- 30
477-369-167
480- 87-262
552- 22- 18
933-177- 12
文楊明 547- 45-142
文楚唐 813-305- 19
820-300- 30
文照唐 1052-354- 25
文照宋 1053-703- 16
文暉唐 549-372-194
文賓漢 1058-503- 下
文演宋(嗣克勤) 592-395- 84
1053-840- 19
文演宋(嗣懷秀) 1053-754- 18
文誠元 見本誠
文寧宋 見文午榮
文齊文瀕 漢 469-679- 84
473-806- 86
481- 64-293
482-558-369
494-146- 5
559-257- 6
559-339- 8
569-641- 19
591-589- 44
879-173-58下
文粹明 1386- 17- 29
文窾宋 511-298-148
文臺漢 524-329-195
文臺明 821-411- 56
文嘉明 301-844-287
475-136- 56
511-742-165
820-667- 42
821-411- 56
1284-167-149
1394-163-497
1442- 64- 4
1460-237- 50
文暢唐 485-292- 42
493-1091- 58
511-919-174
550- 92-212
文銘明 511-927-174
文種春秋 見大夫種
文魁元 473-777- 84
482-451-362
567- 78- 65
568-202-106
1467- 52- 63
文綱唐 1052-186- 14
文澍明 473-369- 64
533-112- 50
1265-682- 25
1410-465-725
文廣明 474-817- 44
502-282- 56
文瑩宋 493-1092- 58
511-919-174
674-884- 20
1097-246- 14
文慶宋(號海印) 1053-660- 15
文慶宋(嗣承皓) 1053-675- 16
文璋妻 明 見朱氏
文輂宋 524-442-201
1052-336- 23
文摯春秋 742- 23- 1
文璉宋 1053-853- 20
文蔚明 558-471- 39
文儀宋 515-605- 76
文質唐 1052-382- 27
文質元 511-732-165
511-906-172
524- 42-180
1369-415- 12
1471-532- 12
文銳宋 1100-666- 12
文範宋 533-338- 58
文嬴春秋 晉文公夫人、秦穆公女 404-761- 46
文穎魏 249- 8- 附
538-143- 65
文機明 554-956- 65
文噩宋 559-309-7上
文鴦魏 見文俶
文曉女 明 見文氏
文錦妻 清 見何氏
文衡明 559-368- 8
文穆漢 681-660- 20
文襄明 456-634- 10
546-610-135
文謙元 472-1107- 47
1442-119- 8
文舉唐 524-431-200
1052-222- 16
文點清 511-836-168
1318-480- 74
文邃唐 480-616-287
1053-540- 13
文璧宋 518-767-160
文璧元 1204-304- 10
文璧女 元 見文孟端
文璧明 見文徵明
文鵠清 533-115- 50
文繡不詳 567-455- 87
文瀕漢 見文齊
文贊宋 1053-503- 12
文贊妻 清 見高氏
文壤不詳 879-184-58下
文黨漢 見文翁
文獻明 558-398- 36
文龔宋 1053-637- 15
文瓚唐 1052-374- 26
文觀宋 1053-784- 18
文人合清 533-453- 63
文士弘明 516-137- 92
文士慶宋 1147-347- 31
文大章明 518- 58-137
文之理清 533-320- 57
文太青妻 明 見武氏
文元善明 820-743- 44
821-451- 57
文元發明 479-320-232
523-194-155
676-637- 26
1406-134-328
1458-249-434
文天正宋 533-727- 73
文天祥文雲孫 宋
287-708-418
398-648-409
451- 51- 2
451-231- 0
459-663- 39
473-149- 56
473-186- 58
475-121- 55
475-604- 81
479- 43-218
479-715-250
479-792-254
482-140-344
493-724- 40
497-634- 45
508-235- 38
508-329- 41
510-331-113
515-605- 76
517-438-126
517-540-129
517-608-130
518- 17-136
518-767-160
523- 19-146
528-507- 31
563-703- 39
564-803- 60
564-825- 60
820-447- 35
1184-773- 21
1188-349- 0
1204-339- 13
1226-227- 11
1232-686- 9
1366-929- 4
1409- 32-564
1437- 32- 2
1462-829-101
文天祥妻 宋 見歐陽氏
文天禎宋 515-606- 76
文天壽清 481-808-338
563-894- 42
文天爵清 478-171-182
554-739- 61
文及甫宋 286-159-313
382-433- 67
397-334-338
933-180- 12
文及翁宋 494-328- 6
524-313-194
1437- 33- 上
文日新宋 559-375- 8
文少白女 明 見文氏
文少質女 元 見文氏
文月能宋 451- 98- 3
文午榮文寧 宋 451- 67- 2
文允中元 559-504- 12
文立緒明 528-516- 31
文玉清明 俞濟伯妻、文洪女
1273-242- 30

文弘廣明 1245-511- 26
文正針明 文愛萬女
481-374-311
文正倫宋 592-595- 99
文可刊妻 清 見王氏
文世光明 821-472- 58
文安之明 301-698-279
533-219- 53
677-707- 63
1442-103- 7
1460-615- 71
文安國宋 494-326- 6
1147-914- 90
文汝衡明 547-115-145
文有年宋 451- 95- 3
文在中明 554-821- 63
文在中妻 明 見張氏
文在中女 明 見文氏
文在茲明 554-853- 63
文羽麟明 559-358- 8
文兆祥清 482-354-356
文如玉元 473-456- 68
559-365- 8
1212-507- 14
文如阜元 533-497- 65
文志正明 558-293- 34
文志矩明 567-464- 87
1467-524- 11
文志鯨清 533-293- 56
文均範元 533-322- 57
文君洪唐 549-372-194
文似韓明 523-251-157
文伯仁明 821-412- 56
文希程明 547-116-145
文希韓明 547-115-145
文何典妻 清 見劉氏
文宗信妻 元 見白氏
文宗儒妻 明 見祁愼寧
文門愛北朝 538- 99- 64
933-177- 12
文孟端元 胡植妻、文璧女
1204-279- 8
文承光明 821-472- 58
文昌拱明 456-672- 11
480-414-277
文昌時明 302- 43-291
456-460- 4
476-659-135
482-352-356
540-651- 27
567-370- 81
1467-256- 71
文昌運妻 清 見劉氏
文季姜漢～晉 王堂妻
559-476-11中
591-594- 44
879-175-58下
文秉濂清 478-404-194
554-319- 53
567-360- 80
文彥可女 明 見文淑
文彥直宋 515-501- 72
文彥茂明 554-348- 54
文彥博宋 286-155-313
382-428- 6
382-428- 67
384-348- 18
384-361- 18
384-368- 19
384-377- 19
397-330-338
449-167- 3
450-759-下13
459-524- 31
471-946- 51
471-1047- 67
471-1059- 69
472-126- 4
472-430- 19
472-496- 21
472-568- 24
472-717- 28
472-742- 29
472-825- 33
472-852- 34
472-893- 35
472-894- 35
473-426- 67
474-434- 21
474-470- 23
475-365- 67
475-869- 95
476- 78-100
476-182-106
476-394-119
477-481-173
478- 90-180
481- 68-293
505-689- 70
538-327- 69
540-613- 27
544-239- 63
545- 42- 84
545-134- 87
545-878-114
548-614-180
548-615-180
550-176-215
554-145- 51
558-227- 32
559-264- 6
561-209-38之2
591-679- 47
678- 98- 79
708-336- 50
820-347- 32
933-177- 12
1350-784- 76
1362-411- 7
1437- 11- 1
文彥鎬明 572- 75- 28
文拱辰宋 451- 97- 3
文映朝清 567-359- 80
文侯仇春秋 見晉文侯
文侯國明 456-493- 5
文祖堯明 475-450- 71
510-405-115
570-134-21之2
文素延明 趙瓊妻、文惠女
1273-232- 29
文城王明 見朱彌鉗
文時中明 559-361- 8
文師頤明 456-572- 8
537-332- 56
567-371- 81
文務光宋 1112-753- 21
文崇禧清 533-220- 53
文國禎清 528-556- 32
文從先明 820-749- 44
文從忠明 821-472- 58
文從昌明 821-472- 58
文從簡明 820-758- 44
821-451- 57
文竑中明 478-405-194
文翔鳳明 545-102- 86
554-850- 63
677-684- 61
1442- 90- 6
文翔鳳妻 明 見武氏
文敦詩宋 559-379-9上
文雲孫宋 見文天祥
文朝佐明 547-116-145
文景宗明 472-409- 18
510-399-115
文景隆妻 明 見宣氏
文華衮妻 明 見何氏
文逸民宋 1112-744- 20
文復之宋 492-637- 14
文新命明 456-673- 11
文運亨清 474-775- 41
480-542-283
502-776- 86
533-404- 61
文運昌明 456-526- 6
文運開明 554-851- 63
文運熙明 554-515-57下
文運衡明 545-228- 91
文煥然明 480-342-273
文載道妻 明 見魏氏
文達世清 455-231- 12
文葆光明 820-758- 44
文經國明 456-612- 9
文毓鳳明 554-851- 63
文愛萬女 明 見文正針
文嘉謨明 483- 47-372
569-664- 19
文圖蓀清 456-235- 68
文肇祉明 676-637- 26
820-705- 43
文養浩明 545-157- 88
文慧通南北朝 516-474-105
文震亨明 456-530- 6
511-442-153
676-663- 28
820-758- 44
821-472- 58
1442-107- 7
文震孟明 301-256-251
458-458- 23
475-139- 56
511-114-140
676-651- 27

820-758- 44
1315-574- 35
1442-102- 7
1460-611- 71
文德恒清 455-505- 31
文德翼明 516-141- 92
523-109-150
1442-108- 7
文衛欽明 1467-189- 69
文徵明文璧 明 301-843-287
475-136- 56
511-740-165
524-339-195
676-552- 22
684-498- 下
821-410- 56
1273-293- 36
1280-368- 83
1284-154-148
1408-568-538
1442- 49-附3
1458-208-432
1460- 57- 43
文徵明妻 明 見吳氏
文徵靜文奎 明 820-666- 42
1273-247- 30
文鴻儒明 547-116-145
文應祥元 532-667- 64
文應麟宋 515-613- 76
563-922- 43
文應麟明 554-259- 52
567-354- 80
1467-253- 71
文謙光明 820-758- 44
文禮愷元 559-392-9上
文寵光明 820-758- 44
文繩世宋 485-536- 1
文寶龜女 宋 見文氏
文獻叔齊 259-543- 55
265-1045- 73
380-105-167
480-485-280
933-177- 12
文顯道明 546-758-140
文顯儁北齊 549-372-194
文體義明 見支體義
文安公主唐 唐德宗女
274-116- 83
393-283- 73
文成公主唐 棄宗弄贊
271-704-196上
276-273-216上
401-531-637
544-232- 63
文殊哈雅元 515-346- 67
528-508- 31
文殊菩薩不詳 1053- 84- 2
之佚戰國 488- 70- 6
之善元 588-191- 9
火城明 1263-521- 5
火眞科里和珍 明 299-395-145
火斌明 523-377-164
584-266- 10
火德元 533-795- 75
火化僧明 533-789- 75
火兒失明 見和爾實
火郎撒隴王 元 552- 72- 19
云敞漢 250-530- 67
376-306-100
472-830- 33
478- 96-180
554-742- 62
556-342- 90
675-260- 7
933-182- 12
1407-694-465
戈氏明 魏迪妻 1267-822- 7
戈氏清 高顯辰妻 506- 34- 86
戈立明 493-993- 52
戈汕明 821-482- 58
戈恂明 554-312- 53
戈珽清 523- 93-149
戈湛明 見戈中顏
戈瑄明 505-741- 72
戈福妻 明 見王氏
戈毅元 472-774- 30
537-574- 60
戈謙明 見弋謙
戈衡女 明 見戈淨寧
戈謙明 見弋謙
戈鎬明 511-774-166
676-452- 17
1442- 8-附1
1459-421-13
戈簡明 511-378-150
戈文七明 515-272- 65
戈元穎明 1475-645- 27
戈中和明 569-674- 19
戈中顏戈湛 明 1475-654- 28
戈允禮明 532-639- 43
570-122-21之1
戈用泰明 524-248-190
676-618- 25
1442- 82- 5
1460-442- 60
1475-373- 16
戈尚友明 511-353-149
戈叔義元 821-298- 53
戈金湯明 1442-106- 7
1460-639- 72
戈淨寧明 彭菊莊妻、戈衡女
1261-720- 31
戈維屏明 511-826-167
不二明 483-142-380
570-258- 25
不空阿目佉跋折羅 唐
554-950- 65
820-296- 30
1052- 9- 1
1054-116- 3
1054-475- 13
1054-487- 14
1344- 12- 62
不降夏 544-154- 61
不窋夏 371-225- 5
383-160- 18
384- 3- 1
472-914- 36
不準晉 933-489- 32
不帖傑明 571-554- 20
不如蜜多晉 1053- 29- 1
1054- 60- 2
1054-323- 7
不你道人明 516-498-105
不哈兒花斡明 見布達拉和克
尤文明 458-611- 1
511-841-168
676-291- 11
尤氏元 曹子英妻 295-627-200
401-176-593
472-179- 6
475- 78- 53
尤氏元 歐陽承第妻
530- 89- 70
尤氏明 宋文燿妻 506- 30- 86
尤氏明 楊仁妻 473-258- 60
尤氏明 趙一鳳妻、尤鏞女
302-234-302
475-144- 57
512- 24-177
1283-161- 79
尤氏清 王子蕃妻 481-214-302
尤氏清 沈學顏妻 524-498-203
尤氏清 林汝瞻妻 481-535-326
尤氏清 孫保邦妻、孫保拜妻
474-314- 16
506- 85- 88
尤氏清 陳維翱妻 475-648- 83
尤氏清 陳興鏡妻 530- 24- 54
尤氏清 劉之蘭妻 474-252- 12
尤台宋 529-735- 51
尤良元 492-713-3下
尤求明 511-867-170
821-446- 57
尤明清 456-358- 77
尤侗清 475-142- 57
505-653- 68
511-751-165
1318-496- 76
尤岱明 456-494- 5
478-274-187
554-726- 61
尤珍清 475-142- 57
尤勉明 456-494- 5
尤烈明 460-675- 69
510-429-116
尤淳明 511- 99-140
1256-401- 26
1386-324- 41
尤焴宋 472-261- 10
492-701-3上
492-712-3下
尤袤尤盤郎 宋 287-332-389
398-346-387
448-366- 0
448-406- 0
458-185- 1
472-260- 10
472-290- 12
472-1101- 47
475- 18- 49

475-223- 61
475-483- 73
479-285-230
492-701-3上
492-712-3下
511-144-142
523-169-154
674-847- 18
678-557-123
820-435- 35
1363-746-223
1437- 24- 2
尤基明 1283-483-104
尤基妻 明 見陸氏
尤捷明 554-726- 61
尤異宋 529- 80- 35
尤翔妻 清 見張氏
尤琮妻 明 見吳淑閒
尤惠妻 明 見李氏
尤棟宋 492-713-3下
尤復明 460-599- 59
尤義明 676-131- 5
尤裕清 456-358- 77
尤祿清 455-553- 35
尤煥明 1258-302- 6
尤瑛明 511-155-142
尤槩宋 492-712-3下
尤輔妻 明 見成氏
尤嘉明 1442- 68- 4
1460-318- 54
尤毅明 537-316- 56
尤魯明 511-155-142
尤樾明 511- 99-140
尤噶清 455-113- 4
尤麒明 460-622- 61
尤鏞女 明 見尤氏
尤士魁清 529-663- 49
尤大治明 533-217- 53
尤世功明 301-564-271
456-455- 4
474-693- 37
478-272-187
尤世威明 301-541-269
456-410- 1
478-273-187
554-725- 61
尤世祿明 301-543-269
456-493- 5
478-274-187
554-726- 61
尤安禮明 475-132- 56
493-979- 52
511-673-163
512-726-195
571-525- 19
1442- 23-附2
1459-601- 22
尤圭妹明 陳龍津妻、尤光被女 530- 16- 54
尤光被女 明 見尤圭妹
尤成漢清 456-358- 77
尤拔俊明 515-225- 63
尤牧菴明 1255-495- 54
尤拱極明 554-726- 61
尤時熙明 301-792-283
457-457- 29
458- 16- 1
458-918- 8
538- 15- 61
676-301- 11
1458-371-442
尤章山妻 明 見葛氏
尤道元宋 492-709-3上
尤道恆明 820-748- 44
尤鼎臣元 475-451- 71
511-469-154
尤翟文明 456-493- 5
554-368- 54
尤鳴高清 559-333-7下
尤養鯤龍養坤 明456-493- 5
尤盤郎宋 見尤袤
尤繼先明 301- 70-239
478-272-187
554-607- 59
太丁商 537-174- 53
太王商 見古公亶父
太氏明 完嗣昌妻 482-564-369
太戊商 見商中宗
太平元 472-274- 11
510-372-114
太甲商 見商太宗
太任商 季歷妃、摯任氏女、摯仲氏女 404-450- 26
448- 10- 1
452- 42- 1
555- 1- 66
太邢明 新野恭簡王妻、邢山女 1283-788-128
太伯商 見吳太伯
太庚商 537-173- 53
太昊上古 見虙犧氏
太姒周 周文王妃、有莘氏女、有莘姒氏女 404-451- 26
448- 11- 1
452- 42- 1
555- 2- 66
太姜商 古公亶父妃、有呂氏女、有邰氏女 404-450- 26
448- 10- 1
452- 41- 1
494- 39- 3
555- 1- 66
太姥上古 481-751-334
530-208- 60
太康夏 371-217- 3
372- 97-3上
383-232- 23
384- 3- 1
404- 43- 3
537-172- 53
544-153- 61
太虛宋 821-269- 52
太毓唐 1052-147- 11
1053-124- 3
太皞上古 見虙犧氏
太顛周 404-435- 25
933-668- 44
太子友春秋 405-124- 63
485-147- 20
485-149- 20
493-794- 43
太子止春秋 386-674- 9
太子丹戰國 244- 54- 34
554-878- 64
太子丹戰國 見趙孝成王
太子申戰國 405-189- 68
太子伋春秋 375-23-77上
太子完戰國 見楚考烈王
太子角春秋 404-837- 52
太子免春秋 405- 97- 62
太子舍春秋 404-608- 37
太子建春秋 見王子建
太子疾春秋 404-839- 52
太子晉周(周宣王子)
384- 12- 1
太子晉春秋(周靈王子)
375-675- 89
404-478- 28
太子圉春秋 見晉懷公
太子痤春秋 見世子痤
太子壽春秋 404-480- 28
太子僕春秋 見莒僕
太子嬰公叔伯嬰 戰國
405-160- 66
太山稽上古 404-384- 23
933-668- 44
太公望周 見呂尚
太戊午戰國 405-196- 69
505-679- 69
545-125- 87
太平王明 見朱至淥
太史亨太史享、太史高 吳
485- 65- 10
493-670- 37
太史享吳 見太史亨
太史高吳 見太史亨
太史慈母 漢 476-702-137
太史慈吳 254-752- 4
370-232- 1
370-233- 1
377-318-119
384- 78- 4
384-545- 26
385-129- 14
469-176- 20
472-603- 25
473- 13- 49
474-777- 42
476-699-137
491-798- 6
503- 7- 90
515- 76- 59
540-705-28之1
588-440- 1
933-785- 56
1408-456-524
太史敫太史嬓 戰國
491-793- 6
太史敫女 戰國 見君王后
太史嬓戰國 見太史敫
太谷王明 見朱鍾鉉
太叔儀春秋 見世叔儀

太和王明 見朱祐檖
太宰嚭伯嚭 春秋 405- 95- 62
405-126- 63
448-276- 29
933-752- 52
太原王漢 見劉章
太原王漢 見劉參
太原王晉 見石斌
太原王晉 見司馬輔
太原王晉 見司馬瓌
太原王晉 見冉允
太原王晉 見劉闡
太原王陳 見陳叔匡
太原王後魏 見乙渾
太原王後魏 見元昶
太原王後魏 見爾朱榮
太原王北齊 見高紹德
太原王唐 見李承宗
太原王後唐 見王處直
太原王宋 見解元
太師疵周 554-876- 64
太康王明 見朱載垙
太乙眞君唐 533-782- 75
太子終纍春秋 405-124- 63
太子偃師春秋 見世子偃師
太子御寇春秋 405- 97- 62
太子諸樊春秋 見吳王諸樊
太上老君上古 1061-176-102
太上道君上古 1061-168-101
太山老父漢 1059-298- 8
太平公主唐 武攸暨妻、薛紹妻、唐高宗女 274-107- 83
393-276- 73
544-231- 63
554- 48- 49
太史叔明梁 260-401- 48
265-1002- 71
380-292-173
472-1001- 40
479-138-223
523-585-175
679-763-212
933-785- 56
太叔文子春秋 見世叔儀
太叔悼子春秋 見世叔齊
太和公主唐 見定安公主
太倉丐者元 511-929-174
太華公主唐 楊錡妻、唐玄宗女 274-113- 83
393-281- 73
554- 52- 49
太原長公主北魏 裴詢妻、魏宣武帝女 544-212- 62
太原長公主明 王七一妻、朱世珍女 544-251- 63
太微天帝君上古 1061-179-102
歹答兒明 見台達爾
王乙宋 1105-821- 98
1106-552- 29
1378-567- 61
1384-155- 93
1410-345-708
王乙女 宋 見王氏
王二明 533-799- 75
王刁唐 547-539-160
王七明 545-772-111
王乂後魏 545-545-103
王八宋 1130-172- 17
王三妻 明 見李氏
王三妻 明 見季氏
王三清 456-316- 75
王士蜀漢 254-690- 15
481-334-308
王土妻 明 見陸氏
王巳宋 511-178-143
王才明 511-424-152
王大明 494- 45- 3
王上妻 晉 見袁福
王山漢 248-616- 8
1412-123- 5
王山明 820-705- 43
王山妻 明 見常氏
王山清 455-231- 12
王屮齊 1401-146- 19
王六宋 511-613-160
王六妻 清 見楊氏
王六妻 清 見趙氏
王亢女 宋 見王尚恭
王斗戰國 405-240- 71
448- 97- 中
491-792- 6
王方女 宋 見王弗
王文宋 524- 62-181
王文王強 明(字千之)
299-669-168
452-141- 1
472- 56- 2
472-767- 30
474-243- 12
505-734- 71
王文明(解州人) 494- 24- 2
546-492-131
王文明(潞州人) 554-258- 52
王文妻明 見奚氏
王文清 456-317- 75
王五妻 明 見薛氏
王元漢 252-490- 43
370-154- 14
402-566- 19
王元宋(字文元) 567-412- 84
1467-181- 68
王元宋(字舜弼) 1118-985- 67
王元妻 宋 見晁氏
王元妻 宋 見趙氏
王元元 1216-603- 12
1386-736- 下
王元明 547-495-159
王尹妻 明 見蕭氏
王木宋 821-248- 52
王木明 483-294-394
572- 78- 28
王友宋 812-473- 3
812-547- 4
821-158- 50
王友明 299-407-146
王夬宋 491-434- 6
王及唐 568-294-110
王及宋 524- 61-181
王中漢 476-662-136
王中宋 司馬遵妻、王嶼女 1163-618- 39
王中明(登封人) 458-147- 7
472-752- 29
538-103- 64
王中明(定州人) 472- 99- 3
王中明(字時中) 524-262-191
王中明(字懋建) 1459-493- 16
王丹漢 252-667- 57
370-156- 15
376-645-107上
384- 58- 3
402-380- 4
402-570- 19
472-830- 33
478- 97-180
554-743- 62
933-326- 24
1408-414-520
王仁周 見秦羅敷
王仁元 1210-313- 8
1214-120- 10
王仁明(盩厔人) 476-180-106
545-247- 92
554-526-57下
559-288-7上
王仁明(字壽夫) 524-231-189
王仁明(南昌人) 563-751- 40
王仁明 見王得仁
王升宋 見王昇
王升明(德清人) 472-1004- 40
王升明(字世新) 511-681-163
王升明(字孟起) 1229-217- 5
王斤魏 261-438- 30
王什唐 820-279- 30
王化晉 473-504- 71
559-278- 6
559-389-9上
591-532- 41
王化明(字汝贊) 300-645-222
482-304-353
563-796- 41
567-340- 79
1467-235- 71
王化明(同州人) 554-527-57下
王化妻 明 見計氏
王氏漢 漢靈帝美人
252-196-10下
373- 48- 19
819-557- 19
王氏漢 王章女 448- 78- 8
王氏晉 劉和妻 1379-389- 47
王氏晉 王廣女 256-576- 96
381- 53-185
王氏晉 王誕女
492-604-13下之下
王氏齊 劉瓛妻、王法施女
1329-1026- 59
1331-545- 59
王氏梁 杜龕妻、王僧辯女

480-299-271
533-634- 70
王氏梁 衛敬瑜妻
265-1053- 74
380-111-167
480-299-271
555- 7- 66
王氏後魏 辛少雍妻
478-490-199
547-205-149
王氏後魏 拓跋鬱律妻
261-209- 13
266-278- 13
王氏唐 朱延壽妻 276-114-205
401-155-589
475-711- 86
475-755- 88
王氏唐 唐武宗賢妃
274- 27- 77
393-270- 72
王氏唐 郭子儀妻、王守一女
549-294-192
1342-236-934
王氏唐 張孚卿妻 512- 76-179
王氏唐 陳如寶妻 530- 59- 55
王氏唐 崔祐甫妻 478-136-181
王氏唐 楊慶妻 271-650-193
276-106-205
401-147-589
478-135-181
555- 8- 66
王氏唐 楊紹宗妻 271-653-193
276-108-205
401-149-589
472-842- 33
478-350-191
555- 9- 66
王氏唐 謝良弼妻 524-415-200
1061-348-115
王氏唐 魏衡妻 271-651-193
王氏唐 王新女 1079- 72- 11
王氏唐 王濳女 1071-325- 26
王氏後梁 朱誠妻 277-114- 11
279- 77- 13
393-288- 74
544-232- 63
王氏後唐 唐明宗淑妃
279- 93- 15

393-293- 74
554- 24- 48
王氏南平 王保義女
533-763- 74
王氏宋 方烈妻、王拱安女
1120-227- 34
王氏宋 司馬諮妻、王禹女
1094-728- 79
王氏宋 任賢臣妻、王庭秀女
1146-150- 92
王氏宋 向公援妻、王從女
1153-634-107
王氏宋 汪浩妻、王師方女、王師古女
1150- 97- 11
1482-429- 4
王氏宋 汪福妻 475-577- 79
王氏宋 宋沅妻 1156-653- 5
王氏宋 宋許妻、王恪女
1167-761- 41
王氏宋 宋徽宗貴妃
284-876-243
393-314- 76
王氏宋 李迂妻 1098-731- 45
王氏宋 李公車妻、王宗愿女
1121-618- 8
王氏宋 李仲敏妻 481-532-326
王氏宋 岑斌妻 524-667-210
王氏宋 吳安持妻、王安石女
1437- 39- 2
王氏宋 吳宅祖妻 481-725-333
王氏宋 吳宣德妻、王益女
1117-417- 4
王氏宋 吳懷德妻、王汀女
1102-288- 36
1378-600- 62
1383-647- 57
1410-339-707
王氏宋 孟忠厚妻、王仲嶷女
1135-435- 40
王氏宋 周必大妻、王葆女
1147-799- 76
王氏宋 周利建妻、王靚女
1147-388- 36
王氏宋 周彥先妻、王貫之女
1105-843-100
王氏宋 范滙妻、王輔女
1146-118- 90
王氏宋 范純仁妻、王質女

1122-182- 14
王氏宋 俞擇妻 1117-186- 15
王氏宋 孫長卿妻
1105-838-100
1117-186- 15
王氏宋 許逖妻 1089-190- 19
王氏宋 曹彥約妻
1167-252- 20
王氏宋 陸游妻 1163-619- 39
1410-524-734
王氏宋 陸琪妻、王絲女
1117-184- 15
王氏宋 張奎妻、王益女
1105-831- 99
王氏宋 張奭妻 1161-671-130
王氏宋 張仲莊妻、王子融女
1100-463- 42
王氏宋 張應辰妻、王師敏女
1128-288- 28
王氏宋 陳安石妻、王曙女
1090- 74- 14
王氏王堂前、陳堂前 宋 陳安節妻
288-458-460
401-160-590
452-114- 3
473-436- 67
481- 83-294
591-572- 42
王氏宋 彪虎臣妻
1137-713- 26
王氏宋 曾紹榮妻
1161-624-126
王氏宋 盛遵甫妻、王舉善女
1118-395- 20
王氏宋 喻師妻 1171-794- 29
王氏宋 舒岳祥妻、王昺女
1187-444- 12
王氏宋 賈玭妻 474-340- 17
506- 91- 88
王氏宋 賈偁妻、王克詢女
1137-695- 26
王氏宋 楊申妻 1113-438- 8
王氏宋 葉紹彭妻 524-702-212
王氏宋 趙頵妻 813-201- 20
819-594- 20
王氏宋 趙士屹妻、王德用女
1100-493- 46
王氏宋 趙士健妻、王彭年女

1100-529- 50
王氏宋 趙士穎妻、王從善女
1100-550- 52
王氏宋 趙士𤢪妻
1140-514- 18
王氏宋 趙士戴妻、王克敦女
1100-492- 45
王氏宋 趙子乙妻 473-635- 77
530- 59- 55
王氏宋 趙子綸妻、王佖女
1100-512- 48
王氏宋 趙世劬妻、王誨女
1100-524- 49
王氏宋 趙世統妻、王道恭女
1100-525- 49
王氏宋 趙令劭妻、王益試女
1100-494- 46
王氏宋 趙令組妻、王復女
1100-489- 45
王氏宋 趙令誠妻、王大方女
1100-510- 48
王氏宋 趙令頤妻、王仲簡女
1100-552- 52
王氏宋 趙仲塤妻、王曈女
1100-497- 46
王氏宋 趙仲輗妻 820-472- 36
821-271- 52
王氏宋 趙克周妻、王承彬女
1095-871- 52
王氏宋 趙叔璵妻、王承昭女
1123-469- 14
王氏宋 趙叔瞔妻、王世厚女
1092-652- 60
王氏宋 趙善臨妻
1164-426- 24
王氏宋 趙惠之妻、王世彥女
1123-469- 14
王氏宋 潘友恭妻、王琮女
1146-170- 92
王氏宋 劉昱妻 1134-301- 42
王氏宋 劉立之妻、王礪女
1095-864- 51
王氏宋 劉敦實妻、王行已女
1134-308- 44
王氏宋 韓正彥妻、王繹女
1089-526- 48
王氏宋 繆昭妻、王徽之女
1166-445- 35

王氏宋 聶世卿妻 1376-661- 98
王氏宋 蘇耆妻、王旦女 1092-111- 15 1101-758- 30
王氏宋 蘇宋傑妻 481-618-329 530-104- 57
王氏宋 王乙女 1115-417- 50
王氏宋 王度女 1117-184- 15
王氏宋 王球女 1091-393- 35
王氏宋 王渙女 1119- 53- 10
王氏宋 王安石女 1105-838-100 1410-494-729
王氏宋 王承綱女 1222- 94- 3
王氏宋 王獻臣女 1100-438- 39
王氏宋 李廌叔母 1115-814- 7
王氏宋 吳與母 481-618-329 530-103- 57
王氏宋 張守母 1127-541- 14
王氏宋 張誨岳母 1105-838-100 1117-186- 15
王氏宋 賈讜母 1128-182- 21
王氏宋 董易媳 473- 79- 52
王氏宋 鄭云母 1117-187- 15
王氏宋 劉嵩可母 288-458-460 401-162-590 452-114- 3 478-249-186
王氏宋 聶武仲母 1095-266- 30
王氏金 李寶信妻 291-749-130 474-279- 14 503- 24- 93 506- 28- 86
王氏元 札穆納妻 474-190- 9
王氏元 田士達妻 506- 70- 88
王氏元 任建妻 538-172- 67
王氏元 李忠妻 452-118- 3 475-533- 77
王氏元 李聚妻 477-211-159
王氏元 李世安妻 295-630-200 401-179-593 481- 83-294
王氏元 李君進妻 295-628-200 401-177-593 472-627- 25 474-777- 42 503- 26- 93
王氏元 李賢卿妻 506- 28- 86
王氏元 呂嗣慶妻 1200-752- 57
王氏元 吳繹妻 1204-309- 10
王氏元 侍其通妻、王宗仁女 1208-589- 23
王氏元 洪沂妻 530- 89- 56
王氏元 胡泰妻、王聚女 1194-198- 15
王氏元 胡景先妻、王貞伯女 1206-622- 12
王氏元 耶律蒙固岱妻、王英女 1206-741- 9
王氏元～明 馬宅妻 478-350-191 494- 58- 2
王氏元 馬英妻 472-578- 24
王氏元 耿五妻 1202-890- 16
王氏元 許泰妻 1197-703- 73
王氏元 張棟妻 401-186-593
王氏元 張買奴妻、張邁努妻 295-629-200 401-177-593 472- 39- 1 506- 2- 86
王氏元 陳訓妻 493-1082-57
王氏元 馮永保妻 472-383- 16 475-577- 79
王氏元 惠士玄妻、惠士鉉妻 295-634-201 401-181-593 452-117- 3 472- 39- 1 474-190- 9 506- 2- 86
王氏元 費隱妻 295-634-201 401-181-593 472- 39- 1 474-190- 9 506- 2- 86
王氏元 費巖妻 401-177-593
王氏元 喀喇博果密妻 1197-704- 73
王氏元 焦士廉妻 295-635-201 401-182-593 476-677-136
王氏元 舒弘道妻 473- 31- 49
王氏元 靳汝弼妻 1208-533- 16
王氏元 楊伯遠妻 479-250-228
王氏元 董堅妻、王瑄女 506-159- 90 1206-652- 15
王氏元 趙美妻 295-630-200 401-178-593 472-135- 4 477-169-157
王氏元 蔡元妻 506- 70- 88
王氏元 蔡畊妻 506- 70- 88
王氏元 劉天瑞妻 1206-591- 9
王氏元 盧榮甫妻、王崇播女 1203-414- 31
王氏元 蕭如春妻、王桂芳女 1220-372- 2
王氏元 欒鳳妻 475-381- 68
王氏元 王貞伯女 1367-709- 54
王氏元 呂彥能媳 401-183-593
王氏元 徐猱頭母 401-187-593
王氏元 曹裕興母 492-608-13下之下
王氏元 陳公望母 1202-867- 13
王氏明 丁鑑妻 472-529- 22
王氏明 于天篤妻 475-282- 63
王氏明 兀甸妻 476-828-143
王氏明 戈福妻 547-414-157
王氏明 王焻妻 533-641- 70
王氏明 王守業妻 483- 48-372
王氏明 王堯相妻 506- 30- 86
王氏明 井華妻 506- 8- 86
王氏明 孔彥臣妻 472-560- 23
王氏明 尹景暘妻 506- 49- 87
王氏明 甘原禮妻 473-285- 61
王氏明 甘棠茂妻 479-768-252
王氏明 左三德妻 506- 53- 87
王氏明 左司記妻 558-537- 43
王氏明 石元岱妻 480-140-264 533-576- 68
王氏明 史政妻 506- 51- 87
王氏明 史鋆妻 1283-607-114
王氏明 史宗澮妻 524-503-203
王氏明 白賁妻 477- 94-153
王氏明 白穎祚妻 506- 84- 88
王氏明 安汝翼妻 478-297-188
王氏明 安朝佐妻 506-107- 89
王氏明 伍朝鉄妻 530-168- 59
王氏明 任楓妻 477-503-174
王氏明 全溥妻 1467-263- 72
王氏明 朱冠妻 477-547-176
王氏明 朱倫妻 506- 42- 87
王氏明 朱衡妻 473-361- 64
王氏明 朱士賢妻 1236-685- 7
王氏明 朱世勳妻 475-187- 59
王氏明 朱守益妻、王能甫女 1243-372- 22
王氏明 朱習之妻 1280-485- 91
王氏明 朱詮鉌妻、王端女 547-277-152
王氏明 汪觀妻 512-321-185
王氏明 汪文銳妻 480-177-266
王氏明 沈伯夔妻 302-238-302 479-252-228 524-638-209
王氏明 沈周南妻 506- 71- 88
王氏明 沈繼顯妻 481-158-298
王氏明 宋呂妻 478-421-195
王氏明 宋允成妻 474-192- 9 506- 13- 86
王氏明 宋允穀妻 506- 56- 87
王氏明 宋愈亨妻 302-250-303
王氏明 成象妻 302-245-303
王氏明 成其功妻 475-813- 91
王氏明 杜存愛妻 483- 36-371 570-188- 22
王氏明 李東妻 506- 32- 86
王氏明 李茂妻 472-578- 24 476-619-133
王氏明 李淳妻(靜寧人) 478-551-202
王氏明 李淳妻(松滋人) 480-253-269 480-638-288
王氏明 李通妻 479-251-228
王氏明 李健妻 472-560- 23

王氏明 李渭妻 506- 53- 87
王氏明 李增妻 506-550-105
王氏明 李謙妻 473-251- 60
王氏明 李士經妻 506- 72- 88
506- 81- 88
王氏明 李孔昭妻 506- 15- 86
王氏明 李天秩妻 506- 45- 87
王氏明 李友諒妻 506- 42- 87
王氏明 李化檟妻 506- 56- 87
王氏明 李占先妻 533-608- 69
王氏明 李光輝妻
1316-688- 47
王氏明 李君實妻 480-140-264
王氏明 李克儉妻 506-106- 89
王氏明 李廷材妻 506- 82- 88
王氏明 李尚清妻 506- 14- 86
王氏明 李秉善妻、王文瓊女
481-118-296
王氏明 李貞伯妻、王貫女
1260-577- 15
王氏明 李思納妻 1248-574- 2
王氏明 李海若妻、王澄泉女
530- 11- 54
王氏明 李清標妻 477-320-164
王氏明 李紹桐妻 480-179-266
王氏明 李堯輔妻 506- 18- 86
王氏明 李景芳妻 506- 44- 87
王氏明 李進榮妻 506- 45- 87
王氏明 李聚先妻 1240-365-23
王氏明 李應旂妻 506- 11- 86
王氏明 李懷信妻 506-107- 89
王氏明 李繼元妻 506- 70- 88
王氏明 車勸妻 472-614- 25
王氏明 吳忠妻 472-1005- 40
479-148-223
王氏明 吳融妻 1255-658- 68
王氏明 吳懋中妻 481-726-333
王氏明 吳覲凱妻
1241- 61- 3
王氏明 余養龍妻 478-297-188
王氏明 谷鍾妻 506- 31- 86
王氏明 何四妻 475-187- 59
王氏明 何昌妻 506- 91- 88
王氏明 何儼妻 570-184- 22
王氏明 何一蕃妻 480-416-277
王氏明 何景明妻
1458-245-434
王氏明 何騰蛟妻 483-359-400
572-140- 31
王氏明 官起鳳妻 530- 65- 55
王氏明 祁爾謨妻 506- 84- 88
王氏明 武文質妻 477- 94-153
王氏明 邵柟妻 474-250- 12
506- 42- 87
王氏明 邵公正妻 478-378-192
王氏明 林文妻 524-586-207
王氏明 林英妻、王景賢女
1247-367- 14
王氏明 林琥妻 530-106- 57
王氏明 林文鉞妻 530- 70- 55
王氏明 林以德妻 473-575- 74
530- 4- 54
王氏明 林汝股妻
472-1106- 47
王氏明 林崇鳳妻 482-144-344
王氏明 林毓麟妻 475-813- 91
王氏明 林璧玉妻 530-108- 57
王氏明 尚秉彝妻 1269-428- 6
王氏明 尚際明妻 477-423-169
王氏明 明成祖妃 299- 6-113
王氏明 明武宗妃 819-602- 20
王氏明 芮應陽妻 506- 16- 86
王氏明 周延妻 1287-752- 9
王氏明 周望妻 506- 5- 86
王氏明 周鎰妻、王可大女
1289-356- 24
王氏明 周士昌妻 506- 31- 86
王氏明 周文魁妻 506- 76- 88
王氏明 周允元妻
1280-397- 85
王氏明 周世顯妻 480-440-278
王氏明 周克寬妻 506- 9- 86
王氏明 周廷軏妻 516-248- 97
王氏明 周治岐妻 480-207-267
533-607- 69
王氏明 周達理妻 473-131- 55
王氏明 金鉉妻 506- 15- 86
王氏明 金毓峒妻 506- 57- 87
王氏明 姜從仁妻 474-482- 23
王氏明 姜福聚妻、王英女
1264-209- 12
王氏明 姜歸德妻
1283-455-102
王氏明 施安妻、王俊女
472-101- 3
474-654- 34
王氏明 施廷翊妻 479-562-242
王氏明 胡昇妻 506- 42- 87
王氏明 胡海妻 472- 39- 1
474-573- 29
506- 5- 86
506- 30- 86
王氏明 胡文焯妻 478-297-188
王氏明 胡公恪妻 480-254-269
王氏明 胡聚成妻 475-534- 77
王氏明 柏壽妻 478-297-188
王氏明 柯茂妻 473- 89- 52
王氏明 柯澍妻 530- 61- 55
王氏明 柯潛妻 1254-585- 上
王氏明 郁侃妻、王易菴女
1268-478- 74
王氏明 韋芳妻、王舉女
555- 22- 66
王氏明 段汝信妻、王僎女
1258-651- 15
王氏明 哈喇庫春妻
1259-165- 12
1259-179- 14
王氏明 范三樂妻 506-111- 89
王氏明 范志學妻 506- 9- 86
王氏明 种效道妻 506- 47- 87
王氏明 俞嘉言妻 483- 17-370
王氏明 紀鎖妻 506- 5- 86
王氏明 侯王臣妻 506- 31- 86
王氏明 孫瑜妻 506-118- 89
王氏明 孫榛妻 506- 54- 87
王氏明 侯抒愲妻 477-483-173
王氏明 浦廷禧妻 302-246-303
王氏明 高寧妻 506- 82- 88
王氏明 高文學妻 302-238-302
475-534- 77
512- 77-179
王氏明 高凌霓妻 506-109- 89
王氏明 唐冕妻 493-1084- 57
512-458-188
王氏明 唐正之妻、王文炳女
1276-442- 10
王氏明 祖應昌妻 483-373-401
王氏明 剡英妻 558-524- 42
王氏明 祝房妻 506- 77- 88
王氏明 秦雄妻 473-589- 75
530- 86- 56
王氏明 秦企鳳妻、王文炳女
1291-499- 9
王氏明 馬瑀妻、王獻女
1267-326- 36
王氏明 馬永新妻
1227-171- 20
王氏明 馬把攬妻 473-236- 60
480- 95-262
王氏明 馬善輕妻 472-560- 23
王氏明 馬龍光妻、王愼齋女
1283-446-101
王氏明 孫林妻 1262-529- 58
1408-543-536
1457-738-413
王氏明 孫衍妻、王輔女
1261-857- 41
王氏明 孫泰妻 558-548- 43
王氏明 孫啟妻 1271-645- 55
王氏明 孫順妻 558-532- 43
王氏明 孫鉉妻 506- 33- 86
王氏明 孫以清妻、王子傑女
1246-628- 13
王氏明 郝孟妻 473-575- 74
王氏明 郝讓妻 478-392-193
494- 40- 3
555- 35- 66
王氏明 郝廷儒妻 506- 41- 87
王氏明 夏泉妻 1269-853- 7
王氏明 夏思誠妻 524-478-203
王氏明 夏應保妻 472-1043-43
王氏明 柴之琦妻 506- 11- 86
王氏明 徐存妻 481-699-332
王氏明 徐潤妻 506- 6- 86
王氏明 徐霏妻 506- 44- 87
王氏明 徐繼妻 530-106- 57
王氏明 徐文中妻 474-778- 42
503- 29- 93
王氏明 徐升庸妻 480-254-269
王氏明 徐本高妻、王衡女
1442-124- 8
王氏明 徐有爲妻 533-682- 71
王氏明 徐承惠妻 550-199- 22
王氏明 徐榮僖妻
1271-666- 58
王氏明 郗夔妻、王政女
1268-451- 70
王氏明 倪鉡妻 524-610-208
王氏明 師人哲妻 506- 44- 87
王氏明 師以風妻 478-205-184
王氏明 奚世亮妻 480-139-264

王氏明 許科妻 506-12-86
王氏明 許瑄妻 506-82-88
王氏明 郭臣妻 506-108-89
王氏明 郭浩妻、王傑女 472-668-27
王氏明 郭承忠妻 506-5-86
王氏明 郭堯中妻 506-42-87
王氏明 陰崇儒妻 506-52-87
王氏明 曹友妻 558-491-42
王氏明 曹祥妻 1280-445-88
王氏明 曹楷妻 512-100-179
王氏明 曹大章妻、王黯女 1285-332-10
王氏明 曹可昇妻 478-421-195
王氏明 陶亮妻 302-218-301 472-340-14 475-533-77
王氏明 張完妻 534-578-100
王氏明 張昂妻 506-29-86
王氏明 張淮妻 530-87-56
王氏明 張通妻 558-491-42
王氏明 張翔妻 506-91-88
王氏明 張琳妻 530-62-55
王氏明 張萃妻 512-143-181
王氏明 張達妻 480-416-277
王氏明 張賓妻 558-492-42
王氏明 張福妻 506-6-86
王氏明 張遜妻、王致遠女 1258-660-15
王氏明 張維妻 480-253-269
王氏明 張震妻 483-119-379
王氏明 張璞妻 506-57-87
王氏明 張滕妻 506-43-87 506-57-87
王氏明 張鵠妻 477-136-155
王氏明 張鎰妻 475-454-71
王氏明 張士璵妻 479-499-239 516-248-97
王氏明 張元向妻 479-297-230
王氏明 張永相妻 547-207-149
王氏明 張安住妻 472-578-24
王氏明 張汝孝妻 506-12-86
王氏明 張如愚妻 478-437-196
王氏明 張仲舉妻 476-790-141
王氏明 張君寶妻 1272-438-13
王氏明 張希九妻 1280-505-93
王氏明 張廷光妻 530-69-55
王氏明 張奇學妻 483-98-378 570-197-22
王氏明 張思仁妻 483-140-380 570-202-22
王氏明 張侶顏妻 302-254-303 475-813-91 512-164-181
王氏明 張國祥妻 555-70-67
王氏明 張紹宗妻 506-9-86
王氏明 張進誠妻 506-41-87
王氏明 張復振妻 506-48-87 506-553-105
王氏明 張楚英妻 473-271-61
王氏明 張鳴道妻 506-141-90
王氏明 張奮翼妻 506-56-87
王氏明 張應文妻、王羅溪女 1283-730-124
王氏明 張羅詰妻 474-248-12 506-57-87
王氏明 陳忠妻 472-179-6 475-79-53
王氏明 陳佳妻 302-218-301 479-189-225 524-617-208
王氏明 陳和妻 530-5-54
王氏明 陳紀妻 1267-399-2 1410-403-717
王氏明 陳誠妻、王與權女 1239-199-40
王氏明 陳蒙妻 1263-520-5
王氏明 陳纖妻 1246-658-16
王氏明 陳璲妻 1258-776-8
王氏明 陳謨妻 483-322-396
王氏明 陳驥妻 472-1056-44
王氏明 陳可樂妻、王士高女 512-193-182 1289-312-21
王氏明 陳仲憲妻 530-87-56
王氏明 陳志遠妻、王汝欽女 506-73-88
王氏明 陳所問妻 506-13-86
王氏明 陳國維妻 506-13-86
王氏明 陳景星妻 530-64-55
王氏明 崔賢妻 506-17-86
王氏明 崔奉先妻 506-3-86
王氏明 崔秉重妻 506-94-88
王氏明 常清妻 555-69-67
王氏明 莫若明妻 524-481-203
王氏明 傒睽妻 512-157-181
王氏明 馮璋妻 475-799-90
王氏明 馮文炷妻、馮文珪妻 474-192-21 506-13-86
王氏明 馮自警妻 506-73-88
王氏明 馮那有妻 482-269-350
王氏明 馮觀祥妻 478-437-196
王氏明 曾義妻 473-370-64
王氏明 甯明軒妻、王孟達女 1293-758-5
王氏明 湯世功妻 506-31-86
王氏明 黃輝妻 530-110-57
王氏明 黃如斗妻 475-648-83
王氏明 黃尚義妻 481-465-319
王氏明 黃逸山妻、王古塘女 1283-557-110
王氏明 賀仲軾妻 477-211-159
王氏明 彭邦貴妻 478-136-181 555-54-66
王氏明 華榮妻 524-453-202
王氏明 單經翰妻 476-703-137
王氏明 傅傑妻、王道女 555-39-66 1269-425-6
王氏明 程玉妻 506-4-86 506-33-86
王氏明 程顥妻、程玘母 472-668-27
王氏明 喬潤妻 506-33-86
王氏明 溫朝鳳妻、王琦女 1288-660-13 1288-662-13
王氏明 賈義妻、賈義居妻 474-520-25 506-155-90
王氏明 賈夢麟妻 506-53-87
王氏明 靳禎妻 472-491-21
王氏明 楊二妻 506-12-86
王氏明 楊進妻 506-11-86
王氏明 楊源妻 530-7-54
王氏明 楊愼妻、王溥女 1270-86-8
王氏明 楊煥妻 472-528-22 541-5-29
王氏明 楊椿妻 493-1082-57 512-19-177
王氏明 楊端妻 481-784-337
王氏明 楊士先妻 506-135-89
王氏明 楊子明妻、王大本女 1235-659-22
王氏明 楊天秩妻 506-41-87
王氏明 楊友梅妻、王聽松女 1271-660-57
王氏明 楊克敬妻 506-144-90
王氏明 楊希曾妻 475-799-90
王氏明 楊廷茂妻 475-282-63
王氏明 楊和生妻 473-575-74 530-4-54
王氏明 楊思堯妻 1291-649-2
王氏明 楊啟顏妻 480-140-264
王氏明 楊靖妻 1276-69-7
王氏明 楊震商妻、王永光女 506-146-90
王氏明 萬昂妻 570-184-22
王氏明 萬鏜妻 570-188-22
王氏明 董安妻 472-753-29
王氏明 董學妻 524-503-203
王氏明 葛生楚妻 533-536-67
王氏明 葛守禮妻、王榛女 1296-448-5
王氏明 葉元在妻、王朝用女 1256-441-29
王氏明 葉其瑞妻、葉其端女 302-236-302 482-42-340 564-326-49
王氏明 葉夢祺妻 1280-511-93
王氏明 詹啟元妻 524-739-213
王氏明 鄒魯妻 478-614-205
王氏明 鄒龍光妻、王休道女 1291-462-8
王氏明 鄔孟妻 530-12-54
王氏明 齊道妻 506-29-86
王氏明 齊朝兒妻 478-717-211
王氏明 廖克任妻 479-824-256
王氏明 趙英妻 506-154-90
王氏明 趙寧妻 483-35-371
王氏明 趙璘妻 483-98-378 570-196-22
王氏明 趙鎔妻 477-94-153
王氏明 趙臣兒妻 478-353-191
王氏明 趙計良妻 506-8-86

王氏明 趙彥良妻 472-101- 3
474-641- 33
王氏明 趙彥得妻 506-167- 90
王氏明 趙善末妻 512-483-189
王氏明 翟昊妻 506- 29- 86
王氏明 潘思忠妻 478-351-191
王氏明 鄭以文妻、王應隆女
1239-241- 42
王氏明 鄭完我妻 302-250-303
王氏明 鄧仁妻 473-258- 60
王氏明 鄧填妻 479-633-245
王氏明 鄧中華妻 479-383-234
王氏明 蔡永忠妻 480-139-264
王氏明 黎邦佐妻 482-269-350
王氏明 魯大妻 512- 99-179
王氏明 劉渤妻 506- 55- 87
王氏明 劉臺妻、王良器女
302-247-303
王氏明 劉興妻 506- 6- 86
王氏明 劉瓚妻 506- 3- 86
王氏明 劉二輔妻 506- 9- 86
王氏明 劉文炳妻 506- 13- 86
王氏明 劉仁存妻 475-332- 65
王氏明 劉用戩妻 480-441-278
王氏明 劉存仁妻 472-314- 13
王氏明 劉仲安妻
1223-398- 6
王氏明 劉良坤妻 479-582-243
王氏明 劉廷璋妻 506- 46- 87
王氏明 劉孟池妻、王三畏女
506-131- 89
王氏明 劉芳遠妻 512-456-188
王氏明 劉拱辰妻 480-178-266
王氏明 劉南雄妻
1259-249- 18
王氏明 劉應龍妻 302-253-303
474-192- 9
506- 14- 86
王氏明 劉覲乎妻
1253-140- 47
王氏明 閻仲禮妻 506-101- 89
王氏明 錢均用妻 472-351- 15
王氏明 謝君用妻 483- 48-372
570-190- 22
王氏明 戴濬妻 477-319-164
王氏明 韓天德妻 474-605- 31
王氏明 韓生礎妻 480-141-264
王氏明 韓原相妻 506- 33- 86
王氏明 韓原潔妻 506- 34- 86
王氏明 韓謂性妻 506- 72- 88
王氏明 鍾亮妻 302-218-301
王氏明 聶顯華妻 479-824-256
王氏明 魏邦妻 478-574-203
王氏明 魏統妻 530-108- 57
王氏明 魏鍾妻 1267-834- 8
王氏明 歸有光妻
1289-371- 25
1289-408- 29
王氏明 龐佃妻 506- 42- 87
王氏明 龐桐妻 506- 77- 88
王氏明 龐源妻 555- 76- 67
王氏明 蘇民妻、王經女
1268-503- 79
王氏明 顧文秀妻 524-457-202
王氏明 顧同吉妻、王述女
302-243-303
475-145- 57
王氏明 龔昝妻 1236-263- 附
王氏明 王佐女 483- 35-371
王氏明 王孟女 1258-669- 15
王氏明 王扆女 473-396- 66
480-652-289
王氏明 王魁女 1261-872- 42
王氏明 王謐女 530-112- 57
王氏明 王文宰女 480-639-288
王氏莆田女鬼 明 王良臣女
1442-128- 8
王氏明 王家臣母 480- 63-260
王氏明 王舜相女 506- 55- 87
王氏明 王養貴女 558-523- 42
王氏明 王德光女
559-459-11上
王氏明 王應臯女 524-481-203
王氏明 王懋良女
1283-408- 98
王氏明 吳寬母 1255-533- 57
王氏明 金允孚母
1280-504- 93
王氏明 范士楫媳 506- 55- 87
王氏明 范介儒母
1283- 81- 73
王氏明 段尚志母 506- 55- 87
王氏明 翁憲祥母
1291-424- 7
王氏明 倪元珙母
1297-155- 12
王氏明 殷漢媳 506- 52- 87
王氏明 曹懷母 1258-622- 13
王氏明 張守宗媳 506- 44- 87
王氏明 黃之正祖母
475-534- 77
王氏清 丁堪妻 474-194- 9
王氏清 丁大有妻 474-195- 9
王氏清 丁陟臣妻 524-551-205
王氏清 于天祥妻 477- 95-153
王氏清 于芝祜妻 475-284- 63
王氏清 于房若妻 475-284- 63
王氏清 方可成妻 512-287-184
王氏清 方世英妻 530- 75- 55
王氏清 方兆吉妻 474-194- 9
王氏清 方如川妻 481-215-302
王氏清 方時澄妻 524-468-202
王氏清 文理妻 478-551-202
王氏清 文可刊妻 481- 83-294
王氏清 王可吉妻 478-139-181
王氏清 王有君妻 558-512- 42
王氏清 王克復妻 506- 25- 86
王氏清 王克廣妻 474-483- 23
王氏清 王順宇妻 474-193- 9
506- 27- 86
王氏清 王鴻儒妻 506- 22- 86
王氏清 尹萬年妻 481-188-300
王氏清 仇潢妻 506- 26- 86
王氏清 毛上達妻 480-255-269
王氏清 左爾端妻 474-194- 9
王氏清 司天祿妻 474-193- 9
王氏清 田虎妻 474-590- 30
王氏清 田士秀妻 474-444- 21
王氏清 史洽妻 512- 29-177
王氏清 史桂榮妻 474-195- 9
王氏清 史壽龍妻 524-632-208
王氏清 史積慶妻 474-193- 9
王氏清 白璋妻 483-119-379
王氏清 白鴻儒妻 506- 59- 87
王氏清 包文周妻 483- 18-370
王氏清 包學聖妻 503- 65- 95
王氏清 艾懷光妻 478-437-196
555-188- 69
王氏清 任應孝妻 481-215-302
王氏清 伊莢妻 481-728-333
王氏清 朱緗妻 476-620-133
王氏清 宋大雲妻 530- 81- 55
王氏清 朱萬鐸妻 480- 64-260
王氏清 朱經濟妻 479-298-230
王氏清 朱學誠妻 503- 59- 95
王氏清 朱懋乾妻 480-142-264
王氏清 朱耀光妻 474-193- 9
王氏清 汪楷妻 479-260-228
王氏清 汪繹妻 512-217-182
王氏清 汪必相妻 506- 30- 86
王氏清 汪弘量妻 478-205-184
555-146- 68
王氏清 汪雲瑞妻 524-484-203
王氏清 沈邦彥妻 475- 79- 53
王氏清 辛莊邨婦 506- 61- 87
王氏清 沙懷正妻 503- 58- 95
王氏清 宋椅妻 477-548-176
王氏清 宋天寵妻 478-600-204
王氏清 宋中美妻 474-250- 12
王氏清 宋金臺妻 555-174- 69
王氏清 杜三魁妻 506- 68- 87
王氏清 杜宗賢妻 481-337-308
王氏清 杜恭瑋妻 506- 25- 86
王氏清 杜繼翰妻 474-193- 9
王氏清 李英妻 483- 60-374
王氏清 李偉妻 481-449-317
王氏清 李肅妻 474-280- 14
王氏清 李棨妻 477-212-159
王氏清 李源妻、王夢卜女
1324-364- 33
王氏清 李煥妻 478-172-182
王氏清 李天保妻 478-171-182
王氏清 李天富妻 503- 59- 95
王氏清 李自新妻 506- 64- 87
王氏清 李含乙妻
559-448-11下
王氏清 李廷禎妻 474-341- 17
506- 95- 88
王氏清 李尚信妻 474-192- 9
506- 18- 86
王氏清 李供倫妻 474-194- 9
王氏清 李所發妻 541- 44- 29
王氏清 李茂華妻 478-205-184
王氏清 李思國妻 481-652-330
王氏清 李星耀妻 474-192- 9
506- 19- 86
王氏清 李時燦妻 481-764-335
王氏清 李啟應妻 512-368-186
王氏清 李甡麟妻 541- 56- 29
王氏清 李進富妻 503- 64- 95
王氏清 李夢龍妻 477- 98-153

王氏清 李鳴緒妻 530-117- 57	王氏清 茅克昌妻 474-193- 9	1313-240- 19	王氏清 常成龍妻 507- 57- 95
王氏清 李鳳鳴妻 503- 65- 95	王氏清 姚貞妻 534-246- 84	王氏清 陸京妻 475-455- 71	王氏清 莫高妻 570-191- 22
王氏清 李德長妻 478-250-186	王氏清 姚同芳妻 475-784- 89	王氏清 習完初妻 555-174- 69	王氏清 湯中妻 483- 37-371
王氏清 李邁庸妻 476-678-136	王氏清 姚兆符妻 530- 83- 55	王氏清 陶魁妻 478-172-182	王氏清 黃袞妻 482-512-366
王氏清 邢三妻 477-137-155	王氏清 姚廷璽妻 474-195- 9	王氏清 陶守義妻 474-193- 9	王氏清 黃梅妻 478-406-194
王氏清 呂才智妻 476-678-136	王氏清 种珩妻 476-590-131	506- 22- 86	王氏清 黃鉞妻 477- 96-153
王氏清 呂魁英妻 506- 61- 87	王氏清 紀從時妻 474-196- 9	王氏清 張任妻 547-353-155	王氏清 黃鳳妻 506- 22- 86
王氏清 吳倬妻 506- 37- 86	王氏清 侯瑁妻 506- 63- 87	1316-615-42	王氏清 黃士凱妻 474-196- 9
王氏清 吳煒妻 530-119- 57	王氏清 段志召妻 524-465-202	王氏清 張美妻 476-791-141	王氏清 黃天第妻 481-751-334
王氏清 吳天命妻 482-568-369	王氏清 高明妻 506-171- 90	王氏清 張慈妻 478-138-181	王氏清 黃世麟妻、王普臣女
王氏清 吳李芳妻 480-441-278	王氏清 高愉妻 1312-864- 12	555-124- 68	483- 55-373
王氏清 吳履太妻 481-312-307	王氏清 高之珩妻 506- 36- 86	王氏清 張祿妻 478-552-202	王氏清 黃守剛妻 524-634-208
王氏清 吳德榮妻 570-181- 22	王氏清 秦德澄妻、王彥泓女	王氏清 張睿妻 483-398-403	王氏清 黃志輔妻 530- 42- 54
王氏清 余旦妻 475-539- 77	512- 11-176	王氏清 張駿妻 506- 65- 87	王氏清 黃宗憲妻 530- 25- 54
王氏清 余石麟妻 481-727-333	王氏清 馬鑰妻 474-316- 16	王氏清 張三近妻 474-412- 20	王氏清 黃家瑞妻 541- 19- 29
王氏清 谷發妻 547-327-153	王氏清 馬逢源妻 474-193- 9	506-124- 89	王氏清 黃爾玢妻 474-194- 9
王氏清 何大年妻、王鳳九女	王氏清 郝造賢妻 555-163- 69	王氏清 張士玉妻 503- 56- 95	王氏清 賀大震妻 475-618- 81
530- 78- 55	王氏清 郝雍秀妻 474-195- 9	王氏清 張元銳妻 494-195- 9	512-484-189
王氏清 何元品妻 474-196- 9	王氏清 袁弘仁妻 506- 26- 86	王氏清 張元鑑妻 474-194- 9	王氏清 彭時菁妻 475-283- 63
王氏清 何如琳妻 503- 67- 95	王氏清 袁遐齡妻 478-205-184	王氏清 張升孫妻 506- 24- 86	王氏清 閔士英妻 503- 66- 95
王氏清 狄哲妻 506- 20- 86	王氏清 袁鳳瑞妻 503- 55- 95	王氏清 張可輿妻 474-827- 44	王氏清 傅起榮妻 506- 36- 86
王氏清 武蛟妻 478-614-205	王氏清 耿端妻 503- 55- 95	王氏清 張全鮑妻 479-153-223	王氏清 傅朝煒妻 524-646-209
王氏清 孟名世妻 482-374-357	王氏清 時來相妻 477- 95-153	王氏清 張宏器妻 474-780- 42	王氏清 焦玉妻 477-136-155
王氏清 孟宗聖妻 506- 25- 86	王氏清 時隮明妻、王日都女	503- 56- 95	王氏清 程洛妻、程格妻
王氏清 邵又謙妻 479-384-234	483- 99-378	王氏清 張邦玠妻 506-165- 90	474-248- 12
王氏清 邵承曾妻 475-191- 59	570-198- 22	王氏清 張秀芳妻 506- 67- 87	506- 59- 87
王氏清 林鑑妻 530- 39- 54	王氏清 徐潼妻 475-758- 88	王氏清 張建業妻 474-195- 9	王氏清 程二貴妻 477-504-174
王氏清 林欲華妻 516-254- 97	王氏清 徐二尼妻 477-455-171	王氏清 張國珍妻 474-641- 33	王氏清 程世微妻 477-171-157
王氏清 林萬春妻 541- 59- 29	王氏清 徐文瑛妻 479-359-233	506-168- 90	王氏清 程邦化妻 475-579- 79
王氏清 林鵬雲妻 482-436-361	王氏清 徐元那妻 479-359-233	王氏清 張義明妻 503- 54- 95	王氏清 程宗程妻 506-172- 90
王氏清 周璜妻 474-194- 9	524-747-213	王氏清 張稚升妻 474-249- 12	王氏清 程新益妻 479-537-241
王氏清 周大千妻 481-729-333	王氏清 徐守貴妻 503- 62- 95	477- 94-153	王氏清 喬仲觀妻 474-194- 9
王氏清 周公輔妻 478-250-186	王氏清 翁題元妻 474-445- 21	506- 59- 87	王氏清 溫自選妻 503- 63- 95
王氏清 周言宣妻 533-584- 68	王氏清 倪元陸妻 524-500-203	王氏清 陳詔妻 530- 78- 55	王氏清 溫成祥妻 503- 63- 95
王氏清 金兆年妻 512- 41-177	王氏清 倪光捷妻 483-119-379	王氏清 陳琦妻 506- 25- 86	王氏清 溫成義妻 506- 34- 86
王氏清 岳從政妻 474-195- 9	570-202- 22	王氏清 陳滄妻 481-652-330	王氏清 廉德孚妻 474-195- 9
王氏清 房拱乾妻 476-830-143	王氏清 倫品觀妻 506- 35- 86	王氏清 陳覯妻 506- 63- 87	王氏清 賈朝聘妻 506- 39- 86
541- 70- 29	王氏清 章彬妻 479-384-234	王氏清 陳之義妻 476-734-138	王氏清 賈夢豹妻 474-386- 19
王氏清 姜元桂妻 474-195- 9	王氏清 許廷佐妻 478-520-200	王氏清 陳大本妻 479-192-225	王氏清 靳成名妻 474-641- 33
王氏清 胡靖妻 530- 36- 54	王氏清 許宗禮妻 474-315- 16	王氏清 陳日華妻 530- 79- 55	506-167- 90
王氏清 胡丕基妻 474-194- 9	506- 87- 88	王氏清 陳立相妻 474-195- 9	王氏清 楊二妻、王應蛟女
王氏清 胡國俊妻 506-170- 90	王氏清 許履中妻 474-341- 17	王氏清 陳兆麟妻 530- 99- 56	559-500-11下
王氏清 胡雲鵬妻 524-475-202	王氏清 郭奇遴妻 480- 64-260	王氏清 陳昌蘭妻 506-165- 90	王氏清 楊六妻 481-594-328
王氏清 胡德富妻 477-455-171	王氏清 郭洪基妻 503- 64- 95	王氏清 陳振茲妻 474-412- 20	王氏清 楊幀妻、王光承女
王氏清 叚之嫡妻 483- 99-378	王氏清 郭聲遠妻 506- 37- 86	王氏清 陳福侯妻 512-259-183	512- 12-176
王氏清 范士楷妻 477- 98-153	王氏清 麻陞妻 506- 59- 87	王氏清 陳漢超妻 474-194- 9	王氏清 楊太清妻 478-356-191
王氏清 范昌仲妻 478-520-200	王氏清 曹用璧妻 477- 95-153	王氏清 陳嘉起妻 524-476-202	王氏清 楊有位妻 474-194- 9
王氏清 范揚先妻 479-634-245	王氏清 曹繼祖妻	王氏清 崔對妻 506-147- 90	王氏清 楊甫望妻 474-280- 14

506- 37- 86
王氏清 楊邦吉妻 479-769-252
王氏清 楊來鳳妻 477-259-161
王氏清 楊桂伯妻 482-566-369
王氏清 楊銘鼐妻 530- 99- 56
王氏清 楊續曾妻 483-164-382
王氏清 董位妻 477-136-155
王氏清 葉自本妻 530-116- 57
王氏清 葉登遠妻 530- 97- 56
王氏清 葉聖淑妻 479-360-233
王氏清 趙必枚妻 475-618- 81
王氏清 趙廷璧妻 474-193- 9
506- 24- 86
王氏清 趙修儒妻 478-520-200
王氏清 趙連璧妻 506- 19- 86
王氏清 趙國治妻 503- 62- 95
王氏清 趙嵩蕸妻 477- 94-153
王氏清 管士理妻 533-631- 70
王氏清 裴旂徵妻 480-255-269
王氏清 潘士澄妻 530- 25- 54
王氏清 鄭堅妻 481-785-337
王氏清 鄭鼎妻 530- 32- 54
王氏清 鄭好仁妻 481-430-315
王氏清 鄭時弘妻 530-118- 57
王氏清 樓用聲妻 479-334-232
王氏清 樓廷策妻 479-334-232
王氏清 歐預妻 481-764-335
王氏清 賞鐸妻 474-195- 9
王氏清 蔣達妻 479-335-232
王氏清 蔡炆妻 474-195- 9
王氏清 蔡起麟妻 478-250-186
王氏清 劉柏妻 506- 64- 87
王氏清 劉起妻 476-533-128
王氏清 劉溥妻 474-521- 25
王氏清 劉敬妻 506- 30- 86
王氏清 劉經妻 474-196- 9
王氏清 劉滐妻 474-195- 9
王氏清 劉士元妻 482-391-358
王氏清 劉子杜妻 533-582- 68
王氏清 劉世達妻 480- 67-260
王氏清 劉守安妻 474-194- 9
王氏清 劉百順妻 506- 59- 87
王氏清 劉克莊妻、王宇孫女
530- 35- 54
王氏清 劉含章妻 477-320-164
王氏清 劉廷璋妻 474-444- 21
王氏清 劉侃遠妻 480-488-280
王氏清 劉秉鐸妻 474-195- 9
王氏清 劉重玉妻 506- 18- 86
王氏清 劉清漣妻 474-314- 16
506- 85- 88
王氏清 劉清漣妻 474-314- 16
506- 85- 88
王氏清 劉國楝妻 503- 68- 95
王氏清 劉創業妻 555-122- 68
王氏清 劉進朝妻 503- 67- 95
王氏清 劉源崑妻 474-196- 9
王氏清 劉義華妻 503- 62- 95
王氏清 劉漢佩妻 503- 62- 95
王氏清 劉維潘妻 474-194- 9
王氏清 劉德弘妻 506- 37- 86
王氏清 衛中夏妻 547-376-155
王氏清 賴天柱妻 530-117- 57
王氏清 盧懋文妻 503- 53- 95
王氏清 蕭大臣妻 503- 62- 95
王氏清 蕭文起妻 480- 97-262
王氏清 錢修元妻 524-490-203
王氏清 謝弘水妻 530- 33- 54
王氏清 謝昌熾妻 482-147-344
王氏清 戴大斌妻 475-333- 65
王氏清 戴大聖妻 524-766-215
王氏清 戴國興妻 506- 66- 87
王氏清 韓曾妻、王英謀女
1327-307- 13
王氏清 韓世英妻 503- 58- 95
王氏清 薛永中妻 474-521- 25
王氏清 鍾再烈妻 479-798-254
王氏清 儲士顯妻 475-783- 89
王氏清 顏名魯妻 474-626- 32
王氏清 魏震妻 477-483-173
王氏清 魏之樞妻 474-521- 25
506- 20- 86
王氏清 龐仲妻 474-315- 16
王氏清 龐德俊妻 483-141-380
王氏清 譚永錫妻 481-215-302
王氏清 譚世榮妻 503- 53- 95
王氏清 羅克從妻 478-406-194
王氏清 嚴仲春妻 479-334-232
王氏清 顧亥生妻 524-483-203
王氏清 顧肇祥妻 506- 65- 87
王氏清 龔廷諫妻 475-455- 71
512- 73-178
王氏清 權世魁妻 481-215-302
王氏清 王逸女 475-284- 63
512- 47-178
王氏清 王澐女 474-624- 32
王氏清 王一旋女
1321-163-104
王氏清 王文秀女 477-381-167
王氏清 王仲仁女 481-651-330
530-134- 57
王氏清 王咸宜女 481-119-296
王氏清 王潺金女 475-284- 63
512- 47-178
王氏清 王德成女 474-483- 23
王氏清 王懋永女 481-250-303
王氏清 田士龍母 512- 5-176
王氏清 趙世基母 558-514- 42
王氏清 鮑瑞生母
1314-440- 12
王氏不詳 王儼女 683- 10- 17
王介宋(字元石) 287-469-400
398-459-394
451-392- 13
472-228- 8
472-389- 17
472-1027- 42
475-131- 56
475-822- 92
479-324-232
493-962- 51
494-327- 6
510-493-118
511- 94-140
523-325-161
1174-744- 46
王介宋(字中甫) 472-1042- 43
494-300- 5
524-268-191
1106-388- 50
1110-262- 11
王介宋(字文卿) 515-613- 76
王介宋(字默菴) 820-461- 36
821-256- 52
王介妻 宋 見鄭氏
王介明 473-212- 59
480- 52-259
529-462- 43
532-618- 43
王允漢(字子師) 253-355- 96
254-120- 6
370-205- 21
376-952-112
384- 69- 3
402-514- 14
402-532- 15
402-544- 17
459-273- 16
472-432- 19
472-788- 31
476- 33- 98
476-910-148
537-192- 54
545-507-101
933-327- 24
王允晉 814-233- 4
王允明 472-527- 22
476-527-128
523-229-156
540-789-28之3
王允妻 明 506-550-105
王允母 明 見劉氏
王仍明 517-550-129
王玄晉 386-155-73 下上
933-329- 24
王玄明 821-462- 57
王立漢(太史令) 402-516- 14
王立漢(紅陽侯) 535-553- 20
王立唐 1340-624-783
王宁宋 484-380- 28
王汀女 宋 見王氏
王永宋 473-431- 67
481- 77-294
559-340- 8
591-540- 42
王永元 1227-163- 20
王玉元 295- 58-151
399-423-458
474-622- 32
505-790- 73
王玉明(眞定人) 472- 99- 3
王玉明(泰州人) 475-377- 68
王玉明(合肥人) 511-414-152
王玉明(字汝瑛) 511-873-170
王玉明(字廷瑞) 1247-544- 24
王玉明(字玉汝) 1467-218- 70
王玉妻 明 見唐妙慧
王玉妻 明 見張氏
王玉妻 明 見王瓊瓊
王玉清 王圖南女 478-354-191
1315-582- 35

王玉屈玉　清　563-885- 42
王弘劉宋　258- 23- 42
265-335- 21
378- 69-132
472-553- 23
476-783-141
479-446-237
488-164- 8
491-800- 6
493-673- 37
515- 5- 57
532- 99- 27
540-718-28之1
820- 83- 24
933-333- 24
王弘唐　821- 42- 46
王弘明(六合人)　300- 83-188
511- 77-139
王弘明(安東人)　456-683- 11
475-330- 65
511-459-154
王弘妻　明　見吳氏
王正晉　255-596- 33
王正宋　515-146- 61
王正元　523-153-153
王正明(江西人)　483- 15-370
569-660- 19
王正明(字嗣宗)　546-491-131
王正明(武清人)　554-311- 53
王正明(眉州人)　554-347- 54
王正明　賀甫妻　1250-498-46
1410-384-715
王正明　見李正
王正妻　清　見孔氏
王本宋　515-309- 66
王本明　299-294-137
1257-665- 4
王古宋　286-248-320
820-403- 34
王丕唐　511-636-161
王召妻　明　見張氏
王引劉宋　384-110- 6
王孕明　545-147- 88
王平何平　蜀漢　254-666- 13
377-303-118下
384- 76- 4
384-484- 16
385-188- 21
447-192- 7
471-1027- 64
473-455- 68
478-242-186
481-182-300
554-102- 50
559-363- 8
591-595- 44
933-328- 24
王平宋(字保衡)　472-642- 26
477-473-173
529-433- 43
537-342- 56
1088-940- 37
1105-820- 98
1384-170- 95
王平宋(蒲田人)　473-567- 74
528-437- 29
王平宋(字裔中)　511-297-148
王平妻　宋　見曾氏
王平明(息縣人)　458-106- 5
472-795- 31
477-545-176
537-609- 60
王平明(新繁人)　472-645- 26
473-436- 67
537-210- 54
559-344- 8
王刊不詳　469-527- 64
王可元　400-281-522
王札宋　515-533- 73
王札清　505-841- 76
王厈王厈生　明　676-657- 27
1442-108- 7
1460-652- 73
王充漢　253-109- 79
376-816-110
384- 61- 3
402-458- 10
402-541- 17
453-739- 2
472-1069- 45
479-227-227
486-289- 14
493-668- 37
510-321-113
523-595-176
674-225-3上
933-326- 24
1141-790- 33
1274-690- 7
1447-141- 2
王充隋　見王世充
王充宋　473-477- 69
561-208-38之2
王充明　1229-407- 2
1373-755- 21
王弗宋　蘇軾妻、王方女
1108-440- 89
1112-745- 20
1410-360-711
王尼晉　255-838- 49
377-577-123
472-590- 24
477-317-164
491-799- 6
538-160- 66
王旦宋(字子明)　285-518-282
371- 42- 4
382-258- 40
384-332- 17
397- 17-321
449- 25- 2
450- 17-上2
459-475- 28
471-792- 29
471-924- 48
471-1049- 68
472-195- 7
472-574- 24
472-642- 26
472-647- 26
473-315- 62
473-454- 68
476-614-133
477- 50-151
480-462-279
532-729- 46
538-316- 69
540-753-28之2
559-285-7上
587-603- 9
588-160- 8
591-705- 50
708-326- 50
933-351- 24
1102-176- 22
1135-696- 6
1345-366- 17
1351-649-145
1356- 43- 3
1378-463- 58
1383-555- 50
1410- 60-671
1437- 8- 1
1447-558- 30
王旦宋(知博羅縣)　473-694- 80
王旦宋(知南恩)　473-712- 81
王旦女　宋　見王氏
王旦明(字得元)　547- 73-143
王旦明(字于湛)　1287-762- 9
王田宋　1092-618- 57
王田明(錦衣衛人)　554-346- 54
王田明(字舜耕)　821-373- 55
王由後魏　262- 79- 71
266-926- 45
379-291-150下
477-481-173
538-331- 69
540-655- 27
554-853- 63
812-337- 8
814-260- 8
820-117- 25
821- 27- 45
王由元　1207-276- 19
1367-706- 54
王由明　524-232-189
王四明　456-683- 11
538- 68- 63
王申宋　1194-697- 13
王甲明　545-433- 99
王令宋　382-756-115
384-360- 18
475-374- 68
511-690-163
674-820- 17
933-358- 24
1095-830- 48
1105-809- 97
1106- 75- 10
1106-563- 附
1356-222- 10
1384-165- 94

1437- 15- 1
1461-490- 24
王令妻 宋 見吳氏
王生春秋 404-782- 48
545-725-109
王生漢 244-672-102
448-101- 中
王生妻 明 見陳氏
王旬明 547-101-145
王仕清 1315-368- 17
王丘晉 469-200- 23
王丘唐 270-221-100
274-621-129
384-201- 11
395-582-233
448-335- 下
477-165-157
477-242-161
537-286- 55
933-342- 24
1371- 55- 16
王白遼 289-705-108
401-111-583
472- 93- 3
505-927- 83
王仝十國楚 480-406-277
王仙宋 288-363-452
400-199-515
473-477- 69
591-700- 49
王仙明 1234-301- 47
王用唐 275-110-147
395-724-246
1073-587- 27
1074-427- 27
1075-377- 27
王用妻 元 見高氏
王用明(泰和人) 473-155- 56
515-678- 78
494- 41- 3
494- 43- 3
王用明(安丘人) 540-795-28之3
王犯春秋 405-117- 63
王弁元 1206-673- 2
王弁明 472-358- 15
473-641- 78
475-605- 81
王禾明 473-367- 64
480-484-280
532-738- 46
王奴王奴兒 齊 812-331- 7
821- 22- 45
王守明 511-742-165
820-667- 42
1284-167-149
王安漢 554- 63- 49
王安五代 472-326- 14
王安明(雄縣人) 302-291-305
王安明(字彥深) 1246-632- 13
王安妻 明 見許氏
王安妻 明 見劉氏
王安清 455-468- 28
王江明 494- 23- 2
王江不詳 879-187-58下
王汝清 見鄭氏
王宇金 1200-651- 49
王宇妻 元 見韓氏
王宇明(字仲宏) 299-562-159
453-312- 3
458- 80- 4
476-479-125
477- 87-153
515-171- 62
537-401- 57
540-617- 27
545-272- 93
676-492- 19
1244-648- 16
王宇明(字永啟) 460-521- 47
529-721- 51
676-631- 26
王宇明(撫州知府) 473-112- 54
479-655-247
王宇明(浙江都指揮)
523-229-156
523-571-174
王宇明(字羲伯) 676- 12- 1
王衣宋 287-174-377
398-219-379
472-525- 22
476-525-128
540-766-28之2
1134-745- 35
王交明 676-576- 23
1293-750- 5
1458-518-450
王冰王砅 唐 742- 35- 1
1458- 42-417
王式漢 251-111- 88
380-253-172
472-549- 23
540-694-28之1
675-277- 11
933-326- 24
王式唐(太原人) 271-121-164
275-343-167
384-278- 14
384-279- 14
396-123-262
472-457- 20
472-1066- 45
475-373- 68
476- 77-100
478-759-215
486- 45- 2
511-395-151
523- 8-146
545-172- 89
545-591-104
567- 44- 64
王式唐(字公範) 1078-254- 9
王式宋 473-684- 79
482- 77-341
515-255- 65
564- 54- 44
1089-192- 19
王式明(知府) 494- 57- 2
王式明(合肥人) 569-660- 19
王式明(字無倪) 821-482- 58
王式妻 明 見吳氏
王戎晉 255-744- 43
377-513-122
384- 91- 5
386-151-73下上
472-552- 23
476-781-141
480- 47-259
540-713-28之1
575-289- 16
813-275- 13
814-232- 4
820- 53- 23
933-329- 24
1221-561- 18
1232-692- 9
王朴後周 278-410-128
279-196- 31
384-306- 16
396-389-289
459-460- 27
472-555- 23
476-822-143
476-912-148
537-203- 54
540-746-28之2
933-346- 24
1383-754- 68
1408-463-525
王朴元 547-527-160
王朴王權 明(同州人)
299-331-139
478-347-191
王朴明(字德純) 523-438-167
王朴明(字文之) 540-803-28之3
王朴明(貴州清平人)
569-659- 19
王朴明(字子素) 1242- 3- 24
1242-837- 10
王圭宋 493-965- 51
494-407- 12
494-471- 18
523-242-157
王圭元 1366-983- 3
1471-284- 2
王吉漢(字子陽) 250-596- 72
376-312-100
448-290- 上
459-180- 11
469-199- 23
472-611- 25
476-727-138
478-403-194
491-795- 6
540-694-28之1
554-880- 64
675-282- 11
933-325- 24
王吉漢(浚儀人) 253-501-107
380-226-171
475-740- 88
王吉漢(即墨人) 384- 48- 2
541-128- 32

王吉漢(臨邛令) 473-535- 72
559-310-7上
王吉宋 491-434- 6
王吉明(甌寧人) 73-606- 76
王吉明(上蔡人) 554-346- 54
王吉明(遂溪人) 564-222- 46
王吉明 見王原吉
王亘宋 563-681- 39
1363-101-107
王在宋 473-369- 64
480-485-280
533-393- 60
533-406- 61
王在明(字子所) 1241-176- 8
王在明(字于京) 1285-335- 10
王存宋 286-525-341
382-581- 90
384-379- 19
397-614-357
449-259- 11
450-434-中30
451-148- 3
472-276- 11
472-644- 26
472-1067- 45
475-276- 63
476-657-135
479-223-227
484- 98- 3
511-174-143
523-148-153
581-486- 97
708-343- 50
933-357- 24
王有宋 見王友
王至明 524- 55-180
王羽明(字儀之) 585-580- 22
王羽王翀 明(字時舉)
1289-309- 20
王考漢 476-820-143
540-704-28之1
王老唐 554-980- 65
1059-586- 上
1061-314-113
王匡漢 254- 16- 1
372-328- 7
476-820-143
王匡妻 清 見吳氏

王臣明(山西榆次人)
456-616- 9
537-259- 55
王臣明(安定人) 456-681- 11
558-439- 37
王臣明(字克賓) 473-154- 56
515-676- 78
545-117- 86
王臣明(判官) 494- 57- 2
王臣明(字公佐) 510-393-115
515-403- 69
王臣明(字存節) 820-599- 40
王臣妻 明 見張氏
王臣清 502-649- 78
王聿晉 545-520-102
王聿宋 484-383- 28
王夷後魏 262-317- 93
王艮王良 元 295-556-192
400-372-534
459-928- 56
472-239- 9
472-1072- 45
479-236-227
479-451-237
493-785- 42
510-346-114
515- 26- 57
523-462-169
1209-556-9下
1242-357- 36
1471-386- 7
王艮明(字敬止) 99-369-143
456-692- 12
473-151- 56
479-718-250
515-651- 77
820-583- 40
886-156-139
1236-771- 12
王艮王銀 明(字汝止)
301-785-283
457-510- 32
472-297- 12
475-377- 68
511-691-163
1458-382-443
王同漢 476-661-136
王同王冏 宋 288- 93-432

400-449-541
460-176- 10
1098-704- 42
1356-199- 9
王回宋(字景深) 286-579-345
397-652-359
473-297- 62
480-240-269
481-552-327
529-492- 44
532-665- 44
王回宋(字深甫) 288- 91-432
371-151- 15
382-745-114
384-359- 18
400-448-541
460-176- 10
473-571- 74
475-782- 89
477-123-155
481-526-326
511-914-173
529-435- 43
933-358- 24
1098-459- 12
1105-776- 93
1106-266- 36
1118-345- 18
1351-607-141
1356-181- 8
1384-243-101
1378-588- 62
1384-164- 94
1405-677-306
1410-351-709
1418-335- 47
王回宋(字亞夫) 494-311- 5
1161-613-125
王光春秋 見介之推
王光北周 267-289- 62
379-565-156
王光唐 820-225- 28
王光明 537-405- 57
王早後魏 262-294- 91
267-683- 89
380-625-183
933-339- 24
王艾清 456-320- 75

王兆唐 544-230- 63
王兆元 546-404-128
王舟元 1206-720- 7
王舟清 559-336-7下
王旭唐 269-655- 70
271-478-186下
276-168-209
384-208- 11
400-379-535
933-346- 24
王旭宋 285-341-269
396-620-310
472-574- 24
472-739- 29
475-776- 89
476-614-133
477- 50-151
510-477-118
537-299- 56
540-754-28之2
549-121-185
王旭元 472-559- 23
676-702- 29
1439-421- 1
王旭明(字士熙) 547- 72-143
676-467- 17
王旭明(字翰章) 1229-560- 6
王旭妻 明 見姚氏
王伉蜀漢 384- 76- 4
384-486- 16
473-841- 87
483-136-380
569-673- 19
王伉明 559-396-9上
王任宋 1098-193- 23
王任明 559-396-9上
王向宋 288- 92-432
371-151- 15
400-449-541
460-176- 10
1098-460- 12
1351-702-150
1384-243-101
1405-676-306
王全明(山東人) 472-1115- 48
479-402-235
523-226-156
王全明(開平衛人) 505-914- 81

王全明(高密人) 563-798- 41
王如晉 256-636-100
377-941-130
王如明 820-710- 43
王缶明 見巫章
王先明 506-348- 98
571-542- 20
王仲漢(瑯玡不其人)
476-727-138
503- 6- 90
540-691-28之1
541-103- 31
王仲漢(槐里人) 554- 61- 49
王仲女 漢 見王姞
王仰明 456-642- 10
王价明 546-602-135
554-346- 54
王印明(字雲卿) 456-658- 11
511-501-156
王印明(字德徵) 559-349- 8
王行明 301-821-285
493-1026- 54
511-734-165
676-449- 17
820-569- 40
821-345- 55
1231-468- 附
1442- 5- 1
1459-362- 11
王份梁 260-193- 21
265-376- 23
378-367-140
488-230- 10
933-335- 24
王份元 1439-439- 1
王休唐 554-868- 64
王休宋(字子美) 515-323- 64
王休宋(字致美) 515-330- 67
王伋宋 524-376-197
1104-787- 0
王宏漢 253-355- 96
376-955-112
472-737- 29
476- 33- 98
545-510-101
王宏晉 256-462- 90
380-171-170
472-705- 28
477-199-159
537-272- 55
677-107- 11
933-332- 24
王宏唐 540-737-28之2
820-133- 26
1077-285- 上
1371- 48- 0
王宏宋 1149-696- 15
王宏元 295-267-166
399-610-480
王宏妻 元 見李氏
王宏明(青城人) 554-312- 53
王宏明(字孟遠) 564-294- 47
王宏明(無錫人) 1289-342- 23
王忭妻 明 見陳氏
王灼宋 561-205-38之1
592-589- 98
王言明(字代言) 476-700-137
540-810-28之3
王言明(字斗盧) 554-668- 60
王言明(徐聞人) 564-223- 46
王言妻 明 見袁氏
王言清 568-371-113
王沔宋 285-304-266
371- 63- 6
382-237- 36
384-338- 17
396-594-307
472-524- 22
王治梁 511-926-174
王完明 559-399-9上
王牢晉 545-532-102
王沈晉(字處道) 254-469- 27
255-690- 39
377-471-121下
386-182-75下
472-432- 19
472-788- 31
476-910-148
537-193- 54
545-518-102
933-328- 24
王沈晉(字彥伯) 256-493- 92
380-354-175
384-101- 5
476-583-131
933-330- 24
王沈齊 265-984- 70
380-183-170
384-121- 6
472-171- 6
523- 71-149
王沛唐 271- 85-161
275-384-171
396-153-265
472-657- 27
476-475-125
477-479-173
537-587- 60
540-661- 27
王沛明 302- 22-290
523-418-166
584-273- 10
王沖蜀漢 254-645- 11
377-290-118下
王沖陳 260-651- 17
265-343-21
378-528-144
488-269- 11
532-662- 44
933-333- 24
王沖宋 1095-875- 53
王沖妻 宋 見華氏
王沖元 476-350-116
王沖明 547-486-159
王沂王七斤 宋 448-381- 0
1090-101- 17
王沂元(字振文) 1196-289-16
王沂元(字師魯) 1439-431- 1
王沂明(字子與) 458-660- 2
473-150- 56
515-634- 77
676-451- 17
1237-347- 8
1238- 39- 3
1238-108- 9
1238-207- 18
1374-653- 86
1442- 7- 1
1459-407- 12
王沂明(字希曾) 472-263- 10
475-226- 61
1258-193- 17
王沂明(滋陽人) 510-480-118
王沂明(儀徵人) 511-573-159
王沂妻 明 見李氏
王沂妻 明 見楊氏
王沇宋 451- 25- 0
王辛清 475-853- 94
505-841- 76
510-504-118
王亨宋 475-699- 86
王亨元(朝邑人) 494- 54- 2
554-654- 60
王亨元(王承祖) 1206-154- 17
王亨明 511-448-153
王罕妻 晉 見元敬
王罕宋 286-145-312
397-316-337
472-254- 10
472-337- 14
473-333- 63
473-672- 79
475-213- 60
475-704- 86
480-400-277
481-801-338
482-319-354
491-346- 2
493-697- 39
510-358-114
511-252-146
532-690- 45
563-653- 39
567- 58- 65
585-754- 4
591-540- 42
1467- 35- 63
528-492- 30
王忱漢 見王忳
王忱晉 256-241- 75
377-790-127
384- 99- 5
545-531-102
933-331- 24
王忱唐 554-352- 54
王忱元(字允中) 295- 59-151
399-424-458
472- 97- 3
472-645- 26
474-622- 32
474-689- 37

476-915-148
496-379- 86
502-275- 55
505-790- 73
537-206- 54
1214-269- 23
1367-897- 68
1373-465- 29
王忱元(字信卿) 1206-155- 17
王忱明 1242-189- 30
王忱清 511-569-158
王忳王忱 漢 253-580-111
380-135-168
471-1030- 65
472-851- 34
473-430- 67
478-198-184
481- 74-294
554-264- 53
559-502- 12
587-179- 14
591-514- 41
933-327- 24
王忬明 300-362-204
475-452- 71
511-233-145
523- 50-148
545-287- 94
1278-421- 20
1280-581- 98
1284-187-151
1289-419- 30
王忻清(號燕皇) 479-766-252
515-127- 60
王忻清(鄞縣人) 554-778- 62
王忻妻 清 見李氏
王汸清 1318-459- 72
王汾宋 382-256- 39
384-334- 17
王汾明 524-254-190
王汶晉 545-520-102
王汶宋 559-409-9上
王汶明 302- 7-289
479-329-232
676-514- 20
1254-105- 4
1255-716- 73
1458-182-430
1458-184-430
王沐唐 491-343- 2
523-125-512
王汲宋(通州人) 473-491- 70
481-429-315
559-408-9上
王汲宋(字師黯) 1090- 67- 13
1102-232- 29
王良春秋 見郵無恤
王良漢 252-668- 57
370-157- 15
376-645-107上
384- 58- 3
402-382- 4
402-564- 19
448-296- 上
472-550- 23
476-581-131
491-797- 6
540-698-28之1
933-326- 24
王良妻 漢 476-588-131
541- 20- 29
王良元(王恂父) 295-226-164
399-586-478
王良元(字士純) 473-713- 81
563-716- 39
王良元 見王艮
王良父 明 1272-476- 16
王良明(字天性) 299-373-143
456-692- 12
458- 55- 3
472-963- 38
477- 86-153
478-766-215
523- 35-147
538- 40- 63
585-380- 7
886-156-139
王良明(戶部主事) 476-249-110
545-268- 93
王良明(慶陽衛人) 558-453- 38
王良明(簡州知州) 559-269- 6
559-298-7上
王良妻 明 477-257-161
王戒宋 484-378- 27
王志梁 260-189- 21
265-358- 22
378-358-140
384-111- 6
472-357- 15
472-1026- 42
475- 68- 52
475-603- 81
476-786-141
479-317-232
510-432-117
523-182-155
540-721-28之1
814-249- 6
820-100- 24
933-334- 24
王志明 299-231-131
453- 37- 4
475-753- 88
494- 22- 2
511-418-152
545-184- 90
554-707- 61
1374-522- 74
王甫蜀漢 254-689- 15
481-334-308
481-403-313
559-525- 12
王甫唐 554-266-53
王甫宋 見王黼
王甫金 1365-246- 7
王甫明 472- 57- 2
王甫女 明 506- 49- 87
王求宋 473-505- 71
王抃宋 288-576-470
401-139-587
王抃清 1318- 86- 38
王朴明 554-654- 60
王成漢 251-120- 89
380-152-169
384- 48- 2
472-610- 25
476-724-138
933-326- 24
王成唐 485- 72- 11
王成明(臨潼縣主簿)
472-827- 33
王成明(綏德州人) 478-435-196
王成明(字仁美) 1239-131- 35
王成明(字德成) 1256-588- 6
王成妻 明 見祝妙靖
王育晉 256-449- 89
380- 37-166
472-832- 33
478-104-180
554-434- 56
820- 55- 23
933-330- 24
王均劉宋 472-1100- 47
王均宋 371-201- 20
560-601-29下
王均明(字贊平) 523-411-166
王均明(字惟準) 523-500-170
王址明 516- 82- 90
王李妻 清 見倪氏
王杏明 571-522- 19
王玘明 472- 56- 2
472-963- 38
523- 35-147
王玘妻 明 見吳氏
王圻明 301-839-286
475-181- 59
476-855-145
505-693- 70
511-761-166
515-136- 61
679- 68-145
1442- 63- 4
1460-213- 49
王克梁 265-375- 23
378-369-140
814-256- 7
820-104- 24
王克宋 1117-343- 17
王杆宋 528-551- 32
王杞宋 561-226-38之3
592-262- 76
王杞元 1206-156- 17
王杔妻 明 見蕭氏
王阮宋 287-411-395
398-409-391
472-197- 7
473- 89- 52
473-111- 54
475-743- 88
479-608-244
480-541-283
510-470-117

516-124- 92
676-687- 29
1180-244- 23
1462-721- 93
王异宋 491-433- 6
王坊明(字崇賢) 510-498-118
523-475-169
王坊明(字元表) 1442- 91- 6
王材明 515-843- 84
676-576- 23
680-315-257
1282-552- 42
王防漢 402-441- 9
王防妻 宋 見黃淑
王劭晉 256-107- 65
377-698-125
485- 65- 10
493-674- 37
511- 70-139
814-235- 5
820- 58- 23
王劭隋 264-987- 69
266-715- 35
379-787-161
384-157- 8
546-626-136
550-724-228
933-338- 24
1401-585- 40
王攻明 554-473-57上
王扶漢 252-830- 69
380- 73-167
472-611- 25
476-727-138
540-700-28之1
王辰明 見劉辰
王辰清 1475-612- 26
王孜明 472-485- 21
494- 55- 2
王迅妻 清 見陸氏
王里王應聘 宋 451- 66- 2
王問宋 見王同
王問宋 見王固
王邑漢 545-351- 96
王虬後魏 546-744-140
王虬唐 273-115- 60
王助唐 276- 62-201
400-592-554
476-398-119
547- 13-141
547-110-145
1065-184- 附
王吸漢 539-348- 8
1397-199- 10
王孚劉宋 515-566- 75
王孚妻 宋 見趙氏
王孚元 1207-284- 19
王甸宋 523-471-169
王佐晉 564-614- 56
王佐後燕 496-604-104
王佐唐 474-616- 32
王佐唐 見王祐
王佐宋(長寧守將) 288-325-449
400-180-514
473-465- 69
481-212-302
王佐王千里 宋(字宣子)
448-357- 0
471-626- 6
472-1072- 45
479-235-227
486-330- 15
493-716- 40
523-303-160
676-687- 29
1163-568- 34
王佐宋(平江知府) 472-222- 8
488- 13- 1
488-452- 14
488-453- 14
王佐宋(守利州) 481-154-298
王佐宋(字用之) 567-299- 76
1467-173- 68
王佐宋(胙城人) 1202-323- 22
王佐金 291-679-122
400-224-518
476-348-116
545-764-110
547- 13-141
王佐元 295-575-194
400-253-520
477-410-169
545-654-106
王佐明(字爾輔) 299-662-167
472-527- 22
476-753-139
482-116-343
537-212- 54
540-787-28之3
554-198- 52
王佐明(字彥舉) 301-823-285
482- 36-340
546-709-138
564-275- 47
572-110- 30
676-449- 17
1318-350- 63
1372- 27- 3
1442- 13-附1
1459-372- 11
王佐明(字汝弼) 302- 11-289
476-155-104
537-328- 56
545-848-113
王佐明(蘄州人) 473- 45- 50
479-527-241
515-222- 63
533- 38- 48
王佐明(臨皋人) 473-126- 55
515-133- 61
王佐明(南陽人) 473-268- 61
532-624- 43
王佐明(新城人) 473-624- 77
528-552- 32
王佐明(瓊州人) 473-642- 78
481-694-332
王佐明(字翼卿) 479-455-237
515- 58- 58
523-296-159
580-603- 44
1474-519- 25
王佐明(字小虞) 480-486-280
533-290- 56
王佐明(岳池知縣) 481-181-300
王佐明(字汝學) 482-267-350
528-542- 72
564-236- 46
676-494- 19
1442- 24-附2
1459-611- 23
王佐明(字仁甫) 524- 67-181
820-659- 42
1250-387- 36
1457-664-404
王佐明(字彥弼) 529-456- 43
676-497- 19
王佐明(字公弼) 533-443- 62
王佐明(蒲臺人) 554-310- 53
王佐明(字良輔) 558-290- 34
王佐明(臨桂人) 567-420- 85
王佐明(字廷用) 676-503- 19
1442- 29- 2
1459-666- 26
王佐明(定遠人) 820-580- 40
王佐明(都督同知) 886-145-138
王佐明(字功載) 1241-687- 15
王佐妻 明 見高偉
王佐妻 明 見崔氏
王佐妻 明 見萬氏
王佐女 明 見王氏
王佐清(保靖人) 480-597-286
533-498- 65
王佐清(山西翼城人)
532-674- 44
545-798-111
王佑元 559-318-7上
王佑明(字子啟) 299-335-140
481- 71-293
482-321-354
515-634- 77
567- 83- 66
676-451- 17
1232-695- 9
1238- 39- 3
1238-108- 9
1238-266- 22
1238-618- 19
1241-291- 13
1374-653- 86
1391-695-344
1442- 7-附1
1459-446- 14
1467- 57- 64
王佑明(祁縣人) 473- 98- 53
545-670-107
王佑明(字彥貞) 820-642- 41
821-397- 56
王伾唐 270-609-135
275-347-168
348-243- 12
396-126-263
820-227- 28

王伽隋 264-1041-73
267-663-86
380-208-170
459-878-53
472-68-2
472-518-22
474-338-17
476-516-127
478-199-184
505-743-72
540-622-27
554-266-53
王伷宋 288-783-487
王伯明 559-348-8
王含晉 370-303-6
王含唐 546-751-140
王希宋 820-388-33
王邦妻 明 見馬氏
王利宋 1090-69-13
王利妻 宋 見李氏
王利明 545-192-90
王何明 563-852-41
王伸元 1210-771-25
王伸妻 明 見高氏
王伸妻 清 見濮陽氏
王秀明 478-92-180
554-283-53
王佖唐 270-575-133
275-193-154
396-16-252
558-308-34
王廷元 1206-154-17
王廷明 300-534-214
481-184-300
559-367-8
576-653-5
580-399-25
676-568-23
1272-115-10
1278-424-20
王攸劉宋 258-14-41
王巡妻 明 見何氏
王宗元 1214-226-19
王宗明(王澤父) 512-741-195
王宗明(字茂承) 1271-603-51
王宗妻 明 見柴氏
王宗妻 明 見陸淑正
王法韓法 明 456-630-10
王法妻 清 見沈氏
王京元 1206-155-17
王京明(字來觀) 515-485-71
王京明(字宗周) 516-173-94
王京清 545-328-95
王忞妻 明 見方氏
王宕宋 484-374-27
王官明 494-45-3
558-414-37
王官清 478-377-192
王沿宋 285-769-300
397-194-331
472-106-4
472-575-24
472-878-35
474-91-3
474-406-20
474-434-21
476-615-133
478-670-209
505-674-69
540-756-28之2
545-47-84
554-196-52
679-417-179
1090-68-13
王治宋 473-712-81
482-183-346
563-687-39
王治遼 288-783-487
289-727-115
王治明(字本道) 300-541-215
476-311-113
546-380-127
王治明(知新泰縣) 476-819-143
王治明(字純甫) 510-400-115
王治明(代州人) 554-347-54
王治明 見王逢年
王治妻 明 見徐氏
王性明(保定人) 456-631-10
王性明(合肥人) 563-818-41
王泮明 472-255-10
563-800-41
820-729-44
王炘清 474-247-12
505-884-79
王宓宋 見王襄
王宓妻 明 見時氏
王泌明 1467-131-66
王効明 554-602-59
王初唐 1371-69-0
王初元 481-615-329
王定唐 812-344-9
812-371-0
820-192-27
821-39-46
1341-703-894
王定妻 明 見李氏
王泳元 1218-738-4
王泛妻 唐 見裴氏
王庚明 545-192-90
王炎唐(王播子) 271-118-164
545-579-104
王炎唐(宣城人) 472-358-15
511-811-167
王炎宋 472-380-16
484-107-3
494-265-1
494-309-5
511-701-164
523-116-151
676-688-29
933-360-24
1375-10-上
1376-178-69
1437-26-2
1461-882-45
王武漢 248-620-8
539-349-8
1412-126-5
王武宋 480-49-259
王武妻 明 見張氏
王武清 511-836-168
1315-580-35
王或明 545-187-90
王杰妻 明 見盧氏
王松後晉 279-378-57
384-316-16
396-451-296
王松元 1206-140-16
王松妻 元 見成氏
王松明 545-786-111
王青張青 漢 253-62-75
402-462-10
476-611-133
540-699-28之1
王坦女 南唐 見王畹
王坦元 1225-245-9
王坦明(字彥平) 476-527-128
482-523-367
567-103-66
1467-78-64
1467-156-67
王坦明(字子平) 532-633-43
王直宋 1095-709-36
王直明 299-683-169
452-204-5
453-296-2
453-586-13
473-152-56
479-719-250
515-659-77
584-141-5
676-474-18
820-614-41
1237-286-5
1238-39-3
1240-156-11
1242-284-33
1244-601-12
1284-354-163
1374-572-78
1375-38-下
1442-20-附2
1455-592-235
1459-567-20
王直妻 明 見陳氏
王孟漢 251-156-92
王孟明 473-234-60
532-646-43
王孟女 明 見王氏
王玠宋(字介玉) 473-281-61
480-408-277
493-1001-53
511-434-153
533-367-60
王玠宋(字元珪) 484-382-28
王玠元 476-658-135
540-649-27
王玠明 1243-690-23
王坪明 554-483-57上
王坤明(治給事中) 302-300-305
王坤明(泰寧人) 529-692-50
王拙宋 812-460-1

812-538- 3
821-157- 50
王杼明 476-659-135
537-433- 58
王奇宋(汾州人) 288-351-452
400-130-511
472-496- 21
476-183-106
482-320-354
545-885-114
567- 63- 65
1467- 36- 63
王奇宋(字漢謀) 471-729- 20
473-187- 58
516-156- 94
933-358- 24
王奇元 820-545- 39
王奇明(字世英) 524-368-197
1258-665-15
王奇明(字逢君) 572-429- 41
王奇妻 明 見尹氏
王函妻 清 見焦氏
王邵明 546-726-139
676-658- 27
王劼唐 1065-109- 7
王協晉 256-107- 65
933-329- 24
王協宋 515-264- 65
王表晉 516-457-104
王表明 481-311-307
559-430-10上
王長漢 516-479-105
王長隋 481-234-303
王坡明 524-362-196
王東北周 544-218- 62
王枝明 511-662-162
王林明 505-668- 69
王枚清 515-284- 65
王來明 299-714-172
472-1089- 46
476-916-148
479-182-225
483-222-390
510-289-112
515- 89- 59
523-289-159
523-534-172
537-213- 54
571-516- 19
676-488- 19
1241- 52- 3
1241-665- 14
1242-386- 37
王承晉 254-473- 27
256-233- 75
370-354- 9
377-785-127
384- 98- 5
472-433- 19
476- 34- 98
476-777-141
511-887-172
540-661- 27
546-623-136
552- 24- 18
933-331- 24
王承梁 260-345- 41
265-353- 22
378-363-140
472-1026- 42
479-317-232
523-182-155
933-334- 24
王忠元(字孝卿) 546-717-139
1211-390- 55
王忠王雲鶴 元(栗州人)
547-132-146
王忠明(孝感人) 299-395-145
王忠明(字守正) 472-262- 10
511-553-158
1245-162- 4
王忠明(字克誠) 480-298-271
533-389- 60
王忠明(字廷贊) 517-569-129
1241-396- 4
1241-431- 5
王忠明(靖安侯) 886-144-138
王忠明(字仕忠) 1247-543- 24
王忠明(字以誠) 1250-903- 85
王忠明見李忠
王忠明見夏忠
王忠妻 明 見張氏
王典清 477- 57-151
523-432-167
537-252- 55
王芷清 570-160-21之2
王昌王郎 漢 252-471- 42
370-214- 23
376-514-104
384- 56- 3
王昌元 472-963- 38
511-901-172
523- 80-149
王昌明(富順人) 571-546- 20
王昌明(字必懋) 1259-221- 16
王昌明(義興人) 1260-650- 20
1458-117-425
王昌清 483-184-385
569-680- 19
王明宋(字如晦) 285-353-270
382-728-112
384-335- 17
396-629-311
472-115- 4
472-642- 26
473-280- 61
473-523- 72
473-682- 79
474-370- 19
474-438- 21
477-441-171
479-482-239
481-801-338
505-762- 72
515- 81- 59
532-628- 43
537-337- 56
545-173- 89
559-305-7上
563-650- 39
567- 47- 64
1142-532- 6
1376-548-94上
1467- 21- 62
王明宋(祕書監知州事)
473- 13- 49
王明元 1194-712- 14
王明明 456-558- 7
王明妻 明 見陳氏
王明清 456-317- 75
王固陳 260-676- 21
265-379- 23
370-577- 19
378-531-144
488-250- 10
933-335- 24
王固女 陳 見王皇后
王固王罔 宋(字元貺)
523-608-176
王固宋(字伯充) 1097-308- 21
王芾王道長 宋 448-367- 0
王虎明 510-428-116
王虎妻 明 見繆氏
王虎清 524-336-195
王卓漢 546-437-129
王卓魏 546-247-123
王卓晉 544-203- 62
545-520-102
王卓妻 清 見張氏
王昆明 483-282-393
572- 94- 29
王昇王升 宋(字逸老)
491-117- 13
494-424- 13
524-307-194
820-400- 34
王昇宋(字君儀) 524- 80-182
王昇元(字彥高) 473-807- 86
494-163- 6
王昇元(中慶人) 482-560-369
570-133-21之2
王昇明(字日初) 301-739-281
473-112- 54
473-655- 78
479-655-247
515-170- 62
1242-129- 28
王昇明(王鉞子) 302-200-300
王昇明(桐城縣丞) 472-337- 14
王昇明(南陽知府) 472-766- 30
537-315- 56
王昇妻 明 見周氏
王昇妻 明 見盧氏
王昂唐 270-402-118
王昂明(字抑之) 473-145- 56
479-711-250
515-153- 61
564-202- 46
676-131- 5
王昂明(盧陵人) 516-515-106
王昂明(廣安州人) 559-366- 8

王昂明(字成德) 1275-371- 16
王昂宋 見王昻
王昕母 北齊 見崔氏
王昕後魏 263-239- 31
266-492- 24
379-443-153
472-591- 24
476-667-136
540-655- 27
540-727-28之1
550- 66-210
933-337- 24
王昕唐 473- 96- 53
475- 68- 52
515-180- 62
王昕元 1197-341- 32
王岡宋 492-698-3上
492-712-3下
1135-354- 34
王岷宋 1092-658- 61
王芳明 472-128- 4
505-692- 70
王芳妻 明 見楊氏
王昉王正三 宋 448-370- 0
王易宋(河南人) 493-771- 42
王易宋(鄜州人) 554-911- 64
812-539- 3
821-169- 50
王易王進思 宋(號青窗)
820-464- 36
王易宋(字悌卿) 1099-583- 12
王易宋 見王易簡
王旻唐 472-754- 29
480-515-281
王旻明(曹縣人) 510-480-118
王旻明(蜀之華陽人)
483-202-388
570-260- 25
王昊父 唐 1342-275-940
王昊明 523-102-150
王昊清 511-793-166
王果唐 559-302-7上
王果宋 286-324-326
472- 51- 2
474-236- 12
王果明 559-252- 6
王杲宋(齊州人) 285-495-280
396-731-319
472-524- 22
476-524-128
540-750-28之2
王杲宋(知保定) 505-654- 68
王杲明(字景初) 300-318-202
476-587-131
540-804-28之3
554-174- 51
563-912- 43
王杲明(字啟昭) 570-110-21之1
王杲妻 明 見于氏
王肱唐 529-734- 51
王肱宋 1113-231- 23
王肱宋 見王公輔
王知宋 564- 71- 44
王季商 見季歷
王和晉 使敬妻 591-534- 41
王和宋 趙君章妻、王舉元女
1099-767- 14
王和明(遷安人) 505-729- 71
王和明(字叔和) 516- 55- 89
王和明(烏程人) 524-193-188
王周後漢 278-245-106
279-313- 48
384-313- 16
396-430-295
472-131- 4
505-773- 73
933-348- 24
王周宋 491-345- 2
491-432- 6
492-710-3下
王周元 545-843-113
王周明(字師文) 1233-101- 附
王周明(字宗文) 1283- 84- 73
1475-308- 13
王金宋 見王洤
王金明(鄠縣人) 302-361-307
王金明(字芝山) 538-362- 71
554-914- 64
王金明 陳仲亨妻、王實甫女
1237-389- 11
王制明(字幼度) 533-193- 53
王制明(字宗義) 564-213- 46
王制明(字宗明) 570-106-21之1
571-550- 20
王秈明 1242-262- 33
王岱晉 559-389-9上
王岱清 533-257- 55
563-879- 42
王侃晉 485- 67- 10
493-674- 37
王侃宋(任統制) 451-225- 0
王侃宋(歷官肇慶) 529-534- 45
王侃元 1198-768- 5
王侃妻 明 見許氏
王侁宋 285-410-274
537-386- 57
王佩明(王昭子) 494- 45- 3
王佩明(南充人) 559-365- 8
王岳唐 821- 58- 46
王岳宋 1117-621- 9
王岳明 460-818- 90
王阜漢 370-184- 18
402-406- 6
402-443- 9
469-592- 72
472-824- 33
473-806- 86
478-332-191
494-147- 5
554-264- 53
569-641- 19
591-509- 41
王阜明 676-494- 19
王所宋 680-212-245
王所明 528-459- 29
王命明(字欽甫) 505-831- 75
1291-909- 6
王命明(字將之) 554-289- 53
王命明(字子將) 554-938- 64
王受明 515-875- 85
568-252-108
王采宋 532-667- 44
王采明 456-518- 6
546-216-122
王秉後魏 261-865- 63
王延晉 256-438- 88
380- 89-167
384-101- 5
472-495- 21
476-181-106
545-860-113
933-330- 24
王延北周 478-144-181
554-972- 65
1061- 39- 85
王延隋 264-759- 45
267-426- 71
王延後梁 278-434-131
279-380- 57
384-316- 16
396-452-296
477- 71-152
537-599- 60
王延元 515-624- 76
1224-452- 28
王延明 524-232-189
王延明 547- 45-142
王迎清 510-368-114
王洪宋(蜀人) 821-219-51
王洪宋(字國興) 1170-681- 29
王洪元 1209-588-10上
王洪明(字希範) 301-827-286
472-968- 38
479- 52-218
524- 6-178
585-456- 12
676-471- 18
1318-354- 63
1374-673- 88
1442- 18-附1
1459-550- 19
王洪明(撫州人) 820-579- 40
王洪明(字宗範) 820-676- 42
王𥥛宋 1181-761- 11
王竑明 299-789-177
453-351- 6
453-623- 20
472-309- 13
472-906- 36
473-214- 59
475- 19- 49
475-325- 65
475-502- 75
478-488-199
510-290-112
533- 7- 47
534-612-101
558-290- 34
1248-497-24
1409- 38-565
王炳宋 529-529- 45
王炳元 1201-167- 80

王宣唐 820-179-27
王宣宋 473-689-80
王宣妻 宋 見曹氏
王宣明(字子鍾) 301-760-282
458-812-6
460-624-62
王宣明(謚烈愍) 456-455-4
王宣明(淇縣人) 472-709-28
王宣明(伍塘人) 1275-263-12
王宥元 1220-341-12
王洵宋 1410-363-712
王洵明 493-1010-53
王洤王金 宋 288-411-456
400-299-524
540-753-28之2
王洽晉 256-105-65
377-696-125
485-65-10
485-552-3
493-673-37
684-470-下
684-522-2
812-61-中
812-224-8
812-714-3
813-279-14
814-235-5
820-57-23
王洽妻 晉 見荀氏
王洽唐 813-124-10
王洽明(字和仲) 301-339-257
540-824-28之3
王洽明(字近之) 523-476-169
王音漢 505-769-73
王音明(武進人) 475-231-61
王音明(字于振) 1287-539-23
王斿宋 1107-746-53
王恬晉 256-105-65
377-696-125
485-65-10
493-673-37
812-69-下
812-232-9
812-722-3
813-279-14
814-235-5
820-57-23
933-329-24
王恬宋 1150-106-12
王恬明 1280-456-89
王恬妻 明 見周氏
王恆唐 820-169-27
王恆明(字克昌) 511-337-149
王恆明(字有常) 1247-527-23
王恂魏～晉 254-264-13
256-512-93
380-2-165
385-591-65下上
448-311-上
459-859-52
476-782-141
477-304-163
540-710-28之1
933-327-24
933-332-24
王恂元 295-226-164
399-586-478
451-616-9
453-772-1
472-55-2
474-242-12
505-869-78
王恂王振 明 472-678-27
480-246-269
533-75-49
571-517-19
676-489-19
王恂妻 明 見黄氏
王恪女 宋 見王氏
王恪明 473-125-55
494-55-2
王恪妻 明 見李氏
王恪妻 明 見黄氏
王袒魏 254-469-27
377-266-117
384-87-4
384-685-44
472-432-19
476-33-98
477-304-163
537-295-56
540-630-27
544-202-62
545-513-102
933-328-24
王袒妻 北周 見平陽長公主
王袒閩 見閩康宗
王袒明 511-352-149
515-172-62
王袒妻 明 見李氏
王洋宋(楚州人) 473-641-78
481-693-332
528-538-32
王洋宋(字元渤) 494-425-13
511-190-143
516-210-96
1147-210-20
王洋宋(字大猷) 515-603-76
王洋宋(字嘉謨) 1147-555-52
王洋清 456-320-75
王施前秦 546-248-123
王兗前秦 505-627-67
王亮梁 260-160-16
265-366-23
378-366-140
472-253-10
933-334-24
王亮後魏 262-317-93
544-208-62
王亮明(字希明) 472-647-26
537-214-54
王亮明(字茂弘) 515-98-59
王亮明(山西人) 528-527-31
王庠宋 287-173-377
398-219-379
471-1025-64
473-523-72
481-310-307
561-204-38之1
591-639-46
1223-666-14
王祈明 456-465-4
王郎漢 見王昌
王郎三國 472-551-23
王彥晉 255-596-33
王彥後魏 478-333-191
839-43-4
王彥宋 287-49-368
398-117-373
472-490-21
472-866-34
473-348-63
476-154-104
478-295-188
480-240-269
480-436-278
532-724-46
545-832-112
554-245-52
王彥明(字士俊) 483-47-372
569-663-19
王彥明(字汝翼) 524-213-188
1235-651-22
王彥明(字存拙) 821-419-56
王洙宋 285-684-294
371-141-14
382-451-70
384-352-18
397-134-328
450-487-中37
472-409-18
472-682-27
473-246-60
475-420-70
477-128-155
480-288-271
510-398-115
532-677-44
538-132-65
674-6-1
677-185-17
684-489-下
812-752-3
820-351-32
1089-746-18
1089-761-19
1102-250-31
1378-558-61
王洙妻 宋 見齊氏
王奕宋(字伯敬) 515-870-85
1437-32-2
王奕宋(字子陵) 524-85-182
678-574-125
王奕宋(字謀道) 524-283-192
王度妻 漢 見劉仲
王度後魏 261-439-30
王度隋 545-436-99
王度宋 1152-583-31
1164-375-20
王度女 宋 見王氏
王度明(字子中) 299-352-141

456-696- 12
482-116-343
564-247- 47
886-155-139
1467-155- 67
王度明(字津生) 526-106-262
559-368- 8
676-558- 23
王度妻 明 見毛氏
王度清(字平子) 476-251-110
540-845-28之4
545-305- 94
王度清(漢陽人) 476-252-110
533-166- 52
545-307- 94
王美宋 400-299-524
477-417-169
王玹明(字邦起) 476-208-107
546-199-122
王玹明(鹽山人) 532-593- 41
王珏宋(字德全) 478-760-215
493-773- 42
510-344-114
515-755- 80
523- 15-146
1139-295- 54
王珏宋(字叔寶) 479-289-230
523-396-165
王珏明(諸暨人) 472-1073- 45
王珏明(字廷玉) 545-187- 90
王珏明(涇州人) 558-338- 35
王珏妻 明 見康氏
王持宋 見王正叔
王拱宋 288-373-453
400-173-513
472-173- 6
王柄宋 486- 46- 2
王柄明 559-368- 8
王咸妻 漢 見南陽公主
王威漢 402-491- 12
王威隋 545-130- 87
王威遼 見王郁
王威王兀愛、王烏赫 元
295-255-166
399-603-480
502-273- 54
王威明(綏德衛人) 478-272-187
554-366- 54
554-607- 59
王威明(字仕龍) 523-560-174
王威明(黃安人) 533-427- 62
534-562- 99
王威明(沁州人) 547-522-160
王威明(王志子) 571-554- 20
王威妻 明 見張氏
王春北齊 263-378- 49
267-687- 89
380-636-183
547-550-161
王春明(嘉定人) 473- 87- 52
479-605-244
515-247- 64
王春明(廣寧左屯衛人)
502-383- 64
王春明(巴縣人) 559-375- 8
王咨宋 674-351-5下
王玭清 505-673- 69
511-264-146
王珀明 473- 76- 52
511-150-142
王垣明(謚節愍) 456-577- 8
王垣明(字維慎) 1295-134- 10
王垚元 503- 10- 90
511-687-163
王拯明 473-642- 78
481-694-332
528-542- 32
564-148- 45
王柱明 475-668- 84
480-413-277
510-458-117
王柱清 455- 63- 2
王柱不詳 1061-252-108
王相宋 480-402-277
591-623- 45
王相元(濱州霑化人)
400-268-521
王相元(廬陵人) 475-605- 81
王相元(字吾素) 679-600-197
王相明(字夢弼) 300- 92-188
458- 98- 4
472-522- 22
476-479-125
477-545-176
510-408-115
537-609- 60
540-619- 27
王相明(字懋卿) 300-152-192
523-375-164
1474-287- 13
王相明(字樂用) 473-168- 57
515-478- 71
王相明(建陽人) 529-744- 51
王相明(字良弼) 533-474- 64
王相明(監利人) 533-764- 74
王相明(字國柱) 1264-217- 12
王相妻 清 見宗氏
王柟母 魏 476-619-133
王柟宋(字汝良) 287-416-395
398-413-391
472-576- 24
475-492- 74
476-616-133
493-963- 51
540-767-28之2
王柟宋(字木叔) 515-267- 65
523-495-170
674-850- 18
1164-196- 9
1164-418- 23
王柏宋 288-173-438
400-561-551
451-404- 14
459-123- 7
472-1031- 42
479-325-232
523-611-176
526- 17-259
539-505-11之2
821-233- 51
1212-294- 20
1363-708-214
1437- 31- 2
王軌王沙門 北周 263-743- 40
267-289- 62
379-565-156
384-140- 7
472-433- 19
475-419- 70
476- 35- 98
545-552-103
545-759-110
王軌唐 820-214- 28
王厚宋 286-355-328
382-532- 82
397-475-348
451-187- 6
478-483-199
479-608-244
516-122- 92
558-174- 31
王厚元~明 見王厚孫
王奎宋 511-837-168
王奎明(字景常) 483- 35-371
494-169- 6
570-213- 23
王奎明(字文明) 515- 43- 58
王屋王畹 明 1442-105- 7
1460-631- 72
1475-518- 22
王珂唐 271-383-182
275-540-187
277-136- 14
279-265- 42
384-310- 16
545-594-104
王珂明(蒲州人) 546-711-138
王珂明(滎河諸生) 547- 72-143
王珉晉 256-106- 65
377-696-125
540-716-28之1
684-523- 2
812- 61- 中
812-225- 8
812-714- 3
813-280- 14
814-238- 5
820- 58- 23
933-329- 24
王珉妻 晉 見江氏
王珉宋 820-431- 35
王珉明 483-162-382
569-675- 19
王革王著 金 502-791- 88
1040-258- 5
1365-243- 7
1439- 11- 0
1445-458- 33
王柯唐 561-215-38之3
王南明 571-546- 20
王郁宋 472-195- 7
510-469-117

1087-278- 28
1087-291- 29
王郁王威 遼 289-579- 75
399- 10-417
554-409- 55
王郁明 494- 41- 3
王郁女 明 見王妙慶
王韋明 301-838-286
475- 76- 53
511-719-165
537-219- 54
820-668- 42
1263-547- 6
1442- 43-附3
1454-362-123
1457-543-393
1459-885- 37
王屏明 505-677- 69
王⿱丕巴明(字克修) 299-576-160
478-203-184
554-473-57上
王⿱丕巴明(字汝器) 494- 55- 2
554-659- 60
676-327- 12
1269-377- 3
王降妻 明 見田氏
王珍元 295- 71-152
399-432-459
472-133- 4
472-706- 28
474-478- 23
505-776- 73
王珍明 523-196-155
王珍黃珍 明 郭仁壽妻
524-697-211
1224-203- 20
王珍明 張瑋妻、王時勉女
1255-661- 68
王珍妻 清 見于氏
王勃唐 271-570-190上
276- 61-201
384-189- 10
400-591-554
451-411- 1
472-464- 20
476-398-119
481- 82-294
518-705-159
546-750-140
588-159- 8
674-247-4上
677-144- 14
933-345- 24
1065- 63- 附
1065-182- 附
1065-183- 附
1065-208- 3
1339-614-699
1371- 49- 0
1387-258- 17
1394-366- 2
1472- 73- 4
王⿱此心妻 宋 見李氏
王勇陳 見王猛
王勇王胡仁、庫汗勇 北周
263-637- 29
267-344- 66
379-633-158
476-281-111
544-215- 62
546-171-121
933-339- 24
王勇清 456-319- 75
王政漢 681-760- 1
王政宋 480-541-283
533-403- 61
821-247- 52
王政王努色爾、王南薩里、王諾色爾 金 291-726-128
400-357-533
459-918- 56
474-736- 40
477-200-159
502-362- 62
537-276- 55
王政元 1196-280- 16
1204-520- 20
王政妻 元 見呂氏
王政明(汝州人) 472-802-31
537-574- 60
王政明(字布德) 475-640- 83
510-446-117
王政明(曲靖知府) 483- 15-370
569-660- 19
王政明(字正之) 545-895-114
王政明(字尚德) 554-478-57上
王政明(字裕民) 558-338- 35
王政明(字以正) 1285-324- 10
王政妻 明 見鄒氏
王政女 明 見王氏
王政清 476-750-139
476-754-139
540-858-28之4
王某明(嘗爲指揮謚烈愍)
299-362-142
456-694- 12
王梂宋 510-434-116
王述晉 256-234- 75
370-345- 8
377-786-127
384- 98- 5
472-433- 19
472-1100- 47
479-284-230
486- 35- 2
488-128- 7
511- 71-139
523- 4-146
545-526-102
814-240- 5
820- 70- 23
933-331- 24
王述王長述 北周 263-545- 18
264-835- 54
267-281- 62
379-556-156
478-107-180
480-287-271
544-214- 62
544-221- 62
545-451- 99
552- 43- 19
554-439- 56
563-627- 38
933-338- 24
王述元 1211-361- 50
王述女 明 見王氏
王砯唐 見王冰
王致宋 472-1085- 46
491-385- 4
491-679- 20
523-588-175
王致明 1474-365- 18
王建後魏 261-437- 30
266-420- 20
379- 16-146
王建唐 451-436- 3
511-822-167
674-860- 19
820-236- 28
933-346- 24
1078-578- 附
1365-497- 8
1371- 68- 0
1388-187- 60
1473- 65- 55
王建女 五代 見妙惠
王建前蜀 見蜀高祖
王建明 477-545-176
王柔漢 253-377- 98
377- 3-113上
386- 6-69上
476- 33- 98
545-506-101
545-510-101
王柔宋 朱春卿妻
1113-431- 8
王柔元 493-751- 41
1439-422- 1
王敉宋 493-1016- 54
王茂梁 260-107- 9
265-778- 55
370-557- 18
378-299-139
384-117- 6
472-433- 19
473-246- 60
479-446-237
480-286-271
488-233- 10
515- 5- 57
545-534-120
933-336- 24
王茂元 676-713- 29
王茂明 1475-244- 10
王茂妻 明 見劉氏
王茂清 515-726- 79
王貞隋 264-1072- 76
267-622- 83
380-400-176
477- 67-151
538-127- 65

933-339- 24
王貞元(字吉甫) 1207-303- 20
王貞元(字履道) 1218-713- 4
王貞元 見王禎
王貞明 1475-169- 7
王昞宋(字子華) 479- 42-218
523- 77-149
王昺宋(字偉文) 511-805-167
王昺女 宋 見王氏
王昺明(字鑑心) 505-736- 71
676-727- 30
王昺明(字文晦) 529-465- 43
676-557- 23
王思魏 254-299- 15
385-404- 43
王思明 300-151-192
458-1039- 2
472-925- 36
473-157- 56
479-724-250
515-688- 78
554-473-57上
563-911-43
676-543- 22
1410-494-729
王省宋 473-447- 68
561-201-38之1
591-610- 44
王省明(字子職) 299-363-142
456-697- 12
473-151- 56
476-518-127
479-717-250
515-646- 77
540-626- 27
886-160-139
1240-845- 9
王省明(趙城人) 547- 15-141
王苙明 1287-117- 12
王昱宋 450-859-下25
1351-636-144
王昱遼 289-729-115
王昱元 524-196-188
王昱明 547-141-146
554-312- 53
王昵元 見王愷
王昭後魏 266-494- 24
379-444-153
王昭宋 460-436- 33
王昭明(字仲彰) 483- 48-372
570-214- 23
王昭明 孔信妻、王伯興女
1246-441- 9
王昭明(字明達) 1248-484- 23
王冑隋 264-1075- 76
267-623- 83
380-401-176
476-786-141
933-339- 24
1387-200- 11
1395-605- 3
1401-588- 40
王晥元 1216-546- 9
1222-260- 15
王苹清 541-113- 31
王苑漢 402-574- 19
王則北齊 263-158- 20
267-126- 53
379-376-152
532-561- 40
544-210- 62
544-217- 62
545-547-103
933-338- 24
王則宋 285-659-292
371-202- 20
408-284- 10
王昴王昂 宋 472-296- 12
511-782-166
王英元(字邦傑) 295-517-188
400-274-522
472-594- 24
476-672-136
515- 29- 57
540-780-28之2
王英元(字世傑) 493-752- 41
王英元(弘州人) 537-278- 55
王英女 元 見王氏
王英明(字時彥) 299-463-152
452-205- 5
453-656- 28
473-116- 54
479-659-247
515-777- 81
676-475- 18
820-614- 41
1240-193- 13
1240-718- 7
1374-401- 61
1375- 38- 下
1391-770-352
1442- 20-附2
1459-566- 20
王英明(合肥人) 472-328- 14
王英明(秦州人) 478-699-210
王英明(字俊伯) 493-973- 52
511- 95-140
554-206- 52
1255-687- 71
1284-128-146
1458-448-447
王英明(蘇州人) 523-172-154
王英明(字孟郁) 529-455- 43
563-738- 40
王英明(太原人) 540-635- 27
547- 5-141
王英明(寧夏人) 558-377- 36
王英明(臨安人) 1284-354-163
王英妻 明 見張氏
王英妻 明 見陳氏
王英女 明 見王氏
王彔晉 549-102-185
王彔五代 407-653- 2
王彔妻 清 見趙氏
王畏宋 451-221- 0
王迪宋 516-416-103
843-664- 中
王迥宋 585-497- 15
1110-306- 14
王俌唐 274-462-116
395-461-223
554-636- 60
王俅明(字昂霄) 1243-595- 13
王俅明(字去矜) 1261-171- 13
王禹漢 474-373- 19
505-886- 79
742- 25- 1
王禹唐 820-243- 28
王禹女 宋 見王氏
王姚周莊王夫人 春秋
404-453- 26
王約齊 378-248-137
王約宋 933-360- 24
王約元 295-408-178
399-697-490
472- 97- 3
474-381- 19
476-915-148
505-752- 72
537-207- 54
676-701- 29
1439-428- 1
王約明(猗氏人) 472-468- 20
476-124-102
547- 72-143
王約明(字資博) 472-1115- 48
515-785- 81
523-230-156
王約明(寧鄉人) 474-652- 34
545-888-114
王約妻 明 見廖足娘
王重明 563-752- 40
王信漢 539-349- 8
王信宋(字公亮) 286-318-326
371-186- 19
397-445-346
472-437- 19
476- 41- 98
478-166-182
478-418-195
540-639- 27
545-635-106
554-356- 54
王信宋(字誠之) 287-461-400
398-452-394
472-1054- 44
472-1067- 45
479-134-223
479-224-227
479-402-235
479-432-236
486- 54- 2
494-311- 5
523-348-162
820-430- 35
王信元 1200-772- 59
王信妻 元 見左氏
王信明(字君實) 299-655-166
453-669- 30
473-212- 59
478-248-186
532-592- 41

533-154- 52
554-600-59
王信明(諡忠烈) 302- 55-292
456-424- 2
477-411-169
478-574-203
558-442- 37
王信明(諡烈愍) 456-484- 5
王信明(諡節愍) 456-588- 8
482-560-369
569-678- 19
王信明(龍里衛指揮僉事)
483-248-391
571-539- 20
王信明(字中孚) 554-278- 53
王科宋 515-761- 80
王科明(字進卿) 300-386-206
477-168-157
478- 93-180
554-285- 53
王科明(新鄭人) 538-119- 64
王胐唐 812-354- 10
812-372- 0
813-101- 6
821- 74- 47
王衎晉 255-747- 43
377-516-122
384- 91- 5
386-153-73下上
472-552- 23
476-781-141
813-242- 7
820- 53- 23
933-329- 24
1112-660- 9
王衎女 晉 見王惠風
王衎女 晉 見王進賢
王衎後魏 261-865- 63
266-859- 42
379-238-150上
540-729-28之1
王衎隋 263-252- 32
王衎王宗衎 前蜀 278-487-136
279-451- 63
384-317- 16
401-212-596
1383-845- 78
王衎宋 475-365- 67
王衎明 511-191-143
571-542- 20
王律宋 1119-327- 32
王胤明 472-431- 19
王俞宋 510-484-118
王紀梁 473-806- 86
559-301-7上
王紀明(字惟理) 301- 99-241
458-341- 13
476-370-117
546-500-131
549-508-199
王紀明(字理卿) 511-209-144
515- 93- 59
王紀明(郫縣人) 559-345- 8
王紀妻 明 見張氏
王紀妻 明 見楊氏
王紀清 476-209-107
546-222-122
王勉元 475-822- 92
510-494-118
1439-426- 1
王勉明(宛平人) 554-311- 53
王勉明(曹南人) 680- 33-227
王敘明 571-544- 20
王秋明 511-664-162
王奐漢 402-473- 11
477-246-161
537-474- 58
王奐齊 259-484- 49
265-375- 23
378-246-137
488-202- 8
494-281- 3
933-335- 24
王奐元 528-447- 29
王奐明 529-722- 51
王奐清 479-176-225
523-139-152
王侯宋 820-408- 34
王保明(字麟岡) 301- 63-239
478-272-187
554-607- 59
554-726- 61
王保明(建水州人) 483- 34-371
570-128-21之1
王俁宋(高麗人) 288-790-487
289-729-115
王俁宋(字碩夫) 524-324-195
王俁元 820-497- 37
1210-316- 8
王俊晉 489-598- 47
王俊宋 484-374- 27
王俊明(城武人) 302-148-297
王俊明(字華陽) 456-610- 9
475-472- 72
511-470-154
王俊明(字世傑) 477-306-163
537-303- 56
554-476-57上
王俊明(永平人) 510-454-117
王俊明(字世英) 515-124- 60
529-459- 43
王俊明(淝水人) 523-245-157
王俊明(長治人) 547- 33-142
王俊明(字大用) 569-648- 19
王俊明(許州人) 1258-310- 7
王俊妻 明 見高氏
王俊妻 明 見蔣氏
王俊妻 明 見嚴氏
王俊女 明 見王氏
王俟清 476-530-128
540-864-28之4
王泉明 1242- 66- 26
王叟不詳 1061- 39- 85
王海元 1219-689- 6
王海明 547- 63-143
549-716-207
王烒妻 明 見夏氏
王宴宋 552- 69- 19
王容宋 473-339- 63
533-247- 55
王浩母 宋 見吳氏
王浩金 291-734-128
400-363-533
451-225- 0
472-645- 26
472-826- 33
477-442-171
478- 91-180
537-244- 55
554-274- 53
王浩明(臨邑人) 476-529-128
王浩明(字宏初) 480-247-269
王詡周 477-504-174
王高父 明 1242- 68- 26
王高明 473- 24- 49
515-360- 68
王高妻 明 見薛氏
王唐王天賦 宋 451- 73- 2
王烜宋 451-132- 2
493-722- 40
王朔王長史 晉 479-686-248
516-434-103
王益宋(字舜良) 471-741- 21
471-839- 35
473-125- 55
473-682- 79
482- 74-341
515-734- 80
559-263- 6
561-377- 41
563-674- 39
1098-717- 44
1105-586- 71
1354-613- 29
1356-196- 9
1381-402- 34
1409-585-628
王益宋(知蘄州) 473-281- 61
532-631- 43
王益妻 宋 見吳氏
王益女 宋(吳宣德妻) 見王氏
王益女 宋(張奎妻) 見王氏
王益明(聞喜舉人) 547-114-145
王益明(吳崑人) 1247-133- 4
王祐宋 見王祜
王祐漢 473-504- 71
561-205-38之1
591-593- 44
王祐王佐 唐 820-213- 28
王祐王祜 宋 285-340-269
382-209- 30
384-328- 17
396-619-310
472-125- 4
472-489- 21
472-574- 24
474-468- 23
476-150-104
476-613-133
540-748-28之2

545-211- 91
933-351- 24
1153-463- 95
1378-463- 58
王祐妻 宋 見張氏
王祐明(廣昌知縣) 302- 10-289
479-627-245
515-188- 62
王祐明(山東金鄉人)
545-221- 91
王祐明(字昌信) 1241-586- 11
王祚漢 473-267- 61
王祚唐 545-570-104
1077-333- 2
王祚宋 285- 75-249
472-195- 7
475-742- 88
475-776- 89
478-376-192
480-199-267
510-477-118
532-653- 44
545-611-105
554-235- 52
王祚明(保定大寧衛人)
505-736- 71
王祚明(字怡遠) 1250-855- 81
王祚明(字永錫) 1259-189- 14
王朗王嚴 魏 254-256- 13
377-107-115上
384- 85- 4
384-647- 40
385-331- 32
476-780-141
486- 33- 2
540-709-28之1
544-202- 62
677- 91- 10
933-327- 24
王宰王晏宰 唐(懷州人)
271- 29-156
275-392-172
384-278- 14
396- 58-257
472-720- 28
477-542-176
537-479- 58
545-335- 96
王宰唐(蜀中人) 812-352- 10
812-368- 0
812-505- 下
821- 67- 47
王竚妻 明 見鄭玉香
王訓梁 260-192- 21
265-353- 22
378-364-140
933-334- 24
1387-145- 8
1395-596- 3
王訓後魏 554-748- 62
王訓唐 見王忠嗣
王訓明(泰和人) 473-152- 56
王訓明(知桂陽州) 532-710- 45
王訓明(貴州人) 572- 70- 28
676-489- 19
王訓清 482-208-347
563-881- 42
王訓妻 清 見劉氏
王悅晉 256-104- 65
377-695-125
384- 97- 5
933-329- 24
王悅劉宋 見王悅之
王悅字文悅 北周 263-678- 33
267-390- 69
379-666-159
478-106-180
544-219- 62
552- 46- 19
554-564- 58
王悅宋 523-199-155
529-498- 44
王悅妻 明 見羅氏
王旁宋 484-384- 28
王袗明 533-158- 52
王宸明 505-754- 72
王浹唐 812-523- 2
821- 94- 48
王淀北周 263-830- 48
王浚晉 255-692- 39
377-472-121下
545-520-102
933-328- 24
1379-269- 33
王浚明 479-381-234
523-340-162
王畝元 見王畛
王衷宋 491-121- 14
524-276-192
王效明 300-477-211
478-271-187
王庭明(字元直) 493-997- 52
511-674-163
554-347- 54
王庭明(字孟揚) 1237-521- 6
1241-559- 10
王庭明(長洲人) 1284-166-149
王庭清 475-875- 95
479-100-221
515- 69- 58
524- 27-179
545-113- 86
1318- 82- 38
1475-583- 25
王淩魏 見王淩
王迸宋 288-362-452
400-175-513
477-542-176
537-354- 56
王泰梁 260-192- 21
265-357- 22
378-359-140
485-492- 9
820-100- 24
933-334- 24
1395-596- 3
王泰元 524-165-186
王泰明(慈谿人) 473-126- 55
479-678-248
515-134- 61
王泰明(字道亨) 476- 84-100
545-778-111
1257- 73- 7
1257- 78- 7
王泰明(字逢吉) 523-226-156
王泰明(江陵人) 533-441- 62
王泰明 見王伯貞
王泰妻 明 見張氏
王泰妻 明 見歐陽氏
王泰清 456-319- 75
王素劉宋 258-598- 93
265-390- 24
378-89-133
469-200- 23
491-800- 6
540-719-28之1
933-336- 24
1379-536- 63
王素宋(字仲儀) 286-246-320
382-260- 40
384-355- 18
397-399-344
449-183- 4
450-410-中27
472- 85- 3
472-430- 19
472-575- 24
472-643- 26
472-801- 31
472-877- 35
473-427- 67
475- 17- 49
476- 29- 97
476-615-133
477- 51-151
477-498-174
478-544-202
480- 48-259
481-68-293
505-704- 70
532-614- 43
537-240-55
540-756-28之2
545-137- 87
558-195- 31
559-264- 6
708-337- 50
933-352- 24
1092-114- 15
1093-431- 58
1104-434- 37
1351-781- 下
王素宋(郡守) 471-904- 45
471-1039- 66
王素宋(通州知府) 472-289- 12
王素宋(利州太守) 473-445- 68
559-280- 6
王素宋(太中大夫) 491-344- 2
王素朱佩妻 明 493-1084- 57
王珙唐 271-383-182
275-540-187

277-136- 14
王珙明 1442- 15-附1
1459-498- 16
王珙妻 明 見黃氏
王馬宋 523-566-174
王貢金 1040-253- 5
王貢明 559-277- 6
王城王珹 宋～元 1226-506- 24
1458-334- 24
王彧劉宋 見王景文
王彧金 見王知非
王彧元 1220-383- 3
王彧明 472-458- 20
476- 79-100
王恭晉 256-370- 84
370-376- 10
377-886-129下
384-100- 5
384-110- 6
488-137- 7
545-529-102
933-330- 24
王恭唐 269-701- 73
276- 7-198
400-406-538
472-130- 4
477-206-159
538- 24- 62
王恭元 547- 33-142
王恭明(字安中) 301-827-286
676-450- 17
820-593- 40
1231- 84- 附
1231-205- 附
1231-206- 附
1231-207- 附
1318-352- 63
1442- 18- 1
1459-382- 11
王恭明(濠州人) 528-448- 29
王恭明(字克莊) 532-624- 43
王恭明(直隸晉州人)
545-147- 88
王恭明(乾州人) 554-678- 60
王恭明(杭人) 821-369- 55
王恭明 黃後渠妻、王蕡女
1283-551-109
王眞漢 253-613-112下
380-582-181
386-102-72上
472-491- 21
476-158-104
547-488-159
1059-287- 6
王眞明(謚忠壯) 299-396-145
472-611- 25
472-841-33
476-726-138
478-126-181
540-657- 27
554-706- 61
王眞明(謚桓義) 472-206- 7
王眞明(字仲文) 1241-518- 9
王眞明 喻以善妻、王貴女
1250-523- 49
王烈漢 253-588-111
254-224- 11
380-143-168
384- 71- 3
386- 25-69中
472-432- 19
472-624- 25
474-776- 42
476- 33- 98
476-520-128
491-798- 6
503- 7- 90
541-110- 31
547-126-146
933-327- 24
王烈晉 476-213-107
476-406-119
547-506-159
574-698- 40
1059-289- 6
1109-148- 9
王烈明 511-461-154
821-484- 58
王原明(王珣子) 302-151-297
474-185- 9
499- 17-122
505-895- 80
506-543-105
1324-984- 33
1324-1022- 33
王原明(銅梁人) 480- 51-259
王原明(龍巖人) 678-186- 87
王原明(字孟本) 1259-193- 14
王原妻 明 見張氏
王原清 511-764-166
王珪唐 269-652- 70
274-255- 98
384-168- 9
395-308-209
407-372- 2
459-349- 21
472-434- 19
472-853- 34
478-201-184
478-334-191
545-560-103
554-393- 55
556-341- 90
933-340- 24
1387-248- 15
王珪母 唐 見李氏
王珪宋(字禹玉) 286-144-312
382-517- 80
384-366- 19
397-315-337
450- 69-上8
472-289- 12
472-338- 14
473-432- 67
475-533- 77
475-704- 86
481- 78-294
511-798-167
544-234- 63
552- 70- 19
559-342- 8
591-541- 42
592-583- 98
674-341-5下
674-818- 17
820-366- 33
933-357- 24
1093-447-附1
1093-448-附1
1093-451-附1
1362-585- 40
1375- 32- 下
1437- 13- 1
王珪宋(開封人) 286-312-325
371-187- 19
382-714-110
384-358- 18
397-442-346
472-878- 35
472-660- 27
477- 76-152
478-671-209
538- 36- 63
558-194- 31
王珪宋(號志堂居士)
473-491- 70
561-203-38之1
王珪元(介休人) 545-887-114
王珪元(知商州) 554-258- 52
王珪元(字君璋) 821-313- 54
1255- 82- 11
王珪明(合肥人) 472-328- 14
511-414- 152
王珪明(字朝玉) 483- 47- 372
王珪明(陽城縣令) 545-340- 96
王珪明(字方剛) 1458-589-460
王珝唐 820-256- 29
王珝明 474-278- 14
505-730- 71
554-188- 51
王珣晉 256-106- 65
258- 23- 42
258- 24- 42
377-696-125
485- 65- 10
493-673- 37
511- 70-139
523- 70-149
540-716-28之1
684-524- 2
813-279- 14
814-238- 5
820- 58- 23
王珣唐 274-409-111
395-403-218
472-641- 26
477-472-173
537-341- 56
546-628-136
554-327- 54
933-340- 24
王珣元 295- 40-149

399-409-456
472-627- 25
474-821- 44
496-424- 90
502-371- 63
王珣明(直隸鹽山人)
472-647- 26
537-257- 55
王珣明(字德潤) 476-865-145
523-119-151
540-792-28之3
676-172- 7
676-510- 20
676-717- 30
王珣明(新安人) 558-184- 31
王珣妻 明 見李氏
王珣妻 明 見黃氏
王珦宋 820-372- 33
王珦金 1439- 3- 0
王珦明 511-277-147
676-514- 20
王哲宋 475-639- 83
510-443-117
王哲明(清苑人) 472- 56- 2
505-810- 74
王哲明(字思德) 475-134- 56
479-453-237
511-103-140
515- 44- 58
563-729- 40
676-523- 21
王哲明(字文明) 546-594-134
王哲明(字彥修) 1240-713- 7
王桂元 475-437- 70
680-298-255
820-499- 37
1206-156- 17
1209-476-8上
王桂妻 元 見李氏
王桂明(字志學) 1229-373- 14
王桂明(字芳卿) 1283-488-105
王桂明 見燾眞
王桂妻 明 見李氏
王桓明 472-741- 29
537-302- 56
王桓妻 明 見李玉眞
王格宋(字伯庸) 529-697- 50
王格明(字汝化) 480-174-267
533- 61- 49
676-561- 23
1442- 53-167
1460-103- 45
王格明(號痼居先生)
1458-138-427
王脊隋 264-1076- 76
267-623- 83
380-402-176
1387-200- 11
王晉妻 明 見葉氏
王翃唐(字宏肱) 271- 30-157
275- 72-143
384-222- 12
395-688-242
472-434- 19
472-456- 20
473-376- 65
473-776- 84
476-111-102
482-450-362
532-740- 46
545-360- 96
545-573-104
567- 39- 64
568-287-109
1467- 14- 62
王翃唐(字雄飛) 273-115- 60
王翃清 479-100-221
524- 27-179
1318-459- 72
1460-724- 79
1475-545- 24
王陞明(字超之) 511-132-141
王陞明(字于勳) 533- 50- 48
王陞明(字德勛 1274-403- 14
王陞妻 明 見龔氏
王琀明 劉宗仁妻
1241-174- 8
王珩宋 487-112- 8
491-435- 6
王珩金 540-633- 27
王珩明(字美器) 505-830- 75
王珩明(字叔珩) 523-463-169
王珩明(孝感人) 533-154- 52
王起唐 271-118-164
275-341-167
384-261- 13
384-272- 14
396-122-262
472-456- 20
473-246- 60
475-373- 68
476-111-102
480- 12-257
511-201-144
532-568- 40
545- 27- 83
545-578-104
554-133- 50
933-343- 24
王起妻 清 見姚氏
王軒明 476-309-113
545-408- 98
王軏明 300-307-201
474-518-25
505-829- 75
511-208-144
676-529- 21
王鬲宋 515-265- 65
529-595- 47
王院宋 479-578-243
王⿰阝序清 540-855-28之4
王陟晉 476- 26- 97
545-127- 87
王陟宋 286- 67-307
472-490- 21
545- 39- 84
545-825-112
王珠宋 288-416-456
400-304-524
479-714-250
515-591- 75
王珠明 545-151- 88
王栗元 1220-692- 4
王振晉 559-389-9上
591-533- 41
王振明(贛榆人) 302- 12-289
475-472- 72
511-470-154
王振明(蔚州人) 302-261-304
443- 34- 3
1458-123-425
王振明(字起宗) 472-278- 11
511-180-143
王振明(字廷舉) 1268-458-71
王振明 見王恂
王振妻 明 見齊氏
王根漢 539-350- 8
王展唐 524-326-195
王晐王東里、王萱郎 宋
448-391- 0
1161-563-122
王時宋 484-381- 28
王時元 295-471-184
王時妻 元 見安正同
王時妻 元 見李氏
王時明(字景南) 820-571- 40
王時明(字廷輔) 1250-490- 45
王晁明 524-153-185
王恩宋 286-652-350
397-705-362
472-662- 27
472-879- 35
477- 81-152
478-671-209
537-395- 57
558-173- 31
558-198- 31
王恩元 546-300-124
王恩明 510-392-115
王恩明 見李恩
王荁明 524- 47-180
1442- 80- 5
1460-417- 59
王晏漢 469-675- 83
879-175-58下
王晏齊 259-429- 42
265-384- 24
378-210-137
486- 68- 3
488-210- 9
523-144-153
820- 92- 24
王晏唐 494-336- 7
820-178- 27
王晏宋 285-104-252
371-167- 17
382-140- 19
384-325- 17
396-468-298
472-555- 23
475-420- 70
545-173- 89

933-350- 24
王晏明 511-380-150
581-587-106
王晌宋 473-111- 54
488- 13- 1
488-439- 14
488-440- 14
515-167- 62
王荂明 511-562-158
1285-324- 10
王晃王冕 唐 1077-333- 2
1343-821- 60
王剛宋 見王剛中
王剛明 494- 55- 2
王剛明 見李剛
王剛清 455- 79- 2
王剛不祥 見王綱
王荔明 505-883- 79
王畛王畝、王畦 元
820-519- 38
1439-445- 2
1471-380- 7
王虔晉 254-264- 13
256-512- 93
380- 2-165
933-332- 24
王峻梁 260-191- 21
265-383- 24
378-277-138
933-335- 24
王峻北齊 263-213- 25
267-169- 55
379-466-154
496-365- 86
546- 37-116
933-338- 24
王峻後周 278-427-130
279-321- 50
384-313- 16
401-479-630
537-447- 58
王豹晉 256-445- 89
380- 34-166
477-370-167
933-332- 24
王倎王禃 元 295-701-208
王烏漢 244-752-110
王徐明 1246-107- 4
王娡漢 漢景帝后、王仲女
244-264- 49
251-275- 97
554- 14- 48
王娥清 479-611-244
516-391-102
王恕唐 1080-469- 42
1342-414-958
王恕宋 523- 96-150
王恕明(字宗貫) 299-869-182
427-700- 附
427-702- 附
427-703- 附
427-704- 附
429-386- 3
453-486- 21
453-638- 24
457- 48- 3
458-727- 4
472-174- 6
472-292- 12
472-842- 33
473- 16- 49
473-211- 59
475- 19- 49
475-369- 67
475-502- 75
476-917-148
478-126-181
478-767-215
479-452-237
480- 13-257
482-539-368
494-155- 5
510-291-112
515- 39- 58
523- 43-148
532-591- 41
537-214- 54
554-415- 55
556-729- 98
558-397- 36
569-649- 19
1247- 30- 2
1250-841- 80
1256-432- 29
1274-691- 7
1283-274- 88
1284-356-163
王恕明(長清人) 483-348-399
571-550- 20
王恕明(字南忠) 516-130- 92
王恕妻 清 見蔡氏
王紘北齊 263-214- 25
267-170- 55
379-466-154
384-137- 7
546-680-137
933-338- 24
王紘明 545-432- 99
王紘明 見王紘
王矩晉 256-641-100
377-944-130
473-337- 63
480-406-277
王矩明(武平衛人) 472-208- 7
王矩明(知袁州府) 473-177- 57
王矩明(知辰州府) 473-377- 65
532-743- 46
王矩明(字志方) 528-450- 29
王甡唐 545-816-112
王秬宋 529-754- 52
674-846- 18
933-359- 24
王留明 1442-106- 7
1460-664- 74
王留清 456-318- 75
王釗劉宋 258- 32- 42
王釗明 457-306- 19
515-709- 79
王耕後梁 494-347- 7
王耕吳越 524-365-197
821-131- 49
王耕明 479-225-227
523-156-153
563-838- 41
王郜唐 271-386-182
275-529-186
547-152-147
554-408- 55
王俸明(字廉父) 475-701- 86
510-465-117
王俸明(字廉甫) 1475-327- 13
王倚元 295-387-176
399-702-490
472- 37- 1
474-181- 8
477-243-161
505-720- 71
540-774-28之2
1198-546- 8
王倬明 472-231- 8
475-451- 71
511-402-151
523-190-155
559-253- 6
569-651- 19
1256-368- 23
1284- 48-140
1284-185-151
王倪上古 448- 87- 上
871-882- 19
879-145-57下
王倫宋 287- 91-371
291-170- 79
398-152-375
472-576- 24
474-314- 16
476-616-133
493-632- 34
505-929- 84
933-360- 24
1152-784- 49
1153-462- 95
1157-295- 22
1319-162- 13
王倫明 1266-144- 37
王倫妻 明 見吳氏
王師清 476- 86-100
王卿明(字良佐) 510-349-114
545-668-107
1268-527- 82
王卿明(臨縣人) 515-123- 60
王卿明(字上賓) 547- 37-142
王卿明(字惟賢) 1261-718- 31
王能宋 285-478-279
396-720-319
472-555- 23
474-235- 12
476-862-145
505-630- 67
540-752-28之2
王姬春秋 見共姬
王純魏 681-521- 7

1397-598- 28
王純唐 見王紹
王純宋 530-401- 67
王純明(字宏文) 479-294-230
523-319-161
1257-142- 13
王純明(贛縣人) 516-529-106
王純明(字希文) 523-292-159
王純明(廣陵人) 554-338- 54
王純明 見王鈍
王紓唐 1076-112- 12
1076-568- 12
1077-138- 12
王翁漢 540-699-28之1
王修漢 479-176-225
487-106- 8
487-187- 12
491-379- 4
524-195-188
王修魏 254-218- 11
377- 90-114
384- 83- 4
384-666- 42
385- 98- 9
472-590- 24
472-610- 25
472-693- 28
476-664-136
476-725-138
477-160-157
491-798- 6
505-687- 70
505-886- 79
537-261- 55
540-706-28之1
933-327- 24
1361-702- 43
王修晉 256-516- 93
370-344- 8
380- 6-165
485-553- 3
546-624-136
550-714-228
812- 69- 下
812-233- 9
812-722- 3
814-240- 5
820- 69- 23
933-330- 24
王修北齊 546-626-136
王修明 547- 35-142
王秩明(字循伯) 523-191-155
1284-149-148
王秩明(字伯庸) 533- 23- 47
王秩明(澄城令) 554-312- 53
王秩妻 明 見劉氏
王俠明 554-189- 51
王倰唐 1077-585- 9
王俶明 558-430- 37
王俶妻 明 見時氏
王适清 547-564-161
王追漢 482-558-369
王臬明 511-181-143
1285-325- 10
王殷晉 545-860-113
王殷王商 後梁 812-524- 2
813- 82- 3
821-108- 49
王殷後梁 見蔣殷
王殷後周 278-380-124
279-323- 50
401-481-630
558-190- 31
王宸明(靖州指揮使)
533-797- 75
王宸明(漢中衛指揮使)
554-607- 59
王宸女 明 見王氏
王宸清 554-916- 64
王納明 480-298-271
王寅宋 見王良臣
王寅明(謚烈愍) 302- 58-292
456-484- 5
475-853- 94
523-359-163
王寅明(字仲房) 475-573- 79
511-852-169
676-594- 24
1442- 69- 4
1457-563-396
1460-322- 54
王寅明(字敬夫) 505-811- 74
王寅明(字履道) 246-616- 11
王寅明(字正之) 1268-479- 74
王寅妻 明 見侯氏
王寅妻 清 見茹氏
王淇宋(華陽人) 475-365- 67
王淇宋(字德機) 511-912-173
王旂宋 1106-315- 42
王庶宋 287-104-372
398-164-375
449-386-上3
472-866- 34
472-879- 35
472-915- 36
472-923- 36
473-298- 62
473-388- 65
478-168-182
478-244-186
478-573-203
479-610-244
480- 49-259
480-401-277
480-545-283
516-221- 96
554-153- 51
558-348- 35
559-306-7上
1145-689- 81
王悰宋 見王愈
王悰明 554-310- 53
王宿宋 473-515- 71
559-384-9上
王淳明 493-1010- 53
王清劉宋 265-389- 24
378-367-140
王清後晉 278-167- 95
279-209- 33
384-307- 16
400-119-510
472-115- 4
474-438- 21
505-854- 77
532-570- 40
1383-765- 69
王清明(上元人) 302-195-300
王清明(交河知縣) 472- 66- 2
王清明(字寧一) 473-674- 79
540-801-28之3
563-850- 41
676-495- 19
1442- 27-附2
1459-637- 24
1467-444- 6
王清明(容州同知) 473-777- 84
482-451-362
567- 85- 66
1467- 58- 64
王清妻 明 見馬氏
王清妻 明 見曹氏
王清清 540-852-28之4
王清妻 清 見葛氏
王涯唐 271-196-169
275-463-179
384-250- 12
384-268- 14
396-198-270
451-435- 3
544-227- 63
545-584-104
559-313-7上
1077-334- 2
1371- 68- 附
1473-303- 71
王淮宋(齊州人) 285-305-266
王淮宋(字季海) 287-420-396
398-417-391
451- 25- 0
471-632- 7
471-659- 11
472-1029- 42
472-1101- 47
479-285-230
479-322-232
493-774- 42
559-306-7上
820-429- 35
1153-298- 83
1153-344- 87
1161-540-120
1284-332-161
王淮明 479-182-225
524- 44-180
563-805- 41
1442- 28-附2
1459-661- 25
王翊後魏 261-865- 63
266-860- 42
379-238-150上
王翊唐(謚忠惠) 271- 30-157
275- 73-143

395-690-242
472-434- 19
480-562-284
545-573-104
549-305-192
王翊唐(新豐人) 505-669- 69
王翊宋(字公輔) 288-324-449
400-180- 14
451-223- 0
473-435- 67
481- 22-291
481- 80-294
559-503- 12
591-572- 42
王翊宋(號桃黃山人)
533-332- 58
534-950-120
1108-625-103
王翊宋(字輔之) 1090-675- 39
王翊宋(字南鵬) 1161-642-127
王翊明 456-465- 4
505-703- 70
王商漢 250-746- 82
376-404-102上
384- 50- 2
469-568- 70
472- 52- 2
474-238- 12
505-730- 71
554- 62- 49
933-325- 24
王商蜀漢 254-613- 8
384-453- 11
481-334-308
559-258- 6
559-389-9上
591-520- 41
王商後梁 見王殷
王商妻 明 見李氏
王望漢 252-830- 69
380- 73-167
472-549- 23
476-473-125
491-797- 6
540-699-28之1
王望王蒙 唐 591-322- 25
王旌宋 484-376- 27
王密唐 472-1083- 46
486- 43- 2
491-343- 2
523-125-152
王密明 505-824- 75
王淵宋(字幾道) 287- 71-369
398-135-374
472-893- 35
472-906- 36
472-914- 36
478-488-199
478-515-200
523- 12-146
558-182- 31
558-288- 34
王淵宋(鄭州人) 1092-649- 60
王淵元 524-345-196
585-527- 17
821-292- 53
王淵明(字志默) 299-831-180
479-239-227
523-306-160
559-323-7上
王淵明(武昌人) 473-730- 82
563-827- 41
王淵明(字如淵) 523-628-177
676-461- 17
王章漢(字仲卿) 250-682- 76
376-356-101
384- 50- 2
459-194- 12
472-550- 23
472-823- 33
476-820-143
477-559-177
478- 84-180
491-780- 5
540-696-28之1
554- 94- 50
933-325- 24
王章漢(字伯儀) 476-728-138
540-704-28之1
王章妻 漢 448- 78- 8
476-828-143
王章女 漢 見王氏
王章後漢 278-255-107
279-192- 30
384-305- 16
396-386-288
王章王麟兒 宋 448-399- 0
王章明(字漢臣) 301-498-266
458-283- 9
475-230- 61
479-226-227
511-450-153
523-164-153
676-656- 27
1442-107- 7
1460-689- 75
王章明(字廷憲) 554-484-57上
王章清(錦州人) 478-296-188
502-691- 81
554-260- 52
王章清(號西三) 528-557- 32
王許妻 明 見張氏
王許清 532-754- 46
王訢漢 248-616- 8
250-512- 66
376-258- 99
384- 46- 2
472-522- 22
476-520-128
491-795- 6
554- 92- 50
933-325- 24
1412-123- 5
王訢妻 清 見孫氏
王庸高庸 元 295-611-198
400-318-526
474-243- 12
505-900- 80
王庸明 559-287-7上
王悼明 473- 45- 50
王祥晉 254-342- 18
255-593- 33
377-424-121上
384- 90- 5
386-186-75下
472-408- 18
472-552- 23
475-418- 70
475-533- 77
475-837- 93
476-781-141
489-351- 31
489-610- 48
492-519-13上之中
510-396-115
511-907-173
537-194- 54
540-711-28之1
933-328- 24
王祥梁 378-361-140
王祥宋 484-388- 28
王祥元 559-300-7上
王祥明 456-550- 7
474-817- 44
502-281- 56
王祥明 見祝祥
王祥妻 明 見喬氏
王祥妻 明 見鄭妙淨
王滵明 564-196- 46
王寂齊 259-353- 33
265-360- 22
378-361-140
933-334- 24
王寂金 383-1000- 28
472- 35- 1
474-572- 29
505-729- 71
676-695- 29
1365- 68- 2
1439- 3- 0
1445-358- 24
王寂妻 金 見張季玉
王宷宋 286-356-328
397-475-348
592-595- 99
674-429- 2
王宷金 1190- 47- 6
王深魏 254-469- 27
王深劉宋 258- 32- 42
485-489- 9
王淡五代 545-604-105
王梁漢 252-599- 52
370-125- 10
376-597-106
384- 56- 3
402-387- 5
402-556- 18
472- 29- 1
472-543- 23
477-241-161
505-709- 71
537-284- 55

540-629- 27
933-326- 24
王梁明(諸城人) 540-815-28之3
王梁明(四川廣安人)
569-658- 19
王淑元 陶宗儒妻 401-186-593
1221-691- 28
王淑元 陶誼妻 1223-653- 13
1406-466-367
王淑明 廖大器妻 530-152- 58
王淑王淑民 明 820-757- 44
1475-408- 17
王淑妻 明 見時氏
王訥宋 541-106- 31
王訥明 494- 57- 2
533- 89- 49
王袞宋(澶淵人) 1089-717- 14
王袞宋(字君章) 1119-326- 32
王袞明(陽穀人) 505-651- 68
王袞明(字補之) 540-795-28之3
王袞明(廣安州人) 559-368- 8
王袞明(字德章) 1265-678- 25
王袞清 476-866-145
王袞妻 清 見何氏
王袞妻 宋 見趙氏
王淩王凌 魏 254-478- 28
377-233-117
384- 87- 4
384-683- 44
386- 60-70中
472-432- 19
472-586- 24
476-474-125
476-910-148
540-644- 27
545-512-102
933-328- 24
王康劉宋 258- 61- 45
王康北周 267-284- 62
379-560-156
544-218- 62
545-551-103
王康宋 451-195- 7
王康明 1273-637- 7
王庾明 533-138- 51
王球劉宋 258-190- 58
265-370- 23
378- 81-133
476-783-141
933-335- 24
王球女 宋 見王氏
王球元 1375- 37- 下
王珹宋~元 見王城
王執明 483- 32-371
569-661- 19
王域明 301-686-278
456-463- 4
475-184- 59
479-627-245
511-444-153
515-191- 62
王梅宋 481- 70-293
王梅元 545-842-113
王梅明 524- 21-179
676-567- 23
1442- 55- 3
1460-132- 46
1475-299- 12
王焉後魏 見王遇
王強明 見王文
王強清 456-318- 75
王理明 472-678- 27
559-276- 6
王琈妻 清 見張氏
王琈妻 清 見樊氏
王基魏 254-473- 27
377-229-117
384- 86- 4
384-686- 44
472-603- 25
476-728-138
491-798- 6
540-709-28之1
675-321- 20
678-345-101
933-328- 24
王基晉 255-596- 33
王基北齊 263-214- 25
267-170- 55
王基明 523- 57-148
540-814-28之3
545-298- 94
676-722- 30
王培清 477-133-155
537-439- 58
王接晉 255-870- 51
377-595-124上
476-114-102
546-693-138
王桷王英郎 宋 448-393- 0
王埜宋 287-732-420
398-669-411
451-393- 13
472-273- 11
473-599- 76
473-641- 78
475-131- 56
475-273- 63
475-700- 86
479-324-232
481-693-332
488- 14- 1
488-481- 14
493-645- 35
493-962- 51
515- 21- 57
523-559-174
528-524- 31
528-539- 31
820-445- 35
1437- 28- 2
王埜明 677-629- 56
820-715- 43
王堅宋 481-114-296
559-274- 6
王堅元 820-544- 39
王堅明(福州人) 472-504- 21
476-205-107
545-340- 96
王堅明(字子正) 529-450- 43
676-466- 17
王堅妻 明 見紀氏
王乾明(字一清) 524-369-197
821-413- 56
1458- 38-416
王乾明(潼關衛人) 554-735- 61
王乾妻 明 見楊氏
王問明 301-766-282
475-227- 61
511-768-166
676-574- 23
678-201- 89
820-694- 43
821-428- 57
1282-754- 58
1442- 57- 3
1457-597-398
1460-161- 47
王現明 1262-419- 46
王規梁 260-343- 41
265-352- 22
378-362-140
475-118- 55
476-785-141
485- 69- 10
485-491- 9
493-679- 37
510-322-113
540-722-28之1
820-100- 24
933-334- 24
1394-331- 1
1395-596- 3
王規明 475-472- 72
王都劉都 後唐 277-462- 54
279-241- 39
王梓明 547- 64-143
王梓妻 清 見徐氏
王陶宋 286-372-329
382-546- 85
384-374- 19
397-485-348
450-390-中24
472-839- 33
473-143- 56
473-568- 74
515-143- 61
554-935- 64
1102-330- 42
王琇劉宋 472-1100- 47
王琇唐 563-900- 43
王琇妻 明 見陶氏
王彬晉 256-261- 76
377-803-128
476-781-141
515- 3- 57
528-519- 31
540-714-28之1
933-331- 24
王彬梁 265-360- 22
378-361-140
476-786-141

494-284- 3
814-252- 7
820-100- 24
933-334- 24
王彬宋 286- 41-304
397-246-333
472-642- 26
472-794- 31
473-111- 54
474- 91- 3
477-544-176
479-654-247
515-166- 62
545- 41- 84
王彬元 475-224- 61
511-552-158
1218-299- 13
王彬明(字文質) 299-359-142
456-695- 12
474-337- 17
476-826-143
510-287-112
540-786-28之3
王彬明(絳縣人) 546-592-134
王彬明(雅州人) 559-376- 8
王彬明(工山水) 821-462- 57
王勒北周 見王勵
王勔唐 271-570-190上
王斑清 477- 91-153
538- 83- 64
王斑妾 清 見冒氏
王敖宋 516-427-103
王教明(字子修) 300-767-230
1293-481- 4
王教明(字庸之) 458-162- 8
537-406- 57
王教明(字誕敷) 510-363-114
王敔清 533-320- 57
王敕明 472-528- 22
476-535-128
540-794-28之3
541- 99- 30
561-217-383
561-475- 43
676- 53- 2
676-516- 20
680-233-247
王掖明 1442- 13-附1
王掞清 1320-604- 67
王捷宋 見王中正
王授明 1442- 98- 6
1460-591- 69
王採明 456-632- 10
王棣宋 515-743- 80
王埏元 1213-769- 25
王連蜀漢 254-640-11
377-286-118下
384- 76- 4
384-479- 15
385-186- 21
472-771- 30
473-445- 68
477-369-167
481- 65-293
481-403-313
537-540- 59
544-201- 62
554-228- 52
559-279- 6
591-667- 47
933-328- 24
王速宋 見王逨
王通陳 260-652- 17
265-378- 23
378-529-144
933-335- 24
王通兄 隋 546-749-140
王通隋 271-570-190上
459- 34- 3
472-463- 20
476-398-119
476-419-120
539-502-11之2
546-538-132
549-347-193
549-488-199
550-220-217
550-565-224
592-528- 94
677-132- 13
839- 44- 4
933-339- 24
1054- 94- 2
1054-396- 10
1065- 6- 上
1065- 7- 上
1077-345- 3
1083-180- 4
1145-325- 67
1343-713- 51
1351-696-149
1395-604- 3
1410- 51-669
1410-872-780
王通元(王國昌子) 295-276-167
399-617-481
王通元(字慶祥) 1206-140- 16
王通明(字彥亨) 299-496-154
1240-749- 7
王通明(遷安人) 477-473-173
王通明(南部人) 559-512- 12
王通明(新添人) 571-532- 19
王通明(金壇人) 1285-410- 15
王通女 明 見王粉兒
王爽晉 256-517- 93
380- 8-165
545-529-102
王爽妻 明 見葉氏
王陵母 漢 448- 75- 8
452- 87- 2
475-434- 70
512- 1-176
1340-557-776
1353-773-108
王陵漢 244-309- 56
250-128- 40
376- 54- 96
384- 38- 2
469-127- 15
472-410- 18
475-422- 70
933-325- 24
1397-199- 10
1408-237-504
王晟宋 821-210- 51
王晟明 299-718-172
472-559- 23
523- 39-147
540-789-28之3
王晦金 291-668-121
400-214-517
472-505- 21
476-206-107
499-193-138
537-265- 55
546-187-121
王晦元 1210-306- 8
王異魏 趙昂妻 254-442- 25
386-207- 78
478-519-200
558-502- 42
王異宋 1161-691-132
王異明 821-462- 57
王累漢 591-520- 41
王崇漢 250-600- 72
376-315-100
472-611- 25
472-737- 29
537-294- 56
540-698-28之1
933-325- 24
王崇晉 559-389-9上
591-533- 41
592-518- 93
王崇後魏 262-254- 86
267-630- 84
380-119-167
384-143- 7
477- 67-151
538- 78- 64
933-339- 24
王崇宋 821-149- 50
王崇明 523-330-161
王貫明(鎮江府同知)
472-274- 11
王貫明(崞縣人) 476-334-115
547- 95-144
王貫明(南海人) 528-511- 31
564- 89- 45
王貫女 明 見王氏
王堂漢 252-741- 61
370-200- 20
376-686-107下
459-841- 50
469-669- 82
471-1013- 62
472-788- 31
473-475- 69
473-504- 71
476-575-131
477-407-169
478- 85-180

481-113-296
481-334-308
537-324- 56
540-629- 27
554- 99- 50
559-271- 6
559-389-9上
591-591- 44
933-326- 24
王堂妻 漢~晉 見文季姜
王堂明(王幾子) 494- 45- 3
王堂明(王仲廬子) 1239- 98- 33
1241-231- 10
王堂妻 明 見史氏
王堂妻 明 見宗氏
王莊妻 明 見陰氏
王晧金 291-797-135
王畦元 見王畛
王畦明 1273-154-21
1471-381- 7
王略宋 1104-382- 34
王趾元 見王復
王國明(字之楨) 300-798-232
478-130-181
554-501-57上
王國明(宣府人) 505-860- 77
王莽漢 251-318-99上
376-457-103
384- 51- 2
933-326- 24
王莽女 漢 見王皇后
王常漢 252-510- 45
370-127- 10
376-535-105
384- 57- 3
402-351- 2
402-553- 18
472-769- 30
477-357-166
477-364-167
533-723- 73
537-531- 59
933-326- 24
王常妻 宋 見李珦
王常明(臨川人) 473-117- 54
515-781- 81
王常明(平夷司人) 559-372- 8
王常明(馬湖人) 571-549- 20
王常妻 明 見湯慕貞
王晛金 291-797-135
王晞晉 見竺僧度
王晞王沙彌 北齊 263-240- 31
266-494- 24
379-444-153
472-429- 19
472-591- 24
476-667-136
540-728-28之1
545-129- 87
550- 65-211
933-337- 24
王冕唐 見王晃
王冕明(字元章) 301-811-285
460-938- 0
479-237-227
524-288-192
676-712- 29
821-343- 55
1223-552- 10
1233- 3-103
1318-358- 64
1369-437- 13
1374-355- 57
1408-527-534
1439-445- 2
1457-662-404
1407-579- 18
王冕明(字服周) 302- 20-290
458- 58- 3
474-276- 14
479-712-250
515-154- 61
538- 60- 63
王野明 1442- 99- 6
1460-600- 70
王彪金 1040-251- 5
1445-677- 52
王彪金 見高彪
王勗妻 唐 見高安公主
王晙王晙 唐(雍州咸陽人)
270- 73- 89
471-850- 37
554-853- 63
820-148- 26
王晙唐(謚忠烈) 270-129- 93
274-420-111
384-187- 10
384-197- 11
395-414-218
472- 69- 2
473-748- 83
474-310- 16
482-318-354
505-739- 72
544-229- 63
545- 13- 83
545-319- 95
558-170- 31
563-647- 38
564-681- 59
567- 38- 64
933-341- 24
1066- 43- 6
1467- 14- 62
王釴明 479-821-256
515-276- 65
王符漢 253-110- 79
376-816-110
384- 64- 3
472-880- 35
478-672-209
558-468- 39
674-215-3上
933-326- 24
1447-141- 2
王符妻 明 見李氏
王得妻 清 見李氏
王絃王紘 明 456-631- 10
王結妻 明 見魏氏
王紱王孟端 明 301-828-286
472-262- 10
475-225- 61
511-767-166
547-182-148
676-481- 18
820-588- 40
821-357- 55
1237- 83- 附
1237-172- 附
1237-174- 附
1237-528- 7
1318-355- 63
1391-551-329
1442- 18-附1
1459-551- 19
王紱明(貴州人) 456-614- 9
480-437-278
533-405- 61
王紱明(字用儀) 1241-557- 10
王偘宋 451-406- 14
王偁唐 820-225- 28
王偁元 511-703-164
1375- 21- 上
1376-206- 71
王偁明 301-827-286
460-495- 42
473-573- 74
529-718- 51
676-450- 17
820-588- 40
1237- 2- 附
1237- 3- 附
1237- 5- 附
1237- 78- 5
1318-352- 63
1372-412-26附
1374-751- 95
1442- 18-附1
1458-170-429
1459-381- 11
王猛春秋 404-604- 37
王猛晉 256-831-114
258- 57- 45
381-247-189
459-761- 46
472-591- 24
472-824- 33
472-828- 33
476-666-136
478- 85-180
491-799- 6
540-717-28之1
933-332- 24
王猛王勇 陳 265-389- 24
378-531-144
472-253- 10
475-213- 60
510-356-114
523-544-173
563-624- 38
567- 31- 63
933-336- 24

王紹王純 唐 270-471-123
275-143-149
384-234- 12
395-744-248
475-419- 70
478-118-181
494-346- 7
545-583-104
549-316-192
554-451- 56
1341-730-897
1076-112- 12
1076-568- 12
1077-138- 12
王紹宋 1121-382- 25
王紹元 564- 82- 44
王紹明(屯留人) 472-491- 21
王紹明(字繼學) 511-641-161
王紹明(字繼宗) 540-796-28之3
王紹妻 明 見郭氏
王紹妻 清 見錢氏
王組清 532-729- 46
王絅明 472-208- 7
王偃劉宋 258- 12- 41
265-363- 23
378- 78-133
933-334- 24
王偃妻 劉宋 見劉榮男
王偃女 劉宋 見王憲嫄
王偉梁 265-1151- 80
378-492-143
王偉五代 812-526- 2
821-133- 49
王偉元 567-445- 86
1467-154- 67
王偉明(字士英) 299-693-170
473-340- 63
480-411-277
533-252- 55
王偉明(餘姚人) 302-199-300
王偉明(字士俊) 460-531- 49
王偉明(天柱人) 572- 95- 29
王偉明 見王禕
王偉女 明 見王皇后
王偉女 明 見王秉潔
王術明 472-223- 8
523-455-168
王御清 511-696-163
王統明 561-206-38之1
王紳宋(蜀人) 820-372- 33
王紳宋(字公儀) 1096-790- 39
王紳明(字仲縉) 302- 6-289
453-111- 10
453-537- 4
458-1006- 1
472-1032- 42
479-329-232
524- 72-181
561-208-38之2
570-211- 23
676-472- 18
1374-717- 92
1442- 13-附1
1458-168-429
1459-529- 18
王紳明(字晉卿) 545-221- 91
王紳明(字用璋) 1241-805- 20
王彫晉 554-892- 64
王敏漢 546-617-135
王敏後周 278-417-128
王敏元 1208-584- 22
王敏明(光州人) 456-678- 11
458- 71- 3
538- 74- 63
王敏明(新安人) 472- 56- 2
王敏明(交趾左參議)
473-790- 85
567-302- 77
1467-189- 69
王敏明(郫縣訓導) 481- 71-293
王敏明(字時勉) 493-1060- 56
1255-689- 71
1386-301- 40
王敏明(字進德) 524-262-191
1235-605- 21
1457-692-409
王敏明(商州知府) 554-258- 52
王敏妻 明 見周氏
王造元 1439-442- 2
王逢唐 271- 86-161
275-384-171
396-153-265
545-172- 89
王逢宋 288-242-443
400-656-561
472-350- 15
475-669- 84
492-710-3下
493-769- 42
511-710-164
677-209- 19
1105-779- 93
1386-710- 上
王逢妻 宋 見陳氏
王逢明(字原吉) 301-811-285
475-186- 59
475-224- 61
511-767-166
676-712- 29
820-538- 39
1221-443- 7
1318-347- 63
1439-451- 2
1469-581- 61
王逢明(字原夫) 479-533-241
516- 64- 89
546-719-139
676- 84- 3
678-445-112
680-304-256
王啟金 499-429-159
1365-264- 8
1439- 4- 附
1445-489- 36
王啟明 523-319-161
567-113- 67
569-652- 19
676- 4- 1
1467- 89- 65
王健宋 1116-412- 20
王健明(字偉純) 524- 88-182
1442- 57- 3
1460-156- 47
王健明(字大龍) 554-524-57下
王健明(樂平鄉人) 559-526- 12
王從宋(維揚人) 494-349- 7
王從宋(字正夫) 1161-109- 84
1163-540- 30
王從女 宋 見王氏㝢
王㝢宋 見王
王㝢王㝢 宋 286-677-352
473- 88- 52
516-123- 92
674-733- 11
王窊明 529-686- 50
王滋王韶哥 宋 448-380- 0
王渢唐 486- 45- 2
王斌齊 265-688- 48
378-289-138
王斌明(南樂人) 472-134- 4
王斌明(瓊山人) 473-367- 64
532-737- 46
王斌明(開原衛人) 502-784- 87
王斌明(臨安人) 524-174-187
王斌明(普定衛指揮)
571-540- 20
王斌明(王聚子) 1269-377- 3
王斌清 540-862-28之4
王馮明 511-512-157
王尊漢 250-677- 76
376-352-101
384- 50- 2
459-821- 49
471-945- 51
472- 25- 1
472- 52- 2
472-124- 4
472-408- 18
472-543- 23
472-737- 29
472-823- 33
472-851- 34
472-876- 35
473-424- 67
474-165- 8
474-238- 12
474-275- 14
474-467- 23
476-815-143
478- 84-180
478-198-184
478-669-209
481- 14-291
505-686- 70
505-730- 71
506-457-102
537-349- 56
540-666- 27
554- 94- 50
558-186- 31
559-258- 6
591-655- 47

814-223- 3
820- 26- 22
933-325- 24
王尊妻 漢 見張叔紀
王富晉 560-599-29下
王湖明 533-472- 64
王湘宋 1139-293- 53
王湘明 523- 54-148
532-595- 41
540-814-28之3
554-214- 52
王湘妻 明 見蘇氏
王湘女 清 見王端姑
王渥王仲澤 金 291-556-111
472-438- 19
476- 41- 98
546-635-136
820-480- 36
1040-235- 2
1365-216- 6
1439- 10- 附
1445-429- 31
王渥清 533-323- 57
王湑明 524-212-188
王詔宋 285-309-266
396-598-307
476-610-133
477- 53-151
537-242- 55
540-639- 27
王詔明(字文振) 300- 33-185
474-622- 32
482-539-368
505-791- 73
571-523- 19
1257-215- 20
王詔明(字伯宣) 473-360- 64
480-511-281
533-264- 55
1250-503- 47
王詔明(字孟宣) 474-652- 34
477- 55-151
1278-439- 21
王愔劉宋 820- 90- 24
王愔明 1280-512- 93
1283-443-101
1284-186-151
王愔妻 明 見龔氏
王惺妻 清 見于氏
王廂明 480-403-277
王焻妻 明 見王氏
王焻妻 明 見黃氏
王焰清 538- 90- 64
王善元 295- 61-151
399-425-458
472- 96- 3
474-379- 19
474-651- 34
505-752- 72
王善明 473-574- 74
481-529-326
529-452- 43
569-648- 19
王善明 廖敬先妻
1239-252- 43
王善明 王貴女 1255-639- 66
王善妻 明 見杜氏
王翔後魏 262-316- 93
王曾唐 820-196- 27
王曾宋 286-107-310
371- 48- 5
382-320- 51
384-340- 17
384-346- 18
397-290-336
449- 56- 5
450-252-中5
450-539-中44
459-489- 29
472-126- 4
472-544- 23
472-592- 24
472-676- 27
472-740- 29
476-669-136
477-123-155
491-804- 6
505-630- 67
537-254- 55
540-755-28之2
708-327- 50
820-347- 32
821-155- 50
933-354- 24
1088-420- 46
1088-552- 58
1095-710- 36
1135-698- 6
1437- 9- 1
王普宋 484-380- 28
529-441- 43
王渾晉 254-469- 27
255-726- 42
377-498-122
384- 91- 5
386-200- 77
472-194- 7
472-432- 19
475-419- 70
475-741- 88
476- 33- 98
510-274-112
544-203- 62
545-517-102
813-275- 13
820- 52- 23
933-330- 24
王渾妻 晉 見鍾琰
王湛晉 254-473- 27
256-232- 75
377-784-127
384- 98- 5
476- 33- 98
546-623-136
933-331- 24
王湛妻 晉 見郝氏
王湛齊 見王德元
王湛唐 549-265-191
1065-254- 8
1342-64-912
王湛明(太倉人) 301-665-277
456-636- 10
王湛明(字汝存) 529-721- 51
王湋明 見王褘
王湍唐 820-216- 28
王湍宋 843-671-下
王惲元 295-280-167
399-620-481
472-457- 20
472-709- 28
473-568- 74
476- 79-100
477-209-159
481-492-324
528-447- 29
538-136- 65
540-665- 27
545-181- 89
820-495- 37
1206- 26- 3
1373- 19- 附
1373-445- 28
1394-457- 4
1439-421- 1
1468-282- 15
王愖王昛、王暙 元
295-708-208
王愉晉 256-239- 75
377-788-127
486- 35- 2
545-531-102
王焯清 478-132-181
554-681- 60
王焜清 479-248-228
523-393-164
568-741- 附
王湧明 1283- 35- 89
王寔妻 梁 見安吉公主
王湜宋 482- 32-340
王湜明 473-257- 60
王渙漢 253-486-106
370-195- 19
380-162-169
384- 62- 3
402-403- 6
402-580- 20
459-840- 50
471-1013- 62
472-676- 27
472-716- 28
472-737- 29
473-504- 71
476-473-125
477-199-159
477-303-163
481-334-308
537-285- 55
559-388-9上
591-512- 41
681-593- 13
933-327- 24
王渙宋 472-679- 27

1104-331-30
王渙女 宋 見王氏
王渙明(字時霖) 300- 86-188
479-184-225
523-292-159
1457-493-387
王渙明(字渙文) 511-741-165
676-333- 12
1273-250- 31
1386-368- 43
1442- 49-附3
王敔明 546-408-128
王詠明 559-381-9上
王敦晉 256-596- 98
370-305- 6
377-905-130
384-101- 5
488- 99- 7
488-107- 7
813-278- 14
820- 58- 23
1284-389-165
王奠妻 清 見鄧氏
王雲後魏 261-478- 33
266-492- 24
379- 53-146
王雲後唐 481-718-333
528-548- 32
王雲宋 286-732-357
382-704-109
397-764-366
546-184-121
559-515- 12
592-294- 79
王雲元 505-697- 70
王雲明 見王守仁
王雲妻 明 見劉氏
王琮劉宋 265-383- 24
王琮宋(字伯玉) 472-982- 38
491-118- 13
524-107-183
1364-377-297
王琮宋(字中玉) 1437- 30- 2
王琮女 宋 見王氏
王琮明(高家堡人) 554-735- 61
王琮明(字廷用) 1259-229- 17
王琮明(字良璧) 1262-430- 47
王琮妻 明 見仲氏
王琮妻 明 見許氏
王琮清 456-319- 75
王琪宋 286-147-312
397-317-337
471-747- 22
472-172- 6
472-273- 11
472-289- 12
472-338- 14
472-765- 30
472-961- 38
473-233- 60
475- 69- 52
475-271- 63
475-704- 86
475-525- 77
480- 48-259
480- 87-262
481- 78-294
484- 94- 3
485-500- 9
488-387- 13
493-700- 39
511-252-146
523- 10-146
532-644- 43
537-312- 56
559-342- 8
581-477- 96
591-541- 42
933-357-24
1362-679- 57
1437- 11- 1
王琪妻 元 見蔡氏
王琪明 558-344- 35
王琪妻 明 見何氏
王裁晉 255-596- 33
王越明 299-706-171
472-134- 4
472-481- 21
476-249-110
477-209-159
477-564-177
533-731- 73
537-467- 58
540-618- 27
544-251- 63
545-273- 93
554-167- 51
558-150- 30
676-497- 19
1250-877 83
1267-549- 7
1283-271- 88
1442-27-附2
1459-645- 25
王賁戰國 384- 33- 1
405-314- 76
王賁五代 473-532- 72
559-302-7上
王賁宋 523-605-176
王賁金 291-363- 96
399-212-434
502-264- 54
王惠劉宋 258-187- 58
265-370- 23
378- 80-133
448-317-下
476-783-141
494-280- 3
933-335- 24
王惠元 1367-708- 54
王惠妻 元 見李靖眞
王惠明 473-738- 82
564-294- 47
王惠妻 明 見鞏氏
王博漢 402-445- 9
王博妻 漢 見楊進
王博金 511-884-171
王博明 472-645- 26
477- 54-151
537-245- 55
王撝宋 491-421- 5
523-450-168
524-315-194
1209-512-8下
王棋妻 明 見朱氏
王賀漢 251-306- 98
474-481- 23
王賀宋 1088- 13- 2
王隅元 1230-326- 5
1231-402- 9
王巽明 528-570- 32
王巽妻 清 見劉氏
王閎漢(王譚子) 370-154- 14
381- 7-184
474-472- 23
476-655-135
505-769- 73
540-643- 27
王閎漢(無錫人) 472-256- 10
王閎漢(樂浪人) 483-684-421
502-313- 58
王尋妻 清 見阮氏
王琯明 1257-548- 10
1263-101- 17
王琯清 505-819- 74
王琯妻 清 見李氏
王琚高平王 後魏 262-328- 94
267-744- 92
380-500-179
544-206- 62
545-542-103
王琚母 唐 477-256-161
王琚唐 270-298-106
274-528-121
395-508-227
472-719- 28
537-477- 58
933-342- 24
王琚元 478- 92-180
554-162- 51
王琚明 570-261- 25
王超後魏 262-316- 93
王超宋 285-470-278
371-109- 11
382-271- 42
384-343- 17
396-714-318
505-789- 73
933-353- 24
王超明 821-374- 55
王喜元 1202-252- 18
王植宋 820-401- 34
王植妻 宋 見莊則
王植元 見王倎
王植明 545-194- 90
1232-180- 1
王朝宋 451-226- 0
王朝妻 明 見祁氏
王朝妻 明 見劉氏
王雅晉 256-368- 83
377-885-129下
384-100- 5

472-551- 23
486- 66- 3
488-141- 7
510-308-113
545-233- 92
933-331- 24
王雅北周 263-644- 29
267-371- 68
379-656-159
476-179-106
554-565- 58
933-339- 24
王雅明 515-652- 77
王盛宋 820-372- 33
王盛明 524-156-186
545- 73- 85
554-819- 63
676-513- 20
王雄魏 254-427- 24
王雄北周 263-559- 19
267-254- 60
379-539-156
476- 35- 98
546-345-126
933-338- 24
王雄唐 821- 58- 46
王雄明(永清人) 300-102-189
王雄明(合肥人) 511-414-152
王雄妻 明 見呂氏
王雄清 478-518-200
558-318- 34
王堅明 511-844-168
王隋唐 820-267- 29
王隆漢 253-551-110上
380-339-175
472-831- 33
478- 97-180
478-404-194
540-699-28之1
554-829- 63
王隆隋 459- 34- 3
476-398-119
545-355- 96
546-747-140
1351-696-149
1410-872-780
王登春秋 404-789- 48
王登宋(字景宋) 287-614-412
398-573-403
473-270- 61
479-608-244
480-204-267
480-340-273
516-125- 92
533- 68- 49
王登宋(字廷賜) 1127-529- 13
王閏元(東平人) 295-599-197
400-308-526
472-558- 23
476-825-143
540-779-28之2
王閏元(大名人) 1204-268- 7
王琬明 559-356- 8
王琬明 見王朝用
王琬妻 清 見李氏
王琦宋 288-370-453
400-169-513
478-696-210
王琦元 472-775- 30
537-548- 59
王琦明(字文進) 479- 52-218
524-240-190
525- 29-217
545- 68- 85
559-250- 6
585-229- 16
王琦明(昆明人)
570-163-21之2
820-761- 44
王琦明 見王修德
王琦女 明 見王氏
王琦妻 清 見侯氏
王琥宋 491-435- 6
王琨王崑崙 齊 259-342- 32
265-368- 23
370-515- 16
378-215-137
448-316- 下
471-829- 34
473-671- 79
485- 68- 10
492-719-3下
493-674- 37
494-283- 3
563-617- 38
933-334- 24
王覃妻 宋 見呂氏
王堮元 1209-587-10上
王揮宋 1159-548- 33
王揖南朝 933-334- 24
王肅魏 254-261- 13
377-109-115上
384- 86- 4
384-648- 40
385-588-65下上
469-191- 22
472-551- 23
476-780-141
524-319-195
540-710-28之1
677- 93- 10
879-169-58上
933-327- 24
王肅女 晉 見王元姬
王肅後魏 261-861- 63
266-857- 42
379-236-150上
384-133- 7
472-553- 23
472-788- 31
476-784-141
510-277-112
537-195- 54
540-725-28之1
544-210- 62
587- 30- 3
933-338- 24
1395-602- 3
王肅宋 473-401- 66
532-749- 46
王肅明(滑縣人) 472-546- 23
476-855-145
540-672- 27
王肅明(字肅斌) 1245-782- 13
王肅清 528-547- 32
王開明 456-641- 10
王弼魏 254-501- 28
377-246-117
384- 87- 4
384-649- 40
386-123-73上上
472-551- 23
476-882-146
540-713-28之1
541-589-35之17
674-528- 1
1361-779- 60
1398- 81- 5
1408-489-528
王弼後魏 552- 32- 18
王弼明(定遠侯) 299-240-132
453- 30- 3
475-752- 88
511-417-152
王弼明(徐州人) 472-414- 18
511-228-144
王弼明(霑化知縣) 472-520- 22
王弼明(字廷輔) 473- 51- 50
516- 64- 89
王弼明(字存敬) 475- 71- 52
481-550-327
523-474-169
528-477- 30
676-513- 20
1249-770- 5
1254-429- 3
1254-733- 1
1255-368- 41
1257- 68- 7
1257-146- 13
1257-821- 3
1442- 34-附2
1459-733- 29
王弼明(招遠人) 505-656- 68
王弼明(華陽人) 523-201-155
559-346- 8
王弼明(會寧人) 558-315- 34
王弼妻 明 見鄭氏
王弼清 456-378- 79
王雱宋 286-337-327
382-515- 79
384-365- 19
397-461-347
449-211- 6
674-347-5下
674-545- 2
1394-413- 3
王彭劉宋 258-572- 91
265-1036-73
380- 94-167
472-201- 7
475-854- 94

511-662-162
933-337- 24
王彭宋 550-252-218
1108-473- 91
王軫明 558-200- 31
王陽宋 561-204-38之1
王琛晉 255-596- 33
王琛梁 820-103- 24
王琛元 1218-528- 9
王琛明 516- 59- 89
王琰齊 1401-144-19
王琰宋(字季安) 515-597- 76
王琰宋(字剛夫) 523-461-169
524-324-195
王琰明(字庭用) 473-270- 61
480- 90-262
533- 22- 47
王琰明(字良璧) 480-298-271
533- 90- 49
王琰明(祥符人) 494- 21- 2
王琰明(字廷玉) 554-473-57上
王琳漢 370-172- 16
380- 74-167
402-389- 5
472-791- 31
477-412-169
538-110- 64
王琳梁 260-194- 21
378-368-140
933-335- 24
王琳北齊 263-248- 32
265-902- 64
370-582- 20
378-468-142
384-119- 6
472-1070- 45
473-333- 63
479-232-227
486-309- 14
523-381-164
523-544-173
532-559- 40
563-621- 38
567- 30- 63
933-336- 24
1394-577- 8
王琳唐 見王方慶
王琳妻 唐 見韋氏
王琳宋 1121-374- 25
王琳明(山東安邱人)
545-464-100
王琳明(字獻雍) 547- 52-143
王琳明(伍塘人) 1275-264- 12
王琢金 546-643-136
1365-227- 7
1439- 5- 0
1445-439- 32
王捷明 456-631- 10
王揆後魏 544-214- 62
王揆唐 479-821-256
515-263- 65
王揆宋 515-116- 60
王揆清 511-593-159
王棱晉 見王稜
王棟宋 515-119- 60
王棟明(號一菴) 457-526- 32
511-691-163
540-672- 27
676-300- 11
王棟明(江陵人) 528-564- 32
王棟明 見黃棟
王棟妻 清 見張氏
王棟妻 清 見樊氏
王梃明 523-456-168
王棨清 505-706- 70
王森宋 1122-177- 13
王森元 1218-602- 2
王森石自然 明 499-441-160
王棣宋(字儀仲) 479-656-247
492-581-13下之上
王棣宋(字彥魯) 820-373- 33
王棊三國 472-194- 7
王豎妻 清 見紀氏
王逵宋 486- 48- 2
523-147-153
1098-700- 42
1356-190- 9
王逵元 524-277-192
585-458- 13
王逵明 1475-186- 8
王逨王速 宋 538-150- 65
674-844- 18
820-419- 34
1147-552- 52
1153-388- 90
王發明 1226-658- 1
王黑春秋 404-610- 37
王景漢 253-483-106
370-183- 18
380-160-169
402-417- 7
459-835- 50
475-696- 86
477- 47-151
483-684-421
502-313- 58
510-460-117
540-700-28之1
677-788- 70
933-327- 24
王景後魏 544-214- 62
王景唐 546-631-136
王景宋(字象珍) 285-103-252
371-167- 17
382-138- 19
384-325- 17
396-467-298
472-612- 25
474-336- 17
540-746-28之2
544-233- 63
545- 33- 84
554-137- 51
王景宋(字仰山) 559-417-10上
591-551- 42
王景王景彰 明(字景彰)
299-459-152
452-197- 4
453-141- 13
472-1055-44
479-434-236
676-470- 18
820-587- 40
1375- 37- 下
1442- 18-附1
1459-548- 19
王景明(任江防道) 532-599- 41
王景明(字時亨) 533-171- 52
王景明(任金滄道) 569-656- 19
王景妻 明 見秦氏
王景妻 明 見劉氏
王貴宋(太原人) 285-378-272
396-648-313
472-435- 19
476- 40- 98
476-516-127
545-628-106
王貴宋(澶州卒) 288-824-490
王貴明(永平人) 493-732- 40
王貴明(字道先) 515-553- 74
676-242- 9
王貴女 明 見王貞
王貴女 明 見王善
王嵎宋(字季夷) 494-428- 13
524-313-194
674-881- 20
王嵎宋(字升之) 1121-621- 8
1351-514-132
王嵎女 宋 見王中
王著宋(字成象) 285-340-269
396-618-310
476-860-145
王著宋(字知微) 285-719-296
397-159-329
473-431- 67
481- 77-294
559-340- 8
592-531- 94
812-750- 3
820-335- 32
王著金 見王革
王著元(字子明) 295-670-205
1200- 99- 9
1468-297- 15
王著元(字善章) 1195-428- 8
王著明 472-360- 15
511-301-148
王圍漢 558-347- 35
王凱宋 285-151-255
371-158- 16
382-148- 20
396-493-299
472-437- 19
478-122-181
545-636-106
478-268-187
478-695-210
554-359- 54
554-591- 59
王凱妻 明 見汪氏
王華劉宋 258-237- 63
265-367- 23

378- 79-133
476-783-141
492-718-3下
933-334- 24
王華宋 480- 56-260
821-231- 51
王華元 540-779-28之2
王華明(字德輝) 300-200-195
479-240-227
523-307-160
676-515- 20
679- 58-144
1266-147- 37
1266-150- 37
王華明(江陰人) 456-636- 10
王華明(字廷光) 515-842- 84
676-215- 8
王華妻 明 見張氏
王晛宋 674-759- 13
王晬唐 545-455- 99
王晫金 291-798-135
王嵒唐 556-690- 98
681- 91- 6
820-192- 27
王勛宋 492-711-3下
王勛明(大興人) 554-346- 54
王勛明(榆林衛指揮)
554-602- 59
王勛明(號觀復子)
1287-555- 25
王棠宋 493-945- 51
510-359-114
王棠遼 289-699-105
399- 62-422
472- 54- 2
474-732- 40
502-260- 54
505-732- 71
王敞明(字漢英) 511- 76-139
676-285- 10
1442- 35-附2
1459-739- 29
王敞明(後所人) 821-456- 57
王敞妻 明 見田氏
王暕梁 見王暕
王暕宋 1122-179- 14
王稌明 302- 6-289
458-1007- 1
524- 72-181
524-219-189
1458-185-430
王然清 537-322- 56
王傅宋 559-364- 8
王傅明 554-475-57上
王順漢 554-969- 65
王順宋 820-373- 33
843-665- 中
王順元(字祖孝) 820-526- 38
王順元(字性之) 1224-250- 22
王順明 547-560-161
王絲宋 523-461-169
563-653- 39
933-360- 24
1089-720- 14
王絲女 宋 見王氏
王絲清 480-129-264
532-641- 43
王幾宋 493-743- 41
510-325-113
1098-714- 44
王幾妻 宋 見曾德操
王幾妻 宋 見曹德耀
王幾妻 清 見張氏
王智劉宋 258-529- 85
265-371- 23
378- 82-133
王喬王子喬 春秋～六朝
253-594-112上
380-568-181
469-385- 46
472-470- 20
472-754- 29
472-764- 30
476-374-117
477-382-167
516-425-103
516-479-105
524-420-200
538-340- 70
538-345- 70
538-702- 80
547-536-160
933-327- 24
1058-495- 上
1061- 33- 85
1061-279-111
王畬明 480-652-289
532-752- 46
王翕元 475-608- 81
511-482-155
王皓王晧 北齊 266-498- 24
379-449-153
933-337- 24
王皓漢 380-131-168
481- 73-294
559-502- 12
591-508- 41
王鈞唐 271-481-186下
王鈞宋 511-655-162
王鈞妻 宋 見蔣氏
王鈞元 1201-627- 21
王鈞元 見王戚七
王鈞妻 明 見何氏
王鈐明 528-514- 31
王結元 295-412-178
399-698-490
453-771- 1
472- 56- 2
472-106- 4
472-569- 24
472-624- 25
474-242- 12
474-407- 20
474-732- 40
476-611-133
502-276- 55
505-675- 69
505-869- 78
540-641- 27
676-701- 29
677-493- 45
1214-273- 23
1439-428- 1
王絢劉宋 258-534- 85
265-374- 23
378- 84-133
933-335- 24
王舜漢 402-412- 6
王舜隋 王子春女
264-1117- 80
267-731- 91
381- 66-185
452-110- 3
472-100- 3
474-624- 32
王舜宋 524-299-193
王鈍王純 明 299-451-151
458-155- 8
472-665- 27
472-963- 38
473-569- 74
477-453-171
478-765-215
523- 34-147
528-449- 29
537-398- 57
569-618-18下之2
王舒晉 256-257- 76
377-800-128
472-552- 23
476-781-141
478-758-215
486- 34- 2
488-114- 7
489-598- 47
523- 3-146
540-714-28之1
王鈂明 494- 41- 3
王鈁明 479-185-225
481-694-332
481-806-338
515- 55- 58
523-548-173
528-543- 32
567-128- 67
王勝妻 宋 見柴氏
王勝明(字子奇) 473-569- 74
528-451- 29
王勝明(桐城人) 511-473-155
王鈇宋 見王欽
王鈇王鐵 明 302- 20-290
456-530- 6
474-185- 9
475-122- 55
505-835- 76
510-337-113
523-406-165
王欽王鈇 宋(字承可)
494-306- 5
515-319- 67
王欽遼 289-728-115
王欽明(上元人) 505-657- 68

王欽明(佚官人) 523-175-154
王欽明(字敬之) 545-378- 97
558-316- 34
王欽明(瓊山人) 564-233- 46
王欽妻 清 見陰氏
王斐明 547- 95-144
王棐妻 明 見岳氏
王棐清 510-475-117
王逸漢 253-554-110上
380-341-175
402-484- 11
471-816- 32
473-248- 60
480-292-271
533-313- 57
879-160-58上
933-327- 24
王逸女 清 見王氏
王進後周 278-382-124
279-319- 49
384-313- 16
396-434-195
933-348- 24
1383-815- 75
王進金 291-616-117
475-777- 89
王進明 見王璡
王進明(上元人) 523-201-155
王進明(字藎臣) 523-466-169
559-268- 6
王進清 481-495-324
528-467- 29
王象魏 254-386- 21
254-416- 23
377-189-116
385-647-66下上
477-247-161
538-137- 65
王象唐 812-351- 10
820-179- 27
821- 54- 46
王棨宋 492-712-3下
王棨唐 529-715- 51
王傑漢 見王禁
王傑王文達、宇文傑 北周
263-637- 29
267-344- 66
379-633-158
472-906- 36
478-296-188
478-487-199
554-568- 58
558-286- 34
933-339- 24
王傑王顯郎 宋(字才禮)
448-386- 0
王傑宋(字才特) 484-390- 28
王傑金 1190-487- 41
王傑元 545-461-100
546-190-121
王傑明(潁上人) 541-112- 31
王傑明(富平令) 554-310- 53
王傑明(字邦傑) 676- 37- 2
679- 58-144
王傑明(字世傑) 1266-143- 37
王傑女 明 見王氏
王傑清(正白旗包衣管領下人)
456-318- 75
王傑清(鑲藍旗包衣人)
456-320- 75
王復宋(字景仁) 288-309-448
400-162-513
472-409- 18
475-420- 70
510-398-115
523- 12-146
540-765-28之2
王復宋(錢塘人) 1109-550- 28
1110-299- 14
王復女 宋 見王氏
王復王趾 元(字子初)
1200-664- 49
1373-417- 26
王復元(字子陽) 1220-557- 12
王復明 299-796-177
474-183- 9
505-799- 74
王溱宋 537- 5- 48
王溱明 545-343- 96
576-653- 5
1442-45-附3
1459-924- 39
王溥漢 820- 30- 22
王溥唐 275-502-182
384-288- 15
396-244-273
王溥宋 285- 75-249
371- 37- 4
382-131- 18
384-323- 17
401-297-608
450-682-下3
472-436- 19
476- 38- 98
545-616-105
581-458- 94
933-349- 24
王溥元 1211-440-62
王溥明(安仁人) 299-270-134
516- 54- 89
1374-623- 83
1410-379-714
王溥明(字士淵) 299-335-140
473-673- 79
481-803-338
482-350-356
563-738- 40
567-301- 77
1467-186- 69
王溥明(字文博) 505-657- 68
559-375- 8
王溥明(清流人) 529-638- 48
王溥明(北直遷安人)
554-281- 53
王溥明(會寧人) 558-315- 34
王溥明(字處善) 1240-163- 11
王溥妻 明 見施氏
王溥女 明 見王氏
王溥女 明 見王仲姬
王源宋 524-167-186
王源明(字啟澤) 301-734-281
473-655- 78
475-176- 59
481-783-337
482-140-344
510-348-114
529-650- 48
563-790- 41
564-826- 60
676- 20- 1
676- 49- 2
676-475- 18
王源明(字淵之) 302- 10-289
481- 24-291
546-408-128
559-504- 12
561-471- 43
王源明(字宗本) 302-195-300
王源清 474-188- 9
505-881- 79
511-901-172
1326-842- 8
王該宋 487-112- 8
491-433- 6
王試清 533- 33- 47
王博妻 漢 見進揚
王滇妻 明 見高氏
王義唐 547-110-145
王義母 元 見李氏
王義元(字宜之) 295- 57-151
399-422-458
472- 96- 3
474-621- 32
505-790- 73
554-309- 53
1196-319- 18
王義元(洪桐人) 472-801- 31
537-334- 56
王義元(咸寧尹) 472-827- 33
王義元(碭山人) 1202-883- 16
王義元(太康人) 1210-388- 12
王義妻 元 見盧氏
王義明(字大節) 473-642- 78
528-542- 32
王義明(字孟宜) 1246-451- 10
1458-633-466
王猷明(字廷熙) 456-548- 7
523-408-165
王猷明(字在吾) 523-458-168
王猷明(字印方) 564-154- 45
王猷妻 明 見時氏
王猷清 511-882-171
王慈齊 259-461- 46
265-357- 22
370-523- 16
378-205-137
485- 68- 10
485-489- 9
493-678- 37
540-720-28之1
814-249- 6
820- 91- 24

933-334- 24
王慈女 齊 見王韶明
王溏明 505-858- 77
王温後魏 262-338- 94
267-750- 92
380-505-179
王温宋 486-906- 35
812-443- 0
王温妻 清 見杜氏
王靖宋 286-248-320
397-400-344
475-870- 95
481-802-338
540-761-28之2
545-214- 91
563-657- 39
王靖明 511-615-160
王詡戰國 見鬼谷先生
王詡齊 259-431- 42
378-212-137
王詢齊 486- 64- 3
523-145-153
王詢宋(高麗人) 288-786-487
289-727-115
王詢宋(字温甫) 1116-411- 20
王詢明(公安人) 473-303- 62
王詢明(永豐人) 482- 75-341
515-654- 77
563-771- 40
王詮妻 唐 見永和公主
王雍漢 1412-268- 11
王雍後魏 472-694- 28
537-262- 55
王雍宋 1092-113- 15
王雍元 523- 99-150
王雍明 460-689- 71
王愷晉(字君夫) 254-264- 13
256-512- 93
380- 3-165
385-591-65下上
933-327- 24
933-332- 24
王愷晉(字茂仁) 256-239- 75
377-788-127
485- 67- 10
493-675- 37
545-531-102
王愷明(字用和) 302- 3-289
472-350- 15
475-670- 84
479-352-233
511-489-155
523- 33-147
1224-236- 22
王愷明(字宗元) 523-454-168
676-511- 20
王愷明(字時舉) 567- 89- 66
676-475- 18
1241-583- 11
1242-755- 5
王煜宋 487-188- 12
王煜明 546-615-135
王煜明 見王曄
王裕唐 271-449-185上
274-408-111
395-402-218
王裕妻 唐 見同安公主
王裕元 1220-436- 10
王裕明 1240-711- 7
王漸唐 680- 6-224
王準明(字子推) 300-397-206
478-128-181
王準明(字明衡) 511-608-160
王準明(神木人) 545-147- 88
554-526-57下
王準明(儀衛司人) 545-343- 96
王新女 唐 見王氏
王新明 472-389- 17
554- 86- 49
王詵宋 285-152-255
382-148- 20
546-634-136
554- 82- 49
592-732-108
813-140- 12
820-384- 33
821-175- 50
1110-328- 16
王詵妻 宋 見魏國大長公主
王詵女 宋 見王氏
王詵王銑 元 1217- 71- 1
1375- 21- 上
1458-708-473
王煇宋 491-437- 6
王煇明 523-193-155
王煇清 505-694- 70
王煒清 陳光綷妻
1475-833- 35
王煬明 540-642- 27
王溦明 473-477- 69
王稟宋 288-358-452
400-148-512
479- 50-218
523-354-163
525- 37-218
545- 54- 84
王稟妻 宋 見孟氏
王裒晉 254-220- 11
256-430- 88
380- 81-167
384- 94- 5
384-666- 42
386- 39-69下
472-590- 24
476-665-136
540-711-28之1
820- 55- 23
933-330- 24
1408-484-527
王廉元 1221-430- 6
王廉明(字熙陽) 452-260- 8
676- 3- 1
676- 45- 2
王廉明(謚節愍) 456-586- 8
王廉明(字希陽) 523-631-177
684-496- 下
820-568- 40
1318-344- 62
王廉明(字文義) 1283-433-100
王運宋 288-789-487
289-729-115
王道漢 539-351- 8
王道宋 427-375- 5
820-403- 34
王道元(字之問) 1200-732- 55
1373-413- 26
王道元(字道一) 1204-234- 5
王道明(號順渠) 457-730- 42
458-1041- 2
476-899-147
540-800-28之3
676-551- 22
1263-467- 2
1442- 45-附3
1459-913- 39
王道明(山東曹縣人)
476-180-106
545-246- 92
王道明(蠡縣人) 505-811- 74
王道明(字懿德) 511-254-146
王道明(連城人) 529-701- 50
王道明(處州知府) 544-251- 63
王道明(號倥侗) 546-197-122
554-284- 53
1269-388- 4
王道明(盧龍人) 554-310- 53
王道明(字魯方) 1242-171- 29
王道妻 明 見張氏
王道女 明 見王氏
王遂唐 271- 96-162
274-462-116
395-461-223
554-930- 64
王遂宋(字去非) 287-662-415
398-610-406
451-190- 7
472-222- 8
472-277- 11
473-640- 78
475-277- 63
481-693-332
493-719- 40
510-330-113
510-434-116
511-177-143
528-524- 31
528-539- 32
1285-410- 15
王遂宋(專陽人) 472-357- 15
475-604- 81
王遂宋(字實齋) 708-1017- 95
1178-787- 7
王遂明 1264-239- 14
王遂不詳 742- 25- 1
王禔宋 485-502- 9
王祿明(新城人) 300-146-191
473-654- 78
481-612-329
515-842- 84
528-496- 30
王祿明(字天賜) 1273-637- 7

王祿妻 明 見陳氏
王熿明 1318- 94- 39
王煥漢 477-241-161
王煥唐 451-474- 7
王煥宋 473-246- 60
480-288-271
533-388- 60
558-395- 36
王煥元 1201-169-80
王煥明(山東滋陽人)
472-766- 30
537-316- 56
王煥明(字午槐) 533-142- 51
王煥清 456-318- 75
王羡唐 820-214- 28
王資明 458-171- 8
王瑊明 456-486- 5
480-206-267
533-381- 60
王瑀妻 元 見阮淑
王塤唐 546-630-136
1073-520- 20
1074-347- 20
1075-302- 20
王軾明(字用敬) 299-725-172
473-303- 62
480-247-269
481- 24-291
483-233-390
533- 76- 49
559-251- 6
571-516- 19
1250-930- 88
王軾明(字子敬) 510-456-117
564-203- 46
王軾明(王轍兄) 572- 91- 29
王載妻 晉 見李秀
王頍隋 264-1069- 76
267-633- 84
380-398-176
546-627-136
王搏唐 274-462-116
384-288- 15
396-245-273
493-692- 38
544-229- 63
554-647- 60
王禁王傑 漢 248-621- 8
251-307- 98
373- 16- 19
539-350- 8
544-200- 62
1412-127- 5
王禁女 漢 見王政君
王楨明 481-236-303
王預明 472-802- 31
王電明 見王應電
王瑄元 1206-401- 2
王瑄女 元 見王氏
王瑄明(太倉人) 511-590-159
王瑄明(字廷璧) 523-445-168
王瑄明(遂寧人) 559-394-9上
王瑄明 見王朝器
王瑳陳 1395-601- 3
王瑚晉 256-347- 82
477-446-171
537-576- 60
王瑚清 559-328-7下
王瑨明 533-193- 53
王瑋宋 王琥弟 491-435- 6
王瑋元 1206-192- 20
王瑋明 538- 44- 63
王瑋妻 明 見李氏
王瑁明(監生) 505-676- 69
王瑁明(桐廬人) 524-162-186
王塘妻 明 見趙氏
王椿後魏 262-314- 93
267-737- 92
381- 26-184
544-211- 62
545-544-103
王椿妻 後魏 見魏氏
王椿宋 1149-699- 15
王楷漢 1061-224-106
王楷宋 288-790-487
291-794-135
王楣明 474-572- 29
王極宋 472-1052- 44
王極明(督學關中) 533- 63- 49
王極明(中衛指揮) 558-432- 37
王輅明(江都人) 511-573-159
王輅明(前衛人) 571-531- 19
王輅明(字以明) 677-776- 69
王輅明(字道昇) 1242-122- 28
王瑞明(字良璧) 299-835-180
475-529- 77
511-254-146
王瑞明(陽曲人) 545-661-107
王瑞明(黃巖人) 567-137- 68
1467-134- 66
王瑞明 陳孟東妻、王榮卿女
1246-603- 10
王瑞明(字廷怡) 1274-346- 12
王瑞明(陝州新城人)
1442- 71- 4
王瑞妻 明 見羅氏
王瑞妻 清 見楊氏
王瑜陳 260-690- 23
265-344- 21
378-529-144
王瑜後晉 278-174- 96
王瑜金 540-652- 27
王瑜明(字廷器) 299-475-153
475-329- 65
554-346- 54
1238-155-13
1374-552-77
王瑜妻 清 見趙氏
王瑜妻 清 見管氏
王馴明 545-847-113
554-339- 54
王聘明(字念覺) 523-160-153
537-281- 55
王聘明(字士卿) 569-662- 19
王楫元 1200-584- 44
王楫明(新泰人) 545-152- 88
王楫明(戶部主事) 545-445- 99
王楫明(膠州人) 554-258- 52
王楫清 540-868-28之4
王楫妻 清 見李氏
王榆明(羅田人) 510-499-118
王幹明 456-682- 11
480-176-266
王趑宋 516- 34- 88
王肄明 511-737-165
1442- 27-附2
王匯清 554-317- 53
王群宋 見王淮奇
王瑒陳 260-689- 23
265-344- 21
378-529-144
933-333- 24
王勤明 472-292- 12
王勤妻 明 見趙氏
王勣唐 見王績
王勣明 554-220- 52
王瑛明(長沙人) 473-625- 77
王瑛明(建安人) 493-758- 41
510-403-115
王瑛明(字君實) 511-414-152
523-188-155
王瑛明(字玉潤) 546-710-138
王瑛明(字廷輝) 820-641- 41
821-399- 56
王瑛明(字汝玉) 1442- 55- 3
1460-140- 46
王瑛妻 清 見楊氏
王瑴宋 472-998- 40
王楙宋 493-1016- 54
511-672-163
1386-297- 40
王達宋 523-572-174
王達明(字達善) 452-196- 4
472-262- 10
511-767-166
676-481- 18
678-185- 87
820-587- 40
1284-353-163
1318-354- 63
1391-550-329
1442- 18-附1
1459-548- 19
王達明(定州人) 474-654- 34
505-918- 81
王達明(字德孚) 511-301-148
王達明(遵義人) 571-534- 19
王達妻 明 見楊氏
王達妻 明 見劉氏
王達清 564-943- 64
王遐晉 256-516- 93
380- 7-165
545-526-102
王遐女 晉 見王簡姬
王遐唐 400-285-523
王隨宋 472-892- 35
王殿齊 812-331- 7
821- 22- 45
王榘明 453-688- 33
473-154- 56
479-722-250
515-672- 78

537-214- 54	552- 30- 18	400-684-564	王暘明(汝州人) 456-663- 11

	537-214- 54	王暘明(汝州人) 456-663- 11
	554-166- 51	477-502-174
王䓥明 524-170-186	王暄元 515-185- 62	王暘明(字時暉) 524- 44-180
王萬宋(字處一) 287-675-416	王暄明 532-727- 46	820-642- 41

第一欄
537-214- 54
554-166- 51
王䓥明　524-170-186
王萬宋(字處一)　287-675-416
398-622-407
451-396- 13
452- 14- 上
472-198- 7
472-273- 11
472-1030- 42
472-1101- 47
475-143- 57
475-273- 63
479-285-230
479-325-232
493-964- 51
523-326-161
526-234-266
677-363- 33
王萬宋(字萬里)　1173-305- 86
王萬妻　明　見楊氏
王藥明　524-372-197
821-349- 55
王照明(山陰人)　515-112- 60
王照明(字秋朗)　1475-432- 18
王煦後魏　546-655-137
王愚明　472- 71- 2
王愚清　1312-251- 24
王當宋　288- 94-432
382-750-114
400-470-544
473-514- 71
481-350-309
559-384-9上
591-640- 46
674-177-1下
674-566- 3
王萱明(字時芳)　473-117- 54
473-429- 67
515-786- 81
676-531- 21
王萱明(字少廣)　679- 70-145
王盟拓跋盟　北周 263-561- 20
267-258- 61
379-542-156
476-279-111
483-684-421
546-173-121

第二欄
552- 30- 18
933-338- 24
王暄元　515-185- 62
王暄明　532-727- 46
王晴元　見王愖
王睦宋　478-336-191
554-333- 54
王嗣蜀漢　254-692- 15
384-493- 17
385-208- 24
481-386-312
591-527- 41
王嗣女　元　見王順榮
王路妻　清　見闞氏
王嵩唐　493-739- 41
王嵩王光信　宋 472-925- 36
554-590- 59
王嵩明　458- 88- 4
472-521- 22
502-285- 56
537-467- 58
540-660- 27
554-220- 52
王鼎宋(字鼎臣)　285-771-300
397-196-331
472- 85- 3
472-575- 24
473-598- 76
474- 92- 3
474-635- 33
475- 16- 49
476-615-133
478-760-215
481-673-331
493-768- 42
505-702- 70
523- 11-146
528-521- 31
540-757-28之2
王鼎宋(自號王風子)　473-252- 60
480-302-271
533-767- 74
王鼎宋或元(字德新)　524-351-196
821-294- 53
王鼎宋(北人)　821-236- 51
王鼎遼　289-693-104

第三欄
400-684-564
472- 34- 1
474-177- 8
505-880- 79
王鼎元　538-136- 65
820-532- 38
王鼎趙鼎　明(儀徵人)　302- 3-289
472-296- 12
475-375- 68
475-667- 84
511-461-154
544-251- 63
王鼎明(岢嵐人)　472-678- 27
477-124-155
537-257- 55
545-670-107
549-428-197
王鼎明(字汝調)　483-116-379
494-158- 5
569-672- 19
王鼎明(字器重)　505-888- 79
王鼎明(字元勳)　511-100-140
王鼎明(字器之)　523-453-168
529-461- 43
676-717- 30
王鼎明(湯陰人)　554-312- 53
王鼎明(定遠人)　676-515- 20
王鼎明　見王樗全
王鼎妻　明　見林氏
王鼎清　537-441- 58
王鼏清　511-868-170
王暉魏　554-970- 65
王暉後魏　261-478- 33
266-494- 24
379-444-153
王暉唐　559-280- 6
王暉宋　285-225-261
545-611-105
王暉明　545-475-100
王暐宋　489-547- 43
王暐明　300-319-202
475- 76- 53
511- 78-139
676-548- 22
王晼南唐　王坦女　1085-139- 17
王晼明　見王屋

第四欄
王暘明(汝州人)　456-663- 11
477-502-174
王暘明(字時暉)　524- 44-180
820-642- 41
王暢漢　476-581-131
537-309- 56
王敬明(梁芳黨人)　302-268-304
王敬明(安定人)　456-669- 11
王敬明(西平知縣)　472-790- 31
王敬明(雷州知府)　473-730- 82
王敬明(字惟瞻)　475-708- 86
511-337-149
王敬明(襄陽人)　493-758- 41
王敬明(字子修)　505-835- 76
王敬明(高平人)　547- 59-143
王敬明(字蒼坪)　554-298- 53
王敬明(隴西人)　558-311- 34
王敬明　見李敬
王敬妻　明　見歐陽氏
王葵明(字士忠)　524- 98-183
王葵明(邛州人)　676-577- 24
王葆宋　475-131- 56
485-201- 27
493-943- 50
511- 93-140
523- 15-146
589-354- 6
679-472-184
1147-911- 90
王葆女　宋　見王氏
王粲魏　254-377- 21
380-346-175
384- 84- 4
384-650- 40
472-551- 23
473-299- 62
476-582-131
480-177-266
533-734- 73
538-329- 69
540-707-28之1
554-881- 64
674-244-4上
678- 80- 77
933-328- 24
1063-320- 9
1366-779- 5
1370- 38- 2

1379-196- 25
1395-587- 3
1412-691- 26
王暕王暕 梁 260-191- 21
265-353- 22
378-363-140
493-679- 37
933-334- 24
王暎宋 472-221- 8
484-104- 3
493-709- 39
590-452- 0
王遇王羆、王他惡 後魏
262-333- 94
267-747- 92
380-502-179
552- 38- 18
554- 82- 49
王遇唐 400-285-523
472-257- 10
475-221- 61
511-551-158
王遇女 唐 見王皇后
王遇宋 460-305- 21
473-655- 78
481-614-329
529-561- 46
1168-432- 37
王遇宋 見王龜年
王遇妻 宋 見潭國長公主
王業漢 469- 11- 1
534-942-120
王業明 511-229-144
523-511-171
王業清 510-475-117
王鉉明(字彥甫) 1241- 97- 5
王鉉明(字汝器) 1267-545- 7
王鉉妻 明 見胡氏
王鈺明(山東人) 482-238-349
563-852- 41
王鈺明(字孟堅) 515- 36- 58
1238- 80- 7
王鈺明(字九思) 1274-339- 12
王鈺妻 清 見張氏
王鉞明(清苑人) 505-813- 74
王鉞明(同州人) 554-483-57上
王鉞明(營山人) 561-202-38之1
王鉞明(直隸人) 1467-121- 66
王鉞清(號任菴) 482-279-351
563-885- 42
王鉞清(字德衡) 1324-329- 31
王鉞妻 清 見朱氏
王鈐明 523-476-169
王頒隋 264-1029- 72
267-632- 84
380-125-167
384-157- 8
476-329-115
545-414- 98
545-554-103
王頎魏 474-686- 37
502-251- 53
王傳宋 516-210- 96
王傳明(高陵人) 476-205-107
545-344- 96
王傳明(字用均) 676-574- 23
王傳清 516- 92- 90
王僉梁 260-194- 21
265-377- 23
378-368-140
933-335- 24
王僉女 梁 見王皇后
王愈王悰 宋 471-713- 18
473- 59- 51
511-267-147
515-195- 63
1376-280- 77
王鉅唐 494-292- 4
王銅明 567-336- 79
王鈿妻 明 見楊氏
王筠梁 260-287- 33
265-359- 22
378-360-140
384-110- 6
476-786-141
523-166-154
540-722-28之1
684-541- 4
813-247- 8
820-100- 24
933-334- 24
1387-146- 8
1395-596- 3
1399-573- 14
1401-325- 27
1415-330- 95
王稚漢 591-591- 44
王稚明 472-377- 16
王脩金 291-471-105
399-207-434
472- 35- 1
474-167- 8
505-720- 71
1365-267- 8
1445-492- 36
王雋漢 見王儁
王雋南朝 933-335- 24
王雋宋 460-363- 28
王會晉 255-596- 33
王會宋 474-469- 23
821-220- 51
王會元 554-364- 54
王會明 529-569- 46
676-118- 5
676-337- 12
王經母 魏 476-619-133
王經魏 254-192- 9
377- 77-114
386-59-70中
469-485- 58
540-710-28之1
王經金 1200-650- 49
1200-773- 59
王經明(字孟遠) 515-774- 81
王經明(應州庠生) 547- 51-143
王經明(字率常) 1240-200- 13
王經明(字伯常) 1261-596- 21
1261-687- 29
王經妻 明 見張氏
王經妻 明 見潘氏
王經女 明 見王氏
王經妻 清 見何氏
王綏晉 256-241- 75
377-790-127
545-532-102
814-245- 6
820- 70- 23
933-331- 24
王節明(定陶人) 545-408- 98
王節明(號介菴) 554-277- 53
王節明(字尚節) 1242-844- 10
王毓明(字用賢) 524- 42-180
524-360-196
820-600- 60
821-366- 55
王毓明(字尹成) 1280-388- 84
王僊宋 481-114-296
王傴晉 480-202-267
533-136- 51
533-478- 64
王愛明(字仁甫) 505-803- 74
1442- 83- 5
1460-460- 62
王愛明(字體仁) 523-582-175
王愛明(任丘人) 554-216- 52
王愛妻 明 見徐氏
王稜王棱 晉 256-265- 76
377-808-128
476-782-141
515- 77- 59
933-331- 24
王稜女 明 見王肅懿
王稞清 524-115-183
王微王徽 劉宋 258-231- 62
265-341- 21
378- 73-132
476-784-141
812-328- 6
814-247- 6
820- 83- 24
821- 17- 45
839- 41- 4
933-333- 24
1379-535- 63
王微明 1442-127- 8
1460-910-98
王彙元 460-462- 36
529-754- 52
王賓宋(許州人) 285-437-276
396-688-316
540-612- 27
王賓王端郎 宋(字觀國)
448-374- 0
559-409-9上
王賓宋(晉江人) 460-291- 18
王賓金 291-615-117
399-319-446
475-780- 89
1040-243- 3
1365-250- 7
1439- 12- 附
1445-468- 34

王賓元 295-227-164
1214-124- 10
王賓明(豐縣人) 456-629- 10
王賓王國賓 明(字仲光)
475-132- 56
493-1047- 55
511-524-157
820-596- 40
821-348- 55
1284-128-146
1386-299- 40
1442- 14-附1
1459-410- 12
王賓明(字用賓) 524- 42-180
王賓明(沁水人) 554-339- 54
王賓明(眞定人) 559-269- 6
王賓明(廣安州人) 559-365- 8
王賓明(揭陽人) 564-266- 47
王實梁 265-366- 23
378-366-140
485-491- 9
王實唐 494-336- 7
王實元 1189- 85- 11
王實明 1242- 50- 25
王誌明 537-303- 56
王誠元 1210-767- 25
王誠明 547- 51-143
王誨宋 491-346- 2
王誨女 宋 見王氏
王廕宋 1120-226- 33
王廙晉 256-259- 76
377-803-128
471-715- 18
473- 43- 50
494-262- 1
515-208- 63
533-771- 74
684-524- 2
812- 61- 中
812-224- 8
812-318- 5
812-713- 3
813-277- 14
814-235- 5
820- 64- 23
821- 10- 45
933-331- 24
1284-389-165
王禎王貞 元(字伯善)
510-435-116
515-199- 63
1439-429- 1
1470-563- 17
王禎元(字國祥) 1206-727- 8
王禎明(字維禎) 302- 9-289
473-156- 56
515-679- 78
559-520- 12
王禎明(邳州人) 554-165- 51
王禎明(館陶人) 554-311- 53
王韶隋 264-905- 62
267-482- 75
379-795-162
384-155- 8
472-433- 19
488-309- 12
544-219- 62
545- 9- 83
545-555-103
554-632- 60
王韶宋 286-353-328
382-530- 82
384-368- 19
397-472-348
472-904- 36
473- 88- 52
478-482-199
479-608-244
516-121- 92
558-171- 31
1053-737- 17
王韶明(字九成) 1239-245- 43
王韶明(字子宣) 1283-110- 75
王誥元 1200-753- 57
王誥明(字公遇) 474-622- 32
505-791- 73
537-567- 60
545-287- 94
王誥明(霸州人) 475-526- 77
510-417-116
王誥明(直隸靈壽人)
545-465-100
王裾明 494- 41- 3
王福宋 400-183-514
480-289-271
王福金 291-624-118
399-307-445
王福明(揚州府推官)
472-291- 12
王福明(舉人) 494- 55- 2
王福明(字崇善) 545-657-107
王福明(大同人) 546- 95-118
王福明(秦安人) 558-398- 36
王福明(成都人) 559-504- 12
王福妻 明 見臧氏
王福清(鑲黃旗包衣旗鼓人)
456-317- 75
王福清(字近山) 477- 91-153
538- 43- 63
王寧宋 484- 99- 3
王寧宋 見王襄
王寧元 295-267-166
399-610-480
王寧明 456-643- 10
王寧妻 明 見李氏
王寧妻 明 見懷慶公主
王寧清 薛大武妻
1315-379- 18
王漳明 572-103- 30
王端唐 545-573-104
1341-732-897
王端宋 473-315- 62
481-235-303
812-455- 1
812-463- 2
812-473- 3
812-543- 4
821-162- 50
王端明(字宗正) 523-101-150
王端明(字正始) 1475-503- 22
王端女 明 見王氏
王說唐 820-273- 29
王說宋(字應求) 487-112- 8
491-386- 4
王說宋(字巖夫) 515-129- 61
1121-474- 35
王誦後魏 261-865- 63
266-859- 42
379-238-150上
王誦遼 289-727-115
王粹王元亮、王元粹 金
472-144- 5
484-380- 28
498-464- 94
498-467- 94
503- 19- 92
505-882- 79
1365-254- 7
1439- 12- 0
1445-474- 35
王廓唐 480-468-279
1061-297-112
王廓元 494-328- 6
王褘王偉、王漳 明
302- 5-289
452-243- 6
453-110- 10
453-536- 4
458-1004- 1
472-1032- 42
473-653- 78
479-327-232
479-579-243
481-611-329
494-153- 5
511-893-172
515-234- 64
523-405-165
528-493- 30
569-616-18下之2
570-473-29之7
676-445- 17
1221-194- 2
1226- 5- 附
1235-370- 12
1236-196- 4
1238-545- 14
1248-567- 2
1255-258- 32
1369-385- 10
1374-425- 62
1375- 37- 下
1408-692-553
1442- 4-附1
1459-232- 4
王彰晉 544-204- 62
王彰元 472-149- 5
王彰明(字文昭) 299-572-160
453-221- 20
458- 28- 2
472-431- 19
472-665- 27

477- 86-153
537-601- 60
545- 65- 85
554-198- 52
1240-286- 18
王彰明(廣東潮陽人)
476-283-111
王滿漢 244-790-115
王滿明 480-242-269
532-668- 44
王漢王應駿 明(字子房)
301-514-267
456-492- 5
476-732-138
476-919-148
477-244-161
537-225- 54
538-669- 78
540-834-28之3
王漢明(贛州人) 510-391-115
王漢明(夏縣人) 547-105-145
王漢明(字天章) 578-934- 25
王漢明 見王朝遠
王漢妻 明 見徐氏
王漯唐 486- 62- 3
王漯宋 1113-429- 8
王滌宋 473-700- 80
482-140-344
563-682- 39
王漣明 476-527-128
王榮唐 549-319-193
1342- 43-909
王榮宋(定州人) 285-492-280
472- 94- 3
505-797- 73
王榮宋(臨海人) 524-209-188
王榮元 511-509-157
王榮明(字吉甫) 456-494- 5
537-271- 55
王榮明(字希仁) 524- 7-178
王榮明(福清人) 529-659- 49
王榮明(蒲州人) 547- 73-143
王榮明(字士華) 1250-525- 49
王榮明(字子華) 1285-324- 10
王慥宋(知邢州) 472-106- 4
505-674- 69
王慥宋(拱州守) 472-677- 27
王禔宋 523-240-157
王墍妻 清 見吳氏
王壽金 821-278- 52
王壽元 295-386-176
399-702-490
472- 55- 2
王壽明(饒州推官) 473- 45- 50
王壽明(寧德人) 529-709- 50
王壽明(字希仁) 676-528- 21
王與元 1376-206- 71
王騏明 505-799- 74
王輔漢 253-599-112上
402-464- 10
476-581-131
王輔妻 晉 見彭非
王輔宋 524-164-186
王輔妻 宋 見萬氏
王輔女 宋 見王氏
王輔元(字正卿) 523- 81-149
王輔元(字君輔) 1206-723- 7
王輔元(櫛耕道人)
1221-461- 9
王輔明(榆林衛人) 478-276-187
554-990- 65
王輔明(字良佐) 505-807- 74
王輔明(長安人) 545-342- 96
王輔明(字良弼) 554-482-57上
王輔明(安定諸生) 558-468- 39
王輔明(昆明人) 570-104-21之1
王輔明(字時佐) 1247-521- 23
王輔妻 明 見范蟾香
王輔妻 明 見黃氏
王輔女 明 見王氏
王輔清(奉天人) 476- 80-100
502-694- 87
545-202- 90
王輔清(字近顏) 1327-735- 10
王摛齊 259-402- 39
265-695- 49
378-283-138
384-115- 6
475- 68- 52
476-785-141
933-336- 24
王榛女 明 見王氏
王樹南北朝 589-223-下
王槐宋(字植三) 524-216-189
王槐宋(字庭舉) 1184-591- 13
王槐明(字應貞) 569-650- 19
王槐明(嘉靖進士) 820-718- 43
王熙王顒、王熙載 宋
288-789-487
王熙元 821-322- 54
王熙明 1467-243- 71
王熙清 474-188- 9
505-725- 71
1322-614- 10
王熙妻 清 見董氏
王熙女 清 見王克榮
王綦明 511-868-170
821-475- 58
王碩妻 宋 見陳池
王碩元 475-700- 86
510-463-117
王臧漢 476-578-131
675-277- 11
王戩清 480- 94-262
533-304- 57
王瑭明 1289-305- 20
王瑨唐 933-340- 24
王瑫明 523-454-168
王嘉漢(字公仲) 251- 50- 86
376-437-102下
384- 51- 2
459-195- 12
471-745- 22
472-194- 7
472-737- 29
472-830- 33
477-303-163
478- 96-180
537-294- 56
554-626- 60
933-325- 24
王嘉漢(字公卿) 253-575-111
380-131-168
481- 73-294
559-502- 12
591-508- 41
王嘉漢 見劉嘉
王嘉晉 256-561- 95
380-615-182
472-895- 35
478-134-181
554-970- 65
558-481- 41
933-332- 24
1061- 36- 85
1061-276-110
1379-376- 46
1395-590- 3
王翥宋 1365-599- 上
王翥明(平谷知縣) 472- 27- 1
王翥明(興山人) 480-342-273
533-393- 60
王翥明(字九逵) 528-478- 30
王構元(字肯堂) 295-233-164
399-591-478
472-520- 22
472-559- 23
476-518-127
476-825-143
540-779-28之2
1203-390- 29
1203-431- 32
1367-685- 52
1394-326- 1
1439-421- 1
王構元(字嗣能) 476-297-112
546-724-139
547- 86-144
王構元(字德基) 1200-602- 46
王琦宋 472-904- 36
王瑞明 472-339- 14
王瑤唐 545-455- 99
王瑤明(字良玉) 533-236- 54
王瑤明(字文允) 1269-417- 5
王瑤妻 明 見孫氏
王墀明 572-103- 30
王嶅妻 清 見張氏
王兢宋 1122-171- 13
王摻女 元 見王可道
王瑮元 820-542- 39
王聚女 元 見王氏
王聚明 494- 45- 3
571-532- 19
1269-377- 3
王遘唐 515- 80- 59
王遠王方平 漢 472-560- 23
473-479- 69
476-591-131
481-121-296
485-279- 40
486-903- 35
511-929-174

524-445-201
541- 85- 30
561-219-38之3
564-612- 56
592-240- 74
820- 37- 22
1059-269- 3
1061- 34- 85
1061-260-109
王遠劉宋 265-342- 21
933-333- 24
王遠宋 400-164-513
王遠元 547-190-148
王遜晉 256-326- 81
370-302- 6
377-853-129上
472-867- 34
473-806- 86
473-830- 87
478-296-188
478-375-192
480-320-272
482-537-368
483-219-390
494-150- 5
533-238- 54
552- 23- 18
554-434- 56
569-643- 19
571-514- 19
933-331- 24
王遜齊 259-268- 23
378-202-137
王遜明 493-973- 52
王嘏南朝 933-334- 24
王嘏明 1218-785- 5
1442- 9- 1
1459-480- 15
王疑唐 472-824- 33
王蓂明(字東石) 515-789- 82
王蓂明(字時禎) 676-542- 22
676-716- 30
王蓂女 明 見王恭
王蓁明 515-489- 71
王蒸明 1246-636- 14
王幀宋 1161-636-126
王蒞明 533- 81- 49
王蓋明 511-302-148
王睿明 1475-536- 23
王睿明 見王有光
王圖明 300-561-216
458-370- 16
478-130-181
554-502-57上
王暢漢 253-195- 86
254-377- 21
376-853-110
384- 67- 3
402-474- 11
402-512- 14
472-765- 30
474-165- 8
477-357-166
540-703-28之1
933-326- 24
王蒙唐 見王望
王蒙宋 516-426-103
王蒙元 510-312-113
王蒙明 301-823-285
524- 34-179
585-526- 17
820-538- 39
821-310- 54
1220-340- 12
1284-346-162
1318-351- 63
1369-383- 10
1442- 8- 1
1459-453- 14
王鉽清 1321-156-103
王鉽妻 清 見汪氏
王鉷唐 270-284-105
274-675-134
384-202- 11
395-615-236
544-229- 63
549-296-192
1342-293-942
王鳳漢 251-308- 98
373- 17- 19
505-768- 73
王鳳明(字朝陽) 511-573-159
王鳳明(通州人) 511-594-159
王鳳明(號竹窗道人)
546-713-138
王鳳明(安邑人) 547-102-145
王鳳明(阜城人) 554-258- 52
王鳳明(字舜儀) 821-406- 56
王鳳明(字應祥) 1255-740- 74
王鳳明(吉水人) 1467-118- 66
王滕明 540-802-28之3
王僎宋 515-119- 60
王僎明(字幼度) 452-257- 8
458-153- 8
472-665- 27
537-398- 57
王僎明(字東之) 515-882- 86
王熊唐 812-351- 10
821- 54- 46
王熊清 456-320- 75
王綜梁 473- 20- 49
515-298- 66
王銍宋 511-823-167
524-325-195
674-840- 18
1131-655- 36
1363-494-185
1437- 23- 2
王銍妻 宋 見張氏
王銘明(字子敬) 299-266-134
479-402-235
511-426-152
523- 34-147
王銘明(建安人) 473- 87- 52
479-605-244
515-246- 64
王銘明(錦州人) 474-818- 44
502-285- 56
王銘明(普定指揮同知)
483-268-392
571-540- 20
王銘明(臨晉人) 547- 74-143
王銘明(字銘甫) 1238-691- 24
1374-552- 77
王銘明(字警之) 1256-435- 29
王銘明(字敬言) 1268-485- 75
王銗清 481-695-332
528-546- 32
533-298- 56
王銓晉 477-446-171
538-149- 65
王銓劉宋 265-377- 23
378-368-140
384-111- 6
933-335- 24
王銓元 516- 50- 88
王銓明(字彥衡) 529-535- 45
王銓明(金堂人) 559-346- 8
王銓明(字衡甫) 567-356- 80
王銓明(清平人) 572-110- 30
王銓明(字秉之) 1256-459- 31
王管明 571-548- 20
王稱宋 473-496- 70
王僖宋 589-344- 5
王綰宋 472-327- 14
王綧元 295-255-166
399-602-480
王緒唐 384-291- 15
546-631-136
王緒明(華陰人) 476-658-135
554-601- 59
王緒明(字紹夫) 523-102-150
676- 5- 1
王維唐 271-597-190下
276- 76-202
384-207- 11
400-603-555
451-419- 2
476- 36- 98
546-629-136
554-885- 64
674-249-4上
812-350- 10
812-367- 10
812-746- 3
813-123- 10
814-275- 10
820-187- 27
821- 61- 47
933-346- 24
1054-480- 13
1069-381- 19
1071- 4- 附
1071- 5- 附
1071-346- 附
1071-351- 附
1365-407- 2
1370-193- 11
1371- 58- 0
1387-435- 35
1472-205- 13
王維宋 484-387- 28

	559-391-9上
王維明	473-316- 62
	532-731- 46
	1241-587- 11
	1242-126- 28
王銑元 見王誂	
王肇明	460-506- 44
	529-718- 51
	821-366- 55
王僊宋	559-509- 12
王魁女 明 見王氏	
王綺漢	820- 36- 22
王綺明 見王修德	
王綽後魏	262-316- 93
	544-209- 62
王綽唐	1065-255- 8
王綽宋	524- 84-182
王綱唐	493-739- 41
	510-323-113
	559-280- 6
王綱宋(知南劍州)	528-506- 31
王綱宋(字振仲)	533-740- 73
	1151-627- 29
王綱金	546-643-136
王綱元(長子人)	547-131-146
王綱元(新安人)	1198-557- 9
王綱妻 元 見吳婉	
王綱明(字性常)	302- 5-289
	479-237-227
	481-803-338
	523-384-164
	563-849- 41
	564-826- 60
	564-771- 60
	1266-141- 37
王綱明(上高人)	472-431- 19
	473-168- 57
	515-475- 71
	545- 70- 85
	559-249- 6
王綱明(孝義人)	476-187-106
	547-495-159
王綱明(甘州中衛人)	
	558-424- 37
王綱明 見王子倫	
王綱清	475-711- 86
	511-339-149
王綱王剛 不詳	1059-275- 4
	1061-264-109
王綯宋(字敏功)	480- 49-259
	933-360- 24
	1147-324- 29
王綯宋(字唐公)	486- 51- 2
	493-942- 50
	511-671-163
	589-352- 6
	680- 15-225
	1127-818- 13
王綸唐	820-226- 28
王綸宋	287- 98-372
	398-159-375
	472-177- 6
	475- 73- 53
	488- 13- 1
	488-443- 14
	492-584-13下之上
	493-747- 41
	511- 72-139
	523- 78-149
	1096-368- 37
王綸元	1439-443- 2
王綸明(字汝言)	302-181-299
	554-659- 60
	559-253- 6
	676- 44- 2
	679-240-162
王綸明(字廷言)	533-236- 54
王綸明(直隸開州人)	
	545-188- 90
王綸明(字大經)	558-399- 36
王綸明(臨安衛人)	
	570-128-21之1
王綸明(江西參政)	676-215- 8
王綸明 見王理之	
王遥晉	473- 53- 50
	479-537-241
	516-468-104
	1059-298- 8
王銀明 見王艮	
王銖宋	480-483-280
王徹明	475- 74- 53
	558-431- 37
王綝唐 見王方慶	
王綬妻 明 見徐氏	
王綖明	472-135- 4
	474-479- 23
	505-827- 75
	1269-405- 5
王寬齊	259-307- 27
	265-276- 16
王寬元	295-227-164
王寬明(字敬敷)	676-507- 19
	1442- 32-附2
	1459-701- 27
王寬明(字德廣)	1386-300- 40
王寬妻 明 見張氏	
王戭晉	933-331- 24
王澐女 清 見王氏	
王澍元(字時雨)	524-278-192
王澍元(字澍夫)	1202-324- 22
	1210-336- 10
王澍清	475-281- 63
王潢明	511-512-157
	1442-109- 7
	1460-661- 73
王潯宋	528-507- 31
王諒晉	256-455- 89
	380- 43-166
	472-350- 15
	475-669- 84
	489-598- 47
	489-667- 49
	492-573-13下之上
	511-487-155
	933-332- 24
王諒妻 明 見史氏	
王廣魏	254-480- 28
	545-512-102
王廣女 晉 見王氏	
王廣明	561-401- 42
王廡妻 明 見李氏	
王瑩梁	260-164- 16
	265-365- 23
	378-365-140
	488-169- 8
	494-282- 3
	523-182-155
	933-334- 24
王瑩明	301-738-281
	478- 92-180
	482-184-346
王潼明	523-579-175
	821-417- 56
王潽宋	544-234- 63
王潮唐	275-574-190
	472-794- 31
	477-544-176
	528- 3- 17
	537-608- 60
	933-344- 24
王潛唐	275-583-191
	400- 94-508
	477-164-157
	480-239-269
	559-312-7上
	561-335- 40
	591-369- 30
王潛女 唐 見王氏	
王潤明	523- 47-148
王澄晉(字平子)	255-749- 43
	377-519-122
	386-158-73下上
	476-781-141
	933-329- 24
王澄晉(字道深)	545-520-102
王澄妻 唐 見崔氏	
王澄宋	526-234-266
王澄明(字德輝)	302-140-296
	479-329-232
	524-218-189
	1224-235- 21
王澄明(字克清)	473-284- 61
	480-132-264
	533- 42- 48
	563-754- 40
王澄明(鳳陽衛人)	475-754- 88
	511-647-162
王澄明(字肅政)	559-320-7上
王澄明(字希范)	1258-660- 15
王誼北周	264-713- 40
	267-259- 61
	379-862-164
	384-140- 7
	532-563- 40
	544-218- 62
	546-174- 21
	933-338- 24
王誼明(字內敬)	676-489- 19
	1242- 78- 26
	1391-623-339
	1442- 25-附2
	1459-622- 24

王誼明(字有正) 1291-636- 2
王誼母 明 見梁氏
王調漢 474-337- 17
505-743- 72
505-865- 77
王翦戰國 244-449- 73
371-564- 45
375-916- 93
384- 33- 1
405-314- 76
472-829- 33
478- 94-180
523- 2-146
554-546- 58
933-324- 24
王諍明 523-347-162
545-119- 86
569-652- 19
679-212-160
1283-739-125
1457-706-410
王鄰清 510-441-116
王褘妻 元 見何妙音
王澂宋 451-194- 7
王澂明 陸友誠妻、王文貴女
1245-531- 27
王適唐 271-577-190中
400-598-555
477-526-175
505-879- 79
538-333- 69
1073-592- 28
1074-433- 28
1075-384- 28
1355-628-21上
1371- 50- 0
1378-523- 60
1383-178- 14
1410-276-699
1447-262- 10
王適宋 592-587- 98
1108-436- 89
1110-484- 27
1112-753- 21
王適明 516-519-106
王毅宋 1153-463- 95
王毅金 291-668-121
400-214-517
472- 35- 1
474-471- 23
477- 54-151
505-834- 76
1190-200- 11
王毅元(字剛叔) 479-433-236
523-421-166
525-172-225
1223-572- 11
1226-167- 8
1318-354- 63
1405-693-307
1439-439- 1
王毅元(字粟夫) 1439-428- 1
王毅明 1475-462- 19
王談晉 256-438- 88
380- 89-167
472-1000- 40
479-136-223
524-117-184
933-332- 24
王謀蜀漢 254-686- 15
王誕女 晉 見王氏
王誕劉宋 258-130- 52
265-362- 23
378- 77-133
472-553- 23
476-783-141
485- 68- 10
493-674- 37
933-334- 24
王褒漢 250-483-64下
376-240- 99
384- 45- 2
469-592- 72
469-623- 76
471-945- 51
471-1020- 63
481-385-312
559-398-9上
561-305- 40
569-614-18下之2
591-505- 41
933-325- 24
1088-424- 47
1354-828- 48
1381-609- 44
王褒北周 260-344- 41
263-753- 41
267-610- 83
380-388-176
384-143- 7
472-553- 23
476-786-141
540-730-28之1
552- 47- 19
554-884- 64
812- 70- 下
812-234- 9
812-724- 3
814-262- 8
820-123- 25
933-339- 24
1387-214- 12
1394-574- 7
1395-604- 3
1401-470- 35
王褒隋 554-973- 65
1061-224-106
王褒明 301-827-286
460-506- 44
515-200- 63
529-718- 51
676-450- 17
1318-352- 63
1442- 18-附1
1459-379- 11
王慶王公奴 北周(小名公奴)
263-542- 17
267-338- 65
王慶北周(字興慶) 263-676- 33
267-386- 69
379-663-159
476- 35- 98
478-165-182
544-221- 62
545-234- 92
545-553-103
554-120- 50
王慶元 538- 95- 64
王慶明(襄垣吏員) 547- 37-142
王慶明(字起吾) 1467-241- 71
王慶妻 明 見李氏
王慶妻 清 見汪氏
王廞晉 258-237- 63
378- 19-133
814-239- 5
820- 58- 23
王凜明 547-121-145
476- 85-100
王慧唐 559-390-9上
王慧明 1240-860- 9
王璃明 545-852-113
王愨明 558-311- 34
王賢後唐 見李存賢
王賢元 472-133- 4
王賢明(鄞人) 456-683- 11
540-829-28之3
王賢明(字惟善) 472- 27- 1
505-634- 67
540-787-28之3
541-106- 31
1241-511- 8
1241-672- 15
王賢明(字茂先) 473- 89- 52
516-129- 92
王賢明(字希昭) 473-302- 62
533-210- 53
王賢妻 明 見李氏
王撰宋 524-156-186
王撫明 821-391- 56
王標明(壽州人) 545-344- 96
王標明(字爾瞻) 546-649-136
王標明(字的明) 554-256- 52
王駕唐 451-474- 7
546-705-138
1371- 73- 0
王緦清 537-227- 54
王霄宋 471-894- 43
473-738- 82
482-267-350
王瑾明(束鹿人) 299-700-171
王瑾陳蕪 明(交趾人)
302-261-304
1458-123-425
王瑾明(安肅人) 494- 57- 2
505-810- 74
554-249- 52
王瑾明(涇陽人) 554-476-57上
王增明 515-835- 84
王增妻 明 見楊氏
王墱明 554-483-57上
王播唐 271-116-164
275-340-167

384-253- 13
384-260- 13
384-265- 13
384-267- 14
396-122-262
472-292- 12
472-434- 19
472-824- 33
472-825- 33
478- 88-180
544-228- 63
545-577-104
549-323-193
554-131- 50
820-249- 29
879-166-58上
933-343- 24
1341-662-888
1343-763- 56
王醇明 511-846-168
1442- 99- 6
王確明 511-363-150
523- 87-149
676-170- 7
王閭後魏 262-260- 87
267-641- 85
380-121-167
933-339- 24
王墮晉 256-800-112
381-246-189
478-105-180
933-332- 24
王璋元 1206-192- 20
王璋明 547-105-145
王璋明 554-708- 61
王璋女 明 見王巧兒
王璋清 515-286- 65
王璋妻 清 見尹氏
王璋妻 清 見唐氏
王璋妻 清 見齊氏
王靚宋 472-545- 23
476-817-143
王靚女 宋 見王氏
王靚金 545-460-100
王霈妻 明 見邱氏
王霈妻 明 見鄭氏
王鞏宋 286-248-320
382-261- 40
397-400-344
471-878- 41
471-910- 46
482-409-359
549-126-185
559-434-10上
567-433- 86
820-383- 33
933-352- 24
1107-773- 55
1112-535- 46
1405-679-306
1467-145- 67
王輪明 546-309-125
王樞宋(字致榮) 480-483-280
515-321- 67
王樞宋(字慎之) 1088-958- 39
王樞金 1365-291- 9
1439- 1- 0
1445-526- 40
王樞明 523-465-169
王鼐明 472-135- 4
474-479- 23
505-913- 81
王鼐清 476-155-104
545-856-113
王震宋(字子發) 286-249-320
397-401-344
1147-551- 52
王震宋(字東卿) 1137-709- 26
王震金 291-720-127
400-307-525
540-771-28之2
王震明(字威遠) 510-314-113
1289-378- 26
王震明(寧夏人) 558-430- 37
王震明(字震之) 676-464- 17
王震妻 清 見胡氏
王霆宋 287-569-408
398-537-401
472-197- 7
472-789- 31
472-1030- 42
473-209- 59
475-367- 67
475-743- 88
477-542-176
479-134-223
479-325-232
480-127-264
494-330- 6
510-471-117
511-380-150
523-558-174
537-354- 56
王璇妻 明 見聶氏
王璇清(鳳台人) 547- 65-143
王璇清(字在只) 1316-665- 46
王璇妻 清 見龐氏
王璡宋 1086-293- 29
王璡明(字汝器) 452-263- 8
472-527- 22
493-977- 52
537-209- 54
540-784-28之3
820-590- 40
1374-773- 98
1442- 18-附1
王璡明(按察司副使)
473-569- 74
528-449- 29
王璡明(字仲瓚) 515-364- 68
王璡明(咸陽人) 545-146- 88
王璡明(字公器) 1261-722- 31
王璡明(樂昌人) 1467- 87- 65
王璡妻 明 見陳氏
王璡妻 明 見劉氏
王璡妻 明 見嚴妙眞
王璡妻 清 見張氏
王𤩽明 559-276- 6
王穀宋 813-139- 12
821-196- 51
王穀明 481-613-329
528-497- 30
王穀妻 清 見謝氏
王遷漢 248-617- 8
535-553- 20
539-349- 8
1412-124- 5
王遷妻 明 見吳氏
王履宋 473-713- 81
563-902- 43
王履明 302-173-299
493-1056- 56
511-733-165
556-711- 98
821-348- 55
1442- 14-附1
王賞宋 473-516- 71
559-385-9上
591-640- 46
592-595- 99
王蔚魏 476-114-102
王蔚金 291-355- 95
472- 35- 1
474-178- 8
505-719- 71
545-370- 97
王蔚清 480-437-278
532-728- 46
王蔡宋 譚彥才妻、王安世女
1170-259- 14
王蔡媳 明 見胡氏
王踞唐 384-201- 11
王墨唐 812-372- 0
821- 73- 47
王嶠晉 256-241- 75
377-790-127
523-181-155
544-203- 62
545-521-102
933-331- 24
王輝宋(青州人) 288-377-453
400-136-511
472-593- 24
540-765-28之2
王輝宋(錢塘人) 524-344-196
585-520- 17
821-232- 51
王輝明 472-1102- 47
523-171-154
王劇唐 見王勮
王勱陳 260-652- 17
265-378- 23
378-529-144
475-213- 60
494-286- 3
510-356-114
563-620- 38
567- 31- 63
933-335- 24
王勱北周 見王勵
王勮王劇 唐 271-570-190上
276- 62-201

400-592-554
476-398-119
546-546-133
933-345- 24
1065-182- 附
1065-184- 附
王賜漢 402-465- 10
王瞰元 295-700-208
王欽妻 明 見顧氏
王鉉明 475-329- 65
王箴宋 473-514- 71
559-384-9上
591-642- 46
王質晉 524-434-201
1061-278-110
王質陳 260-659- 18
265-378- 23
378-530-144
515-209- 63
933-335- 24
王質後魏 262-334- 94
267-747- 92
王質唐 271-110-163
275-299-164
384-271- 14
396- 74-258
472-198- 7
472-357- 15
472-465- 20
472-739- 29
475-755- 88
476-400-119
511-913-173
537-350- 56
546-564-133
547-110-145
549-335-193
1077-345- 3
1342-104-917
1410- 51-669
王質宋(字子野) 285-341-269
382-261- 40
384-356- 18
396-620-310
449-110- 9
450-174-上21
450-270-中7
472-221- 8
472-789- 31
475-119- 55
475-698- 86
476-615-133
477-408-169
480-240-269
493-698- 39
510-325-113
532-572- 41
537-326- 56
540-760-28之2
708-333- 50
1089-697- 13
1092-123- 17
1102-168- 21
1118-377- 19
1378-482- 58
1383-575- 51
1410- 83-672
王質宋(字景文) 287-412-395
398-410-391
473-188- 58
473-297- 62
476-824-143
479-795-254
480- 55-260
516-163- 94
533-136- 51
575-704-附下
674-881- 20
1318- 34- 34
1363-586-196
王質女 宋 見王氏
王質金 291-363- 96
399-212-434
王質明(字夢瑾) 472-208- 7
472-520- 22
475-781- 89
476-478-125
479-721-250
481- 23-291
494- 55- 2
511-360-150
512-784-196
537-316- 56
540-617- 27
559-250- 6
王質明(字尚古) 505-781- 73
王質明(字延質) 1256-455- 30
王質清 479-248-228
523-393-164
559-533- 12
王億宋 515-574- 75
王億明 554-490-57上
王儀魏 254-220- 11
384-666- 42
540-710-28之1
1408-484-527
王儀元(字子禮) 472-775- 30
537-548- 59
王儀元(字仲履) 1217- 21- 3
1375- 20- 上
王儀明(字克敬) 300-348-203
474-185- 9
475-122- 55
475-872- 95
476- 31- 97
476-918-148
505-801- 74
510-336-113
545- 83- 85
554-176- 51
676-234- 9
王儀明(常熟人) 473- 97- 53
515-187- 62
王儀明(字鳳來) 533-156- 52
王儀明(字汝儀) 820-715- 43
821-438- 57
王儀明 徐縉妻、王鏊女
1256-463- 31
王儀清 505-884- 79
王儉齊 259-265- 23
265-347- 22
378-198-137
384-110- 6
469-200- 23
476-784-141
488-209- 9
510-356-114
540-720-28之1
541-377-35之6
814-249- 6
820- 92- 24
933-333- 24
1329-808- 46
1331-241- 46
1379-566- 66
1394-626- 9
1395-593- 3
1399-376- 6
1406-375-352
1415-154- 87
1415-264- 91
王儉唐 476-180-106
545-235- 92
王儉明(平涼人) 545-245- 92
王儉明(字用節) 561-200-38之1
1241-111- 5
王德北周 263-542- 17
267-337- 65
379-627-158
476-280-111
546-170-121
547- 50-143
554-117- 50
933-338- 24
王德宋 287- 46-368
398-114-373
449-476-上12
472-897- 35
475-272- 63
475-699- 86
478-518-200
479-556-242
523- 14-146
558-309- 34
王德妻 元 見石氏
王德明 302- 22-290
472-128- 4
476-611-133
479-408-235
505-691- 70
511-492-156
523-418-166
584-273- 10
1280-517- 94
1458-606-463
王德清 456-317- 75
王畿宋 1156-231- 20
王畿元 1220-558- 12
王畿明(字汝中) 301-785-283
457-172- 12
479-241-227
510-204- 95

523-601-176
677-604- 54
1442- 55- 3
1460-138- 46
王巘明(字翼邑) 460-748- 77
529-551- 45
王緘後唐 277-504- 60
王緘後唐 見僧緘
王緘明 300-348-203
王鋗唐 820-267- 29
王魯明 554-311- 53
王儁王雋 漢 254- 29- 1
385- 67- 5
477-414-169
480-487-280
538-166- 66
王皜明 472-827- 33
554-348- 54
王磐漢 252-634- 54
376-621-106
王磐元 295-170-160
399-550-475
451-648- 12
453-769- 1
459-806- 48
472-116- 4
472-696- 28
474-372- 19
474-439- 21
476-477-125
476-828-143
477-482-173
477-503-174
505-633- 67
505-764- 72
538-322- 69
540-648- 27
541-111- 31
593- 25- 上
593- 50- 中
820-490- 37
1200-583- 44
1200-772- 59
1201-171- 80
1439-420- 1
1470-103- 5
王磐明(山東沂州人)
545-187- 90
王磐明(字鴻漸) 821-437- 57
1442- 51-附3
王盤清 456-318- 75
王盤明(瓊山人) 482-268-350
564-274- 47
王盤明(通海人) 483- 37-371
570-251- 25
王盤明(漢州令) 559-375- 8
王銳子 宋 1102-215- 27
王銳元(字進卿) 523-170-154
王銳元(東原人) 540-640- 27
王銳明(遷安人) 472-695- 28
475-449- 71
505-806- 74
537-268- 55
554-188- 51
王銳明(普安指揮) 571-554- 20
王範晉 482- 35-340
564- 10- 44
王範明(開州人) 472-546- 23
476-819-143
540-666- 27
王範明(陽曲人) 545-667-107
王範明(字慕吉) 559-405-9上
1312-349- 34
王皞唐 933-359- 24
王皞明 475-605- 81
510-439-116
王衜宋 1164-340- 18
王衜妻 宋 見唐氏
王緯唐 270-752-146
275-240-159
384-233- 12
396- 50-256
472-434- 19
476- 36- 98
510-279-112
510- 8- 57
523- 6-146
545-574-104
554-329- 54
王緯明 483-320-396
571-547- 20
王緝明(汾陽人) 545-894-114
王緝明(字思學) 1238-213- 18
王緝明(字紹熙) 1251-298- 22
王膠唐 1078- 75- 2
王篆明 533-214- 53
王稼宋 460-362- 28
王稷唐 270-812-151
275-372-170
396-145-265
王徵明 302-102-294
456-445- 3
475-369- 67
478-131-181
510-394-115
554-722- 61
1325-764- 9
王練劉宋 258- 32- 42
王憲後魏 261-477- 33
266-492- 24
379- 52-146
384-130- 7
472-591- 24
474-513- 25
476-666-136
505-654- 68
505-932- 84
540-724-28之1
933-337- 24
王憲明 300-270-199
474-372- 19
477-201-159
477-566-177
505-671- 69
537-280- 55
540-795-28之3
545-340- 96
554-175- 51
676-718- 30
王憲妻 明 見李氏
王憑明 545-224- 91
王導晉 256- 99- 65
370-324- 7
377-691-125
384- 97- 5
459-300- 18
469-200- 23
471-684- 14
471-775- 26
471-839- 35
472-552- 23
473-682- 79
476-781-141
482- 73-341
488-100- 7
488-107- 7
488-109- 7
489-351- 31
489-598- 47
489-622- 48
491-799- 6
511-887-172
532- 97- 27
540-714-28之1
563-612- 38
812- 68- 下
812-232- 9
812-721- 3
813-278- 14
814-235- 5
820- 57- 23
933-329- 24
1112-662- 10
1284-389-165
1343-337- 24
1413-712- 61
王潞清 532-641- 43
王澮宋 1365-594- 上
1445-676- 52
王熺明 460-739- 76
481-590-328
529-672- 49
王澣唐 見王翰
王澤漢 253-377- 98
471-1063- 70
476- 33- 98
545-413- 98
545-506-101
545-510-101
王澤宋 559-379-9上
王澤明(汝州人) 472-802- 31
王澤明(會寧知縣) 472-894- 35
王澤明(沾化人) 545-245- 92
王澤明(岐山令長) 554-311- 53
王澤明(字均霑) 1289-341- 23
王澤明(字叔潤) 1391-599-336
1442- 9- 1
1459-459- 14
王澤妻 清 見閆氏
王諶齊 259-363- 34
265-695- 49
378-282-138

472-310- 13
476-785-141
933-336- 24
王諶後魏 262-316- 93
544-207- 62
王諶子 唐 1065-583- 6
1342-391-955
王謀蜀漢 384-464- 12
385-168- 19
481-290-306
591-548- 43
王諤唐 384-235- 12
王諤宋 529-592- 47
王諤元 1201-169- 80
王諤明(字廷直) 524-361-196
821-406- 56
王諤明(陝西西安人)
545-465-160
王懌明 676-489- 19
1391-627-339
1442- 25-附2
1459-622- 24
王谿明 523-451-168
563-799- 41
王濂明(字習古) 299-277-135
475-753- 88
478-765-215
511-351-149
523- 34-147
1224-177- 20
王濂明(字仲清) 511-687-163
王濂明(長垣人) 554-346- 54
王激明 676-559- 23
王諫元 1204-271- 7
王諟明 532-683- 44
王凝隋 493-738- 41
546-749-140
王凝唐 271-130-165
275- 73-143
395-690-242
475-501- 75
476- 38- 98
478-376-192
510-280-112
545-592-104
554-234- 52
820-234- 28
1083-489- 1
1083-525- 7
王凝妻 五代 見李氏
王凝宋(安鄉人) 533-294- 56
王凝宋(畫院待詔) 813-155- 14
821-147- 50
王凝明 480-298-271
533-237- 54
569-653- 19
王遴明 300-614-220
474-185- 9
474-514- 25
477-566-177
505-724- 71
506-518-104
545-151- 88
554-180- 51
676-581- 24
王遵漢 376-526-104
402-558- 18
478- 97-180
552- 18- 18
554-548- 58
王遵妻 漢 見張叔紀
王遵唐 472- 64- 2
王遵元(字成之) 537-265- 55
1200-753- 57
王遵元(字克勉) 1204-302- 9
王遵明 559-367- 8
王璜漢 476-662-136
王璜明(字廷瓚) 523- 49-148
1442- 45-附3
1459-920- 39
王璜明(字思獻) 676-526- 21
王璜明(字子玉) 1241- 14- 1
1241-861- 22
王璟明(字廷采) 300- 58-186
476-788-141
478-767-215
523- 45-148
540-793-28之3
王璟明(海州人) 475-472- 72
511-241-145
王璟明(山西曲陽人)
540-627- 27
545-658-107
王璟明(字廷章) 1245-182- 4
王璟明 見王暻
王璟妻 明 見李氏
王璟妻 明 見秦氏
王璟妻 明 見孫氏
王璣明(字玉溫) 456-585- 8
554-717- 61
王璣明(字在叔) 523-335-161
王璣明(字叔正) 1246-627- 13
王璣妻 明 見何氏
王璣妻 明 見許氏
王璣妻 明 見陳氏
王璣清 524-208-188
王贇宋 1104-462- 39
王融齊 259-468- 47
265-339- 21
370-523- 16
378- 1-137
384-110- 6
469-200- 23
496-611-104
820- 92- 24
1379-568- 67
1394-335- 1
1395-593- 3
1401-135- 19
王燕清 1322-627- 11
王燕妻 清 見陸氏
王樹後魏 261-439- 30
王樵宋 288-432-458
401- 19-570
476-524-128
491-805- 6
540-754-28之2
1170- 54- 7
王樵明 300-633-221
458-1049- 2
475-278- 63
511-687-163
523- 55-148
676-581- 24
677-611- 55
1442- 59- 4
1460-183- 48
王機晉 256-640-100
377-943-130
1467-492- 10
王機宋 475-823- 92
511-915-173
王穎明 1242-122- 28
王頤宋 494- 18- 2
554-309- 53
王頤明 475-641- 83
510-448-117
王頤妻 清 見張氏
王臻劉宋 258- 14- 41
王臻宋 286- 1-302
397-217-332
472-202- 7
472-544- 23
475-780- 89
476-576-131
477- 52-151
481-524-326
511-357-150
523-212-156
528-437- 29
540-632- 27
581-471- 95
王璠唐 271-198-169
275-466-179
384-273- 14
396-200-270
506-565-106
544-231- 63
545-583-104
554-131- 50
820-249- 29
王璠元 540-671- 27
王璠明 545- 71- 85
558-313- 34
1258-613- 13
王璠妻 明 見趙氏
王翰王澣 唐 271-590-190中
276- 73-202
384-206- 11
400-600-555
451-414- 1
546-629-136
1371- 55- 0
1387-388- 30
王翰宋 288-404-456
400-294-524
474-603- 31
505-915- 81
王翰王諾木罕、王諾木歡、王諾摩罕 元 299-143-124
400-281-522
475-705- 86

481-532-326
528-447- 29
676-711- 29
1217-158- 1
1217-162- 1
1217-190- 3
1217-218- 5
1217-229- 6
1374-751- 95
1439-450- 2
1469-300- 49
王翰明(字時舉) 476-370-117
515-201- 63
546-488-131
563-850- 41
584-264- 10
676-464- 17
1442- 10-附1
王翰明(江寧主簿)
494- 42- 3
王翰明(昌黎人) 505-807- 74
王翰明(德陽人) 554-342- 54
王橋後魏 262-312- 93
267-736- 92
381- 25-184
545-540-103
王橋明(字榮予) 523- 90-149
王橋明(字汝濟) 533- 61- 49
1467-111- 66
王橋明(字德高) 1284-184-151
王歷妻 明 見董氏
王壁宋 491-435- 6
王壁明 547- 81-144
王璘唐 480-406-277
王璘宋 1467- 38- 63
王璘元 523-153-153
王璘明 572-109- 30
王璘妻 清 見劉氏
王璛王橚 明 524-288-192
820-531- 38
王璛妻 明 見朱氏
王靜後魏 262-316- 93
545-547-103
王靜明 511-274-147
532-624- 43
王靜明 周岐鳳妻、王子職女
1238-247- 21
王擱隋 見王擣
王橝明 515-721- 79
王橚宋 480-635-288
王橚明 見王璛
王霖元(字栗里) 1375- 19- 上
王霖元(字叔雨) 1439-444- 2
王霖明(號崵嵻) 537-409- 57
540-628- 27
王霖明(字濟民) 1259-683- 10
王璞明 547- 8-141
王璡明(字器之) 299-377-143
472-613- 25
476-788-141
479-175-225
523-130-152
540-786-28之3
886-161-139
王璡王進 明(字汝嘉)
472-1085- 46
473-210- 59
473-977- 52
480- 51-259
493-977- 52
511-673-163
1238-216- 18
1386-434- 45
王操北周 263-827- 48
267-784- 93
370-567- 18
381-399-193
王操宋 1362-409- 6
1437- 8- 1
王樸五代 472-642- 26
王樸宋 587-440- 5
王樸明(榆林衛人) 301-582-272
王樸明(嘉興人) 563-827- 41
王樸明(清平人) 572- 79- 28
王樸清 546-759-140
王豫宋 505-874- 78
王豫明(丹徒人) 472-278- 11
王豫明(字德立) 475-432- 70
511-582-159
王豫明(字用誠) 537-402- 57
1247-527- 23
王豫明(字介夫) 677-659- 59
680-109-235
王隨宋 286-119-311
371- 52- 5
382-348- 56
384-347- 18
397-300-337
472-172- 6
472-273- 11
472-289- 12
472-749- 29
475- 16- 49
475- 69- 49
475- 69- 52
475-482- 73
478-695-210
484- 89- 3
488-379- 13
488-380- 13
510-408-115
537-507- 59
558-227- 32
588-161- 8
820-350- 32
933-355- 24
1053-464- 11
王遹唐 812-747- 3
820-189- 27
王遹宋 1112-748- 20
王選宋 515-533- 73
王選明(新喻人) 515-541- 74
王選明(西充人) 554-312- 53
王蕙元 韋寅妻 475-381- 68
王蕙元 盧觀妻、王慶誨女
683- 72- 4
1232-430- 4
王蕙元 1209-582-9下
王蕢明 537-288- 55
王曇明 570-212- 23
王暻王璟 明 483- 33-371
570-110-21之1
王默魏 254-469- 27
王默唐 812-355- 10
王默宋 1113-219- 22
王默元 511-678-163
820-525- 38
王興漢 538-341- 70
1059-310- 10
王興北周 544-218- 62
王興宋 475-810- 91
561-226-38之3
王興元 1207-135- 8
王興明(諡烈愍) 456-466- 4
王興明(新城人) 474-243- 12
王興明(新鄉人) 538- 96- 64
王蕃吳 254-924- 20
370-274- 4
377-413-120
384- 81- 4
384-605- 34
386- 92-71下
472-326- 14
473-598- 76
475-528- 77
475-703- 86
481-672-331
511-490-156
528-519- 31
王蕃宋 820-387- 33
王蕃明 572-108- 30
820-661- 42
821-407- 56
王曈女 宋 見王氏
王蕘唐 271-120-164
275-343-167
396-123-262
王蕭宋 1053-864- 20
王曉宋 812-472- 3
812-547- 4
813-193- 19
821-146- 50
王曉清 523-237-156
538- 43- 63
王曄王熤、王韜孟 明
300-460-210
475-278- 63
511-182-143
1285-323- 10
1442- 56- 3
王鄴唐 271-386-182
王叡漢 254-696- 1
王叡劉宋 見王元德
王叡後魏 262-312- 93
267-736- 92
381- 24-184
544-206- 62
545-540-103
王叡唐 592-529- 94
1061-285-112
王暹明(字希白) 460-790- 84
529-740- 51

676-100- 3
王遲明(字景陽) 472-647- 26
523-305-160
537-214- 54
554-206- 52
676-716- 30
678-479- 18
王積明 511-236-145
571-527- 19
1280-597-100
1284-163-149
王頣明 533- 63- 49
王膴明 567- 87- 66
王儔宋(廣德軍人) 288-375-453
400-134-511
472-388- 17
475-821- 92
510-493-118
王儔宋(字尚友) 559-314-7上
王僎明 452-210- 5
472-262- 10
472-309- 13
511-148-142
676-497- 19
820-651- 42
1248-639- 4
1392- 81-375
1442- 27-附2
1459-644- 25
王僎女 明 見王氏
王縝明 300-303-201
480-319-272
482- 37-340
564-150- 45
王學明(字子靜) 1276-419- 10
王學明(字湘南) 1467-232- 70
王翺宋 見王子融
王翺元 472-741- 29
537-301- 56
王翺明(字九皋) 299-785-177
453-374- 9
453-587- 13
472- 71- 2
473- 15- 49
474-340- 17
474-690- 37
479-452-237
481-804-338
482-321-354
502-282- 56
505-745- 72
506-514-104
515- 36- 58
523- 38-147
554-165- 51
558-146- 30
559-268- 6
563-720- 40
567- 94- 66
1241- 76- 4
1374-575- 79
1458-493-450
1467- 70- 64
王翺明(字鵬飛) 676-674- 28
1460-792- 86
王翺明 見王羽
王龜唐 271-120-164
275-342-167
384-261- 13
396-123-262
476-372-117
478-334-191
486- 45- 2
523- 8-146
545- 27- 83
545-591-104
554-235- 52
933-344- 24
1077-428- 17
王嬙漢 見王明君
王縉唐 270-403-118
275- 87-145
384-220- 12
395-705-244
472-434- 19
545- 15- 83
545-572-104
814-275- 10
820-187- 27
933-343- 24
1054-494- 14
1371- 60- 0
1387-469- 36
王縉宋 449-416-上6
471-617- 5
472-1016- 41
523-337-162
1167-733- 38
王縉明(山陰人) 476-518-127
546- 90-118
王縉明(西安左衛人)
554-602- 59
王緼前秦 496-598-103
王錡明 1255-736- 74
1386-352- 42
王錦明(襄城人) 538-152- 65
王錦明(曲周人) 545-248- 92
王錦明(字在中) 554-487-57上
559-288-7上
王錦妻 明 見趙氏
王儒明(字汝珍) 523-582-175
王儒明(澤州人) 554-259- 52
王儒明(字友宗) 1266-413- 8
王儒清 478-404-194
554-315- 53
王衡漢 475-118- 55
493-668- 37
王衡北周 267-784- 93
545-556-103
王衡宋 486-896- 34
523-396-165
王衡明(字辰玉) 300-591-218
475-452- 71
511-236-145
676-625- 26
820-728- 44
1295- 50- 4
1442- 86- 5
1460-491- 64
王衡明(字宗銓) 472-240- 9
475-176- 59
476-402-119
510-348-114
523-216-156
546-595-134
王衡明(字以平) 1246-625- 12
王衡女 明 見王氏
王錫劉宋 258- 31- 42
265-337- 21
378- 71-132
933-333- 24
王錫梁 260-194- 21
265-377- 23
378-368-140
933-335- 24
1395-596- 3
王錫唐 533-785- 75
王錫明(字子美) 301-463-263
456-425- 2
479-495-239
481-115-296
515-449- 70
559-511- 12
王錫明(冀城人) 472-468- 20
476- 84-100
545-772-111
王錫明(洪洞人) 545-777-111
554-310- 53
王錫明(洛川教諭) 547- 46-142
王錫明(字克剛) 820-613- 41
王錫清(伊爾根覺羅氏)
455-230- 12
王錫清(李佳氏) 455-524- 33
王錫清(絳縣人) 476-403-119
547-120-145
王勳宋(字上達) 487-112- 8
491-435- 6
494-340- 7
王勳宋(左朝奉郎) 487-188- 12
王勳宋(字克壯) 529-449- 43
王勳宋(字子功) 1118-676- 35
王勳元 1209-528-9上
王勳明(字世臣) 477-168-157
505-698- 70
王勳明(渭南人) 554-709- 61
王勳明(崑山人) 559-298-7上
王穆明 511-737-165
王錄清 505-918- 81
王鴻宋(字翼道) 471-729- 20
473-187- 58
516-157- 94
680-453-269
王鴻宋(虔州人) 518-160-140
王濤晉 933-331- 24
王濤明 524- 91-182
王諲元 295-709-208
王應明(字思正) 479-329-232
523-561-174
王應明(字德鄰) 540-806-28之3
王濬晉 255-730- 42
377-502-122
384- 91- 5

469- 49- 6
471-945- 51
471-1001- 60
471-1050- 68
472-743- 29
473-424- 67
473-445- 68
475-868- 95
476-110-102
476-366-117
477-523-175
481- 14-291
481-113-296
532- 97- 27
537-602- 60
545-352- 96
559-259- 6
559-272- 6
591-668- 47
933-328- 24
1379-264- 33
王濬妻 晉 見徐氏
王濬明(錦衣衛百戶)
302-195-300
王濬明(威縣人) 505-825- 75
王濬明(字文深) 510-436-116
王濬明(字文通) 676-493- 19
王謐晉 256-107- 65
377-697-125
485- 65- 10
933-329- 24
王謐女 明 見王氏
王膺宋 491-345- 2
王禧金 505-911- 81
王濟晉 255-729- 42
377-500-122
386-165-73下下
476- 34- 98
545-520-102
820- 52- 23
933-330- 24
1379-269- 33
王濟宋(字巨川) 286- 35-304
397-241-333
472-961- 38
473- 13- 49
473-623- 77
474-370- 19
474-640- 33
476-112-102
479- 41-218
479-447-237
481-610-329
484- 88- 3
505-795- 73
515- 13- 57
523- 73-149
528-490- 30
545-366- 97
王濟宋(王審琦十世孫)
533-727- 73
王濟明(字伯雨) 482-485-364
524- 35-179
567-114- 67
676-191- 7
676-601- 24
1442- 71- 4
1467-115- 66
王濟明(河間人) 505-742- 72
王濟明(字汝舟) 523-445-168
王濟明(城武人) 554-312- 53
王濡母 唐 見成氏
王[illegible]明 475- 71- 52
王禪梁王 元 569-536- 17
王禪元 鄭國英妻
1252-347- 20
1376-677- 99
王濛晉 256-516- 93
370-344- 8
380- 6-165
384-101- 5
472-433- 19
476- 34- 98
485-552- 3
545-527-102
812- 69- 下
812-232- 9
812-721- 3
812-323- 5
813-244- 7
814-240- 5
820- 69- 23
821- 11- 45
933-330- 24
王濛女 晉 見王穆之
王謙梁 1399-500- 11
1415-288- 92
王謙北周 263-571- 21
267-254- 60
379-539-156
546-346-126
933-338- 24
王謙宋(宛陵人) 475-824- 92
王謙宋(字弱翁) 515-747- 80
王謙金 476-210-107
547-186-148
王謙元 1220-341- 12
王謙明(王崇古子) 300-649-222
王謙明(南昌人) 479-286-230
523-172-154
王謙明(字益夫) 511-147-142
559-298-7上
820-621- 41
王謙明(字自牧) 524-239-190
1229-232- 6
王謙明(徽州人) 558-398- 36
王謙明(守忠州) 559-275- 6
王謙明(都指揮使) 571-532- 19
王謙明(字牧之) 821-391- 56
王謙明(字益友) 1236-246- 下
王謙明(王迪子) 1240-881- 10
王襄漢 473-424- 67
559-257- 6
591-655- 47
王襄王宓、王寧 宋
286-674-352
288-414-456
400-302-524
472-644- 26
472-774- 30
477- 54-151
477-377-167
537-243- 55
王襄清 475-232- 61
511-557-158
王燧清 見王璲
王燦漢 469-182- 21
王[illegible]妻 清 見李氏
王聰明(諡武毅) 299-395-145
473-283- 61
480-131-264
533-369- 60
886-144-138
王聰明(字達之) 1467-117- 66
王聰妻 明 見葉氏
王擣王擣 隋 264-834- 53
267-460- 73
379-763-161
552- 48- 19
王檝元 295- 83-153
399-434-459
472-854- 34
478-203-184
554-597- 59
王檢宋 1122-533- 8
王懋劉宋 258- 14- 41
933-334- 24
王懋北周 263-562- 20
267-259- 61
379-542-156
546-174-121
552- 32- 18
933-338- 24
王懋元 472-519- 22
王懋明(字希昭) 299-590-161
537-482- 58
王懋明(南寧知府) 300-163-192
王懋明(字德儒) 475-672- 84
王懋明(字昭大) 545-377- 97
554-664- 60
王懋明(字季成) 564-294- 47
王懋明(字盛甫) 1231-405- 9
王彌晉 256-631-100
377-936-130
王翼金 1190-650- 9
1445-521- 39
王翼元(陽城人) 547-559-161
王翼元(字元徽) 820-524- 38
王翼明(遼東人) 494- 21- 2
554-280- 53
王翼明(鄉試舉人) 494- 55- 2
王翼明(茌平人) 540-827-28之3
王隝宋 481-181-300
王隱晉 256-346- 82
377-871-129上
469- 77- 10
472-654- 27
477-446-171
533-720- 73
538-149- 65
820- 61- 23
933-331- 24

王隱明 1257-912- 5
王璐清 547- 90-144
王擢宋 529- 84- 35
王檀後梁 277-200- 22
279-137- 23
396-343-282
554-586- 59
王樫元 1224-493- 29
王臨宋 286-372-329
474- 92- 3
505-764- 72
820-365- 33
王臨元 1229-116- 9
王臨明 533-334- 58
王磵金 505-889- 79
1190-199- 11
1365-129- 4
1439- 6- 0
1445-366- 25
1190-199- 11
王翳漢 535-552- 20
王覯宋 484-380- 28
王舉宋 473-757- 83
482-408-359
王舉明(鄞縣人) 510-408-115
王舉明(字彥高) 523-567-174
王舉明(字子庸) 1283-540-109
王舉明 見王舉逸
王舉女 見王氏
王勵王勒、王勱 北周
263-562- 20
267-259- 61
379-542-156
472-253- 10
546-174-121
933-338- 24
王璲明(高平人) 476-207-107
王璲明(遂寧人) 559-393-9上
王璲明 見王汝玉
王璲王燧 清 480-363-275
532-603- 42
532-753- 46
561-664- 47
王璲妻 清 見熊氏
王璥清 505-906- 80
王環後周 278-424-129
279-324- 50
384-313- 16
396-435-295
472-865- 34
473-624- 77
554-135- 50
王環明(新昌人) 481-720-333
王環明(字伯彰) 1237-331- 7
1238-176- 15
1242-161- 29
王駿漢 250-599- 72
376-314-100
472-611- 25
472-823- 33
476-727-138
477-559-177
478- 84-180
540-696-28之1
554- 96- 50
王轂唐 273-115- 60
451-476- 7
515-497- 72
王薦宋(司理參軍) 288-304-448
400-158-513
王薦宋(字繼道) 485-391- 3
510-423-116
王薦元 295-605-197
400-314-526
460-1105- 5
473-660- 78
481-748-334
529-708- 50
王薦妻 明 見孫氏
王巘王黼 明(河南河內人)
472-546- 23
472-721- 28
537-482- 58
540-635- 27
王嶽明 523-230-156
王薈晉 256-108- 65
377-698-125
485- 65- 10
486- 36- 2
493-674- 37
510-322-113
523- 4-146
814-235- 5
820- 58- 23
933-329- 24
1284-389-165
王壑宋 451- 62- 2
王壑明 1460-594- 69
1442- 98- 6
王嬰漢 402-455- 9
王曙王晦叔 宋 285-576-286
371-104- 10
382-334- 53
384-350- 18
397- 57-325
449- 55- 4
472-466- 20
472-489- 21
472-748- 29
473-426- 67
476-150-104
481- 67-293
538-326- 69
545-212- 91
546-567-134
559-263- 6
708-327- 50
933-354- 24
1090- 60- 12
王曙女 宋 見王氏
王覬妻 明 見汪氏
王薘宋 515-131- 61
王邁宋(字貫之) 287-768-423
398-696-414
460-395- 30
473-633- 77
473-641- 78
480-402-277
481-524-326
481-554-327
493-779- 42
494-313- 5
494-471- 18
528-539- 32
528-444- 29
529-503- 44
1180-379- 35
1180-452- 41
1394-528- 6
王邁宋(字浩翁) 1170-594- 22
王嶷後魏(字道長) 261-478- 33
266-492- 24
379- 53-146
933-337- 24
王嶷後魏(字安壽) 545-541-103
王爵明(字錫之) 301-757-282
458-660- 2
478-699-210
511-692-163
558-398- 36
1293-353- 20
王爵明(鄉寧人) 547-121-145
王爵妻 明 見徐氏
王爵妻 明 見陳氏
王鎡母 宋 見周氏
王鎡宋(字時可) 472-368- 16
511-709-164
1153-571-102
王鎡宋(字介翁) 676-694- 29
1189-490- 附
1364-811-372
1437- 35- 2
王鎡妻 宋見孫氏
王鎡明 572-105- 30
王績王勣 唐 271-637-192
275-638-196
384-175- 9
401- 2-568
451-481- 8
469-398- 47
471-903- 45
472-171- 6
472-463- 20
476-398-119
547-143-146
550- 95-212
674-247-4上
674-798- 16
839- 44- 4
871-907- 19
933-345- 24
1065- 2- 附
1065- 21- 下
1065- 22- 下
1065- 24- 附
1065- 25- 附
1077-346- 3
1130-159- 16
1342-436-961
1371- 48- 0
1378-110- 40
1387-254- 16

1405-653-303
1408-602-542
1408-603-542
1410- 51-669
1410-268-698
王績明(字亞綿) 456-635- 10
511-463-154
王績明(常德知府) 473-367- 64
480-484-280
532-738- 46
王鍇前蜀 592-617-100
820-319- 31
王鍇明 302-157-297
524-145-185
王鍾戰國 546-435-129
王鍾王鍾祥 明(鄧州人)
456-662- 11
王鍾明(華亭人) 472-242- 9
王鍔唐 270-811-151
275-371-170
384-258- 13
396-145-265
472-434- 19
472-456- 20
473-347- 63
480-435-278
515-240- 64
532-723- 46
545- 24- 83
545-579-104
933-344- 24
王鍔明 460-740- 76
王聳明 1275-356- 16
王鍍妻 明 見梅氏
王鍵明(字公度) 529-461- 43
王鍵明(永平人) 545-342- 96
545-431- 99
王鍈明 569-662- 19
572-103- 30
王鍈清 540-852-28之4
王鍭明 460-597- 59
510-362-114
王徽劉宋 見王微
王徽唐 271-346-178
275-521-185
384-284- 15
396-238-273
472-838- 33
476-126-102
478-121-181
545- 31- 83
547-189-148
554-701- 61
559-261- 6
933-344- 24
王徽五代 540-746-28之2
王徽宋 288-788-487
289-729-115
王徽明(字尚文) 299-829-180
483-382-402
511- 75-139
571-554- 20
676-504- 19
820-627- 41
王徽妻 明 見李氏
王縱唐 545-593-104
1083-515- 6
王縱妻 唐 見石氏
王濆宋 1104-467- 39
王顏唐(杭州刺史) 484- 86- 3
王顏唐(臨晉人) 546-701-138
王顏女 唐 見王皇后
王顏南唐 473-165- 57
王賡妻 清 見林氏
王謹金 291-675-122
400-220-518
王謹元 1222-664- 7
王謹玉謹 明 481-612-329
528-497- 30
王禮元(字禮仲) 820-545- 39
王禮元(字子讓) 1220-360- 附
1220-566- 附
王禮明(鄧州人) 472-775- 30
537-549- 59
王禮明(固始人) 472-795- 31
537-609- 60
王禮明(朝城人) 476-865-145
王禮明(鄉試舉人) 494- 55- 2
王禮明(諸城人) 505-656- 68
王禮明(陝西鳳陽人)
541-113- 31
王禮明(直隸完縣人)
545-225- 91
王禮廣昌王 明(禮部郎中)
820-644- 41
王鎣明 529-462- 43
王瀏明 567-369- 81
王謳明 554-848- 63
676-549- 22
820-673- 42
1442- 47-附3
1460- 35- 41
王譔金 291-798-135
王謨明 511-361-150
王邃晉 488- 96- 7
813-245- 7
820- 59- 23
王璹唐 820-256- 29
王璹金 472-438- 19
546-634-136
1365-265- 8
1439- 3- 0
1445-490- 36
王璵唐 270-530-130
274-391-109
384-202- 11
384-211- 11
395-746-249
486- 43- 2
554-926- 64
933-340- 24
王騏明 472-766- 30
537-316- 56
王燾唐 274-256- 98
477-161-157
478-202-184
547- 3-141
554-750- 62
933-340- 24
王燾明 302- 57-292
456-555- 7
458-229- 5
473-283- 61
475-139- 56
480-131-264
480-201-267
511-469-154
545-445- 99
王燾妻 清 見吳氏
王贊宋 473-147- 56
488-389- 13
551-574- 75
532-716- 45
王贊妻 宋 見劉氏
王擴金 291-460-104
399-254-439
472- 54- 2
472-154- 5
472-519- 22
474-241- 12
474-513- 25
476-517-127
485-501- 9
505-732- 71
540-625- 27
545- 57- 84
1191-204- 18
1365-278- 8
1439- 7- 0
1445-508- 38
王闐五代 524-409-199
王璧唐 1376-620-96上
王璧宋 487-124- 8
524- 40-180
王璧明(蔚州人) 571-539- 20
王璧明(字克信) 1246-605- 10
王璿唐 820-225- 28
王璿明 559-393-9上
王嚞王中孚、王世雄 金
476-705-137
541- 93- 30
547-513-160
554-984- 65
1439- 13- 0
1445-764- 60
王翹唐 559-272- 6
王翹明 821-445- 57
1442- 69- 4
1460-323- 54
王鏊明 452-264- 8
473- 50- 50
516- 52- 89
537-315- 56
王檻宋 494-348- 7
王檻明 540-660- 27
王彝明(字友倫) 473-631- 77
481-550-327
523-453-168
528-476- 30
1249-771- 5
王彝明(字常宗) 475-451- 71
493-1025- 54

511-791-166
524-329-195
676-447- 17
1229-390- 附
1229-442- 附
1295- 56- 4
1318-340- 62
1442- 13-附1
1459-280- 7
王彝明(字秉元) 529-676- 49
王彝明(鄞人) 554-478-57上
王礎金 1190- 49- 6
王邇元 546-645-136
王薫明 524- 67-181
王顒宋 見王熙
王顒遼 289-729-115
王顒元(集賢大學士)
820-503- 37
王顒元(字守敬) 1217-765- 7
1217-766- 7
1217-772- 7
王顓明 302-619-320
王瞻漢 820- 36- 22
王瞻齊 259-307- 27
265-276- 16
378-278-138
475-212- 60
王瞻梁 260-189- 21
265-343- 21
378-364-140
510-356-114
933-333- 24
王曜漢 820- 36- 22
王齕戰國 384- 32- 1
王鎮宋 1147-809- 77
王鎮明 302-195-300
505-860- 77
王鎮妻 明 見段氏
王鎮妻 清 見馮氏
王穡明 479-719-250
1242-745- 5
王績齊 259-487- 49
265-374- 23
378-248-137
933-335- 24
王鎔唐 270-707-142
276-200-211
277-458- 54
279-236- 39
384-285- 15
384-290- 15
384-309- 16
396-302-277
396-392-290
933-347- 24
1383-785- 72
王鎔宋 528-445- 29
王鎔明 523-376-164
王鎬宋(字周翰) 1089-717- 14
1410-200-687
王鎬宋(字德高) 1156-916- 18
王鎬明(江陰訓導) 472-255- 10
王鎬明(字宗周) 505-807- 74
545-423- 98
王鎬明(字子京) 511-657-162
1245-528- 27
王鎬明(字叔高) 1239- 40- 29
王鎧明 545-281- 94
王簡元 見王巴延
王簡明 472-206- 7
王簡清 511-868-170
王鯉明 456-671- 11
王嚮宋 1123- 84- 8
王獵宋 286-274-322
397-417-344
472-694- 28
474-477- 23
477-161-157
478- 90-180
505-775- 73
537-264- 55
554-332- 54
王瀛明 1460- 76- 43
王識宋 530-214- 61
王譏明 572-110- 30
王贇宋 476-671-136
王贇明 547-114-145
王麒明(建州松花江人)
472-627- 25
王麒明(太和人) 482-238-349
563-851- 41
王麒明(字仁端) 1266-407- 7
王麒妻 明 見張氏
王爌明 300-307-201
472-1106- 47
479-294-230
510-314-113
523-319-161
563-781- 40
676-531- 21
1263-502- 4
王寵漢 473-245- 60
480-285-271
王寵明(字履吉) 301-845-287
475-136- 56
511-742-165
820-667- 42
821-412- 56
1263-327- 2
1273-248- 31
1284-169-149
1386-371- 43
1386-688- 56
1442- 50-附3
1454-363-123
1455-714-244
1458-261-435
1460- 64- 43
王寵明(靈石貢生) 547- 24-141
王寵明(字君受) 547- 72-143
王寵明(韓太守僕) 547- 76-143
王寵明(融縣人) 567-338- 79
王寵明(新安人) 676-203- 8
王瀚明(字東之) 1261-804- 37
王瀚明(字仲淵) 1285-325- 10
王瀚妻 明 見盧氏
王瀚清 見戒顯
王離戰國 405-315- 76
王離蜀漢 254-643- 11
481-348-309
559-304-7上
王潭漢 402-453- 9
王懷北齊 263-146- 19
267-122- 53
379-372-152
544-209- 62
933-338- 24
王懷明 515-357- 68
王瓆明 558-344- 35
王璽明(廣陵人) 299-750-174
478-453-197
676-375- 14
王璽明(安定人) 456-669- 11
王璽明(郟縣知縣) 472-801- 31
王璽明(字荊玉) 476-124-102
546-304-125
王璽明(字仲信) 479- 93-221
523-102-150
王璽明(字國用) 482-561-369
570-140-21之2
王璽明(字廷用) 511-373-150
537-289- 55
554-475-57上
王璽明(字朝雲) 559-320-7上
王璽明(合州人) 559-354- 8
王璽明(龍里指揮) 571-533- 19
572-101- 30
王璽妻 明 見李氏
王璽妻 清 見張氏
王璽妻 清 見劉氏
王鏊明 299-865-181
452-158- 2
453-652- 27
472-231- 8
475-134- 56
511- 66-138
676-512- 20
679-631-200
820-662- 42
1258-671- 16
1265-690- 25
1273-218- 28
1284-144-147
1284-357-163
1386-334- 41
1442- 34-附2
1457-488-387
1458-736-476
1459-731- 29
王轔明 456-678- 11
王關後漢 492-695-3上
493-667- 37
511-137-142
王瓊後魏 261-541- 38
266-714- 35
379-171-149
545-541-103
王瓊元 1206-192- 20
王瓊明 300-254-198
476- 42- 98
523- 46-148
545-662-107

550-122-213
550-144-214
550-190-216
554-175- 51
558-154- 30
王瓊明 鄒以升妻 1258-758- 7
王瓊明 見王瑩之
王瓊妻 明 見李氏
王騠宋 494-348- 7
王騣宋 見王鬷
王鬷王騣 宋 285-647-291
371- 74- 7
382-344- 55
384-351- 18
397-108-326
472- 95- 3
473-426- 67
474-621- 32
481- 68-293
493-698- 39
494-296- 5
505-789- 73
559-263- 6
591-685- 47
933-355- 24
1112-754- 21
1354-826- 48
王騤明 457-517- 32
475-377- 68
1460-331- 55
王疇宋 285-644-291
371-105- 10
382-345- 55
397-107-326
472-643- 26
476-863-145
477- 51-151
537-240- 55
540-760-28之2
王疇明(字體範) 460-616- 60
王疇明(字敘之) 473-215- 59
480- 57-260
533-139- 51
676-540- 22
王羆北周 263-543- 18
267-279- 62
379-554-156
384-140- 7
472-833- 33
476-110-102
478-106-180
478-333-191
532-561- 40
544-215- 62
552- 30- 18
554-561- 58
933-338- 24
王曠晉 488- 97- 7
814-239- 5
820- 64- 23
王曠宋 1123-185- 20
王黼王甫 宋 288-568-470
382-683-106
401-133-587
王黼明(武進人) 478-246-186
554-311- 53
王黼明 見王黻
王蠋戰國 244-516- 82
384- 30- 1
405-239- 71
472-588- 24
491-792- 6
1118-644- 33
1229-151- 1
1374-453- 65
1406-519-374
王顗梁 260-377- 45
265-890- 63
545-535-102
王藩唐 820-263- 29
王鑥清 537-417- 57
王贊後周 476-860-145
王贊宋 285-401-274
396-666-315
王贊元 1200-772- 59
王贊明 475-378- 68
王穪宋 559-300-7上
王鵬明 532-707- 45
676-256- 10
王鯨宋 529-749- 51
王鯨明(內鄉人) 456-667- 11
王鯨明(祥符人) 554-258- 52
王鯨妻 明 見胡氏
王鏜明 472-521- 22
505-800- 74
王繪宋 533-343- 58
王繪金 676-759- 32
1365-260- 8
1439- 2- 0
王辭唐 820-257- 29
王鏞明(字庚鑄) 460-740- 76
王鏞明(隋州人) 533-201- 53
王鏞明(廬陵人) 545-221- 91
王鏞明(字宗肅) 1260-633- 19
王鏞明(嘉興人) 1442- 10-附1
1459-258- 5
1475-170- 7
王鏞女 明 見王秀寧
王鏞清 538-105- 64
王繹宋 1127-534- 14
王繹宋 見王元誠
王繹女 宋 見王氏
王繹元 524-345-196
585-524- 17
592-991-上
821-313- 54
王鏌清 537-527- 59
王寶明 537-339- 56
王騫梁 260- 98- 7
265-351- 22
378-362-140
493-678- 37
494-284- 3
820-100- 24
王騫女 梁 見王靈賓
王瀹宋 491-436- 6
王瀹明(字子清) 458- 78- 4
537-398- 57
676-489- 19
王競金 291-706-125
400-689-565
472-699- 28
472-717- 28
477-167-157
477-243-161
537-287- 55
538-135- 65
820-476- 36
821-273- 52
1365-261- 8
1439- 2- 0
1445-487- 36
王礪宋(應天人) 684-489-下
820-351- 32
王礪宋(虞城人) 1104-467- 39
王礪女 宋 見王氏
王礪明 546-488-131
王鶩隋 515-567- 75
王隲清 474-515- 25
476-701-137
481- 29-291
505-643- 67
528-468- 29
540-855-28之4
559-326-7下
王醴明 821-477- 58
王瓌唐 274- 28- 77
王黨漢 402-462- 10
王齡女 明 見王德娩
王蘋宋 448-514- 12
449-742- 9
460- 29- 2
485-198- 26
493-1015- 54
511-671-163
529-441- 43
589-337- 4
674-842- 18
677-230- 21
1136- 64-附
1136- 80- 3
1136- 85- 4
1136- 87- 5
1136- 95- 6
1457-624-400
王蘋明 456-675- 11
559-516- 12
王獻明(號退菴) 452-241- 6
453-421- 13
524- 8-178
820-634- 41
1237-333- 7
王獻明(號南澧) 545- 92- 85
1458-525-451
王獻女 明 見王氏
王鶚元 295-173-160
399-552-475
451-646- 12
472-133- 4
472-558- 23
474-478- 23

505-874- 78
540-775-28之2
676-698- 29
679-828-220
1201-199- 82
1201-329- 93
1439-420- 1
王鶚明 1254-416- 3
王曦閩 見閩景宗
王藺宋 287-290 386
398-314-385
451- 22- 0
472-327- 14
475-704- 86
511-335-149
674-850- 18
1175-760- 19
王蘊晉 256-517- 93
370-358- 9
380- 7-165
459-863- 52
472-997- 40
475-212- 60
479-131-223
486- 35- 2
488-137- 7
494-277- 2
510-355-114
523-111-151
545-529-102
933-330- 24
王蘊女 晉 見王法慧
王蘊劉宋 258-534- 85
265-375- 23
378- 84-133
933-335- 24
王贍宋 286-642-350
397-697-362
王藹妻 明 見劉氏
王勸晉 384-101- 5
王藻劉宋 258- 12- 41
258- 13- 41
265-363- 23
378- 78-133
820- 90- 24
821-210- 51
933-334- 24
王藻女 宋 見王皇后
王藻元 1215-650- 8
王蘇漢 407-587- 4
王嚴魏 見王朗
王嚴宋 524-234-189
王嚴明 559-268- 6
王鑌清 537-251- 55
王鐐唐 275-521-185
396-237-273
545-591-104
王纂晉 472-278- 11
王纂不詳 742- 31- 1
王鐘明 511-123-141
王鐙明 511-845-168
1442-116- 7
王籍梁 260-421- 50
265-342- 21
378-364-140
479- 40-218
523- 71-149
524-322-195
814-253- 7
820- 99- 24
933-333- 24
1387-145- 8
1395-596- 3
王鏻閩 見閩太宗
王饒後周 278-393-125
王饒女 宋 見王皇后
王覺宋(邢州人) 400-299-524
474-409- 20
王覺王定國 宋 561-611- 46
王覺宋(字天民) 1147-356- 32
王繼明(字述之) 458-112- 5
477- 87-153
528-452- 29
537-403- 57
王繼明(沁源諸生) 547- 83-144
王繼明(保定人) 554-348- 54
王斅明(中牟知縣) 477- 55-151
537-247- 55
554-338- 54
王斅明(字子學) 511-373-150
王斅明(聞喜人) 547-561-161
王鶴明 554-667- 60
676-579- 24
王灌宋 524-233-189
王辯隋 264-935- 64
267-526- 78
379-874-164
478-342-191
554-692- 61
933-339- 24
王爚宋 287-703-418
398-643-409
492-1072- 45
479-235-227
493-722- 40
523-304-160
王爚明 1289-180- 12
王飆宋 492-713-3下
王霸漢(字元伯) 252-581- 50
370-125- 10
376-584-106
384- 55- 3
402-371- 4
472-651- 27
474-512- 25
476-279-111
477-474-173
505-695- 70
537-582- 60
539-351- 8
545-255- 93
933-326- 24
王霸漢(字儒仲) 253-617-113
370-172- 16
380-409-177
448-105- 下
469-415- 49
472-432- 19
476-332-115
547-138-146
933-327- 24
1340-595-780
王霸妻 漢 253-626-114
381- 42-185
452-107- 3
472-439- 19
476-335-115
547-413-157
王霸梁 530-196- 60
王霸唐 407-653- 2
481-536-326
王趯宋 473-377- 65
473-729- 82
482-237-349
563-694- 39
王覽晉 255-595- 33
377-426-121上
384- 90- 5
386-187-75下
472-552- 23
476-781-141
489-610- 48
489-611- 48
492-520-13上之中
511-908-173
540-711-28之1
933-328- 24
1343-337- 24
王顥明 1258-777- 8
王黯女 明 見王氏
王蘭宋 李新妻 1124-638- 28
王蘭明 540-792-28之3
王蘭妻 清 見方氏
王蘧宋 472-325- 14
475-698- 86
510-462-117
王巘宋 494-327- 6
王鐵明 見王鉄
王顧宋 820-356- 32
王續明 456-635- 10
511-463-154
王鐸唐 271-121-164
275-520-185
384-283- 15
396-236-273
472-434- 19
475-373- 68
511-201-144
544-227- 63
545-590-104
820-265- 29
王鐸宋 529- 76- 34
王鐸元(字振之) 499-431-159
王鐸元(有莘人) 1192-574- 12
王鐸明(鳳翔教諭) 472-666- 27
472-721- 28
523-189-155
537-400- 57
554-347- 54
王鐸明(岳池人) 473-457- 68
王鐸明(榮昌人) 473-479- 69
559-352- 8

王鐸明(江津人) 473-479- 69
王鐸明(字孔振) 524-158-186
王鐸明(陝西閿鄉人) 540-649- 27
王鐸明(蓬州人) 554-347- 54
559-365- 8
王鐸明(字大振) 558-314- 34
559-310-7上
王鐸清 538-142- 65
王龔漢 253-194- 86
254-377- 21
376-852-110
384- 64- 3
402-511- 14
469-182- 21
472-550- 23
472-586- 24
472-788- 31
476-473-125
476-581-131
477-406-169
537-324- 56
540-702-28之1
933-326- 24
王讀清 554-794- 62
王襲北魏 262-313- 93
267-737- 92
381- 26-184
545-541-103
王巒明 528-561- 32
王懿王仲德 劉宋 258- 72- 46
265-392- 25
378- 89-133
384-111- 6
472-408- 18
472-433- 19
510-275-112
515-128- 61
545-532-102
933-336- 24
王懿宋 285-341-269
396-619-310
473-176- 57
476-614-133
479-765-252
515-115- 60
王鰲明 511-604-160
王鰲女 明 見王儀
王瓘宋(字元圭) 487-112- 8
王瓘宋(字國器) 812-449- 1
812-535- 3
821-142- 50
王瓘妻 宋 見傅氏
王瓘元 528-508- 31
王瓘妻 明 見陳氏
王鑒晉 256-189- 71
377-756-127
472-570- 24
475- 72- 53
511-717-165
540-713-28之1
933-331- 24
1379-341- 42
王權後晉 278-144- 92
279-373- 56
396-447-296
545-599-105
933-348- 24
王權王之奇 金 1040-232- 2
1190-512- 45
王權明 見王朴
王霽宋 476-206-107
561-348- 41
王霽女 宋 見王文麗
王霽明(字景明) 475-180- 59
476-479-125
480-127-264
532-633- 43
王霽明(黃陂人) 480- 91-262
533- 24- 47
王霽明(字汝明) 1287-770- 10
王覿宋 286-568-344
382-617- 94
384-382- 19
397-645-359
471-906- 45
472-221- 8
472-273- 11
472-295- 12
473-126- 55
473-427- 67
475-119- 55
475-271- 63
475-484- 73
479-684-248
481- 69-293
493-702- 39
510-326-113
511-243-145
511-795-166
516-200- 95
559-265- 6
674-897- 22
1110-447- 24
王歡晉 256-484- 91
380-286-173
933-330- 24
王鑄清 533-404- 61
王鑑宋 510-390-115
511-423-152
王鑑元 512-724-195
569-616-18下之2
590-467- 0
1369-435- 13
1471-554- 13
王鑑明(字彥昭) 299-609-162
472-439- 19
476- 42- 98
478-168-182
545-658-107
554-250- 52
1249-460- 30
王鑑明(字汝明) 301-766-282
475-227- 61
511-768-166
821-429- 57
1291-404- 7
王鑑明(字賜之) 476-430-121
547- 80-144
王鑑明(字克明) 510-336-113
王鑑明(字與修) 511-525-157
王鑑明(北直霸州人) 554-283- 53
王鑑明(字欽正) 1239-110- 34
1242- 47- 25
王鑑妻 明 見鮑氏
王儼元 1198-767- 5
王儼明(山陰人) 472-1072- 45
王儼明(字民望) 473-318- 62
474-777- 42
480-465-279
503- 71- 90
523-201-155
533-282- 56
554-220- 52
王儼明(字子敬) 528-543- 72
王鑑明(字望之) 572- 85- 28
王儼女 不詳 見王氏
王麟元(東平人) 453-791- 3
王麟元(字文明) 821-322- 54
1225-242- 9
王麟明(山陽教諭) 472-309- 13
820-618- 41
王麟明(字應隆) 472-559- 23
540-785-28之3
王麟明(徐州人) 528-512- 31
王麟明(字體仁) 533- 40- 48
王麟明(黃梅人) 533-429- 62
王麟明(新城人) 540-810-28之3
王麟明(字廷瑞) 558-443- 38
567-449- 86
王麟明(陸川縣丞) 1467- 60- 64
王麟妻 明 見劉氏
王欒唐 545-455- 99
王瓚唐 820-139- 26
王瓚後唐 277-497- 59
279-266- 42
546-282-124
王瓚元 1439-432- 1
王瓚元 見王正貞
王瓚明(蘭陽人) 472-666- 27
王瓚明(陝州人) 479-353-233
523-201-155
676-176- 7
王瓚明(萬泉人) 546-303-125
王瓚明(字宗器) 558-312- 34
王瓚明 見王讚
王瓚妻 明 見寇氏
王瓚清 474-776- 41
502-785- 87
王顯漢 742- 30- 1
王顯晉 547-550-161
王顯後魏 262-301- 91
267-711- 90
380-633-183
472-571- 24
541-104- 31
王顯北周 263-563- 20
267-259- 61
379-543-156
546-174-121
王顯宋 285-333-268

371-100- 10
382-274- 43
384-340- 17
396-615-309
472-659- 27
477- 74-152
478-165-182
537-389- 57
554-138- 51
933-353- 24
王顯元 532-705- 45
王顯明(字希文) 481-698-332
529-691- 50
821-440- 57
王顯明(號溪漁子) 511-829-168
524-329-195
王顯妻 明 見韓氏
王顯母 明 見陳氏
王顯清(字衷徵) 474-246- 12
505-848- 76
王顯清(字純伯) 505-826- 75
523- 62-149
王巖清 511-785-166
王鑛明(崇禎十七年卒)
456-600- 9
王鑛明(字公范) 523-218-156
676-569- 23
1442- 66- 4
1460-290- 53
王讓元 1220-558- 12
王讓明(益都人) 472- 51- 2
505-656- 68
王讓明(字謙光) 473- 65- 51
515-879- 86
王讓明(字宗禮) 479-489-239
540-785-28之3
592-779- 2
王讓明(湖廣江陵人)
537-279- 55
王讓明(河南偃師人)
541-112- 31
王讓明(貴州人) 559-307-7上
572-100- 30
王讓邵思讓 明(字伯禮)
567-315- 78
1467-219- 70
王讓明(宛平人) 1245-783- 13
王讓妻 明 見李氏
王靈妻 明 見孟氏
王靄宋 812-450- 1
812-535- 3
821-143- 50
王靄明 545-401- 98
王靄清 525-369-235
王衢妻 明 見陳氏
王灣唐 451-415- 1
538-139- 65
1371- 57- 0
王羈漢 472-148- 5
王觀魏 254-436- 24
377-204-117
384-675- 43
385-396- 41
474-165- 8
476-857-145
540-709-28之1
933-328- 24
王觀宋 471-906- 45
511-795-166
王觀耶律觀 遼 289-669- 97
399- 59-422
王觀明(字尚賓) 299-337-140
458-107- 5
472-665- 27
475-121- 55
493-728- 40
510-333-113
537-399- 57
王觀明(字孟賓) 572-156- 32
王觀明(字惟顒) 1386-304- 40
王觀明(池州人) 1457-633-401
王觀妻 明 見程氏
王纘元 554-678- 60
王纘明 456-635- 10
511-463-154
王鑰明(謚節愍) 456-518- 6
474-169- 8
554-714- 61
王鑰明(代州人) 546-406-128
王讚晉 1379-323- 40
王讚王瓚 明 523-347-162
820-664- 42
王驥明(字尚德) 299-696-171
453-318- 4
453-670- 30
472- 56- 2
474-243- 12
475-871- 95
505-734- 71
506-511-104
545-117- 86
558-146- 30
571-516- 19
1241-129- 6
1244-591- 11
1283-261- 87
1374-693- 90
1458-496-450
王驥明(江南人) 532-600- 41
王驥明(字博德) 569-661- 19
王鑾唐(字尚德) 476-394-119
王鑾明(字廷和) 300- 90-188
479-811-255
480- 52-259
王鑾明(字汝和) 300-111-189
472-175- 6
475- 76- 73
511-432-153
676-542- 22
王鑾明(字載阜) 524-139-185
王鑾明(襄城人) 554-220- 52
王鑾明(字元吉) 676-384- 14
王鬱金 291-714-126
400-693-566
474-179- 8
505-880- 79
1040-239- 3
1365-258- 7
1439- 12- 0
1445-482- 36
王鸞明 547- 7-141
王鸞妻 明 見彭氏
王一元明 505-875- 78
王一元妻 明 見李氏
王一中明 524-274-191
王一民明 545-151- 88
王一令明 563-768- 40
王一臣清 456-319- 75
王一言明(瀏陽知縣)
473-336- 63
532-694- 45
王一言明(字民法) 515-845- 84
王一言明(字行恕) 529-470- 43
王一言明(字行之) 554-188- 51
559-402-9上
569-650- 19
571-521- 19
王一居明 472-178- 6
511-431-153
王一奇宋 451- 71- 2
王一奇明 524-176-187
王一岳明 529-474- 43
1467-131- 66
王一依明 564-264- 47
王一洮妻 明 見梁氏
王一貞明 見王一楨
王一桂宋 491-302- 6
王一桂明 302- 39-291
456-420- 2
480-135-264
533-369- 60
王一卿明 567-389- 82
王一章清 529-694- 50
王一旋女 清 見王氏
王一彪清 528-565- 32
王一統明 見王之統
王一斌明 456-531- 6
王一凱清 480- 91-262
533-157- 52
王一欽明 547- 60-143
王一楨王一貞 明
475-644- 83
511-321-148
王一誠明 1283-436-101
王一寧母 明 見竇氏
王一寧明 452-179- 3
472-1105- 47
524- 66-181
820-615- 41
王一翥明 516-222- 96
533-180- 52
820-758- 44
王一鳴明(字伯固) 533-175- 52
676-615- 25
1442- 81- 5
王一鳴明(齊東人) 545-327- 95
554-259- 52
王一賢明 554-291- 53
王一龍明 545-157- 88
王一龍妻 清 見馬氏
王一靜明 朱慶方妻
530- 63- 55

王一鴻明 1288-644- 11
王一鵬明 820-657- 42
821-403- 56
王一鷃楊一鷃 明
505-826- 75
528-529- 31
1460-192- 49
1442- 61- 4
王一覺明 1287-750- 9
王一鶴明 1288-634- 10
王一鶴妻 明 見仇氏
王一鶴妻 明 見袁氏
王一夔明 見謝一夔
王一麟明(字景仁) 533-155- 52
王一麟明(青神人) 545-464-100
559-386-9上
王一麟清 479- 58-219
524-103-183
王二共明 505-798- 74
王二姐清 王士曾女
474-413- 20
王二姐清 王奇富女
474-413- 20
王二格清 456-319- 75
王二哥宋 見王人鑑
王二娘明 王待魁女
530- 70- 55
王二愉妻 清 見汪氏
王十八唐 533-785- 75
王十朋宋 287-307-387
398-327-385
459-651- 38
471-641- 9
471-667- 12
471-985- 57
472-998- 40
472-1067- 45
472-1116- 48
473- 44- 50
473-490- 70
473-584- 75
479-133-223
479-224-227
479-405-235
479-526-241
481-235-303
481-582-328
494-309- 5
515-215- 63
517-569-129
523-342-162
528-482- 30
559-296-7上
591-697- 49
674-849- 18
678-119- 81
820-430- 35
1138-810- 23
1145-562- 75
1151- 46- 附
1151-634- 29
1164-197- 9
1182- 54- 4
1241-395- 4
1284-331-161
1363-374-161
1437- 25- 2
王十朋妻 宋 見賈氏
王七一妻 明 見太原長公主
王七十宋 見王宗衡
王七斤宋 見王沂
王力行宋 460-289- 18
王又旦清 554-535-57下
1318-485- 75
1323-789- 6
王又會清 505-903- 80
王九人妻 清見范氏
王九斤明 477-421-169
王九成宋 1149-695- 15
王九成明(穎州人) 456-658- 11
王九成明(蓬萊人)
540-790-28之3
王九官妻 清 見竇氏
王九姐清 477-423-169
王九兒明 480-138-264
533-488- 64
王九思明 301-834-286
554-846- 63
676-527- 21
1255-231- 30
1442- 42- 3
1459-872- 36
王九思清 524-208-188
王九栗明 476-677-136
王九峰明 554-661- 60
676-541- 22
王九章妻 明 見談氏
王九敘明 554-310- 53
王九達明 516-526-106
王九鼎明 456-518- 6
474-306- 16
475-531- 77
511-476-155
王九儀明 476-518-127
554-672- 60
王九徵清 529-724- 51
王九疇宋 1119-319- 31
王九疇明 537-551- 59
554-300- 53
王九齡宋 487-517- 7
王九齡元 547-139-146
王九齡清 511-135-141
王人佐明 812-441- 57
王人英宋 491-432- 6
王人鑑王二哥 宋448-365- 0
529-746- 51
王人鑑明 1442-100- 6
王八百梁 475-243- 61
511-923-174
王下賢明 545-155- 88
王三才明 545-101- 86
王三仕妻 明 見蔣氏
王三宅明 538- 51- 63
王三有妻 明 見楊氏
王三荀妻 明 見陳小奴
王三姐清 506- 23- 86
王三省明 676-614- 25
1269-377- 3
王三狗妻 明 見陳氏
王三畏女 明 見王氏
王三重明 516-153- 93
563-764- 40
王三益明 545-249- 92
王三接明(字汝晉) 524-236-189
王三接明(洪洞人) 545-784-111
王三接明(字汝康) 568-215-106
1283-621-115
1284-191-151
1467-112- 66
王三接妻 明 見歸氏
王三接妻 清 見周氏
王三接妻 清 見黃氏
王三善明 301-227-249
458-171- 8
477-132-155
483-226-390
538- 45- 63
571-520- 19
677-679- 61
王三策明 559-278- 6
王三策妻 清 見楊氏
王三極妻 明 見張氏
王三聘明 554-500-57上
王三聘妻明見薛氏
王三聘清 476-156-104
547- 40-142
王三綱明 1237-286- 5
王三遷明 476-530-128
王三錫宋 821-226- 51
王三錫明(字汝命) 523-517-171
王三錫明(翼城人) 545-789-111
558-221- 32
王三錫明(內江人) 554-310- 53
王三錫明(字汝懷)
1283-302- 90
1284-191-151
王三錫妻 明 見吳氏
王三錫清(完縣人) 474-246- 12
505-902- 80
王三錫清(字承寵) 511-536-157
王三錫妻 清 見邊氏
王三薦清 481-613-329
528-500- 30
王三鑑明 547- 74-143
王士方遼 291-363- 96
399-212-434
王士文妻 明 見李妙金
王士元宋 812-452- 1
812-463- 2
812-467- 2
812-475- 3
812-533- 2
813-136- 11
821-142- 50
王士元元(字堯佐) 295-575-194
400-253-520
472-127- 4
472-694- 28
477-201-159
505-855- 77
540-781-28之2

545-475-100
王士元元(自號具川道人)
472-467- 20
546-645-136
676-702- 29
1471-318- 4
王士元元(字長卿)
1214-232- 19
王士元妻 清 見趙氏
王士元妻 清 見龔氏
王士弘元(延安中部人)
295-612-198
400-319-526
472-925- 36
478-419-195
王士弘元(修方山定林寺碑)
820-507- 37
王士弘王宗訓 元(字可毅)
1204-568- 7
1204-589- 10
王士弘明 299-339-140
472-1102- 47
479-286-230
523-171-154
545-844-113
王士平唐 270-697-142
王士平妻 唐 見魏國公主
王士言宋 288-368-453
400-147-512
472-504- 21
476-204-107
523- 12-146
545-337- 96
王士良北周 263-706- 36
267-365- 67
379-651-158
544-219- 62
王士秀明 1229-666- 1
王士宗清 456-319- 75
王士性明 300-681-223
479-295-230
524- 68-181
676-627- 26
1442- 77- 5
1460-389- 58
王士初明 456-529- 6
王士奇宋 529-708- 50
680-201-244
王士奇明 456-629- 10
王士昌明(王宗沐子)
300-673-223
572-158- 32
王士昌明(字心泰) 456-488- 5
477-360-166
483- 34-371
537-319- 56
570-113-21之1
王士昌明(字永叔) 821-447- 57
1442- 81- 5
1460-428- 60
王士明妻 元 見李賽兒
王士昊唐 547- 3-141
王士和明(字萬璟) 301-674-277
456-544- 7
479-662-247
481-645-330
515-810- 82
528-516- 31
王士和明(字允協)
1460-692- 75
王士朋宋 1170-696- 30
王士朋妻 清 見陳氏
王士美元 1192-574- 12
王士則唐 270-697-142
820-194- 27
王士英元 683- 40- 1
王士俊明(祥符人) 458-164- 8
王士俊明(南陽人) 538-109- 64
王士高女 明 見王氏
王士貞唐 270-697-142
276-195-211
384-240- 12
384-259- 13
396-298-277
王士能元 1253-182- 49
1458- 78-420
王士能明 472-752- 29
王士清唐 270-697-142
王士推妻 清 見蔣氏
王士琇明 456-635- 10
王士崧明(字仲叔) 300-673-223
676-626- 26
王士崧明(天台人) 820-752- 44
王士偉明 1228-764- 12
王士參明 524-223-189
王士敏宋 288-386-454
1366-937- 5
王士曾女 清 見王二姐
王士雲清 532-711- 45
王士雅妻 明 見高氏
王士隆隋 264-906- 62
267-483- 75
379-796-162
544-220- 62
545-556-103
554-632- 60
王士隆明 1237-273- 5
王士琦明 300-673-223
481-114-296
523-555-173
559-277- 6
王士華明 473-316- 62
480-463-279
523-453-168
532-590- 41
532-731- 46
王士傑明 302-120-295
456-602- 9
483- 95-378
569-681- 19
王士廉明 477-201-159
王士祿清 476-530-128
1313-243- 19
1315-566- 34
1318- 91- 38
1475-955- 41
王士業明 524-147-185
王士禎清 475-370- 67
476-530-128
540-856-28之4
1323-362- 31
王士禎妻 清 見張氏
王士寧元 511-593-159
王士熙王仕熙 元
295-234-164
473-738- 82
563-909- 43
820-507- 37
821-290- 53
1439-429- 1
1470-333- 11
王士嘉明 472-577- 24
472-827- 33
476-249-110
476-899-147
540-786-28之3
545-267- 93
554-220- 52
1242-248- 32
1242-741- 5
王士寬唐 523-146-153
王士毅元 1219-512- 23
王士騊明 456-629- 10
王士穎父 宋 1157-530-上
王士穎清 559-332-7下
王士選清 456-318- 75
王士謙明 472-360- 15
王士點元 295-234-164
468- 39-附
820-507- 37
1439-430-附1
1470-345- 11
王士騏明 301-855-287
676-618- 25
1442- 83- 5
1460-455- 61
王士翹王世翹 明
515-708- 79
523-232-156
580-400- 25
王士瞻明 456-629- 10
王士覺明 1229- 67- 6
1229- 80- 7
王士鑅明 523-196-155
王子上宋 400-299-524
王子中元 494-414- 12
524- 33-179
王子玉元(壽昌尹) 523-214-156
472-1014- 41
479-377-234
王子玉元(筆工) 820-531- 38
王子玉明 476-296-112
545-402- 98
王子地春秋 405-124- 63
485-149- 20
493-794- 43
王子臣妻 明 見趙氏
王子言唐 820-182- 27
王子邳南唐 515-301- 66
王子克春秋 404-477- 28
王子見王子堅 明 456-670- 11
王子岐清 547- 29-141

王子孚劉宋 258-534- 85
王子何戰國 見趙惠文王
王子武宋 523-516-171
王子松唐 486-906- 35
524-423-200
王子直北周 263-739- 39
267-402- 70
379-676-159
478-106-180
552- 41- 18
554-563- 58
558-224- 32
王子奇明 511-545-158
王子昌金 472- 51- 2
505-655- 68
王子虎春秋 384- 12- 1
404-482- 28
王子芝不詳 1061-293-112
王子朋明 1237-224- 3
王子延宋 1354-786- 44
王子狐春秋 404-477- 28
王子洪宋 487-510- 7
王子美明 567-484- 43
王子春女 隋 見王舜
王子建太子建 春秋
405- 51- 59
王子昭宋 511-588-159
1439-438- 1
王子香漢 480- 9-257
681-667- 20
王子俊宋 515-596- 76
674-852- 18
王子倫王綱 明 472-255- 10
564- 89- 45
王子清宋~元 1197-734- 76
王子章王之章 明
456-662- 11
王子深明 574- 47-142
王子堅明 見王子見
王子帶春秋 404-478- 28
王子啟明 1232-597- 5
王子溉宋 480- 49-259
王子雲梁 265-1025- 72
380-374-176
933-337- 24
王子期春秋 404-790- 48
王子朝春秋 404-480- 28
王子琛元 1218-510- 7
王子華宋 554-869- 64
王子華明 578-868- 23
王子順明 547- 34-142
王子須商 404-418- 24
王子喬漢 見王喬
王子勝春秋 405- 46- 58
王子欽宋 1135-307- 31
王子傑女 明 見王氏
王子温妻 元 見諸氏
王子聘明 564-274- 47
王子敬元 1221-163- 1
1221-200- 2
1221-226- 3
王子敬元 見王文煥
王子韶宋 286-374-329
397-486-348
427-260- 8
813-738- 6
820-371- 33
王子嘉元 1219-668- 4
王子瑶晉 479-735-250
516-439-104
王子蒙唐 592-260- 76
王子鳳宋 487-188- 12
王子澄明 472-198- 7
1272-245- 11
王子融王皥 宋 286-109-310
382-322- 51
472-592- 24
473-297- 62
476-669-136
480-240-269
540-755-28之2
王子融女 宋 見王氏
王子蕃妻 清 見尤氏
王子頹春秋 404-477- 28
王子聰明 529-469- 43
王子輿宋 285-448-277
396-697-317
472-592- 24
472-1101- 47
476-787-141
479-285-230
523-167-154
540-752-28之2
1086-294- 29
王子顔唐 271-417-183
275-110-147
395-724-246
王子職公子職 春秋
405- 43- 58
王子職女 明 見王靜
王子瞻妻 清 見雍氏
王子騫魏 481-680-331
530-203- 60
王子覺明 526-235-266
1229-278- 9
王子麟唐 486- 42- 2
王子讓元 515-622- 76
王于成明 1457-681-407
王于春明 1287-378- 12
王于陛明 554-519-57下
王兀愛元 見王威
王才啟王才善 明
456-676- 11
王才善明 見王才啟
王大才明 559-270- 6
王大方女 宋 見王氏
王大元妻 清 見何氏
王大中宋 1104-642- 10
王大本宋 1260-719- 25
王大本元 524- 64-181
王大本明 533-192- 53
王大本女 明 見王氏
王大用宋) 843-673- 下
王大用明(字時行) 529-513- 44
563-743- 40
676- 5- 1
676-296- 11
王大用明(霸州人)
1458-139-427
王大有元 475-834- 93
510-497-118
512-788-196
王大有清 476-698-137
540-685- 27
王大如晉 473- 43- 50
515-209- 63
王大年明(壽張人) 302- 44-291
476-587-131
王大年明(常德人) 456-640- 10
王大作清 545-800-111
王大利清 478-204-184
王大治妻 明 見張氏
王大周妻 清 見李氏
王大受宋 1164-519- 29
王大受明 505-678- 69
王大悅唐 820-180- 27
王大涵妻 清 見閻氏
王大章明 見龔詡
王大國清 516-511-106
王大雅明 472-389- 17
王大景妻 明 見蘇氏
王大智明 505-808- 74
554-343- 54
王大義王文儀 唐 820-146- 26
王大猷宋 493-1106- 58
王大猷明 524-247-190
王大傳妻 明 見任氏
王大經明 494- 45- 3
王大節明(大名人) 545-377- 97
554-259- 52
王大節明(長治人) 547- 36-142
王大賓宋 473-652- 78
王大韶明 533-336- 58
王大壽宋 288-377-453
400-138-511
481-586-328
528-483- 30
王大綱明 676-111- 4
王大綸清 533-306- 57
王大像明 511-662-162
王大駱明 559-322-7上
王大勳明 570-152-21之2
王大勳妻 明 見張氏
王大臨宋 515-596- 76
1161-650-128
王大謨明 480-134-264
533- 50- 48
王大謨清 554-740- 61
王大璧明 456-609- 9
王大瀛妻 明 見李氏
王大寶宋 287-291-386
398-315-385
449-400-上4
473-176- 57
473-673- 79
473-702- 80
482-141-344
482-289-352
515-117- 60
528-440- 29
563-697- 39
564- 61- 44

王小十宋 515-869- 85
王小六妻 明 見楊氏
王小波宋 371-200- 20
560-601-29下
王小姑清 宋茂松妻
475-824- 92
512-165-181
王小觀宋 523-416-166
王上宮明 821-453- 57
王上庸明 534-955-120
王上聞明 476-519-127
王山兒妻 明 見李氏
王山從唐 820-228- 28
王女英明 陳焻祖妻
530-127- 57
王千戶元 523-571-174
王千里宋 見王佐
王千秋宋 1488- 59- 附
王久大清 560-102- 19
王久任清 540-860-28之4
王六如明 479-793-254
515-281- 65
王六娘明 陳台宜妻
530- 95- 56
王心一明 301-177-246
511-113-140
676-632- 26
820-737- 44
821-447- 57
1442- 91- 6
1460-523- 65
王心正明 456-655- 11
546-334-126
王心純明 676-656- 27
王心德妻 元 見吳氏
王斗文宋 1386-239- 38
王斗維妻 清 見沈氏
王斗樞清 479-484-239
515-100- 59
王方平漢 見王遠
王方平妹 漢 見麻姑
王方來妻 清 見胡氏
王方叔元 494-414- 12
1196-673- 6
王方貴元 473-683- 79
515-766- 81
王方賒梁～隋 1394-730- 11
1410-182-684
王方慶王琳 王綝 唐
270- 70- 89
274-460-116
384-185- 10
395-459-223
473-512- 71
473-671- 79
478-112-181
547-554-161
552- 59- 19
554-636- 60
559-309-7上
563-629- 38
674-627- 5
742- 35- 1
820-147- 26
933-341- 24
1394-368- 2
王方翼唐 271-449-185
274-408-111
384-181- 10
395-402-218
472-434- 19
472-930- 37
472-944- 37
476- 36- 98
478-266-187
478-728-212
483-592-414
544-226- 63
545-561-103
549-277-191
554-122- 50
554-122- 50
820-143- 26
933-340- 24
1065-811- 19
1342- 71-913
王文甲妻 清 見毛氏
王文同隋 264-1052- 74
267-671- 87
380-244-171
384-158- 8
王文同清 456-320- 75
王文沖妻 明 見何氏
王文孝明 537-282- 54
王文孜明 523-491-170
王文秀明 554-310- 53
559-362- 8
王文秀妻 清 見佟氏
王文秀女 清 見王氏
王文明妻 清 見李氏
王文昇明 460-739- 76
王文和齊 259-309- 27
378- 91-133
王文秉南唐 812-741- 3
820-317- 31
王文炳女 明 見王氏
王文炤清 540-874-28之4
王文亮宋 524-195-188
1105-796- 95
1384-172- 95
王文度唐 269-810- 83
王文胥明 547- 8-141
王文南明 533-312- 57
王文郁宋 286-644-350
397-699-362
472-923- 36
478-271-187
478-482-199
554-593- 59
558-172- 31
王文珍妻 明 見麋曹婢
王文政元 472-801- 31
537-334- 56
王文貞明 510-347-114
王文若元 1214-157- 13
王文英明 1237-281- 5
王文信元 1194-690- 12
王文宰女 明 見王氏
王文貢明 楊子珩妻、王伯貞女 1242-283- 33
王文殊齊 259-543- 55
265-1046- 73
380-102-167
479-137-223
524-118-184
933-337- 24
王文晏明 511-841-168
王文卿宋 473-118- 54
516-453-104
517-510-128
530-205- 60
1207-367- 25
王文清明 505-660- 68
王文淵元 1214-277- 23
王文淵明 540-801-28之3
王文祥妻 清 見張氏
王文貫宋 491-304- 6
王文彪元 473-335- 63
523-490-170
532-693- 45
1226-469- 22
王文紹明 1467- 85- 65
王文統元 295-690-206
401-445-626
1201-165- 80
王文啟明 1442- 13-附1
王文雄清 474-188- 9
王文盛妻 清 見林俊音
王文琰元 1228-779- 13
王文棟妻 明 見劉氏
王文棟清 505-820- 74
王文貴明 473-505- 71
559-393-9上
王文貴女 明 見王澂
王文華清 456-378- 79
王文欽明 482- 90-342
564-180- 46
王文傑妻 明 見陳氏
王文義宋 471-991- 58
473-491- 70
559-428-10上
591-623- 45
王文義女 明 見王妙慶
王文雍宋 492-750- 41
510-329-113
王文煒明 537-551- 59
王文祿明 524- 22-179
1457-458-384
1475-297- 12
王文煥王子敬 元
523-631-177
676-319- 11
王文煥明 456-658- 11
王文瑞明 1249-406- 26
王文幹元 295- 72-152
505-776- 73
王文達北周 見王傑
王文禎明 820-715- 43
王文綸妻 清 見田氏
王文蔚元 1201-166- 80
王文質明(六安州人)
510-435-116

王文質明(姑蘇郡倅) 1227-87-10
王文儀唐 見王大義
王文德明(盱眙人) 515-221-63
王文德明(山西文水人) 570-213-23
王文澤元 511-678-163
676-21-1
678-176-86
王文璟妻 清 見郭氏
王文翰元 547-86-144
王文燦明 563-853-41
王文轅明 457-134-10
472-1074-45
523-600-176
王文禮 494-327-6
1164-320-17
王文麗宋 王霽女 1128-286-28
1128-408-13
王文瓊女 明 見王氏
王文寶宋 285-408-274
473-583-75
477-252-161
481-581-328
537-387-57
王文獻宋 529-735-51
王文曦妻 清 見楊氏
王文蘭妻 清 見黃氏
王之士明 301-765-282
457-62-3
458-749-4
478-129-181
554-820-63
676-8-1
677-616-55
1293-243-14
1293-373-20
王之才宋 471-861-38
473-758-83
482-372-357
563-674-39
1467-169-68
王之才妻 宋 見李氏
王之心明 499-183-137
王之文妻 清 見李大姐
王之元元 1195-567-下
王之旦清 546-650-136
王之臣明 1467-134-66
王之光清 511-635-161
王之良明 515-65-58
554-609-59
王之成妻 清 見朱氏
王之圻清 1475-607-26
王之佐清(號燮菴) 481-721-333
502-625-77
528-557-32
王之佐清(浙江人) 523-423-166
545-251-92
王之奇宋 567-433-86
1157-709-14
王之奇金 見王權
王之玫清 高毓秀妻
512-238-183
王之肱妻 明 見陰氏
王之采 明 300-649-222
王之咸明 554-346-54
王之珊清 王圖煒女
512-12-176
王之相妻 明 見劉氏
王之相妻 清 見劉氏
王之垣明(號藎澤) 516-135-92
王之垣明(號見峰)
540-813-28之3
1288-346-10
王之垣明(字伯鎭) 554-764-62
王之柯明 475-230-61
王之屏明 511-361-150
515-190-62
523-235-156
王之紀清 481-774-336
502-648-78
528-572-32
王之俊妻 明 見李氏
王之俊清 474-640-33
505-917-81
王之祚妻 明 見馬氏
王之栻明 456-440-3
475-230-61
王之栩明 554-310-53
王之荀宋 567-433-86
王之望宋 287-100-372
398-160-375
472-1102-47
486-898-34
1147-563-53
1153-317-84
王之章明 見王子章
王之寀明 301-149-244
474-337-17
478-348-191
505-668-69
554-675-60
王之斑明 456-630-10
505-847-76
王之斑妻 明 見齊氏
王之統王一統 明456-599-9
474-442-21
505-702-70
505-856-77
王之渙唐 451-421-2
546-630-136
王之雲妻 清 見楊氏
王之琯明 456-600-9
王之琯妻 清 見牛氏
王之弼明 554-527-57下
王之弼妻 清 見劉氏
王之棟明(西平人) 456-666-11
王之棟明(字嘉隆) 511-378-150
王之棟明(之楨弟) 547-24-141
王之策明 559-283-6
王之策清 1321-153-103
王之道宋 472-327-14
674-841-18
1132-752-30
1437-22-2
王之道妻 宋 見孫氏
王之楨明(王謙之孫)
300-649-222
王之楨明(謚節愍) 456-521-6
王之楨清 505-903-80
王之瑜妻 宋 見毛氏
王之幹明 456-658-11
王之楫妻 明 見趙氏
王之瑛妻 清 見劉氏
王之鼎明 1442-97-6
1460-588-69
王之鼎清(字公定) 474-774-41
475-21-49
481-29-291
483-229-390
502-767-86
510-299-112
559-532-12
571-536-19
572-174-33
王之鼎清(字公調) 479-247-228
523-392-164
王之敬明 456-457-4
王之節明 456-657-11
王之誥明 300-611-220
474-691-37
480-247-269
502-287-56
533-79-49
王之輔明 540-813-28之3
王之輔妻 清 見邵氏
王之緒明 1467-129-66
王之綱元 1200-771-59
王之綱清 528-546-32
王之慶明 511-261-146
王之賢母 明 見劉氏
王之賢妻 清 見陳氏
王之儀清 474-825-44
476-181-106
481-525-326
502-773-86
528-467-29
545-252-92
王之銳清 474-313-16
王之稷明 523-621-177
王之璠妻 明 見張氏
王之翰王之瀚 明(字維藩)
301-37-237
480-290-271
546-605-135
王之翰明(平順人) 547-34-142
王之翰明(字宗卿) 554-875-64
王之翰妻 清 見裴氏
王之璘明 511-635-161
王之璘妻 清 見程氏
王之翼明 533-432-62
王之翼妻 清 見劉氏
王之爵明 456-673-11
王之麒明 見王之麟
王之瀚明 見王之翰
王之璽明 554-301-53
王之藩明 511-512-157
王之鯨清 478-485-199
558-180-31
王之獻明 524-11-178
王之麟王之麒 明456-605-9

王之麟清 559-411-9下
王之驥清 567-402- 83
王太后明 明神宗妃、王天瑞女 299- 21-114
王太后明 明光宗才人 299- 23-114
王太沖宋 529- 88- 35
529-502- 44
王元之宋 471-595- 2
471-913- 47
471-930- 49
471-934- 50
王元之妻 清 見陳氏
王元父元 1206-630- 13
1367-726- 55
王元正明 300-151-192
481-419-314
554-662- 60
561-213-38之2
王元吉明 1235-647- 22
王元臣妻 清 見唐氏
王元良妻 清 見劉氏
王元志唐 474-688- 37
王元佑明 1228-816- 14
王元伯宋 511-562-158
王元炌明 456-437- 3
王元杰元 見王原傑
王元來明 見王叔英
王元忠唐 502-257- 53
王元忠清 502-651- 79
王元季隋 1066- 42- 6
王元采明 見叔英
王元亮金 見王粹
王元封明 456-497- 5
523-414-166
王元春宋(字景毓) 473-349- 63
480-438-278
532-717- 45
533-109- 50
王元春宋(告潘壬之變) 494-313- 5
王元春明 1291-907- 6
王元朗金 1040-244- 4
王元悟宋 524-385-198
王元恭元 472-1084- 46
523-129-152
676-225- 8
王元孫宋 515-605- 76
王元姬晉 晉文帝后、王肅女 255-570- 31
373- 66- 20
452- 51- 1
王元規陳 260-774- 33
265-1011- 71
370-598- 20
380-300-173
524-326-195
546-627-136
933-337- 24
王元通宋 821-205- 51
王元紹南北朝 533-479- 64
王元彩明 見王叔英
王元雅明 456-516- 6
476- 43- 98
545-675-107
王元逵晉 407-600- 5
王元逵唐 270-705-142
276-199-211
384-273- 14
384-275- 14
384-279- 14
396-301-277
王元量宋 484-385- 28
王元凱明 554-662- 60
王元復明 540-824-28之3
王元復清 480-439-278
533-323- 57
王元道明 821-371- 55
王元感唐 271-544-189下
276- 18-199
384-189- 10
400-412-538
472-572- 24
476-859-145
540-738-28之2
933-345- 24
王元瑞明 515-157- 61
王元鼎宋 484-377- 27
王元暐唐 見王元緯
王元敬明 523-311-160
王元節金 291-715-126
400-691-566
472-483- 21
474-516- 25
505-779- 73
505-891- 79
547-178-147
676-697- 29
1198-726- 3
1365-229- 7
1439- 9- 0
1445-442- 32
王元會明 456-556- 7
502-715- 83
533-392- 60
王元賓漢 681-863- 19
王元賓明 482-304-353
564-263- 47
王元實宋 1170-702- 30
王元誠王繹、姚安世 宋 493-577- 31
1110-569- 33
王元粹金 見王粹
王元壽妻 宋 見楊氏
王元輔明 456-627- 10
475-379- 68
505-928- 84
王元遜後魏 547- 2-141
王元憤妻 漢 見姬氏
王元賞漢 681- 42- 3
681-689- 22
1103-378-136
王元德王叡 劉宋 258- 73- 46
265-392- 25
545-532-102
王元德金 291-716-126
王元緯王元暐 唐 472-1083- 46
479-173-225
487-187- 12
523-125-152
525- 74-220
576- 27- 上
576- 31- 下
576- 32- 下
王元翰明 301- 21-236
483- 34-371
570-135-21之2
1294-532- 12
1297-180- 14
王元錝明 511-845-168
王元龜宋 484-386- 28
王元膺王宗懿、王宗坦 前蜀 279-450- 63
王元燿明 821-450- 57
王元禮元 476- 79-100
545-183- 89
王元寶唐 556-719- 98
王孔賁妻 明 見洪氏
王予可王赤腿 金 291-723-127
383-1006- 29
401- 37-572
476- 91-100
503- 18- 92
547-541-160
820-483- 36
1040-266- 6
1365-315- 9
1445-681- 53
王巴延王簡、王巴顏、王伯顏 元 295-587-195
400-268-521
472-526- 22
476-753-159
481-745-334
494-266- 1
515-199- 63
523-368-163
524-313-194
528-560- 32
540-781-28之2
1216-249- 13
1226-315- 15
1249-423- 28
王巴爾金 400-238-519
王巴顏元 見王巴延
王尹方清 476-371-117
546-505-131
王尹實明 820-588- 40
1236- 72- 5
王天才清(正白旗包衣旗鼓人) 456-319- 75
天天才清(鄞人) 479-187-225
523-379-164
王天民妻 元 見汪氏
王天民明 547- 73-143
王天助元 524-410-199
王天利明 676-365- 13
王天性明 473- 19- 49
515- 95- 59

王天迪明 1241-166- 8
1242-124- 28
王天保妻 明 見陳娥姐
王天祐金 545-479-100
王天祐元 545-386- 97
546-659-137
王天祐妻 元 見劉氏
王天祐明 545-247- 92
558-352- 35
王天祐妻 清 見呂氏
王天祐妻 清 見何氏
王天泰妻 清 見武氏
王天眷清 540-847-28之4
王天眷妻 清 見李氏
王天章清 478-249-186
王天培女 明 見王桂容
王天祺元 547-132-146
王天祿明(字素行)
1239- 68- 31
王天祿明(字君惠)
1264-184- 10
王天祿清 481- 82-294
王天瑞女 明 見王太后
王天與元 400-578-553
王天與明 473-187- 58
479-821-256
482-304-353
515-275- 65
564-196- 46
564-761- 60
王天賦宋 見王唐
王天爵元 547-101-145
王天爵明 545-145- 88
559-361- 8
王天爵妻 清 見朱氏
王天鵬父 元 1219-735- 8
王天鐸金 677-455- 41
1200-651- 49
1200-656- 49
王天鐸妻 元 見靳氏
王天鑑清 505-829- 75
王天麟明 564-273- 47
王木叔妻 不詳 見何氏
王友元宋 1195-521-上
王友仁明 515-542- 74
1222-655- 6
王友古明 547-563-161
王友仲宋(泗州通判)
451-221- 0
王友仲宋(武寧人) 515-337- 67
王友直宋(字聖益) 287- 77-370
398-140-374
472-576- 24
540-767-28之2
546-185-121
567-442- 86
王友直宋(開封人) 933-360- 24
王友直明 1243-351- 20
王友貞唐 271-638-192
275-639-196
384-189- 10
401- 4-568
472-719- 28
477-250-161
538-100- 64
820-150- 26
王友迪元 1194-689- 12
王友信明 533-347- 58
王友俊明 528-448- 29
王友雲明 821-491- 58
王友森明 1253- 77- 44
王友端宋 821-234- 51
王友諒元 1220-558- 12
王友諒明 528-510- 31
王友賢元 1194-263- 20
王及善唐 270- 80- 90
274-470-116
384-184- 10
395-468-223
472-114- 4
474-437- 21
505-761- 72
933-342- 24
1394-374- 2
王日可妻 明 見李京
王日休宋(字虛中) 472-338- 14
511-798-167
1147- 99- 9
王日休宋(分水人) 524- 80-182
王日初明 1241-860- 22
王曰貞清 511-612-160
王曰俞清 477-244-161
537-291- 55
546-218-122
王曰高清 476-618-133
540-856-28之4
王日益宋 523- 79-149
王曰都女 清 見王氏
王曰就宋 1150- 99- 11
王曰曾清 515- 73- 58
559-328-7下
王日善妻 明 見左氏
王曰温清 537-414- 57
1312-575- 7
王日新明 540-826-28之3
王日銓明 505-934- 85
505-938- 85
王日簡唐 見李全略
王日藻清 476-920-148
511-135-141
537-230- 54
王中立唐 545-210- 91
王中立王雲鶴 宋(字湯臣)
472-437- 19
547-128-146
820-481- 36
1365-314- 9
1439- 9- 0
1445-679- 53
王中立宋(金谿知縣)
515-168- 62
王中立元 1439-456- 2
王中立明(平定人) 546-360-127
王中立明(字振之) 821-456- 57
王中立明 見王懋中
王中正宋(字希烈) 288-547-467
382-786-120
384-375- 19
王中正王捷 宋(字平叔)
371-180- 18
450-497-中38
530-207- 60
1087-282- 28
王中正明 472- 57- 2
王中安金 399-212-434
王中行宋(揭陽人) 563-672- 39
王中行宋(字知復)
1157-260- 19
王中甫宋 1180-359- 33
王中孚金 見王嘉
王中道明 見左中道
王中勤宋 511-940-175
王中憲妻 清 見謝氏
王中靜妻 清 見洪氏
王少玄王少鉉 唐
271-520-188
275-627-195
384-175- 9
400-285-523
472-573- 24
476-612-133
540-735-28之2
933-344- 24
王少君王曼容 明 820-770- 44
王少渠妻 明 見顧氏
王少鉉唐 見王少玄
王水南元 1216-598- 12
王公乂宋 524-209-188
王公及王應麟 宋 451- 70- 2
王公允唐 559-305-7上
王公玉金 1040-249- 4
王公奴北周 見王慶
王公任妻 明 見林氏
王公良清 560-604-29下
王公枋明 456-658- 11
王公亮唐 556-123- 85
王公亮明 472-174- 6
472-242- 9
511-123-141
820-593- 40
王公彥宋 524-270-191
王公政唐 474-370- 19
王公淵元 399-591-478
540-773-28之2
1196-289- 16
王公袞宋 486-332- 15
524-132-185
王公弼清 505-820- 74
王公弼妻 清 見宋氏
王公塗妻 宋 見湯聖師
王公道宋 821-247- 52
王公楷清 511-365-150
王公幹陳 820-109- 24
王公輔王肱 宋 471-894- 43
473-738- 82
564- 79- 44
王公鳳妻 清 見高氏
王公穀元 1224-297- 24
王公濟宋(字經國) 523-223-156
529-529- 45
王公濟宋(河南人)
1138-666- 9

王公懋明 472-587- 24
540-649- 27
王公擢清 505-896- 80
王公孺元 510-479-118
王公權宋 1128-263- 27
1376-498- 91
王壬元元 505-682- 69
王月妝明 向升妻524-554-205
1475-807- 34
王仁父妻 明 見張粹娘
王仁旭宋 1088-433- 48
王仁甫妻 元 見于貞
王仁求唐 494-161- 6
570-102-21之1
王仁忠唐 1066- 40- 6
1342- 78-913
王仁昇妻 清 見張氏
王仁祐女 唐 見王皇后
王仁益妻 明 見張氏
王仁恭隋 264-946- 65
267-523- 78
379-872-164
476-277-111
477-199-159
545-317- 95
558-389- 36
820-273- 29
933-339- 24
王仁皎唐 271-414-183
276-123-206
384-208- 11
544-227- 63
545-570-104
554- 78- 49
1065-802- 18
1342- 74-913
王仁皎女 唐 見王皇后
王仁裕後周 278-415-128
279-379- 57
384-316- 16
396-451-296
524-333-195
471-1058- 69
471-1061- 70
472-897- 35
478-698-210
558-392- 36
674-210-2下
813-236- 6
820-314- 31
933-348- 24
王仁壽後晉 812-439- 0
812-529- 2
813-116- 8
821-112- 49
王仁輔元 1439-437- 1
王仁睿宋 288-523-466
王仁續五代 529-759- 53
王仁鎬宋 285-218-261
396-540-303
472-107- 4
474-406- 20
476-111-102
545-364- 96
王仁趫明 475-707- 86
511-492-156
王仁贍宋 285-170-257
371- 91- 9
382-148- 20
384-325- 17
396-502-300
472-774- 30
537-546- 59
933-351- 21
王升秀清 547- 28-141
王毛仲唐 270-300-106
274-530-121
384-202- 11
395-509-227
544-227- 63
1065-744- 11
1341-533-869
1343-318- 22
1409-670-643
王介休明 456-633- 10
475-279- 63
王介軒明 1249-793- 7
王介福妻 清 見宋氏
王介慶明 515-442- 70
523-237-156
王化行明(謚節愍) 456-557- 7
477-443-171
王化行明(字以寧) 533-441- 62
王化行清 見殷化行
王化貞明 301-385-259
王化泰清 554-825- 63
王化基宋 285-306-266
371- 66- 6
382-243- 37
384-333- 17
384-339- 17
396-596-307
472- 94- 3
474-377- 19
484- 87- 3
505-750- 72
933-352- 24
王化澄明 475-641- 83
王化龍妻 明 見閻氏
王化鶴明 538-102- 64
569-620-18下之2
王允文宋 515-325- 67
王允之晉 256-259- 76
377-802-128
384- 99- 5
472-552- 23
475-603- 81
485- 67- 10
486- 35- 2
493-764- 42
511- 70-139
515- 4- 57
814-240- 5
820- 63- 23
933-331- 24
王允之唐 812-349- 9
821- 65- 47
王允元妻 明 見郭氏
王允中明 537-408- 57
王允升明 564-294- 47
王允功宋(北海縣丞)
288-304-448
400-158-513
王允功王鼎哥 宋(字元鼎)
448-384- 0
王允言明 545-153- 88
王允成明 301-178-246
476-209-107
546-214-122
王允初宋 523-570-174
1167-181- 14
王允武明 1288-357- 10
1291-874- 6
王允武妻 明 見趙氏
王允長明 505-849- 76
王允昌明 523-363-163
479- 98-221
王允昌 見王祚昌
王允昌明 見王蔭長
王允明妻 明 見蔣氏
王允茂明 533- 6- 47
王允祚妻 清 見蘇氏
王允恭王恭允 元
473-725- 82
563-716- 39
王允恭明 821-458- 57
王允卿宋 524-234-189
王允傑清 538- 89- 64
王允誠明 472-1027- 42
479-319-232
523-188-155
王允嘉明 456-681- 11
王允德明 559-531- 12
王允龍妻 明 見伏氏
王允齡明 821-481- 58
王仍輅明 460-787- 83
王玄之晉 256-321- 80
377-850-129上
814-239- 5
820- 65- 23
王玄同唐 820-243- 28
王玄甫晉 472-414- 18
475-437- 70
511-928-174
王玄宗唐 276- 20-199
820-151- 26
933-345- 24
王玄威後魏 262-257- 87
267-638- 85
380- 58-166
王玄弼唐 820-250- 29
王玄象劉宋 265-276- 16
378- 30-131
王玄載齊 259-307- 27
265-276- 16
370-511- 15
378-278-138
535-556- 20
679-855-223
王玄謨劉宋 258-406- 76
265-274- 16
378- 28-131

384-110- 6
472-433- 19
515- 5- 57
545-533-102
933-332- 24
王玄邈齊 259-308- 27
265-276- 16
378-278-138
384-110- 6
535-556- 20
545-534-102
558-225- 32
王立中元 472-224- 8
821-326- 54
1442- 7- 1
王立本明 524-354-196
821-350- 55
王立言宋 1176-338- 34
王立邦明 456-678- 11
511-475-155
王立郁妻 明 見涂氏
王立益明 480- 92-262
533-472- 64
王立善明 1241-692- 15
王立道王道立 明
1408-560-538
1442- 56- 3
1460-149- 47
王立道妻 明 見唐氏
王立愛明 545-410- 98
王立賢明 523- 92- 64
王立賢明 547- 17-141
王立鑄清 456-317- 75
王宇春清 478-370- 67
王必正宋 473-617- 77
529-680- 50
王必先明 1229-334- 12
王必誠宋 563-676- 39
王永世清 554-739- 61
571-536- 19
王永吉明～清(字修之)
505-640- 67
511-216-144
515-227- 63
1312-316- 31
王永吉明(無錫人) 505-659- 68
王永光明 505-778- 73
王永光女明 見王氏
王永名清 563-873- 42
王永年宋 1132-255- 50
王永年元 1375- 21- 上
王永年明 456-483- 5
481-154-298
王永亨明 545-661-107
1250-836- 80
王永武明 1239-236- 42
王永和明 299-662-167
472-230- 8
475-133- 56
493-981- 52
511-436-153
1241-514- 8
1241-811- 20
1246-567- 6
王永命妻 明 見周氏
王永命清 476- 86-100
505-653- 68
546-650-136
王永祚明(謚烈愍) 456-493- 5
王永祚明(字澄川) 533-353- 59
王永卿妻 明 見李氏
王永清明 554-311- 53
王永富宋 1166-665- 12
王永盛清 456-318- 75
王永隆明(謚節愍) 456-526- 6
538- 42- 63
王永隆明(郴州知州)
473-402- 66
532-750- 46
王永隆妻 清 見梁氏
王永順明 李朝禹妻
530- 63- 55
王永福明 554-518-57下
王永寧明 515-178- 62
523-447-168
王永壽明(南鄭人) 472-868- 34
王永壽明(字延齡) 545-657-107
1250-836- 80
王永圖清 554-778- 62
王永魁明 456-615- 9
王永綿妻 清 見鄒氏
王永德清 456-319- 75
王永龍妻 清 見李氏
王永霖妻 清 見梁氏
王永衡妻 清 見韋氏
王永謨明 524-114-183
王永譽清 476-920-148
502-647- 78
537-229- 54
王玉汝元 295- 86-153
399-397-455
472-558- 23
476-477-125
540-771-28之2
王玉汝妻 清 見秦氏
王玉珍妻 清 見于氏
王玉振清 564-300- 48
王玉梅明 王得時女
474-412- 20
王玉業妻 明 見李氏
王玉鉉明 538-138- 65
王玉機妻 明 見李氏
王玉璧清 523-515-171
528-500- 30
王去非金 291-721-127
401- 35-572
472-557- 23
476-824-143
540-770-28之2
541-672-35之19上
541-789-35之20
王去華清 陳其謂妻
479-666-247
516-329-100
王丙發宋 533-746- 73
王丙應元 528-508- 31
王弘之劉宋 258-590- 93
265-383- 24
370-491- 14
378- 86-133
384-111- 6
476-783-141
479-249-228
486-314- 14
524-321-195
933-335- 24
王弘中唐 1073-438- 13
1074-255- 13
1075-216- 13
王弘仁清 479-354-233
502-692- 81
523-208-155
王弘化明 592-778- 2
王弘功元 558-427- 37
王弘先明 547-112-145
王弘直唐 270- 70- 89
王夕祚清 478-131-181
483-139-380
511-890-172
554-421- 55
554-534-57下
570-138-21之2
570-599-29之11
王弘義唐 271-474-186 上
276-166-209
384-191- 10
400-377-535
王弘道明 533-286- 56
王弘誨明 482-268-350
564-234- 46
王弘睿明 554-875- 64
王弘毅元 554-913- 64
王弘毅清 478-405-194
554-738- 61
王弘勳妻 清 見陳氏
王弘贊後唐～後晉279-311- 48
384 313- 16
401-477-630
471-1067- 70
558-232- 32
王弘贊五代 472-892- 35
王正一清 559-332-7下
王正三宋 見壬昉
王正已王愼言 宋487-112- 8
491-339- 1
494-308- 5
494-337- 7
820-331- 32
1152-811- 52
1153-531- 99
王正已明 456-557- 7
537-306- 56
王正中明 523-164-153
524-326-195
676- 55- 2
677-723- 64
王正中女 明 見王恩珠
王正民宋 487-112- 8
王正功王愼思 宋487-113- 8
1153-536-100
王正言後唐 277-566- 69
王正志明 301- 39-237

458- 60- 3
478- 93-180
554-294- 53
1458-611-463
王正志清 505-850- 76
554-189- 51
王正甫宋 820-380- 33
王正邦宋 515- 85- 59
王正宗明 523- 86-149
王正忠清 474-340- 17
王正叔王持 宋 554-912- 64
820-407- 34
821-199- 51
王正貞王瓚 元 821-328- 54
王正海明 564-272- 47
王正倫宋 473-767- 84
王正國明 300-280-199
537-521- 59
王正國妻 唐 見汪氏
王正雅唐 271-130-165
275- 73-143
395-689-242
478- 88-180
545-583-104
554-269- 53
王正路宋 1112-754- 21
王正輔宋 559-296-7上
王正賢明 袁天祿妻、王廷儀女 1260-644- 20
王古平妻 明 見蕭氏
王古用明 524-357-196
王古塘女 明 見王氏
王古寶明 538- 59- 63
王本中元 821-301- 53
王本中明 1229-401- 1
王本立明(吏目) 456-597- 9
王本立明(千夫長) 1232-221- 3
王本立妻 清 見汪氏
王本固明 474-410- 20
502-288- 56
505-824- 75
王本義明 515-108- 60
王本達女 明 見王菊英
王本儉明 533-171- 52
王本豫晉 558-482- 41
王石柱清 456-317- 75
王石泉隋 1343-337- 24
王石穀妻 明 見袁氏
王右渠漢 244-791-115
王丕式明 547- 37-142
王召俊明 456-669- 11
王司道宋 479-710-250
王司綵明 564-318- 49
王加封明 456-637- 10
王加笑清 560- 91- 19
王加會妻 明 見楊氏
王加慶女 明 見王買姐
王孕長明 見王蔭長
王巧兒明 王璋女478-351-191
王可大宋 493-962- 51
王可大明 511- 81-139
676-585- 24
820-700- 43
1442- 61- 4
1460-197- 49
王可大妻 明 見顧氏
王可大女 明 見王氏
王可大清 537-460- 58
王可交唐 472-244- 9
475-192- 59
485-286- 41
486-905- 35
491-120- 14
493-1102- 58
511-921-174
524-324-200
1059-602-中
1061-289-112
王可吉妻 清 見王氏
王可訓宋 821-172- 50
王可能明 1289-288- 19
王可道元 劉孚妻、王摻女 1215-716- 10
王可道妻 明 見江氏
王可賓明 480-290-271
王可與明 820-598- 40
王可舉元 472-395- 17
王世文明 547- 18-141
王世及宋 400-299-524
477- 75-152
王世仁明 1284-189-151
王世充王充 隋 264-1170- 85
267-537- 79
269-459- 54
274-129- 85
379-888-164
384-177- 9
407-377- 2
王世民明 1282-877- 66
王世守明 563-818- 41
王世安明 473-683- 79
563-770- 40
王世臣明 476-438-122
545-432- 99
563-856- 41
王世名明 302-158-297
479-331-232
524-152-185
1408-579-540
1457-724-411
王世名妻 明 見俞氏
王世行宋 473-748- 83
567- 60- 65
568-241-108
1113-246- 24
1467- 36- 63
王世完明 1283-456-102
王世完妻 明 見郁氏
王世定明 456-619- 9
480-437-278
王世忠明 480-512-281
王世昌宋 400-198-515
473-528- 72
481-373-311
493-741- 41
1102-481- 61
王世昌妻 宋 見淳于氏
王世昌金 1365-286- 8
1439- 10- 0
1445-518- 39
王世昌明 821-420- 56
王世昌妻 明 見易氏
王世昌妻 明 見楊氏
王世昌妻 明 見董氏
王世昌清 456-387- 80
王世明妻 元 見李賽兒
王世虎明 456-481- 5
王世芳明 511-590-159
1284-188-151
王世彥女 宋 見王氏
王世美明 456-678- 11
511-477-155
王世厚女 宋 見王氏
王世貞伯母 明 見龔氏
王世貞明 301-853-287
475-452- 71
475-873- 95
476-480-125
478-769-215
480-319-272
505-637- 67
511-234-145
523- 55-148
532-597- 41
545- 96- 86
676-580- 24
679-654-202
820-729- 44
1278-410- 19
1442- 64- 4
1460-242- 51
王世貞妻 明 見董氏
王世則宋 471-858- 38
473-750- 83
482-349-356
533- 66- 48
567 294- 76
568-253-108
1467-167- 68
王世英宋 821-247- 52
王世英妻 明 見張氏
王世泉清 456-320- 75
王世泰明(謚烈愍) 456-481- 5
474-742- 40
502-714- 83
505-678- 69
王世泰明(深州人) 505-917- 81
王世桂妻 清 見崔氏
王世珩明 456-631- 10
王世恩妻 明 見吳氏
王世能明 545-120- 86
王世淳元 683- 67- 4
王世望明 1283-709-122
王世望妻 明 見陶氏
王世祥明 821-374- 55
王世琇明 302- 75-293
456-570- 8
474-187- 9
477-125-155
505-845- 76
537-258- 55

王世琇妻　明　見武氏
王世國明　301-542-269
456-693- 5
554-726- 61
王世從妻　明　見魏氏
王世琮明　301-446-262
456-428- 2
477-411-169
481-430-315
559-531- 12
王世雄金　見王嚞
王世隆宋(字本支)　285- 87-250
396-457-297
王世隆宋(字可久)
1090- 94- 16
王世琦父　清　517-753-134
王世弼後魏　262- 79- 71
266-926- 45
379-290-150下
476-366-117
554-853- 63
814-260- 8
820-117- 25
933-338- 24
王世揚明　474-441- 21
505-766- 72
554-182- 51
558-158- 30
王世琛清　511-757-165
王世欽明　301-542-269
456-428- 2
478-273-187
554-725- 61
王世傑元　683- 33- 1
王世祿明　473-282- 61
480-128-264
532-634- 43
王世業明　1283-438-101
王世業妻　明～清　見劉氏
王世業女　明　見顧氏
王世榮明　563-751- 40
王世輔宋　484-378- 27
王世賢明　570-166-21 之2
王世賞金　676-697- 29
1365-292- 9
1439- 7- 0
1445-526- 40
王世蔭明　475-777- 89
510-481-118
王世蔭清　547- 28-141
王世德明(字長民)　523-562-174
532-638- 43
563-736- 40
564-801- 60
564-807- 60
569-656- 19
王世德明(字求美)
1283-471-103
王世德明(字德啟)
1295-547- 7
王世德妻　明　見范景姒
王世德妻　明　見虞順卿
王世德清　478-489-199
558-414- 37
王世龍清　456-317- 75
王世遵北周　554-120- 50
王世噩清　515-180- 62
王世積北周～隋　263-644- 29
264-716- 40
267-372- 68
379-749-161
532-563- 40
554-570- 58
933-339- 24
王世懋明　301-855-287
475-452- 71
511-792-166
528-462- 29
554-215- 52
676-589- 24
820-729- 44
1284- 47-140
1284-189-151
1442- 64- 4
1460-279- 52
王世薦明　511-799-167
王世爵妻　清　見劉氏
王世績北周～隋　544-219- 62
王世翹明　見王士翹
王世繩清　517-802-135
王世鑑妻　清　見俞氏
王世顯清　479-403-235
523-237-156
王世巖後唐　288-242-443
王厈生明　見王厈
王充耘元　400-578-553
453-794- 3
473-150- 56
515-621- 76
676- 25- 1
678-167- 86
王充榮明　1241- 16- 1
王民表明　1266-576- 8
王民牧明　558-316- 34
王民悅明　1410-553-739
王民順　515-797- 82
563-807- 41
王民軾妻　明　見紀氏
王民範明　554-313- 53
王民皞清　510-421-116
王民興妻　清　見周氏
王民瞻妻　明　見朱氏
王功成清　476-618-133
540-853-28之4
王以文明　1234-370- 54
王以仁明　476-698-137
王以玉妻　清　見蔡氏
王以孚明　554-256- 52
王以東明　1280-536- 95
王以悟明　458- 22- 1
538- 18- 61
王以旂明　300-277-199
475- 76- 53
477-566-177
479-747-251
480-319-272
511- 78-139
515-110- 60
532-595- 41
554-178- 51
558-157- 30
676-543- 22
1284-162-149
1442- 44-附3
1459-913- 39
王以修明　559-409-9上
王以斌明　1243-709- 24
王以詠宋　481-693-332
528-538- 32
王以誠明　1237-330- 7
1242-374- 36
王以誠妻　明　見張氏
王以旗明　476-918-148
王以寧宋(太原人)
472-1102- 47
王以寧宋(湘潭人)　473-338- 63
480-407-277
533-247- 55
588-170- 8
王以寧明　523-469-169
王以諫妻　明　見靳氏
王四姑清　王一鳳女
524-458-202
王四姐清　李殿機妻
512-785-196
王四維明　474-168- 8
王四璉妻　清　見焦氏
王四靈妻　清　見李氏
王由義元　478-347-191
494- 54- 2
537-265- 55
554-654- 60
王由道明　516- 78- 90
王由禮隋　1395-605- 3
王田阿明　478-353-191
王旦士妻　明　見向氏
王旦召妻　清　見周氏
王旦生妻　明　見程氏
王申子元　473-317- 62
533-746- 73
676- 14- 1
王甲生妻　清　見呂氏
王史氏戰國(七十子後學者)
405-453- 85
王代恕宋　1102-215- 27
王代恕妻　宋　見李氏
王令言隋　264-1104- 78
王令辰妻　明　見張氏
王令溫後周　278-384-124
王令圖宋　558-228- 32
王令質唐　478- 87-180
王生賢明　532-708- 45
王乍麥清　560- 92- 19
王仕京明　456-683- 11
540-829-28之3
王仕忠明　473-528- 72
473-762- 84
482-390-358
559-319-7上
1467- 59- 64
王仕政元　515-619- 76
王仕倫唐　683- 15- 0

王仕雲清 480-509-281
王仕源唐 533-314- 57
王仕榮宋 529-760- 53
王仕熙元 見王士熙
王仕濂妻 明 見曹氏
王仕衡明 564-234- 46
王仕錫明 472-325- 14
475-701- 86
510-464-117
王仔昔宋 288-482-462
401-108-582
516-509-106
王台彥明 533-143- 51
王台輔明 301-666-277
456-636- 10
475-433- 70
511-468-154
王他惡後魏 見王遇
王仙客唐 556-794-100
王仙柯唐 481- 86-294
王仙喬唐 585- 6- 0
王用士明 546-211-122
王用才明 515- 44- 58
559-525- 12
王用之宋 821-232- 51
王用之妻 宋 見謝氏
王用之明 483-116-379
570-130-21之1
王用予明 510-384-115
533-180- 52
王用予清 558-319- 34
王用中明(大同人) 546- 93-118
王用中明(字道行)
1288-669- 15
王用臣明 524- 93-182
王用亨王用享 宋472-984- 39
524-308-194
王用汲明 300-755-229
460-676- 69
481-588-328
529-546- 45
王用享宋 見王用亨
王用和宋 524-371-197
王用相明 473-655- 78
王用相妻 明 見李氏
王用俊妻 清 見張氏
王用章明 510-337-113
王用傑清 478-339-191
546-221-122
554-315- 53
王用極妻 明 見戴氏
王用聘妻 明 見魯氏
王用賓明(大同人) 546- 94-118
王用賓明(字元興) 554-664- 60
676-551- 22
1442- 48-附3
1460- 44- 42
王用賓明(字汝弼)
1252-228- 13
王用賓妻 明 見尹氏
王用賢明(清苑人) 474-238- 12
王用賢明(祁州人) 505-813- 74
王用賢妻 明 見杜氏
王用龍宋 515-340- 67
王用器妻 明 見羅氏
王用臨唐 544-228- 63
王用體清 476-519-127
540-681- 27
王幼平宋 曾堅妻、王夢月女
1180-434- 40
王幼均宋 1234-292- 46
王幼孫宋～元 515-614- 76
677-410- 38
1202-286- 20
王幼學宋 472-339- 14
475-528- 77
511-697-164
王奴兒齊 見王奴
王守一唐 271-414-183
276-123-206
544-226- 63
545-570-104
554- 78- 49
王守一妻 唐 見薛國公主
王守一女 唐 見王氏
王守中宋 516-500-105
王守中明(泥溪司人)
481-215-302
561-222-38之3
王守中明(字一道) 516-132- 92
王守中妻 明 見劉至貞
王守仁王雲、王雲生 明
300-200-195
453-702- 38
457-130- 10
458-858- 8
472-1073- 45
473- 17- 49
479-240-227
479-454-237
482-322-354
483-248-391
508-217- 37
515- 47- 58
523-308-160
523-548-173
528-553- 32
533-745- 73
539-506-11之2
563-723- 40
564-771- 60
564-899- 62
567-118- 67
571-538- 20
585-258- 21
588-182- 8
676-529- 21
820-664- 42
1266- 1- 32
1266-157- 37
1266-161- 37
1266-192- 37
1266-216- 38
1266-223- 38
1266-238- 38
1266-243- 38
1280-622-102
1283-252- 86
1442- 39-附2
1459-801- 32
1467- 96- 65
王守正宋～元(字正父)
1195-425- 8
王守正元(字賢之)
1201-166- 80
王守良妻 清 見李氏
王守里明 547- 75-143
王守邦妻 明 見陶氏
王守坤清 456-317- 75
王守忠宋 545-619-105
王守忠元 545-479-100
545-841-113
王守厚妻 明 見賴線娘
王守思後周 見王守恩
王守信元 1201-647- 23
1367-829- 63
1373-187- 14
王守信明 511-442-153
王守訓明 1242-295- 34
王守庫明 456-660- 11
554-771- 62
王守泰唐 820-182- 27
王守恩王守思 後周
278-388-125
279-295- 46
384-312- 16
396-418-293
546-329-126
王守時妻 明 見丁氏
王守規宋 288-544-467
581-477- 96
王守陽明 483- 96-378
570-150-21之2
王守貴妻 清 見李氏
王守勝明 516- 85- 90
王守愼唐 見法成
王守道金 1190-487- 41
王守道元 295- 85-153
399-435-459
472- 96- 3
474-380- 19
505-753- 72
王守廉妻 明 見劉氏
王守愚女 宋 見王懋良
王守愚明 1280-489- 92
王守愚妻 明 見蒯氏
王守敬妻 清 見楊氏
王守業妻 明 見王氏
王守業妻 明 見袁氏
王守誠元 295-454-183
399-733-493
472-439- 19
476- 42- 98
481- 23-291
545-653-106
546-636-136
559-247- 6
676-704- 29
1439-440- 2
王守誠明 505-678- 69
王守澄明 271-429-184
276-147-208

384-258- 13
384-265- 13
401- 52-575
王守履明 545-895-114
王守德明 456-660- 11
554-771- 62
王守謙元 1200-793- 61
王亦顯明 1236-428- 3
王安上宋 492-582-13下之上
494-302- 5
王安夫清 1320-608- 67
王安中宋 286-673-352
397-722-363
471-861- 38
471-869- 40
472- 96- 3
473-758- 83
473-777- 84
505-894- 79
567-440- 86
674-293-4下
674-835- 18
820-399- 34
933-359- 24
1127- 1- 附
1147-560- 53
1363- 54-101
1437- 20- 1
1467-148- 67
王安仁宋 1105-800- 96
1384-174- 95
1410-493-729
王安仁元 472- 86- 3
王安正元 1221-423- 5
王安石外祖母 宋 見黃氏
王安石舒王 宋 286-331-327
382-511- 79
384-365- 19
397-455-347
408-370- 13
449-203- 6
450-769-下14
471-614- 4
471-628- 7
471-684- 14
471-715- 18
471-738- 21
471-820- 33
471-928- 49
472-254- 10
472-1084- 46
473-113- 54
473-233- 60
479-656-247
487-187- 12
488-390- 13
488-392- 13
488-393- 13
489-696- 50
491-305- 6
492-581-13下之上
511-889-172
515-734- 80
588-164- 8
674-284-4下
674-818- 17
677-208- 19
708-339- 50
813-266- 12
820-368- 32
821-172- 50
933-356- 24
1103-128-110
1145-385- 70
1153- 15- 54
1370-212- 14
1375- 33- 下
1384- 2- 附
1407- 64-401
1437- 13- 1
1461-352- 18
王安石女 宋 見王氏
王安世後魏 262- 81- 71
王安世女 宋 見王蔡
王安定明 472-174- 6
王安兒宋 511-658-162
王安貞元(安陽人) 493-751- 41
1211-407- 57
王安貞元(常熟知州)
510-331-113
王安貞元(永嘉縣尹)
523-225-156
王安哥元 295-631-200
401-179-593
472-753- 29
477-319-164
王安國宋 286-341-327
382-514- 79
384-365- 19
397-463-347
449-212- 6
471-738- 21
473-113- 54
473-209- 59
479-656-247
480- 48-259
492-581-13下之上
515-736- 80
674-818- 17
1105-762- 91
1110-418- 22
1354-250- 31
1356-183- 8
1362-692- 61
1384-174- 95
1384-244-101
1405-681-306
1410-492-729
1437- 14- 1
王安國元 523-559-174
1226-437- 21
王安道宋 491-302- 6
821-216- 51
王安節宋 288-330-450
400-186-514
451-236- 0
475-241- 60
493-782- 42
王安壽妻 明 見李氏
王安禮宋 286-339-327
382-515- 79
384-365- 19
384-367- 19
397-461-347
472-172- 6
472-273- 11
472-644- 26
473-113- 54
476- 29- 97
477- 52-151
478-418-195
479-656-247
488-397- 13
488-398- 13
492-581-13下之上
494-301- 5
515-736- 80
537-241- 55
540-647- 27
545- 50- 84
1152-797- 51
1285-241- 4
1437- 14- 1
王汝玉王璲 明 299-460-152
472-229- 8
493-976- 52
511-735-165
676-481- 18
820-590- 40
821-357- 55
1237-682- 附
1385- 48- 2
1442- 18-附1
1459-549- 19
王汝正宋 515-337- 67
王汝安明 545-432- 99
王汝舟宋 472-379- 16
485-445- 7
485-519- 10
485-524- 10
511-266-147
528-504- 31
1142-529- 6
1375- 5- 上
1376-367- 84
王汝舟明 559-346- 8
王汝孝明 545- 93- 85
王汝奇明 1283-467-103
1467-112- 66
王汝林明 524-198-188
王汝明元 1198-767- 5
王汝爲明 564-232- 46
王汝爲妻 明 見楊氏
王汝訓明 301- 1-235
476-618-133
540-816-28之3
王汝書妻 清 見耿氏
王汝皐宋 529- 74- 34
王汝章吳 1442- 29-附2
王汝梅金 291-722-127
401- 37-572
474-477- 23

505-890- 79
1365-320- 9
1445-688- 53
王汝梅明(字濟元) 300-427-208
王汝梅明(安肅人) 554-182- 51
王汝紹明 456-634- 10
王汝弼明 549-458-198
王汝欽妻 明 見邵氏
王汝欽女 明 見王氏
王汝猷明 1275-849- 52
王汝源明 523-587-175
王汝詩妻 清 見杜氏
王汝雍妻 清 見郝氏
王汝楫明 547--38-142
王汝楫清 1325-767- 9
王汝敬明 476-334-115
483-201-388
547- 94-144
570-218- 23
王汝嘉王阿瑗 宋448-379- 0
王汝嘉明 472-229- 8
王汝魯明 537-551- 59
王汝盤明 456-633- 10
558-417- 37
王汝濂明 476-261-110
547- 52-143
王汝霖明(江西湖口人)
545-462-100
王汝霖明(字九谷) 554-875- 64
王汝積明 見王汝績
王汝翼宋 475-822- 92
510-494-118
511-505-156
王汝績王汝積 明
476-395-119
515-779- 81
545-462-100
1243-388- 23
王汝鍾明 547- 23-141
王汝礪元 545-843-113
王汝礪妻 明 見蔡氏
王汝驤清 511-777-166
王宇春明 511-748-165
王宇春清 502-687- 81
510-395-115
王宇孫女 清 見王氏
王宇靜妻 清 見馬氏
王式丹清 475-380- 68
511-785-166
王式閭妻 清 見李氏
王圭卿元 820-552- 39
王吉才元 453-799- 4
460-463- 36
473-655- 78
1227-164- 20
王吉兆明 1288-622- 10
王吉甫宋 286-387-330
397-497-349
478-345-191
481-333-308
540-624- 27
554-651- 60
王吉那清 455-195- 9
王吉武清 511-794-166
王吉納清 455-194- 9
王吉敏宋 451-242- 0
王吉德清 455-468- 28
王吉徵妻 清 見劉氏
王在中明 456-637- 10
王在庭明 547- 7-141
王在晉明 301-340-257
511-238-145
537-468- 58
676-619- 25
1442- 83- 5
王在復明 302-156-297
475-452- 71
511-590-159
王在臺明 545-676-107
554-255- 52
王有方唐 1066- 42- 6
王有文明 559-426-10上
王有功明 1319-178- 14
王有在清 456-317- 75
王有光王睿 明 1291-632- 2
王有君妻 清 見王氏
王有明妻 清 見曹氏
王有爲明 472-679- 27
王有恬明 515- 43- 58
529-460- 43
王有恒元 1218-382- 16
王有容清 481-783-337
518-801-161
528-573- 32
533-183- 52
王有根明 456-665- 11
477- 89-153
538- 42- 63
王有章妻 清 見辜氏
王有詔明 570-212- 23
王有祿明 547-121-145
王有禮妻 明 見朱氏
王有麟明 529-548- 45
676-354- 13
王存敬明 510-473-117
王存禮明 558-402- 36
王存鏊清 545-122- 86
王至和元 510-346-114
王老生北朝 267-126- 53
王老志宋 288-482-462
401-108-582
476-870-145
541- 91- 30
王老誠清 456-318- 75
王臣直王聯科 明546-756-140
王臣賡妻 清 見齊氏
王夷仲妻 宋 見唐氏
王夷仲妻 宋 見袁氏
王夷吾明 456-660- 11
王次山宋 820-421- 34
王次仲秦 575-245- 13
684-465- 下
814-222- 3
820- 23- 22
王次翁宋 287-205-380
398-243-381
473-777- 84
487-122- 8
491-402- 4
491-434- 6
567- 63- 65
568-287-109
1467- 39- 63
王次張宋 1165-346- 21
王次傳宋 460-348- 27
王光大元 1218-601- 2
王光宇明 476-124-102
546-309-125
王光先明 456-681- 11
478-170-182
王光宙明 547- 73-143
王光承清 475-185- 59
511-839-168
王光承女 清 見王氏
王光忠妻 明 見楊氏
王光信宋 見王嵩
王光胤明 見王叔承
王光祖宋(字君俞) 286-646-350
382-715-110
397-700-362
473-528- 72
477- 80-152
481- 19-291
559-318-7上
王光祖宋(知昭州) 473-767- 84
567- 70- 65
1467- 44- 63
王光祖宋(王异孫) 491-434- 6
王光祖宋(字仲顯) 515-529- 73
王光祖宋(字文季) 523-629-177
王光祖元 1220-558-12
王光祖明(解州人) 546-734-139
王光祖明(字孝標) 554-294- 53
王光祖妻 清 見金氏
王光逢宋 1170-736- 32
王光欽明 547- 9-141
王光鼎清 479-379-234
523-222-156
王光輔唐 270- 73- 89
王光徹明 見王叔承
王光穆明 見王叔承
王光濟宋 288-410-456
400-298-524
472-327- 14
475-703- 86
511-639-161
王光濟明 554-664- 60
676-550- 22
王光謙唐 472-307- 13
549-304-192
1341-671-889
王光顯明 456-663- 11
王同休明 1467-158- 67
王同軌明 676-341- 12
1442- 95- 6
1460-552- 67
王同祖宋 1364-426-304
1437- 29- 2
王同祖明 511-106-140
676-551- 22
820-667- 42
1284-164-149

1442- 48-附3
1460- 46- 42
王同晊唐 1341-772-902
王同皎唐 271-494-187上
275-583-191
384-188- 10
400- 94-508
472-697- 28
477-164-157
538- 47- 63
王同皎妻 唐 見定安公主
王同道明 559-321-7上
王同鼎明 533-179- 52
王同觀明 533-180- 52
王兆吉妻 清 見陳氏
王兆辰妻 清 見劉氏
王兆京清 524-177-187
王兆祥妻 清 見白氏
王兆琰妻 清 見陳氏
王兆禎明 1283- 20- 68
王兆熊明 456-602- 9
王兆魁明 563-820- 41
王兆鸝明 546-759-140
王多福明 456-610- 9
477-546-176
王多學妻 明 見李氏
王伏金清 554-739- 61
王舟瑶妻 清 見胡成靜
王名正明 559-514- 12
王名世清 532-640- 43
王名善明 302- 4-289
479-328-232
482-207-347
523-405-165
563-849- 41
王任用明 1280-502- 93
王任用妻 明 見錢氏
王任杞清 480-564-284
505-841- 76
533-408- 61
王任相明 524-187-187
王任重明 460-677- 69
王任閎清 481-407-313
561-206-38之1
王自中宋 287-347-390
398-356-387
473- 60- 51
475-577- 79
479-405-235
524- 84-182
1146- 94- 89
1150-893- 50
1164-434- 24
1173-188- 76
1410-460-724
王自古妻 清 見張氏
王自求宋 563-683- 39
王自成宋 1180-406- 37
王自明清 503-763- 86
王自牧明 515-874- 86
王自亮清 545-160- 88
王自省妻 明 見陳氏
王自寅女 清 見王金大
王自敏妻 明 見周氏
王自然宋 524-435-201
王自新清 480- 13-257
511-385-151
532-604- 42
王自瑞妻 清 見傅氏
王自寧妻 清 見蕭氏
王自瑶清 1321-899-186
王自選妻 明 見張氏
王自爵明 537-329- 56
王全才清 533-186- 52
王全斌宋 285-147-255
371-158- 16
382-146- 20
384-325- 17
396-490-299
450-671-下1
472-436- 19
473-267- 61
476- 38- 98
545-619-105
933-350- 24
王全榮唐 820-197- 27
王全壽妻 明 見鄭氏
王好古元 676-390- 14
王好書明 540-833-28之3
王好問明 505-730- 71
676-583- 24
1442-60- 4
王好善明 456-600- 9
王好善清 516- 91- 90
王好學妻 清 見劉氏
王好禮元 1201-167- 80
王如心明 524-294-193
王如玉宋 揭正伯妻
1184-348- 49
王如辰清 540-856-28之4
567-159- 69
568-467-117
王如林妻 清 見金氏
王如春明(黃巖人) 479-528-241
515-226- 63
523-477-169
王如春明(武昌人) 563-764- 40
王如堅明 300-813-233
479-727-250
515-713- 79
王如綸清 1327-868- 20
王如皞明 554-515-57下
王如龍明 523-562-174
王先生漢 244-901-126
380-527-180
1412-101- 5
王先吉明～清 1321-111- 98
王先成唐 559-503- 12
591-539- 42
933-359- 24
王先通明 479-240-227
王竹逸元 516-168- 94
王竹窻元 1220-558- 12
王仲才明 533-416- 62
王仲文元(祥符人) 476-367-117
545-440- 99
王仲文元(介休人) 545-887-114
王仲元金 820-481- 36
1040-251- 4
1198-227-上
1365-283- 8
1367-730- 56
1439- 8- 0
1445-514- 39
王仲元元 821-303- 53
王仲仁元 1196-291- 17
王仲仁女 清 見王氏
王仲玄元 1204-513- 19
王仲立明 538- 97- 64
王仲玉明 821-349- 55
王仲玉女 明 見王松秀
王仲丘唐 276- 39-200
384-206- 11
400-426-539
476-787-141
491-803- 6
540-739-28之2
王仲序明 1237-592- 上
王仲甫宋 589-336- 4
王仲明元 511-875-170
王仲和元 1219-409- 14
王仲英金 1200-650- 49
王仲英明 511-567-158
王仲信元 1207-282- 19
王仲高漢 1061-269-110
王仲倫晉 541- 86- 30
王仲姬明 邵珠妻、王溥女
1258-690- 16
王仲淮元～明 1213-145- 11
1224-491- 29
王仲都漢 554-966- 65
1059-293- 7
王仲通金 1365-264- 8
1439- 2- 0
1445-488- 36
王仲莊宋 1097-298- 20
王仲常元 1210-659- 10
王仲符宋 1098-192- 23
王仲湜宋 490-933- 87
王仲逵明 537-408- 57
王仲華宋(知蘇州) 484- 88- 3
王仲華宋(新喻人)
1087-278- 28
1087-291- 29
王仲舒隋 812-340- 8
821- 31- 45
王仲舒唐 271-602-190下
275-257-161
384-232- 12
384-261- 13
396- 70-258
471-595- 2
472-220- 8
472-434- 19
473- 13- 49
475-119- 55
476- 36- 98
479-318-232
479-447-237
482-289-352
485- 72- 11
493-689- 38

王志道宋 484-378- 27
王志道明 301-333-256
676-632- 26
王志瑞明 見王志端
王志端王志瑞 明456-530- 6
王志遠明 529-572- 46
王志謹元 586-200- 9
王赤腿金 見王予可
王求仁唐 473-807- 86
王求禮唐 270-235-101
271-497-187上
274-431-112
384-187- 10
395-422-219
472-656- 27
477-478-173
537-587- 60
933-341- 24
王成平元 563-719- 39
王成涿妻 清 見杜氏
王成勳清 456-317- 75
王孝友宋 515-329- 67
王孝及唐 483-592-414
王孝忠宋 288-381-454
400-138-511
475-324- 65
510-372-114
王孝風清 478-377-192
王孝曾妻 宋 見李氏
王孝逸隋 547-198-148
王孝傑唐 270-124- 93
274-416-111
384-184- 10
395-411-218
478-112-181
554-694- 61
558-238- 32
王孝遵宋 528-474- 30
王孝藉隋 見王孝籍
王孝籍王孝藉 隋
264-1065- 75
267-597- 82
380-337-174
384-158- 8
476-523-128
933-339- 24
1394-582- 8
王西忠妻 明 見許三娘

王均盛宋 1234-292- 46
王均諒明 302- 4-289
王均賢宋 1234-292- 46
王均德宋 1234-292- 46
王均禮宋 1234-292- 46
王育才妻 明 見姚氏
王育仁母 明 見梁氏
王育民妻 清 見唐氏
王育良清 476-820-143
540-686- 27
王育賢清 481-495-324
502-632- 77
528-488- 30
王育德明 533-176- 52
王君公漢 476-520-128
540-699-28之1
王君玉宋 1105-753- 90
1117-378- 2
1384-183- 96
王君玉元 505-655- 68
王君平唐 820-264- 29
王君威明 1291-906- 6
王君俟元 569-616-18下之2
王君愕唐 270- 80- 90
274-470-116
505-761- 72
544-229- 63
王君萬宋 286-642-350
397-696-362
472-897- 35
478-482-199
478-518-200
558-171- 31
王君照唐 487-187- 12
王君奐唐 270-259-103
274-664-133
384-202- 11
395-619-237
478-742-213
558-135- 30
558-410- 36
1065-822- 19
1342- 27-907
1410-170-683
王君廓隋～唐 269-541- 60
270- 80- 90
274- 36- 78
274-204- 92

384-178- 9
395- 7-181
395-295-207
546-346-126
王君榮明 676-370- 13
王君盡妻 清 見黄氏
王君德唐 843-658- 上
王君操唐 271-520-188
400-288-523
540-736-28之2
王君錫宋 1149-454- 11
王君禮宋 592-588- 98
王克己元 295-615-198
400-321-526
478-419-195
554-758- 62
王克己明 472-439- 19
476-297-112
547- 87-144
王克中明 480- 51-259
王克臣宋 285- 88-250
396-457-297
474-304- 16
475-742- 88
476-817-143
540-669- 27
1110-493- 28
王克明宋 288-484-462
401-110-582
473- 48- 50
479-142-223
494-435- 13
516-521-106
524-356-196
1164-263- 13
王克明宋 見王貽永
王克明妻 宋 見聞人氏
王克明明 511-582-159
王克貞宋 473-146- 56
515-572- 75
1085-225- 29
王克恭宋 528-474- 30
529-532- 45
王克剛明 見王克綱
王克耘明 547-133-146
王克敦女 宋 見王氏
王克復明 473-574- 74
529-457- 43

王克復妻 清 見王氏
王克義元 545-407- 98
546-405-128
王克義明 473-738- 82
564-225- 46
王克詢女 宋 見王氏
王克勤宋 471-738- 21
515-751- 80
王克勤元 505-656- 68
王克敬元 295-469-184
399-741-494
472-626- 25
472-962- 38
472-1085- 46
474-559- 28
476-452-123
478-764-215
492-711-3下
493-785- 42
496-411- 89
502-378- 63
523- 26-147
546-618-135
1439-433- 1
王克誠元 1192-505- 3
1206-384- 1
王克榮清 胡介祉妻、王熙女
1318-520- 79
王克綱王克剛 明473-616- 77
528-509- 31
王克寬清 502-310- 57
王克廣妻 清 見王氏
王克儉唐 1187-578- 7
王克儉清 477-202-159
王克嶷宋 511-840-168
王尾金明 徐應亮妻
530- 18- 54
王技兒明 478-699-210
王改生上古 1061-180-102
王更生宋 見王景俠
王肖翁元 517-511-128
523-481-170
820-509- 37
1209-580-9下
1226-491- 23
1439-430- 1
王芒姐清 477-212-159
王見賓明 554-183- 51

王步青清 475-281- 63
王助芳妻 清 見張氏
王男子妻 清 見劉氏
王我聘明 540-811-28之3
王孚遠元 515-767- 81
王谷榮女 元 見王妙璘
王谷樹妻 明 見程氏
王谷器明 472-1068- 45
523-154-153
王住兒王珠爾 元295-600-197
400-309-526
王佐才宋(字昌輔) 529-684- 50
王佐才宋(善墨竹) 821-210- 51
王佐才王伯才、王邦才 明
456-462- 4
王佐才清 483- 97-378
570-151-21之2
王佐聖明 456-588- 8
483-396-403
511-438-153
571-556- 20
676-632- 26
1442- 91- 6
1460-694- 75
王佑命清 483- 48-372
570-164-21之2
王佑賢清 524-349-196
王伽藍明 楊正綱妻
483-331-397
王作位妻 明 見黃氏
王作昭明 1237-317- 6
王作逢元 1221-655- 25
王伯才明 見王佐才
王伯大宋 287-727-420
398-665-411
473-125- 55
473-573- 74
475-639- 83
479-678-248
481-747-334
493-722- 40
510-444-117
515-131- 61
529-643- 48
王伯大元 1220-557- 12
王伯川妻 明 見石氏
王伯化明 524-128-184
王伯允明 1232-689- 9
王伯全妻 明 見何氏
王伯先宋 1096-368- 37
王伯序宋 487-123- 8
491-436- 6
王伯良明 558-467- 39
王伯志宋 820-408- 34
王伯初明 524-231-189
王伯昌明 1229-223- 6
王伯虎宋 493-1015- 54
1255-469- 51
王伯亮明 1237-208- 3
王伯庠宋 487-123- 8
491-435- 6
1153-302- 83
1153-383- 90
王伯度明 456-584- 8
475-330- 65
511-460-154
王伯貞王泰 明 299-683-169
453-144- 13
473-737- 82
479-717-250
482-266-350
515-642- 77
563-745- 40
1222-473- 11
1232-613- 6
1237-395- 12
1239- 84- 32
1240-213- 14
1240-747- 7
1241-187- 9
1242-142- 28
1250-674- 65
王伯貞妻 明 見蕭壽
王伯貞女 明 見王文貢
王伯昭元 516-207- 95
王伯英妻 明 見蹇氏
王伯勉明 477-169-157
537-459- 58
王伯起宋(字聖時) 460-119- 7
493-577- 31
王伯起宋(字興公) 472-294- 12
511-845-168
王伯時元 821-287- 53
王伯剛妻 明 見施貞
王伯剔宋 1112-275- 26
王伯芻宋 515-603- 76
1147-774- 73
1204-354- 14
王伯淵元 545-841-113
王伯華隋 546-749-140
王伯勝元 295-310-169
399-638-483
472- 36- 1
472-624- 25
474-181- 8
474-817- 44
502-275- 55
505-721- 71
王伯達後魏 554-893- 64
王伯達明 456-575- 8
王伯敬明 558-290- 34
王伯稠明 1442- 96- 6
王伯誠明 547- 47-142
王伯聚明 1250-836- 80
王伯廣宋 493-951- 51
494-348- 7
511-729-165
王伯憲宋 473-536- 72
559-311-7上
王伯龍金 291-185- 81
399-126-427
474-736- 40
502-362- 62
王伯興女 明 見王昭
王伯壎妻 明 見張氏
王伯顏元 見王巴延
王伯疇明 1227-101- 12
王含光清 546-715-139
王含眞清 546-716-139
王希孔妻 明 見張氏
王希旦元 672- 82- 3
680-217-246
王希旦明(字維周) 460-516- 46
529-464- 43
676-544- 22
1442- 49-附3
676-544- 22
1442- 49-附3
1460- 55- 42
王希旦明(字景哲) 473-236- 60
480-173-267
533- 60- 49
王希羽唐 485-428- 6
511-804-167
1142-531- 6
1376-548-94上
王希夷唐 271-639-192
275-639-196
384-204- 11
401- 5-568
491-803- 6
540-739-28之2
541- 89- 30
933-345- 24
王希呂王希侶 宋287-318-388
398-335-386
472-203- 7
472-325- 14
472-982- 39
475-699- 86
475-750- 88
479-224-227
486- 54- 2
491-110- 13
493-716- 40
511-349-149
515- 18- 57
523-150-153
524-324-195
1437- 25- 2
王希武明 676-736- 31
王希孟明 1267-506- 6
王希貞清 熊正筍妻
480- 97-262
王希侶宋 見王希呂
王希高明 456-632- 10
511-457-154
王希烈明 473- 30- 49
515-400- 69
1291-453- 8
王希皋妻 明 見郝氏
王希淮宋 1189-615- 9
王希曾明 546-378-127
王希喆明 511-361-150
王希堯明 570-106-21之1
王希舜清 474-775- 41
502-777- 86
554-221- 52
王希逸宋 285-335-268
396-617-309
王希聖元 680-540-275
王希聖明 547- 64-143

王希雋唐 486- 42- 2
1066-198- 18
1342-275-940
王希槐妻 宋 見劉氏
王希賢元 1196-315- 18
王希賢妻 明 見章氏
王希默元 493-1135- 60
王希禮明 515-638- 77
523-227-156
王希禮妻 明 見喬氏
王邦才明(藍田知縣)
554-295- 53
王邦才明(字汝用) 554-312- 53
556-419- 92
王邦才明 見王佐才
王邦直明(字國寧) 458- 62- 3
474-441- 21
476-250-110
505-855- 77
545-294- 94
王邦直明(字東溟) 476-732-138
540-822-28之3
676- 53- 2
王邦紀劉邦紀 明
456-662- 11
王邦進妻 清 見梁氏
王邦義妻 宋 見歐陽氏
王邦瑞明 300-279-199
458- 50- 2
475-797- 90
477-316-164
510-486-118
537-520- 59
676-549- 22
1442- 46-附3
1460- 21- 41
王邦寧妻 明 見李小圓
王邦潮妻 明 見劉氏
王邦憲宋 475-613- 81
511-910-173
王邦憲明 554-501-57上
王邦衡明 456-671- 11
480-136-264
王邦麒明 554-313- 53
王利用宋 592-731-108
820-411- 34
821-212- 51
王利用元(字國賓) 295-317-170
399-642-484
472- 36- 1
472-867- 34
473-428- 67
474-180- 8
478-246-186
481- 22-291
505-821- 71
545-840-113
554-161- 51
559-267- 6
1201-169- 80
王利用元(長安人) 545- 60- 84
王利賓金 1365-295- 9
1445-531- 41
王秀之齊 259-459- 46
265-381- 24
378-276-138
528-435- 29
933-335- 24
1379-600- 71
王秀寧明 呂禹平妻、王鏞女
1260-640- 19
王身極明 456-618- 9
王妙安明 韓伯器妻
1239-103- 33
王妙泳元 葉抗妻、葉杭妻
479-435-236
524-785-216
王妙貞明 周世英妻、王思齊女 1223-578-11
王妙清明 樓可先妻
1223-586-11
王妙清明 陳瑛妻
1261-840- 41
王妙堅宋 585-305- 2
王妙善元 侯珪妻
1203-415-31
王妙智明 金彥端妻、王德名女 1251-328-23
王妙想唐 1467-511- 11
王妙鳳明 吳奎妻302-216-301
475-144- 57
493-1085- 57
512- 21-177
王妙慶明 李韶妻、王文義女
1239-106- 33
王妙慶明 劉汝大妻、王郁女
1260-582- 15
王妙緣明 1251-208-16
王妙璘元(王谷榮女)
482-239-349
王廷玉妻 清 見白氏
王廷用妻 明 見李烈娥
王廷用妻 明 見滕氏
王廷用清 478-339-191
502-685- 81
554-259- 52
王廷臣明 456-436- 3
502-301- 56
570-104-21之1
王廷伊清 545-897-114
匡廷汲妻 清 見張氏
王廷佐元 546-378-127
王廷佐明 456-531- 6
王廷秀明 456-679- 11
王廷奉妻 清 見李氏
王廷表明 見王庭表
王廷明妻 明 見李氏
王廷岳妻 明 見許九娘
王廷彥宋 473-615-77
481-643-330
528-504- 31
王廷彥明 533-157- 52
王廷垣明 515-808- 82
王廷相明 300-195-194
457-841- 50
458- 13- 1
458-1033- 1
475-605- 81
477- 87-153
481- 25-291
510-437-116
537-405- 57
554-173- 51
559-253- 6
676-531- 21
678- 18- 71
1442- 42-附3
1459-873- 36
王廷珍元 1217- 55- 7
王廷思妻 明 見涂氏
王廷胤後晉 見王庭胤
王廷俊明 456-553- 7
511-502-156
王廷宰明 676-663- 28
1442-113- 7
1475-508- 22
王廷栻明 480- 59-260
王廷珪宋 見王庭珪
王廷珪明 473-186- 58
473-403- 66
479-793-254
515-273- 65
王廷珮明 456-637- 10
王廷卿明 510-401-115
王廷卿妻 明 見狄氏
王廷祥元 476-123-102
王廷掄清 528-558- 32
王廷陳王廷楝 明
301-839-286
473-284- 61
480-132-264
533- 42- 48
676-547- 22
820-672- 42
1272-710- 22
1272-712- 23
1272-717- 23
1275-743- 36
1442- 47-附3
1455-679-242
1457-508-388
1460- 29- 41
王廷湊王庭湊 唐
270-703-142
276-197-211
384-263- 13
384-265- 13
384-273- 14
396-300-277
544-228- 63
王廷揚清 546-231-122
王廷楝明 見王廷陳
王廷華明 537-248-55
王廷順妻 明 見鄭氏
王廷傑明 559-209-6
王廷義宋 285-104-252
396-468-298

476-729-138
545- 33- 84
王延祿妻 明 見李氏
王延幹明511-813-1667
676-567- 23
1442- 55- 3
1460-140- 46
王廷實清 479-581-243
516-111- 91
王廷實妻 明 見李氏
王廷賓明 456-554- 7
554-713- 61
王廷輔明(字大任) 476-528-128
540-803-28之3
王廷輔明(寧波人) 523-377-164
563-853- 41
王廷輔妻 明 見閻氏
王廷輔明 474-247- 12
505-903- 80
王廷瑶明 558-315- 34
王廷對妻 明 見李氏
王廷鳳明 494- 25- 2
王庭璋王廷璋 明456-586- 8
558-418- 37
王廷璉妻 清 見陳景源
王廷儀女 明 見王正賢
王廷徵妻 明 見曹氏
王廷憲明 516-111- 91
王廷羲明 554-347- 54
王廷諫清 545-797-111
王廷璠妻 清 見裴氏
王廷翰明 473- 89- 52
479-609-244
516-131- 92
王廷器明 472-569- 24
540-641- 27
王廷儒明 559-269- 6
王廷衡清 476- 43- 98
545-161- 88
王廷舉明 510-404-115
王廷環妻 清 見汪氏
王廷瞻明 300-629-221
480-134-264
481- 26-291
533- 46- 48
582- 69-124
王廷簡明 559-388-9上
676-272- 10
王廷議清 478-434-196
545-800-111
554-316- 53
王廷譽北漢 820-323-31
王攸寧清 1321- 85- 95
王宗巳宋 481-747-334
563-669- 39
王宗文明 545-304- 94
王宗元宋 554-332- 54
821-214- 51
王宗予明 1467-119- 66
王宗尹明 515-711- 79
王宗仁妻 元 見宋氏
王宗仁女 元 見王氏
王宗仁明(會稽知縣)
472-1068- 45
523-154-153
王宗仁明(崇禎時人)
547-116-145
王宗弁前蜀 933-359- 24
王宗吉明 1253-209- 50
1255-628- 65
王宗臣清(陝西人) 532-642- 43
王宗臣清(號柱石)
1318-785- 8
王宗沐明 300-671-223
457-211- 15
479-294-230
479-455-237
510-293-112
515- 53- 58
517-685-132
523-320-161
545- 89- 85
567-124- 67
582- 23-119
676-578- 24
1442- 59- 3
1467-109- 65
王宗佑清 559-328-7下
564-311- 48
王宗武妻 宋 見趙秀
王宗坦前蜀 見王元膺
王宗周宋 529-654- 49
王宗周明 572-102- 30
王宗岳元 511-857-169
王宗茂明 300-463-210
473-236- 60
480-174-267
523-234-156
533- 62- 49
1280-419- 86
王宗衍前蜀 見王衍
王宗訓元 見王士弘
王宗徐明 510-417-116
王宗徐明 563-789- 40
王宗望宋 286-386-330
397-496-349
472-307- 13
475- 17- 49
475-323- 65
477-544-176
481-235-303
510-282-112
510-381-115
王宗貫明 1245-416- 19
王宗國清 見王國宗
王宗渭妻 清 見張氏
王宗善妻 明 見江氏
王宗堯明 554-499-57上
王宗堯妻 明 見李氏
王宗弼魏弘夫 前蜀
279-453- 63
401-214-596
王宗華明 533-336- 58
王宗傅宋 529-749- 51
王宗舜明 546-603-135
549-253-190
王宗源明 554-310- 53
王宗義明 473-304- 62
480-247-269
王宗道宋 524- 40-180
王宗載明 523-106-150
533-193- 53
王宗聖明 676-237- 9
王宗聖清(奉天人) 457-702- 86
502-639- 78
502-653- 79
510-467-117
王宗聖清(字象賢) 528-517- 31
王宗會明 460-662- 67
王宗滌華洪 前蜀
279-448- 63
401-214-596
591- 41- 4
王宗壽前蜀 279-453- 63
820-319- 31
王宗愿女 宋 見王氏
王宗臺妻 清 見張氏
王宗睿明 1242-390- 37
王宗澄明 460-678- 69
王宗賢明 545-674-107
王宗儒金 476-394-119
545-460-100
王宗衡王七十 宋448-375- 0
王宗勳明 1247-370- 14
王宗濬明 529-539- 45
王宗講清 456-378- 79
王宗禮妻 明 見洪宗南
王宗騏妻 清 見秦氏
王宗彝明 502-285- 56
505-811- 74
王宗璽明 547- 19-141
王宗寶明 1291-912- 6
王宗寶妻 明 見張氏
王宗鶴清 558-452- 38
王宗懿前蜀 見王元膺
王宗顯明 299-336-140
475-812- 91
479-319-232
479-383-234
523-188-155
524-338-195
1229- 27- 3
王法玄王法朗 五代
592-252- 75
王法臣明 480-414-277
王法昌宋 473-607- 76
王法施女 齊 見王氏
王法朗五代 見王法玄
王法湯明 476-883-146
王法進唐 592-258- 76
1061-347-115
王法慧晉 晉孝武帝后、王蘊女 255-590- 32
544-179- 61
王法興周 592-226- 74
王泠然唐 451-416- 1
王京兆妻 清 見吳氏
王京保妻 清 見郭氏
王宜孫宋 見王桂發
王宜振妻 清 見劉氏
王宜興劉宋 258-494- 83
378-190-136

494-263- 1
王沼象唐 見王韶應
王治心明 456-531- 6
475-527- 77
510-418-116
王治民妻 明 見都氏
王治新妻 明 見黃氏
王治道明 474-823- 44
502-290- 56
王治觀清 529-662- 49
王性善妻 清 見潘氏
王初應元 295-604-197
400-313-526
王定民宋 473-358- 64
480-400-277
480-507-281
532-703- 45
王定民明 481-590-328
529-672- 49
王定安妻 清 見陳氏
王定邦妻 明 見孫氏
王定邦清 456-317- 75
王定保唐 674-723- 11
王定保南漢 473-674- 79
515-302- 66
王定宸明 見王定震
王定國宋(字安卿) 481-747-334
529-641- 48
王定國宋(汴人) 821-216- 51
王定國宋(工於詩)
1107-483- 34
王定國宋 見王覺
王定演元 497-734- 53
王定遠明 456-607- 9
475-279- 63
王定震王定宸 明456-524- 6
王炎午王鼎翁、王應梅 宋
473-149- 56
479-716-250
515-611- 76
1189-563- 附
1189-621- 10
1189-624- 10
1189-625- 10
王炎起唐 933-343- 24
王炎澤元 523-612-176
676-694- 29
1209-571-9下

1226-462- 22
1235-595- 21
王武子宋 515-331- 67
王武臣清 524-315-194
王武俊唐 270-694-142
276-192-211
384-240- 12
396-295-277
王武陵唐 546-631-136
820-266- 29
王雨謙清 524- 58-180
王其弦明 456-464- 4
515-723- 79
王其昌宋 592-588- 98
王其昌妻 明 見陳氏
王其高明 559-374- 8
王其楫妻 清 見于氏
王其勤明 475-215- 60
510-365-114
533- 81- 49
王其賢宋 1173-176- 75
王其隆明 456-464- 4
王松年北齊 263-269- 35
266-715- 35
379-504-155
545-549-103
933-338- 24
王松年明 545-465-100
王松秀明 王仲玉女
481-119-296
王松聲明 見高松聲
王松齡清 511-535-157
王者臣清 476-827-143
540-869-28之4
王者佐明 456-617- 9
554-731- 61
王者琯明 456-666- 11
477-547-176
王者賓妻 清 見孟氏
王者謀妻 清 見屈氏
王昔剌元 見王實喇
王坦之晉 256-236- 75
370-354- 9
377-787-127
384- 98- 5
485-553- 3
488-135- 7
494-274- 2

511- 71-139
545-527-102
814-240- 5
820- 70- 23
933-331- 24
王直方宋 538-129- 65
674-878- 20
1118-377- 19
王直翁明 821-349- 55
1232-232- 4
王居一妻 明 見胡氏
王居仁宋 480-510-281
533-342- 58
王居仁妻 宋 見卓氏
王居正宋(字剛中) 287-220-381
398-255-382
449-435-上8
472-296- 12
472-1026- 42
475-234- 61
475-375- 68
479-318-232
511-690-163
523-184-155
674-839- 18
678-106- 80
680-183-242
王居正宋(小字憨哥)
812-460- 1
812-538- 3
821-157- 50
王居安王居敬 宋
287-529-405
398-508-398
472-348- 15
472-1104- 47
473- 14- 49
473-144- 56
475-666- 84
479-289-230
479-483-239
481-549-327
515- 84- 59
523-316-161
528-444- 29
528-474- 30
王居信元 547- 94-144
王居卿宋 286-392-331

397-500-350
472-603- 25
476-476-125
540-761-28之2
王居智元 547- 94-144
王居敬宋 見王居安
王居敬元(長山人) 472-526- 22
王居敬元(台州路總管)
472-1102- 47
523-171-154
王居敬元(孟古岱爾季子)
546-378-127
王居敬元(代州人) 547- 94-144
王居謙妻 清 見黃氏
王居禮元(錦州知州)
472-624- 25
474-817- 44
502-272- 55
王居禮元(字子敬) 545-266- 93
王居簪妻 明 見劉氏
王居巖唐 472-350- 15
475-669- 84
511-855-169
王孟仁明 821-417- 56
王孟丙宋 1151-280- 18
王孟常明 1242-761- 6
王孟達女 明 見王氏
王孟煦明 540-820-28之3
王孟暉明 563-833- 41
王孟端明 見王紱
王孟震明 1293-478- 4
王孟顏明 558-219- 32
王奉仙唐 1061-358-116
王奉光王奉先 漢248-620- 8
539-349- 8
1412-126- 5
王奉光女 漢 見王皇后
王奉先漢 見王奉光
王奉慈唐 486- 41- 2
王坤德宋 見王遇龍
王事聖明 510-377-114
516-152- 93
王奇峰元 821-298- 53
王奇富女 清 見王二姐
王奇嗣明 559-367- 8
王奇瑾妻 清 見李氏
王奇橙明 480-403-277
王陀子唐 812-345- 9

812-371- 0
821- 50- 46
王阿里金 291-737-129
王阿足唐 271-653-193
276-108-205
401-149-589
王阿孫明 511-646-162
王阿瑗宋 見王汝嘉
王協中明 456-618- 9
王協和妻 清 見郭氏
王袁之妻 明 見董官貞
王長方妻 宋 見徐氏
王長文晉 256-344- 82
377-869-129上
384-100- 5
481-334-308
559-389-9上
561-565- 45
591-529- 41
933-331- 24
王長史晉 見王朔
王長郎宋 見王康年
王長述北周 見王述
王東友妻 明 見杜氏
王東里宋 見王昹
王東岱明 537-411- 57
554-346- 54
王東美妻 宋 見蘇氏
王東海清 456-316- 75
王東野元 1202-168- 13
王林卿漢 250-696- 77
王枚臯妻 明 見彭氏
王來任清 481-808-338
502-628- 77
563-863- 42
王來勇清 456-318- 75
王來章清 529-670- 49
王來聘明 301-541-269
456-503- 5
王來聘清 456-318- 75
王來賓明 1275-838- 51
王來熊清 559-410-9下
王來儀明 457-550- 7
482-562-369
570-127-21之1
王來豫明 570-253- 25
王來覲清 474-775- 41
476-347-116
502-775- 86
545-200- 90
王來麒明 547- 82-144
王承之明 554-852- 63
王承元唐 270-701-142
275-130-148
384-262- 13
395-737-247
476-475-125
478-199-184
505-629- 67
540-611- 27
552- 58- 19
554-131- 50
933-343- 24
王承先唐 472-587-24
472-852- 34
472-922- 36
王承休明 546-314-125
王承良元 1209-587-10上
王承系妻 唐 見虢國公主
王承宗唐 270-699-142
276-195-211
384-259- 13
384-263- 13
396-298-277
王承芳明 505-883- 79
王承芳妻 清 見張氏
王承美宋 285-118-253
396-475-298
546-131-119
554-200- 52
王承昭女 宋 見王氏
王承重妻 明 見謝氏
王承衎宋 285- 87-250
382-137- 19
396-457-297
474-469- 23
505-630- 67
王承衎妻 宋 見魏國大長公主
王承衍宋 285- 87-250
王承祖明 559-514- 12
王承祖清 478-132-181
554-531-57下
王承祐清 572-101- 30
王承家明 547-103-145
王承烈清 478-133-181
479-458-237
515- 74- 58
554-542-57下
1325-764- 9
王承恩明(謚忠愍) 302-301-305
499-183-137
504-111- 7
505-839- 76
506-622-108
王承恩明(號錫宇) 554-184- 51
王承規唐 820-226- 28
王承彬女 宋 見王氏
王承曾明 302- 61-292
王承弼妻 清 見李氏
王承裕明 299-873-182
457- 52- 3
458-735- 4
478-127-181
540-618- 27
554-416- 55
676-524- 21
678-685-135
1293-357- 20
1320-745- 81
王承項明 見王承瑱
王承聘明 567-401- 83
王承業宋 1085-345- 15
王承業清 475-711- 86
511-414-152
563-894- 42
王承福唐 556-466- 93
1073-426- 12
1074-240- 12
1075-203- 12
1340-699-793
1355-594- 20
1356-830- 3
1378-625- 63
1383-104- 8
1408-620-545
1447-151- 2
王承瑱王承項 明456-468- 4
王承箕明 460-614- 60
王承綱女 宋 見王氏
王承肇五代 473-533- 72
559-376- 8
王承德清 456-316- 75
王承憲明 302-120-295
456-468- 4
483-117-379
570-131-21之1
王承露清 476- 80-100
545-201- 90
王忠十妻 明 見陰氏
王忠立金 547- 4-141
王忠民宋 288-445-459
401- 30-571
472-751- 29
538-162- 66
王忠孝明 460-751- 77
529-554- 45
王忠孝清(鑲黃旗包衣管領下人)
456-317- 75
王忠孝清(遼東人)
474-775- 41
481-808-338
502-778- 86
563-893- 42
王忠彥王高郎 宋448-358- 0
王忠信宋 396-718-319
王忠植宋 288-309-448
400-171-513
472-505- 21
545-240- 92
546-184-121
545-420- 98
王忠嗣王訓 唐 270-264-103
274-667-133
384-203- 11
395-622-237
459-780- 47
472-429- 19
472-480- 21
476- 27- 97
476-248-110
476-330-115
478-343-191
478-451-197
478-594-204
545- 12- 83
545-571-104
554-397- 55
558-136- 30
933-342- 24
王忠嗣女 唐 見王韞秀
王忠顯明 558-230- 32

王尚文明(靖州知府)
473-395- 66
532-751- 46
王文尚明(廣靈人)
476-260-110
546- 88-118
554-707- 61
王尚文明(眞定人) 676-597- 24
王尚友妻 明 見劉氏
王尚用明 483- 15-370
559-292-7上
569-660- 19
王尚武明 505-869- 78
王尚忠妻 明 見彭氏
王尚恭宋 王亢女674-885- 20
1104-684- 14
王尚卿宋 933-360- 24
王尚絅明 458- 10- 1
523- 49-148
537-575- 60
545- 78- 85
676-531- 21
1442- 40-附2
1457-500-388
1459-811- 33
王尚絅妻 明 見周氏
王尚智明 1278-428- 20
1280-531- 95
王尚循明 511-824-167
王尚廉明 456-658- 11
王尚賓妻 明 見趙氏
王尚賢明(邵陽人) 533-110- 50
王尚賢明(梅溪人) 821-419- 56
王尚質明 547- 96-144
王尚德明 554-347- 54
554-915- 64
王尚龍明 547- 47-142
王尚學明 528-457- 29
王昌世元 523-592-175
1209-511-8下
王昌年明 1283-334- 93
王昌年妻 明 見山氏
王昌言宋 524-299-193
王昌言妻 清 見馮氏
王昌祉明 547- 24-141
王昌胤明 302- 24-290
王昌祚明 456-631- 10
王昌祚妻 清 見劉氏
王昌裔明 559-268- 6
王昌運清 545-251- 92
王昌緒清 547- 26-141
王昌齡唐 271-597-190下
276- 86-203
384-207- 11
400-611-556
451-417- 1
471-806- 31
473-376- 65
475- 73- 53
511-718-165
572-159- 32
674-249-4上
674-856- 19
1371- 58- 0
1387-486- 37
王昌齡元 472-706- 28
477-201-159
537-277- 55
1200-620- 47
1200-771- 59
1200-810- 62
1200-811- 62
王昌齡清 474-775- 41
476- 31- 97
502-775- 86
王明山魏 254-480- 28
820- 41- 22
王明之元 472-627- 25
王明元妻 清 見張氏
王明白金 820-479- 36
王明安元 476-347-116
545-181- 89
王明臣清 523-393-164
王明汲明(字孟用) 456-463- 4
475-279- 63
511-457-154
王明汲明(平樂人) 523-252-157
王明求妻 明 見陳氏
王明君王嬙、王昭君 漢
253-702-119
550-338-221
550-707-228
839- 28- 3
1065-391- 1
1095-547- 18
1232- 15- 2
王明伯金 1365- 98- 3
王明物明 456-666- 11
王明相妻 清 見劉氏
王明政明 537-248- 55
王明重明 483-267-392
王明清宋 472-982- 39
491-111- 13
511-823-167
524-308-194
王明爽妻 清 見袁氏
王明揚明 477-378-167
王明揚妻 清 見蕭氏
王明發宋 491-436- 6
王明嗣元 472-775- 30
537-547- 59
1439-434- 1
王明福明 554-343- 54
王明嶅明 523-178-154
王明德明 456-601- 9
475-433- 70
511-468-154
王明德妻 明 見陳氏
王明儉妻 明 見成氏
王明舉明 532-626- 43
王明灝明 456-632- 10
王肯堂明 300-633-221
302-181-299
458-1049- 2
511-688-163
678-218- 91
820-733- 44
王虎英宋 515-256- 65
王昆璿妻 明 見劉氏
王昇甫明 534-624-102
王芳孫明 473-151- 56
515-658- 77
1241-858- 22
王易從唐 1342-174-926
王易菴女 明 見王氏
王易簡王易 宋(字國實)
285-234-262
396-547-303
472-838- 33
478-122-181
554-934- 64
王易簡宋(字理得) 524-286-192
1437- 32- 2
王芝瑞明 511- 85-139
王叔文唐 270-607-135
275-345-168
384-243- 12
396-125-263
493-689- 38
1408-634-548
王叔之六朝 563-915- 43
王叔舟明 1459-499- 16
王叔承王光胤、王光徹、王光穆、王憨憨 明 301-862-288
475-138- 56
511-748-165
676-598- 24
1282-526- 40
1283- 94- 74
1442- 70- 4
1460-340- 55
王叔明元 494-523- 25
王叔果明 505-691- 70
523-628-177
1283-653-118
王叔杲明 523-497-170
676-590- 24
1282-738- 56
1282-745- 57
1442- 62- 4
王叔和晉 533-780- 74
547-550-161
742- 28- 1
1458- 41-417
王叔英妻 梁 見劉氏
王叔英王元來、王元采、王元彩、王原采、陳元彩 明
299-372-143
453-133- 12
456-692- 12
458-1014- 1
472-1105- 47
479-292-230
480- 88-262
508-366- 42
511-915-173
523-399-165
532-623- 43
676-472- 18
886-152-139
1235-806- 附
1238-525- 13

1254-767- 3
1442- 16-附1
1457-635-401
1459-517- 18
王叔通唐 487-187- 12
王叔雅唐 683- 4- 0
王叔盛明 1237-366- 10
1374-734- 94
王叔雍明 1237-366- 10
1374-734- 94
王叔簡宋 559-364- 8
王念九元 567-405- 84
1467-182- 68
王念祖明 532-650- 43
王知止明 511-585-159
王知玄陳 265-1058- 74
485-555- 3
524-322-195
933-337- 24
王知非王彧 金 505-889- 79
1040-253- 5
1365-317- 9
1439- 8- 0
1445-683- 53
王知和宋 1097-299- 20
王知恭唐 820-155- 26
王知愼唐 812-344- 9
814-269- 9
820-150- 26
821- 42- 46
王知新唐 820-286- 30
王知道唐 547- 3-141
王知載宋 540-764-28之2
王知敬唐 812- 71- 下
812-235- 9
813-724- 3
812-744- 3
814-269- 9
820-150- 26
王知微宋 510-451-117
511-296-148
王知遠唐 472-180- 6
475- 82- 53
王知遠宋 559-306-7上
王季子春秋 見劉康
王季文唐 475-652- 83
1226-220- 10
王季友唐 451-424- 2
473- 20- 49
479-485-239
515-299- 66
518- 4-136
1371- 60- 附
王季立明 472-546- 23
540-665- 27
王季安妻 宋 見蕭氏
王季野元 1222-242- 12
1222-298- 22
王季銓妻 清 見張氏
王和子唐 271-657-193
276-112-205
401-153-589
475-434- 70
512-474-188
王和平漢 253-613-112下
380-583-181
476-680-136
541- 86- 30
王和卿元 1201-166- 80
王和欽妻 明 見陳氏
王佳傅妻 明 見歐陽氏
王侗初清 537-442- 58
王金大清 王自寅女
480-322-272
533-646- 70
王制鑑清 456-320- 75
王阜成清 476-156-104
王所友妻 明 見李氏
王所用明(字行素) 537-484- 58
545-344- 96
王所用明(字乃玉) 549-434-197
王所相妻 清 見周氏
王所錫妻 清 見張氏
王侃齋明 460-563- 55
王佩玉妻 明 見謝氏
王佩珂明 456-612- 9
554-721- 61
王佩蘭女 清 見王敬姑
王命召妻 清 見滕氏
王命印明 456-515- 6
王命岳清 481-590-328
529-556- 45
王命宰妻 清 見姜氏
王命卿明 564-175- 45
王命新清 545-161- 88
王命爵明 見王受爵
王命賡妻 明 見周氏
王命璿明 529-650- 48
563-762- 40
676-629- 26
王命瓚明 533-419- 62
王受之妻 明 見萬氏
王受甫明 1442- 71- 4
王受益明 524- 55-180
676- 58- 2
679-622-199
王受德清 456-317- 75
王受爵王命爵、王壽爵 明
456-666- 11
477-453-171
王受璽妻 明 見苗氏
王秉良明 482-238-349
563-822- 41
王秉直清 528-546- 32
王秉乾明 456-499- 5
480-404-277
481- 81-294
559-505- 12
王秉乾妻 清 見劉氏
王秉陽妻 明 見洪氏
王秉鈞妻 明 見車氏
王秉潔明 林廷諫妻、王偉女
530- 63- 55
1254-587- 上
王秉衡明 558-450- 38
王秉彝元 1210-727- 20
王秉彝明(丹徒知縣)
472-274- 11
510-373-114
王秉彝明(字德良)
1223-548- 10
王秉鑑明 554-524-57下
王牧民清 476- 86-100
545-798-111
王依書清 477-133-155
537-438- 58
王延之齊 259-346- 32
265-382- 24
370-516- 16
378-277-138
493-677- 37
494-282- 3
510-322-113
933-335- 24
王延世漢 469-623- 76
591-507- 41
王延世明 538-148- 65
王延年明 541-106- 31
王延洪妻 元 見李淑貞
王延政富沙王 閩
278-472-134
279-492- 68
384-319- 16
401-248-601
528- 7- 17
王延祚妻 明 見劉氏
王延素明 1275-852- 53
王延彬唐 528- 4- 17
王延彬五代 1053-320- 8
王延陵明 820-662- 42
821-415- 56
1442- 71- 4
王延童元 綽哈忠翊妻、王圖嚕布哈女 1195-416- 8
王延喆明 1274-616- 3
1410-388-715
王延期唐 820-287- 30
王延貴唐 見王虔休
王延鈞閩 見閩太宗
王延嗣後梁～宋 472-794- 31
477-544-176
537-608- 60
821-149- 50
1100-401- 36
王延業後魏 266-721- 35
545-545-103
王延壽漢 253-554-110上
380-341-175
470-376-145
473-248- 60
533-313- 57
879-160-58上
王延德宋(開封東明人)
286- 89-309
397-278-335
472-132- 4
472-659- 27
477- 75-152
王延德宋(大名人) 286- 91-309
474-476- 23
505-774- 73
王延範宋 285-498-280

473-301- 62
王延羲閩 見閩景宗
王延翰閩 279-488- 68
384-319- 16
410-244-601
528- 4- 17
王延禧宋 480-483-280
王近思明 523-248-157
王洪之宋 528-507- 31
王洪軌王洪範 齊265-987- 70
380-185-170
933-337- 24
王洪義唐 933-346- 24
王洪道元 676-371- 13
王洪顯明 537-305- 56
王炳璿明 532-658- 44
王宣國明 456-517- 6
王洛兒後魏 261-491- 34
266-510- 25
379- 61-147
478-105-180
535-556- 20
554-686- 61
933-337- 24
王恒言明 456-555- 7
479-187-225
523-378-164
王帝臣清 559-335-7下
王亮功王壽翁 宋448-360- 0
484-390- 28
王亮芳明 1291-888- 6
王亮教清 523-253-157
王施仁妻 清 見習氏
王祈禎明 554-298- 53
王彥丰元 1196-168- 8
王彥文明 678-447-112
王彥升宋 1101-947- 30
王彥名明 1229-591- 2
王彥成宋 511-824-167
王彥伯唐 533-778- 74
王彥泓明 676-655- 27
1442-105- 7
1460-640- 72
王彥泓女 清 見王氏
王彥奇明 554-251- 52
559-374- 8
王彥昌唐 529-558- 46
王彥昌女 金(謚明惠) 見王皇后
王彥昌女 金(賜姓溫都) 見王皇后
王彥明宋 473-281- 61
533-367- 60
534-843-113
王彥芹明 554-734- 61
王彥昇宋 285- 93-250
371-161- 16
382-202- 29
384-327- 17
396-462-297
472-742- 29
472-877- 35
538-326- 69
933-351- 24
王彥威唐 271- 37-157
275-301-164
384-262- 13
384-272- 14
396- 76-258
472-434- 19
546-630-136
674-643- 6
933-343- 24
1077-586- 9
王彥英明 473-588- 75
王彥恭明 1257-311- 28
王彥貞明 821-360- 55
王彥章後梁 277-192- 21
279-200- 32
384-307- 16
400-115-510
407-644- 1
472-125- 4
472-554- 23
472-642- 26
476-584-131
505-629- 67
533-724- 73
537-347- 56
540-745-28之2
541-645-35之19上
933-347- 24
1102-306- 39
1229-292- 10
1356-344- 16
1383-548- 49
1383-757- 69
1408-465-525
1409-193-584
1418-281- 45
1447-499- 26
王彥章妻 明 見楊氏
王彥祥明 554-311- 53
王彥常妻 明 見朱氏
王彥博宋 1118-974- 66
1122-388- 28
王彥超後唐～宋 285-143-255
371-166- 17
382-140- 19
384-325- 17
396-489-299
417-810- 31
472-574- 24
473-233- 60
476-898-147
524-330-195
540-746-28之2
552- 69- 19
933-350- 24
王彥隆宋 1132-510- 14
王彥弼元 515-233- 64
1197-648- 66
1201-623- 21
王彥瑞明 1242-101- 27
王彥達明 302- 5-289
524-134-185
王彥暉宋 1146-162- 92
王彥暉妻 宋 見程氏
王彥融宋 451-188- 7
493-747- 41
511-177-143
王奕葉清 545-229- 91
王美璞明 1260- 60- 10
王恢之劉宋 485-489- 9
王恢基明 540-834-28之3
王封帶妻 明 見杜氏
王封濼清 533-183- 52
王持垕宋 523-345-162
王持衡妻 明 見劉氏
王拱仁明 569-659- 19
王拱安女 宋 見王氏
王拱辰王拱宸、王拱壽 宋
286-220-318
382-479- 74
384-346- 18
384-357- 18
397-380-342
450-811-下20
456-633- 10
472-126- 4
472-643- 26
472-660- 27
472-893- 35
474-470- 23
477- 77-152
537-392- 57
544-235- 63
545- 48- 84
558-227- 32
933-356- 24
1095-852- 51
王拱宸宋 見王拱辰
王拱壽宋 見王拱辰
王耐兒唐 821- 50- 46
王咸宜女 清 見王氏
王春姑明 482-373-357
王春貞明 546-323-125
王春卿宋 460-303- 20
王春復王復春 明460-673- 69
515-155- 61
515-278- 65
529-542- 45
569-653- 19
676- 8- 1
677-608- 54
王胡之晉 377-803-128
494-275- 2
王胡仁北周 見王勇
王相如宋 472-359- 15
475-607- 81
511-482-155
1141-361- 51
王相呂清 475-379- 68
475-421- 70
510-401-115
511-463-154
王相說明 511-215-144
515- 66- 58
王查普清 456-270- 70
王厚之宋 451- 23- 0
479-235-227
524- 53-180

王厚孫王厚　元～明
524- 41-180
676-703- 29
1228-493- 30
1234-283- 46
1374-637- 84
王南夫宋　484-374- 27
王南美宋　480-408-277
533-340- 58
王南傑宋　451- 62- 2
王屏藩清　560-604-29下
王珍國齊～梁　260-166- 17
265-669- 46
378-304-139
473-358- 64
480-635-288
532-702- 45
535-556- 20
933-336- 24
王契眞宋　524-426-200
王政行明　505-896- 80
506-667-110
王政君漢　漢元帝后、王禁女
251-306- 98
373- 16- 19
839- 25- 3
王政岐明　515-812- 82
567-145- 68
王政新明　511-185-143
528-464- 29
王述古明　458-1061- 2
477- 88-153
676- 54- 2
677-670- 60
1292-666- 11
王致中明(保定人)　456-631- 10
王致中明(洛陽人)　545-223- 91
王致中明(字懋和)
554-513-57下
王致志明　456-658- 11
王致和明　456-658- 11
王致祥明　546-381-127
1291-936- 7
王致微元　540-782-28之2
王致遠宋　524-230-189
王致遠女　明　見王氏
王建方唐　473-811- 86
王建及李建及　後唐
277-537- 65
279-154- 25
384-302- 16
396-356-284
477-479-173
1383-735- 66
王建中明(通莊定番路)
483-248-391
王建中明(字懋德)　515-892- 86
820-600- 40
王建中明(平湖人)　545-120- 86
王建中明(遊擊都司守備)
571-553- 20
王建中明(字位宇)　678-220- 91
王建中明(字維新)
1475-372- 16
王建中妻　明　見毛氏
王建立後唐～後晉　278-130- 91
279-294- 46
384-312- 16
396-418-293
545-416- 98
546-329-126
王建和明　477-410-169
511-322-148
537-319- 56
537-331- 56
王建基明　456-631- 10
王建常清　554-824- 63
王建極明　456-631- 10
821-416- 56
王茂元唐　270-818-152
275-373-170
396-146-265
505-771- 73
540-741-28之2
1394-389- 3
王茂宗元　1194-697- 13
王茂芝妻　清　見梁氏
王茂剛宋　491-400- 4
523-590-175
王茂章後梁　見王景仁
王茂實元　1221-409- 4
王茂端宋　524-426-200
王茂遠明　456-556- 7
475-330- 65
王茂蘭清　456-318- 75
王思文宋　1164-431- 24
王思文妻　宋　見袁妙覺
王思文妻　明　見厲氏
王思玄劉宋　814-248- 6
820-90- 24
王思同後唐　277-540- 65
279-206- 33
384-307- 16
400-118-510
474-174- 8
505-833- 76
1383-763- 69
王思任明　479-243-227
524- 57-180
554-310- 53
820-735- 44
821-470- 58
1442- 84- 5
1460-477- 63
王思孝元　1209-538-9上
王思忠妻　元　見張氏
王思明宋　587-448- 5
王思明明　511-146-142
王思旻明　475-369- 67
510-391-115
533- 39- 48
王思美妻　清　見謝氏
王思政北周　263-545- 18
267-282- 62
379-557-156
384-140- 7
472-433- 19
476- 34- 98
476-393-119
532-561- 40
544-209- 62
544-213- 62
545-447- 99
545-550-103
933-338- 24
王思高清　456-319- 75
王思祖明　472- 51- 2
505-656- 68
523-426-167
王思訓清　482-563-369
570-159-21之2
王思恭宋　821-222- 51
王思恭元　1197-753- 79
王思哲元　1206-192- 20
王思員明　周應熊妻
472-1055- 44
王思掄妻　清　見張氏
王思勝明　472-1015- 41
王思義明　1229-284- 9
王思廉元　295-178-160
399-556-475
472- 98- 3
474-380- 19
505-753- 72
547-191-148
王思道元　1220-367- 2
王思道明　1263-481- 3
王思軾清　516-189- 94
王思敬元　1202-254- 18
王思誠北齊　820-122- 25
王思誠元　295-455-183
399-733-493
472- 66- 2
472-558- 23
472-827- 33
474-305- 16
475-871- 95
476-586-131
477-563-177
482-321-354
537-207- 54
540-781-28之2
545- 62- 84
554-163- 51
1439-430- 1
王思齊妻　明　見曾莊
王思齊女　明　見王妙貞
王思聞五代　472- 32- 1
王思遠齊　259-441- 43
265-386- 24
378-212-137
476-784-141
485- 84- 12
493-678- 37
524-257-191
王思睿明　559-374- 8
王思賢明　1239- 92- 33
1242-150- 29
王思謙唐　1376-620-96上
王思聰元　295-604-197
400-313-526
472-925- 36

478-170-182
554-756- 62
王思禮唐 270-339-110
275-108-147
384-212- 11
395-722-246
476- 27- 97
483-685-421
496-423- 90
502-321- 58
544-227- 63
545- 23- 83
545-390- 97
王思禮妻 明 見劉氏
王思讓妻 清 見劉氏
王貞白唐 451-476- 7
473- 62- 51
515-853- 85
1371- 74- 0
1388-681-101
王貞白明 1241-300- 13
王貞吉明 1467-111- 66
王貞伯女 元 見王氏
王貞風劉宋 宋明帝后、王僧朗女 258- 15- 41
265-194- 11
539-339- 8
王貞善明 1287-325- 8
王貞慶明 301-830-286
475- 74- 53
511-778-166
1442- 28-附2
1459-662- 25
王若之明 456-528- 6
540-836-28之3
王若虛金 291-715-126
383-1004- 29
400-694-566
472- 96- 3
474-379- 19
477- 54-151
505-751- 72
554-273- 53
593- 34- 上
676-696- 29
1190-275- 0
1191-213- 19
1197-399- 37
1259-681- 10
1365-189- 6
1439- 8- 附
1445-281- 19
王若鳳宋 見王應鳳
王昭大元 511-678-163
王昭君漢 見王明君
王昭亮宋 382-146- 20
王昭禹宋 678-551-122
王昭素宋 288- 71-431
371- 16- 2
382-735-113
384-335- 17
400-438-540
408-663- 26
459- 44- 3
472-658- 27
477-208-159
538-158- 66
674-161-1上
677-167- 16
933-358- 24
王昭誨後唐 277-461- 54
279-238- 39
王昭遠後蜀～宋 288-692-479
401-221-597
王昭遠祖母 宋 見郭氏
王昭遠王鐵山 宋 285-436-276
396-687-316
472- 70- 2
472-930- 37
478-595-204
505-740- 72
558-220- 32
王品姐明 陳諮妻 530-114- 57
王則古明(字維則) 458-163- 8
537-597- 60
王則古明(字具茨) 505-659- 68
王英臣妻 宋 見樊氏
王英郎宋 見王栴
王英英宋 820-474- 36
王英孫宋 524-203-188
821-289- 53
王英娘明 董尾吉妻 530- 96- 56
王英謀女 清 見王氏
王迪吉元 515-615- 76
王迪惠清 511-536-157
王迪簡元 821-297- 53
王風木王風水 明 456-679- 11
558-434- 37
王風水明 見王風木
王風采清 523-165-153
533-185- 52
王風普明 456-666- 11
王禹夫宋 559-417-10上
王禹佐明 456-517- 6
474-168- 8
479-245-227
523-388-164
王禹偁宋 285-505-281
285-670-293
371-126- 13
382-254- 39
384-334- 17
384-341- 17
397-125-327
449-101- 9
450-712-下7
472-220- 8
472-401- 18
472-555- 23
472-825- 33
473-280- 61
475-119- 55
475-364- 67
475-796- 90
476-366-117
476-854-145
478-376-192
480-126-264
484- 46- 下
485- 85- 12
485-271- 37
493-740- 41
510-324-113
510-484-118
532-629- 43
540-749-28之2
545-437- 99
554-200- 52
674-275-4中
708-332- 50
933-352- 24
1092-705- 66
1354-196- 25
1378-103- 39
1386-356- 14
1386-357- 14
1394-400- 3
1437- 8- 1
1461- 2- 1
王待魁女 明 見王二娘
王重光明 540-810-28之3
571-526- 19
王重光妻 明 見段氏
王重盈唐 545-593-104
1083-510- 5
1083-517- 6
王重師後梁 277-173- 19
279-132- 22
396-340-282
477-479-173
537-587- 60
王重華唐 471-975- 56
481-473-321
559-262- 6
王重裔後周 278-422-129
王重新清 547- 65-143
王重道妻 明(華惺女) 見華氏
王重道妻 明(華性傳女) 見華氏
王重榮唐 271-382-182
275-538-187
384-285- 15
396-257-274
476- 38- 98
545-593-104
王重賢明 510-338-113
王信夫元 1210-728- 20
王皇后漢 漢平帝后、王莽女 251-303-97下
373- 33- 19
448- 80- 8
452- 44- 1
王皇后漢 漢宣帝后、王奉光女 251-287-97下
554- 14- 48
王皇后吳 吳大帝后、王盧九女(謚大懿) 254-760- 5

385-479-52上
王皇后吳 吳大帝后(謚敬懷)
254-760- 5
385-479-52上
537-184- 53
王皇后梁 梁敬帝后、王僉女
265-203- 12
王皇后陳 陳少帝后、王固女
260-590- 7
265-204- 12
王皇后唐 唐玄宗后、王仁皎女
269-426- 51
274- 16- 76
393-261- 71
554- 21- 48
王皇后唐 唐高宗后、王仁祐女
269-422- 51
274- 4- 76
393-250- 71
544-182- 61
王皇后唐 唐順宗后、王顏女
269-438- 52
274- 23- 77
393-267- 72
452- 55- 1
王皇后唐 唐德宗后、王遇女
269-437- 52
274- 23- 77
393-267- 72
王皇后唐 唐穆宗后、王紹卿女
269-441- 52
274- 25- 77
393-269- 72
王皇后唐 唐懿宗后(謚惠安)
274- 27- 77
393-271- 73
王皇后唐 唐懿宗后(謚恭憲)
274- 28- 77
393-272- 73
王皇后宋 宋太祖后、王饒女
284-857-242
382-101- 13
384-323- 17
393-300- 75
554- 24- 48
王皇后宋 宋徽宗后、王藻女
284-875-243
382-111- 14
393-313- 76
537-187- 53
王皇后溫都皇后 金 金宣宗后、王彥昌女(賜姓溫都)
291- 22- 64
393-343- 79
王皇后金 金宣宗后、王彥昌女(謚明惠) 291- 24- 64
393-343- 79
王皇后明 明神宗后、王偉女
299- 21-114
526-659-280
王皇后明 明憲宗后
299- 12-113
王拜同清 456-317- 75
王帥範唐～五代 見王師範
王衍相明 820-751- 44
王衍范王衍範 明456-609- 9
王衍範明 見王衍范
王胤懋明 301-460-263
456-499- 5
474-187- 9
476-222-108
505-837- 76
540-836-28之3
545-332- 95
王紀昭清 538- 84- 64
王紀善明 1237-296- 6
王奐之唐 820-279- 30
王秋英明 1442-128- 8
王侯助妻 清 見盧氏
王侯聘妻 529-722- 51
王保子妻 元 見趙氏
王保民明 456-669- 11
558-417- 37
王保貞明 456-669- 11
王保保元～明 見庫庫特穆爾
王保泰明 456-669- 11
王保義劉去非 後唐
278-451-133
王保義女 五代 見王氏
王保釐清 533-184- 52
559-330-7下
王俊乂宋 見王俊義
王俊士妻 明 見李氏
王俊民明 559-509- 12
王俊彥明 456-681- 11
王俊國妻 明 見黃氏
王俊得明 472-382- 16
王俊雲清 456-378- 79
王俊義王俊乂、王俊儀 宋
286-570-344
397-646-359
472-295- 12
475-484- 73
511-243-145
677-243- 22
王俊儀宋 見王俊義
王俊德明 511-274-147
王浦珍清 511-536-157
王海賓唐 270-264-103
274-667-133
544-230- 63
545-571-104
554-695- 61
王宮用明 545-151- 88
554-310- 53
王宮臻明 540-831-28之3
王高郎宋 見王忠彥
王准之劉宋 見王淮之
王唐臣宋 400-145-512
王唐珪宋 523-349-162
王祖姑明 482-373-357
王祖順明 510-445-117
王祖道宋 286-625-348
397-683-361
473-571- 74
585-758- 4
王祖槐明 821-462- 57
王祖嫡明 538-148- 65
676-607- 25
678-213- 90
王祖興王興祖 元
1206-627- 13
1210-345- 10
王祚久明 480-564-284
532-744- 46
572-341- 38
534-584-100
王祚丕明 456-656- 11
554-713- 61
王祚昌王允昌 明(保定人)
456-631- 10
王祚昌明(號十洲) 523-236-156
王祚昌妻 明 見陳氏
王祚昌妻 清 見湯氏
王祚遠明 572- 86- 28
王益子元 528-508- 31
王益之宋 451-386- 12
王益朋清 523-269-158
王益柔宋 285-577-286
382-334- 53
384-350- 18
397- 57-323
472-749- 29
488-397- 13
493-769- 42
532-644- 43
537-509- 59
545-239- 92
546-751-140
1106-269- 37
1110-409- 21
王益恭宋 285-577-286
546-568-134
1090-687- 40
王益祥宋 529-444- 43
王益試女 宋 見王氏
王訓成宋 821-218- 51
王席民清 547-195-148
1318-472- 74
王神念梁 260-329- 39
265-886- 63
378-455-142
545-535-102
933-336- 24
王神念妻 梁 見魏氏
王神愛晉 晉安帝后、王獻之女
255-591- 32
539-339- 8
814-215- 2
819-561- 19
王悅之王悅 劉宋258-585- 92
265-388- 24
378- 88-133
476-783-141
933-336- 24
王悅中元 1217-571- 2
王悅曾妻 清 見張氏
王粉兒明 張得山妻、王通女
472-803- 31
王家臣母 明 見王氏
王家佐明 554-527-57下

王家玥妻 清 見吳氏
王家芳妻 明 見姜氏
王家冠妻 明 見潘氏
王家彥明(字尊五) 301-487-265
458-282- 9
481-558-327
529-523- 44
676-652- 27
王家彥明(字仲美)
1475-394- 17
王家柱明 475-641- 83
510-449-117
王家柱妻 明 見劉氏
王家相妻 明 見楊氏
王家屏明 300-574-217
476-261-110
546-96-118
547-562-161
549-70-183
549-498-199
676-604- 25
677-777- 69
820-729- 44
1442-73- 5
1458-543-453
1460-348- 56
王家屏妻 明 見李氏
王家珍清 474-246- 12
505-848- 76
545-329- 95
王家俊妻 清 見高氏
王家祚明 505-815- 74
王家祥明 456-641- 10
483-117-379
王家琮清 547-117-145
王家植明 540-824-28之3
王家祿明 見王家錄
王家零明 524-121-184
王家瑞明 554-296- 53
王家瑞妻 明 見陰氏
王家瑛妻 明 見陳氏
王家較清 524-171-186
王家梗妻 明 見李氏
王家鼎明 572- 77- 28
王家業明 480-291-271
523-488-170
532-681- 44
王家賓明(字國重) 474-244- 12
505-813- 74
王家賓明(河南人) 475-701- 86
510-465-117
王家賓明(字獻叔) 480- 92-262
533-157- 52
王家楨明 301-471-264
456-437- 3
王家錄王家祿 明
302-100-294
456-574- 8
478-269-187
480-135-264
533-371- 60
554-199- 52
王家璧明 546- 99-118
王家璽妻 清 見潘氏
王浚明宋 1136-279- 15
王效義明 572- 85- 28
王庭玉金 1445-490- 36
王庭玉元 510-471-117
1196-532- 3
王庭老宋 515-582- 75
王庭秀宋 287-452-399
398-445-394
479-177-225
487-124- 8
491-400- 4
491-435- 6
523-285-159
王庭秀女 宋 見王氏
王庭直金 545-338- 96
545-439- 99
王庭表王廷表 明483- 33-371
570-135-21之2
王庭芳宋 472-1086- 46
王庭珍宋 1134-318- 46
王庭胤王廷胤 後晉
278-100- 88
554-409- 55
王庭珪舅母 宋 見雷氏
王庭珪王廷珪 宋
449-461-上10
471-804- 30
473-148- 56
473-377- 65
479-714-250
480-565-284
515-586- 75
674-880- 20
676-687- 29
820-429- 35
1130-406- 附
1134- 99- 附
1134-100- 附
1134-101- 附
1134-343- 附
1134-345- 附
1137- 86- 附
1147-315- 29
1161- 80- 81
1161-110- 84
1161-449-115
1161-636-126
1363-579-195
1437- 22- 2
1462-695- 91
王庭珪妻 宋 見劉氏
王庭桂明 480-637-288
533-409- 61
王庭祥元 547- 71-143
王庭堅宋 493-742- 41
510-325-113
王庭湊唐 見王廷湊
王庭詩明 554-509-57下
王庭瑋宋 1134-319- 46
王庭鈺元 821-300- 53
王庭筠金 291-711-126
400-691-566
472-569- 24
472-625- 25
472-696- 28
474-738- 40
476-122-102
476-610-133
477-169-157
502-790- 88
511-908-173
538-135- 65
540-640- 27
546-707-138
676-696- 29
683-699- 0
820-478- 36
821-274- 52
1191-181- 16
1365- 98- 3
1439- 5- 0
1445-235- 16
王庭璋宋 1134-317- 46
王庭璋妻 宋 見劉氏
王庭璋明 見王廷璋
王庭謨明 676-612- 25
王庭蘭宋 492-713-3下
王兼濟宋 812-456- 1
812-538- 3
821-157- 50
王泰之元 821-294- 53
王泰亨元 472-467- 20
545-768-110
676-702- 29
1213- 73- 6
1439-425- 1
王泰來宋～元(字復元)
472-242- 9
511-759-166
1196-709- 8
王泰來宋(字太初) 515-612- 76
王泰斌清 567-393- 82
王泰徵明 676-660- 27
1315-571- 35
王素貞清 512-496-189
王素英明 周必登妻
473-158- 56
479-729-250
王素娥明 胡節妻524-636-209
1442-123- 8
1460-771- 84
王貢領明 533- 76- 49
王恭允元 見王允恭
王恭先清 546-716-139
王眞平唐 384-297- 15
王原父宋 820-453- 35
王原吉王吉 明 1261-873- 42
王原吉妻 明 見宗氏
王原京明 1228-803- 14
王原祁清 474-408- 20
505-679- 69
511-793-166
王原采明 見王叔英
王原祥明 1237-510- 6
王原傑王元杰 元472-229- 8
511-673-163
676-706- 29
1439-445- 2

王原德明 見陳氏
王原膴清 537-227-54
王孫枝母 清 見徐氏
王孫固春秋 見王孫由于
王孫茂明 見黃孫茂
王孫苟春秋 405-118-63
王孫圉春秋 405-56-59
533-129-51
王孫啟春秋 見啟
王孫雄春秋 見公孫雄
王孫斐妻 清 見張氏
王孫賈母 春秋 448-74-8
452-73-2
王孫賈春秋(衛國人)
404-832-51
933-795-58
王孫賈春秋(楚國人)
405-56-59
王孫賈戰國 384-29-1
405-262-72
491-792-6
王孫瑋妻 清 見劉氏
王孫葆妻 清 見張氏
王孫齊春秋 404-832-51
王孫齊明 456-641-10
482-560-369
王孫說春秋 384-12-1
404-483-28
王孫滿春秋 375-670-89
384-12-1
404-483-28
448-166-9
472-737-29
537-190-54
933-795-58
王孫熙明 511-130-141
523-178-154
王孫蔚清 478-132-181
554-534-57下
559-327-7下
王孫澹清 570-160-21之2
王孫燕春秋 405-87-61
王孫蕃明 481-650-330
505-869-78
529-755-52
王孫蘭明 302-96-294
456-580-8
475-231-61
482-75-341
511-451-153
563-855-41
1312-339-33
1320-703-77
1321-121-100
王珪之齊 259-514-52
265-390-24
王桂子宋 492-713-3下
王桂芳女 元 見王氏
王桂容明 王天培女
516-368-101
王桂孫元 1202-131-11
王桂發王宜孫 宋451-95-3
王栖霞王棲霞 南唐
933-359-24
1085-95-12
王栖曜唐 270-817-152
275-373-170
384-213-11
384-236-12
396-146-265
472-130-4
474-475-23
505-771-73
523-6-146
540-740-28之2
王格非明 1238-69-6
王晉芳妻 清 見繳氏
王晉卿宋(河朔人) 285-369-271
396-641-312
472-64-2
473-425-67
474-304-16
481-66-293
505-664-69
559-262-6
王晉卿元(建德尹) 472-367-16
王晉卿元(金牌元帥)
545-461-100
546-591-134
王晉寧明 能樞妻、王善卿女
1228-807-14
王起凡清 479-58-219
王起孝明 547-59-143
王起宗元 821-298-53
王起宗明 594-217-7
王起芬清 1321-159-104
王起峨王起莪 明456-500-5
481-336-308
王起莪明 見王起峨
王起彪清 479-57-219
479-528-241
515-228-63
523-361-163
王起隆明 1475-454-19
王起陽宋 541-106-31
王起發妻 清 見吳氏
王起霖明 1241-543-10
王挹珍明 見王挹眞
王挹眞王挹珍 明821-379-55
王翀實唐 511-855-169
王珠娘元 481-591-328
王珠爾元 見王住兒
王振宜妻 清 見劉氏
王振奇明 515-718-79
王振基清 511-801-167
王振基妻 清 見汪氏
王振熙明 679-243-162
王振鵬元 524-375-197
821-290-53
1284-435-168
1318-259-54
1439-428-1
王振麟妻 清 見上官氏
王栗齋妻 明 見劉妙靜
王迺始女 漢 見王翁須
王破頭明(頭破一罅)
481-729-333
530-207-60
王時元明 564-232-46
王時中明(字道夫) 300-316-202
473-212-59
476-700-137
477-55-151
532-594-41
540-796-28之3
676-524-21
676-718-30
王時中明(字執之) 529-468-43
567-124-67
1467-115-66
王時中明(永嘉人) 1238-456-7
王時升宋 475-743-88
王時化明 302-58-292
456-555-7
480-249-269
481-154-298
王時可元(知歸信縣)
505-656-68
王時可元(王以誠父)
1232-587-5
王時光明 676-100-3
王時任明 820-679-42
王時亨妻 元 見郝氏
王時亨妻 清 見張氏
王時拱明 517-669-131
王時春明 480-542-283
王時柯明 300-159-192
479-724-250
515-691-78
王時英明 554-309-53
王時勉女 明 見王珍
王時保明 515-776-81
王時效明 554-348-54
王時泰清 528-573-32
王時清元 1210-720-19
王時習明 516-150-93
王時敘宋 491-437-6
523-448-168
王時敏宋 473-63-51
515-863-85
王時敏明～清 475-453-71
511-793-166
676-663-28
王時發宋 484-378-27
王時進妻 明 見欒氏
王時雍明 546-602-135
554-285-53
554-312-53
王時聖妻 明 見陳氏
王時暘明 1280-471-90
王時暘妻 明 見顧氏
王時會宋 491-437-6
523-448-168
677-347-32
1163-596-37
王時槐明 301-791-283
457-323-20
479-726-250
481-493-324
515-706-78
676-580-24
王時熙明 515-441-70

王時熙清 482-116-343
王時濬宋 516-101- 91
王時衡妻 明 見劉氏
王時濟明 1442- 80- 5
1460-420- 59
王時舉明 300-416-207
505-802- 74
王時寶明 676-465- 17
王恩及明 456-546- 7
王恩民明 483- 34-371
570-111-21之1
王恩珠明 蕭柯妻、王正中女
1261-157- 12
王恩錫明 456-679- 11
538- 52- 63
王荀龍宋 549-121-185
王荀龍妻 宋 見趙氏
王荃可清 476-675-136
540-845-28之4
王晏平唐 271- 29-156
275-391-172
396- 58-257
王晏宰唐 見王宰
王晏球杜晏球、李紹虔 後唐
277-531- 64
279-293- 46
384-311- 16
396-416-293
537-502- 59
540-612- 27
933-348- 24
1383-808- 74
王晏實唐 396- 58-257
王剛中宋(字時亨) 287-295-386
398-318-385
473- 48- 50
473-427- 67
479-530-241
481- 20-291
516- 26- 88
559-265- 6
561-371- 41
591-683- 47
677-277- 25
1135-410- 38
1153-314- 84
王剛中宋(台州寧海人)
451- 83- 2
王剛中王剛 宋(字子潛)
451- 88- 3
王剛中元 1220-558- 12
王剛甫明 1235-596- 21
王虔休王延貴 唐 270-551-132
275-114-147
384-237- 12
395-727-246
472-489- 21
472-802- 31
476-149-104
477-501-174
537-573- 60
545-208- 91
933-343- 24
王虔裕後梁 277-191- 21
279-137- 23
396-344-282
王特起金 472-438- 19
476-333-115
545-391- 97
546-723-139
1040-245- 4
1365-172- 5
1439- 8- 0
1445-408- 29
王烏赫元 見王威
王留孫元 515-616- 76
517-482-127
1189-622- 10
1189-623- 10
王翁須漢 劉進妻、王迺始女
251-282-97上
1408-408-519
王倫之齊 259-347- 32
王臯伯明 821-436- 57
王臯門明 456-586- 8
540-824-28之3
王師心宋 451-294- 5
472-1028- 42
486- 53- 2
494-307- 5
523-149-153
523-323-161
677-256- 23
1138-807- 23
1226-506- 24
王師方女 宋 見王氏
王師文明 511-575-159
王師古宋 451-386- 12
王師古女 宋 見王氏
王師本唐 1065-245- 7
1394-730- 11
王師表唐 1065-246- 7
1394-730- 11
王師和妻 清 見劉氏
王師約宋 285- 89-250
396-458-297
王師約妻 宋 見魏楚國大長公主
王師重後梁 384-300- 16
王師保清 481-389-312
510-504-118
559-414-9下
王師能元 559-275- 6
王師敏女 宋 見王氏
王師揚金 見王師楊
王師道宋 288-377-453
400-136-511
472-557- 23
476-585-131
540-765-28之2
王師楊王師揚 金 472-35- 1
505-919- 82
1365-264- 8
王師楚唐 1065-246- 7
王師愈王輿老 宋 448-368- 0
448-406- 0
451-294- 5
472-1029- 42
480-401-277
493-774- 42
523-478-170
1146-95- 89
王師範王帥範 唐～五代
275-544-187
277-124- 13
279-261- 42
384-290- 15
384-310- 16
396-263-274
472-587- 24
491-803- 6
540-612- 27
583-741- 23
1408-471-526
王師錫宋 1105-777- 93
1356-226- 10
1384-175- 95
1410-352-709
王師顏宋 1097-300- 20
王躬允清 533-183- 52
王躬俊清 480-137-264
533- 56- 48
王卿月宋 472-1103- 47
524- 61-181
585-769- 5
1153-562-102
王卿行妻 明 見劉氏
王能甫宋 821-227- 51
王能甫女 明 見王氏
王純心明 494-249- 10
王純仁宋 473-464- 69
559-290-7上
王純臣明 559-322-7上
王紙襖唐(常衣紙襖)
547-539-160
王修已唐 820-268- 29
王修玉清 524-103-183
王修本妻 明 見曾隆
王修身明 547- 35-142
王修易明 515- 96- 59
王修政明 456-608- 9
王修德王琦、王綺 明
524- 65-181
676-458- 17
王修齡晉 524-320-195
1365-290- 8
1445-522- 39
王追臯明 533-178- 52
王追騄清 533-298- 56
王納言明(字維允) 300-439-209
537-568- 60
王納言明(字允忠)
1269-459- 7
王納策明 554-290- 53
王納誨明 554-490-57上
王納諫明 677-683- 6
王寅亮宋 1098-693- 41
王寅賓明 532-709- 45
王淙孺宋 見王良翁
王添貴清 476-451-123
502-688- 81
545-482-100

王庶善清 1321-40-89
王庶楙妻 清 見潘氏
王淳之晉 820-67-23
王淳之明 821-461-57
王清臣明 511-858-169
1442-105-附7
1460-643-72
王清叔宋 821-221-51
王清義明 1285-107-1
王淮之王准之 劉宋
258-208-60
265-388-24
378-88-133
384-111-6
476-783-141
486-64-3
488-168-8
523-144-153
540-718-28之1
933-336-24
王淮奇王群 宋 1113-445-9
王淦秋明 547-16-141
王望道明 1283-757-126
1291-471-8
王望道妻 明 見胡氏
王望道妻 明 見顧氏
王惟中元 475-667-84
510-453-117
王惟允明 1442-10-附1
王惟正宋 1090-664-38
王惟充明 554-337-54
王惟孝明 523-87-149
王惟忠宋(字省尊) 288-268-445
400-679-563
王惟忠宋(鍾離人) 472-203-7
王惟恭宋 820-336-32
王惟寅宋 708-1048-97
王惟清宋 493-1062-56
843-667-中
王惟清妻 宋 見李仁用
王惟善元 1217-733-4
王惟善明 474-372-19
王惟善妻 明 見吳英
王惟道明 567-303-77
1467-186-69
王惟熙宋 472-295-12
475-484-73
511-243-145

王惟遠女 元 見王覺善
王惟賢元 523-27-147
1214-201-17
王惟賢明 569-652-19
王惟儉王維儉 明
301-867-288
458-103-4
477-88-153
537-409-57
540-620-27
1442-84-附5
1460-477-63
王惟德宋 1094-716-78
王惟輿明 567-303-77
1467-190-69
王章吉妻 明 見劉氏
王章炳清 477-90-153
537-414-57
王許之明 482-208-347
563-811-41
王深甫宋 1102-558-70
王深澤明 456-616-9
538-52-63
王梁材宋 529-559-46
王淑方明 易蓁妻、王隱翁女
1263-529-5
王淑民明 見王淑
王淑桂清 陳守仁妻、王欽祖女 530-34-54
王淑陵明 546-204-122
王淑景明 456-580-8
554-725-61
王淑傑明 周鳳妻
480-300-271
王淑賢清 陳利仁妻
530-30-54
王康臣宋 564-72-44
王康年王長郎 宋448-369-0
王康德北齊 263-152-19
王被澤明 554-731-61
王執中女 明 見王慧明
王執謙元 1207-295-20
1367-740-56
1439-426-1
王執禮明 511-744-165
1284-179-150
王梵志隋～唐 472-135-4
538-338-70

王梅夫明 821-441-57
王梅友元 1199-276-29
王戚七王鈞 元 1201-629-21
王強起元 517-504-128
王理之王綸 明 511-834-168
511-866-170
820-656-42
821-401-56
王琇珪唐 見王志貞
王基固明 456-548-7
王基昌明 456-642-10
王基洪明 545-853-113
王基貞明 456-660-11
475-432-70
511-586-159
王基英妻 清 見常氏
王堅孫元 517-508-128
王培基明 456-616-9
511-475-155
王培齡明 1267-530-7
1410-550-739
王埜翁元 511-703-164
677-429-39
1375-20-上
1376-195-71
王乾亨明 456-658-11
王乾所妻 明 見張氏
王乾章明 523-484-170
1290-678-93
王乾章妻 明 見徐氏
王問臣明 820-702-43
821-435-57
王問善妻 明 見張氏
王習之明 510-452-117
王都中元 295-467-184
399-740-494
472-222-8
472-962-38
473-44-50
473-298-62
473-401-66
473-573-74
475-121-55
478-762-215
479-526-241
480-242-269
480-635-288
481-748-334

493-966-51
515-218-63
523-27-147
529-644-48
532-585-41
532-749-46
820-518-38
1194-655-10
1220-557-12
1439-433-1
1471-377-7
王帶生宋 1217-418-4
王彬之晉 820-69-23
王務本宋 1121-410-27
王務道元 820-524-38
王教山元 547-517-160
王教民明 480-136-264
王教保妻 明 見劉次玉
王捷三妻 清 見李氏
王授位清 563-875-42
王陳策明 517-669-131
576-654-5
王晦叔宋 見王曙
王異司宋 494-300-5
王異望妻 清 見李氏
王崇文宋 515-141-61
王崇文明 540-796-28之3
545-78-85
676-525-21
王崇之明 472-234-4
502-283-56
537-467-58
王崇之妻 明 見李氏
王崇仁明 540-799-28之3
王崇古明 300-645-222
475-873-95
476-124-102
477-410-169
477-566-177
478-454-197
537-329-56
545-295-94
546-310-125
549-69-183
549-479-198
554-188-51
558-157-30
676-575-23

1442- 58-附3
1460-166- 48
王崇信明 456-515- 6
王崇素梁 820-104- 24
王崇貢妻 明 見林茂正
王崇衛唐 1341-705-894
王崇彩清 456-318- 75
王崇雅明 547- 73-143
王崇義明 476-528-128
540-809-28之3
王崇裕唐 820-273- 29
王崇敬唐 820-158- 26
王崇端妻 明 見管氏
王崇圖明 456-631- 10
王崇慶明 505-777- 73
545-394- 97
559-254- 6
676-539- 22
680-235-235
1442- 43-附3
1459-895- 38
王崇賢明 1266-621- 10
王崇儉明 679-652-202
王崇德妻 明 見石氏
王崇權明 533- 56- 48
王崇禮妻 明 見陳氏
王崇簡清 474-187- 9
505-725- 71
1315-414- 21
王崇獻明 540-796-28之3
676- 37- 2
676-527- 21
679- 59-144
王崇攝女 元 見王氏
王崧俱明 554-526-57下
王貫之宋 515-733- 80
1384-148- 93
王貫之女 宋 見王氏
王堂前宋 見王氏
王帷籌清 545-161- 88
554-533-57下
王國士妻 清 見曹氏
王國正明 563-738- 40
王國正清 547- 78-143
王國用清 456-320- 75
王國安清 474-693- 37
478-771-215
502-310- 57
523- 67-149
王國丞明 546-216-122
王國光明 300-699-225
476-208-107
546-203-122
549-514-200
王國光清 474-773- 41
481-808-338
502-643- 78
563-859- 42
王國材明 523-178-154
王國助妻 明 見陳姝娘
王國佐明 456-601- 9
481-724-333
529-639- 48
王國宗王宗國 清554-369- 54
王國治明(保山人) 483-139-380
570-138-21之2
王國治明(字修吾) 532-659- 44
王國昌元 295-276-167
399-617-481
472-613- 25
476-731-138
540-774-28之2
王國明明 456-661- 11
505-855- 77
王國昂清 529-659- 50
王國柱清 502-767- 86
王國相明(字調宇) 546-607-135
567-146- 68
1467-136- 66
王國相明(晉江人) 820-710- 43
王國貞明 546-499-131
王國脉清 528-558- 32
王國俊明 456-629- 10
王國訓明 302- 56-292
456-555- 7
476-371-117
478-200-184
546-502-131
554-304- 53
王國祚明 524-198-188
王國祚清 456-311- 74
王國泰明 456-658- 11
王國泰明 547-106-145
王國泰清(蓋平人) 481-495-324
502-635- 79
528-467- 29
王國泰清(開原人) 502-766- 86
王國卿清 483- 17-370
483- 71-376
569-681- 19
王國祥清 523-140-152
王國詔清 502-644- 78
王國琦明～清 見黄國琦
王國棟清 476-417-120
502-663- 79
545-396- 97
王國棟妻 清 見汪氏
王國棟妻 清 見常氏
王國華清 505-897- 80
王國象明 567-380- 82
王國瑚明 546-317-125
554-258- 52
王國椿清 456-318- 75
王國楠明 546-502-131
王國鼎明 554-726- 61
王國賓明 505-659- 68
王國寧清 547-162-147
王國輔元 515-244- 64
王國輔明 460-662- 67
王國輔妻 清 見孫氏
王國綱金 291-716-126
547-178-147
王國賜妻 明 見劉氏
王國翰妻 明 見李氏
王國興明(字熙平) 456-421- 2
505-839- 76
王國興明(靖遠人) 456-617- 9
558-417- 37
王國勳明 505-914- 81
王國勳妻 清 見汪氏
王國寶晉 256-239- 75
377-788-127
488-143- 7
王國寶元 1215-659- 8
王國寶明(字賓臣) 537-411- 57
王國寶明(臨沂人)
1232-236- 4
王國耀明 456-619- 9
王處一金 541- 93- 30
547-513-160
王處一元 498-464- 94
498-465- 94
王處玄唐 1077-586- 9
王處存唐 271-385-182
275-528-186
384-284- 15
396-250-274
474-650- 34
478-121-181
505-629- 67
554-408- 55
933-344- 24
1383-790- 72
王處直太原王、北平王 後唐
271-386-182
277-461- 54
279-240- 39
384-309- 15
396-395-290
544-226- 63
1383-790- 72
王處訥宋 288-465-461
401-100-581
472-747- 29
538-358- 71
王處善明 1241-530- 9
王處敬明 515-649- 77
王晞亮宋 528-440- 29
529-496- 44
王野人唐 見王體靚
王崑崙齊 見王琨
王彪之晉 256-262- 76
370-356- 9
377-804-128
384- 99- 5
472-552- 23
476-782-141
479-222-227
511- 70-139
523-143-153
933-331- 24
1379-342- 42
王衆仲唐 271-130-165
王曼容明 見王少君
王曼慶王萬慶 金
291-712-126
400-692-566
503- 16- 91
820-479- 36
821-274- 52
1365- 98- 3
1439- 5- 0

1445-659- 51
王曼穎梁 1401-359- 28
王得中五代 545-817-112
王得中明 472- 37- 1
王得仁王仁 明 299-642-165
473-623- 77
479-489-239
481-720-333
515-368- 68
528-552- 32
王得民明 547-116-145
王得臣宋 533-309- 57
674-726- 11
王得成妻 明 見武氏
王得貞元 545-769-110
820-532- 38
王得時女 明 見王玉梅
王得章妻 清 見周氏
王得勝明 571-553- 20
王得福元 1207-285- 19
王得榮妻 清 見曹氏
王得興妻 清 見曹氏
王得興元 1198-740- 3
1198-781- 3
1210-697- 14
1210-772- 26
王紹元明 525-791- 82
王紹正明 302- 52-292
456-604- 9
王紹安清 456-387- 80
王紹先明(字伯生) 554-672- 60
1457-520-389
王紹先明(貴州人) 559-361-7上
572-101- 30
王紹先妻 明 見陳氏
王紹先妻 清 見陸氏
王紹汶元 1347-642- 85
王紹宗唐 271-545-189 下
276- 19-199
384-189- 10
472-294- 12
511-781-166
812- 72- 下
812-235- 9
812-384- 9
812-725- 3
812-744- 3
814-269- 9
820-151- 26
821- 42- 46
933-345- 24
1371-49- 0
王紹春妻 明 見魏氏
王紹禹明 456-679- 11
王紹素清 477-256-161
583- 84- 64
王紹卿女 唐 見王皇后
王紹堯妻 清 見李氏
王紹華妻 清 見朱氏
王紹舜妻 清 見李氏
王紹鼎唐 270-706-142
276-199-211
384-279- 14
396-301-277
王紹經妻 明 見馮氏
王紹寰妻 清 見黃氏
王紹徽明 302-327-306
王紹顏南唐 515-101- 60
820-316- 31
王紹懿唐 270-706-142
276-199-211
384-279- 14
396-301-277
544-230- 63
王偉之南北朝 494-333- 7
523-111-151
王御乾妻 清 見姜氏
王第魁妻 明 見江氏
王第魁清 480-176-266
王參元唐 820-238- 28
王欲見明 547- 44-142
王敏夫金 546-724-139
1365-295- 89
1445-530- 41
王敏政清 481-763-335
528-567- 32
王敏學妻 元 見龔氏
王逢元明(字子新) 820-668- 42
821-432- 57
1457-543-393
王逢元明(睢州人) 528-545- 32
王逢吉元 1439-432- 1
王逢年王治 明 511-106-140
820-741- 44
1442- 71-附4
1460-346- 55
王逢武唐 933-359- 24
王逢泰清 746-262-110
547- 54-143
王從吉宋 533-732- 73
王從玘唐 592-234- 74
1061-286-112
王從珂後唐 見唐末帝
王從政宋 288-273-446
400-128-511
王從善宋 491-805- 6
王從善女 宋 見王氏
王從善明(字承吉) 533- 91- 49
王從善明(洛陽人) 538- 60- 63
王從善明(蒲城人) 554-769- 62
王從義明 476-261-110
546-100-118
王從義妻 明 見馬氏
王從遜明 456-678- 11
王從諫明 554-527-57下
王從彝妻 明 見陳二娘
王啟文妻 清 見趙氏
王啟元明 680-528-251
王啟功妻 清 見李氏
王啟甲妻 明 見陳氏
王啟宏清 564-305- 48
王啟東明 676-743- 31
王啟昌明 456-658- 11
王啟運明 511-569-158
王啟輔清 563-882- 42
王啟賢明 456-632- 10
505-864- 77
王啟龍妻 明 見吳氏
王逡之齊 259-513- 52
265-390- 24
378-298-138
485- 84- 12
493-735- 41
540-720-28之1
933-336- 24
王就學明 300-823-234
475-228- 61
511-160-142
王尊賢明 483-248-391
559-362- 8
571-538- 20
王尊德明 483-250-391
572- 73- 28
王尊德妻 清 見唐氏
王湘貞清 張天植妻
1475-838- 35
王渭鼎清 554-262- 52
王詔隱唐 見王詔應
王善志妻 清 見金氏
王善甫元 1192-498- 3
王善卿女 明 見王晉寧
王善清明 478-600-204
558-551- 43
王善慶明明 511-852-169
1375- 26- 上
王善寶唐 570-102-21之1
王翔吉妻 清 見鄭氏
王翔鳳明 523- 86-149
王普曜劉宋 933-335- 24
王湛初清 547- 27-141
王湯臣明 540-801-28之3
王湯臣妻 明 見康氏
王渙之晉 814-239- 5
820- 66- 23
王渙之宋(字彥舟) 286-602-347
451-132- 2
472-1042- 43
479-355-233
482- 33-340
484-100- 3
515- 82- 59
523-332-161
1130-293- 30
王渙之宋(大名人) 524-331-195
王渙然妻 明 見周氏
王竦齊妻 明 見吳氏
王敦儀明 524-236-189
王雲之劉宋 258- 66- 45
王雲生明 見王守仁
王雲起宋 492-588-13下之上
王雲鳳明 453-695- 35
458-818- 6
476-430-121
505-636- 67
537-352- 56
546-332-126
549-443-197
549-452-198
550-198-216
550-259-218
550-376-221
554-210- 52

676-516- 20
1442- 35-附2
1459-742- 29
王雲龍明 476-659-135
王雲鶴宋 見王中立
王雲鶴元 見王忠
王雲巖明 540-786-28之3
王雲衢明 506-344- 98
1289-273- 17
王惠友明 馬亮妻、王福慎女
1239-197- 40
王惠風晉 司馬遹妻、王衍女
256-571- 96
476-789-141
477-318-164
王惠陽魏 254-423- 23
王賁之宋 494-349- 7
王賁德妻 明 見劉氏
王博文宋 285-643-291
371-105- 10
382-345- 55
384-354- 18
397-106-326
472-556- 23
472-587- 24
476-656-135
476-863-145
478-452-197
478-659-210
515-181- 62
540-754-28之2
933-355- 24
王博文元 472-696- 28
538-319- 69
王博武唐 275-634-195
400-291-523
472-657- 27
477-479-173
538-117- 64
王棫瑞明 456-602- 9
王巽申宋 451- 98- 3
王琚仁元 472-695- 28
477-162-157
537-265- 55
王喆生清 511-677-163
王超曾妻 清 見汪氏
王喜玉明 鄒春妻
479-664-247
王喜郎宋 見王震午
王喜廢妻 清 見周氏
王期勤明 480-247-269
王棲霞唐 533-779- 74
王棲霞南唐 見王栖霞
王朝用王琬 明(號靜樂居士)
480-290-271
493-638- 34
1225- 67- 64
1256-386- 24
王朝用明(字行甫) 558-315- 34
王朝用妻 明 見葉氏
王朝用女 明 見王氏
王朝佐宋 451- 99- 3
王朝佐明(字廷望) 524-271-191
王朝佐明(臨清人)
540-827-28之3
王朝佐明(字邦翰) 820-675- 42
821-415- 56
王朝珊清 511-622-160
王朝卓妻 明 見明氏
王朝使清 吳元晦妻
530- 38-54
王朝流明 見王朝[illegible]
王朝相明 456-465- 4
558-444- 38
王朝祐妻 明 見袁氏
王朝卿明 533-461- 63
王朝卿妻 明 見方氏
王朝雲宋 蘇軾妻585-504- 16
820-474- 36
1107-332- 22
1108-441- 89
1109-401- 20
1109-422- 21
1110-599- 35
1110-621- 37
王朝賀明 456-624- 10
王朝弼宋 1184-591- 13
王朝冕明 547- 8-141
王朝雍明 476-205-107
494- 56- 2
545-343- 96
554-492-57上
676-328- 12
676-538- 22
1269-377- 3
王朝祿明 569-662- 19
王朝輅明 564-219- 46
王朝瑛妻 清 見周氏
王朝[illegible]王朝流 明494- 55- 2
554-496-57上
1269-378- 3
王朝遠王漢 明 472-828- 33
515-374- 68
554-209- 52
王朝選妻 清 見杜氏
王朝器王瑄 明 1257-186- 17
王朝璽明(字國重) 494- 57- 2
1269-377- 3
王朝璽明(瀘江人) 559-397-9上
王雅宋清 莊東守妻
530- 35- 54
王雅量明 545-345- 96
王盛德清 533-275- 56
王雄誕唐 269-489- 56
274-201- 92
395-235-202
472-376- 16
472-554- 23
476-859-145
485-494- 9
540-734-28之2
王登三明 505-813- 74
王登任宋 821-209- 51
王登清清 456-318- 75
王登雲妻 清 見郭氏
王登魁清 477-500-174
537-336- 56
王登聯清 474- 95- 3
502-662- 79
505-641- 67
540-844-28之4
王隆德明 515-125- 60
王斯覺元 1220-535- 10
王堯日明 537-431- 58
王堯臣宋(字伯庸) 285-660-292
371- 88- 8
382-451- 70
384-346- 18
384-352- 18
397-118-327
449- 97- 8
450-276-中8
471-936- 50
472-682- 27
472-789- 31
472-878- 35
477-128-155
478-670-209
494-319- 6
537-353- 56
554-197- 52
558-139- 30
708-331- 50
820-351- 32
933-356- 24
1095-849- 51
1102-253- 31
1104-467- 39
1378-551- 61
1383-587- 52
1383-588- 52
1410-315-705
王堯臣王顯郎 宋(字唐弼)
448-378- 0
484-390- 28
王堯臣宋(鄆州知州)
472-544- 23
王堯封明(字伯圻) 505-812- 74
王堯封明(金壇人) 676-627- 26
王堯相妻 明 見王氏
王堯卿明 545-150- 88
王堯善妻 宋 見張氏
王堯儒妻 明 見丁氏
王開祖宋 見王景山
王開泰清 533-150- 51
王開基明 540-828-28之3
王肅之晉 1379-351- 43
王肅懿明 林鉉妻530- 65- 55
1254-593- 上
王彭年女 宋 見王氏
王彭年妻 明 見童氏
王揚英宋 451-173- 5
王揚桂妻 清 見郭氏
王雯東明 820-757- 44
王琢玉明 572-429- 41
王援訾漢 535-553- 20
王棟科清 456-318- 75
王紫綬清 549-170-187
王買姐明 王加慶女
558-533- 43
王貴行宋 515-217- 63
559-523- 12

王貴翁元 524-164-186
王貴莊明 1241-600- 12
王貴華明 1239- 95- 33
王景山王開祖 宋
472-1115- 48
523-624-177
王景文王彧 劉宋
258-529- 85
265-371- 23
370-468- 14
378- 82-133
384-111- 6
476-783-141
488-193- 8
587- 38- 4
933-335- 24
王景仁王茂章 後梁
277-210- 23
279-135- 23
384-300- 16
396-342-282
472-326- 14
511-412-152
933-346- 24
1383-719- 64
王景行明 1228-817- 14
王景昌明 456-640- 10
王景明明 1275-847- 52
王景昇元 821-330- 54
王景亮妻 宋 見張氏
王景亮明 301-644-276
456-542- 7
王景胤唐 270-706-142
王景祚清 505-804- 74
王景能明 547- 7-141
王景純五代 546-632-136
王景倓王更生 宋451- 55- 2
王景崇唐 270-706-142
276-199-211
384-281- 14
384-285- 15
396-302-277
544-231- 63
王景崇後漢 279-345- 53
384-314- 16
401-418-622
王景雲宋 511-509-157
王景貴明 524-226-189
王景萊宋 933-350- 24
王景祿清 456-317- 75
王景嵩唐 547-109-145
王景齊宋 493-646- 35
王景彰明 見王景
王景熙明 456-547- 7
王景維妻 清見劉氏
王景賢元 473-730- 82
564- 81- 44
1467- 52- 63
王景賢女 明 見王氏
王景賢妻 清 見安氏
王景燦妻 清 見董氏
王景徽金 1365- 39- 2
1445-118- 7
王景曜明 456-631- 10
王虛之齊 265-1040- 73
380- 98-167
475-703- 86
479-712-250
511-638-161
515-566- 75
933-337- 24
王貽永王克明 宋
288-501-464
382-132- 18
384-323- 17
400- 42-503
472-544- 23
475-420- 70
476- 40- 98
476-816-143
540-669- 27
545-634-106
933-349- 24
王貽永妻 宋 見雍國大長公主
王貽正宋 933-349- 24
王貽貞妻 明 見劉氏
王貽孫宋 285- 77-249
382-132- 18
384-323- 17
401-298-608
546-633-136
933-349- 24
王貽森妻 清 見邵氏
王貽德明 510-457-117
567-343- 79
1457-518-389
1467-240- 71
王帽仙唐(爲人修蔽冠)
473-479- 69
481-121-296
561-219-38之3
592-252- 75
王華元明 676-275- 10
王華石妻 明 見張氏
王華甫宋 523-170-154
王菊英明 劉仲倫妻、王本達女 1239-206- 40
王無咎宋 288-253-444
400-667-562
473- 98- 53
479-629-245
515-822- 83
674-823- 17
1101-368- 3
1105-763- 91
1356-182- 8
1384-175- 95
王無咎妻 宋 見曾氏
王無咎金~元 472-431- 19
547-190-148
1204-514- 19
王無咎清 537-527- 59
王無故漢 248-620- 8
539-349- 8
王無悔唐 820-256- 29
王無疾元 1210-758- 24
王無荒清 481-115-296
559-532- 12
王無逸明 456-576- 8
478-338-191
554-308- 53
王無競唐 271-582-190中
274-373-107
395-380-215
476-787-141
491-803- 6
540-738-28之2
563-899- 43
933-340- 24
1342-278-940
1371- 51- 0
1387-298- 21
王無黨清 477-317-164
537-527- 59
王然于漢 473-806- 86
569-614-18下之2
王傅拯晉 278-163- 94
王順宇妻 清 見王氏
王順行明 537-409- 57
王順榮元 楊伯瑞妻、王嗣女
524-686-211
1223-586- 11
1228-211- 3
王鈞臣妻 明 見袁氏
王智深齊 259-510- 52
265-1019- 72
380-366-176
472-553- 23
476-784-141
933-337- 24
王智興唐 271- 28-156
275-391-172
384-257- 13
384-262- 13
396- 57-257
472-720- 28
477-251-161
537-479- 58
544-226- 63
1054-542- 15
王稚豐妻 明 見馮氏
王喬士五代 812-524- 2
821-132- 49
王喬年明 545- 88- 85
王喬桂明 677-777- 69
王喬棟明 302-117-295
456-532- 6
474-245- 12
478-338-191
480- 52-259
505-845- 76
533-354- 59
王喬齡明 532-596- 41
王循友宋 488- 13- 1
488-440- 14
567-441- 86
1467-152- 67
王循吉明 505-875- 78
680-242-248
王舜之明 821-461- 57
王舜民明 554-312- 53

王舜臣宋 545-138- 87
王舜相女 明 見王氏
王舜卿明 532-750- 46
王舜國明 821-454- 57
王舜鼎明 523-313-160
王舜漁明 502-286- 56
王舜舉宋 472-379- 16
王備武妻 明 見梅氏
王勝之宋 1090- 23- 5
王勝甫元 821-298- 53
王勝寶妻 明 見葉氏
王欽旨妻 清 見李氏
王欽臣宋 285-685-294
397-136-328
538-132- 65
1131-324- 7
1437- 15- 1
王欽命清 480-596-286
王欽若宋 285-529-283
371- 45- 4
382-308- 49
384-339- 17
384-346- 18
397- 25-322
450-686-下3
471-741- 21
471-786- 28
471-924- 48
473-126- 55
473-212- 59
484- 89- 3
488-379- 13
518-718-159
518-721-159
933-353- 24
1087-278- 28
1087-291- 29
1437- 9- 1
王欽祖清 456-319- 75
王欽祖女 清 見王淑桂
王欽誥明 529-702- 50
王欽濂明 533- 54- 48
王欽穆明 524-166-186
王欽禮元 505-668- 69
王象之宋 451-387- 12
472-1030- 42
524-292-193
王象天清 477-162-157
537-271- 55
554-531-57下
王象艮明 676-642- 26
1442- 95- 6
1460-550- 67
王象坤明 475-874- 95
540-814-28之3
545- 98- 86
王象恆明 505-651- 68
540-822-28之3
1297-110- 9
王象春明 540-825-28之3
676-631- 26
1442- 90- 6
1460-515- 65
王象祖宋 524-262-191
1356-760- 16
王象晉明 476-529-128
510-296-112
540-823-28之3
1323-750- 4
1442- 88- 6
1460-503- 64
王象乾明(大理人) 456-603- 9
王象乾明(字子廓) 474-237- 12
476-395-119
476-529-128
481- 26-291
505-658- 68
540-817-28之3
559-255- 6
571-517- 19
676-728- 30
1457-308-370
王象雲明 540-830-28之3
545-300- 94
王象復明 456-587- 8
474-237- 12
476-529-128
540-832-28之3
王象新明 537-290- 55
王象虞清 533-477- 64
王象蒙明 540-819-28之3
545-345- 96
王逸民宋 見紹祖
王進才妻 清 見孫氏
王進之劉宋 265-389- 24
378-367-140
王進取清 528-518- 31
王進忠清 480-291-271
533-391- 60
王進思宋 見王易
王進善妻 見鄧氏
王進朝明 547- 34-142
王進逵十國楚 279-476- 66
384-318- 16
401-233-599
王進慶宋 473-738- 82
564- 72- 44
王進賢晉 王衍女
476-792-141
王進賢明 545-343- 96
王進賢妻 清 見高氏
王進德元 511-509-157
1197-799- 85
王進寶清 478-455-197
478-489-199
558-165- 30
558-319- 34
王復丸明 547-563-161
王復之妻 明 見劉氏
王復元明(號雅賓) 821-431- 57
王復元王復原 明(字子復)
1238-174- 15
1241-190- 9
王復初清 546-759-140
王復明宋 485-541- 1
王復春明 見王春復
王復原明 見王復元
王復禮明 680- 60-230
王媛姬晉 晉武帝才人
255-583- 31
王溥霖明 516-151- 93
王源中唐 275-294-164
396- 71-258
王源長明 456-681- 11
559-507- 12
王源昌明 533-179- 52
537-223- 54
王慎之晉 481-799-338
王慎中明 301-847-287
460-654- 67
472-647- 26
481-587-328
510-364-114
529-540- 45
676-561- 23
820-692- 43
1275-758- 38
1442- 53- 3
1458-300-437
1460-111- 45
王慎中妻 明 見陳叔敬
王慎言宋 1104-692- 14
王慎言宋 見王正己
王慎思宋 見王正功
王慎修明 820-748- 44
王慎德明 523-276-158
王慎齋女 明 見王氏
王慎獵妻 清 見雷氏
王義山宋~元 515-341- 67
588-331- 2
676-700- 29
1193-207- 29
1202-266- 19
1439-423- 1
1470- 76- 3
王義方母 唐 475-331- 65
512- 3-176
王義方唐 271-491-187上
274-423-112
384-180- 10
395-416-219
448-332-下
469-133- 15
472-310- 13
474-481- 23
475-327- 65
476-725-138
482-266-350
505-931- 84
508-288- 40
511-190-143
540-656- 27
541-111- 31
563-647- 38
933-341- 24
王義民明 523-107-150
王義品清 456-317- 75
王義童唐 1065-243- 7
1342-121-919
1394-730- 11
1410-182-684
王義朝宋 677-264- 24

王義端宋~元 680-211-245
1202-266- 19
王猷定清 515-453- 70
524-306-194
王猷著清 477-420-169
王補之宋 820-440- 35
王温叔宋 821-222- 51
王温舒漢 244-868-122
244-869-122
251-134- 90
251-679- 30
380-214-171
384- 46- 2
556-837-100
933-324- 24
1408-325-512
王裔昌明 456-664- 11
477-502-174
538-113- 64
王裔榮清 529-705- 50
王裕之劉宋 見王敬弘
王裕之元 1206-785- 13
王裕夫明 1260-105- 3
王裕功清 456-317- 75
王準娘清 吳世德妻
530-122- 57
王新士妻 明 見李氏
王新民宋~元 1199-318- 32
王新民明 482-559-369
569-659- 19
572- 82- 28
王新命清 569-618-18下之2
王新政妻 清 見楊氏
王新籓妻 見張氏
王寖大明 475-710- 86
511-820-167
王歆之劉宋 258-584- 92
380-181-170
515-262- 65
王廉清宋 511-823-167
王渙之宋 472-1027- 42
王渙如明 511-748-165
王運正妻 清 見鄭氏
王運閎明 302-124-295
456-551- 7
559-524- 12
569-682- 19
王運隆清 547- 39-142
王運開明 302-123-295
456-551- 7
481-311-307
569-682- 19
王運達妻 明 見姜氏
王道一明 476-700-137
540-822-28之3
王道大明 567-356- 80
王道大妻 明 見李氏
王道元明 564-801- 60
王道夫宋 564- 45- 44
王道夫妻 明 見譚氏
王道中明 456-642- 10
王道中清 477- 91-153
王道立明 524-112-183
王道立明 見王立道
王道正妻 明 見周氏
王道古五代 812-525- 2
821-132- 49
王道平妻 明 見何氏
王道平清 476-431-121
546-334-126
547- 82-144
王道充明 456-629- 10
511-468-154
王道同明 302- 4-289
王道行明 546-638-136
550-116-213
676-584- 24
1442- 65- 4
1460-273- 52
王道行清 1324-368- 33
王道亨宋 821-200- 51
1381-576- 42
王道亨明 558-289- 34
王道成明(保安衛人)
505-914- 81
王道成明(蘭州人) 558-300- 34
王道成明(晉江人) 563-852- 41
王道成妻 明 見李氏
王道求五代 812-525- 2
821-132- 49
王道迄劉宋 494-514- 25
814-248- 6
820- 90- 24
王道坦明 456-619- 9
王道直明 480- 92-262
533- 30- 47
王道長宋 見王芾
王道昌宋 1193-205- 29
王道昌妻 宋 見聶維清
王道明明 554-311- 53
王道明妻 明 見易氏
王道昇妻 明 見阮氏
王道金清 456-318- 75
王道洽清 547- 29-141
王道恭女 宋 見王氏
王道眞宋 592-718-107
812-458- 1
812-468- 2
812-476- 3
812-537- 3
821-152- 50
1381-575- 42
王道純明(字懷鞠) 301-475-264
456-445- 3
478-348-191
540-621- 27
554-611- 59
王道純明(咸寧人)
554-527-57下
王道純妻 明 見譚氏
王道深宋 523-630-177
王道清元 1201-514- 12
王道淑明 456-602- 9
475-378- 68
511-462-154
王道堅宋 479-563-242
516-460-104
王道通明 1442- 99- 6
王道童明 523-244-157
王道普明 538- 88- 64
王道焜明 301-644-276
456-530- 6
458-308- 11
479-55-218
481-695-332
523-359-163
528-516- 31
528-545- 32
王道隆劉宋 258-610- 94
265-1096- 77
381- 12-184
494-263- 1
494-534- 27
820- 90- 24
王道隆明(字萱生) 456-524- 6
475-378- 68
511-462-154
王道隆明(字爾愚) 524-187-187
王道源宋 476- 90-100
547-484-159
王道源妻 明 見林端惠
王道煥明 456-530- 6
王道蓋劉宋 258-573- 91
265-1037- 73
王道廣明 483- 55-373
569-666- 19
王道增明(字益甫) 511-362-150
王道增明(福山人)
540-834-28之3
王道濟明 475-229- 61
王道濟妻 明 見曾氏
王道翼後魏 547-482-159
王道顯明 460-682- 70
王項齡清 475-185- 59
511-135-141
王載元唐 483-119-379
570-256- 25
王載仕明 821-482- 58
王載道金 476-206-107
547-132-146
王載福明 見張載福
王資良明 559-347- 8
王資深宋 472-311- 13
475-328- 65
486- 50- 2
511-190-143
王楨之晉 256-322- 80
377-851-129上
933-330- 24
王聖臣妻 明 見洪氏
王聖修妻 明 見水氏
王瑞之明 1247-580- 26
王瑞柟明 301-651-276
456-440- 3
480-291-271
王瑞圖妻 明 見沈氏
王聘汝明 456-658- 11
511-502-156
王楠齡妻 清 見李氏
王辟章宋 933-359- 24
王勤正清 540-841-28之4
王楚楚元 見王醜醜

王達卿元 1221-413- 4
王達尊明 533-423- 62
王達善明 545-267- 93
王遐休唐 275-467-179
王殿芝妻 清 見俞氏
王萬化清 567-546- 91
王萬石金 1365-246- 7
王萬全宋 451-189- 7
王萬年妻 明 見陶氏
王萬年清 529-661- 49
王萬春明 456-489- 5
王萬祚明 523-477-169
王萬修王懿奴 宋448-395- 0
王萬祥清 478-518-200
558-320- 34
王萬善明 533-319- 57
王萬善妻 明 見劉氏
王萬榮妻 清 見程氏
王萬慶金 見王曼慶
王萬樞宋 451-190- 7
493-747- 41
1170-661- 28
1285-409- 15
王萬樞妻 宋 見蔡氏
王萬爵妻 明 見陳氏
王萬鍾金 546-722-139
1365-246- 7
1445-464- 34
王萬鎰清 見王萬鑑
王萬鑑王萬鎰 清479- 57-219
515-229- 63
523-361-163
528-517- 31
王愚翁清 479- 58-219
王當陽元 472-390- 17
475-824- 92
511-941-175
王萱郎宋 見王晐
王嗣文明 559-368- 8
王嗣宗唐(王玄宗弟)
820-151- 26
王嗣宗宋 285-584-287
371-101- 10
382-276- 43
384-340- 17
397- 63-324
472-289- 12
472-430- 19
472-495- 21
472-825- 33
473-789- 85
475- 15- 49
475-501- 75
476- 28- 97
478-403-194
478-482-199
478-694-210
505-689- 70
528-548- 32
545- 37- 84
545-871-114
554-140- 51
581-468- 95
820-341- 32
933-353- 24
1467- 21- 62
王嗣宗元 559-267- 6
王嗣忠唐(王海濱子)
544-229- 63
王嗣美明 545-156- 88
554-514-57下
王嗣運清 554-961- 65
王嗣經璩嗣經 明
1442- 96- 2
1460-576- 68
王嗣奭明 524- 47-180
1442- 86- 5
1460-490- 63
1474-549- 27
王嗣響明 511-838-168
王圓寶唐 515-165- 62
王鼎臣元 472-602- 25
540-652- 27
王鼎呂清 505-898- 80
王鼎彥明 533-144- 51
王鼎哥宋 見王允功
王鼎翁宋 見王炎午
王鼎基明 476-417-120
王鼎應清 510-319-113
王鼎爵明 300-591-218
1284- 40-139
1284-182-150
王鼎鎭清 537-581- 60
王敬方元 820-533- 38
王敬中明 1442- 8- 1
1459-505- 17
王敬弘王裕之 劉宋
258-267- 66
265-380- 24
378- 84-133
472-553- 23
473-314- 62
476-783-141
480-613-287
494-279- 3
494-420- 13
532-745- 46
814-247- 6
820- 84- 24
933-335- 24
王敬民明 515- 60- 58
王敬臣明(字以道) 301-770-282
475-138- 56
511-675-163
676-636- 26
1442- 94- 6
1460-545- 47
王敬臣明(郏縣人) 456-664- 11
王敬先明(偃師人) 472-752- 29
537-516- 59
545- 66- 85
王敬先明(泰河人)
1242-170- 29
王敬初唐 1053-364- 9
王敬武唐 275-544-187
396-263-275
472-591- 24
820-268- 29
王敬直妻 唐 見南平公主
王敬姑清 王佩蘭女
479- 63-219
524-509-203
王敬則齊 259-289- 26
265-649- 45
370-509- 15
378-219-137
384-115- 6
494-282- 3
王敬則明 526-106-262
王敬從唐 820-192- 27
1341-774-902
王敬嗣明 456-631- 10
王敬傲唐 554-905- 64
王敬德清 483- 34-371
570-114-21之1
王敬堯後梁 277-182- 20
279-275- 43
284-311- 16
396-408-292
511-422-152
933-347- 24
王敬寶北齊 263-159- 20
王虞人漢 539-348- 8
王虞卿宋 1189-277- 1
王虞鳳明 1442-123- 8
1460-775- 84
王遇隆妻 明 見賈氏
王遇龍王坤德 宋451- 66- 2
王業久清 479-135-223
523-124-151
王業元妻 明 見許氏
王業宏明 540-820-28之3
王業建妻 明 見李氏
王業浩明 480-290-271
532-681- 44
564-801- 60
王業高明 473-145- 56
王業鞏清 477-379-167
538-109- 64
王業興清 475-702- 86
502-682- 80
510-467-117
王業濬妻 清 見金氏
王鉉翁元 523-500-170
1226-486- 23
王稔占清 505-816- 74
王傳乂唐 820-238- 28
王愆期晉 546-248-123
王稚豐明 1283-645-117
王會圖明 570-122-21之1
王會篇王會編 明456-614- 9
480- 53-259
533-365- 60
王會編明 見王會篇
王經世妻 清 見程氏
王經邦明 505-831- 75
王毓奇清 481-373-311
502-648- 78
559-335-7下
王毓貞明 456-658- 11
王毓陽明 545-379- 97
545-410- 98

王毓蓍明 301-317-255
456-638- 10
479-247-227
523-392-164
1317-420- 3
1457-646-402
王鄒吉清 455-468- 28
王遒學明 563-761- 40
王賓興妻 明 見陳坤正
王實甫女 明 見王金
王實翁元 1196-553- 4
王實喇王昔剌、王實喇巴圖 元 295-267-166
399-610-480
472- 55- 2
505-721- 71
王察遜金 見温都察遜
王演疇明 516-136- 92
523-177-154
563-796- 41
王誠心明 456-606- 9
王誠甫明 1273-242- 10
王詔文宋 1112-278- 26
王詔之劉宋 258-209- 60
265-387- 24
378- 87-133
384-111- 6
476-783-141
493-675- 37
494-280- 3
494-421- 13
524- 29-179
933-335- 24
1379-460- 55
1395-591- 3
王韶明齊 蕭昭文后、王慈女 259-242- 20
265-198- 11
王韶哥宋 見王滋
王韶應王沼象・王昭隱 唐 812-344- 9
821- 41- 46
王福多妻 清 見陳氏
王福海妻 明 見柳氏
王福海妻 清 見陳氏
王福時唐 1065-182- 附
王福愼女 明 見王惠友
王寧孫元 1234-257- 42
王漸造明 528-200- 13
王漸逵明 482- 37-340
564-119- 45
676-547- 22
677-585- 53
1442- 47- 3
1460- 28- 41
王端心明 456-680- 11
王端枅王端柟 明
479-409-235
523-419-166
王端姑清 王湘女479- 63-219
524-499-203
王端郎宋 見王賓
王端柟明 見王端枅
王端翁明 1229-308- 10
王端冕明 302- 42-291
456-519- 6
474-617- 32
480-249-269
505-702- 70
533-385- 60
王端朝宋 472-174- 6
489-681- 49
492-587-13下之上
王端毅明 556-343- 90
王端禮宋 515-582- 75
王齊之晉 1379-379- 46
王齊玉明 1271-822- 8
王齊玉妻 明 見黃福璋
王齊叟宋 821-248- 52
王齊祥宋 516-502-105
王齊萬宋 533-722- 73
王齊翰宋 812-452- 1
812-536- 3
813- 90- 4
821-117- 49
王齊輿宋 524- 61-181
王說命明 570-136-21之2
王粹中宋 1152-826- 53
王禕之晉 見王褘之
王漢之宋 286-602-347
451-132- 2
472- 65- 2
474-305- 16
475-365- 67
488-402- 13
488-405- 13
488-406- 13
505-664- 69
1130-334- 34
王漢永妻 明 見劉氏
王漢臣宋 451-221- 0
王漢忠宋 285-477-279
371-177- 18
396-719-319
472- 50- 2
472-412- 18
474-371- 19
475-430- 70
511-224-144
王漢周清 533-186- 52
559-332-7下
王漢英宋 524-196-188
王漢侯妻 清 見梅氏
王滿聰後秦 384-104- 5
王榮三明 571-542- 20
王榮世後魏 262-259- 87
267-640- 85
380- 59-166
472-571- 24
476-612-133
540-725-28之1
933-339- 24
王榮忠元 515-270- 65
517-524-128
1220-362- 1
1220-434- 9
王榮叔元 1232-587- 5
王榮祖元 295- 41-149
399-410-456
474-822- 44
502-374- 63
王榮卿女 明 見王瑞
王榮誥明 545-195- 90
王榮圖宋 456-631- 10
475-280- 63
王禔緐宋 820-437- 32
王與才明 456-629- 10
王與之宋 678-573-124
王與老宋 見王師愈
王與玫明 456-629- 10
540-832-28之3
王與玫妻 清 見沈氏
王與朋明 456-629- 10
王與勅王與敕 清
540-839-28之4
1318-433- 70
王與胤明 456-529- 6
540-831-28之3
545-121- 86
676-656- 27
1315-568- 34
1318-451- 72
1442-107- 7
1460-691- 75
王與胤妻 明 見于氏
王與準明 1266-142- 37
王與敕清 見王與勅
王與斌明 456-629- 10
王與敬元 530-197- 60
王與滿明 456-629- 10
王與慧明 540-833-28之3
王與鼐妻 清 見駱氏
王與璧明 456-629- 10
王與藎明 456-629- 10
王與獻明 456-629- 10
王與齡明 300-414-207
476- 85-100
545-892-114
546-615-135
王與齡妻 明 見孫氏
王與夔明 302- 28-290
王與權宋 484-373- 27
王與權女 明 見王氏
王與纓明 456-629- 10
王壽衍元 494-439- 13
524-390-198
585-499- 15
1226-332- 16
1439-456- 2
王壽翁宋 見王亮功
王壽卿宋 820-372- 33
王壽爵明 見王受爵
王輔乾妻 清 見沈氏
王輔運清 477-454-171
537-415- 57
王熙元宋 288-466-461
王熙易元 1221-458- 9
王熙載宋 見王熙
王槐一清 476- 80-100
545-201- 90
王槐三妻 清 見傅氏
王爾祉明 456-600- 9

王爾俊楊爾俊 明456-525- 6
王爾梅明 547- 47-142
王爾梅清 1475-968- 41
王爾讀明 456-681- 11
王爾麟妻 清 見黨氏
王碩輔明 481-212-302
483-372-401
572- 90- 29
王奪標妻 清 見李氏
王際亨妻 清 見白氏
王際泰清 529-704- 50
王際康清 511-629-161
王際華清 479- 59-219
王臺卿梁 1395-598- 3
王嘉元明 510-364-114
王嘉禾明 559-526- 12
王嘉印明 456-631- 10
王嘉言宋 285-675-293
382-256- 39
384-334- 17
493-740- 41
1096-362- 37
王嘉言金 476-438-122
王嘉言明 1442- 63- 4
王嘉官明 456-495- 5
558-425- 37
王嘉忠明 523-484-170
王嘉柟明 554-311- 53
王嘉重清 511-588-159
王嘉祐宋 285-675-293
382-256- 39
384-334- 17
王嘉棟妻 清 見張氏
王嘉祿元 541- 95- 30
王嘉閨妻 明 見李氏
王嘉會明 479- 95-221
526-642-280
王嘉賓明(字國光) 510-439-116
540-813-28之3
王嘉賓明(字國賢) 511-370-150
王嘉賓明(泰安州人)
540-818-28之3
王嘉禎清 505-841- 76
王嘉慶明 483-116-379
569-671- 19
王嘉閭元 1219-561- 27
1219-582- 28
1439-441- 2
王嘉勳妻 清 見劉氏
王嘉謨明 1442- 81- 5
1460-429- 60
王盡忠妻 清 見鄭氏
王瑶姬夏 529-237- 75
王聞詩宋 472-789- 31
477-542-176
479-405-235
537-353- 56
1164-308- 16
王聞禮宋 472-254- 10
479-405-235
510-360-114
王遠知隋 472-1107- 47
479-299-230
486-904- 35
524-422-200
1077-281-上
王遠知唐 271-641-192
276- 99-204
401- 94-580
492-593-3下之下
511-926-174
541- 89- 30
541-105- 31
1060- 44- 5
王聚奎明 508-361- 42
554-678- 60
王聚倉妻 明 見趙氏
王遜志元 295-498-186
400-278-522
472-709- 28
477-209-159
538- 53- 63
王夢卜妻 清 見李氏
王夢卜女 清 見王氏
王夢尹明 540-650- 27
王夢月女 宋 見王幼平
王夢臣明 1227- 75- 8
王夢松宋 523-630-177
679- 55-143
王夢明妻 明 見劉氏
王夢易宋 471-1025-64
473-523- 72
478-244-186
559-379- 92
1124-647- 29
王夢易妻 宋 見向氏
王夢祥明 1284- 35-139
王夢得宋 1186-283- 20
王夢雲清 476-348-116
王夢雲妻 清 見湯氏
王夢弼明 476-334-115
546-410-128
王夢暘明 515-894- 86
王夢祺明 460-521- 47
王夢禎妻 清 見曹氏
王夢說明 559-269- 6
572-100- 30
王夢瑾明 1241-510- 8
王夢震元 1199-302- 31
王夢龍宋 523-304-160
王夢龍妻 宋 見趙汝議
王夢應宋 480-409-277
533-399- 61
1437- 33- 2
王夢聲元 1280-569- 98
王夢麒明 480-564-284
王夢璽宋 591-697- 49
王夢齡明 533-481- 64
王夢蘭妻 清 見張氏
王夢麟元 821-302- 53
王夢麟明 529-658- 49
676- 8- 1
王夢麟清 474-570- 29
505-653- 68
572-343- 38
王夢鸞妻 明 見陸氏
王鳴鳳明 483-117-379
570-120-21之1
王鳴鶴明 481-807-338
676-641- 26
王對揚妻 明 見胡氏
王蓋海後魏 262-328- 94
王圖南明 456-665- 11
480-248-269
王圖南女 清 見王玉
王圖煒女 清 見王之珊
王蒙亨明 524-243-190
王鳳九清 481-559-327
王鳳九女 清 見王氏
王鳳吾清 511-643-161
王鳳翔明 547- 62-143
王鳳嫺明 張本嘉妻 512- 10-176
1442-124- 8
1460-776- 84
王鳳翼明 545-896-114
554-346- 54
王鳳顯明 458- 54- 3
王鳳靈明 510-384-115
529-515- 44
564-135- 45
676-548- 22
820-673- 42
1442- 47-附3
1460- 36- 41
王熊印妻 清 見鹿氏
王僧兒明 511-582-159
王僧祐齊 259-461- 46
265-342- 21
378-206-137
476-784-141
540-721-28之1
814-251- 6
820- 92- 24
839- 41- 4
933-333- 24
1379-567- 66
王僧朗劉宋 258-530- 85
488-183- 8
王僧朗女 劉宋 見王貞風
王僧虔齊 259-348- 33
265-354- 22
378-202-137
384-110- 6
476-784-141
480-362-275
486- 38- 2
489-599- 47
494-283- 3
523-144-153
540-720-28之1
682- 22- 4
812- 63-中
812-226- 8
812-715- 3
813-221- 3
814-249- 6
820- 91- 24
839- 41- 4
933-334- 24
王僧恕梁 820-105- 24
王僧愔梁 265-890- 63

545-537-102
王僧智梁 485- 70- 11
493-681- 37
王僧達劉宋 258-392- 75
265-337- 21
370-478- 14
378- 71-132
469-200- 23
472-553- 23
485- 68- 10
493-673- 37
1379-535- 63
王僧綽劉宋 258-335- 71
265-346- 22
370-476- 14
378- 25-132
476-784-141
540-719-28之1
王僧辨梁 見王僧辯
王僧謙劉宋 258-234- 62
王僧孺梁 260-278- 33
265-842- 59
378-402-141
472-275- 11
472-553- 23
473-671- 79
476-785-141
482- 32-340
494-363- 9
511-900-172
528-435- 29
540-719-28之1
563-619- 38
814-253- 7
820- 99- 24
933-336- 24
1394-556- 7
1395-595- 3
1401-304- 26
王僧辯王僧辨 梁
260-368- 45
265-886- 63
378-445-142
384-119- 6
472-433- 19
488-258- 10
488-259- 10
515- 6- 57
532-559- 40
545-535-102
933- 36- 24
王僧辯女 梁 見王氏
王維周明 533- 92- 49
王維侃妻 明 見余氏
王維威清 479-822-256
515-286- 65
554-616- 59
王維垣明(武清人) 476-151-104
545-224- 91
王維垣明(字伯師) 511-362-150
王維屏清 532-753- 46
王維屏妻 清 見李氏
王維祐明 533- 26- 47
王維恭明 456-549- 7
475-185- 59
王維烈明 821-446- 57
王維貞唐 820-260- 29
王維哲清 547- 27-141
王維暐妻 明 見梁氏
王維新明(謚烈愍) 302- 45-291
456-459- 4
540-636- 27
王維新明(潁州人) 456-658- 11
王維新明(上蔡人) 456-665- 11
王維新妻 清 見吳氏
王維煥妻 清 見張氏
王維楨明 301-834-286
478-348-191
554-849- 63
676-571- 23
1442- 56- 3
1458-279-436
1460-148- 47
王維楨妻 明 見東氏
王維精明 554-522-57下
王維慶明 511-574-159
王維賢明 559-395-9上
王維儉明 見王惟儉
王維翰金 291-665-121
400-212-517
472-623- 25
472-706- 28
474-558- 28
476-726-138
496-397- 88
502-702- 82
537-276- 55
王維翰妻 金 見姚氏
王維翰明 511-608-160
王維藩明(字現南) 456-665- 11
480-248-269
王維藩明(字子价)
554-874- 64
1288-618- 10
王維藩妻 明 見屈氏
王維藩妻 明 見黃氏
王維藩妻 清 見張氏
王維夔明 525-471-240
王肇生明 545-107- 86
549-516-200
王肇京妻 清 見劉氏
王肇坤明 302- 38-291
456-420- 2
479-332-232
523-407-165
王肇益明 547-106-145
王肇祥明 456-580- 8
王肇對明 515-809- 82
王肇興妻 清 見姚氏
王綸之齊 265-382- 24
387-277-138
479-482-239
515- 78- 59
933-335- 24
王廣心清 511-134-141
王廣之齊 259-327- 29
265-668- 46
370-512- 15
378-234-137
511-415-152
532-101- 27
933-336- 24
王廣淵王廣微 宋
286-371-329
382-545- 85
384-374- 19
397-484-348
505-764- 72
820-365- 33
王廣道宋 472-558- 23
王廣業後魏 266-721- 35
545-544-103
王廣微宋 見王廣淵
王賡堯妻 清 見劉氏
王瑩之王瓊 明 529-569- 46
王審知閩 278-471-134
279-487- 68
384-291- 15
384-319- 16
401-243-601
460-1059- 4
484-189- 8
528- 4- 17
530-588- 73
530-595- 73
537-608- 60
王審邽唐 275-575-190
384-291- 15
477-544-176
528- 4- 17
537-608- 60
王審釗宋 見高審釗
王審琦宋 285- 85-250
371-157- 16
382-137- 19
384-325- 17
396-456-297
472-195- 7
472-747- 29
475-742- 88
477-313-164
537-503- 59
933-349- 24
王審鈞宋 545-621-105
王潮海清 478-489-199
588-302- 34
王潤玉明 胡谷銘妻
524-608-208
王潤孫明 524- 91-182
王澄泉女 明 見王氏
王潺金女 清 見王氏
王禕之王褘之 晉
256-239- 75
377-788-127
545-529-102
王慶詢女 元 見王蕙
王慶端元 295- 62-151
399-426-458
472- 97- 3
474-381- 19
505-752- 72
506-608-107

1202-238- 17
王慶遠北周 263-545- 18
王慶遠明 554-302- 53
王慶鍾後魏 261-478- 33
王養心明(徐州人) 456-632- 10
475-433- 70
511-468-154
王養心明(巴縣人) 559-509- 12
王養正明(字聖功) 301-686-278
456-463- 4
475-856- 94
479-456-237
479-578-243
511-507-156
515- 64- 58
1442-107- 7
1460-709- 76
王養正明(字蒙修) 676-656- 27
王養正清 見范氏
王養志妻 明 見李氏
王養明明 見王養蒙
王養貴女 明 見王氏
王養端明 524- 93-182
676-587- 24
王養蒙王養明 明
524-361-196
821-368- 55
王養蒙妻 明 見閆氏
王慧明明 張世美妻、王執中女 1240-357- 23
王慧龍後魏 261-539- 38
266-712- 35
379-169-149
384-132- 7
477- 48-151
537-346- 56
545-539-103
933-337- 24
王慧翼唐 473-504- 71
王賢弼明 529-712- 50
王撰今妻 清 見薛氏
王賚汝明 見盛賚汝
王撫民明 554-607- 59
王瑾甫妻 清 見曾仲姐
王增祐明 473- 65- 51
515-874- 86
567- 94- 66
王醇宇妻 明 見郭氏
王閔道清 516- 91- 90
王鼐臣明 456-660- 11
511-475-155
王震午王喜郎 宋451- 76- 2
王震生宋 483-396-403
572- 87- 28
王震生清 477-134-155
537-437- 58
王震仲明 456-486- 5
546-324-125
王震孫宋 473-544- 72
王穀章清 524-261-191
王穀祥明 301-845-287
475-137- 56
820-697- 43
821-429- 56
1275-877- 56
1284-170-149
1442- 54- 3
1458-287-436
1460-126- 46
王敷政明 512-783-196
王敷若明 820-660- 42
1249-401- 26
王履正宋 451-226- 0
王履亨明 456-581- 8
王履和明 1460-635- 72
王履泰明 554-368- 54
王履泰妻 清 見伍氏
王履謙妻 元 見齊氏
王履謙媳 元 見呂氏
王履謙媳 元 見蕭氏
王蔭長王允昌．王孕長明
456-557- 7
537-306- 56
545-198- 90
王慕祥明 458-171- 8
538- 4- 61
王賜福明 554-735- 61
王賜綬清 572- 78- 28
王賜黻明 676-327- 12
王賜爵明 524-347-196
王餘慶元 295-540-190
479-327-232
524-265-191
820-526- 38
1439-442- 2
王儀之元 1201-202- 82
王儀寶明 517-727-133
王德文宋 1386-298- 40
王德元王湛 齊 378-212-137
王德元金～元 472-108- 4
1207-115- 7
王德仁元 505-722- 71
王德代後魏 545-450- 99
王德用宋 285-471-278
371-109- 11
382-394- 62
384-353- 18
396-715-318
449- 99- 8
450-162- 19
472- 95- 3
472-126- 4
472-544- 23
472-660- 27
472-694- 28
473-267- 61
474-235- 12
474-406- 20
474-469- 23
474-621- 32
474-650- 34
476-854-145
505-631- 67
505-789- 73
540-669- 27
544-234- 63
545- 46- 84
708-331- 50
933-355- 24
1092-649- 60
1102-183- 22
1105-747- 90
1351-656-146
1356-215- 10
1383-554- 50
1384-126- 91
1394-418- 3
1408-681-552
1410- 80-672
王德用女 宋 見王氏
王德光女 明 見王氏
王德名女 明 見王妙智
王德全元 517-467-127
1197-409- 38
王德完明 301- 9-235
559-369- 8
王德良宋 524-331-195
王德甫妻 宋 見余氏
王德成明 561-212-38之2
王德成女 清 見王氏
王德昌妻 清 見劉氏
王德明後唐 見張文禮
王德明元 1200-753- 57
王德明明 474-244- 12
477-244-161
505-812- 74
523-103-150
820-680- 42
1267-637- 11
王德明清 456-387- 80
王德昇元 511-829-168
王德芳明 511-190-143
王德宣明 472-963- 38
523- 82-149
王德洽清 560-118- 19
王德亮元 1202-307- 21
王德亮明 481-184-300
王德政妻 元 見郭氏
王德貞唐 1371- 49- 附
王德信元 1214-273- 3
王德俊妻 清 見盛氏
王德容元 1201-165- 80
王德容清 456-317- 75
王德素元 547-139-146
王德眞元 1196-283- 16
王德娩明 周近仁妻．王齡女 1246-633- 13
王德純明 569-672- 19
王德修妻 明 見元氏
王德常明 1227- 94- 11
王德滋妻 明 見陳氏
王德渼妻 明 見馬氏
王德華妻 明 見儲氏
王德溥妻 明 見李氏
王德溥妻 明 見陳氏
王德溢明(字懋中) 510-457-117
529-467- 43
王德溢明(監察御史)
523-133-152
王德新元 472-577- 24
540-774-28之2

1192-574-12
1217-801-1
王德新明 456-615-9
479-727-250
515-714-79
1442-78-5
1460-398-58
王德祿金 1191-340-30
王德粹妻 清 見徐氏
王德禎元 593-32-上
王德彰宋 472-677-27
王德彰明 516-463-104
王德輔元 1201-165-80
王德遠妻 清 見張氏
王德潤妻 明 見黄氏
王德敷明 559-350-8
王德錦清 456-318-75
王德謙宋 288-564-469
494-268-2
王德懋妻 元 見李氏
王德聰清 511-613-160
王魯復唐 529-715-51
王毓德明 1442-101-6
王樂善明 676-620-25
1442-84-5
1460-469-62
王樂善妻 清 見于氏
王徵俊明 302-102-294
456-581-8
476-209-107
477-125-155
546-215-122
王憲之宋 471-806-31
王憲武明 547-53-143
王憲嫄劉宋 宋孝武帝后、王偃女 258-12-41
265-192-11
王憲維妻 明 見丘氏
王羲之晉 256-315-80
370-337-8
377-844-129上
384-99-5
470-63-96
471-625-6
471-640-9
471-738-21
471-745-22
472-552-23
472-996-40
472-1068-45
472-1114-47
473-86-52
473-110-54
476-782-141
479-222-227
479-401-235
479-654-247
485-551-3
486-35-2
486-298-14
489-352-31
491-799-6
494-273-2
511-718-165
515-4-57
517-306-123
524-319-195
648-470-卷下
684-561-6
812-56-中
812-219-8
812-319-5
812-709-3
813-281-15
814-239-5
820-65-23
821-11-45
933-329-24
1130-163-33
1345-124-17
1379-349-43
王羲之妻 晉 見郗氏
王羲叔宋 516-207-95
517-349-124
王龍光清 479-248-228
523-394-164
1319-230-3
王龍起明 1442-100-6
王龍章妻 清 見林氏
王龍御清 1316-657-45
王龍御妻 清 見陳氏
王龍澤元 820-503-37
王龍應宋 451-56-2
王澤弘清 480-137-264
511-890-172
王燕翼清 477-361-166
537-322-56
王憨憨明 見王叔承
王頤齋妻 明 見丘氏
王樵雪明 1237-251-4
王樹極明 559-516-12
王樹極妻 清 見劉氏
王穎如明 529-722-51
王凝之晉 256-321-80
370-378-10
377-850-129上
476-782-141
486-35-2
814-239-5
820-65-23
933-330-24
1379-351-43
王凝之妻 晉 見謝道韞
王凝命明 528-464-29
545-159-88
545-250-92
570-134-21之2
王凝祚清 478-349-191
554-795-62
王遵古金 472-569-24
541-664-352之19上
1365-98-3
1365-265-8
1439-4-附
1445-490-36
王遵訓清 537-580-60
王遵義明 456-600-9
王遵道明 473-569-74
528-450-29
王遵業後魏 261-542-38
266-714-35
379-171-149
546-624-136
王翰中清 559-440-10下
王翰臣明 559-426-10上
王翰奇明 505-824-75
王靜明宋 高衛妻 1140-696-29
王靜美明 517-694-132
王靜婉元 程植妻 479-561-242
516-346-101
516-346-101
1199-780-5
1202-199-15
1375-266-19
王靜媛清 479-411-235
王擇從唐 271-347-178
王樗全王鼎 明684-500-下
820-712-43
1280-385-84
王橓徵明 302-103-294
477-169-157
537-458-58
545-381-97
王霖龍宋 523-186-155
王操之晉 256-322-80
377-851-129上
814-239-5
820-66-32
933-330-24
王隨之晉 486-68-3
王豫立明 476-395-119
545-102-86
545-470-100
554-674-60
王豫嘉清 478-204-184
554-856-63
王豫嘉妻 清 見田豔雪
王曇生劉宋 258-591-93
378-87-133
485-68-10
493-677-37
494-280-3
933-335-24
王曇首劉宋 258-239-63
265-345-22
378-74-132
384-110-6
472-553-23
476-783-141
540-719-28之1
813-289-16
814-246-6
820-83-24
933-333-24
王興秀元 1197-648-66
1201-622-21
王興宗元 1192-592-13
王興宗明 299-336-140
472-222-8
477-244-161

479-319-232
493-728- 40
1229-605- 2
王興禹清(常德通判)
480-484-280
481-695- 32
502-691- 81
528-547- 32
532-739- 46
王興禹清(遼東人) 523-197-155
王興祖元 510-445-117
820-542- 39
王興祖元 見王祖興
王興祥元 1220-528- 8
王興國清 502-768- 86
王興路妻 清 見鮑氏
王興福明 299-337-140
472-963- 38
479- 43-218
480-204-267
523- 81-149
533-201- 53
王盧九女 吳 見王皇后
王盧姐清 479-190-225
524-621-208
王蕣華齊 齊和帝后
259-242- 20
王曄之女 齊 見王寶明
王鄴然妻 明 見胡氏
王積翁宋 515-762- 80
王積翁元 473-660- 78
478-762-215
523- 19-146
1209-592-104
1220-557- 12
王積業清 547-120-145
王學孔明 523-104-150
572-156- 32
王學古明(交趾水) 473-187- 58
479-793-254
515-272- 65
王學古明(字子獲)
554-507-57下
王學孝明 529-677- 49
王學珍清 476-156-104
王學益明 571-519- 19
王學書明 456-493- 5
554-726- 61
王學曾明 300-814-233
564-108- 45
王學詩清 505-902- 80
王學顏明 533-254- 55
王學謨明 545-154- 88
554-507-57下
王學夔明 300-349-203
479-724-250
515-691- 78
王學讓妻 明 見雷氏
王龜年王遇 宋 1135-323- 32
王龜齡宋 1118-973- 66
王縉紳明 559-393-9上
王儒卿明 1442-126- 8
王衡仲宋 473- 22- 49
515-326- 67
王錫田妻 明 見崔氏
王錫命明(字蒼勅) 511-846-168
王錫命明(字予卿)
1475-327- 13
王錫祉清 511-777-166
王錫祉妻 清 張氏
王錫祉妻 清 見黃氏
王錫第妻 明 見劉氏
王錫衮明(字龍藻) 301-702-279
482-562-369
456-468- 4
570-108-21之1
1442-103- 7
1460-614- 71
王錫衮明(昌化人) 524-177-187
王錫福明 547-105-145
王錫榮妻 清 見黃氏
王錫爵明 300-588-218
475-452- 71
511-235-145
676-589- 24
820-728- 44
1284- 40-139
1442- 65- 4
1460-280- 52
王錫爵女 明 見燾貞
王錫闡明 511-676-163
王勳環明 564-260- 47
王穆之晉 晉哀帝后、王濛女
255-588- 32
544-179- 61
王鴻志宋 1134-297- 42
王鴻漸明 300- 36-185
458-114- 5
537-550- 59
王鴻緒清 475-185- 59
511-135-141
王鴻儒明 300- 36-185
453-694- 35
457- 25- 1
458-113- 5
458-654- 2
472-776- 30
477-378-167
537-550- 59
545- 75- 85
676-518- 20
820-663- 42
1249-803- 8
1267-546- 7
1442- 36-附2
1459-748- 29
王鴻儒妻 清 見王氏
王應山明 460-506- 44
王應斗明 515-227- 63
533-145- 51
王應之劉宋 258- 66- 45
473-358- 64
532-701- 45
王應元明(武隆人) 302-159-297
559-422-10上
王應元明(字子貞) 676-566- 23
王應世明 456-674- 11
王應可清 455-467- 28
王應申宋 1467-179- 68
王應辰宋 567-405- 84
1467-179- 68
王應辰明 524- 88-182
1460-338- 55
王應豸明 301-208-248
王應松明 481-117-296
王應坤清 456-320- 75
王應奇明 821-391- 56
王應昌明(知定番州)
483-248-391
571-538- 20
王應昌明(知邵武縣)
528-545- 32
王應昌清 477-133-155
537-437- 58
王應奎妻 明 見鄭氏
王應奎清(正紅旗包衣管・領下人) 456-387- 80
王應奎清(錦州人) 474-825- 44
王應科明 547- 19-141
王應科妻 清 見于氏
王應祚元(清源人) 481-694-332
528-540- 32
王應祚元(洪桐縣人)
1200-554- 43
王應泰清 515-206- 36
王應皋女 明 見王氏
王應純妻 清 見劉氏
王應宿妻 明 見陳氏
王應梅宋 見王炎午
王應乾明(字懷裡) 511-321-148
王應乾明(廣西馬平人)
594-215- 7
王應朝明(字我辰) 523-163-153
王應朝明(韓城人) 554-609- 59
王應期明 483-178-384
533- 91- 49
569-655- 19
569-665- 19
王應隆女 明 見王氏
王應琳妻 清 見鞠氏
王應蛟女清 見王氏
王應電王電 明 301-769-282
475-138- 56
511-675-163
516-203- 95
678-607-127
820-694- 43
王應聘宋 見王里
王應鼎明 533-431- 62
王應會女 清 見陳氏
王應廣明 820-748- 44
王應禎明 475-547- 79
王應槐明 460-518- 46
王應鳳王若鳳 宋 451- 52- 2
524- 40-180
王應熊明 301-279-253
559-358- 8
王應魁明 479-628-245
502-744- 86
515-193- 62
王應瑾明 1229-319- 11

1229-366- 14
王應蓮妻 清 見郎氏
王應憲清 475- 77- 53
511-830-168
王應龍宋 492-713-3下
王應遴明 676-359- 13
王應霖明 506-529-104
王應篤明 460-724- 75
511-659-162
王應翼明 456-557- 7
533-378- 60
王應駿明 見王漢
王應爵明 494-159- 5
569-679- 19
王應鍾明 見王應鐘
王應麒明 524-126-184
584-271- 10
王應鵬母 明 見金文貞
王應鵬明(指揮僉事)
302- 23-290
456-662- 11
515-156- 61
王應鵬明(字天宇) 475-449- 71
479-184-225
510-403-115
523-293-159
676-540- 22
1442- 43-附3
1549-898- 38
1474-176- 8
王應鐘王應鍾 明460-506- 44
529-471- 43
1442- 58- 3
1460-169- 48
王應麟宋 288-177-438
400-562-551
472-377- 16
472-1088- 46
475-562- 79
479-179-225
479-352-233
491-388- 4
493-720- 40
510-426-116
523-590-175
677-378- 35
1209-512-8下
1364-859-378
1375- 34- 下
王應麟宋 見王公及
王應麟明(避亂死) 524-154-185
王應麟明(龍溪人)
1282-826- 63
王應顯明 523-105-150
529-570- 46
王濯征明 545-410- 98
王濬初明 546-678-137
王濟民明 546-493-131
547-106-145
王濟美明 545-852-113
王濟納清 456-378- 79
王謙之劉宋 258- 66- 45
494-280- 3
王謙之宋 451-387- 12
王醜醜王楚楚 元 闞文興妻
295-625-200
401-174-593
452- 95- 2
472-179- 6
475- 78- 53
492-605-13下之下
512- 13-177
王懋中王中立 明
473-157- 56
505-691- 70
515-681- 78
王懋永清 560- 90- 9
王懋永女 清 見王氏
王懋良明 1283-400- 98
王懋良女 明 見王氏
王懋官清 546-612-135
王懋明明 511-743-165
1442- 69- 4
1460-327- 55
王懋烈明 456-502- 5
481-250-303
王懋恩清 560- 91- 19
王懋卿妻 元 見馬氏
王懋娘宋 陳爚妻、王守愚女
530- 3- 54
王懋極妻 明 見孫氏
王懋誠妻 清 見宋氏
王懋德元 540-780-28之2
1197-449- 43
1439-430- 1
1471-319- 4
王懋德妻 元 見李氏
王懋德明(字靜甫) 515-797- 82
王懋德明(字敏中) 528-463- 29
564-236- 46
王懋德妻 明 見孫氏
王懋德妻 明 見劉氏
王懋鋙明 523-252-157
王懋學明 554-527-57下
王翼之劉宋 486-37- 2
493-677- 37
王翼甫元 545-242- 92
王翼明明 456-666- 11
王隱君後蜀 561-569- 45
王隱侯漢 546-437-129
王隱翁女 明 見王淑方
王臨元清 479-528-241
515-229- 63
王臨亨明 511-112-140
523-108-150
523-206-155
王檀林妻 清 見劉氏
王聯芳明 456-630- 10
王聯科明 見王臣直
王舉元宋 285-309-266
396-598-307
473-427- 67
475-869- 95
476-476-125
476-913-148
477- 51-191
478- 90-180
481- 69-293
482-140-344
554-149- 51
559-263- 6
563-682- 39
王舉元女 宋 見王和
王舉尹明 529-682- 50
王舉正宋 285-308-266
371- 66- 6
382-243- 37
384-351- 18
396-597-307
474-378- 19
477-472-173
505-750- 72
820-347- 32
王舉能清 560-102- 19
王舉善女 宋 見宋氏
王舉逸王舉 明 1239-174- 38
1242-814- 9
王勵精明(諡烈愍) 302-119-295
456-499- 5
478-348-191
481- 71-293
483-171-383
554-733- 61
559-508- 12
569-666- 19
王霞卿唐 韓嵩妻555- 10- 66
王霞舉妻 清 見陳氏
王績宗明 537-328- 56
王績燦明 301-360-258
515-721- 79
王總衡明 554-734- 61
王鍾全妻 清 見孫氏
王鍾彥王鐘彥 明456-438- 3
475-183- 59
511-443-153
王鍾祥明 見王鍾
王鍾靈清 546-612-135
547-118-145
王穉登明 301-862-288
475-139- 56
511-744-165
675-396- 3
676-599- 24
684-500-下
820-704- 43
1442- 70- 4
1460-342- 55
王徽之晉 256-321- 80
370-338- 8
377-851-129上
384-100- 5
471-622- 6
471-625- 6
471-779- 27
472-1070- 45
476-782-141
479-230-227
485-551- 3
486-299- 14
813-245- 7
814-239- 5
820- 66- 23

839- 39- 4
933-330- 24
1379-352- 43
王徽之女 宋 見王氏
王徽諛妻 元 見蔡氏
王謹微清 533-238- 54
王彝倫宋 485-536- 1
王瞿曇唐 554-750- 62
王鎮之劉宋 258-579- 92
265-383- 24
370-490- 14
378- 85-133
473-671- 79
476-783-141
479-222-227
485-533- 1
486- 63- 3
486- 65- 3
486- 68- 3
523-143-153
540-718-28之1
563-614- 38
933-335- 24
王鎮惡劉宋 258- 57- 45
265-267- 16
370-399- 10
378- 15-131
384-109- 6
472-591- 24
473-315- 62
476-666-136
480-613-287
532- 99- 27
532-746- 46
533-735- 73
540-717-28之1
933-332- 24
王魏誠後魏 544-209- 62
王簡文清 505-806- 74
王簡元魏 502-779- 87
王簡姬晉 晉簡文帝后、王遐女 255-589- 32
544-179- 61
王簡棲晉 469-200- 23
王颺廷妻 清 見張氏
王雙蘭清 見方孝
王寵平明 545-387- 97
王寵受清 528-571- 32
王寵麟妻 明 見李氏
王廬淵明 460-810- 87
王懷之梁 485-533- 1
486- 66- 3
王懷江妻 明 見陳氏
王懷忠唐 540-638- 27
王懷忠宋 1106-550- 29
王懷義明 474-654- 34
505-865- 77
王懷德清 456-387- 80
王懷隱宋 288-472-461
401-102-581
538-354- 71
王難得唐 275-110-147
395-724-246
472-554- 23
476-787-141
王韞秀唐 王忠嗣女 1473-729- 99
王韜孟明 見王曄
王隴德唐 554-750- 62
王麗珠明 564-237- 46
王瓊玉明 1241-526- 9
王瓊妹明 481-532-326
王瓊瓊明 張寧妻、王玉女 1274-539- 24
王羅彥妻 清 見楊氏
王羅溪女 明 見王氏
王贊襄明 564-234- 46
王鵬翼明 547- 95-144
王繩堯明 511-397-151
王鏡潭元 見王鏡潭
王鏡澤王鏡潭 元 524-371-197
1222-324- 28
王寶明齊 蕭長懋妻、王曄之女 259-241- 20
265-197- 11
王寶興後魏 261-541- 38
266-713- 35
379-170-149
545-540-103
王馨芝妻 明 見李氏
王曦如明 456-632- 10
476-732-138
540-836-28之3
王懸河唐 820-146- 26
王獻之晉 256-322- 80
370-393- 10
377-851-129上
384-100- 5
472-1070- 45
476-782-141
479-230-227
486-299- 14
494-273- 2
524- 50-180
684-471-下
812- 56-中
812-220- 8
812-319- 5
812-709- 3
813-286- 16
814-239- 5
820- 66- 23
821- 11- 45
933-330- 24
1379-343- 42
1395-590- 3
王獻之妻 晉 見桃葉
王獻之女 晉 見王神愛
王獻元元 523- 28-147
王獻可後周 820-315- 31
王獻可宋 472-505- 21
473-528- 72
481-373-311
546-184-121
559-318-7上
王獻臣女 宋 見王氏
王獻臣明 299-849-180
474-184- 9
481-720-333
505-723- 71
528-552- 32
545-278- 93
王獻明明 474-238- 12
王騰高妻 明 見劉氏
王鐘彥明 見王鍾彥
王覺善元 衛桓妻、王惟遠女 1219-416- 14
王繼文清(漢軍鑲紅旗人) 479-457-237
王繼文清(廣寧人) 482-541-368
王繼文清(奉天人) 502-622- 77
王繼升宋 285-435-276
396-687-316
474-311- 16
481-581-328
505-740- 72
王繼弘後周 278-390-125
王繼本明 546-495-131
王繼光明 540-818-28之3
王繼先宋 288-571-470
401-136-587
494-268- 2
王繼志元 473-428- 67
王繼甫明 1248-283- 14
王繼孝明 517-736-133
王繼宗明 821-350- 55
王繼宗妻 明 見袁氏
王繼東明 456-661- 11
477-454-171
538- 69- 63
王繼忠宋 耶律宗信、耶律忠信、耶律顯忠 285-474-279
289-605- 81
371-177- 18
382-271- 42
384-343- 17
396-718-319
399- 34-419
933-353- 24
王繼明明 510-457-117
523-498-170
王繼所妻 明 見易氏
王繼美明 511-213-144
528-516- 31
王繼厚妻 清 見李氏
王繼英宋 285-332-268
371-100- 10
382-274- 43
384-340- 17
396-615-309
472-659- 27
477- 75-152
537-389- 57
王繼祖明 554-510-57下
王繼祐清 554-531-57下
王繼桂王繼貴 明 456-631- 10
王繼夏明 545-674-107
558-185- 31
王繼恩張德鈞 宋 288-523-466
382-782-120

384-336- 17
401- 63-576
王繼恩遼 289-707-109
401- 86-579
王繼清清 456-318- 75
王繼康明 458-104- 4
王繼貴明 見王繼桂
王繼業五代 473-623- 77
528-548- 32
王繼漢妻 明 見張氏
王繼遠元 515-617- 76
王繼緒妻 清 見李氏
王繼勳宋(陜州平陸人)
285-403-274
472-466- 20
473-767- 84
532-715- 45
546-476-131
567- 48- 64
王繼勳宋(孝明皇后同母弟)
288-490-463
382-776-119
384-329- 17
400- 35-502
473-387- 65
554- 81- 49
王繼濤宋 285-153-255
396-495-299
王繼禮明 475-563- 79
510-429-116
558-402- 36
王繼鵬閩 見閩康宗
王鶴沖妻 清 見崔氏
王夔龍明 480-463-279
483- 34-371
570-135-21之2
王譽命清 528-546- 32
王闢之宋(臨淄之) 476-112-102
545-369- 97
王闢之宋(字聖涂) 561-352- 41
王蘭生清 474-313- 16
王蘭英唐 獨孤師仁乳母
271-651-193
276-106-205
401-148-589
477-319-164
王蘭香清 512- 31-177
王蘭孫妻 元 見劉氏
王鐵山宋 見王昭遠
王續之明 559-368- 8
569-654- 19
王續生後魏 262-253- 86
267-630- 84
380-119-167
477- 67-151
538-119- 64
933-339- 24
王續宗明 478-550-202
558-420- 37
王續祖齊 265-1045- 73
380-105-167
481- 76-294
王襲芳妻 明 見張氏
王鰲永清 540-840-28之4
王懿奴宋 見萬修
王聽松女 明 見王氏
王鑄鼎清 523-180-154
王鑑之明 472-1073- 45
473-212- 59
524-205-188
524-259-191
532-592- 41
571-521- 19
1261-731- 31
王鑑翁元 524-300-193
1226-478- 23
王麟兒宋 見王章
王麟趾明 537-270- 55
王麟瑞清 529-679- 49
王麟標妻 清 見周氏
王瓚之劉宋 258-269- 66
265-381- 24
933-335- 24
王顯一清 523-442-167
王顯中明 473-784- 85
567-302- 77
1467-185- 69
王顯世宋(迪功郎) 487-510- 7
王顯世宋(興化錄事參軍)
529-735- 51
王顯名明 546-333-126
王顯忠明 505-802- 74
王顯郎宋 見王傑
王顯郎宋 見王堯臣
王顯祖元(字繼先)
1194-712- 14
王顯祖元(杭人) 1221-613- 22
王顯祖明 1458- 70-419
王顯高明 482-390-358
567-120- 67
1467-105- 65
王顯祚清 1318-406- 67
王顯卿元 1201-167- 80
王顯猷妻 清 見陳氏
王顯道宋 821-259- 52
王顯謨清 474-340- 17
479-187-225
481-613-329
505-850- 76
523-379-164
528-499- 30
王體文宋 451- 78- 2
王體乾明 302-298-305
王體復明 545-786-111
549-492-199
王體靚王野人 唐564-614- 56
王體靜唐 1078-118- 4
王巖正王巖楨 清476-125-102
546-715-139
王巖叟宋 286-538-342
382-583- 90
384-379- 19
397-623-357
448-524- 14
449-265- 12
472- 85- 3
472-132- 4
472-519- 22
472-574- 24
472-644- 26
474-650- 34
476-517-127
476-615-133
477- 53-151
505-704- 70
537-242- 55
540-764-28之2
545-176- 89
677-211- 19
708-343- 50
933-357- 24
1437- 17- 1
王巖楨清 見王巖正
王靈之不詳 879-184-58下
王靈賓梁 梁簡文帝后・王騫女 260- 97- 7
265-202- 12
370-555- 18
王靈輿南北朝 533-784- 75
王觀文宋 1112-278- 26
王觀之宋 1105-800- 96
王觀昉明 524-140-185
王觀國宋(字建侯) 484-384- 28
王觀國宋(字賓老) 511-478-155
王纘先清 476-298-112
547- 90-144
王纘爵明 456-530- 6
王讚諦宋 473-447- 68
481-406-313
王鸞沖清 480-509-281
532-711- 45
王子比干比干 商
244- 81- 38
404-413- 24
537- 21- 48
538- 53- 63
550-406-222
1343-731- 53
王子成甫春秋 491-790- 6
王子佞夫春秋 404-480- 28
王子姑曹春秋 485-149- 20
493-794- 43
王努色爾金 見王政
王官無地春秋 545-727-109
王叔陳生王叔簡公 春秋
404-482- 28
王叔簡公春秋 見王叔陳生
王南薩里金 見王政
王孫由于王孫固、由于、吳由于 春秋 384- 26- 1
405- 56- 59
533-350- 59
933-488- 32
王孫彌庸春秋 405-124- 63
485-149- 20
493-794- 43
王蒙固岱元 1198-776- 5
王諾木罕元 見王翰
王諾木歡元 見王翰
王諾色爾金 見王政
王諾摩罕元 見王翰
王實喇巴圖元 見王實喇

王圖嚕布哈女 元 見王延童
王額森布哈妻 元 見孫氏
王庫庫特穆爾元
295-255-166
王阿拉克特穆爾元
295-255-166
399-603-480
五公元(天公、地公、宋公、退公、窮公) 547-525-160
五父公子佗 春秋 371-310- 13
405- 97- 62
五梁伍梁 254-647- 12
377-291-118下
384-515- 22
481-310-307
559-377-9上
591-581- 43
五聖上古 404-383- 23
五觀夏 見觀扈
五十九清 456-355- 77
五龍氏上古 554- 1- 48
五大夫貢戰國 384- 32- 1
五羊仙人唐(騎五羊)
516-500-105
五羖大夫春秋 見百里溪
五鹿充宗漢 677- 59- 5
680-667-285
井丹漢 253-619-113
370-172- 16
380-409-177
472-853- 34
478-201-184
554-863- 64
680-667-285
933-623- 40
1048-441-522
井氏明 李在公妻 506- 13- 86
井氏明 陳國屏妻 506- 13- 86
井氏清 李崑妻 474-196- 9
井充妻 清 見紀氏
井孚明 302- 4-289
483-248-391
511-507-156
571-539- 20
井伯春秋 933-623- 40
井利周 933-623- 40
井宗漢 933-623- 40
井焯妻 明 見紀氏
井焜明 510-459-117
井華妻 明 見王氏
井源明 472-109- 4
井廞清 479-794-254
515-285- 65
井東星明 456-585- 8
545-159- 88
554-527-57下
井計珠清 456-373- 78
井傍女明(被殺井傍)
475-486- 73
井濟博明 537-319- 56
亓旋明 456-658- 11
亓葛明 554-347- 54
亓之偉亓之瑋 明 456-585- 8
476-827-143
540-828-28之3
亓之瑋明 見亓之偉
亓中元明 456-658- 11
亓名儒妻 清 見田氏
亓鳳翔明 456-658- 11
元公子元 春秋 405-101- 62
元五代 1053-626- 15
元宋(嗣德顒) 1053-707- 16
元宋(嗣元祐) 1053-753- 18
元清(姓名不全) 532-200- 29
元叉托跋叉、拓跋叉 後魏
261-255- 16
266-333- 16
375-437-84上
元乞後魏 266-319- 15
375-426-84上
元仁妻 北齊 見斛律皇后
元升金 1191-278- 25
元氏後魏 盧道虔妻
474-189- 9
元氏隋 楊楷妻、元巖女
264-1113- 80
267-728- 91
381- 63-185
477-318-164
538-251- 68
元氏唐 陸翰妻、元寬女
1079-627- 58
元氏唐 賀若瓘妻
1072-255- 12
元氏唐 元誼女 270-678-141
元氏宋 沈播妻 1098-731- 45
元氏明 王德修妻 473-118- 54
元爪後魏 266-336- 16
375-440-84上
元玄托跋玄、拓跋玄 後魏
261-238- 15
266-320- 15
375-427-84上
元永北齊 263-307- 41
267-134- 53
379-406-152
元正後魏 見元子正
元正唐 276- 64-201
400-594-554
元正宋 1053-757- 18
元本元 1222-275- 18
元本明 458-165- 8
537-482- 58
554-336- 54
元丕托跋丕、拓跋丕 後魏(謚平) 261-228- 14
266-312- 15
375-419-84上
544-206- 62
547-146-147
元丕托跋丕、拓跋丕、樂平王 後魏(謚戾) 261-260- 17
266-336- 16
375-440-84上
544-205- 62
元平托跋平、拓跋平 後魏
261-224- 14
266-309- 15
375-416-84上
元旦唐 486- 43- 2
元白清 511-933-175
元汎托跋汎、拓跋汎 後魏
261-281-19上
266-356- 17
375-458-84下
元安後魏 元昭女
1064-291- 10
1064-775- 16
1342-457-963
1400-186- 8
1416- 93-111下
元安唐 480-616-287
554-954- 65
1052-166- 12
1052-668- 6
1053-222- 6
1054-138- 3
元吉宋 1365-597- 上
元羽托跋羽、拓跋羽、廣陵王 後魏 261-339-21上
266-389- 19
375-484-84下
547-173-147
元臣明 1232-219- 3
1232-226- 3
元匡托跋匡、拓跋匡 後魏
261-282-19上
266-359- 17
375-460-84下
476-309-113
545-404- 98
元光宋 482-434-361
567-418- 85
1467-173- 68
元旭元 820-552- 39
元好清 538- 93- 64
元宏北魏 見魏孝文帝
元沖後魏 261-278-19上
266-353- 17
375-455-84下
元亨元孝才 隋 264-838- 54
266-324- 15
375-430-84上
472-744- 29
477-199-159
537-494- 59
552- 48- 19
元亨元 1211-388- 54
元亨妻 明 見靳氏
元志托跋志、拓跋志 後魏
261-232- 14
266-315- 15
375-422-84上
元志金 291-645-119
400-238-519
元志清 1475-969- 41
元均托跋均、拓跋均 後魏(字世平) 261-248- 16
266-330- 16
375-435-84上

552- 26- 18
元均安昌王、托跋均、拓跋均 後魏(謚平) 261-282-19上
266-357- 17
375-459-84下
元君不詳 1061-268-110
元玘宋 486- 46- 2
元劭托跋劭、拓跋劭 後魏
261-362-21下
266-396- 19
375-490-84下
元孚扶風手 後魏 261-267- 18
266-341- 16
375-445-84上
474-600- 31
505-627- 67
552- 26- 18
元角春秋 見角
元注唐 1079-612- 53
元享母 元 見李氏
元怡托跋怡、拓跋怡 後魏
261-317-19下
266-375- 18
375-474-84下
元定北周 263-682- 34
267-391- 69
379-668-159
478-514-200
933-189- 13
元坦元穆、咸陽王、敷城王 後魏 261-336-21上
263-223- 28
266-387- 19
375-482-84下
552- 25- 18
544-205- 62
元坦宋 1053-683- 16
元青明 554-986- 65
元表唐 1052-413- 30
元表後梁 1052-224- 16
元長元 524-419-200
1224-603- 下
1439-458- 2
元來明 511-918-174
516-465-104
元忠後魏 261-282-19上
266-358- 17
375-460-84下
元昌托跋昌、拓跋昌 後魏(托跋禧子) 261-335-21上
266-386- 19
375-482-84下
元昌托跋昌、拓跋昌 後魏(字法顯) 261-264- 18
266-338- 16
375-442-84上
元易宋 1053-589- 14
元旻隋 544-221- 62
552- 48- 19
元和托跋和、拓跋和 後魏
261-252- 16
266-331- 16
375-436-84上
元秉後魏 見元壽興
元延後魏(元徽子)261-320-19下
266-376- 18
375-476-84下
元廷後魏(并州刺史)
545-128- 87
元欣淮陽王、廣陵王 後魏
261-343-21上
266-390- 19
375-486-84下
元恍托跋恍 拓跋恍 後魏
266-403- 19
375-498-84下
元洛後魏 266-319- 15
375-426-84上
元恪北魏 見魏宣武帝
元恒托跋恒、拓跋恒 後魏
261-279-19上
266-354- 17
375-456-84下
元恂托跋恂、拓跋恂 後魏
261-365- 22
266-399- 19
375-494-84下
元袒太原王 後魏
261-336-21上
544-205- 62
元亮後魏 261-252- 16
元亮後魏 見元彧
元亮明 458-168- 8
元軌後魏 261-221- 14
元珍托跋珍、拓跋王珍 後魏
261-226- 14
266-311- 15
375-418-84上
元貞元 1197-621- 64
元昭托跋昭、拓跋昭 後魏
261-238- 15
266-320- 15
375-427-84上
元昭女 後魏 見元安
元晅春秋 404-824- 51
933-189- 13
元胄隋 264-718- 40
267-454- 73
379-757-161
384-151- 8
472-194- 7
933-190- 13
元則後魏 266-357- 17
375-459-84下
元毗北周 266-322- 15
375-429-84上
元英托跋英、拓跋英、中山王 後魏 261-308-19下
266-372- 18
375-472-84下
552- 26- 18
元禹後魏 261-249- 16
元俗漢 505-936- 85
元衎托跋衎、拓跋衎 後魏(字安樂) 261-276-19上
266-351- 17
375-453-84下
554-111- 50
元衎後魏(元瑱子)261-352-21上
元紀後魏 261-303-19中
266-371- 18
375-471-84下
552- 26- 18
元保清(富察氏) 455-414- 25
元保清(彰錦氏) 456- 63- 54
元保清(魏氏) 456-360- 77
元俊托跋俊、拓跋俊、新興王 後魏 261-262- 17
266-337- 16
375-442-84上
544-205- 62
元俊唐 821- 95- 48
元海唐 273-110- 60
元浩後魏 261-250- 16
元浩唐 1052- 71- 6
1054-530- 15
元祐托跋祐、托跋祐 後魏
261-328- 20
266-383- 19
375-479-84下
元祐宋 1052-750- 25
1053-721- 17
元祖宋 1053-710- 16
元祚後魏 266-325- 15
375-432-84上
元悝後魏 261-239- 15
266-322- 15
375-429-84上
元朗托跋朗、托跋朗 後魏
261-303-19中
266-371- 18
375-471-84下
元朗北魏 見魏後廢帝
元悅汝南王 後魏 261-369- 22
266-403- 19
375-497-84下
535-556- 20
元素宋 1053-781- 18
元泰托跋泰、拓跋泰 後魏
261-346-21上
266-392- 19
375-487-84下
元泰清 455-403- 24
元恭北魏 見魏前廢帝
元彧元亮 261-264- 18
266-338- 16
375-442-84上
元珪唐 1052-267- 19
1053- 59- 2
1054-112- 3
1054-459- 13
1341-172-821
元哲夏 546-425-129
元格金 1445-557- 43
元陟後魏 266-321- 15
375-428-84上
元根元吐根、江陽王、托跋根、托跋吐根、拓跋根、拓跋跋吐根 261-254- 16
266-332- 16
375-437-84上
元晏後魏(字俊興)261-321-19下

元晏後魏(元乞子) 266-319- 15
375-426-84上
元矩隋 見元孝矩
元秬唐 1079-625- 57
元修北魏 見魏孝武帝
元悰後魏 261-277-19上
266-352- 17
375-454-84下
元淮元 676-702- 29
1439-422- 1
1468-342- 17
元淨元漢 宋(字無象)
490-721- 70
524-388-198
585-177- 11
585-482- 14
588- 56- 3
588-243- 10
590-140- 17
1054-186- 4
1054-643- 19
1112-252- 23
1109-381-19
1110-242- 10
1112- 777- 24
1431- 37- 2
元淨宋(號雪庭) 1053-841- 19
元郭西魏 見魏恭帝
元深後魏 261-270- 18
266-344- 16
375-448-84上
476-309-113
元淑後魏 266-324- 15
375-430-84上
472-456- 20
476-110-102
545-353 96
元訥唐 820-215- 28
元衮隋 元褒
元康唐 567-467- 87
1052- 43- 4
1467-527- 12
元琇唐 270-468-123
275-139-149
395-742-248
473-729- 82
元彬托跋彬、拓跋彬 後魏
261-320-19下
266-376- 18
375-476-84下
元爽後魏 261-258- 16
266-336- 16
375-440-84上
元通托跋通、拓跋通 後魏
261-335-21上
266-386- 19
375-482-84下
元崇唐 1052-236- 17
元晟北周 544-218- 62
元晟女 北周 見華勝
元晦唐 486- 44- 2
585-750- 3
1467- 18- 62
元略東平王 後魏
261-315-19下
266-374- 18
375-473-84下
547-163-147
587- 41- 4
元常晉 便敬賓妻、常長女
591-533- 41
元晞北齊 263-285- 38
267-174- 55
379-470-154
538-102- 64
元逞托跋逞、托跋逞 後魏
261-281-19上
266-356- 17
375-458-84下
元馗托跋馗、拓跋馗 後魏
261-252- 16
元紹漢 元尼和女 473-529- 72
559-474-11中
元紹托跋紹、拓跋紹 後魏
261-238- 15
266-320- 15
375-427-84上
元偉北周 263-732- 38
266-321- 15
375-428-84上
537-492- 59
元偃後魏 261-280-19 上
266-355- 17
375-457-84下
元統明 676-360- 13
元敏後魏 266-351- 17
375-453-84下
元敏隋 264-921- 63
267-491- 75
379-806-162
元皎唐 1052-345- 24
元斌高陽王 北齊
261-346- 21上
263-224- 28
266-392- 19
375-487-84下
元斌女 北齊 見元玉儀
元斌女 北齊 見元靜儀
元童雲通 元 472-222- 8
1216-577- 11
1386-731- 下
元善元善住 隋 264-1054- 75
266-335- 16
375-439-84上
384-158- 8
472-744- 29
538- 26- 62
元善宋 1053-681- 16
元善元 295-602-197
400-311-526
472-133- 4
474-478- 23
505-912- 81
元善明 478-546-202
元湛後魏(字士淵) 261-273- 18
266-347- 16
375-451-84上
元湛漁陽王 後魏(字鎭興)
261-321-19下
元愉托跋愉、拓跋愉、京兆王、
臨兆王 後魏 261-367- 22
266-401- 19
375-495-84下
552- 25- 18
元敦托跋敦、拓跋敦 後魏
261-227- 14
266-312- 15
375-419-84上
544-206- 62
元雲托跋雲、拓跋雲、任城王
後魏 261-287-19中
266-363- 18
375-463-84下
474-600- 31
475-419- 70
478- 86-180
505-627- 67
554-111- 50
元賀漢 470-328-138
473-455- 68
475-740- 88
559-363- 8
元雅隋 264-808- 50
266-358- 17
375-460-84下
元雅唐 813-216- 2
820-304- 30
元盛托跋盛、拓跋盛 後魏
261-239- 15
266-320- 15
375-428-84上
元盛唐 1342-406-957
元超北平王、定安王 後魏
261-323-19下
266-377- 18
375-477-84下
元堪唐 1052- 83- 7
元肅後魏(元怡子)261-317-19下
266-375- 18
375-474-84下
元肅後魏(元暉子) 264-769- 46
266-325- 15
375-432-84上
元弼托跋弼、拓跋弼 後魏
261-279-19上
266-354- 17
375-456-84下
元弼北齊 263-225- 28
266-323- 15
375-430-84上
元琛托跋琛、拓跋琛 後魏
261-328- 20
266-383- 19
375-479-84下
元琰宋安王 後魏 264-703- 39
266-378- 18
375-477-84下
元琳清 1475-791- 33
元提托跋提、拓跋提 後魏
261-263- 18
266-338- 16
375-442-84上

元凱元 546-689-138
元萇托跋萇、拓跋萇 後魏
261-224- 14
266-309- 15
375-416-84上
477-242-161
元最樂平王 後魏 266-322- 15
375-429-84上
元順托跋順、拓跋順 後魏(字子和) 261-300-19中
266-368- 18
375-468-84下
476-256-110
545-260- 93
元順濮陽王 後魏(字敬叔)
266-321- 15
375-428-84上
元智宋 1185-764- 21
元結唐 275- 66-143
384-214- 11
384-221- 12
395-685-242
459-888- 54
471-1036- 66
472-746- 29
472-802- 31
472-865- 34
473-212- 59
473-297- 62
473-386- 65
473-776- 84
477-311-164
478-243-186
479-610-244
480- 61-260
480-239-269
480-287-271
480-540-283
482-450-362
510-219- 96
532-663- 44
532-713- 45
533-720- 73
471-745- 22
471-762- 24
471-771- 25
471-779- 27
471-785- 28
471-787- 28
471-816- 32
471-883- 42
537-499- 59
554-328- 54
567- 39- 64
568-289-109
674-252-4上
933-190- 13
1071-619- 5
1077-672- 10
1371- 60- 附
1387-673- 46
1467- 14- 62
1472-302- 18
元舒後魏 見元稚
元絳宋 286-546-343
382-525- 81
384-367- 19
397-629-358
471-596- 2
471-647- 10
471-732- 20
471-780- 27
471-904- 45
472-172- 6
472-290- 12
472-966- 38
472-1101- 47
473-143- 56
473-568- 74
475- 69- 52
475-491- 74
479- 49-218
479-285-230
479-710-250
481-801-338
485-186- 25
486- 49- 2
493-913- 49
510-310- 13
515-142- 61
524- 4-178
528-438- 29
563-652- 39
589-329- 4
590-135- 17
674-429- 2
674-819- 17
933-192- 13
1100- 72- 7
1106- 92- 13
1437- 14- 1
元欽托跋欽、拓跋欽 後魏(字思若) 261-276-19上
266-351- 17
375-453-84下
元欽後魏(字世道)261-363-21下
元欽西魏 見魏廢帝
元象宋 547- 41-142
元寘平昌王 後魏 544-205- 62
元亶後魏 375-497-84下
元亶女 北齊 見元皇后
元雍托跋雍、拓跋雍、高陽王 後魏 261-343-21上
266-391- 19
375-486-84下
元詡北魏 見魏孝明帝
元詮托跋詮、拓跋詮 後魏
261-327- 20
266-381- 18
375-478-84下
元詳托跋詳、拓跋詳、北海王 後魏 261-347-21上
266-397- 19
375-491-84下
元項後魏 見元瑱
元瑀後魏 469- 5- 1
元載唐 270-399-118
275- 84-145
384-211- 11
384-219- 12
395-704-244
554-927- 64
556-844-100
820-207- 28
933-191- 13
元楨托跋楨、拓跋楨、南安王 後魏 261-307-19下
266-372- 18
375-471-84下
元瑞托跋瑞、拓跋瑞 後魏
261-237- 15
266-319- 15
375-426-84上
元幹托跋幹、河南王、拓拔幹 後魏 261-336-21上
266-388- 19
375-483-84下
元達元守旻 宋 285-416-275
371-167- 17
396-674-315
472-115- 4
474-438- 21
505-763- 72
元照宋 472-1090- 46
486-902- 35
490-720- 70
588-251- 10
590-140- 17
1054-193- 4
1054-655- 19
元嵩托跋嵩、拓跋嵩 後魏
261-303-19中
266-371- 18
375-471-84下
元暉後魏 261-240- 15
266-322- 15
375-429-84上
544-220- 62
元暉隋 264-768- 46
266-325- 15
375-432-84上
472-744- 29
474-468- 23
477-309-164
537-492- 59
元鼎唐 820-305- 30
元敬明 王罕妻 544-205- 62
元敬宋 524-390-198
元稚元舒 後魏 261-258- 16
265-335- 16
375-439-84上
元毓托跋毓、拓跋毓 後魏
261-338-21上
元賓漢(姓名缺) 493-734- 41
元實宋 1053-605- 14
元誨范陽王 後魏
375-497-84下
元韶北齊 261-362-21 下
263-226- 28
266-396- 19
375-491-84下
元端托跋端、拓跋端 後魏(字

宣雅) 261-346-21上
元端後魏(元孚子) 266-344- 16
375-448-84上
元廓西魏 見魏恭帝
元粹元 524-405-199
元誘托跋誘、拓跋誘 後魏
261-315-19下
元漢宋 見元淨
元榮托跋榮、拓跋榮 後魏
261-252- 16
元熙後魏 261-313-19下
266-373- 18
375-473- 84下
元熙宋 588-209- 9
1207-680- 49
元頊元項、東海王 後魏
261-352-21上
266-399- 19
375-493-84下
元壽隋 264-920- 63
267-491- 75
379-805-162
472-744- 29
480-169-266
537-495- 59
933-190- 13
元監元 505-675- 69
元嘉托跋嘉、拓跋嘉、廣陽王 後魏 261-269- 18
266-344- 16
375-448-84上
544-205- 62
元嵩唐 472-278- 11
元暢博陵王 後魏
261-276-19上
266-351- 17
375-453-84下
元緒托跋緒、拓跋緒 後魏
261-323-19下
元肇宋 1437- 38- 2
元遥托跋遥、拓跋遥 後魏
261-278-19上
266-353- 17
375-455-84下
元寬托跋寬、拓跋寬 後魏
261-363-21下
元寬妻 唐 見鄭氏
元澍妻 清 見李氏
元澄托跋澄、拓跋澄 後魏
261-288-19中
266-363- 18
375-464-84下
474-650- 34
475-741- 88
476-255-110
505-628- 67
547-173-147
1401-431- 32
元誼唐 472-106- 4
474-406- 20
505-674- 69
元誼女 唐 見元氏
元誕托跋誕、拓跋誕 後魏(字曇首) 261-280-19上
266-355- 17
375-457-84下
元誕托跋誕、拓跋誕、昌樂王 後魏(字文發) 261-347-21上
元褒元袠隋 264-808- 50
266-358- 17
375-460-84下
384-154- 8
477-310-164
478-543-202
537-495- 59
540-622- 27
558-188- 31
元慶不詳 見洪那臺
元慧唐(居蓮州寺) 482-291-352
564-620- 56
元慧唐(居空王寺)1052-328- 23
元賢清 530-205- 60
元撫後魏 261-280-19上
266-355- 17
375-457-84下
元穎後魏 266-403- 19
375-498-84下
元勰托跋勰、拓跋勰、始平王、彭城王 後魏 261-353-21下
266-392- 19
375-487-84下
552- 25- 18
元勰女 後魏 見壽陽長公主
元瑾元謹 後魏 261-273- 18
266-348- 16
375-451-84上
元震田震 明 299-125-123
元璉宋 1052-713- 16
1053-461- 11
元稹唐 271-149-166
275-405-174
384-251- 13
384-260- 13
396-159-266
451-443- 4
469- 22- 3
471-625- 6
471-780- 27
471-785- 28
471-994- 59
471-1036- 66
472-746- 29
472-865- 34
472-1066- 45
473-209- 59
477-312-164
486- 44- 2
523- 7-146
538-140- 65
591-703- 50
592-614-100
674-261-4中
674-805- 16
813-224- 3
820-229- 28
933-191- 13
1079-663- 附
1079-667- 附
1080-768- 70
1080-762- 69
1080-768- 70
1342-254-937
1344- 96- 68
1371- 68- 附
1388-237- 62
1473-228- 66
元稹妻 唐 見安仙嬪
元稹妻 唐 見韋叢
元範唐 561-211-38之2
元澹唐 見元行沖
元諧托跋諧、拓跋諧 後魏
261-327- 20
266-382- 19
375-478-84下
元諧隋 264-714- 40
267-452- 73
379-755-161
472-912- 36
558-205- 32
933-189- 13
元懌托跋懌、河間王、拓跋懌、范陽王、清河王 後魏
261-368- 22
266-401- 19
375-496-84下
元諶托跋諶、拓跋諶 後魏
261-338-21上
266-389- 19
375-484-84下
元凝東安王 後魏
261-321-19下
元頤元安壽、托跋頤、托拓安壽、拓跋頤、拓跋安壽 後魏
261-276-19上
266-350- 17
375-452-84下
545-313- 95
元融托跋融、拓跋融 後魏(字叔融) 261-276-19上
266-351- 17
357-453-84下
元融托跋融、拓跋融 後魏(字永興) 261-320-19下
266-376- 18
375-476- 84下
元融唐 見王季川
元樹鄴王 後魏 261-335-21上
266-386- 19
375-482-84下
元穎宋 524-404-199
元靜宋 見道興
元豫北齊 263-309- 41
267-135- 53
537-493- 59
元默玄默、鉉默 明
301-411-260
505-820- 74
1442- 93- 6
1460-539- 66
元曄長廣王、東海王 後魏(字華興) 261-317-19下

266-375- 18
375-474-84下
384-128- 7
元曄桑乾王 後魏(字世茂)
261-336-21上
266-387- 19
375-482-84下
544-213- 62
元曄后 北齊 見爾朱氏
元曉唐 1052- 48- 4
元暹汝陽王 後魏
261-277-19上
266-353- 17
375-455-84下
元叡托跋叡、拓跋叡 後魏
261-347-21上
元篤後魏 261-250- 16
元錫唐 820-239- 28
元穆後魏 見元坦
元謐托跋謐、拓跋謐 後魏
261-337-21上
266-388- 19
375-483-84下
元禧托跋禧、拓跋禧、咸陽王 後魏 261-331-21上
266-384- 19
375-480-84下
552- 25- 18
元禧女 後魏 見上庸公主
元濟唐 1356-834- 3
元謙托跋謙、拓跋謙 後魏
261-252- 16
元燮托跋燮、拓跋燮 後魏
261-323-19下
266-377- 18
375-477-84下
478-333-191
554-112- 50
元懋北平王 後魏 266-321- 15
375-428-84上
元聰宋 588-226- 10
1169-734- 18
元翼托跋翼、拓跋翼、咸陽王 後魏 261-335-21上
266-386- 19
375-482-84下
元曖隋 472-307- 13
510-407-115
元嶷後魏 261-239- 15
266-322- 15
375-429-84上
元徽托跋徽、拓跋徽 後魏
261-318-19下
266-375- 18
375-475-84下
547-198-148
元謹後魏 見元瑾
元禮北周 814-263- 8
元禮宋 1053-822- 19
元璹元燾 宋 1176-823- 6
元燾宋 見元璹
元醫漢 470-243-126
元彝托跋彝、拓跋彝 後魏
261-300-19中
266-368- 18
375-468-84下
元蒖唐 484- 86- 3
元簡托跋簡、拓跋簡 後魏
261-328- 20
266-383- 19
375-478-84下
元濬原濬 明 524-419-200
588-196- 9
676-678- 28
1229-340- 12
1442-118- 8
1460-834- 90
元譚托跋譚、拓跋譚 後魏
261-338-21上
266-389- 19
375-484-84下
元懷托跋懷、拓跋懷 後魏
261-369- 22
266-402- 19
375-497-84下
元懷女 後魏 見平陽公主
元懷女 北周 見元皇后
元麗托跋麗、拓跋麗、濟南王 後魏(托跋崇子) 261-262- 17
266-337- 16
375-441-84上
元麗托跋麗、拓跋麗 後魏(子寶掌) 261-280-19上
266-355- 17
375-457-84下
元羅江陽王 後魏 261-258- 16
266-335- 16
375-440-84上
元贊托跋贊、拓跋贊 後魏
266-323- 15
375-430-84上
544-109- 62
元贍托跋贍、拓跋贍 後魏
261-305-19中
元纂托跋纂、拓跋纂 後魏
261-253- 16
266-332- 16
375-437-84上
元繼江陽王、托跋繼、拓跋繼、京兆王 後魏 261-254- 16
266-332- 16
375-437-84上
552- 25- 18
元顥托跋顥、拓跋顥 後魏
261-350-21上
266-399- 19
375-493-84下
元鐸元 1201-169- 80
元襲北齊 261-362-21下
元鷙托跋鷙、拓歧鷙、華山王 後魏 261-223- 14
266-308- 15
375-416-84上
544-212- 62
552- 26- 18
元鑒托跋鑒、拓跋鑒 後魏(字紹達) 261-251- 16
266-331- 16
375-436-84上
540-622- 27
475-419- 70
元鑒托跋鑒、拓跋鑒 後魏(字長文) 261-327- 20
266-382- 19
375-478-84下
元儼後魏 261-227- 14
266-312- 15
375-419-84上
元儼五代 1053-296- 7
元巖隋 264-906- 62
264-1113- 80
267-483- 75
379-796-162
384-152- 8
472-744- 29
477-310-164
481- 15-291
537-495- 59
544-221- 62
559-245- 6
591-671- 47
933-190- 13
元巖女 隋 見元氏
元讓唐 271-521-188
275-628-195
384-188- 10
400-286-523
478-390-193
494- 37- 3
554-751- 62
元靄宋 592-719-108
812-458- 1
812-540- 3
821-262- 52
元蠻北齊 263-375- 48
266-336- 16
375-440-84上
元蠻女 北齊 見元皇后
元觀唐 1052-127- 9
元讞托跋讞、拓跋讞 後魏
261-338-21上
266-389- 19
375-484-84下
元鬱托跋鬱、拓跋鬱 後魏
261-279-19上
266-354- 17
375-456-84下
元鸞托跋鸞、拓跋鸞 後魏
261-317-19下
266-375- 18
375-474-84下
544-205- 62
元士將後魏 266-323- 15
375-430-84上
元子正元正、始平王 後魏
261-363-21下
552- 25- 18
元子孝後魏 261-277-19上
266-352- 17
375-454-84下
元子攸北魏 見魏孝莊帝
元子直托跋子直、拓跋子直、

陳留王 後魏 261-362-21下
元子思托跋子思、拓跋子思 後魏 261-225-14
266-310-15
375-417-84上
元子推托跋子推、京兆王、拓跋子推 後魏 261-277-19上
266-352-17
375-454-84下
478-86-180
552-25-18
554-111-50
元子晳唐 473-111-54
515-166-62
元子華托跋子華、拓跋子華 後魏 261-224-14
266-309-15
375-417-84上
476-515-127
元大曹托跋大曹、拓跋大曹 後魏 261-223-14
266-308-15
375-416-84上
544-206-62
元大器托跋大器、拓跋大器 後魏 261-224-14
266-309-15
375-416-84上
元文宗圖卜特穆爾 292-460-32
393-170-67
532-88-26
819-597-20
1439-419-1
元文宗后 見布達實哩
元文都隋 264-1019-71
266-357-17
375-459-84下
元文遥高文遥 北齊 263-285-38
267-174-55
379-470-154
384-138-7
472-744-29
477-169-157
477-309-164
537-493-59
544-217-62
933-189-13

元太宗烏格台、諤格德依 292-20-2
393-12-57
元太宗后 見托里格納
元太宗女 見蘇爾噶汗
元太祖特穆津 292-4-1
393-1-57
元太祖后 見布爾特格勒津
元太祖女 見阿嘍罕必濟
元太興後魏 見僧懿
元天琚托跋天琚、拓跋天琚 後魏 261-250-16
元天穆上黨王 後魏 261-226-14
266-311-15
375-418-84上
544-205-62
元仁宗阿裕爾巴里特喇 292-352-24
393-124-64
819-597-20
元仁宗后 見阿南達實哩
元仁惠唐 563-641-38
1065-863-22
1340-672-790
元仁器後魏 264-769-46
266-325-15
375-432-84上
元永平托跋永平、拓跋永平 後魏 261-324-19下
元永全後魏 見元思譽
元玉儀琅邪公主 北齊 齊文襄帝妃、元斌女 266-293-14
373-109-20
元弘嗣隋 264-1051-74
267-671-87
380-243-171
元石都後魏 544-206-62
元世祖呼必賚 292-35-4
393-21-58
1439-419-1
元世祖后 見徹伯爾
元世祖后 見諾爾布
元世祖女 見伊埒
元世祖女 見囊嘉特章
元世儁托跋世儁、拓跋世儁 後魏 261-305-19中
266-372-18
375-471-84下
元世遵托跋世尊、拓跋世遵 後魏 261-248-16
266-330-16
375-435-84上
352-560-40
元尼和女 漢 見元紹
元仙德後魏 544-208-62
元守全宋 288-410-456
400-299-524
478-123-181
元守旻宋 見元達
元安壽後魏 見元頤
元吐根後魏 見元根
元伏羅托跋伏羅、拓跋伏羅、晉王 後魏 261-263-18
266-338-16
375-442-84上
544-205-62
元全柔唐 1076-110-12
1076-566-12
1077-136-12
元好古金 1191-279-25
1365-357-10
1445-564-43
元好問金 291-717-126
400-695-566
472-438-19
472-766-30
476-210-107
476-310-113
477-482-173
505-930-84
537-314-56
538-327-69
546-377-127
549-410-196
550-160-215
550-550-224
550-560-224
676-697-29
1191-473-附
1192-393-35
1198-784-5
1439-12-附
1445-800-63
1468-3-1

元仲文唐 274-167-88
395-255-203
元仲淵後魏 261-252-16
元仲景後魏 261-277-19上
266-352-17
375-454-84下
537-295-56
元行如高行如 北齊 263-286-38
267-175-55
379-471-154
元行沖元澹 唐 270-250-102
276-33-200
384-189-10
384-205-11
400-422-539
472-746-29
477-311-164
538-26-62
933-192-13
元行恭高行恭 北齊 263-286-38
267-175-55
379-471-154
814-261-8
820-122-25
933-189-13
元行欽李紹榮 後魏 272-155-25
277-572-70
384-302-16
396-357-284
933-192-13
1383-736-66
元忻之後魏 261-248-16
元宋和元 1196-214-11
元成宗特穆爾 292-252-18
393-89-62
元成宗后 見布爾罕
元成宗后 見實哩達喇
元成宗女 見阿爾默色
元成壽隋 264-704-39
266-378-18
375-477-84下
元孝才隋 見元亨
元孝友淮陽王 後魏 261-266-18
263-224-28

266-340- 16
375-444-84上
537-493- 59
元孝矩元矩 隋 264-807- 50
266-357- 17
375-459-84下
472-744- 29
510-469-117
537-495- 59
552- 48- 19
元伯宗後魏 261-252- 16
元希聲唐 820-156- 26
1065-850- 21
1341-736-898
元宗孔明 532-727- 46
元宗簡唐 1080-743- 68
1405-662-304
元法壽托跋法壽、拓跋法壽 後魏 261-249- 16
266-330- 16
375-435-84上
元法僧後魏 260-327- 39
261-249- 16
266-330- 16
375-435-84上
元法輪後魏 261-273- 18
266-348- 16
375-451-84上
元定宗庫格克 292- 25- 2
393- 15- 57
元定宗后 見烏拉海額實
元定宗安 見雅克默色
元武宗哈尚 292-312- 22
393-108- 63
元武宗后 見伊奇哩皇后
元武宗后 見珍格
元武宗后 見唐古皇后
元武宗后 見蘇喀實哩
元拔干托跋拔干、拓跋拔干後魏 261-243- 15
266-326- 15
375-433-84上
505-667- 69
元居中宋 820-356- 32
元奉宗宋 523-425-167
590-135- 17
1089-687- 12
元長生後魏 261-226- 14
266-311- 15
375-418-84上
元長命後魏 261-282-19上
266-358- 17
375-460-84下
元長春後魏 261-324-19下
元長淵後魏 261-249- 16
元明宗和實拉 292-453- 31
393-166- 67
元明宗后 見班布爾實皇后
元明宗后 見瑪里達
元明善元 295-430-181
399-719-492
453-787- 3
472-116- 4
474-440- 21
479-450-237
505-889- 79
515- 27- 57
678-167- 86
820-504- 37
1192-506- 3
1192-559- 10
1197-621- 64
1206-608- 11
1210-311- 8
1367-883- 67
1373-264- 18
1439-426- 1
1470-189- 7
元叔仁托跋叔仁、拓跋叔仁 後魏 261-315-19下
547-182-148
元叔遵後魏 261-324-19下
元季川元融 唐 1387-702- 46
元季方唐 276- 65-201
400-594-554
元季海托跋季海、拓跋季海、馮翊王 後魏 266-324- 15
375-430-84上
552- 26- 18
元季偉後魏 261-252- 16
元延明托跋延明、拓跋延明 後魏 261-329- 20
266-384- 19
375-479-84下
元延祖唐 275- 66-143
395-685-242
537-498- 59
1071-619- 5
元洪威托跋洪威、拓跋洪威 後魏 261-223- 14
266-308- 15
375-416-84上
元洪超托跋洪超、拓跋洪超 後魏 261-243- 15
266-326- 15
375-433-84上
元宣洪後魏 261-248- 16
元彥沖唐 486- 42- 2
元胡摩北周 周孝閔帝后、魏文帝女 263-470- 9
266-298- 14
373-113- 20
554- 19- 48
元陋興後魏 544-208- 62
元珍平後魏 261-324-19下
元思永明 545-191- 90
元思明元 505-705- 70
元思敬唐 271-566-190上
元思譽元永全、托跋永全、托跋思譽、拓跋永全、拓跋思譽 後魏 261-321-19下
266-377- 18
375-476-84下
元昭業後魏 261-280-19上
263-226- 28
266-355- 17
375-457-84下
元昭嘏後蜀 820-321- 31
元英宗碩迪巴拉 292-392- 27
393-142- 65
819-597- 20
元英宗后 見蘇克巴拉
元皇后北齊 齊文襄帝后、元亶女 263- 75- 9
266-293- 14
373-108- 20
元皇后步六孤皇后 北齊 齊孝昭帝后、元蠻女 263- 76- 9
266-294- 14
373-110- 20
元皇后北周 周文帝后、張歡妻、元懷女 263-470- 9
266-298- 14
373-113- 20
元庭堅唐 592-530- 94
元城王魏 見曹禮
元時忱宋 510-484-118
元修伯北周 263-328- 43
元修義托跋修義、拓跋修義 後魏 261-281-19上
266-356- 17
375-458-84下
元務光母 隋 見盧氏
元莫之唐 1079-626- 57
1410-290-702
元滋新金 1191-277- 25
元斌之托跋斌之、拓跋斌之 後魏 261-327- 20
266-382- 19
375-478-84下
元善見東魏 見魏孝靜帝
元善住隋 見元善
元惠宗托歡特穆爾 292-538- 38
393-195- 69
819-597- 20
1439-419- 1
元惠宗后 見布延呼圖克
元惠宗后 見喇特納實哩
元惠宗后 見諤勒哲呼圖克
元陽子上古 1061-203-104
元陽子晉 476-534-128
541- 86- 30
元景山隋 264-703- 39
266-378- 18
375-477-84下
475-776- 89
477-309-164
480-199-237
510-278-112
元景安高景安 北齊 263-307- 41
267-134- 53
379-406-152
477-408-169
537-493- 59
933-189- 13
元景仲梁 260-328- 39
266-331- 16
375-436-84上

494-285- 3
元景略托跋景畧、拓跋景略 後魏 261-322-19下
266-377- 18
375-476-84下
元景隆宋王、彭城王 梁 260-328- 39
266-331- 16
375-436-84上
元景皓北齊 263-309- 41
267-135- 53
379-406-152
537-493- 59
元景懷唐 1065-866- 23
元集虛唐 516-215- 96
563-918- 43
元貴平東萊王 後魏 261-324-19下
元義方唐 276- 65-201
400-594-554
元義興武邑王、鉅鹿王 後魏 261-317-19下
元道子後魏 266-319- 15
375-426-84上
元萬頃唐 271-573-190中
276- 64-201
384-190- 10
400-593-554
933-192- 13
元暉業後魏 261-279-19上
263-226- 28
266-355- 17
375-457-84下
元敬先後魏 261-248- 16
元寧宗伊塛哲伯 292-534- 37
393-194- 68
元寧宗后 見塔哩雅圖默色
元壽興元乗、托跋乗、托跋壽興、拓跋乗、拓跋壽興 後魏 261-239- 15
266-321- 15
375-428-84上
元圖們元 見約尼圖們
元慶和托跋慶和、拓跋慶和 後魏 261-281-19上
266-356- 17
375-458-84下
元慶智後魏 261-249- 16
266-330- 16
375-435-84上
元德秀唐 271-597-190下
275-616-194
384-204- 11
400-322-527
496- 22- 3
472-746- 29
472-801- 31
474-406- 20
477-299-163
477-311-163
477-498-174
505-674- 69
537-498- 59
538-666- 79
839- 48- 4
871-893- 19
933-191- 13
1054-477- 13
1072-373- 2
1072-413- 3
1344-111- 69
1410-229-691
1410-250-694
元德明金 291-717-126
400-695-566
476-310-113
546-377-127
546-721-139
1191-473-附
1365-351- 10
1439- 8-附
元德昭危德昭 五代 515-816- 83
523- 8-146
590-135- 17
元樂平康王 後魏 261-282-19上
266-358- 17
375-460-84下
元樂尚北周 見華勝
元憲宗莽賚扣 292- 27- 3
393- 15- 57
元憲宗后 見呼圖克台
元凝子明 541- 98- 30
元靜儀北齊 崔括妻、齊文襄帝妃、元斌女 266-293- 14
373-109- 20
元積中宋 488-394- 13
488-396- 13
元懷景唐 1342-274-940
元願平托跋願平、拓跋願平 後魏 261-323-19下
266-378- 18
375-477-84下
元願達梁 260-328- 39
元羅侯托跋羅侯、拓跋羅侯 後魏 261-259- 16
266-336- 16
375-440-84上
元寶月後魏 261-368- 22
266-401- 19
375-496-84下
元寶炬北齊 見魏文帝
元顯和後魏 261-281-19上
266-356- 17
375-458-84下
510-277-112
元顯恭托跋顯恭、拓跋顯恭 後魏 261-320-19下
544-211- 62
552- 26- 18
元體中明 456-543- 7
529-631- 48
元台普濟元 見奇塔特布濟克
元始天王上古 1061-168-101
元泰定帝伊蘇特穆爾 292-418- 29
393-153- 66
819-597- 20
元泰定帝妃 見巴罕
元泰定帝后 見巴拜哈斯
元泰定帝妃 見蘇喀達喇
元珠先生唐 742- 35- 1
元在菴主人宋 585-780- 7
无可清 1313-101- 9
屯布清 455-174- 8
屯台清 455-289- 17
屯度後蜀 933-206- 14
屯泰清(赫舍里氏) 455-194- 9
屯泰清(納喇氏) 455-395- 24
屯泰清(完顏氏) 455-467- 28
屯泰清(鄂卓氏) 455-658- 46
屯泰清(喀爾拉氏) 456- 52- 53
屯莫漢 933-206- 14
屯齊清 454-198- 11
502-425- 67
屯鐸清 455-163- 7
屯布祿清(伊爾根覺羅氏) 455-230- 12
屯布祿清(吳雅氏) 455-474- 29
屯布祿清(伊拉理氏) 455-673- 47
屯布魯清(舒穆祿氏) 455-156- 6
屯布魯清(兆佳氏) 455-503- 31
屯珠瑚清 455-303- 18
屯特濟清 455-273- 15
屯屠何休蘭尸逐侯鞮單于 漢 253-708-119
381-625-199
屯齊理清 455-195- 9
比呼韓邪單于 漢 253-701-119
381-620-199
比干商 見王子比干
扎什札什 清 454-383- 23
496-216- 76
扎布清 454-771- 87
扎努清(他塔喇氏) 455-217- 11
扎努清(李佳氏) 455-529- 33
扎努清(烏朗哈氏) 502-605- 76
扎林清 455-557- 36
扎哈青哈 元 294-243-120
399-367-451
1211-657- 10
扎海清 455-302- 18
扎秦(伊爾根覺羅氏) 455-270- 15
扎秦清(阿哈覺羅氏) 455-305- 18
扎實元 見瞻思
扎齊清 455-607- 41
扎濟清 455- 57- 1
扎蘇清 455-625- 43
扎木山清 見札木三
扎木素清 454-402- 26
496-217- 76
扎木參清 500-728- 37
扎木揚清 454-489- 43
扎木禪清 454-946-115
扎克三清 455-272- 15

扎克丹清 455-601- 40
扎克蘇清 455-347- 21
扎努喀清 455-629- 43
扎拉古元 見塔斯
扎拉台元 294-403-133
399-536-473
扎呼岱元 294-435-135
399-675-487
扎易薩清 502-479- 69
扎哈理清(瓜爾佳氏)
455-116- 4
扎哈理清(伊爾根覺羅氏)
455-272- 15
扎哈達清 455-539- 34
扎唐阿清 455-286- 16
扎庫尼清(瓜爾佳氏)
455- 57- 1
扎庫尼清(烏蘇氏) 455-569- 37
扎庫納清 455-539- 34
扎庫達清 455-601- 40
扎淩阿清 455-591- 39
扎理穆清 455-559- 36
扎通阿清 455-114- 4
扎崑朱清 455-223- 11
扎普諾清 456- 10- 50
扎普薩清 455-295- 17
扎揚阿清 455-516- 32
扎喀納清 454-206- 11
扎實結金 291-297- 91
399-183-432
扎齊巴清 455-151- 6
扎爾斗清 455-517- 32
扎爾祚清 455- 55- 1
扎爾圖清 455-553- 35
扎穆太清 456- 10- 50
扎薩克元 506-317- 97
扎薩拉清 455-116- 4
扎古喇沁元 見札克勒沁
扎拉豐阿色布騰多爾濟 清
454-388- 24
496-216- 76
扎忽魯台明 見卓郭勒台
扎爾虎齊清 455-114- 4
扎爾胡濟清 455-688- 49
扎爾瑚納清 455- 42- 1
扎那噶爾布清 500-726- 37
扎瑪魯迪音女 明 見月娥
扎薩克郡王清 見班第
扎什那木塔爾清 496-219- 76
扎拉台綽和爾元
294-276-123
399-351-449
扎拉庫哈思瑚清 455-399- 24
巴山清 502-442- 68
巴斗清 456-109- 57
巴什清(富察氏) 455-447- 27
巴什清(吳雅氏) 455-476- 29
巴什清(索濟雅喇氏)
456-164- 62
巴古清 455-620- 42
巴本清(瓜爾佳氏) 455- 36- 1
巴本清(蘇佳氏) 455-680- 48
巴本清(阿克占氏) 456- 51- 53
巴有清 456- 37- 52
巴弁漢 370-208- 21
巴多清 455-205- 10
巴罕必罕 元 元泰定帝妃、滿濟勒噶女、邁珠罕女
294-186-114
393-349- 80
巴罕元 294-435-135
399-675-487
巴罕保罕 明 496-626-106
巴希清 502-725- 84
巴松清 455-268- 15
巴拉元 295-565-193
400-247-520
巴林清(瓜爾佳氏) 455- 45- 1
502-726- 84
巴林清(他塔喇氏) 455-215- 11
巴林清(伊爾根覺羅氏)
455-231- 12
巴林清(碧魯氏) 455-520- 32
巴林清(烏色人) 456- 7- 50
巴金清 456-209- 66
巴岱清(瓜爾佳氏) 455- 83- 3
巴岱清(伊爾根覺羅氏)
455-261- 15
巴岱清(納喇氏) 455-366- 22
巴岱清(札拉理氏) 456- 20- 51
巴延元(諡忠武) 294-323-127
399-482-466
408-1036- 附
451-510- 2
523- 20-147
525- 26-217
1206-119- 15
1267-290- 24
1439-420- 1
巴延元(河西人) 294-404-133
399-537-473
558-374- 36
巴延伯顏、浚寧王、秦王 元(默爾吉濟特氏) 294-472-138
399-774-497
552- 72- 19
1206-643- 14
1373-282- 19
巴延巴顏、布顏、師聖 元(字宗道) 295-543-190
400-576-553
453-784- 2
472-134- 4
474-479- 23
505-858- 77
540-641- 27
540-782-28之2
巴延元(托克托孫) 510-479-118
巴延元～明 見巴延子中
巴柱清 455-148- 6
巴哈清 455- 37- 1
502-446- 68
巴拜元 544-239- 63
545-400- 98
巴拜明 569-617-18下之2
巴拜清(鑲黃旗人) 455- 57- 1
巴拜清(鑲藍旗人) 455- 66- 2
巴拜清(白都訥人) 455-120- 4
巴拜清(西拉木楞地方人)
456-199- 66
巴拜清(龔吉爾氏) 456-240- 68
巴拜清(博碩氏) 456-252- 69
巴海把愛 明 496-627-106
巴海清(博爾濟吉特氏)
454-528- 50
巴海清(舒舒覺羅氏)
455-286- 16
巴海清(兆佳氏) 455-505- 31
巴海清(章佳氏) 455-601- 40
巴海清(瓜爾佳氏) 502-305- 57
巴祇漢 402-456- 10
933-297- 21
巴朗元 294-298-124
399-373-452
巴朗清(博爾濟吉特氏)
454-532- 51
巴朗清(納木札勒長子)
454-681- 75
巴朗清(科本氏) 456-233- 68
巴朗清(庫布特氏) 456-239- 68
巴泰清 502-681- 80
巴班清(納喇氏) 455-362- 22
巴班清(富察氏) 455-451- 27
巴格清(薩克達氏) 455-554- 35
巴格清(噶濟勒氏) 455-646- 45
巴格清(賽音薩爾圖氏)
456- 94- 56
巴珠清 456-282- 71
巴桑清(色布騰子) 454-838- 96
500-725- 37
巴桑清(伊克明安氏)
454-940-115
500-728- 37
巴倫清 455-564- 36
巴都清 502-734- 84
巴琅清 502-592- 76
巴喜清 456-255- 69
巴肅漢 253-367- 97
384- 68- 3
402-492- 12
472- 66- 2
472-788- 31
474-337- 17
476-609-133
505-743- 72
505-850- 76
540-637- 27
933-297- 21
巴棣清 455-119- 4
巴喇清 456-209- 66
巴準清 455-517- 32
巴瑚清 456-121- 58
巴塔清 455- 89- 3
巴輅清 502-569- 74
巴達清 502-597- 76
巴實清 455-388- 23
巴寧戰國 546-436-129
巴寧清 455-268- 15
巴爾清(綽囉斯氏) 454-846- 98
巴爾清(把岳忒氏) 456-231- 68
巴爾清(科爾親氏) 456-273- 70
巴圖伯都 元(諡元獻)
294-260-121
399-522-470
472-944- 37
478-452-197

478-612-205
1197-629- 64
1210-310- 8
巴圖元(齊蘇子) 294-456-137
399-687-488
巴圖元(順慶人) 473-456- 68
巴圖清(章佳氏) 455-599- 40
巴圖清(札拉爾氏) 456-245- 68
巴圖清(林沁子) 496-219- 76
巴圖清(正黄旗人) 502-597- 76
巴賚清 455-188- 9
巴賴清 456-255- 69
巴錫清(兆佳氏) 455-505- 31
巴錫清(蒙古楚氏) 456-103- 57
巴賽清(謚襄愍) 454-204- 11
巴賽清(達爾充阿氏)
456-118- 58
巴賽清(鑲黄旗人) 502-447- 68
巴禧清 455-362- 22
巴顏元　見巴延
巴顏清(瓜爾佳氏) 455-119- 4
巴顏清(鑲白旗人) 455-358- 22
巴顏清(正白旗人) 455-403- 24
巴顏清(富察氏) 455-439- 26
巴顏清(錫克特理氏)
455-538- 34
巴顏清(徐吉氏) 456-118- 58
巴顏清(把岳忒氏) 456-233- 68
巴顏清(李氏) 502-670- 80
巴黨清 456-268- 70
巴蘇清 455-179- 8
巴蘭清(鑲白旗人) 456-212- 66
巴蘭清(博爾濟錦氏)
502-569- 74
巴山王陳　見陳叔雄
巴扎納元 294-448-136
399-683-488
巴古拉巴古喇、把胡魯、博豁里 金 291-517-108
399-278-441
476-113-102
554-157- 51
巴古喇金　見巴古拉
巴布尼清 455-335- 20
巴布哈清(西林覺羅氏)
455-293- 17
巴布哈清(章佳氏) 455-600- 40
巴布海清 502-609- 76
巴布泰清 454-193- 11
502-425- 67
巴布理清 455-274- 15
巴布善清 455-220- 11
巴布喀清 455- 44- 1
巴米達清 456-100- 57
巴良弼金 400-239-519
巴克什清 455-265- 15
巴克什清　見索尼
巴克塔清 455-600- 40
巴克實元 820-529- 38
巴克薩清 455-694- 49
巴奇理清 455-114- 4
巴奇蘭清 455-398- 24
474-759- 41
502-543- 73
巴東王陳　見陳叔謨
巴彥圖清 456-101- 57
巴胡達清 455- 79- 2
巴柳庫清 455-600- 40
巴思明明 476-528-128
540-804-28之3
巴思哈清 454-172- 9
巴思漢清 455- 96- 3
巴哈布清 545-113- 86
巴哈哈清 456- 89- 56
巴哈納清(温察氏) 455-683- 48
巴哈納清(塔穆察氏)
456- 85- 56
巴哈塔清 455-261- 15
巴哈達清(培佳氏) 456-118- 58
巴哈達清(把岳忒氏)
456-233- 68
巴哈達清(正白旗人)
456-333- 76
巴哈親清 456- 74- 55
巴咱爾元(字思齊) 493-753- 41
巴咱爾元(江西行省平章政事)
1207-579- 41
巴星阿清 455-625- 43
巴晉泰清 456- 61- 54
巴珠納清 456-232- 68
巴哩雅元 493-755- 41
510-402-115
523-199-155
巴哩察元 294-442-136
399-680-488
1206-122- 15
巴特瑪清(鄂齊爾桑子)
496-219- 76
巴特瑪清(博爾濟吉特氏)
502-582- 75
巴倫達清 455-691- 49
巴章武清 456-239- 68
巴都哩巴篤理　清455-308- 19
474-755- 41
502-734- 84
巴都哩清　見巴都理
巴都理巴都哩　清455-628- 43
502-578- 75
巴都瑚清 456-219- 67
巴勒巴巴勒丹　元
294-426-134
399-547-474
巴勒丹元　見巴勒巴
巴勒布元　見阿爾尼格
巴務相廩君　先秦381-535-197
591-498- 40
巴陵王劉宋　見劉休若
巴陵王晉　見蕭子倫
巴陵王齊　見蕭昭秀
巴陵王齊　見蕭寶義
巴通阿清(郭絡羅氏)
455-512- 32
巴通阿清(烏蘇氏) 455-569- 37
巴得馬清 456-245- 68
巴普濟清 456-294- 72
巴雅拉清 455-643- 45
巴雅理清 455-364- 22
巴雅喇清 454-159- 9
502-418- 67
巴雅爾清(封輝特汗)
500-728- 37
巴雅爾清(哈爾濟諾特氏)
502-605- 76
巴雅鼐清 456-251- 69
巴雅賴清 455- 91- 3
巴斯克清 456-117- 58
巴揚古清 455- 96- 3
巴揚阿清(薩克達氏)
455-552- 35
巴揚阿清(葉穆氏) 456- 51- 53
巴喀瑪清 456- 36- 52
巴喇珠元 399-679-487
巴喇葛妻　元　見阿嘍罕必濟
巴喇寧清 456-186- 64
巴楞太清 455-583- 38
巴達納清 455-476- 29
巴達瑪清 456-280- 71
巴達穆清 455- 56- 1
巴達禮清 454-348- 17
巴當阿清 455-364- 22
巴寧阿清(舒舒覺羅氏)
455-286- 16
巴寧阿清(賜昆都爾巴圖魯號)
1304-260- 64
巴滿岱清 455-364- 22
巴爾丹清(額爾德尼子)
496-217- 76
巴爾丹清(巴特瑪拉什子)
496-218- 76
巴爾本清 455-512- 32
巴爾布清 455-554- 35
巴爾台明　見蔣信
巴爾奇清 455-412- 25
巴爾岱清 455-476- 29
巴爾柱清 455-473- 29
巴爾泰清(伊爾根覺羅氏)
455-271- 15
巴爾泰清(薩克達氏)
455-546- 35
巴爾泰清(沙岳特氏)
456-269- 70
巴爾都清(瓜爾佳氏)
455- 55- 1
巴爾都清(兀札喇氏)
455-485- 30
巴爾斯元 1439-442- 2
巴爾斯把兒孫　明
496-628-106
巴爾堪清 454-203- 11
巴爾喀清 455-365- 22
巴爾準清(錫克特理氏)
455-537- 34
巴爾準清(薩克達氏)
455-551- 35
巴爾達清 456-118- 58
巴爾漢清 455- 75- 2
巴爾瑪清 456-120- 58
巴爾嘉清 456-102- 57
巴爾圖清(瑚錫理氏)
456-103- 57
巴爾圖清(石佳氏) 456-194- 65

巴爾圖清(兀札喇氏) 456-281- 71
巴爾賽清(瓜爾佳氏) 455- 98- 3
巴爾賽清(富察氏) 455-414- 25
巴爾濟清 500-727- 37
巴圖虎清 455-466- 28
巴圖理清 456- 22- 51
巴圖瑚清 455-618- 42
巴圖爾元(謚武靖) 294-229-119
399-328-447
巴圖爾拔都兒 元(阿蘇特氏)
294-395-132
399-528-471
496-403- 89
巴圖爾元 見諤勒哲圖
巴圖爾元 見錦濟勒
巴圖魯清 455-119- 4
巴蔓子戰國 471-1007- 61
473-477- 69
481-115-296
533-350- 59
559-508- 12
591-619- 45
巴篤理清 見巴都哩
巴濟拉元 294-396-132
399-528-471
554-197- 52
巴顏宗清 455- 70- 2
巴顏岱清 456-290- 72
巴顏齊清 456-232- 68
巴顏圖清(鈕祜祿氏)
455-137- 5
巴顏圖清(吳雅氏) 455-475- 29
巴顏錫清 455-256- 14
巴薩理清 455-553- 35
巴薩禮清 502-741- 85
巴蘇呼元 523-153-153
巴扎哈雅巴札哈雅 元
545-374- 97
549-650-205
巴木巴爾清 454-867-103
500-729- 37
巴札哈雅元 見巴扎哈雅
巴克札喀八札海牙 元
476-113-102
巴克巴海清 454-478- 41
巴克西哈清 455-553- 35
巴克貝勒清 456-204- 66
巴克坦布清 455-195- 9
巴克塔喀清 456-107- 57
巴延子中巴延、伯顏子中
元～明 299-143-124
400-281-522
473- 23- 49
479-488-239
515-346- 67
1280-400- 85
1439-450- 2
1470-575- 18
巴延布哈元 見巴延布哈德濟
巴延布哈元 見布延布哈
巴延楚克清 500-727- 37
巴延徹爾元 523-129-152
巴哈察爾清 455-120- 4
巴拜哈斯元 元泰定帝后鄂蘭徹爾女 294-186-114
393-349- 80
巴勒達爾清 454-591- 62
巴陵公主唐 見北景公主
巴雅拉呼清 500-727- 37
巴雅爾岱清 456-281- 71
巴雅爾圖清 455-228- 12
502-728- 84
巴喇密特元 見帕克斯巴
巴達巴顏清 455-214- 11
巴達爾堪清 455-199- 10
巴達穆札清 456-236- 68
巴爾布哈拔思博化 元
476-395-119
巴爾布哈清 455-205- 10
巴爾奇蘭清 455-591- 39
巴爾東阿清 455-694- 49
巴爾佳納清 455-662- 46
巴爾度禪清 502-450- 68
巴爾哈善清(瓜爾佳氏)
455- 98- 3
巴爾哈善清(巴雅拉氏)
455-582- 38
巴爾都喜清 455-591- 39
巴爾瑚楞清 456-265- 70
巴爾達善清 455-573- 37
巴爾達齊清 455-559- 36
巴圖木克清 455- 86- 3
巴圖孟克清 見巴圖蒙克
巴圖蒙克巴圖孟克 清(扎木禪長子) 454-668- 73
500-725- 37
巴圖蒙克清(綽囉斯氏)
454-842- 97
巴銀達里妻 清 見舒穆嚕氏
巴噶奈濟把漢那吉 明
302-761-327
巴穆習理清 455-119- 4
巴顏布祿清 455-644- 45
巴顏達理清 455- 78- 2
巴克什固爾清 454-362- 19
巴延巴圖爾元 294-277-123
399-351-449
巴延呼圖克元 294-424-134
399-546-474
1221-639- 24
巴延呼圖克元 見布延呼圖克
巴延特穆爾布延特穆爾 元
294-539-144
400- 22-500
523- 27-147
532-587- 41
巴延特穆爾伯顏帖木兒 明
496-627-106
巴特瑪拉什清 496-218- 76
巴特瑪斯結班麻思結 明
302-818-330
巴特瑪實哩八忒麻失里 元
475-563- 79
1221-284- 4
1221-319- 5
巴雅爾什第清 454-554- 55
巴雅爾拉瑚清 454-881-106
巴雅遜達賚畢也速答立 元
478-699-210
巴達喇木布金 見伯特德哩布
巴爾巴圖魯清 456-210- 66
巴爾布冰圖清 454-395- 25
496-217- 76
巴爾斯布哈元(阿爾台氏)
294-425-134
399-546-474
巴爾斯布哈元(偃師人)
545-461-100
巴爾斯哈喇伯思哈兒 明
496-630-106
巴爾斯梵僧明(居巴爾斯寺)
558-488- 41
巴圖特穆爾明 見吳允誠
巴圖博羅特清 500-725- 37
巴噶納諤德女 元 見托克托沁
巴穆布爾善清 454-202- 11
巴顏巴圖魯清 456-265- 70
巴延布哈德沁元 見巴延布哈德濟
巴延布哈德濟巴延布哈、巴延不哈德沁、伯顏不花的斤
元 295-580-195
400-260-521
479-352-233
479-557-242
515- 29- 57
523- 31-147
820-520- 38
821-316- 54
巴咱爾斡爾密博囉布色、梁王 元 299-144-124
400-281-522
569-537- 17
569-677- 19
巴木丕勒多爾濟清
454-527- 50
巴特瑪策凌扎卜晉王 元
544-238- 63
巴哩珠阿勒坦德濟巴特瑪阿勒坦德濟 元 294-264-122
399-354-450
1207-350- 24
1367-308- 26
巴特瑪阿勒坦德濟元 見巴哩珠阿勒坦德濟
予伯杼、松蔓、杼、季杼、輿夏 372- 98-3上
383-240- 23
404- 45- 3
544-153- 61
予蒲妻 清 見李氏
孔乂孔乂 魏 385-416- 44
540-710-28之1
孔子春秋 見孔丘
孔才妻 明 見黃氏

孔乂魏 見孔乂
孔方漢 1277-775- 3
孔文明 572-155- 32
孔元元 295-247-165
399-598-479
472- 97- 3
孔元不詳 1059-289- 6
孔氏戰國(用鐵冶富)
244-938-129
251-150- 91
380-530-180
孔氏劉宋 顧琛母 475-144- 57
485-204- 27
493-1079-57
孔氏宋 郭景聞妻、孔俊民女
1134-311- 45
孔氏明 李守貴妻 477-422-169
孔氏明 郝淮妻 476-157-104
孔氏明 張鑕妻 506- 4- 86
孔氏明 陳璉妻 472- 39- 1
474-191- 9
孔氏明 葉襄妻 512-472-188
孔氏明 劉安菴妻、孔練伯女
1261-183- 13
孔氏明 韓應龠妻 480-300-271
孔氏明 孔公晉女 476-589-131
孔氏明 歐大任母
1280-482- 91
孔氏清 王正妻 478-378-192
555-161- 69
孔氏清 徐三益妻 494-193- 9
孔氏清 張繼倫妻 476-678-136
541- 43- 29
孔氏清 潘景煥妻 476-589-131
孔氏清 鍾開祚妻 512-488-189
孔氏清 顏紹範妻 541- 16- 29
孔氏清 孔宗堯女 482-190-346
孔父孔父嘉 春秋 404-796- 49
538- 43- 63
933-508- 34
孔立明 523-129-152
孔弗春秋 371-495- 32
孔甲上古 404-385- 23
820- 20- 22
孔甲胤甲 夏 243- 75- 2
371-218- 3
372- 99-3上
383-242- 23
404- 46- 3
544-154- 61
孔丘孔子 春秋 244-233- 47
371-467- 31
375-635- 88
386-262-83上
386-666- 8
405-375- 81
405-388- 82
446- 4- 1
446- 59- 附
446- 63- 上
472-547- 23
498- 69- 67
498- 72- 67
508-262- 39
561-314- 40
562- 14- 1
564-703- 59
814-221- 3
820- 21- 22
839- 5- 1
933-508- 34
1065-150- 13
1065-221- 4
1242-378- 37
1341-357-845
1341-361-845
1360-607- 38
1408-492-529
1449-156- 4
孔丘十九世孫 漢 681-690- 22
孔白戰國 472-548- 23
539-624-11之6
孔江明 547- 23-141
孔至唐 276- 30-199
400-394-537
933-512- 34
孔㞷孔山士 劉宋 258-155- 54
486- 36- 2
494-281- 3
孔光漢 250-737- 81
376-400-102上
384- 50- 2
469-182- 21
476-580-131
540-697-28之1
675-265- 7
820- 27- 22
933-509- 34
孔全元 295-601-197
400-310-526
472-683- 27
477-130-155
538- 86- 64
孔休漢 252-642- 55
376-628-107上
384- 52- 2
477-362-167
孔伋子思 戰國 386-267-83上
440-725-274
472-548- 23
498- 70- 67
539-486-11之2
562- 15- 1
933-508- 34
1449-298- 15
孔汪晉 256-291- 78
377-826-128
479-229-227
486-296- 14
933-510- 34
孔完漢 539-624-11之6
孔沖晉 515- 77- 59
孔沈晉 256-296- 78
377-829-128
486-297- 14
524-285-192
544-204- 62
933-510- 34
孔良明 302-160-297
511-569-158
孔求戰國 539-624-11之6
孔志漢 539-624-11之6
孔均漢 472-549- 23
539-624-11之6
540-697-28之1
孔佑宋 見孔聖祐
孔伷漢 254- 16- 1
孔宙漢 541-767-35之20
681-523- 7
681-680- 21
682-212- 2
683-242- 3
1103-368-135
1397-599- 28
孔宜宋 288- 73-431
382-736-113
384-335- 17
400-387-536
472-555- 23
476-585-131
479-578-243
539-625-11之6
933-513- 34
孔治元 400-390-536
539-628-11之6
孔武漢 539-624-11之6
孔坦晉 256-291- 78
377-827-128
384- 99- 5
479-131-223
479-230-227
486-296- 14
494-275- 2
523-299-160
528- 2- 17
933-510- 34
孔玠宋 400-389-536
孔奇漢 376-684-107下
554-428- 56
675-294- 15
孔忠春秋 244-390- 67
375-657- 88
405-447- 85
472-548- 23
539-497-11之2
孔忠漢 539-624-11之6
孔叔春秋 404-809- 49
404-849- 53
933-509- 34
孔旼宋 288-430-457
400-402-537
450-477-中35
472-801- 31
477-502-174
538-112- 64
540-753-28之2
677-790- 70
680-452-269
1101-736- 28
1105-820- 98
1351-609-142
1356-223- 10

1378-586- 62
1384-168- 94
1410-350-709
孔金明 302-159-297
475-329- 65
511-568-158
孔侃唐 486-348- 16
孔房漢 539-624-11之6
孔恂漢 402-483- 11
473-126- 55
479-678-248
515-515- 73
孔亮明 456-572- 8
477-125-155
孔穿戰國 405-216- 70
539-624-11之6
孔洙宋 400-389-536
孔奕晉 256-294- 78
384- 99- 5
475-796- 90
孔拯金 291-469-105
400-389-536
539-625-11之6
孔括宋 515-525- 73
孔胥妻 元 見周芙
孔貞漢 472-548- 23
孔貞明 458-171- 8
孔昞元 523-416-166
孔昱漢 253-372- 97
376-966-112
385- 62- 5
476-582-131
540-704-28之1
680-668-285
933-510- 34
孔昭後魏 261-699- 51
孔信妻 明 見王昭
孔衍晉 256-479- 91
370-307- 6
380-283-173
472-552- 23
475-322- 65
475-363- 67
476-583-131
540-715-28之1
933-510- 34
孔奐春秋 405- 97- 62
孔奐陳 260-678- 21
265-427- 27
378-526-144
384-111- 6
472-253- 10
475-213- 60
479-232-227
479-603-244
510-356-114
523-300-160
933-510- 34
孔俊妻 明 見武氏
孔祐齊 380-448-178
486-314- 14
524-286-192
1141-795- 33
孔祇晉 256-291- 78
377-826-128
486-309- 14
524-201-188
孔悝春秋 375-808- 91
384- 22- 1
404-824- 51
孔浣元 539-625-11之6
孔勍後唐 277-534- 64
孔桂魏 254- 70- 3
孔栖南朝 265-1074- 75
孔珪齊 見孔稚珪
孔耽漢 1397-648- 30
孔振唐 400-387-536
539-625-11之6
孔恩宋 511-906-172
孔時明 1467-213- 70
孔倫晉 678-648-131
孔倫明 539-629-11之6
孔姬伯姬 春秋 孔圉妻
448- 71- 7
孔乘後魏 539-624-11之6
孔淮元 472-1041- 43
孔淘宋 539-628-11之6
孔訥明 301-801-284
539-626-11之6
820-575- 40
1237-608-上附
孔張春秋 404-879- 54
孔圉孔文子 春秋 404-824- 51
448-279- 30
505-768- 73
537-363- 57
孔晥元 524-298-193
孔彪漢 681-539- 8
682-215- 2
683-245- 4
1397-619- 29
孔勖宋 285-725-297
473-672- 79
482- 32-340
539-628-11之6
540-754-28之2
563-670- 39
孔偘晉 814-238- 5
820- 59- 23
孔湞元 400-390-536
孔斌孔謙 戰國 472-548- 23
539-624-11之6
孔善元 見蔡善
孔善明 510-498-118
孔愉孔瑜、孫愉、孫琦 晉
256-289- 78
370-332- 8
377-825-128
384- 99- 5
448-310-上
472-997- 40
472-1070- 45
479-131-223
479-229-227
485-385- 3
486- 34- 2
486-294- 14
494-262- 1
494-275- 2
511-909-173
523-299-160
814-238- 5
820- 59- 23
879-156-58上
933-510- 34
1141-791- 33
孔逭齊 265-1018- 72
380-366-176
524- 50-180
933-511- 34
孔渠北齊 539-624-11之6
孔閏唐 473-689- 80
孔琳妻 劉宋 見謝氏
孔森元 1229-350- 13
孔景五代 見孔嵩
孔量妻 明 見李氏
孔凱清 456-111- 57
孔逿齊 259-360- 34
265-696- 49
378-283-138
479-231-227
486-301- 14
933-511- 34
孔喬漢 253-599-112上
402-464- 10
477-365-167
538-164- 66
孔循朱循、趙殷衡 五代
279-273- 43
384-311- 16
401-476-630
孔循女 後唐 見孔皇后
孔策唐 400-387-536
539-624-11之6
孔復明 473- 87- 52
479-605-244
515-246- 64
孔詡唐 見孔季詡
孔詢妻 明 見何氏
孔靖劉宋 見孔季恭
孔煒不詳 879-170-58上
孔羨魏 539-624-11之6
孔道子 明 1242-166- 29
孔損漢 539-624-11之6
孔戡唐 271- 2-154
275-275-163
384-252- 13
400-395-537
476-149-104
478- 89-180
540-743-28之2
547-164-147
1073-573- 26
1074-409- 26
1075-360- 26
1355-627-21上
1378-525- 60
1383-176- 14
1410-281-700
1418- 35- 36
孔戣唐 271- 2-154
275-272-163

384-251- 13
400-395-537
471-829- 34
472-824- 33
472-1083- 46
473-672- 79
476-584-131
478-335-191
481-800-338
540-743-28之2
554-234- 52
563-635- 38
567- 42- 64
933-512- 34
1073-612- 31
1073-630- 33
1073-677- 40
1074-459- 31
1074-483- 33
1074-538- 40
1075-408- 31
1075-427- 33
1075-478- 40
1355-622-21上
1378-518- 60
1383-170- 14
1410-273-699
1467- 17- 62
孔揩宋 400-389-536
孔楷元 481-673-331
528-525- 31
孔群晉 256-296- 78
377-829-128
384- 99- 5
479-229-227
486-296- 14
524-256-191
933-510- 34
孔達孔莊叔 春秋 375-808- 91
384- 22- 1
404-823- 51
538- 53- 63
933-508- 34
孔戢唐 271- 3-154
275-275-163
384-252- 13
400-398-537
476-584-131
540-744-28之2
554-132- 50
孔嵩漢 380-134-168
402-452- 9
477-367-167
538-164- 66
563-604- 38
575-532- 31
1397-684- 32
孔嵩孔景 五代 592-705-106
812-497- 中
812-528- 2
821-128- 49
孔楨唐 見孔禎
孔椿妻 明 見謝氏
孔瑜晉 見孔愉
孔萱唐 400-386-536
539-624-11之6
孔鼎從叔 清 517-792-135
孔鼎清 515-849- 84
孔暘元 1228-769- 13
1374-632- 84
孔敬元 561-210-38之2
孔傳宋 476-585-131
孔僉梁 260-400- 48
265-1002- 71
380-291-173
479-232-227
486- 63- 3
486-305- 14
523-597-176
933-511- 34
孔僅漢 384- 46- 2
孔禎孔楨 唐 271-557-190上
276- 29-199
400-394-537
476-394-119
493-684- 38
孔福漢 539-624-11之6
孔寧春秋 見公孫寧
孔端宋 見孔端木
孔粹宋 564- 41- 44
孔榮唐 812-349- 9
821- 65- 47
孔臧漢 540-692-28之1
孔摠金 見孔總
孔輔孔孟富 明 458-101- 4
孔嘉漢 675-294- 15
孔榕明 563-854- 41
孔聚漢 539-348- 8
孔箕戰國 539-624-11之6
孔鳳明 576-653- 5
孔僖漢 253-527-109上
380-264-172
459- 21- 1
472-550- 23
476-581-131
478-332-191
540-701-28之1
554-264- 53
675-265- 7
933-509- 34
孔僖明 533-733- 73
孔緒唐 539-628-11之6
孔維宋 288- 72-431
382-735-113
384-335- 17
400-439-540
472-659- 27
477- 73-152
538- 21- 62
933-513- 34
孔綸明 1272-430- 12
孔廣齊 259-363- 34
265-1018- 72
380-366-176
524- 50-180
933-511- 34
孔潛漢 524-319-195
孔慶明 528-455- 29
554-347- 54
孔廞晉 見劉廞
孔賢明 540-788-28之3
孔撫晉 539-624-11之6
孔閭晉 820- 75- 23
孔璋唐 472-657- 27
477-478-173
537-587- 60
1407-697-465
孔震晉 539-624-11之6
孔璇春秋 405-446- 85
孔範陳 265-1107- 77
381- 23-184
384-123- 6
孔緯唐 271-353-179
275-273-163
384-284- 15
384-288- 15
400-397-537
476-584-131
540-744-28之2
933-512- 34
孔諤明 540-787-28之3
676- 40- 2
孔融漢 253-392-100
254-233- 12
370-206- 21
377- 13-113上
384- 69- 3
386- 42-70上
402-511- 14
402-588- 20
472-550- 23
472-586- 24
476-474-125
476-582-131
476-655-135
540-707-28之1
879-169-58上
933-509- 34
1063-245- 0
1063-254- 0
1114-677- 17
孔璠金 291-469-105
400-389-536
472-557- 23
539-625-11之6
孔璠元 474-410- 20
505-757- 72
孔奮漢 252-737- 61
370-159- 15
376-683-107下
384- 58- 3
402-425- 7
402-525- 15
402-584- 20
448-297- 上
459-832- 50
471-1063- 70
472-830- 33
472-892- 35
472-943- 37
478-633-206
478-716-211

540-699-28之1
554-428- 56
558-216- 32
558-231- 32
675-293- 15
933-509- 34
1408-493-529
孔靜晉 472-997- 40
孔鮒戰國 472-548- 23
538-322- 69
539-624-11之6
孔儒明 533-138- 51
孔濱元 539-628-11之6
孔濤元 523-486-170
1209-530-9上
孔濟元 539-628-11之6
孔謙戰國 見孔斌
孔謙漢 681-517- 6
1397-587- 28
孔謙後唐 277-592- 73
279-160- 26
384-302- 16
396-360-284
505-773- 73
孔燮明 539-629-11之6
孔環明 302- 11-289
474-604- 31
477-443-171
505-863- 77
537-339- 56
孔覬孔顗 劉宋 258-514- 84
265-431- 27
370-484- 14
378-100-133
384-111- 6
448-317- 下
471-785- 28
472-1070- 45
486- 37- 2
524-257-191
933-511- 34
孔嶷晉 539-624-11之6
孔總齊 265-1074- 75
380-448-178
孔總孔摠 金 291-469-105
400-390-536
539-628-11之6
孔鮮劉宋 472-553- 23
539-624-11之6
孔曜漢 539-624-11之6
孔鯉春秋 472-548- 23
539-508-11之2
933-508- 34
孔邈劉宋 258-174- 56
孔邈後唐 277-561- 68
孔瀛明 1224-332- 24
1224-607- 下
孔顗劉宋 見孔覬
孔鏞明 299-723-172
473- 75- 52
475-133- 56
479-579-243
481-805-338
482-207-347
482-289-352
482-321-354
483-223-390
493-993- 52
511-387-151
515-235- 64
540-791-28之3
563-740- 40
567-100- 66
571-518- 19
1248-407- 20
1249-600- 3
1284-138-147
1467- 75- 64
1467-448- 6
孔⿰言奧明 539-629-11之6
孔嚴孔巖 晉 256-294- 78
377-828-128
472-997- 40
479-131-223
486-296- 14
494-276- 2
933-510- 34
孔騰漢 539-624-11之6
孔霸漢 250-738- 81
376-400-102上
472-549- 23
476-580-131
539-624-11之6
540-695-28之1
675-265- 7
孔懿晉 539-624-11之6
孔鑑宋 515-534- 73
孔顯明 537-315- 56
1244-632- 14
孔巖晉 見孔嚴
孔灝元 1219-145- 3
孔子建漢 476-581-131
孔子袪梁 260-401- 48
265-1004- 71
380-292-173
479-231-227
486-305- 14
523-597-176
677-125- 12
孔子雲梁 486-305- 14
523-597-176
孔子順戰國 405-216- 70
孔子愼戰國 545-434- 99
孔子襄漢 244-251- 47
孔大德明 515-808- 82
孔山士劉宋 見孔⿱山土
孔文子春秋 見孔圉
孔文仲宋 286-561-344
382-611- 94
384-373- 19
384-381- 19
400-402-537
471-741- 21
472-1101- 47
473-127- 55
476-438-122
479- 42-218
479-285-230
479-679-248
515-519- 73
523- 77-149
545-429- 99
674-823- 17
820-380- 33
933-514- 34
1092-633- 59
1147-559- 53
1137- 15- 1
孔文昇元 1196-678- 6
孔文貞元 475-121- 55
493-751- 41
510-331-113
孔文英明 453-306- 3
472-915- 36
523- 37-147
533-740- 73
558-349- 35
1241-779- 19
1243-373- 22
孔文泰後魏 539-624-11之6
孔文栩元 1228-749- 12
孔文域妻 清 見周氏
孔文遠宋 400-389-536
孔文遵清 456-367- 77
孔文選清 456-389- 80
孔之全元 539-628-11之6
孔之厚金 539-625-11之6
孔之強元 537-334- 56
孔王惠妻 清 見張氏
孔元用宋 539-628-11之6
孔元用元(孔白父) 518- 25-136
孔元用元(孔之全父)
539-628-11之6
孔元忠宋 1170-772- 35
孔元虔宋 511-840-168
孔元措金 291-470-105
400-390-536
539-625-11之6
孔元愷宋 564- 71- 44
孔元德明 483-116-379
569-672- 19
572- 77- 28
孔元龍宋 540-751-28之2
679-820-219
孔元勳宋 482-183-346
563-687- 39
孔天胤明 546-669-137
676-566- 23
1442- 54- 3
1460-127- 46
孔天監金 554-273- 53
孔天鐸元 505-675- 69
孔友諒明 299-624-164
481- 71-293
559-268- 6
孔公才明 510-490-118
孔公杰明 539-626-11之6
孔公恂明 299-465-152
301-802-284
472-559- 23
540-790-28之3
820-626- 41

孔公珏明 539-629-11之6
孔公俊元 481-694-332
528-484- 30
528-541- 32
孔公晉女 明 見孔氏
孔公統明 539-629-11之6
孔公朝明 301-737-281
476-577-131
540-788-28之3
孔公鉉明 539-629-11之6
孔公澤明 539-629-11之6
孔公璜明 539-629-11之6
676-536- 21
孔公錫明 539-629-11之6
孔公鏜明 539-629-11之6
孔公鑑明 539-626-11之6
孔仁玉後周 288- 75-431
400-387-536
539-625-11之6
孔允相明 539-626-11之6
孔允桂明 539-626-11之6
孔允桐明 539-627-11之6
孔允淳清 539-629-11之6
孔允統明 539-627-11之6
孔允隆明 539-626-11之6
孔允發妻 明 見陳氏
孔允椿清 539-626-11之6
孔允鈺清 539-626-11之6
孔允齊清 539-627-11之6
孔允錫明 539-626-11之6
孔父嘉春秋 見孔父
孔去非宋 821-205- 51
孔弘述明 539-628-11之6
孔弘泰明 301-802-284
676-536- 21
1250-911- 86
孔弘復明 539-629-11之6
孔弘道元 1206-678- 2
孔弘幹明 511-906-172
孔弘業妻 明 見史氏
孔弘廓明 539-629-11之6
孔弘緒明 301-802-284
539-626-11之6
孔弘毅明 539-629-11之6
孔弘養明 539-630-11之6
孔弘謙明 539-627-11之6
孔弘顯明 539-628-11之6
孔弘譽明 539-627-11之6
孔弘聽明 545-786-111
孔平仲宋 286-563-344
382-611- 94
384-382- 19
400-403-537
471-741- 21
471-836- 35
472-923- 36
473-127- 55
473-358- 64
473-683- 79
479-679-248
480-507-281
482- 78-341
515-521- 73
532-703- 45
554-151- 51
563-674- 39
674-823- 17
933-514- 34
1147-559- 53
1437- 15- 1
1461-290- 16
孔世熙妻 元～明 見陳氏
孔世圖清 456-367- 78
孔丘明秦 473-131- 55
479-686-248
516-434-103
孔守正宋 285-414-274
396-672-315
477- 72-152
537-385- 57
545-416- 98
581-465- 95
孔安國漢(字子國) 244-251- 47
251-109- 88
380-252-172
459- 15- 1
472-193- 7
472-549- 23
475-852- 94
476-578-131
510- 5- 99
510-500-118
539-500-11之2
540-692-28之1
675-264- 7
820- 24- 22
933-509- 34
孔安國漢(魯人) 541- 85- 30
孔安國晉 256-291- 78
377-826-128
479-229-227
486- 34- 2
486-297- 14
524-256-191
孔吉納清 455-273- 15
孔有人明 見孔有仁
孔有仁孔有人、孔有謙 明
1288-641- 11
孔有孚妻 明 見李氏
孔有德明 301-211-248
孔有德清 482-323-354
502-766- 86
567-148- 69
孔有謙明 見孔有仁
孔夷吾晉 256-480- 91
380-284-173
孔光嗣唐 400-387-536
539-625-11之6
孔自洙清 532-604- 42
1475-582- 25
孔仲良唐 481-559-327
528-472- 29
529-753- 52
孔休源梁 260-307- 36
265-847- 60
378-370-141
384-119- 6
472-1070- 45
473-296- 62
475- 68- 52
479-231-227
480-238-269
486-301- 14
488-236- 10
510-309-113
523-597-176
540-721-28之1
933-511- 34
孔宏緜明 1291-903- 6
孔志仁明 1240-779- 8
孔成子春秋 見孔烝鉏
孔克中明 493-756- 41
510-333-113
539-629-11之6
孔克仁明 299-278-135
511- 73-139
533-138- 51
孔克伸明 539-629-11之6
孔克表明 452-257- 8
472-1118- 48
479-407-235
孔克忠明 472-274- 11
475-273- 63
510-373-114
孔克昌元 539-628-11之6
孔克昱明 539-629-11之6
孔克和元 481-679-331
529-757- 52
孔克威元 547-190-148
孔克昫明 539-629-11之6
孔克信元 539-627-11之6
孔克宴明 539-629-11之6
孔克堅元～明 301-800-284
400-392-536
539-625-11之6
1224-120- 18
1374-500- 71
孔克欽元 539-628-11之6
孔克綱元 539-627-11之6
孔克寬明 1240-847- 9
孔克畬明 539-629-11之6
孔克學元 480-177-266
533-730- 73
孔克勳明 472-308- 13
510-382-115
孔伯恭後魏 261-699- 51
266-753- 37
379-185-149
472-696- 28
477-163-157
537-445- 58
孔希大元 539-628-11之6
孔希文明 539-629-11之6
孔希永明 539-629-11之6
孔希孟元 539-628-11之6
孔希範明 539-629-11之6
1237-602- 上
孔希學明 301-800-284
539-626-11之6
1225-909- 7
孔妙眞明 金廣妻
524-454-202

孔廷娘明 丁貴鼎妻
530-154- 58
孔宗旦宋 288-273-446
371-153- 15
382-717-110
384-358- 18
400-402-537
408-276- 10
471-866- 39
472-556- 23
473-790- 85
476-585-131
482-484-364
540-763-28之2
567- 55- 65
933-512- 34
1467- 29- 63
孔宗明妻 明 見劉氏
孔宗周妻 清 見何瓊娘
孔宗亮孔舜亮 宋
539-628-11之6
孔宗軌梁 260-309- 36
孔宗堯女 清 見孔氏
孔宗壽宋 539-628-11之6
孔宗愿宋 400-388-536
孔宗翰宋 285-726-297
382-383- 60
384-355- 18
400-401-537
471-729- 20
472-557- 23
473- 13- 49
473-185- 58
476-585-131
479-483-239
479-792-254
515-264- 65
539-628-11之6
540-763-28之2
1437- 16- 1
孔性善明 567- 85- 66
1467- 60- 64
孔武仲宋 286-563-344
382-611- 94
384-381- 19
400-403-537
471-712- 18
471-741- 21
473-127- 55
475-646- 83
479-679-248
511-911-173
515-520- 73
674-823- 17
678- 99- 79
933-514- 34
1147-559- 53
1437- 15- 1
1461-268- 15
孔孟富明 見孔輔
孔長彥漢 253-529-109上
478-350-191
680-668-285
孔長孫後周 539-624-11之6
孔承作明 539-629-11之6
孔承泗明 539-629-11之6
孔承倣明 539-629-11之6
孔承厚明 539-629-11之6
孔承浦明 540-801-28之3
孔承恭宋 285-425-276
400-399-537
472-742- 29
537-504- 59
孔承夏明 539-629-11之6
孔承寅明 539-627-11之6
孔承業明 539-629-11之6
孔承慶明 539-626-11之6
孔承震明 539-629-11之6
孔承禮明 1296-427- 4
孔承鎬明 539-629-11之6
孔忠齊宋 559-286-7上
孔尚仟清 539-628-11之6
孔尚忻清 539-630-11之6
孔尚林明 539-627-11之6
孔尚侃清 539-630-11之6
孔尚恪妻 清 見朱氏
孔尚則明 510-488-118
孔尚愉清 539-629-11之6
540-685- 27
孔尚愷清 539-629-11之6
孔尚達明 539-626-11之6
孔尚鉞清 540-870-28之4
孔尚澄清 539-628-11之6
孔尚賢明 301-803-284
539-626-11之6
孔尚標明 554-313- 53
孔尚璠清 539-630-11之6
孔尚鐐清 540-869-28之4
孔昌寓唐 474-468- 23
孔叔平元 820-544- 39
821-323- 54
孔叔原明 1227- 73- 8
孔叔賢明 516-196- 95
孔果絡清(兀札喇氏)
455-493- 30
孔果絡清(伊喇氏) 456-138- 59
孔果諾清 455-115- 4
孔念厚清 481-724-333
529-704- 50
孔季彥漢 253-529-109上
380-265-172
540-703-28之1
554-881- 64
675-266- 7
680-668-285
孔季恭孔靖 劉宋258-154- 54
265-425- 27
378- 96-133
384-111- 6
472-1070- 45
479-230-227
486- 36- 2
494-281- 3
523-460-169
933-510- 34
孔季翊唐 見孔季詡
孔季詡孔詡、孔季翊 唐
276- 29-199
400-394-537
933-512- 34
1065-783- 16
1339-623-701
孔知濬後周 278-389-125
孔秉忠明 472-646- 26
537-343- 56
孔延之宋 473-127- 55
486- 49- 2
515-519- 73
563-655- 39
585-755- 4
1098-701- 42
1110-248- 10
1356-191- 9
孔延世宋 288- 75-431
400-388-536
471-834- 35
473-712- 81
539-625-11之6
933-514- 34
孔延年漢 539-624-11之6
675-265- 7
孔延魯宋 見孔道輔
孔欣之齊 494-334- 7
孔彥士明 539-529-11之6
孔彥臣妻 明 見王氏
孔彥舟金 291-165- 79
399-114-426
1445-667- 51
孔彥佩明 539-629-11之6
孔彥章明 539-627-11之6
孔彥祿明 472-767- 30
孔彥輔宋 539-628-11之6
孔彥綸明 523-173-154
孔彥縉明 301-802-284
539-626-11之6
820-568- 40
1242- 1- 24
孔彥禮元 1210-713- 18
孔彥邃明 539-628-11之6
孔彥繩明 301-803-284
539-627-11之6
孔彥衢明 539-629-11之6
孔述睿唐 271-645-192
275-644-196
384-239- 12
400-398-537
470- 63- 96
479-233-227
486-316- 14
523-300-160
孔貞一明 537-410- 57
孔貞時明 511- 84-139
孔貞教明 539-629-11之6
孔貞堪明 539-629-11之6
孔貞運明 301-283-253
511- 84-139
676-636- 26
孔貞幹明 539-626-11之6
孔貞鈜清 539-630-11之6
孔貞寧明 539-626-11之6
孔貞綱清 539-627-11之6
孔貞璞明 302- 77-293

456-571- 8
476-587-131
477-500-174
537-335- 56
540-835-28之3
孔貞燦清 539-630-11之6
540-861-28之4
孔貞叢明 539-629-11之6
孔思本元 539-627-11之6
孔思迅元 539-628-11之6
孔思則母 元 見羅氏
孔思晦元 295-427-180
301-800-284
400-391-536
472-558- 23
476-586-131
539-625-11之6
孔思逮宋 539-628-11之6
孔思凱元 539-628-11之6
孔思道元 676- 56- 2
孔思敬明 528-449- 29
孔思誠元 400-391-536
539-628-11之6
孔思齊宋 473-455- 68
孔若思唐 271-558-190上
276- 29-199
384-189- 10
400-393-537
472-705- 28
472-1071- 45
477-200-159
479-232-227
486-305- 14
524-257-191
537-274- 55
933-512- 34
孔若虛宋 400-389-536
孔若蒙宋 400-388-536
539-625-11之6
孔昭孫元 1194-170- 13
1203-402- 30
孔昭儉唐 400-387-536
539-625-11之6
539-628-11之6
孔英悊陳 539-624-11之6
孔皇后後唐 唐閔帝后、孔循女 277-431- 49
279- 94- 15
393-294- 74
孔衍昌妻 清 見陳氏
孔衍岳妻 清 見沈氏
孔衍洪清 540-874-28之4
孔衍侯清 539-630-11之6
孔衍淳清 540-680- 27
孔衍鈺清 540-838-28之4
孔衍漳清 539-630-11之6
孔衍澤清 539-629-11之6
孔秋香明 477-547-176
孔俊民女 宋 見孔氏
孔海雲明 572-161- 32
孔祖湯金 291-676-122
400-222-518
545-460-100
孔祖舜唐 476-853-145
孔烝鉏孔成子 春秋
404-823- 51
孔時聖妻 清 見陳氏
孔師居明 475-824- 92
孔師程明 302-123-295
孔淳之劉宋 258-591- 93
265-1064- 75
380-440-178
384-123- 6
469-182- 21
472-1008- 45
476-583-131
479-249-228
485-553- 3
486-313- 14
524-321-195
871-903- 19
933-511- 34
1141-794- 33
孔惟晊唐 400-386-536
539-624-11之6
孔郭爾清 455-537- 34
孔郭羅清 455-623- 43
孔琇之齊 259-523- 53
265-426- 27
378-297-138
384-111- 6
472-1070- 45
472-1100- 47
473-110- 54
479-132-223
479-231-227
479-284-230
486-301- 14
493-736- 41
494-283- 3
523-461-169
933-510- 34
孔崇基唐 400-386-536
539-624-11之6
孔崇弼後晉 278-174- 96
孔崇儒明 554-347- 54
孔將鉏春秋 404-850- 53
933-509- 34
孔莊叔春秋 見孔達
孔偵爝清 539-628-11之6
孔紹安唐 271-557-190上
276- 29-199
479-232-227
524- 51-180
554-885- 64
孔紹忠陳 260-680- 21
孔敏行唐 271-645-192
275-645-196
400-399-537
孔從善元 1471-478- 10
孔巢父唐 271- 1-154
275-271-163
384-231- 12
400-394-537
472- 92- 3
476-584-131
505-863- 77
540-741-28之2
545-360- 96
933-512- 34
1069- 66- 2
孔善夫明 1227- 74- 8
孔甯子劉宋 378- 80-133
1379-533- 63
孔雲章梁 260-309- 36
孔惠元唐 276- 7-198
933-512- 34
孔琳之劉宋 258-170- 56
265-429- 27
378- 98-133
384-111- 6
479-230-227
486-299- 14
486-347- 16
494-281- 3
523-299-160
540-718-28之1
812- 63- 中
812-226- 8
812-715- 3
813-246- 8
814-245- 6
820- 86- 24
933-510- 34
933-511- 34
孔景文妻 明 見朱氏
孔鄂絡清 455-601- 40
孔舜亮宋 見孔宗亮
孔傑儒妻 明 見蔣氏
孔復貞明 821-484- 58
孔温裕唐 384-278- 14
567-430- 86
1467-142- 67
孔温業唐 275-275-163
384-252- 13
384-278- 14
400-398-537
476-584-131
933-512- 34
孔道存劉宋 258-174- 56
孔道恭後魏 933-511- 34
孔道隆明 456-658- 11
孔道輔孔延魯 宋
285-725-297
371-139- 14
382-382- 60
384-355- 18
400-400-537
449-105- 9
450-317-中14
459-798- 48
472-289- 12
472-409- 18
472-556- 23
472-643- 26
472-677- 27
472-913- 36
475-365- 67
475-420- 70
476-585-131
478-570-203
510-397-115

537-254- 55
539-628-11之6
540-757-28之2
541-784-35之20
558-207- 32
708-332- 50
933-512- 34
1105-759- 91
1356-159- 8
1378-580- 62
1384-130- 92
1410-340-708
1418-331- 47
孔道徽齊 265-1074- 75
380-448-178
479-231-227
933-511- 34
孔聖佑宋 見孔聖祐
孔聖祐孔佑、孔聖佑 宋
288- 75-431
400-388-536
539-625-11之6
933-514- 34
孔瑞友宋 479-358-233
孔萬春宋 400-389-536
孔嗣之齊 265-1077- 76
380-451-178
孔嗣宗宋 471-991- 58
473-490- 70
559-295-7上
孔敬宗金 291-128- 75
399-109-426
孔敬通梁 814-255- 7
820-102- 24
孔傳本清 539-628-11之6
孔傳堂清 482-511-366
孔傳鈞清 539-627-11之6
孔傳鈁清 539-627-11之6
孔傳煦清 539-627-11之6
孔傳誦妻 清 見劉氏
孔傳鋕清 539-628-11之6
孔傳鐸清 539-626-11之6
孔稚圭齊 見孔稚珪
孔稚珪孔珪、孔稚圭 齊
259-477- 48
265-696- 49
370-524- 16
378-289-138
384-115- 6
470- 63- 96
472-1070- 45
479-231-227
485-554- 3
486-301- 14
524- 50-180
540-721-28之1
674-336-5下
933-511- 34
1379-603- 72
1394-342- 2
1395-594- 3
1401- 98- 17
孔會心元 515-539- 74
孔毓玒清 539-630-11之6
孔毓圻清 539-626-11之6
孔毓坪清 539-628-11之6
孔毓垣清 539-627-11之6
孔毓珣清 540-874-28之4
563-862- 42
孔毓章清 539-627-11之6
孔毓埏清 539-626-11之6
孔毓彪妻 清 見厲氏
孔毓琮清 539-627-11之6
孔毓琚清 539-629-11之6
孔毓球清 539-627-11之6
孔毓瑛清 539-626-11之6
孔毓璽清 539-627-11之6
孔毓麟清 539-626-11之6
孔福禧明 821-419- 56
孔端木孔端 宋 473-125- 55
511-909-173
515-130- 61
1376-536-93
孔端友宋 400-389-536
472-1041- 43
524-333-195
539-625-11之6
孔端甫金 291-470-105
400-403-537
472-557- 23
476-585-131
540-769-28之2
孔端直宋 494-348- 7
孔端植宋 480- 49-259
孔齊卿唐 400-386-536
539-624-11之6
孔漢臣元 1221-416- 4
孔熙先劉宋 265-497- 33
370-446- 12
378-126-134
孔聞昂明 524-233-189
孔聞勉妻 明 見徐氏
孔聞俊明 456-519- 6
孔聞訓妻 明 見顏氏
孔聞校明 505-703- 70
孔聞評明 539-630-11之6
孔聞然清 539-627-11之6
孔聞詩明 539-626-11之6
540-830-28之3
孔聞韶明 301-803-284
539-626-11之6
1255-394- 44
孔聞韶妻 明 見李氏
孔聞澄清 538-105- 64
孔聞諫明 539-629-11之6
孔聞謤明 554-217- 52
孔聞禮明 301-804-284
539-626-11之6
孔聞簡明 539-629-11之6
孔聞讜明 545-396- 97
孔蓑衣明 533-776- 74
孔維樸妻 明 見劉氏
孔廣棨清 539-626-11之6
孔蔭植明 301-803-284
孔德昭唐 384-311- 16
孔德倫唐 400-385-536
539-624-11之6
孔德紹隋 264-1080- 76
267-625- 83
380-403-176
孔練白女 明 見孔氏
孔穎達唐 269-699- 73
276- 6-198
384-167- 9
400-392-537
407-443- 4
459- 38- 3
469-518- 63
472- 91- 3
474-602- 31
505-876- 78
540-736-28之2
677-140- 14
933-511- 34
孔默之劉宋 258-592- 93
孔興洪清 510-301-112
孔興烒清 539-628-11之6
孔興訓清 515-284- 65
孔興晉清 547- 64-143
孔興釪清 554-224- 52
孔興智妻 清 見曹氏
孔興詢清 483-162-382
孔興認清 539-629-11之6
540-685- 27
孔興榮明 539-627-11之6
孔興範清 476-296-112
545-404- 98
孔興燫清 539-627-11之6
孔興燮清 539-626-11之6
孔錦山元 546-589-134
孔璲之唐 400-386-536
539-624-11之6
孔繼泰清 539-627-11之6
孔繼溥清 539-628-11之6
孔繼濩清 539-626-11之6
孔靈珍後魏 539-624-11之6
孔靈產齊 259-477- 48
378-290-138
486-341- 15
524-364-197
1141-802- 34
孔靈符劉宋 258-155- 54
265-426- 27
378- 97-133
486- 36- 2
523-460-169
933-510- 34
孔纘文明 456-669- 11
牙蘭明 見伊蘭
尹牙漢 453-758- 4
564- 9- 44
879-164-58上
尹氏漢 漢武帝婕妤
244-268- 49
尹氏晉 尹虞女 256-573- 96
381- 51-185
473-341- 63
480-415-277
533-657- 71
尹氏宋 張景憲妻、尹洙女
1100-432- 39
尹氏宋 尹少連女

1090-682- 40
尹氏金 完顏珠爾妻 291-752-130
474-875- 47
477-135-155
503- 26- 93
尹氏元 霍耀卿妻 295-626-200
401-175-593
472-667- 27
477- 93-153
尹氏明 王奇妻 480-254-269
尹氏明 王用賓妻 302-247-303
475-813- 91
尹氏明 李元妻 506- 71- 88
尹氏明 於深妻 506- 42- 87
尹氏明 孫旬妻、尹煌女 1291-488- 8
尹氏明 孫昕妻 472-298- 12
尹氏明 曹奉祿妻 558-531- 43
尹氏明 張蘭妻 473-305- 62
480-252-269
尹氏明 張子文妻 472-396- 17
尹氏明 陳盛杭妻 480-178-266
尹氏明 賈還素妻 474-605- 31
尹氏明 楊諧妻 483- 35-371
尹氏清 王璋妻 506- 65- 87
尹氏清 張理妻 483- 17-370
尹氏清 趙宗實妻 476-829-143
尹氏清 鄭國楨妻 474-194- 9
尹氏清 劉奇妻 506-167- 90
尹玉宋 288-330-450
400-185-514
451-231- 0
473-188- 58
479-822-256
516-167- 94
尹玉明 456-443- 3
尹正北周 263-828- 48
267-784- 93
381-400-193
472-895- 35
尹平明 515-639- 77
尹白宋 821-184- 50
尹安明 472-367- 16
510-446-117
尹式隋 264-1080- 76
267-625- 83
380-403-176
472- 68- 2
尹朴宋 1089-523- 47
尹任明 456-522- 6
尹宏明 473-584- 75
481-583-328
523-228-156
尹沖劉宋 258-621- 95
尹沂宋 533-319- 57
尹辛元 477- 85-152
尹亨明 1261-699- 30
尹沐妻 清 見楊氏
尹志明 567-416- 84
尹伸明(字子求) 302-120-295
456-444- 3
478- 93-180
481-213-302
559-518- 12
571-525- 19
676-624- 25
820-735- 44
1442- 86- 5
1460-693- 75
尹伸明(字弱生) 554-216- 52
尹伸妻 明 見邵氏
尹伸女 明 見尹紉榮
尹宗蜀漢 384-496- 18
尹京明 511-193-143
尹宙漢 538- 20- 62
1397-631- 29
尹怦唐 480-295-271
尹直明(字正言) 299-677-168
452-181- 3
473-155- 56
尹直明(字仲剛) 1242-861- 10
尹奉晉 480-539-283
532-712- 45
尹拙宋 288- 77-431
400-625-557
472-202- 7
475-779- 89
511-714-164
尹林唐 812-371- 0
尹來妻 明 見李氏
尹昌明(字輯禎) 473-153- 56
515-668- 78
尹昌明(字原昌) 1237-373- 11
尹昇明 820-602- 40
尹昆漢 402-457- 10
尹旻明 453-683- 32
472-527- 22
540-790-28之3
554-198- 52
1250-918- 87
尹洪明 678-191- 88
尹竑明 481-116-296
尹洗明 456-461- 4
458-293- 10
505-845- 76
尹洙尹師魯 宋 285-693-295
371-145- 15
382-410- 64
384-357- 18
397-141-328
449-106- 9
450-481-中36
450-482-中36
471-651- 10
471-816- 32
471-818- 32
471-820- 33
471-822- 33
472-196- 7
472-740- 29
472-749- 29
472-878- 35
472-893- 35
473-233- 60
473-246- 60
473-640- 78
475-365- 67
477-314-164
478-670-209
480-169-266
481-693-332
528-537- 31
532-653- 44
534-677-105
537-509- 59
538-614- 78
545-175- 89
545-213- 91
554-331- 54
558-194- 31
558-227- 32
674-282-4下
674-816- 17
708-332- 50
933-584- 38
1089-508- 47
1090- 2- 附
1090-146- 附
1102-225- 28
1102-377- 49
1351-508-132
1351-591-140
1356-133- 7
1362-460- 18
1378-560- 61
1378-594- 62
1383-642- 57
1409- 36-565
1410-328-706
1410-567-741
1437- 11- 1
1447-552- 30
1447-601- 33
尹洙女 宋 見尹氏
尹恢漢 539-348- 8
尹春妻 清 見張桂喜
尹軌尹軏 周 476- 48- 98
547-476-159
574-368- 21
1059-304- 9
1061-202-104
尹革明 483- 35-371
570-213-213
尹珍漢 471-1002- 60
471-1008- 61
473-478- 69
473-544- 72
481-115-296
483- 16-370
483-282-393
494-160- 6
533-315- 57
561-200-38之1
570-109-21之1
572- 69- 28
591-620- 45
820- 30- 22
尹珍明 511-193-143
尹政明 524-193-188
尹苞漢 402-477- 11
尹信明 554-348- 54

尹奐妻 明 見蕭氏
尹浦 明 482-433-361
523-547-173
567-103-66
1265-679-25
1467-72-64
尹庭 明 540-812-28之3
尹泰 元 505-675-69
474-407-20
尹泰 清 456-351-77
尹貢 晉 483-282-393
572-69-28
尹珩 明 533-330-58
尹軏 周 見尹軌
尹振 明 524-153-185
尹挺 後魏 262-71-71
266-922-45
尹校 明 820-720-43
尹虔 唐 1065-873-23
尹特 清 455-332-20
尹耕 明 506-526-104
546-725-139
1442-55-3
1460-134-46
尹躬 宋 515-587-75
尹淳 明 559-345-8
676-496-19
尹清 明 510-436-116
尹淮 明 570-147-21之2
尹惇母 宋 見朱氏
尹章 明 1229-396-1
尹章妻 明 見楊氏
尹庸 明 1242-93-27
尹梁 明 545-224-91
尹袞 明 515-693-78
528-561-32
尹堅 明 515-635-77
尹爽 明 1277-560-6
尹爽妻 明 見劉恭儉
尹陳 明 558-184-31
尹略 齊 259-333-30
尹莘 尹萃、尹華 元
295-607-197
400-316-526
538-78-64
尹冕 明 477-418-169
538-111-64
尹偕 唐 569-615-18下之2
尹敏 尹敬 漢 253-526-109上
370-168-16
380-264-172
402-391-5
402-444-9
402-575-19
472-770-30
477-364-167
538-28-62
933-584-38
尹造 唐 484-86-3
尹湘 宋 1090-72-14
尹詔 明 456-529-6
516-185-94
尹愔 唐 276-41-200
384-206-11
472-896-35
558-308-34
尹焞 宋 288-25-428
400-462-543
448-500-11
449-732-9
459-78-5
471-593-2
471-1005-61
472-750-29
473-477-69
477-253-161
477-314-164
481-118-296
493-1070-57
511-892-172
524-323-195
538-12-61
539-503-11之2
561-208-38之2
674-179-1下
674-838-18
680-88-234
820-410-34
933-585-37
1136-53-8
1136-94-5
1363-271-140
1386-362-14
尹喜 周 405-460-86
472-898-35
538-350-70
547-536-160
554-963-65
1058-491-上
尹植 唐 1340-623-783
尹登 清 455-116-4
尹弼 明 1244-667-17
尹琳 唐 812-347-9
821-41-46
尹琭 明 545-190-90
558-400-36
尹逵母 明 見丁氏
尹萃 元 見尹莘
尹華 元 見尹莘
尹絳 宋 515-573-75
尹逸 周 見史佚
尹進 明 1250-498-46
尹源 宋 288-232-442
371-145-15
384-357-18
400-652-560
450-489-中37
472-749-29
472-878-35
538-142-65
545-437-99
558-195-31
674-345-5下
933-584-38
1102-247-31
1102-376-49
1118-377-19
1356-149-7
1378-560-61
1383-628-56
1410-326-706
尹源 明 1241-78-4
尹義 明 494-330-6
尹煌女 明 見尹氏
尹塔 清 456-35-52
尹楷 明 456-661-11
475-531-77
尹勤 漢 253-74-76
370-193-19
376-792-109下
402-421-7
477-367-167
尹暉 後晉 278-102-88
279-311-48
396-429-295
尹虞 晉 482-73-341
563-611-38
尹葆 明 570-102-21之1
尹敬 漢 見尹敏
尹節 宋 1090-80-15
尹齊 漢 244-868-122
251-135-90
251-680-30
380-215-171
384-46-2
472-570-24
540-692-28之1
933-583-38
1408-325-512
尹齊 明 1242-228-32
尹端 明 483-163-382
570-139-21之2
尹嘉 漢 478-728-212
尹臺 明 479-726-250
515-708-79
1287-784-11
1442-56-3
1460-143-47
尹構 宋 1104-703-15
尹蒙 明 524-224-189
尹馛 後魏 見伊馛
尹鳳 明 300-507-212
511-384-151
尹綬 明 511-351-149
尹寬 明 820-603-40
尹澄 尹林 周～漢 547-493-159
尹澄 唐 812-371-0
821-89-48
尹瑾 明 481-613-329
528-497-30
564-153-45
尹震 宋 451-226-0
尹穀 宋 288-332-450
400-188-514
451-237-0
473-339-63
480-50-259
480-409-277
480-483-280
533-398-61
1366-932-4
尹賞 漢 251-141-90

380-220-171
384- 49- 2
933-583- 38
尹質宋 592-722-108
812-459- 1
812-540- 3
821-166- 50
尹德清 455-127- 5
尹緯晉 256-878-118
381-284-190
472-895- 35
933-584- 38
尹憲宋 285-437-276
396-688-316
472-436- 19
472-930- 37
476- 40- 98
478-267-187
545-630-106
554-235- 52
尹機宋 493-747- 41
尹墺宋 516-206- 95
尹默蜀漢 254-650- 12
377-394-118下
384- 76- 4
384-496- 18
385-587-65上下
481-404-313
533-734- 73
559-279- 6
591-526- 41
879-175-58下
933-584- 38
尹興漢 485- 64- 10
485- 83- 12
493-668- 37
尹遲明 472-431- 19
476- 30- 97
545-144- 88
尹衡清 479-146-223
515-228- 63
523-369-163
尹錫宋 486- 47- 2
尹勳漢 253-369- 97
376-866-111上
376-964-112
384- 67- 3
472-743- 29
472-788- 31
474-433- 21
477-308-164
477-407-169
505-679- 69
537-490- 59
933-584- 38
尹濯唐 516-202- 95
尹襄明 515-696- 78
尹襄妻 清 見鹿氏
尹聰明 472-795- 31
尹聰妻 明 見康氏
尹謨明 1258-302- 6
尹轍明 515-703- 79
1275-322- 15
尹藎明 見俞藎
尹瞻宋 473-432- 67
559-342- 8
尹穡宋 287- 99-372
398-160-375
473- 62- 51
516-210- 96
585-763- 5
1467-150- 67
尹鏜明 554-208- 52
尹耀漢 488- 74- 6
尹鐸春秋 404-784- 48
472-428- 19
545-124- 87
545-726-109
尹讓妻 漢 見韓姜
尹一仁明 515-703- 79
尹士偉妻 清 見張氏
尹士禎明 1261-106- 8
尹子厚妻 明 見曾氏
尹子雲明 1442-129- 8
1460-869- 94
尹子琳妻 明 見張秀汝
尹子源明 1241-524- 9
尹大中妻 元 見黃氏
尹大目魏 386- 67-70中
尹大任明 456-603- 9
483- 16-370
570-128-21之1
571-539-20
尹大姐清 孫芳妻
477-137-155
尹山僧宋(居尹山) 524-439-201
尹心堯明 570-161-21之2
尹文子戰國 405-468- 86
尹文化宋 1090-656- 37
1102-205- 26
1378-539- 60
尹文光妻 明 見劉氏
尹文煒明 515-179- 62
尹之逵清 564-931- 64
尹之路妻 明 見梁氏
尹元正妻 明 見蕭氏
尹元正媳 明 見張氏
尹元貞唐 271-493-187上
475-271- 63
510-369-114
尹元凱唐 271-583-190中
276- 69-202
400-597-555
505-885- 79
820-152- 26
933-584- 38
尹天民宋 473-188- 58
516-161- 94
559-286-7上
1163-503- 25
尹少連女 宋 見尹氏
尹公亮清 1322-646- 11
尹公弼妻 清 見李氏
尹仁鏡明 1442-129- 8
1460-875- 94
尹仇寬唐 473-812- 86
尹升卿金 472-677- 27
537-255- 55
尹永連妻 清 見孫氏
尹玉羽後晉 278-153- 93
679-412-178
680-695-288
1318-222- 51
尹正卿隋 267-625- 83
尹正義唐 486- 42- 2
尹民興明 301-665-277
533-146- 51
676-656- 27
尹四聰宋 515-601- 76
尹守貞唐 820-153- 26
1065-872- 23
1342-326-946
尹守衡明 564-281- 47
676-109- 4
尹安石金 見師安石
尹吉甫周 404-445- 26
471-823- 33
471-1011- 62
473-258- 60
473-528- 72
533- 92- 49
545-857-113
554- 89- 50
559-397-9上
591-199- 16
591-576- 43
592-490- 91
933-583- 38
尹同皋明 545-676-107
尹任臨明 545-199- 90
尹自道明 1237-255- 5
1238-466- 8
1242- 61- 25
尹如翁明 301-468-264
456-672- 11
尹仲成妻 清 見劉氏
尹仲宣宋 1090-655- 37
1102-205- 25
1378-539- 60
尹仲剛明 1243-517- 8
尹仲讓妻 漢 見韓姜
尹宏載明 456-643- 10
尹良佐明 480- 91-262
尹良輔明 483-149-381
570-132-21之1
尹志平元 498-465- 94
541- 94- 30
1200-740- 56
1439-456- 2
尹成立明 1232-211- 2
尹均祥宋 559-380-9上
尹孝策妻 明 見李氏
尹克仁元 400-280-522
尹克昌明 472-255- 10
尹更始漢 477-412-169
538- 30- 62
675-299- 15
尹伯奇周 533-449- 62
550-448-222
591-199- 16
591-576- 43
尹希文明 480-290-271

尹希善元 515-619- 76
尹廷俊明 567-139- 68
1467-130- 66
尹廷高元 524- 90-182
1439-423- 1
1468-201- 11
尹廷弼清 558-453- 38
尹松岡女 明 見尹瑞蓮
尹東周明 569-662- 19
尹東郊明 561-204-38之1
尹東魯妻 明 見陳氏
尹林菴明 541-107- 31
尹長生尹启生 劉宋
812-329- 6
821- 20- 45
尹承譓宋 515-572- 75
尹昌隆明 299-596-162
481-745-334
515-647- 77
528-560- 32
676-471- 18
1259-826- 6
1442- 18-附1
1458-113-425
1459-547- 19
尹明廷清 475-141- 57
482-433-361
511-442-153
567-149- 69
1313-248- 20
尹明翼明 564-156- 45
尹尚賓尹尚賢 明533-254- 55
567-409- 84
尹尚賢明 見尹尚賓
尹知章唐 271-551-189下
276- 21-199
384-189- 10
400-414-538
476- 82-100
546-640-136
933-584- 38
1077-287- 下
尹金貞明 龍芹妻
533-642- 70
尹岳秀宋 451-237- 0
尹启生劉宋 見尹長生
尹延勛女 宋 見尹皇后
尹爲憲明 559-310-7上
569-670- 19
尹亮工明 456-643- 10
尹亮采妻 清 見蔣氏
尹彥卿隋 267-625- 83
尹彥植宋 593-835- 8
尹彥頤宋 677-444- 40
尹拱宸妻 清 見荀氏
尹相三明 533- 13- 47
尹思民明 456-603- 9
尹思貞唐(謚簡) 270-207-100
274-608-128
384-188- 10
395-573-233
459-887- 54
473-425- 67
476-656-135
478-113-181
540-645- 27
545-171- 89
554-446- 56
559-280- 6
933-584- 38
尹思貞唐(字季弱) 276- 41-200
478-698-210
558-308- 34
尹皇后西涼 涼高祖后
256-580- 96
381- 57-185
478-519-200
558-502- 42
尹皇后宋 宋太宗后、尹廷勛女 284-858-242
382-102- 13
384-331- 17
393-301- 75
537-186- 53
尹紉榮尹紉蘭 明 劉晉仲妻、尹伸女 1407-585-455
1442-124- 8
尹紉蘭明 見尹紉榮
尹原昌明 1242-361- 36
尹起莘宋 472-1054- 44
479-433-236
523-630-177
尹翁歸漢 250-667- 76
376-344-101
384- 48- 2
448-291-上
459-816- 49
469-363- 43
472-307- 13
472-461- 20
472-737- 29
472-829- 33
472-851- 34
476- 81-100
476-365-117
476-777-141
477-303-163
477-520-175
478- 84-180
510-380-115
537-293- 56
540-660- 27
545-748-110
554- 93- 50
933-583- 38
1408-385-517
尹耕莘明 569-661- 19
尹師魯宋 見尹洙
尹卿選妻 明 見劉氏
尹能敬明 1238- 42- 4
尹殷輔明 1442-129- 8
1460-876- 94
尹惟日清 480-414-277
482-116-343
533-256- 55
563-878- 42
尹惟廉妻 清 見張氏
尹務本明 1238-519- 12
尹務厚明 1237-311- 6
1239-250- 43
尹務榮唐 511-580-159
尹崇珂宋 285-197-259
396-524-302
472-519- 22
472-897- 35
476-516-127
478-698-210
481-800-338
505-931- 84
540-624- 27
558-392- 36
563-650- 39
567- 47- 64
尹國泰清 511-649-162
尹祭湯妻 明 見劉氏
尹得安清 456-373- 78
尹啟明妻 清 見朱氏
尹從王清 479- 93-221
523-109-150
尹從龍明 554-988- 65
尹湯卿明 456-642- 10
尹湯傅明 456-642- 10
尹湯聘妻 明 見畢氏
尹湯賓明 456-642- 10
尹肅京清 505-897- 80
尹發掄妻 清 見李氏
尹景暘妻 明 見王氏
尹遂祈明 564-154- 45
676-358- 13
尹道遜明 見任道遜
尹瑞蓮明 尹松岡女
1287-754- 9
尹達理清(瓜爾佳氏)
455- 91- 3
尹達理清(韓氏) 456-350- 77
尹達渾清(正白旗人)
455-255- 14
尹達渾清(鑲白旗人)
455-270- 15
尹萬年妻 清 見王氏
尹嗣宗唐 473-250- 60
尹遇湯妻 清 見張氏
尹會一清 474-247- 12
476-920-148
尹賓商明 533-159- 52
尹熙古宋 494-338- 7
820-331- 32
尹壽子上古 538-339- 70
尹監賢妻 明 見常氏
尹嘉言明 559-252- 6
尹嘉賓明 511-769-166
676-631- 26
820-737- 44
1442- 90- 6
1460-514- 65
尹夢符明 456-643- 10
483- 97-378
尹夢旗明 456-643- 10
尹夢龍元 295-600-197
400-309-526
480-246-269
533-440- 62

尹夢鼇明 302- 53-292
456-443- 3
475-777- 89
483- 97-378
510-482-118
570-129-21之1
尹鳳岐明 473-153- 56
515-663- 77
1241-660- 14
1442- 21-附2
1459-580- 21
尹鳳岐妻 明 見羅氏
尹鄭任妻 明 見陳氏
尹蓬頭明(居天慶觀)
505-934- 85
尹蓬頭明(居宣陽觀)
511-936-175
尹蓬頭明(居神樂觀)
516-471-104
尹德齊清 455-295- 17
尹德毅北周 267-784- 93
尹德懋明 456-683- 11
尹鴻新明 569-659- 19
尹應元明 480- 91-262
533-156- 52
尹懷昌後晉 483-294-394
571-543- 20
尹懷聖清 511-862-170
尹覺民明 545-249- 92
尹繼先明 1458- 73-420
1458- 75-420
尹繼昭唐 812-522- 2
813-112- 8
821- 92- 48
尹繼倫宋 285-417-275
396-675-315
472-658- 27
477- 73-152
537-387- 57
尹繼善清 475- 22- 49
1308-298- 59
尹體震明 564-154- 45
尹達瑚齊清(伊爾根覺羅氏)
455-261- 15
尹達瑚齊清(覺佳氏)
456-124- 58
天乙商 見湯
天妃宋 見天后
天老上古 404-383- 23
天后天妃、馬祖 宋 林愿女
460-1079- 5
481-562-327
498-388- 88
530-198- 60
583-546- 11
天如明 533-751- 74
天眞明 見明果
天根不詳 933-246- 17
天涯鄭峰頂 漢 561-223-38之3
天得明 541-100- 30
天游宋 見天遊
天童宋 475-652- 83
天然唐 472-776- 30
477-383-167
516-419-103
538-346- 70
588-343- 3
1052-146- 11
1053-184- 5
1054-130- 3
1054-550- 16
天智提雲般若、提雲陀若那 唐
1051-223- 9
1052- 24- 2
天遊天游 宋 592-381- 83
1053-776- 18
天遂大遂 明 1442-121- 8
1475-774- 33
天福五代 1053-230- 6
天隱明 516-477-105
天寶宋 1053-643- 15
天水王唐 見李禧
天布基清 456-290- 72
天自在唐(多與人語天上事)
592-273- 77
天和子元 541- 96- 30
天皇氏上古 383- 5- 2
天息灾宋 1054-608- 18
天鳳尼清 456-290- 72
天龍和尚後唐(居天龍寺)
588-246- 10
1053-157- 4
天親菩薩不詳 1053- 85- 2
天王院和尚五代
1053-555- 13
天柱山和尚五代
1053-634- 15
夫差春秋 見吳王夫差
夫槩春秋 見夫槩王
夫人重春秋 齊景公夫人、公子慭女 404-630- 38
夫槩王夫槩 春秋 384- 24- 1
405-125- 63
485-149- 20
493-793- 43
夫人子氏春秋 見仲子
支文宋 485-537- 1
支氏明 唐嗣美妻 506- 14- 86
支氏清 張步仲妻 478-143-181
支立明 523-581-175
680-230-247
1247-549- 25
1475-205- 9
支亮魏 1054-296- 5
支玿妻 清 見李氏
支高唐 820-226- 28
支高明 1475-275- 11
支渭宋 559-291-7上
支琮明 1246-640- 14
支期戰國 405-183- 68
支詳唐 569-615-18下之2
支遁晉 472-232- 8
472-1075- 45
475-458- 71
475-264-228
485-558- 3
486-336- 15
492-614- 14
493-1088- 58
511-918-174
524-413-200
588-274- 11
933- 56- 3
1054- 56- 2
1054-314- 6
1379-382- 47
支漸宋 288-414-456
400-302-524
481-386-312
559-434-10上
591-568- 42
1100-299- 25
支鳳明 559-408-9上
支儉明 475-472- 72
支選宋 812-552- 4
821-166- 50
支謙越 820- 44- 22
1051- 34-2上
1054- 40- 1
1054-296- 5
支曜漢 1051- 18- 1
支讖漢 見支婁迦讖
支鑑明 511-867-170
820-641- 41
821-396- 56
支子傑明 820-601- 40
支大綸明 676-609- 25
1442- 77- 5
1460-381- 57
1475-355- 15
支可大明 511-388-151
支奴才唐 見支叔才
支如玉明 1475-389- 16
支仲元前蜀 554-907- 64
812-525- 2
813- 82- 3
821-123- 49
支良知明 1383-673-119
支良知妻 明 見李氏
支孝龍晉 1050-100- 66
支法存晉 742- 30- 1
支法度晉 1051- 64-2下
支法度晉 1051- 64-2下
支叔才支奴才 唐
275-627-195
400-285-523
474-652- 34
505-918- 81
933- 56- 3
支叔芳元 821-322- 54
支時起宋 1149-698- 15
支渭興元 473-465- 69
569-647- 19
592-607- 99
676-707- 29
1439-441- 2
支隆求清 1475-612- 26
支道根晉 1051- 70- 3
支曇諦晉 1048-595- 23
1049-518- 35
1116-481- 24
1416-311- 1

支曇蘭晉 524-421-200
1050-609-101
支曇籥晉 493-1089- 58
1049-740- 50
支蘭玉妻 元 見葉如蘭
支體義文體義 明
479-811-255
515-260- 65
567-344- 79
支婁迦讖支讖 漢
1051- 7- 1
支彊梁接正無畏 吳
1051- 39-2上
木叉唐 1052- 22- 2
1052-253- 18
木公明 見木公恕
木氏明 吳宗道妻 472-263- 10
475-234- 61
木羽不詳 1058-506-下
1061-255-108
木青明 570-163-21之2
820-713- 43
1442- 94- 6
1460-864- 93
木青妻 明 見羅氏
木征宋 見趙思忠
木客漢 516-501-105
木盈朱盈、朱楹 宋
491-117- 13
524-307-194
木涇妻 明 見田娟娟
木敦清 455- 56- 1
木堤晉 496-593-103
木華晉 933-720- 49
木湞唐 1052-272- 19
木增明 483-161-382
570-125-21之1
木薩清 500-746- 38
木懿清 483-163-382
木下人明 見平秀吉
木天駿宋 523-495-170
木公恕木公、麥公恕 明
483-163-382
570-163-21之2
676-684- 28
1442- 51-附3
1460-863- 93
木易干後魏 267-878- 98

木哈達清 455- 70- 2
木待問宋 472-1117- 48
493-721- 40
820-430- 35
木骨閭後魏 381-645-200
木華黎元 見穆呼哩
木赫林清 455-156- 6
木牌王明(持木牌) 511-939-175
木鄧子唐 564-615- 56
木八喇沙元 554-258- 52
木平和尚南唐 475- 83- 53
492-596-13下之下
木杆可汗後魏 見俟斗
木葉老人宋(履木葉而無聲)
524-441-201
友娣漢 任延壽妻 448- 51- 5
452-104- 3
555- 4- 66
友蟾宋 1053-410- 10
友鹿翁宋 524-290-293
夬滿噶哈清 455-504- 31
及氏清 白調鼎妻 506- 85- 88
及宦明 505-818- 74
510-437-116
1291-924- 7
止觀唐 1053-367- 9
止觀宋 516-445-104
日孜明 1237-241- 4
日芳宋 1053-652- 15
1076- 64- 7
1076-525- 7
日悟唐 1077- 83- 7
日益宋 1053-808- 19
日章明 821-488- 58
日愼宋 1053-665- 16
日照地婆訶羅 唐(居廣福寺)
1051-219- 9
1052- 24- 2
日照唐(居昂頭峰) 1052-157- 12
日餘宋 1053-808- 19
日華子宋 524-358-196
日華君唐 567-457- 87
1467-513- 11
日子和尚唐 1053-155- 4
中壬仲壬 商 384- 3- 1
中仁宋 588-230- 10
1053-838- 19
中立宋 1118-396- 20

中京漢 933- 42- 2
中度五代 1053-238- 6
中衍商 545-688-108
中康仲康 夏 371-217- 3
383-233- 23
384- 3- 1
404- 43- 3
537-172- 53
中山王漢 見劉茂
中山王漢 見劉竟
中山王漢 見劉焉
中山王漢 見劉勝
中山王漢 見劉輔
中山王漢 見劉興
中山王魏 見曹袞
中山王後魏 見元英
中山王遼 見耶律宗懿
中山王遼 見耶律洪道
中山王明 見徐達
中山盜明 1458-101-424
中行伯春秋 見荀庚
中行說漢 244-745-110
中皇氏上古 383- 42- 6
中山夫人上古 見女皇
中行文子春秋 見荀寅
中行桓子春秋 見荀林父
中行穆子春秋 見荀吳
中行獻子春秋 見荀偃
中央黃老君上古
1061-173-101
毌邛宋 540-757-28之2
毌邛妻 宋 見馬氏
毌珌元 473-194- 58
515-256- 65
毌恩明 523-174-154
559-366- 8
毌祥明 559-361- 8
毌湜宋 1096-786- 39
毌雅毌稚 晉 473-478- 69
481-115-296
559-351- 8
571-555- 20
591-622- 45
毌道明 561-201-38之1
毌煚唐 270-255-102
毌過毌寅郎 宋 448-392- 0
毌稚晉 見毋雅
毌擇戰國 546-433-129

毌興妻 清 見李氏
毌丘甸魏 254-484- 28
386- 68-70中
546-516-132
毌丘儉魏 254-481- 28
377-234-117
384-684- 44
386- 63-70中
469-398- 47
472-461- 20
474-686- 37
476-396-119
502-251- 53
544-202- 62
546-515-132
1379-214- 27
毌丘興魏 254-481- 28
478-633-206
546-515-132
毌句氏無間 上古
545-686-108
毌守素宋 288-697-479
482-451-362
546-567-134
毌延瑞宋 1184-884- 3
毌知前妻 清 見閻氏
毌咸之宋 812-472- 3
812-547- 4
821-146- 50
毌思義明 559-365- 8
毌昭裔後蜀 481- 82-294
561-207-38之2
680-133-237
683-896-下
毌寅郎宋 見毌過
毌崇正明 456-577- 8
480-636-288
毌將隆漢 250-695- 77
376-364-101
384- 51- 2
472-550- 23
476-580-131
482-227-348
491-796- 6
540-698-28之1
563-896- 43
933-792- 57
毌揚祖明 571-556- 20

毌夢牛宋 559-351- 8
592-606- 99
毌德純明 480-321-272
533-741- 73
559-366- 8
毌鹽氏戰國 見無鹽氏
毌丘元志唐 821- 99- 48
少姜春秋 晉平公夫人
404-763- 46
少俞上古 742- 22- 1
少紀唐 820-305- 30
少翁漢 243-268- 12
384- 46- 2
少康夏 371-218- 3
372- 98-3上
383-239- 23
384- 3- 1
404- 45- 3
544-153- 61
少康妻 夏 見二姚
少康山康 唐 472-1018- 41
479-386-234
524-438-201
1052-352- 25
少昭乘春秋 見步叔乘
少昊氏上古 見少皞氏
少昊氏上古 見雲陽氏
少周宰春秋 見少室周
少室周少周宰 春秋
384- 21- 1
404-785- 48
546-513-132
少師彊周 見少師疆
少師疆少師彊 周554-876- 64
少皞氏小昊氏、少昊氏、金天氏、青陽氏、雲陽氏、窮桑氏、摯 上古 371-212- 2
383-136- 16
404- 20- 2
539-337- 8
554- 2- 48
560-590-29下
814-208- 1
819-554- 19
少衛姬春秋 齊桓公夫人
404-629- 38
448- 19- 2
內勒清 455-449- 27
內齊清 454-420- 29
內史過過 春秋 380-537-181
384- 12- 1
404-468- 27
448-144- 4
內史廖戰國 243-130- 5
內史興春秋 見叔興
內丘王明 見朱幼㙉
內江王明 見朱友壔
內鄉王明 見朱有炯
內赫圖清 456-283- 71
內圖肯清 見內圖根
內圖根內圖肯 清456-108- 57
456-152- 61
內史叔服春秋 見叔服
內史叔興春秋 見叔興
水氏元 吳金妻 512- 71-178
水氏明 王聖修妻 570-204- 22
水氏清 汪士俊妻 479- 73-219
水得妻 明 見李惠
水盛元 524-391-198
1224-600- 下
水德妻 明 見李惠
水佳應明 532-601- 41
水待問宋 494-308- 5
水卿謨明 1457-714-410
水丘昭券五代 523-509-171
523-353-163
水丘覽雲宋 821-228- 51
水空和尚唐 1053-189- 5
水東山人元(字變父)
821-328- 54
水陸和尚五代(居水陸院)
1053-444- 11
水塘和尚唐 1053-127- 3
水潦和尚唐 516-420-103
1053-132- 3
公武金 540-671- 27
公坦清 500-729- 37
公孟春秋 見公孟縶
公明周 545-688-108
公叔戰國(韓國人) 405-159- 66
公叔公叔座、公叔痤 戰國(魏國人) 405-176- 67
546-435-129
公果春秋 404-550- 33
公季商 見季歷
公爲春秋 見公叔務人
公衍春秋 404-550- 33
公泰清(郭絡羅氏) 455-512- 32
公泰清 (薩克達氏)
455-547- 35
公格清 500-727- 37
公賁春秋 404-550- 33
公期和尚宋 1053-244- 6
公鼐明 300-567-216
476-788-141
540-822-28之3
676-625- 26
1442- 87- 5
1460-493- 64
公儉漢 933- 43- 2
公劉夏 243- 92- 4
371-225- 5
372-111-3下
383-160- 18
384- 3- 1
404-392- 23
554-373- 55
556-373- 91
公鼒明 1442- 87- 5
1460-586- 69
公畿和尚唐 1053-162- 4
公一楊明 545-250- 92
公子士春秋 404-853- 53
公子元春秋 405- 42- 58
公子元春秋 見元
公子比春秋 244-127- 40
公子牙叔牙、叔孫叔長、僖叔 春秋(魯國人) 384- 14- 1
404-519- 32
933-720- 49
公子牙春秋(齊國人)
404-608- 37
公子友公子季友、成季、季子、季友 春秋(魯國人)
375-685- 89
384- 14- 1
404-530- 32
448-143- 4
933-647- 42
公子友春秋(宋國人)
384- 21- 1
公子午春秋 405- 49- 59
448-234- 19
公子印春秋 404-809- 49
公子丙春秋 405- 45- 58
公子平春秋 405- 45- 58
公子札季子、季札、延陵、季札、延卅來季子 春秋
244- 3- 31
371-269- 8
371-454- 27
375- 2-77上
375-866- 92
384- 24- 1
386-646- 7
405-120- 63
448-220- 18
471-596- 2
472-224- 8
487-148- 20
493-790- 43
511- 61-138
547-158-147
933-108- 7
1268-367- 59
1407- 32-398
1410- 19-665
公子申子西、令尹子西 春秋(字子西) 375-864- 92
384- 26- 1
386-687- 11
405- 51- 59
448-264- 26
533-128- 51
公子申春秋(楚共王時人)
405- 46- 58
公子他戰國 見公子池
公子池公子他 戰國
405-324- 76
554-545- 58
公子羽春秋 見子羽
公子地春秋 404-817- 50
公子光春秋 見吳王闔閭
公子牟戰國 405-194- 68
公子朱春秋 405- 43- 58
公子宏春秋 405-322- 76
公子完春秋 見陳完
公子宋春秋 404-888- 55
公子成春秋(宋國人)
404-804- 49
公子成春秋(楚國人)
405- 46- 58

公子成安平君、奉陽君 戰國 405-197- 69
公子成戰國 見魏成子
公子辰春秋 405- 47- 58
公子呂春秋 404-886- 55
公子角春秋 404-608- 37
公子佗春秋 見五父
公子青春秋 404-839- 52
公子招春秋 405- 97- 62
公子固春秋 404-608- 37
公子卓卓子 春秋 404-686- 41
公子肥春秋 404-809- 49
公子貞子囊 春秋 375-857- 92
384- 26- 1
405- 47- 59
448-199- 15
533-126- 51
1095-733- 39
公子高秦 554- 32- 48
公子城春秋 404-810- 49
公子班春秋 404-881- 55
公子格春秋 405- 46- 58
公子茷春秋 405- 43- 58
公子郢春秋 404-838- 52
505-768- 73
公子荊母 春秋 見魯哀公夫人
公子荊春秋 404-838- 52
472-707- 28
505-768- 73
537-364- 57
公子留春秋 405- 97- 62
公子寅春秋 405- 46- 58
公子章戰國 見章
公子理戰國 405-189- 68
公子乾春秋 405-101- 62
公子偃春秋(字子游) 384- 23- 1
404-855- 53
公子偃春秋(魯國人) 404-505- 30
公子側春秋 見子反
公子啟公子閭 春秋 405- 55- 59
533-350- 59
公子游春秋 見子游
公子朝春秋(衛國人) 404-838- 52
505-768- 73
公子朝春秋(蔡國人) 405- 98- 62
公子朝戰國 405-218- 70
公子喜春秋 384- 22- 1
404-870- 54
公子發春秋 384- 23- 1
404-861- 54
公子買公子賈 春秋 404-608- 37
公子然春秋 見子然
公子順春秋 見母弟須
公子結春秋 405- 54- 59
533-350- 59
公子勝春秋 405- 97- 62
公子勝戰國 405-218- 70
公子雍春秋(齊國人) 404-608- 37
公子雍春秋(晉國人) 404-686- 41
公子遂東門襄仲、襄仲、襄遂 春秋 375-685- 89
384- 15- 1
404-562- 34
448-164- 8
公子頑春秋 見昭伯
公子賈春秋 見公子買
公子瑕春秋(字子適) 404-837- 52
公子瑕春秋(鄭國人) 404-853- 53
公子蒧春秋 見公西蒧
公子萬春秋 545-689-108
公子過春秋 405- 97- 62
公子鉏南郭且于 春秋 404-608- 37
公子語春秋 見子八
公子壽春秋 見壽子
公子臧春秋 見子臧
公子嘉春秋(齊國人) 404-608- 37
公子嘉春秋(字子孔) 404-878- 54
公子駟春秋 405-101- 62
公子駒春秋 404-608- 37
公子閭春秋 見公子啟
公子翬羽父、翬 春秋 384- 13- 1
404-561- 34
公子履春秋 405- 98- 62
公子罷春秋 405- 46- 58
公子魴春秋 見司馬子魚
公子樂春秋 404-686- 41
公子緤戰國 405-218- 70
公子慭女 春秋 見夫人重
公子鬩春秋 見公孫鬩
公子彊春秋 404-608- 37
公子彊春秋 見臧僖伯
公子黚春秋 404-608- 37
公子蕩春秋 404-808- 49
公子燮春秋(楚國人) 405- 84- 61
公子燮春秋(蔡國人) 405- 98- 62
公子縶春秋 405-322- 76
公子嬰秦 見秦王子嬰
公子鍼春秋 見后子
公子繁春秋 405- 49- 59
公子職春秋 見王子職
公子騑春秋 375-788- 91
384- 23- 1
404-874- 54
404-888- 55
公子黨春秋 405-123- 63
公子鐸春秋 405-103- 62
公子鑄春秋 見子工
公子鱄春秋 見子鮮
公子齮春秋 405- 46- 58
公文要春秋 404-844- 52
公中緩戰國 405-189- 68
公玉丹戰國 405-243- 71
公古代清 456- 38- 52
公布祿清 455- 86- 3
公守敬明 476-788-141
公羊高戰國 405-452- 85
539-500-11之2
675-294- 15
933-788- 56
公西赤春秋 244-388- 67
371-494- 32
375-656- 88
405-443- 85
472-548- 23
539-496-11之2
933-787- 56
公西蒧公子蒧、公西蔵 春秋 244-390- 67
375-657- 88
405-448- 85
472-547- 23
539-497-11之2
933-787- 56
公西與春秋 見公西輿如
公西蔵春秋 見公西蒧
公仲明戰國 見公仲侈
公仲侈公仲明、公仲朋 戰國 405-157- 66
公仲朋戰國 見公仲侈
公仲連戰國 405-195- 69
505-679- 69
公休哀周 405-454- 85
公冶長公冶芝、公冶萇 春秋 244-386- 67
246- 27- 67
371-490- 32
375-654- 88
405-444- 85
469-207- 24
472-588- 24
491-791- 6
539-494-11之2
933-787- 56
公冶芝春秋 見公冶長
公冶萇春秋 見公冶長
公沙穆漢 253-602-112下
380-573-181
402-500- 12
476-575-131
476-728-138
491-798- 6
502-249- 53
540-703-28之1
公良儒春秋 見公良孺
公良孺公良儒 春秋 244-389- 67
371-494- 32
375-656- 88
405-447- 85
537-368- 57
539-496-11之2
公折哀春秋 見公晳哀
公伯僚春秋 見公伯繚

公伯寮春秋　見公伯繚
公伯繚公伯僚、公伯寮、申繚
春秋　244-387-67
371-492-32
375-655-88
405-445-85
公孟彄春秋　404-838-52
公孟縶公孟、孟縶　春秋
404-838-52
公析哀春秋　見公晳哀
公明宣春秋　405-453-85
539-640-11之6
公明高春秋　405-453-85
539-640-11之6
公明儀春秋　405-453-85
539-640-11之6
公叔戍春秋　404-828-51
公叔座戰國　見公叔
公叔痤戰國　見公叔
公叔發公叔文子、公孫枝　春秋　404-827-51
448-276-29
472-707-28
505-768-73
537-364-57
公肩定公堅定　春秋
244-390-67
375-656-88
405-447-85
539-496-11之2
公肩假春秋　404-552-33
公勉仁明　476-788-141
540-796-28之3
公泉企後魏　552-31-18
公祖茲春秋　見公祖句茲
公家珍清　540-850-28之4
公孫丁春秋　404-840-52
公孫丑戰國　405-456-85
491-791-6
539-498-11之2
公孫友春秋　404-808-49
公孫永晉　256-534-94
380-431-177
474-734-40
503-2-89
933-795-58
公孫弘漢　244-770-112
250-389-58
251-628-25
376-192-98下
384-44-2
448-289-上
472-589-24
476-578-131
476-733-138
491-795-6
540-692-28之1
569-614-18下之2
675-294-15
933-794-58
1329-851-49
1331-304-49
1412-97-5
公孫平春秋　見平
公孫申春秋　404-881-55
公孫生春秋　見孫姓
公孫戌戰國　405-252-72
公孫臣春秋　404-840-52
公孫光漢　742-24-1
公孫印春秋　384-23-1
公孫宏戰國　405-253-72
公孫良後魏　261-483-33
266-541-27
公孫成公孫宿　春秋
404-560-34
公孫成戰國　見公子成
公孫尨春秋　404-785-48
545-725-109
公孫忌春秋　404-810-49
公孫辰春秋　405-101-62
公孫松漢　453-738-2
公孫青春秋　404-611-37
公孫表後魏　261-482-33
266-540-27
379-83-147
933-795-58
公孫枝子桑　春秋384-26-1
405-263-73
448-163-8
472-851-34
839-18-2
933-794-58
公孫枝春秋　見公叔發
公孫固春秋　384-22-1
404-804-49
公孫旴春秋　見公孫霍
公孫周春秋　404-810-49
公孫姓公孫生　春秋
405-101-62
公孫洩春秋　404-879-54
公孫度漢(公孫弘子)
244-772-112
250-794-58
251-632-25
376-196-98下
933-794-58
1412-98-5
公孫度漢(公叔濟)253-588-111
254-159-8
377-66-114
384-70-3
384-83-4
385-108-10
472-624-25
公孫軌後魏　261-483-33
266-540-27
379-83-147
公孫述漢　252-491-13
370-216-23
376-527-104
384-57-3
402-350-2
402-554-18
472-892-35
560-598-29下
561-401-42
933-795-58
1257-99-9
1381-469-37
1381-705-50
公孫衍戰國　見犀首
公孫段伯石　春秋384-24-1
404-378-54
405-453-85
537-361-57
公孫疾戰國　見樗里子
公孫彧晉　547-548-161
公孫恭魏　254-160-8
377-67-114
472-624-25
公孫夏春秋(字子西)
384-23-1
404-874-54
公孫夏春秋(齊國人)
404-611-37
公孫茲叔孫戴伯　春秋
404-519-32
公孫晃魏　254-160-8
377-67-114
公孫師春秋　404-804-49
公孫卿漢　243-272-12
384-46-2
公孫卿不詳　1061-269-110
公孫富春秋　見公孫成
公孫淵春秋　見公孫捷
公孫淵魏　254-160-8
377-67-114
公孫康魏　254-160-8
377-67-114
公孫域公孫琙　漢
474-732-40
483-684-421
502-250-53
公孫閈戰國　405-249-72
公孫敖孟穆伯、穆伯　春秋
384-13-1
404-509-31
448-168-9
公孫敖漢　244-766-111
250-335-55
376-166-98上
478-573-203
558-345-35
933-794-58
公孫捷子淵捷、公孫淵　春秋
404-611-37
933-517-34
公孫琙漢　見公孫域
公孫賀漢　244-766-111
250-507-66
251-625-24
376-254-99
384-46-2
472-914-36
478-573-203
554-62-49
558-345-35
933-794-58
公孫閎漢　540-643-27
公孫朝春秋(魯國人)
404-553-33
公孫朝春秋(楚國人)

405- 54- 59
公孫晳春秋 404-611- 37
公孫雄王孫雄 春秋
405-117- 63
公孫揮春秋(齊國人)
404-611- 37
公孫揮春秋(字子羽)
404-882- 55
448-234- 19
537-361- 37
933-794- 58
公孫黑春秋 384- 23- 1
404-876- 54
公孫傁春秋 404-611- 37
公孫滑春秋 404-886- 55
公孫煜漢 402-448- 9
公孫遂春秋 見公子遂
公孫聖春秋 493-1061- 56
公孫達妻 漢 見郤氏
公孫楚游楚 春秋384- 23- 1
404-857- 53
公孫鉏春秋(鄭國人)
384- 23- 1
公孫鉏春秋(郲國人)
405-105- 62
公孫會春秋 405-102- 62
公孫寧春秋(字子國)
405- 53- 59
533-132- 51
公孫寧孔寧 春秋(陳國人)
405- 97- 62
公孫壽春秋 404-808- 49
公孫輒春秋 384- 22- 1
404-853- 53
公孫鞅戰國 見商鞅
公孫鳳晉 256-534- 94
380-431-177
469-574- 71
474-515- 25
496-420- 90
505-922- 82
839- 41- 4
933-795- 58
公孫僑子產、國僑 春秋
244-166- 42
244-844-119
371-463- 30
375- 49-77下
375-791- 91
380-151-169
384- 23- 1
386-647- 7
404-861- 54
448-217- 18
472-649- 27
537-360- 57
547-157-147
933-517- 34
933-794- 58
1137-616- 24
1340-591-780
公孫綽唐 485-494- 9
公孫寬春秋 405- 55- 59
公孫質後魏 261-484- 33
266-541- 27
379- 83-147
公孫翩春秋 405-101- 62
公孫龍公孫寵 戰國
244-389- 67
244-455- 74
375-656- 88
384- 32- 1
405-213- 70
405-445- 85
505-708- 71
505-931- 84
533-130- 51
539-496-11之2
545-739-109
933-794- 58
1408-180-499
公孫閼公子閼 春秋
404-848- 53
公孫霍公孫盱 春秋
405-101- 62
公孫彊春秋 405-102- 62
公孫叡後魏 261-483- 33
266-540- 27
379- 83-147
公孫邃後魏 261-484- 33
266-541- 27
379- 84-147
476-655-135
公孫獵春秋 405-101- 62
公孫寵戰國 見公孫龍
公孫蠆春秋(字子蟜) 春秋
384- 23- 1
404-855- 53
公孫蠆高氏子尾 春秋(字子尾)
404-609- 37
公孫羅唐 271-535-189上
400-406-538
511-781-166
公孫竈公孫子雅、欒氏子雅
春秋 384- 17- 1
404-609- 37
公孫瓚漢 253-435-103
254-152- 8
377- 37-113下
384- 70- 3
402-496- 12
472-142- 5
474-276- 14
474-732- 40
502-250- 53
公夏守春秋 見公夏首
公夏首公夏守 春秋
244-389- 67
375-656- 88
405-447- 85
539-496-11之2
公師隅戰國 453-731- 1
564- 2- 44
公乘姒春秋 448- 32- 3
452- 77- 2
公乘會妻 晉 見張氏
公乘億唐 273-114- 60
1371- 72- 0
公乘興漢 477-523-175
公堅定春秋 見公肩定
公都子戰國 405-457- 85
539-498-11之2
公晳克春秋 見公晳哀
公晳哀公折哀、公析哀、公晳
克 春秋 244-386- 67
246- 27- 67
375-654- 88
405-444- 85
405-454- 85
472-522- 22
491-791- 6
539-494-11之2
公儀休公儀修 春秋
244-844-119
380-151-169
404-547- 33
448-288- 上
472-548- 23
933-787- 56
公儀修春秋 見公儀休
公儀僣春秋 見公儀潛
公儀潛公儀僣 春秋
448- 97- 中
472-548- 23
871-889- 19
公輸子春秋 見公輸班
公輸班公輸子 春秋
541-102- 31
821- 6- 45
公斂陽公斂處公 春秋
384- 15- 1
404-553- 33
公廬望春秋 404-786- 48
公子子印春秋 見子印
公子子豐春秋 見子豐
公子小白春秋 見齊桓公
公子壬夫春秋 405- 45- 58
公子去疾子良、棄疾 春秋
384- 22- 1
404-853- 53
405- 50- 59
448-180- 11
公子目夷目夷、司馬子魚 春
秋 375-817- 91
384- 21- 1
386-611- 3
404-807- 49
448-152- 6
537-366- 57
公子州吁州吁 春秋
244- 71- 37
375- 22-77上
404-841- 52
933-488- 32
公子扶蘇秦 405-324- 76
公子何忌春秋 405- 45- 58
公子宜穀春秋 405- 48- 59
公子叔術春秋 405-104- 62
公子季友春秋 見公子友
公子欣時子臧、公子喜時 春
秋 371-454- 27
405-102- 62

448-198- 15
公子俞彌春秋 見洩堵寇
公子展孫春秋 見無駭
公子晏子春秋 404-759- 46
公子追舒春秋 405- 50- 59
公子掩餘春秋 見掩餘
公子務婁春秋 405-104- 62
公子將閭秦 405-324- 76
554- 32- 48
公子曼伯春秋 見曼伯
公子曼滿春秋 404-852- 53
公子喜時春秋 見公子欣時
公子開方啟方、開方 春秋
404-625- 38
933-152- 11
公子黑肱春秋 405- 51- 59
公子圍龜春秋 404-809- 49
公子無忌戰國 見魏無忌
公子無詭春秋 見公子無虧
公子無虧公子無詭 春秋
404-607- 37
公子幾瑟戰國 見公子蟣虱
公子滅明春秋 405-104- 62
公子意恢春秋 405-103- 62
公子槖師春秋 405- 45- 58
公子慶父共仲、孟孫慶父 春秋
384- 13- 1
404-509- 31
404-561- 34
933- 44- 2
公子慶忌慶忌 春秋
405-125- 63
485-146- 20
493-792- 43
516-191- 95
585-141- 8
公子穀臣春秋 405- 47- 59
公子罷戎春秋 405- 45- 58
公子燭庸燭庸 春秋
384- 24- 1
405-124- 63
485-149- 20
493-791- 43
公子嬰齊春秋 405- 43- 58
448-181- 11
公子蟣虱公子幾瑟 戰國
405-160- 66
公子歸生春秋 404-888- 55
448-177- 10
公子蹶由春秋 見蹶由
公上延孫齊 493-736- 41
公山不狃子洩 春秋
384- 16- 1
404-559- 34
405-116- 63
485-149- 20
493-794- 43
公父定叔春秋 404-886- 55
公父穆伯妻 春秋 見敬姜
公西輿如公西與 春秋
244-390- 67
375-657- 88
405-447- 85
539-497-11之2
933-787- 56
公孟子高春秋 539-640-11之6
公罔之裘春秋 405-448- 85
公叔文子春秋 533-133- 51
公叔文子春秋 見公叔發
公叔伯嬰戰國 見太子嬰
公叔務人公爲、務人 春秋
404-550- 33
公祖句茲公祖茲 春秋
244-389- 67
375-656- 88
405-446- 85
472-548- 23
539-497-11之2
公孫子正宋 1088- 17- 2
公孫子雅春秋 見公孫竈
公孫文子春秋 見公孫彌牟
公孫元慶北朝 933-795- 58
公孫天樞上古 見黃帝
公孫尼子東周 405-453- 85
公孫有山春秋 404-542- 33
公孫臣季戰國 見魏成子
公孫同慶後魏 261-484- 33
公孫免餘春秋 404-840- 52
537-365- 57
公孫武達唐 269-508- 57
274-165- 88
395-254-203
478-728-212
554-575- 58
558-234- 32
公孫杵臼春秋 386-639- 6
404-790- 48
469-398- 47
472-432- 19
545-731-109
549-594-202
549-636-204
公孫昆邪漢 244-766-111
250-507- 66
472-914- 36
539-349- 8
公孫舍之春秋 375-789- 91
384- 22- 1
404-871- 54
448-214- 17
公孫軒轅上古 見黃帝
公孫景茂隋 264-1038- 73
267-660- 86
380-205-170
472- 68- 2
472-518- 22
472-738- 29
472-788- 31
473-386- 65
474-309- 16
476-516-127
477-471-173
477-498-174
477-542-176
480-540-283
505-738- 72
532-713- 65
537-353- 56
540-622- 27
933-795- 58
公孫黑肱春秋 384- 24- 1
404-877- 54
537-362- 57
公孫無地春秋 404-840- 52
公孫無知春秋 404-618- 38
公孫敬聲漢 250-508- 66
公孫僧遠齊 259-540- 55
265-1042- 73
380-100-167
479-231-227
485-555- 3
524-131-185
933-795- 58
公孫彌牟公孫文子、南文子
春秋 404-838- 52
537-366- 57
公孫嬰齊叔聲伯、聲伯 春秋
384- 15- 1
404-540- 33
448-201- 15
933-794- 58
公孫鍾離春秋 404-809- 49
公孫歸父春秋 384- 15- 1
404-562- 34
547-156-147
公孫歸生聲子 春秋
375-851- 92
384- 25- 1
405- 98- 62
933-429- 28
公乘陽慶漢 541-103- 31
公族穆子春秋 見韓無忌
公儀仲子戰國 405-452- 85
933-788- 56
公斂處父春秋 見公斂陽
壬申宋 494-338- 7
壬臣春秋 見周頃王
壬驄妻 明 見杜氏
丹川明 1442-116- 7
丹王唐 見李允
丹王唐 見李逾
丹巴恭噶喇實、袞扎克喇實 元
295-644-202
401-121-585
1054-751- 22
丹巴清(扎木素子) 454-392- 24
丹巴清(庫布特氏) 456-239- 68
丹布清(瓜佳爾氏) 455- 43- 1
丹布清(佟佳氏) 455-315- 19
丹布清(正藍旗人) 502-751- 85
丹朱上古 243- 49- 1
404-389- 23
545-687-108
933-219- 15
丹甫唐 1052-221- 16
丹忠清(拜博子) 454-778- 89
丹忠清(阿喇布珠爾子)
454-861-101
丹岱清(洪鄂氏) 456- 70- 55
丹岱清(滿津氏) 456-251- 69
丹岱清(烏蘭氏) 456-254- 69
丹津清(古睦德子) 454-930- 12

丹津清(達穆巴子) 496-216- 76
丹保清 456-351- 77
丹楚清 455-188- 9
丹達清 455-265- 15
丹王君漢 933-219- 15
丹巴祿清 455-170- 7
丹布祿清(瓜爾佳氏)
455- 90- 3
丹布祿清(裕瑚魯氏)
455-662- 46
丹布祿清(伊拉理氏)
455-673- 47
丹布魯清 455-608- 41
丹珠爾元 294-407-133
399-539-473
丹陽王北齊 見高仁直
丹陽王明 見朱見浘
丹達里元 1206-128- 15
丹達哈清 456-137- 59
丹達理清(伊爾根覺羅氏)
455-255- 14
丹達理清(納喇氏) 455-386- 23
丹達理清(完顏氏) 455-466- 28
丹達喇清 455-231- 12
丹達禮清(戴佳氏) 455-479- 29
丹達禮清(滿洲人) 478-596-204
558-222- 32
丹濟拉清 454-696- 78
丹陽公主唐 薛萬徹妻、唐高祖女 274-104- 83
393-274- 73
554- 45- 49
丹津多爾濟清 454-519- 49
丹怎達爾札清 496-216- 76
丹巴多克噶爾唐 410-559- 1
丹津額爾德尼清 454-678- 75
月宋(嗣宋芝) 1053-496- 12
月宋(嗣子祥) 1053-635- 15
月元 547-520-160
月光元 481-729-333
530-207- 60
月林元 473-739- 82
564-622- 56
月娥丁月娥 明 葛通用妻、葛通甫妻、扎瑪魯迪音女、職馬祿丁女 302-210-301
475-673- 84
508-344- 41
1232-214- 2
1457-735-413
月液明 820-769- 44
月溪明 483-373-401
572-164- 32
月潭明 1283-563-110
月輪五代 516-451-104
1053-227- 6
月蓬宋 821-268- 52
月世光明 456-640- 10
月忽難元 見烏呼納
月彥明元 見伊嚕布哈
月華君唐 567-457- 87
1467-513- 11
月山道人元 1210-657- 10
月光道人明 483-185-385
570-253- 25
月里海牙元 見伊埒哈雅
月婆首那高空 梁
1051-157- 6
1051-169- 6
1051-178- 7
月魯不花元 見伊嚕布哈
月山大君婷明 1442-131- 8
月魯帖木兒元 見伊嚕特穆爾
月輪失帖木兒元 見伊烈什特穆爾
仁戰國 見周元王
仁五代 1053-295- 7
仁木宋 1185-175- 37
仁仙宋 1053-506- 12
仁果漢 494-217- 9
仁岳宋 1053-497- 12
仁郁五代 1053-623- 15
仁勇宋 1053-797- 19
仁淑元 1221-471- 10
仁基唐 820-296- 30
仁通元 596-677- 19
仁欽宋 820-469- 36
仁達清(仁佳氏) 456-194- 65
仁敬明 516-498-105
仁儉唐 1053- 58- 2
仁濟宋 820-470- 36
821-269- 52
仁繪宋 1053-694- 16
仁辯宋 1086-161- 17
仁壽公主遼 見耶律必實
仇大明 476-155-104
547- 36-142
仇氏明 王一鶴妻
1288-634- 10
仇氏明 沈鳳妻 474-191- 9
474-279- 14
506- 29- 86
仇氏明 花似錦妻 506- 48- 87
仇氏明 仇英女 821-490- 58
仇氏明 俞汝諧妻 570-198- 22
仇氏清 方本素妻
1314-419- 11
仇氏清 方承恩妻 477-548-176
仇氏清 孫國剛妻 506- 63- 87
仇生商 1058-492- 上
1061-249-108
仇台漢 264-1125- 81
仇朴明 547- 33-142
仇成明 299-219-130
475-812- 91
511-426-152
571-530- 19
仇車妻 宋 見綦氏
仇治元 472-999- 40
523-117-151
仇昉明 494- 56- 2
仇牧春秋 538- 43- 63
933-479- 31
仇相明 505-703- 70
仇英明 511-878-170
821-409- 56
仇英女 明 見仇氏
仇約明 494- 57- 2
仇香漢 見仇覽
仇益明 554-258- 52
仇桓明 1266-605- 9
1266-618- 10
仇振後魏 262-328- 94
仇殷後梁 277-217- 24
仇悆仇愈 宋 287-453-399
398-445-394
459-905- 55
472-325- 14
472-593- 24
472-610- 25
472-1084- 46
475-698- 86
476-671-136
476-725-138
477-243-161
478-404-194
479-174-225
480-288-271
482-353-356
493-708- 39
523-127-152
525- 81-220
540-765-28之2
554-334- 54
567-438- 86
1467-152- 67
仇森明 547- 35-142
549-449-198
仇著宋 472-177- 6
仇源唐 540-655- 27
仇靖漢 820- 36- 22
仇祿明 545-781-111
仇廉明 558-376- 36
仇楫明 547- 36-142
676-312- 11
1266-613- 10
仇敬明 476- 84-100
545-770-111
554-259- 52
仇鉞明 299-762-175
478-673-209
511-396-151
552- 77- 19
558-153- 30
558-340- 35
1320-743- 81
仇愈宋 見仇悆
仇誠明 唐禮妻 1268-427- 67
仇遠元 524- 5-178
585-153- 9
585-446- 12
588-178- 8
676-699- 29
820-495- 37
1439-423- 1
1470- 20- 1
仇濆妻 清 見王氏
仇璋隋 547-199-148
仇儁後魏 544-212- 62
仇諤元 1210-338- 10
1367-864- 66

1410-111-675
仇鴻明 547- 33-142
547- 36-142
仇濬元 1212-495- 14
仇濟元 472-717- 27
537-288- 55
仇鎭明 476-726-138
540-657- 27
545-772-111
仇霦明 523-582-175
仇鶴妻 明 見閻氏
仇覽仇香 漢 253-491-106
380-165-169
384- 66- 3
386- 6-69上
402-468- 10
459-850- 51
472-124- 4
472-680- 27
477-202-159
505-687- 70
537-419- 58
933-479- 31
1407-275-419
仇鐸妻 明 見郎氏
仇儼後魏 262-327- 94
仇鸞明 299-764-175
仇士良唐 276-141-207
384-273- 14
401- 49-574
1342-219-932
仇子長漢 820- 34- 22
仇子眞宋 567- 75- 65
仇文政明 524-226-189
仇文烈明 1266-526- 4
仇文獻妻 清 見楊氏
仇公度元 480- 88-262
仇必顯明 524-184-187
仇尼倪後燕 496-606-104
仇兆鰲清 479-188-225
523-297-159
仇名善明 494- 57- 2
仇自堅元 1375- 22- 上
仇昌祚清 532-753- 46
545-801-111
563-870- 42
仇昌祚妻 清 見李氏
仇秉忠明 545-250- 92
仇洛齊侯洛齊 後魏
262-327- 94
267-743- 92
380-499-179
仇致廣妻 清 見任氏
仇俊卿明 524- 22-179
1475-307- 13
仇時隆明 545-788-111
仇時濟明 547- 33-142
仇連名妻 清 見李氏
仇順方明 1467-132- 66
仇鳳翔明 524-374-197
仇維楨清 540-840-28之4
仇耀先明 456-597- 9
今覞楊大進 清 516-478-105
今釋金堡 明 516-478-105
524-393-198
幻旻幼旻 宋 588-187- 9
1091-559- 15
牛斗金 291-668-121
400-214-517
牛斗明 494- 55- 2
554-495-57上
牛氏宋 趙岯妻 1123-822- 10
牛氏明 李保兒妻 472-753- 29
牛氏明 呂種妻 506- 71- 88
牛氏明 馬逢時妻 506- 33- 86
牛氏明 殷漢妻 506- 52- 87
牛氏明 許顒妻 452-118- 3
牛氏明 張拱耀妻 506- 9- 86
牛氏明 張起田妻 506- 72- 88
牛氏明 焦謙亨妻
1312-399- 38
牛氏明 蕭桐妻 506- 50- 87
牛氏明 蕭洞然妻 506- 50- 87
牛氏明 謝鉉妻 506-114- 89
牛氏明 薛寬妻 472-298- 12
475-381- 68
牛氏明 牛環女 506- 43- 87
牛氏明 牛仲明女 547-365-155
牛氏明 牛荻英女 506- 7- 86
牛氏清 王之琯妻 506- 65- 87
牛氏清 李棟芳妻 474-384- 19
牛氏清 侯文遠妻 477-381-167
牛氏清 郝鳳岐妻 506- 15- 86
牛允北周 見尞允
牛弘隋 264-795- 49
267-441- 72
379-691-160
384-152- 8
459-774- 46
472-880- 35
478-672-209
547-175-147
558-329- 35
933-482- 32
1395-604- 3
牛仙明(出騎青牛) 541- 98- 30
牛老元 821-327- 54
牛牢漢 448-106- 下
469-460- 55
牛邯漢 252-491- 43
376-527-104
478-485-199
558-216- 32
牛恒明 1442- 56- 3
1460-152- 47
牛勇明 456-615- 9
牛述漢 477- 48-151
牛昭唐 821- 50- 46
牛泉元 1206-157- 17
牛益元 1206-158- 17
牛桓明 523-574-174
牛桓妻 明 見薛氏
牛耕明 547- 60-143
牛皐宋 287- 57-368
398-123-373
472-802- 31
477-502-174
525-360-235
537-573- 60
585-153- 9
牛皐宋 見牛富
牛缺戰國 933-481- 32
牛剪戰國 見牛翦
牛冕宋 285-455-277
481-491-324
511-224-144
528-436- 29
牛紳明 554-337- 54
牛彩明 554-711- 61
牛富牛皐 宋 288-328-450
400-182-514
451-229- 0
472-204- 7
475-780- 89
480-289-271
492-530-13上之中
511-499-156
533-388- 60
牛雲唐 1052-299- 21
1054-462- 13
牛惠明 545-480-100
牛堪唐 1073-513- 19
1074-340- 20
1075-295- 19
牛琛明 1251-590- 12
牛森清 479-606-244
515-251- 64
牛貴明 247- 83-144
牛順元 1212-497- 14
牛皓宋 288-357-452
400-171-513
472-897- 35
478-717-211
554-361- 54
558-438- 37
牛意牛意仁 唐 558-469- 39
558-718- 48
1066-210- 20
1342-142-922
牛愷明 480-243-269
532-671- 44
牛誂元 1212-498- 14
牛戩宋 812-473- 3
812-549- 4
821-258- 52
牛經明 494- 42- 3
牛寬妻 清 見阮氏
牛諒明 299-285-136
524-309-194
540-783-28之3
676-446- 17
1442- 6-附1
1459-249- 5
牛翦牛剪、牛贊 戰國
405-201- 69
933-481- 32
牛蔚唐 271-240-172
275-410-174
384-278- 14
396-161-266
558-332- 35
933-483- 32

牛嶠後蜀 451-467- 6
592-618-100
674-272-4中
牛璘元 1206-158- 17
牛環女 明 見牛氏
牛豫元 1206-157- 17
牛興明 1243-381- 23
牛衡明 472-706- 28
537-280- 55
牛勵明 558-184- 31
牛徽唐 271-241-172
275-410-174
384-278- 14
396-162-266
478-673-209
558-332- 35
933-484- 32
牛禮後梁 見牛存節
牛瓕元 1206-158- 17
牛藂唐 見牛叢
牛叢牛藂 唐 271-242-172
275-411-174
384-278- 14
396-162-266
481- 17-291
523-212-156
933-484- 32
牛贊戰國 見牛翦
牛麟元 820-518- 38
821-294- 53
牛讓明 547- 72-143
547- 82-144
牛鸞明 476-658-135
505-818- 74
515- 93- 59
540-650- 27
牛一元明 456-663- 11
牛大年宋 287-758-422
398-689-413
472-296- 12
473-428- 67
473-551- 73
475-375- 68
511-205-144
523- 17-146
559-267- 6
559-303-7上
牛大緯明 481-720-333
528-555-32
牛斗極妻 宋 見曹柔則
牛方大隋 267-448- 72
牛方裕隋 264-804- 49
牛文昌元 1200-609- 46
牛文科明 456-459- 4
505-678- 69
505-853- 77
牛文輝妻 清 見芮氏
牛元翼唐 275-131-148
384-262- 13
395-738-247
472- 93- 3
牛天祥元 1200-576- 44
1200-770- 59
牛天麟元 545-475-100
牛天麟明 537-291- 55
牛友月清 476-519-127
540-681- 27
牛中麒明 554-853- 63
牛化麒清 547-119-145
牛世昌明 1267-530- 7
1410-550-739
牛世雄元 559-318-7上
牛可麟明 569-662- 19
牛仙客牛僊客 唐
270-263-103
274-669-133
384-198- 11
395-624-237
472-881- 35
478-634-206
478-672-209
552- 56- 19
558-331- 35
933-482- 32
牛存節牛禮 後梁277-198- 22
279-130- 22
384-300- 16
396-339-282
472-504- 21
476-149-104
476-203-107
476-668-136
540-745-28之2
545-335- 96
554-134- 50
933-484- 32
1383-716- 64
牛光斗明(蒙城人) 511-653-162
牛光斗明(陝西人) 532-651- 43
牛光斗清 478-420-195
554-535-57下
牛光祖元 472-468- 20
545-769-110
牛光璿妻 清 見李氏
牛兆祥明 494- 41- 3
牛兆捷清 1327-334- 15
牛名士清 476- 44- 98
牛希濟五代 592-302- 79
牛希顏清 547- 27-141
牛仲明女 明 見牛氏
牛仲濟元 1196-518- 2
牛廷琇妻 清 見唐氏
牛秉乾妻 清 見劉氏
牛炳星清 477- 56-151
537-251- 55
牛拱辰宋 545-641-106
牛思進宋 285-395-273
牛若愚明 576-654- 5
牛若麟明 510-340-113
牛星耀明 456-597- 9
牛射斗清 547- 56-143
牛師厚元 820-510- 37
牛惟炳明 505-826- 75
554-199- 52
牛國敏清 456-371- 78
牛荻英女 明 見牛氏
牛逢源宋 558-232- 32
牛從極明 563-824- 41
牛景先明 299-377-143
456-698- 12
886-163-139
牛象燴明 456-680- 11
牛意仁唐 見牛意
牛温舒遼 289-625- 86
399- 62-422
472- 34- 1
474-177- 8
496-368- 86
505-717- 71
牛敬禮明 523-215-156
牛僊客唐 見牛仙客
牛漢華妻 清 見任氏
牛鳳及唐 1371- 50- 0
牛僧孺唐 271-238-172
275-408-174
384-260- 13
384-267- 14
396-160-266
448-343- 下
471-785- 28
472-289- 12
472-881- 35
473-146- 56
473-209- 59
473-694- 80
478-672-209
516-202- 95
532-569- 40
554-886- 64
558-331- 35
563-902- 43
682-339- 8
812-748- 3
820-251- 29
933-482- 32
1081-583- 4
1112-676- 11
1121- 61- 6
1341-665-888
1342-257-938
1343-765- 56
1344- 91- 68
牛魁斗清 476-209-107
547- 64-143
牛養傑明 456-496- 5
554-724- 61
牛履泰妻 清 見李氏
牛德昌金 291-725-128
400-357-533
474-516- 25
476-112-102
545-370- 37
546- 79-117
牛德富明 456-634- 10
538- 54- 63
牛應元明 477-543-176
554-515-57下
680-321-258
牛應台清 476-431-121
牛繼先明 547- 38-142
牛顯麟妻 清 見劉氏
牛爾胡順清 455-579- 38

午戰國 見周威烈王
午正五代 570-254- 25
毛女秦(形體生毛) 478-358-191
554-990- 65
839- 23- 2
1058-502- 下
1109-527- 27
毛方晉 564-614- 56
毛文宋 見毛德昭
毛友宋 484-102- 3
523-486-170
毛公漢 251-113- 88
380-255-172
474-436- 21
933-285- 20
毛仁唐 505-912- 81
毛介毛堅僧 宋 448-372- 0
毛氏唐 譚損妻、毛儀禹女
1076-466- 0
毛氏宋 王之瑜妻
1123-667- 7
毛氏宋 趙不偰妻、毛亨女
1165-371- 22
毛氏元 張柔妻、毛伯朋女
1192-406- 35
毛氏明 王度妻 512-244-183
毛氏明 王建中妻 477-211-159
毛氏明 田學謨妻 480-254-269
毛氏明 吳中行妻、毛誠女
1292-184- 16
毛氏明 何中德妻 479-633-245
毛氏明 周士淹妻、毛震女
1289-325- 21
毛氏明 秦鋭妻 1258- 66- 15
毛氏明 徐環妻 530-140- 58
毛氏明 張春妻 483-331-397
毛氏明 張釗妻 530-140- 58
毛氏明 張衮妻 481-118-296
毛氏明 黃玉妻、毛順女
1264-555- 7
毛氏明 黃元恭妻
1283-390- 97
毛氏明 董守中妻、毛芾女
478-490-199
558-491- 42
毛氏明 董奕文妻 524-650-209
毛氏明 詹清妻 473- 66- 51
1262-361- 40
毛氏明 潘榆妻 472-1056- 44
毛氏明 劉文妻 480-140-264
533-568- 68
毛氏明 劉忠嗣妻 506- 57- 87
毛氏明 毛敏女 1273-728- 8
毛氏明 潘一夔媳 506- 14- 86
毛氏清 方引禨妻、毛際可女
524-758-214
1320-595- 66
1324-365- 33
毛氏清 王文甲妻 479-360-233
毛氏清 朱肇瑞妻 512-261-183
毛氏清 洪祖選妻 479-384-234
524-758-214
毛氏清 祝夢蘭妻 479-562-242
毛氏清 徐三級妻 480- 65-260
毛氏清 徐應嵩妻 482-355-356
毛氏清 郭元瑾妻 480- 66-260
毛氏清 康慶遠妻 506- 37- 86
毛氏清 蕭興相妻 482- 45-340
毛氏清 高日立媳 477-504-174
毛玉明(字國珍) 300-158-192
482-561-369
570-103-21之1
570-608-29之11
毛玉明(字良器) 505-887- 79
1246-433- 9
毛弘漢 684-468- 下
812- 67- 下
812-231- 9
812-720- 3
814-227- 3
820- 35- 22
毛弘明 299-831-180
479-182-225
523-290-159
1474-278- 13
毛甘漢 485-359- 1
毛吉明 299-643-165
453-411- 12
453-637- 23
472-1073- 45
479-239-227
481-804-338
523-385-164
525-102-221
563-850- 41
564-826- 60
1248-404- 20
1320-671- 74
毛在明 515-190- 62
毛存宋 524- 96-183
821-227- 51
毛仟宋 674-847- 18
1131-612- 31
1488-221- 附
毛如唐 820-285- 30
毛色清 456-358- 77
毛仲明 524-224-189
毛价魏 見毛玠
毛沆毛自強 宋 451- 87- 3
毛沖元 554-887- 64
毛亨漢 675-275- 11
毛亨女 宋 見毛氏
毛良明 676-536- 21
821-403- 56
毛志明 537-403- 57
毛抗宋 515-213- 63
524-268-191
毛玘明 505-909- 81
540-662- 27
毛佐金 505-855- 77
毛伯周 933-285- 20
毛京妻 明 見徐靖端
毛注宋 286-621-348
397-680-361
471-630- 7
472-1042- 43
476-657-135
479-355-233
523-332-161
540-647- 27
1145-645- 79
毛松宋 493-1056- 56
511-864-170
821-221- 51
毛孟晉 482-559-369
569-642- 19
571-514- 19
毛孟清 毛會侯女 526-187-264
毛玠毛价 魏 254-237- 12
377- 95-115上
384- 83- 4
384-658- 41
386- 83-71上
448-304- 上
469- 5- 1
472-653- 27
474-473- 23
477- 61-151
505-769- 73
533-726- 73
537-375- 57
933-285- 20
毛奇清 478-132-181
毛忠哈喇 明 299-526-156
453-454- 17
478-489-199
545-341- 96
558-428- 37
毛明明 1268-494- 77
毛芾女 明 見毛氏
毛炅晉 482-467-363
567- 24- 63
1467- 9- 62
毛佺金 291-696-124
400-238-519
472-577- 24
476-616-133
477-409-169
540-771-28之2
毛炳南唐 515-302- 66
毛炳宋 473-768- 84
482-434-361
563-700- 39
567-363- 81
1467- 43- 63
1467-178- 68
毛洵宋 288-415-456
400-303-524
473-147- 56
479-713-250
515-577- 75
518-727-159
1089-207- 20
1147-556- 52
1160-488- 45
毛炯明 476- 80-100
545-196- 90
毛犀宋 1116-440- 22
毛奎毛倜 宋(字世高)
479-355-233
523-409-166
毛奎宋(字子文) 563-696- 39

567-299- 76
1467-180- 68
毛某元(自號綠野翁)
1222-475- 11
毛信妻 明 見張氏
毛紀明 300-123-190
452-429- 1
476-732-138
540-795-28之3
541-606-35之17
676-518- 20
1285-644- 9
1442- 36-附2
1459-748- 29
毛俊明 545-772-111
毛益宋 821-221- 51
毛浚毛震廣 宋 451-100- 3
毛衷宋 567-436- 86
1467- 38- 63
毛泰明 559-276- 6
886-163-139
毛泰妻 清 見楊氏
毛珝宋 1364-456-310
1437- 30- 2
毛埕明 511-102-140
毛晉毛鳳苞 明 511-750-165
678-496-118
1318-520- 79
毛晉妻 清 見嚴氏
毛振明 554-311- 53
毛晃宋 472-1042- 43
524- 75-181
毛桌宋 475-561- 79
毛倞明 1261-152- 12
毛矩金 1191-396- 34
毛甡清 見毛奇齡
毛倜宋 見毛奎
毛倫宋 567-378- 82
1467-177- 68
毛倫元 821-314- 54
毛倫明 515-477- 71
毛清元 530-143- 58
毛望明 見郭望
毛崈宋 494-349- 7
毛祥明 473-234- 60
480-171-266
532-646- 43
毛深明 546-492-131
毛珵明 1273-199- 26
1284-148-148
毛聃周 933-285- 20
毛晟明 476-855-145
540-672- 27
毛偉妻 明 見沈氏
毛敏宋 559-285-7上
毛敏明 1285-644- 9
毛敏女 明 見毛氏
毛喜毛熹 陳 260-738- 29
265-964- 68
370-590- 20
378-547-145
472-1114- 48
477-249-161
479-401-235
523-223-156
537-382- 57
813-294- 17
814-257- 7
820-108- 24
933-286- 20
1401-391- 30
毛琦明 1264-207- 12
毛堪明 511-102-140
1442- 86- 5
1460-486- 63
毛弼明 1250-799- 76
1284-149-148
毛琛明 456-642- 10
毛馭明 523-175-154
毛粟宋 510-424-116
毛萇漢 459- 11- 1
472- 64- 2
474-306- 16
505-873- 78
539-500-11之2
540-643- 27
933-285- 20
毛萇唐 475-243- 61
511-923-174
毛順元 見毛憲
毛順女 明 見毛氏
毛智明 515-258- 65
毛勝毛福壽 明 299-525-156
472- 38- 1
483-137-380
505-722- 71
567- 8- 62
569-673- 19
571-532- 19
1244-596- 11
毛欽漢 476-697-137
540-651- 27
毛義漢 370-187- 18
380- 72-167
402-427- 7
472-326- 14
475-702- 86
511-638-161
545-434- 99
毛温宋 473-725- 82
473-768- 84
482-434-361
563-693- 39
567-362- 81
1467-171- 68
毛靖明 1242-849- 10
毛亶宋 485-535- 1
毛愷明 300-535-214
479-357-233
505-637- 67
515-111- 60
523-335-161
545-194- 90
毛滂宋 471-585- 1
472-998- 40
472-1042- 43
479-355-233
491-110- 13
494-339- 7
524- 74-181
674-829- 17
820-398- 34
1110-497- 28
1362-637- 50
1437- 19- 1
毛滂宋 見趙英
毛遂戰國 244-467- 76
405-221- 70
469-481- 58
505-758- 72
506-426-102
933-285- 20
毛瑄明 472-274- 11
毛勣明 1258-321- 7
毛楚晉 571-514- 19
591-622- 45
毛遐後魏 267- 70- 49
379-354-151
478-105-180
554-564- 58
933-286- 20
毛嵩唐 812-347- 9
821- 88- 48
毛桌宋 471-630- 7
472-376- 16
472-1042- 43
479-355-233
523-409-166
1145-645- 79
毛鉉明 1318-348- 63
1442- 23-附2
毛經宋 473-768- 84
567-297- 76
1467-173- 68
毛節明 511-146-142
毛稜齊 812-333- 7
821- 21- 45
毛溥宋 1089-206- 20
毛誠妻 明 見毛氏
毛漸宋 286-624-348
397-683-361
472-879- 35
472-1042- 43
475- 17- 49
475-365- 67
478-452-197
479-355-233
480-400-277
523-485-170
532-691- 45
558-198- 31
毛赫宋 524-295-193
毛碩金 291-306- 92
399-170-431
476-854-145
477-124-155
540-671- 27
545- 55- 84
毛瑢妻 明 見黎氏
毛嘉女 魏 見毛皇后
毛聚明 540-802-28之3
毛暢後魏 262-340- 94

267-750- 92
380-506-179
毛鳳明 571-544- 20
毛僧宋 485-290- 42
毛綱明 478-614-205
毛檠明 1285-644- 9
毛檠妻 明 見姜氏
毛檠妻 明 見雷氏
毛徹明 1258-286- 5
毛澄明 300-130-191
452-220- 5
453-655- 27
472-231- 8
472-569- 24
475-134- 56
475-451- 71
511-103-140
676-524- 21
820-664- 42
1258-632- 14
1284-149-148
毛麾金 546-643-136
676-696- 29
1365-225- 7
1439- 5- 0
1445-437- 31
毛璋後唐 277-590- 73
279-164- 26
396-362-284
毛震女 明 見毛氏
毛輝明 524-300-193
毛銳明 299-528-156
567-107- 66
毛徵明 541-113- 31
毛憲毛順 元 1201-690- 27
毛憲明(字式之) 458-1040- 2
472-263- 10
475-226- 61
511-153-142
676-542- 22
1442- 45-附3
1459-919- 39
毛憲明(絳州人) 546-596-134
554-340- 54
毛澥宋 1123-821- 10
毛璣妻 明 見張氏
毛熹陳 見毛喜
毛穎明 533-295- 56
毛穎妻 明 見李氏
毛璠妻 清 見路氏
毛翰妻 清 見劉氏
毛璞宋 473-529- 72
559-397-9上
592-599- 99
毛豫明 538- 71- 63
毛隨宋 1130-322- 33
毛興女 前秦 見毛皇后
毛鋼明 505-802- 74
毛錦明 567-381- 82
1467-225- 70
毛濬明 1321- 5- 84
毛濬妻 明 見高氏
毛濬妻 明 見魯氏
毛隱元 1221-469- 10
毛翼元 1206-711- 6
毛璩晉 256-336- 81
377-863-129上
472-1041- 43
473-425- 67
477-248-161
481- 14-291
523-562-174
537-380- 57
559-259- 6
591-668- 47
933-285- 20
毛邁宋 567-444- 86
毛嶷晉 256-339- 81
933-285- 20
毛檝妻 宋 見詹氏
毛騏毛麒 明 299-277-135
511-351-149
1224-118- 18
毛繡明 476-788-141
537-329- 56
540-801-28之3
毛鵷明 567-327- 78
1467-216- 70
毛麒明 567-414- 84
1467-197- 69
毛麒明 見毛騏
毛瓊明 515-375- 68
毛騤明 515- 92- 59
毛騤清 見毛先舒
毛疇元 1202-610- 下
毛鵬明 505-785- 73
545-284- 94
毛鏜宋 1467-180- 68
毛鯤清 511-566-158
毛寶晉 256-334- 81
377-861-129上
384-100- 5
472-655- 27
477-248-161
480-126-264
533-352- 59
538- 36- 63
933-285- 20
毛繼妻 明 見宋氏
毛辯晉 256-339- 81
933-285- 20
毛蘭宋 524-273-191
毛鐸宋 485-534- 1
毛鐸元 515-351- 67
毛鑄毛處厚 宋 451- 99- 3
毛䮊明 559-251- 6
毛衢明 479-287-230
523-175-154
毛纘明 545-465-100
毛驤明 299-277-135
毛一公明 523-340-162
毛一豸清 476-209-107
546-219-122
毛一森清 1321- 86- 95
毛一鳳明 554-509-57下
毛一鳳妻 清 見周氏
毛一駒清 511-874-170
毛一練明 456-642- 10
毛一瓚明 515- 99- 59
523-340-162
1320-592- 66
毛八十金 見毛子廉
毛士毅宋 473-719- 81
473-768- 84
482-207-347
482-434-361
563-700- 39
1467-178- 68
毛士儀清 517-785-135
毛士龍明 301-181-246
458-422- 19
511-164-142
547-162-147
毛子廉毛八十、毛巴克實 金
291-127- 75
399-108-426
502-363- 62
毛大儀明 517-568-129
毛上習清 523-165-153
568-742- 附
毛上達妻 清 見王氏
毛文秀妻 清 見胡氏
毛文昌宋 812-461- 1
812-539- 3
821-166- 50
1381-575- 42
毛文炳明 301-458-263
456-580- 8
458- 66- 3
476- 31- 97
477- 89-153
538- 71- 63
545-109- 86
545-158- 88
毛文孫宋 見毛文叟
毛文叟毛文孫 宋451- 72- 2
毛文煥明 820-717- 43
毛文粹宋 524-222-189
毛文龍明 301-398-259
毛文錫後蜀 592-519- 93
674-614- 5
毛文熻明 見毛彥恭
毛文燿明 524-113-183
毛文衢宋 1163-644- 43
毛之履清 524-227-189
1313-256- 20
毛之瓓妻 清 見何氏
毛元升明 821-354- 55
毛元矯劉宋 258- 96- 48
毛元鎧明 見毛可珍
毛予中宋 1164-384- 21
1410-367-712
毛孔墀明 515-224- 63
毛天富明 480-652-289
毛友誠宋 480-464-279
533-324- 57
533-344- 58
677-404- 37
毛曰傑妻 清 見姜氏
毛公亮宋 1150- 82- 10
毛公器明 524-158-186
毛丹鳳明 554-312- 53

毛仁厚宋 524-210-188
毛允昇宋 821-232- 51
毛允理宋 524-233-189
毛永會妻 清 見郭氏
毛玉潔明 456-465- 4
毛正瑩清 483-207-389
毛本賢清 1321-227-111
毛世達妻 清 見江氏
毛世毅宋 567-363- 81
毛世濟明 821-420- 56
毛可珍毛元鎧 明
564-163- 45
毛以烇明 1442- 94- 6
1460-544- 67
毛安之晉 256-338- 81
377-863-129上
477-248-161
537-380- 57
933-285- 20
毛安興宋 288-412-456
400-300-524
473-514- 71
481-310-307
毛汝尹明 547-106-145
毛汝麟明 505-684- 69
523-487-170
毛吉人妻 清 見周氏
毛存元明 524-163-186
毛羽健明 301-357-258
480-248-269
533- 81- 49
毛自強宋 見毛沆
毛如姑清 533-525- 66
毛如瑜明 540-833-28之3
毛好義元 480-242-269
毛先舒毛騤 清 479- 58-219
524- 13-178
1321-114- 99
毛君卿宋 515-578- 75
毛克周元 1213-758- 24
毛里孩明 見瑪拉噶
毛伯長唐 見毛伯政
毛伯朋金 1191-318- 28
1192-401- 35
毛伯朋女 元 見毛氏
毛伯政毛伯長 唐
820-284- 30
毛伯時明 505-925- 83
毛伯得周 933-285- 20
毛伯溫明 300-259-198
472-647- 26
475-872- 95
479-226-227
479-723-250
515-695- 78
523-158-153
528-455- 29
545-283- 94
558-157- 30
563-724- 40
676-540- 22
1442- 43-附3
1459-896- 38
1467- 97- 65
毛伯道漢 538-339- 70
1061-271-110
毛伯過春秋 933-285- 20
毛伯衛春秋 933-285- 20
毛希源明 571-549- 20
毛秀實妻 元 見陳惠安
毛宗明宋 1166-668- 12
毛法仁後魏 261-592- 43
毛忝佐明 563-799- 41
523-410-166
毛直方元 529-744- 51
676-700- 29
676-760- 32
1439-423- 1
1471-276- 2
毛奇齡毛甡 清 479-248-228
1313-212- 17
1321-125-101
毛奇齡妻 清 見張曼殊
毛協恭明 456-529- 6
511-451-153
毛來賓明 524-362-196
毛忠吾元 479-748-251
515-473- 71
毛尚忠明 680-325-258
毛明傑妻 明 見劉氏
毛叔行妻 明 見何氏
毛叔鄭周 404-454- 26
毛念峙清 528-517- 31
毛周尹清 479-382-234
524-163-196
1321-269-116
毛秉德妻 清 見周氏
毛秉鏡清 524-207-188
毛延壽漢 554-891- 64
812-315- 4
821- 6- 45
毛洪麟清 478-717-211
558-234- 32
毛彥恭毛文爊 明
524-226-189
1320-725- 79
毛珏龍毛鈺龍 明 劉守蒙妻、毛鳳韶女 1442-123- 8
1460-773- 4
毛南翰元 1439-443- 2
毛思義明 300- 92-188
476-753-139
554-220- 52
毛若虛唐 271-482-186下
276-171-209
384-217- 11
400-381-535
494- 16- 2
933-286- 20
毛信卿宋 524-375-197
585-520- 17
821-233- 51
毛皇后魏 魏明帝后、毛嘉女
254-111- 5
385-269-29上
537-184- 53
毛皇后前秦 秦高帝后、毛興女 256-578- 96
381- 55-185
555- 7- 66
558-559- 43
毛泰亨宋 515-858-85
毛泰亨明 299-451-151
毛晉卿元 550-364-221
毛時敏元 1206-715- 6
毛修之劉宋 258- 94- 48
261-591- 43
265-271- 16
266-547- 27
378- 20-131
384-110- 6
384-130- 7
472-655- 27
472-738- 29
537-295- 56
933-285- 20
毛婆羅唐 812-345- 9
821- 43- 46
毛惜惜宋 288-462-460
401-165-590
472-297- 12
475-380- 68
512- 51-178
毛惟謙元 1213-130- 10
毛堅僧宋 見毛介
毛梓孫宋 524-377-197
毛貫易妻 明 見廖氏
毛國章明 524-162-186
毛國華宋 523- 76-149
毛處厚宋 見毛鑄
毛莫如漢 476-820-143
毛猛虎後魏 261-592- 43
毛從讓妻 明 見劉氏
毛惠秀齊 812-333- 7
821- 21- 45
毛惠直毛獄壽 宋448-374- 0
1161-639-127
毛惠素劉宋 265-272- 16
378- 22-131
477-248-161
933-197- 14
毛惠遠齊 812-332- 7
821- 21- 45
毛景謙元 505-705- 70
毛道眞元 547-537-160
毛瑞卿金 545-420- 98
毛楚哲元 821-320- 54
毛殿颺清 528-502- 30
毛當時宋 524-234-189
毛鼎新宋 493-778- 42
708-1050- 97
毛遇順宋 479-235-227
523-304-160
毛鈺龍明 見毛珏龍
毛會侯女 清 見毛孟
毛福壽明 見毛勝
毛端卿金 1191-396- 34
1365-284- 8
1439- 8- 0
1445-516- 39
毛壽南明 479-226-227
523-162-153

毛際可清 479-382-234
524- 83-182
毛際阿女 清 見毛氏
毛嘉會宋 559-321-7上
毛遜娘清 林士鼎妻
479-359-233
毛鳴岐清 1320-329- 39
毛鳳來明 476-113-102
545-376- 97
毛鳳苞明 見毛晉
毛鳳起明 533-332- 58
毛鳳詔明 473-284- 61
494-156- 5
523-192-155
533-172- 52
569-652- 19
676-175- 7
毛鳳翔清 524-355-196
毛鳳韶女 明 見毛珏龍
毛維張明 456-601- 9
511-439-153
毛維瞻宋 471-734- 20
472-1042- 43
524- 74-181
毛肇宗明 524- 55-180
676-475- 18
毛調元妻 明 見廖氏
毛震廣宋 見毛滂
毛儀禹女 唐 見毛氏
毛德玄明 1223-556- 10
毛德京明 523-134-152
毛德昭毛文 宋 526-628-279
毛德祖晉 256-338- 81
258-618- 95
377-865-129上
477-248-161
933-285- 20
毛藩八宋 524-156-186
毛錦生清 481-698-332
529-696- 50
毛穆之晉 256-336- 81
377-863-129上
477-248-161
537-379- 57
933-285- 20
毛鴻賓後魏 267- 71- 49
379-355-151
478-106-180
554-564- 58
933-286- 20
毛鴻顯後魏 267- 71- 49
379-355-151
554-565- 58
毛應佺宋 515-573- 75
1089-205- 20
毛應銓明 524-111-183
毛應鎬清 524-178-187
毛嶽壽宋 見毛惠直
毛鍾秀妻 清 見蕭氏
毛儲元明 554-311- 53
毛瀚澄妻 清 見金氏
毛鵬東妻 清 見李氏
毛鵬霄明 472-795- 31
554-258- 52
毛釋之漢 539-348- 8
毛鶴騰明 567-141- 68
1476-130- 66
毛蘭竹明 1242-850- 10
毛巴克實金 見毛子廉
升平公主唐 見齊國公主
什圖清(赫書氏) 456-116- 58
什圖清(舒穆嚕氏) 502-584- 75
什達色清 456-163- 62
什達爾元 扣蘇珠克台妻、哈里沙女 1196-317- 18
什鉢苾突利可汗 唐
271-659-194上
276-243-215上
401-522-636
化宋 1053-735-17
化氏清 鄭連新妻 506- 65- 87
化僧宋 592-381- 83
1354-728- 39
氏儀吳 見是儀
氏叔琮後梁 276-458-223下
277-172- 19
279-270- 43
384-310- 16
401-332-613
介周 見周貞定王
介清元 1188-217- 24
介推春秋 見介之推
介琰不詳 933-668-44
1061-273-110
介然宋 491-591- 16
介象吳 447-163- 4
453-757- 4
472-1075- 45
479-264-228
486-341- 15
524-413-200
533-748- 74
933-668- 44
1059-305- 9
1141-799- 34
介諶宋 524-444-201
1053-782- 18
介子推春秋 見介之推
介子綏春秋 見介之推
介之推王光、介推、介子推、介子綏 春秋 244-105-39
375-729- 90
384- 20- 1
386-620- 4
404-754- 46
448-160- 7
469-398- 47
472-459- 20
547-131-146
547-481-159
550-388-221
550-389-221
550-407-222
550-451-222
839- 8- 1
879-154-58上
933-668- 44
1058-493-上
介孝璿清 546-505-131
546-736-139
允才元 821-332- 54
允文唐 1052-223- 16
允伏隋 見伏允
允若明 526- 83-261
允恭宋 1053-754- 18
允格上古 404-387- 23
933-585- 38
允堪宋 588-239- 10
1054-177- 4
允祿莊親王 清 454-100- 5
允憲宋 1185-765- 21
勿都火者元 見庫特和卓
勿提提羼魚唐 見蓮華精進
仍叔周 404-445- 26
殳上古 546-234-123
殳珪明 524-353-196
殳基宋 524-396-199
殳默清 殳丹生女
1475-844- 35
殳丹生清 1475-613- 26
殳丹生妻 清 見陸觀蓮
殳丹生女 清 見殳默
殳邦清明 524-113-183
殳季眞劉宋 933-121- 8
殳嘉興劉宋 933-121- 8
殳質甫明 821-446- 57

五　畫

玄明(姓缺) 1408-592-541
玄本宋 1053-421- 10
玄旨宋 1053-340- 8
玄光陳 1052-250- 18
玄妙宋 588-230- 10
1053-712- 16
玄宗唐 524-441-201
1052-288- 20
玄武不詳 見眞武
玄亮宋 1053-341- 8
玄則宋 588-257- 11
1053-398- 10
玄約唐 1052- 85- 7
玄俗漢 474-316- 16
742- 26- 1
1058-506-下
1061-255-108
玄高魏靈育 劉宋
1050-610-101
1054-337- 7
玄朗唐 524-430-200
1052-369- 26
1054-475- 13
1072-389- 2
1341-475-861
1344- 3- 61
玄悟唐 820-305- 30
玄悟金(善草書) 820-485- 36
玄悟金(工山水墨竹)
821-279- 52
玄泰五代 1052-243- 17

1053-221- 6
玄素馬祖、馬素 唐 1052-120- 9
1053- 53- 2
1054-474- 13
1072-396- 2
1341-482-862
1344- 34- 64
玄眞唐 1053-156- 4
玄挺唐 1053- 52- 2
玄晏唐 1052-408- 29
玄奘陳禕、陳緯 唐(號三藏法師) 271-632-191
472-755- 29
478-144-181
538-343- 70
547-525-160
554-947- 65
1051-204-8下
1054-101- 3
1054-415- 11
1054-419- 11
1054-420- 11
1054-421- 11
1054-422- 11
1054-424- 11
1054-438- 12
1054-441- 12
玄奘唐(居白馬寺)
1052-344- 24
玄密五代 1053-301- 8
玄訥五代 1053-295- 7
玄通唐 1052-195- 14
玄通五代 1053-291- 7
玄惲玄暉、道世 唐
1051-216-8下
1052- 41- 4
1054-108- 3
1054-447- 12
玄賀漢 370-185- 18
玄琬唐 1054-100- 3
玄逵唐 820-304- 30
玄策唐(金華人) 524-430-200
1053- 73- 2
玄策唐(謚圓寂大師)
1052-155- 11
玄逸唐 1052- 59- 5
玄運齊 1048-604- 23
玄暉唐 見玄惲
玄暢慧智 齊 472-906- 36
478-491-199
558-482- 41
821- 33- 45
1050-249- 76
1401-149- 19
玄暢唐 1052-243- 17
玄機唐 1053- 71- 2
玄默明 見元默
玄穆明 1442-119- 8
1460-839- 90
玄應唐 1051-214-8下
玄應宋(號定慧) 1053-341- 8
玄應宋(號演正) 1086-155- 16
玄嶷杜乂 唐 1051-225- 9
1052-233- 17
玄識唐 1065-799- 18
1341-442-856
玄覺唐(字明道) 472-1119- 48
479-412-235
524-440-201
1052-112- 8
玄覺唐(居玉華寺)
1052- 19- 2
玄覽唐 588-262- 11
1052-368- 26
玄續唐 592-355- 82
820-304- 30
玄囂青陽 上古 243- 41- 1
玄鑑元 570-247- 25
玄儼唐 486-339- 15
524-416-200
1052-193- 14
1345-131- 17
玄都先生不詳 1061-269-110
玄靜眞君妻 元 見周惠恭
立宋 524-449-201
1053-245- 6
立遵李遵、李立遵、郢成蘭逋叱 宋 288-858-492
立智理威元 見喇勒智喇斡
主父周 主忠妻 448- 49- 5
主柱漢 1058-500- 下
主父偃漢 244-282- 52
244-772-112
250-472-64上
251-632- 25
376-234- 99
384- 45- 2
472-589- 24
540-692-28之1
675-238- 3
933-792- 57
氾王唐 見李恂
氾毓晉 256-474- 91
380-279-173
476-521-128
540-713-28之1
氾騰晉 256-527- 94
380-424-177
478-742-213
558-472- 39
氾勝之漢 554-196- 52
市被戰國 405-156- 65
必罕元 見巴罕
必沙明 483- 16-370
570-144-21之2
必圖伯特 元 294-279-123
400-247-520
必特雅元 見布敦
必里克台元 294-236-119
399-332-447
必里克布哈必里克特穆爾 元
294-293-124
399-358-450
1367-921- 70
必喇阿嚕岱必嚕納阿嚕岱 金
291-440-102
399-250-438
545-216- 91
必里克特穆爾元 見必里克布哈
必嚕匝納實哩嘉勒斡蜜迪哩、嘉勒斡密迪哩 元
295-645-202
401-121-585
必嚕納阿嚕岱金 見必喇阿嚕岱
永五代 1053-297- 7
永宋 1053-417- 10
永王唐 見李璘
永王後唐 見李存霸
永王明 見朱慈炤
永氏清 斯永福妻
481-188-300
永平五代 1053-629- 15
永安唐 592-410- 85
1052-304- 21
永安宋 524-442-201
588-256- 11
1052-395- 28
1053-407- 10
永安清(瓜爾佳氏) 445- 49- 1
永安清(倭徹赫氏) 456-120- 58
永年元 1222-287- 20
永亨明 570-248- 25
永孚宋 1053-659- 15
永芳元 820-551- 39
永泰宋 1053-756- 18
永泰清 456-194- 65
永素宋 472-384- 16
475-585- 79
永眞元 1210-425- 15
永起宋 1053-806- 19
永清宋 517-428-126
永清清 456-368- 78
永敦清 455-133- 5
永隆明 493-1095- 58
永順清 502-544- 73
永程宋 1053-753- 18
永傑明 820-767- 44
永慈明 511-917-174
永廉清 456-372- 78
永道宋 見法道
永瑛明 1442-120- 8
1460-842- 90
1475-748- 31
永暉元 586-190- 9
永愛清 456-173- 63
永福清 455-449- 27
永寧元 511-923-174
永頤宋 1357-925- 16
永聰宋 1183-155- 10
永藹清 455-366- 22
永安王晉 見劉安國
永安王北齊 見高浚
永安王唐 見李孝基
永年王明 見朱幼堪
永阿泰清 456-136- 59
永明王明 見朱由榔
永昌王後魏 見托跋健
永和王明 見朱濟烺

永和爾容乞兒 明 496-627-106
永特基清 456-290- 72
永陽王齊 見蕭子珉
永陽王梁 見蕭敷
永陽王梁 見蕭伯游
永陽王陳 見陳伯智
永寧王明 見朱有光
永壽王明 見朱秉櫄
永壽王明 見朱尚灴
永嘉王劉宋 見劉子仁
永嘉王陳 見陳彥
永慶王明 見朱鼐鈺
永興王明 見朱尚烈
永安公主唐 唐憲宗女 274-117- 83 393-285- 73 554- 57- 49
永和公主唐 王詮妻、唐肅宗女 393-282- 73 544-231- 63
永泰公主唐 武延基妻、唐中宗女 274-110- 83 393-278- 73 554- 50- 49
永泰和尚五代 1053-295- 7
永壽公主宋 見兗國大長公主
永壽眞人元 541- 95- 30
永樂公主唐 田華妻 544-232- 63
永樂公主唐 李失活妻、楊元嗣女 544-232- 63
永濟夫人秦 564-693- 59
永和爾默色元 294-293-124 399-358-450
玉春秋 見紫珪
玉況漢 252-656- 56 376-636-107上 402-460- 10 472-641- 26 477- 47-151 478- 98-180 537-234- 55 554-429- 56 564-315- 49
玉英唐 符鳳妻 276-109-205 401-150-589 482-269-350
玉庭明 821-488- 58
玉泰清 456-256- 69
玉陳清 456- 61- 54
玉通宋 585-200- 13
玉資清 456-111- 57
玉蓮元 特穆爾布哈妻、鐵木兒不花妻 401-183-593 496-415- 89
玉簫唐 姜荆寶青衣 592-272- 77
玉蘭清 456-301- 73
玉鑑元 1222-715- 4
玉三台清 455- 90- 3
玉光府漢 933-721- 49
玉克布清 455- 57- 1
玉素卜玉素富 清 454-890-108 500-746- 38
玉素富清 見玉素卜
玉爾弼清 456-290- 72
玉魯斯清 500-726- 37
玉山樵者明 299-378-143 456-699- 12
玉木楚木清 454-718- 80
玉京道人清 1312- 62- 6
玉風眞人明 478-276-187 554-989- 65
玉眞公主唐 見李持盈
玉華山樵明 820-761- 44 1442-116- 7
玉巖先生宋 460-443- 33
去疾戰國 見周哀王
去諸五代 279-527- 73
去留馨明(行往處異香襲人) 541- 97- 30
去特若尸逐就單于漢 見休利
去特若尸逐鞮單于漢 見休利
丙氏邴氏 戰國(用鐵冶富) 244-938-129 251-150- 91 380-530-180
丙吉邴吉 漢 244-636- 96 248-620- 8 249-132- 8 250-635- 74 376-339-101 384- 47- 2 459-186- 12 469-182- 21 472-549- 23 476-579-131 535-553- 20 540-694-28之1 933-622- 40 1412- 94- 5 1412-127- 5
丙猜漢 539-348- 8 933-622- 40
丙粲唐 見李粲
丙歜邴歜 春秋 404-618- 38 933-622- 40
丙顯邴顯 漢 244-636- 96 250-639- 74
丙元紘唐 見李元紘
丙道廣唐 見李道廣
朮甲臣嘉金 見珠嘉臣嘉
朮甲法心金 見珠嘉佛新
朮甲脫魯灰金 見珠嘉托羅海
瓦三清 454-178- 10
瓦氏明 岑猛妻 567-490- 88
瓦古清 456- 4- 50
瓦色清 455-450- 27
瓦柱清 455-431- 26
瓦海清 455-661- 46
瓦珠清 455- 68- 2
瓦善清 456-107- 57
瓦渾清(納喇氏) 455-387- 23
瓦渾清(鄂卓氏) 455-655- 46
瓦騆清 456-254- 69
瓦古理清 455-417- 25
瓦米達清 456-353- 77
瓦克丹清 455-266- 15
瓦克善清(納喇氏) 455-386- 23
瓦克善清(碧魯氏) 455-519- 32
瓦克善清(鑲黃旗人) 456-317- 75
瓦克達謙郡主 清454-147- 8 502-414- 66
瓦延住清 502-730- 84
瓦音布清 502-729- 84
瓦星阿清 455-438- 26 502-539- 72
瓦哈立清 569-619-18下之2
瓦哈理清 455-465- 28
瓦納蓀清 455-491- 30
瓦理雲清 455-155- 6
瓦瑚達清 455-286- 16
瓦達蓀清 456- 44- 53
瓦爾山清 455- 89- 3
瓦爾哈清 502-729- 84
瓦爾喀清(蘇完地方人) 455- 55- 1
瓦爾喀清(瓦爾咯人) 455- 70- 2
瓦爾喀清(鑲黃旗包衣人) 455- 96- 3
瓦爾喀清(博和理氏) 456- 13- 50
瓦爾喀清(完顏氏) 502-548- 73
瓦爾達清(馬佳氏) 455-170- 7
瓦爾達清(沙拉氏) 456-117- 58
瓦爾達清(格爾齊氏) 456-174- 63
瓦爾達清(達什達爾扎堂希) 496-218- 76
瓦穆布清 455-656- 46
瓦濟納清 455-591- 39
瓦克薩哈清 455-696- 49
瓦棺和尚唐 1053-266- 7
瓦爾碧悠清 455-663- 46
瓦禮雅達清 455- 75- 2
瓦哈那費揚古清 455-574- 37
瓦爾喀珠瑪拉清 見瓦爾喀珠瑪喇
瓦爾喀珠瑪喇瓦爾喀珠瑪拉 清 474-769- 41 502-492- 70
瓦濟訥墨爾根清 455-113- 4
戊寅可汗晉 見樹洛干
弘己明 1475-779- 33
弘充劉宋 1401- 88- 16
弘句明 1460-856- 91
弘言清 1475-796- 33
弘沇唐 1052- 68- 6
弘忍唐 271-633-191 473-285- 61 480-145-264 533-754- 74

1052-103- 8
1053- 41- 1
1054-107- 3
1054-444- 12
1116-444- 22
弘明晉 479-264-228
486-337- 15
524-414-200
1049-547- 37
弘相金 1191-343- 31
弘恭漢 380-486-179
933-440- 29
弘弱梁 見曼陀羅仙
弘通五代 1053-546- 13
弘玢五代 1053-289- 7
弘超清 530-201- 60
弘道明 1442-119- 8
1475-741- 31
弘察唐 見洪察
弘演春秋 386-607- 3
404-821- 51
538- 53- 63
933-440- 29
弘演唐 1065-159- 14
1065-162- 14
弘璆吳 254-738- 3
385-695- 67
弘辨元 547-487-159
弘曆清 見清高宗
弘濟宋 524-418-200
588-234- 10
1439-457- 2
弘儲清 511-920-174
弘禮清 524-393-198
弘簡明 1386- 69- 31
弘瀚清 516-466-104
弘覺江浩、濟斐 明
1475-785- 33
弘辯唐 554-953- 65
1053-160- 4
1054-133- 3
1054-565- 16
弘辯五代 1053-318- 8
弘灝明 1442-121- 8
1460-849- 91
正元唐 1053-158- 4
正玉明 570-257- 25
正因元 1194-467- 4
正印元 820-552- 39
正志熊開元 明 301-367-258
475-122- 55
480- 59-260
510-340-113
511-921-174
533-145- 51
676-653- 27
1320-644- 71
1442-104- 7
1460-620- 71
正克清 456-157- 61
正宗張德 元 547-493-159
正治明 1475-767- 32
正念元 1217-171- 2
正念明 1442-120- 8
1457-673-406
1460-844- 91
1475-753- 32
正帛魏 933-702- 47
正勉明 1475-770- 32
正俊梁 564-618- 56
正常春秋 404-552- 33
正童宋 588-188- 9
1053-674- 16
正逵元 588-230- 10
正順元 547-531-160
正義清 533-753- 74
正幹唐 530-198- 60
正勤後晉 472-264- 10
正傳明 475-243- 61
511-923-174
正韶宋 1186-830- 4
正壽唐 1052-325- 23
正蒙宋 820-465- 36
正賢宋 516-477-105
592-457- 89
1053-857- 20
正錦漢 384- 46- 2
正寶趙譚 元 541- 96- 30
正覺宋 487-150- 9
491-592- 16
524-409-199
1053-594- 14
1054-672- 20
正丘王明 見朱見淆
正考父春秋 537-366- 57
933-702- 47
正特克清 455-488- 30
正無畏吳 見支彊梁接
正苦圖克清 560-178- 21
巨方唐 1052-114- 8
1053- 57- 2
巨武漢 933-565- 36
巨岷後漢 1052- 91- 7
巨雅唐 820-242- 28
巨然宋 516-510-106
812-464- 2
812-545- 4
813-143- 12
821-261- 52
巨敬明(謚忠烈) 299-352-141
456-691- 12
886-154-139
巨敬明(謚節愍) 478-673-209
558-420- 37
巨構金 291-374- 97
399-219-435
472- 35- 1
505-632- 67
505-719- 71
巨腹子無何公 明
1229-684- 2
甘氏宋 徐琮妻、甘如松女
1175-538- 17
甘氏宋 甘遂女 1122-544- 9
甘氏明 夏季遠妻
1269-852- 7
甘氏明 黃遵母 1197-755- 79
甘氏清 丁國瑞妻 475-677- 84
甘氏清 林鴻磐妻 530- 25- 54
甘氏清 熊州俊妻、熊周俊妻
479-500-239
516-251- 27
甘氏清 鄧得主妻 530- 31- 54
甘氏清 蘇祚灝妻 482-454-362
甘立元 820-528- 38
1439-444- 2
1470-559- 17
甘丙明 1294-249-6上
甘旨明 570-141-21之2
甘芊明 1283-696-121
甘佃五代 567-458- 87
1467-513- 11
甘京清 515-850- 84
甘怡清 564-310- 48
甘泳元 515-760- 80
1439-424- 1
1471-274- 2
甘雨明 676-239- 9
甘卓晉 256-172- 70
370-298- 5
377-743-126
472-358- 15
472-394- 17
473-245- 60
479-481-239
480-286-271
511- 70-139
515- 77- 59
532-553- 40
933-504- 33
甘果元 1208-280- 13
甘始漢~晉 253-612-112下
380-582-181
386-101-72上
476- 48- 98
547-476-159
564-612- 56
1059-311- 10
甘岱清 455-120- 4
甘彥明 820-714- 43
甘茂戰國 244-435- 71
371-552- 42
375-907- 93
384- 31- 1
405-274- 73
472-198- 7
511-355-150
537-372- 57
933-503- 33
甘昺宋 288-564-469
甘昪宋 288-563-469
401- 84-578
494-268- 2
甘泉明 482-468-363
567-320- 78
1467-206- 69
甘振明 567-397- 83
1467-215- 70
甘茹明 1442- 60- 4
1460-187- 48
甘陸五代 567-458- 87
1467-513- 11

甘翔宋 471-861- 38
甘焯甘慶郎 宋 448-359- 0
甘惠明 510-315-113
甘華明 540-642- 27
甘復元～明 516- 57- 89
676-463- 17
1218-562-附
1439-453- 2
1459-510- 17
1471-173- 24
甘遂女 宋 見甘氏
甘瑛明 473-653- 78
515-368- 68
528-494- 30
甘過春秋 見甘悼公
甘節不詳 592-287- 78
甘誠妻 明 見宋氏
甘寧吳 254-819- 10
370-237- 1
377-355-119
384- 80- 4
384-578- 30
471-977- 56
471-995- 59
471-1050- 68
473-446- 68
473-478- 69
480- 47-259
481-439-316
532-612- 43
559-508- 12
933-504- 33
甘需周 505-933- 85
甘鳳明 569-675- 19
甘潛妻 清 見蔣氏
甘談甘澤 宋 451- 57- 2
甘瑾明 515-776- 81
1391-716-346
1442- 10-附1
1459-449- 14
甘盤商 404-409- 24
933-503- 33
甘澧明 475-605- 81
510-439-116
甘龍春秋 554-621- 60
933-503- 33
甘澤宋 見甘談
甘澤明(開州人) 472-134- 4
474-479- 23
493-760- 41
505-912- 81
683-107- 1
甘澤明(蘄州人) 559-288-7上
甘霖明(謚節愍) 299-353-141
472-339- 14
456-697- 12
475-528- 77
511-473-155
886-154-139
甘霖明(字時雨) 473-100- 53
515-837- 84
甘霖明(字沛之) 523- 34-147
甘戰晉 473- 33- 49
479-503-239
516-412-103
甘篤清 456- 84- 56
甘應明 559-393-9上
甘歜春秋 933-503- 33
甘燿明 528-556- 32
甘贄唐 1053-156- 4
甘羅戰國 244-438- 71
371-555- 42
375-910- 93
384- 31- 1
405-277- 73
472-198- 7
511-355-150
933-503- 33
甘鏞明 472-790- 31
甘讜不詳 839- 53- 4
甘士价明 478-769-215
516-181- 94
523- 57-148
甘大將五代 473-758- 83
甘大橓明 515-390- 68
甘心懷妻 明 見何定卿
甘文奎清 480-243-269
515-452- 70
533-386- 60
甘文紹明 515-274- 65
甘文焜清 474- 95- 3
474-774- 41
482-541-368
483-228-390
502-773- 86
505-641- 67
569-656- 19
570-511-29之8
570-683-29之13
571-535- 19
572-173- 33
甘文烇清 505-642- 67
甘文翰明 515-390- 68
甘元秀明 魏文昌妻、甘邦佐女 480-467-279
533-694- 72
甘天付元 1467-181- 68
甘友信明 564-180- 46
甘友諒明 1227-152- 18
甘中立元 1194-182- 14
甘公亮明 515-688- 78
563-780- 40
甘永泰明 1467- 94- 65
甘平公春秋 464-478- 28
甘用世明 482-409-359
567-386- 82
甘汝來清 474-587- 30
479-497-239
568-451-116
甘汝遷明 567-350- 80
1467-465- 7
甘同叔宋 515-328- 67
甘如松女 宋 見甘氏
甘成公春秋 404-478- 28
甘作棟妻 清 見張氏
甘希魯妻 明 見鄧氏
甘邦佐女 明 見甘元秀
甘定中甘善孫 宋448-389- 0
甘孟珊女 明 見甘清秀
甘叔異宋 820-432- 35
甘受調清 567-401- 83
甘秉倫明 567-119- 67
1467-123- 66
甘延壽漢 250-569- 70
250-570- 70
376-290-100
384- 49- 2
472-914- 36
478-573-203
502-248- 53
558-346- 35
933-503- 33
甘妹資元 何用妻 516-391-102
甘爲霖明 554-254- 52
559-372- 8
甘春霖明 1457-671-406
甘春霖妻 明 見雷氏
甘茂源元 1212-504- 14
甘茂榮宋 515-333- 67
甘思召明 567-319- 78
1467-206- 69
甘思忠明 482-453-362
1467-219- 70
甘昭吉宋 288-543-467
401- 74-577
甘風子宋 554-910- 64
821-257- 52
甘皇后蜀漢 漢昭烈帝后
254-575- 4
384-421- 5
385- 54-4上
560-592-29下
甘原禮妻 明 見王氏
甘桓公春秋 404-478- 28
甘珠翰清 502-535- 72
甘俸爵妻 明 見蕭氏
甘清秀明 甘孟珊女、甘夢珊女 473- 79- 52
479-582-243
甘望魯明 533-332- 58
甘惟寅明 515-354- 68
甘惟燦明 554-311- 53
甘悼公甘過 春秋
404-478- 28
甘陵王漢 見劉忠
甘陵王漢 見劉理
甘陵王蜀漢 見劉永
甘國基清 476- 32- 97
476-920-148
537-232- 54
545-163- 88
甘常宇宋 561-224-38之3
甘從福唐 820-286- 30
甘善孫宋 見甘定中
甘朝舉元 1208-283- 13
甘景公春秋 404-478- 28
甘棠茂妻 明 王氏
甘塔哈清 502-736- 84
甘塔堪清 455-109- 4
甘楚枋元 516-127- 92
甘際泰清 455-500- 31

甘嘉雨妻 清 見周氏
甘夢秀女 明 見甘清秀
甘鳴鶴明 561-202-38之1
甘慶郎宋 見甘焯
甘遺榮唐 820-179-27
甘學書明 554-672-60
甘應俊妻 清 見熊氏
甘簡公春秋 404-478-28
甘獻誠唐 820-178-27
甘顯祖清 479-497-239
517-805-135
甘體垣清 481-613-329
502-774-86
528-499-30
甘泉先生唐 486-904-35
古五代 1053-367-9
古心明 511-918-174
古氏明 葉鳳起妻 482-305-353
古氏清 邱存灝妻 482-306-353
古民明 554-313-53
古朴古樸 明 299-443-150
453-206-19
458-76-4
472-665-27
477-453-171
537-595-60
1239-1-26
1244-539-6
古里明 見庫爾
古里清 455-552-35
古社清 455-646-45
古初漢 370-171-16
402-376-4
473-336-63
480-405-277
古初明 473-377-65
532-743-46
古林清 503-20-92
古來明 302-698-324
古革宋 482-304-353
564-63-44
古峰不詳 472-722-28
477-259-161
古乘春秋 404-758-46
古淵明 1442-120-8
古理清 455-206-10
古弼古筆 後魏 261-426-28
266-505-25
379-57-147
384-130-7
472-481-31
476-253-110
546-10-115
554-110-50
古筆後魏 見古弼
古裕歸均 明 496-628-106
古魯清(鴻果絡氏) 456-281-71
古魯清(鑲白旗人) 502-533-72
古樸明 見古朴
古穆清(公鄂理氏) 456-146-60
古穆清(札拉爾氏) 456-245-68
古穆清(固山見子) 496-217-76
古禮妻 清 見李氏
古嚕清 454-933-113
古曠唐 821-55-46
古鏞明 545-657-107
古丈夫秦 478-358-191
古之奇唐 451-429-3
古之賢明 515-177-62
679-68-145
古玄應妻 唐 見高氏
古玉安妻 明 見黃氏
古世淳宋 1098-211-26
古成之宋 473-695-80
482-116-343
564-48-44
古那哈清 455-272-15
古拉庫清 456-57-54
古受甲妻 清 見楊氏
古郎阿清 455-615-42
古彥輝明 473-584-75
528-570-32
564-195-46
古思克清 456-119-58
古納禪清 502-449-68
古都斯固都斯、馬文錦 元
294-422-134
399-545-474
1202-157-12
古勒訥清 455-96-3
古普庫清 455-438-26
古甯封上古 481-85-294
古揚素清 455-420-25
古掾曹漢(爲都掾史四十餘年)
554-890-64
古無極宋 493-1107-58
古祿格清 454-928-112
古道子北齊 263-358-45
古道行明 456-487-5
475-378-68
511-461-154
古董父上古 547-544-161
古睦德清 454-929-112
古寧阿清 455-635-44
古爾佳清 455-88-3
古爾欽清 502-604-76
古爾賽清 455-449-27
古六七丁清 560-129-19
古木扎布清 500-728-37
古公泰王商 見古公亶父
古公亶父太王、古公泰王、亶父 商 243-92-4
371-226-5
372-111-3下
383-161-18
404-68-5
554-374-55
839-3-1
古公亶父妃 商 見太姜
古寺和尚唐 1053-128-3
古爾巴泰清 456-47-53
古爾布什清 456-198-66
474-756-41
502-435-68
古爾哈那清 456-184-64
古爾馬渾清 456-301-73
古爾瑪渾清 455-54-1
古爾蒙額清 456-163-62
古魯盧濟清 456-257-69
古燕達魯明 1229-548-4
古禮爾勤清 456-134-59
古里甲石倫金 見瓜爾佳實倫
古魯思奇布清 496-216-76
古木布伊爾登清
496-219-76
古魯格楚瑚爾清
455-358-22
本宋(嗣克文) 1053-748-17
本宋(號無住) 1053-789-18
本宋(嗣慧懃) 1053-849-19
本才宋 1053-762-18
本中明(字養性) 1475-757-32
本中明(字淨覺) 1475-769-32
本仁唐 516-429-103
1052-172-13
1053-534-13
本布布伯 元(回回氏)
295-659-203
401-119-585
本布元(字有聲) 523-199-155
本可清 516-500-105
本生唐 1053-200-5
本如宋 486-902-35
487-148-9
491-591-16
1053-246-6
1054-174-4
本先宋 524-442-201
1052-674-7
1053-412-10
本言宋 1053-489-12
本成明 1442-122-8
1460-851-91
本宗宋 561-224-38之3
本空五代 588-261-11
1053-549-13
本來明 561-217-38之3
本咸明 511-918-174
本柱清 456-157-61
本拜清 456-126-58
本庫清 455-617-42
本泰清 455-88-3
本淨唐(諡大曉禪師)
1052-113-8
1053-71-2
1054-472-13
本淨唐(居福州保福寺)
1052-308-21
本寂耽章 唐 473-636-77
479-667-247
516-451-104
1052-174-13
1052-641-1
1053-521-13
1054-136-3
1431-146-823
本哲清 524-411-199
本晝清 524-411-199
本童唐 1053-197-5
本善明 588-237-10
本無元 524-427-200

588-229- 10
本逸宋 473-576- 74
1053-670- 16
本源明 570-249- 25
本瑞明 516-424-103
本嵩宋 1053-247- 6
本傳明 517-653-131
本誠文誠、道元 元
820-551- 39
821-334- 54
1439-460- 2
1471-647- 16
本慶清 516-424-103
本圓清 1321-207-109
本谿唐 1053-128- 3
本覺元 524-449-201
本鐵明 570-249- 25
本權宋 1053-736- 17
本佈理清 455-366- 22
本吉納清 455-502- 31
本托輝清 502-541- 73
本科理清 455-410- 25
本博科清 455-344- 21
本塔爾清 454-481- 42
本達理清 455-280- 16
本巴什希清 454-483- 42
本博瑚理清 455-640- 44
本雅失里明 見布尼雅錫哩
左仁清 1326-845- 8
左氏宋 譚吉先妻、左時彥女
1161-680-131
左氏元 王信妻 1196-297- 17
左氏明 王日善妻 475-534- 77
左氏明 李夢陽妻、左夢麟女
1262-410- 45
1410-399-716
左氏明 張文聲妻、左宜女
1260-646- 20
左氏明 張邦才妻 477-320-164
左氏明 傳應吉妻 506- 71- 88
左氏明 楊仁海妻 483-201-388
左氏明 萬長祚妻 480-208-267
左氏明 劉德妻 472-298- 12
左氏明 韓邑妻 512-479-188
左氏明 宋琮母 1297-150- 12
左氏明 靳先祚媳 560- 41- 87
左氏清 丁世昇妻
480-513-281
左氏清 林必登妻 482- 43-340
左氏清 郝爾位妻 474-194- 9
天氏清 徐璋妻 506- 23- 86
左氏清 臧爾勵妻 506- 60- 87
左氏清 趙及第妻 481- 83-294
左立漢 820- 33- 22
左史明 554-522-57下
左全唐 592-688-105
812-485- 上
812-520- 2
821- 81- 47
左灼明 456-676- 11
左伽明 483-200-388
570-125-21之1
左伯漢 684-468- 下
812- 67- 下
812-230- 9
814-227- 3
820- 35- 22
左宜女 明 見左氏
左泌左秘 金 291-132- 75
401-309-610
476-204-107
545-338- 96
左忠明 511-627-161
左芬晉 晉武帝貴嬪、左雍女
255-576- 31
373- 68- 20
476-676-136
1379-331- 40
左恢漢 472-275- 11
475-274- 63
511-172-143
左咸漢 476-661-136
左建宋 821-214- 51
左思晉 256-490- 92
380-352-175
384- 94- 5
469-162- 19
472-590- 24
476-665-136
491-799- 6
540-714-28之1
814-233- 4
820- 54- 23
933-611- 39
1370- 61- 3
1379-315- 39
1395-589- 3
左迪明 554-347- 54
左重明 481- 71-293
483-201-388
570-132-21之1
左信元 1214-252- 21
左原漢 253-376- 98
377- 2-113上
384- 66- 3
386- 4-69上
545-506-101
左桂明 558-354- 35
左振唐 1409-596-631
左郢春秋 見左人郢
左剛妻 明 見張氏
左峴清 528-573- 32
左秘金 見左泌
左悺漢 253-509-108
380-491-179
左淵金 291-132- 75
401-309-610
左祥元 518- 22-136
563-713- 39
左深北齊 548-334-172
左旋明 558-452- 38
左強商 見左彊
左雄漢 253-277- 91
370-200- 20
376-903-111下
384- 64- 3
402-467- 10
402-508- 12
402-576- 19
459-723- 44
470-354-142
472- 84- 3
472-770- 30
474- 89- 3
477-368-167
505-626- 67
537-538- 59
933-611- 39
左敢明 516-107- 91
左傑明 472- 71- 2
左慈漢 253-611-112下
380-581-181
470-243-126
471-588- 2
471-921- 48
472-330- 14
475-715- 86
486-903- 35
511-938-175
524-445-201
933-611- 39
1059-296- 8
1061- 38- 85
左雍女 晉 見左芬
左瑋父 宋 1090- 85- 15
左鼎明(字周器) 299-629-164
473-154- 56
479-721-250
515-670- 75
545- 69- 85
左鉦明 502-285- 56
505-817- 74
545- 74- 85
左經明 473-517- 71
559-386-9上
左鉄明 511-628-161
左旗明 456-660- 11
左輔明 475-609- 81
676- 5- 1
左徹上古 404-385- 23
546-506-132
左[王畢]宋 523-396-165
左震唐 473-280- 61
480-126-264
532-628- 43
左震宋 559-305-7上
左璇明 1243-710- 24
左膚宋 283-717-356
左緯宋 486-896- 34
524- 62-181
左璒明 676-479- 18
1245-538- 28
左彊左強 商 404-418- 24
左璞明 456-671- 11
左儒周 404-446- 26
554-621- 60
左濬明 529-645- 48
563-805- 41
左闊元 505-650- 68
左夔齊 516-468-104
左謙明 1239-159- 37

左禮後唐 812-526- 2
813- 83- 3
821-111- 49
左暮宋 515-602- 76
左鎰明 511-813-167
左贊明 473-101- 53
515-838- 84
676-503- 19
679-126-150
684-498- 下
820-626- 41
1249-146- 9
1249-475- 31
左獻明 472-108- 4
505-823- 75
左譽宋 494-320- 6
515-604- 76
左籲妻 清 見姜氏
左人郢左郢 春秋244-390- 67
375-656- 88
405-446- 85
472-548- 23
539-496-11之2
左三德妻 明 見王氏
左士元明 456-674- 11
554-729- 61
左于聖妻 清 見秦氏
左小娥漢 劉慶妻
819-558- 19
左文通唐 812-345- 9
821- 55- 46
左之琮清 511-610-160
左之龍妻 明 見陳氏
左元澤唐 486-905- 35
524-440-201
左中道王中道 明456-615- 9
476-451-123
545-481-100
左幻山宋 見左幼山
左立功明 546-648-136
左立德明 546-648-136
左司記妻 明 見王氏
左司馬春秋 545-726-109
左世瑤妻 明 見曾玉眞
左出穎明 1297-103- 9
左丘明春秋 405-449- 85
533-130- 51
539-497-11之2
675-292- 15
933-611- 39
左幼山左幻山 宋
821-260- 52
左幼白妻 元 見龍氏
左安善明 532-632- 43
左匡政唐 見左難當
左光斗明 301-140-244
458-207- 3
475-530- 77
505-638- 67
506-536-104
511-474-155
676-630- 26
1297-135- 11
1326-765- 4
1442- 89- 6
1460-510- 65
左光先明 301-143-244
301-582-272
511-261-146
523- 61-148
528-546- 32
左光圖明 546-679-137
左光慶金 291-132- 75
399-141-428
474-179- 8
505-880- 79
820-480- 36
左光燦明 456-660- 11
511-475-155
左企弓金 291-130- 75
401-308-610
左仲輝明 511-301-148
左沖霄明 456-684- 11
546-341-126
左良玉明 301-591-273
左成名清 476-125-102
左成庫清 554-738- 61
左君弼明 475-707- 86
482-348-356
511-414-152
567- 81- 66
1467- 56- 64
左伯桃戰國 386-674- 9
472- 28- 1
505-865- 77
533-728- 73
左廷臯明 456-642- 10
483-201-388
570-132-21之1
左廷憲元 578-908- 24
左宗海元 524-335-195
左宗郢明 515-844- 84
左其選清 480-353-274
559-332-7下
左居實元 1214-252- 21
左孟誠明 563-775- 40
左明善明 483- 32-371
569-662- 19
820-627- 41
左佩弦左佩玹 明
505-678- 69
554-677- 60
左佩玹明 見左佩弦
左佩琰明 554-527-57下
左相申明 302- 79-293
456-570- 8
475-778- 89
510-482-118
左思明明 554-499-57上
左重光明 456-674- 11
554-677- 60
左浩成妻 清 見董氏
左浩成妻 清 見羅氏
左書言宋 515-581- 75
左時良明 1259-181- 14
左時彥女 宋 見左氏
左師召宋 515-604- 76
左師展春秋 404-546- 33
左國玉左宏保兒 明
1262-409- 45
左國材清 475-532- 77
511-850-169
左國柱明 511-262-146
左國璣明 458-149- 7
538-129- 65
820-702- 43
1442- 43-附3
1459-887- 37
左朝極清 523-253-157
左喬雲漢 591-520- 41
左敬祖清 505-819- 74
左爾良妻 明 見彭氏
左爾煓妻 清 見王氏
左夢麟明 1262-407- 45
1262-410- 45
1410-393-716
1410-394-716
左夢麟妻 明 見朱氏
左夢麟女 明 見左氏
左維垣明 508-328- 41
左慶延宋 448-396- 0
515-591- 75
左興宗唐 820-287- 30
左應選明 505-652- 68
左懋第明 301-635-275
456-412- 1
476-701-137
478-338-191
505-930- 84
676-657- 27
1442-108- 7
1460-699- 76
左難當左匡政 唐
472-358- 15
475-606- 81
508-328- 41
511-407-152
左鵬程清 505-905- 80
左繼樗元 511-707-164
左公子洩春秋 404-836- 52
左司馬戌春秋 見沈尹戌
左司馬販春秋 405- 36- 58
左史倚相春秋 見倚相
左宏保兒明 見左國玉
左庫庫楚元 見左霍克齊
左霍克齊左庫庫楚、左闊闊出 元 476-394-119
545-461-100
左闊闊出 元 見左霍克齊
左答納失里元 見遵達實哩
右昂後晉 見石昂
右行辛春秋 545-732-109
右行詭春秋 545-722-109
右宰穀春秋 404-842- 52
右公子職春秋 404-836- 52
石乙漢 933-742- 52
石乞春秋 405- 87- 61
石文妻 宋 見樓覯之
石介宋(字守道) 288- 86-432
371-150- 15

382-740-113
384-359- 18
400-444-541
449-121- 10
450-475-35中
459- 51- 3
471-954- 52
472-524- 22
473-523- 72
476-823-143
540-755-28之2
559-306-7上
591-692- 48
674-282-4下
677-191- 18
708-334- 50
820-352- 32
1090-333- 附
1102-270- 34
1255-291- 35
1351-594-140
1356-140- 7
1378-584- 62
1383-631- 56
1410-333-707
1437- 11- 1
1447-604- 33
1461-256- 14
1476-182- 10
石介石彭郎 宋(字正甫)
451- 96- 3
石氏晉 鄭休妻 256-571- 96
381- 49-185
933-742- 52
石氏唐 王縱妻、石獻直女
1083-528- 7
石氏宋 趙士鄄妻、石繼勳女
1100-513- 48
石氏宋 趙仲奚妻、石中本女
1100-507- 47
石氏宋 劉航妻、石亞女
286-576-345
397-650-359
474-481- 23
506-140- 90
524-677-210
石氏元 王德妻 1213- 50- 4
石氏明 王伯川妻 506- 33- 86
石氏明 王崇德妻 506- 5- 86
石氏明 田廣妻 506-141- 90
石氏明 任國玉妻 481-337-308
石氏明 朱約妻 472-179- 6
475- 79- 53
石氏明 朱鑲胡妻 506- 31- 86
石氏明 李宣妻 572-332- 38
石氏明 李任祿妻 530-108- 57
石氏明 范俊妻 472-685- 27
石氏明 高自見妻、石玉華女
1313-273- 21
石氏明 徐益晉妻 475-535- 77
石氏明 倫品著妻 506- 31- 86
石氏明 曹達才妻 533-620- 70
石氏明 張文奇妻 506- 50- 87
石氏明 陳洪妻 530- 5- 54
石氏明 莫與倫妻 564-362- 49
石氏明 曾偉妻 480-141-264
石氏明 鄭煁妻 302-211-301
石氏明 蘇源妻 558-495- 42
石氏明 石節女 479-297-230
石氏明 石潛女 302-213-301
479-251-228
524-678-210
石氏明 石天柱姊 481-186-300
石氏明 石守仁女 302-248-303
475-856- 94
512-169-181
石氏明 鄭完我母 302-250-303
478-614-205
石氏清 白光遠妻 506-114- 89
石氏清 杜嶢妻 478-520-200
石氏清 杜映秋妻 478-275-187
石氏清 佟賦斌妻、石瑾女
1321- 16- 85
石氏清 郭栖鳳妻 555-133- 68
石氏清 張論妻 477-320-164
石氏清 陳尚義妻 483-397-403
石氏清 湯文輝妻 474-194- 9
石氏清 趙兒璧妻 506- 21- 86
石氏清 鄧濟泰妻 478-700-210
石氏清 蔡政瑞妻 480-653-289
石氏清 蕭逢泰妻 506- 61- 87
石永元 295-615-198
400-321-526
479-236-227
524-133-185
石永明 474-441- 21
478-612-205
505-825- 75
554-179- 51
558-158- 30
石玉明 545- 74- 85
1250-863- 82
石玉妻 明 見趙氏
石弘海陽王 後趙 256-721-105
381-149-187
384-102- 5
石正宋 592-600- 99
石世譙王 後趙 256-743-107
262-350- 95
381-166-187
石旦宋 529-528- 45
石甲漢 933-742- 52
石申清 505-808- 74
石生河東王 後趙 544-204- 62
石吉明 456-550- 7
石光宋 473-315- 62
480-463-279
532-730- 46
石臼唐 1053-128- 3
石沆明 511-795-166
1442- 99- 6
1460-604- 70
石亨明(渭南人) 299-733-173
443- 60- 4
554-599- 59
石亨石享 明(鳳翔人)
476-278-111
545-324- 95
545-387- 97
554-526-57下
石良明 511-405-152
石阯明 477-124-155
石谷元 523-243-157
石秀明 494- 57- 2
石享明 見石亨
石坦石垣 晉或唐 256-535- 94
380-432-177
472- 72- 2
474-342- 17
505-937- 85
541- 87- 30
558-480- 41
933-742- 52
1061-272-110
491-799- 6
石亞女 宋 見石氏
石玠金 291-628-118
1445-664- 51
石玠明 300-126-190
474-382- 19
505-754- 72
545-277- 93
676-518- 20
石林唐 1053-128- 3
石固秦 517-211-121
石岩明 554-598- 59
石昂右昂 後晉 279-214- 34
384-308- 16
400-328-527
476-668-136
491-803- 6
524-119-184
1383-769- 70
石虎後趙 見趙武帝
石昉宋 516- 21- 87
554-334- 54
石金明(字南仲) 300-409-207
473-284- 61
480-132-264
511-910-173
533- 42- 48
石金明(字文華) 1254-331- 9
石佩明 472-197- 7
石洪唐 275-383-171
384-257- 13
396-152-265
477-251-161
537-499- 59
820-223- 28
933-742- 52
1073-528- 21
1073-566- 25
1074-355- 21
1074-402- 25
1075-310- 21
1075-353- 25
1078-132- 7
1378-376- 54
1378-528- 60
1383-172- 14
1410-283-700
石宣明 483-294-394

571-544- 20
石宣妻 明 見李氏
石洵宋 1098-182- 22
石恪宋 592-697-106
680-585-279
812-459- 1
812-474- 3
812-497- 中
812-536- 3
813-106- 7
821-143- 50
1381-575- 42
石首春秋 404-850- 53
石珏宋 821-204- 51
石悉宋 511-817-167
674-830- 17
石垣晉 見石坦
石柱唐 1053-220- 6
石厚春秋 404-820- 51
石厚明 481-724-333
529-698- 50
石陋晉 255-766- 44
石珍明 1283-858-134
石建漢 244-676-103
250-198- 46
376- 93- 97
477-245-161
545-502-101
554-741- 62
933-742- 52
1408-282-507
石星明 474-479- 23
505-777- 73
506-520-104
676-589- 24
1442- 65- 4
1460-273- 52
石苞漢 402-457- 10
石苞晉 255-602- 33
377-431-121上
384- 90- 5
386-188-75下
469-534- 65
472- 66- 2
472-408- 18
472-610- 25
474-337- 17
476-725-138
505-743- 72
933-742- 52
石英明 1242-193- 30
石風宋 511-937-175
石泉明(字彥清) 569-658- 19
石泉明(岳池人) 559-365- 8
石後明 299-735-173
石浚晉 255-604- 33
377-433-121上
石庭元 1206-411- 3
石泰宋 547-512-160
554-983- 65
564-617- 56
石泰清 456-293- 72
石恭妻 明 見洪氏
石珪元 295-561-193
400-242-520
476-476-125
476-825-143
石珤石瑤 明 300-124-190
453-711- 41
472-100- 3
474-382- 19
505-754- 72
506-613-107
676-519- 20
1442- 36-附2
1459-746- 29
石起宋 1118-663- 34
石圃春秋 404-843- 52
石恕宋 473-476- 69
591-697- 49
石皋金 474-653- 34
505-797- 73
540-648- 27
石倫明 505-671- 69
石清明 494-330- 6
石清妻 明 見周氏
石寀明 563-756- 40
石堅明(絳縣人) 476-402-119
546-592-134
石堅明(陝西汧州衛人) 559-269- 6
石基妻 清 見李氏
石奢春秋 244-845-119
380-151-169
386-693- 11
405- 34- 58
533-129- 51
石梯唐 1053-174- 4
石捷妻 明 見張氏
石通宋 933-743- 52
石張春秋 933-741- 52
石莪明 456-678- 11
石崇晉 255-604- 33
377-433-121上
384- 90- 5
386-188-75下
472-717- 28
477-256-161
537-285- 55
933-742- 52
1370- 81- 4
1379-325- 40
1395-589- 3
石崇妻 晉 見綠珠
石彪明 299-735-173
554-599- 59
石處春秋 見后處
石㔨後趙 見趙明帝
石偉吳 254-735- 3
384-509- 21
386- 40-69下
407-592- 4
492-526-13上之中
879-159-58上
石統晉 255-604- 33
石參清 510-492-118
石敘明 546- 94-118
554-291- 53
石斌太原王 晉 544-204- 62
石愔明 540-829-28之3
石普宋 286-289-324
371-180- 18
382-272- 42
384-335- 17
384-341- 17
397-427-345
472-436- 19
472-642- 26
477-472-173
478-166-182
478-417-195
481- 18-291
537-342- 56
545-636-106
539-262- 6
567-431- 86
591-680- 47
933-743- 52
1467-143- 67
石普元 195-577-194
400-256-521
472-413- 18
475-368- 67
511-466-154
石渠明 511-192-143
石琮晉 496-596-103
石琮明 559-275- 6
石琪妻 清 見李氏
石越前秦 496-597-103
石惡石悼子 春秋 404-843- 52
石賀宋 524-202-188
石琚金 291-263- 88
399-157-430
472- 96- 3
474-406- 20
474-653- 34
476-309-113
505-674- 69
505-797- 73
545-406- 98
石雄唐 271- 91-161
275-387-171
384-278- 14
396-156-265
472-456- 20
472-717- 28
475-429- 70
476- 77-100
476-111-102
476-277-111
511-399-151
537-203- 54
545-321- 95
933-743- 52
石琳清(字聊公) 476-920-148
478-771-215
481-808-338
523- 67-149
537-229- 54
563-860- 42
石琳清(永定人) 528-569- 32
石逵明 524-366-197

石閔冉魏 見冉閔
石買石共子 春秋 404-821- 51
石喬晉 255-604- 33
石勝明 鄭洪妻 472-1032- 42
479-333-232
1374-381- 59
石象明 1288-645- 11
石温明 473-479- 69
石廉宋 484-374- 27
石祿明(字允升) 511-368-150
石祿明(字君錫) 554-660- 60
石雷明 473-841- 87
570-155-21之2
石瑄明 456-669- 11
石瑁明 472-485- 21
523-189-155
546- 88-118
1241-111- 5
石輅宋 1118-947- 64
石輅明 558-339- 35
石碏春秋 375-807- 91
384- 22- 1
404-820- 51
448-131- 1
537-362- 57
933-741- 52
石勒後趙 見趙明帝
石瑗明 473-369- 64
石暉後晉 見石敬暉
石鼎妻 清 見程氏
石會明 547- 95-144
石經明 475-613- 81
石節女 明 見石氏
石奐春秋 404-851- 53
石齊女 梁 見阮令嬴
石漢明 505-677- 69
515- 96- 59
石漢女 明 見石瓊秀
石漢清 455-204- 10
石漯宋 473-251- 60
480-297-271
533-314- 57
石榮後魏 262-333- 94
石瑰唐 525- 17-217
583-553- 12
石槐明 524-138-185
石瑤明 見石琉
石彄春秋 404-817- 50
石圖清(伊爾根覺羅氏)
455-272- 15
石圖清(富察氏) 455-433- 76
石圖清(伊蘇氏) 456-183- 64
石圖清(羅氏) 456-380- 79
石銘明 1467-115- 66
石魁明(長樂人) 456-639- 10
石魁明(字國士) 1280-525- 94
石銀明 570-105-21之1
石槃明 見石磐
石賡宋 529-528- 45
石潛女 明 見石氏
石澄明 511-368-150
石墪石嶅 宋 471-663- 12
472-1072- 45
479-235-227
481-643-330
523-603-176
528-482- 30
528-506- 31
679-138-152
1146-151- 92
1166-677- 13
石嶅宋 見石墪
石慶漢 244-676-103
250-198- 46
376- 93- 97
384- 46- 2
476-473-125
506-438-102
539-349- 8
540-643- 27
545-502-101
554-741- 62
933-742- 52
1408-282-507
石撰明 299-361-142
456-696- 12
476-297-112
546-361-127
886-157-139
石瑾女 清 見石氏
石鼐明 302-148-297
476-260-110
547- 53-143
石薩明 456-631- 10
544-731- 61
石德清 455- 90- 3
石磐石槃 明(字民漸)
529-472- 43
676-343- 12
石磐明(字鴻漸) 532-618- 43
石銳明 821-375- 55
石範宋 452- 14- 上
523-479-170
1157-254- 18
石稷石成子 春秋 384- 22- 1
404-821- 51
石憲宋 843-672- 下
石遵彭城王 後趙 256-743-107
262-350- 95
381-166-187
石璟明(昌黎人) 299-109-121
石璟明(字廷用) 511-713-164
石賴宋 1354-729- 39
石賴清 502-739- 84
石賴不詳 見文殊
石奮漢 244-675-103
250-197- 46
376- 92- 97
384- 40- 2
469-482- 58
472-718- 28
472-828- 33
477-244-161
506-436-102
538-320- 69
545-501-101
554-741- 62
933-741- 52
1408-282-507
石璞明(臨漳人) 299-575-160
458- 76- 4
472-700- 28
475-871- 95
477-168-157
479-452-237
515- 35- 58
537-454- 58
545- 70- 85
1241-487- 7
石璞明(陝州人) 458-167- 8
472-752- 29
537-605- 60
石璞明(華亭人) 472-242- 9
554-220- 52
石璞明(字元素) 820-643- 41
821-404- 56
石樸晉 255-607- 33
石豫宋 286-716-356
石巂晉 見石儁
石戴宋 451-226- 0
石檜明 511-600-160
石嶽明 1467-186- 69
石儁石巂 晉 255-604- 33
377-433-121上
石藏唐 1052-142- 10
石曜北齊 263-339- 44
267-570- 81
380-317-174
477-199-159
505-796- 73
537-273- 55
石簡明 475-526- 77
483-224-390
510-417-116
523-554-173
石魋春秋 404-843- 52
石贇石敬贇 後晉 278- 92- 87
279-105- 17
395- 83-187
石麒妻 明 見周氏
石璽明 532-636- 43
石璽妻 清 見郭氏
石瓊元 1218-785- 5
石鯨清 533-114- 50
石鵬元 680-285-254
1200-562- 43
1200-563- 43
石鏡五代 1053-570- 14
石礪宋 523-569-174
525-159-225
石礪明 480-136-264
石瓏明 567-325- 78
1467-214- 70
石曦韓王 宋 285-366-271
396-639-312
472-435- 19
474-166- 8
476- 40- 98
478-694-210
480-399-277
545-611-105
552- 60- 19

石譽明 511-800-167
石巍明 476-865-145
石鑒代王、義陽王 後趙
255-765- 44
256-743-107
262-350- 95
377-532-122
381-169-187
472-523- 22
476-751-139
540-713-28之1
544-204- 62
545- 2- 83
933-742- 52
石鑑宋 471-866- 39
473-790- 85
482-485-364
567-296- 76
1467-169- 68
石麟明(字嘉瑞) 547- 80-144
石麟明(字文祥) 1250-804- 77
1259-603- 6
石麟明(字永也) 1460- 69- 43
石麟妻 明 見徐氏
石瓚明 477-410-169
545-890-114
石顯漢 251-168- 93
380-486-179
933-742- 52
石顯明 511-361-150
石巖宋 見石子該
石巖元 820-521- 38
821-293- 53
1439-423- 1
石驥明 492-1053- 44
523-244-157
石一鰲石一鼇 宋
523-612-176
677-416- 38
1209-648-10下
石一鼇宋 見石一鰲
石又賢清 554-783- 62
石九奏明 1442- 83- 5
1460-461- 62
石三畏明 302-325-306
石三泉明 572-162- 32
石士林妻 清 見鄭氏
石子文妻 宋 見杜氏
石子該石巖 宋 451- 92- 3
石子蜀春秋 見石作蜀
石才孺石寧老 宋448-373- 0
石大用明 474-572- 29
506-401-100
1374-179- 44
石大品清 515-180- 62
石斗文宋 1166-651- 10
石文子周 839- 21- 2
石文光宋 482- 35-340
564- 52- 44
石文光母 明 見司氏
石文光妻 明 見任氏
石文炳清 528-469- 29
石文奎明 547- 61-143
石文昭明 1226-229- 11
石文晟清 476- 80-100
482-541-368
502-639- 78
545-201- 90
563-865- 42
569-657- 19
石文揖清 479-332-232
石文睿明 524- 67-181
676-561- 23
1442- 53- 3
1460-105- 45
石文德後魏 262-257- 87
267-638- 85
380-120-167
384-143- 7
474-239- 12
505-900- 80
933-742- 52
石文德十國楚 407-664- 3
482-290-352
564- 35- 44
820-322- 31
石之玟清 554-535-57下
石之碧明 567-371- 81
石五仙宋 820-463- 36
石元之宋 494-337- 7
石元亨元 544-239- 63
石元岱妻 明 見王氏
石元孫石慶孫 宋
285- 85-250
371-186- 19
382-137- 19
384-325- 17
396-456-297
474-304- 16
505-654- 68
1467-144- 67
石元毅金 545- 58- 84
石孔儀清 456-290- 72
石天岳元 1467- 53- 63
石天柱姊 明 見石氏
石天柱明 300- 96-188
481-183-300
559-366- 8
石天柱清 455- 53- 1
石天禹元 295- 36-149
石天祿元 295- 78-152
399-419-457
540-772-28之2
石天祿明 456-678- 11
石天應元 295- 35-149
399-402-455
472-626- 25
474-821- 44
496-404- 89
502-711- 83
545-372- 97
554-159- 51
石天麟宋 475-670- 84
511-488-155
石天麟石蒙古達華 元
295- 88-153
399-437-459
472- 36- 1
474-180- 8
505-720- 71
1206-410- 3
石友瑢明 558-447- 38
石日琮清(字璞公) 528-470- 29
石日琮清(字宗玉)
540-872-28之4
石中立宋 285-257-263
371- 92- 9
382-215- 31
384-342- 17
384-351- 18
396-563-304
471-651- 10
472-748- 29
477-313-164
528-536- 31
538-142- 65
933-743- 52
1088-562- 61
1088-595- 61
1092-577- 54
石中本女 宋 見石氏
石公恕宋 473-478- 69
559-351- 8
石公弼石公輔 宋
286-619-348
382-678-105
397-679-361
472-308- 13
472-388- 17
472-706- 28
472-1071- 45
472-1102- 47
475-323- 65
475-365- 67
477-200-159
479-234-227
479-296-230
486-324- 15
523-301-160
537-276- 55
石公揆宋 479-234-227
523-303-160
石公輔宋 見石公弼
石公瑾石定哥 宋451- 93- 3
石公孺宋 524-286-192
679-483-186
石公轍宋 493-745- 41
510-327-113
524-202-188
石月英閩 481-532-326
石午合宋 451- 72- 2
石允常明 299-374-143
479-292-230
523-400-165
676-471- 18
石允德宋 1163-598- 37
石穴僧清(卧石穴二十餘年)
481- 86-294
561-218-38之3
石永昌明 456-600- 9
石永春明 547- 21-141
石永壽明 302-140-296

472-1072- 45
石玉海明 1229-658- 1
石玉華女 明 見石氏
石正行宋 473-528- 72
561-212-38之2
591-646- 46
石正卿元 476-113-102
545-373- 97
石孕玉清 1312-347- 33
石可玩明 456-597- 9
石可貞妻 明 見董氏
石可礪明 456-574- 8
554-729- 61
石甲父春秋 404-850- 53
933-741- 52
石令嬴梁 見阮令嬴
石他人春秋 491-791- 6
石守仁女 明 見石氏
石守信宋 285- 82-250
382-135- 19
384-325- 17
396-453-297
472-504- 21
472-658- 27
473-267- 61
477- 72-152
525- 75-220
537-385- 57
石安民宋 473-750- 83
482-350-356
563-693- 39
567-412- 84
1467-178- 68
石安琬石阿旺 元
295- 36-149
399-403-455
496-404- 89
石汝礪宋 471-836- 35
482- 77-341
564- 74- 44
677-190- 17
石汝礪明 1467-120- 66
石共子春秋 見石買
石有成清 456-358- 77
石有恒明 458-227- 5
479-135-223
479-378-234
480-135-264
523-123-151
533-370- 60
石光玉清 554-615- 59
石光著元 472-982- 39
523-100-150
石光輔妻 後周 見楊氏
石光霽明 301-814-285
511-691-163
676- 58- 2
679-625-199
1442- 16-附1
石自方宋 587-444- 5
石自然明 見王森
石全彬宋 288-539-466
401- 74-577
石如璉清 477- 91-153
537-416- 57
石仲元宋 473-751- 83
482-356-356
567-459- 87
1467-514- 11
石仲集石星兒 宋448-388- 0
石仲覽唐 274-351-106
472-358- 15
石亨祖元 473-749- 83
482-348-356
567- 78- 65
1467- 52- 63
石成子春秋 見石稷
石孝忠唐 1084-256- 5
1344-482-100
石孝溥宋 485-541- 1
石君立石家財 後唐
277-538- 65
石君瑜宋 1096-764- 36
石攻玉清 537-416- 57
石余亨宋 524-287-192
石佐中元 295- 36-149
399-403-455
496-404- 89
石作蜀石子蜀 春秋
244-389- 67
375-656- 88
405-447- 85
472-894- 35
539-496-11之2
558-382- 36
933-741- 52
1293-327- 0
石念玘妻 清 見吉氏
石含鑛清 547- 92-144
石希介明 567-114- 67
1467- 94- 65
石邦彥妻 明 見韓氏
石邦柱明 567-326- 78
1467-218- 70
石邦憲明 300-488-211
483-224-390
483-294-394
571-533- 19
石伸傑元 537-278- 55
石廷柱清(謚忠勇) 455- 53- 1
474-762- 41
502-634- 78
石廷柱清(奉天人) 475- 21- 49
475-274- 63
510-297-112
石廷章妻 明 見李氏
石宗萬宋 485-541- 1
石宗魏宋 485-541- 1
石祁子春秋 375-808- 91
384- 22- 1
404-821- 51
448-141- 3
537-362- 57
933-741- 52
石定哥宋 見石公瑾
石武光妻 明 見任氏
石亞之宋 524-257-191
石孟全明 564-218- 46
石孟曜明 554-291- 53
石門守春秋 448- 93-上
879-151-57下
石抱玉唐 821- 54- 46
石抱忠唐 274-425-112
石阿旺元 見石安琬
石函喻妻 清 見李氏
石抹元金 見舒穆嚕元
石承方明 見石承芳
石承芳石承方 明
524-264-191
563-786- 40
石尚禮清 456-358- 77
石明三元 295-611-198
400-318-526
472-1072- 45
479-236-227
524-133-185
石季龍後趙 見趙武帝
石知顒宋 288-538-466
石佳彝清 476-252-110
545-307- 94
石牧之宋 523-167-154
677-195- 18
1092-589- 55
石延年宋 288-225-442
371-149- 15
382-754-115
384-359- 18
400-648-560
450-478-36中
472- 33- 1
472-275- 11
472-682- 27
475-281- 63
475-471- 72
476-881-146
477-128-155
506-660-110
510-407-115
511-900-172
538-132- 65
538-696- 79
540-632- 27
545- 47- 84
674-282-4下
812-741- 3
813-237- 6
820-342- 32
1102-189- 24
1102-320- 41
1102-382- 50
1118-655- 33
1122-299- 9
1351-637-145
1356-148- 7
1362-800- 79
1378-605- 63
1383-648- 58
1410-195-686
1437- 9- 1
1447-571- 31
石延煦後晉 278- 94- 87

279-107- 17
395- 84-187
石延慶宋 1139-869- 15
石延翰吳越 479-176-225
524-286-192
石延寶後晉 278- 94- 87
279-107- 17
395- 84-187
石洪慶宋 460-306- 21
石彥誠明 515-359- 86
523-189-155
石思琳明 456-659- 11
511-477-155
石思聰妻 清 見呂氏
石茂華明 476-673-136
477-567-177
510-394-115
540-811-28之3
676-579- 24
676-724- 30
1289-797- 2
石昭問宋 820-402- 34
石星兒宋 見石仲集
石禹勤宋 511-326-149
石待旦宋 523-598-176
石待問宋 471-691- 15
472-349- 15
473-514- 71
475-673- 84
511-912-173
559-382-9上
石待聞宋 1098-183- 22
石待舉宋 479-234-227
523-382-164
石重乂石重義、壽王 後晉
278- 94- 87
279-106- 17
395- 83-187
石重乂妻 後晉 見李氏
石重杲陳王 後晉278- 94- 87
279-107- 17
石重英虢王 後晉278- 93- 87
279-105- 17
石重信沂王、楚王 後晉
278- 93- 87
279-106- 17
395- 83-187
石重信妻 後晉 見白氏
石重胤剡王 後晉278- 93- 87
279-105- 17
石重貴後晉 見晉出帝
石重進夔王 後晉278- 94- 87
279-105- 17
石重義後晉 見石重乂
石重睿後晉 278- 94- 87
279-107- 17
395- 84-187
石保正宋 見石保興
石保吉宋 285- 84-250
371-179- 18
382-136- 19
384-325- 17
396-455-297
477- 74-152
537-388- 57
石保吉妻 宋 見魯國大長公主
石保興石保正 宋
285- 84-250
382-136- 19
384-325- 17
396-454-297
477- 74-152
537-388- 57
554-352- 54
石泉王明 見朱友墳
石高山元 295-258-166
399-605-480
472-116- 4
472-149- 5
474-440- 21
505-765- 72
505-780- 73
石祖興後魏 262-259- 87
267-639- 85
380-120-167
472- 89- 3
474-374- 19
505-747- 72
505-907- 81
933-742- 52
石祚煥妻 清 見張氏
石家財後唐 見石君立
石城王明 見朱奠堵
石起宗宋 460-427- 32
471-668- 12
481-586-328
529-532- 45
820-432- 35
石起鳳妻 明 見趙氏
石荊山唐 493-1055- 56
511-863-170
石留克清 455-115- 4
石師能宋 491-436- 6
石師聖宋 486-540- 7
石純臣宋 473- 60- 51
515-197- 63
石淙子明 1274-438- 16
石涵玉明 524-354-196
石悼子春秋 見石惡
石康伯宋 591-160- 12
1107-519- 37
1356-309- 14
1378-451- 57
1384-673-140
石執中明 472-906- 36
558-290- 34
1240-200- 13
石雪英閩 481-532-326
石基永妻 清 見李氏
石晝問宋 479-234-227
487-188- 12
1147-791- 75
石教民妻 明 見耿氏
石崇安妻 明 見李氏
石崇德明 456-482- 5
558-413- 37
石處道宋 564- 75- 44
石國柱清 455- 53- 1
石國英元 1218-718- 4
1439-422- 1
石崑玉明 475-122- 55
476-251-110
480-134-264
533- 50- 48
676-612- 25
1442- 78- 5
1460-397- 58
石崑玉妻 清 見李氏
石得一宋 288-548-467
石得林漢 558-469- 39
石啟宗明 475-563- 79
石敏中明 473-299- 62
480-242-269
532-669- 44
559-352- 8
石從益許王 後晉
535-557- 20
石從愿元 510-345-114
石越凡妻 清 見楊氏
石彭郎宋 見石介
石揚休宋 285-753-299
382-413- 64
384-357- 18
397-183-331
450-329-中16
472-196- 7
472-643- 26
473-514- 71
477- 50-151
481-349-309
559-382-9上
591-633- 46
1094-730- 79
1104-963- 15
1354-169- 22
1384-392-116
1437- 13- 1
1447-626- 35
石琢玉明 480-171-266
石景舜明 480-652-289
石景賢明 547- 73-143
石景衡宋 1123-473- 15
石華如妻 明 見權氏
石無用明 554-887- 64
石道叟宋 486-413- 19
石達理清 455-118- 4
石萬友後晉 279-105- 17
石萬程明 480-413-277
533-255- 55
石萬詮後晉 279-105- 17
石敬威廣王 後晉278- 92- 87
279-105- 17
395- 82-187
石敬殷後晉 279-105- 17
石敬暉石暉、韓王 後晉
278- 93- 87
279-106- 17
395- 83-187
476-853-145
石敬瑭後晉 見晉高祖
石敬德後晉 279-105- 17

石敬儒後晉 279-105- 17
石敬儒妻 後晉 見安氏
石敬贇後晉 見石贇
石演芬唐 271-511-187下
275-611-193
384-238- 12
400-109-509
545-361- 96
石寧老宋 見石才孺
石端甫元 472-827- 33
554-470- 56
石端靜元 喻夢炎妻
1226-508- 24
石端禮妻 宋 見陳國公主
石熙明宋 820-421- 34
石熙載宋 285-256-263
371- 92- 9
382-215- 31
384-333- 17
396-563-304
472-747- 29
477-313-164
537-505- 59
933-743- 52
1092-576- 54
石蒼舒宋 556-805-100
820-380- 33
1096-764- 36
1109-536- 28
1110-139- 2
石圖們金 見錫圖美
石鳳臺清 477-568-177
546-218-122
554-221- 52
石維海明 564-219- 46
石維崑清 477-568-177
554-190- 51
石維壇明 見萬維壇
石維嶽明 477-244-161
505-808- 74
石慶孫宋 見石元孫
石德林漢 254-230- 11
380-416-177
384-514- 22
386-128-73上上
554-882- 64
石德贇明 558-452- 38
石興祖元 295- 78-152
399-420-457
523-225-156
石鮐仲春秋 933-741- 52
石應岳明 481-783-337
511-370-150
529-650- 48
石應瑞明 511-859-169
石應嵩明 483-138-380
537-291- 55
570-122-21之1
石應潮明 523- 88-149
石應樓明 547- 92-144
石聲和明 456-550- 7
483-268-392
572- 88- 29
石聲啟妻 清 見師氏
石徽之宋 1117-177- 15
石藏用唐 472-294- 12
石瓊秀明 張經世妻、石漢女
480- 64-260
1457-747-413
石獻直女 唐 見石氏
石繼芳明 476-674-136
510-352-114
石繼曾宋 1163-588- 36
石繼勳女 宋 見石氏
石之紛如春秋 404-605- 37
石戶之農上古 448- 89- 上
879-147-57下
石門丐婦石門丐烈婦 明
302-222-301
472-1005- 40
479-149-223
石抹也先元 見舒穆嚕額森
石抹元毅金 見舒穆嚕元毅
石抹世勣金 見舒穆嚕世勣
石抹宜孫元 見舒穆嚕宜孫
石抹昌齡元 見舒穆嚕昌齡
石抹額森元 見舒穆嚕額森
石琖德玉元 見持嘉德玉
石塔長老宋(居石塔寺)
472-298- 12
石盞實祿金 見實嘉紐勒琿
石嘉實祿金 見實嘉紐勒琿
石樓寺僧明 456-637- 10
石頭和尚唐 1054-537- 15
石鐘眞人晉(室頂懸石如鐘)
547-536-160
石門丐烈婦明 見石門丐婦
石抹孛迭兒元 見舒穆嚕拜達勒
石飛亭仙女元 533-783- 75
石盞女魯歡金 見實嘉紐勒琿
石盞紐勒琿金 見實嘉紐勒琿
石盞紐勒歡金 見實嘉紐勒琿
石盞鈕勒緷金 見實嘉紐勒琿
石嘉女魯歡金 見實嘉紐勒琿
石嘉紐勒琿金 見實嘉紐勒琿
石嘉紐勒歡金 見實嘉紐勒琿
石嘉鈕勒緷金 見實嘉紐勒琿
石蒙古達華元 見石天麟
石盆洗臉仙姑明567-466- 87
丕豹春秋 384- 21- 1
404-769- 47
933- 71- 4
丕鄭丕鄭父 春秋 375-719- 90
384- 21- 1
404-767- 47
545-705-108
933- 71- 4
丕爾敦清 454-920-110
丕鄭父春秋 見丕鄭
司仁元 537-279- 55
司氏明 馬驄妻 472-528- 22
司氏明 趙三在妻 512-151-181
司氏明 劉樸妻 477-135-155
司氏明 石文光母 506- 57- 87
司臣春秋 404-887- 55
933- 70- 4
司伸宋 559-262- 6
司玠明 540-802-28之3
司庠元 472-577- 24
司思明 554-312- 53
司迪明 476-698-137
司恩妻 明 見陳氏
司商周 見商南
司超宋 285-384-272
396-654-313
472-131- 4
472-195- 7
505-774- 73
司琨清 537-459- 58
司軻明 541-107- 31
司傑妻 明 見崔氏
司愼明 456-643- 10
570-126-21之1
司鼎明 456-615- 9
司福明 476-788-141
540-802-28之3
司齊春秋 404-887- 55
933- 70- 4
司鐸明 571-544- 20
司九經清 478-599-204
558-436- 37
司九韶清 477-169-157
538- 52- 63
545-229- 91
司之才元 1200-770- 59
司五教明 302-100-294
456-497- 5
477-169-157
478-246-186
538- 52- 63
554-307- 53
司天普清 456-370- 78
司天祿妻 清 見王氏
司石盤司石盤 明301-665-277
456-635- 10
司石盤明 見司石磐
司仲可元 540-648- 27
司良輔元 546-724-139
司空圖唐 271-617-190下
275-622-194
277-506- 60
384-289- 15
400-327-527
407-634- 0

451-462- 6
472-465- 20
476-122-102
538-325- 69
546-281-124
548-597-179
549-562-201
550-222-217
674-267-4中
674-809- 16
813-257- 9
820-268- 29
933-787- 56
1365-507- 9
1371- 73- 附
1388-690-102
1473-456- 83
司空頲司空題 五代
277-580- 71
279-358- 54
384-315- 16
396-440-296
505-762- 72
司空輿唐 271-617-190下
275-622-194
545-115- 86
546-281-124
820-261- 29
司空曙唐 276- 89-203
384-239- 12
400-614-556
451-430- 3
505-889- 79
1340-623-783
1365-453- 5
1371- 63- 附
1388-102- 53
司空題五代 見司空頲
司居敬元 540-776-28之2
司彥明明 558-439- 37
司馬乂長沙王 晉256- 16- 59
375-237-80下
532- 97- 27
司馬卬殷王 秦 243-220- 8
469-444- 53
472-716- 28
537-284- 55
司馬氏敬同 漢 張霸妻
559-443-11上
591-510- 41
559-443-11上
司馬氏漢 楊敞妻、司馬遷女
448- 76- 8
452- 88- 2
478-350-191
555- 2- 66
司馬氏明 1258-770- 7
司馬允淮南王、濮陽王 晉
256- 85- 64
375-247-80下
488- 94- 7
539-352- 8
司馬永宋 492-712-3下
司馬丕晉 見晉哀帝
司馬旦宋 285-739-298
397-172-330
472-254- 10
472-430- 19
472-466- 20
472-826- 33
475-214- 60
476- 29- 97
476-369-117
478-335-191
480-199-267
510-358-114
532-654- 44
545-137- 87
546-484-131
554-333- 54
司馬申陳 260-737- 29
265-1104- 77
381- 21-184
384-123- 6
475- 68- 52
510-309-113
933-768- 54
司馬安漢 244-849-120
司馬池宋 285-737-298
371-137- 14
382-381- 60
384-358- 18
397-171-330
471-936- 50
471-946- 51
471-1017- 63
471-1039- 66
472-466- 20
472-740- 29
472-789- 31
472-825- 33
472-852- 34
472-961- 38
473-426- 67
473-503- 71
476-369-117
477-542-176
478-199-184
478-336-191
481- 67-293
484- 91- 3
523- 74-149
537-353- 56
545-175- 89
546-476-131
549-364-194
554-239- 52
559-262- 6
559-280- 6
559-313-7上
933-769- 54
1115-383- 45
1437- 9- 1
司馬朴司馬樸 宋285-740-298
382-708-109
397-173-330
472-466- 20
472-923- 36
476-370-117
478-268-187
545-176- 89
546-486-131
554-334- 54
820-479- 36
933-773- 54
1365-334- 10
1437- 20- 1
司馬光宋 286-454-336
382-556-87上
384-369- 19
384-376- 19
397-557-354
449-216- 7
450- 49-上6
450-340-中18
450-603-中15
459-534- 32
472-466- 20
472-544- 23
472-742- 29
472-826- 33
475-119- 55
476-369-117
478- 90-180
493-700- 39
505-631- 67
510-325-113
538-327- 69
539-502-11之2
540-670- 27
545- 45- 84
546-477-131
549-113-185
549-215-189
549-373-194
550-197-216
550-198-216
550-252-218
550-253-218
550-422-222
550-524-224
554-147- 51
561-364- 41
588-163- 8
674-284-4下
677-209- 19
684-490- 下
820-374- 33
821-172- 50
933-769- 54
1108-388- 86
1108-441- 90
1112-278- 26
1115-405- 48
1135-712- 8
1146- 8- 85
1164-194- 9
1351-556-137
1356- 79- 4
1356- 95- 5
1362-596- 42
1378-484- 58

1384-694-142
1410- 85-673
1437- 13- 1
1447-829- 49
司馬光妻 宋 見張氏
司馬兆城陽王 晉255-688- 38
375-218-80上
539-352- 8
司馬伋宋 546-487-131
司馬宏宋 285-740-289
382-709-109
397-173-330
546-485-131
546-486-131
933-773- 54
司馬沖東海王 晉256- 88- 64
375-249-80下
司馬沂宋 547-100-145
549-367-194
1094-727- 79
司馬沂妻 宋 見李氏
司馬均司馬筠 漢370-196- 19
376-727-108
402-400- 5
472-611- 25
491-798- 6
540-703-28之1
933-768- 54
司馬防漢 254-296- 15
402-590- 20
477-246-161
537-474- 58
司馬里宋 285-740-298
397-173-330
472-466- 20
472-923- 36
476-369-117
478-418-195
546-485-131
547-100-145
549-367-194
554-332- 54
1094-702- 77
司馬冏齊王 晉 256- 12- 59
375-234-80下
司馬岐魏 254-246- 12
377-102-115上
472-641- 26
477- 48-151
477-247-161
537-235- 55
933-768- 54
司馬孚安平王 晉254-297- 15
255-654- 37
375-191-80上
386-179-75上
472-717- 28
477-247-161
537-285- 55
544-203- 62
1407- 62-401
司馬伷琅邪王 晉255-678- 38
375-210-80上
475-419- 70
539-352- 8
司馬伷妻 晉 見夏侯光姬
司馬肜梁王 晉 255-682- 38
375-213-80上
535-555- 20
司馬攸齊王 晉 255-684- 38
375-215-80上
477-247-161
539-352- 8
812- 68- 下
812-232- 9
814-217- 2
819-561- 19
司馬宗南頓王 晉256- 5- 59
375-227-80下
535-555- 20
司馬京晉 255-680- 38
375-212-80上
司馬京宋 546-486-131
1100-421- 37
司馬炎晉 見晉武帝
司馬直漢 477-246-161
537-475- 58
司馬承譙王 晉 255-668- 37
375-203-80上
473-333- 63
480-361-275
480-398-277
533-395- 61
司馬尚襄陽王 晉255-888- 53
375-223-80上
司馬固漢王、濟南王 晉
539-352- 8
552- 23- 18
司馬芝魏 254-244- 12
377-100-115上
384- 85- 4
384-663- 41
472-112- 4
472-124- 14
472-408- 18
472-719- 28
472-737- 29
473-299- 62
474-433- 21
476-515-217
477-246-161
477-304-163
480-249-269
505-680- 69
533-734- 73
538- 99- 4
933-768- 54
司馬岳晉 見晉康帝
司馬侃北周 263-712- 36
266-580- 29
379-616-157
1064-213- 8
司馬洪河間王 晉255-658- 37
375-194-80上
司馬宣宋 546-484-131
1094-705- 77
1094-729- 79
司馬恬譙王 晉 255-670- 37
375-205-80上
485- 65- 10
493-674- 37
司馬恂明 299-465-152
524-258-191
司馬祉明(會稽人) 481-694-332
528-544- 32
司馬祉明(夏縣人) 546-499-131
司馬亮汝南王 晉256- 2- 59
375-225-80下
535-555- 20
552- 23- 18
司馬郊唐 554-867- 64
司馬郎漢 537-475- 58
司馬奕海西公 晉255-128- 8
262-381- 96
370-344- 8
384- 96- 5
589-180- 上
司馬奕后 晉 見庾道憐
司馬恢渤海王 晉256- 88- 64
375-249-80下
司馬威晉 255-659- 37
375-195-80上
司馬亜明 472-1073- 45
524- 56-180
司馬括宋 820-451- 35
司馬軌毗陵王 晉256- 84- 64
375-246-80下
司馬郁臨川王 晉256- 92- 64
375-251-80下
司馬柬秦王 晉 256- 84- 64
375-246-80下
司馬貞唐 538-138- 65
司馬昭晉 見晉文帝
司馬昱晉 見晉簡文帝
司馬星明 572-157- 32
司馬苞漢 402-460- 10
司馬朏後魏 261-530- 37
266-579- 29
379-110-147
司馬衍晉 見晉成帝
司馬侯春秋 見女齊
司馬保晉 255-665- 37
375-200-80上
司馬俊高密王 晉 255-662-37
375-197-80上
司馬浩宋 547- 99-145
1094-729- 79
司馬祐汝南王 晉256- 4- 59
375-226-80下
司馬祇東海王 晉256- 85- 64
375-247-80下
司馬朗魏 254-296- 15
377-133-115下
384- 84- 4
384-663- 41
402-590- 20
472- 84- 3
472-719- 28
474-600- 31
476-474-125
505-669- 69
540-630- 27

933-768- 54
司馬悅後魏 261-529- 37
266-579- 29
379-109-147
472-788- 31
537-196- 54
1064-209- 8
1064-655- 13
1342- 4-409
1394-723- 11
1400-145- 5
1416- 49-111中
司馬衷晉 見晉惠帝
司馬泰高密王 晉
255-662- 37
375-198-80上
539-351- 8
司馬泰明 511- 82-139
676-558- 23
司馬珪高陽王 晉
255-661- 37
375-196-80上
司馬桂宋 546-487-131
司馬晏代王、吳王 晉
256- 87- 64
375-248-80下
493-643- 35
544-203- 62
司馬晃下邳王 晉
255-660- 37
375-196-80上
司馬烏司馬督 春秋
404-725- 44
545-123- 87
司馬紘晉 255-661- 37
375-197-80上
司馬矩汝南王 晉256- 4- 59
375-226-80下
499- 54-127
司馬耕司馬黎耕 春秋
244-387- 67
371-492- 32
375-655- 88
405-444- 85
472-679- 27
537-367- 57
539-495-11之2
933-767- 54
司馬虓范陽王 晉
255-665- 37
375-201-80上
499- 54-127
司馬倫趙王 晉 256- 6- 59
375-228-80下
司馬師晉 見晉景帝
司馬邕安平王 晉
255-657- 37
375-193-80上
司馬寇宋 821-203- 51
司馬寅春秋 404-714- 43
545-724-109
司馬望義陽王 晉
254-297- 15
255-654- 37
375-193-80上
386-181-75下
472-824- 33
472-944- 37
535-555- 20
554-105- 50
司馬康宋 286-462-336
382-566-87下
384-376- 19
397-565-354
449-227- 7
450-384-中23
472-466- 20
476-369-117
546-485-131
933-772- 54
1100-454- 41
司馬羕晉 256- 4- 59
375-227-80下
司馬聃晉 見晉穆帝
司馬掀宋 472-1052- 44
523-242-157
司馬陵任城王 晉
255-674- 37
375-209-80上
539-352- 8
司馬略高密王 晉
255-663- 37
375-198-80上
司馬晞武陵王 晉
255-679- 38
256- 89- 64
375-250-80下
814-218- 2
819-562- 19
司馬彪晉 256-346- 82
377-871-129上
477-247-161
933-768- 54
1370- 57- 3
1379-267- 33
司馬馗晉 499- 54-127
司馬紹晉 見晉明帝
司馬統汝南王 晉256- 4- 59
375-226-80下
司馬斌西河王 晉
255-675- 37
375-209-80上
544-203- 62
司馬富宋 546-485-131
司馬愔晉 255-673- 37
司馬寔晉 255-688- 38
375-218-80上
司馬裒琅邪王 晉256- 88- 64
375-249-80下
司馬越東海王 晉256- 23- 59
375-243-80下
539-351- 8
司馬棫宋 674-291-4下
司馬尋宋 820-357- 32
司馬喆武陵王 晉
255-679- 38
375-211-80上
司馬雅妻 晉 見姜義舊
司馬植彭城王 晉
255-661- 37
375-197-80上
司馬植宋 546-486-131
司馬隆安平王 晉
255-657- 37
375-193-80上
544-203- 62
司馬覃清河王 晉256- 86- 64
司馬軫明 676-497- 19
司馬景沛王 晉(字子文)
255-661- 37
375-197-80上
司馬景城陽王 晉(字景度)
256- 85- 64
375-246-80下
司馬順晉 255-674- 37
375-209-80上
477-247-161
558-475- 40
司馬絢唐 820-178- 27
司馬該新都王 晉256- 86- 64
375-248-80下
司馬裔北周(字承業)
261-529- 37
司馬裔北周(字遵胤)
263-710- 36
266-579- 29
379-616-157
477-249-161
537-477- 58
559-293-7上
933-768- 54
1064-207- 8
1064-263- 10
1064-653- 13
1064-732- 15
1342- 3-904
1342-333-947
1394-722- 11
1400-171- 1
1400-144- 5
1410-477-726
1416- 48-111中
1416- 79-111下
司馬裕始平王 晉256- 85- 64
375-247-80下
552- 23- 18
司馬詡晉 256- 8- 59
375-230-80下
552- 23- 18
司馬準後魏 261-530- 37
266-580- 29
司馬歆新野王 晉
255-681- 38
375-213-80上
535-555- 20
司馬煥琅邪王 晉256- 90- 64
375-251-80下
司馬遂濟南王 晉
255-667- 37
375-202-80上
539-352- 8
司馬瑋始平王、楚王 晉

256- 5- 59
375-228-80下
407-436- 4
552- 23- 18
司馬幹平原王 晉
255-677- 38
375-209-80上
539-352- 8
544-202- 62
司馬楙竟陵王 晉
255-654- 37
375-195-80上
539-351- 8
司馬遐清河王 晉256- 86- 64
375-248-80下
司馬嵩陳 見司馬暠
司馬睦高陽王 晉
255-674- 37
375-208-80上
司馬督春秋 見司馬烏
司馬蓿清 511-837-168
司馬業晉 見晉愍帝
司馬筠漢 見司馬均
司馬筠梁 260-398- 48
265-1000- 71
380-289-173
384-122- 6
472-719- 28
477-248-161
538- 25- 62
933-768- 54
司馬雋司馬儁 漢
254-296- 15
402-590- 20
477-246-161
司馬綏范陽王 晉
255-665- 37
375-201-80上
499- 54-127
司馬演代王 晉 256- 86- 64
375-248-80下
544-203- 62
司馬漼淮陵王 晉
255-680- 38
375-212-80上
司馬福吳越 485-183- 25
493-870- 47
511-386-151

司馬端齊 260-398- 48
265-1000- 71
380-289-173
司馬說春秋 404-698- 42
司馬粹晉 256- 4- 59
375-226-80下
司馬熙汝陽王 晉256- 5- 59
375-227-80下
535-555- 20
司馬壽梁 260-399- 48
265-1001- 71
380-291-173
477-248-161
538- 25- 62
司馬輔太原王 晉
255-660- 37
375-196-80上
544-203- 62
司馬槐宋 821-213- 51
司馬臧臨淮王、濮陽王 晉
255-888- 53
375-223-80上
司馬遣宋 517-387-125
司馬遜譙王 晉 255-668- 37
375-203-80上
司馬睿晉 見晉元帝
司馬暠司馬嵩 陳
260-762- 32
265-1057- 74
380-116-167
473- 76- 52
477-248-161
479-579-243
516- 93- 91
538- 99- 64
933-768- 54
司馬暢晉 255-681- 38
375-213-80上
司馬澄後魏 261-529- 37
司馬談漢 244-943-130
478-339-191
546-738-140
554-825- 63
1354- 29- 4
司馬槱宋 674- 291-4下
1115-378- 44
1437- 18- 1
司馬確新蔡王 晉
255-664- 37
375-199-80上
司馬璋明 572- 85- 28
司馬⿰王逢梁王 晉 256- 89- 64
375-250-80下
司馬模南陽王 晉
255-664- 37
375-199-80上
535-555- 20
司馬遷漢 244-946-130
250-432- 62
376-219- 99
384- 43- 2
469- 22- 3
472-461- 20
478-339-191
494-146- 5
516-217- 96
550- 1-209
550-356-221
550-358-221
550-500-223
533-744- 73
546-739-140
554-825- 63
556-381- 91
569-614-18下之2
675-265- 7
933-768- 54
1354- 31- 4
司馬遷女 漢 見司馬氏
司馬履唐 564-675- 59
司馬儁漢 見司馬雋
司馬範襄陽王 晉256- 6- 59
375-228-80下
司馬憲南朝 265-1018- 72
380-366-176
933-768- 54
司馬熾晉 見晉懷帝
司馬澹武陵王 晉
255-679- 38
375-211-80上
司馬諮宋 1094-728- 79
司馬諮妻 宋 見王氏
司馬遵武陵王 晉256- 89- 64
375-250-80下
司馬遵妻 宋 見王中
司馬穎成都王 晉256- 18- 59
375-238-80下
560-594-29下
司馬整隨王 晉 255-654- 37
375-195-80上
司馬彊春秋 404-810- 49
司馬褧梁 260-335- 40
265-873- 62
378-448-142
477-248-161
538- 25- 62
933-768- 54
司馬樸宋 見司馬朴
司馬遹晉 255-884- 53
375-219-80上
司馬遹妻 晉 見王惠風
司馬蕤東萊王 晉
255-687- 38
375-218-80上
539-352- 8
司馬鄴晉 見晉愍帝
司馬鄴後梁 277-181- 20
司馬叡晉 見晉元帝
司馬錯戰國 384- 31- 1
405-271- 73
554-544- 58
559-239- 6
933-767- 54
司馬衡常山王 晉
255-661- 37
375-197-80上
司馬勳晉 255-667- 37
375-202-80上
560-599-29下
司馬鴻後魏 261-530- 37
266-579- 29
379-110-147
司馬禧武陵王 晉
255-679- 38
375-211-80上
司馬翼晉 255-660- 37
375-196-80上
司馬駿扶風王 晉
255-680- 38
375-212-80上
477-560-177
544-202- 62
552- 23- 18
554-105- 50

司馬嶽晉 見晉康帝
司馬彪南陽王 晉
255-888- 53
375-223-80上
司馬蓬宋 515-268- 65
司馬繇東安王 晉
255-679- 38
375-211-80上
539-352- 8
司馬鍠唐 271-577-190中
400-598-555
511-223-144
司馬徽三國 254-604- 7
377-262-118上
473-248- 60
480-292-271
533- 85- 49
538-168- 66
司馬謨汝陰王 晉256- 87- 64
375-248-80下
司馬覲琅邪王 晉
255-679- 38
539-352- 8
司馬顒河間王 晉256- 21- 59
375-241-80下
司馬曜晉 見晉孝武帝
司馬颺晉 494-332- 7
司馬贊晉 255-688- 38
375-218-80上
司馬寶臨川王 晉256- 92- 64
司馬瓌太原王 晉
255-660- 37
375-196-80上
544-203- 62
司馬曦唐 516-508-106
司馬纂後魏 261-529- 37
司馬騰新蔡王 晉
255-663- 37
375-199-80上
535-555- 20
司馬釋彭城王 晉
375-197-80上
司馬躍後魏 261-530- 37
266-580- 29
279-110-147
545-260- 93
司馬懿晉 見晉宣帝
司馬鑒樂安王 晉
255-688- 38
375-219-80上
539-352- 8
司馬權彭城王 晉
255-661- 37
375-197-80上
司城須春秋 見母弟須
司起龍清 510-355-114
司徒氏宋 高薄妻、司徒庠女
1147-801- 76
司徒庠宋 見司徒氏
司徒映唐 547-132-146
司徒詡後周 278-416-128
司寅長妻 清 見蔡氏
司寇布戰國 404-486- 29
司寇亥春秋 404-844- 52
司空季子春秋 見胥臣
司空無駭春秋 見無駭
司星子韋司馬子韋 春秋
404-811- 49
814-222- 3
司馬子巳宋 473-465- 69
561-210-38之2
司馬子如北齊 263-140- 18
267-141- 54
379-428-153
384-137- 7
472-719- 28
537-477- 58
544-211- 62
司馬子韋春秋 見司星子韋
司馬子產梁 260-762- 32
265-1057- 74
司馬子魚公子魴 春秋
405- 46- 58
司馬子魚春秋 見公子目夷
司馬子瑞北齊 263-142- 18
267-144- 54
司馬才章唐 269-701- 73
司馬女叔春秋 見女齊
司馬文思後魏 261-526- 37
266-578- 29
司馬文贇宋 1085-207- 27
司馬犬子漢 見司馬相如
司馬元顯晉 256- 94- 64
370-381- 10
375-253-80下
488-145- 7
488-147- 7
司馬天助後魏 261-532- 37
266-580- 29
司馬允之晉 255-673- 37
375-208-80上
485- 65- 10
493-674- 37
司馬世雲北齊 263-142- 18
267-143- 54
379-429-153
司馬令姬北周 周靜帝后、司馬消難女 263-473- 9
266-300- 14
司馬幼之北齊 263-142- 18
267-144- 54
司馬宅相唐 516-214- 96
司馬仲明後魏 261-531- 37
司馬休之晉 255-672- 37
261-526- 37
266-577- 29
375-206-80上
933-768- 54
司馬伯通明 820-677- 42
司馬廷駒女 明 見司馬氏
司馬宗龐後魏 261-531- 37
司馬定國遼東王 晉
255-688- 38
375-219-80上
司馬直安後魏 261-531- 37
司馬承禎司馬鶴林 唐
271-643-192
275-642-196
384-204- 11
401- 7-568
469-444- 53
472-713- 28
472-1107- 47
473-305- 62
477-259-161
479-296-230
480-515-281
481-751-334
486-904- 35
524-422-200
530-208- 60
533-759- 74
538-339- 90
547-539-160
587-435- 5
683-317- 15
812-348- 9
812-746- 3
814-271- 9
820-293- 30
821- 99- 48
839- 45- 4
871-908- 19
879-186-58下
933-768- 54
1059-606-下
1060- 46- 5
1061-326-113
司馬尚之譙王 晉
255-671- 37
375-205-80上
司馬昌明晉 見晉孝武帝
司馬叔侯春秋 見女齊
司馬叔游春秋 見女叔游
司馬叔璠後魏 261-531- 37
266-580- 29
司馬季主漢 244-905-127
251-703- 35
380-553-181
478-134-181
554-879- 64
933-768- 54
1061- 33- 85
1412-103- 5
司馬季德不詳 681-763- 1
司馬金龍後魏 261-528- 37
266-579- 29
379-109-147
1064-209- 8
1064-655- 13
1064-732- 15
1342- 4-904
1394-723- 11
1400-145- 5
司馬延祚樂平王 晉
255-688- 38
375-219-80上
544- 203- 62
司馬延義陳 260-763- 32
265-1057- 74
380-116-167
473- 76- 52

516- 93- 91
538- 99- 64
司馬彥邕後魏　261-532- 37
司馬恢之晉　255-672- 37
375-206-80上
488-147- 7
司馬相如司馬犬子　漢
244-798-117
250-355-57上
251-638- 26
376-179-98下
384- 45- 2
469-592- 72
471-946- 51
471-977- 56
471-1018- 63
473-429- 67
473-536- 72
477-135-155
478-134-181
481- 72-294
481-363-310
494-146- 5
538-315- 69
554-879- 64
559-240- 6
559-338- 8
561-212-38之2
561-305- 40
569-614-18下之2
591-173- 13
591-503- 41
814-222- 3
820- 24- 22
839- 27- 3
933-767- 54
1354-828- 48
1360-611- 38
1366-749- 3
1381-608- 44
1395-582- 3
1408-310-510
1412- 38- 2
司馬飛龍許穆之　宋
560-600-29下
司馬珍之梁王　晉
256- 89- 64
375-250-80下
司馬茂英劉宋　宋少帝后、晉恭帝女　258- 8- 41
司馬消難北齊　263-141- 18
263-572- 21
267-142- 54
379-616-157
司馬消難女　北周　見司馬令姬
司馬修之晉　256- 98- 64
375-256-80下
司馬景之北魏　261-530- 37
266-580- 29
379-110-147
司馬無忌譙王　晉
255-670- 37
375-205-80上
司馬勝之晉　591-532- 41
司馬道子琅邪王、會稽王　晉
256- 92- 64
375-252-80下
488-139- 7
488-140- 7
488-142- 7
814-218- 2
819-562- 19
司馬道生晉　256- 91- 64
375-251-80下
司馬楚之琅邪王　後魏
261-527- 37
266-578- 29
379-108-147
384-131- 7
472-719- 28
476-276-111
477-249-161
537-477- 58
545-259- 93
554-109- 50
933-768- 54
1064-208- 8
1064-653- 13
1342- 3-904
1394-723- 11
1400-144- 5
1416- 48-111中
司馬夢求宋　288-362-452
400-184-514
451-238- 0
473-465- 69
480-242-269
481-213-302
533-383- 60
546-487-131
550-549-224
559-517- 12
591-652- 46
司馬廣德廣漢王　晉
255-688- 38
375-219-80上
司馬德文晉　見晉恭帝
司馬德宗晉　見晉安帝
司馬德戡隋　264-1169- 85
267-536- 79
379-883-164
司馬黎耕春秋　見司馬耕
司馬凝正唐　820-291- 30
司馬遵之晉　256- 4- 59
司馬奮揚春秋　405- 51- 59
533-127- 51
司馬應年宋　492-713-3下
司馬膺之北齊　263-142- 18
267-143- 54
379-429-153
477-249-161
司馬彌牟春秋　見士彌牟
司馬鶴林唐　見司馬承禎
司馬穰苴田穰苴　春秋
244-361- 64
246- 9- 64
375-660- 88
384- 29- 1
386-655- 8
472-586- 24
491-793- 6
933-234- 17
1408-164-497
司馬靈壽後魏　261-531- 37
司城子罕春秋　見樂喜
司城貞子春秋　472-650- 27
537-367- 57
司徒瞞成瞞成　春秋
404-844- 52
司馬女叔齊春秋　見女齊
加台元　見曩乘彝
加傳明　546-602-135
召王唐　見李偲
召公召虎、召公虎、召穆公、邵穆公　384- 12- 1
404-441- 25
537-190- 54
554-377- 55
933-676- 45
933-677- 45
召公周　見召公奭
召氏明　趙覺妻　483-172-383
570-193- 22
召平秦　250-110- 39
478-134-181
召奴召農　漢　539-349- 8
544-198- 62
召休漢　933-677- 45
召伯周　見召公奭
召虎周　見召公
召忽春秋　386-597- 1
404-578- 35
933-677- 45
召揚春秋　933-677- 45
召馴漢　253-534-109下
370-186- 18
380-269-172
472-199- 7
475-746- 88
477- 48-151
511-711-164
537-235- 55
680-667-285
933-678- 45
召農漢　見召奴
召歐召毆　漢　539-348- 8
933-677- 45
召毆漢　見召歐
召公虎周　見召公
召公奭召公、召伯、召康公、邵公奭、燕召公　周
244- 49- 34
371-300- 11
404-431- 25
472-736- 29
472-853- 34
532-546- 40
537-190- 54
554- 89- 50
933-676- 45
933-677- 45

召伯廖邵廖 周 933-676-45
933-677-45
召武公邵武公 周
933-676-45
召昭公邵昭公 周
933-676-45
召信臣漢 251-127-89
380-157-169
384-49-2
459-815-49
471-770-25
471-922-48
472-198-7
472-737-29
472-764-30
472-787-31
473-386-65
475-744-88
477-303-163
477-357-166
477-406-169
480-539-283
511-340-149
532-712-45
537-307-56
567-18-63
933-677-45
召桓公春秋 384-13-1
召康公周 見召公奭
召陵王明 見朱厚烇
召穆公周 見召公
召南申女東周(許嫁於酆夫禮不備遂不肯從) 448-35-4
452-103-3
平公孫平 春秋 405-55-59
平宋 821-267-52
平王遼 見耶律隆先
平氏明 沈宏妻、平可拳女
524-566-206
平氏明 何富妻 472-969-38
524-478-203
1229-380-14
平幼後燕 496-605-104
平安平保兒 明(小字保兒)
299-381-144
472-520-22
475-798-90
505-705-70
511-424-152
平安明(諡烈愍) 456-484-5
平季後魏 262-338-94
267-750-92
380-505-179
平恒後魏 262-231-84
267-565-81
380-307-174
474-171-8
499-415-157
505-867-78
933-425-28
平晏漢 250-592-71
376-311-100
933-425-28
平授唐 820-157-26
平當漢 250-590-71
376-310-100
384-51-2
472-680-27
478-96-180
537-419-58
554-624-60
675-261-7
933-425-28
平敬北齊 267-171-55
379-468-154
平綱平鋼 明 482-238-349
572-100-30
平鋼明 見平綱
平麓元 530-209-60
平鑒北齊 263-218-26
267-171-55
379-467-154
472-30-1
472-717-28
474-172-8
477-242-161
505-711-71
537-196-54
933-425-27
平顯明 301-828-286
524-6-178
570-211-23
676-482-18
1318-356-63
1391-555-330
1442-22-附2
1459-597-22
平可拳女 明 見平氏
平世用明 473-187-58
569-652-19
平仲節晉 486-904-35
524-445-201
平秀吉木下人 明
302-676-322
594-198-6
平直容唐 1065-863-22
平昌王後魏 見元賓
平昌王北齊 見高子瑗
平度王明 見朱載埗
平春王漢 見劉全
平致和唐 820-196-27
平貞昚唐 1065-839-20
1342-139-921
平思忠明 493-976-52
820-598-40
1259-828-6
1386-441-45
1458-114-425
平保兒明 見平安
平秦王北齊 見高歸彥
平原王漢 見劉得
平原王漢 見劉勝
平原王漢 見劉碩
平原王晉 見司馬幹
平原君戰國 見趙勝
平郡王清 見訥爾蘇
平郡王清 見福彭
平郡王清 見羅科鐸
平陰王明 見朱勇
平常生周～漢 541-84-30
554-968-65
1058-493-上
平陽王後魏 見托跋眞樂
平陽王後魏 見長孫翰
平陽王北齊 見高淹
平陽王北周 見李慶遠
平陽王唐 見李翼
平陽王明 見朱濟熿
平陽君戰國 見趙豹
平鄉王明 見朱祁鏓
平遙王明 見告佶熠
平樂王明 見朱安泛
平樂婦清 482-435-361
平氏公主漢 見劉次
平邑公主漢 見劉王
平阿餘子戰國 405-239-71
平昌公主唐 見宋國公主
平涼馬夫明 456-668-11
平原公主唐 274-120-83
393-287-73
554-60-49
平皋公主漢 見劉小姬
平陽公主漢 見陽信公主
平陽公主漢 見劉奴
平陽公主後魏 高肇妻
544-212-62
平陽公主後魏 張忻妻
544-212-62
平陽公主後魏 鄭文寬妻、元懷女 544-213-62
平陽公主唐 柴紹妻、唐高祖女 269-517-58
274-103-83
393-273-73
476-87-100
478-135-181
544-231-63
547-238-150
554-45-49
平陽節婦清 547-240-150
平河長公主北周 王昶妻
544-220-62
平陽長公主北魏 劉昶妻、魏文成帝女 544-212-62
平陽長公主金 圖克坦貞妻、耶律宗翰女 544-238-63
可久宋 490-724-70
585-484-14
588-237-10
可文唐 1053-226-6
可止後唐 1052-89-7
可中元 820-550-39
可仁元 1203-420-31
可弘宋 1053-405-10
可正宋 561-223-38之3
可用宋 1154-403-20
可先宋 1053-415-10
可休五代 1053-294-7
可休宋 1053-342-8
可良明 476-407-119
547-541-160
可昌宋 1053-739-17

可朋唐 561-225-38之3
1473-709- 98
可周五代 524-384-198
588-266- 11
1052- 88- 7
可宣宋 516-477-105
592-390- 84
1053-493- 12
可封宋 1053-903- 20
可浩明 821-488- 58
可眞宋 516-423-103
1053-485- 12
可童明 483- 71-376
570-149-21之2
可敦清 456-378- 29
可棲宋 517-310-123
可隆五代 1053-318- 8
可復宋 1053-701- 16
可傳元 516-473-104
可遵宋 1053-685- 16
可儔五代 1053-320- 8
可勳宋(居卧雲寺) 511-935-175
可勳宋(嗣文益) 1053-403- 10
可瓊宋 1053-637- 15
可觀宋 475-192- 59
493-1093- 58
511-922-174
524-397-199
1054-210- 4
1054-682- 20
可觀遼 496-425- 90
可突于格圖肯 唐
271-791-199下
496-621-105
可朱渾元北齊 263-220- 27
267-119- 53
379-369-152
502-317- 58
546- 31-116
可菴老人明 821-485- 58
可黎可足唐 276-291-216下
可朱渾天元北朝 267-120- 53
379-369-152
502-317- 58
可朱渾天和北齊 263-264- 34
267-120- 53
379-369-152
世伏隋 見伏
世奇宋 1053-859- 20
世泰清 455-529- 33
世鈞不詳 933-660- 43
世瑜唐 592-352- 82
世愚元 524-436-201
世誠元 1204-611- 12
世碩春秋 405-453- 85
世寵漢 933-660- 43
世顧漢 933-660- 43
世子有隱太子 春秋
405-101- 62
世子伋春秋 537-362- 57
世子痤太子痤 春秋
404-810- 49
世子華春秋 404-852- 53
世夫畢隋 267-854- 97
世叔申春秋 見大叔懿子
世叔齊太叔悼子 春秋
404-827- 51
世叔儀太叔儀、太叔文子 春秋
404-826- 51
448-246- 22
537-365- 57
世叔遺春秋 見大叔遺
世家寶李家寶 元～明
458-154- 8
472-665- 27
563-910- 43
世子申生申生、共太子 春秋
244- 97- 39
404-684- 41
545-697-108
548-592-179
549-585-202
550-183-216
世子偃師太子偃師 春秋
405- 97- 62
打哈明 見達哈
打地和尚唐(學者致問以棒打地示之) 472-440- 19
476-312-113
547-526-160
1053-130- 3
札什清 見扎什
札式清 456-283- 71
札林清(瑚遜氏) 456-135- 59
札林清(薩穆希爾氏)
456-192- 65
札鼎清 455- 40- 1
札魯清 456- 60- 54
札蘭清 455-486- 30
札木三扎木山 清
454-409- 27
496-218- 76
札色理清 455-657- 46
札克丹清 456-102- 57
札那喀清 455- 96- 3
札拉察清 455-493- 30
札哈理清 455-494- 30
札庫塔清 455- 86- 3
札普玖清 456-104- 57
札齊喀清 456- 45- 53
札爾布清 456-116- 58
札爾赳清 455- 67- 2
札圖喀清 455- 66- 2
札穆納妻 元 見王氏
札靈阿清 456- 62- 54
札什朋楚清 560-175- 21
札什朗結清 560-186- 21
札古勒沁扎古喇沁 元
294-216-118
400- 83-507
503- 71- 96
札爾吉納清 456-167- 62
札爾湖尼清 456- 46- 53
布子周 933-657- 43
布山清(瓜爾佳氏) 455- 56- 1
布山清(章佳氏) 455-598- 40
布丹清 455-413- 25
474-767- 41
502-510- 71
布札清 456-127- 58
布占蒲察 元 477-306-163
布占清(正紅旗人) 455-200- 10
布占清(鑲紅旗人) 455-202- 10
布占清(鑲白旗人) 455-418- 25
布占清(正黃旗人) 455-432- 26
布色元 1234-306- 47
布伯元 見本布
布希清 456-101- 57
布拉清(瓜爾佳氏) 455- 89- 3
布拉清(朱爾根氏) 456-108- 57
布岱清 456-254- 69
布延元 1211-435- 61
布昭清 454-464- 38
布哈元(翰林學士) 294-439-135
820-516- 38
布哈元(臨安宣慰司)
473-815- 86
布哈元 見拜布哈
布哈清(瓜爾佳氏) 455- 85- 3
布哈清(富察氏) 455-427- 26
布海清 455-287- 16
布庫清 502-502- 70
布泰清 456-270- 70
布展元 見塔齊爾
布張明 482-568-369
570-248- 25
布善清(伊爾根覺羅氏)
502-546- 73
布善清(滿洲人) 502-554- 73
布敦必特雅、別的因、博特音 元 294-261-121
399-345-449
475-743- 88
480-484-280
布喜清 455-462- 28
布喀清 455-204- 10
布塔清 455-117- 4
布達清 454-403- 26
496-218- 76
布當清 456-203- 66
502-558- 74
布齊清 474-850- 46
布圖昌王 元 294-215-118
400- 82-507
布興晉 933-657- 43
布噶清 455-151- 6
502-750- 85
布顏元 見巴延
布顏清(西林覺羅氏)
455-294- 17
布顏清(納喇氏) 455-403- 24
布顏清(正黃旗人) 502-474- 69
布瞻清 455-154- 6
布三台清 455-265- 15
布三圖清 455-216- 11
布扎爾元 294-276-123
399-350-449
布木巴清 454-377- 22
布什漢清 455-229- 12
布谷泰清 474-859- 46
布他納清 455- 78- 2
布色沁元 515-120- 60

布色赫清 502-553- 73
布色圖卜失兔、順義王 明 302-763-327
布克沙清 455- 84- 3
474-768- 41
502-444- 68
布克察清(瓜爾佳氏) 455-115- 4
布克察清(富察氏) 455-414- 25
布克圖清 455-418- 25
布克德清 455-539- 34
布克韜清 455-493- 30
布希蘭清 455-114- 4
布拉克清 456-268- 70
布拉岱清 455-270- 15
布拉理清 455-517- 32
布拉塔清 455-500- 31
布明圖清 456-108- 57
布延圖清 455-118- 4
布音圖清 456-257- 69
布朗阿清(他塔喇氏) 455-216- 11
布朗阿清(愛渾氏) 456- 87- 56
布彦代清 456-202- 66
布彦圖清 455-364- 22
布頁赫北平王、高唐王、趙王 元 294-217-118
400- 84-507
布哈納清 455-373- 23
布哈爾薩題 元 1206-133- 16
布埒庫金 291-661-121
400-210-517
布埒齊元 294-273-122
布埒齊元 見布哷齊
布晉泰清 456- 58- 54
布書庫清 456- 23- 51
布森泰清 456- 58- 54
布哷齊孛蘭奚 元(鴻吉哩氏) 294-409-133
399-540-473
479-557-242
布哷齊布埒齊 元(哈坦氏) 295-565-193
布哷齊元(河西人) 494-346- 7
布哷齊元(回回人) 515- 86- 59
布都納元 見布都訥
布都納妻 元 見李氏
布都訥布都納、博多納 元 294-454-137
399-686-488
547-197-148
1202-246- 18
布勒吉清 502-750- 85
布勒亨清 455-341- 21
布勒圖清 456- 57- 54
布雅泰清 502-597- 76
布揚古清 455-352- 22
474-851- 46
布森特清 455-449- 27
布景範元 473-436- 67
559-504- 12
布喇錫清 455-557- 36
布舒庫清(薩克達氏) 455-544- 35
布舒庫清(喜塔臘氏) 455-626- 43
布舒庫清(索綽絡氏) 455-651- 45
布塞赫清(鑲藍旗人) 455- 86- 3
布塞赫清(鑲紅旗人) 455-118- 4
布瑚那清 455-115- 4
布瑚秦清 455-663- 46
布楞泰清(伊爾根覺羅氏) 455-273- 15
布楞泰清(烏新氏) 456-231- 68
布達那清 455-137- 5
布達理清 455-187- 9
502-738- 84
布達齊清 454-366- 20
布爾山清 455-119- 4
布爾久清 455-694- 49
布爾罕元 元成宗后、圖埒實女 294-185-114
393-347- 80
布爾哈清(鑲藍旗包衣人) 455- 78- 2
布爾哈清(正黃旗人) 455-119- 4
布爾哈清(伊爾根覺羅氏) 455-255- 14
布爾哈清(薩克塔氏) 455-550- 35
布爾哈清(蘇佳氏) 455-680- 48
456-156- 61
布爾迪清 455-693- 49
布爾海清(喜塔臘氏) 455-624- 43
布爾海清(布薩氏) 456-185- 64
布爾遜布爾蓀 清(完顏氏) 455-461- 28
502-551- 73
布爾遜清(正紅旗人) 502-517- 71
布爾蓀清 見布爾遜
布爾機清 455-503- 31
布爾賽清(佟佳氏) 455-314- 19
布爾賽清(富察氏) 455-449- 27
布爾賽清(滿洲人) 569-619-18下之2
布爾騰清 455-246- 13
布爾薩清 456- 25- 51
布魯海清 456-209- 66
布魯爾清 500-728- 37
布錫庫清 455- 56- 1
布濟克卜齊 496-628-106
布濟達清 455-490- 30
布顏岱清 474-757- 41
502-542- 73
布顏柱清 455-300- 18
布顏泰清 456-267- 70
布顏珠清 455-273- 15
布顏祿清 455-530- 33
布顏圖清(都理氏) 456-105- 57
布顏圖清(巴理氏) 456-109- 57
布顏圖清(巴爾拉氏) 456-134- 59
布顏圖清(耨勒特氏) 456-253- 69
布顏圖清(謨爾啟特氏) 456-264- 70
布薩揆布薩喇錫、布薩臨喜 金 291-325- 93
400- 75-506
474-817- 44
474-873- 47
502-358- 61
537-205- 54
554-204- 52
布薩端布薩齊勤、布薩齊錦 金 291-421-101
399-244-438
554-157- 51
布蘭泰清 455-114- 4
布蘭珠清 502-748- 85
布色長德元 1201-585- 17
布色忠義金 見布薩忠義
布色烏者金 見布薩忠義
布色烏哲金 見布薩忠義
布如烏伐唐 見那提
布伊錫哩清 502-589- 76
布克達善清 455-433- 26
布拉克塔清 456-286- 71
布拉克圖清 455-364- 22
布拉察哈清 456- 73- 55
布延布哈巴延布哈、布顏布哈、布延特穆爾、普顏不花 元 295-592-196
400-277-522
476-478-125
515- 30- 57
540-649- 27
540-781-28之2
1218-473- 2
1469-572- 60
布延布哈元 見布顏布哈
布延布哈元 見布延特穆爾
布延實哩元 569-616-18下之2
布延德濟元 觀音努妻、赫嚕女 295-640-201
401-186-593
布庫察罕清 500-726- 37
布理哈納清 455-671- 47
布琳尼敦卜理牙敦 元 295-589-195
400-270-521
480-242-269
布達扎布清(博爾濟吉特氏) 454-559- 56
布達扎布清(齊旺子) 496-217- 76
布達拉濟元 1211-340- 47
布達實哩元 元文宗后、多阿克巴拉女 294-187-114
393-349- 80
布達實哩元(琳沁巴勒子) 294-546-145
布達實哩元(字仲溫) 1216-604- 12
布當齊理清 502-502- 70

布爾哈岱清 456-167-62
布爾哈善清 455-86-3
布爾哈雅布魯海牙 元 474-372-19
布爾哈圖清 502-608-76
布爾塔哈清 455-593-39
布爾塔理清 455-619-42
布爾圖理清 456-105-57
布爾圖喀清 455-572-57
布爾噶蘇元 294-436-135 399-675-487
布爾薩海清 455-186-9
布圖克森清 500-725-37
布魯海牙元 見布爾哈雅
布穆布理清 455-415-25
布濟格爾清 455-120-4
布濟爾岱清 456-121-58
布顏布哈布延布哈、普賢不哈 元 476-367-117 545-439-99
布顏布哈元 見布延布哈
布薩安貞布薩阿哈、布薩阿海 金 291-428-102 399-247-438 502-359-61 540-648-27
布薩阿哈金 見布薩安貞
布薩阿海金 見布薩安貞
布薩忠義布色忠義、布色烏者、布色烏哲、布薩烏者、布薩烏哲、僕散忠義、僕散烏者、僕散烏哲 金 291-249-87 400-73-506 472-569-24 474-870-47 496-370-86 502-350-61 540-640-27
布薩呼圖金 見布薩師恭
布薩和碩金 291-691-124 400-218-517
布薩思恭金 見布薩師恭
布薩皇后金 金太祖后 291-4-63 393-336-79
布薩烏者金 見布薩忠義
布薩烏哲金 見布薩忠義
布薩師恭布薩呼圖、布薩思恭 金 291-763-132 401-503-633
布薩喇錫金 見布薩揆
布薩齊勒金 見布薩端
布薩齊錦金 見布薩端
布薩翰文元 475-176-59 510-345-114
布薩臨喜金 見布薩揆
布薩歡塔僕散渾坦 金 291-199-82 399-147-429 502-348-61
布尼雅錫哩本雅失里 明 302-749-327
布延呼圖克巴延呼圖克 元 元惠宗后、博囉特穆爾女 294-188-114 393-350-80
布延特穆爾元(吏部尚書) 400-281-522
布延特穆爾元(運使) 545-117-86
布延特穆爾布延布哈 元(乾州達嚕噶齊) 545-339-96 554-248-52
布延特穆爾元(進義校尉) 1206-113-14
布延特穆爾元 見巴延特穆爾
布延特穆爾元 見布延布哈
布延特穆爾元 見布哈特穆爾
布延蘇達勒元 295-600-197 400-309-526
布哈特穆爾布延特穆爾、卜顏鐵木兒 元 294-502-140 478-764-215 820-529-38
布達拉和克不哈兒花斡 明 496-627-106
布爾罕呼喇元 見布爾罕瑚喇
布爾罕瑚喇孛而罕忽里、布爾罕呼喇 元 474-617-32 505-701-70
布顏特古斯清 500-726-37
布顏塔布清 456-219-67
布延徹爾額實元 噶瑪拉妻 294-201-116
布雅哩墨爾根清 見布雅理墨爾根
布雅理墨爾根布雅哩墨爾根 清 455-492-30 502-583-75
布爾布達爾濟清 454-847-99
布爾特格勒津元 元太祖后、托音色辰女 294-183-114 393-345-80
充五代 1053-633-15
充申漢 933-43-2
充尚秦 933-43-2
充固清 502-757-85
充虞戰國 405-457-85 539-641-11之6
充什哈清 502-535-72
充吉爾清 502-606-76
充錦爾清 502-612-76
充順巴本清 455-445-27
尼氏明 盧士弘妻 506-120-89
尼罕清 502-501-70
尼侃清 455-462-28
尼秋清 456-184-64
尼庫清 455-582-38
尼堪敬謹親王 清(諡莊) 454-117-7 502-413-66
尼堪清(瓜爾佳氏) 455-42-1
尼堪清(鑲黃旗人) 455-54-1
尼堪清(鑲藍旗人) 455-64-2
尼堪清(鑲白旗人) 455-95-3
尼堪清(遼河地方人) 455-117-4
尼堪清(伊爾根覺羅氏) 455-271-15
尼堪清(正藍旗人) 455-274-15
尼堪清(沙濟地方人) 455-412-25
尼堪清(伊蘭費爾塔哈人) 455-447-27
尼堪清(鑲藍旗人) 455-451-27
尼堪清(完顏氏) 455-467-28
尼堪清(兀札喇氏) 455-488-30
尼堪清(兆佳氏) 455-505-31
尼堪清(巴雅拉氏) 455-581-38
尼堪清(扎思瑚理氏) 455-618-42 502-502-70
尼堪清(納喇氏) 474-769-41 502-521-72
尼滿清 502-533-72
尼瑪清 456-294-72 500-726-37
尼之徒妻 明 見高氏
尼永顏清 455-516-32
尼古爾元(阿都齊父) 294-285-123 399-524-471
尼古爾元(阿爾斯蘭子) 294-286-123 399-525-471
尼克圖清 455-591-39
尼克德清 455-433-26
尼唐阿清(瓜爾佳氏) 455-65-2
尼唐阿清(佑祜魯氏) 456-9-50
尼唐阿清(葉祿氏) 456-163-62
尼馬察清 455-589-39
尼桑阿清 455-156-6
尼莽阿清 455-601-40
尼雅哈清(伊爾根覺羅氏) 455-272-15
尼雅哈清(舒舒覺羅氏) 455-285-16 502-517-71
尼雅哈清(納喇氏) 455-365-22
尼雅哈清(富察氏) 455-449-27
尼雅哈清(鑲藍旗人) 455-466-28
尼雅哈清(鑲紅旗人) 455-467-28
尼雅哈清(兆佳氏) 455-500-31
尼雅哈清(溫察氏) 455-683-48
尼雅哈清(把爾達氏) 455-692-49
尼雅哈清(傅佳氏) 456-122-58
尼雅格清 455-504-31
尼雅漢清(瓜爾佳氏) 455-98-3
尼雅漢清(納喇氏) 455-364-22
尼隆格清 455-569-37
尼揚達清 455-629-43

尼喀那清 456-104- 57
尼喀理清(馬佳氏) 455-168- 7
尼喀理清(伊爾根覺羅氏) 455-255- 14
尼喀理清(納喇氏) 455-402- 24
尼喀理清(克勒氏) 456-176- 63
尼喀善清 455-447- 27
尼喀達清(鑲藍旗人) 455-362- 22
尼喀達清(正藍旗包衣人) 455-396- 24
尼喀達清(戴佳氏) 455-478- 29
尼喀達清(兀札喇氏) 455-491- 30
尼喀達清(兆佳氏) 455-505- 31
尼喀達清(薩克達氏) 455-553- 35
尼喀達清(萬疏哈氏) 456- 93- 56
尼喀禮清 455-603- 41
尼達納清 455-558- 36
尼瑪善清(納喇氏) 455-404- 24
尼瑪善清(莽吉綽氏) 456-154- 61
尼瑪達清 455- 87- 3
尼爾豪清 455-582- 38
尼魯漢清 455-110- 4
尼噶理清 456-256- 9
尼穆倫清 455-514- 32
尼穆球清 455-588- 39
尼永尼堪清 455-582- 38
尼古爾台尼古爾岱 元 294-283-123
399-524-471
尼古爾岱元 見尼古爾台
尼克什哈清 502-477- 69
尼岳克素清 455- 96- 3
尼音塔哈清 455-191- 9
尼雅哈理清 455- 55- 1
尼雅哈察清 456- 71- 55
尼雅哈齊清(瓜爾佳氏) 455-114- 4
尼雅哈齊清(李佳氏) 455-528- 33
尼雅星阿清 455-679- 48
尼雅唐鄂清 455-447- 27
尼雅瑚多清 455-583- 38
尼雅瑚理清 456-100- 57
尼雅爾古清 455-552- 35
尼雅爾哈清 455-281- 16
尼雅濟布清 455- 85- 3
尼堪外蘭清 455-318- 19
尼堪洪科清 455-333- 20
尼堪碩色清(赫舍里氏) 455-195- 9
尼堪碩色清(納喇氏) 455-365- 22
尼瑪丹怎宋 見趙懷恩
尼瑪哈鑑尼龐古鑑、尼瑪哈威喇 金 291-357- 95
399-208-434
502-356- 61
尼龐古鑑金 見尼瑪哈鑑
尼永尼雅哈清 455-582- 38
尼雅米揚阿清 455-646- 45
尼雅斯拉鼎尼雅思拉迪音、尼雅斯拉迪音、延安王、納速剌丁 元(謚貞簡) 294-303-125
399-361-450
482-538-368
569-645- 19
1196-502- 1
尼雅斯拉鼎納速剌丁、納蘇拉迪音 元(字士瞻)295-578-194
400-257-521
475-369- 67
尼瑪哈威喇金 見尼瑪哈鑑
尼瑪哈楚呼金 291-242- 86
399-151-429
尼雅持贊博汗唐410-561- 1
尼雅思拉迪音元 見尼雅思拉鼎
尼雅斯拉迪音元 見尼雅斯拉鼎
尼雅寧阿布庫清455-146- 6
尼瑪哈富勒呼尼瑪哈富勒瑚、尼龐古蒲嚕虎 金 291-680-122
400-219-518
477-522-175
554-158- 51
尼瑪哈富勒瑚金 見尼瑪哈富勒呼
尼龐古蒲嚕虎金 見尼瑪哈富勒呼
尼滿布庫伊穆齊外庫清 455-222- 11
弗鄭春秋 404-589- 35
弗多羅後秦 見弗若多羅
弗若多羅弗多羅、功德華 後秦 1051-100-4上
1054-329- 7
功勝周 見馬鳴
功德直劉宋 1051-139-5下
功德華後秦 見弗若多羅
功德鎧劉宋 見求那跋摩
末赤默勒齊 元 1373-470- 30
末波晉 267-873- 98
381-645-200
末喜桀妃 夏 448- 64- 7
末振將漢 381-503-196
皮元元 1204-177- 1
皮氏清 劉賓妻 503- 62- 95
皮究漢 933- 54- 3
皮京妻 晉 見龍憐
皮初晉 480-285-271
皮延吳 479-229-227
524-130-185
皮信北朝～隋 263-305- 41
267-133- 53
379-405-152
933- 54- 3
皮容漢 476-662-136
皮湛晉 933- 54- 3
皮喜皮懷喜 後魏 261-694- 51
266-751- 37
379-183-149
933- 54- 3
1083-227- 10
皮桀元 820-509- 37
1207-608- 43
皮儀元 1197-696- 72
皮德明 1237-336- 7
皮縉元 515-537- 74
517-468-127
皮簡宋 821-250- 52
皮一薦妻 元 見羅氏
皮子良宋 1090- 82- 15
皮子信隋 478-515-200
558-181- 31
皮日休唐 451-464- 6
471-595- 2
472-220- 8
473-250- 60
480-296-271
485- 84- 12
493-691- 38
511-891-172
533-314- 57
589-322- 3
674-267-4中
674-810- 16
679-395-177
933- 54- 3
1365-446- 5
1388-473- 80
1473-517- 87
皮日偉明 569-664- 19
皮公弼宋 1163-540-541
皮光業唐～吳越 485-182- 25
493-691- 38
493-870- 47
494-422- 13
933- 54- 3
皮仲固漢 933- 54- 3
皮行修唐 1083-227- 10
1408-755-558
皮東山明 533-253- 55
559-277- 6
皮恆鼎女 明 見皮能貞
皮南舉元 1197-781- 82
皮豹子後魏 261-692- 51
266-750- 37
379-182-149
505-710- 71
535-556- 20
554-110- 50
933- 54- 3
皮能貞明 皮恆鼎女 479-684-248
516-269- 98
皮宿達隋 263-305- 41
267-133- 53
379-405-152
547- 55-143
皮景和北齊 263-304- 41
267-132- 53
379-404-152
544-216- 62
546-112-119
545-473-100

933- 54- 3
皮瑕叔唐 1083-227- 10
1408-754-558
皮鳳貞清 周文彬妻
480- 64-260
皮龍榮宋 287-735-420
398-671-411
473-339- 63
479- 92-221
480-409-277
523- 99-150
533-248- 55
皮應瑄妻 清 見郝氏
皮懷喜後魏 見皮喜
皮裘先生元(冬夏服皮裘)
476- 91-100
547-485-159
以貞明 1442-121- 8
以假元 524-449-201
以棲宋 1053-765- 18
只必元 見哲伯
只克明 見智克
只兒瓦多明 見珠爾噶岱
母師周(魯九子之寡母)
448- 16- 1
452- 98- 3
541- 15- 29
母弟須公子須、司城須 春秋
404-809- 49
占清 455-365- 22
占泰清 455-536- 34
占布祿清 455-365- 22
占珠和清 455-506- 31
旦周 見周公
旦景初元 821-299- 53
目夷春秋 見公子目夷
且莫車車牙若鞮單于 漢
251-209-94下
381-611-199
且麋胥搜諧若鞮單于 漢
251-209-94下
381-611-199
且鞮侯漢 251-192- 94
381-598-199
且旺失加明 見且旺沙克嘉
且旺沙克嘉且旺失加 明
302-812-330
田乞田僖子 春秋 244-221- 46
371-434- 23
田文孟嘗君 戰國 244-457- 75
371-566- 45
375-929- 94
384- 27- 1
405-230- 71
472-543- 23
472-588- 24
491-793- 6
545-433- 99
933-233- 17
933-804- 60
1360-609- 38
1408-175-499
田王唐 見李肅
田中明 558-474- 40
田仁漢 244-682-104
1412- 96- 5
田介清 477-361-166
田氏宋 辛棄疾妻 820-474- 36
田氏宋 李頎妻 1117-344- 17
田氏宋 章濟妻、田大亨女
1171-792- 29
田氏宋 郭忠諫妻、田守度女
1122-185- 14
田氏宋 趙子櫟妻、田良佐女
1100-512- 48
田氏宋 李文蔚母
1149-730- 17
田氏元 昝德威妻、田德實女
1211-391- 55
田氏元 賈和妻 1214-230- 19
田氏元 劉仲亨妻 472-485- 21
田氏元 鄧存母 1207-286- 19
田氏明 王降妻 506- 5- 86
田氏明 王敞妻、田仲實女
1263-525- 5
田氏明 向廷表妻 480-584-285
田氏明 向廷相妻 480-584-285
田氏明 朱九存妻 506-105- 89
田氏明 朱識鉉妻 558-496- 42
田氏明 李瞰妻 538-225- 67
田氏明 李鐵匠妻 302-254-303
475-382- 68
田氏明 明思宗貴妃、田弘遇女
299- 26-114
554- 25- 48
田氏明 侯執蒲妻 477-136-155
田氏明 徐宏修妻 480-254-269
田氏明 張吉妻 506-133- 89
田氏明 張延允妻 475-813- 91
田氏明 陳所有妻 506- 13- 86
田氏明 陳紹慶妻 506- 52- 87
田氏明 符應科妻 474-641- 33
田氏明 焦涇妻 506-117- 89
田氏明 喬天衢妻 506- 15- 86
田氏明 楊護妻 473-545- 72
483-397-403
田氏明 楊木盛妻 506- 47- 87
田氏明 董春妻 506-129- 89
田氏明 歐時雍妻 483-307-395
田氏明 劉世則妻 480-178-266
田氏明 劉世隆妻 506- 32- 86
田氏明 劉廷璋妻 506- 46- 87
田氏明 劉奇臣妻 506- 47- 87
田氏明 李可培媳 506- 33- 86
田氏清 方才妻 475-539- 77
田氏清 王文綸妻、田生蘭女
480- 97-262
533-545- 67
534-578-100
田氏清 亓名儒妻 541- 68- 29
田氏清 白乃建妻 478-437-196
田氏清 成夢庚妻 474-482- 23
506-147- 90
田氏清 李士麟妻 506- 68- 87
田氏清 李奇秀妻 474-573- 29
田氏清 李進功妻 506- 35- 86
田氏清 谷薦馨妻 474-826- 44
503- 63- 95
田氏清 胡嗣先妻 480-566-284
533-707- 72
田氏清 馬勉志妻 474-250- 12
田氏清 徐元凱妻 506- 25- 86
田氏清 張傑妻 474-195- 9
田氏清 張懋妻 506- 28- 86
田氏清 彭芳妻 481-353-309
田氏清 單穀妻 506-167- 90
田氏清 趙廷瑚妻 474-780- 42
503- 55- 95
田氏清 盧琦妻 474-315- 16
田氏清 蕭榮先妻 517-782-135
田氏清 薛之光妻 478-171-182
田氏清 俞國良妻 472-390- 17
田玉明 301-737-281
479- 92-221
523-101-150
559-401- 9上
田玉妻 清 見陸氏
田弘紇干弘 北朝 263-617- 27
267-342- 65
379-632-158
472-504-21
478-548-202
540-730-28之1
544-218- 62
933-235- 17
1064-221- 8
1064-675- 14
1342- 10-905
1400-151- 6
1416- 54-111中
田本明(新都人) 561-199-38之1
田本明(太原人) 483-115-379
569-681- 19
田丕妻 宋 見洵德帝姬
田布唐 270-682-141
275-129-148
384-256- 13
384-262- 13
395-736-247
472-717- 28
474-277- 14
505-629- 67
537-202- 54
540-611- 27
933-235- 17
1342- 85-914
1394-320- 1
田四妻 明 見党氏
田甲漢 244-865-122
453-732- 1
564- 2- 44
田付妻 明 見趙氏
田白宋 821-260- 52
田宇清 480-597-286
田式隋 264-1047- 74
267-669- 87
380-240-171
384-158- 8
933-235- 17
田戎漢 370-218- 23
402-360- 3

田吉明 302-321-306
田丞妻 宋 見洵德帝姬
田臣明 524-308- 53
田光戰國 244-553- 86
472- 52- 2
505-865- 77
田仲戰國 見於陵子仲
田仲漢 244-888-124
251-156- 92
田仰明 572- 82- 28
田牟唐 270-683-141
275-130-148
395-737-247
554-133- 50
田完春秋 見陳完
田亨明 1255-565- 60
田忌田臣思、徐州子期 戰國
384- 29- 1
405-228- 71
田玘宋 554-912- 64
田呂唐 820-179- 27
田邑漢 402-392- 5
545-205- 91
554-829- 63
田告宋 476-585-131
田佑明 576-653- 5
田何漢 448-100-中
459- 7- 1
472-522- 22
476-520-128
491-796- 6
540-691-28之1
554-801- 63
675-237- 3
871-891- 19
田京宋 286- 26-303
397-235-333
472- 70- 2
472-647- 26
472-679- 27
474- 92- 3
474-336- 17
477-129-155
528-537- 31
538-317- 69
540-613- 27
1097-287- 19
田況宋 285-663-292
371-111- 11
382-454- 70
384-353- 18
397-122-327
424-603- 31
450-240-中3
472- 95- 3
472-662- 27
472-892- 35
473-426- 67
481- 68-293
505-785- 73
554-331- 54
591-682- 47
674-280-4下
933-236- 17
1104-708- 16
1105-757- 91
1356-161- 8
1384-132- 92
1437- 11- 1
田況妻 宋 見富氏
田武後晉 278-126- 90
田松宋 821-209- 51
田坡清 456-354- 77
田忠明(字伯邑) 473-606- 76
1240-133- 9
1240-185- 12
1240-227- 15
田忠明(西安左衛指揮使)
554-365- 54
田虎妻 清 見王氏
田昉唐 473-496- 70
田杲妻 明 見璩氏
田叔漢 244-681-104
250- 97- 37
376- 37- 95
384- 37- 2
471-1036- 66
472- 87- 3
472-543- 23
472-864- 34
474-373- 19
476-575-131
478-242-186
505-746- 72
540-629- 27
554-226- 52
933-234- 17
田季元 554-205- 52
田和戰國 見齊太公
田和宋 821-172- 50
田卑春秋 404-790- 48
田侃妻 明 見張氏
田宥明 559-282- 6
田洄唐 473-475- 69
559-272- 6
田洫明 538-148- 65
田炯明 472-485- 21
546- 87-118
田亮妻 明 見楊氏
田美明 554-346- 54
田玹明 524-254-190
田春明 472-666- 27
田垣明 533-442- 62
田郁元 505-682- 69
田飛妻 清 見韓氏
田珍明 537-434- 58
田貞元 見田子貞
田耔明 476-183-106
545-890-114
田胐宋 549-121-185
田衍元 821-289- 53
1196-715- 9
田秋明 483-320-396
572- 80- 28
田奐明 524-151-185
田祚宋 288-405-456
400-295-524
474-438- 21
505-910- 81
田益宋 見田友直
田益明 476-333-115
546-406-128
田差春秋 404-758- 46
545-737-109
田悅唐 270-674-141
276-177-210
384-223- 12
384-240- 12
396-281-276
田恭田仁恭 北周 263-618- 27
264-837- 54
267-342- 65
379-633-158
933-235- 17
田眞漢或後魏或隋 538-103- 64
540-727-28之1
554-745- 62
田陞妻 清 見冉氏
田荆明(字義軒) 511-607-160
田荆明(號西泉) 558-297- 34
田蚡漢 244-715-107
250-281- 52
251-579- 20
376-140-98上
384- 45- 2
472-829- 33
535-553- 20
539-349- 8
554- 61- 49
933-234- 17
1360-609- 38
1408-284-507
田倉妻 清 見范氏
田紘明 560-602-29下
田淳五代 559-305-7上
田章明 554-313- 53
田深唐 812-372- 0
821- 89- 48
田深明 537-343- 56
546-591-134
田淑祖 元 1206-174- 18
田康唐 533-241- 54
田強漢 473-368- 64
533-287- 56
田理清 483- 48-372
田基春秋 472-650- 27
537-367- 57
田常田成子 春秋 244-222- 46
371-434- 23
386-730- 14
田晝田畫 宋 286-579-345
397-652-359
472-308- 13
475-420- 70
476-180-106
477- 81-152
510-398-115
537-595- 60
545-239- 92
674-828- 17
1437- 19- 1
田崑明 529-537- 45

田偉宋 471-780- 27
505-879- 79
533-737- 73
田敏宋(字子俊) 286-326-326
397-451-346
474-588- 30
474-236- 12
505-783- 73
田敏五代～宋(鄒平人)
288- 77-431
400-625-557
472-524- 22
476-523-128
478-570-203
540-745-28之2
683-896-下
田滋元 295-549-191
400-367-534
472-664- 27
472-826- 33
477- 84-152
477-562-177
478-763-215
523- 24-147
537-397- 57
554-161- 51
田渭宋 472-1054- 44
523-499-170
田善清 455-448- 27
田惲田煇 漢 478-339-191
554-744- 62
田愉明 545-246- 92
558-350- 35
田雲清 546-652-136
田瑄明 479-226-227
517-691-132
523-162-153
529-649- 48
田喜元 1198-552- 9
1367-733- 56
1410-234-691
田盛漢 253-379- 98
377- 4-113上
386- 6-69上
477- 60-151
田盛明(字秀實) 515-149- 61
田盛明(應州人) 547- 53-143
田雄西秦王 元 295- 66-151
399-428-458
472-826- 33
477-562-177
496-407- 89
502-373- 63
554-159- 51
田畫宋 1102-328- 42
1378-385- 54
田晝宋 見田畫
田閏元 1202-264- 19
田登明 545-408- 98
554-661- 60
676-534- 21
1393-471-474
1442- 41-附2
1459-824- 33
田登清 456-354- 77
田隆明 494- 57- 2
田琬唐 505-697- 70
田琦唐 812-351- 10
814-274- 10
820-189- 27
821- 55- 46
田開宋 473-712- 81
563-686- 39
田弼妻 清 見胡氏
田彭明 554-220- 52
田陽唐 515-141- 61
田雯母 清 見張氏
田雯清 476-530-128
483-229-390
540-861-28之4
571-535- 19
田雯妻 清 見馬氏
田雯妻 清 見陳氏
田琛明 302-550-316
田琳宋 1163-472- 21
田琢金 291-432-102
399-248-438
472-484- 21
540-648- 27
546- 84-117
1040-254- 5
1439- 7- 0
田梃明 510-487-118
田貴妻 清 見郭氏
田景宋 812-539- 3
821-169- 50
田嵓明 460-622- 61
473-348- 63
529-537- 45
532-726- 46
田菑明 480-597-286
田單安平君 戰國 244-514- 82
371-607- 52
375-876- 93
384- 29- 1
405-236- 71
472-588- 24
472-610- 25
491-792- 6
933-234- 17
1408-165-497
田華妻 唐 見永樂公主
田華妻 唐 見新都公主
田稅妻 明 見傅氏
田傑元 547-136-146
田祺明 547- 60-143
田義元 1206-174- 18
田愷妻 清 見黃氏
田煇漢 見田惲
田項明 460-790- 84
481-649-330
529-649- 48
1442- 48-附3
1460- 49- 42
田載明 483-348-399
571-550- 20
田瑜宋 285-764-299
397-191-331
472-748- 29
476-656-135
478-760-215
493-768- 42
523- 10-146
537-508- 59
540-647- 27
563-667- 39
田群唐 270-683-141
275-129-148
395-737-247
田瑴金 291-275- 89
399-162-430
田達明 523-190-155
田業唐 820-279- 30
田過戰國 405-241- 71
田稔明 571-547- 20
572-429- 41
田實明 456-483- 5
田誠明 475-744- 88
田誥宋 288-426-457
401- 15-569
540-748-28之2
田膏明 515-176- 62
田榮齊王 秦 243-197- 7
244-614- 94
250- 30- 33
376- 18- 95
384- 38- 2
933-234- 17
1408-262-506
田壽元 472-520- 22
476-517-127
540-625- 27
田輔明 558-233- 32
田需戰國 405-237- 71
田需清 540-868-28之4
田鳳妻 明 見朱秀蘭
田銘明 1259-421- 4
田緒唐 270-677-141
276-180-210
384-240- 12
396-285-276
1341-685-891
田緒妻 唐 見趙國公主
田廣漢 243-198- 7
244-615- 94
250- 30- 33
376- 18- 95
384- 38- 2
472-588- 24
476-660-136
540-690-28之1
933-234- 17
1408-262-506
田廣妻 明 見石氏
田諒宋 476-854-145
田潤明 511-845-168
田適明 554-310- 53
田慶明 472-291- 12
田確金 472-699- 28
537-451- 58
田增妻 明 見徐氏
田震明 見元震

田穀明 572- 81- 28
田賦明(蒲圻人) 523-154-153
田賦明(甌寧人) 529-745- 51
田賦明(孝義人) 547- 45-142
田儋齊王 秦 244-614- 94
250- 30- 33
376- 18- 95
384- 38- 2
933-234- 17
1408-262-506
田盤田襄子 春秋 371-434- 23
田銳妻 明 見張氏
田樂明 505-742- 72
554-188- 51
558-161- 30
田稷母 春秋 448- 17- 1
452- 68- 2
541- 38- 29
田澮宋 451- 23- 0
田澤元 676- 25- 1
1210-344- 10
田融唐 681-362- 29
田橫齊王 漢 243-198- 7
244-615- 94
250- 30- 33
376- 18- 95
384- 38- 2
472-588- 24
476-660-136
491-793- 6
540-690-28之1
933-234- 17
1408-262-506
田頵唐～五代 275-563-189
277-158- 17
384-292- 15
401-195-594
472-326- 14
田璘明 533-440- 62
田駢戰國 244-454- 74
249-812- 30
384- 32- 1
405-467- 86
田選明 558-185- 31
田豫魏 254-458- 26
377-218-117
384- 85- 4
384-682- 44
472- 29- 1
472-142- 5
472-788- 31
474-170- 8
474-686- 37
477-358-166
477-407-169
477-541-176
502-251- 53
505-710- 71
537-310- 56
545-312- 95
933-235- 17
田豫妻 宋 見尚氏
田蕙明 546- 98-118
田興唐 見田弘正
田曉宋 451-137- 2
田縉唐 276-182-210
396-286-276
522- 57- 9
田錫田繼沖 宋 285-667-293
371-127- 13
382-251- 39
384-333- 17
384-341- 17
397-123-327
449-100- 9
450-233-中2
459-469- 28
471-954- 52
472-699- 28
472-1014- 41
473-514- 71
474- 91- 3
479-377-234
481-310-307
523-212-156
537-264- 55
559-379-9上
591-627- 46
591-576- 98
674-427- 2
674-812- 17
708-332- 50
933-236- 17
1085-355- 附
1085-358- 附
1085-563- 30
1089-688- 12
1362-454- 16
1378-340- 52
1437- 7- 1
田錫金 1365-286- 8
1439- 11- 附
1445-519- 39
田穆宋 708-1020- 95
田濟明 474-372- 19
494- 23- 2
505-671- 69
554-477-57上
田濡明(字伯潤) 529-649- 48
田濡明(字少生) 540-814-28之3
田翼隋 264-1030- 72
267-634- 84
380-125-167
田璲宋 451-220- 0
田嶼宋 549-121-185
田嬰靖郭君 戰國 244-457- 75
371-566- 45
405-229- 71
933-233- 17
田禮明(曲沃人) 494- 24- 2
田禮明(字敬思) 505-734- 71
田豐漢 253-446-104上
254-129- 6
385- 81- 9
474-408- 20
505-756- 72
田豐明(麻陽人) 48-583-285
田豐明(永順土官) 480-597-286
田鎛明 482-486-364
567-339- 79
田贇元 515- 27- 57
田瓊明 472-292- 12
田疇漢 254-215- 11
380-143-168
384- 83- 4
384-664- 42
385-696- 68
472- 29- 1
472-143- 5
474-571- 29
499-246-144
499-412-157
506-469-102
506-712-712
517-536-129
586-167- 7
933-235- 17
1192-381- 34
1361-541- 10
1373-754- 21
1407-696-465
1408-448-523
1412-564- 23
田疇宋 472-241- 9
511-678-163
田疇明 540-790-28之3
田疇妻 清 見孫氏
田贊戰國 405- 79- 61
533-134- 51
田鵬妻 明 見朱毓秀
田蘇春秋 545-734-109
田饒春秋 386-717- 13
田闢宋 473-195- 58
516-145- 93
田顥金 見田灝
田蘭晉 547- 2-141
田鐵唐 275-129-148
395-737-247
田鐸明 301-743-281
476-207-107
481-181-300
546-198-122
559-288-7上
田懿宋 1085-563- 30
田灝田顥 金 291-190- 81
399-143-429
474-557- 28
477-161-157
496-394- 88
502-362- 62
田鸞唐 554-980- 65
田一方妻 明 見張氏
田一井明(字尚助) 505-813- 74
田一井明(涪州人) 569-659- 19
田一照明 547- 21-141
田一儁明 300-556-216
460-794- 84
481-649-330
481-774-336
529-649- 48
676-604- 25
1442- 74- 5

1460-352- 56
田三震田之振 明456-605- 9
田士秀妻 清 見王氏
田士達妻 元 見王氏
田士儁明 456-628- 10
田士龍母 清 見王氏
田子方戰國 384- 29- 1
405-163- 67
546-431-129
933-233- 17
田子仁明 473-391- 65
533-273- 56
田子成元 1202-264- 19
田子貞田貞 元 524-218-189
1224-230- 21
田子眞明 559-275- 6
田子堅明 561-330- 40
田子順妻 明 見張氏
田子義明 480-583-285
田大生明 456-658- 11
田大有明 558-212- 32
田大年明 585-626- 25
田大年明 見田祥宇
田大亨女 宋 見田氏
田大沿明 456-674- 11
田大益明 301- 33-237
481-117-296
田大神唐 592-262- 76
田大眞妻 明 見陳守娘
田大祿清 505-896- 80
田大稔清 1316-667- 46
田大稔妻 清 見梁氏
田大增妻 明 見朱氏
田大濟妻 明 見張氏
田千秋漢 見車千秋
田六善清 476-209-107
477-443-171
537-251- 55
546-220-122
田文子春秋 見陳無順
田文鼎元 1200-662- 49
田文鏡清 537-232- 54
田之尹明 456-658- 11
田之秀妻 明 見房氏
田之茂明 456-658- 11
田之振明 見田三震
田之萃明 456-658- 11
田之穎明 456-553- 7
田之蔚明 456-658- 11
田之龍妻 明 見成氏
田之蕙明 456-658- 11
田太公戰國 見齊太公
田王孫漢 475-423- 70
511-693-163
田元凱清 532-711- 45
田天澤明 546-890-118
554-252- 52
田友直田益 宋 1113-143- 16
田仁洋妻 清 見楊氏
田仁厚明 571-549- 20
田仁朗宋 285-419-275
396-677-315
472-131- 4
472-912- 36
474-476- 23
478-570-203
505-774- 73
545-134- 87
558-206- 32
田仁恭北周 見田恭
田仁智明 571-546- 20
田仁會唐 271-444-185上
275-652-197
384-182- 10
400-339-530
472-142- 5
472-834- 33
474-275- 14
478-112-181
505-650- 68
545-317- 95
554-444- 56
933-236- 17
田仁德清 480-584-285
田化龍明 456-504- 5
479-609-244
516-140- 92
田立家明 546-213-122
田永祚元 1202-235- 17
田永錫金 502-791- 88
1040-242- 3
田玉潤清 540-838-28之4
田弘正田興 唐 270-679-141
275-127-148
384-256- 13
395-735-247
448-119- 0
472-125- 4
472-143- 5
474-277- 14
505-629- 67
505-728- 71
506-576-106
540-610- 27
821- 79- 47
933-235- 17
1073-576- 26
1074-330- 19
1074-417- 26
1075-286- 19
1075-367- 26
1079-604- 52
1341-537-869
1343-822- 60
1355-613- 20
1383-149- 12
1447-248- 9
田弘遇女 明 見田氏
田正甫宋 見田眞子
田正春明 523-574-174
田世英金 545-370- 97
546-733-139
田世祿明 見田世福
田世福田世祿 明456-611- 9
546-217-122
田四科明 1442- 71- 4
田外孫宋 見田興宗
田令孜陳令孜 唐
271-430-184
276-148-208
384-285- 15
401- 52-575
544-227- 63
田生蘭清 1322-632- 11
田生蘭女 清 見田氏
田守元田守眞 宋843-667- 中
田守正明 456-600- 9
田守度女 宋 見田氏
田守眞宋 見田守元
田守璋元 558-229- 32
田汝成明 301-849-287
479- 54-218
524- 9-178
528-457- 29
567-122- 67
568-302-110
571-529- 19
676-560- 23
1442- 53- 3
1455-410-216
1460-106- 45
1467-103- 65
田汝耔明 458-117- 5
538-129- 65
676-533- 21
1267-600- 10
1458-460-448
田汝現明 456-501- 5
537-271- 55
田汝楫明 460-807- 86
1240-306- 19
田汝棶明 1442- 43-附3
1459-886- 37
田汝麟明 1460-190- 49
田在賓唐 1083- 72- 3
1344-477-100
1409-608-634
1447-421- 21
田有年明(字孫若) 511-801-167
523- 61-148
1442-110- 7
田有年明(字立烝)
554-518-57下
田有嘉宋 1137-690- 26
田有龍明 571-553- 20
田臣思戰國 見田忌
田而助妻 清 見謝氏
田而腴明 456-681- 11
554-771- 62
田兆埏妻 清 見李氏
田自重明 見劉自重
田自修明 547- 60-143
田如鰲宋 見田如鼇
田如鼇田如鰲 宋
473-195- 58
480-540-283
516-146- 93
532-716- 45
田仲珪元 1206-109- 13
田仲卿妻 明 見徐氏
田仲實女 明 見田氏
田仲儀元 1221- 55- 1

田仰名明 456-631- 10
田印僧宋 見田鎭則
田良佐女 宋 見田氏
田良逸唐 585- 10- 0
田志亨金 472- 57- 2
505-935- 85
田志深明 558-439- 37
田成子春秋 見田常
田君右宋 524- 89-182
田君美妻 清 見史氏
田克悉宋 528-523- 31
田改住元 295-600-197
400-309-526
476-587-131
田呈芳田承芳 明
456-664- 11
田佐元唐 270-613-135
554-903- 64
田佐時唐 547-131-146
田佑恭宋 見田祐恭
田伯明伯母 唐 見劉氏
田伯明唐 554-750- 62
田希呂宋 480-615-287
田希鑒唐 271-814-200下
276-514-225中
401-464-628
田廷玠唐 270-679-141
275-127-148
395-735-247
477-161-157
505-728- 71
田宗源宋 821-235- 51
田宗鼎明 302-550-316
田雨時明～清 547- 65-143
549-526-200
1328-888- 19
田居敬金 545-338- 96
田阿寄明 1408-553-537
田林升元 1217-228- 6
田承芳明 見田呈芳
田承嗣唐 270-672-141
276-174-210
384-217- 11
384-223- 12
396-279-276
544-225- 63
1342- 88-915
田忠良元 295-653-203
401-116-585
474-653- 34
547-557-161
田尚信妻 清 見杜氏
田昇龍清 482-323-354
502-675- 80
567-152- 69
田易順清 480-596-286
田知白宋 564- 77- 44
1181-150- 5
田季安唐 270-678-141
276-181-210
384-240- 12
384-258- 13
396-285-276
田延年漢 248-617- 8
251-138- 90
380-217-171
384- 49- 2
472-456- 20
476-365-117
535-553- 20
545-348- 96
554-918- 64
933-234- 17
1412-124- 5
田延昭宋 285-663-292
371-111- 11
397-122-327
450-502-中39
1089-702- 13
1105-757- 91
1356-161- 8
1384-132- 92
田彥升唐 524- 95-183
田彥和漢 814-227- 3
820- 32- 22
田南畝明 515-653- 77
523-131-152
田韋臯元 480-341-273
533-482- 64
田既庭明 456-604- 9
田述古宋 1121-620- 8
1351-578-138
田致平明 820-600- 40
田茂奕妻 清 見張氏
田茂遇清 511-763-166
1312-224- 22
田狩龍明 1442-105- 7
田重進宋 285-210-260
371-171- 17
382-194- 28
384-327- 17
396-534-302
472- 33- 1
472-922- 36
474-176- 8
505-715- 71
545-263- 93
554-138- 51
933-236- 17
田重器明 559-277- 6
田保三妻 明 見連氏
田祐恭田佑恭 宋
473-857- 88
483-320-396
571-546- 20
田益宗後魏 261-840- 61
266-753- 37
379-186-149
田神玉唐 270-479-124
275- 79-144
395-696-242
472- 92- 3
537-199- 54
田神功唐 270-479-124
275- 78-144
384-213- 11
395-696-243
472- 92- 3
476-911-148
537-199- 54
540-610- 27
1071-672- 14
田庫庫元 1206-108- 13
田庫庫妻 元 見韓氏
田家修清 482- 34-340
511-353-149
563-872- 42
田眞子田正甫 宋451- 52- 2
田桓子春秋 見陳無宇
田軒來清 524-261-191
559-328-7下
田起鳳明 554-527-57下
田時震明 301-476-264
456-445- 3
478-131-181
545-106- 86
田特秀金(京兆人) 545-439- 99
田特秀金(字彥實)
1365-272- 8
1439- 6- 附
1445-498- 37
田娟娟明 木涇妻
1442-123- 8
1460-768- 84
田純靜元 516-503-105
田惟安明 572-111- 30
田惟祜明 見田惟祐
田惟祐田惟祜 明
563-806- 41
1442- 44-附3
1459-907- 38
田粒民明 547- 81-144
田祥宇田大年 明
456-634- 10
田國用明 456-667- 11
田國足妻 明 見高氏
田國命明 456-667- 11
田國賴明 456-667- 11
田得民明 456-605- 9
田紹先妻 明 見李氏
田紹斌宋 285-489-280
371-178- 18
396-729-319
472-495- 21
472-912- 36
476-182-106
478-570-203
545-874-114
558-206- 32
558-220- 32
田紹漠妻 清 見李氏
田敏道明 472-439- 19
田逢吉清 476-209-107
523- 66-149
546-223-122
田從典清 476-210-107
546-228-122
563-876- 42
田游岩唐 見田游巖
田游巖田游岩、田遊巖 唐
271-637-192

275-638-196
384-182- 10
401- 4-568
472-835- 33
477-318-164
478-112-181
480-342-273
533-737- 73
538-330- 69
554-867- 64
871-908- 19
933-235- 17
田善甫元 505-894- 80
田雲龍妻 明～清 見孫氏
田喜霧清 549-533-200
1322-658- 12
田登年明 475-640- 83
510-448-117
559-356- 8
田開稷妻 明 見李氏
田揚林清 456-392- 80
田厥茂清 546-325-125
554-222- 52
田紫芝金 1365-245- 7
1445-463- 34
田景延元 505-924- 83
821-323- 54
田景咸宋 285-225-261
545-611-105
田景猷明 301-229-249
483-226-390
483-321-396
572- 89- 29
田景新明 545-346- 96
田景暘明 505-811- 74
田景賢明 505-723- 71
田景遷宋 473-544- 72
483-396-403
571-555- 20
田虛應唐 486-905- 35
524-422-200
田無宇春秋 見陳無宇
田須無春秋 見陳無須
田智潤宋 475-853- 94
田舜年明 559-317-7上
田舜耕明 547- 81-144
田稀八妻 明 見范瓊使
田欽祚宋 285-407-274
396-668-315
田進忠清 456-354- 77
田進賢妻 清 見劉氏
田逸民宋 821-203- 51
田道宗唐 498-740-116
田道者五代 1053-367- 9
田遊巖唐 見田游巖
田資宸妻 清 見劉氏
田瑞龍明 510-449-117
田照鄰宋 472- 85- 3
505-670- 69
田嗣叔元 1202-264- 19
田敬仲春秋 見陳完
田敬宣北齊 263-311- 41
267-136- 53
379-408-152
田實栗清 540-853-28之4
1318-461- 73
田實穎清 538- 87- 64
田齊秀妻 明 見李氏
田福元明 456-628- 10
田爾耕明 302-335-306
田鳴岐妻 明 見楊氏
田夢對清 1324-333- 31
田蓋祿妻 清 見周氏
田蓑衣宋 533-767- 74
田僧亮北齊～北周 812-337- 8
821- 28- 45
田僖子春秋 見田乞
田種玉明 456-628- 10
田種珍妻 清 見夏氏
田稱海元 見克呼鎮海
田緒宗清 540-854-28之4
1313-200- 16
1314-442- 12
田緒宗妻 清 見張氏
田維庸明 458-171- 8
田廣生妻 明 見張氏
田廣安宋 451-226- 0
田廣明漢 248-618- 8
251-137- 90
380-217-171
539-349- 8
554-918- 64
933-234- 17
1412-125- 5
田廣澤宋 400-183-514
田養成明 456-679- 11
田養盛明 523-236-156
田賦國妻 明 見江氏
田德平唐 486- 41- 2
田德明元 480-582-285
田德產清 511-609-160
田德實女 元 見田氏
田德懋隋 264-1027- 72
267-342- 65
380-124-167
478-549-202
547- 58-143
558-330- 35
田儁之齊 678-648-131
田興先孫 漢 681-870- 20
田興吳明 480-508-281
532-710- 45
572-104- 30
田興宗田外孫 宋 448-363- 0
田興國明 456-628- 10
505-864- 77
田興趙妻 明 見李氏
田學謨妻 明 見毛氏
田鴻圖明 456-612- 9
田應秋明 483-340-398
田應揚明 545-300- 94
545-409- 98
田應運明 547- 62-143
田應聘明 554-310- 53
田應龍明 456-484- 5
田應龍清 456-353- 77
田濟川妻 元 見武氏
田濟順元 558-176- 31
田襄子春秋 見田盤
田鎮則田印僧 宋 451- 63- 2
田鎮海元 見克呼鎮海
田歸道唐 271-445-185上
275-652-197
400-339-530
545-319- 95
554-637- 60
田懷諫唐 276-182-210
384-259- 13
田藝蘅明 301-849-287
524- 9-178
676-336- 26
1442- 95- 6
1460-548- 67
田臘梅明 477-421-169
田蘊璽妻 明 見李氏
田繼沖宋 見田錫
田穰苴春秋 見司馬穰苴
田豔雪清 王豫嘉妻
555-149- 68
由于春秋 見王孫由于
由余春秋 243-130- 5
405-267- 73
554-877- 64
933-488- 32
由庫清 456-271- 70
由天性明 554-499-57上
由禮門明 554-258- 52
由吾道榮北齊 263-377- 49
267-686- 89
380-635-183
475-473- 72
541- 88- 30
547-476-159
933-792- 57
四岳上古 546-234-123
四格清(齊普齊特氏)
456-270- 70
四格清(正黃旗人) 456-321- 75
四禪唐 1053-228- 6
四譜清 456-378- 39
四飯缺周 554-878- 64
四達色清 456-390- 80
冉氏明 武文選妻 477- 94-153
冉氏明 梁郁山妻 483-397-403
冉氏明 張希旦妻 483-321-396
冉氏明 馮樟妻 483-283-393
冉氏清 田陞妻 481-449-317
冉氏清 范天祐妻 481-120-296
冉氏清 張世貴妻 533-632- 70
冉氏清 歐陽榮東妻
483-332-397
冉允太原王 晉 544-204- 62
冉有春秋 見冉求
冉求冉有 春秋 244-378- 67
246- 21- 67
371-483- 32
375-646- 88
384- 15- 1
405-415- 83
448-278- 30
472-547- 23
539-489-11之2

933-635- 41
冉良晉 見冉瞻
冉佐清 538- 84- 64
冉季春秋 244-389- 67
375-656- 88
405-446- 85
472-547- 23
539-496-11之2
933-635- 41
冉耕冉伯牛 春秋 244-378- 67
246- 21- 67
371-479- 32
375-646- 88
405-414- 83
472-547- 23
539-488-11之2
539-632-11之6
933-635- 41
冉庸明 678-183- 86
冉琇宋 1365-596-上
冉通明 559-373- 8
冉寔唐 1065-815- 19
1342-132-920
冉閔石閔、染閔 冉魏
256-746-107
262-350- 95
381-170-187
384-106- 5
933-636- 41
冉雍春秋 244-378- 67
246- 21- 67
371-480- 32
375-646- 88
405-415- 83
472-547- 23
539-488-11之2
539-632-11之6
933-635- 41
冉瑛元 1206-723- 7
冉鼎明 554-311- 53
冉德清 481-157-298
505-697- 70
559-411-9下
冉璘明 456-674- 11
559-531- 12
冉璞宋 473-544- 72
483-397-403
559-274- 6
572- 87- 28
冉璡宋 473-544- 72
483-397-403
559-274- 6
572- 87- 28
冉孺春秋 244-389- 67
375-656- 88
405-445- 85
472-547- 23
539-496-11之2
933-635- 41
冉瞻冉良 晉 256-746-107
冉瓌妻 清 見越氏
冉鐸宋 547-190-148
冉子樸清 539-632-11之6
冉大年元 545-182- 89
冉文彬明 559-373- 8
冉天琳清 539-632-11之6
冉安昌唐 483-320-396
571-514- 19
冉存異母 清 見馮氏
冉如彪明 559-352- 8
冉良富明 456-674- 11
冉伯牛春秋 見冉耕
冉宗孔明(東鄉人) 456-674- 11
冉宗孔明(安化人) 572- 82- 28
冉宗孔清 481-157-298
冉相氏上古 383- 13- 3
冉祖郎宋 見冉徽之
冉祖雍唐 567-427- 86
冉寅東明 554-347- 54
冉崇禮明 523-205-155
冉國修妻 清 見匡氏
冉國輔妻 清 見張氏
冉從周宋 473-544- 72
冉虛中宋 559-266- 6
冉興讓妻 明 見壽寧公主
冉學邃明 456-677- 11
冉徽之冉祖郎 宋 448-363- 0
冉覲祖清 538- 2- 61
冉繼勳明 483-331-397
572- 83- 28
冉躍龍明 302-470-312
北正黎上古 404-387- 23
北平王後魏 見元超
北平王後魏 見元懋
北平王北齊 見高貞
北平王後唐 見王處直
北平王元 見布頁赫
北地王蜀漢 見劉諶
北門嫗明 481-560-327
北海王漢 見劉威
北海王漢 見劉基
北海王漢 見劉普
北海王漢 見劉睦
北海王漢 見劉興
北海王魏 見曹蕤
北海王後魏 見元詳
北宮佗北宮文子 春秋
375-810- 91
384- 22- 1
404-825- 51
448-237- 20
472-707- 28
537-363- 57
北宮括北宮懿子 春秋
404-825- 51
北宮喜春秋 404-843- 52
北宮遺春秋 404-825- 51
北山丈人隋 547-142-146
北宮文子春秋 見北宮佗
北宮懿子春秋 見北宮括
北神烈婦宋 472-313- 13
475-331- 65
1101-800- 3
北景公主巴陵公主 唐 柴令武妻、唐太宗女 274-105- 83
393-274- 73
554- 46- 49
北極佑聖眞君不詳
548- 76-164
申子戰國 見申不害
申王後唐 見李存渥
申王明 見朱祐楷
申公申培公 漢 244-854-121
251-110- 88
380-252-172
384- 43- 2
459- 9- 1
472-548- 23
476-578-131
540-691-28之1
675-276- 11
678-331-100
933-169- 11
申化妻 明 見軒氏
申氏元 李弘益妻 295-638-201
401-185-593
472-439- 19
476- 45- 98
547-206-149
申氏明 王哲妻、申志仁女
1267-392- 1
申氏明 李新期妻 480-139-264
申氏明 孟自務妻 478-421-195
申氏明 許廷珷妻 476-790-141
申氏明 董鋭妻、申潔女
1262-402- 44
申氏清 李天挺妻 476-790-141
申氏清 秦三妻 474-445- 21
申永劉宋 258-264- 65
265-981- 70
380-179-170
申本妻 清 見李氏
申田明 476-395-119
545-468-100
申生春秋 見世子申生
申亥春秋 405- 26- 57
533-349-59
933-168- 11
申舟申無畏 春秋 405- 24- 57
533-124- 51
申后周 周幽王后 404-451- 46
537-183- 53
申良明 300-162-192
476-208-107
476-698-137
479-134-223
540-654- 27
546-200-122
申成妻 明 見李氏
申甫明(雲南人) 456-457- 4
1315-554- 34
申甫明(字維嶽) 546-659-137
申孝明 1283-681-120
1319-115- 9
申佑元 523-481-170
1226-502- 24
申佐明 505-825- 75
申伯周 471-811- 31
472-742- 29
472-764- 30
537-358- 57
933-168- 11

申宗申歡 唐 554-975- 65
申怗劉宋 見申恬
申坦劉宋 258-265- 65
265-981- 70
380-179-170
申明金 547- 70-143
申杲元 472-239- 9
申宣劉宋 258-264- 65
265-981- 70
380-179-170
申恬申怗 劉宋 258-264- 65
265-981- 70
380-179-170
475-796- 90
476-474-125
476-655-135
476-816-143
933-169- 11
申相明 547-563-161
申革宋 820-337- 32
申侯春秋 404-851- 53
933-168- 11
申祜明 見申祐
申祐申祜 明 299-663-167
483-320-396
572- 80- 28
572-327- 38
申朔漢 453-748- 3
482-452-362
567-291- 76
1467-161- 68
申泰明 475-708- 86
511-336-149
528-509- 31
申書春秋 933-168- 11
申狆明 1467-136- 66
申理明 510-376-114
申紹不詳 469-460- 55
申偉明 554-348- 54
申犀春秋 405- 24- 57
申棖春秋 見申黨
申華明 456-658- 11
申棠春秋 見申黨
申須春秋 384- 15- 1
404-549- 33
申傑明 545-403- 98
申進妻 明 見徐氏
申靖明 494- 42- 3
申溪明 505-684- 69
申遂明 1289-803- 2
申瑞明 見申端
申達明 472-790- 31
申敬元 1200-736- 56
申福妻 明 見李氏
申端申瑞 明 567-321- 78
1467-206- 69
申榮元 295-592-196
400-277-522
476-478-125
540-641- 27
申鳴春秋 386-738- 15
471-802- 30
473-317- 62
533-133- 51
533-408- 61
申蒯春秋 404-606- 37
申綱明 545-658-107
申綸明 545-149- 88
申潔女 明 見申氏
申銳明 1289-803- 2
申稷唐 515-230- 64
申蕙明 沈廷植妻 1475-825- 34
申儒明 546-600-135
申錫明 (保定人) 456-600- 9
申錫明 (潼川州人) 561-205-38之1
申錫清 528-466- 29
申環唐 426-210-107
547-185-148
申績春秋 見申黨
申徽宇文徽 北周 263-665- 32
267-381- 69
379-658-159
384-142- 7
472-696- 28
473-245- 60
477-163-157
480-286-271
532-562- 40
537-445- 58
558-237- 32
933-169- 11
申豐春秋 384- 15- 1
404-552- 33
448-215- 17
933-168- 11
933-169- 11
申繚春秋 見公伯繚
申穟清 1315-331- 13
申旞明 505-827- 75
申瓊明 554-478-57上
申黨申棠、申棖、申績、申續 春秋 244-390- 67
375-656- 88
405-446- 85
472-548- 23
539-497-11之2
申纂後魏 261-837- 61
266-795- 39
379-203-149
申繻春秋 375-679- 89
384- 15- 1
404-503- 30
448-135- 2
933-168- 11
申續春秋 見申黨
申歡唐 見申宗
申一琴明 476-618-133
申九峰明 505-660- 68
申九寧明 547-560-161
申大度宋 524-149-185
申文炳後周 278-435-131
申文進明 1289-803- 2
申文選明 1289-802- 2
申之屏妻 清 見范氏
申太芝唐 564-615- 56
申不害申子 戰國 244-355- 63
246- 6- 63
249-813- 30
375-658- 88
384- 30- 1
386-284-83下
405-465- 86
537-372- 57
933-168- 11
933-169- 11
1360-608- 38
申玉明妻 清 見紀氏
申世寧宋 288-416-456
400-304-524
473- 63- 51
479-558-242
515-862- 85
申可賢妻 清 見沈氏
申元道宋 493-1103- 58
511-919-174
申以孝明 456-580- 8
申句須春秋 933-168- 11
申包胥春秋 384- 30- 1
405- 26- 57
448-271- 28
471-820- 33
473-300- 62
533-350- 59
933-168- 11
申用休妻 明 見劉氏
申用嘉明 300-588-218
563-810- 41
申用懋明 300-588-218
475-138- 56
505-638- 67
511-111-140
1315-331- 13
1442- 80- 5
1460-417- 59
申在廷明 480-544-283
申有綱妻 明 見劉氏
申光漢明 676-685- 28
1442-130- 8
1460-877- 94
申如塤明 554-312- 53
申仲庚元 見申仲康
申仲和元 1206- 75- 9
申仲康申仲庚 元
1200-736- 56
1202-270- 19
申志伊明 547- 36-142
申志眞元 498-467- 94
申志皋明 547- 36-142
申克敬明 473-448- 68
559-361- 8
申克讓元 547- 33-142
申我欽明 547-106-145
申伴君明 郭瑛妻
506-127- 89
申其學明(山東人) 476-278-111
545-328- 95
申其學明(日照人) 510-401-115
申尚德明 546-661-137
申明善清 547- 40-142

申叔舟明 676-684- 28
1442-129- 8
1460-868- 94
申叔展春秋 405- 24- 57
申叔時春秋 375-847- 92
384- 25- 1
405- 22- 57
448-179- 11
533-123- 51
933-168- 11
申叔跪春秋 405- 23- 57
申叔儀春秋 405-116- 63
申叔豫春秋 405- 22- 57
533-125- 51
申季歷劉宋 258-584- 92
申周輔申周翰 明 456-599- 9
545-855-113
申周翰明 見申周輔
申佳胤明 301-501-266
458-287- 9
474-442- 21
477- 56-151
505-855- 77
537-251- 55
580-610- 44
676-657- 27
678-486-117
680-330-259
1442-108- 7
1460-691- 75
申爲憲明 456-524- 6
474-442- 21
505-855- 77
申記兒明 476-531-128
申泰芝唐 472-754- 29
473-350- 62
480-653-289
申時行徐時行 明
300-586-218
452-517- 8
475-138- 56
511-109-140
517-700-132
676-589- 24
820-728- 44
1315-331- 13
1442- 62- 4
1460-203- 49
申師厚後周 278-500-138
279-531- 74
申章昌漢 475-424- 70
511-694-163
申涵光清 474-442- 21
505-889- 79
1312-854- 11
1312-974- 18
1322-642- 11
申涵盼清 1322-647- 11
申培公漢 見申公
申培棫清 554-780- 62
申屠氏明 姚善妻、申屠文齋女 1241-180- 8
申屠亨宋 821-149- 50
申屠志漢 370-213- 23
申屠性元 1219-413- 14
1222-377-下
1456- 14-257
申屠某明(友松處士)
820-761- 44
821-485- 58
申屠剛漢 252-701- 59
370-157- 15
376-661-107下
384- 58- 3
402-358- 3
402-573- 19
472-543- 23
472-680- 27
472-830- 33
478- 97-180
540-663- 27
554-627- 60
558-477- 40
申屠液唐 820-228- 28
申屠義元 1197-664- 68
申屠會宋 491-433- 6
申屠嘉漢 244-634- 96
250-153- 42
251-535- 12
376- 71- 96
384- 39- 2
384- 41- 2
459-152- 9
472-410- 18
472-680- 27
477-125-155
477-441-171
511-219-144
537-571- 60
933-783- 56
1408-267-506
申屠澂申屠徵 元
524-288-192
820-531- 38
1456- 14-257
申屠駉元 1209-431-7上
1439-430- 1
申屠徵元 見申屠澂
申屠衡明 472-229- 8
493-1026- 54
511-733-165
676-446- 17
1442- 11- 1
1459-257- 5
申屠蟠漢 253-162- 83
376-838-110
384- 66- 3
386- 13-692
402-491- 12
402-591- 20
448-110- 下
469- 5- 1
472-652- 27
475-433- 70
477- 60-151
511-905-172
538- 76- 64
871-900- 19
933-783- 56
1340-590-780
1340-595-780
申國位妻 清 見賀氏
申國瑞元 1202-883- 16
申紹芳明(字維烈) 300-588-218
475-138- 56
676-635- 26
1442- 92- 6
1460-529- 66
申紹芳明(字青門) 528-464- 29
申從濩明 1442-129- 8
1460-870- 94
申湛然明 505-866- 77
申朝紀清(奉天人) 475-875- 95
502-677- 80
537-226- 54
545-111- 86
申朝紀清(鑲藍旗漢軍)
476-919-148
申無宇芊尹無宇、芋尹無宇 春秋 375-855- 92
384- 25- 1
405- 25- 57
448-242- 21
533-127- 51
933-168- 11
申無畏春秋 見申舟
申道安元 1202-883- 16
申萬全金 546-688-138
1040-253- 5
1365-241- 7
1439- 10- 附
1445-457- 33
申嵩秀明 456-683- 11
申傳芳明 511-532-157
申演芳申縯芳 明
676-663- 28
1442-112- 7
申爾忠明 456-667- 11
申餘銀妻 清 見李氏
申積中楊積中 宋
288-413-456
400-302-524
473-433- 67
481- 79-294
559-417-10上
591-554- 42
申縯芳明 見申演芳
申鮮虞春秋 404-606- 37
申靈孕明 505-874- 78
申公巫臣春秋 見屈臣
申徒有涯宋 見申屠有涯
申屠子邁元 821-299- 53
申屠大防宋 523-401-165
申屠文齋女 明 見申屠氏
申屠有涯申徒有涯 宋
472-264- 10
475-243- 61
485-304- 46
493-1106- 58
申屠伯村宋 1138- 82- 6
申屠希光明 530- 15- 54
申屠致遠元 295-314-170

399-640-484
472-546- 23
476-586-131
479- 43-218
480- 50-259
493-783- 42
523- 80-149
532-616- 43
540-774-28之2
1194-734- 15
1197-445- 42
1209-431-7上
1439-421- 1
申屠思恭唐 494- 54- 2
申屠開基清 479-382-234
中國長公主宋 見清裕
甲中和尚張利民 明
475-527- 77
510-419-116
529-483- 43
676-661- 27
1442-110- 7
叱列平北齊 263-162- 20
267-128- 53
379-378-152
545-316- 95
546- 37-116
叱羅協宇文協 北周
263-489- 11
264-806- 50
267-208- 57
375-535-85下
375-542-85下
552- 49- 19
叱羅衍隋 見郭衍
叱羅羨隋 見張羨
叱羅煚隋 見張煚
叱干苟生北齊 見叱于苟生
叱于苟生叱干苟生 北齊
267-136- 53
379-408-152
475-775- 89
叱奴皇后北周 周文帝后
263-470- 9
266-298- 14
373-113- 20
544-181- 61
叱列伏椿北周 263-567- 20
267-270- 61
379-549-156
546- 48-116
叱列伏龜北周 263-566- 20
267-270- 61
379-549-156
546- 48-116
叱列延慶後魏 262-187- 80
267- 56- 49
379-346-151
544-210- 62
546-110-119
552- 37- 18
叱利長义新寧王 北齊
263-163- 20
267-128- 53
379-378-152
出伏隋 496-614-105
出伯豳王 元 552- 72- 19
出姜春秋 見哀姜
史才宋 491-435- 6
1153-603-105
史才金 1365-252- 7
史大金 291-661-121
400-208-517
史方宋 286-323-326
472-913- 36
473-315- 62
473-490- 10
477- 75-152
478-570-203
480-563-284
480-613-287
481-235-303
532-746- 46
537-390- 57
558-208- 32
559-295-7上
史元金 1191-254- 22
史元元 683- 50- 2
史木宋 487-139- 9
史及女 宋 見史氏
史及女 宋 見史氏
史夬史繁郎 宋 448-374- 0
史中明 473- 89- 52
473-267- 61
480-508-281
516-129- 92
532-706- 45
史丹漢 250-749- 82
376-406-102上
384- 50- 2
469-182- 21
472-549- 23
476-580-131
539-350- 8
540-696-28之1
554-623- 60
史午元 472-367- 16
510-445-117
史氏春秋(伍員奔吳乞食於瀨上女) 472-179- 6
489-682- 49
492-602-13下之下
512-469-188
1066-424- 29
1066-750- 30
1341-605-878
1343-748-55上
1410- 15-664
史氏宋 李友仁妻、史洗女
1166-669- 12
史氏宋 范璵妻、史遜女
1100-450- 41
史氏宋 450-501-中39
1088-565- 59
史氏宋 趙子琦妻、史永年女
1100-499- 46
史氏宋 史及女(政和四年卒)
1124-350- 5
史氏宋 史及女(元祐三年卒)
1124-352- 5
史氏宋 史祐女 1173-116- 70
史氏金 李文妻 291-749-130
401-168-592
472-842- 33
478-350-191
史氏元 伊普迪哈魯鼎妻
1215-646- 8
史氏元 史天安女
1197-677- 70
史氏明王堂妻、史本女
1241-232- 10
史氏明 王諒妻 506-130- 89
史氏明 孔弘業妻 302-221-301
477- 93-153
538-176- 67
史氏明 沈士良妻 512-158-181
史氏明 邵一龍妻 512-465-188
史氏明 姚繼賢妻
1285-107- 1
史氏明 馬仲芳妻 481-374-311
史氏明 袁奎妻 473-370- 64
史氏明 張國華妻 475-381- 68
史氏明 張鵬翼妻 482-269-350
史氏明 陳宗球妻 302-222-301
479-812-255
530- 90- 56
史氏明 馮上銓妻 475-381- 68
史氏明 萬敬妻 472-278- 11
475-282- 63
史氏明 潘澍妻 480-487-280
史氏明 鄭鳳翽妻 506- 56- 87
史氏明 蕭友楠妻 477-257-161
史氏明 錢法妻 483-307-395
史氏清 田君美妻 474-194- 9
史氏清 李元善妻 477-371-167
史氏清 李有文妻 503- 61- 95
史氏清 李應賢妻 478-438-196
史氏清 杜起周妻 478-674-209
史氏清 洪爾文妻 479-190-225
524-633-208
史氏清 胡福妻 512-389-186
史氏清 袁珽妻 524-632-208
史氏清 荆膺五妻 475-283- 63
史氏清 強榮妻 478-172-182
史氏清 張嚴妻、張嚴侯妻
474-482- 23
506-148- 90
史氏清 張玉衡妻 477-526-175
史氏清 楊鶴妻 478-358-191
史氏清 潘瑞封妻 475-283- 63
史氏清 魏臺妻 503- 61- 95
史玄漢 248-619- 8
1412-125- 5
史本宋 516- 35- 88
史本女 明 見史氏
史旦明 821-394- 56
史白唐 814-273- 10
820-189- 27
史安明 299-496-154
473- 24- 49
479-489-239
515-361- 68

1238- 60- 5
1238-191- 16
1238-532- 13
1374-724- 93
史圭後晉　278-141- 92
279-373- 56
384-316- 16
396-447-296
505-749- 72
史吉宋　472-922- 36
554-360- 54
史老明　541- 97- 30
史臣明　1260-584- 15
史光晉　472-175- 6
489-599- 47
489-663- 49
史光宋　494-433- 13
史旭金　676-695- 29
1365- 61- 2
1439- 4- 附
1445-349- 23
史序宋　288-469-461
478-122-181
史成清　476-282-111
546-155-120
史抗宋　288-283-446
400-146-512
472-430- 19
472-720- 28
476-330-115
477-253-161
538- 55- 63
545-419- 98
史杠元　821-289- 53
史扶宋　561-205-38之1
1113-248- 24
1482-415- 3
史岑漢　253-551-110上
380-339-175
475-745- 88
511-786-166
史見明　554-366- 54
史佐妻　明　見徐氏
史伯周　380-534-181
384- 12- 1
404-447- 26
史佚周(文王時史官)
814-221- 3
820- 20- 22
史佚尹逸、史逸　周(武王時史官)　404-436- 25
史宗晉　1379-387- 47
史怡明　472-144- 5
史祁史祈　宋　485-534- 1
559-266- 6
559-300-7上
史定漢　453-732- 1
564-825- 60
史炆妻　清　見鄭氏
史青唐　473-389- 65
533-320- 57
史直宋　1113-623- 9
史坦元　1209-113- 6
史杶史椿孫　宋　448-392- 0
史忠唐　見忠
史忠元　1200-628- 47
史忠徐端本　明　511-829-168
512-727-195
821-401- 56
1459-764- 30
史昂明　571-539- 20
1259-860- 8
史狗春秋　見史苟
史岱清　511-689-163
史洪唐　820-282- 30
史洽漢　489-598- 47
489-662- 49
492-559-13下之上
史洽妻　清　見王氏
史炤宋(眉山人)　473-515- 71
559-383-9上
史炤宋(字中煇)　532-677- 64
史恆唐　820-287- 30
史祈宋　見史祁
史彥妻　明　見劉氏
史威隋　264-920- 63
史郁元　1192-549- 9
史珍明　472-309- 13
516-130- 92
史政明　821-370- 55
史政妻　明　見王氏
史茂妻　明　見谷氏
史昭明　299-744-174
475-708- 86
478-595-204
478-653-207
511-336-149
558-145- 30
史苟史狗、史文子　春秋
404-830- 51
史苞漢　478-612-205
558-214- 32
史茅漢　472-175- 6
489-598- 47
489-662- 49
492-559-13下之上
史英明　546-754-140
史皇上古　812-314- 4
821- 5- 45
史皇春秋　405- 49- 59
史勉明　547- 47-142
史俊唐　820-208- 28
史俊明　1261-536- 18
史俁宋　485-503- 9
史後明　676-526- 21
史浩唐　見史惟則
史浩宋　287-418-396
398-414-391
471-628- 7
471-648- 10
472-1086- 46
479-177-225
486- 53- 2
487-130- 9
491-305- 6
491-405- 5
491-436- 6
523-286-159
588-167- 8
1153-429- 93
1437- 25- 2
史浩女　宋　見史氏
史祐女　宋　見史氏
史高漢　248-619- 8
376-406-102上
539-349- 8
1412-125- 5
史唐唐　見史孝章
史浚宋　1153-603-105
史凌唐　820-287- 30
史素明　472-274- 11
545-773-111
史恭漢　1238- 86- 7
史珪宋　285-406-274
396-667-315
472-789- 31
477-542-176
537-353- 56
史格元　295-114-155
399-383-453
567- 75- 65
1201-233- 85
1201-559- 16
1367-810- 62
1373-168- 13
1467- 49- 63
史書明　545-341- 96
558-339- 35
史珩明　1259-866- 8
史珩妻　明　見朱淑清
史起戰國　472-693- 28
537-260- 55
史晃晉　489-663- 49
史徐明　676-520- 20
1442- 37-附2
1459-774- 30
史倫元　295- 6-147
399-376-453
史釗明　558-145- 30
史純金　545-140- 87
史叟春秋　404-786- 48
史淵晉　489-663- 49
史祥北周～隋　264-918- 63
267-274- 61
379-748-161
384-157- 8
478-270-187
554-573- 58
558-371- 36
933-516- 34
史章明　545-465-100
史訪明　1283-341- 93
史訪妻　明　見陸氏
史乾妻　明　見呂氏
史彬元　295-199-162
399-567-476
472- 54- 2
史彬明(溧陽人)　473-683- 79
563-772- 40
史彬史仲彬　明(字文質)
515- 88- 59
570-215- 23

1255-677- 70
1259-864- 8
1319-176- 14
史爽晉 489-599- 47
489-663- 49
史陵晉 489-663- 49
史陵隋 814-265- 8
820-126- 25
史通宋 473-515- 71
559-385-9上
677-226- 21
1124-349- 5
史崇漢 472-174- 6
489-598- 47
489-662- 49
492-559-13下之上
511-898-172
554-428- 56
史晟唐 812-347- 9
821- 58- 46
史晟女 明 見史慕貞
史晟清 559-332-7下
史略明 554-708- 61
史常明 528-527- 31
1237-260- 5
1255-488- 53
史晨漢 539-657-11之7
683-238- 3
史魚春秋 見史鰌
史得明 511-573-159
史脫晉 742- 29- 1
史敘唐 見艾敘
史敏明 511-192-143
1442- 26-附2
1459-630- 24
史斌史鑿 明 523-194-155
1280-454- 89
史斌妻 明 見陶氏
史斌妻 明 見崔氏
史游漢 814-223- 3
820- 25- 22
史詔宋 487-146- 9
史詐金 291-633-118
399-311-445
史詐妻 金 見蕭氏
史曾漢 248-619- 8
1412-125- 5
史善明 505-682- 69
史渙魏 254-172- 9
377- 71-114
511-397-151
史詠金 291-633-118
399-311-445
544-238- 63
史詠妻 金 見梗氏
史雲隋 264-920- 63
史博元 494-417- 12
524-282-192
史惠明 481-587-328
529-673- 49
史雅晉 489-599- 47
489-663- 49
史雄北周 263-627- 28
267-274- 61
379-552-156
552- 44- 19
933-516- 34
史朝春秋 404-829- 51
933-515- 34
史琬晉 489-663- 49
史肅史蕭 金 383-1001- 28
496-424- 90
505-927- 84
820-482- 36
1365-150- 5
1439- 8- 附
1445-378- 26
史弼漢 253-321- 94
376-933-112
384- 66- 3
402-492- 12
402-588- 20
472-518- 22
476-366-117
476-515-127
477-202-159
537-420- 58
540-621- 27
545-351- 96
933-515- 34
史弼史塔拉琿、史塔剌渾、史塔爾琿 元 295-199-162
399-567-476
472- 54- 2
473-281- 61
474-242- 12
475-368- 67
478-762-215
480-127-264
493-784- 42
505-733- 71
515- 24- 57
523- 23-147
820-493- 37
史弼明 511-184-143
528-532- 31
史援春秋 547-546-161
史援晉 489-663- 49
史琰宋 張祺妻、張履妻 宋 559-468-11中
592-658-103
820-472- 36
1381-618- 44
史琳張琳 明 515- 41- 58
523-547-173
545-278- 93
558-150- 30
676-380- 14
820-637- 41
821-395- 56
1250-830- 79
史華唐 1054-492- 14
史華明 480-171-266
532-647- 43
史敞漢 478- 85-180
554- 99- 50
史萇五代 473-389- 65
533-271- 56
史智明 1467- 87- 65
史循明 820-642- 41
史絢清 547-119-145
史勝妻 明 見樊氏
史逸周 見史佚
史進妻 清 見靳氏
史策妻 清 見降氏
史傑明 1442- 31-附2
1459-694- 27
史温宋 528-437- 29
史愷明 1271-643- 55
史新宋 545-437- 99
史煒明 678-227- 92
史祿秦 453-730- 1
483-317-354
567- 16- 63
1467- 1- 62
史道明 476-250-110
505-724- 71
史塤元 510-361-114
史塡明 1255-630- 65
1258-167- 15
史載清 477- 90-153
479- 93-221
523-109-150
史楫元 295- 8-147
399-377-453
472- 86- 3
474-180- 8
474-371- 19
505-633- 67
1200-715- 54
史瑋妻 明 見顧氏
史楚晉 489-663- 49
史嵩漢～吳 472-175- 6
489-598- 47
489-663- 49
史粲劉宋 812-330- 6
821- 20- 45
史鉉漢 489-598- 47
489-662- 49
492-560-13下之上
史經宋 473-514- 71
史鈳明 1442- 75- 5
1460-362- 56
史稜劉宋 820- 90- 24
史實吳 489-663- 49
史韶晉 489-663- 49
史福後漢 278-254-107
史寧北周 263-624- 28
267-272- 61
379-550-156
384-140- 7
552- 33- 18
933-515- 34
史漸宋 1164-405- 22
史漸妻 宋 見高氏
史壽明 1237-269- 5
史際明 475-279- 63
511-563-158
史趙春秋 380-549-181
404-747- 46
448-247- 22
545-732-109

547-546-161
933-515- 34
史遜女 宋 見史氏
史銓明 572-109- 30
史緒宋 476- 82-100
545-763-110
史魁明 476-309-113
545-408- 98
史綸宋 485-541- 1
史廣元 1201-671- 25
史廣妻 明 見朱氏
史諒晉 489-663- 49
史樞元 295- 9-147
399-378-453
472-999- 40
479-134-223
494-269- 2
505-705- 70
523-117-151
540-614- 27
1200-834- 65
史奭清 511-578-159
史遷元 546-589-134
史遷明 511-178-143
554-312- 53
1442- 11- 1
1459-454- 14
史墨史默、史黯、蔡墨 春秋
380-550-181
384- 20- 1
404-747- 46
448-255- 24
545-737-109
547-546-161
933-515- 34
933-661- 44
史輝晉 489-663- 49
史魯明 546-304-125
1269-426- 6
史篇周 933-247- 17
史稷宋 史允諧女
1173-246- 81
史憲晉 489-599- 47
489-663- 49
史澤漢 489-598- 47
489-662- 49
492-560-13下之上
史諫明 571-547- 20
史璜晉 489-663- 49
史整宋 1409-628-636
史璠明 474-822- 44
502-783- 87
1254-659- 4
史默春秋 見史墨
史蕭金 見史肅
史曄明 472-578- 24
537-210- 54
史學宋 559-323-7上
史學金 1040-234- 2
1365-252- 7
1439- 12- 附
1445-471- 35
史學明(瀘州人) 480-582-285
史學明(溧陽人) 676-518- 20
史龜春秋 404-750- 46
547-546-161
933-515- 34
史縉清 1312-876- 13
史濤宋 494-322- 6
史濟明 511-563-158
史濡明 545-772-111
史燦明(龍陽人) 533-289- 56
史燦明(字鶴汀) 554-293- 53
史燧清 511-187-143
史壎元 472-255- 10
史隱晉 489-663- 49
史聲宋 511-594-159
史徽宋 472-1052- 44
523-355-163
史燿史耀 元 1201-564- 16
1210-349- 10
史謹明 493-1058- 56
511-733-165
676-463- 17
821-350- 55
1442- 16- 1
史鎬唐 820-215- 28
史簡妻 宋 見葉氏
史邈宋 516- 11- 87
史譚宋 549-121-185
史懷金 1040-241- 3
1445-677- 52
史韜明 483-250-391
571-532- 19
史瓊五代 812-525- 2
821-132- 49
史疇晉 489-663- 49
史藝劉宋 812-329- 6
821- 19- 45
史籀周 812- 53- 中
812-216- 8
812-705- 3
814-221- 3
820- 20- 22
史鏞明 558-377- 36
史鑾明 見史斌
史鑾妻 明 見王氏
史耀元 見史燿
史藻漢 489-663- 49
492-560-13下之上
史蘇春秋 380-543-181
404-742- 46
448-148- 5
472-459- 20
547-544-161
史鰌史魚、祝佗、祝鮀 春秋
375-813- 91
384- 22- 1
404-829- 51
404-830- 51
448-272- 28
472-707- 28
505-768- 73
537-364- 57
839- 9- 1
933-515- 34
933-716- 49
史覺宋 見史彌遠
史夔清 511-777-166
史顯漢～魏 489-598- 47
489-662- 49
492-559-13下之上
史黯春秋 見史墨
史鐸元 1197-709- 73
史灒宋 487-512- 7
史懿吳 489-663- 49
史懿後周 278-383-124
史瓘明 511-192-143
史權元 295- 8-147
399-378-453
474-180- 8
史鑑明(成安人) 505-765- 72
554-348- 54
史鑑明(字明古) 511-834-168
524-305-194
1255-728- 74
1259-690- 附
1259-692- 附
1386-679- 56
1442- 37-附2
1445-606-236
1455-633-238
1458-181-430
1459-757- 30
史鑑妻 明 見李桂清
史鑑妻 明 見蕭蘭徵
史鑑清 477-125-155
537-259- 55
史儼後唐 277-468- 55
546-390-128
史麟史鱗 唐 820-174- 27
史瓚唐 812-352- 10
821- 87- 48
史鱗唐 見史麟
史士舉金 1365-294- 9
1439- 11- 附
1445-529- 40
史子玄明 1227- 91- 10
史子中宋 473-465- 69
559-370- 8
史子見明 456-670- 17
480-137-264
史于光明 460-644- 64
481-587-328
529-539- 45
史大方明 821-407- 56
史大年元 1217-250- 8
史大成清 523-296-159
史大奈唐 274-394-110
384-174- 9
395-389-217
547-184-148
史大經明 570-150-21之2
史大勳明 456-553- 7
554-367- 54
史文子春秋 見史苟
史文卿史章卿 元
820-502- 37
1203-401- 30
1468-388- 19
史文彬元 493-753- 41
683- 41- 1

史文通妻 明 見李氏
史之棟史之諫 明456-596- 9
史之諫明 見史之棟
史五常明 302-148-297
477-168-157
538- 93- 64
史元中明 523-537-172
676-565- 23
1442- 66- 4
1460-286- 53
1474-288- 13
史元亨元 1195-571-下
史元忠唐 271-371-180
276-210-212
384-273- 14
384-275- 14
396-310-378
史元昭明 821-458- 57
史元調明 511-186-143
史元鎮明 511-556-158
史天安元 295- 9-147
399-378-453
496-376- 86
史天安女 元 見史氏
史天倪元 295- 6-147
399-376-453
472- 36- 1
474-180- 8
496-376- 86
505-720- 71
1201-564- 16
史天倪妻 元 見程氏
史天祥元 295- 10-147
399-379-453
472- 36- 1
474-180- 8
496-377- 86
502-270- 55
505-721- 71
史天澤鎮陽王 元(字潤甫)
295-110-155
399-381-453
451-571- 7
459-692- 42
472- 36- 1
472- 86- 3
474-180- 80
474-371- 19
496-376- 86
505-721- 71
593- 27- 上
1200-327- 27
1200-639- 48
1200-723- 55
1367-760- 58
1439-420- 1
史天澤元(河南路經略使)
472-645- 26
472-741- 29
537-206- 54
史日環明 456-679- 11
史公奕金 676-696- 29
820-480- 36
1040-249- 4
1365-159- 5
1439- 6- 附
1445-384- 27
史公珽元 479-180-225
524-284-192
1234-268- 43
史公敘元 1217-793- 9
史公銖南唐 473-176- 57
515-115- 60
史允琦清(上元人) 475- 77- 53
史允琦清(字奇玉) 481-551-327
528-480- 30
史允諧女 宋 見史稷
史立模明 515-123- 60
史永安明 301-224-249
483-225-390
540-827-28之3
571-522- 19
史永年女 宋 見史氏
史永遵隋 478-389-193
554-750- 62
史永韜妻 清 見劉氏
史玉明明 480-133-264
史弘肇鄭王 後漢
278-251-107
279-189- 30
384-305- 16
396-384-288
史正序妻 清 見楊氏
史正志宋 488- 13- 1
488-454- 14
511-205-144
史正明元 472-389- 17
史正春明 547- 83-144
史可法明 301-612-274
456-411- 1
458-298- 10
474-186- 9
475- 21- 49
475-325- 65
475-369- 67
475-502- 75
478- 93-180
505-840- 76
506-540-105
510-295-112
538- 41- 63
史可傳妻 清 見蘇氏
史可端妻 清 見蔣氏
史可模妻 清 見李氏
史可鏡明 302- 95-294
史可觀明 302-102-294
456-582- 8
476- 85-100
545-794-111
史世卿宋 1234-270- 43
史世揆明 511-511-157
史以甲清 511-846-168
史以遇清 511-578-159
史申義清 511-785-166
569-620-18下之2
史申義妻 清 見李正芳
史令卿唐 484- 86- 3
史仕祥明 512-778-196
史台孫元 494-416- 12
史用之宋 561-209-38 之2
史用誠唐 1342- 47-910
史守道宋 559-385-9上
678-406-108
1173-262- 82
史字之宋 1187-269- 5
史安之宋 485-534- 1
史安民宋 485-541- 1
史汝器明 1283-643-117
史羊生明 1475-366- 15
史圭文宋 494-672- 18
史有邦妻 清 見譚氏
史匡翰五代 272-154- 25
278-100- 88
384-302- 16
396-356-284
476-332-115
546-390-128
550-167-215
史次秦母 宋 481-353-309
史次秦宋 288-316-449
473-517- 71
478-245-186
481-352-309
554-246- 52
559-524- 12
591-572- 42
史光代史光岱 明456-584- 8
476-452-123
546-621-135
史光岱明 見史光代
史光前明 456-584- 8
史兆斗明 511-836-168
1315-561- 34
史仲川明 1237-303- 6
史仲宏明 511-879-171
史仲成明 472-915- 36
史仲彬明 見史彬
史宏璉明 460-703- 73
460-707- 73
史良臣金 1190-205- 12
史良佐明 300- 83-188
475-226- 61
511-152-142
史良娣漢 劉據妻
251-282-97上
史良植清 475-834- 93
477-317-164
510-499-118
538- 62- 63
史志可明 528-526- 31
史成珪元 295- 6-147
399-376-453
史育之宋 1187-271- 5
史均民明 821-355- 55
史孝章史唐 唐 271-377-181
275-132-148
384-262- 13
395-739-247
478-597-204
1077-348- 3
1342- 96-916
1343-787- 57

史君弼清 511-559-158
史克恭元 1201-671- 25
史克剛妻 清 見李氏
史克新明 472- 99- 3
473- 15- 49
515- 34- 58
史伯璿元 472-1118- 48
479-407-235
523-628-177
680-301-255
史邦直明 476-113-102
478- 93-180
545-378- 97
554-343- 54
史希賢明 532-693- 45
史宗禹明 547-116-145
史宗著妻 清 見奚氏
史宗廣妻 明 見姚氏
史宗滄妻 明 見王氏
史宗禮明 546-491-131
史性良元 820-503- 37
史定之宋 515-216- 63
史孟麟明 300-787-231
457-1052- 60
458-452- 22
475-228- 61
511-159-142
679-742-210
史東昌明 554-299- 53
史長昆清 540-868-28之4
史岩之宋 494-341- 7
494-348- 7
史叔軻宋 485-541- 1
史叔賓漢 253-377- 98
377- 3-113上
386- 5-69上
933-515- 34
史念賜妻 宋 見程氏
史金元妻 清 見李氏
史季儉宋 288-324-449
400-181-514
481-418-314
史秉直元 295- 6-147
399-376-453
474-180- 8
496-375- 86
史秉彝元 473-358- 64
532-705- 45
史秉鑑清 554-782- 62
史延壽不詳 592-287- 78
史延齡明 540-790-28之3
史洪綸妻 明 見賀氏
史洪謨明 475-837- 93
511-915-173
史流芳清 554-541-57下
史彥旼宋 820-462- 36
史彥斌元 295-613-198
400-320-526
472-312- 13
475-431- 70
511-581-159
史彥超後周 278-383-124
279-209- 33
384-307- 16
400-120-510
472-482- 21
476-258-110
546- 67-117
1383-765- 69
史彥瓊後唐 279-230- 37
384-309- 16
401-131-586
1383-779- 71
史拱之元 1210-751- 23
史南壽宋 1124-346- 4
史韋卿元 見史文卿
史建瑭後唐 277-466- 55
279-153- 25
384-302- 16
396-355-284
472-434- 19
476-332-115
546-390-128
1383-734- 66
史思明史窣干、史窣于 唐
271-806-200上
276-500-225上
384-217- 11
401-455-627
史思兼宋 451- 93- 3
史映周妻 後魏 見耿氏
史垂則明 479-226-227
史垂譽明 515-447- 70
史皇氏上古 見倉頡
史紀由清 456-369- 78
史奐卿元 478-763-215
523- 24-147
史記功清 475-744- 88
510-474-117
史記言明(字司直) 302- 55-292
456-424- 2
475-672- 84
477-523-175
511-489-155
史記言明(字秉直) 536-525- 43
537-290- 55
546-606-135
史記事明 478-130-181
545-156- 88
554-674- 60
史記勳明 523-469-169
史桂芳明 457-128- 9
458-717- 3
475-563- 79
479-534-241
516- 82- 90
528-515- 21
537-330- 56
史桂榮妻 清 見王氏
史晉伯母 元 見虞氏
史書元明 563-797- 41
史書昌明 516- 86- 90
史起明明 見史懋明
史起蟄明 528-530- 31
1442- 61- 4
1460-197- 49
史夏隆明 456-463- 4
史哩日元 1201-677- 26
史倚相清 456-369- 78
史師雄宋 491-436- 6
史能之宋 472-254- 10
510-360-114
史能仁明 476-519-127
477-132-155
537-436- 58
1442-112- 7
史純一明 532-645- 43
史純臣宋 491-435- 6
史乘古明 516- 90- 90
史寅仲宋 516- 35- 88
史惟則史浩、史維則 唐
484- 40- 下
493-1054- 56
511-863-170
812-747- 3
814-273- 10
820-189- 27
史惟堡明 678-222- 91
史旌賢明 559-321-7上
570-118-21之1
史淑賓漢 545-507-101
史梓芳明 516- 76- 90
史彬然元 1218-807- 6
史務滋唐 270- 89- 90
274-449-114
395-472-223
472-176- 6
489-675- 49
492-579-13下之上
511-173-143
史通平漢 473-517- 71
481-353-309
561-225-38之3
592-224- 74
史崇方宋 494-323- 6
史崇玄唐 274-111- 83
史國卿宋 1189-312- 3
史彪右清 516- 91- 90
史紹光妻 清 見張氏
史啟元明 511-213-144
史尊朱清 523-629-177
史曾大明 1259-860- 8
史曾立明 1259-860- 8
史曾懋明 1259-864- 8
史雲程妻 清 見儲氏
史朝宜明 460-707- 73
523- 55-148
529-544- 45
563-740- 40
史朝定明 821-455- 57
史朝富明 676- 42- 2
679-212-160
史朝義唐 271-810-200上
276-503-225上
384-217- 11
401-457-627
史朝祿明 523-122-151
史朝鉉明 460-708- 73
史朝賓明 460-703- 73
481-588-328
529-543- 45
576-654- 5

676-312- 11
1285-336- 10
1458-568-457
史朝顯明 456-615- 9
476-282-111
546-154-120
史登賢妻 清 見周氏
史堯俊宋 1165-777- 10
史堯輔宋 680-203-244
1173-128- 71
史開先明 見吳開先
史棣卿元 袁洪妻、史賓之女
1203-448- 33
1367-684- 52
史景忠妻 明 見鄒氏
史景洪元 1222-469- 11
史虛白南唐 473- 88- 52
479-582-243
492-572-13下之上
516-215- 96
史貽直清 475-281- 63
569-620-18下之2
史著馨妻 明 見張氏
史掌文明 476-451-123
545-481-100
史舜贊明 480-486-280
史欽命清 505-827- 75
史逸裘清 476-920-148
511-188-143
537-228- 54
史源齊妻 明 見孫氏
史祺孫宋 472-1003- 40
524-250-190
史靖可明 1459-424- 13
史痴翁妻 明 見何玉仙
史窣干唐 見史思明
史窣于唐 見史思明
史道碩晉 812-323- 5
813-146- 13
821- 13- 45
史載民明 554-510-57下
史載德明 545-467-100
史載澤明 572- 75- 28
史載勳明 540-821-28之3
史椿孫宋 見史杶
史萬歲隋 264-830- 53
267-457- 73
379-760-161
384-151- 8
472-833- 33
473-806- 86
478-107-180
544-221- 62
554-570- 58
933-516- 34
史萬壽晉 489-599- 47
史嗣眞金 472-602- 25
540-652- 27
史嵩之宋 287-638-414
398-591-405
472-1087- 46
491-418- 5
532-678- 44
史敬文劉宋 812-329- 6
821- 19- 45
史敬奉唐 270-823-152
275-378-170
396-150-265
472-931- 37
558-373- 36
史敬忠唐 270-283-105
史敬思後唐 277-466- 55
279-153- 25
396-355-284
476-332-115
史敬鎔後唐 277-470- 55
史傳心妻 明 見蔣氏
史經臣宋 1107-476- 33
史賓之妻 元 見張致和
史賓之女 元 見史棣卿
史誠祖明 301-732-281
472-546- 23
476-370-117
476-577-131
540-635- 27
546-490-131
史壽龍妻 清 見王氏
史鳴皋清 479-176-225
史蒙卿宋 287-770-423
472-1103- 47
479-179-225
677-413- 38
1195-566-下
1203-383- 28
史蒙卿妻 宋 見陸德正
史維則唐 見史惟則
史襃善明 505-777- 73
676-568- 23
史遷六明 511-565-158
史慕貞明 張俊妻、史晟女
1259-852- 7
史賤曾唐 820-281- 30
史德琉後漢 278-254-107
史德義唐 271-637-192
275-638-196
401- 4-568
485-166- 22
493-1045- 55
史稽古宋 288-283-446
400-146-512
472-430- 19
472-720- 28
476-330-115
477-253-161
538- 55- 63
545-419- 98
史稽古明 516- 89- 90
史稽哲宋 288-283-446
400-146-512
472-430- 19
472-720- 28
476-330-115
477-253-161
538- 55- 63
545-419- 98
史衛卿宋 1357-858- 11
史憲忠史獻忠 唐
275-133-148
395-739-247
476-277-111
478-199-184
478-597-204
478-670-209
545-322- 95
554-235- 52
史憲誠唐 271-376-181
276-182-210
384-263- 13
384-273- 14
396-287-276
472-852- 34
史璟卿宋 479-178-225
史璘卿妻 元 見虞惠正
史學熙妻 明 見郭氏
史學遷明 534-770-110
545-790-111
史積慶妻 清 見王氏
史應元明 545-395- 97
571-542- 20
史應甲清 511-588-159
史應聘清 537-485- 58
史謙恕唐 471-1018- 63
473-454- 68
559-284-7上
591-703- 50
史懋文明 563-786- 40
史懋明史起明 明
456-659- 11
史懋祖元 524-123-184
1222-350- 34
史彌大宋 472-1087- 46
487-139- 9
491-437- 6
史彌正宋 487-139- 9
史彌忠宋 491-417- 5
491-437- 6
523-449-168
528-444- 29
史彌炳宋 487-517- 7
史彌堅宋 487-139- 9
491-418- 5
528-523- 31
史彌悆宋 491-437- 6
史彌寧宋 473-348- 63
480-436-278
532-725- 46
史彌遠史覺 宋 287-633-414
398-586-405
471-628- 7
487-139- 9
491-411- 5
491-437- 6
493-778- 42
585-344- 5
820-442- 35
1394-526- 6
史彌鞏宋 287-770-423
398-698-414
472-173- 6
472-1087- 46
473- 44- 50
475- 70- 52

479-178-225
479-449-237
480- 50-259
515- 19- 57
524-252-190
史徽孫元 1203-408- 30
史覲宸明 456-582- 8
475-279- 63
483- 34-371
570-128-21之1
史繁郎宋 見史夬
史懷則唐 493-1054- 56
820-189- 27
史贊舜明 533-292- 56
史贊舜妻 明 見唐氏
史獻忠唐 見史憲忠
史纂欽清 478-171-182
史繼民元 472-602- 25
540-652- 27
史繼先唐 681-356- 28
史繼書明 1291-505- 9
史繼偕史繼階 明
460-708- 73
529-550- 45
676-619- 25
史繼階明 見史繼偕
史鶴齡清 475-280- 63
511-777-166
史顯祖宋 821-229- 51
史顯孫宋 451-224- 0
史纘烈明 511-186-143
史塔拉琿元 見史弼
史塔剌渾元 見史弼
史塔爾琿元 見史弼
冬伯上古 546-234-123
冬壽前燕 933- 43- 2
冬橘女鬼明 1442-128- 8
付吉明 472- 37- 1
代王夫人 戰國 見趙氏
代王漢 見劉武
代王漢 見劉參
代王漢 見劉喜
代王漢 見劉義
代王漢 見盧芳
代王晉 見司馬晏
代王晉 見司馬演
代王後趙 見石鑒
代王北周 見宇文達
代王唐 見李弘
代王唐 見李諲
代王唐 見李簡
代王金 見完顏充
代王金 見高楨
代王明 見朱桂
代王明 見朱充燿
代王明 見朱仕壥
代武漢 933-669- 44
代病唐(立願代衆生病)
524-424-200
1052-374- 26
代淵宋 288-433-458
371-153- 15
382-739-113
401- 20-570
408-668- 26
473-433- 67
547-139-146
677-176- 16
1088-568- 59
代敏清 455-377- 23
代善禮親王 清 454- 45- 3
474-744- 40
502-390- 65
代德妻 清 見塔塔拉氏
代舉周 933-669- 44
代成君戰國 見周
代國公主唐 見李華
代國公主金 唐古辯妻、金熙宗女 544-238- 63
令田漢 569-535- 17
令光五代 1053-340- 8
令言唐 530-198- 60
令岭宋 1053-418- 10
令含五代 1053-319- 8
令宗宋 812-504- 下
812-539- 3
821-130- 49
821-263- 52
令弇五代 1053-305- 8
令珪五代 533-755- 74
1053-229- 6
令洎宋 1053-659- 15
令崇五代 1053-566- 14
令參五代 524-403-199
1053-285- 7
令逢唐 1116-550- 29
令超唐 516-420-103
588-343- 3
1053-228- 6
令達唐 1052-162- 12
令諲後唐 1052- 87- 7
令遵唐(謚法喜禪師)
1053-208- 5
令遵唐(嗣慧清) 1053-373- 9
令觀宋 1119-332- 32
令元素唐 821- 95- 48
令狐氏明 喬雯妻、令狐景雲女 1294-250-6上
令狐氏明 楊聯芳妻
547-374-155
令狐仕後魏 267-629- 84
380-118-167
476-115-102
547- 67-143
令狐休北周 263-710- 36
267-362- 67
379-648-158
558-409- 36
令狐虬令狐虯、令狐蚪 北周
263-708- 36
267-359- 67
379-646-158
933-778- 55
令狐定唐 271-235-172
275-333-166
令狐邵漢～魏 254-324- 16
377-154-115下
385-415- 44
472-737- 29
477-521-175
537-349- 56
545-513-102
令狐虯北周 見令狐虬
令狐芬齊 545-814-112
令狐延北朝～隋 見令狐整
令狐建唐 270-477-124
275-118-148
395-730-247
554-698- 61
令狐茂漢 476-152-104
545-806-112
549-465-198
令狐峘唐 270-782-149
274-315-102
395-330-210
554-837- 63
933-779- 55
1371- 63- 附
令狐俅宋 1122-160- 12
令狐浚魏 見令狐愚
令狐挺宋 1122-158- 12
令狐蚪北周 見令狐虬
令狐通唐 270-477-124
275-118-148
395-731-247
933-779- 55
令狐渙唐 820-262- 29
令狐揆宋 471-809- 31
473-269- 61
533-337- 58
677-190- 17
令狐絢不詳 1061-286-112
令狐滈唐 271-237-172
275-332-166
384-277- 14
396-115-261
554-931- 64
933-780- 55
令狐靖唐 820-241- 28
令狐運唐 270-477-124
275-118-148
1074-370- 22
令狐楚唐 271-231-172
275-329-166
384-250- 13
384-262- 13
396-113-261
472-544- 23
472-676- 27
472-717- 28
472-739- 29
472-837- 33
472-865- 34
473-233- 60
476- 27- 97
476-475-125
478-119-181
478-243-186
480-169-266
537-202- 54
540-611- 27
545- 18- 83

554-458- 56
567-428- 86
674-426- 2
820-249- 29
933-779- 55
1077-438- 19
1343-819- 60
1371- 66- 附
令狐愚令狐浚 魏
254-324- 16
254-479- 28
377-155-115下
386- 62-70中
令狐暎母 宋 見任氏
令狐彰唐 260-476-124
275-117-148
384-213- 11
395-730-247
472-125- 4
472-837- 33
476-911-148
478-117-181
544-227- 63
544-698- 61
820-207- 28
933-779- 55
令狐熙北周～隋 263-710- 36
264-850- 56
267-361- 67
379-866-164
384-152- 8
473-747- 83
474-336- 17
477- 49-151
478-742-213
482-317-354
537-197- 54
540-637- 27
558-409- 36
563-626- 38
567- 33- 63
933-779- 55
1467- 11- 62
令狐種清 547-107-145
令狐緒唐 271-235-172
275-331-166
384-277- 14
396-114-261
472-801- 31
473-267- 61
477-498-174
480-199-267
532-653- 44
537-333- 56
令狐綯唐 271-235-172
275-331-166
384-277- 14
396-114-261
472-838- 33
472-852- 34
472-997- 40
494-289- 4
523-114-151
554-458- 56
820-261- 29
933-780- 55
令狐澄唐 820-262- 29
令狐整令狐延、宇文延、宇文整 北朝～隋 263-708- 36
267-359- 67
379-646-158
478-742-213
480-287-271
558-237- 32
558-408- 36
933-778- 55
令狐鋹明 546-713-138
令狐邁漢 545-504-101
令狐鏓明 546-711-138
令尹子文春秋 見鬬穀於菟
令尹子西春秋 見公子申
令狐子伯漢 545-504-101
令狐文子春秋 見魏頡
令狐永觀清 547- 78-143
令狐戊搜晉 見楊戊搜
令狐言東清 476-126-102
令狐承簡唐 1077-335- 2
令狐茂搜晉 見楊茂搜
令狐景雲明 547- 76-143
令狐景雲女 明 見令狐氏
令狐德棻唐 269-696- 73
274-313-102
384-172- 9
395-329-210
407-501- 7
472-835- 33
478-111-181
554-836- 63
933-779- 55
生用和明 523-101-150
生生道人清 533-752- 74
句印句曉孫 宋 451- 68- 2
句扶蜀漢 254-667- 13
377-304-118下
384-485- 16
481-155-298
559-363- 8
933-711- 48
句卑春秋 405- 59- 59
句煒句唐孫 宋 451- 59- 2
句踐越王句踐 春秋
244-148- 41
371-391- 19
375-605- 87
384- 10- 1
404-291- 17
471-625- 6
488- 69- 6
句踐女 春秋 見越姬
句濤宋 287-244-382
398-273-382
473-334- 63
473-434- 67
480-401-277
481- 79-294
481-449-317
494-306- 5
532-691- 45
559-343- 8
561-607- 46
592-595- 99
句士良宋 559-313-7上
句大章宋 559-315-7上
句文檜妻 清 見董氏
句井疆句并疆 春秋
244-390- 67
375-656- 88
405-447- 85
505-708- 71
539-496-11之2
句友于宋 591- 65- 5
1354-770- 43
1381-546- 39
句中正宋 288-213-441
400-642-559
473-431- 67
481- 77-294
559-340- 8
591-542- 42
684-488- 下
812-750- 3
820-335- 32
句并疆春秋 見句井疆
句克儉宋 473-505- 71
句希仲宋 820-335- 32
1105-793- 95
句居體宋 561-607- 46
句昌泰宋 561-607- 46
句延慶宋 1318-150- 44
句唐孫宋 見句煒
句善緒妻 清 見李氏
句黎湖漢 251-192-94上
381-598-199
句龍爽宋 812-455- 1
812-536- 3
813- 89- 4
821-168- 50
句龍雱句龍松壽 宋
448-372- 0
句龍傳宋 559-379-9上
592-493- 91
679-488-186
句龍樑妻 宋 見錢氏
句龍震句龍佛喜 宋
448-371- 0
句龍權宋 1149-696- 15
句龍驥句龍羅漢 宋
448-386- 0
句曉孫宋 見句印
句龍如淵宋 287-209-380
398-248-381
559-343- 8
句龍佛喜宋 見句龍震
句龍廷俊岳母 宋 見薛氏
句龍廷實宋 見句龍庭實
句龍松壽宋 見句龍雱
句龍持國宋 1149-697- 15
句龍庭實句龍廷實 宋
473-523- 72
559-379-9上
句龍羅漢宋 見句龍驥
仕行晉 1049-544- 37

仕衡宋 477-441-171
丘子妻 春秋 448- 46- 5
452- 86- 2
丘山明 460-537- 50
523-230-156
820-679- 42
1247- 84- 7
丘方宋 460-344- 27
丘升妻 宋 見陳善堅
丘氏宋 陳晏妻 530-179- 59
丘氏明 王憲維妻 479-189-225
584-274- 10
丘氏明 王頤齋妻、丘經女
1280-494- 92
丘氏明 李春元妻 530-111- 57
丘氏明 邵節妻 473- 67- 51
丘氏明 林應述妻 530- 62- 55
丘氏明 侯璞妻 1283-755-126
丘氏明 張仁妻 1238-236- 20
丘氏明 顏光魯妻 530-108- 57
丘氏明 魏宗欽妻 530-143- 58
丘氏清 殷沖妻 512-299-184
丘允宋 481-746-334
529-640- 48
丘弘明 299-831-180
473-625- 77
481-723-333
529-636- 48
丘石唐 820-282- 30
丘民明 1442- 6- 1
1459-253- 5
丘吉明 524- 35-179
1442- 31-附2
1459-695- 27
丘旭宋 471-775- 26
472-359- 15
511-812-167
丘全明 456-683- 11
511-476-155
丘朱明 見丘集
丘宏妻 明 見儲氏
丘弟唐 820-282- 30
丘宗明 820-595- 40
丘宜明 532-649- 43
丘性明 529-688- 50
丘昂晉 472-1000- 40
523-584-175
丘和唐 269-524- 59
274-185- 90
384-169- 9
395-285-206
473-890- 90
483-697-422
537-496- 59
544-221- 62
554-441- 56
567- 36- 64
933-477- 31
丘岳宋 488- 14- 1
488-482- 14
493-941- 50
511-387-151
丘岳明(寧化人) 529-702- 50
丘岳明(字南正) 533- 45- 48
丘為唐 273-111- 60
451-422- 2
472-983- 39
479- 93-221
524-107-183
1371- 59- 附
丘珏宋 460-314- 23
丘玳明 511-379-150
丘珊明 1475-275- 11
丘疊元 294-535-143
400-265-521
丘珍明 528-478- 30
丘茂明 554-348- 54
丘奐宋 529-497- 44
丘俊明 554-278- 53
丘高宋 見丘泰
丘悅唐 271-576-190中
丘泰丘高 宋 515-466- 71
丘泰明 456-619- 9
563-753- 40
丘陞明 545-672-107
584-274- 10
丘弱春秋 405-105- 62
丘振明 528-513- 31
丘峻明 511-233-145
丘崈宋(字宗卿) 287-444-398
398-437-393
472-239- 9
472-260- 10
473-428- 67
475- 18- 49
475-175- 59
475-224- 61
475-501- 75
475-700- 86
479- 92-221
481- 21-291
486- 54- 2
488- 14- 1
488-464- 14
488-465- 14
493-714- 39
510-344-114
511-144-142
523- 98-150
559-266- 6
591-684- 47
674-850- 18
1458-680-470
丘窑丘說郎 宋(字元山)
448-387- 0
460-323- 25
丘訢漢 448-107- 下
554-864- 64
871-898- 19
丘訥宋 812-544- 3
821-165- 50
丘堆後魏 261-443- 30
266-508- 25
379- 59-147
546- 12-115
933-477- 31
丘陵明 458- 32- 2
472-666- 27
474-407- 20
475-872- 95
505-676- 69
510-382-115
537-401- 57
545- 72- 85
676-488- 19
丘崇北周 544-218- 62
丘崇宋 529-734- 51
丘堂元 533-302- 57
丘常宋 559-303-7上
丘野明 472-925- 36
554-655- 60
丘紳明 516-177- 94
丘普明 564-225- 46
丘翔宋 529-746- 51
丘敦明 546-226- 46
1458-226-433
丘雄南北朝 524-250-190
丘雄妻 明 見林氏
丘雄妻 明 見范氏
丘雄妻 明 見熊氏
丘琥明 1262-412- 45
1410-397-716
丘琳妻 明 見趙妙緣
丘程宋 460-218- 14
丘稅宋 515-824- 83
丘傑南朝 265-1036- 73
380- 94-167
470- 45- 94
479-136-223
524-118-184
丘集丘朱 明 511-591-159
1295-114- 9
丘源妻 元 見周氏
丘源明 1248-481- 23
丘義宋 460-304- 20
529-763- 53
丘遂明 見通凡
丘瑜明 301-263-251
480-298-271
533-390- 60
丘達宋 484-377- 27
丘葵宋~元 400-579-553
460-437- 33
473-587- 75
529-534- 45
677-416- 38
1318- 35- 34
丘遇宋 484-387- 28
丘敬元 529-690- 50
丘經妻 宋 見臧氏
丘經女 明 見丘氏
丘禎明 1274-375- 13
丘福明 299-393-145
475-753- 88
511-497-156
886-143-138
1283-206- 35
丘漸宋 523-605-176
680-278-253
丘滕漢 472-999- 40
丘鳳明 458- 18- 1
458- 31- 2

537-523- 59
丘緒明 302-155-297
479-185-225
524-125-184
丘魁明 529-616- 47
丘廣明 1227-156- 19
丘瑩明 559-298-7上
丘潛丘文播 五代 812-499- 中
812-528- 2
813-103- 6
821-128- 49
丘鼐明 515-881- 86
554-188- 51
丘橓明 300-712-226
476-674-136
540-812-28之3
676- 38- 2
679- 67-145
丘遲南朝 260-405- 49
265-1015- 72
380-372-176
470- 45- 94
471-640- 9
479-138-223
494-352- 8
494-365- 9
494-470- 18
524- 30-179
588-442- 1
933-477- 31
1387-125- 7
1394-333- 1
1395-595- 3
丘叡宋 494-436- 13
丘錫明 460-797- 85
丘濬宋(字道源) 472-172- 6
472-380- 16
475-585- 79
485-478- 8
492-594-13下之下
511-805-167
1375- 4- 上
1376-695-100上
丘濬宋(字思道) 473-604- 76
529-762- 53
丘濬明 299-854-181
452-150- 2
453-488- 21
453-651- 27
473-738- 82
482-267-350
516-225- 96
564-225- 46
676-500- 19
1249-141- 9
1249-455- 30
1375- 39- 下
1442- 28-附2
1459-651- 25
丘膺宋 460-299- 20
丘璐明 545-275- 93
丘璦明 460-604- 59
丘顒明 559-300-7上
丘鏘妻 明 見謝氏
丘礪宋 493-940- 50
677-264- 24
丘獻宋 460-451- 34
丘騰漢 370-201- 20
402-410- 6
494-352- 8
丘鐔明 524-146-185
丘鐸明 302-141-296
458-146- 7
477- 86-153
538- 79- 64
1223-574- 11
丘霽明 493-732- 40
516- 68- 89
676-504- 19
683-124- 2
820-626- 40
丘鱗宋 460-344- 27
481-722-333
529-634- 48
丘一鵬明 516-180- 94
丘九奎明 460-819- 90
529-747- 51
丘人福明 529-698- 50
丘士元宋 812-550- 4
821-149- 50
丘子能明 529-677- 49
丘子強明 472-963- 38
523- 82-149
1229-331- 12
丘大成明 528-555- 32
丘上儀明 524-310-194
1442-113- 7
丘文遂宋 517-299-123
丘文播五代 見丘潛
丘文曉五代 812-504- 下
813-104- 6
821-128- 49
丘文立宋 528-505- 31
丘之秀妻 清 見劉氏
丘之陶明 301-263-251
456-665- 11
533-390- 60
丘元清明 533-769- 74
丘孔文妻 明 見戴祐姐
丘天祐明 460-532- 49
529-510- 44
563-794- 41
丘氏忠丘民忠 明456-666- 11
533-390- 60
丘允迪宋 530-201- 60
丘必明宋 473-689- 80
482- 90-342
563-702- 39
丘永彰清 529-678- 49
丘弘禮唐 476-853-145
540-668- 27
丘本厚明 572- 93- 29
丘本源明 524-198-188
丘巨源齊 259-509- 52
265-1018- 72
380-365-176
511-765-166
933-477- 31
1379-604- 72
丘世良元 676-350- 12
1213-148- 12
丘世喬明 473-642- 78
丘可封明 516-519-106
1467-122- 66
丘民仰明 301-434-261
456-436- 3
478-130-181
502-301- 56
545-303- 94
丘民法妻 明 見張氏
丘民忠明 見丘氏忠
丘民貴明 528-555- 32
丘民範明 528-543- 32
丘禾嘉明 301-435-261
572- 75- 28
丘禾嘉妻 明 見姚氏
丘吉順明 676-507- 19
丘存質明 529-712- 50
丘兆麟明 479-661-247
515-803- 82
1442- 90- 6
丘如泰明 516-182- 94
丘仲孚南朝 260-454- 53
265-1014- 72
380-372-176
384-122- 6
471-625- 6
472-272- 11
472-1066- 45
475-270- 63
475-666- 84
479-138-223
479-222-227
479-482-239
486- 64- 3
494-323- 6
494-365- 9
494-470- 18
510-369-114
510-451-117
515- 79- 59
523-443-168
933-477- 31
丘仲起齊 259-523- 53
265-546- 36
378-272-138
494-363- 9
523-443-168
丘仲謀宋 1090- 26- 5
丘行恭唐 269-525- 59
274-186- 90
384-169- 9
395-285-206
472-745- 29
478-201-184
537-497- 59
554-577- 58
933-478- 31
丘休乾明 563-764- 40
丘志克明 532-600- 41
丘吾子春秋 933-477- 31
丘克明明 1227-652- 1

丘克莊元 524-304-194
1229-168- 2
丘壯猷明 456-489- 5
510-420-116
丘邦禮妻 明 見陳祥
丘定夫元 1194-688- 12
丘東昌明 572- 75- 28
丘東周明 見丘從周
丘東魯明 546-495-131
丘長春宋 547-542-160
丘承祖明 523-121-151
丘明甫宋 528-548- 32
丘和仲元 460-487- 40
丘秉文明 529-731- 51
丘延翰唐 547-552-161
丘冠先齊 259-577- 59
265-1043- 73
380- 51-166
384-122- 6
472-1001- 40
479-137-223
523-366-163
丘彥能明 585-565- 21
丘彥常明 547- 38-142
丘美娘明 周墀妻
530-179- 59
丘咨疇妻 明 見熊氏
丘建經明 594-217- 7
丘茂中明 1272-424- 12
丘神勣唐 269-525- 59
271-471-186上
276-165-209
400-377-535
丘原和妻 明 見柯勝瓊
丘桂媛清 530-116- 57
丘桂榮明 529-700- 50
丘起鳳明 538-142- 65
丘峻極清 529-688- 50
丘師施齊 265-989- 70
380-187-170
479- 40-218
494-365- 9
524-250-190
丘添德明 529-666- 49
丘淵之劉宋 493-675- 37
494-263- 1
494-352- 8
494-360- 8
524- 29-179
丘寂之南朝 265-985- 70
380-183-170
384-121- 6
472-388- 17
472-1000- 40
479-137-223
524-249-190
丘崇元宋 491-344- 2
丘處機元 295-648-202
401-124-585
472- 39- 1
472-604- 25
474-196- 9
476-535-128
476-705-137
498-464- 94
498-468- 94
498-469- 94
505-933- 85
538-340- 70
541- 94- 30
547-513-160
554-985- 65
586-200- 9
820-547- 39
1222- 88- 2
1439-456- 2
1471-182- 25
丘峰秀清 540-859-28之4
丘從周丘東周 明
456-669- 11
554-722- 61
丘富國宋 460-478- 38
529-743- 51
676- 14- 1
丘雲肇明 554-311- 53
丘雲霄明 676-593- 24
1442- 68- 4
1460-304- 53
丘景賓南朝 265-404- 25
378-238-137
524-249-190
丘欽若宋 528-549- 32
丘道隆明 529-637- 48
563-776- 40
丘道護晉～劉宋 494-263- 1
494-352- 8
494-514- 25
814-248- 6
820- 86- 24
丘虞巒明 511-682-163
丘敬和宋 820-387- 33
丘齊雲妻 明 見呼文如
丘說郎宋 見丘密
丘壽民明 460-652- 66
丘壽邁宋 488- 14- 1
488-471- 14
丘與權宋 493-742- 41
510-325-113
丘嘉彩明 481-698-332
529-764- 53
丘夢彩明 529-703- 50
丘維屏清 479-823-256
516-185- 94
677-745- 65
丘養浩明 523-159-153
529-540- 45
676-551- 22
1274-431- 16
1457-496-387
1458-463-448
丘養浩妻 明 1274-323- 11
丘慶餘宋 812-546- 4
813-176- 17
821-129- 49
丘履素妻 明 見彭氏
丘履嘉明 1475-403- 17
丘應宸清 572-103- 30
丘懋素明 456-490- 5
477-360-166
572- 75- 28
丘懋煒明 529-573- 46
丘懋樸明 456-547- 7
483-251-391
572- 75- 28
丘雙薦宋 528-445- 29
丘雙薦妻 宋 見趙善意
丘繼武明 456-617- 9
511-469-154
丘靈鞠齊 259-506- 52
265-1014- 72
370-525- 16
380-362-176
384-122- 6
472-1000- 40
479-137-223
494-363- 9
524- 29-179
588-442- 1
933-477- 31
丘乃敦崇後周 1064-174- 7
1064-594- 11
1340-687-792
1400-188- 8
1416- 73-111下
丘浮尤鞮單于漢 見莫
白乙白乙丙 春秋 405-266- 73
933-745- 52
白三妻 清 見謝氏
白水唐 1053-229- 6
白公白公勝 春秋 244-375- 66
405- 87- 61
933-745- 52
白公妻 春秋 見貞姬
白仁明 481-550-327
528-478- 30
白氏唐 陳潤妻、白鍠女
1080-471- 42
白氏後晉 石重信妻、白奉進女
278- 93- 87
白氏金 蘇嗣之母 291-752-130
472-667- 27
477-482-173
538-293- 68
白氏元 文宗信妻 474-777- 42
503- 27- 93
白氏元 高托卜嘉妻
295-628-200
401-177-593
白氏元 陳輝妻 295-633-201
401-180-593
白氏明 朱孔思妻 479-251-228
白氏明 杜久徵妻 570-170- 22
白氏明 李恩妻 481-465-319
白氏明 李伯奴妻 472-414- 18
白氏明 尚烝妻 478-405-194
白氏明 周士彥妻 483- 48-372
570-191- 22
白氏明 馬宗範妻 483-184-385
白氏明 馬翰如妻 478-136-181
555- 62- 67
白氏明 徐以昭妻 530-126- 57
白氏明 張庸妻 506-106- 89

白氏明 張羅輔妻 474-248- 12
506- 57- 87
白氏明 莊大全妻 474-825- 44
503- 29- 93
白氏明 惠道昌妻 302-245-303
白氏明 彭九成妻 480-252-269
白氏明 鄭紀妻 478-275-187
白氏明 鄭續妻 506- 72- 88
白氏明 薛文炳妻 478-171-182
白氏清 王兆祥妻 479-411-235
白氏清 王廷玉妻 474-195- 9
白氏清 王際亨妻 474-780- 42
503- 55- 95
白氏清 任餘榮妻 478-276-187
白氏清 李章妻、白毓奇女
477-483-173
白氏清 李之賓妻 483-308-395
白氏清 李國盛妻 475-824- 92
白氏清 何其儀妻 481-120-296
白氏清 周禧妻 480-300-271
533-639- 70
白氏清 高甲妻 506- 38- 86
白氏清 凌國士妻 483-252-391
白氏清 馬爲龍妻 483- 37-371
白氏清 徐起霖妻 512-477-188
白氏清 師宣藝妻 478-438-196
白氏清 張芳聲妻 474-386- 19
白氏清 馮瑞妻 474-482- 23
白氏清 費有明妻 503- 61- 95
白氏清 楊弘勇妻 506- 26- 86
白氏清 劉壐妻 506- 21- 86
白氏清 劉有德妻 503- 68- 95
白永明 554-347- 54
白玉明 472-197- 7
510-472-117
554-526-57下
白生漢 250- 67- 36
476-578-131
540-691-28之1
675-276- 11
白江明 1259-177- 13
1259-232- 17
白圭白珪 戰國 244-930-129
251-147- 91
251-694- 33
380-529-180
405-171- 67
933-745- 52
1408-339-513
白圭母 明 見郭氏
白圭明 299-721-172
472-100- 3
474-604- 31
475-871- 95
505-785- 73
523- 41-148
545- 69- 85
554-208- 52
571-517- 19
白圭妻 明 見孟氏
白同宋 491-346- 2
白仲秦 544-196- 62
白仲明 820-747- 44
白竹明 533-112- 50
白宏明 1258-265- 4
白圻明 523- 46-148
676-517- 20
1256-363- 23
1258-629- 14
1320-736- 80
白坊明 1258-318- 7
白岑唐 516-526-106
白豸明 554-527-57下
白奇清(烏濟吉特氏)
456-235- 68
白奇清(李氏) 456-321- 75
白玢明 1251-308- 22
白昌宋 821-250- 52
白虎清 563-892- 42
1327-692- 8
白昂明 472-262- 10
511-148-142
1250-913- 86
1255-558- 59
1256-395- 25
1320-736- 80
白芬清 505-653- 68
白旻白昊 唐 812-351- 10
812-372- 0
821- 80- 47
白旻明 472-521- 22
540-660- 27
白昊唐 見白旻
白金明 554-348- 54
白乳唐(黃巢以刀殺之頸出白乳)
480-181-266
533-759- 74
白侃明 472-439- 19
546-363-127
白采妻 明 見李氏
白延魏 1051- 28- 1
白恪元 1203-356- 27
白恂明 559-396-9上
白威明 545-440- 99
白建北齊 263-302- 40
267-173- 55
379-470-154
545-549-103
933-745- 52
白范白範 明 524- 7-178
676-453- 17
1442- 10-附1
1459-451- 14
白英明 476-587-131
540-787-28之3
白俞元 1201-170- 80
白勉明 559-353- 8
白浩妻 明 見閔氏
白朔清 538-136- 65
白悅明 676-566- 23
820-703- 43
1275-752- 37
1410-141-678
1442- 55- 3
1460-138- 46
白旂白旗 清 478-204-184
554-736- 61
558-414- 37
白素明(眞定人) 473-348- 63
480-436-278
532-726- 46
白素明(大名人) 1467- 59- 64
白珪戰國 見白圭
白珪元 1206-712- 6
白起武安君 戰國 244-445- 73
371-560- 44
375-913- 93
384- 31- 1
405-310- 75
472-853- 34
478-201-184
554-545- 58
933-745- 52
白夏明 511-362-150
白能明 547-560-161
白祥明 547- 4-141
554-313- 53
白毫清 456-354- 77
白烺妻 清 見李氏
白勤妻 明 見李氏
白珽宋~元 475-667- 84
510-453-117
524- 5-178
585-445- 12
588-178- 8
592-1001-上
676-699- 29
820-496- 37
1185-174- 37
1194-164- 13
1198-104- 附
1224-156- 19
1439-423- 1
1470- 34- 2
白崖唐 533-755- 74
白範明 見白范
白第清 456-251- 69
白皎唐 533-778- 74
白善春秋 471-802- 30
473-317- 62
533-133- 51
533-294- 56
白善清 456-270- 70
白湛元 491-353- 2
白雲明(居白雲山) 479-437-236
白雲明(大理人) 483-252-391
572-161- 32
白雲明(居武功山) 516-446-104
白琮明 523-201-155
白眞金 680- 27-227
1191-268- 24
1365-291- 9
1445-525- 40
白賁元 821-301- 53
白賁明 559-394-9上
白賁妻 明 見王氏
白陽唐 見仙林
白棟元 1201-681- 26
1367-715- 55
1373-124- 10
白棟明 476-819-143
505-638- 67

554-670- 60
白虛元 1222-489- 13
白凱元 523-171-154
白華金 291-584-114
399-313-446
546-179-121
1445-661- 51
白傑明 547- 87-144
白意清 568-422-115
白瑀妻 明 見張氏
白楹明 456-484- 5
540-829-28之3
白瑜明(字紹明) 301-109-242
567-451- 86
白瑜明(字楚英) 472-646- 26
537-345- 56
白楊唐 見仙林
白瑛妻 清 見劉氏
白鉞明 299-722-172
452-218- 5
474-604- 31
505-785- 73
676-516- 20
1250-955- 90
白旗清 見白旂
白漢明 821-489- 58
白遠晉 1051- 56-2下
白潢清 479-458-237
517-784-135
白瑩明 482- 78-341
564-178- 46
白毅明 563-852- 41
白璋妻 明 見楊氏
白璋妻 清 見王氏
白輝宋 821-231- 51
白鋐明 554-256- 52
白魯清 455-579- 38
白憲宋 820-345- 32
白謂宋 473-738- 82
白整後魏 262-335- 94
267-748- 92
552- 40- 18
白樸宋 511-859-169
白謙元 545-218- 91
白謙明 302- 4-289
475-563- 79
510-427-116
白鍠唐 537-311- 56
1080-503- 46
1342-568-976
白鍠女 唐 見白氏
白聳唐 473-758- 83
482-372-357
567-362- 80
1467-165- 68
白顏清 456-267- 70
白璧明 545-410- 98
白鎮明 554-313- 53
白鏞妻 明 見楊氏
白鯤明 476-395-119
476-519-127
545-469-100
白鷰妻 清 見廖氏
白鑑明 546-199-122
白麟妻 明 見張氏
白鸞明 546- 89-118
白乙丙春秋 見白乙
白乃建妻 清 見田氏
白子友漢 540-696-28之1
白子安宋 1138-882- 4
白文秀明 523-226-156
白文珂後周 278-385-124
白文質妻 清 見徐氏
白元光唐 275- 8-136
395-640-238
白元慧明 554-714- 61
白元鑒唐 587-443- 5
白比珩明 510-366-114
554-490-57上
559-282- 6
白天民明 473- 64- 51
515-873- 86
白天祿元 1201-682- 26
1367-715- 55
1373-124- 10
白公焯宋 485-541- 1
白公勝春秋 見白公
白允明清(白登明弟)
502-654- 79
白允明清(奉天人) 510-299-112
白必安明 529-681- 50
白永貴隋 見陳永貴
白石生上古(煮白石爲糧)
1059-261- 1
白孕謙清 546-692-138
白可久清 563-878- 42
白世祿明 456-611- 9
537-306- 56
白幼美唐 1080-471- 42
1410-291-702
白守一元 554-986- 65
白守文白向文 明456-571- 8
白守素宋 285-496-280
396-731-319
472-659- 27
474-371- 19
477- 75-152
537-387- 57
白汝明元 821-300- 53
白再榮五代 278-249-106
279-315- 48
396-432-295
白光遠妻 清 見石氏
白向文明 見白守文
白全道金 1191-268- 24
白如梅清 477-568-177
554-191- 51
白如璧宋 561-198-38之1
591-572- 42
白好古明 547- 8-141
白行中明 554-656- 60
白行順明 472-521- 22
476-518-127
540-627- 27
554-656- 60
白行簡唐 271-169-166
274-511-119
396-174-267
538-324- 69
546-631-136
554-645- 60
1371- 69- 附
白色純清 479-457-237
515- 71- 58
白良玉宋 821-225- 51
白良玉清 476-205-107
481-407-313
545-347- 96
559-414-9下
白良玉妻 清 見吳氏
白良柱妻 清 見張氏
白良輔明 458- 6- 1
538- 15- 61
547-203-148
676-293- 11
679-158-155
白志貞白琇珪 唐
270-598-135
275-334-167
396-118-262
545-576-104
白孝德唐 270-331-109
275- 7-136
395-639-238
544-225- 63
554-124- 56
白君舉金 1445-661- 51
白克圖清 456-152- 61
白伽師唐 570-254- 25
白含秀明 547- 63-143
白含章明(榆林人) 456-667- 11
白含章明(陽城人) 547- 63-143
白似玉妻 明 見李氏
白似玉妻 明 見劉氏
白作肅妻 清 見劉氏
白希繡明 545-102- 86
554-514-57下
白宗舜明 545-380- 97
554-496-57上
白炎震宋 451- 23- 0
白居易從祖兄 唐
550-251-218
白居易唐 271-157-166
274-507-119
384-251- 13
384-260- 13
396-172-267
451-422- 4
459-782- 47
471-584- 1
471-595- 2
471-745- 22
471-1007- 61
472-220- 8
472-836- 33
472-960- 38
473- 86- 52
473-476- 69
475-118- 55
475-613- 81
477-305-163
478-119-181

479- 41-218
479-604-244
481-438-316
484- 84- 3
485- 71- 11
493-690- 38
511-910-173
515-240- 64
523- 72-149
538-324- 69
544-231- 63
545-587-104
549-315-192
549-338-193
550-159-215
550-219-217
550-350-221
552- 59- 19
554-644- 60
559-272- 6
561-213-38之2
585- 22- 2
588-159- 8
591-696- 49
674-260-4中
813-256- 9
820-228- 28
839- 50- 4
933-745- 52
1053-158- 4
1054-538- 15
1054-562- 16
1079-601- 51
1080-790- 71
1081- 6- 附
1082-436- 10
1112-757- 21
1339-659-705
1340-722-796
1342-322-945
1343-789- 58
1371- 68- 附
1388-204- 61
1403-661-304
1408-604-542
1410- 58-670
1410-290-702
1473-110- 58

白居敬元 538- 13- 61
白奉亭妻 清 見陳氏
白奉進後晉 278-168- 95
白奉進女 後晉 見白氏
白奇特清 456-255- 69
白承宗明 511-595-159
白承福李紹魯 五代
279-528- 73
白尚文明 483-248-391
571-539- 20
白叔敏明 563-790- 41
白兔公周(騎白兔往來如飛)
541- 84- 30
白季庚唐 549-209-188
1080-504- 46
1342-569-976
白季庚妻 唐 見陳氏
白季康唐 475- 68- 52
489-664- 49
510-309-113
1080-772- 70
1342-425-959
白所行明 546-210-122
白所知明 546-208-122
549-518-200
白所蘊明 546-216-122
白受采明 481-749-334
529-709- 50
白秉貞清 480-129-264
502-652- 79
532-640- 43
白延遇後周 278-385-124
白延慶妻 明 見劉氏
白亮采明 456-615- 9
白彥良清 480-201-267
532-659- 44
白彥昭元 1210-468- 17
白彥恭金 見白彥敬
白彥敬白彥恭、白約索 金
291-225- 84
399-139-428
白拱極明 456-667- 11
白拱薇清 481-613-329
528-500- 30
533-196- 53
白思明明 493-761- 41
546-364-127
白思恭宋 821-249- 52

白思義明 473-388- 65
532-720- 45
白思謙明 564-178- 46
白昭度宋 1138-882- 4
白昭遠明 456-681- 11
白約索金 見白彥敬
白重贊宋 285-217-261
396-540-303
472-436- 19
476-310-113
546-373-127
558-191- 31
白胤彩清 546-720-139
白原羽明 1229-546- 4
白起旦明 480-465-279
白時中宋 287- 88-371
398-149-375
白時中女 宋 見白慶通
白惟能明 547- 46-142
白惟勤明 545-393- 97
554-477-57上
白琇珪唐 見白志貞
白崇矩宋 820-338- 32
白處善元 547-133-146
白常燦明 456-466- 4
白紹光明 515-250- 64
白啟明清 482-390-358
502-654- 79
515-261- 65
567-160- 4
白啟常明 302-380-308
白敏中唐 271-169-166
274-511-119
384-276- 14
384-280- 14
396-174-267
472-838- 33
554-228- 63
554-645- 60
820-257- 29
933-746- 52
1080-772- 70
白惺涵清 474-313- 16
505-905- 80
白雲端明 564-260- 47
白博什清 456-282- 71
白超寬清 456-354- 77
白登明清 475-450- 71

502-654- 79
510-405-115
白景登元 295-556-192
400-372-534
472-775- 30
472-1041- 43
472-1102- 47
473-234- 60
473-712- 81
477-377-167
479-286-230
479-352-233
480- 88-262
523-199-155
532-645- 43
537-547- 59
563-715- 39
1224-457- 28
1224-617- 下
白貽清明 511-165-142
537-270- 55
白慎衡明 456-493- 5
白道玄元 554-985- 65
1445-784- 61
白道生唐 1342- 35-908
白道猷唐 485-557- 3
白椿夫唐 480-515-281
白達理清 456-257- 69
白毓奇女 清 見白氏
白精中明 見白精忠
白精忠白精中、白精衷 明
302-160-297
456-657- 11
475-781- 89
511-652-162
白精衷明 見白精忠
白齊義清 456-354- 77
白爾心明 478-269-187
554-313- 53
白爾克清 455-520- 32
白爾蘇清 456-354- 77
白赫訥清 455-601- 40
白聚良明或唐 547- 33-142
白夢鼎母 清 見陳氏
白夢鼐清 475- 77- 53
511-721-165
549-170-187
白鳳振清 547- 66-143

白廣恩明 301-582-272
白調鼎妻 清 見及氏
白慶通宋 白時中女
1158-762- 76
白慧元明 302- 39-291
456-518- 6
474-306- 16
478-435-196
505-666- 69
白履忠唐 271-641-192
275-640-196
401- 6-568
477- 69-152
538-157- 66
白儲珝明 505-758- 72
白羲晊唐 820-179- 27
白穎祚妻 明 見王氏
白靜修清 568-374-113
白篤學元 1211-462- 66
白鴻儒妻 清 見王氏
白應元妻 元 見郭氏
白顏圖清 456-212- 66
白璧琛清 481-809-338
502-641- 78
563-871- 42
白鰲辰清 478-436-196
白蘭王後魏 見阿豺
白公子張春秋 405- 32- 57
533-128- 51
白衣菩薩宋 547-496-159
白雲片鶴宋 472-925- 36
478-173-182
554-983- 65
白雲道人明 558-486- 41
白頭羅公明 572-163- 32
白鶴道人梁 472-340- 14
475-540- 77
511-930-175
白瑚克什圖清 456-212- 66
白馬寺臨書人唐
820-289- 30
仝氏明 趙日昇妻 478-137-181
仝氏清 張自奇妻 477- 96-153
仝寅明 302-179-299
547-560-161
1253-205- 50
仝梧明 537-575- 60
仝勝妻 明 見魏氏
仝翹清 475-433- 70
511-587-159
仝廷舉明 538-114- 64
台元明 456-669- 11
台玕清 502-504- 70
台柱清 455-132- 5
台哈清 455-116- 4
台補清 455-296- 17
台楚清 455-363- 22
台禮清 455-404- 24
台音察清 455-387- 23
台朔庫清 455-660- 46
台弼善清 502-727- 84
台達爾歹答兒 明
496-630-106
台碧訥清 455-692- 49
台巴哈哈元 1199-672- 4
台州樵夫明 299-374-143
456-698- 12
台哈布哈元(鴻吉里氏)
294-504-141
400- 85-507
台哈布哈泰不華、推勒布哈、塔斯布哈、達布哈 元(字兼善)
294-531-143
400-258-521
472-1103- 47
472-1067- 45
479-225-227
479-286-230
479-296-230
523-397-165
820-519- 38
1284-345-162
1439-449- 2
1469-289- 49
用元宋 1053-757- 18
用安宋 1053-702- 16
用羽不詳 933-642- 42
用言宋 516-472-104
用良宋 1053-659- 15
用虬漢 933-642- 42
用旻宋 1053-694- 16
用宣宋 1053-511- 12
用清宋 1053-419- 10
用欽宋 588-264- 11
用機宋 1053-684- 16
包氏明 高化賢妻 472-396- 17
包氏明 凌迪知妻、包大夏女
1283-504-106
包氏明 夏傅妻、包士初女
1258-678- 16
1261-162- 12
包氏明 蔡儼妻 472-1055- 44
479-435-236
包氏明 劉進妻 483-295-394
包氏明 包塾女 479-536-241
包氏明 包遇景女 483-118-379
包申宋 400-198-515
包江明 524-108-183
包圭宋 475-224- 61
511-448-153
包宏明 515-355- 68
包沐明 678-192- 88
包志妻 明 見楊氏
包孝明 300-413-207
475-181- 59
511-545-158
包何唐 273-113- 60
451-422- 2
475-275- 63
1371- 63-附
1388- 81- 51
包府包肅哥 宋 448-371- 0
包定宋 523-627-177
包明宋 1163-503- 25
包昂宋 1164-422- 23
1410-523-734
包佶唐 275-139-149
384-234- 12
451-422- 2
475-275- 63
1339-641-703
1365-420- 3
1371- 63- 0
1388- 81- 51
包恢宋 287-741-421
398-676-412
408-992- 5
472-222- 8
472-1101- 47
473- 99- 53
473-599- 76
475-120- 55
478-761-215
479-629-245
481-673-331
481-693-332
493-722- 40
510-331-113
515-826- 83
523- 18-146
528-524- 31
528-539- 32
528-445- 29
包咸漢 253-532-109下
380-267-172
402-441- 9
472-275- 11
475-274- 63
476-789-141
493-666- 37
511-685-163
675-279- 11
933-263- 19
包拯宋 286-191-316
371-112- 11
382-469- 73
384-354- 18
397-358-340
449- 98- 8
450-706-下6
471-702- 16
471-832- 34
471-915- 47
471-918- 48
472- 65- 2
472-126- 4
472-172- 6
472-327- 14
472-366- 16
472-643- 26
473-712- 81
474- 91- 3
474-304- 16
475- 69- 52
475-365- 67
475-639- 83
475-704- 86
475-742- 88
475-852- 94
475-869- 95
477- 50-151
482-183-346

488-387- 13
489-355- 31
505-664- 69
508-348- 42
508-351- 42
511- 63-138
516-224- 96
537- 5- 48
537-239- 55
540-613- 27
545-115- 86
550-162-215
554-201- 52
563-684- 39
564-759- 60
581-477- 96
587-625- 11
674-284-4下
708-331- 50
820-349- 2
933-263- 19
1178-734- 3
包英明 533-433- 62
包容明 524-376-197
包涇元 1228-745- 12
包珪明 524-108-183
包桐明 1460-285- 53
1474-305- 14
包級宋 511-508-157
包宷宋 821-247- 52
包梧明 1474-305- 14
包捷明 511-835-168
1442-111- 7
包湘女 明 見包姜姑
包愉隋 933-263- 19
包愉明 524-108-183
包詠南唐 1085-129- 16
包揚宋 517-370-125
包貴唐 511-881-171
包貴宋 812-550- 4
821-148- 50
包溥明 540-666- 27
包意妻 明 見胡氏
包愼妻 明 見徐氏
包愷隋 264-1060- 75
267-592- 82
380-333-174
472-310- 13
475-472- 72
476-786-141
511-697-163
540-731-28之1
933-263- 19
包裕明 473-112- 54
515-172- 62
567-317- 78
571-521- 19
1467-204- 69
包塤妻 明 見曾羅蓮
包聖明 511-767-166
1442- 10- 1
1459-450- 14
包瑜明 523-631-177
676- 4- 1
676- 59- 2
679-631-200
包鼎宋 812-550- 4
821-149- 50
包鼎明 1442- 35-附2
1459-736- 29
1475-241- 10
包節明 300-413-207
475-181- 59
478-637-206
494-158- 5
511-545-158
523-274-158
540-642- 27
558-476- 40
676-567- 23
1442- 55- 3
1460-136- 46
1475-297- 12
包塾女 明 見包氏
包鼐明 1475-241- 10
包德宋 見包雲龍
包澤明 523-292-159
676-257- 10
包諤宋 1085-132- 16
包融唐 271-588-190中
273-113- 60
451-422- 2
472-1002- 40
475-275- 63
511-772-166
524- 31-179
1371- 57- 附
包整明 494- 42- 3
包衡明 1475-379- 16
包謙妻 明 見鄭氏
包鍾明 545-476-100
包繶妻 宋 見崔氏
包一祿妻 清 見趙氏
包士初女 明 見包氏
包大宇明 1277-393- 5
包大宇妻 明 見俞氏
包大夏女 明 見包氏
包文周妻 清 見王氏
包文偉明 570-117-21之1
包文該唐 820-195- 27
包文達明 456-485- 5
511-439-153
1297-729- 7
包文熠明 見包世杰
包文舉包仕登 明
524- 91-182
676- 58- 2
679-625-199
包文璽明 1264-405- 8
包太白元 524-277-192
包元翀清 475-823- 92
511-378-150
包元會明 524-200-188
包天麟宋 472-261- 10
511-840-168
包公慶明 820-603- 40
包永成明 456-679- 11
包永明明 456-679- 11
包弘漸明 570-153-21 之2
包世杰包文熠 明
1475-366- 15
包世熙明 524-110-183
包仕登明 見包文舉
包汝諧宋 523-415-166
包存錦妻 清 見陳氏
包有榮妻 明 見鍾氏
包光昌妻 清 見高氏
包良佐明 523-405-165
包志道明 564-217- 46
1467- 69- 64
包呂和清 1320-201- 24
包壯行明 511-796-166
包見捷明 301- 32-237
483- 34-371
570-112-21之1
包希元元 524-210-188
包希魯元~明 473- 23- 49
515-344- 67
677-780- 69
包妙音明 盧成甫妻
1245-519- 27
包廷藻宋 1224-268- 23
包宗達明 474-435- 21
包長壽金 見烏庫哩長壽
包秉德明~清 524- 59-180
1320-723- 79
1321-283-117
包秉鑑明 524-235-189
包洪策明 456-583- 8
483-117-379
570-130-21之1
包姜姑明 包湘女
479-333-232
524-708-212
包容德元 1228-771- 13
包起鳳明 554-220- 52
包得仁明 545-463-100
包紹穀妻 清 見李氏
包逢第妻 清 見梁氏
包雲龍包德 宋 451- 61- 2
包肅哥宋 見包府
包景運妻 清 見趙氏
包集球妻 清 見藍氏
包愼由宋 見鮑由
包萬化明 570-113-21之1
包萬有明 524-238-189
包遇景女 明 見包氏
包毓珍妻 清 見秦氏
包實夫明 302-144-296
473- 23- 49
479-488-239
515-357- 68
517-568-129
包爾庚明 475-184- 59
482-279-351
511-133-141
563-842- 41
676-660- 27
包履常宋 1174-719- 45
包羲民包犧民 明
472-348- 15
510-455-117

564-217- 46
包學聖妻 清 見王氏
包鴻逵明 523-439-167
532-698- 45
包樫芳明 475-483- 73
510-410-115
包懷德明 524-220-189
1243-539- 10
包犧氏上古 見虙犧氏
包犧民明 見包羲民
匄春秋 見周敬王
他春秋 見周莊王
他他布清 455-195- 9
他納琥清 455-639- 44
他理善清 455-645- 45
他爾布清 455-450- 27
他汗可汗後魏 見郁久閭伏圖
他鉢可汗北周 267-882- 99
381-663-200
仙豸明 476-883-146
仙林白陽、白楊、僊林 唐
473-119- 54
516-450-104
仙童漢 547-494-159
仙童女 元 見諾爾布
仙克謹明 511-309-148
仙桐道人明 476-870-145
541- 98- 30
仙源公主唐 見李華莊
卯打明 見穆爾岱
弁斌明 480- 61-260
弁魯明 540-662- 27
弁履慶妻 清 見李氏
幼旻宋 見幻旻
幼璋五代 486-901- 35
588-274- 11
1052-686- 10
1053-559- 13
幼伯子周 1058-495- 上
幼溪女明(投溪死) 302-215-301
失來明 見實哩
失禿兒朵明 見實都爾岱
失林博羅明 見實琳博羅
禾山和尚唐(居禾山)
1053-540- 13
禾山禪師五代(居禾山)
1053-232- 6
外三清 456-391- 80
外山清 455- 77- 2
外壬商 537-173- 53
外丙商 384- 3- 1
外朗清(洪鄂春氏) 456- 61- 54
外朗清(任氏) 456-301- 73
外朗清(田氏) 456-354- 77
外庫清(瓜爾佳氏) 455-116- 4
外庫清(巴雅拉氏) 455-583- 38
外庫清(把岳忒氏) 456-232- 68
外善清 455-320- 19
外圖清(納喇氏) 455-403- 24
外圖清(烏蘇氏) 455-571- 37
外藍清 455-133- 5
外贊清 455-658- 46
外蘭清(赫舍里氏) 455-201- 10
外蘭清(伊爾根覺羅氏)
455-270- 15
外蘭清(東阿氏) 456-176- 63
外蘭清(佳吉理氏) 456-272- 70
外色納清 455-630- 43
外都理清 455-494- 30
外達理清 455-335- 20
外圖庫清 455-296- 17
瓜納清 455-524- 33
瓜喇清(撒爾湖地方人)
455-238- 13
瓜喇清(界凡地方人)
455-262- 15
瓜喇清(章佳氏) 455-599- 4
瓜爾察清 455-117- 4
瓜爾佳氏清 那爾善妻
503- 74- 96
瓜爾佳氏清 珠爾蘇妻
474-891- 48
瓜爾佳氏清 清格妻
503- 33- 94
瓜爾佳氏清 海青妻
503- 70- 96
瓜爾佳氏清 襄塔妻
474-875- 47
503- 70- 96
瓜爾佳氏清 竈保妻
503- 34- 94
瓜爾佳衡瓜爾佳阿里不山、瓜爾佳阿里布山、瓜爾佳阿爾布色、夾谷衡、夾谷阿里不山、夾谷阿里布山、夾谷阿爾布色
金 291-341- 94
399-199-433
472- 26- 1
474-738- 40
502-356- 61
瓜爾佳橵金 472- 86- 3
瓜里佳瑚山妻 金 見完顏阿爾古
瓜爾佳山壽宋 528-525- 31
瓜爾佳之奇夾谷之奇 元
295-360-174
399-668-486
472-546- 23
540-776-28之2
1439-422- 1
瓜爾佳扎拉瓜爾佳札拉、瓜爾佳查剌 金 291-244- 86
399-152-429
502-354- 61
瓜爾佳中立元 1210-719- 19
瓜爾佳扎拉金 見瓜爾佳扎拉
瓜爾佳守中瓜爾佳阿多古、瓜爾佳阿都古、夾谷守中、夾谷阿多古、夾谷阿都古、喀爾庫守中、喀爾庫阿多古、喀爾庫阿都古 金 291-662-121
400-210-517
474-738- 40
478-515-200
502-701- 82
瓜爾佳安仁元 1206-721- 7
瓜爾佳希顏元 820-529- 38
瓜爾佳呼喇金 291-244- 86
400-209-517
瓜爾佳秉直元 1196-314- 18
瓜爾佳查剌金 見瓜爾佳扎拉
瓜爾佳胡山妻 金 見完顏阿爾古
瓜爾佳時中元 1210-717- 19
瓜爾佳清臣金 瓜爾佳阿卜薩
291-335- 94
399-198-433
502-354- 61
544-238- 63
瓜爾佳實倫古里甲石倫 金
291-546-111
400-228-518
502-706- 82
554-247- 52
瓜爾佳實訥金 291-183- 81
399-101-425
瓜爾佳圖喇金 1191-235- 20
瓜爾佳邁珠金 291-661-121
400-208-517
瓜爾佳巴蘇呼元
1201-167- 80
瓜爾佳玉隴齊元
1199-281- 30
瓜爾佳沃里布金 見瓜爾佳沃哩布
瓜爾佳沃哩布瓜爾佳沃里布、瓜爾佳吾里補 金
291-185- 81
399-125-427
502-347- 61
544-238- 63
瓜爾佳吾里補金 見瓜爾佳沃哩布
瓜爾佳阿卜薩金 見瓜爾佳清臣
瓜爾佳阿多古金 見瓜爾佳守中
瓜爾佳阿都古金 見瓜爾佳守中
瓜爾佳婁和坦元 見瓜爾佳隆古岱
瓜爾佳隆古岱瓜爾佳婁和坦、瓜爾佳蒙古岱 元
1201-570- 16
1367-817- 62
1373-176- 13
瓜爾佳蒙古岱元 見瓜爾佳隆古岱
瓜爾佳錫爾格金
291-449-103
399-261-439
瓜爾佳阿里不山金 見瓜爾佳衡
瓜爾佳阿里布山金 見瓜爾佳衡
瓜爾佳阿爾布色金 見瓜爾佳衡
奴塔不花明 見努圖克巴哈

六 畫

亦都清 474-754- 41
亦孔昭明 567-131- 67
亦失哈明 302-264-304
亦剌兀明 見伊楞烏
亦攀丹明 見伊特盤丹
亦力撒合元 見伊埒薩哈勒
亦憐眞班元 見琳沁巴勒
亥唐春秋 545-736-109
933-590- 38
守一宋 1053-690- 16
守干宋 見守千
守千守干 宋 472-101- 3
474-387- 19
守仁五代 1053-397- 10
守仁宋 1053-899- 20
守仁明 524-392-198
585-490- 14
585-197- 9
676-678- 28
820-765- 44
1221-472- 10
1442-118- 8
1460-822- 89
1471-218- 26
守安五代 1053-340- 8
守如唐 1052-368- 26
守如宋 1053-422- 10
守初宋(嗣文偃) 1052-677- 8
1053-621- 15
守初宋(嗣法秀) 1053-694- 16
守直守眞 唐 524-382-198
588-185- 9
1052-199- 14
1071-841- 8
1340-642-786
守玭五代 1053-319- 8
守奇遼 496-426- 90
守忠金 541- 94- 30
守昌宋 1053-596- 14
守卓宋 1053-764- 18
守昇宋 1053-666- 16
守芝宋 516-429-103
1052-714- 16
1053-472- 12
守威宋 1053-407- 10
守珍宋 1053-573- 14
守約唐 524-447-201
守素唐 554-951- 65
1052-353- 25
守眞唐 見守直
守眞宋(號昭信) 1052-360- 25
守眞宋(嗣從欣) 1053-342- 8
守孫宋 1053-799- 19
守珣宋 1053-848- 19
1054-194- 4
守清宋 1053-322- 8
守密宋 1053-643- 15
守淨宋 1053-869- 20
守訥五代 472-370- 16
475-652- 83
1053-296- 7
守訥宋(嗣文益) 1053-403- 10
守訥宋(嗣法秀) 1053-693- 16
1123-277- 0
1130-825- 24
守隆宋 588-264- 11
1053-507- 12
守貴元 524-433-200
守智宋 592-454- 89
1052-753- 25
1053-724- 17
守欽五代 1053-566- 14
守道宋 1053-661- 15
守遂宋 1053-591- 14
守節唐 1052-385- 27
守節明 1475-752- 32
守廓五代 1053-442- 11
守端宋 511-931-175
516-495-105
533-787- 75
1052-767- 28
1053-794- 19
1054-179- 4
1054-630- 19
守澄五代 1053-552- 13
守澄宋 480-209-267
533-760- 74
守慧宋 1053-785- 18
守賢唐 1052-344- 24
守賢宋 1052-335- 23
1053-634- 15
守璋宋 490-723- 70
524-388-198
590-141- 17
守億宋 1053-659- 15
守緣宋 592-396- 84
1053-896- 20
守璞宋 517-375-125
安五代(號鐵胡) 1053-450- 11
安五代(號明照禪師)
1053-554- 13
安宋 1053-748- 17
安元 547-480-159
安才明 494- 56- 2
安王唐 見李溶
安王後梁 見朱友寧
安巴元 294-410-133
399-541-473
安日漢 251-257-96下
381-503-196
安公宋 545-459-100
安氏後晉 石敬儒妻
278- 91- 86
279-104- 17
393-295- 74
544-184- 61
安氏宋 趙子瓔妻、安巽女
1100-503- 47
1100-518- 49
安氏宋 趙世謐妻、安惟演女
1104-450- 38
安氏宋 趙仲騂妻、安承祐女
1100-518- 49
安氏金 安國女 481-591-328
安氏元 295-638-201
401-185-593
安氏元 295-628-200
401-177-593
496-414- 89
安氏明 姚鏞妻 506- 8- 86
安氏明 華伯貞妻、安如石女
1291-489- 8
安氏明 劉繼魁妻 481-407-313
559-477-11中
安氏明 關坤妻 480-207-267
安氏清 王景賢妻 506-115- 89
安氏清 吳然妻 482-568-369
安氏清 高起雲妻 503- 60- 95
安氏清 梁維恭妻 503- 59- 95
安氏清 張光孝妻 478-142-181
安氏清 廉德民妻 474-195- 9
安氏清 楊對廷妻 478-520-200
安分宋 1053-907- 20
安玄漢 1051- 17- 1
安永宋 588-206- 9
1053-906- 20
安永明 473- 87- 52
494- 55- 2
515-246- 64
安丙宋 287-490-402
398-476-396
471-1031- 65
473-446- 68
473-456- 68
473-476- 69
478-245-186
478-716-211
481- 21-291
481-113-296
481-154-298
481-183-300
554-203- 52
559-267- 6
559-274- 6
559-281- 6
559-364- 8
561-307- 40
591-614- 44
592-605- 99
1172-462- 40
1381-489- 37
安本明 559-370- 8
安民宋 592-420- 86
1053-837- 19
安民明 456-552- 7
476-452-123
546-621-135
安民女 明 見米魯
安出明 見思楚
安安漢 見姜石泉
安宇宋 559-265- 6
安吉宋 549-121-185
安圭元 1206-625- 13
1373-274- 18
安同後魏 261-439- 30
266-418- 20
379- 14-146
474-734- 40
502-314- 58
545- 4- 83
933-224- 16

安亨明 554-258- 52
安成漢 933-224- 16
安扶宋 538- 37- 63
安邦明(字維藩) 480-290-271
532-681- 64
安邦明(霍州人) 545-793-111
安松元 506-643-109
1214-165- 14
安居清 474-442- 21
505-911- 81
安屈後魏 261-440- 36
266-418- 20
379- 14-146
933-224- 16
安東明 512-748-195
安忠宋 285-438-276
396-689-316
472-747- 29
537-505- 59
540-638- 27
安洪明 559-371- 8
安宣明 302- 11-289
472-678- 27
477-124-155
537-257- 55
安郁明 481-361-310
559-311-7上
安貞明 532-632- 43
安重明 540-825-28之3
安信清 477-379-167
538-109- 64
安保清 455-273- 15
安俊宋 286-287-323
371-186- 19
472-437- 19
472-878- 35
472-913- 36
478-571-203
478-671-209
545-644-106
558-195- 31
558-207- 32
安海明 1256- 19- 2
安海妻 明 見黃氏
安祐元 472-699- 28
安泰清(伊爾根覺羅氏)
455-271- 15
安泰清(碧魯氏) 455-519- 32
安泰清(溫察氏) 455-683- 48
安泰清(烏蘇理氏) 456-110- 57
安泰清(鑲白旗人) 502-533- 72
安原後魏 261-440- 30
266-418- 20
379- 14-146
474-735- 40
502-315- 58
933-225- 16
安原明 見安康
安珝明 554-258- 52
安珠清 455-332- 20
安夏明 1460-745- 80
安純清 456- 39- 52
安清漢 588-345- 3
1051- 12- 1
1054- 37- 1
1054-283- 5
安惇宋 288-591-471
382-633- 97
401-342-614
933-226- 16
安康安原 明 483-320-396
572- 80- 28
676-497- 19
安理明 472-695- 28
安都清 455-479- 29
安捧明 302-524-315
安通元 473-701- 80
安國漢 253-710-119
381-626-199
安國女 金 見安氏
安國元 見國安
安國明 299-756-174
478-435-196
545-149- 88
554-174- 51
安童元 見安圖
安普清 456-155- 61
安巽女 宋 見安氏
安琦明 483-372-401
安貴明 554-346- 54
安然明 299-294-137
458- 29- 2
472-206- 7
472-520- 22
472-645- 26
476-478-125
478-765-215
511-358-150
523- 34-147
537-209- 54
540-615- 27
安順明 1259-192- 14
1458-677-470
安智妻 明 見張氏
安慈元 483-178-384
569-665- 19
安滔元 505-930- 84
1199-730- 5
1214-258- 22
安瑄明 476-334-115
546-409-128
安楚清 455-195- 9
安筠元 1199-732- 5
安實元 460-476- 37
安福妻 清 見李氏
安熙元 295-531-189
400-573-552
453-775- 2
472- 97- 3
474-381- 19
505-872- 78
506-663-110
549-408-196
550-370-221
678-428-111
1203-407- 30
1210- 38- 5
1214-258- 22
1367-225- 18
1367-388- 31
1367-739- 56
1439-426- 1
1468-525- 24
安圖安童、東平王 元(蒙古人)
294-312-126
399-475-465
451-506- 1
459-693- 42
482-140-344
563-715- 39
1367-284- 24
安圖元(字成之) 554-274- 53
安圖清(瓜爾佳氏) 455- 96- 3
安圖清(伊爾根覺羅氏)
455-230- 12
安圖清(鄂卓氏) 455-657- 46
安圖清(葉穆氏) 456- 52- 53
安濬唐 559-261- 6
安頡後魏 261-441- 30
266-419- 20
379- 14-146
502-315- 58
933-225- 16
安稹宋 491-345- 2
安德明 458-166- 8
472-802- 31
477-502-174
537-547- 60
安緘唐 見李緘
安磐明 300-155-192
481-311-307
559-381-9上
677-564- 51
1442- 41-附2
1459-823- 33
安靜唐 1052-270- 19
安蕃宋 1173-179- 75
安錦清 455-439- 26
安衡明 456-598- 9
安錫清 455-591- 39
安錫妻 清 見周氏
安濟明 559-370- 8
安謙元 473- 14- 49
安謙明 510-337-113
安禮元 1211-424- 60
安燾宋 286-344-328
382-623- 96
384-368- 19
397-466-348
472-663- 27
477- 81-152
532-573- 41
537-395- 57
933-226- 16
安藏元 1202-104- 9
安璽明 300-163-192
安難後魏 261-442- 30
474-734- 40
502-315- 58
安曦明 540-825-28之3
安儼宋 478-345-191
554-842- 63

安二姐清 安進功女	安世通宋　288-449-459	安吐根北齊　267-754- 92	567-459- 87
474-521- 25	401- 34-571	381- 35-184	1467-515- 11
安九埏妻 清 見曹氏	473-429- 67	安如山宋　1365-598- 上	安明本元　546- 86-117
安于磐妻 清 見朱氏	481- 82-294	1366-949- 6	安叔千安叔遷 五代
安大嵓明　480-205-267	561-207-38之2	安如石女 明 見安氏	278- 37-123
533-337- 58	安世道宋　554-871- 64	安如嵩明　456-585- 8	279-315- 48
安大朝明　571-533- 19	安民志明　483-331-397	538- 67- 63	384-313- 16
安上達明　302- 36-291	572- 90- 29	安如盤明　570-141-21之2	396-432-295
456-596- 9	安民善明　510-373-114	安志道妻 元 見劉氏	933-226- 16
安文憲元　473-528- 72	安尼恭清　478-204-184	安赤紱明　540-787-28之3	安叔遷五代 見安叔千
559-318-7上	安丘王明 見朱泰坾	安成王齊 見蕭暠	安金全後唐　277-510- 61
安文璧明　537-457- 58	安丘王明 見朱當㳦	安成王梁 見蕭秀	279-157- 25
安元光唐 見李元諒	安仙嬪唐 元稹妻	安成王梁 見蕭機	384-302- 16
安元信後唐　277-511- 61	1079-629- 58	安孝忠明　572- 80- 28	396-358-284
安元信後晉　278-125- 90	1410-527-735	安邑王晉 見劉欽	476-258-110
安扎爾按扎爾 元	安守己明　456-679- 11	安希范明　300-789-231	546- 63-117
294-268-122	安守忠宋　285-413-275	458-439- 21	933-225- 16
399-346-449	371-173- 18	458-949- 9	安金藏唐　271-498-187上
545-181- 89	396-671-315	475-228- 61	275-582-191
安仁甫元　540-777-28之2	471-1036- 66	511-159-142	384-193- 10
安仁執唐 見安慶緒	472- 50- 2	安邦彥明　302-548-316	400- 93-508
安仁義十國吳　275-563-189	472- 65- 2	安邦輔明　456-673- 11	478-113-181
401-195-594	472-436- 19	476-298-112	544-227- 63
安永信後唐　545-599-105	472-930- 37	546-371-127	544-693- 61
安正同元 王時妻	473-425- 67	安宗學明　558-431- 37	933-225- 16
295-641-201	474-235- 12	安法欽晉　1051- 54-2下	安彥威後晉　278-133- 91
401-187-593	476- 39- 98	安法賢魏　1051- 29- 1	279-306- 47
472-700- 28	476-854-145	安宜之宋　820-388- 33	396-426-294
474-443- 21	478-244-186	安效良明　302-439-311	476-332-115
安丕樓清　455- 85- 3	478-267-187	安定王漢 見劉瑤	546-393-128
安平王漢 見劉續	481- 66-293	安定王後魏 見托跋彌	933-225- 16
安平王蜀漢 見劉理	505-654- 68	安定王元 見脫歡	安韋威清　560-114- 19
安平王晉 見司馬孚	540-668- 27	安定王明 見朱成鏻	安思承兄 元 1206- 70- 8
安平王晉 見司馬邕	545-383- 97	安定王明 見朱尚炌	安思承元　676-708- 29
安平王晉 見司馬隆	545-623-105	安其祿明　302-441-311	安昭祖宋　1153-596-104
安平君戰國 見公子成	554-236- 52	安其爵明　302-441-311	安重進後唐　277-513- 61
安平君戰國 見田單	558-220- 32	安附國唐　1342-130-920	278-193- 98
安布庫清　455-157- 6	559-262- 6	安抱玉唐 見李抱玉	安重誨後唐　277-543- 66
安布祿清(鑲白旗人)	591-679- 47	安抱真唐 見李抱真	279-143- 24
455- 73- 2	安守夏明　456-629- 10	安承祐女 宋 見安氏	384-301- 16
安布祿清(正紅旗人)	安守貴妻 清 見魏氏	安承裔清　560-133- 19	396-348-283
455- 85- 3	安汝明元　475-743- 88	安忠敬唐　1065-813- 19	472-482- 21
安布祿清(伊爾根覺羅氏)	510-471-117	1342-106- 917	476-258-110
455-273- 15	安汝翼妻 明 見王氏	安尚起妻 明 見李氏	546- 63-117
安布祿清(舒舒覺羅氏)	安西王元 見忙哥剌	安昌王後魏 見元均	933-225- 16
455-279- 16	安吉王明 見朱勤烑	安昌王明 見朱在鈗	1378-620- 63
安布祿清(郭羅氏)456-128- 58	安吉茂清　560-131- 19	安昌期宋　482-436-361	1383-725- 65
安世有元　1200-506- 40	安吉圖清　455-271- 15	564-616- 56	安重榮後晉　278-190- 98

279-332- 51
384-313- 16
401-413-622
472-482- 21
546-130-119
1383-819- 75
安重璋唐 見李抱玉
安重霸後唐 277-512- 61
279-294- 46
384-312- 16
396-417-293
546- 62-117
安庫勒清 455-589- 39
安庭堅唐 472-429- 19
545-133- 87
安泰錫清 455-137- 5
安郡王清 見岳樂
安郡王清 見華玘
安郡王清 見瑪爾渾
安珠努元 294-392-132
399-526-471
安珠瑚清(納喇氏) 455-404- 24
安珠瑚清(正白旗人)
474-693- 37
安珠瑚清(瓜爾佳氏)
502-309- 57
安師建唐 559-503- 12
安惟臣宋 288-381-454
400-183-514
安惟演女 宋 見安氏
安惟學明 545-778-111
554-212- 52
安陸王齊 見蕭絝
安陸王齊 見蕭緬
安陸王齊 見蕭子敬
安陸王齊 見蕭大春
安都勒暗都剌 元
476-658-135
安都喀清 455-149- 6
安陵王明 見朱常瀥
安崇阮後晉 278-122- 90
安國臣唐 見李國臣
安國亨明 302-546-316
安國賢明 529-721- 51
安紹芳明 820-755- 44
821-472- 58
1442- 96- 6
1460-563- 68
安紹祖明 456-603- 9
安從進五代 278-193- 98
279-334- 51
384-314- 16
401-415-622
安惠王明 見朱楹
安期生安期先生 秦
247-176- 11
448- 99- 中
473-676- 79
476-679-136
476-705-137
491-793- 6
541- 84- 30
564-611- 56
742- 24- 1
1058-495- 上
1061-250-108
安朝佐妻 明 見王氏
安陽王北齊 見高仁雅
安堯臣宋 473-456- 68
481-183-300
559-364- 8
591-612- 44
933-226- 16
安堯臣隴澄 明 302-467-312
安景賢明 528-484- 30
安進功女 清 見安二姐
安塞王明 見朱秩炅
安溪王明 見朱表榊
安祿王康軋犖王 唐
271-800-200上
276-490-225上
384-208- 11
401-448-627
安塔哈元 294-355-129
399-499-468
安達立清 474-771- 41
502-509- 71
安達拉宋 480-289-271
安達理清(鑲黃旗人)
455-231- 12
安達理清(鑲藍旗人)
455-274- 15
安達理清(納喇氏) 455-360- 22
安達理清(顏扎氏) 455-515- 32
安楚達清 455- 64- 2
安敬仲元 506-400-100
安敬忠唐 472-938- 37
478-482-199
558-181- 31
安敬思後唐 見李存孝
安節備妻 明 見萬氏
安毓嶅明 540-833-28之3
安榮國唐 見史思明
安輔邦明 547- 89-144
安遠王元 見綽哈
安鳳英清 560-114- 19
安審信後周 278-375-123
安審通後唐 277-511- 61
安審琦後周 278-373-123
安審暉後周 278-375-123
安慶王元 見伊蘇岱爾
安慶王明 見朱恬熧
安慶緒安仁執 唐
271-803-200上
276-496-225上
384-217- 11
401-450-627
安德王北齊 見高延宗
安德印明 483-331-397
572- 82- 28
安德裕秦德裕 宋
288-205-440
400-638-558
472-544- 23
472-747- 29
476-854-145
480-126-264
538-141- 65
540-668- 27
安樂王後魏 見托跋長樂
安樂王北齊 見高仁雅
安樂王明 見朱褒㶿
安興貴唐 558-360- 35
安應袍妻 明 見簡氏
安應麟清 476- 80-100
502-688- 81
545-200- 90
安孺子春秋 見荼
安豐王後魏 見托跋猛
安疆臣明 302-547-316
安躍拔清 476-619-133
安靄翠妻 明 見奢香
安巴爾格清 455-234- 12
安平公主唐 劉異妻、唐憲宗女 274-117- 83
393-285- 73
554- 57- 49
安出兀歹明 見阿勒楚爾岱
安丘望之漢 376-573-106
448-102- 中
478- 95-180
554-862- 64
871-892- 19
安吉公主劉宋 蔡約妻、宋孝武帝女 494-260- 1
安吉公主梁 王寔妻、梁武帝女 494-261- 1
安定公主千金公主 唐 温挺妻、鄭敬玄妻、唐高祖女
274-105- 83
393-274- 73
554- 45- 49
安奈曼岱元 532-679- 64
安淑帝姬安慶公主、隆福公主、蜀國公主 宋 宋徽宗女
285- 69-248
393-327- 77
安康公主唐 唐穆宗女
274-118- 83
393-285- 73
554- 58- 49
安康郡主宋 見趙氏
安陵公主唐 見眞源公主
安期先生秦 見安期生
安費揚古清 474-754- 41
502-573- 75
安達爾漢清 455-287- 16
安楚瑚魯清 455-420- 25
安福公主宋 見安德帝姬
安福帝姬宋 見安德帝姬
安慶公主宋 見安淑帝姬
安慶老嫗宋 475-533- 77
安德帝姬安福公主、安福帝姬、淑慶公主 宋 宋邦光妻、宋徽宗女 285- 68-248
393-327- 77
安樂公主唐 見李裹兒
江宋 1053-703- 16
江乙母 楚 448- 53- 6
879-171-58上

江山江仕楚 宋 451- 54- 2
江山清 汪啟臯妻 475-538- 77
江王唐 見李囂
江王唐 見李元祥
江元宋 1246-523- 1
江元明 476-855-145
江公江生 漢 244-858-121
251-115- 88
380-257- 88
472-549- 23
476-578-131
540-693-28之1
933- 46- 3
江仁明 見江恕
江介齊 259-340- 31
485- 84- 12
493-736- 41
江介宋 473- 14- 49
516- 39- 88
523-620-177
1146-163- 92
江氏春秋 鄭文公夫人
404-885- 55
江氏汪氏 晉 王珉妻
814-217- 2
820- 77- 23
江氏劉宋 劉穆之妻、江嗣女
476-790-141
江氏吳越 錢倧妻、江庭滔女
1137-687- 26
江氏宋 宋樂妻 1095-271- 30
江氏宋 鄒偰妻 530-150- 58
江氏宋 趙士競妻、江惟善女
1100-492- 45
江氏宋 江巨卿女
1122-547- 9
江氏明 王可道妻 302-219-301
475-782- 89
512-153-181
江氏明 王宗善妻、江景昭女
1260-581- 15
江氏明 王第魁妻 480-179-266
江氏明 田賦國妻 483-341-398
江氏明 汪綸妻 530-126- 57
江氏明 汪良夔妻 475-783- 89
512-150-181
江氏明 邢奎妻 483- 35-371
570-184- 22
江氏明 何文宇妻 472-370- 16
475-647- 83
江氏明 宗胤芳妻 302-250-303
477-503-174
江氏明 林世誠妻 530- 65- 55
江氏明 易功廉妻 473- 32- 49
江氏明 周伏受妻 473-271- 61
480- 96-262
江氏明 胡古愚妻
1283-461-103
江氏明 馬鑑妻、馮鑑妻
472-179- 6
475- 79- 53
江氏明 夏璞妻 302-223-301
479-535-241
江氏明 徐忠妻 481-699-332
江氏明 許惟高妻 480-141-264
江氏明 張思濂妻 530-107- 57
江氏明 黃照中妻 530-140- 58
江氏明 程啟隆妻 473-607- 76
江氏明 雷溫妻、江鐵女
530-138- 58
江氏明 楊其厚妻 530-158- 58
江氏明 詹天涵妻 524-739-213
江氏明 鄒元標妻
1294-217-5下
江氏明 鄭士儒妻 481-726-333
江氏明 劉習恭妻 473-168- 57
江氏明 周宗用母
1249-207- 12
江氏明 段繼母 483- 36-371
江氏清 毛世達妻 480-209-267
江氏清 任廷樑妻 479-562-242
江氏清 李琮妻 482-119-343
江氏清 余子明妻 530- 38- 54
江氏清 林耈七妻 482- 79-341
江氏清 高捷妻 478-138-181
江氏清 唐廷藝妻 481-620-329
江氏清 夏梅妻 481-727-333
530-173- 59
江氏清 許鼎文妻 524-470-202
江氏清 梁應暘妻 533-645- 70
江氏清 張守符妻 481-751-334
江氏清 陳士相妻 479-298-230
江氏清 陳子良妻 530- 35- 54
江氏清 陳光寵妻 480-179-266
江氏清 崔爲璉妻 541- 54- 29
江氏清 童明詩妻 475-837- 93
江氏清 鄭本醇妻 481-700-332
江氏清 鄭西廣妻 477-456-171
江氏清 謝啟敏妻 530- 29- 54
江立宋 1146-174- 93
江永明 523- 84-149
江玉明 523-486-170
537-245- 55
江充江齊 漢 250-189- 45
376- 88- 97
933- 46- 3
江四妻 明 見李氏
江生漢 見江公
江白宋 288-410-456
400-299-524
473- 98- 53
479-628-245
515-817- 83
江式後魏 262-296- 91
266-708- 34
379-164-148
384-132- 7
469- 5- 1
683-856-上
684-472-下
814-259- 8
820-115- 25
933- 48- 3
江夷劉宋 258-151- 53
265-546- 36
378-161-135
477-203-159
485- 68- 10
493-676- 37
933- 47- 3
江艽齊 1399-221- 10
江任宋 529-741- 51
江休明 511-624-161
江沂明 473-606- 76
676-509- 20
江亨明 558-218- 32
江志隋 812-340- 8
821- 32- 45
江志元 460-476- 37
江杏明 511-855-169
江圻明 300-749-228
479- 55-218
524- 99-183
江杞宋 680- 14-225
江材元 1226-894- 7
江旰北齊 263-357- 45
江芑清 569-621-18下之2
江孚元 523-620-177
江秀元 吳克珍妻、江一龍女
1194-207- 16
江浡明 見江渤
江治明 479-492-239
515-398- 68
江祀齊 259-435- 42
江泌齊 259-545- 55
265-1046- 73
370-528- 16
380-103-167
477-204-159
538- 85- 64
933- 48- 3
江定元 1375- 18- 上
江泳宋 1153-542-100
江武清 見李茂吉
江玭明 479- 53-218
523-262-158
820-632- 41
江奇宋 見江琦
江東明 476-866-145
540-807-28之3
541-604-35之17
545-286- 94
江明宋 1146-173- 93
江明明 547- 9-141
江果後魏 262- 80- 71
266-927- 45
379-291-150下
496-365- 86
江和明 516- 88- 90
江洪齊～梁 265-1024- 72
380-372-176
477-204-159
933- 48- 3
江洪明(字德容) 494-158- 5
505-859- 77
江洪明(字朝宗) 545-658-107
1255-757- 76
江洪明 見汪洪
江爲南唐 407-681- 5
451-479- 7
471-660- 11
473-600- 76

516-216- 96
529-741- 51
1371- 74- 附
江炳宋 491-434- 6
江彥唐 476-394-119
江珏明 479-660-247
515-787- 81
江春明 516- 56- 89
江相宋 485-533- 1
江厚妻 明 見秦氏
江革漢 252-832- 69
370-185- 18
380- 75-167
402-405- 6
402-445- 9
402-522- 15
472-590- 24
475-433- 70
476-663-136
491-797- 6
511-905-172
540-701-28之1
933- 46- 3
1408-493-529
江革梁 260-309- 36
265-849- 60
378-433-142
384-119- 6
472-275- 11
472-681- 27
472-1066- 45
475- 68- 52
475-118- 55
477-204-159
479-223-227
485- 70- 11
486- 39- 2
493-680- 37
510-309-113
510-322-113
511-454-154
515-140- 61
523-146-153
538-131- 65
933- 48- 3
1401-160- 20
江珂元 1375- 18- 上
江玭妻 明 見陸氏
江珍明 676-578- 24
1283-292- 90
1442- 58- 3
1460-173- 48
江勃宋 484-383- 28
江柔明蕭奇妻、江學敬女
1240-851- 9
江英明 554-337- 54
江海宋 532-578- 41
江浩明(知廣昌縣) 473- 97- 53
江浩明(字敬夫) 517-579-129
1249-224- 13
江浩明 見弘覺
江浩清 533- 33- 47
江祏齊 259-434- 42
265-679- 47
378-261-138
933- 47- 3
江祖明 528-452- 29
江兼梁 260-312- 34
265-851- 60
378-436-142
江泰清 456- 61- 54
江珙明 537-329- 56
江珪宋 491-117- 13
江砢元 1375- 18- 上
江恩明 820-716- 43
江恕江仁、汪仁、汪恕 明
472-222- 8
472-1102- 47
493-756- 41
523-172-154
528-449- 29
533-153- 52
江娥明 1442-126- 8
1460-790- 85
江紑梁 260-388- 47
265-549- 36
380-113-167
477-205-159
511-508-157
538- 85- 64
933- 47- 3
1401-160- 20
江皋清 482-372-357
511-262-146
515-251- 64
567-160- 69
江迥妻 清 見夏氏
江惇晉 255-934- 56
377-628-124下
477- 65-151
524-329-195
933- 46- 3
江清清 529-688- 50
江淹梁 260-148- 14
265-834- 59
370-561- 18
378-346-140
384-118- 6
469-121- 14
471-659- 2
471-693- 15
472-357- 15
472-680- 27
473-598- 76
477-204-159
528-519- 31
538-131- 65
674-246-4上
820- 96- 24
933- 47- 3
1063-765- 3
1314-436- 12
1366-798- 6
1387-122- 7
1394-343- 2
1395-595- 3
1399-221- 10
1406-132-328
1415- 63- 85
江淵明 299-670-168
452-176- 3
473-479- 69
559-352- 8
江袤宋 524-156-186
江袞宋 510-327-113
1137-707- 26
江表宋 472-962- 38
523- 77-149
江球清 515-814- 82
江強江疆 後魏 262-296- 91
266-708- 34
379-164-148
547-170-147
814-259- 8
820-115- 25
江彬明 302-351-307
544-251- 63
江通明 511-316-148
江常宋 528-439- 29
529-529- 45
江常明 515-878- 86
江逌晉 256-363- 83
377-881-129下
384-100- 5
472-655- 27
477- 65-151
479-296-230
479-351-233
493-735- 41
523-198-155
524-326-195
537-379- 57
933- 47- 3
1379-344- 42
江得明 511-316-148
820-596- 40
江偉魏 409- 5- 1
820- 42- 22
江側江測 宋 460- 29- 2
529-596- 47
1146-174- 93
江統晉 255-928- 56
377-621-124下
384- 93- 5
472-543- 23
472-654- 27
472-1066- 45
476-575-131
477- 63-151
486- 64- 3
537-377- 57
540-630- 27
820- 56- 23
879-169-58上
933- 46- 3
江參宋 494-521- 25
821-219- 51
1273-164- 22
江滋宋 529-742- 51
江湖明 523- 85-149
江湘宋 515-104- 60
江湛劉宋 258-334- 71

265-546- 36
370-476- 14
378-161-135
384-113- 6
472-681- 27
477-204-159
537-422- 58
933- 47- 3
江測宋　見江側
江渤江浡　明　545-444- 99
558-343- 35
江湧妻　清　見華氏
江渙宋　523-558-174
江琮明　1467- 91- 65
江喜漢　539-349- 8
江登宋　見江文叔
江揖宋　492-710-3下
江琦江奇、江錡　宋
460- 22- 1
529-601- 47
679-466-184
679-788-215
1137-693- 26
1146-174- 93
江琦清　478-599-204
558-166- 30
558-380- 36
江軻齊　265-1040- 73
380- 98-167
933- 48- 3
江雯清　529-487- 43
江琳清　479-662-247
515-813- 82
江逵宋　484-382- 28
江嵒明　558-431- 37
江華妻　明　見葉氏
江勛明　523-453-168
江棠妻　明　見汪氏
江蛟妻　明　見張氏
江勝明　1241-768- 18
江逸汪逸　明　1442- 99- 6
1460-607- 70
江復明　456-639- 10
江源明　564-117- 45
江溥宋　473-125- 55
515-130- 61
523-333-161
江溥明　1458-565-456
江溢陳　260-715- 27
378-559-145
江愷宋　511-851-169
678-423-110
1375- 16- 上
江煥南唐　475-565- 79
江祿梁　265-549- 36
378-400-141
814-255- 7
820- 99- 24
933- 47- 3
江塤宋　460-394- 30
1173-272- 83
1174-443- 28
江楨清　482-349-356
567-151- 69
江滙明　473- 29- 49
515-399- 69
523- 55-148
江蔦梁　260-151- 14
494-335- 7
江嗣女　劉宋　見江氏
江暉明　479- 53-218
510-495-118
523-264-158
585-123- 6
1442- 47-附3
1460- 33- 41
江鉞宋　524- 74-181
1097-106- 10
江愛元　陳芹妻　1226-468- 22
江福明　505-781- 73
510-105- 91
江齊漢　見江充
江漢漢　475-603- 81
江漢宋　524- 75-181
江漢明(字紀南)　511-301-148
江漢明(字朝宗)　1442- 10-附1
1459-257- 5
江褎宋　1130-324- 33
江熙晉　679-760-212
江揔陳　見江總
江嘉宋　511-880-171
江翯汪翯　明　456-521- 6
江瑢明　528-561- 32
江墉明　529-478- 43
江蒨梁　260-199- 21
265-548- 36
378-400-141
477-205-159
481-523-326
814-255- 7
820- 99- 24
933- 47- 3
江僧唐　821-102- 48
江銕明　1240-220- 14
1240-727- 7
1241-461- 6
江廣清　570-160-21之2
江潛父　宋　1096-366- 37
江潮明(字天信)　515-884- 86
545- 79- 85
563-742- 40
江潮明(中衛人)　558-377- 36
江潭明　473- 26- 49
515-384- 68
江澂江徵　明　472-389- 17
473-101- 53
515-839- 84
523-174-154
江澂妻　清　見汪氏
江褒宋　524- 74-181
1130-171- 17
1130-304- 31
江褒妻　宋　見曾季儀
江璠宋　473-623- 77
481-719-333
528-549- 32
江模宋　1170-726- 32
江樊明　545-152- 88
江嶠明　460-819- 90
江緯宋　523-619-177
江鋌明　524-224-189
江徵明　見江澂
江龍明　529-618- 47
江澤宋　475-742- 88
江澤明　530-206- 60
江融唐　270-103- 92
554-838- 63
江彊後魏　見江強
江樸宋　1118-970- 66
江璞汪璞　明　515-877- 86
563-776- 40
江豫明　456-639- 10
529-694- 50
江默宋　460-301- 20
528-538- 32
680-268-252
江曇梁　265-549- 36
378-400-141
933- 47- 3
江曉明　479- 53-218
523-263-158
545- 88- 85
585-123- 6
676-539- 22
679-639-201
江翱宋　477-499-174
529-591- 47
江錡宋　見江琦
江錡妻　宋　見虞道永
江濤宋　485-536- 1
江濬元　1375- 18- 上
江濬明　540-805-28之3
1278-435- 21
江濬妻　明　見郭氏
江謐齊　259-338- 31
265-551- 36
378-266-138
933- 47- 3
江濟鄭濟　明(字汝楫)
516-523-106
821-391- 56
江濟明(嘉興人)　524-184-187
江檀唐　515-567- 75
江彪晉　255-934- 56
377-627-124下
477- 65-151
486- 35- 2
933- 46- 3
江績晉　256-366- 83
370-379- 10
377-883-129下
477- 65-151
488-144- 7
532-661- 44
933- 47- 3
江總江揔　陳　260-713- 27
265-549- 36
370-597- 20
378-558-145
384-113- 6
524-322-195
538-131- 65

674-855- 19
813-294- 17
814-257- 7
820-108- 24
933- 47- 3
1387-174- 10
1394-360- 2
1395-600- 3
1401-404- 31
江徽劉宋 485- 84- 12
江徽明 見汪徽
江禮宋 481-721-333
529-632- 48
江邃劉宋 258-244- 63
江贄宋 473-603- 76
529-762- 53
江嚞宋~元 1376-705-100下
江闓清 476-367-117
545-446- 99
江彝劉宋 532-100- 27
江鎬宋 515-182- 62
1095-270- 30
江簡南唐 見江文蔚
江瀚明 481-723-333
529-698- 50
江櫓明 545-403- 98
江瓊晉 262-296- 91
266-708- 34
379-164-148
541-104- 31
814-234- 4
814-259- 8
820- 56- 23
933- 48- 3
江疇宋 1152-582- 31
江鵬妻 清 見朱招
江鯤明 511-634-161
江瀾明 452-217- 5
472-969- 38
479- 53-218
523-262-158
585-123- 6
676-514- 20
江藻清 528-573- 32
533-168- 52
江斅齊 259-437- 43
265-547- 36
378-292-138
477-204-159
485- 69- 10
493-676- 37
523-182-155
537-422- 58
933- 47- 3
江鶴明 見彭齡
江灌晉 256-366- 83
377-883-129下
477- 65-151
485- 66- 10
494-275- 2
680-131-237
814-243- 6
820- 72- 23
933- 47- 3
江蘩清 477-523-175
537-352- 56
江躋宋 523-619-177
江蘭妻 明 見李氏
江鐵明 473-605- 76
江鐵女 明 見江氏
江鐸明 300-749-228
479- 55-218
523-513-171
江瓘明 1408-569-538
江灊宋 1193-684- 33
1375- 16- 上
1376-705-100下
江顯明 473-599- 76
528-527- 31
江鑣明 1467- 91- 65
江灝宋 529-602- 47
江鼇妻 明 見姚氏
江觀南朝 260-309- 36
265-849- 60
378-434-141
江一珍妻 明 見譚氏
江一桂明(字伯馨) 481-694-332
511-280-147
528-544- 32
676-541- 22
江一桂明(字白石) 567-122- 67
568-301-110
1467-458- 7
江一楓妻 清 見馬氏
江一雷明 594-217- 7
江一龍女 元 見江秀
江一鵬明 676-577- 24
江一麟明 511-284-147
515- 59- 58
676-172- 7
江九山明 523-233-156
江九功清 529-706- 50
江九萬明 511-575-159
江士旺宋 288-326-449
400-175-513
江子一梁 260-359- 43
265-897- 64
380- 53-166
384-119- 6
472-272- 11
472-681- 27
475-270- 63
476-858-145
477-205-159
479-430-236
510-369-114
523-238-157
538- 44- 63
540-724-28之1
933- 48- 3
江子五梁 260-360- 43
265-897- 64
380- 54-166
477-205-159
江子四梁 260-360- 43
265-897- 64
380- 54-166
477-205-159
江子宏妻 明 見徐蓉姑
江子洶明 1240-331- 21
江子建唐 511-422-152
江子勉清 482-186-346
江子盛妻 清 見鄭氏
江子璜清 529-662- 49
江子儁明 676-655- 27
江大方宋 1130-327- 33
江大任明 511-323-148
江大賓清 529-696- 50
江上達清 524-159-186
524-224-189
江山秀明 456-642- 10
江山秀清 505-899- 80
江心宇宋 1375- 15- 上
1376-583-95上
江文斗明 821-483- 58
江文叔江登 宋 676-224- 8
1147-757- 72
江文柱妻 明 見汪氏
江文海明 515-836- 84
江文卿宋 515-604- 76
江文煥妻 清 見耿氏
江文遠後魏 262- 80- 71
266-926- 45
379-291-150下
江文遥後魏 262- 80- 71
266-926- 45
379-291-150下
474-165- 8
474-556- 28
477-205-159
478- 86-180
496-365- 86
552- 38- 18
554-230- 52
933- 48- 3
江文蔚江簡 南唐
473-600- 76
481-674-331
529-591- 47
1085-112- 15
1085-159- 20
江文鑄妻 元 見范妙元
江之崑清 479-358-233
523-412-166
江之崑妻 清 見張氏
江之崑媳 清 見曹氏
江之瀠明 554-300- 53
江五聲清 1315-351- 15
江元杰妻 清 見朱氏
江元鼎明 529-690- 50
江孔殷明 1236-806- 13
江孔學明 558-434- 37
江天一明 301-664-277
456-542- 7
511-620-160
1315-559- 34
江天水明 570-260- 25
江日中宋 1087-668- 34
江日全妻 明 見鄭琚
江日彩明 481-698-332
529-631- 48
江日新宋 1087-667- 34

江中信妻 清 見林氏
江少虞宋 472-1042- 43
523-486-170
江水清唐 480- 54-260
江公亮宋 1170-621- 24
江公望宋 286-595-346
382-652-100
397-662-360
449-298- 1
471-617- 5
471-747- 22
472-1015- 41
473-195- 58
473-585- 75
479-379-234
479-812-255
523-337-162
528-570- 32
933- 49- 3
1174-436- 28
江公著宋 471-732- 20
1110-518- 29
1437- 16- 1
江介乾宋 515- 83- 59
江化龍妻 明 見張氏
江必大妻 元 見朱氏
江必顯明 1442-116- 7
江必鸞妻 明 見李氏
江永洪明 515-875- 86
江弘濟明 472-339- 14
江左彥明 541-107- 31
江巨石明 820-673- 42
江巨卿女 宋 見江氏
江正任妻 清 見饒氏
江世卿明 1291-517- 9
江民望宋 1157-101- 8
江以東明 473- 19- 49
511-370-150
515- 59- 58
江以達明 301-847-287
515-888- 86
528-455- 29
676-561- 23
1274-493- 20
1410-579-742
1442- 53- 3
1460-104- 45
江甲燿妻 明 見黃四娘
江白龍明 456-543- 7
江白龍妻 清 見李氏
江仕楚宋 見江山
江用世明 1312-334- 32
江用楫明 456-546- 7
江安王明 見朱宣址
江安止宋 472-1052- 44
523-241-157
江安行宋 見汪安行
江安行妻 元 見賀氏
江汝松妻 明 見陳氏
江汝明妻 宋 見宋氏
江汝度宋 523-409-166
江汝璧明 676-550- 22
江亘南妻 清 見陳炫
江有溶清 533-317- 57
江老軍江添富 明
481-409-313
561-227-38之3
江光彩妻 明 見謝八娘
江光啟元 1375- 18- 上
江旭奇明 511-706-164
678-227- 92
江自明宋 524- 81-182
江如娟清 479-359-233
江仲明宋 288-276-446
400-131-511
472-1103- 47
479-288-230
486-896- 34
523-395-165
江仲紀宋 1122-538- 9
江仲海明 515-835- 84
江仲魚明 1442-101- 6
江仲遜女 唐 見江采蘋
江仲謙宋 524-365-197
江休復宋 288-238-443
371-147- 15
382-756-115
384-360- 18
400-655-561
472-660- 27
477- 78-152
480-663-290
523-212-156
538-128- 65
540-664- 27
679-423-179
820-354- 32
933- 49- 3
1102-266- 33
1102-342- 33
1106-143- 21
1356-145- 7
1378-351- 53
1378-561- 61
1383-637- 57
1410-334-707
1437- 12- 1
江沛然明(字涵齋) 475-701- 86
510-465-117
517-695-132
江沛然明(字應吾) 533-142- 51
江宋符宋 1375- 13- 上
江良貴明 528-512- 31
江孝伯宋 1145-737- 83
江君彥明 1227-701- 5
江君寓宋 1132-243- 49
江那米清 456-299- 73
江位三妻 清 見陳瑞玉
江佛保宋 見江賓王
江直木宋 1085-226- 29
江孟倫明 559-352- 8
江東之明 301- 19-236
458-349- 14
475-574- 79
511-286-147
571-520- 19
1314-246- 3
江東彥妻 明 見鄒氏
江來氓明 見江來岷
江來岷 江來氓 明
511-809-167
676-591- 24
江承麟妻 清 見胡氏
江叔子明 1408-569-538
江金姑清 524-626-208
江采頻唐 見江采蘋
江采蘋江采頻 唐 唐玄宗妃、江仲遜女 460-1074- 5
481-559-327
530- 58- 55
1387-712- 46
1472- 42- 1
江秉心明 1375- 38- 下
江秉之劉宋 258-583- 92
265-551- 36
370-490- 14
378-163-135
384-113- 6
472-171- 6
472-680- 27
472-1013- 41
472-1066- 45
472-1100- 47
475-560- 79
477-204-159
479-132-223
479-222-227
479-284-230
479-376-234
485-488- 9
486- 64- 3
489-599- 47
494-333- 7
523-144-153
537-422- 58
933- 47- 3
江秉謙明 301-175-246
458-358- 14
475-575- 79
511-290-147
523-137-152
江洵直宋 484-389- 28
江彥青江彥清 宋
288-324-449
400-181-514
473-544- 72
483-396-403
571-555- 20
591-625- 45
江彥清宋 見江彥青
江彥章元 515-871- 85
江彥深妻 明 見秦氏
江彥傑妻 明 見周氏
江盈科明 480-486-280
510-338-113
533-113- 50
569-618-18下之2
676-620- 25
1442- 84- 5
1460-473- 62
江南錦明 516- 89- 90
江南齡清 515-228- 63

江致一宋 511-700-164
1375-5-上
1376-287-77
江致堯宋 473-587-75
678-574-125
江柔之齊 265-1040-73
380-98-167
933-48-3
江思遠晉 812-323-5
821-14-45
江茂高妻 明 見俞氏
江若練明 545-424-98
江映鯤清 475-853-94
510-504-118
江禹奠明 1442-98-6
1460-589-69
江禹緒清 537-414-57
江重欣齊 477-204-159
江悅之後魏 262-79-71
266-926-45
379-291-150下
472-680-27
477-205-159
537-422-58
933-48-3
江庭滔女 宋 見江氏
江原洞明 456-664-11
江桂馥明 510-339-113
江桂馨明 529-692-50
江起雲妻 清 見陳氏
江起龍清 475-576-79
481-808-338
511-407-152
563-888-42
江振鵬明 456-543-7
529-631-48
江夏王劉宋 見劉躋
江夏王劉宋 見劉義恭
江夏王齊 見蕭鋒
江夏王齊 見蕭寶玄
江夏王陳 見陳伯義
江夏王後魏 見托跋呂
江夏王唐 見李道宗
江時用明 1245-120-3
江師古明 473-215-59
480-57-260
533-139-51
江奚修明 1237-304-6
江殷道清 479-606-244
515-251-64
533-34-47
江添富明 見江老軍
江惇提宋 1128-262-27
江惇禔妻 宋 見胡氏
江惟清宋 821-170-50
江惟善女 宋 見江氏
江康之晉 493-735-41
江康之妻 晉 477-135-155
江副護明 511-881-171
江都王漢 見劉非
江都王漢 見劉建
江都王唐 見李緒
江務本妻 明 見許氏
江陵王漢 見劉恭
江符權宋 1159-551-33
江得澄明 481-748-334
江紹興後魏 262-296-91
266-708-34
379-164-148
933-48-3
江從簡梁 260-312-36
265-851-60
378-436-142
477-205-159
538-131-65
1395-598-3
江惠勝妻 明 見陳應娘
江巽容明 475-648-83
江朝宗明 559-353-8
563-910-43
江朝明明 見江朝瀛
江朝翰明 480-512-281
江朝瀛江朝明、江潮瀛 明
456-609-9
537-320-56
江雁卿清 見江鴈卿
江彭年妻 清 見孟氏
江陽王後魏 見元根
江陽王後魏 見元羅
江陽王後魏 見元繼
江景防江景房、汪景房 吳越
475-222-61
524-222-189
545-335-96
1130-181-18
1240-233-15
1241-280-12
江景房五代 見江景防
江景昭女 明 見江氏
江萊甫妻 明 見葉德
江順和後魏 814-259-8
820-116-25
江智淵劉宋 258-201-59
265-550-36
378-162-135
378-162-135
477-204-159
933-47-3
1379-539-64
江舜居妻 明 見林氏
江筆彩妻 明 見李錦娘
江進姑清 魏學洙妻
530-27-54
江詩雅妻 清 見彭金姑
江新宋明 林雲彤妻
530-16-54
江匯源明 1232-611-6
江瑞英明 江德之女
479-358-233
524-744-213
江瑞愷清 見汪瑞愷
江瑞麟妻 清 見陳氏
江萬仞明 563-816-41
江萬里宋 287-701-418
398-642-409
451-230-0
472-348-15
473-14-49
473-45-50
473-77-52
473-144-56
475-667-84
479-535-241
479-580-243
479-711-256
516-99-91
517-432-126
528-445-29
1437-32-2
江萬里清 511-612-160
江萬春明 456-515-6
江萬頃宋 287-703-418
398-643-409
451-231-0
516-100-91
528-507-31
江萬實明 559-366-8
江鼎金清 533-197-53
江敬弘明 676-467-17
1375-29-上
江敬翁女 明 見江柔
江賓王江佛保 宋448-381-0
江寧王明 見朱厚煉
江寧宗明 481-698-332
529-690-50
江端友宋 524-337-195
674-878-20
1128-623-18
江端禮宋 1118-374-19
江漢英妻 清 見張氏
江榮舉妻 清 見凌氏
江與權宋 460-362-28
江夢孫南唐 471-915-47
472-195-7
475-852-94
516-118-92
933-48-3
江夢鶴明 515-205-63
江鳴皋明 559-375-8
江鳳時妻 明 見方氏
江僧安劉宋 814-248-6
820-89-24
江僧寶劉宋 812-335-7
821-19-45
江潤身宋 475-700-86
510-463-117
1375-15-上
1376-583-95上
江潮宗明 821-458-57
江潮瀛明 見江朝瀛
江鴈卿江雁卿 清475-422-70
510-401-115
江德之女 明 見江瑞英
江德海明 559-352-8
江德滋妻 清 見宋氏
江德璜清 511-592-159
江德歸明 523-418-166
江德藻梁～陳 260-779-34
265-851-60
378-435-142
477-205-159
538-131-65

933- 48- 3
江學庭元 473-100- 53
515-832- 83
1439-432- 1
江學敬女 明 見江柔
江應全明 511-616-160
江應洪宋 475-643- 83
511-485-155
江應隆元 460-480- 38
江應選明 1295- 52- 4
江應曉明 511-809-167
江懋相妻 宋 見劉氏
江簡珪劉宋 宋後廢帝后
258- 16- 41
265-195- 11
373- 82- 20
537-184- 53
江瀛哥宋 見江獻可
江襟楚明 456-555- 7
511-476-155
江懷龍明 456-543- 7
江瓏生明 1375- 30-上
江獻可江瀛哥 宋448-369- 0
江騰龍明 456-676- 11
江騰鯨明 529-745- 51
江繼文妻 明 見劉氏
江巖龍妻 明 見方氏
江上丈人江上漁父 春秋
448- 90-上
533-129- 51
871-892- 19
879-148-57下
江上漁父春秋 見江上丈人
江妃二女周 1058-494-上
江初扎什清 560-108- 19
江都公主明 耿璿妻、朱標女
299-108-121
汝方上古 933-564- 36
汝王明 見朱祐橰
汝艮明 528-478- 30
汝旻明 1458-667-469
汝郁漢 252-803- 66
370-197- 19
376-727-108
384- 62- 3
402-400- 5
402-573- 19
476-881-146
477-444-171
537-576- 60
540-629- 27
933-564- 36
1408-493-529
汝訥明 820-621- 41
1255-599- 63
1259-870- 8
汝敦妻 晉 見汝歸
汝鳩上古 933-564- 36
汝寬周 933-564- 36
汝濟周 933-564- 36
汝顏宋 473-504- 71
559-390-9上
591-610- 44
汝歸晉 汝敦妻 591-534- 41
879-172-58上
汝南王漢 見劉非
汝南王漢 見劉暢
汝南王晉 見司馬亮
汝南王晉 見司馬祐
汝南王晉 見司馬矩
汝南王晉 見司馬統
汝南王梁 見蕭大封
汝南王後魏 見元悅
汝南王北齊 見高彥理
汝南王唐 見李承明
汝南王唐 見李隆悌
汝南王明 見朱梗
汝南王明 見朱有勳
汝陰王晉 見司馬謨
汝陰王後魏 見托跋天賜
汝陽王晉 見司馬熙
汝陽王後魏 見元暹
汝陽王北齊 見高彥忠
汝陽王唐 見李璡
汝陽王明 見朱有爝
汝源王明 見朱見淇
汝寧王明 見朱勤然
汝陽長公主漢 見劉廣
宇貴宋 見普貴
宇文元荆王 北周
263-506- 13
267-225- 58
375-550-85下
宇文介宋 559-385-9上
宇文允曹王 北周
263-506- 13
267-225- 58
375-550-85下
宇文允北周 見尞允
宇文氏唐 唐高祖昭儀、宇文述女 554- 20- 48
宇文永隋 544-220- 62
宇文充道王 北周
263-506- 13
267-225- 58
375-550-85下
宇文丘北周 263-639- 29
宇文至北周 263-479- 10
267-209- 57
375-537-85下
宇文同北周 263-747- 40
267-214- 57
375-541-85下
宇文光宋 476-154-104
545-834-112
宇文仲北周 263-480- 10
267-210- 57
375-537-85下
546-161-120
宇文忻北周～隋 263-556- 19
264-711- 40
267-247- 60
379-740-161
384-153- 8
552- 46- 19
554-565- 58
554-923- 64
933-775- 55
宇文那北周 見李袒
宇文兒蔡王 北周263-506- 13
267-225- 58
375-550-85下
宇文招趙王 北周
263-503- 13
267-223- 58
375-547-85下
544-214- 62
1394-474- 5
1395-603- 3
宇文招妻 北周 見紇豆陵含生
宇文直衛王 北周
263-502- 13
267-219- 58
375-543-85下
宇文協北周 見叱羅協
宇文虯宇文蚪 北周
263-638- 29
267-345- 66
379-634-158
476-281-111
546-166-120
933-775- 55
宇文肱北周 263-401- 1
266-183- 9
372-790- 17
544-164- 61
宇文和北周～隋 見李和
宇文延北朝～隋 見令狐整
宇文延後魏 261-615- 44
266-519- 25
379- 69-147
933-775- 55
宇文洽北周 263-478- 10
267-203- 57
375-529-85下
宇文洛北周 263-480- 10
267-210- 57
375-537-85下
宇文袒北周 見李袒
宇文袒北周 見趙袒
宇文亮北周 263-478- 10
267-209- 57
375-536-85下
宇文彥北周 見李彥
宇文軌北周 見張軌
宇文韋宋 559-295-7上
宇文政明 494- 42- 3
宇文述隋 264-899- 61
267-530- 79
379-877-164
384-156- 8
546-176-121
552- 48- 19
933-775- 55
宇文述女 唐 見宇文氏
宇文貞酆王 北周
263-505- 13
267-225- 58
375-549-85下
552- 42- 19
宇文胄北周 263-476- 10

267-202- 57
375-529-85下
544-217- 62
546-161-120
宇文峒宋 559-314-7上
宇文衍北周 見周靜帝
宇文悅北周 見王悅
宇文泰北周 見周文帝
宇文泰明 494- 41- 3
宇文貢北周 263-479- 10
267-209- 57
375-537- 85
宇文弢宇文弼 隋
264-853- 56
267-484- 75
379-797-162
384-152- 8
475-363- 67
476-277-111
476-329-115
486- 40- 2
544-221- 62
545- 8- 83
545-317- 95
933-775- 55
宇文蚪北周 見宇文虯
宇文邕北周 見周武帝
宇文純陳王 北周
263-504- 13
267-223- 58
375-548-85下
535-556- 20
宇文純唐 561-316- 40
1065-153- 13
1065-167- 15
宇文訦北周 見崔訦
宇文深北周 263-621- 27
267-211- 57
375-538-85下
478-333-191
545-354- 96
546-164-120
554-118- 50
宇文康紀王 北周
263-505- 13
267-224- 58
375-549-85下
宇文連北周 263-479- 10
267-209- 57
375-536-85下
546-161-120
宇文珽唐 1065-239- 6
1342-168-925
宇文陵宇文拔拔陵陵 後魏
263-401- 1
266-183- 9
372-790- 17
547-184-148
宇文通北周 263-505- 13
267-224- 58
375-549-85下
544-217- 62
宇文常北周 見鄭常
宇文常宋 286-686-353
397-733-364
473-551- 73
481- 79-294
481-290-306
559-303-7上
591-552- 42
宇文彪北周 1065-233- 6
1342-125-920
宇文逌滕王 北周
263-505- 13
267-224- 58
375-549-85下
1387-213- 12
1394-473- 5
宇文衆北周 263-479- 10
267-203- 57
375-531-85下
宇文術郢王 北周
263-506- 13
267-225- 58
375-550-85下
宇文敏北周～隋 見柳敏
宇文善北周 263-556- 19
264-712- 40
267-247- 60
379-538-156
宇文測北周 263-620- 27
267-210- 57
375-537-85下
384-140- 7
472-494- 21
476-280-111
476-450-123
545-474-100
546-163-120
554-230- 52
宇文寔宇文實 北周
263-502- 13
267-218- 58
375-542-85下
宇文盛越野王 北周(字立久突)
263-504- 13
267-224- 58
375-548-85下
宇文盛北周(字保興)
263-639- 29
宇文雄北周 見劉雄
宇文雄北周 見韓雄
宇文弼隋 見宇文弢
宇文肅唐 812-351- 10
821- 87- 48
宇文貴北周(字乾福)
263-500- 12
267-222- 58
375-547-85下
478-569-203
宇文貴北周(字永貴)
263-554- 19
267-246- 60
379-536-156
535-556- 20
552- 29- 18
554-565- 58
933-775- 55
宇文策北周 476-179-106
宇文傑北周 見王傑
宇文意北周～隋 見李和
宇文猷北周～隋 見崔猷
宇文愷北周 263-556- 19
264-979- 68
267-248- 60
379-742-161
384-140- 7
384-157- 8
476-725-138
478-107-180
540-655- 27
544-218- 62
554-565- 58
554-894- 64
933-775- 55
宇文裕北周 483-219-390
宇文歆唐 545- 20- 83
宇文椿北周 263-479- 10
267-209- 57
375-536-85下
478-198-184
554-120- 50
宇文達代王 北周
263-504- 13
267-224- 58
375-548-85下
532-561- 40
544-217- 62
宇文鼎唐 820-239- 28
宇文會北周 263-476- 10
267-202- 57
375-529-85下
544-217- 62
宇文節唐 270-277-105
274-670-134
395-610-236
544-229- 63
宇文毓北周 見周明帝
宇文賓北周 263-479- 10
267-225- 58
375-537-85下
宇文實北周 見宇文寔
宇文福後魏 261-614- 44
266-518- 25
379- 69-147
545-314- 95
933-775- 55
宇文端北周 見薛端
宇文說北周 見崔說
宇文瑱北周 見韋瑱
宇文廣北周 263-477- 10
267-203- 57

375-530-85下
552- 43- 19
1064-273- 10
1064-755- 15
1342-342-948
1394-752- 11
1400-179- 7
1410-472-726
1416- 84-111下
宇文賓北周 263-500- 12
267-223- 58
375-547-85下
宇文審唐 274-672-134
395-612-236
554-449- 56
563-632- 38
567- 38- 64
宇文慶北周 見柳慶
宇文慶隋 263-747- 40
264-805- 50
267-214- 57
375-541-85下
472-744- 29
477-309-164
537-492- 59
546-165-120
547-160-147
554-120- 50
宇文慶明 494- 45- 3
宇文賢畢王 北周
263-505- 13
267-225- 58
375-549-85下
552- 42- 19
宇文瑾北周 見唐瑾
宇文震北周 263-502- 13
267-218- 58
375-542-85下
宇文儉譙王 北周
263-503- 13
267-223- 58
375-548-85下
宇文儉妻 北周 見陸氏
宇文儉隋 546-749-140
宇文質北周 263-500- 12
267-223- 58
375-547-85下
宇文皛北周 264-806- 50
267-215- 57
375-542-85下
宇文憲齊王 北周
263-494- 12
267-219- 58
375-543-85下
384-140- 7
481- 15-291
591-670- 47
1064-196- 8
1064-627- 13
1341-676-890
1394-352- 2
1394-720- 11
1400-137- 5
1416- 45-111中
宇文導北周 263-476- 10
267-202- 57
375-529-85下
478-694-210
546-161-120
554-117- 50
558-225- 32
宇文融唐 270-277-105
274-670-134
384-198- 11
395-610-236
554-448- 56
933-775- 55
1112-674- 11
1371- 54- 0
宇文穎隋 263-556- 19
264-713- 40
267-247- 60
379-538-156
宇文穎唐 274- 49- 79
395- 19-182
宇文整北朝～隋 見令狐整
宇文興北周 263-480- 10
267-210- 57
375-537-85下
544-217- 62
544-218- 62
宇文縉明 494- 45- 3
宇文謙北周 見崔士謙
宇文翼北周 263-478- 10
267-203- 57
375-530-85下
宇文鍾明 545-149- 88
宇文徽北周 559-260- 6
宇文徽北周 見申徽
宇文贄秦王 北周
263-506- 13
267-225- 58
552- 43- 19
宇文邈唐 1076-111- 12
1076-567- 12
1077-137- 12
宇文贇北周 見周宣帝
宇文贊漢王 北周
263-506- 13
267-225- 58
375-550-85下
552- 42- 19
宇文闡北周 見周靜帝
宇文籍唐 271- 74-160
宇文覺北周 見周孝閔帝
宇文護北周 263-475- 10
263-481- 11
267-203- 57
375-529-85下
375-531-85下
384-139- 7
544-217- 62
546-162-120
1401-467- 35
宇文護女 北周 見新興公主
宇文顥北周 263-475- 10
267-202- 57
375-529-85下
547- 56-143
宇文顯北周 見宇文顯和
宇文士及妻 隋 見南陽公主
宇文士及唐 269-578- 63
274-284-100
384-171- 9
401-283-606
476-110-102
544-229- 63
544- 74- 49
933-775- 55
宇文之邵宇文之紹 宋
288-437-458
401- 24-570
471-1064- 70
472-892- 35
473-433- 67
478-716-211
481-405-313
558-232- 32
559-406-9上
561-609- 46
591-553- 42
宇文之紹宋 見宇文之邵
宇文元寶北周 見宇文光寶
宇文公諒元 295-542-190
400-576-553
453-794- 3
472-1004- 40
472-1068- 45
479-143-223
479-225-227
494-415- 12
523-586-175
1226-733- 4
1439-441- 2
1471-431- 9
宇文什肥北周 263-476- 10
267-202- 57
375-529-85下
546-161-120
宇文化及隋 264-1166- 85
267-533- 79
379-880-164
556-725- 98
宇文百之宋 473-447- 68
591-617- 44
宇文光寶宇文元寶北周
263-479- 10
267-209- 57
375-536-85下
宇文孝伯北周 263-747- 40
267-211- 57
375-539-85下
384-140- 7
宇文孝寬北周 見韋孝寬
宇文孝穆北周 見鄭孝穆
宇文邦彥妻 宋 見黎氏
宇文奉直宋 559-265- 6
宇文協律唐 518- 3-136
宇文忠之後魏 262-202- 81
267- 86- 50

379-366-151
546-674-137
814-260- 8
820-119- 25
933-775- 55
宇文昌齡宋 285-685-353
397-732-364
473-433- 67
473-523- 72
481- 79-294
484- 99- 3
486- 50- 2
523-149-153
540-647- 27
545-369- 97
559-306-7上
559-342- 8
591-552- 42
宇文昇明北周 見李昇明
宇文叔裕北周 見韋孝寬
宇文洛生北周 263-479- 10
267-209- 57
375-537-85下
546-163-120
宇文皇后西魏 魏廢帝后、周文帝女 266-288- 13
373-106- 20
宇文神舉北周 263-745- 40
267-213- 57
375-540-85下
476- 26- 97
545- 8- 83
546-164-120
宇文時中宋 494-304- 5
1165-779- 10
宇文師申宋 1139-291- 53
宇文師說宋 1153-657-109
宇文師說妻 宋 見房妙光
宇文師獻宋 1167-756- 41
宇文乾嘉北周 544-217- 62
宇文莫圭晉 見宇文莫廆
宇文莫那漢 263-401- 1
266-183- 9
372-790- 17
496-589-103
宇文莫廆宇文莫生 晉
262-498-103
267-872- 98
381-643-200
496-591-103
宇文莫槐後魏 262-498-103
267-871- 98
381-643-200
宇文紹奕宋 1163-523- 28
宇文紹彭宋 1171-316- 7
宇文紹節宋 287-448-398
398-441-393
473-298- 62
473-434- 67
475-700- 86
480-241-269
481- 79-294
532-579- 41
559-342- 8
591-555- 42
1173-355- 91
宇文虛中宋～金 287- 93-371
291-169- 79
383-998- 28
398-155-375
449-329- 4
471-947- 51
472- 28- 1
559-503- 12
591-554- 42
592-596- 99
820-476- 36
1365- 4- 1
1439- 2- 0
1445- 87- 4
宇文普回漢 263-401- 1
266-183- 9
372-790- 17
496-589-103
宇文菩提宇文菩薩 北周
263-479- 10
267-209- 57
375-537-85下
宇文菩薩北周 見宇文菩提
宇文智及隋 264-1166- 85
267-533- 79
267-536- 79
宇文道邕北周 見鄭孝穆
宇文粹中宋 473-433- 67
488-407- 13
488-409- 14
559-342- 8
宇文慶和北周～隋 見李和
宇文靜亂北周 見宇文靜禮
宇文靜禮宇文靜亂 北周
264-806- 50
267-215- 57
375-542-85下
宇文顯和宇文顯 北周
263-745- 40
267-213- 57
375-540-85下
476-279-111
476-418-120
1064-279- 10
1064-729- 15
1342-332-947
1400-170- 7
1416- 88-111下
宇文乞得龜宇文乞得歸 晉
262-498-103
267-872- 98
381-644-200
496-592-103
宇文乞得歸晉 見宇文乞得龜
宇文悉獨官後魏 見宇文逐昵延
宇文統萬突北周 見周明帝
宇文逸豆歸後魏 262-499-103
267-872- 98
381-644-200
496-592-103
宇文逐昵延宇文悉獨官 後魏
262-498-103
267-872- 98
381-644-200
496-591-103
宇文拔拔陵陵後魏 見宇文陵
宅禿明 見章圖
宅者禿明 見旺扎圖
汗伊伐於慮鞮單于 漢
253-706-119
池氏清 陳端淙妻 481-751-334
池斌明 481-749-334
529-708- 50
池瑗漢 933- 71- 4
池寬妻 明 見陳氏
池大有明 1247- 48- 3
池可深妻 明 見張氏
池州匠宋 821-252- 52
池仲魚魏 933- 71- 4
池奉宗明 1242-862- 10
池浴德明 523-248-157
676-177- 7
池國鼎清 480- 93-262
533- 34- 47
池從周宋 523-605-176
1178-748- 4
池貴遠明 529-709- 50
池道澄明 567-466- 87
1467-525- 11
池鳳鳴清 528-546- 32
池顯方明 1442-105- 7
1460-625- 71
忙兀歹元 見孟格特依
忙兀台元 見孟古岱
忙哥剌安西王、秦王 元
552- 72- 19
忙歌禿明 見蒙古圖
州于吳王僚、吳君僚 春秋
244- 7- 31
371-270- 8
375- 3-77上
384- 10- 1
404-284- 17
州吁春秋 見公子州吁
州泰魏 254-494- 28
377-242-117
386-198- 76
476-474-125
477-370-167
540-630- 27
933-488- 32
州鳩周 見伶州鳩
州賓春秋 933-488- 32
州韶劉宋 258-598- 93
538-167- 66
州輔漢 681-632- 17
933-488- 32
州綽春秋 384- 17- 1
404-604- 37
448-245- 21
545-724-109
933-488- 32
羊仁元 295-603-197

六畫：羊

400-312-526
472-327- 14
475-705- 86
477- 92-153
511-639-161
538-316- 69
羊戎劉宋 258-157- 54
265-543- 36
378-159-135
羊忱羊陶 晉 814-245- 6
820- 56- 23
羊忻晉 523-166-154
羊住金 547-490-159
羊希劉宋 258-158- 54
265-543- 36
378-159-135
563-618- 38
羊固晉 814-245- 6
820- 62- 23
羊昕劉宋 見羊欣
羊侃梁 260-329- 39
265-891- 63
378-461-142
379-204-149
384-119- 6
469-182- 21
472-523- 22
476-822-143
481-523-326
540-724-28之1
933-316- 23
羊欣羊昕 劉宋 258-229- 62
265-541- 36
378-157-135
384-113- 6
469-182- 21
472-376- 16
475-560- 79
476-821-143
479-376-234
485-488- 9
510-422-116
523-210-156
742- 32- 1
812- 62-中
812-225- 8
812-715- 3
813-289-16
814-245- 6
820- 85- 24
933-315- 23
1365-419- 3
羊秉晉 1398-274- 12
1413-268- 44
羊祉後魏 262-275- 89
266-295- 39
380-230-171
933-316- 23
羊亮晉 255-616- 34
377-442-121上
羊亮梁 265-895- 63
378-465-142
羊茂魏 402-444- 9
505-688- 70
515-291- 66
540-667- 27
羊羊祐 晉 255-608- 34
377-436-121上
384- 90- 5
459-751- 46
469-182- 21
471-815- 32
472-523- 22
473-245- 60
476-821-143
480- 10-257
491-799- 6
532-550- 40
534-233- 84
534-803-112
540-711-28之1
541-451-35之9
814-233- 4
820- 51- 23
933-315- 23
1077-665- 9
1090- 16- 4
1112-659- 9
羊妻 晉 見夏侯氏
羊祐晉 見羊祜
羊烈北齊 263-325- 43
266-798- 39
379-506-155
472-124- 4
476-822-143
505-688- 70
540-729-28之1
933-316- 23
羊耽妻 晉 見辛憲英
羊陟漢 253-369- 97
376-964-112
384- 68- 3
402-481- 11
472-522- 22
472-737- 29
474- 89- 3
476-820-143
477-303-163
505-626- 67
537-192- 54
540-705-28之1
933-315- 23
羊修北齊 263-326- 43
266-798- 39
379-506-155
羊修明 523- 88-149
564-273- 47
羊深後魏 262-146- 77
266-796- 39
379-203-149
476-821-143
933-316- 23
羊球梁 265-893- 63
378-463-142
羊聃晉 255-839- 49
377-579-123
384- 92- 5
羊陶晉 見羊忱
羊琇晉 256-511- 93
380- 2-165
384- 94- 5
476-821-143
933-315- 23
羊崇劉宋 258-159- 54
265-544- 36
378-160-135
羊曼晉 255-839- 49
370-312- 7
377-578-123
384- 92- 5
472-171- 6
472-523- 22
476-821-143
488-112- 7
510-308-113
540-715-28之1
933-315- 23
羊愔唐 472-1056- 44
479-437-236
524-446-201
820-293- 30
1059-616-下
1061-334-113
羊敦後魏 262-269- 88
266-798- 39
380-194-170
469-182- 21
474-433- 21
476-821-143
505-680- 69
540-730-28之1
933-316- 23
羊殖春秋 545-496-101
羊朝唐 820-282- 30
羊朞漢 591-593- 44
羊肅北齊 263-326- 43
266-797- 39
379-204-149
933-316- 23
羊傑明 477-419-169
羊暨晉 472-124- 4
羊僎唐 491-344- 2
羊衜漢 545-206- 91
羊衜妻 漢 見蔡琰
羊衜吳 254-867- 14
385-481-527
482- 73-341
563-610- 38
羊衜女 晉 見羊徽瑜
羊諮劉宋 820- 90- 24
羊曇晉 476-821-143
羊衡母 晉 見蔡氏
羊徽劉宋 258-229- 62
羊鶡梁 260-333- 39
265-894- 63
378-464-142
476-822-143
羊羅春秋 405-105- 62
羊續漢 252-743- 61
376-688-107下
384- 68- 3
402-469- 10

402-542- 17
469-182- 21
448-298- 上
459-843- 51
472-522- 22
472-765- 30
475-696- 86
476-820-143
477-358-166
510-460-117
537-310- 56
540-705-28之1
933-315- 23
羊權晉 541- 86- 30
羊鑒晉 256-328- 81
377-855-129上
472-523- 22
476-821-143
523-181-155
933-315- 23
羊士諤唐 451-434- 3
528-548- 32
559-280- 6
674-256-4上
820-235- 28
933-316- 23
1365-423- 3
1371- 66- 0
羊不疑晉 494-332- 7
羊元珪唐 505-698- 70
羊玄之晉 256-512- 93
380- 3-165
933-315- 23
羊玄之女 晉 見羊獻容
羊玄正隋 263-326- 43
266-798- 39
379-506-155
羊玄保劉宋 258-156- 54
265-542- 36
378-158-135
471-693- 15
472-171- 6
472-220- 8
472-523- 22
472-1066- 45
475-118- 55
475-603- 81
476-821-143
479-222-227
485- 68- 10
486- 36- 2
496-676- 37
510-322-113
523-144-153
933-316- 23
羊永德宋 523-630-177
679-492-186
羊可立明 301- 19-236
477-419-169
537-568- 60
羊充實宋 589-358- 6
羊舌子春秋 見羊舌職
羊舌赤銅鞮伯華 春秋
404-688- 42
545-700-108
羊舌虎春秋 404-688- 42
羊舌肸叔向、楊肸 春秋
371-459- 29
375-762- 90
384- 20- 1
386-648- 7
404-688- 42
448-222- 18
448-286-上
452- 79- 2
469-398- 47
472-460- 20
545-700-108
550- 76-211
933-315-23
933-720- 49
羊舌鮒叔魚 春秋
404-696- 42
452- 79- 2
羊舌職羊舌子 春秋
384- 20- 1
404-687- 42
452- 79- 2
545-699-108
羊舌職妻 春秋 見叔姬
羊角哀戰國 386-674- 9
472- 28- 1
533-728- 73
550-354-221
羊叔禕梁 見羊淑禕
羊佩任齊 羊緝之女
265-1041- 73
380- 99-167
479-148-223
羊淑禕羊叔禕 梁 蕭續妻
265-1041- 73
380- 98-167
472-263- 10
475-234- 61
512-464-188
羊雅仁梁 見羊鴉羊
羊鴉仁羊雅仁 梁260-333- 39
265-894- 63
378-464-142
472-523- 22
476-822-143
933-316- 23
羊緝之女 齊 見羊佩任
羊徽瑜晉 晉景帝后、羊衜女
255-571- 31
373- 66- 20
羊獻容晉 晉惠帝后、羊玄之女
255-582- 31
373- 71- 20
539-339- 8
羊靈引後魏 266-797- 39
379-204-149
羊舌大夫春秋 404-687- 42
545-699-108
933-315- 23
并王金 見完顏永中
并王元 見鴻和特穆爾
并氏明 劉玘妻 475-647- 83
交城王明 見朱美垸
交阯道士宋(交阯人)
473-739- 82
衣氏元 295-633-201
401-180-593
472-667- 27
477- 93-153
538-172- 67
衣理喀清 455-551- 35
衣璟如清 478-246-186
554-348- 54
衣和菴主元 493-1094- 58
冰壺明 1237-318- 6
米氏宋 趙從恪妻、米繼豐女
1102-295- 37
米氏明 崔國安妻 478-275-187
米氏清 張儒妻 506-166- 90
米氏清 董三諒妻 474-195- 9
米立宋 288-380-454
400-187-514
472-311- 13
475-328- 65
479-449-237
480-127-264
515- 21- 57
533-367- 60
米安元 472-149- 5
米芾米黻 宋 288-255-444
382-761-116
384-383- 19
400-668-562
451-129- 2
471-604- 3
471-816- 32
471-836- 35
371-908- 46
471-920- 48
472-228- 8
472-308- 13
472-324- 14
473-248- 60
475-130- 56
475-323- 65
475-420- 70
475-698- 86
480-297-271
482- 74-341
493-1067- 57
510-398-115
510-462-117
511-728-165
533-740- 73
563-677- 39
567-435- 86
585-759- 4
588-166- 8
674-830- 17
684-490-下
813-269- 12
820-393- 34
821-194- 51
933-519- 34
1130-161- 16
1216-387-下

六畫：米、戎、寺、共、朴、戌、圭、吉

1375-600- 47
1437- 15- 1
1461-560- 27
1467-147- 67
米信米海進 宋 285-209-260
382-194- 28
384-334- 17
396-533-302
米復宋 1183-161- 10
米榮明 529-630- 48
677-605- 54
米輔明 554-510-57下
米魯明 隆暢妻、安民女
302-557-316
米璞宋 288-374-453
400-332-528
554-704- 61
米襄清 554-532-57下
米黻宋 見米芾
米蘇清 455-551- 35
米瓘明 546- 88-118
米文節明 1467-187- 69
米尹知米友知 宋820-394- 34
米友仁宋 288-255-444
400-669-562
451-130- 2
475-130- 56
493-772- 42
511-728-165
533-740- 73
820-394- 34
821-194- 51
933-519- 34
米友知宋 見米尹知
米巨洪宋 528-551- 32
米光濬宋 549-121-185
549-213-189
米和邦妻 明 見崔氏
米哈那清 455- 47- 1
米哈納清 455-200- 10
米海進宋 見米信
米泰寧妻 清 見高氏
米雲卿明 1442- 99- 6
1460-604- 70
1475-378- 16
米提優清 456- 37- 52
米萬廒妻 明 見董氏
米萬鍾明(字友石) 301-866-288
474-186- 9
505-880- 79
558-355- 35
820-735- 44
821-470- 58
1297- 14- 9
1442- 85- 5
1460-478- 63
米萬鍾明(辰溪人) 533-293- 56
米福德妻 宋 見泰國大長公主
米漢雯清 505-881- 79
569-620-18下之2
米壽圖明 302-121-295
456-442- 3
474-187- 9
505-840- 76
537-283- 55
米嘉穗明 529-631- 48
米倉和尚唐(嗣天然)
1053-197- 5
米倉和尚唐(嗣義玄)
1053-438- 11
米堆和尚薛家 明
1442-107- 7
1460-652- 73
1475-960- 41
米嶺和尚唐 1053-128- 3
米嶺和尚五代 1053-367- 9
戎子齊靈公夫人 春秋
404-630- 38
戎玠明 1442- 98- 6
1460-594- 69
1474-583- 29
戎津春秋 545-726-109
戎政清 511-216-144
戎昱唐 451-427- 2
480-245-269
533-311- 57
567-429- 86
585-749- 3
674-261-4中
674-803- 16
813-229- 4
820-222- 28
933- 42- 2
1371- 64- 0
1467-141- 67
戎益宋 493-725- 40
戎賜漢 933- 42- 2
戎憲明 511-514-157
戎良翰明 523-376-164
584-271- 10
戎來賓戎國振 明
1442- 66- 4
1460-293- 53
戎國振明 見戎來賓
戎體元元 541- 95- 30
戎子駒支春秋 933- 42- 2
寺人披春秋 384- 21- 1
404-780- 48
545-720-108
寺人柳春秋 404-814- 50
寺人貂豎刁 春秋404-625- 38
共仲春秋 見公子慶父
共伯妻 周 見共姜
共姜周 周伯妻 472-709- 28
共姬伯姬、伯姬保母 春秋 宋共公夫人、魯宣公女
404-813- 50
448- 36- 4
452- 77- 2
472-685- 27
538-196- 67
839- 22- 2
共姬王姬 春秋 齊桓公夫人
404-629- 38
共敖臨江王 漢 532- 94- 27
共華春秋 545-706-108
共劉春秋 933- 44- 2
共工氏上古 383- 87- 11
404-388- 23
404-399- 23
共太子春秋 見世子申生
共叔段京城大叔 春秋
404-885- 55
933- 44- 2
共邑公主漢 見劉成
朴淳明 1442-130- 8
1460-878- 94
朴士秀清 477-411-169
502-627- 77
537-332- 56
朴文孝清 456-371- 78
朴原亨明 1442-129- 8
1460-868- 94
戌氏清 戴高妻 482-566-369
戌婆揭羅訶唐 見善無畏
圭宋 1053-654- 15
圭明 683-189- 6
吉宋 1053-789- 18
吉人明 299-840-180
545-853-113
吉士明 547-130-146
吉山清 455-447- 27
吉王唐 見李保
吉王宋 見李從誧
吉王明 見朱見浚
吉友晉 見帛尸梨蜜多羅
吉氏南唐 唐元宗昭容、吉彥輝女 1085-136- 17
吉氏明 李文敬妻 506- 4- 86
吉氏清 石含玘妻 476-405-119
吉氏清 孟國祥妻
506- 35- 86
吉氏清 熊旦妻 480-546-283
吉安妻 明 見谷氏
吉庚清 554-791- 62
吉拉清 455-658- 46
吉昌明 563-772- 40
吉昂明 547- 16-141
吉盼梁 見吉翂
吉茂魏 254-414- 23
384-667- 42
385-414- 44
476-393-119
478-103-180
478-391-193
545-166- 89
554-806- 63
吉朗晉 256-455- 89
380- 42-166
吉挹晉 256-455- 89
380- 42-166
471-1051- 68
472-864- 34
478-104-180
478-295-188
480-317-272
533-391- 60
554-228- 52
554-685- 61
933-727- 50
吉翂吉盼 梁 260-386- 47

265-1051- 74
380-109-167
384-122- 6
472-833- 33
480-294-271
533-446- 62
554-747- 62
933-728- 50
吉桑春秋 547-131-146
吉時明 554-660- 60
吉祥唐 592-449- 88
吉祥宋 821-184- 50
吉祥明 1289-173- 11
吉陳明 558-178- 31
吉喜清 455-269- 15
吉紫清 456- 50- 53
吉温唐 271-479-186下
276-169-209
384-208- 11
400-380-535
吉頊唐 271-475-186上
274-480-117
384-185- 10
395-478-224
472-745- 29
933-728- 50
吉蓀清 455- 38- 1
吉慶明 472-569- 24
540-641- 27
吉魯清 455-517- 32
吉翰劉宋 258-261- 65
265-979- 70
380-177-170
384-121- 6
472-272- 11
472-833- 33
478-105-180
481- 15-291
510-276-112
554-435- 56
559-260- 6
933-728- 50
吉穆漢 384-505- 21
吉賽清 455- 39- 1
吉謙妻 清 見蕭氏
吉嶽明 473-387- 65
532-719- 45
吉藏隋 1401-637- 43
吉邈漢 384-505- 21
吉士安元 540-640- 27
吉士樞明 456-483- 5
吉士模明 456-483- 5
吉士瞻梁 265-785- 55
378-309-139
384-117- 6
472-833- 33
473-280- 61
480-126-264
532-613- 43
554-435- 56
933-727- 50
吉子琨梁 265-786- 55
378-310-139
554-435- 56
吉孔嘉明 302- 42-291
456-437- 3
474-407- 20
478-248-186
505-678- 69
554-717- 61
吉天弼母 元 見于氏
吉中孚唐 273-113- 60
400-614-556
451-430- 3
473- 46- 50
475-327- 65
479-528-241
511-778-166
516- 6- 87
1371- 63- 0
吉永迪清 478-248-186
554-614- 59
479-794-254
515-283- 65
吉永祚明 302- 52-292
456-483- 5
478-246-186
538- 54- 63
554-344- 54
吉弘緯唐 569-614-18下之2
吉吉納清 455-640- 44
吉自松妻 明 見張氏
吉志通元 472-843- 33
478-358-191
554-986- 65
吉克圖清 456-285- 71
吉那哈清 455-118- 4
吉那密清 455-386- 23
吉希勒清 455-346- 21
吉宗老唐 1061-284-112
吉底俱梁 821- 26- 45
812-335- 7
吉拉喀清 455-563- 36
吉彥輝女 南唐 見吉氏
吉迦夜何事 後魏
1051-162- 6
吉思哈清(瓜爾佳氏)
455- 67- 2
吉思哈清(烏蘇氏) 455-567- 37
474-757- 41
502-520- 72
吉桑阿清 455-273- 15
吉納海清 455-689- 49
吉祥慧元 見佛智
吉理布清 455- 95- 3
吉國佐清 560-115- 19
吉惠迪明 302- 42-291
456-437- 3
吉雅納清 455-673- 47
吉斯泰清 455-467- 28
吉無咎明 1229-416- 2
吉達布元 見結當布
吉當普元 見結常布
吉瑪哈清(鈕祜祿氏)
455-129- 5
吉瑪哈清(富察氏) 455-417- 25
吉瑪納清 455-493- 30
吉爾都清 455-449- 27
吉爾禪清 455-286- 16
吉穆庫清 502-747- 85
吉嚕爾元 510-345-114
吉羅凱清 455-687- 49
吉體仁明 1266-412- 7
吉克濟理清 455-117- 4
吉普克達清 見吉普喀達
吉普喀達吉普克達 清
455-567- 37
502-740- 85
吉喇克塔清 455-646- 45
吉爾恰納清 456- 65- 54
吉穆薩哈清 455-662- 46
吉雅摩迪音元 見濟雅穆爾丹
吉喇思巴監藏巴藏卜明
見吉喇實巴勒戩藏巴勒藏布
吉喇實巴勒戩藏巴勒藏布
吉喇思巴監藏巴藏十、闡化王
明 302-829-331
舌庸春秋 405-138- 64
453-729- 1
933-762- 53
西伯周 見周文王
西伯清 455-110- 4
西岱清 455-451- 27
西施春秋 386-722- 13
西峰唐 516-472-104
511-937-175
西喀清 455-204- 10
西漢清 455-270- 15
西圖清 455- 79- 2
西禪唐 1053-155- 4
西禪五代 1053-547- 13
西大達清 455-206- 10
西乞術春秋 405-266- 73
西方鄴後唐 277-515- 61
279-158- 25
384-302- 16
396-358-284
505-731- 71
西王母上古 1061-337-114
西巴哩清 502-744- 85
西平王隋 見李安
西平王唐 見李晟
西平王宋 見李德明
西平王宋 見李彝興
西安王元 見剌特納實哩
西成額清 456-380- 79
西伯理清 455-462- 28
西河王蜀漢 見劉琮
西河王晉 見司馬斌
西河王後魏 見僧懿
西河王北齊 見高仁幾
西河王北齊 見高紹仁
西河王明 見朱奇溯
西河王明 見朱美埻
西拉哈清 455-517- 32
西拉納清 455-155- 6
西門子不詳 933-791- 57
西門豹戰國 244-902-126
371-650- 60
380-527-180

六畫：西、扣、百、在、有、存、至、羽

384- 29- 1
405-165- 67
472-693- 28
537-260- 55
546-433-129
933-791- 57
1412-102- 5
西門楫宋 1121-601- 7
西哈那清 455-434- 26
西秦王元 見田雄
西特庫清(瓜爾佳氏) 455-115- 4
西特庫清(舒穆祿氏) 455-155- 6
西特庫清(穆溪地方人) 455-227- 12
西特庫清(長白山地方人) 455-270- 15
西特庫清(西林覺羅氏) 455-292- 17
西特庫清(蒙鄂索氏) 456- 99- 57
西渚子明 516-524-106
西章阿清 455-500- 31
西理尼清 455-156- 6
西陵氏女 上古 見嫘祖
西陽王梁 見蕭大鈞
西陽王陳 見陳叔穆
西陽王明 見朱詮鉦
西鄂王明 見朱諟欽
西喇巴西喇布 清(謚順壯) 455-459- 28
502-745- 85
西喇巴清(兆佳氏) 455-501- 31
西喇布清 456-144- 60
西喇布清 見巴喇巴
西喇渾清 455-403- 24
西楞額清 455-291- 17
西園翁明 1237-416- 16
西鉏吾春秋 404-810- 49
西漢傑元 472-775- 30
537-548- 59
西爾口清 455-494- 30
西圖庫清 455-569- 37
西圖納清 456-152- 61
西圖渾清 455-234- 12
西薩納清 455-287- 16
西河少女西河神女 漢
547-494-159
554-991- 65
西河公主唐 沈翬妻、唐順宗女 274-116- 83
393-284- 73
494-261- 1
544-231- 63
西河神女漢 見西河少女
西門成允宋 1099-585- 13
西門君惠秦 1061-269-110
西門重遂唐 271-433-184
西納穆保女 清 見長姐
西第什哩清 454-519- 49
西華公主唐 見齊國公主
西蜀隱者宋 473-590- 75
西爾拉岱清 456-237- 68
西河長公主北魏 薛初古拔妻、魏孝文帝女 544-212- 62
西喇巴雅爾清 502-587- 76
西克忒克勒氏清 見錫克特勒氏
扣岱清 455-112- 4
扣蘇珠克台妻 元 見什達爾
百忍清 586-197- 9
百綬清 456-381- 79
百巖五代 1053-236- 6
百靈唐 1053-129- 3
百里奚百里傒、五羖大夫 春秋 243-127- 5
384- 26- 1
386-609- 3
405-264- 73
448-288-上
470-354-142
472-459- 20
472-767- 30
472-853- 34
538-328- 69
546-429-129
550-447-222
933-790- 57
百里奚妻 春秋 405-327- 76
550-447-222
839- 22- 2
百里視春秋 見百里孟明視
百里傒春秋 見百里奚
百里嵩漢 402-454- 9
469- 5- 1
477-202-159
510-274-112
537-374- 57
百里孟明春秋 見百里孟明視
百里孟明視百里視、百里孟明、孟明、孟明視 春秋 375-824- 91
384- 26- 1
405-266- 73
448-163- 8
933-700- 47
933-791- 57
在明 1231-459- 0
在子夏 546-423-129
有文宋 1053-659- 15
有中明 1241-302- 13
有朋宋(嗣子琦) 1053-755- 18
有朋宋(號困山) 1437- 36- 2
有若春秋 244-388- 67
371-493- 32
405-442- 85
472-547- 23
539-495-11之2
933-620- 40
有規宋 1053-701- 16
有評宋 1053-682- 16
有祿漢 933-620- 40
有楨不詳 473-607- 76
有瑞宋 1053-739- 17
有誠宋 516-455-104
有鄰唐 820-300- 30
有緣唐 524-447-201
592-448- 88
1052-164- 12
有緣五代 1053-231- 6
有㜪商 湯妃、有莘氏女、有㜪氏女 448- 10- 1
452- 41- 1
879-171-58上
有嚴宋 1054-188- 4
有權宋 1053-909- 20
有戎氏女 上古 見簡狄
有呂氏女 商 見太姜
有部氏女 上古 見姜原
有部氏女 商 見太姜
有娀氏女 上古 見簡狄
有莘氏女 上古 見女志
有莘氏女 商 見有㜪
有巢氏上古 383- 31- 5
383- 64- 9
539-336- 8
544-145- 61
554- 2- 48
有虞氏上古 見舜
有熊氏上古 見黃帝
有窮氏夏 見羿
有駘氏女 上古 見姜原
有㜪氏女 商 見有㜪
有㜪氏女 周 見太姒
有蟜氏女 上古 見任姒
有藜氏女 上古 見姜原
有莘姒氏女 周 見太姒
存五代 1053-561- 13
存住清 456-320- 75
存壽後梁 1052-173- 13
1053-221- 6
存獎五代 586-180- 8
1053-432- 11
1054-146- 3
1054-594- 17
1341-529-868
存德五代 1053-219- 6
存禮阿史那存禮 唐 544-225- 63
至仁元 516-473-104
683-190- 6
1442-118- 8
1460-833- 90
1469-771- 68
至妙明 518-820-162
至明明 586-194- 9
至知唐 見知至
至乾宋 1053-748- 17
至溫元 820-550- 39
1054-757- 2
1207-673- 48
至道明 1442-119- 8
1460-835- 90
至誠唐 見志誠
羽父春秋 見公子翬
羽頡春秋 404-881- 54
933-581- 37
羽儒羽孺 明 1442-127- 8
1460-910- 98

羽孺明　見羽儒
羽尚忠明　567-309- 77
丞燋妻　明　見李氏
匡一唐　1053-561- 13
匡才金~元　511-399-151
1202- 61- 5
匡才妻　元　見高氏
匡仁唐　516-451-104
1052-172- 13
1053-530- 13
匡氏明　李淑妻、匡鎔女
1283-647-117
匡氏明　董雄妻　472-753- 29
匡氏清　冉國修妻 481-237-303
匡昕齊　265-1043- 73
380-101-167
479-712-250
515-566- 74
524-330-195
933-406- 26
匡果五代　1053-628- 15
匡咸漢　675-280- 11
匡俗周或漢　見廬俗
匡悟五代　1053-234- 6
匡祐宋　1053-345- 8
匡倩戰國　405-241- 71
匡章戰國　405-226- 71
491-791- 6
匡智唐　473-158- 56
479-735-250
516-440-104
554-973- 65
匡逸五代　1053-396- 10
匡裕周或漢　見廬俗
匡達五代　1053-402- 10
匡福明　1240-861- 9
匡疑唐　見匡凝
匡凝匡疑　唐　275-533-186
384-290- 15
396-254-274
匡衡漢　244-637- 96
250-728- 81
376-393-102上
469-199- 23
472-550- 23
476-515-127
476-580-131
491-795- 6
539-350- 8
540-696-28之1
675-279- 11
680-667-285
933-406- 26
1355-205- 7
1412- 95- 5
匡霞妻　明　見江氏
匡鎔女　明　見匡氏
匡續周或漢　見廬俗
匡鐸明　537-346- 56
匡文具明　473-428- 67
匡天倫明　1285-640- 9
匡句須春秋　404-551- 33
933-406- 26
匡國政元　511-581-159
1202- 62- 5
匡餘年妻　清　見竇氏
匡翼之明　476-732-138
匡山和尚五代(居匡山)
1053-306- 8
邗子漢　481- 85-294
592-243- 75
1058-506-下
1061-255-108
邗侯漢　933-119- 8
刑氏元　喜同妻　477-379-167
刑聚元　1197-645- 66
刑霖明　見邢霖
考監明上古　545-686-108
老九明　554-957- 65
老子老聃、李耳、李玄祿　春秋
244-353- 63
246- 5- 63
371-498- 33
375-657- 88
383-141- 16
386-278-83下
405-458- 86
448- 91- 上
472-679- 27
473-437- 67
481- 85-294
511- 61-138
512-898-200
537- 49- 48
537-358- 57
554-963- 65
561-214-38之3
820- 20- 22
879-149-57下
933-521- 35
933-610- 39
1058-490-上
1112-860- 3
1341-379-848
1408-163-497
老古春秋　545-720-108
老悟宋　821-270- 52
老格清　456-293- 72
老麻宋(善畫花鳥) 554-911- 64
老聃春秋　見老子
老童上古　見卷章
老彭商　404-414- 24
老成子戰國　405-468- 86
老商氏戰國　448- 95- 中
871-888- 19
老萊子春秋　448- 91- 上
470-385-146
471-780- 27
473-300- 62
491-694- 1
533-438- 62
541-109- 31
871-885- 19
879-150-57下
879-183-58下
933-610- 39
933-793- 57
老萊子妻　春秋　448- 25- 2
473-305- 62
533-504- 66
541- 65- 29
老上單于漢　見稽粥
老葉道人宋　486-413- 19
524-417-200
老藏丹貝清　476-337-115
547-535-160
圯上老人秦　見黃石公
地典上古　404-383- 23
地皇上古　見黃帝
地藏唐　1052-289- 20
地皇氏上古　383- 5- 2
地藏保清　571-536- 19
地婆訶羅唐　見日照
地藏和尚宋　1053-635- 15
邛疏周　1058-493- 上
1061-249-108
邛穀王漢　見任貴
臣扈商　404-409- 24
臣磐漢　253-696-118
381-498-196
臣君子漢　481- 72-294
臣德布清　455-516- 32
托古清　502-510- 71
托吉清　455-263- 15
托色清　456-380- 79
托里元　294-213-118
400- 81-507
托音脫因　元(字明善)
1222-239- 12
1386-474- 47
托音元(字正己)　1222-628- 2
托音元　見托音色辰
托音明　563-813- 41
托迪元　400-282-522
托迪元　570-115-21 之1
托班清　502-592- 76
托紐清　502-727- 84
托敏清　502-583- 75
托鈕清　455-306- 18
托絡清　455-397- 24
托達清　456-212- 66
托羅清　456-121- 58
托蘇元　294-411-133
399-542-473
托懽脫懽　明　302-771-328
托蘭清　455-286- 16
托歡元(學順氏)　294-233-119
399-330-447
托歡元(鄂爾和達氏)
294-242-120
399-337-448
托歡元(欽察人)　294-283-123
399-523-471
托歡脫懽　元(扎拉爾台氏)
294-408-133
399-540-473
483-697-422
托歡元(威喇諾爾氏)
294-445-136
399-682-488
托歡元(字元鼎)　1204-267- 7
1222-300- 22

托顒清 455- 50- 1
托卜嘉元 見圖卜新
托布理清 455-625- 43
托吉納清 455-169- 7
托托穆清 456-387- 80
托克托脫脫 元(札拉爾氏)
294-230-119
399-328-447
478-763-215
523- 24-147
托克托脫脫哈元(字大用)
294-476-138
399-776-497
483-139-380
570-216- 23
820-515- 38
托克托元(知萍鄉) 515-121- 60
托克托元(字子安) 523-152-153
托克托脫脫 明(哈密衛人)
302-781-329
托克托脫脫 明(烏梁海人)
496-628-106
托克推清 455-676- 48
托克楚清 455-343- 21
托克錫清 455-193- 9
托果岱妻 元 見和拉
托和倫清(正黃旗人)
455- 52- 1
托和倫清(正紅旗人)
455-115- 4
托和倫清(李佳氏) 455-528- 33
托和倫清(多羅氏) 456- 90- 56
托活瑪清 456- 23- 51
托哈齊清 455-337- 20
托密納清 456- 9- 50
托普齊清(納喇氏) 455-363- 22
托普齊清(扎思瑚理氏)
455-619- 42
托普嘉清 455-504- 31
托跋叉後魏 見元叉
托跋仁拓跋仁 後魏
261-262- 17
266-337- 16
375-441-84上
托跋斤拓跋斤 後魏
261-223- 14
266-308- 15
375-415-84上
托跋毛拓跋毛 後魏
261- 26- 1
266- 26- 1
372-646-15上
托跋玄後魏 見元玄
托跋弘北魏 見魏獻文帝
托跋丕後魏(謚平) 見元丕
托跋丕後魏(謚戾) 見元丕
托跋拓鈸石 後魏
261-227- 14
266-312- 15
375-419-84上
托跋平後魏 見元平
托跋弗拓跋弗 後魏
261- 29- 1
266- 28- 1
372-648-15上
托跋他拓跋佗、拓跋他、拓跋佗、臨淮王 後魏
261-247- 16
266-330- 16
375-435-84上
554-110- 50
托跋汎後魏 見元汎
托跋羽後魏 見元羽
托跋匡後魏 見元匡
托跋因拓跋因 後魏
261-221- 14
266-307- 15
375-414-84上
托跋休定安王、拓跋休 後魏
261-322-19下
266-377- 18
375-476-84下
托跋宏北魏 見魏孝文帝
托跋良拓跋良 後魏(托跋儀子)
261-236- 15
266-318- 15
375-425-84上
托跋良拓跋良 後魏(托跋範子)
261-261- 17
266-337- 16
375-441-84上
托跋志後魏 見元志
托跋均後魏(字世平) 見元均
托跋均後魏(謚平) 見元均
托跋那拓跋那 後魏
261-223- 14
266-308- 15
375-416-84上
托跋劭後魏 見元劭
托跋呂拓跋呂、江夏王 後魏
261-223- 14
266-308- 15
375-415-84上
托跋余拓跋余、南安王 後魏
261-273- 18
266-348- 16
375-451-84上
托跋佗後魏 見托跋他
托跋怡後魏 見元怡
托跋泥拓跋泥 後魏
261-232- 14
266-316- 15
375-423-84上
托跋拔拓跋拔 後魏
266-336- 16
375-441-84上
544-205- 62
托跋屈拓跋屈 後魏
261-233- 14
266-316- 15
375-423-84上
托跋孤拓跋孤、高涼王 後魏
261-223- 14
266-308- 15
375-415-84上
544-205- 62
托跋忠拓跋忠 後魏
261-239- 15
266-320- 15
375-428-84上
托跋昌後魏(托跋禧子) 見元昌
托跋昌後魏(字法顯) 見元昌
托跋和後魏 見元和
托跋秉後魏 見元壽興
托跋恌後魏 見元恌
托跋恒後魏 見元恒
托跋恂後魏 見元恂
托跋度拓跋度 後魏
261-224- 14
266-309- 15
375-416-84上
托跋郁拓跋郁 後魏
261-222- 14
266-307- 15
375-414-84上
535-556- 20
托跋飛後魏 見托跋霄
托跋珍後魏 見元珍
托跋勃拓跋勃 後魏
261-243- 15
266-326- 15
375-433-84上
托跋建拓跋建 後魏(托跋紇羅弟)
261-221- 14
266-306- 15
375-414-84下
托跋建拓跋建 後魏(托跋崇子)
261-242- 15
266-325- 15
375-432-84上
托跋建拓跋建、楚王、廣陽王 後魏(謚簡) 261-269- 18
266-344- 16
375-448-84上
托跋昭後魏 見元昭
托跋若拓跋若、河間王 後魏
261-328- 20
266-383- 19
375-479-84下
托跋英後魏 見元英
托跋紇拓跋紇 後魏
261-233- 14
266-308- 15
375-416-84上
托跋衍後魏 見元衍
托跋俊後魏 見元俊
托跋祐後魏 見元祐
托跋朗後魏 見元朗
托跋悅朱提王、拓跋悅 後魏
261-241- 15
266-325- 15
375-431-84上
托跋泰後魏 見元泰
托跋素拓跋素 後魏
261-237- 15
266-319- 15
375-426-84上
托跋烈拓跋烈、陰平王 後魏
261-237- 15
266-319- 15
375-426-84上

托跋珪北魏　見魏道武帝
托跋根後魏　見元根
托跋晃拓跋晃　後魏　261- 86-4下　266- 59- 2　372-678-15上
托跋晃妻　後魏　見郁久閭氏
托跋虔拓跋虔、陳留王　後魏　261-241- 15　266-324- 15　375-431-84上　535-556- 20
托跋修河間王、拓跋修　後魏　261-252- 16　266-332- 16　375-437-84上
托跋修北魏　見魏孝武帝
托跋陸拓跋陸　後魏　261-221- 14　266-307- 15　375-414-84上
托跋翌拓跋翌　後魏　261-242- 15　266-325- 15　375-432-84上
托跋彬後魏　見元彬
托跋連拓跋連、廣平王　後魏　261-253- 16　266-332- 16　373-437-84上
托跋陵拓跋陵　後魏(托跋眞樂子)　261-223- 14　266-308- 15　375-416-84上
托跋陵拓跋陵　後魏(托跋齊子)　261-232- 14　266-315- 15　375-422-84上
托跋通後魏　見元通
托跋崇拓跋崇　後魏(諡景)　261-242- 15　266-325- 15　375-431-84上
托跋崇拓跋崇、建寧王　後魏(魏明元帝子)　261-262- 17　266-337- 16　375-441-84上
托跋略拓跋略、廣川王　後魏　261-327- 20　266-382- 19　375-478-84下
托跋崙拓跋崙　後魏　261-242- 15　266-326- 15　375-432-84上
托跋逞後魏　見元逞
托跋悉拓跋悉　後魏　261-221- 14　266-307- 15　375-414-84上
托跋馗後魏　見元馗
托跋猛安豐王、拓跋猛　後魏　261-329- 20　266-383- 19　375-479-84下　474-556- 28　496-364- 86
托跋紹拓跋紹、清河王　後魏　261-246- 16　266-329- 16　375-434-84上
托跋紹後魏　見元紹
托跋健永昌王、拓跋健　後魏　261-261- 17　266-337- 16　375-441-84上
托跋渾拓跋渾　後魏(托跋勃子)　261-243- 15　266-327- 15　375-433-84上
托跋渾拓跋渾、南平王　後魏(托跋連繼子)　261-253- 16　266-332- 16　375-437-84上
托跋愉後魏　見元愉
托跋敦後魏　見元敦
托跋雲後魏　見元雲
托跋盛後魏　見元盛
托跋弼後魏　見元弼
托跋琛拓跋琛　後魏　261-242- 15　266-325- 15　375-432-84上
托跋深後魏　見元琛
托跋提拓跋提　後魏　261-250- 16　266-331- 16　375-436-84上
托跋提後魏　見元提
托跋粟拓跋粟　後魏　261-243- 15　266-327- 15　375-433-84上
托跋萇後魏　見元萇
托跋順拓跋順、毗陵王　後魏　261-243- 15　266-326- 15　375-432-84上
托跋順後魏　見元順
托跋欽後魏　見元欽
托跋觚拓跋觚、秦王　後魏　261-237- 15　266-319- 15　375-426-84上
托跋詮後魏　見元詮
托跋雍後魏　見元雍
托跋詳後魏　見元詳
托跋楨後魏　見元楨
托跋瑞後魏　見元瑞
托跋幹拓跋幹　後魏　261-236- 15　266-318- 15　375-425-84上
托跋幹後魏　見元幹
托跋嵩後魏　見元嵩
托跋嗣北魏　見魏明元帝
托跋毓後魏　見元毓
托跋禎拓跋禎　後魏　261-236- 15　266-318- 15　375-426-84上
托跋齊拓跋齊　後魏　261-231- 14　266-314- 15　375-422-84上
托跋端後魏　見元端
托跋誘後魏　見元誘
托跋榮後魏　見元榮
托跋壽後魏　見魏太武帝
托跋熙拓鈸熙、陽平王　後魏　261-247- 16　266-330- 16　375-435-84上
托跋嘉後魏　見元嘉
托跋緒後魏　見元緒
托跋綽拓跋綽　後魏　261- 29- 1　266- 28- 1　372-648-15上
托跋遥後魏　見元遥
托跋寬後魏　見元寬
托跋澄後魏　見元澄
托跋鄰拓跋鄰　後魏　261- 27- 1　266- 27- 1　372-647-15上
托跋誕後魏(字文發)　見元誕
托跋誕後魏(字曇首)　見元誕
托跋勰後魏　見元勰
托跋霄拓跋飛、托跋飛龍、拓跋飛、拓跋霄、拓跋飛龍　後魏　261-253- 16　266-332- 16　375-437-84上
托跋黎拓跋黎、京兆王　後魏　261-253- 16　266-332- 16　375-437-84上　552- 24- 18
托跋儀拓跋儀、衛王　後魏　261-234- 15　266-317- 15　375-424-84上　544-206- 62
托跋德拓跋德　後魏　261-239- 15　266-322- 15　375-429-84上
托跋範拓跋範、梁安王　後魏　261-261- 17　266-337- 16　375-441-84上　478- 86-180　535-556- 20　554-109- 50
托跋諧後魏　見元諧
托跋謂拓跋謂　後魏　261-227- 14　266-312- 15　375-419-84上
托跋懌後魏　見元懌

托跋諶後魏　見元諶

托跋遵拓跋遵、常山王　後魏
261-237- 15
266-319- 15
375-426-84上

托跋融後魏(字永興)　見元融

托跋融後魏(字叔融)　見元融

托跋頤後魏　見元頤

托跋翰拓跋翰、秦王　後魏(謚明)　261-234- 15
266-317- 15
375-424-84上

托跋翰拓跋翰、東平王、秦王　後魏(魏太武帝子)261-263- 18
266-338- 16
375-442-84上

托跋叡後魏　見元叡

托跋頹拓跋頹　後魏
261-221- 14
266-307- 15
375-414-84上

托跋濬北魏　見魏文成帝

托跋禧後魏　見元禧

托跋謐後魏　見元謐

托跋燮後魏　見元燮

托跋謙後魏　見元謙

托跋翼後魏　見元翼

托跋彌安定王、拓跋彌　後魏
261-261- 17
266-337- 16
375-441-84上

托跋徽後魏　見元徽

托跋禮拓跋禮　後魏
261-223- 14
266-308- 15
375-415-84上

托跋彝後魏　見元彝

托跋題拓跋題　後魏
261-221- 14
266-307- 15
375-414-84上

托跋曜河南王、拓跋曜　後魏
261-250- 16
266-331- 16
375-436-84上
535-556- 20

托跋簡後魏　見元簡

托跋譚拓跋譚、燕王、臨淮王　後魏　261-263- 18
266-338- 16
375-442-84上

托跋譚後魏　見元譚

托跋懷後魏　見元懷

托跋麗後魏(字寶掌)　見元麗

托跋麗後魏(托跋崇子)　見元麗

托跋顗拓跋顗　後魏
261-242- 15
266-326- 15
375-432-84上

托跋贊後魏　見元贊

托跋瓌拓跋瓌　後魏
261-223- 14
266-308- 15
375-416-84上

托跋瞻後魏　見元瞻

托跋纂拓跋纂　後魏(謚簡)
261-235- 15
266-318- 15
375-425-84上

托跋纂拓跋纂　後魏(字紹興)
261-316-19下

托跋纂後魏　見元纂

托跋繼後魏　見元繼

托跋顥後魏　見元顥

托跋蘭拓跋蘭　後魏
261-232- 14
266-315- 15
375-422-84上

托跋鷙後魏　見元鷙

托跋鑒後魏(字長文)　見元鑒

托跋鑒後魏(字紹達)　見元鑒

托跋讞後魏　見元讞

托跋鬱後魏　見元鬱

托跋鸞後魏　見元鸞

托喀穆清　456- 35- 52

托爾楚元　544-239- 63

托爾楚脫兒察、脫兒火察、脫魯忽察兒　明　496-625-106

托爾齊元　見多爾濟

托諾海清　455-467- 28

托璞嘉清　455-433- 26

托穆圖清　455-332- 20

托謨奎清　455-619- 42

托謨渾清　456-235- 68

托靈阿清　455-528- 33

托卜莽哈拓跋莽哈　元
294-269-122
394-347-449

托多約蘇元　294-295-124
399-372-452

托多爾台元　294-229-119

托克托氏元　見托克托懷氏

托克托沁托克托章、脫脫眞、脫脫眞達　元　相兀孫妻、桑固孫妻、桑烏遜妻、八哈納武德女、巴噶納謌德女
295-628-200
401-177-593
482-468-363
483-251-391

托克托沁脫脫赤　明
496-627-106

托克托呼元　294-344-128
399-493-467
451-527- 3
1367-311- 26

托克托呼元　拜珠妻、實喇布哈女　1209-598-10上

托克托呼清　496-216- 76

托克托章元　見托克托沁

托克托爾清　502-611- 76

托克托鼐多托哩　元　哈喇布哈妻　295-630-200
401-179-593

托克托輝清　456-269- 70

托克多理清　455-119- 4

托克松鄂清　455-474- 29

托里布哈多羅布哈　元
295-588-195
400-269-521
515- 29- 57

托里哈雅脫烈海牙、圖郎哈雅、圖郎哈雅　元
294-461-137
399-679-487
474- 94- 3
474-617- 32

托里格納托里格呼勒　元　元太宗后　294-183-114
393-345- 80

托里實克元　294-406-133
399-538-473

托音布哈元　294-409-133
399-541-473

托音布哈元　見托歡布哈

托音色辰托音、色辰　元
294-211-118
400- 80-507

托音色辰女　元　見布爾特格勒津

托音納爾元　294-440-135
399-678-487

托跋乙斤拓跋乙斤　後魏
261-224- 14
266-309- 15
375-416-84上

托跋力微拓跋力微　後魏
261- 27- 1
266- 27- 1
372-647-15上

托跋子直後魏　見元子直

托跋子思後魏　見元子思

托跋子推後魏　見元子推

托跋子華後魏　見元子華

托跋大曹後魏　見元大曹

托跋大頭拓跋大頭　後魏
261-231- 14
266-314- 15
375-421-84上

托跋大器後魏　見元大器

托跋六修拓跋六修　後魏
261-222- 14
266-307- 15
375-415-84上

托跋太洛拓跋太洛、章武王　後魏　261-320-19下
266-376- 18
375-476-84下

托跋太興後魏　見僧懿

托跋比干拓跋比干　後魏
261-223- 14
266-308- 15
375-415-84上

托跋比陵拓跋比陵　後魏
261-250- 16

托跋天琚後魏　見元天琚

托跋天賜拓跋天賜　後魏
261-281-19上

266-356- 17
375-458-84下
托跋永平後魏　見元永平
托跋永全後魏　見元思譽
托跋平原拓跋平原　後魏
261-251- 16
266-331- 16
375-436-84上
476-515-127
540-622- 27
托跋世儁後魏　見元世儁
托跋世遵後魏　見元世遵
托跋目辰拓跋目辰、宜都王　後魏　261-222- 14
266-307- 15
375-414-84上
托跋安壽後魏　見元頤
托跋吐根後魏　見元根
托跋伏羅後魏　見元伏羅
托跋法壽後魏　見元法壽
托跋拔干後魏　見元拔干
托跋長壽拓跋長壽、城陽王　後魏　261-317-19下
266-375- 18
375-474-84下
托跋長樂安樂王、拓跋長樂、建昌王　後魏　261-326- 20
266-381- 19
375-478-84下
托跋叔仁後魏　見元叔仁
托跋季海後魏　見元季海
托跋延明後魏　見元延明
托跋洪威後魏　見元洪威
托跋洪超後魏　見元洪超
托跋洛侯拓跋洛侯、廣平王　後魏　261-282-19上
266-359- 17
375-460-84下
托跋胡兒拓跋胡兒、樂陵王　後魏　261-321-19下
266-377- 18
375-476-84下
托跋飛龍後魏　見托跋霄
托跋思恭唐　見拓跋思恭
托跋思譽後魏　見元思譽
托跋紇那拓跋紇那　後魏
261- 32- 1
266- 29- 1
372-649-15上
托跋紇羅拓跋紇羅　後魏
261-221- 14
266-306- 15
375-414-84上
托跋庫汗拓跋庫汗　後魏
261-243- 15
266-327- 15
375-433-84上
托跋素延拓跋素延　後魏
261-221- 14
266-307- 15
375-414-84上
托跋眞樂平陽王、托跋樂眞、拓跋眞樂、拓跋樂眞　後魏
261-223- 14
266-308- 15
375-415-84上
544-205- 62
托跋烏眞拓跋烏眞　後魏
261-228- 14
266-312- 15
375-419-84上
托跋修義後魏　見元修義
托跋推寅拓跋推寅　後魏
261- 27- 1
266- 26- 1
372-372-15上
托跋陪斤拓跋陪斤　後魏
261-238- 15
266-320- 15
375-427-84上
托跋處文拓跋處文、長樂王　後魏　261-253- 16
266-332- 16
375-437-84上
托跋處眞拓跋處眞　後魏
261-232- 14
266-315- 15
375-423-84上
552- 26- 18
托跋悉鹿拓跋悉鹿　後魏
261- 29- 1
266- 28- 1
372-648-15上
托跋猗㐌拓跋猗　後魏
261- 29- 1
266- 28- 1
372-648-15上
托跋猗盧拓跋猗盧　後魏
261- 30- 1
266- 28- 1
372-648-15上
托跋斌之後魏　見元斌之
托跋寔君拓跋寔君　後魏
261-234- 15
266-316- 15
375-423-84上
托跋賀傉拓跋賀傉　後魏
260- 32- 1
266- 29- 1
372-649-15上
托跋景略後魏　見元景略
托跋意烈拓跋意烈　後魏
261-243- 15
266-326- 15
375-433-84上
托跋詰汾拓跋詰汾　後魏
261- 27- 1
266- 27- 1
372-647-15上
托跋窟咄拓跋窟咄　後魏
261-244- 15
266-327- 15
375-433-84上
托跋新成拓跋新成、陽平王　後魏　261-275-19上
266-350- 17
375-452-84下
544-205- 62
托跋祿官拓跋祿官　後魏
261- 29- 1
266- 28- 1
372-648-15上
托跋道符拓跋道符　後魏
261-263- 18
266-338- 16
375-442-84上
托跋萬壽拓跋萬壽、樂良王、樂浪王　後魏　261-282-19上
266-358- 17
375-460-84下
托跋壽樂拓跋壽樂、長樂王、南安王　後魏　261-221- 14
266-307- 15
375-414-84上
托跋壽興後魏　見元壽興
托跋羯兒拓跋羯兒、略陽王　後魏　261-253- 16
552- 25- 18
托跋慶和後魏　見元慶和
托跋樂眞後魏　見托跋眞樂
托跋磨渾拓跋磨渾　後魏
261-233- 14
266-316- 15
375-423-84上
托跋興都拓跋興都　後魏
261-228- 14
266-312- 15
375-419-84上
托跋翳槐拓跋翳槐　後魏
261- 32- 1
266- 29- 1
372-650-15上
托跋嬰文拓跋嬰文　後魏
261-221- 14
266-307- 15
375-414-84上
托跋願平後魏　見元願平
托跋羅侯後魏　見元羅侯
托跋寶炬北魏　見魏文帝
托跋顯恭後魏　見元顯恭
托跋鬱律拓跋鬱律　後魏
261- 31- 1
266- 29- 1
372-649-15上
托爾本格清　456-217- 67
托諛爾泰清　456-182- 64
托歡布哈托音布哈　元
294-384-131
399-517-470
1211-340- 47
托歡徹爾元　523- 29-147
托克托巴哈明　見托克托布哈
托克托布哈托克托巴哈、脫脫不花　明(韃靼人)302-751-327
496-628-106
托克托布哈明(永昌衛人)
558-428- 37
托克托和氏元　見托克托懷氏
托克托博羅脫脫孛兒　明
496-628-106

托克托博囉明　見和勇
托克托懷氏托克托氏、托克托和氏、脫脫懷氏　元　雅克特穆爾妻、燕帖木妻
473-807- 86
482-564-369
570-182- 22
托里格呼勒元　見托里格納
托里特穆爾楚王、鎭遠王　元
294-207-117
395-209-199
托倫色勒必元　見多倫實喇卜
托跋小新成拓跋小新城、濟陰王　後魏　261-279-19上
266-354- 17
375-456-84下
托跋什翼犍妻　前燕　見慕容氏
托跋什翼犍拓跋什翼犍　後魏
259-553- 57
261- 33- 1
266- 30- 1
372-650-15上
托跋可悉陵拓跋可悉陵　後魏
261-238- 15
266-320- 15
375-427-84上
托跋沙漠汗拓跋沙漠汗　後魏
261- 28- 1
266- 27- 1
372-647-15上
托跋沙漠汗妻　後魏　見蘭氏
托歡特穆爾元　見元惠帝
托多額爾德尼清
454-658- 72
列子春秋　見列禦寇
列禦寇子列子、列子　春秋
271-499- 33
375-657- 88
384- 32- 1
405-463- 86
448- 96- 中
472-650- 27
537-361- 57
674-219-3上
871-888- 19
933-517- 34
933-762- 53
1412-162- 7
列精子高戰國　405-242- 71
死心和尚哀中甫　明
533-752- 74
匠慶春秋　404-507- 30
夸山清　455-334- 20
夸父上古　404-387- 23
夸色清　455- 65- 2
夸呂隋　見呂夸
夸喀清　456- 63- 54
夸資清　455-115- 4
夸察清　455-305- 18
夸哈納清　456- 57- 54
夸哈達清　455-692- 49
夸爾達清　455- 54- 1
夸克塔喀清　455-578- 38
聿修後魏　384-134- 7
聿思敬元　478-434-196
554-274- 53
阡能唐　560-601-29下
次非佽非　春秋　386-688- 11
933-649- 42
次民氏上古　383- 19- 3
夷春秋　見周簡王
夷男眞珠毗伽可汗　唐
271-785-199下
276-314-217下
384-296- 15
401-527-636
夷伯春秋　404-493- 30
夷叔春秋　見衛武
夷姜春秋　衛桓公夫人
404-835- 52
夷羿夏　見羿
夷逸周　933- 70- 4
夷簡元　820-551- 39
1442-118- 8
1460-825- 89
夷仲年春秋　見年
夷盂思檿盂懿　春秋
404-600- 37
夷陽五夷陽午　春秋
404-779- 48
夷陽午春秋　見夷陽五
吏員明　494- 57- 2
灰袋道士唐　592-250- 75
吐吉隋　見咄吉
吐延晉　256-586- 97
258-640- 96
262-462-101
267-825- 96
381-459-195
吐谷渾慕容吐谷渾　晉
256-585- 97
258-640- 96
262-461-101
267-825- 96
381-459-195
吐迷度唐　271-687-195
276-299-217上
401-525-636
吐萬緒隋　264-947- 65
267-524- 78
379-872-164
476-258-110
476-277-111
476-656-135
540-645- 27
546- 53-116
933-564- 36
吐突承璀唐　271-428-184
276-139-207
384-258- 13
401- 48-574
吐烏過拔闕可汗唐　見闕達設
同六明　820-766- 44
同氏清　范疇妻　478-138-181
同昇元　1206-808- 15
同俄唐　見同娥
同彧明　554-655- 60
同格妻　清　見阿蘇氏
同恕元　295-530-189
400-573-552
453-779- 2
472-841- 33
478-125-181
546-636-136
554-814- 63
676-701- 29
1206-660- 附
1206-808- 15
1206-811- 15
1206-814- 15
1214- 64- 5
1293-345- 19
1439-427- 1
同恕妻　元　見朱氏
同娥同俄、沙鉢羅咥利失可汗　唐　271-679-194下
276-262-215下
同敞明　482-323-354
同揞元　1206-719- 7
同蠡明　473-641- 78
同繼先元　1206-808- 15
同安公主唐　王裕妻、李昺女
274-103- 83
393-273- 73
同昌公主唐　見衛國公主
同昌公主遼　見耶律巴格
同蹄智爽唐　見周智爽
同蹄智壽唐　見周智壽
曲出元　481-694-332
曲列夏　546-425-129
曲珍宋　286-649-350
397-703-362
472-881- 35
472-913- 36
478-418-195
478-549-202
478-572-203
554-359- 54
558-210- 32
558-333- 35
曲惠元　473-616- 77
481-644-330
528-508- 31
曲溥妻　明　見閻氏
曲新明　494- 24- 2
曲廉明　474-407- 20
505-676- 69
曲端宋　287- 73-369
398-137-374
472-881- 35
478-550-202
482-268-350
554-360- 54
563-907- 43
820-414- 34
曲銳明　476-699-137
曲環唐　270-460-122

275-113-147
395-727-246
472-676- 27
476-369-117
476-911-148
537-200- 54
545-335- 96
546-468-130
933-718- 49
曲三梅清 456-372- 78
曲江王明 見朱安漢
曲列歹明 見奇爾岱
曲沃負戰國 如耳母
448- 34- 3
452- 85- 2
472-469- 20
曲良貴清 505-849- 76
554-259- 52
曲洪瀾明 540-828-28之3
曲從直明 456-462- 4
474-743- 40
502-718- 83
曲遷喬明 540-818-28之3
545-346- 96
曲沃武公春秋 見晉武公
曲沃桓叔春秋 見成師
因唐 1053-244- 6
因宋(善畫) 821-267- 52
因宋(嗣義懷) 1053-682- 16
因杜明 545-787-111
因綱明 545-774-111
545-778-111
因禮明 545-774-111
回唐 820-306- 30
回暗者宋(喜飲酒而不能言)
821-257- 52
回道人宋 494-437- 13
光王唐 見李琚
光仁唐 1053-212- 5
光東清 455-439- 26
光祖明 545-424- 98
光祚宋 1053-639- 15
光涌五代 見光湧
光寂宋 1053-685- 16
光都清 455-133- 5
光普宋 1053-481- 12
光湧光涌 五代 1052-676- 8
1053-365- 9
光雲五代 1053-316- 8
光雲宋 1053-478- 12
光智唐 見波羅頗迦羅密多羅
光逸晉 255-840- 49
377-579-123
384- 92- 5
386-164-73下下
476-666-136
491-799- 6
933-417- 27
光嗣後晉 1052-389- 28
光瑤唐 1052-132- 10
光緒五代 1053-312- 8
光慧五代 1053-545- 13
光儀唐 1052-364- 26
光德妻 明 見陳氏
光範唐 472-986- 39
479-108-221
524-395-199
光穆唐 1053-364- 9
光嶼後周 1052-392- 28
光寶唐 541- 90- 30
1053- 78- 2
光山王明 見朱厚煇
光岳奇明 456-634- 10
540-836-28之3
光御寵妻 清 見馮荇
光陽王明 見朱勉坍
光澤王明 見朱寵瀼
早正妻 明 483-140-380
570-203- 22
吁子戰國 244-455- 74
384- 32- 1
艾孔春秋 933-668- 44
艾氏明 陸炯耀妻 480-546-283
艾氏明 陶弼妻、艾榮女
480- 63-260
561-476- 43
1457-748-413
艾氏明 劉智妻 472-700- 28
艾氏明 劉國忠妻 506- 13- 86
艾氏清 曾璉妻 481-700-332
530-159- 58
艾氏清 劉亮妻、艾廷選女
479-665-247
516-328-100
艾弘明 533-780- 74
艾良明 533-210- 53
艾杞明 545-297- 94
艾性宋 515-759- 80
艾芳明 545-480-100
艾洪明 300- 79-188
476-753-139
艾宣宋 489-696- 50
812-548- 4
813-192- 18
821-168- 50
艾孫清 455-217- 11
艾淑宋 821-228- 51
艾敘史敘 唐 820-173- 27
艾詔明 456-674- 11
艾彭明 473-701- 80
515-635- 77
艾然明 533-330- 58
艾斐元 820-545- 39
艾傑明 533-138- 51
艾試明 540-833-28之3
艾廉明 473-616- 77
艾搏清 455-590- 39
艾塔清 456-105- 57
艾瑛明 472-854- 34
554-474-57上
艾達清 455-446- 27
艾敬明(字肅之) 523-375-164
艾敬明(三原人) 545-220- 91
艾實明 515-639- 77
艾察清 456- 6- 50
艾福明 473-251- 60
533- 90- 49
艾榮女 明 見艾氏
艾圖清(赫舍里氏) 455-195- 9
艾圖清(吳雅氏) 455-476- 29
艾璞明 473- 26- 49
479-490-239
515-378- 68
563-912- 43
艾穆明 300-760-229
480-466-279
506-349- 98
533-285- 56
558-475- 40
676-296- 24
1442- 67- 4
1460-542- 67
艾穆妻 清 見金氏
艾穆妻 清 見姜氏
艾禪清 455-451- 27
艾謙宋 451-138- 2
511-773-166
1170-692- 30
艾謙妻 宋 見李氏
艾蘇清(鈕祜祿氏) 455-136- 5
艾蘇清(喜塔臘氏) 455-624- 43
艾鰲明 523-106-150
艾子高妻 宋 見李氏
艾方師明 821-399- 56
艾元老金 472-826- 33
478-337-191
554-273- 53
艾元復清 537-306- 56
554-529-57下
艾元徵清 540-845-28之4
艾丹布清 456-124- 58
艾必達清 455-170- 7
艾去病元 510-372-114
艾古理清 455-434- 26
艾自修明 483- 97-378
570-119-21之1
艾自馨清 533-417- 62
艾仲魁妻 明 見姜辛姑
艾良秀元 高一夔妻、艾性夫女 1197-794- 84
艾君鼎明 456-500- 5
481-212-302
艾君瑜宋 515-583- 75
艾伯充元 1206-667- 2
艾廷選女 清 見艾氏
艾宗道妻 元 見趙若榕
艾性夫女 元 見艾良秀
艾居晦唐 820-254- 29
艾叔可宋 515-759- 80
艾南英明 301-869-288
479-661-247
481-650-330
515-806- 82
529-755- 52
艾思明宋 1202-324- 22
艾哈圖清 455-433- 26
艾星阿清(瓜爾佳氏) 455-118- 4
艾星阿清(富察氏) 455-431- 26
艾若諾宋 523-241-157
艾教民妻 清 見羅氏

艾通阿清 455-418- 25
艾張顯妻 清 見楊氏
艾揚蘇清 455-220- 11
艾新保清 456-101- 57
艾達哈清 455-129- 5
艾萬年明 301-529-269 456-424- 2 478-436-196 545-105- 86 554-717- 61
艾當阿清(瓜爾佳氏) 455-118- 4
艾當阿清(費莫氏) 455-635- 44
艾毓初明 302- 70-293 456-444- 3 476-919-148 477-360-166 478-435-196 554-716- 61
艾圖哈清 455-136- 5
艾鳳翔明 515-664- 77
艾養中明 456-603- 9
艾徵泰明 545-228- 91
艾憲可宋 515-759- 80
艾懷元妻 清 見姜氏
艾懷光妻 清 見王氏
艾雅爾圖清 455-494- 30
艾苔扎希達清 455-156- 6
夙沙衛春秋 384- 17- 1 404-626- 38
夙沙釐周 505-669- 69
夙武伯夙緯老 宋 451- 66- 2
夙道暹明 529-686- 50
夙緯老宋 見夙武伯
多內清 455- 92- 3
多丹清 455-552- 35
多氏明 多藎臣女 558-523- 42
多尼信親王 清 454- 89- 5 502-407- 66
多貝清 502-536- 72
多林清 455-206- 10
多果清 455-552- 35
多和董灰 明 496-631-106
多和清 455-451- 27
多岳後蜀 561-212-38之2 592-300- 79
多軍漢 453-732- 1
多起清 455-440- 26
多理清(瓜爾佳氏) 455- 57- 1
多理清(楊額理氏) 456-177- 63
多通道同 明 299-338-140 473-673- 79 474-311- 16 482- 33-340 505-741- 72
多渾清 456-110- 57
多喇元 592-996- 上
多絡清 455-364- 22
多齊清 455-166- 7
多鼐清 456-238- 68
多諾清(泰錫納喇氏) 456-264- 70
多諾清(滿洲人) 569-618-18下之2
多賴清 455-414- 25
多彌隋 496-614-105
多璧清 455-120- 4
多鐸豫親王 清 454- 84- 5 474-746- 40 502-404- 66
多士寧明 483-137-380
多士寧妻 明 見罕氏
多什喀清 455-262- 15
多什瑪清 455-341- 21
多弘安清 482-226-348 563-882- 42
多尼喀清(烏蘇氏) 455-570- 37
多尼喀清(費莫氏) 455-637- 44
多尼喀清(寧古塔氏) 502-524- 72
多托哩元 見托克托鼐
多托羅清 456- 22- 51
多伊克唐 1367-919- 70
多和倫董忽力 明 496-631-106
多和侖清(瓜爾佳氏) 455- 92- 3
多和倫清(努魯氏) 456-166- 62
多和倫清(肖氏) 456-392- 80
多和圖都忽禿 明 496-628-106
多岳特清 454-593- 62
多炳阿清 455-450- 27
多格申清 502-596- 76
多博海清 455-204- 10
多博諾清 455-400- 24
多弼納清 455-274- 15
多寧阿清 455-274- 15
多爾吉清 456-174- 63
多爾袞睿親王 清 454- 64- 4 474-745- 40 502-397- 66
多爾渾清 455-552- 35
多爾瑪元(輝和爾人) 294-293-124
多爾瑪元(宣政使) 299-142-124 400-280-522
多爾濟托爾齊、朵兒赤 元(字道明) 294-421-134 399-544-474 472-915- 36 478-595-204 481-333-308 482-538-368 558-349- 35 569-646- 19
多爾濟朵兒只 元(托克托子) 294-484-139 399-780-498 476-916-148 478-765-215 502-276- 55 523- 29-147
多爾濟元(西夏人) 545-181- 89 1210-697- 16
多爾濟元(河西人) 567- 76- 65 1467- 51- 63
多爾濟清(烏珠穆沁部人) 454-441- 34
多爾濟清(阿巴噶部人) 454-458- 37
多爾濟清(都思噶爾叔父) 454-460- 37
多爾濟清(貢格敦丹近族) 454-676- 74
多爾濟清(瑪哈達瓦子) 454-685- 76
多爾濟清(那木圖氏) 456-192- 65
多爾濟清(明安子) 456-200- 66 502-457- 69
多爾濟清(烏齊熙理氏) 456-269- 70
多頗囉清 502-725- 84
多頗禎明 505-921- 82
多積禮清 474-758- 41 502-506- 71
多藎臣女 明 見多氏
多羅干朵羅干 明 496-627-106
多羅伊清 502-606- 76
多羅岱元 540-634- 27
多羅岱清 502-743- 85
多羅圖朵羅禿 明 496-627-106
多鐸和清 502-589- 76
多克松鄂清 456- 43- 52
多剌福僧金 見伊喇富森
多格蘇哩清 502-534- 72
多福和尚唐(居多福寺) 588-267- 11 1053-173- 4
多爾吉那清 455-581- 38
多羅布哈元 見托里布哈
多阿克巴拉魯王 元 294-212-118 400- 80-507
多阿克巴拉女 元 見布達實哩
多倫實喇卜托倫色勒必 元 295-564-193 400-247-520
多爾濟巴勒多爾濟勒巴、朵爾直班 元 294-486-139 399-781-498 474-689- 37 477-563-177 502-277- 55 532-586- 41 554-163- 51 820-516- 38 1209-613-10上
多爾濟車登清 454-613- 65
多爾濟勒巴元 見多爾濟巴勒
多爾濟達什清 454-572- 59
多羅特穆爾朵羅帖木兒 明 496-627-106
多爾濟色布騰清 454-699- 79
多爾濟那木坦清 496-219- 76
多爾濟達爾罕清 502-588- 76

伏世伏 隋 264-1141- 83
381-466-195
伏 唐 1053-220- 6
伏氏 明 王允龍妻 481-159-298
伏允 允伏、慕容允伏、慕容伏允
隋 264-1141- 83
267-832- 96
276-372-221上
381-466-195
401-535-637
伏生 伏勝 漢 244-856-121
251-107- 88
380-250-172
459- 8- 1
469-162- 19
472-522- 22
476-520-128
491-794- 6
539-500-11之2
675-258- 7
933-719- 49
1367-243- 20
1373-759- 21
伏完妻 漢 見劉華延
伏完女 漢 見伏壽
伏念 唐 276-252-215上
伏恭 漢 253-533-109下
370-143- 13
380-267-172
402-522- 15
472- 84- 3
472-586- 24
472-589- 24
474-370- 19
476-663-136
505-669- 69
540-700-28之1
933-719- 49
伏挺 梁 260-425- 50
265-998- 71
380-287-173
494-334- 7
494-422- 13
1394-562- 7
伏理 漢 476-662-136
540-697-28之1
675-280- 11
伏晨 漢 252-653- 56
370-143- 13
376-635-107上
伏湛 漢 252-651- 56
370-142- 13
376-633-107上
384- 57- 3
402-368- 3
402-540- 17
472-518- 22
472-589- 24
476-515-217
476-662-136
491-797- 6
539-351- 8
540-698-28之1
933-719- 49
伏盛 漢 見伏隆
伏隆 伏盛 漢 252-654- 56
370-142- 13
376-635-107上
402-372- 4
472-589- 24
476-662-136
540-699-28之1
933-719- 49
伏勝 漢 見伏生
伏滔 晉 256-503- 92
380-357-175
476-666-136
491-799- 6
540-716-28之1
544-203- 62
933-719- 49
伏暅 梁 260-456- 53
265-997- 71
380-287-173
472-376- 16
472-1013- 41
475-560- 79
476-667-136
479-376-234
480-540-283
485-490- 9
510-422-116
515- 79- 59
523-182-155
540-724-28之1
933-719- 49
伏壽 漢 漢獻帝后、伏完女
252-198-10下
373- 49- 19
539-339- 8
伏黯 漢 253-533-109下
675-281- 11
933-719- 49
伏伯安 明 472-827- 33
554-313- 53
伏知命 陳 260-427- 50
265-998- 71
380-288-173
伏知道 陳 814-258- 7
820-109- 24
伏連籌 後魏 262-465-101
267-829- 96
381-464-195
伏曼容 梁 260-392- 48
265-997- 71
380-286-173
384-122- 6
476-667-136
489-681- 49
491-801- 6
492-570-13下之上
540-724-28之1
677-123- 12
933-719- 49
伏無忌 漢 252-653- 56
376-635-107上
伏羲氏 上古 見虙犧氏
伏犧氏 上古 見虙犧氏
伏虎禪師 梁 475-652- 83
伏馱蜜多 春秋 1053- 17- 1
1054- 25- 1
1054-263- 3
伏古敦可汗 後魏 見郁久閭豆崙
伏龍山和尚 五代(第三世)
1053-232- 6
伏龍山禪師 五代(第一世)
1053-231- 6
伏龍山禪師 五代(第二世)
1053-231- 6
兆山 清 455-170- 7
兆星 清 455-272- 15
兆哈 清 456-107- 57
兆朗 清 456- 22- 51
兆惠 清 1308-288- 58
兆圖 清(顏扎氏) 455-513- 32
兆圖 清(卓禮克圖子)
496-217- 76
兆廣德 清 455-273- 15
舟之僑 舟之橋 春秋
384- 21- 1
386-620- 4
404-699- 42
933-488- 32
舟之橋 春秋 見舟之僑
旭上 唐 591- 21- 2
592-357- 82
名恪 唐 1052-186- 14
名義 明 458-168- 8
⿰亻元嘉 晉 933-687- 46
伍方 明 676-500- 19
1442- 28-附2
1459-653- 25
1475-210- 9
伍什 清 455-404- 24
伍氏 明 張引妻、伍臣女
1283-490-105
伍氏 明 熊睿妻 482- 42-340
伍氏 明 鄭殖菴妻
1410-228-690
伍氏 明 劉細奴妻 482- 79-341
伍氏 明 蕭之芬妻 480-441-278
伍氏 明 顏簡妻 479-729-250
伍氏 清 王履泰妻 530- 28- 54
伍氏 清 李三挺妻 482-436-361
伍氏 清 李以實妻 530-173- 59
伍氏 清 陳用亨妻 482- 45-340
伍氏 清 彭佐聖妻 530- 24- 54
伍氏 清 劉士模妻 482-355-356
伍氏 清 劉欽向妻 481-728-333
伍氏 清 羅宏烈妻 533-717- 72
伍臣女 明 見伍氏
伍全 宋 481-722-333
529-633- 48
伍全 明 515-697- 78
545-118- 86
伍孚 漢 254-116- 6
402-501- 12
477-414-169
538- 65- 63
1408-481-527
伍佐 明 480-438-278

482-559-369
494-158- 5
533-109- 50
569-659- 19
伍性明 554-250- 52
伍尚春秋 405- 30- 57
472-171- 6
510-307-113
533-438- 62
伍秉明 559-353- 8
伍洪明 302-142-296
479-717-250
515-640- 77
伍度春秋 533- 72- 49
伍咸明 572- 76- 28
伍胥上古 546-616-135
伍柳清 515-727- 79
伍建明 572-155- 32
伍祐宋 481-721-333
529-632- 48
伍祐明 529-698- 50
伍員伍子胥 春秋 244-370- 66
246- 14- 66
371-508- 35
375-868- 92
384- 24- 1
386-674- 9
405-107- 63
448-263- 26
473-300- 62
493-763- 42
508-230- 38
510-320-113
511-499-156
583-538- 11
585-181- 12
683-163- 5
933-564- 36
1117-599- 7
1268-369- 59
1408-168-498
伍晏明 529-748- 51
1442- 43-附3
伍梁蜀漢 見五梁
伍被漢 244-834-118
250-185- 45
376- 85- 97
533- 72- 49
933-565- 36
伍奢春秋 384- 25- 1
405- 30- 57
533-349- 59
933-564- 36
伍琇明 545-246- 92
伍冕明 1243-652- 19
伍勗明 1243-453- 4
伍符明 515-683- 78
523- 45-148
559-253- 6
伍偉明 528-514- 31
伍參春秋 405- 28- 57
933-564- 36
伍雲明(定遠人) 299-491-154
475-753- 88
511-497-156
伍雲明(字光宇) 1246-114- 4
1246-125- 4
伍堣明 563-824- 41
伍朝晉 256-526- 94
380-423-177
473-368- 64
480-485-280
533-346- 58
933-565- 36
伍弼宋 516-200- 95
伍景妻 明 見梅氏
伍喬南唐 472-326- 14
472-368- 16
473- 76- 52
475-703- 86
511-818-167
516-215- 96
伍端妻 明 見柯梅
伍塾明 475-700- 86
510-463-117
伍福明 473-117- 54
515-782- 81
676-166- 7
676-493- 19
820-627- 41
1254-830- 6
伍愿唐 見伍正已
伍槩明 821-419- 56
伍鳴春秋 405- 30- 57
伍睿明 563-759- 40
567-355- 80
伍箕明 478-337-191
515-688- 78
554-252- 52
1467-105- 65
伍魁明 554-347- 54
伍徵明 515-778- 81
伍璣明 567-311- 77
1467-199- 69
伍衡明 1254-584- 上
伍賚清 455-332- 20
伍謙妻 明 見李氏
伍舉椒舉 春秋 375-853- 92
384- 25- 1
405- 28- 57
448-237- 20
533- 72- 49
933-262- 18
933-564- 36
伍總宋 1175-535- 17
伍禮明(江西人) 472-521- 22
540-666- 27
伍禮明(字天秩) 476-855-145
515-780- 81
伍瓊漢 254-116- 6
伍繪明 482-433-361
567- 95- 66
1467- 59- 64
伍寶明 533-449- 62
533-461- 63
伍讓明 480-512-281
533-267- 55
伍驥明(字德良) 299-643-165
473-155- 56
473-570- 74
479-722-250
481-493-324
515-677- 78
528-452- 29
1249-404- 26
伍驥明(字惟良) 564-158- 45
伍士望明 563-824- 41
伍士琪清 480-463-279
480-664-290
532-711- 45
532-733- 46
伍子安明 524-373-197
伍子胥春秋 見伍員
伍子瑗明 563-765- 40
567-357- 80
伍文定明 300-286-200
473- 17- 49
473-304- 62
479- 93-221
479-712-250
480-247-269
515- 48- 58
523-103-150
533- 77- 49
534-556- 99
1320-746- 81
伍文煥明 559-372- 8
伍之奇唐 516-453-104
伍元如元 821-326- 54
伍巴泰清 455-180- 8
伍日望明 529-702- 50
伍什巴清(伊爾根覺羅氏) 455-256- 14
伍什巴清(那木都魯氏) 455-346- 21
伍永興妻 清 見文氏
伍正已伍愿 唐 473-624- 77
481-721-333
529-632- 48
伍可受明 529-638- 48
1467-131- 66
伍可縉明 529-701- 50
伍世奇明 563-763- 40
567-354- 80
1467-466- 7
伍民憲明 302-157-297
481-588-328
529-672- 49
伍仕階宋 564- 66- 44
伍守規妻 明 見蔣玉眞
伍安貧梁 471-801- 30
473-369- 64
480-485-280
533-325- 57
伍安然宋 451- 94- 3
伍全教妻 明 見冷氏
伍先輔元 1216-347- 10
伍良臣元 515-473- 71
516-196- 95
伍伯遜明 473- 19- 49
516-196- 95
1240-132- 9

伍希淵明 515-675- 78
563-747- 40
1250-837- 80
1257-220- 20
伍希閔明 528-453- 29
伍希憲妻 明 見劉順貞
伍廷相明 533-103- 50
伍宗堯元 481-722-333
529-697- 50
伍其清妻 清 見蕭氏
伍承載明 515-721- 79
伍昌時唐 529-632- 48
伍周仁妻 清 見吳氏
伍飛翰清 529-703- 50
伍思韶明 559-289-7上
伍星會明 567-309- 77
1467-196- 69
伍袁萃明 300-677-223
511-111-140
515-204- 63
523- 60-148
676-612- 25
1409-797-657
伍惟善明 515-719- 79
伍從教明 554-346- 54
伍就湯明 529-702- 50
伍朝鉄妻 明 見王氏
伍朝賓明 515-639- 77
伍盛大妻 清 見麗潤
伍隆起宋 473-675- 79
563-710- 39
伍達克妻 清 見蒙古索氏
伍達納清 502-478- 69
伍經正明 301-644-276
456-543- 7
479-353-233
伍福合明 529-703- 50
伍端厚宋 515-602- 76
伍壽高明 481-724-333
529-700- 50
伍餘福明 506-340- 98
676-172- 7
伍澤之宋 528-438- 29
伍應祖妻 明 見劉氏
伍禮厚金 見任厚禮
伍特巴喇清 496-216- 76
任山宋 472-437- 19
任山明 541- 98- 30
任六清 456-358- 77
任元元~明 見任原
任公漢 244-938-129
任氏晉 劉惔母 475-755- 88
512- 3-176
任氏唐 崔寧妻 561-381- 41
591- 18- 2
591-674- 47
1354-799- 46
1381-564- 41
任氏宋 廖明略妻、任軫女
1113-437- 8
任氏宋 令狐暎母
1124-643- 29
任氏宋 任顓女 1117-350- 18
任氏宋 蒲卣母 481-158-298
任氏明 王大傳妻 506- 9- 86
任氏明 石文光妻 506- 57- 87
任氏明 石武光妻 506- 57- 87
任氏明 朱永祚妻 512-410-187
任氏明 李冠妻 506- 47- 87
任氏明 李堂妻 506-119- 89
任氏明 李嵩妻 480-179-266
任氏明 李仲富妻 473-216- 59
任氏明 吳景妻 473-236- 60
480- 95-262
任氏明 翁邦用妻 472-243- 9
任氏明 郭仲和妻 524-481-203
任氏明 張鳴鳳妻 477-257-161
任氏明 陳蕃妻 483- 17-370
570-182- 22
任氏明 曾洧妻 473-157- 56
任氏明 彭大同妻 481-312-307
任氏明 楊端妻 506- 10- 86
任氏明 鄒裔儒妻 478-614-205
任氏明 齊蛟妻 506-109- 89
任氏明 廖詩妻 530-125- 57
任氏明 熊鳴盛妻 480- 96-262
任氏明 劉煥妻 478-421-195
任氏明 劉世榮妻 506- 52- 87
任氏明 鮑威妻、任清女
1267-330- 36
任氏明 魏大信妻 558-491- 42
任氏明 任恩女 1258-755- 7
任氏清 仇致廣妻 474-194- 9
任氏清 牛漢華妻 476-829-143
任氏清 杜準妻 477-138-155
任氏清 杜如桂妻 506-114- 89
任氏清 李順妻 476-373-117
任氏清 李福生妻 477-548-176
任氏清 何器妻 478-138-181
任氏清 林自勝妻 506- 62- 87
任氏清 高洪逵妻 481-652-330
任氏清 馬啟周妻 478-437-196
任氏清 耿嘉璞妻 506- 59- 87
任氏清 夏芳妻 478-393-193
任氏清 徐耀妻 483-341-398
任氏清 張德昌妻 474-249- 12
506- 60- 87
任氏清 張錫齡妻 474-251- 12
任氏清 陳益虞妻 481-120-296
任氏清 崔士瞻妻 506- 19- 86
任氏清 符鍾奇妻
1326-848- 8
任氏清 趙儒琮妻 512-261-183
任氏清 劉士鳳妻 479-731-250
任立元 475-449- 71
493-752- 41
510-402-115
任永漢 253-575-111
380-131-168
469-641- 79
471-1029- 65
473-465- 69
559-377-9上
591-577- 43
任玉明 彭學禮妻、任保沖女
1242-180- 30
任弘明 569-671- 19
任古宋 524-335-195
任巨妻 明 見林氏
任布宋 285-605-288
382-347- 55
384-354- 18
397- 76-324
472- 50- 2
472- 85- 3
472-126- 4
472-750- 29
472-1066- 45
474-371- 19
475- 16- 49
486- 47- 2
505-631- 67
523-147-153
537-510- 59
933-492- 33
任可元 1202-889- 16
任世漢 539-351- 8
任末漢 253-533-109下
380-268-172
473-430- 67
481- 74-294
559-338- 8
591-509- 41
933-490- 33
任生不詳 1061-303-112
任弁宋 592-557- 96
任安漢(字少卿) 244-683-104
472-650- 27
477- 57-151
537-597- 60
554-880- 64
1412- 96- 5
任安漢(字定祖) 253-523-109上
254-616- 8
380-261-172
448-112-下
469-592- 72
473-430- 67
481-404-313
561-206-38之1
591-518- 41
680-669-285
871-901- 19
933-490- 33
任安宋(熙河路部將)
288-357-452
400-171-513
任安宋(京師人) 821-201- 51
任妄春秋 405-268- 73
任宇唐 485-497- 9
任存元 295-563-193
400-244-520
545-218- 91
任光春秋 538-346- 70
1058-496-上
任光漢(字伯卿) 252-588- 51
370-126- 10
376-589-106
384- 56- 3
472- 84- 3
472-768- 30
474-600- 31

477-364-167
505-698- 70
537-532- 59
933-490- 33
任光漢(字景昇) 487-106- 8
491-379- 4
523-371-164
任光漢(丹陽太守) 488- 73- 6
任光漢(上蔡上) 1061-250-108
任旭晉 256-527- 94
370-307- 6
380-424-177
479-287-230
524-289-193
933-491- 33
任仲宋 524-312-194
任伋宋 見任汲
任伋妻 宋 見宋氏
任沂清 511-559-158
任罕晉 255-777- 45
377-542-123
476-665-136
任忱妻 明 見焦氏
任序元~明 1220-709- 6
1375- 25-上
任汲任伋 宋 286-583-345
473-281- 61
480-126-264
532-630- 43
534-674-105
559-264- 6
933-493- 33
1112-257- 24
1115-602- 33
1145-706- 82
1356-342- 16
任志元 295-563-193
400-243-520
472-490- 21
476-154-104
545-218- 91
545-836-113
任志明 1261-629- 23
任材明 821-393- 56
任防漢 見任昉
任孜宋 286-583-345
397-654-359
471-951- 52
471-959- 53
473-514- 71
559-383-9上
933-493- 33
任佐明 546-755-140
554-347- 54
任巡明 511-467-154
任宗妻 唐 見郭紹蘭
任宗宋 540-764-28之2
任官妻 明 見李氏
任放唐 530-196- 60
任青宋 1115-368- 43
任玥清 540-857-28之4
545-252- 92
1318-486- 75
1323-782- 5
任玠宋 473-432- 67
559-340- 8
591-542- 42
592-581- 98
任忠任蠻奴 陳 260-753- 31
265-954- 67
370-598- 20
378-522-144
494-287- 3
933-491- 33
任忠明 540-798-28之3
554-177- 51
任尚漢 370-199- 20
402-413- 6
558-222- 32
任明妻 明 見樊氏
任昂明 299-288-136
472-665- 27
477- 86-153
537-601- 60
545-220- 91
任昇明 547- 34-142
任虎明 558-439- 37
任芳明 472-569- 24
540-641- 27
任昉任防 漢 402-465- 10
473-430- 67
481- 74-294
559-338- 8
591-517- 41
任昉任阿堆 梁 260-151- 14
265-837- 59
378-349-140
384-118- 6
469-530- 64
471-699- 16
472-253- 10
472-376- 16
472-591- 24
472-1014- 41
475-213- 60
475-560- 79
476-667-136
479-376-234
485-491- 9
491-800- 6
510-356-114
510-422-116
523-211-156
540-722-28之1
814-254- 7
820- 96- 24
933-491- 33
1387-127- 8
1394-344- 2
1395-595- 3
1410-512-731
1415-158- 87
1415-287- 92
任果北周 263-792- 44
267-355- 66
379-644-158
558-306- 34
591-586- 43
933-491- 33
任姒上古 有蟜氏女
555- 1- 66
任和明 494- 42- 3
任佶唐 1078-173- 14
1342-411-957
任侗唐 472-1083- 46
479-173-225
491-343- 2
523-125-152
任佩明(字鳴玉) 554-503-57上
任佩明(字伯玉) 554-669- 60
任邱漢 505-663- 69
任延漢 253-482-106
370-160- 15
380-159-169
402-382- 4
402-524- 15
402-578- 20
459-828- 50
472-220- 8
472-716- 28
472-769- 30
472-943- 37
475-117- 55
477-365-167
478-633-206
479-221-227
483-696-422
484- 11-上
486- 32- 2
493-665- 37
510-320-113
523-141-153
537-284- 55
537-534- 59
558-215- 32
558-478- 40
567- 19- 63
933-490- 33
任洛明 458-170- 8
523-103-150
676-171- 7
任奕漢 472-1085- 46
479-176-225
487-106- 8
491-303- 6
491-379- 4
524- 39-180
任春清 533-495- 65
任要唐 820-226- 28
任柱明 537-318- 56
任奎明 554-258- 52
任建妻 元 見王氏
任思明 567-142- 68
1467-133- 66
任胄北齊 263-148- 19
267-123- 53
379-372-152
任昭元~明 1239-237- 42
1241- 81- 4
任迪唐 820-266- 29
任重明 559-286-7上
任扁明 475-799- 90

511-825-167
任信明(寧夏人) 558-376- 36
任信明(字宗愨) 567-407- 84
任衍宋 1149-710- 16
任勉任勉之 明 472-242- 9
473- 45- 50
511-123-141
515-220- 63
676-471- 18
820-577- 40
任俠清 524-207-188
任浦漢 402-526- 15
任宮漢 248-616- 8
535-553- 20
1412-123- 5
任座戰國 405-169- 67
546-432-129
933-490- 33
任祐明 472-142- 5
472-752- 29
537-605- 60
540-649- 27
任高妻 明 見李氏
任高女 明 見任留
任高女 明 見任端
任高妻 清 見李氏
任泰明(字亨伯) 473- 61- 51
523-581-175
任泰明(咸寧人) 476-438-122
545-431- 99
任原任元 元～明 676-454- 17
820-540- 39
1220-666- 2
1375- 25-上
1442- 10- 附1
1459-462- 14
任珪元 473-790- 85
482-485-364
567- 78- 65
1467- 51- 63
任格元 1214-154- 13
任恩明 554-347- 54
任恩女 明 見任氏
任峻漢 477-303-163
任峻魏 254-309- 16
377-143-115下
384- 84- 4
384-673- 43
385-411- 44
459-853- 51
477- 61-151
537-375- 57
933-490- 33
任留明 任高女 480-178-266
任倫明 1241-305- 1
1241-782- 19
任倫妻 清 見文氏
任皋妻 明 見李氏
任卿明 511-555-158
任能明 1239-185- 39
任淳明 1442- 48- 附3
1460- 48- 42
任清女 明 見任氏
任淵宋(字子淵) 592-598- 99
674-848- 18
任淵宋(字全一) 1138-884- 4
任章春秋 404-794- 48
546-431-129
任祥任延敬 北齊 263-147- 19
267-122- 53
379-372-152
535-556- 20
544-208- 62
546-115-119
547-173-147
任祥明 1242-273- 33
任彬明(蒼溪人) 483- 32-371
559-362- 8
569-661- 19
任彬明(蒲州人) 546-306-125
任敖漢 244-633- 96
250-152- 42
251-534- 12
376- 71- 96
472-489- 21
475-422- 70
476-149-104
511-219-144
545-204- 91
933-490- 33
1408-267-506
任通明 472-504- 21
476-205-107
545-341- 96
任通妻 明 見歐氏
任晦唐 485-182- 25
493-868- 47
任晃唐 1065-248- 7
1342-193-929
1410-185-684
任舶宋 1168-477- 39
任耜元 1228-340- 8
任紳宋 494-426- 13
1147-546- 51
任敏明 559-380-9上
任旐漢 254-471- 27
472-590- 24
476-664-136
491-798- 6
540-706-28之1
任翔元 559-291-7上
任敦劉宋 564-614- 56
1061-270-110
任敦唐 481-536-326
任惠元 1208-540- 17
任惠明 300- 81-188
474-278- 14
505-730- 71
任肅明 472-413- 18
511-227-144
任軫女 宋 見任氏
任琛明 馬森妻 530- 2- 54
任棟明 302- 73-293
456-489- 5
478-391-193
540-658- 27
任逮明 511-584-159
任貴邛轂王 漢 252- 54-1下
252- 57-1下
473-559- 73
559-301-7上
569-534- 17
任貴金 291-704-125
400-688-565
821-274- 52
1365- 58- 2
1445-346- 23
任貴元 554-598- 59
任貴明 472-684- 27
任華唐 567-428- 86
585-748- 3
820-207- 28
1467-141- 67
任棠漢 448-108- 下
472-895- 35
478-516-200
558-467- 39
任順明(常熟人) 528-570- 32
任順明(字孝友) 1261-723- 31
任傑明(西安人) 554-179- 51
554-708- 61
任傑明(字漢臣) 820-714- 43
1269-437- 6
任進元 554-598- 59
任源任彭哥 宋(字子望)
448-385- 0
任源宋(漢州人) 821-200- 51
任源宋(字道源) 821-256- 52
任義明(字時中) 545-659-107
任義明(平遙人) 545-889-114
547- 44-142
任義明(四川人) 554-282- 53
任滄宋 515- 86- 59
任靖晉 820- 68- 23
任詢金 291-704-125
400-688-565
474-588- 30
505-891- 79
820-477- 36
821-274- 52
1365- 58- 2
1439- 4- 0
1445-346- 23
任愷晉 255-776- 45
377-541-123
384- 92- 5
476-665-136
491-799- 6
540-711-28之1
933-491- 33
任準明 561-202-38之1
任遂女 宋 見任採蓮
任祿明 554-527-57下
任楓妻 明 見王氏
任楓清 477-503-174
537-576- 60
任隗漢 252-589- 51
370-126- 10
376-590-106
384- 56- 3
402-390- 5
402-542- 17

477-367-167
537-535- 59
933-490- 33
任椿妻 元 見董氏
任瑞明 任高女 480-178-266
任遐梁 265-837- 59
378-349-140
540-723-28之1
任鼎清 505-668- 69
任敬明 676-177- 7
任敬妻 明 見李氏
任鉞父 宋 1124-642- 29
任經明 676- 7- 1
任經清 456-390- 80
任韶宋 516-201- 95
任塾清 505-685- 69
511-610- 160
任福宋 286-311-325
371-188- 19
382-714-110
384-358- 18
397-440-346
472-660- 27
472-852- 34
472-878- 35
472-913- 36
477- 76-152
478-200-184
478-571-203
538- 36- 63
545- 48- 84
546-289-124
554-356- 54
558-207- 32
任福金 554-364- 55
任福明(英宗時人) 524-198-188
任福明(耀州人) 554-526-57下
任福明(四川土人) 559-291-7上
任粹宋 821-196- 51
任漢明 559-347- 8
676-518- 20
676-717- 30
任榮明 547-500-159
任熙晉 481- 76-294
559-339- 8
591-527- 41
任戩宋 523-533-172
任糖妻 明 見何氏
任暇魏 254-471- 27
476-664-136
491-798- 6
540-709-28之1
545-351- 96
879-185-58下
任穀明 見任瑴
任崽妻 清 見李氏
任鄗戰國 933-490- 33
任僖明 558-294- 34
任諒宋 286-726-356
397-759-365
472-790- 31
473-515- 71
474- 93- 3
475-501- 75
477-243-161
477-421-169
477-561-177
481-351-309
538-329- 69
540-613- 27
559-384-9上
581-495- 97
591-643- 46
592-594- 99
933-493- 33
任廣宋 820-374- 33
任誼宋 820-406- 34
821-196- 51
任毅明 473-477- 69
545-844-113
559-275- 6
任適宋 494-347- 7
任慶明 676- 7- 1
任賢明 302- 11-289
458- 59- 3
477-378-167
538- 64- 63
任瑾元 1196-555- 4
任瑴任穀 明 482-485-364
528-453- 29
567-318- 78
1467-203- 69
任儀明(閬中人) 299-847-180
559-361- 8
571-548- 20
676-519- 20
任儀明(字象之) 518- 61-137
任儉唐 678- 82- 77
任質唐 821- 58- 46
任憲明 546-757-140
任憲妻 清 見李氏
任龍妻 清 見孫氏
任澤宋 288-513-464
400- 51-503
481-552-327
任璜明 554-502-57上
任璣清 478-132-181
554-537-57下
任穎漢 554-265- 53
任璘明 1259-231- 17
任據父 宋 1090-101- 17
任豫妻 清 見孫氏
任蕃蜀漢 559-272- 6
任蕃唐 451-456- 5
任圜後唐 277-555- 67
279-174- 28
384-303- 16
396-369-285
476-150-104
478-122-181
545-210- 91
933-491- 33
1383-747- 68
任暹明 569-661- 19
任翱明 547- 36-142
任錦明 554-678- 60
任濤唐 451-469- 7
471-734- 20
473-166- 57
515-462- 71
518-714-159
任燠魏 540-710-28之1
任勵明 472-841- 33
任環明 300-377-205
475-122- 55
476-155-104
505-684- 69
510-337-113
537-282- 55
545-850-113
550-692-227
676-337- 12
1442- 58- 3
1460-173- 48
任環僕 明 511-526-157
任爵明 1278-452- 22
任禮明(字尚義) 299-515-155
458-139- 6
477-168-157
任禮明(字敬讓) 1244-666- 17
任璿清 537-473- 58
任轍明 483- 95-378
494-158- 5
559-355- 8
569-668- 19
571-519- 19
任顓宋 286-376-330
397-487-349
472-593- 24
473-334- 63
475-869- 95
476-670-136
478-544-202
480-399-277
532-689- 45
540-758-28之2
545- 44- 84
任顓女 宋 見任氏
任鎧明 505-651- 68
546-369-127
任翻唐 見任藩
任瀚明 301-848-287
481-183-300
559-367- 8
676-563- 23
1455-756-247
1442- 53- 5
1460-121- 46
任璽清 505-897- 80
任疇唐 813-258- 10
820-259- 29
任藩任翻 唐 524-327-195
任鐺任麟行 宋 451- 66- 2
任鏜明 302-148-297
472-684- 27
477-131-155
538- 86- 64
任瓌唐 269-522- 59
274-184- 90
384-169- 9
395-282-206

472-326- 14
475-703- 86
476-910-148
511-411-152
537-197- 54
933-491- 33
任嚴宋 491-304- 6
任讎妻 明 見楊氏
任囂秦 473-671- 79
567- 17- 63
任蘭晉 478-481-199
558-169- 31
任續宋 1147-375- 34
任權晉 559-259- 6
任一貴妻 清 見劉氏
任一暘妻 明 見陳氏
任二琦清 524-350-196
任又布妻 清 見張氏
任三傑宋 491-436- 6
任三瑞妻 清 見郝氏
任士行元 1210-714- 18
任士林元 295-535-190
475-186- 59
479-188-225
524-317-194
1196-711- 8
1439-427- 1
1470-246- 9
任士修妻 清 見張氏
任子仁元 524-204-188
任子孝妻 明 見范氏
任子昭元 821-323- 54
任子勉元 1217-754- 6
任子善女 明 見任善定
任才仲妻 宋 見豔豔
任才欽明 523- 90-149
任大治明 523-477-169
任大伯明 545-249- 92
任大僚明 545-345- 96
任山平宋 546-634-136
任山甫明 1442- 95- 6
1460-547- 67
任斗南元 546-717-139
任斗墟明 456-467- 4
任文公漢 253-592-112上
380-566-181
473-446- 68
481-154-298
559-359- 8
592-375- 78
933-490- 33
任文石明 511-822-167
任文華清 477-210-159
537-470- 58
任文薦宋 484-384- 28
529-441- 43
680-187-243
任之奇宋 1121-612- 8
任之奇明 547-114-145
任之望明 483-340-398
572- 83- 28
任之華明 456-600- 9
505-837- 76
任之豪明 456-607- 9
任之銘妻 清 見杜氏
任不齊春秋 244-389- 67
375-656- 88
405-447- 85
533-130- 51
539-496-11之2
933-490- 33
任五十清 456-358- 77
任元祥清 511-683-163
任元善妻 元 見鄧氏
任元發元 見任仁發
任元齡明 524-139-185
任孔當明～清 540-843-28之4
545-158- 88
任天民明 505-884- 79
任天祐元 538- 91- 64
任天章女 清 見任改姐
任天祺元 1203-400- 30
任天慶明 558-433- 37
任天寵金 291-476-105
399-236-437
472-557- 23
472-879- 35
474- 93- 3
476-865-145
478-545-202
540-770-28之2
任中立明 546- 92-118
任中正宋 285-597-288
371- 68- 6
382-282- 44
384-340- 17
384-350- 18
397- 70-324
472-556- 23
473-426- 67
476-861-145
478-759-215
481- 67-293
493-765- 42
515- 12- 57
523- 9-146
540-751-28之2
545-174- 89
559-263- 6
591-681- 47
933-492- 33
1087- 21- 下
任中師宋 285-598-288
371- 69- 6
382-283- 44
384-340- 17
384-354- 18
397- 71-324
472-556- 23
481- 68-293
482- 32-340
540-751-28之2
933-492- 33
任中皎明 456-610- 9
任公震任虎官 宋451- 97- 3
任仁發任元發、任霆發 元
472-242- 9
475-178- 59
511-122-141
676-225- 8
820-522- 38
821-293- 53
1439-427- 1
任允淳明 511-393-151
1323-554- 2
任玄能南唐 820-318- 31
任必萬宋 485-541- 1
任永壽宋 427-279- 10
427-286- 11
任玉秀妻 清 見才氏
任弘祚清 見任弘祥
任弘祥任弘祚 清
476-403-119
546-611-135
任弘埏清 547-118-145
任弘嘉清 475-233- 61
511-170-142
任弘震明 533-145- 51
任可容明 511-258-146
523-249-157
563-744- 40
任世威妻 明 見閻氏
任民育任民與 明
301-618-274
456-438- 3
475-369- 67
510-395-115
540-829-28之3
任民與明 見任民育
任仕中妻 明 見俞淑安
任守中明 559-362- 8
任守忠宋 288-554-468
382-785-120
384-360- 18
401- 73-577
任守德明 505-657- 68
任汝亮明 546-314-125
任汝賢任沂公 宋451- 70- 2
任吉光夏 546-423-129
任有鑑明 510-482-118
任次龍吳 524- 61-181
任光裕明(諡節愍) 302- 36-291
456-516- 6
474-168- 8
任光裕明(崇禎十五年卒)
456-610- 9
任自立妻 明 見杜氏
任自垣明 676-215- 8
任自信唐 533-793- 75
任如龍明 456-660- 11
475-433- 70
511-586-159
任先型妻 清 見韓氏
任仲文妻 元 見林氏
任仲孚元 511-542-158
任沂公宋 見任汝賢
任亨泰明 299-295-137
473-251- 60
480-297-271
533-235- 54
任良才明 545-890-114
547- 44-142

任良弼宋 475-562-79
510-425-116
任良弼明(平遥人) 476-183-106
545-891-114
任良弼明(南寧人)
570-164-21之2
任良貴妻 明 見鮑氏
任良幹任良榦 明567-397-83
1266-383-5
1467-227-70
任良榦明 見任良幹
任良翰明 523-248-157
任孝恭梁 260-429-50
265-1025-72
380-374-176
475-854-94
511-506-156
933-491-33
1394-788-12
1401-332-27
任君貴漢 591-178-14
任克溥清 477-361-166
540-850-28之4
任辰旦明~清 1320-586-65
1321-234-112
任改姐任天章女 清
474-483-23
任佐君清 538-48-63
任伯雨宋 286-583-345
382-651-100
397-654-359
449-296-1
459-805-48
471-895-43
472-292-12
472-644-26
473-408-66
473-515-71
473-738-82
475-485-73
477-53-151
480-353-274
481-351-309
482-268-350
511-906-172
537-243-55
559-384-9上
563-906-43
591-642-46
674-350-5下
674-897-22
933-493-33
1437-19-1
任伯嗣漢 681-262-15
681-847-15
任伯璋元 1221-604-22
任希夷宋 287-410-395
398-407-391
460-312-23
473-643-78
480-49-259
481-673-331
481-696-332
529-627-48
680-196-243
任希祖明 554-289-53
任希夔明 478-699-210
558-464-38
任邦經明 547-96-144
任廷櫟妻 清 見江氏
任宗一元 1217-750-5
任宗武明 456-620-9
564-249-47
任宗陟明 547-113-145
任宗誼宋 1121-606-7
1351-634-144
任法素明 547-486-159
任直亮唐 821-55-46
任直諒妻 元 見曹氏
任奉古唐 1387-290-21
任阿堆梁 見任昉
任東卿元 1210-777-26
任長安妻 清 見李氏
任長慶清 476-184-106
545-896-114
任忠正宋 475-15-49
任忠厚宋 473-505-71
任明翰妻 清 見謝氏
任肯堂妻 明 見劉氏
任虎官宋 見任公震
任金姐清 鄭乾生妻
530-31-54
任延皓後漢 278-267-108
任延敬北齊 見任祥
任延壽妻 漢 見友娣
任彥安宋 1096-775-37
任彥常明 676-511-20
任彥蘗明 300-818-233
任拱之宋 1092-627-58
任厚禮伍禮厚 金476-78-100
545-475-100
任建中宋 472-290-12
475-482-73
510-409-115
任思道宋 472-678-27
任貞亮唐 812-347-9
任星客明 1475-711-29
任迪簡唐 271-464-185下
275-376-170
396-148-265
472-480-21
474-587-30
478-118-181
545-320-95
554-452-56
933-491-33
任風子金 472-578-24
476-705-137
476-870-145
541-93-30
任勉之明 見任勉
任保沖女 明 見任玉
任海村明 821-444-57
任記珍妻 清 見馮氏
任家相明 533-17-47
任家聲明 547-106-145
任效忠明 572-82-28
任效廉妻 明 見楊氏
任素合元 476-753-139
任城王漢 見劉安
任城王漢 見劉尚
任城王漢 見劉崇
任城王漢 見劉博
任城王魏 見曹彰
任城王晉 見司馬陵
任城王後魏 見元雲
任城王北齊 見高湝
任城王明 見朱壔
任起鋗妻 清 見劉氏
任振龍明 524-206-188
任倫備清 537-487-58
任奚仲夏 見奚仲
任望之宋 485-534-1
任惟一明 561-330-40
任惟清明 537-306-56
任惟賢明(黃陂人) 510-400-115
任惟賢明(字功懋) 533-24-47
677-625-56
任惟賢明(閬中人) 559-362-8
任康世明 554-312-53
任康節宋 547-41-142
任梅軒明 1259-419-4
任培元清(邯鄲人) 505-911-81
任培元清(宜興人) 511-684-163
任培元妻 清 見許氏
任聃年明 511-924-174
任採蓮宋 任遂女534-874-115
1108-440-89
1410-361-711
任崇德明 456-654-11
任國玉妻 明 見石氏
任國卿妻 明 見劉秋喜
任國璽明 301-713-279
456-549-7
任紹統明 547-106-145
任紹爌清 481-403-313
559-336-7下
任從宋 812-551-4
821-164-50
任善定明 姜浩妻、任子善女
1246-634-13
任雲翔妻 清 見鄒氏
任彭哥宋 見任源
任景舜妻 清 見金氏
任義春妻 清 孟氏
任裕統明 546-502-131
任道宗妻 宋 見林氏
任道林北周 見任道琳
任道琳任道林 北周
1054-390-10
1401-496-36
任道遜尹道遜 明524-87-182
524-271-191
676-292-11
820-622-41
821-388-56
1255-620-64
任道遜妻 明 見孫氏
任道遠明 564-249-47
任道遠清 547-11-141
任萬民明 302-43-291
456-523-6

540-642- 27
545-678-107
任萬里明 540-809-28之3
任萬庫母 明 見周氏
任暄猷清 479-484-239
515-100- 59
任嗣業清 560-104- 19
任鼎福清 524-163-186
任敬立明 1242-130- 28
任敬臣唐 275-627-195
384-175- 9
400-285-523
472-524- 22
476-751-139
491-802- 6
540-740-28之2
933-491- 33
任敬敏明 1237-341- 7
1241- 82- 4
1241-775- 19
任敬說妻 明 見蕭氏
任遇隆明 533-143- 51
任農夫劉宋 258-496- 83
任賓臣明 539-317-7上
572-104- 30
任漢權後周 541-459-35之9
任際虞清 569-621-18下之2
任盡言宋 471-959- 53
493-710- 39
559-384-9上
561-560- 45
592-596- 99
674-844- 18
1161- 98- 83
任熊祥金 291-468-105
399-130-428
505-719- 71
任維清明 456-608- 9
546-610-135
任肇智妻 清 見婁氏
任澄清明 554-527-57下
任養心明 546-499-131
任賢臣妻 宋 見王氏
任撫幹宋 821-249- 52
任霆發元 見任仁發
任履眞金 1040-265- 6
1190-202- 11
任餘榮妻 清 見白氏
任德用元 528-524- 31
任德英妻 清 見劉氏
任德筠前蜀 820-319- 31
任德懋金 1191-321- 29
任憲伊清 510-492-118
任遵聖妻 宋 見呂氏
任應孝妻 清 見王氏
任應科明 572- 83- 28
任謙之宋 485-537- 1
任鍾麟清 481-157-298
559-438-10下
任鍾麟妻 清 見李氏
任鎧平明 554-312- 53
任贊化明 532-650- 43
546-608-135
任獻夫宋 480- 55-260
533-301- 57
任蘇克元 295-471-184
399-742-493
任覺民妻 清 見李氏
任覺民妻 清 見南氏
任繼宗明 545-191- 90
任繼業明 554-366- 54
任蘭枝清 569-619-18下之2
任麟行宋 見任鎧
任蠻奴陳 見任忠
臼任春秋 933-621- 40
臼季春秋 見胥臣
自守妻 明 見李氏
自在劉宋 見伊葉波羅
自在唐 538-344- 70
1052-143- 11
1053-122- 3
自回宋 561-219-38之3
592-436- 87
1053-861- 20
自如元 588-231- 10
自恢元 1439-459- 附2
1460-836- 90
1475-738- 31
自南宋 1086-161- 17
自悦明 524-419-200
1442-118- 8
1460-827- 89
自清宋 473- 67- 51
516-465-104
自堅清 見超正
自閒元 1204-608- 12
自然宋 530-204- 60
自詢宋 486-901- 35
自新後晉 1052-420- 30
自瑜宋 1053-753- 18
自當元 見策丹
自圓宋 592-397- 84
自滿唐 1053-119- 3
自賢宋 1053-823- 19
自遵宋 1053-506- 12
自寶宋 1053-646- 15
1089- 68- 7
1089- 86- 9
自齡宋 1053-696- 16
自嚴宋 481-594-328
516-443-104
530-206- 60
1052-677- 8
1054-611- 18
1147-829- 80
1199-267- 28
自覺唐 1052-366- 26
自覺宋 1053-590- 14
自護宋 1053-876- 20
自巖宋 1053-639- 15
向六明 456-643- 10
向升妻 明 見王月妝
向化明 302-145-296
474-340- 17
505-906- 80
540-824-28之3
向氏劉宋 檀道濟妻
476-884-146
向氏宋 王夢易妻 481-311-307
向氏宋 趙不逕妻
1171- 91- 12
向氏宋 趙仲企妻、向宗儒女
1100-540-51
向氏宋 劉光世妻、向子章女
1132-252- 50
向氏明 王旦士妻 302-252-303
向氏明 梁從善妻 480-253-269
向氏明 陳均保妻 473-396- 66
480-652-289
向氏明 舒宏謨妻 480-565-284
向氏明 楊日華妻 483- 36-371
向氏明 譚之晉妻 480-342-273
向氏明 向榮赤女 533-539- 67
向氏清 陳叔理妻 480- 97-262
向氏清 楊愈森妻 480-584-285
533-707- 72
向正宋 533-407- 61
向正明 523-217-156
向充蜀漢 533-229- 54
933-686- 46
向安妻 清 見廖氏
向朴明 299-363-142
456-695- 12
474-306- 16
479-181-225
505-665- 69
523-373-164
向戌合左師 春秋 375-818- 91
384- 21- 1
404-805- 49
448-209- 16
933-686- 46
933-764- 53
向沈宋 1167-744- 39
向秀晉 255-834- 49
377-573-123
384- 92- 5
386-140-73上上
469-444- 53
472-719- 28
477-247-161
538-137- 65
814-232- 4
933-686- 46
1221-561- 18
1232-692- 9
向宜春秋 404-806- 49
933-686- 46
向杰明 1442- 99- 6
1460-596- 69
向邵劉宋 258- 63- 45
向長漢 253-616-113
380-407-177
448-103-中
469-466- 56
472-707- 28
477-202-159
538-159- 66
871-896- 19
933-686- 46
向昌明 821-459- 57
向明明(字伯暘) 533-444- 62

向明明(巢縣人) 545-190- 90
向明女 明 見向晚女
向明女 明 見向焦女
向佺宋 559-361- 8
向侃明 472-879- 35
511-640-161
1244-685- 19
向郎蜀漢 見向朗
向拱向訓 宋 285-140-255
382-150- 21
384-326- 17
396-487-299
472-720- 28
475-364- 67
477-252-161
510-386-115
537-480- 58
552- 69- 19
向春妻 明 見張氏
向柳劉宋 258- 63- 45
265-285- 17
378- 37-131
477-248-161
537-476- 58
933-686- 46
向南妻 明 見李氏
向玲明 473-215- 59
533- 9- 47
567- 99- 66
1467- 73- 64
向茂明 559-268- 6
向貞向眞 宋 473-377- 65
480-583-285
向范宋 劉廷眞妻、向子齊女
1161-634-126
向約宋 1089-754- 19
向信明 559-366- 8
1270- 80- 7
向浯宋 515-524- 73
向朗向郎 蜀漢 254-640- 11
377-286-118下
384- 76- 4
384-479- 15
470-376-145
473-249- 60
480-293-271
480-340-273
532-660- 44
533- 86- 49
559-243- 6
933-686- 46
向訓宋 見向拱
向宸明 456-603- 9
533-142- 51
向泰晉 820- 75- 23
向眞宋 見向貞
向栩漢 253-586-111
380-141-168
472-707- 28
477-203-159
537-460- 58
933-686- 46
向狆明 559-362- 8
向時明 559-366- 8
向紘妻 宋 見傅氏
向淙宋 545-175- 89
向淇明 480-565-284
向帶春秋 404-815- 50
向琁向璇 明 567-446- 86
1467-154- 67
向敘明 302-157-297
479-185-225
524-127-184
584-271- 10
向條晉 254-641- 11
384-480- 15
933-686- 46
向巢春秋 404-818- 50
933-686- 46
向琪明 456-603- 9
482-562-369
向植劉宋 258- 63- 45
向雄晉 255-809- 48
377-559-123
469-444- 53
472-719- 28
477-247-161
537-476- 58
933-686- 46
向凱晉 見尚凱
向程明 524-255-190
528-460- 29
向靖劉宋 見向彌
向新宋 288-297-447
400-159-513
向楂劉宋 258- 63- 45
向達妻 明 見文氏
向鼎妻 清 見谷氏
向敬明 559-400-9上
向經宋 288-511-464
400- 50-503
477- 81-152
477-243-161
477-441-171
537-287- 55
933-687- 46
1117-340- 16
向經女 宋 見向皇后
向寧春秋 宋 384- 21- 1
404-815- 50
933-686- 46
向壽戰國 375-910- 93
405-274- 73
向閣向閤 明 554-312- 53
559-362- 8
向閤明 見向閣
向遜元 473-302- 62
480-246-269
向綜宋 288-512-464
400- 50-503
472-376- 16
475-561- 79
476-778-141
477- 81-152
向鄭春秋 404-806- 49
933-686- 46
向璇明 見向琁
向澣宋 1161-664-130
向縞明 515-189- 62
向錦明 523-455-168
向彌向靖 劉宋 258- 63- 45
265-285- 17
378- 37-131
477-248-161
494-279- 3
511-899-172
523-111-151
537-476- 58
933-686- 46
向魋春秋 408-818- 50
933-686- 46
向寵蜀漢 254-639- 11
377-287-118下
384-480- 15
447-191- 7
473-249- 60
480-293-271
533- 86- 49
559-243- 6
933-686- 46
向寶宋 286-287-323
397-427-345
472-881- 35
478-549-202
558-333- 35
向寶明 299-444-150
453-214- 20
473- 23- 49
479-489-239
515-358- 68
676-470- 18
1240-818- 9
向爨明 676-577- 24
向九州明 533- 93- 49
向士虎宋 515-530- 73
向士貴宋 485-537- 1
向士璧宋 287-672-416
398-619-407
472-261- 10
473-281- 61
473-335- 63
475-224- 61
480-363-275
480-402-277
481-618-329
493-722- 40
511-392-151
529-755- 52
532-580- 41
向子忞向子懋宋
449-471-上11
473-358- 64
480-507-281
532-702- 45
679-790-215
1134-290- 41
1134-328- 47
向子房妻 宋 見成德帝姬
向子家宋 288-297-447
400-159-513
向子宸妻 宋 見順德帝姬
向子章女 宋 見向氏

向子賁宋 517-341-124
向子韶宋 288-297-447
400-158-513
449-344- 6
472-221- 8
476-476-125
477- 83-152
477-442-171
493-745- 41
538- 39- 63
540-613- 27
1125-429- 35
向子齊女 宋 見向范
向子廓宋 820-420- 34
向子褒宋 288-297-447
400-159-513
向子諲宋 287-162-377
398-210-379
449-466-上11
472-221- 8
472-644- 26
473-127- 55
473-334- 63
475- 17- 49
475-120- 55
476-914-148
477- 53-151
479-679-248
480-401-277
480-507-281
493-708- 39
515-522- 73
517-338-124
518-810-162
532-574- 41
532-691- 45
537-243- 55
581-498- 98
820-417- 34
1129-668- 1
1136-665- 10
1137-156- 3
1138-789- 21
1145-574- 76
1152-803- 52
1195- 62- 5
1437- 22- 2
向子愬宋 見向子忞
向大有明 523-177-154
向斗垣妻 清 見楊氏
向文敏明 473- 87- 52
向文謨明 510-499-118
向文璽明 480-342-273
向元先妻 清 480-597-286
向孔洙明 481-237-303
559-520- 12
向日丹明 533-144- 51
向日升明(字青櫹) 533-195- 53
向日升明(湖廣人) 571-526- 19
向日啟妻 明 見施蓉姑
向公援妻 宋 見王氏
向公慶宋 451-138- 2
向午鳳元 533-241- 54
向永鳳明 558-230- 32
向存仁妻 元 見張氏
向存義元 295-600-197
400-309-526
向光振明 473-270- 61
533- 69- 49
向仲堪宋 1158-760- 76
向良嗣元 480-564-284
向伯奮宋 473- 47- 50
516- 18- 87
向廷表妻 明 見田氏
向廷芳元 480-353-274
533-393- 60
向廷相妻 明 見田氏
向宗回宋 288-512-464
382-780-119
400- 50-503
472-789- 31
477-409-169
537-326- 56
向宗良宋 288-512-464
382-780-119
400- 51-503
向宗諤妻 宋 見李氏
向宗儒女 宋 見向氏
向洪舉向道兒 宋451- 87- 3
向爲人春秋 404-815- 50
933-686- 46
向冠之明 533-445- 62
向致和明 533-479- 64
向思敬明 510-449-117
向皇后宋 宋神宗后、向經女
284-870-243
382-108- 14
384-364- 19
393-309- 76
452- 59- 1
537-186- 53
819-592- 20
933-687- 46
向祖紹明 1238-150- 13
向祖興妻 清 見李氏
向通扆宋 571-551- 20
向崇道宋 476-517-127
540-624- 27
向晚女明 向明女
480-584-285
533-706- 72
向紹榮元 533-241- 54
向敏中宋 285-524-282
371- 43- 4
382-262- 41
384-338- 17
397- 22-321
449- 33- 3
450-685-下3
471-732- 20
471-829- 34
472-659- 27
472-739- 29
472-825- 33
472-922- 36
473-672- 79
474- 91- 3
475- 15- 49
477- 74-152
478- 32-340
478- 89-180
537-299- 56
537-390- 57
545- 39- 84
554-139- 51
563-650- 39
708-326- 50
820-339- 32
933-686- 46
1098-865- 15
向敏中曾孫 宋 1125-421- 34
向朝恩明 533- 93- 49
向焦女明 張明儒妻、向明女
480-584-285
533-706- 72
向道兒宋 見向洪舉
向道淳明 524-284-192
向傳式宋 486- 48- 2
488-386- 13
488-387- 13
向傳範宋 288-511-464
400- 50-503
1104-432- 37
向傳範妻 宋 見趙氏
向榮赤女 明 見向氏
向壽福元 533-393--60
向萼輝明 510-496-118
向學孜妻 清 見譚氏
后土上古 404-383- 23
933-621- 40
后子公子鍼 春秋 405-323- 76
448-244- 21
后處石處 春秋 244-389- 67
375-656- 88
405-447- 85
472-588- 24
539-496-11之2
933-621- 40
后載妻 元 493-1082- 57
后虔春秋 491-791- 6
后敬夏 見發
后會漢 933-621- 40
后臧沈后臧 春秋 405- 61- 59
后蒼漢 251-112- 88
380-255-172
459- 10- 1
472-549- 23
476-779-141
539-501-11之2
540-693-28之1
675-316- 19
后稷棄、稷 上古 243- 91- 4
371-225- 5
372-111-3下
383-160- 18
384- 3- 1
404-391- 23
472-458- 20
494- 26- 3
546-506-132
554-373- 55
全了宋 524-442-201

全人妻 清 見盧氏
全文明 554-312- 53
572- 82- 28
全氏吳 孫亮妻、全尚女
254-761- 5
385-479-52上
全氏明 張廷臣妻
1283-425-100
全氏清 焦思義妻 478-250-186
全正唐 見全眞
全付全忲、全副 五代
485-290- 42
486-338- 15
493-1091- 58
524-417-200
1052-176- 13
1053-369- 9
全尚吳 370-261- 3
全尚女 吳 見全氏
全肯宋 1053-410- 10
全亮唐 1052-379- 27
全柱清 456-334- 76
全柔漢 254-877- 15
370-258- 2
377-389-120
933-244- 17
全忲五代 見全付
全宰唐 486-901- 35
524-383-198
1052-314- 22
全眞全正 唐 473-751- 83
533-797- 75
564-621- 56
567-467- 87
1467-528- 12
全眞明 541- 99- 30
全玭唐 1052-414- 30
全純明 511-554-158
全清唐 1052-413- 30
全副五代 見全付
全琮吳 254-877- 15
370-258- 2
377-389-120
384- 81- 4
384-589- 32
385-536- 61
470- 39- 93
472-964- 38
479- 45-218
484- 83- 3
523-504-171
933-244- 17
全琮明 572-159- 32
全植唐 1052-128- 9
全貴宋 451-221- 0
全溥妻 明 見王氏
全詮明 452-126- 1
全福宋 547-479-159
全緒吳 254-879- 15
385-538- 61
523-505-171
全賜明 1467-231- 70
全緩陳 260-771- 33
265-1008- 71
380-297-173
479- 47-218
523-577-175
933-244- 17
全懌吳 254-879- 15
377-390-120
全夌全豁 唐 480- 67-260
1052-328- 23
1053-257- 7
1054-139- 3
1054-583- 17
全豁唐 見全夌
全舉宋 511-931-175
1052-711- 15
1053-473- 12
全璧妻 明 見趙宜淑
全士宜妻 明 見張靜圓
全子仁元 1221- 20- 3
全大震明 1474-570- 29
全之杰金之杰 明456-640- 10
全元立明 523-295-159
1474-330- 17
全天敘明 676-616- 25
678-251- 94
1442- 81- 5
1474-529- 26
全少光明 1442-124- 8
全正臣唐 見全客努
全仕登 456-183- 64
全用誠明 567-464- 87
1467-525- 11
全在茲明 567-359- 80
全存義明 567-381- 82
1467-255- 71
全何孫宋 1174-382- 25
全岳柱元 見全約珠
全客努全正臣 唐502-257- 53
全思誠明 452-126- 1
472-242- 9
511-759-166
676-445- 17
1442- 5- 1
1459-225- 4
全昭孫女 宋 見全皇后
全約珠全岳柱 元
294-375-130
399-511-469
473- 14- 49
479-450-237
515- 26- 57
517-527-128
全皇后宋 宋度宗后、全昭孫女 284-887-243
393-321- 77
585-308- 2
全家敘明 見李宗敘
全師雄宋 560-601-29下
全清夫宋 494-323- 6
全景文齊 259-322- 29
472-225- 8
485-165- 22
493-862- 47
全布延薩里全普庵撒里、沁布阿咱爾 元 295-582-195
400-261-521
479-792-254
515- 29- 57
全普庵撒里元 見全布延薩里
全阿哩雅薩理元 見全諤爾根薩里
全諤爾根薩里全阿哩雅薩理 元 294-373-130
399-510-469
1196-690- 7
合文宋 1053-725- 17
合宗宋 516-465-104
1053-753- 18
1183- 55- 4
1183- 65- 5
1183-161- 10
合左師春秋 見向戌
合剌普華元 見哈喇布哈
合浦公主高陽公主 唐 房遺愛妻、唐太宗女 274-106- 83
393-275- 73
554- 47- 49
合傅胡害漢 453-731- 1
523-541-173
合骨咄祿毗伽可汗唐 見頓莫賀達干
好直唐 820-300- 30
1052-412- 30
好禮元 294-276-123
399-350-449
好了道人明(人問其姓但云好了) 533-764- 74
如宋(嗣守一) 1053-702- 16
如宋(嗣法順) 1053-899- 20
如明 558-487- 41
如一唐 1052-270- 19
如山明 1475-777- 33
如元明 1475-743- 31
如玉元 1053-245- 6
如本宋 1053-892- 20
如本明 1475-754- 32
如吉宋 486-902- 35
如耳母 戰國 見曲沃負
如如明 1246-655- 16
如玘明 524-420-200
1229-245- 7
如谷明 1475-784- 33
如空明 1475-753- 32
如松信郡王 清 454- 93- 5
如尚宋 1154-403- 20
如芳明 586-193- 9
如皐明 1442-118- 8
1460-828- 89
如恆明 1475-771- 32
如珏宋 588-209- 9
如茂宋 511-928-174
如信唐 1080-745- 68
1341-168-821
如海唐 480-418-277
1076- 61- 6
1076-522- 6
1077- 79- 6
1378-506- 59

1410-147-679
如哲宋 1053-705- 16
如展唐 820-300- 30
如淳魏 554-833- 63
933-121- 8
如清明 1442-121- 8
1460-850- 91
如淨唐 1052-206- 15
如訥唐 524-403-199
1053-212- 5
1054-144- 3
如堂明 533-751- 74
1458-88-421
如敏後唐 1052-313- 22
1053-169- 4
如皎明 1245-599- 32
如登明 572-161- 32
如琰宋 588-226- 10
如勝宋 1053-512- 12
如新五代 1053-320- 8
如照宋 1116-474- 24
如愚明 1442-121- 8
1460-849- 91
如會唐 1052-146- 11
1053-112- 3
如滿唐 1053-110- 3
1054-511- 14
1080-790- 71
如漢宋 1053-497- 12
如慧明 570-249- 25
如澤宋 1138- 73- 5
如濂明 820-766- 44
如璝宋 1053-705- 16
如璨宋 1053-685- 16
如曉明 820-767- 44
1442-122- 8
1460-851- 91
1475-794- 33
如璧饒節 宋 516-452-104
674-294-4下
1053-710- 16
1363-112-111
1437- 38- 2
如寶五代 1053-368- 9
如蘭明 585-493- 14
676-679- 28
1442-119- 8
1460-835- 90
如體五代 1053-296- 7
如觀唐 554-953- 65
如觀五代 1053-560- 13
如觀明 1442-121- 8
1460-851- 91
1475-772- 32
如子禮漢 933-121- 8
如元曜唐 933-121- 8
如愚居士宋 820-460- 36
年夷仲年 春秋 933- 70- 4
年富嚴富 明 299-787-177
453-307- 3
453-591- 13
472-208- 7
472-520- 22
475-754- 88
476-249-110
476-478-125
476-916-148
477-564-177
511-352-149
537-214- 54
545-271- 93
554-207- 52
1244-609- 12
年魯明 476-778-141
先劉宋 1051-141-5下
先友春秋 404-634- 39
545-699-108
先汪唐 473-528- 72
559-397-9上
591-204- 16
591-586- 43
先克春秋 404-644- 39
先南宋 見先南巽
先都春秋 404-644- 39
545-726-109
先軫原軫 春秋 375-727- 90
384- 19- 1
404-643- 39
448-159- 7
472-459- 20
545-718-108
933-194- 13
933-246- 17
1407- 79-402
先著清 511-721-165
先絡漢 見叔先雄
先蔑春秋 545-719-108
554-877- 64
933-246- 17
先僕春秋 545-721-108
先穀原穀、彘子、彘季 春秋
404-644- 39
933-194- 13
933-246- 17
先鐵梁 471-1029- 65
481-211-302
559-289-7上
先丹木春秋 404-634- 39
545-699-108
先尼和女 漢 見叔先雄
先且居蒲城伯、霍伯 春秋
404-644- 39
472-459- 20
933-246- 17
先南巽先南 宋 451- 57- 2
先處良明 472-329- 14
先賢撣漢 535-553- 20
竹王漢 494-217- 9
竹田元 588-191- 9
竹虔唐 554-904- 64
812-496- 中
812-521- 2
821- 92- 48
竹密明 532-727- 46
竹興漢 591-246- 20
竹全仁清 561-204-38之1
竹承構唐 510-433-116
竹郎裔清 561-204-38之1
竹夢松南唐 812-439- 0
812-530- 2
821-114- 49
竹緣猗清 510-483-118
竹園山和尚五代
1053-444- 11
危一宋 529-689- 50
危山明 676-171- 7
危止明 523-117-151
563-923- 43
危氏元 邱朱温妻 481-699-332
危氏明 何洪妻 506-104- 89
危氏明 夏文煥妻
1269-852- 7
危氏明 甯顏孫妻、寧顏孫妻
473-102- 53
479-632-245
危行明 529-630- 48
危固宋 515-818- 83
危和宋 287-657-415
398-606-406
472-173- 6
479-658-247
820-440- 35
1175-536- 17
危科宋 見危稹
危祐宋 473- 98- 53
515-817- 83
563-691- 39
危素明 301-812-285
401-317-611
452-225- 6
472-395- 17
473-116- 54
511-915-173
515-773- 81
517-531-128
820-562- 40
1222-480- 12
1224-128- 18
1374-586- 80
1375- 37- 下
1442- 5- 1
1459-239- 4
危彬妻 清 見鄭氏
危階清 480-584-285
危雍宋 528-481- 30
危禎宋 見危稹
危稹危科、危禎 宋
287-656-415
398-605-406
473-115- 54
473-652- 78
479-578-243
479-657-247
481-611-329
515-753- 80
528-492- 30
676-690- 29
680-197-243
1177-122- 3
1364-153-265
1394-525- 6
1437- 27- 2

危嶽明　479-712-250
480-583-285
515-155- 61
危瓛明　820-562- 40
危之部母　宋　見傅氏
危立翔妻　明　見舒氏
危永吉元　1209-559-9下
危以平明　523-221-156
危仔昌唐　473- 98- 53
515-815- 83
危台宿明　529-702- 50
危亦樂元　1207-751- 3
危全諷唐　473- 98- 53
479-628-245
515-815- 82
危孝先明　548-618-180
危拱辰宋　473- 98- 53
515-817- 83
518-761-160
危斯泰清　483-201-388
危貞昉明　302-143-296
524-145-185
1223-575- 11
1374-356- 57
危昭德宋　287-797-425
398-721-416
473-643- 78
481-697-332
529-628- 48
危翁一宋　481-696-332
危景福妻　明　見馮氏
危復之元　295-621-199
401- 38-573
473-115- 54
479-658-247
515-760- 80
危寧埜妻　明　見劉氏
危鳳英明　聞一貫妻
473- 67- 51
479-561-242
516-350-101
危德昭五代　見元德昭
危德華元　460-484- 39
危德馨元　雷機妻，
820-553- 39
危應宗明　529-693- 50
危壁宿清　529-705- 50
色內清　456-268- 70
色本清(博爾濟吉特氏)
454-421- 29
色本清(瓦色氏)　456-107- 57
色克清(墨爾齊氏)　456- 92- 56
色克清(鄂通氏)　456-146- 60
色辰元　見托音色辰
色紐清　455-491- 30
色能清　456-225- 67
色深清　455-640- 44
色勒清(伊爾根覺羅氏)
455-267- 15
色勒清(佟佳氏)　455-336- 20
色塞清　502-612- 76
色資清　455-397- 24
色楞清(完顏氏)　455-467- 28
色楞清(多羅貝勒)　496-216- 76
色楞清(多羅郡王)　496-216- 76
色稜清(扎賚特部人)
454-373- 21
色稜清(杜爾伯特部人)
454-374- 21
色稜清(烏梁罕氏)　454-386- 24
色稜清(巴林部人)　454-417- 28
色稜清(珠勒扎幹長子)
454-426- 30
色稜清(烏珠穆沁部人)
454-444- 34
色稜清(鄂爾多斯部人)
454-495- 44
色稜清(正藍旗人)　502-558- 74
色赫清　502-759- 85
色古德清　455- 64- 2
色布騰清(巴林部人)
454-412- 28
色布騰清(綽囉斯氏)
454-837- 96
色布騰清(和碩特人)
454-938-114
色布騰清(多羅貝勒)
500-725- 37
色布騰清(輔國公)　500-727- 37
色弄卜清　560-112- 19
色克山清　455-656- 46
色克特清　455-680- 48
色克錫清　455-432- 26
色伯哩寨白理　清
478-770-215
色思岱清　455-573- 37
色埒默元　294-273-122
399-350-449
色勒布清(薩爾圖氏)
502-517- 71
色勒布清(烏扎拉氏)
502-737- 84
色勒奔清　560- 91- 19
色盛額清　455-188- 9
色爾特清　455- 55- 1
色爾球清　455-539- 34
色爾圖清　455-539- 34
色赫理清　455-513- 32
色德理清　455-204- 10
色穆斗清　455-494- 30
色蘭泰清　455-589- 39
色木特庫妻　清　見錫特烏哩氏
色伯察哈清　455-240- 13
色普格理清　456-183- 64
色稜達什清　454-574- 59
色爾古楞清　456-116- 58
色爾格克清　502-601- 76
色爾勒結昔里鈐部　元
1201-604- 19
色爾機勒清　455-588- 39
色布騰扎勒清　454-748- 83
色布騰旺布清　454-693- 77
色特爾布木清　454-776- 89
色登敦多布清　454-442- 34
色稜墨爾根清　454-464- 38
色布騰多爾濟清
454-369- 20
色布騰多爾濟清　見扎拉豐阿
色布騰洞魯布清　496-217- 76
色布騰諾爾布清
454-489- 43
色提卜阿勒氏清
454-968-119
色布騰巴爾珠爾清
454-357- 18
色布騰博碩克圖清
454-773- 88
仲仲足　春秋　404-886- 55
仲丁商　537-173- 53
仲子子氏、夫人子氏　春秋　魯惠公夫人　404-563- 34
仲子春秋　齊靈公夫人
404-630- 38
448- 30- 3
452- 69- 2
仲山元　821-334- 54
仲任商　見中壬
仲仁宋　821-265- 52
仲升妻　清　見曾氏
仲氏明　王琮妻、仲守睢女
1259-229- 17
仲氏明　仲節女　533-534- 67
仲氏清　周璽妻　524-473-202
仲氏清　陸如岡妻　475-386- 68
仲氏清　仲子亮女　524-474-202
仲本妻　明　見趙氏
仲由子路、季路　春秋
244-379- 67
246- 21- 67
371-484- 32
375-647- 88
384-698- 11
405-416- 83
448-274- 29
472-124- 4
472-547- 23
505-686- 70
539-489-11之2
539-633-11之6
839- 10- 1
933-641- 42
仲安宋　1053-888- 20
仲江春秋　404-804- 49
仲并宋　493-772- 42
494-321- 6
494-548- 28
511-782-166
674-844- 18
1137-787- 附
1147-568- 54
仲并妻　宋　見陳靜婉
仲并女　宋　見仲靈湛
仲光漢　539-633-11之6
仲行春秋　472-853- 34
仲休宋　524-417-200
仲玘宋　1163-464- 20
仲足春秋　見仲
仲佗春秋　404-817- 50
仲定漢　681-269- 16
1397-683- 32

仲昌明 1241-655- 14
仲昂明 821-375- 55
仲昜宋 1053-706- 16
仲忽周 546-235-123
仲突周 546-235-123
仲宣宋 1053-778- 18
仲虺仲雷、萊朱 商
404-405- 24
933-641- 42
仲南元 1204-623- 14
仲呈漢 591- 94- 7
仲泉晉 539-633-11之6
仲容上古 546-235-123
仲格清 456-302- 73
仲書清 455-267- 15
仲殊仲舒、張揮 宋(字師利)
473-271- 61
485-291- 42
493-1093- 58
588-166- 8
589-330- 4
1110-512- 29
1437- 37- 2
仲殊宋(號太平閒人)
820-467- 36
仲剛明 1232-222- 3
仲純妻 明 見嚴氏
仲章春秋 545-804-112
仲訥宋 523-126-152
1102-340- 44
1105-788- 94
1383-506- 45
1384-159- 94
1437- 13- 1
仲康夏 見中康
仲球宋 843-669- 中
仲連宋 1094-720- 78
仲皎宋 524-419-200
仲琮唐 276-274-216上
仲雄妻 明 見李氏
仲堪上古 546-234-123
933-641- 42
仲華宋(姓缺) 493-696- 39
仲幾春秋 404-804- 49
仲舒宋 見仲殊
仲雍吳仲 商 371-268- 8
493-640- 35
554-374- 55

仲雷商 見仲虺
仲圓宋 1053-736- 17
仲敬明 563-767- 40
仲節女 明 見仲氏
仲滿唐 見朝衡
仲甄夏 545-688-108
仲嘉仲景亨 明 1475-429- 18
仲熊上古 546-234-123
933-641- 42
仲銓明 539-633-11之6
仲廣明 472-678- 27
537-256- 55
仲憲春秋 見原憲
仲穎宋 588-213- 9
仲興唐 1053-203- 5
仲濬唐 511-935-175
仲翼宋 820-358- 32
仲懃妻 明 見趙氏
仲鎬明 559-308-7上
仲簡宋 286- 42-304
472-1052- 44
523-239-157
539-633-11之6
仲歸春秋 405- 84- 61
仲顯妻 明 見李氏
仲子亮女 清 見仲氏
仲子陵唐 276- 43-200
384-216- 11
400-430-539
473-523- 72
481-310-307
539-633-11之6
559-378-9上
592-495- 91
1342-286-941
仲子崔春秋 魯
539-633-11之6
仲于陛明 301-805-284
539-633-11之6
仲大年宋 559-320-7上
仲山甫樊穆仲 春秋
384- 12- 1
404-444- 26
472-743- 29
491-790- 6
537-358- 57
仲文濤清 1315-357- 16
仲什尼清 456-290- 72

仲弘道清 1475-571- 25
仲守睢女 明 見仲氏
仲呂復明 539-633-11之6
仲長統漢 253-116- 79
254-390- 21
376-821-110
384- 70- 3
472-550- 23
476-582-131
540-706-28之1
547-162-147
1447-141- 2
仲承述清 539-633-11之6
仲叔噲春秋 見叔仲會
仲秉貞清 539-633-11之6
仲春龍明 1442- 67- 4
1460-299- 53
1475-329- 13
仲則顯明 539-633-11之6
仲孫捷孟敬子 春秋
404-515- 31
仲孫速孟莊子 春秋
375-706- 89
384- 13- 1
404-512- 31
仲孫湫春秋 384- 16- 1
404-589- 35
448-147- 5
仲孫彘春秋 見孟孺子洩
仲孫說春秋 見南宮敬叔
仲孫羯孟孝伯 春秋
375-706- 89
384- 13- 1
404-513- 31
仲孫閱春秋 見南宮敬叔
仲孫穀春秋 見穀
仲孫蔑孟獻子 春秋
375-705- 89
384- 13- 1
404-511- 31
448-178- 11
933-700- 47
仲孫難春秋 見惠叔
仲孫貜仲孫玃、孟孫、孟僖子
春秋 375-706- 89
384- 13- 1
404-513- 31
448-253- 23

448-253- 23
933-700- 47
仲孫玃春秋 見仲孫貜
仲時鳴漢 539-633-11之6
仲景亨明 見仲嘉
仲嬰齊春秋 404-563- 34
仲蘊錦清 539-633-11之6
仲靈湛宋 孟嵩妻、仲并女
1164-256- 13
仲長子光隋～唐 547-142-146
550-243-218
1065- 22- 下
1065- 23- 下
1340-721-796
1408-498-530
仲孫何忌孟懿子 春秋
375-707- 89
384- 13- 1
404-513- 31
405-448- 85
448-260- 25
933-700- 47
仵瑜明 300-162-192
480- 58-260
533- 11- 47
仵允藩妻 清 見劉氏
仵德遠妻 清 見劉氏
仰忻宋 288-415-456
400-303-524
471-640- 9
472-1116- 48
479-404-235
494-383- 11
494-470- 18
524-164-186
仰詮五代 491-344- 2
仰嵩明 1255-750- 75
仰澤明 1239- 55- 30
仰瞻明 299-447-150
493-984- 52
511- 97-140
547-179-147
676-101- 3
1386-289- 40
仰九明清 478-296-188
554-369- 54
仰仁謙宋 494-383- 11
仰廷宣明 821-456- 57

仰道士晉 742- 30- 1
仰彌高明 1232-629- 6
仰山和尚五代(居仰山)
1053-565- 14
印宋(嗣克文) 1053-751- 17
印宋(嗣德用) 1053-910- 20
印宗唐 485-289- 42
493-1090- 58
524-415-200
1052- 51- 4
印空清 530-200- 60
印岳明 473-818- 86
483-115-379
570-152-21之2
印癸春秋 384- 24- 1
印段春秋 384- 24- 1
448-245- 21
404-877- 54
933-669- 44
印肅宋 516-433-103
1054-203- 4
1054-678- 20
印簡元 476-265-110
497-608- 43
547-503-159
1054-702- 21
1202- 70- 6
印寶元 476- 49- 98
547-479-159
印司奇明 510-378-114
印鴻玉妻 清 見徐氏
印應雷宋 472-1115- 48
511-244-145
523-224-156
行宋(作維摩問疾圖)
821-270- 52
行宋(嗣善果) 1053-902- 20
行一唐 564-620- 56
行一清 533-788- 75
行友隋 1401-643- 43
行日清 1475-794- 33
行本宋 479-798-254
516-505-105
行丕明 524-410-199
行因五代 516-493-105
1052-179- 13
行言五代 1053-392- 10
行沖宋 1053-334- 8
行秀金 1439- 13- 0
行忞明 1442-121- 8
1460-851- 91
行林宋 1053-416- 10
行明唐 480-515-281
1052-329- 23
行明宋 490-718- 70
588-244- 10
1053-411- 10
行周五代 1053-294- 7
行宥元 1204-640- 15
行持五代 524-409-199
行思唐 472-776- 30
473-158- 56
477-504-174
479-735-250
516-442-104
538-349- 70
1052-117- 8
1053-178- 5
1054-117- 3
1054-471- 13
行保明 473-103- 53
479-636-245
516-455-104
行朗五代 1053-242- 6
行剛明 常公振妻、胡日華女
1442-126- 8
1460-861- 92
1475-833- 35
行修五代(號法眞) 479- 74-219
524-384-198
530-196- 60
585-106- 4
588- 51- 3
588-242- 10
590-139- 17
1052-421- 30
行修五代(嗣道虔) 1053-232- 6
行修明 511-927-174
行深明 1232-180- 1
行深清 1475-791- 33
行堅隋 1052-340- 24
行乾清 586-195- 9
行通金 586-186- 8
行崇宋 1052-705- 14
1053-322- 8
1116-490- 25
行紹宋 1091-560- 15
行偉宋 516-433-103
1052-746- 24
1053-723- 17
行敦唐 813-261- 11
820-298- 30
行雲不詳 473-590- 75
行森清 474-196- 9
行欽五代 1053-340- 8
行溥清 479-504-239
516-424-103
行瑛宋 517-330-124
567-468- 87
1053-738- 17
1467-532- 12
行傳五代 1053-547- 13
行端元 524-427-200
588-225- 10
820-551- 39
1439-458- 2
1471-211- 26
行滿唐 820-296- 30
行滿宋 524-426-200
592-435- 87
1052-320- 22
行滿普照、曾福可 元
516-445-104
1196-754- 0
行榮明 503- 20- 92
行瑫後周 1052-360- 25
行徹明 劉善長女
1442-126- 8
1460-861- 92
行標唐 1084-146- 5
行鞏元 588-215- 9
行霆宋 820-470- 36
行幟林增志 清 524-445-201
行德宋 1053-666- 16
行燃沈中柱 明 676-661- 27
1442-110- 7
1475-499- 22
行澧清 1321-211-109
行遵後晉 592-449- 88
1052-315- 22
行機宋 516-496-105
524-427-200
1053-889- 20
行臻清 1315-398- 20
行儒唐 481-680-331
行朧明 482- 80-341
行嚴唐 1052-385- 27
行覺唐 1052-408- 29
行靄宋 1053-333- 8
行人燭過春秋 見燭過
牟五代 1053-235- 6
牟子漢 1054- 38- 1
1054-285- 5
1467-162- 68
牟氏明 晏爾鼎妻 481-158-298
牟氏明 陶鳴鎬妻 481-119-296
牟氏清 楊元祚妻 483- 71-376
牟安唐 473-517- 71
481-354-309
561-225-38之3
592-234- 74
牟夷春秋 405-103- 62
牟完明 524- 65-181
牟忻宋 1173-214- 78
牟谷宋 812-458- 1
812-540- 3
821-153- 50
牟秀明 559-303-7上
牟坤明 554-346- 54
牟長牟萇 漢 253-525-109上
370-168- 16
380-263-172
402-362- 3
469-162- 19
472-716- 28
476-520-128
476-662-136
477-241-161
537-284- 55
540-700-28之1
933-488- 32
牟采妻 清 見張氏
牟益宋(字德新)
820-450- 35
牟益宋(字德彩)
821-232- 51
牟俸明 299-567-159
473-479- 69
473-570- 74
476-479-125
481-116-296
540-618- 27

559-353- 8
牟倫明 559-370- 8
1442- 21-附2
1459-583- 21
牟衮宋 471-1021- 63
473-504- 71
559-390-9上
592-576- 98
牟偉明 1247- 11- 1
牟斌明 453-671- 30
533-723- 73
1267-512- 6
1409-548-624
牟楷明 678-263- 95
牟萇漢 見牟長
牟煥宋 561-205-38之1
591-375- 30
牟蓋宋 559-369- 8
牟賢明 523-477-169
牟魯明 302- 4-289
472-587- 24
479-143-223
牟融漢 252-662- 56
370-175- 17
370-208- 21
376-641-107上
384- 60- 3
402-357- 3
402-566- 19
472-589- 24
475-418- 70
476-663-136
491-798- 6
510-396-115
540-700-28之1
933-488- 32
牟濼宋 見牟卿濼
牟穉妻 清 見蘇氏
牟巘宋~元 494-411- 12
680-212-245
1437- 32- 2
1468-139- 8
牟子才宋 287-595-411
398-557-402
472-348- 15
472-999- 40
473-435- 67
475-667- 84
479-147-223
481-388-312
494-431- 13
510-453-117
524-313-194
559-400-9上
591-568- 42
592-602- 99
牟子正牟保壽 宋448-388- 0
牟大昌宋 479-290-230
523-396-165
牟文龍清 475-370- 67
477- 56-151
502-690- 81
510-395-115
537-252- 55
牟天一宋 見牟天壹
牟天壹牟天一 宋
481-430-315
591-625- 45
牟仲甫宋 821-186- 50
牟作孚清 540-861-28之4
牟何回宋 見牟阿回
牟廷選清 474-617- 32
505-702- 70
牟宗海明 572- 76- 28
牟阿回牟何回 宋
481-311-307
559-468-11中
591-653- 46
牟易金清 456-299- 73
牟秉元明 559-374- 8
牟秉常明 561-512- 44
1381-357- 32
牟春華明 567-346- 79
牟保壽宋 見牟子正
牟卿濼牟濼 宋 473-701- 80
563-683- 39
牟嘉禾妻 明 見邵氏
牟嘉敘明 1442- 69- 4
1460-328- 55
牟嘉蔭清 505-702- 70
牟應受牟應綬 明563-783- 40
572- 75- 28
牟應奎元 494-416- 12
牟應復元 494-346- 7
牟應綬明 見牟應受
牟應綬妻 明 見韓氏
牟應龍元 295-535-190
400-698-567
453-782- 2
472-174- 6
472-1004- 40
479-142-223
494-411- 12
523-586-175
559-400-9上
1207-221- 15
1209-400- 6
1367-705- 54
1439-424- 1
牟尼室利寂默 唐
1052- 29- 3
牟汗紇升蓋可汗後魏 見郁久閭大檀
伊王明 見朱櫸
伊王明 見朱諟鋝
伊扎清 455-561- 36
伊尹阿衡 商 243- 80- 3
371-220- 4
404-406- 24
472-649- 27
472-742- 29
472-828- 33
537-109- 51
537-357- 57
554-373- 55
933- 67- 4
1340-594-780
1407- 40-399
伊氏後唐 唐莊宗德妃
277-430- 49
279- 87- 14
393-291- 74
伊氏宋 鄭如理妻481-560-327
伊氏宋 伊樅女 530- 69- 55
伊氏明 陳孟藻妻
1238-565- 15
伊氏明 謝子良妻481-725-333
伊氏清 雷月孫妻481-727-333
伊克影克 明 496-630-106
伊貝清 456-281- 71
伊住清 455-603- 41
伊恒明 493-1051- 55
820-609- 41
伊柱清 455-436- 26
伊拜清 474-767- 41
502-562- 74
伊泰清 455-217- 11
伊埒趙國公主 元 阿布噶妻、元世祖女 393-351- 80
伊埒伊喇 元(右丞相)
483- 48-372
570-214- 23
伊埒元(肅政廉訪司僉事)
1439-424-附1
伊陟商 243- 83- 3
404-409- 24
933- 67- 4
伊留清 455-493- 30
伊乘明 676- 91- 3
676-513- 20
1273-104- 16
1442- 35-附2
1459-734- 29
伊推漢 933- 67- 4
伊訇後魏 262-503-103
267-877- 98
381-657-200
伊渾清 455-216- 11
伊森清 455-505- 31
伊喇元 見伊埒
伊茨妻 清 見王氏
伊溥明 1260-600- 17
伊愼唐 270-808-151
275-368-170
384-232- 12
396-142-265
472-554- 23
480-199-267
532-567- 40
540-740-28之2
567- 40- 64
820-219- 28
1341-764-901
伊載清 456-194- 65
伊搆清 455-579- 38
伊嵩明 見倪嵩
伊實元 見伊實特穆爾
伊端妻 明 見魏氏
伊漢清 456-184- 64
伊嘉漢 933- 67- 4
伊遜元 見伊蘇
伊遜清 474-760- 41

502-521- 72
伊馛尹馛、伊馥 後魏
261-608- 44
266-508- 25
379- 60-147
384-130- 7
472-481- 21
476-254-110
535-556- 20
544-211- 62
545-352- 96
546- 16-115
554-110- 50
933- 67- 4
伊廣後唐 277-470- 55
伊樅女 宋 見伊氏
伊德明 494- 45- 3
伊貇清 456-256- 69
伊瞻清 455-466- 28
伊馥後魏 見伊馛
伊蘇也速、伊遜 元
294-516-142
400- 19-500
474-557- 28
474-690- 37
496-379- 86
502-277- 55
545-461-100
伊籍蜀漢 254-615- 8
377-270-118上
384- 75- 4
384-454- 11
476-882-146
540-707-28之1
559-243- 6
933- 67- 4
伊闢清 540-851-28之4
伊蘭牙蘭 明 302-784-329
伊巘清 540-857-28之4
伊小乙宋 492-524-13上之中
伊巴庫清 455-109- 4
伊巴達清 455-269- 15
伊天祐明 529-638- 48
伊古哩清 502-477- 69
伊札布清 456-286- 71
伊白德清 455-549- 35
伊用昌唐 516-415-103
1473-754-100
伊汝儼妻 明 見倪氏
伊在庭明 676- 8- 1
伊光啟清 540-842-28之4
伊成格清 502-532- 72
伊克拜彰克卜 明
496-630-106
伊克都清 455-115- 4
伊克圖楚王 元 294-206-117
395-208-199
伊克綬清 456- 22- 51
伊克賽清 455-625- 43
伊克騰清 455-672- 47
伊伯勒元 1367-920- 70
伊宗肇明 1239-122- 35
1245-176- 4
伊拉里金 見伊喇益
伊拉按金 見伊喇道
伊拉益金 見伊喇益
伊拉素金 見伊喇慥
伊拉袞金 見伊喇溫
伊拉理清(富察氏) 455-447- 27
伊拉理清(索察氏) 456-120- 58
伊拉溫金 見伊喇溫
伊拉道金 見伊喇道
伊拉達清 455-551- 35
伊拉齊元 294-431-135
399-672-487
伊拉齊清(薩克達氏)
455-547- 35
伊拉齊清(噶濟勒氏)
455-646- 45
伊拉齊清(鄂卓絡氏)
456-164- 62
伊拉親清 455-202- 10
伊奇哩謁只里 元
295-102-154
399-549-474
502-375- 63
伊林齊清 456-203- 66
伊明阿清 502-738- 84
伊洛托清 455-606- 41
伊郎阿清 455-426- 26
伊思宏清 455-694- 49
伊思海清 455-287- 16
伊思瑚清 456-162- 62
伊思魁清 455- 96- 3
伊哈那清(瓜爾佳氏)
455- 95- 3
伊哈那清(納喇氏) 455-396- 24
伊哈那清(噶濟勒氏)
455-645- 45
伊哈齊清(鈕祜祿氏)
455-133- 5
伊哈齊清(舒穆祿氏)
455-156- 6
伊哈齊清(富察氏) 455-435- 26
伊哈齊清(索綽絡氏)
455-651- 45
伊哈蘇清 455-568- 37
伊盆生後魏 261-608- 44
266-509- 25
544-211- 62
546- 17-115
伊埒肯元 294-354-129
399-498-468
伊埒格元 1207-234- 16
伊埒楚元 569-616-18下之2
伊耆氏上古 見神農氏
伊桑阿清(瓜爾佳氏)
455- 66- 2
伊桑阿清(諡文端)
455-250- 14
伊訥克清 455-535- 34
伊都理清 455-448- 27
伊勒扣清 456-272- 70
伊勒慎清 455-634- 44
474-761- 41
502-435- 68
伊勒圖清 455- 89- 3
伊莽阿清(賽密勒氏)
455-558- 36
伊莽阿清(赫爾濟氏)
456-137- 59
伊婁尹伊婁靈 北周
263-642- 29
267-347- 66
379-636-158
伊婁穆北周 263-642- 29
267-347- 66
379-636-158
544-214- 62
544-219- 62
546- 45-116
552- 44- 19
伊婁謙伊婁彥恭 隋
264-836- 54
267-485- 75
379-798-162
384-154- 8
476-203-107
545-334- 96
伊婁靈北周 見伊婁尹
伊敏生明 300-460-210
511- 80-139
523- 87-149
伊普姑明 473-626- 77
伊登額清 456-134- 59
伊森泰清 456-192- 65
伊喀理清 455-475- 29
伊喇氏移剌氏 元 耶律忽都不花妻、耶律呼圖克布哈妻
295-628-200
401-177-593
479-148-223
伊喇布清(納喇氏) 455-397- 24
伊喇布清(洪鄂春氏)
456- 61- 54
伊喇成伊喇婁、伊喇婁烏、移剌成 金 291-297- 91
399-183-432
472-904- 36
502-347- 61
558-176- 31
伊喇按金 見伊喇道
伊喇迪元 295- 39-149
399-409-456
515-218- 63
伊喇益伊拉里、伊拉益、伊喇托摩布、移剌益 金
291-380- 97
399-222-435
472- 27- 1
474-167- 8
475-870- 95
476-476-125
540-614- 27
545- 58- 84
伊喇婁金 見伊喇成
伊喇溫伊拉袞、伊拉溫、伊喇阿薩爾、移喇溫 金
291-200- 82
400-359-533
474-236- 12
474-513- 25

474-817- 44
502-262- 54
伊喇道伊拉道、伊喇照蘇、伊喇趙三、移剌道　金(伊實部人)　291-269- 88
399-160-430
474- 93- 3
474-738- 40
502-351- 61
540-614- 27
伊喇道伊拉按、伊喇按　金(大理丞)　291-284- 90
399-184-432
伊喇齊清　455- 52- 1
伊喇慥伊拉素、伊喇伊德爾、移剌慥　金　291-280- 89
399-165-430
474-166- 8
伊喇履耶律履、移剌履　金
291-344- 95
383-1006- 29
399-201-434
472-626- 25
474-820- 44
502-789- 88
676-695- 29
820-479- 36
821-275- 52
1365-303- 9
1367-746- 57
1439- 4- 附
1445- 63- 1
伊喇霖金　1445-657- 51
伊塞濟清　455- 95- 3
伊塔堪清　455-579- 38
伊楞烏亦剌兀　明
496-628-106
伊楞額清　455-528- 33
伊達木清　454-680- 75
伊達色妻　清　見郭氏
伊實丹元　544-239- 63
伊齊哈清　456- 62- 54
伊爾哈清(伊爾根覺羅氏)
455-268- 15
伊爾哈清(舒舒覺羅氏)
455-282- 16
伊爾哈清(顏扎氏) 455-516- 32
伊爾海清　455-431- 26

伊爾根曹南王　元
1207-344- 24
1367-303- 25
伊爾善清(薩察氏) 456-100- 57
伊爾善清(南福祿氏)
456-194- 65
伊爾登清　456- 88- 56
伊爾登清　見宜爾登
伊爾琥清　456-125- 58
伊爾喀清　455-239- 13
伊爾德清　455-145- 6
474-765- 41
502-463- 69
伊圖理清　455-343- 21
伊圖善清　456-367- 78
伊審徵宋　288-691-479
545-617-105
伊遲斜漢　見伊穉斜
伊錫布清　456- 24- 51
伊錫哈清　455-691- 49
伊穉斜伊遲斜　漢
244-749-110
251-188-94上
381-594-199
伊禮布清(瓜爾佳氏)
455-116- 4
伊禮布清(庫雅拉氏)
455-540- 34
伊薩納清　455-688- 49
伊薩祿清　455-505- 31
伊羅多清　455-516- 32
伊蘇台元　295-589-195
400-270-521
伊蘭珠清　456- 70- 55
伊囉斡元　秦王妃、阿爾布哈女　1206-389- 1
伊克紐爾元　472-624- 25
伊克德濟元　294-405-133
399-537-473
569-646- 19
伊克默色元　見伊克穆蘇
伊克穆蘇伊克默色　元
294-388-131
399-519-470
伊克濟理清　456-294- 72
伊利可汗後魏　見土門
伊拉古鼐金　見伊喇古尼
伊埒巴哈元　見伊嚕布哈

伊埒布哈元　見伊嚕布哈
伊埒哈雅月里海牙　元
475-449- 71
493-752- 41
510-402-115
伊埒哲伯元　見元寧宗
伊埒烏蘭元　1200-682- 51
伊埒默色元　294-285-123
400-247-520
伊特盤丹亦攀丹　明
302-809-330
伊勒哲伯元　見琳沁巴勒
伊勒都齊清　502-594- 76
伊勒達穆元　294-438-135
399-677-487
伊勒穆蘇清　456-300- 73
伊婁彥恭隋　見伊婁謙
伊普星阿清　455-254- 14
伊斯阿克清　500-746- 38
伊斯瑪音元　295-658-203
401-119-585
伊喇子敬伊喇烏克德哷、伊喇鄂克多囉、移喇子敬、移喇屋骨朵魯　金　291-281- 89
399-166-430
474-732- 40
476-429-121
496-372- 86
502-263- 54
545-384- 97
伊喇元臣伊喇哈剌哈孫、伊喇哈喇哈斯　元　295- 38-149
399-409-456
496-406- 89
伊喇巴延元　295-601-197
400-310-526
伊喇巴噶金　見伊喇光祖
伊喇巴錦金　見伊喇鄂爾多
伊喇古尼伊拉古鼐、伊喇古語捏、移剌古與涅　291-666-121
400-212-517
476-658-135
502-702- 82
伊喇布哈金　291-565-112
399-296-443
502-706- 82
伊喇光祖伊喇巴噶　金
291-271- 88
399-160-430
伊喇呼喇金　545-265- 93
伊喇按答金　見伊喇諳達
伊喇粘合金　見伊喇聶赫
伊喇婁烏金　見伊喇成
伊喇富森多剌福僧、移剌福僧、移喇福森　金　291-461-104
399-255-439
474-732- 40
474-817- 44
476-278-111
496-373- 86
502-266- 54
505-632- 67
545-324- 95
伊喇買奴金　見伊喇瑪努勒
伊喇買努元　見伊喇邁努
伊喇照蘇金　見伊喇道
伊喇趙三金　見伊喇道
伊喇斡罕金　291-778-133
401-439-625
伊喇鼐爾元　見伊喇聶哷
伊喇諳達伊喇按答　金
291-302- 91
399-181-432
502-264- 54
伊喇邁努伊喇買努、伊喇瑪努勒　元　295- 38-149
399-409-456
496-405- 89
伊喇聶哷伊喇鼐爾、伊喇賽音必闍赤、伊喇賽音筆且齊、移剌揑兒　元　295- 37-149
399-408-456
496-405- 89
伊喇聶赫伊喇粘合　金
1040-264- 6
伊喇薩納元　571-537- 20
伊葉波羅自在　劉宋
1051-125-5上
伊爾吉禪清　455-557- 36
伊爾奇勒清　455-346- 21
伊爾哈齊清　455-500- 31
伊爾唐阿清　455-118- 4
伊爾得撒清　455-687- 49
伊遜岱宗元　見伊蘇岱爾

伊遜岱爾元 545-182- 89
伊遜哈雅元 523-243-157
伊徹察喇洪陽王、洪陽王 元 294-233-119
399-331-447
451-525- 3
1367-275- 23
伊德瑞童賓咱雅女 元 1211-415- 58
伊德默色葉諦彌實 元 1211-366- 51
伊穆薩喀清 455-341- 21
伊嚕布哈月彥明、月魯不花、伊埒巴哈、伊埒布哈、欲嚕布哈、裕魯布哈 元 294-547-145
400-257-521
472- 51- 2
472-1102- 47
478-765-215
479-286-230
505-655- 68
523- 28-147
523-171-154
820-509- 37
1232-217- 3
1471-412- 9
伊蘇克依元 292- 6- 1
393- 2- 57
伊蘇岱爾元(謚顯敏) 294-287-123
399-525-471
伊蘇岱爾也速答兒、伊遜岱宗、伊蘇德勒 元 (耨埒子) 294-353-129
399-497-468
483-220-390
571-515- 19
伊蘇岱爾元(巴特約氏) 294-410-133
399-542-473
1202-236- 17
伊蘇岱爾安慶王、特穆爾 元(謚武襄) 523- 23-147
1209-606-10上
伊蘇岱爾元(洋州達嚕噶齊) 1210-718- 19
伊蘇岱爾元 見也蘇岱爾
伊蘇德勒元 見伊蘇岱爾
伊克特穆爾 影克帖木兒 明 496-628-106
伊拉秦巴顏清 455-461- 28
伊奇哩皇后元 元武帝后 294-186-114
393-348- 80
伊奇納光袞清 455-281- 16
伊埒巴圖爾元 294-393-132
399-526-471
伊埒特穆爾元 見伊嚕特穆爾
伊埒訥實哩元 820-529- 38
伊埒穆爾丹元 569-616-18下之2
伊埒薩哈勒亦力撒哈 元 294-239-120
399-334-448
502-271- 55
伊納克實章元 見濟農實克
伊斯堪達爾清 454-919-110
伊琳特穆爾伊爾特穆爾、岳璘帖穆爾、益良特穆爾 元 294-293-124
399-358-450
474-237- 12
1367-921- 70
伊喇古語揑金 見伊喇古尼
伊喇托卜嘉金 291-489-106
399-271-440
伊喇托摩布金 見伊喇益
伊喇伊德爾金 見伊喇槤
伊喇沃哷忠伊喇斡勒忠 金 474-738- 40
伊喇阿里合金 見伊喇阿里哈
伊喇阿里哈伊喇阿里合、移喇阿里合 金 291-676-122
400-222-518
474-740- 40
476-347-116
502-703- 82
545-181- 89
546-330-126
伊喇阿薩爾金 見伊喇温
伊喇重嘉努完顏重嘉努 金 291-625-118
399-307-445
伊喇鄂爾多伊喇巴錦、伊喇斡里朵、移剌八斤、移喇巴沁 金 291-288- 90
399-173-431
496-372- 86
502-346- 61
伊喇瑪努勒伊喇買奴 金 1040-263- 6
伊喇瑪努勒元 見伊喇邁努
伊喇斡里朵金 見伊喇鄂爾多
伊喇斡勒忠金 見伊喇沃哷忠
伊達木扎布清(旺扎勒子) 454-562- 57
伊達木扎布清(博爾濟吉特氏) 454-622- 67
伊達木扎布清(色楞子) 496-216- 76
伊實特穆爾伊實、廣平王 元 294-232-119
399-330-447
451-523- 3
1367-272- 23
伊爾格武爾清 456-138- 59
伊爾特穆爾元 見伊琳特穆爾
伊爾圖呼蘭元 1195-419- 8
伊遜特穆爾元 295-570-194
400-250-520
532-631- 43
伊德寧古爾元 523- 80-149
伊濟台巴哈元 569-616-18下之2
伊嚕特穆爾月魯帖木兒、伊埒特穆爾、欲嚕特穆爾 元 294-538-144
400- 7-499
478-765-215
523- 30-147
1226-209- 10
伊嚕勒德濟伊囉勒德濟、伊囉斡德濟 唐 294-264-122
399-354-450
1207-349- 24
1367-307- 26
伊蘇特穆爾元 見元泰定帝
伊囉勒德濟唐 見伊嚕勒德濟
伊囉斡德濟唐 見伊嚕勒德濟
伊什多勒扎布清 454-773- 88
伊札拉費揚古清 455-387- 23
伊克台伊爾丹元 見伊爾台伊爾丹
伊克德伊爾丹元 見伊爾台伊爾丹
伊烈什特穆爾月輪失帖木兒 元 476-113-102
伊納克托克托元 見喀喇托克托
伊普迪哈魯鼎妻 元 見史氏
伊喇哈喇哈孫元 見伊喇元臣
伊喇哈喇哈斯元 見伊喇元臣
伊喇烏克德哷金 見伊喇子敬
伊喇鄂克多囉金 見伊喇子敬
伊爾台伊爾丹伊克台伊爾丹、伊克德伊爾丹、奕赫抵雅爾丁 元 294-460-137
399-678-487
475- 19- 49
伊爾根覺羅氏清 塔思太妻 503- 72- 96
伊德實伊納克元 294-291-124
399-357-450
伊伐於慮鞮單于漢 見汗
伊耆於閭鞮單于漢 見宣
伊屠於閭鞮單于漢 見宣
伊勒濟呼濟哈雅伊勒濟哷濟哈雅 元 294-436-135
399-676-487
伊勒濟哷濟哈雅元 見伊勒濟呼濟哈雅
伊陵尸逐就單于漢 見居

車兒
伊喇賽音必闍赤元 見伊喇聶哷
伊喇賽音筆且齊元 見伊喇聶哷
伊利俱盧設莫何始波羅可汗隋 見攝圖
朱巳戰國 405-185- 68
朱巳宋 朱熹女 1146-173- 93
朱才吳 254-828- 11
377-363-120
523-522-172
933- 80- 5
朱才北齊 263-357- 45
朱山漢 546-247-123
朱心明 680-336-259
朱方明(字子大) 523-192-155
537-219- 54
546-368-127
朱方明(字良矩) 524-266-191
朱文明(無爲州人) 472-328- 14
朱文明(字天昭) 528-454- 29
1256-435- 29
朱文明 見朱敏
朱元宋 見舒元
朱元元 524-150-185
1223-568- 11
朱尹宋 516- 11- 87
朱尹明 570-104-21之1
朱木明 523-217-156
朱友宋 558-484- 41
朱仁元 515-349- 67
朱仁明 511-567-158
朱升元 1221-156- 6
朱升明 299-283-136
452-186- 4
458-1010- 1
472-381- 16
475-570- 79
511-704-164
1375- 23- 上
1376-268- 76
朱毛春秋 933- 78- 5
朱比妻 明 見張氏
朱氏吳 范法恂妻 475-144- 57
朱氏宋 汪紹妻、朱郢女
1376-662- 98
朱氏宋 宋度宗美人
451-245- 0
朱氏宋 李防妻、朱公綽女
493-1080- 57
朱氏宋 林文質妻、朱俊女
1161-627-126
朱氏宋 范君賁妻、朱形女
1132-250- 50
朱氏宋 陳筴妻、朱獻可女
1122-610- 10
朱氏宋 陳元平妻
1168-470- 38
朱氏宋 陳用虎妻 481-560-327
530- 69- 55
朱氏宋 陳則登妻、朱逢女
1150- 98- 11
朱氏宋 陳師堯妻、朱宗良女
1122-610- 10
朱氏宋 馮式妻、朱昂女
1093-405- 55
朱氏宋 馮君期妻
1097-317- 22
朱氏宋 曾濬妻、朱巽女
1091-388- 35
朱氏宋 楊明妻 1125-384- 30
朱氏宋 萬玶妻 1117-615- 9
朱氏宋 潘師仲妻、朱繹女
524-602-207
1133-247- 12
朱氏宋 潘景憲妻、朱翌女
1150-115- 13
朱氏宋 劉子翔妻、朱松女
1146-143- 91
朱氏宋 羅無競妻、朱綬女
1130-580- 12
朱氏宋 尹惇母 477-319-164
朱氏宋 朱億女 493-1080- 57
512- 7-176
朱氏元 江必大妻、朱克用女
516-358-101
朱氏元 同恕妻、朱炳女
1206-811- 15
朱氏元 汪仲英妻
1217-595- 4
朱氏元 黄仲起妻 295-635-201
401-182-593
472-969- 38
479- 61-219
524-452-202
朱氏元 劉友梧妻 516-358-101
朱氏明 方和叔妻 530- 62- 55
朱氏明 文璋妻 473-404- 66
朱氏明 王棋妻 524-668-210
朱氏明 王璛妻 570-172- 22
朱氏明 王民瞻妻、朱廷詔女
570-182- 22
朱氏明 王有禮妻 506- 14- 86
朱氏明 王彥常妻 479-751-251
朱氏明 孔景文妻、朱奠培女
588-292- 1
819-605- 20
1442-122- 8
朱氏明 左夢麟妻
1262-409- 45
1410-393-716
朱氏明 田大增妻 506- 46- 87
朱氏明 史廣妻 472-491- 21
朱氏明 宋朝妻 476-420-120
547-390-156
朱氏明 李汝梗妻 530-144- 58
朱氏明 李宗魯妻、朱守憲女
534-876-115
朱氏明 李春兆妻 506- 56- 87
朱氏明 李朝旻妻 564-323- 49
朱氏明 阮泰妻 477- 94-153
朱氏明 吳奕妻、朱以愼女
1255-658- 68
朱氏明 何應舜妻 480-639-288
朱氏明 周輿妻 1261-708- 30
朱氏明 周子正妻
1239-192- 40
朱氏明 周南池妻、朱儒女
1268-446- 69
朱氏明 金璲妻 1283-340- 93
朱氏明 胡源妻 472-440- 19
朱氏明 胡縉妻 524-504-203
朱氏明 胡天詔妻 530-126- 57
朱氏明 高山妻 474-191- 9
506- 7- 86
朱氏明 高校妻、朱士冕女
1292-189- 16
1292-642- 10
朱氏明 孫正心妻 476-589-131
朱氏明 孫南光妻 483-251-391
朱氏明 徐宗妻 473-285- 61
朱氏明 徐曄妻、朱孟淵女
1255-668- 69
朱氏明 徐仲山妻、朱景椿女
1255-673- 69
朱氏明 徐畢璋妻 302-251-303
朱氏明 徐錫印妻、朱純臣女
475-712- 86
朱氏明 許光妻 530-111- 57
朱氏明 郭昂妻 1274-341- 12
朱氏明 郭英妻 473-216- 59
朱氏明 屠獻宸妻 302-255-303
479-190-225
朱氏明 張頊妻 503- 28- 93
朱氏明 張翔妻 570-169- 22
朱氏明 張嚴妻 476-828-143
朱氏明 張冠期妻 530-110- 57
朱氏明 張國珍妻 478-674-209
558-519- 42
朱氏明 陳珙妻、朱沖烋女
1255-649- 67
朱氏明 陳璟妻、朱宣垠女
481-390-312
朱氏明 陳仲禮妻、朱福賢女
1255-651- 67
朱氏明 陳師衡妻 530-129- 57
朱氏明 莊秀五妻 472-278- 11
朱氏明 莫疑妻 482-188-346
506- 8- 86
朱氏明 馮恕妻、涇陽王女
1266-610- 10
朱氏明 馮綸妻 506- 93- 88
朱氏明 馮聖源妻 479-149-233
朱氏明 黄眞妻 506- 71- 88
朱氏明 黄扆妻 533-517- 66
朱氏明 黄采之妻 530- 71- 55
朱氏明 黄裹誠妻 530-110- 57
朱氏明 黄昇妻、朱景榮女
1248-482- 23
朱氏明 費愚妻 452- 96- 2
朱氏明 景自潤妻 475-381- 68
朱氏明 程浪妻 479-333-232
524-723-212
朱氏明 程正己妻 547-281-152
朱氏明 楊仞妻、朱典炳女
302-235-302
朱氏明 楊世泰妻 480- 63-260
533-508- 66
朱氏明 楊如松妻 478-600-204
朱氏明 楊先憲妻 481-337-308
朱氏明 楊廷耀妻 480-513-281

朱氏明 楊其芳妻 530-127- 57
朱氏明 董朝憲妻 512- 20-177
朱氏明 寧賢妻、朱日王女 1267-342- 37
朱氏明 甄廷輔妻、朱祈鏌女 1266-623- 10
朱氏明 趙宣妻 482-564-369 570-168- 22
朱氏明 趙銓妻、朱豪墷女 533-619- 70
朱氏明 鄭璣妻、朱祁鏻女 1267-384- 1
朱氏明 歐陽福祐妻 473- 66- 51
朱氏明 蔣東昇妻 512-499-189
朱氏明 蔡昇妻、朱橳女 477-319-164
朱氏明 劉晏妻 474-825- 44
朱氏明 劉潭妻 473-607- 76
朱氏明 盧聰妻 472-330- 14
朱氏明 蕭維芹妻 480- 95-262
朱氏明 謝勝華妻 479-633-245
朱氏明 瞿爵妻 483-140-380
朱氏明 羅弘妻 1259-198- 15
朱氏明 羅道妻 479-251-228
朱氏明 羅宜元妻、朱廷章女 516-287- 99
朱氏明 龔世忠妻、朱粱女 1295-145- 11
朱氏明 劉尚義母 1269-389- 4
朱氏明 見儲氏
朱氏清 王鉞妻 541- 3- 29
朱氏清 王之成妻 503- 66- 95
朱氏清 王天爵妻 474-385- 19
朱氏清 王紹華妻 479-436-236
朱氏清 孔尚恪妻 476-589-131
朱氏清 尹啟明妻 480-144-264
朱氏清 安于磐妻 572-133- 31
朱氏清 江元杰妻 506- 15- 86
朱氏清 沈不負妻 479-106- 23
朱氏清 沈兆廣妻 524-508-203
朱氏清 沈祚錫妻 524-469-202
朱氏清 宋三汶妻 479-502-239
朱氏清 杜溥妻 474-195- 9
朱氏清 杜龍妻 476-868-145
朱氏清 李文斗妻 478-143-181
朱氏清 李家駒妻、朱軾女 479-583-243 1325-726- 6 1327-712- 9
朱氏清 李時衡妻 512-103-179
朱氏清 李登籲妻 506- 63- 87
朱氏清 李懋德妻 480- 64-260
朱氏清 李繼岐妻 530-116- 57
朱氏清 邢景輝妻 474-195- 9
朱氏清 呂之源妻 475-714- 86
朱氏清 岑用齊妻 512-445-187
朱氏清 吳槐妻 475-191- 59
朱氏清 吳元龍妻 474-193- 9
朱氏清 吳端化妻 474-195- 9
朱氏清 官德華妻 481-700-332
朱氏清 林信妻 530- 76- 55
朱氏清 林廣卿妻 530- 77- 55
朱氏清 周又從妻 476-589-131
朱氏清 周紹錦妻 503- 52- 95
朱氏清 周學舒妻 524-506-203
朱氏清 岳屹然妻 474-195- 9
朱氏清 胡世珍妻 480- 97-262
朱氏清 俞從政妻 474-194- 9
朱氏清 侯夢豹妻 474-385- 19
朱氏清 唐辛妻 524-492-203
朱氏清 唐尚寶妻 479-734-250
朱氏清 唐衍遠妻 483-283-393
朱氏清 孫楫妻 475-155- 57
朱氏清 孫守業妻 478-406-194
朱氏清 郝理正妻 477- 94-153
朱氏清 徐文璠妻、朱尚赤女 479-500-239 516-255- 97
朱氏清 陸淪妻、朱國祚女 1318-518- 79
朱氏清 張極妻 475-783- 89
朱氏清 張元學妻 480- 67-260
朱氏清 張克義妻 477-381-167
朱氏清 張敬祖妻 506-165- 90
朱氏清 陳治徵妻 478-138-181
朱氏清 陳偉經妻 478-674-209
朱氏清 陳樹槐妻 475-284- 63
朱氏清 童左生妻 524-712-212
朱氏清 黃用福妻 478-138-181 555-115- 68
朱氏清 黃禹端妻 530- 80- 55
朱氏清 欽允文妻 524-597-207
朱氏清 賈鴻儒妻 506-123- 89
朱氏清 楊友松妻 479- 62-219 524-513-203
朱氏清 楊多壽妻 483-179-384
朱氏清 董天楷妻 524-517-204
朱氏清 虞大義妻 475-383- 68
朱氏清 翟廣寒妻 477-503-174
朱氏清 鄧紹儒妻 474-194- 9
朱氏清 蔣宏道妻 480- 64-260
朱氏清 劉虔妻 480-566-284
朱氏清 劉元鐙妻 479-499-239 516-255- 97
朱氏清 劉廷思妻 474-195- 9
朱氏清 劉叔奎妻 476-620-133
朱氏清 劉曾巡妻 479-730-250
朱氏清 劉禮泰妻 506- 36- 86
朱氏清 閻復朝妻 555-114- 68
朱氏清 羅鉉生妻 530- 31- 54
朱氏清 嚴儀煌妻 524-491-203
朱氏清 饒紹德妻 474-520- 25
朱氏清 顧廷芳妻 524-507-203
朱氏清 龔爾昌妻 474-521- 25
朱汀明 584-267- 10
朱永宣平王 明(字景昌) 299-738-173 458-143- 6 477-130-155 537-429- 58 554-167- 51 1248-658- 4 1283-217- 83
朱永明(施州衛指揮僉事) 473-408- 66
朱永明(字叔久) 1241-826- 21
朱玉宋 821-230- 51
朱玉元 683- 71- 4 821-313- 54 1232-429- 4
朱玉明 陳恪妻、朱旭女 1264-401- 8
朱玉妻 明 見張氏
朱玉清(鑲白旗人) 456-357- 77
朱玉清(漳浦人) 474-408- 20 505-679- 69
朱弘明 563-838- 41 567-352- 80 1467-252- 71 1467-467- 7
朱正明 568- 30- 98 820-677- 42 1260-620- 18
朱本元 515-344- 67 676- 18- 1 676-318- 11 678- 14- 71 680-487-271
朱右明 301-816-285 452-264- 8 479-291-230 523-607-176 676-447- 17 678-183- 87 1318-344- 62 1391-600-336 1442- 9-附1 1455-571-233 1459-278- 7
朱甲妻 元 見郎氏
朱申宋 516-158- 94 1375- 11- 上
朱申元 1194-587- 5 1194-691- 12
朱北妻 明 見張氏
朱卯妻 清 見薛氏
朱弁宋 287-108-373 398-168-376 449-337- 5 459-634- 37 472-379- 16 472-481- 21 475-567- 79 477- 92-153 490-935- 87 511-478-155 525- 24-217 525-359-235 545-475-100 547-177-147 550-170-215 678-114- 80 1145-720- 83 1146-362- 98 1158-656- 62 1318-224- 51 1362-882- 91 1365-343- 10 1375- 6- 上 1376-106- 65

1437- 23- 2
朱幼劉宋(步兵校尉) 258-610- 94
朱幼南北朝(字長明) 472-1027- 42
523-478-170
524-330-195
朱汎晉 472-1027- 42
524-330-195
朱亥戰國 244-474- 77
472-650- 27
537-370- 57
1108-438- 89
1410-512-731
朱江朱鳳 宋 448-384- 0
484-390- 28
1157-723- 15
朱衣明(字子宜) 480- 90-262
533- 23- 47
朱衣明(南京錦衣衛人) 480-319-272
朱衣明(字正伯) 511- 81-139
朱式明 549-156-186
朱朴唐 271-362-179
275-507-183
384-288- 15
396-246-273
473-250- 60
533-234- 54
933- 81- 5
朱朴明 524-279-192
821-431- 57
1442- 38-附2
1459-774- 30
1475-251- 11
朱朴妻 明 見周氏
朱亘吳 486- 67- 3
朱吉明 493-975- 52
511-735-165
676-464- 17
820-576- 40
朱在宋 460-229- 15
473-604- 76
529-610- 47
1234-278- 45
1375- 13- 上
朱存朗王 後梁 279- 80- 13
395- 71-187
朱存南唐 472-176- 6
492-585-13下之4
511-718-165
朱存金 1200-695- 52
朱有宋(涇州人) 472-882- 35
478-674-209
朱有宋(字大有) 592-581- 98
朱异梁 260-317- 38
265-873- 62
378-448-142
384-119- 6
479- 46-218
524- 2-178
677-125- 12
820-101- 24
933- 80- 5
1395-598- 3
朱艮妻 明 見陸氏
朱回女 宋 見朱娥
朱同明(字大同) 676-446- 17
820-566- 40
821-344- 55
1227-727- 8
1227-730- 附
1375- 26- 上
1442- 7-附1
1459-253- 5
朱同明(輔國將軍) 1262-398- 44
朱光宋(河曲人) 476-438-122
546-418-128
朱光宋(字吉甫) 479-236-227
523-384-164
朱光宋(字不塵) 523-420-166
朱旭元 683- 59- 3
820-532- 38
朱旭明 1239- 75- 31
朱旭女 明 見朱玉
朱年劉宋 370-456- 13
朱年梁 511-508-157
朱缶宋 1467-434- 5
朱仲漢 1058-497- 上
1061-251-108
朱价妻 明 見張氏
朱先明 300-503-212
523-518-171
朱宏宋 516- 38- 88
朱汴明 529-691- 50
朱完宋 1127-344- 19
朱完明 820-748- 44
821-457- 57
朱汧清 529-688- 50
朱沖晉 256-522- 94
380-420-177
472-895- 35
558-468- 39
933- 80- 5
朱沖宋 288-570-470
401-135-587
朱沂元 460-229- 15
460-480- 38
529-763- 53
朱序母 漢 見韓氏
朱序晉 256-340- 81
370-371- 9
377-867-129上
384-100- 5
472-772- 30
472-793- 31
477-371-167
494-274- 2
523-111-151
532-552- 40
537-561- 60
933- 80- 5
朱汶明(號碧潭) 1274-220- 9
1405-633-301
朱汶明(字文魯) 1291-470- 8
朱良宋 288-360-452
400-166-513
472-228- 8
479- 92-221
485-202- 27
493-1003- 53
511-435-153
523- 97-150
朱志明 480-404-277
515-510- 72
朱抃唐 674-269-4中
朱育吳 254-840- 12
470- 63- 96
479-229-227
486-293- 14
486-426- 20
524- 49-180
814-231- 4
820- 43- 22
朱圻明 554-298- 53
朱圻清 511-721-165
朱杞趙王 明 299- 45-116
朱彤女 宋 見朱氏
朱辰漢 559-278- 6
591- 60- 5
591-694- 49
朱改元 1197-662- 68
朱里清 524- 14-178
朱邑漢 251-124- 89
380-155-169
384- 48- 2
448-294- 上
459-815- 49
471-920- 48
471-928- 49
472-338- 14
475-527- 77
475-702- 86
476-655-135
510-412-116
511-250-146
540-643- 27
933- 79- 5
朱助明 524-153-184
朱佐明(字廷輔) 821-348- 55
朱佐明(字思忠) 1475-302- 12
朱佑明 1251-267- 20
朱伺晉 256-332- 81
377-859-129上
384-100- 5
480- 89-262
533-199- 53
933- 80- 5
朱作宋 484-381- 28
朱邦明 821-441- 57
朱彤明 523-155-153
朱佖明 559-418-10上
朱宗宋 528-440- 29
529-492- 44
1135-334- 33
朱法明 301-806-284
朱泓妻 明 見章有渭
朱京宋(字世昌) 286-278-322
397-420-344
473- 99- 53
479-629-245
515-822- 83

532-614- 43
朱京宋(字元顯) 1140-364- 6
朱京妻 明 見邵氏
朱官明 483- 95-378
569-668- 19
572- 76- 28
朱泗晉 494-453- 14
朱泗明 460-230- 15
473-605- 76
朱洵元 529-686- 50
朱治吳 254-827- 11
377-362-120
384-547- 26
472-1000- 40
475-822- 92
479-135-223
489-598- 47
492-704-3上
493-670- 37
494-262- 1
494-354- 7
511-375-150
523-522-172
588-441- 1
933- 80- 5
朱況宋 528-523- 31
朱炌宋 524- 61-181
朱炘明 1234-280- 45
朱祀明 523-232-156
朱定宋 523-500-170
528-443- 29
朱泳宋 529-501- 44
朱放唐 273-113- 60
451-484- 8
480-296-271
524-323-195
533-340- 58
674-262-4中
674-859- 19
1371- 62- 附
朱炎元 524-279-192
朱松宋 288- 36-429
293-497- 77
400-492-546
447-252- 1
449-767- 11
460-225- 15
471-663- 12
471-700- 16
472-380- 16
473-583- 75
473-615- 77
475-567- 79
481- 19-291
481-643-330
481-750-334
485-460- 7
511-700-164
528-504- 31
528-521- 31
539-508-11之2
674-841- 18
820-415- 34
933- 83- 5
1133-427- 附
1133-429- 附
1146-216- 94
1146-330- 97
1147-733- 69
1226-845- 5
1226-857- 5
1226-877- 6
1234-278- 45
1375- 7- 上
1376- 73- 63
1376-147- 68
1410-525-734
1437- 23- 2
1462- 51- 54
朱松妻 宋 見祝氏
朱松女 宋 見朱氏
朱松韓王 明 299- 65-118
朱招清 江鵬妻 530-147- 58
朱坪齊東王 明 539-352- 8
朱邯唐 516-508-106
朱協宋 288-190-439
371-129- 13
382-249- 38
400-630-557
933- 82- 5
朱玫唐 271-288-175
276-484-224下
384-287- 15
401-406-621
494-265- 1
朱東明 511-606-160
朱忠明(字藎臣) 1241-646- 14
1243-516- 8
朱忠明(字思誠) 1259-861- 8
朱忠女 明 見朱淑清
朱昌明(字希盛) 524-237-189
朱昌明(字彥明) 1227-830- 4
朱昌明(字顯道) 1246-609- 11
朱明晉 587- 64- 0
朱旺女 明 見朱氏
朱芹明(富順人) 483-225-390
483-281-393
571-523- 19
朱芹明(字克誠) 1246-649- 15
朱芥明 523-162-153
朱芾宋 485-502- 9
朱芾元 1221-460- 9
朱芾朱孟辨、朱孟辯 明(字孟辨) 301-818-285
511-759-166
820-565- 40
821-343- 55
1442- 9-附1
1459-422- 13
朱芾明(字大芾) 511-228-144
朱芾明(溧水人) 554-310- 53
朱昇明(戰死) 511-492-156
朱昇明(字彥升) 676-454- 17
1442- 11-附1
1459-478- 15
朱昇清 559-334-7 下
朱昂宋(字舉之) 288-188-439
371-128- 13
382-249- 38
384-342- 17
400-630-557
471-1031- 65
472-195- 7
472-289- 12
473-233- 60
473-301- 62
473-454- 68
475-364- 67
475-852- 94
480- 87-262
480-245-269
481-180-300
510-386-115
510-501-118
533-311- 57
534-945-120
537-546- 59
559-285-7上
933- 82- 5
1087-277- 28
朱昂宋(翰林) 471-780- 27
朱昂女 宋 見朱氏
朱昂明(字德夫) 460-817- 89
529-691- 50
朱昂明(字廷舉) 475-708- 86
511-336-149
朱昂明(成寧人) 554-527-57下
朱虎上古 243- 53- 1
546-234-123
朱虎妻 元 見茅氏
朱昉宋 1117-180- 15
朱肱宋(太常少卿) 486- 49- 2
朱肱宋(吳興人) 494-434- 13
朱竺明 821-462- 57
朱和漢 541-117- 32
朱佩朱珮 明 483-162-382
570-123-21之1
朱佩妻 明 見王素
朱侃明(海鹽人) 472-985- 39
朱侃明(字廷直) 821-348- 55
朱邱朱邸 元 821-298- 53
朱邱元 見朱邱
朱牧宋 529-449- 43
朱服宋 286-604-347
397-669-361
472-325- 14
472-1002- 40
475-698- 86
479-141-223
480-139-264
494-384- 11
510-462-117
523-444-168
533-726- 73
820-398- 34
933- 83- 5
朱冠明 458-160- 8
477-545-176
538-122- 64
朱冠妻 明 見王氏
朱洪明 472-684- 27
朱洪妻 明 見官氏

朱炳女 元 見朱氏
朱炳明 554-313- 53
朱炳女 明 見朱四女
朱宣朱瑄 唐 271-396-182
275-556-188
277-121- 13
279-260- 42
384-291- 15
384-310- 16
396-267-275
1383-801- 73
朱宣妻 明 見陳氏
朱宣妻 明 見劉慧
朱洧明 529-619- 47
朱洞宋 480-399-277
朱洽五代 592-285- 78
朱音明 820-740- 44
朱恒元 1218-781- 5
朱恒女 明 見朱順秀
朱恬宋 見朱适
朱袓明 676-464- 17
朱亮夏亮 明(字伯亮)
821-361- 55
1239- 44- 29
朱亮明(鳳陽人) 1237-387- 11
朱亮明(字德輝) 1247-553- 25
朱亮妻 明 見鍾氏
朱泚唐 271-811-200下
276-510-225中
384-224- 12
384-242- 12
401-462-628
朱彥宋(顯謨閣待制)
484-100- 3
朱彥宋(宣德郎) 488-401- 13
朱彥宋(朱軾子) 515-822- 83
朱珏明 480- 88-262
532-626- 43
朱杰宋 511-861-170
朱春元 299-144-124
400-281-522
472-827- 33
478- 92-180
554-275- 53
朱珊清 502-773- 86
朱相明 572-110- 30
朱相妻 明 見張氏
朱柏湘王 明 299- 50-117
532-111- 27
819-603- 20
1374-530- 75
1442- 2-附1
1459-187- 2
朱奎明(字季文) 528-529- 31
569-653- 19
朱奎明(字元聚) 529-617- 47
朱奎明(字文徵) 820-591- 40
朱盈宋 見木盈
朱垐濟陽王 明 539-352- 8
朱革宋 554-272- 53
朱柯元 1215-694- 10
朱珍後梁 277-174- 19
279-120- 21
384-299- 16
396-332-281
475-429- 70
511-399-151
540-623- 27
933- 82- 5
朱珍明 510-427-116
朱勃漢 252-632- 54
370-170- 16
376-621-106
402-379- 4
478- 98-180
554-627- 60
朱勇宋 473-446- 68
481-153-298
559-512- 12
591-706- 50
朱勇平陰王、陰平王 明(字惟貞) 299-392-145
472-208- 7
475-754- 88
511-498-156
820-587- 40
1244-580- 10
朱勇明(安東人) 475-329- 65
朱政明 528-560- 32
朱政妻 明 見陳氏
朱述宋 1099-595- 13
朱某明 許相卿甥(海寧人)
1272-260- 13
朱某明(號泗上公) 1296-550- 1
朱建漢 244-644- 97
250-161- 43
251-541- 13
376- 76- 96
384- 37- 2
472-828- 33
475-423- 70
554-916- 64
933- 78- 5
朱建妻 明 見施氏
朱貞明(字惟正) 511- 75-139
676-503- 19
820-626- 41
1251-318- 23
朱貞明(陽朔人) 1467-187- 69
朱昺宋 494-349- 7
朱昱明 493-1010- 53
511-523-157
朱昱妻 明 見劉氏
朱昭宋 288-282-446
382-721-111
400-132-511
472-924- 36
478-271-187
554-702- 61
933- 83- 5
朱昫宋 515-468- 71
朱英戰國 244-483- 78
朱英明(字時傑) 299-810-178
473-403- 66
478-453-197
480-637-288
481-804-338
482-321-354
523- 39-147
533-296- 56
554-210- 52
563-721- 40
567-101- 66
568-204-106
676-494- 19
1246-111- 4
1246-112- 4
1249-432- 29
1250-382- 36
1467- 74- 64
朱英明(號英齊) 1246-624- 12
朱英明 見沐英
朱英妻 明 見胡盧
朱彔明 見夏彔
朱迥明 478-338-191
朱紈明 300-367-205
472-128- 4
475-136- 56
478-768-215
505-691- 70
511-388-151
515- 53- 58
523- 50-148
559-254- 6
676-721- 30
1273-142- 20
1284-165-149
1386-385- 43
1458-156-428
朱約明(邳州人) 523-227-156
朱約明(字守一) 529-691- 50
朱約妻 明 見石氏
朱信宋 1089-189- 19
朱垕明 1226-110- 5
朱衍明 1246-651- 15
朱紀妻 明 見李氏
朱勉清 505-609- 66
朱侯元 820-508- 37
朱俊漢 453-738- 2
朱俊女 宋 見朱氏
朱俊明 540-785-28之3
朱泉元 1196-306- 18
朱浦宋 487-189- 12
朱祓宋 見朱紱
朱浡明 1261- 13- 1
朱浯明 456-668- 11
朱浮漢 252-755- 63
370-144- 13
376-696-108
384- 58- 3
402-360- 3
402-554- 18
469-140- 15
472- 25- 1
472-410- 18
475-424- 70
505-625- 67
511-219-144
535-554- 20
933- 79- 5
朱高明 570-152-21之2
朱唐明 820-679- 42

朱朗吳 524-130-185
朱朗明 821-413- 56
朱祐漢 252-597- 52
370-121- 9
376-595-106
384- 56- 3
402-363- 3
402-558- 18
472-768- 30
477-363-167
537-531- 59
539-351- 8
933- 79- 5
朱祐明 473-644- 78
480- 88-262
532-624- 43
朱祚明(字天錫) 523-582-175
1475-242- 10
朱祚明(字永年) 524- 7-178
1241-834- 21
朱祚妻 明 見顧氏
朱祚女 明 見朱妙端
朱祖清 見朱一貴
朱益明 473-168- 57
515-474- 71
朱旂清 511-558-158
朱庫不詳 1061-283-111
朱家漢 244-660-100
244-888-124
251-155- 92
251-686- 31
380-509-180
540-690-28之1
933- 79- 5
朱家元 1194-638- 9
朱浚宋 451-243- 0
460-229- 15
529-612- 47
1366-938- 5
1375- 16- 上
朱凌明 529-617- 47
朱泰宋 288-408-456
400-297-524
472-1004- 40
479-143-223
494-407- 12
524-119-184
朱泰明 505-684- 69
朱恭明 545-402- 98
朱栻明 493-998- 52
523-157-153
朱珪元 493-1064- 56
511-864-170
683- 84- 6
683- 85- 6
820-543- 39
朱桂代王 明 299- 50-117
544-244- 63
朱桓吳 254-833- 11
377-367-120
384- 80- 4
384-582- 31
470- 22- 91
472-224- 8
472-324- 14
475-124- 56
479-221-227
485-172- 23
493-859- 47
511-385-151
523-142-153
933- 80- 5
朱桓元 820-533- 38
朱琉明 569-662- 19
1442- 46-附3
朱珮明 見朱佩
朱琟明 472-546- 23
476-577-131
540-635- 27
朱埣昌樂王 明 539-352- 8
朱埬新泰王 明 539-352- 8
朱軒清 511-871-170
朱振元 820-525- 38
朱振明 1258-662- 15
朱振清 523-442-167
1318-513- 78
朱挺宋 473-694- 80
529-448- 43
563-680- 39
朱挺明 456-557- 7
朱夏元 515-768- 81
1226-105- 5
朱夏明 1225-678- 70
820-641- 41
朱恩明(長安人) 456-668- 11
朱恩明(江夏人) 533-469- 64
朱恩妻 明 見秦端
朱恩女 明 見朱淑
朱荃明 456-681- 11
570-127-21之1
朱茹明 510-351-114
554-254- 52
576-654- 5
朱峴宋 484-386- 28
朱郢女 宋 見朱氏
朱晃後梁 見梁太祖
朱豹明 1442- 47- 附3
1460- 38- 41
朱豹妻 明 見蔡眞眞
朱俯宋 487-517- 7
朱恕明 457-518- 32
475-377- 68
朱娥宋 朱回女 288-454-460
401-157-590
452-112- 3
479-250-228
486-544- 7
472-1074- 45
524-671-210
1229-240- 7
朱紘宋 480-288-271
朱倉戰國 405-177- 67
朱倉漢 591-512- 41
592-492- 91
879-158-58上
朱翁唐 480- 67-260
533-771- 74
朱倖明 524-354-196
820-715- 43
朱倬宋 287- 97-372
398-158-375
449-377-上2
471-648- 10
473-572- 74
473-615- 77
475-214- 60
478-761-215
481-527-326
481-643-330
484-381- 28
523- 15-146
528-505- 31
529-439- 43
1173-156- 74
朱倬元 472-1015- 41
479-377-234
515-832- 83
523-214-156
678-438-111
1458-709-473
朱倫妻 明 見王氏
朱卿明 572- 76- 28
朱純明 524- 56-180
朱純妻 明 見李氏
朱能東平王 明 299-391-145
453-149- 14
472-207- 7
475-753- 88
511-419-152
886-138-138
886-144-138
1237-386- 11
1238-206- 82
1374-535- 75
朱能妻 明 見張氏
朱适朱恬 宋 288-190-439
371-129- 13
382-249- 38
400-630-557
朱逢南唐 843-663- 上
朱笈明 511-195-143
朱屒明 511-641-161
朱寅明 見朱孔陽
朱悰南唐 812-529- 2
821-117- 49
朱宿唐 820-266- 29
朱清元 479- 51-218
524-239-190
朱清明 476-883-146
朱清妻 明 見姜氏
朱清明 方德明妻
1258-276- 4
朱淵明 1239- 13- 31
朱淛明 300-405-207
481-507-327
529-515- 44
676-558- 23
1442- 52- 3
1455-788-251
1460- 93- 44
朱庸妻 明 見李氏
朱章宋 1126-729-164

朱祥明 477-442-171
朱寀宋 1104-328- 30
朱液妻 明 見陳淑靜
朱淑明 洪臣妻、朱恩女 1283- 34- 69
朱梁女 明 見朱氏
朱訥明 1260-495- 9
1442- 38-附2
1459-774- 30
朱衮宋 1467-169- 68
朱衮明(永州衛人) 473-391- 65
533-108- 50
朱衮明(字文龍) 516-134- 92
朱衮明(字朝章) 528-477- 30
679-205-159
朱域臨菑王 明 539-352- 8
朱埴朱夔 宋 451- 52- 2
朱埜宋 460-228- 15
494-327- 6
朱樫唐王 明 299- 67-118
535-559- 20
朱晝唐 451-442- 4
朱翌朱翼 宋(安慶人)
473-683- 79
482- 78-341
563-907- 43
朱翌宋(字新仲) 475-704- 86
487-127- 8
491-401- 4
493-710- 39
511-819-167
524-316-194
1147-552- 52
1437- 22- 2
朱翌女 宋 見朱氏
朱梓潭王 明(鳳陽人)
299- 44-116
532-111- 27
朱梓朱梓 明(淮安人)
483-307-395
483-358-400
571-545- 20
朱彬元(崇安人) 460-230- 15
528-508- 31
朱彬元(字仲文) 1439-445-附2
朱勔宋 288-570-470
382-685-1063
401-135-587
493-1136- 60
朱珽明 1289-289- 19
1410-430-721
朱梗汝南王 明 569-537- 17
朱㙊海豐王 明 539-352- 8
朱通明 554-311- 53
朱陵明 473- 60- 51
515-200- 63
朱晦元 1194-599- 6
朱異吳 254-834- 11
377-369-120
384-584- 31
386- 75-70下
470- 39- 93
475-124- 56
485-172- 23
493-860- 47
933- 80- 5
朱異梁 814-254- 7
朱異宋 485-502- 9
朱貫宋 472-679- 27
1104-331- 30
朱崖妻 清 見徐氏
朱晞宋 見朱晞顏
朱冕朱揚善 宋 567-377- 82
1467-169- 68
朱冕明(諡忠愍) 299-510-155
472-480- 21
476-249-110
545- 69- 85
朱冕明(福清知縣) 473-570- 74
朱冕明(字士章) 510-335-113
朱得宋 見朱及甫
朱得明 515-133- 61
朱符妻 清 見喻氏
朱紘明 473-654- 78
528-495- 30
朱紱父 宋 1166-443- 35
朱紱朱祓 宋 473-632- 77
481-552-327
529-491- 44
朱紱宋 見朱諤
朱紱清 515-452- 70
朱紹明 1237-575- 上
朱偉妻 明 見馬德眞
朱紳明(字大用) 523- 41-148
558-292- 34
朱紳明(字懋孚) 533-332- 58
朱紳明(字孟端) 820-619- 41
821-387- 56
朱敏元 1212-171- 13
朱敏朱文 明(字悅道)
473- 75- 52
479-579-243
515-234- 64
523-482-170
朱敏明(字永昌) 533-190- 53
朱健明 515-444- 70
676-240- 9
朱逢女 宋 見朱氏
朱寓朱寓 漢 475-425- 70
511-786-166
朱寓漢 見朱寓
朱滋宋 1119- 44- 9
朱斌明 1258-759- 7
朱湘明 474-472- 23
505-692- 70
朱塗明 567-325- 78
1467-215- 70
朱童妻 明 見李氏
朱善朱善繼 明 299-293-137
452-164- 3
453- 97- 9
453-545- 5
458-1011- 1
473- 23- 49
479-488-239
515-353- 68
676-445- 17
1227-138- 17
1375- 37- 下
1391-692-344
1442- 5-附1
1459-226- 4
朱普漢(九江人) 252-808- 67
376-729-108
朱普漢(字伯禽) 473-430- 67
559-338- 8
591-519- 41
朱涜宋 460-296- 19
朱焯妻 明 見陳氏
朱渙宋 515-604- 76
朱渙妻 明 見楊氏
朱裒明 302- 21-290
473-258- 60
480-320-272
510-394-115
515-705- 79
533-392- 60
朱雲漢 250-523- 67
376-301-100
384- 50- 2
459-192- 12
469-182- 21
472-549- 23
472-830- 33
476-580-131
540-696-28之1
541-115- 32
554-625- 60
556-339- 90
933- 79- 5
1095-538- 17
1222-342- 32
1407- 84-402
1408-355-514
朱雲明 820-603- 40
朱博漢 251- 7- 83
376-413-102上
384- 51- 2
448-293- 上
472- 83- 3
472-428- 19
472-586- 24
472-830- 33
474- 89- 3
476-655-135
478- 95-180
481-211-302
505-625- 67
540-643- 27
554-425- 56
559-304-7上
933- 79- 5
1408-392-518
朱惠明 564-217- 46
朱巽宋 484- 90- 3
朱巽女 宋 見朱氏
朱琯明 1283-873-135
朱植遼王 明 299- 53-117
532-111- 27
1296-545- 1
1442- 2-附1
1459-188- 2

朱登漢 820- 35- 22
朱登朱擇中 宋 448-393- 0
朱琬宋 515-213- 63
朱琦清 478-201-184
554-261- 52
朱堯元 1224-247- 22
朱榟明 見朱梓
朱棡晉王 明 289- 36-116
544-240- 63
819-602- 20
朱肅元 821-325- 54
朱弼南唐 473- 74- 52
515-231- 64
朱弼明 532-747- 46
朱軫漢 539-348- 8
933- 78- 5
朱軫明 460-652- 66
1272-475- 16
朱琛明 494- 41- 3
朱琳明(清遠人) 564-173- 45
朱琳明(字士林) 570-212- 23
朱琳明(字玉林) 1475-187- 8
朱棟郢王 明 299- 69-118
朱棟妻 明 見郭氏
朱棣宋 487-148- 9
491-427- 5
524-408-199
朱棣明 見明成祖
朱梃明 301-806-284
473-606- 76
1248-485- 23
朱森宋(朱銳弟) 821-216- 51
朱森宋(字良材) 1133-541- 12
1376- 72- 63
朱景宋 286-427-333
397-530-352
472-195- 7
472-196- 7
472-748- 29
472-801- 31
472-852- 34
475-743- 88
477-499-174
537-333- 56
545-213- 91
554-309- 53
朱貴明(孟縣縣丞) 545-401- 98
朱貴明(古筠人) 1237-321- 6
朱貴妻 明 見范氏
朱紫明 456-617- 9
480-615-287
朱虛清 540-846-28之4
朱凱明(肅寧人) 472-458- 20
476-395-119
545-463-100
朱凱明(字堯民) 511-741-165
821-410- 56
1273-230- 29
1442- 31-附2
朱萃明 1467-246- 71
朱喇宋 451-101- 3
朱然施然 吳 254-829- 11
370-257- 2
377-363-120
384- 80- 4
384-581- 31
472-1000- 40
473-110- 54
479-135-223
480-237-269
486- 62- 3
486- 66- 3
494-262- 1
523-522-172
933- 80- 5
朱傅妻 清 見林氏
朱智明(字存禮) 516- 61- 89
676-466- 17
朱智明(閩縣人) 563-801- 41
朱皓明 541-107- 31
朱扉清 1318-477- 74
1460-735- 79
1475-562- 24
朱循五代 見孔循
朱勝明 299-587-161
475-121- 55
479-329-232
493-731- 40
510-335-113
523-483-170
683-116- 1
683-121- 2
1241-832- 21
1255-431- 47
1274-690- 7
朱棐清 見朱裴
朱欽明 300- 59-186
460-816- 89
479-175-225
481-698-332
523-131-152
529-630- 48
676-717- 30
朱策清 455-146- 6
朱進漢 933- 78- 5
朱進妻 明 見高氏
朱源明 516-178- 94
朱試明 515-437- 70
朱試妻 明 見魏氏
朱祺明 821-348- 55
朱義朱羲 宋 813-154- 14
821-147- 50
朱溫後梁 見梁太祖
朱滔唐 270-710-143
276-203-212
384-224- 12
384-240- 12
396-303-278
朱煊明 460-806- 86
朱煜明 460-546- 52
朱詡明 473-335- 63
480-403-277
532-693- 45
朱詮明 559-287-7上
朱裕元 821-296- 53
朱新明 1239- 74- 31
朱煒明 見朱守謙
朱煒妻 清 見吳氏
朱廉宋 1149-884- 4
朱廉朱濂、朱世廉 明
301-816-285
452-262- 8
479-328-232
523-616-176
676-447- 17
1318-345- 62
1442- 14-附1
1459-279- 7
朱遂漢 370-201- 20
402-424- 7
朱軾母 宋 見曾氏
朱軾宋 471-740- 21
473- 99- 53
515-822- 83
518-736-159
朱軾清 478-772-215
479-750-251
1308-283- 58
朱軾女 清 見朱氏
朱塤妻 元 見翁壽安
朱楨楚王 明 299- 42-116
532-110- 27
朱隗明 511-750-165
1442-114- 7
朱輅宋 473-402- 66
480-636-288
533-116- 50
585-760- 4
朱椿蜀王 明 299- 48-117
560-595-29下
1442- 2-附1
1459-187- 2
朱楹宋 見木盈
朱楹安王 明 299- 67-118
朱瑄唐 見朱宣
朱瑄明(字廷璧) 475- 20- 49
476-917-148
479-183-225
510-291-112
523-292-159
554-198- 52
朱瑄明(號鈍菴) 545- 73- 85
1255-731- 74
朱瑄明(廬陵人) 554-310- 53
朱楫金 1200-695- 52
朱楠明 299- 71-118
朱瑋明 456-636- 10
朱瑞後魏 262-186- 80
267- 55- 49
379-346-151
544-208- 62
546- 27-115
933- 81- 5
朱幹明(廬陵知縣) 473-144- 56
朱幹明(鳳陽人) 473-267- 61
480-200-267
532-656- 44
朱勣宋 288-314-449
400-164-513
547-176-147
朱勤明 563-813- 41
朱瑛明 821-484- 58

朱瑗唐 820-181- 27
朱樉肅王 明 299- 52-117
朱楩岷王 明 299- 64-118
朱檠明 473- 27- 49
473-429- 67
505-683- 69
515-388- 68
朱煦明 302-143-296
479-291-230
524-145-185
1374-392- 60
朱愚明 524-249-190
1475-316- 13
朱暄明(字朝陽) 1258-760- 7
朱暉漢 253- 30- 73
370-182- 18
376-765-109上
384- 61- 3
402-358- 3
402-520- 15
459-248- 15
472-194- 7
472-769- 30
475-418- 70
475-852- 94
477-366-167
510-500-118
537-535- 59
933- 79- 5
朱暉明(字東陽) 299-740-173
1250-958- 90
1283-217- 83
朱暉明(字德明) 524-373-197
朱暉明(工花草) 821-459- 57
朱暉明(字文采) 1268-482- 75
朱暉明 見蔣暉
朱暐妻 清 見趙氏
朱鼎清 524-121-184
朱尃妻 明 見李氏
朱葵明 523-252-157
朱敬明(山陽人) 523-201-155
朱敬明(醴泉人) 554-760- 62
朱粲唐 269-492- 56
274-154- 87
384-178- 9
395-238-202
朱鉞明 524-138-185
朱鉞妻 明 見雷氏
朱傳明 1289-300- 19
朱傳妻 清 見林氏
朱筍宋 524- 90-182
朱詹晉 480-244-269
533-204- 53
朱耜宋 1130-318- 32
朱雋漢 見朱儁
朱經明 559-287-7上
朱節明 301-784-283
457-161- 11
472-522- 22
476-479-125
479-241-227
523-601-176
532-634- 43
540-619- 27
朱賓明 820-745- 44
朱實明 821-476- 58
朱演妻 明 見姚嫣俞
朱誠妻 後梁 見王氏
朱禋明 676-501- 19
朱塾宋 460-228- 15
1145-738- 83
1146-219- 94
朱韶後魏 472- 84- 3
朱誥宋 564- 58- 44
朱誥明 474-407- 20
505-678- 69
朱漳元 1219-333- 7
朱漸宋 821-203- 51
朱端明 524-353-196
820-677- 42
821-417- 56
朱說宋 見范仲淹
朱漢明 473-168- 57
515-477- 71
554-210- 52
朱榮明 299-509-155
453-187- 17
476-278-111
540-787-28之3
545-324- 95
朱榮妻 明 見上官氏
朱瑱後梁 見梁末帝
朱瑱妻 元 見翁壽安
朱壽元 戚象祖妻、朱環女
524-718-212
1223-568- 11
朱壽明 299-244-132
朱輔朱酺 漢 370-178- 17
402-428- 8
473-424- 67
481- 14-291
494-150- 5
559-258- 6
570-742- 30
朱輔明(字翼公) 480-247-269
533-384- 60
朱輔明(蘭州衛右所正千戶)
558-413- 37
朱酺漢 見朱輔
朱榑齊王 明 299- 44-116
539-352- 8
朱戩宋 472-1052- 44
1117-180- 15
朱栴慶王 明 299- 54-117
朱瑤後梁 見朱繇
朱槔朱擇 宋 1133-559- 0
1375- 7- 上
1437- 23- 2
1462- 61- 55
朱遜明 546-718-139
朱暟明 見朱皚
朱鬲明(汾陽人) 559-321-7上
朱鬲明(蘇州崇明人)
1239- 75- 31
朱墅明 301-806-284
朱裳明(字公垂) 300-346-203
474-410- 20
475-872- 95
478-768-215
505-758- 72
523- 48-148
545-118- 86
558-185- 31
1267-667- 12
朱裳明(隆慶2年卒)
567-369- 81
1467-246- 71
朱蒙漢 見高朱蒙
朱蒙明(朱佐子) 821-348- 55
朱蒙明(字大經) 1260-632- 19
朱鳳宋 見朱江
朱鳳明(興寧十三都巡司)
482-305-353
朱鳳明(字文瑞) 524-248-190
朱鳳明(平定人) 547- 87-144
朱鳳明(號忍菴) 1260-104- 3
朱鳳明(字朝陽) 1267-592- 10
朱鳳妻 明 見胡氏
朱鳳清 511-537-157
朱熊明 1241- 43- 2
朱銓明(字士選) 820-591- 40
朱銓明(字文衡) 821-420- 56
朱銓妻 明 見范福貞
朱銓妻 清 見傅氏
朱銑南唐 820-317- 31
朱銑明 559-319-7上
朱箎明 1264-301- 下
朱綽劉宋 258- 90- 48
378- 18-131
朱綱明(池州知府) 472-367- 16
朱綱明(字振甫) 540-812-28之3
朱綱清 540-874-28之4
朱綸明 547- 87-144
朱綸清 505-881- 79
朱裴朱棐 清 546-610-135
朱儆明 1475-183- 8
朱徹晉 490-757- 74
朱綝明 1392-105-378
朱綬宋 820-422- 34
朱綬女 宋 見朱氏
朱綬明(南鄭人) 554-666- 60
朱綬明(字文佩) 676- 4- 1
1475-242- 10
朱綵清 480-320-272
532-684- 44
朱寬明(莆田人) 299-831-180
529-507- 44
朱寬明(桂林人) 482-279-351
563-842- 41
567-357- 80
朱賡宋 1149-882- 4
朱賡明 300-607-219
676-604- 25
1442- 73- 5
1460-349- 56
朱瑩宋(江南人) 813-154- 14
821-147- 50
朱瑩宋(字文玉) 1117-180- 15
朱瑩明(字仲明) 523-457-168
朱瑩明(南豐人) 559-288-7上
朱審唐 494-519- 25
524-356-196

812-352- 10
812-367- 10
821- 75- 47
朱潮明 533-325- 57
朱潤明 523-233-156
676- 84- 3
680-313-257
朱澄南唐 812-551- 4
821-115- 49
朱澄妻 明 見茉莉
朱熠宋 287-734-420
472-1117- 48
563-694- 39
朱諕明 1237-519- 6
朱毅明 567-358- 80
朱誕晉 485-173- 23
493-862- 47
820- 56- 23
朱誕唐 472-1114- 48
523-223-156
朱褒明 見朱裒
朱賢明(謚節愍) 456-531- 6
朱賢明(字從善) 511-715-164
528-452- 29
朱賢明(字汝賢) 1283-536-108
朱頡漢 253- 31- 73
376-767-109上
朱頡宋 820-436- 35
朱標明 299- 27-115
朱標妻 明 見呂氏
朱標妻 明 見常氏
朱標女 明 見江都公主
朱瑾唐 271-397-182
275-556-188
277-122- 13
279-260- 42
384-291- 15
384-310-16
396-267-275
396-405-291
1383-801- 73
朱瑾明 1386-292- 40
朱璋明 523-392-164
朱璋妻 明 見章氏
朱鼐清 455-269- 15
朱震漢 402-484- 11
477- 60-151
537-374- 57
朱震宋(字子發) 288-129-435
400-481-544
473-235- 60
480-172-266
529-625- 48
533-188- 53
677-256- 23
朱震宋(字震之) 479-143-223
494-406- 12
523-586-175
朱震明 479-711-250
朱璉明 515-557- 74
528-531- 31
朱樉秦王 明 299- 35-116
552- 73- 19
朱模瀋王 明(謚簡)
299- 66-118
544-248- 63
朱模明(字子範) 510-497-118
676-453- 17
1375- 24- 上
1442- 10-附1
1459-456- 14
朱敷漢 402-361- 3
朱穀明 516-149- 93
朱履明 524- 9-178
820-750- 44
朱慮宋 708-1060- 97
朱蔚明 821-449- 57
朱暟明 見朱暟
朱輝明 532-646- 43
朱賜漢 554-853- 63
朱蓬明 511-605-160
朱億宋 839- 58- 5
1119- 44- 9
朱億女 宋 見朱氏
朱儀明 卓叔興妻、朱允嘉女
1247- 59- 4
朱儀明 1248-660- 4
朱儉明 477-418-169
538-110- 64
朱質宋 677-354- 32
1229-100- 8
朱質明 821-483- 58
朱錸妻 明 見蘇氏
朱德武德、裴德 明
552- 77- 19
朱暟朱暟、朱暟 明
479-378-234
523-216-156
569-649- 19
朱儁朱雋 漢 253-413-101
254-695- 1
377- 21-113上
384- 68- 3
402-496- 12
402-594- 21
453-749- 3
472-737- 29
472-1069- 45
473-890- 90
476-575-131
477-241-161
477-304-163
479-228-227
482-317-354
483-697-422
486-291- 14
523-542-173
537-193- 54
540-630- 27
563-603- 38
567- 23- 63
933- 80- 5
1467- 5- 62
朱緗妻 清 見王氏
朱銳宋 821-216- 51
朱銳明 476-527-128
545-421- 98
朱稷妻 明 見劉氏
朱憲明 572- 75- 28
572-109- 30
朱導明 481-154-298
528-512- 31
559-282- 6
朱羲宋 見朱義
朱龍朱雞僧 宋 451- 85- 3
朱諤朱紱 宋 286-664-351
382-667-103
397-715-363
472-241- 9
511-121-141
朱濂明 見朱廉
朱諫明 479-793-254
515-275- 65
523-497-170
676- 44- 2
676-527- 21
679-240-162
1393-380-467
1442- 39-附2
1459-797- 32
朱燉明 301-806-284
朱遵漢 469-607- 74
473-513- 71
559-524- 12
591-577- 43
朱璟元 821-302- 53
1217- 54- 7
朱璜漢 511-926-174
1058-504-下
1061- 15- 82
朱璜明 554-280- 53
朱璣唐 528-436- 29
朱璣明(字文瑞) 483-200-388
570-139-21之2
朱璣明(右衛指揮使)
528-460- 29
朱璣明(鳳陽人) 532-705- 45
朱璣明(昆明人) 570-163-21之2
朱熹朱沈郎 宋 288- 36-429
400-492-546
447-252- 1
447-364- 1
447-414- 1
448-396- 0
448-409- 0
449-770- 12
451- 22- 0
459- 93- 6
460-233- 16
471-660- 11
471-667- 12
471-672- 13
471-709- 17
471-755- 23
472-380- 16
473- 75- 52
473-334- 63
473-584- 75
473-600- 76
473-652- 78
475-567- 79
478-761-215

479-578-243
480-402-277
481-582-328
481-610-329
481-649-330
481-679-331
489-357- 31
508-319- 41
511- 65-138
515-231- 64
516-213- 96
517-358-125
517-548-129
523- 16-146
528-481- 30
528-491- 30
529-606- 47
532-579- 41
539-492-11之2
563-922- 43
564-899- 62
588-174- 8
820-434- 35
821-222- 51
933- 83- 5
1143- 11- 附
1168-404- 36
1217-583- 3
1234-279- 45
1363-669-209
1367-223- 18
1370-213- 14
1375- 8- 上
1376- 76- 63
1437- 25- 2
1449-869- 30
1462-123- 60
朱熹女 宋 見朱巳
朱融宋 1101-741- 29
1210-454- 16
朱橞谷王 明 299- 65-118
朱樵明 1442-115- 7
朱翰明 1394- 19-491
1442- 31-附2
1459-697- 27
1475-248- 10
朱橘宋 564-617- 56
朱橘明 511-932-175
朱璘明 1297-101- 9
朱璘妻 明 見趙氏
朱橚周王 明 299- 39-116
535-557- 20
569-537- 17
819-602- 20
1459-186- 2
朱擇宋 見朱椑
朱墿淄川王 明 539-352- 8
朱據吳 254-850- 12
370-259- 2
377-377-120
384- 80- 4
384-606- 34
475-125- 56
485-172- 23
493-860- 47
511-433-153
933- 80- 5
朱據女 吳 見朱皇后
朱璞明 472-1027- 42
523-188-155
朱樸祖母 明 見吳氏
朱選宋 476-112-102
545-366- 97
朱選明 517-636-131
朱默宋 527-588- 15
朱默明 511-233-145
朱曄妻 元 見趙貞
朱曄明 820-624- 41
821-387- 55
朱暹明(餘杭人) 524- 99-183
朱暹明(前衛千戶) 571-538- 20
朱積明 1442-111- 7
朱龜漢 681- 48- 3
681-566- 10
681-677- 21
1103-385-136
1397-656- 31
朱縞明 見宋素卿
朱縉明 523-465-169
朱縉妻 明 見姚氏
朱錦明 515-178- 62
朱儒明 524-354-196
朱儒女 明 見朱氏
朱衡明(字士南) 300-664-223
475- 20- 49
479-725-250
515-708- 79
528-457- 29
540-619- 27
581-709-117
582- 14-119
676-568- 23
1290-672- 92
1442- 54- 3
1460-128- 46
朱衡明(武進人) 532-751- 46
朱衡明(字平甫) 1458-140-427
朱衡妻 明 見王氏
朱錫明 511-687-163
朱勳明 1474-532- 26
朱穆漢 253- 33- 73
376-767-109上
384- 67- 3
402-477- 11
402-509- 12
402-541- 17
402-586- 20
459-248- 15
472- 84- 3
472-770- 30
474- 89- 3
477-368-167
505-626- 67
537-538- 59
933- 79- 5
1063-215- 6
1397-456- 22
1397-474- 23
1412-459- 19
1412-471- 19
朱鴻明 680- 56-230
朱濬明 472-207- 7
朱謐明 676- 83- 3
676-292- 11
朱濞漢 535-552- 20
933- 78- 5
朱謙明(謚武襄) 299-738-173
458-142- 6
472-154- 5
472-684- 27
474-514- 25
477-130-155
505-780- 73
537-429- 58
朱謙明(赤水人) 572- 85- 28
朱襄宋 515-823- 83
朱燮隋 485-331- 50
朱燮朱吉老 宋 448-361- 0
朱燧元 820-542- 39
朱燧明 524-173-187
朱燦明 511-641-161
朱壔任城王 明 539-352- 8
朱聰明 494- 42- 3
朱翼周 1059-276- 4
朱翼宋 見朱翌
朱臨宋 452- 20- 下
494-384- 11
523-608-176
朱擢明 554-505-57上
朱檀魯王 明 299- 45-116
539-352- 8
朱舉明 476-617-133
朱璲明 1246-607- 10
朱璥明 572- 90- 29
朱璨唐 820-196- 27
朱環宋 524-150-185
1223-568- 11
朱環女 元 見朱壽
朱環明 511-582-159
朱霞清 532-751- 46
朱點明 1467-131- 66
朱爵明 300-771-230
474-480- 23
505-827- 75
545-101- 86
朱繇朱瑶 後梁 554-907- 64
812-437- 0
812-526- 2
813- 83- 3
821-109- 49
朱績施績 吳 254-830- 11
377-365-120
384-582- 31
479-135-223
523-522-172
933- 80- 5
朱績女 吳 見施淑女
朱鍠後梁 見梁末帝
朱篔明 515-134- 61
朱鮪漢 370-149- 14
402-358- 3
541-120- 32

朱聳宋 524-297-193
朱徽清 515-452- 70
朱禮元 1207-481- 34
朱禮明 511-878-170
1239- 75- 31
朱燿明 見朱耀
朱爔元 494-417- 12
朱壽元 1375- 18- 上
朱璵妻 明 見章氏
朱璧明 564-253- 47
朱覲宋 843-666- 中
朱彝宋 583-556- 12
朱彝明 544-245- 63
朱顒明 511-146-142
朱曜明 676-520- 20
1442- 37-附2
1459-771- 30
朱曜明 見朱耀
朱躍宋 288-360-452
400-166-513
472-962- 38
479- 42-218
479-142-223
523-367-163
1127-827- 13
朱鎮晉 516-154- 94
朱鵠明 1467-231- 70
朱鎬清 1327-293- 13
朱鐯妻 明 見賈氏
朱簡唐 820-287- 30
朱簡後唐 見朱友謙
朱簠明 559-289-7上
朱馥妻 清 見陳氏
朱寵漢 252-528- 46
376-548-105
402-474- 11
477- 48-151
478-101-180
554-628- 60
朱寵明 480- 90-262
533- 23- 47
朱瓊明 482-350-356
567-365- 81
1467-196- 69
朱黼宋 524-298-193
1164-238- 12
1318- 56- 35
朱黼明 515-707- 79
571-548- 20
1467-111- 66
朱穩明 528-452- 29
朱鵬明 559-374- 8
朱鵬明(字騰霄) 1467-227- 70
朱繩明 1475-159- 7
朱繪明 572-111- 30
朱鏞明(字廷用) 472-325- 14
523-427-167
1247-548- 25
1467- 74- 64
朱繹女 宋 見朱氏
朱寶元 569-661- 19
朱瀾金 1365-226- 7
1439- 6- 附
1445-438- 31
朱耀朱燿、朱曜 明
302- 88-294
456-660- 11
477-546-176
朱耀清 524-194-188
朱藻宋 523-499-170
528-522- 31
朱嚴宋 820-344- 32
朱嚴妻 宋 820-472- 36
朱騰後魏 262-187- 80
552- 40- 18
朱纁清 476-866-145
540-839-28之4
朱釋明 1250-488- 45
朱鐔明 529-484- 43
朱繼明 1260-599- 16
朱鶴朱省郎 宋 448-364- 0
朱鶴明 511-866-170
821-437- 57
朱夔宋 見朱埴
朱驄妻 清 見林氏
朱櫻明 456-596- 9
546-153-120
朱顥明 475-134- 56
493-1011- 53
511-525-157
朱鐸明 529-735- 51
朱鐸妻 明 見戴氏
朱瓕妻 清 見何氏
朱瓘明 511-846-168
朱權宋 511-271-147
1171-380- 11
1375- 11- 上
1376-383- 85
朱權寧王 明 299- 56-117
588-291- 1
819-603- 20
1442- 2-附1
1459-188- 2
朱霽元 472-1041- 43
523-170-154
1214-199- 17
朱櫟伊王 明 299- 69-118
535-559- 20
朱櫟女 明 見朱氏
朱鑑宋 460-229- 15
529-612- 47
1375- 14- 上
朱鑑母 明 見董氏
朱鑑明(謚烈愍) 299-361-142
456-694- 12
505-834- 76
886-162-139
朱鑑明(字用明) 299-716-172
460-575- 57
473-588- 75
475-872- 95
481-586-328
481-804-338
529-535- 45
532-589- 41
545- 69- 85
563-728- 40
朱鑑明(字緝熙) 505-807- 74
朱鑑明(字文藻) 821-420- 56
1240-250- 16
朱鑑明(字朝用) 1271-613- 52
朱鑑妻 明 見林氏
朱鑑妻 明 見徐氏
朱儼明(臨淮知縣) 472-197- 7
朱儼明(新添人) 572- 75- 28
朱儼清 515-252- 64
朱瓚明 515-554- 74
朱顯元 295-601-197
400-310-526
472- 98- 3
474-381- 19
505-907- 81
朱顯明(字彥達) 1246-600- 10
朱顯明(延平人) 563-752- 40
朱顯妻 明 見殷妙壽
朱纓明 820-755- 44
821-475- 58
1295- 49- 4
朱籥清 570-151-21之2
朱讓明 473- 78- 52
516-106- 91
朱瓛妻 宋 見葉氏
朱靈魏 254-336- 17
377-163-115下
384- 84- 4
385-355- 34
472-114- 4
505-759- 72
540-708-28之1
朱鷺朱家棟 明 511-834-168
676-313- 11
821-479- 58
1442-105- 7
1460-634- 72
朱灣唐 451-433- 3
592-574- 97
1365-467- 6
1371- 65- 附
朱觀明(字顒伯) 511-106-140
554-188- 51
朱觀明(字國賓) 1475-319- 13
朱纘明 480-582-285
朱鑲清 511-587-159
朱驥明(字尚德) 505-723- 71
547-183-148
1251-309- 22
朱驥明(字漢房) 511- 98-140
1245-795- 14
朱一沖宋 451- 87- 3
朱一泮明 460-744- 77
朱一柏明 523-162-153
朱一是明 524- 12-178
1318-459- 72
1442-111- 7
1475-540- 23
朱一桂明 516- 87- 90
朱一統明 302- 98-294
456-496- 5
476-298-112
478-338-191
546-370-127
554-308- 53

朱一馮明 511-248-145
朱一貴朱祖 清 592-922- 4
朱一德明 511-546-158
朱一龍明 460-641- 64
481-588-328
529-544- 45
朱一鴻妻 明 見張氏
朱七秀女 明 見朱季貞
朱九存妻 明 見田氏
朱三才明 480-404-277
朱三樂明 456-526- 6
朱士心元 1211-392- 55
朱士文明 1227- 94- 11
朱士允明 456-485- 5
朱士安女 宋 見朱皇后
朱士安明 1236-734- 9
朱士宏宋 481-643-330
528-507- 31
朱士完明 302- 90-294
456-667- 11
480-175-266
朱士亨明 523-375-164
朱士含清 476-530-128
朱士忠妻 清 見雀氏
朱士明梁 485-554- 3
朱士明唐 見朱忠亮
朱士季女 明 見朱季貞
朱士容明 1257-312- 28
朱士冕女 明 見朱氏
朱士景明 528-545- 32
朱士華元 1251-720- 7
朱士華清 559-335-7下
朱士廉妻 明 見董淑貞
朱士達清 510-367-114
朱士鼎明 302- 92-294
533-354- 59
朱士端明 1475-283- 11
朱士賢妻 明 見王氏
朱士衡魏 1054- 44- 1
1054- 46- 1
朱士謙明 821-355- 55
朱士聰宋 1170-741- 32
朱子才妻 清 見胡氏
朱子圪明 535-558- 20
朱子明妻 明 見韓氏
朱子和明 559-397-9上
朱子垗明 535-558- 20
朱子奢唐 271-536-189上
276- 8-198
384-176- 9
400-585-554
470- 23- 91
472-226- 8
475-128- 56
485-166- 22
493-1014- 54
511-670-163
589-325- 3
933- 81- 5
朱子埯明 535-558- 20
朱子連明 456-620- 9
563-854- 41
朱子通明 1241-708- 16
朱子盛明 529-683- 50
朱子堰明 535-558- 20
朱子堯明 524-235-189
朱子堺明 535-558- 20
朱子槩明 535-558- 20
朱子節明 554-347- 54
朱子福明 564-180- 46
朱子壿明 535-558- 20
朱子墟明 535-558- 20
朱子範元 510-497-118
朱子壜明 535-558- 20
朱大中明 473-100- 53
515-834- 84
朱大用明 476-750-139
540-660- 27
朱大仙宋 530-205- 60
朱大年元 821-325- 54
朱大定明 821-484- 58
朱大典明 301-641-276
456-463- 4
479-331-232
523-407-165
540-620- 27
朱大洞宋 821-260- 52
朱大英明 1442- 59- 4
朱大峰妻 清 見魏氏
朱大統明 533-291- 56
朱大啟明 515- 98- 59
523-277-158
676-631- 26
1442- 90- 6
1460-518- 65
1475-403- 17
朱大雲妻 清 見王氏
朱大雅明 475-563- 79
510-430-116
523-439-167
朱大復妻 清 見張氏
朱大韶明 見朱太韶
朱大德宋 451- 59- 2
朱大德明 1467-134- 66
朱大寶清 482-352-356
567-373- 81
朱上交宋 524-299-193
朱斗兒明 821-492- 58
1442-126- 8
朱斗環明 456-668- 11
朱文才明 524-184-187
朱文正明 299- 34-116
299- 70-118
朱文民明 1240-863- 9
朱文圭明 299- 73-118
朱文完明 524-220-189
朱文圯明 511-663-162
朱文秀明 1247-523- 23
朱文秀妻 明 見高氏
朱文秀妻 清 見呂氏
朱文林明 511-603-160
朱文美明 456-680- 11
朱文奎明 299- 72-118
朱文英元 505-675- 69
朱文英明 見沐英
朱文高朱窑世 明
1374-714- 92
朱文眞明 1239-291- 46
朱文剛明 302- 4-289
朱文盛妻 明 見謝氏
朱文進元 1197-689- 71
朱文運妻 明 見李氏
朱文遜明 302- 3-289
朱文霆元 460-458- 35
473- 63- 77
529-728- 51
676-707- 29
1224-146- 19
1455-570-233
朱文輝明 見何文輝
朱文德元 511-847-168
朱文德明 301-583-272
456-458- 4
474-824- 44
502-301- 56
朱文選元 1217-568- 2
1375-636- 49
朱文選明 456-668- 11
558-425- 37
朱文興明 1259-600- 6
朱文縉清 483-358-400
朱文濟齊 265-1043- 73
380-100-167
524-118-184
933- 81- 5
朱文濟宋 839- 58- 5
朱文禮元 1218-734- 4
朱文簡明 473-585- 75
523-497-170
563-754- 40
朱文顯明 537-327- 56
朱文鑣清 511-721-165
朱之士明 821-461- 57
朱之才金 1365- 41- 2
1439- 2- 附
1445-119- 7
朱之臣明 480-201-267
532-658- 44
561-199-38之1
571-525- 19
朱之光清 563-883- 42
朱之良清 540-688- 27
朱之彥妻 明 見劉氏
朱之相妻 明 見吳氏
朱之俊清 546-670-137
677-709- 63
朱之馮母 明 見李氏
朱之馮朱之裔 明
301-461-263
456-446- 3
458-263- 7
474-186- 9
474-515- 25
476-114-102
505-640- 67
505-836- 76
506-537-105
540-651- 27
545-380- 97
朱之馮妻 明 見馮氏
朱之焜清 481-721-333
528-557- 32

朱之裔明　見朱之馮
朱之楫明　510-495-118
朱之璉清　475-778- 89
朱之勱清　511-537-157
朱之蕃明　511-668-163
533-741- 73
676-620- 25
820-735- 44
821-470- 58
1442- 84- 5
1460-475- 63
朱之錫清　479-332-232
523-331-161
朱太韶朱大韶　明676-582- 24
1442- 59- 4
朱王造清　481-617-329
529-576- 46
567-156- 69
朱元旭後魏　262-101- 72
266-937- 45
379-301-150下
933- 81- 5
朱元成宋　523-242-157
朱元初妻　明　見呂氏
朱元昇宋　524-298-193
676- 14- 1
朱元昊明　524-166-186
朱元春清　505-661- 68
朱元律明　516- 58- 89
朱元陞妻　清　見張氏
朱元祫清　476-451-123
朱元弼明　524-110-183
1475-360- 15
朱元琰妻　清　見柯氏
朱元發宋　476-817-143
朱元傑妻　清　見韓氏
朱元瑜妻　元　見戚氏
朱元賓明　1227-142- 17
朱元僧元　1204-471- 13
朱元璋明　見明太祖
朱元德妻　清　見程氏
朱元龍宋　523-326-161
1226- 91- 5
1226-436- 21
1457-578-397
朱元整宋　516-426-103
朱元翰宋　524-292-193
朱元鎮明　524-139-185
朱元儼清　511-622-160
朱孔良明　1237-321- 6
朱孔思妻　明　見白氏
朱孔思妻　明　見劉氏
朱孔訓明　456-615- 9
朱孔章妻　清　見李氏
朱孔陽朱寅、朱孔暘　明
472-242- 9
511-870-170
820-590- 40
821-359- 55
1242-838- 10
朱孔暘明　見朱孔陽
朱天成清　505-906- 80
朱天宥明　820-602- 40
朱天祥元　295-600-197
400-309-526
朱天球明　529-570- 46
朱天貴清　528-567- 32
朱天華妻　清　見羅氏
朱天瑞妻　清　見蘇氏
朱天寧清　515-455- 70
朱天與朱與孫　宋451- 99- 3
朱天慶清　480- 93-262
533-161- 52
朱天錫宋(吳郡人)493-964- 51
朱天錫宋(歸安人)494-406- 12
524-119-184
朱天爵清　476-396-119
545-471-100
朱天寵妻　明　見唐氏
朱天麟明　301-706-279
457-979- 57
457-140- 56
511-115-140
515-227- 63
677-716- 64
朱木蘭不詳　534-957-120
朱友文康勤、博王　後梁
277-119- 12
279- 82- 13
395- 72-187
朱友孜朱友敬、康王　後梁
277-119- 12
279- 83- 13
395- 73-187
朱友垓蜀王　明　299- 49-117
560-596-29下
819-603- 20
朱友貞後梁　見梁末帝
朱友恭朱克讓、李彥威　後梁
276-458-223下
277-173- 19
279-271- 43
384-311- 16
401-332-613
朱友恭宋　288-351-452
382-722-111
400-160-513
472-879- 35
478-671-209
523-410-166
554-734- 61
558-199- 31
朱友珪郢王　後梁277-119- 12
279- 82- 13
395- 72-187
朱友堉朱友埍、蜀王　明
299- 49-117
560-596-29下
朱友埍明　見朱友堉
朱友倫密王　後梁277-117- 12
279- 80- 13
395- 71-187
朱友能惠王　後梁277-116- 12
279- 80- 13
395- 71-187
朱友城明　560-597-29下
朱友雍賀王　後梁277-119- 12
279- 79- 13
567- 7- 62
朱友裕郴王　後梁277-118- 12
279- 81- 13
395- 72-187
朱友墳石泉王　明
560-597-29下
朱友敬後梁　見朱友孜
朱友誨邵王　後梁277-117- 12
279- 80- 13
395- 71-187
544-232- 63
朱友寧安王　後梁277-117- 12
279- 80- 13
395- 71-187
朱友墂慶符王　明
560-597-29下
朱友諒後梁　277-116- 12
279- 80- 13
395- 71-187
朱友墦內江王　明
560-597-29下
朱友璋福王　後梁277-119- 12
279- 79- 13
395- 73-187
朱友壇汶川王　明
560-597-29下
朱友謙朱簡、李繼麟　後唐
277-526- 63
279-283- 45
384-311- 16
396-412-293
933- 82- 5
朱友徽建王　後梁277-119- 12
279- 79- 13
朱友壥蜀王　明　299- 49-117
560-596-29下
朱及甫朱得　宋　451- 97- 3
朱日升明　1442-112- 7
1460-722- 78
朱日非明　821-477- 58
朱日濬清　533-307- 57
朱日薦明　456-671- 11
480- 93-262
朱日藩明　301-838-286
511-783-166
523-120-151
676-578- 24
820-699- 43
1442- 59- 3
1460-175- 48
朱中哲妻　清　見陳氏
朱公向宋　1150-878- 48
朱公路明　1227-121- 14
朱公節明　479-605-244
510-394-115
515-248- 64
朱公銘臨潼王　明552- 76- 19
朱公綽宋　523- 74-149
1119- 44- 9
朱公綽女　宋　見朱氏
朱公慶明　532-719- 45
朱公遷元　400-578-553
453-801- 4
473- 49- 50

479-532-241
511-909-173
516- 46- 88
678-435-111
1439-444- 2
朱公選元 516- 48- 88
朱公鏜郃陽王 明552- 76- 19
朱公鐨汧陽王 明552- 76- 19
朱月檻朱月鑑 明
524-372-197
821-350- 55
朱月鑑明 見朱月檻
朱仁軌唐 274-459-115
395-458-222
472-681- 27
477-127-155
511-650-162
538- 85- 64
933- 81- 5
朱介卿宋 484-386- 28
朱化孚明 570-107-21之1
朱化鳳明 302- 98-294
朱化鵬妻 清 見彭琰
朱化麟清 511-566-158
朱允炆明 見明惠帝
朱允亭女 清 見朱如玉
朱允恭明(字君培) 515-512- 72
朱允恭明(烏程人) 524-120-184
朱允恭明(北直保安人)
540-650- 27
554-526-57下
朱允嘉女 明 見朱儀
朱允熞衡王 明 299- 72-118
朱允熥吳王 明 299- 72-118
朱允熞徐王 明 299- 72-118
朱永安明 511-735-165
820-577- 40
朱永吉明 456-503- 5
482-352-356
567-371- 81
569-677- 19
朱永年明 511-691-163
1442- 68- 4
1460-304- 53
朱永佑明 301-648-276
456-465- 4
475-185- 59
511-443-153
朱永昌明 1254-335- 9
朱永祚妻 明 見任氏
朱永湯妻 明 見宋氏
朱永盛明 456-464- 4
朱永盛清 479- 45-218
523- 93-149
朱永源妻 清 見查氏
朱永裔朱信哥 宋448-392- 0
朱永寧明 456-637- 10
朱永寬妻 明 見劉氏
朱玉耶明 郭天中妻
821-492- 58
朱玉眞明 529-677- 49
朱弘昭後唐 277-545- 66
279-165- 27
384-303- 16
396-362-284
朱弘祖朱彥昌 明676-465- 17
515-776- 81
1442-113-附1
朱弘祚清 475-853- 94
476-618-133
481-808-338
505-642- 67
510-504-118
540-851-28之4
563-864- 42
朱弘祚妻 清 見何氏
朱弘道明 456-617- 9
558-420- 37
朱左車前燕 503- 9- 90
朱正中妻 明 見李氏
朱正光明 554-311- 53
朱正色明 480-243-269
505-758- 72
532-671- 44
朱正初明 676-607- 25
1442- 71- 4
朱正裕明 1291-474- 8
朱正詮妻 清 見侯氏
朱巨川唐 1341-708-894
朱古學宋 524-230-189
朱本初元 1255-171- 23
朱本洽明 1442- 92- 6
朱本實妻 明 見吳德著
朱丕祚妻 清 見劉氏
朱孕嘉明 見李孕嘉
朱司馬明 見徐司馬
朱可久唐 見朱慶餘
朱可浧明 1458-254-434
朱可傳妻 元 見蔡貞節
朱可與元 472-328- 14
475-705- 86
511-856-169
朱世守明 515-717- 79
朱世忠明 473- 28- 49
515-389- 68
523-247-157
朱世昌明 570-109-21之1
朱世珍女 明 見太原長公主
朱世珍女 明 見曹國長公主
朱世新清 533-467- 63
朱世賢明 511-904-172
朱世濂明 見朱廉
朱世衡宋 1122-524- 7
朱世衡妻 宋 見桂氏
朱世勳妻 明 見王氏
朱世藩明 511-640-161
朱充灼明 299- 50-117
朱充烱踢山王 明544-247- 63
朱充炕寶豐王 明544-247- 63
朱充烢明 544-247- 63
朱充淤明 544-246- 63
朱充焊明 544-247- 63
朱充𡉉妻 明 見郝氏
朱充煜富川王 明544-247- 63
567- 8- 62
朱充熥明 544-247- 63
朱充煌明 544-246- 63
朱充熓明 544-245- 63
朱充熕明 544-247- 63
朱充熣明 547- 62-143
朱充熀明 544-245- 63
朱充熣明 547- 52-143
朱充鲆明 545-792-111
朱充燦明 544-246- 63
朱充燿代王、泰順王 明
299- 50-117
544-244- 63
朱充㸅河內王 明
544-247- 63
朱充熿明 544-246- 63
朱充爝明 544-247- 63
朱以派魯王 明 299- 45-116
539-352- 8
朱以海明 299- 45-116
539-352- 8
朱以愼女 明 見朱氏
朱以藩明 564-257- 47
朱由桂壽光王 明535-560- 20
539-353- 8
朱由栩湘王 明 299- 99-120
朱由校明 見明熹宗
朱由棫明 見朱由械
朱由椅寧陽王 明539-353- 8
朱由義宋 1376-628-96上
朱由械朱由棫 明456-488- 5
477-499-174
537-336- 56
朱由榔永明王 明299- 97-120
朱由楫齊王 明 299- 99-120
朱由榴明 456-586- 8
朱由樞德王 明 539-352- 8
朱由模懷王 明 299- 99-120
朱由儉明 見明思宗
朱由橏惠王 明 299-100-120
朱由樌嘉祥王 明539-353- 8
朱由櫸簡王 明 299- 99-120
朱四女明 朱炳女472-986- 39
524-567-206
朱甲龍宋 559-397-9上
朱申仍明 515-728- 79
朱申鈙蜀王 明 299- 49-117
560-596-29下
朱申鋸南川王 明
560-597-29下
朱申鑿蜀王 明 299- 49-117
560-596-29下
819-603- 20
朱仕坯明 544-245- 63
朱仕俊元 533-169- 52
朱仕壣明 544-245- 63
朱仕堸明 544-245- 63
朱仕堈明 544-247- 63
朱仕埬明 544-245- 63
朱仕墩明 544-246- 63
朱仕墰昌化王 明544-246- 63
朱仕𡒄明 544-246- 63
朱仕㙦明 544-246- 63
朱仕壇明 544-245- 63
朱仕壥代王 明 299- 50-117
544-244- 63

朱仕墭靈丘王　明299- 51-117
544-246- 63
朱台浤慶王　明　299- 55-117
朱台符宋　286- 56-306
397-256-334
473-233- 60
473-514- 71
480-169-266
481-349-309
559-383-9上
591-628- 45
朱台濠壽陽王　明544-250- 63
朱用之明　475-432- 70
511-467-154
朱用和明　1241-485- 7
朱用純明　511-676-163
朱用康女　明　見朱妙眞
朱包蒙明　541-108- 31
朱幼圩清源王　明299- 67-118
544-249- 63
朱幼埜廣宗王　明544-249- 63
朱幼垬明　544-249- 63
朱幼琦明　544-249- 63
朱幼瑗明　544-248- 63
朱幼塨永年王　明544-249- 63
朱幼㙓明　544-249- 63
朱幼墳內丘王　明544-249- 63
朱幼壂明　544-248- 63
朱幼墼遼山王　明544-249- 63
朱幼墭明　544-248- 63
朱幼墧唐山王　明544-249- 63
朱幼壆潘王　明　299- 67-118
544-248- 63
朱守仁明　299-311-138
472-413- 18
473-818- 86
475-431- 70
483-115-379
511-227-144
569-669- 19
朱守良妻　明　見鄧氏
朱守孚明　533-297- 56
571-524- 19
1256-589- 6
朱守益妻　明　見王氏
朱守恕明　533-118- 50
朱守殷朱會兒　後唐
277-596- 74
279-326- 51
384-313- 16
401-410-622
朱守榮妻　清　見曹氏
朱守憲女　明　見朱氏
朱守謙元　545-242- 92
朱守謙朱煒、朱鐵柱、靖江王
明　299- 71-118
567- 15- 62
1467-301- 74
朱安汾麗水王　明
535-558- 20
朱安河明　1289-400- 29
朱安泛平樂王　明299- 40-116
535-558- 20
朱安減博平王　明299- 40-116
535-558- 20
539-353- 8
1262-397- 44
朱安涇浦江王　明535-558- 20
朱安涘義寧王　明535-558- 20
567- 8- 62
朱安泒明　299- 41-116
538- 80- 64
676-756- 32
1460-757- 83
朱安國宋　472-380- 16
511-269-147
朱安逢海陽王　明535-558- 20
朱安洱定安王　明535-558- 20
朱安涫崇善王　明535-558- 20
朱安漕汾西王　明535-558- 20
544-250- 63
朱安潥魯陽王　明535-558- 20
朱安潧聊城王　明535-558- 20
539-353- 8
朱安澑邵陵王　明535-558- 20
朱安潏萊陽王　明535-558- 20
539-353- 8
朱安㴨會稽王　明535-558- 20
朱安滓信陵王　明535-558- 20
朱安濼曲江王　明535-558- 20
朱安濯富陽王　明535-558- 20
朱安齋明　1268-226- 37
朱安瀉東會王　明535-558- 20
朱安　遂平王　明299- 39-116
535-557- 20
朱汝岳女　元　見朱靜淑
朱汝修妻　明　見桑氏
朱汝楫妻　清　見葉氏
朱汝諧元　295-601-197
400-310-526
472-577- 24
476-865-145
540-771-28之2
朱汝鼇明　510-458-117
朱宇温明　299- 68-118
535-559- 20
朱衣助清　474-636- 33
474-775- 41
502-776- 86
505-703- 70
朱吉老宋　見朱夔
朱吉甫宋　494-472- 18
525-404-237
朱百年朱伯年　劉宋
258-597- 93
265-1067- 75
380-444-178
479-230-227
486-313- 14
524-285-192
933- 81- 5
1141-794- 33
朱在鈺遂寧王　明535-559- 20
朱在鉷安昌王　明535-559- 20
朱在鑾儀封王　明535-559- 20
朱存理明　511-740-165
820-656- 42
1251-626- 附
1273-230- 29
1442- 31-附2
1458-260-435
1459-698- 27
朱存樞妻　明　見劉氏
朱存樸妻　清　見李氏
朱存器元　295-247-165
399-598-479
472-413- 18
朱有安妻　宋　見周氏
朱有光永寧王　明535-558- 20
朱有烔內鄉王　明535-558- 20
朱有炥宜陽王　明535-558- 20
朱有烜順陽王　明535-558- 20
朱有福清　456-357- 77
朱有熅封邱王　明535-558- 20
1262-396- 44
朱有煸汝陽王　明535-558- 20
朱有聞宋　452- 23- 下
524-265-191
朱有熼羅山王　明535-558- 20
朱有燆胙城王　明535-558- 20
朱有燉周王　明　299- 39-116
535-557- 20
819-602- 20
1442- 2-附1
1459-189- 2
朱有熹新安王　明299- 39-116
535-558- 20
朱有勳汝南王　明299- 39-116
535-558- 20
570-215- 23
朱有爌鎭平王　明299- 40-116
535-558- 20
819-603- 20
朱至眞妻　元　見袁氏
朱至深富順王　明
560-598-29下
朱至淥太平王　明
560-598-29下
朱至澍妻　明　見劉氏
朱同善元　1224-283- 23
朱同鈞臨淄王　明535-558- 20
朱同鉉堵陽王　明535-558- 20
朱同鉒明　1262-398- 44
朱同鈮魯陽王　明535-558- 20
朱同銘封丘王　明
1262-396- 44
朱同鍒上洛王　明535-558- 20
朱同鏘新會王　明535-558- 20
朱同鐩沈丘王　明535-558- 20
朱同鏞河清王　明535-558- 20
朱同璽妻　明　見劉氏
朱光才明　473-403- 66
533-117- 50
朱光正明　559-354- 8
朱光印妻　明　見楊氏
朱光先劉光元　明456-604- 9
朱光祚明　479- 44-218
523- 90-149
523-217- 53
朱光庭宋　286-427-333
382-611- 94
384-373- 19

384-382- 19
397-530-352
448-469- 7
449-710- 0
459- 70- 4
472-489- 21
472-717- 28
472-750- 29
472-826- 33
475-776- 89
476-150-104
477-315-164
478- 91-180
510-479-118
538- 12- 61
545-213- 91
554-333- 54
933- 82- 5
1100-472- 43
朱光普宋 821-215- 51
朱光霽明 483-200-388
554-341- 54
570-139-21之2
朱兆元清 567-402- 83
朱多炡明 299- 61-117
515-422- 69
676-673- 28
820-739- 44
821-449- 57
1442- 3-附1
1460-762- 83
朱多炏明 299- 61-117
朱多烇明 515-403- 69
588-332- 2
朱多熅明 820-738- 44
朱多煌明 299- 61-117
朱多楢明 299- 61-117
朱多蒲明 302- 8-289
朱多[火黑]明 1442- 3-附1
1460-763- 83
朱多[火貴]明 515-403- 69
588-332- 2
676-673- 28
820-703- 43
1442- 3-附1
1460-762- 83
朱多爌明 820-739- 44
821-449- 57
朱旭櫏韓王 明 299- 66-118
819-604- 20
朱名世元 676-708- 29
朱任卿明 456-608- 9
537-336- 56
朱自方明 524-359-196
821-355- 55
朱自明元 1240-233- 15
朱自牧金 1365- 48- 2
1439- 3- 附
1445-333- 22
朱自省妻 明 見方氏
朱自勉唐 472-980- 39
479- 91-221
523- 96-150
朱自強明 524- 92-182
朱自期宋 1188-214- 24
朱全忠後梁 見梁太祖
朱全昱廣王 後梁277-116- 12
279- 79- 13
392-216- 19
395- 70-187
511-581-159
朱全宰明 533-180- 52
朱企鏻妻 明 見陳氏
朱好古元 547-559-161
朱如玉清 魯宗鎬妻、朱允亭女 1328-886- 19
朱如竹妻 清 見胡氏
朱如初明 515-646- 77
朱如璧唐 516- 94- 91
朱如寶元 見朱國寶
朱仲安明 472-255- 10
523-463-169
朱仲南明 512-739-195
朱仲益宋 843-673- 下
朱仲恭明 528-551- 32
朱仲智明 473-145- 56
515-150- 61
朱仲誼明 1229-263- 8
朱行先吳越 494-329- 6
523-516-171
525-385-236
朱宏憲清 505-661- 68
511-371-150
朱沖烌襄陵王 明299- 66-118
544-250- 63
朱沖烌女 明 見朱氏
朱沖烋樂平王 明544-250- 63
朱沖 臨汾王 明544-250- 63
朱沈郎宋 見朱熹
朱良吉元 493-1010- 53
511-521-157
朱良佐明 515-508- 72
朱良科清 547- 29-141
朱良祐宋 526-630-279
朱良儁妻 清 見杜氏
朱志同元 1224-267- 23
朱志光明 512-762-196
朱志清明 480-438-278
朱志琚妻 清 見宋氏
朱志[土保]宜川王 明552- 76- 19
朱志榮明 533-212- 53
1467-505- 10
朱志[土絜]秦王 明 299- 35-116
1442- 2-附1
1459-189- 2
朱成文明 460-793- 84
529-741- 51
朱成功清 456-381- 79
朱成泳明 見朱誠泳
朱成[金巳]明 544-246- 63
朱成鈞明 544-246- 63
朱成鋑明 299- 51-117
544-246- 63
朱成鉖寧津王 明544-247- 63
朱成[金右]明 544-246- 63
朱成遠明 524-340-195
朱成[丞金]饒陽王 明544-247- 63
朱成錢明 547- 61-143
朱成鋇明 299- 52-117
544-247- 63
朱成鍊明 299- 50-117
544-244- 63
朱成鍨明 544-245- 63
朱成鍰明 544-246- 63
朱成鏝和川王 明544-247- 63
朱成鐎明 299- 52-117
544-247- 63
朱成鏻安定王 明544-247- 63
朱成鐵明 299- 51-117
544-246- 63
朱成鐭博野王 明544-247- 63
朱成[金疑]明 544-245- 63
朱成鏢明 544-245- 63
朱西吉朱厚之 宋451- 97- 3
朱吾弼明 301-115-242
479-749-251
515-486- 71
676-716- 30
朱均鈋楚王 明 299- 42-116
532-111- 27
朱君緒唐 587-437- 5
朱克正元 1200-695- 52
朱克生清 1475-967- 41
朱克用女 元 見朱氏
朱克配清 476-588-131
540-853-28之4
朱克彬妻 元 見周氏
朱克敬元 515-270- 65
朱克潤明 1240- 52- 3
朱克融唐 271-369-180
276-208-212
384-263- 13
384-265- 13
396-308-278
494-264- 1
朱克瀛明 570-158-21之2
朱克讓後梁 見朱友恭
朱呈瓘明 456-496- 5
478-696-210
558-230- 32
朱見洲宜章王 明535-560- 20
朱見沛徽王 明 299- 86-119
535-560- 20
朱見治忻王 明 299- 86-119
544-250- 63
朱見洽昆陽王 明535-560- 20
朱見浪信陽王 明535-560- 20
朱見浚吉王 明 299- 86-119
532-113- 27
819-603- 20
朱見淇汝源王 明535-560- 20
朱見淳許王 明 299- 85-119
朱見清明 見朱見潾
朱見淕丹陽王 明535-560- 20
朱見深明 見明憲宗
朱見潙河陽王 明535-560- 20
朱見淯正丘王 明535-500- 20
朱見湏東垣王、鄭王 明
535-560- 20
1266-607- 10
朱見澍秀王 明 299- 85-119
535-560- 20

朱見潾朱見清、德王　明　299- 85-119
539-352- 8
朱見潚明　299- 82-119
朱見濍盟津王　明
535-560- 20
朱見澤崇王　明　299- 84-119
535-560- 20
朱見濬明　見明憲宗
朱見濟明　299- 87-119
朱見瀤繁昌王　明535-560- 20
朱見灂趙王　明　299- 76-118
535-559- 20
朱佐日唐　472-226- 8
485-166- 22
493-1018- 54
511-725-165
朱伯文宋　482-320-354
朱伯年劉宋　見朱百年
朱伯材女　宋　見朱皇后
朱伯盛元　1232-455- 6
朱伯雄朱振振　宋448-368- 0
516- 29- 88
朱伯履妻　宋　見陳氏
朱伯齡明　515-272- 65
朱伯驥明　533-302- 57
朱希文明　821-438- 57
朱希忠定襄王　明
299-293-145
544-250- 63
505-724- 71
朱希周明　300-137-191
475-135- 56
820-689- 43
511-104-140
1284-152-148
1457-514-389
朱希晦元　524-298-193
676-711- 29
1220-622-附
1459-509- 17
1471-166- 24
朱希晦明　558-403- 36
朱希彩唐　270-710-143
384-224- 12
朱希萊明　532-672- 44
朱希軾妻　明　見葉氏
朱希賢宋　480-651-289

朱希顏宋(字景淵)　見朱晞顏
朱希顏宋(字子淵)　見朱晞顏
朱希顏明　540-653- 27
朱邦臣明　511-239-145
朱邦治明　1297-714- 5
朱邦喜明　523-107-150
朱邦楨明　515-137- 61
朱邦鄗明　見朱廷鄗
朱邦聞明　456-608- 9
523-390-164
朱邦衡妻　宋　見劉氏
朱利見唐　1078-299- 1
朱伸域妻　明　見方氏
朱秀蘭田鳳妻　明
524-454-202
朱妙貞明　趙俊後妻、朱用康女　1181-301- 6
朱妙端明　周濟妻、朱祚女
1442-123- 8
1460-769- 84
1475-803- 34
朱廷立明　473-216- 59
480- 58-260
523-159-153
533- 16- 47
676-174- 7
676-559- 23
1442- 51-附3
1460- 83- 44
朱廷址明　299- 51-117
544-246- 63
朱廷芳妻　明　見茹氏
朱廷采妻　明　見滕氏
朱廷益明　481-613-329
523-276-158
528-498- 30
朱廷珪明　547- 74-143
朱廷埣明　544-247- 63
朱廷剛明　820-746- 44
朱廷章女　明　見朱氏
朱廷埼明　299- 51-117
544-245- 63
朱廷埽明　544-247- 63
朱廷埦明　544-247- 63
朱廷詔女　明　見朱氏
朱廷堿明　544-247- 63

朱廷傑妻　明　見陶氏
朱廷煥明　301-504-266
456-461- 4
474-472- 23
476-866-145
505-640- 67
540-833-28之3
朱廷堦明　544-245- 63
朱廷瑞清　523-456- 29
朱廷嗣唐　271-369-180
276-208-212
384-265- 13
396-309-278
朱廷實宋　1142-650- 9
朱廷鄗朱廷彰、朱邦鄗　明
299- 52-117
456-585- 8
478-516-200
544-248- 63
545-678-107
558-230- 32
朱廷彰明　見朱廷鄗
朱廷墧明　544-247- 63
朱廷璋妻　清　見張氏
朱廷鋐清　151-170-142
朱廷璟清　554-533-57下
朱廷諡明　524-271-191
朱廷聲明　300- 80-188
473- 27- 49
479-490-239
515-382- 68
朱廷錀明　523-233-156
朱宗文妻　明　見劉氏
朱宗吉明　676-641- 26
朱宗良女　宋　見朱氏
朱宗明明　530-211- 61
朱宗海妻　明　見蘇馥
朱宗時清　523-253-157
朱宗晦明　473- 15- 49
515- 88- 59
朱宗翼宋　821-202- 51
朱宗顯明　493-759- 41
朱宜民元　820-544- 39
朱治登明　820-674- 42
朱治憪明　1442-102- 7
1460-621- 71
1475-440- 19
朱治憪妻　明　見吳綺

朱怡圃明　1274-611- 3
朱怡晚妻　明　見顧蘭
朱祁鈺明　見明景帝
朱祁鉷南樂王　明535-560- 20
朱祁銑涇陽王　明535-560- 20
朱祁鋈臨漳王　明
535-559- 20
朱祁鍟襄邑王　明535-559- 20
朱祁銳新平王　明535-560- 20
朱祁鋹洛川王　明535-560- 20
朱祁鏻湯陰王　明535-559- 20
朱祁鏻女　明　見朱氏
朱祁鍈鄭王　明　299- 80-119
535-560- 20
朱祁鎮明　見明英宗
朱祁鎔朝邑王　明535-560- 20
朱祁鏓平鄉王　明
535-560- 20
朱初平宋　563-657- 39
朱定安明　511-735-165
820-576- 40
朱定國宋(六合知縣)
472-172- 6
510-311-113
朱定國宋(字興仲)
1099-756- 13
朱定國清　480-597-286
朱孟約明　821-371- 55
朱孟淵明　821-365- 55
朱孟淵女　明　見朱氏
朱孟烷楚王　明　299- 42-116
532-110- 27
1442- 2-附1
1459-189- 2
朱孟常明　473-616- 77
481-644-330
528-509- 31
朱孟愷清　481-559-327
529-669- 49
朱孟震明　515-558- 74
561-330- 40
1442- 74- 5
1460-354- 56
朱孟德明　1475-186- 8
朱孟辨明　見朱芾
朱孟辯明　見朱芾
朱居仁妻　元　見韓妙靜
朱奉釬明　見朱奉鉀

朱奉銓蜀王 明 299- 49-117
560-597-29下
朱奉鉀朱奉鉀 明456-467- 4
571-522- 19
朱奉鐩東鄉王 明
560-598-29下
朱奉鐍隆昌王 明
560-598-29下
朱玩泉明 524-348-196
朱抱一唐 812-347- 9
821- 55- 46
朱奇沄明 544-243- 63
朱奇珍清 481-584-328
528-489- 30
533-258- 55
朱奇湑明 544-242- 63
朱奇添明 299- 38-116
544-242- 63
朱奇淐明 544-243- 63
朱奇淮河東王 明299- 38-116
544-243- 63
朱奇湞明 299- 38-116
544-242- 63
朱奇渲明 544-243- 63
朱奇渾明 547- 17-141
朱奇湒明 544-243- 63
朱奇渶義寧王 明544-243- 63
567- 8- 62
朱奇源晉王 明 299- 37-116
544-241- 63
朱奇溶河中王 明544-243- 63
朱奇溯西河王 明299- 38-116
544-243- 63
547- 23-141
朱奇溥明 544-243- 63
朱奇澯明 544-242- 63
朱奇瀴襄陰王 明544-244- 63
朱協巾妻 清 見祝氏
朱協極宋 820-436- 35
朱表机明 544-243- 63
朱表抄明 見朱表杪
朱表枋明 544-243- 63
朱表杪朱表抄 明
546-638-136
547-563-160
朱表柃明 544-243- 63
朱表相明 299- 38-116
544-243- 63
547- 23-141
朱表柶明 544-243- 63
朱表栚靖安王 明544-244- 63
朱表栺旌德王 明544-244- 63
朱表桸明 544-242- 63
朱表梈明 544-243- 63
朱表梘明 544-243- 63
朱表椈明 544-244- 63
朱表楠寧河王 明299- 38-116
544-243- 63
朱表楗明 544-244- 63
朱表榮晉王 明 299- 37-116
544-241- 63
朱表槏新化王 明544-241- 63
544-244- 63
朱表樟明 544-243- 63
朱表櫟明 544-242- 63
朱表檈榮澤王 544-241- 63
544-244- 63
朱長文宋 288-257-444
400-670-562
472-228- 8
475-130- 56
485-195- 26
491-433- 6
493-919- 49
511-671-163
589-310- 2
674-680- 8
677-195- 18
820-383- 33
839- 69- 附
1107-735- 53
1116-133- 7
1119- 56- 附
1119- 58- 附
1136- 94- 5
1362-697- 62
1386-237- 38
1437- 18- 1
朱長世明 458-151- 7
朱長生後魏 262-258- 87
267-639- 85
380- 59-166
384-143- 7
472-481- 21
474-588- 30
476-255-110
505-782- 73
546- 24-115
933- 81- 5
朱長春明 676-626- 26
1442- 80- 5
朱長泰清 475-810- 91
510-492-118
540-847-28之4
朱東旦明 456-467- 4
朱東光明 515-797- 82
529-618- 47
朱東屏明 456-674- 11
546-610-135
朱來遠明 475-710- 86
511-339-149
523-108-150
朱承宗明 529-692- 50
朱承逸宋 494-384- 11
524-192-188
朱承綵明 1460-760- 83
朱承爚蜀王 明 299- 49-117
560-596-29下
朱忠亮朱士明 唐
270-809-151
275-369-170
384-257- 13
396-143-265
472-657- 27
472-877- 35
477- 70-152
478-670-209
537-384- 57
558-190- 31
933- 82- 5
朱典炳女 明 見朱氏
朱典横明 299- 70-118
535-559- 20
朱典櫍萬安王 明535-559- 20
朱尚灴永壽王 明552- 75- 19
朱尚赤女 清 見朱氏
朱尚炌安定王 明552- 76- 19
朱尚炳秦王 明 299- 35-116
朱尚焫興平王 明552- 75- 19
朱尚烈永興王 明552- 74- 19
朱尚義清 554-319- 53
朱尚煜保安王 明552- 75- 19
朱肯堂元 511-884-171
朱昌年母 宋 見曹氏
朱昌祚清 474- 95- 3
476-920-148
478-770-215
502-652- 79
505-641- 67
523- 64-149
537-225- 54
540-673- 27
540-839-28之4
朱昌孫明 821-451- 57
朱昌寧隋 472-681- 27
538- 85- 64
朱昌齡宋 820-452- 35
朱明普元 1209-506-8下
朱明魁清 537-307- 56
朱明鎬明 1312-357- 34
朱芾煌明 676-658- 27
1442-109- 7
1460-660- 73
朱卓然妻 明 見徐淑順
朱昆田清 479-100-221
朱芝垝蕩陰王 明299- 68-118
535-559- 20
朱芝坦新城王 明535-559- 20
朱芝垝三城王 明299- 68-118
535-559- 20
819-604- 20
朱芝垠承休王 明535-559- 20
朱叔仲元 見朱叔重
朱叔重朱叔仲 元821-303- 53
朱叔瑤宋 451-141- 3
511-773-166
朱叔賢妻 蜀漢 見張昭儀
朱叔麒元 1199-567- 2
朱叔顯妻 清 見宋氏
朱旻如明 456-466- 4
482-352-356
567-371- 81
朱知扃明 544-243- 63
朱知炬明 544-244- 63
朱知烔明 544-243- 63
朱知烛明 544-243- 63
朱知烊朱知祥、晉王 明
299- 37-116
544-241- 63
朱知祥明 見朱知烊
朱知常宋 585- 55- 0
677-443- 40

843-672-下
朱知熄明 299- 38-116
544-241- 63
朱知燉明 544-244- 63
朱知爅明 544-244- 63
朱知爋新化王 明544-241- 63
544-244- 63
朱知燫明 544-242- 63
朱知燠明 544-242- 63
朱知爀明 544-243- 63
朱知爈明 544-242- 63
朱季平吳 820- 43- 22
朱季昌後唐 見高季興
朱季貞明 劉貴文妻、朱七秀女、朱士季女 530- 66- 55
1249-841- 12
1254-591- 上
朱季埕楚王 明 299- 42-116
532-110- 27
1442- 2- 1
1459-190- 2
朱季興後唐 見高季興
朱和叔宋 820-386- 33
朱和鄘明 821-459- 57
朱佶焞明 299- 66-118
544-248- 63
朱佶焆稷山王 明544-249- 63
朱佶焊沁源王 明544-249- 63
朱佶烇陵川王 明544-248- 63
朱佶熠平遥王 明544-248- 63
朱佶熅沁水王 明544-249- 63
朱佶燏黎城王 明544-248- 63
朱金發宋 529-717- 51
朱金誥清 524-128-184
朱秉欓永壽王 明
1442- 3-附1
1459-198- 2
朱服遠清 483- 17-370
570-159-21之2
朱延之宋 1098-741- 46
朱延之妻 宋 見沈氏
朱延祐妻 清 見許氏
朱延壽唐 275-565-189
277-158- 17
384-292- 15
401-196-594
472-326- 14
933- 82- 5
朱延壽妻 唐 見王氏
朱延熙後周 820-315- 31
朱延慶清 502-681- 80
朱延禧明 540-822-28之3
朱延禧清 502-652- 79
朱洪實後唐 277-546- 66
朱洪圖明 821-480- 58
朱洪謐清 524-207-188
朱炳如明 480-511-281
481-583-328
528-486- 30
533-102- 50
554-215- 52
朱宣址江安王 明
560-598-29下
朱宣圻蜀王 明 299- 49-117
560-596-29下
朱宣垠女 明 見朱氏
朱首諒宋 529-501- 44
朱恬烔明 544-250- 63
朱恬烆明 544-249- 63
1442- 3-附1
1459-199- 2
朱恬烄瀋王 明 299- 67-118
544-248- 63
1442- 2-附1
1459-195- 2
朱恬烷明 676-673- 28
1442- 4-附1
1460-766- 83
朱恬焯鎮康王 明
544-250- 63
1442- 3-附1
1459-199- 2
朱恬烶明 544-250- 63
朱恬熇明 544-249- 63
朱恬煙明 544-250- 63
朱恬煒明 544-249- 63
朱恬熙明 544-249- 63
朱恬燆明 544-248- 63
朱恬爍明 1460-766- 83
朱恬爖安慶王 明544-250- 63
1442- 3-附1
1459-200- 2
朱亮祖明 299-238-132
472-328- 14
475-836- 93
511-428-152
523- 32-147
567- 81- 66
1223- 189- 16
1467- 56- 64
朱前詔明 見朱前詒
朱前詒朱前詔 清
480-405-277
511-340-149
532-700- 45
朱祈鍈女 明 見朱氏
朱彥永明 1242-229- 32
朱彥永妻 明 見黄氏
朱彥明妻 明 見唐貴梅
朱彥昌明 見朱弘祖
朱彥美宋 1135-348- 34
朱彥昭明 1229-220- 5
朱彥修明 1229- 45- 4
朱彥博宋 473-178- 57
515-499- 72
朱彥實宋 1145-598- 77
朱美圭明 299- 37-116
544-241- 63
朱美垣方山王 明544-243- 63
朱美垸交城王 明544-242- 63
朱美珧明 544-243- 63
朱美埻西河王 明544-243- 63
朱美埥明 544-242- 63
朱美堅明 544-242- 63
朱美堣靈丘王 明544-243- 63
朱美堛寧河王 明544-243- 63
朱美塢明 544-242- 63
朱美塎臨泉王 明544-243- 63
朱美壤明 544-242- 63
朱拱臣宋 820-441- 35
朱拱枘明 299- 60-117
515-389- 68
820-703- 43
朱拱榣明 299- 60-117
朱拱樹明 1283-564-111
朱拱樹妻 明 見張氏
朱拱欐明 見朱棋欐
朱咸熙宋 1092-109- 14
朱春亭明 821-398- 56
朱春卿妻 宋 見王柔
朱垣薇妻 明 見高氏
朱柱石明 529-687- 50
朱厚之宋 見朱西吉
朱厚炳齊東王 明299- 89-119
539-353- 8
朱厚烱秀水王 明535-560- 20
朱厚烜明 見朱厚燁
朱厚烇荊王 明 299- 83-119
532-112- 27
819-604- 20
朱厚垸明 見朱厚烷
朱厚焃嘉定王 明535-560- 20
朱厚烷朱厚垸、鄭王 明
299- 80-119
535-560- 20
538-102- 64
朱厚烽召陵王 明539-353- 8
朱厚煜趙王 明 299- 77-118
535-559- 20
1442- 3-附1
1459-193- 2
朱厚煇光山王 明535-560- 20
朱厚煒蔚王 明 299- 90-119
朱厚煉江寧王 明535-560- 20
朱厚煉明 見明武宗
朱厚熿高唐王 明299- 89-119
539-353- 8
朱厚照明 見明武宗
朱厚熑懷安王 明535-560- 20
朱厚熜明 見明世宗
朱厚熲襄王 明 299- 82-119
朱厚熸新昌王 明535-560- 20
朱厚燁朱厚烜、益王 明
299- 89-119
1442- 3-附1
1459-194- 2
朱厚燉德王 明 539-352- 8
朱厚燨臨朐王 明539-352- 8
朱厚爋歷城王 明539-352- 8
朱厚燦慶雲王 明535-560- 20
朱厚爤高唐王 明539-352- 8
朱厚爝徽王 明 299- 86-119
535-560- 20
朱南一明 821-408- 56
朱南杰宋 1364-533-320
1437- 30- 2
朱南強宋 523-444-168
朱南強元 511-829-168
朱南雍明 821-447- 57
朱飛卿宋 460-306- 21
朱政郎宋 見朱熙載
朱建平魏 254-511- 29

380-585-182
384-520- 23
511-876-170
933- 80- 5
朱建杙明 朱健杙
朱柔英明 顧懋宏妻
512- 9-176
朱柔嘉宋 485-503- 9
朱茂春明 524-198-188
朱茂昞明 1475-506- 22
朱茂昭明 1442-105- 7
朱茂時明 483-249-391
571-538- 20
676-664- 28
1442- 94- 6
1475-513- 22
朱茂時妻 明 見黃媛貞
朱茂淳妻 明 見張氏
朱茂晥明 820-754- 44
1475-542- 23
朱茂瞷明 1442-116- 7
1475-618- 26
朱茂暉明 524- 26-179
676-664- 28
1442-112- 7
1475-515- 22
朱茂曙明 524- 26-179
676-664- 28
820-754- 44
821-480- 58
1442-112- 7
1475-518- 22
朱茂曜明 1475-534- 23
朱貞王明 張盛妻473-589- 75
530- 86- 56
朱貞孚明 820-674- 42
821-415- 56
朱思本元 517-513-128
1210-416- 14
朱思平明 523-400-165
朱思全明 1237-415- 16
朱思明明 570-107-21之1
朱思愼唐 820-282- 30
朱思義清 478-770-215
502-631- 77
523- 63-149
朱昭之劉宋 1401- 54- 15
朱若士妻 清 見張氏

朱省郎宋 見朱鶴
朱則文明 529-671- 49
朱則文妻 明 1243-352- 20
朱則中明 劉斗鳳妻
473- 53- 50
1224-294- 23
1229-765- 9
朱英骴明 533-144- 51
朱英齋妻 明 見李阿衍
朱英璨明 見朱英璨
朱英璨朱英璨 明480- 60-260
533-725- 73
朱英鏻妻 明 見吳氏
朱迴添朱廻添、朱迴溱、朱溱添 明 302- 43-291
456-522- 6
540-628- 27
545-855-113
朱迴洸朱廻洸 明302- 98-294
456-497- 5
545-855-113
554-308- 53
朱約畬明 1467-319- 74
朱重光明 821-392- 56
朱重義清 572- 92- 29
朱皇后吳 吳景帝后、朱據女
254-761- 5
373- 60- 19
385-479-52上
朱皇后宋 宋神宗后、朱士安女、崔傑女 284-870-243
382-108- 14
384-364- 19
393-310- 76
537-186- 53
朱皇后宋 宋欽宗后、朱伯材女 284-879-243
382-112- 15
393-315- 76
537-187- 53
朱信哥宋 見朱永裔
朱帥鉀蒙陰王 明539-353- 8
朱胤礽明 544-249- 63
朱胤杲明 544-248- 63
朱胤柯明 544-249- 63
朱胤柠明 544-250- 63
朱胤柲明 544-249- 63
朱胤俊明 821-462- 57

朱胤栘潘王 明 299- 67-118
544-248- 63
1442- 2-附1
1459-193- 2
朱胤梃朱胤梴、德平王 明
299- 67-118
544-250- 63
1442- 2-附1
1456-199- 2
朱胤楀明 544-249- 63
朱胤楊明 544-249- 63
朱胤達明 821-462- 57
朱胤榿明 299- 67-118
544-248- 63
朱胤梴明 見朱胤梃
朱胤槦明 544-249- 63
朱胤欐明 544-250- 63
朱胤欀明 544-249- 63
朱勉坍光陽王 明535-559- 20
朱保兒明 見李文忠
朱保穀妻 清 見方氏
朱保衡宋 561-570- 45
朱俊之宋 487-512- 7
朱俊杖明 299- 50-117
544-244- 63
朱俊相明 544-246- 63
朱俊柵明 544-245- 63
朱俊柏明 544-246- 63
朱俊格明 299- 51-117
544-246- 63
676-442- 17
820-703- 43
朱俊卿元 820-546- 39
朱俊桯明 544-247- 63
朱俊渠明 544-245- 63
朱俊棱明 544-245- 63
朱俊棣明 544-247- 63
朱俊榅明 544-247- 63
朱俊榭明 544-246- 63
朱俊榱明 544-247- 63
朱俊槻明 544-245- 63
朱俊樌明 544-247- 63
朱俊噤明 299- 51-117
299- 51-117
544-246- 63
朱俊樾明 544-246- 63
朱俊櫍明 544-247- 63
朱俊櫱明 544-247- 63

朱高煦漢王 明 299- 73-118
539-352- 8
朱高熾明 見明仁宗
朱高燧趙王 明 299- 76-118
535-559- 20
朱高爔明 299- 73-118
朱祐材襄王 明 299- 81-119
朱祐杬興王 明 299- 30-115
534-168- 82
朱祐杬妻 明 見蔣氏
朱祐枳廣安王 明535-560- 20
朱祐桓瑞安王 明535-560- 20
朱祐樫明 見朱祐楷
朱祐梈汝王 明 299- 90-119
535-561- 20
朱祐椐慶元王 明535-560- 20
朱祐椀景寧王 明535-560- 20
朱祐棆岐王 明 299- 89-119
朱祐橥淮王 明 299- 83-119
朱祐�棗陽王 明299- 82-119
朱祐榧明 299- 89-119
朱祐楷朱祐樫、申王 明
299- 90-119
560-598-29下
朱祐楎衡王 明 299- 89-119
539-353- 8
朱祐榕德王 明 299- 85-119
539-352- 8
朱祐榰壽王 明 299- 89-119
560-598-29下
朱祐樘明 見明孝宗
朱祐橞泰安王 明539-352- 8
朱祐槿建德王 明535-560- 20
朱祐樞榮王 明 299- 90-119
朱祐橒雍王 明 299- 89-119
朱祐櫄濟寧王 明539-352- 8
朱祐樻遂昌王 明535-560- 20
朱祐橓涇王 明 299- 90-119
539-353- 8
朱祐樾太和王 明535-560- 20
朱祐檳益王 明 299- 89-119
819-604- 20
朱祐櫟陽城王 明535-560- 20
朱祖文明 301-160-245
458-212- 3
511-530-157
朱祖昌明 1475-479- 20
朱祖修妻 清 見俞氏

朱祖揚宋 484-373- 27
朱祚元明 511-565-158
朱祚宏明 533-364- 60
朱祚盛明 572-105- 30
朱悅熒保寧王、蜀王 明
299- 49-117
560-596-29下
朱悅熒妻 明 見徐氏
朱悅燿明 見朱悅燿
朱悅燿朱悅燿、華陽王 明
299- 49-117
560-597-29下
朱宸濠上高王、寧王 明
299- 58-117
朱家民明 301-229-229
483- 16-370
483-228-390
483-248-391
483-382-402
511-213-144
570-109-21之1
571-523- 19
朱家仕明 301-461-263
456-581- 8
476-251-110
478-489-199
545-305- 94
558-413- 37
朱家相明 1442- 82- 5
1460-443- 60
朱家梁明 456-549- 7
483- 33-371
569-679- 19
朱家棟明 見朱鷺
朱家繩清 515-493- 71
朱效濂明 544-248- 63
朱效鍚明 676-674- 28
1442- 4-附1
1460-767- 83
朱庭佐宋 484-374- 27
朱庭弼明 544-311- 53
朱庭傑宋 288-304-448
400-158-513
481-527-326
529-438- 43
朱庭資宋 484-382- 28
朱淩霄明 571-547- 20
朱泰堉安丘王 明539-352- 8
朱泰埜東野王 明539-352- 8
朱泰堪魯王 明 299- 45-116
539-352- 8
1442- 2-附1
1459-190- 2
朱泰禎朱泰禛、李泰禛 明
523-519-171
676-633- 26
679- 74-145
1442- 93- 6
1460-532- 66
1475-411- 17
朱泰塍鄒平王 明539-352- 8
朱泰禛明 見朱泰禎
朱泰墱鉅野王 明539-352- 8
朱泰壆樂陵王 明539-352- 8
朱素臣明 821-480- 58
朱貢淙汾川王 明544-250- 63
朱恭枵明 299- 40-116
535-557- 20
朱桃椎朱桃槌 唐269-598- 65
275-639-196
401- 2-568
481- 76-294
561-198-38之1
561-386- 41
591-537- 42
592-193- 73
871-892- 19
879-186-58下
933- 81- 5
朱桃槌唐 見朱桃椎
朱栱欏朱拱欏、樂安王 明
588-292- 1
朱真淤肅王 明 676-441- 17
1442- 3-附1
1459-193- 2
朱真靜宋 587-442- 5
朱原良明 1226-452- 22
朱原貞明 473- 61- 51
515-200- 63
1375- 29-上
朱原律明 528-449- 29
朱原震妻 明 見方氏
朱桂英元 1221-434- 6
朱桂英明 陳洪範妻
1442-123- 8
朱桂發元 1197-565- 57
1197-724- 75
朱陛宣明 458-213- 3
511-529-157
1319-193- 15
朱振伯妻 清 見張氏
朱振振宋 見朱伯雄
朱振聲清 478-637-206
朱致槻明 820-703- 43
朱致樨枝江王 明819-604- 20
朱時亨清 476-298-112
朱時俊明 511-625-161
朱恩鐥遼王 明 299- 54-117
532-111- 27
819-604- 20
朱師聖清 479-496-239
515-453- 70
朱倪點妻 明 見眭氏
朱純八妻 清 見陳氏
朱純元明 1442- 98- 6
1460-593- 69
朱純臣女 明 見朱氏
朱修之劉宋 258-404- 76
261-592- 43
265-272- 16
266-548- 27
370-479- 14
378- 26-131
384-110- 6
472-793- 31
473-245- 60
477-372-167
480-238-269
480-286-271
532-556- 40
537-561- 60
552- 33- 18
933- 80- 5
朱秩炅安塞王 明299- 55-117
819-604- 20
朱俶穩明 吳清妻
1376-689- 99
朱迥添明 見朱迴添
朱迥溱明 見朱迴溱
朱迥洸明 見朱迴洸
朱寅奮妻 明 見劉氏
朱淳甫元 821-303- 53
朱翊鈛明 299- 93 120
朱翊鈞明 見明神宗
朱翊釴益王 明 299- 89-119
朱翊鈴靖王 明 299- 93-120
朱翊鉦明 533-178- 52
朱翊銘明 299- 82-119
朱翊鋇明 299- 84-119
朱翊錧德王 明 299- 85-119
539-352- 8
朱翊爍利津王 明539-353- 8
朱翊壓明 533-178- 52
朱翊欄明 299- 81-119
458- 69- 3
朱翊鏐潞王 明 299- 93-120
535-561- 20
544-250- 63
朱翊鐵堂邑王 明539-353- 8
朱翊鑊衡王 明 299- 89-119
539-353- 8
朱惟炏明 1288-636- 11
朱惟善明 1236- 73- 5
朱惟焯秦王 明 299- 36-116
朱惟新明 1280-486- 91
朱惟新妻 明 見宋氏
朱惟慶明 1246-100- 4
朱密世明 見朱文高
朱淑信元 295-629-200
401-177-593
479-250-228
朱淑眞宋 585-512- 16
1437- 39- 2
1488-623- 0
朱淑清明 史珩妻、朱忠女
1259-869- 8
1458-657-468
朱淑清明 余舜民妻
530- 62- 55
1254-586-上
朱淑媛清 孫元暉妻
530- 26- 54
朱康國妻 清 見李氏
朱梅間元 821-295- 53
朱理圪明 676-673- 28
1442- 4-附1
1460-766- 83
朱理圻明 544-249- 63
676-674- 28
1442- 4-附1
1460-766- 83
朱理坦保定王 明544-250- 63

1442- 3-附1
1459-199- 2
朱理封明 544-250- 63
朱理垣明 544-248- 63
朱理堦沁水王 明299- 67-118
544-249- 63
1442- 3-附1
1459-199- 2
朱理堯瀋王 明 299- 67-118
544-248- 63
1442- 3-附1
1459-196- 2
朱理塯明 676-673- 28
1442- 4-附1
1460-766- 83
朱理⿰土幾朱理璣、德化王 明
544-248- 63
544-250- 63
朱理璣明 見朱理⿰土幾
朱理壦明 545-855-113
朱習之明 1280-485- 91
朱習之妻 明 見王氏
朱勔應宋 590-446- 0
朱張恂宋 523-361-163
朱張銘清 569-619-18下之2
朱崇文妻 明 見劉氏
朱崇芳明 554-347- 54
朱崇祖明 見朱榮祖
朱崇遂明 479-749-251
515-486- 71
朱崇德朱訔德 明
301-476-264
456-668- 11
478-131-181
朱崇儒明 821-396- 56
朱國永妻 清 見廖氏
朱國臣妻 明 見馮氏
朱國玘朱國杞 明
482-408-359
523-569-174
567-147- 68
568-195-105
1467-135- 66
朱國杞明 見朱國玘
朱國材妻 明 見謝氏
朱國治朱國柱 明456-578- 8
480-484-280
533-406- 61
朱國治清 502-764- 86
朱國彥明 301-571-271
456-516- 6
朱國柱明 見朱國治
朱國相明 456-483- 5
475-744- 88
510-474-117
朱國俊妻 明 見劉氏
朱國祚明 301- 85-240
479- 97-221
523-276-158
676-614- 25
820-731- 44
1442- 79- 5
1460-407- 59
1475-367- 15
朱國祚妻 明 見許氏
朱國祚女 清 見朱氏
朱國泰清 537-526- 59
朱國望明 1475-506- 22
朱國祥清 476-893-147
540-680- 27
朱國梓清 503- 4- 89
朱國詔明 820-761- 44
朱國盛明 679-688-206
朱國弼明 299-740-173
朱國棟明 301-476-264
554-678- 60
朱國華明 821-455- 57
朱國靖清 511-596-159
朱國軾明 456-637- 10
朱國楨明(烏程人) 見朱國禎
朱國楨明(環縣人) 見朱國禎
朱國楨妻 明 見劉氏
朱國禎朱國楨 明(烏程人)
301- 87-240
523-283-159
479-145-223
朱國禎朱國楨、吳國楨 明(環縣人) 456-614- 9
558-423- 37
朱國禎明(廣寧衛人)
502-784- 87
朱國壽明 559-321-7上
朱國輔明 511-389-151
朱國慶明 456-572- 8
538- 46- 63
朱國龍明 456-641- 10
朱國璿妻 明 見劉氏
朱國藩清 516-153- 93
朱國寶朱如寶 元
295-247-165
399-598-479
456-572- 8
472- 36- 1
473-367- 64
473-737- 82
473-777- 84
482-451-362
505-721- 71
532-582- 41
563-717- 39
567- 77- 65
1467- 50- 63
朱處仁宋 1092-109- 14
朱常安清 524-105-183
朱常汯明 1460-767- 83
朱常泩嘉祥王 明539-353- 8
朱常治沅王 明 299- 96-120
朱常洛明 見明光宗
朱常洵福王 明 299- 94-120
535-561- 20
朱常浩瑞王 明 299- 96-120
朱常潕明 299- 89-119
539-353- 8
朱常激邠王 明 299- 94-120
朱常澍紀城王 明539-353- 8
朱常潤惠王 明 299- 97-120
朱常濊清平王 明539-353- 8
朱常濬安陵王 明539-353- 8
朱常潜朱常⿱㚘而、德王 明
299- 85-119
539-352- 8
朱常⿱㚘而明 見朱常潜
朱常瀛桂王 明 299- 97-120
朱晞翼宋 1169- 61- 5
朱晞顏朱晞、朱希顏 宋(字子淵) 473-395- 66
511-270-147
532-630- 43
532-751- 46
585-767- 5
1363-728-217
1375- 9- 上
1376-346- 82
朱晞顏朱希顏 宋(字景淵)
494-322- 6
1170-683- 29
朱得之明 457-412- 25
678-460-114
朱得春妻 明 見孫氏
朱得時明 517-567-129
朱偕欒高平王 明
544-250- 63
朱紹先妻 清 見虞氏
朱紹宗宋 821-234- 51
朱術垧明 676-673- 28
1460-761- 83
朱統炆明 676-674- 28
朱統鈾妻 清 見萬氏
朱統鈽明 515-450- 70
朱統稽明 見朱統鐖
朱統鍠明 820-739- 44
朱統鍘明 456-577- 8
朱統鐖朱統稽 明515-446- 70
676- 29- 1
朱統鏴明 821-474- 58
朱統鐨明 515-445- 70
朱統鐩明 515-451- 70
569-663- 19
朱統鐵明 515-422- 69
朱敏汀明 456-487- 5
477- 56-151
朱敏泰明 301-462-263
456-581- 8
朱敏修宋 528-522- 31
朱敏淳明 299- 38-116
544-241- 63
朱敏濛明 546-896-114
朱逢吉明 472- 66- 2
472-985- 39
505-665- 69
676-467- 17
1442- 11-附1
1475-123- 8
1459-422- 13
朱健杙朱建杙、魯王 明
299- 45-116
539-352- 8
朱健根明 299- 46-116
朱啟昆清 569-620-18下之2
朱從禹妻 清 見解氏

朱從道宋 1089-613- 6
朱善昌明 見李善昌
朱善繼明 見朱善
朱湛鎔妻 清 見曾氏
朱敦仁宋 1140-699- 30
朱敦儒宋 288-266-445
400-677-563
472-750- 29
482- 91-342
491-110- 13
524-307-194
537-514- 59
674-842- 18
820-417- 34
821-211- 51
933- 83- 5
朱奠培寧王 明 299- 57-117
819-603- 20
朱奠培女 明 見朱氏
朱奠堵石城王 明299- 60-117
朱雲成明 511-886-171
朱雲孫妻 宋 見劉氏
朱雲衢妻 宋 見陳氏
朱黃石清 529-733- 51
朱巽之齊 見朱選之
朱超石劉宋 258- 92- 48
265-271- 16
378- 20-131
820- 83- 24
933- 80- 5
朱期至明 676-610- 25
朱期昌明 820-746- 44
朱朝冠明 482-561-369
570-126-21之1
朱朝堵保寧王 明535-559- 20
朱朝埴順慶王 明535-559- 20
朱朝瑛明 479- 56-218
524- 12-178
676-660- 27
677-725- 64
1442-110- 7
朱朝壒明 1442- 3-附1
1460-760- 83
朱朝勳妻 明 見陳氏
朱雄英虞王 明 299- 72-118
544-250- 63
朱隆禧明 302-362-307
朱軫裔清 559-412-9下
朱揚善宋 見朱冕
朱陽仲明 1442- 70- 4
1460-338- 55
朱陽鑄魯王 明 539-352- 8
1442- 2-附1
1459-190- 2
朱提王後魏 見托跋悅
朱買臣漢 244-865-122
250-469-64上
376-231- 99
384- 45- 2
453-733- 1
470- 22- 91
471-596- 2
471-607- 3
471-625- 6
472-220- 8
472-983- 39
475-124- 55
484- 12-上
485-150- 20
485- 64- 10
486- 31- 2
491-108- 13
493-796- 43
511- 86-140
523-515-171
554-880- 64
933- 78- 5
1408-354-514
朱買臣梁 475-854- 94
朱景文宋 413-128- 55
515-532- 73
朱景仁元 524-173-187
1229-290- 9
朱景玄唐 1371- 71- 附
朱景辰清 559-333-7下
朱景和明 563-838- 41
朱景哲明 559-267- 6
朱景祥明 547- 8-141
朱景運妻 清 見劉氏
朱景椿女 明 見朱氏
朱景榮女 明 見朱氏
朱景賢妻 明 見張氏
朱景環吳越 485-294- 43
493-1063- 56
511-864-170
朱景懷明 456-357- 77
朱華玉元 524-351-196
朱華陰妻 清 見李氏
朱華圉明 533-330- 58
朱華圉妻 明 見周氏
朱華堞明 見朱新堞
朱華趦明 480- 60-260
533-470- 64
朱勛沍明 544-249- 63
朱勛洺明 544-249- 63
朱勛淯明 544-250- 63
朱勛泄朱勛漄、福山王 明
544-248- 63
544-250- 63
朱勛浚明 544-249- 63
朱勛溱明 544-249- 63
朱勛淙明 544-249- 63
朱勛漄明 見朱勛泄
朱勛漣明 544-249- 63
朱勛澐明 544-250- 63
朱勛澄明 544-249- 63
朱勛潪明 544-248- 63
544-250- 63
朱勛澂明 544-249- 63
朱勛澤明 544-250- 63
朱勛瀌明 544-249- 63
朱勛瀘明 544-249- 63
朱勛瀼明 544-248- 63
朱無瑕明 820-769- 44
1442-126- 8
1460-908- 98
朱然治吳 489-598- 47
朱順秀明 朱恒女
1283-519-107
朱智深妻 明 見徐淑淨
朱舜庸宋 472-177- 6
489-678- 49
492-585-13下之上
511-718-165
朱勝非宋 286-785-362
398- 41-369
449-519-下2
471-936- 50
472-794- 31
473- 86- 52
477-417-169
486- 51- 2
494-306- 5
494-425- 13
537-564- 60
朱欽相明 301-177-246
479-661-247
515-803- 82
523-108-150
563-764- 40
朱象先宋 493-1055- 56
511-864-170
821-181- 50
朱象賢明 563-825- 41
朱進忠明 545-388- 97
朱傑軒明 456-668- 11
朱集璜明 301-669-277
456-635- 10
475-140- 56
511-441-153
朱復之宋 1357-854- 11
朱復初妻 明 見張氏
朱復昌妻 清 見余氏
朱復得明 1376-486- 90
朱寘銂明 299- 55-117
朱寘鐇明 299- 55-117
朱慎鋷明 299- 38-116
544-241- 63
朱慎鋌明 544-243- 63
朱慎闇清 1315-372- 17
朱慎鍾慶成王 明
544-242- 63
1442- 3-附1
1459-200- 2
朱慎鍵明 544-243- 63
朱慎鍛明 547- 4-141
朱慎鏤明 302-102-294
456-499- 5
476- 43- 98
545-678-107
朱慎鏡明 299- 38-116
544-241- 63
朱慎鐳明 544-242- 63
朱慈炅明 299-100-120
朱慈炤永王 明 299-100-120
朱慈烔定王 明 299-100-120
朱慈烜明 299-100-120
朱溱添明 見朱迴添
朱慈焴明 299-100-120
朱慈烺明 299-100-120
朱慈然明 299-100-120
朱慈煥明 299-101-120

朱義叔妻 明 見汪氏
朱詮鉞明 544-249- 63
朱詮鉦西陽王 明299- 67-118
544-248- 63
544-250- 63
朱詮鉌靈川王、潘王 明
544-250- 63
567- 8- 62
1442- 2-附1
1459-191- 2
朱詮鈹明 544-249- 63
朱詮鋈明 544-249- 63
朱詮錄妻 明 見王氏
朱詮鐲明 544-249- 63
朱詮鍾明 544-249- 63
朱詮鎣明 544-248- 63
朱詮鏞朱詮鏞、宜山王 明
544-250- 63
567- 8- 62
朱詮鏻宿遷王 明544-250- 63
朱詮鐕明 544-249- 63
朱詮鏴明 544-249- 63
朱詮鐔雲和王 明544-250- 63
朱詮鐒明 544-248- 63
朱詮鑑吳江王 明544-250- 63
朱詮鑨朱銓鑨、定陶王 明
539-353- 8
544-250- 63
朱詮鐊明 .544-249- 63
朱新娃明 547- 23-141
朱新熿晉王 明 299- 37-116
544-241- 63
朱新堞朱華堞、朱新趢、朱新鍱 明 299- 38-116
302- 99-294
456-574- 8
478-419-195
544-241- 63
545-895-114
554-308- 53
朱新靖明 558-478- 40
朱新運明 537-320- 56
572-101- 30
朱新墤明 544-243- 63
朱新墥明 544-242- 63
朱新墧明 299- 38-116
544-241- 63
朱新堤明 544-242- 63

朱新塌明 544-243- 63
朱新趢明 見朱新堞
朱新鍱明 見朱新堞
朱煥文宋 494-406- 12
朱煥常明 1232-392- 1
朱運久明 570-106-21之1
朱運昌明 482-561-369
570-106-21之1
朱運泰明 571-552- 20
朱運熙妻 明 見黃氏
朱道山明 1229-434- 0
朱道本妻 明 見鄭氏
朱道存妻 元 見費元琇
朱道光明 456-660- 11
511-468-154
朱道光妻 清 見梁氏
朱道誠宋 473-750- 83
482-348-356
567-377- 82
1467-169- 68
朱載圭朱載珪 明299- 89-119
539-353- 8
朱載圳景王 明 299- 93-120
朱載坽明 見朱載埁
朱載封明 299- 89-119
539-353- 8
朱載埛均王 明 299- 93-120
朱載垙太康王 明535-560- 20
朱載垕明 見明穆宗
朱載珪明 見朱載圭
朱載堉東垣王 明299- 80-119
458-159- 8
477-256-161
535-560- 20
537-483- 58
1459-196- 2
朱載埁朱載坽、樊山王 明
299- 83-119
676-443- 17
朱載埗平度王 明539-353- 8
朱載垸成皐王 明535-560- 20
朱載埩寧陽王 明539-353- 8
朱載基明 299- 92-120
朱載埨浦城王 明
299- 86-119
朱載埾陽夏王 明535-561- 20
朱載堙朱載禋、廬江王 明
299- 81-119
458- 69- 3
477-256-161
535-560- 20
538- 55- 63
朱載埘德慶王 明535-560- 20
朱載堦榮陽王 明
535-561- 20
朱載堭昌樂王 明539-353- 8
朱載堡懷慶王 明535-561- 20
朱載塬臨清王 明539-353- 8
朱載堪商河王 明676-443- 17
539-353- 8
朱載塡延津王 明535-561- 20
朱載塔咸平王 明535-561- 20
朱載堞德平王 明535-561- 20
朱載禋明 見朱載堙
朱載鹵潁王 明 299- 93-120
朱載墱德王 明 299- 85-119
539-352- 8
朱載震清 480-177-266
533-309- 57
1318-102- 39
1318-118- 41
朱載壇歸德王 明535-560- 20
朱載壖壽張王 明539-353- 8
朱載壈薊王 明 299- 93-120
朱載壐新樂王 明299- 89-119
朱載墅戚王 明 299- 93-120
朱載罄明 299- 93-120
朱瑚達清 455-235- 12
朱塔穆清 456-182- 64
朱聖言妻 宋 見陳氏
朱聖迪妻 清 見張二姑
朱極光清 479-750-251
515-493- 71
朱瑞登明 1442- 58- 3
1460-170- 48
朱勤炏明 676-673- 28
1442- 3- 1
1460-760- 83
朱勤炬寶坻王 明535-559- 20
朱勤炫京山王 明535-559- 20
朱勤烒商城王 明535-559- 20
朱勤烷臨安王 明535-559- 20
朱勤烼柘城王 明535-559- 20
朱勤烻湯溪王 明535-559- 20
朱勤焞彰德王 明535-559- 20
朱勤然汝寧王 明535-559- 20

朱勤燉安吉王 明535-559- 20
朱勤煥瑞金王 明535-559- 20
朱勤熥修武王 明535-559- 20
朱勤㮞華亭王 明535-559- 20
朱勤熨明 299- 41-116
朱勤懋明 821-398- 56
朱萬元明 570-152-21之2
朱萬年明(字鶴南) 302- 27-290
456-503- 5
476-726-138
483-358-400
540-658- 27
572- 84- 28
572-340- 38
朱萬年明(諡節愍) 456-546- 7
朱萬年明(浙江人) 475-527- 77
朱萬良明 456-456- 4
朱萬春明 475-710- 86
511-338-149
朱萬祺清 505-804- 74
朱萬錡明 1475-531- 23
朱萬齡元 1200-772- 59
朱萬鐸妻 清 見王氏
朱當沍歸善王 明299- 45-116
朱當涓陽信王 明539-352- 8
朱當滋郯城王 明539-352- 8
朱當潓館陶王 明539-352- 8
朱當湄高密王 明539-352- 8
朱當濆滋陽王 明539-352- 8
朱當漎魯王 明 299- 45-116
539-352- 8
朱當銑妻 清 見鄭氏
朱當澐翼城王 明544-250- 63
朱當濵明 299- 46-116
朱當澻安丘王 明299- 47-116
朱睦桱應城王 明535-558- 20
朱睦樑明 538- 81- 64
朱睦楮益陽王 明535-559- 20
朱睦榴奉新王 明535-559- 20
朱睦橫南陵王 明299- 40-116
535-559- 20
朱睦櫸明 299- 41-116
458-159- 8
538- 21- 62
676-673- 28
1442- 3-附1
1460-759- 83
朱睦橫明 676-673- 28

六畫：朱

1442- 3-附1
1460-759- 83
朱睦㰘周王 明 299- 39-116
535-557- 20
朱嗣立宋 487-512- 7
朱嗣孟宋 288-375-453
400-134-511
479-530-241
510-493-118
516- 21- 87
朱嗣發宋 1188-212- 24
朱嗣榮元 1224-164- 19
朱嗣壽元 1224-317- 24
1229-179- 3
朱鼎臣宋 843-672-下
朱鼎延清 476-618-133
540-843-28之4
朱鼎渭明 299- 51-117
544-245- 63
朱鼎演明 547- 52-143
朱鼎鏵明 544-247- 63
朱敬則唐 269-765- 78
270- 82- 90
274-458-115
384-185- 10
395-456-222
469-100- 12
471-918- 48
472-324- 14
472-681- 27
475-697- 86
477-127-155
510-461-117
511-650-162
537-423- 58
538- 85- 64
933- 81- 5
朱敬循明 300-608-219
朱敬德妻 清 見張氏
朱敬鐭明 676-673- 28
1442- 4-附1
1460-756- 83
朱敬輿元 1375- 19-上
朱敬韜明 821-471- 58
朱葆光唐 472-774- 30
473-336- 63
480-415-277
533-742- 73
537-546- 59
朱傳濟明 299- 51-117
544-245- 63
朱稚征明 821-475- 58
朱會兒後唐 見朱守殷
朱經扶明 見朱守謙
朱經濟妻 清 見王氏
朱毓秀明 田鵬妻
524-454-202
朱賓瀚蜀王 明 299- 49-117
560-596-29下
朱賓瀚妻 明 見劉氏
朱實昌明 515-479- 71
朱實蓮明 301-689-278
456-466- 4
564-127- 45
朱察卿明 1280-379- 84
1442- 69- 4
1460-332- 55
朱誠泳朱成泳、秦王 明
299- 35-116
676-443- 17
1442- 2-附1
1459-192- 2
朱誠洌汧陽王 明299- 36-116
朱福壽宋 見朱寶臣
朱福賢女 明 見朱氏
朱寧九妻 清 見徐氏
朱寧伯妻 明 見蔡氏
朱端章宋 515-232- 64
朱端常宋 528-506- 31
朱端禧女 明 見顧氏
朱齊卿宋 1098-736- 46
朱漢雲妻 明 見顧氏
朱漢賓後唐 277-533- 64
279-286- 45
396-413-293
472-202- 7
473-267- 61
朱滿月北周 見法淨
朱榮㴒楚王 明 299- 42-116
532-111- 27
朱榮祖朱崇祖 明456-490- 5
477-420-169
538- 67--63
朱榮端明 544-243- 63
朱豪堘女 明 見朱氏
朱壽昌宋 288-412-456
382-764-117
400-300-524
471-910- 46
471-1047- 67
472-202- 7
473-297- 62
473-347- 63
473-445- 68
475-821- 92
475-854- 94
480-436-278
480-462-279
481-153-298
511-662-162
532-724- 46
532-730- 46
545-367- 97
556-746- 99
559-280- 6
592-542- 95
933- 83- 5
1106-342- 45
朱壽朋妻 清 見羅氏
朱壽隆宋 286-429-333
397-532-352
472-196- 7
472-592- 24
473-748- 83
476-671-136
481- 69-293
481-235-303
482-319-354
567- 58- 65
1467- 34- 63
朱壽陽明 511-531-157
朱壽鏉朱壽鉉、魯王 明
299- 47-116
456-550- 7
539-352- 8
569-678- 19
朱壽鏞魯王 明 299- 45-116
539-352- 8
朱壽鐨魯王 明 299- 45-116
539-352- 8
朱爾均妻 清 見楊氏
朱爾坤清 455-606- 41
朱與言明 299-550-158
473-152- 56
473-210- 59
479-720-250
481- 23-291
515-659- 77
532-589- 41
559-249- 6
朱與孫宋 見朱天與
朱碩熿明 676-674- 28
1442- 4-附1
1460-767- 83
朱熙洽明 480-171-266
511-110-140
532-650- 43
1295-122- 9
朱熙載朱政郎 宋448-359- 0
朱嘉言明 559-269- 6
朱嘉會明 473- 61- 51
515-203- 63
朱嘉會妻 清 見劉氏
朱嘉賓明 483-331-397
朱遜炓明 544-246- 63
朱遜炵路成王 明544-245- 63
朱遜焜廣靈王 明544-245- 63
朱遜焴懷仁王 明544-246- 63
朱遜烇靈丘王 明299- 51-117
544-246- 63
朱遜煓明 299- 50-117
544-244- 63
朱遜煤山陰王 明544-245- 63
朱遜熮隰川王 明544-246- 63
朱遜燂襄垣王 明299- 51-117
544-245- 63
朱蒲包明(衣破衲冒以蒲包)
475-192- 59
511-923-174
朱夢炎明 299-285-136
452-257- 8
479-488-239
515-355- 68
523- 81-149
1442- 6-附1
1459-249- 5
朱夢說五代 475-646- 83
朱鳴陽明 529-513- 44
朱睿爚明 821-459- 57
朱睿答明 821-459- 57
朱嘗德明 見朱崇德
朱蒙正宋 1126-747-167

朱蒙聖明 515-583- 75
朱鳳翔宋 585-514- 16
朱銓鑨明 見朱詮鑨
朱僧辯宋僧辯 劉宋 812-330- 6
821- 20- 45
朱維世清 511-644-161
朱維吉明 1241-504- 8
1242-701- 3
朱維京明 300-812-233
515-715- 79
523-107-150
676-627- 26
1442- 78- 5
1460-391- 58
朱維屏明 494- 41- 3
朱維嘉明 523-631-177
朱維藩明 511-195-143
朱肇煇魯王 明 299- 45-116
539-352- 8
1442- 2-附1
1459-189- 2
朱肇瑞妻 清 見毛氏
朱廣之劉宋 1401- 56- 15
朱廣用宋 585-772- 5
朱廣明明 515-475- 71
朱廣運妻 明 見戚氏
朱審驢妻 明 見武氏
朱誼斗明 676-673- 28
1460-756- 83
朱誼罙朱誼泉 明456-673- 11
朱誼罙明 554-721- 61
朱誼泉明 見朱誼罙
朱潤身明 511- 81-139
676-590- 24
朱潤祖明 676-464- 17
朱澄之妻 明 見郭氏
朱適之宋 1175-541- 18
朱慶方妻 明 見王一靜
朱慶基宋 473-297- 62
480-340-273
朱慶斯明 820-750- 44
朱慶聚明 821-457- 57
朱慶福明 511-627-161
朱慶餘朱可久 唐273-114- 60
1371- 69- 附
1388-329- 69
朱慶榘明 676-673- 28
1442- 3-附1
1460-760- 83
朱褒㸅安樂王 明535-559- 20
朱養正妻 明 見蕭氏
朱養沖明 456-674- 11
朱養志明 456-674- 11
朱養時明 456-546- 7
朱賢政明 511-401-151
朱霄外五代 486-906- 35
524-425- 200
朱震亨元 295-526-189
400-570-552
453-800- 4
472-1031- 42
479-327-232
524-371-197
526- 90-261
1219-365- 10
1222-282- 19
1224-329- 24
1235-520- 17
朱履儀明 528-545- 32
朱履躍清 567-403- 83
朱質夫明 1229-216- 5
朱德由宋 1122-536- 8
朱德蓉明 祁班孫妻
1442-125- 8
1460-785- 85
朱德潤元 493-968- 51
493-1126- 59
494-345- 7
511-730-165
680-476-270
820-507- 37
821-291- 53
1252-623- 36
1439-441- 2
1469-220- 46
朱德璉明 吳岳生妻
1442-124- 8
朱德輝明 1232-589- 5
朱魯叔宋 460-296- 19
朱鼐鈞明 299- 51-117
544-245- 63
544-247- 63
朱鼐鈇明 544-246- 63
朱鼐鉉泰興王 明299- 51-117
544-245- 63
544-247- 63
朱鼐鈺永慶王 明544-247- 63
朱鼐鏞明 299- 51-117
544-246- 63
朱銳弟宋 見朱森
朱綏之妻 清 見李氏
朱憲章明 515-401- 69
朱憲㸅明 299- 54-117
532-111- 27
朱禩孫元 1193-659- 32
朱龍大宋 492-713-3下
朱謀圭明 1460-765- 83
朱謀卦明 821-449- 57
朱謀垔明 820-739- 44
朱謀埩明 820-739- 44
朱謀敖明 515-447- 70
朱謀堚來鯤 明 299- 61-117
676-673- 28
1442- 3-附1
朱謀㙔朱謀瑋 明299- 60-117
479-493-239
515-437- 70
575-700-附下
588-324- 2
676-673- 28
820-739- 44
1442- 3-附1
1460-764- 83
朱謀垛明 1460-765- 83
朱謀瑋明 見朱謀㙔
朱謀虢明 820-739- 44
朱謀晉明 299- 60-117
515-445- 70
676-673- 28
1442- 3-附1
1460-765- 83
朱謀趫明 821-449- 57
朱謀轂明 821-449- 57
朱謀墼明 821-450- 57
朱謀鸛明 821-449- 57
朱諟欽西鄂王 明535-559- 20
朱諟鋝明 見朱諟鋢
朱諟鋢朱諟鋝、伊王 明
299- 70-118
1256-341- 21
朱諟鏞方城王 明535-559- 20
朱遵式宋 1086-298- 30
朱遵度五代 540-745-28之2
朱遵聖妻 清 見沈氏
朱頤坦魯王 明 299- 45-116
539-352- 8
朱頤直明 1296-548- 1
朱頤倫東原王 明539-352- 8
朱頤琢明 1460-761- 83
朱頤塾明 1296-551- 1
朱璟汆汶陽王 明539-353- 8
朱翰春清 529-525- 44
朱擇中宋 見朱登
朱靜淑元 鄭季政妻、朱汝岳女 1197-698- 72
朱遹成明 1475-644- 27
朱選之朱巽之 齊259-544- 55
265-874- 62
378-448-142
朱興宗妻 明 見吳淑婉
朱興國宋 1150-874- 47
朱器封明 1442- 4-附1
1460-767- 83
朱學忠明 480-509-281
朱學誠妻 清 見王氏
朱學熙明 456-640- 10
朱錦哥元 趙彬妻
295-630-200
401-179-593
452-116- 3
472-753- 29
477-319-164
朱鴻祚清 481-808-338
482-141-344
563-894- 42
朱鴻漸父 明 1276-426- 10
1410-414-719
1458-306-437
朱鴻漸明 518- 65-137
567-123- 67
1467-111- 66
朱鴻謨明 300-733-227
458-1054- 2
476-674-136
479-455-237
515- 58- 58
540-817-28之3
1294-273-6下
朱應元宋 494-405- 12
朱應冬明 529-659- 49
朱應辰明(字文奎)

493-1031- 54
511-735-165
676-454- 17
820-569- 40
821-345- 55
1442- 11-附1
1459-480- 15
朱應辰明(字拱之)
1442- 50-附3
朱應佐明 820-753- 44
朱應昌明 472-128- 4
朱應恢妻 明 見胡氏
朱應祖明 473-369- 64
533-289- 56
朱應孫宋 524- 96-183
朱應祥明 511-760-166
820-635- 41
821-397- 56
朱應期妻 明 見許金
朱應登明 301-838-286
472-297- 12
473-807- 86
475-376- 68
511-783-166
528-512- 31
554-212- 52
676-529- 21
1262-428- 47
1442- 42-附3
1454-360-123
1458-192-431
1459-876- 37
朱應鼎清 511-843-168
朱應嘉明 510-419-116
朱應樞明 1474-550- 27
朱應龍明 1442- 97- 6
1460- 581- 69
1474-588- 30
朱應選明 524-194-188
朱應轂明 1442- 78- 5
1460-395- 58
朱應麟明 511-604-160
朱應麟清 476-866-145
540-853-28之4
朱濟任妻 清 見查氏
朱濟炫慶成王 明299- 38-116
544-240- 63
朱濟奕高平王 明544-242- 63
朱濟烺永和王 明544-242- 63
朱濟煥寧化王 明544-242- 63
朱濟熇廣昌王 明544-242- 63
朱濟熿平陽王 明299- 37-116
544-240- 63
544-242- 63
朱濟熺晉王 明 299- 36-116
544-241- 63
朱燮元明 301-217-249
479-243-227
481- 26-291
483-227-390
510-338-113
523-312-160
523-550-173
559-271- 6
569-656- 19
571-517- 19
676-619- 25
1294-542- 13
1320-687- 75
1442- 83- 5
1457-531-392
1460-459- 62
朱謙之齊 259-543- 55
265-874- 62
378-448-142
472-965- 38
524- 94-183
590-135- 17
朱謙光明 1241-333- 2
朱燦然明 564-181- 46
朱襄氏子襄氏 上古
383- 66- 9
537-171- 53
朱聰泠明 544-247- 63
朱聰沬明 299- 50-117
544-244- 63
朱聰洌明 544-246- 63
朱聰涓樂昌王 明544-247- 63
朱聰淑明 544-246- 63
朱聰溙明 544-247- 63
朱聰滆明 299- 51-117
544-246- 63
朱聰滴明 544-247- 63
朱聰漢明 544-245- 63
朱聰滾明 544-245- 63
朱聰澍明 544-245- 63
朱聰潏明 544-247- 63
朱聰潪明 544-247- 63
朱聰漾明 544-246- 63
朱聰濜明 544-247- 63
朱聰瀓明 544-247- 63
朱聰瀺明 544-245- 63
朱聰瀐明 544-246- 63
朱懋乾妻 清 見王氏
朱懋華明 456-527- 6
511-483-155
朱懋璧妻 清 見張淑英
朱彌鉗文城王、唐王 明
299- 68-118
535-559- 20
819-604- 20
1442- 2-附1
1459-191- 2
朱彌鋠鄖城王 明535-559- 20
朱彌鋠明 299- 68-118
朱彌錯衛輝王 明535-559- 20
朱彌鍗唐王 明 299- 68-118
535-559- 20
1442- 2-附1
1459-191- 2
朱彌鏟淅陽王 明535-559- 20
朱隱老元 515-348- 67
680-487-271
680-488-271
1224-253- 22
1227-177- 21
朱孺子吳 472-1119- 48
479-411-235
516-434-103
524-440-201
1059-586- 上
1061-314-113
朱還淳妻 清 見謝氏
朱還雅妻 清 見李氏
朱績然吳 489-598- 47
朱鍾鉉晉王 明 299- 37-116
544-241- 63
819-602- 20
朱鍾鈵明 544-242- 63
朱鍾鋐太谷王 明544-243- 63
朱鍾鋏明 544-242- 63
朱鍾鋌明 544-243- 63
朱鍾鋋明 544-243- 63
朱鍾鍑明 544-243- 63
朱鍾鎰明 544-242- 63
朱鍾鏤明 544-243- 63
朱鍾鏸河東王 明544-243- 63
朱鍾鏶明 544-243- 63
朱鍾鐸徐溝王 明544-243- 63
朱鍾鐻明 544-242- 63
朱鍾鑠明 544-243- 63
朱貔孫宋 287-600-411
398-561-402
473- 49- 50
473-176- 57
479-531-241
479-678-248
479-766-252
489-323- 29
516- 37- 88
朱徽煣岷王 明 299- 64-118
朱璧枝清 512-351-185
朱彝敘明 1475-695- 29
朱彝尊乳母 清 見葉氏
朱彝尊清 479-100-221
511-895-172
524- 28-179
547-179-147
677- 1- 附
朱彝尊妻 清 見馮福貞
朱彝鑒清 1318-459- 72
朱瞻垍梁王 明 299- 84-119
朱瞻垠蘄王 明 299- 81-119
朱瞻埏衛王 明 299- 84-119
539-352- 8
朱瞻埈鄭王 明 299- 79-119
535-560- 20
552- 76- 19
朱瞻基明 見明宣宗
朱瞻培襄王 明 532-112- 27
朱瞻堈荊王 明 299- 82-119
532-112- 27
朱瞻塏滕王 明 299- 84-119
539-352- 8
朱瞻墉越王 明 299- 81-119
朱瞻墡襄王 明 299- 81-119
朱瞻墺淮王 明 299- 83-119
朱鎮胡妻 明 見石氏
朱簡章五代 812-524- 2
821-131- 49
朱雞僧宋 見朱龍
朱識鋐妻 明 見田氏

朱 鋐妻 明 見楊氏
朱寵淹衡陽王 明 1442- 3-附1
1459-198- 2
朱寵瀼光澤王 明299- 54-117
1442- 3-附1
1459-198- 2
朱懷幹明 576-653- 5
朱懷瑾宋 524-345-196
821-230- 51
朱攀麒明 1467- 64- 64
朱瓊焯新野王 明535-559- 20
朱贊儀明 299- 72-118
567- 15- 62
朱寶臣朱福壽 宋451- 89- 3
朱寶翼元 483- 32-371
朱議尿明 456-467- 4
朱議霶清 見林時益
朱獻可女 宋 見朱氏
朱獻任唐 820-226- 28
朱齡石劉宋 258- 90- 48
265-269- 16
370-400- 10
378- 18-131
384-109- 6
469-127- 15
472-411- 18
472-997- 40
473-280- 61
479-132-223
481- 15-291
494-333- 7
511-398-151
523-111-151
559-259- 6
814-245- 6
820- 83- 24
933- 80- 5
朱蘊奇明 554-767- 62
1293-296- 17
1457-702-409
朱蘊釧明 533-413- 62
朱蘊鍋明 480- 60-260
533-469- 64
朱蘊羅明 456-500- 5
481-361-310
朱蘊鑑明 570-216- 23
朱耀光妻 清 見王氏
朱繼忠明 516- 83- 90
朱繼芳宋 1364-512-317
1437- 29-附2
朱繼祖明 676-517- 20
朱繼祚明 301-650-276
456-441- 3
朱繼游妻 明 見李氏
朱繼輅明 511-569-158
朱繼夔明 569-662- 19
朱鶴齡清 475-142- 57
511-677-163
678-230- 92
朱譽榮岷王 明 299- 64-118
朱蘭泰清 455- 96- 3
朱鐵柱明 見朱守謙
朱續川明 456-663- 11
538- 68- 63
朱鑒孫宋 451- 68- 2
朱瓛炎宋 523- 99-150
朱顯文元 480-242-269
朱顯忠明 302- 4-289
472-296- 12
475-484- 73
478-716-211
511-470-154
1218-733- 4
朱顯授明 533-775- 74
朱顯槐武岡王 明299- 44-116
676-442- 17
1442- 3-附1
1459-198- 2
朱顯榕楚王 明 299- 42-116
532-111- 27
朱體微唐 275-608-193
朱讓栩蜀王 明 299- 49-117
560-596-29下
676-441- 17
819-603- 20
1442- 3-附1
1459-195- 2
朱讓栩妻 明 見何氏
朱讓楝明 559-531- 12
朱靈芝漢 564-612- 56
朱觀熩魯王 明 299- 45-116
539-352- 8
朱觀熰明 299- 46-116
676-673- 28
1442- 4-附1
1460-761- 83
朱邪赤心唐 見李國昌
朱邪執宜朱耶執宜 唐
276-326-218
277-219- 25
279- 29- 4
392-229- 20
朱邪盡忠朱耶盡忠 唐
276-326-218
277-219- 25
279- 29- 4
392-229- 20
朱耶赤心唐 見李國昌
朱耶拔野唐 見朱邪拔野
朱耶執宜唐 見朱邪執宜
朱耶盡忠唐 見朱邪盡忠
朱也先不花元 1199-692- 5
朱魯西爾哈清 455-211- 11
朱雅穆屯珠琥清455-510- 32
朵兒只元 見多爾濟
朵兒赤元 見多爾濟
朵羅干明 見多羅干
朵羅禿明 見多羅圖
朵里不花元 見都哩布哈
朵阿達實元 見棟阿達什
朵爾直班元 見多爾濟巴勒
朵羅帖木兒明 見多羅特穆爾
朵蘭帖木兒明 見達蘭特穆爾
休宋 1053-898- 20
休利去特若尸逐就單于、去時若尸逐鞮單于 漢 253-713-119
381-629-199
休復五代 1053-337- 8
休靜後唐 554-954- 65
1052-171- 13
1053-536- 13
休留茂齊 259-577- 59
休蘭尸逐侯鞮單于漢 見屯屠何
伋子春秋 見急子

七 畫

宏科清 456- 12- 50
宏株明 見袾宏
宏章五代 1053-565- 14
宏﨩清 456- 33- 52
宏鄂清 456- 33- 52
宏演明 1442-131- 8
宏元先生明 1289-406- 29
汴王唐 見李璥
汴譚明 1255-570- 60
沁水王明 見朱佶熅
沁水王明 見朱恬焇
沁水王明 見朱珵堦
沁源王明 見朱佶焯
沁水公主漢 見劉致
沁布阿咱爾元 見全布延薩里
冷氏明 伍全教妻480-300-271
冷氏清 秦宏業妻 503- 60- 95
冷珂明 559-356- 8
冷紱妻 明 見何氏
冷源宋 494-339- 7
冷廣漢 539-349- 8
冷曦明 515-474- 71
冷麟明 523-129-152
冷上珍妻 清 見林氏
冷元琇唐 812-347- 9
812-371- 0
821- 89- 48
冷世光冷福字 宋448-367- 0
448-406- 0
493-952- 51
494-349- 7
511- 94-140
523-199-155
冷世修宋 493-952- 51
510-489-118
冷世務冷慶兒 宋448-387- 0
448-408- 0
冷汝玉明 冷向春女
481-389-312
冷自誠明 515-356- 68
冷向春女 明 見冷汝玉
冷岐輝清 481-746-334
冷起巖元 見冷超巖
冷逢泰妻 明 見葉氏
冷朝陽唐 451-432- 3
820-211- 28
1371- 64-附
冷植元明 592-785- 2

冷超巖冷起巖 元541-106- 31
821-316- 54
冷陽春明 456-467- 4
482-560-369
冷福字宋 見冷世光
冷壽光漢 253-608-112下
380-579-181
冷慶兒宋 見冷世務
冷頤孫元 1204-290- 9
冷應澂冷應徵 宋
287-674-416
398-621-407
473- 22- 49
473-177- 57
473-712- 81
479-487-239
479-710-250
479-766-252
481-803-338
482-184-346
482-348-356
515-333- 67
563-689- 39
冷應澂妻 元 見周天福
冷應徵宋 見冷應澂
究宋 1053-336- 8
汪三清 455-222- 11
汪山明 676-512- 20
汪文明 821-370- 55
汪文女 明 見汪氏
汪元元 1205-291- 9
汪元妻 元 見吳氏
汪仁明 472-308- 13
510-382-115
汪仁明 見江恕
汪午元 1375- 22- 上
汪什清 455-340- 21
汪氏晉 見江氏
汪氏宋 俞積妻、汪槩女
1128-285- 28
汪氏宋 程昂妻 1138-815- 23
汪氏元 王天民妻
1221-198- 2
1376-678- 99
1456-577-325
汪氏元 吳大振妻 475-577- 79
汪氏元 陳曾孫妻、汪元寅女
1215-662- 8
汪氏元 彭英妻、汪衍女
1207-287- 19
汪氏元 吳謐母 1212-135- 11
汪氏明 方昊祖妻 524-737-213
汪氏明 王凱妻、王覬妻
482-391-359
1467-269- 72
汪氏明 江棠妻 475-577- 79
汪氏明 江文柱妻 480-140-264
汪氏明 匡霞妻、汪文女
479-148-223
524-581-206
1292-606- 10
汪氏明 朱義叔妻 524-481-203
汪氏明 沈尚綸妻 483-383-402
汪氏明 吳綱妻、汪志道女
1253-144- 47
汪氏明 吳文長妻、汪孟明女
1313-274- 21
汪氏明 吳仕榮妻、汪孟先女
1252-484- 27
汪氏明 吳美中妻 524-481-203
汪氏明 佘心浩妻 475-647- 83
汪氏明 余熙昂妻 524-744-213
汪氏明 周鎮妻 483-397-403
汪氏明 周茂才妻 482- 91-342
汪氏明 洪邦國妻 475-647- 83
汪氏明 姜壁妻、汪韞瑤女
1259-257- 19
汪氏明 胡昆妻 479-333-232
汪氏明 侯爵妻、汪勝女
474-825- 44
503- 29- 93
汪氏明 孫英德妻 472-383- 16
汪氏明 許鉄妻、汪憲女
1289-344- 23
汪氏明 曹大椿妻 480- 63-260
汪氏明 陶憲皋妻 512-121-180
汪氏明 張鸞妻 524-617-208
汪氏明 陳子達妻 480- 62-260
汪氏明 程公達妻
1252-587- 34
汪氏明 程汝義妻
1283- 67- 72
汪氏明 程杜壽妻、汪亦仲女
1376-685- 99
汪氏明 雷永祈妻 475-535- 77
汪氏明 楊信妻、汪貴女
1253- 74- 44
汪氏明 董球妻 479-536-241
516-372-101
汪氏明 葉天彝妻 472-383- 16
475-577- 79
汪氏明 鄭寬妻、汪仕周女
1253- 62- 43
汪氏明 鄭曦妻、汪天貴女
1408-571-538
汪氏明 鄭聯桂妻 530- 92- 56
汪氏明 劉相妻 506- 11- 86
汪氏明 謝湯妻、汪柳浩女
1408-571-538
汪氏明 韓文炳妻 472-383- 16
512-336-185
汪氏明 汪良夔女 512-150-181
汪氏清 王鉽妻 1321-156-103
汪氏清 王慶妻 475- 81- 53
汪氏清 王二愉妻 479-797-254
汪氏清 王日由妻、汪慕橋女
530- 24- 54
汪氏清 王立本妻 476-439-122
汪氏清 王正國妻 478-355-191
汪氏清 王廷環妻 506- 26- 86
汪氏清 王振基妻 503- 54- 95
汪氏清 王國棟妻 480-322-272
汪氏清 王國勳妻 503- 33- 94
汪氏清 王超曾妻 506- 67- 87
汪氏清 江澂妻、汪文葵女
1327-304- 13
汪氏清 阮定邦妻 512-368-186
汪氏清 吳觀珪妻 524-473-202
汪氏清 金衡掌妻 480- 66-260
汪氏清 胡家珍妻 524-494-203
汪氏清 查斌妻 475-614- 81
汪氏清 孫元容妻 475-618- 81
汪氏清 夏之相妻 478-298-188
汪氏清 陸立廉妻 524-489-203
汪氏清 張曾妻 524-492-203
汪氏清 張宗儒妻 524-461-202
汪氏清 張所修妻 479- 62-219
524-475-202
汪氏清 張泰階妻 481-338-308
汪氏清 陳嗣源妻 524-476-202
汪氏清 畢和妻 475-536- 77
汪氏清 黃瑞璋妻 512-298-184
汪氏清 彭起妻 506- 38- 86
汪氏清 彭大用妻 480-665-290
汪氏清 程道翼妻 475-584- 79
汪氏清 楊亦恭妻 480-180-266
汪氏清 滕蛟妻 475-582- 79
汪氏清 鄭如霍妻 475-652- 83
汪氏清 謝兆熊妻 530-131- 57
汪氏清 魏際熙妻 481-775-336
汪氏不詳 金希佑妻
472-383- 16
汪玉明 479-184-225
523-535-172
676- 21- 1
676-539- 22
676-720- 30
678-193- 88
1474-268- 12
汪正元 820-545- 39
汪本明(字惟中) 472-349- 15
510-456-117
汪本明(字以正) 1442- 49-附3
1460- 53- 42
汪仝宋 1376-425- 87
汪吉清 475-532- 77
511-477-155
汪存宋 1375- 6- 上
1376-425- 87
1376-662- 98
汪存明 511-615-160
汪同汪武 元 299-293-137
511-407-152
1221-350- 7
1374-363- 58
1375- 24- 上
1376-135- 67
汪份清 511-756-165
汪伋宋 524-196-188
1157-259- 19
汪沆宋 516- 25- 87
汪祀元 1226-479- 23
汪罕元 820-531- 38
821-302- 53
汪汲宋 485-446- 7
511-267-147
1142-524- 6
1376-280- 77
汪良明 572-103- 30
汪成明 572-109- 30
汪圻明 524- 76-181
汪杞宋 1165-359- 22

汪改明 524-82-182
汪佐明 473-19-49
汪佃明 515-885-86
676-547-22
1442-47-附3
1460-27-41
汪希元 1217-21-3
汪泓明 511-304-148
576-654-5
汪京明 533-238-54
汪洎明 見汪坦
汪治明 505-658-68
537-610-60
汪河明 299-278-135
475-707-86
511-492-156
550-121-213
汪卷妻 明 見徐氏
汪泳宋 480-49-259
494-313-5
511-270-147
1375-10-上
汪武唐 485-413-5
1142-532-6
1376-616-96上
汪武元 見汪同
汪坦汪洎 明 676-599-24
1442-70-4
1460-344-55
1474-386-20
汪直明 302-265-304
567-541-90
1458-123-425
1467-504-10
汪玠明 554-311-53
汪林元 472-1043-43
汪昌明 511-625-161
汪芹明 1467-442-6
汪芳妻 明 見劉氏
汪杲宋 473-125-55
511-276-147
515-130-61
汪周明 1375-23-上
汪佺妻 明 見屈氏
汪金明 569-662-19
汪洪江洪 明 473-214-59
480-57-260
533-359-60
559-321-7上
汪炳妻 明 見章氏
汪炳清 511-630-161
汪宣汪瑄 明 472-240-9
473-303-62
510-349-114
533-212-53
汪客媳 明 見張氏
汪恆明 676-497-19
汪炡妻 明 見李氏
汪洋宋 見汪應辰
汪洋明(岳地人) 559-365-8
汪洋明(字仲寬) 559-401-9上
汪洗明 1375-27-上
汪彥明 1474-598-30
汪洙宋 523-588-175
汪度明 523-158-153
汪奕宋 475-639-83
485-447-7
510-443-117
1142-524-6
1376-280-77
汪奕明 676-170-7
汪珊明 300-426-208
475-644-83
511-318-148
汪珀明 475-573-79
511-282-147
528-562-32
1283-656-118
汪柱清 455-273-15
汪相元 1376-212-72
汪柏明 516-83-90
汪奎明 299-837-180
472-382-16
475-571-79
481-71-293
511-276-147
559-269-6
559-298-7上
676-510-20
1376-534-92下
汪革宋 471-738-21
473-113-54
479-656-247
515-740-80
674-374-1
674-832-17
679-787-215
1118-401-20
1375-5-上
1376-283-77
1437-18-1
汪珍元 511-812-167
1366-962-1
1471-327-4
汪勃宋 471-699-16
472-380-16
485-461-7
494-308-5
511-269-147
1164-432-24
1375-7-上
1376-337-81
汪政宋 288-410-456
400-299-524
511-624-161
汪建明 821-482-58
汪柔宋 487-188-12
汪思明 511-281-147
563-739-40
676-548-22
汪英元 517-495-128
汪英妻 明 見鄧氏
汪俅明 515-888-86
汪衍女 元 見汪氏
汪泉明(北京人) 302-193-300
汪泉明(蒙城人) 475-781-89
汪俊明 300-134-191
457-808-48
479-559-242
515-883-86
汪涓宋 515-864-85
汪浩妻 宋 見王氏
汪浩明(字弘初) 473-303-62
533-75-49
559-268-6
汪浩明(茂州判官) 481-418-314
汪浩明(養利州判) 482-502-365
汪浩明(安慶人) 563-924-43
汪祚明 1253-121-46
汪悅明 524-157-186
汪浹妻 宋 見曹氏
汪珙宋 1375-34-下
汪城明 483-138-380
570-162-21之2
汪眞明 1227-705-6
汪珪宋 472-983-39
汪桂明(字伯貞) 533-145-51
汪桂明(字煥章) 1227-702-5
汪晉女 明 見汪守貞
汪晉清 511-622-160
汪珮汪琛 清 1315-395-20
汪挺明 1442-111-7
1475-536-23
汪恕明 483-268-392
572-156-32
汪恕明 見江恕
汪倬明 473-282-61
532-634-43
汪釗妻 清 見曹氏
汪淳宋 472-1030-42
523-610-176
汪淳明 456-636-10
汪清明(字源潔) 299-607-162
532-656-44
545-245-92
汪清明(字徯安) 511-480-155
汪清清 517-785-135
汪涯母 宋 480-94-262
533-529-67
汪涯宋 480-90-262
533-363-60
1365-601-上
汪淮明 820-754-44
1283-170-79
1442-70-4
汪淵明 536-503-42
567-116-67
汪章妻 宋 見李氏
汪深宋 1375-15-上
汪深元 1205-289-9
汪深明 473-27-49
汪淑元 1217-90-4
汪基妻 清 見蔣氏
汪堅明(字子固) 511-302-148
汪堅明(字守貞) 676-516-20
汪桴明 564-181-46
汪都明 821-454-57
汪逵清 524-163-186
汪通宋 843-668-中
汪莊元 1375-21-上
汪莊明 楊希閔妻 302-221-301
530-90-56

1271-802- 7
汪莘宋(字叔耕) 511-702-164
676-688- 29
1178-118- 附
1363-548-191
1375- 9- 上
1376-430- 87
1437- 27- 2
汪莘汪萃 宋(字叔野)
515-743- 80
1376-284- 77
汪絅元 1217-555- 1
汪紹宋 1376-425- 87
汪紹妻 宋 見朱氏
汪偉明(字器之) 300-135-191
479-560-242
515-884- 86
汪偉明(字叔度) 301-496-266
458-280- 9
475-575- 79
479-175-225
511-481-155
523-139-152
1442-106- 7
1460-689- 75
汪俟妻 清 見馬氏
汪渢元 524-278-192
汪斌元 1375- 22- 上
汪渭明 765-392- 附
汪渭妻 明 見方月貞
汪善明(潛山人) 472-339- 14
汪善明(字存初) 480-341-273
532-668- 44
汪湜宋 1153- 35- 57
汪雲明 472-767- 30
1278-430- 20
汪琮元 1375- 22- 上
汪越清 511-814-167
汪琯明 528-456- 29
汪琬清 475-141- 57
511-751-165
1316-544- 37
1316-630- 44
1475-960- 41
汪琛清 見汪珮
汪琰妻 元 見潘氏
汪琰明 516- 65- 89
523- 39-147
汪琳元 524-222-189
汪逵宋 451- 23- 0
515-865- 85
820-429- 35
汪森清 1318- 96- 39
汪景明 511-708-164
汪貴明 472-982- 39
511-276-147
523-101-150
676-514- 20
汪貴女 明 見汪氏
汪凱明 473-655- 78
汪萃宋 見汪莘
汪華唐 472-378- 16
475-564- 79
485-356- 1
511-406-152
1217-584- 3
1376- 34- 61
汪華元 1376-212- 72
汪晫宋 1175-586- 附
1175-587- 附
1175-590- 附
1175-592- 附
1175-596- 附
1375- 12- 上
1376-431- 87
汪蛟明 570-216- 23
汪鈦明 820-745- 44
汪鈞清 511-756-165
汪循明 472- 28- 1
472-382- 16
511-705-164
676-527- 21
1442- 39- 2
1459-797- 32
汪勝女 明 見汪氏
汪逸明 見江逸
汪進明(湖廣按察僉事)
473-212- 59
汪進明(字希顏) 475-571- 79
532-591- 41
汪進明(開元人) 515-221- 63
汪復宋～元(字晞顏)
1375- 14- 上
1376-436- 87
汪復元(字復之) 1193-647- 31
汪溥明(字源學) 472- 27- 1
472-382- 16
676-503- 19
1467- 83- 65
汪溥明(字巨淵) 572-160- 32
汪詢元 1217-556- 1
汪愷宋 1128-254- 26
1128-405- 13
1376-368- 84
汪煜清 524- 16-178
汪煇明 458-104- 8
511-290-147
537-524- 59
1442- 88- 6
1460-501- 64
汪煥明 545-299- 94
汪道明 473-336- 63
532-694- 45
汪載明 456-543- 7
汪瑄明 見汪宣
汪極唐 1375- 3- 上
汪楷妻 清 見王氏
汪楫唐 475-565- 79
汪楫清 475-379- 68
477-307-163
481-495-324
511-785-166
528-469- 29
537-307- 56
1318-465- 73
1320-335- 40
汪瑛明(北京人) 302-193-300
汪瑛明(字子修) 523-501-170
汪瑗妻 清 見孟氏
汪較明 523-375-164
584-265- 10
汪嵩明 472-678- 27
汪葵明 511-615-160
汪敬明 511-275-147
1375- 30- 上
汪敬明 見汪思敬
汪鉉明 1467-129- 66
汪鉅明 558-292- 34
汪會元 1376-460- 89
汪節唐 485-359- 1
485-517- 10
汪察明 532-728- 46
汪福妻 宋 見王氏
汪福明 676-284- 10
汪韶汪鷹 宋 1375- 15- 上
汪滸明 558-402- 36
汪齊宋 511-297-148
汪寧明 1376-494- 90
汪漢宋 511-851-169
汪澈汪徹 宋 287-268-384
398-294-384
449-391-上3
473- 48- 50
479-530-241
480- 12-257
488- 13- 1
488-452- 14
511-915-173
516- 21- 87
528-441- 29
1147-330- 30
1376-239- 74
汪禔明 511-705-164
汪榮明 473-641- 78
528-541- 32
汪壽明 472-898- 35
汪槐妻 清 見馬氏
汪輔明 483-184-385
569-667- 19
汪翥宋 1140-695- 29
汪翥明 見江翥
汪閨明 徐綸妻、汪永澤女
1261-689- 29
汪遜宋 1085-184- 24
汪鳳明 473- 65- 51
473-653- 78
515-881- 86
528-494- 30
1250-887- 84
汪僎明 576-653- 5
汪肇明 821-437- 57
汪篪明 473-395- 66
532-752- 46
汪綱宋 287-564-408
398-533-400
471-625- 6
472-273- 11
472-380- 16
472-1027- 42
472-1067- 45
475-367- 67
475-567- 79

478-761-215
479-224-227
479-318-232
480-663-290
511-271-147
523- 17-146
1375- 11-上
1376-378- 84
汪綸妻 明 見江氏
汪徹宋 見汪澈
汪槃女 宋 見汪氏
汪綬妻 明 見張氏
汪寬明 1442- 69- 4
1460-333- 55
汪濆唐 1376-618-96上
汪審明 576-654- 5
汪澄明 821-483- 58
汪標江庭堅 元 677-480- 44
1202-611-下
汪標明 511-279-147
汪㦿宋~元 511-614-160
1376-436- 87
汪璀明 524-268-191
汪樞明 524- 48-180
1442- 97- 6
1460-588- 69
1474-513- 24
汪穀汪縠 宋 471-667- 12
933-417- 27
1128-222- 24
1376-501- 91
汪穀妻 宋 見陳氏
汪蔭明 1375- 31- 上
汪踦春秋 見汪錡
汪鉉明 518-789-161
汪質明 821-406- 56
汪德明 545-375- 97
1375- 30- 上
汪皞明 301-726-280
456-548- 7
汪範妻 明 見顏氏
汪憲明 523-475-169
528-513- 31
汪憲女 明 見汪氏
汪龍妻 元 見胡氏
汪龍明 821-416- 56
汪龍清 511-621-160
汪諧明 452-211- 1
1250-884- 84
汪澤明(知南豐縣) 473- 97- 53
汪澤明(盧江人) 475-706- 86
511-491-156
汪澤明(懷寧人) 511-405-152
汪澤明(竹谿人) 563-827- 41
汪澥宋 286-694-354
472-359- 15
485-425- 5
511-707-164
汪遵唐 451-461- 6
472-358- 15
汪遵清 511-811-167
汪璟妻 明 見胡氏
汪機明 511-881-171
765-396- 附
汪穎明 473- 18- 49
515- 92- 59
676-378- 14
汪璞明 見江璞
汪縠宋 見汪穀
汪霖明 453-417- 13
511-378-150
汪隨宋 523-486-170
汪興妻 清 見嚴氏
汪薌女 元 見汪淑正
汪叡汪仲魯、汪伯魯 明
299-293-137
511-807-167
676-455- 17
1221-350- 7
1374-363- 58
1375- 24- 上
1376-135- 67
1376-215- 72
1391-522-327
汪錞汪鐓 清 480- 60-260
511-294-147
533- 21- 47
汪錡汪踦 春秋 404-551- 33
933-417- 27
汪勳宋 511-272-147
汪濬明 473- 87- 52
汪襄宋 485-447- 7
1142-524- 6
1375- 7- 上
1376-280- 77
汪檀明 456-605- 9
汪薦宋 見汪韶
汪瀫宋 1182-614- 40
汪曙元 1375- 20- 上
汪薇清 481-495-324
528-469- 29
汪鍾明 572- 75- 28
汪徽江徽 明 684-500- 下
820-715- 43
821-439- 57
汪顏清 455-305- 18
汪瀅明 473- 61- 51
515-202- 63
汪禮明 511-660- 162
汪璧明 477-545-176
汪瀚元 524-284-192
汪瀚明(閩縣人) 559-374- 8
汪瀚明(字以淵) 820-624- 41
汪譚清 1315-626- 40
汪懷明 561-199-38之1
汪璽明 480- 51-259
汪鯨明 676-234- 9
676-569- 23
汪鏜明 676-580- 24
679- 67-145
1474-332- 17
汪鏞明 1467- 76- 64
汪繹清 511-756-165
汪繹妻 清 見王氏
汪寶妻 明 見張氏
汪瀾明 572- 91- 29
汪獻明 1467- 91- 65
汪蘅清 1315-396- 20
汪藻宋 288-259-445
400-671-563
449-426-上7
471-667- 12
471-699- 16
472-379- 16
472-998- 40
473- 47- 50
475-272- 63
475-566- 79
479-133-223
479-529-241
485-455- 7
485-502- 9
485-522- 10
494-307- 5
510-371-114
511-805-167
516- 16- 87
523-116-151
524-327-195
674-348-5下
820-409- 34
933-417- 27
1128- 1-附
1128-423-附
1128-427-附
1135-359- 34
1284-331-161
1375- 6- 上
1376-554-94上
1394-328- 1
1437- 22- 2
1462- 18- 51
汪藻明 483-248-391
559-401-9上
571-537- 20
汪鐓清 見汪錞
汪灌宋 524-219-189
1150- 99- 11
汪灌汪瓘 明 473-267- 61
480-200-267
532-655- 44
汪蘭明 515-894- 86
汪瓘明 見汪灌
汪麟宋 472-327- 14
汪灝元 524-284-192
汪灝清(字文漪) 476-899-147
540-871-28之4
汪灝清(字紫滄) 511-811-167
汪讓明 511-617-160
汪觀妻 明 見王氏
汪觀清 511-311-148
1315-367- 17
汪鑾明 475-529- 77
511-474-155
汪鸞明 559-269- 6
汪一中明 302- 23-290
475-573- 79
479-455-237
511-480-155
515- 54- 58
676-202- 8
676-579- 24

1442- 58- 3
1460-173- 48
汪一中妻 明 見程式
汪一初明 524- 82-182
汪一雷宋 516-469-104
汪一龍元 511-702-164
1376-590-95上
汪一豐明 564-180- 46
汪二蛟母 清 見徐氏
汪二蛟妻 清 見戴氏
汪九成元 1375- 21- 上
汪九漪明 511-706-164
汪九漪妻 清 見程氏
汪三奇明 見汪陛延
汪士弘明 1375- 29- 上
汪士臣明 524-162-186
汪士奇清 479-655-247
533-182- 52
汪士俊妻 清 見水氏
汪士嵋清 523-361-163
汪士達明 512-768-196
汪士鋐清 1328-367- 11
汪士龍元 1205-285- 9
汪子相元 1375- 19- 上
汪子祜明 見汪子祐
汪子祐汪子祜 明
1442- 70- 4
1460-336- 55
汪子卿明 676-207- 8
汪于高清 524-104-183
汪大本明 473-210- 59
480- 51-259
532-616- 43
汪大有明 572-107- 30
汪大宗清 534-645-103
汪大定宋 1153-586-103
汪大受明 583-511- 9
汪大度宋 451-324- 7
524-216-189
汪大倫明 676-597- 24
汪大章宋 451-324- 7
524-216-189
汪大章明 483-268-392
572- 76- 28
汪大發宋 511-850-169
汪大猷宋 287-464-400
398-454-394
472-1086- 46
473-584- 75
479-177-225
479-318-232
479-351-233
481-582-328
487-125- 8
491-406- 5
491-436- 6
523-286-159
528-482- 30
1147-709- 67
1153-355- 88
1375- 8- 上
1376-304- 78
汪大經宋 515-743- 80
1376-284- 77
汪大賓明 563-817- 41
汪大辯宋 491-436- 6
1153-305- 83
汪斗建宋 524- 81-182
1213-150- 12
1437- 32- 2
汪文弘明 1458-153-428
汪文式明 511-282-147
汪文言明 301-144-244
458-210- 3
511-620-160
汪文亨明 533-240- 54
汪文明明 533- 11- 47
汪文炳明 475-608- 81
511-483-155
汪文亮明 1375- 29- 上
1376-487- 90
汪文度明 570-126-21之1
汪文英明 511-627-161
汪文保明 511-619-160
汪文桂清 524-190-187
汪文振宋 472-380- 16
511-271-147
1375- 11- 上
汪文淵明 533-172- 52
汪文盛明 300-260-198
473-215- 59
480- 58-260
481-525-326
482-540-368
494-158- 5
523- 50-148
528-456- 29
533- 12- 47
676-543- 22
1442- 45-附3
1459-915- 39
汪文煒明 511-607-160
汪文葵女 清 見汪氏
汪文敬明 1229-553- 5
汪文熙明 456-614- 9
533-360- 60
汪文諒宋 472-359- 15
475-607- 81
511-623-161
汪文輝明 300-549-215
475-573- 79
511-285-147
558-158- 30
汪文鋭妻 明 見王氏
汪文璟元 472-1043- 43
479-357-233
523-410-166
汪文燦明 510-503-118
汪文璧明 676-176- 7
汪文顯明 1278-400- 21
汪之林宋 491-424- 5
汪之鳳汪雲鳳 明
301-535-269
456-556- 7
汪之璞明 456-661- 11
475-531- 77
511-475-155
汪之萼清 524-306-194
汪之濱明 533-422- 62
汪之鵬明 1442-114- 7
汪之藻清 511-780-166
汪之灝妻 清 見張氏
汪元功明 511-289-147
汪元圭宋 1376-395- 85
汪元度清 476-899-147
540-841-28之4
汪元春宋 524-253-190
528-475- 30
708-1021- 95
708-1038- 96
汪元范明 1442- 97- 6
1460-582- 69
汪元英明 1442- 97- 6
1460-582- 69
汪元俊妻 清 見曾氏
汪元寅女 元 見汪氏
汪元量宋 479- 51-218
524- 5-178
585-362- 6
1188-277-附下
1215-298- 2
1437- 33- 2
1462-866-105
1469-132- 41
汪元御明 1315-508- 30
汪元綬清 510-450-117
汪元標明 511-291-147
汪元龍宋 1376-394- 85
汪天任宋 516- 15- 87
528-548- 32
汪天柄清 474-515- 25
505-697- 70
汪天祐元 1221-358- 7
汪天貴女 明 見汪氏
汪天溥妻 清 見魯氏
汪天應明 見汪德懋
汪天驥元 511-936-175
汪友直宋 511-479-155
汪日夢明 1442- 71- 4
汪中和明 1253-207- 50
汪中柱明 1442-115- 7
1460-742- 80
汪中植妻 清 見姜氏
汪中豪妻 清 見蔣氏
汪少廉明 1460-334- 55
汪仁壽明 523-616-176
汪介然宋 1376-627-96上
汪化鏊清 見汪化鰲
汪化鰲汪化鏊 清475-576- 79
475-612- 81
478-246-186
511-484-155
554-349- 54
汪允祐清 479-358-233
524-160-186
汪允銘明 559-281- 6
汪玄儀明 1278-451- 22
1280-552- 96
1410-424-720
汪玄儀妻 明 見吳氏
汪玄錫明 300-336-203
475-572- 79

511-280-147
676-544- 22
1442- 45-附3
1459-914- 39
汪立中宋 473-348- 63
532-725- 46
汪立信宋 287-670-416
398-617-407
459-661- 39
472-327- 14
473- 87- 52
473-298- 62
473-334- 63
475- 70- 52
475-568- 79
475-836- 93
478-762-215
480-240-269
480-363-275
480-402-277
492-532-13上之中
508-368- 42
511-478-155
523- 19-146
532-581- 41
1375- 14-上
1376-114- 65
汪立樞妻 清 見許氏
汪必東明 473-216- 59
533-139- 51
676-543- 22
820-671- 42
1442- 45-附3
1459-916- 39
汪必相妻 清 見王氏
汪必達宋 472-380- 16
汪必達妻 清 見丁氏
汪永瑞清 482- 34-340
汪永澤女 明 見汪閏
汪永錫妻 明 見孫氏
汪玉虹妻 清 見陳氏
汪弘量妻 清 見王氏
汪召嗣宋 481- 20-291
汪正誼明 528-545- 32
汪可受明 515-156- 61
517-714-133
517-730-133
533-175- 52
汪可進明 676-565- 23
汪可準清 511-332- 149
汪世臣清(正白旗人)
456-355- 77
汪世臣清(正紅旗人)
502-647- 78
563-886- 42
汪世良明 1227- 4- 1
汪世奕清 511-610-160
汪世植明 480-137-264
汪世極明 533-424- 62
汪世衡妻 明 見戴氏
汪世顯元 294-255-121
295-105-155
399-342-448
401-313-611
451-554- 6
472-898- 35
478-518-200
558-310- 34
1198-242- 上
1201-567- 16
1367-814- 62
1373-173- 13
1376-633-96下
汪功胄明 1442- 98- 6
1460-591- 69
汪以功清 1313-257- 20
汪以時明 511-288-147
545-120- 86
汪以淳清 533-161- 52
汪以澄清 524-179-187
汪以興元 524-161-186
汪由敦清 475-577- 79
1308-295- 59
1328-384- 附
汪田哥元 見汪德臣
汪令德明 524-159-186
汪仕周女 明 見汪氏
汪仕政妻 明 見陳鼎
汪台符唐～五代 472-378- 16
475-565- 79
485-428- 6
511-804-167
1376-424- 87
汪用和元 1224- 83- 17
1374-498- 71
1376-126- 66
汪用敬元 1224- 83- 17
1374-498- 71
1376-126- 66
1471-418- 9
汪幼鳳元 1375- 22- 上
汪守貞明 劉鉉妻、汪晉女
1255-712- 73
汪守廉明 559-323-7上
汪亦仲女 明 見汪氏
汪安仁宋 511-701-164
汪安宅明 559-374- 8
汪安行江安行 宋
511-269-147
532-630- 43
汪安節宋 1221-359- 7
汪汝和明 511-618-160
汪汝則宋 510-451-117
511-297-148
523-241-157
汪汝達明 511-156-142
523-176-154
汪汝賢宋 1157-533- 上
汪汝濟明 1270- 78- 7
汪汝謙清 511-810-167
汪汝懋元 472-1017- 41
523-491-170
676-330- 12
679-582-195
1219-524- 23
汪共蔣蔣洽舍 明 汪道貫妻
1283-530-108
汪吉安妻 明 見湯氏
汪在佃妻 清 見張氏
汪有功明 511-290-147
汪有祥明 1376-490- 90
汪有執明 564-273- 47
汪有源明 511-709-164
1313-204- 16
汪有道汪張孫 宋451- 66- 2
汪回顯明 472-382- 16
511-275-147
676-491- 19
1442- 26-附2
1459-635- 24
汪光翰明～清 511-622-160
512-767-196
汪自強宋 472-1016- 41
523-338-162
汪自貴清 483-184-385
569-680- 19
汪自潤清 511-323-148
汪自盤明 456-637- 10
汪如江清 1313-256- 20
汪仲川明 561-330- 40
汪仲成明 511-282-147
571-537- 20
汪仲英妻 元 見朱氏
汪仲魯明 見汪叡
汪仲衡明 1376-494- 90
汪先岸明 511-288-147
汪言臣明 559-358- 8
汪良臣元(謚忠惠) 295-107-155
399-391-454
473-428- 67
481- 22-291
558-310- 34
559-267- 6
1376-633-96下
汪良臣元(號梅庵)
1376-320- 79
汪良彬明 1283-813-130
汪良植明 1283-725-123
汪良植妻 明 見杜氏
汪良標明 1283-630-116
汪良標妻 明 見許氏
汪良夔妻 明 見江氏
汪良夔女 明 見汪氏
汪志道女 明 見汪氏
汪克寬明 301-754-282
400-579-553
453-800- 4
458-601- 1
472-381- 16
475-569- 79
511-705-164
676-447- 17
677-535- 49
678-440-112
1252-632- 36
1253-215- 56
1318-338- 62
1375- 23- 上
1376-212- 72
1439-454- 2
1459-262- 6
1471-157- 24

汪作霖清(字雨公) 511-854-169
汪作霖清(字雨若)
1313-201- 16
汪伯正元 516- 48- 88
汪伯彥宋 288-607-473
401-352-616
471-699- 16
485-451- 7
汪伯高女 明 見汪淑端
汪伯彰明 1237-263- 5
汪伯魯明 見汪叡
汪希旦宋 485-458- 7
511-268-147
515-117- 60
517-345-124
汪希聖妻 明 見戴巧
汪希寧妻 明 見胡貞良
汪邦柱明 677-691- 61
汪邦弼明 456-605- 9
汪妙善明 徐泗妻、汪泰亨女
472-1043- 43
524-744-213
汪廷直宋 485-521- 10
516-212- 96
汪廷美宋 485-472- 8
1376-424- 87
汪廷珍女 明 見汪勝璋
汪廷悅明 1252-472- 27
汪廷訥明 1442-97- 6
1460-580- 69
汪廷瑜明 1321- 11- 85
汪廷對清 511-401-151
汪宗文明 515-238- 64
汪宗元明 473-216- 59
528-457- 29
533- 15- 47
580-396- 25
676-237- 9
676-565- 23
汪宗尹明 見汪宗伊
汪宗臣宋 1375- 16- 上
1376-437- 87
汪宗伊汪宗尹 明300-261-198
480- 58-260
510-316-113
515-224- 63
533- 15- 47
汪宗明汪景宋 明456-543- 7
523-252-157
529-553- 45
汪宗洙清 475-576- 79
511-293-147
汪宗哲妻 清 見黃氏
汪宗淮明 511-619-160
汪宗理明 見汪宗禮
汪宗程明 1257-101- 9
汪宗熅明 1252-432- 24
1376-534-92下
汪宗魯清 476-417-120
523-253-157
545-396- 97
汪宗器明 472-351- 15
475-671- 84
511-329-149
汪宗禮汪宗理 明472-351- 15
511-329-149
523-216-156
汪宗灝清 511-536-157
汪泗論明 301-338-257
475-575- 79
481-525-326
511-291-147
528-463- 29
528-498- 30
汪炎昶明 511-704-164
680-302-255
1221-334- 7
1224-159- 19
1375- 17- 上
1376-191- 71
1458-329-439
汪居易宋 1376-437- 87
汪孟先女 明 見汪氏
汪孟明女 明 見汪氏
汪長淵宋 532-741- 46
汪長源宋 471-806- 31
473-376- 65
480-581-285
汪承詔清 456-355- 77
汪承爵明 515-260- 65
676-159- 7
汪忠臣元 295-105-155
401-313-611
1201-567- 16
1367-814- 62
1373-173- 13
1376-639-96下
汪尚志明 1229-660- 1
汪尚寧明 515- 54- 58
554-214- 52
汪尚質明 511-617-160
汪尚德妻 清 見方氏
汪昌應明 511-602-160
汪明德妻 明 見翁氏
汪叔敖宋 1376-507- 91
汪叔詹宋 472-379- 16
485-457- 7
511-268-147
1376-284- 77
汪知言宋 1375- 12- 上
汪季子明 1229-551- 5
汪季良宋 523-224-156
674-634- 5
汪季清明 473-719- 81
汪金恩明 523-564-174
汪始亨明 533-237- 54
汪岳蘊妻 清 見馬氏
汪秉祥明 1253- 34- 42
汪延陞明 456-670- 11
汪延造清 511-801-167
汪洪度清 511-810-167
汪彥卿元 1376-460- 89
汪彥修明 1227-659- 1
汪彥通明 1227-103- 12
汪彥端宋 523- 98-150
汪柳浩女 明 見汪氏
汪珂玉汪砢玉 明
524-310-194
1442-113- 7
1475-532- 23
汪致道明 1376-649- 97
汪茂椿明 456-658- 11
汪思孝清 511-621-160
汪思眞元 533-768- 74
汪思湛明 515-446- 70
汪思智明 511-618-160
汪思義明(潛山人) 511-600-160
汪思義明(字得宜)
1253-185- 49
汪思溫宋 472-1086- 46
487-124- 8
491-398- 4
491-435- 6
494-306- 5
523-448-168
1135-401- 37
汪思溫女 宋 見汪慧通
汪思敬汪敬 明 511-808-167
676- 4- 1
1375- 30- 上
汪思誠明 456-530- 6
511-410-152
汪思遵清 511-548-158
汪若思宋 1375- 7- 上
汪若泉妻 宋 見呂氏
汪若海宋 287-508-404
398-494-398
472-197- 7
472-379- 16
473-376- 65
475-567- 79
475-777- 89
485-458- 7
511-269-147
1375- 6- 上
1376-334- 81
汪若容宋 1375- 7- 上
1376-565-94下
汪若極明 511-310-148
汪若楫宋 1375- 13- 上
汪若霖明 300-774-230
477-546-176
汪昱延明 545-275- 93
汪昭哥宋 見汪端彥
汪品佳清 1328-889- 19
汪則清明 533-740- 73
汪待舉宋(知興化軍)
473-631- 77
528-473- 30
汪待舉清(知處州)
472-1052- 44
汪皇后明 明景帝后
299- 11-113
汪俊民明 511-327-149
汪俊德元 1375- 23- 上
汪益民明 524-268-191
汪庭桂元 1376-514-92上
汪庭堅元 見汪標
汪泰亨女 明 見汪妙善
汪泰來清 523-433-167
汪泰護明 1253-101- 45
汪耆英元 1376-480- 90

汪晉徵清 511-294-147
汪陛延汪三奇 明
533-333- 58
533-475- 64
汪砢玉明 見汪珂玉
汪起英明 1467-136- 66
汪起鳳明 511-113-140
563-736- 40
汪起瀾妻 清 見鄧氏
汪珠瑚清 455-305- 18
汪振芳明 1283-727-124
汪時元明 1442- 71- 4
1460-346- 55
汪特昌清 532-733- 66
汪特格元 見汪德臣
汪添昂明 545-146- 88
汪清英妻 宋 見李氏
汪惟正元 295-109-155
399-392-454
472-898- 35
473-428- 67
558-310- 34
559-267- 6
1376-633-96下
汪惟德妻 元 見俞氏
汪祥翁元 1217- 90- 4
汪淑正元 程忠甫妻、汪鏞女
1376-671- 98
汪淑眞元 汪鼎新女
1228-799- 14
汪淑問清 533-298- 56
汪淑端明 程永得妻、汪伯高女 1253-188- 49
汪康謡明 458-450- 22
481-613-329
511-291-147
676-632- 26
1442- 92- 6
1460-525- 65
汪基遠清 479-655-247
515-180- 62
533-373- 60
汪乾利明 1442- 96- 6
1460-577- 68
汪張孫宋 見汪有道
汪晦之宋 511-298-148
汪國奇妻 明 見李氏
汪國楠明 523-195-155
汪處正宋 鄭國華妻、汪堯佐女 1178-775- 6
汪處崇唐 524-333-195
汪處實汪勝奴 宋448-397- 0
汪悠久明 515-121- 60
汪紹伊明 559-381-9上
汪紹奇元 1375- 20- 上
汪紹興明 1240-865- 9
汪逢辰元 676- 82- 3
汪逢原清 1313-265- 21
汪逢淵明 474-572- 29
汪逢源妻 明 見邱氏
汪從善元 820-522- 38
1215-204- 3
汪啟皋妻 清 見江山
汪啟德清 572- 92- 29
汪游龍明 511-261-146
563-819- 41
汪敦慶明 1253-115- 46
汪雲瑞妻 清 見王氏
汪雲鳳明 見汪之鳳
汪雲龍元 1375- 18- 上
汪惠逵明 515-258- 65
汪喜弟清 許繼微妻
482- 46-340
汪朝寅明 524-224-189
汪雄圖宋 1375- 11- 上
汪登瑞明 456-528- 6
523-391-164
汪登魁清 456-355- 77
汪堯佐女 宋 見汪處正
汪開之宋 523-612-176
汪森卿宋~元 524-284-192
汪景宋明 見汪宗明
汪景明明 472-382- 16
1241-465- 7
汪景房吳越 見江景防
汪景純妻 明 見孫瑶華
汪景榮明 1229-607- 2
汪景德明 511-635-161
汪萊甫元 511-351-169
汪順童明 1253-150- 47
汪喬年宋 515-863- 85
1138-794- 21
汪喬年明 301-444-262
456-427- 2
458-250- 6
476-659-135
477-567-177
479-381-234
523-414-166
537-223- 54
537-321- 56
540-651- 27
545-106- 86
554-186- 51
1442-103- 7
1460-682- 75
汪舜民明 299-839-180
472-382- 10
511-277-147
528-454- 29
676-514- 20
汪勝奴宋 見汪處實
汪勝宗明 572- 90- 29
汪勝璋明 孫沾妻、汪廷珍女
1253- 75- 44
汪源澍清 511-576-159
汪義和宋 511-271-147
1157-242- 18
汪義端宋 451- 24- 0
486- 55- 2
汪煉南清 533-181- 52
汪煥章元 594- 73- 附
汪煥章明 1227-692- 4
汪運光明 564-807- 60
汪道夫妻 明 見程氏
汪道全明 820-659- 42
汪道亨明 475-530- 77
汪道昆明 301-855-287
475-573- 79
479-320-232
480-319-272
481-493-324
511-283-147
523-193-155
528-458- 29
532-597- 41
676-581- 24
679-654-202
1442- 65- 4
1460-261- 52
汪道貫明 1442- 65- 4
1460-557- 67
汪道貫妻 明 見汪共蔣
汪道會明 1442- 65- 4
1460-558- 67
汪瑞友宋 479-382-234
汪瑞愷江瑞愷 清
481-699-332
529-696- 50
汪楚材宋 511-701-164
1375- 11- 上
汪萬於唐 1375- 3- 上
汪萬頃母 宋 見鄔氏
汪萬頃明 511-799-167
汪鼎和清 511-622-160
汪鼎金清 1328-893- 19
汪鼎新元 524- 86-182
汪鼎新女 元 見汪淑眞
汪鼎實明 1252-264- 15
汪敬夫明 1237-263- 5
汪敬昌元 559-315-7上
汪福安元 472-852- 34
554-258- 52
汪端彥汪昭哥 宋448-393- 0
汪漢英元 1376-480- 90
汪漢卿元 511-807-167
676-701- 29
汪輔之宋 1097-226- 12
汪與立汪興立 明
479-328-232
523-615-176
汪與成宋 472-368- 16
511-632-161
汪嘉會明 524-268-191
汪瑤光清 511-810-167
汪夢斗宋 676-694- 29
1217-588- 3
1375- 17- 上
汪夢弼宋 1376-437- 87
汪夢說明 523-178-154
572-101- 30
汪鳳苞妻 明 見吳氏
汪鳳娘明 徐希仁妻
1251-594- 12
汪稱隱宋 1187-534- 4
1187-582- 8
汪稱隱元 1375- 19- 上
汪維崇宋 511-479-155
汪維祺元 1376-402- 85
汪維億妻 清 見吳氏
汪肇桓妻 清 見俞氏
汪廣洋明 299-180-127

475-375- 68
511-206-144
676-444- 17
820-565- 40
1442- 4-附1
1459-220- 4
汪慶辰宋 472-221- 8
汪慶宗明 1253-111- 46
汪慧通宋 樓璩妻、汪思温女
1153-322- 85
汪震元明 480-636-288
532-751- 46
汪慕橋女 清 見汪氏
汪儀鳳宋 1375- 13- 上
1376-580-95上
汪德元明 567-147- 68
汪德臣汪田哥、汪特格 元
295-106-155
399-390-454
478-518-200
481-154-298
558-310- 34
1376-633-96下
汪德鈞明 1375- 23- 上
汪德源妻 明 見樊氏
汪德裕妻 明 見程悌
汪德壽明 511-617-160
汪德慶明 1375- 24- 上
汪德懋汪天應 明1375- 26-上
1376-474- 89
1459-492- 16
汪羲榮宋 1375- 10- 上
汪澤民汪澤明 元
295-481-185
399-748-494
472-381- 16
472-545- 23
473-316- 62
475-569- 79
475-613- 81
476-881-146
479-810-255
480-463-279
493-727- 40
508-330- 41
510-332-113
511-479-155
515-256- 65
532-730- 46
540-633- 27
676-711- 29
820-519- 38
1218-643- 3
1224- 80- 17
1284-345-162
1366-969- 2
1374-495- 71
1375- 21- 上
1376-123- 66
1439-449- 2
1471-414- 9
汪澤民明 572- 91- 29
汪澤明元 見汪澤民
汪燕山妻 元 見李氏
汪擇善宋 1376-667- 98
汪擇善妻 宋 見金妙湛
汪興立明 見汪與立
汪興祖張興祖 明
299-252-133
475-706- 86
511-413-152
544-251- 63
545-330- 95
559-248- 6
汪應元宋 511-273-147
1375- 12- 上
1376-354- 83
汪應元明 511-291-147
汪應玄妻 明 見李氏
汪應辰汪洋 宋 287-303-387
398-323-385
471-659- 11
471-713- 18
471-829- 34
471-858- 38
472-1026- 42
473- 63- 1
473-176- 57
473-427- 67
473-568- 74
473-598- 76
475-120- 55
479-318-232
479-558-242
497-765-252
481- 20-291
481-524-326
493-714- 39
515-864- 85
517-523-128
523-184-155
524-334-195
528-441- 29
528-522- 31
559-266- 6
567-438- 86
585-764- 5
591-682- 47
674-348-5下
674-843- 18
820-429- 35
1375- 7- 上
1376-155- 68
1437- 24- 2
1467-150- 67
汪應坤明 456-637- 10
汪應泰明 523-136-152
汪應宿明 1460-587- 69
汪應宿妻 明 見鮑氏
汪應望明 676-176- 7
汪應祥妻 明 見沈氏
汪應晦宋 1375- 13- 上
汪應婁明 515-422- 69
汪應軫明 300-418-208
475-853- 94
479-241-227
510-502-118
523-310-160
676-547- 22
1442- 47-附3
1460- 35- 41
汪應蛟明 301- 97-241
458-378- 16
475-574- 79
505-639- 67
511-286-147
678-473-115
汪應新元 1376-213- 72
1376-519-92上
汪應龍明 456-462- 4
汪濟南清 529-695- 50
汪蹇生元 524-211-188
汪懋卿宋～元 524-284-192
汪懋麟母 清 見李氏
汪懋麟清 475-379- 68
511-785-166
1475-964- 41
汪彌亨元 1219-599- 29
汪彌亨妻 元 見陳氏
汪徽壽明 511-617-160
汪禮約明 524- 46-180
1460-579- 69
1442- 97- 6
1474-436- 21
汪壁明明 563-834- 41
汪繒世明 523-451-168
汪韞[illegible]女 明 見汪氏
汪麗陽明 1442-117- 8
1460-807- 88
汪寶珠清 吳炯然妻
475-676- 84
1314-426- 11
汪獻忠明 523-236-156
676-178- 7
汪蘊玉元 1375- 19- 上
汪耀麟清 511-785-166
汪繼英明 567-146- 68
1467-466- 7
沔王唐 見李恂
言芳明 505-683- 69
510-447-117
545-463-100
言通宋 524-325-195
言偃子游 春秋 244-383- 67
246- 25- 67
371-486- 32
375-652- 88
405-427- 84
470- 22- 91
471-592- 2
472-224- 8
472-543- 23
485-149- 20
493-644- 35
493-795- 43
508-238- 38
511- 61-138
539-490-11之2
539-633-11之6
933-194- 13
1145-670- 80
1282-752- 57

言法華宋(言誦法華經) 820-468- 36
1052-728- 20
言國元妻 清 見姜氏
言德堅清 539-633-11 之6
冶廑春秋 933-605- 39
冶區夫春秋 384- 15- 1
冶國器明 456-517- 6
完敬明 820-766- 44
完達錫清 455-490- 30
完嗣昌妻 明 見太氏
完顏卞完顏鄂摩 金
291- 43- 66
395-146-193
完顏方金 291-181- 80
395-160-194
完顏文完顏呼喇 金
291-122- 74
395-183-197
完顏元完顏常勝、胙王 金
291- 66- 69
395-177-197
完顏充代王、完顏實圖美 金
291-143- 76
395-179-197
544-237- 63
完顏用妻 元 見蔣氏
完顏安金 見完顏襄
完顏匡完顏蘇色、完顏薩克蘇 金 291-381- 98
399-224-436
1445- 34-首上
完顏老金 見完顏宗浩
完顏仲完顏石古乃、完顏舒古特、完顏實古納、完顏實古訥、完顏錫固納 金
291- 91- 72
399- 97-425
474-871- 47
476-278-111
502-353- 61
完顏亨完顏伯特、芮王 金
291-150- 77
395-188-197
544-237- 63
完顏甫宋~金 見張甫
完顏育完顏和卓 金
291- 67- 69
395-178-197
完顏佐梁佐 金 291-447-103
399-260-439
完顏京完顏呼嚕 金
291-124- 74
395-184-197
完顏玠完顏摩囉歡、温王 金
291-320- 93
395-198-198
完顏忠完顏迪古乃、完顏都古爾納、完顏都古嚕訥 金
291- 73- 70
395-143-193
474-868- 47
502-337- 60
完顏昌完顏達喇、完顏達蘭 金 291- 43- 66
291-154- 77
383-995- 27
395-146-193
395-171-196
完顏昂完顏烏達、完顏烏達布、鄆王 金(世祖子)
291- 36- 65
395-169-195
完顏昂完顏奔睹、完顏瓊都 金(完顏咱斡子) 291-221- 84
399-105-425
502-339- 60
完顏旻金 見金太祖
完顏杲完顏舍音、完顏斜也、完顏斜野 金 (謚智烈)
291-139- 76
395-162-195
474-867- 47
502-335- 60
完顏杲完顏撒离喝、完顏薩里干、完顏薩里罕 金 (謚莊襄) 291-216- 84
383-996- 27
399-103-425
474-869- 47
502-338- 60
完顏亮完顏都古爾訥、完顏都古嚕訥、海陵王 金
290- 76- 5
383-901- 13
383-917- 15
392-673- 48
1040-226- 1
完顏亮嬖妾 金 見完顏布拉
完顏亮嬖妾 金 見完顏伊都
完顏亮嬖妾 金 見完顏重節
完顏亮嬖妾 金 見完顏實庫
完顏亮嬖妾 金 見完顏錫納
完顏亮嬖妾 金 見完顏實古爾
完顏亮嬖妾 金 見完顏鼐喇古
完顏亮嬖妾 金 見完顏蘇呼和卓
完顏亮昭媛 金 見耶律扎巴
完顏亮柔妃 金 見耶律密呼
完顏亮昭妃 金 見阿蘭
完顏亮修儀 金 見高氏
完顏亮貴妃 金 見唐古定格
完顏亮麗妃 金 見唐古實格
完顏亮嬖妾 金 見唐古富魯和卓
完顏亮昭妃 金 見富察阿里庫
完顏亮后 金 見圖克坦皇后
完顏亮女使 金 見闢拉
完顏亮女 金 見完顏和寧
完顏兖完顏梧桐 金
291-145- 76
395-179-197
完顏奕完顏三寶 金
291- 44- 66
395-147-193
完顏昱金 見完顏普嘉努
完顏哈金 見完顏哈達
完顏衷完顏綽哈、完顏醜漢 金 291- 41- 66
395-170-195
474-236- 12
474-872- 47
476-330-115
476-697-137
502-343- 60
540-652- 27
545-420- 98
完顏珣金 見金宣宗
完顏晏完顏鄂倫 金
291-100- 73
395-156-194
完顏袞完顏博洽、完顏富勒堅 金 291-145- 76
395-180-197
完顏爽完顏阿林、榮王、壽王 金 291- 63- 69
395-189-197
完顏晟金 見金太宗
完顏晻金 見完顏襄
完顏勗完顏烏延、完顏烏眞、完顏烏野 金 291- 37- 66
395-173-196
474-867- 47
502-788- 88
552- 70- 19
完顏寓金 見完顏寓
完顏寓完顏寓、完顏思出、完顏恩楚 金 291-464-104
399-257-439
546-134-119
完顏琮完顏成慶、完顏承慶、鄆王 金 291-319- 93
395-197-198
474-872- 47
502-343- 60
完顏琦金 見完顏從憲
完顏開金 見張開
完顏弼完顏達吉不、完顏達希布 金 291-434-102
399-249-438
472-545- 23
474-739- 40
476-476-125
502-359- 61
540-665- 27
完顏亶金 見金熙宗
完顏雍金 見金世宗
完顏鼎金 見完顏色埒默
完顏齊完顏素赫、完顏掃合、

完顏蘇赫 金(完顏哈布爾子) 291- 41- 66
395-173-196
474-435- 21
474-732- 40
474-872- 47
476-657-135
502-343- 60
505-682- 69
完顏齊完顏舒蘇 金(完顏宗望子) 291-122- 74
395-183-197
完顏綱完顏元努 金
291-388- 98
399-227-436
502-359- 61
完顏褎金 見金世宗
完顏璋完顏呼密 金
291- 32- 65
395-164-195
完顏霆李霆 金 291-445-103
399-259-439
472- 35- 1
505-719- 71
554-158- 51
完顏諳金 見完顏襄
完顏嘗完顏額哩埒 金
291- 44- 66
395-147-193
完顏璟金 見金章宗
完顏襄完顏永慶 金(完顏宗幹子) 291-145- 76
395-180-197
完顏襄完顏安、完顏唵、完顏諳 金(謚武昭) 291-337- 94
399-194-433
474-871- 47
502-342- 60
完顏翼金 見完顏蘇哷
完顏璹完顏壽孫 金
291-233- 85
395-202-198
474-873- 47
502-791- 88
676-695- 29
820-483- 36
821-276- 52
1040-226- 1
1191-419- 36

1365-179- 5
1439- 1-附
1445- 28-上
完顏璧元 515- 86- 59
完顏彝金 見完顏陳和尚
完顏瓌完顏罕都、完顏和勒、完顏桓篤、瀛王 金
291-319- 93
395-197-198
474-872- 47
502-343- 60
819-596- 20
完顏贍金 見完顏哈達
完顏權元 1225-790- 19
完者拔都元 見諤勒哲圖
完顏九住金 見完顏玖珠
完顏九珠金 見完顏玖珠
完顏八十金 見完顏宗道
完顏三寶金 見完顏奕
完顏子周元 820-544- 39
完顏兀朮金 見完顏宗弼
完顏兀論金 見完顏鄂倫
完顏六斤金 見完顏魯爾錦
完顏王祥耶律王祥 金
291-767-132
401-504-633
完顏元努金 見完顏綱
完顏元努金 見完顏永元
完顏元宜完顏阿里、完顏伊德納、耶律元宜、耶律阿里、耶律伊德納 金 291-767-132
401-504-633
完顏元壽崇王 金
290- 78- 5
291-204- 82
392-674- 48
395-195-198
完顏巴達金 291- 27- 65
395-153-194
完顏允中金 見完顏永中
完顏允升金 見完顏永升
完顏允成金 見顏永成
完顏允迪金 見完顏允恭
完顏允恭完顏允迪、完顏呼塔噶 金 290-257- 19
395-195-198
1040-226- 1

1439- 1-附
完顏允恭妻 金 見圖克坦氏
完顏允恭妻 金 見劉氏
完顏允德金 見完顏永德
完顏允濟金 見完顏永濟
完顏允濟后 金 見圖克坦皇后
完顏玄齡金 291-322- 93
395-204-198
完顏永元完顏元努、完顏約尼 金 291-144- 76
395-179-197
476-278-111
545-323- 95
完顏永中并王、完顏允中、完顏烏遜、完顏寔魯剌、完顏薩喇勒、許王、越王、趙王、鎬王 金 291-228- 85
395-198-198
544-236- 63
552- 71- 19
完顏永升完顏允升、完顏鶴壽、完顏錫卜察、徐王、曹王、隋王、虞王、夔王 金
291-235- 85
395-203-198
544-236- 63
完顏永功完顏桑阿、完顏廣孫、曹王、越王、隋王、鄭王 金 291-231- 85
395-200-198
474-166- 8
完顏永成完顏允成、完顏洛索、完顏哈雅、完顏婁室、完顏鶴野、完顏羅索、豫王、瀋王、豳王 金 291-234- 85
395-202-198
474-872- 47
502-790- 88
552- 71- 19
1040-226- 1
完顏永慶金 見完顏襄
完顏永德完顏允德、完顏恩禁、完顏恩楚、完顏訛出、薛王、豳王、潞王、瀋王、 金
291-233- 85
395-202-198

544-237- 63
552- 71- 19
完顏永錫金 見完顏哈昭
完顏永濟完顏允濟、衛紹王 金 290-188- 13
383-950- 23
392-742- 53
544-236- 63
完顏永蹈完顏尼楚赫、完顏實古爾、徐王、滕王、鄭王、衛王 金 291-230- 85
395-199-198
完顏古紳金 見完顏希尹
完顏古雲完顏達蘭 金
291- 93- 72
399- 90-424
完顏古新金 見完顏希尹
完顏正嘉完顏鄭嘉 金
291- 36- 65
395-169-195
完顏左黶金 見完顏守貞
完顏石住元 見完顏實珠
完顏布拉完顏布薩、壽康公主 金 完顏亮嬖妾、完顏宗弼女
291- 11- 63
544-238- 63
完顏布呼金 291- 40- 66
395-140-193
完顏布呼金 見完顏崇成
完顏布徹金 見完顏芬徹
完顏布薩金 見完顏布拉
完顏尼堪金 見完顏宗翰
完顏用安金 見國用安
完顏奴申金見完顏納新
完顏守忠金 291-321- 93
395-204-198
完顏守貞完顏左黶、完顏守眞、完顏蘇頁 金 291-109- 73
399-119-427
474-872- 47
476-249-110
476-517-127
476-818-143
502-353- 61
540-664- 27
545-265- 93
完顏守眞金 見完顏守貞
完顏守純完顏幫圖、荊王 金

291-322- 93
395-204-198
完顏守能完顏呼喇　金　291-112- 73
399-121-427
完顏守道完顏習尼列、完顏實納埒、完顏實訥埒、完顏錫里烈　金　291-262- 88
399-118-427
474-166- 8
474-871- 47
502-353- 61
完顏守緒金　見金哀宗
完顏守禧金　291-233- 85
395-202-198
502-791- 88
820-483- 36
1040-227- 1
完顏守禮金　見金哀宗
完顏安春金　291-573-113
完顏安國完顏楝摩　金
291-342- 94
399-199-433
474-872- 47
502-357- 61
546-135-119
完顏忙哥金　見完顏莽格
完顏光英完顏阿里布　金
291-203- 82
395-194-198
完顏合打金　見完顏哈達
完顏合達金　見完顏哈達
完顏仲元郭仲元　金
291-442-103
399-258-439
474-179- 8
505-719- 71
554-247- 52
1040-264- 6
完顏仲德完顏伊什瑚、完顏呼沙呼、完顏忽斜虎　金
291-642-119
400-237-519
474-874- 47
475-421- 70
477-522-175
478-516-200
502-709- 82
1040-263- 6
完顏仲德妻　金　291-752-130
474-875- 47
503- 26- 93
完顏色克金　291-117- 74
399-100-425
完顏色埒完顏思烈　金
291-556-111
399-198-433
474-874- 47
502-705- 82
完顏色埒金　見完顏色埒默
完顏色哩金　見完顏宗賢
完顏伊克完顏冶訶、完顏葉赫　金　291- 59- 68
399- 78-424
474-866- 46
502-334- 60
完顏伊都金　完顏亮嬖妾、僧古埒妻、完顏宗本女
291- 11- 63
完顏伊遜金　見完顏秉德
完顏冶訶金　見完顏伊克
完顏罕都完顏歡都　金
291- 56- 68
399- 77-424
474-866- 47
502-345- 61
544-237- 63
完顏罕都金　見完顏瓌
完顏沃側金　見完顏烏色
完顏沃濟金　見完顏烏色
完顏良輔元　1201-168- 80
完顏成慶金　見完顏琮
完顏孛迭金　676-109- 4
完顏克實金　291- 64- 69
395-189-197
完顏玖住金　見完顏玖珠
完顏玖珠完顏九住、完顏九珠、完顏玖住　金　291-667-121
400-213-517
472-480- 21
474-874- 47
476-278-111
502-702- 82
545-330- 95
546-404-128
完顏伯特金　見完顏亨
完顏伯赫金　291- 29- 65
395-154-194
完顏伯嘉完顏博洽、完顏博恰　金　291-409-100
399-238-437
472-740- 29
474-167- 8
474-558- 28
476-113-102
476-778-141
496-395- 88
502-358- 61
537-301- 56
540-661- 27
545- 56- 84
完顏谷神金　見完顏希尹
完顏希尹完顏古紳、完顏古新、完顏谷神、完顏固新、陳王、豫王　金　291-107- 73
399-117-427
474-869- 47
502-346- 61
819-596- 20
完顏希尹金　見完顏烏紳
完顏努森金　見完顏納新
完顏宗尹完顏阿里罕　金
291-101- 73
395-157-194
474-870- 47
502-341- 60
544-237- 63
完顏宗永完顏塔塔　金
291- 32- 65
395-164-195
完顏宗本完顏阿嚕、潞王　金
291-136- 76
395-193-198
544-237- 63
完顏宗本女　金　見完顏伊都
完顏宗本女　金　見完顏蘇呼和卓
完顏宗亨完顏托卜嘉　金
291- 71- 70
399- 82-424
完顏宗秀完顏錫里庫　金
291- 39- 66
395-173-196
完顏宗固完顏呼嚕、豳王　金
291-135- 76
395-193-198
552- 71- 19
完顏宗美完顏呼爾察、豐王　金　291-135- 76
552- 71- 19
完顏宗浩完顏老　金
291-329- 93
399-193-433
474-871- 47
502-342- 60
544-237- 63
完顏宗峻完顏勝額、完顏繩果、豐王　金　290-256- 19
395-177-197
544-237- 63
完顏宗望完顏斡离不、完顏斡喇布、完顏斡魯補、完顏斡里雅布、完顏斡里雅布　金
291-117- 74
383-991- 27
395-180-197
474-868- 47
502-338- 60
完顏宗望女　金　見完顏實庫
完顏宗強完顏阿魯　金
291- 63- 69
395-189-197
完顏宗敏完顏阿里布　金
291- 65- 69
395-190-197
完顏宗敏妻　金　見阿蘭
完顏宗敘完顏德壽　金
291- 84- 71
395-168-195
474-867- 47
502-342- 60
完顏宗雄完顏摩囉歡、完顏穆哩庫、楚王　金　291-104- 73
395-174-196
474-867- 47
502-336- 60
819-596- 20
完顏宗堯完顏宗輔、完顏鄂勒歡、完顏鄂爾多、潞王　金

290-256- 19
383-996- 27
395-185-197
544-237- 63
完顏宗堯妻 金 見李氏
完顏宗堯妻 金 見富察氏
完顏宗弼完顏兀朮、完顏烏珠、完顏烏楚、完顏斡啜 金
291-147- 77
383-993- 27
395-186-197
474-868- 47
494-387- 11
502-338- 60
完顏宗弼女 金 見完顏布拉
完顏宗弼女 金 見完顏錫納
完顏宗傑完顏穆里延 金
291- 63- 69
395-178-197
完顏宗義完顏博濟 金
291-141- 76
395-163-195
完顏宗道完顏八十、完顏巴克實 金 291-103- 73
395-159-194
476-113-102
476-278-111
477-562-177
502-344- 60
545-372- 97
554-246- 52
完顏宗幹完顏幹本、完顏幹布、完顏斡布 金 291-142- 76
395-178-197
474-868- 47
502-337- 60
完顏宗幹妻 金 見大氏
完顏宗幹妻 金 見圖克坦氏
完顏宗雋完顏額爾袞、兗王、陳王 金 291- 62- 69
395-185-197
完顏宗雋女 金 見完顏實古爾
完顏宗寧完顏阿多古 金
291-103- 73

395-158-194
502-341- 60
完顏宗輔金 見完顏宗堯
完顏宗維金 見完顏宗翰
完顏宗賢完顏阿魯、完顏阿嚕金(景國公) 291- 42- 66
395-145-193
474-236- 12
474-513- 25
474-869- 47
502-340- 60
完顏宗賢完顏色哩、完顏賽里、完顏賽哩 金(完顏希卜蘇孫) 291- 72- 70
399- 82-424
474-869- 47
502-699- 82
552- 71- 19
完顏宗磐完顏富勒呼、宋王 金 291-134- 76
383-992- 27
395-192-198
407-702- 1
完顏宗憲完顏阿拉、完顏阿懶、完顏阿蘭、完顏鄂拉 金
291- 69- 70
399- 84-424
474-869- 47
502-341- 60
完顏宗翰完顏尼堪、完顏宗維、完顏粘罕、完顏尼瑪哈、完顏尼雅滿、完顏烏嘉努、完顏粘没喝、晉王 金
291-113- 74
383-990- 27
399- 98-425
474-868- 47
496-369- 86
502-337- 60
544-237- 63
545- 54- 84
完顏宗璧金 545-241- 92
完顏孟陽元 1200-772- 59
完顏奔睹金 見完顏昂

完顏函普金 290- 28- 1
完顏函普妻 金 291- 2- 63
完顏阿里金 見完顏元宜
完顏阿拉金 見完顏宗憲
完顏阿林金(完顏宗雄子)
291-106- 73
395-176-196
完顏阿林郭阿林 金(中都人)
291-443-103
399-258-439
1040-264- 6
完顏阿林金 見完顏爽
完顏阿林金 見完顏從彝
完顏阿林妻 金 見薩勒扎
完顏阿格金(人稱草火額爾克) 見完顏額爾克
完顏阿格金(人稱板子額爾克) 見完顏額爾克
完顏阿喜金 見完顏愛實
完顏阿鄰妻 金 見薩勒扎
完顏阿魯金 見完顏宗賢
完顏阿嚕金 見完顏宗本
完顏阿嚕金 見完顏宗強
完顏阿嚕金 見完顏宗賢
完顏阿懶金 見完顏宗憲
完顏阿蘇金 291- 65- 69
395-190-197
完顏阿蘭金 見完顏宗憲
完顏長樂妻 金 見富察明秀
完顏承立完顏慶善努 金
291-611-116
395-170-195
502-707- 82
554-158- 51
完顏承充女 金 見完顏阿爾占
完顏承裕完顏和碩 金
291-324- 93
395-149-193
完顏承裔金 見完顏博索

完顏承暉完顏福興 金
291-417-101
399-242-438
459-677- 40
474-167- 8
474-732- 40
476-476-125
540-614- 27
1190-210- 12
完顏承慶金 見完顏琮
完顏承麟金 290-255- 18
1040-256- 5
完顏固納金 291- 61- 68
399- 80-424
完顏固紳金 見完顏斡魯
完顏固新金 見完顏希尹
完顏呼密金 見完顏璋
完顏呼喇金 見完顏文
完顏呼喇金 見完顏守能
完顏呼嚕金 見完顏京
完顏呼嚕金 見完顏宗固
完顏呼蘭翼王 金
291-135- 76
544-236- 63
完顏芬徹完顏布徹、完顏蒲查 金 291- 61- 68
399- 81-424
474-871- 47
502-349- 61
完顏果布完顏國保、完顏撾保 金 291- 40- 66
395-154-194
502-334- 60
完顏和尼金 291- 89- 72
399- 95-425
544-237- 63
554-363- 54
完顏和尚完顏樂善 金
291-145- 76
395-180-197
544-237- 63

完顏和卓金(韓國公) 291- 29- 65
395-154-194
完顏和卓金(哈斯罕必勒哈水人) 291- 40- 66
395-140- 193
完顏和卓金 見完顏育
完顏和勒金 見完顏瓌
完顏和寧榮國公主 金 圖克坦珠蘇爾妻、完顏亮女
544-238- 63
完顏和碩金 見完顏承裕
完顏舍音金 見完顏杲
完顏秉德完顏伊遜 金
291-759-132
401-501-633
完顏洪衍完顏撒改、完顏薩哈、英王 金 291-321- 93
395-203-198
完顏洪裕完顏訛倫、絳王 金
291-320- 93
395-203-198
544-237- 63
完顏洪靖完顏阿古喇、完顏阿固喇 金 291-321- 93
395-203-198
完顏洪熙完顏訛會不、完顏額特藏布、完顏鄂特藏布、榮王 金 291-321- 93
395-203- 198
544-237- 63
完顏洪輝完顏訛論、完顏額琳、壽王 金 291-321- 93
395-203-198
完顏洛索金 見完顏永成
完顏洛索金 見完顏羅索
完顏威泰金 291- 31- 65
395-161-195
完顏威赫完顏限喝 金
291- 39- 66
395-176-196
完顏珊延完顏善延、完顏鄯陽 金 291-662-121
400-211-517
474-873- 47
502-700- 82
完顏盈歌妻 金 見烏庫哩氏
完顏思烈金 見完顏色埒
完顏思恭金 見完顏思敬
完顏思敬完顏思恭、完顏薩哈、完顏薩拉喝 金
291- 74- 70
395-142-193
474-870- 47
502-340- 60
完顏哈里金 291- 92- 72
399- 97-425
完顏哈昭完顏永錫 金
291-593-114
395-151-193
完顏哈雅金 見完顏永成
完顏哈喇金 見金熙宗
完顏哈達完顏哈、完顏贍、完顏合打、完顏合達 金
291-561-112
399-294-443
478-168-182
478-516-200
502-706- 82
544-237- 63
554-159- 51
1040-263- 6
完顏英格金 290- 35- 1
完顏約尼金見完顏永元
完顏重節金 完顏亮嬖妾
291- 11- 63
完顏素赫金 見完顏齊
完顏素蘭金 見完顏蘇呼
完顏桓篤金 見完顏瓌
完顏珠爾完顏珠魯、完顏豬兒 金 502-708- 82
完顏珠爾妻 金 見尹氏
完顏珠赫完顏珠顆 金
291-695-124
400-236-519
502-705- 82
完顏珠魯金 見完顏珠爾
完顏珠魯金 見完顏珠嚕
完顏珠顆金 見完顏珠赫
完顏珠嚕完顏珠魯 金
291- 42- 66
395-145-193
完顏桑阿金 見完顏永功
完顏恩出金 見完顏寓
完顏恩禁金 見完顏永德
完顏恩楚金 見完顏寓
完顏恩楚金 見完顏永德
完顏烏色完顏斡賽 金(世祖子) 291- 32- 65
395-163-195
502-336- 60
完顏烏色完顏沃側、完顏沃濟、衛國王 金(瑪奇子)
291- 96- 72
399- 92-424
478-337-191
554-363- 54
完顏烏里完顏烏烈、豐王 金
544-236- 63
552- 70- 19
完顏烏舍金 見完顏烏紳
完顏烏延金 見完顏勗
完顏烏頁金 見完顏勗
完顏烏烈金 見完顏烏里
完顏烏哲魯王 金
291- 32- 65
395-164-195
完顏烏珠金 見完顏宗弼
完顏烏野金 見完顏勗
完顏烏紳完顏希尹、完顏烏舍 金 383-994- 27
完顏烏祿金 見金世宗
完顏烏達許國王 金
291-761-132
401-502-633
完顏烏達金 見完顏昂
完顏烏達妻 金 見唐古定格
完顏烏楚金 見完顏宗弼
完顏烏遜金 見完顏永中
完顏烏魯妻 金 291- 2- 63
完顏們都金 291- 30- 65
395-156-194
完顏納珠元 295-253-165
完顏納紳金 見完顏納斯
完顏納新完顏奴申、完顏努森、完顏納紳 金 291-595-115
399-316-446
1040-262- 6
完顏惟鎔完顏默哷 金
291- 30- 65
完顏粘罕金 見完顏宗翰
完顏訛可金(人稱草火額爾克) 見完顏額爾克
完顏訛可金(人稱板子額爾克) 見完顏額爾克
完顏訛出金 見完顏永德
完顏訛倫金 見完顏洪裕
完顏訛倫金 見完顏洪輝
完顏麻吉金 見完顏瑪奇
完顏梧桐金 見完顏兗
完顏陸金金 見完顏魯爾錦
完顏習失金 見完顏實實
完顏掃合金 見完顏齊
完顏莽格完顏忙哥 金
400-236-519
502-705- 82
完顏莽格妻 金 見温特赫氏
完顏崇成完顏布呼 金
291- 29- 65
395-154-194
完顏婁室金 見完顏永成
完顏婁室金 見完顏羅索
完顏國保金 見完顏果布
完顏常勝金 完顏元
完顏得孫完顏懷德 金
1191-313- 28
完顏斜也金 見完顏杲
完顏斜烈金 見完顏色埒默
完顏斜野金 見完顏杲
完顏從坦金 見完顏蘇爾坦
完顏從恪胙王 金
291-321- 93
395-203-198
完顏從善元 540-626- 27
完顏從嘉金 見金宣宗
完顏從憲完顏琦、完顏沃里布、完顏沃哩布、壽王、瀛王 金 291-320- 93
395-198-198
完顏從彝完顏阿林、霍王 金
291-320- 93
395-197-198
544-237- 63
完顏富德金 291-105- 73
完顏善延金 見完顏珊延
完顏博洽金 見完顏衮

完顏博洽金　見完顏伯嘉
完顏博恰金　見完顏伯嘉
完顏博索完顏承裔　金　291-573-113　399-298-444
完顏博諾金　291-27-65　395-153-194
完顏博濟金　見完顏宗義
完顏博囉金　291-26-65　395-153-194
完顏棟摩完顏闍黎　金　291-82-71　395-166-195　474-867-47　502-335-60
完顏棟摩金　見完顏安國
完顏限喝金　見完顏威赫
完顏跋海妻　金　291-2-63
完顏鄂拉金　見完顏宗憲
完顏鄂倫完顏兀論、完顏鄂掄　金　291-612-116　502-707-82
完顏鄂倫金　見完顏晏
完顏鄂掄金　見完顏鄂倫
完顏鄂摩金　見完顏卞
完顏舒嚕金　290-29-1
完顏舒嚕妻　金　見圖克坦烏爾袞都喀
完顏舒蘇金　見完顏齊
完顏絳山金　見完顏經實
完顏勝額金　見完顏宗峻
完顏祿錦金　見完顏魯爾錦
完顏道濟金　291-173-80　395-194-198
完顏塔坦完顏達勒達　金　383-995-27　407-704-2
完顏塔納金　291-144-76
完顏塔塔金　見完顏宗永
完顏酬斡金　見完顏綽哈
完顏幹本金　見完顏宗幹
完顏幹布金　見完顏宗幹
完顏幹魯金　291-26-65
完顏達喇金　見完顏昌
完顏達蘭金　見完顏昌
完顏達蘭金　見完顏古雲
完顏鼎努金　291-394-98
完顏葉赫金　見完顏伊克
完顏經實完顏絳山、完顏講善　金　291-679-124　400-239-519　474-874-47　477-409-169　502-709-82
完顏綏赫金　290-29-1
完顏綏赫妻　金　291-2-63
完顏愛實完顏阿喜　金　291-44-66　395-147-193　474-556-28　496-370-86
完顏實庫昭寧公主　金　完顏亮嬖妾、完顏宗望女　291-11-63
完顏實珠完顏石住、完顏遜卓　元　295-253-165　399-601-479　478-337-191　554-248-52
完顏實實完顏習失　金　291-74-70　395-141-193　502-340-60
完顏福壽金　291-239-86　395-140-193
完顏福興金　見完顏承暉
完顏滿丕完顏滿闢　金　291-30-65　395-154-194　544-237-63
完顏滿闢金　見完顏滿丕
完顏瑪奇完顏麻吉、完顏瑪琦　金　291-96-72　399-92-424
完顏瑪延金　400-236-519
完顏瑪琦金　見完顏瑪奇
完顏壽孫金　見完顏璹
完顏摑保金　見完顏果布
完顏嘉哩妻　金　見高氏
完顏斡布金　見完顏宗幹
完顏斡啜金　見完顏宗弼
完顏斡魯完顏固紳、鄭王　金　291-77-71　383-991-27　399-85-424　474-867-47　502-335-60
完顏斡賽金　見完顏烏色
完顏遜卓元　見完顏實珠
完顏蒲查金　見完顏芬徹
完顏綽哈完顏酬斡　金(奉國上將軍)　291-658-121　400-206-517　502-689-82
完顏綽哈完顏醜和　金(完顏恕子)　502-708-82　554-364-54
完顏綽哈金　見完顏衷
完顏廣孫金　見完顏永功
完顏廣陽滕王　金　291-205-82　395-195-198
完顏鄯陽金　見完顏珊延
完顏鄭嘉金　見完顏正嘉
完顏豬兒金　見完顏珠爾
完顏閭山金　291-406-100　399-237-437　472-626-25　474-739-40　502-357-61　554-247-52
完顏撒改金　見完顏洪衍
完顏撒改金　見完顏薩哈
完顏德里葛王　金　291-321-93　395-203-198
完顏德壽金　見完顏宗敘
完顏樂善金　見完顏和尚
完顏闍黎金　見完顏棟摩
完顏默音金(完顏罕都子)　291-58-68　399-78-424
完顏默音金(完顏羅索子)　291-90-72　399-96-425
完顏默哷金　見完顏惟鎔
完顏噶順金　291-29-65　395-155-194
完顏錫納金　完顏亮嬖妾、完顏宗弼女　291-11-63
完顏賽不金　見完顏薩布
完顏賽里金　見完顏宗賢
完顏賽哩金　見完顏宗賢
完顏講善金　見完顏經實
完顏濟安金　291-172-80　395-194-198
完顏醜和金　見完顏綽哈
完顏醜漢金　見完顏衷
完顏幫圖金　見完顏守純
完顏額珂金(人稱草火額爾克)　見完顏額爾克
完顏額珂金(人稱板子額爾克)　見完顏額爾克
完顏額琳金　見完顏洪輝
完顏璮都金　見完顏昂
完顏薩布完顏賽不　金　291-570-113　395-143-193　408-953-4　474-874-47　502-704-82
完顏薩哈完顏撒改、完顏薩拉噶　金(諡忠毅)　291-67-70　399-83-424　474-867-47　502-335-60
完顏薩哈金(上京納爾琿河人)　291-294-91　399-182-432
完顏薩哈金　見完顏洪衍
完顏薩哈金　見完顏思敬
完顏懷德金　見完顏得孫
完顏羅索完顏洛索、完顏婁室、完顏羅宿、莘王　金(字斡里延)　291-87-72　383-995-27　474-869-47　399-93-425　502-345-61　554-156-51
完顏羅索金(大羅索)　291-637-119　395-151-193　502-76-82
完顏羅索金(中羅索)　291-637-119　395-151-193
完顏羅索金(小羅索)　291-637-119　395-151-193
完顏羅索金　見完顏永成

完顏羅宿金　見完顏羅索
完顏藥師宋~金　見郭藥師
完顏繩果金　見完顏宗峻
完顏耀珠李耀珠　金　399-260-437
完顏蘇色金　見完顏匡
完顏蘇頁金　見完顏守貞
完顏蘇呼完顏翼、完顏素蘭、完顏蘇蘭　金　291-521-109　399-281-442　474-873-47　502-705-82　1040-262-6
完顏蘇呼妻　金　291-751-130　474-875-47　503-25-93
完顏蘇赫金　見完顏齊
完顏蘇蘭金　見完顏蘇呼
完顏鶴野金　見完顏永成
完顏鶴壽完顏烏達布　金　291-36-65　291-661-121　400-218-517　502-698-82
完顏鶴壽金　見完顏永升
完顏歡都金　見完顏罕都
完顏鐵哥金　見完顏特爾格
完者鐵木兒明　見旺札勒特穆爾
完顏巴克實金　見完顏宗道
完顏巴爾斯金　291-97-72　399-92-424
完顏石土門金　見完顏實圖美
完顏石古乃金　見完顏仲
完顏石圖們金　見完顏實圖美
完顏布古德完顏僕忽得　金　291-658-121　400-206-517　502-698-82
完顏布拉都金　546-139-119
完顏尼雅滿金　見完顏宗翰
完顏尼楚赫完顏銀朮可、蜀王　金　291-92-72　383-993-27　399-89-424　474-869-47　502-339-60
完顏尼楚赫金　見完顏永蹈
完顏尼瑪哈金　見完顏宗翰
完顏安塔哈完顏鄂勒歡　金　291-106-73　395-175-196
完顏托卜嘉金　見完顏宗亨
完顏托克索完顏托克速、完顏突合速　金　291-175-80　395-147-193　502-340-60
完顏托克速金　見完顏托克索
完顏色埒默完顏鼎、完顏色埒、完顏斜烈　金　291-684-123　400-239-519　478-376-192　502-710-82　502-781-87　554-363-54　554-596-59
完顏伊什瑚金　見完顏仲德
完顏伊德納金　見完顏元宜
完顏罕扎巴金　544-237-63
完顏沃里布金　見完顏從憲
完顏沃哩布金　見完顏從憲
完顏希卜蘇完顏習不失、完顏辭不夫、完顏辭不失　金(謚忠毅)　291-70-70　399-82-424　474-866-47　502-334-60
完顏希卜蘇金(卒年五十八)　291-196-82　400-208-517
完顏阿古喇金　見完顏洪靖
完顏阿古達金　見金太祖
完顏阿多古金　見完顏宗寧
完顏阿里干金　見完顏阿里罕
完顏阿里布完顏阿魯補　金(完顏伊克子)　291-59-68　395-159-194　399-79-424　502-339-60
完顏阿里布金(完顏方父)　291-180-80
完顏阿里布金　見完顏光英
完顏阿里布金　見完顏宗敏
完顏阿里罕完顏阿里干、完顏阿离合懣、完顏鄂蘭哈瑪爾　金　291-99-73　395-156-194　474-866-47　502-334-60
完顏阿里罕金　見完顏宗尹
完顏阿固喇金　見完顏洪靖
完顏阿固達金　見金太祖
完顏阿爾占完顏阿爾展、完顏阿魯眞　金　瓜里佳胡山妻、瓜爾佳瑚山妻、夾谷胡山妻、完顏承充女　291-750-130　474-875-47　503-24-93
完顏阿爾展金　見完顏阿爾占
完顏阿魯眞金　見完顏阿爾占
完顏阿魯補金　見完顏阿里布
完顏阿錫克金　545-265-93
完顏阿薩爾金　400-236-519
完顏呼沙呼金　見完顏仲德
完顏呼喇勒金　400-226-518
完顏呼塔噶金　見完顏允恭
完顏呼實哈金　291-42-66　395-145-193
完顏呼實默金　291-39-66　395-139-193
完顏呼爾察金　見完顏宗美
完顏忽斜虎金　見完顏仲德
完顏和里瑪金　見金熙宗
完顏和哩布金　291-31-1
完顏和哩布妻　金　見納喇氏
完顏突合速金　見完顏托克索
完顏胡沙補金　見完顏華沙布
完顏迪古乃金　見完顏忠
完顏重嘉努金　見伊喇重嘉努
完顏神徒門金　見完顏實圖美
完顏珠勒呼金　400-208-517
完顏恩徹亨金　見完顏額楚瑚
完顏恩徹亨金　見烏雅恩徹亨
完顏特爾格完顏鐵哥　金　291-453-103　399-263-439　502-701-82
完顏烏古鼐金　290-30-1
完顏烏古鼐妻　金　見唐古圖卜新
完顏烏奇邁金　見金太宗
完顏烏肯徹金　291-28-65　395-153-194
完顏烏哲庫金　291-82-71　399-88-424
完顏烏雅束妻　金　見唐古氏
完顏烏稚舒金　290-37-1
完顏烏楞古金　291-79-71　399-86-424
完顏烏達布金　見完顏昂
完顏烏達布金　見完顏鶴壽
完顏烏達布金　見金宣宗
完顏烏嘉努金　見完顏宗翰
完顏們圖琿金　291-30-65　395-159-194

完顏粘没喝金　見完顏宗翰
完顏訛出虎金　見完顏額楚瑚
完顏訛出虎金　見烏雅恩徹亨
完顏訛會不金　見完顏洪熙
完顏訛魯朵豳王　金　552- 71- 19
完顏習不失金　見完顏希卜蘇
完顏習尼列金　見完顏守道
完顏陳和尚完顏彝、完顏陳華善、完顏綽華善　金　291-682-123　400-226-518　474-874- 47　502-707- 82　546-137-119　554-705- 61　1040-263- 6　1191-301- 27
完顏陳華善金見完顏陳和尚
完顏富拉塔金　291-449-103　399-261-439
完顏富勒呼金　見完顏宗磐
完顏富勒堅金　見完顏衮
完顏普嘉努完顏昱、完顏蒲家奴　金　291- 29- 65　474-867- 47　502-336- 60
完顏寔魯剌金　見完顏永中
完顏博勒和金　291- 81- 71　399- 88-424
完顏華沙布完顏胡沙補　金　291-658-121　400-260-517　474-868- 47　502-697- 82
完顏鄂勒歡金　見完顏宗堯
完顏鄂勒觀金　見完顏安塔哈
完顏鄂博庫金　291-286- 91　399-171-431
完顏鄂爾多金　見完顏宗堯
完顏舒古特金　見完顏仲
完顏達吉不金　見完顏弼
完顏達希布金　見完顏弼
完顏達勒達金　見完顏塔妲
完顏實古乃金　見完顏實古納
完顏實古迺金　見完顏實古納
完顏實古納完顏實古迺　金(都統)　291- 97- 72
完顏實古納完顏實古乃　金(鎮國上將軍)　291-662-121　402-211-517　502-700- 82
完顏實古納金　見完顏仲
完顏實古訥金　見完顏仲
完顏實古爾金　完顏亮嬖妾、完顏宗雋女　291- 11- 63
完顏實古爾金　見完顏永蹈
完顏實納埒金　見完顏守道
完顏實訥埒金　見完顏守道
完顏實圖美完顏石土門、完顏石圖們、完顏神徒門、完顏錫圖美　金(卓巴納子)　291- 72- 70　395-141-193　474-868- 47　502-336- 60
完顏實圖美金(烏蘇埒克子)　291-296- 91　395-148-193
完顏實圖美金　見完顏充
完顏寧嘉蘇金　見金哀宗
完顏滿都布完顏漫都本　金　291- 30- 65　395-155-194　502-698- 82
完顏漫都本金　見完顏滿都布
完顏頗拉淑金　290- 34- 1
完顏頗拉淑妻　金　見富察氏
完顏斡离不金　見完顏宗望
完顏斡喇布金　見完顏宗望
完顏斡魯補金　見完顏宗望
完顏蒲家奴金　見完顏普嘉努
完顏綽華善金　見完顏陳和尚
完顏僕忽得金　見完顏布古德
完顏銀朮可金　見完顏尼楚赫
完顏摩囉歡金　見完顏玠
完顏摩囉歡金　見完顏宗雄
完顏慶善努金　見完顏承立
完顏鼐喇古金　完顏亮嬖妾、張定安妻　291- 11- 63
完顏撒合輦妻　金　見通吉氏
完顏撒离喝金　見完顏杲
完顏魯爾錦完顏六斤、完顏陸金、完顏祿錦　金　291-676-122　400-222-518　478-418-195　554-158- 51
完顏錫卜察金　見完顏永升
完顏錫里庫金　291- 28- 65　395-153-194
完顏錫里庫金　見完顏宗秀
完顏錫里烈金　見完顏守道
完顏錫固納金　見完顏仲
完顏錫哩布金　291- 27- 65　395-153-194
完顏錫赫特金　291- 27- 65　395-153-194
完顏錫圖美金　見完顏實圖美
完顏穆里延金　見完顏宗傑
完顏穆哩庫金　見完顏宗雄
完顏額哩頁金　291- 40- 66
完顏額哩埒金　見完顏亶
完顏額楚瑚金　見烏雅恩徹亨
完顏額爾克完顏阿格、完顏訛可、完顏額珂　金(人稱草火額爾克)　291-550-111　395-149-193　476-113-102　478-336-191　502-704- 82　545-371- 97　554-158- 51
完顏額爾克完顏阿格、完顏訛可、完顏額珂　金(人稱板子額爾克)　291-550-111　395-149-193　476-113-102　545-371- 97
完顏額爾袞金　見完顏宗雋
完顏薩克蘇金　見完顏匡
完顏薩里干金　見完顏杲
完顏薩里罕金　見完顏杲
完顏薩里哈金　544-237- 63
完顏薩拉噶金　見完顏思敬
完顏薩拉噶金　見完顏薩哈
完顏薩哈連金　291-552-111　395-150-193
完顏薩哈連妻　金　見通吉氏
完顏薩喇勒金　見完顏永中
完顏辭不夫金　見完顏希卜蘇
完顏辭不失金　見完顏希卜蘇
完顏蘇瑪喀金　400-208-517
完顏蘇爾坦完顏從坦　金　291-672-122　400-216-517　475-870- 95　476- 78-100

502-703- 82
545- 58- 84
完顏伊爾必斯完顏阿里不孫 金 291-452-103
399-263-439
474-689- 37
502-266- 54
完顏阿里不孫金 見完顏伊爾必斯
完顏阿离合懣金 見完顏阿里罕
完顏都古爾納金 見完顏忠
完顏都古爾納金 見完顏亮
完顏都古嚕訥金 見完顏亮
完顏都古嚕納金 見完顏忠
完顏鄂特藏布金 見完顏洪熙
完顏舒蘇鄂博宿王 金 291-204- 82
395-195-198
完顏幹里雅布金 見完顏宗望
完顏斡里雅布金 見完顏宗望
完顏額特藏布金 見完顏洪熙
完顏額爾古訥金 291- 61- 68
399- 80-424
完顏蘇呼和卓金 完顏亮嬖妾、蘇色妻、完顏宗本女 291- 11- 63
完顏鄂蘭哈瑪爾金 見完顏阿里罕
牢修漢 933-286- 20
牢梁漢 933-286- 20
牢愼漢 933-286- 20
沈匕唐 524-364-197
沈千宋 494-384- 11
沈方沈士端 明 456-573- 8
479- 99-221
523-365-163
沈五明 見孫五
沈元明 523-455-168
沈木宋 472-984- 39
479-821-256
515-268- 65
523-434-167
沈木明 1442- 98- 6
1460-593- 69
沈友吳 254-707- 2
370-232- 1
383- 91-71下
485-150- 20
493-858- 47
494-354- 8
511-722-165
820- 44- 22
沈仁沈友仁 明 532-645- 43
沈仁妻 明 見李淑秀
沈升母 明 見葛氏
沈升明 472-969- 38
523-261-158
1242-841- 10
沈介宋(字德和) 473- 60- 51
493-711- 39
494-404- 12
494-472- 18
510-328-113
515-196- 63
523-444-168
523-169-154
1147-546- 51
沈介宋 沈彥聲孫 494-472- 18
沈氏宋 朱延之妻、沈立女 1098-734- 45
沈氏宋 宋眞宗貴妃、沈繼宗女 284-863-242
393-305- 75
沈氏宋 洪皓妻、沈復女 1158-765- 77
沈氏宋 章甫妻 530-136- 58
沈氏宋 衞時敏妻 1169-722- 18
沈氏宋 姚怡母 1171-799- 30
沈氏明 方瑄妻 472-986- 39
沈氏明 方可璉妻 480-466-279
沈氏明 王瑞圖妻 524-587-207
沈氏明 毛偉妻 524-456-202
沈氏明 汪應祥妻 479-611-244
沈氏明 李鎭妻 472-298- 12
沈氏明 吳祥九妻 524-604-207
1289-388- 27
沈氏明 何永明妻 472-298- 12
475-382- 68
沈氏明 何宗祚妻 524-480-203
沈氏明 邵仲仁妻 1245- 92- 3
沈氏明 周興岐妻 480-300-271
沈氏明 胡源會妻、沈伯勗女 1259-201- 15
沈氏明 皇甫汸妻、沈炤女 1275-887- 57
沈氏明 馬輿之妻 472-986- 39
沈氏明 郝昂妻 472-769- 31
477-547-176
沈氏明 時恩妻、沈宗和女 1283-640-117
沈氏明 徐潮妻 1256-460- 31
沈氏明 倪朱謨妻 524-456-202
沈氏明 章伯高妻 473-130- 55
沈氏明 張昪妻、沈鏞女 1268-480- 74
沈氏明 張德新妻、沈鯉女 1288-334- 9
沈氏明 陳琢妻 1271-653- 56
沈氏明 莫潤妻 472-1074- 45
524-668-210
沈氏明 馮甫妻、沈肇隆女 480-254-269
沈氏明 湯滾妻 1410-442-722
沈氏明 楊鳳妻 1277-395- 5
沈氏明 楊文琦妻 302-255-303
479-190-225
沈氏明 楊伯海妻、沈宜謙女 821-490- 58
沈氏明 楊所修妻 477-548-176
沈氏明 萬之益妻 480-208-267
533-605- 69
沈氏明 葉良材妻 1289-295- 19
沈氏明 潘乾妻、沈肆女 1289-315- 21
沈氏明 劉炯妻 1249-548- 13
沈氏明 劉禔妻、沈惟炳女 533-542- 67
沈氏明 蕭瑞蛟妻 480-178-266
沈氏明 戴彥信妻 524-695-211
沈氏明 譚弘妻 524-559-205
沈氏明 顧隨妻 493-1084- 57
沈氏明 沈信女 512- 25-177
沈氏明 凌義渠祖母 1297-462- 6
沈氏明 鍾景辰母 1247-408- 16
沈氏清 見蔡氏
沈氏清 王法妻 479-149-223
沈氏清 王斗維妻 476-678-136
沈氏清 王輔乾妻 506- 63- 87
沈氏清 王與玫妻 541- 9- 29
沈氏清 孔衍岳妻 1327-301- 13
沈氏清 申可賢妻 479-335-232
沈氏清 朱遵聖妻 524-500-203
沈氏清 李貴妻 477- 95-153
沈氏清 李正皓妻 475-650- 83
沈氏清 李占春妻 506-157- 90
沈氏清 吳歧伯妻 530-117- 57
沈氏清 吳敉功妻 475-156- 57
沈氏清 吳維翰妻 524-459-202
沈氏清 金若楝妻 475-152- 57
沈氏清 胡世鍾妻 480- 98-262
533-651- 70
沈氏清 胡宗稠妻 524-460-202
沈氏清 胡雲會妻 524-626-208
沈氏清 胡樹勛妻 474-193- 9
沈氏清 姚濂妻 524-563-205
沈氏清 袁之機妻 474-193- 9
沈氏清 徐恒山妻 512-216-182
沈氏清 許良惇妻 530-121- 57
沈氏清 許郁姊妻 41-620-329
沈氏清 許國琳妻 475-333- 65
沈氏清 陳啟瀛妻 475-145- 57
512- 26-177
沈氏清 陳繼緒妻 512-218-182
沈氏清 莊之琳妻、沈士茂女 1319-193- 15
沈氏清 畢天培妻 475-650- 83
沈氏清 童勁妻 530-175- 59
沈氏清 黃天一妻 475-456- 71
沈氏清 聞人瑜妻 524-466-202
沈氏清 潘周嘉妻 479- 62-219
沈氏清 劉玉科妻 503- 66- 95
沈氏清 劉國正妻 570-177- 22
沈氏清 劉國祥妻 506- 68- 87
沈氏清 劉毓璲妻 479-384-234
沈氏清 嚴士直妻 524-621-208
沈氏清 顧溱妻 512-219-182

沈氏清 顧佩錕妻 524-469-202
沈氏清 沈人驥女 524-500-203
沈氏清 沈瑞春女 524-460-202
沈氏清 沈望樓女 512-137-180
沈玄明 見沈以濬
沈立宋 286-421-333
397-524-352
472-395-17
475-17-49
475-811-91
478-760-215
484-95-3
486-49-2
488-392-13
494-270-2
494-436-13
511-371-150
523-11-146
559-306-7上
1099-749-12
沈立女 宋 見沈氏
沈立明 676-209-8
沈立明 見沈位
沈立明 見沈以濬
沈正劉宋 258-685-100
494-356-8
沈正宋 288-405-456
400-295-524
475-373-68
511-572-159
沈右元 493-1139-60
512-724-195
820-543-39
1273-152-21
1471-178-24
沈本明(秀水人) 524-184-187
沈本明(字彥正) 1243-374-22
沈平宋(字東皋) 494-409-12
沈平宋(字遵道) 1090-681-40
沈平妻 宋 見胡氏
沈平元 1221-455-8
沈充晉 256-605-98
377-914-130
485-65-10
933-625-41
沈仔母 明 見孫氏
沈仔明 456-572-8
沈仕明 524-8-178
820-675-42
821-414-56
1442-69-4
1460-328-55
沈安宋 451-236-0
沈安明 524-193-188
沈戊漢 258-683-100
265-807-57
494-262-1
494-352-8
沈在明 成以昭妻
1246-616-11
沈光隋 264-931-64
267-521-78
379-870-164
384-157-8
472-1001-40
479-140-223
494-370-9
523-367-163
554-692-61
沈光唐 451-461-6
494-377-10
494-471-18
沈兆明 511-590-159
沈向明 511-84-139
沈仲北周 見沈重
沈仲元 683-63-3
683-80-5
沈宏明 1475-304-13
沈宏妻 明 見平氏
沈灼明 511-232-145
沈沖齊 259-361-34
265-521-34
378-272-138
479-137-223
494-363-9
494-470-18
523-278-159
933-625-41
沈完明 821-452-57
沈亨明 460-662-67
677-628-56
沈汾妻 唐 見南康公主
沈均明 1237-502-5
1237-503-5
沈杜明 1283-96-74
沈圻明 524-246-190
1475-278-11
沈杞宋 473-725-82
563-691-39
沈束明 300-447-209
479-242-227
523-387-164
676-578-24
677-611-55
1458-598-462
沈扶妻 宋 見翟氏
沈迅明 301-511-267
456-460-4
476-701-137
505-660-68
沈孜明 1255-616-64
沈位沈立 明 511-745-165
678-212-90
1442-74-5
1460-356-56
沈角明 524-121-184
沈豸明 1293-303-17
沈佖明 456-665-11
沈攸宋 511-461-154
沈泓明 511-547-158
1475-510-22
沈忞宋 485-536-1
沈宜清 533-304-57
沈治清 491-303-6
沈性元 820-542-39
沈性明 475-605-81
510-436-116
523-465-169
820-623-41
沈初宋 472-259-10
492-698-3上
492-712-3下
511-767-166
沈定明 473-477-69
沈炎宋 287-736-420
398-671-411
472-984-39
491-111-13
沈武明 1283-162-79
沈杰明 472-678-27
479-353-233
511-102-140
523-201-155
580-337-19
1256-365-23
沈杰妻 清 見張氏
沈青明 511-367-150
沈坦妻 清 見張氏
沈直漢 258-684-100
494-353-8
494-470-18
沈坤明 511-194-143
526-657-280
沈邵劉宋 258-694-100
494-356-8
沈林明 511-101-140
559-288-7上
571-518-19
1255-336-38
1256-456-31
1273-189-26
1386-322-41
沈來妻 明 見李氏
沈承明 511-792-166
沈承妻 明 見薄氏
沈忠宋 288-332-450
400-188-514
沈忠明(歸德人) 472-684-27
477-131-155
538-86-64
沈忠明(知潯州) 473-784-85
567-85-66
1467-58-64
沈忠明(徐州人) 523-227-156
沈昌宋 1150-890-50
沈明妻 唐 見長林公主
沈明明 511-553-158
沈明妻 清 見張氏
沈固明 299-706-171
472-278-11
472-546-23
511-179-143
540-662-27
676-476-18
沈芾明 見沈南金
沈昪宋 485-535-1
沈昂明 1267-310-35
沈昕宋 479-141-223
沈芳明 493-1050-55
沈易元～明 676-749-31
680-32-227
1218-779-5

1238-183- 16
1347-721- 93
1458-630-466
沈果明 1289-296- 19
沈昊明 524-109-183
沈旼南宋 451- 70- 2
沈的沈蘭先 清 523-580-175
沈和明 523-427-167
沈周宋 473-583- 75
510-370-114
528-481- 30
1105-824- 98
沈周妻 宋 見許氏
沈周明 676-502- 19
820-656- 42
821-400- 56
1256-440- 29
1273-183- 25
1284-142-147
1386-295- 40
1386-677- 56
1410-384-715
1442- 36- 2
1458-202-432
1458-273-435
1459-754- 30
302-167-298
475-136- 56
511-834-168
585-531- 17
沈周清 456-380- 79
沈佳清 524- 17-178
沈佺妻 宋 張玉娘
沈侃元 1200-772- 59
1201-168- 80
沈延晉 494-355- 8
沈洪明(字巨源) 820-594- 40
沈洪明(字雄仲) 820-600- 40
沈洪明(字世範) 1261-850- 41
沈洪清 483-184-385
505-848- 76
569-680- 19
沈炳宋 487-143- 9
沈宣劉宋 485-489- 9
沈宣宋 288-414-456
400-303-524
472-802- 31
477-502-174
538-112- 64
沈宣明 524- 8-178
585-656- 21
821-447- 57
沈恆晉 523-584-175
沈恆明 見沈恆吉
沈恪陳 260-628- 12
265-945- 67
378-513-144
472-1001- 40
479-139-223
481-799-338
486- 40- 2
489-675- 49
492-579-13下之上
494-264- 1
494-323- 6
494-368- 9
523-526-172
563-622- 38
567- 31- 63
933-626- 41
沈恪明 820-620- 41
沈炤明 511-232-145
1275-897- 58
沈炤女 明 見沈氏
沈炯陳 260-661- 19
265-967- 69
378-550-145
472-1001- 40
479-139-223
493-737- 41
494-264- 1
494-366- 9
524- 30-179
933-626- 41
1387-170- 10
1395-600- 3
沈亮漢 494-470- 18
沈亮劉宋 258-688-100
494-356- 8
沈洙陳 260-766- 33
265-1005- 71
380-294-173
472-1001- 40
479-139-223
523-585-175
933-627- 41
沈度宋(字公雅) 493-713- 39
494-400- 12
510-328-113
515-214- 63
沈度宋(字子正) 1123-669- 7
沈度明 301-828-286
452-242- 6
472-242- 9
475-179- 59
511-760-166
676-484- 18
684-497- 下
820-588- 40
1238-183- 16
1240-355- 22
1318-356- 63
1374-721- 93
1458-176-430
1458-630-466
沈咸明 821-462- 57
沈垣明(字子完) 523-437-167
沈垣明(字子定) 567-121- 67
沈括宋 286-395-331
382-552- 86
384-374- 19
397-503-350
427-287- 11
451-128- 1
471-585- 1
471-604- 3
471-611- 4
471-694- 15
471-818- 33
472-275- 11
472-307- 13
472-922- 36
472-1002- 40
473-268- 61
474- 92- 3
475-471- 72
478-167-182
479- 49-218
493-910- 49
494-265- 1
511-900-172
523-257-158
554-146- 51
585-443- 12
674-233-3下
674-824- 17
677-229- 21
820-369- 33
933-628- 41
1363-197-126
1437- 14- 1
沈厚妻 明 見洪淑蘭
沈奎明(字文明) 524-247-190
沈奎明(字士榮) 821-394- 56
沈奎明(字文叔) 1442- 62- 4
1460-201- 49
沈盈唐 275-597-192
554-696- 61
沈琉明 511-112-140
1442- 85- 5
1460-479- 63
沈琉女 明 見沈宜修
沈勃劉宋 258-245- 63
265-544- 36
494-358- 8
沈勁晉 256-454- 89
380- 41-166
472-1000- 40
477-304-163
479-136-223
523-366-163
588-476- 5
933-625- 41
沈政明(字以正) 567-449- 86
821-398- 56
1467-156- 67
沈政明(字行之) 570-159-21之2
821-388- 56
沈迓明 301-512-267
456-460- 4
沈建漢或晉或唐 472-278- 11
475-284- 63
511-924-174
742- 26- 1
1059-263- 2
1061-257-109
沈思宋 494-437- 13
1109-376- 19
1110-234- 9
沈思妻 明 見桂氏
沈貞元 524-282-192
676-450- 17

1439-454- 2
1459-390- 12
沈貞明 511-867-170
沈昭明(字秋蓴) 821-441- 57
沈昭明(字明德) 1475-398- 17
沈耑元 1221-478- 11
沈是明 1475-691- 29
沈約梁 258-699-100
260-141- 13
265-807- 57
378-337-140
384-118- 6
470- 45- 94
471-611- 4
471-632- 4
471-816- 7
472-171- 6
472-1001- 40
472-1026- 42
479-138-223
479-317-232
480-177-266
488-231- 10
488-232- 10
488-233- 10
494-263- 1
494-364- 9
524- 30-179
588-472- 5
813-291-17
814-254- 7
820- 96- 24
933-626- 41
1054-363- 9
1370-162- 8
1387-114- 7
1394-344- 2
1395-595- 3
1401-275- 25
沈約明 585-464- 13
沈重沈仲 北周 263-796- 45
267-581- 82
380-322-174
472-1001- 40
479-139-223
494-369- 9
523-585-175
933-627- 41
沈信女 明 見沈氏
沈信清 1475-593- 25
沈科明 524-246-190
576-654- 5
676-138- 5
沈复沈夏 宋 472-1003- 40
494-395- 11
523-280-159
沈秋妻 明 見楊氏
沈俊明 472-329- 14
沈容沈容姬 劉宋 宋文帝婕妤
258- 15- 41
265-192- 11
沈高後魏 494-359- 8
沈祏明 1475-269- 11
沈祚妻 明 見章氏
沈益唐 820-279- 30
沈益明 554-347- 54
沈悅唐 494-372- 10
沈悌明 1248-356- 18
沈浚梁 260-361- 43
265-546- 36
380- 54-166
472-1001-40
479-138-223
485- 84- 12
486- 63- 3
489-599- 47
493-737- 41
494-366- 9
523-366-163
933-626- 41
沈兼宋 493-700- 39
494-338- 7
510-326-113
1105-770- 92
沈烈元 1218-654- 3
沈珪宋 485-515- 10
524-350-196
843-668- 中
沈珣明 676-629- 26
1442- 88- 6
1460-502- 64
沈肆明 676-134- 5
676-499- 19
680-309-256
1442- 27-附2
1459-647- 25
1475-207- 9
沈珩吳 254-712- 2
384-608- 35
385-688- 67
485-172- 23
493-861- 47
494-262- 1
494-354- 8
511-722-165
沈珩清 524- 15-178
1475-965- 41
沈起宋 286-437-334
382-551- 86
384-373- 19
397-540-353
472-290- 12
472-1085- 46
475-365- 67
475-491- 74
479-176-225
484- 96- 3
488-392- 13
491-390- 4
491-433- 6
494-265- 1
510-409-115
523-532-172
540-613- 27
585-760- 4
1117-352- 18
沈起明 524- 26-179
沈起清 見銘起
沈珠明 511-691-163
沈振宋 485-533- 1
494-265- 1
沈夏宋 見沈复
沈時清 475-754- 88
482-116-343
511-354-149
563-878- 42
沈荃清 475-185- 59
476-919-148
511-134-141
537-227- 54
1475-958- 41
沈峻梁(字叔山) 254-1003- 6
485-172- 23
493-861- 47
沈峻梁(字士嵩) 260-401- 48
265-1002- 71
380-292-173
479-138-223
493-1011- 54
494-365- 9
523-584-175
933-626- 41
沈甡明 1475-659- 28
沈倜明 456-665- 11
沈倬明 1442- 71- 4
1460-345- 55
沈倫沈義倫 宋 285-263-264
371- 38- 4
382-213- 31
384-324- 17
384-331- 17
396-568-305
472-658- 27
473-425- 67
477-452-171
537-385- 57
559-247- 6
591-679- 47
933-628- 41
沈倫清 480-176-266
482-451-362
533-379- 60
567-149- 69
沈能女 明 見沈阿治
沈脩宋 494-400- 12
沈秩明 473-165- 57
515-106- 60
沈乘明 1475-703- 29
沈淳明 524-245-190
676-491- 19
1442- 26- 2
1459-624- 24
1475-195- 8
沈清唐 472-1026- 42
494-375- 10
523-367-163
沈清明 540-650- 27
沈淮明 1442- 60- 4
1460-187- 48
沈涵清 479-147-223
481-495-324
524-251-190

528-470- 29
1325-705- 5
1327-847- 19
沈淵沈深 齊 259-362- 34
265-521- 34
378-272-138
479-137-223
494-363- 9
523-278-159
933-625- 41
沈淵明 1442- 63- 4
1460-212- 49
沈章沈璋 明 1442-114- 7
1460-671- 74
1475-542- 23
沈章清 見沈模
沈祥元 529-671- 49
沈訥明 493-989- 52
528-527- 31
820-617- 41
1246-630- 13
沈淡南朝 259-361- 34
265-521- 34
378-272-138
479-137-223
494-363- 9
523-278-159
933-625- 41
沈淑宋 494-419- 13
沈深齊 見沈淵
沈梁妻 明 見龔氏
沈旋梁 260-148- 13
265-815- 57
378-334-140
494-366- 9
680-132-237
933-626- 41
沈康明 524-120-184
沈袠妻 明 見胡氏
沈理明 1283-104- 75
沈珵明 475-451- 71
511-589-159
沈珵清 丁彥妻 1475-840- 35
沈彬南唐 407-673- 4
451-479- 7
471-735- 20
472-275- 11
473-166- 57
515-462- 71
沈彬明 676-492- 19
1247-542- 24
1392-134-382
沈教明 475-526- 77
523-293-159
676-546- 22
沈連宋 1173-235- 80
沈連明 559-408-9上
沈陵晉 258-684-100
494-273- 2
494-355- 8
沈陵後魏 261-839- 61
494-360- 8
沈崧五代 473-570- 74
529-716- 51
沈晦宋 287-181-378
398-225-379
471-915- 47
472-967- 38
472-982- 39
473-749- 83
482-347-356
488-423-14
491-117- 13
523-510-171
567- 67- 65
1363-274-141
1437- 22- 2
1467- 42- 63
沈堂妻 明 見賀順貞
沈野明 529-753- 52
1442- 99- 6
1460-603- 70
沈昺明 483-383-402
572-160- 32
沈眾陳 260-656- 18
265-815- 57
370-572- 19
378-539-145
494-366- 9
524- 30-179
933-626- 41
沈曼吳 見沈憲
沈偕宋 491-433- 6
494-399- 12
沈啓明 見沈啟
沈啟沈啓 明 511-734-165
523-161-153
1280-345- 81
1284-173-150
1442- 57- 3
1460-161- 47
沈造宋 523-498-170
沈斌沈贇 後晉 278-170- 95
279-209- 33
384-307- 16
400-119-510
472- 50- 2
472-311- 13
474-234- 12
475-429- 70
511-465-154
沈渣清 560-114- 19
沈詔明 515-248- 64
沈普唐 516- 7- 87
沈湛清 1475-619- 26
沈敦宋 288-286-447
400-150-512
477-243-161
沈敦妻 清 見丁氏
沈渙宋 見沈煥
沈琮明(字廷器) 511- 74-139
沈琮明(字公禮) 479- 95-221
524-109-183
676-492- 19
1475-204- 9
沈貢明 524-120-184
沈越明 511- 80-139
515- 56- 58
676-111- 4
沈巽明 494-524- 25
821-371- 55
沈賀晉 494-355- 8
沈琯宋 472-1003- 40
523-444-168
沈植明 594-214- 7
沈超妻 明 見葛氏
沈琦明 554-294- 53
1442- 85- 5
1460-479- 63
沈瑜漢 258-684-100
265-808- 57
453-759- 4
494-353- 8
524-249-190
沈弼清 483-383-402
563-880- 42
572-106- 30
沈琳妻 明 見孫氏
沈馭清 見沈進
沈森明 1231-405- 9
沈貴明 472-801- 31
477-499-174
523-435-167
537-334- 56
沈景漢 258-684-100
265-808- 57
402-447- 9
474-303- 16
494-352- 8
494-353- 8
505-663- 69
567- 22- 63
沈景明 473- 98- 53
沈晭明 1475-659- 28
沈華明 1246-602- 10
沈華清 475-143- 57
沈棻清 523-441-167
1475-598- 26
沈暕明 523-500-170
沈嵕明 1475-690- 29
沈程妻 明 見薄氏
沈欽陳 260-590- 7
494-368- 9
沈進沈馭 清 524- 28-179
1318-459- 72
1318-480- 74
1475-637- 28
沈復女 宋 見沈氏
沈復元 821-321- 54
沈逸明 見沈太洽
沈棨明 473-126- 55
473-616- 77
515-133- 61
528-511- 31
676-505- 19
1442- 30-附2
1459-686- 26
1475-231- 10
沈鈇明 529-739- 51
沈溱明 1475-283- 11
沈溥明 523- 34-179
676-295- 11

676-515- 20
沈該宋(知光澤縣) 471-651- 10
沈該宋(字約文) 472-1003- 40
484-105- 3
494-265- 1
494-390- 11
510-502-118
沈源明(字澄之) 473-656- 78
481-616-329
529-567- 46
536-498- 42
沈源明(字文淵) 528-449- 29
沈源明(錢塘人) 563-770- 40
沈試明 456-572- 8
477-132-155
538- 47- 63
沈義明 472-790- 31
537-327- 56
沈詢母 唐 494-419- 13
沈詢唐 270-798-149
274-660-132
359-610-235
485-168- 22
486- 45- 2
493-867- 47
494-377- 10
494-471- 18
545-209- 91
1394-316- 1
沈湑明 299-314-138
沈漼明 300-598-218
676-620- 25
沈愷明 523-134-152
676-299- 11
676-563- 23
820-694- 43
1442- 54- 3
1460-125- 46
沈煜明 821-484- 58
沈煌清 1457-605- 26
沈雍元 511-543-158
沈裕元 524-373-797
1221-464- 9
沈裕明 676-725- 30
沈滉明 1475-665- 28
沈詵宋 494-403- 12
494-473- 18
515-130- 61
沈禓宋 492-712-3下
沈洙陳 494-367- 9
沈煉明 1475-271- 11
沈煥劉宋 258-686-100
494-356- 8
沈煥沈渙 宋 287-586-410
398-550-402
472-336- 14
472-1087- 46
479-178-225
487-142- 9
491-387- 4
491-437- 6
523-589-175
1147-816- 78
1157-198- 14
沈運明 559-353- 8
沈道明 554-526-57下
沈瑊唐 820-264- 29
沈瑀梁 260-452- 53
265-988- 70
380-185-170
384-121- 6
472-1001- 40
472-1013- 41
472-1066- 45
479-138-223
479-376-234
479-603-244
486- 67- 3
494-364- 9
523-443-168
933-626- 41
沈楹妻 清 見林氏
沈瑋明 478-338-191
554-342- 54
沈瑞元 511-869-170
821-326- 54
1221-691- 28
沈瑞妻 清 見鄭氏
沈瑜漢 258-684-100
265-808- 57
453-759- 4
472-999- 40
479-135-223
494-353- 8
524-249-190
沈楠明(崑山人) 511-527-157
沈楠明(字汝林) 523-266-158
554-181- 51
沈楫明 1442-116- 7
沈肆女 明 見沈氏
沈槩明 523-582-175
1272-179- 5
1272-264- 13
1475-282- 11
沈遐北周 820-123- 25
沈愚明 493-1033- 54
511-738-165
820-612- 41
1442- 28-附2
1459-659- 25
沈煦妻 明 見唐氏
沈當宋 494-471- 18
沈睦劉宋 494-358- 18
沈圓明 温爲璇妻、沈叔寧女
1246-447- 10
沈嵩後魏 261-839- 61
814-261- 8
820-118- 25
沈鼎明(沈賁弟) 524-120-184
沈鼎明(沈昭兄) 821-441- 57
沈暉明 517-601-130
532-591- 41
676-504- 19
820-652- 42
1256-448- 30
1442- 29-附2
1459-667- 26
沈畸宋 286-614-348
397-675-361
472-1003- 40
479-141-223
479-556-242
494-387- 11
523-278-159
沈敬宋 524-386-198
沈敬明 523-357-163
沈粲齊 812-332- 7
821- 23- 45
沈粲明 301-828-286
475-179- 59
820-589- 40
1318-356- 63
1374-721- 93
沈遇明 493-1059- 56
511-865-170
821-364- 55
1255-458- 50
1385- 49- 2
1386-269- 39
沈虞妻 明 見程氏
沈鉉妻 明 見酆氏
沈筠清 524- 15-178
沈經明 1231-409- 9
沈經妻 明 見徐氏
沈鉍明 1268-464- 72
沈賓明 1295-129- 10
沈演明(字叔敷) 300-600-218
676-620- 25
沈演明(榆林人) 456-667- 11
沈誠沈良誠 明(商邱人)
456-665- 11
沈誠明(字希明) 493-1048- 55
1259-856- 8
1260-594- 16
1458-636-466
沈誠明(字文實) 821-379- 55
1251-323- 23
沈誠明(字敬言) 1246-602- 10
沈禎明 523-428-167
沈塾明 524-193-188
沈福明 554-165- 51
564-216- 46
沈禋宋 492-712-3下
沈滸漢 494-352- 8
沈說宋 1364-264-284
1437- 28- 2
沈寧唐 812-353- 10
821- 77- 47
沈竭宋 524-192-188
沈漢明 300-386-206
475-136- 56
511-106-140
沈榮明(字榮甫) 1231-406- 9
沈榮明(字懋仁) 1475-273- 11
沈熙明 820-742- 44
1271-601- 51
沈輔漢 402-468- 10
沈輔明 511-589-159
1268-499- 78
沈碩明 821-451- 57
沈奪清 456-368- 78
沈嘉晉 488-137- 7

493-1053- 56
494-274- 2
814-242- 6
820- 74- 23
沈槎清 1475-588- 25
沈構宋 見沈遘
沈瑶明 511-192-143
545-443- 99
沈遘後周 278-438-131
沈遘宋 286-394-331
382-492- 76
384-358- 18
397-502-350
450-320-中14
451- 13- 0
472-644- 26
472-967- 38
477- 52-151
479- 49-218
484- 94- 3
486- 48- 2
494-265- 1
510-310-113
523-425-167
526-620-279
537-240- 55
585-443- 12
674-823- 17
1105-775- 93
1356-164- 8
1384-141- 92
1437- 14- 1
1461-789- 39
沈睿明 676-299- 11
沈蒙元 1218-665- 3
沈鳳妻 明 見仇氏
沈熊明 480- 88-262
571-544- 20
沈僩宋 1178-731- 3
沈綰清 524-189-187
沈綸明 524-242-190
563-814- 41
沈銖宋(字子平) 286-690-354
472-295- 12
494-381- 11
511-204-144
678-368-104
沈銖宋(定海人) 487-143- 9
1147-816- 78
1157-198- 14
沈諗明 456-678- 11
沈瑩晉 488- 88- 7
沈潮明 820-589- 40
1238-217- 18
沈潤明 820-595- 40
沈澄明 493-1051- 55
511-734-165
1385- 49- 2
1442- 24-附2
沈調宋 494-389- 11
沈部唐 820-260- 29
沈慶明 523-511-171
676-488- 19
沈褒元 517-516-128
沈標齊 812-331- 7
821- 22- 45
沈標明 676-143- 6
沈播宋 494-381- 11
494-471- 18
1105-752- 90
1378-614- 63
1384-183- 96
1410-201-687
沈播妻 宋 見元氏
沈璋金 291-129- 75
399-109-426
472-149- 5
474-516- 25
476-150-104
505-779- 73
545-215- 91
沈璋明 524-175-187
沈璋明 見沈章
沈樟明 1475-234- 10
沈樗宋 492-707-3上
沈樞唐 494-471- 18
沈樞宋 472-1003- 40
481-492-324
494-395- 11
523-280-159
820-433- 35
沈翬妻 唐 見西河公主
沈震唐 494-375- 10
沈模沈章 清 1328-361- 10
沈嶠唐 494-375- 10
524-119-184
沈輝明 1475-276- 11
沈儀漢 258-684-100
265-808- 57
453-759- 4
479-135-223
494-353- 8
524-249-190
沈儀明 523-428-167
沈德明 472-229- 8
沈緘妻 宋 見魏氏
沈魯明 493-1033- 54
511-738-165
沈銳宋 1117-193- 16
沈銳明(字文進) 515- 42- 58
523-262-158
沈銳明(漳清軍同知)
528-497- 30
沈徵唐 524-281-192
沈憲沈曼 吳 258-684-100
265-808- 57
485-487- 9
494-262- 1
494-353- 8
沈憲齊 259-522- 53
265-545- 36
378-272-138
472-1000- 40
472-1066- 45
479-137-223
479-222-227
486- 63- 3
494-362- 9
494-470- 18
523-443-168
933-626- 41
沈羲晉或齊 485-282- 40
494-436- 13
493-1099- 58
524-401-199
592-175- 71
1059-266- 3
1061-258-109
沈憑宋 1117-193- 16
沈諲明 511-640-161
沈澤女 明 見沈淑貞
沈璜元 820-510- 37
沈璜明 1442-100- 6
沈璜清 479-100-221
524-189-187
沈璟明 511-110-140
1442- 77- 5
1460-380- 67
沈樾明 1442- 30-附2
1475-233- 10
1459-689- 27
沈樾清 524-114-183
沈機明 1475-657- 28
沈璠清 511-871-170
沈橋明 559-289-7上
沈璧明 1289-280- 18
沈璘宋 515- 17- 57
沈璞劉宋 258-695-100
265-812- 57
378- 25-131
471-915- 47
472-194- 7
494-323- 6
494-356- 8
510-308-113
510-500-118
523-524-172
沈遼宋 286-394-331
397-503-350
475-646- 83
493-742- 41
511-911-173
524- 4-178
585-443- 12
674-824- 17
820-369- 33
1437- 14- 1
1461-777- 38
沈曄父 宋 1351-614-142
1356-198- 9
沈暹明 529-675- 49
沈學明 545-299- 94
沈綼宋 493-718- 40
沈衡宋 1092-587- 55
沈錫宋 286-690-354
472-295- 12
475- 69- 52
475-375- 68
488-403- 13
494-381- 11
510-311-113
511-204-144

820-399- 34
沈應明 493-1050- 55
沈濬宋 485-502- 9
沈濬明 456-667- 11
沈濬妻 明見吳氏
沈謐明 523-582-175
1442- 54- 3
1460-126- 46
1475-296- 12
沈謐妻 明 見潘氏
沈濼沈潑 明 472-684- 27
477-131-155
538- 86- 64
沈潑明 見沈濼
沈燮明 524-109-183
沈襄明 821-448- 57
沈謙明 1442- 95- 6
沈謙清 524- 13-178
沈燫明 1475-279- 11
沈燾妻 明 見蔣淑芳
沈翼明 472-312- 13
511-191-143
沈壓明 1255-741- 74
沈豳明 821-401- 56
沈趯南朝 265-815- 57
378-334-140
494-366- 9
沈環明 1255-692- 71
沈曙明 見沈繼震
沈邁陳 260-689- 23
265-966- 68
494-367- 9
沈鎡明 1261-700- 30
1268-402- 63
沈鎡妻 明 見謝貞
沈績梁 1401-161- 20
沈鍾沈鐘 明 511-666-163
511-738-165
676-504- 19
820-626- 41
1442- 29-附2
沈鐘明 見沈鍾
沈矯吳 258-684-100
265-808- 57
485-487- 9
494-262- 1
494-353- 8
沈鍊明 300-448-209
474-520- 25
475-274- 63
476-611-133
479-242-227
505-692- 70
505-932- 84
510-377-114
523-386-164
540-642- 27
676-573- 23
1278-165- 12
1280-416- 86
1408-577-540
1410-427-720
1442- 57- 3
1457-641-401
1458-600-462
1460-158- 47
沈顏唐 494-377- 10
494-471- 18
674-270-4中
沈禮明 821-487- 58
沈璵明 511-847-168
676-467- 17
沈騏明 1475-652- 28
沈燾明 1261-686- 29
沈璧明 524-110-183
沈豐漢 見沈酆
沈簣妻 明 見房氏
沈鎰明 473-569- 74
沈盤明 523-437-167
528-478- 30
528-515- 31
1475-306- 13
沈鯉明 300-578-217
458-121- 5
477-131-155
537-431- 58
1292-630- 10
沈鯉女 明 見沈氏
沈曎宋 494-472- 18
沈邈宋 286- 14-302
397-226-332
473- 62- 51
479-558-242
515-854- 85
沈譓明 475-708- 86
511-336-149
沈韻明 533-330- 58
沈麐清 524- 29-179
沈麒明 472-313- 13
475-472- 72
511-594-159
沈瀛母 宋 見趙氏
沈贇後晉 見沈斌
沈瀚明(歸德人) 472-684- 27
477-131-155
528-528- 31
537-430- 58
538- 86- 64
820-638- 41
沈寵明 457-409- 25
474-373- 19
475-609- 81
511-303-148
1458-392-444
沈顗齊 259-537- 54
260-441- 51
265-545- 36
380-454-178
384-113- 6
479-138-223
494-364- 9
524-118-184
524-281-192
933-626- 41
沈鏞女 明 見沈氏
沈繹明 558-473- 40
沈馥後魏 820-119- 25
沈曦明 1259-228- 17
沈警晉 258-684-100
265-808- 57
494-323- 6
494-355- 8
524-280-192
沈藻宋 1127-345- 20
沈藻明(字元明) 524-111-183
沈藻明(字凝清) 820-589- 40
沈嚴宋 494-471- 18
524-250-190
1089-694- 12
沈瀛宋 524- 33-179
沈爚明 524- 22-179
1442- 65- 4
1460-282- 53
1475-289- 12
沈露妻 明 見蔡氏
沈顥清 511-868-170
821-479- 58
沈酆沈豐 漢 258-684-100
265-807- 57
370-208- 21
402-469- 10
453-738- 2
485-150- 20
494-352- 8
494-353- 8
沈蘭清 482- 34-340
563-872- 42
沈霽明 458-1040- 2
沈鱄清 523-441-167
528-534- 31
沈麟唐 見沈廷瑞
沈麟元 524-346-196
585-523- 17
821-296- 53
沈麟明 1475-704- 29
沈麟妻 明 見徐氏
沈瓚明 511-110-140
1442- 81- 5
1460-430- 60
沈鱗唐 見沈廷瑞
沈觀明 821-370- 55
沈鸞漢 258-684-100
265-808- 57
494-352- 8
494-470- 18
沈鸞明 524-186-187
沈一中明 676- 39- 2
679- 70-145
1474-340- 17
沈一旭妻 明 見鄭氏
沈一貫明 300-591-218
676-604- 25
677-639- 57
1442- 73- 5
1474-347- 18
沈一鳴明 821-434- 57
沈一澄清 569-620-18下之2
沈二姑明 俞國柱妻、沈皇恩女 524-522-204
沈九方妻 明 見凌淑瑛
沈九思明 511-510-157
沈九祥明 529-701- 50

沈九疇明 476-726-138
523-457-168
1442-78-5
1460-391-58
1474-337-17
沈人种明 545-100-86
沈人驥女 清 見沈氏
沈三曾清 479-147-223
524-38-179
沈三壽妻 清 見周氏
沈士充明 821-444-57
沈士良妻 明 見史氏
沈士柱明 1442-115-7
沈士茂女 清 見沈氏
沈士俊清 524-208-188
沈士皋明 1475-389-16
沈士琳妻 明 見張氏
沈士溫明 472-207-7
沈士廉明 821-368-55
沈士端明 見沈方
沈士榮明 676-425-16
沈士鑑明 460-813-88
529-748-51
沈子木沈子本 明475-873-95
523-238-159
545-98-86
沈子本明 見沈子木
沈子來明 523-446-168
571-528-19
沈子厚元 1221-478-11
沈子眞宋 529-762-53
沈子猷妻 清 見金氏
沈子琚漢 681-612-15
沈子徹明 524-355-196
沈子霖宋 487-143-9
沈大中明 820-712-43
沈大亨明 592-999-上
沈大成清 475-186-59
沈大奎明 1475-366-15
沈大俊明 1442-100-6
沈大卿宋 487-510-7
沈大望清 511-883-171
沈大梁明 1289-281-18
沈大詩妻 清 見董氏
沈大廉宋 523-342-162
沈大經宋 1164-288-15
沈上牢宋 524-343-196
沈上章清 見沈天成

沈千運唐 451-423-2
479-140-223
524-31-179
820-221-28
1472-326-19
沈文元妻 清 見吳氏
沈文名妻 元 見徐淑清
沈文旭宋 820-344-32
沈文秀劉宋 258-556-88
261-838-61
265-560-37
266-927-45
370-488-14
378-169-136
476-655-135
479-137-223
494-263-1
494-323-6
494-334-7
494-359-8
523-525-172
537-286-55
933-626-41
933-627-41
沈文阿陳 260-765-33
265-1003-71
380-293-173
472-1001-40
479-139-223
499-335-7
494-368-9
933-626-41
沈文叔劉宋 265-558-37
494-357-8
524-118-184
沈文季齊 259-447-44
265-559-37
370-522-16
378-238-137
479-137-223
493-678-37
494-263-1
494-281-3
494-361-9
510-468-117
523-526-172
933-626-41
沈文和劉宋 494-359-8

沈文炳宋 494-405-12
1147-579-55
沈文宣明 480-582-285
沈文亮明 511-547-158
沈文美妻 明見俞淑蓮
沈文奎清 479-247-228
503-12-90
523-551-173
沈文泰不詳 1059-259-5
1061-257-109
沈文淵明 515-280-65
沈文通宋 471-927-49
沈文華明 473-236-60
533-192-53
沈文華妻 明 見陳眞
沈文華清 554-189-51
沈文然妻 清 見溫氏
沈文義明 547-51-143
沈文煇明 1442-113-7
1460-677-74
1475-544-23
沈文煥宋 485-536-1
沈文煥清 456-368-78
沈文楨明 820-712-43
1280-491-92
沈文豪清 569-621-18下之2
沈文德沈義尊 南宋
448-359-0
沈文耀劉宋 494-263-1
沈之章明 524-120-184
沈之唫明 505-651-68
沈之琰明 1442-112-7
沈之龍明 見沈雲從
沈之選妻 明 見榮氏
沈不負妻 清 見朱氏
沈不害陳 260-772-23
265-1010-71
380-299-173
472-1001-40
479-139-223
494-286-3
494-368-9
494-470-18
523-585-175
933-627-41
1394-578-8
沈太洽沈逸 明 1295-376-9
沈元昌明 524-111-183

沈元素明 820-573-40
821-347-55
沈元琰劉宋 494-359-8
沈元復妻 清 見徐氏
沈元滄清 1327-336-15
1328-361-10
沈元篔清 515-284-65
沈元標妻 清 見吳氏
沈元憲宋 491-436-6
沈元齡妻 清 見葉氏
沈元鑑明 456-614-9
475-279-63
511-457-154
沈引仁妻 明 見周氏
沈尹戌左司馬戌 春秋
375-849-92
384-25-1
405-57-59
448-259-25
533-124-51
933-625-41
沈尹赤春秋 405-6-56
沈尹射春秋 405-6-56
沈天成沈上章 清475-185-59
511-444-153
1319-232-3
沈天孫明 屠金樞妻、沈懋學女 512-10-176
1442-124-8
1460-776-84
1474-379-19
1474-599-30
沈天啟明 820-733-44
沈天祿明 820-660-42
沈友仁明 見沈仁
沈友直宋 494-400-12
494-470-18
沈友龍清 529-706-50
沈日昆明 1475-535-23
沈日星清 1475-579-25
沈日禎明 524-137-185
沈中立沈虎郎 宋448-392-0
491-436-6
沈中柱明 見行燃
沈中畏明 1475-395-17
沈中琛明 1475-565-24
沈中楝明 1475-705-29
沈公調宋 523-148-153

七畫：沈

沈公緝沈繼祖 明
821-456-57
沈月田元 821-295-53
沈月溪元 821-297-53
沈仁詮吳越 494-379-10
沈允達清 475-781-89
511-655-162
沈允聞清 524-189-187
沈玄望唐 494-470-18
沈玄華明 524-22-179
820-701-43
1442-62-4
1460-208-49
1475-326-13
沈立基宋 1123-597-12
沈立義明 523-236-156
沈必第妻 清 見程氏
沈玉璋明 529-637-48
沈玉璉妻 清 見趙氏
沈弘之明 1442-115-7
1460-666-74
沈弘正明 511-847-168
1295-156-12
沈弘光明 1475-305-13
沈弘度明 1442-105-7
1460-624-71
1475-462-19
沈弘量妻 明 見孟氏
沈弘遇明 1475-372-16
沈弘嘉明 820-756-44
沈正宗明 676-630-26
沈正弼漢 494-470-18
沈巨儒清 481-237-303
561-203-38之1
沈本初明 511-747-165
820-642-41
1442-37-附2
1459-771-30
沈加顯清 478-573-203
558-213-32
沈世奕清 511-751-165
沈世遠明 820-582-40
沈世魁明 301-575-271
456-458-4
502-300-56
沈世麟明 1289-351-24
沈世顯宋 1157-263-19
沈民表妻 明 見劉氏

沈功宗清 1321-52-91
沈以庠清 524-207-188
1321-244-113
沈以潛沈玄、沈立 明
493-1058-56
676-490-19
1239-148-36
1386-283-39
1442-32-附2
沈以曦清 533-286-56
沈田子晉 258-686-100
265-809-57
378-22-131
472-1000-40
494-263-1
494-355-8
523-523-172
沈四姑明 524-456-202
沈四師唐 820-282-30
沈甲秀明 820-757-44
821-480-58
沈冬葵明 505-742-72
沈令聞明 見沈孚聞
沈丘王明 見朱同鑁
沈幼升清 1323-797-6
沈幼眞唐 820-241-28
沈汝棟妻 明 見劉氏
沈汝蘭清 511-339-149
沈式菴妻 清 見胡氏
沈有容明 301-555-270
475-610-81
511-408-152
沈有開宋 451-22-0
1164-377-21
沈有儒明 532-649-43
沈有嚴明 538-463-29
594-215-7
沈有譽妻 清 見陸氏
沈至緒明 456-496-5
480-524-283
532-69-25
沈至緒女 明 見沈雲英
沈匡濟明 511-133-141
沈匡濟妻 清 見翟氏
沈次通宋 494-381-11
沈回奴元 524-597-207
沈同訓妻 明 見許氏
沈光大明 523-293-159

沈光文清 529-758-52
592-914-4
沈光明元 511-869-170
沈光祚明 523-267-158
沈光喬妻 清 見謝氏
沈光裕明 1442-110-7
沈光棨清 537-292-55
沈兆奎清 1475-612-26
沈兆廣妻 清 見朱氏
沈自友明 1460-732-79
沈自充妻 明 見樂氏
沈自邠明 524-23-179
676-627-26
678-214-90
1442-77-5
1460-391-58
1475-358-15
沈自昌明 1460-731-79
沈自炳明 456-638-10
沈自徵明 1460-731-79
沈自炳女 明 見沈華鬘
沈自炳女 明 見沈憲英
沈自得宋 511-832-168
沈自然明 676-671-28
1460-731-79
沈自新沈叔淳 明
820-755-44
821-473-58
沈自彰明 554-255-52
沈自駉明 456-638-10
沈自徵明 1460-731-79
沈自徵妻 明 見張倩倩
沈自顯明 511-536-157
沈名蓀清 525-368-235
沈后臧春秋 見后臧
沈好問清 524-349-196
沈好禮明 1247-386-15
沈如松明 524-121-184
沈如封明 524-24-179
820-756-44
1475-344-14
沈如琢唐 559-417-10上
591-539-42
沈如筠唐 1371-58-附
沈如璋明 1475-405-17
沈如霖明 523-446-168
563-797-41
沈仲亨明 820-748-44
沈仲昌唐 820-208-28

沈仲喆宋 674-880-20
沈仲載明 1241-464-7
沈仲說元 1222-235-11
1222-266-16
沈仲德明 563-793-41
沈仲曄明 511-626-161
沈仲繼清 473-625-77
沈印璵清 511-593-159
沈行叔明 820-755-44
沈宏略妻 清 見馬福娥
沈亨辰沈松年 宋451-62-2
沈亨伯明 1229-407-2
沈良十明 524-126-184
584-268-10
沈良才明 300-460-210
475-377-68
511-211-144
沈良佐明(廣西左參政)
473-391-65
533-108-50
沈良佐明(順慶知府)
559-288-7上
沈良誠明 見沈誠
沈志仁明 511-590-159
沈志行明 1242-104-27
沈志高清 524-189-187
沈志傑明 475-710-86
沈志道陳 260-774-33
494-369-9
沈志道明 524-198-188
沈志禮清(奉天鑲白旗人)
474-435-21
505-685-69
沈志禮清(山陰人) 474-587-30
505-698-70
沈赤黔劉宋 494-358-8
沈孝思明 479-97-221
沈孝徵明 524-24-179
676-623-25
1442-86-5
1460-487-63
1475-388-16
沈君公陳 263-830-48
265-966-68
378-550-145
494-367-9
沈君高陳 260-689-23
265-966-68

378-549-145
493-738- 41
494-367- 9
沈君理陳 260-688- 23
265-965- 68
378-549-145
472-1001- 40
475-118- 55
479-138-223
485- 71- 11
493-681- 37
494-264- 1
494-367- 9
510-323-113
523-278-159
814-257- 7
820-108- 24
933-626- 41
1401-399- 30
沈君理妻 陳 見會稽公主
沈君理女 陳 見觀音
沈君游北周 263-830- 48
494-369- 9
沈君諒唐 494-374- 10
沈克家清 1475-562- 24
沈克勤明 568-299-110
沈見吾妻 明 見周氏
沈孚先明 523-277-158
沈孚建清 481-674-331
523-360-163
528-534- 31
沈孚聞沈令聞 明
1283-476-104
沈谷華元 1217-602- 4
沈作舟宋 494-516- 25
沈作賓宋 287-354-390
398-362-387
472-1003- 40
472-1067- 45
472-1101- 47
473- 14- 49
475-120- 55
475-273- 63
479-142-223
479-224-227
479-285-230
479-448-237
481-673-331
486- 55- 2
493-717- 40
494-396- 11
494-473- 18
510-330-113
515- 19- 57
523-281-159
沈伯玉劉宋 258-698-100
494-358- 8
沈伯剛明 493-1010- 53
511-523-157
沈伯姬明 黃履素妻
820-768- 44
沈伯莊宋 494-381- 11
沈伯勗女 明 見沈氏
沈伯陽妻 後漢 見顧昭君
沈伯進女 明 見沈妙智
沈伯溪明 821-458- 57
沈伯儀唐 276- 17-199
384-189- 10
400-411-538
472-1002- 40
494-374- 10
523-585-175
933-627- 41
沈伯龍明 523-518-171
559-321-7上
沈伯燮妻 明 見王氏
沈含馨後魏 820-115- 25
沈希韶明 511-332-149
沈希曾妻 明 見周氏
沈希達 523-132-152
沈希遠明 821-349- 55
沈希儀明(字唐佐) 300-485-211
482-372-357
482-368-363
483-224-390
567-327- 78
568-303-110
571-533- 19
1276-420- 10
1458-625-465
1467-100- 65
1467-314- 74
沈希魯妻 明 見周氏
沈希稷宋 523-569-174
沈希顏宋 473-185- 58
515-264- 65
沈邦彥妻 清 見王氏
沈邦重明 1291-938- 7
沈妙孟明 李拳妻530- 8- 54
沈妙容陳 陳文帝后、沈法深女 260-589- 7
265-203- 12
370-580- 20
494-259- 1
沈妙智明 鍾昇妻、沈伯進女
1247-525- 23
沈攸之劉宋 258-379- 74
265-560- 37
370-478- 14
378-170-136
384-113- 6
494-263- 1
494-334- 7
494-358- 8
523-525-172
532-100- 27
933-626- 41
沈廷文清 524- 29-179
沈廷芳清 479- 59-219
沈廷訓妻 明 見徐氏
沈廷植妻 明 見申蕙
沈廷揚明 301-673-277
456-441- 3
475-453- 71
511-240-145
沈廷瑞沈麟、沈鱗 唐
451-479- 7
516-426-103
516-440-104
533-781- 75
1473-753-100
沈廷鈺清 1475-559- 24
沈廷勱清 523-442-167
677-763- 67
1475-654- 28
沈廷燧明 533-493- 65
沈宗和女 明 見沈氏
沈宗學明 511-865-170
820-581- 40
沈法系劉宋 258-425- 77
494-263- 1
494-357- 8
523-524-172
563-617- 38
沈法朗劉宋 見沈僧昭
沈法深陳 260-589- 7
494-264- 1
沈法深女 陳 見沈妙容
沈法會後魏 541-105- 31
814-260- 8
820-117- 25
沈法興唐 269-490- 56
274-153- 87
384-178- 9
395-236-202
494-371- 9
933-628- 41
沈官弟明 480-546-283
沈宜先明 592-1000- 上
沈宜修明 葉紹袁妻、沈珫女
475-145- 75
512- 9-176
1442-125- 8
1456-591-326
1460-782- 85
沈宜謙女 明 見沈氏
沈惟貞元 金潤甫妻
1216-613- 12
沈松年宋 492-700-3上
492-712-3上
沈松年宋 見沈亨辰
沈亞之唐 451-445- 4
479-140-223
494-378- 10
494-471- 18
524- 32-179
528-435- 29
674-262-4中
674-807- 16
1078-488- 1
1082-120-1下
1079- 3- 附
1371- 69- 附
1388-377- 72
1473-292- 70
沈孟化 529-638- 48
沈孟堅元 821-291- 53
沈孟儀明 473-388- 65
532-719- 45
沈孟頫劉宋 494-355- 8
沈雨修明 見孫雨脩
沈奇成妻 清 見孫氏

沈邵之劉宋 494-357- 8
沈阿治明 沈能女
524-604-207
沈長祚明 1475-492- 21
沈長卿宋 471-881- 41
494-400- 12
沈長源唐 471-1039- 66
473-445- 68
559-279- 6
591-703- 50
沈長權明 529-701- 50
沈東美唐 1371- 59- 附
沈林子劉宋 258-690-100
265-810- 57
378- 23-131
494-355- 8
523-523-172
沈承業五代 491-344- 2
沈承禮宋 288-712-480
401-243-600
479-140-223
494-379- 10
523-528-172
沈尚經明 563-749- 40
572- 86- 28
沈尚綸妻 明 見汪氏
沈昌期明 511-237-145
528-498- 30
沈明臣明 479-185-225
524- 46-180
820-707- 43
1442- 68- 4
1460-320- 54
1474-398- 21
沈明遠明 820-540- 39
821-487- 58
沈昇之齊 265-1046- 73
380-103-167
沈虎郎宋 見沈中立
沈易直唐 494-375- 10
沈易直女 唐 見沈皇后
沈叔仕晉～劉宋 見沈叔任
沈叔任沈叔仕 晉～劉宋
258-243- 63
486- 63- 3
493-735- 41
523-523-172
沈叔明唐 494-265- 1
沈叔淳明 見沈自新
沈叔通宋 494-381- 11
沈叔愼劉宋 494-263- 1
沈叔寧女 明 見沈圓
沈芝山妻 清 見黃氏
沈季文明 528-463- 29
537-221- 54
沈季友清 524- 29-179
沈季友妻 清 見陸言
沈季長宋 494-381- 11
511-690-163
1100- 66- 7
沈季詮唐 275-629-195
384-175- 9
400-287-523
479-485-239
515-298- 66
沈金馬明 見沈世麟
沈佺期唐 271-577-190中
276- 67-202
400-596-555
451-413- 1
472-130- 4
477-165-157
538-134- 65
563-899- 43
674-248-4上
674-799- 16
820-148- 26
933-628- 41
1371- 51- 附
1387-323- 24
沈周南妻 明 見王氏
沈始樹清 1328-373- 11
沈始樹妻 清 見吳氏
沈所安明 456-608- 9
沈受宏清 511-794-166
沈受祉明 1475-457- 19
沈受躬明 456-502- 5
511-489-155
沈受蒲沈愛蒲 明456-502- 5
475-672- 84
511-489-155
沈近思清 477-474-173
479- 59-219
523-270-158
1325-795- 10
沈延祚明 1475-493- 21
沈延緒清 533-220- 53
沈客卿陳 260-754- 31
265-1106- 77
381- 23-184
沈恆吉沈恆 明 821-389- 56
1255-685- 70
1386-294- 40
沈彥光明 1460-875- 94
1442-129- 8
沈彥成明 見沈彥誠
沈彥清妻 明 見于氏
沈彥誠沈彥成 明
821-371- 55
沈度一妻 元 見謝氏
沈拱辰元 472-999- 40
494-344- 7
523-117-151
沈春澤明 820-741- 44
821-450- 57
1442-100- 6
沈杜臣明 511-528-157
沈南金沈芾 明 1272-268- 13
沈既濟唐 270-296-149
274-658-132
384-233- 12
395-608-235
472-227- 8
475-128- 56
485-167- 22
493-867- 47
494-376- 10
494-377- 10
511-726-165
933-627- 41
沈茂功清 524-116-183
沈茂先明 1232-404- 2
沈茂寔元 1208-591- 23
沈思充明 571-528- 19
沈思孝明 300-761-229
458-342- 13
523-275-158
563-913- 43
676-604- 25
1442- 74- 5
1460-352- 56
1475-335- 14
沈思忠明 524-186-187
沈思義明 1242-238- 32
沈思義妻 明 見馮氏
沈思道妻 明 見孫氏
沈思肇妻 明 見吳氏
沈思舉清 475-123- 55
沈貞吉明 821-389- 56
沈省言宋 473-476- 69
559-273- 6
沈昭光劉宋 265-559-37
479-137-223
沈昭明劉宋 494-357- 8
沈昭略齊 259-450- 44
265-558- 37
378-240-137
479-137-223
494-534- 27
沈昭達陳 見章昭達
沈昭遠宋 473-176- 57
494-387- 11
515-117- 60
沈昭遜宋 1123-590- 12
沈若濟宋 524-385-198
590-139- 17
沈禹錫明 1320-720- 79
沈皇后唐 唐代宗后、沈易直女 269-434- 52
274- 22- 77
393-266- 72
494-260- 1
沈皇恩女 明 見沈二姑
沈信魁妻 明 見馮氏
沈胤芳明 676-656- 27
1475-465- 20
沈紉蘭明 黃承昊妻
1442-124- 8
1460-780- 85
1475-810- 34
沈保沖後魏 266-928- 45
494-359- 8
沈俊心宋 485-535- 1
沈浩然清 511-839-168
沈高卿宋 1153-246- 77
沈唐恭明 511-633-161
沈祖誠明 1294-581- 15
沈祖學明 569-674- 19
沈容姬劉宋 見沈容
沈祚錫妻 清 見朱氏
沈宸荃明 301-657-276
456-441- 3

479-187-225
676-660- 27
1442-110- 7
沈家桂妻 清 見吳氏
沈家椿妻 清 見方氏
沈庭訓明 820-745- 44
沈兼善元～明 472-985- 39
523-435-167
沈泰鴻明 676-640- 26
1442- 95- 6
1474-545- 27
沈原本妻 明 見舒氏
沈原淳明 1475-543- 23
沈孫娘明 陳登選妻
481-592-328
530- 89- 56
沈栖遠唐 237-112- 60
沈起元清 481-551-327
沈起虬明 524-176-187
沈起雷沈隆峴 明
1475-640- 27
沈振傑妻 明 見黄氏
沈振龍明 479-793-254
515-280- 65
沈恩舉清 510-341-113
沈時升宋 494-389- 11
沈時化清 476-701-137
沈時敘明 545-197- 90
沈時鼇妻 明 見易氏
沈耕道妻 宋 1127-346- 20
沈師昌明 1475-396- 17
沈躬行宋 523-625-177
沈純束明 545-245- 92
沈清友宋 493-1081- 57
512- 8-176
沈清臣宋 473-712- 81
494-400- 12
563-686- 39
674-851- 18
沈惟炳女 明 見沈氏
沈惟炳清 533- 31- 47
沈惟瑞妻 明 見柴氏
沈惟耀明 480- 91-262
沈望樓女 清 見沈氏
沈淵子沈淵之 晉
258-685-100
494-263- 1
494-356- 8
沈淵之晉 見沈淵子
沈淵鑑明 524-357-196
沈淑貞明 沈澤女
524-539-205
1258-198- 18
沈雪坡明 524-354-196
821-303- 53
沈基仁妻 明 見陸氏
沈務華陳 見觀音
沈棄疾清 524-103-183
沈通明明 1315-590- 36
沈崇傃梁 260-384- 47
265-1050- 74
380-108-167
472-1001- 40
479-138-223
494-324- 6
494-365- 9
524-119-184
933-627- 41
沈莊可宋 515-499- 72
沈國祥元 494-416- 12
沈國華明 546-660-137
沈野仙元 見沈野先
沈野先沈野仙 元
524-192-188
1220-417- 7
沈得衛明 481-722-333
529-764- 53
676-466- 17
沈紹心明 1475-404- 17
沈紹傳明 1295-133- 10
沈紹慶妻 明 見顧氏
沈從道唐 820-282- 30
沈啟南明 820-745- 44
1475-318- 13
沈啟原明 1442- 62- 4
1460-201- 49
1475-317- 13
沈雲子劉宋 494-356- 8
沈雲英明 沈至緒女
479-252-228
524-659-210
1321-100- 97
沈雲祚明 302-119-295
456-431- 2
458-296- 10
475-453- 71
481- 71-293
511-469-154
559-507- 12
676-661- 27
1460-639- 75
沈雲從沈之龍 明
1475-402- 17
沈雲鴻明 1273-227- 29
沈雲舉宋 515- 83- 59
1467- 44- 63
沈巽之妻 宋 見錢氏
沈超回宋 1123-584- 11
沈朝臣妻 明 見許貞惠
沈朝宣明 524- 9-178
沈朝俊妻 明 見何氏
沈朝陽明 676-113- 4
1475-279- 11
沈朝煥明 523-267-158
676-619- 25
676-734- 31
679-232-161
1442- 84- 5
1460-469- 62
沈朝楷清 476-698-137
540-687- 27
沈朝聘清 481-763-335
528-567- 32
沈朝燁明 576-655- 5
沈隆峴明 見沈起雷
沈婺華陳 見觀音
沈登之劉宋 485-489- 9
494-359- 8
沈堯中明 475-606- 81
524- 23-179
1475-362- 15
沈堯中妻 明 見陳氏
沈堯孚宋 524-204-188
沈堯章唐 820-231- 28
沈堯龍明 1460-302- 53
沈琳睿唐 494-264- 1
沈椒衍明 1475-638- 29
沈景宗不詳 470- 45- 94
沈景清明 1237-489- 5
沈景新母 元 472-243- 9
475-187- 59
沈景新妻 元 472-243- 9
475-187- 59
沈景暘明 511-870-170
沈景筠唐 472-1002- 40
479-140-223
524-119-184
沈景福清 456-391- 80
沈貴成明 820-581- 40
沈虛中宋 472-389- 17
493-712- 39
511-826-167
679-730-209
沈萃楨沈萃禎 明
523-439-167
1442- 92- 6
1460-525- 65
1475-404- 17
沈萃禎明 見沈萃楨
沈華區妻 明 見潘氏
沈華鬘明 沈自炳女
512- 9-176
1442-125- 8
沈敞之劉宋 258-419- 77
沈智瑶明 512- 9-176
沈猶行春秋 405-452- 85
539-640-11之6
沈猶龍明 301-666-277
456-422- 2
475-183- 59
479-175-225
523-138-152
528-446- 29
沈復東元 524-345-196
沈復賢明 561-220-38之3
沈媛媛明 512- 9-176
沈義倫宋 見沈倫
沈義尊宋 見沈文德
沈詞隱女 明 見沈靜專
沈新民明 1227-831- 4
沈新第明 查一球妻
512-484-189
沈新鳳明 530-107- 59
沈道南明 523-356-163
沈道原明 524-248-190
沈道虔劉宋 258-595- 93
265-1063- 75
380-440-177
472-1000- 40
479-136-223
524-281-192
839- 41- 4

933-627- 41
沈道清明 472-1005- 40
479-154-223
494-439- 13
524-405-199
沈聖岐明 1442- 90- 6
1460-513- 65
沈瑞春女 清 見沈氏
沈瑞徵明 524- 12-178
820-755- 44
1442- 97- 6
1460-589- 69
沈瑞臨明 458-1055- 2
481- 26-291
523-579-175
677-658- 59
沈瑞鍾明 1475-409- 17
沈瑞盤明 1475-435- 18
沈達可宋 451- 64- 2
沈萬育清 511-537-157
沈萬祥清 524-180-187
沈萬鈳明 678-475-115
沈嗣昌元 524-108-183
沈嗣貞明 1460-673- 74
1442-113- 7
1475-432- 18
沈嗣笵清 1321- 6- 84
沈嗣選明 820-738- 44
1475-563- 24
沈嵩高明 524-399-199
沈鼎彥清 511-936-175
沈敬烇明 524-194-188
沈傳弓清 1318-530- 80
1475-669- 28
沈傳師唐 270-796-149
274-659-132
384-233- 12
384-264- 13
395-609-235
471-611- 4
471-694- 15
472-1002- 40
475-129- 56
475-603- 81
479-447-237
485-167- 22
493-867- 47
494-376- 10
494-515- 25
511- 90-140
515- 11- 57
812-740- 3
814-278- 10
820-230- 28
933-627- 41
1081-643- 11
1342-578-977
沈節甫明 300-598-218
479-145-223
523-283-159
676-588- 24
676-723- 30
1442- 62- 4
1460-201- 49
沈愛蒲明 見沈受蒲
沈賓國明 524- 73-181
沈演之劉宋 258-243- 63
265-544- 36
378-160-135
384-113- 6
472-980- 39
472-1000- 40
479- 91-221
479-136-223
494-263- 1
494-358- 8
494-470- 18
523-278-159
588-476- 5
933-626- 41
沈端叔宋 1152-583- 31
沈端輔宋 1165-307- 20
沈豪之唐 494-470- 18
沈壽民明 300-556-216
475-611- 81
511-709-164
524-332-195
676-667- 28
1442-115- 7
沈壽康沈僧哥 宋448-390- 0
沈壽康明 479- 95-221
1236-197- 4
沈壽崇明 301-455-263
456-501- 5
475-611- 81
480-171-266
511-484-155
533-376- 60
沈壽嶢明 475-611- 81
1460-709- 76
456-638- 10
沈與求宋 287-102-372
398-162-375
449-390-上3
472-273- 11
472-1003- 40
472-1101- 47
479-142-223
494-384- 7
494-389- 11
523-279- 159
674-838- 18
820-413- 34
1132-156- 30
1133-255- 附
1284-331-161
1437- 22- 2
1461-793- 40
沈與孫宋 見沈夢龍
沈戩穀明 523-447-168
沈碧梧明 1249-294- 18
沈嘉賓明(保安衛人)
554-313- 53
沈嘉賓明(萬金衛人)
510-503-118
沈嘉謀明 1283-749-125
沈夢斗明 524-248-190
沈夢忠宋 451- 69- 2
沈夢熊明 528-462- 29
沈夢龍沈與孫 宋451- 65- 2
沈夢鯨清 540-851-28之4
沈夢麟元～明 472-1004- 40
494-345- 7
494-473- 18
524- 34-179
676-451- 17
1221- 44- 附
1249-157- 9
1375- 37- 下
1442- 14- 1
1459-399- 12
沈鳴遠明 821-394- 56
沈暢之劉宋 494-358- 8
沈鳳超明 1442- 92- 6
1460-526- 65
1474-546- 27
沈鳳翔明 820-734- 44
沈僧昭沈法朗 劉宋
265-565- 37
486- 64- 3
沈僧哥宋 見沈壽康
沈僧榮劉宋 494-357- 8
沈稱師妻 唐 見李氏
沈維瑞妻 明 見孟氏
沈維龍明 460-733- 75
523-250-157
676-178- 7
沈維錡明 524-186-187
沈維盤明 1475-405- 17
沈肇隆女 明 見沈氏
沈賡麟妻 清 見馬氏
沈諸梁葉公、葉公子高 春秋
371-518- 38
375-862- 92
384- 25- 1
405- 59- 59
448-271- 28
472-764- 30
533-132- 51
537-307- 56
933-625- 41
933-764- 53
沈誼徵明 1475-388- 16
沈慶之劉宋 258-419- 77
265-554- 37
370-480- 14
378-164-136
384-113- 6
459-765- 46
470- 45- 94
472-194- 7
472-1000- 40
473-209- 59
479-137-223
494-263- 1
494-357- 8
510-276-112
523-524-172
528- 3- 17
933-626- 41
1379-542- 64
沈駒年春秋 545-721-108

沈履祥明 301-657-276
456-546- 7
523-379-164
沈輝卿元 1219-521- 23
沈德四明 302-143-296
475-179- 59
511-544-158
沈德威陳 260-770- 33
265-1007- 71
380-297-173
479-139-223
523-585-175
933-627- 41
沈德柔宋 洪适妻、沈松年女
1147-719- 68
1158-770- 77
1158-799- 附
沈德符沈德孚 明524- 24-179
1460-534- 66
1442- 93- 6
1475-423- 18
沈德華元 510-372-114
沈德新元 820-503- 37
沈德潛清 1308-293- 59
沈稽勳明 1247-404- 16
沈儆炌明 301-231-249
479-146-223
523-284-159
528-463- 29
569-656- 19
沈徵憲明 456-637- 10
沈稷丘妻 明 見李氏
沈憲英明 沈自炳女
512- 9-176
1442-125- 8
1460-784- 85
沈熾文梁 820-105- 24
沈龍躍明 523-237-156
沈龍麟妻 清 見惲氏
沈樵雲明 1229-605- 2
沈翰卿明 1442- 50-附3
1460- 65- 43
沈遹聲不詳 見楊琇
沈靜專明 吳昌運妻、沈詞隱女 1475-814- 34
沈曇亮劉宋 494-263- 1
494-357- 8
沈曇慶劉宋 258-159- 54
265-521- 34
378-148-135
479-137-223
494-361- 9
523-278-159
沈蕙端明 512- 9-176
沈蕙纕明 1475-690- 29
沈興宗宋 471-904- 45
沈積中宋 286-693-354
472-260- 10
沈學菴明 1231-358- 6
沈學顏清 見尤氏
沈穆夫晉 258-685-100
265-808- 57
494-355- 8
沈鴻祚明 1475-493- 21
沈鴻起明 456-601- 9
沈鴻儒明 559-375- 8
沈應文明 582-148-131
沈應元明 820-698- 43
沈應奇明 820-640- 41
沈應昌明 569-659- 19
沈應奎明(字伯和) 475-229- 61
481-720-333
511-159-142
537-318- 56
沈應奎明(子少蘭)
1297-581- 6
沈應時明(字伯起) 511-555-158
沈應時明(字子易) 537-522- 59
554-188- 51
沈應乾明 511-381-150
沈應善明 516-511-106
沈應誥妻 明 見郭氏
沈應龍明 523-531-172
沈應麒明 554-735- 61
沈應麟妻 清 見吳氏
沈懋孝明 524- 22-179
676-604- 25
677-638- 57
1442- 74- 5
1460-353- 56
1475-319- 13
沈懋庸明 524-206-188
沈懋嘉明 1442- 96- 6
1460-567- 68
1475-332- 13
沈懋學明 300-556-216
511-813-167
676-610- 25
1283-746-125
1442- 77- 5
1460-383- 58
沈懋學女 明 見沈天孫
沈鍾宿明 523-237-156
528-555- 32
沈徽孚齊 494-363- 9
沈燿文清 1314- 96- 7
沈燿文妻 清 見張氏
沈豐垣明 592-1016- 下
沈懷文劉宋 258-481- 82
265-519- 34
378-146-135
384-112- 6
472-1000- 40
479-137-223
486- 37- 2
494-360- 8
524- 29-179
933-625- 41
沈懷文唐 494-375- 10
494-470- 11
沈懷明劉宋 258-425- 77
494-263- 11
沈懷遠劉宋 258-484- 82
265-521- 34
378-148-135
479-137-223
494-333- 7
494-360- 8
沈懷寶劉宋 494-359- 8
沈韜文唐 472-1002- 40
479-140-223
494-294- 4
494-379- 10
沈瓊蓮明 1391-911-364
1442-122- 8
1460-754- 82
沈贊化妻 清 見楊氏
沈繼宗宋 285-265-264
396-569-305
476-475-125
540-612- 27
沈繼宗女 宋 見沈氏
沈繼美明 523-133-152
沈繼祖宋 451- 24- 0
沈繼祖明 見沈公繩
沈繼孫明 1230-298- 4
沈繼震沈曙 明 524-244-190
沈繼顯妻 明 見王氏
沈斆憼清 474-189- 9
沈蘭先清 見沈昀
沈聽之明 554-309- 53
沈驎士沈麟士 齊
259-536- 54
265-1078- 76
380-452-178
472-1000- 40
479-138-223
494-362- 9
524-281-192
525-400-237
677-120- 12
680-669-285
820- 95- 24
839- 43- 4
933-627- 41
1071-667- 13
沈巑之南朝 265-985- 70
380-183-170
384-121- 6
472-272- 11
472-1000- 40
475-270- 63
479-136-223
494-361- 8
510-368-114
524-249-190
沈儼之齊 259-537- 54
494-361- 9
沈麟士齊 見沈驎士
沈麟振清 524- 29-179
沈體仁宋 1140-329- 17
沈贇璺妻 清 見倪氏
汧陽王明 見朱公鐕
汧陽王明 見朱誠洌
沅元明 見朱常治
沅陵王陳 見陳叔興
沛王漢 見劉輔
沛王漢 見劉廣
沛王魏 見曹林
沛王晉 見司馬景
沛王唐 見李賢
沖煦五代 1053-326- 8

1085-229- 30
沖會宋 1053-680- 16
沖奧五代 1053-312- 8
沖邈宋 589-343- 5
沖擧仙唐 570-253- 25
沖淑眞人唐 樂山寶女
476-158-104
547-489-159
548-118-165
沖惠眞人唐 樂山寶女
476-158-104
547-487-159
548-118-165
沖應眞人宋 1153- 22- 55
沂川元 510-407-115
沂王唐 見李禋
沂王後晉 見石重信
沂王宋 見趙楞
沂國長公主宋 見鄧國長公主
辛商 見紂
辛子春秋 見計然
辛氏晉 梁緯妻 256-571- 96
381- 49-185
452- 91- 2
472-906- 36
478-490-199
558-491- 42
辛氏晉 傅充妻 1379-389- 47
辛氏後魏 裴他妻 547-449-158
辛氏明 侯抒悰妻 477-483-173
辛氏明 陸世登妻 506- 49- 87
辛氏明 楊春齋妻 483-179-384
570-192- 22
辛氏清 李壤妻、辛禹奕女
506- 66- 87
506-557-105
辛氏清 郭祚升妻 479-769-252
辛氏清 馮延年妻 474-194- 9
辛甲周 見辛甲大夫
辛吉明 505-658- 68
辛有春秋 384- 13- 1
辛匡後魏 261-630- 45
辛全明 476-402-119
546-758-140
550- 46-210
550-202-216
1294-579- 15
辛成宋 812-468- 2
812-550- 4
821-149- 50
辛忠明 554-366- 54
辛昂北周 263-738- 39
267-401- 70
379-675-159
471-1066- 70
472-905- 36
473-425- 67
473-489- 70
473-496- 70
478-487-199
481- 65-293
481-250-303
481-429-315
535-556- 20
544-215- 62
558-285- 34
559-259- 6
559-299-7上
559-323-7上
591-670- 47
933-175- 12
辛旻唐 275-111-147
545-133- 87
554-584- 58
辛炳宋 287-106-372
398-166-375
473-571- 74
479-765-252
481-527-326
481-642-330
515-117- 60
529-437- 43
辛威普屯威 北周 263-616- 27
267-341- 65
379-631-158
472-896- 35
478-487-199
552- 31- 18
558-305- 34
933-174- 12
1064-235- 9
1064-696- 14
1342- 57-911
1400-157- 6
1416- 62-111中
辛毗魏 254-438- 25
377-205-117
384- 85- 4
384-669- 42
472-635- 27
469- 54- 7
477- 61-151
537-593- 60
558-282- 34
933-174- 12
辛毗女 晉 見辛憲英
辛俞春秋 386-643- 6
404-782- 48
546-513-132
933-173- 12
辛勉晉 256-450- 89
380- 38-166
384- 94- 5
472-904- 36
478-485-199
558-282- 34
933-174- 77
辛俊後魏 262-146- 77
267- 77- 50
379-359-151
辛浩明 503- 10- 90
533- 7- 47
辛秘唐 271- 35-257
275- 75-143
395-692-242
476-149-104
479-133-223
494-290- 4
523-114-151
545-209- 91
820-234- 28
1342- 94-915
辛剛明 1250-199- 15
辛剛妻 明 見劉氏
辛淳明 570-154-21之2
辛祥後魏 261-630- 45
266-531- 26
379- 76-147
478-486-199
545-128- 87
933-174- 12
辛淵辛深 後魏 261-629- 45
266-531- 26
476- 44- 98
478-486-199
547-147-147
558-283- 34
辛訪明 1249-468- 31
辛深後魏 見辛淵
辛悠後魏 262-146- 77
267- 77- 50
379-359-151
辛術北齊 263-283- 38
267- 77- 50
379-481-154
384-138- 7
476-609-133
478-486-199
558-284- 34
933-174- 12
辛惲唐 1076-113- 12
1076-569- 12
1077-140- 12
辛越妻 清 見張氏
辛賁後魏 261-630- 45
辛雄後魏 262-139- 77
267- 74- 50
379-356-151
478-486-199
558-284- 34
933-174- 12
辛琨後魏 261-630- 45
辛琛後魏 262-145- 77
267- 77- 50
379-359-151
478-486-199
558-283- 34
933-174- 12
辛景晉 472-1100- 47
479-284-230
辛鈞元 540-671- 27
1439-434-附1
辛鈃春秋 見計然
辛勝辛騰 秦 933-173- 12
辛媛宋 蘇熹妻、辛顯仁女
1113-436- 8
辛敬元 1439-444- 2
辛賓晉 256-450- 89
380- 38-166
476- 87-100
478-486-199

558-411- 37
辛禂明 302-620-320
辛廖春秋 380-546-181
404-746- 46
547-544-161
辛榮元 554-275- 53
辛愿金 291-723-127
401- 37-572
477-315-164
538-162- 66
1040-233- 2
1224-485- 29
1365-323- 10
1374-742- 95
1445-539- 42
1458-710-473
辛暢後魏 262-139- 77
267- 74- 50
379-356-151
辛澄唐 812-485-上
812-522- 2
813- 80- 2
821- 77- 47
辛諶後魏 262- 81- 71
辛儒明 554-339- 54
辛穆後魏 261-631- 45
266-532- 26
379- 77-147
472-518- 22
472-788- 31
476-515-127
477-408-169
477-441-171
478-486-199
937-325- 56
540-621- 27
558-441- 38
933-174- 12
辛謐晉 256-532- 94
380-429-177
472-905- 36
478-486-199
558-282- 34
814-234- 4
820- 55- 23
933-174- 12
辛曠晉 820- 57- 23
辛耀明 545-480-100
辛纂後魏 262-144- 77
267- 76- 50
379-358-151
477- 48-151
辛騰秦 見辛勝
辛鑑清 456-371- 48
辛讜唐 271-515-187下
275-613-193
384-279- 14
400-111-509
478-488-199
482-483-364
511-902-172
554-699- 61
558-412- 37
567- 45- 64
933-175- 12
辛七師唐(遭父喪遁於七窯中)
538-351- 70
1052-277- 19
辛九榮妻 清 見侯氏
辛人膺宋 534-949-120
辛子馥後魏 261-631- 45
266-532- 26
379- 77-147
478-486-199
552- 40- 18
558-283- 34
933-174- 12
辛大德隋 264-1075- 76
267-623- 83
479-351-233
523-198-155
辛文子春秋 見計然
辛文悅宋 288- 78-431
400-625-557
473-257- 60
480-318-272
532-682- 44
辛之諤唐 273- 90- 59
辛元宗唐 544-230- 63
辛元植北朝 267- 79- 50
379-849-163
辛日杰清 476-310-113
辛少雍後魏 261-631- 45
266-532- 26
379- 77-147
478-486-199
558-442- 38
933-174- 12
辛少雍妻 後魏 見王氏
辛公義隋 264-1038- 73
267-660- 86
380-206-170
384-157- 8
459-880- 53
471-1061- 70
472-429- 19
472-602- 25
472-905- 36
472-935- 37
475- 14- 49
476-697-137
478-487-199
478-515-200
540-655- 27
545-129- 87
558-181- 31
558-286- 34
933-175- 12
辛化光宋 1092-660- 61
辛永宗宋 493-770- 42
辛世顯元 540-782-28之2
辛有常元 472-559- 23
辛有終宋 1092-621- 58
辛次膺宋 287-260-383
398-287-383
449-422-上6
472-275- 11
472-613- 25
472-1026- 42
473-358- 64
473-583- 75
473-598- 76
475-282- 63
476-731-138
479-318-232
480-362-275
481-582-328
481-672-331
516-212- 96
523-184-155
528-440- 29
528-482- 30
528-521- 31
532-576- 41
540-767-28之2
辛自修明 300-619-220
477-481-173
1288-344- 10
辛仲甫明 285-303-266
371- 65- 6
382-237- 36
384-338- 17
396-593-307
472-789- 31
472-495- 21
474-468- 23
476-182-106
476-816-143
477-542-176
481- 66-293
537-353- 56
540-669- 27
545-870-114
591-679- 47
933-175- 12
辛仲景北周 263-739- 39
267-402- 70
379-676-159
辛仲實元 見辛仲寶
辛仲寶辛仲實 元523- 99-150
1201-485- 9
辛仲龕隋 476-110-102
545-357- 96
辛克嶷妻 清 見龔氏
辛邦彥元 476-366-117
545-440- 99
辛京杲唐 275-111-147
395-725-246
478-488-199
554-584- 58
933-175- 12
辛怡顯宋 569-616-18下之2
辛武賢漢 472-943- 37
558-234- 32
933-173- 12
辛炳翰明 554-525-57下
辛彥之隋 264-1055- 75
267-588- 82
380-328-174
384-158- 8
472-905- 36
473-266- 61

478-487-199
480-199-267
544-218-62
545-206-91
552-43-19
554-121-50
558-287-34
933-175-12
辛彥博辛彥德 明 472-496-21
472-963-38
476-183-106
523-36-147
545-888-114
辛彥德明 見辛彥博
辛殆庶唐 1076-217-23
1076-664-23
辛珍之後魏 262-146-77
267-79-50
辛思仁元 472-255-10
辛思齊明 554-734-61
辛思謙元 473-599-76
528-525-31
辛若濟宋 523-167-154
辛禹奕女 清 見辛氏
辛恭靖晉 256-457-89
380-44-166
472-905-36
477-304-163
478-486-199
537-295-56
558-411-37
933-174-12
辛起尹清 505-902-80
辛棄疾宋 287-474-401
398-463-395
472-525-22
473-14-49
473-62-51
473-334-63
475-70-52
475-272-63
475-769-90
476-525-128
479-448-237
479-561-242
480-241-269
480-401-277
481-492-324
491-808-6
510-485-118
515-18-57
516-209-96
528-439-29
532-577-41
540-767-28之2
674-890-21
1181-766-11
1184-881-3
1201-344-94
辛棄疾妻 宋 見田氏
辛棄疾妻 宋 見錢氏
辛莊邨婦 清 見王氏
辛紹先後魏 261-629-45
266-531-26
379-76-147
475-419-70
476-44-98
478-486-199
547-147-147
558-283-34
933-174-12
辛普明劉宋～齊 265-1068-75
380-445-178
524-322-195
538-161-66
933-174-12
辛雲京唐 270-341-110
275-110-147
384-212-11
395-724-246
472-905-36
476-27-97
478-488-199
545-17-83
545-866-113
554-583-58
558-288-34
933-175-12
辛替否唐 270-236-101
274-495-118
384-192-10
395-489-225
478-114-181
554-640-60
933-175-12
辛朝選妻 清 見李氏
辛棟隆妻 明 見張氏
辛鳳達後魏 261-629-45
266-531-26
379-76-147
478-486-199
933-174-12
辛慶之北周 263-737-39
267-401-70
379-675-159
472-905-36
478-486-199
532-562-40
558-285-34
545-114-86
933-175-12
辛慶忌漢 250-562-69
376-287-100
384-49-2
472-906-36
472-943-37
478-485-199
478-612-205
478-728-212
545-255-93
554-547-58
558-213-32
558-281-34
933-173-12
1095-837-49
辛德源隋 264-874-58
267-79-50
379-849-163
472-905-36
478-487-199
558-286-34
933-174-12
1387-196-11
1395-604-3
辛德謙唐 556-114-85
辛憲英晉 羊耽妻、辛毗女
254-440-25
256-569-96
381-47-185
386-209-78
472-667-27
476-828-143
477-92-153
538-297-68
541-2-29
558-490-42
933-174-12
1398-271-12
1413-272-44
辛衡卿北齊 263-284-28
267-79-50
辛應昌清 547-28-141
辛應時明 1442-130-8
1460-878-94
辛應乾明 540-829-28之3
545-224-91
辛繼先明 545-476-100
辛顯仁女 見辛媛
辛甲大夫辛甲 周
404-434-25
933-173-12
亨祐元 483-33-371
570-145-21之2
亨泰清 455-364-22
罕氏明 多士寧妻 483-140-380
罕夷春秋 404-634-39
545-699-108
罕拔明 302-529-315
罕虎子皮 春秋 375-791-91
384-23-1
404-872-54
448-233-19
472-649-27
537-360-57
587-631-11
933-587-38
罕朔春秋 384-23-1
罕達罕武子 春秋 384-23-1
404-874-54
933-587-38
罕魋春秋 384-23-1
罕父黑宰父黑 春秋
244-390-67
375-656-88
405-447-85
539-496-11之2
罕武子春秋 見罕達
罕都呼元 294-205-117
395-206-199
罕揲法女 明 見曩罕弄
罕嬰齊春秋 384-23-1
404-874-54

序點春秋 933-565- 36
忻王唐 見李造
忻王明 見朱見治
忻玉妻 明 見楊氏
忻都元 見實都
沙氏明 郎理妻 472-1005- 40
沙氏明 沙鎔金女 570-186- 22
沙氏清 談善妻 475-283- 63
沙玉明 472-695- 28
537-267- 55
沙全綽爾齊 元 294-399-132
399-531-472
沙明明 1475-772- 32
沙金明 554-603- 59
559-255- 6
沙岱清(溫都氏) 456- 23- 51
沙岱清(兀魯特氏) 456-238- 68
沙洪明 820-634- 41
沙津清(科爾沁部人)
454-350- 17
454-351- 17
沙津清(杜爾伯特部人)
454-375- 21
沙泰清 456- 65- 54
沙班清 455-579- 38
沙晉清 455- 99- 3
沙格清 455-662- 46
沙勒後魏 547-501-159
沙渾清 456-121- 58
沙傑清 511-906-172
沙源明 302-477-313
沙瑞明 480-132-264
533-369- 60
沙諾清 455-490- 30
沙穆漢 477-521-175
沙濟清 455-446- 27
沙文達明 559-275- 6
沙扎該沙札該、純只海、森徹赫 元 294-281-123
399-353-449
477-243-161
1206-127- 15
沙木哈清 569-618-18下之2
沙木斯元 523- 28-147
554-160- 51
沙可學元 1439-445-附2
1459-490- 16
沙世堅宋 1467-151- 67
沙札該元 見沙扎該
沙末汗魏 496-590-103
沙成文妻 明 見熊氏
沙克扎清(鄂爾多斯部人)
454-493- 44
沙克扎清(喀爾喀部人)
454-612- 65
沙里質金 見薩勒扎
沙邑民妻 宋 見廖氏
沙希岱清 454-454- 36
沙廷梧明 820-643- 41
沙宛在明(字嫩兒)
1442-127- 8
沙宛在沙彩姝 明(擅臨蘭亭)
820-770- 44
沙定洲明 302-477-313
沙坤瑞清 479-534-241
516- 92- 90
沙彥珣遼 546- 79-117
沙哩布清 502-757- 85
沙哩勒元 1054-770- 22
沙納海清 455-317- 19
沙通阿清 455-571- 37
沙彩姝明 見沙宛在
沙順民明 見沙潤民
沙舜臣明 511-530-157
沙瑚塔清 456-253- 69
沙當阿清 455-133- 5
沙鉢略隋 見攝圖
沙毓珍妻 清 見李氏
沙精阿清(瓜爾佳氏)
455- 76- 2
沙精阿清(把爾達氏)
455-691- 49
沙爾納清 502-749- 85
沙爾圖清 455-517- 32
569-618-18下之2
沙潤民沙順民 明456-600- 9
沙濟圖清 456-273- 70
沙鎔金女 明 見沙氏
沙懷正妻 清 見王氏
沙囉巴元 見佛智
沙卜珠介元 511-902-172
沙木斯鼎沙木斯迪音 元
523-128-152
1199-691- 5
沙克都爾清 454-470- 39
沙拉扣肯沙喇扣肯 清
454-872-104
500-729- 37
沙喇扣肯清 見沙拉扣肯
沙爾希納清 456-145- 60
沙爾虎達清 見沙爾瑚達
沙爾瑚達沙爾虎達 清
455-106- 4
474-768- 41
502-575- 75
沙彌道蔭宋 1052-361- 25
沙彌彌伽宋 1052-361- 25
沙木斯迪音元 見沙木斯鼎
沙克嘉伊實明 302-827-331
沙達哈僧郭清 455-420- 25
沙鉢羅可汗唐 見賀魯
沙克都爾曼濟清
500-727- 37
沙嚕伊勒都齊清
454-682- 75
沙鉢羅咥利失可汗唐 見同娥
汾川王明 見朱貢淙
汾西王明 見朱安漕
汾陽王元 見拜特穆爾
汾陽公主唐 見鄭國公主
宋干宋 505-937- 85
宋才唐 820-139- 26
宋才清 547- 66-143
宋文明 458-167- 8
472-665- 27
537-399- 57
545- 66- 85
宋王梁 見元景隆
宋王唐 見李結
宋王唐 見李僖
宋王唐 見李元嘉
宋王遼 耶律喜隱
宋王金 見完顏宗磐
宋木春秋 405- 56- 59
宋友女 明 見宋氏
宋升妻 清 見孫氏
宋氏晉 韋逞母 256-577- 96
381- 54-185
476-733-138
506-161- 90
933-637- 42
宋氏唐 李誠妻、宋元同女
1072-244- 11
宋氏宋 江汝明妻、宋保孫女
1130-308- 31
宋氏宋 任伋妻 1096-794- 40
宋氏宋 趙世恩妻、宋 女
1100-537- 51
宋氏宋 趙令時妻、宋良肱女
1100-493- 46
宋氏宋 趙宗史妻、宋京女
1097-313- 21
宋氏宋 趙從古妻、宋元載女
1093-399- 54
宋氏宋 宋輔臣女
1122-185- 14
宋氏元 王宗仁妻、宋騤女
295-640-201
401-186-593
472- 38- 1
472-145- 5
474-279- 14
499-249-144
506- 28- 86
宋氏元 徐紹仲妻
1213-729- 21
宋氏元 黃開妻 480- 62-260
宋氏元 宋子正女
1206- 41- 5
宋氏明 丁之鴻妻 480- 96-262
533-545- 67
宋氏明 毛繼妻 472-209- 7
宋氏明 甘誠妻 482-409-359
宋氏明 朱永湯妻 480-639-288
宋氏明 朱惟新妻、宋銳女
1280-486- 91
宋氏明 李正妻 503- 30- 93
宋氏明 李芳妻 506- 45- 87
宋氏明 武文全妻 477- 94-153
宋氏明 林遜學妻 530- 64- 55
1254-588-上
宋氏明 東允妻 478-353-191
宋氏明 周孟聲妻 530- 63- 55
宋氏明 岳正妻 1250-528- 49
宋氏明 胡僖妻、宋震女
1290- 66- 91
宋氏明 弭文妻 506- 6- 86
宋氏明 唐祚妻、宋言女
1268-421- 66
宋氏明 張佑妻 479-383-234

宋氏明 張眞妻 480-300-271
宋氏明 張天祿妻 506- 41- 87
宋氏明 張羅彥妻 474-248- 12
506- 57- 87
宋氏明 陳大綸妻 558-533- 43
宋氏明 陳丹餘妻 302-246-303
480-321-272
533-641- 70
宋氏明 陳蒙貞妻 506- 33- 86
宋氏明 湯澤妻 506- 47- 87
宋氏明 黃渤妻 483-283-393
宋氏明 溫純妻、宋昌女
1288-655- 11
宋氏明 楊雲妻、宋瑒女
1261-855- 41
宋氏明 趙琳妻、宋翟女
472-685- 27
1250-376- 35
1457-736-413
宋氏明 鄭位妻 506-111- 89
宋氏明 鄭克誠妻 480-252-269
宋氏明 錢岐妻 472-243- 9
475-187- 59
宋氏明 薛來貞妻 478-137-181
宋氏明 宋友女 1270- 88- 8
宋氏明 宋名錄女 480-254-269
宋氏清 王公弼妻 474-624- 32
宋氏清 王介福妻 503- 53- 95
宋氏清 王行著妻 506- 17- 86
宋氏清 王懋誠妻 481-250-303
宋氏清 江德滋妻 480- 97-262
宋氏清 朱志琚妻 475-856- 94
宋氏清 朱叔顯妻 476-791-141
宋氏清 李天福妻 480-639-288
宋氏清 何保全妻 503- 60- 95
宋氏清 何繼秀妻 478-172-182
宋氏清 林普妻 530- 83- 55
宋氏清 林文儀妻 530- 38- 54
宋氏清 宣拱妻 479-253-228
524-666-210
宋氏清 許準妻、宋既庭女
1315-387- 19
宋氏清 馬顯圖妻 503- 56- 95
宋氏清 張天瓊妻 483-119-379
宋氏清 張魁吾妻 474-641- 33
506-168- 90
宋氏清 張憲仲妻 530- 78- 55
宋氏清 陳六御妻 530- 80- 55
宋氏清 陳廷柱妻 530- 80- 55
宋氏清 陳宜廣妻 512-315-184
宋氏清 崔正妻 477-170-157
宋氏清 賈廷瓚妻 474-341- 17
宋氏清 雷乾位妻 481-312-307
宋氏清 楊又綰妻 478-142-181
宋氏清 楊昌裔妻 476-620-133
宋氏清 楊愈奇妻 479- 62-219
宋氏清 葉定國妻 481-419-314
宋氏清 解萬端妻 506- 23- 86
宋氏清 趙元吉妻 474-655- 34
宋氏清 鄭國器妻 474-482- 23
宋氏清 劉仁妻 474-196- 9
宋氏清 宋文元女 474-341- 17
宋玉戰國 405- 18- 56
470-372-144
470-376-145
471-780- 27
471-816- 32
471-820- 32
471-989- 58
473-300- 62
480-291-271
533- 83- 49
561-210-38之2
575-490- 28
839- 19- 2
879-160-58上
933-636- 42
1366-739- 2
宋玉明 554-816- 63
宋弘漢 252-656- 56
370-143- 13
384- 57- 3
376-636-107上
402-376- 4
402-540- 17
472-831- 33
478- 96-180
552- 18- 18
554-382- 55
933-636- 42
宋正明 529-667- 49
宋本宋克信 元 295-451-182
399-731-493
472- 37- 1
474-181- 8
533-738- 73
1212-509- 15
1214- 68- 6
1214- 69- 6
1214-155- 13
1439-429- 1
1470-307- 11
宋可張可 金 291-722-127
477-254-161
538-101- 64
1365-320- 9
宋史妻 明 見陳貞姐
宋仕明 559-255- 6
宋白宋 288-184-439
371-129- 13
382-246- 38
384-342- 17
400-620-557
450-713-下7
471-954- 52
472-131- 4
474-476- 23
481-309-307
505-890- 79
538-127- 65
554-309- 53
559-306-7上
674-275-4中
1362-406- 5
1437- 7- 1
宋弁後魏 261-866- 63
266-521- 26
379- 70-147
384-130- 7
472-495- 21
474-436- 21
505-760- 72
545-862-113
933-637- 42
宋安明 472-127- 4
537-268- 55
宋江明 537-549- 59
宋朴明 546-659-137
宋圭明 545-223- 91
宋有宋 1150-114- 13
宋存宋 489-678- 49
宋至清 537-443- 58
宋臣明(字以忠) 523-230-156
宋臣明(字子忠) 821-404- 56
宋旭明 511-896-172
524-353-196
821-443- 57
1475-344- 14
宋仲妻 宋 見酈氏
宋价宋 1153- 41- 58
宋言女 明 見宋氏
宋灴明 見宋玒
宋沆宋 285-584-287
宋沆妻 宋 見王氏
宋沖漢 546-662-137
宋沂元 1222-263- 15
1369-341- 8
1439-444- 2
1471-457- 10
宋忻清 537-439- 58
宋甫明 476-207-107
547- 62-143
宋玒宋灴 明 472-775- 30
523-188-155
545-145- 88
563-775- 40
宋均宗均 漢 253- 9- 71
370-177- 17
376-761-109上
384- 60- 3
402-396- 5
402-445- 9
402-523- 15
459-833- 50
470-354-142
471-745- 22
471-804- 30
472-194- 7
472-716- 28
472-770- 30
473-376- 65
475-740- 88
476-777-141
477-241-161
477-366-167
477-406-169
480-562-284
510-468-117
532-739- 46
537-284- 55
537-536- 59
933-636- 42

宋杞宋 494-516- 25
820-408- 34
宋杞元 見宗杞
宋杞明 821-346- 55
宋玘宋(廣平人) 285-549-284
450-528-中42
473-268- 61
1088-605- 62
宋玘宋(字子美) 515-516- 73
1106-232- 32
宋玘明 523-487-170
宋克明 301-822-285
472-229- 8
475-132- 56
493-1057- 56
511-735-165
820-564- 40
821-343- 55
1230-295- 4
1236-824- 15
1255-460- 50
1273-150- 21
1318-349- 63
1386-715- 上
1408-529-534
1442- 5- 附
1457-663-404
1459-363- 11
宋呂妻 明 見王氏
宋邑漢 742- 25- 1
宋位宋 1088-607- 62
宋兌明 472-611- 25
540-657- 27
宋佖宋 1147-794- 75
宋豸明 480-319-272
宋京漢 538- 28- 62
宋京宋(資州郡幕) 471-1020- 63
宋京宋(工山水) 821-249- 52
宋京宋(字宏父) 1354-556- 23
1354-766- 43
1381-334- 31
宋京女 宋 見宋氏
宋宜明 554-498-57上
宋性明 472-527- 22
476-527-128
540-785-28之3
554-220- 52
559-251- 6
宋沾妻 清 見丁氏
宋炌清 1323-351- 30
宋祁宋 285-551-284
371- 60- 5
382-416- 65
397- 41-323
450- 60-上7
471-946- 51
472- 85- 3
472-196- 7
472-660- 27
473-268- 61
477- 77-152
480-203-267
484- 92- 3
533- 66- 48
534-945-120
538-129- 65
592-508- 92
592-566- 96
592-618-100
674-280-4下
674-817- 17
820-349- 32
933-640- 42
1354-829- 48
1362-486- 24
1394-404- 3
1437- 10- 1
宋泌宋 285-583-287
宋定妻 明 見劉氏
宋炎宋 288-307-448
400-168-513
472-750- 29
477-525-175
538- 72- 63
宋武宋 1092-107- 14
宋玫明 301-510-267
456-437- 3
476-700-137
537-250- 55
540-830-28之3
1312-414- 40
1442-104- 7
1460-618- 71
宋林妻 明 見李氏
宋忠蜀漢 254-651- 12
384-496- 18
宋忠明(謚烈愍) 299-360-142
456-694- 12
474-513- 25
886-162-139
宋忠明(字德敬) 473-623- 77
481-719-333
528-551- 32
533- 6- 47
宋昌漢 243-246- 10
539-349- 8
545-857-113
933-636- 42
宋昌女 明 見宋氏
宋明明 472-134- 4
477-210-159
537-466- 58
宋卓五代 812-526- 2
821-132- 49
宋昇宋 286-719-356
397-754-365
宋昇妻 明 見孫氏
宋昂明 571-538- 20
676-684- 28
1460-862- 93
宋易宋 485-536- 1
宋果漢 253-377- 98
377- 3-113上
402-485- 11
478-102-180
545-126- 87
545-506-101
554-433- 56
宋果明 554-310- 53
宋旻明 523-339-162
宋和元 1202- 96- 8
宋和清 511-811-167
宋佳明 676- 37- 2
676- 59- 2
676-293- 11
679-632-200
宋炫明 572-107- 30
宋炳明 515-219- 63
宋炳妻 清 見張氏
宋宣後魏 261-477- 33
266-521- 26
379- 70-147
505-759- 72
544-208- 62
545-862-113
933-637- 42
宋宣明 529-460- 43
宋宣妻 明 見吳氏
宋洽後魏 261-477- 33
545-861-113
宋庠宋郊 宋 285-549-284
371- 60- 5
382-415- 65
384-348- 18
397- 40-323
449- 72- 6
450- 57-上7
471-809- 31
472-196- 7
472-544- 23
472-660- 27
472-694- 28
472-740- 29
473-268- 61
475-776- 89
476-817-143
477- 77-152
480-203-267
510-478-118
516-221- 96
533- 66- 49
534-945-120
537-392- 57
540-669- 27
674-428- 2
674-817- 7
708-329- 50
820-349- 32
933-640- 42
1093-358- 48
1106-175- 25
1362-482- 23
1437- 10- 1
宋亮明(字均禮) 472-559- 23
540-783-28之3
宋亮明(字原亮) 1240-375- 24
宋亮妻 明 見高氏
宋郊宋 見宋庠
宋恢明 1474- 84- 5
宋度漢 402-458- 10
宋珏明(字比玉) 529-733- 51
820-753- 44

821-471- 58
1442- 99- 6
1460-605- 70
宋玨明(字子琳) 1242-209- 31
宋咸宋 471-651- 10
473-601- 76
473-615- 77
528-504- 31
529-593- 47
585-753- 4
677-173- 16
1095-271- 30
宋咸宋斌 明 1475-487- 21
宋春明 1246-627- 12
宋珊明 567-317- 78
宋拯宋 1092-611- 57
宋拯明 546-646-136
宋柱清 456-379- 79
宋飛北周 592-341- 81
宋珍元(字子玉) 1200-661- 49
宋珍元(宋德福子) 1206-169- 18
宋珍明(鄖縣人) 533-239- 54
宋珍明(字廷瑤) 558-230- 32
宋勇春秋 545-723-209
宋昱明 571-538- 20
676-684- 28
1460-863- 93
宋昭宋 933-641- 42
宋則漢 252-657- 56
376-637-107上
402-585- 20
477- 48-151
478-102-180
554-383- 55
宋是明 1475-708- 29
宋迪宋 812-533- 3
813-138- 12
821-163- 50
宋迪明 482-409-359
567-314- 77
1467-200- 69
宋約明 523-191-155
676-176- 7
宋信明 545-148- 88
宋紀後魏 261-867- 63
266-523- 26
379- 72-147
545-863-113
宋俠唐 271-622-191
742- 34- 1
宋浦金 見沃呼忠
宋祐明 473-251- 60
480-298-271
宋益晉 480-145-264
533-753- 74
宋宰宋 460-309- 22
宋訓明 476-113-102
545-378- 97
宋旅宋 288-366-453
400-130-511
473-632- 77
479-224-227
481-553-327
523-149-153
529-495- 44
宋泰明 524-135-185
宋眞明 479-175-225
523-131-152
宋烈唐 見宋務光
宋班宋 1113-257- 24
宋珪宋乞奴 金 291-754-131
400-239-519
401- 87-579
宋哲明 472-1027- 42
479-319-232
523-189-155
宋琉明 見宋瑬
宋琉清 456-303- 73
宋挺唐 1098-208- 26
宋時宋 480- 49-259
宋恕唐 270-161- 96
274-566-124
宋甡宋 1147-546- 51
1174-669- 42
宋矩晉 256-456- 89
380- 43-166
478-481-199
558-439- 37
933-637- 42
宋娟清 1475-838- 35
宋倫周 472-754- 29
538-341- 70
1061-204-104
宋耕宋 472-1089- 46
479-193-225
481- 86-294
524-408-199
592-216- 73
宋臯妻 宋 見楊氏
宋純宋 821-248- 52
宋适宋 1165-361- 22
宋秩明 563-789- 40
宋宸金 291-666-121
400-213-517
472-717- 28
505-834- 76
537-205- 54
宋納明 453- 98- 9
宋淙妻 明～清 見孫氏
宋淳明(山西參政) 545- 94- 85
宋淳明(字顯卿) 567-384- 82
1467-225- 70
宋清唐 556-467- 93
1076-162- 17
1076-610- 16
1077-212- 17
1340-702-794
1355-597- 20
1383-253- 21
1408-499-530
1447-283- 11
宋翊宋翽 宋 482-115-343
563-680- 39
473-694- 80
宋章漢 591-590- 44
宋祥元 見宋詳
宋許妻 宋 見王氏
宋郭宋 451-141- 3
宋訥明(字仲敏) 299-298-137
452-163- 3
453- 98- 9
453-544- 5
458-1012- 1
472-134- 4
477-209-159
537-466- 58
676-445- 17
1225-925- 附
1347-640- 85
1442- 5-附1
1459-226- 4
宋訥明(沁源人) 476-418-120
546-338-126
宋球宋 286-640-349
397-695-362
537-465- 58
宋曹清 475-331- 65
511-845-168
宋推明 540-805-28之3
宋基清 505-661- 68
宋陸清 1323-354- 30
宋規元 453-771- 1
554-468- 56
1293-341- 19
宋彬明(開封人) 515-171- 62
宋彬明(永豐人) 559-288-7上
宋珽晉 814-245- 6
820- 74- 23
宋授宋 516-210- 96
宋通明 511-522-157
宋晟明 299-505-155
453-179- 17
472-207- 7
472-944- 37
475-753- 88
478-453-197
478-634-206
511-420-152
558-145- 30
558-215- 32
567- 87- 66
1238-136- 12
1245-533- 28
宋莊宋 821-206- 51
宋處宋 821-185- 50
宋常明 1240-720- 7
1240-753- 7
宋冕明(字孔瞻) 479-240-227
523-309-160
宋冕明(琅琊知縣) 547- 82-144
宋偓宋延渥 宋 285-139-255
382-154- 21
384-326- 17
396-486-299
472-747- 29

537-504- 59
933-639- 42
1086-270- 28
宋偓女 宋 見宋皇后
宋偉明 456-529- 6
宋敏元 821-292- 53
宋敏明 1242-155- 29
宋斌宋 490-935- 87
515-502- 72
524-303-194
宋斌明 見宋咸
宋就戰國 405-188- 68
宋渥妻 明 見劉氏
宋愔後魏 261-477- 33
266-521- 26
545-862-113
933-637- 42
宋焻妻 清 見鄭氏
宋翔宋 494-322- 6
529-742- 51
宋渾唐 270-161- 96
274-566-124
506-302- 97
宋渤元 295-162-159
476-154-104
1439-421- 1
宋湜宋 285-583-287
371- 97- 9
382-245- 37
384-340- 17
397- 63-324
472-839- 33
478-123-181
554-843- 63
820-340- 32
1086-441- 8
宋琮母 明 見左氏
宋琮明(字萬鍾) 515-647- 77
1241-877- 23
1236- 78- 5
宋琮明(字朝用) 558-312- 34
宋琪宋祺 宋 285-268-264
371- 40- 4
382-214- 31
384-331- 17
396-571-305
472- 33- 1
472-642- 26
473-496- 70
474-176- 8
475-698- 86
477- 49-151
505-715- 71
559-299-7上
933-639- 42
宋悳明 523-263-158
宋朝春秋 見宋子朝
宋朝元 見宋文昭
宋朝妻 明 見朱氏
宋超元 546-357-126
1202- 96- 8
宋雄宋 285-275-264
396-573-305
472- 33- 1
474-176- 8
505-715- 71
581-464- 95
宋盛清 547- 65-143
宋登漢 253-526-109上
380-263-172
402-510- 14
402-529- 15
472-194- 7
472-832- 33
475-775- 89
477- 48-151
478-102-180
510-476-117
537-340- 56
554-806- 63
675-259- 7
933-636- 42
宋登妻 清 見許氏
宋琥明 299-506-155
453-180- 17
472-207- 7
477-944- 37
1240-898- 10
宋覃宋 488-371- 13
宋堯妻 明 見高氏
宋琬清 474-276- 14
476-701-137
505-642- 67
540-850-28之4
561-605- 47
宋椅妻 清 見王氏
宋弼明 472-485- 21
宋揚漢 見宋楊
宋瑒女 明 見宋氏
宋琰明 523-289-159
676-478- 18
1244-639- 15
宋景明 300-319-202
472-678- 27
473- 29- 49
475-872- 95
479-490-239
515-381- 68
537-257- 55
545- 79- 85
1442- 41-附2
宋著元 505-655- 68
宋著清 1323-358- 31
宋晛宋 484-105- 3
1376-540- 93
488- 13- 1
488-440- 14
488-441- 14
宋敞前秦 496-598-103
宋敞妻 清 見霍氏
宋棻宋 820-452- 35
宋無宋晞顏、宋名世 元
493-1024- 54
511-730-165
676-702- 29
1364-824-376
1439-434- 1
1469- 1- 36
宋傅宋 1164-278- 14
820-388- 33
宋鈞宋 528-483- 30
529-501- 44
563-672- 39
宋絅女 宋 見宋氏
宋勝宋 473-867- 88
483-249-391
571-541- 20
宋策明 516-172- 94
宋欽明(蒼梧人) 473-210- 59
482-453-362
567-365- 81
1467-192- 69
宋欽宋蒙古岱 明(眞定人)
473-854- 88
571-537- 20
宋欽明(字克敬)
554-475-57上
571-517- 19
宋欽妻 明 見劉淑貞
宋傑母 明 見楊氏
宋傑明 299-563-159
505-811- 74
1241-492- 8
宋棐宋 481-745-334
528-538- 32
528-558- 32
529-495- 44
1142-640- 9
宋復宋 820-403- 34
宋意漢 253- 11- 71
376-763-109上
477-367-167
537-536- 59
933-636- 42
宋愼明 299-191-128
561-208-38之2
1235-654- 22
宋祺宋 見宋琪
宋義漢 1200-170- 14
宋義明 1246-432- 9
宋慈宋 529-611- 47
宋該前燕 503- 8- 90
宋滄明 540-799-28之3
559-254- 6
676-198- 8
676-540- 22
宋靖宋 1121-483- 36
宋愷妻 清 見陳氏
宋詡宋 見宋翊
宋詡明 472-925- 36
554-473-57上
宋煜宋 482-115-343
563-679- 39
宋温後魏 261-477- 33
505-759- 72
宋準宋 288-197-440
382-247- 38
384-328- 17
400-636-558
472-347- 15
472-658- 27
474- 91- 3

546-658-137
1439-422- 1
宋樂宋 1095-271- 30
宋樂妻 宋 見江氏
宋徵明(諡節愍) 299-350-141
456-697- 12
886-152-139
宋徵明(洪洞人) 474-635- 33
宋練唐 473-166- 57
479-747-251
515-461- 71
宋諾明 505-819- 74
676-591- 24
宋蓺元 賈善妻、賈明善妻
479-333-232
524-703-212
1218-751- 5
1223-590- 11
宋懌明 299-191-128
524- 72-181
820-563- 40
宋澥宋 285-584-287
472-839- 33
554-871- 64
812-534- 3
821-163- 50
宋濂明 299-188-128
452-187- 4
453- 85- 8
453-519- 2
458-993- 1
472-1032- 42
473-491- 70
479-327-232
479-793-254
523-327-161
561-208-38之2
561-210-38之2
561-440- 43
561-518- 44
561-519- 44
561-528- 44
561-534- 44
588-180- 8
676-444- 17
820-561- 40
1223-563- 11
1226-442- 21
1373-752- 21
1374-416- 62
1375- 37- 下
1408-611-543
1442- 4-附1
1459-230- 4
宋穎後魏 261-868- 63
266-523- 26
379- 72-147
宋頤元 1202- 99- 8
宋璟唐 270-157- 96
274-563-124
384-191- 10
384-196- 11
395-530-229
448-120- 0
459-374- 23
469-491- 59
471-584- 1
471-829- 34
472- 26- 1
472-107- 4
472-125- 4
472-307- 13
472-543- 23
472-694- 28
472-738- 29
472-824- 33
472-960- 38
472-1014- 41
473-671- 79
474-409- 20
474-434- 21
474-468- 23
474-601- 31
475-323- 65
477-161-157
478- 87-180
479- 41-218
479-377-234
505-629- 67
505-756- 72
506-302- 97
506-318- 97
506-490-103
506-568-106
523- 72-149
537-264- 55
540-631- 27
545-207- 91
547-188-149
554-122- 50
556-113- 85
563-628- 38
564-678- 59
683-324- 16
820-163- 27
933-638- 42
1054-462- 13
1065-747- 11
1071-604- 4
1343-299- 21
1371- 54- 附
1388-820-115
1394-378- 2
1472-168- 10
宋璟妻 唐 見崔氏
宋翰明 559-403-9上
宋橘明 545-150- 88
宋璘明 479-378-234
511-370-150
523-219-156
宋褧宋聚 元 295-452-182
399-732-493
472- 37- 1
474-181- 8
1214- 69- 6
1214-155- 13
1439-429- 1
1470-310- 11
宋褧女 元 見宋氏
宋豫宋 1114-663- 16
宋儒宋 515-869- 85
宋儒母 明 見趙氏
宋儒明(沅陵人) 480-565-284
宋儒明(字文卿) 511-261-146
宋儒明(寧夏人) 558-376- 36
宋儒明(四川峽江人)
569-674- 19
宋衡唐 270-161- 96
274-566-124
506-302- 97
宋衡元 1194-220- 17
宋衡妻 元 見孫妙貞
宋衡清 569-620-18下之2
宋濤宋 285-584-287
554-461- 56
477-472-173
宋鴻明 523-621-177
宋應宋 487-188- 12
宋禧元 1202- 96- 8
宋禧明 見宋僖
宋濟宋 494-313- 5
1171-328- 7
宋謙宋 547-492-159
宋謙妻 元 見趙氏
宋謙媳 元 見高氏
宋謙媳 元 見温氏
宋謙孫婦 元 見高氏
宋謙孫婦 元 見徐氏
宋懋明 1241-565- 10
宋翼魏 814-230- 4
820- 39- 22
宋翼元 476-207-107
546-192-121
宋隱後魏 261-476- 33
266-521- 26
379- 69-147
472-495- 21
474-436- 21
505-759- 72
546-664-137
933-637- 42
宋璫宋 285-426-276
396-680-316
472-892- 35
473-426- 67
475-119- 55
478-122-181
478-694-210
481- 66-293
493-696- 39
510-324-113
554-461- 56
558-226- 32
559-262- 6
宋舉唐 547-164-147
宋璲明 299-191-128
524- 72-181
820-562- 40
1229-590- 2
1235-654- 22
1236-824- 15
1391-579-332

1442- 13-附1
1459-423- 13
宋薊妻 明 見高氏
宋谿後魏 261-705- 52
266-704- 34
379-164-148
384-132- 7
472-945- 37
478-742-213
558-407- 36
933-638- 42
宋鍹清 474-247- 12
505-902- 80
宋禮明(字大本) 299-470-153
458- 26- 2
472-144- 5
472-431- 19
472-520- 22
472-752- 29
472-827- 33
476-183-106
477-316-164
479-719-250
510-287-112
515-643- 77
537-517- 59
540-616- 27
541-697-35之19下
545- 66- 85
554-220- 52
554-310- 53
559-249- 6
581-592-106
1236-731- 9
宋禮明(字惟寅) 538-317- 69
宋禮明(河南葉人) 540-658- 27
宋禮明(字學聞) 1237-360- 10
1239-130- 35
宋翷宋 1088-576- 60
宋燾明 300-773-230
458-352- 14
476-827-143
545-403- 98
宋豐清 538- 84- 64
宋鎮明 476-438-122
545-431- 99
宋鎧妻 明 見趙氏
宋翻宋飜 後魏 262-138- 77
266-524- 26
379- 72-147
384-130- 7
474-436- 21
477-304-163
505-760- 72
537-346- 56
545-863-113
933-637- 42
宋璽明 472-767- 30
537-317- 56
宋疆明 505-914- 81
宋瓊後魏 261-477- 33
266-521- 26
379- 70-147
474-436- 21
505-910- 81
547- 41-142
933-637- 42
宋藝前蜀 592-704-106
812-503-下
812-527- 2
821-122- 49
1381-575- 42
宋羆晉 540-655- 27
宋鏜妻 明 見張氏
宋繪北齊 263-158- 20
宋櫺清 480-652-289
宋獻明 472-358- 15
510-436-116
820-756- 44
宋耀後周 1088-605- 62
宋蘊宋 678-139- 83
1173-230- 80
宋藻宋 529-498- 44
680-187-243
宋纁明 300-683-224
458-162- 8
475-873- 95
477-131-155
537-430- 58
545- 96- 86
676-236- 9
1288-339- 10
宋酆女 漢 見宋皇后
宋鐸明 546-597-134
宋飜後魏 見宋翻
宋權清 537-436- 58
宋權妻 清 見郝氏
宋權妻 清 見趙氏
宋權妻 清 見劉氏
宋霽唐 839- 53- 4
宋鑑明(字孔昭) 473-316- 62
480-463-279
533-406- 61
538- 69- 63
宋鑑明(字克明) 476-207-107
546-198-122
宋鑑妻 明 見張氏
宋瓚明 1229-590- 2
1235-654- 22
宋顯北齊 263-158- 20
267-126- 53
379-376-152
558-408- 36
宋纖晉 256-535- 94
380-432-177
384- 94- 5
472-945- 37
478-742-213
558-472- 39
871-906- 19
933-637- 42
宋灝清 533-160- 52
宋瓛妻 明 見張氏
宋鼇明 480-298-271
510-495-118
533-390- 60
宋一韓明 477-453-171
宋一勵妻 清 見郭氏
宋一鶴明 301-454-263
456-496- 5
474-187- 9
505-836- 76
533-353- 59
534-856-114
540-642- 27
宋九思妻 清 見劉氏
宋九嘉金 291-714-126
400-693-566
472-576- 24
476-899-147
478- 91-180
540-771-28之2
554-274- 53
1040-230- 1
1365-206- 6
1439- 10- 附
1445-422- 30
宋九儀明 515-510- 72
528-545- 32
宋九德明 820-747- 44
宋三汶妻 清 見朱氏
宋三汶妻 清 見郭氏
宋士英妻 清 見李氏
宋士素北齊 263-370- 47
266-708- 34
380-236-171
505-761- 72
933-638- 42
宋士堯宋 473-758- 83
482-372-357
567-363- 81
1467-169- 68
宋士遜北齊 263-370- 47
266-707- 34
宋子玉清 476-278-111
545-328- 95
宋子正女 元 見宋氏
宋子平明 567-120- 67
宋子京明 533-774- 74
宋子固妻 宋 見郭氏
宋子昇明 1242-277- 33
宋子昇妻 明 見徐氏
宋子房宋 821-195- 51
宋子宣明 1227-107- 13
宋子建明 529-691- 50
宋子貞元 295-160-159
399-469-464
451-627- 10
472-490- 21
476-154-104
476-477-125
476-818-143
540-665- 27
545-835-113
1191-423- 36
宋子恭明 479-605-244
515-249- 64
宋子朝宋朝 春秋
404-845- 52
宋子嵩南唐 1226-220- 10
宋子環明 299-298-137
473-151- 56

515-654- 77
676-474- 18
1239-119- 34
1241-120- 6
宋子環妻 明 見劉氏
宋大化妻 明 見褚氏
宋大本明 554-286- 53
宋大雄妻 清 見陳氏
宋大勛明 456-573- 8
533-390- 60
宋大儒明 505-883- 79
宋乞奴金 見宋珪
宋斗星清 476-452-123
547-124-145
宋文才唐 481-354-309
1061-288-112
宋文元女 清 見宋氏
宋文公鮑華 春秋244- 88- 38
371-328- 15
384- 8- 1
404-232- 14
宋文玉元 537-244- 55
宋文林妻 清 見劉氏
宋文昌明 475-483- 73
宋文帝劉義隆 劉宋
257- 55- 5
262-402- 97
265- 43- 2
370-426- 12
372-532- 11
384-108- 6
512-841-198
532- 86- 26
589-182- 上
812- 62- 中
812-225- 8
812-714- 3
814-210- 1
819-562- 19
1112-666- 10
宋文帝婕妤 劉宋 見沉容
宋文帝后 劉宋 見袁齊媯
宋文帝后 劉宋 見路惠男
宋文帝淑妃 劉宋 見潘氏
宋文帝女 劉宋 見長城公主
宋文美妻 明 見趙氏
宋文奎妻 清 見張氏
宋文昭宋朝 元 1214-685- 20
1221-314- 5
1223-331- 4
1224-314- 24
1229-188- 4
1229-611- 2
1235-630- 22
宋文昭妻 明 見陳賢時
宋文清明 528-463- 29
宋文通後唐 見李茂貞
宋文運清 474-169- 8
474-609- 31
505-642- 67
505-785- 73
569-620-18下之2
1325-297- 附
宋文蔚宋 1088-576- 60
宋文禮妻 明 見邊氏
宋文燿妻 明 見尤氏
宋文燿妻 明 見張氏
宋文麗明 456-630- 10
505-863- 77
宋文懿元 479-134-223
523-117-151
宋文瓚元～明 472-1067- 45
523-151-153
1225-221- 8
宋之才宋 472-1116- 48
523-626-177
1159-554- 34
宋之玉清 502-775- 86
宋之珍宋 1124- 70- 2
宋之悌唐 271-582-190中
276- 68-202
宋之望唐 821- 54- 46
宋之問宋少連 唐
271-582-190中
276- 68-202
384-190- 10
400-596-555
451-413- 1
469- 49- 6
472-495- 21
546-666-137
567-426- 86
585-779- 7
674-248-4上
820-148- 26
933-639- 42
1371- 51- 附
1387-334- 24
1394-662- 10
1467-140- 67
宋之盛清 516-110- 91
宋之弼明 546-341-126
宋之傑明 554-344- 54
宋之源宋 559-266- 6
1173-140- 72
宋之瑞宋 481-492-324
宋之愻唐 見宋之遜
宋之遜宋之愻 唐820-148- 26
宋之僎妻 明 見郭氏
宋之雋宋之儁 明
302-102-294
456-581- 8
476-348-116
545-792-111
宋之儒明 820-739- 44
宋之韓明 545-194- 90
宋之鎬妻 明 見李氏
宋之儁明 見宋之雋
宋太杓宋 559-290-7上
宋太宗趙炅、趙匡乂、趙匡義、趙光義 280-117- 4
371- 4- 1
382- 34- 3
384-330- 17
384-323- 17
392-281- 26
408- 71- 3
537-182- 53
539-338- 8
550-169-215
684-487- 下
819-585- 20
839- 55- 5
1053-242- 6
1135-659- 3
1437- 6- 1
宋太宗后 見尹皇后
宋太宗后(謚元德) 見李皇后
宋太宗后(謚明德) 見李皇后
宋太宗后 見符皇后
宋太宗女 見晉國長公主
宋太宗女 見員明大師
宋太宗女 見荆國大長公主
宋太宗女 見徐國大長公主
宋太宗女 見清裕
宋太宗女 見揚國大長公主
宋太宗女 見雍國大長公主
宋太宗女 見清裕
宋太初宋 285-443-277
396-693-317
472-505- 21
473-297- 62
473-464- 69
476-206-107
480-240-269
481-211-302
484- 88- 3
546-684-138
宋太祖趙匡胤 280- 88- 1
371- 3- 1
382- 25- 1
384-321- 17
392-267- 25
408- 2- 1
408- 35- 2
537-182- 53
819-584- 20
1135-648- 2
1378-327- 52
1437- 6-附1
宋太祖后 見王皇后
宋太祖后 見宋皇后
宋太祖后 見賀皇后
宋太祖女 見陳國大長公主
宋太祖女 見魯國大長公主
宋太祖女 見魏國大長公主
宋王偃宋偃公 戰國
244- 90- 38
371-332- 15
384- 8- 1
宋元王春秋 244-914-128
宋元公春秋 371-330- 15

384- 8- 1
404-236- 14
宋元公夫人 春秋 見景曹
宋元老宋 485-537- 1
宋元同女 唐 見宋氏
宋元亨宋 1094-714- 78
宋元伯元 1202-886- 16
宋元凱元 821-318- 54
宋元載女 宋 見宋氏
宋元徵清 476-893-147
511-340-149
540-686- 27
宋元翰明 529-510- 44
563-794- 41
1263- 61- 10
1263-109- 18
宋尹文元 511-877-170
宋友懷女 清 見宋典姐
宋天則宋 1166-663- 12
宋天寵妻 清 見王氏
宋天顯明 301-505-266
456-525- 6
475-183- 59
511-443-153
宋日隆宋正老 宋(字伯文)
451- 78- 2
宋日隆宋(字道大) 528-446- 29
宋中和宋 559-307-7上
宋中美妻 清 見王氏
宋少帝劉義符 劉宋
257- 53- 4
262-401- 97
265- 40- 1
370-422- 11
372-523- 11
384-107- 6
512-840-198
589-182- 上
宋少帝后 劉宋 見司馬茂英
宋少連唐 見宋之問
宋公和春秋 見宋穆公
宋仁宗趙禎、趙受益 宋
280-187- 9
371- 4- 1
382- 49- 5
384-345- 18
392-314- 28
408-166- 6
537-182- 53
819-586- 20
1093- 65- 9
1135-681- 5
1437- 6- 1
宋仁宗貴妃 見周氏
宋仁宗妃 見苗氏
宋仁宗昭儀 見俞氏
宋仁宗后 見清悟
宋仁宗后 見曹皇后
宋仁宗后 見張皇后
宋仁宗賢妃 見馮氏
宋仁宗德妃 見楊氏
宋仁宗女 見周陳國大長公主
宋仁宗女 見兗國大長公主
宋仁宗女 見保慈崇祐大師
宋仁宗女 見秦國大長公主
宋仁宗女 見秦魯國大長公主
宋仁宗女 見鄆國公主
宋仁宗女 見燕舒國大長公主
宋今文唐 476-182-106
宋允成妻 見王氏
宋允孝妻 明 見丁氏
宋允恒明 1228-775- 13
宋允穀妻 明 見王氏
宋玄白不詳 1059-591- 上
1061-319-113
宋玄禧明 見宋僖
宋必達清 479-821-256
480-138-264
515-285- 65
533-184- 52
宋永年宋 821-246- 52
宋永賴明 547- 23-141
宋永錫宋 813-120- 9
821-171- 50
宋永譽清 474-442- 21
478-201-184
505-856- 77
506-558-105
554-314- 53
宋玉洪妻 清 見林氏
宋玉階清 480-298-271
宋弘猷妻 清 見胡氏
宋弘道明 505-806- 74
宋正老宋 見宋日隆
宋本忠明 456-602- 9
479-811-255
515-261- 65
宋司馬周 820- 20- 22
宋孕琰妻 清 見余氏
宋平公春秋 371-329- 15
384- 8- 1
404-233- 14
宋平公夫人 春秋 見棄
宋可大明 546-762-140
宋可孝明 547- 92-144
宋可發清 481-645-330
528-517- 31
540-853-28之4
宋可觀宋 486- 47- 2
宋世元元 472-677- 27
477-124-155
宋世良後魏 263-360- 46
266-524- 26
380-196-170
384-130- 7
472-112- 4
472-495- 21
474-433- 21
474-437- 21
476-609-133
505-680- 69
505-761- 72
540-637- 27
546-666-137
933-637- 42
宋世軌北齊 263-360- 46
266-525- 26
379-511-155
384-130- 7
472-495- 21
474-437- 21
505-761- 72
545-864-113
933-638- 42
宋世將妻 明 見琴氏
宋世第明 559-373- 8
宋世景後魏 262-263- 88
266-525- 26
380-191-170
474-436- 21
505-760- 72
545-315- 95
545-863-113
933-638- 42
宋世龍後魏 477- 48-151
宋充國宋 286-719-356
397-754-365
472-661- 27
477- 77-152
537-393- 57
1106-231- 32
宋以方明 302- 16-289
473-377- 65
479-747-251
480-652-289
515-108- 60
533-410- 61
宋申錫唐 271-177-167
275-109-152
384-268- 14
395-762-250
448-338- 下
471-992- 59
559-294-7上
933-639- 42
宋令文唐 271-582-190中
270- 68-202
384-190- 10
400-596-555
546-666-137
812- 72- 下
812-235- 9
812-348- 9
812-725- 3
812-744- 3
814-269- 9
820-143- 26
821- 41- 46
宋令詢後唐 277-548- 66
宋仕唐唐 528-520- 31
宋用臣宋 288-546-467
382-786-120
384-376- 19
宋用睿女 明 見宋紀姐
宋守之宋 473-737- 82

563-695- 39
宋守拙明　570-218- 23
宋守約宋　286-639-349
397-695-362
472-662- 27
474-434- 21
537-465- 58
宋守富元　1214-685- 20
1224-311- 24
宋守富妻　元　見金妙圓
宋安王後魏　見元琰
宋汝志元　585-527- 17
821-329- 54
宋汝爲趙復　宋　287-458-399
398-450-394
471-974- 55
472-412- 18
473-429- 67
475-430- 70
481- 82-294
511-466-154
561-207-38之2
591-687- 47
592-217- 73
592-618-100
1145-704- 82
宋汝勤宋農　明　1255-590- 62
宋共公春秋　371-329- 15
384- 8- 1
404-233- 14
宋共公夫人　春秋　見共姬
宋有文明　554-188- 51
599-402-9上
571-521- 19
宋有懷女　清　見宋典姐
宋存標清　1475-958- 41
宋吉金清　532-729- 46
宋老生隋　545-170- 89
550-469-223
宋臣熙明　820-756- 44
宋光宗趙惇　280-485- 36
392-473- 37
585-300- 2
819-590- 20
宋光宗后　見李鳳娘
宋光宗貴妃　見黃氏
宋光輔明　523-237-156
宋光紳明　516-526-106
宋如辰清　533-186- 52
宋如周梁　370-567- 18
宋任貴明　1237-231- 4
宋名世元　見宋無
宋名儒明　554-313- 53
宋名錄女　明　見宋氏
宋自道宋　1180-332- 31
宋自遜宋　516-195- 95
588-319- 2
宋仲庸妻　明　見謝氏
宋仲榮妻　元　見梁氏
宋印昌妻　明　見杜氏
宋良臣宋　821-245- 52
宋良肱女　宋　見宋氏
宋志靈清　511-644-161
宋成公春秋　371-328- 15
384- 7- 1
404-230- 14
宋成功清　456-358- 77
宋成義清　456-379- 79
宋甫林妻　明　見馮氏
宋孝王北齊　263-361- 46
266-526- 26
380-192-170
505-888- 79
宋孝先宋　見宋晉之
宋孝宗趙昚、趙瑋、趙瑗、趙伯琮　280-438- 33
392-450- 36
393-316- 77
528- 10- 17
532- 87- 26
585-296- 2
819-582- 20
1053-243- 6
1152-780- 49
1437- 7- 1
宋孝宗妃　見李氏
宋孝宗后　見夏皇后
宋孝宗后　郭皇后
宋孝宗貴妃　見蔡氏
宋孝宗后　見謝皇后
宋孝宗女　見嘉國公主
宋克信元　見宋本
宋克家明　1374-389- 60
宋克篤元　476-395-119
545-461-100
1439-442-附2
宋伯仁宋　1364-664-345
1437- 29- 2
宋伯宗北齊　263-360- 38
266-525- 26
380-197-170
546-666-137
宋伯義明　458-108- 5
472-666- 27
477-453-171
537-579- 60
宋希孟宋　1164-290- 15
宋希周妻　明　見梁氏
宋希祖宋　1173-230- 80
宋希寅清　478-349-191
554-795- 62
宋希堯明(謚節愍)　456-520- 6
540-628- 27
宋希堯明(字叔中)　515-509- 72
宋希顏明　563-831- 41
宋邦乂明　1283-534-108
宋邦光妻　宋　見安德帝姬
宋邦輔明　300-439-209
511-634-161
宋秀英元　魏雲瑞妻
1230-324- 5
1374-634- 84
宋廷佐明　676-759- 32
宋廷表明　1467-232- 70
宋廷芬宋庭芬　唐
269-440- 52
274- 26- 77
393-270- 72
505-888- 79
宋廷芬女　唐　見宋若昭
宋廷芬女　唐　見宋若荀
宋廷芬女　唐　見宋若倫
宋廷芬女　唐　見宋若華
宋廷芬女　唐　見宋若憲
宋廷彥明　547- 64-143
宋廷浩宋　285-139-255
382-154- 21
933-639- 42
1086-270- 28
宋廷階明　572- 94- 29
宋宗年宋　485-534- 1
523-149-153
宋宗眞明　1224-380- 26
宋宗說宋　494-321- 6
宋宗遠明　524-378-197
宋宜中明　511-800-167
宋祁仲宋　1173-175- 75
宋武帝劉裕、劉寄奴　劉宋
257- 15- 1
257- 31- 2
257- 46- 3
262-398- 97
265- 22- 1
370-403- 11
372-509- 11
384-107- 6
488-154- 7
488-157- 7
488-158- 8
488-160- 8
512-840-198
589-182- 上
814-210- 1
819-562- 19
1112-665- 10
宋武帝婕妤　劉宋　見胡道女
宋武帝妃　劉宋　見張氏
宋武帝夫人　劉宋　見張太后
宋武帝后　劉宋　見臧愛親
宋武帝女　劉宋　見會稽長公主
宋武帝女　劉宋　見劉榮男
宋松年宋　511-806-167
宋松峰妻　宋　見何道眞
宋直行宋　見宋應瑞
宋奇士明　456-629- 10
宋奇英明　456-629- 10
宋阿重元　473-854- 88
483-249-391
571-537- 20
宋長生唐　546- 56-116
宋長春清　480- 60-260
533-149- 51
宋承之宋　592-588- 98
1354-555- 23
1354-766- 43
1381-333- 31
宋承昌明　533-384- 60
宋承矩妻　明　見劉氏
宋承殷明　554-505-57上

宋承綬明 547-122-145
宋承慶妻 明 見顧氏
宋承德元 505-676- 69
宋典姐清 宋友懷女、宋有懷女 474-520- 25
506- 35- 86
1315-581- 35
宋尚德明 1241- 6- 1
宋昌言宋 285-639-291
397-102-326
472-504- 21
474-621- 32
476-204-107
477- 51-151
533-200- 53
540-670- 27
545-337- 96
宋昌祚宋 288-369-453
400-159-513
472-394- 17
475-810- 91
510-489-118
宋昌裔明 480-565-284
533-746- 73
宋昌齡明 456-501- 5
宋明友妻 清 見孫氏
宋明佐明 456-629- 10
476-732-138
宋明帝劉彧 劉宋 257- 96- 8
262-410- 97
265- 61- 3
370-465- 14
372-541- 11
384-109- 6
512-843-198
589-183-上
814-211- 1
819-563- 19
宋明帝后 劉宋 見王貞風
宋明帝貴妃 劉宋 見陳妙登
宋明帝昭華 劉宋 見陳法容
宋明善元 472- 86- 3
474-617- 32
505-701- 70
宋明甭妻 清 見倪氏
宋易從妻 宋 見李氏
宋叔平漢 402-458- 10
宋叔孫宋 451- 6- 0
宋叔集後魏 262-138- 77
505-854- 77
宋叔壽宋 485-541- 1
宋味古明 523-385-164
宋季子明 684-497-下
820-575- 40
宋季儒後魏 262-264- 88
266-526- 26
380-191-170
505-888- 79
545-864-130
宋金剛唐 384-177- 9
宋金臺妻 清 見王氏
宋秉孫宋 481-693-332
528-540- 32
529-743- 51
宋秉彝明 545-244- 92
宋延祖宋 524-324-195
宋延祚妻 清 見陳氏
宋延渥宋 見宋偓
宋洪乾妻 清 見柯氏
宋宣公春秋 244- 86- 38
宋彥中元 1222-473- 11
宋彥筠後周 278-378-123
宋度宗趙禥、趙孟啟、趙孜 280-597- 46
392-528- 39
528- 10- 17
585-308- 2
819-591- 20
宋度宗后 見全皇后
宋度宗美人 見朱氏
宋度宗淑妃 見楊太后
宋奎光明 511-747-165
676-174- 7
676-213- 8
820-737- 44
宋南強宋 287-460-299
473-533- 72
481-643-330
511-466-154
528-506- 31
559-303-7上
宋既庭女 清 見宋氏
宋珍德明 570-218- 23
宋茂柏明 1467-132- 66
宋思約元 453-773- 1
宋思益妻 明 見鄭氏
宋思齊元 545-219- 91
宋思顏明 299-276-135
宋思禮唐 275-628-195
384-181- 10
400-286-523
475-420- 70
1065-348- 1
宋貞及明 456-662- 11
宋若水宋 528-441- 29
678-130- 81
1146-188- 93
1173-140- 72
宋若水妻 宋 見張氏
宋若昭宋若照 唐 宋廷芬女 269-440- 52
274- 26- 77
393-270- 72
474-443- 21
506-126- 89
550-348-221
1371- 78- 附
1473-723- 99
宋若荀宋若茵、宋若筍 唐 宋廷芬女 269-440- 52
274- 26- 77
393-270- 72
474-443- 21
506-126- 89
550-348-221
1473-723- 99
宋若茵唐 見宋若荀
宋若倫唐 宋廷芬女 269-440- 52
274- 26- 77
393-270- 72
474-443- 21
506-126- 89
550-348-221
1473-723- 99
宋若莘宋若華 唐 宋廷芬女 269-440- 52
274- 26- 77
393-270- 72
474-443- 21
506-126- 89
550-348-221
1473-723- 99
宋若華唐 見宋若莘
宋若筍唐 見宋若荀
宋若照唐 見宋若昭
宋若憲唐 宋廷芬女 269-440- 52
274- 26- 77
393-270- 72
474-443- 21
506-126- 89
550-348-221
1371- 79- 附
1473-723- 99
宋若璟妻 明 見孫氏
宋苗訓後晉 476-122-102
宋昭公春秋 371-328- 15
384- 8- 1
404-231- 14
404-238- 14
宋昭年宋 472-981- 39
523- 97-150
宋英宗趙曙、趙宗實 宋 280-227- 13
371- 5- 1
382- 63- 7
384-360- 18
392-335- 29
537-182- 53
819-587- 20
1102-382- 50
宋英宗后 見高皇后
宋英宗女 見韓魏國大長公主
宋英宗女 見魏國大長主
宋英宗女 見魏楚國大長公主
宋俄岱清 569-619-18下之2
宋禹臣宋 492-710-3下
宋皇后漢 漢章帝后、宋楊女 253-184- 85
370-101- 6
554- 17- 48
宋皇后漢 漢靈帝后、宋酆女 252-195-10下
373- 48- 19
554- 18- 48
宋皇后宋太祖后、宋偓女 284-858-242

382-101- 13
384-323- 17
393-300- 75
537-186- 53
宋垂範宋 473-514- 71
559-382-9上
宋紀姐明 宋用睿女
541- 75- 29
宋保孫女 宋 見宋氏
宋高宗趙構 280-331- 24
392-390- 34
585-291- 2
585-515- 17
819-589- 20
1148-342-121
1407- 21-396
1437- 6- 1
宋高宗后 見邢皇后
宋高宗后 見吳皇后
宋高宗貴妃 見張氏
宋高宗賢妃 見張氏
宋高宗賢妃 見潘氏
宋高宗貴妃 見劉氏
宋高宗婉儀 見劉氏
宋祖乙明 540-834-28之3
宋益齊宋益齋 金476-752-139
540-778-28之2
宋益齋金 見宋益齊
宋神宗趙頊、趙仲鍼
280-232- 14
382- 65- 8
384-360- 18
384-363- 19
392-338- 30
408-341- 12
532- 87- 26
537-182- 53
819-587- 20
1437- 6- 1
宋神宗后 見向皇后
宋神宗后 見朱皇后
宋神宗妃 見武氏
宋神宗妃 見林氏
宋神宗后 見陳皇后
宋神宗女 見周國長公主
宋神宗女 見唐國長公主
宋神宗女 見徐國長公主
宋神宗女 見陳國公主
宋神宗女 見潭國長公主
宋神宗女 見鄧國長公主
宋神宗女 見蔡國長公主
宋神宗女 見潞國公主
宋庭芬唐 見宋廷芬
宋庭瑜妻 唐 見魏氏
宋效周明 460-565- 56
529-732- 51
宋素卿朱縞 明 302-670-322
宋恭帝趙㬎 280-615- 47
392-536- 40
585-308- 2
1437- 7- 1
宋眞宗趙恆、趙元休、趙元侃、趙德昌 280-146- 6
371- 4- 1
382- 41- 4
384-336- 17
384-330- 17
392-295- 27
408-137- 5
537-182- 53
819-586- 20
1135-670- 4
1437- 6- 1
宋眞宗貴妃 見沈氏
宋眞宗后 見李皇后
宋眞宗后 見郭皇后
宋眞宗淑妃 見楊太后
宋眞宗后 見潘皇后
宋眞宗后 見劉皇后
宋眞宗女 見清虛靈照大師
宋眞儒清 475-672- 84
511-638-161
宋桓公春秋 371-327- 15
384- 7- 1
404-228- 14
宋桓公夫人 春秋
404-812- 50
宋哲宗趙煦、趙傭
280-263- 17
382- 73- 9
384-364- 19
384-376- 19
392-352- 31
537-182- 53
819-588- 20
宋哲宗后 見孟皇后
宋哲宗后 見劉皇后
宋哲宗女 見秦國大長公主
宋哲宗女 見鄧國公主
宋晉之宋孝先 宋
1153-660-109
宋起鳳清 476-251-110
545-307- 94
宋振麟清 478-405-194
554-825- 63
宋時午清 456-392- 80
宋時化清 474-654- 34
505-919- 81
宋時隆明 554-295- 53
宋師尚宋 567- 50- 64
1467- 23- 62
宋師襄明 301-474-264
456-405- 3
478-130-181
554-729- 61
宋庶俊宋 1152-348- 6
宋惟忠明 554-497-57上
宋祥遠明 456-636- 10
475-379- 68
511-462-154
宋寄伯妻 明 見林氏
宋雪姑清 481-699-332
宋理宗趙昀、趙曬、趙貴誠
280-536- 41
392-502- 38
408-994- 5
532- 87- 26
560-588-29中
585-304- 2
宋理宗后 見謝道清
宋理宗女 見周漢國公主
宋堅童妻 元 見班氏
宋梯雲妻 清 見馬氏
宋務光宋烈 唐 274-491-118
384-187- 10
395-487-225
472-495- 21
476-182-106
476-910-148
537-198- 54
545-866-113
933-638- 42
宋崇祿元 1206-683- 3
1211-448- 63
宋國相明 554-310- 53
宋國祥妻 清 見吳氏
宋國華明 510-429-116
515-406- 69
宋國賓元 518- 31-136
宋國賓明 546-101-118
宋國賓清 505-809- 74
宋國興明 475-706- 86
511-492-156
宋國興妻 明 見曹氏
宋莊公春秋 371-326- 15
384- 7- 1
404-227- 14
宋晞顏元 見宋無
宋得山明 494- 45- 3
宋紹昌妻 清 見李氏
宋紹恭宋 1164-397- 22
宋偃公戰國 見宋王偃
宋統殷明 510-384-115
545-106- 86
宋敏求宋 285-638-291
382-355- 57
384-350- 18
397-102-326
450-331-中16
471-691- 15
472-347- 15
474-621- 32
505-790- 73
533-310- 57
545-458-100
820-366- 33
933-640- 42
1092-547- 51
1102-333- 43
1106-208- 29
1122- 65- 6
宋從心清 478-169-182
538- 43- 63
554-259- 52
宋游道北齊 見宋遊道
宋湣公春秋 見宋閔公
宋湯齊宋湯濟 明
456-633- 10
474-442- 21
505-856- 77

宋湯濟明 見宋湯齊
宋敦書宋 473-701- 80
宋雲霄明 558-212- 32
宋雲德妻 清 見譚氏
宋惠直惠直 宋 475-669- 84
511-488-155
宋惠姐清 477-138-155
宋朝用明 1240-300- 19
宋朝甫明 547- 47-142
宋朝美元 473-867- 88
571-541- 20
宋登春明 480-252-269
505-891- 79
506-544-105
524-306-194
533-738- 73
547-190-148
821-434- 57
1317-209- 25
1442- 95- 6
1460-560- 68
宋登雲明 547-103-145
宋登喬清 563-891- 42
宋登龍妻 清 見趙氏
宋畫史周 821- 5- 45
宋發富妻 清 見劉氏
宋閔公宋湣公 春秋
244- 86- 38
371-326- 15
384- 7- 1
404-228- 14
宋景公春秋 244- 89- 38
371-331- 15
384- 8- 1
404-237- 14
宋景初金 546-688-138
宋景初元 545-242- 92
宋景淵明 1229- 89- 7
宋景陽宋 483-248-391
571-514- 19
1241-733- 17
1248-582- 2
宋景業北齊 263-378- 49
267-689- 89
380-637-183
宋景蕭金 1365-287- 8
1479- 12- 附
1445-520- 39
宋貴中清 545-161- 88
宋貴祥明 1240-792- 8
1240-838- 9
宋貴誠元 541-112- 31
宋貽序宋 285-275-264
396-573-305
820-334- 32
宋華子春秋 齊桓公夫人
404-629- 38
宋單父唐 1077-290- 下
宋順帝劉準 劉宋
257-119- 10
262-414- 97
265- 68- 3
370-474- 14
372-548- 11
488-195- 8
488-199- 8
512-845-198
589-183- 上
宋順帝后 劉宋 見謝梵境
宋順國宋 485-533- 1
宋喬年宋 286-719-356
397-754-365
宋鈍齋明 1266-623- 10
宋勝之漢 448-102- 中
538-163- 66
839--28- 3
871-895- 19
宋進城妻 清 見張氏
宋欽宗趙烜、趙桓、趙亶
280-319- 23
382- 95- 12
392-381- 33
537-183- 53
819-588- 20
宋欽宗后 見朱皇后
宋欽其元 1210-354- 10
宋欽道北齊 263-265- 34
266-523- 26
933-637- 42
宋棐紹宋 486- 53- 2
宋愼交宋 1098-208- 26
宋温舒宋 285-583-287
宋裕德明 456-525- 6
宋裔良妻 清 見紀氏
宋裔昌母 清 見陳氏
宋遊道宋游道 北齊
261-706- 52
263-367- 47
266-704- 34
379-164-148
380-233-171
384-132- 7
472-945- 37
478-742-213
505-760- 72
558-408- 36
933-638- 42
宋道方宋 1123-592- 12
宋道宏妻 明 見陳氏
宋道璵後魏 262-139- 77
262-263- 88
266-526- 26
380-191-170
505-888- 79
宋瑗果明 鄭綱妻、宋鳳女
1253-141- 47
宋萬葉明 515-260- 65
529-669- 49
宋嗣宗唐 523-125-152
宋鼎延明 456-659- 11
宋敬之元 472-526- 22
宋敬先妻 明 見謝氏
宋愈亨妻 明 見王氏
宋俞亨媳 明 見韓氏
宋俞享明 456-681- 11
宋會之元 524-345-196
585-540- 19
宋實穎清 511-751-165
1315-521- 31
宋寧宗趙擴 280-496- 37
392-478- 37
585-302- 2
819-591- 20
宋寧宗后 見楊皇后
宋寧宗后 見韓皇后
宋寧宗女 見祁國公主
宋端宗趙昰 280-628- 47
392-545- 40
528- 8- 17
宋端容明 676-229- 9
宋端儀明 299-595-161
458-1028- 1
460-550- 53
473-635- 77
481-556-327
529-510- 44
563-746- 40
676-515- 20
1254-487- 6
1254-579- 上
1257-217- 20
1263-109- 18
宋齊丘南唐 384-317- 16
407-655- 2
472-367- 16
473-178- 57
475-646- 83
515-497- 72
820-315- 31
933-641- 42
宋齊彥元 820-498- 37
宋漢臣元 1200-536- 41
宋輔臣女 宋 見宋氏
宋爾易妻 清 見張氏
宋碧雲宋 821-231- 51
宋嘉禾元 820-547- 39
821-328- 54
宋嘉言宋 820-373- 33
宋聞禮宋 460-306- 21
529-737- 51
宋聚業清 569-620-18下之2
宋鳴友妻 清 見孫氏
宋鳳翔明 524- 25-179
680-326-258
宋僧辯劉宋 見朱僧辯
宋緒湯明 456-656- 11
478-131-181
宋維舉清 533-470- 64
宋廣之唐 524- 2-178
590-135- 17
宋廣平唐 681-354- 28
宋廣國宋 485-534- 1
宋廣業清 474-617- 32
505-702- 70
宋慶之宋 524- 86-182
1364-662-344
宋慶曾宋 1122-164- 13
宋慶禮唐 271-455-185下
274-629-130
384-202- 11
395-588-234
472-114- 4

474-166- 8
474-437- 21
474-556- 28
481-799-338
496-367- 86
505-761- 72
540-638- 27
545- 12- 83
563-629- 38
567- 37- 64
宋賢都清 474-775- 41
476-856-145
502-776- 86
540-681- 27
宋殤公春秋 244- 86- 38
371-326- 15
384- 7- 1
404-226- 14
宋儀望明 300-727-227
457-385- 24
475-122- 55
479-726-250
510-337-113
515-702- 79
676-581- 24
1282-744- 57
1283- 4- 67
1287-724- 6
1442- 59- 4
1460-184- 48
宋德方元 476- 49- 98
547-476-159
宋德之宋 287-471-400
398-461-394
473-435- 67
481- 80-294
559-344- 8
591-570- 42
宋德玉金 545-241- 92
宋德甫元 1202-886- 16
宋德成明 456-501- 5
540-827-28之3
宋德成妻 明 見姜氏
宋德宜清 475-141- 57
511-116-140
541-756-35之19下
宋德福元 1206-169- 18
宋德儒明 538-120- 64
宋德謙宋 1202- 96- 8
宋徵輿清 511-763-166
宋璟常唐 510-381-115
宋蕙湘明 1460-756- 83
宋興貴唐 271-519-188
400-284-523
554-750- 62
宋興德清 547- 65-143
宋冀上妻 清 見李捷舍
宋學朱宋學洙 明302- 40-291
456-421- 2
475-140- 56
511-440-153
540-621- 27
541-755-35之19下
476-480-125
1315-299- 11
宋學洙明 見宋學朱
宋學洙清 533-221- 53
宋學通明 494- 21- 2
554-280- 53
宋學程清 554-528-57下
宋學道明 505-873- 78
宋儒周明 456-680- 11
宋儒醇清 511-643-161
宋穆之漢 402-509- 12
宋穆公宋公和 春秋
371-326- 15
384- 7- 1
404-226- 14
宋鴻貴後魏 261-868- 63
266-523- 26
宋應亨明 301-510-267
456-524- 6
505-693- 70
1313-132- 11
宋應昌明 476-395-119
479- 55-218
502-290- 56
523-513-171
545- 97- 86
545-467-100
宋應昇明 515-434- 70
宋應奎明 456-643- 10
宋應時明 482-561-369
宋應祥清 524-187-187
宋應試妻 明 見劉氏
宋應瑞宋直行 宋451- 74- 2
宋應龍宋 288-382-454
400-192-515
472-293- 12
475-368- 67
475-380- 68
511-902-172
宋應瀾明 523-375-164
584-265- 10
宋襄公春秋 244- 87- 38
371-327- 15
384- 7- 1
386-611- 3
404-229- 14
1112-643- 7
宋襄公夫人 春秋
404-812- 50
宋隱山媳 明 見許梅
宋懋晉明 511-871-170
821-444- 57
宋徽宗趙佶 280-284- 19
382- 80- 10
384-364- 19
392-362- 32
537-182- 53
819-588- 20
1053-243- 6
1437- 6- 1
宋徽宗貴妃 見王氏
宗徽宗后 見王皇后
宋徽宗后 見韋皇后
宋徽宗貴妃 見喬氏
宋徽宗后 見鄭皇后
宋徽宗后(謚明道懿文) 見劉皇后
宋徽宗后(謚明節和文) 見劉皇后
宋徽宗女 見安淑帝姬
宋徽宗女 見安德帝姬
宋徽宗女 見成德帝姬
宋徽宗女 見洵德帝姬
宋徽宗女 見柔福帝姬
宋徽宗女 見茂德帝姬
宋徽宗女 見保淑帝姬
宋徽宗女 見恭福帝姬
宋徽宗女 見悼穆帝姬
宋徽宗女 見康淑帝姬
宋徽宗女 見崇德帝姬
宋徽宗女 見敦淑帝姬
宋徽宗女 見惠淑帝姬
宋徽宗女 見順淑帝姬
宋徽宗女 見順德帝姬
宋徽宗女 見榮淑帝姬
宋徽宗女 見榮德帝姬
宋徽宗女 見熙淑帝姬
宋徽宗女 見壽淑帝姬
宋徽宗女 見嘉德帝姬
宋徽宗女 見顯德帝姬
宋禮玉明 鮑尚褧妻
1376-679- 99
宋關娘明 宋繼宏女
483-307-395
宋騰熊明 572-108- 30
宋繼宏女 明 見宋關娘
宋繼祖明 479-175-225
523-135-152
宋繼登明 523- 61-148
宋鶴齡明 456-657- 11
宋顯章明 302-153-297
476-866-145
540-802-28之3
820-677- 42
宋體道妻 明 見郭氏
宋觀教清 524-159-186
宋孝武帝劉駿、劉道民 劉宋
257- 73- 6
262-407- 97
265- 51- 2
370-452- 13
372-532- 11
384-108- 6
532- 86- 26
589-182- 上
814-211- 1
819-563- 19
1395-591- 3
宋孝武帝后 劉宋 見王憲嫄
宋孝武帝淑儀 劉宋 見殷氏
宋孝武帝女 劉宋 見安吉公主
宋前廢帝劉子業 劉宋
257- 90- 7
262-409- 97
265- 57- 2
370-462- 13

372-540- 11
384-109- 6
512-843-198
589-182-上
宋前廢帝后 劉宋 見何令婉
宋後廢帝劉昱 劉宋
257-110- 9
262-413- 97
265- 65- 3
370-470- 14
384-109- 6
512-845-198
589-183-上
宋後廢帝后 劉宋 見江簡珪
宋國公主平昌公主 唐 温西華妻、楊徽妻、唐玄宗女
274-113- 83
393-280- 73
宋蒙古岱明 見宋欽
汶川王明 見朱友壿
汶陽王明 見朱璟氽
沐氏明 陳志堅妻、沐僖女
1248-617- 3
沐氏明 沐天波女 482-565-369
沐並魏 254-415- 23
384-667- 42
474-307- 16
505-738- 72
540-667- 27
沐昕妻 明 見常寧公主
沐昂明 299-173-126
473-807- 86
569-537- 17
1237-587-上
1240- 68- 4
1283-205- 82
1442-19- 1
沐春沐椿 明 299-171-126
453-515- 1
482-539-368
569-537- 17
1283-203- 82
沐英朱英、朱文英、黔寧王 明
299-169-126
453- 23- 3
453-514- 1
472-205- 7
473-807- 86
475-751- 88
482-538-368
483- 60-374
494-154- 5
511-417-152
528-526- 31
554-164- 51
558-144- 30
569-537- 17
570-545-29之9
571-530- 19
1236-190- 4
1283-202- 82
1374-458- 66
1374-518- 73
1453-582- 67
沐英妻 明 見方氏
沐英妻 明 見耿氏
沐晟定遠王 明 299-172-126
453-208- 19
473-807- 86
482-539-368
483-698-422
569-537- 17
570-547-29之9
570-548-29之9
1239- 5- 26
1240-126- 9
1242- 33- 24
1283-202- 82
沐晟妻 明 見程氏
沐崑明 299-174-126
569-538- 17
676-553- 22
沐斌明 299-173-126
569-538- 17
1283-205- 82
沐琮明 299-173-126
569-538- 17
820-632- 41
1251-334- 23
1283-205- 82
沐喜明 見沐僖
沐詳明 569-650- 19
沐椿明 見沐春
沐誠明 569-650- 19
沐僖沐喜、沐禧 明
676-498- 19
569-538- 17
1240-148- 10
1242-749- 5
1442- 19-附1
沐僖女 明 見沐氏
沐璘明 299-173-126
473-807- 86
569-649- 19
570-468-29之7
676-498- 19
820-621- 41
1244-598- 11
1251-334- 23
1283-205- 82
1442- 24- 2
1459-612- 23
沐叡明 299-175-126
569-538- 17
沐禧明 見沐僖
沐寵漢 933-721- 49
沐瓚明 299-173-126
569-649- 19
1251-334- 23
沐天波明 299-175-126
456-443- 3
482-540-368
569-539- 17
沐天波妻 明 見焦氏
沐天波女 明 見沐氏
沐天澤明 456-549- 7
570-126-21之1
沐忠亮明 569-538- 17
沐昌祚明 299-175-126
569-538- 17
沐紹勛明 299-174-126
569-538- 17
1283-205- 82
沐啟元明 569-538- 17
沐啟元妻 明 見陳氏
沐朝弼明 299-174-126
569-538- 17
1283-205- 82
沐朝輔明 299-174-126
569-538- 17
1283-205- 82
沐景顒明 1238-549- 14
沐犢子周 839- 20- 2
汲仁漢 244-849-120
250-256- 50
376-124- 97
933-763- 53
汲固後魏 262-257- 87
267-638- 85
380- 58-166
384-143- 7
540-631- 27
933-763- 53
汲偃漢 244-849-120
250-256- 50
376-124- 97
933-763- 53
汲黯漢 244-846-120
250-253- 50
251-668- 29
376-122- 97
384- 42- 2
459-159- 10
469-117- 14
472-129- 4
472-307- 13
472-570- 24
472-640- 26
474-472- 23
476-777-141
477-303-163
477-441-171
478- 83-180
505-768- 73
506-440-102
510-380-115
537-336- 56
540-691-28之1
554- 91- 50
933-762- 53
1408-313-510
沃丁商 537-173- 53
933-722- 49
沃內清 502-309- 57
沃田明 476-700-137
508-370- 42
沃甲商 544-154- 61
沃掄元 558-364- 35
沃焦不詳 933-722- 49
沃墅明 472-718- 28

477-244-161
523-463-169
537-288- 55
沃類明 532-670- 44
沃饒明 1475-273- 11
沃元瑀宋 524-195-188
沃呼忠宋浦、沃呼蘇布、斡勒忠、斡勒蘇布 金
291-371- 97
399-217-435
472-625- 25
502-354- 61
沃哩布兀里卜 金
502-268- 54
沃呼好古元 523-243-157
沃呼哈達金 291-465-104
沃呼蘇布金 見沃呼忠
良止春秋 384- 22- 1
404-854- 53
良玉宋 589-293- 1
良匡宋 1053-398- 10
良价唐 479-752-251
486-338- 15
516-428-103
524-416-200
1052-160- 12
1053-513- 13
1054-136- 3
1054-576- 17
1089- 86- 9
良佐春秋 404-848- 53
良秀唐 1052- 66- 5
良玠明 683-187- 6
良俊宋 524-432-200
良就漢 933-418- 27
良賀漢 913-418- 27
良賁唐 1052- 61- 5
良雅宋 1053-641- 15
良琦明 493-1095- 58
511-920-174
1273-152- 21
1369-469- 14
1442-118- 8
1460-826- 89
1475-737- 31
良弼宋 486-902- 35
良準唐 524-395-199
良遂唐 1053-159- 4
良霄春秋 384- 22- 1
404-854- 53
448-248- 22
933-418- 27
良範宋 1053-783- 18
良應妻 清 見趙氏
良懷明 302-666-322
良朝元妻 明 見郎氏
快欽漢 933-669- 44
快園叟明 821-485- 58
戒宋 511-927-174
戒生明 533-751- 74
戒言明 1475-757- 32
戒成唐 820-305- 30
戒法唐(本于闐人) 1052- 29- 3
戒定五代 1053-239- 6
戒香宋 1053-758- 18
戒航明 1245-598- 32
戒修宋 1053-900- 20
戒弼宋 588-262- 11
1053-674- 16
戒襄明 820-765- 44
821-489- 58
1442-120- 8
1460-845- 91
1475-754- 32
戒顯王瀚 清 516-477-105
533-758- 74
戒靈唐 1053-162- 4
志元唐 1053-217- 6
志玄唐 1052-344- 24
志因宋 1053-686- 16
志全宋 1053-421- 10
志先宋 1053-645- 15
志言宋 288-477-462
401-105-582
472-209- 7
472-669- 27
475-759- 88
511-939-175
538-336- 70
820-466- 36
1053- 91- 2
志罕五代 1053-236- 6
志忠唐 1084-145- 5
志昇宋 1053-422- 10
志芝宋 516-477-105
1053-731- 17
志庠五代 見子祥
志朗五代 1053-566- 14
志益金 547-497-159
志恩宋(嗣道希) 1053-341- 8
志恩宋(嗣常總) 1053-740- 17
志逄宋 見志逢
志清宋 1053-907- 20
志淳明 1442-121- 8
1475-782- 33
志球宋 1053-327- 8
志堅宋 821-270- 52
志通後晉 1052-332- 23
志逢志逄 宋 490-717- 70
524-384-198
588- 41- 2
588-243- 10
志湛後魏 1050-620-102
志超唐 472-440- 19
547-478-159
554-945- 65
1049-670- 45
志超宋 1053-420- 10
志登明 494-243- 10
570-258- 25
志閒唐 見志閑
志閑志閒 唐 586-183- 8
1052-136- 10
1053-436- 11
志道唐 1053- 67- 2
志勤唐 1053-170- 4
1054-139- 3
志圓五代 1053-299- 7
志傳宋 1053-740- 17
志誠至誠 唐 473-158- 56
516-443-104
1053- 63- 2
志誠元 1202-303- 21
志端宋 1052-687- 10
1053-331- 8
志滿唐 1052-132- 10
志愿宋 1053-637- 15
志遠唐 1052- 83- 7
志遠五代 1053-240- 6
志遠宋 524-418-200
志蒙宋 524-432-200
1183-158- 10
1185-662- 10
志徹張行昌 唐 1053- 66- 2
志寬唐 472-470- 20
476-129-102
547-519-160
志澄宋 1053-418- 10
志賢唐 1052-123- 9
志德北周 見闍那崛多
志德元 541- 96- 30
1204-609- 12
志謹宋 1053-639- 15
志操宋 1053-333- 8
志鴻錢儼 唐 524-402-199
1052-207- 15
志謙唐 1053-373- 9
志璿宋 1053-700- 16
赤氏清 曹三妻 477-381-167
赤斧漢 481-120-296
554-968- 65
1058-504- 下
1061-254-108
赤腳明(赤足近五十年)
561-217-38之3
赤目張宋(張姓) 821-254- 52
赤肚子明 499-224-141
赤松子上古 524-378-198
585- 10- 0
933-753- 52
1058-489- 上
1061-247-108
赤陽子明 561-220-38之3
赤須子赤鬚子 周
493-1096- 58
511-918-174
554-966- 65
1058-499- 下
1061-252-108
赤盞暉金 見持嘉暉
赤腳王明(姓王四時赤足)
541- 99- 30
赤腳仙清 479- 75-219
524-393-198
赤蘭伯明 見迦凌巴
赤鬚子周 見赤須子
赤章曼支周 546-345-126
赤將子輿上古 1058-489- 上
1061-248-108
赤盞烏紳金 見持嘉烏新
赤盞烏新金 見持嘉烏新
赤盞尉忻金 見持嘉烏新

赤只兒瓦歹元　見珠爾噶岱
甫侯呂侯　周　404-439- 25
472-787- 31
933-581- 37
求琰明　473- 87- 52
479-605-244
515-246- 64
求元忠宋　494-320- 6
485-541- 1
求承祖宋　494-313- 5
求移忠宋　485-541- 1
求那毗地德進　齊
1051-153- 6
求那跋摩功德鎧　劉宋
511-916-174
1049-457- 31
1051-126-5上
1054- 67- 2
1054-342- 8
求那跋陀羅劉宋　258-653- 97
475- 82- 53
534-808-112
1051-132-5上
1054-341- 8
成宋　1053-900- 20
成明　524-392-198
588-253- 10
成子春秋　見叔孫不敢
成文明　300- 92-188
505-699- 70
546- 90-118
554-258- 52
成王唐　見李千里
成王宋　見趙佾
成王宋　見趙世準
成及唐　472-966- 38
479- 48-218
493-692- 38
510-324-113
523-507-171
成公漢　448-102-中
554-861- 64
871-895- 19
成氏唐　王濡母　1071-329- 26
1410-487-727
成氏元　王松妻、成旭女
1206-141- 16
成氏元　程二妻　295-633-201
401-180-593
成氏明　尤輔妻、成縉女
302-219-301
475-235- 61
成氏明　王明儉妻　480- 96-262
成氏明　田之龍妻　506- 55- 87
506-552-105
506-645-109
成氏明　雷葵陽妻　483-307-395
成氏明　蔣克恭妻　473-391- 65
成氏明　韓時懋妻　506- 56- 87
成氏明　成德妹　301-502-266
474-192- 9
成氏清　陳思虞妻　475-473- 72
成氏清　成朝軒女
1316-680- 46
成玉元　1192-233- 21
成存漢　473-527- 72
559-317-7上
成回春秋　405-451- 85
成旭女　元　見成氏
成汭郭禹　唐　275-569-190
277-157- 17
384-291- 15
396-273-275
成均明　472-312- 13
511-191-143
成材明　545-677-107
554-303- 53
成住清　456-185- 64
成何春秋　933-427- 28
成法續法　清　524-394-198
成性明　821-396- 56
成性清　511-374-150
成昂宋　475-639- 83
510-443-117
成竺成竺僧　宋　451- 58- 2
成季春秋　見公子友
成季春秋　見趙衰
成周明　820-673- 42
成侃明　1442-129- 8
成宣元　480- 50-259
成亮清　456-379- 79
成宦明　1291-930- 7
成軌後魏　262-337- 94
267-749- 92
380-505-179
552- 35- 18
成勇明　301-374-258
458-462- 23
476-675-136
479-528-241
515-227- 63
540-830-28之3
成英明　537-289- 55
成風春秋　魯僖公母
404-564- 34
成俔明　1442-129- 8
1460-871- 94
成侯戰國　見鄒忌
成悅宋　486- 47- 2
成泰清　455-365- 22
成起明　456-601- 9
成倬宋　482- 77-341
564- 56- 44
成師曲沃桓叔、桓叔　春秋
371-335- 16
545-484-101
成清明　511-714-164
成淹後魏　262-175- 79
267- 8- 46
379-315-151
541-110- 31
933-428- 28
成袞清　454-571- 58
成務明　473-214- 59
480- 56-260
533- 6- 47
571-523- 19
成啟明　479-606-244
515-251- 64
成湯商　見湯
成琰明　554-520-57下
成閔宋　287- 80-370
398-142-374
472-108- 4
494-426- 13
505-757- 72
成買齊　259-326- 29
265-667- 46
378-233-137
成然春秋　見成熊
成象宋　288-408-456
400-297-524
473-456- 68
481-183-300
591-610- 44
成象妻　明　見王氏
成楫明　820-752- 44
成敬明　554- 85- 49
成瑨漢　253-349- 96
376-951-112
402-488- 12
472-743- 29
472-765- 30
477-357-166
477-523-175
537-309- 56
成嘉春秋　405- 13- 56
成遜明　537-318- 56
成熊成然　春秋　405- 13- 56
933-427- 28
成綱明　511-652-162
成賢明　558-431- 37
成霄後魏　262-177- 79
267- 10- 46
379-317-151
成德母　明　見張氏
成德明　301-501-266
458-284- 9
474-186- 9
476-348-116
505-837- 76
540-636- 27
1442-108- 7
1460-690- 75
成德妻　明　見霍氏
成樂明　510-392-115
533- 77- 49
成憲明　545-147- 88
成遵元　295-498-186
399-758-496
472-775- 30
473-210- 59
474- 94- 3
477-377-167
480- 50-259
532-587- 41
537-548- 59
1439-440- 2
成璡明　472-296- 12
511-206-144
545-421- 98

成默宋 524-295-193
成器明 472-1073- 45
524-204-188
成學妻 明 見儲氏
成儒明 554-311- 53
成穆清 455-113- 4
成禮明 494- 40- 3
523-215-156
成繒女 明 見成氏
成覵春秋 472-588- 24
491-790- 6
933-428- 28
成嚴漢 545-256- 93
成嚴明 476-753-139
成覺宋 547-531-160
成權明 524-420-200
成鱄春秋 404-712- 43
545-726-109
成鑰明 541-113- 31
成乃貞妻 明 見李氏
成三郎唐 271-493-187上
成子高春秋 見成伯高父
成子寬清 564-298- 48
成大心春秋 405- 12- 56
933-428- 28
成大亨宋 486-897- 34
524-328-195
成大琬唐 478-334-191
554-231- 52
成大器明 547- 81-144
成文昭清 1318- 95- 39
成文桂明 456-631- 10
成文耀清 547- 27-141
成王臣清 474-169- 8
505-649- 68
成元震清 476- 44- 98
成天奇明 510-333-113
成公英魏 254-301- 15
385- 73- 8
成公浮漢 486- 33- 2
成公般春秋 545-722-109
成公綏晉 256-487- 92
380-352-175
469- 68- 9
472-129- 4
477-203-159
538-136- 65
814-234- 4
879-169-58上
933-793- 57
1366-787- 5
1395-588- 3
成公趙戰國 405-239- 71
成公興後魏 478-358-191
541-104- 31
成公簡晉 256- 48- 61
377-669-125
472-129- 4
474-473- 23
477-203-159
505-890- 79
933-793- 57
成玄英唐 273- 83- 59
674-220-3上
674-704- 9
成石璘宋 820-462- 36
1442-129- 8
成世雄清 511-570-158
成世華妻 明 見楊氏
成尼理清 455-205- 10
成以昭妻 明 見沉在
成以簡明 547- 53-143
成申之宋 678-147- 84
成好德元 494- 54- 2
554-309- 53
成仲龍明 1442-107- 7
1460-652- 73
成宏圓妻 清 見潘氏
成克敬元(碭山人) 472-413- 18
成克敬元(字子欽) 505-656- 68
成克鞏清 505-828- 75
成伯龍明 476-856-145
成希召明 820-713- 43
成妙清明 陸光遠妻
1258-274- 4
成廷珪元 820-532- 38
1439-441- 2
1470-403- 13
成廷梃清 523-393-164
成宗道宋 554-910- 64
821-184- 50
成武丁漢 480-514-281
533-783- 75
成其功妻 明 見王氏
成其業妻 明 見夏氏
成其德妻 明 見祖氏
成其範清 523- 66-149
成明樞明 540-827-28之3
成叔武春秋 404-454- 26
成知訓後晉 820-314- 31
成知禮唐 1065-247- 7
1342-129-920
成竺僧宋 見成竺
成始終明 676-492- 19
1245-521- 27
1442- 26-附2
1459-625- 24
成奕越妻 清 見杜氏
成建中明 456-657- 11
成思忠明 547- 75-143
成律歸魏 496-590-103
成眞智清 476- 91-100
547-486-159
成格勒元 1207-339- 23
成格勒明 逞吉兒
496-627-106
成臯王明 見朱載垸
成翊世漢 253-204- 87
376-860-111上
472-522- 22
476-520-128
540-702-28之1
成基命明 見成靖之
成都王晉 見司馬穎
成國玉妻 明 見張氏
成野賢宋 511-226-144
成得臣子玉 春秋384- 24- 1
405- 12- 56
448-164- 8
933-427- 28
成敏貫明 559-299-7上
成朝軒女 清 見成氏
成肅公春秋 933-427- 28
成景雋梁 見成景儁
成景儁成景雋 梁
265-1054- 74
380-112-167
474-171- 8
480-665-290
505-710- 71
472- 30- 1
933-428- 28
成無爲唐 561-225-38之3
592-229- 74
成無玷宋 472-1003- 40
494-388- 11
523-528-172
成欽亮宋 485-534- 1
成靖之成基命 明
301-252-251
474-480- 23
505-778- 73
506-526-104
676-629- 26
1460-508- 65
1442- 89- 6
成靖寧明 547- 62-143
成寧可明 511-778-166
成夢斗妻 清 見張氏
成夢庚妻 清 見田氏
成夢震妻 明 見趙氏
成德妹明 見成氏
成親王清 見岳託
成觀光清 537-486- 58
成安公主漢 見劉小民
成安公主唐 見李季姜
成伯高父成子高 春秋
404-575- 35
成固爾德清 455-203- 10
成袞扎布清(車木楚克納木札勒子) 454-516- 48
成袞扎布清(博爾濟吉特氏)
454-541- 52
成袞扎布清(多爾濟達什子)
454-572- 59
成袞扎布清(策凌子)
454-644- 70
成都隱者宋 471-947- 51
481- 78-294
成德帝姬昌福公主 宋 向子房妻、宋徽宗女 285- 69-248
393-327- 77
尨降上古 546-235-123
忍太平宋 見忍忠嘉
忍忠嘉忍太平 宋
1149-751- 18
孛孛明 見博羅
孛來明 見伯勒
孛齊明 見伯勒齊
孛蘭奚元 見布呼齊
孛朮魯遠妻 元 見雷氏
孛朮魯福壽金 見富珠哩

福壽
孛而罕忽里元 見布爾罕瑚喇
孛朮魯阿魯罕金 見富珠哩阿老罕
孛朮魯阿魯罕金 見博多哩阿老罕
孝已商 404-411- 24
孝伯周 545-490-101
孝娥吳 472-369- 16
475-646- 83
512-103-179
孝新清 455-222- 11
孝日灝妻 清 見徐氏
均王唐 見李遐
均王唐 見李緯
均王明 見朱載堸
豆斌清 478-455-197
豆代田長廣王 後魏
261-448- 30
266-509- 25
379- 61-147
476-253-110
546- 12-115
933-709- 48
豆盧長北周 見豆盧萇
豆盧革後唐 277-549- 67
279-172- 28
384-303- 16
396-367-285
813-235- 6
820-312- 31
1383-745- 68
豆盧建妻 唐 見衛國公主
豆盧恩北周 見豆盧永恩
豆盧通豆盧會、慕容通、慕容會 隋 264-707- 39
267-370- 68
270- 88- 90
379-655-159
472-143- 5
476-778-141
478-266-187
479-482-239
496-389- 87
515- 80- 59
豆盧萇豆盧長、慕容長、慕容萇 北周 263-552- 19
267-368- 68
379-654-159
496-387- 87
豆盧勣慕容勣 隋
264-705- 39
267-368- 68
379-745-161
384-153- 8
472-143- 5
474-819- 44
478-514-200
481-152-298
496-388- 87
502-319- 58
505-728- 71
532-106- 27
558-169- 31
559-279- 6
591-702- 50
933-801- 59
豆盧瑑唐 271-333-177
275-506-183
384-283- 15
396-231-272
933-801- 59
豆盧會隋 見豆盧通
豆盧毓慕容毓 隋
264-706- 39
267-369- 68
379-746-161
472-143- 5
474-819- 44
496-388- 87
502-696- 82
545- 10- 83
933-801- 59
豆盧實隋 267-513- 77
豆盧寧慕容寧 北周
263-552- 19
267-368- 68
379-654-159
496-387- 87
502-317- 58
554-119- 50
933-801- 59
1064-251- 9
1064-702- 14
1342-117-919
1400-160- 6
1416- 69-111中
豆盧寬盧寬 唐 270- 88- 90
274-449-114
395-472-123
544-226- 63
豆盧鮒漢 1161-487-117
豆盧讚慕容讚 北周
263-553- 19
267-370- 68
397-655-159
552- 46- 19
豆代可汗後魏 見郁久閭社崙
豆盧永恩豆盧恩、慕容恩、慕容永恩 北周 263-553- 19
267-370- 68
379-655-159
496-388- 87
544-214- 62
552- 43- 19
1064-243- 9
1064-715- 14
1400-164- 6
1416- 65-111中
豆盧欽望唐 270- 88- 90
274-449-114
384-184- 10
395-472-223
486- 41- 2
554-924- 64
933-801- 59
豆羅伏拔豆伐可汗後魏 見郁久閭醜奴
酉收魏 933-621- 40
酉陽王齊 見蕭子文
酉陽王齊 見蕭子明
巫氏清 楊永美妻 475-283- 63
巫氏清 劉仲聖妻 481-727-333
巫必宋 1135-390- 36
巫臣春秋 見屈巫
巫炎漢 541- 85- 30
554-965- 65
1059-299- 8
巫咸上古 742- 21- 1
巫咸商 404-409- 24
472-458- 20
511- 60-138
546-426-129
933-119- 8
巫皋周 547-546-161
巫都漢 933-119- 8
巫捷漢 933-119- 8
巫彭上古 742- 21- 1
巫凱明 299-745-174
472-329- 14
474-690- 37
475- 74- 53
502-281- 56
511-384-151
巫賢商 404-409- 24
546-426-129
933-119- 8
巫三祝明 528-564- 32
564-195- 46
巫子肖明 564-194- 46
巫子秀明 482-304-353
564-248- 47
巫大方宋 1170-692- 30
巫如衡明 456-548- 7
巫馬施巫馬期 春秋
244-388- 67
371-494- 32
375-656- 88
405-444- 85
472-543- 23
539-495-11之2
933-781- 55
巫馬期春秋 見巫馬施
巫章瑤明 473-625- 77
巫國憲妻 清 見俞氏
巫山神女瑤姬 不詳
591-273- 22
抗徐漢 376-742-109上
402-491- 12
475-606- 81
476-816-143
480-398-277
494-262- 1
511-383-151
532-687- 45
540-663- 27
933-687- 46
扯扯土明 見徹辰圖
扯扯秃明 見徹辰圖
杜乂晉 254-320- 16

256-513- 93
380- 3-165
554- 71- 49
933-568- 37
杜乂妻 晉 見裴氏
杜乂女 晉 見杜陵陽
杜又唐 見玄嶷
杜六妻 清 見段氏
杜文金 821-277- 52
杜元元 1224-173- 19
1458-561-456
杜元妻 明 見章氏
杜友晉 474-473- 23
505-769- 73
杜中明 472-753- 29
505-666- 69
杜介宋 820-386- 33
杜介明 554-312- 53
杜氏晉 許延妻 256-572- 96
381- 50-185
481- 83-294
杜氏宋 石子文妻、杜諲女
1138-160- 15
杜氏宋 李竦妻、杜杞女
1115-418- 50
杜氏宋 何松妻、杜杉女
1171-797- 30
杜氏宋 席延昌妻、杜振女
1121-617- 8
杜氏宋 陳寅妻 478-519-200
杜氏宋 趙士墺妻、杜士言女
1100-531- 50
杜氏宋 趙子騫妻、杜宗旦女
1100-518- 49
杜氏宋 趙弘殷妻、杜爽女
284-856-242
382-100- 13
384-323- 17
393-299- 75
杜氏宋 趙克告妻、杜贊仁女
1123-470- 14
杜氏宋 蘇舜欽妻、杜衍女
481-337-308
1356-143- 7
杜氏宋 陳炳母 1149-733- 17
杜氏宋 葉適母 1164-452- 25
杜氏元 孫澤妻 1194-708- 13
杜氏元 295-633-201
401-180-593
杜氏元 焦士廉妻 295-635-201
401-182-593
杜氏元 杜華姊 530- 89- 56
杜氏元 張祐母 1214- 55- 5
杜氏明 王善妻 473-305- 62
480-252-269
杜氏明 王驄妻 506- 46- 87
杜氏明 王用賢妻 302-247-303
475-813- 91
杜氏明 王東友妻 476-734-138
杜氏明 王封帶妻 480-139-264
杜氏明 任自立妻、杜薰女
1457-754-414
杜氏明 汪良植妻
1283-725-123
杜氏明 宋印昌妻 506- 50- 87
杜氏明 李芳妻 506-119- 89
杜氏明 李吼子妻 481-619-329
530-108- 57
杜氏明 阮元聲妻 483- 17-370
杜氏明 邸炳妻 506- 53- 87
杜氏明 邸基妻 506- 53- 87
杜氏明 高逵妻 506- 82- 88
杜氏明 秦一才妻 480-139-264
533-561- 68
杜氏明 孫鈐妻 506- 53- 87
杜氏明 孫子良妻、杜行簡女
1238-243- 21
杜氏明 郭洪妻 506-121- 89
杜氏明 郭偉妻 506-145- 90
杜氏明 曹桂妻 302-220-301
杜氏明 張煜妻 475-756- 88
杜氏明 張繼祖妻 474-605- 31
506-162- 90
杜氏明 陳江妻 530-107- 57
杜氏明 陳忠妻 472-753- 29
杜氏明 陳萃妻 1292-213- 19
杜氏明 陳德純妻 473-131- 54
杜氏明 楊時妻 506- 79- 88
杜氏明 董克振妻
1258-626- 13
杜氏明 褚拱辰妻 475-381- 68
杜氏明 趙貞妻 506- 44- 87
杜氏明 劉廉妻 506-117- 89
杜氏明 盧鴛鳴妻 506- 92- 88
杜氏明 顧蔗庵妻、杜恒庵女
1280-604-100
杜氏明 張鑑母 1246-404- 6
杜氏明 張大韶母 478-519-200
杜氏明 劉文炳母 474-191- 9
506- 13- 86
杜氏清 王溫妻 506-138- 89
杜氏清 王汝詩妻 474-605- 31
杜氏清 王成涿妻 474-195- 9
杜氏清 王朝選妻 474-195- 9
杜氏清 田尚信妻 503- 59- 95
杜氏清 任之銘妻 481-188-300
杜氏清 未良儁妻 474-195- 9
杜氏清 成奕越妻 474-482- 23
杜氏清 邢更新妻 506- 34- 86
杜氏清 呂繼曾妻 477-321-164
杜氏清 武起妻 474-195- 9
杜氏清 周天相妻 475-785- 89
杜氏清 高一琴妻 477-170-157
杜氏清 高文彩妻 478-438-196
杜氏清 孫蕙妻 477-527-175
杜氏清 郝作梅妻 474-194- 9
杜氏清 徐明蛟妻 481-374-311
杜氏清 閆拱宸妻 506- 18- 86
杜氏清 陶國俊妻 479-436-236
杜氏清 張雲妻 474-194- 9
杜氏清 張昌祚妻 506- 25- 86
杜氏清 張培基妻 474-195- 9
杜氏清 張錫昌妻 474-193- 9
506- 25- 86
杜氏清 楊巇妻 481-312-307
杜氏清 楊所蘊妻 474-193- 9
杜氏清 鄭桂妻 474-194- 9
杜氏清 劉煌妻 547-273-151
杜氏清 劉鳴鳳妻、劉鳳鳴妻
474-826- 44
503- 65- 95
杜氏清 羅章袞妻 478-406-194
杜本元 295-620-199
401- 39-573
453-792- 3
473-129- 55
479-681-248
515-538- 74
524- 63-181
529-757- 52
530-271- 63
680-219-246
684-494- 下
820-517- 38
821-292- 53
1284-345-162
1375- 35- 下
1439-433- 1
1469-243- 47
杜充宋 288-646-475
401-424-623
488-415- 14
1365-301- 9
1439- 2- 附
1445- 59- 1
杜田宋 559-391-9上
杜生唐 477-484-173
杜生杜五郎 宋 288-439-458
401- 25-570
477-480-173
538-168- 66
871-909- 19
1408-555-537
杜安漢 253-203- 87
254-417- 23
370-186- 18
376-859-111上
477-367-167
477-474-173
537-583- 60
杜安元 476-297-112
546-356-126
杜安明 494- 45- 3
杜宇周 見蜀望帝
杜并唐 271-567-190上
276- 59-201
400-590-554
480-295-271
533-446- 62
杜交清 456-357- 77
杜圭元 561-199-38之1
杜夷晉 256-476- 91
380-280-173
475-755- 88
475-834- 93
511-715-164
933-568- 37
杜屺宋 491-434- 6
杜全明 李祥妻 481-699-332
杜如後梁 見杜洪
杜仲宋 1107-540- 39
杜仲明 533-174- 52

杜行父 宋 1096-776- 37
杜沂明 481-181-300
559-286-7上
杜沖周 554-962- 65
1061-203-104
杜完明 473- 19- 49
杜亨明(肥縣人) 554-347- 54
杜亨明(字時泰) 570-117-21之1
杜良晉 256-461- 90
380-171-170
591-531- 41
杜良蜀漢 494-150- 5
杜良元 472-706- 28
537-279- 55
杜甫唐 271-599-190下
276- 60-201
384-222- 12
400-590-554
446-252- 0
446-261- 0
451-413- 1
470-377-145
471-946- 51
471-1063- 70
472-836- 33
472-894- 35
472-923- 36
473-250- 60
473-359- 62
473-429- 67
473-491- 70
477-312-164
478-420-195
480-296-271
480-512-281
481- 82-294
481-237-303
533- 87- 49
533-737- 73
533-742- 73
533-743- 73
534-842-113
538-324- 69
541-110- 31
554-885- 64
556-498- 94
558-478- 40
561-207-38之2
561-210-38之2
561-212-38之2
561-407- 42
561-527- 44
563-899- 43
587-624- 11
591-673- 47
674-253-4上
820-186- 27
933-572- 37
1069- 5- 附
1069- 6- 附
1069- 9- 附
1069- 16- 附
1069-665- 附
1079-623- 56
1344-104- 69
1370-194- 12
1371- 59- 附
1381-540- 39
1381-541- 39
1381-542- 39
1387-643- 45
1410-453-723
1472-405- 24
1483-393- 45
杜孝漢 473-478- 69
481-115-296
559-420-10上
杜孝宋 879-183-58下
杜均元 1214-192- 16
杜圻明 460-797- 85
杜杞杜玘、杜祀 宋
285-772-300
371-130- 13
382-291- 46
397-197-331
450-304-中12
472-258- 10
472-913- 36
473-598- 76
473-737- 82
473-762- 84
473-789- 85
475-222- 61
478-570-203
482-319-354
482-484-364
492-697-3上
493-769- 42
511-392-151
528-521- 31
558-207- 32
563-655- 39
567- 55- 65
568- 29- 98
933-574- 37
1102-237- 30
1378-532- 60
1383-616- 55
1410-320-705
1467- 25- 62
杜杞女 宋 見杜氏
杜玘宋 見杜杞
杜杉女 宋 見杜氏
杜防遼 289-625- 86
399- 44-420
474-241- 12
505-717- 71
杜位唐 494-288- 4
杜佑杜祐 唐 270-760-147
275-321-166
384-232- 12
384-246- 13
396-106-261
471-738- 21
472-273- 11
472-288- 12
472-837- 33
473-111- 54
473-672- 79
473-776- 84
475- 15- 49
475-364- 67
478-117-181
479-654-247
481-800-338
510-279-112
515-211- 63
540-623- 27
552- 57- 19
554-453- 56
556-341- 90
556-388- 91
563-633- 38
567- 39- 64
933-570- 37
1340-621-783
1343-743- 54
1344- 87- 68
1467- 15- 62
杜佑杜祐 元 295-608-197
400-317-526
472-312- 13
475-431- 70
511-581-159
杜佑明 299-294-137
546-489-131
杜伯周 404-446- 26
杜佇明 545-389- 97
杜秀晉 256-462- 90
380-171-170
591-531- 41
933-568- 37
杜宜宋 見杜誼
杜祁春秋 晉文公夫人
404-762- 46
杜祀宋 見杜杞
杜泳唐 472-960- 38
479- 41-218
杜松金 1196-699- 8
杜松明 301- 65-239
456-419- 2
474-692- 37
478-170-182
478-269-187
502-294- 56
554-709- 61
杜亞唐 270-750-146
275-394-172
384-235- 12
396- 60-257
472-288- 12
475- 15- 49
475-364- 67
510-279-112
554-930- 64
933-572- 37
1069-118- 4
杜坦劉宋 258-263- 65
265-980- 70
380-179-170
杜孟宋 473-505- 71
559-392-9上

591-610- 44
杜坤明 554-499-57上
杜玠明 540-796-28之3
杜奇明 299-360-142
456-698- 12
505-834- 76
杜林漢 252-669- 57
370-144- 13
376-434-102下
376-646-107上
384- 58- 3
402-368- 3
402-560- 18
472-831- 33
478- 98-180
554-803- 63
554-827- 63
558-478- 40
675-266- 7
812- 57- 中
812-221- 8
814-224- 3
820- 28- 22
871-892- 19
933-566- 37
杜弢晉 256-638-100
377-943-130
杜忠明 540-627- 27
545-189- 90
杜忠清 547- 78-143
杜昌元 472-204- 7
511-416-152
杜昇杜子昇 唐 554-980- 65
592-211- 73
1059-615- 下
1061-333-113
杜昆妻 清 見温氏
杜岸梁 260-381- 46
265-901- 64
378-466-142
554-554- 58
杜芳清 511-558-158
杜昉宋 473-368- 64
533-745- 73
杜昉妻 宋 見崔氏
杜果清 523- 63-149
杜旻明 545-280- 94
676-749- 31
杜杲北周 263-740- 39
267-402- 70
379-676-159
478-107-180
554-562- 58
933-569- 37
杜杲宋 287-612-412
398-571-403
472-197- 7
472-325- 14
472-402- 18
473-644- 78
475- 70- 52
475-700- 86
475-743- 88
475-796- 90
475-834- 93
481-525-326
481-697-332
488- 14- 1
488-476- 14
488-477- 14
510-284-112
528-445- 29
529-628- 48
820-442- 35
1180-380- 35
杜炅劉宋 258-685-100
265-808- 57
378- 22-131
479- 74-219
524-379-198
585-496- 15
杜和元(字彥謙) 523-226-156
杜和元(字義夫) 1210-761- 24
杜周漢 244-870-122
250-409- 60
251-682- 30
376-204-98下
384- 44- 2
554-917- 64
933-566- 37
1408-325-512
杜佺金 554-844- 63
1365-261- 8
1439- 2- 附
1445-478- 35
杜季女 晉 見杜氏
杜牧唐 270-765-147
275-326-166
384-274- 14
396-109-261
451-448- 5
471-611- 4
471-694- 15
471-617- 5
471-702- 16
471-900- 44
471-934- 50
472-289- 12
472-357- 15
472-838- 33
472-997- 40
472-1014- 41
473-280- 61
475-233- 61
475-639- 83
478-120-181
479-133-223
479-377-234
480-126-264
494-292- 4
510-443-117
511-897-172
523-114-151
532-628- 43
554-840- 63
674-263-4中
674-808- 16
813-255- 9
820-258- 29
821- 86- 48
933-572- 37
1081-603- 6
1342-324-946
1365-456- 6
1366-815- 7
1371- 70- 附
1388-406- 75
1394-398- 3
1410-294-702
1473-333- 73
杜延清 456-357- 77
杜洪杜如 後梁 277-157- 17
杜洪唐 275-570-190
384-292- 15
396-274-275
杜宣明 558-293- 34
杜宥明(字叔寬) 299-607-162
475-225- 61
482- 75-341
511-147-142
563-772- 40
杜宥明(括蒼人) 528-510- 31
杜洽明 476-779-141
540-663- 27
杜恬漢 544-198- 62
杜庠明 493-1034- 54
676-500- 19
1442- 28-附2
1459-654- 25
杜前明 456-522- 6
474-408- 20
杜洩春秋 404-551- 33
杜彥隋 264-842- 55
267-460- 73
379-763-161
384-154- 8
472-482- 21
476-248-110
476-277-111
479-482-239
544-219- 62
545-262- 93
546- 54-116
546-123-119
554-572- 58
933-569- 37
杜恢漢 402-424- 7
杜度杜操 漢(杜陵人)
554-852- 63
554-852- 63
812- 53- 中
812-217- 8
812-706- 3
814-224- 3
820- 29- 22
杜度漢(精醫術) 742- 27- 1
杜度清 454-164- 9
474-752- 40
502-419- 67
杜珏元 545-885-114
杜咸唐 274-350-106
395-365-214

七畫：杜

	505-771- 73
	537-446- 58
杜咸明	481-583-328
杜拯明	571-519- 19
杜柟明	458-160- 8
	676-551- 22
杜契吳	554-970- 65
	1061-279-111
杜述明	473-316- 62
	480-614-287
杜茂漢	252-600- 52
	376-598-106
	384- 56- 3
	472-769- 30
	477-364-167
	537-531- 59
	545-412- 98
	933-566- 37
杜茂元	1196-699- 8
杜昺晉	524-379-198
	1061-281-111
杜貞漢	見杜眞
杜昱元	1196-701- 8
杜昭宋	1096-776- 37
杜昭元	476-123-102
	547- 71-143
杜胄漢	561-201-38之1
杜英唐	820-264- 29
杜英元	545-182- 89
杜英元	見杜瑛
杜英明	564-238- 46
杜毗晉	256-462- 90
	380-171-170
	591-531- 41
	933-568- 37
杜信漢	742- 25- 1
杜信唐	484- 86- 3
杜信元	1214-192- 16
杜衍宋	286-111-310
	371- 56- 5
	382-351- 56
	384-347- 18
	397-293-336
	440-893-281
	449- 76- 7
	450-245-中4
	471-625- 6
	472-126- 4

	472-430- 19
	472-457- 20
	472-495- 21
	472-544- 23
	472-643- 26
	472-647- 26
	472-679- 27
	472-825- 33
	472-852- 34
	472-1071- 45
	474- 91- 3
	475-365- 67
	475-869- 95
	476-180-106
	476-576-131
	477- 50-101
	477-135-155
	478- 89-180
	478-199-184
	479-233-227
	486-318- 15
	489-492- 29
	505-630- 67
	523-301-160
	538-318- 69
	540-632- 27
	544-234- 63
	545- 42- 84
	545-238- 92
	554-140- 51
	708-330- 50
	812-751- 3
	813-308- 19
	820-345- 32
	821-155- 50
	933-574- 37
	1102-244- 31
	1102-379- 50
	1103-793- 19
	1128-615- 16
	1135-701- 7
	1356- 53- 3
	1362-735- 69
	1378-571- 62
	1383-581- 52
	1410-303-704
	1437- 10- 1
	1447-588- 32

杜衍妻 宋	見相里氏
杜衍女 宋	見杜氏
杜秋唐 李錡妻	1343-170-14下
杜俣宋	511-912-173
杜泉元	1196-286- 16
杜浦元	523- 99-150
杜羔唐	275-393-172
	384-235- 12
	396- 59-257
	472-697- 28
	474-475- 23
	505-912- 81
	538- 90- 64
	1108-251- 78
杜旃宋	1364-619-335
	1437- 27- 2
杜浩明	511-858-169
杜祐唐	見杜佑
杜祐元	見杜佑
杜兼唐	270-754-146
	275-392-172
	384-235- 12
	396- 59-257
	472-739- 29
	537-298- 56
	933-572- 37
	1073-574- 26
	1074-411- 26
	1075-362- 26
杜凌唐	見杜稜
杜案清	456-389- 80
杜眞杜貞漢	481-404-313
	559-405-9上
	591-514- 41
	592-503- 91
杜原妻 元	見蕭氏
杜烈晉	250-461- 90
	380-171-170
	481- 76-294
	559-339- 8
	591-531- 41
	933-568- 37
杜珣清	480-437-278
杜桂清	523-222-156
杜桓明	1442- 21附2
	1459-581- 21
杜桐明	301- 64-239
	478-170-182

	478-269-187
	554-608- 59
杜栖杜棲 齊	259-545- 55
	380-104-167
	451- 7- 0
	486-311- 14
	524- 95-183
	590-135- 17
	839- 43- 4
杜珥明	1312-846- 11
杜起宋	1089-520- 47
杜陟唐	484- 86- 3
杜陟宋	1094-713- 78
杜振後魏	261-625- 45
	266-536- 26
	379- 80-147
	933-568- 37
杜振女 宋	見杜氏
杜根漢	253-203- 87
	254-417- 23
	370-186- 18
	376-859-111上
	477-367-167
	480-299-271
	481-113-296
	533-738- 73
	537-584- 60
	559-271- 6
杜時明	472- 99- 3
杜恕魏	254-314- 16
	377-147-115下
	384- 87- 4
	384-644- 39
	476-366-117
	478-104-180
	545-351- 96
	554-433- 56
	814-230- 4
	820- 41- 22
	933-567- 37
杜紘宋	286-385-330
	397-495-349
	472-544- 23
	472-576- 24
	474-434- 23
	476-817-143
	476-864-14?
	505-681- 6?

540-762-28之2
1112-446- 39
1112-450- 40
1118-987- 67
杜釗明 472-409- 18
杜純宋 286-384-330
397-494-349
472-409- 18
472-576- 24
473-584- 75
474- 92- 3
476-864-145
481-582-328
545-479-100
554-202- 52
563-922- 43
1118-904- 60
1118-920- 62
杜純明 571-554- 20
杜寅明 301-817-285
1318-341- 62
1442- 6-附1
杜庶宋 287-614-412
398-572-403
472-291- 12
472-325- 14
473-644- 78
475-367- 67
475-700- 86
481-697-332
510-390-115
杜悰唐 270-764-147
274-117- 83
275-324-166
384-274- 14
384-280- 14
396-108-261
471-802- 30
472-289- 12
473-315- 62
475-364- 67
480-239-269
480-613-287
481-473-321
532-746- 46
552- 59- 19
554- 80- 49
559-246- 6
1077-343- 3
杜悰妻 唐 見岐陽公主
杜淦宋 473-213- 59
533-329- 58
杜清明 505-678- 69
杜密漢 253-364- 97
376-960-112
384- 66- 3
472-199- 7
472-610- 25
472-743- 29
476-725-138
477-308-164
537-490- 59
540-644- 27
545-256- 93
933-566- 37
杜章周 592-308- 79
杜淵元 494- 19- 2
杜祥明 558-433- 37
杜淹唐 269-616- 66
274-238- 96
384-163- 9
395-300-208
407-478- 6
478-110-181
494-264- 1
547-201-148
554-836- 63
933-569- 37
1387-248- 15
杜康周 933-566- 37
杜梁清 455-601- 40
杜堅明 480-635-288
杜措杜楷 後蜀 812-497-中
812-526- 2
813-127- 10
821-126- 49
1381-574- 42
杜誾元 540-777-28之2
杜理魏 254-320- 16
杜爽女 宋 見杜氏
杜崧晉 256-477- 91
380-281-173
475-834- 93
511-715-164
杜堇陸堇 明 511-776-166
820-658- 42
821-402- 56
杜崟宋 1132-786- 4
杜常宋 286-386-330
397-496-349
472-708- 28
477-208-159
477-243-161
537-465- 58
杜常明 1278-427- 20
杜荷唐 269-615- 66
274-237- 96
395-300-208
554- 76- 49
556-841-100
杜荷妻 唐 見城陽公主
杜晥妻 明 見吳氏
杜彪明 475-701- 86
510-464-117
杜衆漢 477-523-175
杜偁宋 1088-402- 45
杜偉明 475-138- 56
511-675-163
512-729-195
1319-186- 15
杜敏元 473-300- 62
533-737- 73
杜敏明 480- 51-259
杜斌明 477-443-171
481-236-303
537-339- 56
545-144- 88
杜斌妻清 見徐氏
杜翔明 569-668- 19
杜善明 1475-529- 23
杜渥唐 285-722-296
397-161-329
933-574- 37
杜曾晉 256-637-100
377-942-130
杜曾宋 285-779-300
397-202-331
476-863-145
493-699- 39
杜渙宋 1105-823- 98
杜詠唐 523- 72-149
杜越清 505-921- 82
杜琯唐 515-114- 60
杜超後魏 262-214-83上
267-545- 80
380- 9-165
933-569- 37
杜喜清 455- 71- 2
杜植唐 285-772-300
397-198-331
933-574- 37
杜棲齊 見杜栖
杜登唐 494-346- 7
杜弼北齊 263-202- 24
267-163- 55
379-459-154
384-137- 7
505-796- 73
540-651- 27
544-212- 62
544-217- 62
677-783- 69
814-261- 8
820-120- 25
933-568- 37
1054-381- 9
1394-603- 8
杜肅隋 264-839- 54
267-518- 77
379-834-163
554-571- 58
杜肅元 1214- 18- 1
杜肅明 1228-168- 8
杜軫晉 256-461- 90
380-170-170
448-312-上
471-954- 52
472-824- 33
473-431- 67
473-522- 72
478- 85-180
481- 75-294
481-348-309
483- 94-378
494-147- 5
554-265- 53
559-304-7上
559-339- 8
569-667- 19
591-531- 41
933-567- 37
杜揆宋 288-411-456

400-300-524
杜閑唐 271-599-190下
400-590-554
537-274- 55
杜景後魏 266-536- 26
379- 81-147
554-866- 64
杜景宋 473-568- 74
杜貴宋 538- 53- 63
杜華姊 元 見杜氏
杜華明 見桂華
杜崱梁 260-380- 46
265-900- 64
378-465-142
480-295-271
532-103- 27
533-232- 54
554-554- 58
杜棠明 554-474-57上
杜順唐 見法順
杜喬漢 253-315- 93
376-929-112
384- 64- 3
402-575- 19
459-246- 15
469-460- 55
472-696- 28
476-473-125
477-162-157
538- 48- 63
933-566- 37
杜智明 472-351- 15
480-200-267
511-327-149
532-655- 44
杜勝唐 275-358-169
540-611- 27
554-406- 55
杜欽漢 250-413- 60
376-207-98下
384- 50- 2
472-768- 30
477-362-167
537-529- 59
554-624- 60
933-566- 37
1259-679- 10
杜傑明 481-212-302
559-292-7上
杜進明 1267-456- 4
杜進清 554-793- 62
杜溥元 472-981- 39
540-626- 27
杜溥妻 明 見朱氏
杜源宋 481-181-300
559-515- 12
杜詩漢 252-735- 61
370-158- 15
376-681-107下
384- 58- 3
402-445- 9
402-508- 12
459-831- 50
469-466- 56
472-707- 28
472-764- 30
472-787- 31
476-365-117
477- 47-151
477-202-159
477-357-166
477-406-169
537-308- 56
537-460- 58
545-434- 99
933-566- 37
杜詩明 532-599- 41
杜祺蜀漢 384-462- 12
杜慈晉 盧顯妻、杜季女
591-534- 41
879-176-58下
杜詮唐 1081-601- 6
1342-418-958
杜慆唐 275-325-166
384-279- 14
396-108-261
472-195- 7
475-852- 94
510-500-118
554-699- 61
杜裕北齊 266-536- 26
379- 81-147
554-866- 64
杜裕元 1194-167- 13
杜準妻 清 見任氏
杜新明 1237-335- 7
杜詵宋 1092-112- 15
杜煥明 511-651-162
杜廉明 559-311-7上
杜遂元 494-345- 7
杜預晉 254-320- 16
255-616- 34
377-442-121上
384- 90- 5
459-755- 46
471-815- 32
472-765- 30
472-832- 33
473-245- 60
477-304-163
477-358-166
478-104-180
480- 10-257
480-285-271
532- 97- 27
532-550- 40
537-194- 54
554-389- 55
558-224- 32
684-531- 3
812- 68- 下
812-231- 9
812-721- 3
813-274- 13
814-233- 4
820- 51- 23
933-567- 37
杜瑄明 523-482-170
1241-701- 16
杜輅明 540-813-28之3
杜椿宋 1164-258- 13
杜楷後蜀 見杜措
杜楷明 1274-371- 13
杜勤唐 820-186- 27
杜瑛杜英 元 295-617-199
401- 38-573
453-772- 1
472- 35- 1
472-696- 28
472-742- 29
474-180- 8
477-167-157
477-318-164
505-919- 82
538-328- 69
547-168-147
593- 43- 中
679-551-192
1196-304- 18
1206-605- 11
1211-306- 43
1214-267- 22
1439-420- 1
1471-253- 1
杜瑛明 523-227-156
杜瑗晉 258-580- 92
265-982- 70
380-180-170
459-865- 52
563-614- 38
567- 28- 63
杜暉漢 681-579- 11
杜敬元 820-502- 37
1210-364- 11
杜業漢 250-418- 60
376-210-98下
554- 64- 49
933-566- 37
杜遇後魏 261-625- 45
266-536- 26
379- 80-147
杜遇宋 547- 41-142
杜鈺妻 明 見樊氏
杜稜陳 260-627- 12
265-942- 67
378-511-144
472-965- 38
479- 47-218
494-286- 3
523-505-171
535-556- 20
933-568- 37
杜稜杜淩 唐 523-507-171
590-135- 17
杜微蜀漢 254-646- 12
377-290-118下
384- 76- 4
384-515- 22
385-137- 15
447-189- 7
473-504- 71
481-404-313

559-389-9上
591-526- 41
879-175-58下
933-567- 37
杜廙唐 275-392-172
396- 59-257
538- 54- 63
1073-574- 26
1074-411- 26
1075-362- 26
杜滸宋 288-385-454
400-197-515
451-231- 0
472-1104- 47
479-290-230
523-396-165
563-706- 39
564-826- 60
杜漸宋 1106-513- 22
杜漸明 546-306-125
杜寧明 523-317-161
杜漈清 523- 64-149
540-850-28之4
杜榮明 558-293- 34
杜榮妻 明 見楊氏
杜槐明 302- 21-290
479-185-225
523-376-164
584-268- 10
杜碩晉 524-413-200
杜赫戰國 404-491- 29
杜構唐 269-615- 66
274-237- 96
395-300-208
杜瑤元 1214-192- 16
杜蓁明 476- 42- 98
545-662-107
杜銘明 559-345- 8
571-523- 19
杜銓後魏 261-625- 45
266-535- 26
379- 80-147
552- 33- 18
556-734- 99
933-568- 37
杜槩明 554-258- 52
杜寬魏 254-320- 16
478-104-180
554-831- 63
679- 20-140
杜諒明 559-400-9上
杜廣清 483-282-393
571-543- 20
杜瑩宋 1098-714- 44
杜禎晉 591-527- 41
杜誼杜宜 宋 288-411-456
400-299-524
472-1103- 47
477-123-155
479-287-230
524-142-185
1092- 98- 13
1356-755- 16
杜褎杜褒 宋 523-461-169
1147-631- 60
杜褒宋 見杜褎
杜撫漢 253-534-109下
380-268-172
402-460- 10
473-513- 71
481-348-309
559-377-9上
591-511- 41
592-490- 91
675-282- 11
933-567- 37
杜霄五代 812-524- 2
813-103- 6
821-131- 49
杜醇宋 472-1086- 46
487-110- 8
491-385- 4
491-670- 20
523-588-175
杜摯魏 254-390- 21
385-652-66下上
476-368-117
546-639-136
1379-213- 27
杜樞宋 285-773-300
397-198-331
933-574- 37
杜震宋 1096-776- 37
杜震元 554-336- 54
杜璉明 546-497-131
杜嶠清 563-893- 42
杜輝元 1217-851- 12
杜嶢妻 清 見石氏
杜儀母 宋 見崔氏
杜儉元 1212-496- 14
杜質元 546-637-136
杜質明 680-247-249
杜德吳 384-507- 21
杜畿魏 254-312- 16
377-145-115下
384- 84- 4
384-643- 39
459-854- 51
472-456- 20
472-832- 33
476-366-117
478-103-180
478-332-191
545-165- 89
554-433- 56
556-756- 99
814-230- 4
820- 41- 22
933-567- 37
杜緬陳 821- 26- 45
杜範宋(字成之) 287-548-407
398-524-400
472-357- 15
472-1104- 47
475-604- 81
479-289-230
510-434-116
523-316-161
676-688- 29
1175-767- 20
1364- 83-255
1437- 28- 2
杜範宋(字儀甫) 1170-530- 19
桂緩漢 250-412- 60
376-207-98下
554-379- 55
杜諲女 宋 見杜氏
杜龍妻 清 見朱氏
杜澤明 476-788-141
540-783-28之3
杜諤宋 288-326-449
400-174-513
杜濂明 511-642-161
559-322-7上
杜遵明 511-525-157
杜橒明 524-135-185
杜穎宋 1180-422- 39
杜臻唐 473-125- 55
515-129- 61
杜臻明 479- 99-221
523-277-158
杜頵隋 820-127- 25
杜璠明 1273-246- 30
杜璚明 見杜瓊
杜整隋 264-838- 54
267-518- 77
379-834-163
478-107-180
554-571- 58
933-569- 37
杜舉子 唐 1065-268- 9
1342-355-950
杜操漢 見杜度
杜蕙明 474-312- 16
505-904- 80
554-259- 52
杜蕢春秋 見屠蒯
杜默唐 475-811- 91
杜蕤北齊 263-208- 24
264-874- 58
267-165- 55
379-462-154
杜鄴漢 250-413- 60
251- 43- 85
376-433-102下
384- 51- 2
472-129- 4
477-162-157
478-633-206
554-827- 63
814-223- 3
820- 26- 22
933-566- 37
杜曄宋 523-604-176
杜曉後梁 277-165- 18
279-219- 35
401-286-607
1383-774- 70
杜暹唐 270-186- 98
274-583-126
384-197- 11
395-548-231

448-335- 下
469-118- 14
472-125- 4
472-573- 4
474-474- 23
476-859-145
478-334-191
479-318-232
505-771- 73
523-183-155
540-738-28之2
545-133- 87
558-238- 32
933-570- 37
杜遺後魏 262-214-83上
267-545- 80
380- 10-165
杜篤漢 253-545-110上
370-186- 18
380-338-175
402-385- 4
472-831- 33
478- 98-180
554-829- 63
933-567- 37
杜縝宋 1128-625- 18
杜翺元 476-518-127
540-626- 27
杜錡金 821-278- 52
杜衡明 480-298-271
533- 89- 49
杜錫晉 254-320- 16
255-621- 34
377-447-121上
478-104-180
554-630- 60
933-567- 37
杜濬宋 523-471-169
528-550- 32
杜濬明 545-468-100
杜濬清(字于皇) 480-137-264
511-890-172
533-182- 52
1475-965- 41
杜濬清(字星波) 537-526- 59
杜濟唐 1071-639- 8
1071-652- 10
杜濟妻 唐 見韋氏
杜謙明 478-767-215
505-806- 74
523- 42-148
537-550- 59
581-644-111
1248-474- 23
1248-645- 4
杜隰明 511-123-141
569-617-18下之2
676-464- 17
杜韜南唐 554-908- 64
821-117- 49
杜環明 515-638- 77
820-563- 40
1223-572- 11
1236-824- 15
1374-357- 57
1408-528-534
1457-650-403
1459-443- 14
杜駿明 546-647-136
杜懋明 677-588- 53
杜嬰宋 511-875-170
1351-642-145
1378-605- 63
1384-184- 96
1384-185- 96
1410-233-691
杜嶷梁 265-900- 64
378-466-142
533-232- 54
杜禮明 483-294-394
563-815- 41
571-543- 20
杜顒後魏 261-626- 45
544-210- 62
552- 37- 18
554-116- 50
杜顗唐 見杜顗
杜薰女 明 見杜氏
杜豐元 295- 63-151
399-426-458
472-496- 21
472-500- 21
476-183-106
476-417-120
545-241- 92
545-392- 97
545-885-114
549-627-204
杜鎮清 476-751-139
505-830- 75
540-684- 27
杜鎬宋 285-721-296
371-129- 13
382-290- 46
384-343- 17
397-160-329
472-258- 10
475-222- 61
476-656-135
492-696-3上
511-679-163
933-573- 37
杜鎰明 472-240- 9
杜璽明 505-914- 81
杜瓊蜀漢 254-648- 12
377-291-118下
386-102-72上
473-430- 67
481- 75-294
559-339- 8
591-524- 41
592-490- 91
678-344-101
933-567- 37
杜瓊唐 683- 13- 0
杜瓊杜璚 明 475-133- 56
493-1048- 55
511-524-157
820-629- 41
821-389- 56
1255-700- 72
1256-247- 10
1284-133-146
1386-272- 39
1386-670- 56
1442- 25-附2
1459-616- 23
杜顗杜顗 唐 270-765-147
275-329-166
396-109-261
554-841- 63
933-573- 37
1081-598- 6
1342-417-958
1410-292-702
杜勸唐 820-213- 28
杜纂後魏 262-265- 88
267-652- 86
380-192-170
384-143- 7
472- 89- 3
472-113- 4
474-374- 19
476-609-133
505-680- 69
505-747- 72
540-637- 27
933-569- 37
杜斆明 299-295-137
472-491- 21
476-155-104
545-843-113
杜夔魏 254-509- 29
380-593-182
384-519- 23
472-743- 29
477-308-164
533-734- 73
538-357- 71
839- 32- 3
933-567- 37
杜夔元 559-318-7上
杜續宋 400-159-513
杜鐸宋 1165-322- 20
杜襲魏 253-403-100
254-418- 23
377-190-116
384- 85- 4
384-674- 43
472-653- 27
472-765- 30
477-369-167
533-734- 73
537-310- 56
544-202- 62
554-103- 50
933-567- 37
杜攢杜瓚 北周 263-740- 39
267-402- 70
379-676-159
杜龕梁 260-381- 46
265-901- 64

378-571-145
554-554- 58
杜龕妻 梁 見王氏
杜麟明(萬泉人) 547- 75-143
杜麟明(字廷吉) 1467-449- 6
杜瓚北周 見杜攢
杜觀明 515-545- 74
1240-801- 8
杜驥劉宋 258-263- 65
265-980- 70
380-178-170
478-105-180
554-435- 56
933-568- 37
杜鸞明 300-392-206
478-127-181
554-664- 60
杜一岸明 540-663- 27
杜三陽明 511-627-161
杜三策明 540-828-28之3
杜三魁妻 清 見王氏
杜士元元 821-303- 53
杜士言女 宋 見杜氏
杜士則清 547-120-145
杜士基明 820-749- 44
杜士榮妻 清 見焦氏
杜士賢宋 526-153-263
杜子昇唐 見杜昇
杜子春漢 459- 21- 2
538- 26- 62
539-501-11之2
675-318- 19
678-540-121
杜子野宋 515-734- 80
杜子登妻 明 見楊氏
杜子華唐 554-981- 65
杜子墨夏 546-424-129
杜子瓌前蜀 554-908- 64
812-498- 中
812-526- 2
813- 84- 3
821-121- 49
1381-574- 42
杜大川元 1196-699- 8
杜大中明 820-748- 44
杜大成明 821-432- 57
1442-100- 6
杜大春杜大椿 宋
821-226- 51
843-672- 下
杜大椿宋 見杜大春
杜大綬明 820-748- 44
杜大興元 1196-699- 8
杜久徵妻 明 見白氏
杜六凡明 456-642- 10
杜斗愚明 456-522- 6
505-858- 77
杜方先妻 清 見陳氏
杜文甫宋 524-290-193
杜文孟清 524-154-185
杜文倫妻 清 見羅氏
杜文開元 1218-623- 2
杜文開妻 元 見吳氏
杜文裕元 524-144-185
杜文煥明 301- 66-239
478-170-182
478-269-187
554-608- 59
杜文敬明 547-114-145
杜文謙南齊 265-1100- 77
381- 16-184
479- 46-218
杜之昂清 537-417- 57
杜之章陳 見杜之偉
杜之偉杜之章 陳
260-778- 34
265-1027- 72
380-376-176
472-965- 38
479- 47-218
485-165- 22
524- 2-178
590-135- 17
933-568- 37
杜之楝清 540-840-28之4
杜之璧清 523-253-157
杜太后明 明世宗后
299- 19-114
杜不愆晉 256-551- 95
380-605-182
475-703- 86
475-835- 93
511-883-171
933-568- 37
杜五郎宋 見杜生
杜元方唐 見杜景佺
杜元志唐 273-110- 60
杜元實女 明 見杜妙眞
杜元穎唐 271-108-163
274-238- 96
384-163- 5
384-260- 13
396-124-262
554-931- 64
杜元徽唐 1342-162-924
杜元寶京兆王 後魏
262-214-83上
267-545- 80
380- 10-165
552- 26- 18
杜天正明 570-130-21之1
杜天成清 456-357- 77
杜天昇妻 清 見張氏
杜天起妻 清 見張氏
杜天禎明 302-123-295
456-642- 10
483-117-379
杜天舉宋 473-783- 85
482-467-363
567- 67- 65
1467- 42- 63
杜日芳明 456-630- 10
杜日泰明 456-609- 9
537-321- 56
杜日山女 明 見杜老女
杜中立唐 275-393-172
396- 59-257
472-697- 28
474-475- 23
474-650- 34
505-772- 73
537-447- 58
1340-593-780
杜中立妻 唐 見眞源公主
杜少亭妻 清 見李氏
杜公瞻隋 見杜公贍
杜公贍杜公瞻 隋
264-874- 58
267-165- 55
379-462-154
1318- 48- 35
杜仁偉宋 473-491- 70
481-429-315
559-408-9上
杜仁傑金 1191-426- 36
1445-668- 52
1471-255- 1
杜仁傑元 1212-363- 5
杜升之妻 明 見馮氏
杜介之宋 471-882- 42
564- 79- 44
杜化豹清 547-107-145
杜玄禮明 821-462- 57
杜立夫元 561-510- 44
杜立言妻 清 見張氏
杜立善妻 清 見鄧氏
杜立德清 474-187- 9
505-725- 71
1322-666- 12
杜必殿明 456-660- 11
554-714- 61
杜玉珍妻 清 見范氏
杜去輕宋 820-450- 35
杜弘文劉宋 258-581- 92
265-982- 70
380-180-170
459-865- 52
563-614- 38
567- 29- 63
杜弘付明 547- 8-141
杜弘域明 301- 67-239
554-608- 59
杜弘義後蜀 812-498- 中
812-526- 2
821-127- 49
杜弘徽唐 271-331-177
274-241- 96
396-228-272
554-700- 61
杜正玄隋 264-1079- 76
266-536- 26
379-849-163
384-158- 8
477-164-157
538-134- 65
933-568- 37
杜正倫唐 266-536- 26
269-661- 70
274-349-106
384-173- 9
384-179- 10
395-364-214

407-383- 2
469-460- 55
471-864- 39
472-697- 28
473-789- 85
473-890- 90
474-473- 23
505-770- 73
537-445- 58
545-235- 92
567-426- 86
933-569- 37
933-568- 37
1467-139- 67
杜正臧隋 見杜正藏
杜正儀隋 266-536- 26
379-850-163
933-568- 37
杜正藏杜正臧 隋
264-1079- 76
266-536- 26
379-850-163
477-164-157
537-253- 55
538-134- 65
933-568- 37
杜本棨妻 清 見張氏
杜可久明 546-736-139
杜可教明 569-674- 19
杜世昌元 472-520- 22
476-517-127
540-626- 27
杜世威明 541-108- 31
杜世爵明 見杜世鬱
杜世鬱杜世爵 明
505-677- 69
554-498-57上
杜民表明 515-203- 63
523-467-169
杜令昭唐 472-307- 13
475-471- 72
510-407-115
杜台愚妻 明 見呂氏
杜幼文劉宋 258-264- 65
265-981- 70
380-179-170
554-922- 64
杜幼安梁 260-381- 46
265-901- 64
378-466-142
533-232- 54
554-554- 58
杜守一宋 472-1066- 45
479-223-227
486- 66- 3
523-147-153
杜守元宋 288-489-463
杜守智元 1196-699- 8
杜安石妻 宋 見趙氏
杜汝楫元 546-659-137
杜汝楫明 1261-525- 17
杜汝霖宋 523-608-176
1212-228- 16
杜式方唐 270-763-147
275-324-166
396-107-261
554-753- 62
杜有太妻 清 見趙氏
杜有道妻 晉 見嚴憲
杜存愛妻 明 見王氏
杜百思元 523-243-157
杜老女明 杜日山女
478-551-202
558-525- 42
杜光庭唐(字賓聖) 407-648- 1
472-1056- 44
472-1107- 47
483- 97-378
486-905- 35
524-446-201
554-980- 65
570-215- 23
592-215- 73
813-232- 5
820-322- 31
杜光庭唐(灌縣人) 494-161- 6
494-194- 8
杜伏威李伏威 唐
269-486- 56
274-199- 91
384-169- 9
395-233-202
472-524- 22
488-312- 12
488-313- 12
491-802- 6
493-644- 35
540-733-28之2
杜如桂妻 清 見任氏
杜如晦唐 269-614- 66
274-236- 96
384-163- 9
395-299-208
407-368- 2
459-341- 21
472-834- 33
478-110-181
537-349- 56
547-201-148
554-392- 55
556-340- 90
681-317- 23
820-134- 26
933-569- 37
1340-552-776
杜仲威明 1239-147- 36
1243-662- 20
杜仲微宋 820-408- 34
杜仲賢妻 明 見劉氏
杜行均唐 820-154- 26
杜行敏唐 540-623- 27
杜行簡女 明 見杜氏
杜行顗唐 1051-220- 9
杜休詳唐 552- 56- 19
杜冷格清 569-619-18下之2
杜良臣宋 820-451- 35
杜良祚清 476-751-139
515-206- 63
540-681- 27
杜志元元 547-477-159
杜志儒女 宋 見道堅
杜求仁唐 274-350-106
395-365-214
505-856- 77
杜成均唐 820-225- 28
杜孝卿元 1206- 73- 9
杜孝嚴宋 591-382- 30
杜君幾唐 545-359- 96
杜君澤明 820-678- 42
821-420- 56
杜育泓妻 清 見張氏
杜抑之宋 1184-471- 6
杜克仁元 1194-133- 10
杜克温元 545-654-106
杜克讓清 456-357- 77
杜呈源清 558-436- 37
杜谷珍明 479-766-252
515-121- 60
杜伯元元 1196-310- 18
杜伯恭明 1467-155- 67
杜伯僖宋 523-557-174
杜希允元 559-281- 6
杜希伏明 558-222- 32
杜希全唐 270-725-144
275-210-156
384-237- 12
396- 27-253
472-930- 37
478-267-187
554-128- 50
933-570- 37
杜希仲宋 1173-278- 83
杜希茂明 554-366- 54
杜希望唐 270-760-147
275-321-166
396-106-261
472-944- 37
474-304- 16
478-653-207
545-416- 98
554-581- 58
558-223- 32
933-570- 37
杜邦泰明 554-313- 53
杜邦舉明 302- 72-293
456-488- 5
477- 56-151
554-716- 61
杜妙眞明 黃伯泰妻、杜元實女 1242-864- 10
杜廷玉清 559-412-9下
杜廷蓁妻 明 見張氏
杜宗旦女 宋 見杜氏
杜宗敬唐 821- 82- 47
杜宗壽明 505-909- 81
杜宗賢妻 清 見王氏
杜京產齊 259-535- 54
265-1073- 75
370-527- 16
380-447-178
451- 7- 0
479- 46-218

485-164- 22
486-314- 14
524-275-192
585-384- 8
590-135- 17
933-568- 37
1141-802- 34
1358-751- 6
杜松贇隋 267-648- 85
380- 69-166
472-612- 25
491-801- 6
杜居敬元 472-402- 18
510-485-118
杜孟乾明 1289-379- 26
杜長文後魏 261-626- 45
552- 37- 18
杜長春明 532-638- 43
杜承志唐 270-186- 98
274-583-126
395-548-231
杜昌丁清 481-774-336
杜昌期宋 1117-333- 15
杜昌嗣妻 清 見荀氏
杜明之明 1227- 74- 8
杜明孫宋 見杜剛久
杜易簡唐 271-566-190上
276- 59-201
400-590-554
480-295-271
533-314- 57
杜果新清 515-455- 70
杜叔元宋 820-357- 32
杜叔眞明 杜應鴻女
481-750-334
杜叔毗北周 263-806- 46
267-642- 85
380-122-167
480-295-271
533-232- 54
杜叔詹宋 493-694- 38
杜知仁宋 523-604-176
1356-758- 16
杜和春明 558-318- 34
杜佳印清 483- 97-378
杜受泰明 1474-592- 30
杜秉鈞元 1211-400- 56
杜秉彝元 472-699- 28
537-453- 58
593- 43-中
676-701- 29
679-551-193
杜秉彝明 510-447-117
杜延年漢 248-616- 8
250-410- 60
376-205-98下
384- 46- 2
471-989- 58
472-494- 21
472-768- 30
476-179-106
477-362-167
478-569-203
537-529- 59
545-231- 92
554-379- 55
558-204- 32
1412-123- 5
杜洪太後魏 261-626- 45
杜爲禮妻 清 見楊氏
杜宣猷唐 820-251- 29
杜恆庵女 明 見杜氏
杜恆燦清 554-855- 63
杜彥圭宋 288-488-463
杜彥林唐 271-331-177
274-241- 96
396-228-272
554-700- 61
杜彥卿明 515-439- 70
杜彥祥妻 明 見鄺氏
杜彥鈞宋 288-488-463
杜建中妻 明 見何氏
杜建徽吳越 472-966- 38
479- 48-218
523-509-171
590-135- 17
杜孩兒宋 821-252- 52
杜茂修宋 820-452- 35
杜思忠元 546-337-126
549-628-204
杜思明元 546-337-126
549-628-204
杜思望明 546-321-125
杜思絅妻 元 見陶宗媛
杜思進明 472-801- 31
杜思敬元 295- 63-151
399-426-458
472-500- 21
472-827- 33
476-419-120
546-337-126
549-246-190
554-220- 52
1210-316- 8
杜英發元 511-542-158
1221-641- 24
杜映秋妻 清 見石氏
杜皇后北魏 魏明元帝后
261-211- 13
266-279- 13
373- 97- 20
537-185- 53
杜重威後漢 278-269-109
279-338- 52
384-314- 16
401-421-622
杜保二妻 元 見孫氏
杜俊彥清 477-454-171
537-415- 57
杜俊章清 554-321- 53
杜高賓妻 明 見劉氏
杜唐卿宋 473-402- 66
533-116- 50
杜唐卿元 546- 86-117
杜祖悅後魏 261-626- 45
杜庭之宋 820-386- 33
杜庭睦唐 813-102- 6
821- 94- 48
杜庭誠唐 486- 42- 2
杜泰姬漢 趙宣妻
472-868- 34
478-249-186
555- 5- 66
879-182-58下
杜原款春秋 404-685- 41
545-699-108
杜恭瑃妻 清 見王氏
杜桂枝明 456-633- 10
558-417- 37
杜起周妻 清 見史氏
杜根芽妻 清 見李氏
杜時昇金 291-721-127
401- 35-572
472- 35- 1
474-179- 8
505-919- 82
杜時達明 523-249- 157
杜時髦明 456-572- 8
538- 46- 63
杜時融清 524-154-185
杜荀鶴後梁 277-216- 24
451-449- 5
471-694- 15
471-702- 16
472-357- 15
472-367- 16
475-642- 83
511-815-167
674-269-4中
813-306- 19
820-271- 29
1083-620- 附
1365-435- 4
1371- 71- 附
1388-441- 78
杜晏球後唐 見王晏球
杜剛久杜明孫 宋451- 94- 3
杜師旦宋 515-219- 63
杜師揚金 820-484- 36
杜師顏宋 485-536- 1
杜望元清 456-389- 80
杜惟序宋 288-489-463
400- 35-502
478-571-203
杜惟則宋 1095-877- 53
杜惟熙明 479-330-232
523-618-176
杜翊世宋 473-433- 67
559-503- 12
591-554- 42
杜混元唐 820-195- 27
杜梁叟元 1217-186- 3
杜彬父明 1227-840- 4
杜陵陽晉 晉成帝后、杜乂女
255-585- 32
554- 19- 48
杜貫道明 472-377- 16
1227-685- 4
杜處逸元 見杜道聖
杜國漸明 554-312- 53
杜國慶清 546-106-118
杜國寶宋 473-537- 72

杜莘老宋 287-313-387
398-332-385
449-418-上6
450-632-中54
471-959- 53
473-516- 71
481-118-296
481-352-309
559-384-9上
561-209-38之2
591-644- 46
592-600- 99
679-772-213
1151-631- 29
杜得臣漢 535-552- 20
杜啟勳明 512-737-195
杜從古宋 820-400- 34
杜從郁唐 270-764-147
275-326-166
396-107-261
杜從訓元 820-545- 39
杜逢雲妻 明 見屈氏
杜雲楨清 481-783-337
528-573- 72
杜雲隱元 534-938-119
杜惠之劉宋 370-423- 11
杜黃裳唐 270-757-147
275-357-169
384-246- 13
396-129-264
448-120- 0
459-432- 26
472-837- 33
478-118-181
478-594-204
488-322- 12
545- 24- 83
545-455- 99
552- 58- 19
554-406- 55
933-571- 37
1076-110- 12
1076-566- 12
1077-136- 12
杜登第明 547- 46-143
杜景佺杜元方、杜景儉 唐
270- 81- 90
274-472-116
384-184- 10
395-470-223
472- 91- 3
474-603- 31
481- 16-291
505-784- 73
559-201- 6
933-570- 37
杜景祥唐 812-349- 9
821- 65- 47
杜景儉唐 見杜景佺
杜華先明 540-819-28之3
杜然中宋 1119-265- 25
杜喬林明 478-769-215
511-132-141
523- 60-148
1316-293- 20
杜欽禼宋 1118-997- 68
杜欽德明 515-554- 74
杜復春林復泰 明456-609- 9
杜義寬唐 1341-779-903
杜煇然妻 清 見李氏
杜道生後魏 262-214-83上
267-545- 80
380- 9-165
544-206- 62
杜道堅杜處逸 元
494-438- 13
524-404-199
820-549- 39
1196-321- 9
1228- 41- 3
杜道儁後魏 262-214-83上
267-545- 80
380- 9-165
杜塔理清 455-658- 46
杜楚客唐 269-615- 66
274-237- 96
384-164- 9
400-284-523
407-535- 9
476-110-102
545-357- 96
554-444- 56
933-569- 37
杜萬戶元 511-599-160
杜嗣昌明 1459-703- 27
杜敬安後蜀 554-908- 64
812-498-中
812-528- 2
821-126- 49
杜遇春明 532-632- 43
杜毓賢元 517-465-127
杜齊名明 505-696- 70
杜齊芳明 537-431- 58
杜漢徽宋 285-364-271
396-637-312
472- 85- 3
472-839- 33
478-122-181
554-587- 59
杜榮聰明 1249-210- 12
杜壽春明 456-654- 11
杜爾祜清 454-166- 9
502-421- 67
杜臺卿北齊 263-208- 24
264-874- 58
267-165- 55
379-844-163
384-154- 8
472- 90- 3
474-652- 34
505-877- 78
933-569- 37
杜盡良妻 清 見何氏
杜盡誠清 474-640- 33
505-917- 81
杜夢冠宋 451- 97- 3
杜夢祖宋 見杜應之
杜鳴陽明 533- 45- 48
杜鳳皇杜鳳凰 後魏
262-214-83上
267-545- 80
380- 9-165
杜鳳凰後魏 見杜鳳皇
杜僧明陳 260-594- 8
265-924- 66
378-493-144
384-121- 6
472-293- 12
475-372- 68
482-183-346
511-395-151
567-536- 90
933-568- 37
杜維城妻 清 見甄氏
杜維訥妻 明 見董氏
杜維喬明 482-561-369
杜維喬清 474-383- 19
505-908- 81
杜廣心宋 1173-266- 82
杜審言唐 271-566-190上
276- 59-201
384-189- 10
400-590-554
451-413- 1
470-376-145
471-732- 20
472-273- 11
473-143- 56
473-250- 60
480-295-271
533-314- 57
545-236- 92
563-899- 43
674-248-4上
674-855- 19
814-271- 9
820-148- 26
933-572- 37
1065-605- 7
1371- 50-附
1387-311- 23
1394-669- 10
杜審琦宋 288-487-463
382-775-119
384-328- 17
400- 34-502
472- 93- 3
505-797- 73
杜審進宋 288-487-463
302-775-119
400- 34-502
474-653- 34
477-522-175
杜審肇宋 288-487-463
382-775-119
400- 34-502
杜審瓊宋 288-487-463
382-775-119
400- 34-502
474-653- 34
杜審權唐 271-328-177
274-239- 96

384-280- 14
396-227-272
472-838- 33
475-271- 63
478-121-181
493-765- 42
510-280-112
554-459- 56
933-569- 37
杜慧度杜慧慶 劉宋
258-580- 92
265-982- 70
380-180-170
384-121- 6
459-865- 52
563-614- 38
567- 28- 63
933-568- 37
1467- 10- 62
杜慧慶劉宋 見杜慧度
杜履怡妻 清 見劉氏
杜履端清 476-750-139
476-754-139
540-874-28之4
杜冀龍明 821-440- 57
杜曇永梁 479-686-248
516-435-103
杜學伸明 456-531- 6
523-408-165
杜鴻漸唐 270-319-108
274-584-126
384-213- 11
384-220- 12
395-549-231
471-900- 44
472-573- 24
486- 43- 2
505-771- 73
540-740-28之2
933-570- 37
1341-643-885
杜應之杜夢祖 宋451- 53- 2
杜應芳明 533-177- 52
559-256- 6
676-192- 7
杜應奎明 554-608- 59
杜應然宋 473-758- 83
567-463- 87

1467-519- 11
杜應鴻女 明 見杜叔眞
杜濬之宋 524-292-193
1437- 32- 2
杜懋哲清 478-516-200
505-841- 76
558-418- 37
杜孺休唐 275-325-166
493-692- 38
494-292- 4
杜鍾英妻 明 見周氏
杜懷亮唐 820-279- 30
杜懷謙唐 554-973- 65
杜懷寶梁 260-380- 46
265-900- 64
378-465-142
554-554- 58
杜鵬舉唐 1342-149-923
杜贊仁女 宋 見杜氏
杜繩甲明 510-378-114
杜獻璠清 594-215- 7
杜繼翰妻 清 見王氏
杜鶴年妻 清 見李氏
杜鶴齡明 554-761- 62
杜蘭香不詳 480-468-279
493-1098- 58
533-791- 75
592-244- 75
1078-541- 4
杜霽遠清 558-213- 32
478-573-203
杜麟徵明 511-132-141
杜齯龜前蜀 554-908- 64
592-704-106
812-492- 中
812-527- 22
813- 85- 3
821-123- 49
杜讓能唐 271-329-177
274-239- 96
384-284- 15
384-288- 15
396-227-272
478-121-181
544-227- 63
554-700- 61
933-569- 37
杜纘宇明 547-561-161

杜噶爾岱清 456-254- 69
杜理布哈多弼清
455-659- 46
李一夏王 唐 270-308-107
395- 55-185
554- 33- 48
1340-637-785
李七明 584-129- 5
李几後魏 262-260- 87
267-640- 85
380-120-167
384-143- 7
474-637- 33
505-917- 81
李几李小尊 宋 448-377- 0
李乂李尚眞 唐 270-223-101
274-505-119
384-193- 10
395-493-225
472- 92- 3
474-619- 32
933-531- 35
1341-697-893
1371- 52- 0
1472-158- 9
李干唐 見李于
李于李干 唐 1073-641- 34
1074-495- 34
1075-439- 34
1378-529- 60
1383-181- 15
1410-489-728
李巳明 300-548-215
474-441- 21
505-766- 72
李才元 1196-212- 11
李才明 1460-305- 53
李大妻 明 見甄氏
李上明 523-234-156
李山金 821-278- 52
1040-256- 5
李山明 571-542- 20
李山清 456-322- 75
李久漢 474-734- 40
502-313- 58
李亢宋 515-306- 66
1123-179- 19
李方明 564-266- 47

李文妻 金 見史氏
李文元(字士則) 460-475- 37
李文元(桐廬人) 524- 81-182
李文明(西番人) 299-525-156
李文明(字載道) 472-358- 15
510-437-116
1313-227- 18
李文明(字顯道) 515-479- 71
563-773- 40
李文明(字子道) 532-748- 46
李文明(鄖縣人) 533-239- 54
李文明(號洛南) 545-150- 88
李文明(字尚文) 1268-432- 67
李文妻 明 見陳氏
李文妻 明 見戴氏
李尤漢 253-553-110上
380-340-175
469-592- 72
481- 73-294
559-338- 8
591-511- 41
592-570- 97
933-522- 35
李太宋 1118-950- 64
李五妻 元 見張氏
李五妻 元 見劉氏
李五妻 清 見劉氏
李元唐(昭慶令) 474-616- 32
李元唐(仙人) 554-975- 65
李元宋(管城人) 485-305- 46
493-1120- 59
李元宋(字次山) 1147-183- 18
李元元(諡文穆) 541-119- 32
李元元(字唐卿) 1201-169- 80
李元明(桐鄉人) 524-114-183
李元明(同州人) 545-156- 88
李元明(雲陽人) 554-348- 54
李元明(字惟善) 1289-306- 20
李元妻 明 見尹氏
李元母 清 見劉氏
李元女 不詳 見李正流
李比明 456-684- 11
李友唐 493-692- 38
李木明 476-865-145
李及宋 285-741-298
382-288- 45
384-342- 17
384-357- 18

397-173-330
449-104- 9
471-585- 1
472-544- 23
472-660- 27
472-852- 34
472-892- 35
472-961- 38
473-630- 77
476-854-145
478-199-184
478-695-210
479- 41-218
481-549-327
484- 90- 3
489-355- 31
523- 74-149
528-473- 30
537-600- 60
540-669- 27
554-240- 52
558-228- 32
585-374- 7
708-332- 50
李中唐 451-478- 7
820-317- 31
李中宋 1345-345- 15
李中明 300-340-203
457-898- 53
458-849- 7
479-724-250
515-671- 78
515-689- 78
540-619- 27
563-788- 40
567-116- 67
820-718- 43
1275-298- 13
1467-108- 65
李丹唐 485- 72- 11
493-685- 38
李丹宋 471-881- 41
473-719- 81
563-690- 39
李丹清 537-460- 58
李仁漢 591-520- 41
879-175-58下
李仁唐 476-656-135
541-456-35之9
李仁唐 見李千里
李仁元 505-656- 68
李仁明(唐縣人) 299-306-138
477-377-167
532-632- 43
李仁明(字靜甫) 460-652- 66
李仁明(字元夫) 540-806-28之3
1442- 51- 3
1460- 85- 44
李仁明(濬縣人) 554-309- 53
李午妻 元 見張氏
李午明 見張寅
李升李元老 宋(字上達)
448-385- 0
484-390- 28
李升宋(汴人) 477- 83-152
505-855- 77
李升李弁 元 821-295- 53
1318-260- 54
李氏漢 漢武帝夫人
251-278-97上
373- 9- 19
1408-408-519
李氏漢 李南女 253-597-112
380-569-181
475- 78- 53
492-597-13下之下
511-860-170
李氏漢 李正榮女
559-447-11上
李氏蜀漢 馬邈妻
559-466-11中
李氏蜀漢 漢後主昭儀
254-576- 4
384-422- 5
李氏晉 陳新塗妻
1379-390- 47
李氏晉 賈充妻 550-711-228
李氏後魏 高愼妻、李徽伯女
820-119- 25
李氏北魏 魏宣武帝婕妤、李彪女 261-857- 62
266-815- 40
379-217-149
820-119- 25
李氏北齊 齊武成帝夫人、李叔讓女 266-295- 14
373-111- 20
李氏北齊 齊神武帝妃
266-293- 14
373 108- 20
李氏北周 柴烈妻、李宣女
1064-294- 10
1064-781- 16
1342-459-963
1400-187- 8
1416- 95-111下
李氏隋 李士謙姊 474-624- 32
李氏唐 于頔妻、李復女
1342-489-967
李氏唐 沉稱師妻、李彙女
1079- 71- 11
李氏唐 何澳章妻559-477-11中
李氏唐 忠妻 544-232- 63
李氏唐 孫復妻 547-238-150
李氏唐 崔倕妻、李咸一女
1077-344- 3
李氏唐 崔肅冽妻、李濤女
1072-257- 12
李氏唐 楊三安妻 271-651-193
276-107-205
401-148-589
472-842- 33
478-135-181
555- 9- 66
李氏唐 楊德裔妻、李玄明女
1064-787- 16
1342-461-964
李氏唐 鄭廉妻、鄧廉妻
276-109-205
401-150-589
506- 90- 88
李氏唐 盧甫妻、李瀾女
271-655-193
276-110-205
401-151-589
478-699-210
558-559- 43
李氏唐 權皐妻、李備女
1342-475-966
李氏唐 王珪母 478-204-184
547-220-149
555- 9- 66
李氏唐 李白孫女 475-673- 84
李氏唐 李沖女 1076-120- 13
1076-576- 13
1077-147- 13
1342-501-969
李氏唐 李感女 1065-878- 24
1342-469-965
李氏唐 李銛女 1072-257- 12
李氏唐 李普定女
1065-880- 24
1342-470-965
李氏五代 王凝妻 401-155-589
452- 94- 2
472-594- 24
476-676-136
491-803- 6
李氏後梁 梁太祖昭容
279- 79- 13
393-289- 74
李氏後唐 郭崇韜妻
820-314- 31
李氏後晉 石重乂妻、李玘女
278- 94- 87
李氏後漢 劉湍妻 278-202- 99
李氏後漢 劉僎妻 278-202- 99
李氏後蜀 蜀高祖夫人、李克讓女 544-187- 61
李氏宋 王利妻、李昭文女
1102-286- 36
1383-645- 57
李氏宋 王愨妻、李邁昭女
1115-418- 50
李氏宋 王之才妻 821-271- 52
李氏宋 王代恕妻
1088-582- 60
李氏宋 王孝曾妻、李宣仲女
530- 59- 55
1180-414- 38
李氏宋 司馬沂妻 476-372-117
1094-728- 79
李氏宋 艾謙妻、李彥女
1170-692- 30
李氏宋 艾子高妻 479-664-247
李氏宋 向宗諤妻、李就女
1093-445- 60
李氏宋 汪章妻 1193-202- 29
李氏宋 汪清英妻
1182-609- 40
李氏宋 宋孝宗妃 284-883-243
393-318- 77

李氏宋 宋易從妻 1096-800- 40
李氏宋 吳樵妻 480-466-279
李氏宋 周顒妻 524-680-211
李氏宋 胡泳妻、李孟堅女 1161-659-129
李氏宋 胡寀妻 1088-966- 40
李氏宋 俞釗妻 516-229- 97
李氏宋 段永妻、李彬女 1134-320- 46
李氏宋 徐汝士妻 1170-701- 30
李氏宋 張旨妻 477-256-161
李氏宋 張廷傑妻、李寬女 1147-391- 36
李氏宋 陳文剛妻 1149-888- 4
李氏宋 陳元伯妻 530- 69- 55
李氏宋 陳安禮妻、李晟女 1122-186- 14
李氏宋 陳汝翼妻、李靚女 1095-279- 31
李氏宋 陳孝標妻、李緯女 1099-611- 14
李氏宋 常構妻、李奐女 1098-213- 27
李氏宋 曾嘉謨妻、李宗孟女 1147-802- 76
李氏宋 黃庶妻 1114-664- 16
李氏宋 黃表中妻、李世則女 1137-714- 26
李氏宋 趙祐妻 1118-997- 68
李氏宋 趙士註妻、李昭嗣女 1100-508- 47
李氏宋 趙士澧妻、李惟賞女 1100-523- 49
李氏宋 趙士鐃妻、李豫女 1100-522- 49
李氏宋 趙子翔妻、李士彥女 1100-542- 51
李氏宋 趙世岳妻、李端憲女 1105-836- 99
李氏宋 趙世堅妻、李舜舉女 1102-296- 37
李氏宋 趙令稼妻、李祺女 1104-449- 38
李氏宋 趙仲炎妻、李用和女 1104-450- 38
李氏宋 趙仲戡妻、李惟賞女 1100-491- 45
李氏宋 趙克戒妻、李周珣女 1095-871- 52
李氏宋 趙克淳妻、李繼中女 1095-872- 52
李氏宋 趙宗景妻、李端懿女 1100-65- 7
李氏宋 趙宗辦妻、李文昶女 1100-506- 47
李氏宋 趙叔旄妻、李宗述女 1123-471- 14
李氏宋 鄭紓妻、李文蔚女 1105-844-100
1384-179- 95
1410-354-709
李氏宋 鄭文肅妻、李昌言女 1093-379- 51
李氏宋 慕容宗古妻、李恩女 1121-616- 8
李氏宋 魯有開妻、李周珣女 1097-316- 22
李氏宋 劉汝霖妻 473- 79- 52
李氏宋 賴仲元妻 479-823-256
李氏宋 駱與京妻、李昌言女 1098-729- 45
李氏宋 蕭蕢妻 1105-843-100
李氏宋 錢晦妻、李遵勗女 1090-673- 39
李氏宋 錢端義妻、韓球妻、李宗任女 1165-368- 22
李氏宋 謝枋得妻 288-460-460
401-163-590
452- 95- 2
473- 52- 50
479-561-242
492-605-13下之下
512- 52-178
516-345-101
李氏宋 李來女 1124-262- 19
李氏宋 李著女 1091-392- 35
李氏宋 李獲女 1090- 73- 14
李氏宋 李文覽女 1117-622- 9
李氏宋 李惟良女 1088-585- 60
李氏宋 李顯忠族妹 472-925- 36
478-436-196
555- 12- 66
李氏宋 夏伯孫母 1099-765- 14
李氏宋 徐復母 1095-268- 30
李氏宋 黃巽母 1105-754- 90
1384-185- 96
李氏宋(號爲寧國夫人) 564-316- 49
李氏宋(淮陰義婦) 1101-799- 3
李氏金 完顏宗堯妻、李緯爾齊女 291- 14- 64
李氏金 金哀宗寶符御侍 291-753-130
401-171-593
李氏金 楊弘妻 492-607-13下之下
李氏金 李琮女 1191-281- 25
李氏元 丁尚義妻、丁尚賢妻 295-635-201
401-182-593
472-667- 27
477- 93-153
538-172- 67
李氏元 于同祖妻 295-638-201
401-184-593
533-658- 71
李氏元 上官成一妻 473-645- 78
481-699-332
530-155- 58
李氏元 王宏妻 538-220- 67
李氏元 王柱妻 1209-511-8下
李氏元 王時妻 295-641-201
401-187-593
李氏元 王德懋妻、王懋德妻、李克忠女 478-350-191
555- 15- 66
李氏元 布都納妻、李君寶女 1202-281- 20
李氏元 汪燕山妻 295-641-201
401-187-593
472-383- 16
1376-677- 99
李氏元 吳榮歸妻 547-244-150
李氏元 周應卓妻 1202-310- 21
李氏元 侯士温妻 1367-241- 20
李氏元 孫允妻 506-116- 89
李氏元 孫福妻 555- 15- 66
李氏元 張泰妻 476-619-133
李氏元～明 張晟妻 472-469- 20
476- 88-100
547-239-150
李氏元 陳膺妻、李欽若女 1201-661- 24
李氏元 符文進妻 555- 14- 66
李氏元 曾闓妻 479-632-245
516-330-100
李氏元 曾世惠妻 530- 89- 56
李氏元 黃時清妻 473- 79- 52
李氏元 惠高兒妻 295-630-200
401-178-593
476-754-139
李氏元 彭九萬妻 1218-531- 10
李氏元 程良全妻、程良金妻、李公睦女 1215-718- 10
1376-673- 98
李氏元 鄒世聞妻 585-400- 9
1229-283- 9
李氏元 趙信妻(榆次人) 547-214-149
李氏元 趙信妻(霍州人) 547-272-151
李氏元 劉甫妻 506- 41- 87
李氏元 蕭逵妻、李恒吉女 1204-312- 10
李氏元 戴良妻 1219-415- 14
李氏元 王義母 506-127- 89
李氏元 劉元亨母 1195-551-下
李氏元 李成妹 476-619-133
李氏元 林友仁母 482-269-350
李氏元 紹曇母 1204-617- 13
李氏明 于汴妻 506- 51- 87
李氏明 于京妻 512-151-181
李氏明 上官亮妻 530-155- 58
李氏明 方懷珍妻 530- 68- 55
李氏明 尤惠妻 473-589- 75
530- 86- 56
李氏明 王三聘妻 506- 56- 87
李氏明 王沂妻 555- 94- 67

1242-375- 36
李氏明 王定妻 547-229-149
李氏明 王昶妻 1241-223- 10
李氏明 王恪妻 538-182- 67
李氏明 王珣妻、李秉女
1256-422- 27
李氏明 王桂妻 476-211-107
李氏明 王商妻 506-143- 90
李氏明 王符妻 478-171-182
555-102- 67
李氏明 王瑋妻 538-198- 67
李氏明 王寧妻 506- 42- 87
李氏明 王廡妻 472-685- 27
538-198- 67
李氏明 王慶妻 472-101- 3
506-163- 90
李氏明 王賢妻 559-454-11上
李氏明 王憲妻 506- 70- 88
李氏明 王璟妻 474-248- 12
506- 54- 87
李氏明 王徽妻 481-118-296
559-448-11上
李氏明 王璽妻 482-564-396
570-175- 22
李氏明 王瓊妻 506- 43- 87
李氏明 王讓妻 555- 22- 66
李氏明 王一元妻 476- 47- 98
李氏明 王大瀛妻 555- 23- 66
李氏明 王山兒妻 472-614- 25
李氏明 王之俊妻 506- 12- 86
李氏明 王永卿妻 476-263-110
李氏明 王玉業妻 547-417-157
李氏明 王玉璣妻 477-482-173
李氏明 王用相妻 555- 41- 66
李氏明 王安壽妻 570-189- 22
李氏明 王多學妻 506-109- 89
李氏明 王廷明妻 476-185-106
547-301-153
李氏明 王廷祿妻 506- 94- 88
李氏明 王宗堯妻 555- 56- 66
李氏明 王所友妻 477- 94-153
李氏明 王俊士妻、李宰女
547-294-152
李氏明 王家屏妻、李松女
1458-548-453
李氏明 王家梗妻 547-248-150
李氏明 王崇之妻 506-110- 89
李氏明 王國翰妻 506- 54- 87
李氏明 王新士妻 506- 46- 87
李氏明 王道大妻 555- 99- 67
李氏明 王道成妻 506-154- 90
李氏明 王業建妻 555- 61- 67
李氏明 王嘉圍妻 530-105- 57
李氏明 王養志妻 506- 45- 87
李氏明 王龍麟妻 302-234-302
480-140-264
533-569- 68
李氏明 王馨芝妻 506- 97- 88
李氏明 孔量妻 476-211-107
李氏明 孔有孚妻 555- 43- 66
李氏明 孔聞韶妻、李東陽女
1250-953- 90
李氏明 尹來妻 555- 39- 66
李氏明 尹孝策妻 555- 63- 67
李氏明 支良知妻、李祐女
1283-673-119
李氏明 毛穎妻 524-503-203
李氏明 石宣妻 572-128- 31
李氏明 石廷章妻 476-211-107
李氏明 石崇安妻 567-493- 88
李氏明 田紹先妻 547-233-149
李氏明 田開稷妻 555- 94- 67
李氏明 田齊秀妻 547-254-151
李氏明 田興趙妻 572-133- 31
李氏明 田蘊璽妻 302-247-303
474-444- 21
506-136- 89
李氏明 申成妻 506-133- 89
李氏明 申福妻 547-287-152
李氏明 史文通妻
506- 76- 88
李氏明 白采妻、李椿女
567-492- 88
李氏明 白勤妻 474-624- 32
李氏明 白似玉妻 555- 57- 66
李氏明 安尚起妻 302-231-302
478-351-191
555- 91- 67
李氏明 江四妻 555- 17- 66
李氏明 江蘭妻 555- 51- 66
李氏明 江必鸞妻 530-107- 57
李氏明 丞樵妻 559-479-11中
李氏明 伍謙妻 1249-843- 12
李氏明 任官妻 570-185- 22
李氏明 任高妻、任臯妻
480-178-266
481- 83-294
559-446-11上
李氏明 任敬妻 506- 72- 88
李氏明 自守妻 476-755-139
李氏明 向南妻、李天成女
559-454-11上
李氏明 仲雄妻、李成女
1245-175- 4
李氏明 仲顯妻、李拙齋女
476- 46- 98
547-215-149
李氏明 朱紀妻 477-547-176
李氏明 朱純妻 567-498- 88
李氏明 朱庸妻 572-132- 31
李氏明 朱童妻、李伯方女
1236-684- 7
李氏明 朱萼妻 506-105- 89
李氏明 朱文運妻 506- 31- 86
李氏明 朱正中妻、李瑾之妻
555- 98- 67
李氏明 朱繼游妻
559-450-11上
李氏明 汪炡妻 506- 95- 88
李氏明 汪國奇妻 479-797-254
李氏明 汪應玄妻
1408-571-538
李氏明 沉來妻 555- 55- 66
李氏明 沉民表妻 524-568-206
李氏明 沉稷丘妻 1280-506- 93
李氏明 宋林妻、李良謨女
524-594-207
李氏明 宋之鎬妻 506-105- 89
李氏明 成乃貞妻 483-179-384
570-192- 22
李氏明 李大年妻
559-460-11上
李氏明 李天敘妻
559-453-11上
李氏明 李永蓁妻
559-459-11上
李氏明 李振秀妻 506- 13- 86
李氏明 李時若妻 570-206- 22
李氏明 李乾道妻
559-459-11上
李氏明 李舒秀妻 570-173- 22
李氏明 李萬年妻 483- 17-370
570-183- 22
李氏明 阮紹煌妻 530-108- 57
李氏明 呂材妻 472-753- 29
李氏明 呂柟妻 555- 29- 66
李氏明 呂有功妻 558-522- 42
李氏明 岑瑶妻、李琛女
482-511-366
1467-281- 72
李氏明 吳江妻 302-236-302
472-1074- 45
479-252-228
524-668-210
李氏明 吳士儀妻 482-210-347
李氏明 吳子寧妻 547-285-152
李氏明 吳天錦妻 530- 91- 56
李氏明 吳秉懿妻 555- 32- 66
李氏明 吳崇著妻 530- 64- 55
1254-588- 上
李氏明 吳國彥妻
599-455-11上
李氏明 吳景和妻 472-796- 31
538-275- 68
李氏明 吳謙益妻 506- 51- 87
李氏明 余智妻、李合宗女
559-463-11上
李氏明 余孚尹妻 480-208-267
李氏明 余春山妻 530-158- 58
李氏明 余國盛妻 530- 66- 55
李氏明 余謂道妻 475-647- 83
李氏明 但友儒妻
1283-736-124
李氏明 何玉妻 481-186-300
559-460-11上
李氏明 何昇妻 506- 72- 88
李氏明 何洪妻 480-252-269
李氏明 何信妻 1262-425- 46
李氏明 何璇妻 302-235-302
479-665-247
李氏明 何之旦妻 302-247-303
480-140-264
李氏明 何永孚妻 473-102- 53
479-632-245
李氏明 何本洪妻 570-201- 22
李氏明 何沖孚妻 473-404- 66
480-639-288
李氏明 何其謨妻 570-151- 58
李氏明 何商臣妻
1250-936- 88
李氏明 何源清妻 483-184-385
570-193- 22

李氏明 狄耀妻 572-125- 31
李氏明 狄應龍妻 572-125- 31
李氏明 宗禮妻 506- 72- 88
李氏明 初篤妻 480-178-266
李氏明 孟進妻 547-228-149
李氏明 孟元卿妻 475-235- 61
李氏明 邵麟妻 570-196- 22
李氏明 邵洪俊妻 572-132- 31
李氏明 林試妻 476-677-136
李氏明 林日照妻 482-305-353
李氏明 林有原妻 482-269-350
李氏明 林東樑妻 570-170- 22
李氏明 林彥翰妻 482-210-347
李氏明 林銘几妻 530- 77- 55
李氏明 林穎新妻 524-628-208
李氏明 尚洗妻 476-211-107
李氏明 明太祖淑妃、李傑女
299- 5-113
李氏明 明光宗康妃
299- 24-114
李氏明 明光宗莊妃
299- 25-114
李氏明 周節妻 567-497- 88
李氏明 周選妻 559-444-91上
李氏明 周士輝妻 547-270-151
李氏明 周宏烈妻 480-139-264
李氏明 周尚禮妻 506-102- 89
李氏明 周芝雲妻、李泉女
1261-863- 42
李氏明 周嘉士妻 547-267-151
李氏明 周德高妻 482-118-343
李氏明 金印妻 570-197- 22
李氏明 金鼐妻 506- 29- 86
李氏明 邱希華妻 474-314- 16
李氏明 洛宣妻 572-113- 31
李氏明 姜耀妻 478-436-196
555- 22- 66
李氏明 胡早妻 547-221-149
李氏明 胡垣妻 506- 55- 87
李氏明 胡英妻 567-495- 88
李氏明 胡道妻 1274-400- 14
李氏明 胡恕齋妻
1256-396- 25
李氏明 胡夢泰妻 516-353-101
李氏明 胡應科妻 533-589- 69
李氏明 胡關七妻 516-233- 97
李氏明 胡繼芳妻 506- 78- 88
李氏明 胥廷儉妻 479-664-247
李氏明 南有杞妻 480-140-264
李氏明 柯喬清妻 530-108- 57
李氏明 范瑄妻 472-529- 22
李氏明 范安童妻 530-151- 58
李氏明 茅遷妻 1276-429- 10
李氏明 姚倫妻、李有才女
1271-627- 53
李氏明 姚斌妻 506- 29- 86
李氏明 姚以詵妻 482- 42-340
李氏明 姚衍中妻 555- 82- 67
李氏明 姚惟競妻 558-523- 42
李氏明 昝約妻 1288-618- 10
李氏明 紀養中妻 506- 46- 87
李氏明 侯化龍妻 476- 47- 98
547-219-149
李氏明 段國賓妻 506- 4- 86
李氏明 宮富妻 506- 30- 86
李氏明 海秀妻、海壽妻
475-782- 89
512-143-181
李氏明 高材妻、李官女
1292-642- 10
李氏明 高枝妻 516-241- 97
李氏明 高俊妻 555- 22- 66
李氏明 高道妻 559-460-11上
李氏明 高逾妻 472-985- 39
524-575-206
李氏明 高魁妻 1283-677-120
李氏明 高徵妻 555- 76- 67
李氏明 高紹源妻 506-104- 89
李氏明 高錦成妻 506- 82- 88
李氏明 高岳肅圖妻、高藥師奴妻、高藥師努妻 452-118- 3
472-795- 31
474-778- 42
477-547-176
503- 27- 93
李氏明 唐宥妻、李陽春女
559-459-11上
李氏明 唐烜妻 530-124- 57
李氏明 唐通妻 559-458-11上
李氏明 唐時雍妻 572-126- 31
李氏明 唐道泰妻
559-453-11上
李氏明 秦健妻 567-478- 88
李氏明 秦之璋妻、李公輔女
559-456-11上
李氏明 馬通妻 538-253- 68
李氏明 馬馴妻 1259-252- 19
李氏明 馬賜妻 506- 49- 87
李氏明 馬一乘妻 476-211-107
李氏明 馬尚良妻 474-443- 21
李氏明 馬思齊妻 538-201- 67
李氏明 孫印妻、李希益女
547-213-149
李氏明 孫榮妻 555- 71- 67
李氏明 孫之昌妻 506- 56- 87
李氏明 孫光祚妻 506- 46- 87
李氏明 孫養翼妻 538-256- 68
李氏明 孫應魁妻 555- 63- 67
李氏明 桂智妻 472-369- 16
475-647- 83
李氏明 桂首攀妻 538-278- 68
李氏明 郝浴妻 506-170- 90
李氏明 郝琮妻 506- 8- 86
李氏明 郝華妻 547-290-152
李氏明 袁暐妻 567-486- 88
李氏明 夏時行妻 506- 14- 86
李氏明 時銓妻 508-357- 42
李氏明 時躋舜妻 506-146- 90
李氏明 翁應兆妻 302-235-302
524-760-214
李氏明 倪通妻 506- 91- 88
李氏明 姬曉妻 555- 39- 66
李氏明 徐黼妻、李正女
472-1075- 45
1320-554- 62
1320-707- 77
李氏明 徐一耀妻 547-288-152
李氏明 徐心箴妻 572-132- 31
李氏明 奚洪斗妻、溪洪斗妻
478-351-191
555- 94- 67
李氏明 寇一龍妻、李敏女
547-216-149
李氏明 許希曾妻 482-270-350
李氏明 許思謙妻 530-109- 57
李氏明 許襄隆妻 555- 48- 66
李氏明 郭棠妻 506-136- 89
李氏明 郭緯妻 530-151- 58
李氏明 郭士文妻 472-100- 3
李氏明 郭文綱妻 506- 55- 87
李氏明 郭天寶妻 506- 41- 87
李氏明 郭玉安妻
559-460-11上
李氏明 郭長吉妻 530- 62- 55
李氏明 梁允珩妻 567-492- 88
1467-275- 72
李氏明 梁景秀妻 547-259-151
李氏明 梁夢陽妻 482- 41-340
李氏明 梅應魁妻
559-469-11中
李氏明 理圜妻、李日達女
547-280-152
李氏明 陸行妻 1267-825- 7
李氏明 陸英妻 530-141- 58
李氏明 陸淵妻 1348-614- 3
李氏明 陶舜相妻 567-482- 88
李氏明 陶遵道妻 479-252-228
李氏明 張印妻 475-381- 68
512- 52-178
李氏明 張初妻 555- 37- 66
李氏明 張定妻 555- 29- 66
李氏明 張季妻、李智女
506-106- 89
506-110- 89
李氏明 張翊妻、李恕女
1288-633- 10
李氏明 張港妻 555- 73- 67
李氏明 張琨妻 477-526-175
李氏明 張暐妻 570-186- 22
李氏明 張節妻 483-178-384
570-192- 22
李氏明 張實妻 570-185- 22
李氏明 張福妻 555- 20- 66
李氏明 張燿妻 506- 42- 87
李氏明 張謨妻 533-597- 69
李氏明 張鐸妻 506- 52- 87
李氏明 張一桂妻 302-250-303
李氏明 張一應妻 483-321-396
572-132- 31
李氏明 張士傑妻 506-101- 89
李氏明 張子建妻 547-232-149
李氏明 張文翰妻 506- 9- 86
李氏明 張永堅妻 506-110- 89
李氏明 張世勛妻 555- 38- 66
李氏明 張守忠妻 506- 44- 87
李氏明 張光射妻、李璡女
1293-750- 5
李氏明 張廷臣妻
559-468-11中
李氏明 張廷祚妻 483- 36-371
570-188- 22
李氏明 張其完妻、李子寉女

1313-273- 21
李氏明 張孟喆妻 506-151- 90
李氏明 張貞學妻
559-473-11中
李氏明 張晉蕃妻 512-459-188
李氏明 張純心妻 474-248- 12
506- 57- 87
李氏明 張問行妻 530- 95- 56
李氏明 張問達妻 480-141-264
李氏明 張崇德妻 506-155- 90
李氏明 張國材妻 530-108- 57
李氏明 張國華妻 572-134- 31
李氏明 張朝明妻 547-271-151
李氏明 張景運妻
559-461-11上
李氏明 張舒翼妻 506- 56- 87
李氏明 張鴻業妻 480-255-269
李氏明 張繩武妻 476-828-143
李氏明 張獻塘妻 506-136- 89
李氏明 陳秀妻 506- 52- 87
李氏明 陳居妻 506- 82- 88
李氏明 陳科妻 538-255- 68
李氏明 陳海妻 508-357- 42
512-495-189
李氏明 陳庭妻 538-266- 68
李氏明 陳情妻 478-249-186
555- 25- 66
李氏明 陳貴妻 524-539-208
李氏明 陳諫妻 302-230-302
李氏明 陳三畏妻、李一鑰女
530-163- 59
李氏明 陳有智妻
1457-752-414
李氏明 陳良佐妻 567-485- 88
李氏明 陳其謀妻 530-151- 58
李氏明 陳國憲妻 555- 77- 67
李氏明 陳紹惠妻 530- 5- 54
李氏明 陳傑八妻 516-245- 97
李氏明 陳漢鳳妻 530-112- 57
李氏明 陳應瑞妻 506-144- 90
李氏明 陳懷禮妻
559-450-11上
李氏明 陳騰龍妻 480- 63-260
李氏明 崔峨妻 506- 8- 86
李氏明 崔銑妻 1267-472- 5
李氏明 崔元吉妻 506- 94- 88
李氏明 崔居州妻 506- 80- 88
李氏明 崔喬遷妻 570-196- 22
李氏明 常自省妻 538-254- 68
李氏明 莫瓊妻 567-484- 88
李氏明 符景第妻 524-515-204
李氏明 馮經妻 1256-595- 7
李氏明 馮之漢妻 538-178- 67
李氏明 馮世傑妻 483- 17-370
李氏明 馮奇莪妻 555- 97- 67
李氏明 馮朝明妻 530-151- 58
李氏明 曾延伯妻 479-664-247
516-316-100
李氏明 黃炳妻 506-141- 90
李氏明 黃華妻 516-333-100
李氏明 黃寬妻 530-139- 58
李氏明 黃錦妻 558-519- 42
李氏明 黃鷗妻 479-633-245
李氏明 黃灝妻 480-639-288
李氏明 黃觀妻 473- 67- 51
李氏明 黃文進妻
559-469-11中
李氏明 黃友茂妻
559-452-11上
李氏明 黃日芳妻 302-246-303
475-783- 89
李氏明 黃開先妻 479-611-244
李氏明 黃椿芳妻 481-726-333
李氏明 黃嘉猷妻 472-686- 27
538-199- 67
李氏明 黃澄瀾妻 517-745-133
李氏明 盛我凝妻 524-457-202
李氏明 堯一言妻 530-152- 58
李氏明 彭銓妻、李濟女
1250-945- 89
李氏明 彭大義妻 474-443- 21
李氏明 彭尚仁妻、李勝高女
559-445-11上
李氏明 華原謙妻、李克中女
1259-180- 14
李氏明 焦訥妻 538-198- 67
李氏明 焦子學妻 555- 30- 66
李氏明 焦承勳妻 506- 33- 86
李氏明 程頌妻 481-119-296
559-450-11上
李氏明 喬作霖妻 538-256- 68
李氏明 温純妻、李鑛女
1288-653- 11
李氏明 賈格妻 555- 53- 66
李氏明 賈遇妻 506-143- 90
538-223- 67
李氏明 賈澄妻 547-252-150
李氏明 雷景妻 555- 44- 66
李氏明 楊江妻 506- 30- 86
李氏明 楊舟妻、李放女
1266-544- 5
李氏明 楊佐妻 477-421-169
李氏明 楊桂妻 555- 30- 66
李氏明 楊宋妻 559-454-11上
李氏明 楊釣妻 482-565-396
570-177- 22
李氏明 楊燦妻 570-197- 22
李氏明 楊鑑妻 570-197- 22
李氏明 楊鸞妻 559-469-11中
李氏明 楊于喬妻 555- 30- 66
李氏明 楊大名妻 570-199- 22
李氏明 楊文爆妻 480-440-278
李氏明 楊友梅妻 572-130- 31
李氏明 楊日昇妻
559-457-11上
李氏明 楊自卑妻 555-53- 66
李氏明 楊桂生妻 570-207- 22
李氏明 楊啟陞妻 570-205- 22
李氏明 楊從宜妻 570-206- 22
李氏明 萬邦孚妻 480-254-269
李氏明 董祐妻 482-210-347
李氏明 董講妻 472-686- 27
李氏明 董祖舒妻 483- 17-370
570-183- 22
李氏明 路中妻 506- 4- 86
李氏明 葛楨妻 506-154- 90
李氏明 葛學亮妻 506- 56- 87
李氏明 葉蘭妻、李侯璟女
1256-593- 7
李氏明 葉玉衡妻 480-342-273
李氏明 葉世儀妻、李燾女
564-338- 49
李氏明 虞汴妻 482-409-359
567-493- 88
1467-281- 72
李氏明 詹祿妻 1274-385- 14
李氏明 解鵬妻 547-244-150
李氏明 解從富妻 570-172- 22
李氏明 漆生色妻 506- 92- 88
李氏明 廖文鑑妻 479-665-247
李氏明 廖愈達妻 530-159- 58
李氏明 趙二妻 472-668- 27
538-289- 68
李氏明 趙官妻 506- 45- 87
李氏明 趙炳妻 478-600-204
李氏明 趙宸妻 506-101- 89
李氏明 趙瑗妻 1442-131- 8
1460-888- 95
李氏明 趙漢妻 547-258-151
李氏明 趙士貴 570-185- 22
李氏明 趙世明妻 506- 49- 87
李氏明 趙存仁妻 506- 73- 88
李氏明 趙完璧妻 476-212-107
李氏明 趙廷璧妻 506-145- 90
李氏明 趙來憲妻 483- 36-371
570-187- 22
李氏明 趙秉爵妻 547-254-151
李氏明 趙從傅妻 479-632-245
李氏明 趙進孝妻 555- 50- 66
李氏明 趙繼鱗妻
559-474-11中
李氏明 翟吉妻 506-107- 89
李氏明 熊恒妻、熊恒之妻
473-131- 55
1262-361- 40
李氏明 熊動之妻
559-476-11中
李氏明 鄭國妻 506-143- 90
李氏明 鄭煜妻 506- 78- 88
李氏明 鄭伯貴妻 480-253-269
李氏明 鄭宗禹妻 555- 72- 67
李氏明 鄭謙亨妻 506- 79- 88
李氏明 鄧于旬妻 480-467-279
李氏明 鄧朝觀妻 482- 79-341
李氏明 鄧嘉賓妻
559-472-11中
李氏明 蔣貴妻、李駟女
1240-374- 24
李氏明 蔣汝勤妻 558-493- 42
李氏明 蔡亢妻 506-131- 89
李氏明 暴所學妻 547-288-152
李氏明 劉芳妻 530-163- 59
李氏明 劉芝妻 506- 13- 86
李氏明 劉格妻、李梅翁女
1267-591- 10
1410-528-735
李氏明 劉淮妻 506-103- 89
李氏明 劉富妻 506- 6- 86
李氏明 劉煥妻 506- 47- 87
李氏明 劉潔妻 1250-881- 83
李氏明 劉儀妻 570-203- 22
李氏明 劉櫝妻 538-179- 67

李氏明 劉繼妻 473-196- 58
李氏明 劉之翰妻 506- 10- 86
李氏明 劉世皞妻 483- 36-371
570-185- 22
李氏明 劉可儒妻 506- 10-86
李氏明 劉光遠妻 506- 55- 87
李氏明 劉光燦妻 302-246-303
478-137-181
478-421-195
555-110- 67
李氏明 劉自忠妻 480-253-269
李氏明 劉自義妻 480-207-267
李氏明 劉沛然妻
559-461-11上
李氏明 劉廷可妻
559-459-11上
李氏明 劉廷弼妻 570-197- 22
李氏明 劉宗牧妻 480- 62-260
李氏明 劉宗道妻 506- 76- 88
李氏明 劉尚文妻
559-453-11上
李氏明 劉南嵐妻
1288-679- 16
李氏明 劉俊烈妻 506- 81- 88
李氏明 劉理順妻 538-180- 67
李氏明 劉得成妻 506- 85- 88
李氏明 劉惺如妻 475-756- 88
李氏明～清 劉聖基妻
476- 48- 98
547-231-149
李氏明 劉爾客妻 555- 96- 67
李氏明 劉嘉爵妻 481-726-333
李氏明 劉對生妻、李若愚女
480- 96-262
李氏明 劉鳴鸞妻 476-211-107
李氏明 劉養心妻 506- 10- 86
李氏明 劉億衷妻、李六秀女
530- 68- 55
1254-592-上
李氏明 劉德昭妻 530- 93- 56
李氏明 樊一若妻、李文續女
481-214-302
559-461-11上
李氏明 劉昇妻 482-210-347
李氏明 龍在淵妻 567-498- 88
李氏明 賴伯英妻 530-162- 59
李氏明 霍文謙妻 567-488- 88
李氏明 閻浩妻 506- 78- 88
李氏明 閻鉌妻 555- 84- 67
李氏明 盧春魁妻 547-266-151
李氏明 盧國器妻 547-254-151
李氏明 蕭相妻 567-493- 88
李氏明 蕭露妻 1270- 58- 4
李氏明 蕭元春妻 530-126- 57
李氏明 謝紀妻 473-319- 62
李氏明 謝黼妻 481-726-333
530-167- 59
李氏明 謝元學妻 530-126- 57
李氏明 謝登輔妻 555- 52- 66
李氏明 謝彭年妻
559-457-11上
李氏明 蹇俊妻 559-466-11中
李氏明 蹇文卿妻
559-462-11上
李氏明 薛太妻 506- 5- 86
李氏明 韓珙妻 538-276- 68
李氏明 韓軏妻 506- 45- 87
李氏明 韓富妻 506- 75- 88
李氏明 韓天民妻 547-296-152
李氏明 韓克儉妻 506- 81- 88
李氏明 韓景翃妻 547-247-150
李氏明 瞿楚文妻 480-208-267
李氏明 魏熙妻 506- 48- 87
李氏明 魏增妻 506- 42- 87
李氏明 魏擴妻 506-117- 89
李氏明 魏正蒙妻、李興賢女
1280-497- 92
李氏明 簡文妻 567-480- 88
1467-267- 72
李氏明 譚大中妻、李華女
1291-477- 8
李氏明 譚敷惠妻 570-185- 22
李氏明 關福妻 480-252-269
李氏明 羅江妻 570-176- 22
李氏明 羅循妻、李勳女
1276-464- 11
李氏明 羅綱妻 570-199- 22
李氏明 羅仁美妻 475-382- 68
李氏明 羅沐八妻 479-664-247
李氏明 羅紹尹妻
559-455-11上
李氏明 羅萬一妻 538-181- 67
李氏明 蘇士學妻 547-301-153
李氏明 蘇萬春妻、李繼志女
555- 58- 66
李氏明 嚴安妻 559-463-11上
李氏明 顧人龍妻 572-117- 31
李氏明 龔思賢妻
559-455-11上
李氏明 朱之馮母 506- 13- 86
李氏明 李甫女 477- 93-153
538-176- 67
李氏明 李定女 559-462-11上
李氏明 李眞女 1258-191- 17
李氏明 李淮女 474-573- 29
506- 7- 86
506- 30- 86
李氏明 李堂女 474-191- 9
506- 7- 86
李氏明 李欽女 475-783- 89
李氏明 李資女 506- 93- 88
李氏明 李榮女 1321-122-100
李氏明 李潮女 538-265- 68
李氏明 李鑒女 559-458-11 上
李氏明 李欒女、李鑾女
474-191- 9
506- 7- 86
李氏明 李元薦女 302-251-303
474-654- 34
李氏明 李友桃女 480- 96-262
李氏明 李在門女 476-589-131
李氏明 李君瑛姑 476- 46- 98
547-231-149
李氏明 李廷杞女 478-137-181
李氏明 李廷幹女
559-445-11上
李氏明 李待問女 564-320- 49
李氏明 李國臣女 538-256- 68
李氏明 李國祚女 480- 95-262
李氏明 李綦隆女 516-250- 97
李氏明 李輔德女 478-137-181
李氏明 李夢康女 479-102-221
524-530-204
李氏明 李德澄女 555- 33- 66
1269-467- 8
李氏明 李寶觀女 1266-738- 7
李氏明 何有思媳 506- 15- 86
李氏明 邵可立母 555- 39- 66
李氏明 林昭得祖母
530-142- 58
李氏明 張雲母 1267-332- 36
李氏明 馮世傑母 570-183- 22
李氏明 焦乃康母 506- 14- 86
李氏明 劉炅母 559-445-11上
李氏清 丁泰妻 478-438-196
555-190- 69
李氏清 丁玉蘭妻
559-499-11下
李氏清 丁正高妻 530-157- 58
李氏清 丁廷掄妻 476-679-136
李氏清 丁重任妻 476-790-141
541- 62- 29
李氏清 于大來妻 512-276-183
李氏清 于鳳翱妻 474-193- 9
李氏清 才瓚妻 503- 60- 95
李氏清 元時律妻 547-241-150
李氏清 方坤妻 475-650- 83
李氏清 方之益妻 483- 18-370
李氏清 王忻妻 478-139-181
555-121- 68
李氏清 王得妻 506- 34- 86
李氏清 王琯妻 506- 66- 87
李氏清 王琬妻 474-195- 9
李氏清 王楫妻 474-193- 9
506- 22- 86
李氏清 王瑜妻 506- 38- 86
李氏清 王大周妻 483- 60-374
570-194- 22
李氏清 王文明妻 481-215-302
李氏清 王天眷妻 478-718-211
558-569- 43
李氏清 王永龍妻 481-729-333
李氏清 王四靈妻 482- 92-342
李氏清 王守良妻 503- 63- 95
李氏清 王守貴妻 474-779- 42
503- 35- 94
李氏清 王式閭妻 478-601-204
李氏清 王言綸妻 555-184- 69
李氏清 王廷奉妻 479-436-236
李氏清 王廷寶妻 503- 67- 95
李氏清 王廷對妻 474-194- 9
李氏清 王奇瑾妻 555-154- 68
李氏清 王捷三妻 506- 65- 87
李氏清 王承弼妻 547-462-158
李氏清 王異望妻 481-593-328
李氏清 黃異望妻、李喬棟女
530- 99- 56
李氏清 王紹堯妻 555-155- 68
李氏清 王紹舜妻 474-195- 9
李氏清 王啟功妻 474-193- 9
506- 25- 86
李氏清 王欽旨妻 476-679-136

李氏清 王楠齡妻 478-355-191
555-171- 69
李氏清 王奪標妻 555-164- 69
李氏清 王夢卜妻
559-491-11下
李氏清 王維屏妻 512-425-187
李氏清 王德溥妻 506-171- 90
李氏清 王興元妻 474-780- 42
503- 37- 94
李氏清 王繼厚妻 555-129- 68
李氏清 王繼緒妻
559-498-11下
李氏清 元澍妻 506- 96- 88
李氏清 予蒲妻 476-128-102
李氏清 尹公弼妻 474-249- 12
506- 66- 87
李氏清 尹發掄妻 506-115- 89
李氏清 支珝妻 512-435-187
李氏清 毋興妻 555-150- 68
李氏清 牛光璐妻 555-125- 68
李氏清 牛履泰妻 547-225-149
李氏清 毛鵬東妻 572-152- 31
李氏清 仇昌祚妻 547-263-151
李氏清 仇連名妻 474-196- 9
李氏清 古禮妻 503- 35- 94
李氏清 古基妻 477-382-167
李氏清 石琪妻 559-486-11下
李氏清 石函喻妻 503- 53- 95
李氏清 石基永妻
1316-615- 42
李氏清 石昆玉妻 547-297-152
李氏清 田兆珽妻 474-193- 9
李氏清 田紹漢妻 476-791-141
李氏清 申本妻 547-294-152
李氏清 申餘銀妻 547-289-152
李氏清 史可模妻 474-192- 9
506- 15- 86
512-175-182
李氏清 史克剛妻 506- 67- 87
李氏清 史金元妻 503- 61- 95
李氏清 句善緒妻 474-194- 9
李氏清 白烺妻 474-194- 9
李氏清 包紹穀妻 524-464-202
李氏清 江白龍妻 530-157- 58
李氏清 安福妻 474-194- 9
李氏清 任高妻 481- 83-294
李氏清 任寔妻 559-490-11下
李氏清 任憲妻 547-283-152
李氏清 任長安妻
559-496-11下
李氏清 任鍾麟妻
559-487-11下
李氏清 任覺民妻
559-491-11下
李氏清 向祖興妻 572-149- 31
李氏清 牟履慶妻 481-338-308
李氏清 朱孔章妻
559-496-11下
李氏清 朱存樸妻 555-114- 68
李氏清 朱康國妻 478-139-181
555-120- 68
李氏清 朱華陰妻、李其芳女
1324-336- 32
李氏清 朱綬之妻 555-146- 68
李氏清 朱還雅妻 512-383-186
李氏清 辛朝選妻 503- 63- 95
李氏清 沙毓珍妻 506- 95- 88
李氏清 宋士英妻 479-797-254
李氏清 宋紹昌妻 479-384-234
李氏清 杜少亭妻 555-146- 68
李氏清 杜根芽妻 547-299-153
李氏清 杜輝然妻 530- 41- 54
李氏清 杜鶴年妻 481-440-316
李氏清 李源妻 503- 35- 94
李氏清 李養妻 503- 64- 95
李氏清 李天鳳妻 503- 35- 94
李氏清 李加封妻 555-124- 68
李氏清 李名芳妻 506-157- 90
李氏清 李振英妻 503- 66- 95
李氏清 李崇榮妻 555-151- 68
李氏清 李圓明妻 482-469-363
李氏清 邢鑣妻 474-605- 31
506-162- 90
506-552-105
李氏清 呂亮妻、李觀光女
1324-351- 32
李氏清 呂祚妻 506-139- 89
李氏清 呂善妻 506-124- 89
李氏清 呂一鷺妻、李棠女
567-517- 89
李氏清 呂三多妻 474-251- 12
李氏清 呂民仰妻 547-262-151
李氏清 呂若契妻 567-519- 89
李氏清 呂應璜妻 482-525-367
567-521- 89
李氏清 吳炳妻 474-194- 9
李氏清 呂葛妻 478-392-193
555-178- 69
李氏清 吳濤妻 503- 51- 95
李氏清 吳鑑妻 559-483-11下
李氏清 吳大勳妻 547-283-157
李氏清 吳正策妻 480-514-281
李氏清 吳順姬妻 478-700-210
李氏清 吳毓貴妻 474-193- 9
李氏清 佟國棟妻 503- 53- 95
李氏清 余文之妻 479-582-243
李氏清 何湛妻 474-194- 9
李氏清 何之鰲妻 479-768-252
李氏清 於崇惠妻 482-566-369
570-179- 22
李氏清 祁鑑妻 476-620-123
李氏清 武君化妻 555-160- 69
李氏清 孟潤妻 474-625- 32
李氏清 孟文舉妻 474-194- 9
李氏清 孟輔德妻 476-590-131
李氏清 屈大雅妻 478-422-195
李氏清 屈攀鳳妻 555-181- 69
李氏清 林天明妻 474-251- 12
李氏清 林翁挺妻 474-251- 12
李氏清 林朝綱妻 481-751-334
李氏清 尚簡臣妻 555-181- 69
李氏清 明良合妻 480-546-283
533-687- 71
李氏清 季燦妻 533-633- 70
李氏清 周熾妻、李之棟女
567-533- 89
李氏清 周文學妻 506- 89- 88
李氏清 周正坎妻 480-417-277
李氏清 周祚豐妻 572-135- 31
李氏清 周師奭妻 572-135- 31
李氏清 周耀隆妻
559-381-11下
李氏清 金沁妻 512-440-187
李氏清 金撰玉妻 474-194- 9
李氏清 邱萬倉妻 503- 65- 95
李氏清 施得祥妻 474-194- 9
李氏清 封得印妻 477-136-155
538-212- 67
李氏清 胡宣妻 481- 85-294
李氏清 胡熜妻 506- 59- 87
李氏清 胡成之妻 474-193- 9
李氏清 胡作孚妻 506- 18- 86
李氏清 胥朝賓妻 506- 97- 88
李氏清 韋錫疇妻 555-124- 68
李氏清 范大嚐妻 506- 64- 87
李氏清 范恪浚妻 477- 94-153
李氏清 范闓化妻 475-783- 89
李氏清 范鎮齊妻 481-727-333
李氏清 姚法舜妻 474-195- 9
李氏清 姚時熙妻 483- 98-378
李氏清 昝一輪妻 555-130- 68
李氏清 紀鳴韶妻 474-195- 9
李氏清 段鎵妻 559-491-11下
李氏清 高立長妻 474-341- 17
李氏清 高向明妻 475-384- 68
李氏清 高映碧妻 478-250-186
555-156- 68
李氏清 高爾鳳妻 480- 98-262
李氏清 高儀坤妻
559-489-11下
李氏清 唐有望妻 480-584-285
李氏清 唐廷猷妻
559-482-11下
李氏清 秦希英妻 477- 95-153
李氏清 秦得民妻 547-240-150
李氏清 秦開甲妻
559-482-11下
李氏清 馬宛妻 547-284-152
李氏清 馬士秀妻 480-321-272
李氏清 馬大用妻 476-869-145
李氏清 馬世英妻 478-140-181
李氏清 馬明圖妻 506- 17- 86
李氏清 馬崇化妻 506- 18- 86
李氏清 馬繼俊妻 555-186- 69
李氏清 孫文科妻 503- 60- 95
李氏清 孫世華妻 475-387- 68
李氏清 孫家彥妻 547-289-152
李氏清 孫振興妻 547-213-149
李氏清 孫龍行妻、李維申女
524-593-207
李氏清 孫瀚芳妻 506- 38- 86
李氏清 郝俊妻 506- 19- 86
李氏清 郝秉翰妻
559-496-11下
李氏清 袁瑜妻 478-654-207
李氏清 袁文蔚妻
559-483-11下
李氏清 袁有熊妻 555-147- 68
李氏清 袁尚義妻 483-119-379
570-201- 22
李氏清 夏之璜妻
559-493-11下

李氏清 桑鳳鳴妻 506- 18- 86
李氏清 党從直妻 555-177- 69
李氏清 郁繩宗妻 474-386- 19
李氏清 師克已妻 547-289-152
李氏清 倪德妻 474-315- 16
李氏清 寇培基妻 506- 89- 88
李氏清 章金妻 506- 23- 86
李氏清 許炳妻 476- 88-100
547-261-151
李氏清 許光震妻 512-473-188
李氏清 許如龍妻 483-252-391
李氏清 許邦屏妻 533-554- 67
李氏清 許偉樟妻 506-114- 89
李氏清 許爾成妻 483- 36-371
570-188- 22
李氏清 郭安妻 476-533-128
李氏清 郭然妻 506- 29- 86
李氏清 郭鈞妻 547-282-152
李氏清 郭九會妻 474-194- 9
李氏清 郭世旺妻 547-474-158
李氏清 郭而澮妻 547-255-151
李氏清 郭志祥妻 478-356-191
李氏清 郭命弘妻 476- 47- 98
476-223-108
547-230-149
李氏清 郭洪春妻 547-453-158
李氏清 郭彥郁妻 481-593-328
530- 98- 56
李氏清 梁券妻 477-423-169
李氏清 梁曇妻 547-241-150
李氏清 梁衡妻 478-249-186
555-152- 68
李氏清 梁孟冬妻 474-314- 16
506- 86- 88
李氏清 梁應運妻 555-128- 68
李氏清 康虎妻 474-192- 9
506- 16- 86
李氏清 梅運昌妻 572-120- 31
572-346- 38
李氏清 尉積隆妻 547-263-151
李氏清 曹玕妻 481-291-306
559-496-11下
李氏清 曹永明妻 547-255-151
李氏清 閆山妻、閻山妻
476-900-147
541- 33- 29
李氏清 閆環奇妻 476- 47- 98
李氏清 陸法愷妻 555-188- 69
李氏清 陶瓚妻 474-193- 9
506- 22- 86
李氏清 陶際壯妻 506-115- 89
李氏清 連孟斛妻 481-751-334
李氏清 張炳妻 541- 73- 29
李氏清 張度妻 555-162- 69
李氏清 張惺妻 555-134- 68
李氏清 張銘妻 480-208-267
李氏清 張騄妻 530-157- 58
李氏清 張瓚妻 555-135- 68
李氏清 張又齡妻 533-527- 66
李氏清 張士傑妻 555-125- 68
李氏清 張士麟妻 524-488-203
李氏清 張大美妻 555-141- 68
李氏清 張文福妻 503- 58- 95
李氏清 張之蕃妻
559-496-11下
李氏清 張天慧妻 512-260-183
李氏清 張玉龍妻 570-179- 22
李氏清 張弘圖妻 506-168- 90
李氏清 張充善妻 555-188- 69
李氏清 張守爵妻 555-125- 68
李氏清 張兆昌妻 479-336-232
李氏清 張兆斌妻 478-637-206
李氏清 張兆驄妻 555-155- 68
李氏清 張名世妻 474-386- 19
李氏清 李自友妻 474-193- 9
506- 23- 86
李氏清 張成家妻 541- 70- 29
李氏清 張克賢妻 481-363-310
李氏清 張宗之妻 555-155- 68
李氏清 張其劌妻、張其翻妻
483-252-391
572-119- 31
李氏清 張明亮妻 474-195- 9
李氏清 張星法妻 474-642- 33
李氏清 張國紀妻 506- 96- 88
李氏清 張溥洽妻 506- 89- 88
李氏清 張勤紹妻 481-338-308
李氏清 張夢獻妻 530-157- 58
李氏清 張學程妻 477- 94-153
538-183- 67
李氏清 張鴻印妻 474-641- 33
506-168- 90
李氏清 張應斗妻 530- 99- 56
李氏清 張懷義妻 481-215-302
李氏清 陳璿妻 483-179-384
570-192- 22
李氏清 陳鎬妻 530- 77- 55
李氏清 陳士俠妻 480-417-277
李氏清 陳士欽妻 530- 83- 55
李氏清 陳五典妻 555-159- 69
李氏清 陳天章妻 482-190-346
李氏清 陳世龍妻 572-118- 31
李氏清 陳有世妻
559-481-11下
李氏清 陳而經妻 555-177- 69
李氏清 陳君聖妻 530-133- 57
李氏清 陳國政妻 483- 71-376
570-194- 22
李氏清 陳登雲妻
559-485-11下
李氏清 陳萬鑑妻 480-142-264
李氏清 陳維夔妻 567-530- 89
李氏清 婁杓妻 476-679-136
李氏清 崔巢妻 474-195- 9
李氏清 崔淩漢妻 547-255-151
李氏清 崔靜仁妻 506-115- 89
李氏清 常洵妻 474-483- 23
李氏清 馮兆元妻 474-194- 9
李氏清 馮秉謙妻 476-590-131
李氏清 童嶽妻 474-192- 9
506- 21- 86
李氏清 曾昇妻 482- 44-340
李氏清 曾上珍妻 481-440-316
李氏清 湯大勳妻 479-633-245
李氏清 勞瑞寶妻 475-535- 77
李氏清 黃熙妻 559-492-11下
李氏清 黃震妻、李超品女
572-115- 31
李氏清 黃九英妻 567-510- 89
李氏清 黃文就妻 530- 31- 54
李氏清 黃中理妻 474-249- 12
506- 59- 87
李氏清 黃宏綽妻 482-469-363
李氏清 黃廷綬妻 533-653- 70
李氏清 黃亞兒妻 482-486-364
李氏清 黃明陽妻 530-117- 57
李氏清 惠化舉妻 555-136- 68
李氏清 賀子羨妻 480-639-288
533-713- 72
李氏清 盛鍾琦妻 479-633-245
李氏清 斯爲樸妻
559-489-11下
李氏清 彭玉妻 506- 36- 86
李氏清 彭瑾妻 506- 35- 86
506-156- 90
李氏清 彭嘉世妻 555-147- 68
李氏清 景光大妻 476-157-104
547-283-152
李氏清 單嘉猷妻 476-734-138
李氏清 傅維鱎妻 506-115- 89
李氏清 焦樸妻 476-620-133
李氏清 程可法妻 506- 36- 86
李氏清 斐光前妻 547-242-150
李氏清 賈愚妻 547-263-151
李氏清 賈見虎妻 477-526-175
李氏清 賈尚節妻 503- 67- 95
李氏清 賈芳芷妻 547-463-158
李氏清 賈應昌妻、賈應昌母
481-158-298
559-487-11下
李氏清 雷鎮妻 478-357-191
李氏清 雷起聲妻 555-162- 69
李氏清 雷開濱妻
483- 65- 375
李氏清 靳於朴妻 506-148- 90
李氏清 楊宋妻 506-112- 89
李氏清 楊琦妻 480-179-266
533-602- 69
李氏清 楊智妻 478-491-199
李氏清 楊暄妻 555-154- 68
李氏清 楊瑍妻 555-137- 68
李氏清 楊鏤妻 567-517- 89
李氏清 楊大有妻 474-194- 9
李氏清 楊世國妻 482-391-358
李氏清 楊世寵妻 503- 61- 95
李氏清 楊孟弼妻 478-139-181
555-122- 68
李氏清 楊振烈妻 482-567-369
李氏清 楊啟勇妻 478-298-188
555-160- 69
李氏清 楊紫詔妻 483- 49-372
李氏清 楊聖言妻 572-152- 31
李氏清 楊維世妻 555-185- 69
李氏清 楚之奇妻 555-151- 68
李氏清 董三節妻 474-444- 21
506-139- 89
李氏清 董明印妻 503- 67- 95
李氏清 董履義妻 483- 17-370
李氏清 葉孕郁妻 530- 98- 56
李氏清 葉振寶妻
1324-252- 32
李氏清 葉懷章妻 474-194- 9

李氏清 鄒先魯妻 572-344- 38
李氏清 廖愈妻 480- 98-262
李氏清 廖文英妻 567-516- 89
李氏清 廖揚光妻 555-177- 69
李氏清 趙之福妻 477-257-161
李氏清 趙元彥妻 483- 49-372
570-191- 22
李氏清 趙弘正妻 555-162- 69
李氏清 趙宏勳妻 474-195- 9
李氏清 趙思敬妻 478-138-181
555-127- 68
李氏清 趙崇禮妻 503- 60- 95
李氏清 趙龍麟妻、趙龍鱗妻
476-157-104
547-286-152
李氏清 熊才妻 481-215-302
李氏清 熊文宣妻 567-533- 89
李氏清 熊氏駒妻 479-612-244
李氏清 熊相文妻 483-172-383
李氏清 熊祚延妻 480- 97-262
533-547- 67
李氏清 裴子煇妻 555-133- 68
李氏清 潘浚妻 480-584-285
李氏清 鄭愷妻 506-171- 90
李氏清 鄭璉妻 530- 77- 55
李氏清 樓用京妻 479-334-232
李氏清 鞏尚己妻 503- 57- 95
李氏清 樊明妻 476- 90-100
李氏清 樊世良妻 478-172-182
李氏清 蔣九齡妻 474-196- 9
李氏清 蔡奎妻 530-157- 58
李氏清 黎雲妻 481-430-315
559-500-11下
李氏清 魯涌妻 474-194- 9
李氏清 魯達道妻 483-119-379
570-202- 22
李氏清 劉貞妻 506- 28- 86
李氏清 劉珙妻 506- 28- 86
李氏清 劉煦妻 480-301-271
李氏清 劉寧妻 478-205-184
555-150- 68
李氏清 劉甄妻 506- 21- 86
李氏清 劉機妻 506- 97- 88
李氏清 劉惠妻 506- 64- 87
李氏清 劉于岷妻 506-166- 90
李氏清 劉文登妻 503- 60- 95
李氏清 劉五福妻 474-196- 9
李氏清 劉必甲妻 530-115- 57
李氏清 劉世祿妻 481-237-303
559-494-11下
李氏清 劉世經妻
559-486-11下
李氏清 劉共祐妻 480-255-269
李氏清 劉兆曦妻 474-250- 12
李氏清 劉希晏妻 478-378-192
李氏清 劉宗現妻
559-490-11下
李氏清 劉孟丑妻 479-730-250
李氏清 劉芳教妻 480-441-278
李氏清 劉嗣京妻 555-190- 69
李氏清 劉福銀妻 494-194- 9
李氏清 劉爾極妻 506- 65- 87
李氏清 劉蔚泰妻 478-422-195
555-181- 69
李氏清 劉應鳳妻 474-193- 9
506- 27- 86
李氏清 劉觀光妻 479-562-242
516-355-101
李氏清 衛弘嘉妻 547-261-151
李氏清 龍起範妻 516-304- 99
李氏清 閻承詔妻 547-253-150
李氏清 盧傳第妻 555-145- 68
李氏清 蕭守妻 506- 67- 87
李氏清 蕭守成妻 555-113- 68
李氏清 蕭宏鄴妻 475-712- 86
李氏清 穆國楝妻 483-373-401
李氏清 謝檠妻 482-189-346
李氏清 謝昌永妻、李國虎女
481-439-316
559-494-11下
李氏清 謝朝恩妻
559-497-11下
李氏清 謝履恭妻 482-566-369
570-177- 22
李氏清 戴宗灼妻 481-620-329
李氏清 薛廣譽妻 506- 90- 88
李氏清 韓快妻 555-164- 69
李氏清 韓利妻 478-552-202
李氏清 韓弘濟妻 506- 87- 88
李氏清 韓昌有妻 478-700-210
李氏清 韓國宰妻 478-276-187
李氏清 魏方升妻 483- 49-372
李氏清 魏裔訥妻 474-625- 32
李氏清 魏澤厚妻 506-166- 90
李氏清 譚志用妻 480-513-281
李氏清 龐穎妻、李安國女
567-515- 89
李氏清 羅國相妻 480-514-281
李氏清 羅欽堯妻 479-730-250
李氏清 邊胡蚩妻 506- 66- 87
李氏清 邊若岱妻 506- 96- 88
李氏清 闞相宸妻、闞相辰妻
474-280- 14
506- 36- 86
李氏清 蘇大妻 475-784- 89
李氏清 蘇才美妻 506- 89- 88
李氏清 蘇弘濟妻 530-118- 57
李氏清 饒子鼎妻 479-633-245
李氏清 饒希闢妻 482-145-344
李氏清 蘭之香妻 555-184- 69
李氏清 龔俊妻 503- 65- 95
李氏清 龔瑛妻 559-485-11下
李氏清 龔締勝妻 481-188-300
李氏清 汪懋麟母
1313-297- 24
李氏清 李濤女
541-623-35之17
李氏清 李馥女 559-488-11下
李氏清 李光地妹
1324-993- 33
李氏清 李良才女 483- 60-374
李氏清 李固生女 476- 89-100
547-469-158
李氏清 李春茂女 477-136-155
李氏清 劉元勳母 478-138-181
555-119- 68
李氏清 謝名選母 482-145-344
李介明 300- 34-185
472-614- 25
476-732-138
505-636- 67
540-793-28之3
545-278- 93
1248-669- 4
1250-867- 82
李介妻 明 見劉氏
李允丹王 唐 552- 53- 19
李允元 1197-497- 48
李允明(忠州人) 559-353- 8
李允明(字士中) 1267-820- 7
李允呂允 明(字成甫)
1289-277- 18
李允清 476-452-123
533-410- 61
546-622-135
李立元 821-319- 54
李立明 473-100- 53
515-837- 84
李必漢 見季必
李永魯王 唐 271-284-175
274- 98- 82
395- 67-186
554- 31- 48
李永明 472-349- 15
494- 42- 3
554-348- 54
李玉元(安陽人) 537-453- 58
1196-307- 18
李玉元(字德潤) 1204-195- 2
李玉明(字成章) 302-181-299
511-885-171
李玉明(字孟輝) 453-443- 15
472- 71- 2
505-741- 72
李玉明(西江人) 494- 20- 2
李玉明(字汝成) 523-189-155
李玉明(字珍之) 533-145- 51
李玉明(字韞之) 1258-284- 5
李玉明(字廷佩) 1289-298- 19
1289-360- 25
李玉妻 明 見趙氏
李弘漢 448-103- 中
561-197-38之1
591-507- 41
1354-828- 48
1381-609- 44
李弘代王 唐(唐高宗子)
270- 26- 86
274- 73- 81
395- 43-184
544-223- 63
554- 29- 48
李弘唐(李鳳子) 544-225- 63
李弘唐 見李含光
李弘妻 唐 見裴氏
李弘元 554-274- 53
李弘明(北流人) 482-524-367
567-305- 77
1467-191- 69
李弘明(字德庸) 1442- 12- 1
1459-499- 16
李正宋 480-488-280

李正王正 明 1250-796- 76
1262-339- 38
1408-613-544
李正妻 明 見宋氏
李正妻 明 見高慧
李正女 明 見李氏
李正清 456-323- 75
李巨唐 270-360-112
274- 54- 79
395- 25-182
李甘唐 271-227-171
274-501-118
384-271- 14
396-189-269
471-835- 35
473-711- 81
563-901- 43
933-531- 35
李本元 515-768- 81
李本明(字立之) 452-209- 5
559-371- 8
1283-838-132
李本明(金堂縣主簿)
494- 42- 3
李本明(朝邑人) 554- 86- 49
李本明(河南人) 567- 90- 66
1467- 65- 64
李本明 見李孝謙
李本明 見呂本
李本妻 明 見段氏
李本清 456-322- 75
李左李信郎 宋 448-398- 0
李石唐 271-246-172
274-640-131
384-269- 14
396-216-272
448-121- 0
470-414-150
478-120-181
545- 27- 83
581-455- 94
933-533- 35
1061-310-112
李石宋 559-399-9上
592-599- 99
592-730-108
647-848- 18
821-220- 51
1363-337-153
李石金 291-236- 86
400- 69-506
474-737- 40
502-365- 62
李石女 金 見李皇后
李丕唐 276-238-214
396-329-280
545-405- 98
李丕李眞卿 宋 1098-706- 43
李平蜀漢 見李嚴
李平後魏 261-889- 65
266-894- 43
384-133- 7
379-264-150上
459-871- 53
472-129- 4
472-694- 28
472-738- 29
474-473- 23
477-160-157
505-627- 67
505-769- 73
537-262- 55
933-527- 35
李平楊訥 南唐 288-679-478
288-682-478
401-208-595
李平元 1196-279- 16
李平明 見李季衡
李可宋 511- 73-139
李充漢(字大遜) 253-582-110
370-196- 19
380-138-168
472-650- 27
477- 59-151
537-373- 57
933-523- 35
李充漢(廣漢雒人) 473-430- 67
李充漢(號負圖先生)
554-966- 65
李充晉(字弘度) 256-498- 92
380-355-175
480-202-267
485-533- 1
485-550- 3
533-301- 57
814-240- 5
820- 63- 23
933-524- 35
1379-346- 42
李充晉(汝南人) 472-793- 31
李充後魏 261-547- 39
267-901-100
李充隋 264-834- 53
472-470- 21
472-896- 35
476-276-111
545-316- 95
558-204- 32
李充宋 529-598- 47
李占宋 1149-725- 17
李旦唐 見唐睿宗
李旦明(字啟東) 474-312- 16
505-818- 74
李旦明(字子旭) 540-817-28之3
李旦明 見李成桂
李田明(字見龍) 456-588- 8
516-185- 94
李田明(字舜耕) 473-214- 59
533- 8- 47
李由宋 473- 60- 51
515-197- 63
523-471-169
李申明 1312-841- 11
李申明 見李甲
李甲宋(字景元) 491-240- 29
511-869-170
524-350-196
821-179- 50
李甲宋(字申之) 1354-766- 43
李甲明(字孚先) 456-500- 5
480- 60-260
533-360- 60
559-508- 12
李甲明(寶雞人) 554-527-57下
李生唐 516-508-106
李生不詳 879-186-58下
李生妻 宋 見梁氏
李仔宋 561-208-38之2
李白唐 271-599-190下
276- 75-202
384-206- 11
400-602-555
451-420- 2
469-592- 72
471-658- 14
471-709- 17
471-782- 27
471-809- 31
471-928- 49
471-946- 51
471-968- 54
471-1008- 61
472-349- 15
472-522- 22
472-896- 35
473- 88- 52
473-268- 61
473-431- 67
473-544- 72
475- 78- 53
475-533- 77
475-613- 81
475-646- 83
475-673- 84
476- 45- 98
476-883-146
479-610-244
480-207-267
481-405-313
481-430-315
483-251-391
489-353- 31
508-343- 41
511-911-173
516-219- 96
524-322-195
533-731- 73
541-110- 31
547-150-147
550-399-222
559-375- 8
561-209-38之2
561-211-38之2
561-213-38之2
561-320- 40
561-321- 40
561-492- 44
567-428- 86
572-160- 32
587-624- 11
588-158- 8
591-538- 42

592-572- 97
592-573- 97
592-631-101
674-251-4上
813-254- 9
820-186- 27
933-546- 35
1066-428- 30
1066-429- 30
1066-430- 30
1066-432- 30
1066-434- 30
1066-438- 附
1066-439- 附
1066-441- 附
1066-442- 附
1066-443- 附
1067-551- 31
1067-553- 31
1067-555- 31
1067-557- 31
1067-558- 31
1067-559- 31
1067-562- 31
1067-564- 31
1067-565- 31
1067-567- 31
1341-262-834
1341-710-894
1342-317-945
1343-793- 58
1356-347- 16
1366-804- 7
1371- 57- 附
1378-405- 55
1381-328- 31
1381-553- 40
1381-648- 47
1387-585-44上
1409-272-593
1410- 31-666
1410- 49-669
1472-340- 20
李白孫女 唐 見李氏
李台明 533- 78- 49
李用宋 473-675- 79
564- 46- 44
679-820-219
李用元 1206-742- 9
李用明 502-783- 87
547- 59-143
李弁元 515-772- 81
李弁元 見李升
李幼唐 484- 86- 3
李守漢 252-508- 45
李汛李汎 明 511-280-147
676-526- 21
676-535- 21
1393-500-476
1442- 39- 2
李汎明 見李汛
李字明 554-294- 53
李安晉 見李興
李安西平王 隋 264-811- 50
267-488- 75
379-802-162
384-154- 8
395- 6-181
472-905- 36
478-487-199
李安明(懷遠人) 299-395-145
李安明(富川人) 482-434-361
567-368- 81
1467-245- 71
李安妻 清 見林氏
李宇鄒王、魯王 唐
269-594- 64
274- 56- 79
395- 27-182
李并唐 1072-411- 3
1342-398-955
李交宋 821-248- 52
李冰戰國 471-945- 51
471-974- 55
473-424- 67
481- 64-293
559-257- 6
561-405- 42
591- 67- 5
591-654- 47
591-739- 55
李式晉(李重子) 255-796- 46
李式晉(字景則) 256-499- 92
380-356-175
812- 68- 下
812-232- 9
812-721- 3
814-241- 5
820- 63- 23
933-524- 35
李式後魏 261-515- 36
266-673- 33
379-145-148
李戎唐 820-238- 28
李朴李樸 宋 287-172-377
398-218-379
448-526- 14
473-188- 58
479-678-248
479-795-254
482-183-346
516-161- 94
563-689- 39
674-836- 18
李朴李樸 明(字繼白)
301- 27-236
478-348-191
554-675- 60
676-628- 26
李朴明(字質夫) 523-594-175
李朴妻 清 見邢氏
李圭明(安邑人) 558-202- 31
李圭明(昆明人) 570-133-21之2
李吉宋 812-549- 4
821-168- 50
李吉明 1241-552- 10
李吉清 476-222-108
545-332- 95
李吉妻 清 見解氏
李在明 530-211- 61
821-375- 55
李存元 479-532-241
480-511-281
516- 47- 88
533-342- 58
676-709- 29
1213-600- 附
1439-445- 2
1469-253- 47
李存女 元 見李寄楊
李存妻 明 見彭氏
李亘唐 820-144- 26
李亘宋 288-360-452
400-175-513
472-525- 22
476-824-143
540-766-28之2
李有元(字仲方) 515-169- 62
517-458-127
532-731- 46
1197-375- 35
李有李立義 元(字仲芳)
820-500- 37
821-289- 53
李至父 宋 1085-223- 29
李至宋 285-301-266
371- 65- 6
382-236- 36
384-338- 17
384-339- 17
396-592-307
472- 94- 3
472-765- 30
474-377- 19
505-750- 72
1085-224- 29
李羽元 1214-196- 16
李耳春秋 見老子
李匡明 481- 24-291
523-553-173
559-250- 6
李托宋 288-720-481
401-228-598
李夷金 見李僜
李同李談 戰國 244-468- 76
405-222- 70
472-113- 4
505-854- 77
李同金 1190-488- 41
李回李躔 唐 271-259-173
274-643-131
384-274- 14
396-211-271
547-164-147
李回宋 見李覺民
李因明 葛徵奇妻 821-492- 58
1442-126- 8
1460-789- 85
李光宋 286-797-363
398- 53-370
471-626- 6
471-630- 7

471-675- 13
471-895- 43
472-173- 6
472-221- 8
472-357- 15
472-962- 38
472-1072- 45
473-623- 77
473-738- 82
473-777- 84
475-119- 55
475-501- 75
475-604- 81
475-743- 88
479-234-227
479-351-233
482-269-350
484-102- 3
486-321- 15
488-422- 14
488-423- 14
489-356- 31
493-707- 39
494-305- 5
510-327-113
510-434-116
523-302-160
528-548- 32
545- 53- 84
563-906- 43
567-441- 86
674-343-5下
674-540- 1
677-252- 23
820-411- 34
1161-659-129
1363-366-158
1467-149- 67
李光妻 見管氏
李光元 524-339-195
李光明 545-248- 92
李光明 見李復觀
李早金 821-275- 52
李屺明 見李玘
李艾明 515-885- 86
1271- 46- 5
李舟唐 820-210- 28
1076-111- 12
1076-567- 12
1077-139- 12
1342-366-951
李兆明 537-270- 55
559-369- 8
李旭明 473-188- 58
479-795-254
516-171- 94
李伉唐 491-343- 2
李伉宋 820-453- 35
1099-598- 13
李伉妻 宋 見孫氏
李伍妻 元 見張氏
李任明 299-491-154
523-405-165
李后戰國 楚考烈王后、李園女
448- 72- 7
李全宋 288-650-476
401-428-624
李全元 538- 96- 64
李全明(諡節愍) 456-517- 6
李全明(內江人) 545-443- 99
李全明(郫縣人) 559-345- 8
李全妻 明 見張氏
李先後魏 261-485- 33
266-542- 27
379- 85-147
384-130- 7
472- 88- 3
474-652- 34
505-796- 73
933-524- 35
李先宋 286-421-333
397-524-352
472-196- 7
473- 60- 51
473-111- 54
475-323- 65
477-480-173
479-791-254
李竹明 559-368- 8
李仲李驥孫 宋 451- 66- 2
李仲明 1275-479- 20
李价明 510-457-117
564-122- 45
李份宋 1345-401- 19
李休漢 477-362-167
1063-221- 6
1397-462- 22
1410-267-698
1412-483- 19
李休魏 254-183- 9
554-920- 64
李宏晉 476-418-120
李宏宋(字彥恢) 475-604- 81
1165-308- 20
1363-276-142
1366-1023- 7
李宏宋(知遼州) 476-429-121
545-384- 97
李宏宋(侯官人) 529-653- 49
1257-314- 28
李宏明 547-106-145
李宏妻 明 見陳氏
李汰明 480-131-264
533-171- 52
李沆宋 285-514-282
371- 41- 4
382-257- 40
384-337- 17
397- 14-321
449- 23- 2
450-685-下3
459-473- 28
472-115- 4
473-333- 63
474-438- 21
505-763- 72
532-688- 45
708-325- 50
1086-465- 10
1135-691- 6
1196-668- 6
李沔唐 見李瑝
李沔唐 見李緯
李言清 529-705- 50
李言妻 不詳 見裴玄靜
李治唐 見李季蘭
李治李治 元 295-175-160
399-553-475
451-661- 13
453-769- 1
472- 97- 3
474-380- 19
476-311-113
505-887- 79
506-506-103
547-191-148
593- 25- 上
1200-612- 46
1201-202- 82
1439-420- 1
李完金 291-377- 97
399-220-435
472- 65- 2
472-484- 21
472-500- 21
472-623- 25
474-305- 16
474-816- 44
476-281-111
476-417-120
478-336-191
502-266- 54
505-665- 69
545-391- 97
546-681-137
554-335- 54
李完明(諡節愍) 456-582- 8
李完明(涇陽人) 545-248- 92
李完明(西寧人) 558-382- 36
李完妻 清 見楊氏
李沈清 478-635-206
李沖李思沖 後魏 261-722- 53
267-905-100
384-130- 7
558-304- 34
李沖瑯琊王 唐 269-737- 76
274- 65- 80
395- 36-183
李沖女 唐 見李氏
李沖宋(知同慶) 451-226- 0
李沖宋(知信都) 472- 85- 3
474-601- 31
505-699- 70
李沖宋(字道卿) 1174-726- 45
李沖宋 見李全之
李沖元 821-297- 53
李沖明(洧川人) 537-400- 57
李沖明(字騰霄) 1267-671- 12
李沂後魏 472-694- 28
李沂慶王 唐 271-286-175
274-100- 82
395- 68-186

李沂宋(字從聖) 481-585-328
529-734- 51
李沂明 300-825-234
480- 59-260
533- 18- 47
李沇唐 533-358- 60
李辛宋 541-111- 31
李亨唐 見唐肅宗
李亨元(番陽人) 1207- 78- 5
李亨元(字元亨) 1234-304- 47
李亨明(涇陽人) 456-680- 11
李亨明(字觀泰) 472-222- 8
493-728- 40
510-333-113
515-635- 77
李亨明(澤州人) 523-130-152
李亨明(字嘉會) 564-188- 46
李亨明(字子貞) 1241-675- 15
李罕唐 486- 66- 3
李忱唐 見唐宣宗
李忱清 476-371-117
479-320-232
523-197-155
546-504-131
李忻李寰、洋王 唐
271-281-175
274- 96- 82
395- 65-186
552- 52- 19
李序元 524-293-193
1439-434- 1
1471-366- 6
李汾李讓 金 291-717-126
476- 41- 98
546-635-136
554-886- 64
1040-235- 2
1224-486- 29
1365-327- 10
1374-742- 95
1439- 12- 0
1445-547- 43
1458-711-473
李弟明 482-409-359
567-390- 82
李宋妻 清 見趙氏
李汶康王 唐 271-286-175
274-100- 82
395- 69-186
李汶明(字宗茂) 301-816-285
511-818-167
684-496-下
820-572- 40
李汶明(字宗齊) 505-742- 72
554-188- 51
558-160- 30
1288-562- 7
李沐唐 見李琦
李沐宋 451- 24- 0
488- 14- 1
488-463- 14
554-273- 53
李汭昭王 唐 271-286-175
274-100- 82
395- 69-186
567- 6- 62
李良晉 見李弇
李良宋 480-170-266
李良元 545-479-100
李良明(山東人) 479-226-227
523-158-153
李良明(字士賢) 505-860- 77
李良明(字遂伯) 545-286- 94
李良明(字從善) 554-281- 53
李良明(字堯良) 676-511- 20
1268-775- 6
1410-135-677
李良明(字癡和) 821-483- 58
李良明(鄧州人) 1244-680- 19
李志晉(字彥道) 255-758- 44
377-526-122
李志晉(字溫祖) 820- 71- 23
李志後魏 261-857- 62
266-815- 40
379-217-149
472-571- 24
李志明(莘縣人) 476-617-133
李志明(松滋人) 480-246-269
533-210- 53
李志妻 清 見馮氏
李赤唐 1076-166- 17
1076-620- 17
1077-217- 17
1340-706-794
李甫女 明 見李氏
李抃宋 1097-226- 12
李成漢 814-223- 3
李成宋 285-791-301
288- 79-431
400-440-540
472-227- 8
472-592- 24
476-669-136
493-1055- 56
538-330- 69
812-461- 2
812-533- 3
813-130- 11
821-139- 50
933-810- 60
1104-465- 39
李成金 291-164- 79
399-114-426
李成妻 元 見周氏
李成妻 元或清 見彭氏
李成妹 元或清 見李氏
李成明(建平人) 528-543- 32
李成明(字以誠) 1258-295- 5
李成妻 明 見張氏
李成女 明 見李氏
李忍妻 清 見蘇氏
李孝原王 唐 270- 24- 86
274- 72- 81
395- 42-184
李孝明 547-106-145
李均明 見李孟璿
李杜宋 529-746- 51
李杜明(字思質) 460-655- 67
李杜明(永年人) 545-227- 91
李杜明(大同人) 546- 99-118
李杜妻 明 見方氏
李杏明 529-682- 50
李育漢 253-538-109下
370-186- 18
380-272-172
402-406- 6
472-832- 33
478-404-194
494- 29- 3
554-804- 63
933-523- 35
1412-267- 11
李育後魏 261-522- 36
266-687- 33
379-151-148
李育宋 493-898- 49
590-444- 0
1108-471- 91
李玘女 後晉 見李氏
李玘明(蒲圻人) 473-215- 59
480- 57-260
李玘李屺 明(字孟玉)
515-888- 86
523-192-155
李杞宋 見李祀
李克李悝 戰國 244-455- 74
384- 29- 1
405-167- 67
405-170- 67
405-453- 85
546-433-129
546-434-129
李克漢 678- 61- 76
李克隋 545-317- 95
李克唐 554-129- 50
李那北周 見李昶
李材唐 529-590- 47
李材宋 511-408-152
李材明 300-729-227
457-477- 31
479-492-239
481-618-329
481-807-338
515-404- 69
529-755- 52
530-391- 67
569-655- 19
676-590- 24
李防宋 286- 19-303
397-229-333
472-132- 4
472-196- 7
472-643- 26
472-676- 27
475- 16- 49
477-123-155
477-165-157
481-234-303
523- 9-146
537-254- 55
537-449- 58
545-214- 91

李防妻 宋 見朱氏
李玖李璋 宋 485-197- 26
493-920- 49
589-301- 1
590-453- 0
1358-754- 6
李玖明 1274-421- 15
李迂宋 1098-730- 45
李迂妻 宋 見王氏
李扶宋 1467- 47- 63
李辰元 511-552-158
李辰明 821-482- 58
李迅隋王 唐 270-388-116
274- 93- 82
395- 62-186
李孜明 564-282- 47
李芃唐 270-553-132
275-111-147
395-725-246
472- 92- 3
472-366- 16
474-619- 32
475-639- 83
505-788- 73
510-442-117
515-240- 64
李貝元 1221-603- 22
李冏後魏 261-519- 36
266-675- 33
379-145-148
李呂叔 宋 1152-259- 8
李呂宋 460-111- 6
481-696-332
529-627- 48
1145-659- 80
1147-789- 75
1152-261- 附
李壯明 554-347- 54
李見宋 471-1033- 65
561-202-38之1
591-632- 46
592-486- 91
李助不詳 879-175-58 下
李吳宋 見李塤
李岐兗王 唐 271-286-175
274- 99- 82
395- 68-186
李佟唐 485-347- 1
李系李緯 後魏 261-673- 49
266-669- 33
379-418-153
李孚馮孚 魏 254-307- 15
377-141-115下
385- 97- 9
476-366-117
545-434- 99
1408-480-527
李孚後魏 261-549- 39
267-903-100
李含晉 256- 34- 60
377-659-125
478-134-181
558-282- 34
933-524- 35
李谷宋 472-202- 7
李位唐 1076- 92- 10
1076-549- 10
1077-115- 10
李位元 820-539- 39
李佐後魏 261-550- 39
267-904-100
552- 38- 18
李佐唐 554-233- 52
1342-307-944
李佐明 1255-734- 74
李佑李祐 明 300-645-222
479-455-237
481-807-338
483-294-394
515- 58- 58
572- 79- 28
676-256- 10
676-728- 30
李佋興王 唐 270-385-116
274- 92- 82
395- 60-185
552- 51- 19
820-206- 28
李佃唐 1467- 16- 62
李作宋 1161- 34- 75
李伯戰國 545-253- 93
李希妻 五代 見俞氏
李邦明 559-355- 8
李伸宋 288-361-452
400-174-513
472-852- 34
478-200-184
554-273- 53
李伸明(字道甫) 523-103-150
545-190- 90
554-491-57上
李伸明(內鄉人) 554-347- 54
李兌周 505-703- 70
李兌戰國 405-197- 69
李兌宋 286-420-333
397-523-352
472-662- 27
472-766- 30
472-961- 38
473-672- 79
477-479-173
479- 41-218
482- 32-340
484- 93- 3
486- 48- 2
523- 75-149
537-313- 56
563-667- 39
1096-680- 21
李兌妻 宋 見錢氏
李豸明 546-202-122
554-284- 53
李彤宋 1098-203- 25
李秀晉 王載妻、李毅女
481-337-308
482-564-369
559-471-11中
570-168- 22
591-530- 41
李秀唐 683-768- 4
李秀元 1196-668- 6
李秀明 456-684- 11
李秀明 吳蓋八妻 479-665-247
李佖衛王 唐 270-384-116
274- 91- 82
395- 59-185
李廷元 506-640-109
李巡漢 477-444-171
683-855- 上
820- 36- 22
李宗春秋 933-521- 35
李宗後魏 盧元禮妻、李叔胤女
262-309- 92
267-726- 91
381- 60-185
474-411- 20
506- 1- 86
李宗宋 494- 19- 2
554-273- 53
李宗明 1442- 32-附2
1459-702- 27
李宗明 見李文玉
李法漢 253- 96- 78
376-809-110
384- 62- 3
472-867- 34
477-406-169
478-247-186
537-324- 56
554-628- 60
879-179-58下
933-522- 35
李京唐 483- 70-376
李京宋 286- 7-302
397-220-332
472- 95- 3
472-126- 4
474-469- 23
474-621- 32
505-789- 73
545-400- 98
李京元 472- 71- 2
473-539- 72
505-885- 79
569-647- 19
571-515- 19
1207- 73- 5
1439-425- 1
1470-205- 8
李京明 王日可妻 524-455-202
李京妻 明 見劉氏
李府明 511-443-153
李宜女 北周 見李氏
李宜宋 473-209- 59
480- 49-259
李官女 明 見李氏
李宙唐 493-644- 35
李宙唐 見李寧
李注周 933-521- 35
李沾明 523-139-153
李洞李洞 元 295-463-183
399-738-493

472-522- 22
472-558- 23
476-530-128
476-586-131
517-518-128
540-779-28之2
676-704- 29
820-516- 38
1192-505- 3
1439-431- 1
1470-352- 11
李沮漢 244-766-111
250-335- 55
251-626- 24
376-166-98上
546- 2-115
933-521- 35
李治唐 見唐高宗
李治元 見李冶
李治明 511-882-171
李性明 563-755- 40
李流宋 485-502- 9
李況唐 見李繕
李況宋 1092-662- 61
李炌清 540-847-28之4
李忼澶王 唐 271-282-175
274- 97- 82
395- 66-186
李祁豐王 唐 271-287-175
274-101- 82
395- 70-186
544-224- 63
552- 53- 19
李祁李祈 元 473-146- 56
480-410-277
516-203- 95
533-250- 55
533-341- 58
676-711- 29
820-539- 39
1218-784- 5
1238-664- 22
1250-481- 44
1375- 36- 下
1439-450- 2
1455-600-235
1457-269-368
1469-306- 49
李祀李杞 宋 480-464-279
533-323- 57
李宓晉 見李密
李泌唐 270-532-130
275- 33-139
384-213- 11
384-228- 12
395-676-241
459-401- 24
469-498- 60
471-584- 1
471-802- 30
472-836- 33
472-960- 38
473-282- 61
473-315- 62
473-359- 62
476-911-148
477-522-175
478-116-181
479- 41-218
479-447-237
480-138-264
480-512-281
484- 84- 3
490-739- 72
515- 8- 57
523- 72-149
532-566- 40
533-726- 73
533-743- 73
537-201- 54
554-398- 55
581-451- 93
585-226- 16
588-158- 8
590-115- 14
820-216- 28
933-536- 35
1196-668- 6
1199-145- 16
1339-640-703
1371- 63- 附
1388-842-117
李泌元 1201- 90- 73
李泌明 456-681- 11
李定宋(字資深) 286-367-329
382-637- 98
384-374- 19
397-481-348
491-346- 2
933-811- 60
李定宋(號虛舟子) 591-542- 42
592-582- 98
李定宋(字仲求) 933-811- 60
李定宋(金鄉人) 1122-405- 29
李定元 1206-704- 5
李定女 明 見李氏
李泳唐 820-239- 28
李泳唐 見李綢
李泳宋 491-432- 6
李波南唐 見李頗
李放李倣 唐 812-370- 0
821- 78- 47
李放女 明 見李氏
李庚宋(知南劍州) 528-506- 31
李庚宋(字子長) 674-845- 18
1152-809- 52
李炎唐 見唐武宗
李武元 516-483-105
李武父 明 1241-155- 7
李拔清 456-308- 74
李杰明 見李元凱
李松後晉 384-316- 16
李松妻 宋 見鄭和悟
李松明(江右人) 456-684- 11
李松明(直隸人) 502-289- 56
李松明 見李公柱
李松女 明 見李氏
李奈明 547- 75-143
李奈明 見李柰
李青妻 元 見張春兒
李青明 528-570- 32
李坦妻 清 見胡氏
李坦妻 清 見張氏
李拓宋 485-534- 1
李杭李道興 宋 448-379- 0
李直明 515-881- 86
559-281- 6
李孟元 295-374-175
399-689-489
459-709- 43
472-491- 21
472-868- 34
476-154-104
478-248-186
533-725- 73
545-838-113
552- 73- 19
554-414- 55
820-517- 38
1206-137- 16
1209-319- 3
1439-424- 1
1470-121- 5
李玭李玼、李漼、義王 唐(唐玄宗子) 270-312-107
274- 88- 82
395- 57-185
李玭唐(號衡門居士)
480-130-264
533-331- 58
李玭宋 288-409-456
400-298-524
472-108- 4
474-438- 21
505-910- 81
李玠唐 567- 6- 62
李奉明 567-308- 77
1467-195- 69
李坤明 820-756- 44
李坤妻 明 見劉氏
李坤清 481-808-338
482-305-353
563-892- 42
李坤清 范韓烈妻 530-147- 58
李坤妻 清 見康氏
李邴宋 287-142-375
398-194-378
449-362-上1
460-411- 31
472-557- 23
476-883-146
481-591-328
486- 51- 2
493-705- 39
523-149-153
529-754- 52
540-766-28之2
588-168- 8
674-838- 18
933-548- 35
1053-882- 20
1145-583- 76

1147-735- 69
李協淄王 唐 271-282-175
274- 97- 82
395- 66-186
李奇漢 538-143- 65
李奇宋 515-498- 72
李邵蜀漢 254-689- 15
384-482- 15
李邵宋 471-852- 37
李阿吳 481- 85-294
592-189- 73
1059-268- 3
1061-260-109
李玢李泗、李洄、延王 唐
270-311-107
274- 88- 82
395- 57-185
552- 51- 19
李玫妻 明 見熊氏
李長漢 820- 25- 22
李長唐 491-343- 2
1342-365-951
李長明 528-562- 32
李坡南唐 見李頠
李東宋(字子賢) 460-313- 23
473-643- 78
李東宋(字大春) 820-377- 33
李東宋(理宗時人) 821-232- 51
李東宋(監丞) 1180-357- 33
李東明(字元震) 473-212- 59
532- 618- 43
李東明(字震甫) 483- 96- 378
570-118-21之1
李東明(藍田人) 554-496-57上
李東明(字方曙) 1242-127- 28
李東清 476-210-107
547- 66-143
李枝明 476- 80-100
李林宋 476-656-135
488-463- 14
540-646- 27
李林元 820-545- 39
李林妻 清 見劉氏
李來女 宋 見李氏
李承後魏 261-545- 39
267-898-100
李承唐 270-379-115
275- 69-143
384-222- 12
384-238- 12
395-685-242
471-910- 46
473-246- 60
474-619- 32
475-323- 65
476-111-102
480- 11-257
505-788- 73
532-568- 40
545-360- 96
李承李喜哥 宋 448-362- 0
李昖明 302-627-320
李忠漢 252-590- 51
370-126- 10
376-591-106
384- 56- 3
402-350- 2
402-554- 18
469-176- 20
472- 84- 3
472-357- 15
472-603- 25
475-603- 81
476-698-137
488- 73- 6
505-698- 70
510-432-116
515- 75- 59
540-698-28之1
933-522- 35
李忠祖母 晉 見李奚子
李忠梁王、燕王 唐
270- 23- 86
274- 71- 81
395- 41-184
494-346- 7
552- 50- 19
554- 29- 48
李忠宋 1132-748- 29
李忠元(晉寧人) 295-603-197
400-311-526
476- 84-100
547- 13-141
李忠元(字彥德) 1200-342- 28
李忠元(字直卿) 1206-199- 20
李忠妻 元或明 見王氏
李忠明(鳳陽人) 475-754- 88
511-646-162
李忠明(興隆左衛百戶)
494- 45- 3
李忠李特 明(昆明人)
570-102-21之1
李忠王忠 明(號佛王忠)
1262-337- 38
1408-613-544
李忠妻 明 見胡氏
李典魏 254-337- 18
377-164-116
384- 84- 4
384-678- 44
385-356- 34
472-551- 23
476-851-145
933-523- 35
李旺明(河西人) 483- 33-371
570-110-21之1
李旺明(沛人) 511-928-174
李旺明(古邳石蘭社人)
1245-506- 26
李旺妻 明 見張氏
李昌北齊 1065-251- 7
李昌唐 見李適之
李昌元 1195-546- 下
李昌子 元 1195-546- 下
李昌明(興濟人) 554-310- 53
李昌明(臨川人) 554-348- 54
李昌清 545-160- 88
李明曹王 唐 269-740- 76
274- 67- 80
395- 38-183
493-684- 38
814-220- 2
819-575- 19
李明宋(黔陽人) 480-584-285
李明宋(字壽甫) 515-761- 80
李明宋(善畫山水) 821-183- 50
李明明(襄陵人) 547- 17-141
李明明(吉水人) 559-316-7上
李固漢 253-305- 93
370-200- 20
376-923-112
384- 64- 3
402-475- 11
402-509- 12
402-575- 19
459-242- 15
470-292-133
471-1036- 66
471-1054- 68
472-518- 22
472-737- 29
472-867- 34
473-295- 62
476-815-143
478-247-186
480- 9-257
532-548- 40
537- 59- 49
540-663- 27
554-387- 55
879-177-58下
933-522- 35
1112-653- 8
1124-653- 30
李固女 漢 見李文姬
李固唐 472-838- 33
李岵唐 472-194- 7
510-477-118
李岦清 476-371-117
546-503-131
李芾宋 288-330-450
400-187-514
408-1018- 8
451-236- 0
472-998- 40
473-335- 63
473-360- 64
478-761-215
479- 43-218
479-134-223
480-402-277
480-510-281
480-541-283
493-780- 42
494-344- 7
510-330-113
523- 19-146
532-717- 45
533-397- 61
1367-382- 31
李芾明 545-340- 96
李芘宋 529-438- 43

李虎北周 268- 41- 1
272- 43- 1
392- 15- 1
544-218- 62
546-171-121
李卓明(永豐人) 676-480- 18
李卓明(泰和人) 1241-109- 5
李昆明(字承裕) 300- 35-185
540-797-28之3
545-281- 94
554-211- 52
676-523- 21
李昆明(字子玉) 1270- 87- 8
李昇唐(字錦奴) 592-693-106
812-491- 中
812-526- 2
813- 84- 3
821-121- 49
1381-574- 42
李昇唐(字雲舉) 1059-603- 中
李昇唐 見李昇
李昇明(盩厔人) 472-431- 19
476-331-115
545-421- 98
545-480-100
李昇明(均州人) 505-657- 68
李昇明(長清人) 540-784-28之3
李昇明(知石州) 545-249- 92
李昇妻 明 見常善榮
李昇妻 明 見葉淑瑜
李昂唐 451-415- 1
李昂唐 見唐文宗
李昂宋 515-754- 80
李昂李昻 明(字文舉)
472-588- 24
476-658-135
540-649- 27
676-500- 19
1248-657- 4
李昂明(江陵人) 473-303- 62
533-212- 53
李昂明(安福人) 676-284- 10
李昂明(字子高) 1246-101- 4
李昂妻 明 見陳懿德
李芳金 554-247- 52
1365-282- 8
1439- 8- 0
1445-512- 38
李芳元 1195-531- 上
李芳明(宦官) 302-281-305
李芳明(穎上人) 302-373-308
472-208- 7
李芳明(字孟收) 460-664- 68
李芳明(字本春) 473-299- 62
532-669- 44
567-312- 77
1467-199- 69
李芳明(宜都人) 533-444- 62
李芳明(利津人) 540-792-28之3
545- 74- 85
李芳明(聞喜諸生) 547-113-145
李芳明(綏德指揮) 554-735- 61
558-414- 37
李芳明(安化人) 558-457- 38
李芳明(資州人) 559-401-9上
李芳明(雲中人) 821-370- 55
李芳明(號湘洲) 821-460- 57
李芳明(字廷澤) 1258-296- 6
李芳明(字庭光) 1270- 78- 7
李芳妻 明 見宋氏
李芳妻 明 見杜氏
李芳妻 明 見周氏
李芳妻 明 見陳氏
李芳妻 明 見羅氏
李昉宋 285-276-265
371- 39- 4
382-216- 32
384-331- 17
396-574-306
449- 15- 1
450-683-下3
472- 94- 3
474-639- 33
505-795- 73
708-325- 50
1098-872- 15
1138-695- 12
1196-668- 6
1437- 7- 1
李昉妻 宋 見苻氏
李昉明 515-662- 77
李易母 宋 見蔣氏
李易宋 472-296- 12
511-205-144
1363-491-184
李易明 515-135- 61
李苃宋 585-498- 15
李旻明(謚武襄) 299-494-154
李旻明(監察御史) 472-178- 6
李旻明(字子陽) 472-969- 38
523-262-158
676-516- 20
李旻明(字同仁) 554-258- 52
820-638- 41
李旻明(字景暘) 676-501- 19
李炅唐 812-351- 10
821- 69- 47
李昊宋 288-695-479
401-221-597
592-519- 93
李昊明 473-653- 78
523- 43-148
528-572- 32
676-511- 20
李杲元 295-656-203
401-118-585
472- 96- 3
474-381- 19
505-925- 83
1191-435- 37
李杲明(洪洞人) 545-775-111
558-178- 31
李杲明(字世白) 1250-932- 88
李果宋 843-673- 下
李果明(亳州人) 456-659- 11
李果明(字尚用) 676- 41- 2
676- 84- 3
676-100- 3
679-194-158
680-309-256
李和晉 472-776- 31
477-383-167
538-345- 70
554-971- 65
李和宇文和、宇文意、宇文慶和、李慶和 北周～隋
263-641- 29
267-346- 66
379-636-158
478-270-187
478-375-192
552- 31- 18
554-120- 50
933-527- 35
李和元 524-345-196
585-534- 18
李和明(字本中) 458- 84- 4
472-700- 28
537-455- 58
李和明(字介夫) 1260-616- 18
李和妻 明 見高氏
李和女 明 見李慧
李佶蜀王 唐 271-286-175
274-100- 82
395- 69-186
李佶明 559-348- 8
李侗定王 唐(唐肅宗子)
270-387-116
274- 92- 82
395- 60-185
李侗唐(衡州刺史) 820-263- 29
李侗宋 288- 32-428
293-499- 77
400-468-543
447-255- 1
449-762- 11
459- 89- 5
460- 62- 5
460- 86- 5
460- 87- 5
471-664- 12
473-617- 77
481-647-330
529-582- 46
539-504-11之2
1138-801- 22
1146- 39- 87
1146-338- 97
李佾魏王 唐 271-286-175
274-100- 82
395- 69-186
535-557- 20
李佾宋 491-395- 4
523-533-172
1153-654-109
李佸明 1460-903- 97
李佺清 475-755- 88
李周後晉 278-133- 91
279-301- 47
384-312- 16

396-422-294
472-107- 4
505-757- 72
933-547- 35
李周宋 286-563-344
397-641-359
472-457- 20
472-840- 33
473-408- 66
476- 78-100
476-913-148
478- 91-180
478-345-191
480-353-274
481-235-303
532-685- 44
545-176- 89
554-465- 53
558-228- 32
李周明 1241-400- 4
李金唐 494-346- 7
李金明(字宣之) 473- 28- 49
515-388- 68
李金明(遷安人) 505-807- 74
李制宋 491-345- 2
李岱明 476-298-112
546-367-127
李侃唐 545-172- 89
李侃妻 唐 見楊氏
李侃明 299-564-159
474-183- 9
505-799- 74
533-273- 56
545- 71- 85
李佩明(南鄭人) 554-527-57下
559-320-7上
李佩明(祥符人) 558-431- 37
李佩妻 清 見張氏
李岳後魏 見李嶽
李岳宋 見李核
李岳元 1219-134- 8
李岳明(長垣人) 472-135- 4
李岳明(眉州人) 554-347- 54
李岳妻 明 見劉淑馨
李兒妻 明 見曾氏
李卑明 301-531-269
478-273-187
545-389- 97
554-608- 59
李阜明 1246-102- 4
李郃唐 見李郃
李房漢 見京房
李受宋 286-103-310
397-288-336
473- 88- 52
473-338- 63
516-122- 92
533-246- 55
李采明 554-519-57下
李采妻 清 見柴氏
李秉晉 254-339- 18
385-359- 35
477-415-169
李秉宋 473- 22- 49
515-306- 66
李秉明 299-792-177
453-682- 32
472-559- 23
474-514- 25
474-690- 37
475- 19- 49
476-865-145
481-644-330
493-788- 42
502-283- 56
505-635- 67
528-510- 31
540-789-28之3
545-272- 93
李秉妻 明 見王氏
李秉女 明 見李氏
李牧武安君 戰國 244-511- 81
371-605- 51
375-947- 94
384- 28- 1
405-208- 69
469-482- 58
472- 87- 3
472-428- 19
505-759- 72
545-410- 98
550- 76-211
550-468-223
李迎宋 494-426- 13
523- 77-149
1147-795- 75
李欣宋 529-489- 44
554-236- 52
李洪晉 496-419- 90
560-599-29下
李洪唐 494-318- 6
559-313-7上
李洪明 559-268- 6
李冠宋 288-226-442
400-649-560
540-748-28之2
李冠明(字公冕) 511-876-170
李冠明(字世瞻) 567-343- 79
1467-202- 69
李冠妻 明 見任氏
李炳宋 285-514-282
371- 41- 4
397- 14-321
472-115- 4
472-336- 14
475-524- 77
505-763- 72
510-413-116
1086-285- 28
李炳元 537-314- 56
李炳明 472-709- 28
537-466- 58
李爲李撝 後魏 261-548- 39
267-902-100
李宣宋 472-308- 13
510-381-115
李宣明 564-272- 47
李宣妻 明 見石氏
李宣不詳 879-154-58上
李宥宋 285-791-301
397-212-332
472-172- 6
472-593- 24
473-281- 61
475- 69- 52
476-669-136
480-126-264
488-385- 13
532-629- 43
1104-465- 39
1112-277- 26
李洧唐 270-485-124
275-126-148
395-734-247
李洇唐 見李玢
李洄唐 見李玢
李洞唐 451-472- 7
561-212-38之2
592-616-100
674-269-4中
1371- 73- 附
1388-574- 90
1473-657- 95
李洞宋(麗水人) 472-1054- 44
524-169-186
李洞宋(仙人) 516-448-104
李洞宋 趙公賓妻、李尹仲女
1168-440- 37
李洞元 見李泂
李洵唐 見李縱
李洵母 明 見姜氏
李洽懷王 唐 271-286-175
274-100- 82
395- 69-186
535-557- 20
李音春秋 537-365- 57
李昶宇文那、宇文昶、李那 北周 263-731- 38
266-816- 40
379-613-157
476-859-145
537-461- 58
554-883- 64
933-526- 35
李昶李彥 元 295-176-160
399-554-475
451-652- 12
472-559- 23
476-825-143
540-772-28之2
679-579-195
1439-420- 1
李昶明(安邑人) 458-653- 2
546-733-139
李昶明(字文燁) 472-841- 33
478-126-181
554-472-57上
1240-334- 21
李昶明(歙縣人) 480-582-285
李昶明(字啟明) 820-613- 41
李昶明(字光遠) 820-678- 42
821-419- 56

李祀明(字明遠) 1253-118- 46
李炯明 572- 77- 28
李恆隋 544-221- 62
李恆唐 見唐穆宗
李恆元 294-360-129
399-502-468
472-931- 37
473-144- 56
478-598-204
479-449-237
480- 50-259
515- 22- 57
532-616- 43
558-375- 36
1197-247- 24
1201-515- 12
1204-265- 7
1210-319- 9
1367-245- 21
1409-753-651
李恆李桓 明(儀封人)
473-282- 61
480- 88-262
532-624- 43
李恆明(字伯常) 511-883-171
676-379- 14
李恆明(江陵人) 533-780- 74
李恆明(私謚恭懿先生)
559-356- 8
李恆明(橫州人) 567-341- 79
1467-196- 69
李恂漢 253-134- 81
370-195- 19
376-822-110
384- 61- 3
402-373- 4
402-418- 7
402-570- 19
448-301- 上
472-543- 23
472-880- 35
474- 89- 3
476-473-125
478-612-205
478-672-209
540-629- 27
558-323- 35
933-522- 35
李恂後魏 262-442- 99
267-897-100
李恂汜王、沔王、李郇 唐
271-282-175
274- 97- 82
395- 65-186
535-557- 20
李恂宋 460-222- 14
528-538- 32
李恂明(霍州人) 545-779-111
李恂明(長興人) 570-214- 23
李恪吳王、蜀王、漢王、鬱林王
唐(唐太宗子) 269-730- 76
274- 59- 80
384-162- 9
395- 30-183
493-644- 35
552- 49- 19
李恪李審、建王 唐(唐憲宗子)
271-281-175
274- 97- 82
395- 65-186
李恪明(謚節愍) 456-522- 6
476-856-145
546-502-131
李恪明(鳳陽人) 472-206- 7
李洲明 456-668- 11
李流秦王 晉 256-894-120
381-290-190
李津明 482-186-346
564-209- 46
李津妻 明 見黃氏
李亭妻 明 見裴氏
李亭清 481-725-333
529-705- 50
李亮後魏 267-707- 90
380-629-183
541-104- 31
李亮鄭王 唐 274- 37- 78
395- 9-181
李亮明 460-762- 78
李亮妻 清 見薛氏
李庠晉 256-895-120
381-291-190
李庠宋 554-592- 59
1104-671- 12
李庠明 473-623- 77
528-551- 32
1241-686- 15
李邢唐 1073-636- 34
1074-490- 34
1075-434- 34
李祈元 見李祁
李彥後魏(字次仲) 261-546- 39
267-901-100
475-419- 70
李彥宇文彥 北周 263-721- 37
267-398- 70
379-673- 59
472-681- 27
477-127-155
537-423- 58
544-215- 62
544-218- 62
933-527- 35
李彥宋 288-559-468
382-689-106
401- 82-578
李彥女 宋 見李氏
李彥元 見李祀
李彥明 511-257-146
554-346- 54
李洙唐 485-347- 1
李洙元 1194-218- 16
李洙明 567-320- 78
1467-229- 70
李弈後魏 261-519- 36
266-675- 33
379-145-148
552- 34- 18
李度宋 288-196-440
400-635-558
472-376- 16
472-747- 29
475-561- 79
485-501- 9
538-141- 65
李度妻 清 見趙氏
李恢漢 379-150-148
李恢蜀漢 254-663- 13
377-302-118下
384- 76- 4
384-484- 16
385-186- 21
473-821- 86
473-830- 87
483- 15-370
483- 47-372
494-148- 5
559-242- 6
563-603- 38
567- 24- 63
570- 99-20下
570-145-21之2
571-513- 19
933-523- 35
李恢後魏 261-671- 49
266-664- 33
379-141-148
李美明 559-407-9上
李玹明 547-114-145
李珏隋 481- 85-294
李珏唐(字待價) 271-260-173
275-492-182
384-261- 13
384-269- 14
384-275- 14
384-278- 14
396-218-272
407-613- 上
448-119- 0
469-498- 60
472-289- 12
472-717- 28
473-767- 84
474-620- 32
475- 15- 49
475-331- 65
475-364- 67
476-912-148
505-788- 73
510-280-112
511-901-172
537-203- 54
567-429- 86
1467-142- 67
李珏唐(廣陵人) 472-298- 12
475-387- 68
511-927-174
李珏唐 見李寬
李珏宋(吳人) 488- 14- 1
488-469- 14
李珏宋(錢塘人) 821-221- 51

李珏宋(楚州山陽人) 1132-516- 14
李珏宋(字元暉) 1437- 32- 2
李珏明(廣西憑祥人) 302-592-318
李珏明(字廷重) 505-827- 75
李珏明(鄧州人) 554-347- 54
李珏妻 明 530-139- 58
李玳明 537-269- 55
李封宋 515-856- 85
李拭唐 486- 44- 2
李拱宋 451-213- 9
473-757- 83
511-773-166
李柰李奈 明(字時珍)
476-788-141
676- 59- 2
679-629-200
李柰明(字景春) 515-882- 86
李柄宋(敘縣令) 487-188- 12
李柄宋(字子權) 489-682- 49
492-588-13下之上
李柄明 546-101-118
李咸漢 253-201- 86
376-857-110
402-482- 11
477-414-169
537-559- 60
540-655- 27
1063-212- 6
1397-455- 22
1412-466- 19
李咸明 494- 25- 2
李威北周 263-605- 25
267-234- 59
379-526-156
李威隋 544-220- 62
李威元 472-775- 30
537-548- 59
李威明(靈石人) 545-775-111
李威明(字希原) 1244-679- 19
李春宋 480- 49-259
821-247- 52
李春明(字景陽) 472-329- 14
475-708- 86
511-336-149
1241-669- 15
李春明(閔鄉主簿) 472-741- 29
李春明(字崇義) 473-631- 77
481-550-327
528-476- 30
537-601- 60
李春明(鳳陽人) 473-641- 78
481-694-332
528-542- 32
李春明(北直滿城人)
554-278- 53
李春明(慶遠人) 563-776- 40
1467-201- 69
李咨明 472-274- 11
476- 79-100
505-818- 74
510-375-114
537-217- 54
545-188- 90
李拯唐 271-616-190下
476- 87-100
547-161-147
1371- 73- 附
李拯妻 唐 見盧氏
李拯金 1191-193- 17
李拯明 523-164-153
李厚宋 1089-754- 19
李厚明(字洪載) 505-824- 75
李厚明(字文山) 820-630- 41
李厚明(字執中) 1376-359- 83
李奎明(字文曜) 473- 64- 51
479-559-242
515-874- 86
537-213- 54
563-779- 40
676-477- 18
1242-785- 7
1244-627- 14
李奎明(字石梁) 524-361-196
李奎明(字伯文) 676-593- 24
1442- 68- 4
1460-306- 53
李珊明(臨川人) 483- 15-370
569-660- 19
李珊明(字玉泉) 524-236-189
李珊明(字西野) 546-649-136
李珊妻 清 見黎氏
李垚元 1231-448- 0
李垚明 1442- 9-附1
李柱唐 271- 34-157
李柱明(號質村先生)
515-841- 84
李柱明(諡毅勇) 546-150-120
李相唐 529-653- 49
李相明(字彥章) 472-394- 17
510-490-118
李相明(鉅野人) 540-809-28之3
李柟清 475-379- 68
511-217-144
李柚明 511-746-165
李柏妻 明 見賈氏
李柏清(正黃旗人) 456-321- 75
李柏清(正白旗人) 456-308- 74
李柏清(郿縣人) 478-204-184
554-856- 63
李軌唐 269-474- 55
274-142- 86
384-177- 9
395-224-201
558-768- 50
李眉唐(眉長尺餘) 592-372- 83
李珂妻 明 見胡氏
李琉宋 529-746- 51
李珉明(字美中) 483-372-401
572- 85- 28
李珉明(縉雲人) 523-501-170
528-514- 31
李革宋 1121- 82- 8
李革李鞏 金 291-403- 99
400-217-517
472-467- 20
472-826- 33
475-870- 95
476- 78-100
476-401-119
478-336-191
545-181- 89
546-585-134
554-273- 53
1040-261- 6
李柷唐 見唐哀帝
李柷後唐 見李祝
李柷明 511-783-166
李南漢 253-596-112上
380-569-181
475- 72- 53
492-597-13下之下
511-860-170
933-523- 35
李南女 漢 見李氏
李郁後魏 261-721- 53
266-683- 33
379-150-148
李郁後晉 278-179- 96
李郁宋 449-742- 9
459- 86- 5
460-112- 6
473-643- 78
481-696-332
529-626- 48
530-614- 73
677-269- 24
1146-112- 90
1482-418- 3
李郁明(鳳陽人) 456-483- 5
李郁明(嘉定人) 472-827- 33
554-312- 53
李郁明(字無文) 533-220- 53
李郁明(字文華) 537-517- 59
李郁明(定襄主簿) 545-408- 98
李郁明(字文盛) 564-275- 47
李郁清(字汝迪) 529-661- 49
李郁清(字啟文) 564-299- 48
李飛唐 820-232- 28
李降宋 561-606- 46
李珍嗣岐王 唐 270-150- 95
274- 81- 81
395- 50- 184
李珍明(憑祥人) 302-592-318
566-720- 61
李珍明(洛陽人) 523-190-155
李珍明(榆林指揮使)
554-763- 62
李勁李起 宋 451- 74- 2
李柬後魏 261-551- 39
267-904-100
李政宋 288-369-453
400-159-513
472- 86- 3
474-601- 31
505-632- 67
李政妻 宋 見范氏
李政明 554-311- 53
559-298-7上
李政妻 明 524-553-205
1247-568- 26

李某宋(八不居士) 540-764-28之2
李某宋 張綱舅 1131-191- 31
李某元(自號雲山閒叟) 1206-670- 2
李述後魏 262- 96- 70
266-936- 45
379-300-150下
李述睦王 唐 270-387-116
274- 93- 82
395- 62-186
1342-242-935
李建唐 260- 18-155
275-269-162
384-243- 12
396- 86-259
473-315- 62
474-620- 32
480-251-269
505-892- 79
532-746- 46
533-736- 73
933-543- 35
1079-616- 54
1080-453- 41
1080-456- 41
1341-566-873
李迢唐 563-648- 38
李柔母 元 見陳氏
李柔明 劉欽謨妻 1260-643- 20
李茂後魏 261-548- 39
267-903-100
李茂淮南王 唐 269-589- 64
274- 52- 79
395- 22-182
李茂宋 821-149- 50
李茂元(大名人) 295-603-197
400-312-526
472-133- 4
475-375- 68
505-912- 81
511-903-172
李茂元(字廷實) 1207-121- 7
李茂明(澄城人) 302-141-296
478-347-191
494- 41- 3
李茂明～清 482-453-362
567-373- 81
李茂明(字茂萼) 1244-664- 17
李茂妻 明 見王氏
李茂妻 明 見高氏
李茂妻 清 見趙氏
李茂妻 清 見劉氏
李貞後魏 262- 97- 72
李貞越王、漢王 唐 269-737- 76
274- 65- 80
384-162- 9
395- 35-183
552- 50- 19
560-595-29下
李貞元 1200-771- 59
李貞元 見李楨
李貞妻 元 見武氏
李貞隴西王 明(謚恭獻) 299-104-121
472-205- 7
李貞明(字世貞) 473-112- 54
516-206- 95
李貞明(南靖人) 473-655- 78
460-770- 79
481-615-329
494- 56- 2
529-565- 46
李貞明(字維閣) 511-554-158
李貞明(鄖陽人) 515-223- 63
李貞明(海寧人) 523-426-167
李貞明(絳州人) 547-144-146
李貞明 見李貞佐
李貞妻 明 見曹國長公主
李貞妻 明 見黃氏
李昺漢 253-599-112上
402-464- 10
480-292-271
李昺後魏 261-548- 39
267-902-100
李昺女 唐 見同安公主
李昺明(合浦人) 564-217- 46
李昺明(永福人) 567-310- 77
1467-197- 69
李思清 456-320- 75
李若北齊 266-897- 43
379-512-155
李苗後魏 262- 82- 71
266-928- 45
379-293-150下
481-404-313
559-530- 12
814-260- 8
820-118- 25
933-527- 35
李昱元 1206- 77- 9
李昱明(字文昭) 476-155-104
545-845-113
549-459-198
559-287-7上
1232- 82- 0
李昱明(安溪人) 528-452- 29
李昭李皓 後魏 261-548- 39
267-902-100
李昭宋 820-421- 34
821-214- 51
李昭明 472-695- 28
李峘唐 270-357-112
274- 60- 80
395- 31-183
477-122-155
李峘明 302-627-320
李峋明 515-151- 61
李茀明 511-746-165
李昴宋 見李蘩
李昴明 見李昂
李茆宋 563-694- 39
李昪李昪 唐 275-113-107
395-726-246
591-607- 44
李昪南唐 見唐烈祖
李則唐 472-195- 7
820-235- 28
821- 79- 47
1078-177- 15
1342-412-957
李則宋 460-221- 14
李畊宋 515-266- 65
李耑唐 518- 2-136
李苾晉 473-504- 71
559-389-9上
591-530- 41
李苾明 529-666- 49
李苾清 476-920-148
537-232- 54
李英宋 473-713- 81
482-185-346
482-225-348
563-700- 39
李英女 宋 見李皇后
李英金 291-424-101
399-245-438
474-739- 40
502-368- 62
540-769-28之2
1040-254- 5
李英妻 金 見張氏
李英元～明(武陟人) 299-106-121
458-133- 6
477-255-161
538- 55- 63
李英元(字茂林) 480- 56-260
533- 5- 47
李英元(字彥臣) 1203-353- 26
李英元(歷城人) 1206-167- 18
李英元(易州人) 1214-245- 20
李英明(西番人) 299-524-156
478-653-207
李英明(義州人) 474-818- 44
李英明(邳州人) 475-432- 70
511-582-159
李英明(字士奇) 494- 54- 2
554-275- 53
李英明(寶雞人) 545-441- 99
554-526-57下
李英明(洋縣人) 554-678- 60
李英明(江安縣丞) 559-319-7上
李英明(字貴祥) 1239- 97- 33
李英明(字少芝) 1460-903- 97
李英妻 明 見丁氏
李英妻 明 見蕭氏
李英妻 清 見王氏
李英妻 清 見季氏
李英妻 清 見蔣氏
李畋宋 471-1025- 64
473-432- 67
481- 77-294
528-481- 30
559-306-7上
559-342- 8
592-594- 99
674-233-3下
674-396- 2

李映李暎 後魏 261-522- 36
266-687- 33
379-151-148
李迥韓王 唐 270-388-116
274- 93- 82
395- 62-186
552- 52- 19
李迥宋 511-844-168
李迥清 540-862-28之4
李迪宋(字復古) 286-100-310
371- 49- 5
382-318- 51
384-339- 17
384-347- 18
397-285-336
449- 59- 5
450-688-下3
459-486- 29
472-195- 7
472-544- 23
472-574- 24
472-694- 28
472-740- 29
472-825- 33
475- 69- 52
475-420- 70
475-471- 72
475-525- 77
475-776- 89
476-862-145
478- 89-180
488-380- 13
510-478-118
537-300- 56
540-753-28之2
554-140- 51
563-669- 39
674-279-4下
708-328- 50
1104-400- 36
1196-668- 6
李迪宋(河陽人) 821-215- 51
李迪明(衛輝府知事)
494- 42- 3
李迪明(字循道) 516-173- 94
李迪明(隆德人) 558-342- 35
李迪明(字啟迪) 1474- 70- 4
李係李僙、越王 唐
270-381-116
274- 90- 82
395- 58-185
李禹妻 明 見羅氏
李約李澈、邵王 唐(唐順宗子)
472-624- 25
270-804-150
274- 95- 82
395- 64-186
544-225- 63
李約唐(字存博) 451-440- 4
554- 37- 48
820-237- 28
821- 79- 47
1371- 67- 附
李約宋 487-189- 12
李約元 528-476- 30
李耔明 494- 42- 3
494- 43- 3
李重晉 254-339- 18
255-793- 46
377-547-123
385-359- 35
476- 76-100
477-415-169
533-136- 51
545-167- 89
933-524- 35
李重明 473-268- 61
511- 79-139
532-657- 44
1263-479- 3
李垂宋 285-754-299
382-380- 60
384-343- 17
397-184-331
472-575- 24
476-394-119
476-614-133
494-325- 6
532-677- 44
540-750-28之2
545-174- 89
545-457-100
1090- 99- 17
李垕宋 559-314-7上
559-385-9上
李扃北齊 見李鉉
李香明 515-508- 72
李信戰國 405-315- 76
李信晉 254-160- 8
255-757- 44
377-525-122
474-734- 40
502-779- 87
李信宋 524-344-196
李信明(臨汾人) 301-733-281
474-570- 29
505-646- 68
505-799- 74
545-772-111
李信李巖 明(杞縣人)
302-402-309
李信李長信 明(字吾斯)
456-548- 7
475-378- 68
482-115-343
511-462-154
李信明(字用誠) 538-354- 71
李信明(浮山人) 545-771-111
李信明(雙流人) 554-282- 53
李信明(封川人) 564-214- 46
李信明(平樂人) 567-325- 78
1467-218- 70
李信明(字彥立) 1267-819- 7
李信妻 明 見徐氏
李信妻 明 見楊氏
李侶唐 544-226- 63
李俘唐 544-226- 63
李科妻 宋 見謝氏
李科明(謚烈愍) 456-502- 5
483-251-391
572- 88- 29
李科明(字宗滿) 1278-448- 22
李郇唐 見李恂
李部漢 253-597-112上
380-570-181
471-1036- 66
471-947- 51
472-867- 34
478-247-186
557-386- 55
820- 30- 22
879-177-58下
933-522- 35
李部李郃 唐 273- 99- 59
471-762- 24
471-880- 41
473-389- 65
473-767- 84
480-542-283
482-432-361
533-104- 50
567- 43- 64
1467- 17- 62
李弇李良 晉 267-896-100
李弇宋 481-719-333
528-549- 32
李俛唐 567- 6- 62
李俛妻 南唐 1085-138- 17
李衍北周 263-520- 15
264-836- 54
267-242- 60
379-528-156
472-624- 25
474-735- 40
480-199-267
502-319- 58
552- 45- 19
李衍明(金華人) 473-336- 63
532-695- 45
李衍明(字文盛) 474-518- 25
505-829- 75
554-198- 52
1248-650- 4
李衎元(字仲賓) 472- 37- 1
494-323- 6
505-923- 83
523-187-155
821-285- 53
1214-118- 10
李衎元(字衎父) 1211-417- 59
李胤晉 254-160- 8
255-757- 44
377-525-122
472-624- 25
474-734- 40
502-313- 58
933-523- 35
李胤嗣曹王 唐(李傑子)
269-740- 76
274- 67- 80
395- 38-183
李胤唐(襄陽從事)1083- 93- 10

李紀明(鹿邑縣尹) 472-678- 27
李紀明(趙州訓導) 494- 41- 3
494- 43- 3
李紀明(號月渠) 528-563- 32
李紀明(字朝振) 545-846-113
558-178- 31
1267-321- 36
李勉唐 270-540-131
274-637-130
384-213- 11
384-227- 12
395-717-245
448-337- 下
471-829- 34
472-494- 21
472-642- 26
472-738- 29
472-837- 33
473- 13- 49
473-672- 79
476-180-106
476-911-148
477- 49-151
477-135-155
478- 87-180
478-117-181
478-243-186
479-447-237
481-799-338
515- 7- 57
537-200- 54
545-236- 92
552- 53- 19
554- 35- 48
563-632- 38
567- 39- 64
587- 87- 2
933-532- 35
1467- 15- 62
李勉宋 460-111- 6
李勉明 540-653- 27
李奐女 宋 見李氏
李保吉王 唐 271-286-175
274-100- 82
395- 69-186
493-644- 35
李保明 483-116-379
李侹東陽王、涇王 唐
270-385-116
274- 91- 82
395- 59-185
李侹唐 見李健
李俊唐 472-1066- 45
李俊明(字子英) 299-836-180
478-203-184
545- 74- 85
554-657- 60
李俊明(饒州守禦正千戶)
473- 45- 50
479-527-241
李俊明(字文英) 478-766-215
505-811- 74
523- 38-147
李俊女 清 見李捷舍
李泉女 明 見李氏
李迨唐 473-672- 79
李迨宋 287-133-374
398-188-377
472-557- 23
476-750-139
476-824-143
476-854-145
476-914-148
478-760-215
481- 19-291
523- 14-146
540-765-28之2
李彖宋 515-826- 83
1123-175- 19
李浦唐 473-504- 71
559-390-9上
592-529- 94
李海明 1253- 68- 44
李海妻 明 見邢氏
李海女 明 見李金櫻
李袪李褕、蜀王 唐
269-731- 76
274- 60- 80
395- 30-183
李祇嗣吳王 唐 269-732- 76
274- 61- 80
395- 31-183
476-816-143
李宮周 933-521- 35
李容李桂郎 宋 451- 93- 3
李容明 559-362- 8
李涇雅王 唐 271-286-175
274- 99- 82
395- 68-186
李涓宋 288-286-447
382-723-111
400-146-512
473- 99- 53
473-209- 59
479-629-245
480- 49-259
515-824- 83
533-358- 60
545-831-112
933-548- 35
李浩宋(西河人) 286-647-350
397-701-362
472-496- 21
472-924- 36
472-937- 37
476-183-106
478-482-199
545-884-114
554-590- 59
558-172- 31
李浩宋(字德遠) 287-320-388
398-337-386
473- 44- 50
473- 99- 53
473-114- 54
473-490- 70
473-749- 83
479-285-230
479-657-247
481-236-303
482-348-356
515-744- 80
523-168-154
559-296-7上
567- 68- 65
591-698- 49
676-687- 29
1053-909- 20
1167-724- 37
1467- 43- 63
李浩宋(貝州節度通判)
540-639- 27
李浩宋(字季良)
1118-673- 35
李浩元 541-106- 31
李浩元～明(寶定人)
1221-393- 2
李浩明(江右人) 456-684- 11
李浩明(謚莊簡) 476- 84-100
505-637- 67
545-779-111
676-517- 20
李浩明(鄞縣人) 524-198-188
李浩明(字德廣) 533-190- 53
571-517- 19
李浩明(花縣人) 564-258- 47
李浩明(字景洪) 1260-603- 17
李浩明(徽州人) 1467- 93- 65
李浩妻 明 見徐素芳
李浩妻 明 見閻氏
李高明(虞城人) 545-189- 90
李高明(字仰之) 567-333- 79
1467-226- 70
李唐宋(權判官) 400-134-511
李唐宋(字晞古) 821-215- 51
1318-257- 54
李唐元 1206-135- 16
李唐明 456-525- 6
546-503-131
李悟李寮、絳王 唐
271-281-175
274- 97- 82
395- 65-186
544-224- 63
李悝戰國 見李克
李悃清 538- 82- 64
李烜妻 明 見陳氏
李祐後魏 261-520- 36
266-676- 33
379-145-148
李祐宜陽王、楚王、齊王、燕王 唐(字贊) 269-734- 76
274- 63- 80
395- 33-183
李祐唐(字慶之) 271- 86-161
276-232-214
李祐蔡王 唐(唐昭宗子)
274-101- 82
395- 70-187
535-557- 20
李祐宋 812-549- 4
821-168- 50

李祐明(安邑人) 546-488-131
李祐明(字宗吉) 820-676- 42
1267-338- 37
李祐明 見李佑
李祐女 明 見李氏
李祚宋 288-410-456
400-298-524
475-430- 70
李祚明 529-690- 50
李益唐 270-631-137
276- 88-203
384-239- 12
400-613-556
451-432- 3
558-308- 34
674-255-4上
674-859- 19
933-547- 35
1073-521- 20
1074-349- 20
1075-303- 20
1076-112- 12
1076-568- 12
1077-138- 12
1365-434- 4
1371- 64- 附
1388-125- 55
1472-738- 45
李益宋(字彥中) 485-197- 26
493-920- 49
589-301- 1
1358-754- 6
李益宋(渭州人) 821-250- 52
李益金 見李志方
李益元(謚文忠) 480- 94-262
李益元(知耀州) 554-258- 52
李益元(湖西人) 1373-403- 26
李益李溢 明(字守謙)
472-527- 22
473- 45- 50
476-753-139
479-527-241
515-220- 63
540-786-28之3
李益明(南充人) 559-368- 8
李益妻 清 見曾氏
李朔漢 535-553- 20
539-349- 8
李窐女 明 見李氏
李浣妻 明 見韓氏
李浙明 1442- 48-附3
李浥唐 見李縉
李浥唐 見李綺
李記唐 820-192- 27
李訓李仲言 唐 271-192-169
275-458-179
384-265- 13
384-269- 14
396-195-270
1054-552- 16
李悅瓊王 唐 271-281-175
274- 97- 82
395- 65-186
李悅宋 524-149-185
李悅明(字子喜) 564-256- 47
李悅明(莆田人) 571-547- 20
李祝唐 見唐哀帝
李祝李柷 後唐 812-436- 0
812-526- 2
821-111- 49
李神後魏 262- 62- 70
267-668- 87
380-229-171
552- 29- 18
李拳明 472-439- 19
李拳妻 明 見沈妙孟
李烆妻 清 見梁氏
李烆妻 清 見霍氏
李涉唐 451-441- 4
473-712- 81
516-214- 96
674-273-4中
820-157- 26
1371- 67- 附
1467-141- 67
李悌明 528-449- 29
李祕景王 唐 271-287-175
274-101- 82
395- 70-187
李浹宋 494-396- 11
494-473- 18
679-510-188
1164-361- 19
李浹清 1324-341- 32
李浚唐 見唐肅宗
李浚清 505-914- 81
李衷明 1239-126- 35
李庭宋 1482-417- 3
李庭元 295-196-162
399-565-476
472-593- 24
540-773-28之2
541-112- 30
1394-327- 1
李庭妻 明 見靳氏
李兼唐 473-209- 59
480- 48-259
515- 9- 57
534-650-104
李兼宋 472-359- 15
523-169-154
674-883- 20
1366-958- 1
李泰濮王、魏王 唐
269-732- 76
274- 63- 80
384-162- 9
395- 32-183
819-575- 19
李泰明(字文通) 452-228- 6
李泰明(郴州人) 472-521- 22
540-627- 27
李泰明(字文亨) 481-749-334
529-709- 50
李泰明(號塞齋) 515-841- 84
李泰明(號西岷) 516- 55- 89
李泰明(泰寧人) 529-692- 50
李泰明(字時雍) 546-596-134
李泰明(字景和) 1253-105- 46
李泰女 明 見李妙賢
李泰女 明 見李節娥
李泰清 476-866-145
540-873-28之4
李秦明(字仲西) 458-102- 4
537-456- 58
李秦明(延安人) 554-707- 61
李秦清 476-419-120
547- 84-144
李素唐 493-245- 10
493-689- 38
510-323-113
1073-565- 25
1074-400- 25
1075-351- 25
李素宋 554-331- 54
李素明(安邑人) 472-468- 20
546-491-131
李素明(平谷人) 472-963- 38
478-766-215
523- 36-147
李素明(字宗文) 473-186- 58
479-793-254
515-272- 65
567-306- 77
1467-194- 69
李素明(福建按察使)
473-569- 74
528-450- 29
李素明(雲南縣人)
570-117-21之1
李素明(知天台) 676-214- 8
李珙李澄、豐王 唐(隴西狄道人) 270-312-107
274- 88- 82
395- 57-185
544-224- 63
552- 51- 19
李珙唐(山東人) 271- 86-161
275-384-171
396-152-265
李珙宋(號養素處士)
473-188- 58
李珙宋(字温之) 473-750- 83
482-349-356
567-364- 81
1467-175- 68
李珙明(字敬之) 505-668- 69
李珙明(字侯璧) 515-176- 62
523-617-176
李珙明(南安人) 1467- 70- 64
李珙清 511-642-161
李珝明 524- 93-182
李馬明 見李騏
李貢明(字惟正) 502-285- 56
511-329-149
515-679- 78
676-517- 20
1258-322- 7
李貢明(字祖禹) 564-246- 47
李恭後魏 261-639- 46
李恭元 479-225-227
523-152-153

李恭明(正統七年中舉)　494- 42- 3
李恭明(字景恭)　524- 91-182
李恭明(榆林人)　554-665- 60
李恭明(寧遠人)　563-835- 41
李恭女　明　見李淑賢
李核李岳　宋　451- 71- 2
李栻明(字克儼)　460-766- 78
李栻明(字孟敬)　505-684- 69
505-692- 70
515-407- 69
1460-216- 49
1442- 63- 4
李栻明(晉江人)　563-791- 41
李栻清　547- 29-141
李彧後魏　262-227-83下
267-908-100
李眞唐　494-324- 6
821- 77- 47
李眞元　558-211- 32
李眞明　472-458- 20
李眞妻　明　見韓氏
李眞女　明　見李氏
李班晉　256-901-121
262-387- 96
381-295-190
李班唐　見李棲眞
李班元　1200-772- 59
李珪漢　見李贊
李珪李渙、陳王　唐(唐玄宗子)
270-312-107
274- 88- 82
395- 57-185
535-557- 20
李珪唐(李惲子)　552- 53- 19
李珪金　540-659- 27
李珪元　538- 96- 64
李珪明　571-545- 20
李珝明　524-237-189
李珣唐　270-148- 95
李珣宋(字公粹)　288-504-464
400- 44-503
李珣宋(吳人)　493-1063- 56
511-864-170
李珣子　宋　1104-475- 39
李珦宋　王常妻　489-693- 50
李哲隋　267-488- 75
379-802-162
李哲唐　見唐中宗
李哲明(京山人)　456-671- 11
480-176-266
李哲明(字希先)　515-786- 81
李哲明(知垣曲)　545-463-100
李娎明　302-625-320
李桓元　295-538-190
400-699-567
472-177- 6
475- 74- 53
511-718-615
李桓明　見李恆
李桂宋(字芳叔)　524- 90-182
李桂宋(穀城人)　1139-868- 15
李桂明(字廷芳)　482-140-344
563-795- 41
567-338- 79
李桂明(右玉人)　546-150-120
李桂明(番禺人)　1442- 97- 6
1460-586- 69
李格母　宋　見張氏
李格宋(字文叔)　484-385- 28
李格宋(左從政郎)　487-510- 7
李格宋(字承之)　515-500- 72
679-444-181
李晉新興王　唐　269-538- 60
274- 34- 78
395- 6-181
李晉唐　見李叔明
李晉金　546-668-137
李晉明　558-465- 38
李陞益王　唐　271-286-175
274-100- 82
395- 69-186
李陞明　1249-398- 26
李珥明　1442-130- 8
1460-879- 94
李珖明　1286-715- 16
李珖妻　明　見潘氏
李玼唐　見李玭
李起後蜀　481- 76-294
559-340- 8
李起宋　見李勁
李哥元　1218-739- 4
李軏明　476-124-102
546-305-125
李挦明　452-193- 4
524-147-185
李陟宋　523- 73-149
523- 98-150
1104-475- 39
1105-740- 89
李珠妻　明　見徐氏
李珠妻　明　見張氏
李耿明　302- 44-291
456-524- 6
476-659-135
505-835- 76
540-651- 27
李埈李峻　明　524- 47-180
676-173- 7
676-649- 26
1442-100- 6
1457-665-404
1460-610- 70
1474-511- 24
李振後梁　277-168- 18
279-271- 43
384-311- 16
401-475-630
李挺李提、李神儁　後魏
261-551- 39
267-904-100
李挺明(字正立)　457- 45- 2
554-820- 63
1293-370- 20
李挺明(延平府教授)
473-616- 77
李挺明(字一吾)　515-705- 79
李栗後魏　261-424- 28
266-423- 20
379- 19-146
李根漢　472-669- 27
477-484-173
1059-308- 10
李根明　537-522- 59
李迺益王　唐　270-388-116
274- 93- 82
395- 62-186
李時元　516-127- 92
李時明(字宗易)　300-170-193
452-447- 2
505-742- 72
820-687- 43
1442- 40-附2
1459-811- 33
李時明(眞定人)　472- 99- 3
李時明(知漢中)　545-148- 88
李時明(涿州人)　545-465-100
554-309- 53
李時明(寧夏人)　558-431- 37
李時明(字居中)　821-367- 55
李恩女　宋　見李氏
李恩元　540-633- 27
李恩王恩　明　1408-613-544
李恩妻　明　見白氏
李晊宋　471-1031- 65
473-454- 68
559-285-7上
李圃宋　561-204-38之1
李晏金(字致美)　291-359- 96
383-999- 28
399-209-434
472-505- 21
472-645- 26
474-732- 40
476- 78-100
476-150-104
476-206-107
476-438-122
477- 54-151
502-262- 54
537-244- 55
545-178- 89
545-216- 91
546-686-138
549-387-195
1365- 66- 2
1439- 3- 附
1445-356- 24
李晏金(隴西人)　545-430- 99
李茸唐　473-567- 74
481-523-326
528-436- 29
李荇明　1442-129- 8
1460-872- 94
李郢唐　273-114- 60
451-459- 6
563-920- 43
674-266-4中
1365-438- 4
1371- 71- 附
李剛元　517-484-127
李剛王剛　明　1262-338- 38

1408-613-544
李剛妻 明 見魏氏
李峴益王 唐 270-357-112
271-286-175
274-635-131
384-211- 11
384-220- 12
395-668-241
472-836- 33
473-386- 65
478- 87-180
478-116-181
480-540-283
532-713- 45
554- 38- 48
554-123- 50
933-532- 35
1072-380- 2
1340-689-792
李虔晉 見李密
李虔後魏 261-547- 39
267-902-100
540-637- 27
544-212- 62
李峻頓丘王 後魏
262-219-83上
李峻杞王 唐 271-286-175
274- 99- 82
395- 67-186
李峻元 1197-725- 75
李峻明 見李埈
李豹妻 清 見范氏
李特晉 256-889-120
381-285-190
384-105- 5
473-455- 68
李特明 見李忠
李悰許昌王 唐 535-557- 20
李悰明 302-635-320
李侙李夷 金 1040-236- 2
1365-250- 7
1445-469- 34
李息漢 244-766-111
250-335- 55
251-625- 24
376-166-98上
558-345- 35
933-521- 35
李娥唐 裴克諒妻、李藩女
1080-744- 68
1342-502-969
李娥明 陳遷妻、李仲仁女
559-455-11上
李恕唐 270-575-133
李恕宋 1121-466- 34
李恕元 515-621- 76
680-217-246
李恕明(字道夫) 476-518-127
540-627- 27
554-491-57上
李恕明(字彥行) 1267-819- 7
1267-830- 8
李恕女 明 見李氏
李紘撫王 唐 270-805-150
274- 96- 82
395- 64-186
李紘宋 285-588-287
397- 66-324
472-376- 16
472-682- 27
475-561- 79
476-863-145
479- 41-218
485-390- 3
523- 74-149
540-759-28之2
李紘明 515-836- 84
李甡明 見李應禎
李矩晉 256- 75- 63
370-307- 6
377-684-125
472-461- 20
472-717- 28
476- 76-100
476- 81-100
477- 48-151
537-194- 54
544-203- 62
545-167- 89
545-756-110
933-524- 35
李矩妻 晉 見衛鑠
李矩唐 544-227- 63
李秠宋 473- 96- 53
515-182- 62
李倜元 473-125- 55
515-132- 61
820-497- 37
821-289- 53
1194-470- 5
1210-305- 8
李釜明(備倭都指揮)
676-201- 8
李釜明(字時養) 1283-649-117
1410-255-694
李郛宋 473-114- 54
515-748- 80
李耕宋(潭州人) 288-410-456
400-299-524
480-407-277
李耕宋(號臺山居士)
472-177- 6
1197-606- 62
李耕明 515-873- 86
李部唐 820-270- 29
李俸明 301- 9-235
476-402-119
546-607-135
549-253-190
李倬明 456-581- 8
476-251-110
545-305- 94
李倬妻 明 見徐氏
李倚睦王 唐 271-286-175
李倫唐 見李綸
李倫明(府軍前衛經歷)
547- 87-144
李倫明(字孟奇) 1241-519- 9
李倫明(字體信) 1257-151- 14
李倫明(字大法) 1262-420- 46
李倫妻 明 見崔氏
李皐嗣曹王 唐(字子蘭)
270-542-131
274- 67- 80
395- 38-183
472-1114- 48
473-297- 62
473-347- 63
473-358- 64
473-700- 80
479-401-235
479-447-237
480- 11-257
480-362-275
480-506-281
515- 9- 57
523-223-156
532-566- 40
541-778-35之20
1073-588- 28
1074-428- 28
1075-379- 28
1355-605- 20
1378-504- 59
1383-140- 11
1410- 34-667
1418- 29- 36
1447-246- 8
李皐唐(唐玄宗時人)
820-175- 27
李躬漢 370-169- 16
402-376- 4
李釗晉 559-431-10上
591-530- 41
李能明 494- 45- 3
李能妻 明 見黃四娘
李邕後魏 261-896- 65
266-898- 43
379-266-150上
505-890- 79
李邕嗣虢王 唐(隴西人)
269-592- 64
274- 54- 79
395- 24-182
李邕唐(字泰和) 271-590-190中
276- 70-202
384-190- 10
384-206- 11
400-598-555
471-642- 9
471-785- 28
471-885- 42
471-886- 42
471-900- 44
472-125- 4
472-518- 22
472-587- 24
472-641- 26
472-1051- 44
473-213- 59

473-725- 82
473-729- 82
475-373- 68
476-516-127
476-656-135
479-430-236
480- 61-260
511-781-166
523-239-157
533- 1- 47
537-337- 56
540-645- 27
563-645- 38
684-476- 下
684-547- 4
812-745- 3
813-251- 8
814-273- 9
820-168- 27
933-546- 35
1066- 6- 附
1066- 47- 附
1066- 49- 附
1371- 55- 附
1375- 31- 下
1387-378- 28
1394-380- 3
1472-161- 10
李邕妻 唐 見溫氏
李紞明 540-810-28之3
李紓唐(字仲舒) 270-626-137
275-256-161
384-233- 12
396- 69-258
933-543- 35
李紓李涣、莒王 唐(唐順宗子)
270-804-150
274- 95- 82
395- 64-186
李純漢 252-591- 51
370-126- 10
376-592-106
李純唐 見唐憲宗
李純元(洛陽尹) 537-302- 56
李純元(高平人) 546-689-138
李純明(知蘄州) 473-359- 64
李純明(昆明人) 482-560-369
494-164- 6
570-102-21之1
李純明(字在誠) 532-634- 43
563-817- 41
李純明(桂林人) 567-319- 78
569-669- 19
李純明(清平人) 572- 79- 28
李純妻 明 見周氏
李修後魏 262-299- 91
267-707- 90
380-629-183
472-571- 24
李修宋(字永之) 528-507- 31
1180-218- 21
李修宋(字適道) 1122-178- 14
李修不詳 1059-276- 4
李修妻 清 見譚氏
李笈後魏或宋 見李筊
李殷唐 545-133- 87
李殷後漢 278-247-106
李倣唐 見李放
李倓建寧王、齊王 唐
270-382-116
274- 90- 82
395- 58-185
李俶唐 見唐代宗
李條唐 見李堅
李侹唐 544-225- 63
李适唐 見唐德宗
李适清 477-162-157
540-847-28之4
李追清 456-322- 75
李紋明(知上海) 472-240- 9
李紋明(字仲綉) 1243-652- 19
李納唐 270-481-124
276-218-213
384-241- 12
396-316-279
李納明 472-1053- 44
523-244-157
李寅宋 285-779-300
397-202-331
588-317- 2
李寅宋 見李時中
李寅明(臨汾人) 472-468- 20
李寅明(字敬之) 524-274-191
567-119- 67
李寅明(河南人) 554-347- 54
李寅明(字曉令) 1475-686- 29
李寅清 456-321- 75
李悰李察、深王 唐(唐憲宗子)
271-281-175
274- 96- 82
395- 65-186
李悰唐(餘姚令) 486- 67- 3
李庶北齊 263-267- 35
266-897- 43
379-511-155
李庶明(字季卿) 523-193-155
529-471- 43
李庶(字舜明) 1258-317- 7
李淳明(昆陽人) 456-602- 9
李淳明(字元樸) 472-339- 14
511-255-146
李淳明(內江人) 523-249-157
李淳明(濮州人) 545-224- 91
李淳明(西寧衛千戶)
558-436- 37
李淳明(思州人) 572- 83- 28
李淳明(號憩菴) 820-623- 41
1250-722- 68
李淳妻 明(靜寧人) 見王氏
李淳妻 明(松滋人) 見王氏
李淳妻 明 見麻氏
李淳妻 明 見盧氏
李清隋 541- 88- 30
李清唐(字士澄) 479-133-223
494-336- 7
523-114-151
820-193- 27
李清唐(北海人) 505-925- 83
李清唐(隴西人) 271-282-175
274- 97- 82
395- 65-186
552- 53- 19
李清唐 見李瑁
李清唐 見李克寧
李清李驥子 宋(字紹夷)
448-372- 0
李清宋(來賓人) 567-418- 85
李清宋(上黨人) 843-667- 中
李清元 周樸妻、李天驥女
1207-289- 19
1367-707- 54
李清明(字映碧) 300-174-193
475-378- 68
李清明(屯留人) 547- 33-142
李清女 明 見李蘭香
李清明 吳大輅妻
1259-682- 10
李淥唐 見李琚
李淐清 474-247- 12
478-485-199
505-848- 76
558-414- 37
李淮唐 見李綠
李淮唐 見李緗
李淮明(謚烈愍) 456-494- 5
554-727- 61
李淮明(字巨川) 546-601-135
676- 28- 1
678-451-113
李淮明(貴州人) 572- 75- 28
李淮女 明 見李氏
李淮妻 清 見傅氏
李淦元 1202-283- 20
李翊漢 681-546- 9
1397-625- 29
李翊唐 494-472- 18
820-264- 29
李產晉 256-777-110
381-199-188
499-414-157
933-524- 35
李翊妻 漢 見臧氏
李望唐 1342-240-935
李惇拓拔惇 北周 263-655- 30
264-682- 37
267-235- 59
379-725-160
李情唐 820-287- 30
李情明 458- 57- 3
473- 17- 49
515- 43- 58
538- 72- 63
李祤棣王 唐 271-287-175
274-101- 82
395- 70-187
李密李宓、李虔 晉
254-683- 15
256-428- 88
380- 79-167
384-504- 20
386- 28-69中
469-607- 74

七畫：李

471-954- 52
473-513- 71
477-241-161
481-349-309
559-430-10上
561-397- 42
591-548- 43
933-524- 35
1379-269- 33
李密北齊 263-185- 22
266-688- 33
379-152-148
474-618- 32
505-787- 73
742- 33- 1
李密劉智遠 隋 264-1002- 70
267-242- 60
269-446- 53
274-122- 84
379-884-164
384-177- 9
407-377- 2
556-840-100
933-528- 35
1297-676- 3
1342-344-948
1394-758- 11
1410-507-730
李密宋(經城人) 474-438- 21
李密宋(剡縣主簿) 485-536- 1
李寄漢 李誕女 530-122- 57
李涵唐 270-496-126
274- 32- 78
395- 4-181
478-117-181
493-687- 38
李涵明(字繩剛) 540-833-28之3
李涵明(遷安人) 554-258- 52
李淛宋 515-830- 83
李淵唐 見唐高祖
李淵李次彭 宋 448-376- 0
李淵金 546-681-137
李淵明 537-605- 60
李章漢 253-497-107
370-161- 15
380-223-171
476-609-133
476-655-135
477-246-161
537-474- 58
540-636- 27
933-523- 35
李章後唐 472-326- 14
李章宋 821-217- 51
李章元 820-500- 37
821-290- 53
李章明 545-118- 86
李章妻 明 見孫氏
李章妻 清 見白氏
李訦宋 460-414- 31
481-585-328
515-119- 60
528-523- 31
529-531- 45
933-549- 35
1174-664- 42
李訢李眞奴 後魏 261-636- 46
266-545- 27
379- 89-147
477-160-157
505-711- 71
537-262- 55
552- 27- 18
933-525- 35
李訢唐 485-347- 1
李庸漢 370-208- 21
李庸元 1221-424- 5
1222-561- 2
1439-443- 2
李庸明(淮人) 515-220- 63
李庸明(吉水人) 559-276- 6
李庸明(字執中) 1238- 26- 2
李庸明(臨淮人) 1245-510- 26
李庸妻 明 見徐氏
李祥漢 472-641- 26
477-441-171
537-337- 56
李祥晉 524-182-187
李祥後魏 261-719- 53
266-677- 33
379-148-148
474-303- 16
505-664- 69
505-786- 73
李祥瓊王 唐 271-287-175
274-101- 82
395- 70-187
李祥宋(字元德) 287-469-400
398-459-394
427-364- 4
427-365- 4
451- 23- 0
458-189- 1
472-197- 7
472-260- 10
475-224- 61
475-743- 88
479- 42-218
492-703-3上
492-712-3上
511-144-142
523- 78-149
1164-428- 24
李祥宋(開封人) 288-550-468
李祥宋(字聖祺) 591-187- 15
1113-264- 25
李祥元 1206-738- 9
李祥明(河間人) 472- 71- 2
554-220- 52
李祥明(湖廣人) 472-504- 21
476-205-107
545-340- 96
李祥明(知崇仁縣) 473-112- 54
479-655-247
李祥明(字從吉) 473-214- 59
480- 56-260
533-137- 51
李祥明(臨淮人) 554-170- 51
李祥明(元氏人) 554-347- 54
李祥明(瀘州人) 563-740- 40
473-529- 72
李祥明(字世昌) 1241-392- 4
李祥妻 明 見杜全
李祥子 明 1241-392- 4
李訪宋 288-412-456
400-300-524
482- 77-341
564- 71- 44
李惕妻 明 見劉氏
李寀唐(李愼玄孫) 493-738- 41
李寀唐(唐憲宗孫) 544-225- 63
李寀宋 529-598- 47
李寀明 547- 20-141
李深宋 460-110- 6
529-623- 48
1146-130- 91
1482-418- 3
李深明 見李廷琛
李深妻 明 見劉氏
李梁宋 見李士燮
李梁明 554-313- 53
李淶明(諡忠愍) 474-244- 12
474-692- 37
476-222-108
502-287- 56
505-844- 76
545-331- 95
李淶明(字源甫) 479-796-254
516-178- 94
李淑漢 402-440- 9
479-484-239
515-289- 66
李淑蘭陵公主 唐 竇懷悊妻、唐太宗女 274-106- 83
393-275- 73
683-475- 2
李淑宋 285-641-291
371- 77- 7
382-356- 57
384-351- 18
397-104-326
450-703-下6
472-643- 26
475-430- 70
477-472-173
505-889- 79
511-789-166
537-341- 56
李淑明 533- 62- 49
1283-385- 97
李淑妻 明 見匡氏
李訥唐 275-269-162
396- 87-259
486- 45- 2
526- 4-259
李袞唐 820-264- 29
李袞明 571-548- 20
李康魏 385-659-66下上
469-505- 61
李康唐 472-865- 34
478-295-188
554-270- 53

李康宋 538-141- 65
李康元 524-297-193
524-374-197
820-531- 38
821-316- 54
李庾唐 820-210- 28
李球蜀漢 254-664- 13
483- 47-372
570-128-21之1
李球唐 505-938- 85
李執元 1206-135- 16
李域宋 563-693- 39
李梅明(字芳魁) 476-700-137
李梅明(平魯人) 546-151-120
李梅明(霍州人) 547- 18-141
李梅明(字元年) 572- 72- 28
李頃後晉 278-135- 91
李頃明 456-684- 11
李珵明 1258-663- 15
李堅漢 554-881- 64
李堅後魏 262-335- 94
267-748- 92
380-503-179
李堅李絛 唐 473-454- 68
559-284-7上
1342-291-942
李堅宋 472-357- 15
510-433-116
李堅元 472-529- 22
476-535-128
541- 95- 30
李堅明(武陟人) 299-106-121
458-134- 6
477-255-161
李堅明(字景義) 458- 83- 4
479-378-234
515-185- 62
523-215-156
537-550- 59
李堅明(字貞夫) 1393-302-462
李培明(樂陵人) 554-299- 53
李培明(字培之) 1475-393- 17
李培妻 明 見楊氏
李基北周 263-604- 25
267-233- 59
379-526-156
李臯宋 451- 23- 0
473-516- 71
481-352-309
559-297-7上
559-385-9上
1177- 34- 1
李接宋 484-374- 27
李埜明 529-686- 50
1267-526- 7
李乾漢 254-337- 18
377-164-116
李乾明 529-701- 50
李問宋 1105-815- 97
李習明(知太平府) 472-348- 15
李習明(知定州) 473-523- 72
李習明(字伯羽) 475-670- 84
511-818-167
676-444- 17
李習明(淮安人) 559-307-7上
567- 82- 66
1467- 58- 64
李梓明 554-292- 53
李規唐 269-738- 76
274- 65- 80
395- 36-183
李規宋(字師正) 529-597- 47
李規宋(字子震) 1092-647- 60
李陶宋 561-606- 46
李彬明(字質文) 299-493-154
453-444- 15
472-396- 17
475-753- 88
475-812- 91
478-453-197
511-419-152
886-141-138
1244-585- 10
1245-573- 30
李彬明(呈貢人) 510-474-117
511-913-173
李彬明(貴筑人) 472- 91- 29
李彬明(字文中) 821-372- 55
李彬妻 清 見谷氏
李斑後魏 539-659-11之7
李斑後梁 277-213- 24
277-491- 58
279-352- 54
401-290-607
476-853-145
540-668- 27
558-410- 36
李教明 480-635-288
李掖唐 820-260- 29
李梗明 564-205- 46
李梃明 480-136-264
李連恩王 唐 270-388-116
274- 93- 82
395- 62-186
李通漢 252-508- 45
370-127- 10
370-222- 24
376-533-105
384- 57- 3
402-351- 2
402-519- 15
402-553- 18
472-768- 30
477-364-167
537-530- 59
933-522- 35
李通魏 254-338- 18
377-165-116
384- 84- 4
385-358- 35
473-212- 59
533-136- 51
933-523- 35
李通恭王 唐(唐代宗子)
270-388-116
274- 93- 82
395- 62-186
李通唐(敘州郡守) 559-289-7上
李通金 291-740-129
401-142-588
李通元 821-327- 54
李通明(拾還遺金) 547-102-145
李通明(臨桂人) 563-803- 41
567-308- 77
1467-194- 69
李通明(武定人) 1240-817- 9
李通妻 明 見王氏
李通妻 明 見程氏
李通妻 清 見吳氏
李陵漢 244-740-109
250-315- 54
251-590- 22
376-153-98上
473-366- 64
550-371-221
550-419-222
550-606-225
550-623-226
558-383- 36
820- 25- 22
933-521- 35
1343-554- 38
1370- 15- 1
1395-582- 3
李陵妻 明 見殷氏
李晟西平王 唐 270-558-133
275-182-154
384-226- 12
396- 8-252
448-120- 0
459-420- 25
470-449-154
472-480- 21
472-852- 34
472-934- 37
478-199-184
478-451-197
478-517-200
545-360- 96
554-126- 50
556-117- 85
556-364- 91
558-135- 30
558-189- 31
558-306- 34
558-639- 47
591-675- 47
683-309- 14
933-541- 35
1343-773- 57
1417-608- 29
李晟女 宋 見李氏
李晟明(營山人) 456-681- 11
李晟明(字孔陽) 540-793-28之3
676- 78- 3
676-352- 13
680-232-247
李晟明(字孟昭) 564- 87- 45
李晦唐 269-540- 60
274- 36- 78
395- 8-181
474-275- 14

496-367- 86
478- 87-180
李晦宋 492-713-3下
李崇吳 見徵崇
李崇北燕 496-610-104
李崇後魏(謚襄) 261-636- 46
266-545- 27
379- 89-147
李崇李繼伯 後魏(字繼長)
262- 1- 66
266-889- 43
379-259-150上
384-133- 7
472-129- 4
472-194- 7
472-765- 30
472-865- 34
474-473- 23
476-575-131
478-242-186
478-375-192
505-769- 73
510-277-112
540-631- 27
545-260- 93
552- 36- 18
554-111- 50
933-527- 35
李崇隋 264-684- 37
267-230- 59
379-727-160
474- 90- 3
540-730-28之1
558-437- 37
933-527- 35
李崇不詳 485-281- 40
493-1097- 58
李巽宋 546-686-138
李崧後魏 278-260-108
279-374- 57
396-448-296
505-794- 73
李崧明(號肖梧) 483-171-383
569-666- 19
李崧明(大城人) 505-801- 74
李崧明(龔錫爵乳媪之夫)
511-590-159
李貫明 546-419-128

李堂明 676-518- 20
676-736- 31
1442- 36-附2
1459-751- 29
1474-159- 8
李堂妻 明 見任氏
李堂女 明 見李氏
李莒唐 820-209- 28
李莊宋 559-299-7上
李莊明 299-106-121
458-134- 6
477-255-161
511-719-165
李晤唐 271-256-173
492-696-3上
494-336- 7
523-114-151
1080-783- 71
1343-817- 60
李常宋 286-561-344
382-596- 92
384-372- 19
397-640-359
427-256- 7
450-629-中53
471-709- 17
471-708- 17
472-127- 4
472-519- 22
472-603- 25
472-766- 30
473- 77- 52
475-604- 81
476-517-127
479-579-243
491-807- 6
494-299- 5
516- 95- 91
517-316-123
517-473-127
537-313- 56
540-624- 27
540-761- 28
674-286-4下
820-377- 33
1092-595- 55
1115-684- 6
李常女 宋 見李蒙

李常明 559-393-9上
李荷妻 明 見鄭氏
李冕宋 515-307- 66
1123-182- 20
李冕元 295-571-194
400-251-520
511-500-156
李冕明(章邱人) 472-128- 4
505-692- 70
李冕明(號崇岡先生)
559-408-9上
676-505- 19
李冕明(襄陽人) 563-773- 40
李冕清 570-147-21之2
李崑李焜 清 483- 70-376
569-680- 19
李崑妻 清 見井氏
李崙明 472-325- 14
472-842- 33
475-701- 86
476-151-104
478-127-181
537-217- 54
545-221- 91
554-481-57上
1293-301- 17
李崙清 529-707- 50
李彪後魏 261-845- 62
266-807- 40
379-212-149
384-133- 7
472-571- 9
472-707- 28
476-858-145
505-890- 79
540-725-28之1
933-526- 35
李彪女 後魏 見李氏
李彪明(大興人) 505-896- 80
李彪明(洋縣人) 554-526-57下
李勗宋 見李遵勗
李勗明 524- 55-180
李曼金 545-479-100
546-186-121
李衆唐 494-324- 6
李衆宋 1122-391- 28
李符宋(字德昌) 285-359-270
396-634-311

472-131- 4
473-672- 79
476-912-148
537-448- 58
李符宋(襄陽人) 812-547- 4
821-148- 50
李偲召王 唐 270-385-116
274- 92- 82
395- 60-185
552- 51- 19
李偲金 291-312- 92
399-178-431
476-778-141
540-661- 27
李得明 472-520- 22
476-819-143
540-665- 27
李悰清 張仕華妻、李勉庵女
479- 62-219
524-485-203
1321-266-116
李紱明 472-292- 12
1245-438- 21
1246-446- 10
李紱清 479-663-247
569-621-18下之2
李偪明 494-158- 5
李偕明 515-483- 71
528-571- 32
李偘威王、郢王 唐(隴西人)
271-286-175
274-100- 82
395- 69-186
李偘唐(號先師菩薩)
547-522-160
李偁宋 427-372- 4
李倕杞王 唐 270-385-116
274- 92- 82
395- 60-185
535-557- 20
李紹唐 821- 95- 48
李紹唐 見唐肅宗
李紹李詔 明(字克述)
299-616-163
452-206- 5
453-364- 8
473-153- 56
479-721-250

515-668- 78
820-625- 41
1241-119- 6
李紹明(晉江人) 460-578- 57
李絅元 540-777-28之2
1439-432- 1
李絅明 554-526-57下
李笴明 1241-319- 1
李脫周或六朝 見李八百
李偃宋 484-101- 3
523- 77-149
李偉宋(知洪州) 488-371- 13
李偉宋(字敬叔) 511-851-169
李偉明(字世奇) 302-199-300
李偉明(知臨淮縣) 472-197- 7
李偉女 明 見李皇后
李偉清 483- 97-378
570-151-21之2
李偉妻 清 見王氏
李偉妻 清 見封氏
李術唐 1078-175- 14
1341-264-834
1410-452-723
李紳袁王 唐(唐順宗子)
270-805-150
274- 96- 82
395- 64-186
李紳唐(字公垂) 271-256-173
275-484-181
384-261- 13
384-265- 13
384-270- 14
384-274- 14
396-210-271
451-443- 4
471-832- 34
471-900- 44
472-202- 7
472-255- 10
472-289- 12
472-401- 18
472-739- 29
473-711- 81
475-281- 63
475-742- 88
475-779- 89
475-796- 90
485-555- 3
486- 44- 2
492-696-3上
493-690- 38
511-357-150
524-323-195
537-298- 56
563-644- 38
674-262-4中
674-862- 19
812-749- 3
820-257- 29
1073-492- 17
1074-315- 17
1075-274- 17
1079- 21- 4
1080-782- 71
1340-711-795
1341-627-882
1343-817- 60
1344-466- 99
1365-481- 7
1371- 69- 附
1388-308- 68
李紳宋 1170-760- 34
李紳明 1250-947- 89
李紳妻 明 見戴氏
李第明(長白人) 541-106- 31
李第明(字道升) 570-489-29之7
李參宋 286-377-330
397-488-349
472- 65- 2
472-556- 23
472-568- 24
472-893- 35
473-233- 60
474-336- 17
476-823-143
476-854-145
478-695-210
480-169-266
505-667- 69
532-644- 43
540-760-28之2
554-202- 52
558-140- 30
558-227- 32
李敘妻 元 見姚元靖
李敘元 475-670- 84
511-326-149
李敘明 523-328-161
李篓李笈 後魏或宋
472-529- 22
476-534-128
524-386-198
541- 94- 30
李敏漢 474-734- 40
503- 2- 89
李敏李洪兒 隋 264-685- 37
267-231- 59
379-727-160
李敏懷王 唐 270-308-107
274- 86- 82
395- 55-185
554- 33- 48
李敏元 1217-729- 4
李敏明(字公勉) 300- 27-185
458- 39- 2
472- 57- 2
472-666- 27
477-480-173
536-534- 43
537-589- 60
545-274- 93
559-251- 6
1247- 20- 2
李敏明(字好學) 472-197- 7
505-810- 74
537-328- 56
李敏明(潁州人) 472-206- 7
511-359-150
515-170- 62
李敏明(字克勤) 472-666- 27
537-400- 57
李敏明(知汝寧) 472-790- 31
李敏明(知撫州) 473-111- 54
李敏明(字鈍甫) 476- 42- 98
545-672-107
李敏明(長山人) 540-817-28之3
李敏明(字斯和) 563-801- 41
1249-458- 30
李敏明(字功甫) 1442- 70- 4
1460-337- 55
李假漢 933-521- 35
李健李侹、涼王 唐
271-286-170
274-100- 82
395- 69-186
李健宋 451-194- 7
李健明 473-784- 85
567- 86- 66
1467- 59- 64
李健妻 明 見王氏
李皎後魏 266-543- 27
379- 86-147
474-655- 34
547-499-159
李皎宋(安昌邑宰) 537- 37- 48
李皎宋(字仲交) 563-694- 39
李造忻王 唐(唐代宗子)
270-388-116
274- 93- 82
395- 62-186
544-224- 63
李造唐(起居舍人) 814-275- 10
820-206- 28
李逢唐 473-447- 68
559-359- 8
李逢宋 1098-200- 25
李逢明 300-379-205
473- 29- 49
473-268- 61
480-200-267
515-392- 69
532-657- 44
李逖唐 812-351- 10
820-175- 27
821- 43- 46
李啟明 569-666- 19
李從宋 515-305- 66
李巢唐 274-347-105
395-357-213
李寓唐 820-255- 29
李寓元 1214-663- 18
李滋通王、夔王 唐
271-286-175
274- 99- 82
395- 68-186
李滋唐 見李結
李斌宋(青州人) 285-419-275
396-676-315
472- 65- 2
472-113- 4
472-610- 25
476-725-138

505-630- 67
李斌宋(字允夫) 451- 58- 2
李斌明(廣昌人) 505-696- 70
505-862- 77
546- 94-118
李斌明(代州人) 547- 94-144
李斌明(鳳陽人) 571-540- 20
李就女 宋 見李氏
李富宋 529-665- 49
李富妻 宋 見曾氏
李富明 481-649-330
529-682- 50
李富妻 明 見項氏
李湖清 479-497-239
李湘女 金 見李師兒
李湘明 301-739-281
472-718- 28
476-819-143
479-720-250
515-653- 77
537-289- 55
540-666- 27
1239- 25- 28
1241-106- 5
1242-200- 31
李湑唐 見李綵
李湑唐 見李綺
李渥唐 271-339-178
547-152-147
李渭唐 524-131-185
李渭宋 286-324-326
472-496- 21
477-252-161
478-716-211
545-878-114
1090- 86- 15
李渭明(字湜之) 482- 75-341
482-208-347
483-320-396
563-744- 40
569-654- 19
572- 81- 28
572-331- 38
676-258- 10
676-304- 11
679-241-162
李渭明(字長源) 564-168- 45
李渭妻 明 見王氏
李註元 1214-194- 16
李詔明(字應魁) 528-562- 32
李詔明(開州人) 545-247- 92
李詔明 見李紹
李詷李詞 明 676-373- 14
1223-554- 10
李焻明 460-728- 75
李善漢 253-579-111
370-180- 17
380-135-168
472-770- 30
476-588-131
477-365-167
537-533- 59
538-106- 64
541-109- 31
567- 19- 63
879-159-58上
李善唐 271-535-189上
271-590-190中
400-598-555
470-222-123
471-900- 44
473-213- 59
483-118-379
511-781-166
533-301- 57
570-216- 23
1066- 47- 附
1066- 49- 附
李善元～明(字原善)
524-318-194
1222-476- 12
李善明(字宗元) 474-691- 37
502-283- 56
554-658- 60
1266-396- 6
李善明(永和人) 476-452-123
547-123-145
李善明(將樂人) 480- 51-259
李善明(房縣人) 480-320-272
533-239- 54
李善明(湖廣人) 494- 24- 2
554-348- 54
李善明(字元吉) 505-671- 69
545-245- 92
554-475-57上
李善明(興安州人) 554-678- 60
李善明(字性初) 567-420- 85
820-582- 40
1467-201- 69
李善明(河南人) 569-661- 19
李善明 見姚善
李曾後魏 261-714- 53
266-676- 33
379-146-148
474-616- 32
505-786- 73
李普晉王 唐 271-283-175
274- 98- 82
395- 66-186
544-224- 63
李翔宋 480- 55-260
820-449- 35
李翔明(大足人) 299-831-180
481-116-296
李翔明(諡節愍) 456-544- 7
479-628-245
481-698-332
529-631- 48
李翔明(河間人) 472- 71- 2
李翔明(揭陽人) 523-205-155
李翔明(號止菴) 1248-642- 4
李翔清 523-253-157
李愔西涼 見涼後主
李愔蜀王 唐(諡悼)
269-736- 76
274- 64- 80
395- 34-183
李愔茂王 唐(唐憲宗子)
271-282-175
274- 97- 82
395- 66-186
李悝妻 清 見高氏
李渾北齊 263-228- 29
266-667- 33
379-416-153
472- 89- 3
541-110- 31
933-525- 35
李渾隋 264-682- 37
267-236- 59
379-725-160
384-153- 8
李渾妻 見唐氏
李湛北齊 263-228- 29
266-668- 33
379-417-153
李湛唐 269-805- 82
274-402-110
395-398-217
474-638- 33
505-794- 73
545-453- 99
559-390-9上
591-608- 44
李湛唐 見唐敬宗
李湛明 1239- 94- 33
李湍妻 唐 271-655-193
276-111-205
401-153-589
477-421-169
538-275- 68
李浼唐 見李紓
李評宋 288-507-464
400- 46-503
545-829-112
1226-740- 4
李焜明 529-702- 50
李焜清 見李崑
李惲後魏 261-520- 36
李惲郯王、蔣王 唐(唐太宗子)
269-736- 76
274- 64- 80
395- 35-183
李惲李寬、澧王 唐(唐憲宗子)
271-281-175
274- 96- 82
395- 65-186
李惲宋 288-728-482
李惴棣王 唐 271-282-175
274- 97- 82
395- 66-186
李渤唐 271-218-171
274-495-118
384-253- 13
384-260- 13
384-264- 13
396-185-269
459-445- 27
470-183-111
471-705- 17
471-710- 17
471-729- 20

471-745- 22
473- 76- 52
473- 86- 52
473-185- 58
473-748- 83
477-312-164
479-582-243
479-604-244
479-791-254
482-318-354
515-241- 64
538-325- 69
567- 42- 64
568-229-107
585- 37- 3
585-750- 3
589- 73- 0
589- 74- 0
820-232- 28
923-531- 35
1467- 18- 62
李渤宋 473-684- 79
482- 77-341
564- 56- 44
李湯唐 271-293-176
275-413-174
396-164-266
554- 37- 48
李惕彭王 唐 271-282-175
274- 97- 82
395- 66-186
李寔宋 451-220- 0
李寔元 524-165-186
李湜唐 568-224-107
李湜唐 見李綜
李湊唐(唐穆宗子) 271-282-175
274- 97- 82
395- 66- 1
李湊唐(李林甫姪) 812-346- 9
812-372- 0
821- 51- 46
李渙唐 271-282-175
274- 97- 82
395- 66-186
552- 52- 19
李渙唐 見李珪
李渙唐 見李經
李竦妻 宋 見杜氏
李敦元 1216-600- 12
李詠李諺 後魏 261-548- 39
267-902-100
李詠明 1245-545- 28
李焮明 821-368- 55
李雲漢 253-210- 87
370-202- 21
376-864-111上
384- 67- 3
472-113- 4
472-124- 4
474-436- 21
477-199-159
505-854- 77
575-176- 9
681-654- 20
李雲明(字自石) 515-883- 86
李雲明(寧夏人) 558-460- 38
李琮義陽王 唐(李愼子)
269-740- 76
274- 66- 80
395- 37-183
1065-800- 18
1341-678-890
李琮李潭、李嗣直、郯王、慶王 唐(諡靖德) 270-305-107
274- 83- 82
395- 53-185
李琮宋(字獻甫) 286-428-333
397-531-352
472-177- 6
472-489- 21
472-644- 26
475-604- 81
477- 53-151
484- 98- 4
511- 72-139
537-243- 55
1197-606- 62
李琮宋(字世京) 473- 22- 49
515-305- 66
李琮女 金 見李氏
李琮明(沁州人) 472-501- 21
李琮明(武城人) 505-648- 68
李琮明(河北人) 512-782-196
李琮明(字義方) 523-573-174
545-188- 90
549-713-207
1250-905- 85
李琮妻 清 見江氏
李琮妻 清 見蘇氏
李琪後唐 277-490- 58
279-352- 54
384-314- 16
401-290-607
472-946- 37
478-743-213
558-410- 36
1383-827- 76
李琪宋(河南伊闕人)
285-498-280
472-747- 29
李琪宋(字孟開) 473-572- 74
679-530-191
李裁明 676-262- 10
李惠後魏 262-220-83上
267-550- 80
380- 14-165
472- 88- 3
478- 86-180
554-110- 50
李惠女 後魏 見李皇后
李惠元 1439-430- 1
李惠明(字德卿) 300-270-199
458- 48- 2
537-405- 57
李惠明 水得妻、水德妻
472-232- 8
475-144- 57
815- 12- 1
李惠明(孝感人) 533-421- 62
李惎唐 270-575-133
李黄清 511-596-159
李貢梁 567-582- 94
李貢清 537-590- 60
李博明 547- 63-143
李雲明(字衡嶽) 302- 90-294
456-579- 8
480-342-273
533-385- 60
李撝後魏 見李爲
李撝李成義、恆王 唐(諡惠莊)
270-149- 95
274- 80- 81
395- 49-184
544-224- 63
1394-316- 1
李撝唐(雍州長史) 545-334- 96
李撝宋 484-387- 28
李尋漢 250-654- 75
376-375-101
384- 51- 2
478- 96-180
675-260- 7
933-522- 35
1355-221- 8
李賀唐 270-631-137
274- 90-203
384-240- 12
400-615-556
451-437- 3
478-120-181
558-308- 34
558-694- 48
558-699- 48
674-263-4中
820-236- 28
933-547- 35
1078-478-附
1079- 49- 9
1081-604- 7
1082-435- 10
1340-725-796
1344-469- 99
1371- 68-附
1388-348- 71
1406-503-372
1408-505-531
1473- 1- 51
李賀明 537-408- 57
李巽唐(字令叔) 270-472-123
275-143-149
384-255- 13
395-745-248
472- 93- 3
472-253- 10
479-447-237
515- 9- 57
532-567- 40
820-227- 28
933-539- 35
1344-101- 69
李巽唐(潭州刺史) 473-333- 63
李巽宋(邵武人) 473-642- 78

李巽宋(字仲權) 481-695-332
529-745- 51
李巽妻 清 見胡氏
李琯宋 473-387- 65
532-715- 45
李琯明 300-769-230
515-414- 69
528-563- 32
李琚光王、李滉 唐(隴西人)
270-307-107
274- 85- 82
395- 55-185
李琚唐(頓丘人) 820-177- 27
李琚明(字宗璧) 505-820- 74
李琚明(密雲人) 505-895- 80
李琚清 475-280- 63
511-457-154
李琟李璀 唐 270-454-121
276-468-224上
401-396-620
502-321- 58
李超漢 476-248-110
545-256- 93
李超北齊 263-336- 44
267-577- 81
380-319-174
820-120- 25
李超北齊 見李仲舉
李超唐(庸州清江令)
473-408- 66
李超奚超 唐(李廷珪父)
843-659- 上
李超宋 285-194-259
371- 39- 4
396-521-301
474-603- 31
李超明 523-555-173
李喆妻 清 見紀氏
李期晉 256-901-121
262-387- 96
381-295-190
384-105- 5
李期宋 474-434- 21
李朝漢 515-292- 66
李朝蜀漢 254-690- 15
384-481- 15
473-504- 71
559-389-9上
591-595- 44
李朝明 569-682- 19
李植北周 263-603- 25
267-233- 59
379-525-156
李植唐 477-544-176
李植宋(字元直) 287-200-379
398-239-380
472-173- 6
472-377- 16
475- 70- 52
475-561- 79
475-750- 88
475-854- 94
476-914-148
480- 49-259
480-401-277
480-415-277
485-502- 9
511-380-150
李植宋(字公立) 472-368- 16
475-642- 83
511-314-148
李植宋(字化光) 554-871- 64
821-176- 50
李植明(字汝培) 301-160-236
502-292- 56
511-212-144
546- 98-118
李植明(字良材) 533- 47- 48
559-299-7上
1283-711-122
李植清 540-841-28之4
李棡宋 484-387- 28
李雅隋(隴西人) 264-682- 37
267-236- 59
379-725-160
478-697-210
李雅隋(滕王庫直) 812-340- 8
821- 32- 45
李雅明 1475-235- 10
李雄成漢 見漢武帝
李雄隋(字毗盧) 264-771- 46
472- 90- 3
474-619- 32
475-868- 95
505-787- 73
544-221- 62
545- 9- 83
李雄隋(渤海人) 267-478- 74
379-793-162
李雄後唐 538-141- 65
李雄宋(字伯英) 533-323- 57
李雄宋(北海人) 812-474- 3
812-537- 3
821-153- 50
李雄明(留守衛人) 545-394- 97
李雄明(永平人) 554-313- 53
李雄妻 明 見陳氏
李雄女 明 見李玉英
李階宋 460-111- 6
李閔宋 491-346- 2
李登李克仁 宋(字叔父)
451- 62- 2
李登宋(字仲圭) 515-334- 67
李登明 511-667-163
515-178- 62
676- 89- 3
676-307- 11
676-641- 26
820-719- 43
李隆明(字彥平) 299-405-146
475-812- 91
511-427-152
545-269- 93
1241-209- 10
1374-675- 88
李隆明(諡烈愍) 456-462- 4
李隆明(字世昌) 546-332-126
李畫明 475-215- 60
510-364-114
李琬李滉、李嗣玄、榮王、甄王
唐 270-307-107
274- 85- 82
395- 54-185
李琬明 1475-643- 27
李琦李沐、盛王 唐
270-311-107
274- 88- 82
395- 57-185
李琦明(元氏人) 472- 98- 3
505-821- 75
1241-650- 14
李琦明(南康人) 516-149- 93
李琦明(霸州人) 523-190-155
540-662- 27
李琥宋(字西美) 1147-815- 78
李琥宋(字次琮) 1173-222- 79
李琥明 480- 57- 260
533-359- 60
李琨吳王 唐 269-731- 76
274- 60- 80
395- 30-183
481-799-338
李堪宋 528-437- 29
李堪明 538- 79- 64
李椅唐 528-435- 29
530-587- 73
1072-227- 9
李軻宋 494-319- 6
李軻妻 明 見俞氏
李斯秦 243-162- 6
244-559- 87
371-623- 56
375-961- 94
384- 33- 1
405-299- 75
469- 85- 11
537-372- 57
812- 53- 中
812-706- 3
812-217- 8
814-222- 3
820- 22- 22
933-521- 35
李肅漢 493-669- 37
李肅吳 254-784- 7
385-515- 57
563-610- 38
李肅後魏 261-521- 36
266-687- 33
379-151-148
李肅田王 唐 527-592- 15
李肅宋(字季雍) 285-259-263
396-565-304
472-658- 27
李肅宋(字仲欽) 480-508-281
515-752- 80
李肅明 554-312- 53
李肅妻 清 見王氏
李弼北周 263-518- 15
267-241- 60
379-527-156
472-896- 35

502-318- 58
544-210- 62
558-387- 36
933-527- 35
李弼徐弼 唐 269-628- 67
274-212- 93
395-275-205
李弼明 1274-364- 13
李開李孫老 宋(字春卿)
448-374- 0
李開宋(字去非) 1149-727- 17
李彭唐 271-501-187下
275-586-191
400- 95-508
545-573-104
李彭宋 820-385- 33
1363-139-115
1437- 18- 1
李軫宋 484-382- 28
李軫明 533-145- 51
李陽明 821-436- 57
李琛襄武王 唐 269-539- 60
274- 34- 78
384-161- 9
395- 7-181
476-450-123
545-476-100
李琛明(知安仁) 473- 44- 50
李琛明(寧羌衛人) 554-873- 64
李琛女 明 見李氏
李琛清 476-417-120
545-396- 97
李琰李嗣眞、棣王 唐
270-306-107
274- 85- 82
395- 54-185
李琰明 554-678- 60
李琳宋 288-405-456
400-295-524
李琳明(定遠人) 473-479- 69
494- 41- 3
559-353- 8
李琳明(華州人) 559-287-7上
李琳明 見魏琳
李琢唐 275-193-154
396- 16-152
554-457- 56
李款唐 271-227-171
274-501-118
384-271- 14
396-189-269
李逵原王 唐 270-388-116
274- 93- 82
395- 62-186
544-224- 63
李逵明 546-490-131
李敢漢 244-733-109
250-314- 54
376-152-98上
558-383- 36
李揆唐 270-494-126
275-145-150
384-211- 11
395-745-249
472-739- 29
472-897- 35
485-494- 9
537-297- 56
558-390- 36
820-206- 28
933-539- 35
李揆宋 473-339- 63
532-716- 45
533-247- 55
李揆元 473-446- 68
559-281- 6
李揆明 1232-599- 5
1240-381- 24
李雯清 475-185- 59
511-763-166
1475-955- 41
李提後魏 見李挺
李森宋 471-1050- 68
473-233- 60
559-360- 8
李森金 546-686-138
547- 58-143
1365- 66- 2
李森李辰祖 元 1376-446- 88
李森妻 元 見俞辛
李森明(字時茂) 299-832-180
472-527- 22
476-527-128
540-791-28之3
李森明(字俊茂) 460-759- 78
481-586-328
529-672- 49
李森明(束鹿知縣) 472- 52- 2
李森明(咸寧人) 554-526-57下
李棟明(江右人) 456-684- 11
李棟明(字隆仲) 480-565-284
李棟明(涉縣人) 545-344- 96
李棟妻 明(投水死) 見張氏
李棟妻 明(瀘溪人) 見張氏
李棟清(鑲黃旗人) 456-320- 75
李棟清(字雲浦) 482- 76-341
533-184- 52
563-876- 42
李梃明 456-579- 8
533-372- 60
李發宋(字秀實) 515-596- 76
1147-361- 33
李發宋(字浩然) 1146-211- 94
1161- 45- 76
李發明(胙城人) 523- 82-149
李發明(字道充) 1288-625- 10
李發妻 明 見陳氏
李景隋 264-942- 65
267-505- 76
379-827-163
472-896- 35
476-329-115
478-698-210
496-423- 90
502-254- 53
537-264- 55
544-219- 62
558-389- 36
933-528- 35
李景唐 472-699- 28
477-161-157
李景南唐 見唐元宗
李景宋 492-710-3下
李景明 477-443-171
537-339- 56
546- 91-118
李貴宋 475-823- 92
511-659-162
李貴明(知伏羌縣) 472-894- 35
李貴明(寬河衛百戶)
494- 45- 3
李貴明(順天人) 571-532- 19
李貴明(字廷貴) 676-178- 7
676-258- 10
李貴妻 清 見沈氏
李菁妻 清 見陳氏
李著唐 820-213- 28
李著五代 473-125- 55
515-129- 61
李著女 宋 見李氏
李著金 820-482- 36
1365-313- 9
1439- 7- 附
1445- 86- 3
李著明(鄜縣人) 554-472-57上
554-656- 60
李著明(濮州人) 558-200- 31
李著明(字濳夫) 821-401- 56
李凱清 456-387- 80
李嵒妻 明 見任氏
李萃宋 491-346- 2
李華後魏 261-672- 49
李華唐 271-595-190下
276- 83-203
400-609-556
384-207- 11
469-498- 60
472- 92- 3
474-376- 19
475-331- 65
505-748- 72
506-669-110
516-219- 96
820-209- 28
933-546- 35
1072-259- 13
1072-347- 附
1339-631-702
1371- 60- 附
1339-631-702
1371- 60- 附
1387-679- 46
1472-318- 18
李華代國公主 唐 鄭萬鈞妻、唐睿宗女 274-111- 83
393-279- 73
544-231- 63
李華宋(字實夫) 482-289-352
528-551- 32
529-610- 47
563-697- 39
1180-214- 21

李華宋(字君儀)　472-177- 6
489-676- 49
492-581-13下之上
511-561-158
1131-196- 32
李華金　545-420- 98
李華明　570-117-21之1
李華妻　明　見李氏
李萆唐　473-476- 69
481-438-316
559-273- 6
591-696- 49
李睍唐　473-504- 71
李睍南平王　西夏　288-780-486
401-275-605
李鄂後唐　見李鶚
李嵒宋　820-462- 36
李粤李萼　唐(清河人)
270-513-128
275-176-153
396- 5-251
540-739-28之2
李粤唐(字伯高)　275-618-194
400-323-527
474-443- 21
474-468- 23
李棠北周　263-804- 46
267-641- 85
380- 61-166
474-308- 16
李棠明(字宗楷)　299-560-159
479-434-236
523-350-162
567- 93- 66
1467- 69- 64
李棠明(字石塘)　300-649-222
480-412-277
李棠明(字英拔)　510-317-113
李棠明(清苑人)　545-246- 92
545-467-100
李棠明(貴縣人)　567-414- 84
1467-205- 69
李棠明(號懷石)　1283-753-126
李棠明(號柏山先生)
1457-590-398
李棠妻　明　見卓氏
李棠女　清　見李氏
李茱宋　1118-636- 31
李然明　529-708- 50
李傅宋　473-491- 70
481-429-315
559-408-9上
李傅李傳　明　473-247- 60
532-681- 44
559-371- 8
563-780- 40
李順後魏　261-511- 36
266-671- 33
379-142-148
472- 88- 3
474-618- 32
505-786- 73
933-525- 35
李順宋　560-601-29下
李順明(前衛指揮)　571-538- 20
李順明(滁人)　1248-642- 4
李順妻　明　見馬氏
李順妻　清　見任氏
李順妻　清　見林氏
李鈞元　477-209-159
481-643-330
538- 53- 63
李鈞明　299-831-180
李筌唐　554-974- 65
1061-287-112
李智元　1206-199- 20
李智妻　元　見周氏
李智明(字若愚)　473-146- 56
515-152- 61
李智明(曹縣人)　545-342- 96
李智明(武鄉人)　547- 83-144
李智女　明　見李氏
李程唐(字表臣)　271-178-167
274-639-131
384-263- 13
384-272- 14
396-215-272
448-119- 0
470-414-150
478- 88-180
545- 26- 83
554-328- 54
933-533- 35
1371- 70- 附
李程唐(京兆人)　472-837- 33
李喬宋　1095-277- 31
李喬明　540-620- 27
李傕漢　254-119- 6
377- 30-113上
李皓後魏　見李昭
李皓宋　821-180- 50
李皓清　538-116- 64
李畬母　唐　276-108-205
401-150-589
506-163- 90
李畬唐　271-440-185上
275-650-197
400-338-530
472- 93- 3
477- 49-151
李翕漢　471-1061- 70
471-1063- 70
472-892- 35
558-231- 32
681-490- 4
1397-620- 29
李結宋王、李滋　唐
270-804-150
274- 95- 82
395- 64-186
535-557- 20
李結宋　494-426- 13
李絢衡王　唐(唐順宗子)
270-804-150
274- 95- 82
395- 64-186
李絢唐(灃州刺史)　473-315- 62
480-613-287
533-408- 61
李絢宋　286- 13-302
397-225-332
472-643- 26
473-536- 72
477- 51-151
478-404-194
481-361-310
532-724- 46
537-239- 55
559-387-9上
591-633- 46
1094-700- 77
李舜明　456-684- 11
李兟宋　1122-392- 28
李兟妻　宋　見趙氏
李備女　唐　見李氏
李絳唐　271-122-164
275-163-152
384-248- 13
384-260- 13
384-263- 13
395-757-250
446-209-1之6
459-435- 26
472- 93- 3
472-739- 29
472-824- 33
472-865- 34
473-503- 71
474-376- 19
478-243-186
478-335-191
505-749- 72
537-202- 54
545-362- 96
554-132- 50
559-313-7上
674-257-4上
933-539- 35
1077-435- 19
1339-654-705
1405-660-303
李絳宋　529-559- 46
李勝漢　253-553-110上
380-340-175
481- 73-294
591-511- 41
李勝魏　254-183- 9
375-166-79下
385-428- 48
477- 48-151
537-295- 56
554-920- 64
李勝明　820-596- 40
李欽明　494- 40- 3
李欽明　見張欽
李欽女　明　見李氏
李斐元　1206-734- 8
李棐妻　清　見王氏
李逸雅王　唐　270-388-116
274- 93- 82
395- 62-186
李象後魏　262- 97- 72

266-936- 45
379-300-150下
李傑李務光、季傑 唐
270-208-100
274-609-128
384-192- 10
395-575-233
472-697- 28
472-738- 29
475-868- 95
477-305-163
523-198-155
537-297- 56
540-623- 27
545-436- 99
933-532- 35
李傑宋 473-349- 63
480-438-278
533-275- 56
李傑明(字世賢) 452-213- 5
472-230- 8
511-100-140
676-510- 20
820-662- 42
1256-596- 7
1284-140-147
1386-406- 44
1442- 33-附2
1459-712- 28
李傑明(霍丘人) 511-500-156
李傑明(字懷英) 511-825-167
李傑明(韓城人) 554-526-57下
李傑妻 明 見張氏
李傑女 明 見李氏
李傑女 明 見李那兒
李進漢(字子賢) 453-744- 2
473-891- 90
480-482-280
482-208-347
483-698-422
532-733- 46
564- 6- 44
李進唐 274- 40- 78
395- 12-181
820-190- 87
李進宋 515-759- 80
1207-473- 33
李進元 295-100-154
399-443-460
李進明(字時勉) 474-435- 21
505-683- 68
545-777-111
李進明(大同人) 558-178- 31
李進明(字孟昭) 820-660- 42
1391-681-343
1442- 23-附2
1459-607- 22
1475-182- 8
李桀明 546-370-127
554-298- 53
李復唐(字初陽) 270-354-112
274- 41- 78
395- 13-181
473- 43- 50
473-737- 82
476-911-148
479-525-241
481-799-338
482-451-362
493-687- 38
515-211- 63
563-634- 38
567- 41- 64
568-294-110
1340-549-776
李復唐(餘杭令) 523- 72-149
李復女 唐 見李氏
李復宋 見李履中
李復妻 宋 見范遠
李溥唐 271-281-175
274- 97- 82
395-65-186
544-225- 63
李溥宋(河南人) 285-758-299
371-184- 19
510-282-112
581-470- 95
李溥宋(字子源) 1178-771- 6
李溥明(字文博) 505-886- 79
李溥明(字大濟) 523-201-155
李溥明(解州知縣) 545-442- 99
李溥明(知夏縣) 545-443- 99
李溥清 477-481-173
478- 93-180
537-591- 60
554-316- 53
李源唐 271-500-187下
275-585-191
400- 95-508
547-127-146
549- 86-184
1054-120- 3
1054-492- 14
1107-540- 39
李源後唐 585-174- 11
李源宋 1164-337- 18
李源明(字士達) 460-648- 65
481-587-328
529-538- 45
1274-442- 17
李源明(高唐州吏目)
494- 40- 3
李源明(字宗一) 537-404- 57
李源明(李公勤父) 547- 88-144
李源明(號小山) 821-440- 57
李源明(字士瀓) 1240-164- 11
1242-753- 5
1244-650- 16
李源清 1323-791- 6
1324-326- 31
李源妻 清 見王氏
李源妻 清 見李氏
李該呂彥 唐 511-781-166
821- 78- 47
李詩明 見張詩
李愫清 537-227- 54
李慎紀王 唐 269-739- 76
274- 66- 80
395- 36-183
480-287-271
李慎女 唐 見李楚媛
李慎明 676-199- 8
李義晉(字孝懿) 254-423- 23
385-593-65下上
478-340-191
554-832- 63
李義晉(鄗縣人) 473-359- 64
480-509-281
533-491- 65
李義南朝 933-524- 35
李義唐 469-498- 60
李義元(漢陽人) 534-878-115
李義元(割股救親) 547- 58-143
李義元(清苑人) 1198-545- 8
李義妻 元 見楊守和
李義明(揚州人) 511-396-151
李義明(垣曲人) 547-115-145
李猷宋(字嘉仲) 491-339- 1
491-394- 4
524-196-188
李猷宋(河內人) 821-207- 51
李慈唐 820-173- 27
李廌宋 288-251-444
382-759-116
400-665-562
472-840- 33
478-346-191
538-332- 69
540-764-28之2
554-843- 63
592-587- 98
674-826- 17
1109-311- 16
1110-477- 26
1363-199-127
1437- 17- 1
李祺郕王 唐 271-287-175
274-101- 82
395- 70-186
544-224- 63
李祺女 宋 見李氏
李祺妻 明 見臨安公主
李溶安王 唐 271-283-175
274- 98- 82
395- 66-186
李溢唐 見李環
李溢明 554-311- 53
李溢明 見李益
李温元 518- 23-136
李滔唐 812-351- 10
821- 69- 47
李湝唐 見李璬
李滄明 524-266-191
1267-969- 16
1271- 48- 5
1458-358-441
李塗元 676-742- 31
李塗妻 明 見陳氏
李靖李藥師 唐 269-619- 67
274-206- 93
384-164- 9
395-268-205

407-373- 2
459-351- 21
472-429- 19
472-834- 33
473-748- 83
473-776- 84
476- 26- 97
476-277-111
478-110-181
480-239-269
481-234-303
482-318-354
488-315- 12
525- 71-220
532-564- 40
544-226- 63
545-262- 93
547-201-148
549-573-202
549-579-202
549-586-202
550-196-216
554-393- 55
556-340- 90
558-132- 30
559-293-7上
563-628- 38
567- 36- 64
589- 75- 0
820-135- 26
933-528- 35
1340-553-776
1467- 12- 62
李詞明 見李詷
李詮隋 544-220- 62
李詢北周～隋 264-683- 37
267-230- 59
379-727-160
478-697-210
558-389- 36
933-527- 35
李亶豫章王 唐 479-604-244
李亶後唐 見唐明宗
李雍唐 1342-402-956
李雍明 460-578- 57
1467- 90- 65
李雍妻 清 見鄧氏
李裔後魏 261-520- 36
379-150-148
266-686- 33
472- 90- 3
933-526- 35
李煜南唐 見唐後主
李煜明 460-761- 78
李煌明 576-653- 5
李煌清 475-611- 81
476-727-138
511-484-155
540-678- 27
李愷妻 宋 見段氏
李愷明(字克諧) 460-642- 64
481-588-328
529-541- 45
李愷明(字可八) 477-502-174
李愷明(江陵人) 515-152- 61
李愷清 455-528- 33
李裕後魏 1065-251- 7
李裕德王 唐 271-286-175
274-100- 82
395- 69-186
554- 32- 48
李裕唐 見李季蘭
李裕元 524- 71-181
545-339- 96
1224-219- 21
1439-433- 1
1471-371- 6
李裕明 299-580-160
473- 25- 49
479-489-239
510-291-112
515-372- 68
532-680- 44
540-617- 27
554-166- 51
676-500- 19
1442- 27-附2
1459-649- 25
李裕妻 明 見程氏
李混唐 見李琬
李準宋 486- 46- 2
李新宋(仁壽人) 471-961- 53
李新宋(字元應) 471-1020- 63
591-553- 42
674-293-4下
李新宋(襄垣人) 545-830-112
李新妻 宋 見王蘭
李新明(濠人) 299-245-132
511-419-152
李新明(字即巖) 302- 91-294
456-430- 2
480-136-264
533-370- 60
李新明(鳳陽人) 472-206- 7
李新明(字克明) 472-775- 30
537-549- 59
1241-634- 13
李新明(建寧府檢校)
473-599- 76
李新明(茂州人) 571-540- 20
李詳肅王 唐 270-802-150
274- 94- 82
395- 63-186
李詳宋(知宜黃縣) 517-305-123
李詳宋(字自明) 460-110- 6
李煒嗣蔣王 唐 269-736- 76
274- 65- 65
395- 35-183
李煒明 1475-632- 27
李裪明 302-623-320
李滂唐 271-281-175
274- 97- 82
395- 65-186
544-255- 63
李歆西涼 見涼後主
李煥後魏 261-521- 36
266-688- 33
379-152-148
547-174-147
李煥宋 821-246- 52
李煥妻 明 見薛氏
李煥清 538-116- 64
李煥妻 清 見王氏
李祿宋 525- 66-220
李祿明 456-598- 9
李祿妻 明 見吳氏
李廉李濂 元 400-579-553
473- 15- 49
473-150- 56
479-483-239
479-716-250
479-793-254
515-626- 76
676- 68- 2
679-596-197
1222-660- 7
1238-580- 16
李運嘉王 唐 270-388-116
274- 93- 82
395- 62-186
李道漢 481-234-303
李道李遵 後魏(字良軌)
261-673- 49
266-667- 33
379-416-153
李道後魏(字道固) 537-461- 58
李道宋 288-518-465
400- 55-504
472-698- 28
473-267- 61
477-167-157
477-359-166
480-240-269
480-297-271
480-663-290
532-573- 41
537-451- 58
李道女 宋 見李鳳娘
李道明 1267-619- 11
李遂唐 552- 53- 19
李遂唐 見李遡
李遂明 300-378-205
473- 29- 49
475-502- 75
479-491-239
510-292-112
515-392- 69
523-203-155
676-304- 11
1274-143- 8
李瑊唐 269-541- 60
274- 36- 78
395- 8-181
李瑀漢中王 唐 270-148- 95
274- 80- 81
395- 49-184
552- 51- 19
560-595-29下
李瑀清 529-669- 49
李載宋 286-427-333
397-530-352
472-132- 4

472-568- 24
475-323- 65
476-610-133
477- 52-151
477-209-159
537-237- 55
538- 95- 64
李載元(知順德府) 505-675- 69
李載元(字從善) 540-626- 27
李載明 見李戴
李戡李天授 唐 274- 42- 78
395- 15-181
511-897-172
1081-597- 6
1342-415-958
1410-293-702
李戡宋 471-1026- 64
591-212- 17
李塤李吳 宋 451- 57- 2
李塤明 532-706- 45
李塤清 477-169-157
481-645-330
528-518- 31
538- 52- 63
李塤妻 清 見傅氏
李堪清 見李琳
李資妻 明 見孫氏
李資女 明 見李氏
李搔李操 北齊 263-185- 22
266-667- 33
379-416-153
472- 89- 3
477-242-161
505-787- 73
李楨李貞、李鄂爾綽勒筆且齊 元 294-294-124
399-373-452
472-931- 37
532-679- 44
558-374- 36
李楨明(新昌人) 545-119- 86
李楓清 515-287- 65
李楨明(字克輔) 460-767- 78
李感唐 269-629- 67
274-213- 93
395-275-205
李感女 唐 見李氏
李預後魏 261-487- 33

266-542- 27
379- 86-147
554-883- 64
933-525- 35
李愍北齊 263-186- 22
李戣宋 471-1026- 64
591-212- 17
李瑄明 510-498-118
李瑄妻 明 見秦氏
李瑁李清、壽王 唐
270-310-107
274- 87- 82
395- 56-185
819-577- 19
李瑝李沔、信王 唐
270-312-107
274- 88- 82
395- 57-185
李搆北齊 見李構
李椿北周 263-521- 15
267-242- 60
379-529-156
544-218- 62
544-219- 62
552- 47- 19
李椿宋 287-341-389
398-353-387
472-115- 4
472-348- 15
472-1026- 42
473-334- 63
473-749- 83
474-439- 21
475-604- 81
475-666- 84
479-319-232
480-401-277
480-513-281
480-663-290
482-320-354
505-764- 72
510-434-116
510-452-117
523-185-155
532-578- 41
563-692- 39
567- 71- 65
676-687- 29

1145-705- 82
1146-202- 94
1161-479-116
1467- 43- 63
李椿元 505-930- 84
李椿女 明 見李氏
李榕宋 484-387- 28
李楷唐 見李楷洛
李楷明(字邦正) 300-341-203
515-690- 78
李楷明(字端甫) 533- 54- 48
李楷明(松江人) 540-662- 27
李楷清(字叔則) 478-349-191
554-854- 63
李楷清(鑲藍旗人) 483-194-387
李楷清(貴縣人) 567-401- 83
李楹明 558-451- 38
李輅明 472-127- 4
505-690- 70
546-491-131
1245-160- 4
李琿明 302-634-320
李瑋朗陵王 唐 269-730- 76
274- 60- 80
395- 30-183
李瑋宋 288-504-464
382-777-119
585-517- 17
813-202- 20
820-359- 32
821-163- 50
李瑋妻 宋 見周陳國大長公主
李瑋明 524- 47-180
1442- 96- 6
1474-458- 22
李瑞元(字君祥) 537-601- 60
1196-294- 17
李瑞元(字天祥) 1200-772- 59
1200-775- 59
1201-169- 80
李瑞明(赤水指揮) 571-553- 20
李瑞明(字君信) 1255-586- 62
李瑞妻 清 見夏氏
李瑞妻 清 見何氏
李楠宋 1140-510- 18
李楠明 505-658- 68
546-410-128

李概明 571-549- 20
李楫金 1191-184- 16
李楫元 516- 46- 88
517-193-120
1197-518- 50
李楫明(字濟之) 511-254-146
李楫明(字愚東) 540-828-28之3
李郘後唐 288-426-457
472-747- 29
李幹明 493-1077- 57
李翬五代 812-524- 2
821-131- 49
李翬宋 1354-766- 43
李瑒後魏 261-720- 53
266-678- 33
379-149-148
474-618- 32
505-787- 73
933-526- 35
1401-436- 32
李瑒滎陽王 唐 270-151- 95
274- 82- 81
395- 51-184
535-557- 20
李勣李世勣、徐勣、徐世勣 唐
269-624- 67
274-209- 93
384-166- 9
384-178- 10
395-272-205
407-376- 2
469-111- 13
472-429- 19
472-554- 23
472-623- 25
472-912- 36
474-473- 23
474-687- 37
476- 26- 97
476-859-145
477-211-159
483-684-421
502-255- 53
505-770- 73
537-197- 54
540-734-28之2
545- 21- 83
558-205- 32

820-135- 26
933-529- 35
1121-74- 7
1340-554-776
李勢晉 256-904-121
262-388- 96
381-298-190
384-105- 5
李勤妻 明 見張氏
李琜明 302-624-320
李瑛李鴻、李嗣謙、眞定王、郢王 唐 270-305-107
274- 85- 82
395- 53-185
554- 31- 48
819-576- 19
李瑛宋 821-216- 51
李瑛父 明 1247-535- 24
李瑛明(遷安人) 540-635- 27
李瑛明(安邑人) 547-102-145
李瑛明(字仲玉) 563-804- 41
李瑗廬江王 唐 269-541- 60
274- 36- 78
395- 9-181
李瑗唐 見李綱
李瑴元 295- 47-150
399-415-457
李達宋 821-208- 51
李達元 1200-562- 43
李達明(定遠人) 299-745-174
478-516-200
478-653-207
558-184- 31
李達明(字有孚) 538- 34- 62
李達妻 明 見張氏
李楙女 宋 見李氏
李棨明 472- 71- 2
472-611- 25
476-726-138
540-657- 27
1250-944- 89
李槩北齊 266-671- 33
379-513-155
384-137- 7
李槩宋 1161-685-132
李槩明 480-247-269
533-215- 53
李遐後魏 261-548- 39
267-903-100
李遐均王 唐 270-387-116
274- 93- 82
395- 62-186
554- 33- 48
李遐後晉 278-152- 93
李萬宋 515-827- 83
李萬妻 明 見吳氏
李萬妻 明 見潘氏
李照唐 1077-286-下
李照宋 486- 47- 2
491-345- 2
李照明 見呂一照
李照妻 清 見紀氏
李煦清 482- 76-341
502-693- 81
李愚李晏平 後唐 277-553- 67
279-356- 54
384-314- 16
396-439-296
476-752-139
505-744- 72
李愚明 458- 44- 2
李睦宋 1187-134- 19
李萱明 679-628-200
李園女 戰國 見李后
李嗣明 523- 42-148
564- 89- 45
李嵩宋 524-345-196
583-720- 22
585-517- 17
821-223- 51
李嵩明(字維嶽) 510-363-114
李嵩明(棗強人) 545-197- 90
李嵩明(榮河人) 546-322-125
李嵩妻 明 見于氏
李嵯昌王 唐 271-286-175
274- 99- 82
395- 68-186
李葺宋 528-436- 29
李萼唐 見李粵
李萼明(字完之) 559-393-9上
李萼明(字剛甫) 1475-275- 11
李鼎元(湖南人) 482- 75-341
李鼎元(字器之) 1201-166- 80
李鼎明(字長卿) 515-421- 69
680-251-249
1442- 82- 5
1460-433- 60
李鼎明(貴溪人) 559-268- 6
李鼎明(字玉鉉) 1474-316- 16
李鼎妻 清 見馬氏
李睍宋 558-770- 50
李暉北周 見李輝
李暉後周 278-421-129
李暘明 554-258- 52
李粲丙粲 唐(滑州人)
270-184- 98
274-582-126
395-547-231
554-444- 56
李粲唐(隴西人) 820-209- 28
李葵明 821-415- 56
李葉明 523-245-157
李敬漢 402-448- 9
李敬清河公主 唐 程懷亮妻、唐太宗女 274-106- 83
393-275- 73
李敬唐 820-152- 26
李敬明(大同人) 472-603- 25
540-653- 27
李敬明(知考城) 472-678- 27
李敬明(宜興人) 473-428- 67
481- 23-291
559-249- 6
李敬李鴻漸 明(通州人)
511-244-145
李敬明(永城人) 538- 87- 64
李敬王敬 明(慶城人)
1408-614-544
李敬清 475- 77- 53
511- 85-139
李葆明 570-126-21之1
李業漢 253-574-111
370-172- 16
380-130-168
469-679- 84
473-446- 68
481-404-312
559-529- 12
591-589- 44
675-278- 11
879-173-58下
933-523- 35
1408-439-522
李業李隆業、趙王、薛王 唐
270-150- 95
274- 81- 81
395- 50-184
李業後漢 278-256-107
279-193- 30
384-305- 16
396-387-288
李虞唐 271-257-173
275-485-181
384-265- 13
396-210-271
820-250- 29
李暎後魏 見李映
李㬇後魏 見李曖
李睺明 554-311- 53
李遇端王 唐(隴西人)
270-388-116
274- 93- 82
395- 62-186
李遇唐(趙郡人) 820-192- 27
李遇明 見李豫
李遇明 見李赤心
李鉉李局 北齊 263-332- 44
267-574- 81
380-315-174
384-142- 7
472- 67- 2
474-338- 17
476- 44- 98
505-871- 78
540-730-28之1
547-147-147
677-131- 13
820-120- 25
李鉉元 477-209-159
481-643-330
528-508- 31
538- 53- 63
1439-449- 2
李鉉明(字伯轝) 563-766- 40
李鉉明(字大用) 569-649- 19
李鉉妻 清 見趙氏
李鈵清 475-502- 75
502-632- 77
510-304-112
540-675- 27
李鉞明(字虔甫) 300-269-199
458- 46- 2

475-872- 95
477- 87-153
537-405- 57
545- 77- 85
554-174- 51
558-153- 30
李鉞明(字延器) 511-228-144
李鉞明(字德成) 528-513- 31
李鉞明(太平人) 540-653- 27
545-778-111
李鉞明(字大器) 1267-494- 5
李傳明 見李傅
李頎唐 451-420- 2
537-274- 55
1365-435- 4
1371- 57- 附
李頎後唐 279-264- 42
李頎宋(字粹老) 524-276-192
821-180- 50
李頎宋(楚州小陽人)
1120-625- 50
李頎妻 宋 見田氏
李頎明 523- 86-149
李愆妻 清 見陳氏
李愈金 291-362- 96
399-211-434
472-467- 20
476-401-119
545-370- 97
546-584-134
676-697- 29
李愈女 清 見李年姐
李緑李淮、李渭、冀王 唐
270-804-150
274- 95- 82
395- 64-186
李鉊唐 1342-288-941
李鈿明 563-768- 40
李筠隋 264-682- 37
李筠唐 515-129- 61
李筠母 後周 288-748-484
400-123-510
476- 45- 98
李筠李榮 後周 288-745-484
382-157- 22
384-329- 17
400-121-510
408- 6- 1

472-435- 19
476- 38- 98
511-465-154
545-210- 91
545-600-105
李詧唐 820-251- 29
李詹明 1442-128- 8
1460-866-94
李僅彭王 唐 270-384-116
274- 91- 82
395- 59- 185
李脩唐 271- 95-162
276-127-206
李儁明 537-268- 55
李會後魏 262- 78- 71
266-925- 45
379-290-150下
李會明 456-666- 11
477- 89-153
538- 42- 63
李經李渙、鄭王 唐
270-804-150
274- 95- 82
395- 64-186
李經宋 475-607- 81
511-624-161
李經金 291-712-126
400-692-566
472-625- 25
474-820- 44
496-400- 88
503- 3- 89
820-483- 36
1040-231- 2
1365-173- 5
1445-409- 29
李經明(字士常) 472-696- 28
820-638- 41
1250-516- 48
李經明(陽城人) 546-690-138
李經明(祁州人) 554-309- 53
李經妻 清 見傅氏
李節李守節 金 1365-234- 7
1439- 8- 0
1445-448- 33
李節元 1201-624- 21
李節明 554-655- 60
李解漢 541-109- 31

933-521- 35
李解許王 唐 270- 25- 86
274- 73- 81
395- 43-184
李傪唐 1342-446-962
李鋌明 537-457- 58
李犍宋 472-203- 7
511-826-167
李逾丹王、郴王 唐
270-388-116
274- 93- 82
395- 62-186
552- 52- 19
李彙唐 275- 6-136
395-638-238
502-320- 58
1079- 69- 11
李彙女 唐 見李氏
李彙宋 524-329-195
李賓唐 見李通玄
李賓宋 516-147- 93
李賓明 505-723- 71
李實唐(司農卿) 270-606-135
275-338-167
384-235- 12
396-120-262
李實唐(烏程尉) 494-346- 7
李實元(字伯美) 481-719-333
528-551- 32
李實元(邢城人) 1221-402- 3
李實明(字孟誠) 299-704-171
559-509- 12
李實明(字若虛) 480-404-277
523-107-150
526-114-262
李實明(字如石) 510-340-113
511-894-172
559-396-9上
李實明(巴州人) 559-362- 8
李實明(字篤恭) 1245-421- 19
李實妻 明 見梁氏
李實女 明 見李金秀
李察唐 821- 95- 48
李察唐 見李悰
李察宋 476- 78-100
545-176- 89
李演金 291-667-121
400-213-517

472-557- 23
476-883-146
540-770-28之2
李誌明 1442- 77- 5
李誠昭王 唐 270-802-150
274- 95- 82
395- 63-186
567- 6- 62
李誠宋 1130-329- 33
李誠唐 1072-244- 11
李誠妻 唐 見宋氏
李誠宋 見李伯玉
李誠元 554-470- 56
李誠明 515-835- 84
李陰明 456-596- 9
李廙唐 471-762- 24
473-387- 65
532-713- 45
李禎元 1206-739- 9
李禎明(字維卿) 300-638-221
478-574-203
558-355- 35
李禎明(嘉興人) 456-527- 6
李禎明(峨眉令) 559-308-7上
李禎明(順天府丞) 676-232- 9
李禎明 見李昌祺
李憒榮王、廣明王 唐
271-282-175
274- 97- 82
395- 66-186
李愬唐 270-570-133
275-190-154
384-256- 13
396- 13-252
459-423- 25
472-852- 34
472-922- 36
472-934- 37
476- 77-100
476-912-148
478-517-200
505-629- 67
537-201- 54
540-610- 27
545-172- 89
554-234- 52
554-405- 55
558-307- 34

933-542- 35
1095-709- 36
李漼唐 見李玭
李漼唐 見唐懿宗
李韶後魏 261-545- 39
267-898-100
474-600- 31
474-650- 34
478-694-210
505-627- 67
李韶唐 812-351- 10
821- 45- 46
李韶宋 287-764-423
398-693-414
472-229- 8
473-570- 74
473-583- 75
473-652- 78
475-131- 56
479-174-225
481-582-328
481-611-329
493-931- 50
511- 94-140
528-492- 30
529-446- 43
563-678- 39
1181-180- 10
李誥宋 460-110- 6
1146-130- 91
李熅嗣襄王 唐 271-287-175
274- 92- 82
395- 60-185
李福蜀漢 254-690- 15
384-476- 14
385-169- 19
481-404-313
591-525- 41
879-175-58下
李福趙王 唐(唐太宗子)
269-740- 76
274- 67- 80
395- 37-183
李福唐(字能之) 271-249-172
274-643-131
384-278- 14
396-217-272
478-267-187

532-569- 40
554-132- 50
李福元 559-318-7上
李福明(知易州) 472- 52- 2
李福明(眞寧人) 545-269- 93
558-350- 35
李福明(字天佑) 569-649- 19
李福明(定遠人) 571-542- 20
李福妻 明 見王妙慶
李禋沂王 唐 271-287-175
274-101- 82
395- 70-187
李寧李亩、鄧王 唐
271-280-175
274- 96- 82
395- 65-186
554- 31- 48
李寧宋 288-476-462
554-869- 64
李寧妻 宋 見羅氏
李寧明(字景安) 473- 44- 50
479-527-241
515-220- 63
533-170- 52
李寧明(城固人) 554-526-57下
李漸唐 812-354- 10
813-150- 13
820-172- 27
821- 79- 47
李端北周 263-601- 25
267-230- 59
379-524-156
李端唐(字正己) 276- 89-203
400-614-556
451-430- 3
674-255-4上
1371- 63- 附
1388- 90- 52
李端唐(字公表) 1072-561- 下
1342-366-951
李端宋(汴人) 821-215- 51
李端宋(精醫術) 1090-541- 25
李端元(字彥章) 821-325- 54
李端元(字彥才) 1210-441- 15
李端明(知太倉) 472-223- 8
李端明(字表正) 473-251- 60
480-298-271
510-403-115

533- 90- 49
559-269- 6
572-156- 32
李端明(保安人) 478-170-182
李端明(字宗正) 480-637-288
李端明(字文正) 524- 45-180
1474- 90- 5
李端明(清流人) 529-700- 50
李端明(利津人) 540-817-28之3
李端明(雲南人) 559-307-7上
李端清 537-488- 58
李端妻 清 見黃氏
李齊宋 見李元白
李齊元 295-571-194
400-251-520
472-116- 4
472-291- 12
474-440- 21
475-368- 67
505-855- 77
510-391-115
李齊妻 明 見陳氏
李說唐 270-748-146
274- 40- 78
395- 12-181
李誦唐 見唐順宗
李廓唐 271-179-167
274-640-131
396-215-272
451-445- 4
李鄘唐 271- 33-157
275-105-146
384-250- 13
395-719-245
470-187-112
472-289- 12
472-824- 33
473-213- 59
475-373- 68
476-111-102
478- 88-180
510-279-112
511-201-144
533- 2- 47
545-362- 96
554-131- 50
933-538- 35
1076-111- 12

1076-567- 12
1077-137- 12
李禕嗣江王 唐(李琨子)
269-731- 76
274- 60- 80
395- 31-183
472-1040- 43
478-594-204
479-351-233
523-198-155
819-576- 19
李禕遂王 唐(唐昭宗子)
271-287-175
274-101- 82
395- 70-186
李禕郇王 唐(李虎子)
274- 33- 78
395- 5-181
李禴唐 見李祕
李彰明 493-756- 41
510-333-113
李漾清 1475-966- 41
李漵唐 見李約
李漎唐 見李璿
李漢唐(字南紀) 271-228-171
274- 33- 78
384-254- 13
395- 5-181
472-865- 34
478-120-181
545-237- 92
545-455- 99
李漢雍王 唐(諡靖懷)
271-286-175
552- 52- 19
李漢唐(甘州刺史) 558-215- 32
李漢明 515-381- 68
820-638- 41
1259-210- 16
1410-404-717
李漢清 511-538-157
李榮戰國 547- 12-141
李榮父 唐 1342-296-942
李榮鄆王、靈昌王 唐(唐肅宗子) 270-385-116
274- 91- 82
396- 60-185
李榮吳王 唐(蔡王位下)

493-644- 35
李榮唐(鬱林縣侯) 567- 6- 62
李榮唐(道士) 1054-437- 11
李榮後周 見李筠
李榮元(字仲華) 515-767- 81
1207-621- 44
李榮元(諡成肅) 1210-309- 8
李榮明 童敦妻、李彥眞女
472-1018- 41
479-383-234
524-760-214
李榮明(江都人) 474-817- 44
502-282- 56
李榮明(字希仁) 1245-343- 28
李榮明 曹璘母 1242-828- 9
1257-149- 14
李榮妻 明 見康氏
李榮妻 明 見劉氏
李榮女 明 見李氏
李遡李遂、蜀王 唐
270-388-116
274- 93- 82
395- 62-186
李愷唐 843-658-上
李禊虔王 唐 271-287-175
274-101- 82
395- 70-187
李琭李埭 清 474-247- 12
505-903- 80
李瑱李滻、恆王 唐
270-312-107
274- 88- 82
395- 57-185
544-224- 63
李瑱明 546-498-131
李戩後唐 537-502- 59
李愨明 545-155- 88
李壽漢 402-464- 10
李壽成漢 見漢昭文帝
李壽宋 471-1017- 63
李綦妻 宋 見張妙靜
李輔後魏 261-549- 39
267-903-100
李輔明(知宜章) 473-402- 66
532-749- 46
李輔明(字子卿) 515-409- 69
李輔明(貴陽人) 559-282- 6
572- 71- 28

李熙後魏 261-523- 36
李熙明(字師文) 300- 83-188
475- 76- 53
481-644-330
511- 78-139
528-512- 31
676-527- 21
1263-511- 5
李熙明(字穆之) 460-676- 69
529-546- 45
李熙明(大同右衛人)
545-328- 95
李熙明(曲陽人) 545-402- 98
李榛明 1264-562- 7
李槐明 482-305-353
564-248- 47
李碩宋 1147-506- 47
李碩明 529-668- 49
李愿唐(李晟子) 270-569-133
275-189-154
396- 12-252
478-267-187
552- 57- 19
554-457- 56
558-307- 34
933-542- 35
李愿唐(隱者) 550- 89-212
1073-512- 19
1074-338- 19
1075-294- 19
李頗李坡、李波 南唐
516-510-106
812-525- 2
813-199- 20
821-120- 49
李碧明 1475-653- 28
李榕明 516- 78- 90
李構李搆 北齊 263-267- 35
266-896- 43
379-266-150上
933-527- 35
李榼後魏 見李秀林
李臺明 523-493-170
李翯北齊 266-690- 33
379-442-153
540-664- 27
李翯明 479- 93-221
523-102-150

李嘉唐 486- 41- 2
1065-269- 9
1342-420-959
李嘉明 453-440- 15
472- 37- 1
505-799- 74
1239-162- 38
李監明 456-684- 11
李瑤李嗣初、鄂王 唐
270-307-107
274- 85- 85
395- 54-185
李瑤明(解州人) 546-496-131
554-312- 53
李瑤明(屯留人) 546-661-137
李瑤明(南海人) 546-175- 45
李瑤妻 清 見楊氏
李墉明 529-656- 49
李翠妻 明 見劉氏
李聚元(安陽人) 1196-278- 16
李聚元(單州人) 1201-686- 27
李聚妻 元 見王氏
李遘鄜王、簡王 唐
270-388-116
274- 93- 82
395- 62-186
552- 52- 19
李遠北周 263-601- 25
267-232- 59
379-524-156
476-110-102
544-214- 62
545-355- 96
558-188- 31
558-388- 36
933-527- 35
李遠唐 273-114- 60
451-450- 5
559-373- 8
591-623- 45
592-575- 97
1365-488- 8
1371- 70- 附
1388-496- 82
李遠宋 821-199- 51
李遠明 299-394-145
472-207- 7
511-497-156

886-144-138
李遠妻 明 見阮氏
李疑明 511-510-157
1223-555- 10
李遜唐 260- 17-155
275-268-162
384-252- 13
396- 85-259
473-299- 62
474-620- 32
475-741- 88
480-251-269
486- 44- 2
505-788- 73
510-469-117
523- 7-146
532-568- 40
533-736- 73
556-122- 85
933-543- 35
1342-390-954
李遜明(景州人) 472- 71- 2
李遜明(字子敏) 475-526- 77
680-315-257
李遜明(字時敏) 523-101-150
563-813- 41
李蓂清 546-106-118
李蓁明 494- 57- 2
李蓁妻 清 見葛氏
李蓀清 532-641- 43
李鳴宋 491-111- 13
李鳴妻 清 見趙氏
李蓋後魏 262-220-83上
267-550- 80
380- 14-165
李睿元 523-153-153
1228-167- 8
李睿明(殉節) 302- 10-289
李睿明(寧夏人) 558-430- 37
李睿明(濟寧人) 571-527- 19
李暠西涼 見涼太祖
李暠唐 270-353-112
274- 39- 78
395- 12-181
476- 27- 97
477-498-174
478-114-181
480-239-269

545- 13- 83
820-165- 27
1342-277-940
李昺五代 592-286- 78
李昺明 571-544- 20
李滻妻 明 見施漪蘭
李暢漢陽公主 唐 郭鏦妻、唐順宗女 274-116- 83
393-283- 73
478-136-181
554- 56- 49
李裳宋 559-373- 8
李裳妻 清 見陳氏
李蒙宋 黃叔敖妻、李常女 1118-967- 66
李獎後魏 261-891- 65
266-896- 43
379-265-150上
505-770- 73
933-527- 35
李獎北齊 261-552- 39
267-910-100
李鳳後魏 262-220-83上
267-550- 80
380- 15-165
544-212- 62
李鳳李元鳳、虢王、豳王 唐 269-592- 64
274- 54- 79
395- 24-182
552- 49- 19
李鳳元 1207-228- 15
1214- 56- 5
1367-723- 55
李鳳明(廣東稅監) 302-290-305
李鳳明(知泉州) 473-584- 75
李鳳明(崑山人) 479-655-247
515-174- 62
李鳳明(祁州人) 523-133-152
820-711- 43
李鳳明(海陽人) 528-449- 29
李鳳明(靜樂人) 547- 92-144
李鳳明(字鳴岡) 564-123- 45
李鳳明(字符昌) 564-206- 46
李鳳清 1312-253- 24
李僙襄王 唐 270-385-116
274- 91- 82
395- 60-185
李僎元 476-430-121
545-386- 97
李賓宋 473- 19- 49
516-194- 95
李綜李湜、李緫、李總、郇王 唐(唐順宗子) 270-804-150
274-804-150
395- 64-186
544-224- 63
李綜唐(河中參軍) 820-260- 29
李僖宋王、淮陽王 唐 270-387-116
395- 60-185
李僩兗王、潁王 唐 270-385-116
274- 91- 82
395- 59-185
李僑宋 473-537- 72
559-387-9上
591-640- 46
1173-143- 73
李僑明(長清人) 523-161-153
李僑明(字子高) 545- 92- 85
李僑明(字養高) 546-758-140
李銅明 見李至剛
李銛女 唐 見李氏
李鋆宋 820-450- 35
李銁元 1197-606- 62
李銘明(字警之) 533-436- 62
李銘明(字自新) 1253-129- 47
李銘女 明 見李皇后
李銓明 1237-376- 11
1240-845- 9
李銓妻 清 見何氏
李緒李浥、福王 唐(唐順宗子) 270-805-150
274- 96- 82
395- 64-186
528- 3- 17
544-225- 63
李緒唐(中書舍人) 486- 45- 2
李緒江都王 唐 269-591- 64
274- 54- 79
395- 24-182
812-351- 10
813-146- 13
819-576- 19
李緒妻 明 見何氏
李緒妻 清 見蘇氏
李綢李泳、密王 唐 270-804-150
274- 95- 82
395- 64-186
535-557- 20
李綢明 516-513-106
李維唐 561-316- 40
李維宋(字仲方) 285-517-282
382-258- 40
397- 16-321
472-115- 4
472-376- 16
474-438- 21
475-561- 79
485-499- 9
493-741- 41
505-763- 72
510-423-116
674-427- 2
1363-183-123
1437- 8- 1
李維宋(泉州人) 482-184-346
李維明 1228-792- 13
李銑唐 569-615-18下之2
820-240- 28
李鋒唐 1342-400-956
李箎明 493-1051- 55
李魁明 564-207- 46
李肇唐 523-166-154
李肇後唐 545-817-112
1086-472- 10
李綺李浥、李湑、和王 唐 270-804-150
274- 95- 82
395- 64-186
李綺清 563-868- 42
李綽翼王 唐 270-805-150
274- 96- 82
395- 65-186
544-224- 63
李綽宋 476-366-117
545-116- 86
李綱李瑗 唐(字文紀) 269-555- 62
274-267- 99
384-170- 9
395-261-204
407-429- 4
472- 68- 2
474-309- 16
505-739- 72
933-529- 35
李綱徐綱 唐(曹州人) 475-485- 73
李綱宋 286-737-358
286-750-359
398- 1-367
449-492-下1
459-577- 34
460-120- 7
471-606- 3
471-651- 10
471-663- 11
471-722- 19
471-740- 21
471-774- 26
471-786- 28
471-887- 42
471-896- 43
471-985- 57
473- 14- 49
473-212- 59
473-615- 77
473-643- 78
473-730- 82
473-738- 82
475-234- 61
476-913-148
479-448-237
479-632-245
480-362-275
481-237-303
481-643-330
481-696-332
511- 64-138
515- 15- 57
528-504- 31
529-624- 48
532-573- 41
533-722- 73
537-205- 54
545- 54- 84
548-637-181
563-906- 43
674-347-5下

674-835- 17
820-411- 34
1126-869- 附
1126-882- 上
1130-814- 23
1145-570- 76
1145-649- 79
1241-404- 5
1257- 48- 6
1363-251-138
1437- 21- 2
李綱元(字文紀) 1201-712- 29
李綱元(安福人) 517-471-127
李綱明(字廷張) 299-565-159
472-527- 22
476-527-128
510-291-112
540-791-28之3
李綱明(泰寧人) 529-690- 50
李綱明(字大振) 540-791-28之3
李綱明(字嗣憲) 1247-520- 23
李綱妻 明 見曾氏
李緄岳王 唐 270-805-150
274- 96- 82
395- 64-186
李綸北周 263-520- 15
267-242- 60
379-528-156
502-318- 58
李綸桂王 唐(唐順宗子)
270-805-150
274- 96- 82
395- 65-186
567- 6- 62
李綸李倫 唐(畫家)
821- 88- 48
李綸宋(李邴子) 460-414- 31
471-853- 37
529-530- 45
933-549- 35
李綸宋(字世美) 473-712- 81
563-663- 39
李綸明(字德堅) 505-860- 77
李綸明(字仕彌) 529-635- 48
李綸妻 明 見胡氏
李遥清 477-134-155
537-440- 58
李徹隋 264-839- 54
267-347- 66
379-750-161
475-322- 65
478-270-187
545-170- 89
554-571- 58
558-371- 36
李槃明 558-202- 31
680- 49-229
李綖宋 491-346- 2
李寬北周 267-242- 60
379-528-156
502-319- 58
李寬楚王 唐(唐太宗子)
269-730- 76
274- 59- 80
395- 30-183
李寬唐(衡陽人) 473-360- 64
533-318- 57
李寬唐(晉州刺史) 545-171- 89
李寬李珏 唐(廣陵人)
1059-601- 中
李寬唐 見李惲
李寬母 宋 見鄭氏
李寬宋 515-143- 61
517-302-123
1105-814- 97
李寬女 宋 見李氏
李寬明 511-646-162
李寮唐 見李悟
李澐唐 見李璥
李漶唐 見李瑱
李澍清 540-861-28之4
李諒虔王 唐(唐德宗子)
270-801-150
274- 94- 82
395- 63-186
李諒唐(泗州刺史) 493-690- 38
李諒宋 545-139- 87
李諒明(濰縣人) 476- 79-100
545-185- 90
李諒明(字益友) 1242-116- 27
李諒明(知思恩縣)
1467- 60- 64
李諒妻 明 見陳氏
李廣漢 244-729-109
250-310- 54
251-590- 22
376-149-98上
384- 44- 2
470-414-150
472-142- 5
472-148- 5
472-480- 21
472-894- 35
472-933- 36
474-165- 8
474-512- 25
476-276-111
478-433-196
478-696-210
505-650- 68
545-254- 93
554-226- 52
554-879- 64
558-383- 36
933-521- 35
1360-611- 38
1408-291-508
李廣北齊 263-345- 45
267-608- 83
380-384-176
384-143- 7
474-172- 8
505-879- 79
李廣北周 263-828- 48
李廣金 1445-663- 51
李廣明(太監) 302-269-304
1458-124-425
李廣明(咸寧人) 533-137- 51
李廣明(字叔宏) 1242-832- 9
李廣妻 明 見盧佳娘
李瑩宋 288-426-457
547-134-146
李瑩明 1247- 83- 6
李憬鄜王 唐 271-281-175
274- 97- 82
395- 65-186
552- 52- 19
李禛雅王 唐 271-287-175
274-101- 82
李審唐 見李恪
李潛唐 515-496- 72
李潛宋 473-125- 55
473-187- 58
516-158- 94
李潮唐 812-747- 3
814-275- 10
820-188- 27
李潮妻 宋 見陳體眞
李潮明 494-159- 5
李潮女 明 見李氏
李潮女 明 見李阿衍
李潤鄂王 唐(唐宣宗子)
271-286-175
274-100- 82
395- 68-186
李潤唐(李華從弟) 820-209- 28
李潤宋 516- 17- 87
李潤元 1201-678- 26
1367-717- 55
1373-126- 10
1410-253-694
李潤妻 元 見趙氏
李潤女 元 見李靖眞
李潤清 1321-239-113
1323-795- 6
李澗明 456-684- 11
李澄李證、李鐵誠、嗣紀王 唐
(李慎子) 269-740- 76
274- 66- 80
395- 37-183
李澄唐(李鎬子) 270-554-132
275- 51-141
395-701-243
474-735- 40
502-321- 58
537-274- 55
李澄唐 見李珙
李澄元 494-473- 18
李澄明(字天映) 510-314-113
李澄明(環縣人) 558-455- 38
李澄清 482-562-369
570-142-21之2
570-514-29之8
570-602-29之11
李澄妻 清 見劉氏
李誼李謨、舒王 唐
270-800-150
274- 94- 82
395- 63-186
李誼宋 460-414- 31
473- 21- 49
515-316- 66

李調明 456-656- 11
李憕唐 271-499-187下
275-584-191
384-203- 11
400- 94-508
472-434- 19
475-364- 67
476- 36- 98
477-305-163
494- 16- 2
540-638- 27
545-570-104
554-328- 54
682-243- 4
1371- 58- 附
李熠明 515-281- 65
李潭唐 見李琮
李澂明 472-312- 13
511-191-143
李談戰國 見李同
李誕女 漢 見李寄
李誕唐 552- 53- 19
李誕宋 821-203- 51
李褒唐 486- 45- 2
李褒宋 533-733- 73
李褒明 456-643- 10
570-130-21之1
李褒清 477-256-161
李褑唐 1082-336- 5
李毅晉(字茂彥) 255-795- 46
377-549-123
李毅晉(字允剛) 473-504- 71
473-806- 86
482-537-368
494-150- 5
559-389-9上
569-642- 19
571-514- 19
591-529- 41
李毅女 晉 見李秀
李毅明 559-513- 12
李適唐 271-583-190中
276- 66-202
384-190- 10
384-213- 11
400-595-555
470-414-150
472-835- 33
478-114-181
554-838- 63
933-546- 35
1371- 52- 附
1387-333- 24
李適宋 486- 47- 2
李慶明(字德孚) 299-442-150
472- 37- 1
472-1068- 45
474-182- 9
479-225-227
505-798- 74
523-155-153
李慶明(字善徵) 460-810- 87
李慶明(錦州人) 474-824- 44
502-784- 87
李慶明(令繁昌) 510-455-117
李慶明(字積善) 523- 39-147
533- 60- 49
1249-443- 30
李慶明(字惟善) 1252-609- 35
李慶王慶 明(號陰陽公)
1262-338- 38
1408-613-544
李廞晉 524-326-195
820- 64- 23
李楧明 546-722-139
李養明 567-305- 77
1467-191- 69
李養妻 清 見李氏
李璨明 523-227-156
564-215- 46
李慧明 崔陞妻、李和女
1267-491- 5
1409-586-628
李賢吳 567-292- 76
李賢北周 263-598- 25
267-229- 59
379-522-156
472-896- 35
478-481-199
478-542-202
478-697-210
544-213- 62
552- 29- 18
558-169- 31
558-187- 31
558-388- 36
933-527- 35
李賢沛王、李德、雍王、潞王
唐 270- 28- 86
274- 74- 81
395- 44-184
544-224- 63
552- 50- 19
554- 29- 48
591-322- 25
1388-809-114
李賢元 570-257- 25
李賢綽組 明(韃靼人)
299-522-156
李賢明(字原德) 299-769-176
443-226- 13
452-144- 2
453-376- 9
453-617- 19
458- 33- 2
472-776- 30
477-378-167
537-549- 59
559-250- 6
676-489- 19
677-543- 49
1241-117- 6
1253- 1- 40
1375- 38- 下
1442- 25-附2
1459-621- 24
李賢明(中部人) 456-604- 9
554-716- 61
李賢妻 明 見郭氏
李賢妻 明 見黃淑靜
李僎宋 493-929- 50
529-436- 43
678-369-104
1125-392- 31
李標明(字汝立) 301-246-251
474-623- 23
505-791- 73
1442- 89- 6
1460-510- 65
李標明(字子建) 524- 26-179
1475-507- 22
李標明(貴州人) 572-111- 30
李樌明 見李檟
李鞉宋 524-239-190
563-660- 39
李穎宋 820-462- 36
李穎明 515-441- 70
676-113- 4
李勰後魏 261-671- 49
266-664- 33
379-141-148
李瑾後魏(字道瑜) 261-546- 39
263-230- 29
267-900-100
李瑾後魏(字伯瓊) 261-672- 49
266-664- 33
379-141-148
李瑾河東王 唐 270-150- 95
274- 81- 81
395- 50-148
544-225- 63
李瑾明(諡壯武) 299-405-146
544-251- 63
李瑾明(大同右衛人)
476-250-110
546-150-120
李瑾明(魏縣人) 532-747- 46
李瑾明(字仲魯) 545-790-111
李璀唐 見李璡
李駉宋 1318-265- 55
李駉女 明 見李氏
李增明(諡烈愍) 456-481- 5
558-422- 37
李增明(龍溪人) 482- 75-341
529-568- 46
563-774- 40
李增妻 明 見王氏
李播隋 269-773- 79
276- 96-204
401- 90-580
478-202-184
547-551-161
554-895- 64
李確宋 821-225- 51
李確李天植 明 524-249-190
1442-108- 7
1460-654- 73
1475-482- 21
李誾清 505-825- 75
李璋畢王 唐(隴西成紀人)
269-534- 60
274- 30- 78

395- 2-181
李璋唐(字重禮) 271-127-164
275-169-152
395-760-250
547-152-147
李璋宋 288-503-464
382-777-119
400- 44-503
472-545- 23
476-475-125
476-817-143
540-669- 27
李璋宋 見李玖
李璋元(襄陵人) 472-706- 28
537-279- 55
李璋元(新寧人) 480-438-278
1206-168- 18
李璋元(字君用) 1197-651- 66
李璋明 563-912- 43
李靚宋 288-369-453
400-172-513
479-714-250
515-588- 75
1147-313- 28
李樗宋(知巴渠縣) 473-490- 70
591-707- 50
李樗宋(字若林) 473-572- 74
529-441- 43
678-374-105
李樞唐 814-276- 10
820-190- 27
李樞宋(字仲訥) 1092-572- 53
李樞宋(字應機) 1099-591- 13
李墀明 460-600- 59
李鞏金 見李革
李鞏明 523-157-153
李輪妻 清 見季氏
李翟漢 253-575-111
380-131-168
559-529- 12
591-590- 44
李璆嗣澤王、褒信王 唐(李素節子) 270- 26- 86
274- 73- 81
395- 43-184
李璆唐(李傑從子) 814-272- 9
820-172- 27
李璆宋 287-171-377
398-217-379
459-907- 55
472-663- 27
473-144- 56
477- 83-152
479-710-250
480-318-272
481- 20-291
515-145- 61
537-396- 57
563-905- 43
591-683- 47
李震建王 唐(唐僖宗子)
271-286-175
274-100- 82
395- 69-186
李震唐(號洞明先生)
533-790- 75
李震宋(汴人) 288-310-448
400-146-512
477- 83-152
538- 38- 63
李震宋(李唐卿姪孫)
491-437- 6
李震宋(字懋學) 299-654-166
458-144- 6
477-378-167
537-550- 59
571-531- 19
李震明(知沔陽州) 473-234- 60
532-646- 43
李震明(字大亨) 481-644-330
528-512- 31
李震明(字用初) 505-799- 74
李震明(字卯泉) 558-365- 35
李霆金 見完顏霆
李穀宋(字惟珍) 285-226-262
396-544-303
475-779- 89
476-475-125
477- 49-151
511-357-150
545-134- 87
李穀宋(字頤正) 515-583- 75
李遷明 300-660-222
473- 30- 49
479-492-239
515-397- 69
567-130- 67
580-400- 25
676-575- 23
1283-829-132
李敷後魏 261-514- 36
266-673- 33
379-144-148
544-207- 62
李敷明 473-391- 65
533-274- 56
李模唐 274- 41- 78
395- 14-181
545-359- 96
李模宋 見李謨
李模明(字子木) 511-115-140
563-765- 40
676-653- 27
1442-104- 7
1460-619- 71
李模明(字子範) 511-377-150
李模清 474-636- 33
505-703- 70
537-575- 60
李磎唐 271- 34-157
275-106-146
384-288- 15
395-720-245
475-373- 68
511-461-154
533-358- 60
813-227- 4
820-270- 29
李蔡漢 244-767-111
251-626- 24
539-349- 8
558-383- 36
933-521- 35
李蔚北齊 266-897- 43
379-512-155
季蔚唐(字茂林) 271-337-178
275-488-181
384-283- 15
396-214-271
545- 30- 83
558-309- 34
李蔚蔡王 唐(謚烈)
274- 34- 78
395- 6-181
李蔭明 505-648- 68
676-593- 24
1460-299- 53
李蔭妻 清 見楊氏
李嶠李餘慶、嗣濮王 唐(李欣子)
269-734- 76
274- 63- 80
395- 33-183
李嶠唐(字巨山) 270-135- 94
274-550-123
384-184- 10
395-436-221
451-413- 1
471-994- 59
472- 91- 3
472-824- 33
474-375- 19
478- 87-180
505-748- 72
516-224- 96
554-346- 54
567- 37- 64
674-249-4上
820-148- 26
933-532- 35
1054-451- 12
1065-382- 1
1371- 50- 附
1387-319- 23
1394-368- 2
1467- 13- 62
李輝李暉 北周 263-520- 15
267-242- 60
379-528-156
478-243-186
554-108- 50
李輝宋 516- 99- 91
李賜晉 256-429- 88
380- 80-167
386- 30-69中
591-585- 43
592-570- 97
李蓑明 458-171- 8
538-145- 65
545-344- 96
676-586- 24
1442- 61- 4
1460-193- 49

李蔓宋 559-392-9上
李暵唐 493-739- 41
李餘蜀漢 473-504- 71
591-516- 41
879-174-58下
李鋐明 299-767-175
李稹宋 472-203- 7
李儀元 1201-114- 74
李儀明(涿人) 299-559-159
474-183- 9
474-513- 25
505-634- 67
505-799- 74
545-269- 93
李儀明(聞喜人) 547-114-145
李儀明(字公著) 1261-173- 13
李儉唐 820-209- 28
李質唐 271- 28-156
384-262- 13
李質明(字文彬) 299-309-138
453-104- 10
473-714- 81
478-765-215
482-185-346
523- 33-147
564-213- 46
676-450- 17
1374-683- 89
1442- 6-附1
1459-251- 5
李質明(廣東人) 523-251- 157
李質明(字元粹) 1475-244- 10
李德唐 見李賢
李德元 1212-505- 14
李德明(字仲修) 301-823-285
482- 36-340
482-348-356
564-276- 47
676-449- 17
1318-350- 63
1372- 19- 2
1442- 13-附1
1459-375- 11
1467- 61- 64
李德明(霍州人) 546-646-136
李德明(宿松人) 554-347- 54
李緘安緘 唐(李抱眞子)
270-550-132
275- 27-138
395-656-139
李緘唐(字德高) 820-227- 28
李緦唐 見李綜
李魯明 456-638- 10
529-703- 50
李僶明 524-169-186
李儋唐 見李係
李儁明(大理人) 532-636- 43
李儁李儶 明(字明海)
546-608-135
547-113-145
李皚明 474-382- 19
505-908- 81
李磐金 505-729- 71
李盤明 483-320-396
572- 89- 29
572-328- 38
李緗李淮、集王 唐
270-804-150
274- 95- 82
395- 64-186
李銳唐 545-133- 87
李銳明(知安溪縣) 473-585- 75
李銳明(字抑之) 480- 52-259
532-618- 43
李銳明(河間人) 545-442- 99
李銳明(字徐之) 558-443- 38
李銳明(太和人) 559-277- 6
李銳妻 明 見喬氏
李範李隆範、岐王 唐
270-149- 95
274- 81- 81
395- 50-184
552- 51- 19
812-745- 3
814-220- 2
819-576- 19
李範妻 清 見吳氏
李劉宋 515-754- 80
1207-471- 33
李衛唐 506-394-100
李衛清(字又珍) 475-433- 70
李衛清(銅山人) 478-772-215
李緯後魏 見李系
李緯均王、李沔 唐
270-804-150
552- 52- 19
李緯宋 285-589-287
371-191- 19
472- 50- 2
474-236- 12
476-863-145
505-654- 68
540-760-28之2
李緯女 宋 見李氏
李緯明 505-735- 71
李緝蘄王 唐 270-805-150
274- 96- 82
395- 65-186
李緝明 481-583-328
528-486- 30
1272-425- 12
李稷宋 286-435-334
382-554- 86
397-538-353
473-536- 72
478-433-196
李稷元 295-485-185
399-750-495
472-558- 23
472-706- 28
476-586-131
477-201-159
516-199- 95
537-278- 55
540-780-28之2
李儇唐 見唐僖宗
李樂明(樂亭人) 472-144- 5
李樂明(字彥和) 515-136- 61
517-712-133
524-247-190
676-338- 12
1475-339- 14
李樂明(字仲和) 569-653- 19
李徵元 見李楨
李憲漢 252-476- 42
376-518-104
384- 57- 3
李憲後魏 261-515- 36
266-673- 33
379-145-148
李憲李成器 唐(唐睿宗子)
270-145- 95
274- 77- 81
395- 47-184
554- 30- 48
李憲唐(李晟子) 270-575-133
275-189-154
396- 13-252
472-456- 20
476-394-119
478-517-200
481-800-338
545-455- 99
554-457- 56
558-307- 34
563-636- 38
567- 43- 64
933-542- 35
李憲宋(字子範) 288-544-467
382-785-120
384-375- 19
401- 74-577
李憲宋(澄海將軍) 563-700- 39
李憲明(岐山人) 302-316-306
李憲明(平遙人) 547- 43-142
544-346- 54
李憲女 清 見李淑憲
李憑唐 270-575-133
李諴珍王 唐 270-803-150
274- 95- 82
395- 65-186
李諴元 1439-435-附1
李諷妻 明 見晁氏
李鶴李嶲 明 480-464-279
533-280- 56
545- 72- 85
820-612- 41
李濰廣王 唐 271-286-175
274-100- 82
395- 69-186
李龍宋 524-313-194
李諧後魏 261-892- 65
266-896- 43
379-266-150上
384-134- 7
505-770- 73
933-527- 35
李諧唐 552- 52- 19
李譓代王、李謹 唐
270-802-150
274- 95- 82
395- 63-186

544-224- 63
李諮宋 285-648-292
371-105- 10
382-342- 55
384-354- 18
397-108-326
473- 13- 49
473-126- 55
478- 90-180
479-678-248
484- 90- 3
515-520- 73
554-140- 51
李諮明 480-205-267
李憻信王 唐 271-282-175
274- 97- 82
395- 66-186
李憺衡王 唐 271-282-175
274- 97- 82
395- 66-186
李燔宋 288- 56-430
400-552-550
459-111- 7
473- 77- 52
479-449-237
479-580-243
480-289-271
480-402-277
480-463-279
480-464-279
516- 97- 91
517-474-127
518-150-140
532-730- 66
李澣唐 1076- 99- 10
1076-556- 10
1077-123- 10
李澣宋 285-233-262
289-692-103
400-680-564
554-842- 63
李澤濮王 唐 271-286-175
274-100- 82
395- 68-186
李澤唐 見李璘
李澤明(歷城人) 476-438-122
545-431- 99
554-312- 53
李澤明(石城人) 564-216- 46
李澤明(字行潤) 1250-540- 50
李澤妻 清 見趙氏
李澥唐 494-317- 6
1342-300-943
李澥金 820-481- 36
821-276- 52
1040-242- 3
1365-237- 7
1445-451- 33
李諶唐(李元嘉子) 274- 52- 79
395- 23-182
李諶通王 唐(唐德宗子)
270-801-150
274- 94- 82
395- 63-186
李諤隋 264-951- 66
267-510- 77
379-830-163
384-153- 8
472- 91- 3
474-619- 32
481-429-315
505-787- 73
933-528- 35
1394-580- 8
李諤欽王 唐(唐德宗子)
270-802-150
274- 95- 82
395- 63-186
李諤唐(海鹽令) 471-606- 3
472-980- 39
479- 91-221
523- 96-150
李諤宋(字正臣) 473-196- 58
516-146- 93
李諤宋(廣州人) 563-696- 39
李諤元(字德貞) 1206-114- 14
李諤元(謚端憲) 1210-307- 8
李懌婺王 唐 271-282-175
274- 97- 82
395- 65-186
李懌後晉 278-145- 92
279-366- 55
384-315- 16
396-444-296
472-838- 33
478-122-181
554-841- 63
李懌明 302-626-320
李燁唐 275-481-180
李燁明 473-367- 64
李諺後魏 見李詠
李寰唐 275-132-148
395-738-247
474-234- 12
1079- 71- 11
李寰唐 見李忻
李寰宋 479-821-256
515-266- 65
李寰明 456-683- 11
李濂元 見李廉
李濂明 301-840-286
458-160- 8
477- 87-153
532-648- 43
537-406- 57
538-130- 65
676-545- 22
1442- 46-附3
1458-257-434
1460- 5- 40
李濚明 1442-130- 8
1460-878- 94
李遵後魏 261-550- 39
267-904-100
李遵後魏 見李道
李遵唐 1072-243- 11
李遵宋 821-248- 52
李遵宋 見立遵
李遵明 1474-546- 27
李遴明 821-483- 58
李謀唐 544-227- 63
李諫明 559-357- 8
李璜宋 1152-812- 52
李璜明 483-171-383
570-148-21之2
李璟後梁 488-339- 12
李璟南唐 見唐元宗
李璣明(字邦在) 473- 29- 49
515-395- 69
676-569- 23
李璣明(字伯玉) 533-414- 62
李憙李熹 晉 255-717- 41
377-495-122
472-500- 21
476-418-120
478-451-197
479-634-206
544-203- 62
546-335-126
933-523- 35
李熹晉 見李憙
李熹宋 473-503- 71
559-314-7上
李熹明 511-774-166
820-601- 40
李融李茂融 唐(李鳳子)
269-592- 64
274- 54- 79
395- 24-182
李融唐(李適之孫) 270-203- 99
554- 37- 48
820-223- 28
李頤妻 宋 見陳氏
李頤明 300-733-227
479-534-241
516- 84- 90
523-121-151
580-573- 41
李頤明 見李克正
李穎明(字嗣英) 460-813- 88
529-748- 51
李穎明(平遙人) 545-889-114
李橒明 301-224-249
479-186-225
483-225-390
523-538-172
554-220- 52
571-520- 19
1474-524- 25
李磬漢 591-578- 43
李輻明 483-137-380
569-674- 19
李醯戰國 742- 24- 1
李壇唐 494-324- 6
李翰唐 271-596-190下
276- 84-203
384-216- 11
400-610-556
474-376- 19
505-748- 72
506-393-100
933-547- 35

1339-643-703
1417-735- 34
李翰明(連城縣丞) 473-624- 77
李翰明(字憲夫) 545-893-114
554-287- 53
李檣明 820-660- 42
李橋唐 469-498- 60
李歷漢 253-597-112上
380-570-181
478-247-186
554-830- 63
879-180-58下
李壁宋 見李璧
李壁明 見李璧
李彊漢 481- 14-291
李靜後魏 262- 78- 71
266-925- 45
379-290-150下
李璘永王、李澤 唐
270-309-107
274- 86- 82
395- 55-185
819-577- 19
李璘宋 288-403-456
400-293-524
472- 69- 2
505-903- 80
李鼐明 472-113- 4
505-682- 69
505-696- 70
李摽北周 見李檦
李霖宋 491-436- 6
492-712-3下
546-353-126
李霖明 456-674- 11
李璞後魏 261-639- 46
266-546- 27
379- 90-147
李璡汝陽王 唐(李憲子)
270-148- 95
274- 79- 81
395- 49-184
李璡唐(朗州刺史) 473-366- 64
480-482-280
李璡霍山王 唐(李岡同孫)
544-224- 63
李璡明 472-339- 14
473-186- 58
515-273- 65
523-191-155
李璡女 明 見李氏
李操北齊 見李搔
李操明 1242-867- 10
1243-467- 5
李樸宋 見李朴
李樸明 見李朴
李橡明 523-106-150
李適循王 唐 270-388-116
274- 93- 82
395- 62-186
李適金 383-1001- 28
472-694- 28
474-167- 8
506-505-103
537-265- 55
821-275- 52
1040-250- 4
1191-193- 17
1365-166- 5
1439- 7- 附
1445-400- 28
李選荊王 唐 270-388-116
274- 93- 82
395- 62-186
554- 33- 48
李選明(石屏州人) 483-137-380
李選明(白河人) 545-155- 88
李選妻 清 見傅氏
李豫唐 見唐代宗
李豫女 宋 見李氏
李豫明(淅川人) 302-153-297
477-378-167
538-108- 64
李豫李遇 明(副總兵)
456-462- 4
李豫明(字伯和) 456-529- 6
538- 70- 63
李隨唐 476-516-127
540-623- 27
820-175- 27
李蕡妻 宋 見胡氏
李蕡明 472-230- 8
493-982- 52
李蕡妻 清 見林氏
李蕙明 511-328-149
515- 43- 58
545- 75- 85
1252-609- 35
1255-785- 77
李頻唐 276- 94-203
384-281- 14
400-619-556
451-458- 5
471-1043- 67
472-825- 33
472-1015- 41
473-445- 68
473-598- 76
479-379-234
481-672-331
523-489-170
528-520- 31
554-270- 53
559-280- 6
933-547- 35
1152-254- 8
1365-435- 4
1371- 71- 附
1388-448- 79
李冀宋 484-381- 28
李默明(字時言) 300-323-202
460-804- 86
481-678-331
510-438-116
529-617- 47
563-747- 40
676-551- 22
1442- 48-附3
1460- 42- 42
李默明(字思道) 511-351-149
李興李安 晉 256-429- 88
380- 80-167
386- 30-69中
559-382-9上
591-585- 43
李興唐(壽州安豐人)
275-633-195
384-258- 13
400-290-523
472-201- 7
475-749- 88
511-645-162
1344- 75- 67
李興唐(新興郡王) 544-225- 63
李興宋(字仲舉) 476-122-102
546-289-124
1105-737- 89
李興宋(耀州刺史) 554-242- 52
李興明(字伯起) 458- 89- 4
476-518-127
477-565-177
537-520- 59
540-627- 27
540-641- 27
554-170- 51
李興明(福建人) 523-215-156
李興明(洧川人) 538- 80- 64
李興明(垣曲人) 547-111-145
李興明(永川人) 559-510- 12
李興明(李隆兄) 571-553- 20
李興女 明 見李善緣
李興張興 清 478-134-181
李興妻 清 見張氏
李曇漢 253-161- 83
376-837-110
386- 12-69上
402-481- 11
472-652- 27
477- 60-151
538-118- 64
538-167- 66
1408-431-521
李蕃唐 820-145- 26
李蕃宋 821-207- 51
李蕃明(日照人) 302-330-306
李蕃明(字秀實) 481-388-312
559-400-9上
1241-674- 15
1241-774- 19
1257-520- 8
1374-669- 87
李蕃明(字庭茂) 483- 47-372
570-146-21之2
李蕃明(魚臺人) 532-655- 44
李蕃明(字文盛) 1442- 30-附2
1459-688- 27
1475-235- 10
李蕃妻 明 見周妙勝
李蕃清 483-307-395
李巂明 見李寯
李蕘後晉 285-395-273
396-660-314

546-347-126
李曉北齊 263-230- 29
267-911-100
李曉明(字未夫) 516- 75- 90
李曉明(靈石人) 547- 17-141
李曄後魏 261-523- 36
李曄唐 見唐昭宗
李曄明 524-332-195
676-452- 17
1229-345- 12
1232- 2- 附
1233-666- 4
1442- 9-附1
1459-425- 13
李曄明 529-460- 43
李鄴後唐 277-593- 73
李鄴宋 486- 51- 2
李嶧德王 唐 271-286-175
274- 99- 82
395- 68-186
李叡妻 晉 見菅氏
李暹韶王 唐 270-388-116
274- 93- 82
395- 62-186
李暹明(字賓暘) 472-842- 33
554-472-57上
1241-627- 13
1242-220- 31
李暹明(字德進) 545-191- 90
554-253- 52
李篤漢 476-698-137
540-704-28之1
李儔唐 820-263- 29
1342-241-935
李縝宋 460-413- 31
529-530- 45
541-787-35之20
933-548- 35
1146-155- 92
李錮唐 494-324- 6
李錞宋 1437- 18-附1
李錞明 540-672- 27
李學明 545-462-100
李翺唐 271- 72-160
275-439-177
384-254- 13
396-180-268
471-694- 15
471-800- 30
471-848- 37
471-866- 39
471-918- 48
471-928- 49
471-1051- 68
472- 93- 3
472-865- 34
473-366- 64
473-694- 80
473-789- 85
474-620- 32
475-698- 86
480-482-280
482-115-343
505-788- 73
510-461-117
558-308- 34
563-641- 38
674-259-4上
677-155- 15
820-235- 28
933-545- 35
1053-196- 5
1054-545- 16
1074- 99- 4
1075- 97- 4
1221-295- 5
1455-321-210
1467- 15- 62
李縉明(字廷儀) 528-561- 32
李縉明(宜賓人) 559-518- 12
李縕宋 1090-193- 2
1090-194- 2
李錡唐 270-356-112
276-470-224上
384-242- 12
384-258- 13
401-397-620
484- 84- 3
488-323- 12
李錡妻 唐 見杜秋
李錡妻 唐 見鄭皇后
李鋼明 見李至剛
李錦明(字名中) 301-757-282
457- 31- 1
458-659- 2
478-126-181
554-817- 63
1293-354- 20
李錦明(澄海人) 302-728-325
李錦明(字尚絅) 476-370-117
547-106-145
李錦明(翼城人) 554-313- 53
李錦明(字仲白) 1293-355- 20
李錦明 見李赤心
李錦妻 明 見袁氏
李錦清 456-320- 75
李儒明(涇陽人) 472-521- 22
540-627- 27
554-476-57上
李儒明(字宗文) 1276-411- 10
李儒妻 明 見段氏
李儒妻 明 見楊氏
李衡吳 254-733- 3
370-266- 3
377-421-120
384-610- 35
385-535- 60
447-168- 4
473-368- 64
480-293-271
488- 81- 6
533-287- 56
879- 16-58上
李衡妻 吳 見習英
李衡後魏 261-639- 46
李衡唐 812-371- 0
821- 89- 48
李衡宋(字彥平) 287-346-390
398-356-387
472-173- 6
472-222- 8
472-223- 8
472-296- 12
475-120- 55
475-272- 63
475-375- 68
485-103- 14
493-944- 50
510-328-113
510-371-114
511-205-144
1246-660- 17
1318- 30- 34
李衡宋(字平國) 288-415-456
400-303-524
479-714-250
515-577- 75
李衡宋(知解州) 545-438- 99
李衡元～明(字元成)
515-768- 81
679-625-199
李衡明(字秉鈞) 472-351- 15
475-671- 84
511-327-149
676-475- 18
李錫唐 472-676- 27
477-122-155
537-254- 55
1066-426- 29
1066-754- 30
李錫明(字君寵) 300-506-212
482-322-354
511-407-152
567-135- 68
李錫明(鄧州人) 456-608- 9
537-320- 56
李錫季錫 明(字天祿)
472-842- 33
545-375- 97
554-655- 60
李錫明(知沂州) 476-778-141
李錫明(字天祜) 523-103-150
525- 52-219
李錄妻 明 見楊氏
李勳明 515-687- 78
554-365- 54
1275-183- 9
李勳女 明 見李氏
李穆拓跋穆 北周 263-654- 30
264-679- 37
267-234- 59
379-723-160
384-153- 8
472-896- 35
478-697-210
933-527- 35
李穆宋 285-258-263
371- 62- 6
382-231- 35
384-328- 17
396-564-304
472-642- 26

472-658- 27
477-251-161
478-244-186
820-334- 32
821-149- 50
李穆宋 529-689- 50
李穆明 820-678- 42
1261-174- 13
李濤唐(河陽令) 516- 6- 87
李濤唐(衢州司士參軍)
1072-254- 12
李濤妻 唐 見獨孤氏
李濤女 唐 見李氏
李濤五代 407-679- 5
933-810- 60
李濤宋(字信臣) 285-231-262
401-301-608
472-838- 33
554-649- 60
李濤宋(字養源) 1364-251-281
1437- 30- 2
李濤母 清 見董氏
李濤清(字紫瀾) 479-678-248
482-324-354
515-139- 61
540-867-28之4
李濤清(字述齋) 567-161- 69
李濤女 清 見李氏
李鴻漢 402-447- 9
李鴻唐 見李瑛
李鴻明 474-635- 33
505-703- 70
554-487-57上
李鴻妻 明 見孫義姑
李謜唐 270-802-150
274- 94- 82
395- 63-186
567- 6- 62
李應宋 484-389- 28
李應妻 清 見顧氏
李燭明 456-573- 8
540-831-28之3
李濬唐(謚誠) 270-355-112
271-454-185下
275- 54-142
395-667-241
481- 16-291
494-336- 7
523- 5-146
545-207- 91
李濬唐(富陽令) 472-960- 38
李濬宋(字德淵) 285-194-258
371- 39- 4
382-217- 32
396-521-301
450-684-下3
472- 95- 3
474-603- 31
李濬宋(邵武人) 1152-234- 5
1152-239- 6
李濬明(和州人) 299-405-146
472-396- 17
511-427-152
1241-209- 10
李濬明(字伯淵) 453-317- 4
472-527- 22
476-753-139
540-787-28之3
李濬明(思南人) 483-320-396
572- 80- 28
李濬明(襄垣人) 546-659-137
李濬明(海康人) 567- 91- 66
1467- 69- 64
李濬明(都指揮僉事)
886-144-138
李濬清 505-914- 81
李濬妻 清 見楊氏
李濰唐 見李璲
李謐後魏 262-280- 90
266-679- 33
380-471-178
384-132- 7
472- 88- 3
474-618- 32
505-876- 78
505-922- 82
933-526- 35
李謐明 1467- 86- 65
李膺漢 253-361- 97
376-958-112
384- 65- 3
402-491- 12
402-506- 12
402-530- 15
459-265- 16
469- 54- 7
472-586- 24
472-623- 25
472-651- 27
472-737- 29
473-424- 67
476-248-110
476-276-111
476-474-125
477-303-163
477-317-164
477-475-173
481- 65-293
505-644- 68
537-192- 54
537-583- 60
540-644- 27
545-310- 95
559-258- 6
591-660- 47
933-523- 35
李膺梁 265-790- 55
378-314-139
384-118- 6
469-675- 83
481- 76-294
559-406-9上
591-136- 9
591-604- 44
933-524- 35
李膺元 476-282-111
546-681-137
李禧天水王 唐(李千里子)
269-730- 76
274- 60- 80
395- 30-183
李禧唐(唐肅宗子) 516-427-103
李禧明 482-523-367
李濘唐 544-225- 63
李濟明(朝邑人) 472-841- 33
494- 55- 2
李濟明(三原人) 545-441- 99
554-490-57上
李濟明(壽陽人) 546-368-127
李濟明(臨淮人) 1245-510- 26
李濟女 明 見李氏
李濡明 547- 60-143
李濙明 1274-598- 2
李謙資王 唐 270-802-150
274- 95- 82
395- 63-186
李謙宋 473-188- 58
516-164- 94
523- 17-146
李謙元(字受益) 295-180-160
399-557-475
472-558- 23
476-825-143
505-733- 71
540-778-28之2
1201-169- 80
1273-147- 21
李謙元(保定束鹿人)
540-633- 27
李謙明(濬縣人) 472-134- 4
李謙明(稷山人) 546-592-134
李謙妻 明 見王氏
李謙妻 明 見劉氏
李燮漢 253-313- 93
376-928-112
384- 68- 3
402-490- 12
402-586- 20
459-246- 15
472-737- 29
472-867- 34
476-789-141
477-303-163
478-247-186
511-905-172
537-192- 54
554-388- 55
587- 87- 2
879-179-58下
933-522- 35
李燮後魏(字德諧) 261-547- 39
267-901-100
李燮後魏(京兆尹吏)
472-824- 33
李襄宋 1163-440- 17
李燧明 563-799- 41
李燦明(字斗明) 477-411-169
537-331- 56
554-524-57下
李燦明(字星垣) 540-825-28之3
李燦明(榮陽人) 554-312- 53
李燦明(字景瞻) 1253- 98- 45

李燦妻 明 見方氏
李燦清 475-641- 83
502-693- 81
510-450-115
李聰明(字敏德) 460-664- 68
473-588- 75
李聰明(字士達) 472-109- 4
473- 45- 50
564-129- 45
李聰明(林縣人) 538- 92- 64
李聰明(安福人) 1242-830- 9
李聰妻 清 見馬氏
李戴明 300-703-225
458-125- 5
477-566-177
537-468- 58
李輿元 1206-237- 4
李懋金 291-758-131
401-115-584
554-886- 64
李懋元 1439-434- 1
李懋明(茌平人) 472-577- 24
540-810-28之3
李懋明(蒲圻人) 515-106- 60
533-137- 51
李懋明 見李時勉
李懋妻 明 見孫氏
李樌李樌 明 456-457- 4
546-101-118
李醜妻 清 見里氏
李翼魏 254-190- 9
377- 75-114
386- 56-70中
李翼平陽王 唐 269-592- 64
274- 54- 79
395- 24-182
544-225- 63
李翼宋 288-352-452
400-145-512
472-431- 19
472-924- 36
476-330-115
478-271-187
545-420- 98
554-702- 61
李隱宋 554-910- 64
812-465- 2
812-544- 4
821-160- 50
李璮徐璮 元 295-688-206
401-444-626
李擢唐 485-497- 9
李擢宋 486-897- 34
524-327-195
李樫宋 475-669- 84
511-326-149
李鍪明 559-397-9上
李鍪女 明 見李氏
李覯父 宋 1095-278- 31
李覯母 宋 見鄭氏
李覯宋 288- 89-432
382-743-114
400-446-541
427- 54- 下
473- 98- 53
479-628-245
515-818- 83
517-607-130
674-351-5下
1054-174- 4
1054-621- 18
1089-755- 19
1095- 3- 附
1095- 4- 附
1095-347- 3
1249-318- 20
1375- 32- 下
1437- 13- 1
1461-862- 44
李覯妻 宋 見陳氏
李覯女 宋 見李氏
李覯表兄弟 宋 見鄭某
李檦李摽 北周 263-520- 15
267-242- 60
379-528-156
502-318- 58
544-215- 62
544-218- 62
558-387- 36
李璲李雝、儀王 唐
270-308-107
274- 86- 82
395- 55-185
李璲明 559-348- 8
李璲明 見李鐩
李璥汴王、李滔 唐
270-313-107
274- 88- 82
395- 57-185
李璨後魏 261-673- 49
266-669- 33
379-141-148
472- 88- 3
933-525- 35
李璨宋 493-741- 41
李璨明 515-122- 60
李環李溢、濟王 唐
270-311-107
274- 88- 82
395- 57-185
李環唐 見李瓌
李環明 523-538-172
李璬李澐、穎王、潁王 唐
270-308-107
274- 86- 82
395- 55-185
481- 16-291
560-595-29下
591-672- 47
李駿宋 1173-286- 84
李轅明 494-158- 5
676-460- 17
1232- 2- 附
李憝元 523- 80-149
李黻宋 480-463-279
533-344- 58
李黻明 494-168- 6
570-165-21之2
李嶽李岳 後魏 261-896- 65
266-896- 43
379-266-150上
李嶽明 1242-842- 10
李壑元 1201-166- 80
李曔妻 明 見田氏
李曖李暎 後魏 261-547- 39
267-902-100
李蹊金 1040-262- 6
李繇唐 523-239-157
李鍼清 511-539-157
李繁唐 270-534-130
275- 38-139
395-680-241
471-640- 9
471-818- 32
472-194- 7
473-267- 61
479-430-236
510-477-118
523-239-157
554-399- 55
674-210-2下
674-424- 2
674-652- 7
李繁宋 見李蘩
李繁明 529-712- 50
李績晉 256-778-110
381-199-188
933-524- 35
李績欽王 唐 270-804-150
274- 96- 82
395- 65-186
李績南唐 見李續
李總唐 見李綜
李錯清 586-172- 7
李聳宋 288-352-452
400-145-512
545-420- 98
李鍊明 533- 26- 47
李鍵明 524-274-191
李徽唐 269-734- 76
485-347- 1
李徽明 1245-510- 26
李徽妻 明 見林氏
李獲女 宋 見李氏
李澮宋 475-175- 59
510-344-114
1161-644-127
李縱李洵、溆王 唐
270-804-150
274- 95- 82
395- 64-186
李瀆宋 288-426-457
371- 16- 2
382-771-118
384-344- 17
401- 16-569
472-748- 29
538-162- 66
547-134-146
933-548- 35
李嬴 妻 清 見繳氏
李謹唐 見李諲

李禬唐 493-644- 35
李謨唐 見李誼
李謨李模 宋 484-104- 3
492-699-3上
492-712-3下
1135-365- 35
李謨明 493-789- 42
510-335-113
李謨清 481-213-302
559-412-9下
李璵北齊 263-230- 29
267-899-100
李璵唐 見唐肅宗
李璵明 458- 81- 4
李騏李馬 明 473-574- 74
529-454- 43
1240-327- 21
李贊河南王、長平王 唐
274- 32- 78
395- 5-181
544-224- 63
李贊明 494-158- 5
1442- 67- 4
李燾漢 402-462- 10
李燾宋 287-326-388
398-342-386
471-959- 53
471-970- 55
471-1025- 64
473-367- 64
473-504- 71
473-516- 71
473-523- 72
473-528- 72
473-533- 72
480-483-280
481- 70-293
481-309-307
481-333-308
481-352-307
481-372-311
515- 18- 57
532-736- 46
559-303-7上
559-306-7上
559-318-7上
559-384-9上
592-601- 99
1147-700- 66
1363-429-169
1381-654- 47
1437- 24- 2
李燾元 473-395- 66
李燾明(河源人) 480-508-281
532-709- 45
李燾明(字若臨) 564-197- 46
李燾女 明 見李氏
李擴元 1232-310- 6
李擴明 477-378-167
李攄宋 1113-439- 9
李璧李壁 宋 287-442-398
398-435-393
473-516- 71
481-333-308
481-352-309
516-205- 95
559-314-7上
559-385-9上
592-601- 99
592-619-100
1174-647- 41
1437- 27- 2
李璧李壁 明(字白夫)
481-154-298
482-409-359
523- 86-149
559-282- 6
567-408- 84
1467-215- 70
李璧明(號介石) 820-661- 42
李璧明(字公信) 1247-373- 14
李豐魏 254-190- 9
254-314- 16
377- 74-114
384- 87- 4
386- 56-70中
554- 69- 49
李璿李漎、涼王 唐
270-313-107
274- 88- 82
395- 57-185
李璿妻 唐 見張氏
李璿明(成功人) 494- 41- 3
李璿明(海康人) 564-220- 46
李璿明 見李孟璿
李嚞宋 288-374-453
400-172-513
472-879- 35
558-199- 31
李翹明(四川大邑人)
569-671- 19
李翹明(字時實) 1442-115- 7
1460-670- 74
李翹妻 清 見侯氏
李彝唐 561-493- 44
820-223- 28
李彝元 676-225- 8
1439-425- 1
李彝明(安化人) 456-669- 11
李彝明(渾源人) 472-485- 21
476-260-110
546- 87-118
李轍宋 480-463-279
516- 14- 87
532-730- 46
李礎唐 1073-527- 21
1074-354- 21
1075-309- 21
李顒漢 482-559-369
569-641- 19
李顒晉 533-301- 57
933-524- 35
1379-346- 42
李顒明(字思誠) 473-569- 74
482-116-343
523- 41-148
528-451- 29
564-188- 46
李顒明(岢嵐人) 545-656-107
李顒何顒 清 478-133-181
511-898-172
554-823- 63
556-533- 94
李藎明 482-559-369
569-659- 19
李瞻宋 481-181-300
李瞻金 291-727-128
400-358-533
474-513- 25
476-517-127
李瞻明 511-875-170
李叢明 567-416- 84
1467-254- 71
李鎭漢 516-480-105
李鎭李海孫 宋 451- 83- 2
李鎭妻 明 見沈氏
李鵠妻 明 見張氏
李翻後魏 261-544- 39
267-897-100
李鎔元 545-340- 96
李鎬元 1201- 74- 71
1373-444- 28
李鎧母 明 見邱氏
李鎧清 475-331- 65
511-779-166
李簠清 476-789-141
540-854-28之4
李簡代王 唐 269-740- 76
274- 67- 80
395- 37-183
544-223- 63
李簡宋 471-958- 53
473-513- 71
481-348-309
559-309-7上
李簡元 400-578-553
505-876- 78
1221-564- 18
1284-345-162
1369-413- 12
1439-423- 1
李簡明(安仁人) 554-284- 53
李簡李簡中 明(宣化人)
567-311- 77
1467-198- 69
李簡妻 明 見呂氏
李穡明 676-684- 28
1442-128- 8
1460-865- 94
李繕李況、洛交王、珍王 唐
270-805-150
274- 96- 82
395- 64-186
552- 52- 19
李繒宋(邛州人) 473-537- 72
591-633- 46
李繒宋(字參仲) 511-851-169
1375- 8- 上
1376-427- 87
李繡清 528-534- 31
李邈蜀漢 254-689- 15
384-482- 15

385-180-20
447-155-3
559-304-7上
591-594-44
李邈益昌王、鄭王 唐
270-387-116
274-92-82
395-61-186
李邈宋 288-286-447
400-148-512
472-26-1
473-127-55
474-371-19
479-679-248
489-547-43
505-632-67
505-645-68
515-521-73
540-647-27
李馥女 清 見李氏
李皦後魏 261-522-36
266-687-33
379-151-148
李瀛明 1273-237-30
李瀛妻 明 見郭氏
李譓宋 286-710-355
李譔蜀漢 254-651-12
377-294-118下
384-76-4
384-496-18
385-587-65上下
473-504-71
481-404-313
533-734-73
559-389-9上
591-525-41
592-485-91
677-86-9
742-28-1
879-175-58下
933-523-35
李譔唐 269-590-64
274-52-79
395-23-182
820-144-26
李麒明 545-343-96
李寵唐 494-336-7
李瀚後周 407-661-3
李瀚明(字叔淵) 546-198-122
554-188-51
李瀚明(字宗惠) 1467-85-65
李瀚清 483-16-370
570-135-21之2
李證唐 見李澄
李離春秋 244-845-119
380-152-169
386-620-4
404-699-42
472-459-20
545-719-108
李韓宋 494-428-13
1357-955-20
1437-30-2
李譚漢 539-350-8
李譚元 1267-819-7
李懷妻 明 見季氏
李霨清 474-246-12
505-736-71
李璽明(字廷玉) 511-605-160
李璽明(縉雲人) 523-501-170
李璽明(耒陽人) 533-263-55
李璽明(字朝信) 554-489-57上
李璽明(稷山人) 559-287-7上
李韞晉 820-75-23
李韜宋 285-369-271
李關元 473-702-80
564-84-44
李瓊唐 821-93-48
李瓊後晉 278-161-94
279-307-47
396-426-294
540-659-27
李瓊宋(字子玉) 285-214-261
396-537-303
472-32-1
473-267-61
476-45-98
480-199-267
505-630-67
505-715-71
532-570-40
547-154-147
李瓊宋(杭州人) 288-408-456
400-297-524
479-50-218
524-95-183
李瓊宋 見李休復
李瓊明(字蘊素) 473-624-77
515-506-72
528-552-32
李瓊明(孟縣人) 545-246-92
李瓊妻 明 見許婉妹
李騤宋 1149-708-16
李疇元 1197-727-75
李黼元 295-569-194
400-249-520
472-204-7
473-87-52
475-780-89
479-605-244
511-500-156
515-245-64
518-277-144
581-560-103
1218-468-2
1221-20-3
1469-571-60
李藩唐 270-772-148
275-360-169
384-232-12
384-248-13
396-131-264
459-788-47
472-93-3
474-620-32
505-788-73
510-397-115
933-543-35
李藩女 唐 見李娥
李藩明 567-320-78
李翽唐 821-94-48
李藫妻 清 見楊氏
李穩唐 486-67-3
李穩明 511-228-144
李贊明 475-671-84
511-329-149
523-46-148
820-673-42
1263-562-7
李鵬唐 見李至遠
李鏜明 460-762-78
477-542-176
李鏜妻 明 見林氏
李繪北齊 263-229-29
266-668-33
379-417-153
472-89-3
474-234-12
474-304-16
820-120-25
李繪雍王 唐 274-32-78
395-5-181
493-692-38
李繪宋 561-205-38之1
李鏡明 473-65-51
473-316-62
480-463-279
515-882-86
532-731-46
1250-872-83
李鏡妻 清 見錢氏
李繹宋 286-77-307
397-269-335
475-16-49
478-335-191
505-681-69
540-639-27
554-463-56
李繹元 820-547-39
李繹明 570-135-21之2
李騫後魏 261-516-36
266-674-33
379-146-148
1387-209-12
李寶後魏 261-544-39
267-897-100
李寶宋 287-78-270
398-141-374
449-480-上12
472-254-10
478-761-215
493-770-42
510-330-113
523-14-146
李寶金 476-374-117
547-537-160
李寶明(字魯峰) 592-780-2
李寶明(字來貢) 1280-524-94
李寶妻 明 見張氏
李競妻 宋 見高氏
李瀾唐 475-741-88
李瀾女 唐 見李氏

李瀾明 460-763- 78
460-813- 88
523-206-155
李鷺宋 820-372- 33
李闈唐 820-214- 28
李瓌李環、漢陽王 唐
269-541- 60
274- 36- 78
384-161- 9
395- 8-181
567- 37- 64
李瓌妻 清 見辛氏
李獻唐 473-512- 71
559-309-7上
1078-177- 15
李獻明 554-174- 51
李齡明(字景齡) 473- 16- 49
515- 36- 58
564-200- 46
567- 91- 66
1467- 65- 64
李齡明(字長年) 524- 34-179
李齡明(字景熙) 676-488- 19
李懸明 545-157- 88
李懸妻 清 見劉氏
李躅唐 820-284- 30
李鶚李鄂 後唐 814-280- 10
820-313- 31
李鶚宋 1157-277- 20
李鶚父 明 1261- 96- 7
李耀北周 263-520- 15
李耀李耀宇 明 456-613- 9
李蘊後魏 261-639- 46
李藹范陽王 唐 269-592- 64
274- 56- 79
395- 26-182
819-576- 19
李藻元 540-641- 27
1206-314- 3
李藻明(平越人) 483-282-393
572- 88- 29
李藻清(字鑑明) 476-209-107
480-291-271
532-753- 46
546-217-122
559-327-7下
李藻清(棗陽人) 480-298-271
李蘇明 554-527-57下
李嚴李平 蜀漢 254-633- 10
377-282-118下
384- 76- 4
384-469- 13
385-181- 20
447-196- 7
447-204- 8
471-989- 58
472-771- 30
473-475- 69
481- 65-293
481-113-296
481-348-309
537-540- 59
559-271- 6
559-304-7上
933-523- 35
1361-547- 11
李嚴唐 1342-242-935
李嚴女 唐 見李新聲
李嚴李讓坤 後唐 277-574- 70
279-162- 26
384-302- 16
396-361-284
1383-739- 67
李籌宋 288-415-456
400-303-524
479-714-250
515-577- 75
李籌明 554-311- 53
559-369- 8
李騰唐 820-185- 27
李鰅唐 274- 32- 78
395- 4-181
李纁會王 唐 270-804-150
274- 96- 82
395- 64-186
1080-466- 42
1342-243-935
李儶明 見李儁
李鏻後漢 278-264-108
279-376- 57
384-316- 16
401-294-607
李覺宋(字仲明) 288- 78-431
382-736-113
384-335- 17
400-440-540
472-227- 8
473-598- 76
476-669-136
481-672-331
491-807- 6
528-520- 31
540-748-28之2
677-790- 70
1104-465- 39
李覺宋(字民先) 820-407- 34
821-212-51
李繼妻 宋 見章氏
李斅明 472- 38- 1
474-182- 9
481- 23-291
505-799- 74
559-249- 6
李灃清 511-577-159
李灌衛王 唐 271-286-175
274-100- 82
395- 68-186
535-557- 20
李護唐 567- 6- 62
李護宋 1104-401- 36
李夔宋 460-120- 7
472-239- 9
510-326-113
529-623- 48
1125-400- 32
李夔妻 宋 見吳氏
李夔元 480- 50-259
李夔明(懷仁人) 547- 54-143
李夔明(字一足) 1457-666-404
李夔妻 明 見張氏
李霸清 456-323- 75
李譽宋(字通道) 480-664-290
533-260- 55
李譽宋(字聲甫) 1132-259- 50
李譽明 533-418- 62
李韡明(字去華) 460-808- 87
529-745- 51
李韡明(字鄂先) 564-124- 45
李蘩李昂、李繁 宋
287-449-398
398-442-393
448-367- 0
472-866- 34
473-435- 67
478-244-186
481- 21-291
481- 80-294
481-153-298
481-403-313
554-202- 52
559-343- 8
591-567- 42
592-600- 99
676-689- 29
676-731- 30
679-487-186
1173-208- 78
李囂江王 唐 269-740- 76
274- 67- 80
395- 37-183
李躍妻 明 見馬氏
李蘭後魏 266-543- 27
379- 87-147
李蘭明(字德馨) 540-786-28之3
李蘭明(襄陵人) 545-787-111
李蘭明(孝子) 547- 22-141
李蘭明(字秀夫) 554-496-57上
李蘭明(字幼滋) 554-850- 63
李蘭清(知石橋) 517-796-135
李蘭清(鎮番人) 558-430- 37
李蘖明 564-210- 46
李鑯唐 568- 28- 98
李續東平王 唐 269-740- 76
274- 66- 80
395- 37-183
李續李績 南唐 515-571- 75
李鐸宋 1146-130- 91
李鐸明(甌寧人) 460-797- 85
李鐸明(萊陽人) 472-604- 25
李鐸明(光化人) 561-210-38之2
676-301- 11
李鐸明(知清遠縣) 563-751- 40
李鐸女 明 見李存兒
李鐸清 479-227-227
502-633- 77
523-165-153
李鐩李璲 明 458-111- 5
581-638-110
820-663- 42
1267-625- 11
李聽唐 270-573-133
275-192-154

384-262- 13
396- 15-252
472-307- 13
475-323- 65
478-451-197
478-594-204
510-381-115
554-457- 56
558-136- 30
558-307- 34
933-542- 35
李璀後魏 261-639- 46
李璀宋 見李權
李權後魏 552- 33- 18
李權唐 814-276- 10
820-190- 27
李權李璀 宋 585-520- 17
821-233- 51
李覿唐 1076-111- 12
1076-567- 12
1077-137- 12
李覿宋 518-728-159
1113-869- 14
李躔唐 見李回
李鑌明 546-647-136
李鑄元 477-315-164
537-514- 59
李籯唐 493-1117- 59
李籛明 511-711-164
李鑑宋 460-336- 26
481-747-334
529-643- 48
李鑑明(四川人) 480- 89-262
李鑑明(字明遠) 480-411-277
李鑑明(貴溪人) 483-331-397
571-548- 20
李鑑明(順天府人) 505-648- 68
李鑑明(湘陰人) 559-291-7上
李鑑明(江津人) 559-352- 8
李鑑明(字克明) 1253-110- 46
李鑑妻 明 見劉氏
李鑑清 559-414-9下
李鄺妻 清 見韓氏
李儼唐 473- 46- 50
516- 6- 87
李儼唐 見唐僖宗
李儼遼 見耶律儼
李儼明(字民瞻) 511-244-145
李儼明(字民望) 515-691- 78
570-212- 23
李儼明(號渭濱散人)
554-846- 63
李麟唐 270-355-112
275- 54-142
384-210- 11
395-667-241
476-111-102
545-359- 96
552- 53- 19
李麟明(字文祥) 472- 38- 1
515-187- 62
李麟明(字天瑞) 472-706- 28
537-280- 55
李麟明(知建昌) 473- 97- 53
李麟明(字仁仲) 524-254-190
676-525- 21
1474-232- 11
李麟明(字次公) 524-361-196
821-476- 58
李麟明(綿竹人) 554-311- 53
李麟明(字成經) 567-414- 84
1467-203- 69
李麟明(字應禎) 820-712- 43
1276-424- 10
李麟清 478-133-181
554-618- 59
李護宋 492-713-3下
李欒妻 唐 見何氏
李欒女 明 見李氏
李瓚李珪 漢 253-364- 97
376-960-112
402-491- 12
李瓚後魏 267-901-100
李瓚唐(隴西人) 271-293-176
275-413-174
396-164-266
李瓚元 1471-519- 12
李瓚明(尚書) 472- 27- 1
505-639- 67
李瓚明(臨汾人) 472-127- 4
474-471- 23
505-690- 70
李瓚明(山陽人) 472-312- 13
李瓚明(字宗器) 472-578- 24
515-212- 63
540-797-28之3
581-663-113
李瓚明(太谷人) 547- 7-141
李瓚妻 明 見胡氏
李瓚妻 清 見邱氏
李顯唐 見唐中宗
李顯明(知鎮原縣) 472-879- 35
李顯明(字榮宗) 473-369- 64
480-486-280
533-290- 56
李顯明(字崇綱) 523-571-174
李顯明(樂平人) 528-509- 31
李顯明(字君謨) 1245-541- 28
李巘嗣吳王 唐 274- 61- 80
395- 32-183
李巖唐 275-650-197
400-338-530
814-272- 9
820-155- 26
李巖宋 482- 33-340
515-520- 73
563-671- 39
李巖元 546-678-137
李巖明 554-310- 53
李巖明 見李信
李巖妻 明 見陳氏
李鑛女 明 見李氏
李灝明(號西郊處士)
546-689-138
李灝明(字仲和) 570-213- 23
李讓後魏 267-897-100
李讓金 見李汾
李讓元 1200-783- 60
李讓女 元 見李順兒
李讓明(謚忠敏) 299-109-121
472-329- 14
李讓明(趙州人) 456-656- 11
474-623- 32
505-864- 77
李讓明(當陽人) 480-173-266
李讓明(鄢陵人) 505-665- 69
李讓妻 明 見趙氏
李讓清 538- 93- 64
李瓛明 473- 25- 49
515-373- 68
559-250- 6
李靈後魏 261-671- 49
266-664- 33
379-141-148
472- 88- 3
474-617- 32
505-786- 73
933-525- 35
李鼈宋 493-1006- 53
511-519-157
李衢宋 515-498- 72
李觀唐(洛陽人) 270-719-144
275-208-156
396- 25-253
472-877- 35
478-670-209
537-499- 59
933-543- 35
李觀唐(字元賓) 276- 85-203
384-240- 12
400-610-556
474-376- 19
505-887- 79
592-616-100
674-257-4上
674-805- 16
933-547- 35
1073-556- 24
1074-390- 24
1075-341- 24
1078-136- 8
1342-328-946
1344-107- 69
1355-619-21上
1371- 67- 附
1378-591- 62
1383-178- 14
1410-451-723
1447-257- 9
李觀宋(字東之) 515-119- 60
李觀宋(字夢符) 515-499- 72
518-728-159
1113-869- 14
李觀宋(字用賓) 559-379-9上
591-644- 46
李觀明(字廷賓) 475-822- 92
510-494-118
李觀李觀音(壽州人)
483-136-380
494-154- 5
李纘元 515-870- 85
李纘明 460-723- 75

李鑰李顯道 宋 451- 57- 2
李鑲晉 481-404-313
李讚明 511-192-143
1241-868- 22
李驥明(字尚德) 301-738-281
453-272- 24
472-741- 29
474-168- 8
476-788-141
477-201-159
477-366-163
537-304- 56
540-785-28之3
1239- 45- 29
1240-385- 24
李驥明(字次德) 524-361-196
李驥明(新繁人) 554-337- 54
李驥妻 明 見胡氏
李讜後梁 277-178- 19
李鑾明 545-441- 99
李鑾女 明 見李氏
李驤蜀漢 254-690- 15
384-476- 14
473-478- 69
559-406-9上
李鬱宋 821-249- 52
李鸞明(字天瑞) 510-437-116
李鸞明(號翔山) 559-418-10上
李籲宋 288- 24-428
400-462-543
448-474- 8
449-713- 6
477-314-164
538- 12- 61
李一元明 475-644- 83
479-320-232
511-319-148
523-192-155
676-582- 24
李一松明 516-181- 94
李一迪明 564-214- 46
676-591- 24
李一原妻 明 見董氏
李一桂明 558-446- 38
李一清明 見李之青
李一陽明 479-353-233
523-206-155
李一陽妻 明 見莊氏
李一敬明 559-350- 8
李一誠明 1227- 76- 8
李一寧明 472-223- 8
472-337- 14
564-151- 45
李一鳴明 523-538-172
李一蜚明 1204-314- 10
李一廣呂一廣 明456-526- 6
540-836-28之3
李一龍明(平番州人)
456-642- 10
李一龍明(字體元) 564-209- 46
李一翰明 515- 57- 58
李一爵明 545-853-113
李一鷗妻 清 見劉氏
李一鵬明 508-361- 42
李一鶚明 546- 93-118
李一鑰女 明 見李氏
李二郎秦 559-257- 6
李二格清 李文美女
503- 57- 95
李二貴妻 明 見楊氏
李二龍明 456-642- 10
李十鑑宋 1157-256- 19
李丁孫宋 288-324-449
400-181-514
李又新明 1241-172- 8
李九星妻 明 見康氏
李九華妻 明 見劉氏
李九疇明 511-660-162
李九齡明 533-414- 62
李人傑北周 263-777- 43
267-349- 66
379-638-158
李人義明 1239- 12- 26
李人鳳清 529-705- 50
李人儀明 473-247- 60
480-290-271
481-213-302
532-680- 44
559-353- 8
李人龍清 479- 44-218
505-832- 75
523- 92-149
李八百李脫、李八伯、李常眞
周或六朝 473-437- 67
481- 85-294
516-425-103
554-962- 65
561-214-38之3
592-169- 71
592-170- 71
1059-268- 3
1061-259-109
李八伯周或六朝 見李八百
李八師宋 812-540- 3
821-258- 52
李三才明 300-800-232
458-372- 16
474-185- 9
505-724- 71
510-294-112
554-670- 60
676-609- 25
1442- 76- 5
1460-377- 57
李三才妻 明 見馬氏
李三近妻 清 見孫氏
李三省明 510-340-113
李三畏清 533-391- 60
李三科清 456-386- 80
李三挺妻 清 見伍氏
李三錦清 456-387- 80
李三錫金 291-128- 75
399-108-426
474-819- 44
502-363- 62
李三禮清 511-587-159
李士万後魏 267-901-100
李士才明 456-584- 8
538- 68- 63
李士文明(字在中) 460-517- 46
529-468- 43
563-809- 41
李士文明(吳郡人)
1237-504- 5
李士元明 458- 16- 1
476-331-115
538- 27- 62
545-423- 98
李士升妻 明 見周氏
李士允宋 288-326-449
400-174-513
李士允明 458-119- 5
1442- 47- 3
1460- 28- 41
李士弘清 479-287-230
523-179-154
李士正清 563-864- 42
李士甲元 1196-313- 18
李士安宋 515-498- 72
李士安元 821-324- 54
李士行元 821-286- 53
1214-227- 19
李士亨明 559-355- 8
李士良元 1209-112- 6
李士成明 1243-383- 23
李士奇清 483-201-388
570-125-21之1
李士林女 清 見李正姐
李士明宋 528-319- 69
李士昉唐 812-349- 9
821- 81- 47
李士竑清 533- 72- 49
李士亮清 529-664- 49
李士彥女 宋 見李氏
李士俊妻 清 見楊氏
李士俊妻 清 見鄭氏
李士眞宋 533-319- 57
李士軒明 564-261- 47
李士能妻 明 見楊氏
李士淳明 545-198- 90
564-205- 46
李士彬宋 285-119-253
396-476-298
李士翔明 540-806-28之3
李士雲宋 821-184- 50
李士登明 545-345- 96
李士開明 515-722- 79
李士華元 1224-285- 23
1228-791- 13
李士鈐妻 清 見蔡氏
李士達明(字伯順)
554-513-57下
李士達明(號仰槐) 821-452- 57
李士照妻 清 見封氏
李士傳元 821-296- 53
1210-480- 18
李士會元 516- 48- 88
李士經妻 明 見王氏
李士禎清 515- 70- 58
李士實明 820-680- 42
李士寧宋 492-601-13下之下
561-201-38之1

1106-277- 38
1108-620-102
李士標明 456-610- 9
523-364-163
1442-113- 7
李士標妻 明 見孫氏
李士賢明 1242-857- 10
李士模明 524-128-184
李士模清 505-653- 68
540-854-28之4
李士震明 559-357- 8
李士震妻 清 見高氏
李士龍元 511-448-153
1221-497- 12
李士龍清 570-114-21之1
李士諤明 456-665- 11
李士謀妻 清 見胡氏
李士翺明(山東人) 554-188- 51
李士翺明(字如翰) 473-299- 62
480-171-266
532-670- 44
676-560- 23
李士衡宋 見李仕衡
李士謙姊 隋 見李氏
李士謙李容郎 隋
264-1082- 77
266-684- 33
380-475-178
384-132- 7
384-158- 8
472- 90- 3
474-618- 32
505-916- 81
933-526- 35
1054- 92- 2
1054-393- 10
李士謙妻 隋 見盧氏
李士燮李梁 宋 515-498- 72
李士瓚清 554-824- 63
李士瞻元 472- 37- 1
533-189- 53
676-709- 29
1214-501- 6
1214-502- 6
1439-441- 2
1469-217- 46
李士麟清 475-472- 72
476-311-113
510-408-115
546-383-127
李士麟妻 清 見田氏
李士鼇明 559-322-7上
李子平宋 1113-619- 9
李子安明 821-370- 55
李子羽後魏 379-142-148
李子列宋 487-142- 9
李子奇清 475-755- 88
李子長明 567-465- 87
1467-524- 11
李子忠宋 1096-694- 23
李子昌明 541-113- 31
李子明女 元 見李智貞
李子明妻 明 見黃氏
李子和魏 見吳徵崇
李子和郭子和 唐
269-496- 56
274-202- 92
395-240-202
554-577- 58
李子和妻 元 見劉氏
李子岳後魏 379-142-148
李子宣宋 510-424-116
李子春明 473-599- 76
528-526- 31
李子昭明 515-271- 65
李子容明 1240-769- 8
李子眞明 541- 98- 30
李子娘明 黃熙燿妻
530- 90- 56
李子寉女 明 見李氏
李子章明 529-631- 48
李子通唐 269-491- 56
274-154- 87
384-178- 9
395-237-202
李子敏明 1442-131- 8
李子雲漢 540-699-28之1
李子雲後魏 379-142-148
李子雄隋 264-1000- 70
266-687- 33
379-751-161
933-526- 35
李子隆明 547- 72-143
李子華明 1237-514- 6
李子暘明 1247-375- 14
李子義李子儀 明
472-646- 26
477-442-171
537-338- 56
李子圓宋 529-697- 50
李子敬元(三原人) 295-607-197
400-315-526
478-125-181
李子敬元(定襄人) 476-310-113
546-378-127
李子筠宋 523-148-153
李子榮元 547-491-159
李子稱唐 485-425- 5
李子儀宋 1094-642- 70
李子儀明 見李子義
李子樂隋 515-128- 61
李子龍李閏祖 宋 451- 86- 3
李子豫晉 742- 28- 1
李子穆明 481-723-333
529-699- 50
李子謙明 523-130-152
李子燽妻 清 見孫氏
李子譚明 1241-600- 12
李子躍明 510-448-117
李子權李向旻 清
1327-864- 20
李干霄李立志 清
1321- 34- 88
李于堅明 460-813- 88
529-748- 51
李才叔宋 568-296-110
李大卞宋 472-981- 39
523- 98-150
李大方隋 264-953- 66
267-511- 77
379-832-163
李大方元 547-485-159
1191-352- 31
李大元妻 明 見龍氏
李大中妻 明 見張氏
李大升清 510-475-117
李大正宋 473-194- 58
515-255- 65
523-241-157
李大生清 475-744- 88
李大用明 1241-706- 16
李大有宋(字仲謙) 473-127- 55
473-186- 58
515-521- 73
523-198-155
李大有宋(字謙仲) 475-483- 73
493-777- 42
510-409-115
523-479-170
1173-172- 75
李大有明(歸善人)
1467-119- 66
李大同宋(字從仲) 287-773-423
398-701-414
472-1030- 42
479-325-232
523-326-161
680-198-244
李大同宋(嘉魚人) 480- 56-260
李大全宋 288-324-449
400-180-514
451-224- 0
481- 71-293
李大年母 宋 見龐氏
李大年妻 明 見李氏
李大宏明 516-182- 94
李大性宋 287-408-395
398-406-391
472-308- 13
473- 22- 49
473-298- 62
475-324- 65
479-486-239
480-241-269
482-185-346
486- 55- 2
493-717- 40
515-323- 67
523-150-153
564- 64- 44
李大東宋 488- 14- 1
488-468- 14
488-469- 14
488-470- 14
李大林妻 明 見甄氏
李大忠明 456-462- 4
李大芳妻 明 見程氏
李大姐清 王之文妻
474-193- 9
506- 23- 86
李大姐清 李東文女
506- 65- 87

李大妮清 477-483-173
李大亮唐 269-564-62
274-269-99
384-170-9
395-314-209
407-389-2
459-776-47
472-834-33
472-944-37
474-370-19
478-110-181
478-451-197
479-447-237
481-16-291
486-41-2
515-6-57
523-5-146
532-675-44
545-11-83
554-394-55
558-132-30
933-529-35
李大昭明 1294-247-6上
李大訓宋 1168-466-38
李大庫妻 清 見劉氏
李大孫妻 清 見吳氏
李大恩定襄王 唐
276-243-215上
544-224-63
545-329-95
李大倫明 1249-192-11
李大師隋 267-913-100
李大純明 袁雍簡妻
1442-124-8
李大章明 515-784-81
李大章清 1325-682-10
1325-794-10
李大捷妻 清 見陳德芳
李大異宋(字伯珍) 493-718-40
李大異宋(豫章人) 585-770-5
李大盛清 547-11-141
李大欽明 528-479-30
李大載明 456-638-10
李大椿明 511-841-168
李大敬明 456-628-10
李大經明 476-85-100
547-17-141
李大經妻 明 見冀氏
李大節宋 546-686-138
李大韶明 523-418-166
李大韶妻 明 見錢氏
李大輔唐 見李大酺
李大酺李大輔 唐
271-792-199下
274-359-106
276-339-219
395-371-214
401-529-636
496-615-105
李大嘉明 545-787-111
李大綱明 564-265-47
李大儒明 561-450-43
李大臨宋 286-397-331
397-505-350
472-801-31
473-432-67
473-454-68
477-499-174
481-78-294
537-333-56
545-458-100
559-285-7上
559-342-8
591-550-42
820-370-33
1104-335-30
1106-259-35
1354-854-50
1354-856-50
1381-704-50
李大覺明 302-61-292
456-559-7
479-662-247
480-291-271
515-804-82
533-389-60
李小尊宋 見李几
李小圓明 王邦寧妻、李若梓女 478-204-184
555-46-66
李上林明 456-640-10
李上金杞王、畢王、澤王 唐
270-24-86
274-72-81
395-42-184
544-223-63
李上苑妻 清 見陶氏
李上善楚國公主、壽春公主 唐 吳澄江妻、唐玄宗女
274-112-83
393-280-73
554-52-49
李上達金 291-306-92
399-171-431
540-769-28之2
李上蘭妻 清 見吳氏
李山如明 524-253-190
李山甫唐 451-466-6
1365-485-8
1371-72-附
1473-565-89
李山甫宋 481-693-332
515-820-83
528-537-32
李山儒後魏 261-523-36
李千里成王、李仁 唐
269-730-76
274-60-80
395-30-183
567-6-62
李千能宋 821-223-51
李六名明 533-799-75
李六秀女 明 見李氏
李六娘明 陳振翰妻
530-88-56
李心原元 515-618-76
李心惟明 見李心唯
李心唯李心惟 明
302-160-297
456-659-11
475-781-89
511-654-162
李心道宋 1195-516-上
李心葵明 456-632-10
李心傳宋 288-175-438
400-545-549
473-435-67
481-387-312
482-144-344
494-429-13
559-400-9上
591-566-42
592-602-99
674-322-5上
677-363-33
820-442-35
1375-34-下
李心學明 511-353-149
李亢宗宋 460-289-18
李斗元元 見胡斗元
李斗星清 547-76-143
李方子宋 288-61-430
400-556-550
459-112-7
460-347-27
473-643-78
481-582-328
481-697-332
529-628-48
678-245-94
李方升清 見李方昇
李方玄唐 275-269-162
396-86-259
510-443-117
1081-593-5
1342-389-954
李方至明 559-372-8
李方泌明 456-642-10
482-562-369
李方昇李方升 清
481-449-317
559-437-10下
李方叔女 後魏 見李皇后
李方叔唐 821-79-47
李方實明 547-95-144
李方蓁清 546-650-136
李方懋清 1312-862-12
李文子宋 460-112-6
李文才後蜀 592-714-107
812-495-中
812-536-3
821-129-49
1381-575-42
李文斗妻 清 見朱氏
李文中明 570-111-21之1
李文玉李宗 明 1259-183-14
李文玉妻 明 見鄔氏
李文申妻 清 見蔣氏
李文用南唐 843-662-上
李文仲元 511-730-165
李文仲明 1467-154-67
李文仲清 481-118-296

559-532- 12
李文志明 547- 34-142
李文利明 460-532- 49
529-730- 51
676- 52- 2
李文秀明 540-786-28之3
李文秀妻 清 見胡氏
李文秀妻 清 見陳氏
李文忠朱保兒、岐陽王 明(字思本) 299-159-126
453- 12- 2
453-510- 1
472-205- 7
475-854- 94
511-428-152
523- 31-147
547-179-147
1229-371- 14
1283-191- 81
1374-445- 64
李文忠明(字世英)
1223-263- 2
李文昌宋 451- 86- 3
李文明明(亳州人)
511-652-162
李文明明(階州人) 558-402- 36
李文明妻 明 見胡氏
李文明妻 清 見倪氏
李文秉明 473-234- 60
480-170-266
532-646- 43
李文炳元 1198-408- 8
李文炳妻 明 見唐氏
李文衵女 宋 見李氏
李文兗明 528-515- 31
李文美女 清 見李二格
李文厚明 1266-401- 7
李文厚妻 明 見彭氏
李文奎清 456-322- 75
李文郁明 299-434-149
473-251- 60
480-297-271
533-236- 54
李文郁清 533-471- 64
李文昭明 523-454-168
李文約唐 494-346- 7
李文海明 570-100-20下
李文悅唐 554-234- 52
李文素唐 473-478- 69
559-417-10上
李文彧清 567-421- 85
李文殊明 473- 61- 51
473-618- 77
481-648-330
529-584- 46
李文卿元 1196-738- 10
李文姬漢 趙伯英妻、李固女
253-313- 93
376-928-112
472-869- 34
478-249-186
555- 5- 66
879-182-58下
李文淵宋 471-1033- 65
473-465- 69
528-505- 31
559-370- 8
1165-303- 19
李文祥明 300- 99-189
472-828- 33
478- 92-180
480-131-264
533- 39- 48
554-339- 54
572-157- 32
1258-166- 15
1457-502-388
1457-504-388
李文陰明 456-582- 8
李文通後魏 見李洪之
李文通明 529-690- 50
李文焜明 456-494- 5
李文詠明 302-159-297
475-139- 56
511-530-157
李文博隋 264-880- 58
267-619- 83
380-396-176
384-152- 8
474-652- 34
505-793- 73
505-894- 79
李文盛清 554-260- 52
李文植妻 明 見林氏
李文登妻 清 見馮氏
李文景妻 元 見徐彩鸞
李文貴明 567-123- 67
1467-118- 66
李文進明 559-355- 8
李文煌清 511-364-150
563-869- 42
李文煥明(廣靈人) 510-313-113
李文煥明(大同人) 546- 87-118
554-313- 53
李文達明 533- 89- 49
李文圓明 494- 42- 3
李文敬妻 明 見吉氏
李文暕唐 269-537- 60
李文察明 529-739- 51
545-388- 97
李文榮明(嘉善人) 523-516-171
李文榮明(字文榮)
1260-606- 17
李文熙明(字道光) 505-830- 75
李文熙明(石首人) 554-258- 52
李文遠妻 明 見張氏
李文鳳明 482-391-358
567-415- 84
676-129- 5
1318-156- 44
1467-227- 70
李文綱唐 505-912- 81
李文綱妻 明 見許氏
李文潔明 545-465-100
李文慶元 529-634- 48
李文蔚母 宋 見田氏
李文蔚女 宋 見李氏
李文輝明 532-738- 46
李文質明 547-101-145
李文憲明(字從周) 475-421- 70
510-400-115
李文憲明(泰寧人) 529-692- 50
李文翰明 546-419-128
李文翰女 明 見李淑寧
李文選明 482-351-356
567-378- 82
1467-189- 69
李文興妻 清 見施氏
李文學清 474-775- 41
476-856-145
502-776- 86
540-682- 27
李文燦明(諡烈愍) 456-494- 5
李文燦明(永平人) 456-628- 10
李文燦明(伏羌人) 558-468- 39
李文燦清 456-323- 75
李文孺唐 491-343- 2
564- 19- 44
李文鍈妻 清 見陳氏
李文鵬明 456-662- 11
李文藥妻 明 見馬氏
李文鶴妻 清 見陳氏
李文覽女 宋 見李氏
李文續明 559-372- 8
569-655- 19
李文續女 明 見李氏
李文麟清 529-486- 43
李文纘明 460-678- 69
529-736- 51
676- 7- 1
676- 22- 1
676- 37- 2
679- 68-145
李之才宋 288- 80-431
382-738-113
384-344- 17
400-441-540
472-592- 24
472-705- 28
476-204-107
476-670-136
477-242-161
491-805- 6
537-276- 55
540-764-28之2
677-179- 16
708-333- 50
1090- 27- 6
1118-366- 19
1437- 11- 1
李之元明 456-669- 11
李之仁明 483-137-380
569-674- 19
572- 72- 28
李之玉妻 明 見郭氏
李之本妻 明 見劉氏
李之沆明 456-655- 11
476-419-120
547- 84-144
李之良後魏 261-524- 36
266-689- 33
379-152-148

李之秀明 533-360- 60
李之性清 477-361-166
537-323- 56
李之泌明 533-334- 58
李之青李一清、李之清 明
456-498- 5
476- 31- 97
515-722- 79
李之邵宋 473-125- 55
515-130- 61
529-604- 47
李之芳唐 269-736- 76
274- 65- 80
395- 35-183
554- 39- 48
李之芳清 475-875- 95
476-754-139
478-770-215
523- 65-149
540-849-28之4
541-795-35之20
545-113- 86
1322-673- 12
1324-340- 32
1327-280- 13
李之芳妻 清 見于氏
李之和元 547-525-160
李之珍明 456-583- 8
李之茂明 545-849-113
李之昱清 533-417- 62
李之英元 502-276- 55
540-779-28之2
李之紀妻 清 見夏氏
李之俊妻 清 見林氏
李之悌唐 545-866-113
李之桑妻 清 見張氏
李之純宋 286-567-344
397-644-359
472- 70- 2
474-339- 17
476-752-139
481- 19-291
505-744- 72
515- 13- 57
李之純明 1226-139- 7
李之清明 見李之青
李之莊清 476-750-139
476-754-139
540-851-28之4
李之紹元 295-237-164
399-594-478
472-558- 23
476-826-143
540-776-28之2
676-698- 29
1439-427- 1
李之敏宋 1147-364- 33
李之棟女 清 見李氏
李之復元 1206-407- 3
李之椿明 676-652- 27
1442-104- 7
1460-722- 78
李之達明 511-248-145
李之經明 456-607- 9
480-638-288
533-409- 61
李之賓妻 清 見白氏
李之實清 474-519- 25
475-421- 70
505-861- 77
510-401-115
李之榮妻 清 見楊氏
李之駒明 572- 83- 28
李之蔚明 456-604- 9
554-344- 54
李之儀宋 286-568-344
382-760-116
384-383- 19
397-644-359
471-691- 15
472- 95- 3
472-349- 15
474-339- 17
475-673- 84
477-379-167
505-892- 79
511-912-173
547-154-147
674-827- 17
820-396- 33
1110-583- 34
1362-888- 93
1437- 18- 1
李之儀妻 宋 見胡淑修
李之翰宋 1164-193- 9
李之翰金 1365-261- 8
1439- 2- 0
1445-479- 35
李之蕃清 528-565- 32
李之曉清 511-516-157
李之縞明 533-159- 52
李之馨妻 明 見余氏
李之藻明 576-655- 5
李之藻清 561-203-38之1
李之韡清 475-564- 79
510-431-116
李之讓明 511-602-160
李不作元 472-789- 31
537-327- 56
李不疑宋 1410-569-741
李太昇明 456-681- 11
李太清明 534-634-102
李太麒妻 明 見張氏
李五美明 563-818- 41
李五娘明 李含英女
483-179-384
570-192- 22
李五娘明 林毓蘭妻
530- 94- 56
李丑父宋 481-554-327
528-539- 32
529-504- 44
1185-795- 24
李元久元 496-428- 90
李元方周王 唐 269-589- 64
274- 51- 79
395- 22-182
552- 49- 19
李元方宋 見李元芳
李元中宋 472-338- 14
475-528- 77
李元中元 1222-479- 12
李元中明 821-354- 55
李元正妻 清 見吳氏
李元本唐 270-694-142
276-192-211
396-295-277
李元平唐 270-538-130
275-152-151
384-226- 12
395-750-249
李元白李齊 宋 529-748- 51
李元白明 456-553- 7
李元吉巢王 唐 269-585- 64
274- 49- 79
384-162- 9
395- 19-182
李元吉宋 494-405- 12
523-445-168
528-440- 29
李元老宋 見李升
李元名舒王、譙王 唐
269-593- 64
274- 55- 79
384-162- 9
395- 26-182
477- 49-151
545-235- 92
李元亨鄶王 唐 269-588- 64
274- 51- 79
395- 22-182
552- 49- 19
李元扶明 481-157-298
李元佐元 1198-771- 5
李元含妻 清 見孫氏
李元初明 570-164-21 之2
李元直宋 554-853- 63
820-384- 33
李元枝唐 見姜澤
李元忠北齊 263-183- 22
266-665- 33
379-414-153
384-136- 7
472- 89- 3
476-725-138
505-787- 73
537-352- 56
544-210- 62
742- 32- 1
933-525- 35
李元忠女 北齊 見法行
李元忠曹令忠 唐
270-442-120
275- 21-137
395-651-238
李元忠金 1040-256- 5
李元昌漢王、魯王 唐
269-588- 64
274- 51- 79
395- 21-182
552- 50- 19
812- 71- 下

812-234- 9
812-341- 9
812-724- 3
812-743- 3
813-146- 13
814-220- 2
819-575- 19
李元芳李元方 宋473-726- 82
482-227-348
564- 66- 44
李元芬妻 清 見劉氏
李元昊西夏 見夏景宗
李元炳明 511-564-158
李元春明 528-198- 23
李元軌蜀王、霍王 唐
269-591- 64
274- 53- 79
384-162- 9
395- 23-182
407-458- 5
472- 85- 3
474-650- 34
493-644- 35
505-704- 70
544-223- 63
545-453- 99
李元軌子 唐 515-300- 66
李元茂後魏 261-674- 49
266-669- 33
379-142-148
李元昭明 524-278-192
676-597- 24
1442- 68- 4
1460-311- 54
李元則荆王、彭王 唐
269-590- 64
274- 53- 79
395- 23-182
471-802- 30
480-613-287
532-746- 46
李元律明 523-362-163
李元浤明 547- 47-142
李元素唐(亳州人) 269-796- 81
274-357-106
395-370-214
477-242-161
李元素唐(字大朴) 270-555-132

275-115-147
384-235- 12
395-728-246
554-643- 60
933-538- 35
李元素金 821-277- 52
李元泰明 529-637- 48
李元珪元 820-539- 39
1471-513- 11
李元振唐 820-152- 26
李元振清 477-134-155
537-441- 58
李元紘丙元紘 唐
270-184- 98
274-582-126
384-197- 11
395-547-231
472-272- 11
472-835- 33
478-114-181
510-369-114
554-444- 56
933-532- 35
李元淳唐 477-242-161
李元清南唐 479-710-250
511-430-153
515-141- 61
李元章妻 清 見陳氏
李元祥江王、許王 唐
269-594- 64
274- 56- 79
384-162- 9
395- 27-182
493-684- 38
李元祥明 529-636- 48
李元基唐 516-414-103
李元通唐 505-628- 67
李元崇宋 821-207- 51
李元童唐 見李通玄
李元善妻 清 見史氏
李元黄清 546-661-137
李元開明 456-467- 6
李元陽明 483- 96-378
494-168- 6
570-118-21之1
581-426- 91
676-561- 23
1442- 53- 3

1460-115- 45
李元琳清 540-861-28之4
李元景荆王 唐 269-587- 64
274- 51- 79
395- 21-182
李元凱李杰 明 473- 27- 49
515-361- 68
李元順妻 明 見虞氏
李元裕鄧王 唐 269-593- 64
274- 55- 79
395- 26-182
535-557- 20
李元愷李元憕 唐
271-640-192
275-639-196
401- 5-568
472-107- 4
474-409- 20
505-921- 82
李元鼎清 515-725- 79
李元會妻 清 見丁氏
李元實明 533-216- 53
李元輔後唐 820-313- 31
李元壽明 820-641- 41
1289-384- 26
李元瑂明 460-809- 87
481-723-333
515-123- 60
529-637- 48
李元嘉宋王、徐王、韓王 唐
269-589- 64
274- 52- 79
384-162- 9
395- 22-182
407-457- 5
545-207- 91
545-453- 99
552- 50- 19
812-341- 9
814-220- 2
819-575- 19
李元鳳唐 見李鳳
李元鳳明(太和人) 456-643- 10
李元鳳明(興寧人) 564-196- 46
李元綱宋 494-430- 13
523-579-175
李元諒安元光、駱元光 唐
270-720-144

275-206-156
384-237- 12
396- 24-253
472-877- 35
478-543-202
556-332- 90
556-691- 98
558-189- 31
558-633- 46
933-543- 35
李元憕唐 見李元愷
李元慶陳王、道王、漢王 唐
269-592- 64
274- 55- 79
384-162- 9
395- 25-182
477-200-159
552- 49- 19
1394-674- 10
李元璂清 481-674-331
李元璋金 505-729- 71
李元履齊 265-662- 46
378-228-137
485- 70- 10
493-678- 37
933-524- 35
李元德清 456-387- 80
李元龍妻 清 見胡氏
李元靜妻 明 見楊氏
李元操隋 見李孝貞
李元曉密王 唐 269-594- 64
274- 56- 79
395- 27-182
535-557- 20
李元濟宋 812-539- 3
821-168- 50
李元輿元 1195- 78- 6
李元薦女 明 見李氏
李元嬰滕王 唐 269-594- 64
274- 57- 79
395- 27-182
471-1045- 67
471-1047- 67
473-445- 68
493-684- 38
560-595-29下
591-703- 50
812-341- 9

812-363- 0
813-157- 15
1394-671- 10
李元禮徐王、鄭王 唐 269-589- 64
274- 52- 79
384-162- 9
395- 22-182
476-394-119
545-453- 99
李元禮元 295-385-176
399-701-490
472- 98- 3
474-381- 19
505-753- 72
李元璹唐 493-644- 35
李元豐明 481-723-333
529-699- 50
李元龎妻 清 見曾氏
李元齡明 559-350- 8
李元護後魏 262- 77- 71
266-925- 45
379-289-150下
472-624- 25
502-316- 58
814-261- 8
820-121- 25
933-527- 35
李元譽宋 529-759- 53
李元懿滕王、鄭王 唐
269-590- 64
274- 53- 79
384-162- 9
395- 23-182
476-394-119
535-557- 20
545-207- 91
545-453- 99
李元顯後魏 379-148-148
李元顯明 547- 6-141
李无垢清 1318-370- 64
李予之清 1324-342- 32
李引嘉明 見李孕嘉
李孔昭明～清 505-920- 82
586-172- 7
李孔昭妻 明 見王氏
李孔效明 456-556- 7
480-319-272
502-715- 83
533-392- 60
李孔修明 457-127- 9
482- 37-340
564-287- 47
821-397- 56
1458-349-441
李孔嘉清 1322-665- 12
李尹仲女 宋 見李洞
李尹孫宋 見李天驥
李天才宋 451-133- 2
李天用妻 清 見韓氏
李天成明 558-478- 40
李天成女 明 見李氏
李天成清 456-323- 75
李天育明 547- 45-142
李天勇宋 479-658-247
515-761- 80
李天保妻 清 見王氏
李天浴清 482-541-368
502-682- 80
569-656- 19
李天祐元(新城尹) 505-656- 68
李天祐元(字吉甫) 523-128-152
1214-216- 18
李天祐元(隴西人)1195-546-下
李天祐明 475-777- 89
510-479-118
李天祚宋 288-805-488
李天祚妻 明 見穆氏
李天挺妻 清 見申氏
李天秩明 479-287-230
523-179-154
李天秩妻 明 見王氏
李天秩清 483-118-379
570-162-21之2
李天培清 456-322- 75
李天敕明 554-348- 54
李天授唐 見李戡
李天授妻 清 見程氏
李天敘明 537-468- 58
李天敘妻 明 見李氏
李天敘清 478-246-186
554-317- 53
李天敘妻 清 見周氏
李天富妻 清 見王氏
李天植明 475-823- 92
511-377-150
515- 56- 58
532-596- 41
677-643- 57
679- 68-145
李天植明 見李確
李天植清 476- 86-100
547- 29-141
李天植妻 清 見周氏
李天植妻 清 見舒氏
李天裔妻 清 見周氏
李天祿元 472-291- 12
李天祿清 456-323- 75
李天楹明 564-264- 47
李天經清 505-904- 80
李天福妻 清 見宋氏
李天鳳妻 清 見李氏
李天篪元 515-622- 76
李天澤元 564- 80- 44
李天器妻 清 見黃氏
李天牖清 478-134-181
李天錫元 1210-752- 23
李天翼金 1365-288- 8
1439- 10- 0
1445-520- 39
李天馥母 清 見瞿氏
李天馥清 475-711- 86
511-339-149
李天寵明 300-370-205
458-124- 5
537-521- 59
李天麟明(字仲仁) 505-868- 78
李天麟明(武定人) 554-220- 52
李天衢明 510-481-118
李天驥李尹孫 宋451- 69- 2
李天驥女 元 見李清
李支承清 538- 87- 64
李支振明 456-572- 8
538- 46- 63
李支倫妻 清 見林氏
李支揚李友楊 明
476-856-145
537-434- 58
李友文宋 見李汝文
李友仁宋 1166-666- 12
李友仁妻 宋 見史氏
李友竹明 456-671- 11
480-298-271
李友直宋(武岡人) 480-438-278
李友直宋(字叔益) 494-321- 6
1153-598-104
李友直宋(字直之) 529-654- 49
李友直宋(畫家) 821-250- 52
李友直明 453-439- 15
472- 56- 2
886-138-138
1239- 13- 27
1240-364- 23
李友直清 476-311-113
547- 92-144
李友桃女 明 見李氏
李友斐明 480-414-277
李友楊明 見李支揚
李友端元 472-774- 30
537-548- 59
李友槐妻 明 見惠氏
李友諒宋 1110-571- 33
李友諒宋 見李信甫
李友諒妻 明 見王氏
李友蘭明 456-573- 8
480-248-269
533-385- 60
李及之宋 286-105-310
397-289-336
472-575- 24
476- 78-100
476-863-145
477-522-175
478-671-209
479-556-242
515-195- 63
540-762-28之2
545-175- 89
李及秀清 505-808- 74
李止瑛李玉瑛 明
479-633-245
516-335-100
李日沆清 538- 88- 64
李日芃清 474-774- 41
475- 21- 49
502-670- 80
510-296-112
李日杭明 529-699- 50
李日昇宋 1158-180- 21
李日芳妻 明 見張氏
李日知唐 271-523-188
274-471-116

384-187- 10
384-192- 10
395-469-223
469- 71- 9
472-657- 27
477- 69-152
537-598- 60
933-531- 35
李日宣明 301-302-254
515-719- 79
537-222- 54
545-121- 86
676-632- 26
李日茂明 537-291- 55
李日英明 567-357- 80
李日俊妻 明 見許氏
李日修明 516- 86- 90
李日煋清 481-590-328
529-556- 45
李日強元 見余日強
李日強明 545-785-111
李日尊宋 288-803-488
李日越唐 276-340-219
401-529-636
496-617-105
李日巽明(字順之) 564-195- 46
567-140- 68
李日巽明(惠州人)
1467-132- 66
李日華明(字君實) 301-868-288
515-250- 64
524- 23-179
820-734- 44
821-469- 58
1442- 84- 5
1475-376- 16
李日華明(武安人) 456-679- 11
李日舒明 456-492- 5
476-701-137
李日新明 456-679- 11
李日達女 明 見李氏
李日煦明 546-648-136
李日榮清 478-599-204
558-379- 36
李日輔明 301-357-258
479-494-239
481- 71-293
515-434- 70
李日瑤清 482-511-366
李日熼清 1312-845- 11
李日燦清 529-661- 49
李日耀清 547- 49-142
李日覺清 529-706- 50
李日儼明 554-258- 52
李中正明 302- 50-292
456-481- 5
458- 71- 3
477-525-175
538- 61- 63
李中白唐 1083-201- 7
李中行宋 511-892-172
李中行明 540-826-28之3
571-525- 19
李中孚明 456-529- 6
李中明元 530-214- 61
821-315- 54
李中姑明 桂廷鳳妻
302-238-302
480-665-290
516-250- 97
李中美明 460-825- 92
李中素清 481-763-335
528-567- 32
533-185- 52
李中倫清 505-898- 80
李中師宋 286-390-331
472-740- 29
537-301- 56
1091-384- 34
李中堅妻 清 見劉氏
李中梧清 474-276- 14
505-652- 68
李中梓清 511-871-170
李中敏唐 271-226-171
274-501-118
384-270- 14
396-189-269
472-897- 35
472-1051- 44
477-312-164
484- 84- 3
523-239-157
558-309- 34
933-531- 35
李中憲明 533-110- 50
李中馥清 見李忠馥
李少安唐 1342-432-960
李少良唐 270-403-118
275- 86-145
李少君漢 243-266- 12
384- 46- 2
476-679-136
541- 84- 30
1059-285- 6
李少和宋 524-441-201
李少康唐 1072-220- 8
1341-743-899
李少植唐 269-558- 62
李內貞遼 497-868- 61
李公年宋 821-197- 51
李公杜明 見李公柱
李公佐宋 534-668-105
1378-426- 56
李公車妻 宋 見王氏
李公京宋 471-985- 57
李公門明 456-550- 7
李公明宋 1094-644- 70
李公彥宋(知上高縣)
473-165- 57
515-102- 60
李公彥宋(字成科) 515-740- 80
李公度明 511-859-169
李公柱李松、李公杜 明
676-661- 27
1442-110- 7
1475-500- 22
李公紀明 676-462- 17
李公泰宋 471-977- 56
李公清宋 1354-766- 43
李公統後魏 266-674- 33
379-146-148
李公朝宋 1354-766- 43
李公弼元 545-843-113
李公弼妻 清 見蔡氏
李公凱宋 515-502- 72
678-435-111
李公逸唐 271-490-187上
275-581-191
400- 92-508
李公進唐 1340-624-783
李公裕宋 1118-954- 65
李公睦女 元 見李氏
李公輔女 明 見李氏
李公緒北齊 263-230- 29
266-670- 33
379-512-155
472- 90- 3
474-618- 32
505-892- 79
933-525- 35
李公諒明 472-613- 25
540-804-28之3
李公謀妻 漢 見戴氏
李公擇宋 1115-405- 48
李公錫元 1221-424- 5
李公懋宋 473- 77- 52
516- 96- 91
1136- 78- 2
李公璹宋 471-1067- 70
472-893- 35
558-232- 32
李公蘊宋 288-801-488
371-200- 20
李公麟宋 288-256-444
382-761-116
384-383- 19
400-669-562
471-918- 48
471-929- 49
472-338- 14
475-528- 77
475-698- 86
510-462-117
511-798-167
512-912-200
678-510-119
680- 13-225
681-436- 0
813-108- 7
820-400- 34
821-174- 50
1110-464- 25
1242-369- 36
1437- 16- 1
李公讓明 545-462-100
李月桂清 515- 71- 58
523- 66-149
李仁山妻 明 見楊氏
李仁方李仁及 宋
494-396- 11
494-473- 18
李仁元宋 494-396- 11

494-473- 18
1164-362- 19
李仁及宋 見李仁方
李仁本宋 494-396- 11
494-473- 18
1164-362- 19
李仁用宋 王惟清妻
1115-601- 33
李仁老宋 820-461- 36
李仁孝西夏 見夏仁宗
李仁表宋 494-396- 11
494-473- 18
1164-362- 19
李仁洤明 533-265- 55
李仁扈宋 1170-713- 31
李仁祐元 1198-546- 8
李仁矩後唐 277-575- 70
279-163- 26
384-302- 16
396-361-284
李仁章五代 821-133- 49
李仁深宋 1174-732- 46
李仁傑明 1255-676- 70
李仁傑清 456-293- 72
李仁義妻 明 見孫氏
李仁萬唐 見道寂
李仁實唐 269-699- 73
274-315-102
384-173- 9
395-331-210
李仁福後唐 278-447-132
279-251- 40
李仁壽季仁壽 元
523-631-177
676- 82- 3
676-317- 11
678-177- 86
680-222-246
李仁綽唐 見李仁緯
李仁廣元 559-300-7上
李仁德女 宋 見李皇后
李仁緯李仁綽 唐
472-694- 28
477-161-157
537-264- 55
李仁瞻李仁贍 唐
1066-214- 20
1342-176-926

李仁贍唐 見李仁瞻
李介夫妻 宋 見吳氏
李介立清 511-842-168
李介石元 684-495- 下
820-540- 39
1218-645- 3
1439-449- 2
李升德明 456-551- 7
李化邦明 456-678- 11
李化熙明 523-123-151
李化熙清 540-842-28之4
1318-449- 71
李化龍明(字于田) 300-746-228
474-479- 23
474-692- 37
475- 20- 49
481- 26-291
483-224-390
502-291- 56
505-777- 73
537-220- 54
540-620- 27
559-255- 6
571-517- 19
582-123-128
676-609- 25
1442- 76- 5
李化龍明(蘄州人) 456-671- 11
李化龍明(榆社人) 546-333-126
李化龍明(字伯熙) 564-118- 45
李化龍妻 明 見韓氏
李化龍清 478-275-187
481-695-332
528-547- 32
554-737- 61
李化櫝妻 明 見王氏
李化鯨明 538-104- 64
李化麟清 554-679- 60
李允元宋 488-381- 13
李允元妻 清 見凌氏
李允及宋 1090- 59- 12
李允升清 545-229- 91
李允正宋 285-396-273
371-159- 16
396-662-314
545- 39- 84
546-349-126
李允貞李允徵 清

475-421- 70
510-401-115
540-841-28之4
李允則宋 286-294-324
371-159- 16
382-198- 29
396-661-314
397-429-345
459-900- 55
472- 50- 2
472- 65- 2
472- 85- 3
472-914- 36
473-333- 63
474-235- 12
474-336- 17
475-869- 95
476-297-112
480-399-277
480-562-284
505-670- 69
532-688- 45
545-212- 91
546-350-126
558-208- 32
571-514- 19
李允恭明 477-542-176
李允執妻 明 見何氏
李允登清 505-686- 69
李允義妻 清 見邢氏
李允臧妻 明 見酆氏
李允徵清 540-851-28之4
李允徵清 見李允貞
李允簡明 300-297-200
481-385-312
482-373-357
483-340-398
532-696- 45
567-334- 79
571-549- 20
572-292- 37
1289-346- 24
1467-226- 70
李玄明女 唐 見李氏
李玄眞唐 271-656-193
李玄恩唐 1066-215- 20
1342-192-928
李玄通唐 271-490-187上

275-579-191
384-175- 9
400- 90-508
472- 84- 3
472-834- 33
474-650- 34
478-110-181
554-693- 61
李玄植唐 271-537-189上
276- 9-198
400-406-538
李玄祿春秋 見老子
李玄道唐 269-689- 72
274-309-102
384-167- 9
395-326-210
472-253- 10
475-213- 60
477- 68-152
李玄審後唐 812-524- 2
821-112- 49
李玄慶妻 唐 見鄭氏
李玄穆唐 820-286- 30
李玄應後唐 812-524- 2
821-112- 49
李玄霸衛王 唐 269-584- 64
274- 49- 79
395- 19-182
554- 33- 48
李立之宋 524-345-196
李立志清 見李干霄
李立春清 505-913- 81
李立義元 見李有
李立遵宋 見立遵
李主一元 1220-379- 3
李必大宋 533-329- 58
李必昂明 482-559-369
529-617- 47
569-658- 19
李必果清 533-304- 57
李必恆清 511-785-166
李必英妻 清 見張氏
李必智清 478-673-209
李必達宋 1157-271- 20
李必達明 554-606- 59
李必聞唐 480- 48-259
李必聞明 559-289-7上
李永吉妻 清 見康氏

李永年宋 821-233- 51
李永年明 473-100- 53
515-836- 84
李永定明(榆林人) 554-368- 54
李永定明(吉水人)
1238- 56- 5
李永庚清 533-221- 53
李永奇宋 287- 34-367
398-103-372
472-924- 36
李永昌明 820-754- 44
821-474- 58
李永昌清(字鳳山)
479-496-239
515-457- 70
李永昌清(任縣人)
505-825- 75
李永昌妻 清 見張氏
李永昂明 537-270- 55
李永芳明 見李承芳
李永芳清 537-602- 60
李永芳妻 清 見賴氏
李永茂明 537-283- 55
537-551- 59
李永茂妻 清 見顧氏
李永貞明 302-298- 305
李永泰明 見李元蓁
李永恭明 1241-392- 4
李永清清 456-321- 75
李永通明 559-370- 8
李永琪妻 清 見楊氏
李永寧明 559-353- 8
李永蓁李永泰 明
456-676- 11
李永蓁妻 明 見李氏
李永蕃明 510-456-117
李永錫宋 285-327-267
396-612-309
李永鶴妻 清 見楊氏
李永觀妻 清 見顧氏
李玉立清 561-204-38之1
李玉成元 1210-364- 11
李玉姐清 閻環奇妻、李發之女 547-227-149
李玉英明 李雄女
499-441-160
1442-123-附8
1460-772- 84
李玉眞明 王桓妻530- 88- 56
李玉珪唐 482-290-352
564- 28- 44
李玉恩清 456-322- 75
李玉琳五代 511-934-175
李玉森明 510-405-115
李玉靖清 張正元妻
481-269-305
559-495-11下
李玉瑛明 見李止瑛
李玉衡明 456-641- 10
556-712- 98
李玉聲妻 清 見官氏
李去病宋 1118-675- 35
李去惑唐 480-199-267
李戊匕元 1250-474- 44
1250-978- 92
李弘名清 563-884- 42
李弘志明 533-264- 55
李弘度晉 486- 65- 3
李弘益妻 元 見申氏
李弘道明 476- 85-100
546-648-136
554-220- 52
李弘道妻 明 見夏氏
李弘節唐 274-169- 89
401-280-606
473-748- 83
李弘範明 1236-435- 3
李弘橒清 554-536-57下
李巨川唐 271-616-190下
276-487-224下
384-293- 15
401-408- 621
545-363- 96
李巨業唐 820-284- 30
李正己李懷玉 唐
270-480-124
276-217-213
384-214- 11
384-224- 12
396-315-379
李正己明 見李庭止
李正方明 559-281- 6
李正民宋 511-205-144
524-308-194
李正臣宋 813-198- 19
821-256- 52
李正光明 456-527- 6
523-411-166
李正佐明 537- 73- 49
李正炎宋 559-320-7上
李正芳明 472-767- 30
李正芳妻 明 見劉氏
李正芳清 477-473-173
537-344- 56
李正芳清 史申義妻
1314-440- 12
李正姐清 李士林女
474-252- 12
李正流不詳 楊文妻、李元女
591-533- 41
李正春明 515-250- 64
李正茂清 475- 71- 52
510-318-113
李正恭妻 清 見龍氏
李正眞唐 1073-646- 35
1074-499- 35
1075-443- 35
李正卿元 1200-566- 43
李正通宋 517-368-125
李正開妻 明 見駱氏
李正華明 1268-384- 61
1474-321- 16
李正華清 510-354-114
李正皓妻 清 見沈氏
李正實妻 清 見周氏
李正榮女 漢 見李氏
李正蒙明 524-170-186
李正彝明 559-292-7上
李正馥清 479-332-232
李正辭唐 820-241- 28
李正藻北齊 263-190- 22
李本中明 472-646- 26
537-246- 53
李本仁明 1227- 83- 9
李本生妻 明 見閻氏
李本固明(字叔茂) 477-420-169
537-569- 60
李本固明(字維寧) 676- 9- 1
677-674- 60
李本素妻 明 見黃氏
李本涵清 476-702-137
540-872-28之4
李本淨明 476-296-112
545-401- 98
李本深明 456-669- 11
李本晟清 533-182- 52
李本健明 456-669- 11
554-722- 61
李本溶妻 明 見柳氏
李本實明 456-616- 9
537-321- 56
李本緯明 676-619- 25
1442- 83- 5
1460-461- 62
李左次唐 486- 62- 3
李左車漢 469-498- 60
472- 87- 3
505-746- 72
545-805-112
李左修明 515-670- 78
李丕旦宋 1093-371- 50
李丕挺明 545-792-111
李丕猷明 545-793-111
李丕緒宋 285-758-299
397-188-331
472-457- 20
472-897- 35
478-123-181
554-462- 56
李丕顯明 515-278- 65
523-233-156
李右讜明 479-494-239
563-808- 41
李石臣妻 清 見徐氏
李石樓明 821-351- 55
李石嶺明 554-258- 52
李孕嘉朱孕嘉、李引嘉 明
456-489- 5
475-527- 77
477-453-171
李孕生明 456-658- 11
李加封妻 清 見李氏
李加培明 570-128-21之1
李司憲明 572- 74- 28
李平西宋 473-317- 62
529-625- 48
533-277- 56
李平鈞唐 812-351- 10
814-276- 10
820-190- 27
821- 56- 46
李世仁清 568-374-113

李世民唐　見唐太宗
李世甲明　456-550- 7
李世安李散朮觧　元
515- 24- 57
517-488-127
1195-347- 2
1197-802- 85
李世安妻　元　見王氏
李世松明　558-433- 37
李世奇明　529-678- 49
676-658- 27
李世奇清　505-905- 80
李世昌明　1232-246- 5
李世昌清　456-307- 74
李世昌妻　清　見張氏
李世芳明　533-336- 58
676-177- 7
李世芳妻　明　見熊氏
李世和元　472- 65- 2
李世南宋　821-179- 50
李世珍妻　清　見張氏
李世茂妻　明　見堵氏
李世貞妻　清　見孫氏
李世若妻　清　見翁氏
李世則女　宋　見李氏
李世英宋　843-672-下
李世英元　493-1056- 56
511-730-165
820-542- 39
李世英妻　明　見袁氏
李世浩明　460-604- 59
李世哲後魏　262- 8- 66
266-893- 43
379-263-150上
933-527- 35
李世振明　547- 76-143
李世清清　456-320- 75
李世雄元　1194-461- 4
李世勛明　302- 25-290
李世傑妻　清　見崔氏
李世祺明　301-362-258
475-183- 59
511-133-141
李世新妻　清　見崔氏
李世勣唐　見李勣
李世達明　300-617-220
478-129-181
554-504-57上
582- 68-124
李世敬清　476-578-131
540-679- 27
李世福清　456-323- 75
李世輔宋　見李顯忠
李世熊明　460-813- 88
529-748- 51
1327-656- 7
1442-105- 7
李世澤明　820-749- 44
李世翰妻　清　見端氏
李世蕃明　1259-214- 16
李世錦明　1283-784-128
李世儒明　480-298-271
李世濟明　533-219- 53
李世嶼明　820-747- 44
李世邁明　511-838-168
李世藩明　456-616- 9
477-255-161
538- 55- 63
李世顯明　529-700- 50
李可久明　546-204-122
李可立明　523- 82-149
李可芳明　511-321-148
李可受明　456-606- 9
475-645- 83
511-486-155
李可度唐　見李可度者
李可柱明　456-667- 11
李可則妻　清　見楊氏
李可埴明　533-256- 55
李可培妻　明　見秦氏
李可培媳　明　見田氏
李可從明　456-610- 9
李可從妻　清　見彭氏
李可登明　300-162-192
458- 57- 3
477-210-159
李可愛清　476-577-131
李可舉唐　271-374-180
276-212-212
384-285- 15
396-312-278
李可舉遼　502-259- 54
李充庭宋　1153-654-109
李充善明　483-320-396
571-547- 20
李充嗣李克嗣　明
300-303-201
473-317- 62
475- 20- 49
475-502- 75
476-918-148
481-388-312
510-292-112
532-657- 44
532-732- 46
559-401-9上
676-519- 20
李充節隋　267-911-100
李充輝明　559-322-7上
李充濁明　505-807- 74
李民楫妻　明　見蒲氏
李民質明　576-654- 5
李民瞻明　472-296- 12
李未娘明　張坤妻
530-154- 58
李以申宋　1375- 34-下
李以衮明　483- 47-372
569-664- 19
李以達妻　宋　見陳氏
李以實妻　清　見伍氏
李以豫清　537-527- 59
李占先妻　明　見王氏
李占春清　570-114-21之1
李占春妻　清　見沈氏
李占黃清　547- 40-142
李占熺妻　明　見饒氏
李占鰲妻　明　見許氏
李且羅唐　見李楷洛
李四格清　456-293- 72
李四晒妻　清　見孟氏
李旦時清　476-334-115
546-417-128
李由皋宋　472-1054- 44
李由誠宋　481-403-313
李北有清　570-158-21之2
李申伯元(江右人) 820-524- 38
李申伯元(安仁人)
1212-756- 24
1213-743- 23
李申巽宋　479-810-255
515-256- 65
517-522-128
李甲先清　567-402- 83
李甲捷清　547-107-145
李甲黃清　546-661-137
549-531-200
李甲聲清　475-781- 89
511-365-150
李史魚唐　820-193- 27
1342-310-944
李冬兒元　丁從信妻
295-630-200
401-178-593
476-867-145
李令洵宋　1104-401- 36
李令問唐　269-624- 67
274-209- 93
395-272-205
李令質唐　554-267- 53
李生白明　456-553- 7
李生光清(順天人) 528-517- 31
李生光清(字闇章) 546-759-140
李生威明　1474-289- 13
李生寅明　1474-477- 23
李生滎清　538- 56- 63
李仕亨明(字克濟) 460-766- 78
李仕亨明(銅梁人) 480-404-277
532-697- 45
571-550- 20
李仕昌明　511-618-160
李仕開明　524-124-184
李仕弼明　460-604- 59
李仕銘明　558-211- 32
李仕魯明　299-324-139
476-865-145
540-783-28之3
李仕衡李士衡　宋
285-756-299
397-186-331
450-155-上18
471-1044- 67
472-643- 26
472-825- 33
472-897- 35
473-445- 68
474- 91- 3
476-656-135
478-123-181
481-153-298
537-338- 56
540-659- 27
545-438- 99

七畫：李

554-462- 56
558-392- 36
559-280- 6
1089-681- 11
1097-341- 26
李仕黼明 460-521- 47
李台山元 492-711-3下
李用之李杜春 宋448-370- 0
李用及宋 812-468- 2
812-474- 3
812-537- 3
821-152- 50
李用中明(字見虞) 537-410- 57
554-299- 53
李用中明(山東人) 554-341- 54
李用中明(朝邑人)
554-527-57下
559-321-7上
李用行妻 清 見崔氏
李用宜金 475-777- 89
李用庚元 533-324- 57
李用和宋 288-503-464
371-115- 11
382-777-119
384-344- 17
400- 43-503
472-967- 38
476-154-104
1088-550- 58
1088-586- 61
李用和女 宋 見李氏
李用敬明 476-673-136
540-809-28之3
545-224- 91
李用質明 545-198- 90
李用謙宋 473-778- 84
482-452-362
567-297- 76
1467-178- 68
李仙品明 545-227- 91
554-516-57下
李仙風明 537-222- 54
554-516-57下
李仙根清 481-337-308
511-894-172
559-413-9下
李仙標清 476-419-120
李卯孫李海孫 宋451- 98- 3
李幼良長樂王 唐
269-538- 60
274- 34- 78
395- 6-181
李幼貞元 張天陞妻
1204-313- 10
李幼卿唐 472-401- 18
475-796- 90
李幼清唐 523-211-156
李幼滋明 480-205-267
533-202- 53
李幼廉北齊 見李稚廉
李幼舉後魏 261-524- 36
266-689- 33
379-153-148
李失活李實貴 唐
271-790-199下
276-336-219
496-620-105
李失活妻 唐 見永樂公主
李外定明 456-684- 11
李守一唐 1080-783- 71
1343-817- 60
李守文明 558-445- 38
李守中元(知歸德) 472-677- 27
李守中元(字正卿) 523- 26-147
1199-172- 18
1210-332- 9
1214-133- 11
李守中明(湖州人) 473- 75- 52
515-234- 64
李守中明(寧鄉人) 533-251- 55
李守仁元 1212-505- 14
李守仁明 554-312- 53
李守正元 295-560-193
400-242-520
476- 79-100
502-712- 83
545-182- 89
李守正明 540-800-28之3
李守成元 472- 37- 1
李守忠元 295-561-193
400-242-520
476- 79-100
502-712- 83
545-182- 89
李守明清 456-323- 75
李守恆明 568-298-110
李守柔宋 482-237-349
482-350-356
563-695- 39
567-298- 76
1147-805- 77
1467-177- 68
李守貞後漢 278-272-109
279-340- 52
384-314- 16
401-417-622
1383-822- 75
李守貞明 533-775- 74
李守約明 533- 79- 49
李守俊明 458-422- 19
511-162-142
李守素唐 269-689- 72
274-310-102
384-167- 9
395-327-210
472- 91- 3
474-619- 32
933-530- 35
李守眞明(沁源人) 474-635- 33
505-703- 70
李守眞明(滕縣人) 541- 98- 30
李守恩宋 285-393-273
396-659-314
546- 72-117
李守通元 1198-552- 9
李守富妻 清 見張氏
李守貴妻 明 見孔氏
李守義明 472-741- 29
477-306-163
505-671- 69
537-303- 56
李守經明 567-112- 67
1467- 91- 65
李守節宋 288-748-484
382-158- 22
400-122-510
1085-346- 15
李守節金 見李節
李守賢元 295- 47-150
399-414-457
472-626- 25
474-821- 44
476- 78-100
502-373- 63
545-373- 97
李守德李宜得、李宜德 唐
270-300-106
274-530-121
395-510-227
李守禮李光仁、邠王 唐
270- 28- 86
274- 75- 81
395- 44-184
552- 50- 19
李守禮元 537-278- 55
李守鑠明 456-461- 4
李安人齊 見李安民
李安仁唐 269-558- 62
274-269- 99
395-263-204
李安仁宋 477-499-174
李安世後魏 261-719- 53
266-677- 33
379-148-148
472-694- 28
474-618- 32
505-786- 73
537-262- 55
545-258- 93
933-525- 35
李安民李安人 齊
259-304- 27
265-661- 46
370-511- 15
378-227-137
384-115- 6
472-553- 23
476-583-131
479-132-223
488-209- 9
494-283- 3
523-111-151
540-721-28之1
933-524- 35
李安全西夏 見夏襄宗
李安車唐 820-287- 30
李安忠宋 821-216- 51
李安國宋(字元佐) 473- 21- 49
515-310- 66
李安國宋(號梅山老人)
473-348- 63

480-415-277
480-439-278
533-744- 73
李安國女 清 見李氏
李安童妻 元 見胡氏
李安期唐 269-685- 72
274-308-102
384-172- 9
395-325-210
474-638- 33
494-536- 27
505-794- 73
933-530- 35
李安期宋 529-746- 51
李安遠唐 269-509- 57
274-166- 88
395-255-203
554-574- 58
李安靜唐 274-269- 99
384-170- 9
400- 93-508
474-310- 16
李汝文李友文 宋
529-666- 49
1188-664- 4
李汝舟明 563-777- 40
李汝明妻 宋 見彭氏
李汝桂明 476-827-143
李汝能妻 明 見鄭妙義
李汝珽明 456-658- 11
李汝梗妻 明 見朱氏
李汝華明 300-625-220
458-171- 8
477-131-155
515- 60- 58
537-432- 58
李汝節父 明 1289-286- 18
李汝嘉明 460-578- 57
523-201-155
529-536- 45
李汝寬明 546-755-140
李汝璋明 456-575- 8
558-425- 37
李汝遲妻 清 見彭氏
李汝翼明 456-633- 10
李汝璨明 301-365-258
456-528- 6
479-495-239
515-447- 70
532-639- 43
李汝謹妻 明 見林氏
李汝蘭明 1442- 59- 3
1460-177- 48
李式玉清 524- 14-178
李吉安明 1268-529- 83
李吉甫唐 270-768-148
275-100-146
384-247- 13
395-713-245
448-120- 0
469-498- 60
471-910- 46
471-1007- 61
472- 93- 3
472-289- 12
472-1083- 46
473-401- 66
473-476- 69
474-376- 19
475- 15- 49
475-364- 67
479-173-225
479-525-241
480-635-288
481-438-316
505-748- 72
510-279-112
515-211- 63
523-125-152
532-748- 46
559-272- 6
591-695- 49
820-232- 28
933-538- 35
1196-668- 6
1371- 67- 附
李吉甫宋 1189-303- 2
李西山明 821-352- 55
李西華唐 478-375-192
554-233- 52
李西園清 1323-776- 5
李在川妻 明 見胡氏
李在公妻 明 見井氏
李在公妻 明 見鄧氏
李在門女 明 見李氏
李在恭游在恭 明
570-148-21之2
李存乂睦王 後唐
277-439- 51
279- 89- 14
395- 75-187
546- 59-117
李存心明 456-678- 11
李存仁明 473-126- 55
515-133- 61
523-473-169
李存孝安敬思 後唐
277-452- 53
279-225- 36
384-308- 16
396-377-286
546- 60-117
李存兒明 李鐸女
506-162- 90
李存美邕王 後唐
277-438- 51
279- 90- 14
395- 76-187
546- 59-117
567- 7- 62
李存信張存信 後唐
277-451- 53
279-224- 36
384-308- 16
396-377-286
李存紀雅王 後唐
277-439- 51
279- 90- 14
395- 76-187
546- 59-117
李存紀妻 明 見劉氏
李存勗後唐 見唐莊宗
李存滋清 456-321- 75
李存渥申王 後唐
277-438- 51
279- 89- 14
395- 75-187
546- 59-117
李存進孫重進 後唐
277-453- 53
279-226- 36
384-308- 16
396-378-286
546-389-128
549-349-194
李存箕明 821-455- 57
李存審後唐 見符存審
李存賢王賢 後唐
277-455- 53
279-227- 36
384-308- 16
396-379-286
476-417-120
545-390- 97
1383-776- 70
李存確通王 後唐
277-439- 51
279- 90- 14
395- 76-187
546- 59-117
李存璋後唐 277-455- 53
279-227- 36
384-308- 16
396-379-286
李存禮薛王 後唐
277-438- 51
279- 90- 14
395- 76-187
546- 59-117
李百藥李伯藥 隋～唐
264-741- 42
267-450- 72
269-685- 72
274-307-102
384-172- 9
395-324-210
451-411- 1
469-512- 62
472- 91- 3
474-638- 33
494-536- 27
505-893- 79
559-305-7上
591-691- 48
820-136- 26
933-530- 35
1387-251- 16
1472- 57- 2
李存霸永王 後唐
277-438- 51
279- 89- 14
395- 76-187

546- 59-117
李有才女 明 見李氏
李有大李有郎 宋451- 79- 2
李有文妻 清 見史氏
李有功清 456-323- 75
李有成明 533-201- 53
李有朋明 480- 52-259
532-619- 43
李有郎宋 見李有大
李有政明 1376-492- 90
李有則明 529-745- 51
李有斐明 456-670- 11
李有詩清 456-320- 75
李有節清 456-322- 75
李有實明 554-258- 52
李至剛李銅、李鋼 明(字至剛)
299-454-151
452-227- 6
473-631- 77
511-760-166
528-476- 30
592-1016- 下
1239- 96- 33
1374-722- 93
1442- 18-附1
1459-543- 19
李至剛明(永嘉人) 592-1015-下
李至清明 1442-100- 6
李至遠李鵬 唐
271-440-185上
275-650-197
400-337-530
474-619- 32
505-876- 78
李匡威唐 271-374-180
276-213-212
384-285- 15
384-290- 15
396-313-278
李匡遠唐 473-503- 71
559-313-7上
李匡籌唐 271-375-180
276-213-212
396-313-278
李老僧李惟忠 金
291-766-132
401-504-633
李次山宋 821-249- 52
李次魚宋 515-600- 76
李次彭宋 見李淵
李夷庚宋(字坦之) 473-194- 58
515-253- 65
李夷庚宋(守明州) 523-126-152
472-1084- 46
491-345- 2
李夷簡唐 274-639-131
384-250- 12
396-112-261
472-837- 33
478-119-181
478-334-191
481- 17-291
532-566- 40
554- 36- 48
554-328- 54
933-533- 35
933-806- 60
李因之清 475-875- 95
476-367-117
545-121- 86
李因培清 482-563-369
李因篤清 476-335-115
478-132-181
547-195-148
554-857- 63
678-511-119
1475-963- 41
李同系唐 820-215- 28
李同芳明(字晴原) 532-598- 41
李同芳明(字幼承)
1442- 65- 4
李同春明 533-427- 62
李同軌後魏 261-524- 36
262-241- 84
263-190- 22
266-688- 33
379-152-148
李同捷唐 270-716-143
276-222-213
384-265- 13
384-273- 14
396-320-279
李吐馨清 476-251-110
545-305- 94
554-613- 59
李光大宋 451- 60- 2
李光仁唐 見李守禮
李光仕隋 567-583- 94
李光地母 清 見吳氏
李光地清 474- 96- 3
481-590-328
505-641- 67
529-556- 45
530-618- 73
李光地妻 清 見林氏
李光地妹 清 見李氏
李光先明 554-527-57下
李光休唐 820-178- 27
李光亨妻 清 見張氏
李光芬明 569-675- 19
李光春明(永平人) 456-628- 10
李光春明(字元甫) 515-204- 63
523-347-162
李光信明 456-669- 11
554-721- 61
李光祖明(遼陽人) 502-783- 87
李光祖明(字繩伯) 515-414- 69
李光祖明(字克肖) 545-155- 88
李光座清 477- 90-153
479-457-237
515- 71- 58
537-413- 57
1313-236- 19
李光宸清 554-536-57下
李光庭妻 明 見葉兆姚
李光卿宋 492-710-3下
李光被妻 明 見秦氏
李光啟明 474-514- 25
505-696- 70
李光弼臨淮王 唐
270-333-110
275- 1-136
384-209- 11
384-219- 12
395-633-238
459-392- 24
469-577- 71
472- 26- 1
472-143- 5
472-480- 21
474- 91- 3
474-819- 44
476-911-148
478-594-204
502-320- 58
505-629- 67
505-728- 71
510-278-112
537-198- 54
545- 14- 83
558-135- 30
933-533- 35
1071-609- 4
1407- 52-400
李光進唐(字太應) 270-339-110
275- 6-136
395-638-238
1071-612- 4
李光景妻 清 見郭氏
李光進唐(字耀卿) 271- 80-161
275-380-171
396-150-265
472-429- 19
476- 37- 98
476-330-115
545-320- 95
545-580-104
549-342-193
550-166-215
558-361- 35
933-544- 35
李光裔明 529-677- 49
李光裕明 456-613- 9
李光暉明 1295-550- 7
李光鼎妻 清 見傅氏
李光熙明 529-576- 46
李光遠明 545-466-100
李光睿宋 見李克睿
李光綬明 460-668- 68
李光閭明 456-662- 11
538- 70- 63
李光輝明 1316-688- 47
李光輝妻 明 見王氏
李光龍明 460-768- 78
529-736- 51
李光翰明 300- 80-188
458- 92- 4
477-210-159
李光塈明 477- 89-153
李光學明 533-289- 56
李光縉明 460-683- 70
529-736- 51

李光顏唐 271- 81-161
275-380-171
384-257- 13
396-151-265
476- 37- 98
476-911-148
478-403-194
545- 25- 83
545-581-104
549-327-193
550-166-215
558-361- 35
933-544- 35
李光襲宋 540-748-28之2
李兆同明 1250-541- 50
李兆先明 533-317- 57
1250-888- 84
李兆明明 張幼實妻、李律鑑女 1259-247- 18
李兆旂李兆旗 明456-602- 9
482-562-369
570-126-21之1
570-514-29之8
570-602-29之1
李兆祥妻 清 見林氏
李兆乾清 523- 64-149
李兆喜清 饒植妻 530-158- 58
李兆旗明 見李兆旂
李兆魁妻 清 見陳氏
李兆潢清 見李良年
李兆慶清 1312-558- 7
李兆襄明 561-202-38之1
李兆麟妻 清 見甄氏
李多見明 482-266-350
563-832- 41
李多祚唐 270-327-109
274-402-110
384-175- 9
384-187- 10
395-397-217
502-320- 58
李多祚明 479-793-254
515-279- 65
李多學妻 清 見劉氏
李伏威唐 見杜伏威
李旭升清 474-520- 25
505-782- 73
1323-636- 1
李旭輪唐 見唐睿宗
李名世清 1312-842- 11
李名芳明 676-620- 25
李名芳妻 清 見李氏
李名奕妻 明 見蘇氏
李名賢妻 清 見楊氏
李任義明 見懶翁
李任祿妻 明 見石氏
李自立妻 明 見魯氏
李自正唐 820-211- 28
李自良唐 270-747-146
275-238-159
396- 48-256
472-456- 20
472-554- 23
476- 27- 97
476-584-131
540-740-28之2
545- 18- 83
933-543- 35
李自成李自晟 明
302-397-309
556-848-100
李自明明 676-663- 28
1442-113- 7
1475-509- 22
李自知妻 清 見劉氏
李自牧金 472-602- 25
540-652- 27
李自郁清 533-313- 57
李自挹唐 484- 85- 3
李自倫後晉 279-214- 34
384-308- 16
400-292-523
474-639- 33
505-917- 81
1383-770- 70
李自晟明 見李自成
李自發明 558-299- 34
李自新妻 清 見王氏
李自榮明 568-212-106
李自瓊妻 清 見劉氏
李向中明 301-648-276
456-441- 3
523-123-151
1442-110- 7
1460-720- 78
李向旻清 見李子權
李向春明 554-311- 53
李向禹清 474-775- 41
476-205-107
502-764- 86
545-346- 96
李向堯清 476-279-111
545-306- 94
李向陽明 528-515- 31
李向陽妻 明 見郭氏
李向陽清 511-791-166
李向舜清 502-763- 86
李向榮清 481-154-298
559-330-7下
李全之李沖 宋 448-401- 0
李全忠唐 271-375-180
276-213-212
384-285- 15
396-312-278
472- 31- 1
李全昌明 456-636- 10
516-140- 92
李全略王日簡 唐
270-716-143
276-222-213
384-263- 13
396-319-279
李合天妻 明 見張氏
李合宗明 456-674- 11
559-518- 12
李合宗女 明 見李氏
李合娃明 456-669- 11
李好文元 295-459-183
399-735-493
472-133- 4
474-478- 23
476-113-102
505-777- 73
545- 60- 84
676- 81- 3
1218-705- 4
1318- 57- 35
李好閔明 676-685- 28
1442-130- 8
1460-880- 94
李好復金 545-140- 87
1365-275- 8
1439- 7- 0
1445-503- 37
李好義宋 287-496-402
398-482-396
472-840- 33
473-446- 68
478-124-181
478-245-186
481-158-298
554-704- 61
561-209-38之2
李好義妻 宋 見馬氏
李如一李鵬翀 明
511-683-163
李如月明 301-713-279
456-467- 4
李如玉明(同安人) 301-770-282
460-679- 69
678-602-127
李如玉明(戰死) 558-414- 37
李如玉清 505-917- 81
李如圭宋 473-149- 56
515-602- 76
518-761-160
567-444- 86
585-771- 5
674-553- 2
1467-152- 67
李如圭明 473-318- 62
480-615-287
515-152- 61
533-295- 56
554-198- 52
567-119- 67
1467-105- 65
李如松明 301- 48-238
478-596-204
545-331- 95
558-159- 30
李如忠妻 元 見馮淑安
李如美清 538- 56- 63
李如柏明(字子貞) 301- 50-238
李如柏明(字近公) 559-308-7上
李如星清 481-439-316
559-532- 12
李如桂清 502-690- 81
李如峰明 1295-554- 7
李如峰妻 明 見于氏
李如澇清 505-816- 74

李如梅明 301- 52-238
李如晦父 宋 1149-728- 17
李如晦宋 559-318-7上
李如雁妻 明 見郜氏
李如琦妻 明 見周氏
李如意宋 見李懿文
李如楨明 301- 51-238
李如碧清 531- 21- 附
李如箎宋 472-984- 39
524- 19-179
李如標清 538-105- 64
李如璋妻 明 見聶氏
李如璋清 516-518-106
李如樟明 301- 52-238
李如龍明 456-659- 11
511-654-162
李如璧唐 1371- 54- 0
李如韞元 翁十朋妻
1197-769- 81
李年姐清 李愈女
477-503-174
李先五清 1325-144- 9
李先立清 572-106- 30
李先成明 545-250- 92
李先明清 456-322- 75
李先芳明(字茂實) 511-238-145
李先芳明(字伯承)
540-812-28之3
676- 28- 1
676-581- 24
1442- 65- 4
1458-317-438
1460-266- 52
李先芬明(知新平縣)
483-184-385
569-667- 19
李先芬明(忠州人) 483-194-387
李先春清(字克建) 481-590-328
529-673- 49
李先春清(浮山人) 547- 26-141
李先期妻 清 見倫氏
李先登明 533-452- 63
李先著明 569-654- 19
李先復清 481-157-298
532-753- 46
559-411-9下
李先嘉明 1474-591- 30
李先蓁明 512-776-196
李色明妻 清 見霍氏
李仲子明 1290-587- 81
李仲方元 821-286- 53
李仲文唐 552- 54- 19
李仲元漢 469-592- 72
561-305- 40
561-306- 40
李仲元宋 1088-425- 47
李仲仁女 明 見李娥
李仲永宋 821-226- 51
李仲弘元 1218-507- 6
李仲光宋 529-743- 51
李仲名明 511-637-161
李仲言唐 見李訓
李仲甫漢 554-968- 65
李仲甫妻 清 見高氏
李仲武明 570-128-21之1
李仲居妻 清 見鄭氏
李仲尚後魏 261-549- 39
267-903-100
李仲昌唐 812-347- 9
812-371- 0
821- 41- 46
李仲昌宋 285-754-299
李仲芳宋 473-246- 60
480-288-271
532-676- 44
540-752-28之2
1102-190- 24
1383-650- 58
李仲芳明 821-476- 58
李仲和唐 812-354- 10
812-371- 0
813-151- 13
821- 79- 47
李仲和宋 472-664- 27
537-601- 60
李仲房漢 545-510-101
李仲宣南唐(李文用子)
843-662- 上
李仲宣岐王 南唐(諡懷獻)
1085-134- 17
李仲宣宋 813-198- 19
821-256- 52
李仲宣明 572-159- 32
李仲美元 1200-704- 53
李仲威隋 552- 49- 19
李仲侯宋 1134- 32- 5
李仲容宋 285-233-262
371-138- 14
478-123-181
554-754- 62
933-810- 60
李仲訓明 515-355- 68
532-680- 44
459-610- 23
李仲原明 1227- 77- 9
李仲翊宋 288-679-478
李仲旋後魏 見李仲琁
李仲堅元 1210-715- 19
李仲彬元 472-695- 28
537-265- 55
李仲琁李仲旋 後魏
261-522- 36
266-687- 33
379-151-148
李仲略金 291-361- 96
399-210-434
472-505- 21
476-206-107
545-338- 96
546-186-121
676-695- 29
821-275- 52
1365- 67- 2
李仲偃宋 1088-944- 37
李仲敏妻 宋 見王氏
李仲寓宋 288-679-478
480-169-266
李仲富妻 明 見任氏
李仲琬宋 董文和妻、李無競女 1118-968- 66
李仲發宋 515-530- 73
李仲貴明 1237-228- 3
李仲華唐 472-676- 27
李仲華金 821-277- 52
李仲義元 1214-245- 20
李仲義妻 元 見范氏
李仲義妻 元 見劉翠哥
李仲達明 517-737-133
李仲寧宋 516-526-106
李仲嘉元 1222-271- 17
李仲熊清 505-826- 75
李仲德元 529-697- 50
李仲德明 515-474- 71
李仲龍宋 451- 59- 2
李仲謀元 518- 20-136
李仲遵後魏 261-552- 39
267-909-100
李仲錫明 567-420- 85
李仲膺北周 267-900-100
李仲禧遼 見耶律仲禧
李仲謙明 480-583-285
李仲舉李超 北齊
267-911-100
李仲寶宋 933-810- 60
李印龍清 505-816- 74
李行之北齊 267-900-100
李行中宋 491-240- 29
589-334- 4
1437- 18- 1
李行休唐 274- 66- 80
515- 6- 57
李行言唐 554-269- 53
1371- 51- 附
李行簡宋 285-789-301
371-136- 14
382-232- 35
397-211-332
473-427- 67
478-345-191
481- 67-293
554-462- 56
559-265- 6
820-341- 32
李行簡元 1210-729- 20
李伊鼎李貴顯 宋448-386- 0
李朱露清 511-577-159
李休古唐 491-343- 2
李休復梁王 唐 271-283-175
274- 98- 82
395- 67-186
535-557- 20
李休復李瓊、李宗元 宋
1086-433- 7
李休徵明 547- 81-144
李休纂北齊 267-909-100
李宏建清 533-310- 57
李宏益妻 元 見安氏
李言恭明 676-597- 24
1290-593- 82
1442- 68- 4
1460-315- 54
李言揚紀王 唐 271-283-175

274- 98- 82
395- 67-186
李完秀妻 清 見張氏
李完珍明 480-405-277
李沖元宋 820-400- 34
1147-527- 49
李沖寂唐 1065-271- 9
1342-356-950
1410-483-727
李沖霄清 533-221- 53
李辛翁元 517-483-127
李亨伯宋 471-673- 13
471-773- 26
482-451-362
529-559- 46
567- 64- 65
1467- 37- 63
李罕之後唐 275-542-187
277-142- 15
279-263- 42
384-291- 15
384-310- 16
396-260-274
李罕澄宋 288-405-456
400-294-524
474-310- 16
505-903- 80
李序韓清 533-772- 74
李忻榮後魏 262- 81- 71
554-561- 58
李良才女 清 見李氏
李良心元 821-325- 54
李良吉清 478-654-207
李良臣唐 271- 80-161
549-326-193
550-166-215
李良臣宋 473-533- 72
559-302-7上
李良年李兆潢、李法遠 清
479-100-221
524- 28-179
1318-523- 80
李良佑元 510-471-117
李良金明 559-277- 6
李良弼宋 1165-342- 21
李良弼元 472-695- 28
537-266- 55
李良棟明 554-311- 53
李良貴明 547-561-161
李良嗣宋 見趙良嗣
李良輔元 1194-585- 5
李良謨女 明 見李氏
李良寶女 元 見李氏
李戒丕延王 唐 552- 53- 19
李志方李益、李志芳 金
472-701- 28
477-171-157
538-338- 70
1445-781- 61
李志朴元 547-477-159
李志亨宋 558-484- 41
李志宗元 820-549- 39
李志芳金 見李志方
李志剛元 676-226- 8
李志剛明 559-347- 8
李志淑明 1457- 51-345
李志常元 541- 94- 30
李志源金 1191-350- 31
李志義明 559-370- 8
李志寧妻 明 見劉氏
李志銘妻 明 見郭氏
李志學宋 547- 85-144
李志學明 1262-434- 47
李志巒清 547- 65-143
李赤心李過、李錦 明
302-398-309
302-411-309
李赤辭唐 見拓跋赤辭
李求利明 456-684- 11
李成大宋 288-364-452
400-185-514
451- 75- 2
472-273- 11
473- 77- 52
475-273- 63
479-580-243
510-372-114
516-100- 91
李成功清(瓜爾佳氏)
455-117- 4
李成功清(正白旗人)
456-322- 75
李成功清(遼東人) 474-775- 41
482-141-344
502-777- 86
563-891- 42
1327-692- 8
李成名明(字寶之) 301-113-242
515- 63- 58
545-675-107
李成名明(字次峰) 456-671- 11
480- 60-260
李成性清 505-882- 79
李成芳清 481-117-296
559-532- 12
李成芬明 547- 74-143
李成美陳王 唐 271-283-175
274- 98- 82
395- 67-186
535-557- 20
554- 31- 48
李成眉唐 483- 99-378
570-254- 25
李成桂李旦 明 302-622-320
李成梁明 301- 42-238
李成琳清 455-528- 33
李成楝清 456-322- 75
李成義唐 見李撝
李成賢清 456-308- 74
李成龍清(正白旗人)
456-322- 75
李成龍清(正藍旗人)
474- 96- 3
502-676- 80
李成器唐 見李憲
李孝友隋 1065-251- 7
李孝友河間王 唐
269-535- 60
李孝本唐 271-201-169
275-468-179
396-200-270
李孝同淄川王 唐
269-535- 60
李孝光元 295-542-190
400-701-567
453-794- 3
472-1118- 48
479-407-235
524- 86-182
676-708- 29
1375- 36- 下
1439-441- 2
1470-355- 12
李孝伯後魏 261-714- 53
266-676- 33
384-132- 7
379-146-148
472- 88- 3
474-618- 32
505-786- 73
933-525- 35
李孝怡後魏 261-523- 36
李孝協范陽王 唐
269-538- 60
274- 33- 78
395- 6-181
李孝忠宋 見李彥仙
李孝威隋 264-863- 57
266-675- 33
379-844-163
李孝貞李元操 隋
264-862- 57
266-674- 33
379-843-163
474-409- 20
477-358-166
505-756- 72
505-887- 79
933-525- 35
1395-604- 3
李孝恭河間王 唐269-539- 60
274- 34- 78
384-161- 9
395- 7-181
471-985- 57
473-246- 60
473-489- 70
480- 11-257
480-239-269
481-234-303
488-315- 12
506-709-114
532-564- 40
545-170- 89
559-293-7上
567- 36- 64
李孝基隋 266-675- 33
379-844-163
李孝基永安王 唐
269-534- 60
274- 31- 78
395- 4-181

544-224- 63
李孝基宋 286-105-310
397-289-336
472-336- 14
475-525- 77
476-864-145
480-199-267
481-153-298
510-413-116
532-653- 44
540-760-28之2
559-280- 6
李孝問明 564-110- 45
李孝連宋 486- 46- 2
李孝斌唐 269-538- 60
李孝揚宋 820-372- 33
李孝逸唐 269-536- 60
274- 38- 78
395- 11-181
486- 41- 2
493-644- 35
李孝慈廣平王 唐
269-535- 60
李孝義膠西王 唐
269-535- 60
李孝感唐 683-288- 10
1071-648- 9
李孝節清河王 唐
269-535- 60
李孝察高密王 唐
269-535- 60
李孝壽宋 286-106-310
李孝稱宋 286-106-310
李孝濂明 見李孝謙
李孝儞唐 510-433-116
李孝儒李孝孺 唐
472-868- 34
554-751- 62
李孝謙李本、李孝濂 明
524-124-184
479-180-225
676-483- 18
680-228-247
1442- 23-附2
1459-599- 22
1474- 62- 4
李孝孺唐 見李孝儒
李杜春宋 見李用之
李育德唐 275-581-191
384-175- 9
400- 92-508
477-199-159
477-242-161
537-286- 55
李君求唐 見李君球
李君房唐 1073-434- 13
1074-250- 13
1075-212- 13
李君柱清 482- 34-340
533-183- 52
563-872- 42
李君郁清 529-706- 50
李君球李君求 唐
271-442-185上
540-736-28之2
李君問妻 元 見萬氏
李君植明 456-468- 4
483-139-380
570-131-21之1
李君進妻 元 見王氏
李君羨唐 269-650- 69
274-222- 94
384-170- 9
395-295-207
472-745- 29
477-164-157
537-445- 58
李君實妻 明 見王氏
李君奭唐 554-269- 53
李君賜明 302- 55-292
456-484- 5
李君霑妻 明 見張氏
李君錫宋(字商) 451- 61- 2
524- 85-182
李君璵姑 明 見李氏
李君璵明 547-231-149
李克一明 1229-549- 5
李克中女 明 見李氏
李克仁宋 見李登
李克正李頤 明 1442- 6-附1
李克用妻 唐 見智願
李克用晉王 後唐
276-328-218
277-219- 25
279- 30- 4
384-296- 15
384-300- 16
392-230- 19
392-234- 19
407-650- 2
544-165- 61
550-166-215
819-577- 19
1249-286- 17
李克用妻 後唐 見曹氏
李克用妻 後唐 見劉氏
李克忱女 明 見李肅姜
李克忠元(字克忠)
1206-718- 7
李克忠女 元 見李氏
李克忠元(字公謹)
1211-431- 61
李克珍唐 見李過折
李克家元 515-345- 67
李克恭唐 820-242- 28
李克恭後唐 277-435- 50
279- 88- 14
395- 74-187
546- 58-117
李克恭元 1221-148- 5
李克恭母 明 見張氏
李克恭明 1273-729- 8
李克修後唐 275-546-187
277-434- 50
279- 88- 14
395- 74-187
545-210- 91
546- 58-117
李克堪明 1442-129- 8
1460-870- 94
李克裕女 明 見李德貞
李克嗣明 見李充嗣
李克敬明(祥符人) 532-670- 44
李克敬明(字仲恭)
1226-598- 3
李克敬妻 清 見陸氏
李克雋明 821-353- 55
李克愛明 511-830-168
李克寧李清 唐 275- 51-141
李克寧後唐 277-436- 50
279- 88- 14
395- 75-187
546- 59-117
李克睿李光睿 宋
288-753-485
401-261-604
李克輝明 515-380- 68
李克儉妻 明 見王氏
李克禮明 1242-257- 33
李克讓後唐 277-433- 50
279- 87- 14
395- 74-187
546- 58-117
550-167-215
李克讓女 後蜀 見李氏
李克讓元 1211-412- 18
李克讓妻 清 見屈氏
李那兒李傑女 明
538-176- 67
李即芬明 547- 21-141
李辰祖元 見李森
李孜省明 302-348-307
李肖白明 456-618- 9
李肖龍宋 564- 52- 44
李肖巖元 821-300- 53
李呈英明 517-688-132
李呈章明 456-481- 5
476-430-121
545-389- 97
李呈祥明(字時龍) 511-709-164
李呈祥明～清(字麟埜)
476-452-123
477-202-159
532-605- 42
546-622-135
李呈祥明～清(霑化人)
540-844-28之4
李呈祥清(翼城人) 480- 13-257
李壯丁明 302-153-297
478-518-200
李壯祖宋 460-112- 6
李見山明 1283-411- 99
李見龍清 479- 93-221
523-110-150
李吼子妻 明 見杜氏
李兕子唐 見李明達
李步行明 511-554-158
李足姑明 彭泰妻
530-163- 59
李呆五明 456-684- 11
李吳滋明 1442- 94- 6
1460-539- 66

李我彭清 475-485- 73
511-596-159
李孚青清 1320-378- 44
李孚祉清 529-678- 49
李佐之唐 276-237-2114
396-329-280
李佐邦妻 清 見余氏
李佐明清 483-171-383
570-160-21之2
李佐修明 476-283-111
李佑匕妻 明 見周氏
李佑之清 515-284- 65
李作梅妻 清 見曹氏
李作楹清 533- 31- 47
李作楫清 564-296- 48
李伯方女 明 見李氏
李伯元明 460-665- 68
李伯玉李誠 宋 287-788-424
398-714-415
473- 48- 50
479-531-241
516- 36- 88
528-445- 29
528-540- 32
680-201-244
李伯奴妻 明 見白氏
李伯亨妻 明 見許氏
李伯宗宋 286-694-354
397-737-364
472-720- 28
477-253-161
537-481- 58
李伯奇妻 清 見胡氏
李伯尚後魏 261-549- 39
267-903-100
李伯昂明 1242-164- 29
李伯春明 559-423-10上
李伯逑元 472-485- 21
546- 86-117
李伯貞妻 明 見王氏
李伯祐元 1201-607- 19
李伯淵金 291-599-115
401-507-633
474-179- 8
505-834- 76
1367-901- 69
李伯康唐 471-766- 25
1342-373-952
李伯現明 547- 7-141
李伯通元 295-560-193
400-242-520
502-712- 83
李伯通妻 元 見周氏
李伯通李萬善 明
1247- 32- 2
李伯魚妻 唐 見張德
李伯貴後魏 263-804- 46
267-641- 85
380- 61-166
李伯鈞宋 1164-337- 18
李伯復元 1239- 94- 33
李伯温元 295-560-193
400-242-520
474-821- 44
476- 79-100
502-711- 83
545-182- 89
李伯廉明 515-795- 82
李伯瑶唐 528-489- 30
李伯徵明 541-112- 31
李伯嶼明 見李伯璵
李伯璵李伯嶼 明
515-222- 63
676-735- 31
李伯藥隋～唐 見李百藥
李伯麟妻 清 見胡氏
李含乙明(謚忠烈) 456-431- 2
481-184-300
559-516- 12
李含乙明(字青藜) 510-395-115
李含乙妻 清 見王氏
李含光李弘 唐 273- 83- 59
677-160- 15
683-288- 10
820-294- 30
1060- 47- 5
1071-648- 9
李含和清 570-139-21之2
李含春李舍春 清
505-805- 74
505-896- 80
李含英女 明 見李五娘
李含章宋 472-359- 15
511-295-148
1366-1002- 5
李含章妻 清 見楊氏
李含樸明 554-258- 52
李希文元 820-542- 39
李希文明 545-340- 96
李希孔明 301-179-246
564-172- 45
李希仁後魏 261-516- 36
266-674- 33
379-146-148
李希仁明 511-633-161
李希召明 545-468-100
李希白元 547-133-146
李希光北齊 263-175- 21
266-639- 31
379-387-152
李希沆明 480-128-264
532-639- 43
李希言唐 485- 72- 11
486- 42- 2
李希成宋 554-911- 64
821-208- 51
李希宗後魏 261-516- 36
266-673- 33
379-146-148
李希宗女 北齊 見李祖娥
李希泌明 456-419- 2
李希直妻 明 見顏氏
李希孟女 明 見李氏
李希明明 523-481-170
李希洛明 見李希雒
李希祖明 473-729- 82
482-238-349
563-825- 41
李希烈唐 270-739-145
276-507-225中
384-242- 12
401-460-628
李希烈妻 唐 見竇桂娘
李希曾明 1271-592- 50
李希雄明 676-258- 10
李希閔元 821-298- 53
李希喬清 1313-213- 17
李希靖唐 545-570-104
李希靖元 523- 31-147
李希說明 567-349- 80
李希輔明 676-684- 28
1442-129- 8
1460-872- 94
李希雒李希洛 明
478- 93-180
545-671-107
554-288- 53
676-304- 11
李希綱明 570-152-21之2
李希潤妻 明 見徐氏
李希賢元 474-741- 40
502-378- 63
532-705- 45
李希賢妻 明 見陳氏
李希稷明 547-102-145
李希顏明(字愚菴) 299-297-137
458-105- 5
472-802- 31
477-502-174
538- 32- 62
676- 44- 2
1458-336-440
李希顏明(字原復) 472-243- 9
473-807- 86
511-126-141
563-746- 40
李希禮後魏 261-519- 36
266-674- 33
379-146-148
李邦才明 482-451-362
567-146- 68
1467-133- 66
李邦用元 545-887-114
547- 41-142
李邦有妻 清 見俞氏
李邦臣妻 明 見張氏
李邦光宋 484-381- 28
李邦直明 476-278-111
李邦表明 569-670- 19
李邦彥宋 286-670-352
397-719-363
1467-148- 67
李邦彥明 545-431- 99
李邦彥清 476-675-136
540-847-28之4
李邦相明 483-117-379
570-152-21之2
李邦貞明 538- 87- 64
李邦祥明 564-208- 46
李邦教明 547-111-145
李邦楝清 558-418- 37
李邦華明 301-484-265

458-275- 8
478-769-215
479-727-250
515-722- 79
517-754-134
523- 58-148
676-229- 9
1313-192- 16
李邦義明 482-290-352
523-161-153
564-240- 46
李邦瑞李昌國 元
295- 89-153
399-437-459
478-124-181
554-756- 62
李邦寧李保寧 元
295-661-204
401- 87-579
李邦輔明 568-301-110
李邦聚宋 533-327- 57
李邦櫟明 524- 93-182
李邦憲明 480-637-288
李邦鎮明 540-812-28之3
李佗那明 郭天中妻
821-492- 58
李秀之後魏 261-674- 49
266-669- 33
379-142-148
李秀白明 570-153-21 之2
李秀林李榼、李季林 後魏
261-520- 36
266-686- 33
379-151-148
李秀英清 479-582-243
李秀實明 569-667- 19
李秀寧明 陳子中妻、李景清女 1260-638- 19
李自本清 529-706- 50
李妙城元 554-986- 65
李妙法唐 276-111-205
401-152-589
474-248- 12
506- 41- 87
李妙金明 王士文妻
524-580-206
李妙金明 林祿妻
530-163- 59

李妙容明 羅章妻
567-484- 88
李妙善明 高景陽妻、李宗善女 1240-380- 24
李妙惠明 盧穿妻
516-235- 97
李妙媛明 邢纓妻
1259-224- 17
李妙賢明 葛欽妻、李泰女
1276-469- 11
李妙靜元 劉希龍妻
1195-430- 8
李廷中明 537-399- 57
李廷仰妻 明 見戴氏
李廷臣元 1221-437- 7
1369-438- 13
李廷杞女 明 見李氏
李廷材明 564-209- 45
李廷材妻 明 見王氏
李廷佐元 472-962- 38
523- 30-147
李廷孚明 524-140-185
李廷松明 567-390- 82
李廷表明 456-596- 9
李廷芬清 567-402- 83
李廷彥明 558-377- 36
李廷相明 540-797-28之3
676-530- 21
李廷柱妻 清 見吳氏
李廷春明 529-732- 51
李廷珙宋 473-674- 79
564- 67- 44
李廷珪李庭珪、奚廷珪、奚庭珪 宋 288-694-479
545-612-105
843-658- 上
843-659- 上
李廷荆明 1285-111- 1
李廷章宋 1184-347-49
李廷章明 472-369-16
李廷梧明 523-102-150
李廷陳明 見李廷諫
李廷詔明 559-311-7上
李廷琛李深 明 533-189- 53
李廷棟明 見李廷諫
李廷棟妻 清 見劉氏
李廷瑞宋 515-308- 66
515-343- 67

李廷榦女 明 見李氏
李廷節妻 唐 見崔氏
李廷實妻 明 見馬氏
李廷實妻 明 見張氏
李廷禎妻 清 見王氏
李廷寬奚廷寬 南唐
843-661- 上
李廷慶明 456-579- 8
李廷璋妻 明 見邵氏
李廷樞清 563-881- 42
李廷鼐妻 清 見莫氏
李廷儀明 529-461- 43
545-787-111
554-313- 53
李廷篆妻 清 見鄭氏
李廷龍明 564-141- 45
李廷諫李廷陳、李廷棟 明(涞水人) 476-113-102
545-378- 97
545-444- 99
李廷諫明(字文源) 515-713- 79
1294-535- 12
李廷機明 300-582-217
460-686- 71
481-589-328
529-548- 45
676-614- 25
677-660- 59
1442- 79- 5
李廷機清 523-140-152
李廷龜明 1442-130- 8
1460-882- 94
李廷謙明 572-108- 30
李廷聰明 473- 16- 49
515- 90- 59
李廷翼妻 清 見劉氏
李廷舉妻 明 見方伯善
李廷贊妻 清 見楊氏
李廷寶明 546-647-136
554-254- 52
676-257- 10
676-274- 10
李廷獻妻 明 見周氏
李廷鷟明 567-396- 83
1467-245- 71
李法遠清 見李良年
李法藏後魏 267-902-100
李泓遠明 456-548- 7

475-378- 68
482-115-343
511-462-154
李宗之宋 528-538- 32
李宗元宋 見李休復
李宗元明 533- 42- 48
李宗木明 458-171- 8
李宗可元 294-535-143
400-265-521
472-336- 14
475-640- 83
480-130-264
510-445-117
515-833- 83
533-368- 60
李宗吉宋 561-213-38之2
李宗任女 宋 見李氏
李宗成宋 554-910- 64
812-544- 4
821-156- 50
李宗泓妻 清 見謝德敬
李宗泗明 482-560-369
559-346- 8
570-103-21之1
李宗性明 1242-754- 5
李宗孟女 宋 見李氏
李宗長妻 元 見陳氏
李宗來妻 明 見馬氏
李宗昉明 299-496-154
李宗易宋(字簡夫)
477-452-171
538-150- 65
1089-754- 19
1112-752- 21
李宗易宋(官祠部) 820-332- 32
李宗延明(字景喆) 458-164- 8
537-569- 60
李宗延明(汝寧人) 554-309- 53
李宗述女 宋 見李氏
李宗思宋 460-298- 20
480-126-264
1145-560- 75
李宗信明 473-446- 68
533- 59- 49
559-281- 6
李宗勉宋 287-518-405
398-502-398
472-968- 38

479- 51-218
523-260-158
李宗祐宋 288-410-456
400-299-524
李宗祚明 1240-797- 8
李宗城明 299-164-126
1442- 97- 6
1460-587- 69
李宗栻明 479-725-250
515-689- 78
李宗桓明 1237-424- 16
李宗師宋 494-326- 6
李宗卿唐 683- 10- 0
李宗商明 472-144- 5
李宗訥宋 285-279-265
396-576-306
472- 94- 3
505-893- 79
820-334- 32
李宗晟宋 821-184- 50
李宗敘全家敘 明456-493- 5
李宗敏明 529-708- 50
李宗善女 明 見李妙善
李宗詠宋 1104-469- 39
李宗閔唐 271-290-176
275-412-174
384-267- 14
396-163-266
484- 84- 3
554- 36- 48
563-902- 43
564-825- 60
933-544- 35
李宗暉唐 270- 33- 86
274- 77- 81
395- 47-184
李宗樞明 540-650- 27
554-665- 60
1442- 51-附3
1460- 85- 44
李宗儀宋 480- 55-260
533-469- 64
585-758- 4
李宗儉蔣王 唐 271-286-175
274- 99- 82
395- 67-186
李宗質宋 491-338- 1
491-430- 6
524-316-194
1153-547-101
1161-490-117
李宗魯明 523- 56-148
533- 26- 47
534-565- 99
534-877-115
李宗魯妻 明 見朱氏
李宗諤宋 285-280-265
371- 39- 4
382-217- 32
384-342- 17
396-577-306
450-684-下3
472- 94- 3
474-640- 33
505-893- 79
820-334- 32
1284-330-161
1437- 9- 1
李宗頤妻 元 見夏婉常
李宗頤明 見李叔正
李宗儒明 482-561-369
570-103-21之1
李宗禮明 1269-435- 6
李宗禮妻 明 見東氏
李宗謨明 821-442- 57
李宗藩明 見李春芳
李宗驌元 1202-890- 16
李於池妻 清 見陳士更
李宜明宋 532-615- 43
李宜得唐 見李守德
李宜瑞妻 明 見劉氏
李宜璋妻 清 見劉氏
李宜德唐 見李守德
李治躬明 456-629- 10
李性傳宋 287-723-419
398-660-410
473-435- 67
481-387-312
494-429- 13
520- 3- 33
559-399-9上
李初元明 559-368- 8
李初平宋 480-635-288
李初妍清 540-874-28之4
李初謙宋 見李從誧
李定宋清 林秉寬妻
530- 41- 54
李定國妻 清 見陳氏
李定榮妻 明 見陳氏
李放軍元 295- 47-150
399-414-457
李庚孫妻 元 見茅淨貞
李炎震宋 1173-125- 71
李雨亭妻 明 見陳氏
李雨霑清 532-641- 43
李武八後唐 277-449- 52
李其光妻 清 見胡氏
李其昌清 482-305-353
545-482-100
564-306- 48
1327-695- 8
李其芳女 清 見李氏
李其紀明 456-459- 4
474-480- 23
505-858- 77
李其紀清 483-184-385
李其進妻 清 見彭氏
李松年宋 813-139- 12
李附鳳妻 明 見鍾氏
李青虬妻 明 見張氏
李青芝明 456-678- 11
李青肫後魏 見李神軌
李青員明 529-701- 50
李青霞明 561-225-38之3
561-568- 45
李坦之元 585-501- 15
李坦夫宋 484-387- 28
李拓機妻 明 見費氏
李杭之明 821-471- 58
李直方宋 524-292-193
1108- 18- 61
李直之隋 473-503- 71
559-312-7上
591-372- 30
李直養宋 479- 92-221
523- 98-150
李亞五清 482-143-344
李居仁宋 476- 82-100
547- 13-141
李居正宋 288-410-456
400-299-524
477- 75-152
李居壽元 見蕭居壽
李居簡宋 820-335- 32
李孟元漢 879-157-58上
李孟佐妻 明 見韓氏
李孟宜妻 明 見林氏
李孟奇明 524-231-189
李孟和明 1273-636- 7
李孟春明 李維長女
476-431-121
李孟春明 533- 48- 48
李孟昭女 明 見李清源
李孟章明 1262-341- 38
1408-613-544
李孟堅女 宋 見李氏
李孟莊元 1267-820- 7
李孟琰宋 藩時妻
1146-200- 94
李孟楨明 820-712- 43
李孟暘明 458-171- 8
472-684- 27
537-429- 58
676-511- 20
李孟傳宋 286-802-363
287-483-401
398- 57-370
472-308- 13
475-324- 65
479-174-225
479-234-227
479-605-244
481-492-324
524- 52-180
528-442- 29
567-444- 86
1467-152- 67
李孟嘗唐 269-505- 57
274-167- 88
395-255-203
李孟璿李均、李璿 明
523-581-175
676-483- 18
1442- 24-附2
1459-609- 23
1475-183- 8
李孟犨唐 1342-151-923
李奉先唐 552- 58- 19
李奉先元 472-775- 30
538-107- 64
李奉政宋 473-778- 84
567-298- 76

1467-178- 68
李奉珪唐 821- 95- 48
李奉慈渤海王 唐
269-545- 60
274- 42- 78
395- 15-181
李奉銀清 456-322- 75
李坤元明 1474-597- 30
李坤成宋 1173-201- 77
李事舉唐 493-688- 38
李邯鄲宋 933-811- 60
李拙齋女 明 見李氏
李抱玉安抱玉、安重璋 唐
270-547-132
275- 25-138
384-213- 11
384-222- 12
395-654-239
472-865- 34
472-946- 37
478-134-181
478-343-191
478-636-206
545- 23- 83
554-583- 58
558-361- 35
933-536- 35
李抱眞安抱眞 唐
270-548-132
275- 25-138
384-237- 12
395-655-239
459-431- 26
472-489- 21
472-504- 21
472-946- 37
476-203-107
478-636-206
545- 23- 83
554-583- 58
558-361- 35
1342-251-937
李奇玉明 523-583-175
676- 12- 1
676-656- 27
677-709- 63
1442-106- 7
1460-646- 73
1475-439- 19
李奇秀妻 清 見田氏
李奇珍明 528-462- 29
李奇容唐 486- 41- 2
李奇雍妻 明 見楊氏
李奇觀清 533-335- 58
李阿召唐 570-257- 25
李阿衍明 朱英齋妻、李潮女
1246-646- 15
李阿童宋 見李敦仁
李阿嚕李愛魯 元
569-646- 19
1201-604- 19
1202-377- 25
李邵固李實古 唐
271-791-199下
276-337-219
496-621-105
李協泰宋 559-363- 8
李長仁後魏 262- 96- 72
李長吉宋 480-402-277
李長吉女 清 見李桂姐
李長秀明 529-748- 51
李長庚宋(寧遠人) 473-390- 65
533-105- 50
李長庚宋(字子西) 479-748-251
480-543-283
515-470- 71
李長庚明 301-331-256
480-135-264
515- 61- 58
533- 52- 48
李長青妻 清 見林氏
李長芳明 559-396-9上
李長春明(字卉圃) 515-238- 64
李長春明(字叔茂) 515-721- 79
李長春明(字棠軒) 559-372- 8
李長茂宋 821-213- 51
李長茂清 529-679- 49
李長信明 見李信
李長祚清 515-851- 84
532-711- 45
李長桂清 475-781- 89
李長卿宋 523-240-157
李長清明 523-123-151
李長清妻 清 見楊氏
李長祥妻 明 見姚淑
李長雅隋 264-836- 54
267-242- 60
379-528-156
李長華清 529-670- 49
李長壽北周 263-776- 43
267-348- 66
379-637-158
李長敷明 511-574-159
李長蕤清 554-779- 62
李長鯨明 554-348- 54
李東文女 清 見李大姐
李東之李東之 宋
286-103-310
382-320- 51
384-339- 17
397-287-336
472-575- 24
476-863-145
540-759-28之2
李東白明 1460-902- 97
李東明明 515-796- 82
李東陽明 299-862-181
443-156- 9
452-152- 2
453-711- 41
473-340- 63
480-411-277
497-615- 44
505-723- 71
533-252- 55
534-607-101
534-892-117
676-505- 19
684-498- 下
820-650- 42
1257-304- 27
1284-357-163
1442- 29-附2
1459-669- 26
李東陽 明 見李氏
李東華明 515-399- 69
李東萊明 545-409- 98
李東溟明 1250-869- 82
李東暉明 570-135-21之2
李東儒明 570-162-21之2
1270- 79- 7
李東懷清 511-722-165
李來泰清 475- 21- 49
479-662-247
510-297-112
515-814- 82
李枝奐妻 清 見張氏
李林甫唐 270-292-106
276-445-223上
384-199- 11
401-323-612
544-227- 63
812-346- 9
820-164- 27
821- 51- 46
1371- 56- 附
李林甫女 唐 見李騰空
李承之宋 286-104-310
397-288-336
479-174-225
523-126-152
540-760-28之2
李承引清 554-795- 62
李承尹清 480- 13-257
532-603- 42
554-530-57下
李承弘廣武王 唐 270- 30- 86
274- 75- 81
395- 45-184
544-225- 63
李承式明(字敬甫) 511-212-144
554-215- 52
李承式明(字敬直) 523- 89-149
李承先明 456-456- 4
558-414- 37
李承先妻 清 見徐氏
李承宗太原王 唐
269-584- 64
274- 49- 79
395- 19-182
544-224- 63
李承明汝南王 唐
269-584- 64
274- 49- 79
395- 19-182
535-557- 20
李承芳李永芳 明(謚節愍)
456-520- 6
540-642- 27
李承芳季承芳 明(字茂卿)
458-713- 3
473-214- 59

533-139- 51
676-524- 21
1256-404- 26
1259-664- 10
1457-582-397
1458-340-440
1458-362-442
李承度義陽王 唐
269-587- 64
274- 50- 79
395- 21-182
535-557- 20
李承昭唐 552- 53- 19
李承約後晉 278-124- 90
279-303- 47
396-423-294
472- 32- 1
473-476- 69
505-714- 71
559-273- 6
559-273- 6
591-697- 49
李承容延王 唐 552- 51- 19
李承祐唐 820-285- 30
李承祖元 1212-505- 14
李承祚明 299-494-154
李承訓武安王 唐
269-584- 64
274- 49- 79
395- 19-182
535-557- 20
李承訓明 456-658- 11
李承恩明(字君賜) 458- 15- 1
538- 1- 61
676- 6- 1
676- 42- 2
李承恩明(沁水人) 547- 59-143
李承恩明(寧夏人) 558-431- 37
李承恩清 540-688- 27
李承宷燉煌王 唐 270- 30- 86
274- 75- 81
395- 45-184
李承乾常山王 唐
269-728- 76
274- 59- 80
384-162- 9
395- 28-183
407-438- 4
554- 28- 48
李承契延王 唐 552- 50- 19
李承惠妻 清 見劉氏
李承勛明(字立卿) 300-275-199
453-666- 29
472-964- 38
473- 17- 49
473-215- 59
474-691- 37
479-483-239
480- 57-260
502-286- 56
515- 91- 59
523- 47-148
533- 9- 47
537-219- 54
554-212- 52
李承勛明(西安人)
523-564-174
李承嗣後唐 277-468- 55
546-390-128
李承嗣明 545-247- 92
李承業梁王 唐 269-587- 64
274- 50- 79
395- 21-182
535-557- 20
李承福唐 820-153- 26
李承福後晉 278-127- 90
李承箕明 301-779-283
457-118- 8
458-713- 3
473-214- 59
480- 57-260
563-925- 43
820-635- 41
1256-409- 26
1442- 36-附2
1458-348-441
李承鼐唐 1085-210- 27
李承德河東四 唐
269-584- 64
274- 49- 79
395- 19-182
544-224- 63
李承勳唐 563-637- 38
李承勳後唐 277-470- 55
545-134- 87
李承燦明 456-576- 8
554-731- 61
李承寵明 547- 19-141
李承鑛清 480-320-272
505-861- 77
533-392- 60
546-105-118
李昡之唐 494-470- 18
李忠臣董秦 唐 270-737-145
276-473-224下
384-214- 11
384-222- 12
384-242- 12
401-399-621
李忠臣明(永寧人) 302- 25-290
483-149-381
569-676- 19
572-102- 30
李忠臣明(赤水人) 481-454-318
483-372-401
李忠臣明(涇陽人) 569-654- 19
李忠定宋 471-650- 10
李忠亮妻 清 見彭氏
李忠輔宋 567- 58- 65
1117-619- 9
1467- 31- 63
李忠謙明 524-124-184
李忠馥李中馥 清 476- 43- 98
546-638-136
李尚文明 494-168- 6
570-158-21之2
李尚行宋 492-700-3上
492-712-3下
李尚忠明 456-600- 9
李尚思明 545-785-111
549-495-199
李尚信妻 清 見王氏
李尚眞唐 見李乂
李尚清妻 明 見王氏
李尚智明 505-658- 68
545-851-113
李尚義明 494- 42- 3
李尚義清 456-321- 75
李尚猷妻 明 見葉氏
李尚達明 510-383-115
李尚賓明 456-679- 11
李尚實明 545-851-113
李尚賢清 474-340- 17
505-850- 76
李尚質妻 宋 見賴氏
李尚默明 1474-534- 27
李尚器妻 清 見胡氏
李尚聰明 456-674- 11
李尚隱唐 271-460-185下
274-632-130
384-200- 11
395-591-234
448-336- 下
472-738- 29
473-672- 79
476-111-102
478-114-181
481-799-338
537-297- 56
545-359- 96
546-335-126
554-639- 60
563-632- 38
567- 38- 64
933-532- 35
1467- 13- 62
李肯堂元 547-559-161
李昌元元 516-148- 93
李昌汴清 474-572- 29
476- 31- 97
505-843- 76
李昌言女 宋 見李氏
李昌叔妻 明 見龔氏
李昌祚元 1206-135- 16
李昌祚清 476-919-148
480- 93-262
531- 20- 附
533-161- 52
537-228- 54
李昌國宋 473-213- 59
480- 55-260
533-329- 58
820-421- 34
李昌國元 見李邦瑞
李昌符唐 451-461- 6
1371- 72- 附
李昌期妻 宋 見何氏
李昌期明 302- 45-291
456-523- 6
474-442- 21
505-855- 77
540-636- 27

李昌祺李禎 明 299-584-161
453-264- 24
473-152- 56
476-916-148
479-720-250
515-656- 77
537-211- 54
676-474- 18
820-593- 40
1237-298- 6
1241-103- 5
1241-572- 11
1242-733- 4
1374-612- 82
1391-780-353
1442- 21-附2
1459-572- 20
李昌運妻 清 見何氏
李昌圖宋 559-311-7上
李昌緒妻 清 見梁氏
李昌震宋 1098-731- 45
李昌齡宋 285-587-287
371- 65- 6
382-243- 37
384-333- 17
384-339- 17
397- 65-324
李昌齡明(號玉川) 456-428- 2
478-275-187
554-188- 51
558-429- 37
李昌齡明(字仁徵) 456-527- 6
545-380- 97
554-730- 61
李昌夔唐 見李昌巙
李昌巙李昌夔 唐473-748- 83
482-318-354
567- 40- 64
585-748- 3
1467- 15- 62
李明之元 1202-437- 29
李明友宋 821-246- 52
李明甫宋 524-370-197
李明阮妻 明 見季氏
李明秀妻 清 見蔡氏
李明性明 547- 23-141
李明性清 474-247- 12
505-903- 80
1321- 49- 90
李明叔唐 384-221- 11
李明香周或六朝 見李眞多
李明恭清 533-317- 57
李明哲妻 明 見羅氏
李明開明 456-659- 11
李明揚清 456-322- 75
李明復宋 679-524-190
李明達李兕子、晉陽公主 唐太宗女 274-107- 83
393-275- 73
544-231- 63
554- 47- 49
812-743- 3
819-577- 19
李明榮明 572-111- 30
李明輔明 456-552- 7
李明熬明 1475-626- 27
李明遠唐 473-719- 81
李明遠明 821-369- 55
李明睿明～清 515-451- 70
李明德元 295-614-198
400-320-526
473-167- 57
479-748-251
515-472- 71
李明龍妻 明 見陳氏
李明夔妻 明 見張氏
李固本明 554-731- 61
李固生女 清 見李氏
李固言唐 271-262-173
275-491-182
384-268- 14
396-218-272
476-111-102
李固忠明 1240-708- 7
李花粧唐 見李華莊
李昇之宋 585-760- 4
李昇之妻 明 見張氏
李昇明宇文昇明 北周 263-722- 37
267-399- 70
379-673- 59
李芳元唐 475-639- 83
李芳春明 554-295- 53
李芳春清 474-337- 17
502-648- 78
505-668- 69
李芳郁唐 820-285- 30
李芳述清 481-117-296
559-410-9下
李芳莎清 505-890- 79
545-396- 97
李芳華明 533-203- 53
李芳遠明 302-623-320
李芳徵清 474-442- 21
505-856- 77
554-259- 52
李芝蘭明 547- 33-142
李叔元明 460-665- 68
529-550- 45
532-600- 41
李叔仁後魏 262-109- 73
266-760- 37
379-193-149
472-895- 35
535-556- 20
545-316- 95
933-526- 35
李叔允明 452-258- 8
458-159- 8
538-153- 65
李叔正李宗頤 明 299-301-137
473- 23- 49
478- 92-180
479-488-239
515-354- 68
554-336- 54
李叔安元 524-217-189
李叔良長平王 唐 269-538- 60
274- 33- 78
395- 6-181
544-224- 63
李叔明李晉、鮮于晉、鮮于叔明、嚴晉、嚴叔明 唐 270-463-122
275-112-147
384-233- 12
395-726-246
472-824- 33
473-447- 68
481- 17-291
481-332-308
554-123- 50
559-272- 6
559-359- 8
591-606- 44
933-538- 35
1071-628- 6
1071-663- 13
1340-548-776
李叔虎李叔彪 後魏 262- 96- 72
266-936- 45
379-300-150下
472- 67- 2
478-333-191
554-113- 50
933-527- 35
李叔胤後魏 261-675- 49
李叔胤女 後魏 見李宗
李叔彪後魏 見李叔虎
李叔義明 821-388- 56
李叔寶後魏 262- 96- 72
李叔讓女 北齊 見李氏
李果奴唐 812-349- 9
821- 56- 46
李果珍清 554-787- 62
李果珍妻 清 見鄉蔡淑達
李果植妻 清 見郭氏
李供倫妻 清 見王氏
李念慈母 明 見常氏
李念慈清 554-856- 63
李知已宋 511-269-147
李知本唐 271-519-188
275-626-195
384-175- 9
400-284-523
472- 91- 3
474-375- 19
505-907- 81
李知孝宋 287-761-422
李知柔嗣薛王 唐274- 82- 81
395- 51-184
478- 89-180
481-800-338
李知柔宋 1166-448- 35
李知退宋 472-1026- 26
李知剛宋 1117-165- 13
1117-171- 14
李知新宋 1124-643- 29
李知損後周 278-438-131

407-674- 4
李知節唐 544-226- 63
李知隱唐 271-519-188
275-626-195
400-284-523
李季元唐 820-251- 29
李季札宋 1375- 9- 上
李季安後魏 261-549- 39
267-903-100
李季林後魏 見李秀林
李季芳唐 473-389- 65
480-542-283
533-343- 58
李季善成安公主、新平公主 唐 韋捷妻、唐中宗女
274-111- 83
393-279- 73
554- 50- 49
李季卿唐 270-203- 79
276- 66-202
400-595-555
554- 37- 48
554-838- 63
933-546- 35
1072-241- 11
李季凱後魏 261-549- 39
267-903-100
李季鼎明 472- 37- 1
505-880- 79
李季操宋 288-679-478
李季衡李平 明 1442- 24-附2
1459-609- 23
1475-185- 8
李季蘭李冶、李裕 唐
451-494- 8
1371- 78- 0
1388-720-104
李和中明 456-665- 11
李周南宋 1121-613- 8
李周珣女 宋(趙克戒妻) 見李氏
李周珣女 宋(魯有開妻) 見李氏
李周望清 505-782- 73
李周翰李瑨子 宋451- 89- 3
1121-508- 38
李肩吾宋 見李從周
李佳秀妻 清 見曹氏
李金仁明 547-543-160
李金全後晉 278-187- 97
279-309- 48
396-428-295
李金秀明 李實女
481-119-296
559-449-11上
李金階清 570-252- 25
李金錫妻 清 見賈氏
李金櫻明 陸清妻、李海女
1273-640- 7
李舍春清 見李含春
李岱生清 481-525-326
李侃晞後魏 262-221-83上
李佩玉明 302- 51-292
456-655- 111
477-317-164
李所發妻 清 見王氏
李采菲明 545- 97- 86
1291-895- 6
李采蘭清 1321-143-102
李秉方元 1218-780- 5
李秉中元 1206-676- 2
李秉玉妻 明 見湯氏
李秉直父 明 見李秉道父
李秉直清 559-329-7下
李秉忠明 456-678- 11
李秉昭元 295-571-194
400-251-520
李秉常西夏 見夏惠宗
李秉善妻 明 見王氏
李秉絙明 529-764- 53
李秉道父 明 474-587- 30
505-698- 70
李秉霖明 547- 18-141
李秉彝元 472-696- 28
505-721- 71
538-319- 69
820-494- 37
1196-303- 18
李秉彝明 505-657- 68
李延大明 564-178- 46
李延之宋 813-205- 20
821-167- 50
李延古後唐 見李敬義
李延世宋 487-188- 12
李延年漢 244-893-125
251-168- 93
251-690- 32
380-486-179
933-521- 35
1395-582- 3
李延年唐 269-589- 64
274- 52- 79
395- 22-182
李延忠宋 475-604- 81
510-434-116
李延昌麻宗 唐 933-298- 21
李延昌明 559-361- 8
李延芳女 明 見李桂清
李延宥唐 820-208- 28
李延是李延顯、李彥貞 明
676-677- 28
1442-118- 8
1460-810- 88
1475-702- 29
李延孫北周 263-776- 43
267-348- 66
379-637-158
552- 29- 18
933-527- 35
李延康明 545-848-113
554-220- 52
李延渥宋 285-387-273
472- 65- 2
474-304- 16
545-634-106
李延寔李延實 後魏
262-226-83下
267-908-100
558-284- 34
李延鄴五代 510-469-117
516- 7- 87
李延實後魏 見李延寔
李延壽唐 267-914-100
269-699- 73
274-314-102
384-173- 9
395-331-210
472-697- 28
477-164-157
538-134- 65
933-530- 35
李延壽明 472-358- 15
554-251- 52
李延壽李剛阿泰 清
476-331-115
502-669- 80
545-425- 98
李延賡妻 清 見彭氏
李延興元 見李繼本
李延寵唐 276-340-219
401-529-636
496-616-105
李延齡清 見李率泰
李延顯明 見李延是
李迎晙清 559-412-9下
李近哲北朝 933-527- 35
李近樓明 499-437-160
李欣春明 456-639- 10
李洪之李文通 後魏
262-272- 89
267-666- 87
380-227-171
384-143- 7
李洪兒隋 見李敏
李洪度唐 812-485- 上
812-522- 2
821- 80- 47
1381-574- 42
李洪威宋 見李洪義
李洪建後漢 278-256-107
李洪信宋 285-108-252
401-300-608
472-435- 19
545-611-105
李洪義李洪威 宋
285-108-252
401-300-608
545-612-105
李洪嗣妻 明 見梁氏
李洪嗣妻 明 見樂氏
李洪遠妻 明 見祁氏
李炳姐明 陳魯生妻
530- 8- 54
李炳陽李德全 清
570-256- 25
李爲楷妻 清 見劉氏
李爲鼎妻 明 559-472-11中
李宣古唐 451-455- 5
李宣仲女 宋 見李氏
李宣茂後魏 261-674- 49
266-670- 33
379-142-148

李客師唐 269-624- 67
274-209- 93
384-164- 9
395-271-205
554-394- 55
556-714- 98
933-529- 35
李洧孫元 524- 63-181
1209-388- 6
1209-485-8上
李洞神宋 587-446- 5
李洵仁金 545-885-114
李恒吉女 元 見李氏
李恒忠李宜哈納 清
502-629- 77
李恒茂明 302-331-306
李恒皃清 564-309- 48
李恒敷明 517-664-131
李流芳明 301-863-288
511-792-166
820-737- 44
821-471- 58
1442- 89- 6
1460-506- 65
李流謙宋 1133-760-附
李亮工宋 472-338- 14
李亮采宋 516- 95- 91
李彥古元 515- 26- 57
李彥平宋 589-356- 6
李彥仙李孝忠 宋
288-305-448
400-167-513
449-482-上13
472-740- 29
472-894- 35
472-915- 36
477-522-175
478-518-200
537-351- 56
558-414- 37
李彥名明 見李原名
李彥成明 545-393- 97
李彥忠元 295-606-197
400-315-526
472-144- 5
474-278- 14
李彥明宋 510-484-118
李彥芳唐 269-624- 67
274-209- 93
395-272-205
933-529- 35
李彥和明 570-214- 23
李彥威後梁 見朱友恭
李彥玏清 554-537-57下
李彥貞明 見李延是
李彥思明 505-898- 80
李彥英明 546-754-140
李彥眞女 明 見李棨
李彥珣後晉 278-164- 94
279-331- 51
李彥哲宋 545-885-114
李彥清明 1227-118- 14
李彥章妻 明 見楊氏
李彥祥妻 明 見林珠小
李彥堅唐 528-520- 31
529-432- 43
李彥從後漢 278-249-106
472-495- 21
545-867-113
李彥琪明 1240-792- 8
李彥博唐 472-294- 12
李彥弼宋 585-759- 4
李彥華宋 680-203-244
1173-221- 79
李彥琩清 554-537-57下
李彥賓妻 明 見劉氏
李彥實妻 明 見劉氏
李彥碩明 534-775-110
李彥碩妻 清 見武氏
李彥穎宋 287-296-386
398-319-385
448-405- 0
472-1003- 40
472-1014- 41
472-1026- 42
479- 42-218
479-142-223
479-319-232
479-377-234
486- 54- 2
494-266- 1
494-391- 11
523-279-159
李彥頵後周 278-421-129
李彥徽唐 494-267- 2
李彥韜後唐 見溫韜
李彥韜後晉 278- 98- 88
李度貞李鳳琛 清 張琅妻、李德基女 530-147- 58
李拱辰元 494-344- 7
523-152-153
1209-515-8下
李持盈玉眞公主 唐 唐睿宗女 274-112- 83
393-279- 73
554- 51- 49
李咸一女 唐 見李氏
李春元妻 明 見丘氏
李春兆妻 明 見朱氏
李春先明 547-564-161
李春芳李宗藩 明(字子實)
300-173-193
452-486- 5
475-377- 68
511-211-144
512-752-195
676-582- 24
李春芳明(字實夫) 460-675- 69
李春芳明(字西屏) 505-822- 75
545-249- 92
李春芳明(字元實) 545-668-107
546-204-122
554-287- 53
李春流妻 清 見梅氏
李春美明 1268-255- 41
李春茂明(字震陽) 546-210-122
554-220- 52
李春茂楊春茂 明(有孝行)
547- 7-141
李春茂女 清 見李氏
李春桂李春貴 明456-490- 5
538- 42- 63
李春叟宋 564- 47- 44
679-822-219
李春貴明 見李春桂
李春煒妻 明 見馬蘭香
李春熙明 481-698-332
510-458-117
529-630- 48
676-624- 25
李柱周明 456-632- 10
476-261-110
547- 54-143
李相祖宋 460-112- 6
678-134- 82
李相國唐 812-347- 9
李厚載妻 明 見彭氏
李厚福明 529-701- 50
李南公宋 286-709-355
397-749-365
472-662- 27
472-1026- 42
473-334- 63
478-168-182
479-318-232
480-400-277
523-184-155
532-690- 45
534-946-120
537-601- 60
李南公子 宋 1130-329- 33
李南仲宋 482- 77-341
564- 57- 44
李南哥明 1240-829- 9
李南壽季南壽 宋
480-540-283
485-502- 9
523-499-170
532-716- 45
李飛龍妻 清 見侯氏
李政之明 561-199-38之1
李政藻北齊 263-190- 22
266-688- 33
379-851-163
李政繼妻 明 見范氏
李東之宋 見李東之
李逑甫妻 元 見黃妙銖
李致遠宋 516- 40- 88
李建元妻 明 見呂氏
李建及後唐 見王建及
李建中宋 288-216-441
382-753-115
384-336- 17
400-644-559
472-742- 29
473-387- 65
473-432- 67
478-123-181
538-326- 69
545-437- 99
559-341- 8
591-542- 42

592-577- 98
684-487- 下
812-751- 3
813-265- 12
820-332- 32
1251-611- 0
李建成唐 269-581- 64
274- 45- 79
384-162- 9
395- 16-182
554- 28- 48
李建泰明 301-292-253
548-656-181
李建崇後周 278-421-129
545-817-112
李建龍妻 清 見盧氏
李建勳南唐 451-478- 7
489-354- 31
511-201-144
684-487- 下
820-316- 31
1371- 74- 附
李茂才明 563-853- 41
李茂才妻 明 見劉氏
李茂之明 472-403- 18
李茂少女 明 見李烈娥
李茂弘明 472-1105- 47
524-262-191
李茂功明 511-213-144
李茂吉江武 清 528-569- 32
1327-682- 7
李茂先宋 564-688- 59
李茂枝明 821-481- 58
李茂芳明(歸化人) 529-703- 50
李茂芳清(遼東人) 502-661- 79
李茂春明(解州人) 547-103-145
李茂春明(字蔚元) 554-298- 53
李茂春明(洋縣人)
554-527-57下
李茂春清 456-322- 75
李茂貞宋文通、岐王、秦王
後唐 278-441-132
279-247- 40
384-291- 15
384-310- 16
396-398-290
472-852- 34
552- 60- 19
552-126- 85
1109- 64- 4
1110-126- 1
1383-797- 73
李茂則宋 484-380- 28
李茂英宋 1181-232- 附
李茂英明 515-135- 61
李茂倫明 見李懋倫
李茂鄉元 1201-445- 4
1210-720- 19
李茂彩明 547- 19-141
李茂植妻 明 見屈氏
李茂陽明 570-105-21之1
李茂華妻 清 見王氏
李茂欽宋 1157-247- 18
李茂實元 1267-819- 7
李茂實明 558-416- 37
李茂蓉明 1467-134- 66
李茂德明 532-727- 46
李茂德妻 明 見張氏
李茂融唐 見李融
李茂勳唐 271-374-180
276-212-212
384-281- 14
396-312-278
李茂勳後唐 278-445-132
李茂叢明 456-658- 11
李茂纓妻 清 見蔣氏
李貞古唐 554-752- 62
李貞甫清 1315-401- 20
李貞佐李貞 明 302- 76-293
456-427- 2
476-371-117
477-499-174
537-335- 56
546-502-131
李貞素唐 275-468-179
396-201-270
李貞順元 683- 62- 3
李貞儷明 1442-127- 8
1460-912- 98
李思文武思文、徐思文 唐
269-630- 67
274-214- 93
395-276-205
李思元唐 515-461- 71
李思正元 676- 46- 2
李思安後梁 277-175- 19
李思行唐 269-506- 57
274-163- 88
395-251-203
472- 91- 3
547-150-147
559-304-7上
李思沖後魏 見李沖
李思沖唐 269-795- 81
274-357-106
395-370-214
李思杜明 523-234-156
李思忠清 456-323- 75
1315-305- 11
李思明金 537-333- 56
李思明元(高邑人)
1214-188- 16
李思明元(字元亮)
1217- 26- 4
李思明明 559-507- 12
李思恆清 533-197- 53
李思貞唐 486- 41- 2
李思貞妻 清 見趙氏
李思迪明 482-266-350
563-833- 41
李思衍元 516- 45- 88
1439-421- 1
1470-109- 5
李思訓唐 269-528- 60
274- 33- 78
395- 6-181
812-346- 9
812-366- 0
813-122- 10
814-270- 9
820-153- 26
821- 45- 46
1110-315- 15
李思恭唐 見拓跋思恭
李思納妻 明 見王氏
李思寅明 528-530- 31
李思訥明 1241-563- 10
李思問明 1227-149- 18
李思國妻 清 見王氏
李思惲唐 820-153- 26
李思弼後魏 820-119- 25
李思進明 472-274- 11
李思温元 1197-586- 59
李思道宋 491-345- 2
李思敬元(齊東人) 537-278- 55
李思敬元(字君讓) 546-591-134
549-658-205
李思敬明 517-696-132
李思鄒明 473-588- 75
529-672- 49
李思誠元 523-214-156
李思誠明(字次卿) 300-174-193
511-215-144
475-377- 68
李思誠明(絳州人) 547-117-145
李思誨唐 269-538- 60
812-346- 9
821- 46- 46
李思齊元 537-564- 60
552- 73- 19
李思齊妻 元～明 見鄭氏
李思廣宋 473-158- 56
479-735-250
516-441-104
李思摩唐 407-478- 6
李思賢宋 821-247- 52
李思儉唐 474-513- 25
李思儒明 576-653- 5
李思穆後魏 261-552- 39
267-909-100
544-211- 62
554-325- 54
814-261- 8
820-117- 25
李思聰宋 516-503-105
李思聰明 473- 15- 49
473-360- 64
515- 32- 58
533-262- 55
569-617-18下之2
676-211- 8
李思謨明 516- 89- 90
李思顯明 456-661- 11
李思讓唐 556-119- 85
李若川宋 1363-822-237
李若水唐 270-355-112
274- 41- 78
395- 14-181
李若水李若冰 宋(字清卿)
288-276-446
382-725-111

400-152-512
449-323- 3
472-115- 4
472-127- 4
474-439- 21
505-854- 77
506-504-103
540-624- 27
545-177- 89
674-832- 17
933-548- 35
1124-694- 3
1136-445-下
李若水宋(閬縣人) 473-694- 80
563-681- 39
李若冰宋 見李若水
李若谷宋(字子淵) 285-640-291
371- 77- 7
382-356- 57
384-351- 18
397-103-326
450-703-下6
471-850- 37
472-126- 4
472-172- 6
472-195- 7
472-253- 10
472-412- 18
472-430- 19
472-643- 26
472-740- 29
472-922- 36
475- 69- 52
475-213- 60
475-430- 70
475-742- 88
476- 29- 97
476-912-148
477-200-159
477-472-173
477-522-175
478-166-182
480-240-269
480-400-277
488-382- 13
510-358-114
511-225-144
532-665- 44
538-326- 69
540-612- 27
545- 40- 84
554-140- 51
李若谷宋(河北人) 473- 88- 52
516-221- 96
李若谷宋(字執虛) 537-237- 55
李若谷宋(冀城縣主簿)
545-174- 89
李若谷清 534-577-100
李若谷妻 清 見雷氏
李若初唐 270-752-146
275-139-149
395-742-248
486- 43- 2
523- 6-146
李若拙宋 286- 76-307
397-269-335
472-839- 33
475-869- 95
478-123-181
478-199-184
523- 9-146
545- 39- 84
554-463- 56
李若林明 564-201- 46
李若星明 301-205-248
456-423- 2
458-163- 8
477-546-176
537-610- 60
李若幽唐 見李國貞
李若英清 534-577-100
李若英妻 清 見姚氏
李若珪明(謚節愍) 456-526- 6
李若珪明(字昭華) 505-758- 72
李若桂清 547- 84-144
李若訥明 510-458-117
李若梓明 554-217- 52
559-368- 8
李若梓女 明 見李小圓
李若梓清 477-421-169
538-112- 64
李若棻妻 清 見潘氏
李若絲明 564-275- 47
李若楠明 483-248-391
567-357- 80
571-529- 19
李若愚明 480- 91-262
533- 27- 47
534-566- 99
李若愚女 明 見李氏
李若葵明 456-632- 10
476-261-110
547- 54-143
李若璉明 456-438- 3
505-839- 76
540-836-28之3
李若蔡明 456-674- 11
李若霞妻 清 見孫氏
李昭文女 宋 見李氏
李昭玘宋 286-601-347
382-759-116
397-668-361
472-489- 21
476-150-104
476-524-128
545-214- 91
820-382- 33
933-810- 60
1394-513- 6
1437- 18- 1
李昭亮李昭慶 宋
288-502-464
371- 92- 9
384-325- 17
400- 42-503
450-698-下5
472-125- 4
474-371- 19
476-153-104
545-827-112
李昭述宋 285-281-265
396-578-306
472- 85- 3
472-125- 4
474-371- 19
540-669- 27
1088-949- 38
李昭祥明 523-193-155
李昭象唐 475-646- 83
511-854-169
李昭道唐 812-346- 9
812-366- 0
813-122- 10
821- 45- 46
李昭嗣女 宋 見李氏
李昭遘宋 285-282-265
396-578-306
474-640- 33
476-204-107
545-337- 96
李昭慶宋 見李昭亮
李昭德唐 270- 41- 87
274-478-117
384-183- 10
395-477-224
472-835- 33
478-112-181
554-637- 60
李昭徽後魏 266-543- 27
379- 87-147
李星耀妻 清 見王氏
李品奇清 529-694- 50
李苑芝清 482-186-346
李則文明 1229-835- 1
李則之唐 270-361-112
274- 55- 79
395- 25-182
李昴英宋 473-675- 79
482- 35-340
528-444- 29
564- 43- 44
676-689- 29
1181-114-附
1363-644-204
1437- 29- 2
李英才宋 843-672-下
李英恪宋 473-465- 69
559-369- 8
李英俊明(崇禎十年卒)
456-607- 9
李英俊明(介休人) 547- 45-142
李英發元 1216-600- 12
李英榆明 556-512- 94
李英賢妻 清 見孫氏
李映乾清 505-915- 81
李映暘明 567-357- 80
1467-255- 71
李迥秀唐 269-566- 62
274-271- 99
384-170- 9
395-440-221
472-835- 33

478-113-181
554-751- 62
933-530- 35
1371- 53- 附
李迪康明 554-313- 53
李禹甸妻 清 見郈氏
李禹卿宋 493-700- 39
510-326-113
515-116- 60
559-315-7上
李禹錫妻 清 見周氏
李待問明(字存我) 301-666-277
456-439- 3
475-184- 59
511-763-166
1442-112- 7
1460-710- 76
李待問明(字葵孺) 528-555- 32
564-111- 45
564-807- 60
李待問女 明 見李氏
李約禮明 1232-596- 5
李垂應不詳 592-288- 78
李信中明 516- 81- 90
李信圭明 301-735-281
472-309- 13
475-325- 65
479-431-236
479-721-250
510-383-115
515-667- 77
523-245-157
1241-105- 5
1241-155- 7
1241-481- 7
李信甫李友諒 宋460- 92- 5
李信郎宋 見李左
李信則北齊 267-909-100
李皇后北魏 魏文成帝后、李方叔女 261-213- 13
266-282- 13
373- 99- 20
李皇后北魏 魏獻文帝后、李惠女 261-214- 13
266-282- 13
373- 99- 20
李皇后後晉 晉高祖后、唐明宗女 278- 90- 86
279-101- 17
393-294- 74
544-184- 61
544-232- 63
1408-461-525
李皇后後漢 漢高祖后
278-241-104
279-109- 18
393-296- 74
544-185- 61
李皇后後蜀 蜀高祖后
278-490-136
279-462- 64
288-684-479
288-688-479
401-220-597
544-187- 61
李皇后宋 宋太宗后、李處耘女 284-858-242
382-102- 13
384-331- 17
393-301- 75
544-185- 61
李皇后宋 宋太宗后、李英女
284-859-242
382-102- 13
384-331- 17
393-301- 75
李皇后宋 宋眞宗后、李仁德女 284-862-242
382-104- 13
384-337- 17
393-304- 75
590-137- 17
李皇后金 金世宗后、李石女
291- 17- 64
393-340- 79
李皇后明 明穆宗后、李銘女
299- 19-114
李皇后明 明穆宗后、李偉女
299- 20-114
544-186- 61
819-602- 20
李皇詔清 533-166- 52
李重吉後唐 277-442- 51
279-100- 16
395- 81-187
李重美雍王 後唐
277-442- 51
279-100- 16
395- 81-187
552- 60- 19
李重茂唐 見唐殤帝
李重胤後梁 277-178- 19
李重俊唐 270- 32- 86
274- 77- 81
395- 46-184
554- 30- 48
李重俊妻 唐 見楊氏
李重俊後晉 278-103- 88
李重照唐 見李重潤
李重發宋 511-588-159
李重貴宋 285-484-279
288-271-446
371-179- 18
396-724-319
474-235- 12
477-252-161
477-472-173
李重進後周 288-748-484
382-159- 22
384-329- 17
400-123-510
408- 9- 1
472-435- 19
540-746-28之2
545-601-105
547-153-147
李重誨宋 285-495-280
472-429- 19
472-483- 21
476-309-113
546- 69-117
李重福譙王 唐 270- 30- 86
274- 76- 81
395- 46-184
李重熙明 546-638-136
李重潤李重照 唐270- 30- 86
274- 75- 81
395- 45-184
554- 30- 48
李重賞妻 清 見閻氏
李重耀妻 明 見于氏
李衍芳清 475-702- 86
483-163-382
510-468-117
570-139-21之2
李衍壽明 456-615- 9
李律鑑女 明 見李兆明
李勉恕明 1249-167- 10
李秋菊明 何繼文妻
530-125- 57
李奐文明 1227-141- 17
李侯璟女 明 見李氏
李保兒妻 明 見牛氏
李保保河南王 元
537-398- 57
李保哥李寶哥 明 黃應奎妻、李一元女 481-389-312
559-475-11中
李保殷後唐 277-561- 68
李保寧元 見李邦寧
李俊一明 456-684- 11
李俊之唐 479-223-227
486- 62- 3
523-146-153
李俊民元 295-158-158
399-468-463
451-598- 8
453-768- 1
472-505- 21
476-206-107
538-321- 69
546-689-138
1190-521- 附
1190-522- 附
1190-523- 附
1198-244- 上
1201-193- 82
1439- 12- 附
1445-566- 44
1468- 65- 4
李俊甫宋 529-727- 51
李俊英明 559-514- 12
李海若妻 明 見王氏
李海孫宋 見李鎭
李海孫宋 見李卯孫
李海珠明 512-464-188
李容郎隋 見李謙
李容娘明 徐世學妻
530-154- 58
李容瑾元 821-296- 53
李娑固李蘇庫 唐(契丹人)
271-790-199下

276-337-219
496-621-105
李娑固李婆固、李蘇庫 唐(奚人) 271-793-199下
276-340-219
401-529-636
496-616-105
李浴日清 510-499-118
李高遷唐 269-507- 57
274-163- 88
395-251-203
472-853- 34
478-201-184
547-150-147
554-574- 58
李唐臣元 545-392- 97
李唐咨宋 460-306- 21
529-738- 51
李唐英元 1210-707- 18
李唐卿宋 491-436- 6
820-358- 32
李唐賓後梁 277-190- 21
279-121- 21
396-332-281
李祐之宋 821-218- 51
李祠客唐 591-695- 49
李祖仁吳 482-226-348
564- 10- 44
李祖庚妻 明 見韓氏
李祖昇北齊 263-375- 48
266-674- 33
379-146-148
李祖娥北齊 齊文宣帝后、李希宗女 263- 76- 9
266-294- 14
373-109- 20
李祖納後魏 379-146-148
李祖勳北齊 263-375- 48
266-674- 33
379-146-148
李祚襄妻 清 見鄭氏
李益謙妻 清 見洪氏
李悅之晉 見袁悅之
李悅我妻 清 見楊氏
李悅祖後魏 261-672- 49
266-664- 33
379-141-148
李神威北齊 263-190- 22
266-690- 33
379-442-153
李神軌李青肫 後魏 262- 8- 66
266-894- 43
379-263-150上
933-527- 35
李神祐宋 288-526-466
401- 64-576
545- 37- 84
李神通淮安王 唐 269-534- 60
274- 37- 78
384-162- 9
395- 9-181
李神符襄邑王 唐 269-537- 60
274- 41- 78
384-162- 9
395- 14-181
488-315- 12
494-264- 1
535-557- 20
545- 20- 83
李神福唐 488-326- 12
李神福宋 288-525-466
李神儁後魏 見李挺
李悌謙明 524-124-184
1442- 23-附2
1459-599- 22
1459-600- 22
李宸揚妻 明 見陳氏
李家慶唐 見李嘉慶
李家駒妻 清 見朱氏
李家選清 545-679-107
李家寶元～明 見世家寶
李家驥妻 清 見羅氏
李兼金妻 唐 見梁氏
李兼善李順老 宋448-393- 0
李兼善元 821-301- 53
李衷同明 1467-119- 66
李衷純明 475-484- 73
510-410-115
676-632- 26
1442- 91- 6
1460-520- 65
李衷毅明 見李應徵
李衷燦清 475-812- 91
511-374-150
李凌雲明 512-736-195
李庭止李正己 明 1294-248-6上
李庭玉元 見李呼喇濟
李庭玉明 547- 34-142
李庭秀元 1206-700- 5
李庭芳元 550-107-212
李庭芝唐 529-753- 52
李庭芝宋 287-746-421
398-680-412
451-239- 0
472-197- 7
472-291- 12
473-269- 61
473-490- 70
475-367- 67
475-743- 88
480-204-267
480-340-273
480-353-274
510-390-115
510-471-117
533-380- 60
559-297-7上
李庭芝明 511-553-158
李庭珪宋 見李廷珪
李庭桂明 473-111- 54
515-170- 62
李庭瑞元 295-601-197
400-310-526
李素元明 474-574- 29
李素立唐 271-440-185上
275-649-197
384-175- 9
400-337-530
459-882- 54
472- 91- 3
474-619- 32
505-787- 73
545-317- 95
558-170- 31
李素娥宋 翁仲溍妻 530- 3- 54
李素節鄅王、許王、雍王、葛王 唐 270- 25- 86
274- 72- 81
395- 42-184
535-557- 20
544-223- 63
552- 50- 19
李泰生妻 清 見魯氏
李泰亨明 1241-292- 13
李泰伯宋 384-359- 18
471-740- 21
李泰禎明 見朱泰楨
李馬兒妻 元 見袁氏
李恭乂清 554-784- 62
李恭讓明 505-806- 74
李城哥清 闞文老妻 530- 81- 55
李索氏李索低 唐 271-793-199下
276-340-219
496-617-105
李索低唐 見李索氏
李眞奴後魏 見李訴
李眞多李明香 周或六朝 473-168- 57
479-752-251
516-425-103
592-170- 71
李眞卿宋 見李丕
李眞卿明 472-569- 24
476-893-147
540-641- 27
李烈娥明 王廷用妻、李茂少女 559-479-11中
李原名李彥名 明 299-288-136
472- 56- 2
505-734- 71
李原受明 482-348-356
1467- 60- 64
李原道元 見李源道
李原遲明 473-349- 63
533-276- 56
李孫王宋 見李開
李孫宸明 564-163- 45
1442- 91- 6
1460-521- 65
李珪之齊 259-523- 53
265-988- 70
380-185-170
473-213- 59
533-136- 51

933-524- 35
李耆年宋 485-534- 1
李耆碩宋 485-534- 1
李耆壽宋 559-324-7上
1173-227- 79
李桂姐清 楊景雄妻、李長吉女
570-607-29之11
李桂郎宋 見李容
李桂清明 史鑑妻、李廷芳女
1259-858- 8
李桓圭明 1241-767- 18
李栖筠唐 275- 99-146
384-220- 12
395-712-245
469-498- 60
472- 92- 3
472-220- 8
472-253- 10
472-568- 24
474-376- 19
475- 15- 49
475-213- 60
475-500- 75
476-610-133
478-759-215
493-686- 38
505-748- 72
510-356-114
523- 6-146
540-638- 27
545-454- 99
933-537- 35
1196-668- 6
李桐客唐 271-439-185上
275-649-197
400-337-530
473-445- 68
473-489- 70
474-166- 8
481-153-298
481-429-315
505-784- 73
559-280- 6
559-323-7上
李格非宋 288-254-444
382-760-116
384-383- 19
400-667-562
472- 51- 2
472-525- 22
474-236- 12
476-524-128
476-817-143
540-764-28之2
李格非女 宋 見李清照
李晉壽宋 1163-441- 17
李起元妻 清 見劉氏
李起渭宋 677-355- 33
1174-722- 45
李起鳳明 456-575- 8
558-425- 37
李起鳳清 見李翔鳳
李起巖元 472-695- 28
李翀霄清 476-403-119
481- 28-291
546-613-135
559-328-7下
李振世清 505-828- 75
李振民明 547- 59-143
李振秀妻 明 見李氏
李振英妻 清 見李氏
李振祖宋 451- 64- 2
李振珽明 456-497- 5
479-187-225
480-437-278
523-378-164
533-405- 61
李振裕清 479-728-250
515-727- 79
李振璣清 540-872-28之4
李振聲明 536-509- 43
554-717- 61
李振藻清 505-915- 81
1316-662- 46
李振麟清 554-532-57下
李挺生清 540-860-28之4
李根心清 483-171-383
570-148-21之2
李破罐明(常攜破罐入市)
570-249- 25
李時中李寅 宋(字和仲)
451- 91- 3
李時中宋(字守正) 515-119- 60
李時正李時欽 明456-599- 9
李時可元 511-840-168
李時白清 592-783- 2
李時用宋 1138-887- 4
李時行明 564-280- 47
676-576- 23
1442- 58- 3
1460-171- 48
李時亨李楊老 宋448-398- 0
李時亨清 481-182-300
559-331-7下
李時育妻 明 見謝氏
李時秀明(孟縣人) 554-312- 53
李時秀明(英德人) 564-179- 46
李時芳明(字廷實) 482- 78-341
李時芳明(朝邑人)
554-519-57下
李時芳明(知華陰縣)
676-208- 8
李時芳妻 明 見倪氏
李時珍明 302-182-299
480-133-264
533- 46- 48
534-574-100
李時茂元 526-523-106
李時茂明 476- 80-100
483-294-394
545-476-100
554-514-57下
571-543- 20
李時茂清(正黃旗人)
456-321- 75
李時茂清(正白旗人)
456-322- 75
李時若妻 明 見李氏
李時勉李懋 明 299-612-163
452-236- 6
453-295- 2
453-605- 17
458-1021- 1
473-151- 56
479-719-250
511- 65-138
515-658- 77
517-592-130
676-475- 18
820-610- 41
1237-283- 5
1240-229- 15
1242-888- 12
1242-889- 12
1242-895- 12
1242-896- 12
1242-900- 12
1242-901- 12
1284-354-163
1391-761-351
1442- 20-附1
1459-564- 20
1467-198- 69
李時芳清(正藍旗人)
502-671- 80
李時芳清(寧協副將)
523-140-152
李時芬明 554-286- 53
李時亮宋 473-778- 84
482-524-367
563-658- 39
567-296- 76
1467-171- 68
李時春明 458-171- 8
李時芃李時蕘 明
302- 42-291
456-521- 6
李時捷妻 清 見劉氏
李時敏宋 813-203- 20
820-397- 34
821-196- 51
李時敏明(平樂人) 299-724-172
482-208-347
482-434-361
567-311- 77
563-811- 41
李時敏明(汾陽人)
1467-117- 66
李時孳明 554-510-57下
李時盛清 554-780- 62
李時隆妻 明 見徐氏
李時陽妻 明 見郭氏
李時發李道孫 宋451- 74- 2
李時華明 483-250-391
572- 72- 28
592-778- 2
李時欽明 見李時正
李時傑妻 明 見許氏
李時雍宋 813-140- 12
820-397- 34
821-196- 51

李時遇妻 清 見馬氏
李時徹妻 明 見曹氏
李時輝明 592-778- 2
李時魯明 1474-590- 30
李時澤宋 821-213- 51
李時興明 456-545- 7
479-766-252
515-126- 60
529-481- 43
李時堯明 見李時茺
李時衡妻 清 見朱氏
李時謙清 476-151-104
545-230- 91
554-225- 52
李時燦妻 清 見王氏
李時蘭妻 明 見高氏
李峙嶸妻 明 見孫氏
李茹春明 515-810- 82
李晏平後唐 見李愚
李剛玉清 572-159- 32
李虔縱唐 271-627-191
李射姑明 559-469-11中
李息郁漢 558-127- 30
李娥姿北周 見常悲
李甡麟妻 清 見王氏
李邕和明 見理邕和
李師上隋 267-899-100
李師孔明 456-673- 11
李師中宋 286-408-332
382-587- 91
384-373- 19
397-514-351
472-556- 23
472-602- 25
472-683- 27
472-852- 34
472-893- 35
472-923- 36
473-748- 83
474-304- 16
475-525- 77
476-576-131
476-697-137
476-864-145
478-200-184
478-417-195
482-319-354
505-664- 69
510-413-116
540-761-28之2
545- 50- 84
554-240- 52
558-228- 32
567- 60- 65
585-754- 4
674-286-4下
1099-580- 12
1362-523- 27
1437- 11- 1
1467- 35- 63
李師古唐 270-481-124
276-218-213
384-241- 12
396-316-279
李師行唐 546-336-126
李師沆明 571-553- 20
李師泌明 456-642- 10
483-117-379
570-131-21之1
李師泌妻 清 見蕭氏
李師武明 456-674- 11
李師孟元 821-325- 54
1201- 74- 71
李師兒金 金章宗元妃、李湘女 291- 19- 64
393-342- 79
548-372-173
819-596- 20
李師悅唐 494-267- 2
494-293- 4
李師望唐 523-167-154
1354-611- 29
李師晦唐 276-237-214
396-329-280
547-151-147
李師雄金 291-242- 86
399-151-429
546-398-128
李師道唐 270-482-124
276-219-213
384-259- 13
396-316-279
李師聖明 302- 38-291
456-597- 9
505-697- 70
李師愈宋 515-465- 71
李師稷唐 486- 44- 2
1061-304-112
李師顏宋 554-245- 52
李師夔金 291-129- 75
399-109-426
474-516- 25
505-779- 73
李卿文元 1217- 89- 4
李能一明 456-654- 11
482- 78-341
李能方妻 明 見黃氏
李能茂明 1290- 91- 15
李能香明 529-569- 46
李純夫元 476-126-102
547-134-146
547-516-160
李純朴明 480-243-269
532-671- 44
559-355- 8
李純臣宋 1467- 41- 63
李純行明 529-691- 50
李純甫金 291-713-126
400-693-566
676-696- 29
1040-228- 1
1365-144- 4
1410-371-713
1439- 7-附
1445-248- 16
李純佑西夏 見夏桓宗
李純香明 林泗妻
481-592-328
530- 90- 56
李純祐西夏 見夏桓宗
李純盛妻 明 見邵氏
李純德宋 460-111- 6
529-689- 50
李純德明 黃儀韶妻
530- 63- 55
1254-587-上
李修己宋 480-508-281
515-323- 67
李修己妻 宋 見蔣季荃
李修吉明 476-222-108
545-331- 95
676-307- 11
李修珌唐 552- 53- 19
李修孺宋 473-454- 68
559-285-7上
李奚子晉 李思祖母
1061-346-115
李乘雲明 302- 73-293
456-426- 2
476- 80-100
476-919-148
505-845- 76
537-223- 54
545-198- 90
李殷銳唐 476-149-104
545-210- 91
李寅東明 564-801- 60
李寅陽明 456-657- 11
李寅陽妻 清 見戴氏
李添保明 302-555-316
李淳風唐 269-773- 79
276- 96-204
384-176- 9
384-182- 10
401- 90-580
472-853- 34
478-202-184
547-551-161
554-895- 64
561-209-38之2
933-547- 35
李淳頤宋 505-716- 71
李淳儒明 456-683- 11
李清七元 480-130-264
李清臣宋 286-342-328
382-624- 96
384-368- 19
384-379- 19
397-464-348
450-583-中49
472-133- 4
472-307- 13
474-371- 19
474-477- 23
493-701- 39
505-775- 73
545-176- 89
554-150- 51
674-825- 17
677-225- 21
1110-253- 10
1118-924- 62

1394-441- 4
李清源李源清 明 林從裥妻、李孟昭女 530- 63- 55
1254-586- 上
李清照宋 趙明誠妻、李格非女 541- 2- 29
674-294-4下
1437- 39- 2
李清標妻 明 見王氏
李清鎧清 545-202- 90
李婆固唐 見李娑固
李商耕明 559-350- 8
李商弼元 516-449-104
李商隱唐 271-614-190下
276- 93-203
384-273- 14
400-618-556
451-451- 5
469-444- 53
471-1013- 62
472-720- 28
472-824- 33
473-503- 71
476-126-102
477-251-161
477-522-175
538-138- 65
547-188-148
559-313-7上
563-919- 43
567-430- 86
585-751- 3
674-264-4 中
813-224- 3
820-258- 29
933-547- 35
1082-228- 附
1365-470- 7
1371- 70- 附
1388-390- 74
1394-386- 3
1467-142- 67
1473-355- 75
李產之後魏 261-546- 39
267-900-100
李惟一明 511-714-164
李惟正宋 680-101-235
1173-138- 72
李惟良女 宋 見李氏
李惟忠金 見李老僧
李惟岳唐 270-692-142
276-188-211
384-240- 12
396-293-277
李惟柱明 820-711- 43
李惟貞明 523-246-157
李惟則明 540-795-28之3
李惟益南唐 843-662- 上
李惟恭元 1201-678- 26
李惟桓清 456-322- 75
李惟寅元 1201-165- 80
李惟清宋 285-326-267
371-101- 10
382-244- 37
384-333- 17
396-611-308
472-524- 22
472-682- 27
473-476- 69
473-672- 79
476-475-125
476-524-128
477-128-155
480- 12-257
481-113-296
482- 32-340
532-572- 41
537-425- 58
540-750-28之2
559-273- 6
563-666- 39
李惟深宋 515-321- 67
李惟閏元 1211-439- 62
李惟肅元 476-518-127
534-626- 27
李惟華妻 明 見梁氏
李惟幾宋 472-981- 39
479- 91-221
523- 97-150
李惟幾明 554-311- 53
李惟楨明 301-859-288
李惟誠唐 270-692-142
276-191-211
396-294-277
李惟慶南唐 843-662- 上
李惟賢宋 288-503-464
400- 43-503
474-601- 31
545-828-112
李惟賞女 宋(趙士澧妻) 見李氏
李惟賞女 宋(趙仲戢妻) 見李氏
李惟聰明 510-399-115
1267-655- 12
1458-459-448
李惟簡母 唐 見鄭氏
李惟簡唐 270-692-142
276-190-211
396-295-277
472-852- 34
474-174- 8
478-199-184
554-131- 50
1073-604- 30
1074-446- 30
1075-396- 30
1383-161- 13
李惟簡宋 285-259-263
384-328- 17
396-565-304
472-658- 27
李惟簡元 505-633- 67
李惟馨明 676-463- 17
李惟觀明 559-397-9上
李惟鸞明 301-574-271
李寄娘明 林繼誠妻 530- 7- 54
李寄楊元 李存女 1213-759- 24
李郭翁妻 明 見潘氏
李率泰李延齡 清 481-808-338
482-323-354
502-667- 80
523- 63-149
528-465- 29
563-858- 42
567-150- 69
李庸修明 505-671- 69
李祥鳳明 456-575- 8
558-425- 37
李康年宋 820-385- 33
李康成宋 515-144- 61
李深之宋 1115-407- 48
李淑秀明 沈仁妻 524-479-203
李淑明明 莊士因妻 530-106- 57
李淑貞元 王延洪妻 524-785-216
1221-654- 25
李淑清明 鄭習樂妻 530- 62- 55
李淑善明 曾理瓊妻 530- 5- 54
李淑寧明 董叔維妻、李文翰女 1246-612- 11
李淑遠明 456-548- 7
李淑賢明 楊菘畦妻、李恭女 1261-181- 13
李淑蕙清 倪乾妻、李憲女 530- 39- 54
李淑徽清 林穀森妻 530- 40- 54
李執中襄王 唐 271-283-175
274- 98- 82
395- 67-186
李執中元 545-842-113
李專美後晉 278-148- 93
李梅所明 1232-632- 6
李梅翁女 明 見李氏
李梅落李君梅落 唐 271-793-199下
276-340-219
401-529-636
496-617-105
李基和清 479-457-237
515- 74- 58
李培正清 477-133-155
537-438- 58
李培秀明 547- 63-143
李乾祐唐 270- 41- 87
274-478-117
395-477-224
474-336- 17
505-667- 69
李乾順西夏 見夏崇宗
李乾道妻 明 見李氏
李乾德宋 288-804-488
李乾德明 302- 95-294
456-441- 3

481-184-300
559-517- 12
李梓發宋 479-811-255
516-148- 93
李陶眞宋 481-680-331
530-204- 60
李務光唐 見李傑
李捷舍清 宋冀上妻、李俊女
530- 83- 55
李陵容晉 晉簡文帝宮人
255-590- 32
373- 76- 20
李陳玉明 515-725- 79
523-109-150
李通玄李賓、李元童 唐
472-440- 14
476-300-112
547-523-160
550-683-227
1052-321- 22
1054-117- 3
1054-470- 13
李通玄明 1227-835- 4
李通敏唐 547-506-159
李晦卿元 1239- 93- 33
李異森妻 清 見馬氏
李崇仁明 676-684- 28
1442-128- 8
1460-865- 94
李崇仁妻 明 見袁氏
李崇芳明 480-582-285
李崇祖後魏 262-244- 84
267-574- 81
380-315-174
544-217- 62
546-658-137
李崇訓妻 後周 見符皇后
李崇矩宋 285-167-257
371- 93- 9
382-175- 25
384-324- 17
396-500-300
472-490- 21
473-737- 82
476-153-104
482-266-350
545-211- 91
545-818-112
563-695- 39
1226-736- 4
李崇教明 529-693- 50
李崇義嗣河間王 唐
269-540- 60
274- 36- 78
395- 8-181
481- 16-291
545-363- 96
561-316- 40
李崇道元 1222-380-下
李崇道清 515-229- 63
李崇榮妻 清 見李氏
李崇賢清 456-321- 75
李崇輝清 538-118- 64
李崇德元 1207-304- 20
李崇德明(謚節愍) 302- 40-291
456-518- 6
505-850- 76
李崇德明(字養淳) 511-651-162
李崇德明(盧江人)
1229-409- 2
李崇瞻南唐 515-181- 62
李崧祥明 475-644- 83
511-318-148
李將順唐 473-176- 57
479-765-252
515-114- 60
李貫斗妻 清 見閻氏
李貫五妻 明 見張氏
李貫道元 1471-376- 6
李國士明(字汝志) 511-362-150
523- 57-148
545- 97- 86
李國正明(字仲將) 515-811- 82
李國用元 541-106- 31
585-539- 19
李國臣安國臣 唐275- 7-136
384-213- 11
395-639-238
554-232- 52
李國臣明 302-199-300
李國臣女 明 見李氏
李國任清 456-323- 75
李國宋清 511-786-166
李國材妻 清 見鄒氏
李國宗明 554-525-57下
李國治明 456-679- 11
李國定明 547-112-145
李國奇明 456-493- 5
李國昌朱邪赤心、朱耶赤心 唐
276-327-218
277-220- 25
279- 29- 4
384-296- 15
384-300- 16
392-229- 20
546- 57-117
550-167-215
李國昌妻 唐 見劉氏
李國虎女 清 見李氏
李國亮清 476-920-148
502-664- 79
537-230- 54
李國柱妻 清 見耿氏
李國柱妻 清 見藺氏
李國相唐 821- 58- 46
李國相明 533-343- 58
李國相妻 清 見周氏
李國貞李若幽 唐(隴西人)
270-356-112
274- 39- 78
384-161- 9
395- 11-181
李國貞唐(字南華)
1342- 82-914
李國英明 456-543- 7
李國英清 474-774- 41
476-261-110
477-568-177
481- 27-291
502-644- 78
546-105-118
559-325-7下
561-642- 47
李國祚女 明 見李氏
李國祥明 676-647- 26
李國球明 見李國祿
李國盛妻 清 見白氏
李國琦明 558-414- 37
李國棟明 572- 73- 28
李國棟清 456-321- 75
李國華明 482-227-348
564-269- 47
李國祿李國球 明456-526- 6
李國楨妻 清 見蔡氏
李國瑞明 302-199-300
李國瑜妻 清 見趙氏
李國禎唐 270-530-130
274-392-109
李國禎明 299-406-146
475-812- 91
李國榮妻 清 見蘇氏
李國維金 491-809- 6
李國瑾清 554-858- 63
李國模清 476-431-121
李國𣚴明 301-247-251
474-245- 12
505-736- 71
李國翰清 474-763- 41
502-680- 80
李國勳清 478-133-181
554-740- 61
李國璽明 456-608- 9
537-321- 56
李唯漢明 1263-493- 3
李常在漢 473-437- 67
481- 85-294
561-214-38之3
592-173- 71
李常青妻 清 見韓氏
李常侍宋 547-185-148
李常眞周或六朝 見李八百
李常寧宋 1115-597- 33
李荷春明 456-660- 11
511-468-154
李處全宋 472-175- 6
489-682- 49
492-587-13下之上
524-335-195
820-432- 35
李處厚南唐 475-213- 60
李處祐唐 486- 42- 2
李處恭唐 271-528-188
李處耘宋 285-172-257
371- 91- 9
382-143- 20
384-325- 17
396-504-300
450-697-下5
472-289- 12
472-490- 21
475-364- 67
476-153-104

510-386-115
532-571- 41
545-820-112
李處耘女 宋 見李皇后
李處訥宋 554-465- 56
李處巽元 820-500- 37
李處温遼 289-686-102
399- 67-422
李處道唐 見龔守安
李處道宋 1115-416- 50
李處蒙唐 482- 91-342
李處遯李嘉仲 宋448-525- 14
李處靜金 1190-636- 8
李處默後魏 261-549- 39
李晞說宋 1161-687-132
李晚翠明 張寧妻
479-101-221
524-553-205
李釣鼇宋 561-200-38之1
李得之宋 1146-130- 91
李得中明 554-309- 53
李得成明 472- 56- 2
474-589- 30
505-915- 81
李得春明(字時魁) 494- 44- 3
李得春明(合肥人) 511-640-161
李得春明(字元甫)
510-448-1117
533-192- 53
李得柔宋 見李德柔
李得笥李德笥 明
302- 77-293
456-666- 11
538- 68- 63
李得陽明 511-376-150
515-248- 64
676-301- 11
676-336- 12
李得義元 546-378-127
李得嘉明 1255-627- 65
李得興妻 清 見謝氏
李紹文張從楚 後唐
277-500- 59
李紹安後唐 見袁象先
李紹先明(字玉立) 456-555- 7
515-848- 84
559-526- 12
李紹先明(字復溪) 533-448- 62
李紹沖後唐 見温韜
李紹伯後魏 546-729-139
李紹奇後唐 見夏魯奇
李紹忠明 571-543- 20
李紹芳明 511-790-166
李紹周清 537-488- 58
李紹威索囉、薩嘉 後唐
279-527- 74
401-530-636
李紹英後晉 見房知温
李紹胤清 1315-362- 16
李紹祖清 476-347-116
545-202- 90
李紹眞後唐 見霍彥威
李紹桐妻 明 見王氏
李紹虔後唐 見王晏球
李紹斌後晉 見趙德鈞
李紹琛後唐 見康延孝
李紹欽後唐 見段凝
李紹義妻 宋 見官氏
李紹道明 571-546- 20
李紹榮後唐 見元行欽
李紹箕明 821-444- 57
李紹賢明(字崇德) 300-111-189
472-208- 7
475-709- 86
475-855- 94
511-493-156
511-507-156
1320-765- 83
1458-590-461
李紹賢明(清江人) 482-266-350
523-220-156
563-837- 41
676-176- 7
李紹賢妻 明 見曾氏
李紹魯五代 見白承福
李紹勳明 571-549- 20
李紳文清 511-365-150
559-334-7下
李勉庵女 清 見李婃
李敏子李惠僧 宋451- 94- 3
李敏之宋 540-762-28之2
1345-614- 4
1351-630-144
李敏中元 820-521- 38
李敏德明 523-121-151
550-148-214
李逢甲明 511-443-153
李逢吉唐 271-173-167
275-403-174
384-250- 12
384-260- 13
384-263- 13
396-157-266
470-414-150
933-544- 35
李逢旭明 456-609- 9
李逢昌妻 明 見呂氏
李逢時明(字化甫)
540-811-28之3
李逢時明(閩人) 563-853- 41
李逢祥明 460-668- 68
李逢祥清 482-117-343
李逢期明 460-667- 68
李逢陽明 676-605- 25
李逢陽妻 清 見姜氏
李逢雷明 523-501-170
李啟元清 480-172-266
532-651- 43
李啟東明 570-119-21之1
李啟東妻 明 見徐氏
李啟美明 515-413- 69
1442- 81- 5
1460-428- 60
李啟應妻 清 見王氏
李啟謨妻 明 見黃氏
李從一唐 見李嘉祐
李從心明 545-158- 88
李從之宋 1135-432- 39
李從任清 511-586-159
李從周李肩吾 宋
820-441- 35
李從周元 1201-168- 80
李從周明 1264-504- 1
李從昶後晉 278-445-132
李從珂後唐 見唐末帝
李從厚後唐 見唐閔帝
李從政宋 1125-360- 26
李從浦宋 見李從誧
李從益許王 後唐
277-441- 51
279- 94- 15
395- 79-187
544-232- 63
李從益元 1203-433- 32
李從訓宋 821-217- 51
李從師明 456-553- 7
511-502-156
李從教明 554-504-57上
李從晦唐 274- 41- 78
395- 14-181
478-120-181
478-243-186
李從敏後周 278-376-123
279- 99- 15
395- 81-187
552- 60- 19
李從善宋 288-678-478
1085-222- 29
李從善元 472-133- 4
李從智明 493-731- 40
510-335-113
559-370- 8
李從義宋 見郭從義
李從義明 472-683- 27
537-428- 58
李從温後唐 278-104- 88
279- 98- 15
395- 81-187
李從誧吉王、李初謙、李從浦、李從謙 288-679-478
819-579- 19
1088-930- 36
李從榮秦王 後唐
277-440- 51
279- 95- 15
395- 78-187
409-652- 2
546- 66-117
552- 60- 19
1383-704- 63
李從嘉南唐 見唐從主
李從遠唐 271-441-185上
275-650-197
400-338-530
李從審後唐 見李從璟
李從璋洋王 後唐
278-102- 88
279- 98- 15
395- 80-187
546- 66-117
552- 60- 19
李從輪妻 元 見梁氏

李從嶠清 570-514-29之8
李從龍 見從龍
李從璟李從審、李繼璟 後唐
277-440- 51
279- 94- 15
395- 77-187
546- 65-117
1383-704- 63
李從謙宋 見李從誧
李從璨後唐 277-441- 51
279- 98- 15
395- 80-187
李從禮宋 1145-737- 83
李從簡唐 820-255- 29
李從曮岐王 後晉
278-444-132
279-249- 40
396-400-290
552- 60- 19
554-135- 50
814-280- 10
820-312- 31
821-111- 49
李尊祖明 456-525- 6
502-717- 83
李游道唐 見李遊道
李善一明 479-188-225
李善長明 299-177-127
452-251- 7
453-523- 2
475-751- 88
511-350-149
1283-224- 84
李善昌朱善昌 明
456-671- 11
李善道南唐 479-578-243
515-231- 64
李善緣明 趙璟妻、李興女
1253- 70- 44
李善篤清 563-882- 42
李翔鳳李起鳳 清
502-661- 79
李曾伯宋(字長孺) 287-731-420
398-668-411
472-720- 28
472-982- 39
473-749- 83
477-254-161
479-101-221
480-289-271
491-111- 13
524-307-194
537-481- 58
567- 73- 65
585-771- 5
676-690- 29
1364-255-282
1467- 48- 63
李曾伯宋(知岳州) 532-730- 46
李普定女 唐 見李氏
李普濟後魏 261-522- 36
266-687- 33
379-151-148
933-526- 35
李溉之清 540-860-28之4
1318-467- 73
李湛然嗣滕王 唐
812-352- 10
李敦仁李阿童 宋448-398- 0
李敦正宋 494-327- 6
李敦武元 559-297-7上
李雲中明 1458-320-438
李雲水李雲永 清
481-591-328
529-673- 49
李雲永清 見李雲水
李雲夷明 554-313- 53
李雲起清 476-151-104
545-228- 91
李雲從清 533-330- 58
李雲階明 460-689- 71
李雲華清 505-914- 81
李雲會清 569-620-18下之2
李雲漢妻 明 見聶攀姑
李雲鍾清 540-859-28 之4
李雲鵬妻 清 見姜氏
李琮生清 547-107-145
李惠日唐 盧善觀妻
1072-381- 2
1340-725-796
李惠登唐 271-464-185下
275-654-197
400-341-530
472-143- 5
474-557- 28
474-819- 44
480-199-267
490-391- 87
502-320- 58
505-728- 71
933-546- 35
李惠僧宋 見李敏子
李博乂李博义、隴西王 唐
269-545- 60
274- 42- 78
395- 15-181
李博义唐 見李博乂
李博文明 559-321-7上
李撝謙明 1240-784- 8
李閎祖宋 460-112- 6
473-643- 78
529-628- 48
567- 72- 65
585-770- 5
1168-482- 39
1467- 45- 63
李瑚姑清 530-122- 57
李壺塘明 1263-120- 21
李超品妻 清 見李氏
李喜珠金 291-616-117
李喜哥宋 見李承
李棲眞李班 唐
561-216-38之3
李棲鳳明(材官) 456-610- 9
李棲鳳明(字翀元) 546-322-125
554-297- 53
李棲鳳清 474-824- 44
482-323-354
502-659- 79
532-602- 42
563-858- 42
李棲鷗明 456-495- 5
558-425- 37
李棲鵬明 546-322-125
李朝元清 456-320- 75
李朝正宋 489-676- 49
492-581-13下之上
510-311-113
李朝奉清 456-321- 75
李朝旻妻 明 見朱氏
李朝柱清 518-259-143
李朝英元 476-297-112
545-242- 92
547- 86-144
李朝禹妻 明 見王永順
李朝陽明 571-553- 20
李朝逵妻 清 見陸氏
李朝端元 473-348- 63
480-436-278
532-725- 46
李朝綱明 494- 41- 3
545-154- 88
545-388- 97
545-465-100
554-663- 60
李朝隱唐 270-216-100
274-620-129
384-192- 10
384-201- 11
395-580-233
472-835- 33
477-305-163
478-114-181
478-334-191
537-297- 56
545-454- 99
554-448- 56
556-112- 85
563-631- 38
567- 38- 64
933-532- 35
李盛山清 529-663- 49
李盛宗妻 清 見張氏
李盛春明 1291-822- 3
李盛英明 456-489- 5
475-527- 77
554-717- 61
李盛麟明 559-291-7上
李隆平明 1229-669- 1
李隆春妻 明 見徐氏
李隆悌汝南王、隋王 唐
270-151- 95
274- 82- 81
395- 51-184
李隆基唐 見唐玄宗
李隆業唐 見李業
李隆範唐 見李範
李閏祖宋 見李子龍
李登之唐 271-588-190中
李登英明 456-655- 11
李登科清 456-387- 80
李登卿明 460-729- 75

李登龍明 456-493- 5
李登舉妻 清 見張氏
李登鰲清 477- 90-153
537-417- 57
李登籲妻 清 見朱氏
李琬娘明 林梅妻530- 86- 56
李琦之明 511-651-162
李堯中妻 明 見劉氏
李堯臣唐 473-778- 84
482-452-362
567-292- 76
1467-164- 68
李堯臣宋 1113-239- 23
李堯年唐 486- 62- 3
李堯言宋 473-302- 62
533-338- 58
李堯卿明 528-563- 32
564-242- 47
李堯賓明 494- 41- 3
李堯輔宋 471-818- 32
李堯輔妻 明 見王氏
李斯文明 570-165-21之2
李斯立宋 472-340- 14
511-931-175
李斯佺清 540-873-28之4
李斯義清 528-470- 29
540-871-28之4
李開之明 559-513- 12
李開老宋 見李應革
李開先明(字伯華) 301-849-287
476-528-128
676-563- 23
1442- 53- 3
1458-282-436
1460-119- 46
李開先明(字石麓) 302- 90-294
456-670- 11
480-248-269
533-386- 60
李開坰妻 清 見陳氏
李開芳明(富民人) 456-642- 10
482-562-369
570-127-21之1
李開芳明(字伯東) 515- 62- 58
529-751- 51
684-501- 下
820-738- 44
821-445- 57
李開國明(諡節愍) 456-546- 7
李開國明(字肇侯) 533-219- 53
李開藻明 820-752- 44
李肅之宋 286-104-310
397-288-336
472-126- 4
472-575- 24
474-305- 16
474-469- 23
505-664- 69
506-307- 97
540-760-28之2
1092-654- 61
李肅姜明 黄鳳妻、李克忱女
1257-160- 15
李弼唐明 547- 22-141
李彭老宋 見李進修
李彭年唐 270- 87- 90
274-473-116
395-471-223
李彭年宋 472-389- 17
511-659-162
李彭年明 482-209-347
564-269- 47
李彭庚清 511-811-167
李揚伯宋 1166-666- 12
李陽元明 480-243-269
李陽冰唐 471-642- 9
471-643- 9
471-691- 15
472-347- 15
472-1051- 44
475-666- 84
481-115-296
505-892- 79
510-451-117
523-239-157
524-339-195
545-334- 96
559-351- 8
591-622- 45
680- 6-224
680-723-291
812-735- 3
813-215- 2
814-275- 10
820-184- 27
843-657- 上
李陽春明 559-366- 8
李陽春女 明 見李氏
李陽孫宋 473-113- 54
515-734- 80
李陽煥宋 288-804-488
李雯光妻 清 見趙氏
李琰之後魏 262-203- 82
267-910-100
558-284- 34
李森先清 475- 21- 49
510-298-112
540-842-28之4
李棟芳妻 清 見牛氏
李發之女 清 見李玉姐
李發元清 505-817- 74
李發甲清 480-364-275
483- 48-372
505-673- 69
528-471- 29
532-608- 42
570-137-21之2
李發早清 569-681- 19
李發身清 483- 71-376
李發藻清 537-469- 58
李發顯妻 清 見張氏
李發顯妻 清 見崔氏
李紫庚明 1475-709- 29
李紫琮宋 473-812- 86
494-162- 6
570-116-21之1
李景文妻 元 見徐彩鸞
李景元明(號元石) 505-827- 75
李景元明(侯官人)
1467-110- 66
李景仁宋 1091-394- 35
李景升明 1241-671- 15
李景先明 554-310- 53
李景年妻 明 見龐氏
李景成清 456-322- 75
李景伯唐 270- 87- 90
274-473-116
384-185- 10
395-471-223
472-107- 4
474-409- 20
505-757- 72
540-668- 27
1371- 52- 附
李景初唐 820-281- 30
李景孟宋 821-207- 51
李景孟明 1475-210- 9
李景雩宋 559-319-7上
591-684- 47
李景芳明 1467-206- 69
李景芳妻 明 見王氏
李景和宋 517-391-125
李景和明 1254-393- 2
李景宣後魏 262- 78- 71
李景威後周～宋 473-301- 62
480-341-273
533-393- 60
李景柱清 456-321- 75
李景貞明 554-876- 64
李景昭元 1221-421- 5
李景勉宋 491-111- 13
李景時明 476-334-115
李景清女 明 見李秀寧
李景章宋 545-337- 96
李景通南唐 見唐元宗
李景略唐 270-819-152
275-375-170
384-237- 12
396-148-265
472- 31- 1
472-480- 21
474-173- 8
476- 27- 97
478-594-204
505-713- 71
545- 17- 83
545-320- 95
554-352- 54
933-543- 35
李景參唐 820-195- 27
李景隆明 299-163-126
452-245- 6
453-122- 11
886-145-138
1283-191- 81
李景登明 502-384- 64
545-380- 97
李景華明 456-679- 11
李景順母 元 見鄒氏
李景温唐 271-502-187下
275-446-177
396-185-268

478-335-191
528-436- 29
545-589-104
554-235- 52
李景遊南唐 813-107- 7
821-116- 49
李景遂後晉 488-343- 12
李景道南唐 813-107- 7
821-115- 49
李景道元 510-502-118
李景暘明 533-730- 73
李景誠明 533-115- 50
李景儉唐 271-229-171
274- 80- 81
395- 49-184
554- 40- 48
李景範宋 1167-223- 18
李景濂清 524-129-184
李景遺北齊 263-187- 22
李景繁明 458- 43- 2
545- 76- 85
554-278- 53
581-648-111
1267-412- 2
李景瓚明 1247-566- 26
1457- 15-342
李景讓母 唐 見鄭氏
李景讓唐 271-501-187下
275-445-177
384-278- 14
396-184-268
448-342- 下
476- 37- 98
540-611- 27
545-589-104
813-255- 9
820-262- 29
933-545- 35
李貴昌明 523-464-169
李貴純明 538-105- 64
李貴顯宋 見李伊鼎
李買順唐 見李賢者
李虛己宋 285-779-300
397-202-331
471-1025- 64
472-366- 16
473-358- 64
473-600- 76
479-482-239
481-332-308
481-674-331
515- 81- 59
529-592- 47
545-366- 97
559-305-7上
1437- 8- 1
李虛中唐 674-414- 2
1073-594- 28
1074-435- 28
1075-386- 28
1383-180- 15
李虛舟宋 1089-185- 19
1089-188- 19
1105-732- 88
1356-174- 8
1384-119- 91
1410-109-674
李菩薩金 537-110- 51
李著美清 456-323- 75
李貽孫唐 820-223- 28
李萃秀明 476-727-138
李華之清 476-676-136
540-867-28之4
李華宇明 456-618- 9
559-506- 12
李華先妻 清 見師氏
李華莊仙源公主、李花粧、涼國長公主 唐 溫曦妻、薛伯陽妻、唐睿宗女 274-111- 83
393-279- 73
554- 50- 49
1281-232-135
1342-227-933
李華國明 533-217- 53
李華貴明 456-617- 9
554-731- 61
李棠馥清 532-604- 42
546-219-122
李棠卿元 516- 48- 88
李無晦宋 485-101- 14
李無惑宋 812-741- 3
820-337- 32
李無諂唐 1051-225- 9
李無慮唐 683- 3- 0
李無競女 宋 見李仲琬
李無黨女 元 見李慶雲
李順老宋 見李兼善
李順昌清 476-881-146
540-683- 27
李順兒元 李讓女
295-635-201
401-182-593
472-667- 27
477-482-173
李順英明 515-121- 60
李順節胡弘立、楊守立 唐
271-433-184
276-153-208
401- 55-575
李順興後魏 267-685- 89
380-627-183
478-144-181
554-971- 65
587-192- 15
李絜飛清 478-485-199
502-776- 86
558-414- 37
李智貞元 鄭全妻、李子明女
295-631-200
401-179-593
452-116- 3
473-607- 76
481-679-331
530-143- 58
李智雲李稚詮、楚王 唐
269-587- 64
274- 50- 79
395- 21-182
554- 33- 48
814-220- 2
819-575- 19
李智源北齊 267-909-100
李稚詮唐 見李智雲
李喬木明 567-326- 78
1467-220- 70
李喬岱明 554-522-57下
李喬崑明 456-576- 8
478-131-181
554-722- 61
李喬崙明 478-131-181
554-676- 6
李喬棟女 清 見李氏
李喬新妻 明 見蔡氏
李喬嶽明 554-522-57下
李喬鍾清 529-712- 50
李循義明 523-294-159
1474-253- 11
李猶龍明(亳州人) 456-659- 11
511-654-162
李猶龍明(廣元人) 456-682- 11
李猶龍明(字慕慈) 483-330-371
569-663- 19
李猶龍清 475-502- 75
510-296-112
李猶龍妻 清 見劉氏
李絡秀晉 周浚妻
256-572- 96
381- 50-185
472-795- 31
477-421-169
933-524- 35
李舜元妻 明 見楊歛娘
李舜臣宋(字子思) 287-512-404
398-498-398
473- 44- 50
473-434- 67
473-536- 72
479-526-241
481-361-310
481-386-312
515-215- 63
559-399-9上
591-565- 42
592-488- 91
592-602- 99
674-541- 1
677-346- 32
李舜臣宋(瀛人) 1189-290- 2
李舜臣元 1194-117- 9
李舜臣明 476-673-136
540-806-28之3
677-597- 54
1442- 52- 3
1460- 85- 44
李舜明妻 明 見楊韶娘
李舜耕明 570-159-21之2
李舜舉宋 288-547-467
382-554- 86
401- 76-577
477- 79-152
820-460- 36
李舜舉女 宋 見李氏

李舒秀妻 明 見李氏
李舒芳明 554-313- 53
李舒清明 567-390- 82
1467-224- 70
李勝任妻 明 見褚氏
李勝高女 明 見李氏
李勝原明 676-451- 17
1442- 14-附1
1459-398- 12
李欽若女 元 見李氏
李欽式清 569-620-18下之2
李斐然妻 明 見鄭氏
李象古唐 270-545-131
274- 70- 80
395- 40-183
554- 39- 48
李象坤宋 812-537- 3
821-152- 50
李象埰清 511-540-157
李象葵明 456-632- 10
476-261-110
547- 54-143
李象賢明 472-240- 9
李集鳳清 474-279- 14
505-868- 78
李進功妻 清 見田氏
李進臣元 821-300- 53
李進孝妻 清 見馬氏
李進忠明 見魏忠賢
李進忠清 545-113- 86
李進娥不詳 馬季宰妻
591-534- 41
李進卿宋 285-386-273
472-435- 19
476- 39- 98
545-618-105
李進修李彭老 宋448-371- 0
李進通後唐 見李嗣昭
李進富妻 清 見王氏
李進福明 456-667- 11
李進榮妻 明 見王氏
李進賢唐 274-624-129
395-584-233
李進輝清 456-320- 75
李復圭宋 285-642-291
397-105-326
472-878- 35
477-161-157
478-671-209
478-760-215
511-225-144
523- 11-146
545- 49- 84
558-197- 31
李復亨金 291-414-100
399-240-437
472-106- 4
472-467- 20
474-406- 20
476-112-102
478-336-191
505-675- 69
545-370- 97
546-588-134
1040-261- 6
李復原李復源、陳復原、陳復寮 明 482-467-363
516-171- 94
567- 85- 66
1467- 60- 64
李復珪宋 537-275- 55
李復登元 515-625- 76
李復陽明 458-444- 21
李復源明 見李復原
李復聘明 545-466-100
554-668- 60
1288-657- 12
李復興清 475-177- 59
476-754-139
510-355-114
540-862-28之4
李復齋明 1458-735-475
李復觀李光 明 473-641- 78
516- 63- 89
李溥光元 見溥光
李溥麟妻 明 見傅氏
李源清明 見李清源
李源發明 547- 74-143
李源道李原道 元
1202-207- 15
1439-430- 1
1471-393- 8
李源澄明 547- 74-143
李意如晉 820- 77- 23
李意其李意期 蜀漢
384-516- 23
386-102-72上
481- 85-294
592-188- 73
821- 9- 45
1059-309- 10
李意期蜀漢 見李意其
李愫文清 567-155- 69
李愼由宋 820-453- 35
李愼思宋 1098-201- 25
李愼從宋 1096-782- 38
李廌叔母 宋 見王氏
李義山宋 471-848- 37
471-1043- 67
480- 55-260
515-330- 67
533- 4- 47
李義壯明 523- 87-149
559-255- 6
564-120- 45
567-123- 67
676-559- 23
1467-108- 65
李義府唐 269-802- 82
276-443-223上
384-179- 10
401-321-612
469-540- 66
1371- 48- 附
李義姑明 481-591-328
530- 89- 56
李義珣嗣澤王 唐270- 24- 86
274- 72- 81
395- 42-184
李義深北齊 261-524- 36
263-190- 22
266-688-152
379-152-148
933-526- 35
李義渝長平王 唐
544-224- 63
李義雄北齊 267-908-100
李義琛唐 269-796- 81
274-347-105
395-357-213
505-770- 73
933-531- 35
李義琰唐(昌樂人) 269-796- 81
274-346-105
384-180- 10
395-357-213
469-450- 54
472-130- 4
472-429- 19
474-474- 23
476- 26- 97
505-770- 73
545- 21- 83
933-530- 35
李義琰唐(隴西人) 554-327- 54
李義徽後魏 266-543- 27
379- 87-147
李猷吉明 538- 68- 63
李慈隆明 1248-642- 4
李靖臣清 517-751-134
李靖眞元 王惠妻、李潤女
1221-655- 25
李裔芳明 554-287- 53
李煃暘妻 明 見紀氏
李裕中明 559-401-9上
李窟哥唐 271-789-199下
276-335-219
496-618-105
李新之明 511-909-173
李新枝明 1475-541- 23
李新芳明 546-660-137
676- 8- 1
676-362- 13
1278-593- 2
李新期妻 明 見申氏
李新煒妻 清 見洪氏
李新聲唐 張谷妻、李嚴女
547-276-152
550-680-227
1344-480-100
李詭祖魏 505-140- 50
李遊道李游道 唐
271-441-185上
275-650-197
李道元元 1198-552- 9
李道玄淮陽王 唐
269-543- 60
274- 32- 78
384-161- 9
395- 5-181
535-557- 20
李道立高平王 唐

269-534- 60
274- 32- 78
395- 4-181
544-224- 63
李道古唐 270-545-131
274- 70- 80
395- 40-183
472-1014- 41
523-211-156
554- 39- 48
1073-591- 28
1073-625- 32
1074-431- 28
1074-476- 32
1075-382- 28
1075-421- 32
1383-163- 13
李道生明 1375- 29- 上
1442- 14- 1
1459-493- 16
李道夷唐 820-256- 29
李道先明 523-206-155
李道行元 821-325- 54
李道宗江夏王 唐
269-543- 60
274- 30- 78
384-161- 9
395- 2-181
472-623- 25
474-687- 37
478-593-204
480- 48-259
502-255- 53
545-452- 99
李道宗明 524-124-184
李道空晉 541- 87- 30
李道坦元 1439-456- 2
李道昌清 476-750-139
476-754-139
540-846-28之4
李道明淮陽王 唐
269-543- 60
274- 33- 78
395- 5-181
李道兒劉宋 258-610- 94
李道兒妻 劉宋 見陳妙登
李道彥膠東王 唐
269-536- 60
274- 38- 78
395- 10-181
478-111-181
李道琉明 1239-219- 41
李道泰清 481-774-336
483- 60-374
李道孫宋 見李時發
李道堅嗣魯王 唐
269-594- 64
274- 56- 79
395- 26-182
545-236- 92
李道堅明 572-163- 32
李道隆北齊 267-909-100
李道復元 1201-447- 4
李道裕唐 269-566- 62
274-271- 99
395-315-209
384-170- 9
554-395- 55
李道傳宋 288-152-436
400-545-549
459-121- 7
472-291- 12
473-435- 67
473-455- 68
475-366- 67
475-501- 75
481-181-300
481-387-312
510-283-112
510-389-115
524-312-194
559-286-7上
559-400-9上
591-566- 42
1168-458- 38
1168-481- 39
1174-872- 55
李道廣丙道廣 唐
270-185- 98
274-582-126
395-547-231
554-444- 56
李道賢明 黃淮妻
1244-673- 18
李道樞唐 486- 44- 2
李道興唐 274- 31- 78
395- 4-181
李道興宋 見李杭
李道謙元 820-549- 39
1200-286- 23
李道邃唐 269-594- 64
274- 56- 79
395- 27-182
李廉仲明 476-675-136
540-834-28之3
李煥元妻 清 見孫氏
李祿會宋 見李皦如
李資夫宋 1189-323- 3
李資仁明 567-385- 82
1467-230- 70
李資生妻 明 見董氏
李資孝明 481-439-316
李資坤明 482-561-369
483-348-399
494-159- 5
494-167- 6
510-404-115
570-104-21之1
571-550- 20
李資深明 567-385- 82
1467-230- 70
李資謙宋 593-835- 8
李載仁不詳 534-944-120
李載柯妻 明 見康氏
李載陽明 528-498- 30
537-305- 56
李載華妻 清 見徐氏
李載義唐 271-370-180
276-209-212
384-265- 13
384-273- 14
396-309-278
476- 27- 97
545- 27- 83
554- 37- 48
李載贄明 1408-588-541
李楨宁明 見李禎宁
李雷奮宋 472-1052- 44
523-242-157
李雷應宋 451- 67- 2
517-441-126
李聖伯齊 265-1045- 73
380-105-167
李聖源宋 1123-178- 19
李椿年宋 472-357- 15
473- 47- 50
479-530-241
516- 15- 87
523- 12-146
李楷固武楷固 唐270- 67- 89
496-620-105
李楷洛李楷、李且羅、李霞魯
唐 270-333-110
275- 1-136
276-338-219
289-472- 63
395-633-238
496-622-105
502-319- 58
1342- 37-908
1343-783- 57
1410- 27-666
1410-187-684
李瑞芳明 515-408- 69
523-194-155
李瑞娘清 葉應選妻
530-100- 56
李瑞憘妻 明 見張氏
李瑞鶴明 572-156- 32
李幹才明 456-632- 10
475-330- 65
511-460-154
李群玉唐 273-114- 60
451-458- 6
471-802- 30
473-317- 62
480-614-287
533-326- 57
563-919- 43
567-429- 86
674-266-4中
820-262- 29
1365-482- 7
1371- 71- 附
1388-651- 98
1473-473 -84
李楊老宋 見李時亨
李楚才李楚材 唐
1065-250- 7
1342-195-929
李楚材唐 見李楚才
李楚金唐 587-715- 17

1073-639- 34
1074-493- 34
1075-438- 34
1078-158- 11
1378-529- 60
1383-176- 14
1408-654-549
1410-489-728
李楚媛唐 裴仲將妻、李愼女
274- 67- 80
395- 37-183
476-404-119
547-450-158
1072-423- 4
1343-759-55下
李達九唐 559-289-7上
李遐周唐 499-419-151
556-762- 99
李殿元妻 清 見孟氏
李殿邦清 533-305- 57
李萬平明 1275-335- 15
李萬平妻 明 見劉氏
李萬全宋 285-225-261
李萬年妻 明 見李氏
李萬良清 456-387- 80
李萬庫明 554-914- 64
李萬善明 見李伯通
李萬超宋 285-216-261
396-539-303
472-435- 19
472-602- 25
476- 39- 98
476-697-137
476-725-138
540-651- 27
545-609-105
李萬實明 515-841- 84
李萬榮唐 270-732-145
276-225-214
384-241- 12
396-322-280
505-772- 73
李萬慶明 301-544-269
456-491- 5
537-321- 55
李蜀孫宋 見李德柔
李當之漢 742- 27- 1
李當戶漢 244-733-109
250-314- 54
251-594- 22
376-149-98上
李暄亨清 474-520- 25
505-891- 79
李嗣文元 1200-603- 46
李嗣玄唐 見李琬
李嗣本張嗣本 後唐
277-448- 52
279-224- 36
384-308- 16
396-376-286
476-332-115
546-389-128
李嗣先李嗣先 明456-640- 10
李嗣宗宋 1149-717- 16
李嗣宗元 473-544- 72
571-555- 20
李嗣初唐 見李瑶
李嗣直唐 見李琮
李嗣昇唐 見唐肅宗
李嗣肱後唐 277-434- 50
279- 88- 14
395- 74-187
546- 58-117
李嗣昭李進通、韓進通、韓嗣昭 後唐 277-443- 51
279-221- 36
384-308- 16
396-375-286
476- 38- 98
476-149-104
545-210- 91
545-597-105
1383-775- 70
1408-468-525
李嗣眞唐 271-626-191
274-196- 91
384-169- 9
401- 94-580
472-107- 4
472-824- 33
474-409- 20
478- 87-180
479-318-232
505-756- 72
545- 11- 83
545-207- 91
550-581-225
554-267- 53
567-425- 86
812-347- 9
821- 42- 46
933-528- 35
1467-139- 67
李嗣眞唐 見李琰
李嗣恩駱嗣恩 後唐
277-449- 52
279-224- 36
384-308- 16
396-377-286
李嗣淳明 456-643- 10
570-130-21之1
李嗣善明 570-118-21之1
李嗣弼後唐 277-434- 50
279- 88- 14
395- 74-187
李嗣源後唐 見唐明宗
李嗣業唐 270-328-109
275- 22-138
384-212- 11
395-652-239
472-836- 33
478-115-181
554-697- 61
933-536- 35
李嗣勳唐 545- 31- 83
李嗣謙唐 見李瑛
李圓明妻 清 見李氏
李圓通隋 264-927- 64
267-485- 75
379-799-162
384-153- 8
478-108-180
545- 9- 83
554-441- 56
李嵩陽清 475- 21- 49
477-210-159
510-297-112
523- 64-149
537-414- 57
李鼎玉清 477-454-171
537-581- 60
李鼎祚唐 481-386-312
592-485- 91
李鼎黃清 547- 40-142
李鼎新明 547-102-145
李暉賓後魏 261-523- 36
李畸實宋 1121-487- 36
李葉和妻 清 見林氏
李敬方唐 273-114- 60
485-497- 9
491-343- 2
李敬中明 563-804- 41
李敬中妻 明 見胡氏
李敬玄唐 269-795- 81
274-356-106
384-180- 10
395-369-214
472-201- 7
475-779- 89
511-822-167
933-531- 35
1080-783- 71
李敬臣明 472-854- 34
554-474-57上
李敬吾妻 明 見曹氏
李敬吾妻 明 見羅氏
李敬問明 564-258- 47
李敬義李延古 後唐
275-481-180
277-505- 60
李敬業徐敬業 唐269-629- 67
274-213- 93
384-187- 10
395-275-205
474-473- 23
505-856- 77
540-737-28之2
李虞仲唐 271-110-163
275-439-177
384-265- 13
396-180-268
474-620- 32
933-545- 35
李遇文明 511-408-152
李遇中明 481-336-308
李遇知明 456-438- 3
554-729- 61
李遇春明 483- 15-370
569-661- 19
李遇陽妻 明 見董線娘
李遇龍宋 516- 35- 88
李遇龍妻 清 見劉氏

李過折李克珍 唐
271-792-199下
276-338-219
496-622-105
李過庭金 1365-286- 8
1439- 10- 0
1445-518- 39
李業興後魏 262-241- 84
267-571- 81
380-312-174
384-142- 7
472-490- 21
476-152-104
544-210- 62
546-655-137
李愈秀明 547-124-145
李愈芬明 456-599- 9
李筠嘉清 1325-189- 12
李雅廉李幼廉 北齊
261-524- 36
263-323- 43
266-689- 33
384-137- 7
379-441-153
472- 64- 2
472- 90- 3
474-304- 16
474-618- 32
505-787- 73
545-128- 87
933-526- 35
李會生清 532-610- 42
李會龍宋(字堯用) 451- 52- 2
李會龍宋(寧浦人) 451- 93- 3
李經世明 538-108- 64
李經書妻 清 見曾氏
李經綸明 457-891- 52
479-630-245
515-844- 84
李節娥李泰女 明
559-479-11中
李毓秀清(沔池人) 475-853- 94
510-504-118
李毓秀清(字子潛) 546-760-140
李毓采清 478-436-196
554-738- 61
李毓柱清 545-114- 86
李毓貞明 晏廷相妻
479-751-251
李毓英明 302- 93-294
456-580- 8
480- 53-259
505-836- 76
533-360- 60
李毓英妻 清 見謝氏
李毓珩妻 清 見何氏
李毓梁明 456-631- 10
458- 67- 3
477-255-161
538- 56- 63
李毓陽明 572- 87- 29
李毓新明 456-527-6
479- 99-221
523-364-163
李鼻涕宋(道士與人治病以鼻涕和垢膩爲丸食之立癒)
472-986- 39
479-108-221
524-396-199
李愛魯元 見李阿嚕
李遁道妻 明 見謝春
李徵宁明 見李禎宁
李實古唐 見李邵固
李實秀清 537-470- 58
李實貴唐 見李失活
李實發清 477-210-159
538-54- 63
李實薁清 537-441- 58
李誠之宋 288-325-449
400-174-513
451-397- 14
472-1030- 42
473-233- 60
473-281- 61
479-324-232
480-126-264
480-170-266
515- 20- 57
523-402-165
533-366- 60
1157- 94- 8
1157-486- 18
1174-659- 42
1240-234- 15
李誠之明 529-675- 49
李誠明明 540-822-28之3
李廕祖清 見李蔭祖
李禎宁李楨宁、李徵宁 明
302- 39-291
456-421- 2
474-313- 16
505-849- 76
545-102- 86
李福中妻 清 見曹氏
李福生妻 清 見任氏
李福安明 494-330- 6
李福海明 563-805- 41
李福智明 821-363- 55
李福達明 見張寅
李福業唐 274-516-120
395-497-226
李福榮明 547-101-145
李寧孫母 元 見劉氏
李寧儉明 820-742- 44
李端方宋 1135-376- 35
李端友宋 494-348- 7
李端行宋 472-260- 10
492-700-3上
492-712-3下
李端甫金 554-845- 63
1365-230- 7
1439- 9- 0
1445-443- 32
李端直明 545-325- 95
李端愿宋 288-506-464
400- 45-503
476-154-104
480-169-266
545-829-112
588-177- 8
1226-738- 4
1053-500- 12
李端澄明 537-483- 58
李端慤宋 288-507-464
400- 46-503
476-154-104
545-829-112
1226-738- 4
李端履宋 524-234-189
李端憲女 宋 見李氏
李端懿宋 288-505-464
371- 93- 9
400- 45-503
474-601- 31
476-154-104
476-816-143
540-612- 27
545-828-112
587-608- 9
820-359- 32
821-155- 50
1102-259- 32
1226-738- 4
李端懿女 宋 見李氏
李齊古唐 820-174- 27
李齊白清 546-611-135
李齊芳明 505-826- 75
李齊芳妻 明 見閻氏
李齊物唐 270-353-112
274- 40- 78
395- 13-181
471-810- 31
472-739- 29
473-233- 60
477-521-175
480-169-266
532-643- 43
537-350- 56
554-124- 50
1071-624- 6
李齊運唐 270-605-135
275-337-167
384-234- 12
396-120-262
494-290- 4
554- 39- 48
李齊賢元 1439-462- 2
李漢臣宋(字漢臣)
1094-701- 77
李漢臣宋(字仲良)
1113-240- 23
李漢卿金 821-278- 52
李漢翔明 1297-130- 10
李漢超宋 285-392-273
371-161- 16
382-200- 29
384-327- 17
396-658-314
450-699-下5
472-483- 21
472-519- 22
476-258-110

476-516-127
540-646- 27
546- 72-117
1085-190- 25
李漢傑元 517-494-128
李漢韶後唐 見孫漢韶
李漢舉宋 821-185- 50
李漢贇宋 285-208-260
396-532-302
李漢瓊宋 285-207-260
396-531-302
472-747- 29
537-503- 59
545- 37- 84
李滿庫明 547- 15-141
李褭兒安樂公主 唐 武延秀妻、武崇訓妻、唐中宗女
274-110- 83
393-278- 73
554- 50- 49
李榮宗清 476-395-119
476-789-141
545-470-100
李榮昌明 1475-676- 28
李榮芳妻 明 見柳氏
李榮昉元 528-524- 31
李榮祖元(雲中人) 476-394-119
545-461-100
李榮祖元(霍州人) 545-769-110
李榮祖元(泰安人)
1206-199- 20
李榮娘明 傅長遠妻
530-152- 58
李榮貴元 1216-117- 6
李榮實元 473-599- 76
李與堵妻 清 見張氏
李與廉元 1376-458- 89
李壽之北齊 267-900-100
李壽昌明 554-310- 53
李壽朋宋(字延老) 285-642-191
397-105-326
474-336- 17
475-430- 70
511-225-144
554-241- 52
李壽朋宋(通直郎) 480- 50-259
487-189- 12
488- 14- 1
488-473- 14
李壽英遼 502-259- 54
李壽娘明 陳釗妻
530-124- 57
李壽儀後蜀 592-717-107
812-503-下
821-130- 49
李輔明明 301-583-272
456-460- 4
474-742- 40
502-302- 56
545-332- 95
李輔國李靜忠、李護國 唐
271-423-184
276-145-208
384-216- 11
401- 43-574
李輔德元 294-533-143
400-260-521
李輔德女 明 見李氏
李熙國劉宋 477-407-169
477-441-171
510-477-118
李熙登明 505-918- 81
李熙靖宋 286-731-357
288-373-453
382-709-109
397-763-366
472-260- 10
475-223- 61
511-446-153
李熙載宋 564- 65- 44
李綦隆女 明 見李氏
李爾文妻 清 見賴氏
李爾象清 529-704- 50
李爾熾妻 清 見孫氏
李際元明 1442- 45- 附3
1459-920- 39
李際明明 510-449-117
李際春明(武進人) 515-225- 63
李際春明(字和元) 523-122-151
533- 49- 48
李際春明(字應元) 537-407- 57
李際時明 572- 93- 29
李際期清 478-770-215
523- 62-149
537-526- 59
李瑨子宋 見李周翰
李臺卿宋 475-704- 86
511-819-167
1107-206- 13
1109-406- 20
李嘉卉清 533-163- 52
李嘉吉李嘉言 明
481-723-333
529-700- 50
李嘉仲宋 見李處遯
李嘉言宋 472-389- 17
511-375-150
李嘉言明 567-320- 78
1467-204- 69
李嘉努元 295-600-197
400-309-526
李嘉祐李從一 唐 471-618- 5
510-357-114
674-252-4上
1365-455- 5
1371- 63- 附
1388- 84- 52
李嘉祥明 472-127- 4
472-369- 16
475-643- 83
505-691- 70
511-318-148
676-258- 10
李嘉量宋 1173-245- 81
李嘉祿明 554-311- 53
554-341- 54
李嘉瑞明 572- 74- 28
李嘉會明 545-389- 97
李嘉會妻 清 見劉氏
李嘉賓明 456-617- 9
554-731- 61
李嘉慶李家慶、茹常 唐
270-452-121
276-466-224上
401-394-620
李嘉論明 563-854- 41
李嘉勳唐 見尚可孤
李盡忠無上可汗 唐
271-790-199下
276-335-219
496-619-105
李翠娘明 施必甫妻
530-152- 58
李翠翹明 1457-758-414
李聞之宋 473-194- 58
515-255- 65
李聞馨明 559-270- 6
570-106-21之1
李聚先妻 明 見王氏
李遜學明 452-233- 6
458-160- 8
472-964- 38
477-419-169
523- 48-148
537-566- 60
676-518- 20
李夢日明 480-437-278
532-728- 46
李夢辰明 301-473-264
456-444- 3
458- 64- 3
477-131-155
538- 45- 63
李夢呂宋 451- 98- 3
李夢庚明 299-276-135
475-753- 88
511-496-156
李夢明明 570-166-21之2
李夢周明 511-246-145
515-278- 65
李夢祥元 1195- 75- 6
李夢祥明 480-247-269
483-320-396
533-212- 53
571-547- 20
李夢康女 明 見李氏
李夢植清 1324-994- 33
李夢登元 1194-214- 16
李夢陽明 301-832-286
453-718- 42
458- 96- 4
473- 17- 49
477- 92-153
478-574-203
479-453-237
480-299-271
515- 44- 58
533-741- 73
538-608- 78
538-129- 65
545- 77- 85
558-351- 35

676-524- 21
820-669- 42
1267-515- 6
1273-636- 7
1320-740- 81
1442- 42-附3
1454-359-123
1457-561-395
1458-205-432
1458-213-433
1459-828- 34
李夢陽妻 明 見左氏
李夢頎清 570-162-21之2
李夢鳳明 540-835-28之3
李夢箕清 1325-721- 6
李夢憲清 529-707- 50
李夢龍宋 460-451- 34
李夢龍妻 清 見王氏
李夢禧明 456-634- 10
474-187- 9
505-839- 76
李夢蘭清 516-111- 91
李鳴四明 456-684- 11
李鳴珂清 559-414-9下
李鳴陽明 460-768- 78
李鳴陽妻 清 見趙氏
李鳴復宋 287-718-419
472-982- 39
473-529- 72
481-373-311
524-308-194
559-397-9上
李鳴鳳明 456-524- 6
李鳴緒妻 清 見王氏
李鳴德清 477- 91-153
李鳴鶴明 1442- 47-附3
李訔之清 533-286- 56
李蒨之北齊 267-900-100
李圖南宋 486- 51- 2
李圖南妻 宋 見段淨方
李圖南妻 清 見劉氏
李暢藻明 570-159-21之2
李蜚碧妻 清 見洪氏
李熊吉明 1259-857- 8
李鳳毛明 559-349- 8
李鳳娘宋 宋光宗后、李道女
284-883-243
393-318- 77
537-188- 53
585-300- 2
李鳳翔明 505-884- 79
李鳳朝明 479-793-254
515-279- 65
572-101- 30
李鳳琛清 見李度貞
李鳳翥明 505-652- 68
李鳳鳴妻 清 見王氏
李銘誠明 302-199-300
李僧伽後魏 267-902-100
李維申妻 清 見李氏
李維芑宋 473- 96- 53
515-526- 73
李維長女 明 見李孟春
李維屏明 566-239- 42
李維屏清 537-459- 58
李維屏妻 清 見郭氏
李維紀明 456-658- 11
李維祐明 554-258- 52
李維城妻 清 見蔡氏
李維珩明 572-104- 30
李維幾宋 1096-497- 8
李維喬明 564-261- 47
李維新明(寧夏衛人)
456-684- 11
558-435- 37
李維新明(陝西人) 545-147- 88
李維楨明 301-859-288
475-874- 95
480-174-266
510-294-112
533- 62- 49
545- 99- 86
554-220- 52
1442- 73- 5
1460-276- 52
李維勤妻 明 見薛志貞
李維樾明 523-571-174
李維翰明 301-380-259
李維聰清 1322-635- 11
李維聰妻 清 見周氏
李維藩明 567-391- 82
李維馨元 545-842-113
李維鸞明 456-457- 4
李肇元妻 清 見劉氏
李肇亨明 見常瑩
李肇極清 538- 99- 64
李魁春清 505-905- 80
李銀瑛明 479-633-245
516-335-100
李諒祚西夏 見夏毅宗
李廣文宋 484-374- 27
529-438- 43
李廣生明 456-677- 11
481-407-313
559-530- 12
李廣生妻 清 見陳氏
李廣佑明 493-756- 41
李廣利漢 250-426- 61
376-217- 99
384- 45- 2
933-522- 35
李廣居明 571-543- 20
李廣書清 456-321- 75
李廣圃明 567-415- 84
李廣途宋 1085-227- 29
李澄中清 476-676-136
540-869-28之4
569-620-18下之2
1325-417- 12
李澄叟元 821-289- 53
李潤慶明 1442-130- 8
1460-877- 94
李潤澤妻 清 見金氏
李誼伯宋 592-589- 98
李適之李昌 唐 270-202- 99
274-635-131
384-199- 11
395-569-232
471-994- 59
472-738- 29
472-765- 30
472-836- 33
473-489- 70
479-132-223
481-429-315
523-113-151
537-350- 56
554- 37- 48
559-323-7上
933-532- 35
1371- 57- 附
1388-830-116
李慶和北周～隋 見李和
李慶雲元 李無黨女
1196-705- 8
李慶嗣金 291-756-131
401-113-584
472-115- 4
474-439- 21
505-926- 83
538-359- 71
李慶遠平陽王 北周
544-217- 62
李慶緒梁 265-1054- 74
380-112-167
481-334-308
李廞文晉 533-328- 58
李養正明 505-778- 73
李養沖明 301-208-248
李養志明 547- 38-142
李養成明 554-735- 61
李養性女 明 見劉氏
李養能明 1229-300- 10
李養裕明 456-656- 11
476-155-104
547- 38-142
李養榮明 547-124-145
李養麟明 456-678- 11
李賢者李買順 唐
483-142-380
李賢相妻 清 見聶氏
李賢卿妻 元 見王氏
李撫辰宋 491-433- 6
李標翁元 1217-757- 6
李霄遠唐 813-298- 18
820-280- 30
李瑾之女 明 見李氏
李增榮妻 清 見楊氏
李增廣清 554-735- 61
李豬兒唐 271-803-200上
李鼐元明 570-158-21之2
李遷哲北周 263-786- 44
267-352- 66
379-641-158
384-141- 7
472-868- 34
473-489- 70
478-296-188
516- 93- 91
532-675- 44
552- 45- 19
554-565- 58

556-714- 98
559-293-7上
591-694- 49
李遷桂妻 明 見祁氏
李遷梧明 1319-181- 15
李遷整北周(安康人)
480-287-271
李履中李復 宋 529-437- 43
674-828- 17
1121-158- 附
1145-408- 71
1226-749- 4
李蔭祖李廕祖 清474- 95- 3
502-630- 77
505-640- 67
537-227- 54
540-673- 27
李蔭華明 537-569- 60
李慕劬妻 明 見楊氏
李賤子宋 473-758- 83
567-465- 87
1467-519- 11
李輝祖清(字蒲陽) 481- 29-291
559-326-7下
李輝祖清(正黃旗人)
502-631- 77
537-230- 54
李蓮若妻 清 見丁氏
李蓬頭明 533-799- 75
李餘福唐 547-161-147
李餘慶唐 見李嶠
李餘慶宋 479- 91-221
494-338- 7
523- 96-150
1105-784- 94
1384-139- 92
李餘慶元 1206-738- 9
李餘慶明 540-831-28之3
李儀古清 505-819- 74
李儀伯元 540-626- 27
李儀祿妻 清 見陳氏
李德大元 524-340-195
李德之宋 460-303- 20
李德元元 478-168-182
李德中元 1222-273- 17
李德化明 456-684- 11
李德玉元 1206-701- 5
李德全清 見李炳陽
李德休後唐 277-507- 60
李德良新興王 唐
269-538- 60
274- 34- 78
395- 6-181
544-224- 63
李德成明 302-143-296
李德佋隋 264-1032- 72
266-670- 33
474-619- 32
476-179-106
李德初唐 820-294- 30
李德武妻 唐 見裴淑英
李德長妻 清 見王氏
李德林隋 264-730- 42
267-448- 72
379-698-160
384-151- 8
472- 90- 3
474-637- 33
476- 45- 98
494-287- 3
505-793- 73
547-149-147
933-527- 35
1387-190- 11
1395-604- 3
李德旺西夏 見夏獻宗
李德明後魏 267-902-100
李德明西平王、李德昭、趙德明、趙德昭 宋 288-757-485
289-729-115
289-731-115
401-264-604
558-769- 50
李德明清 479-822-256
515-285- 65
李德美明 1247- 35- 2
李德恢明 523-216-156
676-176- 7
676-513- 20
李德琉後晉 278-126- 90
李德政宋 288-802-488
李德述明 1474-597- 30
李德柔五代 516- 7- 87
李德柔李得柔、李蜀孫 宋
592-724-108
813- 94- 4
821-258- 52
1107-257- 17
李德茂宋 821-230- 51
李德貞明 徐溥妻、李克裕女
1248-620- 3
李德昭後梁 見孫德昭
李德昭宋 528-521- 31
李德昭宋 見李德明
李德美明 505-699- 70
李德純妻 清 見林氏
李德修唐 275-105-146
395-717-245
李德修宋 1116-166- 2
李德淵妻 明 見陳氏
李德基女 清 見李度貞
李德笥明 見李得笥
李德紹明 676-329- 12
李德善明 472-255- 10
510-361-114
1229-374- 14
李德湛妻 清 見段氏
李德隆元 1206- 17- 2
李德智明 533-483- 64
李德勝唐 516-599-109
李德進明 1474-593- 30
李德源元 472-923- 36
554-309- 53
李德裕唐 271-264-174
275-470-180
384-265- 13
384-268- 13
384-274- 14
396-202-271
459-449- 27
469-498- 60
471-604- 3
471-715- 18
471-725- 19
471-842- 36
471-892- 43
471-900- 44
471-913- 47
471-1036- 66
472- 93- 3
472-289- 12
472-401- 18
472-739- 29
472-865- 34
473- 43- 50
473-176- 57
473-297- 62
473-425- 67
473-551- 73
473-559- 73
473-700- 80
473-737- 82
474-376- 19
475- 15- 49
475-271- 63
475-364- 67
475-796- 90
477-305-163
478-759-215
479-765-252
481- 17-291
481-473-321
482-268-350
488-323- 12
493-764- 42
505-749- 72
506-583-106
510-280-112
515-211- 63
523- 7-146
537-202- 54
545- 25- 83
559-246- 6
559-302-7上
563-901- 43
569-644- 19
591- 63- 5
591-677- 47
674-264-4中
674-808- 16
684-484- 下
812-748- 3
820-252- 29
933-545- 35
1054-563- 16
1079-334- 附
1112-676- 11
1195- 59- 5
1196-668- 6
1274-690- 7
1339-663-706
1339-667-706

1354-609- 29
1365-481- 7
1371- 69- 附
1388-380- 73
1473-295- 71
李德祿元 1214-245- 20
李德楊妻 明 見胡氏
李德經明 567-398- 83
1467-244- 71
李德賓明 511-608-160
李德睿明 493-1110- 58
李德潤明 1288-359- 10
李德澄女 明 見李氏
李德鄰元 1210-725- 20
李德輝元 295-208-163
399-573-477
451-635- 11
459-920- 56
472- 36- 1
472-431- 19
473-854- 88
474- 93- 3
474-180- 8
475-871- 95
476- 30- 97
476-249-110
477-562-177
481- 22-291
483-220-390
505-721- 71
545-141- 87
554-161- 51
559-275- 6
571-515- 19
1201-717- 30
1367-634- 49
李德學明 1497-495- 23
李德懋唐 269-537- 60
李德豐明 1474-498- 23
李德耀清 481-361-310
502-653- 79
559-331-7下
李德饒隋 264-1031- 72
266-670- 33
380-126-167
472- 91- 3
474-619- 32
505-756- 72
545-234- 92
933-525- 35
李德繼明 1442- 95- 6
1460-548- 67
1474-539- 27
李德麟元 472-545- 23
540-671- 27
李德麟明 570-261- 25
李畿嗣明 517-669-131
528-496- 30
533- 47- 48
563-781- 40
李魯生明 302-330-306
李魯璠妻 清 見孫氏
李魯蘇唐 271-793-199下
276-340-219
401-529-636
496-616-105
李樂尺妻 清 見謝二娘
李樂道妻 明 見楊氏
李徵古南唐 473-178- 57
515-497- 72
李徵事元 540-671- 27
李徵泰清 515-160- 61
李徵儀明 475-823- 92
511-377-150
515-136- 61
李憲卿明 1289-361- 25
1289-418- 30
1408-695-553
李憲熺宋 559-320-7上
李龍庚宋 515-333- 67
李龍者元(化龍而去)
567-463- 87
李龍遷梁 559-299-7上
李龍徵明 547- 81-144
李龍朝宋 288-805-488
李澤民宋 481-745-334
528-559- 32
李澤民明 678-460-114
李澤芳明 547- 18-141
李澤溥妻 明 見許氏
李燁然明 554-312- 53
李凝之隋 267-900-100
李凝仲元 1206-785- 13
李遵易宋 821-185- 50
李遵勗李勗 宋 288-505-464
371- 93- 9
382-176- 25
384-324- 17
400- 44-503
474-470- 23
476-154-104
477-472-173
545-827-112
1053-481- 12
1226-738- 4
李遵勗妻 宋 見荆國大長公主
李遵勗女 宋 見李氏
李遵義明 472-646- 26
477- 55-151
537-345- 56
李遵項西夏 見夏神宗
李熹吾明 483- 49-372
570-252- 25
李融和清 592-779- 2
李燕俊清 505-830- 75
李樹初明 456-579- 8
480-136-264
533-371- 60
李樹奇清 547- 30-141
李樹敏明(江都人) 511-212-144
515-156- 61
李樹敏明(臨川人) 528-516- 31
李樹聲明 456-527- 6
545-381- 97
554-728- 61
李樹馨明 538- 88- 64
李頤眞金 541- 94- 32
李翰臣明 300- 92-188
546- 91-118
李靜忠唐 見李輔國
李擇言唐 270-540-131
274-637-131
395-717-245
481- 65-293
李興元清 474-572- 29
482-541-368
505-841- 76
569-656- 19
李興公唐 505-698- 70
李興生明 516-517-106
1457-567-396
李興邦明 472-790- 31
537-327- 56
李興宗宋 473-478- 69
487-512- 7
李興祖妻 明 見張氏
李興祖清(正黃旗人)
502-632- 77
540-677- 27
李興祖清(鑲白旗人)
559-328-7下
李興娘清 余繼妻
530-157- 58
李興瑋明 456-547- 7
480-466-279
李興魁妻 清 見韓氏
李興賢明 533-469- 64
李興賢妻 明 見李氏
李蕋珠明 533-415- 62
李蕃春妻 清 見高氏
李蕭遠南唐 820-317- 31
李曉庭唐 473-776- 84
482-450-362
567- 39- 64
李鄴嗣清 479-188-225
524- 48-180
李遺元後魏 261-523- 36
李篤生清 572- 87- 28
李篔房宋 820-449- 35
李積中宋 471-832- 34
473-713- 81
482-185-346
516-194- 95
564- 64- 44
1189-331- 4
李積微宋 820-435- 35
李獨明明 456-636- 10
516-139- 92
李學一明 564-186- 46
李學可明 472-678- 27
李學泌妻 明 見葛氏
李學孟妻 清 見張氏
李學旻明 515-802- 82
李學牧明 456-553- 7
558-434- 37
李學梅明 480-134-264
533-426- 62
1457-728-412
李學曾明 482-209-347
564-214- 46
676-531- 21

李學詩明 1276-446- 11
1410-221-689
李學道明 524-267-191
李學遜元 460-484- 39
473-644- 78
529-474- 51
李學顏妻 明 見蔡氏
李學禮明 511-361-150
李學鎬妻 明 見林氏
李龜年唐 569-615-18下之2
李龜朋宋 486-898- 34
524-327-195
1152-814- 52
李龜禎前蜀 592-475- 90
李錦中明 456-676- 11
李錦娘明 江筆彩妻
530-151- 58
李儒用宋 480-464-279
533-323- 57
李儒烈明 1475-311- 13
李穆姜漢 陳文矩妻、程祗妻、程文矩妻 253-632-114
381- 43-185
452- 90- 2
478-249-186
555- 4- 66
879-181-58下
李賽兒元 王士明妻、王世明妻 295-639-201
401-185-593
472- 39- 1
474-190- 9
506- 2- 86
李鴻漸明 見李敬
李鴻輿明 547- 74-143
李應文明 481-117-296
李應元明 554-259- 52
559-376- 8
676-557- 23
李應元妻 明 見陸氏
李應先明 532-626- 43
李應孝明 456-493- 5
李應孝清 456-379- 79
李應辰妻 明 見陳氏
李應兒妻 清 見魏氏
李應官妻 清 見吳氏
李應庚明 473-387- 65
480-541-283
532-719- 45
李應奇明 545-195- 90
李應昇明 301-166-245
458-219- 4
475-228- 61
479-579-243
511-164-142
511-682-163
515-236- 64
676-634- 26
1312-307- 30
1442- 93- 6
1460-532- 66
李應和明(大竹人) 559-368- 8
李應和明(字仲節) 564-230- 46
李應和妻 清 見楊氏
李應春明 456-639- 10
李應奎明(字文煥) 476-751-139
554-502-57上
李應奎明(字文徵) 533-237- 54
李應奎明(平定人) 546-368-127
李應奎明(絳州人) 546-600-135
李應革李開老 宋451- 79- 2
515-610- 76
李應旂妻 明 見王氏
李應泰明 456-607- 9
533-409- 61
李應時明 545-671-107
李應祥明(九谿衛人)
301-190-247
481- 26-291
482-408-359
567-139- 68
571-534- 19
李應祥明(榆林人) 456-667- 11
李應祥明(字善徵) 511-158-142
523-178-154
1291-460- 8
李應祥明(慶豐人)
1252-552- 32
李應崇清 481-290-306
559-333-7下
李應第妻 清 見黃氏
李應善妻 清 見于氏
李應期明(烏撒衛指揮)
302- 26-290
571-552- 20
李應期明(鄞縣人) 571-548- 20
李應期明 見季應期
李應陽明(盧龍人) 456-628- 10
李應陽明(字希旦) 676-585- 24
李應棠清 502-691- 81
李應策明 554-672- 60
李應試清 456-386- 80
李應廌清 540-867-28之4
1322-621- 10
李應裕明 567-144- 68
1467-467- 7
李應雷宋 1187-133- 19
李應虞清 1325-696- 4
1325-793- 10
李應禎李甡、李應熊 明
475-134- 56
493-996- 52
511-737-165
676-499- 19
684-498- 下
820-651- 42
1255-758- 76
1284-140-147
1284-356-163
1386-343- 42
1442- 27-附2
1459-648- 25
李應榮明 1442- 8-附1
1459-417- 13
李應槐明 559-432-10上
李應箕明 546-720-139
李應熊明 見李應禎
李應魁明 524-113-183
李應賢妻 清 見史氏
李應徵李衷毅 明
524- 23-179
676-608- 25
1442- 76- 5
1460-367- 57
1475-352- 15
李應龍元 460-484- 39
481-697-332
529-764- 53
679-572-194
李應橘明 533- 29- 47
李應選明(字晉卿) 533-145- 51
554-188- 51
李應選明(趙城人) 545-788-111
554-312- 53
李應選清 537-291- 55
李應講妻 清 見張氏
李應薦明 302- 41-291
李膺福唐 684-474- 下
李謙亨元 472-468- 20
476- 83-100
545-768-110
李謙溥宋 285-395-273
371-159- 16
382-197- 29
384-327- 17
396-660-314
472-436- 19
472-457- 20
472-495- 21
476- 77-100
476-180-106
476-296-112
476-451-123
545-238- 92
545-477-100
546-347-126
李燦官清 董景明妻
530- 38- 54
李燦然明 554-518-57下
李懋祖清 502-775- 86
李懋時元 1201-699- 28
李懋倫李茂倫 明
456-631- 10
李懋德妻 清 見朱氏
李懋檜明 300-824-234
460-764- 78
475-834- 93
481-589-328
510-498-118
529-548- 45
李翼倫妻 明 見高氏
李彌大宋 287-247-382
398-276-382
472-228- 8
473- 62- 51
475-131- 56
493-930- 50
511- 92-140
516-209- 96
567- 67- 65
585-763- 5

1130-797- 21
1467- 41- 63
李彌正宋 484-379- 28
529-439- 43
李彌遜宋 287-245-382
398-274-382
472- 86- 3
472-228- 8
473-652- 78
474-601- 31
475- 69- 52
475-131- 56
481-532-326
481-610-329
488-409- 14
493-929- 50
505-699- 70
511- 92-140
515-145- 61
528-490- 30
529-438- 43
563-686- 39
674-840- 18
820-411- 34
1130-842- 附
1130-848- 附
1145-736- 83
1152-807- 52
1363-527-189
1437- 22- 2
1487-493- 附
李臨安明 559-401-9上
李臨陽明 554-215- 52
559-357- 8
李聯元明 456-671- 11
480-206-267
533-479- 64
李聯芳明(謚節愍) 456-585- 8
545-673-107
李聯芳明(北直人) 475-834- 93
510-499-118
李聯芳明(字同春)
554-518-57下
李聯芳妻 清 見謝氏
李聯春明 529-701- 50
李聲遠明 533-347- 58
李霞魯唐 見李楷洛
李曙實妻 明 見潘氏
李邁林明 456-555- 7
477-306-163
505-846- 76
李邁昭女 宋 見李氏
李邁庸妻 清 見王氏
李鍾元妻 明 見謝氏
李鍾英妻 清 見林氏
李鍾書妻 清 見黃良姐
李鍾倫清 1324-996- 33
李鍾僑清 569-621-18下之2
李儲乙明 481-184-300
李儲元明 480-206-267
533-436- 62
李徽伯女 後魏 見李氏
李謹交宋 473-432- 67
559-341- 8
李謹行唐 271-795-199下
274-400-110
395-396-217
474-735- 40
496-368- 86
502-319- 58
李謹行妻 唐 見劉氏
李謹思宋 1437- 31- 2
李謹微唐 564- 32- 44
李禮之北齊 267-900-100
李禮成隋 264-806- 50
267-908-100
472-906- 36
478-487-199
480-287-271
480-318-272
558-286- 34
544-221- 62
李禮門清 547- 39-142
李翹曾妻 明 見張氏
李彝仲明 820-756- 44
李彝庚宋 479-173-225
李彝殷宋 見李彝興
李彝超後唐 278-447-132
279-252- 40
李彝興西平王、李彝殷 宋
278-448-132
288-753-485
401-261-604
408- 60- 2
李騊駼北齊 263-190- 22
266-688- 33
379-851-163
李藏用唐 526- 8-259
李藉之李籍之 後魏
261-674- 49
266-670- 33
379-142-148
李藍春清 456-321- 75
李藎臣明 456-682- 11
李藎臣妻 明 見熊氏
李鎮安元 1221-362- 7
李鎮國清 481-784-337
529-651- 48
李鎖住明 1244-677- 18
李簡中明 見李簡
李簡能宋 484-384- 28
李簡慶妻 清 見劉氏
李馥先妻 明 見胡氏
李馥蒸清 554-794- 62
李皦如李祿會 宋448-362- 0
李瀛蕊清 547- 11-141
李瀚臣明 476-260-110
李譜文漢 820- 36- 22
李懷仁唐 505-700- 70
李懷仁宋 821-259- 52
李懷玉唐 見李正己
李懷仙唐 270-709-143
276-203-212
384-217- 11
384-223- 12
396-303-278
李懷光茹懷光 唐
270-452-121
271-511-187下
276-466-224上
384-242- 12
401-394- 620
502-321- 58
李懷秀阻午可汗、迪輦組里、達年扎里、達年札里、達年蘇爾、蘇爾威汗 唐
276-338-219
289-472- 63
289-476- 63
496-622-105
李懷秀妻 唐 見獨孤氏
李懷忠後周 278-384-124
李懷忠李懷義 宋
285-208-260
371-162- 16
382-193- 28
384-327- 17
396-532-302
472- 33- 1
505-715- 71
581-461- 94
李懷英妻 清 見姚氏
李懷信明(大同人) 301- 72-239
476-261-110
478-168-182
478-269-187
478-454-197
546-100-118
554-366- 54
李懷信明(霍山人) 456-662- 11
李懷信妻 明 見王氏
李懷城妻 清 見呂氏
李懷袞宋 812-547- 4
821-148- 50
1381-575- 42
李懷琳唐 814-268- 9
820-140- 26
李懷義宋 見李懷忠
李懷道宋 473-165- 57
479-747-251
515-102- 60
517-319-123
1112-248- 23
李懷遠唐 270- 87- 90
274-472-116
384-185- 10
395-471-223
472-107- 4
474-409- 20
478-334-191
505-756- 72
554-231- 52
933-531- 35
李懷儼唐 269-529- 59
李懷讓唐 472-125- 4
552- 56- 19
1342-364-951
李攀龍明 301-852-287
474-407- 20
476-528-128
505-677- 69
523- 55-148

540-811-28之3
541-594-35之17
554-215- 52
556-452- 93
676-579- 24
679-652-202
1278-572- 附
1278-574- 附
1280-365- 83
1313-228- 18
1408-564-538
1442- 64- 4
1460-239- 51
李攀龍妻 明 見徐氏
李藩長明 537-319- 56
李羅漢後梁(善畫羅漢)
821-110- 49
李艷松清 538- 88- 64
李藥師唐 見李靖
李贊元清(海陽人) 476-701-137
540-855-28之4
李贊元清(字匡侯) 529-577- 46
李贊華妻 後唐 見夏氏
李贊華遼 見耶律貝
李鵬南明 511-370-150
李鵬飛元 295-603-197
400-312-526
475-643- 83
511-632-161
李鵬翀明 見李如一
李鵬翮元 480- 56-260
李鵬舉明 523- 87-149
564-183- 46
567-129- 67
568-161-104
1467-113- 66
李繩之明 511-591-159
李寶臣張忠志 唐
270-690-142
276-186-211
384-217- 11
384-223- 12
396-291-277
472- 31- 1
1073-604- 30
1074-446- 30
1075-396- 30
李寶信妻 金 見王氏
李寶哥明 見李保哥
李寶觀女 明 見李氏
李襦褍唐 552- 53- 19
李黨鼎清 456-293- 72
李獻可宋 515-597- 76
518-760-160
李獻可金 291-238- 86
472-625- 25
502-789- 88
1365-266- 8
1439- 5- 附
1445-491- 36
李獻可明(字堯俞) 300-810-233
481-589-328
529-548- 45
李獻可明(固城人) 540-650- 27
李獻吉明 456-608- 9
李獻甫金 291-544-110
383-1006- 29
399-291-442
472-467- 20
472-826- 33
476-123-102
478- 91-180
554-274- 53
676-697- 29
1365-332- 10
1439- 10- 附
1445-553- 43
李獻忠阿布思 唐
271-509-187下
275-605-193
400-105-509
李獻忠明(成都右衛正千戶)
559-519- 12
李獻忠明(蒼梧人) 567-385- 82
1467-240- 71
李獻明明 302- 36-291
456-516- 6
476-675-136
505-661- 68
540-831-28之3
李獻祖清 見戴都
李獻卿宋 1384-260-102
李獻能金 291-714-126
400-693-566
476-123-102
546-708-138
1040-234- 2
1365-213- 6
1439- 10- 附
1445-424- 30
李耀宇明 見李耀
李耀如妻 明 見樊氏
李耀宗清 529-678- 49
李耀珠金 見完顏耀珠
李蘊秀明 545-444- 99
李蘇庫唐(奚人) 見李娑固
李蘇庫唐(契丹人) 見李娑固
李騰空唐 李林甫女
516-482-105
李騰芳明 300-565-216
480-412-277
483-267-392
533- 99- 50
571-540- 20
1442- 83- 5
1460-460- 62
李騰蛟明 538- 92- 64
李騰蛟清 479-823-256
516-185- 94
李騰鵬明 676-641- 26
676-747- 31
李籍之後魏 見李藉之
李覺民李回 宋 451- 65- 2
李繼元明 545-389- 97
李繼元妻 明 見王氏
李繼中女 宋 見李氏
李繼本李延興 元
545-142- 87
676-709- 29
1217-687- 附
1217-688- 附
1442- 9- 1
1459-469- 15
李繼民妻 清 見路氏
李繼先明 300-163-192
479-716-250
515-633- 77
李繼志明 478-273-187
554-517-57下
李繼志妻 明 見劉氏
李繼志女 明 見李氏
李繼成宋 400-299-524
李繼岌魏王 後唐
277-439- 51
279- 90- 14
395- 76-187
535-557- 20
546- 61-117
1383-702- 63
李繼伯後魏 見李崇
李繼宗妻 明 見馮氏
李繼東明 570-152-21之2
李繼忠後晉 278-135- 91
279-224- 36
396-376-285
李繼昌宋 285-168-257
382-175- 25
384-324- 17
396-501-300
472-490- 21
476-153-104
480-340-273
540-652- 27
545-819-112
1226-737- 4
李繼昌清 480-249-269
李繼芳明 554-519-57下
李繼歧妻 清 見朱氏
李繼和宋(字周叔) 285-178-257
382-145- 20
384-325- 17
396-509-300
476-153-104
545-825-112
558-191- 31
1086-477- 10
李繼和宋(開封人) 288-551-468
401- 77-577
李繼周宋 285-118-253
396-476-298
472-923- 36
478-169-182
554-353- 54
李繼周明 515-431- 70
李繼周妻 清 見段氏
李繼侃妻 唐 見平原公主
李繼兒明 483-162-382
494-158- 5
李繼宣宋 286- 84-308
371-183- 18
397-274-335

474-234- 12
474-370- 19
477- 74-152
505-654- 68
537-388- 57
581-465- 95
李繼貞明 301-208-248
458-419- 19
474- 95- 3
475-452- 71
511-239-145
1442- 91- 6
1460-522- 65
李繼祖明(謚節愍) 456-575- 8
554-719- 61
李繼祖明(臨安人) 532-696- 45
李繼能後唐 279-224- 36
396-376-286
李繼捧趙保忠 宋
288-754-485
401-262-604
李繼偓宋 285-132-254
396-481-299
李繼善元 529-712- 50
李繼隆宋 285-174-257
371- 91- 9
382-144- 20
384-325- 17
396-505-300
450-697-下5
472- 85- 3
472-490- 21
472-877- 35
473-347- 63
476-153-104
478-543-202
480-435-278
532-723- 46
545-822-112
558-191- 31
1086-470- 10
李繼堯明 523-574-174
李繼嵩後唐 277-439- 51
279- 91- 14
546- 61-117
李繼業明 538- 33- 62
李繼筠宋 288-753-485
401-261-604
李繼福宋 285-119-253
396-476-298
李繼遠後梁 見符道昭
李繼潼後唐 277-439- 51
279- 91- 14
546- 61-117
李繼遷趙保吉 宋
288-755-485
289-729-115
371-197- 20
401-262-604
558-769- 50
李繼嶢後唐 277-439- 51
279- 91- 14
546- 61-117
李繼澤明 524-237-189
李繼凝宋 484- 87- 3
李繼璟後唐 見李從璟
李繼鄴妻 清 見劉氏
李繼勳宋 285-131-254
396-480-299
472-131- 4
505-774- 73
545-211- 91
李繼徽唐 494-293- 4
李繼徽後梁 見楊崇本
李繼韜後唐 277-446- 52
279-223- 36
396-376-286
545-598-105
李繼蟾後唐 277-439- 51
279- 91- 14
546- 61-117
李繼麟後唐 見朱友謙
李鶴翁妻 明 見鄭氏
李護國唐 見李輔國
李夔中父 宋 1149-709- 16
李夔龍明 302-321-309
李巍然明 558-355- 35
李躍龍孫媳 明 見郭氏
李蘭香明 李清女
482-227-348
李蘭馨妻 清 見張氏
李曩霄西夏 見夏景宗
李鐵匠妻 明 見田氏
李鐵誠唐 見李澄
李襲吉後唐 277-502- 60
279-178- 28
384-303- 16
396-372-285
472-746- 29
538-160- 65
545- 11- 83
933-547- 35
李襲志唐 269-527- 59
274-192- 91
384-169- 9
395-286-206
472-868- 34
472-905- 36
473-748- 83
478-296-188
482-346-356
554-441- 56
558-412- 37
567- 6- 62
567- 36- 64
585-783- 8
589- 75- 0
1467- 11- 62
李襲譽唐 269-528- 59
274-193- 91
384-169- 9
395-286-206
448-330- 下
472-289- 12
472-905- 36
475- 14- 49
475-363- 67
478-296-188
510-386-115
545-207- 91
554-441- 56
558-287- 34
933-528- 35
李懿文李如意 宋451- 87- 3
李鑑順清 456-321- 75
李儼甫宋 516- 26- 88
李麟友清 1318-459- 72
1460-736- 79
1475-596- 26
李麟禎明 554-308- 53
李顯名清 474-247- 12
505-902- 80
李顯甫後魏 261-672- 49
266-665- 33
379-414-153
李顯孝清 502-770- 86
李顯宗明 456-481- 5
李顯忠宋 李世輔287- 34-367
288-778-486
398-103-372
449-618-下11
450-846-下24
472-924- 36
475-501- 75
475-699- 86
478-434-196
510-283-112
516-197- 95
523- 15-146
554-413- 55
李顯忠族妹 宋 見李氏
李顯芳妻 明 見劉氏
李顯姐清 楊子覲妻
530- 37- 54
李顯祖元 1201-167- 80
李顯桂明 480-638-288
李顯貴明 554-312- 53
李顯道宋 見李鑰
李顯達後魏 262-254- 86
267-630- 84
380-119-169
477- 67-151
538-118- 64
李顯榮明 456-683- 11
李巖之梁 820-104- 24
李巖護妻 明 見桂保姑
李讓世明 547- 9-141
李讓夷唐 271-300-176
275-486-181
384-274- 14
396-212-271
472-897- 35
558-309- 34
李讓坤後唐 見李嚴
李讓翁妻 明 見周氏
李靈省唐 812-373- 0
820-239- 28
821- 80- 47
李靈陽宋 554-984- 65
李靈龜唐 474-468- 23
李靈龜妻 唐 見上官氏
李靈夔魯王、燕王、魏王 唐

269-593- 64
274- 56- 79
384-162- 9
395- 26-182
407-458- 5
473-445- 68
493-684- 38
559-279- 6
560-595-29下
814-220- 2
819-575- 19
李靄之唐 554-906- 64
812-524- 2
813-153- 14
李鑾子唐 812-347- 9
821- 88- 48
李觀光女 清 見李氏
李觀音明 見李觀
李觀智明 482-453-362
567-307- 77
1467-193- 69
李觀象宋 288-733-483
480-483-280
482-349-356
567-540- 90
1467-167- 68
李纘緒妻 清 見張氏
李驥子宋 見李清
李驥孫宋 見李仲
李可度者李可度 唐
271-792-199下
276-339-219
381-672-200
401-529-636
544-229- 63
李忙古歹元 515-184- 62
李没唇孤唐 276-340-219
401-529-636
496-617-105
李君梅落唐 見李梅落
李壯丁兒明 554-763- 62
李宜哈納清 見李恆忠
李呼郎圭元 見李呼喇濟
李呼喇濟李庭玉、李呼朗圭、李忽蘭吉 元 295-193-162
399-564-476
472-898- 35
483-220-390
554-161- 51
558-310- 34
571-515- 19
1201-626- 21
李忽蘭吉元 見李呼喇濟
李突地嵇隋 見李突地稽
李突地稽李突地嵇、李度地稽 隋 264-1128- 81
271-795-199下
274-400-110
395-396-217
474-735- 40
502-319- 58
李度地稽隋 見李突地稽
李枯莫離唐 見李祜莫離
李祜莫離李枯莫離 唐
271-789-199下
476-335-219
496-618-105
李益立山元 1200-679- 51
李剛阿泰清 見李延壽
李納木喀明 558-382- 36
李散朮觧元 見李世安
李綽爾齊李雛訛只 遼
502-697- 82
李綽爾齊女 金 見李氏
李雛訛只遼 見李綽爾齊
李觀音保明 1245-507- 26
李觀音保妻 明 見郭氏
李呼圖克岱爾元
493-753- 41
李鄂爾綽勒筆且齊元 見李楨
杏林叟明(善鍼術人謝以貲不受令人種杏一株久而成林)
511-841-168
1230-296- 4
吾仲明 1245- 67- 2
吾彥晉 255-947- 57
370-284- 4
377-639-124下
473-296- 62
476-329-115
477-358-166
478-740-213
480-340-273
481-234-303
485-173- 23
493-861- 47
511- 87-140
933- 98- 6
1467- 9- 62
吾貞明 陸守道妻、吾仲剛女
1245-789- 14
吾衍吾丘衍 元 472-968- 38
479- 60-219
524-277-192
585-389- 8
684-494- 下
820-495- 37
1195-763- 附
1223-549- 10
1226-438- 21
1229-371- 14
1231-453- 0
1284-345-162
1439-423- 1
1454- 34- 88
1457-547-394
1470- 52- 2
吾昪吾昇 明 458-1026- 1
523-620-177
1254- 95- 3
吾昇明 見吾昪
吾翁明 見吾翕
吾紳明 299-548-158
472-1043- 43
524-268-191
1241-503- 8
1242-833- 10
吾渭宋 524-333-195
吾琰明 524-224-189
吾翕吾翁 明 676- 37- 2
679- 60-144
吾粲吳 254-849- 12
370-259- 2
377-376-120
384-606- 34
475-270- 63
479-136-223
486- 33- 2
486- 63- 3
494-355- 8
510-368-114
523-366-163
933- 98- 6
吾慶明 524- 76-181
吾謹明 524- 76-181
吾贊吾上瓚 明 1442-100- 6
吾一奎明 545-327- 95
吾也而元 見烏頁爾
吾也兒元 見烏頁爾
吾上瓚明 見吾贊
吾丘衍元 見吾衍
吾丘象不詳 933-791- 57
吾仲剛女 明 見吾貞
吾丘壽王漢 250-470-64上
376-232- 99
384- 45- 2
409-498- 60
472- 87- 3
474-436- 21
505-892- 79
546-383-127
547-547-161
675-295- 15
933-991- 57
吾古孫奴申金 見烏克遜納新
吾古遜奴申金 見烏克遜納新
君牙周 404-437- 25
君陳周 404-436- 25
472-737- 29
537-190- 54
554-377- 55
君王后戰國 齊襄王后、太史敫女 405-260- 72
弄玉春秋 蕭史妻、秦穆公女
554-963- 65
弄甥明 570-110-21之1
邢三妻 清 見王氏
邢山女 明 見太邢
邢亢後魏 261-888- 65
266-884- 43
379-258-150上
邢文魏 933-432- 29
邢化明 545-466-100
邢氏宋 雙華妻 1098-732- 45
邢氏元 韓軌妻 472-700- 28
邢氏明 李海妻、邢子榮女
1253- 68- 44
邢氏明 高萬億妻 506- 93- 88
邢氏明 郝鳴鳳妻 477- 94-153

邢氏明 張承祖妻 472-501- 21
邢氏明 潘鉞妻 506-152- 90
邢氏明 黎天注妻 482-269-350
邢氏明 韓之偉妻 506-110- 89
邢氏明 高塔什丁母、高塔失丁母、高塔塞廷母、高塔實丹母、高塔實廷母、高塔失丁令母、高巴延達實丹母
452-118- 3
472-795- 31
474-778- 42
477-547-176
503- 27- 93
邢氏清 李朴妻 474-196- 9
邢氏清 李允義妻 530-131- 57
邢氏清 馬開泰妻 477-258-161
邢氏清 郭文蔚妻 477-212-159
邢氏清 鄒近泗妻 482-566-369
570-180- 22
邢氏清 鄧可大妻 530-132- 57
邢氏清 錢斐章妻 479-254-228
邢正明 563-813- 41
567-312- 77
1467-200- 69
邢巨唐 271-588-190中
邢旭明 481- 24-291
523-482-170
559-250- 6
676-475- 18
1241-609- 12
邢沚宋 見智融
邢沂明 676-456- 17
邢址明 300-287-200
邢奇明 540-810-28之3
676-466- 17
邢玠明 478-454-197
483-224-390
540-817-28之3
邢邵北齊 263-270- 36
266-886- 43
379-490-155
384-133- 7
472-543- 23
474-308- 16
476-853-145
505-885- 79
540-667- 27
587- 28- 3
933-433- 29
1387-210- 12
1395-603- 3
1401-460- 34
邢表明 472-706- 28
474-183- 9
477-201-159
505-800- 74
506-517-104
537-280- 55
邢東妻 明 見張氏
邢虯後魏 261-888- 65
266-885- 43
379-259-150上
933-433- 29
邢昕後魏 262-248- 85
266-884- 43
380-381-176
邢昂宋 547-128-146
邢昉明 1442-115- 7
邢昊明 473-624- 77
邢和妻 明 見畢氏
邢侗明 301-866-288
476-529-128
540-817-28之3
676-609- 25
820-730- 44
821-469- 58
1442- 76- 5
1460-379- 57
邢宥明 299-563-159
472-223- 8
475-121- 55
482-267-350
493-732- 40
510-336-113
523- 41-148
528-451- 29
564-235- 46
683-129- 2
683-169- 5
1248-194- 10
1248-477- 23
邢奎妻 明 見江氏
邢政明 476-527-128
邢峙北齊 263-334- 44
267-575- 81
380-317-174
384-142- 7
474-308- 16
505-871- 78
933-433- 29
邢昺宋 288- 65-431
371-128- 13
382-290- 46
384-343- 17
400-622-557
472- 70- 2
475-323- 65
476-861-145
493-766- 42
540-750-28之2
546-641-136
679-771-213
933-433- 29
邢昭明 474-184- 9
505-723- 71
545-189- 90
563-767- 40
邢益女 元 見邢眞
邢祐後魏 261-888- 65
266-884- 43
379-258-150上
472- 67- 2
540-622- 27
933-432- 29
邢浚明 1467-213- 70
邢眞元 殷子諲妻、邢益女
1232-439- 4
邢眞女 元 見邢從正
邢恭明 458-160- 8
477- 87-153
538-120- 64
1241-770- 18
邢珣明 300-287-200
472-351- 15
475-671- 84
479-793-254
511-411-152
515-275- 65
517-649-131
676-525- 21
1320-746- 81
邢恩明 554-527-57下
邢晏後魏 261-887- 65
266-884- 43
379-258-150上
474-308- 16
505-903- 80
933-432- 29
邢倞宋 288-583-471
382-641- 99
384-374- 19
401-337-614
933-434- 29
邢恕宋 288-581-471
382-640- 99
384-374- 19
401-336-614
448-527- 14
471-771- 25
933-434- 29
邢惇宋 見邢敦
邢產後魏 261-888- 65
266-885- 43
379-258-150上
933-433- 29
邢祥明 477-545-176
538- 73- 63
邢埴明 300-287-200
邢帶周 546-510-132
邢疏宋 820-452- 35
邢崇漢 370-208- 21
邢冕明 473-477- 69
554-337- 54
559-275- 6
邢彪明 545-781-111
554-339- 54
邢參明 551-834-168
1442- 49-附3
1460- 64- 43
邢敏元 1200-771- 59
1201-165- 80
邢敦邢惇 宋 288-428-457
382-771-118
384-344- 17
401- 17-569
537-389- 57
821-155- 50
933-434- 29
邢雲妻 清 見徐氏
邢珦妻 明 見楊銀
邢隆妻 明 見孫氏

邢尌清 511-649-162
邢量明 493-1048- 55
511-833-168
1251-621- 0
1255-443- 48
1386-440- 45
邢喬晉 254-242- 12
邢温元 472-699- 28
537-454- 58
1211-419- 59
邢煥宋 288-516-465
400- 53-504
477- 84-152
494-266- 1
537-397- 57
邢煥女 宋 見邢皇后
邢群唐 472-1051- 44
485-497- 9
510-423-116
523-239-157
1081-595- 5
1342-388-954
邢嵩明 511-823-167
邢端妻 元 見馬氏
邢端明 472-100- 3
505-821- 75
邢臧後魏 262-247- 85
266-885- 43
380-380-176
476-697-137
540-651- 27
933-433- 29
邢遜後魏 261-887- 65
266-883- 43
379-258-150上
邢蒯春秋 545-724-109
邢銓明 547- 91-144
邢綸明(南鄭人) 545-377- 97
554-527-57下
邢綸明(字理之) 559-380-9上
邢寬明 452-237- 6
472-329- 14
493-759- 41
511-819-167
1243-547- 10
邢澄宋 見智融
邢澄清 505-897- 80
邢璉元 1214-182- 15
邢熿明 456-616- 9
538- 47- 63
邢寰明 300-337-203
473-284- 61
480-132-264
533- 41- 48
邢穎後魏 261-880- 65
266-880- 43
379-255-150上
544-211- 62
邢霖刑霖 明 545-779-111
1272-218- 7
邢濬宋 288-410-456
400-299-524
547- 32-142
邢濟唐 473-748- 83
邢顒魏 254-242- 12
377- 98-115上
384- 83- 4
472- 66- 2
472- 84- 3
474-307- 16
474-370- 19
478-332-191
505-669- 69
505-737- 72
933-432- 29
邢簡妻 遼 見陳氏
邢簡明 474-372- 19
478-126-181
505-671- 69
554-477-57上
邢穩妻 明 見韓氏
邢繹宋 473-368- 64
533-745- 73
邢巒邢巒 後魏 261-880- 65
266-880- 43
379-255-150上
384-133- 7
469-540- 66
472- 67- 2
472-865- 34
472-892- 35
474-308- 16
478-242-186
505-738- 72
544-210- 62
554-113- 50
558-225- 32
933-432- 29
邢瓘明 558-185- 31
邢鑑宋 546-634-136
邢鑣妻 清 見李氏
邢纓明 533- 43- 48
1259-224- 17
邢纓妻 明 見李妙媛
邢讓明 299-616-163
545-773-111
549-436-197
676-495- 19
820-618- 41
1246-448- 10
邢鑾後魏 見邢巒
邢一科明 547- 19-141
邢一鳳明 820-698- 43
邢士俊明 516-137- 92
1241-893- 23
邢子榮女 明 見邢氏
邢大道明 546-648-136
550-138-214
550-201-216
邢文偉唐 271-542-189下
274-359-106
384-181- 10
384-183- 10
395-371-214
472-402- 18
475-797- 90
511-824-167
933-433- 29
邢太古清 483-171-383
邢元亨明(孝子) 547- 91-144
邢元亨明(咸寧人) 559-324-7上
邢元貞明 547- 91-144
邢元愷明 524-367-197
邢文錫明 456-658- 11
邢孔陽明 505-802- 74
506-523-104
邢日都妻 清 見羅氏
邢世材宋 1150-109- 12
邢守元宋 820-338- 32
邢安國金 547-136-146
1365-298- 9
1439- 12- 附
1445-535- 41
邢有忭明 515-250- 64
邢君牙唐 270-727-144
275-211-156
384-237- 12
396- 27-253
472- 69- 2
472-852- 34
474-310- 16
478-199-184
505-739- 72
554-128- 50
933-433- 29
1074-316- 18
邢君實宋 見邢居實
邢更新妻 清 見杜氏
邢廷禎明 515-122- 60
邢宗道明 545-443- 99
邢其蘊妻 明 見何氏
邢居實邢君實 宋
288-583-471
401-337-614
533-733- 73
674-291-4下
674-827- 17
933-434- 29
1113-278- 26
1118-368- 19
邢抱朴邢抱樸 遼289-601- 80
399- 22-418
472-483- 21
476-259-110
545-264- 93
546-675-137
邢抱樸遼 見邢抱朴
邢具瞻金 502-788- 88
1365-260- 8
1439- 2- 附
1445-478- 35
邢明教明 547- 37-142
邢和璞唐 276-103-204
505-925- 83
534-944-120
538-344- 70
592-282- 78
邢秉仁元 472-113- 4
505-682- 69
1206-615- 12
1367-880- 67
1410-113-675

邢飛翰元 472-467- 20
476-348-116
545-769-110
邢思明妻 明 見藍氏
邢茂政妻 明 見郭氏
邢皇后宋高宗后、邢煥女 宋
284-879-243
393-315- 77
537-187- 53
邢祖信北齊 379-401-152
邢神留宋 288-405-456
400-294-524
474-640- 33
505-917- 81
邢泰吉明 456-522- 6
540-827-28之3
邢國傑元 511-637-161
邢國璽明 302- 43-291
456-521- 6
477-481-173
538- 70- 63
540-658- 27
邢國璽妻 明 見袁氏
邢從正元 甄恆妻、邢眞女
1214-255- 21
邢雲路明 474-244- 12
505-883- 79
506-647-109
545-195- 90
554-220- 52
1442- 79- 5
1460-399- 58
邢雲霑清 505-897- 80
邢弼教明 547- 20-141
邢景輝妻 清 見朱氏
邢華源清 456-371- 78
邢慈靜明 馬拯妻
476-531-128
820-768- 44
821-491- 58
1442-124- 8
邢嘉遇妻 明 見韓氏
邢蒯聵春秋 386-645- 7
邢鳳喈妻 清 見劉氏
邢審容唐 540-632- 27
邢德貞金 545-765-110
邢德裕元 1206-615- 12
邢懋學明 516-222- 96
邢繼本明 1285-335- 10
車三唐 554-898- 64
車氏明 王秉鈞妻 478-351-191
車氏明 駱文吾妻 480-416-277
車氏明 車鏊女 524-598-207
車氏清 陳誌妻 478-358-191
車安妻 清 見鍾氏
車成漢 252-831- 69
380- 74-167
477-126-155
車克清 455- 41- 1
車垓車球、車若綰 宋
676- 50- 2
678-706-137
1210-389- 12
車昭明 524- 34-179
車胤晉 256-367- 83
370-380- 10
377-884-129下
384-100- 5
471-802- 30
473-317- 62
480-614-287
494-274- 2
533-294- 73
533-720- 56
933-297- 21
車海元 546-591-134
車淩清(博爾濟吉特氏)
454-766- 86
車淩清(綽囉斯氏) 454-829- 95
車浚吳 486- 34- 2
523-143-153
車泰明(字子謨) 515-784- 81
車泰明(字子揚) 554-598- 59
車素明 820-758- 44
車球宋 見車垓
車純明 523-310-160
528-456- 29
545-283- 94
車梁明 299-847-180
545-890-114
車敬明 472-766- 30
537-315- 56
車稜清 454-537- 51
車誠明 472-197- 7
477-542-176
510-479-118
537-354- 56
車寧明 529-456- 43
車輔明 483-268-392
571-541- 20
車霆明 545-889-114
558-201- 31
車濟晉 256-456- 89
380- 43-166
478-481-199
558-169- 31
558-439- 37
933-297- 21
車鏊女 明 見車氏
車勸妻 明 見王氏
車子侯漢 554-965- 65
1061-273-110
車大任明 480-439-278
523- 57-148
533-110- 50
676-613- 25
1442- 79- 5
1460-399- 58
車大敬明 533-493- 65
車千秋田千秋 漢250-510- 66
376-256- 99
384- 46- 2
472-829- 33
478- 94-180
554-623- 60
933-234- 17
車文琮明 483-163-382
570-218- 23
車玄谷明 1232-616- 6
車本泰清 456-239- 68
車布登清(博木布長子)
454-444- 34
車布登清(阿拉布坦長子)
454-448- 35
車布登清(錫布推哈坦巴圖魯次子) 454-524- 50
車布登清(丹巴子) 454-558- 56
車布登清(碩壘汗第七子)
454-563- 57
車布登清(噶爾瑪子)
454-567- 58
車世榮元 547- 42-142
車安行宋 524- 63-181
車伊洛後魏 261-446- 30
266-509- 25
379- 61-147
933-297- 21
車君乘清 479-146-223
523-369-163
567-150- 69
車克穆清 456-126- 58
車明輿明 821-417- 56
車非搖隋 見周搖
車封搖隋 見周搖
車若水宋 472-1104- 47
479-289-230
523-605-176
1218-731- 4
車若綰宋 見車垓
車時俊明 820-751- 44
車乘鳳妻 清 見劉氏
車鹿會後魏 262-488-103
267-859- 98
381-645-200
車景福宋 451- 64- 2
車道政唐 812-351- 10
821- 55- 46
車萬合明 533-323- 57
車萬藻妻 清 見馬氏
車路頭後魏 261-492- 34
266-510- 25
379- 62-147
476-253-110
546- 9-115
933-297- 21
車爾格清 455-124- 5
474-761- 41
502-432- 68
車夢瑶明 515-807- 82
車鳴時明 564-187- 46
車穆色清 455- 55- 1
車淩蒙克清 454-835- 96
車稜扎布清 454-538- 52
車稜巴勒清 454-527- 50
車稜旺布清(扎木巴勒扎布次子) 454-459- 37
車稜旺布清(博爾濟吉特氏)
454-569- 58
車稜旺布清(阿喇布坦長子)
454-692- 77
車稜達什清(綽斯喜布子)
454-570- 58

車稜達什清(善巴次子)
454-669-73
車爾布赫清 455-191-9
車鼻可汗唐 見斛勃
車黎單于漢 251-203-94下
車布登扎布清(達瑪璘次子)
454-551-54
車布登扎布清(博爾濟吉特氏)
454-652-71
車林敦多克清 496-219-76
車淩多爾濟清 454-774-88
車淩烏巴什清 454-832-95
車淩敦多布清 454-759-85
車登三丕勒清 454-527-50
車登多爾濟清 454-508-46
車登敦多布清 454-576-59
車淩多岳特清 454-571-58
車稜旺扎勒清 454-812-93
車稜拜都布清 454-511-47
車牙若鞮單于漢 見且莫車
車木楚克扎布清
454-661-72
車淩納木扎勒清
454-779-90
車都布多爾濟清
454-623-67
車鼻施啜蘇祿唐 見蘇祿
車布登巴爾珠爾清
454-447-35
車木楚克納木扎勒清
454-515-48
克文宋 516-429-103
820-468-36
1052-744-23
1053-719-17
1054-180-4
1116-397-19
1116-554-30
克丑清 455-304-18
克拉清 456-7-50
克幽唐 592-438-88
克呼元(知霍邱縣) 510-479-118
克呼元(西域人) 569-646-19
克特清 456-232-68
克惇清 456-378-79
克勒清 502-515-71
克符唐 1053-436-11
克新元～明 676-678-28
820-550-39
1221-466-10
1442-118-8
1460-827-89
克新清 455-75-2
克勤宋 511-925-174
561-216-38之3
592-383-84
1053-809-19
1054-192-4
1054-666-20
1135-464-42
克楚元 571-516-19
克圖清 456-106-57
克什克清 500-728-37
克什貝清 456-284-71
克什格清 502-555-73
克什特清 502-755-85
克什納清 455-558-36
克什訥清 456-173-63
克什赫清 455-287-16
克什圖清(克葉勒氏)
456-93-56
克什圖清(博羅特氏)
456-284-71
克什圖清(錫拉氏) 502-590-76
克西訥清 455-694-49
克宜勒清 455-116-4
克宜福清 502-466-69
克拉喀清 456-94-56
克星額清 456-116-58
克呼蘇元 523-187-155
克特勒清 456-9-50
克爾素清 455-41-1
克爾格清 456-122-58
克爾蘇清 455-364-22
克徹尼清 455-538-34
502-501-70
克德爾明 302-847-332
克穆尼清 455-673-47
克穆努清 455-551-35
克穆訥清 455-433-26
克錫肯清 455-90-3
克錫訥清 455-355-22
克什布魯清 456-125-58
克呼布拉遼 1367-920-70
克呼稱海元 見克呼鎮海
克呼鎮海田稱海、田鎮海、克呼稱海 元 1373-336-22
克勤郡王清 見岳託
克勤郡王清 見雅朗阿
克卜特特格肯帖帖該 明
496-628-106
克什克諾爾蓀清
456-232-68
把愛明 見巴海
把兒孫明 見巴爾斯
把胡魯金 見巴古拉
把漢那吉明 見巴噶奈濟
折氏宋 楊業妻、劉繼業妻
547-229-149
折宗明 537-257-55
折象漢 見折像
折像折象、析象 漢
253-598-112上
380-571-181
473-437-67
481-75-294
561-214-38之3
591-519-41
592-174-71
680-669-285
933-751-52
1061-37-85
折可大宋 285-116-253
396-474-298
384-326-17
折可與宋 288-352-452
400-145-512
545-419-98
折可適宋 285-116-253
382-673-104
384-375-19
396-474-298
472-483-21
472-879-35
472-904-36
472-913-36
472-924-36
476-259-110
478-271-187
546-76-117
554-360-54
933-762-53
1120-723-20
折克行宋 285-115-253
382-191-28
384-326-17
396-474-298
472-483-21
476-259-110
478-268-187
546-76-117
554-242-52
933-762-53
折克柔宋 285-115-253
384-326-17
396-474-298
折彥野宋 1120-558-35
折彥質宋 471-895-43
473-402-66
473-738-82
473-758-83
480-638-288
563-907-43
567-440-86
585-779-7
1363-470-180
1467-150-67
折惟正折唯正 宋
285-114-253
384-326-17
396-473-298
933-761-53
折惟忠折唯忠 宋
285-114-253
384-326-17
396-473-298
546-71-117
554-237-52
933-761-53
折惟昌折唯昌 宋
285-114-253
382-191-28
384-326-17
396-473-298
472-483-21
546-70-117
554-237-52
933-761-53
折唯正宋 見折惟正
折唯忠宋 見折惟忠
折唯昌宋 見折惟昌

折御卿宋 285-113-253
371-170- 17
382-190- 28
384-326- 17
396-472-298
476-258-110
546- 70-117
554-138- 51
933-761- 53
折御勳宋 285-113-253
382-190- 28
384-326- 17
396-472-298
472-483- 21
546- 70-117
554-138- 51
933-761- 53
折從阮折從遠 後周
278-392-125
279-325- 50
396-436-295
472-482- 21
476-258-110
546- 65-117
554-135- 50
折從遠後周 見折從阮
折爾肯清 569-618-18下之2
折爾特清 502-751- 85
折鼎獨明 554-873- 64
折德扆宋 285-113-253
382-190- 28
384-326- 17
396-472-298
472-922- 36
476-258-110
478-267-187
546- 69-117
554-137- 51
933-761- 53
折臂翁唐 570-665-29之13
折繼世宋 396-474-298
546- 75-117
554-359- 54
折繼祖宋 285-115-253
384-326- 17
396-474-298
476-259-110
546- 75-117
554-237- 52
折繼閔宋 285-115-253
396-473-298
472-483- 21
481-181-300
546- 75-117
554-237- 52
折足老人子明(父折足而負其行) 511-555-158
杆者漢 544-199- 62
杞王唐 見李峻
杞王唐 見李倕
杞王唐 見李上金
杞王後周 見郭信
杞梁春秋 見杞殖
杞殖杞梁 春秋 386-643- 6
472-588- 24
杞殖妻 404-632- 38
448- 38- 4
452- 70- 2
538-702- 80
879-171-58上
杞文公春秋 371-314- 13
404-323- 19
杞平公春秋 371-314- 13
404-323- 19
杞孝公春秋 404-323- 19
杞武公春秋 384- 9- 1
404-321- 19
杞桓公春秋 371-314- 13
404-322- 19
杞悼公春秋 371-314- 13
404-324- 19
杞僖公春秋 384- 9- 1
杞東樓公周 371-314- 13
邪奢遣多浮陁難提 後魏
547-501-159
即墨成漢 244-857-121
476-661-136
尾生微生高 周 933-519- 34
那海元 見諸海
那海清 455-223- 11
那秦清(赫舍里氏) 455-200- 10
那秦清(納喇氏) 455-375- 23
那提布如烏伐、福生 唐
1051-217- 9
那塔清 455- 57- 1
那嵩明 301-714-279
456-466- 4
那蓋清 502-728- 84
那親清(鑲黄旗人) 455- 54- 1
那親清(正紅旗人) 455- 90- 3
那親清(赫舍里氏) 455-200- 10
那蘇清(寧古塔氏) 455-606- 41
那蘇清(桓泰氏) 456-163- 62
那蘭清 455- 47- 1
那鑑明 302-499-314
那木占清(瓜爾佳氏)
455- 56- 1
那木占清(索佳氏) 455-638- 44
那郎阿清 455- 78- 2
那哈德清 455-119- 4
那星阿清 455- 56- 1
那密達清 455-637- 44
那斯喀清 455-513- 32
那達理清 455- 73- 2
那達齊清(瓜爾佳氏)
455- 90- 3
那達齊清(完顏氏) 455-466- 28
那爾布清(瓜爾佳氏)
455- 43- 1
那爾布清(碧魯氏) 455-519- 32
那爾布清(薩克達氏)
455-553- 35
那爾布清(烏雅察氏)
456-121- 58
那爾泰清(喜塔臘氏)
455-626- 43
那爾泰清(烏魯氏) 502-732- 84
那爾彪清 455-493- 30
那爾善妻 清 見瓜爾佳氏
那爾渾清(舒穆祿氏)
455-148- 6
那爾渾清(舍顏氏) 456-133- 59
那爾察清 455-134- 5
那爾圖清 455-200- 10
那爾賽清 455- 90- 3
那瑪理清 456-120- 58
那翰布清 455- 75- 2
那穆札清 456-192- 65
那穆占清 455-204- 10
那穆岱清 456-120- 58
那穆遂清 456-290- 72
那穆達清 455-490- 30
那蘇圖清 474- 96- 3
那不達克清 496-219- 76
那吒太子周 1053- 86- 2
那漢布拉清 455- 79- 2
那穆布祿清 455-617- 42
那穆達立清 455-479- 29
那穆達理清 455-378- 23
那羅爾娑婆那羅邇娑婆寐 唐
554-896- 64
556-840-100
那蘭呼拉勒金 見納喇呼喇勒
那連提黎耶舍尊稱、鄔荼 北齊 1051-171- 6
1051-181- 7
1401-463- 34
那羅邇娑婆寐唐 見那羅爾娑婆
阮文清 見阮蔡文
阮氏魏 許允妻 254-191- 9
386-209- 78
474-248- 12
547-204-149
1408-482-527
阮氏明 王道昇妻、阮長卿女
512-500-189
阮氏明 李遠妻 479-251-228
阮氏明 俞富妻 483-140-380
阮氏明 楊嗣光妻 483-163-382
阮氏明 廖紹祿妻 482-453-362
1467-274- 72
阮氏明 趙仲成妻 472-369- 16
阮氏明 劉餘謨妻 475-534- 77
512- 79-179
阮氏清 王尋妻 481-764-335
阮氏清 牛寬妻 474-522- 25
阮氏清 何大封妻 475-714- 86
512-122-180
阮氏清 袁珮環妻 483-195-387
570-208- 22
阮氏清 郭子爵妻
530- 82- 55
阮氏清 嚴有秋妻 530-146- 58
阮丘不詳 1061-254-108
阮安明 302-261-304
阮孝明 554-292- 53
阮玘明 473-155- 56
515-674- 78
阮孚晉 255-828- 49
370-310- 7

377-567-123
384- 92- 5
386-148-73上下
477- 64- 151
488-112- 7
537-378- 57
阮河明 545-220- 91
阮況漢 477-357-166
阮放晉 255-830- 49
377-569-123
472-655- 27
477- 64-151
537-378- 57
933-586- 37
1467-537- 13
阮武晉 254-320- 16
阮坦晉 254-320- 16
阮直明 1442-131- 8
阮卓陳 260-788- 34
265-1029- 72
380-378-176
477- 66-151
538- 78- 64
567- 31- 63
933-586- 38
1395-601- 3
阮侃魏 見阮德如
阮洪宋 475-214- 60
510-358-114
阮炳晉 254-320- 16
阮恆明 456-638- 10
阮咸晉 255-826- 49
377-566-123
384- 92- 5
386-147-73上下
472-654- 27
477- 62-151
478- 85-180
537-376- 57
814-232- 4
820- 53- 23
839- 33- 3
933-585- 38
1221-562- 18
1232-692- 9
阮柯晉 254-320- 16
阮研梁 812- 64- 中
812-227- 8
812-716- 3
813-292- 17
814-253- 7
820- 98- 24
阮垕明 515-224- 63
阮种晉 255-875- 52
377-596-124上
384- 93- 5
472-518- 22
472-654- 27
476-515-127
477- 63-151
537-376- 57
540-621- 27
933-586- 38
阮衍明 473-186- 58
515-273- 65
阮容女 元 見阮淑
阮浪明 302-261-304
1244-637- 15
阮貢明 481-749-334
阮彧明 558-477- 40
阮泰阮秦 明 456-526- 6
477-317-164
538- 41- 63
阮泰妻 明 見朱氏
阮秦明 見阮泰
阮珩明 505-909- 81
564-256- 47
阮部五代 813-104- 6
821-132- 49
阮修晉 255-829- 49
377-567-123
384- 92- 5
386-146-73上下
448-308- 上
477- 64-151
537-378- 57
933-585- 38
1379-330- 40
阮寅宋 515-467- 71
阮淑元 王瑀妻、阮容女
1223-589- 11
阮通女 宋 見阮徽
阮悉明 515-276- 65
567-348- 79
1467-250- 71
阮偘晉 742- 29- 1
阮渾晉 386-146-73上下
阮敦漢 933-585- 38
阮琳明 460-564- 56
529-731- 51
676- 10- 1
676- 34- 2
阮結唐 472-966- 38
523-508-171
阮逸宋 471-660- 11
473-601- 76
481-675-331
529-593- 47
阮裕晉 255-830- 49
377-569-123
384- 92- 5
472-655- 27
477- 65-151
479-249-228
485-551- 3
486-312- 14
489-598- 47
524-321-195
537-378- 57
933-586- 38
1141-792- 33
阮瑀魏 254-378- 21
380-348-175
384- 84- 4
384-651- 40
385-638-66下上
472-653- 27
477- 61-151
538-125- 65
839- 33- 3
1395-587- 3
阮勤明 299-810-178
476-155-104
477-565-177
479-286-230
523-173-154
545-845-113
阮嗣明 529-452- 43
563-844- 41
阮敬明 567-309- 77
1467-195- 69
阮福明(豐城人) 559-304-7上
阮福明(北海人) 821-364- 55
阮福妻 明 見梁氏
阮端明 邵愈謙妻 482-565-369
550-171- 22
阮彰妻 明 見歐陽玉貞
阮銘祖母 明 見楊氏
阮肇漢 472-1106- 47
485-556- 3
524-412-200
阮嫩明 楊達卿妻、阮縉紳女
1240-393- 25
阮閱宋 515-117- 60
阮諶漢 254-320- 16
538- 21- 62
阮牖晉 485-551- 3
阮謙元 1439-436- 1
阮駿宋 288-353-452
400-149-512
472-740- 29
473-632- 77
477-306-163
481-552-327
529-494- 44
537-301- 56
阮駿清 524-164-186
阮薦宋 515-465- 71
阮徽宋 陳造妻、阮通女
1118-387- 20
阮瞻晉 255-826- 49
377-567-123
384- 92- 5
386-148-73上下
477- 64-151
537-376- 57
839- 33- 3
阮韜齊 259-347- 32
265-382- 24
370-516- 16
378-277-138
阮鶚明 300-375-205
478-768-215
523- 51-148
阮籍魏 254-381- 21
255-825- 49
377-564-123
384- 92- 5
386-142-73上下
472-654- 27
476-816-143
477- 62-151

537-375- 57
540-664- 27
674-244-4上
677-102- 10
814-232- 4
820- 53- 23
839- 33- 3
933-585- 38
1072-213- 7
1221-562- 18
1232-692- 9
1370- 46- 3
1379-225- 29
1395-587- 3
1408-596-542
1410-155-681
阮一道明 564-193- 46
阮二姐元 高耿妻
481-618-329
530-110- 57
阮士奇明 456-550- 7
阮士鵬清 511-312-148
阮大成宋 481-746-334
529-641- 48
阮大鋮明 302-388-308
1442- 93- 6
阮文中明 515-395- 68
571-519- 19
阮文龍宋 見阮次膺
阮之甫明 456-665- 11
511-475-155
阮之釪明 456-637- 10
511-608-160
阮之鈿明 302- 59-292
456-443- 3
475-531- 77
480-291-271
511-474-155
533-389- 60
阮之鏘明 511-799-167
阮王錫妻 清 見余氏
阮元向宋 1157-273- 20
阮元聲明 676-656- 27
676-739- 31
阮元聲妻 明 見杜氏
阮天從妻 明 見林亥娘
阮友彰明 515-640- 77
阮日益元 524-390-198
阮弘道元 524-210-188
阮弘道明 299-277-135
475-797- 90
511-367-150
阮以和宋 451- 92- 3
阮以頤明 480-512-281
阮以臨明 511-600-160
阮申之元 523-128-152
1212-358- 5
阮令嬴石令嬴 梁 梁武帝后、石齊女 260-100- 7
265-202- 12
370-555- 18
阮矢從妻 明 見林亥娘
阮汝發妻 清 見鄭氏
阮有道妻 明 見黃細娘
阮次膺阮文龍 宋451- 88- 3
阮自華明 511-800-167
558-212- 32
1442- 86- 5
1460-489- 63
阮自嵩明 511-256-146
阮竹友明 1229-297- 10
阮孝緒梁 260-437- 51
265-1079- 76
380-459-178
472-656- 27
477- 66-151
511-828-168
538-157- 66
589-228- 下
933-586- 38
1048-267- 2
1054-375- 9
阮我疆明 456-484- 5
阮佃夫劉宋 258-608- 94
265-1093- 77
370-492- 14
381- 10-184
384-123- 6
阮希甫宋 288-326-449
400-174-513
阮邦尹妻 清 見張氏
阮廷貴明 524-340-195
阮宗道明 571-545- 20
阮宗澤元 529-708- 50
阮定邦妻 清 見汪氏
阮者都元 511-416-152
阮居仁明 505-701- 70
533-745- 73
阮奉之唐 820-282- 30
阮長之劉宋 258-583- 92
265-983- 70
370-490- 14
380-181-170
448-319- 下
477- 65-151
479-284-230
523-166-154
537-381- 57
933-586- 38
阮長卿女 明 見阮氏
阮尚科妻 明 見方氏
阮尚德妻 明 見張氏
阮昌齡宋 529-591- 47
阮知誨後蜀 592-704-106
812-496- 中
812-527- 2
821-126- 49
1381-575- 42
阮美成宋(舒城人) 472-327- 14
511-819-167
阮美成宋(知郴州) 473-401- 66
532-749- 46
阮思道南唐 529-591- 47
阮思聰宋 511-889-172
阮祖立元 524-144-185
阮振中明 523-221-156
559-373- 8
阮時行明 511-183-143
阮時懋明 529-461- 43
阮翁仲秦 473-891- 90
483-698-422
阮惟貞父 元 1196-537- 3
阮惟德後蜀 812-499- 中
812-527- 2
821-126- 49
阮清霜清 張開宗妻、林學曾養女 530-100- 56
阮紹煌妻 明 見李氏
阮善長明 456-638- 10
阮朝拱妻 清 見陳氏
阮登炳宋 493-966- 51
阮道泰清 1325-723- 6
阮萬齡劉宋 258-591- 93
265-384- 24
378- 87-133
485-551- 3
524-322-195
阮鈴娘明 郭良三妻
530-180- 59
阮漢文明 見阮漢聞
阮漢聞阮漢文 明
456-665- 11
458-152- 7
477- 92-153
505-836- 76
538-317- 69
676-666- 28
1442-101- 6
阮爾詢清 511-312-148
阮與子宋 564- 71- 44
阮蔡文阮文 清 1325-723- 6
1327-678- 7
阮德如阮侃 魏 1379-224- 28
阮積學明 456-631- 10
阮學浩清 475-331- 65
阮縉紳女 明 見阮嫩
阮應得宋 475-214- 60
阮謙之劉宋 482-238-349
564- 12- 44
阮鍾儁宋 472-368- 16
阮麟翁宋 511-315-148
坊蒙元 1221-216- 3
杉洋庵主唐 1053-439- 11
辰泰清 474-764- 41
502-439- 68
辰嬴春秋 見懷嬴
辰布祿清 502-528- 72
辰放氏皇次屈 上古
383- 20- 4
辰丕勒多爾濟清
454-535- 51
束氏清 凌昇妻 480- 64-260
束桓明 511-688-163
束清明 473-177- 57
515-121- 60
束莊宋 473-490- 70
559-295-7上
束晳晉 255-865- 51
377-592-124上
384- 93- 5
472-129- 4
474-473- 23

505-874- 78
680-522-274
879-169-58上
933-717- 49
1379-266- 33
東載明 559-308-7上
東贊明 472-308- 13
510-382-115
東元嘉宋 472-327- 14
480- 50-259
511-335-149
東宗庚元 821-319- 54
東宗癸明 1442- 9-附1
東草師唐(常負東藁坐卧)
554-951- 65
1052-329- 23
東崇芳宋 511-561-158
東遂菴元 821-321- 54
東端卿宋 1121-607- 7
扶同春秋 453-729- 1
扶猛北周 263-790- 44
267-354- 66
379-643-158
480-320-272
533-238- 54
554-561- 58
933- 99- 6
扶嘉漢 471-990- 58
473-491- 70
559-373- 8
591-296- 23
591-620- 45
933- 98- 6
扶蘇秦 243-164- 6
537- 74- 49
554- 25- 48
556-525- 94
扶克儉明 見胡克儉
扶長卿元 524-340-195
扶風王晉 見司馬駿
扶風王後魏 見元孚
扶溆官漢 496-587-103
扶餘璋唐 271-776-199上
276-356-220
扶餘義慈唐 271-776-199上
276-356-220
投克春秋 933-489- 32
投調漢 933-489- 32
投江女子明 480- 64-260
夾谷立元 1199-593- 4
夾谷衡金 見瓜爾佳衡
夾谷檝金 見佳古檝
夾谷之奇元 見瓜爾佳之奇
夾谷守中金 見瓜爾佳守中
夾谷胡山妻 見完顏阿爾占
夾谷阿多古金 見瓜爾佳守中
夾谷阿都古金 見瓜爾佳守中
夾谷阿里不山金 見瓜爾佳衡
夾谷阿里布山金 見瓜爾佳衡
夾谷阿爾布色金 見瓜爾佳衡
改肇新妻 清 見陳氏
貝努清 455-627- 43
貝恆明 見貝秉彝
貝降伯行、拜降 元
294-389-131
399-520-470
472-1085- 46
478-763-215
515- 23- 57
523- 23-147
1203-347- 26
貝俊具俊 唐 812-351- 10
821- 45- 46
貝衮清 455-148- 6
貝通清 456-176- 63
貝渾清 455-220- 11
貝琨清 455-606- 41
貝琳明 511-861-170
貝翱明 676-452- 17
1442- 13-附1
1459-441- 14
1475- 7-161
貝闕明 見貝瓊
貝瓊貝闕 299-300-137
472-984- 39
479- 95-221
524- 20-179
676-448- 17
1318-339- 62
1442- 9-附1
1459-283- 7
1475-148- 7
貝大欽宋 587-449- 5
587-460- 6
587-464- 6
貝公遠明 1229-206- 5
貝泠該唐 813-311- 20
820-266- 29
貝成額清 456-165- 62
貝克寬妻 明 見黄氏
貝伯舉明 1240-710- 7
貝和齊清 455-302- 18
貝秉彝貝恆 明 301-733-281
472-546- 23
476-819-143
479-238-227
523-464-169
540-666- 27
1238- 89- 8
1238-228- 19
貝彥中明 1229-552- 5
貝勒克清 455-572- 37
貝國器明 524-391-198
貝欽世宋 494-349- 7
510-359-114
523-462-169
貝義淵梁 820-104- 24
貝楞額清(西林覺羅氏)
455-294- 17
貝楞額清(覺禪氏) 455-690- 49
貝楞額清(扎拉理氏)
456- 20- 51
貝赫訥清 456-104- 57
貝僧額清 455- 56- 1
貝德勒清 455-485- 30
貝謨理清 456- 60- 54
貝渾巴顏 455-233- 12
里氏明 李醜妻 483-163-382
570-206- 22
里克里季 春秋 375-718- 90
384- 19- 1
404-767- 47
448-149- 5
472-458- 20
545-704-108
933-517- 34
里沮夏 546-424-129
里析春秋 404-883- 55
933-517- 34
里季春秋 見里克
里革春秋 404-543- 33
933-517- 34
里鳧春秋 見頭須
里木布清 496-219- 76
里舍兒妻 明 見劉氏
呈尼清 502-746- 85
困即來明 見琨濟楞
呂乂蜀漢 254-625- 9
377-277-118上
384- 76- 4
384-462- 12
447-195- 7
472-771- 30
472-864- 34
473-424- 67
477-369-167
478-242-186
481- 65-293
537-539- 59
554-227- 52
559-279- 6
591-664- 47
933-554- 36
呂才唐 269-775- 79
274-365-107
384-174- 9
395-373-215
469-456- 54
472-572- 24
476-612-133
540-736-28之2
839- 44- 4
933-554- 36
呂文漢 243-211- 8
243-235- 9
呂文明 458-161- 8
545-325- 95
呂中宋 460-429- 33
481-586-328
529-534- 45
呂中明 533- 60- 49
呂仁唐 473-789- 85
482-483-364
1467- 14- 62

呂午宋 287-559-407
398-530-400
427-404- 0
472-380- 16
473-367- 64
475-568- 79
475-666- 84
479-134-223
480-483-280
494-350- 7
511-272-147
523- 17-146
532-736- 46
676-689- 29
1375- 12- 上
1376-307- 79
呂升元~明 524-134-185
1222-409- 2
1320-705- 77
呂升呂昇 明(字升常)
299-447-150
472-1073- 45
473-569- 74
479-238-227
528-450- 29
1240-170- 11
1240-216- 14
呂升明(橫州知州) 473-790- 85
1467- 58- 64
呂氏宋 王覃妻、呂夢巽女
1093-390- 53
呂氏宋 任遵聖妻
1098-214- 27
呂氏宋 汪若泉妻
1376-664- 98
呂氏宋 胡汝弼妻、呂章女
1171-792- 29
呂氏宋 張徹妻、呂璹女
530- 85- 55
呂氏宋 游酢妻 530-136- 58
呂氏宋 趙士僅妻、呂師道女
1100-506- 47
呂氏宋 趙子獻妻、呂蒙吉女
1100-498- 46
呂氏宋 趙允誠妻、呂端女
1087-295- 29
呂氏宋 趙伯章妻、呂無黨女
1134-313- 45
呂氏宋 錢受妻、呂聰問女
1138-815- 23
呂氏宋 韓忠彥妻、呂公弼女
1089-527- 48
呂氏宋 饒偉妻、呂希說女
530-149- 58
1146-129- 91
呂氏元 王政妻 1204-672- 14
呂氏元 何季長妻
1217-811- 4
呂氏元 靳熙祖妻 506-119- 89
呂氏元 王履謙媳 295-641-201
401-187-593
呂氏元 呂彥能姊 401-183-593
呂氏明 王雄妻 475-756- 88
呂氏明 史乾妻 476-702-137
呂氏明 朱標妻、呂本女
299- 30-115
呂氏明 朱元初妻 479-611-244
呂氏明 杜台愚妻 506-146- 90
呂氏明 李簡妻 506- 54- 87
呂氏明 李建元妻 477-548-176
呂氏明 李逢昌妻 477-482-173
呂氏明 何謐妻 555- 47- 66
呂氏明 金模妻 524-454-202
呂氏明 孫紹妻 475-473- 72
呂氏明 袁烺妻 479-102-221
呂氏明 曹丑兒妻、葛丑兒妻
472-390- 17
512-444-187
呂氏明 張昌妻 472-528- 22
呂氏明 張紳武妻 483- 17-370
呂氏明 張夢周妻 506- 92- 88
呂氏明 陳獻妻 474-314- 16
呂氏明 黃朝封妻 506- 52- 87
呂氏明 華守正妻、呂陵女
1253- 83- 45
呂氏明 焦芳妻、呂德女
1253- 36- 42
呂氏明 楊尚英妻
1283-361- 95
呂氏明 楊順甫妻、呂岐女
1263-539- 6
呂氏明 熊雲斐妻 480-207-267
533-613- 69
呂氏明 蔣惟芬妻 480-440-278
呂氏明 蔡國襄妻 530- 92- 56
呂氏明 劉濟仁妻
1467-268- 72
呂氏明 韓連妻 503- 30- 93
呂氏明 關陳謙妻 302-253-303
480-208-267
呂氏明 韓原相媳 506- 33- 86
呂氏清 王天祜妻 506- 66- 87
呂氏清 王甲生妻 477-483-173
呂氏清 石思聰妻 474-196- 9
呂氏清 朱文秀妻 475-149- 57
呂氏清 李懷城妻 482-566-369
呂氏清 吳傑妻 483- 17-370
570-183- 22
呂氏清 吳啟祉妻 474-195- 9
呂氏清 俞元益妻 479-264-228
呂氏清 紀國岡妻 475-648- 83
呂氏清 馬樹屏妻 506- 66- 87
呂氏清 郭民效妻 524-665-210
呂氏清 陳英妻 524-509-203
呂氏清 莊天澤妻 512-470-188
呂氏清 陶正心妻 477-483-173
呂氏清 傅維登妻 506- 64- 87
呂氏清 鄭朝新妻 481-775-336
呂允金 472-438- 19
546-356-126
呂允明 見李允
呂它漢 539-348- 8
呂庀漢 539-349- 8
呂玉隋 545-414- 98
呂本明(壽州人) 302-189-300
472-206- 7
呂本李本 明(字汝立)
1283- 49- 71
呂本女 明 見呂氏
呂布漢 253-475-105
254-140- 7
370-207- 21
377- 59-113下
384- 70- 3
472-481- 21
544-201- 62
550-402-222
554-919- 64
933-554- 36
呂尼明 554-959- 65
呂旦明 493-974- 52
呂申妻 宋 見胡氏
呂申呂牙興 清 474-247- 12
505-924- 83
呂生宋 516-460-104
呂安魏 476-821-143
540-716-28之1
呂江宋 511-773-166
呂夸夸呂 隋 264-1140- 83
267-830- 96
381-465-195
呂臣漢 244-257- 48
535-552- 20
呂光後涼 見涼懿武帝
呂向唐 276- 72-202
384-206- 11
400-600-555
472-881- 35
478-672-209
558-331- 35
812-746- 3
814-272- 9
820-167- 27
933-555- 36
呂全宋 523-168-154
呂旭明 1375- 27- 上
呂仲元 821-324- 54
呂沆宋 287-560-407
398-531-400
427-411- 0
472-381- 16
475-568- 79
479- 43-218
511-273-147
523- 19-146
1376-316- 79
呂完明 547-101-145
呂忱晉 541-104- 31
812- 66- 下
812-230- 9
812-719- 3
814-233- 4
820- 73- 23
呂良宋 530- 85- 56
呂汲元 524-217-189
1209-549-9上
呂圻宋 708-1022- 95
呂材妻 明 見李氏
呂防宋 472-1042- 43
523-619-177
呂岐女 明 見呂氏
呂怡妻 明 見雷氏

呂沆元 472-496- 21
473-247- 60
476-183-106
546-668-137
549-403-196
呂定宋 1364-765-365
1437- 25- 2
呂炎宋 516- 99- 91
呂武宋 288-384-454
400-197-515
472-350- 15
475-670- 84
511-489-155
呂青漢 539-348- 8
呂拙宋 812-476- 3
812-552- 4
821-258- 52
呂坤明 300-714-226
457-925- 54
458- 18- 1
458-949- 9
475-874- 95
477-131-155
538- 4- 61
540-620- 27
545- 98- 86
570-644-29之12
676-609- 25
1312-982- 19
1442- 76- 5
1460-378- 57
呂坤妻 明 見趙氏
呂忠明 523-357-163
1272-230- 9
呂尚太公望、呂望、呂渭、姜子牙、齊太公 周 207-334- 3
243- 95- 4
244- 15- 32
371-273- 9
375-569- 86
383-104- 13
404-426- 25
472-706- 28
472-853- 34
491-790- 6
538-319- 69
933-553- 36
1058-491- 上
1192-374- 33
1398-469- 20
呂尚女 周 見邑姜
呂明明 473- 75- 52
479-579-243
515-234- 64
呂昌明 523-465-169
呂昇宋 288-404-456
400-294-524
476-729-138
540-749-28之2
呂昇明 1250-532- 50
呂昇明 見呂升
呂昂唐 494- 54- 2
呂芝明 821-461- 57
呂旻明 529-739- 51
呂和明 523-455-168
540-618- 27
554-220- 52
呂岱吳 254-881- 15
377-391-120
384- 81- 4
384-588- 32
472-293- 12
475-371- 68
480- 47-259
481-799-338
483-697-422
493-735- 41
511-199-143
523- 3-146
563-609- 38
567- 25- 63
933-554- 36
1467- 5- 62
呂岳宋 451- 59- 2
呂牧唐 1076-113- 12
1076-569- 12
1077-140- 12
呂炯明 1283-553-104
1475-316- 13
呂祉宋 287- 84-370
398-146-374
449-355- 8
473-603- 76
475- 69- 52
477-699- 86
481-677-331
488-424- 14
488-426-114
510-283-112
511-499-156
523-127-152
529-601- 47
呂祉妻 宋 見吳氏
呂恆元 1232-433- 4
呂亮妻 清 見李氏
呂彥唐 見李該
呂洙宋 見呂仲洙
呂洙元(字宗魯) 523-615-176
678- 13- 71
呂洙元(相之安陽人)
1201-645- 23
呂相春秋 見魏相
呂柟明 301-764-282
453-661- 28
457- 32- 2
458-737- 4
472-842- 33
476-367-117
478-127-181
478-297-188
485-535- 1
545-442- 99
554-818- 63
676-539- 22
1293-359- 20
1442- 43-附3
1459-894- 38
呂柟妻 明 見李氏
呂郁元 1201-645- 23
呂琉元 473-729- 82
呂珉唐 477-161-157
呂崧清 511-929-174
呂珍元 460-942- 0
呂述唐 523-211-156
呂貞明 523-201-155
呂思明 1475-224- 9
呂昭明 493-973- 52
511- 95-140
528-526- 31
545-393- 97
1227-624- 中
呂省春秋 見瑕呂飴甥
呂律宋 540-762-28之2
呂律明 559-320-7上
呂胤宋 見呂餘慶
呂紀明 524-360-196
524-378-198
821-405- 56
呂侯周 見甫侯
呂海宋 708-338- 50
呂益宋 1193-201- 29
呂祐元 295-615-198
400-321-526
473-587- 75
529-671- 49
547-110-145
呂祚妻 清 見李氏
呂高明(字山甫) 301-849-287
511-775-166
676-564- 23
1442- 53- 3
1460-119- 46
呂高明(字崇岳) 524-361-196
呂宮清 475-232- 61
511-167-142
呂恭漢 547-489-159
1059-263- 2
呂恭唐 270-630-137
275-247-160
396- 56-257
546-703-138
1076- 95- 10
1076-552- 10
1077-118- 10
1342-409-957
呂原明 299-772-176
452-178- 3
453-369- 8
453-564- 7
472-985- 39
479- 95-221
523-271-158
676-492- 19
1244-611- 12
1253-338- 58
1375- 39- 下
1408-694-553
1442- 26-附2
1459-626- 24
1475-203- 9
呂原妻 明 見徐氏
呂泰明 528-448- 29

呂彧元 見呂壄
呂桂元 528-484- 30
呂翀明 300- 78-188
473- 66- 51
479-560-242
481- 25-191
515-881- 86
呂陟宋 473-390- 65
533-272- 56
呂殊宋 451-367- 10
呂栗元 1208-586- 23
呂時呂時臣 明 524- 46-180
547-156-147
547-165-147
1442- 68- 4
1460-316- 54
1474-467- 23
呂虔魏 254-342- 18
377-168-116
384- 84- 4
384-682- 44
472-518- 22
472-551- 23
476- 76-100
476-816-143
510-274-112
540-709-28之1
545-166- 89
933-554- 36
1343-337- 24
呂虔唐 1342-394-955
呂恕元 473-673- 79
563-713- 39
呂倉周 404-492- 29
呂翃明 何崇美妻、呂文度女
1255-755- 75
呂倚宋 516-224- 96
1109-153- 9
1110-656- 39
呂釗明 567-400- 83
呂級丁公伋 周 933-430- 29
呂清漢 535-552- 20
呂清元 何頎妻 524-722-212
1218-687- 4
呂惟清 511-569-158
呂望周 見呂尚
呂章女 宋 見呂氏
呂祥晉 473-841- 87
呂祥明 1259-219- 16
呂梁元 1231-401- 9
呂強呂彊 漢 253-513-108
380-494-179
472-653- 27
477- 59-151
537-597- 60
呂壄呂彧 元 295-278-167
399-619-481
453-768- 1
472-721- 28
472-829- 33
473-428- 67
477-254-161
478-134-181
478-337-191
538- 26- 62
554-248- 52
554-469- 56
1214- 76- 7
1293-345- 19
呂堅明 1313-203- 16
呂陶宋 286-590-346
382-615- 94
384-373- 19
384-382- 19
397-659-360
473-433- 67
473-476- 69
473-515- 71
481- 78-294
481-113-297
545-213- 91
545-399- 98
559-273- 6
559-341- 8
559-384-9上
561-226-38之3
591-551- 42
933-561- 36
呂規宋 1122-402- 29
呂琅明 524-169-186
呂珽妻 明 見劉氏
呂陵女 明 見呂氏
呂晦宋 見呂誨
呂晟呂盛 明 473- 65- 51
473-491- 70
479-559-242
515-875- 86
呂堂妻 明 見范氏
呂紹妻 晉 見張氏
呂紹後涼 262-371- 95
558-766- 50
呂造金 1445- 87- 4
呂敏吳敏 明 301-822-285
511-768-166
676-449- 17
1230-273- 2
1318-349- 63
1442- 5-附1
1459-364- 11
呂健明 570-150-21之2
呂斌明 524-232-189
1261-705- 30
呂童明 472-291- 12
523-464-169
呂渭周 見呂尚
呂渭唐 270-629-137
275-247-160
396- 55-256
472-465- 20
933-555- 36
呂善妻 清 見李氏
呂詠明 505-906- 80
呂敦清 455-526- 33
呂雲宋 492-708-3上
呂盛明 475-823- 92
511-376-150
523-119-151
1266-739- 7
呂盛明 見呂晟
呂隆晉 256-918-122
262-372- 95
381-311-190
384-105- 5
558-766- 50
呂琦後晉 278-140- 92
279-370- 56
384-315- 16
396-445-296
505-714- 71
545-402- 98
547-167-147
933-556- 36
呂肅元 見呂誠
呂開宋 473-445- 68
473-464- 69
540-670- 27
559-280- 6
559-290-7上
呂陽明 546-647-136
呂陽清 480-129-264
532-604- 42
呂琰宋 524-132-185
1150-885- 49
呂琳明 563-838- 41
呂琛明 515-882- 86
呂雯呂零 明 474-243- 12
505-735- 71
554-169- 51
1248-656- 4
呂逵明 1261-697- 30
呂貴明 515-173- 62
呂凱蜀漢 254-664- 13
377-302-118下
384-485- 16
473-841- 87
483-138-380
494-149- 5
559-502- 12
570- 99-20下
570-120-21之1
933-554- 36
1361-756- 54
呂喦呂巖、呂洞賓、呂紹先、呂巖客 唐 451-489- 8
471-792- 29
472-470- 20
473-319- 62
476-129-102
511-930-175
533-791- 75
534-938-119
538-344- 70
547-511-160
554-979- 65
561-224-38之3
567-463- 87
588-344- 3
589-112- 0
684-486- 下
820-291- 30
1053-335- 8
1365-467- 6

呂棠明 473-402- 66
480-635-288
532-750- 46
呂皓宋 451-367- 10
524-149-185
674-853- 18
1164-517- 29
呂勝漢 535-552- 20
呂甥春秋 見瑕呂飴甥
呂復元 295-595-196
400-277-522
473-568- 74
481-525-326
528-448- 29
呂復明(字元膺) 302-172-299
524-358-196
1219-562- 27
1458- 11-415
呂復明(字仲善) 472-367- 16
479-795-254
510-446-117
516-169- 94
1442- 10-附1
呂進元 1194-683- 12
呂義元 547-559-161
呂義明 1242- 79- 26
呂義妻 明 見馮氏
呂義不詳 470-354-142
呂源宋(知吉州) 515-145- 61
呂源宋(字子中) 524-149-185
821-245- 52
1128- 16- 1
呂溱宋 286-246-320
382-490- 76
384-358- 18
397-399-344
471-699- 16
471-901- 44
472-172- 6
472-294- 12
472-336- 14
472-644- 26
475-374- 68
477- 52-151
484- 93- 3
484- 95- 3
485-442- 6
488-389- 13
511-202-144
518-727-159
537-240- 55
933-560- 36
1090-540- 25
1116-136- 8
1375- 5- 上
1376-554-94上
呂溥元 523-615-176
呂溥明 1266-390- 6
1458-672-469
呂愼元 1206- 14- 1
呂愽妻 宋 見吳氏
呂温晉 545-206- 91
呂温後魏 261-697- 51
266-752- 37
379-185-149
476-149-104
814-261- 8
820-118- 25
933-554- 36
呂温唐 270-630-137
275-247-160
384-254- 13
396- 56-257
471-759- 24
473-358- 64
473-387- 65
480-507-281
532-702- 45
546-703-138
550-245-218
674-258-4上
674-808- 16
933-555- 36
1076- 83- 9
1076-363- 40
1076-542- 9
1077-103- 9
1077-441- 19
1077-596- 附
1339-658-705
1371- 67- 附
1388-168- 58
1394-396- 3
1405-659-303
1473-252- 68
呂珣妻 明 見居氏
呂詵明 523-227-156
呂煒明 1237-368- 11
呂煥宋 1171- 82- 10
呂楨明 676-522- 20
呂雺明 見呂雯
呂椿元 400-579-553
460-441- 33
529-735- 51
678-172- 86
呂瑛明 547-561-161
呂雉漢 漢高祖后 243-211- 8
243-235- 9
249- 74- 3
251-271-97上
372-182-5上
373- 3- 19
384- 38- 2
539-339- 8
1408- 46-481
呂媼宋 孫略婢 494-420- 13
呂經明 300-344-203
478-574-203
558-352- 35
561-213-38之2
1269-445- 7
呂誨呂晦 宋 286-261-321
382-504- 78
384-362- 18
384-369- 19
397-409-344
449-193- 5
450-388-中24
459-556- 33
471-745- 22
472-357- 15
472-430- 19
472-662- 27
472-766- 30
473- 86- 52
473-281- 61
477- 79-152
477-359-166
510-433-116
537-393- 57
545-176- 89
545-263- 93
674-285-4下
933-556- 36
1094-697- 76
1351-600-141
1394-422- 4
1437- 14- 1
呂誠元(字實夫) 523-152-153
呂誠元(四川行樞密院事)
559-267- 6
呂誠呂肅 元(字敬夫)
820-539- 39
1220-571- 附
1369-358- 9
1459-489- 16
1471-607- 15
呂端宋 285-499-281
371- 40- 4
382-211- 31
384-324- 17
384-338- 17
397- 1-320
449- 19- 2
450-684-下3
459-472- 28
472- 33- 1
472- 85- 3
472-789- 31
472-801- 31
474-176- 8
477- 50-151
477-408-169
481- 66-293
505-704- 70
505-716- 71
506-501-103
537-236- 55
537-325- 56
708-325- 50
933-556- 36
呂端女 宋 見呂氏
呂端明 540-800-28之3
呂漸宋 821-210- 51
呂榮漢 許升妻、許昇妻
253-632-114
381- 44-185
452-108- 3
472-231- 8
475-144- 57
479-101-221
485-203- 27

493-1077- 57
512- 17-177
524-527-204
呂榮元 472- 51- 2
呂漢明 516-105- 91
呂摭宋 473-777- 84
567-440- 86
1467-151- 67
呂嘉漢 244-783-113
呂嘉宋 488-394- 13
呂遜元 1200-184- 15
呂蒞妻 明 見葉氏
呂蒙吳 254-806- 9
370-239- 1
377-345-119
384- 79- 4
384-569- 29
407-590- 4
469- 85- 11
471-928- 49
472-793- 31
473-296- 62
475-524- 77
475-779- 89
933-554- 36
呂蒙宋 524-132-184
1150-885- 49
呂種妻 明 見牛氏
呂瑩漢 539-349- 8
呂諒元 1375- 22- 上
呂戭元 1221-162- 1
1226-905- 7
呂潛明(字時見) 301-765-282
457- 44- 2
458-749- 4
478-128-181
554-819- 63
1293-370- 20
呂潛明(字孔昭) 1442-111- 7
呂潤妻 明 見陳氏
呂毅明 299-490-154
458-142- 6
567- 88- 66
呂賢明 678-283- 97
呂確唐 820-260- 29
呂璋明(廣昌人) 505-862- 77
546- 95-118
呂璋明(字秉之) 563-827- 41
567-335- 79
1467-223- 70
1467-317- 74
呂震宋 1166-440- 35
呂震元 502-277- 55
540-780-28之2
1439-449- 2
呂震明 299-453-151
472-431- 19
472-841- 33
545- 66- 85
554-937- 64
1240-284- 18
1259-825- 6
1458-112-425
呂憲明 299-773-176
523-271-158
676-511- 20
1273-185- 25
1442- 34-附2
1459-721- 28
1475-239- 10
呂嶤唐 554-904- 64
812-496- 中
812-521- 2
821- 92- 48
呂德元 1194-683- 12
呂德女 明 見呂氏
呂磐元 1375- 22- 上
呂範吳 254-831- 11
370-244- 1
377-365-120
384- 80- 4
384-584- 31
469- 85- 11
472-200- 7
475-779- 89
488- 75- 6
488- 76- 6
488- 77- 6
511-356-150
537-560- 60
933-554- 36
呂憲明 537-219- 54
呂諲唐 271-461-185下
275- 45-140
384-211- 11
395-664-240
472-464- 20
473-297- 62
476-119-102
480-239-269
532-565- 40
546-271-124
549-241-190
549-242-190
933-555- 36
呂諤宋 472-983- 39
呂整元 1226-906- 7
呂彊漢 見呂強
呂據吳 254-832- 11
370-264- 3
377-367-120
384-585- 31
386- 75-70下
537-560- 60
呂豫金 1191-269- 24
呂豫元 547-559-161
呂興魏 568- 26- 98
呂蕢宋 472-708- 28
481-693-332
528-537- 32
537-464- 58
554-886- 64
呂衡明 511-253-146
呂錡春秋 見魏錡
呂濬明 578-968- 25
呂禧明 534-954-120
呂講明 1291-479- 8
呂謙元 472-239- 9
510-345-114
呂聰明 494- 57- 2
呂擢宋 488- 13- 1
488-451- 14
呂擢明 558-432- 37
呂聲明 473- 16- 49
479-483-239
515- 90- 59
523-435-167
呂嶽明 528-571- 32
呂燻清 見呂芝房
呂燿妻 明 見唐氏
呂璹宋 288-583-471
401-337-614
473-762- 84
481-610-329
482-389-358
528-490- 30
567- 59- 65
933-560- 36
1467- 25- 62
呂璹女 宋 見呂氏
呂璧明 1467- 95- 65
呂顒明 480-290-271
558-354- 35
呂顓明 558-353- 35
676-558- 23
呂鎰明 505-651- 68
呂麒明 1283-494-105
呂麒妻 明 見鍾氏
呂懷明 300-432-208
301-781-283
457-644- 38
479-560-242
515-889- 86
676-567- 23
1442- 55- 3
1460-132- 46
呂鏜宋 511-624-161
呂鏜明 474-382- 19
505-852- 77
510-363-114
呂鏞明 473-283- 61
473-624- 77
480-131-264
481-720-333
533-369- 60
呂獻明(字丕文) 299-846-180
479-239-227
523-307-160
676- 21- 1
676-517- 20
678-190- 88
820-654- 42
1320-676- 74
呂獻明(字伯文) 505-639- 67
呂獻明(字仲賢) 1241-730- 17
呂藿明 533-275- 56
呂纂後涼 見涼靈帝
呂鐘明 554-526-57下
呂夔明 523- 86-149
1267-660- 12
1458-215-433
呂蘭清 524-102-183

呂鐸明 516-130- 92
呂綸吳綸 明 473-268- 61
480-200-267
532-656- 44
呂權宋 820-372- 33
呂權元 1209-508-8下
呂顯後魏 261-697- 51
266-752- 37
379-185-149
474-616- 32
933-554- 36
呂巖唐 見呂嵒
呂灝宋 485-501- 9
呂讓唐 270-630-137
1076-224- 24
1076-670- 24
呂讓明(字克遜) 476-731-138
540-785-28之3
呂讓明(字志謙) 547-101-145
呂靈唐 見靈
呂觀女 元 見呂嘉貞
呂讚明 1253- 66- 44
呂一國妻 清 見舒氏
呂一照李照 明 456-526- 6
呂一廣明 見李一廣
呂一鷺妻 清 見李氏
呂九成明 524-288-192
呂九章明 456-526- 6
呂九韶明 456-636- 10
呂九儀妻 清 見夏氏
呂人龍宋 523-622-177
呂三才明 540-817-28之3
545-101- 86
呂三多妻 清 見李氏
呂士元宋(字佐堯) 471-732- 20
485-442- 6
494-325- 6
515-142- 61
1102-224- 28
1376-496- 91
呂士元宋(巢縣人) 511-639-161
呂士昌宋 1090-680- 40
呂士榮元 472-694- 28
537-266- 55
呂士龍宋 471-694- 15
呂子元唐 820-294- 30
820-315- 31
呂子羽宋 408-956- 4
1040-249- 4
1365-276- 8
1439- 6- 附
1445-505- 38
呂子固明 546-734-139
554-340- 54
呂子臧唐 271-489-187上
275-578-191
384-175- 9
400- 90-508
472-765- 30
476-118-102
477-458-166
537-311- 56
546-265-124
呂才智妻 清 見王氏
呂大川明 563-779- 40
呂大中宋 見呂本中
呂大圭呂大奎 宋
460-436- 33
677-409- 38
529-534- 45
679-538-191
呂大圭姪 宋 529-671- 49
呂大同妻 宋 見方氏
呂大亨宋 1364-760-364
呂大成明(字四如) 456-521- 6
474-306- 16
505-667- 69
540-828-28之3
呂大成明(字宗韶) 547-124-145
呂大防宋 286-506-340
382-574- 89
384-377- 19
397-599-356
450-784-下16
471-699- 16
471-809- 31
471-818- 32
471-820- 33
471-974- 55
472-376- 16
472-644- 26
472-840- 33
473-235- 60
473-427- 67
475-561- 79
475-853- 94
477- 53-151
478-123-181
478-167-182
478-335-191
478-695-210
479-677-248
480-177-266
481- 69-293
485-399- 4
515-129- 61
533-732- 73
537-242- 55
554-411- 55
556-401- 91
556-418- 92
559-265- 6
591-684- 47
674-287-4下
677-210- 19
820-376- 33
933-560- 36
1293-335- 19
呂大忠宋 286-509-340
382-592- 91
384-374- 19
397-602-356
448-475- 8
449-716- 6
472-430- 19
472-740- 29
472-840- 33
472-879- 35
472-893- 35
474- 92- 3
478-123-181
478-545-202
478-695-210
537-351- 56
545-337- 96
545-418- 98
554-464- 56
556-418- 92
558-196- 31
558-228- 32
674-287-4下
933-560- 36
1293-334- 19
呂大奎宋 見呂大圭
呂大英明 567-351- 80
1467-253- 71
呂大鈞宋 286-511-340
397-603-356
448-476- 8
449-713- 6
459- 69- 4
472-840- 33
478-124-181
547-154-147
554-812- 63
556-418- 92
674-287-4下
1293-335- 19
1351-643-145
呂大猷清 554-776- 62
呂大韶明 567-353- 80
1467-252- 71
呂大器妻 宋 見方氏
呂三多妻 清 見李氏
呂大器明 301-697-279
458-464- 23
478-454-197
481-336-308
554-217- 52
559-396-9上
676-656- 27
1442-106- 7
1460-644- 73
呂大濩明 1442- 84- 5
呂大臨宋 286-511-340
382-576- 89
384-381- 19
397-603-356
448-478- 8
449-715- 6
459- 69- 4
472-840- 33
478-124-181
554-812- 63
556-418- 92
556-533- 94
674-287-4下
677-229- 21
681-437- 0
820-376- 33
933-561- 36
1110-573- 33

1293-336- 19
呂大鵬金 1365-297- 9
1445-532- 41
呂方生後魏 261-588- 42
呂方毅唐 269-779- 79
274-366-107
395-376-215
呂方正妻 明 見徐氏
呂文仲宋 285-718-296
397-158-329
471-699- 16
472-378- 16
475-565- 79
485-429- 6
511-805-167
1376-549-94上
呂文度齊 259-551- 56
381- 15-184
呂文度女 明 見呂翃
呂文英明 524-378-197
821-406- 56
呂文信宋 288-380-454
400-183-514
呂文祖後魏 261-451- 30
266-513- 25
379- 65-147
546- 20-115
呂文卿元 538-322- 69
呂文煥元 493-782- 42
呂文燧明 299-336-140
479- 92-221
479-328-232
523-560-174
1224-124- 18
呂文寶宋 1123-160- 17
呂文顯齊 259-550- 56
265-1101- 77
370-528- 16
381- 18-184
呂之源妻 清 見朱氏
呂之節明 523-565-174
呂之蔭明 456-486- 5
558-434- 37
呂不用呂必用 明
479-237-227
524- 54-180
676-712- 29
1320-669- 74
1442- 14-附1
1459-398- 12
呂不韋戰國 244-540- 85
371-620- 55
375-959- 94
384- 31- 1
405-296- 74
472-650- 27
933-553- 36
呂王師清 見呂師著
呂元亨宋 821-247- 52
呂元芳唐 524-369-197
呂元泰唐 274-493-118
384-187- 10
545-132- 87
呂元素宋 591- 89- 6
呂元規宋 485-501- 9
呂元膺唐 271- 6-154
275-265-162
384-252- 13
396- 82-259
459-891- 54
472-456- 20
472-554- 23
472-739- 29
473-209- 59
473-280- 61
476-111-102
476-822-143
476-912-148
480-126-264
532-568- 40
532-628- 43
537-200- 54
540-740-28之2
545- 25- 83
545-436- 99
933-555- 36
呂元聲母 明 見東氏
呂元聲明(商州人) 456-669- 11
呂元聲明(海鹽人)
1475-369- 15
呂元簡唐 271-528-188
540-738-28之2
呂引年妻 明 見劉氏
呂牙興清 見呂申
呂尹之宋 1171-364- 10
呂天召明 547- 92-144
呂天孫宋 見呂雲仲
呂天恩明 567-340- 79
呂天貺清 530-214- 61
呂天策宋 820-401- 34
呂天祺元 1208-281- 13
呂日將唐 554-232- 52
呂中立元 820-546- 39
呂中孚金 291-713-126
400-693-566
1365-228- 7
1439- 9- 附
1445-441- 32
呂公直元 1222-662- 7
呂公弼宋 286-125-311
382-329- 52
384-361- 18
384-368- 19
397-306-337
450-210-上26
472- 65- 2
472-430- 19
472-893- 35
473-426- 67
474- 92- 3
475-749- 88
476- 29- 97
481- 68-293
505-664- 69
511-348-149
545-478-100
559-264- 6
591-682- 47
933-558- 36
1100- 77- 7
1437- 13- 1
呂公弼女 宋 見呂氏
呂公著宋 286-464-336
382-569- 88
384-368- 19
384-376- 19
397-565-354
448-464- 7
449-228- 8
450-731-下10
459-542- 32
471-811- 31
471-895- 43
471-900- 44
472- 86- 3
472-196- 7
472-203- 7
472-290- 12
472-544- 23
472-644- 26
472-717- 28
472-742- 29
472-789- 31
474-651- 34
475-365- 67
475-749- 88
475-776- 89
476-854-145
477-409-169
505-631- 67
511- 64-138
537-326- 56
537-512- 59
540-669- 27
680- 8-225
708-340- 50
820-374- 33
933-558- 36
1103-129-110
1106- 75- 10
1118-901- 60
1394-438- 4
呂公著妻 宋 見魯氏
呂公綽宋 286-124-311
382-328- 52
384-347- 18
397-305-337
450-324-中15
472-409- 18
472-826- 33
472-892- 35
475-749- 88
477- 51-151
478-695-210
511-347-149
554-148- 51
558-227- 32
933-558- 36
1093-375- 51
呂公孺宋 286-126-311
382-330- 52
384-347- 18
397-308-337
472-892- 35
475-749- 88
477- 51-151

477-243-161
484- 97- 3
511-348-149
545-337- 96
933-558- 36
呂升卿宋 288-584-471
488-401- 13
820-373- 33
933-560- 36
呂立祚清 511-630-161
呂必用明 見呂不用
呂必強宋 485-534- 1
呂永吉隋 264-1106- 79
267-558- 80
380- 23-165
呂本中呂大中 宋
287-160-376
398-208-378
449-433-上7
472-751- 29
473-768- 84
475-750- 88
517-357-125
524-337-195
538- 11- 61
540-670- 27
567-437- 86
588-169- 8
674-293-4下
679- 46-184
933-561- 36
1363- 58-102
1437- 22- 2
1467-148- 67
呂正音清 524-260-191
呂正德妻 清 見魏氏
呂世英清 524-166-186
呂世衡唐 275-578-191
400- 93-508
呂民仰妻 清 見李氏
呂由庚宋 286-264-321
397-411-344
545-337- 96
呂由聖宋 473-533- 72
559-302-7上
591-691- 48
呂由誠宋 288-301-448
400-158-513
472-663- 27
472-919- 36
473-523- 72
473-533- 72
476-576-131
477- 83-152
477-359-166
478-572-203
481- 70-293
481-290-306
481-309-307
538- 38- 63
540-670- 27
558-210- 32
559-302-7上
559-306-7上
呂由鍾明 560-603-29下
呂四峰明 533-728- 73
呂用之唐 276-477-224下
401-403-621
1084-271- 7
呂守謙妻 清 見夏氏
呂安父宋 1138-153- 14
呂安國齊 259-321- 29
265-666- 46
370-512- 15
378-231-137
933-554- 36
呂有功妻 明 見李氏
呂次姚宋 524-203-188
呂夷簡宋 286-121-311
371- 50- 5
382-325- 52
384-346- 18
397-302-337
449- 65- 6
450-718-下8
471-904- 45
471-906- 45
471-920- 48
472-126- 4
472-202- 7
472-324- 14
472-519- 22
472-643- 26
475-747- 88
476-750-139
477- 50-151
491-804- 6
511-347-149
524-338-195
540-659- 27
545-457-100
708-328- 50
820-347- 32
933-557- 36
1088- 41- 5
1104-395- 36
1437- 10- 1
呂光午明 523-550-173
呂光湖明 見呂光洵
呂光洵呂光湖 明
479-241-227
482-540-368
494-157- 5
510-377-114
523-548-173
569-652- 19
570-552-29之9
676-567- 23
677-605- 54
678-456-113
1442- 54- 3
1460-129- 46
呂兆熊明 505-830- 75
呂好古明 554-287- 53
呂好問宋 286-794-362
398- 50-369
472-290- 12
472-750- 29
473-750- 83
475-366- 67
475-750- 88
510-388-115
511-349-149
567-437- 86
1150-122- 14
1467-148- 67
呂仲平宋 526- 63-261
呂仲孚金 474-604- 31
呂仲和明 472-683- 27
538- 86- 64
呂仲洙呂洙 宋 288-461-460
1174-365- 24
呂仲洙女 宋 見呂良子
呂仲洙女 宋 見呂細良
呂仲實元 506-320- 97
呂行中宋 1161- 66- 79
呂沖之宋 524- 53-180
呂良子宋 呂仲洙女
288-461-460
401-164-590
473-588- 75
481-591-328
1174-365- 24
呂良佐呂良弼 元
472-357- 15
475-179- 59
510-435-116
1213-578- 12
1221-638- 24
1229-598- 2
1232-433- 4
呂良弼元 見呂良佐
呂志文明 1227- 81- 9
呂志學妻 明 見胡氏
呂成科清 456-312- 74
呂克成宋 492-701-3上
492-712-3下
呂克孝明 1442- 85- 5
1460-480- 63
呂克明元 1218-306- 13
呂更始漢 539-348- 8
呂步舒漢 244-858-121
呂伯佑宋 561-205-38之1
呂伯度後魏 552- 28- 18
呂伯原明 1227- 71- 8
呂希周明 1442- 52- 3
1460- 99- 45
呂布哲宋 286-467-336
382-573- 88
384-381- 19
397-569-354
427-363- 4
427-364- 4
427-365- 4
448-464- 7
449-235- 8
449-707- 6
459- 71- 4
471-691- 15
472-347- 15
472-395- 17
472-749- 29

475-749- 88
475-812- 91
511-348-149
511-713-164
511-914-173
538- 11- 61
540-670- 27
674-649- 6
708-341- 50
933-559- 36
1438- 18- 1
呂希純宋 286-468-336
382-573- 88
384-377- 19
397-570-354
472-867- 34
472-1014- 41
473-388- 65
475-750- 88
478-297-188
479-377-234
480-545-283
510-479-118
511-348-149
523-212-156
554-886- 64
933-559- 36
呂希煜清 480-138-264
533-431- 62
呂希道宋 472-394- 17
1100-462- 42
1110-144- 3
呂希說宋 529-603- 47
1146-129- 91
呂希說女 宋 見呂氏
呂希績宋 382-573- 88
384-377- 19
933-559- 36
呂秀巖唐 820-224- 28
呂宗信明 1237-607- 上
呂宗禮金 545-384- 97
呂宜之宋 561-608- 46
呂性之明 1227-291- 3
呂河漢後魏 見呂羅漢
呂定僧明 821-481- 58
呂居仁宋 471-880- 41
呂居簡宋 285-285-265
382-219- 32
396-581-306
476-475-125
482- 32-340
563-667- 39
933-557- 36
呂居簡明 1229-561- 6
呂承膽明 456-483- 5
呂承謨妻 清 見雷氏
呂昌辰宋 1099-598- 13
呂昌期明 523-220-156
呂昌齡宋 491-345- 2
1104-330- 30
呂明德明 1322-554- 8
呂叔素呂鎖住 明516-170- 94
呂芝山妻 明 見章寶
呂芝房呂爃 清 1324-321- 31
呂季重唐 472-376- 16
475-561- 79
485-498- 9
510-423-116
呂和卿宋 288-584-471
401-338-614
1112-434- 39
呂受恩後魏 261-588- 42
呂延之唐 486- 43- 2
491-343- 2
呂延之宋 494-325- 6
呂延年宋 515-314- 66
呂延貞南唐 475-271- 63
呂延禧妻 明 見吳氏
呂秉直明 472-291- 12
511-373-150
呂秉忠清 475-668- 84
502-685- 81
呂秉彝明 505-822- 75
呂洛拔後魏 261-451- 30
266-513- 25
379- 65-147
546- 20-115
933-554- 36
呂洞賓唐 見呂嵒
呂宜子春秋 見魏相
呂宣問宋 489-614- 48
492-524-13上之中
呂亮中妻 清 見陳氏
呂彥士明 494- 23- 2
呂彥直宋 493-1056- 56
820-388- 33
呂彥能姊 元 見呂氏
呂彥能妻 元 見劉氏
呂彥能媳 元 見王氏
呂咸休後周 537-463- 58
呂封齊明 554-311- 53
呂南公宋 288-254-444
400-668-562
473- 99- 53
479-629-245
515-821- 83
674-825- 17
1123- 3- 附
呂思恭宋 1166-440- 35
呂思誠元 295-478-185
399-746-494
453-778- 2
472- 66- 2
472-439- 19
473-749- 83
474-305- 16
476-297-112
478-764-215
493-785- 42
505-665- 69
523- 29-147
532-587- 41
546-357-126
567- 77- 65
1439-440- 2
1467- 50- 63
1471-382- 7
呂思禮北周 263-729- 38
267-404- 70
379-678-159
476-821-143
544-210- 62
680-670-285
933-554- 36
呂貞夫明 1272-220- 7
呂貞幹金 1365-276- 8
呂昭亮宋 523- 79-149
呂若契妻 清 見李氏
呂若愚明 515-280- 65
呂若履妻 明 見羅氏
呂禹平妻 明 見王秀寧
呂重庚宋 472-984- 39
491-111- 13
呂信夫明 1223-389- 6
呂信翁明 1229-277- 9
呂爰正明 473- 24- 49
515-359- 68
呂祐之宋 285-720-296
472-555- 23
488-372- 13
呂祖泰宋 288-394-455
400-140-511
451- 24- 0
471-885- 42
472-256- 10
473-725- 82
475-234- 61
479-323-232
482-227-348
511-898-172
523-402-165
563-909- 43
呂祖儉宋 288-393-455
400-140-511
451- 22- 0
451-322- 7
459-104- 6
472-1029- 42
472-1101- 47
473-166- 57
473-683- 79
479-323-232
479-750-251
482- 79-341
516-197- 95
523-609-176
563-908- 43
674-848- 18
1226-347- 17
呂祖慤宋 528-523- 31
呂祖憲宋 493-749- 41
呂祖謙宋 288-109-434
400-508-547
447-299- 2
449-796- 13
451-322- 7
459-103- 6
471-632- 7
472-1014- 41
472-1029- 42
479-323-232
479-377-234

523-609-176
529-756- 52
533-742- 73
539-504-11之2
585-536- 19
674-848- 18
820-428- 35
1146- 9- 85
1150-447- 1
1153- 16- 55
1156-477- 26
1363-733-219
1437- 25- 2
呂祖謙妻 宋 見芮氏
呂祖謙妻 宋 見韓氏
呂益柔宋 486- 51- 2
呂家齊明 456-637- 10
呂夏卿宋 286-398-331
382-419- 65
397-506-350
473-586- 75
481-585-328
529-528- 45
933-560- 36
1092-707- 66
呂時中明 505-827- 75
676-575- 23
1442- 58- 3
1460-167- 48
呂時臣明 見呂時
呂師召元 523-225-156
呂師周周 471-807- 31
呂師著呂王師 清
1321- 28- 87
呂師道女 宋 見呂氏
呂師聖元 510-361-114
呂師愈宋 1164-280- 14
呂師愈妻 宋 見夏氏
呂婆樓晉 558-386- 36
呂商隱宋 561-608- 46
呂弸中宋 524-330-195
呂乾健明 546-648-136
呂梓生清 554-776- 62
呂崇烈清 546-736-139
1313-228- 18
呂崇粹唐 556-758- 99
呂國祚明 1293-759- 5
呂國賓明 見吳國賓
呂處貞呂處眞 唐
1066-213- 20
1342-190-928
呂處眞唐 見呂處貞
呂細良呂細娘 宋 呂仲洙女
288-461-460
401-164-590
473-588- 75
481-591-328
1174-365- 24
呂細娘宋 見呂細良
呂紹中明 1295-544- 7
呂紹中妻 明 見孟氏
呂紹先唐 見呂嵒
呂紹義妻 宋 見陳氏
呂逢時宋 486-896- 34
524-290-193
呂從慶唐 511-910-173
呂渭孫宋 451-389- 12
523-558-174
呂湯民明 523-104-150
呂雲仙明 547-522-160
呂雲伸呂天孫 宋516- 44- 88
呂雲奇明 456-637- 10
475-453- 71
511-592-159
呂惠卿宋 288-583-471
382-535- 83
384-367- 19
401-337-614
450-773-下14
484- 98- 4
488-400- 13
530-381- 66
674-295-4下
820-373- 33
933-560- 36
1112-429- 38
1112-435- 39
1112-437- 39
呂越人漢 569-614-18下之2
呂雅謌蜀漢 384-462- 12
呂朝京清 476-439-122
546-420-128
呂登三妻 明 見許酉娘
呂景山宋 471-729- 20
呂景初宋 286- 8-302
397-221-332
537-465- 58
545- 46- 84
呂景蒙明 482-372-357
510-481-118
567-408- 84
1467-218- 70
呂虛夷明 1226-661- 1
呂順吾妻 清 見姜氏
呂無黨女 宋 見呂氏
呂循矩明 545-402- 98
呂猶龍清 567-161- 69
呂翕如妻 清 見林氏
呂勝己宋 460-300- 20
529-746- 51
684-492- 下
820-436- 35
呂勝弟元 1376-676- 99
呂義山宋 494- 19- 2
554-273- 53
呂義忠唐 545-383- 97
呂補衮清 505-828- 75
呂源甫妻 明 見羅氏
呂温卿宋 491-346- 2
呂新鎬明 547- 92-144
呂道安金 1445-784- 61
呂道章金 472-470- 20
476-406-119
547-540-160
呂道惠南北朝 524-275-192
呂道貴隋 264-1106- 79
267-558- 80
380- 23-165
呂萬魁妻 清 見趙氏
呂嗣宗宋 451-221- 0
呂嗣廣妻 元 見王氏
呂嗣慶元 1200-751- 57
呂嗣簡明 567-388- 82
1467-251- 71
呂圓登宋 288-307-448
400-168-513
476-370-117
546-487-131
呂敬甫明 821-370- 55
呂飴甥春秋 見瑕呂飴甥
呂端俊明 821-370- 55
呂爾占清 475-433- 70
511-468-154
呂愿中呂愿忠 宋
473-762- 84
567- 68- 65
585-764- 5
1363-335-152
1467- 42- 63
呂愿忠宋 見呂愿中
呂嘉貞元 呂觀女
1217-601- 4
1226-905- 7
呂嘉問宋 286-708-355
397-748-365
494-303- 5
呂鳴世明 302- 53-292
456-555- 7
478-200-184
554-307- 53
呂鳴岳唐 545-361- 96
呂鳴珂明 821-435- 57
呂鳴夏清 474-279- 14
505-843- 76
呂鳴雲明 456-457- 4
505-843- 76
呂鳴韶明 547-102-145
呂夢奇南唐 472-612- 25
呂夢巽女 宋 見呂氏
呂夢熊清 478-204-184
呂圖南明 460-748- 77
529-551- 45
呂蒙正宋 285-283-265
371- 41- 4
382-217- 32
384-331- 17
384-338- 17
396-579-306
449- 15- 1
450-129-上15
459-464- 28
471-684- 14
472-172- 6
472-748- 29
477-313-164
537-505- 59
588-160- 8
708-325- 50
933-556- 36
1437- 7- 1
呂蒙吉女 宋 見呂氏
呂蒙亨宋 285-285-265

396-581-306
1104-395- 36
呂鳳亭妻 明 見鄧氏
呂僧珍梁 260-128- 11
265-803- 56
370-560- 18
378-326-139
384-118- 6
472-293- 12
475-372- 68
511-395-151
540-722-28之1
933-554- 36
呂維垣清 505-893- 79
呂維祜明 301-471-264
456-558- 7
538- 60- 63
呂維祺明 301-470-264
456-409- 1
456-558- 7
457-937- 54
458- 23- 1
458-247- 6
458-1065- 2
477-316-164
538- 60- 63
680- 52-229
1312-308- 30
1312-842- 11
1442- 92- 6
1460-682- 75
呂維榦清 592-779- 2
呂維顯明 456-609- 9
呂魁英妻 清 見王氏
呂諒卿宋 529-529- 45
呂廣問宋 485-502- 9
511-909-173
1165-312- 20
1376-539- 93
呂潛心宋 460-443- 33
呂調元明 302- 90-294
456-614- 9
480-341-273
533-394- 60
呂調音明 533- 13- 47
呂調陽明 482-351-356
534-829-113
534-874-115
567-341- 79
1467-234- 71
1467-321- 74
呂養中元 1217-556- 1
呂履恆清 474-694- 37
476-181-106
502-311- 57
545-253- 92
569-620-18下之2
呂賜宗明 511-628-161
呂德升明 1255-433- 47
呂德茂元 683- 60- 3
呂德昭明 1227-700- 5
呂餘慶呂胤 宋 285-254-263
371- 40- 4
382-211- 31
384-324- 17
396-561-304
450-684-下3
472- 32- 1
472-642- 26
473-425- 67
474-176- 8
476-853-145
481- 66-293
505-716- 71
559-262- 6
591-679- 47
933-556- 36
呂凝之宋 1153-2105- 83
呂頤浩宋 286-788-362
398- 44-369
449-511-下2
471-684- 14
471-702- 16
472-172- 6
472-290- 12
472-525- 22
472-962- 38
473-334- 63
475-366- 67
476-525-128
484-104- 3
486-897- 34
488-412- 14
488-418- 14
489-639- 48
491-808- 6
493-770- 42
510-388-115
523- 13-146
524-327-195
532-576- 41
540-766-28之2
1437- 21- 2
呂興周明 482-352-356
567-348- 80
1467-247- 71
呂學簡明 533-322- 57
呂龜祥宋 472-612- 25
511-913-173
呂應科明 570-144-21之2
呂應祥明 554-666- 60
1293-370- 20
呂應乾明 483-171-383
呂應蛟明 302-114-295
456-526- 6
474-246- 12
505-846- 76
呂應龍妻 清 見焦氏
呂應璜妻 清 見李氏
呂應學清 502-651- 79
呂聰問女 宋 見呂氏
呂聲之宋 1437- 27- 2
呂儲元妻 清 見傅氏
呂徽之元 524-290-193
呂鎖住明 見呂叔素
呂羅漢呂河漢 後魏
261-697- 51
266-752- 37
379-185-149
540-725-28之1
933-554- 36
呂鵬雲明 540-672- 27
呂繹如妻 清 見陳氏
呂獻臣唐 820-181- 27
呂耀敏清 456-372- 78
呂繼曾妻 清 見杜氏
呂繼梗明 594-215- 7
呂夔友宋 1175-551- 18
呂巖客唐 見呂嵒
壯圖清 456-245- 68
岑甲妻 明 見林氏
岑況唐 494-318- 6
岑芝明 567-545- 91
岑全宋 524- 53-180
岑泉晉 見岑淵
岑俊明 820-618- 41
岑高明 473-624- 77
岑起漢 370-119- 9
岑晊漢 253-371- 97
376-965-112
384- 66- 3
385- 62- 5
402-542- 17
472-771- 30
477-368-167
480-207-267
533-226- 54
537-539- 59
933-495- 33
岑豹明 302-605-319
岑淵岑泉 晉 820- 74- 23
岑乾明 524-367-197
岑猛妻 明 見瓦氏
岑統妻 明 見陳氏
岑參唐 451-421- 2
471-954- 52
472-773- 30
473-522- 72
480-245-269
481-309-307
533-208- 53
547-201-148
559-305-7上
591-691- 48
674-251-4上
674-857- 19
1365-409- 2
1371- 59- 附
1472-227- 14
岑斌妻 宋 見王氏
岑斌明 569-671- 19
岑翔唐 545-334- 96
岑翔宋 567-543- 91
岑琬明 1442- 24-附2
1459-614- 23
1475-196- 8
岑彭漢 252-545- 47
370-119- 9
376-557-105
384- 55- 3
402-359- 3
402-519- 15

402-557- 18
471-819- 33
472-768- 30
477-363-167
533- 83- 49
538- 62- 63
559-240- 6
591-657- 47
933-494- 33
岑象宋 見岑象求
岑欽明 302-597-318
302-602-318
岑義明 472-313- 13
475-432- 70
511-582-159
岑瑄妻 明 見盧氏
岑瑛明 482-408-359
567-544- 91
1467- 68- 64
岑萬明 564-136- 45
676-561- 23
岑熙漢 252-550- 47
376-561-105
402-462- 10
402-526- 15
472-693- 28
472-770- 30
477-160-157
505-687- 70
511-659-162
533- 84- 49
537-261- 55
933-494- 33
岑瑤妻 明 見李氏
岑璋明 302-611-319
岑羲唐 269-660- 70
274-303-102
384-187- 10
384-192- 10
395-322-210
472-272- 11
472-739- 29
472-773- 30
475-271- 63
533-208- 53
537-350- 56
933-495- 33
1371- 53- 附
1387-363- 26
岑諫明 474-373- 19
505-672- 69
岑應明 302-597-318
岑徽明 564-258- 47
岑顏明 302-608-319
岑瓊明 1253-139- 47
岑瓛明 302-595-318
岑士貴元 1209-112- 6
岑子原明 523-155-153
岑文本唐 269-657- 70
274-302-102
384-172- 9
395-321-210
407-392- 2
470-354-142
471-780- 27
472-773- 30
473-301- 62
480-244-269
533-207- 53
820-136- 26
933-495- 33
1371- 48- 附
1387-249- 16
岑之元北周 263-829- 48
267-785- 93
381-400-193
岑之利隋 263-829- 48
267-785- 93
381-400-193
岑之豹明 564-239- 46
岑之象隋 263-829- 48
267-785- 93
381-400-193
岑之敬陳 260-782- 34
265-1027- 72
380-376-176
472-773- 30
477-375-167
533-233- 54
538-144- 65
933-495- 33
1387-180- 10
1395-601- 3
岑仁忠明 563-778- 40
岑永清明 564-239- 46
岑用賓明 300-544-215
482- 38-340
564-138- 45
676-589- 24
岑用齊妻 清 見朱氏
岑安卿元 1469-262- 48
岑吉祥女 清 見岑如寶
岑如寶清 岑吉祥女
482-511-366
岑仲休岑仲林 唐472-171- 6
489-664- 49
492-560-13下之上
510-309-113
933-495- 33
岑仲林唐 見岑仲休
岑仲淑宋 566-735- 61
岑仲翔唐 475-118- 55
493-738- 41
933-495- 33
岑良卿元 1439-428- 1
岑伯高明 1265-513- 18
岑伯然吳 820- 43- 22
岑宗旦宋 813-270- 12
820-366- 33
岑長倩唐 269-660- 70
274-304-102
384-183- 10
395-322-210
480-244-269
533-383- 60
933-495- 33
岑野先妻 元 見周氏
岑統巍清 482-511-366
岑統巍妻 清 見黃氏
岑翔龍元 1203-389- 29
岑善方北周 263-829- 48
267-785- 93
370-568- 18
381-400-193
472-773- 30
533-314- 57
533-736- 73
538-144- 65
岑景融元 1222-478- 12
岑象求岑象 宋 473-505- 71
591-365- 29
592-545- 95
1110-566- 33
岑道願隋 473-305- 62
480-257-269
533-762- 74
561-222-38之3
591-293- 23
592-244- 75
岑達觀妻 清 見潘氏
岑嗣恪清 563-894- 42
岑應春明 523-457-168
岑懋仁明 567-545- 91
芒和、芒如 夏 383-241- 23
544-154- 61
芒卯戰國 405-181- 68
芒卯妻 戰國 見孟陽氏
芒如夏 見芒
芒慈母 戰國 見孟陽氏
芋尹蓋春秋 見芊尹蓋
芋尹無宇春秋 見申無宇
芊北周 547-491-159
芊心漢 933-518- 34
芊戎芊戒、華陽君 戰國
384- 31- 1
405-279- 74
芊戒戰國 見芊戎
芊嬰戰國 405-453- 85
芊尹文春秋 386-736- 15
芊尹蓋芋尹蓋 春秋
405- 94- 62
芊尹無宇春秋 見申無宇
旴烈旴烈 晉 473- 33- 49
479-503-239
516-412-103
邑姜周 周武王妃、呂尚女
404-451- 26
別湜宋 1173-300- 85
1176-331- 34
別之傑宋 287-722-419
473-235- 60
488- 14- 1
488-475- 14
488-476- 14
533-189- 53
別的因元 見布敦
別娥娥元 295-628-200
401-177-593
別南和尚清 572-162- 32
別多喇卜丹曾丁荅失 元
1210-440- 15
1439-424- 1

別兒怯不花元 見伯勒齊爾布哈
吽哈囉悉利宋 1054-696- 20
虬鬚客隋 1061-295-112
兕先氏兕氏、倪氏 後魏 彭老生妻 262-307- 92
267-724- 91
381- 59-185
452-110- 3
472-882- 35
478-673-209
558-518- 42
步氏清 于祚永妻 477- 97-153
步招春秋 545-726-109
步眞阿史那步眞、繼往絶可汗 唐 271-682-194下
步陽春秋 見步揚
步揚步陽 春秋 933-655- 43
步熊晉 256-551- 95
380-605-182
472-571- 24
933-655- 43
步毅春秋 見郤毅
步騭吳 254-783- 7
370-257- 2
377-330-119
384- 79- 4
384-559- 28
472-310- 13
473- 43- 50
475-327- 65
479- 91-221
479-525-241
480-340-273
481-798-338
511-190-143
515-207- 63
523- 95-150
563-608- 38
567- 24- 63
933-655- 43
1467- 5- 62
步闡吳 254-783- 7
370-278- 4
377-331-119
步上達明 571-553- 20
步之俊妻 清 見盧氏
步元舉金 1365-293- 9
步宗浩宋 493-1109- 58
步叔乘少叔乘 春秋 244-390- 67
375-657- 88
405-446- 85
472-588- 24
491-791- 6
539-497-11之2
933-655- 43
步度根漢 381-641-200
步從信明 523-200-155
563-798- 41
步善慶妻 明 見陳氏
步游張宋 (張姓少失母徒步尋訪) 511-645-162
步練師吳 吳大帝后 254-760- 5
370-251- 2
373- 59- 19
385-478-52上
步大汗權北齊 263-163- 20
267-128- 53
379-378-152
546- 33-116
步六孤氏北周 見陸氏
步六孤通北周 見陸通
步六孤逞北周 見陸逞
步迦可汗隋 見玷厥
步陸孤氏北周 見陸氏
步陸孤彥北周 見陸逞
步陸孤逞北周 見陸逞
步六孤皇后北齊 見元皇后
助陳漢 楊鳳珪妻 481-363-310
591-580- 43
吳山宋 1375- 15- 上
吳山元 1193-674- 33
吳山明(字日靜) 300-553-216
479-749-251
515-480- 71
518-788-161
820-695- 43
吳山明(字靜之) 475-134- 56
511-105-140
528-454- 29
1284-162-149
1320-734- 80
1442- 44-附3
吳山明(字仲安) 533- 37- 48
吳山清 455-268- 15
吳山妻 清 見陳氏
吳文明(字尚質) 567-301- 77
1467-186- 69
吳文明(字從周) 1271-452- 11
1410-242-692
1458-702-472
吳云明 1276-428- 10
吳王漢 見劉濞
吳王晉 見司馬晏
吳王唐 見李恪
吳王唐 見李琨
吳王唐 見李榮
吳王後周 見郭誠
吳王宋 見趙佖
吳王宋 見趙顥
吳王宋 見趙德昭
吳王遼 見劉珂
吳王明 見朱允熥
吳元宋 473- 89- 52
516-125- 92
吳元明(武進人) 300-758-229
吳元明(南海人) 563-839- 41
吳木唐 475-577- 79
吳及宋 286- 10-302
397-222-332
471-904- 45
472-239- 9
475-175- 59
475-484- 73
481-524-326
505-744- 72
510-343-114
511-243-145
528-439- 29
567-431- 86
585-754- 4
1097-307- 21
1467-144- 67
吳中宋 516- 42- 88
吳中元 524-265-191
吳中明(字思正) 299-455-151
453-190- 18
472-577- 24
540-786-28之3
886-143-138
1239- 2- 26
吳中明(眉州人) 473-570- 74
528-452- 29
吳中明(字時中) 473-624- 77
516- 68- 89
563-747- 40
567-100- 66
1467- 75- 64
吳中明(字孟庸) 479-238-227
523-305-160
吳中明(字宗本) 1442- 15-附1
1459-507- 17
吳公漢 472-737- 29
472-791- 31
477-302-163
537-293- 56
吳丹吳白水 漢 516-467-104
554-969- 65
479-537-241
吳丹唐 820-237- 28
1080-756- 69
1343-800- 58
吳丹清 558-163- 30
吳仁宋 1171-366- 10
吳仁明 532-620- 43
吳升宋(吳矜從弟) 491-435- 6
吳升宋(字濳道) 1128-626- 18
吳介明 676-300- 11
吳化明 480-135-264
533- 52- 48
吳氏吳 孫堅妻 254-758- 5
370-233- 1
385-477-52上
524-451-202
吳氏隋 來護兒世母 475-380- 68
吳氏唐 羅士程妻 530- 59- 55
吳氏唐 吳仁璧女 485-182- 25
493-1079- 57
512- 18-177
吳氏宋 王令妻、吳賁女 479-663-247
516-310-100
1106-574- 附
吳氏宋 王益妻、吳畋女 516-310-100
1098-726- 45
1356-231- 10
吳氏宋 李夔妻、吳桓女 1125-405- 32

吳氏宋 李介夫妻、吳蒙女 1345-399- 19
吳氏宋 呂祉妻 475-782- 89
481-679-331
吳氏宋 呂慱妻 1123-823- 10
吳氏宋 林齡妻、吳貴女 1168-449- 38
吳氏宋 眞嵩妻 288-159-437
481-679-331
1180-539- 50
吳氏宋 晏昭素妻、吳震女 1122-543- 9
吳氏宋 郭申錫妻、吳有鄰女 1099-611- 14
吳氏宋 陸佖妻、吳穀女 1117-183- 15
吳氏宋 陳軫妻、吳植女 1117-183- 15
吳氏宋 陶躍之妻 1186-834- 4
吳氏宋 張宗望妻、吳元儼女 1124-260- 19
吳氏宋 陳宗諤妻、吳日華女 1122-542- 9
吳氏宋 崔光弼妻、吳瀚女 1128-289- 28
吳氏宋 曾易占妻 1105-839-100
1410-354-709
吳氏宋 楊翺妻 1105-830- 99
吳氏宋 萬性善妻 516-229- 97
吳氏宋 趙士專妻、吳沛女 1100-513- 48
吳氏宋 趙宗楷妻、吳守仁女 1100-511- 48
吳氏宋 劉英傑妻 492-607-13下之下
吳氏宋 錢訪妻、吳充女 1093-659- 20
吳氏宋 王浩母 1159-552- 33
吳氏宋 吳永年姊 1139-635- 2
吳氏宋 吳羨門女 530-136- 57
吳氏宋 吳端禮女 1173-249- 81
吳氏宋 徐獻子母 1176-349- 35
吳氏元 王心德妻、吳當女 516-313-100
吳氏元 汪元妻 1205-291- 9
吳氏元 杜文開妻 1218-623- 2
吳氏元 周經妻 295-633-201
401-180-593
吳氏元 胡鷟妻 506-151- 90
吳氏元 陳遜妻 530- 89- 56
吳氏元 甯天驥妻 475-646- 83
吳氏元 黃元珪妻、吳仲禮女 1376-672- 98
吳氏元 吳屴女 1225-796- 19
吳氏元 曹元達母 683- 58- 3
吳氏元 曹有實母 1218-307- 13
吳氏明 方吾妻 512-319-185
吳氏明 文林妻、吳清女 1256-450- 30
吳氏明 文徵明妻、吳愈女 1458-211-432
吳氏明 王弘妻 506- 29- 86
吳氏明 王式妻 530- 91- 56
吳氏明 王玘妻 472-485- 21
吳氏明 王倫妻 506-152- 90
吳氏明 王遷妻 478-351-191
吳氏明 王三錫妻 1283-302- 90
吳氏明 王世恩妻 530- 9- 54
吳氏明 王啟龍妻 483-141-380
570-205- 22
吳氏明 王竦齋妻、吳政女 1263-526- 5
吳氏明 朱之相妻 475-647- 83
吳氏明 朱英鏻妻 480- 62-260
吳氏明 汪玄儀妻 1278-451- 22
1410-424-720
吳氏明 汪鳳苞妻 512- 85-179
吳氏明 沈濬妻、吳澤女 493-1083- 57
吳氏明 沈思肇妻 512-490-189
吳氏明 宋宣妻 530- 66- 55
吳氏明 杜晥妻 480- 96-262
534-887-116
吳氏明 李祿妻 472-1033- 42
524-723-212
吳氏明 李萬妻 506- 44- 87
吳氏明 呂延禧妻 475-188- 59
吳氏明 何琚妻 530- 90- 56
1274-496- 20
吳氏明 何嘉會妻 481-119-296
吳氏明 邵以嵩妻 483-383-402
吳氏明 林信妻、吳泳女 1273-503- 5
吳氏明 林稔妻 1263-105- 17
吳氏明 林議妻 530- 65- 55
吳氏明 林大節妻 530-126- 57
吳氏明 林仁伯妻 1254-592- 上
吳氏明 林世蓁妻 530- 13- 54
吳氏明 林端五妻 530- 67- 55
吳氏明 周佩妻 1271-596- 51
吳氏明 周珍妻 516-234- 97
吳氏明 周賢妻 506- 73- 88
吳氏明 周凝貞妻 302-231-302
475-712- 86
吳氏明 洪仲謹妻、吳朝器女 1271-810- 8
吳氏明 施廷栩妻 479-562-242
吳氏明 胡廷器妻 474-444- 21
506-136- 89
吳氏明 姚文熛妻 530- 66- 55
吳氏明 高黑妻 477-455-171
吳氏明 席祥妻 524-453-202
1229-381- 14
吳氏明 馬炳然妻 481-389-312
吳氏明 孫存德妻、吳叔祥女 1253-107- 46
吳氏明 孫承恩妻、吳一齋女 1271-655- 56
吳氏明 郝郊妻 506- 32- 86
吳氏明 夏士祥妻、吳應斗女 479-536-241
吳氏明 徐鼎妻、吳約女 1258-278- 4
吳氏明 徐榮妻 472-1032- 42
吳氏明 徐熿妻 1283-582-112
吳氏明 徐蘭妻 477-548-176
吳氏明 徐執楊妻 516-245- 97
吳氏明 徐堯封妻 480-208-267
吳氏明 翁參妻 1283-321- 92
吳氏明 許鑑妻 530- 12- 54
吳氏明 郭梅巖妻 1283-294- 90
吳氏明 康正福妻 530- 66- 55
吳氏明 陸平妻、吳寔女、吳士實女 1268-486- 76
1268-518- 81
吳氏明 習懷恭妻、吳有諒女 1240-362- 23
吳氏明 陶亮妻 302-218-301
472-340- 14
475-533- 77
吳氏明 張沼妻 474-248- 12
506- 43- 87
吳氏明 張子文妻 530- 66- 55
吳氏明 張文麟妻 1280-500- 92
吳氏明 張承祖妻 483-251-391
吳氏明 張秉孚妻 530- 68- 55
吳氏明 張淵洌妻 517-586-130
吳氏明 張應宸妻 483-269-392
吳氏明 陳天妻、吳琮女 530- 6- 54
吳氏明 陳逕妻 472-369- 16
吳氏明 陳瑞妻 530-124- 57
吳氏明 陳九敘妻 481-532-326
吳氏明 陳以約妻、吳燦女 1291-533- 9
吳氏明 陳宏和妻 530- 64- 55
吳氏明 陳邦珍妻 530- 62- 55
吳氏明 陳誠卿妻 530- 64- 55
1254-589- 上
吳氏明 畢濟妻、吳毅女 1283-326- 92
吳氏明 游綸妻 1272-442- 13
吳氏明 黃榜妻 1283-506-106
吳氏明 黃鐸妻、吳典女 1257-164- 15
吳氏明 黃文廣妻 530- 61- 55
吳氏明 黃季滋妻 530-140- 58
吳氏明 黃茶山妻、吳道澤女 1283-502-106
吳氏明 黃從周妻 530- 64- 55
吳氏明 黃登榜妻、吳現瑛女 572-115- 31
吳氏明 賀元良妻、吳寬女 1260-642- 20
吳氏明 彭儀妻 472-668- 27
477-211-159
538-174- 67
吳氏明 閔德祚妻 475-382- 68
吳氏明 華褘妻、華緯妻 472-263- 10
475-235- 61
吳氏明 華之克妻

1291-528- 9
吳氏明 程宇妻 475-382- 68
吳氏明 程廷全妻 1283-631-116
吳氏明 程景宗妻、吳琳眞女 1261-856- 41
吳氏明 喬隆妻 506-131- 89
吳氏明 喬檀妻 506- 6- 86
吳氏明 楊鎭妻 558-540- 43
吳氏明 楊鎰妻 533-517- 66
吳氏明 楊光休妻 506-144- 90
吳氏明 楊孟達妻、吳以南女 1243-260- 14
吳氏明 萬谷陽妻 481-337-308
吳氏明 葛彥祥妻 472-278- 11
吳氏明 葉梁妻 473- 53- 50
479-535-241
吳氏明 葉周安妻 530-128- 57
吳氏明 鄒國恩妻 481-652-330
530-126- 57
吳氏明 齊壽邦妻 506- 12- 86
吳氏明 廖伯鐸妻 479-685-248
吳氏明 甄六妻 506- 42- 87
吳氏明 臧斐基妻、吳登賢女 524-595-207
吳氏明 臧照如妻 1294-530- 12
吳氏明 趙楨國妻 506- 8- 86
吳氏明 熊明遠妻 479-499-239
516-246- 97
吳氏明 鄧標妻 530- 4- 54
吳氏明 鄧再興妻 483-331-397
吳氏明 樊伯妻 480-178-266
吳氏明 蔣橋妻 483-383-402
572-144- 31
吳氏明 黎文明妻 1467-274- 72
吳氏明 劉梅妻、吳宏女 1275-868- 55
吳氏明 劉麟妻、吳淑乾女 558-496- 42
吳氏明 劉山松妻 483-251-391
吳氏明 劉尚忠妻 506- 13- 86
吳氏明 劉芳聲妻 480-178-266
吳氏明 劉思中妻 473-216- 59
吳氏明 劉若寓妻 475-535- 77
吳氏明 劉應朝妻 479-812-255
吳氏明 盧清妻 302-213-301
476-156-104
547-277-152
吳氏明 鮑希軾妻、吳斯謐女 1251-340- 24
吳氏明 謝郁妻、吳偉女 481-465-319
吳氏明 鍾亮妻 302-218-301
吳氏明 魏晉封妻 480- 95-262
533-531- 67
吳氏明 魏善調妻 477-423-169
吳氏明 朱樸祖母 1273-427- 下
吳氏明 吳貴女 483-140-380
吳氏明 吳大有女 481-439-316
吳氏明 吳元明女 482- 43-340
吳氏明 吳石蒼女 533-575- 68
吳氏明 吳惟允女 483-373-401
吳氏明 孫傳庭母 1296-316- 4
吳氏清 丁玨妻 479-253-228
483-185-385
吳氏清 亢時偕妻 533-655- 70
吳氏清 方翹妻 479-384-234
吳氏清 方仲舒妻 512- 6-176
吳氏清 方尚震妻 524-474-202
吳氏清 王匡妻 474-193- 9
吳氏清 王鍪妻 478-438-196
吳氏清 王燾妻、吳訒伯女 524-593-207
吳氏清 北京兆妻 512-316-184
吳氏清 王家玥妻 506- 21- 86
吳氏清 王起發妻 530- 37- 54
吳氏清 王維新妻 506- 16- 86
吳氏清 白良玉妻、吳邦瑞女 559-500-11下
吳氏清 伍周仁妻 530-131- 57
吳氏清 朱煒妻 524-597-207
吳氏清 汪維億妻 1315-524- 31
吳氏清 沈文元妻 479-150-223
吳氏清 沈元標妻 474-193- 9
吳氏清 沈始樹妻、吳之紱女 1328-374- 11
吳氏清 沈家桂妻 530-119- 57
吳氏清 沈應麟妻 475-241- 61
吳氏清 宋國祥妻 512-311-184
吳氏清 李通妻 474-655- 34
吳氏清 李範妻 482-502-365
吳氏清 李大孫妻 479-437-236
吳氏清 李上蘭妻 482-210-347
吳氏清 李元正妻 476-869-145
吳氏清 李廷柱妻 530- 77- 55
吳氏清 李應官妻 479-410-235
吳氏清 何用和妻 479-685-248
吳氏清 武常阿妻 474-779- 42
503- 47- 94
吳氏清 林來尚妻 482-146-344
吳氏清 林若采妻 530- 36- 54
吳氏清 林重光妻 530-119- 57
吳氏清 林穎仲妻 530- 79- 55
吳氏清 尚毓秀妻 506- 27- 86
吳氏清 金文庶妻 524-498-203
吳氏清 周貞一妻 479-436-236
吳氏清 周逢甲妻 524-645-209
吳氏清 邱濬妻 474-342- 17
吳氏清 洪運士妻 481-449-317
吳氏清 施延哲妻 481-533-326
吳氏清 胡之陳妻 475-838- 93
吳氏清 胡光祖妻 475-584- 79
吳氏清 胡光善妻 475-579- 79
吳氏清 胡光裕妻 475-579- 79
吳氏清 范庸妻 481-680-331
530-149- 58
吳氏清 范彩雲妻 480-142-264
吳氏清 侯希曾妻 477- 94-153
吳氏清 唐獻賦妻、唐方沂母 512- 12-176
吳氏清 孫正心妻 512-385-186
吳氏清 孫麟超妻 474-193- 9
吳氏清 柴門興妻 558-501- 42
吳氏清 徐基妻 482-118-343
吳氏清 徐捷妻 474-196- 9
吳氏清 徐士榮妻 512-101-179
吳氏清 徐天虬妻 512-224-182
吳氏清 徐天賡妻、徐天廖妻 481-651-330
530-131- 57
吳氏清 徐宗國妻 475- 82- 53
吳氏清 徐開淑妻 530-133- 57
吳氏清 翁嗣光妻 530-101- 56
吳氏清 殷之才妻 478-392-193
吳氏清 章開緒妻、吳裕女 524-490-203
吳氏清 許一圖妻 475-650- 83
吳氏清 許逢桂妻 1327-715- 9
吳氏清 梁朝相妻 506- 86- 88
吳氏清 連以敬妻 530- 98- 56
吳氏清 張端妻 478-491-199
吳氏清 張秉彝妻、吳重熙女 1319-700- 43
吳氏清 張問明妻 483-397-403
吳氏清 張國侯妻 506- 66- 87
吳氏清 張紹德妻 524-494-203
吳氏清 張端上妻 530-175- 59
吳氏清 張與三妻 524-507-203
吳氏清 陳詩妻 530-148- 58
吳氏清 陳正芳妻 533-585- 68
吳氏清 陳正暉妻 530- 30- 54
吳氏清 陳安仁妻 474-193- 9
吳氏清 陳邦和妻 512-359-185
吳氏清 陳錫侯妻 530- 27- 54
吳氏清 黄是妻 475-584- 79
吳氏清 黄儦妻 530- 35- 54
吳氏清 黄以位妻 475-757- 88
吳氏清 雅克舒妻 503- 73- 96
吳氏清 覃一揆妻 482-374-357
吳氏清 揭斯禴妻 479-634-245
516-341-100
吳氏清 傅光箕妻 1313-275- 21
吳氏清 程自康妻、吳商山女 1321-231-111
吳氏清 賈維盛妻 506-123- 89
吳氏清 雷聲發妻 480- 98-262
吳氏清 楊孕秀妻 506-112- 89
吳氏清 葉仁智妻 479-436-236
吳氏清 葉如檞妻 530- 81- 55
吳氏清 廖佩紳妻 482- 48-340
吳氏清 甄任蓮妻 482-189-346
吳氏清 趙元文妻 481-700-332
吳氏清 熊志洛妻 480- 97-262
吳氏清 潘奎妻 483-269-392
吳氏清 潘塈妻 524-491-203
吳氏清 潘仁師妻 530- 83- 55
吳氏清 潘舜光妻 530- 83- 55
吳氏清 鄭士長妻 482-566-369
吳氏清 鄭而會妻 530- 75- 55
吳氏清 鄭景洙妻 506- 64- 87
吳氏清 樓用孝妻 479-334-232
吳氏清 鄧文祥妻 530-132- 57
吳氏清 蔡壁妻、吳天章女 1325-785- 9
吳氏清 劉漢妻 480- 66-260
吳氏清 劉元輔妻 503- 35- 94

吳氏清 劉元鍠妻 479-499-239
516-255- 97
吳氏清 劉公昇妻 481-119-296
吳氏清 劉永仁妻 480-301-271
吳氏清 劉玉全妻 482-355-356
吳氏清 劉守發妻 479-751-251
吳氏清 駱光裕妻 479-253-228
524-654-209
吳氏清 穆子蘭妻 474-193- 9
吳氏清 謝欽妻 506-124- 89
吳氏清 謝維夏妻 530- 78- 55
吳氏清 謝懋俊妻 524-459-202
吳氏清 韓方川妻 475-190- 59
吳氏清 鍾鼎孳妻 474-193- 9
吳氏清 顏三台妻 480-566-284
吳氏清 吳璧女 479-685-248
吳氏清 瞿琨妻 512-217-182
吳氏清 魏天良妻 506- 16- 86
吳氏清 魏學銓妻 482-145-344
吳氏清 羅鎬妻 480-301-271
吳氏清 羅明寰妻 480-513-281
吳氏清 嚴曾采妻 524-483-203
吳氏清 蘇魁吾妻 476-829-143
吳氏清 李光地母
1324-992- 33
吳氏清 吳楫女 524-573-206
吳氏清 吳宏基女 474-194- 9
吳氏清 吳裕鳳女 475-584- 79
吳氏清 楊泓母 1315-390- 19
吳立明(宿州人) 474-733- 40
吳立明(字大本) 515-878- 86
吳永金 546-668-137
吳永明(仙遊人) 529-667- 49
吳永明(平樂人) 567-319- 78
569-669- 19
吳本宋 460-1050- 4
吳平明 1242-185- 30
吳可女 元 見吳卿吉
吳充宋 286-142-312
382-403- 63
384-366- 19
397-314-337
450-406-中27
471-660- 11
473-602- 76
481-675-331
529-594- 47
933-110- 7
1106- 74- 10
1106-385- 49
吳充女 宋 見吳氏
吳旦明 676-571- 23
1442- 66- 4
1460-291- 53
吳甲宋 473-478- 69
吳甲清 524-181-187
吳申戰國 516-211- 96
吳申父 宋 1105-787- 94
1356-224- 10
1384-167- 94
吳申宋 529-595- 47
678-507-119
吳申明 532-747- 46
吳屶女 元 見吳氏
吳令明 821-482- 58
吳生明 1375- 29- 上
吳仕明 1282-784- 60
吳白妻 宋 見徐氏
吳安明 302-193-300
吳江明(字元濯) 515-260- 65
吳江明(字宗岷) 536-503- 42
吳江明(綏德衛人) 554-189- 51
吳江妻 明 見李氏
吳汝元 480-127-264
516- 51- 88
533-367- 60
吳圭宋 451-280- 3
524-215-189
吳吉明 472-144- 5
吳吉妻 清 見林氏
吳再明 1235-640- 22
吳存元 516- 47- 88
676- 16- 1
676-707- 29
1439-436- 1
1476-313- 4
吳存明 473- 23- 49
515-359- 68
820-574- 40
吳羽明 511-881-171
吳兆明 475-575- 79
1442- 99- 6
1460-602- 70
吳好明 1241-230- 10
吳玕宋 933-112- 7
吳印明 472-439- 19
546-361-127
554-206- 52
吳仲商 見仲雍
吳仲明 523-247-151
1442- 47-附3
1460- 27- 41
吳行明 1250-793- 76
1255-631- 65
吳色清 456- 7- 50
吳份元 554-757- 62
吳宏宋 473- 89- 52
516-125- 92
吳宏明 473- 49- 50
516- 52- 89
820-574- 40
吳宏女 明 見吳氏
吳宏清 523-493-170
559-336-7下
吳沆宋(字德遠) 473-113- 54
479-656-247
515-743- 80
517-417-126
1136-424- 7
1152-810- 52
1318- 32- 34
吳沆宋(字仲元) 524-143-185
吳沆明 299-296-137
452-165- 3
453-551- 5
479-328-232
524- 72-181
680-225-247
吳沛女 宋 見吳氏
吳沛明 1442- 99- 6
吳沛妻 清 見黃氏
吳亨元～明 524-235-189
吳亨明 523-156-153
吳辛元 1212-297- 20
吳序明 821-457- 57
吳汭明 1269-171- 12
吳良漢 252-673- 57
370-176- 17
376-648-107上
384- 60- 3
402-390- 5
472-589- 24
476-663-136
491-797- 6
540-700-28之1
933-108- 7
吳良元 1211-334- 46
吳良吳國興 明 299-210-130
453- 43- 5
472-205- 7
475-215- 60
475-751- 88
483-220-390
510-361-114
511-417-152
567- 83- 66
571-529- 19
1374-516- 73
吳成吳瑪魯 明 299-523-156
472-155- 5
474-741- 40
502-380- 64
吳均梁 260-412- 49
265-1023- 72
380-371-176
470- 45- 94
471-611- 4
472-1001- 40
479-138-223
494-323- 6
494-366- 9
524- 30-179
588-448- 2
674-246-4上
933-109- 7
1394-563- 7
1395-596- 3
吳均明 563-923- 43
820-580- 40
吳育宋 285-633-291
371- 85- 8
382-401- 63
384-352- 18
397- 97-326
449- 96- 8
450-279-中8
471-660- 11
472-644- 26
472-740- 29
472-789- 31
473-601- 76
477- 50-151

477-408-169
477-472-173
478-167-182
481-675-331
493-699- 39
529-594- 47
537-325- 56
545-366- 97
708-331- 50
933-110- 7
1102-256- 32
1102-380- 50
1106-383- 49
1383-590- 52
吳玒明 511-594-159
吳玘明 559-276- 6
吳材宋 286-718-356
吳杉吳鄭哥 宋 448-362- 0
吳迂元 見吳廷
吳孜宋 523-598-176
吳孜明 1259-218- 16
1458-676-470
吳里元 820-523- 38
吳芊明 511-775-166
吳系明 見吳宗潛
吳佐明(西安人) 545-188- 90
吳佐明(平湖人) 820-636- 41
吳佑漢 見吳祐
吳佑明 見吳伯宗
吳伯商 546-426-129
吳伸宋(南城人) 515-824- 83
517-370-125
517-376-125
吳伸宋(字仲舉) 1095-394- 下
吳兒明 300-652-222
479-242-227
523-548-173
545-297- 94
1291-247- 3
1320-679- 75
吳彤漢 552- 18- 18
吳彤元～明 515-774- 81
676-454- 17
1224-243- 22
1442- 7- 1
吳秀明 479-606-244
515-250- 64
吳廷吳迂 元 453-782- 2
473- 49- 50
479-532-241
516- 48- 88
676- 16- 1
吳廷明 821-454- 57
吳宗宋 1195-520- 上
吳宗明(壽陽人) 547- 87-144
吳宗明(字原本) 1255-542- 58
1255-604- 63
吳宗清 1327-299- 13
吳法清 456- 9- 50
吳京妻 宋 見龔氏
吳治明(字道輿) 678-616-128
吳治明(字孝甫) 821-457- 57
吳性明 679- 66-145
吳河明 821-438- 57
吳 清 524-178-187
吳 女 明 見吳慶貞
吳定吳公孫 宋 451- 60- 2
吳定明(字子靜) 477-169-157
569-653- 19
吳定明(字原正) 524-226-189
吳泳宋(字叔永) 287-762-423
398-691-414
481-335-308
515-217- 63
523-224-156
591-616- 44
592-605- 99
吳泳宋(中江人) 473-505- 71
559-392-9上
676-689- 29
吳泳宋(字子克) 479-658-247
515-762- 80
吳泳女 明 見吳氏
吳炎宋(字濟之) 528-474- 30
529-627- 48
吳炎宋(字晦夫) 1178-768- 6
吳炎宋 見吳楚材
吳庚宋 529-747- 51
吳杰明 532-706- 45
吳直宋 1185-495- 91
吳玠涪王 宋 287- 22-366
398- 93-372
449-445-上9
450- 89-上11
459-624- 37
472-852- 34
472-866- 34
472-881- 35
477-561-177
478-200-184
478-549-202
481- 19-291
529-605- 47
554-152- 51
556-729- 98
558-141- 30
558-335- 35
558-722- 48
820-415- 34
吳玭明(龍溪人) 473-656- 78
吳玭明(宜興人) 511-449-153
吳玭明(字汝瑩) 523-512-171
吳邵後魏 476-406-119
547-538-160
吳玢唐 見吳恬
吳枝明 821-412- 56
吳忠妻 元 見劉氏
吳忠明(靜樂人) 476-311-113
547- 92-144
吳忠明(字彥中) 1234-308- 47
吳忠明(華亭人) 1460-905- 97
吳忠妻 明 見王氏
吳典妻 明 見吳氏
吳明宋 494-330- 6
吳明元 472-485- 21
吳昌元 1205-293- 9
1376-449- 88
吳昌明 821-472- 58
吳畀宋 524-272-191
吳岡宋 473-587- 75
529-734- 51
吳昇元(字起東) 510-471-117
吳昇元(滕縣人) 540-777-28之2
吳昇明 472-339- 14
475-529- 77
511-253-146
523- 39-147
吳昂明(襄陽知府) 473-247- 60
吳昂明(字德翼) 479- 96-221
480-290-271
515- 91- 59
523-436-167
528-455- 29
532-681- 44
678-595-126
1475-259- 11
吳昂明(烏程人) 494-473- 18
吳昂明(大理寺左寺正)
820-717- 43
吳芾宋(字明可) 287-310-387
398-330-385
472-348- 15
472-1026- 26
472-1052- 44
472-1067- 45
472-1103- 47
475-666- 84
479- 42-218
479-224-227
479-288-230
479-318-232
479-430-236
479-483-239
484-107- 3
486- 53- 2
493-712- 39
510-452-117
515- 82- 59
523-314-161
674-343-5下
1138-447- 附
1146- 64- 88
1147-580- 55
吳芾宋(字子通) 1167-752- 40
吳芾元 473-387- 65
532-718- 45
吳卓隋 見虞綽
吳昉宋 473-233- 60
480-170-266
533-374- 60
吳昉清 511-264-146
吳易明 301-671-277
456-542- 7
511-106-140
1442-112- 7
吳芮衡山王、長江王 漢
250- 53- 34
376- 35- 95
479-525-241
384- 37- 2
471-715- 18
473- 45- 50

516- 1- 87
532- 94- 27
567- 10- 62
933-108- 7
吳昱妻 明 見張氏
吳昊宋 556-708- 98
吳昊明 479-660-247
515-785- 81
吳周明 1271-597- 51
吳金妻 元 見水氏
吳金明 515-396- 69
528-544- 32
吳金妻 明 見周氏
吳金妻 清 見顧氏
吳岱吳 473-890- 90
吳岱清(舒穆祿氏) 455-150- 6
吳岱清(鄂濟氏) 455-660- 46
吳岱清 455-673- 47
吳岱清 456- 52- 53
吳佩明 559-289-7上
吳侁唐 813-102- 6
821- 94- 48
吳侔宋 1106-326- 43
吳秉宋 485-536- 1
吳近宋 493-644- 35
吳近女 宋 見吳皇后
吳牧明 1375- 29- 上
吳洪明(字禹疇) 472-231- 8
475-134- 56
481-493-324
511-101-140
528-454- 29
1268-267- 43
1284-145-147
1320-734- 80
1442- 34-附2
1459-733- 29
吳洪明(播州人) 560-603-29下
吳洪明 見吳師禹
吳洪妻 清 見高氏
吳炳宋 511-870-170
821-217- 51
吳炳元 820-524- 38
1439-441- 2
吳炳明 301-702-279
456-442- 3
475-231- 61
吳炳妻 清 見李氏
吳冠明 821-462- 57
吳爲明 1255-689- 71
1458-664-469
吳宣元 524-183-187
吳宣明(字師尼) 515-784- 81
676-499- 19
吳宣明(字原輝) 1255-578- 61
吳宣妻 明 見陳氏
吳恂南漢 1467- 20- 62
吳恂明 456-598- 9
505-703- 70
505-864- 77
吳恬吳玢 唐 812-355- 10
812-372- 0
821- 88- 48
821- 89- 48
吳袓宋 511-701-164
1376-176- 69
吳袓明 540-810-28之3
吳炯明 300-781-231
475-182- 59
511-546-158
吳津宋 1153-647-108
吳津妻 宋 見姚氏
吳洸明 554-313- 53
559-408-9上
吳亮明(來安人) 299-652-166
475-798- 90
483-222-390
511-425-152
571-531- 19
吳亮明(字來于) 300-758-229
676-715- 30
吳亮明(太監) 820-762- 44
吳亮妻 清 見錢氏
吳彥唐 515-212- 63
吳彥明 528-515- 31
吳恢吳惔 漢 253-317- 94
370-200- 20
376-930-112
459-848- 51
473-671- 79
563-604- 38
吳奕明 820-650- 42
1386-440- 45
吳奕妻 明 見朱氏
吳拱宋 478-244-186
吳拭吳栻 宋 488-404- 13
473-602- 76
吳拭吳栻 明 511-852-169
821-474- 58
1442-115- 7
1460-671- 74
吳珏宋 528-572- 32
吳珏明 559-298-7上
吳赴明 564-208- 46
吳春明(建安人) 475-563- 79
吳春明(湖廣人) 482-207-347
吳奎宋(字長文) 286-193-316
382-470- 73
384-354- 18
384-366- 19
397-359-340
449-174- 3
472- 51- 2
472-196- 7
472-544- 23
472-612- 25
472-643- 26
476-730-138
477- 51-151
493-769- 42
510-470-117
523- 11-146
537-240- 55
540-758-28之2
708-336- 50
933-110- 7
1096-359- 37
1378-600- 62
1410-339-707
吳奎宋(字成象) 515-817- 83
518-719-159
吳奎妻 宋 見趙氏
吳奎明 563-774- 40
吳奎妻 明 見王妙鳳
吳柱明 1474-592- 30
吳柱清 455-663- 46
吳柘明 見吳伯宗
吳厚元 528-475- 30
吳琉明 479-144-223
524- 34-179
676-600- 24
680-493-271
吳珉明 476-348-116
545-777-111
吳郁唐 471-1059- 69
820-188- 27
吳郁明 676-512- 20
吳革宋(字義夫) 288-352-452
382-727-111
400-152-512
478-346-191
554-703- 61
591-556- 42
吳革宋(字時夫) 473- 89- 52
516-125- 92
吳革宋(字孚道) 473-143- 56
511-367-150
515-144- 61
1113-221- 22
1437- 16- 1
吳革宋(江州人) 523- 79-149
528-445- 29
吳南明 820-709- 43
吳降唐 590-135- 17
吳珍明(南陵人) 511-626-161
吳珍明(字汝賢) 576-653- 5
吳珍明(字以興) 1253- 76- 44
吳珍女 明 見吳悟成
吳珍清 554-777- 62
吳珍妻 清 見黃賢秀
吳政宋 511-447-153
吳政明 564-215- 46
吳政女 明 見吳氏
吳某宋(謚忠烈) 1138-696- 12
吳思宋 1125-390- 30
吳茂明 547- 63-143
吳昭宋 484-380- 28
吳昭明(盂縣人) 472-439- 19
546-361-127
吳昭明(字伯昭) 493-760- 41
吳昭明(字道彰) 1242- 40- 25
吳昭明 林繼善妻、吳羨女
1228-804- 14
吳苞齊 259-537- 54
265-1077- 76
370-527- 16
380-450-178
476-858-145
540-721-28之1
933-109- 7
吳苑清 511-294-147
吳則明 510-348-114

1246-160- 5
吳英宋(字茂實) 460-312- 23
529-746- 51
吳英宋(南海人) 473-675- 79
564- 40- 44
吳英元 524-182-187
吳英明(裕州人) 475-701- 86
510-464-117
吳英明(字士傑) 515-782- 81
吳英明 王惟善妻 530- 6- 54
吳英妻 明 見駱氏
吳英清 481-584-328
528-488- 30
吳英妻 清 見歐氏
吳英妻 清 見蔡氏
吳畋女 宋 見吳氏
吳迪宋 821-235- 51
吳迪明 473-376- 65
480-563-284
532-743- 46
吳迪妻 明 見倪氏
吳約女 明 見吳氏
吳信宋 534-937-119
吳信明(進賢人) 528-509- 31
吳信明(字中孚) 1241-116- 6
吳垕宋 1171-346- 8
1375- 11- 上
吳垕元 821-296- 53
吳拜武拜 清 455-105- 4
474-766- 41
502-485- 70
吳朏清 曹允明妻
1475-836- 35
吳衎明 515-843- 84
吳衎明 見吳希賢
吳紀明 533-265- 55
吳便明 482-559-369
569-658- 19
吳侯明 570-212- 23
吳爰明 1442- 72- 4
吳海甥女 元 見鄭氏
吳海明(字朝宗) 302-165-298
458-608- 1
459-137- 8
460-494- 42
529-450- 43
676-711- 29
1217-150- 附
1217-151- 1
1217-162- 1
1217-192- 3
1439-453- 2
1471-174- 24
吳海明(上杭人) 481-723-333
529-699- 50
吳海清(瓜爾佳氏) 455- 78- 2
吳海清(董佳氏) 456- 50- 53
吳容明 530-212- 61
吳浩宋 1375- 16- 上
吳浩元 1439-431- 1
吳浩明(建陽人) 473-606- 76
吳浩明(雲和人) 563-781- 40
吳浩清 479-147-223
524- 38-179
吳浩妻 清 見陳莊官
吳祐吳佑 漢 253-317- 94
370-200- 20
376-930-112
402-413- 6
402-457- 10
402-509- 14
402-541- 17
402-582- 20
448-302- 上
459-848- 51
472-129- 4
472-610- 25
474-472- 23
476-724-138
505-769- 73
506-465-102
540-654- 27
563-604- 38
879-155-58上
933-108- 7
吳祐元 1194-686- 12
吳祐明(字吉之) 523-189-155
吳祐明(字元祐) 1232-658- 7
吳祐明 見吳伯宗
吳祚明(字天錫) 516- 83- 90
吳祚明(字士德) 523-497-170
吳高明(定遠人) 299-211-130
吳高明(字志高) 564-282- 47
1442- 25-附2
吳唐妻 清 見郭氏
吳朗明 1239-183- 39
1240-320- 20
吳益衛王 宋 288-517-465
400- 54-504
820-430- 35
1129-536- 35
吳旂明 537-270- 55
吳羌漢 524-310-194
吳拳明 563-750- 40
吳悌明 301-789-283
475-369- 67
479-660-247
515-791- 82
676-568- 23
1294-259-6下
吳祕宋 473-602- 76
529-594- 47
559-306-7上
677-176- 16
吳效明 564-273- 47
吳泰漢 493-1062- 56
511-862-170
吳泰明(字碧溪) 511-800-167
吳泰明(御史) 528-453- 29
吳泰妻 明 見康氏
吳泰清(索綽絡氏) 455-651- 45
吳泰清(烏色氏) 456- 7- 50
吳泰清(彰錦氏) 456- 62- 54
吳珙唐 494-422- 13
吳珙明(字廷瑞) 529-586- 46
吳珙明(均州人) 533-448- 62
吳恭明 460-791- 84
529-740- 51
吳栻宋 見吳拭
吳栻明 456-631- 10
吳栻明 見吳拭
吳烈明 1234-309- 47
吳眞宋 821-250- 52
吳原明 301-736-281
473-656- 78
505-665- 69
523- 46-148
529-567- 46
1250-811- 78
1251-241- 18
吳班蜀漢 254-687- 15
384-481- 15
吳班清(鈕祜祿氏) 455-137- 5
吳班清(伊爾根覺羅氏)
455-231- 12
吳班清(富察氏) 455-415- 25
吳珪宋 1140-178- 22
吳珣明 524-251-190
吳桓宋 494-340- 7
529-559- 46
吳桓女 宋 見吳氏
吳桓明 523-453-168
吳格宋 511-271-147
吳哲元 1439-453- 2
吳哲明(字克明) 473-117- 54
510-403-115
515-785- 81
吳哲明(字士明) 480-201-267
532-658- 44
吳珩妻 明 見周氏
吳起戰國 244- 3- 65
246- 12- 65
371-513- 36
375-663- 88
384- 29- 1
405-172- 67
472-494- 21
472-707- 28
532-547- 40
537-369- 57
554-225- 52
675-292- 15
933-108- 7
1407- 50-400
吳郡明 524- 24-179
559-308-7上
吳翀清 523-197-155
吳振宋 491-437- 6
吳振明 821-472- 58
吳挺宋 287- 30-366
398-101-372
472-866- 34
478-244-186
554-154- 51
558-337- 35
吳栗宋 475-528- 77
511-798-167
吳展吳 493-670- 37
511-221-144
563-610- 38
吳時宋 286-600-347
397-667-361

472-826- 33
473-537- 72
475-870- 95
478-336-191
481-361-310
545- 52- 84
554-272- 53
559-387-9上
591-642- 46
592-595- 99
吳恩元 1197-772- 81
吳郢漢 535-552- 20
吳郢宋 820-345- 32
吳剛明 528-527- 31
吳⿰山完宋 820-406- 34
吳峰明 見明顯
吳峻明 476-395-119
545-469-100
吳特吳曾 宋 448-394- 0
吳息元 鮑琪妻 1376-676- 99
吳恕明 524-346-196
676-382- 14
吳恕妻 明 見張氏
吳恕明 戴克敬妻、吳清之女
1228-498- 30
吳牲明 301-275-252
475-874- 95
477-567-177
511-214-144
545-103- 86
680- 52-229
吳翁五代(善卜) 530-203- 60
吳釗明 821-439- 57
吳倫宋(南城人) 515-824- 83
517-370-125
517-376-125
吳倫宋(字子常) 533-321- 57
吳倫清 456-310- 74
吳倖明(字廉夫) 524- 68-181
吳倖明(會稽人) 563-833- 41
吳倖妻 明 見童氏
吳倬明 523-567-174
571-527- 19
吳倬妻 清 見王氏
吳皋元 515-771- 81
1219- 2- 附
吳純明 821-393- 56
吳能明 1255-583- 62
吳修明 511-617-160
吳适宋 1157-276- 20
吳适明 1315-325- 13
吳适母 明 見徐氏
吳紋妻 明 見高氏
吳寅明(字敬夫) 511-388-151
吳寅明(字虎侯) 1442-115- 7
吳淇宋 524-273-191
吳淇清 538-133- 65
1312-563- 7
吳淞明 523-437-167
吳淳元(字伯善) 493-1010- 53
511-521-157
吳淳元(字世洪) 524-210-188
吳淳明 511- 98-140
吳清妻 明 見朱傚穩
吳清女 明 見吳氏
吳淮明(鎭江人) 480-128-264
532-635- 43
吳淮明(貴陽人) 572- 72- 28
吳商晉 523-584-175
吳翊吳翌 宋 460- 45- 3
1146- 43- 87
1146-351- 97
吳翊女 宋 見吳靜貞
吳涵明 564-274- 47
吳涵清 479-100-221
523-277-158
吳淵宋 287-664-416
398-612-407
472-173- 6
472-222- 8
472-348- 15
472-359- 15
472-1014- 41
473- 14- 49
473- 87- 52
475-120- 55
475-273- 63
475-607- 81
475-666- 84
475-700- 86
478-761-215
479-377-234
479-449-237
480-241-269
485- 81- 11
488- 14- 1
488-480- 14
488-481- 14
492-586-13下之上
493-719- 40
494-266- 1
494-408- 12
511-298-148
515- 20- 57
523- 18-146
528-445- 29
676-692- 29
1363-741-221
1437- 28- 2
吳淵明(丹徒人) 480-663-290
532-706- 45
吳淵明(字本深) 511-149-142
吳淵明(出粟助貧) 524-204-188
吳淵明(字希顏) 567-414- 84
1467-198- 69
吳庸宋 473-390- 65
480-543-283
482-523-367
533-403- 61
567- 69- 65
1467- 44- 63
吳庸明 472-351- 15
吳祥吳詳 宋(字守約)
493-770- 42
524-272-191
吳祥宋(眞州人) 1098-738- 46
吳祥明(蠡縣人) 301-732-281
472-741- 29
477-306-163
505-810- 74
537-303- 56
吳祥明(茌平人) 472-578- 24
540-788-28之3
吳章吳璋 明 483-138-380
570-121-21之1
吳深元 1219-331- 7
吳深明 1467- 94- 65
吳淑宋 288-207-441
371-142- 14
382-752-115
384-336- 17
400-640-559
451-139- 3
472-276- 11
475-276- 63
511-772-166
820-330- 32
933-111- 7
吳淑明 559-322-7上
吳康宋(字寧叟) 524-229-189
吳康宋(字用章) 1195-370- 4
吳惔漢 見吳恢
吳訥元 472-381- 16
475-569- 79
511-479-155
676-711- 29
1375- 22- 上
1376-646- 97
1439-450- 2
1471-420- 9
吳訥明 299-550-158
453-299- 2
453-595- 14
458-1019- 1
472-230- 8
475-133- 56
478-766-215
483-222-390
493-978- 52
511- 66-138
523- 37-147
571-520- 19
1240-162- 11
1241-297- 13
1241-842- 21
1284-130-146
1386-407- 44
吳袞元 1197-725- 75
吳球宋 529-604- 47
吳梅宋 523-630-177
680-279-253
吳堅宋 489-320- 29
493-750- 41
吳埴元 683- 61- 3
吳理明 472-1027- 42
523-189-155
吳珵明 676-511- 20
821-395- 56
吳翌宋 見吳翊
吳習明 569-670- 19
572-105- 30
821-462- 57

吳埠元 方仲剛妻 479-333-232
524-707-212
吳勔唐 473- 62- 51
479-560-242
516-208- 96
吳梯明 524- 10-178
吳彬明(字文中) 821-447- 57
吳彬明(休寧人) 1375- 25- 上
吳琇元 546-358-126
吳勒清 455-146- 6
吳琅明 515-552- 74
吳通明 558-489- 41
吳崧唐 479-153-223
494-422- 13
524-403-199
吳崧明 570-122-21之1
吳崇明 533-155- 52
吳晟明(當塗人) 475-670- 84
511-489-155
吳晟明(弋陽人) 494-158- 5
569-667- 19
吳晟清 511-780-166
吳貫清 523-494-170
吳堂明(常熟人) 475-133- 56
吳堂明(樂平人) 479- 44-218
523- 83-149
吳堂明(字德升) 511-601-160
吳堂明(字廷器) 515-478- 71
吳堂明(字允升) 676-170- 7
吳畦五代 524-338-195
吳冕明 545-402- 98
吳釴明 見陸釴
吳得明 302- 4-289
483-248-391
511-504-156
571-539- 20
吳倩明 511-849-169
吳偘唐 見吳武陵
吳偁宋 見吳儆
吳猛晉 256-553- 95
380-607-182
471-722- 19
472-578- 24
473- 33- 49
479-503-239
479-686-248
516-411-103
524-439-201
592-191- 73
879-184-58下
933-109- 7
1061- 37- 85
1061-236-106
吳猛女 唐 見吳彩鸞
吳絅明(字內閣) 523-178-154
吳絅明(字外閣) 523-236-156
吳偉元 1204-272- 7
吳偉明(南鄭人) 472-868- 34
554-472-57上
559-323-7上
吳偉明(字次翁) 497-502- 35
533-771- 74
821-397- 56
1458- 39-417
吳偉女 明 見吳氏
吳偉清 547-118-145
吳御明 524- 82-182
吳紳元 1204-272- 7
吳紳明(歙縣人) 473- 75- 52
515-235- 64
吳紳明(字克復) 523-219-156
529-731- 51
677-608- 54
吳婉吳貞媛 元 王綱妻
1221-349- 7
1229-566- 1
吳參清 479-823-256
516-225- 96
吳造妻 明 見陳氏
吳逢宋 494-348- 7
吳敏宋(字元中) 286-672-352
397-721-363
449-305- 2
472-295- 12
475-375- 68
567-436- 86
933-112- 7
1467-149- 67
吳敏宋(金谿人) 515-733- 80
吳敏妻 宋 見曾氏
吳敏明 見呂敏
吳健明 1255-613- 64
吳臯元 1212-297- 20
吳馮漢 253-319- 94
376-932-112
402-485- 11
吳馮唐 524-281-192
吳滋宋 843-671- 下
吳斌明(霍丘人) 472-207- 7
511-359-150
吳斌吳珷 明(字蘊中)
676-453- 17
676-467- 17
1375- 28- 上
1442- 10-附1
1459-460- 14
吳詔妻 清 見張繁
吳曾唐 523-223-156
吳曾宋 473-114- 54
479-657-247
515-745- 80
523-213-156
678-386- 106
吳曾宋 見吳特
吳曾妻 元 見黃氏
吳善元 1439-430- 1
吳善明(貴池人) 473-513- 71
559-291-7上
吳善明(字元夫) 529-571- 46
563-726- 40
567-136- 68
1467-122- 66
1467-483- 8
吳普魏 254-508- 29
380-578-181
475-371- 68
742- 27- 1
吳翔明 540-672- 27
546- 88-118
吳評宋 528-438- 29
529-594- 47
吳愉清 511-752-165
吳寔明 1242- 59- 25
吳寔女 明 見吳氏
吳湊唐 271-415-183
275-240-159
384-233- 12
396- 51-256
459-889- 54
472-573- 24
472-824- 33
474-475- 23
476-860-145
478- 88-180
481-491-324
505-771- 73
523-183-155
528-435- 29
540-741-28之2
554-130- 50
587- 88- 2
吳湜宋 515-757- 80
吳詠漢 478-613-205
558-457- 38
吳焱元 524-210-188
吳雲明(字友雲) 302- 7-289
453-113- 10
472-262- 10
475-225- 61
494-153- 5
511-448-153
515-480- 71
554-336- 54
569-617-18下之2
570-472-29之7
820-565- 40
820-344- 55
1248- 567- 2
1405-496-287
1442- 6-附1
1459-251- 5
吳雲明(字民望) 1257-907- 5
吳琮女 明 見吳氏
吳琮母 清 見劉氏
吳琮清 480- 60-260
533-148- 51
吳珷明 見吳斌
吳琪宋 510-311-113
吳琪妻 宋 見譚氏
吳琪妻 清 見許氏
吳瑛明 480-171-266
吳瑛清 476-419-120
477-411-169
480- 14-257
532-605- 42
537-332- 56
546-341-126
549-754-208
吳賁宋 485-534- 1
吳惠明(字澤民) 473- 50- 50
476-367-117
545-441- 99

516- 61- 89
吳惠明(字孟仁) 493-990- 52
567- 95- 66
820-611- 41
11467- 70- 64
吳惠明(字仁甫) 524- 45-180
1474-297- 14
吳棫宋 529-742- 51
678-113- 80
吳閎宋 484-386- 28
吳雄漢 253- 70- 76
376-789-109下
402-521- 15
477-308-164
吳雄宋(字仲英) 480-464-279
吳雄宋(字慶錫) 515- 82- 59
吳雄明 472-174- 6
510-314-113
523-262-158
吳壹吳懿 蜀漢 254-687- 15
384-481- 15
吳喜吳喜公 劉宋 258-488- 83
265-597- 40
370-483- 14
378-189-136
384-113- 6
472-965- 38
479- 46-218
523-505-171
532-100- 27
933-109- 7
吳喜妻 明 見陳氏
吳琯宋 1122-398- 29
吳琚宋 288-518-465
400- 54-504
488- 14- 1
488-463- 14
820-430- 35
821-224- 51
吳琚明 518-785-161
吳植女 宋 見吳氏
吳植明 820-581- 40
1442- 10-附1
1459-454- 14
吳盛明 472- 71- 2
505-817- 74
吳登明 472-969- 38
吳登妻 清 見金滿願
吳琬明(連城縣丞) 473-624- 77
吳琬明(建寧人) 473-644- 78
吳琦明 1264-234- 14
吳揚元 523-398-165
吳揚明 481-804-338
1241-661- 14
1241-710- 16
吳軫清 545-201- 90
吳陽漢 528- 2- 17
539-349- 8
吳雯明 564-270- 47
吳雯清 476-125-102
546-717-139
1322-278-附
1325-418- 12
1475-966- 41
吳琰宋 494-473- 18
吳琳明(字朝陽) 299-306-138
473-283- 61
480-130-264
533- 36- 48
1442- 7- 1
1459-252- 5
吳琳明(新喻人) 515-552- 74
吳琛明 453-451- 16
472-351- 15
475-671- 84
511-328-149
559-250- 6
563-728- 40
676-497- 19
676-716- 30
吳琢明 1253-125- 46
吳森元 472-984- 39
524-309-194
1196-712- 8
1209-644-10下
吳森明 473-656- 78
529-566- 46
吳棣清 455-206- 10
吳棖妻 明 見張氏
吳逵晉 256-440- 88
258-571- 91
265-1035- 73
380- 91-167
472-1000- 40
479-136-223
524-118-184
524-191-188
526- 5-259
933-108- 7
933-109- 7
吳逵宋 471-651- 10
473-640- 78
481-643-330
481-693-332
528-505- 31
528-337- 32
529-602- 47
吳逵明(字近光) 515-553- 74
820-698- 43
1273-498- 5
1275-364- 16
吳逵明(字希道) 1376-484- 90
吳馭明 511-555-158
吳發宋 511-272-147
吳發明 1376-528-92下
吳貴女 宋 見吳氏
吳貴元 童徽母 1218-751- 5
吳貴明 302- 8-289
吳貴女 明 見吳氏
吳景吳 254-758- 5
488- 75- 6
523-504-171
吳景妻 宋 見宗氏
吳景明 302- 10-289
473-429- 67
475-609- 81
481- 24-291
511-483-155
559-505- 12
561-402- 42
吳景妻 明 見任氏
吳買明 511-852-169
1375- 26- 上
吳著元 547- 13-141
吳喀清 455-396- 24
吳凱明(字廷輔) 475-708- 86
511-337-149
吳凱明(字相虞) 493-990- 52
820-611- 41
1256-404- 26
1273-238- 30
1284-133-146
1442- 22-附2
吳凱女 明 見吳馨
吳凱清 456-135- 59
吳華唐 820-270- 29
吳華明 480-290-271
515-787- 81
吳喦清 533-159- 52
吳勛明 473-377- 65
480-563-284
533-407- 61
吳萊元 295-442-181
399-726-492
452- 29- 下
453-799- 4
472-1031- 42
479-326-232
523-614-176
1209- 2- 附
1209-210- 附
1219-330- 7
1219-611- 下
1224- 39- 16
1224-337- 25
1224-348- 25
1439-429- 1
1469-155- 43
吳暕劉宋 812-330- 6
821- 19- 45
吳然妻 清 見安氏
吳傅宋 452- 13- 上
吳順漢 469-642- 79
473-465- 69
591-577- 43
吳順明 476-282-111
547- 55-143
吳智明(甌寧人) 473-606- 76
吳智明(餘姚人) 476-451-123
吳智明(莆田人) 559-251- 6
吳智女 明 見吳玉美
吳程吳越 472-1071- 45
吳程元 1375- 21- 上
吳喬妻 明 見鞠氏
吳絪宋 1127-518- 12
吳釿宋 451-100- 3
吳鈗宋 524- 4-178
吳欽元 533-730- 73
吳欽妻 元 見胡節
吳欽明 1283-875-135
吳進宋 812-551- 4
821-145- 50

吳斐元 1197-787- 83
吳傑明(字世奇) 302-180-299
511-873-170
1276-460- 11
吳傑明(字漢甫) 477- 89-153
545-222- 91
吳傑明(字伯英) 1241-528- 9
吳傑妻 明 見甯氏
吳傑妻 清 見呂氏
吳復元 524- 5-178
1221-647- 25
1439-448- 2
吳復明(字伯起) 299-220-130
453- 26- 3
472-328- 14
475-706- 86
480-170-266
483-221-390
511-412-152
532-588- 41
571-530- 19
吳復明(將樂人) 473-618- 77
吳復妻 明 見楊氏
吳媛南唐 吳志野女
516-278- 99
吳溥明 453-256- 23
473-116- 54
515-776- 81
676-474- 18
1239-113- 34
1240-315- 20
1374-727- 93
1391-727-348
1442- 18-附1
1458-177-430
1459-547- 19
吳源宋(荊門人) 288-291-447
400-164-513
480-173-267
533-375- 60
吳源宋(字德信) 511-880-171
1376-704-100下
吳源妻 宋 見盧氏
吳源明(字性傳) 460-529- 49
473-634- 77
481-555-327
529-728- 51
676-464- 17
679-155-154
吳源明(永豐人) 474-306- 16
吳源明(字宗乾) 567-124- 67
吳祺妻 明 見徐氏
吳義明 473-606- 76
吳溍宋 479-174-225
吳滄明 524-153-185
吳雍宋 485-536- 1
564- 42- 44
吳煜明 524-194-188
吳煌明 456-639- 10
吳裕明(廣寧衛人) 502-783- 87
吳裕明(溧水令) 510-312-113
吳裕明(餘姚人) 537-280- 55
吳裕明(字敬昆) 564-202- 46
1255-783- 77
吳裕明(號松菴) 572- 94- 29
吳裕女 清 見吳氏
吳詳宋 見吳祥
吳煒妻 明 見莊順貞
吳煒妻 清 見王氏
吳稟宋 529-665- 49
吳煥明 479-631-245
吳煥清 524-115-183
吳廉明 523-319-161
吳羨女 明 見吳昭
吳道明 1442-106- 7
1460-638- 72
吳遂宋 見吳松龍
吳資漢 481-113-296
559-271- 6
591-694- 49
吳資清 456-148- 60
吳頊唐 494-422- 13
吳瑀明 見吳瑞
吳瑀妻 明 見黃氏
吳感宋 485-186- 25
493-895- 48
589-297- 1
吳塤明 494- 55- 2
吳預明(字少凱) 528-543- 32
564-173- 45
吳預明(字和中) 1241-772- 19
吳極明 533-157- 52
吳瑄明 1255-548- 58
吳輅清 482-349-356
吳匯明(字會川) 473-129- 55
515-548- 74
吳匯明(字德淵) 1226-856- 5
吳楠明 529-709- 50
吳概妻 明 見陳氏
吳楫宋 460-304- 20
529-742- 51
吳楫女 清 見吳氏
吳瑞元 676-391- 14
吳瑞吳瑀 明 511-101-140
581-646-111
676-513- 20
吳⿰王扁明(山陽人) 515-122- 60
吳⿰王扁明(字廷玉) 578-917- 25
吳馴妻 明 見蔡氏
吳聘明 1291-529- 9
吳群宋 563-696- 39
564- 41- 44
吳勤明 515-637- 77
676-484- 18
820-591- 40
1236-796- 13
1237-357- 9
1239- 35- 28
1242-290- 34
1410-380-714
吳瑛宋 288-438-458
401- 24-570
473-282- 61
533- 35- 48
1115-414- 49
吳瑛明 558-448- 38
吳瑗明 1442- 69- 4
1460-334- 55
吳達明(安定人) 545-403- 98
吳達明(字道通) 1245-563- 29
吳達妻 明 見俞氏
吳達妻 明 見謝氏
吳楚元 515-472- 71
528-525- 31
吳楚明 820-678- 42
吳槩宋(字致一) 524-156-186
吳槩宋(字君平) 1132-239- 49
吳睦漢 554-969- 65
吳圓唐 485-498- 9
吳當元 295-511-187
399-766-496
453-802- 4
473-115- 54
479-658-247
678-585-125
1439-450- 2
1468-341- 17
吳當女 元 見吳氏
吳當清 455-500- 31
吳嵩明 515-785- 81
吳鼎元(字鼎臣) 295-324-170
399-646-484
472- 36- 1
474-237- 12
476-478-125
505-655- 68
505-721- 71
540-615- 27
吳鼎元(諡憲穆) 472-116- 4
吳鼎明 524- 8-178
570-213- 23
676-548- 22
1272-266- 13
1442- 47-附3
1458-217-433
1460- 36- 41
吳暐明 476-827-143
吳號宋 1176-826- 6
吳粲吳 472-1000- 40
吳業吳秉禮 宋 1098-715- 44
吳葵宋 1164-444- 25
吳敬明(無爲人) 475-709- 86
511-640-161
吳敬明(字孟寅) 1241-668- 14
吳遇明 見吳銓文
吳愈宋 473- 89- 52
516-125- 92
吳愈明 511-101-140
1273-238- 30
1284-143-147
1312- 76- 7
1386-400- 44
1442- 34-附2
吳愈女 明 見吳氏
吳稔明 460-535- 50
吳鈺明 460-824- 92
吳鉞明 820-749- 44
1273-112- 16
吳鉞明 見陸釴
吳鉞清 477-547-176
吳頌明 572-110- 30
吳鉅清 1323-778- 5

吳鉅妻 清 見高氏
吳筠唐 271-644-192
275-641-196
384-204- 11
401- 6-568
451-486- 8
472-836- 33
478-343-191
479-249-228
485-557- 3
486-405- 19
486-904- 35
516-220- 96
524-415-200
554-868- 64
587-435- 5
674-425- 2
674-802- 16
820-294- 30
871-908- 19
933-109- 7
1071-725- 附
1071-772- 附
1141-803- 34
1339-650-704
1371- 77- 附
1388-713-104
1472-337- 19
吳稚吳權 宋 460-300- 20
吳稚明 821-462- 57
吳僅宋 1097-306- 21
吳經明 302-276-304
吳經妻 明 見邵氏
吳節明(字與儉) 452-240- 6
473-153- 56
515-667- 78
1241- 61- 3
1242-399- 37
吳節明(字子甘) 1442- 66- 4
1460-291- 53
吳節妻 明 見游氏
吳綉清 558-435- 37
吳遒宋 1351-432-125
吳微金 474-617- 32
505-700- 70
1190-485- 41
吳愛清 511-576-159
吳實綺里季 漢 380-406-177
448-100- 中
478-377-192
538-160- 66
554-860- 64
839- 25- 3
871-890- 19
933-519- 34
吳實明 1232-635- 6
吳實明 見林實
吳實妻 明 見芮氏
吳察清 455-274- 15
吳演元 1197-735- 76
吳禎吳國寶 明 299-227-131
453- 45- 5
472-367- 17
475-751- 88
511-417-152
1374-510- 72
吳誠元 1202-298- 21
吳誠明(字誠伯) 493-1059- 56
吳誠明(字明卿) 515-277- 65
564-229- 46
吳誠明(字尚忠) 524-241-190
559-251- 6
吳福宋 486-896- 34
吳福明(字好德) 493-1077- 57
511-894-172
523-451-168
554-206- 52
558-145- 30
558-221- 32
1238-478- 9
1240-162- 11
吳福明(字天爵) 524-241-190
吳福清 524-209-188
吳禋明 473-391- 65
533-106- 50
571-526- 19
吳寧明(字永清) 299-693-170
453-337- 5
475-571- 79
511-274-147
1320-730- 80
1375- 30- 上
1376-363- 83
1376-528-92下
吳寧明(字存淵) 1239-144- 36
吳寧妻 明 見周慧秀
吳寧明 杜恆菴妻、吳瀟女
1256-413- 26
吳漳明 511-278-147
吳滸明 見吳率正
吳漸宋 見吳茂榮
吳說宋 472-196- 7
524-343-196
585-533- 18
590-399- 7
820-416- 34
吳漢漢 252-553- 48
370-113- 8
376-563-105
384- 55- 3
402-362- 3
402-555- 18
448-295- 上
470-354-142
472- 25- 1
472-768- 30
473-295- 62
474-165- 8
477-363-167
537-530- 59
545-446- 99
559-240- 6
591-655- 47
933-108- 7
吳漣明 510-490-118
吳潡唐 271-414-183
275-611-193
384-238- 12
400-110-509
472-573- 24
474-475- 23
476-860-145
505-857- 77
540-741-28之2
吳榮宋 515-747- 80
吳榮元 1194-199- 15
吳榮明 570-154-21之2
吳熙宋 460- 24- 1
481-646-330
1125-389- 30
吳熙明 523-189-155
吳輔宋(劍浦人) 473-387- 65
473-616- 77
529-578- 46
532-715- 45
吳輔宋(字友仁) 511-272-147
吳輔宋(宜山人) 566-247- 42
568- 33- 98
吳輔明 511-567-158
吳與母 宋 見王氏
吳與宋 481-614-329
482-183-346
515-213- 63
529-559- 46
563-689- 39
吳與妻 明 見徐簡簡
吳槐妻 清 見朱氏
吳榕明 516- 85- 90
吳翥唐 276- 94-203
400-620-556
486-307- 14
524- 51-180
1084- 42- 附
吳翥妻 清 見李氏
吳兢唐 270-253- 1
274-650-132
384-202- 11
395-601-235
407-345- 附
472-656- 27
477- 69-152
479-482-239
515- 80- 59
532-663- 44
538-127- 65
933-109- 7
吳輒元 1218-301- 13
吳碭漢 453-760- 4
473-143- 56
482-141-344
515-139- 61
564- 5- 44
吳遠宋 480-318-272
吳遠明(知鄖陽府) 473-257- 60
吳遠明(字惟明) 511-278-147
528-477- 30
吳穀女 宋 見吳氏
吳槖宋 1132-239- 49
吳遜明(夾江人) 510-427-116
吳遜明(字以恭) 511-808-167
1375- 30- 上
1376-607-95- 下

吳蓋宋 288-517-465
400- 54-504
544-233- 63
820-430- 35
1129-537- 35
吳蒨妻 宋 見劉氏
吳睿元 見吳叡
吳蒙女 宋 見吳氏
吳蒙明 1467- 63- 64
吳箕宋 510-452-117
吳箕清 511-558-158
吳鳳漢 253-319- 94
376-932-112
吳銓宋 1167-758- 41
吳銓明 460-600- 59
563-789- 40
吳僑明 515-226- 63
吳緒妻 明 見鄭氏
吳銑宋 見吳燦
吳肇唐 561-212-38之2
吳肇明 511-146-142
吳篪明 1375- 30- 上
吳綺吳緯綺 元～明
526-638-280
1229-119- 9
吳綺明 朱治憪妻
1475-826- 34
吳綺清 475-379- 68
475-577- 79
511-784-166
1475-957- 41
吳綱明(字宏舉) 529-630- 48
吳綱明(字廷振) 1253-144- 47
吳綱妻 明 見汪氏
吳綸明 511-841-168
820-656- 42
1256-412- 26
1261-853- 41
吳槃宋 523-213-156
吳槃妻 明 見夏素定
吳榘宋 1178-773- 6
吳徹明(字靜卿) 511-633-161
吳徹明(字文通) 534-953-120
1460-793- 87
吳綬明(武昌人) 480- 57-260
吳綬明(字養浩) 524-347-196
676-382- 14
吳綬明(字孟章) 676-396- 15

吳寬祖母 明 見韓氏
吳寬母 明 見王氏
吳寬母 明 見張氏
吳寬明(字原博) 300- 21-184
452-215- 5
453-652- 27
472-230- 8
475-134- 56
493-638- 34
493-996- 52
511- 66-138
676-511- 20
678-190- 88
820-650- 42
1256-352- 22
1284-141-147
1284-357-163
1386-313- 41
1386-314- 41
1442- 34-附2
1459-722- 28
吳寬明(海鹽人) 1268-491- 77
吳寬妻 明 見陳氏
吳寬妻 明 見鄭氏
吳寬女 明 見吳氏
吳寬清 482-563-369
570-143-21之2
吳戭宋 472-1053- 44
524-299-193
吳廣秦 244-253- 48
250- 1- 31
376- 1- 95
384- 37- 2
1408-347-514
吳廣唐 681- 78- 5
1103-410-138
吳廣明 301-198-247
472-1115- 48
483-225-390
523-226-156
571-533- 19
吳審唐 559-378-9上
吳潛宋 287-696-418
398-638-409
398-986- 4
472-222- 8
472-348- 15
472-962- 38
472-1067- 45
472-1084- 46
473-695- 80
475-120- 55
475-273- 63
475-608- 81
475-666- 84
475-743- 88
478-761-215
479-632-245
482-117-343
487-348- 1
492-586-13下之上
493-719- 40
494-266- 1
494-408- 12
510-330-113
511-299-148
516-207- 95
523- 17-146
563-909- 43
564-825- 60
676-693- 29
1178-391- 附
1364-689-349
吳潛明(字顯之) 515-786- 81
559-298-7上
吳潛明(字餐霞) 820-756- 44
吳澄後唐 533-744- 73
吳澄吳澂 元 295-328-171
399-648-485
453-785- 3
459-133- 8
473-115- 54
479-658-247
511-903-172
515-763- 81
677-464- 42
820-504- 37
1197-925- 附
1197-936- 附
1197-946- 附
1197-948- 附
1207-623- 44
1367-223- 18
1375- 35- 下
1439-424- 1
1468-331- 17

吳澄妻 元 見余維恭
吳澄明 505-780- 73
吳潤明(武進人) 473- 61- 51
569-671- 19
吳潤明(騰越人) 570-154-21之2
吳潭明 524-236-189
吳澂元 見吳澄
吳毅元 820-539- 39
吳毅明(字尚志) 473-100- 53
515-834- 84
676-464- 17
吳毅明(字仲剛) 529-585- 46
吳毅女 明 見吳氏
吳憝宋 1135-356- 34
吳憝明 538-108- 64
吳賢明 趙總妻 473-575- 74
530- 7- 54
吳賢明 563-852- 41
吳瑾明(字廷璋) 299-522-156
443- 64- 4
453-404- 12
478-636-206
505-834- 76
1244-589- 10
1374-568- 78
吳瑾明(字廷器) 1264-213- 12
吳鋆明 493-1035- 54
1255-774- 76
1256-423- 27
吳駒明 515-839- 84
518-783-161
1251-719- 7
吳播宋 528-538- 32
吳鞏唐 1375- 3- 上
吳墀宋 1176-827- 6
吳璋唐 533-745- 73
吳璋金 1191-320- 29
吳璋明(字廷用) 475-132- 56
511-524-157
516-213- 96
1409-299-595
吳璋明(黃岡縣人) 480-132-264
533-474- 64
吳璋明(全椒人) 511-368-150
吳璋明 見吳章
吳輗妻 元 見黎氏
吳樞宋 523-419-166
吳樞元 516- 51- 88

吳鼒明 511-615-160
吳震晉 485-173- 23
493-862- 47
吳震女 宋 見吳氏
吳震元 鄭維寶妻
1217-217- 5
吳震明(華亭人) 473-395- 66
480-651-289
吳震明(瓊山人) 820-644- 41
吳璇明 476-395-119
545-464-100
558-178- 31
吳璇清 511-842-168
吳璉明(字美中) 472-395- 15
564- 93- 45
吳璉明(平定人) 546-367-127
558-201- 31
吳奭明 1242-211- 31
吳穀明 1258-781- 8
吳穀妻 明 見龔氏
吳履妻 元 見謝瓛
吳履明 301-730-281
476-726-138
479-328-232
479-810-255
480-403-277
515-257- 65
517-555-129
523-481-170
540-657- 27
820-570- 40
1223-565- 11
吳蔚宋 472-402- 18
511-367-150
吳嶠隋 472-1002- 40
524-402-199
1077-281- 上
吳賜明 511-316-148
537-211- 54
吳鋐明 476-222-108
吳質魏 254-383- 21
380-351-175
385-642-66下上
469-111- 13
469-117- 14
476-857-145
477-199-159
540-661- 27
1379-213- 27
1394-533- 7
吳質妻 明 見潘氏
吳儀宋 460- 23- 1
481-646-330
529-762- 53
1125-389- 30
吳儀元 515-770- 81
1224-249- 22
吳億宋 567-444- 86
585-760- 4
1467-154- 67
吳儉明 559-421-10上
吳鐖明 524-219-189
吳篤明 1375- 28- 上
吳稽妻 明 見張氏
吳魯清(瓜爾佳氏) 455- 55- 1
吳磐妻 宋 見穆氏
吳縉女 明 見吳八娘
吳範吳 254-903- 18
380-595-182
384- 81- 4
384-517- 23
447-163- 4
472-1069- 45
479-228-227
486-341- 15
492-613- 14
524-201-188
524-364-197
933-108- 7
吳衛妻 明 見曾纓娘
吳皞妻 明 見丁氏
吳儆吳偁 宋 511-700-164
676-688- 29
1247-406- 16
1375- 9- 上
1376-165- 69
1437- 25- 2
1462- 93- 57
吳稷吳謖 明 511-127-141
676-298- 11
吳鋌明 572- 78- 28
1294-257-6下
吳憲明(鄞縣人) 493-1077- 57
511-894-172
吳憲明(錢塘人) 524-176-187
吳憲明(字廷章) 554-347- 54
559-393-9上
吳憲吳文憲 明(字萬爲)
1475-494- 21
吳澧明 517-664-131
吳澮明 473- 61- 51
479-557-242
564-159- 45
吳諮宋 1132-514- 14
吳龍明 564-178- 46
吳澣明 475-873- 95
吳澤明 1241-855- 22
吳澤女 明 見吳氏
吳澥吳獬 宋(字清臣)
460-136- 8
473-655- 78
529-737- 51
吳澥宋(崇仁人) 473-114- 54
515-746- 80
吳濂妻 清 見劉氏
吳激金 291-704-125
400-687-565
472- 28- 1
505-927- 84
676-695- 29
820-477- 36
1365- 9- 1
1439- 1- 附
1445- 94- 4
吳遵明(謚節愍) 502-717- 83
吳遵明(字公路) 528-459- 29
吳諫明 1312-386- 37
吳樹漢 475-425- 70
477-357-166
511-220-144
537-309- 56
吳樵宋 493-721- 40
510-330-113
吳樵妻 宋 見李氏
吳機宋 510-388- 115
吳融唐 276- 94-203
384-289- 15
400-620-556
451-473- 7
477-526-175
479-233-227
486-307- 14
524- 51-180
538-333- 69
813-258- 10
820-271- 29
1084- 42- 附
1365-467- 6
1371- 73- 附
1388-514- 85
吳融明 1255-573- 61
吳融妻 明 見王氏
吳融女 明 見吳妙善
吳璜宋 821-246- 52
吳璜吳鐄 明 1442- 97- 6
1460-585- 69
1474-483- 23
吳璟宋 1095-882- 53
吳璟妻 元 見林廉
吳璟明 472-360- 15
吳臻宋 517-300-123
吳頤宋 676-686- 29
吳賴清 455- 39- 1
吳穎妻 宋 見徐氏
吳穎明 510-486-118
吳穎清 511-777-166
1313-253- 20
吳駰妻 明 見居氏
吳璠明 1255-596- 63
1259-872- 8
吳翰明 1289-354- 24
吳歷清 511-868-170
吳璘宋 287- 26-366
398- 97-372
449-450-上9
450-118-上14
459-627- 37
472-866- 34
472-882- 35
472-894- 35
477-561-177
478-200-184
478-244-186
478-550-202
478-696-210
481- 19-291
529-605- 47
553-317- 40
554-154- 51
558-142- 30
558-336- 35
559-266- 6

吳肅明 545-402- 98
吳霖明 456-467- 4
吳璞宋(字元美) 451- 98- 3
吳璞宋(字禹珉) 494-409- 12
吳豫元 1376-512-92上
吳興唐 1263- 75- 13
吳曇宋 494-313- 5
吳默明(字因之) 511-746-165
吳默明(字言箴) 1319-191- 15
吳蕡宋 1105-825- 98
吳蕡女 宋 見吳氏
吳器妻 後魏 見林氏
吳蕃宋 515-733- 80
1105-823- 98
1384-166- 94
1410-352-709
吳蕣明 524-259-191
吳暾元 524- 81-182
676-706- 29
679-579-195
吳叡吳睿 元 493-1074- 57
683- 61- 3
820-496- 37
1225-244- 9
吳儔宋 524- 79-182
吳縝宋 592-509- 92
592-511- 92
吳翺元 511-798-167
吳翺明 524-170-186
吳學明(字遜之) 511-768-166
1258-675- 16
吳學明(字原思) 515-894- 86
吳縉明 554-527-57下
吳錡明 1467- 65- 64
吳錡妻 清 見馬蘭吹
吳錦明 820-709- 43
1442- 69- 4
1460-334- 55
吳錦清 478-297-188
吳錦女 清 見吳二姐
吳獬宋 476-657-135
吳獬宋 見吳澥
吳衡明 473-623- 77
571-549- 20
吳錫宋 517-343-124
1134- 52- 34
吳錫明 515-778- 81
676-231- 9
676-487- 18
吳錫清 1321-106- 98
吳錫妻 清 見戴氏
吳穆妻 清 見楊玉
吳賽清 445-551- 35
吳濤妻 清 見李氏
吳懤宋 485-534- 1
吳應明 820-661- 42
吳濬元 1192-536- 7
吳濬明 524-136-185
558-293- 34
吳謐母 元 見汪氏
吳講明 554-509-57下
吳濟宋 559-299-7上
吳濟明 572-108- 30
吳齋宋 1458-150-428
吳謙唐 472-1083- 46
吳謙元(字仲恭) 524-217-189
吳謙元(字謙甫) 1204-272- 7
吳謙明 473-618- 77
820-630- 41
1242-786- 7
吳謖明 見吳稷
吳燧宋 529-534- 45
吳燧清(字蕃宣) 475-185- 59
吳燧清(號芝田) 547-564-161
吳燦吳銑 宋 451- 66- 2
吳燦女 明 見吳氏
吳燠宋 1161-609-125
吳襄 475-646- 83
1328-895- 19
吳聰明 472-348- 15
510-454-117
吳聰妻 明 見黃氏
吳櫃明 505-811- 74
吳懋宋(晉陵人) 472-260- 10
吳懋宋(字禹功) 475-698- 86
510-462-117
511-145-142
1128-236- 25
1128-401- 12
吳懋明(西安人) 473-210- 59
480- 51-259
820-574- 40
吳懋吳君懋 明(字德懋)
559-289-7上
676-197- 8
676-574- 23
820-711- 43
吳翼宋 480-513-281
吳隱宋 526-627-279
吳檜明 547- 83-144
吳舉南唐～宋 515-242- 64
1102-283- 35
吳舉元 1228-798- 14
吳鄹張應珍 元 515-615- 76
1318-159- 44
吳霞明 460-770- 79
吳駿宋 529-742- 51
678-369-104
吳檄明 511-255-146
569-653- 19
676-551- 22
1442- 49-附3
1460- 49- 42
吳環吳瓌 宋 288-518-465
400- 55-504
821-224- 51
吳環明 571-526- 19
吳幬吳保郎 宋 448-359- 0
吳嶽明 300-311-201
474- 94- 3
474-237- 12
475-701- 86
475-873- 95
476-587-131
505-658- 68
510-464-117
523- 50-148
540-807-28之3
545- 86- 85
676-568- 23
吳點宋 473-643- 78
1128-239- 26
1467-434- 5
吳邁妻 明 見周氏
吳績金 1365- 39- 2
1445-118- 7
吳優宋 567-462- 87
吳鍈元 1439-435- 1
吳顏明 1280-527- 94
吳禮元 1375- 19- 上
吳禮明(字幼文) 473-247- 60
1237-266- 5
吳禮明(字中節) 511-846-168
吳禮明(德化人) 516-129- 92
吳禮清 455-116- 4
吳翶明～清 511-750-165
1442-114- 7
吳璹吳寧老 宋 448-390- 0
吳璵明 1460-740- 80
吳璵妻 明 見徐簡簡
吳繡元 1210-443- 15
吳轉宋 524-228-189
吳騏明 511-839-168
1442-116- 7
吳擴吳櫎 明 1442- 69- 4
1455-710-244
1460-333- 55
吳璧元 1201-166- 80
吳璧女 清 見吳氏
吳璿宋 487-147- 9
491-426- 5
524-123-184
吳翾清 511-750-165
吳彝元 1217-227- 6
吳轍元 511-906-172
吳轍明 473-348- 63
532-726- 46
吳轍妻 清 見顧氏
吳闐宋 1156-495- 28
吳闐明 1241-682- 15
吳鎮元 479- 94-221
524-279-192
820-538- 39
821-311- 54
1215-494- 附
1229-493- 3
1439-445- 2
1470-441- 14
吳鎰宋 473-401- 66
480-635-288
515-746- 80
吳鎰元 1197-754- 79
吳鎬明 515-259- 65
吳鎬清 516- 92- 90
吳鎧明 1442- 46-附3
1460- 2- 40
吳簡明 493-1050- 55
676- 74- 3
676-139- 5
678-436-111
679-830-220
吳鯉明 511-601-160

吳獵宋 287-429-397
398-424-392
451- 22- 0
473-298- 62
473-339- 63
473-428- 67
473-783- 85
480-241-269
480-408-277
481- 21-291
482-320-354
533-248- 55
559-267- 6
567- 69- 65
585-767- 5
680-203-244
1173-335- 89
1467- 44- 63
吳瀚女 宋 見吳氏
吳瀚明(字受夫) 537-521- 59
545- 91- 85
吳瀚明(歙縣人) 559-252- 6
吳懷宋 812-468- 2
812-551- 4
821-145- 50
吳璽明(字信玉) 473-644- 78
529-629- 48
1241-204- 10
1242-835- 10
吳璽明(保寧守禦所人)
554-259- 52
吳礇明 559-408-9上
吳櫎明 見吳擴
吳韞明 474-372- 19
吳轔明 505-901- 80
吳瓊宋(字景玉) 484-390- 28
吳瓊宋(字彥琳) 1118-383- 20
吳瓊明(字德輝) 676-571- 23
吳瓊明(字邦珍) 1442- 56- 3
1460-152- 47
1460-334- 55
吳騤明 480- 53-259
吳黼明 473-653- 78
吳疇明 1255-377- 42
吳鵬明 511-885-171
523-518-171
676-559- 23
1442- 51-附3

1460- 84- 44
1475-286- 12
吳鏞清 567-421- 85
吳繹元 473-144- 56
515-147- 61
1204-269- 7
1204-272- 7
吳繹妻 元 見王氏
吳繹明 473-166- 57
1260-624- 18
吳寶妻 明 見芮氏
吳瀾妻 明 見祖梅娘
吳騵明 524- 56-180
吳櫪宋 481-718-333
528-549- 32
吳馨明 顧惟誠妻、吳凱女
1255-655- 68
吳瓌宋 見吳環
吳瓌明 473-656- 78
529-567- 46
吳曦宋 288-648-475
401-425-623
494-349- 7
560-602-29下
吳鶚宋 471-747- 22
吳鑛明 見吳璜
吳鐐唐 384-285- 15
479-223-227
486- 62- 3
吳鐙妻 清 見林氏
吳鏵清 529-695- 50
吳覺明 529-668- 49
吳繼妻 明 見屠睦
吳鶴明 1442- 98- 6
1460-594- 69
吳鶴妻 清 見林荃娘
吳夔明(字學夔) 524-268-191
吳夔明(字舜南) 1460- 74- 43
吳霸漢 453-735- 1
564- 7- 44
571-513- 19
吳顥宋 1094-715- 78
吳蘭明(字卿佩) 511-826-167
吳蘭明(字佩之) 515-122- 60
吳續明 554-347- 54
吳鐸元 820-533- 38
吳爟明(字次明) 820-660- 42
吳爟明(字子宣) 1241-471- 7

吳巒後晉 278-170- 95
279-186- 29
384-304- 16
396-382-287
476-248-110
505-681- 69
540-745-28之2
545-263- 93
933-110- 7
吳禴明 見呂禴
吳懿蜀漢 見吳壹
吳瓘宋(字伯玉) 515-579- 75
吳瓘宋(字瑩父) 1142-259- 11
吳瓘元～明 524-352-196
821-296- 53
吳權上古 546-422-129
吳權宋 見吳稚
吳鑒明 820-644- 41
吳鑄金 476-112-102
545-370- 97
吳鑄明 1475-496- 21
吳籛明 563-833- 41
吳鑑宋 532-749- 46
吳鑑妻 清 見李氏
吳儼明 300- 24-184
452-219- 5
475-226- 61
511-150-142
676-519- 20
1248-601- 3
1442- 36-附2
1459-750- 29
吳麟明(字瑞卿) 821-401- 56
吳麟明(字性仁) 1261-499- 16
吳韄明 見趙韄
吳瓚明 524- 8-178
676-170- 7
吳顯明(知平江) 473-316- 62
532-731- 46
吳顯明(蘇州人) 473-355- 63
480-403-277
532-693- 45
吳顯明(字景猷) 475-369- 67
529-572- 46
554-220- 52
吳顯明(字季揚) 1375- 25- 上
吳巖明 475-134- 56
511-106-140

吳鑛明 1442- 37-附2
1459-771- 30
吳讓元 1201-170- 80
吳讓明(知鄱陽縣) 473- 45- 50
吳讓明(字克讓) 482-390-358
564- 90- 45
567- 96- 66
1467- 72- 64
吳讓明(賓川人) 570-150-21之2
吳瓛明 821-359- 55
吳靄五代 564- 34- 44
吳觀宋 523-384-164
吳觀元 473- 15- 49
473- 89- 52
516-127- 92
吳驥清 533-336- 58
吳鸞明 1280-438- 88
吳一文妻 明 見林氏
吳一元明(青陽人) 475-644- 83
511-323-148
吳一元明(字堯開)
1442-106- 7
1460-639- 72
吳一介明 511-406-152
吳一本明 480-564-284
吳一初妻 清 見方氏
吳一奇明 563-785- 40
吳一貫明 299-850-180
473- 16- 49
479-453-237
482-142-344
515- 39- 58
528-454- 29
564-198- 46
1257- 877- 4
吳一嵩清 479-497-239
吳一鳴宋 528-441- 29
吳一蜚清 511-117-140
吳一魁明 480-205-267
533-435- 62
吳一龍明 511-656-162
吳一齋女 明 見吳氏
吳一鵬明(字南夫) 300-135-191
475-135- 56
511-104-140
676-524- 21
1273-262- 32
1284-150-148

1386-379- 43
1442- 38-附2
1459-786- 31
吳一鵬明(遂昌人) 524-170-186
吳一瀾明(字觀瀾) 511-574-159
吳一瀾明(字淮源) 564-235- 46
吳一騰妻 清 見何氏
吳一變明 547- 91-144
吳一驥明 511-331-149
吳一鸞明 510-481-118
吳二十元 孫闕妻
550-365-221
吳二姐清 吳錦女
530-117- 57
吳二娘明 劉仲芝妻
530- 91- 56
吳二娘明 謝楚材妻
530-121- 57
吳九仁明 1274-409- 14
吳九仁妻 明 見金氏
吳九功明(雲南後衛人)
510-472-117
吳九功明(字時序)
570-103-21之1
吳九州宋 821-209- 51
吳九郎唐 475-565- 79
511-613-160
吳人玉明 533-334- 58
吳人紀清 524-141-185
吳人驥明 524-120-184
吳八娘明 吳綍女
524-678-210
吳三五宋 524-107-183
吳三五明 1458- 54-418
吳三省明 476- 31- 97
545-155- 88
吳三畏明(字曰寅) 460-531- 49
523-160-153
吳三畏明(字常惺) 820-715- 43
吳三益明 515-511- 72
吳三泰清(兀札喇氏)
455-493- 30
吳三泰清(伊拉理氏)
455-673- 47
吳三桂清 569-538- 17
吳三樂明 458-164- 8
537-521- 59
吳三錫清 524-188-187
吳士玉清 475-143- 57
511-757-165
吳士价妻 明 見何氏
吳士宏清 515-253- 64
529-486- 43
吳士志明 511-528-157
吳士奇明(字無奇) 511-809-167
676-109- 4
1460-461- 62
吳士奇明(字士奇)
1251-592- 12
吳士冠明 821-484- 58
吳士矩唐 275-242-159
396- 51-256
474-475- 23
吳士章明 1226-631- 4
吳士強明 563-786- 40
吳士琇明 475-672- 84
吳士紳明 529-669- 49
吳士期妻 明 見貢氏
吳士義明 456-579- 8
479-146-223
480-405-277
523-369-163
吳士瑋明 1474-565- 29
吳士賓女 明 見吳氏
吳士誠妻 明 見鄭氏
吳士睿明 554-346- 54
吳士魁清 516-141- 92
吳士儀妻 明 見李氏
吳士徵妻 清 見陳氏
吳士錦妻 清 見張氏
吳士燮吳 471-872- 40
吳士駿明 524-205-188
吳子玉宋 1088-577- 60
吳子玉明 511-809-167
676- 92- 3
1442- 95- 6
吳子光春秋 見吳王闔閭
吳子良宋 517-416-126
524- 62-181
吳子孝明 511-744-165
676-564- 23
820-694- 43
1275-874- 56
1442- 54- 3
1460-124- 46
吳子孝妻 明 見顧氏
吳子育明 563-808- 41
吳子尚明 1240-207- 14
1240-208- 14
吳子易明 1237-317- 6
吳子金明 515-409- 69
吳子宣明 1240-208- 14
吳子恆明 676-483- 18
1442- 23-附2
1459-605- 22
吳子美元 524- 87-182
吳子昭金 1191-398- 34
吳子英劉宋 485-297- 44
493-1116- 59
吳子俊妻 清 見林氏
吳子恭妻 元 見蔣氏
吳子恭明 1238- 70- 6
吳子康宋 487-188- 12
吳子堅明 567-114- 67
1467-120- 66
吳子陵吳子璘 明
821-363- 55
吳子善元 1224-192- 20
吳子雲清 537-229- 54
吳子敬宋 1189-483- 下
吳子寧妻 明 見李氏
吳子榮明 533- 28- 47
吳子龍明 524-213-188
吳子璘明 見吳子陵
吳子騏明 302-121-295
456-468- 4
572- 87- 29
483-250-391
吳子蘭漢 540-705-28之1
吳子聽明 524-235-189
吳于庭妻 清 見徐簡
吳才崙妻 清 見楊氏
吳大山明 524-244-190
吳大中元 473-282- 61
480-139-264
吳大本明 475-609- 81
511-302-148
515- 97- 59
吳大田明 529-512- 44
吳大申妻 清 見潘氏
吳大朴明 475-701- 86
510-466-117
吳大有宋 524-287-192
吳大有女 明 見吳氏
吳十先清 511-853-169
吳大亨元 1215-191- 1
吳大成宋 460-418- 32
吳大初吳太初 宋
563-921- 43
1098-693- 41
吳大帝孫權 254-706- 2
370-230- 1
370-260- 2
384- 78- 4
384-528- 24
385-443- 50
486- 33- 2
589-177- 上
814-209- 1
819-559- 19
1112-657- 9
吳大帝后(諡敬懷) 見王皇后
吳大帝后(諡大懿) 見王皇后
吳大帝后 見步練師
吳大帝夫人 見徐氏
吳大帝夫人 見趙氏
吳大帝后 見潘淑
吳大帝夫人 見謝氏
吳大素元 821-324- 54
吳大振妻 元 見汪氏
吳大梁妻 清 見鄭氏
吳大輅妻 明 見李清
吳大經明(宣城人) 475-609- 81
511-625-161
吳大經明(字元常)
1442- 96- 6
1460-577- 68
吳大榴明 475-645- 83
吳大興妻 明 見詹氏
吳大勳妻 清 見李氏
吳大謨明 564-270- 47
吳大瓚明 1442- 80- 5
1460-425- 60
吳上賢妻 清 見賴氏
吳山濤清 524- 13-178
吳千仞宋 460-217- 14
吳六奇清 479- 57-219
482-143-344
523-514-171
563-887- 42

吳方明明 511-514-157
吳文元明 529-615- 47
吳文光明(崇禎十五年卒)
456-629- 10
吳文光明(甌寧人) 473-606- 76
吳文光明(高安人) 510-401-115
吳文光明(字有明) 676- 22- 1
676-300- 11
676-580- 24
677-611- 55
吳文旭明 460-809- 87
481-723-333
529-635- 48
吳文企明 523-122-151
523-136-152
533-194- 53
1442- 86- 5
1460-486- 63
吳文秀明 523-560-174
吳文宜元 529-740- 51
吳文長妻 明 見汪氏
吳文明元 1023-399- 27
吳文虎元 524-211-188
524-213-188
吳文佳明 480-174-266
吳文炳宋 1164-444- 25
吳文度明 300- 57-186
472-178- 6
481-586-328
481-720-333
528-552- 32
676-511- 20
吳文奕明 456-614- 9
480-129-264
533-368- 60
吳文茂明 529-693- 50
吳文昭元 516- 50- 88
吳文英明 見吳文爕
吳文英妻 明 見孟氏
吳文祐宋 見僧伽
吳文泰明 493-1031- 54
511-735-165
676-453- 17
1442- 12-附1
1459-454- 14
吳文剛宋 沈端輔妻
1165-307- 20
吳文淵妻 明 見蘇氏
吳文梓明 511-321-148
1467-158- 67
吳文通元 516- 50- 88
吳文紳明 477-419-169
吳文華明 300-631-221
481-807-338
482-323-354
529-473- 43
563-726- 40
564-779- 60
567-138- 68
568-188-105
568-192-105
568-318-110
676-587- 24
1283-879-135
1442- 61- 4
1460-197- 49
1467-124- 66
1467-483- 8
吳文傑明 456-456- 4
吳文煥明 524-236-189
吳文震宋 564- 44- 44
吳文憲明 524-225-189
吳文憲明 見吳憲
吳文爕吳文英 明456-614- 9
吳文贊明 529-619- 47
吳文顯元 516- 50- 88
吳文讓元 481-648-330
529-584- 46
1439-449- 2
吳之才妻 宋 見萬氏
吳之才明 475-526- 77
510-417-116
吳之仁明 479-661-247
吳之甲明 515-803- 82
676-631- 26
吳之秀明 456-656- 11
吳之佳明 300-811-233
511-110-140
吳之音妻 清 見張氏
吳之屏明 515-191- 62
528-464- 29
吳之茂清 560-604-29下
吳之英明 456-675- 11
吳之振清 524-189-187
吳之紱女 清 見吳氏
吳之巽宋 561-569- 45
592-505- 92
1173-135- 72
吳之琳清 476-262-110
547- 55-143
吳之道宋 451- 71- 2
吳之瑞妻 明 見張氏
吳之皞明 533- 28- 47
吳之龍明 576-654- 5
吳之龍妻 明 見邵氏
吳之翰明 554-313- 53
吳之奮妻 清 見竇氏
吳之選吳選公 宋451- 68- 2
吳之器明 524- 74-181
吳之騄清 511-707-164
吳之藝妻 明～清 見倪仁吉
吳之鵬明 523-249-157
吳之鯨明 524- 10-178
吳太元宋 515-464- 71
吳太玄唐 592-271- 77
吳太平明 456-638- 10
吳太后明 明宣宗賢妃
299- 8-113
吳太沖明 523-267-158
676-657- 27
1442-107- 7
1460-648- 73
吳太伯太伯、泰伯 商
243- 93- 4
244- 1- 31
371-268- 8
404-282- 17
471-595- 2
489-349- 31
493-640- 35
508-228- 38
554-374- 55
吳太初宋 見吳大初
吳太定妻 清 見劉氏
吳王光妻 清 見楊氏
吳王僚春秋 見州于
吳扎那清 455-564- 36
吳元正女 明 見吳靜貞
吳元吉妻 清 見歐氏
吳元亨宋 478-336-191
554-271- 53
吳元明女 明 見吳氏
吳元芳元 528-525- 31
吳元宣妻 清 見張氏
吳元度妻 宋 見陳氏
吳元美宋 471-852- 37
473-689- 80
473-777- 84
484-381- 28
529-440- 43
530-354- 66
563-908- 43
567-439- 86
1467-151- 67
吳元俊清 533-303- 57
吳元恭明 820-702- 43
吳元珪元 295-399-177
399-709-491
472-116- 4
472-963- 38
474-440- 21
478-763-215
505-765- 72
523- 25-147
1214-263- 22
吳元卿唐 見會通
吳元扆宋 285-166-257
371- 90- 9
382-174- 25
384-324- 17
472- 85- 3
472-437- 19
472-717- 28
474-469- 23
474-650- 34
477-242-161
505- 704- 70
537-287- 55
545-212- 91
545-631-106
吳元扆妻 宋 見徐國大長公主
吳元章宋 485-537- 1
吳元通唐 384-235- 12
吳元晦妻 清 見王朝使
吳元漢明 1475-708- 29
吳元陽妻 清 見謝氏
吳元溟明 524-176-187
吳元載宋 285-165-257
472-892- 35
473-425- 67

545-626-106
559-262- 6
吳元瑜宋 813-194- 19
820-388- 33
821-168- 50
吳元嗣南唐 511-572-159
吳元會妻 清 見陳氏
吳元滿明 820-743- 44
吳元輔宋 285-164-257
545-616-105
820-330- 32
吳元德元 1439-434- 1
吳元樂明 1442- 95- 6
1460-558- 67
吳元龍清(字馭失) 475-185- 59
吳元龍清(字長仁) 511-764-166
吳元龍妻 清 見朱氏
吳元衡宋 484-382- 28
吳元濟唐 270-742-145
276-227-214
384-259- 13
396-323-280
吳元襄清 523-197-155
吳元璧明 1467-107- 65
吳元儼女 宋 見吳氏
吳孔暉妻 明 見管氏
吳孔彰明 472-665- 27
537-589- 60
吳孔嘉明 1313-251- 20
1442-104- 7
吳孔銘妻 清 見張氏
吳孜額清 455-458- 28
吳巴什清 456-211- 66
吳巴海清(正黃旗人)
455- 42- 1
吳巴海清(鑲黃旗人)
455- 86- 3
吳巴海清(赫舍里氏)
455-187- 9
吳巴海清(兆佳氏) 455-505- 31
吳巴泰清(吳雅氏) 455-476- 29
吳巴泰清(猷格理氏)
456-152- 61
吳巴圖清 455-195- 9
吳友名清 476-727-138
477-133-155
537-437- 58
540-688- 27
吳友遜元～明 473-391- 65
533-492- 65
吳天孚妻 清 見張氏
吳天成元 1213-762- 24
吳天性妻 明 見鄧氏
吳天命妻 清 見王氏
吳天俊明 529-702- 50
吳天祐明 1442- 49-附3
1460- 54- 42
吳天泰明 524-113-183
1442-114- 7
1460-675- 74
1475-505- 22
吳天秩宋 524- 4-178
吳天章女 清 見吳氏
吳天祥妻 明 見趙氏
吳天球宋 1182-609- 40
吳天崇女 清 見吳細嬌
吳天常宋 549-121-185
1115-422- 50
吳天菴妻 清 見查氏
吳天駟宋 484-376- 27
吳天錦妻 明 見李氏
吳天驥宋 511-270-147
吳及子晉 256-469- 90
380-177-170
933-108- 7
吳日仁妻 清 見駱氏
吳日光清 511-636-161
吳日光妻 清 見張氏
吳日來清 529-486- 43
吳日袒明 1442-112- 7
吳日通明 511-626-161
吳日華女 宋 見吳氏
吳中立妻 元 見陸氏
吳中立明 460-807- 86
529-745- 51
676- 8- 1
676- 44- 2
677-643- 57
679-242-162
1442- 75- 5
1460-363- 56
吳中台明 1475-405- 17
吳中行明 300-757-229
475-227- 61
511-157-142
676-607- 25
1442- 75- 5
1460-362- 56
吳中行妻 明 見毛氏
吳中甫宋 472-307- 13
510-282-112
吳中孚妻 宋 288-461-460
401-164-590
473- 30- 49
479-498-239
吳中芸妻 明 見陳氏
吳中明明 511-287-147
吳中英明(長洲人) 511-525-157
吳中英明(字純甫) 511-745-165
1289-359- 25
吳中復吳仲復 宋
286-272-322
382-487- 75
384-358- 18
397-415-344
450-780-下15
471-747- 22
471-954- 52
472-172- 6
472-273- 11
472-826- 33
473-213- 59
473-334- 63
473-523- 72
475- 69- 52
478- 91-180
480- 55-260
481-309-307
488-391- 13
532-690- 45
533- 2- 47
534-235- 84
545-337- 96
554-149- 51
559-306-7上
820-373- 33
933-111- 7
1437- 14- 1
吳中綸明 564-268- 47
吳中憲妻 清 見雷氏
吳中藻明 見劉中藻
吳少常隋 820-127- 25
吳少陽唐 270-742-145
276-227-214
384-259- 13
396-323-280
吳少瑜梁 見紀少瑜
吳少微唐 271-575-190中
276- 69-202
384-189- 10
400-597-555
471-699- 16
472-378- 16
472-1015- 41
475-564- 79
485-428- 6
511-804-167
545-131- 87
1142-531- 6
1371- 52- 附
1375- 2- 上
1376-548-94上
吳少誠唐 270-741-145
276-226-214
384-241- 12
384-259- 13
396-322-280
吳公拔妻 清 見陳氏
吳公美妻 明 見鄒氏
吳公約唐 472-966- 38
525-369-235
523-508-171
吳公悅明 564-218- 46
吳公桃妻 清 見俞氏
吳公孫宋 見吳定
吳公納唐 590-135- 17
吳公逸明 511-616-160
吳公瑛宋 471-930- 49
吳公路宋 820-431- 35
吳公誠宋 528-439- 29
吳公擇宋 1132-245- 49
吳仁先清 1314-443- 12
吳仁表宋 487-510- 7
吳仁度明 301-789-283
515-800- 82
545-100- 86
吳仁卿女 明 見吳德敬
吳仁彬元 1197-752- 79
吳仁傑宋 511-672-163
590-457- 0
1318-163- 45
吳仁誨子 唐 1342-511-970

吳仁璧唐 273-114-60
485-182-25
493-870-47
511-727-165
583-795-26
吳仁璧女 唐 見吳氏
吳仁歡唐 475-564-79
485-405-4
511-407-152
吳升東清 533-184-52
吳什哈清 455-485-30
吳什泰清(鈕祜祿氏)
455-129-5
吳什泰清(納喇氏) 455-396-24
吳什泰清(正白旗人)
456-354-77
吳什喜清 456-238-68
吳化鵬宋 491-436-6
吳允中明 540-822-28之3
吳允昇清 475-702-86
502-690-81
510-227-110
510-467-117
吳允焞清 481-746-334
523-360-163
528-565-32
吳允焞妻 清 見瞿氏
吳允裕明 523-133-152
吳允誠巴圖特穆爾 明
299-521-156
472-946-37
558-365-35
吳允禎明 473-388-65
532-720-45
564-95-45
吳允嘉清 524-18-178
吳允謙妻 清 見楊氏
吳玄應明 見章玄應
吳主一吳志淳 明(字主一)
301-818-285
475-705-86
524-318-194
676-450-17
820-525-38
1439-453-2
1459-395-12
1468-677-30
吳主一明(字協一) 679-699-207
吳立南明 502-279-56
吳立齋明 1269-990-13
吳市吏春秋 493-1061-56
吳市門漢 見梅福
吳必大宋 473-213-59
480-55-260
533-4-47
吳必明宋 528-537-32
吳必裕宋 1152-237-5
吳必達宋 533-322-57
吳必榮明 821-484-58
吳必學明 1467-121-66
吳必顯明 511-317-148
吳永孕清 1324-324-31
吳永年姊 宋 見吳氏
吳永年妻 宋 見何氏
吳永健明 493-757-41
吳永泰妻 清 見潘氏
吳永康明 511-633-161
吳永祺清 511-842-168
吳永裕明 473-388-65
532-720-45
吳永圖明 545-389-97
554-512-57下
吳去疾明 1459-419-13
吳玉林元 見吳伯岡
吳玉美明 鄭汝潔妻、吳智女
530-65-55
1254-593-上
吳玉貞明 聶士偉妻
479-685-248
吳玉搢清 475-331-65
吳玉蓮明 陳九敘妻、吳季備女
530-13-54
吳弘猷明 821-484-58
吳弘道明 524-351-196
吳弘道清 547-28-141
吳弘業明 561-450-43
吳弘濟明 300-790-231
458-345-13
479-97-221
523-276-158
吳丕顯明 676-603-25
1442-76-5
1460-365-56
吳石峰明 1268-298-48
吳石蒼女 明 見吳氏
吳古松元 821-295-53
吳古理清 455-465-28
吳本泰明 524-11-178
1442-108-7
1460-656-73
吳本清明 475-529-77
511-600-160
吳本涵清 477-443-171
吳本植清 474-640-33
505-795-73
吳正一明 511-532-157
吳正一清 567-165-69
吳正子宋 708-1023-95
吳正己明 1283-790-128
吳正大明 523-177-154
吳正文妻 明 見徐氏
吳正平宋 491-434-6
吳正志明 1442-83-5
吳正宗妻 明 見許氏
吳正治清 475-576-79
480-93-262
511-292-147
531-24-附
533-163-52
吳正卿元 473-730-82
563-716-39
吳正國宋 485-536-1
515-215-63
吳正策妻 清 見李氏
吳正道元 516-47-88
820-509-37
吳正儒明 1475-355-15
吳甘來明 301-497-266
458-282-9
479-750-251
515-491-71
1442-106-7
1460-689-75
吳加增明 456-617-9
477-56-151
537-251-55
吳平仁後魏 476-77-100
吳可法女 明 見吳貞姊
吳可孫元 515-767-81
1202-223-16
1233-270-4
吳可敏吳徽明 清
1313-269-21
吳可幾宋 472-1002-40
524-119-184
吳可箕明 456-635-10
475-576-79
511-481-155
511-513-157
吳可贊妻 明 見鄭順常
吳世于妻 明 見胡氏
吳世安明 456-545-7
吳世式清 511-848-168
吳世良明 524-82-182
吳世杰清 475-380-68
511-784-166
吳世忠明(字懋貞) 300-37-185
473-117-54
515-786-81
676-731-30
吳世忠明(南城人) 532-709-45
吳世忠明(字元孝)
1442-67-4
吳世昌明 1229-322-11
吳世昌妻 明 見劉氏
吳世昌清 511-569-158
吳世虎清 456-380-79
吳世延宋 529-725-51
吳世俊清 502-643-78
吳世珣明 482-559-369
569-659-19
吳世紹元 482-209-347
564-268-47
吳世揚明 456-587-8
476-698-137
538-60-63
540-654-27
吳世傑妻 清 見郝氏
吳世溥明 480-582-285
吳世煜明 475-645-83
吳世裕明 524-194-188
吳世祿妻 清 見徐氏
吳世際妻 元 見竇氏
吳世鳴宋 523-404-165
吳世澄元 1229-347-12
吳世德妻 清 見王準娘
吳世範宋 564-69-44
吳世燁明 512-773-196
吳世澤明 523-218-156
529-467-43
567-123-67
1283-853-134

1467-106- 65
吳世靜妻 宋 見涂氏
吳世濟明 510-482-118
吳世瞻明 494- 41- 3
吳世寶明 1467-116- 66
吳札樓清 455-450- 27
吳布延元 295-589-195
400-269-521
吳未裙妻 明 見楊未觀
吳以南女 明 見吳氏
吳以敏明 529-682- 50
吳以寧元 1376-522-92上
吳由于春秋 見王孫由于
吳四貞明 479-611-244
516-387-102
吳令則明 何應瓊妻、吳應賓女 1442-125- 8
1460-780- 85
吳令珪女 唐 見吳皇后
吳令儀明 方孔炤妻、方孔昭妻、吳應賓女 512- 10-176
1442-125- 8
吳仕期明 511-626-161
吳仕舜宋 1122-609- 10
吳仕榮妻 明 見汪氏
吳仕讓明 1283-449-102
吳仕讓妻 明 見屠氏
吳白水漢 見吳丹
吳用先明 511-258-146
512-762-196
吳用烈清 477-547-176
吳用極明 456-680- 11
545-677-107
吳瓜生妻 清 見蔡氏
吳守一宋 472-561- 23
541- 92- 30
吳守仁女 宋 見吳氏
吳守正妻 元 見禹淑靖
吳守喆唐 820-155- 26
吳守忠妻 明 見楊氏
吳守進清 502-642- 78
吳守經明 564-271- 47
吳守節妻 明 見宮氏
吳守鳳妻 清 見謝氏
吳守儁清 479-332-232
吳安民元 1194-686- 12
1203-394- 30
吳安持妻 宋 見王氏
吳安時宋 487-147- 9
491-426- 5
524-123-184
吳安國宋 288-313-449
400-163-513
472-1054- 44
479-432-236
523-420-166
吳安國明 676-627- 26
1442- 78- 5
1460-394- 58
吳安詩宋 1110-572- 33
吳安禮宋 487-147- 9
491-426- 5
524-123-184
吳汝方明 676-173- 7
吳汝式宋 1364-333-291
1437- 30- 2
吳汝宗明 302- 44-291
456-523- 6
476-819-143
529-651- 48
540-666- 27
吳汝明宋 472-296- 12
511-572-159
吳汝爲清 478-201-184
554-316- 53
吳汝亮清 476-754-139
540-873-28之4
吳汝倫妻 明 見曹氏
吳汝納唐 271-259-173
吳汝球清 511-401-151
吳汝培明 見吳汝琦
吳汝琦吳汝培 明456-570- 8
475-432- 70
511-468-154
吳汝喬妻 明 見林瓊娘
吳汝新明 516- 82- 90
吳汝鼎明 511-608-160
吳汝寧明 511-573-159
吳汝徵明 456-525- 6
吳汝霖明 1242-392- 37
吳汝韜明 529-676- 49
吳宇英明 456-443- 3
481-157-298
吳宅祖妻 宋 見王氏
吳交如宋 451-135- 2
494-349- 7
511-176-143
吳百朋明 300-612-220
479-331-232
479-455-237
515- 53- 58
517-234-121
517-712-133
523-561-174
545-298- 94
吳至乙妻 清 見姚氏
吳在木宋 473- 43- 50
515-213- 63
吳存中明 524- 73-181
吳存義清 563-881- 42
吳有成宋 1176-347- 35
吳有成明 533- 27- 47
吳有辰妻 清 見何氏
吳有定吳帝謨 宋451- 71- 0
吳有涯明 523-237-156
1442-105- 7
1460-625- 71
吳有諒女 明 見吳氏
吳有鄰宋 515-733- 80
吳有鄰女 宋 見吳氏
吳有磐清 1328-885- 19
吳羽文明 301- 14-235
475-369- 67
479-494-239
510-488-118
515-435- 70
吳同保清 456- 51- 53
吳光寅明 476-856-145
吳光國妻 清 見章氏
吳光義吳先義 明
476-918-148
512-777-196
537-222- 54
吳光裕明 511-816-167
吳兆元明 529-522- 44
吳兆亨明 564-271- 47
吳兆燫明 456-504- 5
吳兆騫清 511-751-165
吳伏顯妻 明 見凌氏
吳名揚宋 473-115- 54
515-759- 80
523- 19-146
吳名溢明 524- 13-178
吳名煌清 481-559-327
吳名標明 456-680- 11
479-728-250
515-725- 79
吳任臣清 479- 58-219
524- 15-178
679-742-210
680-550-276
吳任歡唐 1376-614-96上
吳任讓妻 明 見陳氏
吳向宸妻 清 見俞氏
吳自充妻 清 見羅氏
吳自守明 533- 48- 48
吳自成明 820-720- 43
吳自宜唐 516-448-104
吳自周明 456-678- 11
511-477-155
吳自牧宋 1376-433- 87
吳自峒明 511-257-146
吳自強妻 明 見高氏
吳自肅清 476-114-102
479-767-252
515-127- 60
吳自然宋 524-203-188
1185-501- 91
吳自然明 540-805-28之3
吳自新明 511- 82-139
吳自福元 1225-242- 9
吳自勵明 511-652-162
吳合齊清 455-206- 10
吳全五妻 清 見鄭氏
吳全節元 295-651-202
401-126-585
473- 53- 50
479-538-241
497-607- 43
516-470-104
820-547- 39
1207-360- 25
1439-456- 2
1471-187- 25
吳好正妻 清 見鄭氏
吳好直元 295-607-197
400-316-526
478-347-191
吳如愚宋 1181-766- 11
吳先登元 1375- 20- 上
吳先義明 見吳光義
吳先璘明 456-660- 11

511-475-155
吳先瓘明 456-660- 11
511-475-155
吳仲大清 505-915- 81
吳仲方宋 1357-930- 7
吳仲正明 1232-393- 1
吳仲庚明 1229-662- 1
吳仲貞清 481-725-333
吳仲昭明 676-466- 17
吳仲原明 1240-181- 12
吳仲軒宋 515-339- 67
吳仲珠明 460-554- 54
529-730- 51
吳仲淇妻 明 見楊氏
吳仲勝明 472-1102- 47
523-172-154
吳仲復宋 見吳中復
吳仲廣清 474-604- 31
505-915- 81
吳仲舉南唐 286-272-322
397-415-344
473-213- 59
475-639- 83
480- 54-260
510-443-117
533-358- 60
吳仲舉宋 528-438- 29
吳仲舉妻 清 見鄭氏
吳仲禮女 元 見吳氏
吳行貞明 456-637- 10
吳行魯唐 591- 70- 5
吳休尚梁 820-104- 24
吳宏哲明 1247- 39- 2
吳宏密明 1257-196- 18
吳宏基女 清 見吳氏
吳宏綱妻 清 見方氏
吳言信明 529-629- 48
吳忱周明 511-605-160
吳良吉明 533- 48- 48
吳良知明 523-562-174
吳良柱妻 清 見秦氏
吳良能明 302- 44-291
456-421- 2
474-742- 40
476-577-131
502-715- 83
540-636- 27
吳良弼宋 451- 63- 2
吳良弼明 563-840- 41
吳良質妻 明 見戴氏
吳良璧清(瀋陽人) 456-347- 77
吳良璧清(字夢星) 559-413-9下
吳良驥吳德昭 宋448-399- 0
吳志文明 554-348- 54
吳志用妻 清 見陳氏
吳志行元 820-546- 39
吳志淳明 見吳主一
吳志堅元 547-491-159
吳志野女 南唐 見吳媛
吳志盛明 480-635-288
吳志達吳 370-285- 4
492-612- 14
吳志遠明 523-583-175
吳志德明 523-560-174
吳志興宋 472-296- 12
511-572-159
吳志灝清 515-456- 70
吳赤市春秋 493-794- 43
吳成大元 680-299-255
吳成紀明 547- 53-143
吳成器明 300-377-205
512-243-266
523-158-153
1409-759-657
吳成額清 456-124- 58
吳孝光元 524-290-193
吳孝先宋 1175-323- 31
吳孝先明 494-164- 6
570-145-21之2
吳孝祥元 1213-760- 24
吳育源明 1253-157- 48
吳李方清 559-332-7下
吳李芳清 533-277- 56
吳李芳妻 清 見王氏
吳君庸宋 1097-102- 10
吳君儀元 1221-299- 5
吳君僚春秋 見州于
吳君錫妻 元 見劉氏
吳君懋明 見吳懋
吳克己宋 452- 24- 下
1152- 24- 0
吳克己元 1203-438- 32
吳克己妻 元 見舒妙眞
吳克灼妻 清 見張氏
吳克孝明 511-240-145
523- 61-148
吳克忠吳達蘭 明
299-521-156
472-946- 37
478-636-206
558-365- 35
558-428- 37
吳克恒明 529-709- 50
吳克珍元 1159-514- 上
吳克珍妻 元 見江秀
吳克恭元 1471-487- 11
吳克新清 456-389- 80
吳克勤明 299-522-156
472-946- 37
478-636-206
558-428- 37
吳克達妻 清 見鄭氏
吳克禮妻 宋 見狄氏
吳那海清 456-301- 73
吳尾宋明 夏夢軫妻、吳尚熠女 530- 16- 54
吳尾姐明 黃龍妻
530-113- 57
吳辰子元 1207-273- 18
1213-745- 23
吳谷祥妻 明 見劉氏
吳谷賢明 516-149- 93
吳佐孫明 見吳直方
吳伯年妻 宋 見何氏
吳伯良妻 清 見羅氏
吳伯成元 1197-711- 74
吳伯宗吳佑、吳柘、吳祐明
299-295-137
452-124- 1
453-551- 5
473-116- 54
479-659-247
515-774- 81
1442- 5-附1
1459-239- 4
吳伯宗清 476-403-119
547-119-145
1324-989- 33
吳伯武宋 1122-535- 8
吳伯岡吳玉林 元
1376-525-92下
吳伯昂明 472-638- 27
537-428- 58
吳伯昭元 821-317- 54
吳伯胤明 456-665- 11
676-666- 28
吳伯恭明 1242-824- 9
吳伯姬明 潘召南妻、潘君南妻、吳思誠女 1283-524-107
1410-434-721
吳伯理明 820-763- 44
821-487- 58
吳伯通明 537-216- 54
559-365- 8
561-307- 40
571-524- 19
1442- 30-附2
吳伯參明 524-378-197
吳伯善明 1229-400- 1
吳伯琦吳伯錡 明
533-219- 53
559-317-7上
吳伯裔明 456-665- 11
538- 46- 63
676-659- 27
1442-109- 7
吳伯裔妻 清 見劉氏
吳伯興明 511-813-167
676-632- 26
1442- 91- 6
1460-525- 65
吳伯璋萬伯璋 明(字重器)
533-420- 62
吳伯璋明(閩縣人) 567-100- 66
1467- 77- 64
吳伯敷明 1442- 91- 6
1460-521- 65
吳伯錡明 見吳伯琦
吳伯欞妻 清 見藍氏
吳希尹金 546-668-137
吳希由明 1263-110- 18
1263-120- 21
吳希汴明 524-134-185
吳希孟明 676-216- 8
吳希哲明 523-569-174
563-782- 40
676-657- 27
679-699-207
吳希敏明 524-470- 91
吳希曾元 295-609-197
400-317-526
475-431- 70

511-581-159
吳希聖清 524-141-185
吳希賢吳衍 明(字汝賢) 452-199- 4
460-531- 49
481-556-327
529-730- 51
1257-194- 18
1458-190-431
吳希賢明(宣城人) 480- 52-259
吳希賢明(字進夫) 483- 33-371
570-111-21之1
吳希奭宋 515-609- 76
吳希稷明 456-460- 4
吳邦佐吳邦柱 明
567-410- 84
1467-242- 71
吳邦貞吳邦楨 明
511-106-140
1442- 61- 4
吳邦俊明(秀水人) 563-774- 40
吳邦俊明(臨桂人) 563-836- 41
567-348- 80
吳邦桂明 見吳邦佐
吳邦卿明 480-512-281
吳邦傑宋 491-436- 6
吳邦傑金 291-674-122
400-219-518
472-602- 25
476-697-137
540-652- 27
吳邦楨明 見吳邦貞
吳邦瑞女 清 見吳氏
吳邦達明 1442- 98- 6
1460-592- 69
吳邦輔明 300-653-222
1320-683- 75
吳邦畿妻 清 見夏氏
吳邦憲清 482-280-351
564-311- 48
吳邦璿妻 明 見傅氏
吳利見吳宜孫 宋448-393- 0
吳秀發宋 529-449- 43
吳妙安明 張以仁妻
1237-509- 6
1237-536- 8
吳妙善明 周謌妻、吳融女
1255-644- 67
吳妙寧元 1218-700- 4
吳妙靜宋 吳道遺女
564-315- 49
吳努春清 455-279- 16
吳努渾清 456- 43- 53
吳努福清 455- 95- 3
吳努綽清 456- 51- 53
吳廷用明 473-605- 76
1241-833- 21
吳廷圭明 1247-555- 25
吳廷秀明 559-310-7上
吳廷枚妻 清 見唐氏
吳廷貞清 511-756-165
吳廷祚宋 見吳延祚
吳廷訓妻 清 見蔡氏
吳廷珙明 528-561- 32
吳廷桂妻 明 見孫氏
吳廷桓明 524- 92-182
吳廷紹南唐 492-600-13下之下
511-860-170
吳廷雲明 529-639- 48
563-831- 41
吳廷弼明 300-306-201
482-453-362
567-382- 82
1467-216- 70
吳廷貴妻 明 見董如玉
吳廷華清 481-526-326
吳廷順妻 明 見蔡氏
吳廷瑄明 528-561- 32
吳廷楷清 511-802-167
吳廷憲明 567-409- 84
吳廷翰明 511-819-167
吳廷輿妻 明 見鍾氏
吳廷舉明 300-304-201
453-708- 39
473- 17- 49
473-215- 59
479-453-237
481-805-338
482- 34-340
482-453-362
515- 42- 58
532-745- 46
533- 9- 47
547-194-148
559-269- 6
563-733- 40
564-757- 60
567-322- 78
679-632-200
1261-539- 18
1267-658- 12
1467-207- 69
1467-296- 73
吳廷謨明 515-439- 70
吳廷馨妻 清 見葉氏
吳廷蘭元 1197-734- 76
吳宗大宋 484-377- 27
吳宗元元 524-204-188
676-319- 11
1224-137- 18
1229- 47- 4
吳宗冉唐 820-242- 28
吳宗吉明 516- 79- 90
吳宗直明 473-730- 82
564-285- 47
吳宗孟明 524-192-188
吳宗孟清 480-201-267
532-659- 44
538-114- 64
吳宗和妻 清 見張氏
吳宗周明(字子旦) 475-609- 81
479-678-248
511-707-164
515-134- 61
吳宗周明(字熙偉) 515-281- 65
517-240-121
吳宗周明(黃州司理)
532-635- 43
吳宗洙明 511-849-169
吳宗起元 821-325- 54
吳宗棨妻 明 見周氏
吳宗教明 533-290- 56
567-144- 68
吳宗善妻 明 見花氏
吳宗湯明 564-102- 45
吳宗堯明(字仁叔) 301- 37-237
475-575- 79
476-659-135
511-289-147
吳宗堯明(字協卿)
570-122-21之1
吳宗傑妻 明 見周氏
吳宗義明 524-192-188
吳宗裕女 明 見吳珩玉
吳宗道妻 明 見木氏
吳宗聖妻 清 見劉氏
吳宗達明 300-758-229
511-162-142
吳宗漢明 1475-319- 13
吳宗潛吳系 明 1475-512- 22
吳宗澄妻 明 見傅氏
吳宗儒明 1442- 98- 6
1460-593- 69
吳法哈清 455-582- 38
吳京煥妻 明 見彭氏
吳宜孫宋 見吳利見
吳性原明 529-675- 49
吳性娘清 許逢龍妻
1327-716- 9
吳定翁元 295-621-199
401- 40-573
479-658-247
515-766- 81
1207-604- 43
吳定遠明 524-174-187
吳其貴明 564-179- 46
吳其幹妻 清 見張氏
吳其靁明 1327-280- 13
吳松年宋 1161-616-125
吳松龍吳遂 宋 451- 96- 3
吳武陵吳偘 唐 276- 90-203
384-240- 12
400-615-556
473- 62- 51
473-748- 83
479-558-242
515-853- 85
567-429- 86
1371- 69- 附
1467- 17- 62
吳直方吳佐孫 元452- 17- 上
472-1031- 42
523-327-161
1223-262- 2
1224-334- 25
吳拉岱清 455-332- 20
吳拉達清 455-646- 45
吳孟父妻 明 見暨氏
吳孟明明 300-653-222
505-803- 74
1320-679- 75
吳孟俅明 482-408-359

567-103- 66
1467- 76- 64
吳孟高明 1253- 87- 45
吳孟高妻 明 見謝端
吳孟恭妻 明 見陳懿良
吳孟祺明 540-807-28之3
吳孟勤明 473-151- 56
1374-757- 96
吳孟熙明 821-439- 57
吳孟銘明 559-297-7上
吳孟儀妻 清 見馬氏
吳孟謙明 563-768- 40
吳居中十國吳 820-315- 31
吳居仁宋 460-300- 20
529-607- 47
1168-456- 38
吳居厚宋 286-556-343
382-632- 97
397-636-358
471-926- 49
472-394- 17
473- 20- 49
515-309- 66
933-111- 7
1053-785- 18
1127-513- 12
吳事心明 570-134-21之2
吳奇勳明 456-503- 5
481-724-333
529-639- 48
吳邵年吳朝孫 宋448-393- 0
吳阿衡吳陳衡 明456-518- 6
458-163- 8
505-639- 67
523- 64-148
538- 64- 63
545-106- 86
吳來尹妻 清 見趙氏
吳來臣明 524-111-183
吳來朋方來朋 元
1219-519- 23
吳來煒妻 清 見章氏
吳來鳳清 529-748- 51
吳東升明 524-347-196
820-640- 41
吳東生明 821-458- 57
吳東周妻 明 見謝氏
吳林布清 455-504- 31
吳林清元 528-508- 31
吳長翁元 1213-774- 25
吳長裕妻 宋 見陳氏
吳長齡明 481-374-311
吳表臣宋 287-219-381
398-254-382
472-290- 12
472-1116- 48
475-483- 73
479-318-232
479-404-235
523-341-162
吳承恩明(字汝忠) 511-779-166
1442- 67- 4
1460-300- 53
吳承恩明(字朝錫) 524- 93-182
吳承恩明(桐城人) 537-318- 56
吳承勛明 559-504- 12
吳承嗣唐 820-284- 30
吳承熙明 529-479- 43
吳承緒明 456-542- 7
吳承範後晉 278-142- 92
吳忠勇宋 見吳楚材
吳忠孺宋 484-384- 28
吳肯搆元 472-677- 27
537-256- 55
吳尚友明 516-135- 92
523-251-157
吳尚倫明 1297-119- 10
1467-131- 66
吳尚熠女 明 見吳尾宋
吳尚鉉清 479-332-232
523-408-165
吳尚選清 1327-290- 13
吳尚默明 511-309-148
523-195-155
吳尚禮明 479-581-243
516-107- 91
吳尚禮清 456-347- 77
吳昌衍明 473-116- 54
515-779- 81
559-315-7上
吳昌祚妻 明 見謝氏
吳昌孫宋 見吳景伯
吳昌時明 302-383-308
吳昌裔宋(字季永) 287-562-408
398-531-400
472-1026- 42
473-428- 67
473-505- 71
473-513- 71
479-319-232
481- 70-293
481-154-298
481-336-308
481-348-309
523-185-155
533-724- 73
559-266- 6
559-310-7上
559-392-9上
591-616- 44
592-606- 99
676-689- 29
吳昌裔宋(潼川人)
1176-346- 35
吳昌運妻 明 見沈靜專
吳明志元 546-678-137
吳明徹陳 260-608- 9
265-937- 66
370-584- 20
378-507-144
384-121- 6
472-176- 6
472-997- 40
475- 73- 53
492-623- 14
494-286- 3
532-105- 27
933-109- 7
1064-270- 10
1064-735- 15
1342-335-947
1394-754- 11
1400-172- 7
1410-475-726
1416- 83-111下
吳明燧妻 清 見陳氏
吳虎孫妻 元 見梁氏
吳芘仲宋 564- 78- 44
吳叔文明 524-227-189
吳叔圭明 524-300-193
吳叔沅宋 523-415-166
吳叔告宋 529-503- 44
吳叔祥女 明 見吳氏
吳岐伯妻 清 見沈氏
吳知道明 1231-348- 5
吳知禮唐 820-146- 26
吳知藁清 456-389- 80
吳季子宋 529-747- 51
679-183-157
吳季備女 明 見吳玉蓮
吳周生明 820-754- 44
吳周封妻 明 見曾氏
吳佳裕妻 清 見蔡氏
吳金陵明 524-377-197
吳金童妻 明 見莊氏
吳岱榜清 456-301- 73
吳岳生妻 明 見朱德璉
吳受益清 456-347- 77
吳受倉清 456-348- 77
吳近仁元 821-323- 54
吳延之晉 256-469- 90
380-177-170
933-108- 7
吳延友明 1313-205- 16
吳延孝明 821-410- 56
吳延祚吳廷祚 宋
285-164-257
371- 90- 9
382-174- 25
384-324- 17
401-299-608
472-436- 19
476- 39- 98
478-694-210
545-615-105
吳延貴清 528-501- 30
吳延齡明 570-218- 23
吳欣之齊 259-541- 55
265-1042- 73
380-100-167
472-257- 10
511-550-158
吳秉信宋 491-402- 4
491-435- 6
523-286-159
1151-258- 17
吳秉義宋 491-435- 6
吳秉禮宋 見吳業
吳秉彝元 472-659- 28
537-266- 55
吳秉懿妻 明 見李氏
吳洪昌明 523-221-156

吳洪進明 564-246-47
吳洪德宋 479-380-234
523-413-166
吳炳用妻 明 見潘氏
吳炳若宋 1197-603-61
吳爲霖明 1442-106-7
1460-639-72
吳宣德妻 宋 見王氏
吳恆之不詳 879-183-58下
吳恪甫清 482-44-340
吳炯然妻 清 見汪寶珠
吳帝謨宋 見吳有定
吳亮中清 1475-581-25
吳亮嗣明 533-53-48
吳彥文明 1227-78-9
吳彥升妻 明 見黎氏
吳彥申宋 1126-764-169
吳彥芳明 301-360-258
511-292-147
528-479-30
吳彥芳清 511-894-172
吳彥紀妻 明 見饒懿貞
吳彥恭明 524-235-189
吳彥華明 511-76-139
吳彥德明 533-776-74
吳彥夔吳道士 宋448-376-0
吳美中宋 528-522-31
吳美中妻 明 見汪氏
吳拱之宋 1098-210-26
吳拱德清 529-694-50
吳春枝明 523-109-150
吳柏舟明 524-481-203
吳皆藎妻 明 見魯氏
吳珂鳴清 511-557-158
吳南老宋 528-549-32
吳南明明 523-422-166
吳南岱清 479-766-252
515-126-60
吳南陽明 541-107-31
吳南灝明 528-555-32
吳珍亭清 456-347-77
吳致文明 479-627-245
吳致之明 1457-680-407
吳致堯宋 451-174-5
529-740-51
吳柔思明 537-250-55
吳柔勝宋 287-466-400
398-457-394
451-23-0
472-177-6
472-348-15
472-359-15
472-981-39
473-209-59
475-607-81
479-578-243
480-49-259
480-200-267
489-357-31
494-428-13
510-452-117
515-269-65
523-98-150
524-312-194
532-615-43
532-654-44
1167-241-20
吳茂才妻 明 見高氏
吳茂寅明 529-690-50
吳茂榮吳漸、吳興仁 宋
515-744-80
1156-486-27
吳茂徵明 477-523-175
吳貞秀元 482-79-341
吳貞姊明 吳可法女
530-111-57
吳貞善明 彭宏著妻
530-61-55
吳貞媛明 見吳婉
吳貞毓明 301-710-279
456-446-3
吳思尹元 見吳師尹
吳思立明 529-587-46
吳思名吳思明 明
515-170-62
473-112-54
吳思明明 見吳思名
吳思温明 456-579-8
480-59-260
533-360-60
吳思道宋 472-177-6
492-584-13下之上
吳思道明 1229-63-5
吳思達元 295-601-197
400-310-526
472-485-21
474-517-25
吳思敬明 524-173-187
吳思敬妻 明 見趙氏
吳思誠明 見吳伯姬
吳思齊宋 524-293-193
679-542-191
1223-534-10
1374-354-57
1196-541-4
1457-686-408
吳思睿宋 451-72-2
吳思聰明 547-117-145
吳思夔明 見吳欽堯
吳若水元 821-325-54
吳則志宋 1189-558-5
吳則禮宋 674-831-17
1122-416-附
1437-19-1
吳英發吳慶孫 宋451-71-2
吳禹功妻 宋 見楊氏
吳待問宋 473-600-76
吳重熙女 清 見吳氏
吳垕子元 1202-290-2
吳皇后蜀漢 漢昭烈帝后
254-576-4
373-57-19
384-422-5
385-54-4上
537-184-53
吳皇后唐 唐肅宗后、吳令珪女 269-433-52
274-21-77
393-265-72
吳皇后宋 宋高宗后、吳近女
284-879-243
393-316-77
452-59-1
537-187-53
585-296-2
819-592-20
吳皇后明 明憲宗后
299-11-113
吳姑姑明 甯集略妻
302-228-302
479-729-250
516-289-99
吳紅保妻 明 見賴氏
吳拜相明 476-856-145
吳科達清 455-205-10
吳衍俊清 456-347-77
吳保安唐 275-584-191
384-193-10
400-325-527
472-130-4
474-474-23
505-865-77
561-562-45
吳保郎宋 見吳幬
吳俊臣宋 821-230-51
吳秋林明 820-755-44
821-474-58
吳訒伯女 清 見吳氏
吳高祖楊渭、楊瀛、楊隆演 十國吳 278-467-134
279-428-61
384-316-16
401-193-594
488-327-12
819-578-19
吳高節明 820-757-44
吳祐孚後唐 524-333-195
吳祖修清 511-750-165
吳祖馨清 529-704-50
吳悟成明 張輔妻、吳珍女
1248-613-3
1253-31-41
吳益夫明 676-538-22
1442-49-附3
吳益懋元 1226-498-24
吳家駿清 524-163-186
吳衷一清 540-853-28之4
吳庭秀金 1191-418-36
吳庭富明 1238-569-15
吳庭槱明 529-662-49
吳敉功妻 清 見沈氏
吳泰初宋 487-188-12
吳泰連元 1213-751-23
吳泰發妻 宋～元 見黃嗣眞
吳恭祖元 472-721-28
537-481-58
吳貢珍明 563-825-41
567-356-80
吳原正明 567-108-66
1467-85-65
吳原朴明 1247-412-16

吳原庸 472-431- 19
476-296-112
545-401- 98
吳原頤明 472-360- 15
820-579- 40
吳晉剡清 511-684-163
吳晉泰清 455- 75- 2
吳晉書明 1475-490- 21
吳晉錫明 1442-110- 7
吳桂芳明 300-670-223
473- 30- 49
479-492-239
481-807-328
510-393-115
515-402- 69
523- 53-148
563-725- 40
567-129- 67
580-442- 29
676-579- 24
1442- 58- 3
1460-171- 48
1467- 98- 65
吳桂芳妻 清 見俞氏
吳桂英清 479-562-242
吳桂森明 458-455- 22
475-229- 61
511-682-163
677-693- 62
吳珩玉明 孫鸞妻、吳宗裕女
1458-662-468
吳起孫元 479-748-251
515-472- 71
吳起潛明 1227- 86- 10
吳起龍父 明 1290-666- 91
吳起龍妻 清 見張氏
吳起豫妻 清 見劉氏
吳起爵清 545-161- 88
吳振纓明 1442-103- 7
1460-616- 71
吳時可妻 明 見余妙眞
吳時來明 300-467-210
479-295-230
523-320-161
567-450- 86
676-585- 24
1442- 61- 4
1460-193- 49
1467-157- 67
吳時昭明 529-657- 49
吳時培明 821-462- 57
吳時道明 456-662- 11
吳時諫清 547- 85- 144
吳茲明明 456-618- 9
480- 60-260
533-362- 60
吳茹公劉宋 485-424- 5
吳虔裕宋 285-365-271
472-658- 27
537-588- 60
吳師尹吳思尹 元515-621- 76
1219-726- 8
1410-380-714
吳師尹女 明 見吳瑞慶
吳師仁宋 286-602-347
523-578-175
吳師古宋 472-260- 10
479-768-252
516-199- 95
546-353-126
吳師孟宋 559-341- 8
820-407- 34
吳師服宋 528-537- 31
吳師貞清 523-394-164
吳師禹吳洪 明 1442-128- 8
吳師舜妻 明 見余淑玉
吳師道元 295-540-190
400-700-567
453-789- 3
472-1031- 42
475-605- 81
479-327-232
510-435-116
523-614-176
1209-389- 6
1210-437- 15
1212-302- 附
1212-306- 附
1224- 42- 16
1439-429- 1
1469-179- 44
吳師禮宋 286-601-347
451- 14- 0
472-967- 38
479- 49-218
512-789-196
523-578-175
吳卿吉元 劉國珍妻、吳可女
1197-777- 82
吳純臣宋 564- 42- 44
567- 71- 65
吳能額清 455-636- 44
吳修齡清 479- 58-219
524-105-183
吳添麒明 473- 65- 51
515-874- 86
吳淳夫明 302-321-306
吳清之女 明 見吳恕
吳清玄明 1270- 78- 7
吳商山女 清 見吳氏
吳惟允女 明 見吳氏
吳惟英明 676-663- 28
820-757- 44
1442-112- 7
吳惟信宋 493-1071- 57
494-411- 12
511-895-172
1364-595-330
吳惟深元 1205-293- 9
1376-449- 88
吳惟深妻 元 見陳氏
吳惟善元 1469-658- 63
吳惟敬元 478-337-191
吳惟賢明 511-627-161
吳惟謙妻 明 見夏氏
吳望岱明 505-652- 68
吳寄菴妻 清 見孫氏
吳淨鬘明 陳洪綬妻
821-492- 58
吳章阿清 455-320- 19
吳章燦妻 明 見馮氏
吳率正吳譜 明 515-775- 81
523-118-151
吳祥九妻 明 見沈氏
吳祥瑞清 505-915- 81
吳淑姐明 吳養濂女
506- 12- 86
吳淑清明 陳瑛妻
530- 63- 55
1254-587- 上
吳淑乾女 明 見吳氏
吳淑婉明 朱興宗妻
530- 63- 55
吳淑閒明 尤琮妻
1274-351- 12
吳淑鳳清 鄭國桐妻
1325-730- 6
吳淑潤明 473- 24- 49
吳訥格清 455-119- 4
吳訥軾清 455- 73- 2
吳康之妻 明 見趙氏
吳執中宋 286-717-356
397-753-365
473-602- 76
529-595- 47
1145-406- 71
1145-741- 83
吳執中清 見吳執忠
吳執玉明 見吳執御
吳執忠吳執中 清
479-247-228
523-551-173
528-500- 30
吳執忠妻 清 見孟氏
吳執御吳執玉 明
301-360-258
475-951- 55
479-295-230
523-320-161
吳梅山元 821-294- 53
吳梅仙明 821-493- 58
吳梅卿宋 523-605-176
680-199-244
吳梅溪元 821-294- 53
吳梅榔清 530-404- 67
吳尉之齊 見吳慰之
吳雪崖明 821-418- 56
吳理戡清 455-105- 4
吳理禎妻 清 見周氏
吳現瑛女 明 見吳氏
吳勒楚清 455- 89- 3
吳勒穆清 455-677- 48
吳挺君妻 元 見張淑眞
吳通玄唐 271-601-190下
275- 97-145
395-711-244
469-192- 22
472-310- 13
511-794-166
813-253- 9
814-277- 10
820-220- 28

吳通相妻 清 見劉氏
吳通微唐 271-601-190下
275-97-145
395-711-244
469-192-22
820-220-28
吳陳衡明 見吳阿衡
吳晦之宋 511-853-169
吳崇文明 576-654-5
吳崇信明 511-938-175
吳崇著妻 明 見李氏
吳崇德明 569-672-19
吳崇禮明 540-820-28之3
545-379-97
545-481-100
吳崇讓妻 明 見梁氏
吳貫林宋 1178-67-7
吳國才明 524-358-196
吳國夫劉宋 265-1037-73
380-98-167
吳國仕明(歸德人) 456-666-11
吳國仕明(字秀升) 511-290-147
吳國仕明(字長谷) 532-636-43
吳國用清 474-775-41
475-778-89
502-776-86
510-482-118
吳國彥妻 明 見李氏
吳國相明 547-112-145
吳國英明 1375-25-上
吳國倫明 301-287-287
480-58-260
482-208-347
528-529-31
528-543-32
533-302-57
537-220-54
563-810-41
571-528-19
676-583-24
679-654-202
1460-259-51
1442-65-4
吳國祥妻 明 見劉氏
吳國球明 456-463-4
吳國倬明 554-734-61
吳國琦明 511-801-167
吳國華明 529-647-48
吳國楨明 見朱國禎
吳國瑞明 533-268-55
吳國瑞妻 清 見郭滿玉
吳國鼎明 511-656-162
吳國賓呂國賓 明456-600-9
吳國對清 475-799-90
511-825-167
1316-644-45
吳國賢妻 明 見胥冬
吳國賢妻 明 見雷閏
吳國龍清 475-799-90
511-371-150
吳國興明 見吳良
吳國器明 523-234-156
528-543-32
吳國器清 511-656-162
吳國縉清 511-656-162
吳國擎清 529-661-49
吳國藩明 563-820-41
567-356-80
吳國寶宋 482-238-349
吳國寶元 295-603-197
400-311-526
564-82-44
吳國寶明 見吳禎
吳國鑑宋 471-887-42
473-730-82
564-66-44
吳處仁宋 524-143-185
吳處厚宋 288-581-471
401-336-614
471-903-45
473-222-59
473-642-78
480-87-262
吳悉達後魏 262-253-86
267-630-84
380-118-167
476-397-119
547-108-145
933-109-7
吳得珍妻 明 見陳四姐
吳紹京妻 清 見張氏
吳紹奇明 1442-97-6
1460-584-69
吳紹忠妻 明 見方維則
吳紹昌清 524-306-194
吳紹祖明 1467-222-70
吳紹輝妻 清 見林氏
吳細嬌清 吳天崇女
482-80-341
吳偉明宋 485-502-9
528-473-20
588-172-8
吳偉業清 511-792-166
1475-852-41
吳統持明 524-26-179
1475-513-22
吳統持妻 明 見項珮
吳彩鸞吳綵鸞 唐 吳猛女
473-33-49
479-503-239
516-414-103
588-357-3
813-232-5
820-292-30
吳啟元清 511-811-167
吳啟祉妻 清 見呂氏
吳啟爵清 563-888-42
吳敏修宋 1118-953-65
吳敏道明 511-846-168
吳敏德明 1373-758-21
吳從明明 456-584-8
480-414-277
吳從周明(字世憲) 460-808-87
529-745-51
676-23-1
678-223-91
吳從周明(字宗文) 481-698-332
523-249-157
529-630-48
676-61-2
676-353-13
吳從周明(字文卿) 676-64-2
677-696-62
吳從衆唐 493-685-38
吳從衆明 511-568-158
吳從善明 516-524-106
吳從義明(字裕強) 301-456-263
456-572-8
478-93-180
479-246-227
505-836-76
523-390-164
546-104-118
554-304-53
吳從義明 529-471-43
吳從敬明 515-874-86
676-70-3
676-100-3
676-466-17
680-40-228
吳從龍宋 288-362-452
400-175-513
472-174-6
475-70-52
479-179-225
491-339-1
491-420-5
523-372-164
吳從學妻 明 見邱氏
吳從謙清 479-435-236
523-501-170
吳逢翔明 529-554-45
532-698-45
吳渭生宋 524-209-188
吳詔功清 479-435-236
523-423-166
吳詔相明 511-301-148
1442-94-6
676-639-26
1460-544-67
吳普昭明 456-660-11
511-475-155
吳曾芳清 1324-990-33
吳善父元 1209-325-4
吳善卿元 1215-197-2
吳善經唐 472-1056-44
524-446-201
吳善慶妻 明 見孫妙吉
吳敦本明 523-234-156
571-541-20
吳敦愫妻 清 見夏氏
吳雲芝清 529-707-50
吳雲柱清 456-86-56
吳雲珠清 455-438-26
吳雲龍明 1475-687-29
吳雲錦妻 清 見楊氏
吳雲儲唐 516-435-103
吳博古宋 515-197-63
517-377-125
吳撝謙明 523-219-156
680-48-229
820-719-43

1285-214- 4
吳喜公劉宋 見吳喜
吳朝元明 559-375- 8
吳朝孫宋 見吳邵年
吳朝器女 明 見吳氏
吳棲霞明 524-428-200
吳盛祖清 1321-225-111
吳雄飛宋 479-380-234
523-413-166
吳階泰清 529-704- 50
吳隆卧元 1213-747- 23
吳登賢女 明 見吳氏
吳登顧清 455-546- 35
吳琦德清 455-588- 39
吳斯道宋 820-401- 34
吳斯謐女 明 見吳氏
吳堯卿唐 1084-273- 7
吳堯弼明 570-123-21之1
吳堯獻明 570-161-21之2
吳開允清 512-778-196
吳開先史開先 明456-481- 5
511-481-155
588-434- 37
吳開圻清 523- 69-149
吳開姐明 黃旭炯妻
530-114- 57
吳弼超妻 清 見甯氏
吳雯清清 475-567- 79
吳琳眞女 明 吳氏
吳景文妻 明 見鄭氏
吳景先宋 1163-419- 15
吳景行明 821-355- 55
吳景伯吳昌孫 宋451- 53- 2
吳景明明 676-584- 24
1442- 67- 4
1460-296- 53
吳景和妻 明 見李氏
吳景祉清 515-192- 62
533-147- 51
吳景帝孫休 吳 254-733- 3
370-265- 3
370-270- 3
384- 78- 4
384-534- 25
385-466- 51
589-178- 上
819-559- 19
吳景帝后 見朱皇后
吳景帝后 見鈕皇后
吳景奎元 524- 72-181
1215-451- 附
1215-452- 附
1215-454- 附
1215-455- 附
1439-445- 2
1470-600- 18
吳景春明 1241- 78- 4
1241-487- 7
吳景南明 515-152- 61
吳景純明 1229-332- 12
吳景偲宋 533-278- 56
吳景道清 474-824- 44
476-919-148
502-627- 77
537-225- 54
吳景端明 676-294- 11
吳景賢明 1227-597- 中
吳景輝明 1254-751- 2
吳景馨妻 明 見何氏
吳景鸞宋 516-520-106
吳喀理清 455-231- 12
吳圍寶元 482-238-349
吳華祖元 1226-856- 5
吳華國宋 487-510- 7
吳順子元 1197-786- 83
吳順之宋 1147-348- 31
吳順姬妻 清 見李氏
吳順德明 529-683- 50
吳幾復宋 472-802- 31
473-455- 68
537-573- 60
559-285-7上
吳智敏唐 812-344- 9
821- 41- 46
吳喬柏明 529-672- 49
吳舜鄰宋 484-379- 28
吳舜龍宋 523-495-170
吳舜舉宋 533-272- 56
吳舜舉明 1375- 26- 上
1442- 12-附1
1459-479- 15
吳勝祖明 473-144- 56
1241-528- 9
吳欽堯吳思夔 明
1297-122- 10
吳欽遜妻 明 見周琬姿
吳欽藩妻 明 見藍氏
吳逸菴妻 元 見曹氏
吳進性妻 明 見楊氏
吳進學妻 明 見劉氏
吳進寶明 561-217-38之3
吳復子元 1213-744- 23
吳復古宋 471-842- 36
564- 78- 44
564-711- 59
1110-636- 38
吳復清明 563-840- 41
吳復澄妻 明 見徐氏
吳源起清 1475-617- 26
吳源逵明 1475-707- 29
吳愼樞妻 明 見楊氏
吳裕中明 301-169-245
458-225- 4
533-359- 60
534-883-116
吳裕鳳女 清 見吳氏
吳祿午宋 480-615-287
533-408- 61
吳稟純明 564-269- 47
吳羨門女 宋 見吳氏
吳道士宋 見吳彥夔
吳道子唐 見吳道玄
吳道夫宋 485-535- 1
吳道玄吳道子 唐
472-657- 27
537-160- 52
538-362- 71
812-345- 9
812-363- 9
813- 75- 2
814-272- 9
820-194- 27
821- 46- 46
1109-531- 27
1110-121- 1
吳道正明 456-530- 6
吳道本妻 明 見林氏
吳道行明 458- 18- 1
吳道宏明 480-318-272
534-755-109
537-215- 54
559-371- 8
1457-290-369
吳道亨明 563-837- 41
吳道直明 567-654- 5
吳道來清 529-723- 51
吳道岸清 482-290-352
563-890- 42
吳道南明(字會甫) 300-583-217
479-660-247
515-800- 82
676-617- 25
1442- 82- 5
吳道南明(字宗甫) 515-886- 86
吳道約明 1442-115- 7
1460-672- 74
吳道隆明 1442-117- 8
1460-809- 88
吳道煌清 475-123- 55
510-341-113
523-431-167
吳道新清 511-802-167
吳道寧明 476-222-108
545- 75- 85
1266-611- 10
吳道震妻 明 見姚氏
吳道澤女 明 見吳氏
吳道默清 1316-611- 42
吳道遺女 宋 見吳妙靜
吳道邇明 523-135-152
吳煥豐清 529-706- 50
吳資深宋 1375- 16- 上
吳載堅宋 475-224- 61
511-447-153
吳載鼇明 460-751- 77
529-554- 45
1442-106- 7
1460-646- 73
吳瑚訥清 455-404- 24
吳塔喀清 455- 90- 3
吳聖楫清 511-293-147
吳幹臣明 523- 32-147
吳瑞雲妻 清 見郭氏
吳瑞慶明 胡子祺妻、吳師尹女 1237-613- 上
1239-252- 43
吳瑞鵬清 1313-277- 22
吳勢卿宋 472-1052- 44
吳瑛昌妻 清 見陳氏
吳達之齊 259-543- 55
265-1045- 73
370-528- 16

380-102-167
472-257- 10
475-219- 61
511-550-158
933-109- 7
吳達可明 300-739-227
475-229- 61
479-456-237
511-158-142
515- 60- 58
1442- 78- 5
吳達老宋 529-529- 45
吳達哈清(鑲紅旗人)
455-359- 22
吳達哈清(鑲黃旗人)
455-363- 22
吳達哈清(富察氏) 455-450- 27
吳達哈清(薩克達氏)
455-553- 35
吳達哈清(拖活洛氏)
455-696- 49
吳達海清 455-672- 47
吳達理清 455-248- 13
吳達善清 455-137- 5
吳達齊清 455-312- 19
吳達禪清 455-247- 13
吳達蘭明 見吳克忠
吳達觀清 524-163-186
吳楚才宋 見吳楚材
吳楚材吳炎、吳忠勇、吳楚才
宋 288-363-452
400-195-515
451-241- 0
479-629-245
515-828- 83
527-599- 15
1366-936- 5
吳殿契清 558-464- 38
吳殿弼清 502-694- 81
吳萬里明 472- 27- 1
吳萬福清 481-495-324
481-746-334
502-768- 86
528-565- 32
吳嵩仞清 563-869- 42
吳嵩齡清 524-105-183
吳嗣昌清 524-349-196
吳嗣麟明 1237-347- 11
1239-129- 35
吳當阿清 455-292- 17
吳鼎臣宋 286- 8-302
397-221-332
吳鼎芳明 見大香
吳敬臣明 524- 93-182
吳敬忠吳越 523-508-171
吳葵使清 林烺妻
530- 30- 54
吳農祥清 524- 15-178
吳鉉卿明 572-162- 32
吳愈聖清 529-556- 45
吳筠軒元 821-318- 54
吳會期明 564-229- 46
吳毓珍清 532-610- 42
吳毓貴妻 清 見李氏
吳毓嘉明 481-723-333
吳愛蕉明 524-353-196
821-417- 56
吳福之明 456-638- 10
吳福孫元 524- 6-178
820-497- 37
1209-566-9下
吳寧老宋 見吳璹
吳寧阿清 455- 96- 3
吳寧額清 455-116- 4
吳齊堪清 455-415- 25
吳端化妻 清 見朱氏
吳端御明 505-896- 80
吳端禮女 宋 見吳氏
吳漢月吳越 吳越世宗夫人
590-138- 17
吳漢英宋 1170-666- 28
吳漢英妻 宋 見陳道韞
吳漢超明 301-655-277
456-638- 10
吳榮一明 533-332- 28
吳榮歸妻 明 見李氏
吳榮讓明 511-616-160
1283-772-127
吳瑪喀清 456- 7- 50
吳瑪魯明 見吳成
吳興弼吳夢祥 明
301-762-282
452-397- 21
453-388- 10
453-646- 26
457- 65- 4
458-662- 3
473-116- 54
479-659-247
515-782- 81
676-506- 19
820-627- 41
1442- 3-附2
1459-687- 27
吳與點明 1312-560- 7
吳與點妻 明 見魏氏
吳與權宋 1180-335- 31
吳輔堯宋 1093-665- 20
吳壽民元 820-523- 38
吳壽名妻 清 見鄭氏
吳壽男清 523-423-166
吳壽昌宋 460-311- 23
吳壽祥宋 1142-266- 12
吳爾山清 455-200- 10
吳爾占清 455- 55- 1
吳爾坤清 455-202- 10
吳爾蛟清 456-117- 58
吳爾瑚清 455-672- 47
吳爾達清 456-108- 57
吳爾漢清 455-169- 7
吳爾圖清 455-206- 10
吳爾箎明 524- 26-179
吳爾德清 455-435- 26
吳爾壎明 301-619-274
458-299- 10
479- 99-221
523-365-163
676-661- 27
1442-111- 7
1460-694- 75
1475-509- 22
吳藏均魏 475-854- 94
吳嘉言明 524-374-197
吳嘉貞明 511- 85-139
吳嘉胤明 301-635-275
456-530- 6
511-444-153
457-184- 59
吳嘉紀清 475-379- 68
511-784-166
吳嘉祥明 554-342- 54
吳嘉靖明 1240-766- 8
吳嘉會明 546-410-128
676-726- 30
吳嘉賓明 532-658- 44
吳嘉諫妻 明 見劉氏
吳嘉靜明 515-544- 74
吳嘉聰明 473- 18- 49
515- 92- 59
546- 91-118
吳嘉謨明 533- 27- 47
吳翥南明 511-513-157
吳盡忠清 474-276- 14
505-653- 68
505-853- 77
吳翠巖元 554-986- 65
吳夢白明 1442-111- 7
吳夢炎元 676- 18- 1
吳夢桂明 1291-515- 9
吳夢寅清 524-188-187
吳夢祥明 見吳與弼
吳夢祿宋 492-713-3下
吳夢鼎清 523-360-163
吳夢暘明 456-660- 11
511-475-155
524- 37-179
1442- 99- 6
1460-599- 70
吳夢璲妻 清 見胡氏
吳夢麒明 1251-183- 17
吳夢麟明 545-782-111
吳鳴鳳明 505-703- 70
吳鳴翰明 820-659- 42
吳蓋八妻 明 見李秀
吳圖南妻 明 見張氏
吳暢春明 302- 58-292
456-485- 5
475-526- 77
480- 92-262
533-364- 60
吳鳳來明 456-606- 9
533-369- 60
吳鳳來妻 明 見蔡氏
吳鳳鳴清 1314-417- 11
吳銓文吳遇 明 515-415- 69
吳管者吳固爾珍 明
299-521-156
472-946- 37
吳僧格金 291-670-122
400-215-517
546-139-119

吳維京明 571-548- 20
吳維岳明 見吳維嶽
吳維南妻 清 見陶氏
吳維城明 456-504- 5
吳維新明 1375- 37- 下
吳維楨清 524-180-187
吳維翰妻 明 見葉氏
吳維翰妻 清 見沈氏
吳維嶽吳維岳 明
479-145-223
523-532-172
571-519- 19
676-573- 23
820-697- 43
1442- 65- 4
1460-267- 52
吳肇東明 511-257-146
676-129- 5
吳肇焞妻 清 見陳氏
吳肇熹妻 清 見謝氏
吳綵鸞唐 見吳彩鸞
吳潔姿明 蔡茂思妻
530- 86- 56
吳廣二明 529-711- 50
吳審理宋 見吳審禮
吳審禮吳審理 宋
473-376- 65
480-563-284
532-741- 46
吳澄江妻 唐 見李上善
吳鄭哥宋 見吳杉
吳慶之劉宋 265-1040- 73
380- 79-167
479-147-223
933-109- 7
吳慶貞明 吳礽女
524-502-203
吳慶孫宋 見吳英發
吳慶祺清 475-646- 83
吳慶榮妻 清 見高氏
吳慶熙元 1213-764- 24
吳養洵明 546-499-131
549-253-190
吳養洽明 554-259- 52
吳養浩宋 585- 55- 0
吳養廉明 558-313- 34
吳養瀟女 明 見吳淑姐
吳慰之吳尉之 齊
259-541- 55
265-1042- 73
380-100-167
472-257- 10
511-550-158
吳震方清 524- 29-179
吳震先明 511-878-17
吳敷錫明 1219-508- 9
吳履太妻 清 見王氏
吳履中明 1312-838- 11
吳賜玉明 456-502- 5
479-579-243
511-481-155
515-238- 64
吳餘慶母 明 見葉氏
吳餘慶明 473-116- 54
515-779- 81
820-597- 40
吳德六明 523-377-164
584-269- 10
吳德文元 515-349- 67
吳德夫元 1197-808- 86
吳德四明 523-377-164
584-269- 10
吳德用明 563-831- 41
吳德昭宋 見吳良驥
吳德純明 523-130-152
吳德祥明 515-875- 86
吳德基妻 元 見謝巘奴
吳德基明 473-194- 58
吳德符明 1290-584- 81
吳德著明 朱本實妻
1254-593- 上
吳德溥元 1202-248- 18
吳德新元(字止善) 295-575-194
400-253-520
473-100- 53
515-832- 83
吳德新元(字鼎之)
1197-791- 83
吳德敬明 黃仲瑾、吳仁卿女
1376-679- 99
吳德彰宋 529-670- 49
吳德彰金 540-648- 27
吳德榮妻 清 見王氏
吳德機元 515-349- 67
吳德臻清 張隧妻530- 37- 54
吳德操明 1442-112- 7
吳德鴻元 1202-319- 22
吳魯喀清 455-518- 32
吳魯蓀清 456-155- 61
吳緯綺元～明 見吳綺
吳稼竳明 524- 36-179
676-637- 26
1442- 95- 6
1460-551- 67
吳徵芳明 523- 88-149
吳徵崇李子和 魏
477-308-164
吳憲湯明 505-814- 74
吳龍徵明 678-636-129
吳龍翰元 676-699- 29
678-134- 82
1364-630-337
1375- 16- 上
1376-176- 69
1437- 30- 2
吳辨夫金 1191-397- 34
吳縈之宋 1187- 88- 12
吳遵世北齊 263-379- 49
267-690- 89
380-638-183
472--67- 2
505-925- 83
541-105- 31
933-109- 7
吳遵周明 456-525- 6
吳遵路宋 288- 7-426
371-142- 14
382-752-115
384-336- 17
400-349-531
451-139- 3
472-253- 10
472-276- 11
472-291- 12
472-825- 33
475- 16- 49
475-213- 60
475-276- 63
475-482- 73
475-604- 81
477- 50-151
478- 90-180
510-408-115
511-173-143
545- 46- 84
820-331- 32
933-112- 7
吳樹聲清 478-246-186
554-318- 53
吳翰詞明 473-270- 61
533- 70- 49
吳擇仁宋 286-272-322
397-416-344
472-644- 26
473-213- 59
476-913-148
477- 53-151
477-442-171
478-483-199
480- 55-260
533- 3- 47
537-242- 55
吳靜夫妻 明 見唐氏
吳靜明明 456-610- 9
吳靜貞宋 梁季珌妻、吳翊女
1170-761- 34
吳靜貞明 陳汝言妻、吳元正女 512- 4-176
1374-732- 94
吳靜婉明 1442-126- 8
1460-861- 92
吳靜齡明 1257-154- 14
吳選公宋 見吳之選
吳默之宋 484-376- 27
吳興王陳 見陳胤
吳興仁宋 見吳茂榮
吳興宗宋 1105-789- 94
1378-587- 62
1384-163- 94
1410-493-729
吳興祖宋 523-224-156
吳興祚清(字留邨) 475-216- 60
476-451-123
481-808-338
502-646- 78
545-482-100
563-859- 42
吳興祚清(字伯成) 479-247-228
510-368-114
523-552-173
528-469- 29
吳蕃昌明 524-113-183

吳學詩明 515-482- 71
吳學錄清 1323-556- 2
吳學禮明 547- 96-144
吳學顥清 538-133- 65
吳錦標妻 清 見劉氏
吳儒宗元 1212-297- 20
吳錫布清 456- 12- 50
吳錫綬清 479-247-228
482-434-361
523-393-164
567-158- 69
吳錫疇宋 1375- 15- 上
1437- 32- 2
吳錫蘭清 456-186- 64
吳鴻猷妻 明 見莫氏
吳鴻儒明 572- 86- 28
吳應斗女 明 見吳氏
吳應元元 1195- 74- 6
吳應元明 480-320-272
吳應正妻 明 見党氏
吳應台明(字伯能) 523-196-155
533-100- 50
676-176- 7
吳應台明(荊州府人)
676-199- 8
676-185- 7
吳應卯明 820-715- 43
821-431- 57
吳應昌清 475-485- 73
511-471-154
吳應彥明 511-634-161
吳應科明 456-604- 9
523-390-164
537-271- 55
吳應桓妻 明 見陳氏
吳應時明 1228-786- 13
吳應登宋 288-364-452
400-195-515
451-242- 0
吳應琦明 511-260-146
569-654- 19
1460-502- 64
1442- 88- 6
吳應紫宋 1375- 17- 上
吳應祿明 559-419-10上
吳應雷明 1474-574- 29
吳應鉉明 456-639- 10
529-694- 50
吳應賓明 511-699-164
676- 41- 2
679-167-155
1442- 81- 5
1460-427- 60
吳應賓女 明 見吳令則
吳應賓女 明 見吳令儀
吳應箕明 301-664-277
456-440- 3
475-645- 83
511-816-167
676-667- 28
820-760- 44
1442-115- 7
吳應鳳明 820-718- 43
吳應魁妻 明 見陳氏
吳應澍元 480-130-264
533-473- 64
吳應龍宋 472-390- 17
511-375-150
吳應選明 568-212-106
吳應鵬明 480- 59-260
吳應麟明 511-617-160
吳濟川明 530-209- 60
吳濟舟清 529-705- 50
吳濟海清 455-468- 28
吳濟納清 455- 97- 3
吳謙牧清 1475-607- 26
吳謙益妻 明 見李氏
吳懋才清 570-100-20下
吳懋中明 529-703- 50
吳懋中妻 明 見王氏
吳懋宣明 523-358-163
吳懋謙清 511-764-166
吳翼之母 齊 見丁氏
吳隱之晉 256-467- 90
370-396- 10
380-176-170
384- 94- 5
448-313- 上
459-864- 52
469-117- 14
471-614- 4
471-667- 12
471-829- 34
472-253- 10
472-571- 24
473-671- 79
475-212- 60
475-270- 63
476-858-145
481-799-338
489-352- 31
489-599- 47
510-356-114
540-712-28之1
563-613- 38
871-892- 19
933-108- 7
1379-375- 46
吳隱之宋 821-249- 52
吳隱玄明 1460-807- 88
吳韓起明 460-753- 77
529-736- 51
吳孺子明 524-294-193
821-433- 57
1442-117- 8
1460-808- 88
1475-346- 14
吳霞拉清 455-114- 4
吳霞所元 821-329- 54
吳霞舉元 511-704-164
吳嶽秀明 511-699-164
吳邁遠劉宋 265-1016- 72
380-363-176
384-122- 6
933-109- 7
1379-532- 63
吳鍾山元 511-869-170
吳鍾巒明 301-648-279
456-423- 2
457-1067- 61
458-331- 12
458-965- 9
475-231- 61
511-452-153
511-682-163
526-662-280
676- 44- 2
676-659- 27
1442-109- 7
1460-720- 78
吳穉明明 456-677- 11
吳徽明清 見吳可敏
吳徽珍妻 見郭氏
吳麐士明 1475-528- 27
吳禮嘉明 1474-527- 26
吳璧良妻 明 見盧氏
吳瞻儀清 456-348- 77
吳鎮卿宋 494-471- 18
吳簡言宋 473-625- 77
529-747- 51
吳歸山歸吳山 明
821-371- 55
吳懷恩南漢 1467- 20- 62
吳懷賢 301-169-245
458-225- 4
511-480-155
524-310-194
1442-105- 7
吳懷德妻 宋 見王氏
吳藥娘清 530-102- 56
吳贊元清 475-280- 63
511-187-143
吳鵬翼明 559-357- 8
吳攀龍宋 524- 80-182
吳繹恩明 460-530- 49
473- 45- 50
515-222- 63
563-779- 40
吳寶秀明 301- 37-237
479-409-235
479-579-243
515-236- 64
523-498-170
吳寶秀妻 明 見陳氏
吳寶信宋 475-608- 81
吳寶信妻 宋 見饒氏
吳獻台明 1293-466- 4
吳獻棐明 456-675- 11
吳蘊古宋 524-229-189
吳蘇勒清 456-102- 57
吳蘇瑚清 456- 33- 52
吳繼序明 821-461- 57
吳繼良明 511-618-160
吳繼武元 1194-687- 12
吳繼武明 456-498- 5
546-609-135
吳繼善明 511-792-166
821-477- 58
1312-393- 38
吳繼勛明 483-117-379
494-159- 5
570-130-21之1

吳繼養妻 明 見丁氏
吳鶴薦妻 清 見曹氏
吳懿純元 余天麒妻
1197-749- 84
吳懿德宋 524-273-191
563-671-39
1174-721- 45
吳鰲江妻 明 見陳氏
吳麟玉明 524- 26-179
1442-113- 7
1460-675- 74
1475-510- 22
吳麟瑞明 515- 63- 58
523-440-167
676-635- 26
1460-538- 66
1442- 93- 6
吳麟徵明 301-494-266
458-282- 9
479- 98-221
479-627-145
481-551-327
515-191- 62
523-363-163
528-479- 30
676-652- 27
1442-103- 7
1460-688- 75
1475-437- 19
吳顯之明 561-512- 44
吳顯伯清 538-123- 64
吳顯忠明 483-137-380
569-675- 19
吳巖夫宋 529-596- 47
吳觀珪妻 清 見汪氏
吳觀望宋 見吳觀萬
吳觀國明 676-468- 17
吳觀善范觀善 元
524-346-196
592-989- 上
592-990- 上
1221-453- 8
1229-146- 1
1229-239- 7
吳觀凱妻 明 見王氏
吳觀萬吳觀望 宋
511-806-167
678-235- 93
1375- 21- 上
吳觀瀾明 529-683- 50
吳讓之妻 明 見劉氏
吳鸞使清 陳復旦妻
530-186- 59
吳三一娘宋 820-474- 36
吳王夫差夫差 春秋
244- 10- 31
371-272- 8
375- 4-77上
384- 10- 1
404-287- 17
493-643- 35
吳王夫差女 春秋 見紫珪
吳王句餘吳王夷末、吳王夷昧、吳王餘昧 春秋371-270- 8
384- 10- 1
404-284- 17
493-641- 35
吳王夷末春秋 見吳王句餘
吳王夷昧春秋 見吳王句餘
吳王壽夢壽夢 春秋
244- 2- 31
371-269- 8
375- 2-77上
384- 10- 1
404-283- 17
493-641- 35
933-621- 40
吳王諸樊太子諸樊、諸樊 春秋 244- 3- 31
371-269- 8
404-283- 17
405-124- 63
493-641- 35
吳王餘昧春秋 見吳王句餘
吳王餘祭餘祭 春秋
244- 4- 31
371-269- 8
404-283- 17
493-641- 35
吳王闔閭公子光、吳子光、吳王闔廬、闔閭、闔廬 春秋
244- 9- 31
371-271- 8
375- 3-77上
384- 10- 1
404-285- 17
493-642- 35
吳王闔閭女 春秋 見勝玉
吳王闔廬春秋 見吳王闔閭
吳什哈達清 456- 33- 52
吳江漁翁宋 511-831-168
吳固爾珍明 見吳管者
吳庫布賴清 456-136- 59
吳勒爾素清 455-157- 6
吳國公主遼 見耶律長壽女
吳越太祖錢鏐 278-456-133
279-479- 67
384-318- 16
401-236-600
451- 10- 0
471-584- 1
472-966- 38
485- 72- 11
486- 46- 2
494-265- 1
523-506-171
526-217-265
585-139- 8
585-286- 1
588-160- 8
590-135- 17
813-233- 5
819-580- 19
933-237- 17
1345-134- 17
1383-848- 79
吳越世宗錢元瓘、錢傳瓘
278-460-133
279-483- 67
384-318- 16
401-239-600
472-1084- 46
494-294- 4
523-506-171
585-288- 1
933-237- 17
吳越世宗夫人 見吳漢月
吳越成宗錢佐、錢弘佐
278-461-133
279-483- 67
384-318- 16
401-240-600
523-507-171
585-288- 1
吳虞爾渾清 456- 33- 52
吳爾古泰清 455-155- 6
吳爾布理清 456- 18- 51
吳爾佳齊清 455-583- 38
吳爾瑚達清 455-378- 23
吳爾精阿清 455-672- 47
吳爾齊海清 455-403- 24
吳爾嘉齊清 456-106- 57
吳爾德克清 455-515- 32
吳禮雅達清 455-116- 4
吳十三道人宋 1053-908- 20
吳巴禮雅庫清 456-157- 61
吳按攤不花元 見吳阿勒坦布哈
吳珠阿穆巴清 456- 20- 51
吳雲珠巴顏清 455-461- 28
吳興長公主劉宋 見劉榮男
吳穆爾古蘇吳穆爾濟蘇 元
295-519-188
400- 24-500
472-1068- 45
523-153-153
1219-403- 13
1221-632- 24
1226-165- 8
吳穆爾濟蘇元 見吳穆爾古蘇
吳阿勒坦布哈吳按攤不花 元 481-694-332
528-540- 32
吳庫努墨爾根清455- 51- 1
吳高尚思玄弘古讓帝楊溥 十國吳 278-467-134
279-430- 61
384-317- 16
401-194-594
足之煎唐 276-289-216下
吹扎布清 496-217- 76
吹斯戩元 295-685-205
401-387-619
吹角老兵宋(嘗題詩曰畫角吹來…) 473-720- 81
吹音珠爾清 454-578- 60
岐才唐 933- 68- 4
岐王唐 見李範
岐王後唐 見李茂貞
岐王後晉 見李從曮

岐王南唐 見李仲宣
岐王宋 見趙光贊
岐王元 見阿剌乞兒
岐王元 見脫脫木兒
岐王明 見朱祐棆
岐伯上古 472-914--36
558-488-41
742-21-1
933-68-4
岐陽王明 見李文忠
岐裕齋元 453-771-1
547-141-146
岐陽公主唐 杜悰妻、唐憲宗女 274-117-83
393-284-73
478-136-181
532-89-26
534-958-120
554-56-49
1081-589-5
1342-505-969
1343-757-55下
我子周 933-611-39
似杞明 516-473-104
1442-119-8
佟山清 455-328-20
佟氏清 王文秀妻 506-59-87
佟式清 455-118-4
佟色清 455-467-28
佟佐清 456-303-73
佟阿清 456-271-70
佟肯清 455-200-10
佟岱清 502-666-80
佟保清 455-234-12
佟釗清 455-330-20
佟國清 455-523-33
佟堂清 456-91-56
佟啟清 455-317-19
佟琥清 455-336-20
佟凱清 456-167-62
佟欽妻 明 見盧氏
佟復元 523-171-154
佟標清 455-330-20
佟濟清 502-743-85
佟卜年明 502-385-64
505-666-69
533-20-47
佟士明元 821-229-53
佟田猷清 456-351-77
佟守禮清 456-351-77
佟如金清 456-351-77
佟那密清 455-402-24
佟阿泰清 455-447-27
佟恆年清 502-672-80
502-771-86
佟茂登清 456-351-77
佟康年清 528-468-29
佟國正清 502-625-77
佟國仕清 476-279-111
545-306-94
佟國印清 502-672-80
佟國佐清 475-502-75
510-303-112
佟國貞佟國楨 清 475-702-86
502-626-77
510-467-117
佟國弼清 475-422-70
502-676-80
510-402-115
佟國棟妻 清 見李氏
佟國楨清 見佟國貞
佟國聘清 1324-349-32
佟國瑤清 528-468-29
佟國維清 455-326-20
佟國綱清 455-325-20
1298-654-34
佟國鼐清(那克塔氏) 456-184-64
佟國鼐清(奉天正藍旗人) 481-494-324
502-674-80
528-465-29
佟國器清 478-770-215
479-457-237
481-494-324
502-674-80
515-68-58
523-63-149
528-465-29
佟國璽清 477-202-159
502-663-79
537-284-55
佟國瓏清 476-205-107
502-655-79
佟雲登清 456-351-77
佟盛年清 見佟圖賴
佟智賢清 455-337-20
佟圖占清 455-328-20
502-772-86
佟圖賚清 見佟圖賴
佟圖賴佟盛年、佟圖賚 清 455-325-20
474-767-41
502-615-77
佟鳳彩清 476-920-148
481-28-291
482-324-354
502-675-80
537-229-54
559-327-7上
佟養正清 455-325-20
474-767-41
502-615-77
佟養甲清 481-807-338
502-770-86
563-857-42
佟養材清 455-326-20
佟養性清 455-326-20
474-756-41
502-665-80
佟養直明 533-20-47
佟養昇清 476-251-110
545-306-94
佟養量清 476-251-110
502-666-80
545-306-94
佟養澤清 455-328-20
502-772-86
佟養謙清 455-331-20
佟賦斌妻 清 見石氏
佟墨圖清 456-351-77
佟噶爾清 502-759-85
佟學文清 502-673-80
佟學詩清 545-228-91
佟應龍明 511-194-143
523-160-153
567-653-5
佟鎮國清 455-327-20
佟鎖住元 1192-532-7
佟繼亭妻 清 見劉氏
伶州鳩州鳩、泠州鳩 周 380-540-181
384-13-1
404-473-7
448-256-24
538-356-71
933-437-29
系南宋 1053-752-18
1120-691-14
佘中宋 見余中
佘氏明 見余氏
佘氏清 余士彥妻 477-424-169
佘起宋 見余起
佘珩唐 933-298-21
佘翔余翔 明 529-731-51
676-588-24
佘集隋 933-298-21
佘欽唐 933-298-21
佘塙明 見余塙
佘瑀明 見余塙
佘翹明 511-816-167
佘耀明 見余耀
佘一元清 505-808-74
佘士泰明 見余士泰
佘心浩妻 明 見汪氏
佘允震妻 清 見許氏
佘可才明 511-315-148
佘良佐明 564-207-46
佘帝選明 564-259-47
佘南屏明 1263-62-10
佘建隆明 見余建隆
佘崧生清 559-330-7下
佘敬中明 511-320-148
佘毅中明 475-644-83
511-321-148
582-470-157
佘謂道妻 明 見李氏
佘應泰妻 明 見葉氏
余才明 481-389-312
559-528-12
余卞宋 286-432-333
397-534-352
480-581-285
515-314-66
余亢明 516-66-89
余方女 明 見余妙姿
余方女 明 見余妙善
余中余中 宋 472-259-10
494-299-5
511-142-142
余中元 40-265-521

余介宋 見余玠
余氏宋 王德甫妻 516-229- 97
余氏宋 薛與之妻、余端臣女 708-1058- 97
余氏元 徐安越妻 1224-200- 20
余氏元 許德仁妻 472-383- 16
475-577- 79
余氏明 方逢時妻 533-515- 66
余氏明 王維侃妻 480--96-262
余氏明 宋蒙妻 302-243-303
533-561- 68
余氏明 李之馨妻 480- 63-260
余氏明 孟機妻 480- 62-260
余氏明 林守尚妻 530- 14- 54
余氏明 林應科妻 530- 13- 54
余氏明 洪慶妻 473-589- 75
530- 88- 56
余氏明 夏時瞻妻 1269-853- 7
余氏明 翁克甫妻 530- 17- 54
余氏明 張煜妻 480- 62-260
余氏明 陳仕妻 1467-260- 72
余氏明 陳瑛妻 506- 29- 86
余氏明 黃應妻 473-575- 74
530- 4- 54
余氏佘氏 明 黃應泰妻 480-207-267
533-612- 69
余氏明 費叔玉妻、余允徽女 1250-876- 83
余氏明 葉正華妻 480-141-264
余氏明 趙世對妻 479-334-232
余氏明 歐鉦妻、余子俊女 1259-233- 17
余氏明 羅中權妻 479-751-251
余氏清 朱復昌妻 572-347- 38
余氏清 宋孕瑛妻、余颺女 530- 77- 55
余氏清 李佐邦妻 506- 86- 88
余氏清 阮王錫妻 479-411-235
余氏清 何廷寀妻 530-118- 57
余氏清 林棟妻 530- 25- 54
余氏清 林雍妻 530- 24- 54
余氏清 林欽日妻 530-130- 57
余氏清 周二小妻 477-136-155
余氏清 范僎妻 479-768-252
余氏清 范奇燠妻 530- 78- 55
余氏清 張國紀妻 481-269-305
余氏清 張龍起妻 530- 99- 56
余氏清 陳弘策妻 530-133- 57
余氏清 黃履香妻 530-156- 58
余氏清 揭長生妻 481-728-333
余氏清 楊德宏妻 479- 62-219
524-460-202
余氏清 劉象震妻 482-189-346
余氏清 劉楚才妻 480-322-272
余氏清 余尚德女 512-137-180
余永元 482-433-361
567- 78- 65
1467- 53-63
余丙元 295-607-197
400-316-526
472-1017- 41
479-380-234
524-161-186
余玉余金 明 567-105- 66
1467- 84- 65
余正宋 黃壽妻 530-142- 58
余古宋 516-198- 95
余本明 479-184-225
563-743- 40
677-574- 52
680- 42-228
680-492-271
1474-267- 12
余四明 494- 45- 3
余旦妻 清 見王氏
余仔宋 589-354- 6
余生明 571-538- 20
余安明 1294-257-6下
余光明(字晦之) 300-340-203
511- 80-139
511-808-167
545-117- 86
676-733- 31
余光明(字緝之) 516-178- 94
余光明(字希之) 529-733- 51
余全明 482-453-362
567-380- 82
1467-213- 70
余仲明 561-203-38之1
余志明 473-645- 78
481-698-332
529-630- 48
571-548- 20
余材明 524-227-189
余佈妻 明 見馬氏
余初明 510-447-117
余玠余介 宋 287-666-416
398-614-407
408-982- 3
472-308- 13
473-282- 61
473-476- 69
480-130-264
481- 22-291
481-181-300
515-336- 67
523-563-174
533- 35- 48
559-274- 6
591-698- 49
余坤明 533-111- 50
余表明 564-215- 46
余金明 493-761- 41
510-336-113
余金明 見余玉
余岳元 515-105- 60
余岱明 473-388- 65
530-720- 45
余炳宋 528-539- 32
余炳明 559-291-7上
余洪元 523-151-153
余洪明 564-206- 46
余宣妻 清 見馮氏
余炶明 523-493-170
余洵明 1474-276- 13
余恂清 524- 77-181
余珏元 1197-682- 70
余珏女 元 見余維恭
余珊明 300-423-208
472-339- 14
475-529- 77
479-455-237
481- 25-291
511-255-146
515- 51- 58
559-253- 6
余郁明 524-225-189
561-210-38之2
余郁明 見余尚則
余飛明 456-676- 11
559-524- 12
余珍明 473-569- 74
528-451- 29
余貞元 515-343- 67
余英妻 清 見徐氏
余信宋 1138-159- 15
余信明 1291-941- 7
余紀明 569-658- 19
余俊明 558-338- 35
余祐明 301-758-282
457- 96- 6
458-697- 3
479-534-241
516- 75- 90
676-530- 21
1272-482- 16
1458-355-441
余浙宋 見俞浙
余泰明 529-586- 46
余恭明 529-586- 46
余珙明 528-454- 29
余城明 523-177-154
余珪女 明 見余妙貞
余桂明 571-551- 20
余琉明 473-625- 77
余起佘起 宋(銅陵人) 472-368- 16
511-632-161
余起宋(順昌人) 529-762- 53
余剛宋 473-358- 64
480-507-281
532-703- 45
余倫明 1249-477- 31
余修明 1375- 31- 上
余适宋 1125-455- 37
余寅明 524- 47-180
1442- 78- 5
1460-398- 58
1474-380- 19
余清明 473-281- 61
532-633- 43
余祥明 559-386-9上
余祥妻 清 見張氏
余章明 524-223-189
余深宋 286-671-352
397-720-363
471-648- 10
473-571- 74
544-234- 63

佘康明 1254-478- 6
佘爽宋 286-432-333
397-535-352
482-187-346
515-314- 66
佘授宋 529-725- 51
佘晦佘開五 宋 408-982- 3
524-196-188
佘畢宋 515-863- 85
佘冕明 515-832- 83
567-135- 83
佘偶宋 見佘隅
佘偉妻 見張氏
佘統明 564-167- 45
佘敘明 1280-386- 84
佘敁明 524-145-185
佘斌明 523-131-152
佘童佘星郎 宋 448-362- 0
516- 29- 88
佘翔明 472-522- 22
佘翔明 見佘翔
佘湘元 1204-292- 9
佘湘明 524- 76-181
佘善明 1460-805- 88
佘詠明 1474-543- 27
佘琪清 524-163-186
佘隅佘偶 宋 460-278- 17
473-572- 74
529-447- 43
佘喆宋 見佘嚞
佘隆明 460-816- 89
473-644- 78
佘開宋 491-302- 6
佘陽妻 明 見張氏
佘琰宋 515- 869- 85
563-665- 39
佘貴明 473-282- 61
480-128-264
532-634- 43
559-407-9上
佘順明 472-339- 14
523-119-151
佘智妻 明 見李氏
佘勝妻 明 見黃氏
佘象宋 529-491- 44
679-772-213
佘欽妻 明 見方氏
佘復宋 460-426- 32
473-660- 78
481-748-334
529-642- 48
678-563-123
佘復明 559-287-7上
佘溥佘應 宋 448-393- 0
佘祺明 515-385- 68
559-316-7上
561-410- 42
1381-380- 33
佘靖佘希古 宋(字安道)
286-249-320
371-144- 14
382-482- 75
384-355- 18
397-402-344
449-108- 9
450-186-上23
471-694- 15
471-729- 20
471-732- 20
471-735- 21
471-829- 34
471-840- 35
471-858- 38
471-866- 39
471-885- 42
472-357- 15
472-587- 24
472-893- 35
473-143- 56
473-185- 58
473-645- 78
473-672- 79
473-683- 79
473-725- 82
473-748- 83
473-790- 85
475-365- 67
479-482-239
479-710-250
479-747-251
482- 77-341
482-319-352
515- 82- 59
517-438-126
540-647- 27
558-227- 32
563-655- 39
564- 53- 44
564-690- 59
564-705- 59
567- 57- 65
585-753- 4
585-787- 8
708-332- 50
933- 98- 6
933-809- 60
1089- 2- 附
1089-210- 20
1090-685- 40
1102-186- 23
1103-790- 18
1378-478- 58
1383-573- 51
1410- 77-672
1437- 11- 1
1461-184- 10
佘靖宋(字安世) 1166-638- 10
佘詮元 820-543- 39
1439-453- 2
佘詮明 524-282-192
佘煌明 301-650-276
456-441- 3
479-245-227
523-392-164
佘煜清 479-295-230
523-401-165
佘溢女 元 見佘慧英
佘煥宋 530-213- 61
820-442- 35
佘煥明 1467- 86- 65
佘載明 460-487- 40
佘瑊清 537-436- 58
佘楨明 見佘禎
佘墕佘墕、佘瑀 明
302- 62-292
456-559- 7
475-645- 83
511-486-155
佘瑞元 1213-764- 24
佘達清 529-663- 49
佘楚妻 宋 見陳氏
佘暄妻 明 見周如珍
佘嗣宋 484-374- 27
佘鼎明 473- 78- 52
516-105- 91
佘遇宋 491-436- 6
佘敬明(字時和) 524-223-189
佘敬明(字行簡) 564-167- 45
佘傳宋 482-523-367
1467- 24- 62
佘鈺明 524- 77-181
佘稠明 524-336-195
佘經明 564-135- 45
佘禎佘楨 明 300-162-192
473- 28- 49
479-491-239
515-396- 69
佘熑明 493-973- 52
佘誠明 677-589- 53
佘福明 473-588- 75
529-535- 45
1272-486- 16
佘韶宋 529-737- 51
佘禕明 528-553-32
佘榮明 511-698-164
佘瑱明 299-361-142
456-693- 12
475-707- 86
511-492-156
佘瑤明 529-635- 48
佘鳳宋 1149-880- 4
佘鳳妻 明 見徐氏
佘緇明 516- 77- 90
559-253- 6
佘維清 1312-577- 7
佘寬明(字仲仁) 516-172- 94
523-190-155
佘寬明(字仲栗) 523-319-161
563-912- 43
佘寬明(沙縣主簿) 528-510- 31
佘瑩佘馨 明 515-188- 62
676-532- 21
佘慶明(字原善) 473-584- 75
481-583-328
528-485- 30
564-165- 45
佘慶明(字惟德) 1442- 70- 4
1460-338- 55
佘複明 515- 38- 58
523-491-170
佘璀佘暘 南唐 529-716- 51
佘瑾宋 821-219- 51
佘增明 見佘增遠

余樞明 515-437- 70
余穀明 1241-337- 2
余賜南唐 見余璀
余德明 524-374-197
余範宋 460-283- 17
余鋟明 523-492-170
528-530- 31
余澤妻 明 見洪氏
余罃明 見余瑩
余寰明 559-386-9上
余濂明 299-850-180
473- 78- 52
479-581-243
516-106- 91
余機宋 524-161-186
余橦宋 680-496-272
余璘宋 524- 90-182
余興妻 元 見詹道餘
余翱明 300-160-192
475-754- 88
483-340-398
511-353-149
540-628- 27
572-158- 32
余縉清 523-470-169
余應宋 見余溥
余應明 460-796- 85
余濬明 299-842-180
479-183-225
余襄元 820-523- 38
余謙元 820-522- 38
余謙明 820-630- 41
余懃唐 473- 46- 50
余嶸宋 481-643-330
488- 14- 1
488-470- 14
488-471- 14
525-457-239
528-506- 31
559-379-9上
余爵明 302- 73-293
456-490- 5
477- 89-153
505-652- 68
538- 70- 63
余鐊明 516- 79- 90
余譸宋 589-312- 2
678-272- 96
余嚞余喆 宋 451- 25- 0
529-562- 46
678-246- 94
余闕元 294-533-143
400-264-521
459-712- 43
472-197- 7
472-328- 14
472-336- 14
472-946- 37
475-525- 77
475-705- 86
475-853- 94
478-636-206
478-764-215
508-312- 41
508-348- 42
510-414-116
511-491-156
518-277-144
523- 28-147
533-367- 60
558-364- 35
677-524- 48
820-520- 38
1214-674- 19
1218-375- 16
1219-651- 3
1221- 20- 3
1223-559- 11
1223-618- 12
1229- 56- 5
1238-618- 19
1241-291- 13
1369-552- 6
1375-282- 21
1439-449- 2
1458-705-473
1469-293- 49
余闕妻 元 見蔣氏
余鎬唐 529-488- 44
余鎬明 511-618-160
余獵宋 484-381- 28
余颺明 523-164-153
676- 65- 2
676-659- 27
679-699-207
1442-109- 7
余颺女 清 見余氏
余爌明 516- 79- 90
余蟾唐 526- 50-260
余鯤明 見余昆翔
余鏞明 1375- 28- 上
1376-602-95下
余寶明 510-427-116
余耀余耀 明 473- 15- 49
473-145- 56
473-634- 77
529-506- 44
1241-507- 8
余鐖明 523-318-161
余繼妻 明 見熊謇奴
余繼妻 清 見李興娘
余夔余學夔 明 473-151- 56
515-656- 77
524-212-188
1238- 38- 3
1238-528- 13
1241-123- 6
1242-265- 33
余鐸唐 516- 7- 87
余鐸明(字振之) 524-264-191
余鐸明(池州人) 532-705- 45
余麟明(字天祥) 523-452-168
余麟明(字文禎) 1268-409- 64
余瓚明 474-372- 19
505-671- 69
1259-570- 5
余鑲清 567-160- 69
余一鳳明 545-396- 97
余一龍余一瓏 明
479-353-233
511-285-147
523-205-155
559-255- 6
余一鵬明 474-635- 33
余一瓏明 見余一龍
余三汲清 見余三級
余三級余三汲 清
502-640- 78
532-605- 42
余士明余益公 宋451- 60- 2
余士彥妻 清 見余氏
余士美明 516- 60- 89
余士泰余士泰 明456-559- 7
570-126-21之1
余士瑋明 456-532- 6
479-606-244
480-136-264
515-250- 64
533-373- 60
余子明妻 清 見江氏
余子俊明 299-808-178
453-664- 29
472-963- 38
473-517- 71
476-250-110
477-564-177
478- 92-180
481-353-309
505-636- 67
523- 42-148
545-274- 93
554-168- 51
558-149- 30
559-386-9上
561-472- 43
820-632- 41
1248-397- 20
1250-748- 71
1284-356-163
余子俊女 明 見余氏
余子恭明 528-526- 31
余大成明 301-211-248
余大昕宋 516- 43- 88
余大雅宋 460-308- 22
515-866- 85
1171- 83- 11
1171- 94- 12
余久齡妻 明 見徐儀姑
余心度明 見余朝相
余心純明 679- 71-145
余斗祥元 1197-713- 74
余方山明 559-399-9上
余文之妻 清 見李氏
余文佐妻 元 見費尚珍
余文昇明 523-130-152
余文淵昱 1267-329- 36
余文龍明 676-358- 13
余文獻明 516-133- 92
1442- 59- 3
1460-177- 48
余之吉妻 清 見詹氏
余之祥明 505-896- 80

余之禎明 559-405-9上
余五英元 516-232- 97
余元一宋 460-293- 19
529-501- 44
余元泰宋 529-717- 51
余元卿宋 486-896- 34
余天士妻 清 見張坤貞
余天民元 453-797- 4
余天任宋 491-304- 6
491-421- 5
余天培妻 清 見唐氏
余天錫宋 287-718-419
398-656-410
472-1087- 46
491-304- 6
491-421- 5
余天麒妻 元 見吳懿純
余日強李日強 元
678-175- 86
1221-661- 26
1232-425- 4
1369-438- 13
1439-452- 2
余日華宋 529-727- 51
余日新明 479-357-233
523-336-161
余日德余應舉 明
301-855-287
515-400- 69
676-584- 24
1280-386- 84
1283-575-112
1442- 65- 4
1460-261- 52
余中瑞明 572-166- 32
余公彥宋 1159-550- 33
余公瑞宋 515-858- 85
余仁仲元 516-102- 91
余月汀明 見徐淵
余化淳明 529-587- 46
563-782- 40
余允光清 505-661- 68
余允徽女 明 見余氏
余必明妻 明 見楊氏
余永麟明 528-531- 31
余永鸞明 480-565-284
余永鸞妻 明 480-565-284
余玉娘明 馮經妻
530-124- 57
余玉節余正節 明
515-158- 61
533-142- 51
余正己明 559-367- 8
余正安明 1240-192- 13
余正健清 481-532-326
510-305-112
529-487- 43
余正華清 477- 90-153
余正節明 見余玉節
余石麟妻 清 見王氏
余本釗明 523- 86-149
余本實明 559-394-9上
余世奕明 820-730- 44
余世泰妻 明 見楊氏
余世規明 524-374-197
余世儒明 515-260- 65
676-639- 26
余充甫妻 宋 見單氏
余仕賢明 533-289- 56
余生明清 529-706- 50
余用訥明 567- 95- 66
1467- 70- 64
余亦新明 524-227-189
余安行宋 473- 48- 50
473- 62- 51
479-531-241
515-856- 85
674-295-4下
674-842- 18
679-444-181
余安常唐 275-631-195
400-289-523
余汝弼明 473-303- 62
480-246-269
1241-198- 9
余汝器元 1213-792- 26
余汝麗妻 明 見林氏
余有丁明 676-589- 24
1442- 62- 4
1460-205- 49
1474-344- 18
余有道明 511-881-171
余有慶元 1218-655- 3
余吉祥明 524- 66-181
余存諒明 567- 88- 66
1467- 63- 64
余存爵妻 明 見黃氏
余光辰清 481-645-330
余光庭宋 484-373- 27
529-438- 43
余光煌妻 清 見詹氏
余自怡明(徽州人) 480-404-277
余自怡明(字士可) 563-749- 40
676-657- 27
余仲友明 523-567-174
余仲英明 1242- 71- 26
余仲英妻 明 見徐茂貞
余仲揚明 821-352- 55
余仲敬明 516- 59- 89
余仲濟明 524-226-189
余宏生妻 清 見何氏
余良肱余良朋 宋
286-431-333
397-534-352
472-961- 38
473- 21- 49
473-185- 58
473-297- 62
473-334- 63
475-604- 81
476-913-148
479- 41-218
479-486-239
479-791-254
480-240-269
480-400-277
480-483-280
515-308- 66
523- 75-149
532-665- 44
532-690- 45
581-476- 96
583-797- 26
余良朋宋 見余見肱
余良弼宋 529-740- 51
1145-726- 83
余良弼明 533-285- 56
554-341- 54
余良翰明 559-292-7上
余宋寔宋 1149-882- 4
余成歲明 561-200-38之1
余成德明 1240-740- 7
余孝義明 456-640- 10
余孝繡明 473- 90- 52
479-611-244
余君厚宋 526-622-279
余君錫宋 451-100- 3
余克量妻 明 見徐氏
余克濟宋 493-777- 42
529-532- 45
679-521-189
余孜善明 820-619- 41
余孚尹妻 明 見李氏
余伯咎宋 820-440- 35
余伯逵宋 484-377- 27
余伯熊余夢祥 明
524- 42-180
1232-237- 4
余希古宋 見余靖
余希聖余非聖 元
516-449-104
1207-706- 50
余希賢元 見俞希賢
余希聲元 1439-436- 1
余邦輔明 523-488-170
余秀孫宋 見余嗣道
余妙姿明 余方女
479-383-234
524-756-214
余妙眞元 吳時可妻
1197-778- 82
余妙眞元 游應鈴妻、余珪女
1197-743- 77
余妙善明 余方女
479-383-234
524-756-214
余廷端明 530-212- 61
余廷模明 529-692- 50
余廷機明 1313-230- 18
余廷櫝明 483-162-382
569-675- 19
余廷瀚妻 明 見陳氏
余廷簡宋 523-384-164
余廷瓚明 300-111-189
479-534-241
516- 78- 90
余宗梁明 564-230- 46
余宗傑宋 516- 99- 91
余宗德宋 523-566-174
余炎午宋 515-338- 67
余武弼宋 528-442- 29
余居中明 524-158-186

余孟宣妻 清 見蔡氏
余孟拳明 820-644-41
余孟學明 1467-134-66
余孟麟明 676-608-25
820-730-44
1442-76-5
1460-375-57
余拂南宋 494-471-18
余長安唐 524-155-186
余枝華明 511-619-160
余承恩明 676-596-24
1442-68-4
1460-308-54
余承詔明 528-533-31
余承曕明 456-608-9
537-320-56
余承德明 302-160-297
456-665-11
475-710-86
511-642-161
余承勳明 561-204-38之1
余尚春明 505-666-69
余尚春妻 明 見鄭氏
余尚則余郁 明 524-65-181
余尚德女 清 見余氏
余昌稜明 676-673-28
余昌齡明 515-642-77
1237-250-4
1238-528-13
余昆翔余鯤 明 456-548-7
余叔炫明 1238-454-7
余叔敬明 1229-404-1
余侍佐妻 明 見梁氏
余季芳宋 516-43-88
余季員明 456-670-11
余和讓妻 清 見蔣氏
余非聖元 見余希聖
余所蘊妻 明 見湯氏
余延壽唐 511-829-168
余洪烈明 571-542-20
余洪敬妻 南唐 見鄭氏
余彥忠宋 516-201-95
余彥昭妻 明 見楊氏
余彥照妻 明 見楊氏
余彥誠明 301-731-281
473-234-60
473-387-65
480-170-266
516-60-89
532-646-43
532-719-45
545-120-86
余彥廣余信叔 宋 448-378-0
余彥嶼宋 493-747-41
余奕黃明 563-809-41
余咸熙宋 529-716-51
余春山妻 明 見李氏
余春壽明 523-411-166
余建隆余建隆 明
476-451-123
545-481-100
余思忠宋 484-377-27
余思銘明 458-135-6
余思寬明 523-491-170
余星郎宋 見余童
余若南明 458-164-8
537-468-58
余若楠明 510-317-113
余英洪明 524-224-189
余英涵妻 清 見彭氏
余信叔宋 見余彥廣
余信卿明 1227-679-5
余重謨明 530-213-61
820-715-43
821-439-57
余衍年妻 明 見黃氏
余胤緒明 473-270-61
余勉學明 567-337-79
1467-227-70
余秋山元 1202-340-23
余祖禹宋 見余祖奭
余祖奭余祖禹 宋 46-168-10
538-439-29
529-494-44
余容善明 456-666-11
477-546-176
余益公宋 見余士明
余泰來清 523-471-169
余桐林明 1283-124-76
余桂蓴明 480-88-262
515-895-86
532-627-43
余時言宋 473-48-50
516-29-88
余時和妻 明 見陳氏
余時英明 680-43-228
余時卿妻 清 見張氏
余能繼明 559-354-8
余淑玉明 吳師舜妻
530-61-55
余乾貞明 528-531-31
余教義宋 484-383-28
余崇龜宋 473-87-52
515-244-64
529-501-44
余崇瞻明 472-646-26
537-246-55
余國柱明 456-611-9
537-321-56
余國盛妻 明 見李氏
余國賓明 523-488-170
余常安唐 384-258-13
479-354-233
余紹祉明 511-852-169
余紹祖宋 515-321-67
余從吉宋 479-354-233
余逢辰明 299-360-142
456-695-12
余啟元明 511-286-147
余童明宋 532-630-43
余敦宋清 方捷武妻
530-55-54
余朝相余心度 明 516-137-92
余喜巖明 554-987-65
561-217-38之3
余隆九明 515-797-82
余斯立宋 見余學古
余堯臣明 301-822-285
524-87-182
676-449-17
1318-349-63
1442-5-附1
1459-362-11
余堯弼宋 473-63-51
515-858-85
余開五宋 見余晦
余報國明 571-553-20
余發林宋 529-717-51
余景明元 1232-436-4
余紫山妻 清 見黃氏
余順志妻 清 見陳氏
余順明明 533-146-51
余猶龍明 523-91-149
余舜民妻 明 見朱淑清
余復升明 516-103-91
余復孫明 見余夢璜
余聖錫宋 820-448-35
余瑞儀妻 清 見魏氏
余瑞霖妻 清 見莊正端
余萬春清 529-706-50
余嗣道余秀孫 宋 451-86-3
余鼎娘明 溫敬妻
530-128-57
余敬洪妻 南唐 見鄭氏
余經元明 516-108-91
余經訓明 1474-589-30
余毓浩清 515-207-63
余愛娥清 鄭起熀妻
524-746-213
余福宏妻 明 見潘氏
余齊人劉宋 見余齊民
余齊民余齊人 劉宋
258-575-91
265-1038-73
380-95-167
475-218-61
511-549-158
933-98-6
余端臣宋 708-1058-97
余端臣女 宋 見余氏
余端蒙宋 451-359-10
余端禮宋 287-440-398
398-433-393
472-998-40
472-1043-43
479-134-223
479-356-233
488-13-1
488-461-14
494-270-2
494-343-7
523-333-161
1161-588-124
余熙昂妻 明 見汪氏
余槐卿元 1220-693-4
余爾弼明 533-75-49
余嘉賓元 1439-441-附2
余鳴環妻 清 見陳氏
余夢呂明 529-747-51
余夢明宋 529-707-50
余夢祥明 見余伯熊
余夢魁宋 524-296-193

余夢璜余復孫 宋451- 68- 2
余睿昭妻 明 見游氏
余鳳儀妻 明 見駱氏
余維恭元 吳澄妻、余珏女
1197-692- 72
余維樞清 511-293-147
余潤夫明 1254-333- 9
余養龍妻 明 見王氏
余慧英元 熊標妻、余溢女
1195- 83- 6
余增遠余增 明 479-245-227
524-260-191
1442-111- 7
余敷中明 524- 76-181
余德明宋 524-296-193
余德讓明 515-872- 86
余樹勛清 524-163-186
余學古余斯立 宋451- 81- 2
余學曾明 532-597- 41
余學奭明 1241- 71- 4
1241-716- 16
余學夔明 見余夔
余應求宋 471-994- 59
559-324-7上
余應桂明(字二磯) 301-422-260
456-442- 3
479-581-243
481-783-337
516-108- 91
余應桂明(字夢徵)
570-105-21之1
余應球宋 473- 63- 15
515-858- 85
516- 14- 87
余應誠宋 1153- 40- 57
余應鳳明 516- 53- 89
676-465- 17
余應緒明 533- 70- 49
余應舉明 見余曰德
余濟之明 1458-584-459
余謙一宋 460-433- 33
529-728- 51
余懋中明 523-488-170
余懋孳明 511-290-147
676-580- 24
余懋學明(字行之) 301- 2-235
475-574- 79
511-285-147
569-676- 19
678-210- 90
余懋學明(貴州人) 483-149-381
572- 77- 28
余懋衡明 300-799-232
458-966- 10
475-575- 79
477-567-177
479-712-250
511-706-164
515-158- 61
554-183- 51
676-619- 25
余麒孫明 563-824- 41
余疇若宋 1095-212- 25
余鵾翔明 515-179- 62
1442-105- 7
1460-721- 78
余繼善明 456-642- 10
余繼登明 300-558-296
474-312- 16
505-743- 72
676-627- 26
1442- 77- 5
1460-385- 58
余鶴年明 1242-309- 34
余鶴年妻 明 見黄氏
余聽聲宋 524-373-197
余麟正妻 清 見黄氏
余顯宗明 473-777- 84
567- 86- 66
1467- 60- 64
余觀生妻 清 見陳氏
余觀復宋 1364-617-334
1437- 30- 2
余拂君厚宋 494-384- 11
孚唐 547-530-160
1053-297- 7
坐雪道人明 554-986- 65
谷王明 見朱橞
谷水漢 483-697-422
谷氏唐 張孝忠妻、谷崇義女
1342-238-934
1342-488-967
谷氏明 史茂妻 302-244-303
524-669-210
谷氏明 吉安妻 477- 94-153
谷氏明 高天霖妻 480-639-288
谷氏明 郭銓遠妻 506- 5- 86
谷氏明 馮鰲妻 480- 63-260
谷氏明 谷暹女 506- 43- 87
谷氏清 向鼎妻 480-597-286
480-616-287
谷氏清 李彬妻 503- 58- 95
谷氏清 孟三強妻 503- 60- 95
谷氏清 張纘妻 474-195- 9
谷氏清 楊琴妻 474-194- 9
谷氏明 資若霖妻 480-514-281
谷氏清 劉灼妻 474-249- 12
506- 68- 87
谷氏清 霍瑞啟妻 474-280- 14
谷永谷並 漢 251- 30- 85
376-425-102下
384- 50- 2
471-863- 39
471-873- 40
472-830- 33
472-912- 36
473-359- 64
473-776- 84
473-783- 84
478- 95-180
482-466-363
554-827- 63
558-204- 32
567- 23- 63
820- 26- 22
933-717- 49
1467- 4- 62
谷吉漢 251- 30- 85
376-425-102下
933-717- 49
谷同明 515-259- 65
谷宏明 1459-424- 13
谷利吳 254-709- 2
384-610- 35
534-942-120
谷秀元 1206-164- 17
谷並漢 見谷永
谷杲谷果 元 510-471-117
1206-165- 17
谷果元 見谷杲
谷洪後魏 261-481- 33
266-539- 27
379- 82-147
谷春漢 554-966- 65
1058-501- 下
1061-253-108
谷春明 505-695- 70
谷珍明 540-784-28之3
谷貞明 葛昕妻、谷中虛女
1296-431- 5
谷泉宋 480-515-281
1052-709- 15
谷朗漢 473-359- 64
480-509-281
533-259- 55
563-600- 38
567- 20- 63
1103-391-137
谷泰明 563-851- 41
谷砙妻 清 見金氏
谷倚唐 271-575-190中
545-132- 87
谷淮明 820-748- 44
1460-901- 97
谷庸明 472-741- 29
537-303- 56
554-526-57下
谷衮後魏 261-481- 33
266-539- 27
379- 82-147
469-577- 71
474-557- 28
496-383- 87
933-718- 49
谷渾後魏 261-481- 33
266-539- 27
379- 82-147
469-577- 71
474-557- 28
496-384- 87
814-259- 8
820-115- 25
933-718- 49
谷發妻 清 見王氏
谷楷後魏 262-277- 89
266-540- 27
380-232-171
谷賑明 554-486-57上
559-282- 6
谷嶠明 505-807- 94
谷德元 1206-164- 17
谷儉晉 256-173- 70

377-743-126
473-402- 66
480-636-288
533-296-56
谷穎後魏 261-481- 33
266-539- 27
933-718- 49
谷遲女 明 見谷氏
谷隱五代 1053-230- 6
谷鍾妻 明 見王氏
谷闈後魏 261-481- 33
266-539- 27
379- 82-147
933-718- 49
谷纂後魏 261-481- 33
谷九德妻 清 見馬氏
谷士恢後魏 261-482- 33
266-539- 27
379- 82-147
933-718- 49
谷大用明 302-275-304
505-895- 80
谷大同宋 545-214- 91
谷大寬明 302-275-304
544-251- 63
谷天生妻 明 見楊氏
谷中秀明 523-195-155
谷中虛明 474-237- 12
505-658- 68
540-811-28之3
1296-433- 5
谷中虛女 明 見谷貞
谷允慶明 1245- 58- 2
谷那律唐 271-538-189上
276- 11-198
384-176- 9
400-407-538
407-542- 10
464-450- 54
472-130- 4
474-473- 23
505-770- 73
933-718- 49
谷邦奇明 456-679- 11
谷希子漢 1061-269-110
谷廷珪元 473-247- 60
480-290-271
谷承佑妻 清 見許氏
谷茂椿明 1296-432- 5
谷若霖宋 1147-587- 55
谷倚相唐 276- 11-198
400-408-538
933-718- 49
谷崇義唐 276- 11-198
400-408-538
933-718- 49
谷崇義女 唐 見谷氏
谷得興妻 明 見陳氏
谷從政唐 276- 11- 198
400-408-538
505-857- 77
933-718- 49
谷資生清 540-858-28之4
谷感德唐 474-476- 23
505-912- 81
谷毓玿清 474-654- 34
谷應麟清 511-587-159
谷薦馨妻 清 見田氏
谷鍾仁明 494- 22- 2
谷繼宗明 1442- 53- 3
谷山和尚五代 1053-305- 8
告生不害戰國 見浩生不害
角元角 春秋 404-824- 51
角若叔漢 933-725- 50
住力唐 1049-669- 45
住氏明 謝定妻 483-140-380
570-203- 22
住括徐敬業 唐 533-787- 75
住得住德 明 473- 90- 52
479-613-244
516-497-105
住德明 見住得
伽提婆晉 516-489-105
伽邪舍多漢 見伽耶舍多
伽耶舍多伽邪舍多 漢
1053- 22- 1
1054- 33- 1
1054-275- 4
伽梵達摩唐 見尊法
伽梵達磨唐 見尊法
佀鍾明 300- 31-185
472-559- 23
472-964- 38
475- 19- 49
523- 42-148
540-792-28之3
佀鶴舉明 456-522- 6
505-913- 81
但望漢 481-113-296
559-271- 6
591-694- 49
但鐙妻 明 見劉氏
但驄妻 明 見傅氏
但元行明 473- 15- 49
515- 88- 59
533-190- 53
但友儒妻 明 見李氏
但宗臯明 516-110- 91
523-207-155
但啟元明 516-106- 91
563-764- 40
作顯漢 933-740- 51
伯牙周 839- 16- 2
伯石春秋 見公孫段
伯台明 見伯特
伯夷上古 404-396- 23
545-685-108
伯夷商 244-344- 61
246- 1- 61
371-445- 24
380-405-177
383-107- 13
404-415- 24
472-142- 5
472-458- 20
505-708- 71
506-424-102
538-694- 79
547-186-148
550-344-221
550-354-221
550-507-223
558-467- 39
839- 7- 1
1136-276- 15
1226-440- 21
1355-589- 20
1374-359- 57
1408-161-497
伯行元 見貝降
伯克伯革 明 496-630-106
伯貝清 455- 57- 1
伯冏周 404-437- 25
伯宗春秋 375-761- 90
384- 20- 1
404-707- 43
448-189- 13
545-730-109
933-752- 52
伯宗妻 春秋 404-764- 46
448- 29- 3
452- 78- 2
472-469- 20
547-236-150
伯奇周 404-445- 26
839- 8- 1
伯杼夏 見予
伯虎上古 546-234-123
伯服周 243-106- 4
554- 25- 48
伯封上古 404-397- 23
伯高上古 742- 22- 1
伯益上古 見大費
伯格清 455-201- 10
伯振宋 1117-623- 10
伯虔伯處 春秋 244-389- 67
375-656- 88
405-445- 85
472-548- 23
539-496-11之2
933-752- 52
伯特元 見必圖
伯特伯台 明 496-627-106
伯姬春秋 見孔姬
伯姬春秋 見共姬
伯适春秋 404-435- 25
546-235-123
伯都元 見巴圖
伯勒字來 明 496-628-106
伯處春秋 見伯虔
伯喜清 455- 51- 1
伯陽上古 404-399- 23
伯華元 見拜布哈
伯華明 見伯克
伯瑕春秋 見士文伯
伯達周 404-435- 25
546-235-123
伯禽周 244- 38- 33
404-126- 8
472-543- 23
伯廖春秋 404-852- 53
伯與上古 546-234-123

伯僑周 545-688-108
伯瑩明 1240-827- 9
伯樂春秋 405-320- 76
554-888- 64
伯嬴春秋 楚平王夫人、秦穆公女 405- 82- 61
448- 39- 4
452- 82- 2
473-305- 62
533-502- 66
555- 2- 66
伯奮上古 546-234-123
伯輿春秋 404-482- 28
伯翳上古 見大費
伯鯀上古 見鯀
伯顏元 見巴延
伯謨清 455- 96- 3
伯靡夏 見靡
伯嚭春秋 見太宰嚭
伯儵春秋 404-686- 41
伯山甫漢 554-964- 65
1059-272- 3
伯元明宋 518-232-143
伯州犁春秋 375-848- 92
384- 26- 1
405- 40- 58
448-190- 13
933-752- 52
伯邑考周 404-453- 26
伯承恩明 570-144-21之2
伯封叔夏 546-423-129
伯益赫元 1202-100- 8
伯特恩元 532-736- 46
伯姬保母 春秋 見共姬
伯勒齊字齊 明 496-628-106
伯喜那清 455- 94- 3
伯陽父周 380-534-181
384- 12- 1
404-447- 26
伯寧國明 570-144-21之2
伯爾格清 455-272- 15
伯嘉努清(札拉爾氏)
294-358-129
399-501-468
528-446- 29
伯嘉努元(蘇達蘇氏)
294-549-145
400-258- 521
伯子同氏 春秋 545-732-109
伯思哈兒明 見巴爾斯哈喇
伯特努格伯特繼昌 元 1200-112- 10
伯特庫克金 見伯特烏格
伯特烏格伯特庫克、伯德窊哥 金 291-672-122
400-221-518
476-278-111
546-141-119
伯特繼昌元 見伯特努格
伯勒格台元 294-204-117
395-205-199
伯勒赫圖柏爾赫圖 清 455-354- 22
474-768- 41
502-496- 70
伯斯和勒清 500-725- 37
伯爾赫圖清 455-273- 15
伯德窊哥金 見伯特烏格
伯德哩布金 見伯特德哩布
伯德履信元 546-357-126
伯顏子中元～明 見巴延子中
伯什阿噶什清 500-725- 37
伯奇音濟濟庫庫沁、庫庫克沁 元 珍戩妻 294-200-116
393-346- 80
伯特梅和尚伯德梅和尚 金 291-663-121
400-211-517
502-700- 82
伯特塔哩布金 見伯特德哩布
伯特德哩布巴達喇木布、伯德哩布、伯特塔哩布、伯達特離補、伯德特离補、伯德特離補 金 291-188- 81
399-142-429
474-435- 21
474-688- 37
476-750-139
502-262- 54
505-632- 67
伯楞額都督清 455-268- 15
伯達特離補金 見伯特德哩布
伯爾哈什哈清 454-864-102
伯德特离補金 見伯特德哩布
伯德特離補金 見伯特德哩布
伯顏帖木兒明 見巴延特穆爾
伯勒格特穆爾元 1209-610-10上
伯勒齊爾布哈別兒怯不花 元 294-493-140
399-785-498
478-764-215
523- 28-147
820-520- 38
伯顏不花的斤元 見巴延布哈德濟
狂王漢 見泥靡
狂生後周(逸其姓氏) 821-113- 49
狂章上古 546-234-123
狂僧後漢 1052-316- 22
含光唐 1052-378- 27
妞妞清 阿布尼妻 503- 34- 94
希元唐 524-403-199
希白宋 480-419-277
820-466- 36
821-269- 52
希夷宋 588-192- 9
1183-156- 10
希佛清(索綽絡氏) 455-650- 45
希佛清(民覺羅氏) 502-571- 74
希秀宋 1053-900- 20
希奉宋 1053-394- 10
希明宋 1053-768- 18
希紐清 455-222- 11
希陵元 524-391-198
1207-678- 48
1439-457- 2
1439-457- 2
希最宋 475-192- 59
491-175- 21
491-176- 21
希運唐 479-503-239
511-935-175
516-420-103
524-424-200
588-346- 3
1052-297- 20
1053-135- 4
1054-133- 3
1054-564- 16
希達清 455-451- 27
希圓唐 524-417-200
1052- 84- 7
希圓宋 1053-416- 10
希遁明 524-354-196
希演宋 592-606- 99
希福清(瓜爾佳氏) 455- 40- 1
希福清(赫舍里氏) 455-184- 9
474-763- 41
502-456- 69
希福清(佟佳氏) 455-332- 20
希福清(正白旗人) 502-736- 84
希廣宋 1053-749- 17
希遷唐 480-515-281
482-190-346
533-786- 75
1052-124- 9
1053-179- 5
1054-121- 3
1054-501- 14
希暘宋 820-467- 36
希操唐 1076- 66- 7
1076-527- 7
希隱宋 1053-499- 12
希顏元 1222-278- 18
1369-467- 14
希覺後漢 588-251- 10
1052-227- 16
希覺宋 1130-826- 24
希辯宋 485-290- 42
493-1091- 58
588-229- 10
1053-409- 10
希佛訥清(赫舍里氏)
455-200- 10
希佛訥清(佟佳氏) 455-332- 20
希特海清 455-273- 15
希爾根清 474-767- 41
502-458- 69
希爾喀清 455-286- 16
希爾圖清 455-607- 41
希爾闢清 456- 32- 52
希爾哈納清 455-589- 39

希爾胡納清 455-255-14
邠王妻 見李守禮
邠王宋 見趙材
邠王元 見卜顏帖不花
邠王明 見朱常淑
邠任漢 402-387-5
邠州父老宋 554-911-64
邠國大長公主宋 見員明大師
邦柱立清 455-517-32
邦珠瑚清 455-92-3
邦彪鑀宋 見睹征
利山唐 1053-129-3
利元宋 1053-674-16
利氏宋 利公謙從妹 530-3-54
利氏清 利應昌女 482-45-340
利申宋 473-195-58
516-146-93
利言唐 1052-213-15
利昱宋 1053-567-14
利涉唐 1052-237-17
利乾漢 933-649-42
利登宋 1437-29-2
利幾漢 933-649-42
利賓明 532-726-46
利蹤唐 524-435-201
1053-153-4
1054-131-3
利公謙從妹 宋 見利氏
利本堅明 559-287-7上
利眞源漢 933-649-42
利師道宋 471-951-52
利瑪竇明 302-742-326
利應昌女 清 見利氏
禿干明 見圖罕
禿不申元 見圖卜新
禿忽赤元 1197-673-69
禿髮賀後魏 見源賀
禿髮破羌後魏 見源賀
禿髮烏孤南涼 見涼烈祖
禿髮傉亶南涼 見禿髮傉檀
禿髮傉檀禿髮傉亶、景王 南涼 256-963-126
262-441-99
381-349-192
384-105-5
558-767-50
933-802-59
禿髮壽闐南涼 256-959-126
262-440-99
381-345-192
禿髮利鹿孤康王 南涼
256-960-126
262-440-99
381-347-192
384-105-5
558-767-50
禿髮樹機能南涼 256-959-126
262-440-99
381-345-192
免乙漢 933-589-38
免餘周 933-589-38
佗春秋 見周莊王
佗鉢可汗隋 264-1151-84
伴娘楞伽貧女 宋(姓缺)
493-1108-58
何力唐 276-318-217下
何三妻 明 見郝拾翠
何千妻 元 見柏都賽兒
何井何貫老 宋 451-58-2
何中元 295-621-199
401-40-573
453-793-3
473-115-54
479-658-247
515-765-81
677-481-44
820-505-37
1208-287-13
1437-428-1
1470-216-8
何丹漢 453-735-1
482-76-341
564-4-44
何仁元 1232-435-4
何氏吳 孫和妻、何遂女
254-762-5
385-480-52上
何氏唐 李欒妻 1073-591-28
1074-432-28
1075-383-28
1344-113-70
何氏唐 莫生妻 479-60-219
何氏宋 李昌期妻 482-41-340
何氏宋 吳永年妻 288-456-460
401-159-590
472-231-8
475-144-57
493-1081-57
512-18-177
何氏宋 吳伯年妻
1139-635-2
何氏宋 馬服妻 1096-795-40
何氏宋 陳璣妻 1171-375-10
何氏宋 何棐女 1171-798-30
何氏宋 周虎母 512-4-176
1169-64-5
何氏元 季銳妻 295-638-201
401-184-593
472-1055-44
何氏元 蒲道源妻、何坤女
1210-769-25
何氏元 蕭積善妻 482-41-340
何氏元 羅汀妻 512-156-181
何氏明 文華袞妻 479-611-244
何氏明 王巡妻 483-397-403
何氏明 王琪妻 530-18-54
何氏明 王鈞妻 480-342-273
何氏明 王璣妻 475-756-88
何氏明 王文沖妻 530-153-58
何氏明 王伯金妻、何原女
1267-320-36
何氏明 王道平妻 506-49-87
何氏明 孔詢妻 472-329-14
何氏明 毛叔行妻 1255-649-67
何氏明 任樇妻 478-137-181
555-100-67
何氏明 朱讓栩妻、何世昂女
560-598-29下
何氏明 冷紱妻 480-300-271
533-637-70
何氏明 沈朝俊妻 483-359-400
何氏明 李緒妻 506-81-88
何氏明 李允執妻 475-535-77
何氏明 杜建中妻 480-300-271
何氏明 邢其蘊妻 478-421-195
何氏明 吳士价妻 482-239-349
何氏明 吳景馨妻 530-151-58
何氏明 林挺妻 481-532-326
何氏明 胡玉妻 479-812-255
何氏明 胡煌妻 473-32-49
479-499-239
510-238-97
何氏明 胡方益妻 479-769-254
何氏明 高逵妻 483-341-398
何氏明 徐兆麟妻 480-254-269
何氏明 郭景順妻 530-71-55
何氏明 章敢謨妻
1294-523-12
何氏明 張聯奎妻 480-300-271
何氏明 陳杲妻 472-369-16
何氏明 陳禮妻 479-812-255
何氏明 馮時行妻 479-633-245
何氏明 黃都妻 480-208-267
何氏明 楊椿妻 506-3-86
何氏明 楊之瑤妻 483-397-403
何氏明 楊時泰妻 483-118-379
何氏明 楊熙遠妻 480-208-267
何氏明 葉孔賓妻
472-1056-44
524-779-216
何氏明 詹大啟妻 475-535-77
何氏明 齊政妻、何正瑛女
1248-606-3
何氏明 趙文吾妻 555-83-67
何氏明 熊惟燮妻 516-246-97
何氏明 鄭卿妻 506-52-87
何氏明 鄭彥明妻 530-109-57
何氏明 鄧文祖妻 480-440-278
何氏明 劉雄妻 530-123-57
何氏明 劉承宗妻
1291-464-8
何氏明 蕭韶妻 1467-277-72
何氏明 酈抱義妻 302-250-303
480-665-290
533-676-71
何氏明 魏寵妻 473-102-53
479-633-245
何氏明 羅拱明妻、何紐克女
481-390-312
何氏明 龔夢虬妻 524-481-203
何氏明 何渭女 1267-334-36
何氏明 可雄女 472-209-7
475-856-94
何氏明 何宗樸女
1246-509-下
何氏明 周諏母 480-96-262
何氏清 文錦妻 475-650-83
何氏清 王袞妻 474-249-12
506-62-87
何氏清 王經妻 506-19-86

何氏清 王大元妻 558-501- 42
何氏清 王天祐妻 481-594-328
530- 99- 56
何氏清 毛之瓛妻 483- 49-372
何氏清 朱璽妻 482-568-369
何氏清 朱弘祚妻 541- 3- 29
何氏清 杜盡良妻 503- 67- 95
何氏清 李瑜妻 530- 32- 54
何氏清 李銓妻 524-612-208
何氏清 李昌運妻 482-190-346
何氏清 李毓珩妻 482-119-343
何氏清 吳一騰妻 475-619- 81
何氏清 吳肖辰妻 481-408-313
何氏清 余宏生妻 481-536-326
何氏清 林世芳妻 479-299-230
何氏清 林矗齊妻 481-700-332
何氏清 周魁妻 475-235- 61
何氏清 周源遠妻 480-640-288
何氏清 周德深妻 480-639-288
何氏清 洪岡妻 483- 99-378
何氏清 胡徽妻 480-546-283
何氏清 姚發妻 474-385- 19
何氏清 姚永福妻 478-551-202
558-526- 42
何氏清 宮借輝妻 474-192- 9
506- 15- 86
何氏清 高近明妻 558-512- 42
何氏清 徐兆璋妻 524-491-203
何氏清 郭應銓妻 530- 34- 54
何氏清 梁永瀚妻 506- 67- 87
何氏清 曹宗謨妻 480-665-290
何氏清 張于太妻 478-718-211
何氏明 張斗煇妻 555-128- 68
何氏清 張兆熊妻 479-384-234
何氏清 張榮德妻 478-718-211
558-568- 43
何氏清 張輔武妻 476-678-136
541- 39- 29
何氏清 張應捷妻 481-187-300
何氏清 張耀高妻 482- 45-340
何氏清 陳文忠妻 512-137-180
何氏清 陳全五妻 481-188-298
何氏清 陳所得妻 474-193- 9
何氏清 曾可聖妻、何元琦女
530- 40- 54
何氏清 温俊雲妻 482-306-353
何氏清 雷大夏妻 480-546-283
何氏清 楊郁妻 483-252-391
何氏清 楊梓妻 478-718-211
何氏清 楊又清妻 483-179-384
570-192- 22
何氏清 楊廷正妻 506- 68- 87
何氏清 楊東衡妻 481-338-308
何氏清 廖仲芳妻 533-713- 72
何氏清 趙準妻 506- 21- 86
何氏清 鄭汝招妻 530- 35- 54
何氏清 黎世璜妻 480-639-288
何氏清 劉堉妻 474-192- 9
506- 21- 86
何氏清 劉埰妻 474-195- 9
何氏清 盧蒲妻 474-385- 19
何氏清 謝得龍妻 478-298-188
何氏清 鍾竹有妻 481-728-333
何氏清 顧世竣妻、何思佐女
1315-381- 18
何氏清 韓承宣媳
1323-780- 5
何氏不詳 王木叔妻
472-1119- 48
何立明 1282-751- 57
何永何求 宋 473-447- 68
559-360- 8
何玉明 494- 41- 3
何玉妻 明 見李氏
何弘齊 265-1045- 73
380-105-167
何正元 524- 81-182
1439-436- 1
何正明(武城人) 473-177- 57
479-766-252
515-121- 60
何正明(字立經) 515-549- 74
何正明(字廷直) 1261-703- 30
何正清 455-204- 10
何布吳 見何定
何平蜀漢 見王平
何充晉 256-274- 77
370-334- 8
377-814-128
384- 99- 5
472-338- 14
475-835- 93
479-222-227
485-552- 3
486- 34- 2
488-123- 7
488-125- 7
488-126- 7
511-251-146
523- 3-146
814-242- 6
820- 61- 23
933-288- 21
何充宋(德陽人) 288-323-449
400-181-514
451-226- 0
473-436- 67
473-551- 73
481-290-360
481-406-313
559-523- 12
何充宋(吳郡人) 493-1055- 56
511-864-170
812-541- 3
821-172- 50
何充妻 宋 見陳氏
何旦宋 473-763- 84
482-391-358
1467-173- 68
何四妻 明 見王氏
何申明 299-378-143
456-698- 12
何生宋 524-375-197
何白明 524-299-193
820-754- 44
821-472- 58
1442- 96- 6
1460-572- 68
何用妻 元 見甘妹資
何失元 472- 37- 1
505-880- 79
1439-426-附1
1470-267- 9
何池明 529-691- 50
何有明 524-348-169
何老元 541- 95- 30
何回明 554-473-57上
何全明(字侯琮) 510-364-114
何全明(字廷用) 511-870-170
何全明(字原學) 559-349- 8
何先宋 1138-162- 15
何先妻 宋 見鄭氏
何行宋 515-825- 83
何印清 476-209-107
546-222-122
何休漢 253-539-109下
380-272-172
384- 69- 3
459- 28- 2
472-551- 23
476-582-131
540-703-28之1
674-560- 3
675-296- 15
933-287- 21
何宏明 510-315-113
564-132- 45
何汶漢 591-517- 41
何良明 524- 97-183
何求齊 259-533- 54
265-460- 30
380-455-178
475-143- 57
475-835- 93
484- 44-下
485-164- 22
493-1040- 55
511-849-169
933-288- 21
何求宋 見何永
何址明 見何祉
何抗宋 1133-369- 24
何均明 見何鈞
何材妻 明 見葉氏
何劭晉 254-242- 12
255-600- 33
377-430-121上
386-187-75下
933-287- 21
1370- 58- 3
1379-268- 33
何岑明 474-407- 20
505-677- 69
何岐晉 255-601- 33
377-430-121上
何妥隋 264-1056- 75
267-588- 82
380-329-174
384-158- 8
472-868- 34
473-431- 67
473-496- 70

478-296-188
481- 76-294
481-250-304
554-834- 63
559-299-7上
559-340- 8
591-536- 42
592-485- 91
592-497- 91
592-525- 94
592-548- 95
592-510- 97
677-132- 13
933-289- 21
1387-191- 11
1395-604- 3
何伸宋 529-727- 51
何兒宋 288-393-455
473-643- 78
481-696-332
529-625- 48
1145-605- 77
何宗蜀漢 254-687- 15
384-464- 12
386-103-72上
481- 75-294
591-520- 41
何完明 820-651- 42
1249-453- 30
何京明 515-205- 63
何宜明 473-574- 74
515- 38- 58
529-456- 43
何並漢 250-696- 77
376-364-101
384- 51- 2
472-640- 26
472-823- 33
477- 47-151
478- 96-180
537-340- 56
554-426- 56
933-287- 21
1408-390-517
何初明 472-1043- 43
523-620-177
676- 70- 3
680- 40-228
1243-214- 11
何定何布 吳 254-741- 3
何定明 554-311- 53
何庚宋 288-381-454
400-183-514
473-729- 82
482-238-349
何武漢 251- 47- 86
376-434-102下
384- 51- 2
469-592- 72
472-171- 6
472-194- 7
472-823- 33
473-429- 67
474-433- 21
475- 14- 49
475-696- 86
481- 72-294
488- 72- 6
510-273-112
515- 2- 57
523- 2-146
554- 96- 50
559-501- 12
561-305- 40
591-505- 41
933-287- 21
1354-676- 34
1354-828- 48
1381-609- 44
何武唐 472-201- 7
511-495-156
1083-206- 8
1340-718-795
何武宋 1121-488- 36
何松宋(字堅材) 1150-877- 48
何松宋(字伯固) 1181-588- 7
何松妻 宋 見杜氏
何坦宋 473- 99- 53
479-629-245
515-825- 83
563-663- 39
何枉元 1214-251- 21
何坤女 元 見何氏
何事孫魏 見吉迦夜
何忠明 299-492-154
473-303- 62
480-246-269
533-384- 60
何昌宋 見何忕
何昌明 523-246-157
564-128- 45
何昌妻 明 見王氏
何昪明 554-526-57下
何昪妻 明 見李氏
何昂明 1259-862- 8
何杲明 511-260-146
523-108-150
何旻妻 明 見林氏
何忽明 559-276- 6
何侑宋 524- 90-182
528-491- 30
1161-102- 83
何佾宋 523-499-170
528-446- 29
何金明 511-660-162
何岳明 511-511-157
何受宋 1119-318- 31
何迎唐 494-318- 6
何洪宋 473-125- 55
515-131- 61
1161-102- 83
何洪明(全椒人) 299-761-175
475-798- 90
481- 24-291
511-504-156
559-504- 12
何洪明(上虞人) 820-637- 41
何洪妻 明 見危氏
何洪妻 明 見李氏
何忕何昌 宋 451- 81- 2
何炳明 511-628-161
何洵齊 479- 40-218
523- 71-149
何洛明 523-232-156
何恪宋 451-351- 10
524- 69-181
1171-777- 28
何炯梁 260-388- 47
265-464- 30
380-107-167
475-835- 93
479-318-232
511-599-160
523-182-155
933-288- 21
何炯明 460-721- 75
676-595- 24
何祉何址 明 473- 28- 49
515-401- 69
523-106-150
何袒妻 清 見和氏
何洲宋 515-829- 83
何洲明 456-698- 12
511-470-154
何亮劉宋 258- 14- 41
何亮明 473-222- 59
478- 92-180
532-625- 43
540-798-28之3
554-280- 53
何亮清 482-305-353
563-892- 42
1327-694- 8
何彥唐 409-162- 19
何彥明 564-136- 45
何恢劉宋 258- 14- 41
何恢宋 1171-777- 28
何春明(字元之) 481-612-329
516-175- 94
528-497- 30
何春明(字時熙) 523-567-174
何珊明 533- 76- 49
何拯宋 471-1027- 64
何奎五代 592-286- 78
何珍明 1289-354- 24
何述宋 510-451-117
529-741- 51
679- 36-141
何建後晉 278-157- 94
何思明(謚節愍) 456-551- 7
何思明(雄縣人) 505-812- 74
545-192- 90
何思明(道州人) 533-274- 56
何思明(字伯深) 1249-452- 30
何貞明 1246-108- 4
何若宋 524-335-195
何苗漢 537-193- 54
539-351- 8
何英漢 473-430- 67
481- 75-294
559-338- 8
591-517- 41

592-507- 92
608-538-275
何英明 473- 50- 50
479-533-241
516- 64- 89
何俌宋 494-347- 7
524- 89-182
680- 15-225
何信明 558-177- 31
1262-425- 46
1267-335- 37
何信妻 明 見李氏
何信妻 明 見盧氏
何垔明 479-630-245
515-839- 84
571-537- 20
1249-236- 14
何衎劉宋 258- 15- 41
265-194- 11
373- 81- 20
何胤梁 259-533- 54
260-434- 51
265-461- 30
380-456-178
384-111- 6
473-598- 76
475-143- 57
475-835- 93
479-249-227
482-426- 20
484- 44- 下
485-164- 22
486-315- 14
493-1041- 55
524-322-195
677-124- 12
933-288- 21
1141-796- 33
1394-470- 5
1399-301- 3
何勉明 560-603-29下
何俊明(字士高) 481-674-331
515-780- 81
528-527- 31
何俊明(字廷彥) 473-403- 66
533-118- 50
571-528- 19
1250-910- 86
何俊明(字彥賓) 570-144-21之2
何侯上古 533-788- 75
567-455- 87
何祇蜀漢 254-643- 11
377-289-118下
384-463- 12
447-190- 7
473-424- 67
481- 75-294
481-418-314
559-259- 6
591-520- 41
879-158-58上
何涇宋 491-435- 6
何涇明 1247- 47- 3
何浩宋 821-246- 52
何浩明 1250-816- 78
何唐明 511-698-164
何祐明 1240-797- 8
何益明 554-678- 60
何涉宋 288- 91-432
400-448-541
473-456- 68
478-417-195
481-183-300
559-364- 8
592-591- 98
何悌明 見何梯
何浚宋 482-391-358
567-404- 84
1467-175- 68
何衷明 473-129- 55
515-547- 74
676-503- 19
1247- 87- 7
何珙明 524-236-189
何城明 511-903-172
何貢妻 清 見鄭氏
何眞女 漢 見何皇后
何眞明(字邦佐) 299-223-130
473-675- 79
482- 35-340
482-115-343
545- 65- 85
559-248- 6
564-141- 45
564-736- 60
1224- 51- 16
1374-433- 63
何眞明(字嵩山) 564-268- 47
何秦明 見何廷仁
何泰女 唐 見何仙姑
何原女 明 見何氏
何埕明 567-384- 82
1467-243- 71
何陞明 523-339-162
何珖明 523-216-156
559-298-7上
1467- 84- 65
何珩明 571-556- 20
何珠明 540-829-28之3
何振明 559-371- 8
571-544- 20
何時何應德 宋 288-386-454
400-332-528
451-55- 2
473-125- 55
473-186- 58
479-658-247
479-792-254
482- 41-304
482-207-347
515-758- 80
516-148- 93
517-442-126
518-240-143
563-909- 43
何恩明 571-556- 20
何晏魏 254-185- 9
375-164-79下
384- 88- 4
385-426- 48
470-354-142
472-771- 30
537-540- 59
679-756-211
1379-214- 27
何晏明 473-165- 57
何剛明 301-619-274
456-438- 3
475-184- 59
511-444-153
何約元 546-300-124
何紘宋 528-474- 30
何耕宋 559-306-7上
1147-380- 35
1363-765-226
1437- 16- 1
何倬明 537-410- 57
何倫明 524-157-186
何倫明 見何論
何卿明 300-484-211
481- 81-294
481-465-319
483-267-392
559-255- 6
559-292-7上
571-532- 19
591-407- 31
何純明 473-130- 55
515-548- 74
559-251- 6
569-649- 19
何寅明 821-392- 56
何淳明 473-211- 59
532-592- 41
何淳女 清 見何百順
何清明(許州人) 472-666- 27
477-481-173
538-117- 64
何清明(字仁甫) 564-240- 46
何清明(陸川人) 567-366- 81
1467-213- 70
何清妻 明 見楊氏
何淮明 524-232-189
何淵宋 821-171- 50
何淵明(字澄仕) 472-999- 40
523-118-151
何淵明(巴州人) 559-361- 8
何淵明 見何彥澄
何淵妻 明 見周氏
何祥明 457-597- 35
478-337-191
532-681- 44
554-290- 53
何郯宋 286-270-322
382-484- 75
384-358- 18
397-414-344
473-432- 67
475-869- 95
481- 78-294
545- 47- 84
559-295-7上

559-341- 8
591-549- 42
592-583- 98
674-280-4下
933-291- 21
1437- 12- 1
何訥明 479- 53-218
524- 97-183
何訥妻 明 見劉氏
何訥清 474-169- 8
505-649- 69
何淡宋 472-1030- 42
何淡明 472-521- 22
473-222- 59
476-750-139
480- 88-262
483-223-390
532-624- 43
540-660- 27
564-127- 45
何淑元 515-770- 81
676-463- 17
1238-544- 14
何庾宋 563-694- 39
何堅唐 471-762- 24
1073-518- 20
1074-344- 20
1075-300- 20
何堅明 511-692-163
何基宋 288-172-438
400-560-551
451-404- 14
459-123- 7
472-1030- 42
479-325- 232
523-610-176
526- 17-259
539-505-11之2
677-421- 39
820-446- 35
1212-293- 20
1437- 31- 2
何晝宋 515-572- 75
554-330- 54
1219-667- 4
何梯何悌 明 554-347- 54
559-354- 8
何彬宋 484-380- 28
何通明 1249-455- 30
何異宋 287-477-401
398-466-395
451- 22- 0
473-114- 54
473-176- 57
473-490- 70
479-657-247
479-766-252
481-236-303
515-745- 80
532-577- 41
559-296-7上
1437- 25- 2
何貫明 559-291-7上
何堂明 494-158- 5
何常宋 286-694-354
397-738-364
472-893- 35
478-483-199
481- 69-293
554-652- 60
558-228- 32
何勗明 483-116-379
569-672- 19
何釴明 476-658-135
何紱宋 523-419-166
何偁宋 674-881- 20
何紹漢 402-571- 19
何紹妻 明 見彭氏
何紹清 455-204- 10
何偉明(字汝器) 523-136-152
何偉明(新喻人) 563-781- 40
何偉明(金齒人) 1268-495- 77
何偉妻 明 見趙氏
何偉清 510-492-118
何御明 529-720- 51
1442- 57- 3
1460-163- 47
何偃劉宋 258-200- 59
265-459- 30
378-116-134
933-288- 21
1379-538- 64
1395-592- 3
何參宋 471-795- 29
480-177-266
480-341-273
533-338- 58
533-729- 73
何造宋 471-1049- 68
561-210-38之2
何敏宋 1098-205- 25
何斌妻 清 見潘氏
何湞劉宋 516- 5- 87
何渭明 1280-191- 69
何渭女 明 見何氏
何湖妻 明 見縱氏
何詔明 473-388- 65
505-651- 68
523-308-160
532-720- 45
1273-285- 35
1275-871- 56
何善明 515-548- 79
523- 88-149
何普宋 1173-127- 71
何曾晉 254-242- 12
255-597- 33
377-428-121上
384- 90- 5
386-187-75下
472-654- 27
472-717- 28
477-446-171
537-376- 57
812- 67- 下
812-231- 9
812-720- 3
814-231- 4
820- 51- 23
933-287- 21
何富妻 明 見平氏
何焯清 475-143- 57
511-755-162
1328-369- 11
何湛宋 473-528- 72
559-318-7上
何湛妻 清 見李氏
何湯漢 402-443- 9
479-484-239
515-289- 66
675-262- 7
何渠宋 523-558-174
何雲宋 479-236-227
523-384-164
何楨魏 254-229- 11
511-797-167
何棋明 532-707- 45
何琮宋 523-349-162
何琮明 523-262-158
820-582- 40
何琮妻 清 見陳氏
何博明 820-598- 40
何琚明 1274-372- 13
何琚妻 明 見吳氏
何植吳 見何構
何盛明 563-809-41
何雄女 明 見何氏
何登妻 元 見黃氏
何肅唐 494-422- 13
何琬宋 472-1053- 44
523-498-170
何琦晉 256-439- 88
380- 90-167
472-349- 15
472-358- 15
475-668- 84
475-835- 93
511-598-160
933-288- 21
何堯宋 515-758- 80
1197-715- 74

何琛明(字廷獻) 559-346- 8
569-650- 19
何琛明(廣州人) 1252-359- 20
何琛清 523-140-152
何逵宋 524-230-189
何逵女 明 見何妙賢
何逮宋 1163-618- 39
1410-234-691
何棟明 545-282- 94
554-603- 59
581-672-113
676-552- 22
1442- 48-附3
1460- 44- 42
何棅清 511-389-151
528-546- 32
何貴明 559-434-10上
何著明 494- 41- 3
何萃明 524- 11-178
何棠明 511-245-145
何敞漢 253- 41- 73
370-194- 19
376-770-109上
384- 62- 3
402-424- 7
402-524- 15
459-232- 14
472-737- 29
472-788- 31
472-831-33
475-775- 89
476-515-127
477-406-169
478-101-180
482-183-346
482-450-362
493-1037- 55
510-476-118
537-323- 56
540-621- 27
554-628- 60
933-287- 21
1467- 2- 62
何順妻 明 見許氏
何傳南唐 見慕眞
何傳宋 524-298-193
1164-255- 13
1410-368-712
何傳清 529-485- 43
何智女 元 見何妙音
何鈞何均 明 458-110- 5
472-752- 29
537-605- 60
559-251- 6
何媚唐 1107-531- 38
何鈁明 479-403-235
523-235-156
1295-149- 12
何欽宋 820-447- 35
何欽明 511-884-171
何進漢 253-385- 99
254-115- 6
377- 8-113上
384- 68- 3
402-594- 21
472-737- 29
472-771- 30
477-369-167
537-193- 54
何進宋 451-225- 0
何復明 302-112-295
456-461- 4
473-584- 75
474-238- 12
476-733-138
505-660- 68
540-834-28之3
何溥宋 523-343-162
何溥明 558-313- 34
何源宋(字清卿) 516-146- 93
何源宋(秀才能畫山水) 821-248- 52
何源明(知鳳陽) 472-197- 7
何源明(涇州人) 473-247- 60
480-290-271
何源明(字仲深) 479- 93-221
515-842- 84
523-105-150
何源何德源 明(字幼澄)
493-976- 52
540-626- 27
567- 84- 66
1386-409- 44
1467- 58- 64
何慈宋 515- 80- 59
何滔唐 559-515- 12
何熠清 479-249-228
何裕妻 清 見陳氏
何準晉 256-515- 93
370-387- 10
380- 5-165
472-338- 14
475-835- 93
511-849-169
933-288- 21
何準女 晉 見何法倪
何新女 宋 見何道融
何煒明 515-561- 74
何詵明 569-658- 19
何煥唐 473-447- 68
何煥宋 559-363- 8
何道女 吳 見何氏
何道劉宋 475-775- 89
475-796- 90
510-477-118
何道妻 明 見鄭氏
何歆明 510-428-116
何瑀劉宋 258- 14- 41
265-193- 11
373- 81- 20
何瑀女 劉宋 見何令婉
何楷女 宋 見何靜恭
何楷明 301-653-276
460-788- 83
481-617-329
529-575- 46
何瑄明 483-307-395
571-545- 20
何塘明 見何瑭
何構何植 吳 370-283- 4
何瑋元 295- 45-150
399-413-457
472- 55- 2
474-589- 30
1202- 90- 8
何瑜明 564-131- 45
何群宋 288-431-457
401- 18-569
408-668- 26
473-456- 68
481-183-300
561-202-38之1
592-581- 98
何瑛何桂哥 宋 448-399- 0
何瑛元 545-651-106
何瑛明(杞縣人) 474-168- 8
何瑛明(河南人) 571-532- 19
何瑗妻 宋 見方氏
何達梁 見何遠
何達明 529-693- 50
何遐唐 471-951- 52
何萬宋 674-542- 1
何戢齊 259-346- 32
265-459- 30
370-516- 16
378-293-138
493-675- 37
494-283- 3
933-288- 21
何戢女 齊 見何婧英
何萱元 鄭玉妻 1252-347- 20
1376-677- 99
何嗣明 1263-518- 5
何嵩晉 255-601- 33
377-431-121上
何嵩明 1255-576- 61
何鼎後唐 563-647- 38
564- 20- 44
何鼎何文鼎 明 302-268-304
523-357-163
何㮚宋 286-678-353
382-698-108
397-725-364
471-961- 53
473-434- 67
481-386-312
559-399-9上
591-555- 42
933-292- 21
何粲明 523-216-156
何遇南唐 812-441- 0
812-530- 2
821-117- 49
何鉞明 511- 79-139
523- 48-148
676-543- 22
何頎妻 元 見呂清
何愈明 479-175-225
523-135-152
何稠隋 264-985- 68
267-718- 90
380-659-183

384-157- 8
554-894- 64
563-625- 38
567- 33- 63
812-338- 8
933-290- 21
何雋明 516-149- 93
何經明 472-647- 26
564-207- 46
何綏晉 254-242- 12
255-601- 33
377-431-121上
933-287- 21
何節明(漢州人) 480-404-277
何節明(萬安人) 554-258- 52
何實元 295- 49-150
399-415-457
496-407- 89
502-372- 63
何察明 456-677- 11
何誠明 473-634- 77
510-472-117
何福明 299-383-144
511-420-152
571-531- 19
何端明 1249-454- 30
何說明 1250-520- 48
何榮明(茂名人) 523-133-152
何榮明(忻州人) 554-249- 52
何榮明(字耀先) 564-143- 45
何慥清 570-261- 25
何輔明 1467- 61- 64
何熙漢 253- 93- 77
254-239- 12
370-193- 19
376-806-109下
402-389- 5
402-531- 15
477-444-171
537-374- 57
何榛清 529-707- 50
何瑭何塘 明 301-772-282
457-823- 49
458- 8- 1
458-836- 7
472-128- 4
472-964- 38
477-255-161
478-768-215
505-691- 70
538- 8- 61
540-642- 27
676-531- 21
1442- 40-附2
1459-810- 33
何嶷明 474-635- 33
何遠何逹 梁 260-458- 53
265-991- 70
380-188-170
384-121- 6
448-321- 下
472-357- 15
472-553- 23
472-997- 40
472-1026- 42
473-209- 59
473-682- 79
475-118- 55
475-603- 81
476-785-141
479-132-223
479-317-232
480- 48-259
482- 74-341
493-680- 37
494-334- 7
510-323-113
510-432-116
523-112-151
523-182-155
532-613- 43
563-622- 38
933-289- 21
何遜梁 260-409- 49
265-510- 33
378-381-141
384-112- 6
469-192- 22
471-900- 44
472-554- 23
476-785-141
540-723-28之1
674-246-4上
933-289- 21
1229-307- 10
1387-138- 8
1394-561- 7
1395-596- 3
何蒙宋 285-457-277
473- 20- 49
475-698- 86
515-303- 66
何蒙元 510-346-114
何鳳唐 486- 42- 2
何鳳元 1223-672- 14
1229-112- 9
何銘明 558-412- 37
何僩梁 933-289- 21
何緒明 516-176- 94
1289-382- 26
何維元 533-302- 57
何算明 564-248- 47
何綱明 524-145-185
可綸明 473-281- 61
1467- 85- 65
何槩女 宋 見何氏
何寬明 676-583- 24
何澍清 511-516-157
何廣明 472-242- 9
475-179- 59
511-123-141
554-206- 52
676-255- 10
何廣清 476-588-131
540-859-28之4
何潤明 511-543-158
何澄晉 256-515- 93
380- 6-165
493-674- 37
511-251-146
933-288- 21
何澄宋 821-210- 51
何澄元 821-288- 53
何澄明(四川人) 301-737-281
479-711-250
515-151- 61
559-362- 8
1243-436- 2
何澄明(字應青) 511-615-160
何澄明(字源清) 515-835- 84
1249-236- 14
何澄明(字彥澤) 821-373- 55
1442- 23-附2
1459-604- 22
何澄清 505-823- 75
563-884- 42
何論何倫 明 524-100-183
1283-762-126
何鄰五代 567-458- 87
1467-514- 11
何適明 821-441- 57
何毅妻 明 見施氏
何賢明(河間人) 545-247- 92
何賢賀賢 明(字彥哲)
558-290- 34
676- 55- 2
676- 77- 3
何璋明 1467- 85- 65
何蕭明 1242-217- 31
何璇妻 明 見李氏
何遷明 301-782-283
457-652- 38
473-270- 61
1283-800-129
1442- 58- 3
1460-168- 48
何蔚隋 264-1056- 75
267-592- 82
380-332-174
591-537- 42
何儀妻 明 見張氏
何質明 493-727- 40
510-332-113
何德明 458-135- 6
472-795- 31
477-545-176
537-609- 60
何魯後魏 540-727-28之1
何魯明 571-545- 20
何盤明 473-299- 62
532-669- 44
何盤清 456-351- 77
何皞明 480-247-269
510-399-115
533- 76- 49
何緝元 472-239- 9
475-176- 59
何徵梁 486-426- 20
何憲齊 259-360- 34
265-696- 49
378-283-138
475-835- 93

933-289- 21
何澒明 523-427-167
何澮宋 287-394-394
398-393-390
451- 24- 0
488- 14- 1
488-466- 14
何龍五代 592-300- 79
何澤後唐 279-372- 56
384-315- 16
396-447-296
472-739- 29
473-674- 79
537-299- 56
564- 32- 44
933-290- 21
何澤宋 450-519-中41
何遵晉 254-242- 12
255-601- 33
377-430-121上
何遵明 300-110-189
472-175- 6
475- 76- 53
511-431-153
1458-609-463
何穎明 473-369- 64
515- 33- 58
533-289- 56
何頤宋 1188-500- 10
何橋宋 564-711- 59
何璘明 567-464- 87
1467-524- 11
何霖宋 515-758- 80
可霖明 456-677- 11
511-476-155
何選明 300-818-233
474-185- 9
505-803- 74
537-344- 56
何隨晉 473-431- 67
473-528- 72
481-180-300
559-340- 8
561-564- 45
591-527- 41
何興宋 563-909- 43
何蕃唐 275-621-194
384-239- 12

400-326-527
471-926- 49
472-395- 17
475-811- 91
511-657-162
933-290- 21
1073-458- 14
1074-277- 14
1075-238- 14
1355-596- 20
1378-620- 63
1383-104- 8
1408-498-530
1447-152- 2
何器明 533-273- 56
何器妻 清 見任氏
何暹明 820-681- 42
可遺漢 453-732- 1
564- 2- 44
何積明 1278-430- 20
何儞明 515-508- 72
何錞明 820-714- 43
何衡漢 253- 93- 77
376-806-109下
何衡清 524- 68-181
何勳明 558-412- 37
何濬明 458-110- 5
472-752- 29
473- 75- 52
474-617- 32
505-701- 70
515-235- 64
529-636- 48
537-605- 60
何謐妻 明 見呂氏
何講妻 明 見許氏
何燮明(字中理) 302- 79-293
456-489- 5
460-718- 74
475-778- 89
529-552- 45
何燮明(字純理) 1249-236- 14
何燧何鐩 明 456-630- 10
476-789-141
何謙妻 清 見徐氏
何聰明(海州人) 481-114-296
何聰明(字元敏) 1274-372- 13
何聰妻 明 見梁氏

何翽明 564-133- 45
何點齊 259-533- 54
260-433- 51
265-460- 30
380-454-178
384-111- 6
472-338- 14
475-835- 93
484- 44- 下
485-164- 22
493-1041- 55
511-849-169
933-288- 21
何邁劉宋 258- 14- 41
265-193- 11
373- 81- 20
何績宋 559-297-7上
何鍾明 554-309- 53
何禮明(清苑人) 472- 56- 2
505-810- 74
何禮明(字大用) 1262-422- 46
何禮妻 明 見陳氏
何禮妻 明 見慕氏
何騏明 571-545- 20
何燾明 523-631-177
何璧唐 820-280- 30
何璧明(南陵人) 511-627-161
何璧明(字子玉) 1239- 49- 29
何璧明(字玉長) 529-721- 51
1442- 97- 6
1460-588- 69
何璧妻 明 見郭妙寧
何覲清 476-866-145
540-863-28之4
何轍明 571-546- 20
何顒漢 253-373- 97
254-203- 10
376-967-112
384- 68- 3
385-319- 31
402-515- 14
477-421-169
480-292-271
533-227- 54
933-287- 21
何顒何紹祖 宋 448-369- 0
何顒明 523-119-151
何顒清 見李顒

何瞻明 524-198-188
何蘧宋 494-423- 13
1132-512- 14
何鯉明 528-478- 30
何鎬宋 460-310- 23
481-719-333
528-550- 32
1146-127- 91
1146-217- 94
何雙蜀漢 254-687- 15
384-464- 12
386-103-72上
何潢明 1249-236- 14
何爌明 511-874-170
何類唐 820-205- 28
何寵明(字汝錫) 475-701- 86
510-465-117
523-476-169
何竉明(天台人) 563-791- 41
何齍何棄登 宋 473-390- 65
533-105- 50
何瀞明 472-240- 9
564-149- 45
何顛清 1320-729- 79
何攀晉 255-779- 45
377-543-123
473-431- 67
477- 48-151
481- 75-294
537-346- 56
552- 24- 18
559-339- 8
591-528- 41
933-288- 21
何瓊明 564-196- 46
何騤何宋保 宋 448-379- 0
何蹻明 1296-547- 1
何贊明 523-320-161
何籀宋 820-409- 34
可瀹宋 1164-386- 21
何競明 302-150-297
479-240-227
524-135-185
1320-657- 73
何藻妻 明 見劉苑華
何騰何天喜 宋 448-374- 0
何鏷明 515-226- 63
何灌宋 286-729-357

382-694-107
397-761-366
472- 65- 2
472-430- 19
472-457- 20
472-664- 27
472-935- 37
476-222-108
476-438-122
477- 83-152
478-268-187
478-483-199
478-515-200
478-653-207
538- 38- 63
545-430- 99
558-175- 31
558-182- 31
933-292- 21
何爚明 533-137- 51
何夔魏 254-239- 12
377- 97-115上
384- 83- 4
384-662- 41
385-369- 36
472-653- 27
476-655-135
476-697-137
477-445-171
537-375- 57
540-644- 27
933-287- 21
何霸漢 591-506- 41
何霸宋 812-552- 4
821-170- 50
何鐵明 529-656- 49
何鐩明 見何燧
何鰲明 見何鼇
何鑄父 宋 524-172-187
何鑄宋 287-203-380
398-242-381
472-968- 38
479- 50-218
485-502- 9
523-258-158
何鑑明 300- 61-187
472-741- 29
475- 20- 49
479-239-227
523-307-160
525-108-221
570-119-21之1
676-510- 20
676-717- 30
何儼妻 明 見王氏
何麟明 302-152-297
546-201-122
何瓚後唐 279-182- 28
396-374-285
545-133- 87
933-290- 21
何顯漢 591-505- 41
933-287- 21
何瓛明 1268-495- 77
何鼇明(紹興人) 478-338-191
何鼇何鰲 明(字子魚)
523-246-157
564-133- 45
676-541- 22
何觀晉 591-528- 41
何觀明 299-602-162
529-536- 45
820-622- 41
何一中明(清苑人) 456-630- 10
何一中明(號少崔) 572-108- 30
何一蕃妻 明 見王氏
何九雲明 460-722- 75
何九達明 516-138- 92
何三省清 515-849- 84
何三畏明 676-613- 25
1442- 79- 5
1460-405- 58
何三俊明 見鄭三俊
何三娘明 陳以恕妻
530- 96- 56
何三娘清 何表琇女
482-189-346
何三傑明 456-578- 8
480-437-278
505-865- 77
533-405- 61
何士仁明 564-246- 47
何士弘妻 明 見熊氏
何士兆妻 清 見鍾氏
何士林明 510-457-117
何士明明 1227-717- 7
何士昭宋 587-445- 5
何士英唐 559-261- 6
何士英明 472-879- 35
523-482-170
何士晉明 301- 7-235
475-229- 61
511-162-142
523-137-152
何士逢妻 清 見盧氏
何士琨清 564-306- 48
何士瑋明 558-318- 34
何士閎清 475-612- 81
511-630-161
何士璋妻 清 見焦氏
何子平劉宋 258-576- 91
265-1039- 73
370-489- 14
380- 96-167
486-311- 14
493-736- 41
511-598-160
524-130-185
933-289- 21
何子平宋 1123-672- 7
何子明明 481-184-300
559-516- 12
何子海明 564-278- 47
何子朗梁 260-422- 50
265-1025- 72
380-374-176
472-554- 23
476-786-141
933-289- 21
何子聰明 545-187- 90
何子鑑元 1210-659- 10
何大士宋(營道人) 473-350- 62
何大士宋(道州人) 480-547-283
533-789- 75
何大正宋 473-195- 58
516-146- 93
何大正妻 明 見劉氏
何大圭何大奎 宋
472-389- 17
491-432- 6
511-826-167
820-421- 34
1437- 20- 1
何大同明 456-664- 11
511-475-155
何大年妻 清 見王氏
何大成明 1460-670- 74
何大封妻 清 見阮氏
何大奎宋 見何大圭
何大猷宋 1171-787- 28
何大節宋 473-281- 61
480-126-264
533-367- 60
何大臨宋 1098-205- 25
何大衢明 456-584- 8
480-439-278
何小二明 524-166-186
何上如清 515-851- 84
何千齡唐 452- 9- 上
524-148-185
1224-519- 31
何心隱梁汝元 明
457-506- 32
515-716- 79
1457-609-399
何文才宋 559-318-7上
何文宇妻 明 見江氏
何文信明 559-268- 6
何文倖明 569-662- 19
何文淵明 300- 1-183
453-354- 7
472-1115- 48
473-101- 53
473-428- 67
479-402-235
479-629-245
515-836- 84
523-228-156
540-617- 27
676-257- 10
1241-108- 5
1249-298- 18
1271-801- 7
何文淵妻 明 見揭昭
何文貴妻 明 見范氏
何文暉明 見何文輝
何文鼎明 見何鼎
何文熙明 511-775-166
何文輝朱文輝、何文暉 明
299-262-134
473-428- 67
475-797- 90

481- 71-293
511-424-152
559-248- 6
何文質明 473-713- 81
563-801- 41
何之元陳 260-784- 34
265-1027- 72
380-377-176
475-835- 93
493-737- 41
511-797-167
933-289- 21
何之旦妻 明 見李氏
何之旦婢 明 見阿來
何之英妻 清 見張氏
何之瀛清 559-437-10下
何之鰲妻 清 見李氏
何不罕元 472-914- 36
何元述明 460-657- 67
460-717- 74
何元品妻 清 見王氏
何元英元 1467- 53- 63
何元英清 1475-608- 26
何元琦女 清 見何氏
何元熠明 504-220- 46
何元瑞清 523-431-167
何元瑞妻 清 見高氏
何元達宋 484-389- 28
何元壽宋 537- 51- 48
何元選明 460-717- 74
何比干漢 253- 41- 73
472-194- 7
472-376- 16
475-560- 79
510-432-116
511-355-150
554-422- 56
675-258- 7
何天才妻 清 見張氏
何天申明 533-176- 52
何天相妻 明 見高氏
何天祐妻 明 見陳氏
何天球明 302- 36-291
456-516- 6
474-570- 29
何天強清 456-351- 77
何天啟明 479-378-234
515-890- 86
523-104-150
何天喜宋 見何騰
何天棐女 宋 見何師蘊
何天祿明 533-267- 55
何天縉明 477-378-167
何天聲元 1202-224- 16
何天躍女 清 見何新秀
何天衢明(字升宇) 302- 28-290
456-588- 8
483-171-383
570-129-21之1
何天衢明(字道亨) 473-391- 65
480-544-283
523-103-150
533-107- 50
678-377-105
何友諒宋 559-378-9上
何友蘭宋 533-322- 57
何及之妻 宋 見劉氏
何中立宋(字公南) 286- 14-302
371-144- 14
397-226-332
472-661- 27
484- 93- 3
537-588- 60
1097-291- 19
何中立宋(賜號通神先生)
493-1103- 58
何中德妻 明 見毛氏
何公弁唐 451- 10- 0
524- 95-183
何公保妻 明 見趙三娘
何公掄妻 清 見程氏
何公務宋 511-177-143
何公冕明 511-879-171
何公肅明 523-130-152
何介伯清 1325-699- 4
何允升明 545-379- 97
何允泓明 511-749-165
1442- 99- 6
何允恭明 524-236-189
何永川明 559-370- 8
何永孚妻 明 見李氏
何永明妻 明 見沈氏
何永芳明 473-348- 63
480-436-278
523-487-170
532-725- 66
何永昭妻 明 見楊氏
何永清明 515- 94- 59
何永淳妻 清 見劉氏
何永湜妻 清 見徐氏
何永達明 558-299- 34
1293-364- 20
何永敬明 524-226-189
何永慶明 537-484- 58
何永澤妻 清 見張氏
何玉成明 529-481- 43
何玉仙明 史痴翁妻
820-769- 44
821-492- 58
何玉如清 537-528- 59
何玉宋明 林洪熥妻
530- 16- 54
何玉眞明 林珽妻530- 12- 54
何玉彰妻 明 見周氏
何去非宋 481-676-331
529-597- 47
674-827- 17
1107-777- 55
1107-823- 58
何弘仁明 見大俍
何弘敬何重順 唐
271-378-181
276-183-210
384-273- 14
384-275- 14
384-279- 14
396-288-276
何正臣宋 286-374-329
427-245- 6
473-127- 55
473-333- 63
480-400-277
488-400- 13
532-691- 45
何正景妻 清 見鄭瓊宋
何正瑛女 明 見何氏
何正緒明 1280-191- 69
何本洪妻 明 見李氏
何本容妻 明 見聶氏
何平山妻 明 見胡氏
何布哈元 558-211- 32
何可及明 570-139-21之2
何可綱明 301-572-271
456-436- 3
474-742- 40
502-299- 56
何世守明 1458-611-463
何世光明 1254-755- 2
何世昌宋 821-221- 51
何世昂女 明 見何氏
何世隆明 472-402- 18
511-367-150
何世祺明 563-784- 40
何世榮清 502-768- 86
何世綸明 567-331- 78
1467-223- 70
何世堪清 476-530-128
478-772-215
523- 69-149
540-874-28之4
何世學明 523-468-169
何世錦明 1467-241- 71
何世燦妻 清 見施冬姐
何充濟明 1254-395- 2
何功右明 564-258- 47
何以平清 564-308- 48
何以尚明 300-712-226
482-524-367
563-825- 41
567-341- 79
1467-234- 71
何以潤明 533-787- 75
何以讓明 559-353- 8
何田兒唐 見何能嗣
何出光明 476- 80-100
477-453-171
505-659- 68
537-410- 57
545-195- 90
1442- 80- 5
1460-420- 59
何史訓明 533- 75- 49
何令通南唐 見慕眞
何令婉劉宋 宋前廢帝后、何瑀女 258- 14- 41
265-193- 11
373- 81- 20
何仕俊明 528-460- 29
何仕紳明 532-698- 45
何仕麟明 1467-218- 70
何白雲補帽匠 明
533-728- 73

何仙姑唐 何泰女
473-392-65
473-676-79
482-52-340
511-931-175
533-789-75
564-615-56
564-737-60
何用和妻 清 見吳氏
何幼璵齊 259-543-55
265-1045-73
380-102-167
何守臣女 清 見何孝娥
何守拙明 559-348-8
何安世何壽翁 宋451-74-2
何安宅宋 1147-491-46
1147-541-51
何汝尹明 1321-70-93
何汝賓明 523-138-152
何汝敷明 524-206-188
何汝闞清 511-871-170
何宇度明 592-756-附
1290-129-22
何宇新明 482-116-343
564-261-47
何百順清 何淳女474-193-9
506-24-86
何有思妻 明 506-15-86
何有思媳 明 見李氏
何有信妻 清 見曹氏
何存斆明 559-350-8
何老妹明 嚴璋妻
482-280-351
何光元女 明 見何武英
何光天妻 清 見蔡氏
何光岳明 456-631-10
何光裕明 300-454-209
481-407-313
559-530-12
何光榮明 1247-11-1
何光覺宋 481-116-296
559-421-10上
591-625-45
何兆三明 524-139-185
何兆柳明 483-251-391
572-92-29
何兆啟妻 清 見莊正密
何兆寧明 563-855-41
何兆鋐妻 清 見黃氏
何旭恭明 1467-64-64
何自然明 571-533-19
何自興宋 511-624-161
何自學明 473-116-54
515-779-81
554-209-52
567-91-66
1243-386-23
何自謙明 511-410-152
何全皞唐 271-378-181
276-184-210
384-281-14
396-288-276
何如申明 301-254-251
511-259-146
何如琳妻 清 見王氏
何如瑛唐 482-185-346
564-25-44
何如寵明 301-254-251
475-530-77
511-259-146
676-623-25
1442-85-5
1460-481-63
何仲山明 559-354-8
何仲章元 820-546-39
何仲慈宋 529-447-43
何仲舉後唐 407-656-2
473-389-65
533-321-57
何先覺宋 563-690-39
567-67-65
1467-40-63
何宏中宋 537-276-55
546-375-127
548-297-171
1365-337-10
何宏中元 1202-226-16
何宏圖清 478-134-181
何沖孚妻 明 見李氏
何宋保宋 見何騤
何良俊明 301-845-287
475-182-59
511-761-166
1442-64-4
1460-235-50
何良傅明 676-575-23
1442-64-4
1458-242-434
1460-235-50
何良輔明 523-246-157
何良璧妻 清 見歐氏
何志同宋 523-572-174
1157-227-17
何志崇妻 明 見饒氏
何志道妻 明 見郭氏
何志璇清 512-463-188
何志嶠明 541-98-30
何志聰妻 明 見鄭氏
何成祿元 571-537-20
何成德清 554-739-61
571-536-19
何孝娥清 何守臣女
547-439-157
何李奴清 顧兆吉妻
524-728-213
何吾騶明 301-281-253
何君平宋 1096-375-38
1121-619-8
何君美妻 清 見高氏
何君墨唐 812-347-9
何克仁明 511-661-162
何克明元 533-319-57
何克俊妻 明 見周氏
何抑之明 517-639-131
何似之宋 見何鳴鳳
何佟之梁 260-392-48
265-999-71
380-288-173
384-122-6
472-338-14
475-835-93
511-697-164
933-289-21
何伯祥元 295-45-150
399-413-457
472-54-2
474-588-30
505-783-73
1192-408-35
何伯瑾妻 明 見林氏
何伯翰元 1221-451-8
何伯謹宋 1150-910-51
何伯璵齊 259-543-55
265-1045-73
380-102-167
475-835-93
何金城清 475-280-63
何希之宋 515-758-80
何希堯唐 524-79-182
何希彭宋 530-210-61
1090-584-29
何邦漸明 475-701-86
510-466-117
何邦憲明 570-161-21之2
何佛保妻 宋 見邱榮娘
何妙音元 王褘妻、何智女
1224-201-20
何妙慧明 何錫有女
564-319-49
何妙賢明 徐琳妻、何逵女
1248-604-3
何妙靜元 揭應強妻
1202-294-20
何廷仁何秦 明 301-790-283
457-312-19
458-901-8
479-796-254
516-176-94
518-160-140
563-756-40
1275-320-15
何廷柱妻 清 見錢氏
何廷俊明 546-679-137
何廷矩明 457-128-9
564-287-47
678-601-127
何廷寀妻 清 見余氏
何廷琦明 554-509-57下
何廷傑妻 明 見戴氏
何廷魁明 302-34-291
474-734-40
476-282-111
502-296-56
537-282-55
546-100-118
何廷蘭元 473-300-62
533-737-73
何宗孔明 456-607-9
478-296-188
554-344-54
何宗昌明 564-298-48
何宗彥明 301-87-240

480-205-267
515-802-82
533-70-49
何宗英宋 472-395-17
511-858-169
何宗祚妻 明 見沈氏
何宗聖明 301-88-240
528-516-31
何宗聖妻 明 見徐氏
何宗實元 524-173-187
1221-643-24
何宗賢明 533-315-57
558-341-35
何宗魯明(鄞都人) 483-94-378
494-158-5
494-246-10
559-504-12
569-667-19
何宗魯明(字可言) 676-28-1
678-458-113
何宗樸女 明 見何氏
何宗禮明 558-341-35
何宗禮妻 明 見楊氏
何宗顯明 511-372-150
何法倪晉 晉穆帝后、何準女
255-588-32
493-1079-57
何法盛劉宋 384-112-6
何宜酉清 530-42-54
何宜翁宋 見何德華
何宜健明 537-525-59
538-359-71
何性仁何棨老 宋448-364-0
何定卿明 甘心懷妻
530-8-54
何炎寅宋 592-605-99
何武英明 何光元女、何景元女 478-519-200
558-506-42
何其仙清 533-490-65
何其芬清 529-679-49
何其義明 564-233-46
何其漁明 1442-101-6
何其賢明 559-397-9上
何其儀妻 清 見白氏
何其謨妻 明 見李氏
何青山妻 明 見劉氏
何青年宋 821-234-51
何居穀明 569-671-19
何孟春明 300-138-191
473-403-66
476-918-148
480-638-288
482-539-368
494-158-5
533-118-50
537-218-54
569-652-19
572-158-32
676-524-21
677-559-51
1263-330-2
1263-562-7
1263-574-7
1442-38-附2
1459-780-31
何孟倫明 481-694-332
528-544-32
何坤章元 1210-680-14
何奇臺明 516-338-100
何阿魯明 563-787-40
何長瑜劉宋 258-293-67
378-63-132
1379-531-63
何長壽唐 812-343-9
813-74-1
821-40-46
何東序明 476-125-102
523-205-155
546-711-138
何東明明 474-187-9
何東鳳明 572-109-30
何表琇女 清 見何三娘
何表瑛女 清 見何質娘
何表瑛媳 清 見林氏
何表瑛婢 清 見鄒氏
何承天劉宋 258-253-64
265-508-33
378-136-134
384-112-6
469-191-22
472-275-11
472-553-23
476-784-141
511-899-172
540-718-28之1
933-289-21
1379-461-55
1401-4-13
何承光明 302-52-292
456-553-7
481-236-303
483-307-395
572-79-28
何承宗妻 明 見錢氏
何承矩宋 285-389-273
371-156-16
382-197-29
384-327-17
396-656-314
472-51-2
472-65-2
473-333-63
474-91-3
474-235-12
474-336-17
474-469-23
477-313-164
480-399-277
481-581-328
505-630-67
532-688-45
537-504-59
933-291-21
何承裕宋 288-191-439
400-631-557
407-682-5
554-270-53
何尚之劉宋 258-269-66
265-456-30
378-114-134
384-111-6
472-338-14
475-835-93
488-168-8
489-599-47
510-308-113
511-697-164
933-288-21
1401-1-13
何尚翁唐 554-981-65
何尚賢明 546-310-125
何尚德明 478-296-188
546-306-125
554-253-52
何昌世宋 529-602-47
何昌言明 528-542-32
何昌邦何俊郎 宋448-367-0
何昌祖妻 清 見楊氏
何昌寓何昌寓 齊259-438-43
265-464-30
378-294-138
384-111-6
472-338-14
473-111-54
475-835-93
479-654-247
511-251-145
515-164-62
933-289-21
何昌寓齊 見何昌寓
何昌期唐 473-674-79
482-290-352
564-28-44
何昌裔唐 820-279-30
何昌應妻 明 見劉氏
何明旭妻 清 見袁氏
何明通清 478-519-200
何易于唐 275-658-197
384-275-14
400-345-530
471-709-17
471-1039-66
473-74-52
473-445-68
479-578-243
481-153-298
481-403-313
515-230-64
559-279-6
559-321-7上
591-703-50
933-290-21
1083-71-3
1344-481-100
1406-502-372
1409-609-634
1418-139-40
1447-420-21
何叔丁宋 481-333-308
何叔度劉宋 258-269-66
265-456-30

378-114-134
475-835- 93
485- 69- 10
493-675- 37
511-598-160
523- 70-149
何果昌何瀘孫 宋451- 59- 2
何季奴清 479-335-232
何季羽宋 480-436-278
何季長妻 元 見呂氏
何和里清 474-754- 41
502-506- 71
何金鹿妻 明 見魯氏
何金鉉清 511-565-158
何岳生宋 1197-220- 20
何岳州明 1267-334- 36
2410-517-733
何秉忠明 456-596- 9
何秉善妻 明 見馮氏
何秉彝明 1252-530- 31
何延世宋 515-308- 66
何炳若明 456-604- 9
何爲心妻 清 見蔡氏
何爲忠妻 明 見查氏
何洛文明 458-117- 5
676-591- 24
1442- 63-附4
1460-210- 49
何首烏唐 1078-192- 18
何彥先唐 476-523-128
540-738-28之2
何彥清元 473-544- 72
何彥猷宋 472-999- 40
524-312-194
何彥澄何淵、何彥徵 明
511-873-170
1237-214- 3
1238-231- 19
1241-647- 14
何彥徵明 見何彥澄
何春巖明 524- 10-178
何相劉明 302-100-294
456-613- 9
478-546-202
558-203- 31
何南卿金 547-537-160
何南翔宋 843-671- 下
何述稷明 1460-735- 79
何貞立元 見何頤貞
何思佐明 511-676-163
何思佐女 清 見何氏
何思明明 529-466- 43
何思祥清 476-348-116
547- 25-141
何思問明 532-696- 45
何思登明 510-448-117
何思敬元 821-317- 54
何思澄梁 260-422- 50
265-1024- 72
380-373-176
384-122- 6
472-554- 23
476-786-141
485-424- 5
933-289- 21
1395-598- 3
何思魯明 676-637- 26
何思贊明 528-460- 29
何茂猷妻 清 見林氏
何昭善明 515- 89- 59
523-491-170
何迥秀明 554-310- 53
何重順唐 見何弘敬
何皇后漢 漢靈帝后、何眞女
252-196-10下
373- 48- 19
537-184- 53
何皇后唐 唐昭宗后
269-443- 52
274- 28- 77
393-272- 73
何保之宋 288-409-456
400-298-524
481-336-308
何保全妻 清 見宋氏
何俊郎宋 見何昌邦
何浩然明 524-187-187
1475-461- 19
何泰哥宋 見何欽承
何耆仲宋 559-319-7上
何桂哥宋 見何瑛
何書勒清 455-205- 10
何起門唐 479-379-234
524-160-186
何起鳴明 554-288- 53
559-404-9上
何起鳳明 510-431-116
何起龍明 515-238- 64
何能嗣何田兒 唐
1078-192- 18
何師心宋 473-464- 69
559-290-7上
何師亮明 529-761- 53
何師蘊宋 饒腴妻、何天棐女
516-311-100
何商臣妻 明 見李氏
何淳之明 676-616- 25
820-734- 44
821-447- 57
何清甫元 511-632-161
何淮潤明 1240-804- 8
何惟寅妻 明 見張氏
何章雲清 524-106-183
何淑川明 563-817- 41
何淑姿明 林廣妻530- 6- 54
何執中宋 286-660-351
382-664-102
397-712-363
471-643- 9
472-981- 39
472-1053- 44
475-143- 57
475-776- 89
479- 92-221
524-166-186
544-233- 63
677-228- 21
933-291- 21
何執禮宋 493-1071- 57
何執禮妻 宋 見孫氏
何雪潤明 821-461- 57
何乾曜唐 516-215- 96
何棄登宋 見何齍
何通泰明 511-483-155
何通衢明 554-310- 53
何崇美明 1248-628- 3
何崇美妻 明 見呂翂
何崇源宋 524-161-186
何貫老宋 見何井
何國寧妻 清 見高氏
何晚齡明 532-632- 43
何得一宋 516-435-103
何得運清 456-351- 77
何得舉明 524-305-194
何細胡何細腳胡 隋
264-1056- 75
267-588- 82
380-329-174
472-868- 34
591-536- 42
何婧英齊 蕭昭業妃、何戢女
259-242- 20
265-197- 11
373- 84- 20
何紹正明 300- 86-188
475-640- 83
479-381-234
510-447-117
523-492-170
何紹克女 明 見何氏
何紹祖宋 見何顒
何婉玉清 張登棟妻
530- 32- 54
何欲行清 475-233- 61
何敏中宋 452- 23- 下
何敏中明 472-377- 16
473- 64- 51
475-563- 79
515-873- 86
何敏遜妻 明 見潘氏
何敏樹明 572-111- 30
何從信妻 清 見姚氏
何從義元 295-612-198
400-319-526
472-924- 36
478-419-195
何逢原何逢源、楊逢原、楊逢源 宋(字希深) 473-522- 72
481-309-307
559-307-7上
677-282- 25
1151-624- 29
何逢原宋(字文瀾) 523-623-177
678-148- 84
678-424-110
何逢源宋 見何逢原
何愉之劉宋 485-489- 9
何湛之明 820-733- 44
何敦善明 472-914- 36
558-211- 32
何敦復明 567-347- 80
1467-239- 71

何渙章妻 唐 見李氏
何閎中明 533-179-52
559-256-6
569-656-19
何朝宗明 554-296-53
何朝聘清 475-702-86
502-692-81
510-468-117
何朝鳳明 561-200-38之1
何朝舉元 480-130-264
533-332-58
何喬雲清 523-432-167
何斯可元 517-453-127
何斯美清 476-80-100
545-200-90
何堯中明 567-101-66
1467-77-64
何敢復明 563-792-41
何棟如明 301-36-237
475-77-53
480-290-271
511-83-139
532-681-44
676-117-5
1142-86-附5
何發藻明 1374-433-63
何景文宋 524-81-182
何景元女 明 見何武英
何景明明 301-834-286
453-719-42
458-116-5
477-419-169
538-147-65
554-212-52
676-531-21
820-669-42
1267-352-附
1267-354-附
1267-356-附
1267-359-附
1267-360-附
1267-361-附
1267-362-附
1267-365-附
1442-42-附3
1454-359-123
1459-844-35
1458-244-434
何景明妻 明 見王氏
何景高明 821-369-55
何景陽明 558-358-35
何景韶明 1267-339-37
1408-710-554
何景福元 524-297-193
1439-446-2
1471-556-13
何無忌晉 256-389-85
370-390-10
377-901-129下
384-100-5
469-191-22
472-274-11
472-552-23
473-13-49
473-86-52
475-281-63
476-782-141
479-446-237
488-153-7
511-899-172
515-4-57
532-555-40
540-716-28之1
933-288-21
何順中明 1246-653-16
何喬新明 300-1-183
453-639-24
458-761-5
473-101-53
473-211-59
475-872-95
476-917-148
479-630-245
481-493-324
483-223-390
515-838-84
528-453-29
532-590-41
537-215-54
545-73-85
559-251-6
571-518-19
676-500-19
678-591-126
820-651-42
1249-530-0
1249-534-0
1249-538-0
1249-552-0
1257-188-18
1442-27-附2
1459-648-25
何喬福明 820-651-42
821-448-57
1249-465-30
何喬遠明 301-112-242
460-725-75
481-589-328
529-549-45
567-451-86
1442-81-附5
1458-754-478
1467-158-67
何喬遷明 460-721-75
528-533-31
何喬遴明 529-672-49
何勝宗明 1268-495-77
何欽承何泰哥 宋 448-359-0
何進滔唐 271-378-181
276-183-210
384-273-14
396-287-276
558-373-36
何源清妻 明 見李氏
何源匯明 529-660-49
何源澄明 540-829-28之3
何源濬清 559-331-7下
1320-579-64
何新之宋 288-335-450
400-184-514
472-1043-43
523-410-166
676-753-31
1437-33-2
何新秀清 何天躍女
480-514-281
533-681-71
何道旻明 473-644-78
481-697-332
529-629-48
1241-524-9
何道柔元 541-95-30
何道眞宋 宋松峰妻
1188-501-10
何道深清 476-348-116
何道融宋 凌楠妻、何新女
452-30-下
524-729-213
1171-800-30
何運泰妻 明 見張氏
何雷陽明 1240-221-14
何瑞徵清 537-570-60
何辟非宋 523-239-157
何楚英明(攸縣人) 473-340-63
533-251-55
569-649-19
何楚英明(字邦佐) 564-89-45
567-97-66
568-250-108
1467-156-67
何楚鍾明 554-346-54
何萬化明 511-131-141
1442-103-7
1460-617-71
何萬年清 511-868-170
何萬京明 1297-787-12
何嗣仍齊 528-519-31
何嗣昌宋 515-142-61
何園客明 1475-564-24
何敬宗明 1268-495-77
何敬叔齊 260-422-50
265-1024-72
380-373-176
472-554-23
472-997-40
479-132-223
494-333-7
523-111-151
何敬洙南唐 472-307-13
475-323-65
510-381-115
511-202-144
何敬容梁 260-314-37
265-465-30
378-427-141
384-111-6
472-220-8
475-118-55
475-835-93
485-70-11
488-240-10
488-243-10

488-244- 10
493-679- 37
510-322-113
511-251-146
523- 71-149
528-519- 31
933-289- 21
何敬容妻 齊 見長城公主
何敬德元 1367-904- 69
何誠正清 456-351- 77
何福全明 545-375- 97
554-473-57上
559-323-7上
何福進後周 278-381-124
何漸逵明 570-119-21之1
何齊藍清 456-351- 77
何漢臣明 561-203-38之1
何漢宗明 559-345- 8
何漢偉清 524-190-187
何漢榮宋 546-184-121
何榮老宋 見何性仁
何榮光唐 820-181- 27
何榮祖元 295-292-168
399-627-482
472-116- 4
474-440- 21
476-477-125
478-546-202
505-765- 72
540-615- 27
545-651-106
581-551-102
677-493- 45
1207-187- 12
何壽朋明 479-328-232
523-615-176
何壽翁宋 見何安世
何槐生元 見何槐孫
何槐孫何槐生 元
472-1085- 46
473-111- 54
480- 56-260
515-169- 62
523-129-152
533- 4- 47
676-260- 10
1204-210- 3
何爾彬清 524-178-187
何爾健明(字明甫) 476-866-145
何爾健明(字乾室) 537-249- 55
540-821-28之3
676-611- 25
1291-859- 5
何熙志宋 473-523- 72
559-379-9上
何與適妻 明 見范氏
何嘉周唐 820-282- 30
何嘉祐清 523-470-169
1321-145-102
何嘉會妻 明 見吳氏
何嘉諫清 524-103-183
524-179-187
何翠谷明 820-680- 42
何夢卜妻 明 見林氏
何夢桂何應忻 宋
472-1017- 41
479-380-234
523-623-177
676-693- 29
677-411- 38
1188-519- 附
1437- 31- 2
何夢犇宋 451- 64- 2
何鳴鳳何似之、陳緯孫 宋
1437- 32- 2
何鳴鳳明(字如岐) 567-330- 78
1467-223- 70
何鳴鳳明(浪穹人)
570-161-21之2
何鳴謙明 545-190- 90
何鳳起明 533-175- 52
何熊祥明 564-169- 45
676-256- 10
何維忠明 456-587- 8
何維柏明 300-460-210
458-725- 3
481-493-324
482- 38-340
528-457- 29
564-102- 45
676-571- 23
1442- 56- 3
1457-512-388
1460-143- 47
何維漢妻 清 見劉氏
何維翰宋 559-341- 8
何肇城妻 清 見林氏
何肇嘉清 511-557-158
何綸言妻 清 見周氏
何廣珍妻 清 見蒙氏
何潛淵明 564-254- 47
何潤之宋 820-338- 32
何澄粹唐 275-632-195
384-216- 11
400-290-523
472-368- 16
475-641- 83
511-631-161
933-290- 21
何潘仁唐 552- 54- 19
何慶元明 511-826-167
1442- 86- 5
1460-488- 63
何慶宗明 1242-230- 32
何頡之宋 471-935- 50
何震之宋 481-154-298
何震龍宋 1188-499- 10
何履旭清 529-662- 49
何履鉌清 481-531-326
529-661- 49
何墨君唐 821- 58- 46
何質娘清 何表瑛女
482-189-346
何德宗明 1268-495- 77
何德華何宜翁 宋451- 97- 3
何德源明 見何源
何劉發元 1194-702- 13
何徵蘭清 559-329-7下
何憲皋妻 清 見黃氏
何龍普清 456-302- 73
何頤貞何貞立 元494-323- 6
何奮武明 558-301- 34
何壁星明 561-435- 42
何靜恭宋 楊公亮妻、何楷女
1175-545- 18
何積有明 559-422-10上
何錧昌妻 明 見陳氏
何儒行元 1439-445-附2
何衡泗清 480-437-278
505-841- 76
533-406- 61
何錫有女 明 見何妙慧
何錫儒清 456-351- 77
何應子元 1197-702- 73
何應仕清 475-280- 63
511-187-143
何應忻宋 見何夢桂
何應明明 510-449-117
何應和明 494-158- 5
528-459- 29
569-670- 19
何應科妻 明 見蔡氏
何應泰明 1457-696-409
何應軫明 456-670- 11
480- 60-260
533-361- 60
何應舜妻 明 見朱氏
何應瑞明 456-438- 3
540-825-28之3
何應達明 524-100-183
何應德宋 見何時
何應龍宋 1364-309-289
1437- 30- 2
何應龍明 472-360- 15
475-608- 81
511-408-152
何應舉明 1285-108- 1
何應壁明 511-874-170
何應瓊妻 明 見吳令則
何聰山元 1206- 12- 1
何懋之妻 宋 見宣希眞
何懋官明 456-455- 4
何鍾麒明 559-424-10上
何顏之宋 933-293- 21
何魏孫妻 元 見費氏
何鎖南明 558-289- 34
何歸儒唐 820-286- 30
何瀘孫宋 見何果昌
何懷輝明 473-403- 66
533-296- 56
何麗天宋 473-456- 68
559-364- 8
592-605- 99
何關金明 512-459-188
何瓊娘清 孔宗周妻
482-227-348
何寶之元 1210-712- 18
何騰蛟明 301-717-280
456-413- 1
475- 21- 49
477-360-166
483-358-400

572- 84- 28
何騰蛟妻 明 見王氏
何騰龍明 483-171-383
570-148-21之2
何繼文妻 明 見李秋菊
何繼之明 475-176- 59
510-350-114
564-136- 45
何繼元北漢 見劉繼元
何繼秀妻 清 見宋氏
何繼宗明 540-787-28之3
何繼周明 472-521- 22
476-819-143
529-462- 43
540-666- 27
何繼高明 523-468-169
528-463- 29
676-625- 26
何繼桂明 537-570- 60
何繼皋明 456-674- 11
何繼筠宋 285-388-273
371-156- 16
382-196- 29
384-327- 17
396-655-314
472-519- 22
472-747- 29
476-750-139
477-313-164
537-503- 59
540-659- 27
545- 34- 84
933-291- 21
何鶴齡妻 明 見蔡氏
何蘭清明 陳光奎妻
479-685-248
516-275- 98
何蘭旌明 524-101-183
何顯周明 472-134- 4
537-454- 58
何顯祖清 476-310-113
477-411-169
502-694- 81
545-160- 88
何體仁元 505-872- 78
何巖壽宋 492-713-3下
何衢亨元 516-148- 93
何氏九仙漢 460-1071- 5
473-636- 77
481-562-327
530-198- 60
何細腳胡隋 見何細胡
何綽爾齊元 515-148- 61
佛晉 256-591- 97
381-571-198
佛引明 1442-121- 8
1460-849- 91
佛日宋 473-758- 83
482-374-357
567-469- 87
佛幻明 547-481-159
佛印宋 585-482- 14
佛陀後魏 見跋陀
佛陀唐 554-951- 65
1053-189- 5
佛肹母 春秋 448- 57- 6
佛科清 455-206- 10
佛保清(恭格喇布坦子)
454-649- 70
454-650- 70
佛保清(林佳氏) 456-156- 61
佛保清(王氏) 456-316- 75
佛保清 見達里虎
佛倫佛論 清 476-480-125
540-675- 27
569-618-18下之2
佛通宋 1053-599- 14
佛智吉祥慧、沙囉巴 元
1200-274- 22
佛塞清 456-284- 71
佛察清 455-336- 20
佛調晉 1049-546- 37
佛論清 見佛倫
佛嶼唐 1053-127- 3
佛羅清 455-363- 22
佛鑑宋 511-932-175
佛壘清 456-121- 58
佛尼勒清 477-568-177
佛忒訥清 455-539- 34
佛克楚清 456- 37- 52
佛拖理清 455-436- 26
佛陀什覺壽 劉宋
1051-120-5上
佛陀薩唐 554-952- 65
佛庫訥清 456- 64- 54
佛特訥清 456-120- 58
佛訥亨清 455-630- 43
佛訥赫清 455-303- 18
佛爾和清 455- 54- 1
佛爾赫清(赫舍里氏)
455-206- 10
佛爾赫清(納喇氏) 455-365- 22
佛爾機清 455-517- 32
佛圖澄晉 256-554- 95
380-608-182
472-755- 29
472-843- 33
477-171-157
477-322-164
478-358-191
505-937- 85
538-342- 70
547-518-160
1049-603- 41
1050-241- 76
1054- 55- 2
1054-311- 6
佛濟訥清 455- 99- 3
佛陀多羅覺救 唐
1051-221- 9
1052- 21- 2
佛陀波利覺護 唐
1051-222- 9
1052- 21- 2
1054-108- 3
1054-446- 12
佛陀耶舍晉 見佛馱耶舍
佛陀扇多覺定 後魏
1051-167- 6
佛陀跋摩北涼 見浮陀跋摩
佛陀難提周 1053- 16- 1
1054- 25- 1
1054-262- 3
佛馱邪舍 晉 見佛馱耶舍
佛馱耶舍佛陀耶舍、佛馱邪舍、佛駝耶舍、覺名、覺明、覺稱 晉 479-583-243
516-487-105
517-333-124
554-942- 65
879-138-57下
1051-101-4上
1054- 63- 2
1054-329- 7
佛馱跋陀劉宋 見佛駝跋陀羅
佛駝耶舍晉 見佛馱耶舍
佛陀跋陀羅劉宋 見佛駝跋陀羅
佛馱跋陀羅 劉宋 見佛駝跋陀羅
佛駝跋陀羅 佛馱跋陀、佛陀跋陀羅、佛馱跋陀羅、覺賢 劉宋 516-487-105
517-333-124
554-942- 65
879-139-57下
1051- 76- 3
1054- 63- 2
1054-334- 7
伸豸清 455-366- 22
伸騰清 455-464- 28
兌色清 456-389- 80
兌齊清(瓜爾佳氏) 455- 55- 1
兌齊清(他塔喇氏) 455-218- 11
兌齊清(戴佳氏) 455-477- 29
兌樓清 456-163- 62
兌布祿清 455-287- 16
兌勒慎清 455-568- 37
兌喀納清 455-136- 5
兌齊巴顏清 455-174- 8
彤魚氏上古 黃帝妃
404-386- 23
秀五代 588-246- 10
1053-340- 8
秀宋(嗣緣密) 1053-637- 15
秀宋(嗣師戒) 1053-647- 15
秀王宋 見趙子偁
秀王宋 見趙伯圭
秀恒清 516-500-105
秀峰明 533-789- 75
秀水王明 見朱厚炯
秀新興秦 469-359- 42
秀隱君金 821-278- 52
秀懷王明 見朱見澍
秀溪和尚唐 1053-131- 3
努山清(瓜爾佳氏) 455-113- 4
努山清(扎庫塔氏) 474-771- 41
502-465- 69
努占清 455-659- 46
努顏清 455-327- 20

努札喀清 455-449- 27
努他拉清 456-143- 60
努馬拉清 455-120- 4
努爾布清 455-517- 32
努爾蘇耨里思 唐
276-338-219
289-472- 63
496-622-105
努赫齊清 455- 71- 2
努都爾噶元 294-491-139
399-784-498
努愷愛塔清 455-177- 8
努爾哈赤清 見清太祖
努爾德濟元 見納琳德濟
努圖克巴哈奴塔不花 明
496-627-106
努延温騰烏達金 見諾延温都烏達
妙心宋 530-197- 60
妙文元 1054-765- 22
妙光清 516-499-105
妙印宋(號愚谷) 1053-710- 16
妙印宋(號竹崖) 1186-831- 4
妙明宋 479-667-247
516-452-104
妙果元 511-938-175
妙高宋 588-225- 10
1054-742- 22
妙倫宋 588-211- 9
妙清明 820-765- 44
妙淨明 472-1107- 47
妙崧宋 1174-380- 25
妙善宋(長於寫貌) 821-265- 52
妙善宋(字希聖) 1087-268- 27
妙普宋 592-394- 84
1053-760- 18
妙湛元 820-553- 39
妙惠五代 王建女 547-520-160
妙琴明 561-218-38之3
821-489- 58
妙堪宋 491-593- 16
588-213- 9
1054-217- 4
妙虚明 473-437- 67
481-409-313
妙源宋 491-593- 16
524-409-199
1203-417- 31
妙道宋 黄裳女 1053-878- 20
妙圓元 821-332- 54
妙德宋 1116-472- 24
妙德元 韓諧女 1201-513- 12
妙機宋 486-902- 35
妙應宋(居龍興寺)493-1063- 56
妙應宋(人呼風和尚)
585-484- 14
妙聰明 張孟喆婢 302-214-301
474-520- 25
506-151- 90
妙聲明 493-1095- 58
676-678- 28
1227-564- 附
1391-946-366
1442-118-附8
1460-832- 90
妙總宋 蘇頌孫女
1053-879- 20
1054-697- 20
妙齡明 558-413- 37
妙嚴明 1442-122-附8
妙鑠元 480-567-284
妙觀元 570-255- 25
妙頤眞宋 821-186- 50
妙眞夫人元 柳正女
480-145-264
533-756- 74
廷俊明 479-538-241
1442-118-附8
1460-826- 89
廷鈕清 455-657- 46
攸邁北燕 933-488- 32
攸拉禪清 456- 76- 55
攸興格元 見攸哈喇巴圖
攸哈喇巴圖攸興格、攸哈喇巴圖爾、攸哈刺拔都興哥 元
295-562-193
400-243-520
476- 30- 97
502-713- 83
545-140- 87
攸哈喇巴圖爾元 見攸哈喇巴圖
攸哈喇拔都興哥元 見攸哈喇巴圖
狄山漢 933-748- 52
狄氏宋 吳克禮妻、狄遵禮女
1121-494- 37
狄氏宋 狄棐女 1093-420- 57
狄氏明 王廷卿妻 480-253-269
狄氏清 陳正國妻 506- 19- 86
狄沖明 1442- 52-附3
1460- 94- 44
狄伯晉 544-203- 62
狄青宋 285-627-290
371-110- 11
382-396- 62
384-353- 18
397- 92-325
449- 91- 8
450-203-上25
459-801- 48
471-866- 39
471-878- 41
472-496- 21
472-878- 35
472-922- 36
473-672- 79
473-757- 83
473-790- 85
476-182-106
478-166-182
478-671-209
482-319-354
505-631- 67
545-367- 97
545-882-114
550-162-215
550-595-224
554-357- 54
556-745- 99
558-139- 30
563-654- 39
564-825- 60
567- 56- 65
568-179-105
585-785- 8
708-331- 50
933-750- 52
1089-178- 19
1093-350- 47
1108-510- 93
1467- 29- 63
狄恆妻 元 見徐氏
狄哲妻 清 見王氏
狄栗宋 473-246- 60
480-288-271
480-407-277
1102-222- 28
1356-155- 7
1378-546- 61
1383-627- 56
1410-322-705
狄崇明 472-546- 23
540-634- 27
1236- 47- 4
狄諲宋 558-229- 32
狄琮元 476-438-122
546-418-128
狄黑春秋 244-390- 67
375-657- 88
405-447- 85
539-497-11之2
933-748- 52
狄棐宋 285-750-299
371-142- 14
397-181-331
472-457- 20
472-739- 29
473-338- 63
476-112-102
480-407-277
482- 32-340
533-245- 55
537-300- 56
537-351- 56
545-368- 97
545-635-106
563-667- 39
1105-740- 89
狄棐女 宋 見狄氏
狄焕唐 546-631-136
狄敬清 511-187-143
532-604- 42
狄樞宋 485-501- 9
狄儀周 933-748- 52
狄儁明 571-542- 20
狄濟明 1236- 48- 4
狄耀妻 明 見李氏
狄元昌元 546-418-128
547- 96-144
狄仁傑姨 唐 見盧氏
狄仁傑唐 270- 62- 89

274-451-115
384-183- 10
395-451-222
459-363- 22
470-414-150
471-745- 22
471-810- 31
472- 26- 1
472-125- 4
472-434- 19
472-641- 26
472-788- 31
472-851- 34
472-912- 36
473- 86- 52
473-233- 60
474- 90- 3
474-468- 23
475- 14- 49
476- 36- 98
477-408-169
478-570-203
479-604-244
480- 87-262
480-169-266
505-123- 49
505-628- 67
505-688- 70
506-311- 97
506-578-106
510-278-112
515- 6- 57
517-186-120
523- 5-146
532-643- 43
537-198- 54
537-236- 55
545- 22- 83
545-562-103
547-552-161
550- 73-211
550-195-216
550-197-216
550-347-221
550-400-222
550-521-224
554-196- 52
558-205- 32
558-646- 47
820-147- 26
933-748- 52
1089-670- 11
1095-709- 36
1112-670- 10
1116-510- 27
1182- 56- 4
1350-782- 76
1409-718-648
狄仕明明 511-564-158
狄宇清唐 820-172- 27
狄光嗣唐 270- 69- 89
274-455-115
395-455-222
540-638- 27
545-565-103
狄光遠唐 545-565-103
狄良幹明 505-666- 69
狄宗文明 545-341- 96
狄宗哲明 479-628-245
515-192- 62
狄阿先妻 明 見高氏
狄明遠宋 473-111- 54
狄封茶翟封茶 春秋
404-786- 48
545-496-101
狄兼謨唐 270- 69- 89
274-455-115
384-271- 14
395-456-222
472-220- 8
472-434- 19
472-642- 26
472-765- 30
475-119- 55
476- 37- 98
477- 49-151
477-359-166
485- 72- 11
493-690- 38
537-311- 56
545-580-104
933-750- 52
狄虒彌春秋 933-748- 52
狄惟賢妻 清 見莊氏
狄惟謙唐 476-394-119
476-450-123
545-455- 99
狄從夏明 1442- 68-附4
1460-311- 54
狄雲漢明 480-484-280
511-235-145
狄斯彬明 300-455-209
狄景暉唐 270- 69- 89
274-455-115
395-455-222
狄樞南清 511-566-158
狄遵孔宋 見狄遵禮
狄遵度宋 285-751-299
397-182-331
480-407-277
533-316- 57
546-633-136
1437- 12- 1
狄遵禮狄遵孔 宋 494-338- 7
1113-217- 22
狄遵禮女 宋 見狄氏
狄應龍妻 明 見李氏
叜上古 見嚳

八 畫

宗宋(東甌人) 820-468- 36
宗宋(嗣義懷) 1053-683- 16
宗元 588-238- 10
宗明 820-766- 44
宗一宋 1053-692- 16
宗女北朝 384-143- 7
宗元宋 1053-878- 20
宗夬梁 260-178- 19
265-566- 37
378-392-141
477-374-167
480-250-269
533-204- 53
933- 34- 1
1395-597- 3
宗什宋 1053-758- 18
宗氏晉 賈渾妻 256-571- 96
381- 49-185
宗氏宋 吳景妻、宗奕女
1170-685- 29
宗氏明 王堂妻 506- 3- 86
宗氏明 王原吉妻、宗道安女
1261-873- 42
宗氏明 張崇禮妻 506-155- 90
宗氏明 陳必堯妻 512-472-188
宗氏清 王相妻 478-172-182
宗氏清 張矗妻 506-150- 90
宗氏清 楊如庭妻 506- 85- 88
宗本宋 472-264- 10
485-291- 42
490-720- 70
492-708-3上
493-1093- 58
588-200- 9
589-319- 3
590-140- 17
1052-706- 14
1053-675- 16
1054-182- 4
1054-648- 19
1170-722- 31
宗臣明 301-853-287
475-377- 68
511-211-144
528-458- 29
1280-414- 86
1442- 64- 4
1460-257- 51
宗回宋 1053-788- 18
宗合宋 1052-319- 22
宗印宋(字元實) 524-389-198
1054-210- 4
1054-700- 21
宗印宋(號寶覺) 1053-779- 18
宗印元 588-193- 9
宗仲宗義仲、宗羲仲 唐
554-309- 53
563-633- 38
567- 39- 64
1342-187-927
宗沃宋 1125- 43- 3
宗均漢 見宋均
宗杞宋杞、宗祀 元
295-607-197
400-315-526
472- 37- 1
474-182- 8
505-894- 80
宗秀宋 1089-615- 6
宗祀宋 見宗杞

宗渤元 472-1107- 47
479-299-230
524-428-200
558-232- 10
676-678- 28
820-764- 44
1229-341- 12
1391-933-366
1442-118- 8
1460-815- 89
宗庚宋 見宗昇
宗武宋 1171-768- 27
宗武清 456-381- 79
宗坤妻 清 見劉氏
宗林明 676-679- 28
1442-120- 8
宗昇宗庚 宋 448-388- 0
宗昇明 1475-245- 10
宗杲宋 472-361- 15
475-620- 81
487-151- 9
490-724- 70
493-1094- 58
511-935-175
516-495-105
524-388-198
533-787- 75
588-223- 10
590-141- 17
1053-824- 19
1054-204- 4
1054-675- 20
1163-502- 25
宗季五代 524-384-198
588-266- 11
1052- 94- 7
宗周明(字維翰) 680-239-248
宗周明(字思兼) 821-452- 57
宗岳梁 260-179- 19
宗受宋 516-445-104
宗炳宗少文 劉宋 258-588- 93
265-1061- 75
380-439-178
384-123- 6
472-772- 30
477-372-167
479-610-244
480-249-269
480-512-281
516-218- 96
517-333-124
533-735- 73
533-742- 73
538-164- 66
812-327- 6
814-247- 6
820- 84- 4
821- 17- 45
839- 41- 4
871-903- 19
879-141-57下
933- 34- 1
1379-376- 46
1401- 29- 14
宗炳妻 劉宋 見羅氏
宗祉明 524-151-185
宗亮唐 524-407-199
1052-383- 27
宗度漢 402-475- 11
515-292- 66
宗奕女 宋 見宗氏
宗珏宋 1053-600- 14
1153-666-110
宗相宋 820-471- 36
宗奎明 820-765- 44
宗思明 545-345- 96
宗映宋 1053-808- 19
宗信明 475-526- 77
宗衍元 511-919-174
820-551- 39
1439-459- 2
1471-223- 26
1475-735- 31
宗衷漢 538- 28- 62
宗泰宋 592-453- 89
1053-821- 19
宗泰清 1475-788- 33
宗哲唐 1052- 52- 4
宗致宋 1116-430- 21
宗振宋 1053-843- 19
宗晏宋 473-491- 70
559-373- 8
宗俱漢 681-634- 18
682-231- 3
682-232- 3
宗倫明 1442-120- 8
1460-846- 91
宗乘明(福寧人) 530-197- 60
宗乘明(字載之) 1442-121- 8
宗密唐 554-953- 65
561-222-38之3
591-355- 28
592-445- 88
1052- 75- 6
1053- 78- 2
1054-110- 3
1054-557- 16
宗密宋 1053-769- 18
宗淵宋 1052-421- 30
宗翌明 493-1128- 59
宗偃徐表仁 唐 821- 86- 48
宗偉元 1216-101- 6
宗渭清 1475-969- 41
宗善元 511-932-175
宗測齊 259-534- 54
265-1062- 75
370-527- 16
380-450-178
477-373-167
479-610-244
480-250-269
516-218- 96
533-337- 58
538-165- 66
812-331- 7
814-251- 6
820- 95- 24
821- 20- 45
933- 34- 1
宗越劉宋 258-485- 83
265-596- 40
370-483- 14
378-188-136
384-113- 6
472-773- 30
477-372-167
537-543- 59
567- 3- 62
宗盛宋 1053-641- 15
宗堪漢 402-380- 4
宗犀唐 488-320- 12
宗琳漢 402-494- 12
宗逮宋 1053-907- 20
宗菊明 1227-673- 3
宗嵒明 538-109- 64
宗智唐 1053-190- 5
1054-130- 3
宗欽後魏 261-706- 52
266-702- 34
379-162-148
472-905- 36
558-285- 34
933- 34- 1
宗慈漢 253-366- 97
376-962-112
472-716- 28
472-770- 30
477-199-159
477-241-161
477-368-167
537-285- 55
537-538- 59
933- 33- 1
宗靖五代 524-425-200
588-242- 10
1053-294- 7
宗道宋 559-265- 6
宗道金 546-676-137
1365-293- 9
1445-528- 40
宗資漢 370-203- 20
402-494- 12
472-770- 30
477-368-167
477-407-169
537-324- 56
933- 33- 1
宗預蜀漢 254-682- 15
377-313-118下
384- 77- 4
384-458- 11
385-684- 67
472-771- 30
477-369-167
537-539- 59
559-245- 6
591-667- 47
933- 33- 1
宗椿元 820-522- 38
宗楷妻 明 見高氏
宗達宋 1053-701- 16
宗照元 570-247- 25

宗經金 546-753-140
宗愛後魏 262-326- 94
267-743- 92
380-498-179
宗誠明 523-616-176
宗演宋(號圓覺) 1053-707- 16
宗演宋(字遯庵) 1053-872- 20
宗廓元 516-497-105
宗粹宋 427-367- 4
宗誘宋 1053-686- 16
宗輔明 559-276- 6
宗壽宋 517-421-126
宗境妻 明 見徐氏
宗徹唐 524-403-199
588-263- 11
1053-167- 4
宗瑩元 821-333- 54
宗慶漢 370-207- 21
402-472- 11
宗慤劉宋 258-405- 76
265-565- 37
370-480- 14
378-174-136
384-113- 6
472-772- 30
473-266- 61
473-890- 90
477-372-167
480-199-267
480-250-269
481-799-338
483-697-422
510-276-112
537-542- 59
563-616- 38
567- 29- 63
933- 33- 1
宗樓春秋 933- 33- 1
宗豎春秋 405- 94- 62
宗璉宋 473-479- 69
481-121-296
561-219-38之3
592-435- 87
1053-900- 20
宗德清 456-368- 78
宗魯春秋 404-846- 52
933- 33- 1
宗澤宋 286-759-360
398- 19-368
449-563-下5
451-283- 4
451-361- 10
459-586- 35
472-457- 20
472-568- 24
472-602- 25
472-610- 25
472-645- 26
472-694- 28
472-1028- 42
472-1041- 43
474-434- 21
476-610-133
476-697-137
476-726-138
476-913-148
479-321-232
479-351-233
480-288-271
505-631- 67
523-322-161
532-678- 44
537-205- 54
538-631- 78
540-639- 27
545-177- 89
587-737- 18
1125- 58- 7
1186-208- 14
1209-425-7上
1226-433- 21
1363-277-143
1373-753- 21
1437- 20- 1
1457-576-397
宗懍北周 260-345- 41
263-769- 42
267-406- 70
379-680-159
472-773- 30
477-375-167
533-206- 53
533-439- 62
538-144- 65
933- 34- 1
1387-214- 12
宗穎宋(宗澤子) 286-765-360
398- 25-368
523-323-161
宗穎宋(嗣守淨) 1053-907- 20
宗頤宋 533-768- 74
1053-695- 16
宗翼宋 288-420-457
401- 12-569
472-682- 27
472-794- 31
477-128-155
538-159- 66
820-331- 32
宗巘宋 820-471- 36
宗禮明 300-372-205
505-835- 76
511-437-153
523- 52-148
525- 59-219
584-270- 10
宗禮妻 明 見李氏
宗璽明 475-823- 92
511-376-150
567-113- 67
1467- 89- 65
宗瓊唐 485- 72- 11
宗覺宋 524-443-201
宗鑒宋 1053-903- 20
宗顯宋(字正覺) 592-456- 89
592-544- 95
1053-779- 18
宗顯宋(號明慧) 1053-341- 8
宗顯明 524-254-190
宗觀清 511-786-166
宗文魁明 511-877-170
宗元卿齊 265-1043- 73
380-100-167
477-373-167
538-100- 64
933- 34- 1
宗元豫清 511-846-168
宗元饒陳 260-736- 29
265-961- 68
378-546-145
479-791-254
480-244-269
515-262- 65
533-206- 53
933- 34- 1
宗少文劉宋 見宗炳
宗必經宋 515-337- 67
宗必應宋 515-337- 67
宗本元元～明 見宗本先
宗本先宗本元 元～明
1231-398- 9
1369-439- 13
宗世林魏 549-102-185
宗民牧明 546- 94-118
宗名世明 511-212-144
宗如周北周 263-829- 48
267-785- 93
381-400-193
533-736- 73
933- 34- 1
宗尚之齊 259-535- 54
480-250-269
533-338- 58
宗周賓宋 1130-814- 23
宗延齡明 571-553- 20
宗胤芳妻 明 見江氏
宗佷臣明 554-708- 61
宗祖騰明 510-317-113
宗秦客唐 270-120- 92
274-388-109
384-184- 10
395-442-221
宗彧之劉宋 258-595- 93
265-1063- 75
380-439-178
477-372-167
533-337- 58
538-164- 66
933- 34- 1
宗晉卿唐 274-388-109
384-186- 10
395-442-221
宗起勝清 456-368- 78
宗師祁清 483- 60-374
宗敦一明～清 510-440-116
559-412-9下
宗義仲唐 見宗仲
宗道安女 明 見宗氏
宗道暉後周 267-583- 82
380-324-174
宗楚客唐 270-120- 92
274-388-109

384-184- 10
384-186- 10
395-442-221
472-851- 34
933- 34- 1
1371- 50- 0
1387-356- 25
宗萬化明 511-384-151
宗端修姬端修 金
291-405-100
399-236-437
472-802- 31
477-502-174
537-574- 60
1190-197- 11
1190-253- 18
1365-273- 8
1439- 6- 0
1445-500- 37
宗維漢清 475-823- 92
511-659-162
宗義仲唐 見宗仲
宗繇之妻 劉宋 見師氏
宗儼之劉宋 265-565- 37
378-174-136
法晉 見曇摩
法宋 821-270- 52
法一宋 1053-766- 18
1135-327- 32
1163-502- 25
法上北齊 1401-463- 34
法太宋 1116-413- 20
法天宋 472-925- 36
478-422-195
554-955- 65
法天明 483-100-378
570-255- 25
法化齊 1051-154- 6
法氏明 喜一華妻、法用寬女
1252-497- 28
法立晉 1051- 57-2下
法永宋 1053-473- 12
法正蜀漢 254-606- 7
377-263-118上
384- 75- 4
384-448- 10
385-161- 17
447-186- 7
472-853- 34
478-201-184
556-338- 90
559-241- 6
591-663- 47
933-765- 53
法正唐 1052-353- 25
法本宋 1053-697- 16
法平宋 487-152- 9
法充隋 516-491-105
法生明 1442-120- 8
1460-847- 91
1475-750- 31
法安慈欽 晉 480-181-266
516-489-105
879-143-57下
1049-402- 27
1050-699-107
法安隋 541- 88- 30
1049-550- 37
法安五代 588-256- 11
1053-393- 10
法安宋 1052-758- 26
1053-605- 14
1113-253- 24
法江唐 592-370- 83
1052-309- 21
法存後魏 547-501-159
法存宋 1053-682- 16
法因宋 1053-777- 18
法光宋 516-444-104
法舟宋 820-471- 36
法全宋 485-291- 42
493-1094- 58
589-360- 6
1053-886- 20
法如唐 1052-410- 29
法如宋(嗣守智) 1053-756- 18
法如宋(嗣清遠) 1053-856- 20
法印元 1200-287- 23
法印明(字祖融) 572-160- 32
法印明(字楚章) 1475-770- 32
法行北齊 李元忠女
266-667- 33
379-416-153
474-623- 32
法色清 455-335- 20
法言宋 1115-634- 38
法沖唐 472-898- 35
法沖金 547-531-160
法成晉 558-480- 41
592-439- 88
法成王守愼 唐 271-640-192
1052-364- 26
法成宋 1130-316- 32
法助元 1206-603- 10
1373-262- 18
法住明 1442-119- 8
法希後魏 見曇摩流支
法希唐 見達摩流支
法秀劉宋 見曇摩密多
法秀唐 554-949- 65
1052-264- 18
1054-469- 13
法秀宋 1052-756- 26
1053-677- 16
1054-183- 4
1054-640- 19
法宗宋(嗣重顯) 1053-665- 16
法宗宋(嗣慧南) 1053-727- 17
法宗宋(羅漢院住持)
1089- 64- 7
法京陳 見普明
法空元 472-440- 19
547-526-160
法定南北朝 541- 88- 30
法林元 588-194- 9
法忠宋 473-179- 57
487-150- 9
516-422-103
524-409-199
1053-854- 20
1054-203- 4
1054-670- 20
法忠元 1193-224- 1
法具宋 820-469- 36
1437- 37- 2
法明唐(同州人) 554-898- 64
812-344- 9
821-101- 48
法明唐(荊楚人) 1052-234- 17
法明宋(嗣有蘭) 1053-685- 16
法明宋(號寶月) 1053-699- 16
法果後魏 262-876-114
547-500-159
1054- 65- 2
1054-335- 7
1054-759- 22
法杲明 1442-120- 8
法洪元 1211-337- 47
法爲宋 1053-604- 14
法宣宋 1053-596- 14
法炯唐 1052-287- 20
法炬晉 1051- 59-2下
法亮明 547-507-159
法流不詳 486-337- 15
法彥隋 1049-490- 33
法度齊 492-595-13下之下
496-425- 90
1050-699-107
法持唐 1052-111- 8
法相晉 1049-401- 27
1049-544- 37
法相唐 524-395-199
1052-222- 16
法相宋 821-263- 52
法柱清(碧魯氏) 455-519- 32
法柱清(噶濟勒氏) 455-644- 45
法勇晉 1051- 84- 3
法勇曇無竭 北燕 496-425- 90
1051-135-5下
法政唐 516-465-104
法建後魏 592-341- 81
法建明 570-251- 25
法昭唐 820-299- 30
法昭宋 1053-478- 12
法昱宋 588-262- 11
法英宋 1053-674- 16
法信唐 473-271- 61
法律金 586-186- 8
法泉宋 1053-671- 16
1054-180- 4
法保清 456-300- 73
法海前秦 見曇摩持
法海劉宋 1051-141-5下
法海唐(字文允) 1052- 69- 6
1071-861- 9
法海唐(曲江人) 1053- 63- 2
法海宋 1053-702- 16
法朗劉宋 1049-605- 41
法朗陳 1401-388- 30
法朗唐 1052-343- 24
法悅梁 1049-334- 23
法浚清 1321-218-110

法眞漢 253-623-113
254-606- 7
380-413-177
385-161- 17
402-467- 10
448-108-下
472-853- 34
478-201-184
554-864- 64
871-899- 19
933-765- 53
法眞唐(號木庵禪師)
561-226-38之3
592-448- 88
1053-168- 4
法眞唐(居保壽寺)1052-411- 29
法眞宋 1053-883- 20
法泰宋 592-392- 84
1053-832- 19
法恭宋 1053-603- 14
1153-667-110
法時魏 見曇柯迦羅
法純隋 1049-718- 48
1401-615- 41
法能宋 821-265- 52
法宦宋 1053-723- 17
法清宋 524-439-201
1053-777- 18
法密隋 見達摩笈多
法淨朱滿月、法靜 北周 周宣帝后 263-472- 9
266-299- 14
493-1079- 57
法球五代 1053-631- 15
法堅宋 288-473-461
516-526-106
法現法顯 唐 1344- 29- 63
法都清 455-283- 16
法通唐 516-503-105
法通宋 1053-601- 14
法通明 511-936-175
法崇晉 534-807-112
法常唐 479-193-225
524-407-199
1052-152- 11
1053-109- 3
法常宋(嗣法一) 524-397-199
1053-784- 13
法常宋(號牧溪) 821-268- 52
法衆北涼 1051-109-4下
法眼宋 見法演
法船明 516-498-105
法敏唐 1050-622-102
法愔晉 493-1089- 58
法普唐 1052-171- 13
法普宋 473-179- 57
516-433-103
法雲梁 1401-256- 24
法雲唐(降州人) 547-541-160
法雲唐(居天鄉寺)1072-391- 2
1341-477-861
法雲唐 見重惲
法雲宋 493-1093- 58
法雲金 1191-345- 31
法惠前秦 見曇摩持
法雄漢 252-820- 68
376-738-109上
384- 63- 3
407-586- 4
471-779- 27
472-357- 15
472-586- 24
472-764- 30
473-295- 62
476-473-125
477-357-166
478-201-184
532-660- 44
537-309- 56
540-644- 27
554-431- 56
933-765- 53
法喜後秦 見曇摩難提
法喜隋 1052-251- 18
1054-401- 10
法喜元 1202-290- 20
法盛北涼 1051-115-4下
法雅宋 1053-503- 12
法期劉宋 592-336- 81
法場後魏 1051-162- 6
592-404- 85
法琳唐 554-947- 65
1051-196-8上
1054-405- 11
法黑宋 見法薰
法順杜順 唐 554-946- 65
1049-552- 37
1054-102- 3
1054-418- 11
法順宋 592-392- 84
1053-855- 20
法智隋 1052-341- 24
法智隋 見達磨闍那
法智五代 524-408-199
法智宋 1053-602- 14
法智明 1460-826- 89
法欽唐 見道欽
法進道進 劉宋 1050-341- 82
法進隋(文帝時卒) 592-347- 81
法進隋(煬帝時卒) 592-348- 81
1050-614-101
法愼唐 1052-196- 14
法意齊 見達摩摩提
法慈劉宋 見道慈
法慈宋 486-530- 6
524-418-200
法義五代 1053-545- 13
法詮宋 588-251- 10
1053-507- 12
法詵唐 588-228- 10
1052- 63- 5
1071-858- 9
法道永道 宋 588-258- 11
1054-202- 4
1054-661- 19
法楨元 820-552- 39
法愍劉宋 534-807-112
法瑫宋 588-275- 11
1053-316- 8
法楷隋 541- 89- 30
法極隋 見智永
法達唐 516-418-103
1053- 64- 2
法達宋 1053-756- 18
法照唐(洋縣人) 554-950- 65
法照唐(居竹林寺)1052-300- 21
法照唐(居陜府) 1052-355- 25
法照宋 490-718- 70
524-388-198
法照清 455-662- 46
法圓宋(俗姓郝) 1052-320- 22
法圓宋(號修證大師)
1183-160- 10
法暉宋 813-240- 6
820-469- 36
法遇晉 1050-773-113
法遇唐 1053-364- 9
法會隋 1065-155- 13
法會唐 516-420-103
1053-118- 3
法經隋 1051-187- 7
法愛前秦 見曇摩蜱
法實魏 見曇無諦
法演法眼 宋(嗣守端)
511-932-175
533-756- 74
1052-781- 0
1053-799- 19
1054-190- 4
1054-651- 19
法演宋(嗣慧南) 567-468- 87
1053-730- 17
法演宋(嗣道顏) 1053-904- 20
法誠唐 554-946- 65
1049-533- 36
法寧宋(號馬嵴禪師)
541- 92- 30
1053-711- 16
1054-205- 4
法寧宋(嗣子英) 1053-707- 16
法端唐 1053-363- 9
法端宋 588-256- 11
1053-407- 10
法齊宋 524-432-200
1053-420- 10
法滿唐 1053-372- 9
法壽唐 567-467- 87
1467-529- 12
法瑶南北朝 524-401-199
法聞元 1054-764- 22
法聚明 524-399-199
676-680- 28
1442-120- 8
1460-844- 91
1475-751- 32
法遠宋 493-1092- 58
511-931-175
1052-717- 17
1053-476- 12
1054-174- 4
1054-621- 18
法睿唐 524-407-199

法銓宋 1053-705- 16
法稱後秦 見曇摩耶舍
法綱劉宋 1048-598- 23
1401- 70- 16
法綵劉宋 1049-110- 8
法廣宋 1053-645- 15
法慶隋 554-945- 65
法慧晉 554-939- 65
法慧齊 486-337- 15
524-414-200
法甑唐 1052-119- 9
法鼐清 455-269- 15
法敷金 476- 91-100
547-487-159
法幢明 533-757- 74
法輝宋 592-426- 86
法劍唐 480-468-279
1076- 59- 6
1076-520- 6
1077- 79- 6
1344- 43-679
1410-145-679
1410-146-679
法緣劉宋 1049-110- 8
法樂後魏 見曇摩流支
法憶元 1221-584- 20
法導晉 534-807-112
法燈宋(字傳照) 1053-591- 14
1116-547- 29
1116-565- 30
法燈宋(字無相) 1053-900- 20
法寰清 476-733-138
540-841-28之4
法融唐(俗姓韋) 472-180- 6
475- 83- 53
492-596-13下之下
1053- 47- 2
1054-101- 3
1054-437- 11
1077-353- 4
1341-161-820
1344- 37- 64
法融唐(俗姓嚴) 592-448- 88
1052-412- 29
法穎齊 1051-139-5下
法頤遼 496-425- 90
法整徐孝克 陳 260-710- 26
265-881- 62
370-589- 20
378-562-145
479- 60-219
490-946- 89
524-302-194
540-724-28之1
679-857-223
933- 88- 6
1401-397- 30
法靜北周 見法淨
法興唐 1052-385- 27
法噶清 455-610- 41
法衡明(字允平) 524-410-199
法衡明(字秋巖) 1442-121- 8
法穆清 455-206- 10
法濟唐 516-428-103
1053-628- 15
法濟宋(臨海人) 486-903- 35
524-427-200
法濟宋(號麻衣和尚)
547-479-159
法濟明 1475-757- 32
法聰梁 472-776- 30
477-383-167
538-346- 70
法聰北齊 547-491-159
法總宋 473-196- 58
479-813-255
516-501-105
法豐晉 見曇無讖
法藏隋 見達摩笈多
法藏唐(居廬山五老峰)
516-493-105
1052-293- 20
法藏唐(字賢首) 1052- 54- 5
1054-109- 3
1054-450- 12
法藏唐(居寶臺寺) 1052-384- 27
法藏明(號三峰) 511-920-174
法藏明(字於密) 1442-122- 8
1460-853- 91
法薰法黑 宋 588-207- 9
592-427- 86
法歸唐 516-490-105
法贇金 1191-354- 31
法寵梁 524-394-199
1050-643-103
法證唐 1054-505- 14
1076- 62- 7
1076- 63- 7
1076-523- 7
1077- 81- 7
1410-529-735
法譚清 474-756- 41
502-508- 71
法蘊宋 1154-403- 20
法寶唐 1052- 42- 4
法寶宋(嗣宗杲) 1053-873- 20
法寶宋(俗姓王) 1101-740- 29
法騫宋 1053-347- 8
法瓌宋 588-262- 11
1053-403- 10
法獻齊(廣州人) 1049-548- 37
法獻齊(居定林寺) 1401- 95- 17
法瓚隋～唐 541- 88- 30
法顯晉 1049-506- 34
1051- 79- 3
1054-335- 7
法顯唐 見法現
法顯五代 1053-570- 14
法顯宋 1053-481- 12
法生稱齊 見曇摩伽陀耶舍
法用寬女 明 見法氏
法西蘭清 455- 98- 3
法伊瑪清 455- 56- 1
法沙善清 456-135- 59
法克圖清 455-254- 14
法克禪清 455-195- 9
法治朝清 511-566-158
法哈拉清 455-116- 4
法庫那清 455- 72- 2
法庫理清 455-506- 31
456-124- 58
法特哈清 502-450- 68
法莽阿清 456-232- 68
法隆武清 456- 51- 53
法爾錫清 455-451- 27
法爾薩清 455-688- 49
法穆達清 456-172- 63
法克塔喀清 455-578- 38
法高道人晉 820- 76- 23
法囊阿鼐清 455- 76- 2
法華院和尚五代
1053-444- 11
泠州鳩周 見伶州鳩
於氏宋 於光時女
1173-241- 80
於珇明 528-528- 31
於倫明 533- 53- 48
於深妻 明 見尹氏
於敖明 476-180-106
558-315- 34
於善明 523-153-153
於琳宋 523-383-164
於顯明 533-170- 52
於士澄唐 933-121- 8
於光時女 宋 見於氏
於仲完明 523-472-169
於仲寬明 見于仲寬
於竹屋明 821-372- 55
於扶羅持至尸逐侯單于 漢
253-715-119
381-631-199
於尚德明 1249-193- 11
於時躍清 見于時躍
於清言宋 見于清言
於惟一明 476- 31- 97
511-256-146
545-152- 88
於務道元 821-326- 54
於陵子戰國 見於陵子仲
於崇惠妻 清 見李氏
於斯行明 456-670- 11
480-136-264
於斯昌于斯昌 明 456-464- 4
480-136-264
於陵子仲田仲、於陵子、於陵子終 戰國 404-613- 37
533-131- 51
933-233- 17
於陵子仲妻 戰國
448- 26- 2
533-504- 66
於陵子終戰國 見於陵子仲
京房李房 漢 250-645- 75
251-106- 88
376-368-101
380-250-172
384- 49- 2
469-474- 57
472-129- 4
472-693- 28
474-472- 23

477-159-157
506-453-102
537-260- 55
540-695-28之1
675-240- 3
677- 68- 7
933-427- 28
1408-379-517
京諒後魏 見高諒
京鏜宋 287-401-394
398-399-390
451- 24- 0
473- 21- 49
473-427- 67
481- 20-291
559-267- 6
674-882- 20
1161-579-123
京三郎宋 見京祖和
京山王明 見朱勤炫
京元成荊元成 唐812-347- 9
821- 58- 46
京兆王魏 見曹禮
京兆王後魏 見元愉
京兆王後魏 見元繼
京兆王後魏 見元子推
京兆王後魏 見托跋黎
京兆王後魏 見杜元寶
京祖和京三郎 宋
518-810-162
京城大叔春秋 見共叔段
京師節女漢(長安大昌里人之妻) 448- 52- 5
452-105- 3
府悝漢 933-582- 37
官仁妻 清 見陳氏
官氏宋 李紹義妻 530-150- 58
官氏明 朱洪妻 530- 63- 55
1285-586-上
官氏明 周鑑妻 472-209- 7
官氏清 李玉聲妻 483- 36-371
570-189- 22
官氏清 陳堯妻 483- 36-371
570-189- 22
官氏清 譚陳堯妻 570-191- 22
官仲明 570-157-21之2
官岳妻 明 見廖氏
官彔明 1467- 91- 65
官保清 455-657- 46
官泰清 455-448- 27
官寅明 460-793- 84
官廉明 476-732-138
540-792-28之3
820-626- 41
1252-424- 24
官賢明 820-757- 44
官篆明 302- 76-293
456-572- 8
477-411-169
537-331- 56
540-835-28之3
官謙明 472-801- 31
477-499-174
529-635- 48
537-334- 56
官一夔明 1460-339- 55
官永仁明 529-683- 50
官君鼎妻 清 見郭元謹
官秉忠明 301- 70-239
478-272-187
554-610- 59
官思恕明 458-150- 7
538- 34- 62
官起鳳妻 明 見王氏
官時中妻 明 見楊玉英
官惟賢官維賢 明
301-571-271
456-456- 4
478-634-206
官異香明 481-699-332
官勝娘元 方寧妻
295-633-201
401-180-593
473-606- 76
481-699-332
530-137- 58
官維賢明 見官惟賢
官撫邦清 532-621- 43
官撫渙清 480-137-264
533-373- 60
官撫極明 533-178- 52
官德華妻 清 見朱氏
官應震明 533- 53- 48
1295-542- 7
官禮卿清 529-696- 50
宜王南漢 見劉洪照
宜臼春秋 見周平王
宜拜清 455-189- 9
宜訓明 554-522-57下
宜蓀清 455- 38- 1
宜僚春秋 404-819- 50
宜大明清 456-372- 78
宜川王明 見朱志堺
宜巴理清 455-189- 9
宜永貴清 474-771- 41
481-494-324
502-637- 78
528-465- 29
宜仲庸明 472-790- 31
宜章王明 見朱見洲
宜都王齊 見蕭鏗
宜都王陳 見陳叔明
宜都王後魏 見托跋目辰
宜陽王劉宋 見劉愷
宜陽王明 見朱有炥
宜喇哈清 502-583- 75
宜爾登伊爾登 清455-125- 5
474-761- 41
502-434- 68
1322-576- 9
宜穆圖清 502-758- 85
宜城公主唐 裴巽妻、唐中宗女 274-109- 83
393-277- 73
554- 49- 49
宜都公主唐 柳昱妻、唐德宗女 274-116- 83
393-283- 73
宜爾格德清 502-732- 84
空宋 1053-760- 18
空庵明 561-223-38之3
空藏唐 1050-622-102
空桑氏上古 383- 18- 3
注廷材明 533-414- 62
沼五代 1053-434- 11
沮浩前燕 933-121- 8
沮授漢 254-125- 6
474-436- 21
505-854- 77
933-121- 8
1327-275- 13
沮誦上古 404-385- 23
820- 19- 22
沮儁漢 402-543- 17
沮渠秉後魏 262-446- 99
267-776- 93
沮渠祖後魏 262-446- 99
267-776- 93
沮渠崇後魏 見高崇
沮渠安周後魏 262-446- 99
267-776- 93
沮渠京聲北涼 1051-113-4下
1051-137-5下
沮渠牧犍沮渠茂虔 北涼
262-444- 99
267-775- 93
381-374-192
384-145- 7
558-767- 50
沮渠茂安北涼 384-106- 5
沮渠茂虔北涼 見沮渠牧犍
沮渠智烈唐 820-146- 26
沮渠無諱後魏 262-446- 99
267-777- 93
381-376-192
沮渠萬年後魏 262-446- 99
267-776- 93
沮渠蒙遜北涼 見涼太祖
油鳳明 567-303- 77
1467-187- 69
泗水王漢 見劉商
泗水王漢 見劉賀
泗水王漢 見劉煖
泗水王漢 見劉綜
泗水王漢 見劉歙
泗水王漢 見劉駿
泗水王漢 見劉安世
治溷生明(業治溷)
1458-105-424
底蘊明(字希準) 510-456-117
底蘊明(考城人) 554-309- 53
676-720- 30
怛哈穆明 516-497-105
性平明 547-488-159
性在清 505-935- 85
性休清 547-523-160
性良明 572-165- 32
性空唐(嗣懷海) 1053-140- 4
性空唐(嗣天然) 1053-197- 5
性空明 516-498-105
性定宋 516-501-105
性訥清 455-558- 36

性統清	524-411-199
性善清	547-497-159
性琮明	1442-122- 8
	1460-854- 91
	1475-795- 33
性欽清	455-292- 17
性源清	511-933-175
性耀清	554-960- 65
性天然元	821-333- 54
性天然明	524-332-195
性操宗清	455-628- 43
怡平明 見怡光	
怡光怡平 北周	263-541- 17
	267-337- 65
	379-627-158
	544-214- 62
怡昂北周	263-541- 17
	267-337- 65
	379-626-158
	552- 44- 19
怡春北周	263-541- 17
	267-337- 65
	379-627-158
怡峰北周	263-540- 17
	267-336- 65
	379-626-158
	496-387- 87
	505-727- 71
	552- 30- 18
	933- 53- 3
怡寬不詳	263-540- 17
	267-336- 65
	379-626-158
	933- 53- 3
並學元	1221-468- 10
社尒阿史那社尒、都布可汗 唐	
	270-323-109
	274-395-110
	384-174- 9
	395-391-217
	448-332- 下
	483-592-414
社庫清	455-540- 34
社圖清	455-479- 29
社璋明	540-636- 27
宛方漢	933-586- 38
宛氏清 丁有名妻	474-194- 9
宛没春秋	545-735-109
宛杲明	511-856-169
宛春春秋	405- 12- 56
	933-586- 38
宛遲漢	933-586- 38
宛射犬春秋	933-586- 38
宛嘉祥明	475-709- 86
	511-338-149
	571-547- 20
宛丘先生商(居宛丘)	
	477-456-171
	538-349- 70
	1061-270-110
宛陵女子梁	260-384- 47
	265-1053- 74
	380-111-167
	475-613- 81
河源明(吳江人)	482-451-362
河源明(字本清)	532-680- 44
河上公河上丈人 漢	
	472-754- 29
	476- 90-100
	477-527-175
	538-350- 70
	547-129-146
	547-481-159
	1059-299- 8
河中王明 見朱奇溶	
河西傭河西慵 明	
	299-377-143
	456-698- 12
	478-551-202
	558-476- 40
	1408-553-537
河西慵明 見河西傭	
河禿師後魏 見阿禿師	
河東王後趙 見石生	
河東王齊 見蕭鉉	
河東王梁 見裴之横	
河東王梁 見蕭譽	
河東王陳 見陳叔獻	
河東王後魏 見茍頽	
河東王後魏 見周眦	
河東王唐 見李瑾	
河東王唐 見李承德	
河東王明 見朱奇淮	
河東王明 見朱鍾鏓	
河南王後魏 見元幹	
河南王後魏 見托跋曜	
河南王北齊 見高孝瑜	
河南王唐 見李贊	
河南王元 見李保保	
河南王元 見青海	
河南王元 見烏哩特阿珠	
河南王元 見蒙古察罕	
河南王元 見蘇布特	
河清王明 見朱同鏞	
河間王漢 見劉元	
河間王漢 見劉良	
河間王漢 見劉政	
河間王漢 見劉開	
河間王漢 見劉德	
河間王晉 見司馬洪	
河間王晉 見司馬顒	
河間王後魏 見元懌	
河間王後魏 見托跋若	
河間王後魏 見托跋修	
河間王北齊 見高孝琬	
河間王隋 見楊弘	
河間王唐 見李孝友	
河間王唐 見李孝恭	
河陽王明 見朱見潙	
河源濬清	481-212-302
河亶甲商	537-173- 53
河上丈人戰國	448- 99- 中
河上丈人漢 見河上公	
河上丈人隋	547-142-146
河内女子漢	477-256-161
河間淫婦唐	1076-449- 上
	1076-875- 上
泄洩 夏	383-242- 23
	544-154- 61
泄春秋 見周靈王	
泄心春秋 見周靈王	
泯明	1229-159- 2
泥宋	588-218- 9
泥孰大渡可汗、咄陸可汗 唐	
	271-678-194下
	276-262-215下
	401-524-636
泥禮唐 見聶埒	
泥靡狂王 漢	251-256-96下
	381-501-196
泥撅處羅可汗隋 見達漫	
況文明	473-168- 57
	515-475- 71
況眞明	515-476- 71
況琛明	515-475- 71
況逵況達 元	472-328- 14
	473-641- 78
	528-540- 32
況達元 見況逵	
況澄明	515-483- 71
況暹明	473-168- 57
	515-476- 71
況鍾明	299-586-161
	453-611- 17
	472-223- 8
	473- 24- 49
	475-121- 55
	479-489-239
	493-730- 40
	510-334-113
	515-365- 68
	683-127- 2
	1240-734- 7
	1241- 27- 2
	1241-671- 15
	1386-464- 46
況子玉明	472-358- 15
	475-605- 81
況于梧明	515-488- 71
況叔祺明	515-482- 71
況紹修妻 清 見鄭氏	
況增先明	545-224- 91
卒不祿唐 見骨咄祿	
庖犧氏上古 見虙犧氏	
祁王唐 見李棋	
祁王宋 見趙模	
祁午春秋	404-683- 41
	545-494-101
	933- 56- 3
	933- 57- 3
祁氏明 王朝妻	478-136-181
	555- 28- 66
祁氏明 李洪遠妻	478-614-205
	558-542- 43
祁氏明 李邅桂妻	506- 70- 88
祁氏明 戚通妻	506- 74- 88
祁氏清 胡登元妻	503- 35- 94
祁氏清 馮永妻	474-194- 9
祁氏清 蔣謙妻	483- 37-371
祁安元	558-176- 31
	558-289- 34
祁序祁嶼 宋	812-547- 4

813-155- 14
821-147- 50
祁庚吳 524-130-185
祁昂宋 545-177- 89
554-244- 52
祁岳唐 821- 63- 47
祁春明 1273-229- 29
祁盈春秋 404-682- 41
祁宰金 291-215- 83
399-136-428
1190-211- 12
祁恭元 558-289- 34
祁奚祁大夫 春秋 375-771- 90
384- 20- 1
404-682- 41
448-204- 16
469-398- 47
472-459- 20
545-493-101
933- 56- 4
933- 57- 4
祁清明 523-467-169
祁翊宋 545-177- 89
祁敕明 479-528-241
482- 38-340
564-151- 45
祁敏明 564-148- 45
祁順明 528-454- 29
564-148- 45
571-548- 20
676-504- 19
祁嵩明 523-234-156
祁暐初暐 宋 288-409-456
400-298-524
472-613- 25
476-729-138
540-751-28之2
祁誠明 545-387- 97
祁福妻 明 見黃回
祁嘉晉 見祁嘉
祁寬宋 533- 89- 49
1145-689- 81
祁標明 456-658- 11
祁瞞春秋 404-699- 42
祁樂唐 550-345-221
祁嶼宋 見祁序
祁瀛明 456-658- 11
祁鯨明(汲縣人) 505-657- 68

祁鯨明(字國升) 524-246-190
祁鶴明 546-495-131
祁鑑妻 清 見李氏
祁纖後魏 547-550-161
祁士英明 456-667- 11
祁子量清 456-359- 77
祁大夫春秋 見祁奚
祁文友清 475-702- 86
510-667-117
祁文奎清 456-359- 77
祁天福清 456-359- 77
祁司員明 475-640- 83
510-447-117
祁充格清 455-568- 37
祁守清明 嚴理妻
1273-232- 29
祁汝東明 483-162-382
515-280- 65
569-675- 19
祁光宗明 見祁伯裕
祁仲鑑元 505-665- 69
祁志誠元 295-649-202
祁伯裕祁光宗 明
537-469- 58
祁豸佳清 524- 58-180
祁廷訓祁廷義 宋
285-223-261
祁廷義宋 見祁廷訓
祁承㸁明 510-338-113
1442- 88- 6
1460-504- 64
祁秉忠明 301-566-271
456-455- 4
478-634-206
483-137-380
祁彥和女 明 見祁慎寧
祁皇后惟皇后 北魏 魏桓帝后 261-209- 13
266-278- 13
373- 95- 20
祁衍會明 564-281- 47
祁祖西祖錫 清 474-776- 41
502-784- 87
祁班孫妻 明 見朱德蓉
祁射子戰國 933- 57- 4
祁望芳金 見祈望芳
祁淑惠明 翁志宏妻
530- 61- 55

祁理孫妻 明 見張德蕙
祁彪佳明 301-637-275
456-412- 1
458-305- 11
475- 21- 49
479-245-227
481-551-327
510-295-112
523-391-164
528-479- 30
1320-695- 76
1442-103- 7
1460-697- 76
祁彪佳妻 明 見商景蘭
祁彪佳女 明 見祁德淵
祁富哈清 505-653- 68
祁慎寧明 文宗儒妻、祁彥和女 1250-496- 46
祁嗣簶清 511-874-170
祁爾謀妻 明 見王氏
祁爾謨妻 明 見張氏
祁熊佳明 528-516- 31
1442-110- 7
祁德淵明 姜廷梧妻、祁彪佳女 1320-627- 69
1442-125- 8
1460-784- 85
祁爾明春秋 933- 57- 4
祁繼昌清 547- 90-144
祁繼祖明 483-248-391
祁顯名妻 清 見高氏
祁國公主宋 宋寧宗女
285- 71-248
393-328- 77
544-235- 63
祁他特衛徵清 456-207- 66
祁國大長公主宋 見兗國大長公主
冼氏隋 見洗氏
冼光明 564- 94- 45
冼勁晉 見洗勁
冼文淵明 見洗文淵
冼用行明 見洗用行
冼桂奇明 564-290- 47
冼積忠宋 見洗積中
羌渠漢 253-715-119
381-631-199
羌慧五代 1053-545- 13

羌什庫清(吳雅氏) 455-476- 29
羌什庫清(温都氏) 456- 22- 51
羌迪之晉 933-419- 27
卷章老童 上古 383-149- 17
933-610- 39
宓子賤春秋 見宓不齊
宓不齊宓子賤 春秋
244-385- 67
246- 26- 67
249-809- 30
371-490- 32
375-654- 88
386-696- 11
405-439- 85
472-548- 23
539-493-11之2
839- 12- 1
933-720- 49
宓犧氏上古 見虙犧氏
初心柳佛婢、柳和娘 唐 柳宗元女 1076-125- 13
1076-580- 13
1077-153- 13
1410-522-734
初旦明(博興人) 545-154- 88
初旦明(潛江人) 559-289-7上
初杲祁杲 明 473-236- 60
480-174-267
533- 61- 49
初貞明 476-754-139
540-803-28之3
初悟唐 1054-540- 15
初娘漢 564-313- 49
初暐宋 見祁暐
初賢明 505-696- 70
初薦妻 明 見李氏
初進忠明 533-190- 53
初虞世宋 1128-618- 17
初維垣明 494-159- 5
炒花明 見綽哈
炒蠻明 見綽滿
定戰國 見周慎靚王
定晉 262-458-101
267-821- 96
381-455-195
定唐 1053-440- 11
定元(號無住禪師) 1222-314- 26
定元(字如山) 1222-316- 26

定明(姓缺) 528-541- 32
定清 533-791- 75
定山彭滿 明 476- 91-100
547-488-159
定王唐 見李侗
定王唐 見武攸暨
定王宋 見趙允良
定王明 見朱慈炯
定光梁 486-900- 35
524-421-200
定光唐 592-363- 82
1052-376- 27
定姒春秋 魯成公夫人
404-566- 34
定姒春秋 魯定公夫人
404-566- 34
定姜春秋 衛定公夫人
404-835- 52
448- 11- 1
538-229- 67
定柱清 456-238- 68
定保清 456-172- 63
定莊唐 485-481- 8
1142-532- 6
定賓唐 1052-188- 14
定演元 1196-725- 9
定慧五代(嗣道閑)1053-304- 8
定慧五代(嗣神晏)1053-326- 8
定暟明 820-765- 44
定徵明 820-765- 44
1442-120- 8
定蘭唐 592-371- 83
1052-327- 23
定安王後魏 見元超
定安王後魏 見托跋休
定安王明 見朱安㴶
定海吉清 456-290- 72
定陶王漢 見劉祉
定陶王漢 見劉康
定陶王漢 見劉景
定陶王明 見朱詮鑨
定陽王北齊 見高彥康
定陽王北齊 見暴顯
定遠王明 見沐晟
定襄王唐 見李大恩
定襄王明 見朱希忠
定安公主唐 王同皎妻、韋濯妻、崔銑妻、唐中宗女
274-109- 83
393-278- 73
554- 49- 49
定安公主太和公主 唐 崇德可汗妻、唐憲宗女274-118- 83
393-285- 73
554- 57- 49
定咱喇什清 454-496- 44
定楊可汗唐 384-294- 15
波頗唐 見波羅頗迦羅密多羅
波羅末陀陳 見拘羅那他
波羅頗迦羅密多羅光智、作明知識、波頗、明友 唐
1051-194-8上
泒古清 455-538- 34
放齊上古 933-614- 39
放勳上古 見堯
夜梅明 483-150-381
570-207- 22
夜落紇夜落紇密禮遏、夜落隔 宋 288-829-490
夜落隔宋 見夜落紇
夜落紇密禮遏宋 見夜落紇
庚丁商 537-174- 53
庚格清 502-539- 72
庚吉訥清 456-186- 64
庚桑楚周 448- 91- 上
533-131- 51
871-884- 19
879-149-57下
炔欽漢 540-697-28之1
炎帝上古 見神農氏
武乙商 243- 85- 3
371-222- 4
372-107-3上
404- 63- 4
537-174- 53
武丁商 見商高宗
武亢金 291-757-131
401-114-584
武文明 546-682-137
武什清 456-285- 71
武氏宋 宋神宗妃 284-871-243
393-310- 76
武氏宋 趙仲焉妻、武掖女
1105-844-100
武氏宋 趙克巳妻
1117-334- 15
武氏宋 趙克懋妻
1117-336- 15
武氏元 田濟川妻 295-627-200
401-176-593
武氏元 李貞妻 295-633-201
401-180-593
武氏明 文太青妻 555- 56- 66
武氏明 文翔鳳妻1442-125- 8
武氏明 王世琇妻 474-248- 12
506- 56- 87
武氏明 王得成妻
1238-252- 21
武氏明 孔俊妻 476- 46- 98
武氏明 朱審爐妻 547-299-153
武氏明 馬莆妻 512- 63-178
武氏明 梅瓚妻 472-701- 28
506-128- 89
武氏明 張旺妻 472-506- 21
武氏明 穆棨妻 472-209- 7
475-782- 89
武氏清 王天泰妻 474-194- 9
武氏清 李彥碩妻 478-249-186
武氏清 周文興妻 478-355-191
555-173- 69
武氏清 張含烈妻 506-139- 89
武允明 545-888-114
武正金 511-884-171
武充唐 1342-367-951
1467- 15- 62
武白遼 289-610- 82
399- 35-419
武仙武善 金 291-625-118
399-308-445
武用妻 元 見蘇氏
武弁元 545-242- 92
武臣漢 933-580- 37
武色清(郭絡羅氏) 455-513- 32
武色清(正黃旗人) 456-321- 75
武成明 472- 38- 1
473-585- 75
494- 41- 3
528-485- 30
武京清 502-756- 85
武坦妻 清 見劉氏
武虎漢 539-348- 8
武叔春秋 見叔孫州仇
武念劉宋 258-487- 83
武和清 455-119- 4
武周晉 254-468- 27
255-776- 45
377-540-123
385-420- 46
472-201- 7
武金明 505-754- 72
武治晉~後魏 544-203- 62
544-207- 62
武恬明 570-165-21之2
武恪元 295-621-199
401- 40-573
453-786- 3
472-154- 5
474-517- 25
505-875- 78
676-705- 29
武姜春秋 鄭武公夫人
404-884- 55
武亮明 473-730- 82
563-826- 41
武彥明 558-403- 36
武威明 547- 83-144
武陔魏~晉 254-468- 27
255-776- 45
377-540-123
385-420- 46
475-747- 88
511-344-149
933-580- 37
武茂魏~晉 254-468- 27
255-776- 45
377-540-123
385-420- 46
475-747- 88
511-344-149
554-228- 52
武茂元 1201-167- 80
武苗清 455-579- 38
武昭唐 545-237- 92
武英宋 286-313-325
382-715-110
384-358- 18
397-442-346
472-436- 19
472-878- 35
476- 40- 98

476-309-113
478-571-203
478-671-209
545-418- 98
545-644-106
武信明 545-244- 92
676-471- 18
武拜清(佟佳氏) 455-321- 19
武拜清(蘇佳氏) 455-680- 48
武拜清(烏喇特哈克氏)
456-271- 70
武拜清 見吳拜
武衍宋 1357-990- 22
1364-606-332
1437- 30- 2
武海清 455-320- 19
武涉漢 244-602- 92
471-915- 47
472-198- 7
武泰清 455-362- 22
武城明 478-271-187
554-708- 61
武彧明 505-883- 79
武起妻 清 見杜氏
武振明 558-358- 35
武展元 1214-185- 15
武留清 455-117- 4
武皋明 511-374-150
武能清(兆佳氏) 455-505- 31
武能清(劉氏) 456-300- 73
武秘元 554-309- 53
武梁漢 681-255- 14
681-515- 6
1397-583- 28
武強妻 明 見常氏
武理妻 清 見嚴氏
武都金 291-733-128
400-362-533
477-442-171
546-134-119
554-467- 56
武陶宋 549-121-185
武勒清 455-568- 37
武掖女 宋 見武氏
武彪明 547- 83-144
1262-388- 43
武就唐 1341-733-897
武斌明 472-767- 30
537-316- 56
武善金 見武仙
武善清 474-759- 41
502-431- 68
武斑漢 681-514- 6
683-251- 4
1397-581- 28
武琦明 547- 44-142
武揚清 476-223-108
547- 57-143
武蛟妻 清 見王氏
武備明 537-412- 57
武勝明 886-141-138
武進元 295-608-197
400-317-526
武試妻 明 見張氏
武祺元 472-439- 19
545-653-106
武詣唐 475-854- 94
武煒明 見武暐
武戩宋 554-241- 52
武達明 472-485- 21
武暐武煒 明 302- 22-290
475- 76- 53
479-287-230
523-177-154
武鉞明 532-635- 43
武誠清 456-184- 64
武禎金 291-757-131
401-114-584
472-204- 7
武韶魏~晉 254-468- 27
255-776- 45
377-540- 45
475-747- 88
武榮漢 681- 50- 3
681-587- 12
681-684- 21
683-253- 4
1103-386-136
1397-676- 32
武壽妻 元 見劉氏
武甄唐 見武平
武圖明 532-637- 43
武毅明 473-318- 62
533-280- 56
武賢明 474-372- 19
505-671- 69
545-889-114
547- 45-142
武德明 299-265-134
523- 35-147
武德明 見朱德
武諤唐 1066-280- 8
武賴清 474-761- 41
502-437- 68
武曌唐 唐高宗后、武士彠女
268-106- 6
272- 82- 4
274- 5- 76
393-251- 71
537-180- 53
544-183- 61
548-632-181
813-212- 1
814-216- 2
819-574- 19
1388-781-112
武錫清 455-200- 10
武賚清 455-312- 19
武藎清 482-116-343
武瓘唐 511-815-167
武瓛明 547-561-161
武衢明 299-847-180
540-794-28之3
武一諤明 456-654- 11
511-498-156
武三思唐 271-407-183
276-118-206
384-186- 10
384-190- 10
400- 28-501
548-631-181
820-149- 26
1371- 51- 0
武士逸唐 269-519- 58
276-117-206
400- 27-501
476- 35- 98
545-560-103
548-630-181
武士稜唐 269-519- 58
276-117-206
400- 27-501
548-630-181
武士豪清 476-819-143
540-682- 27
武士矱唐 見武士彠
武士彠武士矱 唐268-106- 6
269-518- 58
276-116-206
384-190- 10
400- 26-501
471-1039- 66
544-225- 63
548-630-181
1341-575-875
武士彠女 唐 見武曌
武子眴唐 見來子珣
武大烈明 302- 68-293
456-425- 2
477-306-163
478-131-181
537-306- 56
554-715- 61
武文全妻 明 見宋氏
武文振明 1240-726- 7
武文詔妻 明 見劉氏
武文達明 554-519-57下
武文質妻 明 見王氏
武文選妻 明 見冉氏
武之亨清 480- 94-262
533- 34- 47
武之望明 554-673- 60
武太沖唐 494-289- 4
武元直金 821-276- 52
武元照宋 472-1075- 45
524-417-200
武元衡唐 271- 41-158
275-162-152
384-247- 13
395-756-250
451-434- 3
469- 22- 3
472-434- 19
473-425- 67
476- 37- 98
481- 17-291
545-575-104
554-268- 53
559-246- 6
591-676- 47
674-255-4上
933-580- 37

1365-486- 8
1371- 66- 0
1388-295- 67
1473- 98- 57
武巴什清 502-752- 85
武巴海清(納喇氏) 455-388- 23
武巴海清(瓜爾佳氏)
474-759- 41
502-574- 75
武巴泰清 455-223- 11
武巴塔清 455-485- 30
武友諒明 458-166- 8
472-752- 29
537-516- 59
武少儀唐 569-615-18下之2
武什方唐 384-184- 10
武什泰清 455-412- 25
武玉墐妻 明 見賀氏
武弘度唐 275-628-195
400-285-523
476- 36- 98
547- 3-141
武正姐清 477-456-171
武本格清 455-494- 30
武平一武甄 唐 274-503-119
384-187- 10
395-489-225
472-272- 11
472-434- 19
475-271- 63
476- 36- 98
477-318-164
485- 84- 12
493-685- 38
546-628-136
933-580- 37
1078-176- 15
1371- 55- 附
1387-354- 25
武世泰清 455-284- 16
武尼庫清 455-494- 30
武仙童宋 820-462- 36
武用之妻 明 見畢氏
武守己妻 明 見趙氏
武守爲明 529-677- 49
武安王唐 見李承訓
武安君戰國 見白起
武安君戰國 見李牧
武同芳明 456-663- 11
538- 61- 63
武光輔明 821-480- 58
武全文清 546-371-127
武行德宋 285-109-252
371-163- 16
382-140- 19
384-325- 17
396-470-298
407-668- 4
472-435- 19
493-644- 35
545-609-105
552- 69- 19
933-581- 37
武宏祖清 477-125-155
502-664- 79
537-259- 55
武忒海清 455-337- 20
武志士宋 473-758- 83
567-460- 87
1467-515- 11
武志賢妻 明 見蘇氏
武君化妻 清 見李氏
武君烈清 477-317-164
538-105- 64
武克温宋 821-219- 51
武更新清 547- 89-144
武邑王後魏 見元義興
武伯威明 1226-701- 2
武伯英金 546-724-139
550-411-222
821-277- 52
1191- 44- 4
武伯衡元 518-823-162
武邦衛妻 明 見畢氏
武攸止妻 唐 見楊氏
武攸止女 唐 見武皇后
武攸寧唐 384-183- 10
384-190- 10
548-631-181
武攸暨定王 唐 271-409-183
276-121-206
548-632-181
武攸暨妻 唐 見太平公主
武攸緒唐 271-411-183
275-640-196
384-188- 10
401- 5-568
476- 36- 98
477-318-164
547-126-146
550-732-229
554-868- 64
1394-653- 9
武攸歸唐 548-631-181
武宗元武道宗 宋812-451- 1
812-532- 3
813- 93- 4
821-156- 50
武拉海清 456-272- 70
武居常北齊 544-216- 62
武承嗣唐 271-403-183
276-117-206
384-183- 10
384-190- 10
400- 27-501
548-630-181
武承謨清 546-720-139
武尚文明 584-266- 10
武昌王劉宋 見劉渾
武昌王陳 見陳叔虞
武岡王明 見朱顯槐
武周文明 452-242- 6
472- 56- 2
505-868- 78
武延秀唐 271-407-183
武延秀妻 唐 見張裹兒
武延基唐 271-404-183
武延基妻 唐 見永泰公主
武洞清宋 812-539- 3
813- 92- 4
821-166- 50
武彥爵明 547- 52-143
武威卿元 1202-320- 22
武建烈妻 清 見張氏
武思文唐 見李思文
武思明明 546-200-122
武星額清 455-265- 15
武重規唐 544-225- 63
武皇后唐 唐玄宗后、武攸止女 269-427- 51
274- 16- 76
393-261- 72
544-183- 61
武庭璋元 1214-185- 15
武城黑春秋 405- 49- 59
武格碩清 502-602- 76
武起潛明 302- 36-291
456-516- 6
474-570- 29
479-495-239
540-830-28之3
武俱兒母 唐 見傅氏
武倫圖清 455-494- 30
武清周明 545-159- 88
武翊黄唐 820-231- 28
武訥格清 474-759- 41
502-598- 76
武訥塞清 455-485- 30
武訥赫清 455-471- 29
武都王晉 見楊盛
武都王後魏 見楊鼠
武都王後魏 見楊元和
武陵王晉 見司馬晞
武陵王晉 見司馬喆
武陵王晉 見司馬遵
武陵王晉 見司馬禧
武陵王劉宋 見劉贊
武陵王齊 見蕭曄
武陵王梁 見蕭紀
武陵王陳 見陳伯禮
武崇訓唐 271-409-183
544-225- 63
548-631-181
552- 55- 19
武崇訓妻 唐 見李裹兒
武略庫清 456- 65- 54
武國楹清 474-238- 12
505-661- 68
武常阿妻 清 見吳氏
武紹元明 511-660-162
武紹祖明 554-514-57下
武敏之唐 552- 55- 19
武敏特清 456- 38- 52
武游藝唐 見傅游藝
武登額清 456- 19- 51
武開明漢 493-669- 37
武陽王晉 見司馬澹
武象乾明 456-673- 11
545-678-107
547- 9-141
武道光宋 821-260- 52
武道宗宋 見武宗元

武塔齊清 502-591- 76
武楷固唐 見李楷固
武達哈清(伊爾根覺羅氏)
455-256- 14
武達哈清(納喇氏) 455-404- 24
武達哈清(尼馬察氏)
455-591- 39
武達海清 455-661- 46
武達納清 502-754- 85
武達禪清 455-499- 31
武達禮清 502-566- 74
武嵩齡清 547- 55-143
武僉事妻 元 見陳氏
武寧王梁 見蕭大威
武齊理清 455-506- 31
武漢球後漢 278- 24-106
武盡禮唐 820-145- 26
武管嬰武管纓 元472-439- 19
476- 46- 98
武管纓元 見武管嬰
武維周明 456-518- 6
545-677-107
武魯克清 456- 92- 56
武靜藏唐 812-345- 9
821- 56- 46
武興王北齊 見高普
武興格清 502-539- 72
武儒衡唐 271- 43-158
275-163-152
384-251- 13
395-757-250
476- 37- 98
545-575-104
820-231- 28
933-581- 37
1078-176- 15
武嶽年妻 清 見劉氏
武鎮華明 554-288- 53
武簡如元 545-654-106
武攀龍清 477-306-163
武獻哲明 554-673- 60
武蘇布清 455-230- 12
武繼先妻 明 見趙氏
武懿宗唐 271-409-183
276-121-206
384-190- 10
548-632-181
武籙長清 547- 85-144
武靈阿清 456- 22- 51
武巴達理清 456-252- 69
武功郡王清 見禮敦
武克都理清 455-494- 30
武安公主漢 見劉惠
武清公主唐 見趙國公主
武康公主齊 徐演妻、齊武帝女 494-260- 1
武爾佳齊清 455-199- 10
武爾格訥清 455- 56- 1
武爾登額清 455-582- 38
武定橋烈婦明 475- 79- 53
512- 15-177
武陽長公主漢 見劉義王
武德長公主漢 見劉男
武義成功可汗唐 見頓莫賀達干
封拉清 502-472- 69
封爾察清 455-155- 6
雨元 1196-751- 0
其石漢 544-198- 62
933- 69- 4
其辯宋 1053-684- 16
其至鞬漢 253-723-120
496-588-103
拔烏稽侯尸逐鞮單于 漢
253-712-119
381-629-199
拔灼肆葉護可汗、頡利俱利失薛沙多彌可汗 唐
271-787-199下
276-316-217下
384-296- 15
401-527-636
拔都兒元 見巴圖爾
拔思博化元 見巴爾布哈
杯度劉宋 見杯渡
杯渡杯度 劉宋(乘木杯渡水)
472-180- 6
472-351- 15
475- 83- 53
475-652- 83
492-595-13下之下
511-937-175
564-618- 56
1049-603- 41
1050-246- 76
1054-341- 8
松山清 554-961- 65
松安清 456-193- 65
松西清 455-546- 35
松軒宋(姓缺) 820-460- 36
松琴清 455-596- 40
松菴元 821-334- 54
松塔清 456-317- 75
松愛清(舒穆祿氏) 455-157- 6
松愛清(阿顏覺羅氏)
455-302- 18
松愛清(戴佳氏) 455-478- 29
松圖清 456- 33- 52
松蔓夏 見予
松選清 456-371- 78
松錦清 455-274- 15
松壑元 820-529- 38
松贇隋 264-1025- 71
476-729-138
松靄清 456- 6- 50
松月尼明 1457-741-413
松吉理清 455-468- 28
松吉納清(阿哈覺羅氏)
455-305- 18
松吉納清(札雅札喇氏)
456-176- 63
松阿哩清 502-728- 84
松果托清 455-648- 45
松果泰清 455-686- 49
松果絡清 455-337- 20
松果圖清(富察氏) 455-450- 27
松果圖清(鑲紅旗人)
502-555- 73
松鄂托清 455-502- 31
松鄂拖清 455- 57- 1
松鄂理清 455-287- 16
松喇布清 454-491- 44
松塞克清 455-417- 25
松額理清(瓜爾佳氏)
455- 95- 3
松額理清(彰錦氏) 456- 62- 54
松山和尚唐 1053-130- 3
松江漁翁宋 288-438-458
401- 25-570
493-1043- 55
松吉爾圖清 456- 75- 55
松菴道人明 821-484- 58
松暘道人明 533-798- 75
奈亨明 472- 38- 1
奈邦奇明 545-226- 91
奈曼台乃瑪台、乃蠻台、鼐滿台 元 294-483-139
399-780-498
477-563-177
478-452-197
554-162- 51
弦子周 933-246- 17
弦高春秋 448- 90- 上
537-360- 57
879-148-57下
弦章春秋 404-615- 38
弦寧春秋 491-790- 6
附都漢 933-657- 43
附德意唐 933-657- 43
阾珏和尚五代 1053-552- 13
青者唐 見些些師
青青不詳 翟素婢
879-171-58上
青哈元 見扎哈
青哈元 見青海
青海河南王、青哈、淮王 元
294-472-138
399-774-497
1206-643- 14
1373-285- 19
青井春秋 404-793- 48
青善清 455-658- 46
青陽上古 見玄囂
青牓唐 570-254- 25
青文勝明 299-339-140
480-484-280
532-737- 46
559-520- 12
561-513- 44
青牛仙宋(駕青牛入雲)
530-209- 60
青烏公商 554-962- 65
青陽氏上古 見少皞氏
青陽氏宋 譚篆妻、青陽春女
1163-562- 33
青陽民妻 明 512-167-181
青陽春女 宋 見青陽氏
青陽簡宋 1113-623- 9
青牛先生漢 254-230- 11
380-416-177
384-514- 22
554-881- 64

青多爾濟清 454-539- 52
青谷先生漢 554-968- 65
1061-279-111
青袞咱卜清 454-597- 63
青陽白玉劉宋 見曇輝
青陽夢炎元 472-277- 11
盂丙春秋 見孟丙
盂黶春秋 933-119- 8
吞撌漢 933-659- 43
吞景雲漢 見吞景曇
吞景曇吞景雲 漢933-659- 43
者赤明 見哲辰
者架妻 清 見直額
者繼榮明 302-489-313
亞哈清 455-273- 15
亞栖唐 見亞棲
亞哥元 見雅格
亞棲亞栖 唐 813-303- 19
814-279- 10
820-303- 20
坦宋(嗣慧覺) 1053-493- 12
坦宋(嗣端裕) 1053-886- 20
坦布清 455-439- 26
坦然宋 1053-789- 18
坦扎哈清 455-280- 16
坦中庸宋 482-524-367
567-296- 76
1467-172- 68
坦率子明 821-484- 58
昔安唐 933-753- 52
昔登漢 933-753- 52
昔横宋 1170-758- 34
昔里鈐部元 見色爾勒結
拉山清 456-109- 57
拉巴清(唐顏氏) 456-174- 63
拉巴清(唐氏) 456-379- 79
拉必金 291- 50- 67
399- 74-423
拉古清(費莫氏) 455-636- 44
拉古清(鑲黃旗人) 502-450- 68
拉占清 455-157- 6
拉拉元 505-699- 70
拉拉清 455-439- 26
拉恰剌乾 唐 496-622-105
拉柳清 455-205- 10
拉哈清(瓜爾佳氏) 455- 54- 1
拉哈清(伊爾根覺羅氏)
455-233- 12
拉庫清(完顏氏) 455-467- 28
拉庫清(薩克達氏) 455-546- 35
拉都清 502-734- 84
拉琊清 455-427- 26
拉塔清(瓜爾佳氏) 455- 54- 1
拉塔清(阿顏覺羅氏)
455-302- 18
拉塔清(吳扎庫氏) 455-535- 34
拉圖清 455-137- 5
拉綽清 456-106- 57
拉鼐清 455-285- 16
拉方阿清(長白山人)
455-587- 39
拉方阿清(尼馬察人)
455-589- 39
拉扎布清 496-216- 76
拉巴達清 455-285- 16
拉克道清 455-414- 25
拉拉理清 455-271- 15
拉哈理清 455-266- 15
拉理喀清 456-122- 58
拉都哈清 455-412- 25
拉都理清 455- 64- 2
拉琥山清 455-119- 4
拉喀布清 455-494- 30
拉瑚塔清 455-292- 17
拉爾保清 455-557- 36
拉爾霸清 455-291- 17
拉穆泰清 455-364- 22
拉薩理清 455-644- 45
拉果沁氏清 見拉果親氏
拉果親氏拉果沁氏 清 德碩瑚爾妻 474-891- 48
503- 84- 96
拉普什喜清 456-199- 66
拉普都哈清 455-494- 30
拉斯察布清 496-217- 76
拉爾巴渾清 455-658- 46
拉什喇布坦清 496-218- 76
拉旺喇布坦清 496-218- 76
拉哈墨爾根清 455-239- 13
拉特那錫第清 496-216- 76
拉普達扎齊清 455-635- 44
拓文運清 478-436-196
拓拔弘北魏 見魏獻文帝
拓拔惇北周 見李惇
拓拔通後魏 見元通
拓拔嗣北魏 見魏明元帝
拓拔儉北周 見拓跋儉
拓拔濬北魏 見魏文成帝
拓拔燾北魏 見魏太武帝
拓拔競妻 北周 見尉遲氏
拓跋乂後魏 見元乂
拓跋仁後魏 見托跋仁
拓跋斤後魏 見托跋斤
拓跋毛後魏 見托跋毛
拓跋氏北魏 楊保宗妻、魏太武帝女 381-456-195
拓跋氏北周 侯莫陳道生妻
1416- 87-111下
拓跋玄後魏 見元玄
拓跋弘北魏 見魏獻文帝
拓跋石後魏 見托跋石
拓跋丕後魏(謚平) 見元丕
拓跋丕後魏(謚戾) 見元丕
拓跋平後魏 見元平
拓跋弗後魏 見托跋弗
拓跋他後魏 見托跋他
拓跋汎後魏 見元汎
拓跋羽後魏 見元羽
拓跋匡後魏 見元匡
拓跋因後魏 見托跋因
拓跋休後魏 見托跋休
拓跋宏北魏 見魏孝文帝
拓跋良後魏(托跋儀子) 見托跋良
拓跋良後魏(托跋篚子) 見托跋良
拓跋志後魏 見元志
拓跋均後魏(字世平) 見元均
拓跋均後魏(謚平) 見元均
拓跋那後魏 見托跋那
拓跋劭後魏 見元劭
拓跋呂後魏 見托跋呂
拓跋余後魏 見托跋余
拓跋佗後魏 見托跋他
拓跋怡後魏 見元怡
拓跋泥後魏 見托跋泥
拓跋拔後魏 見托跋拔
拓跋屈後魏 見托跋屈
拓跋孤後魏 見托跋孤
拓跋忠後魏 見托跋忠
拓跋昌後魏(字法顯) 見元昌
拓跋昌後魏(托跋禧子) 見元昌
拓跋和後魏 見元和
拓跋秉後魏 見元壽興
拓跋恍後魏 見元恍
拓跋恒後魏 見元恒
拓跋恂後魏 見元恂
拓跋度後魏 見托跋度
拓跋郁後魏 見托跋郁
拓跋飛後魏 見托跋霄
拓跋勃後魏 見托跋勃
拓跋珍後魏 見元珍
拓跋建後魏(謚簡) 見托跋建
拓跋建後魏(托跋崇子) 見托跋建
拓跋建後魏(托跋紇羅弟) 見托跋建
拓跋若後魏 見托跋若
拓跋昭後魏 見元昭
拓跋英後魏 見元英
拓跋紇後魏 見托跋紇
拓跋衍後魏 見元衍
拓跋俊後魏 見元俊
拓跋朗後魏 見元朗
拓跋祐後魏 見元祐
拓跋悅後魏 見托跋悅
拓跋泰後魏 見元泰
拓跋素後魏 見托跋素
拓跋烈後魏 見托跋烈
拓跋珪北魏 見魏道武帝
拓跋根後魏 見元根
拓跋晃後魏 見托跋晃
拓跋虔後魏 見托跋虔
拓跋修後魏 見托跋修
拓跋陸後魏 見托跋陸
拓跋翌後魏 見托跋翌
拓跋彬後魏 見元彬
拓跋連後魏 見托跋連
拓跋陵後魏(托跋齊子) 見托跋陵
拓跋陵後魏(托跋眞樂子) 見托跋陵
拓跋崇後魏(魏明元帝子) 見托跋崇
拓跋崇後魏(謚景) 見托跋崇
拓跋略後魏 見托跋略
拓跋崙後魏 見托跋崙
拓跋逞後魏 見元逞
拓跋悉後魏 見托跋悉

拓跋馗後魏 見元馗
拓跋猛後魏 見托跋猛
拓跋紹後魏 見元紹
拓跋紹後魏 見托跋紹
拓跋健後魏 見托跋健
拓跋渾後魏(托跋勃子) 見托跋渾
拓跋渾後魏(托跋連繼子) 見托跋渾
拓跋愉後魏 見元愉
拓跋敦後魏 見元敦
拓跋雲後魏 見元雲
拓跋雲妻 北齊 見馮氏
拓跋盛後魏 見元盛
拓跋弼後魏 見元弼
拓跋琛後魏 見元琛
拓跋琛後魏 見托跋琛
拓跋提後魏 見元提
拓跋提後魏 見托跋提
拓跋粟後魏 見托跋粟
拓跋萇後魏 見元萇
拓跋順後魏 見元順
拓跋順後魏 見托跋順
拓跋欽後魏 見元欽
拓跋觚後魏 見托跋觚
拓跋雍後魏 見元雍
拓跋詮後魏 見元詮
拓跋詳後魏 見元詳
拓跋禎後魏 見元禎
拓跋瑞後魏 見元瑞
拓跋幹後魏 見元幹
拓跋幹後魏 見托跋幹
拓跋嵩後魏 見元嵩
拓跋盟北周 見王盟
拓跋嗣北魏 見魏明元帝
拓跋毓後魏 見元毓
拓跋禎後魏 見托跋禎
拓跋齊後魏 見托跋齊
拓跋端後魏 見元端
拓跋誘後魏 見元誘
拓跋榮後魏 見元榮
拓跋熙後魏 見托跋熙
拓跋嘉後魏 見元嘉
拓跋嘉妻 後魏 見穆氏
拓跋緒後魏 見元緒
拓跋綽後魏 見托跋綽
拓跋遙後魏 見元遙
拓跋寬後魏 見元寬
拓跋澄母 後魏 見孟氏
拓跋澄後魏 見元澄
拓跋鄰後魏 見托跋鄰
拓跋誕後魏(字文發) 見元誕
拓跋誕後魏(字曇首) 見元誕
拓跋緦後魏 見元緦
拓跋霄後魏 見托跋霄
拓跋儀後魏 見托跋儀
拓跋儉拓拔儉 北周 1342- 7-905 1400-147- 5
拓跋黎後魏 見托跋黎
拓跋德後魏 見托跋德
拓跋範後魏 見托跋範
拓跋諧後魏 見元諧
拓跋謂後魏 見托跋謂
拓跋諶後魏 見元諶
拓跋懌後魏 見元懌
拓跋遵後魏 見托跋遵
拓跋樹後魏 見元樹
拓跋融後魏(字永興) 見元融
拓跋融後魏(字叔融) 見元融
拓跋頤後魏 見元頤
拓跋翰後魏(魏太武帝子) 見托跋翰
拓跋翰後魏(謚明) 見托跋翰
拓跋叡後魏 見元叡
拓跋頹後魏 見托跋頹
拓跋穆北周 見李穆
拓跋濬北魏 見魏文成帝
拓跋禧後魏 見元禧
拓跋謐後魏 見元謐
拓跋燮後魏 見元燮
拓跋謙後魏 見元謙
拓跋燾北魏 見魏太武帝
拓跋彌後魏 見托跋彌
拓跋翼後魏 見元翼
拓跋徽後魏 見元徽
拓跋禮後魏 見托跋禮
拓跋彝後魏 見元彝
拓跋題後魏 見托跋題
拓跋曜後魏 見托跋曜
拓跋簡後魏 見元簡
拓跋譚後魏 見元譚
拓跋譚後魏 見托跋譚
拓跋懷後魏 見元懷
拓跋麗後魏(字寶掌) 見元麗
拓跋麗後魏(托跋崇子) 見元麗
拓跋顗後魏 見托跋顗
拓跋贊後魏 見元贊
拓跋瓌後魏 見托跋瓌
拓跋贍後魏 見元贍
拓跋纂後魏 見元纂
拓跋纂後魏(謚簡) 見托跋纂
拓跋纂後魏(字紹興) 見托跋纂
拓跋繼後魏 見元繼
拓跋顥後魏 見元顥
拓跋蘭後魏 見托跋蘭
拓跋鷙後魏 見元鷙
拓跋鑒後魏(字長文) 見元鑒
拓跋鑒後魏(字紹達) 見元鑒
拓跋讞後魏 見元讞
拓跋鬱後魏 見元鬱
拓跋鸞後魏 見元鸞
拓拔力微妻 後魏 見竇氏
拓拔赤辭唐 見拓跋赤辭
拓拔思恭唐 見拓跋思恭
拓拔陪斤後魏 見托拔陪斤
拓拔懷光唐 見拓跋懷光
拓跋乙斤後魏 見托跋乙斤
拓跋力微後魏 見托跋力微
拓跋子直後魏 見元子直
拓跋子思後魏 見元子思
拓跋子推後魏 見元子推
拓跋子華後魏 見元子華
拓跋大曹後魏 見元大曹
拓跋大頭後魏 見托跋大頭
拓跋大器後魏 見元大器
拓跋六修後魏 見托跋六修
拓跋太洛後魏 見托跋太洛
拓跋太興後魏 見僧懿
拓跋比干後魏 見托跋比干
拓跋比陵後魏 見托跋比陵
拓跋天琚後魏 見元天琚
拓跋天賜後魏 見托跋天賜
拓跋永平後魏 見元永平
拓跋永全後魏 見元思譽
拓跋平原後魏 見托跋平原
拓跋世儁後魏 見元世儁
拓跋世遵後魏 見元世遵
拓跋目辰後魏 見托跋目辰
拓跋安壽後魏 見元頤
拓跋吐根後魏 見元根
拓跋伏羅後魏 見元伏羅
拓跋赤辭李赤辭、拓拔赤辭 唐 276-366-221上
拓跋法壽後魏 見元法壽
拓跋拔干後魏 見元拔干
拓跋長壽後魏 見托跋長壽
拓跋長樂後魏 見托跋長樂
拓跋叔仁後魏 見元叔仁
拓跋季海後魏 見元季海
拓跋延明後魏 見元延明
拓跋洪威後魏 見元洪威
拓跋洪超後魏 見元洪超
拓跋洛侯後魏 見托跋洛侯
拓跋胡兒後魏 見托跋胡兒
拓跋飛龍後魏 見托跋霄
拓跋思恭托跋思恭、李思恭、拓拔思恭 唐 276-368-221上 291-786-134 401-536-637 552- 59- 19
拓跋思譽後魏 見元思譽
拓跋紇那後魏 見托跋紇那
拓跋紇羅後魏 見托跋紇羅
拓跋庫汗後魏 見托跋庫汗
拓跋素延後魏 見托跋素延
拓跋員樂後魏 見托跋員樂
拓跋烏眞後魏 見托跋烏眞
拓跋修義後魏 見元修義
拓跋推寅後魏 見托跋推寅
拓跋莽哈元 見托卜莽哈
拓跋處文後魏 見托跋處文
拓跋處眞後魏 見托跋處眞
拓跋悉鹿後魏 見托跋悉鹿
拓跋猗㐌後魏 見托跋猗㐌
拓跋猗盧後魏 見托跋猗盧
拓跋斌之後魏 見元斌之
拓跋寔君後魏 見托跋寔君
拓跋賀傉後魏 見托跋賀傉
拓跋景略後魏 見元景略
拓跋意烈後魏 見托跋意烈
拓跋詰汾後魏 見托跋詰汾
拓跋窟咄後魏 見托跋窟咄
拓跋新成後魏 見托跋新成
拓跋道符後魏 見托跋道符
拓跋祿官後魏 見托跋祿官
拓跋萬壽後魏 見托跋萬壽
拓跋壽樂後魏 見托跋壽樂

拓跋壽興後魏 見元壽興
拓跋羯兒後魏 見托跋羯兒
拓跋慶和後魏 見元慶和
拓跋樂眞後魏 見托跋眞樂
拓跋磨渾後魏 見托跋磨渾
拓跋興都後魏 見托跋興都
拓跋翳槐後魏 見托跋翳槐
拓跋嬰文後魏 見托跋嬰文
拓跋懷光拓拔懷光 唐 384-295- 15
拓跋願平後魏 見元願平
拓跋羅侯後魏 見元羅侯
拓跋寶炬北魏 見魏文帝
拓跋顯恭後魏 見元顯恭
拓跋鬱律後魏 見托跋鬱律
拓跋鬱律妻 後魏 見王氏
拓拔沙漠汗妻 後魏 見封氏
拓跋小新城後魏 見托跋小新城
拓跋什翼健妻 後魏 見賀氏
拓跋什翼犍後魏 見托跋什翼犍
拓跋可悉陵後魏 見托跋可悉陵
拓跋沙漠汗後魏 見托跋沙漠汗
招猛漢 453-743- 2
564- 3- 44
933-262- 18
招福五代 1053-231- 6
招囊猛明 刁派羅妻 302-220-301
拘留孫不詳 1053- 4- 1
拘羅那他波羅末陀、眞諦、親依 陳 1051-158- 6
1051-176- 7
1054-378- 9
拘那含牟尼不詳 見拘那舍牟尼
拘那舍牟尼拘那含牟尼 不詳 1053- 4- 1
1054-225- 1
杭山清 456-165- 62
杭氏清 梁可均母 506- 59- 87
杭安清 455-512- 32
杭奇清 455- 79- 2
杭阿清 455-457- 28
杭封明 1276-450- 11
杭昱明 302-194-300
杭昱女 明 見杭皇后
杭淮明 511-768-166
1442- 39-附2
1459-789- 31
杭雄明 299-756-174
478-435-196
545-281- 94
杭愛清(武佳氏) 456-101- 57
杭愛清(諡勤襄) 481- 28-291
559-326-7下
杭濟明 511-768-166
676-525- 21
1271-811- 8
1442- 39-附2
1459-789- 31
杭什庫清 455-404- 24
杭什喀清 455-255- 14
杭世龍清 475-233- 61
杭奕祿清 569-619-18下之2
杭皇后明 明景帝后、杭昱女 299- 11-113
302-194-300
杭齊色清 455-216- 11
杭蘇理清 456- 62- 54
直柄直柄伯 夏 546-426-129
直額清 者架妻 483-373-401
直不疑漢 244-679-103
250-201- 46
376- 94- 97
384- 40- 2
472-767- 30
477-362-167
537-528- 59
552- 17- 18
933-751- 52
直柄伯夏 見直柄
門其周 933-206- 14
門岱清 456- 93- 56
門度清 454-163- 9
門都清 455-650- 45
門達明 302-346-307
門文愛後魏 262-258- 87
267-639- 85
380-120-167
門可貴清 502-767- 86
523- 67-149
門可榮清 476-856-145
540-684- 27
門仲昌明 473-536- 72
門克新明(鞏昌人) 299-322-139
472-898- 35
478-699-210
558-397- 36
門克新明(汝陽人) 302-326-306
門迎恩明 456-608- 9
502-715- 83
538- 46- 63
門朝棟明 554- 87- 49
門毓英清 475-834- 93
502-687- 81
510-499-118
居仁明 511-829-168
居氏明 方淳妻 472-209- 7
475-756- 88
居氏明 呂詢妻、居正女
524-502-203
1272-233- 9
居氏明 祝繼英妻、居理女
1272-276- 14
居氏明 許滋妻、居正女
1268-410- 64
居氏明 劉惠妻 506- 44- 87
居氏女 明(呂詢妻) 見居氏
居氏女 明(許滋妻) 見居氏
居安明 1245-529- 27
居股漢 528- 2- 17
居昱宋 486-901- 35
居則宋 583-498- 8
1356-325- 15
居素宋 1053-481- 12
居翁漢 453-732- 1
居般漢 933-121- 8
居訥宋 516-494-105
592-450- 89
1052-754- 26
1053-666- 16
1054-172- 4
1054-629- 19
居頂明 1238-292- 25
居理女 明 見居氏
居煦宋 1053-421- 10
居節明 511-834-168
821-413- 56
1442- 69- 4
1460-326- 55
居遁後梁 516-451-104
533-782- 75
1052-172- 13
1052-679- 9
1053-535- 13
居誨唐 554-954- 65
1053-214- 6
居寧宋 511-872-170
812-549- 4
813-205- 20
821-263- 52
居說宋 1053-500- 12
居慧宋 1053-783- 18
居澣妻 明 見孟氏
居靜宋 592-457- 89
1053-862- 20
居懋明 1289-299- 19
居懋妻 明 見柴氏
居簡宋 588-212- 9
592-461- 89
1437- 38- 2
居瀚妻 明 見孟氏
居之敬妻 明 見趙氏
居車兒伊陵尸逐就單于 漢
253-715-119
381-630-199
居思娥宋 567-463- 87
居理貞金 545-407- 98
居懋時明 821-413- 56
居翼隆妻 明 見茅氏
孟卜妻 清 見董氏
孟子春秋 魯昭公夫人
404-566- 34
孟子春秋 魯惠公夫人
404-563- 34
孟子戰國 見孟軻
孟山明 1267-526- 7
孟文元 1217-598- 4
孟元宋 286-283-323
371-194- 19
397-423-345
472- 65- 2
472-115- 4
474-336- 17
474-439- 21
481-333-308

505-764- 72
545- 44- 84
549-121-185
孟元明 539-631-11之6
孟及女 南唐 見孟氏
孟仁吳 見孟宗
孟仁金 見孟澤民
孟仁元 295-182-160
541-111- 31
孟仁明 554-708- 61
孟氏晉 孟嘉女 516-383-102
孟氏後魏 拓跋澄母
262-308- 92
267-726- 91
381- 60-185
474-623- 32
孟氏南唐 孟及女
1085-136- 17
孟氏宋 王稟妻 476- 45- 98
孟氏宋 周必大母之乳母
1147-395- 36
孟氏明 王靈妻 480-140-264
孟氏明 白圭妻 1252-479- 27
孟氏明 沈弘量妻
302-228-302
479-189-225
孟氏明 沈維瑞妻 479-189-225
孟氏明 呂紹中妻、孟思恭女
1295-545- 7
孟氏明 吳文英妻 478-350-191
孟氏明 居辮妻、居瀚妻
472-414- 18
475-434- 70
孟氏明 周汝蕙妻 512-459-188
孟氏明 徐仁得妻 558-494- 42
孟氏明 許邦才妻
1278-464- 23
1410-426-720
孟氏明 康恭妻 506- 6- 86
孟氏明 張銳妻 506-109- 89
孟氏明 馮緯妻 530-125- 57
孟氏明 程鵬遠妻 506- 81- 88
孟氏明 楊君明妻 477-548-176
孟氏明 趙裕妻 506- 8- 86
孟氏明 劉體仁妻 570-169- 22
孟氏明 謝翰南妻 506- 10- 86
孟氏明 韓章妻 476-755-139
孟氏清 方熉妻 474-193- 9
孟氏清 王者賓妻 555-148- 68
孟氏清 江彭年妻 533-583- 68
孟氏清 任義春妻 506- 22- 86
孟氏清 汪瑗妻 480-322-272
孟氏清 李四晒妻 503- 56- 95
孟氏清 李殿元妻 478-520-200
孟氏清 吳執忠妻、孟德清女
1312-387- 37
孟氏清 宣國楝妻 503- 52- 95
孟氏清 胡開源妻、胡源開妻
476-790-141
541- 64- 29
孟氏清 高不驕妻 477-259-161
孟氏清 許朝相妻 474-195- 9
孟氏清 郭九鼎妻 474-194- 9
孟氏清 張二黑妻 474-482- 23
孟氏清 張天琯妻 483-119-379
孟氏清 劉起沛妻 483-373-401
孟氏清 劉崍基妻 477- 96-153
孟丙孟丙 春秋 404-725- 44
545-398- 98
933-119- 8
孟充明 515-474- 71
孟甲元 1201-167- 80
孟他漢 254- 66- 3
386-168- 74
554-920- 64
孟安清 455-458- 28
孟在女 宋 見孟皇后
孟圯明 見孟玘
孟光漢 梁鴻妻 253-619-113
380-410-177
448- 81- 8
452-105- 3
478-135-181
555- 3- 66
879-171-58上
孟光蜀漢 254-649- 12
377-292-118下
384- 76- 4
384-495- 18
385-585-65上下
472-743- 29
477-308-164
538-139- 65
559-244- 6
591-666- 47
933-700- 47
孟任春秋 404-564- 34
孟成明 473-695- 80
孟玘孟圯 明 299-604-162
676-492- 19
529-455- 43
1257-183- 17
孟克元 294-258-121
399-343-448
孟克清 456-356- 77
孟岐漢 554-965- 65
孟但漢 474-602- 31
505-870- 78
539-631-11之6
孟宗孟仁 吳 254-741- 3
370-269- 3
377-421-120
384-504- 20
385-567- 63
472-336- 14
473-212- 59
477-415-169
485- 84- 12
492-520-13上之中
493-735- 41
510-412-116
533-411- 62
540-702-28之1
879-159-58上
孟泌元 1214-160- 13
孟表後魏 261-844- 61
266-754- 37
379-187-149
933-701- 47
孟明春秋 見百里孟明視
孟昉元 676-711- 29
820-522- 38
1222-296- 22
1405-686-306
1439-442- 2
孟忠明 1442- 17-附1
孟杲明 571-544- 20
孟周明 546-149-120
孟季後魏 261-618- 44
孟岳妻 明 見孫氏
孟袓妻 晉 見周氏
孟袓後蜀 見蜀睿文英武仁聖明孝帝
孟洋孟津、孟祥 明
458-118- 5
477-419-169
523-103-150
532-594- 41
537-566- 60
567-449- 86
676-534- 21
1442- 41-附2
1459-820- 33
1467-157- 67
孟津宋 539-631-11之6
孟津明 532-634- 43
孟津明 見孟洋
孟郊唐 271- 71-160
275-431-176
384-254- 13
396-171-267
451-436- 3
471-611- 4
471-1036- 66
472-171- 6
472-865- 34
472-1002- 40
475-271- 63
479-140-223
489-354- 31
524- 31-179
538-325- 69
674-258-4上
820-235- 28
933-701- 47
1073-597- 29
1074-438- 29
1075-388- 29
1078-137- 8
1171-351- 9
1355-620-21上
1371- 67- 0
1378-582- 62
1383-189- 15
1388-156- 58
1410-283-700
1447-265- 10
1472-809- 50
孟彥明 554-874- 64
孟威後魏 261-618- 44
267- 87- 50
379-367-151

933-701- 47
孟威唐 537-311- 56
1072-405- 3
孟春明(字時元) 300-111-189
476-207-107
523-217-156
546-199-122
孟春明(錢塘人) 524- 98-183
孟厚宋 448-525- 14
449-740- 9
477-315-164
538- 13- 61
孟奎金 291-457-104
399-253-439
472-706- 28
474- 93- 3
474-738- 40
477-200-159
502-368- 62
537-277- 55
545-324- 95
孟奎明 494- 57- 2
孟郁漢 402-593- 20
681-445- 1
1397-604- 28
孟柯清 456-217- 67
孟陋晉 256-529- 94
380-426-177
470-187-112
471-787- 28
473-213- 59
480- 54-260
533-300- 57
538-166- 66
933-700- 47
孟珍元 見孟玉潤
孟建魏 478-451-197
孟思明 1442- 67- 4
1460-303- 53
孟貞明 537-609- 60
孟昭妻 明 見查氏
孟重明 477-202-159
554-504-57上
676-629- 26
676-728- 30
孟信北周 267-406- 70
379-679-159
472- 89- 3
476-612-133
478-542-202
933-701- 47
孟紀宋 480-242-269
孟秋明 301-794-283
457-455- 29
476-618-133
540-816-28之3
541-599-35之17
541-791-35之20
1294-237-6上
孟俊明 523-102-150
554-478-57上
578-627- 17
1255-366- 41
孟浩宋 451- 23- 0
473-178- 57
494-310- 5
515-501- 72
523-116-151
567-442- 86
585-767- 5
1467-152- 67
孟浩金 291-275- 89
399-162-430
474-277- 14
505-729- 71
孟高清 456-356- 77
孟庫清 502-747- 85
孟泰明 456-466- 4
482-352-356
568-500-118
孟泰清 540-867-28之4
孟珙宋 287-604-412
398-564-403
408-981- 3
459-657- 39
473-210- 59
473-251- 60
473-281- 61
473-298- 62
473-490- 70
480- 50-259
480-241-269
480-297-271
481- 21- 291
494-266- 1
523-529-172
532-577- 41
533- 67- 49
546-577-134
559-297-7上
591-699- 49
677-375- 34
孟栻元 820-521- 38
孟孫春秋 見仲孫貜
孟起漢 550- 10-209
孟釗明 473-616- 77
528-510- 31
孟卿漢 251-113- 88
380-255-172
472-310- 13
539-631-11之6
675-316- 19
933-700- 47
孟淳宋 494-266- 1
494-314- 5
1210-308- 8
孟淳元 1439-427- 1
孟淳明 559-269- 6
孟淮明(字豫川) 458-170- 8
676-573- 23
孟淮明(博野人) 545-117- 86
孟祥明 見孟洋
孟康魏 249- 8- 0
254-319- 16
385-414- 44
477-521-175
540-710-28之1
孟庾宋 486- 52- 2
孟堅宋 539-631-11之6
孟珵明 547- 73-143
孟彬清 456-357- 77
孟通宋 494- 19- 2
554-272- 53
孟貫後周 451-480- 7
516-216- 96
529-741- 51
孟常明 472-367- 16
473- 50- 50
475-640- 83
510-446-117
516- 60- 89
孟統明(知桂陽州) 473-359- 64
532-708- 45
孟統明(字儒宗) 510-480-118
孟敏漢 253-376- 98
377- 2-113上
384- 66- 3
386- 5-69上
472-106- 4
472-431- 19
474-617- 32
476- 44- 98
505-921- 82
540-704-28之1
545-506-101
933-700- 47
孟健清 502-754- 85
孟富明 570-141-21之2
孟善明 299-401-146
472- 51- 2
472-527- 22
474-690- 37
476-753-139
502-281- 56
540-787-28之3
886-144-138
孟渙宋 515-745- 80
孟琯唐 471-766- 25
472-402- 66
480-636-288
533-326- 57
1073-519- 20
1074-346- 20
1075-301- 20
孟喜漢 251-105- 88
380-249-172
472-549- 23
476-579-131
491-800- 6
539-631-11之6
540-693-28之1
675-238- 3
677- 57- 5
933-700- 47
孟植宋 515-750- 80
孟登明 533-143- 51
孟隆妻 明 見楊氏
孟軻母 戰國 448- 15- 1
452-101- 3
539-687-11之7
879-172-58上
孟軻孟子 戰國 244-452- 74

371-504- 34
375-665- 88
368-267-83上
405-454- 85
472-548- 23
498- 71- 67
539-487-11之2
562- 15- 1
933-700- 47
1355-593- 20
1360-444- 27
1408-173-498
1449-298- 15
孟陽春秋 404-605- 37
孟陽明 300-111-189
476-208-107
548-201-122
孟琰蜀漢 570- 99-20下
570-102-21之1
孟琰明 494- 20- 2
孟琳明 546-302-125
孟琳妻 明 見梅氏
孟椒春秋 見子服椒
孟景妻 明 見鄭氏
孟著妻 明 見孫氏
孟晰妻 清 見周氏
孟華唐 275-609-193
384-238- 12
400-108-509
539-631-11之6
孟程宋 515-326- 67
孟舒漢 244-682-104
384- 37- 2
472-480- 21
476-248-110
476-276-111
539-631-11之6
545-254- 93
孟欽晉 256-561- 95
380-615-182
538-358- 71
554-971- 65
孟欽宋 539-631-11之6
孟進妻 明 見李氏
孟集元 493-754- 41
510- 402-115
孟祺元 295-182-160
399-558-475
472-204- 7
472-546- 23
475-750- 88
476-828-143
511-821-167
523- 22-147
1394-455- 4
孟義元 295-262-166
399-607-480
孟猷宋 493-963- 51
1164-398- 22
孟準明 554-220- 52
孟詵唐 271-628-191
275-639-196
472-802- 31
477-501-174
538-360- 71
540-738-28之2
742- 35- 1
孟廉明 510-455-117
孟道元 1200-770- 59
孟載宋 524-324-195
孟塤明 494- 56- 2
孟雷明 510-491-118
563-825- 41
孟瑁妻 明 見房氏
孟瑛明(海豐人) 299-401-146
孟瑛明(字時聞) 1271-607- 52
孟達魏 254- 66- 3
254-282- 14
254-630- 10
384-467- 13
386-168- 74
544-202- 62
554-921- 64
孟嵩宋 1153-649-108
孟嵩妻 宋 見仲靈湛
孟業北齊 263-361- 46
267-654- 86
380-197-170
384-143- 7
472- 53- 2
474-239- 12
477-199-159
505-688- 70
505-731- 71
505-756- 72
537-272- 55
933-701- 47
孟愛清 455- 57- 1
孟賓五代 1086-198- 20
孟禎明 458-167- 8
472-795- 31
孟福妻 宋 見張氏
孟福妻 明 見張氏
孟福清 456-254- 69
孟寧宋 539-631-11之6
孟說唐 539-631-11之6
孟端妻 明 見邵恩
孟滾清 455-692- 49
孟熙後蜀 561-569- 45
孟嘉晉 256-614- 98
377-923-130
384-101- 5
470-187-112
471-731- 20
471-779- 27
471-785- 28
471-787- 28
471-811- 31
472-793- 31
473-143- 56
473-213- 59
477-416-169
533-300- 57
534-551- 99
538-146- 65
539-631-11之6
540-716-28之1
1063-516- 5
1408-494-529
1413-731- 62
孟嘉女 晉 見孟氏
孟嘗漢 253-488-106
380-163-169
402-457- 10
453-746- 3
459-841- 50
470- 63- 96
471-867- 39
472-1069- 45
473-725- 82
475-852- 94
479-227-227
482-225-348
486-290- 14
510-500-118
523-460-169
539-631-11之6
563-606- 38
933-700- 47
1467- 4- 62
孟鳳明 472-560- 23
540-795-28之3
孟熊明 494- 56- 2
孟態明 524-372-197
孟魁清 455-660- 46
孟寬宋 539-631-11之6
孟諒明 505-913- 81
孟潼元 492-705-3上
孟澄女 明 見孟淑卿
孟潤妻 清 見李氏
孟醇明 554-489-57上
孟震宋 1110-372- 19
孟震明 494- 57- 2
572- 71- 28
孟遷唐 275-547-187
277-518- 62
279-265- 42
396-265-275
孟儀春秋 539-640-11之6
孟德宋 1112-267- 25
孟德元 295-262-166
399-607-480
472-526- 22
476-525-128
孟導宋 493-964- 51
1164-442- 25
孟澤宋 1165-336- 21
孟機妻 明 見余氏
孟璘元 見孟攀鱗
孟遲唐 273-114- 60
451-456- 5
1371- 71- 0
孟興金 291-719-127
400-307-525
孟翺宋 1094-642- 70
孟勳明 472-255- 10
476-855-145
孟鋌女 明 見孟蘊
孟濟明 494- 57- 2
孟縶春秋 見公孟縶
孟戲孟虧 上古 546-234-123
孟虧上古 見孟戲

孟優漢 570-259- 25
孟鵠後唐 277-567- 69
孟簡唐 271-104-163
275-248-160
384-255- 13
396- 60-257
471-614- 4
472-253- 10
472-524- 22
472-1066- 45
475-213- 60
476-523-128
486- 44- 2
510-357-114
523- 7-146
540-744-28之2
581-454- 94
585-749- 3
820-232- 28
933-701- 47
1075-279- 18
1371- 67- 0
孟鯁宋 1365-598-上
孟瀚明 547- 62-143
孟霦明 546-202-122
554-214- 52
孟顗劉宋 265-320- 19
378- 64-132
486- 37- 2
820- 88- 24
933-701- 47
孟鏗宋 1138-405- 16
孟蘊明 蔣文旭妻、蔣文勗妻、孟鋋女 472-1074- 45
479-251-228
1320-706- 77
孟鶴金 1190-631- 8
孟鑄金 291-404-100
399-236-437
孟鑑明 474-243- 12
505-734- 71
563-727- 40
孟欒後魏 見孟鸞
孟顯後蜀～宋 592-718-107
812-454- 1
812-538- 3
821-164- 50
孟觀晉 256- 30- 60
377-656-125
474-307- 16
505-738- 72
933-700- 47
孟覿明 524-309-194
孟驥明(字尚德) 472-413- 18
511-227-144
537-210- 54
孟驥明(字子良) 532-624- 43
孟鸞孟欒 後魏 262-338- 94
267-750- 92
380-505-179
孟一脈明 301- 6-235
476-827-143
515-191- 62
540-816-28之3
545-249- 92
孟七保妻 明 見張針姑
孟三元清 456-357- 77
孟三強妻 清 見谷氏
孟士源唐 480- 48-259
孟大智明 538-104- 64
孟方立唐～五代 275-546-187
277-517- 62
279-264- 42
384-286- 15
384-310- 16
396-264-275
472-107- 4
539-631-11之6
孟文伯春秋 見穀
孟文龍宋 475-176- 59
493-1016- 54
510-345-114
511-672-163
677-412- 38
孟文舉妻 清 見李氏
孟之後清 547- 48-142
孟之俊清 469-182- 21
孟之訓元 539-631-11之6
孟之紱元 1201-483- 8
孟之縉妻 元 見趙妙惠
孟太慶妻 清 見張氏
孟元老宋 538-129- 65
孟元卿妻 明 見李氏
孟元陽唐 270-813-151
275-372-170
396-145-265
孟元檜明 見亢孟檜
孟孔脈清 476-396-119
545-471-100
554-782- 62
孟天常宋 545-399- 98
孟公綮明 539-631-11之6
孟公肇明 539-631-11之6
孟公綽春秋 384- 13- 1
933-700- 47
孟仁裕宋 288-691-479
孟仁操宋 288-691-479
孟仁贄宋 288-690-479
孟仁贊後蜀 見蜀睿文英武仁聖明孝帝
孟升卿元 1192-396- 35
孟化龍清 476-751-139
540-680- 27
孟化鯉明 301-794-283
457-462- 29
458- 21- 1
458-921- 8
474-244- 12
538- 15- 61
676-612- 25
677-660- 59
1294-224-5下
孟允植宋 539-631-11之6
孟玄珏宋 288-690-479
孟玄喆孟玄詰 宋 288-689-479
474-434- 21
819-580- 19
1085-327- 13
1085-342- 15
孟玄詰宋 見孟玄喆
孟必達清 547-564-161
孟玉姐清 477-137-155
孟玉澗孟珍 元 494-524- 25
821-316- 54
孟弘譽明 539-631-11之6
孟古岱忙兀台、蒙古台、蒙古岱、蒙固台 元 294-381-131
399-515-470
478-762-215
479-450-237
493-782- 42
493-783- 42
515- 23- 57
523- 20-147
528-446- 29
孟世泰清 480- 53-259
532-752- 46
545-801-111
孟安仁宋 563-694- 39
孟次陽劉宋 258-609- 94
孟似春明 孟進孝女 506- 47- 87
孟兆祥明 301-489-265
458-282- 9
474-313- 16
497-603- 43
505-849- 76
1442-103- 7
1460-685- 75
孟名世明 533-219- 53
孟名世妻 清 見王氏
孟自務妻 明 見申氏
孟仲子戰國(孟子從昆弟) 405-457- 85
孟仲子戰國(孟子子) 539-641-11之6
孟仲良元 821-325- 54
孟仲宣宋 1087-671- 34
孟仲暉後魏 587- 43- 4
孟仲暉唐 812-349- 9
812-371- 0
821- 65- 47
宋仲寧宋 821-185- 50
孟良玉妻 清 見張氏
孟良屏明 456-663- 11
孟志剛元 1218-694- 4
孟志剛妻 元 見衣氏
孟志源元 498-466- 94
孟孝臣明 554-603- 59
558-179- 31
孟孝伯春秋 見仲孫羯
孟君用元 515-771- 81
孟克仁明 539-631-11之6
孟克沁女 元 見呼圖克台
孟肖池明 456-668- 11
孟冏驌明 537-412- 57
孟希文明 301-804-284
539-631-11之6
孟希孔明 546-321-125
554-301- 53
孟希舜清 475-822- 92

502-648- 78
510-497-118
孟邦直明 554-285- 53
孟利貞唐 271-565-190上
554-837- 63
孟禿歌明 見默爾格
孟秀老宋 見孟致誠
孟廷柯孟廷珂 明
473-215- 59
480- 58-260
533- 11- 47
孟廷珂明 見孟廷柯
孟廷詔清 538-109- 64
孟宗孔明 456-606- 9
554-344- 54
558-438- 37
孟宗伊妻 明 見蔣氏
孟宗政宋 287-505-403
398-491-396
472-467- 20
473-248- 60
480-297-271
523-529-172
533- 67- 49
533-740- 73
546-576-134
孟宗聖妻 明 見温氏
孟宗聖妻 清 見王氏
孟宗獻金 1365-309- 9
1439- 4- 附
1445- 79- 3
孟其人清 540-873-28之4
孟武伯春秋 見孟孺子洩
孟居敬元 472-520- 22
孟承光明 302- 27-290
456-587- 8
476-587-131
539-632-11之6
540-829-28之3
孟承祖清 456-381- 79
孟承誨後晉 278-177- 96
孟忠厚宋 288-514-465
400- 52-504
472-115- 4
474-439- 21
486- 52- 2
488- 12- 1
488-437- 14
493-710- 39
505-764- 72
孟忠厚妻 宋 見王氏
孟尚桂清 539-632-11之6
孟尚質明 505-904- 80
孟明視春秋 見百里孟明視
孟易吉清 533-298- 56
559-329-7下
孟知祥後蜀 見蜀高祖
孟金叉隋 264-931- 64
孟命世清 511-609-160
515-113- 60
孟姜女秦 范植妻
472-842- 33
555- 2- 66
孟施舍周 933-700- 47
孟彥甫元 295-236-164
399-593-478
1190-631- 8
孟彥和明 547- 91-144
孟彥卿宋 288-376-453
400-133-511
473-334- 63
480-401-277
533-396- 61
孟彥深唐 1387-703- 46
孟彥弼宋 494-265- 1
孟彥璞明 539-631-11之6
孟春和清 524-114-183
孟思恭女 明 見孟氏
孟思諒明 539-631-11之6
孟思賢明 511-876-170
孟貞仁清 539-632-11之6
孟昭圖唐 384-284- 15
559-305-7上
孟係祖劉宋 258- 84- 47
孟皇后宋 宋哲宗后、孟在女
284-871-243
382-109- 14
384-376- 19
393-310- 76
537-187- 53
560-592-29下
1128-148- 17
孟衍泰明 539-632-11之6
孟秋姑清 劉護妻
479-730-250
孟浩然唐 271-596-190下
276- 85-203
384-207- 11
400-610-556
451-419- 2
471-779- 27
471-816- 32
473-250- 60
480-177-266
480-296-271
524-338-195
533- 87- 49
539-631-11之6
674-250-4上
933-701- 47
1071-438- 附
1083-201- 7
1371- 57- 附
1387-474- 37
1405-654-303
1472-173- 11
孟唐牧金 1190-631- 8
孟神慶唐 545-390- 97
孟家棟清 558-318- 34
孟庭份孟庭玢 唐485- 84- 12
494-377- 10
孟庭玢唐 見孟庭份
孟效先明 547- 81-144
孟孫穀春秋 見穀
孟孫激春秋 539-508-11之2
孟格圖清(伊爾根覺羅氏)
455-241- 13
孟格圖清(吳喇忒氏)
456-258- 69
孟振邦明 456-631- 6
511-474-155
孟致誠孟秀老 宋448-366- 0
孟時芳明 546-712-138
孟惟恭宋 539-631-11之6
孟章明明 301-489-265
458-282- 9
474-313- 16
505-849- 76
孟淑卿明 孟澄女512- 8-176
1442-123- 8
1460-769- 84
孟習孔明 476-856-145
480- 59-260
533- 17- 47
孟崇梅元 476-619-133
孟國祥妻 清 見吉氏
孟莊子春秋 見仲孫速
孟處讓宋 1087-672- 34
孟常謙唐 1076- 97- 10
1076-554- 10
1077-120- 10
1383-310- 27
孟紹伊明 537-411- 57
孟紹曾明 1289-264- 16
孟紹勳妻 明 見劉氏
孟逢大宋 511-844-168
孟紹舉明 533-414- 62
孟雲卿唐 451-424- 2
539-631-11之6
563-918- 43
1371- 61- 附
孟陽氏芒慈母 戰國 芒卯妻
448- 17- 1
452-103- 3
孟喬芳清 477-568-177
478-454-197
481- 27-291
545-111- 86
554-189- 51
558-162- 30
559-326-7下
1318-430- 70
孟進孝女 明 見孟似春
孟道異妻 明 見胡氏
孟道翼妻 明 見胡氏
孟敬子春秋 見仲孫捷
孟賓于南唐 451-480- 7
473-674- 79
482-290-352
516-202- 95
564- 36- 44
孟漢瓊後唐 277-588- 72
401- 61-575
孟輔德妻 清 見李氏
孟聞玉明 539-632-11之6
孟夢恂元 295-541-190
400-576-553
453-796- 4
472-1105- 47
479-270-230
523-606-176
676- 87- 3

676-705- 29
680-303-255
孟嘗君戰國 見田文
孟圖格元 1211-398- 56
孟僖子春秋 見仲孫貜
孟養浩明(字義甫) 300-811-233
480- 59-260
533- 18- 47
孟養浩明(邵武衛人)
529-693- 50
孟養氣明 547- 6-141
孟養善妻 明 見張氏
孟震亨宋 532-630- 43
孟德清女 清 見孟氏
孟德義宋 539-631-11之6
孟魯鉢明 456-522- 6
孟魯難妻 明 見黃氏
孟龍符劉宋 258- 83- 47
265-287- 17
378- 39-131
孟澤民孟仁 金 1190-631- 8
孟靜素唐 681- 76- 5
1103-408-138
1344- 59- 65
孟興雲金 547- 50-143
孟學孔明 505-639- 67
孟學孔清 537-602- 60
孟學正妻 明 見劉氏
孟學易明 1288-621- 10
孟穆伯春秋 見公孫敖
孟應之宋 820-358- 32
821-204- 51
孟額圖清 455-610- 41
孟懷玉劉宋 258- 82- 47
265-286- 17
378- 39-131
511-899-172
540-718-28之1
933-701- 47
孟攀麟元 見孟攀鱗
孟攀鱗孟璘、孟攀麟 元
295-236-164
399-593-478
472-484- 21
476-281-111
546-681-137
554-653- 60
1190-632- 8
1439-421- 1
孟獻子春秋 見仲孫蔑
孟繼孔明 456-678- 11
孟繼瑜五代 554-907- 64
孟蘭彊後魏 262-257- 87
孟懿子春秋 見仲孫何忌
孟古德濟元 1206-636- 13
1373-280- 19
孟克薩喇元 294-296-124
399-372-452
孟果爾岱清 455-135- 5
孟孫文伯春秋 見穀
孟孫武伯春秋 見孟孺子泄
孟孫慶父春秋 見公子慶父
孟格特依忙兀歹 元
481-745-334
孟格德爾清 456-226- 67
孟孺子泄仲孫彘、孟武伯、孟孫武伯 春秋 384- 13- 1
404-514- 31
933-700- 47
孟古慎郭和清 455-425- 26
孟克特木爾清 500-725- 37
孟克博羅特清 500-726- 37
阻午可汗唐 見李懷秀
奉唐 1053-173- 4
奉貞宋 487-148- 9
491-594- 16
奉能宋(嗣法遠) 1053-498- 12
奉能宋(嗣師寬) 1053-639- 15
奉堅宋 1090- 23- 5
奉祿妻 明 見猛氏
奉璘五代 1053-554- 13
奉陽君戰國 見公子成
奉新王明 見朱睦榴
幸安元 586-190- 9
幸潭唐 479-752-251
516-426-103
幸靈晉 256-553- 95
380-607-182
473- 76- 52
479-485-239
516-525-106
933-623- 40
幸元龍宋 473-167- 57
479-748-251
515-466- 71
517-419-126
518-765-160
幸南容唐 473-166- 57
515-462- 71
517-418-126
幸寅遜宋 288-694-479
481- 77-294
幸當時宋 479-748-251
515-467- 71
坤清 502-468- 69
坤都清 455-512- 32
坤都岱元 見昆都岱
邴氏戰國 見丙氏
邴吉漢 見丙吉
邴春晉 254-221- 11
邴郁晉 256-530- 94
380-427-177
邴原魏 254-221- 11
380-145-168
384- 83- 4
384-427- 6
385-366- 36
469-149- 18
472-590- 24
474-776- 42
475-473- 72
476-664-136
491-798- 6
503- 7- 90
540-708-28之1
933-623- 40
1063-241- 0
1116-511- 27
邴夏春秋 404-605- 37
邴漢漢 250-606- 72
376-320-100
476-662-136
540-698-28之1
554- 97- 50
邴豫春秋 933-623- 40
邴歜春秋 見丙歜
邴顯漢 見丙顯
邴曼容漢 250-607- 72
376-321-100
邴意茲春秋 404-603- 37
933-623- 40
邯鄲王魏 見曹邕
邯鄲竺魏 見邯鄲淳
邯鄲淳邯鄲竺 魏
254-380- 21
385-647-66下上
477- 61-151
526-608-279
538-151- 65
684-469- 下
812- 59- 中
812-222- 8
812-711- 3
814-228- 4
820- 39- 22
1379-213- 27
邯鄲勝春秋 見趙勝
巷伯周 933-642- 42
拙禿明 見綽爾齊
拖海清 455-305- 18
拖泰清 456-185- 64
拖絡清 455-119- 4
拖雷妻 元 見繅勒噶嗒納
拖圖清 455-401- 24
拖賴清 455-450- 27
拖托理清 455-222- 11
拖多海清 455- 57- 1
拖克泰清 456-190- 65
拖和倫清 455-205- 10
拖科泰清 456-136- 59
拖普佳清 455-428- 26
拖博輝清 456-133- 59
拖爾闊清 455-569- 37
拖蒲善清 455-569- 37
拖克拖賴清 455-120- 4
拖爾奇堪清 455-662- 46
抱一宋 554-982- 65
抱玉唐 554-950- 65
1052-271- 19
抱嶷後魏 262-332- 94
267-746- 92
380-501-179
抱老壽後魏 262-333- 94
267-747- 92
380-502-179
抱睹生後魏 262-332- 94
267-746- 92
380-501-179
抱甕子明 526-255-266
1223-550- 10
抱犢子漢 541- 85- 30
杼夏 見予

析象漢　見折像
析文子析歸父　春秋
933-751- 52
析朱鉏春秋　404-837- 52
933-751- 52
析歸父春秋　見析文子
奇扣清　455-493- 30
奇努清　455-235- 12
奇拔清　455-641- 44
奇岳唐　569-614-18下之2
奇拜清(富察氏)　455-415- 25
奇拜清(噶齊特氏)　502-591- 76
奇珠元　568-181-105
奇啟清　455- 55- 1
奇達清　500-725- 37
奇楚清　455-256- 14
奇魯清　455-270- 15
奇韜清　455-118- 4
奇布坦清　見奇布騰
奇布騰奇布坦　清
454-869-103
500-729- 37
奇希圖清　456-116- 58
奇奇哩元　見奇奇爾
奇奇爾奇奇哩　元
294-283-123
399-524-471
奇承額清　455-539- 34
奇郎阿清　455- 56- 1
奇味氏元　拜珠母
294-452-136
399-685-488
奇重額清　456- 52- 53
奇唐阿清　455- 66- 2
奇哩布清　454-866-102
奇都理清　455-646- 45
奇堂儀清　456-116- 58
奇童子明　559-514- 12
奇雅穆清　455-253- 14
奇塔特元　294-242-120
399-337-448
奇塔特清(索諾木子)
454-361- 19
奇塔特清(色稜子)　454-386- 24
496-216- 76
奇塔特清(顏扎氏)　455-517- 32
496-217- 76
奇塔理清　455-606- 41
奇爾台元　294-440-135
399-678-487
奇爾岱曲列歹　明
496-627-106
奇徹布清　1304-259- 64
奇徹濟元　295-554-192
奇穆托清　455-579- 38
奇穆納清　455-695- 49
奇拉爾圖清　456- 86- 56
奇普什訥清　455-563- 36
奇普塔爾清　456-201- 66
奇塔巴顏清　455-661- 46
奇爾布哈清　456-172- 63
奇爾克德清　456- 87- 56
奇爾弼善清　455-640- 44
奇爾實勒元　294-442-136
399-680-488
1206-122- 15
奇爾濟蘇高唐王　元(封高唐王)
294-217-118
400- 84-507
1367-281- 23
奇爾濟蘇元(阿齊台氏)
294-425-134
399-546-474
奇穆晉氏清　鄂爾奇瑪妻
474-891- 48
503- 84- 96
奇排達爾漢清　455-399- 24
奇塔特托音元
569-616-18下之2
奇塔特偉徵清　502-755- 85
奇塔特薩里元　1054-755- 22
奇塔特布濟克乞台普濟　元
1201-676- 26
奇塔特徹爾貝清　502-607- 76
邳彤漢　252-591- 51
370-127- 10
376-592-106
384- 56- 3
402-373- 4
472- 87- 3
474-602- 31
505-673- 69
505-783- 73
933- 71- 4
奔子温元　1218-477- 3
奔清甫元　1208-275- 12
奄息春秋　472-853- 34
933-636- 41
奄克孛喇明　見恩克保喇
奄顏帖木兒明　見阿延特穆爾
到沆梁　260-404- 49
265-396- 25
378-411-141
475-428- 70
511-787-166
814-255- 7
820- 97- 24
933-678- 45
到坦齊　259-380- 37
到洽梁　260-238- 27
265-398- 25
378-414-141
475-428- 70
479-654-247
515-164- 62
511-787-166
933-678- 45
到都陳　494-261- 1
到溉梁　260-335- 40
265-396- 25
378-412-141
473-598- 76
475-427- 70
511-787-166
528-519- 31
933-678- 45
到撝齊　259-379- 37
265-395- 25
378-271-138
814-250- 6
820- 92- 24
933-678- 45
到遁劉宋　563-618- 38
933-678- 45
到藎梁　265-398- 25
378-414-141
933-678- 45
到鏡梁　260-336- 40
265-398- 25
378-414-141
933-678- 45
到元度劉宋　485-489- 9
到仲度劉宋　933-678- 45
到仲峰梁　479-132-223
到仲舉陳　260-670- 20
265-399- 25
378-532-144
523-113-151
933-678- 45
到彥之劉宋　258- 72- 46
265-394- 25
378- 91-133
384-111- 6
469-127- 15
472-411- 18
475-426- 70
511-398-151
532-100- 27
532-662- 44
933-678- 45
到曼才隋　820-127- 25
刷禮清　456-184- 64
屈氏宋　高士慶妻　1121- 81- 8
屈氏明　王維藩妻、屈存一女
1288-618- 10
屈氏明　汪佺妻　482- 91-342
屈氏明　杜逢雲妻　478-391-193
屈氏明　李茂植妻　481-237-303
屈氏明　徐鍾妻　473- 32- 49
516-245- 97
屈氏明　韓邦靖妻、屈直女
555- 34- 66
1276- 21- 2
1442-123- 8
1460-771- 84
屈氏明　蘇六妻　472-753- 29
屈氏清　王者謀妻　478-421-195
屈氏清　李克讓妻　478-205-184
屈玉清　見王玉
屈平戰國　見屈原
屈申春秋　405- 16- 56
屈生春秋　405- 16- 56
屈安唐　820-286- 30
屈戍唐　見齊蘇
屈列唐　庫烈
屈任元　516- 49- 88
屈灼明　554-671- 60
屈完春秋　405- 14- 56
533-123- 51
屈巫申公巫臣、巫臣　春秋
375-784- 90

384- 24- 1
384- 26- 1
405- 90- 61
448-187- 12
493-762- 42
933-168- 11
933-169- 11
屈作明 505-677- 69
屈伸明(字引之) 299-848-180
474-312- 16
505-818- 74
1259-208- 15
屈伸明(綿州人) 559-320-7上
屈伸明(字時行) 1241-850- 22
屈礿屈約 明 821-358- 55
屈拔後魏 261-479- 33
266-539- 27
379- 81-147
屈直明 523- 46-148
554-485-57上
559-276- 6
1269-472- 8
屈直女 明 見屈氏
屈到春秋 405- 15- 56
1407- 41-399
屈昉明 511-736-165
1241-516- 9
屈恆後魏 261-479- 33
266-538- 27
379- 81-147
474-818- 44
496-383- 87
502-315- 58
820-116- 25
屈建春秋 375-859- 92
384- 26- 1
405- 15- 56
448-240- 20
533-126- 51
屈約明 見屈礿
屈重春秋 405- 14- 56
533-122- 51
屈泰明 1269-457- 7
屈原屈平 戰國 244-529- 84
371-610- 53
375-956- 94
384- 30- 1
405- 16- 56
471-755- 23
471-989- 58
473-300- 62
473-368- 64
480-341-273
533-350- 59
533-742- 73
534-179- 83
534-545- 99
534-720-107
534-890-117
674-242-4上
820- 21- 22
839- 19- 2
1340-646-786
1355-590- 20
1360-611- 38
1366-718- 1
1408-211-501
屈烈唐 見庫烈
屈晃吳 472-1103- 47
477-415-169
屈殷元 516- 46- 88
屈理明 1242- 57- 25
屈理妻 明 見夏玖貞
屈堅宋 288-370-453
400-160-513
473-476- 69
559-508- 12
591-698- 49
屈動明 477-317-164
537-526- 59
屈賁唐 820-225- 28
屈須後魏 261-478- 33
266-538- 27
379- 81-147
屈焯明 545-328- 95
屈道後魏 266-538- 27
379- 81-147
496-384- 87
屈瑕春秋 405- 14- 56
屈鼎宋 812-544- 4
813-136- 11
821-155- 50
屈韶明 1269-472- 8
屈龍春秋 533-128- 51
屈遵後魏 261-478- 33
266-538- 27
379- 81-147
469-577- 71
472-143- 5
474-818- 44
496-383- 87
502-786- 88
屈盧明 533-132- 51
屈蕩春秋(屈建祖父)
405- 14- 56
屈蕩春秋(屈申父) 405- 16- 56
屈鑑女 明 見屈任只
屈子明清 456-157- 61
屈大雅妻 清 見李氏
屈元應宋 486-906- 35
屈弘仁明 1269-472- 8
屈弘智明 1269-381- 4
屈可伸明 477-210-159
屈用誠宋 1118-338- 17
屈有信清 538-114- 64
屈存一女 明 見屈氏
屈任只明 莊安期妻、屈鑑女
1274-374- 13
屈伯庸戰國 471-989- 58
473-300- 62
屈希平清 524-189-187
屈宜陽明 456-587- 8
屈坦之明 456-634- 10
屈尚志妻 清 見錢氏
屈受善明 474-373- 19
505-672- 69
554-485-57上
屈狐庸狐庸 春秋405- 91- 61
405-106- 63
493-762- 42
493-793- 43
屈突通唐 269-520- 59
274-168- 89
384-165- 9
401-279-606
407-452- 5
448-329- 下
471-936- 50
472-834- 33
478-109-181
554-575- 58
559-284-7上
933-787- 56
1340-555-776
屈突賓唐 820-213- 28
屈突詮唐 269-522- 59
屈突壽唐 269-522- 59
屈突蓋隋 478- 86-180
屈英明清 456-371- 78
屈侯鮒戰國 546-614-135
屈起鵬明 564-291- 47
屈師穆唐 820-242- 28
屈崇山妻 清 見劉氏
屈處靜漢 473-392- 65
480-546-283
533-788- 75
屈敏忠妻 明 見周氏
屈道賜後魏 261-479- 33
266-539- 27
379- 81-147
屈群言明 572-429- 41
屈穎藻清 559-330-7下
屈學曾明 456-659- 11
554-713- 61
屈彌高明 480-616-287
屈隱之唐 473-389- 65
533-104- 50
屈鍾嶽明 545-156- 88
屈攀鳳妻 清 見李氏
屈繼平元 453-800- 4
476- 83-100
546-644-136
屈突仲翔唐 269-522- 59
屈突無爲突厥無爲 五代
473-437- 67
481- 86-294
561-216-38之3
屈利俟毗可汗唐 見莫賀咄
邵亢宋 286-203-317
382-523- 81
384-368- 19
397-368-341
450-352-中19
451-142- 3
472-276- 11
475-276- 63
475-776- 89
477- 52-151
486- 49- 2
511-174-143
820-369- 33

933-676- 45
1093-438- 59
邵方婢 明 見邵氏
邵王 唐 見李約
邵王 後梁 見朱友誨
邵仁 明 1239- 74- 31
邵氏 春秋 秋胡妻 448- 48- 5
472-560- 23
541- 63- 29
814-216- 2
820- 21- 22
邵氏 晉 劉遐妻、邵續女
474-443- 21
477-169-157
邵氏 宋 袁清卿妻、邵峙女
1170-735- 32
邵氏 宋 時汝翼妻、邵之才女
1146-113- 90
邵氏 宋 詹抃妻、邵宗回女
1127-826- 13
邵氏 明 方澤妻、邵鑑女
524-524-204
邵氏 明 王汝欽妻 506- 73- 88
邵氏 明 尹伸妻 481-214-302
邵氏 明 牟嘉禾妻、邵斐女
572-333- 38
邵氏 明 朱京妻 506- 51- 87
邵氏 明 李廷璋妻 570-206- 22
邵氏 明 李純盛妻 302-253-303
506-136- 89
邵氏 明 吳經妻 533-700- 72
邵氏 明 吳之龍妻、邵德女
1291-496- 9
邵氏 明 高德徵妻
1292-643- 10
邵氏 明 夏文質妻
472-1043- 43
邵氏 明 郜仁妻 472-135- 4
474-482- 23
506-143- 90
邵氏 明 張一桂妻 302-250-303
邵氏 明 陳宗仁妻 524-457-202
邵氏 明 莫汝齊妻 524-481-203
邵氏 明 楊洛妻 506- 47- 87
邵氏 明 潘承志妻 483-141-380
570-204- 22
邵氏 明 劉清澈妻、劉清徹妻
473-131- 55
516-271- 98
邵氏 明 薛匡倫妻、邵可立女
302-252-303
1328-887- 19
邵氏 明 蘇正二妻 472-314- 13
475-332- 65
邵氏 明 邵方婢 302-233-302
512- 46-178
邵氏 清 王之輔妻 524-458-202
邵氏 清 王貽森妻 479-262-228
邵氏 清 洪兆霆妻 479-384-234
邵氏 清 郭爾儼妻 506- 26- 86
邵氏 清 熊天琳妻 524-466-202
邵氏 清 蔡士端妻 474-196- 9
邵必 宋 286-205-317
397-370-341
451-142- 3
472-276- 11
472-290- 12
475-276- 63
489-678- 49
492-585-13下之上
511-173-143
820-352- 32
邵玉 明 524-254-190
1250-479- 44
邵玉 明 楊銘父妻
1261-708- 30
邵朮 邵楫 明 1410-407-717
邵古 宋 538-320- 69
674-370- 1
1351-619-143
邵平 秦～漢 472-293- 12
511-845-168
554-860- 64
邵占 清 455-568-37
邵旦妻 清 見陳睿娘
邵叶 宋 515-102- 60
517-327-124
邵圭 明 594-216- 7
邵玘 明 299-547-158
472-1032- 42
473- 15- 49
473-569- 74
479-329-232
479-452-237
515- 34- 58
523-328-161
528-450- 29
537-210- 54
1237-285- 5
1238-157- 14
1241-113- 5
邵材 宋 472-259- 10
486- 50- 2
511-142-142
邵更父 宋 1097-318- 22
邵孜 明 821-344- 55
邵囦 宋(字萬宗) 472-1029- 42
479-323-232
523-609-176
邵囦 宋(字叔魯) 523-396-165
邵伯 周 933-676- 45
邵宗 明 558-294- 34
邵定 宋 1365-607- 下
邵定 明 456-524- 6
545-328- 95
邵青 宋 510-470-117
邵拙 南唐 472-358- 15
511-812-167
邵林女 明 見邵皇后
邵忠 明 570-136-21之2
邵昕 明 1241-807- 20
1245-144- 4
邵昇 明 1266-416- 8
邵旻 明(仁和人) 473-210- 59
480- 51-259
邵旻 明(字天民) 511-244-145
邵迎 宋 1107-480- 34
1378-356- 53
1405-614-299
邵炳 宋 524-296-193
1104-332- 30
邵炳 明 505-883- 79
邵炯 明(安州人) 554-253- 52
邵炯 明(北直人) 559-292-7上
邵彥 宋 451-147- 3
邵拱 宋 472-1017- 41
邵柟妻 明 見王氏
邵南 元 1220-366- 2
邵南 明(字岐民) 821-400- 56
邵南 明(字康山) 1264-403- 8
邵貞 清 邵元聞女 524-628-208
邵思 宋 1089- 65- 7
邵思 明 見邵恩
邵峙女 宋 見邵氏
邵昱 明 482-559-369
569-658- 19
572-102- 30
邵苾 明 558-354- 35
邵重妻 清 見盛氏
邵悅 宋 511-850-169
邵兼 明 563-824- 41
邵眞 唐 271-510-187
邵彧 明 472-337- 14
邵烈 明 1258-203- 18
邵城 明 1474-290- 13
邵桂 宋 邵桂子
邵桂妻 明 見張氏
邵珪 明 511-768-166
676-510- 20
820-637- 41
1442- 34-附2
1459-719- 28
邵陛 明 1442- 74- 5
1460-353- 56
邵珠妻 明 見王仲姬
邵恩 邵思 明 孟端妻
549-747-208
1293-724- 4
邵倫妻 明 見張氏
邵庶 明 511-287-147
676-615- 25
邵清 宋 529-759- 53
邵清 明 475- 75- 53
511- 77-139
邵堅 明 821-482- 58
邵琇 明 524- 9-178
邵梗 明 見邵楩
邵崑 明 515-222- 63
517-599-130
邵彪 宋 451-143- 3
邵敏 明 473-341- 63
480-411-277
483-116-379
494-158- 5
569-669- 19
邵童 明 545-375- 97
邵善 明 545-393- 97
邵惲 明 472-520- 22
540-665- 27
邵焜 明 524-162-186
邵雲 宋 288-307-448
400-168-513

449-484-上13
476-401-119
546-293-124
邵博宋 537-276- 55
邵琮明 523-428-167
邵喜明 302-196-300
邵隆宋 471-804- 30
473-376- 65
532-741- 46
554-245- 52
559-290-7上
邵琥宋 473-342- 63
480-419-277
533-782- 75
邵揚清 邵四保女 475-584- 79
邵棟明 529-687- 50
邵棠明(新城人) 473-316- 62
532-731- 46
邵棠明(字民愛) 511-244-145
邵傅明 676-607- 25
邵媚清 邵四保女 475-584- 79
邵斐女 明 見邵氏
邵復宋 288-324-449
400-180-514
451-225- 0
邵溥宋 674-429- 2
邵溥明 1258-539- 9
邵溥妻 明 見過氏
邵義明 502-783- 87
邵雍宋 288- 21-427
382-774-118
384-375- 19
400-458-542
448-453- 5
449-693- 5
450-471-中34
450-816-下21
459- 56- 4
471-1059- 69
472- 33- 1
472-706- 28
472-742- 29
472-867- 34
477-211-159
477-314-164
481-237-303
538- 10- 61
539-499-11之2
547-168-147
561-210-38之2
554-886- 64
674-161-1上
674-284-4下
677-202- 19
708-344- 50
820-352- 32
933-677- 45
1100-400- 36
1345-612- 4
1351-628-104
1351-699-149
1362-681- 58
1408-608-543
1410-310-703
1437- 13- 1
邵新明 564-219- 46
邵煇明 1239-151- 37
邵煒明 511-656-162
邵煒妻 清 見錢氏
邵煥宋 472-1015- 41
524- 79-182
邵煥曾祖 元 1221-580- 19
邵瑄妻 清 見劉氏
邵瑚妻 清 見馬氏
邵楫明 見邵朮
邵楩邵梗 明 515- 95- 59
523-512-171
528-495- 30
532-596- 41
邵嵩明 473- 78- 52
516-105- 91
邵經明 676-202- 8
邵飾宋 451-141- 3
邵節妻 明 見丘氏
邵說唐 270-627-137
276- 86-203
384-239- 12
400-611-556
472-697- 28
537-447- 58
933-676- 45
邵廖周 見召伯廖
邵滿宋 方逢辰妻、邵彌高女
1187-580- 7
邵碩劉宋 1049-605- 41
1054-352- 8
邵嘉清 523-432-167
邵蓰明 524-152-185
邵銅明 482-115-343
529-457- 43
563-784- 40
邵銓清 482-511-366
邵潛宋 476-576-131
邵潛清 512-760-195
邵潤明 1258-202- 18
邵誼明 676-455- 17
684-496- 下
820-566- 40
821-344- 55
1375- 28- 上
1442- 12-附1
1459-486- 15
邵褒宋 451- 24- 0
邵毅明 558-229- 32
邵賢明 559-276- 6
邵播唐 476-750-139
540-659- 27
邵璋明 554-708- 61
邵鞏妻 清 見洪善官
邵震明 532-707- 45
邵德女 明 見邵氏
邵銳明 458-1036- 2
472-969- 38
473- 17- 49
479- 53-218
515- 51- 58
523-579-175
528-456- 29
537-219- 54
563-735- 40
676-539- 22
820-690- 43
1442- 44-附3
1459-902- 38
邵餗宋 451-142- 3
472-276- 11
511-843-168
812-752- 3
820-352- 32
邵龍明 821-417- 56
邵諶明 1241-483- 7
邵謁唐 451-462- 6
482- 76-341
564- 30- 44
1371- 72- 附
1457-554-395
邵濂明(字茂齊) 511-748-165
1442-115- 7
1460-670- 74
邵濂明(字惟澄) 1258-199- 18
邵壎宋 451-146- 3
邵穎邵蘭孫 宋 448-372- 0
邵璜明 678-258- 94
邵整劉整 宋 460-219- 14
677-440- 40
邵興宋 477-522-175
545-439- 99
邵蕙明 476-451-123
545-481-100
邵蕃明 472-389- 17
510-495-118
邵曄邵日華 宋 288- 4-426
382-730-112
384-335- 17
400-347-531
473-402- 66
473-454- 68
473-674- 79
473-891- 90
480-240-269
480-436-278
480-483-280
481-181-300
482- 32-340
482-290-352
483-697-422
533-296- 56
559-285-7上
564- 68- 44
邵錦明(臨汾人) 547- 24-141
邵錦明(商州人) 554-484-57上
邵衡清 見邵長蘅
邵錫唐 494-471- 18
邵錫明 474-244- 12
505-735- 71
554-220- 52
邵濟明 533-315- 57
邵謙明 570-128-21之1
邵翼明 1475-698- 29
邵彌明 511-867-170
820-759- 44
821-479- 58

邵豳明 528-529- 31
563-730- 40
邵疇吳 254-741- 3
384-508- 21
386- 96-71下
524-201-188
邵鏞明 1269-386- 4
邵寶明 301-765-282
453-660- 28
458-193- 2
458-802- 6
472-263- 10
472-647- 26
472-963- 38
473- 16- 49
473-212- 59
475-226- 61
477-473-173
478-767-215
479-453-237
511- 66-138
515- 41- 58
523- 46-148
532-593- 41
537-343- 56
676- 78- 3
676-516- 20
820-650- 42
1442- 35-附2
1459-740- 29
邵續晉 256- 73- 63
377-683-125
384- 97- 5
472-518- 22
472-696- 28
476-749-139
477-163-157
505-627- 67
537-444- 58
540-658- 27
545-333- 96
933-676- 45
邵續女 晉 見邵氏
邵鑑明 483- 32-371
569-679- 19
571-544- 20
邵鑑女 明 見邵氏
邵麟妻 明 見李氏
邵驥宋 1173-170- 75
邵䶵宋 451-146- 3
820-400- 34
邵一龍妻 明 見史氏
邵又謙妻 清 見王氏
邵三益妻 明 見俞氏
邵三傑宋 485-537- 1
邵士奇清 483- 71-376
邵士英宋 515-869- 85
邵士標清 540-847-28之4
邵子灼邵可灼 明456-558- 7
477-499-174
479-382-234
523-414-166
537-335- 56
邵子俊明 545-401- 98
邵大文妻 清 見徐氏
邵大成妻 清 見馬氏
邵大章明 1280-522- 94
邵大椿元 523-623-177
676- 88- 3
680-289-254
邵大濟明 456-608- 9
477- 56-151
537-251- 55
邵方平清 1321-140-102
邵文炳宋 472-962- 38
479- 42-218
523- 78-149
邵文恩明 530-211- 61
820-661- 42
821-398- 56
邵文烺明 547-114-145
邵文澤元 523-546-173
邵文燦清 1315-411- 20
邵之才女 宋 見邵氏
邵不疑秦 933-676- 45
邵元之南北朝 523-584-175
邵元吉明(普安人) 572- 98- 29
邵元吉明(字德旋) 576-653- 5
邵元哲明 475-325- 65
510-384-115
572-106- 30
邵元善明 572- 86- 28
邵元節明 302-357-307
516-463-104
邵元聞女 清 見邵貞
邵元齡明 456-550- 7
483- 16-370
570-128-21之1
邵天麟妻 清 見陳球王
邵及之宋 472-260- 10
邵日華宋 見邵曄
邵少微宋 821-207- 51
邵公正妻 明 見王氏
邵公佐明 456-667- 11
邵公坤明 456-667- 11
邵公巽明 456-667- 11
邵公量明 456-667- 11
邵公齊明 456-667- 11
邵公濳妻 宋 見孫氏
邵公奭周 見召公奭
邵永成妻 明 見楊氏
邵弘祉妻 明 見劉氏
邵正巳明 1442- 69- 4
1460-333- 55
邵正魁明 1442- 97- 6
1460-581- 69
邵可立母 明 見李氏
邵可立明(商邱人) 505-638- 67
邵可立明(商州人) 505-651- 68
554-517-57下
邵可立女 明 見邵氏
邵可灼明 見邵子灼
邵世錦妻 清 見張氏
邵以仁明 569-654- 19
572-106- 30
邵以正明 302-184-299
邵以嵩妻 明 見吳氏
邵以輝妻 明 見程氏
邵四保女 清 見邵揚
邵四保女 清 見邵媚
邵守琪妻 明 見楊氏
邵安石五代 564- 34- 44
邵汝德妻 明 見霍氏
邵汝學明 534-605-101
1257-666- 4
邵式祖明 456-667- 11
邵有道明 516-106- 91
528-553- 32
邵圭潔明 511-744-165
1442- 67- 4
1460-294- 53
邵光先清 511-648-162
邵光祖元 472-223- 8
511-673-163
678-176- 86
820-541- 39
1231-403- 9
1439-446- 2
邵光祖明 456-667- 11
邵自元宋 451-382- 11
邵仲文明 1241-440- 6
邵仲仁妻 明 見沈氏
邵仲祿明 523-206-155
559-374- 8
邵宏祖明 456-667- 11
邵宏淵宋 473-368- 64
533-745- 73
邵亨貞明 511-759-166
524- 82-182
820-569- 40
1442- 9- 1
1459-475- 15
邵成章宋 288-560-469
401- 83-578
476- 19- 49
473-689- 80
479-498-239
516-194- 95
邵吳遠清 見邵遠平
邵伯正明 472-1068- 45
524-325-195
邵伯温宋 288- 95-433
400-459-542
471-1018- 63
471-1056- 69
472-749- 29
472-866- 34
473-454- 68
476-150-104
476-366-117
481- 70-293
481- 82-294
481-181-300
538- 27- 62
545-213- 91
545-438- 99
559-265- 6
559-285-7上
561-211-38之2
591-706- 50
677-220- 20
1128-676- 3

邵伯蔭清 478- 93-180
529-484- 43
554-317- 53
邵希曾明 547- 43-142
邵廷采清 524- 59-180
邵廷紀清 475-232- 61
邵廷琄南漢 564-933- 64
邵廷儀清 478-132-181
554-738- 61
邵宗元明(字景康) 302-112-295
456-422- 2
458-294- 10
474-238- 12
475-432- 70
505-661- 68
511-467-154
邵宗元明(字元汭)
1315-558- 34
邵宗回女 宋 見邵氏
邵宗厚唐 820-283- 30
邵京實明 530-358- 66
邵其星妻 清 見胡氏
邵武公周 見召武公
邵武宗唐 821- 88- 48
邵長蘅邵衡 清 475-231- 61
511-771-166
1323-361- 31
邵承曾妻 清 見王氏
邵昇遠明 1442-115- 7
1460-666- 74
邵叔豹宋 1164-287- 15
邵知柔宋 524-335-195
邵周書妻 清 見陸氏
邵秉業妻 清 見趙氏
邵延齡清 1475-616- 26
邵洪俊妻 明 見李氏
邵洪哲後魏 262-259- 87
267-639- 85
380-120-167
472-149- 5
474-515- 25
933-676- 45
邵彥甫宋 567-461- 87
邵彥榮宋 525-455-239
邵持正宋 1164-370- 20
邵政中明 676-456- 17
邵貞一唐 476-523-128
540-738-28之2
邵思文元 1439-442- 2
邵思忠明 511-242-145
邵思善元 821-292- 53
邵思遠元 1217- 72- 1
邵思讓明 見王讓
邵昭公周 見召昭公
邵昭明宋 1087-294- 29
邵昭祖明 456-667- 11
邵皇后明 明憲宗后、邵林女
299- 14-113
邵重生明 479- 54-218
邵重祿明 515-249- 64
邵信賢明 524-158-186
邵衍木宋 見邵煥有
邵祖義元 820-542- 39
邵泰卿清 524-177-187
邵桂子邵桂 宋 475-186- 59
511-895-172
524- 81-182
680-501-272
1364-711-354
1437- 31- 2
邵起鳳清 545-470-100
邵時敏明 510-503-118
邵師裕唐 473- 74- 52
515-231- 64
邵納史宋 451-143- 3
邵惟中明 570-122-21之1
邵捷春明 301-420-260
529-481- 43
559-257- 6
676-636- 26
邵陵王劉宋 見劉友
邵陵王劉宋 見劉子元
邵陵王齊 見蕭子貞
邵陵王齊 見蕭寶攸
邵陵王梁 見蕭綸
邵陵王陳 見陳競
邵陵王明 見朱安[illegible]
邵國昇清 547- 77-143
邵紹祖明 456-667- 11
邵補之宋 820-433- 35
邵曾復清 511-873-170
邵雲寰妻 明 見趙氏
邵悳久明 510-498-118
邵堯章妻 清 見陳氏
邵弼勳妻 清 見曾氏
邵景之宋 460- 48- 3
邵景先宋 451-147- 3
1105-802- 96
1384-151- 93
邵景義妻 元 見陸靜貞
邵景新元 524-161-186
邵華譜明 572- 86- 28
邵舜民妻 明 見林氏
邵復初明 554-734- 61
邵運奇妻 清 見周氏
邵道沖宋 林廷齡妻
487-146- 9
邵道宗明 511-302-148
邵道護劉宋 494-281- 3
邵煥有邵衍木 宋451- 96- 3
492-713-3下
邵煥麟清 572- 89- 29
邵楚材明 1251-592- 12
邵楚萇唐 529-715- 51
邵嗣祖明 456-667- 11
邵嗣堯清 474- 96- 3
476-125-102
505-642- 67
510-303-112
546-326-125
邵敬祖元 295-606-197
400-315-526
472-664- 27
477-453-177
538-115- 64
邵愈謙妻 明 見阮端
邵經邦明 300-397-206
479- 53-218
481-618-329
523-264-158
523-580-175
529-755- 52
676-551- 22
1318- 46- 35
1442- 48-附3
1460- 48- 42
邵齊欽唐 821- 55- 46
邵榮興齊 265-1045- 73
380-105-167
473-368- 64
480-485-280
933-676- 45
邵輔仁元 見邱輔仁
邵輔忠明 302-324-306
邵嘉賓清 511-406-152
邵遠平邵吳遠 清515- 70- 58
524- 15-178
1318- 46- 35
邵夢何邵夢河 明456-577- 8
482-209-347
515-159- 61
564-251- 47
邵夢河明 見邵夢何
邵夢接元 492-713-3下
邵夢麟明 511-370-150
邵緒祖明 456-667- 11
邵德一宋 563-691- 39
邵德久明 528-543- 32
邵德生明 1442-115- 7
1460-672- 74
邵遵祖明 456-667- 11
邵學孔妻 清 見林氏
邵儒榮清 1323-781- 5
邵錫光清 523-433-167
邵錫褒妻 清 見黃氏
邵穆公周 見召公
邵穆生元 524-278-192
821-450- 57
邵應佳清 569-620-18下之2
邵應豹宋 473-213- 59
480- 55-260
533- 4- 47
邵彌高女 宋 見邵滿
邵彌遠元 1221-663- 26
邵聯瀛妻 清 見張氏
邵鍾瑗妻 明 見顧氏
邵徽祖明 456-667- 11
邵繼祖明 301-805-284
邵繼賢宋 564- 77- 44
邵蘭孫宋 見邵穎
邵靈甫宋 472-258- 10
511-551-158
邵陽眞仙唐(居邵陽)
820-292- 30
鄢修漢 933-729- 50
函可明 1442-122- 8
函昰清 516-478-105
函潛明 見大然
陀滿色埒金 見圖們色埒默
陀滿色勒金 見圖們色埒默

陀滿斜烈金　見圖們色埒默
陀滿色埒默金　見圖們色埒默
陀滿胡土門金　見圖們呼圖克們
陀滿胡土門妻　金　見烏庫哩氏
阿力明　見阿里
阿山清(鑲藍旗人)　455-356-22
阿山清(鑲白旗人)　455-376-23
阿山清(伊拉理氏)　455-666-47
456-152-61
阿山清(伊爾根覺羅氏)
474-770-41
502-559-74
阿巴清　455-156-6
阿毛宋　楊金妻　682-551-3
阿台元　見阿勒台
阿罕清　496-218-76
阿里阿力　明　302-784-329
302-793-329
阿努清　456-19-51
阿其明　302-559-316
阿拂元　見阿畫
阿林元　523-129-152
阿林清(呼倫覺羅氏)
455-304-18
阿林清(納喇氏)　455-377-23
阿林清(噶努氏)　456-47-53
阿來明　阿之旦婢　302-247-303
阿佳清　455-448-27
阿岱清(佟佳氏)　455-335-20
阿岱清(瓜爾佳氏)　502-517-71
阿岱清(鄂爾果諾特氏)
502-592-76
阿佩唐　571-552-20
阿柱清　455-562-36
阿南漢　曼阿奴妻、曼阿娜妻
483-98-378
494-160-6
570-195-22
阿哈清　455-89-3
阿拜清(謚勤敏)　454-192-11
474-752-40
502-425-67
阿拜清(瓜爾佳氏)　455-118-4
阿拜清(正紅旗人)　455-357-22
阿拜清(正白旗人)　455-375-23
阿拜清(崔珠克氏)　456-284-71
阿保明　302-557-316
阿秋清　455-344-21
阿海清(瓜爾佳氏)　455-90-3
阿海清(鑲紅旗人)　455-255-14
阿海清(鑲藍旗人)　455-271-15
阿海清(喀喇氏)　456-174-63
阿素明　1283-34-69
阿晉清(瓜爾佳氏)　455-89-3
阿晉清(鈕祜祿氏)　455-133-5
阿啊阿畸　唐　473-830-87
483-16-370
494-161-6
570-260-25
阿留明　周元素家僮
1458-117-425
阿倫清　455-222-11
阿豺白蘭王　後魏　262-462-101
267-826-96
381-462-195
阿清清　455-552-35
阿寄明　302-158-297
524-226-189
1408-553-537
1457-655-403
阿球清　455-108-4
阿都清(正白旗人)　455-51-1
阿都清(正紅旗人)　455-119-4
阿都清(果爾吉氏)　456-101-57
阿速明　見阿蘇
阿堂明　302-437-311
阿得明　483-161-382
570-125-21之1
阿敏清(封和碩貝勒)
454-156-9
阿敏清(正黃旗人)　502-597-76
阿普明　570-115-21之1
阿渾清　455-337-20
阿敦清　455-383-23
阿喜清　455-165-7
阿畫阿拂　元　473-854-88
571-552-20
阿琳清　528-502-30
阿凱清　455-511-32
阿鈕清(伊爾根覺羅氏)
455-269-15
阿鈕清(寧古塔氏)　455-607-41
阿鈕清(官佐領)　502-732-84
阿結元　見阿爾噶
阿愷清　455-216-11
阿祿清(富察氏)　455-435-26
阿祿清(蒼瑪爾紀氏)
456-116-58
阿祿清(尼庸特氏)　456-168-62
阿資明　302-488-313
阿塔清　455-623-43
阿畸唐　見阿啊
阿窩明　483-268-392
571-540-20
阿彰清　456-272-70
阿漢清　455-337-20
阿榮元　294-430-134
294-529-143
400-4-499
1212-436-8
阿鼐清(瓜爾佳氏)　455-118-4
阿鼐清(正黃旗人)　455-365-22
阿鼐清(正藍旗人)　455-395-24
阿鼐清(索佳氏)　455-639-44
阿魯元　473-807-86
阿魯清(瓜爾佳氏)　455-119-4
阿魯清(寧古塔氏)　455-608-41
阿魯清(劉佳氏)　456-101-57
阿儂宋　儂全福妻、儂夏卿妻
288-892-495
288-894-495
阿賴清(富察氏)　455-433-26
阿賴清(謚襄武)　502-593-76
阿衡商　見伊尹
阿賽清(瓜爾佳氏)　455-117-4
阿賽清(李佳氏)　456-254-69
阿齋清　456-231-68
阿禪元　294-211-118
400-80-507
阿禪女　元　見徹伯爾
阿襤元　見阿爾噶
阿難阿難陀、慶喜、歡喜　周
1053-11-1
1054-20-1
1054-254-3
阿寶清　454-714-80
阿襤元　見阿爾噶
阿蘇金　291-52-67
399-75-423
阿蘇阿速　明　302-813-330
阿蘇清(瓜爾佳氏)　455-117-4
阿蘇清(阿穆魯氏)　456-4-50
阿蘇清(卦爾察氏)　456-76-55
阿蘭金　完顏亮昭妃、完顏宗敏妻　291-10-63
阿蘭清(伊爾根覺羅氏)
455-262-15
阿蘭清(烏蘇氏)　455-571-37
阿蘭清(烏蘇占氏)　456-47-53
阿蘭清(白佳氏)　456-137-59
阿蘭清(正白旗人)　502-601-76
阿曩明　陶瓚祖母　483-207-389
570-209-22
阿卜固唐　496-619-105
阿巴哈清　456-238-68
阿巴泰饒餘郡王　清
454-129-8
474-751-40
502-395-65
阿巴齊阿爾察　元
294-279-123
400-247-520
阿巴齊元　見來阿巴齊
阿牙塔明　見阿雅爾台
阿什岱清　502-589-76
阿什圖清　455-120-4
阿什譚清　502-731-84
阿玉什清(沙希岱次子)
454-454-36
阿玉什清(博爾濟吉特氏)
454-668-73
阿玉石清　456-211-66
阿玉爾清　496-219-76
阿玉璽清　502-504-70
阿古里清　455-553-35
阿古達清　455-553-35
阿古巒明　見阿果穆爾
阿本岱清　455-366-22
阿布尼妻　清　見妞妞
阿布岱清(瓜爾佳氏)
455-94-3
502-539-72
阿布岱清(富察氏)　455-413-25
502-499-70
阿布思唐　見李獻忠
阿布海清　455-550-35
阿布庫清　455-86-3
阿布泰清(葉赫地方人)

455-360- 22
阿布泰清(烏喇地方人)
455-370- 23
阿布格清 455-637- 44
阿布賚清 455-116- 4
阿布賴清 455-480- 29
阿布噶元 見伊埒
阿布蘭清 454-189- 10
阿世多唐 561-215-38之3
阿尼庫清 455-255- 14
阿尼哥元 見阿爾尼格
阿史那後魏 264-1150- 84
阿丘曾上古 1061-181-102
阿吉布清 455- 89- 3
阿西那清 455-120- 4
阿良義清 456-294- 72
阿育王漢 494-217- 9
阿克占清 455-200- 10
阿克住清 455-504- 31
阿克恕妻 清 見胡什巴
阿克善清(舒穆祿氏)
455-156- 6
456-162- 62
阿克善清(伊爾根覺羅氏)
455-235- 12
阿克敦清(瓜爾佳氏)
455- 86- 3
阿克敦清(赫舍里氏)
455-202- 10
阿克敦清(富察氏) 455-415- 25
阿克敦清(李佳氏) 455-528- 33
阿克敦清(烏蘇氏) 455-569- 37
阿克順妻 清 見趙氏
阿克塔清 455-119- 4
阿克楚清 455-523- 33
阿克瞻清 455-404- 24
阿那太清 455- 78- 2
阿那布清(鑲藍旗人)
455-365- 22
阿那布清(正藍旗人)
455-387- 23
阿那布清(李佳氏) 455-529- 33
阿那庫清 456-282- 71
阿里沙阿拉善 元
1439-454- 2
1469-658- 63
阿里伯元 1210-315- 8
阿里哈元 294-241-120
399-336-448
阿里庫宋 見阿里骨
阿里骨阿里庫 宋
288-861-492
401-534-637
阿里袞清 1308-288- 58
阿里瑪元 294-356-129
399-499-468
阿足師唐 1052-272- 19
阿希達清 455-432- 26
阿禿師河禿師 後魏
476- 48- 98
547-477-159
1052-250- 18
阿努哩清 454-665- 72
阿努喀清 455-589- 39
阿松阿清 455-620- 42
阿其麟明 546-409-128
阿拉哈清(兀札喇氏)
455-490- 30
阿拉哈清(噶濟勒氏)
455-646- 45
阿拉密清 455- 47- 1
阿拉善元 見阿里沙
阿奇那清 455-450- 27
阿林達清 455-170- 7
阿延達清 502-584- 75
阿郎阿清(納喇氏) 455-403- 24
阿郎阿清(烏蘇氏) 455-571- 37
阿郎阿清(色穆奇理氏)
456-115- 58
阿郎阿清(伊拉哩氏)
502-749- 85
阿胡圖清 455-287- 16
阿南達清(博爾濟吉特氏)
454-564- 57
阿南達清(賽密勒氏)
455-558- 36
阿哈立清 456-349- 77
阿哈占清 455-571- 37
阿哈那清(舒穆祿氏)
455-152- 6
阿哈那清(錫墨勒氏)
456-100- 57
阿哈納清 502-744- 85
阿哈善清(費莫氏) 455-634- 44
阿哈善清(鈕赫勒氏)
455-659- 46
阿哈棟清 455-679- 48
阿哈達清(宜特墨氏)
455-617- 42
阿哈達清(洪鄂春氏)
456- 60- 54
阿哈齊清 456-265- 70
阿哈圖清(瓜爾佳氏)
455-120- 4
阿哈圖清(索佳氏) 455-638- 44
阿哈錫清 455- 96- 3
阿哈瞻清 502-515- 71
阿星阿清 455-147- 6
阿庫扎清 455-271- 15
阿庫納清 455-304- 18
阿庫密清 455-402- 24
阿庫禪清 455-147- 6
阿庫蘭清 455-272- 15
阿席熙清 510-299-112
阿祝瑚清 455-524- 33
阿格尼清 455-116- 4
阿格納清 455-262- 15
阿格聶清 455-114- 4
阿晉泰清(瓜爾佳氏)
455-120- 4
阿晉泰清(庫雅拉氏)
455-539- 34
阿珠丹元 523- 80-149
阿珠瑚清(揚佳氏) 456- 65- 54
阿珠瑚清(洪袞氏) 456-167- 62
阿哩尼妻 清 見阿雅爾漢
阿哩雅清 454-673- 74
阿柴虜晉 258-640- 96
阿倫赤明 見鄂拉齊
阿納布清 455-365- 22
阿納海清(富察氏) 455-412- 25
阿納海清(佟佳氏) 502-738- 84
阿納庫清(佟佳氏) 455-337- 20
阿納庫清(章佳氏) 455-598- 40
阿納庫清(瑚塔氏) 456-168- 62
阿納瑚清 455-438- 26
阿納達清(納喇氏) 455-366- 22
阿納達清(吳雅氏) 455-476- 29
阿納漢清 455- 44- 1
阿密塔清 455-332- 20
阿密察清 455- 95- 3
阿密禪清 455-420- 25
阿理袞清 456-280- 71
阿理雅清 456-258- 69
阿都喀清 455-494- 30
阿都齊元(尼古爾子)
294-285-123
399-524-471
阿都齊元(阿蘇特氏)
294-391-132
399-676-487
阿都齊哈都齊 元(大都固安人)
295-612-198
400-319-526
505-894- 80
阿都齊清(瓜爾佳氏)
455-112- 4
阿都齊清(黃佳氏) 455-531- 33
阿都齊清(札哈拉氏)
456-266- 70
阿都齊清(瑚爾漢氏)
456-272- 70
阿都禮清 455- 70- 2
阿勒台阿台 元 294-290-124
399-371-452
474-275- 14
阿勒坦阿勒垣 元
294-429-134
399-548-474
473-729- 82
544-239- 63
阿勒垣元 見阿勒坦
阿勒哈元 見阿嘍罕
阿勒哈阿魯花 明
496-628-106
阿婁罕元 見阿嘍罕
阿畢喀清 455-618- 42
阿畢圖清 455-590- 39
阿普代清 455-200- 10
阿普泰清(宜特墨氏)
455-618- 42
阿普泰清(瓜爾佳氏)
502-516- 71
阿普就清 455-505- 31
阿普察清 455-301- 18
阿寔譚清 455-118- 4
阿雅那清 455-195- 9
阿雅塔清 502-583- 75
阿雅齊清 502-590- 76
阿隆阿清(巴雅拉氏)
455-579- 38
阿隆阿清(伊拉理氏)

455-672- 47
阿弼喀清 456-162- 62
阿揚阿清(西林覺羅氏)
455-296- 17
阿揚阿清(薩克達氏)
455-554- 35
阿黑麻明 見阿哈瑪特
阿喀塔清 455-554- 35
阿喇罕元 見阿嘍罕
阿喇哈元 見阿嘍罕
阿喇納清 454-929-112
阿喇善清 502-442- 68
阿喇楚清 455-539- 34
阿喇穆清 502-730- 84
阿舒布清(富察氏) 455-438- 26
阿舒布清(扎庫塔氏)
455-564- 36
阿舒拔清 455-639- 44
阿舒魯清 455-335- 20
阿進泰清 456-106- 57
阿祿哈清 456-211- 66
阿瑚穆清 455-169- 7
阿瑚禮清 456- 70- 55
阿達禮穎郡王 清454-124- 7
阿達蘇清 455-517- 32
阿實克昌王 元 294-216-118
400- 83-507
1367-301- 25
阿精阿清 455-303- 18
阿寧阿清(赫舍里氏)
455-205- 10
阿寧阿清(富察氏) 455-447- 27
阿寧阿清(戴佳氏) 455-479- 29
阿寧阿清(梅赫理氏)
456-102- 57
阿齊圖清 456-257- 69
阿爾屯清 455- 51- 1
阿爾古清 456-238- 68
阿爾本清 455-170- 7
阿爾布清 456-101- 57
阿爾瓜清 456-152- 61
阿爾那清(納喇氏) 455-404- 24
阿爾那清(烏蘇氏) 455-572- 37
阿爾法清 455-657- 46
阿爾卓清 502-585- 75
阿爾芬清 455- 96- 3
阿爾金清 455-220- 11
阿爾岱清 502-754- 85
阿爾津清 474-765- 41
502-562- 74
阿爾威元 515- 87- 59
阿爾赳清 455-148- 6
阿爾哈清(喀爾庫氏)
456-163- 62
阿爾哈清(伊爾庫勒氏)
502-539- 72
阿爾拜清 455- 56- 1
阿爾庫清 455-337- 20
阿爾泰清(瓜爾佳氏)
455- 57- 1
阿爾泰清(正白旗人)
455-211- 11
阿爾泰清(正黃旗人)
455-216- 11
阿爾泰清(伊爾根覺羅氏)
455-271- 15
阿爾泰清(納喇氏) 455-376- 23
阿爾泰清(沙濟地方人)
455-412- 25
阿爾泰清(訥殷地方人)
455-433- 26
阿爾泰清(圖克坦氏)
456- 59- 54
阿爾泰清(尼珠氏) 456-194- 65
阿爾泰清(諡忠武) 502-767- 86
阿爾納清(薩馬爾吉氏)
455-640- 44
阿爾納清(索綽絡氏)
455-648- 45
阿爾納清(克爾德氏)
456- 89- 56
阿爾納清(滿洲人) 558-166- 30
阿爾彬女 元 見贊布凌
阿爾善清(瓜爾佳氏)
455- 96- 3
阿爾善清(圖色理氏)
456- 10- 50
阿爾發清 455-272-15
阿爾喀清 455-343- 21
阿爾瑚清(舒舒覺羅氏)
455-286- 16
阿爾瑚清(納喇氏) 455-376- 23
阿爾楚清(兀札喇氏)
455-490- 30
阿爾楚清(瑚雅拉氏)
456-106- 57
阿爾詹清 456-251- 69
阿爾察元 見阿巴齊
阿爾察清 455-466- 28
阿爾遜清 455-638- 44
阿爾圖清(瓜爾佳氏)
455-115- 4
阿爾圖清(李佳氏) 455-527- 33
阿爾圖清(把岳忒氏)
456-232- 68
阿爾噶阿結、阿禧、阿禧 元
殷功妻、梁王女 482-564-369
483- 95-378
494-164- 6
494-242- 10
570-168- 22
阿爾篤清 502-742- 85
阿爾賽清(佟佳氏) 455-314- 19
阿爾賽清(佟鄂絡氏)
456-102- 57
阿爾賽清(葉赫勒氏)
456-106- 57
阿爾謙清 455-593- 39
阿爾薩清 456-209- 66
阿嘍罕阿勒哈、阿婁罕、阿喇
罕、阿喇哈 元 294-354-129
399-498-468
532-581- 41
1207-344- 24
1211-326- 45
1211-640- 9
1367-303- 25
1373-326- 21
阿圖納清 455-605- 41
阿圖理清 456-117- 58
阿綽庫清 455-451- 27
阿魯台明 見阿嚕台
阿魯花明 見阿勒哈
阿歷支唐 544-228- 63
阿閭黎唐 483- 18-370
570-250- 25
阿閭黎五代 554-954- 65
阿錫布清 455-268- 15
阿錫坦清 456-110- 57
阿錫頁愛綏、愛薛 元
294-418-134
399-534-472
552- 73- 19
1202- 54- 5
阿錫圖清 456- 45- 53
阿錫鼐清 476-894-147
阿穆岱清 455-336- 20
阿穆鈕清 456- 23- 51
阿穆爾元 294-287-123
399-525-471
阿穆圖清 455-133- 5
阿濟布清(正白旗人)
455- 57- 1
阿濟布清(鑲黃旗人)
455- 96- 3
阿濟那清 455- 70- 2
阿濟拜清 502-606- 76
阿濟格英親王 清(英親王)
454- 56- 3
阿濟格清(伊爾根覺羅氏)
455-266- 15
阿濟根清 455-433- 26
阿濟納清 455- 64- 2
阿濟理清 455-387- 23
阿濟鼐清 455-268- 15
阿顏塔清 455-192- 9
阿雜拉清 496-218- 76
阿禮布清 455- 89- 3
阿禮克清 456-271- 70
阿禮納清 455-274- 15
阿禮密清 455-282- 16
阿嚕台阿魯台 明
302-749-327
阿嚕圖元 294-491-139
399-784-498
阿難陀周 見阿難
阿難律唐 1052- 22- 2
阿羅竭晉 472-754- 29
538-342- 70
阿蘇氏清 同格妻503- 73- 96
阿蘇哈清 455-499- 31
阿蘇泰清 456- 50- 53
阿蘇理清 455-364- 22
阿蘇喀清 455-438- 26
阿蘇蘭清 455-272- 15
阿蘭泰清(瓜爾佳氏)
455- 55- 1
阿蘭泰清(納喇氏) 455-376- 23
阿蘭泰清(墨呼理氏)
456-187- 64
阿蘭珠清 474-755- 41
502-745- 85

阿蘭圖清 456-236- 68
阿顧禮清 455-330- 20
阿靈阿清 455-513- 32
阿卜達什清 454-941-115
阿王老藏清 476-337-115
547-535-160
阿巴哈太清 455- 57- 1
阿巴爾岱清 455- 86- 3
阿什默特清 500-747- 38
阿布思附唐 見李獻忠
阿史那忠唐 見忠
阿地瞿多唐 見無極高
阿伏至羅後魏 262-502-103
381-656-200
阿克東阿清 455-118- 4
阿克齊魯清 456- 6- 50
阿里和之元 1201-167- 80
阿里海牙元(諡武定) 見阿爾哈雅
阿里海牙元(圖烈子) 見阿爾哈雅
阿你眞那唐 見寶思惟
阿谷處女春秋(阿谷之隧浣者)
448- 56- 6
阿波可汗隋 見大邏便
阿拉喇圖清 455-687- 49
阿剌乞兒岐王 元
552- 73- 19
阿旺林青清 560-175- 21
阿果穆爾阿古蠻 明
496-628-106
阿兒乞蠻明 見阿爾齊默克
阿兒苦哩明 見阿爾庫哩
阿剌卜丹阿喇卜丹 元
295-658-203
401-119-585
阿思瑚理清 456-138- 59
阿哈尼堪清(瓜爾佳氏)
455- 56- 1
阿哈尼湛清(伊爾根覺羅氏)
455-231- 12
阿哈尼堪清(呼倫覺羅氏)
455-303- 18
阿哈尼堪清(章佳氏)
455-601- 40
阿哈尼堪清(富察氏)
474-768- 41
502-444- 68
阿哈麻色清 456-241- 68
阿哈瑪特元 295-666-205
401-375-619
1222-491- 14
阿哈瑪特阿黑麻 明
302-785-329
302-794-329
阿哈碩色清(他塔喇氏)
455-217- 11
阿哈碩色清(納喇氏)
455-363- 22
阿格巴顏清 455-176- 8
阿荅阿者明 302-694-324
阿密西里清 456-223- 67
阿都兒齊清 455-179- 8
阿都哈雅元 見阿勒坦哈雅
阿都都哈清 455-525- 33
阿勒坦汗明 410-616- 6
阿勒呼木女 元 見額森德濟
阿勒哈雅元 見阿爾哈雅
阿勒楚爾按竺邇 宋
478-612-205
阿勒楚爾元 294-254-121
399-342-448
544-239- 63
阿敏達賴清 496-218- 76
阿普達哈清 455-272- 15
阿普達里清(赫舍里氏)
455-201- 10
阿普達理清(伊拉理氏)
455-671- 47
阿普薩哈清 455-120- 4
阿喜布祿清 455-676- 48
阿雅爾台阿牙塔 明
496-631-106
阿雅爾漢清 阿哩尼妻
503- 33- 94
阿雅爾圖妻 清 見烏拉氏
阿喀布祿清 455-458- 28
阿喇卜丹元 見阿剌卜丹
阿喇布坦清(厄魯特人)
454-687- 77
阿喇布坦清(準噶爾人)
454-764- 86
阿喇布坦清(博爾濟吉特氏)
454-769- 87
阿喇布坦清(瑪尼子)
496-217- 76
阿舜布祿清 455-200- 10
阿達哈雅元 見阿勒坦哈雅
阿達爾漢清 455-220- 11
阿寧達理清 455-625- 43
阿爾布哈女 元 見伊囉斡
阿爾布哈清(伊爾根覺羅氏)
455-255- 14
阿爾布哈清(西林覺羅氏)
455-292- 17
阿爾布哈清(完顏氏)
455-465- 28
阿爾布哈清(碧魯氏)
455-520- 32
阿爾布善清 455-118- 4
阿爾尼格巴勒布、阿尼哥 元
295-659-203
401-119-585
820-499- 37
1202- 84- 7
阿爾吉圖清 456-156- 61
阿爾吉穆清 455-654- 46
阿爾沙瑚清 502-604- 76
阿爾松阿清 455-343- 21
阿爾東阿清 455-332- 20
阿爾和碩元 528-508- 31
阿爾炳阿清 456-120- 58
阿爾哈庫清 455-135- 5
阿爾哈雅阿里海牙 元(諡武定)
294-339-128
399-490-467
451-520- 2
473-335- 63
483-219-390
571-514- 19
1201-526- 13
1210- 96- 9
1367-771- 59
1373-135- 11
1467- 51- 63
阿爾哈雅阿里海牙、阿勒哈雅
元(圖烈子) 294-457-137
399-772-497
476-915-148
554-162- 51
阿爾庫哩阿兒苦哩 明
496-626-106
阿爾都山清 455-416- 25
阿爾都善清(嵩佳氏)
455-616- 42
阿爾都善清(托謨氏)
456- 35- 52
阿爾登阿妻 清 見趙氏
阿爾斯蘭元(阿蘇特氏)
294-286-123
399-525-471
阿爾斯蘭元(輝和爾人)
510-372-114
阿爾斯蘭元(色目人)
528-525- 31
阿爾琥禮清 455-336- 20
阿爾瑚理清 455-329- 20
阿爾瑚圖清 456-232- 68
阿爾塔什清 455-225- 12
阿爾達世清 455-304- 18
阿爾當阿清(阿顏覺羅氏)
455-302- 18
阿爾當阿清(完顏氏)
455-467- 28
阿爾默色趙國大長公主 元
科爾吉斯妻、元成宗女
393-351- 80
阿爾錫哩清 502-450- 68
阿爾薩朗清(穆色陳氏)
456-155- 61
阿爾薩朗們都 清(正黃旗人)
502-596- 76
阿爾薩蘭清(鑲紅旗人)
455- 57- 1
阿爾薩蘭清(鑲黃旗人)
455- 90- 3
阿魯温氏元 赫赫妻
506- 2- 86
阿積爾圖清 455-686- 49
阿穆奇拉清 455-578- 38
阿穆哈都清 456-238- 68
阿穆清阿清 456-105- 57
阿穆塔哈清 455-609- 41
阿嚕德勒元 569-616-18下之2
阿黨仲緒清 455-569- 37
阿卜都爾瑞清 454-959-117
阿什達爾罕清 見阿什達爾漢

阿什達爾漢阿什達爾罕　清
455-354- 22
502-487- 70
阿古沙瑚圖清 455-499- 31
阿布格察喇元 1204-282- 8
阿史那存禮唐 見存禮
阿史那社尒唐 見社尒
阿史那步眞唐 見步眞
阿史那泥孰唐 見忠
阿史那皇后北周 周武帝后、俟斤女 263-471- 9
266-298- 14
373-113- 20
阿史那都支唐 見都支
阿史那賀魯唐 見賀魯
阿史那道眞唐 見道眞
阿史那默啜唐 見默啜
阿史那彌射唐 見彌射
阿失帖木兒明 見阿實克特穆爾
阿里康金鼐清 560-186- 21
阿拉克布哈元 295-589-195
400-269-521
阿延特穆爾奄顏帖木兒　明
496-628-106
阿南達實哩元 元仁宗后
294-186-114
393-348- 80
阿哈哈摩尼清 570-259- 25
阿海成伯勒清 454-562- 57
阿烈苦奈兒明 593-782- 11
阿珠果巴顏清 455- 74- 2
阿哩雅實哩魯王　元
294-212-118
阿勒坦布哈元 545-183- 89
阿勒坦哈雅阿都哈雅、阿達哈雅　元 1211-351- 49
1211-659- 10
1373-338- 22
阿勒坦薩里元 294-375-130
阿勒達爾台阿勒達爾圖　元
481-694-332
528-541- 32
阿勒達爾圖元 見阿勒達爾台
阿勒楚爾岱安出兀歹　明
496-627-106
阿勒錦彥忠金 見珠勒根彥忠
阿喇布珠爾清 454-860-101
阿喇勒烏蘇元 294-278-123
399-356-450
阿睦爾撒納清 500-728- 37
阿實克布哈元 294-445-136
399-682-488
400-281-522
1209-600-10上
阿實特穆爾元 1207- 79- 7
阿齊圖諾延元 見特穆爾
阿爾哈巴顏清 455-242- 13
阿爾覃布魯清 455-650- 45
阿爾齊默克阿兒乞蠻　明
496-628-106
阿爾噶里室元 見阿爾噶實哩
阿爾噶實哩阿爾噶里室、阿爾噶錫哩、阿羅哥里室　元
473-807- 86
482-559-369
569-657- 19
阿爾噶錫哩元 見阿爾噶實哩
阿爾噶錫哩明 見金順
阿嘍罕必濟趙國公主、齊國大長公主　元　巴喇葛妻、元太祖女 393-351- 80
阿錫坦郎桂清 455-147- 6
阿濟格尼堪清 474-762- 41
502-490- 70
阿濟格碩色清 455-117- 4
阿羅哥里室元 見阿爾噶實哩
阿目佉跋折羅唐 見不空
阿史那蘇尼失唐 見蘇尼失
阿喇特納實哩豫王　元
569-536- 17
阿實克特穆爾阿失帖木兒　明 496-626-106
阿爾斯蘭哈雅元545-400- 98
阿爾塔錫科薩清455-459- 28
阿每多利思比孤隋
381-417-194
阿勒呼木特穆爾　元
295-692-206
401-446-626
阿喇布坦扎木素清
454-768- 87
阿裕爾實哩達喇元
819-598- 20
阿爾濟蘇特穆爾元
294-290-124
399-371-452
阿裕爾巴里巴特喇元 見元仁宗
阿勒古斯托克塔古哩高唐王　元 294-217-118
1367-281- 23
表自宋 1053-821- 19
表祥宋 821-267- 52
長胡邪尸逐侯鞮單于　漢
253-706-119
381-623-199
長安長昂、昌昂　明
302-778-328
496-631-106
長吉宋 486-901- 35
長沮春秋 448- 92- 上
472-767- 30
871-886- 19
879-151-57下
長昂明 見長安
長姐清 西納穆保女
503- 87- 96
長眞唐 276-434-222下
長壽元 295-608-197
400-317-526
長盧戰國 244-455- 74
475-437- 70
長平王唐 見李贄
長平王唐 見李叔良
長平王唐 見李義瑜
長安君戰國 405-222- 70
長存子不詳 1061-268-110
長沙王漢 見吳芮
長沙王漢 見劉發
長沙王漢 見劉建德
長沙王晉 見司馬乂
長沙王劉宋 見劉瑾
長沙王劉宋 見劉義欣
長沙王劉宋 見劉道憐
長沙王齊 見蕭晃
長沙王梁 見蕭業
長沙王梁 見蕭懿
長沙王陳 見陳叔堅
長沙王陳 見陳叔懷
長沙王唐 見羅紹威
長武子春秋 545-724-109
長命女漢 547-494-159
長孫仁北周 見長孫紹遠
長孫氏宋 獨孤賓庭妻、長孫頣女 1072-234- 10
長孫氏宋 楊遺直妻
473- 78- 52
長孫平隋 264-767- 46
299-450- 22
379-863-164
384-152- 8
459-879- 53
474-433- 21
477-161-157
477-310-164
477-471-173
505-628- 67
537-264- 55
933-796- 58
長孫幼後魏 見長孫稚
長孫沖唐 529-754- 52
長孫沖妻　唐 見長樂公主
長孫兕北周 263-609- 26
266-454- 22
長孫肥後魏 261-401- 26
266-462- 22
379- 44-146
476-252-110
540-630- 27
546- 6-115
552- 33- 18
長孫洪隋 264-815- 51
長孫悅後魏 379- 41-146
長孫眞後魏 261-404- 26
長孫恕唐 472-456- 20
476-394-119
545-453- 99
長孫祥唐 554-121- 50
長孫陳長孫陵　後魏
261-403- 26
266-463- 22
379- 44-146
493-644- 35
546- 10-115
長孫陵後魏 見長孫陳

長孫晟隋 264-816- 51
266-454- 22
379-731-160
472-744- 29
477-310-164
537-496- 59
545-262- 93
933-796- 58
長孫晟女 唐 見長孫皇后
長孫善隋 見長孫覽
長孫渙唐 544-228- 63
長孫敦後魏 261-397- 25
379- 41-146
長孫順漢 476-661-136
長孫敞唐 271-402-183
274-340-105
384-163- 9
395-351-213
933-797- 58
長孫詮唐 271-402-183
274-340-105
395-352-213
長孫詮妻 唐 見新城公主
長孫道後魏 379- 41-146
長孫瑕妻 北周 見羅氏
長孫嵩後魏 261-396- 25
266-447- 22
379- 40-146
384-130- 7
472-481- 21
476-252-110
546- 4-115
933-796- 58
長孫稚上黨王、長孫幼、長孫承業、長孫冀歸 後魏
261-398- 25
266-452- 22
379- 42-146
476-255-110
544-206- 62
546- 25-115
552- 29- 18
長孫雋後魏 見長孫子彥
長孫澄北周 263-609- 26
266-462- 22
379-604-157
長孫盧後魏 262-252- 86
267-628- 84
380-117-167
476-255-110
547- 50-143
長孫儉長孫慶明 北周
263-606- 26
266-448- 22
379-600-157
480-239-269
532-561- 40
544-213- 62
554-116- 50
933-796- 58
1004-215- 8
1004-664- 13
1416- 51-111中
長孫儁後魏 見長孫子彥
長孫熾隋 264-815- 51
266-454- 22
379-730-160
472-744- 29
478- 86-180
537-496- 59
554-326- 54
長孫翰平陽王 後魏
261-402- 26
266-463- 22
379- 44-146
544-205- 62
546- 10-115
長孫操唐 271-402-183
274-340-105
395-352-213
472-738- 29
477-310-164
477-521-175
481- 16-291
537-349- 56
933-797- 58
長孫頹後魏 261-397- 25
379- 41-146
546- 4-115
長孫頍女 唐 見長孫氏
長孫禮後魏 266-462- 22
546- 16-115
長孫曦妻 唐 見新興公主
長孫覽長孫善 隋
264-814- 51
266-461- 22
379-730-160
472-744- 29
539-493- 59
長孫蘭後魏 261-403- 26
長孫觀後魏 261-398- 25
266-452- 22
379- 42-146
546- 22-115
長桑君戰國 742- 22- 1
長魚矯春秋 404-779- 48
長寧王隋 見楊儼
長廣王後魏 見元曄
長廣王後魏 見豆代田
長衛姬春秋 齊桓公夫人
404-629- 38
長樂王後魏 見托跋處文
長樂王後魏 見托跋壽樂
長樂王唐 見李幼良
長山烈婦清 480- 64-260
533-520- 66
長水法師宋 472-986- 39
491-119- 14
長平公主明 周顯妻、明思宗女 299-113-121
544-251- 63
長吉彥忠元 1218-784- 5
長沙女子明 480-416-277
長林公主唐 沈明妻、唐代宗女 274-115- 83
393-282- 73
554- 54- 49
長兒子魚春秋 386-744- 15
404-792- 48
長城公主劉宋 謝緯妻、宋文帝女 494-260- 1
長城公主齊 何敬容妻
494-260- 1
長城公主梁 柳偃妻、梁武帝女 494-261- 1
長孫子彥長孫雋、長孫儁 後魏 261-400- 25
266-453- 22
379- 43-146
546- 29-115
552- 39- 18
長孫石洛後魏 261-403- 26
長孫亦于後魏 261-403- 26
長孫全緒唐 1327-278- 13
長孫行布隋 264-821- 51
266-459- 22
545-129- 87
長孫孝政妻 唐 見高密公主
長孫佐輔唐 451-440- 4
長孫承業後魏 見長孫稚
長孫受興後魏 261-403- 26
長孫皇后唐 唐太宗后、長孫晟女 269-418- 51
274- 2- 76
384-162- 9
393-250- 71
407-392- 2
452- 52- 1
537-185- 53
1388-780-112
長孫師孝隋 264-768- 46
266-451- 22
長孫紹遠長孫仁 北周
263-608- 26
266-459- 22
379-602-157
384-130- 7
478-481-199
544-213- 62
544-218- 62
552- 31- 18
933-796- 58
長孫順德唐 269-513- 58
274-340-105
384-165- 9
395-249-203
448-331-下
472-504- 21
476-203-107
545-334- 96
933-797- 58
1340-554-776
長孫無忌唐 269-600- 65
274-336-105
384-162- 9
384-178- 10
395-348-213
469- 22- 3
471-999- 60
472-623- 25
472-744- 29

473-477- 69
477-310-164
537-497- 59
544-229- 63
561-208-38之2
591-232- 19
591-695- 49
820-134- 26
933-796- 58
1340-553-776
長孫道生上黨王 後魏
261-398- 25
266-451- 22
379- 41-146
384-130- 7
448-323- 下
472-481- 21
476-252-110
544-205- 62
546- 9-115
933-796- 58
長孫慶明北周 見長孫儉
長孫冀歸後魏 見長孫稚
長桑公子不詳 1061-268-110
長寧公主唐 楊愼交妻、蘇彥伯妻、唐中宗女 274-109- 83
393-278- 73
554- 49- 49
長寧公主遼 見耶律陶格
長廣公主桂陽公主 唐 楊師道妻、趙慈景妻、唐高祖女
274-104- 83
393-273- 73
554- 45- 49
長樂公主唐 長孫沖妻、唐太宗女 274-105- 83
393-274- 73
554- 46- 49
長興孝子明 524-120-184
長平山和尚五代
1053-367- 9
長清嶺烈婦清 479-252-228
524-666-210
坡格來馬清 456-380- 79
坱圠子元 524-398-199
東清 496-217- 76
東氏明 王維禎妻、東魯女
1277-842- 7
東氏明 李宗禮妻、東俊女
1269-435- 6
東氏明 陳士心妻 550-200- 22
東氏明 呂元聲母 478-377-192
東允妻 明 見宋氏
東汀宋 561-224-38之3
1053-564- 14
東安清(李氏) 456-293- 72
東安清(朴氏) 456-294- 72
東旭明 570-479-29之7
東阿清(舒穆祿氏) 455-157- 6
東阿清(舒舒覺羅氏)
455-287- 16
東阿清(納喇氏) 455-377- 23
東阿清(李佳氏) 455-524- 33
東明漢 264-1125- 81
267-793- 94
381-418-194
東金清 455-186- 9
東郊明 554-662- 60
東俊女 明 見東氏
東野明 554-481-57上
1266-404- 7
1410-225-690
東紳明 538- 67- 63
東陽明 494- 56- 2
東欽明 570-479-29之7
東欽妻 明 見盧氏
東塔唐 1053-367- 9
東暘明 554-958- 65
東漢明 515- 96- 59
554-480-57上
1460-580- 69
東魯女 明 見東氏
東方老北齊 263-175- 21
379-387-152
東方朔漢 244-899-126
250-492- 65
376-245- 99
384- 44- 2
469-527- 64
472-522- 22
476-751-139
491-794- 6
493-1065- 57
533-719- 73
540-692-28之1
541- 84- 30
541-450-35之9
541-454-35之9
933-790- 57
1058-499- 下
1329-828- 47
1331-269- 47
1407-653-463
1412- 99- 5
1413-271- 44
東方舉隋 267-513- 77
東不訾上古 933- 42- 2
東不識上古 404-399- 23
東丹王遼 見耶律貝
東戶氏上古 383- 26- 4
東平王漢 見劉宇
東平王漢 見劉匡
東平王漢 見劉雲
東平王漢 見劉蒼
東平王漢 見劉開明
東平王魏 見曹徽
東平王劉宋 見劉子嗣
東平王劉宋 見劉休青
東平王後魏 見元略
東平王後魏 見托跋翰
東平王北齊 見高格
東平王唐 見李續
東平王元 見安圖
東平王明 見朱能
東安王晉 見司馬繇
東安王後魏 見元凝
東良惠元 554-248- 52
東里槐夏 546-423-129
東谷子元 524-351-196
東門奐漢 493-669- 37
東阿布清 456-100- 57
東岡生明 533-730- 73
東昏侯明 見蕭寶卷
東垣王明 見朱見濆
東垣王明 見朱載堉
東思忠明 554-480-57上
東思恭明 554-659- 60
東海王漢 見劉政
東海王漢 見劉祇
東海王漢 見劉肅
東海王漢 見劉羨
東海王漢 見劉臻
東海王漢 見劉彊
東海王漢 見騶搖
東海王魏 見曹霖
東海王晉 見司馬沖
東海王晉 見司馬祇
東海王晉 見司馬越
東海王後魏 見元頊
東海王後魏 見元曄
東海王北齊 見高仁謙
東原王明 見朱頤埨
東郭牙春秋 404-588- 35
491-790- 6
東郭延漢 見東郭延年
東郭姜春秋 棠公妻
448- 70- 7
東郭垂春秋 386-611- 3
東郭書春秋 404-604- 37
東郭賈大陸子方 春秋
404-624- 38
東野王明 見朱泰墊
東野玘明 539-652-11之6
東野宜宋 400-299-524
476-585-131
東野武明 539-652-11之6
東野芳劉宋 539-652-11之6
東野紓宋 539-652-11之6
東野畢春秋 539-652-11之6
東野魚春秋 539-652-11之6
東野詠漢 539-652-11之6
東野喜漢 539-652-11之6
東野逵劉宋 539-652-11之6
東野備漢 539-652-11之6
東野義明 539-652-11之6
東野暉宋 843-665- 中
東野詔明 539-652-11之6
東野濳元 539-652-11之6
東野興明 539-652-11之6
東野禮明 539-652-11之6
東野靈明 539-652-11之6
東野觀宋 539-652-11之6
東越王漢 見騶餘善
東陽王陳 見陳悋
東陽王唐 見李侹
東萊王晉 見司馬蕤
東萊王後魏 見元貴平
東鄉王明 見朱奉鐩
東欽祚宋 488-371- 13
東群芳妻 明 見郭氏
東會王明 見朱安滆
東肇商明 456-679- 11

554-720- 61
東蔭商清 554-854- 63
東甌王漢 見騶搖
東甌王明 見湯和
東關五春秋 見東關嬖五
東丹慕華遼 見耶律貝
東京客僧唐 1052-355- 25
東武陽王魏 見曹鑒
東門襄仲春秋 見公子遂
東周惠公周 404-108- 6
東海孝婦漢 476-789-141
東海隱者漢 871-897- 19
東郭先生漢 244-900-126
380-526-180
476-660-136
481-793- 6
1412-100- 5
東郭延年東郭延 漢
253-612-112下
380-582-181
386-101-72上
564-612- 56
1059-291- 7
東郭順子魏 448- 97- 中
東陵聖母漢 1059-289- 6
東野子儀明 539-652-11之6
東野沛然清 539-652-11之6
東野枝盛清 539-652-11之6
東野彥通金 539-652-11之6
東野衍兆清 539-652-11之6
東野興煇清 539-652-11之6
東峰長老明 505-940- 85
東湖烈婦清 479-410-235
東湖樵夫明 472-1105- 47
479-292-230
524-329-195
1408-553-537
東陽公主唐 高履行妻、唐太宗女 274-105- 83
393-275- 73
554- 47- 49
東華道人明 483-252-391
572-161- 32
東禪和尚五代(嗣義存)
1053-295- 7
東禪和尚五代(嗣匡一)
1053-570- 14
東關嬖五東關五 春秋
404-777- 48
臥如唐 547-496-159
臥龍五代(嗣志元)1053-236- 6
臥龍五代(嗣元安)1053-239- 6
臥雪老僧明 554-957- 65
兩方先生清 1313-104- 9
抹漢元 見茂漢
抹撚史扢搭 金 見穆延薩克達
披衣上古 547-134-146
871-882- 19
披揚郭清 455-582- 38
披裘公披裘翁、被裘公 周(五月披裘) 448- 89- 上
493-1037- 55
511-830-168
524-280-192
871-891- 19
879-148-57下
披裘翁周 見披裘公
披雲眞人宋 558-484- 41
披雲眞人金 541- 94- 30
枝江王明 見朱致槤
枝如子躬春秋 405- 35- 58
933- 67- 4
林春秋 見周桓王
林士明 554-348- 54
林干宋 473-790- 85
567- 72- 65
1467- 46- 63
林山明 529-468- 43
林文明 452-239- 6
460-538- 51
473-634- 77
529-730- 51
676-488- 19
820-616- 41
1240-158- 11
1284-355-163
1442- 25-附2
1459-620- 24
林文妻 明 見王氏
林太明 460-668- 68
林元宋 529-654- 49
林元宋 見林堯龍
林元元 1200-649- 49
林元明(莆田人) 523-139-152
林元明(龍巖州人) 529-650- 48
林氏唐 吳器妻 530- 59- 55
林氏唐 黃岳妻 481-750-334
林氏唐 勤自勵妻 530-104- 57
林氏唐 薛元曖妻 270-746-146
476-126-102
547-382-155
林氏宋 任道宗妻、林其中女
1168-444- 37
林氏宋 宋神宗妃、林洙女
284-871-243
393-310- 76
林氏宋 陶舜卿妻、林提女
1117-349- 18
林氏宋 陳韡妻、林渙女
530- 2- 54
1254-592- 上
林氏宋 陳天錫妻
1150-876- 48
林氏宋 楊纘妻、林公祀女
1150-874- 47
林氏宋 趙子綌妻、林澤女
1100-516- 48
林氏宋 劉仝子妻、林公遇女
288-462-460
401-164-590
451-244- 0
473-575- 74
481-532-326
530- 2- 54
1366-942- 5
林氏宋 劉彌正妻
1180-381- 35
林氏宋 應懋之妻、林大中女
1164-305- 16
林氏宋 林將女 1121-492- 37
林氏宋 林含章女
1120-620- 49
林氏宋 施象母 1120-229- 34
林氏宋 陳文龍母 481-560-327
530- 59- 55
林氏宋 陳處厚母
1149-883- 4
林氏宋 鄭璋母 1149-887- 4
林氏宋 鄭耕老母 530- 59- 55
林氏元 任仲文妻 401-180-593
472-604- 25
479-296-230
林氏元 陳道安妻 482-269-350
林氏元 楊時春妻 530- 89- 56
林氏元 林克咸妹 481-750-334
林氏明 方日升妻 479-410-235
林氏明 方攸宜妻 530- 65- 55
林氏明 方繼曾妻 530- 66- 55
林氏明 王鼎妻 530-124- 57
林氏明 王公任妻 530- 6- 54
林氏明 丘雄妻 530-153- 58
林氏明 江舜居妻 530- 61- 55
林氏明 任巨妻 530-142- 58
林氏明 朱鑑妻 1271-613- 52
林氏明 宋寄伯妻 530- 61- 55
林氏明 李徽妻 530- 7- 54
林氏明 李鏜妻 530- 95- 56
林氏明 李文植妻 506- 70- 88
林氏明 李汝謹妻 530- 66- 55
林氏明 李孟宜妻、林獻女
530- 62- 55
林氏明 李學鎬妻、林懷瞻女
473- 31- 49
516-237- 97
林氏明 岑甲妻 482- 41-340
林氏明 吳一文妻 530-126- 57
林氏明 吳道本妻
1250-916- 86
林氏明 余汝麗妻 530- 91- 56
林氏明 何旻妻 473-575- 74
林氏明 何伯瑾妻 473-589- 75
481-592-328
林氏明 何夢卜妻 530- 7- 54
林氏明 邵舜民妻 530- 7- 54
林氏明 林毓妻 530- 93- 56
林氏明 周士達妻 530-108-108
林氏明 周道純妻 530- 68- 55
林氏明 洪寬妻 1260-132- 6
林氏明 洪宗文妻 530- 64- 55
林氏明 洪則孝妻 530- 62- 55
林氏明 洪庭振妻 530- 87- 56
林氏明 柯木妻 530- 66- 55
林氏明 涂毅妻 530-106- 57
林氏明 徐輔妻 530-106- 57
林氏明 許克溫妻 530- 66- 55
林氏明 郭茂賢妻 530-129- 57
林氏明 陸文諒妻 530-129- 57
林氏明 張伯成妻 473-607- 76
林氏明 張道膺妻 530- 19- 54
林氏明 陳珍妻 530- 61- 55
林氏明 陳維妻 530-113- 57

林氏明 陳翰妻 481-750-334
林氏明 陳安生妻 530- 4- 54
林氏明 陳光節妻 1274-380- 13
林氏明 陳先進妻、林克靜女 1253- 39- 42
林氏明 陳邦湅妻 530- 9- 54
林氏明 陳邦貢妻 530- 61- 55
林氏明 陳其讜妻 530-165- 59
林氏明 陳美章妻 530-113- 57
林氏明 陳致恭妻 530- 67- 55
林氏明 陳善保妻 530- 66- 55
林氏明 陳資偉妻 530-107- 57
林氏明 陳鳳柱妻 530- 67- 55
林氏明 陳繼元妻 530-126- 57
林氏明 莊政妻 473-589- 75 530- 88- 56
林氏明 崔允純妻 530-181- 59
林氏明 曾睿卿妻 530- 65- 55
林氏明 黃代妻 530- 88- 56
林氏明 黃釗妻 481-751-334
林氏明 黃僩妻 530- 67- 55
林氏明 黃子厚妻 530- 61- 55 1254-585- 上
林氏明 黃大雅妻 530- 66- 55
林氏明 黃廷永妻 1247- 63- 4
林氏明 黃恭甫妻 530- 67- 55
林氏明 黃媽助妻 481-591-328
林氏明 黃暾江妻 1286- 80- 3
林氏明 黃蘭若妻 530-156- 58
林氏明 華松妻 483-141-380
林氏明 程繼中妻 506- 32- 86
林氏明 雍士憲妻 530- 70- 55
林氏明 楊鎮妻 530- 67- 55
林氏明 詹璡妻 473-589- 75 530- 86- 56
林氏明 鄭璟妻 530- 65- 55
林氏明 鄭鏗妻 530- 10- 54
林氏明 鄭正規妻 530- 66- 55
林氏明 鄭善儒妻 530- 65- 55
林氏明 鄭濬哲妻 530-106- 57
林氏明 鄧溥妻 530- 88- 56
林氏明 鄧琳祥妻 530-128- 57
林氏明 蔡德和妻 530-106- 57
林氏明 劉仲妻 476-589-131
林氏明 劉琛妻 530- 87- 56
林氏明 劉庭蘭妻 1283-767-127
林氏明 霍通妻 530-112- 57
林氏明 蕭奇烈妻 530- 71- 55
林氏明 蕭奇照妻 530- 71- 55
林氏明 戴宗泗妻 530- 68- 55
林氏明 魏雲章妻 530- 69- 55
林氏明 羅榮妻 506- 32- 86
林氏明 林琚女 1255-650- 67
林氏明 黃智母 530- 5- 54
林氏清 方元瑀妻 530- 80- 55
林氏清 方奇治妻 530- 75- 55
林氏清 王瓚妻 530- 82- 55
林氏清 王龍章妻 503- 55- 95
林氏清 江中信妻 530- 81- 55
林氏清 朱傅妻、朱傳妻 481-619-329 530-120- 57
林氏清 朱驄妻 530- 76- 55
林氏清 冷上珍妻 480-616-287
林氏清 沈楹妻 530-176- 59
林氏清 宋玉洪妻 481- 85-294
林氏清 李安妻 503- 58- 95
林氏清 李順妻 475- 79- 53
林氏清 李蕡妻 530- 31- 54
林氏清 李之俊妻 503- 55- 95
林氏清 李友倫妻 530-119- 57
林氏清 李光地妻 324-995- 33
林氏清 李兆祥妻 530- 76- 55
林氏清 李長青妻 530- 28- 54
林氏清 李葉和妻 530-116- 57
林氏清 李德純妻 530- 30- 54
林氏清 李鍾英妻 530- 83- 55
林氏清 呂翕如妻 503- 53- 95
林氏清 吳吉妻 530- 81- 55
林氏清 吳鐙妻 530- 41- 54
林氏清 吳子俊妻 530-101- 56
林氏清 吳紹輝妻 530- 38- 54
林氏清 何茂猷妻 530- 39- 54
林氏清 何肇城妻 530- 36- 54
林氏清 邵學孔妻 476-705-137
林氏清 周建妻 530-119- 57
林氏清 金彥卿妻 530- 26- 54
林氏清 邱信妻 530- 79- 55
林氏清 邱希旦妻 530- 75- 55
林氏清 姜守業妻 506-165- 90
林氏清 柯大煥妻 481-536-326
林氏清 俞元惠妻 530- 31- 54
林氏清 唐鈞天妻 530- 41- 54
林氏清 翁章士妻 530- 80- 55
林氏清 許寄生妻 481-620-329
林氏清 曹日任妻 530- 35- 54
林氏清 連尊生妻 481-785-337
林氏清 張灝妻 512-239-183
林氏清 張升仲妻 530- 31- 54
林氏清 張兆亨妻 481-785-337
林氏清 張直齋妻 530-118- 57
林氏清 張衷燦妻、林銘几女 530- 82- 55
林氏清 張萬藻妻 481-785-337
林氏清 陳開妻 530- 81- 55
林氏清 陳準妻 530-118- 57
林氏清 陳躋妻 481-619-329 530-118- 57
林氏清 陳天行妻 481-619-329 530-118- 57
林氏清 陳允遴妻 481-534-326
林氏清 陳玉堦妻 530- 79- 55
林氏清 陳正標妻 481-651-330 530-130- 57
林氏清 陳君式妻 530- 28- 54
林氏清 陳尚猷妻 530- 41- 54
林氏清 陳春光妻 530-119- 57
林氏清 陳國瑱妻、林承玉女 530-118- 57
林氏清 陳富光妻 530-117- 57
林氏清 陳弼哲妻、林鶯羽女 530- 24- 54
林氏清 陳解人妻 530- 77- 55
林氏清 陳齊孟妻、林榮女 568-502-118
林氏清 陳爾斌妻 530- 40- 54
林氏清 陳夢鯉妻 530- 36- 54
林氏清 陳瀚侯妻 530- 39- 54
林氏清 陳蘇來妻、林岕女 530- 97- 56
林氏清 莊士亮妻 530- 41- 54
林氏清 莊爾燦妻 530- 33- 54
林氏清 莊應琳妻、林倜女 530- 29- 54
林氏清 游邦直妻 530- 27- 54
林氏清 游德之妻 530- 27- 54
林氏清 曾興踞妻 481-535-326
林氏清 黃几妻 530- 79- 55
林氏清 黃元妻 530- 33- 54
林氏清 黃衮妻 481-651-330 530-132- 57
林氏清 黃士旦妻 530- 78- 55
林氏清 黃士玟妻 530- 77- 55
林氏清 黃子萬妻 530- 80- 55
林氏清 黃之理妻 530- 26- 54
林氏清 黃季儒妻 530-133- 57
林氏清 黃炳吉妻 530- 80- 55
林氏清 黃復陽妻 530- 36- 54
林氏清 黃道儼妻 530- 78- 55
林氏清 黃達可妻 530- 78- 55
林氏清 賀美明妻 475-383- 68 512- 55-178
林氏清 辜純湯妻 481-764-335
林氏清 程翔妻 530- 78- 55
林氏清 程超逸妻 530- 79- 55
林氏清 楊必謀妻 530- 25- 54
林氏清 楊繩祖妻 530-133- 57
林氏清 鄭貢妻 530- 82- 55
林氏清 鄭篁妻 530- 77- 55
林氏清 鄭天柱妻 530- 76- 55
林氏清 鄭天標妻 530-115- 57
林氏清 鄭仕鑑妻 530- 27- 54
林氏清 鄭知貞妻 530- 75- 55
林氏清 鄭春英妻 530- 27- 54
林氏清 黃國聘妻 530- 79- 55
林氏清 鄭敘都妻 530- 26- 54
林氏清 鄭聖儀妻 530- 81- 55
林氏清 歐廷琰妻 530-100- 56
林氏清 歐陽八哥妻 481-593-328 530-100- 56
林氏清 蔡昌登妻 530- 23- 54
林氏清 劉佺璂妻、林堪女 530- 30- 54
林氏清 劉運應妻 530- 98- 56
林氏清 駱克稠妻 482- 52-340
林氏清 蕭子居妻 482- 44-340
林氏清 蕭元瑞妻 530- 78- 55
林氏清 蕭應正妻 481-651-330 530-131- 57
林氏清 錢拱妻 524-631-208
林氏清 謝克聚妻 530- 38- 54
林氏清 薛泰來妻 482-119-343
林氏清 鍾德壽妻 481-728-333
林氏清 羅興堯妻 530- 26- 54
林氏清 何表瑛媳 482-189-346
林氏清 林嶷女 512-111-179
林氏清 林國鼎女 530- 81- 55

林永宋 484-378- 27
林正明 529-508- 44
林石宋 472-1116- 48
479-403-235
523-625-177
1150-881- 48
林石明 見林右
林右林石、林佑 明
458-1004- 1
479-292-230
523-400-165
676-472- 18
1442- 17-附1
1459-528- 18
林旦宋 286-552-343
397-633-358
472-1084- 46
481-527-326
523-126-152
529-435- 43
1457-622-400
林田明 523-418-166
林外宋 529-734- 51
585-418- 10
590-342- 3
林仝元 529-760- 53
林安五代 473-570- 74
529-653- 49
林宇宋 484-383- 28
林存宋 460-395- 30
494-314- 5
林至宋 472-242- 9
511-759-166
林珪林璹明 460-542- 52
473-634- 77
529-729- 51
1257-287- 25
林羽宋 見林學蒙
林扞宋 見林杆
林聿宋 484-384- 28
林同宋 486-898- 34
林同宋 見林空齋
林同明(字子野) 460-496- 42
476-466- 17
林同明(字宜正) 460-620- 61
529-537- 45
林同林大同 明(字進卿)
472-963- 38
473-618- 77
473-656- 78
481-615-329
529-567- 46
563-733- 40
1257-162- 15
林回周 933-496- 33
林光宋 529-742- 51
林光明 457-126- 9
458-713- 3
473-675- 79
482- 37-340
523-216-156
564-149- 45
林光妻 明 見蔡氏
林向宋 484-382- 28
林合宋 1458-148-428
林旭明 821-438- 57
林仰宋 484-389- 28
林宏宋 484-389- 28
林沁清 496-219- 76
林罕宋 400-642-559
林沖宋 484-376- 27
林沂明 1255-359- 40
林沅宋 1180-400- 37
林完明 820-614- 41
林沙唐 1257-280- 25
林良明 564-624- 56
821-391- 56
林求宋 484-378- 27
林志明 563-840- 41
林志明 見林誌
林志妻 清 見鄭氏
林赤明 1247- 62- 4
林址明 1392-804-439
林杆林扞、林應奴 宋
448-391- 0
529-530- 45
563-690- 39
林杞宋(字卿材) 529-527- 45
林杞宋(字南仲) 1159-550- 33
林杞明 524-243-190
林岊宋 528-550- 32
529-444- 43
567- 72- 65
林岊明 529-760- 53
林阮春秋 933-496- 33
林材明 301-114-242
481-530-326
529-478- 43
林坊妻 宋 見薛氏
林劭宋 1152-279- 1
林迂明 1257-180- 17
林玖妻 明 見謝氏
林孜明 564-271- 47
林芃唐 見林蒙
林芊明 473-195- 58
515-257- 65
林佑明 見林右
林各明 460-823- 91
林坌明 529-656- 49
林希宋(字子中) 286-551-343
382-629- 97
384-379- 19
397-632-358
473-571- 74
475-271- 63
484- 98- 3
488-399- 13
493-645- 35
494-302- 5
590-448- 0
674-622- 5
933-497- 33
1110-507- 29
1124-785- 下
1138-690- 11
1394-442- 4
1437- 16- 1
林伸宋 529-491- 44
林妙妻 清 見侯氏
林廷妻 明 見陳氏
林秀明 袁臻妻 1257-224- 20
林宗明(字存敬) 460-538- 51
473-281- 61
532-633- 43
1257-288-25
林宗明(同安人) 480-437-278
林宗明(字思孝) 820-614- 41
林宗妻 清 見鄭氏
林京明 529-712- 50
林泗妻 明 見李純香
林泮明 460-507- 44
473-574- 74
481-530-326
529-459- 43
563-748- 40
1467- 81- 64
林泮妻 明 見鄧氏
林妗女 清 見林氏
林宓宋 見林虙
林初明 529-676- 49
林放春秋 405-449- 85
472-547- 23
539-492-11之2
933-496- 33
林放林訪 宋 486-896- 34
524-290-193
林泳宋 820-443- 35
821-226- 51
林杰宋 451- 72- 2
林武宋 523-627-177
林松妻 宋 見方氏
林雨明 1475-323- 13
林直明 1236-732- 9
林坦明 1241-474- 7
林坦女 明 見林靖
林坦清 564-310- 48
林玥宋 528-540- 32
林居元 524- 54-180
林居明 1242-863- 10
林玠宋 484-388- 28
林玠明 1257-915- 5
1392-811-440
林枅宋 528-483- 30
529-499- 44
933-498- 33
林奇林珽 明 456-464- 4
516-225- 96
529-660- 49
林玭明 460-500- 43
523- 45-148
529-458- 43
1257-904- 5
林邵宋 590-448- 0
林披唐 276- 51-200
473-631- 77
481-551-327
481-718-333
493-687- 38
528-548- 32
529-488- 44
933-496- 33
1257-282- 25

林枝明 1442- 23-附2
1459-602- 22
林忠明(字從政) 460-668- 68
林明明(會州人) 476-222-108
林典明 1263-107- 18
林旺元 1227-170- 20
林昌明 1255-749- 75
1386-328- 41
林昇唐 494-422- 13
林昇宋 484-382- 28
485-537- 1
林昇明 見林嘉猷
林昂宋 見林伯介
林昂明 676-487- 18
林昉元 524- 64-181
林杲宋 843-673-下
林果明 529-458- 43
林侗清 529-723- 51
林侗女 清 見林氏
林侑妻 元 見周元靜
林舍宋 472-708- 28
537-464- 58
1200-648- 49
林和明 473-695- 80
563-783- 40
林金明 480- 52-259
林金女 明 見林順德
林岳明 299-111-121
林岳妻 明 見德清公主
林命明 460-806- 86
529-617- 47
676- 61- 2
679-657-203
1442- 61- 4
1460-195- 49
林侃宋 484-376- 27
林采宋 451- 24- 0
523-242-157
林洪明 1240-350- 22
林炫明 529-465- 43
676-545- 22
1442- 46-附3
1460- 3- 40
林恪宋 523-604-176
林恒妻 明 見鄭氏
林洞宋 1458-149-428
林宣明 820-661- 42
林姜清 陳宜之妻 530-121- 57
林郊明 821-392- 56
林亮清 1327-684- 8
林彥清 528-569- 32
林洙女 宋 見林氏
林珏妻 清 見孫氏
林咸明 302- 22-290
528-487- 30
564-242- 47
林咸妻 明 見陳氏
林括宋 484-377- 27
林相妻 明 見歐陽氏
林垐明(字子野) 301-674-277
456-465- 4
458-329- 12
479- 44-218
523- 92-149
529-483- 43
676-662- 27
1442-112- 7
1460-720- 78
林垐明(字世增) 1392-805-439
林春林靖 宋 451- 70- 2
林春明(字子仁) 301-786-283
457-535- 32
458-905- 8
475-377- 68
511-691-163
1276-406- 10
1458-378-442
林春明(字孟陽) 510-313-113
820-623- 41
1245-555- 29
1253- 38- 42
林春明(錢塘人) 572-166- 32
林春明(字彥甫) 676-589- 24
林春明 見眞鋻
林厚明 564-188- 46
林垍明 821-359- 55
林郁宋 288-313-449
400-164-513
林珍明 1467- 93- 65
林垠明 1442- 66- 4
1460-286- 53
林建元 1217-211- 5
林思唐 見林曄
林茂宋 484-383- 28
林茂明 564-161- 45
林貞妻 元 見方友弟
林貞明 1258-310- 7
林胄宋 1185-755- 21
林胄妻 明 見彭氏
林昱明 1257-909- 5
林昭明 1467-114- 66
林囿宋 529-717- 51
林畊宋 678-112- 80
林迪宋(字吉夫) 528-490- 30
529-725- 51
林迪宋(字行中) 1458-144-428
林英明(字章叔) 299-373-143
456-697- 12
476-617-133
481-529-326
523-227-156
529-452- 43
林英明(字文華) 1249-301- 18
林英妻 明 見王氏
林信妻 明 見吳氏
林信妻 清 見朱氏
林紀明 821-407- 56
林保宋 472-1086- 46
487-126- 8
491-400- 4
491-435- 6
523-286-159
585-760- 4
1147-724- 68
林俊明 300-184-194
460-539- 51
473- 17- 49
473-212- 59
473-635- 77
479-453-237
480- 13-257
481- 25-291
481-556-327
482-539-368
494-155- 5
515- 41- 58
529-509- 44
532-592- 41
559-252- 6
569-651- 19
676-513- 20
678-190- 88
820-636- 41
1257- 2- 附
1257-454- 附
1257-576-附上
1257-584-附下
1263- 80- 14
1263-248- 8
1442- 35-附2
1459-735- 29
林奐明 820-575- 40
林秋明 529-657- 49
林泉清 529-723- 51
林象宋 460-118- 7
529-665- 49
林浦唐 529-653- 49
林浦宋 1149-885- 4
林祇明 577-610- 16
林祖明(字述古) 473-702- 80
564-264- 47
林祖明(字希述) 529-718- 51
林祐明 1240-227- 15
林祐妻 明 見潘元小
林浩明(國子監博士)
523-203-155
林浩明(字克浩) 529-676- 49
林高宋 529-433- 43
1457-620-400
林高妻 宋 見黃氏
林高明 563-844- 41
林宰明 458-451- 22
529-573- 46
林悅宋 1150-876- 48
林宸明 529-711- 50
林栻宋 494-348- 7
林珙元～明 460-488- 40
460-820- 91
林泰明 523-228-156
林恭明 554-526-57下
林烈明 528-457- 29
564-152- 45
1286-713- 16
林眞明(字子純) 529-452- 43
林眞明(字汝實) 529-452- 43
1442- 21-附2
1459-578- 21
林珦宋 529-641- 48
林珪宋 529-447- 43
林珪明 1246-500- 下
林桂明 1475-279- 11
林軒明(樂清人) 545-462-100

林軒明(字伯安) 1254-485- 6
林挺妻 明 見何氏
林栗宋 287-395-394
398-394-390
451- 24- 0
473-572- 74
479-604-244
481-235-303
484-387- 28
494-311- 5
528-506- 31
529-441- 43
677-297- 27
1178-327- 35
林時明(字學敏) 473-634- 77
481-555-327
554-208- 52
1257-543- 10
林時明(合肥人) 511-883-171
林時女 明 見林淑圓
林豈宋 1132-257- 50
林畔宋 563-681- 39
林特宋 285-532-283
林恕明 529-469- 43
563-823- 41
1442- 54-附3
1460-122- 46
林娙明 林初文妻
1442-124-附8
林耕宋 473-694- 80
林釗明(字世用) 529-687- 50
林釗明(字汝度) 1257-222- 20
林純明 473- 87- 52
473-186- 58
林修宋 564- 38- 44
林寅宋 484-386- 28
林淳宋 475-604- 81
林清元(字以寧) 460-455- 35
林清元(閩縣人) 460-456- 35
529-760- 53
林清明(字源潔) 523-201-155
529-460- 43
林清明(字自源) 529-656- 49
林清明(字壯生) 564-260- 47
林清清 456-290- 72
林淮明 529-667- 49
林情妻 清 見陳正姐
林翊宋 484-388- 28
林翊妻 清 見連氏
林煙明 299-617-163
460-505- 44
529-475- 43
1290-592- 82
1442- 62-附4
1460-206- 49
林淵宋 400-150-512
林祥明 473- 45- 50
515-223- 63
林章林春元 明(字初文)
529-720- 51
1442- 76-附5
1460-372- 57
林章明(字以成) 820-634- 41
1250-950- 90
林訪宋 見林放
林深宋 484-376- 27
林涞妻 明 見韓氏
林梁明 529-699- 50
林烺妻 清 見吳葵使
林珹明 460-623- 61
林梅明(龍溪人) 473-657- 78
林梅明(林存義子) 821-452- 57
林梅妻 明 見李琬娘
林桷宋 472-367- 16
475-639- 83
510-443-117
林培明 300-831-234
480-437-278
532-727- 46
564-153- 45
林理妻 明 見洪氏
林堅元 523-426-167
1214-248- 21
林堅妻 明 見曾氏
林雪明 821-493- 58
林埜明 528-510- 31
林乾妻 清 見程氏
林問漢 見林閭
林梓明(字汝林) 523-429-167
528-515- 31
林梓明(漳浦人) 567-135- 68
1467-122- 66
林陶宋 529-716- 51
林彬明 820-613- 41
林逋宋 288-428-457
371-153- 15
382-771-118
384-344- 17
401- 17-569
450-496-中38
451- 12- 0
471-585- 1
472-966- 38
479- 48-218
490-956- 91
524-276-192
526-260-267
585-386- 8
588-173- 8
590-135- 17
674-280-4下
708-333- 50
820-343- 32
821-150- 50
933-497- 33
1099-421- 60
1189-248- 上
1193-679- 33
1437- 10- 1
1461-243- 13
林埏宋 1180-398- 37
1458-145-428
林斑明 見林奇
林斑妻 明 見何玉眞
林通宋 482-434-361
485-535- 1
567-418- 85
1467-171-68
林通金 1200-648- 49
林崇妻 明 見趙氏
林崇妻 清 見陳氏
林崧宋 1171-769- 27
1410-366-712
林晟母 明 見蔡氏
林將女 宋 見林氏
林略宋 287-721-419
398-659-410
472-1117- 48
479-406-235
481- 21-291
523-345-162
林常明 676-455- 17
1459-485- 15
林崑宋 1178-326- 35
林虙林宓 宋 485-195- 26
491-302- 6
493-1020- 54
511-671-163
589-332- 4
674-612- 5
677-233- 21
1119- 31- 6
1457-622-400
林勗唐 529-432- 43
林勗妻 明 見黄氏
林晨林暾 宋 484-373- 27
林鈛林鉞 明 529-720- 51
676-552- 22
1257-512- 7
林紹明 529-760- 53
林組明 見林約仲
林偉宋 484-389- 28
524-299-193
林偉明 460-820- 91
林啓明(字仰之) 460-586- 58
532-647- 43
1257-147- 13
林啓明(字仲鎭) 563-755- 40
林釬明 301-256-251
460-749- 77
481-617-329
529-574- 46
林統明 見林思承
林敏明 529-719- 51
林尊漢 251-107- 88
380-251-172
472-522- 22
476-520-128
540-695-28之1
675-261- 7
林滋唐 1388-635- 95
林斌明 494-158- 5
569-660- 19
林就妻 清 見康氏
林普妻 清 見宋氏
林富明 523-132-152
529-512- 44
563-723- 40
567-117- 67
1272-432- 12
1467- 97- 65
林富清 528-569- 32
林詔宋 見林天書

林焯明 820-678- 42
林焯妻 明 見陳氏
林焜明 1257-551- 10
林焜妻 明 見張氏
林湛清 1326-845- 8
林湜宋 460-316- 24
473-660- 78
481-747-334
529-641- 48
1164-355- 19
林湜女 宋 見林氏
林渶明 515-222- 63
1257-207- 19
林渙女 宋 見林氏
林渠明 820-679- 42
林黄林以寧 宋 451- 99- 3
林項宋 484-386- 28
林越宋 524- 89-182
林雲明 523-207-155
529-479- 43
林貢明(漳浦人) 529-676- 49
林貢明(字光輔) 564-209- 45
林巽宋(字巽之) 473-701- 80
482-141-344
564- 75- 44
677-175- 16
林巽宋(字若勤) 1120-230- 34
林巽明 1290-636- 87
林極宋 487-510- 7
林植宋 1181-188- 12
林雄宋 1458-149-428
林雄明 482-209-347
564-251- 47
林琚女 明 見林氏
林朝明 見林元旭
林琦宋 288-385-454
400-197-515
473-573- 74
481-528-326
529-449- 43
563-706- 39
564-826- 60
林琦明(字鏡甫) 529-483- 43
林琦明(南海人) 1467- 75- 64
林堪明(字舜卿) 473-222- 59
480- 88-262
529-510- 44
532-624- 43
1271-776- 6
林堪明(字尚乾) 529-471- 43
林堪明(字應舉) 529-657- 49
林堪女 明 見林氏
林椅宋 523-629-177
678-563-123
1152-584- 31
林琥妻 明 見王氏
林肅宋 460-135- 8
529-726- 51
林肅明 529-672- 49
林弼林唐臣 明 472-603- 25
473- 15- 49
473-655- 78
515- 88- 59
529-564- 46
540-653- 27
676-291- 11
676-448- 17
820-572- 40
1227-120- 14
1227-201- 附
1391-494-323
1442- 7-附1
1459-298- 8
林雩宋 528-440- 29
林棟宋(字用可) 460-448- 34
1257-285- 25
林棟宋(字國輔) 1185-775- 22
林棟妻 宋 見孫汝靜
林棟女 明 見林閨善
林棟妻 清 見余氏
林琰宋 820-431- 35
林森明(上饒人) 516-519-106
林森明(侯官人) 523-162-153
林森明(字廷茂) 529-681- 50
林森明(清江人) 821-372- 55
林森妻 明 見韓氏
林琛明 1257-169- 16
林雯清 482-563-369
林揆宋 530-259- 63
林紫妻 清 見黄氏
林著林友直 唐 1257-283- 25
1467- 15- 62
林嵋明 456-546- 7
529-733- 51
林嵒明 563-775- 40
林華明(字廷彬) 460-564- 56
510-376-114
529-517- 44
578-939- 25
林華明(字廷輝) 529-636- 48
林華明(字原積) 564-235- 46
林萊林萊姐 明 陳長源妻、林舜道女 302-243-303
530- 14- 54
1283-756-126
林傅明 820-614- 41
林智明 1248-629- 3
1254-579- 上
1259-422- 4
林程宋 529-711- 50
林程母 元 見鄭惠眞
林絢宋 1117-410- 4
1467-282- 73
林鈍明 460-507- 44
林勝女 後魏 見林皇后
林傑唐(侯官人) 529-715- 51
林傑唐(閩川人) 814-277- 10
820-283- 29
林棐宋 475-821- 92
510-493-118
林棐明 564-271- 47
林復明(連江人) 523-244-157
林逸清 529-723- 51
林慈明 460-496- 42
529-718- 51
林祺明 481-616-329
529-739- 51
林源明 523- 83-149
林源妻 明 見周催小
林補明(字廷翊) 1245-132- 3
林補明(字仲山) 1246-658- 16
林靖宋 見林春
林靖明 473-359- 64
532-706- 45
林靖明 陳舜謀妻、林坦女 1257-143- 13
林雍春秋 933-496- 33
林雍明 460-776- 81
481-615-329
529-566- 46
林雍妻 清 見余氏
林温明 524- 87-182
676-452- 17
1442- 10-附1
1459-441- 14
林裕明 821-459- 57
林詢母 宋 見鄭氏
林廉元 吳璟妻 524-773-215
1223-578- 11
1224-309- 24
林廉妻 明 見邱氏
林遂明 481-749-334
529-645- 48
559-253- 6
林祿女 明 見李妙金
林瑀宋 677-183- 17
林楓明 554-346- 54
林塤明 529-568- 46
1272-450- 14
林椿宋 524-344-196
585-517- 17
821-221- 51
林椿明 476-260-110
546- 94-118
林瑄宋 484-376- 27
林瑄明 472-309- 13
林瑄女 明 見林淑清
林瑢清 葉汝棟妻 530- 25- 54
林楠宋 487-510- 7
林幹宋 524-297-193
林瑞明 529-699- 50
林瑜明 473- 15- 49
473-655- 78
479-452-237
515- 35- 58
820-580- 40
1239-170- 38
1240-399- 25
1242-289- 34
林概宋 288- 89-432
400-446-541
472-998- 40
473-571- 74
473-672- 79
479-133-223
481-526-326
482-289-352
485-533- 1
494-340- 7
523-115-151
529-434- 43
533-697- 39

590-448- 0
679-730-209
1457-620-400
林楊明 529-655- 49
林達明 300-187-194
529-509- 44
820-672- 42
林瑑宋 529-443- 43
1180-361- 33
1180-410- 38
1180-521- 48
1458-146-428
林瑑妻　宋　見黃氏
林瑑女　宋　見林節
林瑛林之瑛　明 456-546- 7
林瑛明 473-653- 78
528-494- 30
林楚春秋 933-496- 33
林楚明 529-739- 51
林𣪍明 1241-608- 12
林嵩唐 273-115- 60
481-746-334
529-640- 48
林嵩明(邠州人) 472-842- 33
554-598- 59
567-447- 86
林嵩明(字朝高) 1263-113- 18
林暄明 493-757- 41
林葦林曾奴　唐 1257-283- 25
林鼎五代 472-1085- 46
524- 39-180
529-716- 51
820-322- 31
林暐宋 487-124- 8
524-195-188
林蔇唐 1257-284- 25
林嶫妻　清　見于氏
林傳宋 1180-431- 39
林鉉妻　明　見王肅懿
林鉞明 475-667- 84
510-456-117
529-538- 45
820-676- 42
林鉞明　見林鉞
林稔明 1263-104- 17
林愈妻　明　見方氏
林頎女　明　見林淑清
林會宋 1200- 648- 49
林鈿明 460-794- 84
529-740- 51
林節宋　劉克莊妻、林瑑女
530- 2- 54
1180-360- 33
1180-407- 37
林毓妻　明　見林氏
林實宋 484-378- 27
林實吳實　明 529-452- 43
676-477- 18
林誌林志　明 453-245- 22
460-495- 42
473-573- 74
529-452- 43
676-477- 18
1238-189- 16
1240-326- 21
1375- 38- 下
1391-802-355
1442- 21-附2
1459-582- 21
林誠明 529-508- 44
1249-839- 12
1259-734- 3
林誠女　明　見林淑書
林福明 460-625- 62
林塾明 1257-556- 10
林端宋 484-378- 27
林端明 473- 61- 51
林說明 456-639- 10
529-669- 49
林榮明(字仲仁) 482-227-348
564-217- 46
1442- 35- 2
1459-737- 29
林榮明(字得仁) 529-450- 43
林榮明(字孟仁) 564-117- 45
林榮女　清　見林氏
林漢妻　清　見陳氏
林摶宋 529-439- 43
1458- 68-419
林壽妻　明　見范氏
林碩宋 1153-629-107
1171-349- 9
林碩明 299-586-161
473-573- 74
478-766-215
523- 37-147
529-453- 43
1241-450- 6
林輔明 821-377- 55
林瑱明 505-683- 69
1260-133- 6
林愿女　宋　見天后
林瑭明 460-500- 43
529-458- 43
1257-144- 13
1392-806-440
林橐宋 564- 77- 44
林遜明 528-449- 29
564-199- 46
676- 20- 1
678-184- 87
林遜清 1315-522- 31
1316-677- 46
林嶾宋(福州人) 473-701- 80
482-140-344
563-683- 39
林嶾宋(知滁州) 510-485-118
林夢明 1257-141- 13
林蒙林丸　唐 1257-284- 25
林鳳妻　明　見閻氏
林銘明 530-211- 61
820-600- 40
821-359- 55
林銅明 1257-200- 19
林緒宋 529-761- 53
林肇宋 472-221- 8
493-743- 41
494-471- 18
林魁明 473-657- 78
481-616-329
510-376-114
529-568- 46
林廣宋 286-443-334
397-545-353
476-730-138
478-418-195
540-763-28之2
1104-679- 13
林廣明 821-376- 55
林廣妻　明　見何淑姿
林寬元 1203- 26- 2
1207-270-18
林寬明(吉州洞蠻人)
302-554-316
林寬明(莆田人) 515-236- 64
林潤明 300-472-210
481-558-327
515- 56- 58
515-176- 62
517-233-121
529-518- 44
676-723- 30
林潮明 820-752- 44
1274-368- 13
1410-412-718
林慶明 563-834- 41
1247- 55- 4
林緦宋 484-377- 27
林駉林駧　宋 473-660- 78
481-747-334
529-749- 51
林確宋 484-376- 27
林霄妻　明　見翁基使
林閭林問　漢 469-615- 75
471-977- 56
473-536- 72
559-387-9上
591-577- 43
林墰明 563-795- 41
林摯宋 484-373- 27
林鼐宋 523-604-176
1164-295- 15
林璆明　見林元美
林霆宋 288-152-436
288-313-449
400-164-513
494-321- 6
529-494- 44
530-210- 61
林震宋(字時旉) 288-313-449
400-164-513
473-632- 77
677-238- 22
林震宋(字有則) 529-680- 50
林震明 460-771- 80
473-655- 78
529-738- 51
1241-532- 9
林敷明 559-310-7上
林蔚清 528-499- 30
林膚宋 1457-623-400
林輝宋 1120-230- 34

林堯隋 529-653- 49
林堯明 460-669- 68
林賜明 1442- 12-附1
1459-484- 15
林德明(常熟人) 511-527-157
林德明(字汝敬) 1237-360- 10
林儀清 529-724- 51
林質明 529-733- 51
林儉妻 明 見黃氏
林皞明 460-770- 79
林緯妻 清 見丁氏
林稷宋 484-381- 28
林僾宋 529-653- 49
林憲宋 486-898- 34
494-428- 13
674-881- 20
1152-812- 52
1356-765- 17
林憲明 1240-314- 20
林龍妻 明 見黃氏
林諝唐 473-570- 74
529-715- 51
674-687- 8
林澤宋 1185-243- 50
林澤女 宋 見林氏
林澤妻 清 見劉氏
林諫元 1439-450- 2
林頤宋 491-436- 6
林穎宋(字褒然) 484-377- 27
林穎宋(字叔嘉) 529-443- 43
林穎宋(字德秀) 1164-406- 22
林禎明 529-760- 53
林融宋 523-420-166
林璟宋 1458-145-428
林璟明 563-839- 41
林璟明 見林暻
林樵明 見林汝談
林翰林應儒 宋 448-402- 0
林霔宋 491-435- 6
林駉宋 見林駧
林肅宋 486-897- 34
523-604-176
1164-357- 19
1356-759- 16
林靜元 524-282-192
1229-606- 2
林璞林樸 宋 493-951- 51
590-457- 0
林璞妻 宋 見陳氏
林樸宋 見林璞
林豫宋 473-632- 77
528-537- 32
529-493- 44
1112-494- 43
1120-230- 34
林豫明 1257-287- 25
林遹宋 529-437- 43
674-845- 18
1458-144-428
林蕙宋 524-210-188
林冀宋 1090-661- 38
林暻林璟 明 476-855-145
540-672- 27
林興妻 明 見蘇氏
林興妻 清 見周雲香
林璒宋 530-208- 60
林[illegible]明 1257-270- 24
1392-800-439
林曄林思 唐 1257-284- 25
林蕁唐 見林邁
林暾宋 見林晨
林暾元 1439-434- 1
林暹明 456-682- 11
林錝明 529-520- 44
林積宋 473-617- 77
473-694- 80
515-143- 61
529-578- 46
563-681- 39
1120-220-33
林錞林元應 宋 448-375- 0
484-390- 28
林錦明 299-644-165
481-529-326
482-225-348
529-456- 43
563-741- 40
林嵒明 523-218-156
林儒明 820-614- 41
林衡明 1442- 21-附2
1459-580- 21
林勳宋 287-750-422
398-683-413
473-768- 84
482- 33-340
482-434-361
563-673- 39
567-297- 76
1467-174- 68
林應明 見林應彬
林鴻明(字子羽) 301-826-286
481-529-326
529-718- 51
676-449- 17
820-572- 40
1318-351- 63
1442- 13-附1
1459-376- 11
林鴻明(字時敘) 523-492-170
林鴻妻 明 見張紅橋
林濬妻 明 見黃氏
林熑明 299-617-163
460-505- 44
529-472- 43
676-581- 24
1283-106- 75
1442- 59-附4
1460-182- 48
林燦明 532-684- 44
林燧明 529-657- 49
林聰宋 484-378- 27
林聰明(字季聰) 299-797-177
453-625- 20
460-821- 91
473-660- 78
476-479-125
481-749-334
529-645- 48
林聰明(字文敏) 511-489-155
林聰妻 明 見陳氏
林懋明 見林士敏
林磻宋 460-452- 34
529-727- 51
林環明 460-542- 52
473-634- 77
529-729- 51
676-476- 18
1237-282- 5
1442- 21-附2
1459-578- 21
林薦唐 1257-283- 25
林邁林蕁 唐 1257-284- 25
林嶷女 清 見林氏
林鍾明 523-203-155
林鍾林鐘 清 479-484-239
515-100- 59
529-588- 46
林聳宋(字巖望) 451- 84- 2
林聳宋(字彥孜) 484-385- 28
林謨宋 460-278- 17
529-442- 43
1168-430- 37
林謨明 1255-683- 70
林攄宋 286-665-351
382-668-103
397-716-363
473-571- 74
537-243- 55
820-399- 34
933-497- 33
林璹元 1210-376- 11
林璹明 見林圭
林璵明 1253-178- 49
林贄明 523-195-155
529-522- 44
567-147- 68
1467-135- 66
林璧明(字庭美) 480-438-278
533-276- 56
559-251- 6
林璧明(字竹憨) 1475-783- 33
林翹妻 明 見黃氏
林闓宋 1181-188- 12
林簡女 宋 見林匹善
林簡明 529-733- 51
林簡妻 清 見方氏
林簡妻 清 見鄭鶯陽
林歸妻 元 見徐淑
林類春秋 448- 92- 上
871-885- 19
879-150-57下
933-496- 33
林瀚明 299-616-163
453-653- 27
460-503- 44
473-574- 74
481-529-326
523- 46-148
529-459- 43
1249-798- 7
1257-312- 28
1257-521- 8

1442- 33-附2
1459-712- 28
林寵清 530-211- 61
林瓊明 陳琦妻 530- 83- 55
林瓊明 540-807-28之3
676-122- 5
林瓊明 陳鳳岐妻
1280-462- 90
林黼明 見林公黼
林鵬明 511-652-162
林鏜宋 451- 58- 2
林鏞元 820-524- 38
林鏡妻 明 見陳臾姐
林鏐明 見林元美
林議妻 明 見吳氏
林瀾妻 明 見陳氏
林瀾清 1321- 29- 88
林鷗唐 529-653- 49
林瓌宋 見林瓖
林鶚明 299-541-157
453-378- 9
453-633- 22
472-223- 8
472-274- 11
472-1105- 47
473- 16- 49
475-121- 55
475-273- 63
479-293-230
479-452-237
493-732- 40
510-336-113
510-374-114
515- 38- 58
523-318-161
676-497- 19
820-632- 41
1255-776- 77
林獻女 明 見林氏
林齡妻 宋 見吳氏
林蘊唐 276- 51-200
384-258- 13
396- 43-255
471-670- 13
473-425- 67
477-631- 77
481- 17-291
481-551-327
529-488- 44
559-246- 6
563-900- 43
820-266- 29
933-496- 33
1257-284- 25
林耀明 見林彌宣
林藻唐 471-670- 13
529-724- 51
813-259- 10
820-222- 28
879-166-58上
1257-283- 25
林鐘楊鐘 明 456-467- 4
林鐘明 510-334-113
511-678-163
林鐘清 見林鍾
林灃宋 460-295- 19
528-523- 31
林爚明 1392-799-439
林夔妻 明 見黃氏
林瓖林瓌 宋 1180-427- 39
1458-145-428
林巍明 505-656- 68
林蘭明 1246-505- 下
林鐸明 481-723-333
529-699- 50
林巒宋 460-290- 18
林巒明(號晞髮先生)
529-760- 53
林巒明(字鍾秀) 570-121-21之1
1467- 92- 65
林攢唐 275-633-195
384-239- 12
400-291-523
471-670- 13
473-631- 77
481-551-327
529-664- 49
933-496- 33
1257-285- 25
林鑑宋 843-664- 中
林鑑妻 清 見王氏
林儼明 564-292- 47
林儼妻 明～清 見翁氏
林瓚妻 明 見徐淑英
林靁宋 451- 95- 3
林巖妻 清 見郝氏
林鑣清 529-662- 49
林鑛清 478-419-195
554-322- 53
林灝宋 460-451- 34
林觀明(字用賓) 529-655- 49
820-578- 40
林觀明(字善甫) 1242- 13- 24
林鑰明 1257-221- 20
林鸞清 511-406-152
林一沂妻 清 見程氏
林一奇明 529-677- 49
林一柱明(字廷郢) 460-683- 70
林一柱明(字元功) 529-523- 44
林一清明 529-469- 43
林一陽明 460-778- 81
475-777- 89
529-739- 51
林一喬明 564-263- 47
林一新明 460-670- 68
529-543- 45
林一煥明 528-532- 31
林一鳴宋 563-679- 39
林一龍宋 524- 86-182
林一鶚明 529-659- 49
林人鳳妻 明或清 見廖氏
林丫頭清 530- 58- 95
林三益宋 525-164-225
林三娘明 530- 90- 56
林士元明(字舜卿) 482-268-350
564-229- 46
676- 73- 3
679-241-162
679-832-221
680-108-235
1467-127- 66
林士元明(字世仁) 529-466- 43
563-755- 40
林士尹宋 528-523- 31
林士弘唐 269-493- 56
274-155- 87
384-178- 9
395-238-202
933-496- 33
林士志元 1217-221- 5
林士能元 821-296- 53
林士章明 529-570- 46
林士敏林懋、林世懋、林仕敏
明 473- 75- 52
515-234- 64
529-729- 51
676-467- 17
林士雲明 494- 24- 2
林士鼎妻 清 見毛遜娘
林士騏妻 清 見陳氏
林士懷妻 宋 見孫氏
林子方明 1227-105- 12
林子文元 821-320- 54
林子牛清 1325-678- 2
林子立宋 529-495- 44
林子充宋 529-437- 43
林子安妻 宋 見韓玉父
林子沖宋 460-127- 7
529-445- 43
林子勉明 460-522- 47
529-721- 51
林子侯妻 清 見趙氏
林子恭宋 1180-433- 39
林子埜妻 宋 見陳氏
林子善宋 491-112- 13
林子雲宋 481-748-334
529-643- 48
林子森明 1442- 12-附1
1459-458- 14
林子順妻 元 見黃氏
林于高宋 1257-286- 25
林大中宋 287-386-393
398-387-389
451- 22- 0
472-1030- 42
472-1084- 46
473-111- 54
479-174-225
479-322-232
479-654-247
479-792-254
494-341- 7
515-167- 62
523-324-161
1153-505- 98
林大中女 宋 見林氏
林大弘明 529-702- 50
林大有宋 見林亨之
林大有明 481-530-326
529-658- 49
林大同明 493-1031- 54
676- 3- 1

676-467- 17
林大同明 見林同
林大年宋 288-429-457
林大年明 529-738- 51
林大東宋 484-381- 28
林大佳明 523-251-157
林大受林慶崇 宋448-376- 0
林大春宋 460-278- 17
林大春明 482-142-344
林大梁明 523-176-154
林大偉妻 清 見游氏
林大欽明 564-283- 47
1457-566-396
林大猷明 460-539- 51
1247- 36- 2
1254-581- 上
1257-143- 13
1257-294- 26
林大楨林宅遠 明
820-717- 43
林大輅明 481-557-327
529-514- 44
1442- 46-附3
1460- 3- 40
林大輅妻 明 見黃氏
林大經明 529-520- 44
林大節宋(字行實) 448-524- 14
林大節宋(林孝雍姪)
491-436- 6
林大節妻 明 見吳氏
林大福清 456-368- 78
林大榮宋 484-383- 28
林大槐明 475-744- 88
510-473-117
林大僖明 529-702- 50
林大輪明 523- 89-149
林大鼐宋 529-726- 51
933-498- 33
林大霖明 473- 18- 49
林大興元 529-708- 50
林大聲宋 484-374- 27
1135-405- 37
林大疆明 456-683- 11
529-702- 50
林大黼明 510-317-113
529-518- 44
563-786- 40
林大麟宋 484-382- 28
林上元明 302-160-297
林上達宋 484-385- 28
林千之宋 524- 86-182
林文之宋 529-717- 51
1458-148-428
林文仲宋 516-206- 95
林文沛明 見陳文沛
林文亨明 473-730- 82
564-220- 46
林文明明 460-732- 76
林文恢妻 清 見趙氏
林文奎明 1227-111- 13
林文迪明 460-821- 91
529-645- 48
林文英清 481-531-326
529-487- 43
563-884- 42
林文俊明 473-635- 77
529-513- 44
676-543- 22
林文卿明(全椒教諭)
510-486-118
林文卿明(號五臺) 821-442- 57
林文秩明 473-574- 74
529-453- 43
林文球妻 清 見陳氏
林文秸明 529-453- 43
676-478- 18
林文盛明 529-708- 50
林文貴明 523-357-163
1272-231- 9
林文煌清 528-569- 32
林文鉞妻 明 見王氏
林文榜明 511-626-161
林文熊明 529-480- 43
林文蔚明(武平人) 528-464- 29
林文蔚明(掖縣人) 554-257- 52
林文輝女 清 見林淑朝
林文儀妻 清 見宋氏
林文質宋 1161-627-126
1164-307- 16
林文質妻 宋 見朱氏
林文韶宋 530-210- 61
1458- 69-419
林文瓊父 明 510-438-116
林文獻陳文獻 明
460-820- 91
林文耀元 524-374-197
林文纘明 1442- 41-附2
1459-824- 33
林之平宋 529-494- 44
林之奇宋(字少穎) 288-101-433
400-486-545
460-127- 7
473-572- 74
481-527-326
529-441- 43
674-547- 2
674-844- 18
1140-535- 附
林之奇宋(字偉卿) 524- 84-182
林之純金 540-671- 27
1200-647- 49
林之楫妻 清 見劉氏
林之瑛明 見林瑛
林之瀚明 511-692-163
林之獻妻 清 見鄭氏
林之蘭明 515-112- 60
林不狃春秋 933-496- 33
林不息明 456-497- 5
480-463-279
481-558-327
529-523- 44
林元圭宋 484-387- 28
林元老宋 見林元復
林元旭林朝 明 1257-288- 25
林元旭妻 明 見黃氏
林元仰妻 清 見戴氏
林元甫林普長 明
481-556-327
529-509- 44
1256-437- 29
1257-181- 17
林元秀妻 清 見程氏
林元昌妻 清 見詹氏
林元叔明 545-440- 99
林元亮妻 清 見張氏
林元美林璆、林鏐 明
473-112- 54
473-194- 58
473-574- 74
476-697-137
515-171- 62
529-454- 43
540-653- 27
林元春明 529-482- 43
林元素宋 1185-246- 50
林元倫明 481-644-330
528-514- 31
林元彬元 1228-751- 12
林元琰妻 清 見陳氏
林元雯妻 清 見謝德貞
林元復林元老 宋451- 54- 2
林元標妻 清 見馮氏
林元應宋 見林錞
林匹善宋 陳雄妻、林簡女
1174-717- 45
林孔育妻 明 見黃氏
林孔彰宋 485-386- 28
林孔壽宋 見林瘳協
林天千妻 清 見鄭氏
林天木清 569-621-18下之2
林天明女 宋 見林守貞
林天明妻 清 見李氏
林天迪明 1291-862- 5
林天素明 821-491- 58
林天書林詔 宋 460-490- 40
林天祥元 1227-166- 20
林天瑞宋 528-524- 31
林天榮明 1467-118- 66
林天駿明 820-713- 43
林天擎清 476-114-102
502-685- 81
545-381- 97
林天爵明 524-232-189
林友仁母 元 見李氏
林友玉清 529-524- 44
林友直唐 見林著
林及之宋 1180-413- 38
林日本明 820-759- 44
林日華宋 484-388- 28
林日瑞明 301-457-263
456-430- 2
478-454-197
479-456-237
481-617-329
515- 64- 58
529-574- 46
林日照妻 明 見李氏
林日宣妻 清 見顏氏
林日選宋 460-451- 34
林日曙妻 清 見陸氏
林日覲妻 清 見方氏
林中瑜清 474-775- 41

475-668- 84
502 774 86
510-459-117
林公一宋 1182-685- 4
林公祀女 宋 見林氏
林公武宋 529-756- 52
林公俊宋 528-507- 31
林公望林暘老 宋448-361- 0
林公偉元 1217-226- 6
林公遇宋 529-654- 49
1180-377- 35
1180-435- 40
1458-147-428
林公遇妻 宋 見陳氏
林公遇女 宋 見林氏
林公慶宋 1180-430- 39
林公慶明 1442- 7-附1
1459-260- 5
林公選宋 1180-370- 34
1180-428- 39
1458-147-428
林公興妻 清 見符氏
林公邁宋 484-390- 28
林公燮妻 明 見張氏
林公黼林黼 明 300-111-189
460-516- 46
481-530-326
529-465- 43
820-672- 42
1272-485- 16
1458-574-458
林仁伯妻 明 見吳氏
林仁實宋 460-283- 17
林仁肇南唐 473-600- 76
481-674-331
515- 11- 57
529-590- 47
588-315- 2
1085- 46- 6
林仁澤宋 1168-469- 38
林介卿宋(知龍巖縣)
481-782-337
528-572- 32
林介卿宋(羅源令) 528-444- 29
林化熙明 456-639- 10
529-660- 49
林允大林德昌 明
1269-171- 12
林允中宋 460-277- 17
林允宗明 473-359- 64
529-516- 44
532-708- 45
林允昱明 1257-888- 5
林允祥妻 清 見陳氏
林立之宋 460-451- 34
529-726- 51
林必登妻 清 見左氏
林必達清 529-662- 49
林永官明 施鎬妻530- 18- 54
林永章妻 清 見羅瑞卿
林永祿妻 清 見周氏
林永礐妻 清 見程氏
林永叢妻 清 見陳氏
林永齡明(侯官人) 473- 97- 53
515-185- 62
林永齡明(字延年) 529-507- 44
563-774- 40
林玉使清 馬友鹿妻、林開登女
530- 33- 54
林玉美明 魏亦永妻
530- 13- 54
林玉融宋 蕭宋珍妻
1185-765- 21
林玉衡明 倪廷相妻、林初文女
1442-124-附8
林正亨明 529-481- 43
林正芳明 529-524- 44
林正美妻 清 見鄧氏
林正唐宋 933-498- 33
林正華宋 529-653- 49
林本著明 529-668- 49
林巨卿唐 529-653- 49
林巧玉清 鄭望治妻
530- 38- 54
林可立明 559-271- 6
林可成明 523-457-168
1474-538- 27
林可棟清 1319-231- 3
林充之宋 460-283- 17
林充漢妻 清 見羅輝莊
林世芳妻 清 見何氏
林世英明 456-640- 10
林世英妻 清 見丁氏
林世發清 529-662- 49
林世勤明 481-529-326
529-659- 49
林世誠妻 明 見江氏
林世榕祖母 清 見周氏
林世榕清 478- 94-180
554-319- 53
564-299- 48
1327-696- 8
林世遠明 564-209- 46
林世蓁妻 明 見吳氏
林世懋明 見林士敏
林世璧明 529-720- 51
1442- 97-附6
1460-579- 69
林民止明 563-823- 41
林功懋明 563-756- 40
林末哥清 530- 75- 55
林以順元 481-555-327
528-447- 29
529-505- 44
1210-445- 15
1257-286- 25
1439-436- 1
林以靖明 529-571- 46
林以寧宋 見林黃
林以潛妻 清 見陳瑞官
林以德妻 明 見王氏
林以辨元 460-448- 34
460-458- 35
529-728- 51
林以聰妻 明 見薛氏
林占春清 524- 93-182
林占春妻 清 見童氏
林四娘明 蔣龍妻530- 66- 55
林甲乙元 524-165-186
林申孫宋 見林思永
林代工宋 484-377- 27
林仕敏宋 見林士敏
林仕猷宋 564-283- 47
林台姑宋 梁時亨妻
530-162- 59
林用中宋 460-277- 17
529-447- 43
林用進妻 明 見謝氏
林奴兒明 見林金蘭
林亦之宋 460-139- 8
481-559-327
529-442- 43
676-692- 29
678-629-129
1142-660- 10
1254-582- 上
1363-472-181
1437- 26- 2
1457-625-400
林守元妻 明 見劉氏
林守定妻 明 見葉默
林守貞宋 方逵妻、林文明女
1178-324- 35
林守崗妻 明 見余氏
林守道宋 460-318- 25
708-1055- 97
林亥娘明 阮天從妻、阮矢從妻
473-589- 75
530- 87- 56
林安上宋 484-373- 27
林安宅宋 484-107- 3
484-382- 28
523-149-153
林安行宋 484-380- 28
林安居妻 明 見嚴氏
林安國宋 484-388- 28
林安靜清 彭國琮妻
530- 40- 54
林汝元明 1460-904- 97
林汝作宋 460-452- 34
林汝殷妻 明 見王氏
林汝詔明 532-721- 45
林汝弼宋 484-378- 27
林汝翥明 301-673-277
456-441- 3
529-480- 43
林汝談林樵 明 1255-624- 65
林汝談妻 明 見葉氏
林汝儀明 1263-117- 20
林汝瞻妻 清 見尤氏
林宅遠明 見林大楨
林宅賢明 529-659- 49
林圭使妻 明 見張氏
林有年明 479-353-233
510-456-117
523-203-155
523-231-156
529-511- 44
676-297- 11
林有原妻 明 見李氏
林有栻妻 明 見許氏
林有祿明 529-511- 44

林有臺明 529-720- 51
821-442- 57
林有鑑唐 820-197- 27
林有麟明 559-301-7上
1442-105-附7
林存祥明 530-212- 61
林存義明 821-452- 57
林在岐妻 清 見溫氏
林在勉妻 明 見許氏
林百齡明 1442-130-附8
1460-877- 94
林百驎妻 清 見黃氏
林羽宏明 529-700- 50
林老女宋 288-461-460
401-164-590
473-588- 75
481-774-336
林次融林順祖 宋448-373- 0
484-390- 28
林次齡宋 473-784- 85
1467- 45- 63
林同季宋 1149-889- 4
林光世宋 677-382- 35
林光宇明 1442-101-附6
林光岫女 清 見林槐妹
林光祖林頂郎 宋448-392- 0
林光庭明 523-178-154
529-521- 44
林光朝宋 288-102-433
400-487-545
460-131- 8
460-133- 8
471-670- 13
471-839- 35
473-633- 77
473-673- 79
473-683- 79
479-318-232
481-554-327
481-802-338
482- 74-341
528-441- 29
529-500- 44
563-660- 39
567-442- 86
585-767- 5
933-498- 33
1142-553- 附
1142-657- 10
1147-661- 63
1164-310- 16
1180-241- 23
1257- 64- 6
1263- 76- 13
1437- 25- 2
1457-625-400
1462-566- 82
1467-152- 67
林光裔宋 515-269- 65
529-446- 43
林兆珂明 460-566- 56
481-558-327
529-732- 51
676-609- 25
678-473-115
林兆恩明 460-567- 56
530-199- 60
677-651- 58
1442- 70-附4
林兆鼎明 301-224-249
481- 26-291
483-228-390
529-483- 43
林兆箕明 532-638- 43
林兆質妻 清 見鄭氏
林伏豸妻 明 見陳氏
林向升妻 清 見方氏
林向哲清 529-733- 51
林向榮明 529-658- 49
林向翰妻 明 見羅氏
林全春明 見林逢春
林自勝妻 清 見任氏
林好古宋 460-283- 17
林如珙元 1198-126- 3
林如登女 明 見林尾姑
林如源明 460-729- 75
林如楚明 460-509- 44
529-476- 43
1442- 63-附4
1460-211- 49
林仲平宋 933-811- 60
林仲國宋 528-445- 29
林仲華妻 明 見鄭氏
林仲損宋 1150-882- 48
林仲節元 460-488- 40
529-750- 51
林仲蔚妻 清 見劉小珠
林仲熹妻 明 見陳玉潔
林仲彝宋 524-229-189
林仲懿宋 517-429-126
林仲麟林仲鱗 宋
288-397-455
400-141-511
451- 23- 0
481-747-334
529-642- 48
林仲鱗宋 見林仲麟
林先民宋 484-378- 27
林先春明 460-527- 48
523-109-150
林行可宋 528-505- 31
林行言宋 1178-327- 35
林休復宋 1090-583- 29
林宏顯明 821-368- 55
林灶妹妻 清 見柯氏
林言式妻 明 見李氏
林沖之宋 288-313-449
400-163-513
472-149- 5
473-125- 55
473-632- 77
479-678-248
481-552-327
505-927- 84
515-130- 61
529-494- 44
林亨之林大有 宋529-761- 53
1188-671- 4
林宋卿宋 460- 20- 1
484-388- 28
529-495- 44
林志之宋 460-451- 34
林志孟明 564-139- 45
林志揚妻 清 見游氏
林志遠明 460-753- 77
林成用明 1457- 51-345
林成季宋 460-135- 8
林甫任明 460-745- 77
林忍姐清 481-620-329
530-122- 57
林孝友宋 491-435- 6
林孝淵宋 529-494- 44
林孝雍宋 491-435- 6
林孝聞宋 528-539- 32
林孝澤宋 528-491- 30
1161-612-125
林孝謹宋 1142-649- 9
林君玉元 1200-610- 46
林君政妻 清 見方氏
林均翁元 1228-756- 12
林克己吳越 479- 48-218
林克威妻 宋 見陳氏
林克咸妹 元 見林氏
林克賢明 524-263-191
林克靜女 明 見林氏
林尾姑明 陳登妻、林如登女
530- 15- 54
林玖哥清 530- 81- 55
林辰孫明 529-657- 49
林作惠妻 明 見郭氏
林伯介林昂 宋 451- 70- 2
林伯成宋 510-389-115
林伯英元~明 524-354-196
821-297- 53
林伯修宋 820-408- 34
林伯量妻 明 見鄭氏
林伯謙妻 明 見許氏
林谷成宋 821-246- 52
林含章女 宋 見林氏
林佛奴元 郭德明妻
530-104- 57
林邦基妻 清 見曾氏
林邦楨妻 清 見鄭氏
林邦達明 482-266-350
563-839- 41
林邦福元 1224-154- 19
林希元宋 1172-491- 43
林希元元 676-708- 29
林希元明 301-759-282
458-813- 6
460-629- 63
481-587-328
510-502-118
529-539- 45
563-746- 40
676-236- 9
1442- 47-附3
1460- 27- 41
林希逸宋 460-140- 8
529-442- 43
588-172- 8
676-692- 29

677-376- 35
820-443- 35
821-226- 51
1142-660- 10
1357-834- 10
1364-407-302
1375- 35- 下
1437- 29- 2
1457-626-400
林希蔭明 564-264- 47
林希顥明 144-113-附7
林伸明宋 529-764- 53
林秀起妻 清 見陳氏
林秀卿明 楊文正妻 530- 6- 54
林廷玉明 510-408-115
529-461- 43
532-695- 45
558-339- 35
563-742- 40
676-517- 20
林廷光妻 清 見陳氏
林廷杓明 1467-111- 66
林廷芳明 460-536- 50
林廷彥宋 528-570- 32
林廷陞明 563-823- 41
林廷振妻 明 見鍾氏
林廷植明 見林庭植
林廷棉明 見林庭棉
林廷琛明 460-513- 45
林廷皓南唐 1085- 67- 8
林廷準妻 明 見黃氏
林廷綱明 529-729- 51
林廷模明 1393-324-463
林廷質妻 明 見洪蘭
林廷龍宋 479-405-235
523-416-166
林廷燏清 563-894- 42
林廷諫妻 明 見王秉潔
林廷機明 見林庭機
林廷選樊廷選 明 473-574- 74
523- 45-148
529-460- 43
676-515- 20
1257-549- 10
1263- 91- 15
1263-119- 21
林廷興明 529-658- 49
林廷璧妻 清 見程氏
林廷贊明 473-402- 66
480-635-288
532-750- 46
林廷瓛明 523-230-156
564-216- 46
林宗大明 1442-101-附6
林宗臣宋 460-221- 14
481-614-329
529-561- 46
林宗放宋 511-298-148
1366-981- 3
林宗珍清 569-678- 19
林宗哲明 564-227- 46
林宗教明 524-272-191
林宗得明 472-905- 36
林宗盛明 1260- 97- 2
林宗道宋 529-717- 51
684-498- 下
820-446- 35
820-623- 41
林宗椿明 456-683- 11
523-419-166
林宗德明 558-177- 31
林宗顯宋 481-693-332
528-538- 32
林性之明 460-669- 68
523-248-157
1276-412- 10
林宜光妻 清 見翁氏
林宜逢清 482- 40-340
林宜齋林同 宋 288-362-452
400-195-515
451-244- 0
481-528-326
529-449- 43
1363-836-239
1458-148-428
林初文妻 明 見林娙
林初文女 明 見林玉衡
林定老妻 元 見潘妙眞
林武苴明 1467-134- 66
林其中女 宋 見林氏
林其銘妻 清 見俞氏
林其默妻 清 見陳氏
林其麟宋 484-375- 27
林松孫宋 見林崧孫
林青陽明 456-467- 4
林直寶明 1237-371- 11
林招德妻 明 見陳蘭姐
林孟磁宋 451- 75- 2
林孟聲明 1263- 62- 10
林居雅宋 524-230-189
林居實宋 1150-108- 12
1150-868- 47
1482-429- 4
林奇英妻 清 見陳氏
林奇樑明 460-729- 75
林阿盌宋 460-135- 8
林表民林逢吉 宋 472-1104- 47
524- 62-181
1357-737- 2
林東奇妻 明 見黃氏
林東樑妻 明 見李氏
林來尚妻 清 見吳氏
林來鳳清 456-391- 80
林枝橋明 564-171- 45
林長春妻 清 見孫氏
林長茂明 見林長懋
林長貴清 529-664- 49
林長裔妻 清 見張氏
林長廣清 529-664- 49
林長懋林長茂 明 299-598-162
481-555-327
482-523-367
567-447- 86
1467- 68- 64
林長孺宋 484-385- 28
林長繁明 510-490-118
林承玉女 清 見林氏
林承芳明 564-281- 47
820-708- 43
林承芳妻 明 見鄭氏
林承恩清 481-419-314
林承霖明 460-569- 56
529-761- 53
林昌言宋 1458- 68-419
林昌運清 564-311- 48
林昌穎清 564-303- 48
林明順明 529-576- 46
563-767- 40
林明雋清 見林明儁
林明儁林明雋 清
481-439-316
561-201-38之1
林尚仁宋 1364-576-328
1437- 30- 2
林尚宗清 456-368- 78
林尚新宋 460-670- 68
林尚實妻 明 見謝氏
林尚禮清 456-303-73
林岡孫宋 460-448- 34
林易簡宋 460-306- 21
林叔大元 585-523- 17
林叔豹宋 523-494-170
林叔蓁清 鄭以桐妻 530- 27- 54
林姆恩明 鄭陽時妻 530- 85- 56
林約仲林組 明 528-560- 32
林和生明 473-210- 59
480- 51-259
林季仲宋 472-1116- 48
523-341-162
674-841- 18
林季昌林善和 宋 451- 71- 2
林周夫明 529-677- 49
林周卿宋 1168-441- 37
林佳楝妻 清 見戴氏
林佳鼎明 456-547- 7
529-523- 44
林佳璣清 1312-250- 24
林金蘭林奴兒 明 821-492- 58
林知言妻 明 見陳氏
林秉中清 529-723- 51
林秉漢明 301-116-242
481-616-329
529-573- 46
林秉寬妻 清 見李定宋
林延年宋 1140-513- 18
林延齡妻 宋 見邵道沖
林洪裔宋 1090-661- 38
林洪熥妻 明 見何玉宋
林洪範宋 529-716- 51
林洪謨妻 清 見陳氏
林炳甲妻 清 見陳氏
林洵仁明 529-719- 51
林恂如宋 460-136- 8
林宣伯妻 清 見鄭氏
林洗心明 1276-454- 11

林彥明宋 484-381- 28
林彥佩妻 明 見張氏
林彥祥宋 820-402- 34
821-214- 51
林彥掞宋 515-756- 80
林彥智女 明 見林茂正
林彥達宋 484-382- 28
林彥愈明 564-288- 47
1246-103- 4
林彥質宋 529-559- 46
林彥翰妻 明 見李氏
林美中妻 宋 見顧氏
林拱辰林拱宸 宋
678-403-108
679-521-189
林拱宸宋 見林拱辰
林殆庶宋(屯田員外郎)
491-345- 2
林殆庶宋(字希顏) 529-653- 49
林春一林詔子 宋451- 67- 2
林春山元 820-530- 38
林春元明 見林章
林春秀明 1442-101-附6
林春使清 郭均妻530- 34- 54
林春茂明 567-140- 68
1467-133- 66
林春澤明 460-508- 44
530-362- 66
676-546- 22
1442- 46-附3
1460- 17- 40
林珍潤清 鄭德光妻
530- 34- 54
林致孝明 567-368- 81
1467-244- 71
林致祥宋 1178-327- 35
林玫禮明 482-279-351
563-842- 41
567-357- 80
林貞一明 481-560-327
林貞勝明 529-658- 49
林思心宋 820-402- 34
林思永林申孫 宋448-395- 0
林思正明 564-221- 46
林思承林統 明 1247- 57- 4
林思英明 524-262-191
林思哲宋 1175-546- 18
林思哲妻 宋 見周氏
林茂正明 王崇貢妻、林彥智女 530- 61- 55
1254-393- 2
林茂竹明 571- 527- 19
林茂芝妻 清 見蔣氏
林茂南妻 清 見黃氏
林茂烈妻 清 見陳氏
林茂卿明 楊其森妻
530- 18- 54
林茂森明 482-267-350
564-271- 47
林茂楠清 476-155-104
547- 39-142
林茂達明 529-512- 44
676-532- 21
1257-513- 7
1442- 40-附2
1459-811- 33
林茂敬明 許世瑞妻
530- 11- 54
林茂槐明 460-522- 47
529-721- 51
676- 85- 3
676- 94- 3
680-323-258
1467-129- 66
林茂輕元 529-697- 50
林茂濬元 1224-289- 23
林若存元 460--477- 37
林若周明 529-514- 44
563-784- 40
林若采妻 清 見吳氏
林昭度妻 宋 見翁氏
林昭珽宋 羅國瓛妻
530- 3- 54
林昭得祖母 明 見李氏
林英發宋 493-1072- 57
511-906-172
林待聘宋 486- 52- 2
林偕春明 523- 57- 148
529-571- 46
532-596- 41
1410-436-722
林皇后北魏 魏孝文帝后、林勝女 261-214- 13
266-282- 13
林重光妻 清 見吳氏
林重器元 460-458- 35
林郇陽唐 529-653- 49
林衍培明 481-558-327
林胤昌明 460-735- 76
529-736- 51
676- 64- 2
679-697-207
林勉之妻 宋 見袁氏
林泉立明 564-286- 47
林泉生元 460-455- 35
528-447- 29
529-450- 43
676- 67- 2
676-708- 29
679-579-195
1217-168- 2
1217-212- 5
1217-220- 5
1471-390- 8
林俊民宋 484-388- 28
821-218- 51
林俊音清 王文盛妻
530- 27- 54
林保童明 529-750- 51
林唐臣明 見林弼
林祖合宋 見林祖洽
林祖洽林祖合 宋
472-254- 10
487-126- 8
491-400- 4
510-360-114
523-449-168
578-898- 24
1177-810- 39
林祖述明 545-119- 86
1474-529- 26
林祖望清 529-724- 51
林祖植清 529-664- 49
林祖發妻 清 見陳氏
林益初妻 清 見袁氏
林益道明 524-369-197
林庭光妻 明 見蔡氏
林庭芳明 529-729- 51
林庭桂妻 明 見鄭氏
林庭植林廷植 明
529-476- 43
563-786- 40
林庭棉林廷棉 明
299-617-163
460-504- 44
473-212- 59
473-575- 74
515- 50- 58
529-463- 43
532-594- 41
676-529- 21
1442- 39-附2
1459-800- 32
林庭機林廷機 明
299-617-163
460-504- 44
529-470- 43
1442- 55-附3
1460-143- 47
林庭壆明 529-470- 43
林庭蘭明 510-502-118
林宸弼妻 清 見黃氏
林眞士明 530-211- 61
821-367- 55
林恭伯明 見楊金愔
林恭章明 482-184-346
515-137- 61
523- 90-149
563-808- 41
567-142- 68
林貢父元 1217-198- 4
林原佐元 529-675- 49
林桂芳明 511-625-161
林桂發宋 460-346- 27
林耆七妻 清 見江氏
林書童明 529-667- 49
林起宗元 453-774- 2
472-108- 4
505-873- 78
506-642-109
680- 31-227
1214-167- 14
林起龍元 1213-142- 11
林珠小明 李彥祥妻
530- 8- 54
林珠使清 鄭煌由妻
530- 34- 54
林挺春明 528-497- 30
564-137- 45
林振光妻 清 見顧氏
林時仲宋 見林時遇
林時芳清 528-563- 32

林時益朱議霶 清 515-454- 70
林時清妻 明 見黃懿德
林時遇林時仲 宋451- 61- 2
林時詹明 821-399- 56
林時慶妻 清 見顧氏
林時顯妻 明 見趙氏
林翁挺妻 清 見李氏
林師益宋 529-493- 44
林師傳元 見林師說
林師說宋 677-237- 22
1142-651- 9
林師說林師傳 元
1257-286- 25
林師醇妻 宋 見程氏
林師德宋 529-727- 51
林師魯宋 460-277- 17
林師點宋 820-440- 35
1356-761- 16
林純夫明 1227- 89- 10
林逄春明 529-465- 43
林惟孝宋 491-437- 6
林惟深明 524-145-185
林清卿林慶孫 宋448-377- 0
林清源明 460-507- 44
林淵叔宋 1150-889- 49
1164-308- 16
林涵姐清 曾科妻530- 83- 55
林祥鳳明 529-506- 44
林康臣宋 484-376- 27
林淑書明 高瑶妻、林誠女
530- 64- 55
1254-591- 上
林淑娘明 530-178- 59
林淑清明 方本誠妻
530-105- 57
林淑清明 陳經疇妻
530- 61- 55
林淑清明 黃與瑞妻、林瑄女
530- 63- 55
1254-587- 上
林淑清明 程信妻、林頎女
1248-616- 3
1376-688- 99
林淑資妻 明 見葉氏
林淑朝清 陳治溥妻、林文輝女 530- 34- 54
林淑琬明 陳昌大妻
530- 9- 54
林淑温明 林繼統女
482-269-350
林淑圓明 費銘妻、林時女
530- 60- 55
林淑瑶明 莊同妻
530-105- 57
林淑蓁清 陳策妻530- 39- 54
林淑德明 趙朝妻、林與善女
530- 63- 55
1254-588- 上
林深之宋 528-439- 29
528-504- 31
林梅濟明 460-782- 82
林頂郎宋 見林光祖
林培樑明 456-680- 11
林彬之宋 529-503- 44
1185-791- 24
林崇鳳妻 明 見王氏
林崧孫林松孫 宋
524-298-193
1150-881- 48
林國光明 1442- 97-附6
1460-588- 69
林國材清 529-705- 50
林國相明 545-120- 86
林國奎妻 清 見鄭氏
林國俊明 456-673- 11
林國鈞宋 529-665- 49
1142-648- 9
林國鼎女 清 見林氏
林國瑾妻 清 見蔡氏
林莊哥清 陳紹翼妻
530- 40- 54
林處恭元 680-288-254
林常立妻 清 見鄭氏
林常青妻 清 見黃氏
林得遇宋 460-294- 19
林細娘明 陳思程妻
530-112- 57
林婉姑清 475-619- 81
林敏功宋 473-282- 61
518-741-160
533-332- 58
933-497- 33
1437- 18- 1
林敏修宋 533-332- 58
1437- 18- 1
林從周宋(林磻從姪) 460-451- 34
林從周宋(潮州人) 473-701- 80
482-141-344
523- 11-146
564- 59- 44
1089-182- 19
林從茂明 1467-120- 66
林從弼妻 明 見李清源
林逢吉宋 見林表民
林逢春林全春 明456-464- 4
林逢泰清 478-404-194
554-319- 53
林逢經明 456-546- 7
林逢龍宋 479-405-235
523-416-166
林啟昌妻 明 見黃幼藻
林啟源宋 708-1016- 95
林欲棉明 563-797- 41
林欲楝明 529-550- 45
林欲華妻 清 見王氏
林欲廈明 529-549- 45
林欲楫明 460-730- 75
481-590-328
529-551- 45
林尊賓明 456-639- 10
460-569- 56
529-524- 44
679-700-207
1442-111-附7
林曾奴唐 見林葦
林普長明 見林元甫
林善同元 460-458- 35
529-666- 49
林善和宋 見林季昌
林詔子宋 見林春一
林翔鳳明 567-399- 83
1467-254- 71
林焜章明 529-519- 44
569-664- 19
林敦忠明 460-733- 76
528-479- 30
林雲同明 529-516- 44
676-562- 23
678-198- 89
林雲肜妻 明 見江新宋
林雲程明 460-659- 67
529-545- 45
林雲鳳明 1442-115-附7
1460-668- 74
林雲器妻 明 見張氏
林雲瀚明 1241-648- 14
林朝俊宋 484-380- 28
林朝卿妻 明 見謝氏
林朝綱妻 清 見李氏
林雅娘清 481-594-328
530-102- 56
林超南妻 明 見黃愛玉
林階供妻 清 見黃氏
林登瀛妻 清 見葉氏
林登驪妻 清 見黃氏
林堯英清 529-733- 51
537-230- 54
林堯俞明 529-520- 44
820-730- 44
1442- 82-附5
1460-438- 60
林堯龍林元 宋 451- 72- 2
林堯徽明 564-171- 45
林開登女 清 見林玉使
林開燧清 529-711- 50
林棟隆明 528-498- 30
林貴兆明 524-264-191
林貴璧明 1240-166- 11
林景元妻 明 見謝氏
林景初明 511-853-169
林景英元 1439-436- 1
林景時明 821-366- 55
林景雍妻 明 見張氏
林景靖妻 明 見陳氏
林景達宋 473-176- 57
林景暘明(汝寧人) 456-665- 11
林景暘明(字紹熙) 511-129-141
512-736-195
1442- 74-附5
林景暘明(號乳泉) 820-749- 44
林景熙林景曦、林德暘 宋
479-407-235
511-895-172
524-230-189
530-383- 66
1437- 33- 2
1462-843-103
林景憲宋 524-328-195
林景曦宋 見林景熙
林菊秀明 孫敬妻

480-440-278
林虛極宋 530-201- 60
林葦娘清 吳鶴妻
1327-709- 9
林華皖清 474-373- 19
505-673- 69
林萊姐明 見林萊
林順祖宋 見林次融
林順德明 孫夢弼妻、林金女
530- 8- 54
林須恭妻 明 見劉氏
林無隱五代 473-570- 74
林幾復宋 529-760- 53
林喬年元 524-210-188
林喬楠明 567-140- 68
1467-127- 66
林舜道明 515-259- 65
529-474- 43
林舜道女 明 見林萊
林象鎔妻 清 見陳氏
林復之宋 1170-696- 30
林復生明 529-682- 50
林復春明 529-671- 49
林復泰明 見杜復春
林復眞林復 明 676-677- 28
1374-689- 89
1442-117-附8
1460-806- 88
林復恭唐 見楊復恭
林欽日妻 清 見余氏
林欽齡宋 567- 70- 65
林愼思唐 478- 89-180
481-526-326
529-432- 43
554-270- 53
680-588-279
1202-203- 15
林愼齋妻 明 見姚氏
林慈午宋 張該妻
708-1057- 97
林裕陽明 563-844- 41
林煇章清 481-558-327
529-524- 44
林廉潔妻 明 見鄭氏
林道外元 陳高妻530- 60- 55
林道安明 473- 87- 52
林道相妻 明 見戴氏
林道淵妻 明 見黃氏
林道楠明 515- 98- 59
529-520- 44
1291-626- 1
林道靜宋 郭正子妻
1188-680- 4
林運素明 1442-117-附8
1460-808- 88
林運鑑清 479-747-251
515-113- 60
564-305- 48
林遒節明 473-528- 72
483-162-382
494-158- 5
569-675- 19
林資深明 460-518- 46
529-472- 43
林資瀾女 明 見林懋細
林雷龍林霆龍 宋
529-728- 51
1188-661- 4
林瑞儀妻 明 見陳正
林楊老宋 見林公望
林萬泓妻 清 見劉氏
林萬春妻 清 見王氏
林萬頃宋 529-717- 51
林萬榜明 456-682- 11
林萬潮明 515-279- 65
529-731- 51
林愚逸妻 明 見楊眞
林嗣環清 481-807-338
524-306-194
563-868- 42
林鼎新妻 明 見劉氏
林鼎龢妻 清 見黃氏
林虞仲宋 1147-406- 38
林敬菴明 1276-454- 11
林敬菴妻 明 見周氏
林葵祿妻 清 見劉氏
林遇亨妻 清 見陳氏
林愈娘元 劉國美妻
481-650-330
530-127- 57
林會春明 563-758- 40
林毓蘭妻 明 見李五娘
林毓麟妻 明 見王氏
林愛民明 481-749-334
529-646- 48
林實夫妻 明 見方氏
林賓王清 529-733- 51
林端五妻 明 見吳氏
林端仲宋 1168-450- 38
林端娘明 陳廷策妻
302-221-301
481-680-331
林端惠明 王道原妻
1274-388- 14
林漢川明 529-655- 49
林榮署妻 清 見陳氏
林熙春明 300-831-234
482-143-344
528-515- 31
676-725- 30
林槐妹清 林光岫女
482-354-356
567-525- 89
林槐庭明 1257-206- 19
林槐庭妻 明 見方氏
林壽媛清 楊昌祖妻
530- 31- 54
林爾張清 480-652-289
482-143-344
533-410- 61
564-305- 48
林與岐妻 明 見張氏
林與善女 明 見林淑德
林際春明 515-261- 65
林際泰妻 清 見陳氏
林嘉猷林昇 明 299-349-141
456-695- 12
479-292-230
523-399-165
886-161-139
林嘉績明 1264-186- 10
林閨善明 林棟女
482-435-361
1467-270- 72
林聚姐清 481-751-334
林遜學妻 明 見宋氏
林夢正元 523-397-165
林夢官明 523-138-152
林夢英宋 480-483-280
515-749- 80
1177-266- 10
1437- 26- 2
林夢隆宋 1185-773- 22
林夢琦明 529-551- 45
567-145- 68
568-212-106
1467-128- 66
林鳴善明 1229-212- 5
林鳴鳳妻 明 見黃怡姐
林鳴璠明 529-522- 44
林蒙亨宋 529-727- 51
林鳳至妻 清 見馬氏
林鳳任妻 清 見聶氏
林鳳翔妻 明 見葉二娘
林鳳陽元 533-423- 62
林鳳華明 820-741- 44
林鳳鳴明 564-221- 46
林鳳儀妻 明 見馬氏
林銘几明 529-733- 51
林銘几妻 明 見李氏
林銘几女 清 見林氏
林銘璽清 見藍銘璽
林維屏宋 481-747-334
529-642- 48
677-287- 26
林維造清 558-427- 37
林維翰妻 明 見陳氏
林維曜妻 明 見詹氏
林魁姐清 張秉衡妻
530- 24- 54
林肇恒妻 明 見廖氏
林廣卿妻 清 見朱氏
林廣發元 460-463- 36
481-615-329
528-484- 30
529-564- 46
林潔己宋 528-507- 31
林澄源明 460-567- 56
529-519- 44
林潮孫宋 528-540- 32
林潤蓁明 529-683- 50
林慶老宋 484-375- 27
林慶孫宋 見林清卿
林慶崇宋 見林大受
林標侃妻 清 見謝氏
林增志明 525-475-240
532-620- 43
林增志清 見行幟
林璋瑞清 廖超妻530- 25- 54
林穀森妻 清 見李淑徽
林霆龍宋 見林雷龍
林德世明 524-211-188

1235-632- 32
林德宋明 敖魁春妻
530- 16- 54
林德成妻 明 見張氏
林德宜清 陳立言妻
530- 35- 54
林德昌明 見林允大
林德隆妻 明 見盧氏
林德華妻 明 見戴氏
林德暘宋 見林景熙
林德賓妻 明 見曹氏
林德翯妻 清 見黄氏
林質齋明 821-368- 55
林魯儒妻 明 見方淑貞
林徵材明 1442-113-附7
林憲卿宋 460-345- 27
1168-462- 38
林憲增明 563-763- 40
林遵文宋 1188-666- 4
林遵性林泉 明 821-360- 55
林遵善宋 484-382- 28
林遵義明 559-319-7上
林穎仲妻 清 見吳氏
林穎秀宋 1171-779- 28
林穎新妻 明 見李氏
林頤叔宋 523-495-170
1164-307- 16
林頤壽宋 481-585-328
529-670- 49
林樹楫妻 清 見孫氏
林樹薰明 528-545- 32
林翰沖明 676-661- 27
林擇之宋 473-572- 74
516-217- 96
林靜眞明 張仲達妻
1228-758- 12
林樸軒妻 明 見張蒞
林興宗宋 529-727- 51
林興祖元 295-554-192
400-370-534
459-926- 56
472-1102- 47
473- 60- 51
473-267- 61
473-387- 65
473-573- 74
479-557-242
480-541-283
481-529-326
515-198- 63
523-171-154
529-450- 43
532-717- 45
林興祖明 473-701- 80
481-694-332
482-144-344
528-541- 32
529-655- 49
564-199- 46
567- 89- 66
676-464- 17
1239- 47- 29
1467- 62- 64
林興珠清 528- 10- 17
林興祥宋 1164-295- 15
林積仁宋 529-494- 44
1142-635- 8
林學曾明 460-734- 76
529-550- 45
林學曾女 清 見阮清霜
林學道明 460-562- 55
529-515- 44
林學蒙林羽 宋 460-281- 17
529-447- 43
林學履宋 460-281- 17
林鴻冕清 482-143-344
564-309- 48
林鴻漸妻 明 見崔氏
林鴻磐妻 清 見甘氏
林鴻儒明 460-658- 67
678-208- 90
林應丑宋 524-262-191
林應元妻 明 見許氏
林應奴宋 見林杆
林應光明 陳全之妻
530- 9- 54
林應成宋 460-447- 34
1257-285- 25
林應芳明 460-793- 84
529-682- 50
林應采明 529-731- 51
林應亮明 460-508- 44
529-469- 43
676-568- 23
1442- 54-附3
1460-129- 46
林應沭妻 明 見丘氏
林應昴宋 451- 94- 3
林應科妻 明 見余氏
林應高明 567-398- 83
林應訓明 529-476- 43
578-875- 24
578-876- 24
578-881- 24
578-956- 25
林應祥明 523-207-155
林應彬林應 明 1269-169- 12
林應嘉宋 451- 58- 2
林應箕明 529-517- 44
林應龍明 524- 89-182
676-394- 15
820-715- 43
林應禧明 820-703- 43
林應孺宋 見林翰
林應鯉妻 清 見廖氏
林應驄明 300-405-207
林濟民明 564-265- 47
林濟孫元 481-555-327
林濟峰明 1227-155- 19
林謙益妻 清 見侯氏
林彌宣林耀 明 1257-545- 10
林懋和明 529-720- 51
1442- 58-附3
1460-169- 48
林懋能宋 485-536- 1
林懋細明 林資瀾女
530- 14- 54
林懋植妻 明 見陳氏
林翼生妻 清 見張氏
林韓仲妻 清 見陳氏
林邁佳明 460-786- 83
林燿國妻 清 見黄氏
林壁卿元 529-761- 53
林聶齊妻 清 見何氏
林翹楚明 559-271- 6
林璧玉妻 明 見王氏
林簡言唐 529-715- 51
林懷瞻女 明 見林氏
林鵠山宋 1142-650- 9
林瓊娘宋 吳汝喬妻
530-185- 59
林鵬雲妻 清 見王氏
林獻材宋 484-380- 28
林鷗翁宋 1185-755- 21
林騰蛟明 475-563- 79
529-587- 46
537-220- 54
林繼統女 明 見林淑温
林繼善明 1263-105- 17
林繼善妻 明 見吳昭
林繼誠妻 明 見李寄娘
林繼曉宋 484-381- 28
林繼衡明 523-235-156
563-760- 40
林繼顯明 473-348- 63
532-726- 46
林鶯羽女 清 見林氏
林寥協林孔壽 宋451- 56- 2
1188-677- 4
林夔孫宋 460-280- 17
529-446- 43
678-136- 82
林蘭友明 301-654-276
481-558-327
林顯祚妻 清 見游氏
林靈金明 張志穆妻
530-108- 57
林靈素宋 288-483-462
401-109-582
472-1119- 48
479-412-235
821-259- 52
1054-194- 4
1054-656- 19
林觀文妻 明 見陳氏
林觀過宋 515-104- 60
林觀養妻 清 見劉氏
林觀頤妻 明 見柯氏
林纘振妻 明 見方氏
林戇孫宋 529-654- 49
林泉和尚五代(嗣義存)
1053-293- 7
林泉和尚五代(嗣文偃)
1053-628- 15
枚素清 455-439- 26
枚皋漢 250-276- 51
384- 45- 2
471-908- 46
475-326- 65
511-777-166
538-315- 69
枚乘漢 250-273- 51

八畫：枚、板、來

376-133- 97
384- 41- 2
471-908- 46
472-310- 13
475-326- 65
477-135-155
511-777-166
538-315- 69
933-135- 9
枚被戰國 933-134- 9
板特達明 476- 49- 98
來布清 455-180- 8
來亘唐 見來恒
來亨明 545-464-100
來松宋 821-166- 50
來忠蜀漢 254-650- 12
377-294-118下
384-496- 18
來和隋 264-1096- 78
267-700- 89
380-652-183
478-108-180
554-893- 64
來恒來亘 唐 269-789- 80
274-346-105
933-137- 9
來英周 933-136- 9
來保清 1308-287- 58
來恭明 554-654- 60
來敏蜀漢 254-650- 12
377-293-118下
384-496- 18
385-586-65上下
447-205- 8
472-771- 30
472-793- 31
477-369-167
538- 29- 62
559-244- 6
820- 45- 22
933-136- 9
來童明 547-117-145
來賀明 554-527-57下
1288-613- 10
來弼清(瓜爾佳氏) 455- 55- 1
來弼清(伊爾根覺羅氏)
455-273- 15
來復明(字見心) 473- 33- 49
479-504-239
516-424-103
585-491- 14
585-492- 14
676-678- 28
820-764- 44
1238-683- 23
1391-945-366
1442-118-附8
1460-820- 89
來復明(字陽伯) 478-130-181
545-103- 86
554-851- 63
676-634- 26
820-738- 44
821-447- 57
1442-101-附6
來聘明 554-664- 60
來稜妻 漢 見劉惠
來漢漢 563-599- 38
567- 18- 63
來滿清 456-273- 70
來瑱唐 270-370-114
275- 77-144
384-213- 11
395-694-243
472-836- 33
477-472-173
478-390-193
480- 11-257
537-199- 54
554-583- 58
933-137- 9
來蒼漢 933-136- 9
來儀明 476-675-136
540-834-28之3
來歷漢 252-516- 45
376-540-105
472-768- 30
477-368-167
537-538- 59
933-136- 9
來整隋 264-933- 64
267-498- 76
933-136- 9
來蕃清 479-248-228
524- 59-180
來衡明 524-137-185
來歙漢 252-514- 45
370-130- 11
376-538-105
384- 57- 3
402-352- 2
402-558- 18
459-210- 13
471-811- 31
472-768- 30
472-851- 34
477-364-167
538- 62- 63
545-232- 92
554-196- 52
558-128- 30
559-240- 6
591-654- 47
933-136- 9
來濟唐 269-788- 80
274-345-105
384-179- 10
395-356-213
470-222-123
472-294- 12
472-1100- 47
475-373- 68
511-460-154
523-166-154
933-137- 9
來臨明 554-851- 63
來嶷梁 265-1021- 72
380-369-176
475-372- 68
933-136- 9
來鵠唐 515-300- 66
來鵬唐 451-466- 6
515-300- 66
1365-482- 7
1371- 72- 附
來鯤明 見朱謀
來豔漢 254-650- 12
376-541-105
402-531- 15
來三聘明 676-625- 26
1442- 80-附5
1460-419- 59
來子珣武子珣 唐
271-474-186上
276-165-209
400-376-535
556-842-100
來子章宋 821-247- 52
來大干後魏 見來大千
來大千來大干 後魏
261-447- 30
266-511- 25
379- 63-147
476-253-110
476-276-111
545-259- 93
546- 13-115
933-136- 9
來方煒明 528-464- 29
來之邵宋 286-704-355
382-643- 99
384-382- 19
933-137- 9
來汝賢明 1458-686-470
來式銓清 528-518- 31
來仲康妻 明 見金氏
來宗道明 302-319-306
678-221- 91
來承祉清 510-431-116
來知德明 301-795-283
457-916- 53
481-439-316
559-429-10上
561-445- 43
677-624- 55
1442- 79-附5
1460-406- 58
來秉衡明 302- 69-293
456-662- 11
458- 71- 3
477-316-164
538- 61- 63
來俊臣唐 271-468-186上
276-163-209
384-191- 10
400-375-535
556-841-100
來淑沂妻 清 見劉氏
來斯行明 523-550-173
676- 80- 3
676-345- 12
1294-525- 12

來斯行妻 清 見張氏
來集之明 510-419-116
524- 58-180
1321- 9- 85
1442-110-附7
來獲爾隋 見來護兒
來護兒世母 隋 見吳氏
來護兒來獲爾 隋
264-932- 64
267-496- 76
379-817-163
384-156- 8
472- 64- 2
472-293- 12
474-304- 16
475-372- 68
502-254- 53
505-664- 69
511-395-151
523- 5-146
540-655- 27
933-136- 9
來儼然明 554-516-57下
來阿八赤元 見來阿巴齊
來阿巴齊阿巴齊、來阿八赤
元 294-350-129
399-495-468
478-598-204
502-273- 55
540-615- 27
558-374- 36
承臨息 上古 383-100- 13
承氏宋 葛惟明妻、承懷與女
1090-663- 38
承古宋 516-496-105
1052-694- 12
1053-624- 15
承成周 933-439- 29
承林明 537-248- 55
承威唐 1078- 98- 6
承宮漢 252-673- 57
254-884- 15
370-176- 17
376-649-107上
384- 60- 3
402-361- 3
402-583- 20
472-590- 24
476-663-136
476-789-141
478-249-186
491-798- 6
540-701-28之1
554-881- 64
675-298- 15
933-439- 29
承皓宋 533-759- 74
561-225-38之3
592-415- 85
1053-660- 15
1054-642- 19
承遠唐 480-515-281
1076- 58- 6
1076-519- 6
1077-519- 6
1077- 77- 6
1077-646- 6
1341-510-866
承敷宋 473- 96- 53
515-183- 62
承天秀明 511-152-142
523- 86-149
承父嬰漢 402-495- 12
承休王明 見朱芝垠
承谷容明 525-144- 88
承盆疽春秋 404-786- 48
承懷與女 宋 見承氏
承蜩丈人周 533-130- 51
承澤親王清 見碩塞
孤月明 516-455-104
孤舟明(嚴州人) 524-440-201
孤舟明(居磻溪寺) 572-165- 32
孤篤蜀漢 見馬忠
孤逐女戰國(女無父母且因醜爲鄉里所逐) 448- 61- 6
452- 73- 2
芸質周 933-182- 12
具丙春秋 545-724-109
933-657- 43
具俊唐 見貝俊
具瑗漢 253-509-108
380-491-179
933-657- 43
具生吉祥明 547-553-160
忠史忠、阿史那忠、阿史那泥孰
唐 270-324-109
274-397-110
276-251-215上
384-174- 9
395-392-217
933-803- 59
忠妻 唐 見李氏
忠克清 456-232- 68
忠欣唐 見道欽
忠彥五代 1053-566- 14
忠都元 1202-214- 16
忠順可汗唐 見蘇祿
典韋魏 254-344- 18
380- 27-166
384- 84- 4
384-681- 44
469- 5- 1
472-653- 27
477-126-155
537-421- 58
933-588- 38
1408-450-523
尚文元 295-312-170
399-639-484
472- 55- 2
472-706- 28
476-915-148
477-201-159
505-733- 71
537-207- 54
580-297- 16
1367-886- 68
1373-454- 29
尚元明 302-683-323
尚氏宋 田豫妻、尚大仲女
1147-804- 76
尚氏宋 周辰陽妻、尚佐均女
1147-387- 36
尚氏元 崔賓妻 506- 41- 87
尚氏明 唐七妻 477-257-161
尚氏明 康海妻 1266-408- 7
尚氏明 鄧璉妻 473-391- 65
尚氏明 鄭修之母
1273-615- 5
尚氏清 張含秀妻 506- 23- 86
尚氏清 葛先質妻 475-756- 88
尚父春秋 545-688-108
尚吉清 455- 98- 3
尚志明 見尚士行
尚志妻 明 見張氏
尚武清 455-553- 35
尚雨元 821-303- 53
尚坤明 538- 93- 64
尚忠明(義州人) 502-782- 87
尚忠明(新鄉人) 538- 96- 64
尚宣清 554-616- 59
尚洗妻 明 見李氏
尚迪明 458-167- 8
472-709- 28
537-466- 58
尚英明 554-276- 53
尚悉明 456-681- 11
尚悉妻 明 見白氏
尚洒南唐 1085-233- 30
尚恕元 1214-220- 18
尚望明 494- 42- 3
494- 44- 3
554-526-57下
尚都元 見上都
尚野元 295-236-164
399-593-478
472- 55- 2
474-242- 12
477-244-161
477-360-166
477-499-174
505-733- 71
1439-421- 1
尚冕明 533-236- 54
尚善清 454-161- 9
502-427- 67
尚貴明 494- 57- 2
尚凱向凱 晉 681-297- 20
682-290- 6
尚義明(涿州人) 472- 38- 1
尚義明(字用方) 547- 46-142
尚達明(字兼善) 554-486-57上
尚達明(字伯通) 1269-458- 7
尚圓梁 473-437- 67
481- 85-294
561-215-38之3
592-539- 81
尚寧明 302-684-323
尚瑢妻 清 見張氏
尚綸妻 明 見趙氏
尚禨明 見尚褫
尚褫尚禨 明 299-632-164

458-110- 5
473- 16- 49
477-418-169
515- 90- 59
537-565- 60
尚璣明 472-695- 28
尚縉明 1262-433- 47
尚衡明 545- 77- 85
554-659- 60
676-720- 30
尚爵明 511-361-150
尚顏唐 547-496-159
尚禮清 455-600- 40
尚士行尚志 明 554-816- 63
尚才英元 540-626- 27
尚大伸宋 1147-374- 34
尚大伸妻 宋 見周氏
尚大伸女 宋 見尚氏
尚大倫明 302-103-294
477-169-157
456-582- 8
538- 51- 63
尚大德清 456-311- 74
尚文英明 494- 45- 3
尚元鼎宋 484-387- 28
尚元調清 510-355-114
尚夫其妻 明 見周氏
尚日暄明 456-658- 11
尚日濟明 456-658- 11
尚可孤李嘉勳、魚智德 唐
270-719-144
274-404-110
395-399-217
496-390- 87
552- 54- 19
554-126- 50
933-687- 46
尚可喜清 502-678- 80
尚可義明 456-597- 9
尚用之宋 567-436- 86
尚用光明 456-559- 7
540-834-28之3
尚安政明 572-111- 30
尚安福清 502-763- 86
尚吉圖清 455-466- 28
尚存義明 537-457- 58
尚自察清 476-856-145
540-682- 27
尚全恭南唐 1085-233- 30
尚好仁清 502-651- 79
尚仲份明 821-353- 55
尚仲良明 821-353- 55
尚佐均女 宋 見尚氏
尚武努清 455-480- 29
尚其志妻 清 見趙氏
尚青山元～明 476-350-116
547-486-159
尚金章清 477- 90-153
537-417- 57
尚秉彝明 1269-428- 6
尚秉彝妻 明 見王氏
尚秉彝妻 明 見郭氏
尚班命明 554-660- 60
尚班爵明 554-660- 60
676-532- 21
1293-368- 20
尚振藻宋 1147-776- 73
尚師簡元 820-500- 37
尚納喀清 455-435- 26
尚惟持明 545-118- 86
尚陽子明 561-220-38之3
尚結贊唐 276-285-216下
尚毓秀妻 清 見吳氏
尚寧一明 546-691-138
尚際明妻 明 見王氏
尚嘉圖清 455-660- 46
尚德恒明 480-128-264
532-636- 43
尚簡臣妻 清 見李氏
尚獻甫唐 271-628-191
276-101-204
472-708- 28
538-355- 71
933-687- 46
尚實烏葉山山武毅 元
475-449- 71
青哲清 502-759- 85
青特爾清 496-217- 76
青濟克清 455-363- 22
青帖帖該明 見克卜特特格
些些師青者 唐(口自言些些)
1052-295- 20
旺宋 1053-682- 16
旺丹清 500-729- 37
旺布清 454-533- 51
旺辰清 454-452- 36
旺武清 455-468- 28
旺格清 455-696- 49
旺福清 456-164- 62
旺對清 454-814- 93
旺扎勒元 1218-784- 5
旺扎勒清 454-558- 56
旺扎圖宅者禿 明
496-626-106
旺布哈元 見保布哈
旺吉努清(富察氏) 455-408- 25
旺吉努清(齊納根達爾罕子)
474-848- 46
旺固理清 455-650- 45
旺珠瑚清 456- 33- 52
旺堂阿清 455-116- 4
旺舒克清(博爾濟吉特氏)
454-667- 73
旺舒克清(布達扎布子)
496-217- 76
旺嘉努清 456-110- 57
旺扎勒結元 294-421-134
399-544-474
558-349- 35
旺扎勒圖元 見諤勒哲圖
旺沁扎布清(旺扎勒長子)
454-559- 56
旺沁扎布清(延楚布多爾濟長子)
454-566- 57
旺扎勒扎布清 454-579- 60
旺布多爾濟清 454-601- 63
旺沁班巴爾清 454-717- 80
旺扎勒多爾濟清
454-507- 46
旺扎勒特穆爾完者鐵木兒 明 496-626-106
旺舒克達爾扎清
454-575- 59
昌周 見周文王
昌五代 1053-552- 13
昌王唐 見李嵯
昌王宋 見趙祇
昌王元 見布圖
昌王元 見阿實克
昌言妻 清 見陳彩玉
昌昂明 見長安
昌季不詳 1061-279-111
昌客昌容 周 474-387- 19
505-937- 85
547-497-159
1058-501- 下
1061-253-108
昌海明 472-440- 19
476- 49- 98
547-480-159
昌容周 見昌客
昌容明 570-249- 25
昌森妻 明 見蔡氏
昌意上古 243- 41- 1
933-408- 26
昌化王明 見朱仕壇
昌邑王漢 見劉賀
昌邑王漢 見劉髆
昌義之梁 260-175- 18
265-793- 55
378-318-139
384-118- 6
472-194- 7
472-395- 17
475-810- 91
511-426-152
933-408- 26
昌樂王後魏 見元誕
昌樂王明 見朱垶
昌樂王明 見朱載煌
昌應時明 569-662- 19
昌應會明 473-222- 59
480- 88-262
532-625- 43
昌福公主宋 見成德帝姬
昌樂公主唐 竇鍔妻、唐玄宗女 274-113- 83
393-280- 73
明五代(嗣道虔) 1053-232- 6
明五代(嗣弘琀) 1053-332- 8
明宋(嗣行偉) 1053-756- 18
明宋(居幻住庵) 1116-565-30
明不詳 1053-246- 6
明一明 1442-122-附8
明了清 479-799-254
516-506-105
明川宋 821-270- 52
明方明 524-400-199
1475-785- 33
明友唐 見波羅頗迦羅密多羅

明氏明　王朝卓妻、明時舉女
559-457-11上
明氏明　鍾世祚妻 479-812-255
明玄劉九菴　明 593-362-6下
明玉清 455-524- 33
明本元 472-970- 38
475-838- 93
479- 74-219
493-1094- 58
511-941-175
516-496-105
524-391-198
585-486- 14
588-269- 11
820-531- 39
1054-769- 22
1207-676- 48
1216-585- 11
1439-457- 2
1471-202- 26
明本明 561-217-38之3
明安清(瓜爾佳氏) 455- 96- 3
明安清(納喇氏) 455-384- 23
明安清(博爾濟吉特氏)
456-200- 66
502-456- 69
明孜元 1215-686- 9
明秀明(字碧天) 480-181-266
533-760- 74
明秀明(字雪江) 524-400-199
1394-281-506
1442-120-附8
1460-840- 90
1475-744- 31
明空明 586-149- 6
586-193- 9
明河明 511-920-174
1442-122-附8
1460-855- 91
明盂明 1460-857- 91
明昇明 299-132-123
明果天眞　明 516-446-104
明周明 547-493-159
1442-120-附8
1460-845- 91
明佺唐 1051-223- 9
1052- 24- 2
明采明 561-218-38之3
明恂唐 1052- 50- 4
明亮後魏 262-264- 88
267-651- 86
380-192-170
384-143- 7
472-124- 4
472-523- 22
472-705- 28
477-199-159
505-688- 70
537-272- 55
933-426- 28
明度唐 1052-351- 25
明信清 530-404- 67
明眞五代 524-425-200
明哲唐 1053-195- 5
明格清 502-751- 85
明起宋 516-216- 96
明淨唐 472-614- 25
476-736-138
524-423-200
541- 90- 30
明雪明 511-932-175
516-424-103
明理元 586-190- 9
明通清 570-259- 25
明準唐 1052-381- 27
明道唐 524-402-199
明瑞清 1308-288- 58
明達梁 592-440- 88
明達唐 538-350- 70
明照五代 1053-629- 15
明圓明 516-505-105
明解唐 820-304- 30
1054-105- 3
明愛清 455- 87- 3
明輔明 554-338- 54
明遠唐 1080-764- 69
明遠宋 1053-315- 8
明睿明 302- 93-294
456-670- 11
480- 59-260
533-470- 64
明徹梁 1401-355- 28
明徹明 533-752- 74
明潤明 1442-122-附8
1460-855- 91
明慶晉 486-337- 15
明慧南朝 265-1121- 78
明慧唐 1052-341- 24
明賢明 1442-122-附8
1460-852- 91
明震梁 260-241- 27
486- 67- 3
明濟唐 476-203-107
545-334- 96
明徽梁 1051-157- 6
明瞻隋 1054-399- 10
明瞻清 456-390- 80
明鎬宋 285-658-292
371- 87- 8
382-404- 63
384-352- 82
397-116-326
471-922- 48
472-430- 19
472-592- 24
472-826- 33
476-670-136
478-166-182
478-336-191
481- 68-293
481-385-312
491-807- 6
540-758-28之2
545- 47- 84
554-201- 52
558-136- 30
933-426- 28
明懷明 1460-857- 91
明璽明 559-424-10上
明顒宋 511-922-174
明曠明 1442-120-附8
1460-845- 91
1475-758- 32
明瞻宋 524-390-198
明覺唐(居南明山) 524-447-201
明覺唐(居千頃院) 588-267- 11
1052-148- 11
明辯宋 1053-857- 20
明瓚唐 1052-278- 19
1054-495- 14
明顯吳峰　唐 1442-120-附8
明讓明 476-300-112
547-525-160
明山賓梁 260-240- 27
265-714- 50
378-386-141
540-723-28之1
933-426- 28
明太祖外祖父　見陳某
明太祖朱元璋 297- 62- 1
512-878-196
819-598- 20
1442- 1-附1
1459-175- 1
明太祖淑妃　見李氏
明太祖后　見馬皇后
明太祖妃　見孫氏
明太祖寧妃　見郭氏
明太祖女　見寧國公主
明太祖女　見壽春公主
明太祖女　見臨安公主
明太祖女　見懷慶公主
明太祖女　見寶慶公主
明太祖宮女　見藺氏
明元琳齊 259-527- 54
明少遐南北朝 265-715- 50
267-621- 83
378-387-141
933-426- 28
明仁宗朱高熾 297-124- 8
819-599- 20
1442- 1-附1
1459-177- 1
明仁宗后　見張皇后
明仁宗貴妃　見譚氏
明玉珍元 299-131-123
560-602-29下
明世宗朱厚熜 297-180- 17
532- 88- 26
819-600- 20
1442- 2-附1
1459-182- 1
明世宗后　見方皇后
明世宗后　見杜太后
明世宗后　見張皇后
明世宗后　見陳皇后
明安努清 455- 97- 3
明安宗朱由崧、福王
299- 95-120
535-561- 20
明光宗朱常洛 297-218- 21
819-601- 20

明光宗才人 見王太后
明光宗康妃 見李氏
明光宗莊妃 見李氏
明光宗后 見郭皇后
明光宗賢妃 見劉太后
明色尼清 456-290- 72
明完璧明 456-606- 9
明良合妻 清 見李氏
明成祖朱棣 297-102- 5
819-599- 20
1442- 1-附1
1459-176- 1
明成祖貴妃 見王氏
明成祖后 見徐皇后
明成祖賢妃 見權氏
明成祖女 見常寧公主
明孝宗朱祐樘 299-164- 15
819-600- 20
1442- 1-附1
1459-181- 1
明孝宗后 見張皇后
明克讓隋 264-870- 58
267-620- 83
380-397-176
472-523- 22
476-523-128
540-731-28之1
933-426- 28
明武宗朱厚燳、朱厚照
297-172- 16
1442- 2-附1
明武宗妃 見王氏
明武宗后 見夏皇后
明阿努清 455-420- 25
明阿達清 455-564- 36
明阿圖清(喝濟勒氏)
455-646- 45
明阿圖清(訥勒氏) 456-186- 64
明阿圖清(納喇氏) 502-576- 75
明宣宗朱瞻基 明297-128- 9
819-599- 20
1442- 1-附1
1459-177- 1
明宣宗后 見吳太后
明宣宗后 見胡善祥
明宣宗后 見孫皇后
明宣宗嬪 見郭愛
明思宗朱由檢 297-227- 23
819-602- 20
1442- 2-附1
1459-184- 1
明思宗貴妃 見田氏
明思宗后 見周皇后
明思宗女 見長平公主
明若山唐 814-277- 10
820-191- 27
明英宗朱祁鎮 297-135- 10
1442- 1-附1
1459-180- 1
明英宗妃 見周氏
明英宗后 見錢皇后
明英宗女 見重慶公主
明神宗朱翊鈞 297-202- 20
819-601- 20
1442- 2-附1
1459-183- 1
明神宗妃 見王太后
明神宗后 見王皇后
明神宗貴妃 見鄭氏
明神宗妃 見劉氏
明神宗女 見壽寧公主
明神宗女 見靜樂公主
明神宗女 見靈丘公主
明時舉明 515-157- 61
明時舉女 明 見明氏
明乾節唐 820-180- 27
明崇儼唐 270- 28- 86
271-625-191
276-100-204
401- 95-580
472-754- 29
538-358- 71
933-426- 28
明紹宗朱聿鍵、唐王
299- 68-118
535-559- 20
明惠帝朱允炆 297- 96- 4
410-530- 1
410-539- 2
819-599- 20
明惠帝后 見馬皇后
明惠照齊 259-527- 54
明景帝朱祁鈺 297-142- 11
498-539-100
明景帝后 見汪皇后
明景帝后 見杭皇后
明僧胤齊 259-527- 54
380-449-178
明僧紹齊 259-526- 54
265-713- 50
380-448-178
384-116- 6
472-523- 22
475- 78- 53
476-522-128
476-733-138
491-800- 6
511-888-172
540-721-28之1
933-426- 28
1401-132- 19
明僧暠齊 259-527- 54
265-714- 50
380-449-178
明憲宗朱見深、朱見濡
297-153- 13
819-600- 20
1442- 1-附1
1459-181- 1
明憲宗后 見王皇后
明憲宗后 見吳皇后
明憲宗后 見邵皇后
明憲宗妃 見姚妙莊
明憲宗后 見紀皇后
明憲宗妃 見項氏
明憲宗貴妃 見萬氏
明憲宗女 見德清公主
明熹宗朱由校 297-220- 21
458-484-末上
明熹宗裕紀 見張氏
明熹宗后 見張皇后
明穆宗朱載垕 297-199- 19
明穆宗后(謚孝定) 見李皇后
明穆宗后(謚孝懿) 見李皇后
明穆宗后 見陳皇后
明穆宗女 見壽陽公主
明安岱爾元 294-273-122
399-350-449
明安達哩清 502-599- 76
明倫堂女明倫堂烈女 明(匿明倫堂避賊) 302-247-303
475-813- 91
明安特穆爾元 505-670- 69
明安圖巴顏清 455-342- 21
明倫堂烈女明 見明倫堂女
帖木兒明 見特穆爾
帖禮璊清 456-292- 72
帖木迭兒女 元 見瑪里達
帖木兒不花元(托歡子) 見特穆爾布哈
帖木兒不花元(光山令) 見特穆爾布哈
帖木兒孛羅明 見特穆爾博羅
帕海清 455-234- 12
帕爾薩清 454-960-117
帕克思巴元 見帕克斯巴
帕克斯巴巴喇密特、帕克思巴 元 295-643-202
302-824-331
401-120-585
820-549- 39
1054-713-21
固三清 502-729- 84
固來春秋 933-657- 43
固納珪納克、魁納 元
483- 47-372
569-663- 19
固實清 456-127- 58
固穆清(郭爾羅斯部人)
454-378- 22
固穆清(博爾濟吉特氏)
454-396- 25
固賽清 455-202- 10
固嚕清 454-488- 43
固三泰清 455-355- 22
502-576- 75
固他那清 455- 95- 3
固吉納清 502-747- 85
固郎阿清 455-133- 5
固哩勒苦列兒 明
496-627-106
固倫泰清 455-529- 33
固都理清 455- 52- 1
固都斯元 見古都斯
固祿遜清 455-233- 12
固爾瑪渾清 454-178- 10
固窮居士明 820-762- 44
固嚕扎布清(博爾濟吉特氏)

454-573- 59
固嚕扎布清(色稜達什長子)
454-574- 59
固嚕什喜清 454-509- 47
固慕德徹臣清 502-589- 76
固穆巴圖魯清 454-473- 40
固嚕思奇布清 454-382- 23
固嚕斯希布清 454-493- 44
沓龍超後魏 267-641- 85
380- 60-166
384-143- 7
481-156-298
591-669- 47
933-764- 53
芭蕉和尚五代(居芭蕉山)
1053-558- 13
芭蕉禪師唐(居芭蕉山)
1053-219- 6
花氏宋 趙令群妻、花永安女
1100-492- 45
花氏范氏 明 吳宗善妻
472-263- 10
475-234- 61
花茂明 299-269-134
473-673- 79
481-803-338
511-413-152
563-846- 41
花雲明 302- 2-289
453-540- 4
472-206- 7
475-667- 84
475-750- 88
510-454-117
511-496-156
1124-123- 18
1268-382- 61
1374-584- 80
1410-120-676
花雲妻 明 見孫氏
花雲妻 明 見郜氏
花欽唐 591-171- 12
花當明 見和爾丹
花煒明 1410-120-676
花綸明 524-240-190
花禮元 567- 78- 65
花上苑明 523-208-155
花永安女 宋 見花氏
花似錦妻 明 見仇氏
花自達明 516-527-106
花林泰清 456-102- 57
花和仔清 515-897- 86
花季睦唐 933-299- 21
花潤生明 460-814- 89
473-644- 78
528-450- 29
676-475- 18
花驚定唐 559-305-7上
花山節婦元(題詩遥望花山而死)
472-179- 6
492-636- 14
512- 13-177
花犇孝子明(廉不受祿)
511-512-157
虎文明 494- 41- 3
虎臣明 299-635-164
478-203-184
483-116-379
494-158- 5
554-658- 60
569-669- 19
虎秉元 472-718- 28
537-288- 55
虎益元 1201-542- 14
虎旗漢 933-582- 37
虎大威明 301-538-269
456-427- 2
478-273-187
545-105- 86
554-716- 61
虎實穆清 455-202- 10
虎邱儒士明(躍虎邱劍池死)
456-637- 10
虎谿庵主唐 1053-439- 11
虎鹿二禪師唐(一僧騎花虎一僧騎白鹿) 567-468- 87
虎都鐵木祿元 見呼圖克特穆爾
卓子春秋 見公子卓
卓內清 455-379- 23
卓氏周(用鐵冶富) 244-937-129
251-149- 91
380-530-180
卓氏齊 韓靈珍妻 479-250-228
卓氏宋 王居仁妻
1181-302- 6
卓氏宋 陳俊卿母
1139-603-下
卓氏元 施九泰妻 481-650-330
530-123- 57
卓氏明 李棠妻 482-118-343
卓氏明 黃釗妻 481-751-334
卓吉清 456-255- 69
卓托清 455-179- 8
卓回宋 484-381- 28
卓多廣寧王 元 294-205-117
卓先宋 460-135- 8
1180-402- 37
卓沁珠徹 元 294-205-117
395-206-199
544-239- 63
卓玘宋 1345-400- 19
卓坦清 455-116- 4
卓冠卓聖惠 宋 448-398- 0
卓洛清 455-308- 19
474-770- 41
502-490- 70
卓洵宋 515-146- 61
529-444- 43
卓庠宋 528-549- 32
卓茂漢 252-641- 55
370-129- 10
376-626-107上
384- 57- 3
402-377- 4
402-557- 18
459-826- 50
472-640- 26
472-769- 30
477- 47-151
477-364-167
537-345- 56
540-654- 27
573-337- 22
574-386- 22
575-376- 22
675-278- 11
933-725- 50
卓禹明 1312-382- 37
卓迪明 820-599- 40
821-360- 55
1236-689- 7
卓拜清 455-311- 19
卓海清 456- 92- 56
卓秦清 456-280- 71
卓恕吳 524-201-188
卓納清 502-753- 85
卓庶宋 484-385- 28
卓訥清 502-503- 70
卓理清 456-232- 68
卓崇漢 539-351- 8
卓雲唐 529-716- 51
卓雲宋 451- 92- 3
卓琮宋 460-362- 28
卓越明 523-229-156
529-645- 48
卓敬明 299-350-141
447-100- 2
447-104- 2
456-691- 12
458-1013- 1
472-1118- 48
479-408-235
505-930- 84
523-417-166
526-240-266
676-470- 18
886-151-139
1442- 16-附1
1459-517- 18
卓鈿明 520-353-114
卓端清 455-295- 17
卓滿清 455-154- 6
456- 74- 55
卓賢明 1283-751-125
卓震明 456-639- 10
529-660- 49
卓彝清 524- 37-179
卓羅清 455-472- 29
卓蘇清 455-587- 39
卓人月明 524- 11-178
1442-114-附7
1460-668- 74
卓人月妻 清 見丁氏
卓子康元 1217-209- 4
卓子強明 1229-305- 10
卓小仙明 516-471-104
821-486- 58
卓元舉宋 1133-543- 12
卓永潔明 徐宣妻 472-232- 8
475-145- 57
493-1084- 57

八畫：卓、盰、昆、昇、昂、昕、咄、呼

	512-458-188	1442- 91-附6	昂阿喇清　455-363- 22	1058-504- 下

沁女 294-183-114
393-345- 80
呼圖靈阿 清 496-216- 76
呼魯古爾元 見呼嚕古爾
呼嚕古爾呼嚕古爾、楝格矩 元 294-377-131
399-512-470
呼嚕固岱元 523-117-151
呼都克和卓元 528-493- 30
呼都克哈斯元 見呼圖克哈斯
呼圖克岱爾元 294-388-131
399-519-470
呼圖克哈斯呼都克哈斯 元 294-285-123
400-247-520
呼韓邪單于漢 見比
呼韓邪單于漢 見稽侯狦
呼都克特穆爾元 見呼圖克特穆爾
呼圖克特穆爾虎都鐵木祿、呼都克特穆爾、劉漢卿 元(字漢卿) 294-267-122
399-345-449
481-492-324
523- 22-147
532-585- 41
呼圖克特穆爾元(阿蘇特氏) 294-286-123
399-525-471
呼圖克特穆爾元(字仲威) 545-183- 89
呼圖克特穆爾女 元 見嗒濟
呼蘭若尸逐就單于漢 見兜樓儲
呼都而尸道皋若鞮單于漢 見輿
斨上古 546-234-123
岸唐 1052-262- 18
岷王明 見朱楩
岷王明 見朱譽榮
芳乘漢 933-418- 27
芳凱清 455-387- 23
芬夏 見槐
芬古清 454-160- 9
502-426- 67
芬泰清 455-378- 23
芬達理清 456- 22- 51
易文明(臨川人) 515-792- 82
易文明(字宗周) 524-170-186
易之妻 清 見戴氏
易牙雍巫 春秋 404-625- 38
933-753- 52
易氏明 方志通妻 473-319- 62
易氏明 王世昌妻 302-218-301
479-729-250
516-292- 99
易氏明 王道明妻 479-768-252
易氏明 王繼所妻 533-593- 69
易氏明 沈時鼇妻 480- 96-262
易氏明 周子儉妻 473-217- 59
易氏明 胡化中妻 533-530- 67
易氏明 范君錫妻 1274-328- 11
易氏明 郭民父妻 479-812-255
易氏明 張御妻 483-269-392
易氏明 張嘉謨妻、易南維女 1251-592- 12
易氏明 焦三妻 472-700- 28
易氏明 楊鏓妻 479-751-251
易氏明 鄧介妻 473-131- 55
易氏明 劉先四妻 479-768-252
易氏明 劉養恬妻、易占女 480- 94-262
533-531- 67
534-569- 99
易氏清 周國璟妻 480-417-277
易氏清 張鐘毅妻 481-775-336
易氏清 陳光茂妻 483- 71-376
易充宋 515-502- 72
易占女 明 見易氏
易先明 299-492-154
473-340- 63
480-410-277
482-351-356
533-401- 61
567-365- 81
1467-195- 69
易朵明 猛樑妻 438-150-381
易言宋 515-498- 72
易青宋 288-315-449
400-136-511
473-695- 80
482-116-343
564- 70- 44
易直明 479-767-252
易忠明 473-303- 62
易恒明(字可久) 483-140-380
570-217- 23
820-619- 41
易恒明(字九成) 493-1028- 54
1442- 14-附1
1459-409- 12
易相宋 515-610- 76
易貞元~明 524-305-194
1229-310- 10
易英明 472-963- 38
523- 35-147
易重唐 471-725- 19
515-495- 72
易紀明 559-308-7上
易泉明 533-266- 55
易海明 568-708-127
1467-447- 6
易祓易被 宋 473-339- 63
480-408-277
533-247- 55
677-353- 32
易退晉 516-431-103
易被宋 見易祓
易偉元 683- 63- 3
易善明 564- 88- 45
易雄晉 256-452- 89
380- 40-166
384-101- 5
473-337- 63
480-286-271
480-406-277
533-395- 60
933-753- 52
易貴明 483-250-391
572- 70- 28
676- 27- 1
676-500- 19
678-447-112
678-460-114
易喬明 猛朋妻 483-150-381
易舒明 473-341- 63
易愷魏 933-753- 52
易幹明 510-366-114
易會妻 明 見蔡氏
易經明 570-162-21之2
易節明 473-178- 57
473-854- 88
481- 71-293
483-222-390
515-506- 72
559-268- 6
571-523- 19
1241-639- 13
易蓁妻 明 見王淑方
易蓁妻 明 見崔慧英
易綱明 676-172- 7
易綸明 533- 97- 50
易輗明 515-476- 71
523- 83-149
1241- 84- 4
易履元 820-527- 38
易輝明 572- 85- 28
易濱女 明 見易妹貞
易鴻明 505-657- 68
易謨明 545-465-100
易鎮妻 明 見蔡氏
易鶚明 545-221- 91
易鶴妻 明 見馮氏
易鑑明 1243-696- 23
易瓚明(知揚州) 510-393-115
易瓚明(肅寧人) 510-408-115
易鼇明 533-119- 50
559-304-7上
易鸞明 515-508- 72
易三接明 533-323- 57
易三極明 533-275- 56
易士佳明 456-467- 4
易士龍明 533-180- 52
易子晉明 559-319-7上
易大年明 567-446- 86
1467-154- 67
易大準妻 明 見劉氏
易小雅元 1207-420- 29
易斗元元 1231-395- 8
易文孫宋 見易正大
易文衛明 559-375- 8
易文簡明 533-215- 53
易之孔妻 清 見戴氏
易之貞明 533-174- 52
易元吉宋 533-341- 58
812-547- 4
813-186- 18
821-159- 50
易元貞明 567-339- 79

易友亮清 482-353-356
567-373- 81
易立中元 1197-659- 67
易正大易文孫 宋451- 63- 2
易正言清 480-415-277
533-452- 63
易可久妻 明 見陳氏
易世鳳明 533-480- 64
易功廉妻 明 見江氏
易以巽明 559-407-9上
易尚陽清 480-615-287
533-295- 56
易延慶宋 288-407-456
400-296-524
473-167- 57
479-748-251
515-463- 71
易妹貞明 易濱女473- 32- 49
516-244- 97
易炳文元 473-235- 60
易爲瑚明 456-660- 11
易爲鼎明 533-333- 58
易爲璉明 456-660- 11
易度侯度易侯 劉宋
259-577- 59
381-464-195
易南維女 明 見易氏
易思義元 683- 61- 3
易貞言清 534-586-100
易時中明 301-760-282
460-621- 61
476-893-147
1274-453- 17
易倣之明 523-206-155
易淵碧明 敖用敬妻
518-778-161
易紹宗明 302- 8-289
479-175-225
523-373-164
533-400- 61
易登洲明 517-553- 20
易著明宋 515-498- 72
易無涵妻 明 見孫氏
易舒誥明 480-411-277
533- 98- 50
易復亨明 1238-179- 15
易道生妻 清 見鄧氏
易道沛清 479-747-251
515-113- 60
533-162- 52
易道談明 481-550-327
528-478- 30
易道暹明 302- 93-294
456-660- 11
480-136-264
677-731- 65
680-331-259
易楚誠明 483-250-391
572- 90- 29
易經文明 1291-908- 6
易經文妻 明 見張氏
易閏超清 易肇文女
482- 79-341
易肇文女 清 見易閏超
易廣生妻 清 見殷氏
易學實明 479-796-254
516-185- 94
易鴻岸妻 清 見徐氏
易應昌明 301-295-254
458-435- 20
515-802- 82
528-532- 31
易應達明 456-672- 11
480-414-277
易翼之明 483-138-380
570-162-21之2
易體用元 見保八
易勿眞莫何可汗 隋 見契弊歌楞
芮王金 見完顏亨
芮氏明 呂祖謙妻、芮煜女
1150-115- 13
芮氏明 吳實妻、吳寶妻
475-673- 84
512-486-189
芮氏明 郝應聘妻 506- 10- 86
芮氏清 牛文輝妻 506- 23- 86
芮氏清 湯德符妻 475-674- 84
芮玄吳 385-540- 61
489-598- 47
芮良吳 385-540- 61
芮成明 1250-493- 46
芮伯周 見芮良夫
芮祉漢 493-670- 37
511-383-151
芮苾妻 清 見龐氏
芮祕吳 385-540- 61
芮城清 475-280- 63
511-844-168
芮翀魏翀 明 458- 29- 2
472-222- 8
493-756- 41
510-333-113
537-589- 60
芮釗明 505-799- 74
1245-784- 13
芮強芮強 漢 933-600- 43
芮琦明 1245-780- 13
芮煜女 宋 見芮氏
芮煇芮輝、芮驚郎 宋
448-372- 0
494-394- 11
515- 17- 57
芮寧芮寧 明 478-728-212
558-439- 37
芮輝宋 見芮煇
芮鉉妻 清 見孫氏
芮鐖明 511-768-166
芮燁芮曄、芮勝郎 宋
448-360- 0
472-1003- 40
473-349- 63
479-142-223
480-439-278
494-393- 11
523-586-175
563-660- 39
820-436- 35
1147-576- 54
芮曄宋 見芮燁
芮儒妻 明 見端淑卿
芮彌芮彌 漢 933-660- 43
芮麟明 472-1102- 47
473-599- 76
479-286-230
481-674-331
511-300-148
523-171-154
528-526- 31
820-579- 40
芮及言宋 494-408- 12
515-103- 60
芮允元妻 明 見從氏
芮立言宋 494-408- 12
芮司徒女 春秋 見棄
芮世通元 295-600-197
400-309-526
475-670- 84
芮良夫芮伯、芮伯 周
384- 12- 1
404-442- 25
546-426-129
554-620- 60
933-660- 43
芮伯祥妻 清 見張氏
芮昌申妻 明 見張氏
芮服堯妻 明 見劉氏
芮翊周妻 清 見楊氏
芮勝郎宋 見芮燁
芮復份妻 清 見單氏
芮道材明 483-100-378
570-255- 25
芮養仁清 511-883-171
芮質田明 554-310- 53
芮質成明 554-678- 60
芮應陽妻 明 見王氏
芮驚郎宋 見芮煇
芮纘先妻 清 見劉氏
叔宋 1053-784- 18
叔弓子叔敬子 春秋
404-542- 33
547-159-147
933-720- 49
叔牙春秋 見公子牙
叔老子叔齊子 春秋
404-541- 33
叔向春秋 見羊舌肸
叔夜周 546-235-123
叔武春秋 見衛武
叔芝宋 1053-646- 15
叔肸春秋 384- 15- 1
404-540- 32
叔服內史叔服 春秋
380-539-181
384- 13- 1
404-470- 27
538-357- 91
叔姜春秋 魯閔公母
404-564- 34
叔侯春秋 見女齊
叔夏周 546-235-123
叔豹上古 546-234-123

叔姪周　周穆王女 554- 41- 49
叔姬春秋　羊舌職妻
404-763- 46
448- 31- 3
452- 79- 2
472-469- 20
547-236-150
叔帶周 545-689-108
叔處霍叔處　周 404-454- 26
933-737- 51
叔魚春秋　見羊舌鮒
叔椒周 546-510-132
叔姞春秋　見叔孫姞
叔隗春秋　趙衰妻 404-453- 26
404-763- 46
叔達上古 546-235-123
933-720- 49
叔禽春秋 546-510-132
叔詹春秋 384- 24- 1
448-154- 6
537-359- 57
933-720- 49
叔齊周 244-344- 61
246- 1- 61
371-445- 24
380-405-177
383-107- 13
404-415- 24
472-142- 5
472-458- 20
505-708- 71
506-424-102
538-694- 79
547-186-148
550-344-221
550-354-221
550-507-223
558-467- 39
839- 7- 1
1374-359- 57
叔壽漢 933-720- 49
叔輒春秋 404-542- 33
叔鞅春秋 404-542- 33
叔劉春秋 404-686- 41
叔興內史興、內史叔興　春秋
380-539-181
384- 12- 1
404-469- 27
448-154- 6
537-190- 54
叔麇春秋 405- 36- 58
叔獻上古 546-234-123
叔襄戰國　見周思王
叔山冉春秋 405- 37- 58
叔先雄先絡、叔先絡　漢　先尼和女、叔先尼和女、叔先泥和女 253-635-114
381- 46-185
481-353-309
481-374-311
591-153- 11
591-580- 43
叔先絡漢　見叔先雄
叔仲小叔仲穆子　春秋
404-530- 32
叔仲志春秋 404-530- 32
叔仲帶叔仲昭伯　春秋
384- 14- 1
404-529- 32
叔仲會仲叔噲　春秋
244-390- 67
371-495- 32
375-657- 88
405-446- 85
472-548- 23
539-497-11之2
546-692-138
叔孫建後魏 261-434- 29
266-416- 20
379- 12-146
472-481- 21
476-253-110
546- 6-115
933-795- 58
叔孫俊後魏 261-435- 29
266-417- 20
379- 13-146
476-253-110
546- 9-115
叔孫俊妻　後魏　見桓氏
叔孫豹叔孫穆子、穆叔　春秋
375-695- 89
384- 14- 1
404-520- 32
448-205- 16
547-159-147
叔孫通漢 244-654- 99
250-164- 43
251-548- 15
376- 79- 96
384- 37- 2
469-127- 15
472-548- 23
476-578-131
491-794- 6
540-690-28之1
820- 23- 22
933-795- 58
1408-275-507
叔孫姞叔姞、叔孫昭子、昭子　春秋 375-700- 89
384- 14- 1
404-525- 32
448-251- 23
叔孫舒文子　春秋
404-528- 32
叔孫輒春秋 404-528- 32
405-116-63
叔孫鄰後魏 261-436- 29
266-418- 20
379- 13-146
叔梁紇春秋 446- 4- 1
叔彭生叔仲惠伯、叔仲彭生　春秋 404-528- 32
叔無孫戰國 405-239- 71
叔悆子春秋 839- 21- 2
叔聲伯春秋　見公孫嬰齊
叔先尼和女　漢　見叔先雄
叔先泥和女　漢　見叔先雄
叔仲昭伯春秋　見叔仲帶
叔仲惠伯春秋　見叔彭生
叔仲彭生春秋　見叔彭生
叔仲穆子春秋　見叔仲小
叔孫不敢成子　春秋
404-527- 32
叔孫州仇武叔、叔孫武叔　春秋 375-703- 89
404-528- 32
叔孫武叔春秋　見叔孫州仇
叔孫叔牙春秋　見公子牙
叔孫昭子春秋　見叔孫姞
叔孫莊叔春秋　見叔孫得臣
叔孫得臣叔孫莊叔、莊叔　春秋 375-695- 89
384- 14- 1
404-519- 32
448-714- 10
933-795- 58
叔孫僑如宣伯　春秋
404-519- 32
448-193- 14
933-795- 58
叔孫僑如女　春秋　見穆孟姬
叔孫穆子春秋　見叔孫豹
叔孫戴伯春秋　見公孫茲
果子明 561-223-38之3
果山清 455-115- 4
果古清 456-255- 69
果仙六朝(衣帶皆綴雜果)
516-469-104
果昌宋 1053-699- 16
果和清 456- 38- 52
果斌明 1442-120-附8
1460-845- 91
果慜宋 1053-785- 18
果鏗清 455- 73- 2
果勒沁清 502-604- 76
果爾岱清 456-282- 71
旻唐 1065-213- 3
旻宋 476-406-119
547-541-160
旻德五代 1053-444- 11
昊十九明(自號壺隱老人)
820-762- 44
昊英氏子英　上古 383- 62- 9
杲宋 1053-743- 17
忽辛元　見呼遜
忽忠明 1264-176- 9
忽蘭元　見瑚蘭
忽剌出龍王 552- 72- 19
忽烈谷明　見呼喇呼
忽蘭台明　見呼蘭台
侍其氏宋　趙士雋妻、侍其玠女 1100-517- 48
侍其沔宋 485-187- 25
493-1046- 55
511-831-168
侍其玠女　宋　見侍其氏
侍其通妻　元　見王氏
侍其鉉宋 1127-526- 13
侍其傅宋 484-102- 3

侍其瑋宋 1127-489- 8
1127-524- 13
侍其瑛宋 843-667-中
侍其曙侍其儲 宋
286-327-326
397-452-346
472-602- 25
473-551- 73
476-697-137
493-766- 42
494-330- 6
540-652- 27
559-302-7上
侍其儲宋 見侍其曙
念宋 1053-759- 18
念華北周 263-516- 14
267- 69- 49
933-711- 48
念賢北周 263-516- 14
267- 68- 49
379-353-151
472-937- 37
544-210- 62
546-161-120
558-285- 32
933-711- 48
姒昂姒鼎 明 546-305-125
554-290- 53
姒鼎明 見姒昂
姒庸道元 554-309- 53
竺氏明 劉瑛妻 474-520- 25
竺氏清 徐鼎鼐妻 479-192-225
竺朗晉 541- 88- 30
554-940- 65
1049-401- 27
1054-325- 7
竺淵明 299-718-172
479-182-225
523-375-164
528-560- 32
竺喜晉 見竺難提
竺欽妻 明 見陳氏
竺頎妻 宋 見舒氏
竺潛晉 見竺道潛
竺瓚明 524-134-185
竺大力漢 1051- 19- 1
竺王姐清 524-141-185
竺元標唐 812-347- 9
821- 88- 48
竺公能妻 明 見袁秀芝
竺佛念晉 1051- 91-4上
竺佛朔漢 1051- 17- 1
1054-285- 5
竺法力晉 1051- 83- 3
竺法太晉 見竺法汰
竺法正晉 見竺曇無蘭
竺法汰竺法太 晉
511-916-174
541- 87- 30
1054- 58- 2
竺法眷劉宋 1051-140-5下
竺法崇晉 485-559- 3
486-336- 15
524-414-200
竺法義晉 1054- 59- 2
竺法猷晉 見竺曇猷
竺法潛晉 1054- 59- 2
竺法慧晉 473-252- 60
480-301-271
533-766- 74
竺法曠晉 486-336- 15
524-414-200
竺法護竺曇摩羅刹、竺曇摩羅察 晉 558-481- 41
1050-293- 79
1051- 51-2下
1054- 46- 1
竺法蘭漢 472-754- 29
538-341- 70
547-528-160
1051- 6- 1
竺叔蘭晉 1051- 55-2下
竺持炎三國 見竺律炎
竺律炎竺持炎、竺將炎 三國
1051- 30-2上
1054-296- 5
竺將炎三國 見竺律炎
竺道一梁 見竺道壹
竺道生劉宋 258-650- 97
265-1121- 78
472-109- 4
475-157- 57
493-1088- 58
505-938- 85
511-918-174
516-485-105
517-333-124
541- 87- 30
554-942- 65
879-136-57下
1048-599- 23
1049-487- 33
1054- 64- 2
1054-336- 7
1401- 7- 16
竺道壹竺道一 梁
486-336- 15
493-1088- 58
1054- 59- 2
竺道猷晉 見帛道猷
竺道潛竺潛 晉 479-264-228
485-557- 3
486-335- 15
524-413-200
1054-313- 6
竺夢松宋 489-696- 50
竺鳳仞清 533-220- 53
竺僧度王晞 晉 1379-388- 47
竺慧達劉薩何、劉薩訶 晉
524-406-199
1049-602- 41
竺曇猷竺法猷 晉
479-299-230
485-558- 3
486-899- 35
524-421-200
558-482- 41
1050-597-100
竺難提竺喜 晉 1051- 83- 3
竺葉摩騰漢 見攝摩騰
竺曇無蘭竺法正 晉
1051- 72- 3
竺曇摩羅刹晉 見竺法護
竺曇摩羅察晉 見竺法護
知玄智玄 唐 561-216-38之3
591- 68- 5
592-543- 95
592-407- 85
1052- 78- 6
1054-135- 3
1054-578- 17
1082-149-2上
1082-170-2下
知永明 541-100- 30
知白宋 486-902- 35
知至至知 唐 830-297- 30
1054-466- 13
1065-753- 12
知伯春秋 見荀瑤
知果知過 春秋 404-681- 41
546-430-129
知和宋 1053-770- 18
1439-457- 2
知命上古 404-383- 23
知首春秋 見荀首
知津元 1204-638- 15
知亮唐 481-775-336
知玲金 586-188- 8
知盈春秋 見荀盈
知昺宋 1053-846- 19
知苑隋 820-128- 25
知信宋 1053-675- 16
113-251- 24
知浹宋 473-177- 57
479-768-252
516-199- 95
知常唐 820-302- 30
知過春秋 見知果
知節五代 480-181-266
533-759- 74
知瑤春秋 見荀瑤
知遠五代 1053-566- 14
知廣五代 481-291-306
知罃春秋 見荀罃
知頤宋 1187-714- 5
1187-723- 6
知默宋 1053-328- 8
知禮宋 491-591- 16
1054-167- 4
1054-168- 4
1054-617- 18
知藏宋 1053-511- 12
知證智證 明 1442-121-附8
1475-772- 32
知躒春秋 見荀躒
知儼五代 1053-570- 14
知文子春秋 見荀躒
知伯國春秋 404-681- 41
546-430-129
知武子春秋 見荀罃
知宣子春秋 見荀甲
知徐吾春秋 545-123- 87

知悼子春秋　見荀盈
知莊子春秋　見荀首
知襄子春秋　見荀瑤
季子春秋　見公子友
季子春秋　見公子札
季心漢 244-661-100
250- 96- 37
556-788-100
933-648- 42
季友春秋 404-589- 35
季友春秋　見公子友
季氏明　王三妻 472-614- 25
季氏明　李懷妻 506- 78- 88
季氏明　李明阮妻 477-526-175
季氏明　孫學妻 474-248- 12
506- 43- 87
季氏明　徐育德妻、季萱女
1291-525- 9
季氏明　葉華妻 479-435-236
季氏明　蔣朝用妻
1289-345- 23
1410-243-692
季氏清　李英妻 474-194- 9
季氏清　李輪妻 506- 38- 86
季立宋 460- 36- 3
季必李必　漢 478-339-191
539-348- 8
554-546- 58
933-647- 42
季本明 457-188- 13
458-903- 8
479-241-227
480-403-277
515-204- 63
523-600-176
526-245-266
528-529- 31
563-798- 41
677-584- 53
季札春秋　見公子札
季布漢 244-659-100
250- 94- 37
251-551- 16
376- 35- 95
384- 37- 2
472-456- 20
475-423- 70
476-365-117
511-219-144
545-348- 96
556-788-100
820-422- 34
933-648- 42
1360-609- 38
1408-277-507
季可季斯可　宋 451- 55- 2
524- 90- 182
季匄宋 523-167-154
季扞夏 546-425-129
季仲上古 546-234-123
季先宋 288-650-476
季冶季公冶　春秋 384- 14- 1
404-538- 32
季亨明 559-298-7上
季汶明 523-572-174
1224-167- 19
季芊春秋　見季芉
季邠唐 494- 54- 2
季武元 1200-831- 65
季杼夏　見予
季林明 559-275- 6
季昌唐 476-129-102
季芉季芉　春秋 405- 83- 61
季芬妻　明　見劉氏
季佺清 478-485-199
季恒明 473-316- 62
480-614-287
532-748- 46
季珍明 523-421-166
季徇周　見熊徇
季科明 511-769-166
1442- 61-附4
1460-196- 49
季孫春秋　見季康子
季孫春秋　見季孫行父
季狸上古 546-234-123
季姬春秋　齊悼公夫人
404-631- 38
季添明　許瑜妻 472-1106- 47
524-697-211
季梁春秋 448-134- 2
471-818- 33
473-268- 61
480-201-267
533- 64- 49
933-648- 42
季梁戰國 405-186- 68
季強季昭子　春秋 404-538- 32
季連不詳 933-647- 42
季陵宋 287-166-377
398-214-379
472-1054- 44
479-432-236
481-699-332
481-802-338
484-102- 3
529-625- 48
1134-749- 35
季富妻　元　見黃氏
季閎晉 510-355-114
季琦明 529-617- 47
季傑唐　見李傑
季復宋　見季幾復
季源明 515-380- 68
季煒清 505-805- 74
季廙唐 485-494- 9
季隗春秋　晉文公夫人
404-761- 46
季概明 523- 90-149
季萱女　明　見季氏
季路春秋　見子路
季經妻　明　見岳得娀
季賓明 821-370- 55
季寤春秋 404-539- 32
季熊漢 681-696- 22
季履宋 460- 36- 3
季銳妻　元　見何氏
季銳女　元　見季回娘
季璜清 505-694- 70
季歷王季、公季　商
243- 93- 4
371-226- 5
372-112-3下
384- 3- 1
554-374- 55
839- 4- 1
季歷妃　商　見太任
季隨周 546-235-123
季錫明　見李錫
季燦妻　清　見李氏
季爵妻　清　見湯氏
季騧周 546-235-123
季鏞宋 523-500-170
季鑾明 1467- 93- 65
季籲宋 523-499-170
季文子春秋　見季孫行父
季之佺清 558-179- 31
季之梅妻　清　見劉氏
季元忠後魏 544-211- 62
季元卿妻　清　見游氏
季友直宋 821-223- 51
季友賢清 511-856-169
季公亥春秋　見季公若
季公冶春秋　見季冶
季公若季公亥　春秋
404-538- 32
季仁壽元　見李仁壽
季立道元 679-561-194
1195-539-上
季平子春秋　見季孫意如
季回娘元　季銳女
295-638-201
401-184-593
季光弼宋 485-534- 1
1153-543-100
季如太明 821-441- 57
季仲蘭明 472-1015- 41
523-215-156
季孝廉唐 486- 41- 2
季武子春秋　見季孫宿
季承芳明　見李承芳
季叔明明 524-170-186
季舍孫元 524-217-189
季流子不詳 839- 33- 3
季南壽宋　見李南壽
季致平宋 523-630-177
季貞一明 1442-127-附8
季思友明 570-217- 23
季昭子春秋　見季強
季祐之宋 485-535- 1
季原禮元 475-705- 86
511-639-161
季孫肥春秋　見季康子
季孫紇春秋　見季悼子
季孫宿季武子、季孫武子　春秋 375-689- 89
384- 14- 1
404-530- 32
448-214- 17
933-647- 42
季孫斯季桓子、季孫桓子　春秋 375-693- 89

384- 14- 1
404-536- 32
季桓子春秋 見季孫斯
季師白妻 清 見劉氏
季悼子季孫紇、季孫悼子 春秋 404-534- 32
季康子季孫、季孫肥、季孫康子 375-694- 89
384- 14- 1
386-716- 13
404-537- 32
448-280- 30
933-648- 42
季捷芳妻 清 見高氏
季得忠元 540-779-28之2
季斯可宋 見季可
季開生清 511-216-144
季幾復宋 515-739- 80
1122-550- 10
季舜有清 523-110-150
季道華宋 524-431-200
季遐齡明 545-443- 99
季嗣先明 見李嗣先
季德甫明 515-124- 60
517-682-132
季德基明 820-593- 40
季龍伯母 明 見陶氏
季應期李應期 明 523-628-177
1442- 14-附1
1459-492- 16
季聯芳妻 清 見楊氏
季還春清 545-856-113
季孫文子春秋 見季孫行父
季孫平子春秋 見季孫意如
季孫行父文子、季孫、季文子、季孫文子 春秋 375-686- 89
384- 14- 1
404-530- 32
448-172- 10
448-284- 上
547-156-147
933-647- 42
季孫武子春秋 見季孫宿
季孫桓子春秋 見季孫斯
季孫悼子春秋 見季悼子
季孫康子春秋 見季康子
季孫意如季平之、季孫平子 春秋 375-691- 89
384- 14- 1
404-535- 32
448-257- 24
和夏 見芒
和宋 820-469- 36
和元 1191-617- 13
和文明 546-360-127
和王唐 見李綺
和王宋 見趙栻
和屯清 455-256- 14
和中妻 明 見賈氏
和什清 456- 51- 53
和氏上古 933- 68- 4
和氏宋 趙惟憲妻、和嶧女 1104-448- 38
和氏明 麻鏻妻 474-482- 23
和氏清 何昶妻 474-195- 9
和安北齊 263-383- 50
267-751- 92
和托清(瓜爾佳氏鑲藍旗人) 455- 64- 2
和托清(鑲黃旗人) 455- 89- 3
和托清(鑲白旗人) 455-156- 6
和托清(舒穆祿氏鑲紅旗人) 455-157- 6
和托清(納喇氏鑲藍旗人) 455-365- 22
和托清(正黃旗人) 455-387- 23
和托清(克穆齊特氏) 456-267- 70
和托清(伊爾庫勒氏) 502-537- 72
和托清(棟鄂氏) 502-545- 73
和托清(納喇氏鑲紅旗人) 502-553- 73
和色清 455-616-42
和仲上古 404-390- 23
545-685-108
933-294- 21
和里清 569-619-18下之2
和伯上古 546-234-123
和伸清 455-672- 47
和武漢 933-294- 21
和拉元 托果岱妻 1206- 10- 1
和拖清(鈕祜祿氏) 455-136- 5
和拖清(納喇氏) 455-404- 24
和東清 456-271- 70
和尚華善 元(謚莊肅) 294-422-134
399-545-474
478-762-215
523- 24-147
1202-156- 12
和尚元(奈曼台氏) 294-440-135
399-678-487
和尚清(郭絡羅氏) 455-513- 32
和尚清(戴氏) 456-356- 77
和叔上古 404-390- 23
505-625- 67
545-685-108
933-294- 21
和和唐 1052-277- 19
和和元 1204-280- 8
和洪隋 264-847- 55
267-463- 73
379-766-161
474-600- 31
481-250-303
544-221- 62
559-299-7上
933-295- 21
和洽魏 254-411- 23
377-186-116
384- 86- 4
384-667- 42
448-305- 上
477-415-169
537-559- 60
933-294- 21
和洽元 1214-203- 17
和郁晉 255-775- 45
377-540-123
和勇托克托博囉 明 299-528-156
567- 96- 66
和起清 455-451- 27
和峴和二美 宋 288-192-439
400-632-557
472-658- 27
477- 72-152
538-127- 65
和連漢 381-641-200
和逌魏 933-294- 21
和啟清 455-614- 42
和敏清(納喇氏) 455-404- 24
和敏清(賚布氏) 502-477- 69
和斌宋 286-647-350
397-701-362
472-576- 24
473-762- 84
473-790- 85
476-864-145
478-671-209
482-319-354
482-389-358
540-757-28之2
558-197- 31
567- 59- 65
585-755- 4
1467- 32- 63
和善清(赫舍里氏) 455-204-10
和善清(雷氏) 502-745- 85
和琳元 249-216-118
400- 83-507
和琳清 1311-640- 8
和跋後魏 261-421- 28
266-422- 20
379- 18-146
546- 8-115
933-295- 21
和順清 455-396- 24
和靖宋 564-621- 56
和詵宋 286-648-350
382-675-104
472- 51- 2
472-576- 24
933-295- 21
和道元 476-819-143
540-665- 27
和楫元 547-487-159
和嶧女 宋 見和氏
和寧明 558-184- 31
和寧清(富察氏) 455-439- 26
和寧清(博爾濟吉特氏) 456-208- 66
和碩清 455- 69- 2
和圖清 502-730- 84
和維明 472-505- 21
523- 41-148
和震明 554-297- 53
和嶠晉 254-413- 23

255-774- 45
377-539-123
384- 92- 5
469- 85- 11
472-793- 31
477-416-169
537-560- 60
820- 51- 23
399-294- 21
和德清 455-628- 43
和凝後周 278-406-127
279-368- 56
384-315- 16
401-295-607
471-1053- 68
472-555- 23
476-822-143
540-744-28之2
933-295- 21
1383-830- 76
和錫清 456- 24- 51
和㠓宋 288-193-439
400-633-557
473-111- 54
477- 72-152
479-654-247
515-165- 62
538-128- 65
和歸後魏 261-422- 28
和羅清 502-740- 85
和鵬明 523-131-152
546-367-127
和鸞明 472-410- 18
和二美宋 見和峴
和士開北齊 263-383- 50
267-751- 92
381- 32-184
和川王明 見朱成鍨
和元恕元 472-766- 30
472-790- 31
537-327- 56
和什克清 454-955-117
和尼齊元 515-106- 60
549-418-196
和尼齊清 456-240- 68
和安禮金 472-519- 22
和有鴻清 524-393-198
和托齊清 456-252- 69
和托諾清 456- 18- 51
和向陽妻 清 見馬氏
和成忠宋 821-252- 52
和孝中元 547- 33-142
和君實漢 見馬明生
和君賢漢 見馬明生
和君寶漢 見馬明生
和克敦清 455-230- 12
和克齊雲南王 元 569-536- 17
和希文明 472-439- 19
和其奴後魏 261-609- 44
266-518- 25
379- 68-147
476-254-110
546- 20-115
933-295- 21
和坦齊明 1258-632- 14
和居中元 547- 59-143
和承芳明 540-636- 27
547- 87-144
和和理清 455-172- 8
和彥威宋 451-225- 0
478-296- 88
554-246- 52
和託理清 455-251- 14
和索理清 455-213- 11
和索圖清 455-119- 4
和勒博鐵驪王 金291- 54- 67
和通吉清 455-274- 15
和組父春秋 933-294- 21
和逢堯唐 271-457-185下
274-556-123
395-448-221
472-853- 34
554-580- 58
933-295- 21
和隆阿清 456-166- 62
和隆格清 455- 85- 3
和隆鄂清 455-272- 15
和絡穆清 455-231- 12
和實拉元 見元明宗
和齊喀清 455-489- 30
和爾丹花當、哈當 明 302-777-328
496-628-106
和爾和清 456-167- 62
和爾起清 455-688- 49
和爾特清 502-504- 70
和爾惠清 455-335- 20
和爾弼清 455-420- 25
和爾實元 545-117- 86
545-375- 97
和爾實火兒失 明 496-626-106
和爾齊元 545-219- 91
和爾親清 456-119- 58
和碩兒清 見和碩推
和碩推和碩兒 清455- 45- 1
502-476- 69
和碩圖清(赫舍里氏) 455-206- 10
和碩圖清(諡端恪) 474-758- 41
502-506- 71
和諾克金 291- 46- 67
399- 73-423
和積格清 455-476- 29
和穆多清 455-403- 24
和應薦明 456-460- 4
和濟海清 455-365- 22
和濟格清 455-485- 30
和謨諾清 456- 5- 50
和懶翁元 1206-187- 19
和囉哩清 454-711- 80
和鹽鼎清 528-572- 32
和木索科清 520-451- 68
和托巴顏清 455-536- 34
和政公主唐 柳潭妻、唐肅宗女 274-113- 83
393-281- 73
478-136-181
550-743-229
554- 53- 49
1071-692- 16
和博勒庫清 455-206- 10
和斯布哈元 294-535-143
400-265-521
和斯摩哩元 294-246-120
399-355-450
和斯噶爾元 493-752- 41
和爾尚阿清 455-343- 21
和爾果斯元 821-287- 53
和爾瑚岱清 455-687- 49
和爾齊賈臨汾王 元 544-239- 63
和穆克圖清 502-471- 69
和濟格爾清(塔他爾氏) 456-221- 67
和濟格爾清(公吉喇特氏) 456-226- 67
和濟格爾清(烏嚕特人) 502-635- 78
和托費揚古清 455-527- 33
和通額墨根清 500-728- 37
和實拉賽音元 1206-638- 13
和爾多卜丹圖多卜鼎、獲獨步丁 元 295-595-196
400-277-522
481-532-326
和齊格爾德濟元 見和爾齊哈喇德濟
和羅奇都朱琥清455-156- 6
和爾齊哈喇德濟和齊格爾德濟 元 294-265-122
399-354-450
1207-350- 24
1367-308- 26
委進漢 933-518- 34
委塔明 見威台
朋彥宋 524-442-201
1053-405- 10
朋素克清(封輔國公) 454-423- 29
朋素克清(博爾濟吉特氏) 454-554- 55
朋素克清(索諾木子) 454-694- 77
朋素克清(額爾德布鄂齊爾子) 496-217- 76
朋楚尼清 456-301- 73
朋素克旺扎勒清 454-746- 82
朋素克喇布坦清(阿喇布坦納木扎勒長子) 454-442- 34
朋素克喇布坦清(塔旺扎木素長子) 454-443- 34
朋素克喇布坦清(車木楚克納木札勒弟) 454-541- 52
朋素克喇布坦清(薩瑪第子) 454-588- 62
周代成君 戰國 546- 1-115
周五代 1053-568- 14
周于明 545- 88- 85
周才宋 493-936- 50

周山明 476-438-122
545-431- 99
678- 17- 71
周山女 明 見周氏
周方周介 宋 451- 55- 2
周文漢 見周仁
周文宋 見周正子
周文明(字宗武) 473-210- 59
523-427-167
周文明(字顯謨) 523-261-158
周文明(山東人) 571-547- 20
周文明(字綺生) 1442-127-附8
1460-910- 98
1475-822- 34
周太明 1267-424- 3
周王唐 見李元方
周王宋 見趙祐
周王宋 見趙元儼
周王明 見朱安潢
周王明 見朱有燉
周王明 見朱睦橎
周元明 533-487- 64
周元清 479-560-242
515-897- 86
周尹宋 1110-487- 27
周木明 511-674-163
676-294- 11
周及宋 見周堯卿
周止漢 539-348- 8
周止元 1201-168- 80
周中宋 288-304-448
400-158-513
476-730-138
540-766-28之2
周公旦、周文公、周公旦 周
243- 95- 4
244- 34- 33
371-285- 10
386-261-83上
404-420- 25
472-736- 29
472-853- 34
537-190- 54
554-375- 55
819-556- 19
839- 5- 1
1112-859- 3
1407- 49-400
1408-492-529
周仁周文 漢 244-679-103
250-201- 46
376- 95- 97
384- 40- 2
472-548- 23
533-725- 73
554-890- 64
周仁元 564- 82- 44
周丹明 523-496-170
周月明 金汝恭妻、周彥明女
1376-680- 99
周介宋 見周方
周氏漢 劉定妻 253- 17- 72
512- 2-176
周氏晉 孟昶妻 256-574- 96
381- 52-185
周氏晉 晉成帝貴人
255-586- 32
周氏劉宋 劉宏妻
1063-767- 3
1415- 66- 85
周氏十國吳 徐溫母
933-807- 60
周氏宋 朱有安妻
1091-389- 35
周氏宋 宋仁宗貴妃
284-866-242
393-307- 75
537-186- 53
周氏宋 林思哲妻、周溥女
1175-546- 18
周氏宋 尚大伸妻、周利建女
1147-390- 36
周氏宋 范褒妻、周宗古女
1121- 83- 8
周氏宋 徐晝妻、周恭女
1092-797- 下
周氏宋 陳垓妻、周夢祥女
1164-416- 23
周氏宋 戚楊妻 1150- 94- 11
周氏宋 榮弋妻 1096-379- 39
周氏宋 趙世哲妻、周普女
1102-298- 37
周氏宋 翟汝霖妻、周逵女
1170-676- 29
周氏宋 熊炳妻、周師古女
1180-420- 38
周氏宋 劉先妻 482- 41-340
周氏宋 劉憶妻、周藻女
1119-334- 附
周氏宋 王鐖母 1193-203- 29
周氏宋 周本女 1085-231- 30
周氏宋 周藻女 1119-334- 附
周氏宋 周知默女
1128-293- 28
周氏宋 孫貫母 1171-790- 29
周氏宋 陳樞母 1098-727- 45
周氏宋 傅璟母 1117-195- 16
周氏元 丘源妻 1204-348- 13
周氏元 朱克彬妻 295-628-200
401-177-593
482-239-349
周氏元 李成妻
492-607-13下之下
周氏元 李智妻 1206-199- 20
周氏元 李伯通妻 295-624-200
401-173-593
472-144- 5
474-279- 14
506- 28- 86
周氏元 岑野先妻 567-475- 88
周氏元 祝泰來妻、周國賢女
1207-291- 20
周氏元 徐文嫌妻 530- 89- 56
周氏元 張宜妻
492-607-13下之下
周氏元 張興祖妻 295-626-200
401-174-593
472-505- 21
476-210-107
周氏元 黃鐘聲妻 530- 89- 56
周氏元 楊伯憲妻 473-179- 57
周氏元 蕭克有妻、周長孺女
1204-321- 11
周氏元 魏成妻 472- 39- 1
474-190- 9
506- 2- 86
周氏元 魏貴妻 295-628-200
401-177-593
周氏元 周如砥女 295-639-201
401-185-593
472-1074- 45
479-250-228
524-677-210
周氏明 王昇妻 473-319- 62
周氏明 王恬妻 1280-456- 89
周氏明 王敏妻 472-528- 22
周氏明 王永命妻 302-246-303
周氏明 王自敏妻 481-268-305
周氏明 王尚絅妻、周九梅女
1269-476- 8
周氏明 王命賡妻 530- 95- 56
周氏明 王渙然妻 480-546-283
周氏明 王道正妻、周豸女
475-145- 57
周氏明 石清妻 506- 9- 86
周氏明 石麒妻 480-416-277
周氏明 江彥傑妻 524-731-213
周氏明 朱朴妻 1267-908- 12
周氏明 朱華圉妻 480- 63-260
周氏明 沈引仁妻
1289-324- 21
周氏明 沈見吾妻
1295-146- 11
周氏明 沈希曾妻、沈希魯妻
302-228-302
479-189-225
周氏明 李芳妻 506-116- 89
周氏明 李純妻 473-223- 59
周氏明 李士升妻 483- 17-370
周氏明 李如琦妻 480-254-269
周氏明 李佑七妻 479-685-248
周氏明 李廷獻妻 524-675-210
周氏明 杜鍾英妻 530-153- 58
周氏明 吳金妻 480-207-267
周氏明 吳珩妻 478-392-193
周氏明 吳邁妻 479-665-247
周氏明 吳宗桀妻、吳宗傑妻
472-263- 10
475-234- 61
周氏明 何淵妻、周普敬女
1246-106- 4
周氏明 何玉彰妻、周國才女
1239-199- 40
周氏明 何克俊妻 478-378-192
周氏明 屈敏忠妻 482- 41-340
周氏明 林敬菴妻
1276-454- 11
周氏明 尚夫其妻 478-699-210
周氏明 明英宗妃 299- 10-113
周氏明 岳正妻 1250-906- 85
周氏明 施廷翔妻 479-562-242
周氏明 胡天鳳妻、周山女

1287-386- 12
1287-552- 24
周氏明 胡以謙妻 516-233- 97
周氏明 胡希瑗妻 1291-889- 6
周氏明 胡效才妻 512-321-185
周氏明 胡崇仁妻 475-813- 91
周氏明 胡登雲妻 506- 46- 87
周氏明 姚光裕妻 479-148-223
524-594-207
周氏明 俞允濟妻、周鳳鳴女 1289-389- 27
周氏明 段維清妻 506-108- 89
周氏明 高選妻 506- 6- 86
周氏明 馬璽妻 506- 4- 86
周氏明 孫芳妻 541- 6- 29
周氏明 夏從壽妻、周良輔女 1258-769- 7
周氏明 徐俊妻 472-351- 15
475-673- 84
周氏明 倪景四妻 472-330- 14
周氏明 郭備妻 506- 4- 86
周氏明 許明道妻、周克復女 517-554-129
周氏明 梁一倉妻、周哲女 1288-632- 10
周氏明 梁紀善妻 482- 41-340
周氏明 張元卿妻 1283-543-109
周氏明 張令望妻 477- 94-153
周氏明 張宏初妻 480-207-267
周氏明 張沖吾妻 524-575-206
周氏明 陳忠妻、陳恕妻 473-118- 54
479-665-247
516-320-100
周氏明 陳雁妻 479-796-254
周氏明 陳子容妻 530-105- 57
周氏明 陳天佑妻 480-207-267
周氏明 莫佐妻 472-986- 39
周氏明 黃塗妻 506- 93- 88
周氏明 黃子仲妻 1275-190- 9
周氏明 賀心泉妻 1287-755- 9
周氏明 彭恭妻 480-440-278
周氏明 焦一霑妻 538-255- 68
1312-399- 38
周氏明 焦仲榮妻 538-611- 78
周氏明 程之遠妻、周履靖女 524-540-205
周氏明 程夢斗妻 480-141-264
周氏明 楊琬妻 473-271- 61
周氏明 楊仕儀妻 473-607- 76
周氏明 楊家麟妻 474-654- 34
周氏明 楊璞齋妻、周季靡女 1271-652- 56
周氏明 董善妻 476-829-143
周氏明 葉良材妻、周倫女 1289-295- 19
周氏明 詹奎妻 472-209- 7
475-756- 88
周氏明 甄伯成妻 482-188-346
周氏明 趙軌妻、趙軏妻 472-330- 14
475-837- 93
周氏明 暨希妻 483-172-383
570-192- 22
周氏明 翟光國妻 506- 12- 86
周氏明 翟東岡妻、周偃女 1288-612- 10
周氏明 蒲秉捷妻 533-686- 71
周氏明 潘明妻 475-856- 94
周氏明 鄭叔松妻 1262-361- 40
周氏明 鄭珠妻、周溥女 1271- 48- 5
周氏明 鄭華江妻、周鹿野女 1294-565- 14
周氏明 劉繼昌妻 506- 56- 87
周氏明 綵西山妻 506- 6- 86
周氏明 冀欽妻 506-153- 90
周氏明 盧五合妻 506-146- 90
周氏明 蕭不敏妻、周尚志女 1241-227- 10
周氏明 魏麒妻 1267-825- 7
周氏明 魏人仰妻 555- 88- 67
周氏明 羅玉妻、周德柔女 1275-189- 9
1287-527- 23
周氏明 羅夢先妻 479-664-247
周氏明 蘇仲善妻 472-1055- 44
周氏明 嚴泰妻 524-530-204
周氏明 顧剛妻 472-313- 13
475-332- 65
周氏明 顧蘭妻、周瑞女 1269-379- 4
周氏明 任萬庫母 506-123- 89
周氏明 周惺女 1294-589- 15
周氏明 周元綱女 479-435-236
周氏明 周宏智女 481-118-296
周氏明 周廷輝女 472-1055- 44
479-435-236
周氏明 周孟端女 481-214-302
周氏明 周應良二女 482-118-343
周氏明 劉福姑 476-588-131
周氏明 魏穀實母 530-141- 58
周氏清 丁賜第妻 480-417-277
周氏清 方應張妻 480-142-264
533-653- 70
周氏清 王三接妻 506- 17- 86
周氏清 王民興妻 474-193- 9
周氏清 王旦召妻 478-519-200
558-517- 42
周氏清 王所相妻 475-436- 70
周氏清 王得享妻 477- 95-153
周氏清 王朝瑛妻、周世傑女 524-472-202
周氏清 王喜賡妻 1312-377- 36
周氏清 王麟標妻 512-315-184
周氏清 孔文域妻 474-195- 9
周氏清 毛一鳳妻 481-215-302
周氏清 毛吉人妻 474-195- 9
周氏清 毛秉德妻 480-343-273
周氏清 甘嘉雨妻 530- 40- 54
周氏清 田藎祿妻 480-256-269
周氏清 史登賢妻 479-190-225
524-632-208
周氏清 安錫妻 474-605- 31
周氏清 沈三壽妻 479-190-225
周氏清 李天敘妻 530- 37- 54
周氏清 李天植妻 503- 66- 95
周氏清 李天裔妻 479-733-250
周氏清 李正實妻 480-616-287
周氏清 李禹錫妻 530- 98- 56
周氏清 李國相妻 474-195- 9
周氏清 李維聰妻 1322-635- 11
周氏清 吳理禎妻 479-254-228
周氏清 何綸言妻 475-146- 57
周氏清 孟晰妻 474-624- 32
周氏清 邵運奇妻 474-193- 9
周氏清 林永祿妻 530- 41- 54
周氏清 周朝選妻 567-534- 89
周氏清 金銘妻 477-548-176
周氏清 金策勳妻 503- 61- 95
周氏清 邱世振妻 530-148- 58
周氏清 胡占泰妻 482- 45-340
周氏清 段揚祖妻 570-191- 22
周氏清 唐大發妻 533-687- 71
周氏清 馬熙妻 512-215-182
周氏清 馬世位妻 475-283- 63
512- 47-178
周氏清 馬伯元妻 1314-423- 11
周氏清 夏承啟妻 479-102-221
周氏清 徐必選妻 512-178-182
周氏清 徐成序妻 480-256-269
周氏清 許碧妻 503- 64- 95
周氏清 許石潤妻 524-508-203
周氏清 郭有棟妻 474-194- 9
周氏清 陸介蕃妻 524-471-202
周氏清 張文明妻 533-629- 70
周氏清 陳昌齡妻 475-487- 73
周氏清 陳鳳翱妻 506- 26- 86
周氏清 黃文達妻 483-150-381
周氏清 傅肇序妻 482-436-361
周氏清 程忠謀妻 475-146- 57
周氏清 程桂奇妻 572-115- 31
周氏清 楊峰妻 480-100-262
周氏清 楊嵩齡妻 483-383-402
周氏清 董論道妻 477-548-176
周氏清 鄒應逢妻 480-513-281
周氏清 鄭福妻、周承女 481-561-327
530- 77- 55
周氏清 鄭育熙妻 481-775-336
周氏清 劉文星妻、周可正女 477- 94-153
538-183- 67
周氏清 劉夢熊妻 530- 27- 54
周氏清 劉德鳳妻 503- 59- 95
周氏清 燕大成妻 477-136-155
538-209- 67
周氏清 駱佛喜妻 479-436-236
周氏清 鮑宗燦妻 474-193- 9
周氏清 韓應琦妻 477-380-167
周氏清 魏嘉善妻 512-489-189

周氏清 羅立賢妻 478-378-192
555-161- 69
周氏清 邊楷妻 474-341- 17
周氏清 林世榕祖母
1323-762- 5
周氏清 周士俊女 483-373-401
周氏清 周文範女 512-468-188
周氏清 周國璧女 478-490-199
558-500- 42
周氏清 周懿滿女 482- 43-340
周氏清 陳大成祖母
1323-787- 5
周玄明 301-827-286
529-718- 51
676-450- 17
1318-352- 63
1442- 13-附1
1459-385- 11
周永明 1467- 63- 64
周玉明(字廷璧) 299-748-174
475-798- 90
505-781- 73
1251-288- 21
周玉明(字朝振) 524-263-191
周玉明(字廷璋) 1280-534- 95
周弘明 472-678- 27
524-451-168
529-635- 48
周弘清 511-770-166
周古宋 494-347- 7
周左宋 821-217- 51
周本南唐 472-338- 14
475-528- 77
511-404-152
周本女 宋 見周氏
周本妻 元 見陶宗婉
周本明 554-311- 53
周正明(犍爲人) 456-675- 11
559-524- 12
周正明(安陸人) 472-402- 18
510-486-118
周正明(徐州人) 511-583-159
周正明(南昌人) 523-229-156
周正明(霍州人) 545-771-111
周正明(淮安人) 676-293- 11
676-381- 14
周正明 見周彥奇
周召明 見周[illegible]
周札晉 254-884- 15
255-955- 58
370-302- 6
377-644-124下
384-100- 5
486- 34- 2
488-104- 7
494-262- 1
494-273- 2
933-471- 31
周匜後唐 384-309- 16
401-129-586
周令明 524- 88-182
820-661- 42
周生六朝 485-284- 40
493-101- 58
周丘漢 244-711-106
250- 63- 35
周白宋 821-245- 52
周仕明(字汝信) 545-423- 98
周仕明(武進人) 563-810- 41
周仕明(字用賓) 820-713- 43
1275-357- 16
周用明(字行之) 300-319-202
475-135- 56
511-105-140
515- 51- 58
517-657-131
537-219- 54
580-393- 25
677-562- 51
820-689- 43
821-428- 57
1261- 81- 6
1284-157-148
1442- 40-附2
1459-807- 33
周用明(字舜中) 564-206- 46
周弁宋 524- 61-181
526-228-266
周弁明 1246-631- 13
周弁妻 明 見薛氏
周安明(鳳陽人) 299-492-154
545-268- 93
545-421- 98
周安明(字循理) 523-427-167
1241-493- 8
1241-815- 20
周安明(武岡人) 559-304-7上
周安明(字孟泰) 680-230-247
周宇明 554-853- 63
周朴唐 451-486- 8
473-570- 74
484-191- 8
493-1000- 53
494-378- 10
524-326-195
529-752- 52
1371- 72- 附
1388-622- 94
周式唐 820-216- 28
周式宋 480-407-277
周式明 1241-773- 19
周西明 1239-214- 41
周吉明(蜀人) 494- 25- 2
周吉明(字應貞) 676-560- 23
周存晉 499-415-157
周在明 475-452- 71
511-232-145
1442- 46-附3
1460- 4- 40
周臣明(字元弼) 472- 28- 1
472-297- 12
511-471-154
周臣明(字舜卿) 511-867-170
523-204-155
821-409- 56
周臣明(字藎菴) 570-117-21之1
周臣妻 明 見俞氏
周聿宋 473- 62- 51
516-209- 96
周引明 676-743- 31
周艮宋 衛樸妻、周南女
1169- 63- 5
周因宋(字興道) 473-603- 76
529-599- 47
585-763- 5
周因宋(字孟覺) 1147-765- 72
1218-518- 8
周同宋 537- 59- 49
周同明 1280-479- 91
周光晉 255-962- 58
377-653-124下
479-606-244
516-114- 92
933-471- 31
周光明 820-717- 43
周舟明 480-436-278
周全元 295-246-165
399-398-479
周全明(工書馬) 821-419- 56
周全明(字永誠) 1261-698- 30
周自明 511-603-160
周任明 524-268-191
1260-112- 4
1467- 91- 65
周价宋 487-188- 12
周仲明 473-654- 78
528-496- 30
周行漢 370-207- 21
402-408- 6
周行女 明 見周桂
周宏元 472-144- 5
474-278- 14
505-650- 68
505-842- 76
周宏明 537-256- 55
周宏清 456-334- 76
周沆宋 286-389-331
397-499-350
450-218-上27
472- 85- 3
472-593- 24
473-333- 63
474-371- 19
475-869- 95
476-670-136
476-750-139
480-400-277
482-319-354
491-807- 6
505-631- 67
532-690- 45
545- 47- 84
554-332- 54
567- 58- 65
1094-724- 79
1097-301- 20
1467- 34- 63
周完明 472-696- 28
周汧明 456-633- 10
周沛明 1442- 67-附4
1460-303- 53
周沔宋 820-402- 34

周池妻 宋 見劉氏
周沖明 533-14-47
周沂宋(江山人) 472-1042-43
周沂宋(字沂叟) 1184-232-34
周辛宋 288-304-448
400-158-513
周序明 515-882-86
周忱明 299-476-153
453-232-21
453-606-17
472-174-6
473-151-56
475-19-49
478-766-215
479-719-250
493-787-42
508-254-39
510-288-112
515-654-77
517-571-129
523-38-147
676-474-18
683-121-2
683-127-2
683-175-5
1241-14-1
1241-27-2
1241-136-6
1241-420-5
1242-388-37
1247-76-5
1385-399-16
1391-792-354
1442-21-附2
1459-571-20
周志明(莆田人) 529-667-49
周志明(工畫) 821-484-58
周成妻 明 見張氏
周甫宋 493-1022-54
周抃宋 1130-312-31
周孝明 482-142-344
564-265-47
周李明 524-237-189
周圻妻 清 見葉氏
周玘晉 255-953-58
370-289-5
377-644-124下
472-256-10
472-996-40
475-218-61
479-131-223
494-262-1
494-272-2
511-137-142
523-110-151
933-471-31
周杞宋 490-934-87
585-159-9
周防漢 253-527-109上
380-264-172
472-791-31
477-443-171
538-30-62
675-266-7
879-155-58上
933-470-31
周助唐 821-82-47
周助妻 清 見韓氏
周足妻 明 見劉氏
周岐清 475-532-77
511-850-169
1442-114-附7
周孚周珪 宋(字處信)
448-401-0
周孚宋(字信道) 451-140-3
511-773-166
678-382-106
周位明 821-348-55
周伯明 511-527-157
周启周召 明 515-649-77
1242-296-34
1442-12-附1
1459-478-15
周甸清 523-432-167
周甸妻 清 見陳氏
周邦南漢 482-468-363
567-293-76
1467-166-68
周伸元 1210-365-11
周豸女 明 見周氏
周秀唐 1052-192-14
周秀明 676-552-22
周宗南唐 511-71-139
515-241-64
周宗女 南唐 見周娥皇
周法明 515-889-86
周京宋 515-612-76
1240-872-10
1241-46-3
周京明(字在鎬) 505-825-75
周京明(字世臣) 1283-338-93
周京明 見周庚
周官明(字百度) 456-548-7
515-812-82
周官明(江西人) 483-184-385
570-215-23
周官明(善山水畫) 821-410-56
周官清 545-305-94
周治女 元 見周柔恭
周治明 821-479-58
周性明 劉士鴻妻 473-157-56
516-288-99
周怡元 821-299-53
周怡明 300-446-209
457-416-25
458-1048-2
475-610-81
476-85-100
511-305-148
676-573-23
1442-57-附3
1458-156-428
1458-393-444
1460-156-47
周況妻 唐 見韓好
周況妻 宋 見胡氏
周庚周京、周經 明
493-1035-54
820-640-41
1252-661-37
1255-356-40
1255-373-42
1255-702-72
1386-354-42
周庚妻 明 見陳淑莊
周武周 548-77-164
周武明 299-220-130
474-479-23
505-777-73
周雨妻 明 見韓氏
周坦明(號謙齋) 457-476-30
周坦明(莆田人) 563-839-41
周奇宋 524-167-186
周玭宋 485-535-1
周玭明 524-109-183
周邵吳 253-817-10
周邵周頌哥 宋 448-377-0
1151-166-8
周長明 472-207-7
511-429-152
541-698-35之19下
581-593-106
周東明 474-312-16
505-849-76
周承女 清 見周氏
周忠明 473-116-54
515-773-81
周昌漢 244-631-96
250-151-42
251-533-12
376-69-96
384-37-2
459-151-9
469-127-15
472-410-18
475-422-70
511-219-144
544-198-62
933-469-31
1397-199-10
1408-267-506
周昌明 567-365-81
1467-445-6
周固宋 529-742-51
周芹宋 484-385-28
周昕漢(字大明) 254-764-6
385-490-53
周昕漢(字君光) 473-357-64
482-73-341
532-701-45
563-605-38
564-935-64
1098-774-50
周昂金 291-711-126
383-1008-29
400-691-566
472-96-3
472-106-4
472-379-19
505-675-69
505-851-77
1040-231-2

1365-112- 4
1439- 5- 附
1445-317- 21
周昂明 479-821-256
515-273- 65
564-177- 46
周昇明(貴州人) 572- 91- 29
周昇明(字子旭) 1239-246- 43
周昆明 483- 95-378
569-668- 19
周卓明 1242-865- 10
周岡明 1467- 86- 65
周虎母 宋 見何氏
周虎宋 472-394- 17
475-810- 91
477-542-176
493-963- 51
508-363- 42
510-489-118
511-416-152
1170-732- 32
周昉唐 554-901- 64
812-354- 10
812-364- 0
813-100- 6
820-224- 28
821- 73- 47
周昉明 524- 7-178
820-581- 40
1229-379- 14
1391-561-330
周易明(字時伯) 475-672- 84
511-330-149
1442- 52-附3
1460- 92- 44
周易明(朝邑人) 494- 56- 2
周易明(字少東) 523- 87-149
周易明(鳳翔人) 676-168- 7
周芳明 523-465-169
周叔漢 546-437-129
周旼明 820-596- 40
周旻宋 473- 96- 53
515-182- 62
1098-712- 43
周炅陳 260-634- 13
265-949- 67
378-518-144
472-794- 31
532-104- 27
537-562- 60
933-472- 31
周昊明 見周號
周芺元 孔胥妻 1218-832- 7
周和明 1238-502- 11
周金明 300-310-201
511-152-142
554-174- 51
676-541- 22
820-691- 43
1263-561- 7
1263-575- 7
1276-459- 11
1442- 43-附3
1459-897- 38
周舍春秋 386-684- 10
404-785- 48
545-725-109
933-469- 31
周岳唐 396-252-274
周佩明 511-760-166
820-655- 42
1271-596- 51
周佩妻 明 見吳氏
周佩妻 明 見張氏
周侃宋 524-297-193
周佺宋 1135-388- 36
周采明 473-341- 63
480-412-277
533- 98- 50
559-255- 6
周牧明 見周鳳儀
周佼周 545-500-101
周延明 300-325-202
479-725-250
480-171-266
481-806-338
515-699- 79
532-648- 43
563-725- 40
676-559- 23
1275-340- 15
周延妻 明 見王氏
周洪明(字廷誥) 473-211- 59
477-542-176
480- 51-259
532-618- 43
537-354- 56
周洪明(字大猷) 523-487-170
周炳明 458-147- 7
472-775- 30
477-377-167
538-108- 64
周冠明 1291-511- 9
周宣魏 254-512- 29
380-586-182
384-521- 23
386-104-72中
472-590- 24
541-103- 31
周宣宋 523-355-163
周宣明(字正舉) 473-655- 78
481-615-329
529-565- 46
545-422- 98
周宣明(字彥通) 529-512- 44
545- 93- 85
820-655- 42
820-746- 44
1392-793-438
1442- 41-附2
1459-823- 33
周室明 1283-549-109
周室妻 明 見譚氏
周洽齊 265-985- 70
380-183-170
472-272- 11
485- 84- 12
486- 68- 3
493-736- 41
510-322-113
周洎宋 1164-351- 19
周祉明 533-456- 63
周恒明 515-539- 74
周恪明 523-219-156
周津宋 493-1007- 53
511-520-157
周津明 479-183-225
515-247- 64
523-454-168
周郊宋 515-143- 61
周庠明 472-647- 26
477-442-171
537-339- 56
周彥周闓郎 宋 448-380- 0
周彥明 523-229-156
周度漢 相登妻 481-214-302
591-581- 43
周美唐 524-333-195
周美宋 286-281-323
371-184- 19
397-422-345
472-931- 37
478-166-182
478-418-195
478-597-204
481-385-312
554-357- 54
558-373- 36
周美金 476-309-113
545-407- 98
周美明 515- 95- 59
532-595- 41
周恢元 524-444-201
周奕明 570-155-21之2
1278-441- 21
周珏宋 821-219- 51
周玹明 528-451- 29
周拱明 1248-610- 3
周春妻 明 見俞氏
周相明(寧波人) 478-338-191
周相明(字大卿) 515-175- 62
1474-303- 14
周相明(字良佐) 524-199-188
周奎明(蘇州人) 302-202-300
周奎明(字象賢) 510-438-116
周垚元 1204-578- 8
周垣清 524-180-187
周珂明 1475-687- 29
周珫明 300-371-205
480-205-267
523-233-156
533-202- 53
周珉明(崇仁人) 523-235-156
周珉明(字勝玉) 529-710- 50
周柯明 524-176-187
周南晉 469- 12- 2
周南唐或宋 472-1056- 44
523-629-177
524-447-201
周南宋 287-386-393
398-387-389
451- 23- 0

475-639- 83
493-1021- 54
511-728-165
511-892-172
674-852- 18
1164-363- 20
周南女 宋 見周艮
周南明(字文化) 300- 73-187
479-434-236
479-453-237
481-805-338
515- 42- 58
523-573-174
563-729- 40
676-514- 20
周南明(字啟東) 523-456-168
周南明(郟縣人) 537-575- 60
周南明(字原凱) 1255-588- 62
周南明(字尚正) 1255-749- 75
周南明(陸川人) 1467-213- 70
周南清 511-802-167
564-308- 48
周郁妻 漢 見趙阿
周郁明(襄陵知縣) 472-457- 20
周郁明(濟南人) 472-480- 21
476-249-110
545-185- 90
545-268- 93
周郁明(字尚文) 564-290- 47
周郁明(字宗端) 1236-778- 12
周郁妻 清 見祖氏
周勃漢 243-237- 9
244-313- 57
250-130- 40
251-495- 7
376- 56- 96
384- 38- 2
459-148- 9
472-142- 5
472-410- 18
472-456- 20
472-480- 21
472-422- 70
505-625- 67
511-219-144
544-198- 62
552- 16- 18
933-469- 31
1397-198- 10
1408-242-504
周珌漢 370-206- 21
402-429- 8
478-635-206
周珍明 1257- 10- 1
周珍妻 明 見吳氏
周祕宋 486- 52- 2
周政明 473-298- 62
480-242-269
532-667- 44
周述明 299-461-152
473-151- 56
479-719-250
515-653- 77
676-474- 18
1241-124- 6
1442- 20-附2
1459-564- 20
周建妻 清 見林氏
周貞元(字幹臣) 1214-207- 17
周貞元(字子固) 1219-468- 19
周貞明 見周禎
周貞妻 明 見劉茂惠
周思明 529-687- 50
周茂明 1246-624- 12
周昭吳 254-787- 7
周苛漢 244-631- 96
472-640- 26
475-422- 70
511-463-154
537-346- 56
933-469- 31
1078-272- 1
1343-733- 53
周英明(字子傑) 473-641- 78
564-216- 46
周英明(字伯延) 683- 75- 4
周迪陳 260-791- 35
265-1153- 80
370-576- 19
378-572-145
515-815- 83
周迪妻 唐 276-114-205
401-155-589
472-297- 12
475-380- 68
512- 51-178
516-228- 97
周俌宋 494-408- 12
周俅明 1392-792-438
周約女 宋 見周琬
周信北周 263-574- 22
周信明 821-459- 57
周垕宋 516- 42- 88
周科妻 明 見張氏
周胤吳 254-802- 9
周紆漢 253-497-107
370-196- 19
380-223-171
472-310- 13
472-737- 29
474-370- 19
475-854- 94
477-303-163
537-295- 56
933-470- 31
周紀妻 漢 見曹敬姬
周勉明 515-662- 77
1242-100- 27
周保宋 512-730-195
周俊明(洛陽人) 554-313- 53
周俊明(字伯英) 1460-902- 97
周侹明 1295-139- 11
周海明 558-443- 38
周羔明 524- 11-178
周容宋 683-174- 5
周容清 524- 49-180
周容妻 清 見金逑
周浩明 524-243-190
528-460- 29
周祐宋 494-406- 12
周祐元 460-464- 36
529-738- 51
1227-158- 19
周祐明(字命申) 460-679- 69
周祐明(字宗濂) 1227-181- 21
周祐妻 明 見黃氏
周祒周紹 戰國 405-200- 69
505-746- 72
周祖明 見周叔周
周祚明(字天保) 523-467-169
676-552- 22
1442- 48-附3
1460- 46- 42
周祚明(蘄州人) 528-498- 30
周祚清 558-448- 38
周朗劉宋 258-473- 82
265-522- 34
370-482- 14
378-148-135
1394-543- 7
1401- 48- 15
周朗元 821-317- 54
周宰明 1246-649- 15
周悅宋 485-534- 1
周勍五代 516-118- 92
周悌明 523-172-154
周浚晉 256- 43- 61
377-666-125
472-793- 31
475- 68- 52
477-416-169
488- 93- 7
537-560- 60
933-471- 31
周浚妻 晉 見李絡秀
周泰吳 254-816- 10
377-352-119
384- 80- 4
384-575- 30
475-747- 88
511-414-152
933-470- 31
周泰元 545-219- 91
周泰明(新寧人) 559-374- 8
周泰明(字景通) 1255-721- 73
周泰妻 明 見婁氏
周泰明 丁維辰妻
1242-712- 3
周恭女 宋 見周氏
周眞宋 475-608- 81
511-482-155
周眞明(富州人) 567-366- 81
周眞明(字仲成) 1253-126- 46
周眞妻 明 見張氏
周原元 1237-537- 8
周原明 472-367- 16
周彧明(昌平人) 302-194-300
周彧明(朝邑人) 478-347-191
494- 57- 2
1269-490- 8
周砥明 301-819-285
473-750- 83

493-1030- 54
511-731-165
820-571- 40
821-346- 55
1369-421- 12
1439-451- 2
1459-394- 12
1471-536- 13
周珪宋 見周孚
周珪元 1197-450- 43
周珪妻 明 見路氏
周桂明 見周蕙
周桂妻 明 見劉隱珠
周桂明 歸正妻、周行女
1289-369- 25
1289-371- 25
周格宋 490-934- 87
523-420-166
585-159- 9
周哲明 558-431- 37
周哲女 明 見周氏
周埅宋 516-210- 96
周陞明 524- 42-180
周書明 1289-366- 25
周書妻 明 482-210-347
564-350- 49
周書妻 明 見晏氏
周珮明 480-635-288
周珮清 570-143-21之2
周珩宋 1149-452- 11
周起宋 285-599-288
371-102- 10
382-283- 44
384-340- 17
397- 71-324
450-173-上21
472-525- 22
474-469- 23
476-112-102
476-524-128
477- 50-151
478- 89-180
484- 90- 3
491-806- 6
540-754-28之2
545-365- 97
554-140- 51
820-341- 32
933-475- 31
1105-742- 89
周致明 472-588- 24
540-650- 27
1474-295- 14
周振明(字仲玉) 511-153-142
515-224- 63
523-175-154
周振明(德安人) 516-130- 92
周時明(寧夏人) 558-431- 37
周時明(號蟠溪) 821-448- 57
周豈明 見周子諒
周晄妻 宋 見黃氏
周紘明(陽曲人) 299-538-157
545-657-107
周紘明(字濟廣) 1255-733- 74
1258-183- 17
周恕明 1239-101- 33
周倉蜀漢 548-181-167
周倍清 456-388- 80
周矩明 見周榘
周秬宋 473- 77- 52
周卿宋 592-591- 98
周卿明 473-391- 65
周倬清 516-111- 91
周倫明(字伯明) 505-657- 68
511-104-140
676-200- 8
676-530- 21
820-689- 43
1255-333- 38
1257-515- 7
1273-223- 28
1284-153-148
1442- 39-附2
1459-803- 32
周倫明(字敘昌) 524-241-190
周倫明(字世明) 1467- 93- 65
周倫女 明 見周氏
周虓晉 255-961- 58
370-359- 9
377-652-124下
473- 88- 52
479-607-244
516-114- 92
547-146-147
554-882- 64
558-476- 40
559-312-7上
599-279- 6
933-471- 31
周純宋(字潛文) 481-783-337
529-649- 48
周純宋(字忘機) 592-731-108
821-198- 51
周能明(字廷舉) 302-194-300
周能明(字德威) 523-411-166
周修元 563-719- 39
周舫明 821-440- 57
周笏明 456-671- 11
周笏妻 明 見譚氏
周乘漢 402-472- 11
473-890- 90
477-414-169
483-697-422
537-558- 60
563-603- 38
567- 23- 63
1467- 5- 62
周秩宋 472-295- 12
周秩明 515- 89- 59
周俶明 559-348- 8
周寅明(金鄉人) 474-652- 34
周寅明(字汝欽) 680-311-256
1475-226- 10
周淙宋 287-352-390
398-361-387
472-197- 7
472-962- 38
472-1003- 40
475-366- 67
475-743- 88
479- 42-218
479-142-223
484-107- 3
494-265- 1
494-391- 11
494-473- 18
523-280-159
周淞明 1475-271- 11
周淳周之禧 明 1291-466- 8
周淳妻 明 見曹氏
周清明(竹溪人) 473-258- 60
480-320-272
533-240- 54
周清明(德化人) 481-438-316
559-276- 6
周惇漢 541-103- 31
周望明 479-378-234
523-218-156
576-654- 5
周望妻 明 見王氏
周密晉 256- 48- 61
537-560- 60
933-471- 31
周密後周 278-384-124
472-482- 21
546-178-121
周密宋～元 494-415- 12
524- 5-178
588-179- 8
590-173- 附
676-699- 29
820-448- 35
821-244- 52
1188-144- 16
1437- 33- 2
周密明 472-521- 22
540-627- 27
周淵明(壽昌人) 472-1017- 41
820-580- 40
周淵明(字本源) 515-679- 78
周淵明(字彥容) 1232-584- 5
周章周 493-641- 35
周章漢 252-765- 63
376-703-108
471-818- 33
473-268- 61
477-357-166
480-202-267
533- 65- 49
537-308- 56
933-469- 31
周章章仁績 五代 515-263- 65
周章宋 523- 79-149
周庸明 821-364- 55
周祥妻 明 見張氏
周訪晉 255-958- 58
370-295- 5
377-649-124下
384- 93- 5
470-177-111
472-793- 31
473- 88- 52

473-296- 62
479-606-244
480-285-271
516-113- 92
554-107- 50
933-471- 31
周訪明 821-439- 57
周宷明 515-704- 79
523-106-150
周袞宋 473-113- 54
515-738- 80
周旋明(字中規) 472-1118- 48
524- 88-182
676-490- 19
1442- 25-附2
1459-623- 24
周旋明(字克敬) 523-455-168
676-518- 20
1391-594-335
1442- 36-附2
1459-751- 29
周梅明 473-270- 61
533- 21- 47
周球清 511-426-152
周捨梁 260-222- 25
265-523- 34
378-401-141
384-112- 6
472-176- 6
477-416-169
511- 71-139
537-562- 60
933-472- 31
1395-597- 3
周韶陳 260-598- 8
周基妻 明 見蘭氏
周堅元 1458-332-440
周習周璨 宋 448-380- 0
周梓明 820-745- 44
周琇明 821-390- 56
1260-607- 17
周彬南唐 473-146- 56
515-568- 75
周彬明 510-362-114
周彬妻 清 見郭氏
周彬妻 清 見楊氏
周敖明 302-148-297
478-489-199
周珽明 821-456- 57
周授唐 820-260- 29
周逑宋 515-243- 64
周通妻 明 見翁氏
周通女 明 見周慧秀
周累戰國 404-491- 29
周崧清 525-369-235
周貫宋 516-416-103
周略明 517-584-130
周處晉 254-884- 15
255-952- 58
370-284- 4
377-643-124下
384- 93- 5
470- 30- 92
472-256- 10
475-218- 61
478-403-194
481- 65-293
489-351- 31
511-445-153
547-185-148
554-351- 54
589-201- 上
933-471- 31
1281-225-134
1379-331- 40
1398-349- 15
1413-395- 48
周常宋 286-727-356
397-760-365
473-603- 76
481-676-331
486- 50- 2
494-305- 5
524-330-195
529-596- 47
周常明 511-821-167
周冕元 515-623- 76
周冕明(資縣人) 300-464-210
481-389-312
559-528- 12
周冕明(道州人) 301-805-284
533-274- 56
周冕明(湖口人) 473-348- 63
480-436-278
周冕明(字服之) 505-657- 68
511-369-150
周冕明(沛人) 511-229-144
周冕明(貴池人) 511-317-148
周冕明(竹谿人) 533-239- 54
周冕明(貴州人) 545-195- 90
周冕明(臨安人) 563-804- 41
周冕明(南昌人) 571-549- 20
周冕明(字服卿) 820-594- 40
821-361- 55
1474-272- 13
周冕明(字時制) 1264-559- 7
周冕明(賀縣人) 1467-190- 69
周冕妻 明 見張氏
周崑明 515- 95- 59
523-437-167
676-231- 9
周彪晉 384-100- 5
周勗明 1271-581- 49
周釴明 1283-331- 93
周貧明 547- 47-142
周耜宋 516- 99- 91
周紹戰國 見周袑
周紹明 554-491-57上
周偃女 明 見周氏
周偉宋 484-385- 28
515-217- 63
周偉明 見周孟簡
周衛漢 380-406-177
448-100- 中
472-718- 28
478-377-192
485-149- 20
493-795- 43
511-830-168
538-160- 66
554-860- 64
839- 25- 3
871-890- 19
933-725- 50
周紳明 547- 4-141
周紳妻 明 見費氏
周彩妻 清 見馬氏
周敘明(字公敘) 299-464-152
452-198- 4
473-152- 56
479-720-250
515-663- 77
676-479- 18
1240-224- 15
1240-228- 16
1240-730- 7
1391-796-354
1442- 22-附2
1459-584- 21
周敘明(字子厚) 477-545-176
480-615-287
523-231-156
563-771- 40
周健明 482-348-356
567- 90- 66
1467- 65- 64
周敏明(字好學) 523- 36-147
周敏明(洪洞人) 547- 21-141
周敏明(臨洮衛人) 558-293- 34
周啟明 676-465- 17
1442- 10-附1
周滋明 545-119- 86
周湞明 299-309-138
479-532-241
516- 53- 89
1442- 6-附1
1459-247- 5
周訢戰國 405-183- 68
周斌明(字國用) 299-609-162
472-255- 10
472-647- 26
474-278- 14
475-215- 60
477- 55-151
505-806- 74
周斌明(諡節愍) 456-531- 6
周斌明(字質夫) 460-821- 91
473-660- 78
481-749-334
528-527- 31
529-750- 51
1240-262- 16
周斌明(字斐臣) 523-426-167
540-653- 27
周斌清 511-611-160
周渭宋 286- 28-304
397-236-333
459-898- 55
471-874- 40
473-768- 84
476-750-139
476-893-147

477-200-159
478-244-186
481-801-338
482-434-361
523- 9-146
540-659- 27
554-330- 54
563-650- 39
564- 68- 44
567-293- 76
1460-166- 68
周渭妻 宋 見莫荃
周湘明 511-582-159
周曾唐 275-610-193
384-238- 12
400-109-509
933-473- 31
周曾宋 821-183- 50
周曾明 1467- 86- 65
周普女 宋 見周氏
周普明 472-678- 27
1474-319- 16
周詔明(富順人) 515-154- 61
周詔明(字希正) 676-514- 20
1260-680- 23
1442- 36-附2
1459-753- 29
周惺女 明 見周氏
周湛宋 285-775-300
371-143- 14
397-199-331
472-774- 30
473-246- 60
473-464- 69
473-490- 70
475-501- 75
477-377-167
479-447-237
480-288-271
481-212-302
481-235-303
481-801-338
515- 13- 57
537-547- 59
559-290-7上
559-296-7上
563-652- 39
周測宋 1091-562- 15
周湜宋 1086-330- 4
周燚周壽孫 宋 451- 52- 2
515-611- 76
680-279-253
周詠明 458- 51- 2
周雲宋 515-602- 76
周雲明 545-189- 90
周越宋 812-752- 3
813-308- 19
820-341- 32
周惠宋 546-617-135
1200-718- 54
1200-771- 59
周惠明 559-371- 8
周賀唐 見清塞
周雄周繆宣 宋 524- 96-183
525- 25-217
525- 45-218
525-135-224
525-144-224
583-558- 12
1193-726- 36
周階明 480-615-287
533-345- 58
周隆明 524-188-187
周登明 511-603-160
周肅明 515-638- 77
周琦元 1222- 19- 2
周琦明 482-372-357
567-408- 84
1467-206- 69
周琦妻 清 見賈玉瑪
周琬宋 關景仁妻、周約女
1098-728- 45
1356-233- 10
周琬明 302-141-296
475- 74- 53
511-509-157
周堪漢 251-108- 88
380-251-172
384- 49- 2
472- 29- 1
472-589- 24
472-743- 29
476-365-117
476-661-136
540-695-28之1
545-349- 96
675-259- 7
933-469- 31
周堪宋 523- 79-149
周開宋 563-691- 39
周弼宋 821-250- 52
1185-526- 附
1437- 29- 2
周弼明(字文佐) 524-264-191
周弼明(字仲翼) 1237-237- 4
周軫明 481-556-327
529-509- 44
676-512- 20
1257-177- 17
1392-791-438
1442- 34-附2
1459-730- 28
周琰明 1247- 64- 4
周琛明 1236-805- 13
周琳明 480- 57-260
533-414- 62
周珽明 820-760- 44
周逵女 宋 見周氏
周逵明 554-527-57下
周棟妻 清 見袁氏
周森明 1239- 33- 28
1240-311- 20
1241-874- 23
周閔晉 256-168- 69
377-740-126
933-471- 31
周景漢 253- 66- 75
254-798- 9
376-787-109下
402-490- 12
402-510- 14
472-716- 28
472-788- 31
475-702- 86
476-909-148
477-241-161
511-333-149
537-191- 54
933-469- 31
周景明 299-110-121
周景妻 明 見重慶公主
周貴明 1381-560- 40
周貴清 505-829- 75
523-180-154
周著明 515-429- 70
周凱晉 1224- 37- 16
周凱明 545-185- 90
周萃明 559-397-9上
周崎晉 256-452- 89
380- 39-166
473-349- 63
477-478-173
480-398-277
480-437- 78
533-404- 61
933-471- 31
周喻宋 1096-373- 38
周敞漢 402-447- 9
563-601- 38
567- 20- 63
1467- 3- 62
周莚晉 377-648-124下
周淼周蘿翁 宋 451- 77- 2
周湯元 1197-222- 20
周最戰國 404-486- 29
周幾後魏 261-448- 30
266-509- 25
379- 61-147
476-253-110
546- 10-115
933-473- 31
周循漢 559-377-9上
周智宋 524-167-186
周舒蜀漢 254-647- 12
591-600- 44
周鈍明 473-336- 63
532-694- 45
周備明 1227-142- 17
周鈇明 300-414-207
476- 42- 98
545-670-107
549-504-199
周欽宋 480-438-278
533-404- 61
周欽明 545-849-113
554-287- 53
周傑宋 288-469-461
564- 32- 44
周傑明(字廷智) 524-136-185
周傑明(字文英) 529-455- 43
周傑明(字叔能) 1255-589- 62
周傑妻 明 見崔氏

周策明 480-412-277
周棨明 524-176-187
周棐元 1439-455- 2
1471-569- 14
周棐明 570-105-21之1
周逸明 1246-614- 11
周源明(字本清) 1259-419- 4
1467- 74- 64
周源明(周安人) 510-446-117
周源明(吉水人) 515-656- 77
周溥女 宋 見周氏
周溥元 1439-445- 2
周溥明 480-563-284
538-354- 71
周溥女 明 見周氏
周該晉 256-451- 89
380- 39-166
473-317- 62
480-614-287
533-495- 65
933-471- 31
周詩明(字興叔) 475-605- 81
510-438-116
1442- 61-附4
1460-197- 49
周詩明(字以言) 511-835-168
1442- 69-附4
1460-328- 55
周詩明(德州人) 545-156- 88
周詩單詩 明(固始人)
545-344- 96
周詩妻 清 見徐氏
周義明(德州人) 523-190-155
周義明(翼城人) 545-780-111
周祺明 523-245-157
周祺女 明 見周蘊香
周愼明 515-542- 74
567- 87- 66
周溶妻 清 見羅氏
周裕宋 451- 55- 2
周雍明 559-324-7上
591-697- 49
周靖宋 524-323-195
周靖元 1221-456- 9
周靖清 1328-358- 10
周愷明 821-483- 58
周愷明 見周子諒
周亶明 563-768- 40
周詢宋 821-234- 51
周詢明 558-467- 39
周煌清 481-118-296
周新女 元 見周惠恭
周新周日新、周志新 明
299-583-161
453-212- 19
453-581- 11
478-766-215
482- 36-340
523- 36-147
528-450- 29
564- 86- 45
569-648- 19
585-380- 7
1457-485-387
1457-647-402
周滉唐 813-159- 15
821- 94- 48
周煇宋 見周輝
周詵宋 494-347- 7
1351-639-145
周滂宋 1127-530- 13
周煥明 479-331-232
523-406-165
周煥明 見周景辰
周祿明(字以道) 515-702- 79
679-210-160
周祿明(任黃岡諭) 532-635- 43
周廉明 821-455- 57
周道明(字大經) 458- 9- 1
505-657- 68
537-483- 58
周道明(朝邑人) 494- 55- 2
545- 68- 85
554-472-57上
周道明(字汝履) 545-781-111
周道明(石首人) 559-287-7上
周道明(字時立) 1239-118- 34
1240-319- 20
周項宋 524-299-193
周瑀宋 1161- 42- 76
周楨元 511-713-164
周楨明 1442-106-附7
1460-638- 72
周雷明 523-500-170
周楷明 1442-101-附6
周瑄妻 宋 見陳氏
周瑄明(字廷玉) 299-538-157
472-175- 6
476- 42- 98
494- 56- 2
511-889-172
545-656-107
550-231-217
820-625- 41
1253- 15- 40
1269-490- 8
周瑄明(字弘璧) 523-567-174
周瑄妻 明 見黃寧
周瑚明(諡烈愍) 456-464- 4
周瑚明(北直行唐人)
478-434-196
554-309- 53
周瑾明 515-362- 68
周珪明 1241- 44- 2
周輅明(字文載) 460-809- 87
周輅明(字乘之) 516- 83- 90
周碏妻 清 見莊氏
周幹明(安陸人) 302- 10-289
周幹明(瀏陽人) 473-340- 63
480-410-277
533-251- 55
545- 66- 85
周幹明(號敬源) 523-220-156
周瑯明 533- 43- 48
周瑞明(吳江人) 456-639- 10
周瑞明(浮山千總) 547- 19-141
周瑞女 明 見周氏
周瑜吳 254-798- 9
370-235- 1
377-338-119
384- 79- 4
384-564- 29
459-735- 45
470-235-125
471-691- 15
471-785- 28
471-918- 48
471-920- 48
472-326- 14
473-208- 59
473-314- 62
475-665- 84
475-703- 86
479-677-248
480- 10-257
489-350- 31
489-619- 48
511-333-149
512-894-200
515-128- 61
532-549- 40
532-660- 44
933-470- 31
1085- 83- 11
周瑜宋 1151-298- 20
周瑜明 564-215- 46
周馳金 476-525-128
491-808- 6
540-770-28之2
1365-233- 7
1439- 10-附
1445-446- 32
周馳元 820-495- 37
1439-425- 1
1471-309- 4
周聘明 475-529- 77
511-602-160
周楫宋 1153-584-103
周搖車非搖、車封搖 隋
264-845- 55
267-461- 73
379-764-161
474- 90- 3
476- 77-100
537-494- 59
545-170- 89
933-473- 31
周群蜀漢 254-647- 12
380-594-182
384-516- 23
402-595- 21
473-446- 68
481-555-298
559-359- 8
591-600- 44
592-277- 78
933-470- 31
周勣宋 473-713- 81
482-187-346
563-921- 43
周瑛明(字梁石) 301-770-282
457-769- 46

458-796- 6
460-548- 53
472-389- 17
473-112- 54
473-635- 77
475-822- 92
479-655-247
481- 24-291
481-556-327
483-306-395
510-495-118
515-172- 62
529-508- 44
559-252- 6
571-544- 20
676-510- 20
680-489-271
820-676- 42
1254-875- 8
1254-878- 8
1257-212- 19
1257-307- 27
1392-789-438
1442- 34-附2
1459-719- 28
周瑛明(昌平人) 302-194-300
周瑛明(嘉定人) 515-122- 60
周瑛明(字廷潤) 572- 77- 28
676-197- 8
周瑗妻 明 見葉氏
周楙宋 1126-768-170
周楚晉 255-961- 58
377-652-124下
473- 88- 52
481- 14-291
516-114- 92
544-107- 50
591-689- 48
933-471- 31
周槩妻 明 見陸聖姬
周照宋 821-204- 51
周照周光宙 明 1280-475- 91
周愚元 821-331- 54
周煦明 515-693- 78
563-730- 40
周萬明 陳元吉妻
1228-801- 14
周嵩晉 256- 44- 61
370-302- 6
377-667-125
472-376- 16
477-416-169
485-487- 9
537-561- 60
933-471- 31
周暉漢 253- 67- 75
376-788-109下
周暉明 511-720-165
1442-100-附6
周鼎金 545-421- 98
546-377-127
1201-166- 80
周鼎元(字仲恒) 515-625- 76
678-437-111
周鼎元(字德卿) 1197-793- 84
周鼎明(鄞縣人) 475-797- 90
510-486-118
周鼎明(字在調) 511-164-142
545-196- 90
周鼎明(字子重) 516-149- 93
周鼎周鑄 明(字伯器)
524- 20-179
676-495- 19
820-618- 41
1442- 27-附2
1459-636- 24
1475-217- 9
周鼎明(岑溪人) 567-305- 77
周鼎明(周靖子) 821-376- 55
周葵宋 287-279-385
398-303-384
449-459-上10
472-260- 10
472-347- 15
472-377- 16
475-120- 55
475-223- 61
475-561- 79
475-666- 84
493-709- 39
494-306- 5
510-328-113
510-451-117
511-143-142
1147-662- 63
周敬女 明 見周慧貞
周耍明 1257-546- 10
周鉞明 511-352-149
周傳宋 480-581-285
周頌宋(吳興人) 494-471- 18
周頌宋(益公之後) 820-451- 35
周頌宋(都官員外郎)
1375- 33- 下
周頌明(字仲美) 523-477-169
周頌明(字德音) 676-601- 24
周頌明(字宗盛) 821-394- 56
周頌妻 清 見梁氏
周錡清 見周篔
周經妻 元 見吳氏
周經明(字伯常) 300- 6-183
453-691- 34
472-439- 19
476- 42- 98
545-657-107
545-659-107
550-231-217
820-652- 42
1250-850- 81
周經明(居九華山) 475-652- 83
周經明 見周庚
周節明 571-540- 20
周節妻 明 見李氏
周微明 528-554- 32
周誠明 554-369- 54
周賓明 680-309-256
周禎周貞 明(字文典)
299-308-138
481-803-338
511- 73-139
563-731- 40
周禎明(字天兆) 524- 56-180
周禎明(字世昌) 820-763- 44
周禎明(字添祥) 1242-852- 10
周福漢 505-888- 79
周福明 515-880- 86
周福清 456-335- 76
周禋明 511-544-158
820-643- 41
周韶劉宋 516-218- 96
周韶宋 585-507- 16
周韶明 516-519-106
周誥明(吉水人) 528-456- 29
周浩明(汲縣人) 545-152- 88
周寧明(睢州人) 458-171- 8
554-259- 52
554-277- 53
周寧明(字用謐) 1263-524- 5
周漳明 676-506- 19
1442- 31-附2
1459-692- 27
周滸明 820-602- 40
周鄜宋 482-266-350
563-696- 39
周端明 524-204-188
周榮漢 253- 66- 75
370-194- 19
376-787-109下
384- 62- 3
402-411- 6
472-326- 14
472-543- 23
475-702- 86
511-332-149
537-285- 55
540-629- 27
周榮妻 元 見陳氏
周榮明(字國華) 301-732-281
472-741- 29
475-744- 88
537-302- 56
540-784-28之3
周榮明(字勉仁) 516- 80- 90
周榮明(合州人) 559-353- 8
周滿明 676-566- 23
545- 91- 85
559-345- 8
677-605- 54
1271-370- 29
周激明 473-319- 62
533-295- 56
周豪明 524-168-186
周壽宋 820-387- 33
周壽明 302-194-300
1250-938- 88
周與明 547- 15-141
周嘉漢 253-577-111
370-169- 16
380-133-168
472-791- 31
477-412-169
480-539-283
537-556- 60

933-470- 31
周嘉明 560-602-29下
周監明(汾西人) 472- 52- 2
505-656- 68
1241-639- 13
周監明(字宗祥) 1236-779- 12
1410-211-688
周嶅明 511-155-142
周瑤明 見周伯玉
周聞明 529-669- 49
周聞妻 明 見方氏
周聚漢 535-552- 20
周遜明(夏縣人) 547-101-145
周遜明(成都人) 559-349- 8
周鳴周岐鳳、周歧鳳
515-643- 77
1237-265- 5
1239-114- 34
1240-195- 13
1240-298- 19
1240-731- 7
1240-732- 7
1241- 46- 3
1243-679- 22
周蒼蜀漢 546-439-129
周號周昊 明 820-613- 41
821-360- 55
周暢漢 380-134-168
402-454- 9
472-737- 29
477-303-163
537-191- 54
周鳳明(字文祥) 472-348- 15
510-455-117
537-467- 58
558-295- 34
周鳳明(仁壽人) 554-289- 53
周鳳明(平樂人) 1467-193- 69
周鳳妻 明 見王淑傑
周熊明 511-568-158
554-660- 60
569-651- 19
周銘明(字仲彝) 515-357- 68
周銘明(臨湘人) 533-497- 65
周銓明(玉山人) 523-131-152
周銓明(興化人) 571-550- 20
周銓明 見周文銓
周僧妻 清 見張氏
周縮宋 472-1053- 44
524-272-191
1153-554-101
周緒明 475-754- 88
周綱明(字文敘) 493-1025- 54
1255-691- 71
1467- 73- 64
周綱明(字時立) 524- 88-182
周綱明(號南坡) 572-108- 30
周綱明 見周仲舉
周綸女 宋 見周村娘
周綸明 821-456- 57
周魁妻 清 見何氏
周銖宋 487-114- 8
491-434- 6
周筵晉 255-957- 58
475-218- 61
478-758-215
494-273- 2
511-445-153
523- 3-146
周榘周矩 明 472-645- 26
515-643- 77
537-245- 55
1442- 10-附1
1459-451- 14
周潔明 張鳴鳳妻 512- 8-176
1442-124-附8
周澍明 523-194-155
周熛清 478-131-181
482-238-349
554-529-57下
563-882- 42
周瑩宋 285-331-268
371-101- 10
382-274- 43
384-341- 17
396-613-309
472- 70- 2
581-461- 94
周瑩明 676-494- 19
1392-788-438
周諒明(永豐人) 473-388- 65
480-541-283
515-890- 86
532-721- 45
周諒明(字士貞) 1242-703- 3
周憬漢 473-401- 66
480-634-288
564-673- 59
681-492- 4
683-254- 5
1397-559- 27
周憬唐 271-494-187上
275-583-191
475-749- 88
511-495-156
周廣晉 516-413-103
周廣唐 485-295- 43
493-1055- 56
511-863-170
周廣宋 285-366-271
396-638-312
546- 71-117
周廣明 300- 95-188
472-231- 8
475-135- 56
479-455-237
511-232-145
515- 49- 58
676-534- 21
1284-160-149
1289- 15- 2
1442- 41-附2
1459-819- 33
周廣清 511-803-167
周潤明 1242- 27- 24
1242-387- 37
周潤妻 清 見韓氏
周澄明 1250-521- 48
周誼妻 宋 見陳氏
周誼明 1223-194- 16
周潾明 554-310- 53
周慶漢 477-126-155
周毅周伯豫 宋 448-395- 0
1140-511- 18
周諏母 明 見何氏
周褒宋 1171-775- 27
周撫晉 255-960- 58
377-651-124下
473- 88- 52
473-424- 67
479-606-244
516-114- 92
554-107- 50
559-259- 6
591-668- 47
933-471- 31
周頡宋 494-405- 12
周賢明(滁州人) 299-748-174
475-798- 90
511-504-156
周賢明(字思齊) 505-695- 70
505-860- 77
周賢明(柳州人) 554-313- 53
567-339- 79
周賢明(字思賢) 820-595- 40
周賢明(字用希) 1255-729- 74
周賢妻 明 見吳氏
周勰漢 253-286- 91
376-910-111下
384- 67- 3
472-792- 31
477-444-171
538-166- 66
933-470- 31
1063-218- 6
1397-459- 22
1412-479- 19
周勰晉 255-955- 58
377-646-124下
494-272- 2
933-471- 31
周確陳 260-696- 24
265-527- 34
378-566-145
538-146- 65
933-472- 31
周墀唐 271-303-176
275-498-182
384-277- 14
396-223-272
472-794- 31
473- 13- 49
477-417-169
479-447-237
515- 10- 57
533-168- 52
537-563- 60
814-279- 10
820-253- 29
933-473- 31
933-806- 60
1081-586- 4

1081-638- 11
1342-261-938
1344-105- 69
周墀妻 明 見丘美娘
周墀妻 清 見俞氏
周輦明 1392-791-438
周樞宋 1147-652- 62
周璆漢 376-948-112
472-590- 24
491-797- 6
周震明 456-442- 3
561-205-38之1
568-500-118
周敷陳 260-632- 13
265-948- 67
378-517-144
479-655-247
515-730- 80
933-472- 31
周敷明 1256-410- 26
周模宋 820-437- 35
1153-653-109
周璇明(字元吉) 529-636- 48
周璇明(字玉衡) 533-107- 50
周璉元 523-171-154
周奭宋 480-409-277
周奭宋 見周堯卿
周奭明 456-661- 11
周闐明 1239- 50- 29
周蔚宋 1163-527- 28
周嶠劉宋 494-280- 3
周墨明 482-502-365
567-116- 67
周輝周煇 宋 479- 60-219
524-303-194
周輝明 張耀妻、周應文女
1269-164- 11
1457-742-413
周儀宋 471-775- 26
473-349- 63
533-109- 50
821-217- 51
周儀明 545-889-114
554-338- 54
周儀妻 明 見馮氏
周德明 見周是修
周磐周盤 漢 252-836- 69
380- 78-167
384- 63- 3
472-792- 31
476-749-139
477-413-169
477-441-171
538- 31- 62
540-629- 27
933-469- 31
周盤漢 見周磐
周魯明 473-157- 56
515-682- 78
周篁清 1318-459- 72
周範明 480-403-277
周衝明 301-782-283
457-411- 25
475-227- 61
480-200-267
511-681-163
528-544- 32
532-657- 44
周編明 472-766- 30
537-316- 56
周魴吳 254-881- 15
377-392-120
384- 81- 4
384-591- 32
471-715- 18
472-256- 10
473- 43- 50
475-217- 61
479-525-241
511-137-142
515-207- 63
523- 70-149
933-470- 31
周樂元 295-615-198
400-321-526
472-1118- 48
479-407-235
524-164-186
周樂明 473-807- 86
569-648- 19
周樂清 524-141-185
周緤漢 244-650- 98
250-148- 41
251-545- 14
376- 68- 96
384- 37- 2
472-410- 18
475-422- 70
511-464-154
552- 16- 18
933-469- 31
周憲宋 515-865- 85
周憲明(字時敏) 302- 10-289
473- 16- 49
473-236- 60
479-453-237
480-173-267
515- 44- 58
517-633-131
533-377- 60
569-668- 19
1262-533- 58
1408-655-549
周憲明(字用賢) 1275-359- 16
周導明 1269-490- 8
周熾妻 清 見李氏
周澹後魏 262-299- 91
267-707- 90
380-629-183
554-892- 64
周諝宋 473-617- 77
481-646-330
482- 33-340
529-578- 46
563-671- 39
680- 86-234
周龍明 1467- 95- 65
周澤漢 253-536-109下
370-174- 17
380-270-172
402-357- 3
402-561- 18
472-590- 24
476-663-136
477-303-163
491-798- 6
537-294- 56
540-700-28之1
933-470- 31
周澤明(字右石) 477-545-176
538-123- 64
周澤明(字天雨) 524- 21-179
1442- 38-附2
1459-779- 31
1475-245- 10
周澤明(字仲清) 529-451- 43
周懌明 511-205-148
周諤宋 1130-567- 12
周諤宋 見周鍔
周諤宋 見周鶚
周諤明 1255-588- 62
周諤妻 明 見吳妙善
周諭父 宋 1351-638-145
周寰明 1289-298- 19
周璜妻 清 見王氏
周璟明 516-129- 92
周樹漢 402-480- 11
周燕漢 380-133-168
472-791- 31
537-555- 60
879-154-58上
周穎宋 471-630- 7
523-619-177
1145-644- 79
周頤宋 見周敦頤
周頤明 523-464-169
周翰明 524- 43-180
1238-230- 19
1474-271- 13
周璘明 554-310- 53
周橚明 1442- 2-附1
周靜明 515-639- 77
676-467- 17
周霖明(鎭江人) 510-376-114
周霖明(字子用) 1236-760- 11
1408-533-535
周霖明(字子霖) 1240-836- 9
周璞周樸 明 460-824- 92
481-749-334
529-646- 48
1467-115- 66
周樸唐 511-434-153
周樸宋~元 516- 43- 88
1213-145- 11
周樸妻 元 見李清
周樸明 見周璞
周操宋 494-390- 11
523-213-156
周選妻 明 見李氏
周襄唐 813-298- 18
820-194- 27
周興漢 253- 66- 75

376-787-109下
511-797-167
933-469- 31
周興唐 271-471-186上
276-165-209
384-191- 10
400-376-535
周興明(字士賓) 482-279-351
564-238- 46
周興明(字隆岡) 571-542- 20
周蕙周桂、周檜 明
301-757-282
457- 28- 1
458-656- 2
478-699-210
511-691-163
558-470- 39
1293-352- 20
周鄴南唐 511-404-152
周暹明 538-123- 64
周繇唐 472-368- 16
475-642- 83
1371- 72- 附
1388-853-117
周積唐 472-275- 11
周積明 523-621-177
676- 5- 1
周篔周筠 清 479-100-221
524- 28-179
1318-457- 72
1475-640- 27
周縉明 299-377-143
499- 42-125
533- 5- 47
1255-544- 58
周儒明 559-370- 8
周儒清 481-117-296
周儒妻 清 見章氏
周穆漢 402-442- 9
周錫明(字子純) 511-792-166
676-337- 12
676-594- 24
1442- 67-附4
1460-300- 53
周錫明(商州人) 559-298-7上
周濤宋 523- 74-149
1105-806- 96
周應明 483- 47-372
569-664- 19
572- 77- 28
周膺父 唐 1410-513-732
周禧明(句容人) 511-512-157
周禧明(福州人) 528-449- 29
周禧明(湖廣人) 528-511- 31
周禧妻 清 見白氏
周濟明(字大亨) 301-741-281
453-270- 24
458- 32- 2
475-525- 77
477-316-164
481- 24-291
510-416-116
537-518- 59
1244-681- 19
周濟明(歸安人) 524-357-196
周濟妻 明 見朱妙端
周熺明 476-856-145
529-522- 44
532-599- 41
周濛明 532-750- 46
537-354- 56
周謙女 明 見周性端
周燮漢 253-158- 83
376-836-110
384- 63- 3
402-462- 10
402-528- 15
472-792- 31
477-413-169
538-166- 66
879-153-58上
1408-430-521
周燦明 515- 65- 58
676-657- 27
1442-107-附7
1460-650- 73
周燦清 479-579-243
515-238- 64
554-529-57下
559-326-7下
周壎明 480-543-283
周聰明 676- 7- 1
周磺明 見周彥器
周懋明 523-133-152
周輿明 1261-708- 30
1271-596- 51
周輿妻 明 見朱氏
周翼晉 485-532- 1
486- 65- 3
周檜明 見周蕙
周舉漢 253-281- 91
370-200- 20
376-907-111下
384- 64- 3
402-569- 19
459-725- 44
472- 84- 3
472-428- 19
472-641- 26
472-716- 28
472-792- 31
475-868- 95
477-444-171
505-626- 67
537-557- 60
545-232- 92
675-266- 7
680-669-285
879-153-58上
933-470- 31
周舉明 571-546- 20
周璨宋 見周習
周璩女 明 見周妙清
周轅明 1241-698- 16
周嬰明 529-733- 51
周邁唐 821- 94- 48
周嶷周仲嶷 元 684-494- 下
820-499- 37
周繇唐 451-464- 6
周穜宋 563-668- 39
周鍔周諤 宋 479-176-225
487-113- 8
491-391- 4
524- 39-180
1153-652-109
1362-886- 92
周優清 456-335- 76
周簇清 456-388- 80
周額宋 487-188- 12
周磨明 511-149-142
周禮元 473-599- 76
周禮明(任邱人) 472-431- 19
545-146- 88
周禮明(建昌同知) 473- 97- 53
周禮明(字時敘) 516- 80- 90
周禮明(號徹庸) 570-256- 25
周禮明(字吾學) 1474-317- 16
周禮妻 明 見鄭玉姬
周禮妻 明 見劉氏
周謨晉 256- 46- 61
377-667-125
933-471- 31
周謨宋 516- 99- 91
1168-455- 38
周謨明(字守謨) 473-130- 55
515-548- 74
周謨明(瀏陽人) 473-340- 63
533-251- 55
周燾周熙淵 宋 451- 76- 2
周璧明(歷城人) 476- 31- 97
545-157- 88
周璧明(字文明) 529-747- 51
周璧清 533-298- 56
559-291-7上
559-331-7下
周璿明(謚節愍) 299-350-141
456-696- 12
540-785-28之3
886-163-139
周璿明(無錫人) 820-660- 42
周璿明(字用珍) 821-378- 55
1242-158- 29
1245-179- 4
1386-270- 39
周彝明 533-106- 50
周彝清 511-764-166
569-620-18下之2
周轍妻 明 見陳氏
周顒齊 259-425- 41
265-522- 34
370-521- 16
378-291-138
384-112- 6
471-606- 3
472-176- 6
472-793- 31
472-980- 39
475- 78- 53
477-416-169
479-222-227
485-533- 1
486- 63- 3

486- 65- 3
492-621- 14
511-888-172
523-145-153
537-561- 60
814-251- 6
820- 94- 24
933-471- 31
1394-555- 7
1401-142- 19
周顒妻 宋 見李氏
周顒明 472-700- 28
周豐春秋 404-507- 30
周鎮晉 494-273- 2
515-164- 62
周鎮明 456-457- 4
483-397-403
572- 90- 29
周鎮妻 明 見汪氏
周穡宋 515- 83- 59
周鎬元 559-315-7上
561-396- 42
周鎬明 537-468- 58
周鎰妻 明 見王氏
周鎧妻 清 見陳氏
周繕明 821-440- 57
周馥晉 256- 47- 61
377-668-125
477-416-169
537-560- 60
933-471- 31
周鵷明 1271-580- 49
周麒明 505-781- 73
505-860- 77
周贇妻 明 見趙氏
周寵明 510-393-115
周寵清 547- 26-141
周璽明(字廷玉) 299-752-174
474-278- 14
476-249-110
1250-513- 48
周璽明(字天章) 300- 85-188
472-339- 14
475-529- 77
475-709- 86
505-637- 67
508-349- 42
511-473-155
周璽明(字廷用) 533-412- 62
周璽妻 清 見仲氏
周顛明 302-174-299
821-485- 58
周瓊晉 255-961- 58
554-107- 50
591-690- 48
933-471- 31
周騤宋 585-757- 4
周顗晉 256-166- 69
370-298- 5
377-738-126
384- 98- 5
472-793- 31
477-416-169
538- 66- 63
933-471- 31
周鵬明(字雲翔) 515-882- 86
周鵬明(字萬里) 533-107- 50
480-544-283
周贊晉 494-262- 1
周贊明 559-394-9上
周鐙宋 見周清老
周鐙元 295-583-195
400-265-521
473-210- 59
480- 50-259
480-410-277
532-616- 43
533-399- 61
周鏜明 505-860- 77
515-259- 65
周鏞妻 明 見魏氏
周鯤明 820-717- 43
周繹漢 402-412- 6
周寶唐 275-526-186
384-284- 15
396-249-274
472-143- 5
472-877- 35
472-960- 38
474-277- 14
478-670-209
484- 86- 3
505-728- 71
558-190- 31
周瓌後晉 278- 16- 95
周黨漢 253-617-113
370-173- 16
380-408-177
469-415- 49
472-432- 19
476-331-115
477-317-164
505-923- 82
538-322- 69
547-137-146
933-470- 31
周鶚周諤 宋 515-302- 66
周藻女 宋 見周氏
周騰漢 515-292- 66
周竈漢 535-551- 20
周夔明 1455-666-241
周霸漢 476-579-131
540-691-28之1
周闢宋 480-581-285
周顥明 524-340-195
周續晉 471-709- 17
周鐸明(字秉訓) 473-154- 56
515-670- 78
532-656- 44
周鐸明(鄆城人) 473-177- 57
515-121- 60
周鐸明(德安知府) 473-268- 61
周鐸明(大竹人) 523-156-153
周權元 524-299-193
676-706- 29
1204- 3- 附
1204- 4- 附
1439-433- 1
1469-202- 45
周權明 1241-233- 10
周權妻 明 見鄭淑寧
周躔明 524-376-197
周鑄明 見周鼎
周鑑明(字以人) 480-131-264
515- 37- 58
533- 39- 48
周鑑明(會稽人) 480-651-289
周鑑明(湖廣按察司)
547- 20-141
周鑑明(字子明) 558-341- 35
周鑑明(字仲倫) 567- 94- 66
周鑑明(興隆千戶) 571-542- 20
周鑑明(都御史) 676-724- 30
周鑑妻 明 見官氏
周儼清 481-117-296
559-437-10下
周麟明 546-647-136
周麟清 524-179-187
周瓚明 494- 57- 2
周顯元 1215-693- 10
周顯明 299-258-133
472-328- 14
511-414-152
周顯妻 明 見長平公主
周顯妻 明 見張氏
周鑣明 301-621-274
458-297- 10
676-656- 27
1442-106-附7
1460-644- 73
周纓明 528-552- 32
周灝明 676- 21- 1
676- 84- 3
680-309-256
周讓明 475-708- 86
511-493-156
569-617-18下之2
周瓛明 533- 5- 47
周觀後魏 261-449- 30
266-512- 25
379- 64-147
473- 15- 49
505-782- 73
546- 17-115
552- 27- 18
933-473- 31
周覿明 1240-820- 9
周鑰明 300- 88-188
482-142-344
周讜明(順天人) 456-633- 10
周讜明(南陽人) 456-678- 11
周驤元 1206-314- 5
周一士明 564-290- 47
周一宫明 533-493- 65
周一清明 482-390-358
523-474-169
567- 97- 66
1467- 71- 64
周一梧明 545-853-113
周一經明 1467-127- 66
周一麟明 561-203- 38之1
周二小妻 清 見余氏

周二南明 302- 94-294
456-547- 7
480-404-277
483-201-388
533-400- 61
570-132-21之1
周乃洨明 532-672- 64
周又從妻 清 見朱氏
周卜年明(會稽人) 456-636- 10
周卜年明(平番州人)
456-642- 10
周卜年明(字定夫) 523-391-164
周卜歷明 302- 76-293
456-491- 5
477-502-174
周九成妻 宋 見鄧氏
周九梅女 明 見周氏
周九罭明 1475-460- 19
周九齡明 572- 84- 28
周三光明 547- 19-141
周三傑明 567- 85- 66
1467- 61- 64
周三錫明 532-627- 43
周士元清 480-249-269
533-222- 53
周士吉妻 清 見邱氏
周士多明 523-575-174
周士成妻 明 見郭氏
周士奇明 533-240- 54
554-218- 52
周士昌明 456-588- 8
532-600- 41
569-677- 19
周士昌妻 明 見王氏
周士彥妻 明 見白氏
周士美明 456-665- 11
周士威元 524-165-186
周士英明 479-320-232
523-195-155
676-175- 7
周士英清 478-275-187
554-738- 61
563-892- 42
周士迪明 1241-877- 23
周士皇清 533-148- 51
周士俊女 清 見周氏
周士晉清 475-454- 71
511-592-159
周士珠清 511-588-159
周士淳明 1289-293- 19
周士淳妻 明 見徐氏
周士章清 476-181-106
545-252- 92
周士淹明 1289-291- 19
1289-410- 30
1458-375-442
周士淹妻 明 見毛氏
周士僎妻 清 見楊氏
周士隆宋 473-395- 66
480-651-289
532-751- 46
周士登明 511-166-142
周士貴明 456-665- 11
周士達妻 明 見林氏
周士榜清 528-516- 31
周士輝妻 明 見李氏
周士龍妻 明 見費氏
周士樸明 301-470-264
456-444- 3
458-164- 8
477-132-155
538- 44- 63
545-196- 90
周士選清 475-576- 79
周士選妻 清 見劉氏
周士瞻元 1217-752- 5
周士儼明 533-103- 50
周士顯元 523-567-174
周子文妻 明 見趙賽濤
周子仁元 1210-730- 20
周子正妻 明 見朱氏
周子言宋 524-156-186
周子良明 524-241-190
周子治明 1229-324- 11
周子美妻 明 見趙氏
周子恭明 515-705- 79
1275-319- 15
周子桑唐 1078- 70- 1
周子朝唐 821- 58- 46
周子義明 301-259-251
475-227- 61
511-156-142
676-305- 11
676-591- 24
1283- 10- 67
1291-393- 7
1442- 63-附4
1460-210- 49
周子雍宋 511-823-167
周子幹明 511-882-171
周子敬唐 812-347- 9
821- 88- 48
周子諒唐 1076- 82- 9
1076-541- 9
1077-102- 9
1378-618- 63
1383-317- 28
1410-252-694
周子諒周豈、周愷 明
515-637- 77
1442- 8-附1
1459-298- 8
周子輝明 524-169-186
周子儀明 1282-609- 46
周子儉妻 明 見易氏
周子興明 見周仙葫
周子禮明 529-697- 50
周子鎔宋 475-324- 65
周于義後魏 478-542-202
周于德明 511-395-151
567-127- 17
1460-310- 54
周于德清 546-106-118
周大千妻 清 見王氏
周大川宋 585- 54- 0
周大年宋 494-327- 6
周大佐妻 明 見游氏
周大柱妻 清 見薛氏
周大章明 1319-187- 15
周大啟明 456-527- 6
511-441-153
周大雅宋 524-160-186
周大順妻 清 見盧氏
周大備明 540-788-28之3
周大道清 456-334- 76
周大賓妻 明 見唐氏
周大綬明 1475-655- 28
周大憲宋 524-334-195
周大禮明 481-550-327
511-107-140
528-478- 30
周大謨明 572- 84- 28
周山圖齊 259-323- 29
265-666- 46
370-512- 15
378-232-137
493-764- 42
511-137-142
933-472- 31
周千能周彥洪 宋451- 66- 2
周心易明 546-603-135
周方旦妻 清 見蔡氏
周方叔宋 511-844-168
周方蘇明 524-206-188
周文斗明 545-198- 90
周文之宋 933-476- 31
周文王西伯、昌 243- 85- 3
243- 93- 3
371-226- 5
372-112-3下
384- 3- 1
386-259-83上
404- 70- 5
554-374- 55
556-338- 90
819-555- 19
839- 4- 1
周文王妃 見太姒
周文公 見周公
周文化明 572-107- 30
周文光明 571-521- 19
周文光清 511-658-162
周文育項猛奴 陳260-595- 8
265-925- 66
378-495-144
384-121- 6
472-257- 10
472-1015- 41
494-264- 1
475-220- 61
479-379-234
511-391-151
523-565-174
563-622- 38
933-472- 31
周文坦宋 1135-234- 23
周文忠明 524-110-183
周文帝宇文泰 北周
263-401- 1
266-183- 9
372-790- 17
384-139- 7

544-164- 61
552- 39- 18
1401-465- 35
周文帝后 見元皇后
周文帝后 見叱奴皇后
周文帝女 見宇文皇后
周文奎清 456-334- 76
周文政明 524-194-188
周文英元 1220-299- 9
周文矩五代～宋 511-861-170
812-454- 1
812-536- 3
813-105- 7
821-116- 49
周文卿明 533- 16- 47
周文清元 1194-226- 17
周文祥明 523-154-153
周文規宋 489-696- 50
周文彬妻 清 見皮鳳貞
周文通明 820-661- 42
周文敏宋 516- 10- 87
周文盛明 1269-383- 4
周文盛妻 清 見姚氏
周文華清(鑲紅旗人)
456-386- 80
周文華清(福寧人) 528-565- 32
周文靖明 530-211- 61
821-375- 55
周文煒明(諡烈愍) 456-502- 5
475-330- 65
478-376-192
511-460-154
554-257- 52
周文煒明(字赤之) 515-813- 82
周文煥明 554-676- 60
周文粲宋 1094-640- 69
周文傳明 1227-838- 4
周文銓周銓 明 511-861-170
1263-551- 6
1458- 57-418
周文魁妻 明 見王氏
周文褒明 472-646- 26
472-1118- 48
537-211- 54
820-681- 42
周文熯明 563-807- 41
周文質元 821-315- 54
周文範女 清 見周氏

周文璞宋 1357-981- 21
1364-122-262
1437- 28- 2
周文興明 524-268-191
周文興妻 清 見武氏
周文興妹 清 見周東妹
周文曄清 480-582-285
周文學妻 清 見李氏
周文衡明 1240-151- 10
周文燫明 563-758- 40
周文燦宋 547-100-145
周之士明 820-746- 44
周之正明 547- 81-144
周之正清 558-448- 38
周之臣明 1475-646- 27
周之官清 524-177-187
周之恒清 1318-394- 66
周之美宋 1127-154- 8
周之相明 569-663- 14
572- 82- 28
593-364-6下
周之屏明 480-412-277
533- 99- 50
周之茂明 301-504-266
456-461- 4
周之訓明(字無逸) 302- 41-291
456-520- 6
480-136-264
533- 54- 48
533-370- 60
540-621- 27
周之訓明(字日盤)
1442-112-附7
周之桂清 554-679- 60
周之章宋 485-541- 1
周之球女 清 見周壽英
周之基明 515-111- 60
528-545- 32
533- 99- 50
周之冕明(字元服) 523- 88-149
周之冕明(字服卿) 820-742- 44
821-445- 57
周之琬妻 清 見洪氏
周之道宋 1128-246- 26
周之瑞宋 485-541- 1
487-189- 12
周之綱宋 485-541- 1
487-512- 7

周之綱明 458-103- 4
537-610- 60
周之德明 456-571- 8
537-336- 56
周之德妻 清 見張氏
周之德妻 清 見劉氏
周之翰元(字申甫) 472-242- 9
475-178- 59
511-678-163
周之翰元(字子宣)
1214-209- 17
周之翰明(保光人) 456-631- 10
周之翰明(字景玉) 480-175-266
周之翰明(湘潭人) 533- 99- 50
周之翰妻 清 見鄭氏
周之蕃明 505-659- 68
周之禧明 見周淳
周之璵明 1442-108-附7
1460-659- 73
周之藩明 456-423- 2
周之夔明 529-482- 43
周之麟清 524-261-191
周太祖郭威 後周
278-277-110
279- 68- 11
384-306- 16
392-260- 24
537-181- 53
周太祖后 後周 見柴皇后
周太祖貴妃 後周 見張氏
周太祖淑妃 後周 見楊氏
周太祖德妃 後周 見董氏
周太祖女 後周 見晉國公主
周太素唐 812-354- 10
821- 87- 48
周太愚明 561-588- 46
周太賓漢 839- 26- 3
1061-280-111
周不疑漢 254-138- 6
周王孫漢 477-307-164
538- 26- 62
周元文清 481-763-335
528-568- 32
周元王仁 537-175- 53
周元夫明 1232-225- 3
周元生明 456-502- 5
周元孝明 456-633- 10

456-675- 11
559-519- 12
周元助元 524-133-185
周元孚明 1474-550- 27
周元定元 515-627- 76
周元宰清 510-492-118
周元素家僮 明 見阿留
周元眞明 524-399-199
周元卿周冬卿 宋
1153-554-101
周元惠妻 明 見黃銀奴
周元綱女 明 見周氏
周元靜唐 482-318-354
567- 46- 64
585-783- 8
1467- 19- 62
周元靜元 林侑妻
1224-586- 下
周元龜宋 523-346-162
1188-758- 5
周孔明明 534-775-110
周孔徒明 483-117-379
570-153-21之2
周孔教明 458-445- 21
479-287-230
479-660-247
510-293-112
515-799- 82
517-721-133
523-177-154
676-725- 30
1295- 43- 4
周天佐明 300-445-209
460-672- 69
481-588-328
529-542- 45
530-616- 73
676-571- 23
1274-344- 12
1276- 23- 3
1408-557-537
1410-408-718
1442- 56-附3
1458-603-463
1460-151- 47
周天和明 560-602-29下
周天命清 474-340- 17
505-668- 69

505-850- 76
周天柱妻 清 見鄧氏
周天相妻 清 見杜氏
周天星明 560-602-29下
周天祐明 1228-498- 30
周天祚明 480-248-269
533- 81- 49
周天祥元 1225-790- 19
周天球明 511-741-165
547-155-147
675-396- 3
684-500- 下
820-704- 43
821-431- 57
1442- 69-附4
1460-327- 55
周天福元 冷應澂妻、周應合女 1203-412- 31
周天福清 481-746-334
周天榮清 1327-869- 20
周天鳳元 1204-317- 11
周天鳳清 511-611-160
周天錫元 1203-378- 28
周天驥宋 515-867- 85
周天驥明 1240-879- 10
周友用明 567-386- 82
周友常元 524-318-194
周友善妻 清 見譚氏
周友聞女 明 見周招姑
周曰庠明 480- 52-259
515-801- 82
532-619- 43
周日甲明 515-204- 63
517-738-133
周日章宋 515-869- 85
周日強明 558-212- 32
周日新明 見周新
周日耀明 456-634- 10
511-476-155
周中師宋 540-633- 27
周中規明 483-201-388
570-157-21之2
周中鋐清 523-394-164
周公旦 見周公
周公明明 1237-239- 4
1240-735- 7
周公泰明 524-236-189
周公弢宋 1184-351- 50
周公楚春秋 404-458- 27
周公輔明 523-171-154
周公輔妻 清 見王氏
周公臺明 456-667- 11
周公閱春秋 見宰問公
周公穆明 511-880-171
周仁美宋 285-486-279
396-726-319
472- 94- 3
474-640- 33
505-795- 73
周仁軌唐 554- 77- 49
周仁昭齊 485-490- 9
周仁浚宋 473-737- 82
周仁師明 676-135- 5
周仁皓晉 820- 75- 23
周仁榮元 295-541-190
400-575-553
453-796- 4
472-1104- 47
479-290-230
479-431-236
523-606-176
820-511- 37
周仁學妻 明 見閻氏
周介夫元 1206-427- 4
周升亨宋 487-188- 12
周化鳳清 478-489-199
558-302- 34
周允文明 524-110-183
周允元唐 270- 89- 90
274-450-114
395-472-223
469- 61- 8
472-794- 31
477-416-169
537-563- 60
933-473- 31
周允元明 541-107- 31
周允元妻 明 見王氏
周允升元～明 683- 74- 4
周允吉明 456-467- 4
周允成宋 1184-343- 49
周允成元 1222-349- 34
周允和元 524-390-198
周玄眞明 472-232- 8
475-157- 57
493-1109- 58
676-740- 31
1227-598- 中
1475-736- 31
周玄豹後唐 277-584- 71
周立勳明 1442-115-附7
周必大母之乳母 宋 見孟氏
周必大宋 287-357-391
398-364-388
451- 22- 0
471-732- 20
471-755- 23
473-148- 56
473-334- 63
475- 69- 52
475-562- 79
479-714-250
480-513-281
511-898-172
515-592- 75
523- 78-149
820-427- 5
1147- 3- 附
1147- 4- 附
1147- 27- 附
1149-301-附2
1149-316-附3
1149-320-附4
1149-334-附5
1153-440- 93
1153-460- 94
1163-423- 15
1375- 33- 下
1394-447- 4
1437- 24- 2
1462- 98- 58
周必大妻 宋 見王氏
周必大妻 宋 見孫芸香
周必正宋 820-428- 35
1163-606- 38
周必章妻 明 見陸氏
周必強宋 見周必彊
周必登妻 明 見王素英
周必彊周必強 宋
515-604- 76
1147-347- 31
周必顯明 515-451- 70
周永安妻 清 見張氏
周永年明 511-749-165
1442-100-附6
周永明清 456-334- 76
周永春明 301-380-259
545-156- 88
周永祚明 511-654-162
周永清宋 286-645-350
397-699-362
472-879- 35
476-330-115
478-544-202
478-598-204
545-419- 98
558-198- 31
558-373- 36
周永清明 538-111- 64
周永康明 456-502- 5
540-836-28之3
周永盛妻 清 見饒氏
周永新明 821-378- 55
周永緒清 475-856- 94
511-507-156
567-149- 69
周玉川明 1289-380- 26
周玉規妻 清 見閔氏
周玉質明 529-676- 49
周玉簫明 方興妻 1442-124-附8
周玉獻妻 清 見蒲氏
周玉麟清 481- 82-294
559-532- 12
周去耜宋 1153-308- 83
周弘正陳 260-692- 24
265-524- 34
370-582- 20
378-563-145
384-112- 6
494-335- 7
538- 31- 62
677-127- 12
933-472- 31
1387-170- 10
周弘直陳 260-695- 24
265-527- 34
378-566-145
384-112- 6
538-146- 65
933-472- 31

周弘易宋 567-435- 86
1467-147- 67
周弘迪明 559-270- 6
周弘祖明 300-543-215
480-134-264
周弘祖清 515-192- 62
周弘基妻 清 見邱氏
周弘謨明 533-178- 52
周弘綸明 300-825-234
480-134-264
545-424- 98
1460-379- 57
周弘綸妻 明 見董少玉
周弘讓劉宋 265-526- 34
384-112- 6
378-566-145
494-422- 13
538-146- 65
814-256- 7
820-106- 24
933-472- 31
1394-573- 8
1395-600- 3
周正子周文 宋 451- 91- 3
周正坎妻 清 見李氏
周正琚女 明 見周翠娥
周正琚女 明 見周翠嫦
周正隆明 1260-128- 6
周正選明 456-675- 11
周正蕃明 559-371- 8
周古言唐 812-351- 10
813- 99- 5
821- 42- 46
周古象元 473-283- 61
480-130-264
533-423- 62
周甘雨明 456-458- 4
周本訓妻 明 見張氏
周本恭妻 宋 見趙淑
周石珍梁 265-1103- 77
381- 20-184
周召南清 476-181-106
502-682- 80
545-252- 92
周平山清 1320-380- 44
周平王宜臼 243-106- 4
371-231- 5
384- 4- 1
404- 94- 6
537-174- 53
554- 3- 48
周世用明 569-662- 19
572- 73- 28
周世臣明 1442-110-附7
1460-721- 78
周世宗柴榮、郭榮 後周
278-314-114
279- 72- 12
384-306- 16
392-263- 24
407-677- 5
537-181- 53
813-213- 1
819-578- 19
周世宗后 後周 見符皇后
周世宗后 後周 見劉皇后
周世宗女 後周 見柴氏
周世忠明 456-611- 9
周世美清 483- 71-376
569-681- 19
周世南宋 473-390- 65
533-492- 65
周世英妻 明 見王妙貞
周世科明 559-405-9上
周世修宋 473- 63- 51
515-859- 85
周世雄齊 259-327- 29
周世傑女 清 見周氏
周世榜清 479-332-232
523-408-165
周世遠明 523-248-157
559-357- 8
周世綱明 529-675- 49
周世澤清 559-331-7下
周世遴妻 明 見梅生
周世選明 1442- 62-附4
周世顯妻 明 見王氏
周可正女 清 見周氏
周民初明 563-774- 40
周以中明 473-194- 58
515-257- 65
周以庠明 559-349- 8
周以悌唐 567-427- 86
周以道元 1218-518- 8
周以德明 見周是修
周以魯明 515-711- 79
周甲鼎妻 清 見張氏
周甲徵清 481-334-308
559-335-7下
周史卿宋 473-607- 76
周冬卿宋 見周元卿
周代選唐 474-336- 17
周令緒清 482-433-361
周仕明元 1248-487- 23
周仕昂妻 明 見陳二娘
周仕淵明 1467- 58- 64
周仕達明 483-307-395
571-545- 20
周仔世清 476-588-131
540-859-28之4
周仔肩元 295-541-190
400-575-553
523-472-169
周生烈魏 254-265- 13
478-741-213
周生豐漢 479-481-239
周用彰明 524-205-188
周仙葫周子興 明
561-217-38之3
周守中宋 494-473- 18
周守思明 1228-805- 14
周守愚明 515-892- 86
周守謨明 1249-174- 10
周亦魯清 511-684-163
周六哥妻 清 見陶氏
周安王驕 384- 5- 1
537-175- 53
周安叔明 515-557- 74
周安壽宋 1171- 90- 12
周汝士周阿崇 宋448-371- 0
485-541- 1
周汝昌明 511-353-149
周汝相妻 明 見陳氏
周汝浚宋 563-695- 39
周汝能宋 485-541- 1
周汝登明 301-786-283
457-603- 36
479-243-227
523-602-176
676-611- 25
1442- 78-附5
1460-393- 58
周汝瑚明 559-371- 8
571-550- 20
周汝璣明 477-546-176
周汝蕙妻 明 見孟氏
周汝麟妻 明 見薛氏
周式南明 1442- 67- 4
1460-297- 53
周共王繄扈 243-103- 4
554- 3- 48
周有文明 538-145- 65
周有仕妻 清 見賴氏
周有光明 476-125-102
546-316-125
周有行清 533- 20- 47
周有德清 540-674- 27
周有翼明 533-145- 51
周在田宋 485-533- 1
周存恒妻 明 見郁氏
周存敏明 1242- 63- 26
周存智明 559-418-10上
周吉言宋 821-236- 51
周吉成明 473-750- 83
1467- 59- 64
周吉祥明 302-195-300
周考王嵬政 384- 4- 1
537-175- 53
周至善明 545-386- 97
周而淳明 302- 42-291
456-521- 6
540-834-28之3
周匡王班 384- 4- 1
537-175- 53
周匡物唐 473-654- 78
481-614-329
529-737- 51
879-166-58上
周夷王燮 371-229- 5
384- 4- 1
554- 3- 48
周同俊清 564-310- 48
周光宙明 見周照
周光祚妻 清 見犢氏
周光烈妻 明 見謝氏
周光啟清 523-222-156
周光輔後晉 278-136- 91
周光遠周超兒 宋448-400- 0
周光鎬明 523-135-152
559-289-7上
559-302-7上
676-607- 25

1442- 75-附5
1460-361- 56
周光霽明 510-318-113
周伏受妻 明 見江氏
周兆元妻 清 見張氏
周兆通明 821-437- 57
周自伏清 478-637-206
周自強宋 524-222-189
1165-355- 22
周自強元 295-556-192
400-371-534
459-927- 56
472-1027- 42
473- 44- 50
473-129- 55
479-319-232
479-681-248
515-537- 74
523-186-155
567- 77- 65
1226- 95- 5
1467- 52- 63
周自得元 676-702- 29
周旭鑑明 473- 65- 51
523-172-154
1242-757- 6
周全斌清 528- 9- 17
周如山明 523-233-156
周如斗明 473- 19- 49
475- 20- 49
479-455-237
515- 53- 58
523-548-173
588-301- 1
周如春清 540-845-28之4
周如珍明 余暄妻
524-609-208
周如砥女 元 見周氏
周如砥明(字允直) 523-467-169
周如砥明(字礪齋)
540-820-28之3
周如磐明 529-521- 44
1442- 85-附5
1460-482- 63
周如盤妻 明 見陸氏
周如齋元 585-526- 17
821-297- 53
周仲高明 1232-454- 6
周仲孫晉 255-963- 58
377-653-124下
933-471- 31
周仲娘明 張綬妻
530- 95- 56
周仲斌明 473-641- 78
周仲華宋 532-716- 45
周仲賓妻 元 見鄒氏
周仲嘉宋 1086-345- 5
周仲舉周綱 明 1238-214- 18
周仲嶷元 見周嶷
周行己宋 448-526- 14
449-741- 9
471-640- 9
472-1115- 48
523-624-177
674-829- 17
周行通後蜀 812-528- 2
821-128- 49
周行逢宋 278-456-133
279-477- 66
288-731-483
371-123- 12
382-172- 24
384-318- 16
384-329- 17
401-235-599
473-333- 63
480-485-280
933-475- 31
周行逢妻 宋 見嚴氏
周行道五代 812-496- 中
周休休明 516-476-105
1442-117-附8
1460-807- 88
周宏祁妻 明 見俞氏
周宏叔清 1315-356- 16
周宏祖明 528-460- 29
周宏烈妻 明 見李氏
周宏智女 明 見周氏
周灼克妻 宋 見方氏
周言宣妻 清 見王氏
周良士明 533-277- 56
569-672- 19
周良正清 456-334- 76
周良史妻 宋 見施氏
周良臣明 570-218- 23
周良卿明 570-141-21之2
周良寅明(字以衷) 529-547- 45
周良寅明(閩縣人)
1442- 98-附6
1460-590- 69
周良弼唐 820-197- 27
周良輔女 明 見周氏
周良輔女 元 見周淑敬
周良翰明 572- 79- 28
周志畏明 456-462- 4
周志剛元 559-291-7上
周志偉明 479-287-230
516-107- 91
523-176-154
525-116-222
周志鉉周志鉉 明
483-140-380
570-217- 23
周志義明 472-767- 30
537-316- 56
周志新明 見周新
周志遠元 515-619- 76
周志鉉明 見周志鉉
周志德清 456-335- 76
周志躍明 456-610- 9
480-542-283
533-404- 61
周村娘宋 周綸女
1147-805- 76
周成王誦 371-228- 5
404- 84- 5
537-174- 53
550-182-216
550-192-216
554- 3- 48
556-339- 90
839- 5- 1
周成功清 456-335- 76
周成德清 456-334- 76
周成儒明 456-675- 11
周孝王辟方 384- 4- 1
554- 3-48
周孝恭宋 1089-535- 49
周孝嗣宋 484-380- 28
周孝聞宋 524-167-186
周均福明 1236-732- 9
周均德明 559-370- 8
周君巢唐 482- 74-341
563-640- 38
周克友清 533-221- 53
周克明宋 288-469-461
401-101-581
564- 37- 44
周克明元 545-339- 96
周克昌清 533-433- 62
周克復女 明 見周氏
周克寬妻 明 見王氏
周辰姑清 陳渤年妻
530- 97- 56
周辰陽妻 宋 見尚氏
周岐山明 567-358- 80
周岐鳳明 見周鳴
周岐鳳妻 明 見王靜
周孚先宋 448-525- 14
472-259- 10
511-680-163
周孚先明 564-266- 47
周伯玉周瑤 明 564-293- 47
周伯玉妻 明 見郭眞順
周伯汶明 559-300-7上
周伯服妻 明 見康睿
周伯起宋 843-673- 下
周伯章明 1227- 7- 1
周伯強宋 1364-225-277
周伯陵明 493-756- 41
周伯琦元 295-510-187
399-765-496
473- 49- 50
479-532-241
493-1075- 57
516- 50- 88
518-769-160
518-770-160
676-232- 9
676-711- 29
684-496- 下
820-546- 39
1218-683- 4
1220-340- 12
1284-346-162
1439-441- 2
1469-367- 52
周伯景明 1232-614- 6
周伯達清 540-844-28之4
周伯寧元 821-302- 53
周伯熊宋 1147-586- 55
周伯靜明 524-231-189

周伯豫宋　見周毅
周伯謙明　1227-137- 16
周作樂明　570-134-21之2
周希尹明　532-709- 45
567-345- 79
569-672- 19
周希古宋　481-746-334
周希正明　567-340- 79
1467-232- 70
周希旦明　475-609- 81
511-305-148
周希令明　679-689-206
周希吉宋　529-640- 48
周希孟宋　460-166-10
471-648- 10
484-186- 8
529-435- 43
677-188- 17
1090-536- 25
周希貴明　516-107- 91
559-321-7上
周希聖明　480-544-283
533-108- 50
559-271- 6
1467-158- 67
周希瑜妻　明　見彭氏
周希賢明　563-832- 41
周希濂元　1221-267- 3
周邦彥宋　288-257-444
384-383- 19
400-670-562
472-325- 14
472-967- 38
479- 49-218
524- 4-178
585-444- 12
674-830- 17
820-401- 34
933-476- 31
1152-799- 51
周邦傑明　515-797- 82
周邦翰清　476- 31- 97
545-160- 88
周邦績宋　494-348- 7
周利建宋　820-427- 35
周利建妻　宋　見王氏
周利建女　宋　見周氏
周利貞唐　271-478-186下
276-167-209
384-191- 10
400-378-535
1467-140- 67
周妙貞明　李讓翁妻、周東周女　1237-376- 11
1240-844- 9
周妙清明　陳巽妻、周璙女
1255-660- 68
周妙勝明　李蕃妻
473-589- 75
530- 87- 56
周廷用明　473-319- 62
533-284- 56
571-521- 19
1442- 45-附3
1457-592-398
1459-919- 39
周廷侍明　523-196-155
周廷軏妻　明　見王氏
周廷祚明　511-531-157
周廷參明　480-511-281
533-268- 55
周廷棟清　511-857-169
周廷瑞明　524-135-185
周廷構南唐　1085-118- 15
周廷輝女　明　見周氏
周廷徵明　480-131-264
533- 40- 48
554-173- 51
周廷澤明　524-205-188
周廷謨妻　清　見侯氏
周廷鑨明　510-378-114
529-554- 45
676-653- 27
周宗仁元　820-546- 39
1215-602- 6
周宗仁明　570-142-21之2
周宗古女　宋　見周氏
周宗用母　明　見江氏
周宗武明(字文啟)　480-243-269
515-794- 82
532-671- 44
周宗武明(知惠州)　563-815- 41
周宗武明(錢塘人)
1237-284- 5
周宗坦明　1240-822- 9
周宗明妻　明　見方氏
周宗制妻　明　見趙氏
周宗建明　301-161-245
458-220- 4
475-139- 56
479- 44-218
511-438-153
523- 91-149
679-836-221
1297-176- 14
1442- 91-附6
1460-524- 65
周宗起明　481-615-329
529-565- 46
周宗适妻　清　見段氏
周宗智明　523-190-155
676-175- 7
周宗義妻　明　見董氏
周宗道明　567-140- 68
1467-132- 66
周宗達明　524-199-188
周宗輔明　511-586-159
周宗德明　570-142-21之2
周宗澤明　524-226-189
周宗嶽明　541-107- 31
周宗燧明　528-476- 30
周宗彝明　456-640- 10
479- 56-218
523-359-163
周宗彝妻　明　見卜氏
周宗懿明　554-312- 53
周法尚隋　264-939- 65
267-502- 76
379-823-163
384-157- 8
472-794- 31
477-416-169
482-318-354
532-562- 40
537-562- 60
545-405- 98
559-279- 6
563-627- 38
567- 32- 63
933-473- 31
1467- 11- 62
周法猛唐　473-111- 54
479-654-247
515-165- 62
周於德清　476-262-110
周宜未宋　484-386- 28
周治世清　540-859-28之4
周治岐妻　明　見王氏
周性端明　張仲良妻、周謙女
1231-407- 9
周祁孫宋　見周明復
周定王瑜　243-109- 4
371-233- 5
384- 4- 1
537-175- 53
周定王后　見姜后
周定王明　見朱橚
周定仍周定礽　明
301-685-278
456-544- 7
479-495-239
515-449- 70
周定礽明　見周定仍
周炎發周震發　宋451- 91- 3
周武王發　243- 86- 3
243- 95- 4
371-227- 5
372-115-3下
386-260-83上
404- 75- 5
554- 3- 48
556-339- 90
556-375- 91
814-208- 1
819-555- 19
839- 5- 1
1407- 2-395
周武王妃　見邑姜
周武王女　見大姬
周武仲宋　473-602- 76
493-934- 50
529-598- 47
679-465-184
820-420- 34
933-476- 31
1125-434- 36
1153-182- 72
周武帝宇文邕　北周
263-430- 5
266-202- 10
372-805- 17
384-139- 7

554- 8- 48
1054-382- 9
1401-465- 35
周武帝后 見阿史那皇后
周武帝后 見常悲
周武卿明 572- 77- 28
周亞夫漢 244-316- 57
250-133- 40
384- 39- 2
384- 41- 2
459-157- 10
469-127- 15
472-410- 18
472-716- 28
475-423- 70
477-241-161
511-219-144
537-284- 55
933-469- 31
1407- 78-402
1408-242-504
周青霞明 1442-126-附8
周招姑明 郁從善妻、周友聞女 524-456-202
周孟中明 458-798- 6
473-156- 56
479-722-250
481-805-338
515-679- 78
523- 44-148
528-453- 29
563-733- 40
567-104- 66
676-510- 20
1257-151- 14
1467- 82- 64
周孟昇妻 明 見蔡貞
周孟容明 821-350- 55
周孟秩明 447- 96- 1
周孟啟明 1236-430- 3
周孟陽宋 286-275-322
397-417-344
471-906- 45
472-294- 12
475-374- 68
511-203-144
677-188- 17
周孟敬妻 明 見蔣賢
周孟經女 明 見周福蓮
周孟端女 明 見周氏
周孟聲妻 明 見宋氏
周孟簡周偉 明 299-461-152
676-474- 18
1241-196- 9
1242-828- 9
1442- 20-附2
1459-564- 20
周居仁元 見第五居仁
周居權宋 473-640- 78
528-539- 32
周奉叔齊 259-327- 29
265-667- 46
378-233-137
933-472- 31
周奇祿妻 清 見羅氏
周阿二宋 524- 95-183
周阿崇宋 見周汝士
周東田明 1442- 71-附4
周東妹清 周文興妹 555-173- 69
周東皋女 明 見周貞姑
周東卿宋 821-245- 52
周東華明 570-217- 23
周長清妻 明 見劉珍娘
周長發清 479-249-228
周長孺女 元 見周氏
周表權宋 561-612- 46
1354-773- 43
周承己宋 523-415-166
周承禹明 820-751- 44
周承恩明 475-483- 73
周承勛宋 472-390- 17
周忠輔宋 524-164-186
周尚文元 472-766- 30
537-334- 56
周尚文明(字彥章) 300-478-211
476-250-110
478-127-181
478-269-187
478-596-204
478-634-206
478-717-211
545-289- 94
554-177- 51
周尚文明(東安人) 474-184- 9
505-895- 80
周尚文明(香山人) 481-783-337
528-572- 32
564-161- 45
周尚文明(瓊山人)
1467- 76- 64
周尚之元 679- 55-143
1210-353- 10
周尚友明 481-674-331
528-530- 31
周尚化明 510-400-115
515-693- 78
1261-168- 13
周尚功清 479-496-239
481-454-318
559-533- 12
周尚志女 明 見周氏
周尚華明 567-367- 81
周尚賢女 明 見周德貞
周尚禮妻 明 見李氏
周尚懷明 570-128-21之1
周昌祚明 570-153-21之2
周昌晉明 524-255-190
528-464- 29
周昌運清 476- 44- 98
周昌齡明 567-329- 78
1467-221- 70
周明仲宋 460-299- 20
529-608- 47
周明法宋 843-664- 中
周明帝宇文毓、宇文統萬突 北周 263-425- 4
266-196- 9
372-804- 17
384-139- 7
554- 8- 48
1085- 67- 8
1387-213- 12
1401-465- 35
周明帝后 見獨孤皇后
周明復周祁孫 宋451- 72- 2
周昂霄元 515-767- 81
周易明清 456-334- 76
周芝山明 820-742- 44
周芝雲妻 明 見李氏
周岐鳳明 見周鳴
周叔宗周祖 明 820-745- 44
周叔勉明 1229-273- 8
周叔彬元 1229-173- 3
周念祖明 1475-430- 18
周和裕後唐 見周知裕
周季琬清 475-232- 61
511-168-142
周季道唐 541- 89- 30
周季鳳明 473- 28- 49
473-212- 59
515-380- 68
532-594- 41
676-273- 10
676-524- 21
周季廱女 明 見周氏
周季麟明 473- 26- 49
515-378- 68
523- 46-147
1320-737- 80
周知裕周和裕 後唐 277-534- 64
279-288- 45
384-311- 16
396-414-293
532-570- 40
933-475- 31
周知微宋 1437- 20- 1
周知默女 宋 見周氏
周金湯明 456-641- 10
529-524- 44
周所立明 518-776-161
1439-450-附2
1460-793- 87
周岱生清 479-609-244
482-467-363
516-142- 92
567-157- 69
568-377-113
周岱生妻 清 見楊氏
周命世明 505-666- 69
周命圭清 533-320- 57
周延光明 523- 59-148
周延雋周延儁 宋494-319- 6
559-290-7上
820-342- 32
周延儁宋 見周延雋
周延熙明 524-224-189
周延慶明 1271-581- 49
周延儒明 302-381-308
周延齡明 554-312- 53
周近仁妻 明 見王德娩

周采蘋明 477-422-169
周洪陞明 547- 20-141
周洪謨明(字堯弼) 300- 15-184
452-208- 5
453-654- 27
473-466- 69
481-213-302
559-370- 8
1248-469- 23
1248-652- 4
1375- 39- 下
周洪謨明(字宗稷) 479-244-227
523-313-160
528-516- 31
1320-685- 75
周炳文明 820-742- 44
周炳文清 1315-347- 15
1323-697- 3
周炳謨清 301-258-251
475-227- 61
511-162-142
1442- 88-附6
1460-501- 64
周炳靈明 533-303- 57
周宣子宋 485-541- 1
周宣王靖、靜 243-105- 4
371-230- 5
372-123-3下
384- 4- 1
404- 91- 5
554- 3- 48
周宣王后 見姜后
周宣帝宇文贇 北周
263-456- 7
266-217- 10
384-139- 7
554- 8- 48
1401-466- 35
周宣帝后 見法淨
周宣帝后 見華光
周宣帝后 見華首
周宣帝后 見華勝
周宣帝后 見楊麗華
周宣政北周 544-219- 62
周宣暘清 478- 94-180
554-322- 53
周室琳明 511-531-157
周室瑜周寶瑜 明 456-530- 6
周洛都明 676-170- 7
周恂懋明 524-247-190
周亮工明～清 476-659-135
481-494-324
511-890-172
515-813- 82
1323-772- 5
周彥先宋 1105-805- 96
周彥先妻 宋 見王氏
周彥成清 456-388- 80
周彥宗明 515-776- 81
周彥直宋 1135-386- 36
周彥奇周正 明 515-653- 77
569-648- 19
周彥明女 明 見周月
周彥洪宋 見周千能
周彥約宋 1375- 35- 下
周彥時宋 484-386- 28
周彥通宋(黃巖人) 524-143-185
周彥通宋(字彥通) 524-298-193
1123-674- 7
周彥敬妻 明 見莊氏
周彥質宋 523-485-170
周彥器周磧 明 473-702- 80
564-293- 47
周哀王去疾 371-235- 5
384- 4- 1
537-175- 53
周美成宋 471-918- 48
周拱元明 480-583-285
周拱辰明 1475-458- 19
周春年宋 見周椿年
周春谷明 530-211- 61
周南池妻 明 見朱氏
周南老元～明 493-1025- 54
511-731-165
676- 47- 2
677-537- 49
1386-267- 39
1439-453- 2
周南巽明 1240-217- 14
周南端元 515-615- 76
周南輝宋 492-713-3下
周柳敏梁 480-169-266
周述孔明 559-436-10上
周述學明 302-182-299
524-366-197
676-358- 13
周致堯明 676-454- 17
1229-168- 2
1459-463- 15
周建中明 456-573- 8
周建古清 511-649-162
周柔恭元 鄔龍啟妻、周治女
1197-789- 83
周思久明 533- 45- 48
563-832- 41
820-700- 43
周思王叔襄 371-235- 5
384- 4- 1
537-175- 53
周思立明 524-169-186
周思茂唐 271-574-190中
276- 64-201
400-594-554
周思宸明 537- 22- 48
537-282- 55
周思兼明 300-432-208
458-1050- 2
475-181- 59
511-128-141
532-596- 41
540-657- 27
676-580- 24
820-699- 43
821-435- 57
1442- 60-附4
1457-585-398
1460-187- 48
周思得明 472-970- 38
479- 75-219
524-392-198
585-107- 4
585-260- 21
676-677- 28
1391-915-365
1442-117-附8
1460-806- 88
周思敬明 473- 97- 53
554-220- 52
周思稷明(號養初) 479-287-230
523-177-154
周思稷明(貴陽人) 483-250-391
572- 87- 29
周思輯唐 493-739- 41
周思觀明 524-138-185
周貞一妻 清 見吳氏
周貞姑明 周東皋女
564-322- 49
周茂才妻 明 見汪氏
周茂先宋 1105-805- 96
周茂源清 475-185- 59
479-432-236
511-134-141
523-253-157
周茂覺清 523-423-166
545-470-100
周茂蘭明 301-160-245
511-532-157
周若訥宋 1171-775- 27
周若訥妻 宋 見黃氏
周昭王瑕 371-228- 5
384- 4- 1
404- 87- 5
554- 3- 48
周昭王后 見房后
周星炳清 528-465- 29
周則義明 564-265- 47
周幽王宮湦 243-105- 4
371-231- 5
372-124-3下
384- 4- 1
404- 92- 5
554- 3- 48
周幽王后 見申后
周幽王后 見褒姒
周畏志明 479-187-225
周是修周德、周以德 明
299-370-143
453-131- 12
456-693- 12
472-174- 6
473-151- 56
479-717-250
515-648- 77
537-246- 55
676-472- 18
678- 14- 71
821-356- 55
886-158-139
1236-133- 6
1238-265- 22
1242- 91- 26
1374-395- 60

1442-16-附1
1457-633-401
1459-518-18
周禹文明 567-446-86
1467-155-67
周待選唐 540-632-27
周信臣元 1213-135-11
周信甫元 515-769-81
1197-754-79
周皇后明 明思宗后
299-25-114
周重智妻 明 見陳氏
周重謨明 483-149-380
周爰訪清 540-844-28之4
周保權宋 288-732-483
382-172-24
384-318-16
384-329-17
408-12-1
周俊祖妻 明 見胡善
周後叔明 480-437-278
523-193-155
1280-435-88
周容娘明 董琪妻530-5-54
周祖仁宋 524-149-185
周祚永清 475-421-70
510-401-115
周祚新明 456-627-10
周祚豐妻 清 見李氏
周家正清 572-92-29
周家相明 680-243-248
周家棟明 523-178-154
周家椿明 523-137-152
1409-747-650
周家鼎清 533-146-51
周家麟明 538-123-64
周宸藻清 1475-609-26
周效良明 529-700-50
周泰可妻 清 見陶氏
周泰亨明 516-129-92
周恭帝柴宗訓、郭宗訓 後周
278-361-120
279-74-12
371-117-12
384-306-16
392-266-24
533-741-73
537-182-53
周烈王熹 384-5-1
537-175-53
周原誠元 1375-22-上
周原慶明 821-361-55
周桂芳元 1202-291-20
周桂寰明 1297-128-10
周桓王林 243-107-4
371-232-5
384-4-1
404-95-6
537-174-53
周桓王后 見紀季姜
周桓公周公黑肩 384-13-1
404-458-27
周起元周啟元 明
301-157-245
458-226-4
475-21-49
481-616-329
482-323-354
505-638-67
510-294-112
529-573-46
530-618-73
567-142-68
1325-715-6
1467-127-66
周起渭明 572-107-30
周起龍清 456-335-76
周起巖元 820-543-39
周振文明 1242-180-30
周振台妻 清 見程喜娘
周振采清 475-331-65
周振業清 511-757-165
周振燾妻 明 見馬氏
周珠赫妻 元 見崔氏
周時中明 299-125-123
473-641-78
481-694-332
528-541-32
周時用明 1271-610-52
周時雨明 456-598-9
474-383-19
505-852-77
周時勑明 820-660-42
周時望明 456-483-5
周時從明 300-102-189
周草窗明 570-259-25
周烏孫唐 812-344-9
821-41-46
周娥皇南唐 唐後主后、周宗女 819-579-19
1085-72-9
周紐因後魏 476-368-117
周師古女 宋 見周氏
周師旦明 533-202-53
周師厚宋 472-1086-46
487-113-8
491-391-4
491-433-6
523-447-168
周師厚妻 宋 見范氏
周師原宋 515-856-85
周師清宋 1145-636-79
周師慶宋 567-462-87
周師奭妻 清 見李氏
周耕雲元 821-302-53
周純臣宋 1151-623-29
周寅龍宋 515-604-76
周淳中宋 679-506-188
1164-260-13
周淳卿元 511-624-161
周清子周履道 宋451-76-2
周清老周鏜 宋 451-66-2
周清香明 512-484-189
周清原清 511-170-142
周惇實宋 見周敦頤
周惇頤宋 見周敦頤
周惟簡宋 288-683-478
401-207-595
516-7-87
周郭彥梁 480-613-287
周悼王猛 371-234-5
537-175-53
周鹿野女 明 見周氏
周淑志明 陳永年妻
530-63-55
周淑祜明 周榮公女
821-492-58
周淑敬元 孫德昇妻、周良輔女 1213-771-25
周淑禧明 周榮公女
821-492-58
1442-126-附8
1460-788-85
周康王釗 243-101-4
371-228-5
372-121-3下
404-86-5
554-3-48
周康物唐 471-673-13
周頃王壬臣 371-233-5
384-4-1
537-175-53
周執羔宋 287-316-388
398-334-386
473-63-51
473-111-54
473-490-70
479-558-242
479-654-247
481-235-303
494-320-6
515-861-85
523-184-155
559-295-7上
591-697-49
周強鼎妻 清 見蘇氏
周培忠明 456-495-5
545-481-100
554-722-61
周基昌清 478-248-186
554-736-61
周梯雲妻 明 見許鳳潔
周赧王延 243-111-4
371-235-5
384-5-1
537-175-53
周崇禮明 456-606-9
523-388-164
周國才女 明 見周氏
周國正妻 明 見張氏
周國用明 571-553-20
周國安清 456-335-76
周國臣明 571-553-20
周國柱明 456-673-11
515-724-79
周國彬清 456-309-74
周國輔妻 明 見陳氏
周國賢女 元 見周氏
周國璟妻 清 見易氏
周國璠清 524-122-184
周國璧女 清 見周氏
周國寶唐 511-560-158

周莊王他、佗 243-107- 4
371-232- 5
384- 4- 1
404- 95- 6
537-174- 53
周莊王夫人 見王姚
周處遜姬處遜 唐933- 68- 4
周晞顏元 1210-111- 10
周野雲宋 561-568- 45
周得延明 524-198-188
周得清元 饒宗魯妻
1197-765- 80
周紹元明(字希安) 511-128-141
820-699- 43
周紹元明(字雲門) 524-206-188
周紹孔明 481-407-313
559-436-10上
周紹宗馬紹宗 明
524-112-183
1475-668- 28
周紹亞明 1442- 37-附2
1459-767- 30
周紹節明 511-128-141
周紹稷明 533-741- 73
537-330- 56
周紹錦妻 清 見朱氏
周敏中明 456-559- 7
480-414-277
周啟元明 302- 44-291
456-523- 6
476-659-135
480-136-264
533-372- 60
540-651- 27
周啟元明 見周起元
周啟明宋 288-433-458
401- 20-570
472-1053- 44
479-432-236
511-666-163
524-339-195
周啟祥明 524-243-190
563-748- 40
周啟琦明 456-640- 10
周啟雋清 511-167-142
周從龍明 1475-354- 15
周逢甲妻 清 見吳氏
周逢甲妻 清 見張氏
周富邦周維壽 宋448-393- 0
周普安明 524-231-189
周普敬女 明 見周氏
周善敏宋 288-410-456
400-298-524
481- 77-294
周敦吉明 301-565-271
456-456- 4
周敦實宋 見周敦頤
周敦頤周頤、周惇實、周惇頤、周敦實 宋 288- 12-427
382-745-114
400-451-542
448-412- 1
449-643- 1
459- 46- 3
471-709- 17
471-722- 19
471-745- 22
471-747- 22
471-762- 24
471-766- 25
471-772- 26
471-839- 35
471-1023- 64
473- 13- 49
473- 74- 52
473- 88- 52
473-185- 58
473-194- 58
473-347- 63
473-390- 65
473-401- 66
473-476- 69
473-672- 79
473-682- 79
479-482-239
479-578-243
479-610-244
479-792-254
479-810-255
480-436-278
480-543-283
480-635-288
481-113-296
481-802-338
482- 74-341
482-289-352
515-254- 65
517-361-125
532-724- 46
532-749- 46
533-120- 51
539-498-11之2
559-273- 6
561-209-38之2
561-210-38之2
563-656- 39
564-706- 59
564-899- 62
567-431- 86
585- 17- 2
591-697- 49
674-345-5下
674-822- 17
677-200- 19
820-370- 33
1101-455- 4
1101-457- 4
1101-460- 4
1137- 36- 4
1145-626- 78
1145-629- 78
1145-641- 79
1145-662- 80
1145-695- 81
1146-366- 98
1178-734- 3
1192-385- 34
1351-627-144
1353-732-105
1437- 13- 1
1467-144- 67
周雲石明 1475-340- 14
周雲香清 林興妻530- 81- 55
周雲鵠妻 明 見楊氏
周惠王閬 243-108- 4
371-232- 5
384- 4- 1
404- 96- 6
537-174- 53
周惠王后 見陳媯
周惠吉妻 明 見鄭淑安
周惠恭元 玄靜眞君妻、周新女 1196-720- 9
周惠達北周 263-574- 22
267-295- 63
379-572-157
472- 30- 1
474-172- 8
505-712- 71
552- 31- 18
周巽卿元 821-325- 54
周期生清 537-612- 60
周期雍明 300-316-202
473- 29- 49
479-490-239
515-386- 68
523- 47-148
528-495- 30
周朝式宋 843-673- 下
周朝柱妻 清 見翟氏
周朝俊明 1474-602- 30
周朝瑞明 301-146-244
458-210- 3
476-899-147
479-630-245
515-846- 84
540-825-28之3
周朝榮妻 清 見劉氏
周朝選妻 清 見周氏
周朝曠明 456-530- 6
周喜同喜同 元 295-573-194
400-252-520
477-360-166
537-315- 56
周棲梧元 1197-697- 72
周超兒宋 見周光遠
周登順妻 明 見張氏
周閏郎宋 見周彥
周斯盛明 474-691- 37
502-288- 56
545- 90- 85
558-355- 35
周斯盛清 1475-965- 41
周琬姿明 吳欽遜妻
530- 87- 56
周堯卿周及、周奐 宋
288- 93-432

371-148- 15
382-738-113
384-359- 18
400-449-541
473-165- 57
473-358- 64
473-390- 65
473-623- 77
479-747-251
480-507-281
480-543-283
481-718-333
515-102- 60
528-549- 32
532-703- 45
533-105- 50
678-365-104
933-475- 31
1096-373- 38
1102-198- 25
1351-638-145
1356-154- 7
1378-612- 63
1383-654- 58
1410-194-686
周堯敏宋 524-351-196
821-234- 51
821-294- 53
周堪賡明 480-413-277
528-464- 29
528-571- 32
533-256- 55
周開迪宋 484-378- 27
周開緒清 517-777-135
周陽由趙由 漢 244-862-122
251-132- 90
251-674- 30
1408-325-512
周報子妻 清 見羅氏
周景王貴 371-234- 5
384- 4- 1
537-175- 53
周景王明 1232-651- 7
周景辰周煥 明 524- 92-182
周景復唐 524-447-201
周景福元 545-242- 92
周景福清 481-525-326
周景遠劉宋 258-590- 93
周景曜陳 485-493- 9
周紫芝宋 471-746- 22
471-747- 22
472-359- 15
511-812-167
516-217- 96
1141- 3- 附
1363-438-173
1437- 22- 2
周紫華宋 493-1106- 58
周順之宋 524-295-193
周順之宋 郭琭妻
1130-309- 31
周順昌明 301-159-245
458-211- 3
475-139- 56
481-525-326
511-438-153
1315-586- 36
1442- 91-附6
1460-524- 65
周智光唐 270-373-114
276-464-224上
384-224- 12
384-241- 12
401-393-620
周智爽同蹄智爽 唐
271-520-188
275-630-195
400-288-523
周智壽同蹄智壽 唐
271-520-188
275-630-195
400-288-523
554-750- 62
周舜臣元 523-153-153
周舜弼宋 516-125- 92
周勝孫元 1207-619- 43
周欽若宋 473- 63- 51
515-862- 85
周象吉妻 明 見顧氏
周象明清 475-454- 71
511-697-163
周復俊明(霸州道武備)
505-637- 67
周復俊明(字子籲) 676-568- 23
1442- 55-附3
1460-131- 46
周復培明 456-637- 10
周源遠妻 清 見何氏
周愼菴明 1246-555- 4
周愼辭唐 273-112- 60
周義山漢 511-939-175
592-225- 74
1061-228-106
周義強清 456-334- 76
周詩雅明 511-165-142
周溶孫宋 485-541- 1
周裔登明 594-214- 7
周詮元清 476-920-148
周裕度明 820-699- 43
周新明清 456-335- 76
周溪澗明 1410-213-688
周道光明 1283-457-102
周道光妻 明 見陶氏
周道行明 821-481- 58
周道直明 554-515-57下
周道長明 523-250-157
周道和明 1232-640- 7
周道純妻 明 見林氏
周道務唐 274-106- 83
周道務妻 唐 見臨川公主
周道登明 301-247-251
1442- 86-附5
周道新清 537-591- 60
周道觀明 524-151-185
周廉則金 821-277- 52
周聖化清 523-140-152
周椿年周春年 宋
528-473- 30
529-607- 47
周幹臣元 476-151-104
545-218- 91
周瑞豹明 515-721- 79
532-673- 44
677-708- 63
周楊實明 456-669- 11
周達仁明 564-213- 46
周達先宋 843-672- 下
周達理妻 明 見王氏
周達節宋 1140-365- 6
周萬里明 564-757- 60
周萬達清 479-496-239
515-459- 70
周萬榮妻 清 見郝氏
周嵩山清 517-769-134
周嗣武宋 471-1064- 70
529-613- 47
933-477- 31
周嗣明金 1040-231- 2
1365-113- 4
周嗣胡清 559-414-9下
周嗣德元 523-570-174
1228-760- 12
1374-628- 84
周鼎臣宋(杭人) 821-232- 51
周鼎臣宋(字鎭伯)
1164-430- 24
周鼎臣金 1191-252- 22
周鼎重清 528-546- 32
周鼎隆明 524-111-183
周鼎鉉妻 明 見徐氏
周敬心明 299-331-139
周敬王匄 371-234- 5
384- 4- 1
537-175- 53
周敬孫宋 523-606-176
周敬軻明 538- 96- 64
周遇吉明 301-523-268
456-410- 1
474-824- 44
475-874- 95
476-222-108
502-716- 83
545-109- 86
550-699-227
周遇吉妻 明 見劉氏
周業熙明 456-444- 3
周傳誦明 554-674- 60
周頌哥宋 見周邵
周催小明 林源妻
530-180- 59
周稚廉清 511-765-166
周經邦妻 清 見陸氏
周節孝明 1229-280- 9
周誠甫元 1218-503- 6
周誠德元 523- 31-147
523-417-166
1228-787- 13
周誠德妻 元 見陳氏
周福蓮明 姚琟妻、周孟經女
479-101-221
524-553-205
1247-565- 26

周寧民劉宋 258-496- 83
周端秀明 張仲偉妻
473- 89- 52
479-611-244
周端朝宋 288-397-455
400-141-511
451- 23- 0
472-1117- 48
523-345-162
1176-333- 34
周端儀明 1253-136- 47
周端禮宋 515-866- 85
周齊曾明 563-767- 40
676-661- 27
1442-111-附7
周漢卿明 302-173-299
524-377-197
周漢勳妻 清 見鄒氏
周榮之元 1217- 65- 8
周榮公女 明 見周淑祜
周榮公女 明 見周淑禧
周榮起清 511-873-170
周榮清妻 明 見高氏
周輔成宋 473-390- 65
480-543-283
482-432-361
533-105- 50
529-508-11之2
567- 51- 64
1467- 32- 63
周輔奏清 481- 72-293
559-328-7下
周壽英清 蔡瓊藻妻、周之球女 475-146- 57
512- 29-177
1315-412- 20
周壽孫宋 見周焱
周壽誼明 1284-126-146
周與慶明 572- 93- 29
周與權宋 821-209- 51
周熙淵宋 見周燾
周爾發明 529-552- 45
周嘉士妻 明 見李氏
周嘉正宋 1105-804- 96
周嘉申清 1315-364- 16
周嘉彥明 456-496- 5
558-213- 32
周嘉映明 483- 15-370
569-679- 19
周嘉賓明 515-177- 62
559-404-9上
周嘉謨明 301- 92-241
458-404- 18
480-174-266
481- 26-291
533- 62- 49
569-654- 19
周翠娥明 周正琚女
480-545-283
533-681- 71
周翠嫦明 周正琚女
480-545-283
533-681- 71
周聞孫元 515-619- 76
676-709- 29
678-175- 86
1236-762- 11
1241- 46- 3
1410-211-688
周遠祚清 476-331-115
545-425- 98
周疑舫明 1259-849- 7
周遜學元 1220-299- 9
周夢山明 1283-312- 91
周夢尹明 564-801- 60
周夢兆明 511-662-162
周夢秀明 524-205-188
周夢祥宋 494-313- 5
周夢祥女 宋 見周氏
周夢暘明 533- 91- 49
676-324- 12
周夢綵明 476-310-113
545-408- 98
周蒲璧清 554-786- 62
周鳴秦明 545-469-100
周鳴鳳明 532-750- 46
周蒼崖宋 821-245- 52
周鳳毛明～清 483-307-395
572-110- 30
周鳳岐明(字字和) 302-102-294
456-430- 2
479-331-232
523-406-165
周鳳岐明(字文徵) 529-617- 47
578-941- 25
周鳳祥明 1236-742- 10
周鳳翔明 301-495-266
458-286- 9
479-245-227
523-390-164
676-656- 27
1320-694- 76
1442-106-附7
1460-687- 75
周鳳鳴明 475-136- 56
1284-163-149
1289- 16- 2
周鳳鳴女 明 見周氏
周鳳儀周牧 明 821-446- 57
周銓元清 502-694- 81
537-231- 54
周銘德元 1222-406- 2
1222-441- 7
周僖王 見周釐王
周維先妻 清 見趙氏
周維持明 302-328-306
周維屏清 524-207-188
周維新妻 明 見閔氏
周維新清 475- 21- 49
510-298-112
周維壽宋 見周富邦
周維墀明 511-86-170
周維翰明 554-297- 53
周維藩明 511-830-168
周肇右妻 清 見詹氏
周廣中明 523-411-166
周廣榮明 510-399-115
515-476- 71
周審玉宋 286- 82-308
371-178- 18
397-273-335
472-113- 4
472-659- 27
472-852- 34
474-434- 21
477- 72-152
478-199-184
540-638- 27
554-237- 52
周潤祖元 453-800- 4
472-1105- 47
523-606-176
周調元清 478-599-204
558-461- 38
周養元清 482-563-369
570-142-21之2
周養清妻 明 見劉氏
周慧秀明 吳寧妻、周通女
1253-167- 48
周慧貞明 夏瑄妻、周敬女
1240-571-附
周慧貞清 黃婷妻
1475-837- 35
周厲王胡 243-104- 4
371-229- 5
372-122-3下
384- 4- 1
404- 90- 5
554- 3- 48
周賢佐妻 明 見胡坤秀
周賢宣明 515-705- 79
528-496- 30
528-515- 31
周鼐新妻 清 見郝氏
周震一元 460-480- 38
周震發宋 見周炎發
周霆震宋 492-712-3下
周霆震元 515-624- 76
1232-590- 5
1439-452- 2
1469-567- 60
周履靖明 524- 23-179
820-745- 44
1442- 99-附6
1460-597- 70
1475-363- 15
周履靖妻 明 見桑貞白
周履靖女 明 見周氏
周履道宋 見周清子
周德元宋 533-347- 58
周德行明 1475-168- 7
周德成明 482-239-349
564-220- 46
1376-541- 93
周德成妻 明 見翁氏
周德武清 456-174- 93
周德威後唐 277-471- 56
279-148- 25
384-301- 16
396-351-283
472-482- 21
476-281-111

546-128-119
933-473- 31
1383-730- 66
周德政後蜀 820-321- 31
周德柔女 明 見周氏
周德貞明 趙汝楫妻、周常賢女 1259-659- 10
周德高妻 明 見李氏
周德清元(高安人) 516-512-106
周德清元(號靖廳散人) 524-436-201
周德深妻 清 見何氏
周德琳明 524-273-191
周德新妻 明 見張氏
周德榮宋 400-180-514
周德榮清 505-697- 70
周德閭明 523-573-174
周德璇明 523-561-174
周德興明 299-238-132
475-752- 88
511-418-152
528-449- 29
559-247- 6
567- 81- 66
周德驥元 524- 97-183
1229-232- 6
周魯章明 5415-543- 74
周盤龍齊 259-325- 29
265-667- 46
370-512- 15
378-232-137
384-115- 6
470- 30- 92
471-614- 4
472-257- 10
472-553- 23
476-583-131
528- 3- 17
532-101- 27
540-720-28之1
933-472- 31
周憲章明 483- 95-378
559-282- 6
569-669- 19
572-104- 30
周龍甲清 511-197-143
周澤之元 1410-211-688
周凝貞妻 明 見吳氏
周頤眞元 524-444-201
530-197- 60
周擇從唐 494-288- 4
周靜帝宇文衍、宇文闡 北周
263-464- 8
263-506- 13
266-222- 10
267-225- 58
375-550-85下
544-220- 62
554- 8- 48
周靜帝后 見司馬令姬
周霖雨明 456-519- 6
周隨亨宋 523-410-166
周曇研齊 812-332- 7
821- 22- 45
周興岐妻 明 見沈氏
周興宗妻 清 見許氏
周興能元 481-752-334
530-208- 60
周興嗣梁 260-411- 49
265-1023- 72
380-371-176
384-122- 6
472-350- 15
475-669- 84
477-450-171
485-490- 9
511-817-167
538-150- 65
933-472- 31
周蕭翁宋 見周淼
周曉師女 明 見智慧菩薩
周篤棐明 568-157-103
周學古宋 524- 85-182
周學射妻 明 見洪氏
周學舒妻 清 見朱氏
周學樂妻 明 見陳氏
周勳業清 456-309- 74
周穆王漢 243-101- 4
371-228- 5
372-121-3下
384- 4- 1
404- 87- 5
554- 3- 48
814-208- 1
819-556- 19
周穆王女 見叔姓
周應文女 明 見周輝
周應中明 474-373- 19
505-672- 69
523-468-169
1294-567- 14
周應正明 511-503-156
周應合宋 489-325- 29
515-334- 67
676-223- 8
1203-363- 27
1318-152- 44
1375- 35- 下
周應合女 元 見周天福
周應良女 明 見周氏
周應辰明 1442- 98-附6
1460-592- 69
1474-507- 24
周應治明 564-778- 60
1474-528- 26
周應祁妻 明 見項氏
周應卓妻 元 見李氏
周應秋明 302-328-306
周鴻泰妻 清 見秦氏
周鴻圖明 301-231-249
475-421- 70
483-227-390
483-249-391
483-282-393
483-348-399
540-824-28之3
545-433- 99
571-526- 19
周應旂宋 487-517- 7
周應泰明 456-555- 7
554-257- 52
周應祥妻 清 見范氏
周應祥妻 清 見傅氏
周應規明 473-316- 62
532-731- 46
周應期明 515- 65- 58
523-348-162
540-620- 27
周應揚妻 清 見謝氏
周應運清 533-317- 57
周應極元 295-510-187
475-640- 83
510-445-117
516- 46- 88
676-707- 29
1236-380- 2
周應嵩宋 534-952-120
周應遇清 533-101- 50
周應賓明 680-249-249
1442- 79-附5
1460-416- 59
1474-527- 26
周應禎明 523- 53-148
周應福清 456-334- 76
周應熊妻 明 見王思員
周應儀明 676-654- 27
1442-105-附7
1460-634- 72
周應龍明 533-723- 73
周應顯元 524-144-185
周濟川金 821-277- 52
周襄王鄭 371-232- 5
384- 4- 1
537-174- 53
周懋仁明 572-105- 30
周懋相明 515-717- 79
532-697- 45
569-654- 19
周懋昭妻 明 見孫氏
周隱遥隋～唐 485-283- 40
493-542- 29
493-1101- 58
508- 50- 31
511-918-174
1358-849- 10
周翼明明 480-342-273
周彌瞻明 515-874- 86
周嶽齡妻 清 見陳氏
周鍾岳清 524-115-183
周繆宣宋 見周雄
周禮嘉明 516-136- 92
周禮讓明 516-133- 92
周釐王周僖王、胡齊
243-108- 4
384- 4- 1
537-174- 53
周騎龍明 516-515-106
周藎臣明 559-301-7上
周簡王夷 384- 4- 1
537-175- 53
周懷政宋 288-831-466
382-783-120

384-344- 17
401- 67-576
周顚仙明 473- 33- 49
473- 79- 52
479-583-243
511-917-174
516-475-105
518-198-142
周藝多宋 1122-556- 10
周羅睺隋 264-938- 65
267-500- 76
379-822-163
384-156- 8
478-403-194
478-669-209
479-482-239
479-607-244
516-117- 92
544-221- 62
554-121- 50
681-314- 22
933-473- 31
周鵬舉晉 486- 68- 3
周寶安陳 260-598- 8
265-928- 66
378-497-144
472-257- 10
494-286- 3
511-391-151
933-472- 31
周寶瑜明 見周室瑜
周齡六明 456-603- 9
周獻臣明 515-800- 80
676-326- 12
676-616- 25
1442- 81-附5
周鶚南明 502-280- 56
周蘊香清 周祺女
477-136-155
周耀冕明 533-100- 50
周耀隆妻 清 見李氏
周騰蛟明 302- 77-293
456-570- 8
477- 56-151
505-835- 76
537-348- 56
周騰麟妻 明 見許氏
周繼孔明 559-436-10上
周繼吾明 1236- 68- 5
周繼忠宋 1376-626-96上
周繼昌明 511-160-142
545-100- 86
周繼周元 1231-403- 9
周繼祖元 1225-248- 9
周繼瑜明 456-694- 12
510-347-114
周繼榮清 456-388- 80
周繼謨明 456-524- 6
546-153-120
周蘭秀周蘭英 明 孫愚公妻
512- 9-176
1475-817- 34
周蘭英明 見周蘭秀
周蘭雪元 820-549- 39
周鐵虎周鐵武 陳
260-613- 10
265-943- 67
378-511-144
480-507-281
532-104- 27
563-622- 38
933-472- 31
周鐵武陳 見周鐵虎
周鐵星元 1222-115- 6
周續之劉宋 258-589- 93
265-1064- 75
370-491- 14
380-441-178
384-123- 6
472-433- 19
473- 76- 52
479-579-243
479-610-244
489-599- 47
516- 93- 91
517-333-124
547-138-146
678-513-119
879-140-57下
933-472- 31
1394-340- 2
周懿王囏 554- 3- 48
周懿滿女 清 見周氏
周麟之宋 449-393-上3
472-296- 12
511-205-144
674-845- 18
1147-210- 20
周顯王扁 384- 5- 1
537-175- 53
周顯玉宋 537-386- 57
周顯宗明 1442- 54-附3
1460-126- 46
周顯威明 456-679- 11
周顯時明 502-784- 87
周靈王泄、泄心 384- 4- 1
371-233- 5
537-175- 53
周靈王后 見姜后
周靈甫劉宋 564- 12- 44
周觀政明 299-322-139
479-237-227
515- 33- 58
523-305-160
周觀德明 515-107- 60
周籛金唐 820-215- 28
周公忌父春秋 404-458- 27
周公宰孔春秋 見宰周公
周公黑肩春秋 見周桓公
周孝閔帝宇文覺 263-421- 3
266-194- 9
384-139- 7
554- 7- 48
周孝閔帝后 見元胡摩
周郊婦人周 448- 74- 8
周威烈王午 243-110- 4
384- 5- 1
537-175- 53
周南之妻 戰國(周南大夫之妻)
448- 21- 2
周貞定王介 384- 4- 1
537-175- 53
周珠勒哷妻 元 見崔氏
周麻衣僧五代 547-492-159
周愼靚王定 384- 5- 1
537-175- 53
周醜子家周 505-867- 78
周壩渡子明 456-677- 11
559-519- 12
周國長公主宋 宋神宗女
285- 67-248
393-326- 77
周漢國公主宋 楊鎭妻、宋理宗女 285- 71-248
393-329- 77
周陳國大長公主宋 李瑋妻、宋仁宗女 285- 65-248
393-324- 77
咎犯春秋 見狐偃
咎單商 404-408- 24
933-621- 40
咎繇上古 見皋陶
佳古欃夾谷欃 金
474-371- 19
佳克丹清 455-658- 46
佳爾吉清 455-133- 5
非子周 472-853- 34
非幻明 524-437-201
非空明 516-446-104
非濁遼 586-183- 8
非覺遼 586-183- 8
⿰犭巨神氏上古 383- 11- 3
狗陪僧明 533-770- 74
征集宋 511-845-168
1351-642-145
1378-605- 63
1384-184- 96
1410-233-691
金山清 456-290- 72
金文明 523-500-170
676-256- 10
676-498- 19
金丹明 523-518-171
金氏唐 陶齊亮母 276-110-205
401-151-589
金氏宋 梁在和妻、金君卿女
1113-435- 8
金氏宋 錢贊妻 1171-772- 27
金氏元 程徐妻、金端學女
295-641-201
401-187-593
472-1089- 46
479-188-225
金氏元 戴琥妻 1221-356- 7
金氏元 韓立妻 472-313- 13
金氏明 吳九仁妻、金核女
1274-409- 14
金氏明 來仲康妻、金俊女
479-251-228
524-658-210
1283- 46- 70
金氏明 封瑗妻 1295-276- 24

金氏明 胡選孫妻 472-361- 15
475-613- 81
金氏明 姚寧妻 558-497- 42
金氏明 浦潤之妻、金淄女
1291-428- 7
金氏明 高原昌妻 474-778- 42
金氏明 高塔什丁妻、高塔寔廷妻、高塔實廷妻、高達實丹妻、高塩失丁令妻、高巴延達實丹妻 452-118- 3
472-795- 31
474-778- 42
477-547-176
503- 27- 93
金氏明 張翼之妻
1312-360- 35
金氏明 陳三妻 506-130- 89
金氏明 陳鋼妻 821-490- 58
金氏明 陳以信妻、金隆壽女
1246-648- 15
金氏明 陳吾琳妻 481-119-296
金氏明 常希文妻 506- 12- 86
金氏明 程尚義妻
1283-632-116
金氏明 賈眞儒妻
1271-667- 58
金氏明 熊信妻 506- 72- 88
金氏明 鄭東海妻 530-153- 58
金氏明 鄭遵謙妻 479-252-228
524-650-209
金氏明 劉大俊妻 602-238-302
478-519-200
558-505- 42
金氏明 劉師基妻 475-578- 79
金氏明 謝德琛妻
1253-175- 49
金氏明 韓雍妻、金大和女
1255-668- 69
金氏明 饒安世妻 480- 63-260
金氏清 王光祖妻 474-195- 9
金氏清 王如林妻 474-194- 9
金氏清 王善志妻 506- 64- 87
金氏清 王業濬妻 475-382- 68
金氏清 毛瀚澄妻、金愷殷女
480-259-269
533-656- 70
金氏清 艾穆妻 478-437-196
555-188- 69
金氏清 任景舜妻 478-138-181
金氏清 沈子猷妻 475-145- 57
512- 26-177
金氏清 李潤澤妻、金德嘉女
533-581- 68
金氏清 谷砳妻 474-573- 29
金氏清 邱成章妻 482-566-369
金氏清 宣有玉妻 524-643-209
金氏清 胡國濬妻 530- 39- 54
金氏清 姚應鶴妻 479-102-221
524-577-206
金氏清 高隆翔妻 524-543-205
金氏清 徐萬春妻 524-467-202
金氏清 徐嘉謨妻 479- 62-219
524-476-202
金氏清 許欽京妻、金德義女
479-335-232
524-716-212
金氏清 張棠妻 524-542-205
金氏清 張成文妻 503- 35- 94
金氏清 張金基妻 480-141-264
金氏清 張問禮妻 478-275-187
金氏清 張登燦妻 530- 28- 54
金氏清 張裕善妻 524-460-202
金氏清 陳大經妻 524-460-202
金氏清 馮殿魁妻 482-436-361
金氏清 楊恂妻、金正侃女
1327-305- 13
金氏清 蔡機妻 475-712- 86
512-122-180
金氏清 劉應隆妻 474-193- 9
金氏清 謝泰來妻 483-119-379
570-201- 22
金升妻 清 見許氏
金永明 1385- 49- 2
金玉元 鄒元銘妻、金謙女
1221-656- 25
金玉明(江浦人) 299-508-155
金玉明(內江人) 482-433-361
金玉妻 明 見董氏
金布清 455- 78- 2
金申不詳 472-491- 21
金幼明 524-456-202
金安唐 515-212- 63
金江明 524- 73-181
金式宋 524-265-191
金臣妻 宋 見徐氏
金印明 511-941-175
金印妻 明 見李氏
金沁妻 清 見李氏
金良女 元 見金汝安
金良明 533-342- 58
金志明 563-780- 40
金定元 1210-385- 12
1224-269- 23
金庚宋 451- 99- 3
金玥明 511-182-143
金忠明(字世忠) 299-441-150
453-442- 15
453-576- 10
472-1089- 46
886-143-138
1239- 20- 27
金忠額森托干 明(蒙古人)
299-523-156
金忠明(字尚義) 524-273-191
676-505- 19
1250-502- 47
金尚漢 478-102-180
554-684- 61
金旺女 明 見金善觀
金固明 515-541- 74
676-465- 17
1239-246- 43
1241-275- 12
金虎魏 545-513-102
金昆清 483-251-391
金和明 523-107-150
金侃清 511-836-168
金岱清(赫舍里氏) 455-206- 10
金岱清(伊爾根覺羅氏)
455-272- 15
金洪明(字惟深) 475-215- 60
510-362-114
523-455-168
1474-280- 13
金洪明(馨如里人) 524- 98-183
金洪明(貴州人) 1274-606- 3
金冠明 502-298- 56
金畒明 820-599- 40
金恂宋 820-461- 36
金亮明(字孟輝) 1246-601- 10
金亮明(字克明) 1255-768- 76
金彥宋 473-349- 63
480-438-278
533-460- 63
金柱清 456-103- 57
金相宋 567-432- 86
1467- 30- 63
金春清 456-290- 72
金建元 524-298-193
金建清 1314-422- 11
金英明 302-260-304
金迪明 472-666- 27
金約明 511-280-147
676-538- 22
金信明(字中孚) 524-293-193
676-455- 17
1221-442- 7
1229-608- 2
1439-455- 2
1459-487- 16
金信金尊生 明(字幼孚)
1240-839- 9
金勉明 820-681- 42
金秋明 511-532-157
金保清(瓜爾佳氏) 455- 78- 2
金保清(完顏氏) 455-467- 28
金俊女 明 見金氏
金海媳 明 見閻成哥
金涓元 524-293-193
1439-454- 2
1471-141- 23
金祚北齊 263-222- 27
267-121- 53
379-370-152
472-880- 35
558-328- 35
933-496- 33
金益女 明 見金守貞
金涉漢 250-546- 68
376-277-100
933-496- 33
金城宋 524-230-189
金城明 528-456- 29
金泰清(馬佳氏) 455-169- 7
金泰清(伊爾根覺羅氏)
455-229- 12
金泰清(納喇氏) 455-377- 23
金泰清(宜特墨氏) 455-617- 42
金泰清(王氏) 456-319- 75
金核女 明 見金氏
金桂明 571-532- 19
金晅宋 820-462- 36

金剛清 456-348- 77
金特清 455-404- 24
金皋明 559-407-9上
金倫漢 472-944- 37
558-356- 35
金俸嚴俸 明(宣城人)
511-625-161
金俸明(杭州人) 523-430-167
528-555- 32
金紞明 559-288-7上
金純明(字德修) 299-532-157
472-206- 7
475-855- 94
511-381-150
581-593-106
金純明(字文明) 505-799- 74
金純明(字尚德) 1263-524- 5
金淄女 明 見金氏
金翊宋 487-187- 12
金翊明 1283-323- 92
金翊妻 明 見潘氏
金婆不詳 494-438- 13
金淵宋 287-723-419
472-968- 38
590-228- 5
金淛明 528-562- 32
金章明 456-633- 10
558-417- 37
金深明 559-407-9上
金烺清 1321-173-105
金袞清 見金俊明
金旋魏 254-557- 2
金旅明 524-273-191
金問明 452-243- 6
472-230- 8
493-977- 52
511-674-163
676-495- 19
820-614- 41
1241-472- 7
1242-226- 32
1385- 48- 2
1386-266- 39
金述清 周容妻 524-615-208
金通明 1278- 43- 3
金莊明 1231-448- 0
金魚明 820-674- 42
金絅明 493-728- 40
510-333-113
523-362-163
1442- 8-附1
1459-448- 14
金紳明 472-178- 6
676-500- 19
1248-402- 20
1248-607- 3
金詔明 564-289- 47
金善明 見金幼孜
金湯明 820-751- 44
821-456- 57
金寔明 見金實
金湜明 524- 45-180
820-616- 41
821-386- 56
1391-589-334
1474- 78- 5
金琮明 475- 76- 53
511-829-168
820-674- 42
821-414- 56
金琣明 511-799-167
金登清 456-290- 72
金弼明 1244-651- 16
金棟妻 清 見袁貞資
金貴明 472-116- 4
金華明(字宗實) 299-442-150
479-181-225
524-284-192
1474-317- 16
金華明(蕭山人) 510-335-113
金敞漢 250-546- 68
376-276-100
558-356- 35
933-496- 33
金敞清 511-685-163
金棠清 456-348- 77
金順阿爾喝錫哩 明
299-523-156
金堡明 533-746- 73
金堡明 見今釋
金鈍明 820-573- 40
金勝宋 490-736- 72
525- 23-217
金欽漢 250-546- 68
376-277-100
477-520-175
933-496- 33
金策明 1467-121- 66
金傑明 482-433-361
523-562-174
524-267-191
567-126- 67
1467-118- 66
金傑妻 明 見徐氏
金溥明 820-616- 41
金源妻 明 見盧氏
金愼明 1442- 12-附1
1459-461- 14
金雍明 472-127- 4
金煜明 1475-708- 29
金煜清 1321-141-102
金煉明(字伯精) 540-825-28之3
金煉明(武定人) 554-199- 52
金瑄明 473-641- 78
金塘明 1280-603-100
金極宋 479-529-241
516- 13- 87
金楠清 456-290- 72
金達明 516- 84- 90
676-587- 24
金殿明 820-740- 44
金鼎金張僧 宋 448-394- 0
金鼎明(字大器) 494- 25- 2
545-665-107
554-348- 54
金鼎明(字宗器) 523-362-163
金鼎明(星子人) 676-475- 18
金鼎明 見金玉鉉
金敬明 1241-777- 19
金鉉母 明 見章氏
金鉉明(字伯玉) 301-502-266
457-972- 57
458-272- 8
458-989- 10
474-186- 9
475-230- 61
497-605- 43
498-385- 88
505-837- 76
506-370- 99
506-539-105
511-450-153
676-656- 27
1442-107-附7
1460-690- 75
金鉉明(字文鼎) 511-760-166
820-573- 40
821-359- 55
1239- 76- 32
1385- 48- 2
金鉉妻 明 見王氏
金紘明 524-223-189
金紘清 569-618-18下之2
金節明 564-108- 45
金實金寔 明 299-298-137
472-1043- 43
479-357-233
524-223-189
526-643-280
1239-135- 36
1240-313- 20
1374-726- 93
金誠明 564-253- 47
1442- 22-附2
1459-584- 21
金誠清 456-291- 72
金福明 472-569- 24
540-642- 27
金韶明 1280-451- 89
金誥清 570-143-21之2
金禕漢 384-505- 20
478-103-180
554-684- 61
金瑤明 676- 8- 1
677-629- 56
678-604-127
金蓁清 511-611-160
金銘妻 清 見周氏
金銑明 473- 61- 51
511-778-166
金寬妻 明 見鄧氏
金廣明 473-616- 77
528-511- 31
金廣妻 明 見孔妙貞
金廣妻 明 見楊氏
金潤明(字伯玉) 511-666-163
676-293- 11
676-491- 19
821-387- 55
金潤明(錢塘人) 537-304- 56
金賢明 511-667-163
676- 59- 2

679-635-200
1263-548- 6
1457-603-399
金璋明 見金璲
金增明 潘紹宗妻
493-1085- 57
1246-643- 14
金樞明 1321- 43- 90
金樞妻 明 見魯氏
金鼐妻 明 見李氏
金震明 524-100-183
金模妻 明 見呂氏
金賞漢 558-356- 35
金輝明 473-126- 55
515-133- 61
金蓮明 559-460-11上
金鉉清 1320-600- 67
金儀明 1260-608- 17
金德元 400-267-521
金憲明 511-799-167
金澤明 515- 42- 58
517-602-130
523-534-172
676-509- 20
金濂明(字宗瀚) 299-574-160
472-312- 13
472-827- 33
472-930- 37
475-328- 65
478-453-197
511-191-143
554-220- 52
558-146- 30
1249-302- 18
金濂明(字懋光) 676-112- 4
金燕明 511-256-146
523-105-150
金翮明 545-466-100
金選明 523-216-156
金錝明 301-503-266
456-633- 10
金鋹明 676-503- 19
金應宋 288-385-454
400-198-515
515-610- 76
820-448- 35
金禧妻 明 見高氏
金濚明 528-479- 30

金謙女 元 見金玉
金謙妻 清 見胡氏
金聲明(字正希) 301-662-277
456-440- 3
457-973- 57
475-576- 79
511-809-167
533-303- 57
1442-107-附7
金聲明(大嵩衛人) 475-421- 70
金聲明(華亭人) 554-313- 53
金聲明(蘇州人) 572-157- 32
金聲清 456-290- 72
金勵金礪 明 510-440-116
545-153- 88
金璲金璋、屠璋 明
1283-340- 93
金璲妻 明 見朱氏
金爵明 523-157-153
559-407-9上
571-546- 20
821-462- 57
金飈明 456-637- 10
金禮明 523-517-171
金瑱元 473-652- 78
金璧元 見金潤夫
金璧明 1253- 45- 42
金璿明 821-414- 56
金瞻金贍 明 1442-130-附8
1460-879- 94
金鎮清 477-411-169
477-523-175
1321- 71- 93
金鎔女 清 見金滿願
金鎰明 1442- 98-附6
1460-591- 69
金鎧明 481-439-316
559-276- 6
金鯉明 483-117-379
570-153-21之2
金簡明 456-549- 7
金黼明 821-355- 55
金礪明 見金勵
金礪清 474-772- 41
477-568-177
502-655- 79
554-190- 51
金贍明 見金瞻

金韡明 511-605-160
金蘭明(字楚畹) 510-318-113
金蘭明(字谷生) 510-430-116
金鑑明 1267-972- 16
金顯明 524-682-211
金鑣妻 清 見張氏
金鑾明 1442- 49-附3
1460- 63- 43
金一梅明 511-799-167
金一龍妻 明 見黃氏
金一鰲明 482-304-353
金九成明(字鳴韶) 511-156-142
523-134-152
金九成明(字伯韶) 524- 24-179
1475-357- 15
金九容金齊閔 明
676-684- 28
1442-128-附8
1460-866- 94
金九陛明 458-469- 23
480-291-271
482-323-354
511-425-152
567-147- 68
金九皋明 523-122-151
金九殿明 1294-564- 14
金三聘明 476-779-141
金士龍明 821-461- 57
金士衡明 301- 20-236
458-426- 20
511-112-140
金子性明 524-376-197
金大亨宋 1171-783- 28
金大赤明 480-176-267
金大車明 1442- 64-附4
1460-236- 50
金大和女 明 見金氏
金大雅明 1295-131- 10
金大輿明 1442- 64-附4
1460-236- 50
金斗輔妻 元 見翟氏
金方慶宋 820-461- 36
金文光明 511-410-152
金文仲明 473-777- 84
金文成清 456-348- 77
金文具清 456-348- 77
金文貞明 王應鵬母
1442-123-附8

1474-183- 8
金文剛宋 1375- 14- 上
1376-181- 70
金文庶妻 清 見吳氏
金文煇妻 清 見方氏
金文質元 494-417- 12
金文德宋 288-324-449
400-181-514
451-228- 0
金文徵明 493-1027- 54
554-337- 54
1442- 11-附1
金文徵女 明 見金淑寧
金文璡明 821-368- 55
金文學清 456-389- 80
金之杰明 見全之杰
金之俊清 511-116-140
金之純明 478-296-188
533- 55- 48
金太宗完顏晟、完顏烏奇邁
290- 54- 3
383-828- 3
392-658- 47
金太宗后 見唐古皇后
金太祖完顏旻、完顏阿古達、
完顏阿固達 290- 39- 2
383-814- 1
392-648- 47
金太祖后 見布薩皇后
金太祖后 見唐古皇后
金太祖后 見費摩皇后
金太祖后 見赫舍哩皇后
金太祖崇妃 見蕭氏
金元吉唐 820-284- 30
金元純明 570-161-21之2
金元賓妻 明 820-768- 44
金孔器明 511-410-152
金天夫明 見金中夫
金天氏上古 見少皞氏
金天民明 511-321-148
金天保清 456-290- 72
金天爵明 511-661-162
512-788-196
金友勝明 540-654- 27
金日昌妻 清 見章氏
金日榮妻 明 見孫氏
金日磾母 漢 見閼氏
金日磾漢 248-615- 8

250-544- 68
376-275-100
384- 43- 2
459-169- 11
470-434-152
472-944- 37
478-613-205
539-349- 8
558-356- 35
933-495- 33
1408-366-515
1412-122- 5
金日觀明 301-575-271
456-458- 4
481-362-310
金中夫金天夫 明547- 8-141
金少安元 姚臨妻
475-234- 61
金仁存宋 679-826-220
金仁揆宋 593-836- 8
金仁鏡元 1439-462- 2
金化龍金龍化 明456-605- 9
金毛碩宋 478-452-197
金允孚母 明 見王氏
金玉和清 476-919-148
502-762- 86
537-226- 54
金玉相元 1205-287- 9
金玉鉉金鼎 明 523-411-166
金玉節明 523-122-151
金玉節清 511-576-159
金去偽宋 516- 38- 88
金弘訓明 524- 75-181
金弘道元 493-1011- 53
1219-380- 11
1219-411- 14
金弘業元 511-521-157
金石林元 1217-784- 8
金正侃女 清 見金氏
金正音明 1229-659- 1
金正韶元 524-390-198
金布吉清 456-290- 72
金可文元 1222- 43- 6
金可記唐 554-979- 65
1059-590- 上
1061-318-113
金可教明 483-149-381
金世臣清 524-104-183
金世宗完顏雍、完顏褎、完顏烏祿 290- 93- 6
383-918- 16
392-683- 49
819-595- 20
金世宗后 見李皇后
金世宗后 見烏淩阿皇后
金世宗元妃 見張氏
金世宗女 見澤國公主
金世揚清 517-791-135
金世鼎明 456-640- 10
金世德清 474- 95- 3
474-772- 41
502-793- 88
505-641- 67
金世龍明 676- 79- 3
680-239-248
金世爵清 482-226-348
563-891- 42
金世鑑清 1322-591- 9
金台石清 455-351- 22
金幼孜金善 明 299-417-147
452-133- 1
453-197- 18
453-561- 7
473-129- 55
479-682-248
515-545- 74
676- 58- 2
676-474- 18
820-585- 40
1237-573- 上
1238-239- 20
1240-215- 14
1240-275- 17
1241-260- 12
1284-354-163
1374-664- 87
1442- 17-附1
1458-444-447
1459-542- 19
金幼孜妻 明 見劉氏
金幼芳妻 元 見高文奴
金幼學明 1240-217- 14
金守仁明 483-178-384
494-159- 5
569-679- 19
金守貞明 金益女
1239-237- 42
金安上漢 248-619- 8
250-546- 68
376-276-100
478-613-205
535-553- 20
558-356- 35
933-496- 33
1412-126- 5
金安老明 676-685- 28
1442-129-附8
1460-874- 94
金安國明 676-685- 28
1442-130-附8
1460-876- 94
金安節宋 287-293-386
398-316-385
472-379- 16
472-1014- 41
475-566- 79
485-461- 7
493-772- 42
511-268-147
523- 15-146
677-259- 23
1147-494- 46
1375- 7- 上
1376-224- 73
金汝安元 金良女
472-1089- 46
479-188-225
524-607-208
金汝相清 456-348- 77
金汝恭妻 明 見周月
金汝鼎清 1315-358- 16
金汝霖元 821-317- 54
1469-308- 49
金汝聲明 554-258- 52
金式呂妻 清 見賈氏
金有聲明 458-171- 8
金地藏金喬覺 唐
472-370- 16
475-652- 83
511-936-175
金光辰金光宸 明
301-304-254
458-466- 23
475-799- 90
508-361- 42
511-370-150
676-656- 27
金光初明 820-718- 43
金光昊清 476-151-104
511-371-150
545-229- 91
金光房清 475-799- 90
511-371-150
515-253- 64
金光祖清 528-466- 29
563-859- 42
金光宸明 見金光辰
金光庭宋 477-359-166
537-314- 56
金光祥清 476-222-108
502-775- 86
545-332- 95
金光璧明 511-656-162
金兆年妻 清 見王氏
金如初明 821-462- 57
金印榮明 510-496-118
金先聲清 532-651- 43
金行成宋 288-787-487
金良之宋 見金粱之
金良佐明 516- 55- 89
金志陽明 1236-446- 3
金成立妻 明 見許景樊
金君卿宋 473- 46- 50
516- 8- 87
677-198- 18
1095-353- 附
金君卿女 宋 見金氏
金那密清 456-290- 72
金肖孫明 456-438- 3
金肖孫清 505-921- 82
金似孫元 524- 71-181
1212-221- 16
金孚兒明 523-477-169
金伯祥元 1222-286- 20
金伯謙妻 明 見傅氏
金希佑妻 不詳 見汪氏
金希說元 473-251- 60
480-297-271
533-315- 57
金邦柱明 528-545- 32
金邦傑金 476-789-141
金邦寧清 541-101- 30

金妙湛宋 汪擇善妻
1376-667- 98
金妙圓元 宋守福妻
1214-685- 20
金廷韶明 515-282- 65
524-260-191
1442-111-附7
金宗周明 524-399-199
1475-748- 31
金宗敏唐 533-732- 73
金宗範明 511-816-167
金法敏唐 276-359-220
金京望清 524-190-187
金孟琤明 524-212-188
金孟愚明 1260-594- 16
金居敬元 1375- 25- 上
金居敬清 511-755-165
金來聘妻 明 見紀氏
金來儀妻 清 見陶氏
金長吾明 1240-835- 9
1240-902- 10
金承宗元 400-265-521
金忠士明 475-530- 77
511-258-146
511-288-147
515-226- 63
554-184- 51
676- 75- 3
1442- 83-附5
金忠義唐 812-345- 9
821- 78- 47
金尚憲明 1442-130-附8
1460-881- 94
金叔榮明 559-275- 6
金朋說宋 511-702-164
金季本妻 漢 見徐氏
金秉乾明 533-218- 53
金宣宗完顏珣、完顏從嘉、完顏烏達布 290-194- 14
383-978- 25
392-745- 54
金宣宗后(謚明惠) 見王皇后
金宣宗后(賜姓溫都) 見王皇后
金彥文明 511-617-160
金彥卿妻 清 見林氏
金彥祥明 505-650- 68
金彥端妻 明 見王妙智
金哀宗完顏守緒、完顏守禮、完顏寧嘉蘇 290-238- 17
383-988- 26
392-773- 56
408-956- 4
金哀宗寶符御侍 見李氏
金哀宗后 見圖克坦皇后
金玹賜明 1253- 61- 43
金拱辰清 511-535-157
金拱敬清 511-371-150
金相子明 1240-843- 9
金春秋唐 276-359-220
金政明唐 276-359-220
金柔貞元 程宜之妻
1199-780- 5
金貞淑明 莊安期妻
1274-374- 13
金思範明 524-138-185
金若洙宋 511-851-169
金若楝妻 清 見沈氏
金若愚元 1375- 21- 上
金哈喇哈喇 元 510-471-117
820-498- 37
金是瀛明～清 511-763-166
1442-116-附7
金禹瑞元 821-324- 54
金保柱清 455-434- 26
金俊明金衮 清 511-836-168
676-668- 28
1315-350- 15
金容刀元 483-267-392
571-540- 20
金浩善清 456-348- 77
金祖壽明 1376-484- 90
金庭客唐 1061-290-112
金眞平隋 381-412-194
金眞平女 唐 見金眞德
金眞德唐 金眞平女
1371- 80- 附
金原亮明 472-827- 33
金原舉元 475-328- 65
511-778-166
金振孫明 302-115-295
456-438- 3
金時秀妻 明 見陶氏
金剛中明 1240-789- 8
金剛努元 528-508- 31
金剛智跋日羅菩提 唐
1051-237- 9
1052- 7- 1
1054-116- 3
1054-467- 13
金師古明 472-1015- 41
金添鱗妻 明 見鄭氏
金惟義妻 明 見方良蕙
金章宗完顏璟 290-142- 9
383-950- 21
392-717- 52
819-596- 20
1040-226- 1
1190-185- 10
1439- 1- 附
金章宗元妃 見李師兒
金章宗后 見富察皇后
金梁之金良之 宋
485-525- 10
1375- 11- 上
1376-705-100下
金梁鳳唐 271-630-191
276- 99-204
401- 93-580
金淑寧明 張概妻、金文徵女
493-1083- 57
512- 71-178
金培生清(奉天人) 478-338-191
502-639- 78
554-225- 52
金培生清(襄平人) 483-162-382
金都禪清 455-205- 10
金張僧宋 見金鼎
金國用妻 清 見強氏
金國宗妻 明 見陳氏
金國泰清 456-348- 77
金國鳳明 301-579-272
456-421- 2
502-300- 56
金符午明 1375- 28- 上
金啟悰明 456-516- 6
502-298- 56
523-406-165
金從洋明 571-526- 19
金從龍宋 516- 34- 88
金尊生明 見金信
金富廉明 561-450- 43
金富軾宋 593-835- 8
金善信明 493-1110- 58
1224-593- 下
金善觀明 湯全妻、金旺女
473-575- 74
530- 6- 54
金雲鳳清 532-674- 64
金賁亨明 458-1042- 2
481-494-324
523-608-176
676-546- 22
金朝興明 299-232-131
472-328- 14
475-706- 86
511-413-152
金朝勳清 1315-361- 16
金盛宗明 524-219-189
金隆壽女 明 見金氏
金堯恭唐 472-1066- 45
479-223-227
523-147-153
金雯聚清 456-348- 77
金景文宋 472-1030- 42
524-149-185
526-296-268
金景輝明 1475-196- 8
金絨兒清 1321- 91- 96
金喬覺唐 見金地藏
金舜欽明 1375- 27- 上
金策勳妻 清 見周氏
金愼言妻 清 見方氏
金溫叟宋 1098-718- 44
金愷殷女 清 見金氏
金煜然清 524-106-183
金新祚明 554-346- 54
金新鼎明 511-656-162
金煉色明 537-290- 55
554-523-57下
金道玄元 493-1008- 53
金道合明 511-800-167
金道寓明 511-698-164
金道華上古 547-544-161
金道會明 511-606-160
金道器明 511-698-164
金塔錫清 455-386- 23
金瑞玉妻 清 見查氏
金達理清(瓜爾佳氏)
455-115- 4
金達理清(孟克宜勒氏)

456-176- 63
金達賴清 455- 85- 3
金達錫清 455-427- 26
金殿勳妻 清 見張氏
金鼎臣明 528-511- 31
金鼎祚明 456-500- 5
511-489-155
金毓峒明 302-115-295
456-438- 3
458-291- 10
474-246- 12
477-567-177
505-640- 67
505-846- 76
506-542-105
554-186- 51
1442-109-附7
1460-684- 75
金毓峒妻 明 見王氏
金愛申宋 472-894- 35
金漸皐清 532-627- 43
金齊閔明 見金九容
金端學女 元 見金氏
金漢鼎清 523-485-170
金漢蕙清 479-332-232
523-408-165
567-153- 69
金滿願清 吳登妻、金鎔女
1321- 47- 90
金榮高明 494-159- 5
金熙宗完顏亶、完顏哈喇、完顏和里瑪 290- 66- 4
383-877- 9
383-900- 12
392-667- 48
819-595- 20
金熙宗后 見費摩皇后
金熙宗女 見代國公主
金壽明明 1475-439- 19
金嘉玉明 494- 24- 2
金碧峰明 511-936-175
金夢巖明 1375- 25- 上
金鳴鳳清 528-547- 32
金維城清 502-628- 77
金肇元明 523-485-170
1442-103-附7
1460-617- 71
金肇基清 511-622-160
金潤夫金璧 元 821-323- 54
金潤夫明 1327-328- 7
金潤甫明 821-350- 55
金慶治清 511-621-160
金養全妻 明 見楊氏
金養素明 524-372-197
金確然宋 1145-764- 84
金震出清 479-456-237
515- 67- 58
533-220- 53
金震祖元 1376-646- 97
金震祚妻 明 見譚氏
金履祥元 295-523-189
400-568-552
453-788- 3
459-132- 8
472-1031- 42
479-325-232
523-612-176
526- 17-259
539-506-11之2
678-152- 84
1210-505- 20
1226-297- 14
1439-423- 1
金質夫元 821-323- 54
金德玹明 1375- 29- 上
1376-603-95下
金德隆清 456-291- 72
金德開明 1460-735- 79
金德義女 清 見金氏
金德嘉清 533-185- 52
金德嘉女 清 見金氏
金德裴清 456-290- 72
金德潤元 523-480-170
1224-269- 23
金德謙元 821-325- 54
金樂宣妻 清 見殷氏
金龍化明 見金化龍
金樸玉妻 清 見李氏
金穎伯明 820-581- 40
金興旺明 299-268-134
478-240-186
金學汾清 524-190-187
金學曾明 523-266-158
576-654- 5
592-1004- 上
676-724- 30
金衡掌妻 清 見汪氏
金應元明 302- 54-292
456-483- 5
475-527- 77
479-244-227
510-420-116
523-389-164
金應忠清 511-620-160
金應桂元 524-277-192
585-520- 17
820-496- 37
821-289- 53
金應照明 505-692- 70
金應暘明 523-387-164
金應鳳元 1205-287- 9
金應徵明 515- 97- 59
金潤甫妻 元 見沈性貞
金懋顥清 511-536-157
金彌高宋 1189-828- 4
金嗣孫清 1475-558- 24
金謹思明 1442-129-附8
1460-876- 94
金鎭貴明 456-589- 8
483-251-391
572- 88- 29
572-156- 32
金瀚郎明 1289-304- 20
金懷玉清 511-217-144
金麗兼明 1475-415- 18
金麗澤明 456-544- 7
528-571- 32
金獻民明 300-187-194
481-407-313
554-188- 51
559-407-9上
金騰茂妻 清 見胡氏
金騰高明 511-605-160
金繼先清 456-291- 72
金繼祖清 456-348- 77
金繼望清 475-532- 77
511-263-146
金繼震明 511-287-147
金鬔頭明 524-419-200
金麟孫明 1442-129-附8
1460-875- 94
金顯德明 511-852-169
金川聖者宋 524-436-201
金牛和尚唐 1053-129- 3
金仙公主唐 唐睿宗女
274-111- 83
393-279- 73
554- 51- 49
金舌和尚唐(其舌焚後化爲金)
472-470- 20
金沙和尚唐 1053-438- 11
金那婆斯周 見商那和修
金剛三藏唐 812-348- 9
821-100- 48
金堂公主晉陵公主 唐 郭仲恭妻、唐穆宗女 274-118- 83
393-285- 73
金鄉公主遼 見耶律賽格
金達爾漢清 455- 89- 3
金輪和尚宋(居金輪)
1053-333- 8
金火二仙姑元 康小二女
499-242-143
金豁二孝女宋 517-208-120
舍清 456-101- 57
舍泰清 455-570- 37
舍楞清 見舍稜
舍稜色楞 清 454-870-104
500-729- 37
舍利弗不詳 1053- 85- 2
舍那婆斯周 見商那和修
舍利和尚宋 547-526-160
舍音浩善明 302-786-329
舍錫栢哈斯瑚清 455-129- 5
姑布子卿春秋 547-547-161
妲己商 紂妃 243- 85- 3
448- 65- 7
始平王晉 見司馬裕
始平王晉 見司馬瑋
始平王劉宋 見劉子鸞
始平王後魏 見元勰
始平王後魏 見元子正
始平王北齊 見高彥德
始安王劉宋 見劉子眞
始安王劉宋 見劉休仁
始安王齊 見蕭道生
始安王齊 見蕭遙光
始安王梁 見蕭方略
始安王陳 見陳深
始建王劉宋 見劉禧
始興王劉宋 見劉濬
始興王齊 見蕭鑑

始興王梁 見蕭憺
始興王陳 見陳伯茂
始興王陳 見陳叔重
始興王陳 見陳叔陵
始興王陳 見陳道談
始畢可汗隋 見咄吉
乳源和尚唐 1053-130- 3
斧望箇恕宋 288-910-496
肥義戰國 405-197- 69
佴元素明 1263-478- 2
佴夢騮明 563-812- 41
岱布清 454-369- 20
岱同清 455-546- 35
岱色清 455- 96- 3
岱宗明 1238-291- 25
岱明清 455-451- 27
岱柱清(巴雅拉氏) 455-579- 38
岱柱清(伊拉理氏) 455-672- 47
岱春清 455-505- 31
岱哈清(佟佳氏) 455-312- 19
岱哈清(喀爾沁氏) 456-110- 57
岱帶清 455-691- 49
岱倫清 455-582- 38
岱都清 455-402- 24
岱敏清(伊爾根覺羅氏)
455-268- 15
岱敏清(納喇氏) 455-365- 22
岱敏清(噶濟勒氏) 455-645- 45
岱斌清 455-306- 18
岱勞清 455-517- 32
岱敦清 455-285- 16
岱喜清 455-206- 10
岱喀清(他塔喇氏) 455-218- 11
岱喀清(兆佳氏) 455-505- 31
岱祿清(兀札喇氏) 455-493- 30
岱祿清(鄂卓氏) 455-656- 46
岱祿清(鑲紅旗人) 502-551- 73
岱資清 455-449- 27
岱塔清 456-110- 57
岱楚清 455-266- 15
岱達清(納喇氏) 455-401- 24
岱達清(薩克達氏) 455-554- 35
岱察清 455-363- 22
岱寧清 456-283- 71
岱蓀清 455-274- 15
岱錫清 455-538- 34
岱濟清 455-430- 26
岱蘇清 455-626- 43
岱布庫清 455- 54- 1
岱布祿清 455-600- 40
岱松阿清 456- 53- 53
岱松阿清 見岱嵩阿
岱音布清(瓜爾佳氏)
455- 66- 2
岱音布清(赫舍里氏)
455-205- 10
岱音察清 455-192- 9
岱珠琥清 455-388- 23
岱珠瑚清(瓜爾佳氏)
455- 90- 3
岱珠瑚清(顏扎氏) 455-515- 32
岱珠瑚清(蘇佳氏) 455-680- 48
岱清阿清 455-412- 25
岱密喀清 455-312- 19
岱都喀清 455-146- 6
岱揚阿清 455-529- 33
岱順阿清 456- 23- 51
岱進朝清 456-156- 61
岱達理清 456-115- 58
岱嵩阿岱松阿 清
455-315- 19
474-771- 41
502-511- 71
岱精阿清 455- 75- 2
岱福哈清 455-305- 18
岱蒙阿清 456- 45- 53
岱音布祿清(瓜爾佳氏)
455- 56- 1
岱音布祿清(舒穆祿氏)
455-155- 6
岱音布祿清(伊爾根覺羅氏)
455-231- 12
岱音布祿清(舒舒覺羅氏)
455-279- 16
岱音布祿清(鈕顏氏)
456- 17- 51
岱音布祿清(穆燕氏)
456- 93- 56
岱音布祿清(鄂索絡氏)
456-119- 58
岱音達理清 455-155- 6
岱圖庫哈理清 455-209- 11
侃布清(瓜爾佳氏) 455- 51- 1
侃布清(伊爾根覺羅氏)
455-256- 14
侃泰清 455-292- 17
侃布祿清 455- 85- 3
侃察喀清 455-462- 28
岳山明 1261-719- 31
岳方明 523- 90-149
岳王唐 見李緄
岳氏元 徐猻頭妻 295-641-201
401-187-593
472- 38- 1
474-190- 9
506- 2- 86
岳氏明 王棐妻 478-249-186
岳氏明 傅形嘉妻、岳興女
472-100- 3
474-641- 33
岳氏明 魏宣妻 506- 9- 86
岳氏明 岳仲秀女 481-119-296
岳氏明 張宏道妻 481-159-298
岳玉明 554-292- 53
岳弘元(湯陰人) 524-336-195
岳弘元(南頓人) 545-461-100
岳正明 299-773-176
453-401- 11
453-613- 18
472- 38- 1
474-183- 9
481-550-327
505-723- 71
506-515-104
528-477- 30
558-478- 40
676-495- 19
820-624- 41
821-390- 56
1246-455- 附
1250-751- 71
1254-429- 3
1374-696- 90
1442- 26-附2
1459-634- 24
岳正妻 明 見宋氏
岳正妻 明 見周氏
岳正女 明 見岳得娍
岳可明 554-610- 59
岳申清 475-641- 83
510-450-117
岳存元 295- 75-152
399-397-455
472-174- 6
476-616-133
476-855-145
540-773-28之2
岳托清 455-158- 6
岳色清 455-195- 9
岳貝清 455-657- 46
岳宗明 558-442- 38
岳岫明 458-167- 8
472-665- 27
537-595- 60
岳岱明 511-835-168
821-432- 57
1442- 69-附4
1460-331- 55
岳奎明 533-279- 56
岳相明 510-365-114
545-443- 99
岳珂宋 472-981- 39
475- 18- 49
524-308-194
538-135- 65
676-688- 29
820- 44- 34
1177-290- 11
1364-720-357
1437- 27- 2
岳飛宋 287- 1-365
383-892- 11
398- 73-371
446-309- 1
446-330- 4
446-642- 17
446-691- 22
446-738- 28
446-743- 28
449-591-下8
459-603- 36
471-816- 32
471-820- 33
471-877- 41
471-880- 41
471-904- 45
471-906- 45
472-698- 28
473- 86- 52
473-209- 59
473-233- 60
473-246- 60

473-315- 62
473-334- 63
473-367- 64
473-767- 84
475-214- 60
475-272- 63
475-699- 86
476-914-148
477-166-157
479-448-237
479-604-244
480- 12-257
480-362-275
510-282-112
515- 15- 57
525-360-235
532-110- 27
532-575- 41
532-644- 43
534-819-112
534-821-112
534-884-113
534-946-120
538- 49- 63
545- 54- 84
563-658- 39
567- 66- 65
585-154- 9
585-376- 7
588-176- 8
820-414- 34
1257-214- 20
1363-309-147
1437- 21- 2
1467- 39- 63
岳飛女 宋 見岳孝娥
岳茂明 554-734- 61
岳科清 455-119- 4
岳託成親王、克勤郡王 清
454-139- 8
474-750- 40
502-409- 66
岳託妻 清 見納喇氏
岳浚女 元 見岳惟德
岳索藥僧 元 476-395-119
岳倫明 474-518- 25
505-829- 75
545-192- 90
岳純元 472-577- 24
岳納清 455-506- 31
岳商明 524-108-183
岳崇明 546-365-127
547- 87-144
岳崧元 554-814- 63
岳敏明 567-304- 77
1467-187- 69
岳雲宋 287- 14-365
398- 87-371
477-166-157
538- 50- 63
559-274- 6
岳博清 455-215- 11
岳琚宋 見岳仲琚
岳順明 494-159- 5
岳塔清 455-467- 28
岳嵩明(舒城人) 554-170- 51
岳嵩明(鄖縣人) 554-657- 60
岳鉉元 1216-593- 12
岳禎明 559-287-7上
岳福明 472- 99- 3
岳端明 1250-537- 50
岳端妻 明 見陸氏
岳粹明 545-443- 99
岳鳳明 302-512-314
岳震宋 481-618-329
529-755- 52
533-727- 73
岳震明 456-682- 11
529-669- 49
岳樂安郡王 清 454-133- 8
岳霖宋 473-725- 82
482-225-348
563-692- 39
564-709- 59
岳興女 明 見岳氏
岳濬明 458-168- 8
岳懋明 476-250-110
545-288- 94
岳薦明 475-330- 65
511-689-163
1315-573- 35
岳璧明 302- 92-294
456-496- 5
480-129-264
533-372- 60
岳璿明 479-134-223
523-118-151
676-499- 19
岳鎮明 563-803- 41
岳瀚清 455-217- 11
岳羅清 455-624- 43
岳士望明 554-345- 54
岳山王陳 見陳叔韶
岳方川明 515-112- 60
岳元聲明 479- 98-221
523-276-158
676-614- 25
1442- 79-附5
1460-416- 59
1475-368- 15
岳元鎮元 1197-639- 65
岳天貞元 見岳天禎
岳天禎岳天貞 元
295- 75-152
475- 71- 52
510-312-113
515-147- 61
岳中衡明 456-668- 11
554-724- 61
岳屹然妻 清 見朱氏
岳光祚明 456-483- 5
岳仲秀女 明 見岳氏
岳仲明明 458-146- 7
477-545-176
538- 79- 64
676-466- 17
岳仲琚岳琚 宋 490-737- 72
525- 23-217
590-115- 14
岳行甫金 554-872- 64
1365-232- 7
1445-446- 32
岳宏譽清 511-169-142
岳孝娥宋 岳飛女
530-109- 57
538-219- 67
岳君寵明 540-812-28之3
岳廷鳳妻 清 見張氏
岳拉米清 456-292- 72
岳林光妻 清 見喬氏
岳具仰明 301-229-249
478-170-182
483-226-390
571-528- 19
岳昇龍清 478-489-199
481- 29-291
558-301- 34
559-326-7下
岳和聲明 477-410-169
1442- 83-附5
1475-373- 16
岳彥高明 見高岳
岳茲全清 456-372- 78
岳時中元 559-504- 12
岳惟華明 545-389- 97
岳惟德元 趙橚妻、岳浚女
1207-290- 19
岳得娍明 季經妻、岳正女
1250-491- 45
岳從政妻 清 見王氏
岳普登清 455-332- 20
岳隆果清 455-656- 46
岳隆鄂清 456-155- 61
岳陽王陳 見陳淑慎
岳虞巒明 523- 91-149
岳毓粹清 505-897- 80
岳實珠元 683- 32- 1
岳爾多清 455- 50- 1
岳爾高明 456-629- 10
岳爾泰清 455-638- 44
岳爾璧清 455-673- 47
岳僧阿清 455-692- 49
岳維華明 545-249- 92
558-179- 31
岳維祺明 538- 96- 64
岳維楨明 545-159- 88
岳諒臣宋 472-402- 18
岳德文元 1207-692- 50
岳樂順清 502-738- 84
岳應元明 1246-436- 9
岳應孝清 558-461- 38
岳鍾秀明 475-330- 65
477-360-166
岳鍾淑清 511-168-142
523- 93-149
岳鍾琪清 1308-292- 58
岳鍾靈明 511-584-159
岳藏齋元 477-525-175
岳鎮邦清 558-301- 34
岳蘇納清 455-342- 21
岳繼忠妻 清 見湯氏
岳爾科舜清 456-193- 65

岳鼐滿否清 502-518- 71
岳璘帖穆爾元 見伊琳特穆爾
兒氏後魏 見兕先氏
兒珪齊 見兒珪之
兒萌倪萌 漢 370-171- 16
380- 74-167
402-414- 6
476-662-136
540-699-28之1
兒寬倪寬 漢 244-856-121
250-395- 58
376-197-98下
384- 44- 2
402-526- 15
472-124- 4
472-589- 24
472-823- 33
476-661-136
478- 83-180
491-795- 6
540-693-28之1
554- 91- 50
675-265- 7
933-125- 8
1408-350-514
兒珪之兒珪 齊 820- 95- 24
兒單于漢 見烏師廬
帛和魏 474-789- 42
503- 18- 92
505-935- 85
933-752- 52
1059-292- 7
帛舉不詳 1061-270-110
帛道猷竺道猷 晉 1054- 57- 2
1379-387- 47
帛僧光曇光 晉 486-337- 15
524-414-200
1050-596-100
帛尸黎密晉 見帛尸梨蜜多羅
帛尸梨蜜多羅吉友、帛尸黎密 晉 492-595-13下之下
511-916-174
1051- 69- 3
卑躬漢 933- 69- 4
卑衛魏 933- 69- 4
卑整漢 933- 69- 4
卑顯宋 812-550- 4
821-160- 50
卑彌呼漢 381-415-194
卑爾呼宗女 梁 見臺與
卑摩羅叉無垢眼 晉 1051- 78- 3
皁陵王漢 見劉延
皁陵王漢 見劉魴
邱清 502-745- 85
邱卞宋 400-175-513
邱方明 1241-839- 21
邱巴清 456-391- 80
邱氏明 王霈妻 479-665-247
邱氏明 汪逢源妻 479-149-223
邱氏明 吳從學妻 481-784-337
邱氏明 林廉妻 481-726-333
邱氏明 胡奎妻 506- 44- 87
邱氏明 孫光裕妻 506- 15- 86
邱氏明 陳準妻、邱謙女 530- 70- 55
邱氏明 黃金耀妻 482- 91-342
邱氏明 董昇六妻 479-251-228
邱氏明 劉應景妻 302-252-303
480- 96-262
邱氏明 鍾世瑄妻 481-726-333
邱氏明 李鎧母 1323-761- 5
邱氏清 李瓚妻 481-729-333
邱氏清 周士吉妻 482-210-347
邱氏清 周弘基妻 477-548-176
邱氏清 姚永治妻 481-680-331
邱氏清 徐德立妻、邱鑑女 516-375-101
邱氏清 許伯祥妻 481-727-333
邱氏清 張正芳妻 506- 22- 86
邱氏清 陳君翰妻 479-297-230
邱氏清 路遐齡妻 477-257-161
邱氏清 鄧正妻 524-493-203
邱氏清 蔣自貴妻 503- 58- 95
邱氏清 羅開養妻 482- 79-341
邱耒宋 493-940- 50
523- 98-150
邱何宋 524-270-191
邱松明 528-527- 31
邱度明 475-329- 65
511-195-143
515-237- 64
1457-517-389
邱厚妻 清 見黃氏
邱括宋 523-240-157
邱昭漢 494-352- 8
邱省元 516- 50- 88
邱迪宋 493-941- 50
邱信妻 清 見林氏
邱俊漢 494-352- 8
524-310-194
邱烈宋 493-940- 50
邱甡明 480-175-266
邱富妻 清 476-790-141
邱楠元 1215-701- 10
邱業清 523-140-152
邱雋明 456-504- 5
邱澍妻 明 見謝氏
邱潤明 571-533- 19
邱駝明 524-439-201
邱緯明 511-156-142
邱濬妻 清 見吳氏
邱謙女 明 見邱氏
邱聰漢 494-352- 8
邱鐸妻 明 見蔣二姑
邱鑑女 清 見邱氏
邱巖妻 元 見盛氏
邱力居漢 381-637-200
496-587-103
邱九仞明 515-886- 86
邱士龍宋 1171-331- 7
邱文岐明 529-701- 50
邱文崇清 502-691- 81
邱之坊明 456-675- 11
559-506- 12
邱孔文妻 明 見戴氏
邱天英清 532-674- 44
邱永侯妻 清 見顧氏
邱永涓明 456-684- 11
邱弘道明 516-529-106
邱世振妻 清 見周氏
邱世第妻 明 見陸氏
邱民逵明 456-664- 11
邱令楷齊 494-363- 9
524- 30-179
邱禾實明 572-107- 30
邱式耔明 480-583-285
邱存忠明 480-405-277
邱存禮清 511-536-157
邱存灝妻 清 見古氏
邱光庭唐 524- 32-179
680-523-274
680-525-274
邱旭鑑明 515-875- 86
邱朱溫妻 元 見危氏
邱良仁明 524-369-197
邱成章妻 清 見金氏
邱克承清 540-687- 27
邱伯戴妻 明 見鄭氏
邱希孔清 481-407-313
559-534- 12
邱希旦妻 清 見林氏
邱希華妻 明 見李氏
邱希嵩妻 明 見劉氏
邱希嶽妻 明 見陳氏
邱廷瑜妻 清 見樊氏
邱芝香妻 清 見高氏
邱念祖妻 清 見楊氏
邱珍孫劉宋 494-360- 8
邱述堯明 483-267-392
邱述樂明 529-687- 50
邱茂表明 456-572- 8
邱俊孫清 511-196-143
1315-309- 11
邱祖福明 456-675- 11
559-506- 12
邱祖德明 301-664-277
456-422- 2
邱晉仲妻 清 見陳氏
邱崇文清 482-208-347
邱國賓齊 479-138-223
494-363- 9
524- 30-179
邱從先清 475-837- 93
511-661-162
邱登戎清 545-332- 95
邱象升清 475-330- 65
480- 53-259
511-197-143
532-621- 43
邱象隨清 475-330- 65
511-780-166
邱運至妻 清 見解氏
邱道成劉宋 494-352- 8
邱萬倉妻 清 見李氏
邱園卜清 475-433- 70
邱榮娘宋 何佛保妻 530-152- 58
邱壽雋宋 510-360-114

邱輔仁邵輔仁 元 494-418- 12
524- 34-179
524-282-192
邱銅寶明 529-698- 50
邱靜姬宋 張濟妻683- 12- 0
邱應辰元 524- 63-181
邱應雷宋 493-1073- 57
邱禮奇妻 宋 見黃長娘
邱難公元 505-705- 70
邱豆伐可汗後魏 見郁久閭社崘
邸氏清 張之坪妻 506- 63- 87
邸氏清 陳瑺妻 474-251- 12
邸社漢 933-520- 34
邸炳妻 明 見杜氏
邸炳妻 明 見張氏
邸珍北齊 263-366- 47
267-669- 87
380-233-171
邸浹元 295- 60-151
邸基妻 明 見杜氏
邸琮元 295- 61-151
399-425-458
1198-765- 5
邸順元 295- 60-151
399-424-458
472- 97- 3
474-379- 19
1198-739- 3
邸瑀明 547- 7-141
邸澤元 295- 61-151
473-401- 66
532-749- 46
1198-766- 5
1201-574- 17
1367-826- 63
1373-183- 13
邸鵬明 474-243- 12
505-810- 74
邸元謙元 295- 61-151
1201-577- 17
邸鳳軒明 547- 7-141
邸養性明 見鄒養性
邸憲章明 547- 7-141
郘氏清 李禹甸妻 483-373-401
郘鎰明 494-158- 5
郘士奇清 569-681- 19
郘茂質明 480-615-287
所忠漢 933-565- 36
所華周 933-565- 36
所輔漢 370-199- 20
380-132-168
472-518- 22
476-520-128
540-702-28之1
𡛟媧上古 見女媧氏
房氏後魏 魏溥妻、房湛女、房堪女 262-306- 92
267-723- 91
381- 58-185
452-109- 3
472-109- 4
474-383- 19
506- 99- 89
房氏明 田之秀妻 506- 55- 87
房氏明 沈簧妻 506- 55- 87
房氏明 孟瑁妻 506- 8- 86
房氏明 張翃妻 474-482- 23
房氏明 顧應元妻 512- 24-177
房永女 宋 見房妙光
房永明 511-467-154
房甲妻 明 見陳氏
房安明 458-106- 5
472-520- 22
472-795- 31
473- 15- 49
473-569- 74
515- 33- 58
537-565- 60
540-616- 27
559-249- 6
房式唐 270-348-111
275- 32-139
481-438-316
559-273- 6
房兆隋 264-834- 53
267-460- 73
379-763-161
472-409- 18
472-482- 21
476-258-110
510-278-112
546- 55-116
546-385-127
房后周 周昭王后 404-451- 26
房辰清 540-841-28之4
房虬後魏 505-872- 78
房廷清 456-391- 80
房武唐 473-408- 66
532-684- 44
554-268- 53
1073-564- 25
1074-399- 25
1075-351- 25
房亮後魏 262- 98- 72
266-936- 45
379-300-150下
472-114- 4
505-760- 72
532-560- 40
540-726-28之1
933-322- 23
房咸宋 559-303-7上
房悅後魏 262- 99- 72
505-760- 72
房晉唐 820-153- 26
房書清 483- 35-371
570-114-21之1
房晃唐 477-161-157
房豹北齊 263-364- 46
266-786- 39
380-202-170
472-494- 21
476-179-106
476-749-139
540-717-28之1
545-234- 92
933-321- 23
房庶宋 592-498- 91
680-531-274
房堅後魏 261-598- 43
540-726-28之1
房彪宋 1354-850- 50
1381-699- 50
房啟唐 275- 32-139
554-268- 53
1073-586- 27
1074-425- 27
1075-376- 27
1076-113- 12
1076-569- 12
1077-140- 12
1378-617- 63
1383-191- 15
1410-251-694
房湛女 後魏 見房氏
房琯唐 270-344-111
275- 29-139
384-200- 11
384-210- 11
395-658-240
469- 22- 3
471-617- 5
471-628- 7
471-725- 19
471-966- 54
472-746- 29
472-1014- 41
472-1083- 46
473-175- 57
477-311-164
478-403-194
479-377-234
479-765-252
515-113- 60
523-211-156
537-498- 59
545-359- 96
554-232- 52
554-258- 52
559-245- 6
591-122- 9
591-673- 47
839- 48- 4
933-322- 23
房超北齊 477-199-159
537-273- 55
房植漢 384- 68- 3
472-737- 29
505-759- 72
505-873- 78
537-192- 54
1412-470- 19
房堪女 後魏 見房氏
房弼元 515-105- 60
房棟明 511-790-166
房貴明 558-184- 31
房嵒明 301-733-281
476-577-131
540-635- 27
房喬唐 見房玄齡

房勝 明 299-406-146
886-145-138
房集 唐 820-212- 28
房祺 元 546-645-136
房楨 漢 1397-465- 22
房瑄 明 494- 55- 2
505-742- 72
房楠 明 540-823-28之3
房嵩 清 540-869-28之4
房暠 後晉 278-177- 96
房暠 明 474-733- 40
502-279- 56
房鳳 漢 251-116- 88
380-258-172
472-611- 25
476-727-138
540-697-28之1
675-300- 15
房寬 明 299-398-145
458-141- 6
537-580- 60
886-144-138
房廣 唐 820-279- 30
房鄰妻 唐 見高氏
房凜 唐 1342-327-946
房皞 房灝 元 546-645-136
1471-244- 1
房融 唐 384-185- 10
563-917- 43
房璘妻 唐 見高氏
房輯 元 547- 13-141
房斂 宋 821-246- 52
房謨 北齊 267-166- 55
379-463-154
384-137- 7
472-409- 18
472-456- 20
472-543- 23
472-744- 29
475-419- 70
476- 77-100
476-575-131
477-309-164
537-491- 59
545-473-100
546- 35-116
933-322- 23
房瀛 明 472-292- 12
房曠 晉 469-485- 58
房巖 北周 544-218- 62
房灝 元 見房皞
房三益 後魏 261-601- 43
房士達 後魏 261-601- 43
476-521-128
540-728-28之1
房大年 元 821-292- 53
房大猷妻 清 見羅寶芳
房山基 隋 474-437- 21
505-761- 72
房千里 唐 563-644- 38
房文烈 後魏 266-791- 39
379-200-149
房之屏 明 301-460-263
456-577- 8
476-367-117
545-445- 99
房之騏 明 541-113- 31
房天樂 後魏 261-839- 61
266-928- 45
房玄齡 房喬 唐 269-608- 66
274-233- 96
384-163- 9
395-297-208
407-366- 2
448-118- 0
459-338- 21
469-162- 19
472-591- 24
476-668-136
491-801- 6
540-734-28之2
545-235- 92
547-201-148
550-196-216
814-265- 9
820-134- 26
933-322- 23
1340-552-776
房玄齡妻 唐 見盧氏
房加寵 明 558-417- 37
房可壯 清 540-840-28之4
房守士 明 532-649- 43
554-216- 52
房守仁 元 1217-755- 6
房次卿 唐 820-237- 28
房自謙 唐 820-180- 27
房如式 明 540-815-28之3
房宏中 明 820-760- 44
房志起 元 1200-744- 56
房壯麗 明 545-196- 90
房伯玉 後魏 261-599- 43
房伯祖 後魏 261-598- 43
266-786- 39
房妙光 宋 宇文師說妻、房永女 1153-658-109
房廷祥 清 554-780- 62
1313-246- 19
房法乘 齊 259-574- 58
房法壽 房烏頭 後魏
261-597- 43
266-785- 39
379-199-149
472-571- 24
476-521-128
540-726-28之1
933-321- 23
房直溫 方直溫 唐
820-230- 28
房居安 金 547-144-146
房叔安 劉宋 265-277- 16
378-279-138
472-114- 4
505-759- 72
房知溫 李紹英 後晉
278-129- 91
279-291- 46
384-311- 16
396-415-293
472-555- 23
1383-807- 74
房周卿 金 540-656- 27
房宣明 後魏 261-598- 43
房彥詢 後魏 266-786- 39
379-857-164
房彥謙 隋 264-962- 66
266-786- 39
379-857-164
384-155- 8
472-518- 22
472-641- 26
473-233- 60
476-523-128
477-472-173
480-169-266
480-287-271
532-643- 43
532-675- 44
537-341- 56
540-731-28之1
541-774-35之20
554-266- 53
814-265- 8
820-125- 25
933-321- 23
房拱乾妻 清 見王氏
房建極 明 537-283- 55
554-525-57下
554-780- 62
房茂長 唐 821- 71- 47
房昭應 唐 561-607- 46
房恭懿 隋 264-1037- 73
267-168- 55
380-205-170
472-504- 21
472-518- 22
472-824- 33
476-516-127
476-893-147
477-309-164
478- 86-180
537-495- 59
540-731-28之1
545-334- 96
546- 36-116
554-266- 53
563-898- 43
933-322- 23
房烏頭 後魏 見房法壽
房陵王 隋 見楊勇
房崇吉 後魏 261-600- 43
房從眞 前蜀 812-527- 2
813-116- 8
821-121- 49
1381-574- 42
房從善 宋 523-239-157
房從道 五代 812-487- 上
房景先 後魏 261-602- 43
266-791- 39
379-200-149
476-522-128
540-727-28之1
547-171-147

680-161-240
房景伯後魏 261-601- 43
266-790- 39
379-200-149
472-572- 24
476-522-128
476-609-133
505-680- 69
540-727-28之1
547-171-147
933-322- 23
房景星元 1217-573- 2
房景圓明 476-130-102
547-517-160
房景遠後魏 261-605- 43
266-791- 39
379-201-149
476-522-128
540-727-28之1
547-171-147
房暉遠隋 264-1060- 75
267-592- 82
380-333-174
384-158- 8
474-374- 19
505-872- 78
933-322- 23
房毓麒清 511-578-159
房愛親妻 後魏 見崔氏
房嘉寵明 559-505- 12
房鳳文唐 820-181- 27
房僧寄齊 380- 52-166
房儀凡清 1317-117- 10
房遺直唐 269-614- 66
房遺愛唐 269-614- 66
270- 19- 85
274-236- 96
房遺愛妻 唐 見合浦公主
房應祥明 456-597- 9
房孺復唐 270-347-111
275- 31-139
484- 84- 3
房韞玉明 510-315-113
房靈建後魏 261-598- 43
547-170-147
房靈賓後魏 261-598- 43
547-170-147
受商 見紂
受辛商 見紂
受德商 見紂
受得貴清 456-374- 78
受羅部眞可汗後魏 見郁久閭予成
采柱清 455-404- 24
采煉明 523-362-163
采師倫唐 820-260- 29
秉谷清 1315-400- 20
秉寬漢 933-624- 40
秉德清 456-392- 80
牧皮春秋 405-449- 85
539-498-11之2
牧良漢 933-720- 49
牧相明 300- 80-188
523-308-160
牧童明 570-253- 25
牧護宋 524-432-200
牧羊子宋 524-356-196
牧羊女明 558-487- 41
牧皛郎元 1213-729- 21
服重漢 見服虔
服祇漢 見服虔
服虔服重、服祇、服慎 漢
249- 8- 附
253-539-109下
380-273-172
384- 69- 3
472-653- 27
477- 59-151
538- 33- 62
679-342-172
933-719- 49
服慎漢 見服虔
服閭漢 1058-502- 下
佼強漢 933-601- 38
佼長生劉宋 258-488- 83
依慮晉 381-419-194
依覲宋 1086-427- 7
依羅晉 381-419-194
依喇齊清 455-546- 35
佽非春秋 見次非
臾駢春秋 404-705- 43
545-727-109
933- 85- 6
狐毛春秋 404-635- 39
933- 99- 6
狐它春秋 見狐射姑
狐突春秋 375-724- 90
384- 19- 1
404-634- 39
448-147- 5
472-432- 19
545-490-101
933- 99- 6
狐姬春秋 見大戎狐姬
狐庸春秋 見屈狐庸
狐偃子犯、咎犯、舅犯 春秋
375-725- 90
384- 19- 1
386-651- 7
404-635- 39
404-758- 46
448-156- 7
472-432- 19
545-491-101
545-736-109
933- 99- 6
933-100- 6
933-621- 40
1407- 79-402
狐援戰國 405-242- 71
狐溱春秋 404-635- 39
933- 99- 6
狐卷子戰國 546-431-129
狐夜姑春秋 見狐射姑
狐射姑狐它、狐夜姑、賈季
春秋 375-727- 90
384- 19- 1
404-639- 39
448-175- 10
545-493-101
933- 99- 6
933-100- 6
狐鹿姑漢 251-193-94上
381-598-199
狐鞫居續簡伯 春秋
545-721-108
545-727-109
933-718- 49
欣四面宋 486-901- 35
延上古 545-686-108
延戰國 見周赧王
延漢 381-496-196
延五代 1053-556- 13
延宋 1127-784- 10
延久明 570-152-21之2
延王唐 見李玢
延王唐 見李戒丕
延王唐 見李承容
延王唐 見李承寘
延氏明 梁才妻 506- 42- 87
延吉宋 1089- 66- 7
延岑漢 370-218- 23
延宗五代 1053-296- 7
延沼五代 524-386-198
1052-650- 3
1053-446- 11
1054-151- 3
1054-605- 18
延泳宋 1053-691- 16
延珊宋 588-188- 9
1053-424- 10
延茂五代 1053-233- 6
延信清 454-213- 12
延泰清 455- 86- 3
延規五代 1053-394- 10
延照宋 1053-481- 12
延壽後周 472-1089- 46
479- 74-219
490-721- 70
511-925-174
524-385-198
583-485- 8
588-198- 9
590-139- 17
1052-396- 28
1052-680- 9
1053- 404- 10
1054-156- 3
1054-607- 18
延慶宋 1053-666- 16
延篤漢 253-319- 94
376-932-112
384- 66- 3
402-489- 12
402-581- 20
472-771- 30
472-823- 33
477-501-174
478- 85-180
478-332-191
538- 31- 62
554-100- 50

933-237- 17
延人秀明 547- 62-143
延安王元 見也不干
延安王元 見尼雅斯拉鼎
延津王明 見朱載塡
延珠瑚清 455-409- 25
延陵君周 545-726-109
延陵蓋劉宋 258- 55- 44
延扎們都顏盞門都 金 291-198- 82
399-147-429
502-348- 61
延安老校宋 554-592- 59
延光公主唐 見郜國公主
延明子高不詳 1061-270-110
延陵季札春秋 見公子札
延州來季子春秋 見公子札
延長山和尚五代 1053-633- 15
延丕勒多爾濟清 454-507- 46
延楚布多爾濟清 454-565- 57

九畫

突董蘇唐 276-340-219
401-530-636
496-618-105
突利可汗隋 見染干
突利可汗唐 見什鉢苾
突厥無爲五代 見屈突無爲
洪上明 見惟敬
洪仁女 清 見洪氏
洪什明 511-617-160
洪氏宋 余澤妻 1166-442- 35
洪氏元 楊伯昌妻 530- 89- 56
洪氏元 鄭昌齡妻 1252-347- 20
洪氏元 柳惠母 1196-529- 3
洪氏明 王孔賁妻 530- 95- 56
洪氏明 王秉陽妻 479-611-244
洪氏明 王聖臣妻 480-141-264
洪氏明 石恭妻、洪敦素女 1274-348- 12
洪氏明 林理妻 530- 68- 55
洪氏明 周學射妻 530-108- 57
洪氏明 柯良華妻 512-105-179
洪氏明 章崇雅妻 302-238-302
洪氏明 張友妻 472-383- 16
512- 92-179
洪氏明 張淮妻 1283-496-105
洪氏明 張士琦妻 473- 32- 49
洪氏明 張仲辛妻 475-486- 73
洪氏明 張耀璧妻 483-269-392
洪氏明 黃紳妻 472-1017- 41
524-751-214
洪氏明 鄭儒妻 570-176- 22
洪氏明 蔡應魁妻 530-107- 57
洪氏明 劉昌妻 472-383- 16
512- 86-179
洪氏明 龍天衢妻 473-342- 63
洪氏明 羅明妻 530-125- 57
洪氏明 羅天文妻 482-565-369
570-175- 22
洪氏清 王中靜妻 481-594-328
530- 99- 56
洪氏清 王養正妻 482-565-369
洪氏清 李益謙妻 483- 49-372
洪氏清 李新煒妻 482-211-347
洪氏清 李蜚碧妻 530- 97- 56
洪氏清 周之琬妻 533-528- 66
洪氏清 唐運昌妻 475-814- 91
洪氏清 秦士楚妻、洪啟標女 530- 97- 56
洪氏清 翁長淙妻 530- 33- 54
洪氏清 駱道弘妻 530- 98- 56
洪氏清 薛燕妻、洪仁女 1325-729- 6
1327-707- 9
洪氏清 魏彬妻 481-784-337
530-193- 59
洪立妻 明 見詹氏
洪正唐 592-370- 83
1052-344- 24
洪羽宋 933- 38- 2
洪臣妻 明 見朱淑
洪如明 570-256- 25
洪先清 569-680- 19
洪沂宋 473- 74- 52
515-231- 64
洪沂妻 元 見王氏
洪志宋 516-475-105
洪注元 820-552- 39
洪初明 516- 59- 89
洪炎宋 515-311- 66
933- 38- 2
1363-141-116
1437- 18- 1
洪忠宋 529-665- 49
洪昌明 460-587- 58
820-628- 41
洪芹宋 287-791-425
398-717-416
473- 48- 50
479-531-241
516- 39- 88
524-309-194
洪昇清 592-1013- 下
1325-419- 12
洪昕宋 1158-753- 75
洪岡妻 清 見何氏
洪昉唐 554-948- 65
洪朋宋 473- 21- 49
515-311- 66
933- 38- 2
1437- 18- 1
洪受明 460-679- 69
洪祉明 563-784- 40
洪袒妻 明 見張氏
洪洋元 1217- 29- 4
1376-462- 89
洪度元 523-420-166
洪度明 820-754- 44
洪垣明 300-431-208
301-782-283
457-655- 39
475-573- 79
511-705-164
523-193-155
676-175- 7
676-568- 23
洪珍明 523-229-156
洪述宋 1187- 96- 13
洪思明 460-786- 83
洪英宋 1052-776- 30
1053-728- 17
洪英明 473-574- 74
529-453- 43
530-359- 66
676-478- 18
1241-659- 14
洪奐明 1240-343- 22
洪海清 456- 92- 56
洪訓妻 清 見趙氏
洪眞後漢 1052-333- 23
洪烝明 523-438-167
1475-341- 14
洪格宋 見洪槻
洪起宋 見洪澤
洪珠明 523-157-153
820-751- 44
洪恩唐 1053-120- 3
洪恩明 511-917-174
820-766- 44
1442-120- 8
1460-846- 91
洪荐唐 1053-219- 6
洪晅明 460-516- 46
洪恕元 820-525- 38
洪倫明 533-341- 58
洪芻宋 471-935- 50
515-311- 66
532-630- 43
820-387- 33
933- 38- 2
1437- 18- 1
洪秘宋 1173-121- 71
洪适洪造 宋 287-115-373
398-174-376
472-377- 16
473- 48- 50
473-233- 60
475- 18- 49
475-366- 67
475-562- 79
479-530-241
480-170-266
485-502- 9
486- 53- 2
493-773- 42
511-898-172
516- 22- 87
532-644- 43
674-343-5下
674-846- 18
684-491- 下
820-428- 35
933- 38- 2
1147-719- 68
1158-470- 33

1158-792-附
1158-800-附
1363-311-148
1437- 25- 2
洪密後唐 547-507-159
1083-539- 9
洪淵元 515-340- 67
676-703- 29
1197-237- 22
洪章清 558-418- 37
洪祥明 533-429- 62
洪都明(青浦人) 528-555- 32
洪都明(樂平人) 676-178- 7
洪現南北朝 523-144-153
洪規宋 1098-470- 13
洪斑妻 清 見曹六姑
洪連洪蓮 明 472-441- 19
547-481-159
洪教宋 1053-641- 15
洪異明 472- 28- 1
473-657- 78
479- 93-221
481-616-329
523-103-150
529-568- 46
洪貫明 524- 44-180
676- 5- 1
676-513- 20
1442- 34-附2
1459-734- 29
1474-231- 11
洪常明 524- 44-180
1474- 76- 5
洪冕明 559-345- 8
洪彪明 564-222- 46
洪偃洪堰，洪瑻 陳～唐
814-280- 10
820-109- 24
820-305- 30
1054-384- 10
洪造宋 451-163- 4
472-276- 11
510-424-116
511-455-154
洪造宋 見洪适
洪富明 460-649- 65
529-540- 45
482-238-349
563-822- 41
洪渥宋 515-737- 80
1098-754- 48
1351-700-149
1356-240- 11
1384-288-105
1408-517-532
洪善清 456-187- 64
洪湛宋 288-217-441
400-645-559
472-176- 6
473-401- 66
475- 73- 53
482-451-362
485-439- 6
511-265-147
532-748- 46
563-902- 43
567- 49- 64
1375- 4-上
1376-551-94上
1467-143- 67
洪琮清 511-293-147
1316-668- 46
洪琠宋 1175-543- 18
洪惠清 456-233- 68
洪超清 1321-252-114
洪雅養女 宋 見郝節娥
洪琥宋 1175-320- 31
洪堪明 524-270-191
洪堰陳～唐 見洪偃
洪肅明 524-226-189
洪弼明 473-211- 59
523-492-170
532-590- 41
洪琰宋 523-490-170
1170-686- 29
洪順明 460-492- 41
473-574- 74
529-452- 43
洪鈞明(知長沙府) 473-335- 63
480-403-277
532-693- 45
洪鈞明(字惟衡) 517-578-129
1241-846- 21
洪鈞明(知屯留縣) 545-221- 91
洪智元 547-480-159
洪皓宋 287-112-373
398-171-376
449-330- 5
459-632- 37
471-585- 1
471-715- 18
471-836- 35
472-981- 39
473- 47- 50
473-683- 79
474-875- 47
479- 92-221
479-529-241
482- 79-341
491-110- 13
503- 10- 90
516- 17- 87
518-758-160
524-302-194
547-175-147
563-908- 43
674-840- 18
933- 38- 2
1158-656- 62
1158-742- 74
1437- 23- 2
洪皓妻 宋 見沈氏
洪進宋 1053-337- 8
洪媛明 1235-661- 22
洪源元 472- 40- 1
505-934- 85
洪源明 523-624-177
1239-232- 42
洪猷明 460-704- 73
洪準宋 480- 67-260
洪詵明 1227-708- 6
洪煥宋 524-340-195
洪溱妻 明 見葉氏
洪道五代 407-665- 3
洪道明 554-336- 54
洪道明 見洪仲遵
洪載宋 520-168- 40
洪載明 511-853-169
洪瑄妻 清 見劉氏
洪楷明 523-157-153
洪椿元 511-273-147
洪瑻陳～唐 見洪偃
洪楠妻 清 見熊氏
洪楫宋 516- 14- 87
洪瑛明 473-641- 78
洪達明 472-367- 16
510-446-117
洪萬元 295- 96-154
399-442-460
洪葆明 473-584- 75
528-484- 30
洪遇宋 486- 54- 2
洪遇明 523-104-150
洪經明 563-836- 41
567-339- 79
洪愛清(納喇氏) 455-376- 23
洪愛清(兆佳氏) 455-505- 31
洪察弘察 唐 933- 38- 2
洪誠明 570-102-21之1
洪福宋 288-340-451
400-191-515
475-700- 86
洪福明 511-499-156
洪漢明(字天章) 472-528- 22
545-278- 93
洪漢明(字朝宗) 511-277-147
洪與唐 933- 38- 2
洪壽宋 588-265- 11
1053-414- 10
洪摺宋 1158-753- 75
洪遘宋 492-712-3下
洪遠明 472-127- 4
472-382- 16
474-306- 16
475-571- 79
511-276-147
523- 45-148
537-280- 55
洪綽宋 484-375- 27
洪綸宋 516- 28- 88
洪寬明(字有約) 511-275-147
1253-102- 45
1253-198- 50
洪寬明(字體裕) 1260-132- 6
洪寬妻 明 見林氏
洪潢清 1321- 45- 90
洪潢妻 清 見張氏
洪毅宋 484-385- 28
洪慶妻 明 見余氏
洪增明 524-226-189
洪鼐明 523-624-177
676- 6- 1

676- 40- 2
679-161-154
洪模宋 524-339-195
洪蓮明 見洪連
洪賜妻 清 見楊氏
洪儁元 533-727- 73
洪範明 479- 93-221
515-786- 81
523-103-150
洪諲唐 480-418-277
524-403-199
588-221- 10
1052-162- 12
1053-362- 9
洪諲宋 1052-702- 14
1053-458- 11
洪澤洪起 宋 448-397- 0
洪澤明 821-369- 55
洪遵宋 287-117-373
398-175-376
472-173- 6
472-221- 8
473- 48- 50
475- 70- 52
475-120- 55
475-666- 84
479-530-241
488- 13- 1
488-456- 14
488-457- 14
493-711- 39
510-328-113
516- 23- 87
523-184-155
674-846- 18
1147-739- 70
1152-806- 52
洪樹明 476-431-121
547-521-160
洪槻洪格 宋 1147-811- 77
洪璞宋 472-1016- 41
479-380-234
524-269-191
洪霖父 宋 1150-894- 50
洪豫明 1241-777- 19
洪默明 1475-351- 14
洪暹明 676-685- 28
洪儒明 524-315-194
洪勳宋 523-261-158
洪濤明 516-519-106
洪濟明 476-130-102
547-520-160
洪聰明 515-259- 65
洪擬宋 287-230-381
398-263-382
451-100- 4
472-276- 11
472-1115- 48
475-277- 63
475-471- 72
479-401-235
486-897- 34
511-175-143
523-224-156
524-329-195
1153-550-101
洪邁宋 287-120-373
398-178-376
472-348- 15
473-186- 58
473-598- 76
479-319-232
479-530-241
479-792-254
481-673-331
510-452-117
516- 24- 87
523-184-155
528-522- 31
1363-347-156
1375- 33- 下
1437- 25- 2
洪鎡元 524-278-192
洪鍾洪鐘 明(字宣之)
300- 68-187
474- 94- 3
479- 53-218
481- 24-291
505-636- 67
523-511-171
532-594- 41
554-172- 51
559-251- 6
571-518- 19
581-657-112
585- 93- 3
820-663- 42
1249-185- 11
1265-684- 25
1320-753- 82
洪鍾明(字季和) 473-117- 54
515-786- 81
820-640- 41
洪蹟元 1217- 58- 7
洪璵明 472-1017- 41
523-338-162
1237-597- 上
洪鎮明 1260-132- 6
洪鎮妻 明 見方玉
洪獻隋 1050- 8- 60
洪蘊宋 288-473-461
473-342- 63
480-418-277
533-798- 75
洪鐘明 見洪鍾
洪繫宋 1153-550-101
洪蘭明 林廷質妻 530- 63- 55
洪瓘宋 820-461- 36
洪鑑清 570-259- 25
洪儼五代 1053-317- 8
洪一棟清 481-763-335
528-568- 32
洪士良妻 元 見張妙清
洪子泉妻 明 見許氏
洪子祥明 472- 86- 3
505-671- 69
523-491-170
洪子壽洪壽公 宋451- 70- 2
洪子範宋 821-210- 51
洪斗南洪勝實 宋451- 76- 2
洪文伯洪瑞老 宋451- 60- 2
洪文撫殷文撫 宋288-406-456
400-296-524
473- 76- 52
479-579-243
516- 94- 91
517-290-123
洪文衡明 301-112-242
475-574- 79
511-287-147
洪之庭妻 清 見張氏
洪元英宋 484-381- 28
洪元育唐 820-193- 27
洪元康宋 484-384- 28
洪元達明 460-603- 59
洪引衡明 477-546-176
洪尹武明 1239-161- 37
洪天賦宋 460-451- 34
洪天錫宋 287-781-424
398-708-415
460-428- 33
473-568- 74
473-587- 75
473-673- 79
473-701- 80
480-402-277
481-492-324
481-524-326
481-586-328
481-673-331
481-803-338
482- 33-340
482-140-344
528-444- 29
528-524- 31
529-533- 45
洪天驥宋 528-540- 32
563-673- 39
洪友成宋 516- 30- 88
洪日升妻 明 見潘氏
洪日慶清 524-148-185
洪中孚宋 472-379- 16
485-447- 7
511-267-147
1375- 5- 上
1376-220- 73
洪少卿唐 472-1026-42
523-183-155
洪化民清 456-374- 78
洪化龍明 564-222- 46
洪允衡明 456-487- 5
洪布祿清 455-271- 15
洪世安元 523-397-165
洪世俊明 511-289-147
洪世弼明 516- 86- 90
洪四娘明 蔡士訓妻
481-592-328
530- 91- 56
洪有文明 456-546- 7
洪有成明 564-222- 46
洪有助明 515-260- 65
洪有治清 456-391- 80

洪有度清 479- 45-218
523- 93-149
洪有執妻 明 見張氏
洪有復明 460-719- 74
481-589-328
529-548- 45
洪光斗妻 清 見姜氏
洪光祖宋 494-321- 6
洪兆霆妻 清 見邵氏
洪伏龍洪如輕 宋451- 71- 2
洪如輕宋 見洪伏龍
洪仲遵洪道 明 511-854-169
洪仲謹妻 明 見吳氏
洪印衡明 545-304- 94
洪宏祖明 511-615-160
洪良範明 545-227- 91
洪成六妻 清 見應氏
洪君祥元 295- 95-154
399-441-460
502-274- 55
洪那臺元慶 不詳
1061-171-101
洪伯大妻 明 見許氏
洪希文元 529-728- 51
1439-434- 1
1469-270- 48
洪希文明 524-221-189
洪希滋明 511-627-161
洪希懋明 456-619- 9
523-407-165
洪邦光明 475-701- 86
510-466-117
569-659- 19
571-525- 19
洪邦直洪秀兒 宋448-362- 0
516- 34- 88
洪邦基明 820-761- 44
洪邦國妻 明 見汪氏
洪秀兒宋 見洪邦直
洪廷玉明 554-312- 53
洪廷美清 511-613-160
洪宗文妻 明 見林氏
洪宗南明 王宗禮妻
1240-895- 10
洪宗濂清 524-104-183
洪法臣明 456-656- 11
洪其道明 554-312- 53
洪松龍宋 517-435-126

洪匡子後唐 見洪崖子
洪阿察清 456-134- 59
洪承志妻 明 見唐時
洪承疇清 510-296-112
529-555- 45
532-603- 42
569-656- 19
571-535- 19
1315-517- 31
洪尚仁明 547- 74-143
洪明鍾清 511-293-147
528-500- 30
洪果爾清 454-367- 20
洪周祿明 533-334- 58
820-753- 44
洪秉哲宋 494-348- 7
洪亮采清 572-105- 30
洪彥昇宋 286-622-348
397-681-361
472-221- 3
473- 47- 50
475-119- 55
479-529-241
493-744- 41
510-327-113
516- 11- 87
585-760- 4
洪彥昇明 545-185- 90
洪彥華宋 523-490-170
洪咨夔宋 287-539-406
398-516-399
472-968- 38
473-496- 70
479- 51-218
479-526-241
481- 70-293
481-250-304
515-216- 63
523-259-158
559-300-7上
591-686- 47
679-528- 90
1437- 28- 2
1488-267-附
洪相選妻 清 見毛氏
洪若皋清 479-295-230
524- 68-181
洪則孝妻 明 見林氏

洪禹功明 678-224- 91
洪信文明 479-533-241
洪科訥清 455-579- 38
洪胤衡明 302- 70-293
洪俊奇元 295- 94-154
399-440-460
502-274- 55
洪湇龞明 456-443- 3
洪祖烈明～清 456-543- 7
1328-362- 10
洪庭桂明 460-718- 74
洪庭振妻 明 見林氏
洪起畏宋 1184-221- 33
洪振龍宋 528-540- 32
洪恩宣清 523-361-163
洪師民宋 471-722- 19
洪清臣宋 484-382- 28
洪淑蘭明 沈厚妻
524-479-203
洪現罷劉宋 486- 38- 2
洪國史明 524-226-189
洪國屏清 516- 91- 90
洪崖子洪匡子 後唐
476- 90-100
547-482-159
洪啟初明 460-720- 74
680-326-258
洪啟裕清 524-104-183
洪啟槐清 511-311-148
洪啟睿明 460-719- 74
481-589-328
529-550- 45
洪啟標女 清 見洪氏
洪啟權清 511-312-148
洪善官清 邵璨妻530- 34- 54
洪敦素女 明 見洪氏
洪焱祖元 511-806-167
1212-666-附
1375- 19-上
1376-595-95下
洪雲蒸明 301-413-260
456-504- 5
480-413-277
481-807-338
533-401- 61
563-855- 41
564-801- 60
洪雲翼明 511-800-167

洪朝選明 460-630- 63
481-588-328
529-542- 45
676-575- 23
1442- 58- 3
1460-167- 48
洪朝選妻 明 見蔡氏
洪揚祖宋 523-622-177
585-364- 6
洪陽王元 見伊徹察喇
洪景德明 523-491-170
洪鄂托清 455-218- 11
洪勝可妻 唐 見梅五娘
洪勝實宋 見洪斗南
洪義仁清 456-299- 73
洪溪子明 1458-136-426
洪運士妻 清 見吳氏
洪道亨妻 清 見薛氏
洪道炯妻 清 見黃氏
洪雷轟元 1217- 60- 7
洪瑞老宋 見洪文伯
洪嗣憲清 1327-291- 13
洪鼎乾妻 清 見盧氏
洪經綸唐 270-506-127
933- 38- 2
洪福源元 295- 93-154
399-439-460
502-272- 55
洪壽公宋 見洪子壽
洪壽卿妻 宋 見趙氏
洪爾文妻 清 見史氏
洪夢良元 1234-272- 43
1234-287- 46
洪夢炎宋 524- 80-182
洪鳳翔父 明 1241-208- 10
洪維幹明 516-137- 92
571-556- 20
洪維翰元 483-396-403
洪肇僧妻 明 見張氏
洪魁八明 516-525-106
洪澄源明 460-705- 73
洪慶善妻 宋 見丁氏
洪標娘清 鄭毓濬妻
530-102- 56
洪鄧南清 456-299- 72
洪震老元 524- 81-182
676-706- 29
洪墨卿明 820-757- 44

洪德常明 511-706-164
1313-209- 17
洪興祖宋 288- 96-433
400-482-545
451-162- 4
472-276- 11
472-291- 12
472-388- 17
475-277- 63
475-366- 67
475-821- 92
482-435-361
494-328- 6
510-388-115
510-493-118
511-176-143
515-214- 63
567-439- 86
1467-150- 67
洪應斗明 481-617-329
529-575- 46
洪應辰宋 1187-711- 5
洪應科明 515-178- 62
523-377-164
洪應衡明 510-430-116
洪濟遠明 554-258- 52
洪翼聖明 528-564- 32
554-216- 52
洪懋德明 480-412-277
洪聲遠明 571-528- 19
洪顏林清 456-299- 73
洪曜祖明 479- 55-218
洪瞻祖明 515- 63- 58
523-514-171
676-623- 25
1442- 86-附5
1460-483- 63
洪懷祖妻 宋 見盛氏
洪瓊光清 529-679- 49
洪巖虎宋 529-728- 51
1188-673- 4
洪山眞人元 477- 98-153
洪尼雅喀清 455-533- 34
474-770- 41
502-546- 73
洪果玖珠洪郭玖柱、黃攔九住 金 291-680-122
400-219-518
477-161-157
502-700- 82
537-265- 55
洪果爾岱清 455-403- 24
洪郭玖柱金 見洪果玖珠
洪崖先生上古(居西山之洪崖) 516-410-103
洪德克孫清 456-299- 73
洪果達呼布金 291-184- 81
399-124-427
冠軍長公主漢 見劉成男
炳同張炯 元 1188-215- 24
炳圖清 502-748- 85
炳賢宋 1053-639- 15
為昆漢 933- 68- 4
宣伊耆於閻韆單于、伊屠於閻韆單于 漢 253-707-119
381-624-199
宣化明 547- 37-142
宣氏宋 趙彥繩妻、宣祇德女 1166-673- 12
宣氏明 文景隆妻 533-605- 69
宣氏明 張樹田妻、宣效賢女 302-218-301
475-454- 71
512- 71-178
1289-355- 24
1458-663-468
宣仲漢 402-475- 11
宣亨宋 821-204- 51
宣岊明 1224-165- 19
宣伯春秋 見叔孫僑如
宣秉漢 252-666- 57
370-156- 15
376-644-107上
384- 58- 3
402-574- 19
448-295- 上
472-831- 33
478-404-194
537-191- 54
554-743- 62
933-246- 17
宣姜春秋 衛宣公夫人 404-835- 52
448- 66- 7
宣姜春秋 衛襄公夫人 404-835- 52
宣拱妻 清 見宋氏
宣柱清 456-380- 79
宣昭元 820-523- 38
宣能宋 1053-747- 17
宣彪漢 252-666- 57
370-156- 15
402-380- 4
宣義漢 544-199- 62
宣道宣德 宋 843-664- 中
宣璽明 511-608-160
宣監唐 見宣鑑
宣德宋 見宣道
宣謨妻 明 見夏氏
宣繒宋 287-714-419
398-653-410
472-1087- 46
491-432- 6
宣酆漢 933-246- 17
宣鐸明 524-232-189
宣鑑宣監 唐 480-616-287
533-795- 75
561-215-38之3
592-371- 83
1052-157- 12
1053-254- 7
1054-135- 3
1054-574- 17
宣大勳宣文勳 明 480- 52-259
532-620- 43
570-140-21之2
宣文勳明 見宣大勳
宣太后戰國 秦惠王后 405-325- 76
宣平王明 見朱永
宣有玉妻 清 見金氏
宣有福清 456-371- 78
宣光祖明 1295-127- 10
宣仲良女 明 見宣孟先
宣仲庸明 477-542-176
537-354- 56
宣希眞宋 何懋之妻、宣與言女 1157-287- 21
宣孟先明 魏子溫妻、宣仲良女 1234-298- 46
宣祇德女 宋 見宣氏
宣效賢女 明 見宣氏
宣城女南北朝 512-482-189
宣國楝妻 清 見孟氏
宣陽王唐 見李祐
宣義昭明 554-337- 54
宣嗣宗明 493-1051- 55
820-588- 40
1239-153- 37
宣與言女 宋 見宣希眞
宣鳴虞妻 明 見陳氏
宣德仁清 480- 14-257
523-394-164
533-354- 59
宣應楫明 1295-116- 9
宣讓王元 見特穆爾布哈
宣城公主唐 見高安公主
室昉舒法 遼 289-596- 79
399- 20-418
472- 34- 1
474- 93- 3
474-177- 8
505-717- 71
室中同漢 539-348- 8
客楚清 455-217- 11
洼丹漢 253-522-109上
380-261-172上
402-372- 4
472-770- 30
477-365-167
538- 28- 62
677- 78- 8
933-123- 8
洞明五代 1053-340- 8
洞淵宋 1053-492- 12
洞鄂信郡王 清 454- 91- 5
洞眞子元 472-414- 18
475-437- 70
511-928-174
洞明眞人元 547-477-159
洞浮極炎鄭仁安 上古 1061-172-101
洞庭老人宋或明 473-339- 63
533-345- 58
1442-117- 7
活隆鄂清 455-494- 30
洵德帝姬衍國公主 宋 田丕妻、田丞妻、宋徽宗女 285- 69-248
393-327- 77
洛忠明 571-538- 20

洛宣明 571-531- 19
洛宣妻 明 見李氏
洛託清 454-181- 10
洛川王明 見朱祁鋹
洛交王唐 見李繕
洛多歡清 502-466- 69
洛壘原端清 500-725- 37
音泰清 見殷泰
音泰清 455-386- 23
音德清 455-639- 44
音無聞元 1204-206- 2
音達渾清(馬佳氏) 455-166- 7
音達渾清(赫舍里氏)
455-199- 10
音達呼齊清 502-735- 84
音咱納實哩都稜特穆爾 元
1209-598-10上
恆王唐 見李撝
恆王唐 見李瑱
恆王遼 見蕭朴
恆月唐 1052-141- 10
恆劬遼 496-426- 90
恆弈漢 933-440- 29
恆政唐 1052-154- 11
恆思周 933-440- 29
恆格清 455-366- 22
恆特清 455-661- 46
恆通唐 1052-167- 12
恆超後漢 1052- 91- 7
恆景唐 1052- 55- 5
恪啟晉 933-740- 51
恤由春秋 933-728- 50
恰素清 456- 48- 53
恰塔清(那木都魯氏)
455-341- 21
恰塔清(玉爾庫氏) 456-154- 61
炤如曹洵 清 1312-391- 37
袓唐 472-709- 28
477-213-159
538-339- 70
姜才宋 288-339-451
400-191-515
408-1019- 8
451-240- 0
472-204- 7
472-291- 12
475-483- 73
475-750- 88
510-284-112
511-495-156
姜氏春秋 晉文公夫人
404-760- 46
姜氏春秋 晉穆侯夫人
404-760- 46
姜氏春秋 鄭文公夫人
404-885- 55
姜氏唐 姜慶初女
1072-256- 12
姜氏元 唐榮祖妻、姜文堯女
1219-598- 29
姜氏元 陳偉母 1197-777- 82
姜氏明 丁立祺妻
1442-123-附8
1460-775- 84
姜氏明 王家芳妻 478-574-203
姜氏明 王運達妻 480-342-273
姜氏明 毛槩妻 1285-646- 9
姜氏明 朱清妻 506- 3- 86
姜氏明 宋德成妻 302-248-303
476-899-147
姜氏明 馬珞妻、姜儒女
524-529-204
姜氏明 馬斯臧妻 474-341- 17
姜氏明 陳正心妻 506- 55- 87
姜氏明 楊烈妻 480-440-278
姜氏明 楊淮妻 506- 72- 88
姜氏明 謝景行妻 530- 62- 55
姜氏明 嚴一敬妻 480-207-267
533-606- 69
姜氏明 姜士昌女
1297-152- 12
姜氏清 王命宰妻 481-237-303
姜氏清 王御乾妻 474-249- 12
506- 59- 87
姜氏清 毛日傑妻 479-537-241
姜氏清 左籲妻 478-575-203
姜氏清 艾穆妻 478-437-196
姜氏清 艾懷元妻 555-188- 69
姜氏清 汪中植妻 512-494-189
姜氏清 言國元妻 474-195- 9
姜氏清 李逢陽妻 474-193- 9
506- 25- 86
姜氏清 李雲鵬妻 512-496-189
姜氏清 呂順吾妻 533-525- 66
姜氏清 洪光斗妻 479-384-234
姜氏清 俞書山妻 474-193- 9
姜氏清 袁擢妻 503- 58- 95
姜氏清 章含生妻 475-473- 72
姜氏清 郭朝用妻 481- 84-294
姜氏清 陳維復妻 481- 85-294
姜氏清 黃廷樑妻 503- 65- 95
姜氏清 蕭重熾妻 474-192- 9
506- 16- 86
姜氏清 鐵季祖妻 474-779- 42
503- 52- 95
姜玄明 511-744-165
1460- 73- 43
姜永後魏 262- 81- 71
姜召明 523- 89-149
姜后周 周宣王后 404-451- 26
448- 18- 2
452- 42- 1
姜后周 周定王后 404-453- 26
姜后周 周靈王后 404-453- 26
姜岐漢 448-112- 下
472-895- 35
478-697-210
558-468- 39
姜岐明 1271-587- 50
姜性明 480-466-279
533-285- 56
姜奇明 1409- 40-565
姜協唐 274-163- 88
395-252-203
814-269- 9
姜卓妻 清 見莫氏
姜昂明 299-646-165
472-231- 8
475-451- 71
479-175-225
493-997- 52
511-231-145
523-132-152
537-304- 56
1256-426- 28
1257-544- 10
1284-142-147
1386-430- 45
1386-482- 47
姜芳母 明 見鄭氏
姜芳明 524-266-191
姜肱漢 253-161- 83
376-838-110
384- 66- 3
386- 12-69上
402-481- 11
402-576- 19
448-111- 下
469-127- 15
472-410- 18
475-425- 70
476-676-136
511-579-159
541-110- 31
871-901- 19
933-316- 23
1063-219- 6
1397-460- 22
1412-478- 19
姜岱明 511-595-159
姜洪明(字希範) 299-843-180
472-390- 17
472-521- 22
475-823- 92
476-367-117
476-479-125
511-376-150
545- 76- 85
545-441- 99
559-282- 6
567-105- 66
姜洪明(字啟洪) 473-116- 54
515-780- 81
676-489- 19
1245-452- 22
1442- 25-附2
1459-621- 24
姜恪唐 384-179- 10
姜垓明 301-366-258
476-701-137
511-894-172
1442-110-附7
姜柄宋 1153-626-106
姜垚明 680-338-259
姜南明 1268-224- 36
姜珍明 559-322-7上
姜茂明 540-802-28 之3
姜迪明(字伯阮) 533-336- 58
姜迪明(字元吉) 1247-555- 25
姜英明 473-234- 60
480-171-266
532-647- 43

姜約明 524-166-186
姜浩宋 493-706- 39
1153-306- 83
1153-639-108
姜浩明 1246-611- 11
姜浩妻 明 見任善定
姜兼元 295-612-198
400-319-526
479-380-234
524-161-186
姜彧元 295-277-167
399-618-481
472-604- 25
476-699-137
540-772-28之2
1196-702- 8
姜原姜嫄 上古 嚳妃、有邰氏女、有駘氏女、有藜氏女
243- 91- 4
383-159- 18
448- 9- 1
452- 41- 1
494- 39- 3
544-176- 61
549-655-205
554- 13- 48
556-773- 91
姜桂明 528-543- 32
姜宸明 516-513-106
姜清明 676-118- 5
1318-168- 45
姜埰明 見智潛
姜晦唐 269-532- 59
274-195- 91
384-181- 10
395-288-206
472-896- 35
473-711- 81
478- 87-180
478-698-210
545-357- 96
554-267- 53
558-390- 36
563-643- 38
933-317- 23
姜岵唐 516- 7- 87
姜晞唐 269-530- 59
820-168- 27
姜絅明(字子斐) 524-166-186
姜絅姜綱 明(字幼章)
524-266-191
676-272- 10
679-641-201
姜第明 559-531- 12
姜皎唐 269-530- 59
274-194- 91
395-288-206
384-169- 9
472-896- 35
558-390- 36
812-346- 9
821- 50- 46
933-317- 23
姜敘母 魏 見楊氏
姜敘魏 478-519-200
姜斌後魏 1054-366- 9
姜湧明 676-557- 23
姜寔姜實 明 545-188- 90
554-487-57上
姜博明 515-405- 69
姜琯明 482-390-358
1467- 83- 65
姜隆明 1285-109- 1
姜森明 563-794- 41
姜粵姜蕚 唐 1077-126- 11
1410-287-701
1447-381- 18
姜溥明 480- 52-259
532-618- 43
姜詩漢 370-179- 17
402-423- 7
469-592- 72
471-966- 54
473-429- 67
481- 73-294
533-438- 62
559-435-10上
591-129- 9
591-511- 41
933-316- 23
姜詩妻 漢 見龐行
姜溢妻 明 見趙氏
姜詡漢 814-227- 3
820- 32- 22
姜雍明 1255-695- 71
姜準明 524- 89-182
姜詵宋 486-898- 34
524-328-195
姜楫明 523-358-163
姜勤明 559-287-7上
姜遐唐 683-474- 2
姜愚宋 554-935- 64
姜嫄上古 見姜原
姜節明 502-783- 87
姜實明 見姜寔
姜漸宋 485-537- 1
姜漸元 493-1076- 57
1442- 11-附1
姜寧元 1229-599- 2
姜漾後魏 262- 81- 71
379-289-150下
姜漢明 299-754-174
478-271-187
478-596-204
554-707- 61
558-430- 37
姜榮元 523- 80-149
姜榮明 515-109- 60
姜榮妻 明 見竇妙善
姜碩元 479-659-247
515-770- 81
姜遠北周 552- 46- 19
姜遠清 456-356- 77
姜圖清 456-153- 61
姜鳳明(字廷儀) 523-474-169
姜鳳明(字廷瑞) 533- 70- 49
姜綰明 299-842-180
472-358- 15
473- 65- 51
473-234- 60
479-559-242
510-436- 116
515-881- 86
532-647- 43
567-106- 66
1252-340- 19
1254- 94- 3
姜維蜀漢 254-674- 14
377-309-118下
384- 77- 4
384-489- 17
385-196- 23
447-194- 7
470-414-150
471-1058- 69
471-1061- 70
472-895- 35
478-516-200
558-302- 34
559-244- 6
933-317- 23
1121- 57- 6
1381-465- 37
姜綱明 見姜絅
姜綬宋 288-370-453
472-1054- 44
479-432-236
523-419-166
1170- 12- 附
姜諒明 473-653- 78
481-612-329
523-435-167
528-494- 30
1248-582- 2
1250-747- 71
1475-233- 10
姜寬明 563-773- 40
姜潛宋 288-435-458
401- 22-570
476-824-143
477- 52-151
540-761-28之2
843-664- 中
姜撫唐 276-104-204
384-208- 11
姜確唐 見姜行本
姜璉明 473-186- 58
479-793-254
515-273- 65
676-760- 32
678-711-137
姜奭明 299-755-174
554-707- 61
姜儉後魏 261-625- 45
姜儀明 473- 28- 49
515-387- 68
姜鋥妻 清 見于氏
姜衛元 294-342-128
399-492-469
523- 21-147
姜儆明 515-404- 69
姜龍明 299-646-165

482-540-368
511-231-145
569-652- 19
姜澤李元枝 唐 541- 89- 30
姜澤元 1224-290- 23
姜遵宋 285-602-288
371-104- 10
382-341- 54
384-343- 17
472-524- 22
491-806- 6
933-317- 23
1087-661- 33
姜遴清 1475-968- 41
姜壁妻 明 見汪氏
姜橚清 478-771-215
480-129-264
523- 68-149
532-753- 46
546-421-128
姜蕚唐 見姜粵
姜錯清 560-139- 19
姜縉妻 明 見胡氏
姜儒女 明 見姜氏
姜穆女 晉 見姜義舊
姜濤宋 491-436- 6
姜濤明 472- 66- 2
505-666- 69
546-378-127
1242-836- 10
姜濬明 820-609- 41
姜濟明 821-419- 56
姜隱明 821-420- 56
姜謨明 1240-344- 22
1241-790- 19
姜璧明 476-659-135
505-802- 74
540-650- 27
581- 88- 62
1291-904- 6
姜彝明 1233-685- 6
姜暮唐 269-529- 59
274-193- 91
384-169- 9
395-287-206
471-1058- 69
472-896- 35
478-698-210
547-160-147
558-225- 32
558-389- 36
933-317- 23
姜鎮清 554-916- 64
姜簡唐 269-530- 59
姜簡妻 唐 見襄城公主
姜鵬明 554-346- 54
姜鏡明(字永明) 479-243-227
523-312-160
1320-683- 75
姜鏡明(字翼龍) 678-216- 90
姜寶明 457-410- 25
475-278- 63
481- 25-291
511-183-143
528-459- 29
559-255- 6
676-585- 24
677-614- 55
1283-857-134
姜耀妻 明 見李氏
姜夔宋 479-147-223
479-530-241
494-516- 25
516- 30- 88
524-312-194
674-882- 20
820-443- 35
1364-180-270
1437- 26- 2
姜瓌明 556-848-100
姜亹明 559-277- 6
姜一洪明 523-470-169
563-736- 40
564-807- 60
1321- 3- 84
姜一鳴明 545-157- 88
姜人龍清 538-105- 64
姜士佐明 545-445- 99
姜士昌明 300-771-230
458-949- 9
511-183-143
676-612- 25
1294-561- 14
1442- 78-附5
1457-517-389
1460-397- 58
姜士昌女 明 見姜氏
姜士珍清 554-779- 62
姜士原明 472-367- 16
姜士望明 511-214-144
姜士進妻 明 見蔣氏
姜子牙周 見呂尚
姜子羔明 1442- 61-附4
1460-195- 49
姜大受明 1312-867- 12
姜大受妻 明 見賀氏
姜大順明 511-544-158
姜文堯女 元 見姜氏
姜文魁明 472-255- 10
姜元茂明 564-757- 60
姜元桂妻 清 見王氏
姜元澤明 473-316- 62
姜天祐元 516-203- 95
姜天樞明 582-185-134
姜天麟元 1212-493- 14
姜日廣明 301-621-274
456-411- 1
479-494-239
515-433- 70
姜公輔唐 270-641-138
275-161-152
384-226- 12
395-755-250
471-667- 12
471-1051- 68
472-865- 34
473-583- 75
473-891- 90
481-581-328
482-226-348
483-698-422
528-480- 30
552-137- 21
564- 27- 44
933-317- 23
1076-110- 12
1076-566- 12
1077-135- 12
姜立綱明 676- 98- 3
820-628- 41
821-390- 56
姜玉蓮明 張鳳妻
1260-644- 20
姜弘基明 558-424- 37
姜正章清 529-695- 50
姜本源妻 元 見葉氏
姜本道妻 元 見彭氏
姜石泉安安 漢 559-435-10上
姜平子晉 472-895- 35
姜可久清 511-817-167
姜守業妻 清 見林氏
姜汝楫元 1206-681- 3
姜有祿清 456-356- 77
姜兆張明 554-301- 53
姜兆錫清 475-281- 63
姜名武明 301-540-269
456-427- 2
476-439-122
546-420-128
姜好仁元 492-711-3下
姜仲海漢 933-316- 23
姜仲能明 472-1041- 43
523-200-155
554-312- 53
姜仲開宋 485-534- 1
姜仲謙宋 1128- 16- 1
姜行本姜確 唐 269-529- 59
274-194- 91
384-169- 9
395-287-206
407-527- 9
472-896- 35
558-390- 36
933-317- 23
姜宏基明 456-495- 5
姜辛姑明 艾仲魁妻
481-699-332
530-155- 58
姜志圉妻 清 見陳氏
姜志禮明 301- 32-237
511-184-143
1442- 82- 5
姜成起妻 明 見鄧氏
姜君玉宋 1170-782- 36
姜伯延明 524-204-188
姜伯眞不詳 1061-283-111
姜希轍清 523-470-169
1321-195-107
1321-228-111
1321-248-114
姜廷梧妻 明 見祁德淵
姜廷梧清 524- 59-180

1321- 53- 91
姜廷樑明 456-520- 6
姜廷頤明 480-466-279
515-225- 63
姜宗呂清 476-439-122
546-420-128
姜宗齊明 524-162-186
姜居安明 511-877-170
姜奇方明 510-439-116
533-215- 53
姜阿龍妻 明 見桂氏
姜昌群唐 488-320- 12
姜季江漢 933-316- 23
姜周臣宋 1127-535- 14
姜金和明 516- 84- 90
姜炳章清 481-250-303
姜柔遠唐 269-530- 59
274-194- 91
姜茂勳清 456-356- 77
姜思度唐 474-336- 17
姜思睿明 300-807-233
479-186-225
523-296-159
545-121- 86
569-656- 19
姜迪祿元 1200- 86- 8
姜唐佐宋 471-890- 43
473-738- 82
482-267-350
564- 79- 44
姜神翊唐 564- 27- 44
姜宸英清 479-188-225
524- 49-180
592-1018- 下
1318-249- 53
姜桂芳明 540-818-28之3
姜晉珪清 1318-490- 76
姜振德妻 明 見劉氏
姜荊寶青衣 唐 見玉簫
姜特立宋 288-577-470
401-139-587
528-441- 29
674-882- 20
1363-436-172
1437- 26- 2
姜師周明 524-348-196
姜師度唐 271-456-185下
274-291-100
384-172- 9
395-346-212
472- 50- 2
472-130- 4
472-456- 20
472-739- 29
472-824- 33
474-474- 23
474-587- 30
476-111-102
476-366-117
477-521-175
478-334-191
496-368- 86
505-697- 70
505-771- 73
537-350- 56
545-436- 99
554-231- 52
581-443- 93
933-317- 23
姜師望元 472-706- 28
537-279- 55
姜師閔明 523-250-157
姜清叟元 821-323- 54
姜產之劉宋 258-610- 94
381- 12-184
姜強立宋 485-536- 1
姜習孔明 458-430- 20
523-340-162
姜國才妻 明 見姚氏
姜國英妻 清 見陳氏
姜國望明 524-128-184
姜國華明 576-654- 5
1323-754- 5
姜處度宋 1164-440- 25
姜處恭宋 494-459- 15
524-307-194
1164-276- 14
1410-368-712
姜從仁妻 明 見王氏
姜逢元明 458-410- 18
678-252- 94
1320-692- 75
姜啟隆明 473-348- 63
532-726- 45
姜善信元 476-350-116
547-484-159
姜朝勳清 569-621-18下之2
姜揚武清 505-881- 79
姜景良不詳 494-438- 13
姜舜玉明 820-769- 44
1442-126-附8
1460-907- 98
姜復昌元 493-754- 41
姜義舊晉 司馬雅妻、姜穆女
591-533- 41
姜道元明 456-520- 6
523-391-164
姜道淵明 558-479- 40
姜道盛晉 258- 82- 47
姜道隱姜德隱、張道隱 後蜀
592-716-107
812-502- 下
812-529- 2
821-123- 49
姜遂初明 528-497- 30
姜遇文元 1213-749- 23
姜福聚明 1264-209- 12
姜福聚妻 明 見王氏
姜端義元 1197-681- 70
姜榮吉妻 清 見劉氏
姜與廉妻 清 見諸氏
姜圖南清 479-248-228
510-298-112
523-314-160
姜維藩明 570-161-21之2
姜潤華明 1237-493- 5
姜慶初唐 269-532- 59
274-195- 91
395-289-206
姜慶初妻 唐 見新平公主
姜慶初女 唐 見姜氏
姜德隱後蜀 見姜道隱
姜學夔明 1475-241- 10
姜應甲明 523-331-161
姜應明元 1213-760- 24
姜應望妻 清 見張氏
姜應熊明 299-755-174
554-604- 59
姜應麟明 300-806-233
479-186-225
505-698- 70
515-226- 63
523-295-159
677-662- 59
1323-756- 5
1442- 80-附5
1460-417- 59
姜燮鼎清 524- 83-182
姜謙光宋 451-138- 2
姜瀉里張瀉里 明456-683- 11
1320-610- 68
姜歸德明 1283-455-102
姜歸德妻 明 見王氏
姜瀛秀妻 清 見張氏
姜寶誼唐 274-163- 88
395-252-203
472-896- 35
544-229- 63
547-160-147
558-437- 37
首氏清 尋諸妻 480-417-277
533-663- 71
首楞唐 534-808-112
宧氏清 秦邦欽妻 475-616- 81
洋王唐 見李忻
洋王後唐 見李從璋
津宋 1053-573- 14
洗氏洗氏 隋 馮寶妻
264-1114- 80
267-728- 91
381- 63-185
460-960- 1
482-187-346
482-209-347
564-314- 49
567-473- 88
洗氏清 黃存生妻 482- 47-340
洗勁洗勁 晉 482- 35-340
563-615- 38
洗文淵洗文淵 明
481-583-328
528-486- 30
564-132- 45
洗仁傑宋 821-219- 51
洗用行洗用行 明
472-274- 11
564-114- 45
洗嘉徵清 564-624- 56
洗積中洗積忠 宋
473-778- 84
482-524-367
567-296- 76

1467- 38- 63
1467-172- 68
洗馬畈婦洗馬畈烈婦 明
302-252-303
480-140-264
533-565- 68
洗馬畈烈婦明 見洗馬畈婦
帝休上古 見帝鴻氏
帝太后戰國 見華陽太后
帝魁氏上古 383-134- 15
帝鴻氏帝休 上古
383-132- 15
帝鴻氏上古 見黃帝
計氏明 王化妻 482-373-357
1289-387- 27
1467-268- 72
計氏清 陳玉桓妻 524-460-202
計初元 516- 46- 88
1197-761- 80
計東清 511-752-165
1475-611- 26
計昭晉 524-280-192
計珩明 533-153- 52
計倪春秋 見計然
計能明 1475-657- 28
計偉妻 明 見劉玉蘭
計然辛子、辛鈃、辛文子、計倪、計硯 春秋 380-528-180
405-138- 64
405-460- 86
453-726- 1
523- 1-146
933-659- 43
計準妻 清 見宋氏
計硯春秋 見計然
計敬明 1475-635- 27
計澄明 516- 55- 89
569-669- 19
計衡宋 516- 27- 88
計禮明 821-392- 56
計子常明 1229-231- 6
計子勳漢 253-612-112下
380-582-181
933-659- 43
計元勳明 540-628- 27
計用章宋 382-339- 54
473-536- 72
559-387-9上
591-633- 46
592-583- 98
計守禮妻 明 見閻氏
計有功宋 559-387-9上
計仲政明 1467-189- 69
計宗道明 567-322- 78
1467-216- 70
計南陽明 1442-116-附7
計翰聘明 559-419-10上
569-664- 19
施二宋 524-107-183
施才宋 473-784- 85
482-468-363
567-297- 76
1467-174- 68
施父春秋 404-504- 30
933- 55- 3
施中宋 487-517- 7
施仁明(字近甫) 460-550- 53
528-532- 31
施仁明(蘇州人) 528-526- 31
施氏宋 周良史妻 526-228-266
施氏宋 胡宗質妻、施元長女
1117-345- 17
施氏宋 孫廷臣妻、孫庭臣妻、施辨女 512- 4-176
1128-291- 28
施氏明 王溥妻 530-126- 57
施氏明 朱建妻 481-699-332
施氏明 何毅妻 472-100- 3
474-654- 34
施氏明 夏用璋妻
1269-853- 7
施氏明 倪宗美妻 475-486- 73
施氏明 彭禾妻 302-213-301
475-799- 90
512-157-181
施氏明 嚴正度妻 479-148-223
施氏明 楊鋋伯祖母
570-474-29之7
施氏清 李文興妻 483-150-381
施氏清 姚希儒妻 512-483-189
施氏清 俞君亮妻 524-504-203
施氏清 秦水菴妻
1312-400- 38
施氏清 秦邦佐妻 474-194- 9
施氏清 孫文標妻 524-499-203
施氏清 翁學賢妻 479- 63-219
施氏清 黃章妻 524-470-202
施氏清 楊述文妻 483-164-382
施氏清 潘英妻 479-298-230
施仕明 479-557-242
515-203- 63
523-368-163
施安妻 明 見王氏
施存周 592-174- 71
施存晉 533-784- 75
施全宋 585-186- 12
施先晉 494-263- 1
施宏明(黃巖人) 528-453- 29
施宏明(字文裕) 1271- 42- 5
施沛明 475-183- 59
563-816- 41
施岑施峰 晉 479-503-239
516-412-103
施伯春秋 404-504- 30
施武明(字宗武) 475-225- 61
施武明(字魯生) 1442-115- 7
1460-666- 74
施雨明 821-398- 56
施坰宋 472-260- 10
492-699-3上
492-712-3下
511-552-158
施奇明 524-245-190
施明明 460-793- 84
施岳宋 524-303-194
590-236- 5
施侃明 524- 35-179
施延漢 402-465- 10
472-199- 7
472-1000- 40
475-711- 86
475-746- 88
479-101-221
494-420- 13
511-712-164
511-913-173
524-307-194
施威明 558-432- 37
施奎明 1475-206- 9
施郁宋 523-612-176
施政明 515-552- 74
施述明 1255-478- 75
施貞明 王伯剛妻 473- 66- 51
施昱明 482-561-369
570-104-21之1
571-529- 19
施珣宋 492-711-3下
施峰晉 見施岑
施峻明 524- 35-179
676-570- 23
1442- 56- 3
1460-153- 47
施釗不詳 512-764-196
施宿宋 494-390- 11
523-445-168
1110- 63- 附
施埤宋 567- 70- 65
1467- 44- 63
施彬晉 472-1000- 40
494-355- 8
525-403-237
施琅清 481-591- 328
481-762-355
528- 9- 17
528-566- 32
529-557- 45
1324-988- 33
施琅妻 清 見張氏
施游晉 473-177- 57
施渥宋 491-433- 6
施敦明 482-227-348
564-269- 47
施琪元 1439-436- 1
施惠明(字師僑) 529-566- 46
施惠明(桐鄉人) 1475-271- 11
施惠清 533-430- 62
施陽漢 515-293- 66
施逵金 見施宜生
施然吳 見朱然
施鈞元 524- 53-180
1439-434- 1
施策明 475-227- 61
511-157-142
施象母 宋 見林氏
施溥明 456-529- 6
475-183- 59
511-443-153
施義宋 821-245- 52
施新明 524-121- 184
施電明 559-303-7上
施達金 見施宜生

施漸明(字下之) 511-710-164
施達明(字德孚) 820-619- 41
施敬明 1391-558-330
1459-597- 22
施鉅宋 472-1003- 40
485-502- 9
494-388- 11
524-250-190
施經明 676-597- 24
施愛明 1442- 63- 4
1460-216- 49
施漸明 676-593- 24
1442- 68- 4
1460-305- 53
施視宋 528-548- 32
施聚明 299-746-174
474-182- 9
474-817- 44
505-722- 71
施鳳明 1256-375- 24
施銓明 570-158-21之2
施綸明(字克端) 529-656- 49
施綸明(咸寧人) 554-874- 64
施槃明(字宗銘) 472-230- 8
493-989- 52
511-736-165
1239-293- 46
1386-276- 39
1386-742- 下
施槃明(字彥器) 820-639- 41
施濆宋 528-507- 31
施闇明 1276-414- 10
施樞宋 1364-357-295
1437- 29- 2
施震明(常州人) 567-112- 67
施震明(平湖人) 571-548- 20
施震明(字亨甫) 1475-270- 11
施櫟明 563-807- 41
施魯明 524-242-190
施辨女 宋 見施氏
施璜清 511-707-164
施翰明 1474-560- 28
施璘後周 554-908- 64
812-441- 0
812-530- 2
821-113- 49
施靜明 523-583-175
施霖明 821-482- 58
施錡妻 清 見葉氏
施儒明 523-531-172
676- 44- 2
施濟明 524-192-188
施謙明 1229-687- 2
施懋明(字以德) 524-310-194
施懋明(字克昭) 567-342- 79
施爵明 1259-236- 17
施績吳 見朱績
施績女 吳 見施淑女
施鎬妻 明 見林永官
施鬰明 524- 68-181
施譽清 1312-572- 7
1313-217- 17
施鑄父 宋 1132-249- 49
施瓚明 571-532- 19
施顯明 493-973- 52
施讎漢 251-104- 88
380-248-172
472-410- 18
475-423- 70
475-745- 88
511-693-163
554-801- 63
675-238- 3
677- 57- 5
933- 55- 3
施灝妻 清 見葉氏
施九泰妻 元 見卓氏
施三捷明 523-163-153
施士丐施士丏 唐
1073-557- 24
1074-392- 24
1075-343- 24
1344-106- 69
1355-621-21上
1378-583- 62
1383-188- 15
1410-285-700
1447-258- 9
施士丏唐 見施士丐
施士匄唐 276- 43-200
384-216- 11
400-430-539
493-1015- 54
511-670-163
施士忠妻 清 見彭氏
施士和妻 明 見葉氏
施士標妻 清 見徐大姑
施士衡宋 674-881- 20
施子仁宋 473-234- 60
480- 88-262
533-374- 60
施子言妻 明 見嚴緞娘
施于京明 456-641- 11
施于德清 1325-176- 11
施大任宋 1127-520- 12
施大成清 483- 97-378
570-119-21之1
施大晁清 481-531-326
529-486- 43
施大節明 483-184-385
570-115-21之1
施大經明 475-183- 59
676-329- 12
施大銓明 529-669- 49
施千祥明 529-471- 43
施方泰梁 820-104- 24
施文用明 524-357-196
施文星明 533-421- 62
施文會明 511-878-170
施文慶陳 260-754- 31
265-1104- 77
381- 22-184
933- 55- 3
施文學明 545-145- 88
施文顯明 1258-311- 7
施之常春秋 244-390- 67
375-657- 88
405-446- 85
472-548- 23
539-497-11之2
施之濬妻 明 見徐領姑
施之濟妻 明 見徐領姑
施元之宋 494-390- 11
524- 33-179
施元長女 宋 見施氏
施元暘清 529-664- 49
施元緒明 475-527- 77
510-420-116
施元徵明 481-494-324
施元龍妻 清 見孫氏
施天德明 479-683-248
515-561- 79
施介夫明 524-158-186
施允文元 1209-435-7上
施允壽宋 460-306- 21
施必甫妻 明 見李翠娘
施永仁妻 清 見陳氏
施正大元 510-435-116
1366-1016- 6
施本德明 515-249- 69
施召徵明 456-588- 8
567-147- 68
施可堂明 1230- 93- 7
施世英施世瑛 隋～唐
472-1001- 40
494-372- 10
523-527-172
588-452- 2
施世英宋 1170-737- 32
施世瑛隋～唐 見施世英
施世綸清(字文賢) 475- 22- 49
475-503- 75
481-591-328
510-302-112
529-557- 45
施世綸清(福建人) 532-610- 42
施世驃清 481-763-335
528-568- 32
施民望妻 清 見高氏
施史君元 494-266- 1
施冬姐清 何世燦妻
482-227-348
施守正明 540-666- 27
施汝翼明 570-141-21之2
施而寬清 481-559-327
施光裕明 570-154-21之2
施兆昂明 529-722- 51
施合德元 295-604-197
400-313-526
施宏猷明 511-708-164
施孝叔春秋 933- 55- 3
施孝叔妻 春秋 郤犨妻、管于奚女 404-566- 34
施均裕明 482-560-369
570-133-21之1
施君藎妻 明 見陳清藻
施我經妻 明 見滎氏
施伯仁妻 元 見鄭允端
施伯穎明 524-153-185
施作岐明 529-659- 49
施邦曜明 301-489-265
458-290- 10

479-244-227
481-613-329
523-388-164
528-498- 30
1442- 94- 6
1460-686- 75
施廷栩妻 明 見吳氏
施廷翊妻 明 見王氏
施廷皎唐 524-192-188
施廷翔妻 明 見周氏
施廷賢明 456-584- 8
481-362-310
523-407-165
施宗宜明 475-644- 83
施宜生施逵、施達 金
291-166- 79
383-999- 28
399-115-426
473-643- 78
530-405- 67
545-479-100
676-695- 29
820-479- 36
1129-558- 37
1365- 47- 2
1439- 3- 附
1445-125- 7
施怡園清 1324-707- 13
施孟文明 1227-699- 5
施承芳明 1474-545- 27
施承緒明 511-323-148
施昌言宋 285-764-299
397-191-331
472-295- 12
475-666- 84
484- 94- 3
施昌言妻 宋 見徐氏
施尚文妻 明 見鄭氏
施肩吾唐 273- 85- 59
451-488- 8
472-1015- 41
479-379-234
479-497-239
516-415-103
524-437-201
674-263-4中
1371- 69- 附
施延哲妻 清 見吳氏

施洪烈清 1475-548- 24
施恆言明 528-516- 31
施美玉明 511-589-159
施禹功宋 484-377- 27
施泰亨明 1376-420- 86
施起元清 563-869- 42
施退翁宋 510-345-114
施師點宋 287-281-385
398-305-384
473- 64- 51
479-558-242
515-862- 85
523- 78-149
674-849- 18
1164-436- 24
施純仁宋 491-437- 6
施淑女吳 朱績女、施績女
524-401-199
施康年宋 451- 24- 0
施梅齋妻 明 見楊氏
施培菊清 1316-553- 37
施貫之施慶孫 宋448-395- 0
施得祥妻 清 見李氏
施紹莘明 511-762-166
施逢泰清 482-563-369
施博求宋 492-711-3ト
施朝卿明 505-832- 75
施閏章母 明 見馬氏
施閏章清 475-611- 81
476-480-125
479-457-237
511-312-148
515- 69- 58
517-756-134
517-776-135
540-676- 27
1312-573- 7
1321- 18- 86
施閏章妻 清 見梅氏
施堯工明 567-379- 82
施堯心妻 明 見龍氏
施堯化明 570-108-21之1
施堯臣明 475-644- 83
511-320-148
523-160-153
施堯臣女 明 見施漪蘭
施陽得明 523- 88-149
施發仔元 295-604-197

400-313-526
施景榮明 1254-331- 9
施猶橋清 570-100-20下
施舜顯宋 515-858- 85
施進卿明 302-710-324
施雍和妻 清 見袁氏
施道淵清 511-921-174
施聖揆清 479-683-248
515-564- 74
施楚玉唐 820-157- 26
施萬裔妻 清 見楊氏
施敬本唐 276- 37-200
384-205- 11
400-425-539
472-276- 11
475-275- 63
511-685-163
施經綸妻 明 見張氏
施鉅文宋 494-265- 1
施福德清 475-584- 79
施端教清 511-826-167
1313-260- 20
施漪蘭明 李蓿妻、施堯臣女
1283-731-124
施壽之宋 1166-283- 23
施爾志明 576-655- 5
施爾奇明 456-671- 11
480-206-267
533-479- 64
施臺臣明 511-410-152
施夢龍明 511-157-142
施蓉姑明 向日啟妻
533-574- 68
施鳳來明 302-319-306
680-326-258
施維翰清 475-185- 59
511-135-141
施慶孫宋 見施貫之
施德望婢 清 見翠金
施德裕清 511-909-173
施德操宋 523-578-175
680- 93-234
施德懋宋 472-389- 17
475-821- 92
510-493-118
施擇善宋 400-180-514
481-181-300
施篤臣明 511-320-148

1442- 61- 4
1460-200- 49
施聲遠妻 明 見潘氏
施嫻婆宋 494-420- 13
施繼山妻 清 見徐氏
施繼先明 570-135-21之2
施觀民明 510-366-114
529-475- 43
施乞叉難陀唐 見實叉難陀
亭獨尸逐侯鞮單于漢 見師子
亮唐 516-419-103
1053-128- 3
亮宋 1053-501- 12
兗王唐 見李岐
兗王唐 見李僩
兗王金 見完顏宗雋
兗國大長公主永壽公主、祁國大長公主、榮國長公主 宋 曹詩妻、宋仁宗女
285- 66-248
393-325- 77
544-235- 63
祇林和尚唐 1053-162- 4
祈王宋 見趙仲僕
祈昇女 唐 見祈芳
祈芳唐 祈昇女 683- 16- 0
祈嘉祁嘉 晉 256-537- 94
380-433-177
470-437-152
472-945- 37
478-728-212
558-405- 36
933- 54- 3
933- 57- 4
祈望芳祁望芳 金
472-906- 36
558-289- 34
軍臣漢 251-186-94上
381-593-199
軍須靡漢 251-255-96下
381-501-196
郎什清 502-584- 75
郎氏宋 虞璠妻 1161-682-131
郎氏元 朱甲妻 295-625-200
472-1005- 40
479-148-223

郎氏明 仇鐸妻 506- 48- 87
郎氏明 良朝元妻 482-564-369
570-169- 22
郎氏明 侯嘉謨妻 477- 94-153
郎氏清 王應蓮妻 524-605-207
郎氏清 書魯木妻 503- 34- 94
郎氏清 劉愼妻 506- 96- 88
郎氏清 劉秉鈞妻 474-194- 9
郎氏清 韓奇妻 503- 35- 94
郎玘宋 491-345- 2
郎岌唐 271-498-187上
郎宗漢 252-718-60下
253-599-112上
376-671-107下
402-464- 10
485-281- 40
493-734- 41
493-1097- 58
540-702-28之1
554-969- 65
郎柱清 455-552- 35
郎珍明 1467- 86- 65
郎茂隋 264-958- 66
267-180- 55
379-841-163
384-138- 7
384-154- 8
472-568- 24
474-375- 19
476-853-145
477-199-159
477-408-169
505-796- 73
537-273- 55
545- 10- 83
933-406- 26
郎思宋 1175-324- 31
郎秦清 455-285- 16
郎格清(瓜爾佳氏) 455- 36- 1
郎格清(董鄂氏) 455-176- 8
502-746- 85
郎格清(他塔喇氏) 455-213- 11
郎格清(温都氏) 456- 21- 51
郎基北齊 263-361- 46
267-179- 55
380-197-170
384-138- 7
448-326- 下
472-641- 26
474-374- 19
475-471- 72
477- 49-151
505-796- 73
537-347- 56
933-406- 26
郎理明 479-143-223
523-368-163
郎理妻 明 見沙氏
郎敏殷敏 明 299-339-140
458-166- 8
479-527-241
515-220- 63
537-482- 58
郎啟清 456- 64- 54
郎善清 455-147- 6
郎勝明 525-462-240
郎塞清 455-164- 7
郎瑛明 524- 8-178
592-1018- 下
1457-560-395
施經妻 明 見俞敬淑
郎福清 455-592- 39
郎翥宋 1171-772- 27
郎圖清(佟佳氏) 455-336- 20
郎圖清(裕瑚魯氏) 455-662- 46
郎穎唐 271-543-189下
276- 14-199
474-375- 19
505-796- 73
682-281- 6
郎錫清(瓜爾佳氏) 455- 96- 3
郎賽劉賽 清 475- 21- 49
502-642- 78
510-298-112
郎簡宋 285-751-299
397-182-331
451- 11- 0
472-966- 38
473-776- 84
479- 48-218
481-523-326
482-207-347
482-451-362
486- 48- 2
488-383- 13
494-423- 13
523-425-167
528-437- 29
563-652- 39
567- 50- 64
585-208- 13
1439- 9- 1
1467- 23- 62
郎顗漢 252-718-60下
376-671-107下
384- 64- 3
472-590- 24
476-663-136
491-798- 6
540-702-28之1
933-406- 26
郎士元唐 273-113- 60
451-426- 2
554-328- 54
674-254-4上
674-857- 19
1365-422- 3
1371- 62- 附
1388- 67- 50
1472-670- 41
郎子文明 473-316- 62
532-731- 46
郎子貞明 528-526- 31
郎子雲元 821-301- 53
郎大徵明 511-635-161
郎方貴隋 264-1031- 72
267-648- 85
380-127-167
475-748- 88
933-407- 26
郎文林明 559-374- 8
郎文彥清 456-390- 80
郎文煥明 483- 47-372
567-664- 19
郎元貞明 高瑞妻
524-455-202
郎玄隱元 821-331- 54
郎永清清 474-824- 44
476-251-110
476-480-125
476-920-148
479-794-254
480-363-275
502-620- 77
515-282- 65
532-609- 42
534-796-111
537-229- 54
540-674- 27
545-307- 94
郎吉納清 455-625- 43
郎如山元 1194-465- 4
郎志清金 1190-630- 8
郎廷佐清 474-824- 44
475- 21- 49
479-456-237
502-616- 77
510-297-112
515- 67- 58
郎廷相清 474-825- 44
481- 28-291
481-495-324
502-622- 77
528-467- 29
559-325-7下
郎廷珪明 510-407-115
郎廷極清 474-824- 44
502-621- 77
510-305-112
523- 68-149
郎廷樞清 474-824- 44
502-621- 77
郎阿理清 455-376- 23
郎思誠清 見郭思誠
郎珠瑚清 455-156- 6
郎烏里清 569-619-18下之2
郎陵王唐 見李瑋
郎得功明 474-823- 44
502-290- 56
郎景徵宋 1094-641- 70
郎鄂理清 455-475- 29
郎達理清 455-216- 11
郎熙化清 540-683- 27
563-881- 42
郎餘令唐 271-543-189下
276- 14-199
384-182- 10
400-409-538
474-375- 19
505-796- 73
812-347- 9
821- 44- 46

933-407- 26
郎餘慶唐 271-544-189下
276- 15-199
478- 87-180
493-684- 38
554-267- 53
933-407- 26
郎雙貴隋 264-1031- 72
933-407- 26
穿封戌春秋 405- 35- 58
洩夏 見泄
洩冶春秋 405- 95- 62
472-649- 27
538- 68- 63
933-762- 53
洩庸春秋 405-116- 63
洩駕春秋 404-848- 53
933-762- 53
洩堵寇公子俞彌、洩堵俞彌、堵俞彌 春秋 404-848- 53
404-853- 53
洩堵俞彌春秋 見洩堵寇
彥唐 1053-267- 7
彥充宋 588-201- 9
1053-904- 20
1054-212- 4
彥求彥球 五代 588-242- 10
1052-390- 28
1053-315- 8
彥孜宋 1053-509- 12
彥岑宋 1053-899- 20
彥室宋 481-215-302
561-222-38之3
彥科明 1442- 95- 6
彥修後梁 820-312- 31
彥修宋 820-471- 36
彥悰唐 1051-216-8下
1052- 46- 4
彥深宋 821-270- 52
彥球五代 見彥求
彥偁後梁 1052-224- 16
彥琮隋 1401-598- 41
彥隆宋(字無諍) 1116-474- 24
彥隆宋(嗣元祐) 1053-752- 18
彥暉後梁 1052- 85- 7
彥賓五代 1053-237- 6
彥端五代 1053-331- 8
染干突利可汗、意利珍豆啟民可汗 264-1156- 84
264-1157- 84
267-887- 99
381-667-200
染閔冉魏 見冉閔
哀氏宋 范巖妻 530-137- 58
哀姜出姜 春秋 魯文公夫人
404-565- 34
哀姜春秋 魯莊公夫人
404-564- 34
448- 67- 7
哀章漢 933-151- 10
哀愉南唐 見衷愉
哀道訓宋 933-151- 10
哀駘它周 472-707- 28
哀興宗明 1241-476- 7
弈赫抵雅爾丁元 見伊爾台伊爾丹
度正宋 287-756-422
398-689-413
473-478- 69
481-116-296
559-351- 8
591-624- 45
592-600- 99
676-687- 29
度尚漢 252-823- 68
376-741-109上
402-482- 11
402-570- 19
471-625- 6
472- 26- 1
472-550- 23
472-1066- 45
473-295- 62
473-357- 64
474-165- 8
474-732- 40
476-881-146
479-221-227
480-361-275
486- 67- 3
502-249- 53
511-397-151
523-142-153
532-548- 40
540-699-28之1
563-602- 38
680-668-285
681-527- 7
683-253- 5
933-656- 43
1170-253- 13
1397-606- 28
1467- 3- 62
度宗顯元 472-867- 34
554-248- 52
度易侯劉宋 見易度侯
度索君漢 516-480-105
玹何晉 趙憲妻 591-535- 41
玹理明 1241-435- 5
封五代 1053-629- 15
封干唐 見豐干
封氏後魏 拓拔沙漠汗妻
261-209- 13
266-278- 13
封氏後魏 崔覽妻、封愷女
262-305- 92
267-723- 91
381- 58-185
506-125- 89
封氏明 席上珍妻 483-119-379
570-202- 22
封氏清 李偉妻 479-634-245
封氏清 李士照妻 479-634-245
封皮後魏 見封隆之
封羽北燕 496-610-104
封回封叔念 後魏 261-469- 32
266-498- 24
379- 53-146
384-130- 7
472- 67- 2
474-307- 16
496-365- 86
505-627- 67
505-738- 72
933- 35- 2
封告漢 402-449- 9
封孚南燕 256-988-128
381-368-192
474-307- 16
496-605-104
505-738- 72
933- 35- 2
封岌漢 933- 35- 2
封卓妻 後魏 見劉氏
封津後魏 262-339- 94
267-750- 92
380-505-179
封亮唐 484- 85- 3
封弈前燕 496-416- 90
503- 8- 90
封胡上古 404-383- 23
封軌後魏 261-472- 32
266-501- 24
379- 54-146
384-130- 7
472- 67- 2
474-308- 16
505-738- 72
933- 35- 2
封述北齊 263-324- 43
266-503- 24
379-413-153
933- 36- 2
封昞清 511-592-159
封敖唐 271-190-168
275-443-177
384-275- 14
396-183-268
472- 69- 2
474-310- 16
478-243-186
494-318- 6
505-740- 72
820-258- 29
933- 36- 2
封倫封德彝 唐 269-569- 63
274-280-100
384-171- 9
401-277-606
472- 68- 2
933- 36- 2
封肅後魏 262-246- 85
266-501- 24
380-379-176
505-738- 72
540-731-28之1
933- 35- 2
封琳後魏 261-471- 32
266-501- 24
379- 54-146
505-738- 72
933- 35- 2

封絢唐 殷保晦妻 276-113-205
401-155-589
472- 71- 2
474-314- 16
506- 69- 88
555- 11- 66
820-307- 30
封裕晉 496-420- 90
封愷後魏 261-471- 32
266-501- 24
379- 54-146
封愷女 後魏 見封氏
封詢北齊 263-325- 43
266-503- 24
379-413-153
933- 36- 2
封搔北齊 見封子繪
封瑗妻 明 見金氏
封膜周 812-314- 4
821- 5- 45
封憑後魏 262-339- 94
封錦明 820-623- 41
封衡漢 253-613-112下
380-582-181
386-101-72上
472-898- 35
478-520-200
558-480- 41
742- 27- 1
1059-311- 10
封翼後魏 261-473- 32
封翹後唐 277-560- 68
封懿後魏 261-469- 32
266-498- 24
379- 53-146
505-885- 79
933- 35- 2
封觀漢 253- 61- 75
376-784-109下
402-498- 12
402-566- 19
477-445-171
封子繡北齊 263-179- 21
266-500- 24
379-412-153
封子繪封搔 北齊
263-178- 21
266-500- 24
379-411-153
474-308- 16
476- 77-100
540-658- 27
545-168- 89
933- 35- 2
封玄之後魏 261-469- 32
379- 53-146
266-498- 24
封玄景唐 1065-570- 5
封丘王明 見朱有熉
封丘王明 見朱同鉻
封行高唐 269-571- 63
封言道唐 269-571- 63
274-282-100
封孝琬北齊 263-180- 21
266-500- 24
379-412-153
933- 35- 2
封孝琰北齊 263-180- 21
266-500- 24
379-412-153
933- 35- 2
封伯達北朝 261-471- 32
266-501- 24
封叔念後魏 見封回
封延之北齊 263-180- 21
266-501- 24
379-413-153
933- 35- 2
封延伯齊 259-542- 55
265-1045- 73
380-105-167
475-473- 72
475-741- 88
933- 35- 2
封彥卿唐 494-324- 6
封特卿唐 494-318- 6
封特錫妻 清 見劉氏
封敕文後魏 261-695- 51
266-751- 37
379-184-149
476-254-110
546- 15-115
933- 36- 2
封常清唐 270-270-104
274-685-135
384-203- 11
395-631-237
476-119-102
546-269-124
933- 36- 2
封得印妻 清 見李氏
封偉伯後魏 261-473- 32
266-503- 24
379- 55-146
474-308- 16
933- 36- 2
封從植元 540-633- 27
封舜卿後唐 277-560- 68
封隆之封皮 後魏
261-470- 32
263-176- 21
266-499- 24
379-410-153
384-130- 7
472- 67- 2
472- 84- 3
474-308- 16
474-600- 31
505-628- 67
505-738- 72
933- 35- 2
1400- 44- 3
封萬護後魏 547- 50-143
封輔相北齊 263-152- 19
267-124- 53
379-374-152
封履孫元 482-452-362
567-300- 76
1467-181- 68
封德彝唐 見封倫
封磨奴後魏 261-469- 32
266-498- 24
379- 53-146
封興之後魏 261-470- 32
266-500- 24
379-412-153
933- 35- 2
封錫類明 523-221-156
封靈祐後魏 261-471- 32
封人子高戰國 405-160- 66
持宋 1053-772- 18
1163-412- 14
持衡明 見大持
持嘉暉赤盞暉 金
291-177- 80
399-122-427
474-817- 44
502-261- 54
持嘉希曾元 503- 16- 91
821-327- 54
持嘉烏紳金 見持嘉烏新
持嘉烏新赤盞烏紳、赤盞烏新、赤盞尉忻、持嘉烏紳、持嘉尉忻 金 291-600-115
399-317-446
474-873- 47
502-704- 82
持嘉尉忻金 見持嘉烏新
持嘉實祿金 見實嘉紐勒琿
持嘉德玉石琖德玉 元
503- 16- 91
814-623- 5
816-512- 3
821-316- 54
1200-771- 59
1200-783- 60
持嘉女魯歡金 見實嘉紐勒琿
持嘉和色里金 291-661-121
400-208-517
持嘉和碩台金 291-661-121
400-208-517
持嘉紐勒琿金 見實嘉紐勒琿
持嘉紐勒歡金 見實嘉紐勒琿
持嘉鈕勒緷金 見實嘉紐勒琿
持嘉喀齊喀金 291-579-113
399-300-444
持勒德蘇隆贊唐
410-563- 2
拱辰宋 1053-500- 12
拱時明 567-338- 79
1467-241- 71
咸烏累若鞮單于 漢
251-217-94下
381-618-199
咸宣漢 見減宣
咸啟五代 1053-540- 13
咸傑宋 588-223- 10

1053-908- 20
1054-212- 4
咸潤宋 486-339- 15
咸澤五代 1053-317- 8
咸靜宋 1053-768- 18
咸大猷清 559-330-7下
咸平王明 見朱載塔
咸丘蒙戰國 405-457- 85
咸貞吉咸貞吉 明456-517- 6
咸陽王後魏 見元坦
咸陽王後魏 見元禧
咸陽王後魏 見元翼
咸安公主唐 見燕國公主
咸直公主唐 崔高妻、楊洄妻、唐玄宗女 274-113- 83
393-280- 73
威五代 1053-561- 13
威王唐 見李偘
威台委塔 明 496-627-106
威后戰國 趙惠文王后 405-225- 70
威秀唐 1052-231- 17
威順王元 見庫春布哈
春社清 456-290- 72
春居戰國 405-240- 71
春香明 劉昌妻 475-577- 79
春布理清 456- 34- 52
春申君戰國 見黃歇
春布爾岱清 456-105- 57
玷厥步迦可汗、達頭可汗 隋 264-1153- 84
珊延清 502-551- 73
垣苗劉宋 258-108- 50
259-277- 25
370-509- 15
933-187- 13
垣恭漢 933-187- 13
垣閎齊 259-320- 28
265-403- 25
378-237-137
472-868- 34
933-187- 13
垣敞晉 259-277- 25
933-187- 13
垣閔南朝 933-187- 13
垣閬劉宋 258-110- 50
垣遵劉宋 258-108- 50
933-187- 13
垣恭祖劉宋 258-110- 50
垣崇祖齊 259-277- 25
265-400- 25
370-509- 15
378-235-137
384-111- 6
472-867- 34
510-406-115
511-398-151
558-303- 34
933-187- 13
垣詢之劉宋 258-109- 50
259-277- 25
265-400- 25
370-509- 15
378-235-137
472-867- 34
垣榮祖齊 259-319- 28
265-402- 25
378-236-137
472-868- 34
511-876-170
558-304- 34
933-187- 13
垣憘伯劉宋 265-403- 25
378-238-137
933-187- 13
垣歷生齊 259-320- 28
垣曇深劉宋 265-403- 25
378-238-137
511-580-159
933-187- 13
垣曇深妻 齊 見鄭獻英
垣護之劉宋 258-108- 50
265-399- 25
378- 93-133
472-409- 18
472-867- 34
510-468-117
511-398-151
558-303- 34
814-248- 6
820- 89- 24
933-187- 13
胡周 見周厲王
胡山明(富順人) 554-285- 53
胡山胡日新 明(字天岫) 1460-735- 79
胡元明 483-138-380
胡及胡克儉 宋 1092- 64- 60
胡止明 545-118- 86
胡升宋(字子上) 524-272-191
胡升宋(字潛夫) 680-275-253
1375- 14- 上
1376-315- 79
胡什清(瓜爾佳氏) 455- 55- 1
胡什清(伊爾根覺羅氏) 455-270- 15
胡介明(字汝方) 820-716- 43
胡介明(字柳若) 1475-662- 28
胡介妻 明 見翁桓
胡化明 524- 99-183
胡氏晉 羅企生母 516-228- 97
胡氏宋 江惇禔妻 1140-177- 22
胡氏宋 沈平妻 1090-681- 40
胡氏宋 李賁妻、胡登臣女 1137- 46- 5
胡氏宋 呂申妻 1135-437- 40
胡氏宋 周況妻 1123-667- 7
胡氏宋 章浩妻、胡權女 1171-791- 29
胡氏宋 黃由妻、胡元功女 493-1080- 57
512- 7-176
820-473- 26
821-271- 52
胡氏宋 程晉之妻、胡獻卿女 1147-394- 36
胡氏宋 1376-665- 98
胡氏宋 賈涉妻 585-353- 5
胡氏宋 趙方妻 1170-775- 35
胡氏宋 趙希愈妻 473- 79- 52
胡氏宋 趙叔彖妻、胡潛女 1123-471- 14
胡氏宋～元 劉平妻 295-625-200
401-174-593
472-528- 22
473-251- 60
474-340- 17
475-434- 70
476-754-139
480-300-271
506- 91- 88
533-635- 70
1189- 78- 10
1196-542- 4
1200-654- 49
1367-904- 69
胡氏宋 錢暄妻、胡貢女 1100-459- 42
胡氏宋 韓國華妻、胡覺女 1089-496- 46
胡氏宋 胡宿女 1117-326- 14
胡氏宋 胡震女 1102-286- 36
胡氏宋 張綱舅母 1131-189- 31
胡氏宋 楊文仲母 481-353-309
胡氏元 汪龍妻 1217-595- 4
胡氏元 李安童妻 401-177-593
胡氏元 潘希古妻 1218-532- 10
胡氏元 應普妻 1209-645-10下
胡氏明 方應尊妻 480-141-264
胡氏明 王鉉妻 1267-545- 7
胡氏明 王鯨妻 483-359-400
胡氏明 王舍一妻 477-422-169
胡氏明 王望道妻 1291-471- 8
胡氏明 王對揚妻 506-131- 89
胡氏明 王鄴然妻 506- 50- 87
506- 64- 87
胡氏明 包意妻 512-105-179
胡氏明 朱鳳妻 1267-592- 10
胡氏明 牛應恢妻 479-751-251
胡氏明 汪璟妻 1252-346- 20
胡氏明 沈袠妻 302-230-302
479-252-228
524-649-209
胡氏明 李忠妻 506-102- 89
胡氏明 李珂妻 302-222-301
524-609-208
胡氏明 李綸妻 474-384- 19
胡氏明 李瓚妻 473- 31- 49
胡氏明 李驥妻 472-209- 7
475-782- 89
胡氏明 李文明妻 480-139-264
胡氏明 李在川妻 533-702- 72
胡氏明 李敬中妻 302-245-303
476-677-136
胡氏明 李德楊妻 506- 81- 88
胡氏明 李馥先妻 480-178-266
胡氏明 呂志學妻 506- 43- 87
506- 57- 87

胡氏明 吳世于妻 512-259-183
胡氏明 何平山妻、胡近女 1297-154- 12
胡氏明 孟道異妻 480- 64-260
胡氏明 孟道翼妻 480- 63-260
胡氏明 姜縉妻 479- 61-219 524-456-202
胡氏明 柯文炯妻 530- 60- 55
胡氏明 范瑍妻 481-214-302
胡氏明 帥勳妻、胡坤女、胡天坤女 481-118-296 559-448-11上
胡氏明 段安其妻 472-668- 27
胡氏明 高華妻 541- 56- 29
胡氏明 唐有妻 512-497-189
胡氏明 唐齡妻 483-201-388
胡氏明 唐與言妻 473-237- 60
胡氏明 孫孟麟妻 483- 35-371 570-185- 22
胡氏明 孫朝用妻、胡鏞女 1268-420- 66
胡氏明 郝善妻 506-107- 89
胡氏明 袁宗道妻 480-253-269
胡氏明 徐試妻 479-498-239 516-235- 97
胡氏明 章德俊妻 472-383- 16 512-336-185
胡氏明 許元忱妻 302-231-302 524-610-208
胡氏明 郭遵妻 506- 77- 88
胡氏明 郭麟妻、胡時濬女 1261-178- 13
胡氏明 康恕妻 1287-765- 9
胡氏明 梁宏道妻 482- 42-340
胡氏明 陰時通妻 506- 52- 87
胡氏明 陸應賓妻、胡琮女 1274-619- 3
胡氏明 張本妻 483-141-380
胡氏明 張瑨妻 472-243- 9 475-187- 59
胡氏明 張文秀妻 506-133- 89
胡氏明 張元沖妻 1294-538- 13
胡氏明 張和禎妻 473-131- 55
胡氏明 陳瑤妻 530- 5- 54
胡氏明 陳性善妻 475-332- 65
胡氏明 莊尚妻 472-313- 13 475-332- 65
胡氏明 畢自嚴妻 1293-495- 4
胡氏明 黃緯色妻 483-359-400
胡氏明 彭焱妻、彭猋妻 480- 97-262 480-584-285
胡氏明 彭嵋妻 480- 62-260 533-511- 66
胡氏明 楊堪妻 480-177-266
胡氏明 楊才英妻 480-416-277
胡氏明 葛之孚妻 472-360- 15 475-613- 81
胡氏明 解楨亮妻、胡廣女 479-729-250 516-284- 99
胡氏明 趙貴妻 1250-933- 88
胡氏明 熊鉷妻、胡顯女 480- 62-260 533-508- 66
胡氏明 鄧瑜妻 472-528- 22 541- 2- 29
胡氏明 歐茂仁妻 302-231-302 530- 64- 55 1254-588- 上
胡氏明 蔡一仕妻 478-249-186
胡氏明 劉堪妻 480-178-266
胡氏明 劉潛妻 479-796-254 516-401-102
胡氏明 劉繪妻、胡西泉女 1458-295-436
胡氏明 劉鐸妻 473-251- 60
胡氏明 劉三善妻 479-633-245
胡氏明 劉佐臨妻 512-145-181
胡氏明 樂大成妻 1238-244- 21
胡氏明 蕭世榮妻 1242-167- 29
胡氏明 鮑三妻 475-647- 83
胡氏明 戴天錫妻、胡剛女 1259-188- 14
胡氏明 鍾有倫妻 479-797-254
胡氏明 顏遂妻 472-313- 13 475-332- 65
胡氏明 魏守恭妻 483-179-384
胡氏明 羅撝妻 479-632-245 516-331-100
胡氏明 蘇可教妻、胡文耀女 530-107- 57
胡氏明 續慧妻、胡復中女 472-469- 20
胡氏明 王蔡媳 512-168-181
胡氏明 胡珙女 1283-510-106
胡氏明 程煜節叔母 302-253-303
胡氏明 劉克寬母 479-582-243
胡氏清 丁堯彩妻 506- 27- 86
胡氏清 王震妻 524-488-203
胡氏清 王方來妻 506- 65- 87
胡氏清 王文秀妻 506-167- 90
胡氏清 田弼妻 503- 59- 95
胡氏清 江承麟妻 524-468-202
胡氏清 朱子才妻 475-713- 86
胡氏清 朱如竹妻 480-144-264
胡氏清 沈式菴妻、胡孟冒女 1321- 64- 92
胡氏清 宋弘猷妻 506- 26- 86
胡氏清 李坦妻 474-194- 9
胡氏清 李巽妻 479-634-245
胡氏清 李士謀妻 479- 62-219 524-459-202
胡氏清 李文秀妻 482-414-360
胡氏清 李元龍妻 533-584- 68
胡氏清 李伯奇妻 479-751-251
胡氏清 李伯麟妻 480-666-290
胡氏清 李其光妻 481-363-310
胡氏清 李尚器妻 480-665-290
胡氏清 吳夢璲妻 477-548-176
胡氏清 邵其星妻 512- 96-179
胡氏清 金謙妻 506- 26- 86
胡氏清 金騰茂妻 1315-583- 35
胡氏清 侯益妻 475-457- 71
胡氏清 孫士俊妻 474-194- 9
胡氏清 晏守成妻 480-322-272
胡氏清 曹明登妻 475-584- 79
胡氏清 張毓妻 480-255-269
胡氏清 張端妻 478-355-191
胡氏清 張我龍妻 506- 65- 87
胡氏清 張廷玠妻 524-467-202
胡氏清 陳琦妻 530- 97- 56
胡氏清 陳家相妻 530- 98- 56
胡氏清 陳蔚起妻 530- 29- 54
胡氏清 馮宗岱妻 479-634-245
胡氏清 喻援妻 476-900-147 541- 33- 29
胡氏清 程應孫妻 475-619- 81
胡氏清 逯國顯妻 506-138- 89
胡氏清 楊三極妻 475-856- 94
胡氏清 葉祖麟妻 482-119-343
胡氏清 齊承武妻 506- 25- 86
胡氏清 趙直妻 506-171- 90
胡氏清 趙璧妻 503- 66- 95
胡氏清 談學廉妻 481-353-309
胡氏清 歐陽次元妻 480-514-281
胡氏清 劉粲妻 506- 20- 86
胡氏清 劉元臯妻 512-358-185
胡氏清 劉自唐妻 533-651- 70
胡氏清 劉成名妻 477-213-159
胡氏清 劉起雲妻 503- 68- 95
胡氏清 劉應蛟妻 476-532-128 541- 6- 29
胡氏清 譚夢燕妻 480-418-277
胡氏清 濮宗元妻 475-824- 92
胡氏清 戴象彪妻 524-699-211
胡氏清 胡玉池女 480-546-283
胡氏清 胡良玉女 474-194- 9
胡氏不詳 俞勝祖妻、胡邦振女 473-157- 56
胡允宋 516- 41- 88
胡立妻 元 見張氏
胡玉明 袁瑀妻、胡忠女 1259-225- 17
胡玉妻 明 見何氏
胡正宋 524-333-195
胡正明 820-600- 40
胡正明 陳彥道妻、胡祺孫女 524-770-215 1228-584- 4
胡本明 529-687- 50
胡布元 820-525- 38 1236-824- 15
胡旦宋(字周父) 288- 82-432 382-249- 38 384-331- 17 384-334- 17 400-627-557 471-816- 32 472-171- 6 472-524- 22 473-248- 60 473-476- 69 473-784- 85

476-752-139
480-299-271
491-344- 2
533-740- 73
559-273- 6
567-431- 86
674-274-4中
674-577- 3
677-169- 16
680-175-242
933- 96- 6
1467-143- 67
胡旦宋(德安人) 473- 88- 52
516-120- 92
胡田宋 515-309- 66
554-359- 54
胡田明 511-881-171
胡由明 見胡粹中
胡仔宋 524-282-192
1375- 8-上
胡亥秦 見秦二世
胡安漢 473-536- 72
561-204-38之1
胡安明(字伯康) 511-851-169
1375- 28-上
胡安明(字仁文) 1442- 58- 3
1460-172- 48
胡汝明 1227-155- 19
胡老宋 見胡英發
胡早妻 明 見李氏
胡光明 483- 15-370
483-200-388
511-278-147
559-269- 6
569-660- 19
胡全明(吳山人) 481-745-334
胡全明(字震卿) 515-373- 68
胡全明(羅田庠生) 533-426- 62
胡任明 516-513-106
胡向宋 473-127- 55
515-519- 73
523-147-153
胡仲宋 561-203-38之1
胡仰宋 1142-527- 6
胡价宋 473- 22- 49
515-324- 67
胡先明 559-319-7上
胡份胡玢 唐 516-215- 96
胡份宋(縉雲人) 524- 90-182
820-402- 34
胡份宋(字兼美) 1128-629- 18
胡份明 472-1053- 44
胡伋宋 485-449- 7
1142-530- 6
1376-368- 84
胡伋妻 宋 見莫氏
胡休吳 515-294- 66
胡宏胡子宏 宋 288-139-435
400-478-544
449-753- 11
459- 92- 5
460- 44- 3
471-756- 23
473-604- 76
480-415-277
481-677-331
529-604- 47
533-743- 73
674-355-5下
674-841- 18
820-412- 34
1318-162- 45
1363-345-155
1437- 23- 2
胡宏明 524-360-196
胡沖吳 254-901- 17
385-533- 60
493-670- 37
胡沂宋 287-323-388
398-340-386
472-1071- 45
479-235-227
486-328- 15
523-303-160
1164-249- 12
胡忻明 558-400- 36
胡序宋 1150-869- 47
1164-297- 15
胡序妻 宋 見薛氏
胡汲金 1365-290- 8
1445-522- 39
胡良明 547-560-161
胡查明 見黎蒼
胡玘宋 1157-264- 19
胡杕胡棣 元 1439-432- 1
胡昰妻 明 見汪氏
胡助元 524- 71-181
676-702- 29
1214-659- 18
1214-660- 18
1369-428- 13
1439-430- 1
1471-438- 10
胡佑胡德孫 宋 448-384- 0
胡住明 樓子惠妻、胡世含女
1240-346- 22
胡伸宋 475-699- 86
485-449- 7
510-462-117
511-805-167
678-104- 79
1142-528- 6
1375- 5-上
1376-334- 81
胡秀唐 820-182- 27
胡宗唐(修道之士) 592-259- 76
胡宗唐(畫家) 821- 58- 46
胡宗宋 1152-580- 31
胡泓宋 515-256- 65
胡怡明 472-274- 11
510-375-114
胡泥後魏 262-272- 89
267-666- 87
380-227-171
胡泳宋(字伯量) 516- 99- 91
胡泳宋(字季永) 1147-357- 32
胡泳妻 宋 見李氏
胡沬宋 487-512- 7
胡定漢 538-118- 64
胡定明 528-461- 29
533-141- 51
胡庚明 見胡廣
胡炎唐 515-300- 66
胡炊妻 清 見戴氏
胡武漢 545-505-101
胡松元 1230-321- 5
胡松明(字汝茂) 300-328-202
473- 19- 49
475-799- 90
479-455-237
511-369-150
515- 52- 58
517-635-131
517-660-131
517-688-132
517-690-132
545- 84- 85
545-423- 98
676-563- 23
1442- 54- 3
1455-639-238
1460-122- 46
胡松明(字茂卿) 300-329-202
475-572- 79
511-281-147
820-672- 42
1280-595-100
胡松明(海康人) 564-252- 47
胡杰明 515-407- 69
676-582- 24
1442- 59- 4
1460-184- 48
胡弦明 1229-672- 1
胡玥明 533- 90- 49
胡直明 457-355- 22
479-726-250
515-703- 79
676-587- 24
1287-307- 8
1442- 61- 4
1460-198- 49
胡直明 見熊直
胡直妻 明 見蕭閨莊
胡玠明 528-532- 31
胡坤女 明 見胡氏
胡奇宋 554-911- 64
821-208- 51
胡玢唐 見胡份
胡東明 523-617-176
1283-461-103
胡承明 511-232-145
胡忠元 524-203-188
胡忠明 511-392-151
胡忠女 明 見胡玉
胡明宋 475-822- 92
胡昇明(新淦人) 480-127-264
胡昇明(字彥明) 529-709- 50
胡昇妻 明 見王氏
胡昂明(字文謙) 473-247- 60
532-680- 44
545-376- 97
胡昂明(山西定襄人)

540-653- 27
胡昂明(字文宿) 554-500-57上
胡昂明(嘉興人) 821-366- 55
胡卓妻 清 見劉氏
胡虎明 1253-106- 46
胡芳漢 545-126- 87
胡芳晉 晉武帝貴賓、胡奮女
255-578- 31
373- 69- 20
胡芳宋 524- 86-182
胡易明 299-847-180
473-189- 58
479-823-256
516-175- 94
胡叔南北朝 533-329- 58
胡旻明 821-366- 55
胡旻妻 明 見劉氏
胡昊明 821-366- 55
胡侍明 380-146-191
478-598-204
545-223- 91
554-663- 60
1442- 47-附3
1460- 26- 41
胡肫妻 明 見程香兒
胡侔宋 見胡侃
胡岳五代 1118-976- 66
胡岳明 517-638-131
517-650-131
胡佯唐 561-227-38之3
胡侁宋 524-265-191
680- 22-226
胡侃胡侔 宋 485-450- 7
1142-529- 6
1376-334- 81
胡采明(嵊縣人) 480-437-278
532-727- 46
胡采明(字英千) 1475-658- 28
胡近女 明 見胡氏
胡宣明 472-718- 28
胡宣妻 清 見李氏
胡宥明 505-693- 70
511-286-147
571-529- 19
胡恬後蜀 820-321- 31
胡恆明 456-467- 4
480-175-266
481-361-310
533-378- 60
559-525- 12
胡恆妻 明 見樊氏
胡洽劉宋 742- 31- 1
胡袓明 559-301-7上
胡恢宋 489-687- 50
820-352- 32
胡弈魏 254-469- 27
933- 95- 6
胡美胡廷瑞 明 299-207-129
533-189- 53
胡持元 537-452- 58
胡咸宋 1128-407- 13
1376-500- 91
胡威胡貔 晉 254-469- 27
256-460- 90
380-170-170
448-311- 上
459-860- 52
470-266-129
472-200- 7
472-586- 24
475- 14- 49
475-747- 88
476-474-125
510-275-112
511-344-149
532- 98- 27
540-644- 27
933- 95- 6
胡珊明 523-233-156
胡枏明 476-438-122
483-340-398
545-432- 99
571-550- 20
胡厚明 1287-771- 10
胡奎明(鄱陽人) 480-127-264
516- 77- 90
532-633- 43
胡奎明(字應文) 510-465-117
胡奎明(字虛白) 524- 7-178
676-454- 17
1233-355- 附
1391-560-330
1442- 9- 1
1459-468- 15
胡奎妻 明 見邱氏
胡奎妻 明 見李氏
胡革宋 1157-265- 19
胡珍明 502-283- 56
胡勃吳 473- 20- 49
515-293- 66
胡述明 516-151- 93
胡政明 505-658- 68
胡建漢 250-522- 67
376-300-100
472-461- 20
476-114-102
478- 83-180
546-246-123
554-263- 53
933- 95- 6
胡建明 554-220- 52
胡某金(號胡叟) 821-278- 52
胡茂明 554-518-57下
胡茂妻 清 見陳氏
胡思明 569-663- 19
胡貞明 476-451-123
545-272- 93
545-480-100
554-473-57上
胡昺明 821-405- 56
胡昱明 821-366- 55
胡昭魏 254-227- 11
380-415-177
384- 83- 4
384-512- 22
386- 27-69中
448-113- 下
472-743- 29
477-317-164
538-168- 66
812- 59- 中
812-222- 8
812-711- 3
814-228- 4
820- 39- 22
胡昭宋 1137-696- 26
胡則南唐 479-604-244
515-242- 64
胡則宋 285-760-299
397-188-331
450-296-中11
451-262- 2
472-1028- 42
472-1114- 48
473-737- 82
473-762- 84
475- 15- 49
479-321-232
482-319-354
484- 90- 3
484- 91- 3
490-739- 72
493-766- 42
523-321-161
525-357-235
528-437- 29
545-406- 98
563-652- 39
567- 50- 64
583-797- 26
590-135- 17
1089-690- 12
1467- 23- 62
胡則妻 宋 見陳氏
胡英唐 820-173- 27
胡英妻 明 見李氏
胡彔明 570-138-21之2
胡香明 張琴妻 481-374-311
胡信明(字宗實) 483-162-382
569-675- 19
820-626- 41
胡信明(廬陵人) 483-331-397
571-548- 20
胡俛宋 554-331- 54
1118-975- 66
胡衍戰國 472-455- 20
546-616-135
胡衍宋 482- 74-341
515-578- 75
563-676- 39
胡紀明 1442- 24-附2
1459-611- 23
胡勉宋 473-302- 62
480-341-273
533-241- 54
胡勉明 523- 83-149
胡海明(字海洋) 299-221-130
453- 38- 4
472-206- 7
475-752- 88
511-418-152
532-588- 41

567- 81- 66
胡海明(字光伯) 533- 48- 48
胡海明(饒州人) 554-311- 53
胡海妻 明 見王氏
胡海清 456-309- 74
胡涓宋 516- 21- 87
523-241-157
胡浡明 300-549-215
511-157-142
1283- 77- 73
1442- 63- 4
1460-212- 49
胡涇明 515-377- 68
胡高明 482-371-357
567-103- 66
1467- 76- 64
胡益金 1191-190- 17
胡益元 820-522- 38
胡訓明 473- 28- 49
515-385- 68
1261- 80- 6
胡悅清 456-340- 76
胡浚明 見胡滮
胡敉妻 清 見黃氏
胡泰元(字通夫) 1194-197- 15
胡泰元(秀之海鹽人)
1216-248- 13
胡泰妻 元 見王氏
胡泰明 820-572- 40
胡泰妻 明 見趙氏
胡珙費珙 元 1209-505-8下
胡拱女 明 見胡氏
胡貢胡寵 漢 563-601- 38
567- 20- 63
胡貢妻 漢 見黃列嬴
胡栻明 524-111-183
胡原元 1197-277- 26
胡原明 1242- 97- 27
胡原妻 明 見錢氏
胡烈漢～魏 473-245- 60
480-285-271
532-674- 44
540-630- 27
胡烈晉 255-945- 57
377-637-124下
558-224- 32
胡烈宋 見胡師徐
胡眞後梁 277-152- 16
胡珦唐 472-336- 14
510-413-116
554-268- 53
1073-605- 30
1074-448- 30
1075-398- 30
1341-748-899
1378-459- 58
1383-158- 12
1410- 40-668
胡哲宋 1127-537- 14
胡桂明 1288-631- 10
胡格宋 485-533- 1
胡軒明 515-223- 63
胡梯明 524-214-188
胡振明 1237-307- 6
胡根漢 1063-230- 6
1397-465- 22
1412-485- 19
胡挺宋 1173-261- 82
胡時宋 524-229-189
胡時明 529-748- 51
820-578- 40
胡恩明 533-176- 52
胡晏宋 473-360- 64
533-260- 55
胡剛漢 253- 51- 74
376-778-109下
407-587- 4
473-300- 62
480-244-269
533-203- 53
胡剛明 302-142-296
524-134-185
胡剛女 明 見胡氏
胡虔後魏 262-226-83下
267-555- 80
380- 20-165
544-209- 62
552- 35- 18
胡虔唐～後唐 813-115- 8
821-112- 49
胡紘宋(字應期) 287-393-394
398-393-390
451- 24- 0
472-1054- 44
胡航宋 1171-773- 27
胡皋明 821-474- 58
胡倬明 567-320- 78
1467-207- 69
胡倫明(字天敘) 480-318-272
559-347- 8
胡倫明(字大經) 1255-579- 61
胡釗宋 592-216- 73
592-378- 83
1096-685- 22
1381-559- 40
胡紳明 554-313- 53
胡純宋 480-663-290
胡純明 300-274-199
453-803- 4
473-750- 83
546-646-136
567-445- 86
676-278- 10
1467-154- 67
胡姬春秋 齊景公夫人
404-630- 38
胡紡宋 523- 77-149
胡叟後魏 261-703- 52
266-699- 34
379-159-148
478-548-202
554-882- 64
558-327- 35
933- 96- 6
胡寅宋 288-135-435
400-475-544
449-437-上8
459- 91- 5
460- 33- 3
471-617- 5
471-756- 23
471-770- 25
471-854- 38
472-1014- 41
473-604- 76
473-713- 81
479-377-234
480-540-283
481-677-331
482-187-346
523-213-156
529-602- 47
532-716- 45
533-743- 73
563-907- 43
567-440- 86
674-841- 18
679-792-216
820-412- 34
933- 98- 6
1137-259- 附
1437- 23- 2
1467-151- 67
胡寅妻 宋 見翁氏
胡寅妻 宋 見張季蘭
胡悰明 532-738- 46
胡宿宋 286-224-318
382-460- 71
384-354- 18
397-383-342
449-179- 4
450-255-中5
471-611- 4
471-614- 4
471-694- 15
471-903- 45
472-258- 10
472-289- 12
472-357- 15
472-961- 38
472-998- 40
475-222- 61
475-365- 67
475-603- 81
479-133-223
484- 95- 3
493-699- 39
494-296- 5
510-386-115
511-140-142
523- 75-149
708-337- 50
820-350- 32
871-892- 19
933- 96- 6
1102-273- 34
1102-383- 50
1133-362- 20
1362-458- 17
1378-577- 62
1383-594- 53
1437- 11- 1

胡宿女 宋 見胡氏
胡淳明 511-647-162
胡清明(字士澄) 472-278-11
511-179-143
1241-843-21
胡清明(南昌人) 472-766-30
515-364-68
胡清明(字景濂) 1261-715-30
胡淮明 572-76-28
胡淵晉 254-499-28
胡淵宋 460-33-3
529-685-50
1121-698-4
胡淵明(字見心) 302-79-293
456-489-5
475-853-94
505-856-77
胡淵明(定遠人) 494-154-5
569-673-19
胡淵妻 明 見范氏
胡淵妻 清 見孫氏
胡祥後魏 262-226-83下
267-555-80
380-19-165
胡祥明 見胡端禎
胡寀妻 宋 見李氏
胡淀元 1376-405-86
胡深明(字仲淵) 299-256-133
453-59-6
472-1055-44
479-434-236
523-421-166
526-236-266
1224-102-18
1226-472-22
1374-412-62
胡深明(定遠衛人) 299-834-180
474-741-40
502-381-64
胡康宋 679-534-191
胡康明 456-643-10
胡訥宋 674-665-7
1090-653-37
胡梅明 1460-904-97
胡珵宋 458-192-1
472-260-10
492-705-3上
511-143-142
820-451-35
胡理清 456-186-64
胡埜宋 479-822-256
516-160-94
523-401-165
680-184-242
胡郴明 524-151-185
胡規後梁 277-177-19
胡爽漢 407-586-4
胡通明 511-414-152
胡晟明 480-563-284
胡崇宋 511-273-147
489-321-29
1376-319-79
胡莊宋 524-225-189
胡莊明 516-172-94
胡唯明 821-351-55
胡常漢 474-436-21
476-611-133
505-873-78
胡彪元 547-86-144
胡勗妻 明 見殷氏
胡晨明 481-745-334
528-560-32
胡紹宋 1376-368-84
胡紹明 1291-638-2
胡紹妻 明 見楊氏
胡偉宋 1437-31-2
胡偉明 515-154-61
胡敏宋 1098-714-44
胡敏明(字伯成) 472-1085-46
511-821-167
523-131-152
胡敏明(荊州人) 523-156-153
胡敏妻 清 見陳氏
胡斌宋 288-315-449
400-137-511
473-641-78
481-693-332
482-142-344
528-539-32
564-70-44
胡斌明 505-901-80
胡富明(字永年) 300-56-186
472-382-16
475-571-79
511-277-147
528-561-32
676-514-20
胡富明(字汝禮) 1246-623-12
胡渭元 1209-501-8下
胡渭胡渭生 清 479-147-223
524-37-179
胡証唐 271-105-163
275-297-164
384-256-13
396-73-258
476-121-102
546-279-124
684-483-下
820-219-28
933-96-6
胡愔唐 820-178-27
胡善胡存道 元 472-239-9
475-176-59
510-346-114
523-384-164
1218-629-2
胡善明 472-377-16
胡善明 周俊祖妻 1242-65-26
胡曾唐 451-465-6
471-772-26
473-349-63
533-108-50
533-721-73
1365-518-10
1371-72-附
胡湛明 480-414-277
胡湛妻 明 見顏氏
胡湜明 473-358-64
480-508-281
511-327-149
532-706-45
胡雲明 523-250-157
1276-415-10
胡雲妻 清 見馬氏
胡琮明 480-484-280
511-100-140
523-245-157
1258-314-7
1273-212-27
胡琮女 明 見胡氏
胡越明 473-624-77
胡賁女 宋 見胡氏
胡惠明 472-766-30
537-315-56
胡惠妻 明 見楊氏
胡超明 524-268-191
1255-361-41
1255-719-73
胡植妻 元 見文孟端
胡植明 456-666-11
胡盛後魏 267-556-80
380-21-165
胡盛女 北魏 見胡皇后
胡喜晉 255-945-57
377-637-124下
胡琴明 511-603-160
胡閏明 299-352-141
456-693-12
473-50-50
479-533-241
516-57-89
532-588-41
886-152-139
1442-17-附1
1459-523-18
胡閏女 明 見胡郡奴
胡隆明 821-364-55
胡登明 547-54-143
胡軫明 472-963-38
473-490-70
478-766-215
515-366-68
523-37-147
559-298-7上
1238-446-6
胡陽胡傷 戰國 384-32-1
胡琛明(字廷璽) 476-699-137
胡琛明(富順人) 559-371-8
胡琛明(鎮江人) 567-448-86
1467-77-64
胡琛明(字廷貢) 569-673-19
胡琳明 571-529-19
胡棟明 559-518-12
胡棟妻 明 見馮氏
胡棣元 見胡杕
胡貴妻 明 見胡妙玉
胡著妻 宋 見劉氏
胡崢明 567-419-85
1467-194-69
胡貿明 1457-43-345
胡智宋 843-672-下
胡智明(字尚明) 458-148-7

胡智明(字宗愚) 523-464-169
567- 91- 66
1467- 65- 64
胡智明(瀏陽人) 558-184- 31
胡欽明 473-599- 76
528-510- 31
554-209- 52
胡傑明 1467-303- 74
胡源妻 明 見朱氏
胡愼妻 清 見傅氏
胡滄妻 清 見常氏
胡詮明 458- 71- 3
胡靖明(睢州人) 473-477- 69
559-275- 6
胡靖胡德盛 明(字汝寧)
516- 68- 89
554-209- 52
胡靖明 見胡廣
胡靖明 見澄雪
胡靖妻 清 見王氏
胡裕明 572- 76- 28
胡亶清 510-297-112
胡煌妻 明 見何氏
胡新明 473- 78- 52
胡準明 515-683- 78
55[illegible]-307-7上
胡廉元 1204-255- 6
胡廉明 473-316- 62
532-748- 46
胡道明 1274-400- 14
胡道妻 明 見李氏
胡滾明 523-377-164
胡項清 559-335-7下
胡楀明 見胡宜衡
胡塤宋 533-279- 56
胡瑄明 537-289- 55
胡瑋明 456-662- 11
胡瑞明(南昌人) 528-457- 29
胡瑞明(字天祥) 559-318-7上
胡瑜元 1471-438- 10
胡琬明 1261-729- 31
胡概明 見熊概
胡瑒漢 563-602- 38
胡勣宋 1150-879- 48
1171-773- 27
胡瑗宋 288- 88-432
371-150- 15
382-739-113
384-359- 18
400-445-541
427- 54- 下
449-117- 10
450-473-中35
459- 48- 3
471-595- 2
471-611- 4
471-906- 45
472-221- 8
472-294- 12
472-922- 36
472-998- 40
475-374- 68
479-133-223
493-767- 42
508-295- 40
510-326-113
511- 64-138
523-114-151
526- 14-259
539-503-11之2
541-111- 31
554-331- 54
589-308- 2
674-161-1上
677-183- 17
708-334- 50
820-352- 32
933- 27- 6
1090-653- 37
1102-200- 25
1136- 94- 5
1194-612- 7
1209-446-7下
1351-639-145
1356-139- 7
1375- 32- 下
1378-603- 63
1383-656- 58
1410-198-686
1418-283- 45
1447-574- 31
1476-180- 10
胡梗明 511-369-150
胡達晉 256-591- 97
381-571-198
胡戢宋 1118-978- 66
胡煦清 477-547-176
胡嵩金 540-656- 27
1195- 72- 6
胡鼎明 1236-759- 11
1237-609- 上
胡鼎妻 明 見徐氏
胡暘明 472-325- 14
胡遇宋 511-266-147
胡桌元 295-532-190
胡敬妻 明 見姚氏
陳暕明 480-583-285
胡裝後唐 277-566- 69
胡鉉明 1232-189- 1
胡鉞明 481-720-333
528-552- 32
胡傳明 1474-565- 29
胡雋妻 明 見徐氏
胡經明 528-563- 32
胡節元 吳欽妻 1223-578- 11
1224-309- 24
胡節明(字國信) 473-391- 65
480-544-283
533-108- 50
胡節明(龍游人) 473-570- 74
528-453- 29
胡節明(字孟通) 524-266-191
胡節妻 明 見王素娥
胡傷戰國 見胡陽
胡賓明(字汝觀) 458-158- 8
545- 92- 85
676- 79- 3
680-239-248
胡賓明(號生洲) 523-236-156
胡實宋 460- 35- 3
1167-751- 40
胡演明 563-784- 40
胡誌明 569-673- 19
胡禎明(錢塘人) 472-968- 38
胡禎明(字用良) 524- 56-180
胡禎明(襄陽人) 528-526- 31
胡廣明 475-823- 92
511-375-150
1241-808- 20
1242-825- 9
胡韶明(鄱陽人) 523-216-156
胡韶明(字大聲) 1268-300- 48
胡福明 473-316- 62
532-747- 46
545-888-114
胡福妻 清 見史氏
胡寧宋 288-141-435
400-479-544
460- 34- 3
473-604- 76
529-604- 47
胡寧清 515-492- 71
胡齊春秋 見周釐王
胡廒明 505-914- 81
胡慥宋 見胡大正
胡榮宋 494-432- 13
胡榮明(濟寧人) 302-191-300
胡榮明(戶科都給事中)
443- 26- 2
胡榮明(字希仁) 473-129- 55
515-548- 74
胡榮胡道榮 明(字希華)
524- 76-181
524-294-193
胡榮明(井研人) 559-402-9上
胡榮女 明 見胡善祥
胡碩漢 1063-216- 6
1397-456- 22
1397-457- 22
1412-472- 19
1412-473- 19
胡愿元 1197-739- 77
胡壽宋 見胡拱辰
胡壽明 537-327- 56
胡熙妻 明 見郭氏
胡薾胡浚 明 524-353-196
胡遠妻 宋 見葛氏
胡遜元 476-915-148
胡睿明 472-458- 20
545-188- 90
胡蒙父 宋 1113-428- 8
胡蒙宋 1113-428- 8
胡鳳明 533-263- 55
563-748- 40
胡箕宋 5415-598- 76
679-505-188
1147-749- 71
胡僎明 554-281- 53
胡熊魏 254-469- 27
933- 95- 6
胡綜吳 254-898- 17
370-246- 2

377-402-120
384- 81- 4
384-562- 28
385-530- 60
472-793- 31
477-446-171
538-154- 65
933- 95- 6
胡僖明 523-484-170
1283-158- 79
1290-650- 89
胡僖妻 明 見宋氏
胡銓宋 287-126-374
398-182-377
449-634-下13
459-636- 37
471-648- 10
471-672- 10
471-732- 20
471-853- 37
471-854- 37
471-874- 40
471-892- 43
473- 43- 50
473-148- 56
473-359- 62
473-568- 74
473-652- 78
473-713- 81
473-738- 82
473-768- 84
479-714-250
479-792-254
480-512-281
481-582-328
481-610-328
482- 33-340
482-187-346
482-269-350
482-435-361
511-889-172
515-589- 75
517-390-125
518-249-143
518-251-143
528-490- 30
532-654- 44
563-907- 43
567-441- 86
568-256-108
674-841- 18
820-428- 35
1137- 3- 附
1137- 58- 附
1137- 64- 附
1137- 70- 附
1137- 76- 附
1137- 85- 附
1147-335- 30
1147-357- 32
1153-235- 76
1161-101- 83
1161-449-115
1161-495-118
1363-462-177
1375- 33- 下
1437- 23- 2
1467-149- 67
胡銓妻 宋 見劉德靚
胡銓清 515-851- 84
540-685- 27
胡綰宋 480-463-279
532-730- 46
胡銑宋 1088-581- 60
胡肇金 540-633- 27
胡魁妻 明 見聶氏
胡綱漢 563-913- 43
胡綱明 567- 91- 66
1467- 64- 64
胡榘宋 472-1084- 46
479-174-225
515-600- 76
523-127-152
1177-573- 27
胡寬元 1439-433- 1
胡寬明 1475-233- 10
胡潔明 483- 16-370
570-109-21之1
胡濙宋～元 524- 70-181
1439-431- 1
胡諒明 505-800- 74
胡廣漢 253- 51- 74
370-202- 20
376-778-109下
402-480- 11
402-579- 20
407-587- 4
470-385-146
471-780- 27
471-792- 29
472-788- 31
473-300- 62
533-203- 53
537-324- 56
933- 95- 6
1063-206- 5
1063-207- 5
1063-208- 5
1397-447- 21
1397-448- 21
1397-449- 21
1412-463- 19
1412-464- 19
1412-465- 19
胡廣妻 漢 見章顯章
胡廣晉 255-945- 57
377-637-124下
胡廣宋 288-369-453
400-159-513
胡廣胡靖 明(字光大)
299-416-147
443- 26- 2
452-170- 3
453-203- 19
453-561- 7
473-151- 56
515-651- 77
676-473- 18
820-585- 40
1237-605- 上
1238-141- 12
1240-703- 7
1241- 69- 4
1242-386- 37
1284-354-163
1374-538- 76
1391-700-345
1442- 17-附1
1459-541- 19
胡廣胡庚 明(字文剛)
524- 42-180
1474-292- 14
胡廣女 明 見胡氏
胡廣女 明 見胡盧
胡熜女 清 見李氏
胡潛蜀漢 254-649- 12
377-292-118下
384-495- 18
胡潛宋 821-227- 51
胡潛女 宋 見胡氏
胡潛明 1442-100- 6
胡澄明(諸暨人) 477- 55-151
537-348- 56
胡澄明(建昌衛人) 481-268-305
胡澄明(字景濂) 511-374-150
512-786-196
胡澄明(字永清) 1249-166- 10
胡誼宋 523-590-175
678-142- 83
1175-538- 17
胡澥宋 1180-363- 33
胡澥明 572-157- 32
胡褎宋 1374-224- 48
胡璁明 480-564-284
胡撙宋 見胡樽
胡頴宋 見胡穎
胡璋明(字資禮) 528-528- 31
564-159- 45
1287-121- 13
胡璋明(貴州衛人) 571-533- 19
572-101- 30
胡槻宋 585-770- 5
1467- 46- 63
胡鼒女 明 見胡氏
胡璉宋 515- 82- 59
胡璉元(懷孟人) 481-745-334
528-559- 32
胡璉元(字國瑞) 1200-772- 59
胡璉明(字重器) 300-162-192
479-682-248
515-551- 79
胡璉明(建昌人) 473- 78- 52
胡璉明(字商用) 473-167- 57
515-473- 71
676- 3- 1
1237-364- 10
胡璉明(任延慶州) 505-695- 70
胡璉明(字器重) 511-242-145
胡璉明(湯陰人) 554-310- 53
胡璉明(字大用) 558-398- 36
胡璉明(字汝器) 820-578- 40
1237-612- 上

胡震宋 484-377-27
胡震女 宋 見胡氏
胡履妻 元 見謝瓛
胡嶠後晉 503-9-90
胡崋明 511-150-142
528-454-29
胡價明 523-177-154
胡質魏 254-468-27
377-225-117
384-660-41
385-420-46
472-200-7
472-586-24
474-468-23
476-474-125
476-777-141
505-687-70
511-343-149
532-549-40
933-95-6
胡質晉 473-296-62
胡質明 571-542-20
胡德明 676-541-22
胡衛宋 523-79-149
胡憲宋 288-446-459
401-31-571
449-756-11
459-88-5
460-46-3
471-660-11
473-604-76
481-673-331
481-677-331
529-604-47
679-795-216
933-98-6
1140-508-18
1146-39-87
1146-328-97
1147-385-35
胡憲女 元 見胡至靜
胡瀛清 569-621-18下之2
胡澧明 564-172-45
胡諧明 505-658-68
523-232-156
546-494-131
胡燔明 554-311-53
胡龍明 473-75-52
515-234-64
胡澤明(通城人) 510-498-118
胡澤明(孝友) 547-114-145
胡諤妻 宋 見孫氏
胡濂明 533-10-47
561-326-40
胡遵魏 254-499-28
255-944-57
558-325-35
胡樽胡撙 宋 493-777-42
523-462-169
1164-330-17
1166-672-12
胡穎陳 260-624-12
265-941-67
378-509-144
472-1001-40
479-139-223
494-264-1
494-287-3
515-80-59
523-527-172
933-96-6
胡穎胡頴 宋 287-673-416
398-620-407
472-222-8
473-339-63
475-120-55
478-762-215
481-802-338
493-779-42
523-19-146
533-249-55
563-670-39
567-73-65
585-777-5
胡熹明 554-313-53
胡翰明 301-810-285
458-1009-1
472-1032-42
479-328-232
523-616-176
676-447-17
820-567-40
1229-3-附
1229-136-附
1284-353-163
1374-635-84
1391-570-332
1405-690-307
1442-9-1
1459-266-6
胡奮晉 255-944-57
377-636-124下
472-880-35
478-672-209
552-24-18
558-325-34
933-95-6
胡奮女 晉 見胡芳
胡墍宋 472-1026-42
胡靜宋 515-521-73
胡靜明 蕭貴妻、胡季舟女
1255-549-58
胡璞宋 471-663-12
473-617-77
529-740-51
胡霖宋(字作霖) 533-153-52
胡霖宋(字君濟) 1128-264-27
胡默妻 明 見趙氏
胡盧明 朱英妻、胡廣女
1246-105-4
胡曈唐 1376-619-96上
胡器明(字士璉) 473-584-75
479-682-248
481-583-328
515-543-74
528-484-30
1238-438-6
胡器明(字季楠) 515-546-74
胡嶧宋 485-196-26
493-1046-55
589-330-4
1139-645-3
胡曉明 517-669-131
胡暹唐 525-37-218
583-557-12
胡暹明 473-359-64
532-706-64
胡縝明(永寧人) 302-25-290
481-454-318
胡縝明(諡烈愍) 456-463-4
胡壆明 529-676-49
胡學唐 511-265-147
胡穋元 1195-169-2
胡縉妻 明 見朱氏
胡錫宋 821-172-50
胡錫明 1287-766-10
胡錠明 473-282-61
532-634-43
胡濬元 472-587-24
540-781-28之2
胡濬明 473-65-51
515-875-86
523-85-149
胡濬妻 明 見奚氏
胡謐明 472-174-6
472-431-19
475-872-95
545-73-85
1442-21-2
胡濟蜀漢 254-621-9
384-450-10
477-369-167
胡濟明 482-467-363
564-88-45
567-91-66
1467-69-64
胡濙明 299-681-169
453-262-24
453-569-8
472-263-10
475-225-61
511-146-142
676-379-14
1237-96-1
1237-419-16
1240-223-15
1244-603-12
1374-569-78
胡謙宋 523-590-175
胡謙明 559-352-8
胡襄宋 523-342-162
胡燦隋 541-88-30
胡聰明 1275-374-16
胡翼後梁 812-523-2
813-113-8
821-107-49
胡擢五代 812-523-2
813-160-15
821-131-49
胡檡明 524-267-191
胡勵金 540-771-28之2
胡環明 1241-171-8

胡璩唐	674-229-3下
胡嶽清	524-207-188
胡徽妻 清 見何氏	
胡繁明	524-152-185
胡鍾明	820-641- 41
	1249-327- 20
胡穜明	515-662- 77
胡顏明	1475-273- 11
胡瀩明	517-566-129
胡謰元	1197-782- 82
胡礪金	474-635- 33
胡豐明	554-526-57下
	559-291-7上
胡彝元	1211-381- 53
胡瞻清	455- 74- 2
胡鎬宋	515-591- 75
	1137- 44- 5
胡鎔胡松老 宋	448-389- 0
胡貔晉 見胡威	
胡瀛明	458- 46- 2
	480- 52-259
	523-157-153
	537-565- 60
	1265-645- 23
胡麒元	1282-568- 43
胡麒明	558-439- 37
胡寵漢 見胡貢	
胡瀚明	457-218- 15
	523-601-176
	676-601- 24
胡懷明	456-573- 8
	533-378- 60
胡韜唐	1090-653- 37
胡瓊明(字國華)	300-161-192
	481-649-330
	523-132-152
	529-586- 46
	571-522- 19
胡瓊明(號靜菴)	524-173-187
胡黼宋	533-273- 56
胡藩劉宋	258-104- 50
	265-287- 17
	378- 39-131
	384-110- 6
	473- 20- 49
	479-485-239
	515-296- 66
	933- 95- 6
胡贊明	473- 98- 53
胡鏜宋	472-261- 10
胡寶清	528-466- 29
胡礪金	291-705-125
	400-688-565
	472-698- 28
	477-167-157
	538-135- 65
胡瓌後唐	499-424-158
	812-440- 0
	812-522- 2
	813-114- 8
	821-112- 48
胡獻明(字時臣)	299-847-180
	475-376- 68
	511-208-144
	537-304- 56
胡獻明(金環人)	558-354- 35
胡齡明	821-393- 56
胡騰漢	253-385- 99
	377- 8-113上
	402-479- 11
	473-359- 64
	480-664-290
	533-259- 55
胡鐘明	1258-309- 7
胡饒後晉	278-176- 96
胡覺女 宋 見胡氏	
胡繼明	300-274-199
胡斆明	820-617- 41
胡鶴明	482-349-356
	1467-116- 66
胡曦明	1240-244- 15
胡黯宋 見胡夢昱	
胡鐸明(字時振)	300-215-196
	458-1034- 1
	479-240-227
	481-493-324
	523-309-160
	676-534- 21
胡鐸明(字君求)	511-711-164
胡鐸明(鄱陽人)	516- 81- 90
	559-277- 6
胡爟明	300-102-189
	472-351- 15
	475-671- 84
	511-329-149
	676-526- 21
	679-203-159
胡鰲明	515-176- 62
	563-814- 41
胡權胡星郎 宋	448-397- 0
	1138-574- 10
胡權女 宋 見胡氏	
胡權金	1040-242- 3
胡權清	477- 56-151
	537-252- 55
胡鑄明	545-782-111
胡鑑元	1195- 76- 6
胡鑑明	475-273- 63
胡儼明	299-418-147
	453-260- 24
	453-562- 7
	472-127- 4
	472-239- 9
	472-337- 14
	473- 24- 49
	473- 45- 50
	475-525- 77
	479-488-239
	510-416-116
	515-357- 68
	676-481- 18
	820-586- 40
	821-357- 55
	1237-546-附
	1237-549-附
	1237-550-附
	1241- 79- 4
	1242-402- 37
	1284-354-163
	1374-608- 82
	1375- 38-下
	1391-735-349
	1442- 18-附1
	1459-546- 19
胡麟宋	1375- 13-上
胡瓚元	554-913- 64
	821-293- 53
胡瓚明(字伯珩)	300-289-200
	505-766- 72
	676-525- 21
胡瓚明(字伯玉)	300-674-223
	511-259-146
	540-636- 27
	678-219- 91
胡瓚明(餘姚人)	545-118- 86
胡顯宋	480-409-277
胡顯明	532-589- 41
胡顯女 明 見胡氏	
胡巖晉	494-276- 2
胡巖元	295-532-190
胡鑠南北朝	523-527-172
胡觀明	299-106-121
	511-497-156
胡纘明	1267-624- 11
胡鑰明(字時準)	515-259- 65
胡鑰明(字衛卿)	533- 62- 49
胡鸞妻 元 見吳氏	
胡一元明 見黎季犛	
胡一中元	524- 54-180
	676- 25- 1
胡一言妻 清 見張氏	
胡一桂元(字庭芳)	295-527-189
	400-570-552
	472-381- 16
	475-569- 79
	511-703-164
	677-471- 43
	1375- 16-上
	1376-187- 70
胡一桂元(字德夫)	678-581-125
胡一桂明	1442- 97- 6
	1460-580- 69
	1474-561- 29
胡一璵妻 清 見楊氏	
胡一魁明	456-667- 11
胡一璉清	533-183- 52
胡一鴻明	523-469-169
胡一夔明	481-117-296
胡十牛宋 見胡觀國	
胡九瑞妻 清 見張氏	
胡九韶明	301-761-282
	457- 85- 5
	458-677- 3
	473-117- 54
	479-659-247
	515-784- 81
胡九齡宋	812-550- 4
	821-164- 50
胡一綸明	563-769- 40
胡三省胡蒲孫 宋	451- 95- 3
	479-289-230
	524- 62-181

676-701- 29
胡士定明 456-604- 9
480-136-264
533-373- 60
胡士奇明(江西人) 456-611- 9
537-335- 56
胡士奇明(字浮治) 511-382-150
胡士奇明(字重之) 524-248-190
胡士芳明 572-108- 30
胡士恂明 456-637- 10
511-476-155
胡士彥妻 清 見黄氏
胡士相明 515- 64- 58
523-439-167
胡士容明 301-206-248
475-450- 71
480-135-264
505-638- 67
510-338-113
533- 54- 48
578-966- 25
胡士悅清 482-563-369
570-143-21之2
胡士桂妻 明 見蔣氏
胡士章清 524-209-188
胡士梅清 476-919-148
502-690- 81
537-226- 54
胡士瑞胡士端 明 456-467- 4
胡士達妻 明 見鄒氏
胡士寧明 545-463-100
胡士端明 見胡士瑞
胡士銓清 529-705- 50
胡士龍妻 清 見趙氏
胡士濟明 558-399- 36
1266-392- 6
胡士麒妻 明 見鍾尾娘
胡士鼇明 529-572- 46
胡子宏宋 見胡宏
胡子昂明 820-599- 40
胡子昭胡志高 明
299-349-141
456-695- 12
472-520- 22
481-310-307
540-616- 27
559-509- 12
561-423- 42
886-155-139
胡子原元 1217-587- 3
胡子晉明 475-822- 92
510-496-118
胡子義胡志遠 明
561-200-38之1
561-423- 42
胡子祺胡壽昌 明
299-416-147
453-106- 10
473-616- 77
479-717-250
481- 71-293
481-644-330
482-321-354
515-638- 77
528-509- 31
559-268- 6
567- 83- 66
1237-357- 9
1238- 40- 4
1238-257- 22
1373-758- 21
1467- 57- 64
胡子祺妻 明 見吳瑞慶
胡子廉宋 523-622-177
胡子實胡希孟 宋
523-628-177
680- 24-226
胡子澄明 1241-454- 6
胡大斗妻 明 見黎氏
胡大正胡慥 宋 460- 35- 3
528-483- 30
529-605- 47
胡大年宋 485-534- 1
胡大年明 821-419- 56
胡大成明 515-488- 71
胡大初宋 528-551- 32
胡大武明 475-644- 83
511-634-161
胡大昌宋 523-334-161
胡大海明 299-249-133
453- 40- 4
453-539- 4
472-205- 7
475-854- 94
511-416-152
523- 31-147
525-122-223
1224- 31- 16
1235-629- 22
1374-439- 64
胡大訓宋 515-333- 67
胡大原宋 460- 35- 3
胡大時宋 460- 36- 3
胡大異宋 1173-240- 80
胡大順明 302-360-307
胡大履宋 480-415-277
胡小虎胡小彪 後魏
262-259- 87
267-640- 85
380- 59-166
477-308-164
538- 71- 63
胡小彪後魏 見胡小虎
胡上琛明 301-675-277
456-544- 7
481-525-326
529-483- 43
胡上進明 554-303- 53
胡上進妻 清 見詹氏
胡山甫唐 820-193- 27
胡心得明 523-532-172
569-653- 19
胡六子唐 485-284-40
胡斗元元(字元浩) 295-590-195
400-270-521
479-488-239
515-349- 67
胡斗元李斗元 元(字聲遠)
1194-216- 16
1376-518-92上
胡方大明 1240-235-15
胡方平宋 472-381- 16
1375- 15- 上
1376-187- 70
胡方回後魏 261-703- 52
266-700- 34
379-159-148
478-548-202
558-327- 35
933- 96- 6
胡方伯明 556-454- 93
胡方益妻 明 見何氏
胡方壺明 456-661- 11
胡文升清 456-340- 76
胡文可胡夢炎 宋
515-609- 76
517-693-132
胡文宗明 515-711- 79
胡文忠明 559-276- 6
胡文炳宋 484-382- 28
胡文奎明 524-100-183
胡文卿宋 1166-636- 10
胡文彬明 523-218-156
676-597- 24
胡文善明 1241-782- 19
胡文華清 540-676- 27
胡文煒宋 484-383- 28
胡文煒妻 明 見王氏
胡文蔚清 524- 12-178
胡文靜宋 517-693-132
胡文靜明(知南陵) 472-358- 15
胡文靜明(字士寧) 528-455- 29
481-493-324
胡文學清 494-373- 19
505-673- 69
523-459-168
胡文燦妻 明 見楊氏
胡文舉宋 515-338- 67
胡文璧明 300- 92-188
473-360- 64
480-511-281
533-266- 55
676-186- 7
胡文曜妻 清 見陳氏
胡文耀女 明 見胡氏
胡之邵宋 485-537- 1
胡之玲清 516- 92- 90
胡之純元 295-534-190
400-697-567
523-614-176
1218-705- 4
1457-547-394
胡之彬明 537-611- 60
胡之陳妻 清 見吳氏
胡之琳清 515-139- 61
胡之綱元 295-534-190
400-697-567
523-614-176
820-494- 37
1457-547-394
胡之憲明 511-616-160
胡之翰清 524-221-189

胡之駿清 511-196-143
胡之驊明 456-467- 4
533-378- 60
胡太初宋 481-719-333
胡元功女 宋 見胡氏
胡元甫元 1221-622- 23
胡元祚元 1374-709- 91
胡元貞元 545-373- 97
胡元素明 821-370- 55
胡元壹宋 451- 94- 3
胡元鈞宋 1121-482- 35
胡元質胡慶孫 宋448-360- 0
448-404- 0
485-202- 27
488- 13- 1
488-458- 14
493-645- 35
493-953- 51
511- 93-140
559-266- 6
679-502-188
1354-666- 33
1354-803- 46
胡元範唐 270- 36 -87
274-475-117
395-474-224
胡元興宋 288-411-456
400-299-524
474-339- 17
505-905- 80
胡元龜南唐 515-571- 75
胡元禮唐 486- 42- 2
胡巴理清 455-305- 18
胡天作胡天祚 金
291-632-118
399-311-445
544-238- 63
546-376-127
胡天坤女 明 見胡氏
胡天祚金 見胡天作
胡天起明 480- 91-262
533- 29- 47
胡天詔妻 明 見朱氏
胡天球明 456-638- 10
胡天啟宋 288-325-449
400-180-514
481-116-296
胡天啟妻 宋 見張氏
胡天游胡乘龍 元533-345- 58
1439-446- 2
1469-341- 51
胡天湛清 481-389-312
481-774-336
528-571- 32
559-534- 12
胡天祿明 515-249- 64
胡天鳳明 1275-338- 15
1287-305- 8
胡天鳳妻 明 見周氏
胡友信明 301-856-287
479-145-223
482- 34-340
523-446-168
563-758- 40
胡曰乾明 564-140- 45
胡日章明 524-352-196
1475-234- 10
胡日華女 明 見行剛
胡日新明 見胡山
胡日熙妻 清 見蘇氏
胡公武宋 見胡彥英
胡公恪妻 明 見王氏
胡公冑明 532-673- 44
胡公留元 1375- 22- 上
胡公著清 475-576- 79
胡公廣元 1217-241- 8
胡公翰妻 清 見黃氏
胡公贊女 宋 見胡慧覺
胡仁靖明 胡仲寬女
1240-855- 9
胡壬壽明 方順存妻
1376-683- 99
胡月潭元 511-934-175
胡什屯清(鑲紅旗人)
455-451- 27
胡什屯清(鑲紅旗包衣人)
455-433- 26
胡什巴清(馬佳氏) 455-165- 7
胡什巴清(伊爾根覺羅氏)
455-272- 15
胡什巴清 阿克恕妻
503- 34- 94
胡什布清(瓜爾佳氏)
455- 91- 3
胡什那清 455-216- 11
胡什哈清 455- 84- 3
胡什泰清(舒穆祿氏)
455-155- 6
胡什泰清(伊爾根覺羅氏)
455-274- 15
胡什泰清(正白旗包衣管領下人)
456-354- 77
胡什塔清(富察氏) 455-448- 27
胡什塔清(嵩佳氏) 455-615- 42
胡什圖清 455-646- 45
胡什穆清 455-202- 10
胡什霸清 455-274- 15
胡化中妻 明 見易氏
胡介祉妻 清 見王克榮
胡允中明(定番州人)
456-603- 9
胡允中明(號南樵)1236- 57- 4
胡允恭明 1249-402- 26
胡允朝妻 明 見楊氏
胡允賓明 554-309- 53
胡立本宋 489-329- 29
胡必選清 533-166- 52
胡必蕃清 533-164- 52
胡永仁明 480-175-266
胡永生元 547- 86-144
胡永亨清 475-711- 86
511-340-149
胡永成明(歙縣人) 472-382- 16
胡永成明(字思貞) 510-438-116
515-707- 79
563-776- 40
胡永和明 516- 80- 90
胡永順明 480-486-280
533-114- 50
胡永壽明 559-505- 12
胡永興明 511-274-147
胡玉池女 清 見胡氏
胡玉成明 456-604- 9
胡玉琴明 476- 43- 98
547- 7-141
胡弘立唐 見李順節
胡正言清 511-862-170
胡正辭元 1222-469- 11
1229- 51- 4
胡巨源元 502-276- 55
546-637-136
胡古厓明 516-454-104
胡古愚妻 明 見江氏
胡丕基妻 清 見王氏
胡本惠明 472-369- 16
473- 15- 49
475-643- 83
511-316-148
515- 89- 59
胡本義妻 清 見潘氏
胡巨簡明 516-179- 94
胡平表明 301-223-249
481-439-316
561-450- 43
572-158- 32
胡可教明 554-312- 53
胡世布清 455-280- 16
胡世安清 481-389-312
559-414-9下
677-717- 64
胡世全宋 288-324-449
400-181-514
478-246-186
胡世松妻 明 見章氏
胡世和明 564-266- 47
胡世舍女 明 見胡住
胡世威清 540-678- 27
胡世珍妻 清 見朱氏
胡世將宋 287- 86-370
398-147-374
472-260- 10
473-427- 67
475-223- 61
477-561-177
479-483-239
481- 19-291
511-143-142
515- 14- 57
524-327-195
554-154- 51
558-141- 30
559-266- 6
591-682- 47
674-294-4下
674-839- 18
820-412- 34
胡世富明 511-664-162
胡世傑明 1268-243- 39
胡世寧明 300-271-199
452-447- 2
453-705- 39
472-969- 38

473- 17- 49
473-268- 61
474-825- 44
479- 53-218
479-454-237
480-200-267
480-437-278
481- 25-291
482-502-365
503- 11- 90
515- 45- 58
523-263-158
526-652-280
559-253- 6
567-110- 67
568-223-107
568-258-108
568-263-108
585-258- 21
585-395- 8
677-559- 51
679-203-159
1263-553- 6
1272-240- 11
1458-509-450
1467- 91- 65
胡世賞明 559-357- 8
胡世鍾妻 清 見沈氏
胡世藻清 537-231- 54
胡以成明 547-105-145
胡以寧妻 明 見段氏
胡以遜宋 515-760- 80
胡以謙妻 明 見周氏
胡母生漢 244-858-121
251-114- 88
380-256-172
472-589- 24
476-661-136
540-691-28之1
675-294- 15
679-325-171
胡母班漢 402-499- 12
476-820-143
胡母敬秦 554-852- 63
812- 57- 中
812-710- 3
812-221- 8
814-222- 3
820- 22- 22
胡母翼前燕 503- 9- 90
胡占泰妻 清 見周氏
胡甲桂明 301-685-278
456-544- 7
479-557-242
511-442-153
515-205- 63
1442-113- 7
1460-709- 76
胡甲桂清 482- 78-341
564-307- 48
胡申之明 1475-703- 29
胡令儀宋 472-290- 12
510-387-115
1089-676- 11
胡仕可元 676-391- 14
胡仕帥妻 清 見陳氏
胡用琮宋 516-483-105
胡用賓明 515-489- 71
523-235-156
胡用璋元 1206-621- 12
胡用璋妻 元 見祝氏
胡幼黄宋 515-613- 76
胡守貞明 524-453-202
胡守約明(合州人)
505-657- 68
559-355- 8
胡守約明(字希會) 510-400-115
胡守謙清 529-661- 49
胡亦堂清 523-459-168
胡安之宋 見胡安定
胡安止宋 460- 33- 3
胡安老宋 460- 33- 3
515-118- 60
胡安定胡安之 宋479-767-252
515-502- 72
胡安國宋 288-130-435
293-499- 77
400-470-544
448-515- 13
449-745- 10
459- 82- 5
460- 37- 3
471-660- 11
471-756- 23
471-770- 25
471-780- 27
471-797- 29
472-290- 12
473-300- 62
473-359- 64
473-603- 76
480-177-266
480-512-281
481-676-321
510-409-115
529-599- 47
532-574- 41
533-729- 73
533-743- 73
539-503-11之2
674-839- 18
820-412- 34
933- 97- 6
1053-781- 18
1137-643- 25
1145-603- 77
1145-675- 81
胡汝明宋 485-458- 7
胡汝政明 532-697- 45
胡汝桂明 476-883-146
540-812-28之3
胡汝橺妻 明 見曾氏
胡汝弼妻 宋 見呂氏
胡汝寧明(號似山) 515-419- 69
胡汝寧明(漢中衛人)
554-734- 61
胡汝嘉明 676-585- 24
820-700- 43
821-435- 57
1442- 63- 4
胡汝寬明 1288-629- 10
胡汝霖明 300-458-210
胡汝礪明 545-275- 93
558-376- 36
676-519- 20
胡交修宋 287-185-378
398-227-379
472-259- 10
473-476- 69
475-223- 61
481-113-296
494-307- 5
511-142-142
559-274- 6
1134-754- 36
1135-459- 42
胡再寅明 456-637- 10
胡西泉女 明 見胡氏
胡百能胡同老 宋
448-373- 0
485-196- 26
493-1046- 55
胡在恪清 480-249-269
533- 82- 49
胡有初明 1238- 55- 5
1242- 99- 27
胡有恆明 528-457- 29
胡有陞清 502-619- 77
515- 67- 58
胡有章清 456-340- 76
胡有慶元 511-408-152
胡有德清(正白旗包衣管領下人)
456-340- 76
胡有德清(奉天鐵嶺人)
478-339-191
502-690- 81
554-260- 52
胡有聲清 456-340- 76
胡有耀明 529-672- 49
胡存華清 456-340- 76
胡存道元 見胡善
胡至仁元 516- 47- 88
胡至靜元 張良孫妻、胡憲女
1195-574-下
胡而居清 529-678- 49
胡老道明 561-220-38之3
胡次焱宋 677-411- 38
1375- 15-上
1376-437- 87
胡同老宋 見胡百能
胡光奎明 456-627- 10
胡光祖妻 清 見吳氏
胡光善妻 清 見吳氏
胡光裕妻 清 見吳氏
胡光遠元 295-602-197
400-311-526
472-350- 15
475-670- 84
476- 83-100
511-637-161
547- 14-141
胡光銓清 524-190-187

胡光謙金 546-295-124
胡兆顯妻 清 見陳氏
胡自聖妻 明 見黎氏
胡向華清 480-484-280
胡任輿清 511-721-165
胡全才清 476- 43- 98
532-604- 42
545-679-107
胡如暘明 472-790- 31
胡如龍明 見胡國棟
胡年穎明 533-221- 53
胡仲弓宋 1357-859- 12
胡仲先宋 511-632-161
胡仲厚明 821-355- 55
胡仲南唐 820-287- 30
胡仲俊明 511-620-160
胡仲容宋 288-245-456
400-295-524
479-485-239
胡仲倫明 299-628-164
胡仲參宋 1364-380-298
1437- 30- 2
胡仲雲宋 473-167- 57
479-748-251
515-468- 71
677-381- 35
胡仲堯宋 288-405-456
400-295-524
473- 20- 49
479-485-239
515-303- 66
1085-215- 28
胡仲舒宋 1173-132- 72
胡仲寬女 明 見胡仁靖
胡仲器妻 明 見徐守貞
胡仲謨明 523-217-156
胡行知明 540-823-28之3
胡行恭明 1287-302- 8
胡行謙妻 清 見劉氏
胡行簡元~明 515-540- 74
676-713- 29
胡宏子宋 451- 71- 2
胡亨華妻 明 見方氏
胡良玉女 清 見胡氏
胡良史宋 821-249- 52
胡良機明 301-356-258
479-494-239
515-428- 70
540-650- 27
545-300- 94
胡良翰明 456-553- 7
胡良儒妻 明 見袁氏
胡良孺宋 515-313- 66
胡志夫宋 529-563- 46
胡志高明 見胡子昭
胡志剛明 547- 15-141
胡志康宋 494-381- 11
胡志傳明 515-562- 74
胡志遠明 見胡子義
胡志夔明 546-496-131
554-310- 53
胡求魚元 1199-295- 31
胡成之妻 清 見李氏
胡成之妻 清 見徐氏
胡成靜清 王舟瑤妻
1313-217- 17
胡成額清 455-253- 14
胡君鼎元 1222-658- 6
胡克和明 516-175- 94
胡克珍清 455-580- 38
胡克敬明 533-219- 53
胡克儉宋 見胡及
胡克儉扶克儉 明
300-636-221
458-161- 8
477-546-176
胡呂不遼 見呼拉布
胡作孚妻 清 見李氏
胡作梅清 533-198- 53
胡作衡明 538-117- 64
胡伯清明 1229-762- 9
胡谷銘妻 明 見王潤玉
胡希仁元 515-621- 76
胡希仲妻 清 見張氏
胡希孟宋 見胡子實
胡希是宋 473-167- 57
515-470- 71
678- 11- 71
胡希寅明 533-141- 51
胡希章宋 516-167- 94
胡希瑗明 480- 58- 260
533-140- 51
1291-889- 6
胡希瑗妻 明 見周氏
胡希顏明 472-410- 18
胡邦彥明 554-312- 53
胡邦振女 不祥 見胡氏
胡伴侶元 295-612-198
400-319-526
477- 85-152
538-118- 64
胡妙端元 479-250-228
524-675-210
胡廷佐清 558-453- 38
胡廷相妻 明 見陳氏
胡廷宴明 568-212-106
胡廷桂宋 511-479-155
胡廷祿明 482-561-369
570-104-21之1
胡廷瑞明 見胡美
胡廷聘妻 清 見許氏
胡廷暉元 494-524- 25
821-291- 53
胡廷鉉明 820-565- 40
胡廷輔明 480-412-277
胡連器明 554-850- 63
胡廷器妻 明 見吳氏
胡廷贊清 524-142-185
胡宗仁明(字彭舉) 684-501- 下
820-741- 44
821-453- 57
1442- 96- 6
1460-576- 68
胡宗仁明(字宗仁)
1239-159- 37
胡宗古妻 宋 見陳氏
胡宗回宋 286-227-318
397-385-342
475-222- 61
585-758- 4
胡宗伋胡宗汲 宋
523-598-176
1128-627- 18
胡宗汲宋 見胡宗伋
胡宗性元 1206-303- 2
胡宗炎宋 286-226-318
397-384-342
475-222- 61
511-140-142
胡宗明宋(字汝誠) 511-281-147
528-456- 29
1272-432- 12
胡宗明明(湖廣人) 571-556- 20
胡宗珂明 456-677- 11
480-176-266
胡宗政明 571-552- 20
胡宗信明 821-453- 57
胡宗敏明 820-596- 40
胡宗華明 481-615-329
529-738- 51
676-466- 17
胡宗華妻 明 見黃氏
胡宗道明 532-680- 44
559-252- 6
胡宗愈宋 286-226-318
382-462- 71
384-379- 19
397-384-342
427-208- 3
427-222- 3
471-903- 45
471-926- 49
472-258- 10
472-394- 17
475-222- 61
475-809- 91
481- 69-293
493-703- 39
511-141-142
820-376- 33
933- 27- 6
胡宗稠妻 清 見沈氏
胡宗緒母 清 見潘氏
胡宗質妻 宋 見施氏
胡宗質女 宋 見胡淑修
胡宗憲明 300-371-205
475-573- 79
476-250-110
478-768-215
511-282-147
523- 51-148
545-289- 94
1410-555-739
胡宗衡明 1229-193- 4
胡宜衡胡楅 明 460-770- 79
529-738- 51
胡治臣妻 清 見范氏
胡初翁元 1375- 19- 上
胡定之宋 480-126-264
胡定格金 291-633-118
399-311-445
胡定國元 475-822- 92

510-494-118
胡定隆妻 明 見應氏
胡定慶妻 清 見楊氏
胡炎午胡麟孫 宋451- 92- 3
胡炎發胡雷發 宋451- 69- 2
胡其久明 1475-341- 14
胡其仁明 571-542- 20
胡其美女 明 見胡延壽
胡其俊明 478-338-191
533- 29- 47
胡其偉明 564-239- 46
胡其俠清 505-841- 76
胡其慥明 483-178-384
533-194- 53
569-665- 19
胡松老宋 見胡鎔
胡松年宋 287-198-379
398-237-380
472-221- 8
472-311- 13
475-119- 55
475-234- 61
475-472- 72
493-706- 39
510-327-113
511-241-145
胡直均胡直鈞 唐
1073-484- 17
1074-306- 17
1075-265- 17
胡直鈞唐 見胡直均
胡直孺宋 493-705- 39
515-313- 66
518-756-160
524-324-195
933- 98- 6
1135-305- 30
胡居仁宋 479-286-230
胡居仁元 295-532-190
400-696-567
胡居仁明 301-757-282
453-647- 26
457- 74- 5
458-678- 3
473- 51-50
479-533-241
516- 64- 89
539-507-11之2
677-591- 53
1254-829- 6
1257-656- 4
1457-599-398
胡居祐元 1202-209- 15
胡居善元 494-329- 6
胡居敬元 1222-487- 13
胡孟成元 1375- 22- 上
胡孟昌女 清 見胡氏
胡孟通明 510-373-114
胡坤秀明 周賢佐妻
473-158- 56
479-729-250
胡奇偉明 301-685-278
456-544- 7
479-495-239
胡長仁北齊 263-375- 48
267-557- 80
380- 22-165
933- 96- 6
胡長仁女 北齊 見胡皇后
胡長命妻 後魏 見張氏
胡長卿宋 515-146- 61
胡長粲北齊 263-375- 48
267-555- 80
380- 20-165
933- 96- 6
胡長孺元 295-532-190
400-696-567
453-772- 1
472-1031- 42
472-1102- 47
473- 97- 53
479-286-230
479-326-232
479-627-245
510-391-115
515-184- 62
523-481-170
523-613-176
585-388- 8
676-701- 29
820-494- 37
1218-704- 4
1223-546- 10
1229-101- 8
1284-344-162
1375- 35- 下
1439-423- 1
1457-545-394
1470- 49- 2
胡東谷妻 明 見戴氏
胡東皋明 475-605- 81
478-454-197
479-240-227
481- 25-291
510-437-116
523-309-160
532-595- 41
559-253- 6
胡林卿宋 472-241- 9
胡來臣妻 清 見張氏
胡來相清 505-808- 74
胡來通清 533-335- 58
胡來象清 456-340- 74
胡來進明 477-410-169
胡來猷明 見胡來獻
胡來聘明 523-178-154
676-174- 7
胡來縉明 558-400- 36
胡來獻胡來猷 明
456-631- 10
胡來麟妻 清 見張氏
胡承祚明 456-597- 9
胡承詔明 559-256- 6
559-321-7上
胡承熙明 456-579-8
480-291-271
胡承諾清 533-309- 57
胡忠義清 528-569- 32
胡尚仁明 482- 75-341
胡尚志明 1442- 38-附2
1459-774- 30
胡尚英明 511-809-167
676-636- 26
胡尚清明 537-316- 56
胡尚絅妻 明 見程氏
胡尚綵明 456-605- 9
479-382-234
胡尚衡清 511-311-148
523- 65-149
胡尚禮女 明 見胡淑貞
胡昌齡宋 515-593- 75
1147-750- 71
胡明允唐 1410-512-731
胡明甫元 515-349- 67
胡明佐明 515-191- 62
胡明坦清 533-161- 52
胡明星梁 511-700-164
1376-423- 87
胡明庶明 473-284- 61
480-133-264
533- 44- 48
胡明通明 480-133-264
515-276- 65
533-173- 52
胡明遠明 1475-527- 23
胡明睿明 533- 44- 48
胡昇猷清 479-248-228
554-224- 52
胡昇猷妻 清 見楊氏
胡芳蕤清 512-482-189
胡叔元明 1458-647-467
胡叔直明 1236-432- 3
胡叔廉明 515-557- 74
523-176-154
胡叔寶明 559-316-7上
胡念祖清 533-146- 51
胡季本明 523-463-169
胡季安明 515-354- 68
胡季舟女 明 見胡靜
胡季良唐 813-300- 18
820-239- 28
胡秉中明 472- 86- 3
505-671- 69
胡秉怡妻 清 見章氏
胡秉彝元 472-624- 25
474-817- 44
502-271- 55
胡秉觀明 1458-130-426
胡延之女 北齊 見胡皇后
胡延年清 474-238- 12
475-274- 63
505-661- 68
510-379-114
胡延壽明 胡其美女
478-637-206
558-545- 43
胡欣然妻 清 見鄭氏
胡洪範宋 515-602- 76
516-203- 95
胡炳文元 295-527-189
400-570-552
453-780- 2

459-135- 8
472-381- 16
475-569- 79
511-703-164
676-699- 29
1375- 20-上
1376-197- 71
1439-428- 1
1468-530- 24
胡炳南元 505-920- 82
胡洵直宋 515-522- 73
678-263- 95
胡恬如唐 879-187-58下
胡彥忠宋 482- 78-341
564- 72- 44
胡彥英胡公武 宋515-593- 75
1161-647-127
胡彥祥明 473-446- 68
473-513- 71
481-348-309
558-397- 36
559-281- 6
559-310-7上
胡彥國宋 485-502- 9
胡彥達宋 484-384- 28
胡彥龍宋 821-229- 51
胡彥聰明 533-491- 65
胡弈修宋 1120-714- 19
胡拱辰胡壽 宋 288-382-454
400-192-515
451- 88- 3
475-368- 67
510-390-115
胡拱辰明 299-540-157
479-381-234
523-339-162
胡拱軫清 479-248-227
524-141- 185
胡拱璧明 524-270-191
胡春同明 473-145- 56
胡相才清 559-412-9下
胡南俊明 1260- 43- 2
胡郁然明 456-641- 10
570-142-21之2
胡茂林清 561-203-38之1
胡茂實明 523-217-156
胡思伸明 511-289-147
523-163-153
胡思忠明 559-319-7上
胡思誠宋 516-200- 95
胡貞良明 汪希寧妻
516-360-101
胡若均妻 明 見曾氏
胡若坦明 456-673- 11
515-564- 74
胡星阿清 455-273- 15
胡星郎宋 見胡權
胡英發胡老 宋 451- 74- 2
胡負貞明 賴文璧妻
479-499-239
胡重明明 456-588- 8
516- 90- 90
胡信方明 515-710- 79
胡信中明 1229-657- 1
胡皇后北魏 魏孝明帝后、胡盛女 261-219- 13
266-287- 13
373-104- 20
胡皇后北魏 魏宣武帝后、胡國珍女 261-217- 13
266-285- 13
373-102- 20
1395-602- 3
1401-431- 32
胡皇后北齊 齊後主后、胡長仁女 263- 77- 9
266-295- 14
373-111- 20
胡皇后北齊 齊武成帝后、胡延之女 263- 76- 9
266-294- 14
373-110- 20
胡胤素明 676-632- 26
胡胤嘉明 524- 11-178
678-477-115
胡秋碧明 821-350- 55
胡海定明 456-543- 7
515-433- 70
胡祇遹元 295-317-170
399-642-484
472-519- 22
472-545- 23
472-699- 28
476-477-125
477-167-157
537-452- 58
545-141- 87
593- 43- 中
677-460- 42
1196- 3- 附
1200-517- 40
1201-169- 80
1206- 7- 1
1439-421- 1
胡唐老宋 288-374-453
400-133-511
472-259- 10
472-273- 11
472-1041- 43
475-223- 61
475-272- 63
479-351-233
511-446-153
523- 14-146
胡祖舜元 1219-728- 8
胡祖與妻 明 見嚴氏
胡家珍妻 清 見汪氏
胡效才明 511-601-160
胡效才妻 明 見周氏
胡效順清 480-129-264
胡兼善元 1217-576- 2
胡泰亨明 511-628-161
胡泰來宋 1185-503- 92
胡泰安明 張景春妻、胡德清女 1255-662- 68
胡原長妻 明 見曾靜貞
胡桂芳明 483-224-390
515-798- 82
571-520- 19
胡晉臣宋 287-365-391
398-371-388
473-435- 67
481- 80-294
559-343- 8
591-565- 42
胡起鳴明 見胡起鴻
胡起龍清 456-340- 76
胡起鴻胡起鳴 明
456-628- 10
胡郡奴明 胡閏女
479-535-241
胡振芳明 523-365-163
1442-105- 7
1460-626- 72
1475-463- 19
胡振祖胡振卿 元
516- 50- 88
1229-740- 5
1249-306- 18
胡振卿元 見胡振祖
胡夏客明 1475-537- 23
胡時中明 515- 99- 59
胡時化明 680- 48-229
胡時化妻 明 見劉氏
胡時亨明 515- 99- 59
胡時亨妻 明 見劉氏
胡時憲妻 明 見劉氏
胡時濬女 明 見胡氏
胡恕齋妻 明 見李氏
胡師徐胡烈 宋 448-396- 0
460- 37- 3
529-684- 50
胡師模唐 820-240- 28
胡師閔明 820-674- 42
胡修起明 見胡修超
胡修超胡修起 明
456-641- 10
胡乘龍元 見胡天游
胡惟弘清 479-248-228
524-141-185
胡惟孝胡維孝 明
479-527-241
515-220- 63
胡惟忠胡維宏 明456-597- 9
胡惟俊明 478-337-191
554-248- 52
胡惟庸明 302-368-308
胡密子清 1325-296- 附
胡淑貞明 蕭克初妻、胡尚禮女 1240-856- 9
胡淑修宋 李之儀妻、胡宗質女 472-263- 10
475-234- 61
506- 91- 88
512-485-189
541- 58- 29
1120-623- 50
胡淑娘元 黃汝大妻
530-179- 59
胡執禮明 558-299- 34
胡接輝明 523-179-154
胡堅常宋 493-777- 42

1157-718- 15
胡乾爲明 529-673- 49
胡勒琥清 455-178- 8
胡崇仁妻 明 見周氏
胡崇德明 523-221-156
胡國永妻 清 見于氏
胡國防宋 564- 80- 44
胡國佐清 477-125-155
502-655- 79
537-259- 55
胡國相清 456-340- 76
胡國柱清 560-604-29下
胡國珍後魏 262-224-83下
267-553- 80
380- 18-165
472-880- 35
558-326- 35
胡國珍女 北魏 見胡皇后
胡國俊妻 清 見王氏
胡國棟胡如龍、胡應振 明
534-955-120
胡國瑞宋 523-337-162
胡國賓明 456-654- 11
胡國瑨明 456-601- 9
胡國濬妻 清 見金氏
胡國鑑明 511-813-167
胡處立唐 480-482-280
胡處約宋 1157-272- 20
胡野廬元 524-165-186
胡晞齋妻 宋 見劉貴靜
胡得生唐 見齊己
胡得勝五代 511-934-175
胡得銀胡德銀 明
456-631- 10
胡紹武明 1237-278- 5
胡紹虞明 456-637- 10
胡紹遠元 515-350- 67
胡統虞清 533-114- 50
胡敏翁宋 1375- 16- 上
胡從化清 533-330- 58
胡從儀明 301-232-249
483-227-390
483-249-391
545-677-107
571-534- 19
胡從龍宋 487-510- 7
胡啟愚妻 明 見樊氏
胡啟睿明 505-668- 69
胡逢亨清 529-707- 50
胡渭生清 見胡渭
胡翔卿宋 480-483-280
529-610- 47
胡曾琦清 511-630-161
胡善祥明 明宣宗后、胡榮女
299- 7-113
539-339- 8
胡視遠明 532-750- 46
胡敦詩宋 515-319- 67
胡敦實宋 515-320- 67
532-622- 43
胡雲會妻 清 見沈氏
胡雲端明 515-543- 74
胡雲龍清 559-331-7下
胡雲鵬妻 清 見王氏
胡閎休宋 287- 58-368
398-125-373
472-664- 27
477- 83-152
511-407-152
537-396- 57
1375- 6- 上
1376-304- 78
胡超僧唐 516-508-106
胡朝棟明 571-538- 20
572-339- 38
胡朝賓清 456-340- 76
胡朝輔明 1227-113- 13
胡朝穎宋 見胡朝潁
胡朝潁胡朝穎 宋
472-1016- 41
523-490-170
1437- 26- 2
胡朝翰明 820-583- 40
胡閏祖元 472-1084- 46
胡嵏之明 590-115- 14
胡隆成明 1375- 37- 下
胡登元妻 清 見祁氏
胡登臣女 宋 見胡氏
胡登亮明 533-202- 53
胡登雲妻 明 見周氏
胡登龍明 456-627- 10
胡堯元明 473-215- 59
479-747-251
515-109- 60
517-623-130
533- 11- 47
567-115- 67
580-364- 22
1467-102- 65
胡堯臣明 559-355- 8
胡堯時明 515-706- 79
563-806- 41
571-524- 19
胡堯卿宋 113-237- 23
胡堯齡清 475-612- 81
胡開京清 523-447-168
胡開源妻 清 見孟氏
胡彭述明 494-570- 29
524-112-183
胡陽生明 511-513-157
胡紫陽唐 533-760- 74
1067-545- 30
胡景化明 476-430-121
545-390- 97
1206-619- 12
1207-279- 19
1208-596- 24
1373-271- 18
胡景先妻 元 見王氏
胡景武清 483- 48-372
570-147-21之2
胡景純宋 843-671- 下
胡景清元 473-655- 78
529-674- 49
胡景崧金 537-451- 58
1191-190- 17
胡景隆明 480-438-278
胡貴貞明 302-222-301
473- 53- 50
479-535-241
516-364-101
胡黑女明 533-569- 68
胡虛中元 1375- 23- 上
胡嵒如宋 451- 75- 2
胡晬然妻 明 見聞氏
胡順之宋 286- 23-303
397-232-333
472-376- 16
472-881- 35
475-561- 79
476-656-135
478-673-209
515-303- 66
540-646- 27
558-332- 35
680-180-242
胡喬岱明 563-791- 41
胡舜元父 宋 1356-225- 10
1384-164- 94
胡舜元宋 472-368- 16
475-642- 83
511-314-148
胡舜申宋 493-1063- 56
511-864-170
胡舜臣宋 821-217- 51
胡舜俞宋 1142-527- 6
1376-289- 78
胡舜胤明 516- 86- 90
676- 64- 2
胡舜陟宋 287-180-378
398-224-379
449-404-上5
472-325- 14
472-379- 16
473-749- 83
475-566- 79
475-698- 86
484-102- 3
485-457- 7
488-414- 14
494-425- 13
511-268-147
1142-524- 6
1375- 6- 上
1376-289- 78
1467- 41- 63
胡舜華明 533-113- 50
胡舜舉宋 473- 96- 53
492-717-3下
515-183- 62
1287-571- 26
胡舜舉女 元 見胡懿恭
胡舜舉妻 明 見劉氏
胡欽亮元 821-316- 54
胡欽相明 515-421- 69
胡欽恭妻 明 見萬會貞
胡進思吳越 494-294- 4
525- 80-220
胡進律明 559-316-7上
胡復三宋 480-409-277
胡復之明 554-311- 53
胡復中女 明 見胡氏

胡源渤妻 清 見董氏
胡源開妻 清 見孟氏
胡源會明 1259-201- 15
胡源會妻 明 見沈氏
胡祺孫女 明 見胡正
胡道女劉宋 宋武帝婕妤
258- 8- 41
265-191- 11
胡道安明 493-1110- 58
511-920-174
胡道宗明 578-870- 23
胡道宗清 518-254-143
胡道榮明 見胡榮
胡遂孫元 1217-589- 3
胡載道明 554-989- 65
胡載榮宋 481-181-300
559-286-7上
胡雷發宋 見胡炎發
胡搢思清 482-511-366
胡聖隆宋 515-523- 73
胡達觀元 1220-435- 9
胡達觀妻 元 見嚴氏
胡楚材宋 524- 79-182
胡楚賓唐 271-574-190中
276- 64-201
400-594-554
472-367- 16
475-641- 83
511-815-167
933- 96- 6
胡萬倉妻 明 見張氏
胡萬鑑清 523-360-163
528-571- 32
胡嗣先妻 清 見田氏
胡嗣璜明 1460-736- 79
1475-563- 24
胡鼎生清 533-196- 53
胡敬方宋 515-340- 67
胡敬之唐 473- 20- 49
515-298- 66
胡敬之宋 515-599- 76
胡傳美唐 494-337- 7
胡傳道明 456-693- 12
胡會恩清 524- 38-179
胡會賓明 482-304-353
胡催蓮明 512-483-189
胡賓王宋 482- 77-341
564- 73- 44
胡實屯清 455-305- 18
胡福弘清 505-826- 75
胡福國清 456-340- 76
胡端禎胡祥 明 1239-121- 35
胡粹中胡由 明 472-1072- 45
479-238-227
524- 56-180
676-134- 5
676-484- 18
1442- 25-附2
胡寧貞明 劉潤妻
473-157- 56
胡滿貞明 劉瀹妻
473-157- 56
胡榮武明 1242-709- 3
胡壽安明 472-790- 31
473-428- 67
481- 71-293
505-671- 69
559-268- 6
1376-415- 86
胡壽昌明 見胡子祺
胡與京明 564-139- 45
胡爾英明 456-579- 8
胡爾純明 302- 56-292
456-554- 7
478-200-184
554-257- 52
胡爾愷清 480-414-277
533-100- 50
胡爾慥明 510-458-117
胡爾薩清 455- 75- 2
胡際叔妻 元 見徐貴貞
胡碧霞明 1475-367- 15
胡嘉言宋 472-1016- 41
胡嘉祐元 523-404-165
1228-575- 3
1229-110- 9
1232- 85- 0
胡嘉桂明 505-659- 68
胡嘉棟明 480- 52-259
532-619- 43
537-580- 60
胡嘉謀胡嘉謨 明
554-527-57下
1288-658- 12
胡嘉謨明 見胡嘉謀
胡幹化宋 491-434- 6
胡聚成妻 明 見王氏
胡夢炎宋 見胡文可
胡夢昱胡黯 宋 447- 18- 2
473-149- 56
473-758- 83
515-603- 76
567-444- 86
1467-153- 67
胡夢泰明 301-685-278
456-544- 7
479-560-242
515-896- 86
523-139-152
529-755- 52
胡夢泰妻 明 見李氏
胡夢發清 533-303- 57
胡夢雷明 523-387-164
胡夢魁元 515-831- 83
1202-321- 22
1467- 50- 63
胡蒲孫宋 見胡三省
胡鳴岡明 480-243-269
胡鳴臯清 533-148- 51
胡僧洸後魏 262-226-83下
267-555- 80
380- 19-165
胡僧祐梁 260-378- 46
265-898- 64
378-465-142
384-119- 6
472-773- 30
473-315- 62
477-375-167
480-613-287
532-746- 46
537-544- 59
933- 96- 6
胡僧孺宋 515-313- 66
1163-527- 28
胡維宏明 見胡惟忠
胡維孝明 見胡惟孝
胡維昌明 533-364- 60
胡維弼明 572- 83- 28
胡維寧宋 515-597- 76
胡維賢明 545-145- 88
胡維儁妻 清 見劉氏
胡維翰明 515-490- 71
胡維霖明 676-632- 26
胡潤祖元 523-129-152
537-334- 56
1199-693- 5
胡慶孫宋 見胡元質
胡養心明 476-419-120
547- 83-144
胡養沖妻 明 見燕氏
胡養素清 477-361-166
537-322- 56
胡慧超唐 516-414-103
胡慧覺宋 胡公贊女
1154-396- 20
胡增煌妻 明 見丁印姑
胡醇仁清 482-434-361
567-164- 69
胡震亨明 475-701- 86
479- 98-221
510-466-117
524- 24-179
1442- 85- 5
1460-481- 63
1475-382- 16
胡霆桂宋 515-338- 67
胡履虛唐 820-174- 27
胡履輝元 1219-737- 8
1220-377- 3
胡嶤齡清 511-630-161
胡德元唐 561-222-38之3
胡德安金 540-771-28之2
541-111- 31
胡德完元～明 見胡德亮
胡德亮胡德完 元～明
524-368-197
1229-357- 13
胡德孫宋 見胡佑
胡德珪元 1196-304- 18
胡德清女 明 見胡素安
胡德基妻 清 見馬氏
胡德富妻 清 見王氏
胡德新金 291-758-131
401-115-584
477-379-167
胡德銀明 見胡得銀
胡德廣宋 523-403-165
胡德濟明 299-250-133
523- 33-147
胡德璦元 見魏德璦
胡魯穆清 455-203- 10

胡稷言宋 485-196- 26
493-1046- 55
511-831-168
589-303- 2
胡憲仲明 524- 22-179
1475-313- 13
胡諧之齊 259-385- 37
265-676- 47
378-258-138
473- 20- 49
515-297- 66
814-250- 6
820- 93- 24
933- 96- 6
胡澤民元 1194-703- 13
胡遵世劉宋 258-106- 50
265-288- 17
378- 40-131
胡樹勛妻 清 見沈氏
胡霈然唐 812-747- 3
814-275- 10
820-173- 27
胡選孫妻 明 見金氏
胡興是明 472-389- 17
胡興第元 480-177-266
胡興福明 532-623- 43
胡學猗妻 清 見趙氏
胡學禮明 572-111- 30
胡錦輅明 820-656- 42
胡錫屯清(瓜爾佳氏) 455- 85- 3
胡錫屯清(宜特墨氏) 455-617- 42
胡錫義清 456-291- 72
胡應台明 480-412-277
533-255- 55
胡應先明 559-276- 6
胡應辰明 533-142- 51
胡應炎宋 472-261- 10
511-447-153
1230-297- 4
1457-631-401
胡應東明 820-619- 41
胡應科妻 明 見李氏
胡應振明 見胡國棟
胡應時宋 491-432- 6
胡應登妻 明 見侯氏
胡應聘明 511-362-150
胡應嘉明 300-543-215
胡應璣宋 523-622-177
胡應麟明 301-855-287
524- 73-181
1283- 22- 68
1290- 4- 附
1290-653- 89
1442- 77- 5
1460-278- 52
胡懋道明 523-178-154
胡懋敬清 480-638-288
533-297- 56
胡擢標清 475-822- 92
510-497-118
胡環卿妻 明 見羅奴娘
胡鍾英妻 明 見劉氏
胡謨色清 455-305- 18
胡覲賓清 554-350- 54
胡覲龍妻 明 見陳氏
胡懷玉明 547-156-147
胡關七妻 明 見李氏
胡贊鼇妻 清 見嚴氏
胡鯤化明 456-532- 6
475-641- 83
510-449-117
胡寶瑔清 475-185- 59
胡獻卿女 宋 見胡氏
胡嚴徵後晉 821-113- 49
胡騰蚪清 511-375-150
胡釋之元 1210-356- 10
胡繼芳妻 明 見李氏
胡繼美明 516- 87- 90
563-763- 40
胡懿恭元 趙文妻、胡舜舉女
1195- 79- 6
胡麟孫宋 見胡炎午
胡體乾明 545-668-107
1272-440- 13
胡巖起宋 472-1030- 42
473-568- 74
475- 70- 52
479-324-232
523-479-170
胡觀國胡十牛 宋448-392- 0
胡觀智元 1227-167- 20
胡纘宗明 300-321-202
475-526- 77
478-699-210
510-417-116
540-806-28之3
558-400- 36
559-308-7上
559-316-7上
676-539- 22
820-671- 42
1258-609- 12
1442- 44-附3
1459-905- 38
胡土克圖元 294-404-133
399-537-473
胡土克圖明 302-765-327
胡母輔之晉 255-837- 49
377-576-123
386-163-73下下
472-347- 15
472-523- 22
475-666- 84
476-821-143
510-451-117
540-714-28之1
933-793- 57
胡母謙之晉 255-838- 49
386-163-73下下
胡羊道人唐 592-234- 74
胡什布夸爾達清455- 44- 1
胡邪尸逐侯鞮單于漢 見長
要珍漢 933-262- 18
要兢漢 933-262- 18
要離春秋 386-677- 9
405-115- 63
485-146- 20
493-792- 43
933-262- 18
按陳女 元 見徹伯爾
按扎爾元 見安扎爾
按竺邇宋 見阿勒楚爾
按都拉元 528-525- 31
拾寅南北朝 259-576- 59
262-464-101
381-463-195
拾得唐 472-1107- 47
479-299-230
486-900- 35
524-423-200
1052-272- 19
1053- 90- 2
1054-102- 3
1065- 31- 附
柱上古 383- 99- 13
枯林元 821-333- 54
柘稽諸稽郢 春秋 405-138- 64
453-728- 1
933-121- 8
柘城王明 見朱勤烼
柘溫舒漢 933-686- 46
相相安 夏 372- 97-3上
383-234- 23
404- 44- 3
537-172- 53
相土夏 546-423-129
相王魏 見曹鑠
相王宋 見趙公弼
相安夏 見相
相政明 559-303-7上
相俊明 546-682-137
相烏晉 袁稚妻 591-534- 41
相雲後秦 933-687- 46
相琪妻 金 見欒氏
相登妻 漢 見周度
相棟明 511-568-158
相禮明 511-869-170
821-349- 55
相兀孫妻 元 見托克托沁
相世芳明 476-370-117
546-494-131
相有法妻 清 見許氏
相里氏宋 杜衍妻
1104-485- 39
相里金後晉 278-127- 90
279-304- 47
384-312- 16
396-424-294
545-405- 98
545-600-105
550-168-215
相希尹明 456-581- 8
546-324-125
相邦教明 554-282- 53
相延鄉妻 明 見黃氏
相里子才唐 見道積
查氏明 何為忠妻 524-502-203
查氏明 孟昭妻 473- 79- 52

查氏明 顧咸和母
1280-605-100
查氏清 朱永源妻
474-193- 9
查氏清 朱濟任妻 524-506-203
查氏清 吳天葊妻 524-509-203
查氏清 金瑞玉妻 475-383- 68
查氏清 游日弘妻 530-132- 57
查昇清 524- 17-178
查約明 515- 51- 58
523-358-163
528-457- 29
1257- 19- 2
1257-116- 10
查容清 1316-546- 37
查祥唐 933-299- 21
查深宋 471-717- 18
472-389- 17
475-822- 92
511-714-164
查桴明 516-103- 91
1241-774- 19
查陶宋 285-724-296
471-906- 45
472-379- 16
485-431- 6
511-266-147
563-677- 39
1142-520- 6
1376- 99- 64
1376-322- 80
查偉明 570-123-21之1
查斌妻 清 見汪氏
查琛明 516-103- 91
查揆宋 472-389- 17
511-825-167
查道宋 285-722-296
397-161-329
471-699- 16
471-906- 45
471-1018- 63
472-292- 12
472-378- 16
472-739- 29
473-454- 68
475-565- 79
477-522-175
481-181-300
481-332-308
485-436- 6
511-266-147
537-351- 56
547-192-148
559-285-7上
820-340- 32
1142-519- 6
1376- 97- 64
1376-321- 80
查煥明 524-242-190
查潛清 511-853-169
查鼐明 1408-570-538
1458- 55-418
查遺查崧繼 清 1475-558- 24
查鐸明 300-735-227
457-420- 25
475-610- 81
511-708-164
查籥宋 見查鑰
查鑰查籥 宋 559-296-7上
591-697- 49
1375- 8- 上
查一球妻 明 見沈新第
查士標清 511-811-167
查大焜清 524-188-187
查文熙唐 933-299- 21
查文徽南唐 285-722-296
397-161-239
472-378- 16
475-565- 79
511-265-147
1376-321- 80
查元方宋 285-722-296
397-161-329
1375- 4- 上
1376-322- 80
查木楊清 523- 67-149
查木蘇清 456-223- 67
查允元明 515- 61- 58
523-430-167
查允中明 515-271- 65
查仲道明 473- 28- 49
515-387- 68
523- 86-149
查罕岱清 496-217- 76
查志文明 523-430-167
查志隆明 505-658- 68
523-429-167
查克山清 455-636- 44
查拉蓀清 455-468- 28
查居廣元 1210-391- 12
1439-456- 2
1471-199- 25
查奉璋清 483- 17-370
570-145-21之2
查秉彝明 300-462-210
479- 54-218
523-265-158
676-573- 23
1442- 57- 3
查美倫清 456-372- 78
查拱之宋 1253-127- 46
查哈泰清 502-552- 73
查培繼清 515- 72- 58
517-763-134
523-441-167
查崧繼清 見查遺
查慎行清 479- 59-219
524- 17-178
查萬合明 511-882-171
查嗣韓清 524- 16-178
查齊巴清 502-448- 68
查爾瑩妻 明 見戴氏
查儀韶元 1375- 20- 上
查應光明 1442- 85- 5
查懋夔清 515-897- 86
查臨昌妻 清 見祝氏
查魏旭清 524-115-183
查蘇喀清 502-751- 85
查繼序妻 清 見許氏
查繼佐清 564-941- 64
查繼輔清 524-104-183
查布扎納清 569-620-18下之2
柏氏明 郭良妻 1250-956- 90
柏古明 1475-697- 29
柏冏上古 933-747- 52
柏招上古 933-747- 52
柏林清 455-273- 15
柏芝上古 見柏皇氏
柏延清 455-529- 33
柏泰清 455-302- 18
柏耆唐 271- 10-154
275-422-175
384-255- 13
396-167-266
505-772- 73
563-901- 43
933-748- 52
柏敞清 455-569- 37
柏雲清 456-296- 72
柏萬清 456-378- 79
柏壽妻 明 見王氏
柏碩晉 486-904- 35
柏德清(他塔喇氏) 455-218- 11
柏德清(薩爾圖氏) 456-216- 67
柏顛明 541- 99- 30
柏元封唐 820-241- 28
柏正節唐 見柏貞節
柏臣範唐 486- 42- 2
柏良器唐 275- 9-136
384-213- 11
395-641-238
472-130- 4
474-475- 23
493-686- 38
505-772- 73
933-747- 52
1078-165- 13
柏宗回唐 1342-325-946
柏肯堂清 510-497-118
柏始昌漢 569-614-18下之2
柏為楹清 483- 35-371
柏貞節柏正節、柏耆之 唐
471-977- 56
471-985- 57
473-489- 70
473-535- 72
559-293-7上
559-311-7上
591-695- 49
柏英額清 455-500- 31
柏皇氏柏芝、皇柏 上古
383- 40- 6
柏耆之唐 見柏貞節
柏起訥清 455-484- 30
柏起鵠妻 清 見于氏
柏倫泰清 456- 63- 54
柏常騫春秋 404-617- 38
柏福兆明 571-539- 20
柏爾克清 455-119- 4
柏爾都清 455-343- 21
柏盧喀清 455-114- 4
柏膺額清 455-552- 35

柏覆皇清 554-776- 62
柏成欻生上古 1061-170-101
柏谷和尚五代 1053-301- 8
柏帖穆爾元 見拜特穆爾
柏都賽兒元 何千妻 496-414- 89
柏爾格圖清 455- 75- 2
柏爾赫圖清 見伯勒赫圖
厚成叔厚成叔瘠 春秋 404-544- 33
厚成叔瘠春秋 見厚成叔
要子明 541- 98- 30
奎泰清 455-581- 38
胥氏宋 黃君雋妻、胥能謙女 516-311-100
胥氏宋 歐陽修妻、胥偃女 451-265- 2 1102-491- 62
胥冬明 吳國賢妻、胥南女 1283-764-126
胥臣司空季子、臼季 春秋 375-722- 90 384- 21- 1 404-700- 43 448-158- 7 545-716-108 933- 99- 6
胥克春秋 404-703- 43
胥南女 明 見胥冬
胥偃宋 285-685-294 371-142- 14 382-381- 60 384-357- 18 397-136-328 451-265- 2 473-338- 63 477- 51-151 480-407-277 494-319- 6 533-245- 55 933- 99- 6 1102-491- 62
胥偃妻 宋 見刁氏
胥偃女 宋 見胥氏
胥童胥之昧 春秋 404-703- 43
胥焯明 533-284- 56
胥鼎金 291-506-108 383-1005- 29 399-274-441 472-438- 19 472-457- 20 476- 78-100 476-333-115 476-914-148 477-201-159 545-178- 89 546-400-128 549-128-186 1040-259- 6 1315-306- 9 1439- 6- 附 1445- 73- 2
胥鉉明 559-350- 8
胥謙金 291-691-124 400-218-517 554-336- 54
胥嬰春秋 545-718-108
胥文相明 473-654- 78 480-465-279 481-612-329 528-495- 30 528-552- 32 533-283- 56
胥之昧春秋 見胥童
胥元衡宋 285-686-294 371-142- 14 397-136-328 473-338- 63 480-407-277 494-319- 6 533-245- 55 590-486- 2 1098-705- 43 1410-357-710
胥必章明 533-289- 56
胥甲父春秋 404-702- 43
胥自修明 456-527- 6 511-432-153 515-179- 62
胥作霖宋 515-745- 80 1135-302- 30
胥廷清清 見胥庭清
胥廷儉妻 明 見李氏
胥門巢春秋 485-149- 20 493-794- 43
胥秉哲清 533-772- 74
胥持國金 291-747-129 401-144-588 1445-659- 51
胥茂諶宋 285-686-294 494-347- 7
胥茂諶妻 宋 見謝氏
胥庭清胥廷清 清475- 77- 53 511- 85-139
胥致堯宋 472-327- 14 475-704- 86 511-818-167 523- 73-149 1102-482- 61
胥能謙女 宋 見胥氏
胥梁帶春秋 404-703- 43 545-734-109
胥朝賓妻 清 見李氏
胥彌赦春秋 404-830- 51 933- 99- 6
屋引兆隋 見房兆
屋廬子戰國 見屋廬連
屋廬連屋廬子 戰國 405-457- 85 539-641-11之6 546-639-136
眉山老書生宋 821-251- 52
盈之宋(姓缺) 676-349- 12
珂宋(居中天竺寺) 588-231- 10
珂宋(居崇勝院) 1089- 70- 8
匽明漢 劉翼妻 252-193-10下 370-102- 6 373- 45- 19
剌乾唐 見拉恰
剌特納實哩西安王、喇特納實哩、豫王 元 294-206-117 395-207-199
柯木妻 明 見林氏
柯氏宋 徐奕妻 1180-417- 38
柯氏元 柯九思女 820-553- 39
柯氏明 林觀頤妻 530- 69- 55
柯氏明 陳宗妻 530-107- 57
柯氏明 曾景瑞妻 1271-735- 4
柯氏清 朱元琰妻 530- 75- 55
柯氏清 宋洪乾妻 530- 76- 55
柯氏清 林灶妹妻 482-146-344
柯氏清 孫庭芝妻 530- 98- 56
柯氏清 葉承親妻 524-621-208
柯氏清 鄭敬正妻、柯向春女 530- 29- 54
柯氏清 談世海妻 478-298-188
柯仲妻 清 見殷氏
柯忠明 472-741- 29
柯昌明 563-805- 41
柯芝宋 1365-606- 下
柯炳清 1475-689- 29
柯相明 475-644- 83 511-318-148 515-154- 61 676-548- 22
柯降劉宋 933-296- 21
柯述宋 473-652- 78 481-610-329 494-338- 7 528-438- 29 528-490- 30 529-528- 45 677-776- 69
柯茂明 516-130- 92 563-773- 40
柯茂妻 明 見王氏
柯泉明 529-521- 44
柯挺明 529-572- 46
柯梁宋 484-378- 27
柯梅明 伍端妻 530- 92- 56
柯崇唐 1142-531- 6
柯森宋 484-373- 27
柯喬明 511-319-148
柯澍妻 明 見王氏
柯潛明 299-465-152 452-230- 6 453-418- 13 460-536- 50 473-634- 77 481-555-327 529-507- 44 676-497- 19 1246-516- 附 1442- 27-附2 1459-643- 25
柯潛妻 明 見王氏
柯潛妻 明 見曹氏
柯澄明 524-147-185
柯燉明 1257-167- 16

柯翰宋 460-285- 18
1145-595- 77
柯蕚宋 1054-610- 18
柯暹明 299-622-164
472-369- 16
473-145- 56
475-643- 83
511-315-148
515-151- 61
820-592- 40
1241-471- 7
1442- 21-附2
1459- 577- 21
柯謙元 1192-589- 13
1439-427- 1
柯舉元 1439-436- 1
柯聳清 569-619-18下之2
1475-582- 25
柯燾明 511-319-148
柯願清 505-673- 69
柯一鵬明 511-320-148
柯一鯤明 529-668- 49
柯九思元 479-290-230
493-1074- 57
511-895-172
524- 63-181
820-515- 38
821-291- 53
1273-151- 21
1439-433- 1
1471-331- 5
柯九思女 元 見柯氏
柯三娘明 柯乾恭女
481-619-329
530-107- 57
柯大林妻 明 見楊氏
柯大煥妻 清 見林氏
柯上達妻 清 見陳氏
柯文炯妻 明 見胡氏
柯元方明 523-520-171
柯元伯明 529-651- 48
554-185- 51
柯元芳明 528-533- 31
柯友桂明 510-378-114
柯日東明 511-816-167
柯日新明 480- 51-259
532-617- 43
柯允中妻 元 見龔益
柯立善元 524-210-188
柯永昇清 502-769- 86
柯永淳明 511-485-155
柯永盛清 502-657- 79
柯永新清 481-695-332
528-547- 32
柯永蓁清 502-657- 79
柯弘本明 1475-654- 28
柯可崇宋 524-441-201
柯汝極清 474-773- 41
502-657- 79
柯有年明 482-239-349
564-252- 47
柯光泰妻 清 見陳氏
柯向春女 清 見柯氏
柯仲實清 511-324-148
柯亨道宋 484-376- 27
柯宋英宋 482-303-353
529-530- 45
563-684- 39
柯良晉明 567-114- 67
1467-116- 66
柯良華妻 明 見洪氏
柯廷玉妻 明 見曹氏
柯宗孟宋 484-375- 27
柯宗實妻 元 見陳氏
柯孟顯明 511-635-161
柯尚遷明 679- 62-144
柯秉直妻 清 見陳氏
柯延茹明 511-634-161
柯春早明 533-414- 62
柯春卿宋 515-118- 60
529-443- 43
柯若禔宋 484-377- 27
柯益孫齊 933-296- 21
柯夏卿明 676-660- 27
柯時復明 564-285- 47
柯乾恭女 明 見柯三娘
柯常稔明 1246-504- 下
柯喬清妻 明 見李氏
柯勝瓊明 丘原和妻
1232-214- 2
柯遂卿明 1229-145- 1
柯頌功明 534-564- 99
柯爾崑清 1322-584- 9
柯夢得宋 529-727- 51
567-443- 86
585-768- 5
1467-153- 67
柯維楨明 1475-685- 29
柯維蓁明 533- 92- 49
柯維騏明 301-846-287
458-1051- 2
460-560- 55
481-557-327
529-515- 44
1442- 52- 3
1460- 95- 44
柯維瀚宋 1182-612- 40
柯遷之母 明 見羅氏
柯錫衮妻 清 見程氏
柯應烈宋 511-632-161
柯應鳳明 529-569- 46
563-837- 41
柳方明 554-526- 57下
柳文明 567- 92- 66
柳升明 299-494-154
472-339- 14
475-528- 77
505-844- 76
511-405-152
柳氏晉 賈充母 476- 87-100
柳氏隋 楊恪妻、柳旦女
264-1113- 80
267-728- 91
381- 63-185
476-126-102
547-427-157
柳氏隋 裴倫妻 264-1120- 80
267-733- 91
381- 68-185
547-364-155
558-491- 42
柳氏唐 陳蕘妻 1076-121- 13
1076-577- 13
1077-149- 13
1410-513-732
柳氏唐 崔造妻 1342-487-967
柳氏唐 崔簡妻、柳鎮女
820-306- 30
1076-122- 13
1076-578- 13
1077-150- 13
1410-521-734
柳氏唐 裴墐妻、柳鎮女
1076-122- 13
1076-578- 13
1077-150- 13
1342-495-968
柳氏唐 薛仁貴妻 476-404-119
547-454-158
柳氏元 趙野妻、柳賓叔女
295-633-201
401-180-593
474-190- 9
506- 3- 86
1192-533- 7
柳氏明 王福海妻 472-485- 21
柳氏明 李本溶妻 480-253-269
柳氏明 李榮芳妻 475-381- 68
柳氏明 徐宏軒妻 480- 62-260
柳氏明 楊坤妻 478-275-187
柳氏明 楊炯妻 479-797-254
516-404-102
柳氏明 魏乞妻 482-239-349
柳氏清 黄阿繼妻 479-410-235
柳氏清 葉瑞之妻 481- 83-294
柳氏清 劉祺昌妻 503- 61- 95
柳氏清 錢澍妻 474-194- 9
柳永後魏 261-633- 45
柳永柳三變 宋 471-628- 7
471-660- 11
473-602- 76
491-305- 6
529-741- 51
674-887- 21
柳弘北周 263-581- 22
267-330- 64
379-598-157
546-730-139
814-263- 8
820-124- 25
933-616- 40
柳正女 元 見妙眞夫人
柳平宋 515-102- 60
533-289- 56
1113-275- 26
柳旦隋 264-779- 47
267-330- 64
379-810-162
472-463- 20
477-358-166
477-498-174
482-115-343

482-207-347
544-222- 62
546-454-130
563-628- 38
933-616- 40
柳旦女 隋 見柳氏
柳申明 472-127- 4
505-690- 70
554-471-57上
559-352- 8
柳安秦 933-615- 40
柳并唐 276- 80-202
400-607-555
933-169- 40
柳朱吳 479-435-236
柳宏宋 473- 76- 52
柳沖唐 271-549-189下
276- 24-199
384-189- 10
400-417-538
472-464- 20
476-119-102
484- 83- 3
544-228- 63
544-230- 63
546-700-138
933-619- 40
柳亨唐 269-749- 77
274-431-112
395-423-219
546-459-130
柳忱梁 260-132- 12
265-576- 38
378-356-140
533-446- 62
546-446-130
933-615- 40
柳佐明 540-819-28之3
545-444- 99
柳伸晉 591-527- 41
柳豸明 1259-213- 16
柳宗漢 591-518- 41
879-158-58上
柳宗明 458-160- 8
柳宜宋 1086-300-300
柳泌楊仁晝 唐 270-613-135
275-339-167
396-121-262
柳玭唐 271-136-165
275-283-163
384-275- 14
384-289- 15
396- 96-260
471-1001- 60
471-1011- 62
473-476- 69
473-527- 72
546-475-130
554-454- 56
559-273- 6
559-317-7上
561-517- 44
591-223- 18
591-691- 48
820-271- 29
933-618- 40
柳枝唐 1082- 60-下
柳明唐 561-316- 40
1065-153- 13
柳卓晉 533-739- 73
柳昂北周～隋 263-669- 32
264-781- 47
269-365- 67
379-850-163
384-152- 8
472-463- 20
476-117-102
476-149-104
544-219- 62
545-206- 91
546-455-130
933-616- 40
柳虯柳蚪 北周 263-728- 38
267-324- 64
379-594- 57
384-141- 7
472-462- 20
546-449-130
552- 41- 18
933-616- 40
柳芳唐 270-793-149
274-656-132
384-214- 11
395-606-235
472-464- 20
546-701-138
933-617- 40
柳芳明(謚節愍) 456-575- 8
柳芳明(字揮茂) 473- 78- 52
516-105- 91
1241-519- 9
柳芳明(武清人) 474-184- 9
505-895- 80
柳芳明(延安人) 559-323-7上
柳金妻 明 見張氏
柳洋北周 263-830- 48
柳洋唐 820-146- 26
柳津劉宋 265-577- 38
378-357-140
546-447-130
933-616- 40
柳某唐 韋回知婿
1076-116- 12
1076-572- 12
柳述隋 264-778- 47
267-329- 64
379-810-162
384-152- 8
482-117-343
546-458-130
933-616- 40
柳述妻 隋 見楊阿五
柳昱妻 唐 見宜都公主
柳盻妻 陳 見富陽公主
柳盼劉宋 265-575- 38
柳英明 545-119- 86
559-374- 8
563-735- 40
柳約宋 287-511-404
398-497-398
472-241- 9
472-1014- 41
475-178- 59
479-377-234
511-122-141
523- 12-146
1147-321- 29
柳祚北周 263-583- 22
267-327- 64
379-596-157
柳涚宋 451-126- 1
柳涉妻 唐 見許昌公主
柳彧隋 264-910- 62
267-515- 77
379-835-163
384-152- 8
474- 90- 3
476-117-102
545- 9- 83
546-457-130
558-476- 40
933-617- 40
柳珙宋 484-375- 27
柳恭弟子 唐 見葉氏
柳珪唐 271-136-165
275-283-163
384-275- 14
396- 96-260
546-475-130
554-454- 56
柳珣明 299-496-154
567- 92- 66
柳珪妻 明 見陳氏
柳根明 1442-130- 8
1460-879- 94
柳蚪北周 見柳虯
柳秬元 1210-518- 20
柳淇宋 820-407- 34
柳淳明 559-251- 6
柳清明 456-636- 10
516-140- 92
柳惔梁 260-131- 12
265-574- 38
370-560- 18
378-353-140
384-113- 6
485-489- 9
546-728-139
933-615- 40
柳敕宋 516-221- 96
柳晟唐 271-417-183
275-245-159
384-253- 13
396- 53-256
472-465- 20
472-865- 34
473-315- 62
476-120-102
546-469-130
554-129- 50
1079- 73- 12
1342-573-977

1408-677-551
柳崇後魏 261-632- 45
266-555- 27
379- 95-147
472-456- 20
472-462- 20
476-115-102
545-435- 99
546-449-130
933-616- 40
柳崇宋 1086-300- 30
柳貫元 295-442-181
399-726-492
452- 27- 下
453-799- 4
472-1031- 42
479-326-232
493-1074- 57
523-614-176
820-506- 37
1209-656-10下
1210-181- 附
1210-182- 附
1210-183- 附
1210-530- 附
1210-532- 附
1210-535- 附
1210-539- 附
1224-339- 25
1375- 36- 下
1439-429- 1
1468-709- 32
柳貫妻 元 見盛淑
柳莊春秋 404-832- 51
537-365- 57
933-615- 40
柳莊北周～隋 263-775- 42
264-956- 66
267-412- 70
379-842-163
384-154- 8
471-715- 18
472-463- 20
476-117-102
479-525-241
480-295-271
515-210- 63
533-232- 54
546-454-130
933-616- 40
1395-605- 3
柳鹵元 1224-222- 21
柳冕唐 270-794-149
274-657-132
384-214- 11
395-607-235
472-464- 20
473-567- 74
528-435- 29
546-702-138
933-617- 40
1076-113- 12
1076-570- 12
柳偃梁 260-198- 21
265-575- 38
378-355-140
533-231- 54
546-729-139
933-615- 40
柳偃妻 梁 見長城公主
柳偃女 陳 見柳敬言
柳敏漢 681-536- 8
1397-614- 29
柳敏宇文敏 北周～隋
263-668- 32
264-781- 47
267-364- 67
379-650-158
476-117-102
532-562- 40
546-453-130
933-616- 40
柳敘宋 523-404-165
柳斌北周 267-326- 64
柳渾柳載 唐 270-491-125
275- 59-142
384-227- 12
395-674-241
471-611- 4
471-712- 18
473- 59- 51
473-175- 57
473-250- 60
479-765-252
480-296-271
515-114- 60
533-234- 54
546-461-130
549-199-188
588-315- 2
933-617- 40
1076- 70- 8
1076-530- 8
1077- 89- 8
1342-554-975
柳惲梁 260-197- 21
265-574- 38
378-354-140
384-113- 6
479-132-223
479-525-241
480-294-271
494-323- 6
515-209- 63
523-112-151
533- 87- 49
546-728-139
563-620- 38
567- 30- 63
814-254- 7
820-101- 24
839- 42- 4
933-615- 40
1387-129- 8
1395-595- 3
柳渙唐 269-750- 77
柳惠父 元 1196-529- 3
柳惠母 元 見洪氏
柳閎宋 820-385- 33
柳雅唐 1076-125- 13
1076-581- 13
1077-153- 13
1410-522-734
柳䛒柳顧言 隋 264-875- 58
267-615- 83
380-394-176
384-156- 8
480-295-271
546-730-139
933-617- 40
1387-197- 11
1395-605- 3
1401-580- 40
柳植宋 285-686-294
472-195- 7
472-294- 12
472-980- 39
475-374- 68
479- 91-221
484- 91- 3
511-204-144
523- 96-150
柳登唐 270-793-149
274-657-132
395-606-235
476-121-102
546-703-138
1076-113- 12
1076-570- 12
柳開柳肖愈、柳肩愈 宋
288-198-440
371-176- 18
382-250- 38
384-335- 17
400-636-558
450-715-下7
471-773- 26
472-131- 4
472-253- 10
472-273- 11
472-789- 31
472-825- 33
473-748- 83
474-476- 23
476-330-115
476-854-145
477-408-169
478-403-194
482-347-356
505-774- 73
510-357-114
537-325- 56
545-416- 98
546-732-139
554-236- 52
567- 48- 64
568-171-104
585-754- 4
674-273-4中
674-813- 17
933-619- 40
1085-245- 2

1085-247- 2
1085-347- 16
1090-194- 2
1090-314- 18
1351-686-109
1437- 7- 1
1467- 22- 62
柳開妻 宋 見袁氏
柳肅隋 264-779- 47
267-330- 64
379-810-162
546-455-130
933-616- 40
柳琰明 523-102-150
676-170- 7
1247-525- 23
柳援後魏 261-633- 45
柳森宋 524-331-195
柳森元 1209-314- 3
柳閔宋 1085-337- 14
柳景明 567-541- 90
柳溥明 299-495-154
511-405-152
567- 92- 66
1467- 66- 64
柳靖北周 263-774- 43
267-411- 70
379-684-159
384-142- 7
476-117-102
480-295-271
533-232- 54
546-730-139
933-616- 40
柳詳晉 820- 73- 23
柳遂唐 820-241- 28
柳載唐 見柳渾
柳珹宋 1135-344- 33
1386-420- 45
柳楹宋 493-747- 41
柳楷後魏 261-632- 45
266-555- 27
379- 95-147
546-449-130
814-260- 8
820-118- 25
933-616- 40
柳楷明 820-628- 41
821-390- 56
柳瑛明 676-150- 6
柳裘隋 264-694- 38
267-470- 74
379-779-162
384-153- 8
477-471-173
546-456-130
933-616- 40
柳遐北周 見柳霞
柳絺後魏 552- 38- 18
柳稠明 564-293- 47
柳實晉 933-499- 33
柳誠元 546-668-137
柳察唐 494-337- 7
柳韶宋 491-433- 6
柳榮明 554-258- 52
柳瑫唐 486- 45- 2
柳翠宋 585-200- 13
柳遠後魏 262- 72- 71
266-922- 45
379-287-150下
546-450-130
839- 42- 4
柳寬唐 1076-101- 11
1076-557- 11
1077-125- 11
柳憕劉宋 265-576- 38
378-305-140
481- 65-293
533-231- 54
546-446-130
933-615- 40
柳調隋 264-782- 47
267-365- 67
379-850-163
546-458-130
柳潭唐 274-113- 83
柳潭妻 唐 見和政公主
柳毅唐 493-1116- 59
531-365- 12
534-939-119
柳談柳中庸 唐 276- 80-202
400-607-555
546-732-139
柳慶宇文慶 北周 263-578- 22
267-327- 64
379-596-157
384-141- 7
546-451-130
554-325- 54
933-616- 40
柳瑾宋 820-385- 33
柳奭隋 269-750- 77
274-434-112
395-424-219
476-368-117
546-460-130
567-425- 86
1467-138- 67
柳震宋 見柳肩吾
柳儉後魏 262-303- 91
267-718- 90
380-635-183
812-336- 8
柳儉隋 264-1040- 73
267-661- 86
380-207-170
473-454- 68
473-535- 72
476-118-102
478-569-203
481- 65-293
481-180-300
481-361-310
546-456-130
558-205- 32
559-284-7上
559-311-7上
591-702- 50
933-617- 40
柳耦明 524-212-188
柳範唐 269-750- 77
274-434-112
395-424-219
476-368-117
546-459-130
柳稷明 559-366- 8
柳諧後魏 262- 72- 71
266-922- 45
379-287-150下
546-450-130
柳澥唐 550- 91-212
1467-542- 13
柳澤唐 269-750- 77
274-431-112
384-192- 10
395-423-219
472-464- 20
476-368-117
481-799-338
546-460-130
933-617- 40
柳謀唐 550- 90-212
1076-222- 24
1076-669- 24
柳璟唐 270-795-149
274-657-132
395-607-235
476-121-102
546-704-138
柳融不詳 1059-277- 4
1061-265-109
柳機北周～隋 263-581- 22
264-778- 47
267-329- 64
379-809-162
384-152- 8
472-463- 20
474-601- 31
478-333-191
546-458-130
554-121- 50
933-616- 40
柳燕明 1457-659-403
柳輴女 明 見柳瓊
柳璞唐 275-282-163
384-275- 14
396- 96-260
554-810- 63
柳學宋 559-265- 6
柳穆妻 明 見潘益
柳鴻明 456-636- 10
516-140- 92
柳謐宋 1170-664- 28
柳濟明 820-644- 41
820-681- 42
柳隱晉 472-864- 34
481- 75-294
559-339- 8
591-527- 41
柳檜北周 263-805- 46
267-325- 64
380- 61-166

546-450-130
552- 40- 18
554-118- 50
柳璨唐 271-367-179
276-456-223下
384-292- 15
401-331-613
544-231- 63
674-382- 1
柳霞柳遐 北周 263-773- 42
267-410- 70
379-683-159
384-142- 7
472-462- 20
473-249- 60
475-834- 93
476-117-102
476-347-116
480-295-271
533-231- 54
544-213- 62
545-169- 89
546-448-130
549-258-191
933-616- 40
1064-256- 10
1064-744- 15
1342-338-948
1400-175- 7
1416- 75-111下
柳璧唐 271-136-165
275-283-163
384-275- 14
396- 96-260
546-475-130
554-454- 56
567-430- 86
1467-143- 67
柳鎮唐 472-357- 15
547-202-148
1076-108- 12
1076-564- 12
1077-133- 12
1378-589- 62
柳鎮妻 唐 見盧氏
柳鎮女 唐(崔簡妻) 見柳氏
柳鎮女 唐(裴謹妻) 見柳氏
柳鎔明 547- 89-144
柳識唐 270-493-125
275- 61-142
395-676-241
480-296-271
546-731-139
933-617- 40
柳瓊明 柳輴女 478-420-195
柳闢宋 1085-339- 14
柳鷟北周 263-582- 22
267-326- 64
379-595-157
546-451-130
柳九苞妻 清 見陳氏
柳下惠展禽、展獲 春秋
371-452- 26
384- 15- 1
386-622- 4
404-493- 30
409-182- 21
448-165- 9
472-547- 23
933-588- 38
933-615- 40
柳下惠妻 春秋 448- 23- 2
452- 76- 2
柳三錫明 456-640- 10
480-486-280
柳三變宋 見柳永
柳子華唐 271-139-165
275-286-163
384-270- 14
396- 98-260
478- 88-180
546-468-130
554-450- 56
592-211- 73
柳子儀宋 473-165- 57
柳大卿明 505-698- 70
柳大節妻 明 見魏氏
柳之文明 483-383-402
571-554- 20
柳之彥明 456-672- 11
533-494- 65
柳文通明 460-770- 79
柳文標清 528-547- 32
柳不華柳巴哈 元
473-348- 63
480-436-278
532-725- 46
柳元方唐 1076-464- 附
柳元泰明 476-180-106
柳元章後魏 261-632- 45
柳元景劉宋 258-409- 77
265-568- 38
370-480- 14
378-176-136
384-113- 6
471-818- 32
473-248- 60
473-266- 61
480-294-271
488-185- 8
528- 3- 17
533-230- 54
546-442-129
933-615- 40
柳巴哈元 見柳不華
柳中庸唐 見柳談
柳少安唐 528-489- 30
柳公度唐 271-139-165
384-270- 14
396- 98-260
柳公綽唐 271-131-165
275-279-163
384-255- 13
384-260- 13
384-272- 14
396- 93-260
459-785- 47
471-775- 26
471-785- 28
471-992- 59
472-429- 19
472-836- 33
473-209- 59
473-246- 60
473-315- 62
473-347- 63
473-489- 70
476- 28- 97
478- 88-180
478-119-181
478-403-194
480- 11-257
480-287-271
480-362-275
481-234-303
532-568- 40
545- 27- 83
546-471-130
554-453- 56
559-293-7上
591-675- 47
820-248- 29
933-618- 40
柳公綽妻 唐 見韓氏
柳公權唐 271-137-165
275-285-163
384-261- 13
384-270- 14
396- 97-260
459-787- 47
472-838- 33
478-120-181
544-228- 63
546-473-130
554-645- 60
563-901- 43
812-739- 3
813-225- 3
814-278- 10
820-248- 29
933-618- 40
柳玄達後魏 262- 71- 71
266-922- 45
379-287-150下
546-450-130
柳永年明 456-613- 9
柳正元妻 唐 見淮陽公主
柳世恩明 512-774-196
柳世隆齊 259-270- 24
265-572- 38
370-508- 15
378-208-137
384-113- 6
472-462- 20
473-249- 60
480-294-271
485- 68- 10
493-677- 37
532-557- 40
533-231- 54
546-444-129
839- 42- 4

933-615- 40
1394-765- 12
1415-158- 87
柳世榮明 475-605- 81
510-436-116
柳由庾唐 1078-251- 9
柳令譽唐 820-180- 27
柳汝霖明 533-463- 63
柳吉祥清 547- 26-141
柳列奎明 456-671- 11
533-479- 64
柳同春清 477-454-171
537-414- 57
柳光世劉宋 258-416- 77
265-571- 38
378-179-136
柳光熙宋 559-290-7上
柳向陽明 533-308- 57
柳如京劉宋 550-100-212
柳仲永柳詵郎 宋448-389- 0
柳仲年唐 820-267- 29
柳仲郢唐 271-134-165
275-281-163
384-275- 14
384-278- 14
396- 94-260
471-1013- 62
472-739- 29
472-838- 33
473-209- 59
473-503- 71
473-729- 82
476-475-125
477- 49-151
477-305-163
478- 89-180
478-120-181
480- 48-259
481-332-308
532-613- 43
537-299- 56
540-611- 27
544-231- 63
546-474-130
554-454- 56
559-312-7上
563-646- 38
591-704- 50
814-278- 10
820-261- 29
933-618- 40
柳仲禮梁 260-361- 43
265-577- 38
378-357-140
546-447-130
柳良正明 533-170- 52
柳君慶唐 592-211- 73
柳肖愈宋 見柳開
柳伯和宋 556-450- 93
柳希玭唐 516-198- 95
柳邦傑明 516-131- 92
柳佛婢唐 見初心
柳宗元叔 唐 549-332-193
1076-113- 12
1076-115- 12
1076-570- 12
1076-571- 12
1077-141- 12
1077-142- 12
1342-313-944
1342-513-970
1383-314- 28
1410-520-734
柳宗元唐 271- 77-160
275-350-168
384-243- 12
396-127-263
451-435- 3
469-385- 46
471-770- 25
471-861- 38
471-867- 39
472-465- 20
473-386- 65
473-757- 83
480-540-283
482-371-357
532-714- 45
546-731-139
548-175-167
549-329-193
550-181-215
550-245-218
550-248-218
567- 42- 64
568-240-108
585-749- 3
674-257-4上
812-748- 3
814-278- 10
820-229- 28
933-619- 40
1054-537- 15
1073-615- 31
1073-623- 32
1074-463- 31
1074-473- 32
1075-410- 31
1075-419- 32
1076-891- 附
1076-892- 附
1077- 5- 附
1077-307- 3
1077-308- 3
1077-309- 3
1077-316- 3
1077-317- 3
1077-442- 19
1128-170- 19
1128-365- 6
1339-657-705
1342-381-953
1344-107- 69
1354- 73- 9
1355-617-21上
1359-603- 6
1365-383- 1
1366-814- 7
1370-210- 13
1371- 67- 附
1378-589- 62
1383-188- 15
1383-204- 附
1388-143- 57
1410-274-699
1447-266- 10
1467- 16- 62
1472-603- 37
1476-149- 8
柳宗元妻 唐 見楊氏
柳宗元女 唐 見初心
柳宗旦明 456-671- 11
480-206-267
533-479- 64
柳宗直唐 820-229- 28
1076-117- 12
1076-573- 12
1077-145- 12
1410-526-735
柳宗遠妻 明 見唐氏
柳枝楊清 505-908- 81
柳承陟宋 1085-336- 14
柳承煦宋 1085-332- 14
柳承遠宋 1085-335- 14
柳承翰宋 1085-331- 14
柳承贊妻 宋 見穆氏
柳尚義明 473-318- 62
533-284- 56
柳明獻唐 1065-156- 13
柳昂霄明 456-464- 4
柳芳陽明 569-664- 19
柳叔夜齊 265-1045- 73
380-102-167
933-616- 40
柳味道宋 523-420-166
柳知微唐 820-267- 29
柳和娘唐 見初心
柳肩吾柳震 宋 1085-338- 14
柳肩愈宋 見柳開
柳彥碩明 561-206-38之1
柳拱辰柳拱宸 宋
471-801- 30
473-368- 64
480-485-280
533-745- 73
柳拱宸宋 見柳拱辰
柳映芳明 559-424-10上
柳康中宋 492-711-3下
柳曹婆父 唐 549-332-193
1076-113- 12
1076-570- 12
1077-141- 12
1342-513-970
柳帶韋北周 263-582- 22
267-326- 64
379-595-157
476-110-102
545-355- 96
柳莊敏漢 471-999- 60
柳國柱明 571-539- 20
柳國柱妻 清 見劉氏
柳國鎮明 456-484- 5

柳條青唐 493-1001- 58
柳從龍元 516-127- 92
柳惠古唐 487-187- 12
柳雄亮北周～隋 263-805- 46
264-779- 47
267-326- 64
380- 62-166
472-463- 20
546-453-130
柳朝麟清 528-499- 30
柳無忝唐 563-639- 38
柳勝華明 523-492-170
柳靖一明 524-231-189
1241-346- 2
柳誅郎宋 見柳仲永
柳楚賢唐 484- 85- 3
523- 71-149
546-266-124
柳敬中明 472-222- 8
493-757- 41
510-334-113
柳敬言柳敬淑 陳 陳宣帝后、柳偃女 260-590- 7
265-204- 12
370-588- 20
373- 90- 20
544-180- 61
柳敬亭曹敬亭 明 1312-395- 38
柳敬亭清 1312- 48- 5
柳敬淑陳 見柳敬言
柳敬禮梁 265-578- 38
378-358-140
480-294-271
533-387- 60
546-447-130
柳毓榮明 456-580- 8
476-282-111
546-154-120
柳毓融明 456-459- 4
540-836-28之3
柳賓叔女 元 見柳氏
柳嘉泰唐 1342- 33-908
柳鳴鳳明 456-616- 9
511-498-156
柳僧習後魏 262- 74- 71
267-324- 64
379-594-157
554-230- 52
814-260- 8
820-117- 25
柳慶宗劉宋 258-416- 77
265-571- 38
378-179-136
柳慶和後魏 261-632- 45
266-555- 27
379- 95-147
546-449-130
933-616- 40
柳慶遠梁 260-112- 9
265-576- 38
370-558- 18
378-356-140
384-113- 6
473-249- 60
480-294-271
533-231- 54
546-446-130
554-229- 52
933-616- 40
柳德義唐 484- 85- 3
柳應辰唐 820-312- 31
柳應辰明 473-318- 62
533-283- 56
676-749- 31
柳應芳明 1442- 96- 6
1460-562- 68
柳謇之隋 264-780- 47
267-330- 64
379-811-162
384-152- 8
477-542-176
537-353- 56
546-455-130
933-616- 40
柳懷素唐 820-272- 29
柳寶積唐 472-194- 7
510-477-118
柳顧言隋 見柳謇
革朱漢 523-541-173
539-348- 8
933-752- 52
革從時明 559-346- 8
革蘭台明 見格爾台
革列孛羅明 見格爾博羅
南宋 1053-591- 14
南子春秋 魏靈公夫人 404-836- 52
448- 71- 7
南中唐 561-201-38之1
南公戰國 533-776- 74
南氏明 張子耕妻 474-248- 12
506- 57- 87
南氏明 馮慶妻 506- 46- 87
南氏明 閻公述妻 555- 50- 66
南氏明 薛厚倫妻、南文蔚女 555- 50- 66
南氏明 南應旌女 478-377-192
555- 89- 67
南氏清 任覺民妻 555-142- 68
南氏清 劉光巳妻 478-378- 92
南氏清 劉懿宗妻 478-138-181
南仝明 545-78-111
南印唐 1052-143- 11
南印明 683-188- 6
683-193- 6
南兆明 554-312- 53
南仲周 404-445- 26
554- 88- 50
南仲金 476-123-102
546-297-124
547- 70-143
南宗明 572-160- 32
南庚商 544-154- 61
南東明 559-375- 8
南季春秋 933-502- 33
南岱清 456- 87- 56
南容春秋 見南宮敬叔
南泰明 554-311- 53
南泰清(瓜爾佳氏) 455- 67- 2
南泰清(佟佳氏) 455-329- 20
502-585- 75
南泰清(那木都魯氏) 455-347- 21
南泰清(寧古塔氏) 455-606- 41
南泰清(拖活絡氏) 455-695- 49
南泰清(把岳忒氏) 456-232- 68
南軒明 554-503-57上
676-585- 24
1293-231- 13
南雅宋 1053-906- 20
南裕宋 545-764-110
南漢明 554-526-57下
南壽明 505-812- 74
南臺五代 1053-552- 13
南蒯春秋 404-556- 34
448-268- 27
933-502- 33
南潛董說 明 1460-733- 79
南劍明 676-504- 19
南濤金 546-733-139
南簡宋 812-457- 1
812-539- 3
821-158- 50
南鏜商鏜 明 478-377-192
554-526-57下
676-517- 20
南黨明 483-282-393
571-531- 19
南大吉明 457-466- 29
458-901- 8
523-158-153
526-163-264
554-494-57上
676-543- 22
1293-366- 20
1442- 45-附3
1459-922- 39
南川王明 見朱申鋸
南文子春秋 見公孫彌牟
南文蔚女 明 見南氏
南中行妻 清 見劉氏
南永福妻 清 見姚氏
南正重上古 404-387- 23
南平王劉宋 見劉鑠
南平王齊 見蕭銳
南平王梁 見蕭偉
南平王陳 見陳嶷
南平王後魏 見托跋渾
南平王西夏 見李晛
南史氏春秋 404-607- 37
南安王陳 見陳叔儉
南安王後魏 見元楨
南安王後魏 見托跋余
南安王後魏 見托跋壽樂
南安翁宋(南安乃地名) 288-440-458
401- 26-570
481-586-328
南有杞妻 明 見李氏
南企仲明 301-468-264
456-445- 3

九畫：柳、革、南

478-129-181
554-720- 61
676-325- 12
676-613- 25
南邦化明 546-499-131
554-300- 53
南邦彥妻 明 見楊氏
南居益明 301-468-264
456-429- 2
476-331-115
478-130-181
528-464- 29
545-424- 98
554-720- 61
580-606- 44
676-628- 26
南居業明 301-470-264
456-492- 5
554-720- 61
南孟明明 524-166-186
南承嗣唐 471-998- 60
472-1026- 42
473-408- 66
473-476- 69
480-353-274
523-183-155
559-272- 6
559-293-7上
571-514- 19
南岳雲元 821-333- 54
南洙源明 505-660- 68
南拱極明 476-518-127
540-628- 27
南思忠明 547-101-145
南海王劉宋 見劉子師
南海王齊 見蕭子罕
南海王陳 見陳虔
南宮牛春秋 404-814- 50
933-781- 55
南宮括南宮适 周
933-781- 55
南宮括春秋 見南宮敬叔
南宮适周 見南宮括
南宮适春秋 見南宮敬叔
南宮極春秋 404-485- 28
933-781- 55
南宮萬春秋 見南宮長萬
南宮說春秋 見南宮敬叔
南宮縚春秋 見南宮敬叔
南宮嚚春秋 404-485- 28
933-781- 55
南晉王齊 見蕭子夏
南書記宋 1053-909- 20
南師仲明 554-850- 63
南康王齊 見蕭子琳
南康王梁 見蕭績
南康王陳 見陳曇朗
南都理清 455-403- 24
南陵王明 見朱睦楧
南逢吉明 472-679- 27
537-258- 55
545-288- 94
545-424- 98
554-501-57上
南越王漢 見趙陀
南越王漢 見趙胡
南越王漢 見趙興
南越王漢 見趙嬰齊
南陽王吳 見孫和
南陽王晉 見司馬模
南陽王晉 見司馬彪
南陽王劉宋 見劉翽
南陽王北齊 見高綽
南頓王晉 見司馬宗
南楚材妻 唐 見薛媛
南爾強清 554-782- 62
南樂王明 見朱祁鉷
南憲仲明 554-503-57上
676-609- 25
南應旌女 明 見南氏
南濟蘭清(扎庫塔氏)
455-564- 36
南濟蘭清(莫費氏) 455-632- 44
南譙王劉宋 見劉恢
南譙王劉宋 見劉義宣
南霽雲唐 275-604-192
384-215- 11
400-104-509
472-130- 4
474-474- 23
477-123-155
505-856- 77
537- 14- 48
537-253- 55
550-156-215
933-502- 33
1076- 53- 5
1076-516- 5
1077- 71- 5
1354- 77- 9
1394-743- 11
1410- 16-664
1418- 56- 37
南平公主唐 王敬直妻、劉玄意妻、唐太宗女 274-105- 83
554- 46- 49
南伊馬喇清 559-325-7下
南朱馬喇清 559-325-7下
南宮文信元 821-325- 54
南宮公主漢 耏申妻、漢景帝女 249-284- 16
251-276-97上
554- 43- 49
南宮長萬宋萬、南宮萬 春秋
244- 86- 38
404-814- 50
933-781- 55
南宮靖宋 515-333- 67
676-137- 5
南宮敬叔仲孫說、仲孫閱、南容、南宮括、南宮适、南宮說、南宮縚、宮縚 春秋
244-386- 67
246- 27- 67
371-491- 32
375-654- 88
384- 14- 1
404-435- 25
404-514- 31
405-444- 85
405-449- 85
472-548- 23
539-494-11之2
933- 40- 2
933-502- 33
933-781- 55
南郭且于春秋 見公子鉏
南康公主唐 沈汾妻、唐憲宗女 274-117- 83
393-285- 73
南陽公主漢 王咸妻、漢元帝女 472-776- 30
477-382-167
538-345- 70
554-991- 65
南陽公主隋 宇文士及妻、隋煬帝女 264-1113- 80
267-727- 91
381- 62-185
554- 44- 49
南陽公主遼 見耶律楚巴
南陽孝子唐 1408-502-530
南溟夫人上古 1061-352-116
南京一節婦明 1250-757- 72
南都伊拉齊清 455-179- 8
南都哈克圖清 455-636- 44
耶律中遼 502-697- 82
耶律中妻 遼 見蕭綏蘭
耶律氏元 邁格妻
295-628-200
401-177-593
耶律氏元 聶希甫妻
547-394-156
耶律允遼 見耶律欲穩
耶律古耶律實默克 遼
289-578- 75
399- 9-417
耶律奴妻 遼 見蕭意辛
耶律沙遼 289-616- 84
399- 28-419
耶律良遼 289-663- 96
400-684-564
474-819- 44
502-787- 88
耶律阮遼 見遼世宗
耶律防金 821-273- 52
耶律貝李贊華、東丹王、東丹慕華、耶律倍、耶律托雲、耶律突欲 遼 279-515- 72
279-522- 73
289-561- 72
383-749- 14
395-131-192
472-624- 25
812-523- 2
813-116- 8
821-111- 49
耶律吼耶律厚 遼
289-589- 77
399- 16-418
502-324- 59
耶律努妻 遼 見蕭意辛

耶律玦遼 289-645- 91
399- 49-421
502-329- 59
耶律忠遼 見耶律朗
耶律洼遼 見即律斡
耶律厚遼 見耶律吼
耶律貞元 1367-659- 51
1410-370-713
耶律昭遼 289-694-104
400-683-564
耶律朗耶律忠、耶律朗烏 遼
289-720-113
383-759- 17
401-495-632
耶律恕即律耨坪 金
291-197- 82
399-146-429
502-348- 61
耶律倍遼 見耶律貝
耶律淳北遼 見遼宣宗
耶律淵遼 502-780- 87
505-931- 84
耶律斡耶律洼 遼
289-591- 77
395-123-191
502-324- 59
耶律賢遼 見遼景宗
耶律履金 見伊喇履
耶律億遼 見遼太祖
耶律璟遼 見遼穆宗
耶律濬遼 289-564- 72
395-137-192
耶律蘇遼 395-127-191
耶律鑄元 294-558-146
399-367-451
474-821- 44
502-792- 88
1199-357- 附
耶律嚴李嚴 遼 289-672- 98
383-764- 19
399- 60-422
472- 34- 1
474-166- 8
505-718- 71
耶律觀遼 見王觀
耶舍崛多稱藏 北周
1051-174- 7
耶舍尊者晉 517-546-129
耶律王祥金 見完顏王祥
耶律丑哥遼 見耶律酬格
耶律元宜金 見完顏元宜
耶律扎巴金 完顏亮昭媛
291- 11- 63
耶律扎木耶律扎穆、寧王 遼
395-134-192
819-595- 20
耶律扎喀遼 見耶律宗懿
耶律扎穆遼 見耶律扎木
耶律巴沁晉國長公主、魏國公主 遼 蕭竊妻、蕭沃聶妻、蕭呼蘇妻、蕭薩巴妻、遼興宗女 393-335- 78
544-236- 63
耶律巴格遼 289-603- 80
399- 33-419
耶律巴格同昌公主 遼 劉三嘏妻、遼聖宗女 393-334- 78
耶律天祐元 295-563-193
400-244-520
耶律天德遼 395-134-192
耶律仁先晉王 遼
289-661- 96
399- 46-421
472- 26- 1
474- 93- 3
502-328- 59
505-632- 67
544-235- 63
耶律仁傑遼 見張孝傑
耶律必舒遼 395-134-192
耶律必實仁壽公主 遼 劉四端妻、遼聖宗女 393-334- 78
耶律朮者妻 遼 見蕭額勒本
耶律古昱 遼 見耶律古雲
耶律古納元 295- 28-149
399-406-456
耶律古雲耶律古昱、耶律古裕 遼(穆喇齊) 289-648- 92
399- 42-420
496-368- 86
耶律古雲耶律古裕、耶律谷欲 遼(字糾堅) 289-695-104
400-684-564
502-786- 88
耶律古裕遼(字穆喇齊) 見耶律古雲
耶律古裕遼(字糾堅) 見耶律古雲
耶律石柳遼 見耶律實嚕
耶律布庫耶律蒲古 遼
289-630- 87
395-128-191
474-732- 40
502-260- 54
耶律世良遼 289-656- 94
399- 32-419
耶律仙童遼 289-659- 95
耶律安摶遼 見耶律安圖
耶律安圖耶律安摶 遼(耶律迪里子) 289-590- 77
399- 17-418
502-780- 87
耶律安圖遼(字猥隱)
395-127-191
耶律安禮耶律納罕 金
291-213- 83
400-306-525
502-780- 87
耶律有尚元 295-362-174
399-669-486
453-767- 1
472-626- 25
474-167- 8
474-740- 40
476-826-143
502-377- 63
540-776-28之2
1214- 83- 7
耶律吉里齊國公主 遼 蕭托卜嘉妻、遼道宗女
393-335- 78
耶律吉遜遼 289-669- 97
399- 60-422
耶律羽之遼 見耶律伊濟
耶律托色耶律題子 遼
289-620- 85
399- 30-419
502-326- 59
821-272- 52
耶律托雲遼 289-591- 77
395-121-190
耶律托雲遼 見耶律貝
耶律托雲遼 見耶律欲穩
耶律托輝耶律托噶 元
295- 39-149
399-407-456
耶律托噶元 見耶律托輝
耶律合住遼 見耶律和卓
耶律仲禧李仲禧 遼
289-672- 98
399- 60-422
耶律色珍遼 289-613- 83
399- 27-419
耶律伊立遼 見遼仁宗
耶律伊林蜀國公主 遼 遼天祚帝女 393-335- 78
耶律伊都耶律伊都古、耶律伊楞古 遼 289-687-102
291-776-133
383-764- 19
399- 69-422
401-439-625
407-701- 1
耶律伊遜耶律伊蘇 遼(耶律古雲子) 289-648- 92
399- 42-420
耶律伊遜遼(字呼都克琨)
289-708-110
401-370-618
耶律伊濟耶律羽之 遼
289-577- 75
399- 8-417
474-688- 37
502-258- 54
耶律伊蘇遼 見耶律伊遜
耶律休哥遼 見耶律休格
耶律休格耶律休哥 遼
289-612- 83
399- 26-419
472- 26- 1
474- 93- 3
474-736- 40
502-326- 59
505-632- 67
耶律罕巴耶律韓八 遼
289-644- 91
399- 48-421
502-329- 59
耶律忒末元 見耶律特默
耶律孝傑遼 見張孝傑

耶律那也遼　見耶律納延
耶律玖格潯陽公主　遼　蕭璉妻、遼聖宗女　393-334- 78
耶律谷欲遼　見耶律古雲
耶律伯特金　見耶律懷義
耶律伯堅元　295-552-192
400-368-534
472- 51- 2
472-154- 5
472-569- 24
474-237- 12
476-611-133
505-655- 68
540-640- 27
1198-549- 9
耶律希亮耶律托果斯　元
295-422-180
399-716-491
472-626- 25
474-822- 44
502-792- 88
676-697- 29
耶律希逸元　1439-427- 1
耶律希達遼(孟父楚國王之後)
289-614- 83
395-122-191
耶律希達遼(字納爾琿)
289-716-112
401-491-632
耶律佛哩耶律佛留　遼
502-697-820
耶律佛留遼　見耶律佛哩
耶律佛德遼　289-571- 73
399- 4-417
耶律廷瑞元　510-398-115
耶律宗元遼　見耶律重元
耶律宗信宋　見王繼忠
耶律宗眞遼　見遼興宗
耶律宗翰女　金　見平陽長公主
耶律宗懿中山王、耶律扎喀、耶律察克齊、晉王、潞王、魏王　遼　383-751- 14
395-135-192
耶律官努遼　289-701-106
400-333-529
503- 3- 89
耶律孟簡遼　289-695-104
400-685-564
496-368- 86
502-787- 88
547-177-147
耶律阿里金　見完顏元宜
耶律阿林遼　395-137-192
耶律阿哈元　295- 48-150
399-406-456
耶律阿蘇遼　289-666- 96
399- 60-422
耶律長壽臨海公主　遼　達喇齊妻、蕭纙古妻、遼聖宗女
393-334- 78
耶律忠信宋　見王繼忠
耶律呼哩遼　289-673- 98
399- 61-422
耶律和克遼　289-610- 82
399- 24-418
耶律和卓耶律合住　遼
289-623- 86
395-127-191
472- 26- 1
474-166- 8
502-327- 59
耶律制心韓制心　遼
289-609- 82
399- 38-420
472-154- 5
474-571- 29
474-688- 37
502-259- 54
耶律延禧遼　見遼天祚帝
耶律洪古遼　見耶律魯呼
耶律洪孝遼　見耶律尼嚕古
耶律洪基遼　見遼道宗
耶律洪道中山王、耶律辰德赫、耶律和羅噶、晉王　遼
383-751- 14
395-136-192
耶律突欲遼　見耶律貝
耶律音濟遼　289-668- 97
399- 59-422
耶律洽禮耶律轄哩　遼
395-120-191
耶律屋質遼　見耶律烏哲
耶律述律遼　見遼穆宗
耶律思忠遼　472-626- 25
1191-294- 26
耶律哈里遼(字鼐爾琨)
289-571- 73
399- 4-417
耶律哈里耶律海里　遼(字留隱)　289-618- 84
395-126-191
502-326- 59
耶律哈里遼　見耶律哈斯
耶律哈斯耶律哈里　遼
289-721-113
401-495-632
耶律哈喇遼　395-120-191
耶律哈瑠遼　見耶律韓留
耶律曷嚕遼　見耶律赫嚕
耶律迪里耶律達喇　遼(字和掄)　289-573- 74
399- 5-417
耶律迪里遼(字裕勒沁)
289-577- 75
399- 8-417
耶律迪里耶律敵烈　遼(字薩蘭)　289-665- 96
399- 56-421
502-260- 54
耶律迪里遼(字烏納)
289-721-113
401-496-632
耶律迪里遼(字博斯濟)
395-134-192
耶律信先遼　289-642- 90
399- 48-421
耶律信寧耶律嘉哩　遼
383-751- 14
耶律重元耶律宗元、秦國王、晉國王、鄭王、魯王　遼
289-718-112
383-751- 14
401-497-632
耶律侯哂遼　見耶律浩善
耶律海里遼　見耶律哈里
耶律浩善耶律侯哂　遼
289-647- 92
399- 50-421
502-329- 59
耶律浩然金　821-277- 52
耶律唐古遼(字敵隱)
289-644- 91
399- 16-418
耶律唐古耶律棠古　遼(字富僧額)　289-679-100
399- 63-422
502-331- 59
耶律朗烏遼　見耶律朗
耶律朔古遼　見耶律碩格
耶律埒克遼　395-126-191
耶律珠展遼　289-682-100
399- 65-422
耶律珠展妻　遼　見蕭額勒本
耶律特哩秦晉國公主、梁宋國公主、越國公主　遼　蕭特默妻、蕭綽鄂妻、遼道宗女
393-335- 78
544-236- 63
耶律特烈遼　見耶律塔喇
耶律特默遼　289-659- 95
395-129-191
耶律特默耶律忒末　元
295-563-193
400-244-520
502-711- 83
505-633- 67
耶律烏哲耶律屋質
289-587- 77
399- 14-418
502-323- 59
耶律烏雲遼　見遼世宗
耶律留哥妻　元　見約囉氏
耶律納罕金　見耶律安禮
耶律納延耶律那也　遼
289-656- 94
399- 53-421
502-330- 59
耶律庶成遼　289-637- 89
395-129-191
502-787- 88
820-475- 36
耶律庶箴遼　289-638- 89
395-130-191
耶律惟一元　481-694-332
528-541- 32
耶律密呼金　完顏亮柔妃
291- 10- 63
耶律章努遼　289-681-100
395-129-191

耶律都沁遼(六院部人) 289-578- 75
399- 9-417

耶律都沁耶律鐸珍 遼(積慶宮人) 289-653- 93
399- 42-420
502-330- 59

耶律陶格長寧公主 遼 蕭揚祿妻、遼聖宗女 393-334- 78

耶律速撒遼 見耶律蘇色

耶律常格遼 289-703-107
401-165-591
503- 22- 93

耶律欲穩耶律允、耶律托雲 遼 289-571- 73
399- 4-417

耶律善格耶律孟古岱 元 295- 28-149
399-406-456

耶律善補遼 289-618- 84
395-122-191

耶律富魯遼 289-638- 89
395-130-191
502-787- 88

耶律博迪耶律頗的 遼 289-627- 86
395-128-191
502-327- 59
505-697- 70
545-264- 93

耶律博諾遼 289-633- 88
395-135-192

耶律喜隱宋王 遼 289-563- 72
395-133-192

耶律雅克遼 289-711-110
401-372-618

耶律雅里遼 289-197- 30
395-138-192

耶律隆先平王 遼 289-562- 72
395-132-192
474-732- 40
502-258- 54

耶律隆科遼(字蘊蘭) 289-570- 73
399- 4-417

耶律隆科遼(字密遜) 289-718-112
401-495-632

耶律隆祐耶律果勒齊、齊國王 遼 383-750- 14
395-135-192

耶律隆遇遼 見耶律隆運

耶律隆緒遼 見遼聖宗

耶律隆慶耶律菩薩努、秦晉國王、梁王 遼 289- 77- 9
383-750- 14
395-135-192
544-235- 63

耶律隆運耶律隆遇、耶律德昌、晉王、韓德昌、韓德讓 遼 289-607- 82
383-761- 18
399- 36-420
472- 34- 1
474-571- 29
505-729- 71
544-235- 63

耶律揚珠遼 395-121-191

耶律揚珠遼 見耶律楊珠

耶律華格遼(字弘隱) 289-654- 94
395-122-191

耶律華格遼(字薩蘭) 289-717-112
401-492-632

耶律華善遼 289-640- 89
395-128-191

耶律鄂摩遼 289-648- 92
399- 42-420

耶律棠古遼 見耶律唐古

耶律舒古晉國公主、越國公主 遼 蕭孝忠妻、遼聖宗女 393-334- 78
544-236- 63

耶律舒魯遼 見耶律舒實魯

耶律舒嚕遼 289-604- 81
399- 34-419

耶律舒嚕遼 見遼穆宗

耶律義先遼 289-641- 90
399- 48-421
502-328- 59

耶律道隱晉王 遼 289-562- 72
395-133-192
502-325- 59
544-236- 63

耶律資忠遼 289-635- 88
395-124-191
502-327- 59

耶律塔拉遼 見耶律塔喇

耶律塔喇耶律特烈、耶律塔拉、耶律撻烈 遼(字尼嚕古) 289-591- 77
399- 18-418
502-324- 59

耶律塔喇遼(字赫德) 395-121-191

耶律酬格耶律丑哥 遼 502-697- 82

耶律楊珠耶律揚珠、耶律瑤質 遼 289-635- 88
399- 40-420
502-328- 59

耶律達年荊國公主 遼 蕭雙古妻、遼聖宗女 393-334- 78

耶律達喇遼 395-126-191

耶律達喇遼 見耶律迪里

耶律達實西遼 見遼德宗

耶律達實女 西遼 見耶律博克碩寬

耶律達魯耶律達嚕、韓達魯 遼(字遵寧) 289-609- 82
399- 38-420
505-729- 71

耶律達魯遼(字伊聶) 289-636- 88
395-125-191

耶律達魯遼(字陽隱) 289-643- 90
395-121-191

耶律達魯遼(字薩蘭) 289-658- 95
399- 62-422

耶律達魯遼(字織布斡) 289-706-108
401-112-583
503- 14- 91

耶律達嚕遼 見耶律達魯

耶律楚巴南陽公主 遼 蕭孝先妻、遼聖宗女 393-334- 78

耶律楚材廣寧王 元 294-552-146
399-363-451
451-544- 5
459-680- 41
472- 28- 1
472-626- 5
474-821- 44
498-529-100
498-530-100
502-370- 63
505-720- 71
537- 23- 48
820-489- 37
1367-751- 57
1439-419- 1
1468-210- 12

耶律愛奴遼 見耶律愛努

耶律愛努耶律愛奴 遼 502-696- 82

耶律實沙元 295- 28-149
399-406-456

耶律實迪遼 545-323- 95

耶律實格三河公主 遼 蕭果濟妻、遼聖宗女 393-334- 78

耶律實喇耶律實嚩、耶律壽果奴、耶律壽果努 295- 28-149
399-406-456

耶律實魯遼 見耶律實嚕

耶律實嚕耶律石柳、耶律實魯 遼 289-677- 99
399- 69-422
502-331- 59

耶律實嚩元 見耶律實喇

耶律察克遼 289-717-112
401-494-632

耶律滿達遼 383-758- 17

耶律瑪格遼 289-613- 83
399- 27-419

耶律瑪魯遼 289-658- 95

耶律碩格耶律朔古 遼 289-582- 76
395-121-190
502-323- 59

耶律碩格遼 盧俊妻、蕭神努妻、遼景宗女 393-334- 78

耶律赫紳遼 545-430- 99

耶律赫嚕耶律曷嚕 遼(字現) 289-567- 73

399- 1-417
502-322- 59
耶律赫嚕遼(字和爾沁)
289-714-111
401-373-618
耶律頗的遼 見耶律博迪
耶律瑠格遼 289-720-113
401-493-632
耶律瑠格元 295- 26-149
399-404-456
耶律瑠格妻 元 見約囉氏
耶律嘉哩遼 289-582- 76
399- 11-417
耶律嘉哩遼 見耶律信寧
耶律瑤質遼 見耶律楊珠
耶律斡拉遼 289-655- 94
399- 31-419
耶律蒲古遼 見耶律布庫
耶律圖丹遼 289-648- 92
399- 51-421
耶律圖善金 291-194- 82
399-144-429
耶律圖喇元 1201-197- 82
耶律敵烈遼 見耶律迪里
耶律養正妻 元 見韓惟秀
耶律賢適遼 289-597- 79
399- 20-418
502-325- 59
耶律撒刺遼 見耶律薩喇
耶律德元金 476-366-117
545-439- 99
耶律德光遼 見遼太宗
耶律德昌遼 見耶律隆運
耶律德威韓德威 遼
289-608- 82
399- 37-420
474-571- 29
耶律德哷遼 289-720-113
401-495-632
耶律德堅元 505-780- 73
耶律質古遼 蕭實嚕妻、遼太祖女 393-333- 78
耶律魯呼耶律洪古、耶律鴻觀 遼 289-563- 72
383-750- 14
395-133-192
耶律諾袞遼 289-621- 85
395-127-191
耶律澤民元 1196-295- 17
耶律辨材金 472-626- 25
474-820- 44
502-358- 61
1191-306- 27
耶律褭履遼 見耶律紐斡哩
耶律燕格隋國公主 遼 蕭丕拉妻、遼聖宗女 393-334- 78
耶律撻烈遼 見耶律塔喇
耶律耨埒金 見耶律恕
耶律學古遼 289-614- 83
399- 28-419
502-326- 59
545-264- 93
耶律學順遼 395-120-191
耶律穆濟遼 289-617- 84
395-125-191
耶律鴻果遼(字巴爾諾延) 見耶律鴻觀
耶律鴻果遼(字和爾泌) 見耶律鴻觀
耶律鴻觀耶律鴻果 遼(字巴爾諾延) 289-636- 88
399- 41-420
耶律鴻觀耶律鴻果 遼(字和爾沁) 289-658- 95
395-123-191
耶律鴻觀遼 見耶律魯呼
耶律賽格金鄉公主 遼 蕭托雲妻、遼聖宗女 393-335- 78
耶律轄哩遼 289-620- 85
399- 30-419
耶律轄哩遼 見耶律治禮
耶律韓八遼 見耶律罕巴
耶律韓留耶律哈瑠、耶律韓瑠 遼 289-639- 89
395-125-191
502-328- 59
耶律韓瑠遼 見耶律韓留
耶律邁格元 295- 49-150
399-407-456
耶律邁珠元 295- 39-149
399-407-456
耶律瓊都遼 289-721-113
401-493-632
耶律題子遼 見耶律托色
耶律薩哈遼 289-622- 85
399- 19-418
耶律薩喇耶律撒刺 遼
289-676- 99
400-202-516
502-331- 59
545-264- 93
耶律懷義耶律伯特 金
291-189- 81
401-310-610
475-870- 95
476- 29- 97
476-277-111
545-323- 95
耶律蘇色耶律速撒 遼
289-655- 94
399- 22-418
502-330- 59
耶律鐸軫遼 見耶律都沁
耶律顯忠宋 見王繼忠
耶律觀音晉國長公主 遼 蕭實喇妻、遼世宗女
393-334- 78
544-236- 63
耶律乙不哥遼 見耶律伊伯格勒
耶律大悲努遼 289-660- 95
399- 54-421
耶律巴古濟耶律巴固濟 遼
289-609- 82
399- 39-420
耶律巴固濟遼 見耶律巴古濟
耶律巴哩岱遼 289-582- 76
395-126-191
耶律勻德實遼 見蕭鄂爾多
耶律布古德遼 395-135-192
耶律布勒圖耶律富勒敏、耶律富勒敦、耶律僕里篤 遼
289-646- 91
399- 50-421
474-556- 28
496-368- 86
502-329- 59
耶律尼古察遼 395-121-191
耶律尼嚕古耶律洪孝、耶律尼嚕固 289-719-112
383-751- 14
401-497-632
耶律尼嚕固遼 見耶律尼嚕古
耶律安巴堅遼 見遼太祖
耶律忙古帶元 見耶律孟古岱
耶律托卜嘉遼(字和爾沁)
289-663- 96
399- 47-421
耶律托卜嘉耶律撻不也 遼(字薩巴) 289-676- 99
400-203-516
502-331- 59
耶律托卜嘉遼(祇候郎君)
289-714-111
401-374-618
耶律托果斯元 見耶律希亮
耶律合里只遼 見耶律哈爾吉
耶律伊木沁秦晉國長公主、魏國公主 遼 蕭惠妻、蕭多卜妻、蕭哈里妻、蕭呼圖克妻、遼聖宗女 393-334- 78
544-236- 63
耶律伊都古遼 見耶律伊都
耶律伊勒哈遼 289-593- 78
399- 18-418
耶律伊楞古遼 見耶律伊都
耶律伊德納金 見完顏元宜
耶律伊德實遼(懿祖子)
392-549- 41
耶律伊德實遼(字愛新)
395-127-191
耶律辰嘉努遼 289-659- 95
399- 53-421
耶律辰德赫遼 見耶律洪道
耶律孟古岱耶律忙古帶、耶律莽哈岱、耶律蒙古岱、耶律蒙固岱 元 295- 39-149
399-407-456
483-220-390
569-647- 19
571-515- 19

1206-740- 9
耶律孟古岱元 見耶律善格
耶律阿没里遼 見耶律阿穆爾
耶律阿保機遼 見遼太祖
耶律阿息保遼 289-683-101
399- 65-422
耶律阿穆爾耶律阿没里 遼
289-598- 79
399- 22-418
502-325- 59
耶律長壽女吳國公主 遼 蕭巴雅爾妻、遼景宗女
393-334- 78
耶律果勒齊遼 見耶律隆祐
耶律和克坦秦國公主 遼 蕭都哩妻、遼世宗女
393-334- 78
耶律和勒博遼 289-590- 77
399- 17-418
耶律和囉噶遼 見耶律洪道
耶律延壽女越國公主 遼 蕭恆德妻、遼景宗女
393-334- 78
耶律索克濟鄭國公主 遼 蕭默妻、遼道宗女 393-335- 78
耶律哈爾吉耶律合里只 遼
289-626- 86
399- 44-420
502-327- 59
耶律迭里特遼 見耶律塔喇台
耶律珠勒呼遼 289-200- 30
392-646- 46
耶律烏魯斯遼 289-585- 76
399- 12-417
耶律烏魯斯遼(字留隱)
289-605- 81
399- 34-419
耶律都勒斡耶律鐸魯斡 遼
289-699-105
400-355-532
502-332- 59
耶律敖盧斡遼 見耶律額嚕温
耶律莽哈岱元 見耶律孟古岱
耶律斜涅赤遼 見耶律實訥齊
耶律富勒敏遼 見耶律布勒圖
耶律富勒敦遼 見耶律布勒圖
耶律雅勒呼遼 395-134-192
耶律雅斯哈遼 395-134-192
耶律菩薩努遼 見耶律隆慶
耶律鄂勒和遼 見耶律額嚕温
耶律鈕斡哩遼 見耶律紐斡哩
耶律紐斡哩耶律褭履、耶律鈕斡哩 遼 289-625- 86
399- 43-420
503- 15- 91
821-273- 52
耶律舒實魯耶律舒魯 遼
395-123-123
耶律塔喇台耶律迭里特、耶律達勒達、耶律德勒台 遼
289-717-112
401-492-632
503- 14- 91
耶律達勒達遼 見耶律塔喇台
耶律實納齊遼 見耶律實訥齊
耶律實訥齊耶律斜涅赤、耶律實納齊 289-570- 73
399- 3-417
502-323- 59
耶律實默克遼 見耶律古
耶律察克齊遼 見耶律宗懿
耶律壽果奴元 見耶律實喇
耶律壽果努元 見耶律實喇
耶律幹爾達鄭國公主 遼 蕭額哩頁妻、遼聖宗女
393-335- 78
耶律圖勒錦遼 289-580- 75
399- 10-417
耶律圖魯卜遼 289-579- 75
399- 9-417
820-475- 36
耶律蒙古岱元 見耶律孟古岱
耶律蒙固岱元 見耶律孟古岱
耶律蒙固岱妻 元 見王氏
耶律僕里篤遼 見耶律布勒圖
耶律撒喇的妻 遼 見蕭伊木沁
耶律撒喇蘇遼 見耶律薩爾珠
耶律德勒台遼 見耶律塔喇台
耶律魯爾古燕國公主 遼 蕭實衮妻、遼太宗女
393-333- 78
耶律撻不也遼 見耶律托卜嘉
耶律耨里思妻 遼 見蕭卓沁
耶律穆爾古遼 289-611- 82
399- 24-418
耶律額布勒遼 289-615- 83
399- 28-419
耶律額特埒遼 289-667- 97
399- 58-422
耶律額嚕温耶律敖盧斡、耶律鄂勒和、晉王 遼
289-565- 72
395-138-192
502-696- 82
544-235- 63
耶律薩勒題遼 392-549- 41
耶律薩剌德妻 遼 見蕭伊勒希
耶律薩喇達耶律薩剌德 遼
392-549- 41
耶律薩喇德遼 見耶律薩喇達
耶律薩爾珠耶律撒喇蘇 遼
289-725-114
401-499-632
耶律羅卜科遼 289-583- 76
395-124-191
820-472- 36
耶律耀屈之遼 見遼太宗
耶律鐸魯斡遼 見耶律都勒斡
耶律觀音女魏國公主 遼 蕭繼先妻、遼景宗女
393-334- 78
耶律伊伯格勒耶律乙不哥 遼 289-706-108
401-112-583
503- 15- 91
耶律克酬巴爾子 元
1196-302- 18
耶律忽都不花妻 元 見伊喇氏
耶律和爾鄂博遼
395-134-192
耶律博克碩寬西遼 蕭國魯卜妻、耶律達實女
289-200- 30
392-646- 46
耶律圖們岱爾元
295- 39-149
399-407-456
耶律呼圖克布哈妻 元 見伊喇氏
耶律和囉木薩葛耶律和囉木薩噶 289-656- 94
395-123-191
耶律和囉木薩噶遼 見耶律和囉木薩葛
邽巽邽選 春秋 244-390-67
375-657- 88
405-447- 85
539-497-11之2
邽選春秋 見邽巽
郁宋 1053-244- 6
郁山明 523-230-156
郁文明 576-654- 5
郁氏明 王世完妻、郁遵女
1283-453-102
郁氏明 周存恆妻 512-194-182
郁氏明 徐縉妻、郁鼐女
1275-861- 55
郁氏明 馮志忠妻
1291-507- 9
郁氏明 歸百泉妻
1283-780-128
郁氏明 郁尚禮女 475-856- 94

郁氏清 榮本固妻 512-260-183
郁禾不詳 680-261-251
郁侃明 1268-476- 74
郁侃妻 明 見王氏
郁采明 302- 11-289
477-360-166
479-241-227
523-386-164
537-318- 56
郁浩明 480-544-283
523-175-154
545-247- 92
郁尊明 1284- 60-141
郁尊妻 明 見劉氏
郁期明 524-187-187
郁琛明 554-285- 53
郁縚妻 明 見楊氏
郁新明 299-440-150
453-101- 9
453-549- 5
472-206- 7
475-753- 88
493-972- 52
511-350-149
1236-789- 13
1236-809- 14
1374-645- 85
1386-712- 上
1386-713- 上
郁際明 524-187-187
郁綸明 479- 92-221
523-102-150
郁褒明 1475-627- 27
郁鼐女 明 見郁氏
郁遵女 明 見郁氏
郁瓊明 820-641- 41
郁蘭明 524-246-190
676-569- 23
1460-290- 53
1475-302- 12
郁灝明 見郁灝卿
郁士渭明 524-139-185
郁文周明 528-462- 29
郁文則唐 820-256- 29
郁之章清 523-441-167
528-556- 32
郁天民明 524- 22-179
郁天興宋 494-330- 6

郁本宗明 524-110-183
郁有年明 523-488-170
郁光始明 524-354-196
郁自魯妻 明 見馮氏
郁性善明 524-113-183
郁尚禮女 明 見郁氏
郁惟敬妻 明 見方妙壽
郁從周明 524-280-192
1475-312- 13
郁從善妻 明 見周招姑
郁敦易明 1475-345- 14
郁景文妻 元 見徐氏
郁喬枝明 821-446- 57
郁聖揆清 511-593-159
郁德據明 523-207-155
572-106- 30
郁體乾妻 明 見顏氏
郁灝卿郁灝 明 1283-434-100
郁久閭氏後魏 托跋晃妻
261-211- 13
266-280- 13
373- 97- 20
544-180- 61
郁久閭氏蠕蠕公主 北齊 齊神武帝妃、郁久閭阿那瓌女
266-292- 14
373-107- 20
郁久閭大檀牟汗紇升蓋可汗 後魏 262-490-103
267-861- 98
381-646-200
郁久閭予成受羅部真可汗 後魏 262-492-103
267-863- 98
381-648-200
郁久閭伏圖他汗可汗 後魏
262-493-103
267-865- 98
381-649-200
郁久閭豆崙伏吉敦可汗 後魏
262-493-103
267-864- 98
381-648-200
郁久閭那蓋候其伏代庫者可汗 後魏 262-493-103
267-864- 98
381-649-200
郁久閭吳提敕連可汗 後魏
262-491-103
267-862- 98
381-647-200
郁久閭社崘豆代可汗、邱豆伐可汗 後魏 262-488-103
267-860- 98
381-646-200
郁久閭皇后西魏 魏文帝后、郁久閭阿那瓌女 266-288- 13
373-105- 20
郁久閭斛律藹苦蓋可汗 後魏
262-489-103
267-861- 98
381-646-200
郁久閭醜奴豆羅伏拔豆伐可汗 後魏 262-493-103
267-865- 98
381-649-200
郁久閭吐賀真處可汗 後魏
262-492-103
267-863- 98
381-647-200
郁久閭步鹿真後魏
262-489-103
267-861- 98
381-646-200
郁久閭阿那瓌敕連頭兵伐可汗 後魏 262-494-103
267-866- 98
381-650-200
552- 28- 18
郁久閭阿那瓌女 西魏 見郁久閭皇后
郁久閭阿那瓌女 北齊 見郁久閭氏
郅奇漢 478-613-205
郅昌唐 472-877- 35
郅郎元 見郅朗
郅朗郅郎 元 472-695- 28
476-151-104
537-266- 55
545-218- 91
郅都漢 244-861-122
251-130- 90
251-673- 30
380-212-171
472-428- 19
472-461- 20
472-518- 22
476- 81-100
476-276-111
546-245-123
933-727- 50
1408-325-512
郅惲漢 252-707- 59
370-157- 15
376-665-107下
384- 58- 3
402-408- 6
402-523- 15
472-791- 31
477-412-169
480-398-277
537-556- 60
933-727- 50
1408-417-520
郅壽漢 252-711- 59
376-668-107下
472- 84- 3
474- 89- 3
477-413-169
478- 84-180
505-626- 67
537-556- 60
554- 99- 50
933-727- 50
郅述中明 546-319-125
554-301- 53
郅支骨都侯單于漢 見呼屠吾斯
既涼漢 933-650- 42
既子黥夏 546-424-129
韋元晉～劉宋 554-833- 63
554-865- 64
韋元妻 明 見蔡氏
韋丹唐 275-655-197
384-258- 13
400-342-530
459-892- 54
471-722- 19
471-883- 42
472-838- 33
473- 13- 49
473-776- 84
478-119-181
479-447-237

482-450-362
515- 9- 57
517-172-120
517-215-121
545-172- 89
552- 58- 19
554-455- 56
559-272- 6
567- 41- 64
568-287-109
933- 65- 4
1073-567- 25
1074-402- 25
1075-354- 25
1081-581- 4
1081-646- 12
1341-540-870
1378-517- 60
1383-166- 13
1409-744-650
1447-259- 9
1467- 15- 62
韋氏唐 王琳妻 276-109-205
401-150-589
韋氏唐 杜濟妻、韋迪女
1071-640- 8
韋氏唐 唐肅宗妃、韋元珪女
269-433- 52
393-265- 72
554- 22- 48
韋氏唐 唐德宗賢妃
269-438- 52
274- 23- 77
393-267- 72
452- 54- 1
554- 23- 48
1080-465- 42
1342-502-969
韋氏唐 高琁妻、韋琨女
1065-586- 6
韋氏唐 許授妻、韋楚器女
1342-492-968
韋氏唐 陸佋妻、韋皋女
512- 3-176
524-528-204
韋氏唐 獨孤及妻、韋商伯女
1072-237- 10
1342-474-966
韋氏唐 韓弇妻、韋說女
1078-179- 15
韋氏唐 韋温女 547-382-155
韋氏唐 蕭俛母 475-234- 61
韋氏宋 張鎮之妻
1170-712- 31
韋氏宋 趙愷妻 819-594- 20
韋氏明 賀榮妻 474-520- 25
韋氏明 楊世恩妻 483-118-379
韋氏清 王永衡妻 482-210-347
韋氏清 張邦楝妻 506- 24- 86
韋氏清 曾三省妻 482-391-358
韋氏清 程演妻 482-270-350
韋氏清 楊世誠妻 482-409-359
韋氏清 韋小喜女 474-342- 17
韋允唐 820-166- 27
韋弘晉 812- 68- 下
812-232- 9
820- 74- 23
韋正梁 260-136- 12
265-828- 58
378-343-140
554-747- 62
韋正明 見甯正
韋古唐 1054-117- 3
韋充宋 567-418- 85
韋聿唐 275-231-158
396- 43-255
韋同唐 820-156- 26
韋旭後魏 263-656- 31
267-312- 64
379-586-157
554-392- 55
韋仲梁 265-1026- 72
380-375-176
820-103- 24
韋牟唐 511-829-168
韋宏陳 260-660- 18
554-557- 58
韋沖隋 264-776- 47
267-322- 64
379-808-162
474-275- 14
474-556- 28
474-687- 37
476-179-106
496-367- 86
502-254- 53
523-238-157
554-440- 56
韋抗唐 270-115- 92
274-545-122
395-522-228
472-836- 33
478-115-181
545-358- 96
554-448- 56
1341-725-896
1371- 56- 附
韋佑後魏 472-833- 33
韋彤唐 276- 44-200
384-239- 12
400-430-539
554-809- 63
933- 65- 4
韋秀魏 820- 42- 22
韋泓晉 256-172- 70
377-743-126
478-104-180
韋於唐 473-233- 60
韋宙唐 275-656-197
400-344-530
471-770- 25
473-386- 65
476- 28- 97
479-447-237
480-540-283
481-800-338
515- 10- 57
532-714- 45
545- 29- 83
554-457- 56
563-637- 38
567- 44- 64
933- 65- 4
韋注唐 564- 19- 44
韋況唐 274-541-122
476-404-119
538-321- 69
547-132-146
554-868- 64
韋放梁 260-250- 28
265-826- 58
378-342-140
471-810- 31
472-833- 33
478-105-180
480-169-266
554-391- 55
933- 58- 4
韋武唐 274-265- 98
395-340-212
472-837- 33
476-394-119
545-455- 99
554-453- 56
933- 59- 4
韋孟漢 472-410- 18
475-423- 70
511-692-163
540-691-28之1
韋玩唐 820-185- 27
韋協隋 264-776- 47
267-321- 64
379-807-162
474-650- 34
477-542-176
478-694-210
554-690- 61
韋長唐 554-132- 50
韋忠晉 256-450- 89
380- 37-166
384- 91- 5
472-461- 20
476- 81-100
545-758-110
933- 58- 4
韋岫唐 275-657-197
400-344-530
韋卓唐 820-209- 28
韋芳妻 明 見王氏
韋昉唐 473-479- 69
481-121-296
561-219-38之3
592-246- 75
韋旻唐 821- 80- 47
韋旻宋 473-758- 83
482-408-359
567-418- 85
1467-172- 68
韋季晉 820- 74- 23
韋岳韋岳子 唐
271-446-185上
274-290-100

395-346-212
475-471- 72
韋恆唐 270- 54- 88
274-466-116
395-465-223
475-419- 70
477-250-161
510-397-115
537-384- 57
韋袒晉 812- 69- 下
812-233- 9
812-722- 3
814-243- 6
820- 70- 23
韋津唐 270-110- 92
274-538-122
395-516-228
韋洸隋 264-775- 47
267-321- 64
379-807-162
472-833- 33
478-107-180
479-604-244
481-799-338
554-690- 61
563-625- 38
567- 32- 63
韋郊唐 271- 53-158
韋厚明 524-250-190
676-519- 20
韋珍後魏 261-621- 45
266-534- 26
379- 79-147
477-358-166
477-408-169
478-105-180
532-560- 40
552- 34- 18
554-558- 58
韋述唐 270-254-102
274-653-132
384-202- 11
395-602-235
472-835- 33
478-115-181
554-839- 63
933- 62- 4
1371- 56- 附
韋建南唐 473-176- 57
479-765-252
515-115- 60
韋迢唐 482- 74-341
563-639- 38
韋昭吳 見韋曜
韋昭明 567-394- 83
1467-193- 69
韋迪唐 270-254-102
274-653-132
933- 62- 4
韋迪女 唐 見韋氏
韋迴唐 820-194- 27
韋信元 511-581-159
韋朏後魏 261-623- 45
266-535- 26
379- 80-147
552- 39- 18
554-558- 58
韋弇唐 592-197- 73
韋俊唐 476-697-137
韋彖唐 472-368- 16
韋益唐 270-317-108
274-488-118
395-484-225
韋祐北周 見韋法保
韋彧後魏 261-623- 45
266-535- 26
379- 80-147
552- 40- 18
554-436- 56
韋珩唐 494-292- 4
韋起妻 明 見許氏
韋陟唐 270-112- 92
274-539-122
384-200- 11
384-214- 11
395-517-228
471-874- 40
472-738- 29
473-767- 84
475- 14- 49
478-115-181
537-297- 56
545-454- 99
554-694- 61
567-428- 86
812-745- 3
814-274- 10
820-165- 27
933- 61- 4
1467-141- 67
韋挺唐 269-742- 77
274-264- 98
384-170- 9
395-338-212
407-383- 2
473-757- 83
554-634- 60
933- 59- 4
韋展子 唐 1066-201- 18
1410-486-727
韋晃漢 384-505- 21
韋豹漢 252-664- 56
370-183- 18
376-643-107上
478-101-180
554-432- 56
韋倫唐 270-636-138
275- 69-143
384-232- 12
395-686-242
478-116-181
480- 11-257
481- 16-291
559-245- 6
563-639- 38
591-673- 47
933- 63- 4
韋臯唐 270-662-140
275-228-158
384-236- 12
396- 41-255
448-118- 0
471-795- 29
471-1020- 63
472-837- 33
472-852- 34
473-297- 62
473-425- 67
473-464- 69
473-550- 73
478-117-181
478-199-184
481- 17-291
494-151- 5
552- 59- 19
554-584- 58
559-246- 6
559-289-7上
559-302-7上
569-644- 19
591-675- 47
592-184- 72
820-219- 28
933- 63- 4
1054-509- 14
1343-812- 60
1354-663- 33
1381-471- 37
韋臯女 唐 見韋氏
韋師隋 264-769- 46
267-323- 64
379-809-162
448-326- 下
472-833- 33
478-107-180
545- 9- 83
554-439- 56
933- 59- 4
韋紓唐 1371- 67- 附
韋純唐 見韋貫之
韋邕妻 元 見蕭氏
韋寅妻 元 見王蕙
韋清元 1222-112- 6
韋清明 473-624- 77
韋淳唐 見韋處厚
韋眷明 302-268-304
韋淵宋 288-515-465
400- 53-504
494-268- 2
韋章唐 494-288- 4
韋許宋 472-350- 15
475-669- 84
511-855-169
韋庸唐 472-1114- 48
523-223-156
韋康漢 253-403-100
254-198- 10
385-314- 31
554-684- 61
814-229- 4
820- 40- 22
韋宲明 1297-133- 10

韋庾唐 271- 53-158
韋堅唐 270-280-105
274-672-134
384-202- 11
395-612-236
472-696- 28
472-738- 29
554- 78- 49
581-448- 93
933- 62- 4
韋捷妻 唐 見李季姜
韋崇後魏 261-620- 45
266-533- 26
379- 78-147
476-417-120
477-471-173
478-105-180
537-341- 56
545-390- 97
554- 71- 49
554-436- 56
933- 58- 4
韋國唐 820-227- 28
韋莊唐 451-476- 7
481- 82-294
524-330-195
592-617-100
813-262- 11
820-319- 31
1084-583- 0
1365-514- 10
1371- 74- 附
1388-697-102
1394-644- 9
韋彪漢 252-663- 56
370-182- 18
376-642-107上
384- 61- 3
402-523- 15
478- 98-180
537-260- 55
540-637- 27
554-743- 62
933- 58- 4
韋逌唐 270-254-102
274-653-132
395-602-235
933- 62- 4
韋逞母 晉 見宋氏
韋偃韋鶠 唐 554-897- 64
812-353- 10
812-368- 0
812-505- 下
813-149- 13
821- 66- 47
韋斌唐 270-115- 92
274-541-122
395-519-228
472-835- 33
478-115-181
554-694- 61
814-274- 10
820-166- 27
933- 61- 4
1071-296- 23
1408-507-531
韋斌明 473-674- 79
475-329- 65
511-193-143
528-454- 29
1254-758- 2
韋富明 474-733- 40
502-280- 56
韋詞唐 1078-132- 7
韋焜隋 264-960- 66
267-513- 77
379-833-163
554-632- 60
韋湊唐 270-227-101
274-485-118
384-192- 10
395-482-225
472-543- 23
472-835- 33
472-851- 34
475-363- 67
478-113-181
540-638- 27
545- 12- 83
554-638- 60
933- 61- 4
1342- 80-914
韋琮唐 275-498-182
384-276- 14
396-222-272
933- 65- 4
韋博唐 278-444-177
396-184-268
933- 65- 4
1394-316- 1
韋賁唐 1343-813- 60
韋覃唐 556-115- 85
韋琨唐 275-655-197
400-342-530
554-455- 56
韋琨女 唐 見韋氏
韋肅後魏 261-621- 45
379- 78-147
韋琳後梁 1394-360- 2
韋厥唐 471-878- 41
473-758- 83
482-408-359
567-292- 76
1467-164- 68
韋著漢 252-665- 56
376-643-107上
402-480- 11
554-432- 56
韋順漢 402-388- 5
韋鈞唐 1342-145-922
韋絢唐 273- 92- 59
韋集楊集 唐 554-976- 65
韋義漢 252-664- 56
376-643-107上
472-641- 26
474-433- 21
477-441-171
481- 65-293
505-679- 69
537-337- 56
554-432- 56
559-258- 6
591-659- 47
933- 58- 4
韋温唐(字弘育) 271-181-168
275-365-169
384-270- 14
396-134-264
472-739- 29
477-522-195
478-121-181
554-646- 60
933- 64- 4
1081-591- 5
1342-272-939
韋温唐(韋玄儼子) 271-413-183
276-121-206
384-187- 10
400- 29-501
554- 77- 49
韋温女 唐 見韋氏
韋雍妻 唐 見蕭氏
韋遂唐 515-230- 64
韋滌唐 554-268- 53
韋損唐 472-272- 11
475-271- 63
510-370-114
韋載陳 260-659- 18
265-828- 58
370-584- 20
378-541-145
554-556- 58
韋椿明 511-774-166
820-713- 43
韋聖唐 820-285- 30
韋楫宋 515-531- 73
韋瑜唐 485-498- 9
韋裘明 563-835- 41
1467-202- 69
韋嵩宋 494-425- 13
韋暄唐 820-281- 30
韋鼎隋 264-1095- 78
265-829- 58
378-542-145
472-833- 33
477-541-176
478-108-180
494-287- 3
511-560-158
554-893- 64
韋粲梁 260-357- 43
265-826- 58
380- 54-166
478-105-180
554-686- 61
933- 58- 4
韋經宋 473-763- 84
1467-174- 68
韋節北周 554-972- 65
韋稜梁 260-137- 12
265-830- 58
378-343-140

554-833- 63
韋愛梁 260-137- 12
480-286-271
554-747- 62
韋禎後魏 261-620- 45
韋說女 唐 見韋氏
韋說韋操 後唐 277-550- 67
韋瑱宇文瑱 北周 263-735- 39
267-322- 64
379-593-157
478-107-180
478-741-213
544-215- 62
552- 39- 18
554-562- 58
933- 59- 4
韋壽隋 264-777- 47
267-318- 64
379-592-157
474-370- 19
544-219- 62
554- 73- 49
韋臧梁 260-359- 43
554-686- 61
韋熊魏 814-229- 4
820- 40- 22
韋維唐 270-231-101
274-489-118
395-485-225
478-113-181
481-385-312
494- 16- 2
554-446- 56
933- 61- 4
韋肇唐 275-362-169
554-642- 60
韋肇後梁 見韋震
韋綱北朝 266-533- 26
379- 78-147
554-748- 62
933- 58- 4
韋綬唐(韋貫之兄) 271- 51-158
275-364-169
384-233- 12
396-134-264
478-119-181
485-496- 9
554-840- 63
933- 64- 4
韋綬唐(字子章) 271- 97-162
275-253-160
384-261- 13
396- 65-257
554-931- 64
933- 63- 4
韋廣明 1467-195- 69
1467-445- 6
韋毅漢 370-203- 21
韋誕魏 254-390- 21
377-173-116
478-104-180
554-853- 63
574-305- 16
684-469- 下
812- 59- 中
812-223- 8
812-712- 3
814-228- 4
820- 40- 22
843-656- 上
韋賢漢 244-636- 96
248-616- 8
250-615- 73
376-326-101
384- 48- 2
469-182- 21
472-549- 23
476-579-131
540-693-28之1
554-802- 63
675-277- 11
680-667-285
933- 57- 4
1412- 94- 5
1412-124- 5
韋愨唐 554- 81- 49
韋霈隋 820-127- 25
韋穀五代 481- 82-294
韋震張震 周 533-761- 74
1059-275- 4
1061- 32- 85
1061-264-109
韋震韋肇 後梁 279-273- 43
396-407-292
544-230- 63
554-932- 64
933- 66- 4
韋閬後魏 261-619- 45
266-533- 26
379- 77-147
478-105-180
554-435- 56
933- 58- 4
韋賞漢 376-329-101
韋儁後魏 261-619- 45
266-533- 26
379- 78-147
554-748- 62
933- 58- 4
韋範後魏 261-619- 45
266-533- 26
379- 78-147
933- 58- 4
韋夐北周 263-662- 31
267-318- 64
379-592-157
384-141- 7
478-106-180
484- 84- 3
554-866- 64
933- 59- 4
韋諷唐 471-1047- 67
820-212- 28
韋潾唐 271- 53-158
韋諤唐 270-316-108
274-488-118
395-484-225
554-639- 60
933- 61- 4
韋澳唐 271- 52-158
275-363-169
384-278- 14
396-133-264
472-717- 28
472-825- 33
478-121-181
537-203- 54
540-611- 27
554-407- 55
587- 88- 2
933- 64- 4
韋遵北周 544-219- 62
韋機韋弘機 唐 271-445-185上
274-290-100
384-172- 9
395-346-212
472-834- 33
474-166- 8
478-111-181
554-444- 56
933- 59- 4
1343-812- 60
韋融後魏 261-623- 45
266-535- 26
379- 80-147
544-211- 62
552- 37- 62
韋璞宋 288-516-465
400- 53-504
477- 84-152
韋操隋 264-777- 47
韋操後唐 見韋說
韋叡梁 260-133- 12
265-822- 58
370-560- 18
378-339-140
384-118- 6
459-769- 46
472-833- 33
473-209- 59
473-296- 62
475-697- 86
475-809- 91
478-105-180
480- 48-259
480-238-269
510-276-112
532-613- 43
554-390- 55
933- 58- 4
1394-351- 2
韋縝唐 1072-221- 8
1341-751-899
韋縚唐 274-542-122
395-519-228
554-809- 63
933- 62- 4
韋儒明 511-648-162
韋衡明 473-358- 64
532-705- 45
韋應明 302-610-319
韋鴻後魏 261-623- 45

266-535- 26
379- 80-147
韋濯妻 唐 見定安公主
韋濟唐 270- 54- 88
274-467-116
384-185- 10
395-465-223
472-568- 24
476-853-145
477-250-161
478- 87-180
478-334-191
537-384- 57
540-668- 27
545-133- 87
554-267- 53
933- 60- 4
1371- 56- 附
韋濟明 473-653- 78
481-783-337
528-572- 32
韋襄宋 1104-479- 39
韋謏晉 256-481- 91
380-285-173
478-105-180
554-807- 63
933- 58- 4
韋嶽唐 1343-813- 60
韋總北周 263-662- 31
267-318- 64
379-591-157
554-689- 61
韋縱唐 545-115- 86
820-223- 28
韋覲唐 563-645- 38
韋曜韋昭 吳 249- 8- 附
254-928- 20
370-279- 4
377-415-120
384- 82- 4
384-603- 34
471-604- 3
472-224- 8
472-275- 11
475-274- 63
485-173- 23
493-862- 47
511-685-163
674-561- 3
679-726-209
933- 58- 4
1379-237- 30
1395-588- 3
韋朞隋 264-695- 38
267-324- 64
379-779-162
韋叢唐 元稹妻、韋夏卿女
1073-563- 24
1074-397- 24
1075-348- 24
韋璽明 533-723- 73
韋顗唐 270-317-108
274-488-118
395-484-225
478-120-181
554-840- 63
677-155- 15
韋藝隋 264-776- 47
267-321- 64
379-808-162
476-515-127
540-622- 27
552- 48- 19
554-440- 56
韋翽陳 260-660- 18
554-557- 58
韋繩唐 274-489-118
395-485-225
478-115-181
554-446- 56
933- 61- 4
韋辭唐 271- 77-160
515-240- 64
韋鷗唐 見韋偃
韋闡梁 260-133- 12
265-826- 58
378-342-140
韋騶不詳 534-940-119
韋纂齊 260-133- 12
265-826- 58
378-342-140
554-833- 63
933- 58- 4
韋纁唐 271- 52-158
韋黯梁 260-137- 12
265-830- 58
378-343-140
韋鐸唐 494-336- 7
韋瓘唐 275-264-162
396- 81-259
585-751- 3
1467- 18- 62
韋權唐 813-299- 18
820-280- 30
韋權明 472-328- 14
韋鑒唐 554-897- 64
812-352- 10
813-149- 13
820-176- 27
821- 66- 47
韋霽隋 263-662- 31
267-318- 64
379-591-157
544-222- 62
韋襄妻 唐 見鄭國公主
韋觀唐 482-207-347
韋纘後魏 261-622- 45
266-534- 26
379- 79-147
554-558- 58
韋鑾唐 812-353- 10
812-371- 10
821- 66- 47
韋鑾明 567-324- 78
1467-215- 70
韋驤宋 491-346- 2
523-425-167
528-439- 29
674-827- 17
1147-521- 49
韋一奇明 567-387- 82
1467-246- 71
韋一鶴清 511-332-149
韋力轉明 302-264-304
韋人豪明 567-400- 83
韋人鳳清 524- 37-179
韋子威唐 592-205- 73
韋子春唐 563-900- 43
韋子粲北齊 263-222- 27
266-521- 26
379- 78-147
478-106-180
554-748- 62
933- 58- 4
韋小喜女 清 見韋氏
韋方質唐 269-720- 75
274-322-103
395-335-211
554-579- 58
563-899- 43
韋文秀後魏 547-499-159
韋文英明 554-509-57下
韋之晉唐 493-685- 38
韋之福明 456-603- 9
韋不伐宋 1104-489- 39
韋王朋明 302-570-317
567-605- 95
韋元旦唐 276- 67-202
400-596-555
1371- 52- 附
韋元甫唐 270-378-115
493-685- 38
515- 8- 57
1371- 59- 附
韋元恢後魏 261-621- 45
554-687- 61
韋元珪唐 540-632- 27
韋元珪女 唐 見韋氏
韋元誠唐 1072-251- 12
1342-399-956
韋元魯唐 1072-248- 11
韋元懿清 482- 40-340
韋天憐清 482-511-366
韋友順唐 486- 65- 3
韋公肅唐 276- 52-200
384-258- 13
400-433-539
554-810- 63
933- 65- 4
韋月將唐 554-637- 60
563-917- 43
韋仁約唐 見韋思謙
韋仁壽唐 271-438-185上
275-648-197
384-175- 9
400-336-530
473-425- 67
473-559- 73
473-811- 86
473-830- 87
478-110-181
481- 65-293

481-268-305
482-537-368
494-151- 5
554-442- 56
559-260- 6
569-643- 19
591-690- 48
933- 65- 4
韋仁慶唐 472-997- 40
韋玄成漢 244-636- 96
244-637- 96
250-618- 73
376-327-101
384- 49- 2
472-737- 29
472-829- 33
476-579-131
537-294- 56
540-695-28之1
554-802- 63
675-277- 11
933- 57- 4
1412- 95- 5
韋玄貞韋玄眞 唐
271-413-183
276-121-206
400- 29-501
554- 76- 49
韋玄眞唐 見韋玄貞
韋玄眞女 唐 見韋皇后
韋永壽宋 288-370-453
400-173-513
472-394- 17
475-810- 91
510-489-118
韋弘景唐 271- 36-157
274-467-116
384-261- 13
395-465-223
472-657- 27
472-738- 29
477-251-161
537-350- 56
933- 61- 4
韋弘機唐 見韋機
韋正矩妻 唐 見新城公主
韋正貫韋臧孫 唐
275-231-158
396- 43-255
478-121-181
481-800-338
554-459- 56
556-123- 85
563-636- 38
933- 63- 4
1342- 91-915
韋巨源唐 270-115- 92
274-555-123
384-184- 10
395-440-221
544-230- 63
554-925- 64
韋世康隋 264-774- 47
267-320- 64
379-806-162
384-152- 8
472-456- 20
472-833- 33
473-246- 60
473-296- 62
476-394-119
478-107-180
480-239-269
532-106- 27
532-563- 40
545-452- 99
554- 72- 49
933- 59- 4
933-805- 60
韋世堅宋 288-370-453
400-173-513
韋民望宋 1467-176- 68
韋守宗父 唐 554- 83- 49
1342-209-931
韋安石唐 270-110- 92
274-538-122
384-185- 10
384-192- 10
395-516-228
472-518- 22
472-835- 33
476- 27- 97
477- 49-151
478-113-181
540-623- 27
544-226- 63
545-131- 87
554-694- 61
933- 61- 4
1371- 51- 附
韋安石妻 唐 見薛氏
韋安道女 宋 見韋皇后
韋至誠唐 485- 84- 12
493-739- 41
韋回知婿 唐 見柳某
韋光燦妻 清 見黃氏
韋仲堪唐 472-366- 16
510-442-117
韋行規唐 1078-192- 18
韋行質唐 820-284- 30
韋休之後魏 261-620- 45
266-534- 26
379- 79-147
554-748- 62
韋成賢清 533-181- 52
韋孝寬宇文孝寬、宇文叔裕、韋叔裕 北周 263-656- 31
267-312- 64
379-586-157
384-141- 7
472-456- 20
472-765- 30
472-833- 33
476-393-119
477-358-166
478-106-180
537-311- 56
545-128- 87
545-448- 99
552- 32- 18
554-392- 55
933- 59- 4
韋君靖唐 559-273- 6
591-213- 17
韋君載宋 564- 65- 44
韋克濟明 533-334- 58
韋見素唐 270-315-108
274-487-118
384-199- 11
384-210- 11
395-483-225
472-836- 33
478-115-181
552- 56- 19
554-638- 60
933- 61- 4
韋伯昕後魏 262- 72- 71
266-922- 45
379-287-150下
韋孚獻明 515-190- 62
韋邦相明 563-836- 41
1467-215- 70
韋廷輔明 1257-911- 5
韋宗孝明 302- 23-290
480-135-264
533-370- 60
569-678- 19
韋宗卿唐 567-429- 86
1467-141- 67
韋法保韋祐 北周
263-777- 43
267-349- 66
379-638-158
537-296- 56
554-688- 61
933- 59- 4
韋於屈唐 480-169-266
韋表微唐 271-554-189下
275-436-177
384-264- 13
384-272- 14
396-177-268
478-120-181
554-810- 63
679-393-177
933- 65- 4
韋承慶唐 270- 47- 88
274-464-116
384-185- 10
395-462-223
469- 71- 9
477-250-161
479-132-223
494-336- 7
523-113-151
933- 60- 4
1371- 50- 附
韋昌明唐 564- 24- 44
韋明敭唐 494-288- 4
韋明傑明 515-126- 60
韋叔方唐 821- 95- 48
韋叔夏唐 271-545-189下

274-541-122
395-519-228
472-835- 33
478-113-181
554-809- 63
韋叔裕北周 見韋孝寬
韋金田明 567-599- 95
韋金德妻 清 見賓氏
韋季莊唐 820-176- 27
韋知人唐 274-489-118
472-194- 7
554-446- 56
韋岳子唐 見韋岳
韋欣宗後魏 261-620- 45
266-533- 26
379- 78-147
552- 34- 18
554-436- 56
韋帝臣明 456-603- 9
韋彥範唐 見桓彥範
韋思明唐 471-848- 37
韋思謙韋仁約 唐 270- 46- 88
274-463-116
384-181- 10
384-183- 10
395-461-223
469- 71- 9
472-656- 27
473-267- 61
477-249-161
480-199-267
537-382- 57
933- 60- 4
韋若訥唐 820-195- 27
韋昭度唐 271-356-179
275-523-185
384-284- 15
384-288- 15
396-240-273
472-838- 33
552- 59- 19
554-700- 61
559-247- 6
933- 65- 4
韋昭範唐 559-294-7上
韋待價唐 269-744- 77
274-265- 98
395-339-212
554-634- 60
韋皇后唐 唐中宗后、韋玄貞女 269-423- 51
274- 13- 76
393-258- 71
554- 21- 48
韋皇后唐 唐穆宗后
269-443- 52
274- 26- 77
393-269- 72
韋皇后宋 宋徽宗后、韋安道女 284-876-243
382-111- 14
393-313- 76
537-187- 53
韋保乂唐 271-323-177
275-515-184
396-233-272
韋保衡唐 271-323-177
275-515-184
384-280- 14
396-232-272
473-767- 84
554- 81- 49
567-430- 86
1467-143- 67
韋保衡妻 唐 見衛國公主
韋俊廉妻 清 見陸氏
韋悟微唐 820-176- 27
韋起宗明 481-589-328
529-672- 49
韋夏卿唐 271-129-165
275-263-162
384-221- 12
396- 81-259
448-340- 下
472-253- 10
472-837- 33
478-118-181
480-482-280
493-688- 38
510-323-113
554-451- 56
933- 63- 4
1077-643- 6
1341-766-901
1394-746- 11
韋夏卿女 唐 見韋叢
韋師錫唐 556-714- 98
韋卿材唐 554-979- 65
韋能千宋 524-239-190
韋商臣明 300-426-208
479-144-223
523-446-168
532-657- 44
676-560- 23
1442- 52- 3
1460- 92- 44
韋商伯女 唐 見韋氏
韋執誼唐 270-607-135
275-345-168
384-242- 12
396-125-263
448-119- 0
471-892- 43
473-737- 82
554-930- 64
933- 64- 4
韋崇訓唐 820-181- 27
韋貫之韋純 唐 271- 50-158
275-362-169
384-249- 12
396-132-264
448-341- 下
471-1018- 63
472-838- 33
473-454- 68
478-118-181
532-567- 40
554-407- 55
559-284-7上
933- 64- 4
韋國相明 567-546- 91
韋國賢明 476-698-137
540-654- 29
韋國模妻 明 見董氏
韋處仁妻 唐 見義豐公主
韋處厚韋淳 唐 271- 56-159
275- 61-142
384-261- 13
384-265- 13
384-267- 14
395-680-241
459-447- 27
471-992- 59
472-837- 33
473-489- 70
478-120-181
481-234-303
554-408- 55
559-294-7上
591-300- 23
591-696- 49
933- 62- 4
1073-532- 21
1074-360- 21
1075-315- 21
1077-436- 19
1339-655-705
韋紳卿唐 554-268- 53
韋啟邦明 566-729- 61
韋善俊唐 554-897- 64
554-974- 65
韋善道唐 564- 19- 44
韋渠牟唐 270-604-135
275-337-167
384-235- 12
396-120-262
554-929- 64
820-221- 28
933- 63- 4
1371- 77- 附
韋雲起唐 269-719- 75
274-321-103
384-173- 9
395-334-211
496-366- 86
554-579- 58
933- 60- 4
韋黃裳唐 488-318- 12
韋朝義明 567-603- 95
韋景駿唐 271-446-185上
275-654-197
384-189- 10
400-341-530
459-886- 54
471-823- 33
472- 84- 3
472-113- 4
472-125- 4
473-257- 60
474-434- 21
474-468- 23
480-318-272

505-680- 69
532-682- 44
554-446- 56
933- 65- 4
韋虛心唐 270-231-101
274-489-118
395-485-225
475- 14- 49
475-500- 75
478-113-181
480-239-269
532-663- 44
545-209- 91
554-446- 56
933- 61- 4
1342-110-918
韋虛舟唐 270-231-101
274-489-118
395-485-225
554-446- 56
933- 61- 4
韋貽範唐 275-502-182
384-289- 15
396-247-273
韋無忝唐 554-898- 64
812-347- 9
812-367- 0
813-147- 13
821- 52- 46
韋無強唐 515-495- 72
韋無縱唐 554-898- 64
821- 52- 46
韋猷之後魏 261-621- 45
379- 79-147
韋慈藏唐 271-627-191
554-897- 64
韋道福後魏 261-620- 45
266-533- 26
379- 78-147
韋道寧元 1222-283- 19
韋道遜北齊 263-357- 45
韋道豐五代 812-524- 2
821-133- 49
韋聖聰妻 清 見張氏
韋群玉唐 1073-492- 17
1074-315- 17
1075-273- 17
1355-435- 14
韋楚老唐 451-447- 4
韋楚器女 唐 見韋氏
韋萬石唐 269-744- 77
274-266- 98
384-181- 10
395-340-212
韋嗣立唐 270- 49- 88
274-464-116
384-185- 10
395-463-223
477-250-161
481- 66-293
515-211- 63
537-384- 57
561-373- 41
933- 60- 4
1065-868- 23
1342-247-936
1344- 84- 68
1354-614- 29
1371- 54- 附
1381-403- 34
1394-315- 1
韋嗣賢清 475-672- 84
511-332-149
韋敬先唐 494-288- 4
韋福嗣隋 264-775- 47
267-321- 64
379-807-162
韋福獎隋 554-690- 61
韋寧埜妻 明 見劉氏
韋榮宗唐 813-259- 10
820-280- 30
韋榮亮後魏 266-533- 26
379- 78-147
554-748- 62
933- 58- 4
韋榮茂後魏 261-620- 45
韋榮緒後魏 261-620- 45
韋銀豹明 302-568-317
567-597- 95
韋審規唐 569-615-18下之2
韋賢卿明 564-236- 46
韋餘慶唐 271-446-185上
1343-813- 60
韋龍甲妻 清 見喬氏
韋學仁明 511-637-161
韋錫疇妻 清 見李氏
韋應物唐 451-425- 2
471-595- 2
471-709- 17
471-913- 47
472-220- 8
472-401- 18
472-746- 29
475-118- 55
475-796- 90
477-312-164
479-604-244
484- 45- 下
485- 71- 11
493-687- 38
510-323-113
510-483-118
515-240- 64
533-746- 73
538-140- 65
674-254-4上
674-858- 19
681-432- 0
933- 66- 4
1072- 78- 附
1274-690- 7
1370-203- 13
1371- 62- 附
1472-586- 36
韋懷直唐 545-415- 98
韋繼均唐 554-234- 52
韋繼祖明 566-729- 61
弭文妻 明 見宋氏
弭仲漢 933-518- 34
弭強漢 933-518- 34
弭仲升漢 933-518- 34
弭德超宋 288-566-470
382-225- 33
384-333- 17
401-132-587
屏季戰國 見趙括
羿夷羿、有窮氏 夏
372- 98-3上
383-235- 23
384- 3- 1
404-403- 24
548-620-181
飛廉商 見蜚廉
飛錫唐 820-299- 30
1052- 30- 3
降氏清 史策妻 478-700-210
珍劉宋 381-416-194
珍王唐 見李誠
珍王唐 見李縉
珍格元 元武宗后、班巴爾女
294-185-114
393-348- 80
珍戬元 294-193-115
395-210-200
珍戬妻 元 見伯奇音濟濟
珍杜肯清 455-618- 42
勃海王漢 見劉悝
勃海王漢 見劉鴻
勃端察爾宋 292- 4- 1
393- 1- 57
耏申漢 249-284- 16
933- 70- 4
耏申妻 漢 見南宮公主
耏昭漢 249-284- 16
933- 70- 4
耏班春秋 933- 70- 4
耏跖漢 249-284- 16
933- 70- 4
勇劉宋 1051-140-5下
勇之漢 243-277- 12
384- 46- 2
勇愼明 545-380- 97
契偰、禼 上古 243- 79- 3
371-220- 4
383-170- 19
404-391- 23
545-684-108
933-408- 26
契元唐 820-300- 30
契此唐 472-1089- 46
479-193-225
491-590- 16
524-407-199
585-476- 14
1052-310- 21
1053- 90- 2
1054-145- 3
1054-592- 17
契如五代 1053-312- 8
契念宋 1053-572- 14
契盈五代 407-683- 5
588-248- 10

1053-319- 8
契眞唐 486-338- 15
契訥五代 1053-318- 8
契崇宋 1053-574- 14
契符五代 1053-309- 8
契從宋 1053-336- 8
契雅宋 1053-730- 17
契虛唐 478-206-184
554-976- 65
契詮宋 1053-576- 14
契愚宋 1053-581- 14
契嵩宋 490-719- 70
511-941-175
524-387-198
567-469- 87
588-187- 9
590-140- 17
677-779- 69
1052-759- 27
1053-655- 15
1054- 19- 1
1054-175- 4
1054-630- 19
1091-400- 附
1096-500- 8
1116-454- 23
1437- 37- 2
1467-530- 12
契稠宋 1053-393- 10
契微唐 1340-639-786
契璠五代 1053-294- 7
契穩五代 1053-324- 8
契瓌宋 1053-420- 10
契靈明 1442-122- 8
契苾光唐 270-326-109
契苾明唐 270-326-109
274-399-110
395-395-217
契苾貞唐 270-326-109
契苾何力唐 270-324-109
274-397-110
384-174- 9
395-393-217
472-623- 25
474-688- 37
502-256- 53
820-144- 26
契苾承明唐 567-428- 86
契弊歌楞易勿眞莫何可汗 隋 264-1162- 84
267-892- 99
381-672-200
政秦 見秦始皇
政五代 1053-628- 15
政宋 1053-487- 12
政忠元 547-493-159
故山明 676-679- 28
殃崛摩羅不詳 1053- 86- 2
致道元(姓缺) 550-105-212
致遠宋 1053-877- 20
致遠明 1227-606- 中
1227-619- 中
述律杰元 見舒嚕杰
述律羅索遼 見舒嚕羅索
迦智唐 1053-157- 4
迦葉唐 1052- 22- 2
迦葉不詳 1053- 5- 1
1054-225- 1
迦羅元 482-568-369
570-247- 25
迦也夫明 547-533-160
迦佛陀隋 812-336- 7
821- 33- 45
迦淩巴赤蘭伯 明 496-628-106
迦葉波周 見摩訶迦葉
迦那提婆漢 1053- 20- 1
1054- 31- 1
1054-270- 4
迦毗摩羅迦毘摩羅 周 1053- 18- 1
1054- 28- 1
1054-266- 4
迦毘摩羅周 見迦毗摩羅
迦留陀伽時水 晉 1051- 75- 3
迦葉摩騰漢 見攝摩騰
柔福帝姬宋 徐還妻、宋徽宗女 285- 69-248
393-328- 77
癸度周 404-435- 25
癸茲清 455-468- 28
癸比氏上古 舜妃 404-390- 23
544-176- 61
建宋 1053-837- 19
建王唐 見李恪
建王唐 見李震
建王後梁 見朱友徽
建初唐 820-301- 30
建平王劉宋 見劉宏
建平王劉宋 見劉景素
建平王梁 見蕭大球
建安王劉宋 見劉休仁
建安王齊 見蕭子眞
建安王陳 見陳叔卿
建昌王後魏 見托跋長樂
建信君戰國 405-223- 70
建寧王後魏 見托跋崇
建寧王唐 見李倓
建德王明 見朱祐櫍
建興長公主北魏 劉昶妻、魏文成帝女 544-212- 62
芮伯周 見芮良夫
芮強漢 見芮強
芮寧明 見芮寧
芮彌漢 見芮彌
茂王唐 見李愔
茂岱清 455-120- 4
456-101- 57
茂思清 456-300- 73
茂海清 455-299- 18
茂彪明 558-350- 35
茂源唐 485-481- 8
1053-212- 5
1142-532- 6
茂漢抹漢 元 476-819-143
茂巴爾元(奇雅喇氏) 294-274-122
茂巴爾元(字世明) 515-132- 61
茂巴爾元(奉訓大夫) 523-170-154
茂巴爾斯元 1221-614- 23
茂訥爾特清 456-121- 58
茂德帝姬宋 蔡條妻、宋徽宗女 285- 68-248
393-327- 77
苻氏清 張玉利妻 503- 66- 95
苻氏清 譚易妻 479-634-245
苻丕前秦 見秦哀平帝
苻生厲王 前秦 256-794-112
262-364- 95
381-206-189
384-103- 5
苻沖前秦 496-598-103
苻表前秦 473-146- 56
515-566- 75
苻洪前秦 256-791-112
262-363- 95
381-203-189
933-114- 7
苻洛前秦 496-597-103
苻柳前秦 544-204- 62
苻朗前秦 256-836-114
381-251-189
933-114- 7
1379-381- 46
苻堅前秦 見秦宣昭帝
苻崇前秦 262-368- 95
381-246-189
384-104- 5
苻健前秦 見秦景明帝
苻雄前秦 見秦文桓帝
苻登前秦 見秦高帝
苻融前秦 256-834-114
381-249-189
558-386- 36
933-114- 7
苻文玉前秦 見秦宣昭帝
苻承祖姨 後魏 見楊氏
苻承祖後魏 262-334- 94
267-747- 92
380-503-179
552- 28- 18
苻鴻澤妻 清 見常氏
貞孟春秋 404-573- 35
貞善春秋 楚昭王夫人 405- 82- 61
448- 39- 4
452- 82- 2
473-305- 62
533-502- 66
貞峻後唐 1052-226- 16
貞姬春秋 白公妻 405- 83- 61
448- 40- 4
452-102- 3
533-503- 66
貞幹唐 1052-377- 27
貞誨後唐 1052- 89- 7
貞慶唐 820-298- 30
貞邃唐 1053-371- 9
貞辯後唐 1052- 87- 7

思唐 1052-141- 10
思五代 1053-566- 14
思明 1229-344- 12
思仁明 302-530-315
思安宋 1053-683- 16
思明五代(嗣大同) 1053-231- 6
思明五代(嗣沼禪師)
1053-443- 11
思岳宋 1053-868- 20
思悟宋 490-720- 70
思淨宋 524-389-198
588- 62- 4
588-258- 11
思義宋 1183-157- 10
思義妻 明 見磉飄
思道唐 821-101- 48
思棵明 302-529-315
思達宋 1053-712- 16
思業宋 1053-895- 20
思齊宋 820-470- 36
思睿唐 1052-342- 24
思箇明 302-520-315
思徹宋 1053-604- 14
思廣宋 1053-646- 15
思摩乙彌泥孰俟利苾可汗 唐
271-665-194上
276-250-215上
401-522-636
思慧宋 1053-698- 16
思慧元 1210-383- 12
思聰宋 585-481- 14
820-466- 36
1107-491- 34
1110-588- 34
思外法妻 明 見曩罕弄
思任發明 302-507-314
302-508-314
思革子周 839- 21- 2
思倫發明 302-505-314
思機發明 302-510-314
省五代 1053-555- 13
省因宋 1053-651- 15
省回宋 1053-487- 12
省言宋 820-471- 36
省初元 524-444-201
省念宋 1052-652- 3
1053-451- 11
1054-165- 4
1054-612- 18
省悅宋 1053-753- 18
省倫宋 1052- 96- 7
省躬唐 524-438-201
1052-209- 15
省常宋 588-240- 10
省欽宋 820-465- 36
省臧春秋 933-624- 40
省僜宋 588-239- 10
1053-323- 8
省肇德肇 宋 820-470- 36
省澄宋 530-198- 60
省聰宋 516-429-103
1112-208- 18
1112-251- 23
1112-780- 24
苦成春秋 405-138- 64
453-729- 1
苦列兒明 見固哩勒
苦成叔春秋 見卻犨
苦郎哈明 見誇喇哈
若士秦 933-740- 51
1059-258- 1
1061-256-109
若木夏 545-688-108
若冰唐 492-707-3上
若沖宋 1053-678- 16
若空元 1210-431- 15
若芬宋 524-432-200
585-528- 17
821-269- 52
若珠宋 1053-498- 12
若訥宋 1054-206- 4
若逵宋 820-467- 36
若虛南唐 516-493-105
1052-359- 25
若愚宋 524-404-199
若觀宋 524-404-199
若干惠女 西魏 見若干皇后
若干惠北周 263-539- 17
267-336- 65
379-625-158
476-280-111
546-176-121
552- 31- 18
933-802- 59
若干鳳北周 263-540- 17
267-336- 65
379-626-158
546-176-121
933-802- 59
若干頹後魏 見苟頹
若羅嚴晉 1051- 65-2下
若干皇后西魏 魏恭帝后、若干惠女 266-288- 13
373-106- 20
若那跋陀羅智賢 唐
1051-218- 9
1052- 20- 2
苫夷春秋 933-505- 33
苴嵩唐 569-535- 17
苴那時唐 569-535- 17
苴夢衝唐 569-535- 17
苗氏唐 盧貽妻、苗如蘭女
1073-639- 34
1074-492- 34
1075-437- 34
苗氏宋 宋仁宗妃、苗繼宗女
284-866-242
393-307- 75
493-644- 35
537-186- 53
苗氏明 王受璽妻 554-960- 65
苗氏明 徐鏓妻、苗有文女
1410-431-721
1458-659-468
苗氏清 竇保住妻 474-412- 20
苗氏清 蘭從學妻 474-194- 9
苗光漢 370-201- 20
402-427- 7
539-351- 8
苗拯唐 471-995- 59
559-293-7上
1076-113- 12
1076-569- 12
1077-140- 12
苗浦漢 933-260- 18
苗益元 473-367- 64
480-484-280
532-737- 46
苗訓宋 288-466-461
401-100-581
472-466- 20
546-349-126
547-555-161
苗衷明 452-175- 3
472-208- 7
511-821-167
1442- 21-附2
1459-580- 21
苗振宋 491-346- 2
苗訢漢 933-260- 18
苗授宋 286-640-350
382-542- 84
384-374- 19
397-695-362
472-490- 21
472-904- 36
472-937- 37
476-154-104
478-482-199
545-830-112
558-171- 31
933-261- 18
苗發唐 400-614-556
苗傅宋 288-642-475
401-488-631
548-637-181
苗粲唐 275- 42-140
545-817-112
苗實妻 清 見郝氏
苗端唐 820-228- 28
苗僧明 572-164- 32
苗澄清 505-641- 67
苗履宋 286-641-350
397-696-362
472-904- 36
478-483-199
545-830-112
558-174- 31
苗龍唐 472-1075- 45
486-529- 6
514-415-200
821- 95- 48
苗澤元 505-682- 69
510-398-115
苗蕃唐 1073-572- 25
1074-408- 25
1075-359- 25
苗子榮妻 元 見張氏
苗元商宋 485-535- 1
苗可進明 554-960- 65
苗守信宋 288-466-461

401-100-581
547-556-161
苗再成宋 288-336-450
400-185-514
475-368- 67
510-390-115
苗有文女 明 見苗氏
苗百壽妻 明 見張氏
苗好謙元 472-558- 23
苗如蘭女 唐 見苗氏
苗成倉清 456-373- 78
苗君稷清 474-777- 42
503- 12- 90
苗秀實金 1191-421- 36
1191-563- 8
苗延祿南唐 1085-128- 16
苗浡然明 505-826- 75
苗神客唐 271-574-190中
400-594-554
505-739- 72
苗晉卿唐 270-362-113
275- 41-140
384-201- 11
384-210- 11
384-219- 12
395-661-240
469-378- 45
472-125- 4
472-490- 21
474-468- 23
476-153-104
537-264- 55
540-638- 27
545-816-112
549-244-190
549-289-192
552- 56- 19
933-260- 18
1071-282- 22
1072-435- 4
1344- 86- 68
1371- 56- 附
苗根千明 547- 97-144
苗時中宋 286-402-331
397-509-350
472-203- 7
472-489- 21
472-677- 27
475-749- 88
476-150-104
477-123-155
481-333-308
482-319-354
511-348-149
537-254- 55
545-213- 91
545-831-112
567- 61- 65
585-756- 4
1467- 37- 63
苗敏行妻 明 見孫氏
苗賁皇春秋 375-783- 90
384- 20- 1
404-706- 43
405- 85- 61
933-260- 18
苗朝陽明 537-249- 55
546-726-139
苗發興清 505-915- 81
苗景珠妻 明 見姬氏
苗景珠媳 明 見楊氏
苗景新妻 明 見蔡氏
苗道潤金 291-622-118
399-306-445
苗應元明 545-468-100
苗繼宗女 宋 見苗氏
苗繼宣宋 478-267-187
554-242- 52
苟氏明 苟彌懷女 478-137-181
苟京明 545-223- 91
苟孤苟孤 後魏 261-611- 44
545-128- 87
苟容明 494- 42- 3
苟晞晉 256- 48- 61
377-669-125
384- 93- 5
472-551- 23
472-719- 28
933-620- 40
苟參漢 933-620- 40
苟惠明 559-513- 12
苟復清 478-377-192
554-788- 62
苟溥明 559-513- 12
苟詵明 483-116-379
569-670- 19
苟實不詳 933-620- 40
苟穎唐 820-226- 28
苟諫漢 545-205- 91
苟頹河東王、若干頹 後魏
261-610- 44
266-518- 25
379- 68-147
476-254-110
544-206- 62
546- 24-115
554-111- 50
苟聳宋 559-399-9上
苟顏後魏 933-620- 40
苟簡宋 559-399-9上
591-554- 42
苟鵬明 554-313- 53
苟鑑明 558-295- 34
苟變戰國 933-620- 40
苟士忠金 1192-412- 35
苟日濟明 456-680- 11
苟允中宋 473-505- 71
苟正甫苟宗道 元472- 54- 2
505-883- 79
820-499- 37
1439-422- 1
苟好善明 456-520- 6
476-519-127
540-628- 27
545-227- 91
554-714- 61
苟廷詔明 680-552-276
苟宗道元 見苟正甫
苟金龍妻 後魏 見劉氏
苟金徽清 481-117-296
559-410-9下
苟延庚明 559-381-9上
苟與齡宋 288-416-456
400-304-524
472-402- 18
475-797- 90
511-655-162
苟慶珍後魏 544-211- 62
苟衡山明 554-312- 53
苟彌懷女 明 見苟氏
苟鶴齡明 554-714- 61
苟纘宗明 559-418-10上
昭子春秋 見叔孫婼
昭子春秋 見郤至
昭王唐 見李汭
昭王唐 見李誠
昭忌戰國 405-182- 68
昭伯公子頑 春秋 404-836- 52
昭明夏 546-423-129
昭通元 1210-329- 9
昭常戰國 405- 66- 60
昭魚戰國 405- 64- 60
昭陽戰國 405- 63- 60
昭睢戰國 405- 64- 60
533-134- 51
昭過戰國 405- 64- 60
昭鼠戰國 405- 66- 60
昭齊清 455-112- 4
昭蓋戰國 405- 70- 60
昭慶宋 1053-725- 17
1115-597- 33
昭默宋 820-468- 36
昭武閑宋 532-704- 45
昭奚恤戰國 386-703- 12
405- 61- 60
533-131- 51
933-262- 18
昭涉掉尾漢 539-348- 8
昭寧公主金 見完顏實庫
冒氏清 王班妻 512-477-188
冒政明 300- 58-186
475-376- 68
511-207-144
冒頓漢 244-740-110
251-179-94上
381-587-199
1408-295-508
冒襄清 511-596-159
冒守愚明 474-237- 12
505-658- 68
冒起宗明 475-485- 73
511-248-145
676-656- 27
1442-106- 7
冒紹宗明 456-503- 5
563-855- 41
冒愈昌明 511-796-166
1442-100- 6
冒夢齡明 511-248-145
515-282- 65
星郎清 511-938-175
星泰清 455-156- 6

星訥清 502-494- 70
星鼐清 456-269- 70
星廡漢 251-257-96下
381-503-196
星格理清(正紅旗) 455-119- 4
星格理清(正藍旗) 455-120- 4
星格理清(納喇氏) 455-360- 22
星額特清 455-451- 27
星額理清(瓜爾佳氏)
455-119- 4
星額理清(阿顏覺羅氏)
455-300- 18
星額理清(佟佳氏) 455-320- 19
星額理清(納喇氏) 455-364- 22
星額理清(富察氏) 455-448- 27
星薩那清 455-534- 34
星嘉那密清 456-304- 73
咼校明 533-312- 57
咼懋妻 明 見劉氏
咼文光明 533- 78- 49
676-562- 23
咼文美明 533- 80- 49
咼文達妻 明 見龔氏
咼正儀清 533- 83- 49
咼重望清 533- 83- 49
咼修儀妻 明 見劉氏
哈山清 455-170- 7
哈巴清 455- 75- 2
哈什清 455-306- 18
哈占清 477-568-177
554-192- 51
哈沙元 532-737- 46
哈里遼 289-668- 97
399- 58-422
哈坦清(舒穆祿氏) 455-157- 6
哈坦清(富察氏) 455-450- 27
哈尚元 見元武宗
哈岱清 502-592- 76
哈施清 456-282- 71
哈拜清 455-438- 26
哈珠清 502-535- 72
哈商明 302-784-329
哈密元 1221-316- 5
哈理清 455-115- 4
哈雅元 515-503- 72
哈斯元(鴻吉哩氏) 294-393-132
哈斯哈斯呼 元(其先唐古氏)
505-655- 68
哈喇元 294-439-135
哈喇元 見金哈喇
哈喇明 見毛忠
哈喇清(阿哈覺羅氏)
455-305- 18
哈喇清(滿津氏) 456-251- 69
哈達元 294-242-120
399-337-448
哈達清(科爾沁部人)
454-365- 19
哈達清(瓜爾佳氏) 455- 67- 2
哈達清(佟佳氏) 455-337- 20
哈達清(錫克特理氏)
455-538- 34
哈當明 見和爾丹
哈銘楊銘 明 299-664-167
哈禮清 502-516- 71
哈繖元 570-114-21之1
哈文濟明 1237-256- 5
哈什屯清 474-763- 41
502-439- 68
哈什木清 454-959-117
哈什泰清 455-230- 12
哈什圖清 455-283- 16
哈西瑪清 455-553- 35
哈克山清 455-317- 19
哈克占清 455-305- 18
哈克散清 456-153- 61
哈克齊元 見噶海齊
哈即哈明 見哈齊哈
哈里休清 455-578- 38
哈里沙女 元 見什達爾
哈里瑪明 302-824-331
哈廷煥清 478-600-204
哈拉哈清 455-137- 5
哈奇爾元 295-589-195
400-269-521
哈尚阿清 455-120- 4
哈明阿清 455-155- 6
哈兒吉清 560- 91- 19
哈柳克清 455-627- 43
哈哈木清 510-297-112
哈哈納清(佟佳氏) 455-330- 20
哈哈納清(那木那魯氏)
474-756- 41
502-541- 73
哈海赤元 見噶海齊
哈唐阿清 456- 9- 50
哈荅孫元 見哈達遜
哈哩巴元 294-366-130
399-506-469
哈都芬清 455- 50- 1
哈都齊元 見阿都齊
哈勒琿元 294-249-121
399-339-448
哈普沙清 455-564- 36
哈普起清 456- 39- 52
哈普週清 455-417- 25
哈斯呼元 見哈斯
哈喇丹元 523-214-156
哈喇岱元 294-398-132
399-530-472
523-128-152
1195-523-上
哈喇圖元 295-122-156
400-246-520
哈達漢清 456-242- 68
哈達遜哈荅孫 元 491-351- 2
1202- 93- 8
哈達鼐清 455-365- 22
哈齊哈哈即哈 明
496-628-106
哈齊納清 456- 89- 56
哈寧阿清(瓜爾佳氏)
455- 98- 3
哈寧阿清(富察氏) 474-770- 41
502-522- 72
哈寧阿清(塔塔爾氏)
502-516- 71
哈瑪歹明 見哈瑪爾台
哈瑪喇清 456-193- 65
哈瑪爾元 295-683-205
401-385-619
哈爾瑪明 494-244- 10
哈爾巴清(伊爾根覺羅氏)
455-245- 13
哈爾巴清(民覺羅氏)
502-737- 84
哈爾什清 455-696- 49
哈爾吉女 元 見蘇喀實哩
哈爾吉清(舒穆祿氏)
455-158- 6
哈爾吉清(富察氏) 455-448- 27
哈爾罕清 502-727- 84
哈爾哈清 455-668- 47
哈爾庫清 455-577- 38
哈爾泰清 455-206- 10
哈爾秦清 456-285- 71
哈爾費清 455-512- 32
哈爾瑚清 456-285- 71
哈爾蓀清 455-563- 36
哈爾圖清(烏爾漢氏)
456- 43- 53
哈爾圖清(果爾吉氏)
456-101- 57
哈爾薩清(瓦克達子)
454-149- 8
哈爾薩清(納喇氏) 455-357- 22
哈維新明 456-497- 5
哈噶斯元 294-391-132
399-676-487
哈穆布清 455-673- 47
哈穆坦清 455-111- 4
哈錫坦清 455-113- 4
哈蘇納元 294-274-122
399-350-449
哈扎哈津元 1211-377- 53
哈扎爾齊元 294-440-135
399-678-487
哈克薩哈清(納喇氏)
455-400 24
哈克薩哈清(喜塔臘氏)
455-625- 43
哈拉固岱哈兒兀歹 明
496-625-106
哈兒兀歹明 見哈拉固岱
哈剌哈兒明 見哈喇塔拉
哈剌哈孫元 1197-647- 66
哈喇哈遜元 見哈喇哈斯
哈喇巴哈元 見哈喇布哈
哈剌布哈合剌普華、哈喇巴哈
、哈喇普陀 元(謚忠愍)
295-565-193
400-248-520
475-282- 63
481-803-338
540-775-28之2
1197-371- 34
1211-386- 54
1214-359- 30
1367-923- 70
哈喇布哈元(傑烈宜氏)
1217- 50- 6
哈喇布哈妻 元 見托克托

鼐
哈喇那海元 1197-675- 69
哈喇哈孫明 見哈喇哈斯
哈喇哈斯哈剌哈遜、哈喇哈遜、順德王、達拉哈 元
294-442-136
399-680-488
451-532- 4
459-707- 43
478-763-215
493-751- 41
523- 24-147
532-584- 41
819-598- 20
1206-121- 15
1367-296- 25
哈喇哈斯哈喇哈孫 明
496-626-106
哈喇哈達元 494-345- 7
哈喇哈遜元 510-331-113
哈喇哈遜元 見哈喇哈斯
哈喇庫春明 1259-166- 12
哈喇庫春妻 明 見王氏
哈喇普花元 見哈喇布哈
哈喇塔拉哈剌哈兒 明
496-628-106
哈喇蘇默元 523-152-153
哈爾古積清 502-748- 85
哈爾吉達清 455-546- 35
哈爾吉霸清 455- 79- 2
哈爾松阿清(納喇氏)
455-356- 22
哈爾松阿清(富察氏)
455-450- 27
哈爾松阿清(鄂卓氏)
455-657- 46
502-567- 74
哈爾哈齊清 455-304- 18
哈爾哈濟清 502-584- 75
哈爾噶斯清 454-770- 87
哈瑪爾台哈瑪歹 明
496-627-106
哈瑪爾圖元 294-286-123
399-525-471
哈薩喇酌金 見哈薩喇安禮
哈尚特穆爾高昌帖木兒 元
479-175-225
哈瑪爾岱青清 454-619- 66
哈薩克錫喇清 500-726- 37
哈薩喇安禮哈薩喇酌 金
291-665-121
400-212-517
476-818-143
哈勒噶齊必嚕元
294-291-124
399-357-450
哈普塔伊拉親清
455-331- 20
哈穆噶巴雅斯呼朗圖清
496-217- 76
范方明 456-529- 6
460-788- 83
529-553- 45
529-575- 46
范文晉 575-602- 36
范文清 547- 39-142
范友晉 561-214-38之3
范中金 1365-281- 8
1439- 8- 附
1445-511- 38
范中明 510-382-115
范丹漢 見范冉
范升漢 252-796- 66
370-164- 16
376-722-108
384- 59- 3
472-481- 21
474-515- 25
546-670-137
933-630- 41
范氏隋 許亨妻、范孝才女
264-880- 58
267-619- 83
380-396-176
474-248- 12
506- 40- 87
544-222- 62
范氏宋 李政妻 472-313- 13
范氏宋 周師厚妻、范仲温女
1121-497- 37
范氏宋 范仲竇妻
1149-733- 17
范氏宋 陸師閔妻、范仲謨女
1118-379- 19
范氏宋 張琬妻、范仲淹女
1118-381- 19
范氏宋 趙子閔妻、范滋累女
1100-533- 50
范氏宋 韓琦妻 1096-377- 39
范氏宋 韓繹妻、范雍女
1096-377- 39
范氏宋 范祖禹妹
1100-416- 37
范氏宋 趙嗣德母
1187-135- 19
范氏金 萬昱妻 477- 93-153
范氏元 李仲義妻
1214-245- 20
范氏元 葉彥寬妻 530-138- 58
范氏元 劉應震妻 516-231- 97
范氏明 丘雄妻 530-153- 58
范氏明 任子孝妻 506- 30- 86
范氏明 朱貴妻 479-102-221
范氏明 李政繼妻 475-332- 65
范氏明 吕堂妻 474-412- 20
范氏明 何文貴妻 524-454-202
范氏明 何興適妻
472-1043- 43
范氏明 林壽妻、范惠女
302-229-302
530-143- 58
范氏明 胡淵妻 1235-658- 22
范氏明 姚菊軒妻、范積翁女
1261-163- 12
范氏明 徐萬謙妻 483-340-398
范氏明 章宜賓妻 479-334-232
范氏明 張彥聰妻 479-250-228
范氏明 張問達妻 479-149-223
524-764-215
范氏明 陳光妻 530-144- 58
范氏明 陳瑋妻 530-142- 58
范氏明 陳侃六妻
1410-450-722
范氏明 莊十一妻 472-796- 31
538-275- 68
范氏明 甯洵妻 555- 91- 67
范氏明 黄子元妻、范希正女
1410-439-722
范氏明 喬起鶴妻 506- 5- 86
范氏明 葉天賜妻 530-125- 57
范氏明 裴潤妻 547-209-149
范氏明 潘尚古妻
1258-741- 5
范氏明 蔡甫原妻 472-100- 3
474-605- 31
范氏明 儲福妻 475-234- 61
范氏明 羅景泰妻、范啟元女
1242- 38- 25
范氏明 范梈孫女 479-684-248
1460-755- 82
范氏明 范仲安女
1238-253- 21
范氏明 見花氏
范氏清 于元璜妻 475-382- 68
范氏清 王九人妻 483- 60-374
范氏清 田倉妻、范良齋女
474-249- 12
506- 63- 87
506-695-112
范氏清 申之屏妻 474-194- 9
范氏清 杜玉珍妻 478-143-181
范氏清 李豹妻 474-385- 19
范氏清 周應祥妻 483-164-382
范氏清 胡治臣妻 479-583-243
范氏清 姚昌宗妻、范勝甫女
524-472-202
范氏清 唐仲蘭妻 480-639-288
范氏清 張升孫妻 506- 24- 86
范氏清 張棨潞妻 475-189- 59
范氏清 童天臣妻 512-216-182
范氏清 黄虞彥妻 482- 44-340
范氏清 楊惟聰妻 476-589-131
范氏清 潘史如妻 512-218-182
范氏清 蔡茂功妻、范勝甫女
524-472-202
范氏清 劉紳妻 474-195- 9
范氏清 劉濬妻 530- 79- 55
范氏清 龍應貴妻 482-373-357
范氏清 薛應詰妻 541- 55- 29
范氏清 龐玉振妻 482-227-348
范氏清 羅淑妻 530-132- 57
范氏清 裴希度母 550-202-216
范氏清 見長山烈婦
范玉明 533-449- 62
范弘范安 明 302-261-304
范平晉 256-472- 91
380-278-173
386- 40-69下
451- 5- 0
472-964- 38
479- 45-218

479-284-230
485-173- 23
493-1011- 54
523-576-175
585-383- 8
590-135- 17
933-630- 41
范目漢 471-1047- 67
473-446- 68
559-359- 8
591-587- 44
范冉范丹 漢 253-585-110
370-205- 21
380-139-168
402-468- 10
402-508- 12
402-543- 17
402-580- 20
472-518- 22
472-652- 27
475-433- 70
477- 59-151
511-905-172
538-156- 66
538-692- 79
540-663- 27
541-110- 31
541-663-35之19上
879-155-58上
933-630- 41
1063-220- 6
1397-460- 22
1410-266-698
1412-477- 19
范匄春秋 見士匄
范安明 見范弘
范安妻 明 見楊氏
范汜漢 見范式
范式范汜 漢 253-578-111
380-134-168
402-451- 9
469-182- 21
472-550- 23
475-696- 86
476-881-146
510-460-117
533-489- 65
540-702-28之1
681-649- 19
681-654- 19
683-270- 7
871-894- 19
933-630- 41
1255-462- 50
1408-440-522
范圭宋 524-107-183
范圭宋 見范元功
范再明 1375- 26- 上
1442- 14-附1
1459-490- 16
范同宋 287-206-380
398-245-381
472-177- 6
范全宋 見范恪
范伋明 515-482- 71
范汭明 524- 36-179
1442- 99- 6
1460-600- 70
范汪晉 256-246- 75
377-794-127
384- 99- 5
477-371-167
479-317-234
523-181-155
742- 30- 1
814-237- 5
820- 63- 23
933-630- 41
范言明 524- 21-179
676-561- 23
1442- 53- 3
1460-110- 45
1475-289- 12
范沖宋(字元長) 288-128-435
400-479-544
473-434- 67
481- 79-294
524-334-195
559-342- 8
范沖宋(字致虛) 1053-785- 18
范汶明 540-815-28之3
范成元 493-894- 48
511-673-163
范均元 519-618- 44
范育宋 286- 25-303
397-235-333
478-405-194
478-482-199
545-384- 97
554-464- 56
558-173- 31
1293-338- 19
范育清 511-596-159
范克漢 402-391- 5
范迂范應宮 明 821-470- 58
1475-421- 18
范迂妻 明 見姚氏
范宗明 524-213-188
范府明 559-315-7上
572- 71- 28
范宜明 潘贊妻、范景年女
1258-189- 17
范炎宋 472-254- 10
510-360-114
范坦宋 285-604-288
397- 75-324
537-512- 59
813-139- 12
821-196- 51
933-632- 41
范忠元(河陽尹) 472-718- 28
537-288- 55
范忠元(字子誠) 1203-403- 30
范忠明 473-605- 76
范岫梁 260-231- 26
265-845- 60
378-430-142
472-681- 27
475-213- 60
477-205-159
479-710-250
494-335- 7
510-356-114
523-112-151
538-131- 65
范固妻 明 見劉氏
范旺宋 288-315-449
400-136-511
481-647-330
529-583- 46
范旺妻 宋 見馬氏
范咄劉宋 見范陽邁
范昕明 473-235- 60
532-648- 43
546-601-135
范昇明 567-448- 86
范岡明 554-287- 53
范芝明 533- 45- 48
范叔漢 402-418- 7
范旻宋 285- 74-249
382-131- 18
401-197-608
472-108- 4
472-961- 38
473-789- 85
474-438- 21
478-759-215
482-484-364
484- 86- 3
505-763- 72
523- 8-146
567- 47- 64
674-688- 8
1467- 21- 62
范杲宋 285- 75-249
382-131- 18
472-108- 4
505-889- 79
范的唐 820-255- 29
范季春秋 見士會
范周宋 485-195- 26
493-893- 48
589-342- 5
1358-754- 6
1437- 17- 1
范周明 1467-158- 67
范周清 476-920-148
537-229- 54
范金明 460-810- 87
范宣晉 256-480- 91
380-284-173
384-101- 5
459- 30- 2
473- 19- 49
477- 65-151
479-497-239
516-192- 95
538-157- 66
677-116- 11
679- 21-140
821- 13- 45
933-631- 41

范宣明(河南歸德人) 545-146- 88
范宣明(字德卿) 1271-815- 8
范恪范全 宋 286-285-323
371-191- 19
397-426-345
472-660- 27
477- 77-152
478-571-203
537-391- 57
范亮明 523-174-154
范拱金 291-470-105
399-131-428
472-525- 22
范咸晉 256-472- 91
380-278-173
933-630- 41
范奎明 479-402-235
范盈明 554-310- 53
范胥梁 260-396- 48
265-820- 57
378-339-140
范茂明 475-707- 86
范苯清 505-920- 82
范昭春秋 545-735-109
范迪北周 263-830- 48
范信明 567- 90- 66
范勉明 523-230-156
范俊明 473-214- 59
533- 6- 47
范俊妻 明 見石氏
范泉晉 256-472- 91
380-278-173
933-630- 41
范海妻 清 見竇氏
范浩妻 明 見劉氏
范悅清 483-201-388
570-158-21之2
范祝清 563-880- 42
范浚宋 472-102- 42
479-322-232
523-609-176
1212-190- 14
1229- 99- 8
1290-597- 83
1437- 24- 2
1462- 22- 52
范衷明 301-740-281
473- 24- 49
477-499-174
479-378-234
479-489-239
515-361- 68
523-215-156
范泰劉宋 258-203- 60
265-494- 33
378-124-134
384-112- 6
472-772- 30
477-372-167
538-143- 65
933-631- 41
1379-530- 63
范珣女 宋 見惟久
范栝元 1439-442-附2
范晉元 1202-185- 14
范珠明 559-371- 8
范振宋 473-194- 58
515-255- 65
范豹劉宋 見范豺
范能明 511-833-168
820-596- 40
范姬吳 孫奇妻、范慎女
472-231- 8
475-144- 57
485-203- 27
493-1078- 57
范純明 511-232-145
676-503- 19
1247- 88- 7
范豺范豹 劉宋 481-159-298
592-257- 76
1061- 47- 86
1061-272-110
范寅明(字敬時) 511-582-159
范寅明(蒙化人) 1457-722-411
范清明 571-159- 32
范淵明 559-323-7上
范庸元 820-533- 38
范庸妻 清 見吳氏
范祥宋 186- 25-303
397-234-333
472-878- 35
477-560-177
478-336-191
478-404-194
478-543-202
545-115- 86
554-201- 52
554-464- 56
558-140- 30
558-193- 31
范寂蜀漢 591- 81- 6
592-189- 73
范淶明 511-706-164
515- 97- 59
676-303- 11
676-610- 25
1442- 76- 5
1460-380- 57
范康漢 見苑康
范梅明 528-479- 30
范理明 453-409- 12
473-299- 62
479-293-230
480-200-267
480-242-269
523-318-161
528-451- 29
532-656- 44
532-668- 44
571-523- 19
678-445-112
范堅晉 256-251- 75
377-796-127
477-371-167
933-630- 41
范雩宋 389-340- 5
590-450- 0
范梈元 195-438-181
399-724-492
473-129- 55
473-729- 82
479-681-248
481-803-338
515-535- 74
528-447- 29
563-717- 39
676-703- 29
820-493- 37
1197-806- 85
1439-429- 1
1468-616- 28
范梈孫女 明 見范氏
范彬宋 821-234- 51
范常明 299-275-135
452-238- 6
472-348- 15
472-403- 18
475-667- 84
475-797- 90
511-825- 167
1226-457- 22
范紹後魏 262-178- 79
267- 10- 46
379-317-151
558-408- 36
范御明 529-655- 49
范紳明 820-681- 42
范敏明 299-308-138
472-752- 29
537-605- 60
范啟晉 256-252- 75
377-797-127
933-630- 41
范啟宋 511-851-169
1375- 15- 上
范斌明 478-337-191
545-656-107
554-249- 52
范涌明 481-183-300
范座戰國 405-187- 68
933-629- 41
范曾秦 見范增
范愉唐 533-732- 73
范甯晉 256-248- 75
377-795-127
384- 99- 5
459- 31- 2
471-718- 19
471-721- 19
473- 13- 49
477-371-167
479- 40-218
479-481-239
511-888-172
515- 77- 59
523- 70-149
538- 29- 62
539-502-11之2
674-560- 3
814-237- 5

820- 63- 23
879-144-57下
933-630- 41
范蒷晉 560-599-29下
范雲梁 260-138- 13
265-815- 57
370-561- 18
378-334-140
384-118- 6
471-839- 35
472-773- 30
473-386- 65
473-682- 79
477-373-167
480-539-283
482- 73-341
510-369-114
532-103- 27
532-713- 45
538-144- 65
563-619- 38
1387-125- 7
1394-345- 2
1395-595- 3
1415-158- 87
范琪宋 485-194- 26
493-891- 48
范惠女 宋 見范氏
范增范曾 秦 475-702- 86
范植妻 秦 見孟姜女
范琯宋 515-313- 66
范隆晉 256-475- 91
380-280-173
476-332-115
546-723-139
547- 93-144
933-631- 41
范琦元 1218-206- 4
范琦妻 元 見瞿慧貞
范琦清 1475-583- 25
范開宋 524-329-195
范逵晉 473- 46- 50
516- 5- 87
范棟宋 554-309- 53
范貴隋 264-936- 64
267-526- 78
379-875-164
范晷晉 256-464- 90
380-173-170
459-860- 52
472-772- 30
472-824- 33
477-560-177
478-332-191
505-931- 84
537-541- 59
554-105- 50
558-131- 30
933-630- 41
范箕明 545-409- 98
范喬晉 256-523- 94
380-420-179
384-101- 5
386- 32-69下
477- 63-151
538-157- 66
871-905- 19
933-630- 41
范循明 473-457- 68
559-365- 8
571-528- 19
范畬明 1268-436- 68
范絪明 523-474-169
范鋐明 456-585- 8
554-772- 62
范鈁明 1474-540- 27
范欽明 479-185-225
515-123- 60
523-295-159
676-566- 23
1442- 54- 3
1460-130- 46
1474-328- 17
范進明 541-107- 31
范愼吳 254-867- 14
370-280- 4
375-186-79下
385-568- 63
472-293- 12
475-371- 68
511-200-144
范愼女 吳 見范姬
范源元 1234-266- 43
范溶范鎔 宋 494-340- 7
523-478-170
1140-182- 22
范雍宋 285-602-288
371-106- 10
382-338- 54
384-354- 18
397- 74-324
450-214-上26
450-287-中10
471-808- 31
471-961- 53
472-748- 29
472-825- 33
473-267- 61
477-314-164
478- 90-180
478-570-203
528-520- 31
537-507- 59
545-642-106
554-141- 51
678- 97- 79
933-632- 41
1089-704- 13
范雍女 宋 見范氏
范準明 511-705-164
676-452- 17
1227-713- 6
1375- 27- 上
1442- 8- 1
1459-421- 13
范新明 1268-431- 67
范滂母 漢 472-208- 7
508-357- 42
512- 2-176
范滂漢 253-367- 97
384- 66- 3
385- 62- 5
402-488- 12
402-531- 15
402-584- 20
472- 84- 3
472-199- 7
474- 89- 3
477-407-169
477-475-173
505-626- 67
511- 62-138
537-558- 60
879-155-58上
933-630- 41
1408-437-522
范霦明 547- 91-144
范瑄明 472-431- 19
范瑄妻 明 見李氏
范楷宋 472-1087- 46
491-420- 5
523-288-159
范輅明 300- 93- 188
473- 17- 49
473-403- 66
479-454-237
480-638-288
515- 45- 58
517-664-131
533-119- 50
559-300-7上
567-330- 78
676-543- 22
范匯元 571-537- 20
范幹明 見范祖幹
范瑟明 1278-436- 21
范瑟妻 明 見楊氏
范瑛明 554-170- 51
558-151- 30
范路明～清 1318-459- 72
1475-517- 22
范睢張祿 戰國 244-486- 79
371-585- 49
375-917- 93
384- 31- 1
405-250- 72
405-282- 74
472-460- 20
537-371- 57
546-436-129
933-362- 25
933-629- 41
1408-190-500
范嵩五代 482- 80-341
范嵩明 473-247- 60
529-616- 47
532-681- 44
676-531- 21
1442- 40-附2
1459-813- 33
范鼎明 820-595- 40
范粲晉 256-522- 94

380-420-177
386- 31-69下
459-734- 45
477- 62-151
478-634-206
933-631- 41
范敬明 529-686- 50
范鈺妻 清 見陳氏
范演清 547- 30-141
范禎明 476-417-120
545-395- 97
范漼宋 1149-700- 15
范漼妻 宋 見王氏
范端宋 1098-710- 43
1356-194- 9
范寧元 820-542- 39
范說宋 494-471- 18
范寥宋 451-167- 5
567-434- 86
1467-145- 67
范漢明 482- 78-341
564-246- 47
范榮明 547-495-159
范瑱妻 宋 見史氏
范瑱明 524-360-196
范瑺明 524-245-190
范墀金 1365-263- 8
1439- 3- 附
1445-488- 36
范遠宋 李復妻、范褒女
1121- 84- 8
范鞅春秋 見士鞅
范蓀宋 481-236-303
范摹明 524-353-196
821-355- 55
范蔓梁 260-464- 54
265-1114- 78
381-573-196
范僎妻 清 見余氏
范寬范中正 宋 554-909- 64
812-462- 2
812-543- 4
813-131- 11
821-140- 50
范潔宋 515-103- 60
529-583- 46
范廣晉 256-464- 90
380-173-170

459-861- 52
472-171- 6
472-568- 24
475- 68- 52
510-308-113
537-541- 59
540-637- 27
范廣明 299-742-173
502-381- 64
范澄明 1442- 27-附2
1459-643- 25
范慶明 473- 27- 49
范褒妻 宋 見周氏
范褒女 宋 見范遠
范賢范長生 晉 592-190- 73
范賢明 563-772- 40
范增秦～漢 243-188- 7
376- 8- 95
470-243-126
471-920- 48
471-926- 49
472-325- 14
511-490-156
933-629- 41
1297-667- 3
1407- 43-399
范醇女 宋 見范普元
范璋明 569-669- 19
范奭晉 256-472- 91
380-278-173
933-630- 41
范遷漢 252-672- 57
376-648-107上
384- 60- 3
472- 25- 1
472-199- 7
474-165- 8
475-746- 88
511-645-162
537-191- 54
933-630- 41
范蔚晉 256-472- 91
380-278-173
384-101- 5
585-383- 8
范鋐清 1321-271-116
范箴明 見范箴聽
范質宋 285- 72-249

371- 36- 4
382-130- 18
384-323- 17
401-296-608
449- 12- 1
450-682-下3
472-107- 4
474-438- 21
505-762- 72
674-426- 2
708-325- 50
933-631- 41
范儁明 300-822-234
479-749-251
515-485- 71
范憲明 516- 77- 90
563-850- 41
范諷宋 286- 32-304
397-239-333
472-544- 23
476-524-128
476-816-143
476-854-145
491-345- 2
540-758-28之2
545-212- 91
范璟妻 清 見劉氏
范機宋 529-755- 52
1157-490- 19
1174-687- 43
范輯晉 256-480- 91
380-284-173
933-631- 41
范霖元 524- 90-182
1218-681- 4
1439-422- 1
范霖明(字時雨) 524-271-191
范霖明(字民澤) 1258-621- 13
范曄劉宋 258-315- 69
265-496- 33
378-126-134
384-112- 6
471-693- 15
471-872- 40
472-357- 15
538-143- 65
674-588- 4
812- 70- 下

812-233- 9
812-722- 3
814-247- 6
820- 86- 24
933-631- 41
1379-531- 63
范暹明 511-865-170
820-596- 40
821-361- 55
1240-232- 15
范縝梁 260-393- 48
265-819- 57
378-338-140
384-118- 6
473-567- 74
477-373-167
480-239-269
481-523-326
528-435- 29
538- 30- 62
563-898- 43
1401-239- 23
范儕唐 533-762- 74
范錫明 505-814- 74
545-300- 94
范濬宋 見范璿
范濟明 299-625-164
476- 45- 98
范謙明(澠池人) 472-752- 29
537-516- 59
范謙明(字含虛) 515-413- 69
676-605- 25
1442- 74- 5
1460-351- 56
范燧明 554-506-57上
范聰明 537-305- 56
范檟明 523-549-173
范懋明 511-300-148
范韓清 547- 25-141
范鍾宋 287-683-417
398-627-408
472-1030- 42
479-324-232
523-326-161
范鍾明 533-325- 57
范鍔宋 515-214- 63
范禮明 830-580- 40
821-368- 55

范璵妻 明 見胡氏
范擴宋 493-743- 41
范璿范濬 宋 473- 21- 49
479-486-239
515-314- 66
1207-480- 34
范騋清 524-349-196
范藎清 505-649- 69
范鎭宋 286-470-337
382-495- 77
384-368- 19
397-570-354
449-197- 5
450-342-中18
450-726-下9
459-553- 33
471-946- 51
472-643- 26
472-740- 29
473-432- 67
477-441-171
477-481-173
481- 77-294
481-118-296
537-338- 56
559-341- 8
561-208-38之2
561-461- 43
591-542- 42
592-594- 99
674-295-4下
674-373- 1
678- 98- 79
708-339- 50
933-633- 41
1094-655- 72
1101-759- 30
1108-412- 88
1112-276- 26
1351-619-143
1351-693-149
1354-854- 50
1354-855- 50
1356-200- 9
1362-580- 39
1381-703- 50
1381-704- 50
1437- 13- 1
范鎔宋 見范溶
范瓊唐 812-482- 上
812-813- 78
812-521- 2
821- 82- 47
范疇宋 493-1064- 56
524-370-197
范疇妻 清 見同氏
范鏓明 300-277-199
474-742- 40
478-454-197
502-383- 64
558-157- 30
范鏞明(字鳴遠) 478-518-200
494-155- 5
523- 45-148
558-313- 34
559-252- 6
569-651- 19
范鏞明(字彥聲) 515-374- 68
567- 99- 66
范鏕明 見范鑣
范瀾清 1327-350- 15
范嚴宋 515-335- 67
范鐘宋 524- 95-183
范蠡陶朱公、陶梁君、鴟夷子、
鴟夷子皮 春秋 244-154- 41
251-693- 33
371-514- 37
375-872- 92
380-528-180
384- 24- 1
405-128- 64
453-727- 1
470-354-142
472-767- 30
486-333- 15
489-349- 31
489-598- 47
489-616- 48
508-137- 38
511-891-172
523- 1-146
526-293-268
537-369- 57
541-109- 31
547-195-148
683-220- 8
933-630- 41
1058-494- 上
1119- 60- 0
1141-797- 34
1340-592-780
1345-142- 17
1408-339-513
范纑唐 485-195- 26
范瓘明 523-602-176
1457-596-398
范霽明 821-484- 58
范鑄妻 清 見蔡德音
范儼宋 524-239-190
范巖妻 宋 見哀氏
范鑣范鏕 明 482-184-346
563-804- 41
范鑛明 571-541- 20
范讓明 472-752- 29
537-517- 59
范纘清 511-765-166
范驤清 524- 13-178
范乃蕃清 505-673- 69
范九疇妻 清 見邊氏
范三拔清 547- 49-142
范三俊清 510-504-118
范三樂妻 明 見王氏
范士奇元 479-609-244
范士表宋 523-480-170
523-559-174
范士楷妻 清 見王氏
范士楫妻 明 見馬氏
范士楫媳 明 見王氏
范士楫清 505-884- 79
范士瑾清 540-866-28之4
范士衡宋 473- 21- 49
515-316- 66
679-515-189
范子奇范中濟 宋
285-603-288
397- 75-324
478-572-203
537-512- 59
820-383- 33
933-632- 41
1110-573- 33
范子泯宋 見范子珉
范子珉范子泯 宋
472-1056- 44
479-437-236
524-448-201
821-259- 52
范子儀宋 1104-706- 16
范于殷明 456-501- 5
554-368- 54
范大冶宋 561-510- 44
范大捷清 524-200-188
范大徹明 1474-534- 27
范大嘴妻 清 見李氏
范大錄宋 524-216-189
范川莊明 530-213- 61
821-356- 55
范文子春秋 見士燮
范文中元 523-450-168
528-509- 31
范文光范文荒 明
301-702-279
456-442- 3
481-389-312
820-760- 44
范文奇妻 清 見滕氏
范文明明 820-740- 44
范文明妻 清 見劉氏
范文度宋 820-356- 32
范文英元 493-894- 48
范文英女 明 見范伯愚
范文英清 502-777- 86
515-229- 63
范文原明 545-378- 97
范文荒明 見范文光
范文程清 474-762- 41
502-614- 77
516- 90- 90
范文源明 1293-733- 4
范文煥明 1242-162- 29
范之才宋 523-184-155
范之柔宋 493-645- 35
493-893- 48
523- 79-149
820-438- 35
范之傅宋 見范良遂
范之齊明 554-344- 54
范之箴明 473-388- 65
523-437-167
532-721- 45
范元之宋 524-222-189
范元功范圭 宋 1149-703- 15

范元惁唐 820-154- 26
范元超唐 529-755- 52
范兀琰梁 260-441- 51
265-1086- 76
380-466-178
451- 8- 0
472-965- 38
479- 46-218
524-172-187
585-384- 8
588-157- 8
590-135- 17
范元裕宋 460-303- 20
范元愷明 483-201-388
570-140-21之2
范元實宋 592-667-104
范元鎮元 1208-301- 0
1367-710- 54
范引娘明 楊廷樹妻
530- 95- 56
范天祐妻 清 見冉氏
范天順宋 288-328-450
400-183-514
451-230- 0
473-247- 60
480- 12-257
533-352- 59
范天錫宋 511-880-171
范天錫明 523-246-157
范日進宋 475-823- 92
511-659-162
范中正宋 見范寬
范中濳宋 820-383- 33
范中濟宋 見范子奇
范公亮明 821-477- 58
范介儒母 明 見王氏
范允臨明 511-746-165
820-735- 44
821-469- 58
1315-291- 10
1442- 85- 5
1460-479- 63
范允臨妻 明 見徐媛
范立朝明 478-546-202
482-562-369
558-202- 31
570-107-21之1
范必英清 475-142- 57

511-752-165
范永年明 1295-556- 7
1297-105- 9
范永年妻 明 見馬氏
范永齡明 523- 88-149
范永鑾明 480-638-288
515-203- 63
范弘之晉 256-481- 91
380-285-173
933-631- 41
范弘祖妻 明 見陳氏
范弘嗣明 546-649-136
范正巳宋 561-209-38之2
范正夫宋 821-195- 50
范正平宋 286-178-314
397-348-339
473-758- 83
475-130- 56
477- 53-151
477-482-173
485-194- 26
493-888- 48
511-520-157
537-237- 55
537-588- 60
567-436- 86
1104-833- 0
1467-146- 67
范正民宋 1104-833- 0
范正則唐 820-195- 27
范正脈清 537-487- 58
538-138- 65
范正國宋 1104-835- 0
范正辭宋 286- 31-304
397-238-333
472-524- 22
473- 43- 50
476-524-128
479-525-241
515- 12- 57
540-749-28之2
545- 38- 84
范石泉妻 明 見徐氏
范平仲明 554-313- 53
范可仁元 676- 74- 3
范可奇明～清 480-129-264
523-468-169
532-642- 43

1467-127- 66
范可章妻 清 見郭氏
范世文宋 523-167-154
范世正明 511-164-142
范世京宋 485-194- 26
493-893- 48
523- 97-150
589-333- 4
范世芸明 515-488- 71
范世美明 510-377-114
515-486- 71
1457-518-389
范世臯明 456-679- 11
范世德宋 1124-254- 18
范仕衡宋 515-319- 67
范用吉富珠哩玖珠 金
291-591-114
399-315-446
范用修明 524-329-195
范卯孫宋 見范時中
范幼沖漢 1061-279-111
范守己明 458-171- 8
476-451-123
537-409- 57
677-657- 59
1318-169- 45
1442- 76- 5
范守中元 820-527- 38
范守汜明 559-253- 6
范亦辯父 宋 1149-702- 15
范安仁宋 821-231- 51
范安祖齊 259-543- 55
265-1045- 73
380-105-169
473-368- 64
范安童妻 明 見李氏
范汝梓明 1442- 89- 6
1460-505- 64
1474-544- 27
范式金清 554-317- 53
范百常宋 481-418-314
范百祿宋 286-475-337
382-499- 77
384-379- 19
397-574-354
450-420-中29
471-1013- 62
472-644- 26

472-766- 30
473-433- 67
473-464- 69
473-503- 71
477- 53-151
481- 20-291
481- 78-294
537-243- 55
545-369- 97
559-290-7上
559-314-7上
559-341- 8
591-545- 42
592-594- 99
933-634- 41
1100-418- 37
1100-474- 44
范百歲宋 1100-437- 39
范百嘉宋 1100-437- 39
范有才妻 明 見蕭氏
范光曦清 554-322- 53
范兆祥明 473- 26- 49
515-381- 68
范如山宋 1170-768- 34
范如山妻 宋 見張氏
范如圭宋 287-217-381
398-253-382
449-463-上10
460- 43- 3
473-298- 62
473-584- 75
473-603- 76
473-642- 78
480-240-269
480-401-277
481-582-328
481-677-331
481-699-332
528-482- 30
529-603- 47
532-665- 44
1146- 87- 89
1146-215- 94
范如珪明 1442- 70- 4
1460-336- 55
范如游明 456-586- 8
554-718- 61
范仲壬宋 451- 23- 0

范仲安女 明 見范氏
范仲武宋 515-330- 67
1167-235- 19
范仲翁不詳 879-154-58上
范仲淹朱說 宋 286-160-314
371- 80- 8
382-367-59上
384-351- 18
397-335-339
408-291- 10
449- 79- 7
450-166-上20
450-299-中12
459-495- 30
471-585- 1
471-595- 2
471-604- 3
471-617- 5
471-625- 6
471-715- 18
471-717- 18
471-904- 45
471-906- 45
471-910- 46
472-227- 8
472-522- 22
472-587- 24
472-643- 26
472-765- 30
472-912- 36
472-961- 38
473- 43- 50
475- 16- 49
475-129- 56
475-271- 63
475-323- 65
475-364- 67
475-501- 75
475-776- 89
475-821- 92
475-869- 95
476-112-102
476-657-135
476-867-145
477- 50-151
477-135-155
477-359-166
477-441-171
477-560-177
478-166-182
478-404-194
478-570-203
479- 41-218
479-173-225
479-223-227
479-377-234
479-525-241
480-615-287
484- 92- 3
485-191- 26
486- 48- 2
493-875- 48
508-294- 40
510-387-115
510-492-118
511- 62-138
515-213- 63
517-569-129
518- 12-136
518-718-159
523- 74-149
533-746- 73
537-238- 55
537-312- 56
538-318- 69
539-502-11之2
540-647- 27
541-111- 31
545- 44- 84
545-366- 97
554-142- 51
556-728- 98
558-138- 30
558-206- 32
561-362- 41
588-163- 8
674-278-4中
677-186- 17
683-165- 5
683-168- 5
708-330- 50
812-751- 3
820-346- 32
839- 59- 5
933-632- 41
1089-815- 2
1092-736- 70
1092-737- 70
1102-161- 20
1102-379- 50
1128-158- 18
1128-366- 6
1135-706- 7
1136- 94- 5
1210-490- 19
1241- 20- 1
1241-395- 4
1351-646-145
1354-674- 34
1356- 47- 3
1358-752- 6
1378-470- 58
1383-569- 51
1381-478- 37
1383-569- 51
1386-228- 38
1410- 67-671
1437- 11- 1
1447-554- 30
1447-700- 40
范仲淹女 宋 見范氏
范仲將宋 485-534- 1
范仲温宋 493-891- 48
523-167-154
1089-715- 13
1386-415- 45
范仲温女 宋 見范氏
范仲較范仲賢 宋448-377- 0
范仲微范滿孫 宋448-373- 0
范仲賢宋 見范仲較
范仲謙元 540-665- 27
范仲謨女 宋 見范氏
范仲黼宋 451- 23- 0
范仲寶妻 宋 見范氏
范印心清 476-331-115
477-255-161
537-487- 58
545-425- 98
范印華明 483- 34-371
570-128-21之1
范朱祥妻 清 見張氏
范良遂范之傅 宋
493-893- 48
范良黿女 清 見范氏
范志玄唐 592-246- 75
范志完明 301-402-259
505-639- 67
范志泰明 301-458-263
456-582- 8
476- 31- 97
545-159- 88
范志遠明 505-656-68
范志學妻 明 見王氏
范志懋明 456-581- 8
478-338-191
505-697- 70
537-434- 58
554-307- 53
范志驃明 456-485- 5
538- 46- 63
范甫山妻 明 見倪氏
范成大宋 287-298-386
398-321-385
471-596- 2
471-628- 7
471-858- 38
472-173- 6
472-228- 8
472-377- 16
472-1052- 44
472-1084- 46
473-427- 67
473-749- 83
475- 70- 52
475-131- 56
475-562- 79
479-174-225
479-431-236
481- 20-291
482-348-356
488- 13- 1
488-459- 14
493-645- 35
493-947- 51
508-232- 38
511-232- 38
511- 93-140
523-241-157
559-267- 6
561-382- 41
561-385- 41
567- 69- 65

585-764- 5
591-685- 47
592-560- 96
592-567- 96
592-618-100
674-321-5上
674-845- 18
820-429- 35
1147-642- 61
1161- 94- 83
1284-332-161
1381-473- 37
1437- 24- 2
1462-159- 61
1467- 43- 63
范成進金 472-613- 25
540-770-28之2
范孝才女 隋 見范氏
范孝純妻 宋 見師氏
范西新宋 1226-150- 7
范君貢妻 宋 見朱氏
范君錫妻 明 見易氏
范克信宋 567- 71- 65
1170-679- 29
1467- 46- 63
范克信妻 宋 見趙悟眞
范辰孫宋 451-224- 0
范谷英元 472-795- 31
537-564- 60
范伯年劉宋 933-631- 41
范伯愚明 湯郁妻、范文英女
1231-406- 9
范希正明 301-741-281
476-855-145
511- 96-140
540-671- 27
范希正女 明 見范氏
范希良明 見范希賢
范希朝唐 270-810-151
275-370-170
384-237- 12
396-144-265
448-342- 下
472-465- 20
476-120-102
476-277-111
545-321- 95
546-277-124
范希節明 528-449- 29
范希賢范希良 明
480-247-269
533-338- 58
范希璧唐 820-179- 27
范邦佐妻 清 見張氏
范邦惠宋 524-210-188
范妙元元 江文濤妻
295-632-201
401-180-593
472-1089- 46
479-188-225
524-623-208
范廷召宋 285-614-289
371-167- 17
397- 83-325
472- 94- 3
472-912- 36
474-603- 31
505-784- 73
558-206- 32
范廷珍明 511-523-157
820-601- 40
范廷弼明 537-335- 56
540-821-28之3
范廷輔明 476-417-120
545-395- 97
范廷機明 1247-393- 15
范宗文明 676-229- 9
范宗尹宋 286-791-362
398- 47- 369
449-374-上2
472-1103- 47
473-250- 60
486-897- 34
524-327-195
1134-754- 36
范宗傑宋 285-605-288
397- 75-324
820-331- 32
933-632- 41
范宗韓宋 1095-704- 35
范法恂妻 齊 見朱氏
范法恂妻 齊 見褚氏
范武子春秋 見士會
范直方宋 473-783- 85
482-467-363
567- 68- 65
1467- 41- 63
范居中元 820-545- 39
范居實後梁 277-178- 19
范孟偉明 1227-131- 15
范孟博宋 1178-755- 5
范奇芳明 456-674- 11
476-184-106
范奇燠妻 清 見余氏
范長生晉 見范賢
范長壽唐 812-343- 9
812-369- 0
813- 74- 3
821- 40- 46
范承吉金 291-725-128
400-357-533
474-236- 12
475-870- 95
476-394-119
545-459-100
范承吉明 533-728- 73
范承光夏 546-423-129
范承勳清 482-541-368
502-623- 77
510-303-112
565-657- 19
571-535- 19
1327-327- 15
474-774- 41
478-770-215
481-494-324
502-761- 86
523- 65-149
528-466- 29
1298-206- 22
1314- 2- 1
1314- 3- 1
1314- 5- 1
1314- 8- 1
1314- 12- 1
1314- 15- 1
1314- 17- 1
1314- 19- 1
1314- 20- 1
1314-103- 8
1314-159- 9
1314-174- 10
范芸茂明 476- 85-100
547- 24-141
范肯堂妻 清 見郝氏
范昌仲妻 清 見王氏
范昌嗣後漢 見劉昌嗣
范昌齡明 472-389- 17
范明友漢 248-617- 8
474-686- 37
502-248- 53
544-200- 62
1412-124- 5
范明光明 821-484- 58
范明泰明 1475-421- 18
范明敬明 472-1102- 47
523-171-154
范明德清 474-472- 23
505-694- 70
范明徵清 540-844-28之4
范叔明明 524-347-196
范叔孫劉宋 258-574- 91
265-1037- 73
380- 97-167
451- 6- 0
479- 46-218
524-171- 187
范念德宋 460-298- 20
529-604- 47
范舍樂北齊 263-166- 20
267-124- 53
379-374-152
544-212- 62
546- 37-116
范季賢元 1221-211- 2
范延光後晉 278-181- 97
279-318- 51
384-313- 16
401-411-622
1383-816- 75
范延壽漢 251- 15- 84
376-418-102上
范洪源元 見雄辨
范洪震清 524-128-184
范爲詮妻 明 見趙氏
范爲憲清 475-668- 84
510-459-117
范宣子春秋 見士匄
范恪浚妻 清 見李氏
范彥暉宋 533-719- 73
范厚叔宋 843-673- 下
范柏年劉宋 265-677- 47

378-258-138
471-1036- 66
472-865- 34
481-404-313
591-125- 9
范飛卿宋 515-324- 67
范述曾梁 260-453- 53
265-989- 70
380-186-170
448-321- 下
451- 7- 0
459-867- 52
472-965- 38
472-1114- 47
479- 46-218
479-401-235
523-424-167
585-384- 8
590-135- 17
范致大元 1439-448- 2
范致仲宋 820-403- 34
范致明宋 480-463-279
532-730- 46
范致虛宋 286-793-362
398- 49-369
473-233- 60
473-602- 76
477-306-163
480-170-266
537-301- 56
范致道元 1221-420- 5
范柔中宋 515-823- 83
范思明明 1229-239- 7
范思明清 456-388- 80
范思偉清 456-388- 80
范思道宋 491-345- 2
范思道妻 明 見韓氏
范思敬元 472-402- 18
475-797- 90
511-858-169
范昭子春秋 見士吉射
范苹茂明 547- 24-141
范禹偁明 561-570- 45
范胤祖梁 820-105- 24
范祖文明 547- 22-141
范祖述宋 286-477-337
397-576-354
472-740- 29
472-802- 31
472-1101- 47
473-433- 67
475-776- 89
477-305-163
477-503-174
481- 79-294
523-168-154
559-341- 8
591-546- 42
范祖禹宋 286-477-337
382-500- 77
384-380- 19
397-576-354
448-467- 7
449-273- 13
450-802-下19
459-560- 33
471-878- 41
471-880- 41
471-881- 41
471-946- 51
471-1020- 63
473-388- 65
473-433- 67
473-720- 81
473-757- 83
473-768- 84
480-545-283
481- 78-294
481-385-312
482-209-347
482-390-358
482-435-361
538-330- 69
559-319-7上
559-341- 8
563-904- 43
567-433- 86
568-256-108
591-546- 42
592-509- 92
592-513- 92
592-514- 92
708-343- 50
820-375- 33
933-634- 41
1130-152- 15
1437- 17- 1
1467-144- 67
范祖禹妹 宋 見范氏
范祖淹明 456-679- 11
范祖堯母 宋 見趙氏
范祖幹范幹 明 301-752-282
458-597- 1
479-328-232
523-615-176
676- 20- 1
676-456- 17
678-442-112
1228-575- 3
范庭玉元 821-293- 53
范桂韶宋 484-386- 28
范起莘元 1195-422- 8
范起鳳清 547- 26-141
范耿吾妻 明 見陳氏
范時中范卯孫 宋 448-385- 0
范時修明 554-289- 53
范時崇清 474-693- 37
474-734- 40
502-311- 57
范時崇清 528-470- 29
范時儆明 559-348- 8
范師孔宋 529-743- 51
1437- 32- 2
范師道宋 286- 12-302
397-224-332
472-228- 8
472-388- 17
475-130- 56
475-821- 92
481-801-338
485-194- 26
493-892- 48
510-492-118
511- 91-140
563-656- 39
589-320- 3
1378-341- 52
1418-515- 52
1437- 13- 1
1447-915- 55
范純仁宋 286-170-314
382-372-59下
384-370- 19
384-377- 19
397-342-339
449-253- 11
459-547- 32
471-808- 31
471-811- 31
471-818- 32
471-926- 49
471-930- 49
472-227- 8
472-394- 17
472-430- 19
472-519- 22
472-644- 26
472-647- 26
472-740- 29
472-789- 31
472-913- 36
473-267- 61
473-281- 61
473-388- 65
473-427- 67
475-130- 56
475-809- 91
476- 29- 97
476-112-102
476-517-127
477-123-155
477-409-169
477-472-173
477-482-173
478-572-203
480-200-267
480-545-283
481- 18-291
485-192- 26
489-355- 31
493-881- 48
511- 64-138
532-630- 43
533-744- 73
538-331- 69
538-696- 79
540-624- 27
545-137- 87
545-368- 97
558-140- 30
558-209- 32
559-265- 6

561-257- 39
589-326- 4
591-684- 47
674-341-5下
678- 99- 79
708-342- 50
820-375- 33
1101-375- 3
1104-729- 18
1104-820- 0
1104-836- 0
1124- 40- 4
1145-748- 84
1152-796- 51
1356-121- 6
1437- 14- 1
范純仁妻 宋 見王氏
范純仁明 480-206-267
范純佑宋 見范純祐
范純祐范純佑 宋
286-166-314
397-340-339
472-227- 8
477-481-173
493-881- 48
511-519-157
1104-828- 0
1351-588-139
范純誠宋 493-893- 48
1104-673- 13
范純粹宋 286-168-314
382-377-59下
397-341-339
471-822- 33
472-228- 8
472-860- 34
472-913- 36
472-922- 36
473-212- 59
473-248- 60
475-130- 56
475-870- 95
476-913-148
477-561-177
478-167-182
478-483-199
478-572-203
485-193- 26
493-890- 48
511- 91-140
533-722- 73
537-312- 56
545-138- 87
554-149- 51
558-209- 32
674-897- 22
820-375- 33
1104-831- 0
范純禮宋 286-167-314
382-376-59下
384-377- 19
397-340-339
427-367- 4
472-228- 8
472-740- 29
475-130- 56
475-434- 70
476-867-145
477- 54-151
481-332-308
485-193- 26
493-888- 48
511- 91-140
537-300- 56
545-137- 87
559-314-7上
567-433- 86
1104-829- 0
范寅孫宋 523-224-156
范惟一明 1442- 58- 3
1460-168- 48
范惟賢劉宋 812-330- 6
821- 20- 45
范祥卿元 473- 75- 52
范淑泰明 301-512-267
476-587-131
540-831-28之3
541-616-35之17
范淑教明 456-421- 2
范基祚清 533-186- 52
范崇仁明 511-799-167
范崇凱唐 471-1020- 63
559-398-9上
591-119- 8
范國寶元 524-183-187
范處厚宋 563-677- 39
范常眞元 541- 94- 30
范晞文元 1439-423- 1
范得志明 563-824- 41
范紹文妻 清 見黄氏
范紹袞明 510-474-117
范彩雲妻 清 見吳氏
范啟元女 明 見范氏
范從文明 483-139-380
493-1049- 55
570-216- 23
范從規明 1260-588- 16
范從賢媳 清 見韓氏
范滋累女 宋 見范氏
范普元宋 袁方妻、范醇女
1157-291- 21
范甯兒後魏 262-303- 91
267-718- 90
380-635-183
547-550-161
范朝恩明 1282-765- 58
范開明妻 清 見劉氏
范揚先妻 清 見王氏
范陽王魏 見曹矩
范陽王晉 見司馬虓
范陽王晉 見司馬綏
范陽王後魏 見元誨
范陽王後魏 見元懌
范陽王北齊 見高紹義
范陽王唐 見李藹
范陽王唐 見李孝協
范陽邁劉宋(范諸農子)
260-462- 54
265-1111- 78
381-571-198
范陽邁范咄 劉宋(范陽邁子)
260-462- 54
265-1111- 78
381-571-198
范發愚清 537-486- 58
556-435- 92
范景文明 301-479-265
458-264- 8
474-313- 16
476-611-133
476-918-148
505-849- 76
506-618-108
537-222- 54
540-642- 27
676-633- 26
1442- 92- 6
1460-684- 75
范景仁宋 561-373- 41
范景玉妻 清 見郭氏
范景年女 明 見范宜
范景姒明 王世德妻
1295-548- 7
范景鎭妻 清 見劉氏
范貽孫宋 1086-455- 9
范園化妻 清 見李氏
范無恤春秋 545-726-109
范勝甫女 清(姚昌宗妻) 見范氏
范勝甫女 清(蔡茂功妻) 見范氏
范斐然妻 清 見陳氏
范復亨元 515-348- 67
范復粹明 301-289-253
537-250- 55
554-184- 51
范鄗鼎清 546-651-136
范廉卿元 1221-409- 4
范運吉明 483-201-388
570-157-12之2
1457-722-411
范道行明 456-502- 5
476-184-106
545-895-114
范道坤明 821-491- 58
范道根齊 259-543- 55
265-1045- 73
380-105-167
范壼貞明 1442-124- 8
1460-778- 84
范達禮清 523-253-157
范嗣鎭清 481-214-302
范鼎臣宋 473-551- 73
559-302-7上
范敬先明 515-355- 68
588-322- 2
范敬宗明 見萬敬宗
范傳正唐 271-465-185下
275-394-172
396- 60-257
472-376- 16
472-774- 30

475-119- 55
475-561- 79
477-376-167
479-133-223
485- 71- 11
485-496- 9
493-689- 38
494-290- 4
511-909-173
523-114-151
537-546- 59
范傳眞唐 475-603- 81
510-433-116
范福貞明 朱銓妻
524-502-203
1272-487- 16
范端臣宋 524- 69-181
820-419- 34
范齊融唐 493-738- 41
范滿孫宋 見范仲微
范爾梅明 547- 26-141
范夢虬清 529-706- 50
范夢齡吳越～宋 485- 85- 12
493-766- 42
范鳴謙明 481-613-329
511-157-142
528-497- 30
范箕生妻 明 見馬氏
范鳳翼明 511-248-145
1442- 86- 5
范廣淵劉宋 258-208- 60
范養純明 533-440- 62
范履冰唐 271-574-190中
276- 64-201
384-183- 10
400-594-554
范箴聽范箴 明 302-116-295
456-634- 10
474-187- 9
505-839- 76
范德郁元 540-774-28之2
范德常明 518- 41-137
范德勳宋 515-325- 67
范德隆宋 933-632- 41
范龍樹唐 812-344- 9
821- 41- 46
范遵道宋 1099-604- 14
范擇能宋 517-420-126
范積翁女 明 見范氏
范學顏明 554-313- 53
范鴻儒明 1474-595- 30
范應春明 524-367-197
范應奎明 547-115-145
范應宮明 見范迋
范應期明 524- 36-179
范應發宋 491-302- 6
1185-499- 91
范應華明 456-588- 8
范應鈴范應齡 宋
287-590-410
398-553-402
473- 22- 49
473-144- 56
478-761-215
479-487-239
479-654-247
479-710-250
515-329- 67
517-418-126
523- 17-146
567- 68- 65
585-770- 5
1467- 45- 63
范應賓明 524- 25-179
678-218- 91
1475-376- 16
范應齡宋 見范應鈴
范懋和明 478-338-191
554-214- 52
范隱之宋 1104-331- 30
范韓烈妻 清 見李坤
范鎭齊妻 清 見李氏
范懷仁妻 清 見褚氏
范懷珍范懷堅、范懷粲 齊
812-331- 7
821- 22- 45
范懷約梁 265-1026- 72
380-375-176
814-255- 7
820-102- 24
范懷堅齊 見范懷珍
范懷粲齊 見范懷珍
范瓊使明 田稀八妻
530-124- 57
范蟾香明 王輔妻
472-686- 27
范繩祖清 545-347- 96
范獻子春秋 見士鞅
范繼仁清 537-487- 58
范變齊明 537-611- 60
范觀善元 見吳觀善
茀幹胡春秋 見茀翰胡
茀翰胡茀幹胡 春秋
933-729- 50
苑氏十國楚 馬希尊妻
480-487-280
533-698- 72
苑氏明 侯朝彥妻 506- 81- 88
苑氏清 高熺妻 506- 24- 86
苑氏清 劉上達妻 506- 61- 87
苑咸唐 273-111- 60
820-188- 27
苑康范康 漢 253-372- 97
370-207- 21
376-966-112
385- 62- 5
472-518- 22
476-815-143
477-471-173
540-663- 27
933-586- 38
苑基宋 820-467-36
苑華元 540-662- 27
苑論唐 1076-209- 22
1076-657- 22
苑鎭漢 681-586- 12
1397-675- 32
苑生瑞清 540-844-28之4
苑至果元 472- 57- 2
474-253- 12
505-936- 85
苑君璋唐 269-479- 55
274-202- 92
384-178- 9
395-227-201
546-125-119
苑何忌春秋 404-603- 37
933-586- 38
苑時蓋妻 明 見韓氏
苑徽猷宋 821-219- 51
苑羊牧之春秋 405-103- 62
茆璡元 1196-550- 4
茆大綬妻 明 見陳氏
茆志道明 537-302- 56
545-243- 92
茆從易金 1190-504- 44
茆維揚明 見茅維揚
茆薦馨清 511-814-167
盻子戰國 472-568- 24
491-791- 6
則之宋 589-358- 6
1437- 37- 2
則川和尚唐 1053-130- 3
曷薩那可汗隋 見達漫
曷利沙伐彈那唐593-694- 5
毗舍浮不詳 1053- 4- 1
1054-224- 1
毗婆尸不詳 1053- 4- 1
1054-224- 1
毗陵王晉 見司馬軌
毗陵王後魏 見托跋順
毗目智仙後魏 1051-169- 6
毗伽可汗唐 見默棘連
毗盧遮那唐 472-101- 3
505-937- 85
毗尼多流支滅喜 隋
1051-180- 7
幽唐(江南人) 511-931-175
幽唐(嗣善會) 1053-229- 6
幽玄唐 1052-381- 27
幽谿和尚唐 1053-205- 5
苾悉頡力唐 544-228- 63
苾伽骨咄祿可汗唐 見登利可汗
茅元妻 元 見張氏
茅孔明 529-667- 49
茅氏元 朱虎妻 295-627-200
401-176-593
472-231- 8
475-454- 71
493-1082- 57
1232-292- 4
茅氏明 居翼隆妻、茅坤女
524-503-203
茅氏明 溫璜妻 479-149-223
524-582-206
茅氏明 董道醇妻、茅坤女
1291-531- 9
茅氏明 錢欽妻 479-148-223
茅氏明 章銀兒義妹
302-220-301
茅氏明 陸震母 1442-123- 8

1460-770- 84
茅永妻 明 見傅氏
茅地春秋 405-105- 62
933-265- 19
茅序明 529-522- 44
茅成明 299-255-133
472-205- 7
475-752- 88
511-496-156
茅坤明 301-850-287
475-274- 63
475-640- 83
479-145-223
482-322-354
505-684- 69
510-376-114
524- 35-179
567-125- 67
1442- 57- 3
1460-158- 47
1467-103- 65
茅坤女 明(居翼隆妻) 見茅氏
茅坤女 明(董道醇妻) 見茅氏
茅固漢 472-179- 6
492-590-13下之下
茅叔周 933-265- 19
茅拱宋 1170-700- 30
茅相宋 472-277- 11
茅盈漢 472-179- 6
475- 82- 53
472-1106- 47
486-903- 35
492-590-13下之下
511-916-174
524-420-200
547-498-159
554-964- 65
933-265- 19
1059-280- 5
1061-205-104
茅革宋 471-913- 47
472-366- 16
472-402- 18
茅容漢 253-376- 98
377- 2-113上
384- 66- 3
386- 5-69上
402-491- 12
472-652- 27
477- 60-151
538-156- 66
545-506-101
933-265- 19
茅宰明 510-481-118
1271-828- 9
茅祚戰國 1061-205-104
茅衷漢 472-179- 6
475- 82- 53
492-590-13下之下
茅茷春秋 545-719-108
茅偃戰國 1061-205-104
茅湘宋 475-278- 63
511-455-154
563-710- 39
茅陽明 460-534- 49
茅焦秦 405-319- 76
469-534- 65
472-522- 22
491-794- 6
933-265- 19
1407- 64-401
茅溱明 511-844-168
676-639- 26
茅誧明 見茅大芳
茅嘉戰國 1061-205-104
茅僖女 元 見茅淨貞
茅維明 301-851-287
524- 36-179
1442- 99- 6
1460-664- 74
茅暹明 524-193-188
1276-429- 10
茅暹妻 明 見李氏
茅濛秦 472-843- 33
478-358-191
478-143-181
492-590-13下之下
554-964- 65
589-228- 下
1061-205-104
1061-268-110
茅襄明 1254-476- 6
茅寵明 821-433- 57
茅譜明 見茅大芳
茅瓚明 524- 9-178
676-572- 23
1442- 56- 3
1460-153- 47
茅一皐明 524-194-188
茅九仍妻 明 見梁孟昭
茅大方明 見茅大芳
茅大芳茅誧、茅譜、茅大方
299-350-141
456-693- 12
475-484- 73
478- 92-180
511-471-154
676-472- 18
886-154-139
1264-301- 下
1442- 16-附1
1459-523- 18
茅大綬妻 明 見陳氏
茅元儀明 1442-112- 7
茅元儀妻 明 見王微
茅公輔妻 明 見陳氏
茅世亨明 476-518-127
茅汝元宋 821-228- 51
茅安道唐 516-482-105
茅夷鴻春秋 405-105- 62
933-265- 19
茅克昌妻 清 見王氏
茅宗愈宋 1166-667- 12
茅知至宋 481-552-327
529-761- 53
678-364-104
茅星來清 1328-364- 10
茅淨貞元 李庚孫妻、茅僖女
1215-717- 10
茅國縉明 476-518-127
524-193-188
537-318- 56
676-626- 26
1282-702- 53
1442- 80- 5
1460-420- 59
茅順童明 456-693- 12
茅道壽明 456-693- 12
茅瑞徵明 524- 36-179
532-638- 43
1442- 87- 5
茅維揚茆維揚 明
524-253-190
1241-601- 12
茅澤民明 821-353- 55
眇倡宋(一目失明曰眇)
茉莉明 朱澄妻 482-468-363
英元 1192-665- 附
1439-457- 2
1469-743- 67
英王金 見完顏洪衍
英氏清 趙士玉妻 475-714- 86
英古清 455-190- 9
英布漢 見黥布
英安清 455-402- 24
英奇清 456-155- 61
英阿清 455-385- 23
英受清 456-319- 75
英柱清 569-619-18下之2
英泰清 455-656- 46
英格清 455-268- 15
英郭清 455-646- 45
英莪清 455-457- 28
英魁清 456-380- 79
英額清 455-170- 7
英格訥清 455-647- 45
英格禮清 455-287- 16
英親王清 見阿濟格
英額理清 456-125- 58
英額勒清 455-206- 10
英俄爾岱清 474-769- 41
502-485- 70
英格爾圖清 455-285- 16
是儀氏儀 吳 254-897- 17
370-248- 2
377-401-120
384- 81- 4
384-562- 28
448-306- 上
476-665-136
489-350- 31
491-798- 6
511-887-172
512-899-200
933-516- 34
迪錦倒斤 明 496-627-106
迪延布哈元 295-589-195
400-269-521
迪輦組里唐 見李懷秀
迥光宋 1090- 24- 5

迥罕宋 1053-464- 11
風后上古 383- 78- 10
404-382- 23
546-422-129
風湖子春秋 405- 38- 58
風摇頭明 570-251- 25
風雷將軍唐 547-521-160
急子伋子 春秋 404-836- 52
負汲者明 564-291- 47
負苓者隋～唐 見負笭者
負笭者負苓者 隋～唐
550-218-217
1344-469- 99
1408-498-530
負局先生不詳(常負磨鏡局徇吳市)
485-283- 40
493-1097- 58
547-500-159
742- 28- 1
1058-504- 下
1061-254-108
怠懋怠穆菴 明 821-369- 55
怠穆菴明 見怠懋
俄孟額清 455- 69- 2
禹夏禹 夏 243- 60- 2
371-216- 3
372- 93-3上
383-212- 22
384- 3- 1
386-258-83上
404- 32- 3
508-353- 42
537-172- 53
544-149- 61
550-243-218
550-257-218
550-578-225
560-590-29下
561-531- 44
587-709- 16
819-555- 19
839- 3- 1
1408-491-529
禹妃 夏 塗山氏女
404-402- 24
452- 40- 1
544-177- 61
禹后 夏 見後趫

禹氏元 昂上人母
1229-242- 7
禹昭宋 486-902- 35
禹祥明 558-443- 38
禹龍明 1460-338- 55
禹顯金 291-690-123
400-225-518
472-438- 19
476-333-115
545-217- 91
545-391- 97
546-403-128
禹好善明 537-602- 60
禹淑靖禹淑靜 元 吳守正妻
295-635-201
401-182-593
472-985- 39
479-101-221
524-559-205
1226-439- 21
禹淑靜元 見禹淑靖
禹蘇福元 515-106- 60
待駕唐 592-362- 82
1052-279- 19
怒皆唐 270-264-103
274-667-133
496-616-105
姚文明(字敏學) 472-985- 39
473-177- 57
515-121- 60
1475-186- 8
姚文明(仁和人) 479- 53-218
524- 97-183
姚氏齊 乘公濟妻 259-542- 55
265-1042- 73
380- 99-167
479-148-221
姚氏宋 吳津妻 1153-647-108
姚氏宋 陳曷妻 1164-441- 25
姚氏宋 鄭溥妻、姚公度女
1138- 89- 7
姚氏宋 姚安仁女
1149-881- 4
姚氏宋 陳耆卿母
1178- 77- 8
姚氏宋 王維翰妻 496-414- 89
474-559- 28
503- 24- 93

姚氏元 張衍妻 295-640-201
401-186-593
姚氏明 方說妻 475-533- 77
姚氏明 王旭妻 512-158-181
姚氏明 王育才妻 475-235- 61
姚氏明 史宗廣妻、姚繼女
1256-420- 27
姚氏明 丘禾嘉妻 483-251-391
572-118- 31
姚氏明 江翿妻 512- 92-179
姚氏明 朱縉妻、姚忠女
524-636-209
1409-421-611
姚氏明 吳道震妻、姚之騏女
302-251-303
475-534- 77
姚氏明 林愼齋妻、姚克忠女
1257-178- 17
姚氏明 姜國才妻 477-455-171
姚氏明 胡敬妻 302-251-303
480- 96-262
533-544- 67
姚氏明 范迂妻、姚玄瑞女
820-768- 44
1442-124- 8
1460-777- 84
1475-819- 34
姚氏明 張洪妻 1250-527- 49
姚氏明 張文舉妻 506- 7- 86
姚氏明 張原泰妻 473-305- 62
480-252-269
533-623- 70
姚氏明 陳文黼妻 530- 92- 56
姚氏明 陳有容妻、姚經女
1457-753-414
姚氏明 童佐乾妻 481-726-333
姚氏明 黃尊素妻、姚克俊女
1442-125- 8
1460-782- 85
姚氏明 聞愛亭妻、姚嵩女
1283-698-121
姚氏明 歐陽觀妻 530- 94- 56
姚氏明 黎天俊妻 564-328- 49
姚氏明 謝自強妻 480- 62-260
姚氏明 聶鼎妻 512-168-181
姚氏明 譚本仁妻 483-195-387
姚氏明 黃籌媳 512-463-188
姚氏清 王起妻 474-194- 9

姚氏清 王肇興妻 483-202-388
570-209- 22
姚氏清 李若英妻 534-577-100
姚氏清 李懷英妻 474-194- 9
姚氏清 吳至乙妻 524-474-202
姚氏清 何從信妻 512-346-185
姚氏清 周文盛妻 483-295-394
姚氏清 南永福妻 478-354-191
姚氏清 夏開衡妻 479-150-223
524-585-206
姚氏清 倪華兆妻 503- 65- 95
姚氏清 張五妻 474-193- 9
506- 25- 86
姚氏清 張英妻 512- 5-176
姚氏清 張心開妻 506-116- 89
姚氏清 張文標妻 524-467-202
姚氏清 張永康妻 506- 38- 86
姚氏清 張世誒妻 524-476-202
姚氏清 張學先妻 474-196- 9
姚氏清 陳天顏妻 530- 41- 54
姚氏清 陳其元妻 478-406-194
姚氏清 曾一儀妻 530- 77- 65
姚氏清 黃光表妻 530- 76- 55
姚氏清 焦蘭妻 474-252- 12
姚氏清 楊朝勳妻 530- 99- 56
姚氏清 葉昌祉妻 530-146- 58
姚氏清 劉兆錡妻 530- 26- 54
姚氏清 劉志儒妻 506- 38- 86
姚氏清 韓鈞妻 475-799- 90
姚氏清 顧元規妻 479-106-221
姚弘明 523-362-163
姚古宋 286-637-349
397-693-362
472-904- 36
546-133-119
554-936- 64
姚本明 511-303-148
姚平漢 476-114-102
546-693-138
675-241- 3
933-254- 18
姚安明 1475-651- 28
姚式元 494-415- 12
1439-427- 1
姚丞明 1442- 37-附2
1459-762- 30
姚匿明 511-857-169
姚光吳 493-1062- 56

1061-276-110
姚合唐 274-562-124
395-530-229
471-1051- 68
494- 16- 2
538-154- 65
674-262-4中
674-861- 19
1081-755- 10
1071- 70- 0
1473-314- 72
姚向唐 820-251- 29
姚旭明(桐城人) 472-339- 14
511-253-146
569-650- 19
676-499- 19
1442- 27-附2
1459-647- 25
姚旭明(石門人) 524-185-187
姚旬明 820-635- 41
1475-243- 10
姚宏宋 486-545- 7
姚宏明 537-303- 56
姚亨宋 821-235- 51
姚亨明 533-140- 51
姚成元 1192-570- 11
1206-161- 17
姚成姚誠 明(字孝威)
301-505-266
456-599- 9
523-379-164
姚成明(臨安人) 483- 37-371
570-251- 25
姚甫明 524-161-186
姚志明 529-613- 47
姚兕宋 286-635-349
382-671-104
384-375- 19
397-691-362
472-483- 21
472-913- 36
478-482-199
478-572-203
546-131-119
554-592- 59
558-182- 31
558-333- 35
933-257- 18
姚佃蜀漢 254-689- 15
384-464- 12
385-169- 19
447-196- 7
481- 65-293
481-155-298
559-259- 6
591-601- 44
姚孚宋(姚希從姪) 491-436- 6
姚孚宋(姚穎祖) 1153-631-107
姚希宋 491-434- 6
姚妣漢 見姚姚
姚泓後秦 256-880-119
262-371- 95
267-771- 93
381-277-190
384-104- 5
384-144- 7
姚宗唐 820-285- 30
姚宗明 821-421- 56
姚沾明 821-432- 57
姚怡母 宋 見沈氏
姚況唐 270-489-125
275-111-147
395-725-246
558-189- 31
姚武南北朝 494-352- 8
姚坦宋 285-441-277
396-691-317
471-870- 40
473-783- 85
476-861-145
482-467-363
540-749-28之2
545-477-100
567- 49- 64
1467- 22- 62
姚玭明 302-140-296
475-178- 59
511-543-158
姚來明 523-358-163
姚東宋 528-559- 32
姚忠明 460-496- 42
529-760- 53
1240-333- 21
姚忠女 明 見姚氏
姚明明 515-877- 86
1260- 61- 2
姚叔北齊 820-122- 25
姚朋明 473- 65- 51
姚佺明 1475-543- 23
姚阜宋 1153-631-107
姚岳晉 473-806- 86
569-643- 19
姚岳明 472-337- 14
475-526- 77
510-416-116
524-251-190
姚郃妻 清 見張氏
姚洪後唐 277-574- 70
279-206- 33
384-307- 16
400-117-510
473-445- 68
559-512- 12
1383-763- 69
姚宣明 473-757- 83
姚恆清 529-670- 49
姚兗明 1442- 70- 4
1460-339- 55
1457-331- 13
姚恢漢 494-352- 8
姚奕唐 270-157- 96
274-562-124
395-530-229
姚持宋 491-435- 6
姚珏明 1251-723- 7
姚厚明 478-337-191
554-365- 54
姚奎明 1263-522- 5
姚咨明 1442- 69- 4
1460-327- 55
姚相金 547- 4-141
姚相妻 明 見劉氏
姚貞明 821-462- 57
姚貞妻 清 見王氏
姚思夏 見虞思
姚昭晉 544-204- 62
姚昱明 545-246- 92
姚泉明 1246-612- 11
姚係唐 451-434- 3
姚姚姚妣 漢 姚超女
559-444-11上
591-533- 41
姚信吳 479-135-223
494-352- 8
523-584-175
524-356-196
姚勉宋 473-167- 57
479-748-251
493-721- 40
515-469- 71
820-448- 35
1437- 29- 2
姚勉妻 宋 見鄒妙莊
姚勉妻 宋 見鄒妙善
姚俊桃俊 漢 453-756- 4
524-379-198
564-612- 56
姚俊明 821-453- 57
姚益明 532-635- 43
姚祐宋 286-692-354
397-737-364
472-893- 35
472-1002- 40
478-696-210
487-188- 12
488-402- 13
494-384- 11
494-545- 28
558-229- 32
姚悅明 1460-577- 68
姚旅明 姚鼎梅 1442- 98- 6
1460-591- 69
姚城明 456-504- 5
姚恭明(謚節愍) 456-521- 6
姚恭明(字心翼) 456-194- 46
姚泰明 528-511- 31
姚班唐 見姚珽
姚桂宋 451- 98- 3
姚桓明 1251-314- 22
姚哲明 472-841- 33
姚珫宋 1180-216- 21
姚珩明 564-159-450
姚峕宋 288-329-450
400-185-514
451-236- 0
472-254- 10
475-214- 60
510-361-114
511-447-153
姚恕明 511-375-150
姚甡明 1475-712- 29
姚倫明 1271-627- 53

姚倫妻 明 見李氏
姚能明 524-353-196
姚淇宋 1188-663- 4
姚淇明 1263-522- 5
姚淳宋 485-100- 14
493-1006- 53
589-303- 2
姚翊元 474-690- 37
姚祥隋 494-373- 10
姚祥明 482-116-343
559-252- 6
564-183- 46
569-651- 19
姚章明 820-715- 43
姚淛明 511-511-157
820-707- 43
821-433- 57
姚淶明 300-285-200
523-294-159
676-557- 23
1442- 51-附3
1460- 77- 44
姚淑明 559-418-10上
姚淑明 李長祥妻
1442-125- 8
1460-787- 85
姚梧明 523-457-168
姚現宋 820-451- 35
姚陶吳 494-352- 8
姚勔宋 485-541- 1
486-324- 15
491-346- 2
523-301-160
姚珽姚班 唐 270- 75- 89
274-312-102
384-188- 10
395-328-210
478-114-181
494-264- 1
494-373- 10
494-470- 18
524- 31-179
554-635- 60
933-255- 18
姚通妻 明 見程氏
姚崇姚元之、姚元崇 唐
270-100- 91
270-152- 96
274-558-124
384-184- 10
384-191- 10
384-195- 11
395-526-229
459-372- 23
469- 39- 6
471-779- 27
471-811- 31
472-253- 10
472-288- 12
472-409- 18
472-489- 21
472-568- 24
472-676- 27
472-745- 29
472-789- 30
472-824- 33
472-1066- 45
473-146- 56
473-296- 62
494-373- 10
475-213- 60
475-364- 67
475-776- 89
476-149-104
477-524-175
478-334-191
479-223-227
486- 42- 2
494-264- 1
510-386-115
516-202- 95
523-146-153
537-603- 60
540-668- 27
545-207- 91
554-231- 52
933-805- 60
1065-807- 18
1112-673- 11
1341-636-884
1343-761- 56
1371- 54- 附
1387-378- 28
1394-734- 11
1410-166-683
1417-656- 31
姚堂明 472-274- 11
473- 61- 51
479-182-225
493-731- 40
510-335-113
515-201- 63
517-661-131
523-453-168
683-100- 1
姚勗唐 270-152- 96
274-562-124
395-530-229
494-292- 4
537-604- 60
姚紹明 564-201- 46
姚紳妻 清 見楊氏
姚紾晉 524-401-199
姚斌明(知淮安府) 510-382-115
姚斌明(字仲符) 524-113-183
姚斌明 見張斌
姚斌妻 明 見李氏
姚善李善 明(字克一)
299-363-142
456-692- 12
475-121- 55
480-173-267
493-728- 40
510-333-113
533-377- 60
559-275- 6
886-160-139
1259-824- 6
1274-690- 7
1457-632-401
姚善明(字惟善) 1241-180- 8
姚善明(字兼善) 1242- 53- 25
姚善妻 明 見申屠氏
姚孳宋 見姚舜徒
姚惲唐 494-264- 1
姚渠晉 494-352- 8
姚渙宋 286-427-333
397-530-352
473-297- 62
473-426- 67
473-476- 69
480-340-273
481-113-296
481-335-308
532-665- 44
559-274- 6
559-391-9上
591-611- 44
姚敦宋 820-452- 35
姚雲姚雲文 元 515-472- 71
676-700- 29
1439-426- 1
姚閎唐 270-157- 96
270-263-103
274-562-124
395-530-229
姚期漢 見銚期
姚超女 漢 見姚姚
姚超女 漢 見姚饒
姚雄宋 286-637-349
397-693-362
472-483- 21
472-879- 35
472-904- 36
742-935- 37
472-937- 37
478-483-199
478-515-200
546-132-119
554-594- 59
558-174- 31
558-182- 31
558-198- 31
558-334- 35
姚隆宋 478-418-110
姚隆明(字原學) 473-299- 62
480-243-269
511- 78-139
523-158-153
532-670- 44
姚隆明(號竹菴) 515-785- 81
姚登明 554-527-57下
姚逵明 546-596-134
姚琛明 564-201- 46
姚發妻 清 見何氏
姚貴元 1192-570- 11
姚嶙清 482- 40- 340
姚萇後秦 見秦武昭帝
姚萇隋 559-312-7上
591-382- 30
592-295- 79
姚最北周 263-813- 47

267-715- 90
380-648-183
479-140-223
494-434- 13
524-192-188
592-508- 92
姚皓漢　494-352- 8
姚勝後魏　見姚女勝
姚欽南北朝　494-352- 8
姚桀元　524-299-193
姚傑元　1221-519- 14
姚義隋　547-198-148
姚裕明　821-449- 57
姚煒元　295-147-158
538-320- 69
姚詵明　見姚銑
姚廉清　478-614-205
姚楷妻　明　見陳氏
姚瑗明　482-142-344
姚達清　456-352- 77
姚嵩女　明　見姚氏
姚敬女　明　見姚妙莊
姚愈宋　451- 24- 0
487-189- 12
姚鉉宋　288-215-441
400-644-559
472-326- 14
472-544- 23
473-674- 79
475-703- 86
475-869- 95
476-816-143
493-766- 42
511-818-167
540-632- 27
515-103- 60
545- 39- 84
563-902- 43
674-296-4下
674-428- 2
674-785- 15
820-333- 32
姚經妻　明　見蔣氏
姚經女　明　見姚氏
姚察陳　260-715- 27
265-975- 69
269-694- 73
370-598- 20
378-556-145
384-121- 6
472-1001- 40
479-139-223
494-335- 7
494-352- 8
494-370- 9
524- 31-179
544-220- 62
554-884- 64
933-255- 18
姚誠明　558-294- 34
姚誠明　見姚成
姚福明　676-332- 12
姚寧妻　明　見金氏
姚端明　456-545- 7
姚榮妻　明　見黃妙清
姚壽南北朝　494-352- 8
姚翥明　545-145- 88
姚轂宋　1127-783- 10
姚墅明　1257-540- 10
姚蒙明　511-870-170
姚鳳明　1267-430- 3
姚肇明　472-968- 38
676-471- 18
姚銑姚詵　明　473-574- 74
481-529-326
529-454- 43
姚綸卞綸　明　820-613- 41
1475-207- 9
姚綬明　524- 20-179
546-758-140
676-505- 19
820-634- 41
821-394- 56
1442- 30-附2
1458-197-431
1459-684- 26
1475-227- 10
姚寬宋　486-545- 7
524- 52-180
525-635-248
674-879- 20
1357-824- 9
姚寬明　1250-490- 45
姚諒元　558-176- 31
姚澍清　1318-112- 40
姚潤明　554-289- 53
姚潛明　821-484- 58
姚慶元　820-510- 37
姚瑾明　473- 15- 49
563-834- 41
姚琿妻　明　見周福蓮
姚誾唐　271-508-187下
275-604-192
400-105-509
469- 39- 6
477-123-155
538- 57- 63
540-664- 27
546-467-130
姚璋明　572- 92- 29
姚樞元　295-144-158
399-461-463
451-599- 8
453-765- 1
459-126- 8
472-144- 5
472-545- 23
472-706- 28
472-742- 29
474-558- 28
476-477-125
476-818-143
477-211-159
494-152- 5
496-409- 89
502-273- 55
505-729- 71
505-868- 78
532-679- 44
538-320- 69
540-665- 27
820-490- 37
1201-184- 81
1201-544- 15
1367-790- 60
1373-149- 12
1394-326- 1
1439-420- 1
1470- 80- 4
姚震明　524-240-190
554-707- 61
558-413- 37
585-580- 22
姚璉明　511-807-167
676-450- 17
1375- 24- 上
1459-397- 12
姚餘明　483-382-402
571-554- 20
姚質唐　見姚贊
姚質明　1243-573- 12
姚銳清　559-333-7下
姚憲宋　479- 92-221
486-323- 15
493-713- 39
523- 97-150
523-302-160
姚憲妻　明　見雷氏
姚龍明　525-466-240
姚澣明(字公滌)　524- 26-179
姚澣明(字北若)　1442-114- 7
姚激明　559-348- 8
姚濂妻　清　見沈氏
姚穎宋　491-432- 6
491-437- 6
1153-631-107
1157-203- 15
1164-257- 13
姚奮吳　494-352- 8
姚暹明　528-571- 32
姚興後秦　見秦文桓帝
姚興女　北魏　見姚皇后
姚興姚叔興　宋　288-371-453
400-172-513
472-394- 17
472-698- 28
475-699- 86
475-777- 89
477-167-157
510-489-118
523-355-163
538- 50- 63
姚興元　1206-161- 17
姚暹隋　476-366- 117
545-114- 86
546-458-130
姚衡明　1258-187- 17
姚燭明　554-310- 53
姚諠明　559-312-7上
姚濟宋　1127-152- 8
姚襄魏王　後秦　256-852-116
381-255-190

933-255- 18
姚燧元 295-147-158
295-358-174
399-667-486
453-768- 1
472-144- 5
472-706- 28
478-246-186
505-729- 71
505-868- 78
532-582- 41
533-730- 73
538-320- 69
554-205- 52
820-503- 37
1192-491- 3
1201-770- 附
1210-313- 8
1373- 13- 附
1375- 35- 下
1394-325- 1
1439-424- 1
1470-115- 5
姚櫝明 546-735-139
549-156-186
姚翼明(字翔卿) 523-588-175
676-737- 31
姚翼明(字廷輔) 1442- 31-附2
1459-692- 27
1475-244- 10
姚臨妻 元 見金少安
姚璦明 564-201- 46
姚爵明 558-341- 35
姚鍾明 505-677- 69
姚璹唐 270- 73- 89
274-311-102
384-184- 10
395-328-210
473-425- 67
494-264- 1
494-373- 10
494-470- 18
554-925- 64
559-260- 6
591-672- 47
681-334- 25
933-255- 18
姚璧明 567-448- 86
姚璿南北朝 494-352- 8
姚闓唐 384-215- 11
姚鵠唐 273-114- 60
451-455- 5
1371- 70- 附
1388-504- 83
姚鎭明 1269-393- 4
姚鎭妻 明 見安氏
姚鎭妻 明 見劉氏
姚鎬元 493-751- 41
姚簡唐 見姚思廉
姚瀛宋 529-749- 51
姚韞南北朝 494-352- 8
姚顗後晉 278-139- 92
279-362- 55
384-315- 16
401-294-607
554-933- 64
933-256- 18
姚黼明 820-634- 41
821-394- 56
1442- 23-附2
1459-608- 22
1475-188- 8
姚藟清 511-803-167
姚贊姚質 唐 820-281- 30
姚贊宋 494-515- 25
姚鵬明(淮安府學訓導)
472-309- 13
姚鵬明(字鳴南) 523-517-171
1475-272- 11
姚鵬明(字程夫) 1261-870- 42
姚鏜明(政和縣教諭)
524-137-185
姚鏜明(字鎭遠) 546-605-135
姚鏞宋 485-541- 1
1364-508-316
1437- 29- 2
姚鏌明 300-284-200
472-1089- 46
476-479-125
477-566-177
479-183-225
481-493-324
481-806-338
482-322-354
523-534-172
554-188- 51
567-116- 67
571-524- 19
676-525- 21
1255-388- 43
1270- 77- 7
1272-458- 14
1467- 95- 65
姚寶宋 286-635-349
397-691-362
1092-584- 54
姚籌明 1271-636- 54
姚饒漢 姚超女 559-444-11上
591-533- 41
姚繼明 820-584- 40
姚繼女 明 見姚氏
姚辯隋 683-277- 8
1400-318- 5
姚夔明 299-795-177
453-407- 12
453-683- 32
472-1017- 41
479-381-234
523-338-162
676-492- 19
1374-577- 79
1442- 26-附2
1459-627- 24
姚闢宋 451-175- 6
475-277- 63
511-686-163
姚懿後秦 544-204- 62
姚懿唐 537-603- 60
姚麟宋 286-636-349
382-671-104
384-375- 19
397-692-362
472-879- 35
478-671-209
546-132-119
554-593- 59
558-196- 31
558-333- 35
933-257- 18
姚麟明 1247-514- 23
姚顯唐 475-642- 83
511-484-155
姚顯元 1197-709- 73
姚顯明(字微之) 299-634-164
472-521- 22
478-126-181
540-627- 27
554-817- 63
1293-295- 17
姚顯明(浙江德清人)
545-190- 90
姚觀清 533-335- 58
姚一元明 554-188- 51
1283-810-130
姚一麟明 545-676-107
554-303- 53
姚二仔明 482-436-361
567-466- 87
1467-526- 11
姚九功明 554-220- 52
姚九疇明 456-606- 9
475- 77- 53
511-432-153
姚弋仲後秦 256-850-116
252-368- 95
381-253-190
472-895- 35
933-255- 18
姚三五妻 宋 見程小姑
姚士良明 456-503- 5
姚士伸妻 清 見楊氏
姚士晉明 見姚康伯
姚士章清 524-180-187
姚士堅清 511-610-160
姚士偉妻 清 見蕭氏
姚士粦明 524- 25-179
1442-114- 7
1460-665- 74
1475-384- 16
姚士塈清 511-611-160
姚士慎明 1475-396- 17
姚士袠清 564-302- 48
姚士塾清 554-321- 53
姚士贇清 511-612-160
姚子彥唐 1072-242- 11
1342-281-941
姚子英明 1289-333- 22
姚子清明 821-441- 57
姚子莊清 475-641- 83
510-450-117
姚子智姚好志 元
547-110-145

姚子敬元 820-510- 37
姚大英明 483-162-382
483-372-402
569-675- 19
572- 85- 28
姚女勝姚勝 後魏
262-309- 92
267-726- 91
381- 61-185
476-126-102
姚文式漢 453-759- 4
482-226-348
564- 6- 44
姚文洽妻 清 見陳氏
姚文炤明 523-192-155
姚文奐元 1369-361- 10
1439-451- 2
姚文祥南北朝 494-352- 8
姚文焱清 511-263-146
姚文然清 475-531- 77
511-262-146
姚文熊清 511-263-146
523-165-153
姚文熛妻 明 見吳氏
姚文蔚明 677-673- 60
姚文衡明 456-557- 7
姚文燮清 474-238- 12
505-661- 68
姚文灝明 472-255- 10
473- 65- 51
473-212- 59
480- 13-257
515-881- 86
532-592- 41
578-921- 25
676- 40- 2
676-295- 11
676-517- 20
679-158-154
683-133- 3
683-139- 3
1258-762- 7
姚之典明 483-372-401
姚之裔明 820-749- 44
姚之騏明 511-260-146
532-697- 45
姚之騏女 明 見姚氏
姚之蘭明 511-259-146
523- 91-149
528-555- 32
姚之讓明 554-182- 51
姚元之唐 見姚崇
姚元引明 523-252-157
姚元治明 821-462- 57
姚元泰姚正夫 宋
1180-412- 38
姚元哲宋 1171-368- 10
姚元崇唐 見姚崇
姚元靖元 李敘妻512- 4-176
1223-653- 13
姚元標北齊 820-120- 25
姚孔鈦清 511-611-160
姚孔釧妻 清 見錢氏
姚孔鏞清 559-329-7下
姚友直明 1237-514- 6
姚友直女 明 見姚守眞
姚天福姚巴爾斯 元
295-296-168
399-630-482
472- 86- 3
472-325- 14
472-467- 20
474-372- 19
474-557- 28
475-700- 86
475-871- 95
476-333-115
476-401-119
496-379- 86
510-286-112
545- 60- 84
546-590-134
549-389-195
1200-685- 51
1367-892- 68
1373-460- 29
姚天僖明 見道衍
姚天寵明 456-495- 5
558-425- 37
姚內斌宋 285-397-273
371-161- 16
382-201- 29
384-327- 17
396-663-314
472-144- 5
472-912- 36
477-498-174
478-570-203
505-728- 71
558-206- 32
933-256- 18
姚公度女 宋 見姚氏
姚公烈宋 1184-346- 49
姚月華唐 821-272- 52
1473-744- 99
姚仁壽宋 523-566-174
姚允在明 821- 477- 58
姚允明清 511-810-167
姚允恭明 302- 55-292
456-605- 9
475-834- 93
510-499-118
511-507-156
姚玄瑞女 明 見姚氏
姚永治妻 清 見邱氏
姚永禎明 473- 17- 49
515- 93- 59
姚永福妻 清 見何氏
姚永濬明 533-425- 62
姚永濟明 523-195-155
姚玉京南北朝 533-634- 70
姚玉果明 姚廷蔚女
476-900-147
姚玉香明 姚廷蔚女
476-900-147
姚玉鏡清 姚鳳翀女
476-373-117
姚弘珍妻 清 見陳氏
姚弘謨明 532-596- 41
1475-315- 13
姚正夫宋 見姚元泰
姚正叔元 515-619- 76
1218-473- 2
姚丕烈明 456-504- 5
姚丕振明 456-504- 5
姚丕顯明 456-504- 5
姚孕良妻 清 見陳氏
姚平仲宋 471-974- 55
481- 82-294
546-134-119
561-207-38之2
591- 85- 6
820-433- 35
1162-345- 19
1163-483- 23
1408-521-533
姚世宏清 456-352- 77
姚世治妻 清 見陳氏
姚世華明 524-111-183
姚世靖清 1475-556- 24
姚世熙明 572- 75- 28
姚世儒明 456-497- 5
558-425- 37
姚世贇明 524-194-188
姚以詵妻 明 見李氏
姚以誠明 523-520-171
姚以誠妻 清 見張氏
姚以德明 480- 51-259
532-617- 43
姚北眞明 方祥慶妻、姚道轉女 1278-457- 22
姚令言唐 270-501-127
276-515-225中
401-465-628
姚生文明 456-545- 7
563-750- 40
姚句耳春秋 404-851- 53
933-254- 18
姚用中元 1192-570- 11
姚仙客妻 唐 見張氏
姚守中妻 明 見萬氏
姚守信金 1202- 82- 7
姚守眞明 倪謙妻、姚友直女
1245-527- 27
姚安仁隋 494-373- 10
姚安仁女 宋 見姚氏
姚安仁元 821-300- 53
姚安世宋 見王元誠
姚安國宋 見姚會之
姚汝明明 302- 42-291
456-521- 6
474-306- 16
476-370-117
505-660- 68
546-502-131
姚汝耔明 558-201- 31
姚汝循明 457-410- 25
511- 81-139
676-587- 24
820-700- 43
1442- 61- 4
1460-199- 49
姚汝賢宋 1171-787- 28

姚同芳妻 清 見王氏
姚同寅明 456-658- 11
姚光表妻 明 見黃氏
姚光虞明 1442- 67- 4
1460-296- 53
姚光廕妻 清 見張氏
姚兆符妻 清 見王氏
姚企崇明 476-419-120
姚自得清 456-352- 77
姚自虞明 524-100-183
姚自優清 456-352- 77
姚好志元 見姚子智
姚仲孫宋 285-777-300
397-201-331
472-126- 4
472-401- 18
472-661- 27
474- 92- 3
474-470- 23
475-796- 90
477-452-171
477-472-173
479-578-243
481- 68-293
481-385-312
510-484-118
537-579- 60
540-757-28之2
姚仲翁吳 524-280-192
姚仲祥明 821-461- 57
姚仲達宋 1121-486- 36
姚仲敬明 529-677- 49
姚仲實元 1202- 82- 7
姚行簡宋 1184-341- 49
姚行簡元 545-116- 86
姚妙莊明 明憲宗妃、姚敬女
526-648-280
姚宏中宋 564- 61- 44
姚宋佐宋 473-403- 66
533-327- 57
585-770- 5
1467-152- 67
姚良弼明(陝州人) 456-606- 9
姚良弼明(字夢賢) 523-429-167
姚成甫晉 564- 12- 44
姚孝孫宋 494-384- 11
姚孝資宋 563-672- 39
姚孝錫金 476-335-115
511-226-144
545-419- 98
1190- 52- 6
1364-816-373
1365-339- 10
1439- 3- 0
姚君實元 1200-685- 51
姚君實妻 元 見趙氏
姚克忠女 明 見姚氏
姚克俊女 明 見姚氏
姚克智明 456-658- 11
姚里氏元 見約囉氏
姚伯起明 1240-878- 10
姚伯華明 1457-720-411
姚希孟明 300-568-216
458-459- 23
475-139- 56
511-114-140
676-635- 26
1442- 93- 6
1458-532-452
姚希唐明 524-138-185
姚希得宋 287-738-421
398-673-412
472-173- 6
472-1084- 46
473-505- 71
473-536- 72
473-749- 83
475- 70- 52
479-174-225
479-449-237
481-335-308
481-361-310
481-385-312
482-348-356
488-488- 14
488-489- 14
488-490- 14
488-491- 14
515- 19- 57
523- 18-146
528-441- 29
559-311-7上
559-392-9上
567- 72- 65
591-615- 44
592-605- 99
1375- 34- 下
1467- 48- 63
姚希齊唐 494-324- 6
姚希儒妻 清 見施氏
姚邦基宋 288-374-453
400-332-528
471-991- 58
473-456- 68
473-491- 70
559-373- 8
561-202-38之1
591-613- 44
姚廷佐明 1242-363- 36
姚廷璉清 554-530-57下
姚廷蔚女 明 見姚玉香
姚廷蔚女 明 見姚玉果
姚廷錫妻 清 見趙氏
姚廷襄宋 487-510- 7
姚廷璽妻 清 見王氏
姚宗之宋 529-499- 44
姚宗典明 511-114-140
1442-111- 7
姚宗明宋 288-411-456
400-300-524
472-466- 20
476-122-102
547- 69-143
姚宗善明 1237-271- 5
姚法舜妻 清 見李氏
姚直夫宋 1188-663- 4
姚孟明宋 843-672- 下
姚孟賢明 523-457-168
姚孟瑛明 473-569- 74
528-449- 29
姚居秀明 456-436- 3
姚奇印明 563-767- 40
姚奇胤明 301-684-278
456-545- 7
479- 56-218
523-359-163
676-661- 27
1442-110- 7
1460-711- 77
姚長子明 523-387-164
姚承恩清 533-160- 52
姚承舜明 456-657- 11
姚明恭明 533-179- 52
姚明善明 533-279- 56
姚昌宗妻 清 見范氏
姚昌祚明 456-558- 7
477-360-166
537-319- 56
546-324-125
姚昌謨明 1475-421- 18
姚叔興宋 見姚興
姚和中元 475-670- 84
511-710-164
姚和鼎明 1442- 97- 6
1460-580- 69
姚岳祥明 482-209-347
564-216- 46
姚延嗣清 505-899- 80
姚延儒清 479-146-223
480-291-271
523-369-163
533-390- 60
534-579-100
姚宥安宋 473-607- 76
姚宣業梁 494-263- 1
494-373- 10
姚彥山唐 812-347- 9
812-371- 0
821- 89- 48
姚彥良妻 明 見俞氏
姚彥卿元 821-316- 54
姚彥譚五代 523-585-175
姚南仲唐 270-824-153
275-260-162
384-233- 12
396- 78-259
478-117-181
554-641- 60
820-209- 28
933-256- 18
1339-645-703
1341-712-895
姚建安清 564-303- 48
姚思元唐 813- 81- 2
821- 94- 48
姚思仁明 510-316-113
523-276-158
676-626- 26
1318-111- 40
1442- 80- 5
1460-423- 59
姚思永明 1263- 58- 10

姚思孝明(遂夏人) 456-616- 9
姚思孝明(字永言) 475-378- 68
1442-106- 7
1460-645- 73
姚思恭元 1204-297- 9
1367-682- 52
姚思義唐 820-178- 27
姚思廉姚簡 唐 269-694- 73
274-310-102
384-167- 9
395-327-210
407-383- 2
472-834- 33
478-110-181
479-140-223
494-264- 1
494-372- 10
524- 31-179
554-835- 63
933-255- 18
1375- 31- 下
姚思敬明(昌國里人)
523-377-164
姚思敬明(建水人)
570-113-21之1
姚思聰元 545-373- 97
姚若時明 302- 74-293
456-504- 5
477-316-164
538- 61- 63
姚皇后北魏 魏明元帝后、姚興女 261-210- 13
266-279- 13
373- 97- 20
554- 19- 48
姚衍中妻 明 見李氏
姚衍舜明 821-458- 57
姚紀明清 456-352- 77
姚俊民母 明 見張氏
姚益恭宋 476-818-143
540-664- 27
姚祖虞宋 484-384- 28
姚祚瑞明 1442- 90- 6
姚兼濟唐 493-1055- 56
511-863-170
姚原立明 473-719- 81
姚原道宋 471-904- 45
585-755- 4
1113-215- 22
姚孫林明 456-677- 11
姚孫榧明 456-660- 11
姚孫森清 511-802-167
1319-694- 43
姚孫棐明 511-262-146
523-196-155
姚孫棨妻 明 見方維儀
姚孫榘明 505-640- 67
511-261-146
523-207-155
1442-103- 7
1460-615- 71
姚栖雲唐 288-411-456
400-300-524
姚耆寅宋 528-523- 31
姚起龍妻 明 見靖氏
姚時中明 456-628- 10
505-861- 77
姚時可清 524-207- 188
姚時熙妻 清 見李氏
姚師皐宋 491-437- 6
姚能舉宋 484-375- 27
姚清杰元 1204-582- 9
姚清溪明 567-464- 87
1467-523- 11
姚惟芹明 820-673- 42
821-416- 56
1475-273- 11
姚惟兢妻 明 見李氏
姚淡如元 820-498- 37
821-322- 54
姚康伯姚士晉 明
511-801-167
姚康朝宋 528-474- 30
姚雪心元 524-368-197
821-303- 53
姚紹之唐 271-477-186下
276-167-209
384-191- 10
400-378-535
姚紹科明 524- 36-179
姚敏端妻 明 見曾氏
姚逢元明 456-599- 9
姚啟宗明 511-659-162
姚啟崇明 456-612- 9
546-340-126
554-345- 54
姚啟盛清 515- 71- 58
姚啟聖清 479-247-228
481-495-324
523-552-173
528-467- 29
528-565- 32
姚翔鳳明 524- 57-180
姚雲文元 見姚雲
姚黃眉後魏 262-214-83上
267-544- 80
380- 9-165
554- 71- 49
933-255- 18
姚登明妻 明 見郝氏
姚登孫元 524- 41-180
姚開先清 478-405-194
481-268-305
545-252- 92
554-738- 61
姚椒姑清 姚際飛女
479-298-230
524-683-211
姚景仙唐 821- 50- 46
姚景行姚景禧 遼
289-665- 96
399- 56-421
472-625- 25
474-557- 28
474-819- 44
490-393- 88
502-330- 59
姚景崇宋 524-203-188
姚景禧遼 見姚景行
姚菊軒妻 明 見范氏
姚順天妻 清 見袁氏
姚嫣俞明 朱演妻
1442-125- 8
1460-786- 85
姚舜元宋 475-451- 71
511-469-154
1218-664- 3
姚舜仁宋 494-384- 11
523-586-175
679- 93-147
姚舜明宋 472-239- 9
479-318-232
485-541- 1
486-325- 15
493-713- 39
523-545-173
姚舜牧明 479-146-223
523-588-175
563-807- 41
676-608- 25
677-657- 58
1442- 76- 5
1460-372- 57
姚舜卿元 1200-554- 43
姚舜徒姚孳 宋 473-367- 64
480-483-280
487-118- 8
491-397- 4
491-434- 6
523-448-168
532-736- 46
姚舜漁明 1475-344- 14
姚舜德明 546-410-128
姚復初明 563-792- 41
姚進忠明 456-481- 5
姚欽明清 478-339-191
554-315- 53
姚棐忱妻 宋 見臧氏
姚道眞唐 592-251- 75
姚道源宋 473-776- 84
567- 61- 65
1467- 36- 63
姚道轉女 明 見姚北眞
姚運熙明 456-558- 7
477-360-166
537-321- 56
540-835-28之3
姚聖言妻 明 見陳氏
姚椿壽元 524-225-189
1221-659- 26
姚殿岳清 524-179-187
姚嗣宗宋 567- 58- 65
1467- 31- 63
姚嗣輝元 1201-446- 4
姚園客唐 820-281- 30
姚鼎梅明 見姚旅
姚敬明明 1475-704- 29
姚會之姚安國 宋451- 56- 2
姚誠正明 554-311- 53
姚奪標清 564-299- 48
姚碩德晉 558-187- 31
姚際飛女 清 見姚椒姑

姚際晉清 524-180-187
姚夢午宋 524- 40-180
姚夢魁明 529-669- 49
姚鳴鸞明 529-515- 44
676-176- 7
1271-813- 8
姚鳳翀女 清 見姚玉鏡
姚僧垣北周 263-811- 47
267-713- 90
380-646-183
494-264- 1
494-352- 8
494-369- 9
524-356-196
544-219- 62
933-255- 18
姚廣孝明 見道衍
姚履素明 511- 83-139
676-628- 26
姚履旋明 820-738- 44
821-450- 57
姚慕虞明 478-273-187
姚德崇明 545-155- 88
姚德輝明 460-602- 59
姚締虞清 480- 94-262
481- 28-291
533- 34- 47
559-325-7下
姚曇度齊 812-331- 7
821- 22- 45
姚學禮明 300- 83-188
481-116-296
559-354- 8
姚應鳳元 524- 41-180
姚應鳳清 524-349-196
姚應龍明 528-497- 30
594-214- 7
姚應鶴妻 清 見金氏
姚應巍清 533-334- 58
姚聳夫劉宋 258-263- 65
265-980- 70
380-178-170
姚懷珍梁 820-105- 24
姚懷隆明 見姚懷龍
姚懷龍姚懷隆 明456-462- 4
姚獻可宋 524-292-193
1164-281- 14
姚繼可明 458-119- 5
554-182- 51
姚繼先明 554-293- 53
559-350- 8
姚繼宗明 821-370- 55
姚繼周宋 1357-389- 51
姚繼華明 821-353- 55
姚繼舜明 515-126- 60
姚繼賢妻 明 見史氏
姚繼巖明 300-110-189
472-297- 12
475-485- 73
511-245-145
676-533- 21
姚霽雲明 1327-691- 8
姚麟徵明 456-504- 5
姚顯功清 456-391- 80
姚巖傑唐 485-505- 10
姚巴爾斯元 見姚天福
紂辛、受、受辛、受德
243- 85- 3
371-222- 4
372-107-3上
404- 63- 4
537-174- 53
紂妃 商 見妲己
約唐(嗣無學) 1053-212- 5
約唐(嗣慶諸) 1053-220- 6
約約元 1192-551- 9
約蘭清 455-380- 23
約續不詳 933-740- 51
約和理清 455-366- 22
約唐阿清 455-397- 24
約達尼清 455-311- 19
約斡實元 294-393-132
399-526-471
約綽和清 455-550- 35
約囉氏姚里氏 元 耶律留哥妻、耶律瑠格妻 295- 27-149
399-405-456
474-777- 42
503- 26- 93
約尼圖們元圖們 元
299-144-124
400-281-522
約蘇穆爾元 1199-690- 5
垂倕 上古 404-396- 23
545-685-108
垂忠清 496-218- 76
垂扎布清 454-550- 54
垂扎木素清 454-577- 60
垂木丕爾清 496-218- 76
垂爾扎爾清 456-201- 66
垂濟扎爾清 496-218- 76
垂濟拉什清 496-218- 76
垂濟恭蘇嚨清 454-452- 36
香育唐 1052-115- 8
香居戰國 491-792- 6
香林明 533-758- 74
香衆周 見提多迦
香城和尚五代 1053-562- 13
胙王金 見完顏元
胙王金 見完顏從恪
胙城王明 見朱有燆
訇琦不詳 933-429- 28
訇廣不詳 933-429- 28
昝約明 1288-616- 10
昝約妻 明 見李氏
昝約妻 明 見張氏
昝堅晉 933-636- 41
昝一輪妻 清 見李氏
昝如心明 554-819- 63
昝如思明 545-193- 90
昝居潤宋 285-229-262
371-114- 11
382-150- 21
384-326- 17
396-547-303
472-574- 24
476-613-133
540-746-28之2
933-636- 41
昝晚訥清 1318-514- 78
昝雲鶴明 554-527-57下
昝慎盈晉 933-636- 41
昝德威妻 元 見田氏
昝學易明 475-530- 77
重人春秋 404-756- 46
重元宋 1053-679- 16
1054-176- 4
1054-627- 18
重耳春秋 見晉文公
重宣宋 547-520-160
重貞明 陳自婢 475-534- 77
重善宋 見惟善
重惲法雲 唐 1053-245- 6
重巽唐 1054-527- 15
重喜宋 524-418-200
585-484- 14
重喜元 294-283-123
399-524-471
540-662- 27
重閏唐 820-299- 30
重華上古 見舜
重滿五代 1053-306- 8
重確宋 1053-731- 17
重機五代 588-245- 10
1053-309- 8
重辯宋 1108-511- 93
重顯宋 479-193-225
491-617- 17
511-919-174
524-408-199
541- 92- 30
588-188- 9
592-451- 89
1052-691- 11
1053-648- 15
1054-174- 4
1054-623- 18
1437- 37- 2
重熹王漢 見劉黨
重慶公主明 周景妻、明英宗女
299-110-121
信唐 1053-373- 9
信宋 1053-640- 15
信元 1204-637- 15
信王唐 見李瑝
信王唐 見李憻
信王宋 見趙祉
信王宋 見趙榛
信王宋 見趙璩
信王宋 見趙世開
信中明 1231-460- 0
信氏明 崔參妻 472-469- 20
信明元 547-532-160
信受明 676- 95- 3
信南宋 524-443-201
信世昌宋~元 821-293- 53
1184-693- 18
信安王宋 見趙允寧
信亨祚金 1191-340- 30
信郡王清 見如松
信郡王清 見洞鄂

信郡王清 見鄂扎
信都王漢 見劉景
信都王漢 見劉興
信都王元 見常約爾珠
信都芳北齊 262-292-91
263-378-49
267-688-89
380-636-183
384-144-7
472-67-2
474-308-16
505-925-83
547-190-148
933-669-44
信陵王明 見朱安涬
信陵君戰國 見魏無忌
信陽王明 見朱見浪
信義王陳 見陳祗
信親王清 見多尼
信義公主陳 蔡凝妻、陳文帝女 260-787-34
265-453-29
494-261-1
皇化不詳 1059-275-4
皇戌春秋 404-850-53
933-417-27
皇耳春秋 404-850-53
皇侃梁 260-402-48
265-1005-71
380-293-173
459-33-2
470-23-91
472-225-8
475-127-56
485-165-22
493-1012-54
511-669-163
933-417-27
皇柏上古 見柏皇氏
皇野春秋 404-797-49
皇象吳 254-905-18
384-519-23
475-371-68
492-612-14
511-780-166
684-469-下
812-55-中
812-219-8
812-708-3
813-273-13
814-230-4
820-42-22
933-417-27
皇瑗春秋 404-797-49
皇鄖春秋 404-797-49
933-417-27
皇頡春秋 933-417-27
皇緩春秋 404-797-49
皇麇春秋 404-797-49
皇懷春秋 404-798-49
皇次屈上古 見辰放氏
皇老祐元 547-540-160
皇甫氏唐 唐玄宗妃
1410-190-685
皇甫氏宋 黃瓌母
1149-736-17
皇甫立漢 278-249-106
皇甫玉北齊 263-380-49
267-691-89
380-639-183
皇甫冉唐 273-113-60
276-80-202
400-607-555
451-426-2
472-276-11
475-275-63
511-772-166
674-254-4上
1072-261-13
1339-720-712
1365-421-3
1371-62-附
1388-72-51
1472-673-41
皇甫奴後魏 262-253-86
267-629-84
380-118-167
547-67-143
皇甫光後魏 262-73-71
266-922-45
379-287-150下
皇甫沖明 301-850-287
475-137-56
511-742-165
676-562-23
1275-884-57
1442-63-4
1460-217-50
皇甫汸明 301-850-287
475-137-56
494-158-5
511-742-165
1284-171-149
1442-63-4
1460-224-50
皇甫汸妻 明 見沈氏
皇甫汸妻 明 見談德容
皇甫岌前燕 503-8-90
皇甫泌宋 488-386-13
皇甫定晉 820-57-23
皇甫松唐 524-78-182
皇甫坦宋 288-484-462
401-109-582
473-524-72
481-310-307
516-483-105
561-224-38之3
592-289-78
皇甫忠唐 486-42-2
皇甫和北齊 263-267-35
266-775-38
379-484-154
472-880-35
478-548-202
558-327-35
933-789-57
皇甫侁弟 唐 1342-434-960
皇甫恆唐 511-580-159
皇甫亮北齊 266-775-38
379-485-154
558-327-35
933-789-57
皇甫度後魏 267-556-80
380-21-165
皇甫政唐(河南人)
472-1066-45
478-759-215
486-43-2
523-6-146
1076-111-12
1076-567-12
1077-136-12
皇甫政唐(字公理)
1343-606-42
皇甫重晉 256-32-60
377-658-125
472-880-35
478-547-202
558-418-37
933-789-57
皇甫信明(謚節愍) 456-549-7
皇甫信明(字成之) 820-657-42
1256-443-30
1258-577-11
皇甫信妻 明 見魏氏
皇甫涍明 301-850-287
475-137-56
511-742-165
676-566-23
679-649-202
1273-269-33
1284-170-149
1442-63-4
1458-268-435
1460-219-50
皇甫眞前燕 256-788-111
381-201-188
474-687-37
496-419-90
52-253-53
933-789-57
皇甫眞明 見黃眞
皇甫晏晉 559-259-6
皇甫規漢 253-331-95
376-937-112
384-66-3
402-474-11
402-585-20
459-269-16
472-518-22
472-737-29
472-880-35
472-943-37
476-815-143
477-521-175
478-450-197
478-547-202
537-349-56
540-663-27
545-311-95
558-130-30
558-323-35

933-788- 57
1412-422- 18
皇甫規妻 漢 見馬氏
皇甫國妻 漢 見張氏
皇甫斌宋 451- 23- 0
皇甫斌明 302- 8-289
472-207- 7
475-754- 88
511-498-156
皇甫曾唐 273-113- 60
451-427- 2
475-275- 63
511-772-166
1371- 62-附
1388- 80- 51
皇甫湜唐 275-432-176
384-254- 13
396-172-267
471-617- 5
472-739- 29
472-1015- 41
475-565- 79
479-379-234
511-804-167
524- 78-182
537-298- 56
674-262-4中
674-807- 16
933-789- 57
1074- 88- 2
1075- 87- 3
皇甫隆魏 478-740-213
皇甫弼明 302- 8-289
皇甫軫唐 821- 50- 46
皇甫琰元(知濮州) 540-671- 27
皇甫琰元(字國瑞)
1200-468- 36
1439-422- 1
皇甫貴明 511-192-143
皇甫温唐 486- 43- 2
皇甫靖金 476- 91-100
547-483-159
皇甫煥宋 933-790- 57
皇甫瑞妻 元 見鄭氏
皇甫瑒後魏 262- 73- 71
266-922- 45
379-287-150下
皇甫遐北周 263-807- 46
267-631- 84
380-123-167
476-116-102
547- 69-143
933-789- 57
皇甫嵩漢 253-408-101
370-205- 21
377- 17-113上
384- 68- 3
402-492- 12
402-516- 14
402-532- 15
402-590- 20
472- 84- 3
472-880- 35
472-912- 36
474- 89- 3
478-547-202
505-626- 67
545-164- 89
546-247-123
552- 20- 18
558-324- 35
933-788- 57
1340-591-780
皇甫暉南唐 279-318- 49
384-313- 16
401-420-622
473- 86- 52
515-242- 64
1383-814- 75
皇甫遇後晉 278-166- 95
279-305- 47
384-312- 16
396-425-294
1383-811- 74
皇甫節唐 821- 43- 46
皇甫諒北周 263-737- 39
267-400- 70
379-674-159
皇甫誕隋 264-1014- 71
267-400- 70
379-768-161
384-157- 8
472-429- 19
472-881- 35
476- 26- 97
478-549-202
545- 10- 83
558-419- 37
563-627- 38
683-272- 8
933-789- 57
皇甫閱唐 820-229- 28
皇甫德元 476-333-115
546-404-128
皇甫濂明 301-850-287
475-137- 56
511-742-165
676-578- 24
820-698- 43
821-430- 57
1275-881- 57
1442- 63- 4
1460-229- 50
皇甫璠北周 263-736- 39
267-400- 70
379-674-159
480-199-267
532-562- 40
554-439- 56
933-789- 57
皇甫靜晉 見皇甫謐
皇甫選宋 486- 47- 2
皇甫錄明 676-333- 12
皇甫謐皇甫靜 晉
255-854- 51
377-587-124上
384- 93- 5
386- 32-69下
472-880- 35
478-547-202
558-325- 35
742- 28- 1
933-789- 57
1379-269- 33
1395-588- 3
皇甫績隋 264-695- 38
267-471- 74
379-779-162
384-153- 8
472-880- 35
478-548-202
485- 71- 11
493-683- 37
510-323-113
535-557- 20
558-328- 35
皇甫徽後魏 262- 81- 71
263-267- 35
266-775- 38
554-749- 62
皇甫謹宋 1166-280- 22
皇甫謹女 宋 見黃眞
皇甫璧元 493-752- 41
皇甫鎛唐 270-610-135
275-339-167
384-250- 12
396-121-262
820-231- 28
933-789- 57
皇甫鏞唐 270-613-135
275-340-167
396-121-262
472-881- 35
478-672-209
558-332- 35
1080-776- 70
1342-320-945
皇甫攜漢 933-788- 57
皇甫鑑宋 1096-371- 38
皇甫儼宋 820-331- 32
皇初平黃初平 晉
472-1033- 42
479-337-232
524-429-200
585- 47- 0
1059-262- 2
1061-257-109
皇初起晉 585- 47- 0
皇武子春秋 404-848- 53
皇非我春秋 404-797- 49
皇度明上古 1061-182-102
皇國父春秋 933-417- 27
皇覃氏上古 383- 27- 4
皇父充石春秋 404-796- 49
皇甫子昌宋 821-244- 52
皇甫方回晉 255-860- 51
377-590-124上
407-594- 5
478-547-202
480-249-269
533-735- 73
558-325- 35

933-789- 57
皇甫天湛妻 清 見劉氏
皇甫世忠元 476-333-115
547- 94-144
皇甫世明明 456-629- 10
511-468-154
皇甫聿道隋 264-960- 66
267-513- 77
379-833-163
皇甫仲和明 302-179-299
458-148- 7
538-354- 71
皇甫明子宋 1365-603-下
皇甫無逸隋～唐264-1015- 71
267-400- 70
269-562- 62
274-191- 91
384-169- 9
395-265-204
448-330-下
472-834- 33
472-881- 35
477-358-166
478-109-181
481- 16-291
537-311- 56
554-441- 56
559-260- 6
591-671- 47
933-789- 57
皇甫遵道明 472-377- 16
1227-686- 4
1227-687- 4
皇甫繼明宋 285-201-259
396-527-302
472- 69- 2
皇甫繼勳南唐 288-682-478
401-208-595
扃夏 383-242- 23
544-154- 61
盆成适春秋 405-454- 85
娃嬴戰國 趙武靈王后
405-224- 70
448- 72- 7
紅線唐 薛嵩家青衣
550-771-229
紅螺山和尚唐 1053-129- 3
紇干弘北朝 見田弘
紇豆陵熾北周 見竇熾
紇豆陵禦北周 見梁禦
紇豆陵織女 北周 見紇豆陵含生
紇奚永安北齊 263-311- 41
267-137- 53
379-408-152
紇石烈志本金 見赫舍哩約赫德
紇石烈志寧金 見赫舍哩志寧
紇石烈桓端金 見赫舍利和勒端
紇石烈鶴壽金 見赫舍哩鶴壽
紇豆陵含生竇含生 北周 宇文招妻、紇豆陵織女、竇熾女、竇織女 1064-284- 10
1064-765- 16
1342-454-963
1394-756- 11
1400-182- 8
1410-481-726
1416- 90-111下
紇石烈牙吾塔金 見赫舍哩約赫德
紇石烈牙忽帶金 見赫舍哩約赫德
紇石烈和勒端金 見赫舍利和勒端
紇石烈約赫德金 見赫舍哩約赫德
紇石烈撒曷輦金 見赫舍哩志寧
紇石烈薩哈連金 見赫舍哩志寧
紇石烈雅爾呼達金 見赫舍哩約赫德
拜清 455-311- 19
502-734- 84
拜布清 455-504- 31
拜色清(寧古塔氏) 455-604- 41
拜色清(蘇佳氏) 455-680- 48
拜色清(舒爾都氏) 456-147- 60
拜那清 455-376- 23
拜住元 見拜珠
拜明清 455-571- 37
拜岱清 456-217- 67
拜降母 元 見徐氏
拜降元 見貝降
拜珠拜住、鄆王 元(謚忠獻)
294-448-136
399-683-488
545-400- 98
1203-464- 34
1209-595-10上
拜珠元(字聞善) 295-593-196
400-278-522
拜珠元(知孟州) 545-400- 98
拜珠元(千戶) 563-718- 39
拜珠元(字太古) 1222-391-下
拜珠妻 元 見托克托呼
拜珠母 清 見奇味氏
拜桑清 456-240- 68
拜都清 455- 51- 1
拜新清 456-162- 62
拜圖清(瓦色氏) 456-107- 59
拜圖清(拜嘉喇氏) 456-167- 62
拜錫清(納喇氏) 455-364- 22
拜錫清(郭絡羅氏) 455-512- 32
拜賚清 455-363- 22
拜布哈布哈、伯華 元
294-542-144
400-263-521
479-451-237
拜布海清 456- 34- 52
拜布理清 456-185- 64
拜他庫清 455-528- 33
拜他納清 455-662- 46
拜和賴清 520-449- 68
拜岳絡清 456-239- 68
拜音布清 455-387- 23
拜音代清 456-201- 66
拜音岱清 455-192- 9
拜音達清 455-619- 42
拜音圖清 454-211- 12
拜思渾清 455-609- 41
拜哈理清 456-194- 65
拜庫達清 502-536- 72
拜珠哈清 502-535- 72
拜珠瑚清 455-448- 27
拜都哈清 502-534- 72
拜琥賚清 456-238- 68
拜達勒元(阿都齊子)
294-392-132
399-676-487
拜達勒元(塔塔爾岱人)
294-434-135
399-674-487
拜達勒元(右丞)
569-616-18下之2
拜穆哈清 455-630- 43
拜濟呼清 見拜濟瑚
拜濟瑚拜濟呼 清
454-864-102
500-729- 37
拜他瑚齊清 455-646- 45
拜音達哩清 474-848- 46
拜音達哩清 見拜音達理
拜音達理拜音達哩 清(瓜爾佳氏) 455-107- 4
502-569- 74
拜音達理清(赫舍里氏)
455-186- 9
拜音察理清(圖克坦氏)
456- 59- 54
拜音察理清(正藍旗人)
502-569- 74
拜思胡朗清 456-366- 77
拜思噶爾清 502-591- 76
拜特穆爾元(欽察人)
294-386-131
399- 51-470
拜特穆爾元(西土人)
294-457-137
399-687-488
拜特穆爾柏帖穆爾 元(字君壽)
295-594-196
299-142-124
400-276-522
481-492-324
523-225-156
528-448- 29
1226-382- 18
1457- 1-341
拜特穆爾汾陽王 元(庫騰太子孫) 544-239- 63
拜特穆爾元(溫州路達嚕噶齊)
1202-206- 15
拜斯噶爾清 454-366- 20
拜穆達理清 455-222- 11
拜里迷蘇剌明 302-717-325
科多清 456-127- 58

科奇清 455-451- 27
科啟清 456-133- 59
科球清 見顧喬
科察清 455-462- 28
科齊清(瓜爾佳氏) 455-119- 4
科齊清(富察氏) 455-451- 27
科齊清(翁鄂氏) 502-554- 73
科對清 455-658- 46
科盤清 456-136- 59
科闊清 455-304- 18
科羅乙息記可汗 後魏
267-880- 99
381-661-200
科布理清 455-115- 4
科尼音清 455-286- 16
科奇納科啟納 清
455-592- 39
502-537- 72
科啟納清 見科奇納
科普多清 455-202- 10
科達納清 455-607- 41
科爾崑清 502-563- 74
科爾堪清 502-478- 69
科爾琨清 455-505- 31
科爾結元 294-435-135
399-675-487
科爾謨清 455- 54- 1
科錫庫清 455- 52- 1
科錫赫清 455-180- 8
科闊掩清 455- 90- 3
科闊理清 456-122- 58
科羅昆清 455-272- 15
科羅惠清 455-445- 27
科羅喀清 456- 86- 56
科里和珍明 見火眞
科爾吉斯妻 元 見阿爾默色
科爾機達清 456- 44- 53
科爾結斯巴明 302-826-331
科爾喀果赫清 455-433- 26
科爾羅領占明 見羅秉忠
种山明 559-288-7上
种氏南唐 唐烈祖妃
819-579- 19
种氏明 趙之璧妻 506- 47- 87
种古种詁 宋 286-447-335
382-390- 61
384-356- 18
397-549-353
472-879- 35
478-545-202
537-510- 59
554-589- 59
558-196- 31
933- 32- 1
1410-298-703
种朴宋 286-450-335
382-391- 61
397-552-353
472-937- 37
478-483-199
538- 58- 63
554-702- 61
558-174- 31
种劭漢 見种邵
种放宋 288-422-457
371-131- 13
382-770-118
384-344- 17
401- 14-569
408-664- 26
450-495- 38
472-748- 29
472-829- 33
477-313-164
478-134-181
538-161- 66
554-870- 64
674-278-4中
674-340-5下
708-333- 50
820-343- 32
933- 31- 1
1086-220- 22
1089-709- 13
1351-689-149
1437- 10- 1
种拂漢 253-199- 86
376-855-110
472-764- 30
477-357-166
537-310- 56
538- 56- 63
933- 31- 1
种邵种劭 漢 253-199- 86
385- 69- 7
538- 57- 63
种岱漢 253-198- 86
376-855-110
538-161- 66
933- 31- 1
种奎明 545-193- 90
种珩妻 清 見王氏
种寅妻 清 見郭氏
种翊妻 宋 种翊妻
288-422-457
477-319-164
478-136-181
555- 11- 66
种湘宋 1354-605- 28
种詁宋 見种古
种勛明 558-316- 34
种詡宋 554-330- 54
种詡妻 宋 見种翊妻
种暠漢 253-197- 86
376-855-110
384- 67- 3
402-511- 14
402-571- 19
459-729- 44
472-623- 25
472-743- 29
472-864- 34
472-892- 35
472-943- 37
473-424- 67
473-308-164
474-732- 40
478-450-197
478-514-200
481- 14-291
502-249- 53
537-490- 59
545-310- 95
554- 99- 50
558-180- 31
559-258- 6
591-659- 47
933- 31- 1
种誼宋 286-449-335
382-392- 61
397-551-353
472-904- 36
472-935- 37
478-418-195
478-482-199
478-515-200
537-511- 59
554-242- 52
554-590- 59
558-171- 31
558-181- 31
933- 32- 1
种諤宋 286-447-335
382-390- 61
384-356- 18
397-550-353
471-1061- 70
472-935- 37
478-433-196
478-515-200
537-511- 59
554-148- 51
558-181- 31
567-432- 86
933- 32- 1
种世衡宋 286-445-335
371-193- 19
382-388- 61
384-356- 18
397-547-353
449- 85- 7
450-206-上25
472-750- 29
472-826- 33
472-866- 34
472-878- 35
472-913- 36
472-923- 36
477-314-164
478- 90-180
478-244-186
478-433-196
478-571-203
482-209-347
494- 18- 2
537-510- 59
554-271- 53
558-207- 32
558-718- 48
708-331- 50
933- 31- 1

1089-707- 13
1351-584-139
1410-298-703
种效道妻 明 見王氏
种師中宋 286-453-335
382-693-107
397-555-353
472-914- 36
477-315-164
538- 58- 63
545- 53- 84
554-703- 61
558-210- 32
种師道宋 286-450-335
382-690-107
397-553-353
449-312- 2
471-1063- 70
472-879- 35
472-893- 35
472-904- 36
477-315-164
478-545-202
537-513- 59
545- 53- 84
554-594- 59
558-175- 31
558-199- 31
种雲龍明 554-526-57下
邾經元~明 1439-452- 2
1459-488- 16
邾子克春秋 見邾儀父
邾文公春秋 384- 9- 1
404-334- 19
邾考公春秋 404-338- 19
邾定公春秋 384- 9- 1
404-334- 19
邾宣公春秋 384- 9- 1
404-335- 19
邾桓公春秋 384- 9- 1
404-337- 19
邾悼公春秋 384- 9- 1
404-336- 19
邾莊公春秋 404-336- 19
邾儀父邾子克 春秋
384- 9- 1
404-333- 19
邾隱公春秋 384- 9- 1
404-337- 19
郇王隋 見楊慶
郇王唐 見李禕
郇王唐 見李綜
郇王唐 見李素節
郇王宋 見趙仲御
郇伯周 546-235-123
郇叔周 404-457- 26
郇相漢 250-612- 72
376-325-100
384- 52- 2
545-503-101
郇旃明 511-241-145
郇恁荀恁 漢 370-178- 17
376-840-110
402-365- 3
476-331-115
547-138-146
933-169- 11
郇越漢 250 612- 72
376-325-100
384- 52- 2
472-432- 19
476- 32- 98
545-503-101
547- 2-141
郇謨唐 270-403-118
275- 87-145
545-761-110
郈明明 475-707- 86
511-492-156
郈成人春秋 386-642- 6
郈昭伯春秋 933-621- 40
郍刪漢 370-208- 21
郍頡後燕 933-297- 21
郍樓馮劉宋 見乙那樓
郃陽王明 見朱公鏜
帥我清 479-497-239
帥衆明 523-220-156
帥機明 515-796- 82
571-547- 20
676-605- 25
1442- 74- 5
1460-358- 56
帥勳妻 明 見胡氏
帥寶宋 523- 79-149
帥用昌明 見師用昌
帥安石金 見師安石
帥夜光唐 見師夜光
帥蘭定明 533- 79- 49
帥達花爾薩清 455-636- 44
扁戰國 見周顯王
扁鵲秦越人 春秋 244-686-105
371-637- 58
380-556-181
405-255- 72
476-530-128
505-924- 83
506-434-102
538-357- 71
541-103- 31
550-365-221
554-878- 64
742- 23- 1
933-589- 38
胤胤侯、徹侯 夏 546-424-129
胤甲夏 見孔甲
胤侯夏 見胤
衍客晉 473-618- 77
481-652-330
530-202- 60
衍道原明 1227-604- 中
衍國公主宋 見洵德帝姬
衍禧郡王清 見羅洛渾
律明 821-488- 58
律爾元 400-282-522
俞山俞基 明 299-462-152
453-314- 3
523-271-158
676-480- 18
820-620- 41
821-387- 56
1244-638- 15
1475-187- 8
俞文明 472-255- 10
俞文清 511-883-171
俞元元 1221-612- 22
俞木清 524-207-188
俞氏周(周之良醫) 742- 23- 1
俞氏五代 李希妻 481- 83-294
俞氏宋 宋仁宗昭儀、俞振女
1104-439- 38
俞氏宋 喬森妻、俞嗣回女
1153-579-103
俞氏宋 羅汝楫妻、俞俟女
1158-769- 77
俞氏宋 俞守瓊女
1125-386- 30
俞氏元 汪惟德妻 295-641-201
401-187-593
472-383- 16
1219-739- 8
1376-677- 99
俞氏元 童士淵妻
1236-471- 4
俞氏明 方袍妻 570-170- 22
俞氏明 王世名妻、俞聰女
479-333-232
524-727-213
1408-579-540
1457-726-411
俞氏明 包大字妻、俞西野女
1277-393- 5
俞氏明 江茂高妻 512-481-189
俞氏明 李輌妻 472-1033- 42
524-723-212
俞氏明 吳達妻 472-179- 6
475- 79- 53
俞氏明 邵三益妻
1258-192- 17
俞氏明 周臣妻 506- 12- 86
俞氏明 周春妻 512- 22-177
俞氏明 姚彥良暫
1235-564- 19
俞氏明 章秉中妻
1294-523- 12
俞氏明 許滋妻 1272-274- 14
俞氏明 張文通妻 472-243- 9
475-187- 59
俞氏明 陳夔妻 1257-159- 15
俞氏明 陳尚樂妻 530- 66- 55
俞氏明 黃堂妻 479-796-254
516-404-102
俞氏明 單祐妻 524-479-203
俞氏明 鄭汝興妻 524-739-213
俞氏明 鄭睿元妻 481-532-326
俞氏明 鄧銓妻 530- 88- 56
俞氏明 蔣節齋妻
1271-657- 57
俞氏明 劉生芳妻、俞可弘女
524-519-204
俞氏明 戴和妻 481-725-333
俞氏明 顧春妻 472-232- 8
475-144- 57

493-1085- 57
1249-632- 6
1255-497- 54
俞氏明 詹鈿母 1276-468- 11
俞氏明 見翁氏
俞氏清 王世鑑妻 524-514-203
俞氏清 王殿芝妻 474-194- 9
俞氏清 朱祖修妻 524-500-203
俞氏清 汪肇桓妻 475-146- 57
俞氏清 李邦有妻 480- 98-262
俞氏清 巫國憲妻 481-728-333
俞氏清 吳公桃妻 530-131- 57
俞氏清 吳向宸妻 530- 77- 55
俞氏清 吳桂芳妻 524-597-207
俞氏清 林其銘妻 530- 43- 54
俞氏清 周墀妻 524-476-202
俞氏清 高思旭妻 475-385- 68
俞氏清 曹務妻 478-552-202
俞氏清 張芳滌妻、俞宣琅女
524-556-205
俞氏清 張絲如妻 524-643-209
俞氏清 陳麟妻 530- 80- 55
俞氏清 陳清江妻 530- 38- 54
俞氏清 賈夏谷妻 475-189- 59
俞氏清 楊蓮原妻 524-460-202
俞氏清 鄭大全妻 524-712-212
俞氏清 劉朝印妻 479- 72-219
俞氏清 謝應誥妻 479-190-225
俞氏不詳 鮑叔用妻
472-383- 16
俞允明 1458- 82-421
俞永明 472-801- 31
537-334- 56
俞充母 宋 見臯氏
俞充宋 286-423-333
397-526-352
472-913- 36
472-1086- 46
478-572-203
479-177-225
487-114- 8
491-433- 6
523-533-172
558-209- 32
俞臣明 821-476- 58
俞全元 295-603-197
400-312-526
479- 52-218
524- 96-183
俞沛明 570-152-21之2
俞辛元 李森妻 1376-446- 88
俞成明 679-742-210
俞孜明 302-154-297
479-241-227
524-136-185
俞似妻 宋 見趙氏
俞杰元 679-831-220
俞直宋 516-618-106
俞青明 476-778-141
俞杭宋 485-535- 1
俞林宋 843-673- 下
俞昆明 515-883- 86
678- 18- 71
俞和元～明 524-277-192
585-534- 18
820-567- 40
1229-359- 13
1236-824- 15
俞金元 1226-512- 24
1235-631- 22
俞恂明 676-456- 17
俞彥明 676-625- 26
1442- 87- 5
1460-498- 64
俞括劉宋 482-467-363
俞柱清 456-380- 79
俞相元 1210-343- 10
俞茂俞榮 明 1375- 25- 上
1376-643- 97
俞昰清 1475-566- 24
俞彔明 524-193-188
俞勉宋 491-303- 6
俞勉宋 見俞士千
俞俊元 1439-443- 2
俞俟宋 472-998- 40
484-104- 3
486- 52- 2
488- 12- 1
488-439- 14
494-389- 11
俞俟女 宋 見俞氏
俞容前趙 933-119- 8
俞益明(字友謙) 475-525- 77
523-427-167
1242- 52- 25
俞益明(烏程人) 524-193-188
俞浙余浙 宋 524- 53-180
680- 24-226
680-212-245
俞悅明 見俞士悅
俞泰明(南城人) 473-101- 53
515-837- 84
俞泰明(字國昌) 676-532- 21
821-402- 56
1393-643-486
1442- 40-附2
1459-813- 33
俞珙宋 585-520- 17
831-229- 51
俞珙明 820-598- 40
俞彧明 533-723- 73
俞烈宋 523-539-158
1218-577- 1
俞珣唐 820-264- 29
俞桂宋 1357-990- 22
1364-443-307
1437- 30- 2
俞桂明 511-774-166
俞珩明 585-588- 23
俞振女 宋 見俞氏
俞恩明 524-348-196
821-408- 56
821-440- 57
俞臯元 679-563-194
1197-216- 20
1375- 19- 上
俞釗妻 宋 見李氏
俞釗明 1257-157- 14
俞修女 元 見俞淑柔
俞寅明 1291-521- 9
俞寅妻 明 見張氏
俞清明 柴孟膚妻、俞叔經女
1246-639- 14
俞庸元(字子中) 493-727- 40
523-361-163
820-542- 39
1439-443- 2
俞庸元(字時中) 511-178-143
俞淵俞通淵 明 299-249-133
456-694- 12
475-706- 86
483-221-390
571-530- 19
俞深明(字景淵) 524- 82-182
676- 20- 1
676-760- 32
678-280- 97
680-518-273
俞深明(字濬之) 1252-299- 17
俞涞元 1223-338- 4
俞袞宋 491-434- 6
俞基明 見俞山
俞乾明 524-247-190
1475-309- 13
俞偉宋 473-615- 77
481-643-330
487-114- 8
491-338- 1
491-391- 4
523-448-168
528-504- 31
俞統明 524-220-189
俞富妻 明 見阮氏
俞焜明 570-162-21之2
俞敦明 511-209-144
1320-764- 83
俞棫明 529-710- 50
俞琰元 400-578-553
472-229- 8
493-582- 31
493-1016- 54
511-672-163
677-434- 40
1061-578- 0
1229-399- 1
1318- 32- 34
1386-438- 45
俞琳明 523-263-158
585- 82- 2
俞跗上古 742- 22- 1
俞順明 820-598- 40
俞備宋 1120-231- 34
俞備妻 宋 見陳氏
俞欽明 472-240- 9
479-239-227
523-547-173
俞策明 見俞安期
俞進清 456-353- 77
俞集明 472-223- 8
俞溥明 516-176- 94
俞猷明 554-348- 54
俞塞明～清 516-225- 96

820-761- 44
俞靖宋 1467- 28- 63
俞雍明 472-262- 10
473-298- 62
480-242-269
532-668- 44
俞道明 554-990- 65
俞塤宋 487-517- 7
俞楨明 見俞貞木
俞楷清 511-692-163
俞瑒清 511-837-168
俞鼎明 494- 24- 2
554-282- 53
俞暉明 1393-646-486
俞暉妻 明 見楊氏
俞敬明(後府經歷) 300-163-192
俞敬明(字用禮) 493-1011- 53
俞槖宋 286-696-354
472-177- 6
488-405- 13
492-582-13下之上
511- 73-139
俞僉劉宋 258-572- 91
265-1036- 73
380- 50-166
479-403-235
524-228-189
俞稠唐 516-208- 96
俞僅唐 486-312- 14
524-132-185
俞經明(雄縣人) 570-152-21之2
俞經明(字宇常) 1248-488- 23
俞雋宋 288-405-456
400-295-524
俞誨明 515-137- 61
529-521- 44
俞誥明 1459-688- 27
1475-222- 9
俞齊明 1229-337- 12
俞漢元 524- 53-180
679-566-194
俞榮明 見俞茂
俞遠元 1218-642- 3
1229-496- 3
1471-626- 15
俞錤明 524-174-187
俞緇明 1467-507- 10
俞肇俞世兆 宋 448-381- 0
俞綱明 299-462-152
820-628- 41
俞寬宋 1164-354- 19
俞寬妻 宋 見張氏
俞廣明 524- 92-182
俞澂俞徵 宋 494-402- 12
494-473- 18
494-521- 25
524-250-190
524-357-196
821-222- 51
821-290- 53
俞璋明 1442- 45-附3
1459-923- 39
俞璉妻 明 見顧敬
俞璉清 478- 94-180
554-321- 53
俞稿明 見俞橋
俞徵宋 見俞澂
俞憲明 676-572- 23
820-716- 43
1442- 57- 3
1460-164- 47
俞澮宋 451-266- 2
524-291-193
俞寰明 511-838-168
俞諫明 300- 72-187
476-518-127
479-381-234
479-453-237
523-568-174
540-627- 27
559-252- 6
1249-804- 8
1273-130- 18
1320-757- 82
1457- 20-343
俞璣明 572- 70- 28
俞橋俞稿 明 524-347-196
676-376- 14
俞擇妻 宋 見王氏
俞興宋 559-307-7上
591-693- 48
俞曄俞任才 宋 448-402- 0
俞積妻 宋 見汪氏
俞翺宋 491-433- 6
俞縉明 510-384-115
俞錦明 524-186-187
俞濟明 554-347- 54
俞謙明 683- 74- 4
俞聰女 明 見俞氏
俞舉明 572-110- 30
俞縱晉 472-358- 15
511-482-155
俞豐宋 482-696-332
529-626- 48
俞彝元 1226-840- 5
俞藎尹藎 明 473-257- 60
479-381-234
525-467-240
532-683- 44
532-747- 46
820-638- 41
1256-355- 22
1273-130- 18
俞鎮元 472-984- 39
524- 20-179
820-524- 38
1439-428- 1
俞鵬明 524-368-197
821-378- 55
俞繪明 524-206-188
俞瓏明 511-625-161
俞夔宋 487-118- 8
491-398- 4
491-434- 6
俞夔明 523-568-174
俞翟宋 1128-285- 28
俞鐸清 511-216-144
俞鑑明 299-663-167
475-529- 77
479-381-234
511-473-155
523-413-166
俞麟明 1228-766- 12
俞麟女 明 見俞永寧
俞灝宋 523-510-171
俞觀明 483-117-379
570-153-21之2
俞鸞明 545-151- 88
俞士千俞勉 宋 451- 75- 2
俞士吉明 299-434-149
479-181-225
523-289-159
532-589- 41
540-635- 27
676-471- 18
俞士英元 1219-722- 8
1376-643- 97
俞士悅俞悅 明 473-210- 59
493-985- 52
511- 96-140
523- 38-147
532-589- 41
1241-819- 20
俞士眞明 545-441- 99
俞士淵妻 元 見童氏
俞士章明 523-194-155
俞士瑄清 511-576-159
511-664-162
俞士瑛明 677-687- 61
俞子良明 523-600-176
俞子懋明 1232-583- 5
俞大本妻 明 見張氏
俞大有明 523-204-155
俞大成宋 524- 96-183
俞大成明 見齊大成
俞大訓妻 明 見葉保卿
俞大猷明 300-492-212
460-625- 62
475- 20- 49
478-768-215
479-455-237
481-494-324
481-588-328
481-806-338
481-720-333
482-323-354
510-350-114
515- 55- 58
523- 52-148
528-487- 30
528-554- 32
545-294- 94
567-133- 68
676-201- 8
676-596- 24
1274-156- 8
1274-412- 14
1409- 39-565
1442- 68- 4
1460-309- 54
1467-124- 66
俞文明俞文朋 明515-890- 86

528-553- 32
俞文朋明 見俞文明
俞文俊唐 271-497-187上
473-301- 62
480-244-269
533-208- 53
933-119- 8
俞文貴明 1245-415- 19
俞之彥明 821-482- 58
俞之琛清 515-238- 64
俞元良明 456-547- 7
523-360-163
俞元益妻 清 見呂氏
俞元惠妻 清 見林氏
俞元燮元 678-166- 86
俞元禮明 456-547- 7
俞天民元 1204-301- 9
俞天韻妻 清 見唐氏
俞友仁明 532-680- 64
585-580- 22
820-574- 40
俞日強元 511-732-165
俞公明俞忱、俞誠一 宋
524-269-191
1187-578- 7
俞允文明 301-862-288
475-138- 56
511-746-165
684-500-下
820-706- 43
1283-309- 91
1284-175-150
1442- 65- 4
1460-265- 52
俞允成母 宋 見徐氏
俞允濟妻 明 見周氏
俞允懷明 1475-495- 21
俞必興明 821-440- 57
俞永言明 524-114-183
俞永寧明 唐士儀妻、俞麟女
1268-425- 66
俞正義明 524-135-185
俞平叔宋 485-519- 10
俞可弘女 明 見俞氏
俞可章明 524-101-183
俞可進明 820-754- 44
俞世臣清 456-353- 77
俞世兆宋 見俞肇
俞世美明 515-175- 62
517-671-131
俞世德明 1259-182- 14
俞民化明 524-198-188
俞用古明 524-367-197
俞守正明 524-101-183
俞守瓊女 宋 見俞氏
俞安期俞策 明 511-744-165
554-887- 64
820-750- 44
1442- 96- 6
1460-570- 68
俞汝言明～清 524- 27-179
677-745- 65
1475-560- 24
俞汝成明 1260-568- 14
俞汝尚宋 288-436-458
401- 23-570
472-1002- 40
479-141-223
481- 69-293
494-385-11
524-250-190
1110-349- 17
1437-15- 1
俞汝爲明 476-417-120
479-605-244
515-248- 64
523-220-156
545-395- 97
676-587- 24
俞汝欽明 570-119-21之1
俞汝諧明 570-161-21之2
俞汝諧妻 明 見仇氏
俞汝霖宋 523-566-174
俞汝翼清 477-307-163
俞西野女 明 見俞氏
俞存勝明 821-364- 55
俞存熙明 524-377-197
俞光凝俞益孫 宋448-373- 0
俞任才宋 見俞曄
俞如瓊明 顧文安妻、俞景明女 1255-670- 69
俞仲幾明 820-577- 40
俞竹心元 524-358-196
俞行之明 820-601- 40
俞沖霄明 456-425- 2
俞亨宗宋 472-1072- 45
523-462-169
528-491- 30
680-194-243
俞忱一宋 見俞公明
俞良謨明 524-176-187
俞志虞明 456-525- 6
458-285- 9
479-246-227
523-389-164
1320-697- 76
俞酉發宋 680-213-245
俞君亮妻 宋 見施氏
俞君選宋 1375- 14-上
1376-592-95上
俞呈琦妻 清 見趙氏
俞伯官明 494-159- 5
569-679- 19
俞伯僑唐 820-214- 28
俞伯澄元 821-301- 53
俞希允明 821-459- 57
俞希賢余希賢 元
1221-402- 3
俞希魯元 511-774-166
523-187-155
1439-434- 1
俞邦用妻 明 見任氏
俞廷用宋 524- 96-183
俞廷芳明 537-245- 55
俞廷椿宋 515-749- 80
俞廷瓚明 473- 52- 50
俞廷耀妻 清 見陶氏
俞宗大明 820-598- 40
俞亞佛宋 524- 96-183
俞居安宋 831-248- 52
俞孟芳明 515-874- 86
俞長吉宋 451-132- 2
俞承恩妻 清 見張氏
俞承勳明 559-425-10上
俞昌年宋 491-346- 2
俞易直宋 511-701-164
俞叔通宋 1127-326- 18
俞叔經女 明 見俞清
俞延禧宋 587-447- 5
俞宣琅清 523-432-167
559-336-7下
俞宣琅女 清 見俞氏
俞咨伯明 528-486- 30
1274-132- 8
俞相廷明 523-550-173
俞南史明～清 1319- 91- 8
1460-745- 80
俞述祖元 295-584-195
400-266-521
472-1088- 46
473-234- 60
479-180-225
480- 88-262
523-373-164
533-376- 60
1439-449- 2
俞茂系宋 487-119- 8
491-437- 6
俞思義明 472-827- 33
俞思箴明 570-152-21之2
俞貞木俞楨 明 458-1009- 1
493-974- 52
511- 95-140
676-453- 17
820-567- 40
1231-363- 6
1284-127-146
1442-12-附1
1459-458- 14
俞若著宋 473-762- 84
482-390-358
1467- 38- 63
俞昭顯宋 494-268- 2
俞則仍明 524-226-189
俞侶賢妻 清 見鄧氏
俞姻奴明 472-1119- 48
479-408-235
524-763-215
俞勉學明 482-372-357
俞益孫宋 見俞光凝
俞益期晉～隋 515-296- 66
563-915- 43
567-425- 86
俞桐孫宋 見俞舜凱
俞書山妻 清 見姜氏
俞起蛟明 302- 45-291
456-523- 6
476-577-131
479- 56-218
523-359-163
俞翀霄明 554-714- 61
俞振才明 523-466-169

俞振英明 523-466-169
俞振龍明 456-628- 10
俞時中元 1209-315- 3
1210-465- 17
俞時育明 1467-467- 7
俞恩嘩明 1475-429- 18
俞師魯元 679-577-195
1375- 22- 上
1376-596-95下
俞卿雲清 478-339-191
俞淑安明 任仕中妻
452-118- 3
472-243- 9
475-187- 59
俞淑柔元 俞修女
1195-525- 上
俞淑蓮明 沈文美妻
524-480-203
俞康直宋 451-131- 2
俞都美明 511-214-144
俞連東漢 933-710- 48
俞通海明 299-247-133
453-534- 3
472-328- 14
475-705- 86
511-412-152
俞通淵明 見俞淵
俞通源明 299-249-133
475-705- 86
511-413-152
俞處約俞夢雲 宋448-387- 0
俞國良妻 不詳 見田氏
俞國柱妻 明 見沈二姑
俞國潮妻 清 見袁氏
俞得儒明 523-452-168
567-447- 86
1467-155- 67
俞得濟明 1239-150- 37
俞逢辰明 475-608- 81
508-331- 41
511-483-155
886-160-139
俞從政妻 清 見朱氏
俞曾模清 524-249-190
俞善道宋 494-412- 12
俞雲來清 523-442-167
俞琬綸明 511-747-165
523-207-155
676-632- 26
820-737- 44
1442- 92- 6
1460-526- 65
俞景山明 821-354- 55
俞景明女 明 見俞如瓊
俞紫芝宋 451-266- 2
933-119- 8
1437- 16-附1
俞紫琳宋 1113-268- 25
俞順辰明 510-382-115
俞舜臣明 821-408- 56
俞舜凱俞桐孫 宋448-402- 0
485-517- 10
俞勝祖妻 不詳 見胡氏
俞慎憲清 524-141-185
俞新之妻 元 見聞氏
俞道婆宋 1053-823- 19
俞嗣回女 宋 見俞氏
俞敬淑明 郎經妻524-455-202
俞敬德明 516- 56- 89
俞葆光宋 524-216-189
俞誠一宋 見俞公明
俞韶美明 1375- 29- 上
俞齊賢元 1218-729- 4
俞漢遠明 524-260-191
俞爾奎明 524-100-183
俞爾濱明 524-101-183
俞際陽明 524-226-189
俞嘉言妻 明 見王氏
俞聞中宋 460-312- 23
俞夢台妻 清 見徐氏
俞夢雲宋 見俞處約
俞夢龜宋 511-816-167
俞鳳章清 1321- 62- 92
俞維宇明 529-521- 44
俞潤夫明 1458-189-431
俞震齋明 530-203- 60
俞德惠明 475-225- 61
俞德隣宋 見俞德璘
俞德璘俞德 宋
511-774-166
676-694- 29
俞餘善明 1227-842- 4
俞凝清明 821-355- 55
俞應之宋 485-534- 1
俞應元元 1202-250- 18
俞應哲明 676-283- 10
俞應符宋 494-342- 7
1152-582- 31
俞應登明 456-618- 9
511-505-156
俞濟伯妻 明 見文玉清
俞懋相明 1475-369- 15
俞懋修明 524-113-183
俞舉善宋 524-172-187
俞獻可宋 285-781-300
397-203-331
471-699- 16
472-378- 16
485-437- 6
511-265-147
1376-330- 81
俞獻卿宋 285-781-300
397-203-331
472-195- 7
472-378- 16
472-961- 38
473-767- 84
475-566- 79
475-742- 88
478-452-197
479- 41-218
482-433-361
484- 91- 3
485-437- 6
511-266-147
523- 73-149
567- 63- 65
585-755- 4
1095-873- 53
1376-330- 81
1467- 34- 63
俞耀龍清 456-353- 77
俞夔齋妻 明 見趙氏
俞巖隱元 821-301- 53
俞靈璝唐 472- 71- 2
474-316- 16
505-936- 85
533-785- 75
俞觀能宋 487-119- 8
491-436- 6
紀王北周 見宇文康
紀王唐 見李慎
紀王唐 見李言揚
紀元後周 見郭熙謹
紀元明 570-113-21之1
紀氏明 王堅妻 506- 13- 86
紀氏明 王民軾妻 506- 13- 86
紀氏明 井焯妻 506- 13- 86
紀氏明 李燵暘妻 506- 10- 86
紀氏明 金來聘妻 524-581-206
紀氏明 馬光前妻 506- 12- 86
紀氏清 王豎妻 506- 20- 86
紀氏清 井充妻 474-192- 9
506- 17- 86
紀氏清 申玉明妻 503- 62- 95
紀氏清 宋裔良妻 482-566-369
紀氏清 李喆妻 475-757- 88
紀氏清 李照妻 474-193- 9
紀氏清 陳勝妻 530-116- 57
紀氏清 劉愬妻 474-196- 9
紀正明 545-244- 92
紀功清 456-358- 77
紀四妻 清 見蔡五娘
紀交宋 493-746- 41
紀成妻 清 見閻氏
紀壯明 559-324-7上
紀青明 1442-101- 6
紀杭明 516- 88- 90
紀明明 1242-202- 31
紀旺明 1269-452- 7
紀朋唐 493-1055- 56
紀洪明 476-855-145
紀亮三國 472-358- 15
紀星清 456-359- 77
紀信漢 471-1018- 63
472-461- 20
472-894- 35
473-455- 68
476-348-116
537- 48- 48
545-740-110
558-437- 37
558-631- 46
559-515- 12
591-344- 27
591-587- 44
933-516- 34
1229-150- 1
1343-732- 53
1374-452- 65
紀貞宋 812-543- 4
821-165- 50

紀城漢 見紀通
紀陟吳 254-738- 3
377-422-120
385-695- 67
紀振明 472-790- 31
紀清明 472-306- 17
511-427-152
紀通紀城 漢 591-588- 44
紀通明 564-293- 47
1467- 78- 64
紀常漢 常治女 591-533- 41
紀動紀勳 明 456-600- 9
紀逡漢 250-612- 72
376-324-100
385- 52- 2
紀極宋 515-216- 63
1170-756- 33
紀著明 472-134- 4
505-827- 75
紀智明 510-336-113
紀溶妻 清 見張氏
紀温明 554-479-57上
紀睦晉 515-209- 63
紀愈清 505-805- 74
紀會明 554-509-57下
紀輔明 563-830- 41
紀鳳清 456-359- 77
紀熊明 547- 54-143
紀綱明 302-345-307
紀諄明 472- 37- 1
紀賢明 505-904- 80
紀勳明 見紀動
紀瞻晉 256-144- 68
370-306- 6
377-726-126
384- 98- 5
471-685- 14
471-926- 49
472-175- 6
472-1066- 45
473- 43- 50
475- 72- 53
479-221-227
486- 34- 2
489-598- 47
489-665- 49
492-572-13下之上
511- 69-139
515-208- 63
523-143-153
814-236- 5
933-516- 34
紀鎖妻 明 見王氏
紀繡明 540-807-28之3
554-258- 52
紀鏞明 473- 66- 51
481-612-329
515-880- 86
528-495- 30
紀鵠明 1269-454- 7
紀瓛妻 明 見張氏
紀于竹明 559-322-7上
紀文理女 明 見紀玉寰
紀文疇明 460-753- 77
紀元憲明 511-409-152
紀天錫金 291-756-131
401-113-584
476-825-143
541-106- 31
676-388- 14
紀少瑜吳少瑜 梁
265-1026- 72
380-395-176
384-122- 6
472-175- 6
475- 73- 53
489-674- 49
492-577-13下之上
511-718-165
820-101- 24
933-516- 34
1387-159- 9
1395-598- 3
紀永陞清 456-359- 77
紀玉寰明 紀文理女
506- 43- 87
紀弘謨清 537-472- 58
紀世和晉 475-606- 81
紀世淳妻 清 見劉氏
紀守仁元 294-535-143
400-265-521
紀汝彝清 474-188- 9
505-897- 80
紀吉甫女 元 見紀催弟
紀孚兆明 460-778- 81
紀宗德明 524-284-192
紀孟嗣宋 見紀應炎
紀孟綱明 511-633-161
紀季姜周 周桓王后
404-453- 26
紀剌漢明 502-783- 87
紀映淮明 1442-126- 8
1460-788- 85
紀映鍾明 1460-742- 80
紀皇后明 明憲宗后
299- 12-113
567-476- 88
紀海憲清 517-757-134
紀城王明 見朱常澍
紀惟正明 480-508-281
紀許國明 460-753- 77
460-787- 83
紀國岡妻 清 見呂氏
紀國相清 477-202-159
502-630- 77
537-283- 55
紀處訥唐 270-121- 92
274-389-109
384-186- 10
395-443-221
紀從時妻 清 見王氏
紀催弟元 紀吉甫女
472-360- 15
475-613- 81
512- 97-179
紀經綸明 494-167- 6
570-111-21之1
紀鳴珂妻 清 見高氏
紀鳴韶妻 清 見李氏
紀嫈婦春秋 405-104- 62
紀僧眞齊 259-547- 56
265-1096- 77
370-528- 16
381- 13-184
814-250- 6
820- 93- 24
933-516- 34
紀僧猛齊 814-250- 6
820- 94- 24
紀綱正明 564-295- 47
紀養中妻 明 見李氏
紀應炎紀孟嗣 宋 451- 54- 2
482-238-349
482-266-350
563-696- 39
紀懋勛明 456-571- 8
477-125-155
537-259- 55
540-831-28之3
紀國公主唐 鄭沛妻、唐肅宗女 274-114- 83
393-282- 73
爰延漢 253-105- 78
376-814-110
384- 66- 3
472-652- 27
477- 59-151
538- 21- 62
933-187- 13
爰俞晉 254-493- 28
爰盎漢 見袁盎
爰倩魏 254-492- 28
爰曾漢 252-589- 51
爰節魏 933-187- 13
爰種漢 475-423- 70
爰禮漢 814-224- 3
820- 27- 22
爰類漢 539-348- 8
秋氏清 鄧天榮妻 503- 56- 95
秋伯上古 546-234-123
秋胡妻 春秋 見邵氏
秋胡漢 554-852- 63
秋乾清 456-379- 79
秋敬明 494- 45- 3
秋必成清 456-373- 78
秋逢慶明 458-170- 8
奐庶長奐 戰國 384- 31- 1
奐緯明 456-616- 9
558-418- 37
胈慶宋 451-226- 0
便敬妻 晉 見王和
便敬賓妻 晉 見元常
便樂成漢 539-349- 8
933-247- 17
俠累戰國 933-766- 53
俠卻敵不詳 933-766- 53
侵恭不詳 933-499- 33
侯文漢 554-426- 56
侯公侯生 秦 473-350- 62
480-441-278
533-789- 75
侯仁元 1192-568- 11

侯氏宋 程珦妻、程大中妻、侯道濟女 476-298-112
477-319-164
547-400-156
550-223-217
1345-734- 13
1351-704-150
侯氏宋 謝泌妻 288-460-460
401-162-590
473-101- 53
479-632-245
516-329-100
侯氏宋 鄭洙母 1138- 91- 7
侯氏元 曹德妻 295-633-201
401-180-593
477- 93-153
侯氏元 雷淵妻、雷膺母 476-262-110
侯氏元 蒙古綽羅妻 295-585-195
400-267-521
473-234- 60
侯氏元 劉公寬妻 479-409-235
524-763-215
侯氏明 王寅妻、侯平女 1268-479- 74
侯氏明 胡應登妻 506- 15- 86
侯氏明 高瑾妻、侯岩女 1262-414- 45
1410-396-716
侯氏明 郭觀妻 482-118-343
侯氏明 郭維貞妻 472-578- 24
侯氏明 張英妻、侯琳女 547-215-149
侯氏明 楊淩曦妻 481-186-300
侯氏明 楊應明妻 480-321-272
侯氏明 趙良進妻、侯良宰女 549-748-208
1293-725- 4
侯氏明 劉稽古妻 506- 54- 87
侯氏明 麋岩妻 472-440- 19
侯氏明 侯令邱女(適王) 480-254-269
侯氏明 侯邱女(適田) 480-254-269
侯氏清 王琦妻 474-194- 9
侯氏清 朱正詮妻 512-262-183
侯氏清 辛九榮妻 478-138-181
555-132- 68
侯氏清 李翹妻 506-168- 90
侯氏清 李飛龍妻 541- 75- 29
侯氏清 林妙妻 481-764-335
侯氏清 林謙益妻 530- 98- 56
侯氏清 周廷謨妻 481-680-331
侯氏清 秦德藻妻、侯鼎鉉女 1312-367- 35
侯氏清 張四子妻 474-412- 20
侯氏清 陳生輝妻 541- 74- 29
侯氏清 陳宗石妻、侯方域女 1325-177- 11
侯氏清 崔起鳳妻 506- 27- 86
侯氏清 鄭坦妻 477-382-167
侯氏清 蕭裔介妻 506- 36- 86
侯氏清 羅懋官妻 506- 24- 86
侯玉元 480- 50-259
侯平女 明 見侯氏
侯可宋 288-413-456
400-301-524
472-840- 33
472-878- 35
476-297-112
478- 90-180
478-346-191
481-153-298
546-718-139
549-377-194
554-754- 62
558-193- 31
559-281- 6
567-431- 86
1345-615- 4
1467-426- 5
侯生秦 見侯公
侯犯春秋 404-559- 34
933-485- 32
侯羽侯多羽 春秋 933-485- 32
侯冊侯策 金 1040-237- 3
1365-253- 7
1445-473- 35
侯白隋 264-874- 58
267-620- 83
379-846-163
538-133- 65
侯安元 1192-568- 11
侯圯明 456-693- 12
侯臣明(字仲勳) 523-473-169
侯臣明(字世勳) 546-498-131
554-291- 53
侯忻明 456-572- 8
侯汸清 511-592-159
1315-329- 13
侯成漢 541-769-35之20
681- 43- 3
681-534- 8
681-687- 21
1103-379-136
1397-613- 29
侯均元 295-530-189
400-573-552
453-780- 2
472-841- 33
478-125-181
554-815- 63
1293-346- 19
侯杞宋 485-536- 1
侯位明 480-583-285
483-340-398
572- 83- 28
侯佐明～清 475-822- 92
476-371-117
510-496-118
546-504-131
547-106-145
侯甸明 547- 24-141
侯秀明 505-904- 80
侯彤侯雲多 唐 1083-268- 4
侯泓清 見侯涵
侯祁明 476-113-102
545-378- 97
1442- 61- 4
1460-196- 49
侯直明 1442- 35-附2
1459-740- 29
侯旺明 559-371- 8
侯昌明 523- 84-149
侯明明 554-311- 53
侯固唐(濠州刺史) 472-195- 7
510-469-117
侯固唐(字子重) 481-526-326
529-432- 43
侯岩女 明 見侯氏
侯芭漢 472-106- 4
474-408- 20
505-887- 79
侯服清 477-133-155
538- 89- 64
侯洪元 545-142- 87
侯宣宋 473-360- 64
480-510-281
533-319- 57
533-342- 58
侯宣明 472-521- 22
476-518-127
540-627- 27
侯洵妻 明 見神一
侯恆明 456-665- 11
侯恂明 554-481-57上
侯恪明 458-130- 5
458-425- 20
537-432- 58
676-635- 26
1442- 93- 6
1460-537- 66
侯烱明 528-449- 29
侯亮元 1192-568-11
侯度明 540-808-28之3
侯封漢 244-861-122
侯封宋 554-911- 64
812-544- 4
821-165- 50
侯畐宋 188-381-454
400-138-511
472-308- 13
472-1117- 48
475-471- 72
479-406-235
510-407-115
523-415-166
563-693- 39
侯相明 494- 41- 3
494- 44- 3
1266-410- 7
侯英明 472-135- 4
474-479- 23
505-912- 81
侯信明 554-312- 53
侯保明 299-491-154
472- 98- 3
474-382- 19
505-852- 77
侯高唐 506-633-109
516-220- 96

1078-174- 14
1342-447-962
1410-490-728
侯益宋 285-123-254
401-303-608
545-867-113
554-352- 54
1090- 83-15
侯益妻 清 見胡氏
侯浚明 505-913- 81
侯泰明 299-359-142
456-693- 12
458- 55- 3
474-410- 20
886-153-139
侯恭明 505-853- 77
侯珦明 511-799-167
侯珪妻 元 見王妙善
侯晉春秋 404-887- 55
侯軏明 458-168- 8
472-700- 28
537-454- 58
侯郡明 537-281- 55
侯陟宋 285-358-270
396-634-311
476-854-145
侯珠明 554-490-57上
侯晏宋 451-212- 9
侯剛漢 473-429- 67
559-502- 12
591-508- 41
侯剛後魏 262-322- 93
267-741- 92
381- 30-184
侯能明 1467-190- 69
侯秩明(字季常) 510-393-115
侯秩明(曲沃知縣) 545-190- 90
侯秩明(蒲城令) 554-312- 53
侯悰明 456-665- 11
侯清明 494- 42- 3
1258-307- 7
侯涵侯泓 清 511-848-168
676-669- 28
1315-327- 13
侯淵侯深 後魏 262-197- 80
267- 61- 49
379-350-151
546-160-120
侯章宋 285-111-252
472-435- 19
545-606-105
侯庸明 472-613- 25
476-731-138
540-784-28之3
侯深後魏 見侯淵
侯問明 569-668- 19
572- 79- 28
侯翌宋 見侯翼
侯晙明 456-665- 11
侯造唐 812-371- 0
821- 89- 48
侯斌元 1192-568- 11
侯童宋 493-644- 35
侯詠宋 1090- 83- 15
侯敦陳 260-603- 8
侯瑄妻 清 見王氏
侯喜唐 1073-491- 17
1073-656- 37
1074-314- 17
1074-511- 37
1075-273- 17
1075-453- 37
1355-435- 14
1378-343- 53
侯植北周 263-646- 29
267-348- 66
379-637-158
472-833- 33
554-566- 58
933-485- 32
侯朝春秋 933-485- 32
侯琳女 明 見侯氏
侯景梁 260-489- 56
265-1135- 80
378-474-143
488-258- 10
548-629-181
侯著唐 471-836- 35
侯華明 554-313- 53
侯智明 478-347-191
侯策金 見侯冊
侯復明(應州人) 546- 87-118
侯復明(字祖常) 676-484- 18
1442- 25-附2
侯源明 472-790- 31
侯義宋 288-409-456
400-298-524
472-682- 27
476-862-145
538- 95- 64
侯義明 494-158- 5
侯亶陳 260-603- 8
265-933- 66
378-503-144
侯詳後魏 262-323- 93
侯搢明 524-231-189
侯楷明 456-654- 11
侯群明 554-527-57下
侯瑛妻 明 見鄭氏
侯鉞明 540-810-28之3
541-108- 31
545-287- 94
821-429- 57
侯端明 475-176- 59
510-347-114
侯寧妻 清 見曾道娘
侯瑱陳 260-604- 9
265-929- 66
378-498-144
384-121- 6
473-456- 68
481-182-300
559-363- 8
591-604- 44
933-485- 32
侯輔明 554-347- 54
侯蒙宋 286-667-351
382-669-103
397-717-363
472- 86- 3
472-612- 25
474-616- 32
476-730-138
505-700- 70
540-764-28之2
933-486- 32
侯綸明 545-668-107
侯潤明 472-394- 17
510-490-118
523-473-169
侯標明 456-654- 11
476-430-121
546-333-126
侯瑾漢 253-567-110下
380-344-175
402-466- 10
478-741-213
558-471- 39
933-485- 32
侯璋宋 843-672- 下
侯璋清 546-639-136
侯摯侯師尹 金 291-513-108
399-276-441
472-557- 23
476-825-143
540-769-28之2
1040-261- 6
侯樞明 456-654- 11
侯緘明 523-475-169
侯畿妻 清 見劉氏
侯嬴戰國 244-474- 77
472-650- 27
537-370- 57
545-739-109
587-725- 18
933-485- 32
1407- 53-400
侯璡明 299-712-172
453-321- 4
472-505- 21
476-207-107
483-222-390
546-194-122
567- 89- 66
571-516- 19
1241-145- 7
侯璞明 1283-755-126
侯璞妻 明 見丘氏
侯勳明 547- 61-143
侯翼侯翌 宋 812-453- 1
812-537- 3
813- 92- 4
821-154- 50
侯臨宋 485-533- 1
侯舉妻 明 見夏氏
侯檠明 1460-748- 80
侯爵明(藁城人) 472- 99- 3
侯爵明(歸德人) 473-257- 60
480-318-272
532-683- 44
侯爵明(字欽爵) 523-497-170
侯爵妻 明 見汪氏

侯獳春秋 405-102- 62
侯禮明 473-674- 79
482-289-352
563-843- 41
567-301- 77
1467-187- 69
侯職明 554-507-57下
侯藎明 523-245-157
1255-772- 76
侯馥晉 469-704- 88
473-528- 72
483-249-391
559-527- 12
572- 69- 28
591-586- 43
侯贇宋 285-408-274
396-669-315
472-930- 37
476- 39- 98
478-595-204
545-436- 99
558-220- 32
侯璽明 545-847-113
554-282- 53
侯闢明 529-692- 50
侯霸漢 252-655- 56
370-143- 13
376-636-107上
384- 57- 3
402-360- 3
402-540- 17
402-559- 18
472-194- 7
472-651- 27
472-904- 36
475-852- 94
477- 58-151
478-450-197
478-481-199
480-198-267
510-500-118
537-592- 60
539-351- 8
558-168- 31
675-300- 15
933-485- 32
侯覽漢 253-511-108
380-492-179
侯鑑明 528-495- 30
侯瓚明 505-734- 71
554-250- 52
侯瓚妻 明 見蕭氏
侯顯明 302-259-304
474-183- 9
505-895- 80
侯觀明 505-812- 74
侯一元明(字舜舉)
479-409-235
524- 88-182
676-572- 23
679-127-150
1283-769-127
1442- 64- 4
1458-304-437
1460-232- 50
侯一元明(字應乾) 558-399- 36
侯一麐明 1442- 64- 4
侯七乘清 528-557- 32
侯士溫妻 明 見李氏
侯于甸明 547- 81-144
侯于唐清 554-534-57下
侯于趙侯於趙 明
477- 88-153
537-407- 57
545- 97- 86
侯于畿明 456-654- 11
侯于魯明 545-197- 90
侯大中元 533-763- 74
侯大本明 547-102-145
侯大狗明 567-594- 95
侯大節明 537-468- 58
侯小叔金 291-678-122
400-223-518
476-123-102
545-372- 97
546-295-124
侯方夏清 537-438- 58
侯方域清 477-133-155
侯方域女 清 見侯氏
侯方鎭明 456-678- 11
676-666- 28
侯方巖明 456-530- 6
侯文才明 483-116-379
569-670- 19
侯文和後魏 262-303- 91
267-718- 90
380-635-183
812-336- 8
侯文遠妻 清 見牛氏
侯文慶宋 812-549- 4
821-169- 50
侯文憲妻 明 見孫氏
侯文禮明 554-873- 64
侯王臣妻 明 見王氏
侯元仙金 1190-494- 42
侯元采元 473-784- 85
482-467-363
567- 78- 65
1467- 53- 63
侯元棐清 477- 91-153
523-124-151
537-413- 57
侯天錫明 301-535-269
侯天護南北朝 472-149- 5
侯友彰宋 480-510-281
侯公丁明 302-580-317
567-596- 95
侯仁矩宋 285-125-254
401-305-608
472-457- 20
476-451-123
505-654- 68
侯仁寶宋 285-126-254
472-495- 21
482-484-364
545-876-114
567- 48- 64
1467- 22- 62
侯化龍妻 明 見李氏
侯玄演明 456-439- 3
1442-104- 7
1460-704- 76
侯玄潔明 456-439- 3
1442-104- 7
1460-704- 76
侯必大宋 821-247- 52
侯必登明 482-140-344
483- 47-372
563-791- 41
570-146-21之2
侯玉山妻 清 見冀氏
侯玉音明 見侯承祖
侯弘文明(高平知縣)
301-432-261
侯弘文明(字爾士) 483- 48-372
570-136-21之2
侯正一妻 明 見夏氏
侯正臣妻 宋 見鮑氏
侯本鍾明 1240-202- 13
侯加采明 537-290- 55
547-102-145
侯世卿明 545-100- 86
侯世祿明 301-543-269
456-429- 2
侯世勳清 502-689- 81
侯世爵清 476- 80-100
545-476-100
侯以寧明 480-583-285
533-464- 63
侯以璋清 570-137-21之2
侯史光晉 255-779- 45
377-543-123
472-611- 25
491-797- 6
540-712-28之1
933-485- 32
侯令邱妻 明 見劉氏
侯令邱女 明(適王) 見侯氏
侯令邱女 明(適田) 見侯氏
侯令儀唐 488-320- 12
侯令德妻 清 見馬氏
侯守中宋 821-247- 52
侯安都陳 260-599- 8
265-930- 66
370-575- 19
378-500-144
384-121- 6
472-272- 11
473-683- 79
482- 76-341
564- 16- 44
567- 4- 62
814-258- 7
820-107- 24
1394-715- 11
侯安國宋 564- 63- 44
侯有功明 545-223- 91
侯多羽春秋 見侯羽
侯自明明 478-347-191
554-847- 63
侯仲良宋 448-513- 12
449-741- 9

472-466- 20
478-346-191
480-177-266
533-729- 73
546-718-139
554-813- 63
1293-339- 19
侯仲莊唐 275- 9-136
395-641-238
472-482- 21
474-516- 25
546- 56-116
554-352- 54
侯仲舉明 456-619- 9
侯先春明 511-158-142
侯行果唐 276- 40-200
384-205- 11
400-427-539
侯良柱明 301-534-269
456-425- 2
481- 27-291
483-372-401
559-518- 12
561-457- 43
侯良宰女 明 見侯氏
侯志勝明 540-789-28之3
侯孝直隋 見侯孝眞
侯孝眞侯孝直 隋
820-127- 25
侯君昭明 456-582- 8
476-181-106
545-251- 92
侯君集唐 269-641- 69
274-215- 94
384-165- 9
395-290-207
407-527- 9
472-834- 33
483-592-414
544-226- 63
554-924- 64
558-237- 32
933-485- 32
侯君擢明 302- 74-293
456-491- 5
477-443-171
505-855- 77
侯抒恮妻 明 見馮氏
侯抒悰妻 明 見辛氏
侯抒慉妻 明 見王氏
侯抒愫清 537-591- 60
1324-362- 33
侯岐山明 1458-118-425
侯岐曾明 458-435- 20
1442-104- 7
侯谷神宋 472-561- 23
541- 92- 30
侯佑賢元 1198-155- 7
侯伯正明 554-873- 64
侯希逸唐 270-479-124
275- 79-144
395-696-243
474-557- 28
474-735- 40
490-390- 87
502-321- 58
540-610- 27
933-486- 32
侯希曾妻 清 見吳氏
侯邦治明 563-760- 40
567-354- 80
侯廷訓明 300-146-191
523-497-170
676- 48- 2
侯宗古宋 821-204- 51
侯於趙明 見侯于趙
侯宜正明 540-642- 27
侯宜熙妻 清 見蔡氏
侯定國明 547- 89-144
侯武陽漢 546-247-123
侯居良明 546-496-131
侯來保明 511-624-161
侯承祖侯玉音、侯懷玉 明
456-422- 2
475-184- 59
475-274- 63
511-444-153
侯承恩明 456-619- 9
476-528-128
540-835-28之3
侯昌印清 563-879- 42
侯昌業唐 384-284- 15
侯叔下春秋 933-485- 32
侯叔庸明 1232-412- 3
侯叔獻宋 473-113- 54
478-760-215
515-737- 80
523- 11-146
侯知道唐 275-632-195
384-216- 11
400-290-523
478-597-204
588-459- 38
558-693- 48
933-486- 32
1340-592-780
侯金鼎金 496-402- 88
侯秉璧清 478-204-184
侯延廣乳母 宋 見劉氏
侯延廣宋 285-126-254
371-170- 17
396-477-298
472-495- 21
476-182-106
478-595-204
545-876-114
554-353- 54
侯延賞宋 473-408- 66
532-684- 44
侯延慶宋 674-350-5下
侯服周明 505-666- 69
侯宣多春秋 404-850- 53
933-485- 32
侯洛齊後魏 見仇洛齊
侯彥直元 473-533- 72
591-653- 46
侯彥實明 545-421- 98
侯拱辰明 505-724- 71
侯拱辰妻 明 見壽陽公主
侯拱極明 301-543-269
456-492- 5
侯思止唐 271-472-186上
276-166-209
384-191- 10
400-377-535
侯思忠妻 清 見張氏
侯峒曾明 301-668-277
456-438- 3
458-435- 20
475-453- 71
478-769-215
479-456-237
511-470-154
515- 64- 58
523- 60-148
677-711- 63
1442-104- 7
1460-703- 76
侯祖德明 523-203-155
侯晉升宋 473-684- 79
482- 77-341
564- 56- 44
侯振世明 1313-263- 21
侯師尹金 見侯摯
侯翊聖妻 清 見魏氏
侯淨藏陳 260-606- 9
265-930- 66
378-500-144
494-261- 1
侯淨藏妻 陳 見富陽公主
侯章華清 533-445- 62
侯梁柱明 571-534- 19
侯康遠明 515-877- 86
523-215-156
1467- 68- 64
侯康濟元 1201-167- 80
侯執中明 456-572- 8
538- 47- 63
侯執蒲明 458-129- 5
477-132-155
537-432- 58
侯執蒲妻 明 見田氏
侯國安明 476-779-141
540-663- 27
侯國治明 482-408-359
523-134-152
567-137- 68
568-158-103
1467-127- 66
侯國弼清 480-439-278
533-497- 65
侯國賓妻 清 見夏氏
侯國勳明 554-311- 53
侯偉時明 301-702-279
456-466- 4
480-249-269
533-386- 60
563-808- 41
侯雲多唐 見侯彤
侯雲長唐 1073-492- 17
1074-314- 17
1075-273- 17

侯朝彥妻 明 見苑氏
侯堯封明 511-237-145
532-597-41
1442-75-5
1460-361-56
侯進學清 563-893-42
侯裕福明 547-111-145
侯新建妻 明 見蔡氏
侯道華唐 472-470-20
476-129-102
476-374-117
547-536-160
1059-587-上
1061-315-113
侯道濟宋 546-353-126
侯道濟女 宋 見侯氏
侯萬鍾明 511-591-159
侯鼎祿明 476-347-116
545-199-90
侯鼎鉉女 清 見侯氏
侯敬祖明 456-693-12
侯賓于元 1439-432-1
侯嘉玉妻 清 見趙氏
侯嘉祐明 567-344-79
侯嘉晏明 545-248-92
侯嘉祥明 532-649-43
567-338-79
侯嘉謨妻 明 見郎氏
侯兢次妻 明 見徐氏
侯夢豹妻 清 見朱氏
侯維垣明 1442-98-6
1460-589-69
侯慶遠明 540-819-28之3
侯震暘明 301-176-246
458-433-20
475-453-71
511-238-145
侯陰貞明 537-434-58
侯憲武清 477-133-155
538-48-63
侯諫臣清 533-481-64
侯樹屏清 554-789-62
侯應雷元 533-342-58
侯應瑜明 537-411-57
侯應爵明 533-12-47
563-841-41
侯懋功明 821-451-57
侯謹度明 564-205-45

侯懷玉明 見侯承祖
侯贈祖清 479-409-235
523-419-166
侯繼先明 456-600-9
侯鶴齡明 547-114-145
侯霸榮北漢 288-724-482
401-258-603
408-53-2
548-636-181
侯體直明 538-82-64
侯體乾明 545-395-97
侯莫陳乂 隋 545-414-98
侯莫陳芮北周 263-534-16
267-253-60
379-538-156
侯莫陳亮北周 見劉亮
侯莫陳相北齊 263-152-19
267-125-53
379-374-152
476-256-110
544-216-62
546-36-116
933-803-59
侯莫陳悅後魏 262-196-80
263-515-14
267-68-49
379-352-151
552-29-18
933-803-59
侯莫陳崇北周 263-533-16
267-252-60
379-538-156
384-140-7
476-280-111
535-556-20
544-215-62
546-169-121
552-43-19
933-803-59
侯莫陳廈唐 812-355-10
821-87-48
侯莫陳凱北周 263-534-16
267-254-60
侯莫陳順北周 263-552-19
267-254-60
379-538-156
544-213-62
546-169-121

933-803-59
侯莫陳穎陳穎 隋
264-848-55
267-253-60
379-750-161
384-154-8
448-327-下
474-304-16
474-406-20
482-317-354
545-234-92
546-170-121
563-627-38
567-32-63
682-345-8
933-803-59
1467-11-62
侯莫陳瓊北周 263-534-16
544-214-62
侯莫陳利用宋 288-566-470
401-132-587
侯莫陳晉貴北齊 263-152-19
267-125-53
379-374-152
侯莫陳道生北周
1064-277-10
1064-726-15
1400-169-7
1410-474-726
1416-86-111下
侯莫陳道生妻 北周 見拓跋氏
侯其伏代庫可汗後魏 見郁久閭那蓋
保八易體用 元 676-16-1
保心宋 1053-488-12
保申戰國 933-611-39
保罕明 見巴罕
保住清 456-123-58
保甸明 821-483-58
保宗宋 1053-497-12
保初宋 1053-336-8
保亮妻 清 見楊氏
保拜保保 元 476-296-112
保保元 見保拜
保泰清 456-153-61
保恭唐 541-89-30
保軒宋 1053-501-12

保喇明 302-751-327
保誌梁 見寶誌
保睿明 482-75-341
563-773-40
保璜妻 清 見張氏
保暹宋 451-407-14
524-431-200
保布哈旺布哈 元
295-662-204
401-88-579
保安王明 見朱尚煜
保定王明 見朱理坦
保國璧明 456-679-11
保寧王明 見朱悅烎
保寧王明 見朱朝堵
保獻書明 456-667-11
保定老姑元 474-253-12
保淑帝姬宋 宋徽宗女
285-69-248
393-327-77
保賽音布哈元 295-595-196
400-278-522
保慈崇祐大師韓國公主 宋
宋仁宗女 1104-452-38
俟子周 933-518-34
俟斗俟斤、燕尹、燕都、木杆可汗 後魏 264-1151-84
267-881-99
381-660-200
381-660-200
俟斤後魏 見俟斗
俟斤女 北周 見阿史那皇后
俟利弗設處羅可汗 唐
271-659-194上
276-243-215上
381-668-200
俊宋 588-254-10
1053-343-8
俊清(姓缺) 532-200-29
俊姑清 479-359-233
段二妻 明 見謝氏
段日元 見段信苴日
段氏北齊 齊文宣帝昭儀
263-76-9
266-294-14
373-109-20
段氏唐 段岌女 1079-629-58

段氏宋 李愷妻、段賁女
1134-303-43
段氏宋 劉頎妻 473-341-63
段氏宋 段誠中女
1187-138-19
段氏元 張羽妻 474-559-28
496-415-89
段氏元 潘元紹妻
493-1083-57
1386-265-39
段氏元 劉頲妻 480-415-277
段氏元 霍榮妻 295-627-200
401-175-593
473-30-49
479-498-239
506-151-90
516-230-97
段氏元 段天祐女 820-553-39
段氏元 魏德義母
1213-175-13
段氏明 方大林妻 506-127-89
段氏明 王鎮妻 1250-951-90
段氏明 王重光妻 570-204-22
段氏明 李本妻 512-133-180
段氏明 李儒妻 533-514-66
段氏明 胡以寧妻、段榮甫女、段榮輔女 1241-225-10
1242-296-34
段氏明 陸提略妻 475-782-89
段氏明 張良臣妻 506-53-87
段氏明 張維任妻 478-354-191
段氏明 陳忠妻 473-342-63
段氏明 喬濟聖妻 480-440-278
段氏明 楊大謨妻 483-172-383
段氏明 齊玉妻 506-55-87
段氏明 趙資妻 474-520-25
段氏明 趙輔妻 482-564-369
570-175-22
段氏明 潘潤松妻、段安女
1261-862-42
段氏明 黎仕温妻 473-258-60
段氏明 段緒女 506-56-87
段氏清 方維銓妻 477-381-167
段氏清 杜六妻 477-380-167
段氏清 李德湛妻 483-119-379
段氏清 李繼周妻 533-712-72
段氏清 周宗适妻 480-322-272
533-644-70
段氏清 高位妻 474-192-9
506-20-86
506-555-105
1326-849-8
段氏清 袁斌妻 506-62-87
段氏清 郭之翰妻 477-257-161
段氏清 陳棫妻 503-55-95
段氏清 鄭文灼妻 570-191-22
段氏清 劉登舉妻 506-60-87
段氏清 劉贊元妻 481-237-303
段氏清 鮑怡妻 481-312-307
559-497-11下
段氏清 陳大年弟媳
558-527-42
段氏清 羅銘鼎母 481-419-312
段永爾綿永 北周 263-705-36
267-359-67
379-646-158
472-143-5
505-727-71
933-671-45
1064-247-9
1064-683-14
1342-12-905
1400-153-6
1416-67-111中
段永妻 宋 見李氏
段永明 473-641-78
段正明 474-184-9
505-800-74
515-40-58
546-197-122
676-520-20
段民明 299-548-158
453-257-24
453-591-13
472-262-10
475-225-61
476-478-125
511-147-142
540-616-27
1238-478-9
1239-155-37
1242-7-24
段功元 483-95-378
570-168-22
段功妻 元 見阿爾噶
段功女 元 見段羌奴
段安女 明 見段氏
段式唐 540-742-28之2
段光漢 534-803-112
1332-714-19
1397-594-28
1409-716-648
段全清 528-473-30
段灼晉 255-810-48
377-559-123
386-199-76
478-741-213
558-406-36
933-671-45
段岌北周 見爾綿岌
段岌女 唐 見段氏
段佐段佑 唐 270-823-152
275-378-170
396-150-265
段佑唐 見段佐
段豸明 302-11-289
474-601-31
505-699-70
546-200-122
段武明 299-143-124
400-281-522
段直元 295-553-192
400-369-534
459-925-56
476-204-107
545-339-96
546-190-121
1198-547-8
段忠明 570-156-21之2
段明明 302-478-313
段炅明 558-296-34
676-535-21
段所元 515-627-76
段恆金 546-589-134
段亮北齊 見段德堪
段珂唐 275-175-153
396-4-251
475-782-89
478-202-184
511-914-173
554-404-55
段茂妻 明 見楊氏
段峙北周 見庫狄峙
段信明 472-842-33
523-84-149
554-655-60
段保宋 546-185-121
段浩明 545-387-97
段恭漢 591-512-41
段展明 302-35-291
456-516-6
474-734-40
502-295-56
554-710-61
段恩金 547-130-146
段釗明 505-666-69
段章唐 1083-505-4
段深北齊 263-126-16
267-152-54
379-396-152
段深後梁 277-217-24
段堅明 301-742-281
457-25-1
458-653-2
472-603-25
472-767-30
476-697-137
477-360-166
478-489-199
537-34-48
537-317-56
540-653-27
558-292-34
676-500-19
1267-511-6
1293-348-20
段乾後魏 262-328-94
546-385-127
段規春秋 404-794-48
545-726-109
933-671-45
段崇漢 554-683-61
879-180-58下
段得元 544-239-63
段偉妻 清 見盧氏
段紳明 558-211-32
段敏殷敏 明 472-278-11
473-98-53
475-278-63
511-181-143
523-42-148
528-455-29

1285-322- 10
段普漢 370-208- 21
段琯宋 1130-573- 12
段琯妻 宋 見彭氏
段彭漢 478-728-212
段琛北齊 263-152- 19
267-124- 53
379-374-152
546- 37-116
段然明 533-142- 51
段緐清 570-260- 25
段鈞金 546-753-140
段絳唐 820-253- 29
段進後魏 262-257- 87
267-638- 85
380- 58-166
933-671- 45
段慎明 1253- 67- 44
段慎妻 明 見楊氏
段補明 558-300- 34
段煨魏 554-101- 50
558-359- 35
段達隋 264-1173- 85
267-540- 79
379-891-164
933-671- 45
段達明 572- 90- 29
段鼎宋 1176-336- 34
段暉後魏 261-709- 52
266-701- 34
379-161-148
段業北涼 558-767- 50
段禎元 295-596-196
400-279-522
段韶段鐵伐 北齊 263-122- 16
267-149- 54
379-393-152
384-137- 7
472-945- 37
476- 26- 97
478-635-206
545- 6- 83
558-360- 35
933-671- 45
段福元 見段信苴福
段榮後魏 262-328- 94
546-385-127
段榮北齊 263-122- 16
267-149- 54
379-393-152
384-137- 7
472-945- 37
478-635-206
540-631- 27
545-316- 95
558-360- 35
933-671- 45
段輔元 546-590-134
549-402-196
1365-526- 附
1439-432- 1
段鳳明 1242-111- 27
段銓明 569-676- 19
段緒女 明 見段氏
段綸隋 264-897- 60
267-496- 76
379-817-163
段綸妻 唐 見高密公主
段綺元 476-658-135
段澍明 482-560-369
570-140-21之2
段廣明 1237-289- 5
段潁漢 253-339- 95
370-203- 21
376-943-112
402-411- 6
472-623- 25
472-823- 33
474-731- 40
478- 85-180
478-450-197
478-635-206
502-249- 53
545-311- 95
552- 20- 18
554-264- 53
558-130- 30
558-358- 35
933-671- 45
段儀女 後燕 見段元妃
段儀女 後燕 見段季妃
段德宋 288-410-456
400-299-524
476-297-112
段緯明 474-237- 12
段凝李紹欽、段明遠 後唐
277-591- 73
279-286- 45
384-311- 16
401-286-607
段整金 546-753-140
段整妻 明 見魏氏
段蕡宋 515-582- 75
段蕡女 宋 見段氏
段頻漢 472-944- 37
段暹明 494- 42- 3
段縉清 570-135-21之2
段錦明 505-692- 70
545-225- 91
段錦妻 清 見郭氏
段鎵妻 清 見李氏
段翳漢 253-598-112上
380-570-181
469-621- 76
471-1030- 65
481- 74-294
591-513- 41
592-276- 78
933-671- 45
段瑍宋 516-432-103
段嶷唐 275-175-153
396- 4-251
段縫宋 515-144- 61
段豐妻 晉 見慕容氏
段鵠宋 515-572- 75
段鎰妻 明 見賀氏
段黼明 1442- 98-附6
1460-590- 69
段鵬宋 473-630- 77
481-549-327
528-472- 30
554-460- 56
段寶元 483- 96-378
494-243- 10
段瓌唐 820-254- 29
段藻宋 487-188- 12
段纏明 570-105-21之1
段繼母 明 見江氏
段霸後魏 262-328- 94
267-744- 92
段續明 558-297- 34
段鐸金 472-467- 20
476-401-119
546-589-134
段懿北齊 263-126- 16
267-151- 54
379-396-152
段鑑明 559-307-7上
570-102-21之1
段讓明(洪洞人) 545-775-111
554-310- 53
段讓明(沁水人) 547- 64-143
段纘明 1241-658- 14
段一臣清 483- 65-375
段一定明 511-661-162
段士龍元 1210-117- 10
段子玉明 494- 42- 3
段子沔女 宋 見段淨方
段子沖宋 515-580- 75
段子明北齊 541-128- 32
段子澄明 494-164- 6
570-150-21之2
段子璋唐 560-600-29下
段干木戰國 384- 29- 1
405-164- 67
405-451- 85
448- 96- 中
469- 39- 6
472-460- 20
547-140-146
554-859- 64
871-889- 19
933-671- 45
段大亨金 546-487-131
段上彩清 546-221-122
段文昌唐 271-176-167
274-177- 89
384-165- 9
384-260- 13
384-270- 14
396-116-261
469-350- 41
471-779- 27
472-591- 24
473-297- 62
473-425- 67
476-668-136
481- 17-291
532-569- 40
533-208- 53
540-742-28之2
559-246- 6

571-514- 19
591- 60- 5
591-678- 47
933-672- 45
段文振隋 264-895- 60
267-494- 76
379-815-163
384-152- 8
472-612- 25
472-904- 36
476-179-106
476-729-138
478-481-199
491-801- 6
540-731-28之1
558-169- 31
559-304-7上
933-671- 45
段文瑞元 473-821- 86
483- 47-372
505-904- 80
570- 99-20下
570-146-21之2
段文楚唐 275-175-153
396- 4-251
段文璣妻 清 見藍氏
段文操隋 264-897- 60
267-496- 76
379-817-163
段之嫡妻 清 見王氏
段元妃後燕 燕武成帝后、段儀女 256-578- 96
381- 55-185
段元亨金 546-297-124
段元述唐 820-155- 26
段元思妻 清 見劉氏
段元愷宋 1147-382- 35
段元監宋 見段元鑑
段元鑑段元監 宋 288-325-449
400-181-514
481-181-300
段匹磾晉 256- 78- 63
377-687-125
381-645-200
472- 26- 1
505-627- 67
545-256- 93
933-671- 45
段天祐元 493-753- 41
820-517- 38
1210-465- 17
1439-431- 1
段天祐女 元 見段氏
段友直段吉翁 宋 448-398- 0
段少連宋 285-732-297
371-140- 14
382-383- 60
384-357- 18
397-168-330
472-195- 7
472-660- 27
472-878- 35
472-1026- 42
473-209- 59
475-323- 65
477- 78-152
478-759-215
479-318-232
480- 48-259
481-290-306
493-767- 42
510-478-118
523- 10-146
532-614- 43
537-391- 57
545- 46- 84
558-195- 31
820-357- 32
933-672- 45
1089-718- 14
段公路唐 589- 30- 附
段永正後魏 544-210- 62
段去惑唐 812-347- 9
821- 58- 46
段弘古唐 473-317- 62
480-614-287
533-294- 56
1076-465- 附
段弘璧明 523-250-157
段正洪明 511-604-160
段平仲唐 270-829-153
275-264-162
384-232- 12
384-255- 13
396- 81-259 472-946- 37
478-636-206
558-362- 35
933-672- 45
段可成明 1288-620- 10
段可成妻 明 見温氏
段世榮明 547- 15-141
段世慶清 547-118-145
段末波後魏 262-499-103
267-873- 98
381-644-200
段宇辛明 456-680- 11
558-414- 37
段安其妻 明 見胡氏
段汝信妻 明 見王氏
段有學明 559-316-7上
570-141-21之2
段吉先宋 821-185- 50
段吉翁宋 見段友直
段同泰唐 485- 72- 11
段光彩明 547- 19-141
段光啟明 480-486-280
段自宏明 456-495- 5
558-424- 37
段全緯唐 820-242- 28
段如蕙清 570-137-21之2
段志玄唐 269-638- 68
274-176- 89
384-165- 9
395-281-206
472-591- 24
476- 45- 98
476-667-136
491-802- 6
540-735-28之2
547-150-147
552- 55- 19
933-671- 45
1340-556-776
段志召妻 清 見王氏
段志熙清 523- 69-149
段志賢金 821-277- 52
段志學妻 清 見秦氏
段赤成段赤城 唐 473-812- 86
494-161- 6
段赤城唐 見段赤成
段成己金 546-753-140
550-106-212
676-697- 29
1197-661- 68
1439- 13- 附
1445-736- 58
1470- 8- 1
段成式唐 271-176-167
274-177- 89
384-270- 14
396-116-261
471-642- 9
471-643- 9
471-804- 30
472-1052- 44
473-377- 65
476-668-136
479-430-236
523-239-157
533-311- 57
533-746- 73
561-207-38之2
933-672- 45
1082-528- 7
1371- 71- 附
段成良清 456-372- 78
段成珪元 472-274- 11
段孝言北齊 263-127- 16
267-152- 54
379-396-152
933-671- 45
段克己金 546-753-140
550-106-212
676-697- 29
1470- 1- 1
1439- 13- 附
1445-717- 56
段見錦明 456-602- 9
569-681- 19
段伯炌明 301-232-232
482-227-390
483-267-392
571-529- 19
段伯美明 456-642- 10
482-562-369
段伯倫唐 270-511-128
275-175-153
396- 4-251
933-672- 45
段作霖妻 清 見劉氏
段佛榮劉宋 258-511- 84
段希堯後周 278-416-128
279-377- 57
384-316- 16
396-450-296
472-720- 28
477-251-161
537-479- 58
545- 31- 83
段秀實唐 270-508-128

275-171-153
384-222- 12
384-230- 12
396- 1-251
459-398- 24
472-717- 28
472-824- 33
472-854- 34
472-877- 35
477-242-161
478-202-184
478-669-209
512-896-200
537-286- 55
554-403- 55
556-362- 91
558-189- 31
933-672- 45
1076- 68- 8
1076-528- 8
1077- 86- 8
1106-504- 21
1341-547-871
1342-552-975
1344-478-100
1354-106- 14
1378-637- 64
1409-604-634
1409-722-649
1417-610- 29
1418- 51- 37
段秀實明 515-267- 65
段廷用明 547- 4-141
段廷宴明 547- 5-141
段廷珪元 510-372-114
段廷廣明 1261- 43- 3
段宗仲晉 591-532- 41
段宗牓唐 483- 95-378
494-162- 6
570-115-21之1
段宜標明 483-331-397
570-134-21之2
571-549- 20
段羌奴段羌娜、段僧奴、段僧娜 元 段功女 483- 98-378
494-164- 6
494-243- 10
570-195- 22
段羌娜元 見段羌奴
段孟賢明 516-134- 92
段居貞妻 唐 見謝小娥
段阿堅元 569-673- 19
段承祚元 547-111-145
547-144-146
段承根後魏 261-709- 52
266-701- 34
379-161-148
933-671- 45
段承恩明 570-134-21之2
段尚志母 明 見王氏
段尚絅明 570-144-21之2
段昌世宋 1161-101- 83
段昌武宋 678-410-109
段昌祚清 537-486- 58
段明遠後唐 見段凝
段季妃南燕 燕獻武帝后、段儀女 256-578- 96
381- 55-185
段季展唐 812-747- 3
820-210- 28
段和嚳宋 569-538- 17
段拱新清 570-159-21之2
段威武明 481-117-296
段建中唐 471-1026- 64
559-272- 6
段思平後晉 473-811- 86
494-220- 9
段思恭宋 285-357-270
396-633-311
471-958- 53
472-195- 7
472-504- 21
472-930- 37
473-514- 71
478-335-191
478-594-204
481-348-309
510-501-118
546-182-121
554-330- 54
558-220- 32
559-309-7上
559-382-9上
591-692- 48
段思義元 546-754-140
段思温元 546-753-140
1197-661- 68
1206-709- 6
段思誠元 546-753-140
段思禮妻 明 見鄒氏
段高選明 302- 23-290
481-114-296
483-163-382
559-511- 12
570-124-21之1
段益庫妻 明 見劉氏
段桂芳元 294-535-143
400-265-521
段時盛明 593-304-5上
段師文明 570-134-21之2
段清遠元 533-491- 65
段淨方明 李圖南妻、段子沔女 1147-803- 76
段康侯宋 1118-680- 35
段崇簡唐 506-573-106
段國賓妻 明 見李氏
段國璋清 537-485- 58
段啟志妻 清 見廖氏
段雲錦妻 明 見徐氏
段雲鴻明 567-130- 67
1467-119- 66
段朝用明 302-359-307
段朝宗明 554-667- 60
段揚祖妻 清 見周氏
段順孜明 1467- 69- 64
段絲錦明 571-541- 20
段舜咨宋 451- 68- 2
段復興明 302- 99-294
456-429- 2
478-573-203
540-833-28之3
541-617-35之17
558-423- 37
段萬頃宋 1123-656- 6
段嗣輝明 472-678- 27
472-1027- 42
523-188-155
段會宗漢 250-579- 70
376-299-100
384- 50- 2
470-414-150
471-1058- 69
472-894- 35
478-696-210
483-591-414
545-412- 98
558-385- 36
933-671- 45
段愛民明 1288-628- 10
段誠中女 宋 見段氏
段榮甫女 明 見段氏
段榮輔女 明 見段氏
段與言宋 1118-376- 19
段僧奴元 見段羌奴
段僧娜元 見段羌奴
段維清妻 明 見周氏
段綿祚清 537-487- 58
段標麟清 570-159-21之2
段增輝明 302- 70-193
456-609- 9
段德祥金 545-407- 98
545-649-106
段德堪段亮 北齊
263-127- 16
267-152- 54
379-396-152
段德操唐 478-165-182
段德衡北齊 263-127- 16
段德舉北齊 263-127- 16
段興智段瑪哈嚕磋、段摩訶羅嵯 元 295-266-166
399-609-480
494-221- 9
570-116-21之1
段錦文明 494-168- 6
段錦柱妻 清 見張氏
段應試妻 明 見馬氏
段應規宋 546-584-134
段應舉清 474-774- 41
502-773- 86
528-488- 30
段鵬起妻 清 見趙氏
段寶命唐 486- 41- 2
段寶鼎隋 263-126- 16
267-151- 54
379-396-152
段繼昌金 1365-232- 7
1445-445- 32
段鐵伐北齊 見段韶
段日陸春後魏 262-499-103
267-872- 98
381-644-200

段信苴日段日 元
295-266-166
399-609-480
473-812- 86
482-537-368
483- 95-378
570-116-21之1
676-713- 29
段信苴福段福 元
295-266-166
399-609-480
473-812- 86
570-116-21之1
1439-462- 2
段務目塵後魏 262-499-103
267-873- 98
381-644-200
段就六眷後魏 262-499-103
267-872- 98
381-644-200
段瑪哈嚕磋元 見段興智
段摩訶羅嵯元 見段興智
泉仚北周 見泉企
泉企泉仚 北周 263-783- 44
267-350- 66
379-639-158
384-141- 7
478-333-191
478-376-192
545-451- 99
554-687- 61
933-245- 17
泉恭北周 見泉仲遵
泉晒北周 263-786- 44
267-352- 66
379-641-158
552- 44- 19
泉元禮北周 263-785- 44
267-351- 66
379-640-158
478-377-192
554-688- 61
820-123- 25
933-245- 17
泉仲遵泉恭 北周
263-785- 44
267-351- 66
379-640-158
478-377-192
480-317-272
554-688- 61
933-245- 17
泉男生唐 274-401-110
384-297- 15
395-396-217
474-688- 37
502-257- 53
933-245- 17
泉男建唐 274-401-110
384-297- 15
395-396-217
泉伯逸唐 320-177- 27
泉應元明 456-674- 11
泉應化明 559-517- 12
泉應厚明 456-674- 11
泉獻誠唐 274-401-110
395-397-217
迭里威失元 見德呼威蘇
迭里彌實元 見德爾密什
迮粉姐清 475-383- 68
後可宋 524-443-201
後敏明 472-351- 15
後趫禹后 夏 塗山氏女
448- 10- 1
560-592-29下
後贊後漢 278-257-107
279-194- 30
396-388-288
後廷科明 572- 92- 29
後僧會唐 1052-263- 18
後白雲和尚宋(居白雲寺)
1053-636- 15
後招慶和尚五代(嗣從展)
1053-322- 8
食我楊石、楊食我 春秋
404-695- 42
食子通漢 933-754- 52
食油師唐 1052-295- 20

十畫

浦文女 明 見浦淑清
浦氏明 陳毓華妻 512- 39-177
浦邵明 302-160-297
475-229- 61
511-556-158
浦尚元 1228-361- 11
浦博明 820-717- 43
浦凱妻 清 見陳氏
浦源元(字以開) 475-667- 84
510-453-117
浦源元(長洲人) 493-1023- 54
820-523- 38
浦源明 511-768-166
676-452- 17
821-351- 55
1442- 13- 1
1459-442- 14
浦源女 明 見浦潔
浦椿元 1203-385- 29
浦潔明 高適妻、浦源女
1292-642- 10
浦瑾明 676-552- 22
1258-656- 15
1442- 49- 3
1460- 50- 42
浦億明 1258-301- 6
浦鋐明 300-444-209
476- 79-100
476-700-137
477-566-177
511-235-145
540-798-28之3
545-191- 90
554-176- 51
1276- 26- 3
浦澤明 511-870-170
820-709- 43
浦融明 820-744- 44
821-453- 57
浦鯨明 821-462- 57
浦鏞明 473-599- 76
1245-569- 29
浦瓛明 1258-771- 7
浦大治明 830-759- 44
浦玉田妻 元 見梅氏
浦江王明 見朱安涇
浦良能宋 533-729- 73
浦延禧妻 明 見王氏
浦南金明 676-172- 7
浦城王明 見朱載埨
浦淑清明 許廷珪妻、浦文女
1246-621- 12
浦朝柱明 510-503-118
浦潤之明 1291-428- 7
浦潤之妻 明 見金氏
浦鳳竹妻 明 見華氏
浦羲升明 1442-113- 7
浦應斗明 1475-536- 23
浦應麒明 676-568- 23
1442- 55- 3
1460-132- 46
浦聯泗妻 清 見劉氏
海五代 1053-633- 15
海宋(嗣光祚) 1053-651-15
海宋(嗣慧懃) 1053-850- 19
海山清 455-270- 15
海什清 502-591- 76
海氏清 陳有量妻 475-235- 61
海旭明 1442-121- 8
1475-779- 33
海色清(他塔喇氏) 455-217- 11
海色清(烏蘇氏) 455-573- 37
海色清(揚佳氏) 456- 65- 54
海色清(秋舒理氏) 456-186- 64
海印宋 516-437-103
1129- 543- 35
海印元 472-561- 23
541- 96- 30
海成明 456-609- 9
海秀妻 明 見李氏
海青妻 清 見瓜爾佳氏
海明明 524-400-199
561-218-38之3
1442-122- 8
1460-853- 91
海岱明 1442-121- 8
海亮清 455-564- 36
海度清 502-744- 85
海指明 1475-784- 33
海泰清 456-134- 59
海格清 455-114- 4
海晏唐 1053-220- 6
海航清 570-251- 25
海倫清 455-114- 4
海倫清(佟佳氏) 455-332- 20
海淵宋 592-289- 78
592-378- 83
海都元 292- 5- 1
海勒元 544-239- 63
海啟清 455-274- 15

海湖唐 1053-229- 6
海溘清 530-198- 60
海評宋 1053-771- 18
海湛明 821-489- 58
1475-767- 32
海雲唐 1052-385- 27
海雲元 821-332- 54
海貴明 547-522-160
海華清(號藏林) 511-939-175
海華清(號蒼桐) 561-221-38之3
海順隋 1401-643- 43
海塞清(瓜爾佳氏) 455- 75- 2
海塞清(滿津氏) 456-251- 69
海塞清(博爾濟氏) 456-253- 69
海塔清(納喇氏) 455-379- 23
海塔清(巴雅拉氏) 455-578- 38
海瑞明 300-708-226
473-739- 82
475- 20- 49
475- 71- 52
479-378-234
479-793-254
481-644-330
482-268-350
510-293-112
512-178-195
515-279- 65
523-217-156
528-514- 31
564-232- 46
676-582- 24
1286-218- 10
1457-521-390
海勤元 1204-179- 1
海福妻 明 見馮氏
海碩清 502-757- 85
海壽元 294-432-135
523- 80-149
海壽妻 明 見李氏
海寬明 456-662- 11
海澄明 528-528- 31
海慧宋 486-339- 15
海慧金 1054-202- 4
海慧明 570-256- 25
海鼐清 455-404- 24
海闊明 483-142-380
570-258- 25
海藍清 455-601- 40
海鯉明 545-246- 92
海鵬宋 1053-580- 14
海瀾海蘭 清 455-504- 31
456-143- 60
海蘭清 455- 73- 2
海蘭清 見海瀾
海古尼清 456-290- 72
海西公晉 見司馬奕
海青阿清 455-564- 36
海明阿清 455-115- 4
海音布清 455- 44- 1
海音禪清 455-505- 31
456- 65- 54
海保住清 455-569- 37
海陵王劉宋 見劉休茂
海陵王齊 見蕭昭文
海陵王金 見完顏亮
海陽王後趙 見石弘
海陽王明 見朱安逢
海源善明 473-335- 63
480-403-277
532-693- 45
海瑠丹元 295-579-194
400-257-521
海潮龍清 456-244- 68
海豐王明 見朱塀
海上老人元 472-529- 22
505-930- 84
541- 97- 30
涂山明 676-111- 4
涂氏宋 吳世靜妻 516-229- 97
涂氏明 王立郁妻 480- 96-262
涂氏明 王廷思妻 530-105- 57
涂氏明 楊復妻 516-342-100
涂氏清 陳文崑妻 530-118- 57
涂氏清 戴鉦妻 530-116- 57
涂氏清 魏若寬妻 479-583-243
涂杰明 300-814-233
479-493-239
515-412- 69
523-206-155
涂昇明 見涂昪
涂相明 1263-458- 1
涂昪涂昇 明 472-521- 22
510-383-115
515-378- 68
涂淮明 473- 27- 49
涂淵明(字時躍) 576-654- 5
涂淵明(號靜軒) 1274-353- 12
1410-411-718
涂堅明 529-691- 50
涂崇清 482-563-369
570-143-21之2
涂紹明 1274-352- 12
1410-410-718
涂華妻 明 見陳俞
涂幾明 515-775- 81
1442- 14- 1
1459-397- 12
涂棐明 299-818-179
涂欽妻 明 見黃氏
涂源元 515-473- 71
涂楨明 見涂禎
涂瑞明 564-279- 47
820-636- 41
涂敬明 515-386- 68
涂廙南唐 515-301- 66
涂禎涂楨 明 300- 85-188
472-255- 10
473-130- 55
479-682-248
515-550- 74
1262-387- 43
1320-745- 81
1410-134-677
涂壽明 1253- 92- 45
涂毅妻 明 見林氏
涂璋妻 清 見舒氏
涂徵明 820-674- 42
涂穎明 1442- 10-附1
涂膺明 529-675- 49
涂謙明 515-370- 68
676-494- 19
涂巍明 563-816- 41
涂觀明 472-358- 15
473- 25- 49
515-375- 68
676- 90- 3
676-114- 4
涂一榛明 529-573- 46
涂大向宋 1135-380- 35
涂大經宋 515- 739- 80
涂文輔明 302-298-305
涂文舉妻 清 見蕭氏
涂天麟妻 明 見殷氏
涂立可元 515-771- 81
1197-482- 46
涂世名明 456-543- 7
515-848- 84
涂世俊元 1199-299- 31
涂有祐明 554-296- 53
涂存恆妻 清 見熊氏
涂自強明 515-777- 81
涂仲吉明 460-787- 83
481-617-329
529-575- 46
涂宗濬明 480-128-264
515-418- 69
532-637- 43
545-298- 94
554-183- 51
676-305- 11
1291-626- 1
涂建可元 515-833- 83
涂起鵬清 480-176-267
533-379- 60
涂崇位妻 明 見張氏
涂崇信妻 明 見張氏
涂崇義妻 明 見湰氏
涂國鼎明 515-845- 84
涂常吉明 456-543- 7
涂紹煃明 515-403- 69
559-256- 6
涂喬遷明 515-428- 70
涂溍生宋 515-767- 81
676- 14- 1
676- 88- 3
680-299-255
涂端友妻 宋 見陳氏
涂遠還明 533-419- 62
涂夢龍元 1220-522- 8
涂鳳占明 1258-610- 12
涂賢賓妻 明 見載儘娘
涂懋光明 1458-424-445
冥商 271-220- 4
546-424-129
冥都漢 476-820-143
933-439- 29
悔落拽何唐 271-792-199下
496-623-105
宮氏明 吳守節妻 506-135- 89
宮他戰國 404-489- 29
宮安明 472-312- 13
473-674- 79

511-567-158
宮志明 472-546- 23
540-635- 27
宮廷明 554-313- 53
宮花清(姓缺) 564-391- 50
宮涅周 見周幽王
宮泰晉 742- 29- 1
宮富妻 明 見李氏
宮順漢 254-145- 7
宮欽元 476-819-143
540-778-28之2
宮項唐 933- 40- 2
宮嵩漢 541- 86- 30
1059-293- 7
宮綸妻 明 見郭氏
宮縚春秋 見南宮敬叔
宮顯明 554-310- 53
宮之奇春秋 448-151- 6
469- 39- 6
472-459- 20
546-429-129
550-531-224
933- 40- 2
宮永建明 511-574-159
宮守禮明 474-823- 44
502-783- 87
宮志惲唐 933- 40- 2
宮家璧清 510-298-112
宮借輝妻 清 見何氏
宮偉鏐明 680- 59-230
1442-111- 7
宮朝棟妻 清 見高氏
宮夢仁清 511-217-144
宮繼蘭明 1442-109- 7
容五代 1053-546- 13
容居春秋 404-338- 19
933- 45- 2
容苴元 473-866- 88
483-268-392
571-540- 20
容珪父 明 1246-104- 4
容森明 1467-199- 69
容璊明 523-248-157
564-257- 47
容機宋 494-267- 2
容九宵明 479-378-234
523-217-156
525-151-224
1467-216- 70
容士望母 清 見麥氏
容士賓明 511-799-167
容乞兒明 見永和爾
容成公上古 1058-490- 上
1059-293- 7
1061-248-108
容佛僧宋 見容熊孫
容若玉明 511-406-152
515- 59- 58
容悌與明 564-253- 47
容師偃明 302-154-297
482- 38-340
564-255- 47
容傳芳明 567-397- 83
容熊孫容佛僧 宋451- 91- 3
酒秃南唐 492-596-13下之下
酒客不詳 1058-496- 上
1061-250-108
酒道人明(嗜酒) 474-574- 29
涇王唐 見李侹
涇王明 見朱祐橓
涇陽王明 見朱祁銑
涇陽王女 明 見朱氏
涇陽君戰國 405-324- 76
涫陽公主漢 見劉禮劉
涅槃唐 見文炬
涅陽公主漢 見劉中禮
涅槃和尚唐(誦涅槃經)
1053-142- 4
涓子周 516-501-105
541- 84- 30
839- 13- 2
1058-491- 上
1061-248-108
涓勳漢 554- 96- 50
浮丘唐 1052- 52- 4
浮調漢 見嚴佛調
浮丘公周 見浮丘伯
浮丘伯浮丘公 周
472-754- 29
482- 52-340
538-341- 70
541- 84- 30
564-611-56
浮丘伯漢 476-660-136
675-275- 11
浮屠泓唐 276-102-204
384-190- 10
浮石和尚唐 1053-174- 4
浮江和尚唐 1053-172- 4
浮陀跋摩佛陀跋摩、覺鎧 北涼 1051-113-4下
浮盃和尚唐 1053-132- 3
浩明 1231-432- 12
浩清 456-103-57
浩聿郜聿 唐 933-679-45
浩昇宋 1053-576- 14
浩周吳 254-713- 2
385-688-67
545-813-112
浩善清(伊爾根覺羅氏)
455-273- 15
浩善清(章佳氏) 455-601- 40
浩善清(吳氏) 456-347- 77
浩善清(韓氏) 456-349- 77
浩賞漢 933-611- 39
浩羅清 456-156- 61
浩覺後魏 見達磨菩提
浩生不害告生不害 戰國
405-456- 85
539-641-11之6
娑婆北齊 548-312-171
高晉 見嵩
高宋 1053-865- 20
高乂北齊 263-114- 14
267- 98- 51
375-510-85上
高三明 499-442-160
高士明 1474-327- 16
高子戰國 405-457- 85
539-641-11之6
933-275- 20
高才明 458-115- 5
高山妻 明 見朱氏
高心明 494-159- 5
569-679- 19
高方清 511-873-170
高文明 505-705- 70
高元隋 264-1124- 81
381-425-194
高友明 821-461- 57
高止春秋 404-572- 35
高中元 400-317-526
511-646-162
高仁唐 515-853- 85
高仁宋 1202-275- 19
高仁元 479- 92-221
493-752- 41
510-332-113
523- 99-150
1209-642-10下
高化宋 286-280-323
472- 94- 3
474-378- 19
477-161-157
505-750- 72
397-422-345
高氏後魏 陽尼妻 262-308- 92
267-725- 91
381- 60-185
高氏唐 古玄應妻 271-654-193
401-152-589
474-589- 30
高氏唐 房鄰妻、房璘妻
812-743- 3
814-217- 2
820-306- 30
高氏宋 史漸妻 1164-406- 22
高氏宋 李競妻、高遵望女
1121-491- 37
高氏宋 張處約妻、高禹錫女
1117-327- 14
高氏宋 葉適妻 1164-336- 18
高氏宋 趙士紘妻、高士永女
1100-545- 52
高氏宋 趙子騫妻、高遵武女
1100-517- 49
高氏宋 趙世隤妻、高繼隆女
1104-451- 38
高氏宋 高惠連女
1102-288- 36
1385-646- 57
高氏宋 閻公駿妻、高仲華女
1132-263- 50
高氏宋 高永堅女
1173-327- 88
高氏宋 高守成女
1092-667- 62
高氏宋 趙槩母 1092-115- 15
高氏金 完顏亮修儀 完顏嘉哩妻、高伊囉斡女 291- 10- 63
高氏元 王用妻、高澤女

1206-652- 15
高氏元 匡才妻 475-434- 70
1202- 61- 5
512- 59-178
高氏元 魏珪妻 506-116- 89
高氏元 魏德元妻
1198-775- 5
高氏元 宋謙媳 401-186-593
高氏元 宋謙孫婦 401-186-593
高氏元 高榮女 1211-450- 64
1211-717- 0
高氏明 卜壽妻 483-358-400
高氏明 于資妻 1258-204- 18
高氏明 王伸妻 478-275-187
高氏明 王俊妻 472-560- 23
高氏明 王慎妻 478-350-191
高氏明 王士雅妻
1312-533- 7
高氏明 毛濬妻 1321- 5- 84
高氏明 尼之徒妻 506-120- 89
高氏明 田國足妻 506- 30- 86
高氏明 朱進妻 480-177-266
高氏明 朱文秀妻、高彥昇女
1247-523- 23
高氏明 朱垣薇妻 480-546-283
高氏明 朱亮妻 472-101- 3
高氏明 宋堯妻 478-351-191
高氏明 宋薊妻 478-171-182
高氏明 李和妻 1260-616- 18
高氏明 李茂妻 452-118- 3
472-100- 3
474-641- 33
高氏明 李時蘭妻 477-455-171
高氏明 李翼倫妻 477-422-169
高氏明 何天相妻 483-179-384
570-192- 22
高氏明 吳紋妻 473-237- 60
高氏明 吳自強妻 480- 62-260
533-511- 66
高氏明 吳茂才妻 506- 93- 88
高氏明 狄阿先妻
493-1085- 57
高氏明 宗楷妻 506- 78- 88
高氏明 周榮清妻、高泰女
1250-879- 83
高氏明 金禧妻 506- 33- 86
高氏明 馬萬選妻 478-171-182
高氏明 夏永昌妻
1262-529- 58
1408-543-536
1457-738-413
高氏明 郭景南妻、高宣女
1242-246- 32
高氏明 陸吳山妻
1283-683-120
高氏明 張羅士妻 474-248- 12
506- 57- 87
高氏明 張羅善妻 474-248- 12
506- 57- 87
高氏明 陳和妻 302-214-301
474-605- 31
506-161- 90
高氏明 陳泰妻 524-457-202
高氏明 陳文濠妻、高恂女
524-454-202
高氏明 賀誠妻 506- 57- 87
高氏明 喬毅妻 1250-381- 36
高氏明 賈垓妻 302-245-303
541- 30- 29
高氏明 賈永昌妻 477- 93-153
高氏明 賈守智妻 506-105- 89
高氏明 趙元妻 478-275-187
高氏明 趙從龍妻、高浩女
1285-641- 9
高氏明 劉封妻、高秉女
1266-411- 7
高氏明 劉瑶妻 506- 43- 87
高氏明 劉襄妻 483-118-379
高氏明 劉東陽妻 481-290-306
高氏明 劉夢松妻 506- 13- 86
高氏明 劉體乾妻 478-729-212
高氏明 盧養蒙妻 476-404-119
547-461-158
高氏明 錢信妻 472-298- 12
高氏明 戴和妻 472-298- 12
475-381- 68
高氏明 檀之堅妻 475-647- 83
高氏明 韓得禮妻 506- 70- 88
高氏明 韓登第妻 478-350-191
高氏明 韓遇春妻 506- 49- 87
高氏明 竇儼妻 506- 7- 86
高氏明 蘇有根妻 506- 55- 87
高氏明 嚴几巒女 530-126- 57
高氏明 嚴可富妻 482-564-369
570-174- 22
高氏明 龔耀卿妻 533-511- 66
高氏明 高英女 512-737-195
高氏清 卜元吉妻 558-511- 42
高氏清 于景凱妻 478-674-209
高氏清 文贊妻 481-439-316
高氏清 王公鳳妻 541- 10- 29
高氏清 王家俊妻 475-538- 77
高氏清 王進賢妻 478-276-187
高氏清 包光昌妻 482-566-369
高氏清 米泰寧妻 474-194- 9
高氏清 李惺妻 477-137-155
高氏清 李士震妻 506- 86- 88
高氏清 李仲甫妻 474-385- 19
高氏清 李蕃春妻、高熊徵女
482-454-362
高氏清 吳洪妻 530- 81- 55
高氏清 吳鉅妻 1323-779- 5
高氏清 吳慶榮妻 481-764-335
高氏清 何元瑞妻 475-152- 57
高氏清 何君美妻 474-655- 34
高氏清 何國寧妻 474-193- 9
高氏清 祁顯名妻 506-171- 90
高氏清 李捷芳妻 506- 65- 87
高氏清 邱芝香妻 474-444- 21
高氏清 施民望妻 506- 22- 86
高氏清 紀鳴珂妻 474-195- 9
高氏清 宮朝棟妻 474-193- 9
506- 28- 86
高氏清 高衮女 474-194- 9
高氏清 高士宏妻 481-727-333
高氏清 高文運妻 478-276-187
高氏清 徐烱紀妻 503- 52- 95
高氏清 翁麐標妻 474-193- 9
高氏清 梁國輔妻 483-252-391
高氏清 張崇妻 506- 25- 86
高氏清 張紳妻 482-568-369
高氏清 張翥妻 481-159-298
高氏清 張璇妻 476-790-141
高氏清 陳伊訓妻 555-156- 68
高氏清 畢九宮妻 503- 60- 95
高氏清 葛士瑜妻 530- 40- 54
高氏清 趙功妻 474-251- 12
高氏清 劉焜妻 479-612-244
高氏清 劉弼賢妻 480- 97-262
高氏清 盧天樹妻 480-179-266
高氏清 魏國忠妻 512-424-187
高氏清 龔瑜妻 481-120-296
高允後魏 261-654- 48
266-618- 31
379-122-148
384-131- 7
459-326- 20
472- 67- 2
472-717- 28
474-307- 16
477-241-161
505-738- 72
506-301- 96
506-476-103
537-196- 54
540-725-28之1
545-258- 93
552- 28- 18
558-232- 32
933-276- 20
1387-208- 12
1395-602- 3
高永高揆、高夔 金
1040-241- 3
1365-297- 9
1445-532- 41
高永妻 明 見嚴氏
高永清 523- 67-149
高玉唐 820-287- 30
高弘漢 402-473- 11
515-292- 66
高正遼 289-636- 88
399- 35-419
高本元 545-242- 92
高旦宋 1118-945- 64
高甲明 456-528- 6
505-839- 76
高甲妻 清 見白氏
高出明 1442- 86- 5
1460-487- 63
高弁宋 288- 85- 432
400-443-541
472-575- 24
476-863-145
高禾宋 460-290- 18
高安後魏 262-450-100
265-1125- 79
381-424-194
高安明(字志康) 511-191-143
高安明(睢州人) 545-147- 88
高安妻 明 見楚氏
高江唐 812-351- 10

821- 55- 46
高江明 523-430-167
高宇明 515-389- 68
高式漢 254-429- 24
477- 59-151
879-155-58上
高共高赦、高赫 春秋
404-789- 48
545-497-101
高明明 479-559-242
高光晉 254-434- 24
255-723- 41
377-498-122
477-63-153
933-276- 20
高光明 302- 25-290
481-373-311
559-381-9上
高旭明(字伊旭) 473-574- 74
529-455- 43
676-489- 19
高旭明(莆田人) 821-371- 55
高年妻 明 見陳氏
高行漢 見寡高行
高宏妻 明 見揭氏
高亨元 見高克恭
高忱後魏 379-132-148
474-307- 16
505-698- 70
554-229- 52
933-277- 20
高沐唐 271-514-187下
275-612-193
384-238- 12
476-751-139
491-803- 6
400-110-509
540-740-28之2
高良妻 淸 見童氏
高志元 517-514-128
高成後魏 381-424-194
高成女 明 見高慧
高育北燕 496-611-104
高孝妻 明 見陳氏
高克春秋 404-888- 55
高材明 523-176-154
1292-637- 10
1457- 71-410

高材妻 明 見李氏
高防宋 285-350-270
396-626-311
472-436- 19
472-892- 35
476-296-112
478-694-210
546-348-126
高劭後梁 277-183- 20
高孜明 523-154-153
高呂漢 402-458- 10
高岑元 1218-782- 5
高邑漢 539-348- 8
高谷唐 494-238- 10
高位妻 清 見段氏
高位妻 清 見龍氏
高伯春秋 見高渠彌
高廷春秋 933-275- 20
高空梁 見月婆首那
高怡妻唐 見嘉豐公主
高定唐 270-759-147
275-313-165
396-106-261
472-708- 28
537-462- 58
933-279- 20
高定元 472-484- 21
546- 86-117
高松宋 460-317- 24
1164-325- 17
高松遼 見高模翰
高松高博多 金 291-203- 82
399-149-429
474-736- 40
502-263- 54
高松明 499- 19-122
820-717- 43
821-440- 57
高吞後魏 261-465- 32
高坤明 821-459- 57
高玩晉 591-531- 41
高林北周 478-165-182
高林明 1467-189- 69
高林妻 清 見鄭氏
高枝妻 明 見李氏
高尚唐 高不危 271-805-200上
276-499-225上
401-455-627

高明元(高壽父) 473-832- 87
570-120-21之1
高明元(興化人) 511-845-168
高明元(字柔克) 1201-166- 80
高明明(字上達) 299-568-159
453-668- 30
473- 65- 51
473-570- 74
510-291-112
515-875- 86
528-452- 29
537-214- 54
676-499- 19
1249-438- 29
1250-385- 36
高明明(字則誠) 301-820-285
479-407-235
524- 86-182
676-450- 17
820-544- 39
1439-445- 2
1459-395- 12
1471-479- 11
高明明(謚烈愍) 456-501- 5
481-268-305
559-523- 12
高明明(畢生研究卦理)
518-786-161
高明妻 清 見王氏
高固高宣子 春秋 404-571- 35
高固戰國 453-730- 1
564- 1- 44
高固漢 254-429- 24
高固唐 270-822-152
275-377-170
396-149-265
478-403-194
554-125- 50
高虎清 528-534- 31
高卓明 563-853- 41
高昇明(阜城人) 475-777-89
510-480-118
高昇明(南昌人) 480-564-284
高昂北齊 263-171- 21
266-635- 31
379- 38-152
384-131- 7
472- 67- 2

933-277- 20
1080-620- 57
1395-603- 3
高昂妻 元 見孫氏
高昕明 523-400-165
高岡元 546-668-137
1196-287- 16
高岡明 524-237-189
高昉元 472-133- 4
478-763-215
523- 25-147
820-510- 37
820-544- 39
1214-128- 11
高芝元 473-712- 81
482-184-346
563-715- 39
高昊明 1242- 88- 26
高知明 554-313- 53
高和後燕 496-607-104
高金明 300-438-209
476-184-106
545-892-114
高肩宋 843-667- 中
高岱吳 254-702- 1
386- 89-71下
475-124- 56
485-150- 20
493-858- 47
511-549-158
高岱明(字魯瞻) 301-644-276
456-530- 6
479-246-227
高岱明(字伯宗) 473-236- 60
480-174-266
533- 62- 49
676-583- 24
1442- 64- 4
1460-234- 50
高岳清河王 北齊 263-104- 13
267- 90- 51
375-502-85上
472- 67- 2
高岳宋 473-358- 64
480-507-281
532-702- 45
高岳岳彦高、嶽彦高 明
524-309-194

820-578- 40
1475-167- 7
高延後魏 262-450-100
265-1125- 79
381-424-194
高秉女 明 見高氏
高竑金 291-414-100
399-240-437
472-149- 5
472-625- 25
502-368- 62
505-695- 70
高冠明 558-313- 34
高宣元 295- 85-153
399-435-459
472-626- 25
474-740- 40
502-373- 63
高宣女 明 見高氏
高室明 554-313- 53
高洵宋 821-171- 50
高洽漢陽王 北齊 263- 84- 10
267-103- 51
375-516-85上
高恂明 301-731-281
483- 47-372
558-397- 36
569-663- 19
高恂女 明 見高氏
高恪東平王 北齊 267-117- 52
375-527-85上
高恒北齊 見齊幼主
高洋北齊 見齊文宣帝
高亮北齊 267-101- 51
375-514-85上
高亮明 472-500-21
476-417-120
545-393- 97
高郎明 477- 87-153
高彥吳越 472-983- 39
472-997- 40
494-293- 4
523-516-171
高洙元 1204-284- 8
高哀春秋 404-810- 49
高恢漢 448-106- 下
478-101-180
478-350-191
554-863- 64
871-898- 19
高美明 516- 80- 90
高拱明(字肅卿) 300-517-213
452-488- 6
458- 51- 2
477- 88-153
537-596- 60
1410-496-729
高拱明(鄖縣人) 554-345- 54
高拯南唐 515-212- 63
高相漢 251-107- 88
380-250-172
472-410- 18
475-424- 70
475-744- 88
511-693-163
675-241- 3
933-276- 20
高厚春秋 384- 16- 1
404-572- 35
高厚明(宜山人) 1467-219- 70
高厚明～清(字古生)
1321-226-111
高奎明 540-804-28之3
高郁五代～宋 407-660- 3
511-201-144
933-281- 20
高飛明 511-791-166
高述唐 820-225- 28
高述宋 820-386- 33
821-185- 50
高某明(人稱稼軒高士)
1227-179- 21
高柔魏 254-429- 24
377-199-117
384- 85- 4
384-675- 43
385-389- 41
472-654- 27
477- 62-151
537-375- 57
540-621- 27
933-276- 20
高貞北平王 北齊 263- 98- 12
267-117- 52
375-527-85上
高貞明 見高景瓚
高昭明 472-297- 12
高則唐 1065-260- 8
1342- 52-910
高毗後魏 379-132-148
高英女 明 見高氏
高迪明 476-732-138
540-796-28之3
高泉明 541-107- 31
高俅宋 933-284- 20
高重唐 274-227- 95
400-618-556
474-310- 16
505-871- 78
556-116- 85
933-278- 20
高垕妻 元 見張氏
高胤明 473-403- 66
高衎金 291-290- 90
399-174-431
472-625- 25
474-738- 40
502-790- 88
高朕高眹、高眹、高朕 漢
481- 65-293
559-258- 6
561-306- 40
561-306- 40
591-657- 47
1354-829- 48
1381-609- 44
高俊明(溫縣人) 472-721- 28
高俊明(膚施人) 545-246- 92
高俊明(字士偉) 563-809- 41
高俊妻 明 見李氏
高宮漢 262-448-100
381-421-194
高容漢 675-279- 11
高湝高清、襄城王 北齊
263- 82- 10
267-101- 51
375-514-85上
535-556- 20
高浩女 明 見高氏
高涇明 見高經
高祚宋 1140-696- 29
高祐高禧、高次奴 後魏
261-770- 57
266-630- 31
379-132-148
384-131- 7
472- 67- 2
476-853-145
477-199-159
537-273- 55
540-631- 27
545-259- 93
933-277- 20
高祐元 1200-790- 61
高祐明 505-682- 69
528-485- 30
高朗明 456-530- 6
524-140-185
高朗妻 清 見張氏
高悝晉 475-372- 68
480- 61-260
511-571-159
516-217- 96
高益宋 499-426-159
812-451- 1
812-467- 2
812-474- 3
812-535- 3
821-144- 50
1113-288- 27
高悅後魏 261-740- 54
266-698- 34
379-159-148
933-277- 20
高悌明 554-523-57下
高浟彭城王 北齊 263- 80- 10
267- 99- 51
375-511-85上
384-137- 7
472- 64- 2
472- 84- 3
474-336- 17
474-650- 34
505-628- 67
814-219- 2
高浚北齊 263- 79- 10
267- 98- 51
375-510-85上
544-207- 62
544-215- 62
高淩清 523-221-156
高泰女 明 見高氏

高素晉 494-277- 2
高眞後魏 261-465- 32
高珪宋 288-410-456
400-299-524
474-311- 16
505-903- 80
高珦明 524-135-185
1408-711-554
高桂宋 511-455-154
563-710- 39
高桂明 511-360-150
高桂妻 清 見梅氏
高晉清 475-503- 75
1308-298- 59
高弱春秋 384- 16- 1
404-572- 35
高陞明 1410-431-721
1458-679-470
高珩清 1325-296- 附
高翀明(字允升) 480-205-267
515-554- 74
533- 69- 49
545- 91- 85
571-519- 19
676-562- 23
高翀明(鍾祥人) 505-657- 68
高翀明(冀城人) 545-770-111
高翀明(代州人) 547- 96-144
高翀妻 明 見覃氏
高翀清 567-411- 84
高校明 1283-700-122
1292-639- 10
高校妻 明 見朱氏
高耿妻 元 見阮二姐
高郢唐 270-758-147
275-311-165
384-230- 12
396-105-261
472-708- 28
476-111-102
477-207-157
478-335-191
537-462- 58
545-361- 96
554-232- 52
683-485- 3
933-279- 20
1076-112-569
1077-139- 12
高眹漢 見高肸
高柴子羔 春秋 244-387- 67
246- 28- 67
371-492- 32
375-655- 88
386-739- 15
405-441- 85
472-707- 28
491-791- 6
537-363- 57
539-494-11之2
933-275- 20
1408-493-529
高峻明 473- 51- 50
516- 64- 89
高耕宋 524- 62-181
高倬明 301-634-275
456-439- 3
481-439-316
508-361- 42
559-358- 8
高倫明 302-494-314
高釗後魏 262-449-100
381-422-194
高能明 1254-335- 9
高笏妻 明 見閆氏
高朕漢 見高肸
高殷北齊 見齊廢帝
高娘高谷女 明 570-255- 25
570-736- 30
高淳明 480-582-285
高清北齊 見高湝
高清宋 285-459-277
高淮明 302-287-305
460-493- 41
529-719- 51
821-361- 55
高商晉 496-420- 90
高翊漢 見高詡
高淹平陽王 北齊 263- 80- 10
267- 99- 51
375-511-85上
544-207- 62
544-215- 62
高許明 538-114- 64
高祥宋 516- 44- 88
高庸元 見王庸
高宷明 302-290-305
594-218- 8
高深元 1213-777- 25
高衮女 清 見高氏
高理清 456-303- 73
高堅唐 820-215- 28
高推高檀越 後魏 261-669- 48
266-628- 31
379-132-148
933-277- 20
高乾北齊 263-168- 21
266-633- 31
379-380-152
472-198- 7
933-277- 20
高彬明 472-999- 40
479-134-223
523-118-151
高琁唐 665-586- 6
高琁妻 唐 見韋氏
高赦春秋 見高共
高捷明(字中白) 510-384-115
540-823-28之3
677-682- 61
高捷明(字漸卿) 537-597- 60
高捷妻 清 見江氏
高爽齊 265-1017- 72
380-365-176
933-276- 20
高張高昭子 春秋 404-572- 35
高通金 476-657-135
540-648- 27
高陵後魏 261-387- 24
高崇沮渠崇 後魏 262-149- 77
267- 80- 50
379-360-151
474-735- 40
477-304-163
502-316- 58
537-296- 56
933-278- 20
高崇宋 678-562-123
1173-331- 88
高崇明 554-254- 52
高晦元 見商晦
高崧晉 256-193- 71
377-758-127
475-372- 68
511-200-144
933-276- 20
高崧明 528-453- 29
高貫明 511- 48-148
545-387- 97
581-653-112
1258-293- 5
高國春秋 384- 16- 1
高常宋 493-1023- 54
511-729-165
高華明 483-140-380
570-217- 23
高荷宋 820-380- 33
933-284- 20
高冕宋 285-345-269
494-269- 2
546-285-124
高彪漢 253-567-110下
370-205- 21
380-344-175
453-745- 3
472-256- 10
475-217- 61
477-160-157
492-695-3上
511-765-166
590-445- 0
933-276- 20
1397-657- 31
高彪王彪、高昭和碩 金
291-187- 81
399-127-427
474-736- 40
502-363- 62
544-238- 63
高勗十國吳 475-528- 77
高釴唐 271-186-168
275-436-177
384-264- 13
396-177-268
933-280- 20
高　唐 502-256- 53
高猛後魏 262-223-83下
267-552- 80
380- 17-165
高紹妻 明 見樊氏
高偃春秋 404-572- 35
933-275- 20

高偃女　北魏　見高皇后
高偉明　王佐妻、高環女
1255-667- 69
高呰明　676-587- 24
1442- 64- 4
1460-234- 50
高紳宋(刑部郎中)　486- 47- 2
高紳宋(江東人)　820-337- 32
高紳宋(渤海人)　1086-165- 17
高第明(字登之)　301-341-257
505-730- 71
532-598- 41
高第明(閿鄉人)　456-604- 9
高第清　478-274-187
537-438- 58
554-611- 59
高敏隋　見高熲
高敏宋　288-350-452
400-128-511
472-603- 25
476-699-137
478-571-203
478-671-209
540-758-28之2
高敏明　458-166- 8
472-291- 12
472-700- 28
537-352- 56
高啟明　301-820-285
452-261- 8
472-229- 8
475-132- 56
493-970- 52
511-732-165
524-325-195
588-181- 8
676-448- 17
820-561-340
1220-341- 12
1229-412- 2
1230- 4- 附
1284-127-146
1318-342- 62
1442- 5- 1
1459-314- 9
高馮唐　見高季輔
高斌元　558-310- 34
高斌女　明　見高惠果
高斌清　1308-298- 59
高湖後魏　261-463- 32
高湘唐　275-437-175
271-188-168
396-178-268
高湝任城王　北齊　263- 83- 10
267-102- 51
375-514-85上
544-216-62
545- 6- 83
高渭五代　523-361-163
高翔明(謚烈愍)　299-352-141
456-694- 12
478-347-191
494- 54- 2
554-706- 61
886-156-139
高翔明(字鵬翼)　1253- 80- 44
高翔妻　明　見康氏
高普武興王　北齊　263-114- 14
267- 98- 51
375-510-85上
高善明　1442- 76- 5
高湛北齊　見齊武成帝
高焯明　1240-330- 21
1241-151- 7
高愉明　554-771- 62
高愉妻　清　見王氏
高湯隋　264-1123- 81
381-424-194
高湜高陽王　北齊　263- 83- 10
267-102- 51
375-515-85上
高湜唐　275-437-177
396-178-268
933-280- 20
高渙上黨王　北齊　263- 82- 10
267-101- 51
375-513-85上
544-215- 62
高渙宋　545-428- 99
高詠清　475-612- 81
511-814-167
高雲北燕　見燕惠懿帝
高雲後魏　262-450-100
381-423-194
高雲唐　812-371- 0
821- 75- 47
高雲明　511-778-166
高越南唐　820-316- 31
高越明　475-754- 88
476-698-137
高惠明　483-116-379
高巽明　陸鑰妻　472-700- 28
高琯清　456-145- 60
高琯清(奉天人)
569-620-18下之2
高超明　547- 88-144
高期漢　742- 25- 1
高植後魏　262-223-83下
267-552- 80
380- 17-165
537-263- 55
540-622- 27
高雄明　558-453- 38
高雅後魏　261-772- 57
379-134-148
高盛廣平王　北齊　263-109- 14
267- 93- 51
375-503-85上
1400- 43- 3
1415-661-109
高階明　見高智
高閌宋　288- 99-433
400-284-545
472-1086- 46
479-177-225
487-129- 9
491-403- 4
491-435- 6
523-588-175
679-484-186
1152-793- 51
高隆明　511-567-158
高登宋　287-455-399
398-448-394
447-336- 4
459-629- 37
460-220- 14
471-673- 13
473-654- 78
473-749- 83
473-767- 84
473-767- 84
481-614-329
482-115-343
482-348-356
482-433-361
482-453-362
529-560- 46
530-524- 71
567- 67- 65
674-842- 18
1136-429- 附
1136-454- 附
1136-456- 附
1437- 23- 2
1145-651- 79
1363-457-176
1467- 39- 63
高登明　558-313- 34
高琬明　515-507- 72
高開晉　496-420- 90
496-597-103
高陽明　524-360-196
821-446- 57
高陽妻　明　見歸淑芳
高陽清　1475-578- 25
高琛北齊　263-102- 13
267- 88- 51
375-500-85上
545-315- 95
547-182-148
高琛元　481-745-334
528-559- 32
高琳北周　263-640- 29
267-346- 66
379-635-158
384-141- 7
483-685-421
554-119- 50
933-278- 20
高琰妻　明　見潘氏
高棅高廷禮　明　301-827-286
481-529-326
529-719- 51
676-450- 17
820-588- 40
821-359- 55
1318-355- 63
1374-681- 89
1442- 18- 1
1458-167-429
1459-379- 11

十畫：高

高楝明 483-116-379
494-158- 5
570-131-21之1
高揆金 505-665- 69
高揆金 見高永
高逵妻 明 見杜氏
高逵妻 明 見何氏
高閑唐 479-153-223
494-515- 25
524-403-199
813-304- 19
814-279- 10
820-302- 30
1052-413- 30
1074-351- 21
1075-306- 21
高尌明 528-457- 29
570-118-21之1
高黑妻 明 見吳氏
高景明 558-295- 34
高景清 505-815- 74
高貴宋 472-275- 11
472-664- 27
538- 39- 63
高貴明 567-394- 83
1467-213- 70
1467-447- 6
高貴妻 清 見陳氏
高萃明 523-457-168
1474-309- 14
高華妻 明 見胡氏
高華清 480-176-266
高敞明 1255-764- 76
高傅元 472-699- 28
高順漢 253-478-105
377- 62-113下
高順漢 見高愼
高智高階 明 547- 7-141
高欽後魏 261-739- 54
高策明 473-842- 87
高復明 472-527- 22
510-361-114
高傑明 301-602-273
高傒高敬仲 春秋 404-571- 35
高進明 472- 27- 1
477-201-159
高溱元 547- 86-144
高溥明 559-297-7上

高源元 295-323-170
399-645-484
472- 66- 2
472-520- 22
474-305- 16
474-380- 19
505-753- 72
523- 22-147
540-625- 27
545-766-110
高愼高順 漢 254-429- 24
402-462- 10
477- 59-151
879-155-58上
高愼妻 後魏 見李氏
高愼北齊 263-170- 21
266-635- 31
379-383-152
高祺明 563-782- 40
高義明 545-466-100
554-288- 53
高溶宋 見高子溶
高詡漢 253-532-109下
370-168- 16
380-267-172
402-404- 6
469-527- 64
472-522- 22
476-520-128
540-699-28之1
675-279- 11
933-276- 20
高詡前燕 496-417- 90
502-314- 58
高裔清 505-805- 74
506-668-110
高雍後魏 261-466- 32
高裕明 515-248- 64
高準宋 529-642- 48
高廉宋 523-558-174
1140-175- 22
高遂漢 477-125-155
高道明 545-149- 88
高道妻 明 見李氏
高瑀唐 271-101-162
275-386-171
384-271- 14
396-154-265

472- 69- 2
474-310- 16
505-739- 72
933-280- 20
高載宋 1173-328- 88
高楨代王 金、遼 291-224- 84
399-139-428
474-737- 40
474-816- 44
502-364- 62
544-237- 63
高預宋 484-378- 27
高瑄明 554-338- 54
高瑁明 511-229-144
高椿明 1241-151- 7
高瑞吳 488- 76- 6
高瑞明 493-758- 41
高瑞妻 明 見郎元眞
高幹漢 254-429- 24
376-821-110
402-499- 12
高幹後魏 261-467- 32
478-333-191
554-230- 52
高幹明 547- 8-141
高楫明 472- 52- 2
505-656- 68
高勣明 301-713-279
456-549- 7
高瑛明 472-481- 21
523-473-169
高達兆佳氏 清 455-500- 31
高達郭絡羅氏 清 455-513- 32
高萬宋 288-357-452
400-171-513
554-361- 54
高照宋 473-642- 78
515-269- 65
529-622- 48
高崇晉 見高崧
高嵩後魏 379-219-149
高崇高崇者 明(江陵人)
473-304- 62
533-441- 62
高嵩明(郯縣人) 477-502-174
高嵩明(字世瞻) 482-391-358
567-333- 79
1467-214- 70

1467-456- 7
高嵩明(字子高) 1442- 12- 1
1459-485- 15
高嵩妻 明 見劉氏
高鼎宋 515-324- 67
高鼎明 547- 87-144
高鼎清 476-334-115
546-417-128
高暐明 524-240-190
676- 3- 1
676-475- 18
高暐清 483-195-387
高萼明 1442- 54- 3
高愈清 475-233- 61
511-683-163
高經高涇 明 456-631- 10
474-246- 12
505-847- 76
高節隋 547-478-159
高節明(永清人) 510-429-116
高節明(字愼默) 537-410- 57
高節明(字中立) 545-193- 90
554-667- 60
高節明(上元人) 571-549- 20
高逾妻 明 見李氏
高賓獨孤賓 北周 263-724- 37
267-437- 72
554-230- 52
高察漢 524-289-193
高察明 559-404-9上
高演北齊 見齊孝昭帝
高誠妻 明 見張氏
高禎遼 472-626- 25
高福元 545-654-106
高寧明 480-290-271
高寧妻 明 見王氏
高漸宋 479-767-252
515-499- 72
高端明 480-651-289
高廓齊安王 北齊 263- 98- 12
267-117- 52
375-527-85上
高彰明 1230-324- 5
高榮女 元 見高氏
高壽元 473-832- 87
高赫春秋 見高共
高輔明 563-778- 40
高頙漢 見高頤

高嘉漢 675-279- 11
高翥宋 524- 53-180
1170-120- 附
1318- 60- 36
1364-485-314
1437- 28- 2
高翥明 540-803-28之3
高構隋 264-959- 66
267-512- 77
379-833-163
384-154- 8
384-155- 8
472-612- 25
474-600- 31
476-667-136
476-729-138
478- 86-180
554-326- 54
933-278- 20
高閣後魏 472- 30- 1
高瑶明 299-635-164
481-529-326
482- 33-340
529-457- 43
563-752- 40
高瑶妻 明 見林淑書
高聞明 474-652- 34
高榜明 547- 21-141
高鳴元 295-174-160
399-553-475
472- 97- 3
472-696- 28
474-380- 19
505-753- 72
538-319- 69
676-698- 29
1191-433- 37
高頔宋 288-195-440
400-634-558
472-658- 27
474-481- 23
477- 72-152
537-385- 57
1085-343- 15
高睿元 294-308-125
399-374-452
472-174- 6
472-931- 37
475-368- 67
475-605- 81
478-598-204
478-763-215
510-285-112
523- 26-147
558-363- 35
高鳳漢 253-620-113
370-188- 18
380-411-177
402-413- 6
472-770- 30
477-367-167
538-163- 66
933-276- 20
高鳳妻 明 見蘇氏
高銘明 472-206- 7
高銓明 300- 59-186
505-639- 67
511-207-144
676-511- 20
高緒後魏 262-153- 77
高魁明(字文元) 458-114- 5
537-596- 60
540-635- 27
高魁明(號榮田) 1283-679-120
高魁妻 明 見李氏
高肇後魏 262-222-83下
267-551- 80
380- 16-165
高肇妻 後魏 見平陽公主
高銑宋 285-245-269
396-623-310
高綽後魏 261-668- 48
266-628- 31
379-132-148
933-277- 20
高綽高融、南陽王 北齊
263- 95- 12
267-114- 52
375-524-85上
474-307- 16
535-556- 20
540-730-28之1
高綺明 1261-844- 41
高銖唐 271-187-168
275-437-177
384-264- 13
384-272- 14
396-178-268
486- 44- 2
547-152-147
933-280- 20
高綬明 554-312- 53
高澐宋 484-386- 28
高諒後魏 261-773- 57
266-633- 31
379-134-148
505-848- 76
540-729-28之1
高諒元 295- 86-153
高廣妻 宋 見馮氏
高潤馮翊王 北齊 263- 84- 10
267-103- 51
375-515-85上
544-216- 62
高澄北齊 見齊文襄帝
高澄明 480-133-264
533-423- 62
高澧明 511-210-144
高適唐 270-349-111
275- 65-143
395-683-242
451-421- 2
471-950- 52
471-964- 54
472- 69- 2
474-338- 17
475-364- 67
476-751-139
477-135-155
481- 16-291
491-803- 6
505-744- 72
506-494-103
538-317- 69
587-624- 11
591-673- 47
674-252-4上
674-802- 16
933-279- 20
1069- 41- 1
1365-409- 2
1371- 59- 附
1387-502- 38
1472-248- 15
高適宋 486- 46- 2
高適明 1292-636- 10
高適妻 明 見浦潔
高談宋 288-376-453
400-137-511
473-644- 78
481-697-332
529-689- 50
1173-226- 79
高誕魏 254-434- 24
高慶宋 1202-275- 19
高慶明 554-258- 52
高慧明 李正妻、高成女
1262-344- 38
高慧妻 明 見陳氏
高熲高敏、獨孤敏、獨孤熲 隋
264-720- 41
267-437- 72
379-687-160
384-150- 8
472- 68- 2
474-309- 16
505-739- 72
544-219- 62
933-278- 20
高瑾明 1262-414- 45
1410-396-716
高瑾妻 明 見侯氏
高豎春秋 404-572- 35
547-167-147
高閭宋 491-436- 6
高閭高驢 後魏 261-730- 54
266-694- 34
379-155-148
384-132- 7
474-171- 8
505-711- 71
933-277- 20
高閭元 523-152-153
高輦後唐 407-652- 2
高璉後魏 262-449-100
265-1124- 79
281-423-194
高璉明 545-394- 97
高轂明 299-680-169
452-140- 1
453-359- 7
453-563- 7

472-297- 12
475-375- 68
511-207-144
676-478- 18
820-615- 41
1244-605- 12
1442- 21- 2
1284-355-163
1459-583- 21
高遷明 511-179-143
1241-667- 14
高蔚明 676-196- 8
高賦宋 288- 8-426
382-732-112
384-359- 18
400-350-531
472- 65- 2
472- 94- 3
472-765- 30
472-1044- 43
474-653- 34
477-359-166
479-351-233
505-797- 73
523-198-155
537-312- 56
933-283- 20
1100-470- 43
高勱高勵、樂安王 北齊
263-106- 13
264-843- 55
267- 92- 51
375-504-85上
384-154- 8
472- 68- 2
472-307- 13
474-309- 16
475-323- 65
476-725-138
478-515-200
510-381-115
545-315- 95
高賜明 483-161-382
高賜明 482-161-382
569-676- 19
高儀明 300-178-193
479- 54-218
523-265-158
676-724- 30
高儉唐 見高士廉
高德明 1236-695- 7
高衛妻 宋 見王靜明
高緯北齊 見齊後主
高稼宋 288-317-449
400-177-514
472-867- 34
473-446- 68
473-537- 72
478-245-186
481-154-298
481-333-308
481-362-310
493-1072- 57
554-203- 52
559-525- 12
591-646- 46
592-602- 99
高稷明 511-846-168
高徵妻 明 見李氏
高憲金 472-626- 25
474-740- 40
502-792- 88
820-482- 36
1365-171- 5
1439- 8- 附
1445-406- 29
高諷唐 820-273- 29
高澧後梁 494-294- 4
高熺妻 清 見苑氏
高龍晉 679-366-174
高龍妻 明 見羅氏
高澤區澤 隋 482-290-352
564- 17- 44
高澤宋 1175-320- 31
高澤元(字濟夫) 1201-169- 80
高澤元(字雲卿) 1201-664- 25
高澤女 明 見高氏
高懌高繹 宋 288-429-457
371-152- 15
382-772-118
384-360- 18
401- 17-569
408-666- 26
473-302- 62
478-134-181
480-245-269
533-209- 53
554-871- 64
933-283- 20
1218-612- 2
高廩明 524- 56-180
1391-665-342
高謀金 505-674- 69
高凝華山王 北齊 263- 84- 10
267-103- 51
375-515-85上
高遵後魏 262-273- 89
266-628- 31
380-229-171
820-116- 25
821- 27- 45
高璜清 479-457-237
502-793- 88
515- 74- 58
高融北齊 見高緯
高融宋 1164-325- 17
高樹北齊 544-161- 61
高穎宋 473-758- 83
567-437- 86
1461-150- 67
高頤高頣 漢 471-970- 55
473-533- 72
560-495- 27
681-576- 11
681-594- 13
1397-664- 31
高頤宋 460-425- 32
473-660- 78
481-747-334
529-643- 48
678-404-108
高頤明 676- 25- 1
678-443-112
460-820- 91
高翰妻 明 見翁氏
高彊春秋 404-610- 37
高駢唐 271-387-182
276-475-224下
384-287- 15
401-401-621
451-460- 6
473-891- 90
559-246- 6
567-539- 90
591-676- 47
820-265- 29
1365-463- 6
1371- 73- 附
1467- 18- 62
高霖金 291-456-104
399-252-439
472-558- 23
474- 93- 3
476-825-143
477-562-177
540-770-28之2
575- 704-附下
高璞清 559-439-10下
高選高壽兒 宋 448-370- 44
484-384- 28
高選明 554-490-57上
高選妻 明 見周氏
高選清 505-808- 74
高遹宋 484-373- 27
高曇宋 529-642- 48
677-290- 26
高曇明 472-262- 10
511-449-153
高興元 295-201-162
399-569-476
472-794- 31
472-1027- 42
473-568- 74
477-418-169
523- 21-147
537-564- 60
1376-857- 65
高興明(儀封人) 456-679- 11
477- 89-153
高興明(合肥人) 472-329- 14
511-640-161
高叡高須拔、趙王 北齊
263-102- 13
267- 89- 51
375-500-85上
474-650- 34
476-276-111
505-628- 67
545-315- 95
高叡唐 271-493-187上
275-582-191
400- 93-508

472-835- 33
474-616- 32
478-112-181
481-348-309
505-700- 70
554-695- 61
933-280- 20
高叡妻 唐 見秦氏
高遲元 820-531- 38
821-320- 54
高遲妻 明 見樊氏
高儔明 554-339- 54
高儒明 554-709- 61
558-397- 36
高錫宋 285-345-269
396-623-310
546-705-138
933-280- 20
高錫金 291-669-121
400-215-517
474-305- 16
474-739- 40
502-701- 82
高錫明 456-615- 9
高勳遼 289-621- 85
399- 19-418
高濤清 505-902- 80
高謐後魏 261-464- 32
高禧後魏 見高祐
高禧元 540-777-28之2
高濟博陵王 北齊 263- 84- 10
267-103- 51
375-515-85上
高濟明 1253-163- 48
高謙元 472-699- 28
494-316- 5
676-232- 9
1201-665- 25
高謙明(字孫益) 554-501-57上
559-270- 6
高謙明(揚州人) 1467- 63- 64
高燮後魏 261-669- 48
266-628- 31
379-132-148
474-307- 16
高懍明 524-243-190
高聰後魏 262- 37- 68
266-822- 40
379-222-149
547-172-147
933-278- 20
高懋明 559-355- 8
高翼北齊 263-168- 21
266-633- 31
379-134-148
379-380-152
高翼元 820- 54- 38
高翼明 472-604- 25
476-699-137
540-784-28之3
高翼明 見高鵬舉
高擢宋 1159-560- 34
高擢明 505-807- 74
高舉明(字雲翰) 458-109- 5
477- 86-153
537-401- 57
高舉明(字東溟) 476-529-128
540-819-28之3
高舉明(萬泉人) 547- 75-143
高舉明(字伯鵬) 1283- 44- 70
高舉清 528-547- 32
高趨明 563-843- 41
高勵北齊 見高勱
高璲明 494- 20- 2
554-313- 53
高璩唐 271-228-171
275-443-177
384-281- 14
高環女 明 見高偉
高薄妻 宋 見司徒氏
高嶼明 476-819-143
高爵明 1253-132- 47
高鍟明 456-461- 4
554-730- 61
高鍇唐 271-187-168
275-437-175
384-264- 13
384-272- 14
396-178-268
547-152-147
933-280- 20
高獲漢 253-594-112
380-568-181
472-791- 31
475-646- 83
477-543-176
511-911-173
538-363- 71
675-260- 7
933-276- 20
高徽後魏 261-465- 32
267- 96- 51
高瀌明 456-545- 7
475-471- 72
540-831-28之3
高燿明 505-812- 74
高瀔明 529-720- 51
684-499- 下
821-414- 56
870-676- 42
1263-256- 10
1277-300- 10
1442- 50- 3
1458- 61-418
1460- 68- 43
高燾宋 820-407- 34
821-198- 51
高璧元 472-389- 17
高璧明 1391-658-342
1442- 24- 2
1459-610- 23
高穗明 524-200-188
高彝元 1207-251- 17
高藏唐 271-771-199上
276-348-220
381-426-194
384-297- 15
401-512-635
高瞻晉 256-757-108
381-196-188
474-777- 42
503- 8- 90
933-276- 20
高鵠明 483-117-379
494-158- 5
570-131-21之1
高魏明 476-430-121
高鎔宋 1437- 34- 2
高翻後魏 261-464- 32
267- 90- 51
高簡清 511-868-170
高颺後魏 262-222-83下
高颺女 北魏 見高皇后
高雙後魏 261-859- 62
266-817- 40
高瘳宋 820-452- 35
高懷後魏 379-132-148
474-307- 16
高鏊明 511-233-145
高韜晉 255-724- 41
高鄰春秋 404-572- 35
高瓊宋 285-611-289
371-167- 17
397- 80-325
382-269- 42
384-341- 17
449- 52- 4
450- 74-9上
472-202- 7
475-779- 89
476- 28- 97
511-423-152
537-204- 54
540-668- 27
545- 38- 84
708-327- 50
933-281- 20
1093-362- 49
高瓊明 567-343- 79
1467-240- 71
高蟾唐 451-469- 7
1371- 73- 附
高鵬明(澧州人) 473-319- 62
480-615-287
533-295- 56
高鵬明(山東人) 476- 31- 97
545-154- 88
高鵬明(蘄州進士) 559-287-7上
高鏞明 515- 56- 58
523-233-156
559-403-9上
569-668- 19
高繹宋 見高懌
高騫清 533-304- 57
高灌宋 484-388- 28
高爐明 1442- 71- 4
高翻元 820-500- 37
高騰明(字九霄) 524-355-196
高騰明(臨穎人) 545-377- 97
高鐈清 474-147- 12
505-884- 79
高夔宋 1147-688- 65

高夔金 1040-257- 5
高夔金 見高永
高夔明 472-128- 4
505-691- 70
高顥後魏 261-772- 57
379-134-148
540-727-28之1
高巍明 299-374-143
453-114- 11
456-693- 12
546-330-126
550-201-216
572-156- 32
886-159-139
高蘭明 302-502-314
高鐸明 472-468- 20
476-401-119
546-591-134
高巒明 563-844- 41
高懿北齊 267- 98- 51
375-510-85上
高霽唐 475-641- 83
511-854-169
高覿宋 285-794-301
397-214-332
472-202- 7
473-426- 67
475-852- 94
479- 91-221
481- 67-193
511-347-149
523- 97-150
559-264- 6
高歡北齊 見齊神武帝
高鑑明(字克明) 458- 45- 2
537-566- 60
559-298-7上
676-514- 20
高鑑明(廣昌人) 505-915- 81
547- 53-143
高鑑明(字孔明) 530-615- 73
821-414- 56
1269-172- 12
高籙明 476-130-102
547-518-162
高儼瑯邪王 北齊 263- 96- 13
267-114- 52
375-524-85上
高儼明 505-656- 68
高瓚明 505-888- 79
高鵬明 533-432- 62
高顯後魏 552- 28- 18
高顯金 1190-496- 42
高顯明(謚武肅) 511-414-512
高顯明(濮人) 540-798-28之3
高顯清 505-679- 69
高巖明 510-400-115
高觿高實喇 元 295-308-169
399-636-483
472-490- 21
545-838-113
547-165-147
1207-252- 17
高驢後魏 見高閭
高讜後魏 261-770- 57
高驤唐 480- 61-260
533-721- 73
高驤元 516- 47- 88
高一相清 505-911- 81
高一琴妻 清 見杜氏
高一福明 676-211- 8
高一龍母 明 1254-333- 9
高一夔妻 元 見艾良秀
高一夔明 554-300- 53
高一麟明 456-531- 6
高力士馮力士 唐
271-421-184
276-132-207
384-208- 11
401- 42-574
470-501-161
564-933- 64
820-290- 30
高三位明 1312-838- 11
高士文明 299-487-154
472-841- 33
478-126-181
554-707- 61
高士永女 宋 見高氏
高士宏妻 清 見高氏
高士亨元 見高克恭
高士奇清 479-100-221
524- 28-179
高士林宋 288-510-464
382-779-119
384-375- 19
400- 49- 503
933-282- 20
高士廉高儉 唐 269-597- 65
274-224- 95
384-166- 9
395-266-204
407-399- 2
469-518- 63
472- 68- 2
473-425- 67
474-309- 16
481- 16-291
505-739- 72
550-195-216
559-260- 6
567-425- 86
591-671- 47
820-134- 26
933-278- 20
1340-556-776
高士達清 476-181-106
高士鳳妻 明 見陳靜英
高士徽宋 494- 18- 2
554-272- 53
高士談金 383-999- 28
472- 35- 1
676-695- 29
820-477- 36
1365- 28- 1
1439- 2- 附
1445-107- 6
高士慶宋 1121- 81- 8
高士慶妻 宋 見屈氏
高士衡隋 472-824- 33
高子長宋 1163-537- 29
高子津宋 485-535- 1
高子貢唐 271-543-189下
274-360-106
395-371-214
511-714-164
高子莫妻 宋 見翁氏
高子溶高溶 宋 493-712- 39
1164-304- 16
高子瑗平昌王 北齊
375-505-85上
544-216- 62
高子鳳宋 472-242- 9
高子潤宋 479-133-223
1164-401- 22
高子儒後魏 262-153- 77
502-317- 58
高子孺宋 288-357-452
400-170-513
472-906- 36
478-484-199
558-175- 31
高大中宋 1173-106- 70
高大亨宋 821-205- 51
高大茂明 511-583-159
高大經明 505-888- 79
高小梅明 477-170-157
538-222- 67
高上義清 456-337- 76
高千壽宋 見高若拙
高斗光明 505-678- 69
高斗光明 見高道素
高斗垣明 302- 76-293
456-571- 8
476-334-115
477-411-169
537-332- 56
高斗南明 301-731-281
478-699-210
481-114-296
558-396- 36
高斗樞明 301-424-260
479-186-225
480-243-269
523-539-172
676-656- 27
高文友清 505-916- 81
高文中宋 515-581- 75
高文本元 1206- 70- 8
高文奴金幼芳妻 元
524-773-215
1228-577- 3
高文虎宋 287-399-394
398-397-390
451- 24- 0
472-1086- 46
479-177-225
491-436- 6
493-748- 41
524- 40-180
高文杲明 524-168-186
高文彩明 456-599- 9

474-187- 9
505-839- 76
高文彩妻 清 見杜氏
高文敏唐 見高履行
高文善宋 491-437- 6
高文進宋 592-718-107
812-456- 1
812-537- 3
821-151- 50
1381-575- 42
高文祺明 1442- 98- 6
1460-592- 69
高文運妻 清 見高氏
高文煥妻 宋 見乾氏
高文達明 529-462- 43
高文鼎元 515-623- 76
高文遥北齊 見元大遥
高文慶宋 487-510- 7
高文學明 476-395-119
高文學妻 明 見王氏
高文舉清 456-336- 76
高文鑑清 474-472- 23
505-694- 70
高之珩妻 清 見王氏
高不危唐 見高尚
高不驕妻 清 見孟子
高太沖高沖古 宋812-540- 3
821-115- 49
高太素唐 554-868- 64
高元之宋 487-144- 9
491-407- 5
523-590-175
677-366- 34
1147-562- 53
1153-573-103
高元亨高懷玉 宋812-457- 1
812-538- 3
821-157- 50
高元長元 502-714- 83
高元昌北魏 933-277- 20
高元美清 538- 43- 63
高元海北齊 263-110- 14
267- 94- 51
375-506-85上
高元祐唐 472- 69- 2
高元常宋 523- 97-150
1118-959- 65
高元雅明 820-747- 44
高元裕高允中 唐
271-227-171
275-442-177
384-264- 13
396-186-268
472-357- 15
474-338- 17
476-751-139
480- 12-257
505-744- 72
高元達晉 見陳元達
高元榮後魏 262-274- 89
高死丕春秋 933-275- 20
高引光明 554-472-57上
高天佑明 511-364-150
高天命明 554-310- 53
高天祐金 291-617-117
401-442-625
高天喜清 478-455-197
高天福清 478-614-205
558-427- 37
高天賜宋 1170-724- 31
高天霖妻 明 見谷氏
高天錫宋 516-125- 92
高天錫元 295- 85-153
399-435-459
474- 93- 3
474-740- 40
502-375- 63
高天爵清 474-775- 41
479-628-245
480-405-277
502-762- 86
515-192-62
532-699- 45
537-332- 56
高友文宋 524-316-194
高友璣明 475-502- 75
482-408-359
518- 56-137
523-347-162
545- 78- 85
567-115- 67
1467- 90- 65
高日立媳 清 見毛氏
高日晄明 456-499- 5
476-222-108
476-439-122
546-420-128
高日章妻 清 見黄氏
高日聰清 528-469- 29
540-866-28之4
高日臨明 302- 52-292
456-500- 5
481-236-303
516- 90- 90
559-520- 12
高少逸唐 271-228-171
275-443-177
396-182-268
477-522-175
高公勺明 532-635- 43
高公亮妻 宋 見戴氏
高公紀宋 288-510-464
400- 49-503
933-282- 20
高公振金 1365-273- 8
1439- 4- 附
高公韶明 300-419-208
481-388-312
482-559-369
559-402-9上
569-658- 19
高公繪宋 933-282- 20
高丹桂清 546-371-127
高仁光淮南王 北齊
263- 98- 12
267-117- 52
375-527-85上
高仁直丹陽王 北齊
263- 98- 12
267-117- 52
375-527-85上
高仁美明 676-341- 12
高仁厚唐 275-560-189
384-286- 15
396-270-275
471-958- 53
473-512- 71
481- 66-293
559-261- 6
559-309-7上
591-704- 50
高仁英高平王 北齊
263- 98- 12
267-117- 52
375-527-85上
544-216- 62
高仁邕樂平王 北齊
263- 98- 12
267-117- 52
375-527-85上
544-216- 62
高仁幾西河王、高仁機 北齊
263- 98- 12
267-117- 52
375-527-85上
544-216- 62
高仁雅安陽王、安樂王 北齊
263- 98- 12
267-117- 52
375-527-85上
高仁儉潁川王 北齊
263- 98- 12
267-117- 52
375-527-85上
535-556- 20
高仁機北齊 見高仁幾
高仁謙東海王 北齊
263- 98- 12
267-117- 52
375-527-85上
高化賢妻 明 見包氏
高允文宋 472-368- 16
475-642- 83
511-631-161
高允中唐 見高元裕
高允中清 524-178-187
高允韜後唐 278-446-132
高允權後周 278-392-125
279-253- 40
396-404-291
高立長妻 清 見李氏
高市貴北齊 263-149- 19
545-167- 89
552- 36- 18
高必達元 295-613-198
400-319-526
472-100- 53
479-580-243
516-101- 91
高必勝清 479-135-223
502-692- 81
523-124-151

高永安明 554-248- 52
高永年宋 288-365-453
400-130-511
472-944- 37
546-178-121
558-436- 37
高永能宋 286-436-334
397-539-353
472-924- 36
478-434-196
490-734- 72
554-702- 61
590-114- 14
高永堅女 宋 見高氏
高永象清 456-336- 76
高永樂北齊 263-109- 14
263-174- 21
267- 93- 51
375-505-85上
高去奢清 505-831- 75
高弘基明 533-181- 52
高弘節北齊 375-516-85上
高弘圖明 301-620-274
456-411- 1
476-733-138
524-325-195
554-184- 51
高正臣唐 812- 71- 下
812-234- 9
812-724- 3
812-738- 3
814-270- 9
820-142- 26
高正臣宋 1189-287- 1
高正禮北齊 263- 88- 11
267-108- 52
375-518-85上
高本中明 1232-220- 3
高本祖元 1215-709- 10
高平王後魏 見王琚
高平王北齊 見高仁英
高平王唐 見李道立
高平王明 見朱偕欒
高平公唐 534-651-104
高世才妻 明 見劉和姐
高世彥明 1442- 55- 3
1460-140- 46
高世則宋 288-510-464
400- 49-503
472-1115- 48
524-324-195
1053-591- 14
高世泰明 511-167-142
532-601- 41
高世魁明 529-467- 43
高世衡隋 478- 86-180
554-266- 53
高世勳妻 明 見韓氏
高可發明 1442-113- 7
高可極清 511-263-146
515-161- 61
高可瞻明 547- 37-142
高可觀明 570-161-21之2
高以永清 477-361-166
537-323- 56
1475-664- 28
高申甫宋 523-396-165
高北峰明 570-166-21之2
高仙芝唐人 270-267-104
274-683-135
384-203- 11
395-629-237
483-685-421
558-239- 32
933-279- 20
高守成女 宋 見高氏
高守官清 502-761- 86
高守奎元 524- 86-182
高守約金 291-665-121
400-212-517
472-626- 25
474-739- 40
502-702- 82
505-665- 69
高守謙明 563-782- 40
高安世宋 485-533- 1
491-436- 6
高安塗宋 674-702- 9
高汝行明 474-435- 21
505-683- 69
高汝梅明 523-429-167
高汝礪金 291-491-107
399-272-441
472-484- 21
476-259-110
545-242- 92
545-460-100
546- 80-117
1040-259- 6
1365-306- 9
1439- 6- 附
1445- 75- 2
高吉甫元 821-294- 53
高百年樂陵王 北齊
263- 94- 12
267-113- 52
375-523-85上
高在嵛明 456-488- 5
475-834- 93
510-499-118
高有功清 480-138-264
533-374- 60
高有成清 456-336- 76
高有鄰金 472- 54- 2
1365-267- 8
1439- 5- 附
1445-493- 36
高而恭妻 清 見孫氏
高次文後魏 262-274- 89
266-629- 31
380-230-171
高次奴後魏 見高祐
高光中宋 1150-892- 50
高光祉清 478-270-187
554-223- 52
高光烈明 476-296-112
545-402- 98
高光國清 528-534- 31
高光猷清 1312-871- 12
高光猷妻 清 見魏氏
高光夔清 505-804- 74
高伏護北齊 263-114- 14
267- 98- 51
375-510-85上
高如斗妻 明 見蕭氏
高如玉清 478-275-187
554-800- 62
高名選清 456-308- 74
高名衡明 301-513-267
456-437- 3
476-789-141
476-919-148
537-225- 54
540-832-28之3
高任光明 533-495- 65
高任說明 559-381-9上
高自見妻 明 見石氏
高自修明 547- 8-141
高向明妻 清 見李氏
高如圭明 1292-636- 10
高如信妻 清 見連氏
高如崧明 505-842- 76
高仲仁明 472-695- 28
高仲任宋 見高道充
高仲振金 291-722-127
401- 36-572
472-626- 25
474-739- 40
503- 4- 89
1365-320- 9
1445-687- 53
高仲華女 宋 見高氏
高仲舒唐 271-494-187上
275-582-191
554-695- 61
933-280- 20
高仲論金 505-670- 69
高仲選明 456-615- 9
高行子春秋 405-451- 85
高行如北齊 見元行如
高行周後周 278-372-123
279-313- 48
384-313- 16
396-430-295
474-516- 25
505-779- 73
933-280- 20
1383-813- 74
高行珪後唐 277-539- 65
279-313- 48
933-280- 20
高朱蒙朱蒙 漢 262-448-100
264-1122- 81
267-788- 94
381-419-194
高沖古宋 見高太沖
高辛氏上古 見嚳
高辛傳清 554-679- 60
高汲引清 554-680- 60
高良夫宋 472-922- 36
554-140- 51
高良弼元 1201-649- 23

1206-404- 3
高良弼明 558-296- 34
高志崇宋 1170-724- 31
高志寧宋 677-171- 16
1089-511- 47
高成琦清 511-576-159
高成龍妻 清 見賈大姑
高孝本清 524- 29-179
高孝珩廣寧王 北齊
263- 87- 10
267-107- 52
305-516-85上
544-215- 62
812-337- 8
高孝琬河間王 北齊
263- 87- 11
267-108- 52
375-517-85上
高孝瑜河南王 北齊
263- 86- 11
267-106- 52
375-516-85上
535-556- 20
高孝誌明 302- 70-293
456-488- 5
477-411-119
511-462-154
537-331- 56
高孝緒北齊 375-505-85上
高孝瓘北齊 見高長恭
高孝纘明 456-635- 10
475-378- 68
511-463-154
1314-527- 17
高君狀唐 476-523-128
540-736-28之2
545-383- 97
546-329-126
高君陳北漢 820-323- 31
高君實漢 560-495- 27
高折枝明 481-114-296
559-278- 6
571-556- 20
高克正明 529-739- 51
676-620- 25
1442- 83- 5
高克明宋(絳州人) 812-462- 2
813-134- 11
821-162- 50
高克明宋(京師人) 812-544- 4
高克恭高亨、高士亨
472- 28- 1
505-880- 79
676-704- 29
821-284- 53
1195-552-下
1210-480- 18
1220-285- 8
1439-425- 1
1470-186- 7
高克謹清 511-643-161
高克禮元 1439-442- 2
高扶搖明 1241-457- 6
高似孫宋 491-437- 6
674-883- 20
1364-481-313
1437- 27- 2
高谷女明 見高娘
高佑釲清 524- 28-179
高位宮後魏 262-448-100
267-789- 94
381-422-194
高伯固漢 281-422-194
高伯溫元 476-518-127
540-626- 27
高伯壎宋 481-748-334
529-644- 48
高希鳳妻 明 見劉氏
高邦佐母 明 見楊氏
高邦佐明 302- 34-291
474-276- 14
474-818- 44
476- 85-100
476-659-135
502-296- 56
511-930-172
545-790-111
549-507-199
550-324-220
554-220- 52
高秀岩唐 476-399-119
546-551-133
高妙安明 徐元瑾妻、高德進女 1260-577- 15
高妙瑩明 解開妻、高若鳳女
820-767- 44
1236-785- 12
高廷玉金 見高庭玉
高廷忠明 523-133-152
529-467- 43
高廷煥清 482-143-344
564-308- 48
高廷謌妻 明 見張氏
高廷禮明 見高棅
高宗本明 511-903-172
高宗信宋 529-653- 49
高宗浙明 524-204-188
高宗商宋 1168-479- 39
高宗壽明 473-832- 87
569-671- 19
高官蔭清 511-516-157
高定子宋 287-572-409
398-539-401
473-537- 72
481- 21-291
481-212-302
481-309-307
481-333-308
481-362-310
481-403-313
492-1072- 57
511-893-172
559-307-7上
559-388-9上
591-647- 46
592-602- 99
676-689- 29
680-203-244
高武光唐 1342-153-923
高其位清 480- 14-257
502-624- 77
510-305-112
532-607- 42
高其倬清 481-496-324
502-624- 77
高其勳明 302-120-295
483- 16-370
456-549- 7
483-178-384
569-679- 19
高松聲王松聲 明
820-757- 44
1475-408- 17
高居正明 493-758- 41
高居簡宋 288-551-468
401- 78-578
高孟超明 820-747- 44
高奇功清 456-336- 76
高奇遇清 456-336- 76
高阿伽北齊 見高長弼
高協緒妻 清 見強氏
高來鳳清 510-379-114
高長恭高孝瓘、蘭陵王 北齊
263- 88- 11
267-108- 52
375-518-85上
544-216- 62
545- 6- 83
高長雲後魏 262- 39- 68
高長弼高阿伽、廣武王 北齊
263-109- 14
267- 93- 51
375-505-85上
544-216- 62
高長壽元 473-818- 86
高承祚高承禪 明
511-762-166
1442- 85- 5
1460-478- 63
高承恭唐 556-125- 85
高承埏明 474-168- 8
510-440-116
523-440-167
474-276- 14
676-661- 27
678-487-117
1318-455- 72
1442-110- 7
1475-498- 22
高承禪明 見高承祚
高承爵清 475-502- 75
502-623- 77
510-303-112
高承簡唐 270-808-151
275-368-170
384-256- 13
396-142-265
472-642- 26
472-676- 27
474-406- 20
477-123-155
477-472-173

537-254- 55
高忠義元 1194-260- 20
高尚士北齊 812-338- 8
821- 28- 45
高尚意清 456-337- 76
高尚賢明(字大賓) 458-115- 5
458-169- 8
537-596- 60
676-230- 9
678-451-113
高尚賢明 460-818- 90
529-692- 50
高尚賢妻 明 見陳氏
高昌王元 見特穆爾布哈
高昌福金 291-729-128
400-360-533
472- 35- 1
474-178- 8
474-732- 40
502-262- 54
505-719- 71
高明德明 1227-136- 16
高昇泰宋 494-221- 9
570-115-21之1
高叔嗣明 301-847-287
458-120- 5
475-873- 95
477- 88-153
538-130- 65
545- 83- 85
1273-562-650
1442- 52- 3
1460- 88- 44
1458-220-433
高知彰明 456-525- 6
505-700- 70
高季式北齊 263-173- 21
266-638- 31
379-386-152
540-631- 27
高季昌後唐 見高季興
高季輔高馮 唐 269-762- 78
274-332-104
384-173- 9
384-178- 10
395-362-214
407-391- 2
472- 69- 2
474-309- 16
505-739- 72
540-735-28之2
933-279- 20
高季興朱季昌、朱季興、高季昌 後唐 278-450-133
279-494- 69
384-319- 16
401-250-602
407-652- 2
472-747- 29
477-525-175
537-605- 60
高和仁後魏 261-670- 48
高和璧後魏 379-134-148
高秉蕖明 1442-113- 7
1460-676- 74
高依仁妻 明 見張氏
高延伯北齊 263-174- 21
高延宗安德王 北齊
263- 89- 11
267-109- 52
375-519-85上
高延俊明 554-874- 64
高延福唐 1065-826- 19
1342-208-931
高近明妻 清 見何氏
高妹妹唐 高彥昭女
276-110-205
401-152-589
506-577-106
538-171- 67
1078-160- 12.
1341-567-873
1343-736- 53
1410-151-680
1418- 88- 38
1447-400- 19
高爲表明 517-701-132
高宣子春秋 見高固
高宣之女 明 見高闕索
高首標明 479-628-245
515-192- 62
545-897-114
高彥忠汝陽王 北齊
263- 95- 12
375-523-85上
高彥明元 1210-707- 18
高彥昇女 明 見高氏
高彥昭唐 538-171- 67
高彥昭女 唐 見高妹妹
高彥康定陽王 北齊
263- 95- 12
276-114- 52
375-523-95上
544-216- 62
高彥理汝南王 北齊
263- 95- 12
267-113- 52
375-523-85上
267-114- 52
535-556- 20
高彥基城陽王 北齊
263- 95- 12
267-114- 52
375-523-85上
高彥常明 524-282-192
高彥暉宋 285-153-255
396-495-299
472- 32- 1
474-175- 8
505-833- 76
高彥敬元 499-121-132
585-527- 17
高彥實宋 821-248- 52
高彥德始平王 北齊
263- 95- 12
375-523-85上
267-114- 52
高彥儔宋 288-693-479
401-220-597
481-234-303
545-603-105
559-519- 12
高拱斗清 511-566-158
高拱辰明 1457-519-389
高拱極明 456-662- 10
483- 97-378
570-129-21之1
高拱毅唐 544-228- 63
高咸寧明 476-527-128
540-786-28之3
高咸寧清 見高咸臨
高咸臨高咸寧 清
479- 57-219
481-645-330
523-360-163
528-517- 31
高南壽宋 515- 84- 59
529-442- 43
高飛聲明 456-545- 7
529-483- 43
高致中明 533-337- 58
高建武唐 271-770-199上
276-347-220
381-426-194
高茂華宋 1129-608- 3
高思旭妻 清 見俞氏
高思好高思孝 北齊
263-111- 14
267- 95- 51
375-507-85上
高思孝北齊 見高思好
高思宗上洛王 北齊
263-110- 14
267- 93- 51
375-499-85上
高思忠清 533-307- 57
高思恭父 唐 1065-587- 6
1342-426-960
高思敬明 545-388- 97
高思繼後唐 279-313- 48
933-280- 20
高貞從明 456-455- 4
高若拙高千壽 宋451- 80- 2
高若訥宋 285-606-288
371-111- 11
382-404- 63
384-352- 18
397- 77-324
450-266-6中
472-437- 19
472-708- 28
476- 41- 98
476-750-139
538-320- 69
540-659- 27
545-641-106
547-556-161
549-361-194
933-282- 20
1088-570- 59
1088-573- 60
1100-663- 12

高若虛宋 484-374- 27
高若鳳元 515-617- 76
1439-434- 1
高若鳳女 明 見高妙瑩
高若霖南宋 451- 96- 3
高昭子春秋 見高張
高則益明 1442- 62- 4
1460-207- 49
高則賢明 460-779- 81
高英繼妻 明 見張氏
高映碧妻 清 見李氏
高映碧妻 清 見劉氏
高禹錫妻 宋 見高氏
高重光明 302- 41-291
456-520- 6
476-893-147
505-702- 70
505-845- 76
540-642- 27
高重明唐 820-284- 30
高皇后北魏 魏孝文帝后、高颺女 261-216- 13
266-284- 13
373-101- 20
高皇后北魏 魏孝武帝后、齊神武帝女 266-287- 13
373-104- 20
544-180- 61
高皇后北魏 魏宣武帝后、高偃女 261-217- 13
266-284- 13
373-102- 20
高皇后東魏 魏孝靜帝后、齊神武帝女 261-220- 13
266-289- 13
373-106- 20
544-180- 61
544-217- 62
高皇后宋 宋英宗后
284-867-242
382-107- 14
384-360- 18
393-308- 76
408-449- 18
452- 57- 1
高衎孫宋 493-749- 41
510-402-115
高保寅宋 288-736-483
477-242-161
478-335-191
480-288-271
高保勗宋 278-452-133
279-497- 69
288-734-483
384-319- 16
401-253-602
408- 10- 1
高保寧北齊 263-311- 41
474-556- 28
496-365- 86
高保融宋 278-451-133
279-497- 69
288-734-483
371-121- 12
382-171- 24
384-319- 16
401-252-602
高唐王元 見布頁赫
高唐王元 見奇爾濟蘇
高唐王元 見阿勒古斯托克塔古哩
高唐王明 見朱厚煐
高唐王明 見朱厚爾
高淩雲明 456-683- 11
高淩霓妻 明 見王氏
高庭玉高廷玉 金 383-1004- 29
1040-245- 4
1365-165- 5
1410-371-713
1439- 6- 附
1445-399- 28
高泰祥元 494-162- 6
570-120-21之1
高恭之後魏 見高道穆
高眞行唐 269-600- 65
274-227- 95
高原昌妻 明 見金氏
高原昌妻 明 見張氏
高晉陽北齊 見齊文宣帝
高起雲妻 清 見安氏
高起鳳明 302-246-303
456-654- 11
554-773- 62
高起潛明 302-300-305
高起龍清 559-326-7下
高起龍妻 清 見劉氏
高起鵬妻 清 見張氏
高務滋明 538-168- 66
高荊娟明 302-246-303
478-405-194
高翁彝妻 元 見鄧氏
高師文元 1197-773- 81
高師周元 1195-163- 2
高納麟元 523- 27-147
高涼王後魏 見托跋孤
高清宇明 1292-659- 11
高商老宋 472-254- 10
510-360-114
高商彝清 456-337- 76
高惟岡明 545-379- 97
高密王漢 見劉弘
高密王漢 見劉章
高密王漢 見劉寬
高密王晉 見司馬俊
高密王晉 見司馬泰
高密王晉 見司馬略
高密王唐 見李孝察
高密王明 見朱當媚
高祥斌元 569-676- 19
高鹿鳴明 511-568-158
高愓菴清 567-668- 47
高梁楷明 569-666- 19
高敖曹後魏 552- 30- 18
高陵君戰國 405-324- 76
高崇文唐 270-806-151
275-367-169
384-256- 13
396-141-265
472- 31- 1
472-912- 36
473-425- 67
473-503- 71
474-174- 8
481- 17-291
505-713- 71
554-129- 50
559-246- 6
571-514- 19
591-676- 47
592-638-102
933-280- 20
1340-692-892
高崇祖後魏 547-550-161
高崇穀明 529-631- 48
高崇徽清 479-135-223
高崇蘭元 1199-306- 31
高堂生漢 244-857-121
459- 10- 1
472-548- 23
476-578-131
476-820-143
539-501-11之2
540-691-28之1
675-316- 19
高堂隆魏 254-446- 25
377-211-117
384- 86- 4
384-656- 40
469-182- 21
472-523- 22
476-821-143
540-710-28之1
933-793- 57
高莊子春秋 404-571- 35
高國正清 456-381- 79
高國秀妻 清 見陳氏
高國定明 529-721- 51
高國相清 502-651- 79
高國英明 559-303-7上
高國恩明 456-584- 8
558-424- 37
高國祥清 456-337- 76
高國祥妻 清 見韓氏
高晞遠宋 493-1073- 57
1437- 32- 2
高跂畢清 478-275-187
高得材妻 明 見蘇氏
高得暘明 524- 7-178
585-447- 12
676-484- 18
1442- 25- 2
高紹仁西河王 北齊
263- 94- 12
267-113- 52
375-522-85上
544-216- 62
高紹信上黨王、漁陽王 北齊
263- 91- 11
267-111- 52
375-521-85上
544-215- 62

高紹源妻 明 見李氏
高紹義范陽王 北齊
263- 93- 12
267-112- 52
375-522-85上
高紹廉隴西王 北齊
263- 94- 12
267-113- 52
375-522-85上
高紹德太原王 北齊
263- 93- 12
267-112- 52
375-521-85上
544-216- 62
高停肱宋 524-166-186
高敏道明 473-194- 58
479-811-255
515-157- 65
537-454- 58
高敏學明 474-185- 9
505-835- 76
高從吉明 505-757- 72
高從彥唐 820-224- 28
高從訓明 473-358- 64
532-705- 45
高從遇後蜀 812-527- 2
821-126- 49
1381-575- 42
高從誨北漢 278-451-133
279-496- 69
384-319- 16
401-252-602
407-670- 4
高從龍明 456-501- 5
478-273-187
554-730- 61
高從禮明 524-243-190
528-498- 30
高啟元清 476-701-137
477-162-157
537-272- 55
540-866-28之4
高寒香明 張寧妻
479-101-221
524-553-205
高善夫明 1227- 75- 8
高善德北齊 267-117- 52
375-527-85上
高渠彌高伯 春秋
404-887- 55
933-275- 20
高雲厚明 567-381- 82
1467-255- 71
高雲龍清 456-308- 74
高越鳳明 511-352-149
高博多金 見高松
高惠直元 483-162-382
570-122-21之1
高惠果明 高斌女
1246-443- 9
高惠連女 宋 見高氏
高惠寶陳留王 北齊
263-104- 13
高巽志明 見高遜志
高朝鳳明 456-669- 11
高隆之北齊 263-138- 18
267-140- 54
379-426-153
384-137- 7
537-491- 59
933-278- 20
高隆翔妻 清 見金氏
高登先清 479-227-227
480-176-266
523-165-153
533-198- 53
高登明明 545-788-111
554-311- 53
554-256- 52
高登科明 456-575- 8
558-424- 37
高登第明 1475-400- 17
高登第清(正紅旗人)
456-337- 76
高登第清(字步雲)
1321- 68- 93
高登錦妻 清 見薛氏
高登舉妻 清 見謝氏
高斯信宋 見高斯得
高斯得高斯信 宋
287-575-409
398-542-401
472-1014- 41
473-335- 63
473-537- 72
478-761-215
479-377-234
481-362-310
523- 18-146
528-445- 29
532-574- 41
559-388-9上
591-648- 46
592-602- 99
676-689- 29
473- 2- 58
高斯誠金 1040-252- 5
高堯明宋 487-188- 12
高開道唐 269-479- 55
274-145- 86
384-177- 9
395-228-201
高彭祖金 400-208-517
高揚敏清 456-337- 76
高陽王晉 見司馬珪
高陽王晉 見司馬睦
高陽王後魏 見元雍
高陽王北齊 見元斌
高陽王北齊 見高湜
高陽氏上古 見顓頊
高景安北齊 見元景安
高景初妻 明 見原氏
高景度明 821-361- 55
高景修宋 843-668- 中
高景陽妻 明 見李妙善
高景瓚高貞 明 516- 55- 89
高量成宋 473-818- 86
483-118-379
494-162- 6
570-119-21之1
高華宗妻 明 見張氏
高無咎春秋 834- 16- 1
404-571- 35
933-275- 20
高須拔北齊 見高叡
高智甫明 547- 94-144
高智周唐 271-443-185上
274-351-106
384-180- 10
395-365-214
472-194- 7
472-257- 10
475-221- 61
475-741- 88
476-778-141
494-288- 4
511-139-142
933-279- 20
高智耀元 294-307-125
399-374-452
478-636-206
472-931- 37
478-598-204
558-363- 35
高睹兒後魏 261-465- 32
高象先宋 488-371- 13
高進孝明 554-310- 53
高進道元 1222-375- 下
高復亨明 523-463-169
高復興清 545-228- 91
高復禮元 515- 87- 59
高逸休南唐 1085- 56- 7
高義明隋 545-356- 96
高道人北齊 見齊廢帝
高道充高仲任 宋
1173-136- 72
高道者明(善醫術) 516-523-106
高道悅後魏 261-857- 62
266-816- 40
379-218-149
474-734- 40
476-910-148
502-315- 58
505-738- 72
537-195- 54
933-277- 20
高道素高斗光 明
676-636- 26
820-755- 44
821-475- 58
1442- 94- 6
1460-539- 66
1475-427- 18
高道慶劉宋 258-496- 83
378-191-136
高道興唐 592-701-106
812-486- 上
812-527- 2
821-120- 49
1381-575- 42
高道穆高恭之 後魏
262-153- 77
267- 80- 50

379-359-151
384-135- 7
472-624- 25
474-735- 40
502-316- 58
933-278- 20
高道豁北齊 263-173- 21
高遂成漢 381-421-194
高運熙明 見高運罄
高運罄高運熙 明
456-654- 11
554-711- 61
高賈德北齊 375-527-85上
高瑞光明 456-684- 11
540-835-28之3
高達道明 1376-479- 90
高遐昌清 477-211-159
537-472- 58
563-874- 42
高萬吟清 455-274- 15
高萬金後唐 279-253- 40
高萬億妻 明 見邢氏
高萬興後唐 278-445-132
279-253- 40
396-403-291
552- 59- 19
高嗣昌宋 821-225- 51
高嗣榮元 1196-311- 18
高嗣緒妻 清 見劉氏
高嗣興明 505-810- 74
高嵩者明 見高嵩
高敬文元 1210-722- 19
高敬仲春秋 見高傒
高敬命明 1442-130- 8
1460-879- 94
高敬猷後魏 261-859- 62
266-817- 40
379-219-149
502-696- 82
高毓秀妻 清 見王之玫
高毓慶清 547- 28-141
高實喇元 見高鱅
高漸離戰國 244-556- 86
405-151- 65
505-865- 77
高齊岡明 456-604- 9
高齊南明 515-187- 62
559-402-9上
高漢筠後晉 278-162- 94
高榮楚明 533-420- 62
高壽兒宋 見高選
高與可宋 1119-268- 25
高與清明 559-269- 6
1442- 36- 2
高摶多金 見高松
高赫德清 502-448- 68
高爾信妻 清 見魏氏
高爾修清 505-820- 74
高爾鳳妻 清 見李氏
高爾鏡妻 清 見諸葛氏
高爾儼清 474-340- 17
505-746- 72
高聞舉清 456-336- 76
高遜志高巽志 明299-369-143
452-238- 6
472-413- 18
472-982- 39
475-431- 70
479-101-221
511-790-166
524-309-194
676-472- 18
1229-326- 11
1229-378- 14
1391-674-343
1442- 17- 1
1459-524- 18
高夢月宋 475-367- 67
高夢軫妻 明 見劉氏
高夢說元 1212-365- 5
高夢說清 515-206- 63
高夢龍明 見高德徵
高鳴鐘清 502-682- 80
高鳴鶴清 524-179-187
高鳳起清 545-801-111
高鳳崙明 460-601- 59
高鳳翔明 511-186-143
532-672- 44
高鳳鳴明 547- 37-142
高鳳爵清 456-336- 76
高熊徵清 482-391-358
482-453-362
523- 68-149
567-360- 80
568-372-113
568-467-117
高熊徵女 清 見高氏
高維岱明 456-459- 4
474-169- 8
540-836-28之3
高維岱妻 清 見劉氏
高維岳明 511-308-148
563-826- 41
高維城清 1475-548- 24
高維端明 821-369- 55
高維遠妻 明 見簡氏
高維嶽清 537-581- 60
高審釗王審釗 宋
1088-569- 59
高調鼎清 529-696- 50
高慶和宋 843-667- 中
高賢寧明 299-376-143
高賚明明 515-158- 61
高閭山金 291-736-129
400-382-535
高層雲清 511-135-141
高模翰高松 遼 289-584- 76
399- 11-417
474-735- 40
502-323- 59
高履行高文敏 唐
269-600- 65
274-226- 95
395-267-204
591-672- 47
高履行妻 唐 見東陽公主
高蔭先明 533-118- 50
高蔭爵清 559-328-7下
高輝久清 456-337- 76
高儀坤清 481-185-300
559-411-9下
高儀坤妻 清. 見李氏
高儀乾清 532-753- 46
高質德北齊 267-117- 52
高質錢北齊 267-117- 52
375-527-85上
高德正北齊 見高德政
高德政高德正 北齊
263-234- 30
266-631- 31
379-453-153
933-277- 20
高德素北齊 375-511-85上
高德基金 291-285- 90
399-171-431
474-556- 28
474-737- 40
496-372- 86
502-366- 62
高德基元 676-133- 5
高德進元 1229-165- 2
高德進女 明 見高妙安
高德猷清 456-308- 74
高德裔金 472-625- 25
820-484- 36
1365-268- 8
1439- 4- 附
1445-494- 37
高德賢明 515-149- 61
高德範後魏 379-134-148
540-631- 27
高德徵高夢龍 明
1292-641- 10
高德徵妻 明 見邵氏
高諾爾元 295- 56- 151
399-422-458
高遵甫楚王 宋 285-614-289
高遵武女 宋 見高氏
高遵望女 宋 見高氏
高遵惠宋 288-510-464
401- 49-503
472-203- 7
475-780- 89
高遵裕宋 288-508-464
382-269- 42
400- 47-503
472-904- 36
472-913- 36
478-515-200
558-181- 31
558-209- 32
933-282- 20
高樹生後魏 261-464- 32
高整信北齊 263-104- 13
267- 90- 51
375-502-85上
高靜樂明 1275-315- 14
高靜樂妻 明 見陳氏
高霖公清 561-669- 47
高霖皇唐 547-110-145
高錦成妻 明 見李氏
高衡夫宋 1152-199- 1

高錫望唐 475-796- 90
高應元明 547-562-161
高應先明 480-637-288
高應松宋 288-381-454
400-190-515
451-240- 0
529-449- 43
1366-935- 5
高應芳明 515-794- 82
高應命妻 明 見梁氏
高應科宋 515-587- 75
518-760-160
高應科明 545-432- 99
高應崗明 456-683- 11
515-720- 79
高應冕明 523-429-167
1442- 66- 4
1460-288- 53
高應詔明 456-501- 5
474-742- 40
502-715- 83
537-271- 55
高應登清 456-336- 76
高應聘明 546-605-135
高應暘明 567-343- 79
1467-235- 71
高應禎明 529-466- 43
532-696- 45
高應夢妻 清 見鄭氏
高應舉明 554-277- 53
高膺社妻 明 見劉氏
高濟卿明 1189-274- 1
高謙之後魏 262-150- 77
267- 82- 50
379-362-151
384-135- 7
472-624- 25
474-735- 40
477- 48-151
502-316- 58
537-347- 56
933-278- 20
高謙之妻 後魏 見張氏
高謙亨元 540-659- 27
高謙甫明 510-312-113
高檀越後魏 見高推
高霞寓唐 見高霞寓
高霞寓高霞寓 唐
271-100-162
275- 52-141
395-703-243
472- 31- 1
472-480- 21
474-174- 8
505-713- 71
545-322- 95
933-279- 20
高薦悅妻 明 見劉氏
高禮保明 511-562-158
高歸彥平秦王 北齊
263-113- 14
267- 96- 51
375-508-85上
高歸義後魏 261-466- 32
高懷貞金 291-744-129
401-143-588
545-430- 99
高懷師宋 812-537- 3
高懷敬明 472-925- 36
554-473-57上
高懷節宋 821-151- 50
高懷德宋 285- 89-250
382-151- 21
384-326- 17
396-458-297
472- 93- 3
472-676- 27
474-377- 19
505-749- 72
537-254- 55
933-280- 20
高懷德妻 宋 見秦國大長公主
高懷諲宋 1088-570- 59
高懷寶宋 812-546- 4
821-151- 50
高懷寶宋 見高元亨
高攀龍明 301-127-243
457-1002- 58
458-199- 2
458-941- 9
475-228- 61
482-140-344
511- 67-138
563-798- 41
676-617- 25
677-666- 60
1442- 82- 5
1460-433- 60
高麗氏元 博囉特穆爾妻
295-640-201
401-186-593
高闕索明 高宣之女
558-553- 43
高鷗化金 1365- 39- 2
1445-118- 7
高鵬飛宋 1364-704-351
高鵬起清 545-801-111
高鵬舉高翼 1292-636- 10
高寶寧隋 264-701- 39
267-137- 53
379-409-152
474-687- 37
502-254- 53
546- 38-116
高寶德北齊 375-513-85上
高寶嚴北齊 375-513-85上
高繼光明 559-303-7上
高繼沖宋 279-497- 69
288-735-483
371-122- 12
382-171- 24
384-319- 16
384-329- 17
401-253-602
408- 11- 1
高繼忠元 1209-379- 5
高繼宣宋 285-614-289
397- 82-325
478-267-187
481- 68-293
545-428- 99
820-357- 32
高繼隆女 宋 見高氏
高繼嵩宋 545-762-110
高繼儒清 456-389- 80
高繼勳楚王、康王 宋
285-613-289
371-167- 17
382-268- 42
397- 81-325
450- 78-9上
472- 50- 2
472- 65- 2
472- 85- 3
472-202- 7
474-235- 12
474-304- 16
476- 28- 97
477-200-159
478-267-187
481- 18-291
505-654- 68
505-664- 69
511-423-152
537-275- 55
545-134- 87
933-282- 20
1093-367- 49
1354-792- 45
高鐵溪明 1267-327- 36
高顯辰高顯宸 清
474-279- 14
482-560-369
505-843- 76
569-678- 19
高顯辰妻 清 見戈氏
高顯宸清 見高顯辰
高顯國襄樂王 北齊
263-109- 14
267- 93- 51
375-505-85上
高體榮妻 清 見甯氏
高靈山北齊 263-114- 14
267- 98- 51
375-510-85上
高乙弗利晉 381-422-194
高氏子尾春秋 見公孫蠆
高安公主宣城公主 唐 王勗妻、唐商宗女 274-107- 83
393-276- 73
554- 48- 49
1342-224-933
高托卜嘉妻 清 見白氏
高伊夷模漢 381-422-194
高伊囉幹女 金 見高氏
高阿那肱北齊 263-386- 50
267-755- 92
381- 36-184
高昌羅壘元 545-116- 86
高岳肅圖妻 明 見李氏
高亭和尚唐 1053-157- 4

高昭和碩金 見高彪
高庫克楚元 492-711-3下
高密公主唐 長孫孝政妻、段綸妻、唐高祖女 274-104- 83
393-273- 73
554- 45- 49
高都公主唐 見晉國公主
高梓潼賜明 483-116-379
高陽公主唐 見合浦公主
高貴鄉公魏 見曹髦
高塔什丁母 明 見邢氏
高塔什丁妻 明 見金氏
高塔失丁母 明 見邢氏
高塔寔廷母 明 見邢氏
高塔寔廷妻 明 見金氏
高塔實丹母 明 見邢氏
高塔實廷母 明 見邢氏
高塔實廷妻 明 見金氏
高達實丹妻 明 見金氏
高默爾根元 295- 57-151
399-422-458
高藥師奴妻 明 見李氏
高藥師努妻 明 見李氏
高囊閤藏後蜀 559-302-7上
高巴延布哈妻 明 見郭氏
高巴顏布哈妻 明 見郭氏
高巴顏卜花妻 明 見郭氏
高昌帖木兒元 見哈尚特穆爾
高塔斯布哈元 295- 86-153
399-436-459
高搶失丁令母 明 見邢氏
高搶失丁令妻 明 見金氏
高巴延達實丹母 明 見邢氏
高巴延達實丹妻 明 見金氏
唐二明 512-762-196
唐匕妻 明 見尚氏
唐方妻 明 見丁錦孥
唐文元 1226-896- 7
唐王宋 見趙俊
唐王明 見朱樫
唐王明 見朱彌鉗
唐王明 見朱彌銻
唐元元(字長孺) 676- 17- 1
676-706- 29
677-483- 44
1226-885- 7
1252-401- 23
1375- 19- 上
1376-593-95下
唐元元(字本初) 1369-414- 12
唐元明 475-700- 86
510-463-117
唐仁明 559-409-9上
唐升元 1221-479- 11
唐氏唐 崔琯祖母 401-153-589
474-654- 34
唐氏宋 王衎妻 1164-400- 22
唐氏宋 王夷仲妻 524-680-211
唐氏宋 劉從遠妻、唐禧女 1129-545- 36
唐氏元 項惠可妻 479-728-250
516-281- 99
唐氏明 王立道妻、唐琉女 1276-441- 10
1277-847- 7
1410-416-719
唐氏明 史贊舜妻 533-701- 72
唐氏明 朱天寵妻 506-155- 90
唐氏明 沈煦妻、唐鎧女 1289-325- 21
唐氏明 李渾妻 480-440-278
唐氏明 李文炳妻 475-382- 68
唐氏明 呂燿妻 506- 81- 88
唐氏明 吳靜夫妻、唐曾可女 1276-440- 10
唐氏明 周大賓妻 1289-315- 21
唐氏明 柳宗遠妻 1223-581- 11
唐氏明 徐惟妻 480-178-266
唐氏明 徐汝寬妻 479-633-245
唐氏明 郭在中妻 480-440-278
唐氏明 梅昇妻 506-153- 90
唐氏明 陳旺妻 302-217-301
480- 62-260
538-276- 68
唐氏明 陳暉妻 530- 5- 54
唐氏明 陳舜穆妻 530-116- 57
唐氏明 湯謂妻 481-268-305
唐氏明 黃芳柏妻 530- 67- 55
唐氏明 彭祖眉妻 480-488-280
唐氏明 楊貴妻 1260-741- 27
唐氏明 楊墉妻、唐曾可女 1276-439- 10
1410-415-719
唐氏明 虞錦妻、唐鉞女 1280-492- 92
唐氏明 趙存質妻 482-353-356
唐氏明 潘龍躍妻 302-249-303
480-140-264
唐氏明 鄭時敞妻 479-334-232
唐氏明 鄭望雲妻 1280-499- 92
唐氏明 鄧宗啟妻 480-353-274
唐氏明 蔣極世妻 482-354-356
唐氏明 蔣維藻妻 482-354-356
唐氏明 蔡倫妻 472-243- 9
475-187- 59
唐氏明 錢鈺妻 506- 73- 88
唐氏明 蘇茂妻 530- 71- 55
唐氏清 方向妻 558-524- 42
唐氏清 王瑋妻 478-638-206
唐氏清 王元臣妻 476-534-128
唐氏清 王育民妻 503- 53- 95
唐氏清 王尊德妻 482-354-356
唐氏清 牛廷琇妻 478-378-192
唐氏清 吳廷枚妻 479-107-221
唐氏清 余天培妻 483- 36-371
唐氏清 俞天韻妻 512-443-187
唐氏清 孫如瑜妻 478-143-181
唐氏清 張雪兒妻 474-779- 42
503- 56- 95
唐氏清 張登瀛妻 530- 39- 54
唐氏清 張萬策妻 475-814- 91
512-164-181
唐氏清 崔岱齊妻 474-384- 19
506-113- 89
唐氏清 莫能強妻 482-355-356
唐氏清 曾之作妻 480-653-289
唐氏清 高克善妻 503- 37- 94
唐氏清 黃玥妻 482-566-369
唐氏清 黃仲燕妻 530- 28- 54
唐氏清 黃道發妻 480-666-290
唐氏清 盛朝綱妻 480-546-283
唐氏清 傅景明妻 482-566-369
570-177- 22
唐氏清 程可則妻 477-483-173
唐氏清 程國正妻 477-483-173
唐氏清 程蛟龍 477-483-173
唐氏清 葉相妻 481- 83-294
唐氏清 趙萬卷妻 480-467-279
唐氏清 圖那妻 503- 43- 94
唐氏清 熊夢弼妻 482-436-361
唐氏清 鄭亞保妻 482-189-346
唐氏清 魯德升妻 512-378-186
唐氏清 韓禹疇妻 512-359-185
唐氏清 顧宏妻 475-189- 59
唐氏清 唐明興女 480-666-290
唐介宋 286-198-316
382-474- 73
384-355- 18
384-367- 19
397-364-340
449-188- 5
450-348- 19
450-775-15下
471-722- 19
471-754- 23
471-766- 25
471-780- 27
471-836- 35
471-985- 57
472- 65- 2
472-430- 19
472-519- 22
473-233- 60
473-302- 62
473-315- 62
473-333- 63
473-366- 64
473-401- 66
473-490- 70
473-654- 78
473-682- 79
474-304- 16
475-365- 67
476- 29- 97
476-516-127
480- 87-262
480-245-269
480-400-277
480-462-279
480-483-280
482- 74-341
505-664- 69
532-644- 43
532-689- 45
532-729- 46
533-208- 53

540-624- 27
545- 44- 84
559-294-7上
561-379- 41
563-675- 39
591-696- 49
708-338- 50
820-366- 33
933-415- 27
1093-422- 57
1099-566- 11
1102-199- 25
1127-785- 10
1151-587- 26
1323-333- 28
1383-655- 58
1437- 11- 1
唐永 北周 263-670- 32
267-362- 67
379-648-158
472-612- 25
476-728-138
478- 86-180
491-800- 6
554-116- 50
933-415- 27
唐戊妻 明 見陳氏
唐充妻 唐 見盧氏
唐且 戰國 933-414- 27
唐冊 宋 見唐誄
唐安 漢 742- 25- 1
唐吉 清 455-206- 10
唐有 唐 485- 72- 11
唐有妻 明 見胡氏
唐臣 明 559-365- 8
569-664- 19
唐次 唐 271-603-190下
274-175- 89
384-166- 9
400-612-556
473-489- 70
546-630-136
559-294-7上
591-695- 49
592-617-100
820-223- 28
933-415- 27
1076-112- 12
1076-569- 上
1077-139- 4
唐同 明 563-768- 40
唐因 吳 472-175- 6
唐舟 明 473-738- 82
482-267-350
564-224- 46
唐仲 明 見唐仲實
唐宏 周 548- 77-164
唐宏 晉 473-389- 65
533-271- 56
唐宏 明 523-171-154
唐辛妻 清 見朱氏
唐亨 明 472-790- 31
唐求 唐 451-486- 8
唐成 明 511-774-166
820-713- 43
唐扶 漢 541-435-35之8
681- 48- 3
681-500- 5
681-695- 22
1103-384-136
1397-650- 30
唐扶 唐 271- 60-190下
274-175- 89
400-612-556
545-590-104
唐技 唐 271-605-190下
唐杖 宋 472-259- 10
唐孚 宋 492-699-3上
492-712-3下
唐佐 明 482-561-369
唐宗 隋 554-692- 61
唐宗 明 480- 90-262
唐治 明 302-159-297
480-134-264
唐祁 清 511-621-160
唐羌 漢 402-461- 10
473-357- 64
477-413-169
480-663-290
532-701- 45
唐庚父 宋 1124-353- 5
唐庚 宋 288-243-443
382-762-116
400-657-561
471-846- 36
471-959- 53
472-968- 54
471-1011- 62
471-1059- 69
471-1047- 67
473-528- 72
473-515- 71
473-695- 80
473-695- 80
481-351-309
482-117-343
559-280- 6
559-385-9上
561-212-38之2
561-584- 46
563-905- 43
591-641- 46
592-591- 98
674-293-4下
674-831- 17
933-416- 27
1124-272- 附
1437- 19- 1
1461-891- 46
唐庚妻 宋 見黎氏
唐武 清 456-256- 69
唐坰 宋 286-338-327
494-301- 5
563-904- 43
820-371- 33
1110-517- 29
1127-785- 10
1147-618- 58
唐林 漢 250-612- 72
376-325-100
384- 52- 2
511-694-163
唐忠 明 472- 27- 1
472-396- 17
511-373-150
唐固 吳 254-792- 8
377-334-119
384-561- 28
385-599-65下下
475-668- 84
511-665-163
679-347-173
唐昇 唐 545-360- 96
唐昂 明 541-112- 31
唐叔 周 見唐叔虞
唐杲 元 511-865-170
唐和 後魏 261-592- 43
266-548- 27
379- 91-147
933-414- 27
唐和 宋 288-872-493
401-567-640
唐和 明 1375- 28- 上
唐侃 明 301-743-281
475-278- 63
476-751-139
479-712-250
511-181-143
515-154- 61
1276-409- 10
唐岳 明 473-165- 57
唐秉 漢 380-406-177
448- 99- 中
478-377-192
538-160- 66
554-860- 64
839- 25- 3
871-890- 19
唐宥妻 明 見李氏
唐音 明 474-435- 21
505-684- 69
511-154-142
唐恪 宋 286-669-352
382-696-108
397-718-363
471-780- 27
472- 65- 2
472-430- 19
472-967- 38
473-401- 66
474-336- 17
476- 29- 97
479- 50-218
480-635-288
483-219-390
484-102- 3
505-667- 69
523-354-163
532-749- 46
545-138- 87
581-497- 98
933-416- 27

唐亮明 564-225- 46
唐珏宋 479-236-227
524-203-188
585-366- 6
588-283- 12
1229-461- 下
1374-380- 59
1408-537-535
唐垓五代 812-525- 2
813-204- 20
821-131- 49
唐持唐 271-604-190下
274-176- 89
400-612-556
545-590-104
唐拱宋 1102-199- 25
1383-655- 58
唐拱明 1295-135- 10
唐咨魏 254-488- 28
386- 73-70中
唐杜清 456-163- 62
唐相明(永城縣丞) 472-678- 27
唐相明(灌陽人) 481-525-326
528-455- 29
唐相明(武陵人) 533-326- 57
唐奎明 564-241- 47
唐既唐既齊 宋 674-565- 3
679-431-180
1121-396- 27
1121-477- 35
唐珍漢 402-592- 20
453-749- 3
564- 7- 44
唐貞明(夷陵人) 533- 74- 49
唐貞明(字士幹) 1475-169- 7
唐荀春秋 404-851- 53
唐昱元 1215-210- 3
唐昭明 528-513- 31
唐冑明 300-338-203
482-268-350
482-322-354
482-540-368
515- 52- 58
564-227- 46
567-120- 67
569-652- 19
676-531- 21
1467-108- 65
唐則宋 473-750- 83
482-350-356
567-404- 84
1467-168- 68
唐英明 1258- 19- 17
唐英清 517-811-135
517-821-135
唐迪宋 492-713-3下
唐彔明 533-347- 58
533-494- 65
唐約漢 402-478- 11
唐重宋 288-291-447
400-156-513
450-455-33中
472-826- 33
473-516- 71
478- 91-180
478-335-191
481-351-309
554-151- 51
559-524- 12
591-638- 46
820-405- 34
唐俞元 524-278-192
唐勉明 505-913- 81
唐俊明(南陽人) 472-775- 30
537-548- 59
唐俊明(字聖翼) 1475-658- 28
唐泉明 558-442- 38
唐海唐 475-703- 86
511-639-161
唐海明 524-250-190
唐容宋 473-390- 65
533-272- 56
唐祐明 558-293- 34
唐祚明 1268-421- 66
唐祚妻 明 見宋氏
唐悟北周 267-363- 67
379-649-158
唐烜妻 明 見李氏
唐素明 480-173-266
545-408- 98
唐泰明(字亨仲) 301-827-286
473-573- 74
529-718- 51
1318-352- 63
1442- 13- 1
1459-379- 11
唐泰明(字師廓) 460-771- 80
481-615-329
529-565- 46
唐泰明(全州人) 567-396- 83
1467-204- 69
唐泰清(都拉喇氏) 456- 36- 52
唐泰清(晉寧人) 482-563-369
570-164-21之2
唐烈妻 明 見陳氏
唐珪元 1199-273- 29
唐珣明 472-243- 9
475-180- 59
481-525-326
511-125-141
528-453- 29
559-276- 6
567-105- 66
1254-409- 2
唐書明 559-298-7上
唐珤明 537-329- 56
1274-457- 17
唐珤女 明 見唐氏
唐珩妻 清 見楊氏
唐振明 472-402- 18
唐時宋 482-350-356
533-747- 73
567-297- 76
1467-174- 68
唐時明 511-889-172
唐時明 洪承志妻、唐希說女
1271-654- 56
唐恩明(字天寵) 511-232-145
523-247-157
唐恩明(號南埜) 821-455- 57
唐柴唐 556-788-100
唐恕宋 286-202-315
397-368-340
473-302- 62
480-245-269
481- 70-293
533-338- 58
唐恕元 294-421-134
唐耕明 473-751- 83
567-303- 77
1467-187- 69
唐皋明 472-382- 16
475-572- 79
511-808-167
676-547- 22
1442- 45- 3
1460- 1- 40
唐邕北齊 263-300- 40
267-171- 55
379-468-154
384-137- 7
472-433- 19
476- 34- 98
545-548-103
933-414- 27
唐姬漢 漢少帝妃 386-205- 78
1222- 92- 3
唐秩明 524-392-198
564-623- 56
唐叟宋 482-349-356
567-393- 83
1121-391- 26
1467-172- 68
唐寅明(字伯虎) 301-836-286
475-136- 56
511-740-165
676-528- 21
820-665- 42
821-409- 56
1260-604- 17
1284-152-148
1386-364- 43
1386-687- 56
1405-703-308
1408-556-537
1442- 39- 2
1454-362-123
1455-714-244
1458-155-428
1459-799- 32
唐寅明(營山人) 554-312- 53
559-368- 8
唐宿宋 812-472- 3
812-547- 4
820-151- 50
唐淳明 528-552- 32
唐清宋 1467-180- 68
唐翊宋 523-461-169
唐混宋 見唐夢庚
唐深唐 545-866-113
唐球唐 561-204-38之1
唐理明 554-288- 53

唐規北周 544-219-62
唐彬晉 255-737-42
377-508-122
384-91-5
469-182-21
472-26-1
472-551-23
472-693-28
474-90-3
476-582-131
477-160-157
477-541-176
477-560-177
505-627-67
532-97-27
537-262-55
540-712-28之1
唐彬明 523-306-160
唐勒戰國 405-18-56
唐欸唐(并州晉陽人)
271-605-190下
唐欸唐(字嘉言) 1342-401-956
唐陵北周 263-670-32
267-363-67
唐通明 301-583-272
494-57-2
唐通妻 明 見李氏
唐異宋 812-751-3
820-352-32
839-58-5
1089-618-6
唐冕明 473-75-52
515-234-64
唐冕妻 明 見王氏
唐彪宋 563-688-39
567-299-76
1467-178-68
唐晨明 563-769-40
唐終漢 820-35-22
唐紹唐 270-17-85
274-438-113
384-187-10
395-428-220
478-114-181
554-639-60
933-415-27
唐術元 515-625-76
唐敏明 1442-7-1
唐皎唐 270-17-85
274-438-113
395-427-220
554-444-56
唐啟明 1268-440-68
1268-498-78
唐斌明 533-493-65
唐尊漢 250-612-72
376-325-100
384-52-2
唐湘唐塔孫 宋 451-91-3
唐詔宋 820-355-32
唐詔明 472-348-15
510-314-113
510-455-117
1254-330-9
唐湊唐 821-88-48
唐雲明 299-404-146
886-144-138
唐琮元 1200-725-55
1373-401-26
唐博唐溥 明 567-315-78
1467-202-69
唐朝元 482-350-356
567-405-84
1467-185-69
唐琦宋 288-310-448
400-166-513
523-383-164
唐開宋 473-390-65
563-692-39
唐弼宋 585-777-6
唐肅宋 286-20-303
397-231-333
472-893-35
472-966-38
475-364-67
515-81-59
523-425-167
545-459-100
558-227-32
唐肅明 301-822-285
472-1072-45
479-237-227
511-913-173
524-55-180
676-446-17
820-571-40
821-345-55
1228-759-12
1231-368-6
1318-347-63
1374-627-84
1391-608-337
1442-7-1
1459-255-5
唐琛妻 明 見趙氏
唐棣宋 448-525-14
511-680-163
唐棣元 494-414-12
523-445-168
524-357-196
821-292-53
1194-604-6
1220-69-2
1221-265-3
1226-659-1
1369-331-8
1439-443-2
唐棣妻 元 見蔣氏
唐閔妻 明 見陳氏
唐貴明 676-524-21
唐鈕清 455-514-32
唐鈞宋 480-49-259
唐備唐 451-473-7
唐欽後魏 266-548-27
379-91-147
唐傚明 1467-202-69
唐傑宋 473-390-65
515-145-61
唐復宋 533-322-57
唐復明 473-768-84
523-155-153
567-89-66
1467-65-64
唐溥明 見唐博
唐源明 480-404-277
532-698-45
唐意宋 576-33-下
唐詩明 1442-69-4
1460-328-55
唐愼明 473-391-65
480-544-283
533-273-56
1467-66-64
唐詢宋 286-21-303
472-967-38
484-94-3
494-300-5
812-753-3
820-355-32
1096-369-38
1117-604-8
1362-690-60
1437-13-1
唐塈元 554-845-63
唐煇宋 485-502-9
493-943-50
唐廉清 476-32-97
545-163-88
唐瑄明 567-407-84
1467-203-69
唐瑁女 漢 見唐姬
唐椿宋 400-184-514
唐瑞明 572-82-28
唐瑜明(字廷美) 473-211-59
479-353-233
511-125-141
523-201-155
532-591-41
1248-642-4
1250-858-82
1256-395-25
唐瑜明(辰溪人) 515-273-65
唐幹宋 533-492-65
唐瑑宋 488-13-1
488-456-14
唐達明 678-228-92
唐睢戰國 405-184-68
537-371-57
546-437-129
唐鼎明 302-23-290
515-156-61
唐虞漢 253-608-112下
380-579-181
541-86-30
唐鉉明 456-522-6
477-132-155
538-47-63
唐鉞明 1442-66-4
1460-287-53
唐鉞女 明 見唐氏
唐頌漢 453-753-4
482-466-363

564- 8- 44
567- 21- 63
1467- 5- 62
唐僅唐善郎 宋 448-398- 0
唐節女 明 見唐妙慧
唐傭梁 493-737- 41
唐愛明 511-234-145
528-487- 30
唐賓明 456-632- 10
唐禎明 1261-841- 41
1268-497- 78
唐韶宋(字子和) 523-559-174
唐福妻 明 見張氏
唐榮明 473-348- 63
480-437-278
532-726- 46
567-309- 77
1467-195- 69
唐碩清 456- 39- 52
唐瑢明 570-103-21之1
唐瑤明 532-720- 45
676-541- 22
唐聚元 1196-310- 18
唐遜明 見唐誼方
唐蒙漢 479-525-241
483-219-390
515-207- 63
559-289-7上
569-614-18下之2
571-512- 19
唐鳳清 482-433-361
567-155- 69
唐熊明 524-151-185
1283-485-124
唐熊妻 明 見陳氏
唐綜漢 814-227- 3
唐徹宋 533-322- 57
唐寬明 546-369-127
唐廣明 524- 34-179
唐慶唐 556-120- 85
唐慶元 295- 77-152
400-247-520
唐慶明 511-657-162
唐賢明 571-550- 20
唐厲漢 539-348- 8
唐瑾北周 宇文瑾 263-670- 32
267-363- 67
379-649-158
384-141- 7
472-612- 25
476-729-138
540-730-28之1
681-322- 23
933-415- 27
1158-655- 62
唐樞明 300-390-206
457-669- 40
479-144-223
523-587-175
676-560- 23
677-599- 54
1457-294-369
唐閱宋 486-329- 15
523-462-169
679-502-188
唐震宋 288-334-450
400-184-514
451-230- 0
472-1072- 45
473- 44- 50
479- 43-218
479-236-227
479-526-241
479-557-242
493-781- 42
515-217- 63
523-383-164
唐震明 480-411-277
533-252- 55
唐璉明 456-642- 10
唐穀宋 見陶穀
唐蔭明 567-310- 77
1467-197- 69
唐輝明 1467-186- 69
唐鋐明 474-652- 34
505-706- 70
唐鋂妻 明 見陳氏
唐儉唐 269-511- 58
274-174- 89
384-166- 9
395-248-203
472-433- 19
476- 35- 98
545- 20- 83
545-557-103
550-195-216
559-312-7上
933-415- 27
1340-553-776
唐儉明 559-520- 12
唐稷宋 473-188- 58
494-326- 6
516-163- 94
唐憲唐 274-175- 89
395-249-203
545-558-103
唐龍明 300-317-202
472-1032- 42
473- 18- 49
475- 20- 49
475-502- 75
476-778-141
477-566-177
479-330-232
479-454-237
482-539-368
494-156- 5
515- 49- 58
523-329-161
540-662- 27
545- 93- 85
554-175- 51
558-154- 30
569-651- 19
676-540- 22
677-567- 52
1442- 43- 3
1459-895- 38
唐澤明 472-106- 4
472-382- 16
505-678- 69
511-279-147
564- 94- 45
676-544- 22
唐諶晉 473-389- 65
533-271- 56
唐濂明 1258-658- 15
唐濵明 529-456- 43
唐諫唐冊 宋 473-750- 83
482-349-356
567-297- 76
1467-173- 68
唐諫明 571-553- 20
唐廩唐 515-496- 72
唐璟宋 400-159-513
唐頤明 545-671-107
唐璘母宋 481-532-326
530- 2- 54
唐璘宋 287-581-409
398-547-401
472-254- 10
473-572- 74
475- 18- 49
475-120- 55
475-214- 60
475-502- 75
479-747-251
481-528-326
481-802-338
510-360-114
515-104- 60
523- 98-150
529-446- 43
567-443- 86
820-436- 35
1180-371- 34
1467-144- 67
唐靜宋 564- 69- 44
唐豫明 482- 36-340
564-253- 47
1318-351- 63
唐蕚唐 515-113- 60
唐曄宋 460-283- 17
唐錡宋 485-541- 1
唐錡明 570-134-21之2
唐錦明 472-128- 4
676-527- 21
1268-282- 45
1442- 39- 2
1459-799- 32
唐儒明 1268-426- 67
唐衡漢 253-509-108
380-491-129
535-554- 20
唐勳明(字汝立) 475-563- 79
564-183- 46
唐勳明(字本孩) 532-671- 64
567-317- 78
唐勳清 511-365-150
唐禧女 宋 見唐氏
唐濙明 567-319- 78
1467-204- 69

唐聰明	1467- 86- 65		523-158-153	502-777- 86
唐臨唐	270- 16- 85	唐鐸明	299-313-138	533-390- 60
	274-438-113		452-254- 7	唐士儀妻 明 見俞永寧
	384-181- 10		453-548- 5	唐士騏妻 清 見趙氏
	395-427-220		472-206- 7	唐子正宋 482-349-356
	472-456- 20		472-1041- 43	567-363- 81
	472-834- 33		472-1068- 45	1467-172- 68
	476-110-102		473-616- 77	唐子良宋 821-245- 52
	478-111-181		475-855- 94	唐子昌明 523- 85-149
	545-357- 96		479-225-227	唐子清明 299-363-142
	554-443- 56		479-353-233	456-697- 12
	563-628- 38		481-644-330	唐子華元 472-377- 16
	567- 37- 64		511-350-149	唐子儀唐文鳳 明
	933-415- 27		523-154-153	479-793-254
唐檀漢	253-602-112下		528-509- 31	515-271- 65
	380-572-181		567- 86- 66	676-487- 18
	473- 19- 49	唐鑑明	547- 53-143	820-599- 40
	479-484-239	唐鑑妻 明 見唐貞眞		1252-401- 23
	515-291- 65	唐儼明	302-155-297	1375- 29- 上
	933-414- 27		482-352-356	1391-528-327
唐轂元	524-123-184		1467-224- 70	1442- 25- 2
	1219-470- 19	唐衢唐	271- 71-160	唐子霞宋 524-385-198
唐轅元	524-123-184		820-237- 28	587-443- 5
	1219-470- 19		1458-714-473	唐大年明 473-652- 78
唐績宋	473-390- 65	唐一中明	456-598- 9	528-493- 30
	533-272- 56		474-408- 20	1227- 81- 9
唐鍊明	480-486-280		482-352-356	1227-100- 12
唐禮明(字敬身)	493-760- 41		567-371- 81	唐大純清 533-495- 65
唐禮明(字邦仁)	1268-427- 67		1467-257- 71	唐大章明(字伯和) 515-423- 69
唐禮妻 明 見仇誠		唐一岑明	302- 21-290	唐大章明(字士一) 529-733- 51
唐謨宋	515-116- 60		475-450- 71	676- 13- 1
唐璵明	1475-195- 8		482-351-356	唐大陶清 545-229- 91
唐璿唐 見唐休璟			510-404-115	559-410-9下
唐蕐明	572- 85- 28		567-367- 81	唐大發妻 清 見周氏
唐瞻宋 見唐伯虎			584-171- 6	唐大楷明 820-596- 40
唐鎔元	1214-221- 18		1467-230- 70	唐山王明 見朱幼塀
唐鎧女 明 見唐氏		唐一鵬明	483-340-398	唐山斗明 480-541-283
唐簡明	563-805- 41		572- 83- 28	唐斗輔妻 元 見文氏
唐鯉明	564-219- 46	唐一鶚宋	492-712-3下	唐方沂母 清 見吳氏
唐縉漢	569-535- 17	唐九德明	481-612-329	唐文宗李昂 268-364-17上
唐韻明	456-682- 11		523-206-155	268-374-17下
	480-414-277		528-495- 30	272-155- 8
唐瀚妻 明 見孫氏			533-254- 55	384-266- 14
唐鋪明	1268-406- 64	唐人鑑宋	533-321- 57	392-157- 14
唐寶明	533-432- 62	唐士弘清	570-156-21之2	554- 12- 48
唐齡妻 明 見胡氏		唐士良明	821-462- 57	819-573- 19
唐夔明(長汀人)	529-639- 48	唐士傑清	474-775- 41	唐文炳明 482-561-369
唐夔明(字希昭)	567-326- 78		480-291-271	唐文若宋 287-324-388

	38-341-386
	472-866- 34
	473- 43- 50
	473-516- 71
	478-244-186
	479-526-241
	479-604-244
	481-352-309
	515-215- 63
	523-224-156
	554-334- 54
	559-314-7上
	559-386-9上
	591-641- 46
	1147-510- 48
唐文昭清	554-781- 62
唐文傑明	528-571- 32
唐文煃明	571-556- 20
唐文運明	456-634- 10
	505-840- 76
唐文煥明	476-659-135
唐文楷明	676-487- 18
唐文鳳 見唐子儀	
唐文編唐	473-489- 70
唐文濟宋	492-584-13下之上
唐文燦明	1442- 74- 5
	1460-358- 56
唐文獻明	300-564-216
	475-182- 59
	511-129-141
	676-615- 25
	680-249-249
	1442- 81- 5
	1460-425- 60
唐文嚴宋	564- 79- 44
唐之坦妻 清 見曹氏	
唐之奇唐	270- 17- 85
唐之柏清	482-352-356
	567-360- 80
唐之屛明	1442- 84- 5
	1460-473- 62
唐之俊康之鏞 明	
	456-627- 10
唐之淳 見唐愚士	
唐之鏞 見唐之俊	
唐之夔明	567-416- 84
唐太正明	533-497- 65
唐太宗李世民	268- 53- 2

268-53-2
268-65-3
272-56-2
384-159-9
392-27-2
494-27-3
554-10-48
812-736-3
813-209-1
814-213-1
819-568-19
1091-479-8
1112-669-10
1472-22-1
唐太宗后 見長孫皇后
唐太宗賢妃 見徐惠
唐太宗妃 見楊氏
唐太宗女 見北景公主
唐太宗女 見合浦公主
唐太宗女 見季淑
唐太宗女 見李敬
唐太宗女 見李明達
唐太宗女 見東陽公主
唐太宗女 見長樂公主
唐太宗女 見南平公主
唐太宗女 見城陽公主
唐太宗女 見新城公主
唐太宗女 見新興公主
唐太宗女 見襄城公主
唐太宗女 見臨川公主
唐太初宋 見唐元章
唐太祖夫人 後唐 見陳氏
唐五妹元 唐柏壽女
482-269-350
唐元亨明 472-325-14
唐元宗李景、李璟、李景通、徐景通 南唐 278-469-134
279-437-62
288-673-478
384-194-11
384-317-16
401-199-595
408-23-1
488-333-12
813-234-5
819-578-19
唐元宗昭容 南唐 見吉氏
唐元宗后 南唐 見鍾皇后
唐元殊明 567-415-84
1467-222-70
唐元章唐太初 宋
479-326-232
523-403-165
唐元嘉元 523-404-165
唐天保元 567-394-83
1467-182-68
唐天恩明 472-231-8
477-360-166
511-436-153
537-318-56
唐天麟唐繩孫 宋 451-65-2
526-263-267
1318-153-44
唐日昌明 821-460-57
唐中宗李哲、李顯 268-117-7
272-94-4
384-182-10
392-57-4
554-10-48
814-214-1
819-570-19
唐中宗昭容 見上官婉兒
唐中宗后 見韋皇后
唐中宗后 見趙皇后
唐中宗女 見永泰公主
唐中宗女 見林季姜
唐中宗女 見李裹兒
唐中宗女 見宜城公主
唐中宗女 見定安公主
唐中宗女 見長寧公主
唐中穎明 474-245-12
456-628-10
505-845-76
唐公防漢 見唐公房
唐公昉漢 見唐公房
唐公房唐公防、唐公昉 漢
478-250-186
554-967-65
575-475-25
592-170-71
681-664-20
681-477-3
1397-666-32
唐公翊妻 宋 見丁氏
唐仁祖元 294-420-134
399-543-474
474-733-40
502-273-54
820-501-37
1192-534-7
唐仁傑宋 567-412-84
1467-171-68
唐介壽宋 479-108-221
524-396-199
唐允中明 567-352-80
1467-252-71
唐允升明 1231-410-9
唐允功宋 515-466-71
唐允思清 524-140-185
唐玄宗李隆基 268-136-8
268-161-9
272-103-5
392-78-6
554-11-48
560-591-29下
684-473-下
812-743-3
813-210-1
814-214-1
819-571-19
1112-672-11
1116-510-27
1387-401-32
唐玄宗后 見王皇后
唐玄宗妃 見江采蘋
唐玄宗后 見武皇后
唐玄宗妃 見皇甫氏
唐玄宗才人 見莫氏
唐玄宗貴妃 見楊玉環
唐玄宗后 見楊皇后
唐玄宗麗妃 見趙氏
唐玄宗女 見太華公主
唐玄宗女 見宋國公主
唐玄宗女 見李上善
唐玄宗女 見昌樂公主
唐玄宗女 見咸直公主
唐玄宗女 見晉國公主
唐玄宗女 見新平公主
唐玄宗女 見新昌公主
唐玄宗女 見萬安公主
唐玄宗女 見萬春公主
唐玄宗女 見齊國公主
唐玄宗女 見壽安公主
唐玄宗女 見廣寧公主
唐玄宗女 見衛國公主
唐玄宗女 見樂城公主
唐玄宗女 見臨晉公主
唐玄宗宮女 見郝氏
唐玄度唐 812-749-3
813-216-2
814-279-10
820-255-29
唐玄達後魏 261-593-43
266-549-27
379-91-147
552-34-18
唐必治明 482-75-341
唐必達元 1197-603-61
唐必聰明 482-331-397
572-108-30
唐永初後魏 545-447-99
唐玉傳宋 492-712-3下
唐正之妻 明 見王氏
唐正雅明 1442-100-6
唐正發清 482-352-356
567-374-81
唐古氏金 完顏烏雅東妻
291-4-63
唐古里金 見唐古安禮
唐古岱元 1207-237-16
唐古泰清 456-234-68
唐古貢唐古達格 金
291-654-120
400-78-506
唐古善清 455-247-13
唐古幹元 537-73-49
唐古錫清 456-285-71
唐古辯唐古翁鄂羅 金
291-760-132
401-501-633
唐古辯妻 金 見代國公主
唐本忠明 533-209-53
唐本堯明 511-129-141
515-176-62
唐可大明 480-201-267
唐世元清 564-302-48
唐世明妻 明 見梅氏
唐世旻唐 533-403-61
唐世美明 820-711-43
1276-445-11
唐世柱明 480-466-279
唐志起妻 明 見歐陽氏

唐世涵明 523-447-168
528-556- 32
唐世堯明 482-434-361
567-349- 80
1467-250- 71
唐世靖明 511-852-169
唐世照明 532-640- 43
567-352- 80
1467-252- 71
唐世輔明 523-178-154
唐世熊明 456- 50- 6
482-352-356
567-369- 81
1467-252- 71
唐世濟明 528-555- 32
唐充之宋 493-703- 39
唐末帝王從珂、李從珂 後唐
277-399- 46
279- 50- 7
384-301- 16
392-245- 21
537-181- 53
唐末帝后 後唐 見劉皇后
唐代宗李豫、李俶
268-198- 11
272-125- 6
384-218- 12
392-109- 9
554- 11- 48
813-211- 1
819-572- 19
唐代宗后 見沈皇后
唐代宗妃 見崔氏
唐代宗后 見獨孤皇后
唐代宗女 見長林公主
唐代宗女 見晉陽公主
唐代宗女 見新都公主
唐代宗女 見齊國公主
唐代宗女 見壽昌公主
唐代宗女 見趙國公主
唐代宗女 見嘉豐公主
唐代宗女 見瓊華眞人
唐令則北周 265-671- 32
267-364- 67
379-650-158
唐仙峰明 1287-515- 22
唐守勳明 564-122- 45
唐汝舟唐宜僧 宋446-288- 下
唐汝承明 523-483-170
唐汝迪明 475-609- 81
511-304-148
563-823- 41
676-324- 12
唐汝欽明 見廖汝欽
唐汝詢明 475-182- 59
511-762-166
676-648- 26
1442- 99- 6
1457-665-404
1460-610- 70
唐汝楫明 300-318-202
559-315-7上
1249-251- 14
唐汝龍明 1442- 71- 4
唐宇肩清 511-873-170
唐宇泰清 479-332-232
唐吉祥明 472-766- 30
473-388- 65
511-274-147
532-719- 45
537-315- 56
唐吉會妻 明 見錢氏
唐吉衡妻 明 見湯氏
唐吉望妻 清 見李氏
唐同仁唐 486- 41- 2
唐光善元 528-484- 30
唐自化明 511-129-141
唐自彩唐自綵 明301-644-276
456-439- 3
480-249-269
523- 92-149
唐自綵明 見唐自彩
唐全昌明 456-636- 10
唐如介元 1213- 580- 12
唐如晦宋 533-343- 58
唐竹牕明 821-436- 57
唐仲文女 元 見唐伯貞
唐仲友宋 472-1029- 42
523-609-176
676-687- 29
678-120- 81
680-193-243
1147-570- 54
1363-368-159
唐仲能唐 820-232- 28
唐仲義宋 485-535- 1
唐仲實唐仲、唐桂芳 明
511-807-167
676-451- 17
1217- 20- 3
1217-588- 3
1252-401- 23
1375- 24- 上
1376-468- 89
1391-526-327
1442- 10- 1
1459-397- 12
唐仲熊清 511-516-157
唐仲蘭妻 清 見范氏
唐休璟唐璿 唐 270-124- 93
274-417-111
384-185- 10
395-411-218
472-835- 33
472-865- 34
472-944- 37
478-112-181
478-243-186
478-451-197
545-318- 95
554-395- 55
558-133- 30
933-415- 27
1341-638-884
唐良輔宋 492-712-3下
唐良銳明 456-570- 8
475-744- 88
482-352-356
567-370- 81
1467-256- 71
唐良懿明 475-564- 79
510-430-116
515-448- 70
唐志大元 820-526- 38
唐志大明 524-314-194
676-117- 5
唐志尹明 821-474- 58
唐志契明～清 511-876-170
821-474- 58
唐成公春秋 933-414- 27
唐成及吳越 485- 73- 11
唐均弼明 516-170- 94
唐君佐唐 526-296-268
唐君明隋 263-302- 40
唐君祐唐 524-148-185
唐君徹隋 263-302- 40
唐作求宋 485-501- 9
492-699-3上
492-712-3下
唐伯元明 301-772-282
457-708- 42
482-143-344
564-206- 46
677-657- 59
1291-627- 1
唐伯虎唐瞻 宋 288-243-443
400-657-561
481-351-309
559-385-9上
591-640- 46
1124-347- 4
唐伯貞元 項昂霄妻、唐仲文女 1232-684- 9
1241-289- 13
唐伯剛元 494-316- 5
1222-329- 29
唐伯逸明 523-171-154
唐希介明 476- 42- 98
545-662-107
554-312- 53
唐希皋明 480- 91-262
533-159- 52
唐希雅宋 524-350-196
812-470- 3
812-546- 4
813-181- 17
820-318- 31
821-119- 49
唐希說女 明 見唐時
唐邦佐明 1442- 75- 5
1460-359- 56
唐邦杰清 475-611- 81
511-409-152
唐妙堅明 張成妻683-208- 7
1224- 6- 15
唐妙慧明 王玉妻、唐節女
1247-544- 24
唐廷珍明 559-349- 8
唐廷俊明 456-678- 11
唐廷倬妻 明 見祝貞慧
唐廷猷妻 清 見李氏
唐廷燦明 567-343- 79

1467-239- 71
唐廷藝妻 清 見江氏
唐宗正明 483-348-399
571-551- 20
唐宗祚明 524-352-196
821-388- 56
唐宗智明 559-408-9上
唐宗義明 563-793- 41
唐宗義妻 清 見劉氏
唐宜僧宋 見唐汝舟
唐武宗李炎 268-406-18上
272-159- 8
384-273- 14
392-166- 14
554- 12- 48
唐武宗賢妃 見王氏
唐武宗女 見靜樂公主
唐孟元明 529-675- 49
唐秦唐 820-152- 26
唐阿禮清 455-608- 41
唐東昇妻 明 見蔣氏
唐承裕宋 473-750- 83
1467-167- 68
唐具兆清 564-309- 48
唐忠祚宋 812-472- 3
812-547- 4
813-182- 17
821-151- 50
唐忠翊元 1215-214- 3
唐尚忠明 820-752- 44
唐尚寶妻 清 見朱氏
唐明宗李亶、李嗣源、邈佶烈 後唐 277-312- 35
279- 42- 6
383-672- 2
384-301- 16
395-239- 21
407-637- 0
537-181- 53
544-160- 61
550-521-224
819-578- 19
1383-696- 62
唐明宗淑妃 後唐 見王氏
唐明宗后 後唐 見夏皇后
唐明宗后 後唐 見曹皇后
唐明宗后 後唐 見魏皇后
唐明宗女 後晉 見李皇后
唐明達明 1253-187- 49
唐明興女 清 見唐氏
唐易子戰國 405-241- 71
唐叔虞唐叔 周 244- 94- 39
371-334- 16
545-483-101
550-182-216
550-570-224
933-414- 27
唐季乙宋 1173-131- 72
唐周慈明 480-545-283
533-493- 65
456-639- 10
唐宣仁妻 明 見蔣氏
唐宣宗李忱 268-426-18下
272-162- 8
384-276- 14
392-170- 15
554- 12- 48
813-212- 1
819-573- 19
唐宣宗后 見晁皇后
唐宣宗女 見許昌公主
唐宣宗女 見萬壽公主
唐宣宗女 見齊國公主
唐宣宗女 見廣德公主
唐彥通宋 1124-351- 5
唐彥謙唐 271-605-190下
274-176- 89
400-613-556
451-471- 7
546-631-136
674-268-4中
820-269- 29
821- 91- 48
1365-487- 8
1371- 72- 附
1473-576- 90
唐哀帝李柷、李祝
268-538-20下
272-190- 10
392-211- 18
537-180- 53
唐美烜妻 清 見藍氏
唐柏壽女 元 見唐五妹
唐奎瑞宋 400-181-514
唐既濟宋 見唐既
唐建極妻 清 見衡氏
唐茂本明 1253- 37- 42
唐貞眞明 張寧妻、唐鑑女
1247-538- 24
唐思周明 478-434-196
554-313- 53
唐若仙唐 475-387- 68
唐荀兒明 523-200-155
唐昭宗李曄 268-504-20上
272-181- 10
384-287- 15
392-194- 17
537-180- 53
554- 13- 48
813-212- 1
819-574- 19
唐昭宗后 見何皇后
唐昭宗宮嬪 見智願
唐昭宗女 見平原公主
唐昭宗女 見新興公主
唐昭宗女 見德清公主
唐昭宗女 見樂平公主
唐風子明 570-253- 25
唐姚瑞明 511-547-158
唐衍遠妻 清 見朱氏
唐俊人宋 見唐俊乂
唐俊乂唐俊人 宋
473-751- 83
482-350-356
563-691- 39
567-298- 76
1467-177- 68
唐俊民元 1215-214- 3
唐俊賢元 1215-214- 3
唐俊德明 482-562-369
唐後主李煜、李從嘉 南唐
279-443- 62
288-675-478
371-119- 12
382-164- 23
384-329- 16
384-317- 17
401-203-595
408- 23- 1
674-270-4中
812-531- 3
812-750- 3
813-173- 17
813-264- 12
814-280- 10
819-579- 19
1085-221- 29
1301-580-139
1383-843- 78
1304-762- 11
唐後主后 南唐 見周娥皇
唐後主保儀 南唐 見黃氏
唐後主宮人 南唐 見喬氏
唐高宗李治 268- 79- 4
268- 92- 4
272- 69- 3
384-178- 10
392- 42- 3
554- 10- 48
544-223- 63
812-743- 3
814-213- 1
819-569- 19
唐高宗后 見王皇后
唐高宗后 見武曌
唐高宗婕妤 見徐氏
唐高宗女 見太平公主
唐高宗女 見高安公主
唐高宗女 見義陽公主
唐高祖李淵 268- 41- 1
272- 43- 1
384-159- 9
392- 15- 1
494- 26- 2
544-158- 61
554- 10- 48
814-213- 1
819-568- 19
933-521- 35
1112-668- 10
1121- 34- 4
1407- 13-395
唐高祖昭儀 見宇文氏
唐高祖后 見竇皇后
唐高祖女 見丹陽公主
唐高祖女 見平陽公主
唐高祖女 見安定公主
唐高祖女 見長廣公主
唐高祖女 見高密公主
唐高祖女 見常樂公主
唐祚培清 480-487-280
533-463- 63

唐烈祖徐知誥 南唐
278-468-134
279-435- 62
288-673-478
371-119- 12
384-317- 16
401-197-595
472-171- 6
488-328- 12
488-329- 12
488-331- 12
488-334- 12
488- 33- 12
494-378- 10
唐烈祖妃 南唐 見种氏
唐孫華清 511-793-166
唐桂芳明 見唐仲實
唐起泰明 537-306- 56
唐起龍明 1292-657- 11
唐時升明 301-863-288
475-453- 71
511-792-166
1442- 89- 6
唐時明明 302- 98-294
456-576- 8
477-546-176
478-200-184
538- 74- 63
554-257- 52
唐時英明 483- 16-370
554-188- 51
570-109-21之1
唐時雍明(字子協) 529-516- 44
唐時雍明(字伯和)
1295-124- 10
唐時雍妻 明 見李氏
唐時澤宋 524-161-186
唐時舉明 480- 58-260
533-140- 51
534-954-120
唐徐卿元 1226-895- 7
唐師錫明 523-136-152
唐惟清宋 見唐逢年
唐章阿清 455- 65- 2
唐淑問宋 286-201-316
397-367-340
480-245-269
494-298- 5
唐執中明 567-134- 68
1467-130- 66
唐彬茂唐 547-552-161
唐崇勳清 見唐崇勲
唐崇勲唐崇勳 清
480-512-281
533-269- 55
唐莊宗李存勗 後唐
277-241- 27
279- 29- 4
384-300- 16
392-229- 20
407-651- 2
537-180- 53
544-160- 61
1383-689- 62
唐莊宗德妃 後唐 見伊氏
唐莊宗夫人 後唐 見夏氏
唐莊宗后 後唐 見劉皇后
唐莊宗淑妃 後唐 見韓氏
唐紹光清 477-547-176
538-123- 64
唐紹堯明 480-486-280
533-292- 56
唐敏求宋 288-377-453
400-133-511
472-350- 15
475-669- 84
479-604-244
511-488-155
唐啟中明 456-678- 11
唐啟泰明 456-557- 7
540-824-28之3
唐逢午唐惟清 宋451- 78- 2
唐逢丙元 1197-686- 71
唐從心唐 820-156- 26
唐遇之齊 490-945- 89
唐善郎宋 見唐僅
唐善慶元 547-522-160
唐曾可女 明(吳靜夫妻) 見唐氏
唐曾可女 明(楊墉妻) 見唐氏
唐朝選妻 明 見梁氏
唐朝彝清 529-577- 46
唐階豫明 456-439- 3
唐隆道元 480-436-278
唐斯盛明 533-452- 63
唐堯臣明 515-409- 69
523- 54-148
唐堯官明 570-158-21之2
唐堯章宋 1168-437- 37
唐堯智明 511-663-162
唐堯欽明 481-616-329
529-571- 46
唐肅宗李亨、李浚、李紹、李璵、李嗣昇 268-180- 10
272-119- 6
384-208- 11
392- 99- 8
554- 11- 48
813-211- 1
819-572- 19
唐肅宗后 見吳皇后
唐肅宗妃 見韋氏
唐肅宗后 見張皇后
唐肅宗妃 見董氏
唐肅宗女 見永和公主
唐肅宗女 見和政公主
唐肅宗女 見紀國公主
唐肅宗女 見郜國公主
唐肅宗女 見郯國公主
唐肅宗女 見蕭國公主
唐閔帝李從厚、唐愍帝 後唐
277-392- 45
279- 49- 7
384-301- 16
392-244- 21
537-181- 53
唐閔帝后 後唐 見孔皇后
唐景思後周 278-386-124
279-318- 49
384-313- 16
396-433-295
472-897- 35
唐貴梅明 朱彥明妻
302-216-301
475-647- 83
512-103-179
1270-105- 11
1408-551-537
唐順之明 300-379-205
457-424- 26
475-227- 61
511-154-142
523- 51-148
676-563- 23
820-694- 43
1442- 53- 3
1460-116- 46
唐順之妻 明 見莊氏
唐順宗李誦 268-284- 14
272-144- 7
384-242- 12
392-135- 11
554- 11- 48
812-743- 3
814-214- 1
819-572- 19
1073-712- 10
1075-511- 3
1408-634-548
唐順宗后 見王皇后
唐順宗女 見西河公主
唐順宗女 見李暢
唐順宗女 見梁國公主
唐順宗女 見潯陽公主
唐順宗女 見虢國公主
唐順宗女 見襄陽公主
唐順徵明 537-436- 58
唐鈞天妻 清 見林氏
唐喬遷明 1291-940- 7
唐循仲明 570-211- 23
唐循道宋 484-377- 27
唐勝宗明 299-232-131
511-417-152
523- 35-147
552- 76- 19
唐欽堯明 1289-282- 18
唐傚純明 1292-179- 16
唐傚純妻 明 見蔣氏
唐義問宋 286-201-316
397-367-340
474- 92- 3
476-913-148
480-245-269
540-613- 27
545- 52- 84
563-668- 39
1163- 511- 26
唐義橋元 547-110-145
唐溪典漢 538- 33- 62
唐煥發宋 492-712-3下
唐運昌妻 清 見洪氏

唐道林清 511-621-160
唐道泰妻 明 見李氏
唐道時明 821-487- 58
唐道錄宋 524-386-198
唐道襲後梁 472-865- 34
478-243-186
554-135- 50
唐愍帝後唐 見唐閔帝
唐塔孫宋 見唐湘
唐楚善明 572-111- 30
唐萬齡明(淮安人) 554-313- 53
唐萬齡明(贛榆人) 558-212- 32
唐愚士唐之淳 明
301-822-285
524- 55-180
676-472- 18
820-584- 40
1235-637- 22
1318-347- 63
1391-611-337
1442- 17- 1
1459-529- 18
唐嗣昌清 567-359- 80
唐嗣美妻 明 見支氏
唐敬一清 481-430-315
559-415-9下
唐敬宗李湛 唐 268-354-17上
272-154- 8
384-263- 13
392-154- 13
554- 12- 48
唐敬宗貴妃 唐 見郭氏
唐業偉清 537-611- 60
唐傳鉎清 533-269- 55
唐愈賢明 473-377- 65
480-565-284
523-175-154
533-115- 50
唐漢賓唐 476-417-120
545-390- 97
唐榮祖元 1219-520- 23
唐榮祖妻 元 見姜氏
唐與言妻 明 見胡氏
唐際明明 567-358- 80
1467-256- 71
唐際盛明 523- 89-149
529-521- 44
唐嘉會妻 清 見楊氏
唐遜卿明 676-144- 6
唐夢庚唐混 宋 451- 96- 3
唐夢賚清 540-852-28之4
唐夢鯤明 302- 99-294
456-576- 8
482- 39-340
482-433-361
554-306- 53
564-243- 47
唐睿宗李旦、李旭 268-127- 7
272-100- 5
384-191- 10
392- 74- 5
554- 11- 48
814-214- 1
819-570- 19
唐睿宗后 見劉皇后
唐睿宗后 見竇皇后
唐睿宗女 見李華
唐睿宗女 見李持盈
唐睿宗女 見李華莊
唐睿宗女 見金仙公主
唐睿宗女 見鄎國長公主
唐睿宗女 見霍國公主
唐睿宗女 見薛國公主
唐鳳翥明 見張鳳翥
唐鳳儀宋 見唐儀鳳
唐鳳儀明 473-349- 63
480-438-278
1257-517- 7
533-109- 50
唐鳳騰妻 清 見楊氏
唐僖宗李儇、李儼 唐
262-170- 9
268-476-19下
384-282- 15
392-182- 16
554- 12- 48
560-590-29下
唐維城宋 529-516- 44
唐廣仁宋 1351-633-144
唐廣眞宋 472-1018- 41
493-1105- 58
524-438-201
唐誼方唐遜 明 482-267-350
569-224-46
唐禠遠妻 清 見潘氏
唐慶澄唐 494-324- 6
唐殤帝李重茂 唐
270- 33- 86
395- 47-184
唐儀之宋 563-663- 39
唐儀鳳唐鳳儀 宋
473-763- 84
482-391-358
1467-179- 68
唐德宗李适 268-230- 12
268-259- 12
272-134- 7
384-224- 12
392-120- 10
554- 11- 48
813-211- 1
819-572- 19
唐德宗后 見王皇后
唐德宗賢妃 見韋氏
唐德宗妃 見鮑君徽
唐德宗女 見文安公主
唐德宗女 見宜都公主
唐德宗女 見鄭國公主
唐德宗女 見燕國公主
唐德宗女 見臨眞公主
唐德宗女 見韓國公主
唐德宗女 見魏國公主
唐德明明 406-672- 11
480-545-283
533-404- 61
唐德亮清 511-770-166
唐德柄宋 567-378- 82
1467-180- 68
唐德焯妻 清 見羅氏
唐德謙元 1223-387- 6
唐憲宗李純 268-288- 14
268-308- 15
272-145- 7
384-245- 13
392-137- 12
554- 11- 48
819-573- 19
1112-672- 11
1343-116- 11
唐憲宗后 見郭皇后
唐憲宗后 見鄭皇后
唐憲宗女 見永安公主
唐憲宗女 見安平公主
唐憲宗女 見岐陽公主
唐憲宗女 見定安公主
唐憲宗女 見南康公主
唐憲宗女 見眞源公主
唐憲宗女 見梁國公主
唐憲宗女 見鄭國公主
唐憲宗女 見臨眞公主
唐霖龍宋 492-713-3下
唐興仁明 533-276- 56
唐學顏明 554-342- 54
唐錫蕃明 528-556- 32
唐穆宗李恒 唐 268-331- 16
272-152- 8
384-259- 13
392-148- 13
554- 12- 48
819-573- 19
1343-293- 20
唐穆宗后 見王皇后
唐穆宗后 見韋皇后
唐穆宗后 見蕭皇后
唐穆宗女 見安康公主
唐穆宗女 見金堂公主
唐穆宗女 見清源公主
唐穆宗女 見淮陽公主
唐穆宗女 見義豐公主
唐應元宋 492-712-3下
唐應由妻 清 見徐氏
唐應昌妻 明 見張氏
唐應祖清 456-372- 78
唐應選妻 清 見陳氏
唐濟廉明 1467-129- 66
唐醜娘唐 524-452-202
490-936- 87
唐懋才妻 清 見陳氏
唐駿發宋 492-713-3下
唐鍾祚明 456-639- 10
567-371- 81
唐鍾祚妻 明 見孫氏
唐彝倫明 494- 55- 2
唐鎭畿妻 清 見蔣氏
唐鯉化明 529-474- 43
唐懷充梁 820-105- 24
唐懷德元～明 523-616-176
676- 77- 3
676-455- 17
680-222-246
820-544- 39
1224-197- 20

唐繩孫宋 見唐天麟
唐醴生妻 明 見丁氏
唐獻之齊 473-389- 65
533-271- 56
唐獻可明 1442-114- 7
唐獻賦妻 明 見吳氏
唐騰鳳妻 清 見楊氏
唐繼山明 524-368-197
唐繼祖明 564-273- 47
唐繼祖妻 明 見馮銀
唐繼祿明 523-219-156
唐鶴徵明 300-381-205
457-429- 26
511-157-142
676-152- 6
676-606- 25
677-641- 57
唐懿宗李漼 268-450-19上
272-167- 9
384-280- 14
392-176- 15
554- 12- 48
唐懿宗后(謚惠安) 見王皇后
唐懿宗后(謚恭憲) 見王皇后
唐懿宗淑妃 見郭氏
唐懿宗女 見衛國公主
唐顯瑨明 572- 94- 29
唐兀昂吉元 見唐古昂吉
唐兀星吉元 見唐兀桑嘉依
唐兀桑結元 見唐兀桑嘉依
唐兀桑節元 見唐兀桑嘉依
唐兀新濟元 見唐兀桑嘉依
唐古世雄元 見唐古黃頭
唐古安禮唐古里、唐括安禮、唐古烏楞古 金 291-267- 88
399-159-430
474-166- 8
544-238- 63
唐古托歡元 294-428-134
399-548-474
唐古志能元 見唐古觀音努
唐古定格金 完顏亮貴妃、完顏烏達妻 291- 9- 63
唐古阿里金 見唐古德温
唐古固影元 見唐古觀音努
唐古昂吉唐兀昂吉、唐兀昂吉爾、唐吉昂吉爾元
1369-384- 10
1439-445- 2
1471-463- 10
唐古皇后金 金太宗后、唐古阿爾遜女 291- 4- 63
393-336- 79
唐古皇后金 金太祖后、唐古羅索女 291- 4- 63
唐古皇后元 元武宗后
294-186-114
393-348- 80
唐古黃頭唐古世雄 元
1207-586- 41
唐古雄飛元 見張雄飛
唐古達格金 見唐古貢
唐古實格金 完顏亮麗妃、文妻 291- 10- 63
唐古蓮珠元 523-243-157
唐古德温唐古阿里、唐括德温 金 291-649-120
400- 69-506
502-354- 61
唐古羅索女 金 見唐古皇后
唐安公主唐 見韓國公主
唐括安禮金 見唐古安禮
唐括德温金 見唐古德温
唐哈思瑚清 455-411- 25
唐縣老姑明(隱唐縣山中)
505-936- 85
唐兀昂吉爾元 見唐古昂吉
唐兀桑嘉依唐兀星吉、唐兀桑結、唐兀桑節、唐兀新濟 元
294-540-144
400-262-521
472- 27- 1
472-931- 37
478-636-206
479-451-237
480- 13-257
515- 27- 57
523- 30-147
532-584- 41
558-363- 35
1224-113- 18
唐吉布格蘇金 291-667-121
400-213-517
唐古多羅台元 294-427-134
399-547-474
唐古阿爾遜女 金 見唐古皇后
唐古昂吉爾元 見唐古昂吉
唐古庫庫楚元 546- 85-117
唐古烏楞古金 見唐古安禮
唐古翁鄂羅金 見唐古辯
唐古圖卜新金 完顏烏古鼐妻、唐古蘇布特薩固察女 金
291- 3- 63
唐古觀音奴元 見唐古觀音努
唐古觀音努唐古志能、唐古固影、唐古觀意奴 元
295-555-192
400-371-534
472-677- 27
477-124-155
537-255- 55
1439-431- 1
唐國長公主宋 韓嘉彥妻、宋神宗女 285- 67-248
393-326- 77
544-235- 63
唐古明安岱爾唐古明安達爾、塘烏明安岱爾、塘烏明安達爾 295-584-195
400-266-521
480-170-266
533-376- 60
唐古明安達爾元 見唐古明安岱爾
唐古富魯和卓金 完顏亮嬖妾 291- 11- 63
唐古額卜甘布元
294-279-123
唐古博囉特穆爾元
493-753- 41
唐古蘇布特薩固察女 金 見唐古圖卜新
祖乙商 544-154- 61
祖丁商 544-154- 61
祖己商 404-410- 24
933-579- 37
祖心宋 479-504-239
516-421-103
588-261- 11
1052-741- 23
1053-716- 17
1054-189- 4
1054-649- 19
1113-249- 24
祖元宋(字枯木) 1053-875- 20
祖元宋(俗姓王) 1223-665- 14
祖氏明 成其德妻 475-813- 91
祖氏清 周郁妻 506- 22- 86
祖氏清 劉成柱妻 506- 37- 86
祖允明 586-192- 9
祖可宋 451-160- 4
472-278- 11
516-496-105
1437- 38- 2
祖甲商 384- 3- 1
537-173- 53
祖邑宋 1098-851- 13
祖先宋 592-436- 87
祖伊商 404-410- 24
933-579- 37
祖沂漢 933-579- 37
祖辛商 544-154- 61
祖住明 1283-610-114
祖秀宋(嗣悟新) 1053-760- 18
祖秀宋(字紫芝) 1054-194- 4
祖庚商 537-173- 53
祖武夏 見槐
祖來清 554-960- 65
祖尚唐 471-936- 50
祖肩五代 475- 83- 53
祖柏元 511-928-174
821-333- 54
1369-467- 14
1471-644- 16
祖珍宋 1053-781- 18
祖珍清 541-101- 30
祖述明 472-144- 5
510-403-115

1241-535- 9
祖茂北齊 263-296- 39
267- 36- 47
379-479-154
祖約晉 256-641- 70
377-944-130
祖泉宋 588-194- 9
祖朗晉 933-727- 50
祖朗元 1191-569- 8
祖班後魏 812-337- 8
821- 27- 45
祖珠宋 1053-904- 20
祖能明 586-190- 9
祖納晉 256- 70- 62
377-681-125
469-546- 67
474-587- 30
933-579- 37
祖域祖珹 宋 479-188-225
524-315-194
525- 80-220
1224-32- 16
祖珽北齊 263-290- 39
267- 30- 47
379-473-154
384-134- 7
544-216- 62
674-774- 14
742- 33- 1
933-580- 37
1387-211- 12
1395-603- 3
祖晟明 1475-296- 12
祖貫唐 486-407- 19
1345-129- 17
祖偁明 1227-631- 下
祖敏唐 843-658- 上
祖逖晉 256- 68- 62
370-292- 5
377-679-125
384- 97- 5
459-297- 18
469-546- 67
471-604- 3
471-908- 46
472- 52- 2
472-274- 11
472-307- 13
472-641- 26
474-481- 23
474-587- 30
475-287- 63
476-910-148
477-421-169
505-782- 73
506-299- 96
510-381-115
511-898-172
537-194- 54
538-329- 69
933-579- 37
1112-663- 10
1297-675- 3
1399-498- 11
1415-287- 92
祖湯明 547-507-159
祖詠唐 451-416- 1
538-139- 65
1371- 58- 附
祖珹宋 見祖域
祖朝春秋 386-608- 3
545-691-108
祖皓齊 265-1020- 72
380-368-176
474-588- 30
475-363- 67
505-862- 77
510-385-115
祖復明 483-142-380
483-308-395
570-258- 25
572-163- 32
祖愼後魏 263-344- 45
267-607- 83
祖雍元 1204-564- 7
祖琫宋 1053-753- 18
祖瑛元 820-550- 39
1439-457- 2
祖雋祖儁 明 511-855-169
676-484- 18
祖演宋 564-522- 56
祖福明 1442-120- 8
1460-843- 91
祖銘元 1439-458- 2
1471-214- 26
祖寬明 301-605-273
474-743- 40
502-385- 64
祖瑩後魏 262-204- 82
267- 29- 47
379-329-151
384-134- 7
472- 52- 2
474-588- 30
505-882- 79
879-185-58下
933-580- 37
1395-602- 3
祖賢宋 1180-426- 39
祖闓元 516-497-105
588-191- 9
祖儁明 見祖雋
祖錫清 見祁祖西
祖嶷北朝 267- 29- 47
祖璿宋 1053-903- 20
祖證宋 1053-902- 20
1147-823- 80
祖覺宋 473-524- 72
481-312-307
561-224-38之3
592-421- 86
1053-839- 19
祖護宋 1098-852- 13
祖鑑宋(居瑞巖院) 481-680-331
祖鑑宋(居不動尊院)
821-266- 52
祖鑑宋 1053-758- 18
祖士衡宋 285-754-299
477-417-169
1098-854- 14
祖子靜元 820-500- 37
祖可法清 477-202-159
537-283- 55
祖世美宋 見祖世英
祖世英祖世美 宋
567- 65- 65
1467- 38- 63
祖台之晉 256-242- 75
377-791-127
933-580- 37
祖光璽清 1315-307- 11
祖沖之齊 259-514- 52
265-1020- 72
380-367-176
384-122- 6
472- 52- 2
474-588- 30
493-736- 41
505-882- 79
677-120- 12
933-580- 37
祖孝孫唐 269-768- 79
祖孝隱後魏 263-296- 39
267- 36- 47
379-479-154
祖君彥隋 263-296- 39
264-1080- 76
267- 36- 47
274-128- 84
380-403-176
472- 30- 1
505-882- 79
1394-607- 8
祖君信北齊 263-296- 39
267- 36- 47
祖君榮妻 清 見張氏
祖季眞後魏 262-204- 82
267- 29- 47
祖秀實宋 471-660- 11
528-440- 29
祖延泰清 474-169- 8
505-649- 68
祖衍澤妻 明 見陳氏
祖浩然元 529-685- 50
祖庵主宋 1053-768- 18
祖梅娘明 吳瀾妻530-141- 58
祖崇儒隋 263-296- 39
267- 36- 47
祖晒之祖順之 齊
265-1020- 72
380-368-176
505-882- 79
933-580- 37
祖無頗宋 1098-876- 16
祖無擇宋 286-398-321
382-493- 76
384-362- 18
397-506-350
471-725- 19
472-794- 31
473-176- 57

477-417-169
479-765-252
484- 95- 3
515-116- 60
523- 75-149
537-563- 60
563-657- 39
1098-882- 0
1362-856- 86
1437-14- 1
祖順之齊 見祖暅之
祖進朝清 510-368-114
祖德恭宋 1098-881- 16
祖澤溥清 476-480-125
540-674- 27
祖鴻勳北齊 263-344- 45
267-607- 83
380-384-176
472- 30- 1
474-239- 12
505-879- 79
933-580- 37
1394-581- 8
祖應元清 502-763- 86
祖應昌妻 明 見王氏
祇多蜜祖蜜多、譯友 晉 1051- 83- 3
祇蜜多晉 見祇多蜜
悟宋(嗣慶預) 1053-605- 14
悟宋(嗣昌禪師) 1053-711- 16
悟心宋 1183-162- 10
悟玄不詳 592-232- 74
1061-300-112
悟本宋 516-472-104
1053-874- 20
悟空唐 1052- 32- 3
悟初宋 1053-790- 18
悟明宋 588-215- 9
悟眞宋 1053-487- 12
悟理宋 1114-666- 16
悟詮隋 592-432- 87
悟新宋 516-422-103
1052-782- 0
1053-732- 17
1054-193- 4
1054-654- 19
悟緣明 55-957- 65
朗五代(居永安寺) 1053-629- 15
朗五代(居永福院) 1053-632- 15
朗五代(居雲門山) 1053-634- 15
朗秀元 1200-771- 59
朗法唐 820-306- 30
朗清明 567-319- 78
1467-207- 69
朗然唐 1052-204- 15
朗然明 586-195- 9
朗賚哲古元 563-715- 39
益宋 1053-772- 18
益元(號佛性圓明普照大師) 1202-310- 21
益元(宋椨堂) 1471-216- 26
益王唐 見李陞
益王唐 見李迺
益王宋 見趙昰
益王宋 見趙棫
益王明 見朱厚燁
益王明 見朱祐檳
益王明 見朱翊鈏
益智元 473-864- 88
57- 540- 20
益昌王唐 見李邈
益陽王明 見朱睦楮
益良特穆爾元 見伊琳特穆爾
朔劉宋 見翔
朔色清(瓜爾佳氏) 455-117- 4
朔色清(馬佳氏) 455-166- 7
朔塞清 455-271- 15
朔朝霞明 1442-126- 8
1460-907- 98
朔陽西清 456-300- 73
朔鬐頭宋 547-537-160
烟蘿子後晉 477-259-161
宰予宰我 春秋 244-380- 67
246- 22 67
371-480-32
375-653- 88
405-422- 84
472-547- 23
539-488-11之2
933-589- 38
宰沂元 1200-771- 59
1201-442- 4
宰我春秋 見宰予
宰咺春秋 384- 13- 1
宰父黑春秋 見罕父黑
宰周公周公閱、周公宰孔 春秋 384- 13- 1
404-459- 27
宰淵微元 1210-463- 17
浣紗女晉 472-1118- 48
479-409-235
浙陽王明 見朱彌鍷
託博克清 454-932-113
託跋開北魏 見魏道武帝
託跋嗣北魏 見魏明元帝
託跋燾北魏 見魏太武帝
託克託輝清 502-605- 76
訓中明 1229-674- 1
庫丑清 456- 37- 52
庫坦清 455-582- 38
庫拜清(正黃旗人) 455-451- 27
庫拜清(鑲紅旗人) 502-543- 73
庫庫元(字子清) 294-418-134
399-535-472
庫庫梁王 元 569-536- 17
庫庫清 455-169- 7
庫烈屈烈、屈列 唐 496-621-105
庫訥清 455-640- 44
庫捫清 456-217- 67
庫哩清 474-772- 41
502-495- 70
庫喬清 455-436- 26
庫鈞漢 478-481-199
933-657- 43
庫楚元 528-540- 32
庫察清 455-312- 19
456- 6- 50
庫碩清 502-590- 76
庫爾古里 明 496-626-106
庫魁清 455-364- 22
庫德遼 289-724-114
401-499-632
庫德清(富察氏) 455-430- 26
庫德清(李佳氏) 455-527- 33
庫什納清 502-516- 71
456-245- 68
455-600- 40
庫布輝清 455-397- 24
庫尼堪清 455-170- 7
庫汗勇北周 見王勇
庫色訥清 455- 57- 1
庫克斯元 見呼遜
庫克察清 455-466- 28
庫狄干北齊 263-118- 15
267-147- 54
379-391-152
546-111-119
933-801- 59
庫狄氏唐 裴行儉妻 476-404-119
1065-806- 18
庫狄昌北周 263-617- 27
267-341- 65
379-631-158
544-215- 62
546-171-121
庫狄峙段峙 北周 263-672- 33
267-384- 69
379-669-159
476-257-110
546- 47-116
933-802- 59
庫狄盛北齊 263-150- 19
267-123- 53
379-373-152
544-216- 62
546-116-119
933-801- 59
庫狄嶔隋 264-773- 46
267-385- 69
379-662-159
546- 47-116
546- 54-116
庫狄徵北周 267-385- 69
庫狄嶷北周 267-385- 69
庫庫沁元 見伯奇音濟濟
庫庫訥清 456-176- 63
庫庫楚元 294-270-122
399-347-449
庫勒納清 569-619-81下之2
庫通額清 456-20- 51
庫裕克元 見元定宗
庫楞德清 456-126- 58
庫爾布清 456- 38- 52
庫爾秦清 455-118- 4
庫爾訥清 455-569- 37
庫爾徹清 455- 86- 3
庫爾禪清(赫舍里氏) 455-190- 9

502-563- 74
庫爾禪清(溫都氏) 456- 22- 51
庫爾禪清(盛佳氏) 456-120- 58
庫爾禪清(鈕祜祿氏)
474-759- 41
502-542- 73
庫圖訥清 455-305- 18
庫圖齊清 456-253- 69
庫德訥清 455-287- 16
庫德勒清(伊爾根覺羅氏)
455-268- 15
庫穆圖清 455-607- 41
庫濟訥清 455-344- 21
庫蘇理清 456-101- 57
庫狄士文北齊 263-119- 15
264-1046- 74
267-148- 54
380-239-171
384-158- 8
448-325- 下
472-113- 4
546-122-119
933-801- 59
庫狄伏連庫狄伏憐 北齊
263-166- 20
267-130- 53
379-380-152
546- 33-116
庫狄伏憐北齊 見庫狄伏連
庫狄迴洛北齊 263-149- 19
267-123- 53
379-373-152
546- 37-116
933-801- 59
庫狄履温唐 1371- 57- 附
庫春布哈咸順王 元
294-207-117
395-213-220
庫庫布哈元 294-277-123
399-351-449
540-614- 27
庫庫克沁元 見伯奇音濟濟
庫庫渾扎清 455-345- 21
庫特和卓勿都火者 元
481-611-329
庫納塔納清 455-272- 15
庫都爾漢清 455-646- 45
庫齊巴哈明 570-124-21之1
庫爾當阿清 455-668- 47
庫爾圖納清 455-157- 6
庫爾濟蘇元 544-239- 63
庫蘇爾岱清 456-253- 69
庫庫特穆爾王保保 元～明
294-509-141
299-237-124
400- 14-500
545- 62- 84
548-641-181
1280-403- 85
庫克布色埒齊元
399-679-487
席氏宋 袁良妻、席佐女
1117-329- 14
席氏明 徐遷繼妻 480- 97-262
席氏明 顧賀泰妻 475-756- 88
席永明 523-564-174
席本清 455-169- 7
席平宋 491-345- 2
席旦宋 286-611-347
397-674-361
472-749- 29
473-427- 67
481- 70-293
559-265- 6
1354-543- 22
1381-354- 32
席佐女 宋 見席氏
席佰清 455-403- 24
席固北周 263-791- 44
267-354- 66
379-644-158
533-233- 54
552- 32- 18
558-328- 35
933-747- 52
席旺明 1254-664- 4
席旺妻 明 見莊氏
席春明 300-235-197
559-393-9上
1271-608- 52
席相唐 471-667- 12
528-480- 30
席芾宋 559-286-7上
席郁元 1210-340- 10
席彖明 見席篆
席益宋 484-103- 3
席書明 300-237-197
452-446- 2
453-716- 41
472-964- 38
473-212- 59
473-506- 71
478-768-215
481-336-308
523- 47-148
532-593- 41
540-662- 27
559-393-9上
569-650- 19
571-527- 19
679-633-200
1257-140- 12
席祥妻 明 見吳氏
席雅北周 見席世雅
席貴明 473-377- 65
480-582-285
532-743- 46
席復明 559-393-9上
席圖清 456-222- 67
席銘明 1269-438- 6
席慶明 494- 57- 2
席震宋 484-100- 3
席篆席彖 明 300-235-197
532-671- 64
559-394-9上
席豫唐 271-588-190中
274-613-128
384-201- 11
395-593-234
473-250- 60
480-295-271
533-234- 54
820-167- 27
933-747- 52
1371- 55- 附
1387-393- 30
席謙唐 493-1063- 56
席韜清 456-144- 60
席大賓明 570-136-21之2
席上珍明 302-122-295
456-641- 10
475-227- 61
483-118-379
511-449-153
554-527-57下
席上珍妻 明 見封氏
席女二妻 清 見方氏
席元城元 1210-451- 16
席允信明 511-530-157
席巨川元 472-766- 30
537-314- 56
席本久清 1315-352- 15
席本禎明 1312-345- 33
1318-488- 75
席世雅席雅 北周
263-792- 44
267-355- 66
933-747- 52
席老師上古 見壤父
席佛庫清 455- 95- 3
席廷銓妻 明 見寧氏
席法友後魏 262- 78- 71
266-925- 45
379-290-150下
472-880- 35
478-548-202
558-326- 35
933-746- 52
席延昌妻 宋 見杜氏
席特庫清 455-273- 15
席教事清 479-606-244
525-251- 64
559-327-7下
席啟祥清 1325-181- 11
席啟寓清 1318-488- 75
席啟圖清 511-534-157
1315-346- 15
1325-136- 8
席景通後魏 262- 79- 71
266-926- 45
席勤學明 545-393- 97
席爾布清 455-571- 37
席爾泰清 455-153- 6
席爾達清 477-569-177
554-193- 51
席圖庫清 455-232- 12
455-271- 15
席圖庫清(韓氏) 456-292- 72
席增光明 456-667- 11
席應珍席應眞 明
493-1110- 58

511-919-174
1439-457-元2
1460-806- 88
席應眞明 見席應珍
席雙楠明 456-674- 11
席闡文梁 260-133- 12
265-782- 55
378-305-139
472-880- 35
479-318-232
523-182-155
558-326- 35
933-746- 52
神一夏淑吉 明 侯洵妻、夏允彝 1460-861- 92
神光陳 見慧可
神秀唐 271-633-191
472-669- 27
473-305- 62
477- 98-153
480-145-264
480-257-269
533-755- 74
538-336- 70
1052-107- 8
1053- 55- 2
1054-111- 3
1054-452- 12
1065-797- 18
1341-439-856
1344- 32- 64
神周明 299-764-175
神英唐(居法華院) 1052-298- 21
神英唐(嗣靈祐) 1053-363- 9
神英明 299-764-175
552- 77- 19
554-601- 59
神迥唐(俗姓田) 547-519-160
神迥唐(居大禹寺) 1052-403- 29
神保元 537-266- 55
神悟唐 1052-235- 17
1071-844- 8
神晏五代 530-196- 60
1053-282- 7
神邕唐 1052-238- 17
神清唐 592-445- 88
1052- 73- 6
1054-538- 15
神湊唐 516-493-105
554-951- 65
1052-220- 16
1080-463- 41
1341-515-866
神智唐 524-431-200
1052-357- 25
神皓唐 1052-210- 15
1071-848- 8
神祿宋(嗣師彥) 1053-300- 8
神祿宋(嗣師備) 1053-313- 8
神楷唐 1052- 50- 4
神照唐 1052- 75- 6
神暄唐 516-427-103
524-430-200
524-431-200
588-245- 10
1052-290- 20
1053-176- 4
神鼎唐 1052-401- 29
神會唐(居淨衆寺) 592-370- 83
1052-125- 9
神會唐(謚眞宗) 1052-109- 8
1053- 77- 2
1054-119- 3
神慥唐 1052-325- 23
神藏唐 1053-126- 3
神贊唐 見神讚
神黨五代 1053-232- 6
神鑑唐 1052-296- 20
神讚神贊 唐 1053-140- 4
1054-542- 15
神人氏上古 592-168- 71
神民氏神皇氏 上古 383- 19- 3
神皇氏上古 見神民氏
神皇直上古 404-383- 23
神保住簡親王 清 454-111- 6
454-112- 6
神農氏大庭氏、伊耆氏、炎帝、烈山氏、連山氏、魁隗氏 上古 244-964- 0
371-210- 1
372- 80- 1
383- 43- 6
383- 89- 12
384- 2- 1
532- 85- 26
537-171- 53
539-336- 8
742- 20- 1
814-207- 1
819-554- 19
神鳳儀明 561-596- 46
神霄宮道人元 547-490-159
祝氏宋 朱松妻、祝確女 530-136- 58
1146-216- 94
1367-664- 98
祝氏宋 徐堪妻、祝次仲女 821-272- 52
祝氏宋 董綎妻 1098-215- 27
祝氏宋 祝興宗女 1178- 75- 8
祝氏元 胡用璋妻 1206-621- 12
祝氏宋 傅岡妻 473- 66- 51
479-561-242
516-349-101
祝氏明 劉緯妻 506- 71- 88
祝氏明 盧榮妻 479-499-239
516-241- 97
祝氏清 朱協巾妻、祝安國女 524-506-203
祝氏清 杳臨昌妻、祝書紳女 524-509-203
祝氏清 陳玉樹妻 530- 35- 54
祝氏清 程國泰妻 480-142-264
祝氏清 葉廷驥妻 479-335-232
祝氏清 魏國輔妻 474-412- 20
祝丙宋 見祝穆
祝史周 933-716- 49
祝氏女 元 見祝清
祝丘唐 812-347- 9
祝同明 473- 65- 51
祝良漢 253-138- 81
370-201- 20
402-473- 11
402-576- 19
473-336- 63
477-303-163
483-697-422
533-242- 55
563-602- 38
567- 21- 63
480-405-277
537-295- 56
575-272- 15
祝戒明 1241-709- 16
祝佗春秋 見史鰌
祝泌元 516- 44- 88
676-371- 13
祝定明 524-377-197
祝松宋 473-235- 60
480-173-267
533-375- 60
祝昌清 477-547-176
538- 74- 63
祝芹明 523-205-155
祝金明 524-168-186
1374-738- 94
祝房妻 明 見王氏
祝彥明 676-398- 15
祝洙宋 451- 72- 2
460-303- 20
473-631- 77
528-475- 30
680-275-253
祝奕宋 1134-428- 9
祝威宋 490-736- 72
525- 23-217
祝春明 472-468- 20
546-301-125
祝品明 523-487-170
祝峋元 見祝秀巖
祝信明 545-771-111
祝俓明 516- 74- 90
祝祐宋 1134-426- 9
祝珝明 523-483-170
祝挺明 472-239- 9
473- 50- 50
510-347-114
516- 52- 89
1221-385- 1
祝修女 明 見祝貞慧
祝淇明 見祝祺
祝清元 張國寶妻、祝氏女 524-607-208
1232-216- 2
祝望明 524-346-196
祝望明 524-374-197
820-582- 40
祝淵明 301-317-255
456-638- 10

458-327-12
479-56-218
523-358-163
1442-108-7
1460-709-76
祝祥王祥 明 558-200-31
516-77-90
祝深宋 473-194-58
515-253-65
祝康宋 1127-522-13
祝聃春秋 404-851-53
933-716-49
祝奢唐 523-409-166
祝常宋 523-619-177
祝崑明 479-434-236
524-168-186
祝富明 511-819-167
祝湍妻 明 見賈氏
祝詠明 480-511-281
515-276-65
533-266-55
676-48-2
676-564-23
祝雄明 300-477-211
祝堯元 473-64-51
515-870-85
676-88-3
祝琳唐 見祝綝
祝款春秋 933-716-49
祝萃明 479-53-218
523-428-167
676-37-2
676-516-20
679-58-144
1442-36-2
1459-746-29
祝勛宋 515-118-60
517-353-124
祝皓漢 402-466-10
祝溥宋 485-536-1
祝祺祝淇 明 1459-691-27
祝椿明 1272-263-13
祝睦漢 681-42-3
681-522-7
681-679-21
682-207-2
1103-378-136
1397-601-28
1397-602-28
祝跪春秋 404-485-28
祝寧明 1231-328-3
祝粹宋 523-498-170
祝壽明 571-551-20
祝綸妻 明 見張氏
祝綝祝琳 唐 274-389-109
395-443-221
554-839-63
683-481-3
祝璀明 483-140-380
570-217-23
祝確宋 471-699-16
472-380-16
475-567-79
511-613-160
1146-373-98
1376-503-91
祝確女 宋 見祝氏
祝蕃元 473-784-85
482-467-363
567-78-65
568-297-110
1213-773-25
1439-444-2
祝暹明 472-666-27
537-401-57
祝龜漢 472-867-34
554-830-63
879-180-58下
祝鮀春秋 見史鰌
祝獬妻明 1290-79-13
祝穆祝丙 宋 460-302-20
473-600-76
475-568-79
511-806-167
529-743-51
1375-10-上
祝濬明 515-885-86
祝禧明 456-619-9
祝磯妻 宋 見徐氏
祝徽明 515-805-82
523-60-148
545-103-86
祝顏宋 524-89-182
祝黿春秋 404-844-52
祝瓊妻 明 見程式
祝簡金 676-695-29
1365-37-2
1439-2-附
1445-115-7
祝簡明 482-208-347
563-811-41
祝瀚明 473-16-49
479-483-239
515-91-59
517-629-131
523-466-169
祝瀾明 473-52-50
479-534-241
516-72-90
祝櫰宋 528-549-32
1174-689-689
祝顥明 493-992-52
511-98-140
545-70-85
1241-801-20
1255-780-77
1284-134-146
1386-339-42
1442-26-2
1459-625-24
祝鰲明 515-173-62
祝龢上古 見祝融氏
祝鑾明 511-329-149
676-539-22
1442-44-3
1459-903-38
祝大用妻 明 見郝氏
祝大昌元 見祝公榮
祝文光清 476-310-113
545-410-98
祝文樸宋 524-222-189
祝之茂妻 清 見楊氏
祝不疑宋 524-373-197
祝元暉明 1229-59-5
祝天保明 1278-585-1
祝公明宋 288-368-453
400-147-512
472-1054-44
476-296-112
479-432-236
523-419-166
祝公道魏~漢 547-31-142
547-162-147
祝公榮祝大昌 元
295-612-198
400-318-526
472-1055-44
479-433-236
524-167-186
1224-320-24
1374-701-91
祝月英元 盧孝妻
499-160-135
祝仁齋妻 明 見陳氏
祝化孫妻 元 見了心
祝允文明 460-795-84
祝允明明 301-836-286
475-136-56
482-303-353
511-740-165
563-784-40
676-524-21
820-665-42
821-410-56
1276-605-3
1275-756-37
1284-151-148
1386-342-42
1410-387-715
1442-38-2
1454-359-123
1455-688-242
1458-276-436
1459-779-31
祝允恭清 538-123-64
祝玄衍元 820-548-39
祝永元宋 523-420-166
祝永孝明 540-834-28之3
祝永祐宋 516-459-104
祝永壽明 515-797-82
528-564-32
祝弘舒明 523-175-154
510-490-118
559-348-8
569-670-19
祝正辭宋 1098-215-27
祝可久宋 515-863-85
1181-764-11
祝可仕明 511-411-152
祝世亨明 554-347-54
祝世昌清 474-773-41
475-875-95

502-660- 79
545-112- 86
祝世喬明 554-887- 64
祝世祿明 457-600- 35
516- 80- 90
532-627- 43
祝以豳明 523-267-158
676-615- 25
祝史揮春秋 404-845- 52
祝守範明 1442-106- 7
1460-635- 72
祝守謨明 1475-397- 17
祝安國女 清 見祝氏
祝汝秩宋 523-419-166
祝存禮明 1240-113- 8
祝有道宋 471-700- 16
祝匡文明 524-101-183
祝次仲宋 511-882-171
820-452- 35
821-226- 51
祝次仲女 明 見祝氏
祝仲文明 1229- 95- 8
祝仲寧明 1253-172- 49
祝君翼元 524-222-189
祝希進唐 479-379-234
524-160-186
祝佗父春秋 404-606- 37
祝秀巖祝峋、祝碧山 元
493-725- 40
祝妙靖明 王成妻、祝煥文女
1260-576- 15
祝宗善明 524- 75-181
祝孟謙明 511-618-160
祝孟獻明 516- 54- 89
祝表正清 502-769- 86
祝長兒明 1285-110- 1
祝尚丘唐 472-1041- 43
祝尚義明 511-195-143
祝洪籙明 456-631- 10
505-839- 76
祝彥良明 1227-289- 3
祝彥明元 1219-310- 5
祝彥暉明 1375- 28-上
祝拱卿宋 493-747- 41
祝致和明 528-479- 30
祝貞慧明 唐廷偵妻、祝修女
1290-638- 87
祝禹圭宋 510-424-116
524-222-189
820-433- 35
祝泰來妻 元 見周氏
祝桃根隋 523-563-174
祝原慶明 516- 61- 89
祝書紳女 清 見祝氏
祝時泰明 524-306-194
祝修菴明 517-677-132
祝庶幾宋 485-185- 25
493-1063- 56
祝惟嶽宋 540-754-28之2
祝乾壽明 510-337-113
祝國泰明 482-226-348
523-387-164
563-854- 41
祝得之宋 1135-309- 31
祝紹煐妻 清 見陳氏
祝舜齡明 456-634- 10
祝欽明唐 271-546-189下
274-389-109
384-186- 10
395-443-221
554-926- 64
933-716- 49
祝煥文女 明 見祝妙靖
祝需聲清 515-897- 86
祝萬壽明 見彭齡
祝萬齡明 302-101-294
456-445- 3
476-919-148
478-130-181
480-128-264
532-639- 43
554-721- 61
祝誦氏上古 見祝融氏
祝瑪拉清 455-518- 32
祝熙載宋 1099-723- 9
祝碧山元 見祝秀巖
祝夢熊宋 479-356-233
523-410-166
祝夢蘭妻 清 見毛氏
祝鳴皋明 1290-641- 88
祝鳳來兄明 517-646-131
祝維霍明 456-641- 10
483-139-380
570-131-21之1
祝融氏祝龢、祝誦氏 上古
383- 53- 8
404-382- 23
532- 85- 26
祝興可元 515-350- 67
祝興宗女 宋 見祝氏
祝錫範明 456-559- 7
523-411-166
祝臨姑明 鄭孔貫妻
473- 66- 51
1269-167- 11
祝雞翁晉 472-754- 29
477-322-168
538-341- 70
575-298- 16
1058-497-上
1061-251-108
祝懷策明 456-666- 11
祝耀祖明 515-559- 74
祝繼英明 524-243-190
祝繼英妻 明 見居氏
祝繼皋明 515-289- 62
517-634-131
祝融峰禪者唐 1052-415- 30
悅可元 493-1095- 58
悅眞後燕 496-606-104
821-264- 52
496-596-103
933-762- 53
572-161- 32
剡王後晉 見石重胤
剡王後周 見郭侗
剡英妻 明 見王氏
剡韶元 見郯韶
剡懷德明 558-342- 35
剡縣小兒齊 259-546- 55
265-1074- 75
380-104-167
485-555- 3
524-131-185
拳彌春秋 404-844- 52
933-248- 17
窈然唐 530-201- 60
涉玉不詳 933-765- 53
涉正漢 592-243- 75
1059-289- 6
1061-263-109
涉他春秋 見涉佗
涉佗涉他 春秋 933-766- 53
旁仚地羌人 274-141- 86
祕宜晉 933-649- 42
祕演宋 1090- 24- 5
1102-320- 41
1351- 12- 86
1378-352- 53
祕瓊後晉 278-164- 94
祕丕笈清 505-819- 74
祕自謙明 540-628- 27
祕彭祖漢 933-649- 42
粉姐清 512- 57-178
家父周 554-621- 60
933-298- 21
家炎宋 559-290-7上
559-314-7上
1173-281- 84
家羨漢 933-298- 21
家愿家願 宋 287-347-390
398-357-387
472-893- 35
473-515- 71
478-716-211
481- 70-293
481-333-308
481-351-309
482- 78-341
532-630- 43
558-232- 32
559-384-9上
591-640- 46
家願宋 見家愿
家大西家大酋 473-516- 71
481-352-309
559-385-9上
591-652- 46
家大酋宋 見家大西
家安國宋 1110-476- 26
家定國母 宋 見楊氏
家定國宋 471-971- 55
473-427- 67
559-265- 6
591-640- 46
1098-190- 23
家坤翁宋 473-111- 54
515-169- 62
517-423-126
523-151-153
家勤國宋 473-514- 71
家鉉翁宋 287-746-421

398-680-412
472- 66- 2
472-254- 10
473-517- 71
474-314- 16
481-353-309
505-929- 84
528-524- 31
559-524- 12
591-652- 46
676-693- 29
1194-598- 6
1437- 33- 2
家僕徒春秋 404-697- 42
浪逢晉 933-688- 46
浚寧王元 見巴延
浚儀公主漢 見劉仲
旅卿漢 539-398- 8
933-565- 36
衷氏明 鍾應璧妻 479-812-255
衷愉哀愉 南唐 473-187- 58
479-822-256
516-156- 94
衷對清 496-219- 76
衷天璜妻 清 見彭氏
衷貞吉明 479-492-239
510-352-114
515-406- 69
衷崇寅明 515-450- 70
567-146- 68
庭祐明(姓佚) 821-484- 58
庭堅上古 見皋陶
凌氏明 吳伏顯妻 473-319- 62
凌氏明 張維妻 302-220-301
479-189-225
524-618-208
凌氏明 潘之庠妻 479- 61-219
凌氏明 蘇民望妻 558-549- 43
凌氏明 王純侄媳 472-179- 6
475- 79- 53
凌氏清 江榮舉妻 524-460-202
凌氏清 李允元妻 506- 68- 87
凌立明 524- 99-183
凌永明 563-777- 40
凌玉明 472-1053- 44
523-244-157
凌安明 567-366- 81
1467-225- 70
凌吉明 516-170- 94
凌沖宋 472-394- 17
475-809- 91
510-489-118
凌昆明 1280-392- 85
凌昇妻 清 見束氏
凌相明 511-245-145
凌信明 820-588- 40
凌浩宋 492-697-3上
492-712-3下
511-680-163
凌寀明 473-624- 77
凌恭隋 516- 93- 91
凌哲宋 485-201- 27
493-942- 50
589-351- 6
凌倚唐 533-342- 58
凌統吳 254-821- 10
370-237- 1
377-358-119
384- 80- 4
384-577- 30
451- 4- 0
472-964- 38
479- 45-218
523-504-171
933-439- 29
凌焜清 524-251-190
凌雲明(字漢章) 302-181-299
1458- 51-418
凌雲明 472-766- 30
537-315- 56
凌雲妻 明 楊氏
凌琯明 511-284-147
571-528- 19
凌琰宋 484-374- 27
凌貴明 524- 99-183
凌嵎元 511-759-166
凌傅明 472-178- 6
523-132-152
凌皓宋 472-852- 37
482- 89-342
563-678- 39
凌策宋 285- 73-307
382-288- 45
384-343- 17
397-266-335
459-901- 55
472-359- 15
473- 13- 49
473-426- 67
473-454- 68
475- 16- 49
475-606- 81
475-711- 86
479-447-237
481- 66-293
482- 32-340
511-295-148
515- 12- 57
540-647- 27
559-285-7上
563-651- 39
933-439- 29
凌準唐 275-347-168
472-394- 17
472-965- 38
479- 47-218
524- 3-178
563-900- 43
590-135- 17
680-168-241
680-540-275
1076- 98- 10
1076-554- 10
1077-121- 10
1342-380-953
1383-311- 27
凌楷明 511-245-145
1442- 44- 3
1459-907- 38
凌楠妻 宋 見何道融
凌暉明 820-620- 41
凌畹清 1314-418- 11
凌敬隋 548-198-148
凌漢明 299-310-138
458-105- 5
477-255-161
479-225-227
523-154-153
凌榮宋 559-262- 6
凌壽明 820-681- 42
凌廣明 820-619- 41
凌潭明 1248-411- 20
1252-387- 22
凌賢明 1241-761- 18
凌駉明 511-481-155
凌震明 524- 35-179
676-552- 22
1442- 49- 3
1460- 61- 43
凌緯元 479- 51-218
524- 5-178
676-329- 12
凌樂明 480-635-288
凌操吳 254-821- 10
377-358-119
475-270- 63
凌錦明 1253-119- 46
凌儒明 300-415-207
511-211-144
300-416-207
凌鎬明 524-241-190
凌瀚明 523-617-167
528-543- 32
676-397- 15
676-560- 23
凌子儉明 511-480-155
凌大淵女 宋 見劉氏
凌文質明 458-166- 8
545-184- 90
凌文獻明 571-543- 20
凌元機明 456-553- 7
凌日桂妻 明 見張氏
凌必正明 821-477- 58
凌世韶明 511-720-165
676-658- 27
1442-108- 7
1460-659- 73
凌安然明 453-240- 22
472-1004- 40
820-610- 41
1237-580- 上
1241-168- 8
凌汝志明 1283-868-135
凌行婆唐 1054-551- 16
凌克闇清 1321-163-104
凌希惠元 511-812-167
凌其軸女 元 見凌其淑媛
凌叔華宋 820-357- 32
凌迪知明 676-261- 10
676-282- 10
凌迪知妻 明 見包氏

凌約言明 510-487-118
1280-520- 94
凌秋鵬明 570-134-21之2
571-549- 20
凌唐佐宋 288-361-452
400-175-513
472-379-16
472-677- 27
475-566- 79
477-124-155
485-455- 7
511-477-155
537-255- 55
677-236- 22
1142-521- 6
1375- 5- 上
1376-104- 64
凌時中宋 494-266- 1
凌淑瑛明 沈九方妻
524-456-202
凌基元妻 清 見歐陽氏
凌國士妻 清 見白氏
凌紹乾清 524-104-183
凌紹雯清 524-244-190
凌湛初明 1283-325- 92
凌雲翰明(字彥翀) 524- 6-178
585-448- 12
676-454- 17
1227-734- 附
1227-735- 0
1442- 12- 1
1459-464- 15
凌雲翰明(字五雲) 821-482- 58
凌雲翼明 300-660-222
481-807-338
511-402-151
564-725- 59
567-137- 68
563-725- 40
凌雲鵬明 676-603- 25
凌景夏宋 472-967- 38
473-367- 64
523-258-158
532-736- 46
凌景陽宋 473-631- 77
481-549-327
491-344- 2
528-475- 30
凌義渠祖母 明 見沈氏
凌義渠明 301-490-265
458-278- 9
479-146-223
481-746-334
510-296-112
523-368-163
528-564- 32
676-653- 27
1442-104- 7
1460-686- 75
凌嗣音明 567-143- 68
1467-128- 66
凌雅隆明 524- 37-179
凌漢翀明 528-462- 29
1442- 88- 6
凌漢章明 494-435- 13
524-358-196
凌維策妻 清 見黃氏
凌餘慶明 511-624-161
凌懋翁元 494-415- 12
凌耀宗明 511-821-167
820-630- 41
凌其淑媛 元 董士元妻、凌其軸女 1200-693- 52
涷泰明 458-169- 88
540-660- 27
兼至誠宋 821-199- 51
迷兒咱明 見穆爾薩
素岱清 454-453- 36
素班清 456- 6- 50
素帶明 1442-127- 8
素塞清(翁牛特部人) 454-434- 32
素塞清(博爾濟古特氏) 454-454- 36
素愷清 455-490- 30
素色訥清 455-114- 4
素克臣清 455-492- 30
素達尼清 454-683- 76
素賫瑺清 454-918-110
素克察理速哥察理、蘇克徹爾 元 477-201-159
537-277- 55
素利彌加魏 496-590-103
素爾東阿清 502-448- 68
素泰伊勒登清 454-665- 72
泰布清(赫舍里氏) 455-199- 10
泰布清(納喇氏) 455-404- 24
泰伯商 見吳太伯
泰袞清 456-220- 67
泰欽宋 1053-386- 10
泰祿清 455- 66- 2
泰錫清 455-111- 4
泰嶽夏 546-423-129
泰不華元 見台哈布哈
泰什哈清 502-551- 73
泰安王昱 見朱祐橞
泰星阿清 455-321- 19
泰皇氏上古 383- 6- 2
泰逢氏上古 383- 12- 3
544-144- 61
泰壹氏上古 383- 15- 3
泰順王明 見朱充耀
泰興王明 見朱鼎鉉
泰璧善清 456- 19- 51
泰山老人泰山老父 漢 476-830-143
541- 84- 30
泰山老父漢 見泰山老人
泰三妻 清 見由氏
秦文明 523-475-169
554-220- 52
554-259- 52
秦王晉 見司馬柬
秦王晉 見李流
秦王後魏 見托跋觚
秦王後魏 (魏太武帝子) 見托跋翰
秦王後魏 (諡明) 見托跋翰
秦王北周 見宇文贇
秦王隋 見楊俊
秦王隋 見楊浩
秦王後唐 見李茂貞
秦王後唐 見李從榮
秦王宋 見趙廷美
秦王宋 見趙德芳
秦王元 見巴延
秦王元 見忙哥剌
秦王妃 元 見伊囉斡
秦王明 見朱樉
秦王明 見朱尚炳
秦王明 見朱惟焯
秦王明 見朱誠泳
秦元宋 288-357-452
400-171-513
秦丹明 515-178- 62
秦氏唐 高歡妻 276-109-205
401-150-589
452- 93- 2
474-314- 16
478-135-181
506- 69- 88
秦氏明 王景妻、王璟妻 472-101- 3
506-103- 89
秦氏明 江厚 481-118-296
秦氏明 江彥深妻 472-721- 28
秦氏明 李瑄妻、秦傑女 1274-343- 12
秦氏明 李可培妻、秦傑女 506- 33- 86
秦氏明 李光被妻 555- 39- 66
秦氏明 陸含章妻、秦夔女 1258-676- 16
秦氏明 張雲妻 506- 52- 87
秦氏明 陳一文妻 530- 10- 54
秦氏明 黃裔焜妻 530- 88- 56
秦氏明 楊炫妻 506- 50- 87
秦氏明 楊涇妻 483- 48-372
570-190- 22
秦氏清 王玉汝妻 512-262-183
秦氏清 王宗騏妻 480-616-287
秦氏清 左于聖妻 555-174- 69
秦氏清 包毓珍妻 503- 65- 95
秦氏清 吳良柱妻 481-440-316
秦氏清 周鴻泰妻 479-191-225
秦氏清 段志學妻 474-413- 20
秦氏清 張沆妻 475-239- 61
秦氏清 張近方妻 476-830-143
秦氏清 陳維屏妻 530- 79- 55
秦立唐 見秦彥
秦玉明 493-498- 29
511-589-159
678-437-111
1218-615- 2
1221-648- 25
1222-348- 33
秦布清 455-468- 28
秦旦吳 384-507- 21
秦旦明 1258-618- 3
1258-618- 13
秦冉春秋 244-389- 67
375-656- 88

405-447- 85
472-791- 31
539-498-11之2
933-167- 11
秦仕明 547- 34-142
秦禾妻 明 見葛氏
秦安明 554-281- 53
秦吉明 524-255-190
秦旭明 511-841-168
1250-801- 77
1253-133- 47
1442- 25- 2
1459-617- 23
秦仲周 243-123- 5
371-240- 6
秦仲元 537-514- 59
1207-214- 14
1367-873- 66
1410-114-675
1467- 51- 63
秦伊春秋 453-728- 1
524-363-197
秦宏明 563-784- 40
567-315- 78
秦忭明 676-201- 8
1291-285- 4
秦亨明 505-867- 78
秦志金 見秦志安
秦志明 554-258- 52
秦系唐 275-643-196
384-216- 11
401- 8-568
451-482- 8
471-667- 12
473-585- 75
479-233-227
481-591-328
485-554- 3
486-315- 14
524-286-192
529-754- 52
674-857- 19
1122-271- 5
1141-796- 33
1371- 62- 附
1388- 33- 48
秦秀晉 255-851- 50
377-585-123
476-332-115
546-671-137
933-167- 11
秦宓蜀漢 253-604-112下
254-616- 8
377-270-118上
384- 76- 4
384-454- 11
469-592- 72
473-431- 67
481-404-313
559-406-9上
591-522- 41
933-167- 11
1361-639- 30
秦初明 524-204-188
1242-196- 30
秦松後魏 262-335- 94
267-748- 92
544-211- 62
秦玠宋 820-332- 32
秦忠明 1467-244- 71
秦非春秋 244-390- 67
305-657- 88
405-446- 85
472-547- 23
539-497-11之2
933-167- 11
秦周春秋 933-167- 11
秦周漢 474-472- 23
505-769- 73
秦金明 300-188-194
475-226- 61
476-917-148
480- 13-257
480-363-275
511-150-142
532-593- 41
537-218- 54
676-526- 21
676-560- 23
820-688- 43
1257-514- 7
1261-806- 37
1263-466- 2
1442- 38- 2
1457-768- 31
秦岳明 523-452-168
秦近漢 820- 27- 22
秦宣明 563-784- 40
秦彥秦立 唐 271-395-182
401-404-621
秦柱明 300-190-194
511-555-158
1458-569-457
秦珍清 547- 84-144
秦英明 511-847-168
秦約明 299-287-136
472-229- 8
475-451- 71
493-1028- 54
511-695-163
676-446- 17
820-569- 40
1369-458- 13
1442- 7- 1
1459-253- 5
秦信不詳 742- 25- 1
秦保清 455-646- 45
秦涇明 524-109-183
秦朗魏 254- 70- 3
546-372-127
秦祖春秋 244-389- 67
375-656- 88
405-447- 85
472-829- 33
539-479-11之2
554-376- 55
558-382- 36
933-167- 11
1293-327- 1
秦浚宋 400-174-513
秦泰明 473- 15- 49
515- 88- 59
秦恭漢 474-602- 31
505-875- 78
秦紘秦鋐 明 299-812-178
453-642- 24
472-559- 23
472-923- 36
474-514- 25
477-565-177
478-569-187
481-805-338
505-636- 67
537-216- 54
540-790-28之3
541-601-35之17
545- 73- 85
554-168- 51
558-151- 30
558-185- 31
563-722- 40
567-104- 66
1467- 79- 64
秦清明 龔河妻、秦瓚女
1289-320- 21
秦淦明 528-457- 29
秦商春秋 見秦丕茲
秦淵秦郭哥 宋 448-361- 0
秦章清 476-371-117
547-107-145
秦梁明 511-156-142
1283-358- 95
秦族北周 263-807- 46
267-631- 84
380-122-167
384-143- 7
472-923- 36
478-419-195
554-749- 62
933-167- 11
秦堈明 511-166-142
秦梓宋 492-583-13下之上
494-307- 5
秦略金 546-688-138
1191-349- 31
1365-237- 7
1439- 11- 附
1445-452- 33
秦彪明 523-375-164
584-265- 10
秦偉明 505-657- 68
545-422- 98
554-661- 60
秦健明 483-178-384
494-159- 5
569-679- 19
秦健妻 明 見李氏
秦斌明 528-551- 32
秦湛宋 821-185- 50
秦植明 475-797- 90
510-488-118
秦雄妻 明 見王氏

秦登明 554-497-57上
秦開戰國 244-739-110
秦彭漢 253-486-106
370-185- 18
380-161-169
384- 61- 3
459-839- 50
472-543- 23
472-641- 26
472-831- 33
476-880-140
477- 48-151
478-100-180
537-285- 55
540-629- 27
554-430- 56
933-167- 11
秦琰明 472-527- 22
秦棣宋 494-307- 5
秦逵明 299-312-138
472-360- 15
475-608- 81
511-300-148
秦貴明 474-184- 9
505-895- 80
秦鋐明 533-746- 73
秦鈁明 515- 54- 58
524-255-190
秦傑女 明 見秦氏
秦進明 567-310- 77
秦煌明 479-402-235
523-233-156
秦焯明 532-637- 43
567-343- 79
1467-254- 71
秦楊明 1291-520- 9
秦煦妻 明 見方氏
秦當宋 472-490- 21
秦嵩明 533-240- 54
秦敬明 505-799- 74
528-452- 29
571-517- 19
秦鉞明 480-403-277
517-661-131
532-695- 45
秦鉅宋 288-326-449
400-174-513
472-177- 6
475- 73- 53
480-127-264
492-529-13上之中
494-348- 7
511-430-153
533-366- 60
秦端明 朱恩妻、秦濟女
1268-411- 65
秦漢妻 明 見熊氏
秦碧明 523-375-164
秦嘉漢 243-187- 7
243-214- 8
558-302- 34
秦鉽清 475-232- 61
511-168-142
秦鳳明 480-341-273
511-819-167
1255-489- 53
秦僎明 472- 28- 1
473- 27- 49
秦銘明 554-258- 52
秦綱宋 563-922- 43
1180-383- 35
秦緜劉宋 265-1035- 73
380- 93-167
933-167- 11
秦綸明 1264-546- 5
秦裴唐 488-327- 12
秦頡漢 477-358-166
681-627- 17
秦確清 510-497-118
秦震明 820-576- 40
秦奭宋 472-177- 6
秦奭明 1442- 37- 2
1459-772- 30
秦德明 547- 61-143
秦銳明 1258-668- 15
秦銳妻 明 見王氏
秦憲晉 545-759-110
秦嬴春秋 楚共王夫人
405- 81- 61
秦羲宋 286- 95-309
397-281-335
472-176- 6
493-697- 39
511- 72-139
秦熹宋 472-177- 6
492-586-13下之上
秦翰宋 288-530-466
382-782-120
384-336- 17
401- 66-576
秦噩宋 533-319- 57
秦霑明 511-528-157
1283-469-103
秦霖明 820-659- 42
1255-632- 65
秦樸明 1258-606- 12
秦錡明 554-347- 54
秦應明 567-307- 77
1467-192- 69
秦濟女 明 見秦端
秦謙明 567-414- 84
1467-195- 69
秦檉明 482-390-358
567-126- 67
1467-111- 66
秦檜宋 288-608-473
401-353-616
486- 52- 2
488-441- 14
492-583-13下之上
585-334- 4
820-422- 34
秦勵明 1258-188- 17
秦鍾清 見華鍾
秦燿明 511-158-142
秦禮明 494- 57- 2
524-263-191
秦濯宋 400-174-513
秦豐漢 370-215- 23
402-359- 3
407-586- 4
秦璿女 明 見秦清
秦覯宋 見秦覿
秦闚明 483-249-391
572- 70- 28
秦鎬明 458-152- 7
477-420-169
676-646- 26
538-148- 65
1442- 99- 6
1460-604- 70
秦鎰明 523-231-156
秦瓊唐 見秦叔寶
秦鏜明 511-554-158
676-599- 24
1267-449- 11
1410-222-689
秦鏞明 511-682-163
515-138- 61
677-723- 64
秦夔明 472-263- 10
473- 97- 53
473-211- 59
480- 51-259
511-149-142
515-187- 62
532-617- 43
676-504- 19
1251-320- 23
1253-152- 48
1258-604- 12
1442- 29- 2
1459-667- 26
秦夔女 明 見秦氏
秦鰲明 300-400-206
511-107-140
523-232-156
秦覿秦覯 宋 382-759-116
471-911- 47
933-168- 11
秦鑄宋 820-440- 35
秦顯明 567-395- 83
秦瓛明 1442- 34- 2
1459-733- 29
秦觀宋 288-249-444
382-759-116
400-663-562
471-643- 9
471-766- 25
471-864- 39
471-871- 40
471-887- 42
471-901- 44
471-910- 46
472-295- 12
472-1052- 44
473-282- 61
473-402- 66
473-730- 82
473-777- 84
473-790- 85
475-374- 68

479-430-236
480-638-288
482-239-349
482-453-362
482-486-364
492-720-3下
508-272- 39
511-782-166
563-904- 43
567-434- 86
568-230-107
588-167- 8
674-290-4下
674-826- 17
820-381- 33
933-167- 11
1115-347- 40
1115-407- 48
1394-511- 6
1437- 17- 1
1461-729- 36
1467-145- 67
秦一才妻 明 見杜氏
秦一清明 547- 62-143
秦一鵬明 554-527-57下
秦二世胡亥 秦 243-165- 6
371-263- 7
384- 33- 1
404-121- 7
554- 4- 48
秦十一元 538- 95- 69
秦三輔明 302- 28-290
474-238- 12
540-628- 27
554-711- 61
秦士楚妻 清 見洪氏
秦士鳳清 547- 26-141
秦子希明 456-684- 11
秦子徵北齊 563-388- 50
267-758- 92
秦才管清 511-311-148
554-222- 52
秦文公春秋 243-124- 5
371-240- 6
404-369- 22
秦文郁元 473-222- 59
532-623- 43
秦之璋妻 明 見李氏
秦之鑑明 511-452-153
秦不空上古 404-399- 23
秦太祖乞伏熾磐、乞仿熾盤 西秦 256-950-125
262-439- 99
267-773- 93
381-336-191
384-145- 7
558-766- 50
秦元穗明 483-184-385
569-667- 19
秦天祐元 475-834- 93
510-497-118
秦友諒宋 821-235- 51
秦日藩明 559-324-7上
秦中威妻 清 見顧氏
秦水菴妻 清 見施氏
秦永孚明 475-226- 61
511-554-158
秦丕茲秦商 春秋
244-390- 67
371-495- 32
375-656- 88
405-446- 85
533-130- 51
539-496-11之2
933-167- 11
秦加兆清 545-199- 90
秦可大明 476-222-108
477-543-176
545- 96- 86
554-497-57上
秦可久明 554-497-57上
秦可貞明 554-497-57上
820-731- 44
秦世正清 505-649- 68
秦世英明 547-149-147
秦世傑清 456-367- 78
秦世禎清 475- 21- 49
502-689- 81
510-297-112
秦世德清 456-367- 78
秦世顯明 554-498-57上
秦民屏明 481-439-316
483-226-390
571-534- 19
秦民悅明 472-113- 4
472-329- 14
474-435- 21
475-709- 86
505-682- 69
511-337-149
1255-797- 附
秦民湯明 302-119-295
456-500- 5
481-310-307
秦民瞻清 547- 28-141
秦出子春秋 243-125- 5
秦生鋌妻 明 見張氏
秦共公春秋 371-244- 6
384- 11- 1
404-373- 22
秦再雄宋 288-864-493
382-173- 24
473-377- 65
480-564-284
532-740- 46
秦光祖明 456-680- 11
秦自然明 540-788-28之3
秦企鳳妻 明 見王氏
秦如容明 533- 56- 48
秦仲孚明 511-554-158
秦仲禮元 482-350-356
567-300- 76
1467-181- 68
秦行師唐 274-167- 88
395-255-203
545-557-103
秦宏業妻 清 見冷氏
秦良玉明 馬千乘妻
301-558-270
481-468-320
559-451-11上
秦志安秦志 金 547-484-159
547-506-159
1191-349- 31
1445-781- 61
秦志通宋 558-484- 41
秦孝公戰國 243-134- 5
371-246- 6
384- 12- 1
404-376- 22
554- 90- 50
秦希甫宋 485-187- 25
493-934- 50
秦希英妻 清 見李氏
秦邦佐妻 清 見施氏
秦邦屏明 456-455- 4
秦邦紀元 547-559-161
秦邦欽妻 清 見宦氏
秦廷輔明 554-735- 61
秦宗文明 456-604- 9
476-395-119
545-470-100
秦宗伊明 559-321-7上
秦宗堯清 474-824- 44
478-606- 81
475-339-191
502-688- 81
510-440-116
554-259- 52
秦宗權唐 271-819-211下
276-525-225下
384-286- 15
401-742-629
秦宜祿漢 254- 70- 3
秦泗衡妻 清 見劉氏
秦武王戰國 371-248- 6
384- 12- 1
404-377- 22
秦武公春秋 243-125- 5
371-241- 6
404-370- 22
秦松如清 563-881- 42
秦松岱清 475-233- 61
秦松齡元 545-386- 97
秦松齡清 475-232- 61
511-683-163
1315-301- 11
秦長卿元 295-295-168
399-629-482
472-751- 29
477-315-164
537-514- 59
秦承祖劉宋 742- 32- 1
秦承裕宋 1086-290- 29
秦忠孝宋 451-226- 0
秦尚明明 523-163-153
秦昌期妻 清 見楊氏
秦昌舜唐 486- 42- 2
秦叔寶秦瓊 唐 269-637- 68
274-173- 89
384-166- 9
395-279-206

472-524- 22
476-523-128
491-801- 6
540-734-28之2
933-167- 11
1340-556-776
秦始皇政 秦 243-149- 6
371-253- 7
372-143- 4
384- 12- 1
384- 33- 1
404-110- 6
554- 4- 48
1407- 2-395
1408- 1-478
秦宣公春秋 371-241- 6
400-371- 22
秦哀公春秋 371-245- 6
384- 12- 1
404-374- 22
秦拱明明 456-503- 5
秦政學明 302-372-308
302-373-308
秦建義妻 明 見黃氏
秦思凡明 511-503-156
秦思允明 456-658- 11
秦重采 1312-323- 31
秦高帝苻登 前秦
256-846-115
262-367- 95
381-242-189
384-104- 5
秦高帝后前秦 見皇后
秦高祖乞伏乾歸 西秦
256-945-125
262-439- 99
267-773- 93
381-333-191
384-145- 7
558-766- 50
秦烈祖乞伏國仁 西秦
256-943-125
262-439- 99
267-773- 93
381-331-191
384-145- 7
558-765- 50
933-802- 59
秦桓公春秋 371-245- 6
384- 11- 1
404-373- 22
秦起宗元 295-394-176
399-707-490
472-116- 4
473-111- 54
474-440- 21
479-655-247
505-765- 72
515-170- 62
545-841-113
秦根立妻 明 見劉氏
秦時中明 473-730- 82
563-821- 41
秦時吉明 554-678- 60
秦郭哥宋 見秦淵
秦悼公春秋 384- 12- 1
秦祥發宋 585-776- 6
秦康王明 見朱志潔
秦康公春秋 371-244- 6
384- 11- 1
404-373- 22
秦莊公春秋 243-124- 5
秦堇父春秋 933-167- 11
秦培篤明 456-608- 11
511-503-156
秦推良宋 見秦養浩
秦國王遼 見耶律重元
秦得民妻 清 見李氏
秦紹科明 524-263-191
秦從龍明 299-273-135
458-153- 8
472-751- 29
511-901-172
537-515- 59
秦越人春秋 見扁鵲
秦惠王戰國 見秦惠文王
秦惠王后 戰國 見宣太后
秦惠公戰國 371-246- 6
384- 12- 1
404-375- 22
秦閔夫妻 元 見柴氏
秦開甲妻 清 見李氏
秦景公春秋 371-245- 6
384- 12- 1
404-374- 22
秦景宣妻 明 見楊氏
秦景通唐 271-540-189上
276- 14-198
400-409-538
472-258- 10
475-221- 61
511-766-166
秦景閑唐 524-415-200
秦舜友明 821-473- 58
秦舜昌唐 491-343- 2
秦裕伯明 301-813-285
452-195- 4
475-186- 59
505-922- 82
511-896-172
1217-153- 1
秦道海清 455-490- 30
秦道興明 456-678- 11
秦道顯明 537-524- 59
秦達哈清 455-337- 20
秦傳序宋 288-275-446
400-126-511
472-177- 6
473-489- 70
475- 73- 53
481-235-303
489-678- 49
492-585-13下之上
511-430-153
559-519-12
591-696- 49
秦經國明 528-460- 29
秦寧公春秋 243-125- 5
371-241- 6
404-370- 22
秦寧公夫人 春秋 見魯姬子
秦榮先北周 263-807- 46
380-123-167
秦輔之元 475-451- 71
511-791-166
秦爾載明 511-556-158
1292-656- 11
秦嘉禾明 676-599- 24
1442- 70- 4
1460-344- 55
秦嘉系清 523- 93-149
秦聚奎明 480- 91-262
533-156- 52
554-310- 53
秦夢熊明 458-171- 8
秦鳴雷明 505-929- 84
524- 67-181
秦鳴鶴唐 742- 35- 1
秦鳳儀明 533-475- 64
秦舞陽戰國 244-554- 86
秦鄰晉明 554-519-57下
秦養浩秦推良 宋451- 66- 2
秦德公春秋 371-241- 6
404-370- 22
秦德用元 472-389- 17
秦德裕宋 見安德裕
秦德澄妻 清 見王氏
秦德藻清 1322-609- 10
秦德藻妻 清 見侯氏
秦樂天明 545-433- 99
秦徵蘭明 1442-113- 7
1460-674- 74
秦儒璿妻 清 見劉氏
秦穆公夫人 春秋 見穆姬
秦穆公女 春秋 見文嬴
秦穆公女 春秋 見弄玉
秦穆公女 春秋 見伯嬴
秦穆公女 春秋 見懷嬴
秦襄公春秋 243-124- 5
371-240- 6
404-369- 22
554- 89- 50
秦懋義明 563-829- 41
秦懋觀明 483- 32-371
569-663- 19
秦鍾岱妻 清 見劉氏
秦鍾城妻 元 見黃氏
秦鍾震明 529-736- 51
秦繆公秦穆公 春秋
243-127- 5
371-241- 6
384- 11- 1
404-371- 22
554- 90- 50
1112-643- 7
秦簡公戰國 371-246- 6
404-375- 22
秦懷公戰國 384- 12- 1
404-375- 22
秦懷忠宋 473-778- 84
482-523-367

567-296- 76
1467-171- 68
秦韜玉唐 273-112- 60
451-472- 7
674-268-4中
1365-441- 4
秦羅敷周 王仁妻
506-125- 89
秦獻公戰國 243-134- 5
371-246- 6
384- 12- 1
404-375- 22
秦躁公戰國 371-245- 6
404-375- 22
秦繼宗明 533-307- 57
676- 38- 2
679- 74-145
秦靈公春秋 371-246- 6
404-375- 22
秦文桓帝苻雄 前秦
256-800-112
381-246-189
558-386- 36
933-114- 7
秦文桓帝姚興 後秦
256-860-117
262-369- 95
267-770- 93
381-262-190
384-104- 5
384-144- 7
秦王子嬰子嬰、公子嬰 秦
243-171- 6
371-266- 7
384- 33- 1
554- 4- 48
秦孝文王戰國 371-251- 6
384- 12- 1
404-380- 22
秦孝文王后 戰國 見華陽后
秦孝文王夫人 戰國 見夏太后
秦武昭帝姚萇 後秦
256-854-116
262-368- 95
267-770- 93
381-257-190
384-104- 5
384-144- 7
秦宣昭帝苻堅、苻文玉 前秦
256-831-114
262-365- 95
381-210-189
384-103- 5
1112-664- 10
秦宣昭帝夫人 前秦 見張氏
秦哀平帝苻丕 前秦
256-838-115
262-367- 95
381-239-189
384-104- 5
544-172- 61
秦哀平帝后 前秦 見楊皇后
秦昭襄王戰國 371-248- 6
384- 12- 1
404-378- 22
秦晉國王遼 見耶律隆慶
秦莊襄王戰國 243-141- 5
371-251- 6
384- 12- 1
404-380- 22
秦國公主遼 見耶律和克坦
秦惠文王秦惠王、秦惠文君 戰國 243-135- 5
371-247- 6
384- 12- 1
404-376- 22
秦惠文王后 戰國
405-325- 76
秦惠文君戰國 見秦惠文王
秦景明帝苻健 前秦
256-792-112
262-363- 95
381-204-189
384-103- 5
秦厲共公戰國 371-245- 6
404-375- 22
秦晉國公主遼 見耶律特哩
秦國長公主宋 潘正夫妻、宋哲宗女 285- 68-248
393-326- 77
秦晉國長公主遼 見耶律伊木沁
秦國大長公主宋 米福德夏、高懷德妻、趙弘殷女
285- 62-248
393-321- 77
秦國大長公主康國長公主、福安公主、鄭國大長公主 宋 宋仁宗女 1104-440- 38
秦魯國大長公主宋 錢景臻妻、宋仁宗女 285- 65-248
393-324- 77
索氏明 展濬妻 472-314- 13
475-434- 70
索尼巴克什 清 455-183- 9
502-459- 69
索多元 294-356-129
399-499-468
索泮前秦 256-846-115
381-251-189
索奇清 455-548- 35
索林明 鳳詔妻 302-495-314
索姑唐 554-991- 65
索欣清 455- 57- 1
索音清 496-217- 76
索拜清 455-281- 16
索律唐 1065- 90- 4
索海清 455- 35- 1
474-764- 41
502-436- 68
索秦清(索佳氏) 455-638- 44
索秦清(庫穆圖氏) 456- 72- 55
索格清 455-614- 42
索倫清 456-191- 65
索紞晉 256-560- 95
380-614-182
478-742-213
558-472- 39
933-739- 51
索理清(瓜爾佳氏) 455- 65- 2
索理清(葉赫氏) 456-109- 57
索紹明 505-684- 69
索湘宋 285-442-276
369-692-317
472- 69- 2
472-544- 23
472-694- 28
474- 91- 3
474-338- 17
475-869- 95
476-816-143
477-161-157
505-744- 72
537-264- 55
540-613- 27
545- 37- 84
索渾清(鈕祜祿氏) 455-126- 5
索渾清(納喇氏) 455-397- 24
索渾清(兀札喇氏) 455-490- 30
索湛晉 933-739- 51
索揚索于孫 宋 448-361- 0
索琳清 455- 55- 1
索敞後魏 261-712- 52
266-703- 34
379-163-148
478-742-213
554-229- 52
558-407- 36
933-740- 51
索斐妻 清 見索佳楠珠
索靖晉 256- 38- 60
377-663-125
384- 93- 5
470-440-153
472-738- 29
472-945- 37
478-741-213
537-194- 54
545-413- 98
558-406- 36
684-470-下
812-219- 8
812- 56-中
812-708- 3
813-276- 14
814-232- 4
820- 52- 23
933-739- 51
1394-798- 12
索楚清 455-157- 6
索鼎清 456-284- 71
索綏晉 680-546-276
索寧清 502-732- 84
索綝晉 256- 40- 60
377-664-125

472-945- 37
478-332-191
478-742-213
552- 23- 18
554-106- 50
558-406- 36
索嫩清 456-283- 71
索諾清(富察氏) 455-430- 26
索諾清(多羅宏氏) 456-126- 58
索襲晉 256-533- 94
380-429-177
478-742-213
558-407- 36
933-739- 51
索囉後唐 見李紹威
索歡清 502-531- 72
索于孫宋 見索揚
索元禮唐 271-472-186上
276-163-209
384-191- 10
400-374-535
索可習清 455-116- 4
索吉鼐清 455-118- 4
索自通後唐 277-542- 65
545-596-104
索古西清 455- 98- 3
索克錫清 455-222- 11
索希納清 455-620- 42
索承學明 1442- 41- 2
索和理清 456-186- 64
索彥勝明 473-683- 79
482- 75-341
563-772- 40
1232-633- 6
索凌阿清 455-366- 22
索索渾清 456-144- 60
索桑阿清 455-312- 19
索景藻清 515-228- 63
554-535-57下
索爾和清(鑲紅旗人)
455- 56- 1
索爾和清(正藍旗人)
455- 57- 1
索爾和清(佟佳氏) 455-320- 19
索爾和清(完顏人) 455-468- 28
索爾和清(墨爾哲勒氏)
456- 34- 52
索爾和清(把岳忒氏)
456-232- 68
索爾活清 455-606- 41
索爾喜清 455-480- 29
索爾賓清 456-103- 57
索爾豪清 455-582- 38
索爾蓀清 455-403- 24
索爾圖清 455-335- 20
索碧喜清 455-345- 21
索遜泰清 455-120- 4
索諾木清(博爾濟吉部氏)
454-435- 33
索諾木清(鄂爾多斯部人)
454-490- 44
索諾木清(巴爾布冰圖子)
496-217- 76
索諾木清(齊旺多爾濟子)
496-217- 16
索諾圖清 455-119- 4
索諾穆清 455-336- 20
索盧放索盧敖 漢
253-577-111
370-170- 16
380-133-168
472-129- 4
474-472- 23
477-303-163
505-769- 73
505-874- 78
537-294- 56
540-698-28之1
933-792- 57
索盧敖漢 見索盧放
索盧參戰國 933-792- 57
索應運清 478-339-191
554-314- 53
索羅岱清 502-758- 85
索羅喜清 455-628- 43
索羅該元 294-293-124
索佳楠珠清 索裴妻
503- 33- 94
索通布魯清 455-639- 44
索爾吉納清 455-487- 30
索爾和多清 455- 98- 3
索爾和德清 455-640- 44
索爾和諾清 455-690- 49
502-748- 85
索爾科多清 455-434- 26
索爾碧禪清 456- 35- 52
索穆諾和清 456- 19- 51
索勒濟爾威算智爾威 元
1201-675- 26
索通阿拉哈清 455-614- 42
索諾木巴勒元 563-714- 39
索諾木丹津清 454-752- 83
索諾木杜稜清 454-403- 26
索諾木達什清 454-761- 85
454-765- 86
索羅木袞布清 454-831- 95
索和托墨爾根清
455-134- 5
索諾木古木布清
500-725- 37
索諾木旺扎勒清
454-813- 93
索諾木喇希坦清
454-460- 37
索諾木達爾扎清
454-808- 92
索約勒哈陶默色元
294-291-124
399-371-452
索諾木巴爾珠爾清
496-217- 76
索諾木伊斯扎布清
454-607- 64
索諾瑪阿布拉庫清
502-756- 85
索諾木喇布坦多爾濟清
454-775- 89
馬七清 456-388- 80
馬三明 456-643- 10
馬山馬明山 明 302- 51-292
456-655- 11
馬文明 454-467-100
馬元漢 402-369- 5
馬元明 5054-311- 53
馬屯清 455- 77- 2
馬丹春秋 472-470- 20
547-481-159
1058-493-上
1061-249-108
馬氏漢 皇甫規妻 253-634-114
381- 45-185
452- 90- 2
472-882- 35
478-673-209
558-517- 42
814-216- 2
820- 37- 22
馬氏漢 袁懿達母
1412-487- 19
馬氏宋 毌邱妻 476-677-136
馬氏宋 李好義妻 555- 11- 66
馬氏宋 范旺妻 481-650-330
530-127- 57
馬氏宋 趙士歸妻、馬用舟女
1100-548- 52
馬氏宋 將珙妻、馬脉女
482-353- 356
1467-259- 72
馬氏宋 劉祐妻
492-608-13下之下
馬氏元 王懋卿妻
1208-538- 17
馬氏元 邢端妻 472-529- 22
馬氏元 郝瑨妻 1200-721- 54
馬氏元 馮文舉妻 477-547-176
570-168- 22
馬氏元 楊居寬妻 524-452-202
1367-918- 70
馬氏元 劉慶昌妻
1214-242- 20
馬氏元 劉庭玉岳母
1206-386- 1
馬氏明 王邦妻 475-756- 88
馬氏明 王清妻 506- 80- 88
馬氏明 王之祚妻 478-353-191
馬氏明 王從義妻 472-700- 28
馬氏明 王德諉妻、馬森女
530- 14- 54
馬氏明 李順妻 506- 6- 86
馬氏明 李躍妻 506- 53- 87
馬氏明 李三才妻 474-191- 9
506- 11- 86
馬氏明 李文蕊妻 478-353-191
馬氏明 李廷實妻 474-384- 19
馬氏明 李宗來妻 479-410-235
馬氏明 佘佈妻、徐佈妻
302-214-301
475-144- 57
馬氏明 林鳳儀妻 530- 15- 54
馬氏明 周振薺妻 524-512-203
馬氏明 范士楫妻 506- 55- 87
馬氏明 范永年妻、馬蕙侯女

十畫：索、馬

1259-561- 7
馬氏明 范箕生妻 474-248- 12
馬氏明 段應試妻 506-137- 89
馬氏明 郭良弼妻 530-109- 57
馬氏明 陳昱妻 483-295-394
馬氏明 崔元禎妻 506- 94- 88
馬氏明 楊秉賢妻 506- 48- 87
馬氏明 董大學妻 506- 44- 87
馬氏明 葛勝妻 506-154- 90
馬氏明 趙旻妻 506-117- 89
馬氏明 管哲妻 472-298- 12
475-381- 68
馬氏明 歐士襄妻 506- 8- 86
馬氏明 蔣輔妻 1467-260- 72
馬氏明 蔡致中妻 472-753- 29
馬氏明 劉濂妻 302-236-302
479-102-221
524-568-206
馬氏明 劉六指妻 506-551-105
馬氏明 劉汝爲妻 506- 6- 86
馬氏明 劉晉嘯妻 302-237-302
馬氏明 謝應時妻 506- 74- 88
馬氏明 施閏章母 131-281- 33
馬氏明 馬清女 1242-278- 33
馬氏明 馬萬珠女 483-332-397
馬氏清 王一龍妻 506- 68- 87
馬氏清 王宇靜妻、馬中驥女
477- 94-153
538-183- 67
馬氏清 田雯妻、馬琨女
1342-357- 32
1324-381- 36
馬氏清 江一楓妻 480-179-266
馬氏清 汪俁妻 480-208-267
馬氏清 汪槐妻 524-498-203
馬氏清 汪岳蘊妻 524-459-202
馬氏清 沈賡麟妻 474-193- 9
馬氏清 宋梯雲妻 506- 35- 86
馬氏清 李鼎妻 481-159-298
馬氏清 李聰妻 478-355-191
馬氏清 李時遇妻 474-192- 9
506- 20- 86
馬氏清 李異森妻 506- 26- 86
馬氏清 李進孝妻 503- 64- 95
馬氏清 車萬藻妻 533-692- 72
馬氏清 吳孟儀妻 475-758- 88
馬氏清 谷九德妻 506- 35- 86
馬氏清 邵瑚妻 506- 34- 86
馬氏清 邵大成妻 506- 22- 86
馬氏清 林鳳至妻 506- 38- 86
馬氏清 周彩妻 478-700-210
558-565- 43
馬氏清 和向陽妻 506-138- 89
馬氏清 脫有德妻 478-491-199
馬氏清 胡雲妻 474-195- 9
馬氏清 胡德基妻 474-194- 9
馬氏清 侯令德妻 474-194- 9
馬氏清 徐應亨妻 474-195- 9
馬氏清 倪攀挂妻 481-408-313
馬氏清 章揆蒼妻 475-146- 57
512- 27-177
馬氏清 陸光揚妻 524-495-203
馬氏清 陸非熊妻 512-212-182
馬氏清 張居仁妻 555-178- 69
馬氏清 張國良妻 503- 56- 95
馬氏清 張爾勛妻 506-150- 90
馬氏清 陳星寰妻
1320-315- 37
馬氏清 甯三樂妻 506-139- 89
馬氏清 焦燦妻 477-503-174
馬氏清 喬軫妻 475-189- 59
馬氏清 楊之孚妻 474-444- 21
馬氏清 楊中涵妻 478-355-191
馬氏清 楊民畏妻 506- 61- 87
馬氏清 趙遜妻 506-166- 90
馬氏清 趙伯達妻 474-195- 9
馬氏清 趙嘉謨妻 506- 64- 87
馬氏清 蒲世麟妻 530- 31- 54
馬氏清 蔡琯妻 478-552-202
馬氏清 魯鏞妻 478-298-188
馬氏清 劉建勳妻 478-638-206
馬氏清 劉成業妻 503- 63- 95
馬氏清 劉養德妻 474-196- 9
馬氏清 衛大壇妻 547-371-155
馬氏清 錢樂嘉妻 474-193- 9
馬氏清 薛岳妻 530- 38- 54
馬氏清 譚珮妻 503- 54- 95
馬氏清 譚克睿妻 480-343-273
馬氏清 關望妻 478-674-209
馬氏清 羅在堂妻 558-510- 42
馬氏清 羅廷勝妻 483-269-392
馬氏清 蘇斌妻 480-513-281
馬氏清 鐵峻妻 482-566-369
馬氏清 顧勉學妻 474-445- 21
馬永明 300-475-211
453-672- 30
474-168- 8
474-278- 14
474-691- 37
502-287- 56
505-730- 71
545-281- 94
568-317-110
馬玉宋 482-318-354
馬正子 唐 820-287- 30
馬平漢 253-426-102
馬布漢 456-108- 57
馬充明 494- 57- 2
馬冬唐 481-405-313
馬周金 548-638-181
馬犯戰國 404-491- 29
馬江漢 681-537- 8
1397-617- 29
馬江明 554-816- 63
馬安明 473-318- 62
494- 45- 3
馬宅妻 元~明 見王氏
馬朴明 見馬樸
馬圭元 472-409- 18
馬存宋 479-529-241
511-901-172
516- 12- 87
馬匡南唐 見馬仁裕
馬因明 494- 57- 2
馬光漢 370-137- 12
376-623-106
402-415- 7
535-554- 20
554- 65- 49
馬光隋 264-1060- 75
267-593- 82
380-333-174
472-114- 4
477-164-157
538- 24- 62
1118-300- 16
馬光宋 馬光國
馬光清 475-606- 81
510-441-116
馬旭明 474-407- 20
馬任明 456-679- 11
馬全明 302-190-300
馬全女 明 見馬皇后
馬色清 456-303- 73
馬亨元 295-216-163
399-578-477
472-826- 33
474-410- 20
478- 92-180
554-205- 52
馬忱明 546-492-313
馬良蜀漢 254-622- 9
377-275-118上
384- 76- 4
384-456- 11
385-171- 19
447-189- 7
470-376-145
471-816- 32
473-248- 60
480-292-271
533- 86- 49
559-502- 12
879-161-58上
933-602- 39
馬良元 1199-778- 5
馬良明(黎城人) 494- 42- 3
569-669- 19
馬良明(字子善) 821-349- 55
馬良明(字德卿) 1467- 95- 65
馬成漢 252-601- 52
370-124- 10
376-599-106
384- 56- 3
402-382- 4
472- 84- 3
472-401- 18
472-769- 30
477-363-167
505-625- 67
537-531- 59
533- 84- 49
544-200- 62
558-224- 32
933-601- 39
馬成明(四川人) 480-541-283
532-720- 45
馬成明(字汝器) 1297-124- 10
馬成妻 清 見張氏
馬玘明 559-505- 12
馬杉明 547-104-145
馬防漢 252-636- 54

370-137- 12
376-622-106
384- 57- 3
402-398- 5
402-506- 12
402-510- 14
402-523- 15
478-101-180
554- 65- 49
馬防宋 492-710-3下
馬孜明 820-580- 40
馬佐宋 485-541- 1
馬佐金 1200-772- 59
馬伸宋 288-390-455
400-139-511
448-508- 12
449-737- 9
459- 80- 5
472-557- 23
472-1041- 43
476-824-143
481- 70-293
524-334-195
532-573- 41
540-764-28之2
546- 93-118
馬京明(字子高) 299-444-150
472-841- 33
478-391-193
494- 39- 3
494- 40- 3
554-655- 60
567-446- 86
559-506- 12
馬京馬金 明(黎州人)
456-618- 9
馬官明 511-553-158
馬治明 676-453- 17
820-570- 40
1442- 8- 1
1459-448- 14
馬怡明 300-603-219
554-527-57下
馬宛妻 明 見李氏
馬初馬易 宋 451- 57- 2
馬武漢 252-604- 52
370-124- 10
384- 56- 3
376-601-106
402-377- 4
402-557- 18
472-768- 30
477-363-167
480-207-267
480-482-280
533-719- 73
537-533- 59
539-351- 8
547-196-148
558-129- 30
933-601- 39
馬武明 571-553- 20
馬坤明 511-246-145
528-553- 32
676-558- 23
676-722- 30
1442- 51- 3
1460- 83- 44
馬協明 554-514-57下
676-611- 25
馬林明 300-482-211
456-419- 2
474-692- 37
502-294- 56
545-299- 94
馬忠狐篤 蜀漢 254-665- 13
377-303-118下
384- 76- 4
384-486- 16
385-187- 21
447-191- 7
473-446- 68
473-830- 87
481-155-298
483- 15-370
483-219-390
559-359- 8
569-642- 19
571-513- 19
591-595- 44
933- 99- 6
933-602- 39
馬忠明(高陵人) 472-569- 24
540-641- 27
馬忠明(山東恩縣人)
472-695- 28
537-267- 55
馬尚宋 510-388-115
馬旺妻 明 見楊氏
馬明陳 260-614- 10
馬岫北周 552- 46- 19
馬昂明 453-580- 10
458-160- 8
472- 71- 2
474-339- 17
505-745- 72
537-401- 57
567- 94- 66
563-720- 40
564-742- 60
558-147- 30
馬昇明 473-642- 78
528-511- 31
528-543- 32
馬芳明 300-481-211
474-168- 8
474-518- 25
545-291- 94
馬易宋 見馬初
馬昊鄒昊 明 300- 73-187
554-602- 59
558-314- 34
1266-359- 4
1320-751- 82
馬果子唐 1342-206-930
馬周唐 269-706- 74
274-259- 98
384-168- 9
395-312-209
407-379- 2
459-355- 22
469-456- 54
472-572- 24
476-612-133
491-802- 6
540-736-28之2
933-603- 39
1387-248- 15
馬金明 475-701- 86
510-464-117
559-366- 8
1256-357- 22
馬金明 見馬京
馬岱明 523-174-154
馬佩明 554-286- 53
馬弅馬侊 明 478-436-196
554-799- 62
馬侊明 見馬弅
馬服妻 宋 見何氏
馬洪明 524- 7-178
585-459- 13
馬炫唐 270-585-134
275-200-155
396- 20-252
477-501-174
537-573- 60
547-151-147
馬炳馬中秋 宋 448-395- 0
馬宣明 299-361-142
456-693- 12
474-168- 8
505-834- 76
886-162-139
馬宥明 482-443-361
567- 82- 66
1467- 59- 64
馬炯明 300-483-211
571-534- 19
馬洲妻 明 見寇氏
馬流晉 370-311- 7
馬津明 479-528-241
511-695-163
515-223- 63
馬亭明 559-506- 12
馬亮宋 285-745-298
371-136- 14
382-287- 45
384-343- 17
397-177-330
450-225-1中
471-829- 34
471-918- 48
472-172- 6
472-253- 10
472-327- 14
472-347- 15
472-961- 38
473- 43- 50
473-297- 62
473-333- 63
475- 68- 52
475-213- 60

475-704- 86
479- 41-218
479-525-241
480-240-269
480-399-277
481- 18-291
481-491-324
482- 32-340
484- 89- 3
484- 90- 3
488-372- 13
488-373- 13
488-377- 13
488-378- 13
488-379- 13
488-380- 13
510-357-114
511-334-149
515-212- 63
523- 73-149
528-436- 29
532-689- 45
540-668- 27
559-294-7上
563-666- 39
591-679- 47
933-604- 39
馬亮明(諡榮毅) 299-513-155
458-140- 6
馬亮明(成安人) 540-649-27
馬亮妻 明 見王惠友
馬珎明 1265-638- 25
馬拯明 564-104- 45
馬拯妻 明 見邢慈靜
馬相漢 560-599-299下
馬珂明 524-110-183
馬郁後唐 277-579- 71
馬政明(字公敏) 505-886- 79
馬政明(柘城人) 554-310- 53
馬昱明 見馮昱
馬昭明 491- 41- 3
558-219- 32
馬昞宋 820-475- 36
馬英元 295-627-200
401-176-593
472-721- 28
477-256-161
545-140- 87
馬英妻 元 見王氏
馬英女 明 見馬四德
馬迪明 524-242-190
馬信漢 見馮信
馬信明 559-361- 8
馬科明 301-582-272
馬姹唐 683- 9- 0
馬脉女 宋 見馬氏
馬俊宋 馬進 288-316-449
400-136-511
475-670- 84
511-488-155
馬俊明(豐潤人) 505-808- 74
馬俊明(字世傑) 523-226-156
1228-746- 12
馬俊明(字惟秀) 821-379- 55
馬海清 456- 99- 57
馬宮漢 250-744- 81
376-404-102上
384- 51- 2
472-194- 7
472-549- 23
472-787- 31
537-323- 56
540-697-28之1
675-298- 15
933-601- 39
馬涓唐 見馮涓
馬涓宋 471-1047- 67
473-447- 68
559-360- 8
馬浩元 400-281-522
馬祐清 見馬祜
馬祐蜀漢 254-689- 15
馬祜馬祐 清 475- 21- 49
510-298-112
馬祖宋 見玄素
馬祖宋 見天后
馬記明 494- 45- 3
馬訓妻 明 見李氏
馬素唐 見玄素
馬恭明 477-564-177
494- 57- 2
505-811- 74
554-165- 51
馬栻元 1211-463- 66
1211-697- 上
馬珪明 821-492- 58
1442-127- 8
馬珦唐 480- 48-259
馬晉葉晉 明 1223-451- 7
馬晉清 455-119- 4
馬珮明 478- 93-180
馬振母 元 見鄭氏
馬振元 1229-363- 13
1374-713- 92
馬振明 534-843-113
537-217- 54
馬荃清 龔克和妻 512- 12-176
馬峰宋 288-729-482
545-628-106
馬虔明 559-289-79上
馬倫漢 袁隗妻、馬融女
253-633-114
381- 44-185
472-842- 33
478-135-181
538-274- 68
555- 4- 66
1397-469- 22
馬倫明 1266-389- 6
馬卿明 458- 95- 4
472-128- 4
477-168-157
483-162-382
505-691- 70
523- 48-148
537-455- 58
545- 78- 85
569-675- 19
581-679-114
676-534- 21
1267-602- 10
馬純元 1210-360- 11
馬純明 524- 97-183
馬紓唐 683- 6- 0
馬殷楚王 十國楚 275-568-190
278-453-133
279-471- 66
384-290- 15
384-318- 16
401-229-599
532-108- 27
567- 10- 62
馬寅元 1200-772- 59
馬寅明 1283-413- 99
馬清女 明 見馬氏
馬淮明 1475-287- 12
馬堃馮堃 宋 400-198-515
472-936- 37
473-477- 69
478-518-200
481-438-316
558-415- 37
559-509- 12
馬淘宋 473-719- 81
563-690- 39
馬祥明(汲縣人) 473-299- 62
480-242-269
532-668- 44
馬祥明(周州人) 554-483-57上
馬祥妻 明 見陳氏
馬訪唐 470-437-152
馬淑唐 馬摠女、馬總女
1076-452- 上
1383-313- 27
1410-289-701
馬理明 301-768-282
457- 53- 3
458-736- 4
478-127-181
554-819- 63
1293-363- 20
1458-469-449
馬理清 455-646- 45
馬珵馮珵 明 554-765- 62
680-234-247
馬乾明(昆明人) 302-122-295
456-442- 3
482-562-369
570-108-21之1
馬乾明(長汀人) 456-639- 10
馬通明 476-331-115
545-442- 98
554-486-57上
1291-412- 7
馬通妻 明 見李氏
馬貫明(單縣人) 472-559- 23
馬貫明(山陰人) 1442- 10- 1
馬堂明 302-287-305
馬勗明 1289-381- 26
馬勗妻 清 見丁氏
馬鈞魏 478-103-180
馬紹宋 401-101-581

馬紹元 295-356-173
399-666-486
472-558- 23
476-586-131
540-776-28之2
676-710- 29
1201-168- 80
馬絅明 1229-154- 1
馬偉明 523- 85-149
523-245-157
馬御明 554-527-57下
馬參蜀漢 473-446- 68
559-359- 8
馬參清 570-158-21之2
馬健明 494- 41- 3
馬湘唐 472-970- 38
479- 74-219
479-412-235
494-436- 13
524-381-198
585-496- 15
592-263- 76
1059-588- 上
1061-315-113
馬湘宋 505-879- 79
馬湘明 558-211- 32
馬普妻 清 見張氏
馬愉 299-430-148
452-176- 3
472-594- 24
476-672-136
540-788-28之3
676-488- 19
820-615- 41
1284-355-163
1442- 25- 2
1459-619- 24
馬敦漢 252-638- 54
933-602- 39
馬敦晉 554-228- 52
556-521- 94
1329-967- 57
1331-475- 57
1398-307- 14
1410-538-737
1413-306- 45
馬雲明 299-264-734
472-624- 25
474-690- 37
475-706- 86
511-412-152
559-300-7上
馬雲清 547- 93-144
馬琪金 291-356- 95
399-207-434
472- 35- 1
474-178- 8
505-719- 71
馬賁宋 288-482-462
821-183- 50
馬揔馬總 唐 271- 35-157
275-287-163
384-225- 13
396-100-260
472-543- 23
473-891- 90
476-475-125
477-408-169
478-202-184
479-791-254
481-581-328
482-318-354
483-697-422
515-263- 65
528-480- 30
537-201- 54
540-611- 27
554-455- 56
563-635- 38
567- 41- 64
585-749- 3
933-604- 39
1073-444- 14
1074-262- 14
1075-223- 14
1075-334- 14
1341-617-881
1467- 16- 62
馬揔女 唐 見馬淑
馬尋宋 285-778-300
472-555- 23
472-246- 60
476-823-143
480-288-271
493-741- 41
494-297- 5
523-115-151
532-578- 41
馬[王臽]妻 明 見姜氏
馬琴明 1254-335- 9
馬超蜀漢 254-598- 6
377-259-118上
384- 75- 4
385-158- 16
384-443- 9
472-832- 33
478-103-180
554-553- 58
559-241- 6
933-602- 39
馬植唐 271-299-176
275-511-184
384-276- 14
396-222-272
471-999- 60
473- 43- 50
473-476- 69
473-891- 90
479-525-241
483-697-422
515-211- 63
561-570- 45
592-283- 78
933-604- 39
馬植宋 見趙良嗣
馬盛明 821-393- 56
馬雄唐 820-281- 30
馬雄清 502-769- 86
馬隆晉 255-942- 57
377-635-124下
384- 93- 5
409-105- 13
472-551- 23
472-944- 37
476-583-131
478-634-206
478-652-207
540-713-28之1
558-217- 32
558-223- 32
933-602- 39
馬隆明(鞏縣人) 523-216-156
馬隆明(字道亨) 545-280- 94
554-490-57上
馬隆明(字士隆) 1246-622- 12
馬登金 545-216- 91
馬塈宋 288-340-451
400-193-515
451-244- 0
472-963- 37
473-749- 83
478-518-200
482-225-348
482-320-354
482-484-364
558-415- 37
563-702- 39
567- 74- 65
585-783- 8
1366-942- 5
1467- 49- 63
馬琬明 676- 90- 3
821-346- 55
1442- 8- 1
1459-448- 14
馬琨女 清 見馬氏
馬肅元 1210-410- 16
1375- 21- 上
馬肅明 494- 45- 3
馬揚金 478-336-191
554-309- 53
馬雯妻 清 見張氏
馬援漢 252-623- 54
370-134- 12
376-613-106
384- 57- 3
402-373- 4
402-520- 15
402-561- 18
459-213- 13
471-800- 30
471-866- 39
472-830- 33
472-892- 35
472-904- 36
472-944- 37
473-890- 90
478- 97-180
478-481-199
480-482-280
482-317-354
483-696-422

532-739- 46
535-554- 20
547-169-147
554-383- 55
556-342- 90
556-342- 90
556-724- 98
558-128- 30
558-475- 40
563-600- 38
564-919- 63
567- 18- 63
568-254-108
933-601- 39
1243-359- 21
1395-583- 3
1407- 86-402
1467- 2- 62
馬援女 漢 見馬皇后
馬棱馬稜 漢 252-639- 54
370-139- 12
376-625-106
384- 57- 3
402-399- 5
472-288- 12
472-716- 28
475-118- 55
475-363- 67
475-603- 81
478-101-180
478-514-200
486- 32- 2
493-668- 37
510-321-113
510-384-115
523-142-153
554-431- 56
馬森明 300-532- 34
460-510- 45
474-518- 25
505-781- 73
510-456-117
515- 52- 58
529-470- 43
530-563- 72
676-571- 23
678-201- 89
1283-767-129
1442- 56- 3
1460-145- 47
馬森妻 明 見任琛
馬森女 明 見馬氏
馬逵宋 821-224- 51
馬逵明 493-1049- 55
馬發宋 451-245- 0
473-702- 80
482-142-344
563-702- 39
564-718- 59
馬貴宋 400-128-511
馬貴明 見馬尚賓
馬華明 558-183- 31
馬敭明 676-552- 22
1442- 48- 2
1460- 47- 42
馬順清 456-266- 70
馬鈞魏 254-510- 29
380-594-182
384-520- 23
554-891- 64
1413-156- 39
馬絳宋 486- 48- 2
523-184-155
1104-495- 40
1104-500- 43
馬欽馬韓哥 金 291-744-129
馬欽明 570-144-21之2
馬傑明(知臨湘) 480-463-279
馬傑明(利津人) 554-312- 53
558-211- 32
馬傑明(涿鹿衛人) 559-504- 12
馬逸明 570-157-21之2
馬進宋 1086-132- 14
馬進宋 見馬俊
馬復元 545-219- 91
馬義妻 明 見劉氏
馬溶清 560-105- 19
馬愷妻 清 見曾氏
馬廉明 524-266-191
馬祿明(祁門人) 511-619-160
馬祿明(南京人) 1285-106- 1
馬煥明(山陽人) 511-194-143
馬煥明(高陵人) 554-526-57下
馬遂宋 288-271-446
371-190- 19
382-717-110
384-358- 18
400-127-511
472-660- 27
477- 77-152
538- 37- 63
540-639- 27
933-605- 39
馬瑊宋 494-302- 5
馬瑀妻 明 見王氏
馬楨元 1217- 32- 4
馬載唐 274-263- 98
384-168- 9
540-737-28之2
馬軾明 493-1059- 56
511-877-170
821-376- 55
1442- 30- 2
馬塘金 546-330-126
馬極明 473-210- 29
480- 51-259
532-617- 43
馬輅明 494- 57- 2
馬電明 821-461- 57
馬電清 476- 43- 98
547- 10-141
455-170- 7
馬琾清 478-391-193
479-403-235
523-238-156
554-737- 61
馬瑞妻 清 見張氏
馬瑞明 547- 8-141
馬瑜妻 清 見鄭氏
馬瑜妻 清 見魏氏
馬馴明(字德良) 473-625- 77
481-723-333
529-635- 48
馬馴明(高陵人) 554-526-57下
馬萬後漢 278-248-106
馬煦元 494-315- 5
494-323- 6
1207-224- 15
馬暄明 見馬時暘
馬署唐 820-239- 28
馬業唐 820-142- 26
馬鉉明 473-156- 56
515-679- 78
567-104- 66
1225-598- 63
1467- 81- 64
馬鈺馬丹陽、馬從義 金
476-705-137
538-349- 70
541- 93- 30
547-513-160
1281-254-136
馬鈺妻 金 見孫不二
馬鉞唐 1341-690-892
馬頎清 537-413- 57
馬愈明 493-1259- 56
820-627- 41
821-389- 56
1442- 30- 2
馬鉦明 473-145- 56
515-153- 61
馬經明 1253- 52- 43
馬經妻 明 見徐氏
馬稜漢 見馬棱
馬彙唐 1073-658- 37
1074-514- 37
1075-456- 37
1342-549-947
馬實唐 1078-220- 4
1342-352-949
馬誠明 554-766- 62
馬禎馬禛 唐 820-241- 28
馬韶宋 288-467-461
505-927- 83
馬誥宋 1104-493- 40
馬寧清 478-599-204
558-378- 36
馬寧妻 清 見張氏
馬端明 483-250-391
572- 91- 29
820-601- 40
馬齊蜀漢 254-689- 15
384-464- 12
481-155-298
591-601- 44
馬齊清 455-408- 25
馬廖馬廖方 漢 252-635- 54
330-136- 12
376-622-106
384- 57- 3
402-380- 4
478-100-180

十畫：馬

535-554- 20
554- 65- 49
933-602- 39
馬慥明 300-603-219
554-527-57下
馬禔明 1226-220- 10
馬熒明 1283-627-116
馬榮劉宋 1061-270-110
馬榮明(諡壯武) 472-413- 18
511-400-151
馬榮明(長汀人) 545-245- 92
馬熙元 1439-442- 2
1468-508- 24
1468-518- 24
馬熙妻 清 見周氏
馬嘉明 456-632- 10
475-576- 79
511-481-155
馬瑶漢 448-108-下
554-864- 64
馬遠宋 524-344-196
547-557-161
585-519- 17
821-224- 51
馬遠清 547- 39-142
馬遜明 545-376- 97
馬鳴功勝 周 1053- 18- 1
1054- 27- 1
1054-266- 4
馬暠明 1266-594- 16
馬圖明 545-149- 88
545-394- 97
1267-502- 6
馬暢唐 270-585-134
275-199-155
396- 20-252
馬暢妻 唐 見盧氏
馬魁清 511-648-162
馬綽唐 472-966- 38
523-508-171
馬綸明 545-377- 97
馬賨十國楚 275-568-190
馬諒明 453-448- 16
472-396- 17
475-798- 90
476-479-125
511-367-150
540-617- 27
馬瑩元 680-219-246
1210-373- 11
馬潛唐 820-287- 30
馬潤元 1203-351- 26
1206-653- 附
馬潤妻 元 見楊氏
馬熠明 456-419- 2
馬適宋 516-119- 92
馬賢漢 558-129- 30
558-214- 32
478-450-197
馬賢明 494- 57- 2
馬樞陳 260-668- 19
265-1088- 76
370-586- 20
380-468-178
384-123- 6
472-174- 6
472-833- 33
475- 78- 53
492-624- 14
511-843-168
511-888-172
554-866- 64
871-904- 19
933-602- 39
馬鼐妻 明 見武氏
馬璉明 524-168-186
馬賜妻 明 見李氏
馬璇明 523-272-158
馬禛唐 見馬楨
馬儀明 472- 99- 3
馬儉晉 472-854- 34
478-206-184
554-971- 65
馬德馬驌 元 524-339-195
馬德明 572-160- 32
馬範宋 1173-203- 77
馬稷蜀漢 見馬謖
馬稷明 821-420- 56
馬徵父 唐 1077-119- 10
1410-286-701
馬憲明 554-311- 53
馬諷金 291-286- 90
472- 51- 2
472-914- 36
474-178- 8
478-572-203
505-655-68
505-718- 71
558-210- 32
馬燃明 456-419- 2
馬龍明 554-340- 54
馬龍妻 明 見陸娟
馬澤元 472-394- 17
475-810- 91
510-489-118
馬澤清 560-105- 19
馬濂明 511-392-151
523-176-154
馬歘明 676-638- 26
馬遵父 宋 1089-202- 20
馬遵宋(字仲塗) 286- 9-302
397-222-332
473- 46- 50
479-528-241
516- 8- 87
1105-797- 95
1106-141- 21
1384-147- 93
馬遵宋(長山人) 477- 50-151
馬融漢 253-251-90上
370-139- 12
370-888-111上
402-418- 7
402-456- 10
471-779- 27
471-1063- 70
472-831- 33
473-295- 62
478-101-180
533-733- 73
554-829- 63
558-477- 40
675-319- 19
677- 80- 8
839- 29- 3
933-602- 39
馬融女 漢 見馬倫
馬臻漢 472-1066- 45
479-221-227
486- 33- 2
486-107- 6
523-142-153
馬臻元 821-330- 54
1198- 85- 0
1204- 56- 附
1439-456- 2
1469-690- 65
馬璘唐 270-815-152
275- 24-138
384-212- 11
395-653-238
472-854- 34
472-877- 35
478-202-184
478-403-194
478-669-209
552- 53- 19
554-582- 58
558-188- 31
933-603- 39
1343-780- 57
1410- 47-669
1417-689- 32
馬璘元 1201-166- 80
馬璘妻 清 見陳氏
馬騂明 1460- 73- 43
馬樸馬朴 明 676-610- 25
554-513-57下
馬豫明 472-578- 24
540-789-28之3
馬隨宋 1118-972- 66
馬蕙明 511-228-144
馬默宋 286-570-344
382-599- 92
384-373- 19
397-647-359
472-556- 23
472-576- 24
472-602- 25
475-420- 70
476-476-125
476-697-137
476-817-143
476-863-145
482-320-354
540-759-28之2
545- 51- 84
933-604- 39
馬興元 1195-561- 下
馬曄明 571-530- 19
馬瞰明 476-151-104
545-222- 91

馬縞後唐 277-582- 71
279-364- 55
384-315- 16
396-442-296
馬儒後魏 381-514-196
馬衡唐 505-910- 81
馬錫明 676-569- 23
馬勳蜀漢 254-689- 15
384-464- 12
481-155-298
591-601- 44
馬錄明 300-383-206
458- 99- 4
477-419-169
537-566- 60
545- 80- 85
567-449- 86
676-540- 22
1442- 44- 3
1459-904- 38
1467-157- 67
馬應宋 288-192-439
400-631-557
馬禪明 503- 20- 92
馬謙五代 592-286- 78
馬謙明 545-146- 88
馬謖蜀漢 254-623- 9
377-275-118上
384-471- 13
385-172- 19
447-197- 7
447-203- 8
473-248- 60
480-293-271
533-229- 54
559-242- 6
1297-673- 3
馬襄漢 545-232- 92
馬襄明 558-449- 38
馬燧唐 270-577-134
275-195-155
384-235- 12
396- 16-252
459-426- 26
469- 61- 8
472-429- 19
472-456- 20
472-802- 31
472-851- 34
476- 27- 97
476-111-102
476-347-116
477- 49-151
477-242-161
477-501-174
478-199-184
505-629- 67
537-572- 60
545- 16- 83
552- 57- 19
554-232- 52
933-603- 39
1342-543-974
馬聰明 523-245-157
馬聰明 見馬驄
馬興明 1475-242- 10
馬戴唐 273-114- 60
451-456- 5
1371- 70- 附
1388-498- 83
馬懋明 545-468-100
馬隱宋 821-249- 52
馬聲清 476-156-104
545-857-113
馬駿明(汝陽人) 456-678- 11
馬駿明(朝邑人) 494- 55- 2
馬駿明(字之龍) 1241-656- 14
馬駿明(字叔良) 1246-643- 14
馬嶸馬榮祖 宋 451- 79- 2
馬颷明 見馬飆
馬總唐 見馬揔
馬總女 唐 見馬淑
馬龠明 532-657- 44
馬縱父唐 1342-408-957
1078-218- 4
馬謹明 299-719-172
472- 99- 3
474-382- 19
478-766-215
505-753- 72
523- 37-147
537-214- 54
馬麐元～明 493-1028- 54
1369-407- 12
1439-452- 2
1459- 503- 17
1471-605- 15
馬謨明 547- 5-141
馬璽明 547- 55- 14
馬騏宋 561-614- 46
馬燾宋 559-265- 6
馬璧明 547- 53-143
馬璿明 554-492-57上
馬騆明 494- 41- 3
馬彝唐 554-643- 60
馬邈妻 蜀漢 見李氏
馬麒明 505-909- 81
馬爌明 300-483- 211
456-429- 2
558-426- 37
馬璽妻 明 見周氏
馬璽妻 明 見許氏
馬鏊明 567-416- 84
馬瓊妻 明 見劉氏
馬騤明(眞定人) 472- 99- 3
馬騤明(字世用) 546-493-131
676-527- 21
馬鏜明 476-155-104
547- 37-142
馬繪明 547-560-161
馬瓏明 1278-468- 23
馬瓏妻 清 見黄氏
馬嚴漢 252-638- 54
370-138- 12
376-624-106
384- 57- 3
402-404- 6
402-563- 19
472-641- 26
477- 47-151
478- 99-180
547-187-148
558-474- 40
933-602- 38
馬騰東漢 253-419-102
254-598- 6
385- 71- 8
554-553- 58
馬驄明(字最白) 456-587- 8
523-389-164
馬驄馬聰 明(字馴良)
473- 87- 52
479-605-244
515-246- 64
567-308- 77
1467-193- 69
馬驄明(字良夫) 529-656- 49
馬驄明(字士臣) 1267-528- 7
馬驄妻 明 見司氏
馬譽宋 505-654- 68
馬蘭明 見馮蘭
馬飆馬颷 明 300-483-211
456-430- 2
480- 89-262
533-376-60
554-717- 61
馬續漢 478-101-180
478-450-197
376-625-106
472-623- 25
545-310- 95
558-214- 32
馬鐸明 460-498- 42
473-573- 74
481-529-326
529-453- 43
676-477- 18
1238-233- 20
1442- 21- 2
1459-581- 21
馬巒明 546-734-139
馬驌清 540-858-28之4
1313-245- 19
馬鑑明(都督僉事) 558-145- 30
馬鑑明(字大昭) 1263-573- 7
馬鑑妻 明 見汪氏
馬麟宋 821-224- 51
馬麟元 545-242- 92
馬麟明(鞏縣人) 302-372-308
馬麟明(山東右布政使)
472-520- 22
540-616- 27
馬麟明(字子振) 475-450- 71
510-404-115
馬顯元 1211-393- 55
馬顯明 505-825- 75
559-250- 6
馬顯妻 清 見董氏
馬讓妻 明 見潘氏
馬瓛明 820-639- 41
馬纘唐 820-257- 29
馬鑰妻 清 見王氏

馬驥元 見馬德
馬驥妻 元 見章氏
馬驥明(新城人) 456-629- 10
馬驥明(字漢房) 494- 41- 3
494- 44- 3
馬驥明(介休人) 545-889-114
馬驥明(漢中人) 554-762- 62
馬驥明(東鹿人) 1249-238- 14
馬驥明(河源人) 1467- 69- 64
馬驤金 291-672-122
400-215-517
472-545- 23
476-525-128
476-855-145
540-770-28之2
馬驤明(密縣人) 456-663- 11
馬驤明(洋縣知縣) 472-867- 34
馬驤明(朝邑人) 494- 55- 2
554-526-57下
馬驤明(偃師人) 554-311- 53
馬驤明(字尚德) 559-515- 12
馬鸞明 545-778-111
馬鸞妻 明 見劉氏
馬一洪明 528-487- 30
馬一荀明 558-212- 32
570-136-21之2
馬一乘妻 明 見李氏
馬一龍明 511-563-158
676-582- 24
820-699- 43
1442- 60- 4
1458-316-438
1460-185- 48
馬一夔妻 明 見張氏
馬二孃唐 554-901- 64
馬了道元 見馬靈眞
馬又如明 1458- 66-419
馬九皐馬薛超吾 元
820-529- 38
1199-231- 24
馬九霄馬唐古德 元
820-529- 38
1197-296- 28
馬人望遼 289-698-105
400-354-532
472- 51- 2
472-625- 25
474-236- 12
474-556- 28
474-819- 44
496-368- 86
502-332- 59
505-655- 66
馬人龍明(諡節愍) 456-579- 8
480-129-264
533-368- 60
馬人龍明(字霖雨) 511-260-146
馬人龍明(號荆陽) 532-599- 41
馬八龍後魏 262-258- 87
267-639- 85
380-120-167
469-518- 63
474-637- 33
505-917- 81
933-602- 39
馬三樂明 545-466-100
馬三寶唐 269-518- 58
274-166- 88
395-242-203
544-229- 63
馬士式明 456-681- 11
483-250-391
572- 88- 29
馬士武明 511-800-167
馬士秀妻 清 見李氏
馬士昌妻 明 見鄭氏
馬士英明 302-388-308
馬士俊妻 明 見孫氏
馬士通明 456-519- 6
馬士偉明 456-519- 6
馬士祿明 456-598- 9
馬士達元 1210-706- 18
馬士慤明 456-519- 6
馬士隲清 538-130- 65
馬士鯉明 511-867-170
馬子立明 1242-813- 9
馬子結北齊 263-339- 44
267-569- 81
380-316-174
馬子聰明 472-116- 4
474-441- 21
505-765- 72
馬子嚴宋 473- 60- 51
馬大士清 477-210-159
537-470- 58
馬大用妻 清 見李氏
馬大同宋 472-1061- 41
523-338-162
馬大倫妻 清 見劉氏
馬大僊唐 472-1056- 44
馬大慶妻 明 見龔氏
馬大儒明 505-685- 69
馬上及清 505-661- 68
馬上巘明 1475-670- 28
馬千乘母 明 見覃氏
馬千乘明(秦良玉夫)
302-472-312
483-397-403
馬千乘明(字國良) 523-518-171
1475-340- 16
馬千乘妻 明 見秦良玉
馬千乘妻 清 見蒲氏
馬文升明 299-873-182
453-679- 31
458- 37- 2
472-309- 13
472-666- 27
474-691- 37
477- 87-153
477-564-177
502-284- 56
510-291-112
528-452- 29
537-595- 60
545- 72- 85
554-167- 51
558-148- 30
561-209-38之2
676-498- 19
1283-280- 89
1442- 27- 2
1459-647- 25
馬文秀清 554-614- 59
馬文治明 1475-501- 22
馬文炯明 472-223- 8
472-646- 26
493-759- 41
537-247- 55
馬文烇明 545-470-100
馬文恭劉宋 258- 66- 45
馬文卿明 572- 73- 28
馬文卿明 見馬文舉
馬文淵漢 564-699- 59
馬文祥明 567-334- 67
1467-240- 71
馬文健明 559-308-7上
馬文義南唐 511-224-144
馬文煒明 476-673-136
532-657- 44
537-329- 56
540-813-28之3
馬文瑞妻 清 見劉氏
馬文敬明 523-118-151
馬文賢明 524-139-185
馬文錦元 見古都斯
馬文舉馬文卿 明
456-657- 11
馬文璧明 473-111- 54
515-170- 62
馬文鐃明 473-616- 77
馬之光清 511-661-162
馬之先清 477-568-177
502-682- 80
554-190- 51
馬之迅清 476-155-104
480-341-273
533-387- 60
545-856-113
馬之英清 476-856-145
540-683- 27
馬之陞明 554-519-57下
馬之純宋 451-389- 12
472-1030- 42
489-664- 49
523-609-176
678-128- 81
馬之猊明 533-141- 51
馬之瑛明 563-808- 41
馬之駉明 456-629- 10
馬之龍明 511-607-160
馬之駿明 676-631- 26
1442- 90- 6
1460-516- 65
馬之騏明 538-145- 65
馬之騆明 456-629- 10
馬之駃清 505-819- 74
馬之鵬清 480- 60-260
533-149- 51
馬之騶妻 明 見蕭氏
馬之驥宋 1185-500- 91
馬之驥明 540-830-28之3
馬元方宋 285-786-301

397-208-332
472-575- 24
492-825- 33
476-816-143
476-862-145
478- 89-180
540-753-28之2
554-270- 53
馬元吉明 480-583-285
533-326- 57
馬元吉妻 明 見袁氏
馬元貞唐 820-154- 26
馬元益宋 516- 31- 88
馬元規唐 275-579-191
400- 90- 508
477-358-166
馬元椿元 1207-272- 18
1210-522- 20
馬元熙北齊 263-335- 44
267-577- 81
380-319-174
933-602- 39
馬元調明 456-636- 10
1460-707- 76
馬元震明 820-748- 44
馬元穎妻 宋 見滎氏
馬孔英明 301-200-247
478-596-204
483-225-390
571-533- 19
馬孔健明 505-652- 68
537-411- 57
馬孔惠明 505-817- 74
馬尹昌明 547-123-145
馬天來馬天采、馬天駥 金
546-667-137
821-276- 52
1040-253- 5
1356-239- 7
1439- 10- 附
1445-454- 33
馬天采金 見馬天來
馬天昭元 1201- 20- 66
馬天倖明 545-157- 88
馬天章明 554-875- 64
馬天祥妻 元 見張氏
馬天祥明 456-665- 17
馬天駥金 見馬天來
馬天驥宋 287-734-420
398-670-411
472-1043- 43
473-568- 74
479-356-233
馬天驥元 1201-170- 80
馬友直宋 485-197- 26
493-1006- 53
494-348- 7
馬友鹿妻 清 見林玉使
馬日磾漢 253-450-104上
254-134- 6
385-125- 14
478-102-180
554-830- 63
680-673-287
820- 33- 22
1063-247- 0
馬中玉馬忠玉 宋
820-387- 33
馬中甫宋 見馬仲甫
馬中豸明 546-621-135
馬中秋宋 見馬炳
馬中超明 563-818- 41
567-356- 80
馬中翮妻 清 見陳氏
馬中錫明 300- 63-187
474-312- 16
474-514- 25
474-691- 37
502-286- 56
505-636- 67
505-741- 72
676-512- 20
1264-548- 6
1320-749- 82
1442- 34- 2
1459-732- 28
馬中驥女 清 見馬氏
馬公著明 1229-229- 6
馬公顯宋 821-218- 51
馬壬仲宋 460-300- 20
馬丹陽金 見馬鈺
馬仁安明 1229-301- 10
馬仁裕馬匡 南唐
511-224-144
1085- 87- 11
馬仁瑀宋 285-399-273
371-164- 17
382-199- 29
384-327- 17
396-664-314
472-324- 14
474-304- 16
476-656-135
476-899-147
479-741- 73
505-630- 67
540-747-28之2
545-383- 97
590-116- 14
馬仁德明 559-514- 12
馬化龍明 547- 15-141
馬化龍清 479-811-255
502-693- 81
515-261- 65
馬升階明 559-403-9上
馬允卿後晉 474-825- 44
503- 9- 90
馬允登明 1291-500- 9
馬永亨明 554-509-57下
馬永忠宋 821-230- 51
馬永卿宋 471-911- 47
516-209- 96
馬永新妻 明 見王氏
馬玉麟元 1220-341- 12
1439-450- 2
1460-794- 87
馬玉麟明 676-611- 25
馬弘良張其昌 清
510-449-117
馬弘儒清 474-520- 25
505-862- 77
馬正中明 494- 45- 3
馬正卿宋 473-281- 61
480-126-264
532-629- 43
馬正添妻 明 見梁孝鳳
馬巨江明 472-841- 33
554-816- 63
馬可慕元 472- 51- 2
馬世位妻 清 見周氏
馬世奇明 301-493-266
458-273- 8
475-230- 61
511-450-153
676-657- 27
1442-108- 7
1460-687- 75
馬世英妻 清 見李氏
馬世俊清 475-280- 63
511-777-166
馬世強清 456-388- 80
馬世榮宋 821-218- 51
馬世榮元 472-1015- 41
497-377-234
523-214-156
馬世熊明 511-351-149
馬世龍明 301-552-270
478-599-204
558-377- 36
馬世驥清 480-614-287
馬充實元 1203-358- 27
馬民牧明 554-296- 53
馬以懋清 482- 34-340
563-873- 42
馬四德馬英女 明506- 7- 86
馬令威宋 見馬令琮
馬令琮馬令威 宋
285-363-271
396-637-312
472-131- 4
477-242-161
505-773- 73
馬用舟女 宋 見馬氏
馬用錫明 523- 91-149
馬仙理梁 見馬仙琕
馬仙婢梁 見馬仙琕
馬仙琕馬仙理、馬仙婢 梁
260-167- 17
265-418- 26
378-394-141
554-555- 58
933-602- 39
馬守中明 472-665- 27
537-398- 57
馬守明金 476-453-123
547-542-160
馬守眞明 821-492- 58
1442-126- 8
1460-908- 98
馬汝溪明 820-699- 43
馬汝彰明 510-364-114
馬汝龍清 502-629- 77

馬汝龍女 明 見馬潤姐
馬汝聽妻 清 見游氏
馬汝麟妻 明 見甯氏
馬汝驥明 299-825-179
476-205-107
478-435-196
545-342- 96
554-848- 63
676-548- 22
1442- 47- 3
1455-636-238
1460- 34- 41
馬在貴南唐 1085- 51- 6
馬存亮唐 276-140-207
384-265- 13
401- 48-574
476-121-102
546-279-124
1079-279- 6
馬存信明 494- 45- 3
馬有倉清 456-341- 76
馬有祿清 456-340- 76
馬有驥妻 清 見張氏
馬百祿馬伯祿 金
291-377- 97
399-221-435
474-179- 8
478- 91-180
505-719- 71
545-370- 97
馬百福元 1206-748- 10
馬匡武唐 474-304- 16
馬光前妻 明 見紀氏
馬光祖宋 287-677-416
398-622-407
451-389- 1
472-173- 6
472-348- 15
472-1030- 42
472-1052- 44
473- 44- 50
475- 70- 52
475-700- 86
479- 43-218
479-325-232
479-431-236
479-526-241
479-678-248
488- 14- 1
488-482- 14
488-483- 14
488-484- 14
488-485- 14
488-488- 14
488-491- 14
488-493- 14
488-499- 14
488-500- 14
489-202- 24
492-656-13下之上
493-779- 42
510-312-113
515- 21- 57
523-326-161
820-447- 35
馬光國馬光 宋 451- 80- 2
馬光裕清 546-736-139
560-102- 19
馬光業唐 812-347- 9
821- 58- 46
馬光塵金 821-277- 52
馬光遠清 515-127- 60
馬兆義明 570-138-21之2
馬兆麟妻 清 見黃氏
馬名廉明 456-491- 5
馬名廣明 564-278- 47
馬任仲宋 472-1027- 42
524-331-195
馬任政妻 明 見楊氏
馬任傅妻 清 見馬氏
馬任遠明 1442- 94- 6
1460-541- 66
馬自高清 456-340- 76
馬自強明 300-602-219
478-347-191
554-418- 55
676-586- 24
馬自然明 483-116-379
494-158- 5
569-671- 19
馬自銓妻 清 見程氏
馬合謀元 537-265- 55
馬全昌妻 明 見陳氏
馬全義宋 285-460-278
396-704-318
472- 33- 1
505-716- 71
馬全節後晉 278-118- 90
279-304- 47
396-424-294
474-476- 23
505-773- 73
554-200- 52
馬如玉張如玉 明
821-493- 58
820-769- 44
1442-127- 8
馬如豸明 456-597- 9
馬如虹明 456-443- 3
馬如蚪昱 456-606- 9
馬如蛟明 302- 56-292
456-443- 3
456-606- 9
475-812- 91
481- 26-291
511-505-156
523-163-153
馬如龍清 478-436-196
515- 73- 58
554-618- 59
1322-611- 10
馬如璧明 547-123-145
馬如璧清 502-772- 86
馬竹所元 821-299- 53
馬仲子妻 清 見趙昭
馬仲甫馬中甫 宋
286-391-331
397-500-350
472-327- 14
472-740- 29
472-893- 35
475- 17- 49
475-704- 86
511-334-149
537-300- 56
581-477- 96
1106-386- 50
馬仲昌明 494- 54- 2
馬仲芳妻 明 見史氏
馬仲迪明 1288-615- 10
馬仲迪妻 明 見景氏
馬仲叟明 1263-562- 7
馬仲涼明 1229-601- 2
馬仲弼元 538- 91- 64
馬仲舒宋 1105-802- 96
1384-166- 94
馬行敏明 547-123-145
馬宏良清 475-641- 83
馬宏樹清 482-353-356
524-375-197
585-520- 17
821-233- 51
馬良御明 456-501- 5
558-430- 37
馬良輔唐 545- 19- 83
馬良驥妻 明 見蕭氏
馬志熹妻 清 見張氏
馬成子周～秦 472-854- 34
473-437- 67
554-964- 65
561-226-38之3
592-224- 74
馬成名明 801-208-248
馬成龍元 1202-288- 20
馬成闕清 455-170- 7
馬君才唐 1073-658- 37
1074-514- 37
1075-457- 37
馬克用明 559-373- 8
馬克住清 455-451- 27
馬克忠唐 1065-838- 20
1342-206-930
馬克明明 1229- 83- 7
馬克都清 455- 63- 2
馬克圖清 455-627- 43
馬克禮金 476-429-121
545-384- 97
馬把攬妻 明 見王氏
馬更生清 524-350-196
馬芍德明 302-454-311
馬呈秀明 511-214-144
546-100-118
554-255- 52
馬呈書明 545-288- 94
馬呈祥妻 明 見楊氏
馬呈祥清 478-339-191
502-690- 81
馬呈道明 820-693- 43
馬呈瑞明 456-678- 11
477-453-171
538- 69- 63
馬呈鼎明 523-220-156

馬呈圖明(諡節愍) 456-580- 8
馬呈圖明(嘉靖三十二年卒) 523-362-163
馬呈圖明(內江人) 554-287- 53
559-403-9上
馬呈德明 537-411- 57
554-310- 53
馬足輕明 302- 51-292
456-655- 11
477-317-164
馬伯元清 456-341- 76
1314-423- 11
馬伯元妻 清 見周氏
馬伯竹明 472-610- 25
476-726-138
540-657- 27
馬伯亨元 1194-589- 6
馬伯庸明 473-257- 60
480-318-272
532-683- 44
馬伯傑明 1228-305- 3
馬佐順元 515- 15- 76
馬伯祿金 見馬百祿
馬希尹妻 明 見徐氏
馬希先元 472-204- 7
511-646-162
馬希言宋 524-334-195
馬希武明 482-372-357
567-135- 68
馬希崇十國楚 384-318- 16
401-233-599
1085- 45- 6
馬希援妻 清 見曾氏
馬希萼十國楚 384-318- 16
401-232-599
933-604- 39
馬希萼妻 十國楚 見苑氏
馬希廣十國楚 279-475- 66
384-318- 16
401-232-599
馬希賢明 510-407-115
馬希範十國楚 278-453-133
279-474- 66
384-318- 16
401-232-599
407-659- 3
480-562-284
馬希聲十國楚 279-474- 66
384-318- 16
401-231-599
馬希顏明 472-309- 13
馬邦俊明 570-144-21之2
馬利仁妻 明 見陳氏
馬妙祈妻 漢 見義氏
馬廷用明 452-217- 5
559-366- 8
馬廷宣清 505-905- 80
馬廷琰宋 451- 93- 3
馬廷實妻 明 見劉氏
馬廷輔妻 清 見于氏
馬廷錫明 559-270- 6
572- 72- 28
馬廷璽明 554-348- 54
馬廷贊清 505-819- 74
馬廷鸞宋 287-647-414
398-598-405
473- 49- 50
475-577- 79
475-640- 83
479-531-241
511-910-173
516- 36- 88
678-147- 84
680-209-245
1375- 34- 下
1437- 31- 2
馬廷鸞妻 宋 見張氏
馬宗仁明 554-279- 53
馬宗盛明 547- 62-143
馬宗祿明 494- 45- 3
馬宗範明 474-479- 23
505-912- 81
馬宗範妻 明 見白氏
馬宜春明 545-852-113
馬性淳明 540-822-28之3
馬性魯明 523-231-156
528-513- 31
1264-407- 8
馬定國金 291-704-125
383-999- 28
400-688-565
472-576- 24
476-616-133
676-695- 29
679- 9-138
1365- 32- 1
1439- 2- 附
1445-110- 6
馬定國清 528-569- 32
馬其昌清 477- 90-153
537-415- 57
馬青邱明 821-461- 57
馬孟昭元 820-540- 39
馬孟禎明 300-773-230
485-428- 20
475-530- 77
511-259- 146
馬孟驊明 523-520-171
馬來如明 1460-903- 97
馬承功清 456-341- 76
馬承緒明 523-252-157
馬承德清 456-341- 96
馬忠玉宋 見馬中玉
馬忠信元 1204-327- 11
馬尚用明 511-583-159
馬尚良妻 明 見李氏
馬尚賓馬賁 明 554-348- 54
554-816- 63
1269-447- 7
馬明山明 見馬山
馬明生和君實、和君賢、和君寶 漢 472-594- 24
533-766- 74
541- 86- 30
554-967- 65
1059-278- 5
1061-231-106
馬明節馬鳴節 明456-493- 5
554-727- 61
馬明衡明 300-405-207
457-468- 30
481-557-327
529-513- 44
馬易之明 1227- 80- 9
1232-219- 3
馬叔康明 564-263- 47
馬味道明 540-822-28之3
馬知剛遼 472-626- 25
馬知章宋 567-459- 87
馬知節宋 285-461-278
371-101- 10
382-274- 43
384-340- 17
396-705-318
449- 41- 3
450-159-19上
471-964- 54
472- 33- 1
472- 85- 3
472-125- 4
472-892- 35
472-922- 36
473-333- 63
473-425- 67
473-535- 72
474-176- 8
474-370- 19
476-610-133
478-166-182
478-694-210
480-399-277
481- 67-293
481-332-308
505-716- 71
532-688- 45
540-638- 27
545-212- 91
554-139- 51
558-226- 32
559-262- 6
559-311-7上
587-721- 17
591-679- 47
708-326- 50
1105-723- 87
1351-659-146
1356-218- 10
1410-104-674
馬季良宋 288-497-463
馬季宰妻 不詳 見李進娥
馬和之宋 524-343-196
585-516- 17
821-213- 51
馬佳氏清 禪保妻
474-827- 44
503- 49- 94
馬肩龍馬舜卿 金
291-689-123
400-225-518
472- 35- 1
474-179- 8
505-834- 76

554-335- 54
1365-299- 9
1439- 11- 附
1445-535- 41
馬金良清 558-436- 37
馬受曾清 523-140-152
馬秉倫清 483- 71-376
569-681- 19
馬服主明 547-116-145
馬服君戰國 見趙奢
馬炳然明 473-211- 59
480- 51-259
532-618- 43
559-528- 12
571-521- 19
馬炳然妻 明 見吳氏
馬爲龍妻 清 見百氏
馬宣教元 524-173-187
馬客卿漢 252-635- 54
370-138- 12
376-621-106
554-384- 55
933-602- 38
馬郎婦唐 見觀世音
馬彥奇妻 元 見盛眞一神馬
馬彥卿明 554-311- 53
558-212- 32
馬彥清明 524-137-185
馬彥博宋 481-673-331
馬彥會元 1218-550- 附
馬彥遠元 1221-416- 4
馬索珠明 1244-652- 16
馬持國宋 473-675- 79
563-693- 39
564- 52- 44
馬柱國明 456-658- 11
馬柱國清 475-875- 95
545-110- 86
馬南寶宋 482- 35-340
563-710- 39
馬既佶妻 明 見劉氏
馬思理明 456-543- 7
523-123-151
526-116-262
529-481- 43
馬思敬明 473-299- 62
馬思誠明 1386-486- 47
馬思齊妻 明 見李氏
馬思聰明 302- 16-289
473- 17- 49
473- 17- 49
473-635- 77
479-175-225
481-557-327
481-750-334
505-853- 77
515- 47- 58
529-513- 44
1257-553- 10
馬哈木明 見瑪哈穆特
馬則賢明 1227-653- 1
馬迪吉清 476-371-117
477-361-166
537-322- 56
546-503-131
馬負圖明(諡節愍) 456-580- 8
558-458- 38
馬負圖明(潁州人) 456-658- 11
馬負圖明(臨汾人) 472-142- 5
472-468- 20
505-650- 68
馬負圖明(杞縣丞) 494- 42- 3
馬重德明 510-457-117
馬重績後晉 278-179- 96
279-380- 57
384-316- 16
401- 98-580
547-555-161
1383-832- 76
馬皇后漢 漢明帝后、馬援女
252-176-10上
370-100- 6
370-101- 6
373- 37- 19
402-340- 2
402-508- 12
402-550- 18
448- 82- 8
452- 45- 1
554- 15- 48
1408- 60-482
馬皇后父 明 明太祖后父
302-189-300
472-204- 7
馬皇后明 明太祖后
299- 2-113
452- 61- 1
馬皇后明 明惠帝后、馬金女
299- 5-113
馬胤孫後周 278-404-127
279-361- 55
384-315- 16
396-441-296
472-587- 24
476-752-139
814-280- 10
馬勉志妻 清 見田氏
馬保忠遼 383-763- 19
474-557- 28
496-394- 88
馬俊卿宋 488-449- 14
馬祖常元 294-416-134
294-523-143
400- 1-499
472-790- 31
477-544-176
538-154- 65
546-147-120
558-288- 34
1206-462- 附
1206-463- 附
1206-654- 附
1211-330- 46
1211-654- 10
1214-108- 9
1373- 15- 附
1373-291- 19
1439-427- 1
1468-425- 21
馬祖謙元 1214-233- 19
馬家植明 523-440-167
馬兼善明 820-575- 40
馬恭姐明 482-188-346
馬眞一明 503- 20- 92
505-935- 85
541-100- 30
馬孫鸞明 456-676- 11
馬晉錫清 475-837- 93
馬書林明 554-499-57上
馬起鳳妻 清 見張氏
馬翀漢清 540-873-24之3
馬迺賢元 見葛邏祿納顏
馬振麟明 456-499- 5
546-105-118
馬夏姐明 478-137-181
馬時中明 472-409- 18
馬時敘明 540-636- 27
馬時暘馬暄 明 524-367-197
820-657- 42
821-406- 56
馬時寧妻 明 見湯氏
馬剛中明 302- 70-293
456-426- 2
477-546-176
545-303- 94
馬師皇上古 742- 22- 1
1058-489- 上
1061-247-108
馬師儒女 唐 見馬雷五
馬純仁明 456-636- 10
475- 77- 53
馬納海清 455- 56- 1
馬納新元 見葛邏祿納顏
馬納顏元 見葛邏祿納顏
馬惟良馮惟良 唐
486-905- 35
524-422-200
馬宷國明 456-658- 11
馬淑援妻 清 見韓氏
馬執中宋 559-267- 6
馬執中明 494- 45- 3
馬珽保妻 明 見趙氏
馬教思清 511-802-167
馬速忽妻 元 見穆什頁庫妻
馬崇化妻 清 見李氏
馬崇勛妻 清 見楊氏
馬國柱清 475- 21- 49
474-772- 41
502-636- 78
馬國珍元 1273-140- 2
馬國琳妻 明 見傅氏
馬國珹明 456-527- 6
馬國徵清 476-675-136
540-845-28之4
馬國璠妻 明 見貢氏
馬處謙唐～五代 533-776- 74
554-906- 64
馬晞驥宋 563-688- 39
馬得功清 528-488- 30

馬得臣遼 289-601-80
399-23-418
472-34-1
474-177-8
505-717-71
馬得貞清 510-450-117
馬紹宏後唐 277-588-72
401-61-575
馬紹宗明 見周紹宗
馬紹武明 546-649-136
馬紹政唐 見馮紹正
馬紹榮明 820-628-41
馬偏額清 456-311-74
馬御丙明 532-626-43
馬御璽明 1313-271-21
馬健德清 456-380-79
馬從先宋 286-394-331
397-502-350
472-196-7
472-662-27
475-742-88
477-79-152
537-393-57
馬從朱明 554-518-57下
馬從政宋 591-612-44
馬從隆明 472-27-1
馬從義金 見馬鉦
馬從聘明 301-509-267
474-382-19
505-852-77
554-184-51
馬從龍宋 451-90-3
馬從龍明(靈壽人) 456-598-9
馬從龍明(孟津人) 538-104-64
馬從龍明(字君昇)
540-821-28之3
545-196-90
馬從龍妻 明 見張氏
馬從龍清(字空塵) 537-412-57
馬從龍清(固原州人)
558-452-38
馬從謙明 300-455-209
475-279-63
511-456-154
676-571-23
馬啟周妻 清 見任氏
馬逢伯清 474-383-19
505-887-79
馬逢伯明 523-87-149
馬逢時妻 明 見牛氏
馬逢皋明 見馮逢皋
馬逢源妻 清 見王氏
馬逢樂明 554-521-57下
馬渥野明 558-358-35
馬善輕妻 明 見王氏
馬雲夫宋 820-421-34
馬雲客明 593-397-7下
馬雲南明 502-279-56
馬雲卿金 821-276-52
馬雲從清 481-429-315
502-633-77
559-336-7下
馬雲階清 554-260-52
馬雲路明 456-678-11
馬雲漢金 821-276-52
馬雲輝明 472-99-3
馬雲龍清 456-388-80
558-462-38
馬雲衢明 483-184-385
570-137-21之2
馬惠迪金 291-356-95
399-207-434
472-35-1
474-178-8
474-817-44
502-263-54
505-719-71
馬朝宣明 554-348-54
馬朝陽明 545-674-107
馬朝陽明 559-349-8
馬雅理清 455-284-16
馬雄鎮清 474-774-41
482-324-354
567-156-69
568-5-97
568-377-113
568-421-115
1298-205-22
馬間卿明 見馬閑卿
馬間卿明 見馬閑卿
馬隆武清 456-156-61
馬登鰲明 見馮登鰲
馬斯臧明 540-628-27
676-733-31
1474-558-28
馬斯臧妻 明 見姜氏
馬斯龍明 456-643-10
馬開泰妻 清 見邢氏
馬彭齡妻 清 見劉氏
馬馭雯妻 明 見顧氏
馬閑卿馬間卿、馬開卿 明陳沂妻 512-8-176
820-767-44
821-490-58
1442-123-8
1460-772-84
馬景約明 821-366-55
馬景道元 472-721-28
538-161-66
馬景福明 524-226-189
馬貴中金 291-756-131
401-113-584
馬猶龍明 1313-210-17
馬舜卿金 見馬肩龍
馬象乾明(字西山) 301-505-266
456-526-6
505-837-76
馬象乾曾象乾 明(字體良)
482-290-352
564-240-46
馬復宗妻 元 見韓娥
馬進良清 478-654-207
558-382-36
馬廉煥清 456-341-76
馬祿師唐 554-896-64
馬道一唐 473-607-76
馬道貫元 523-615-176
678-175-86
馬道興宋 481-408-313
561-227-38之3
592-212-73
馬輝曾明 1475-710-29
馬資福清 456-340-76
馬雷五唐 馬師儒女
1076-127-13
1076-583-13
1077-155-13
1378-597-62
1410-527-735
馬瑞香元 薛轂妻
472-700-28
538-220-67
馬瑞麒明 523-253-157
馬達布清 456-166-62
馬達哈清 455-502-31
馬達理清 456-51-53
馬達漢清 455-503-31
馬萬方明 1475-478-20
馬萬珠女 明 見馬氏
馬萬域明 494-45-3
馬萬國明 494-45-3
馬萬選妻 明 見高氏
馬萬衢明 494-45-3
馬嗣亨金 400-218-517
馬嗣亨北齊 263-381-49
267-712-90
380-644-183
538-356-71
馬嗣杰明 456-521-6
554-716-61
馬嗣煜明 456-520-6
554-716-61
馬嗣勳後梁 277-183-20
279-137-23
384-300-16
396-344-282
472-202-7
511-416-152
馬葉如明 483-138-380
馬敬德北齊 263-335-44
267-576-81
380-318-174
472-67-2
505-870-78
933-602-39
馬經綸明 300-828-334
474-186-9
505-803-74
馬福娥清 沈宏略妻
1475-841-35
馬福納清 456-122-58
馬福禪清 455-217-11
馬寧阿清 455-56-1
馬端臨清 473-49-50
479-532-241
516-45-88
679-184-157
馬廖方漢 見馬廖
馬漢臣明 554-258-52
馬榮宗明 1467-198-69
馬榮祖宋 見馬嶸
馬壽祖宋 517-449-127

馬爾吉清 569-618-18下之2
馬爾虎清 455-115- 4
馬爾漢清 455-451- 27
馬際伯清 478-599-204
558-380- 36
馬嘉松明 1475-503- 22
馬嘉植明 510-367-114
1475-481- 21
馬嘉運唐 269-701- 73
276- 7-198
400-406-538
472-130- 4
474-473- 23
505-874- 78
538- 24- 62
馬嘉禎明 1442-110- 7
1475-497- 22
馬夢桂宋 451- 86- 3
馬夢箕明 482-279-351
563-842- 41
570-110-21之1
馬鳴世明 554-677- 60
馬鳴生漢 見馬明生
馬鳴佩清 見馬鳴珮
馬鳴珮馬鳴佩 清
502-660- 79
510-297-112
馬鳴起明 301-177-246
481-617-329
515- 98- 59
529-573- 46
馬鳴廉明 554-729- 61
馬鳴雷明 1475-494- 21
馬鳴節明 見馬明節
馬鳴圖妻 清 見李氏
馬鳴霆明(字瑞霞) 523-179-154
馬鳴霆明(字國聲)
1475-496- 21
馬鳴鑾明 532-598- 41
559-404-9上
馬鳴鸞明 569-655- 19
馬鳳儀明 456-552- 7
馬鳳鵬清 456-340- 76
馬維仁清 511-539-157
馬維熙清 474-279- 14
476- 31- 97
505-843- 76
545-160- 88
馬維銘明 1475-364- 15
馬魁選妻 明 見陳氏
馬廣軨明 680-327-258
1475-558- 24
馬潤姐明 馬汝龍女
478-205-184
馬調鸞馮調鸞 明
515-282- 65
545-855-113
馬慶祥馬錫勒希、馬奇爾濟蘇、馬習禮吉思、馬實喇濟蘇、馬錫里濟斯、馬錫喇濟蘇、馬賽音濟蘇、馬蘇爾濟蘇 金
291-691-124
400-218-517
472-906- 36
478-200-184
546-137-119
554-336- 54
1191-299- 27
1206-632- 13
1367-881- 67
馬德茂明 456-663- 11
馬德科清 456-341- 76
馬德貞明 朱偉妻
472-1074- 45
馬德華明 1442- 17- 1
馬德澍明 1475-468- 20
馬德澄明 1475-401- 17
馬德懋明 538-120- 64
馬德澧明 1442- 89- 6
1460-511- 65
1475-399- 17
馬魯卿明 523-237-156
559-404-9上
馬徵珥妻 清 見陳氏
馬龍光明 1283-446-101
馬龍光妻 明 見王氏
馬諾敏清 1322-671- 12
馬樹屏妻 清 見呂氏
馬樹應唐 見馬樹鷹
馬樹鷹馬樹應 唐812-347- 9
821- 58- 46
馬穎姿妻 清 見劉氏
馬翰如明 474-435- 21
505-684- 69
679- 69-145
馬翰如妻 明 見白氏
馬翰如妻 明 見閆氏
馬選魁妻 明 見陳氏
馬冀伯元 1204-252- 6
馬蕙侯女 明 見馬氏
馬興阿清 455-271- 15
馬興祖宋 821-218- 51
馬盧符唐 1342-325-946
1410-289-702
馬積瑚清 456-153- 61
馬錫納清 455-170- 7
馬穆敦清 455-169- 7
馬應昌宋 515-142- 61
馬應芳馬應房 明
456-641- 10
馬應房明 見馬應芳
馬應祥明 545- 77- 85
554-489-57上
馬應祥妻 明 見劉氏
馬應乾明(字健甫) 505-880- 79
馬應乾明(英山人) 511-660-162
馬應乾明(靖州人) 533-327- 57
馬應禎明 1291-468- 8
馬應禎妻 明 見許氏
馬應圖明 479- 97-221
524-248-190
545-298- 94
馬應魁明 301-586-272
456-462- 4
475-645- 83
511-487-155
馬應龍明(字公濟) 505-637- 67
511-374-150
558-297- 34
馬應龍明(字伯光)
540-821-28之3
676- 35- 2
676-162- 7
676-345- 12
676-433- 16
678-610-128
馬應舉明 456-494- 5
554-727- 61
馬濟納清 455- 79- 2
馬懋才 554-524-57下
馬懋德清 537-418- 57
馬輿之妻 明 見沈氏
馬韓哥金 見馬欽
馬儲秀妻 清 見蘇氏
馬懷素唐 270-241-102
276- 27-199
384-190- 10
384-205- 11
400-417-538
472-276- 11
475-275- 63
475-380- 68
511-172-143
515- 7- 57
1371- 53- 附
1387-353- 25
馬懷德宋 286-286-323
371-194- 19
397-426-345
472-662- 27
477- 78-152
478-167-182
478-417-195
478-571-203
537-392- 57
554-355- 54
馬攀龍明 554-300- 53
馬繩武元 545-843-113
馬繩祖明 559-513- 12
馬獻圖明 456-446- 3
558-434- 37
馬騰龍清 474-519- 25
505-861- 77
馬騰錦明 456-668- 11
馬覺照明 1250-827- 79
馬繼文明 820-752- 44
馬繼武明 523-518-171
馬繼周明 511-604-160
馬繼俊妻 清 見李氏
馬繼祖唐 270-585-134
1073-634- 33
1074-487- 33
1075-431- 33
馬繼祖明 472-588- 24
511-245-145
馬蘭吹清 吳錡妻
1314-444- 12
馬欄香明 李春煒妻
478-351-191
馬權奇明 524- 58-180
馬變龍清 456-341- 76
馬顯圖妻 清 見宋氏

馬體元明 537-410- 57
馬體乾清 538- 84- 64
馬體健明 456-663- 11
477- 89-153
馬靈眞馬子道 元541- 95- 30
馬觀鵬明 456-464- 4
564-244- 47
馬札兒台元 見瑪察克台
馬哈瑪爾元 1218-509- 7
馬唐古德元 見馬九霄
馬烏呼訥元 見馬額訥格爾
馬爾哈齊清 455-169- 7
馬蒙古岱元 473-455- 68
559-286-7上
馬錫勒希金 見馬慶祥
馬穆平阿清 455-216- 11
馬薛超吾元 見馬九皋
馬伊克紐爾元 見馬額訥格爾
馬奇爾濟蘇金 見馬慶祥
馬烏爾古納元 見馬額訥格爾
馬習禮吉思金 見馬慶祥
馬實喇濟蘇金 見馬慶祥
馬錫里濟斯金 馬馬慶祥
馬錫喇濟蘇金 見馬慶祥
馬賽音濟蘇金 見馬慶祥
馬額訥格爾馬烏呼訥、馬伊克紐爾、馬烏爾古納 元 294-415 -134
399-532-472
472-906- 36
558-288- 34
1206-632- 13
1367-881- 67
1373-275- 18
馬蘇爾濟蘇金 見馬慶祥
馬珠留若鞮單于漢 見囊知牙斯
貢氏明 吳士期妻 475-613- 81
貢氏明 馬國璠妻 474-384- 19
貢珊明 511-301-148
676- 6- 1
貢奎元 295-528-187
472-360- 15
511-812-167
676-705- 29
1194-179- 14
1206-610- 11
1215-741- 附
1366-962- 1
1375- 36-下
1439-427- 1
1373-266- 18
1468-459- 22
貢禹漢 250-600- 72
376-315-100
384- 49- 2
448-291- 上
469-199- 23
472-549- 23
472-737- 29
476-662-136
537-294- 56
540-695-28之1
675-295- 15
933-642- 42
貢悅貢性之 明 479-249-228
511-853-169
524-325-195
676-712- 29
1439-454- 2
1459-392- 12
1471- 92- 22
貢格清 454-767- 86
貢欽明 511-812-167
貢羅景奇妻、羅倩女 晉 591-535- 41
貢鏞明 511-853-169
貢友達明 1229-166- 2
貢安甫明 300- 83-188
475-226- 61
511-151-142
貢安國明(字元略) 457-408- 25
511-708-164
貢安國明(任麻城諭) 532-636- 43
貢汝成明 511-813-167
676- 45- 2
679-266-165
1275-312- 14
貢自誠元 1439-432- 1
貢性之明 見貢悅
貢其志明 456-578- 8
480- 59-260
533-360- 60
貢原懋明 511-562-158
貢師泰元 295-508-187
399-764-496
472-360- 15
472-1068- 45
475-608- 81
478-764-215
493-1075- 57
511-300-148
523- 30-147
524-304-194
525- 38-218
528-446- 29
820-519- 38
1214-381- 2
1215-513- 附
1215-520- 附
1215-741- 附
1221-503- 13
1222-277- 18
1226-127- 6
1226-245- 11
1366-1015- 6
1375- 36- 下
1439-441- 2
1469- 83- 40
貢師道元 523- 99-150
1439-433- 1
貢修齡明 511-166-142
523- 60-148
貢靖國明 475-610- 81
511-307-148
貢楚克清 454-575- 59
貢枯敦丹清 454-674- 74
貢楚克邦清 454-701- 78
貢格三丕勒清 454-556- 55
貢格拉布坦清 496-217- 76
貢楚克扎布清 454-574- 59
城明 1229-610- 2
城陽王漢 見劉武
城陽王漢 見劉延
城陽王漢 見劉祉
城陽王漢 見劉恢
城陽王漢 見劉章
城陽王漢 見劉淑
城陽王漢 見劉喜
城陽王漢 見劉景
城陽王漢 見劉義
城陽王晉 見司馬兆
城陽王晉 見司馬景
城陽王後魏 見托跋長壽
城陽王北齊 見高彥基
城陽公主唐 杜荷妻、薛瓘妻、唐太宗女 274-106- 83
393-275- 73
554- 47- 49
埒克金 291- 52- 67
399- 75-423
恭王唐 見李通
恭古元 1192-550- 9
恭阿清 454-197- 11
恭格清 454-879-106
恭智清 456- 70- 55
恭輔宋 473-783- 85
567- 50- 64
1467- 23- 62
恭布祿清 455-524- 33
恭錫喇清 454-844- 98
恭格車淩清 454-866-102
恭福帝姬宋 宋徽宗女 285- 70-248
393-328- 77
恭噶喇實元 見丹巴
恭格喇布坦清 454-648- 70
眞唐 1052-403- 29
眞五代(嗣道膺) 1053-550- 13
眞五代(嗣審哲) 1053-569- 14
眞五代(嗣文偃) 1053-630- 15
眞宋(嗣延沼) 1053-454- 11
眞宋(嗣啟柔) 1053-643- 15
眞宋(嗣曇振) 1053-708- 16
眞一清 570-253- 25
眞中明 524-393-198
眞氏元 黃逮妻 530-136- 58
眞可明 511-920-174
524-392-198
547-534-160
676-680- 28
1442-120- 8
1458- 83-421
1460-847- 91
1475-757- 32
眞奴明 符松妻 472-1106- 47
479-296-230
524-687-211

眞在清 533-758- 74
眞休宋 821-267- 52
眞宗明 567-470- 87
1467-535- 12
眞定元 676-260- 10
眞武玄武 不詳 473-252- 60
533-765- 74
眞表唐 1052-191- 14
眞忠明 588-127- 6
眞昇明 530-197- 60
眞延遼 820-476- 36
眞亮唐 1052-141- 10
眞容宋 481-121-296
561-219-38之3
眞悟宋 1053-679- 16
眞祐漢 933-177- 12
眞乘唐 524-402-199
1052-211- 15
眞從丁兩生 明 572-165- 32
眞惠宋 821-269- 52
眞喜晉 見疆梁婁至
眞慈宋 592-460- 89
1053-905- 20
眞圓明 570-248- 25
眞嵩妻 宋 見吳氏
眞語明 821-462- 57
眞澄明 483- 18-370
570-250- 25
眞慧宋 821-264- 52
眞閭元 540-65- 27
眞諦陳 見拘羅那他
眞諦元 524-398-199
眞應不詳 1136-666- 10
眞謐明 1475-755- 32
眞寶宋 288-401-455
400-175-513
472-440- 19
476-337-115
547-531-160
眞鋻林春 明 1458-649-467
眞覺宋 516-494-105
1053-738- 17
眞鑑宋 1053-334- 8
眞觀隋 479- 74-219
524-381-198
585-478- 14
588-232- 10
1054-384- 10
1410-414- 31
眞大韶妻 明 見張氏
眞山民眞桂芳 宋
529-763- 53
676-703- 29
1462-857-104
1437- 32- 2
眞行子夏 554-962- 65
眞妙靜元 徐時懋妻
1226-645- 4
眞定王唐 見李瑛
眞定王宋 見趙普
眞桂肯清 502-499- 70
眞桂芳宋 見眞山民
眞德秀愼德秀 宋
288-159-437
293-499- 77
400-537-549
459-116- 7
460-372- 30
460-394- 30
471-661- 11
472-173- 6
473- 14- 49
473-334- 63
473-568- 74
473-584- 75
473-604- 76
475-501- 75
479-483-239
480-362-275
480-402-277
481-524-326
481-582-328
481-678-331
489-357- 31
489-607- 47
492-382- 9
492-564-13下之上
510-283-112
515- 85- 59
528-444- 29
528-483- 30
528-506- 31
529-610- 47
532-579- 41
539-505-11之2
588-175- 8
677-777- 69
820-442- 35
933-177- 12
1173- 99- 69
1180-539- 50
1364- 92-256
1375- 34- 下
1349-451- 4
1437- 28- 2
眞憲時明 529-619- 47
眞人興能唐 820-290- 30
眞火符者元 516-441-104
眞源公主安陵公主 唐 杜中立妻、唐憲宗女 274-117- 83
393-285- 73
554- 57- 49
眞珠毗伽可汗唐 見夷男
桃俊漢 見姚俊
桃剛後趙 933-286- 20
桃豹後趙 933-286- 20
桃梅清 502-610- 76
桃葉晉 王獻之妻
1379-389- 47
桃應戰國 405-457- 85
桃李符明 1475-671- 28
桃殳丈夫春秋(哀衣應步帶著桃殳) 404-612- 37
辱紇主曲據唐 276-335-219
496-618-105
烈裔秦 見裂裔
烈山氏上古 見神農氏
原宋 1053-706- 16
原亢春秋 見原亢籍
原冗春秋 見原亢籍
原王唐 見李孝
原王唐 見李逵
原氏明 高景初妻、鐵木女
1237-537- 8
原古明 554-765- 62
原同春秋 見趙同
原仲春秋 933-194- 13
原良清(長治) 476-155-104
547- 39-142
原良清(字鳴喜) 479-663-247
515-814- 82
原抗春秋 見原亢籍
原妙原玅 元 524-390-198
585-486- 14
588-268- 11
原性明 554-526-57下
原叔周 404-457- 26
原季春秋 見趙衰
原玅元 見原妙
原涉漢 251-162- 92
380-513-180
472-764- 30
478- 85-180
554-919- 64
933-194- 13
原桃春秋 見原亢籍
原寀明 554-765- 62
原富清 547- 34-142
原軫春秋 見先軫
原傑明 299-565-159
473-211- 59
476-207-107
476-917-148
479-452-237
480-318-272
515- 37- 58
532-593- 41
537-215- 54
540-618- 27
546-195-122
549-147-186
549-437-197
554-169- 51
1241-870- 22
1457-290-369
原道明 554-526-57下
559-310-7上
原過春秋 545-726-109
原肇宋 588-208- 9
原磐漢 376-742-109上
原憲仲憲 春秋 244-385- 67
246- 27- 67
371-490- 32
375-654- 88
405-442- 85
448- 94- 上
469- 94- 12
472-679- 27
537-367- 57
539-494-11之2
839- 11- 1
871-887- 19

879-152-57下
933-194- 13
原穀春秋 見先穀
原繁春秋 404-848- 53
537-359- 57
933-194- 13
原瀞明 見原瀞
原黼明 472-569- 24
540-672- 27
541-113- 31
原壤春秋 933-194- 13
原覺元 588-259- 11
1222-290- 21
原黯春秋 見荀息
原亢籍春秋 原亢、原冗、原坑、原桃 244-390- 67
375-657- 88
405-446- 85
539-497-11之2
933-194- 13
原文章妻 清 見鄭氏
原永貞清 514-796- 62
原見田妻 清 見劉氏
原宗淮女 明 見原芙蓉
原芙蓉原宗淮女 明 476-431-121
原秉謙明 505-660- 68
原思禮後魏 478- 86-180
原莊公春秋 933-194- 13
孫二妻 清 見馮氏
孫子春秋 見孫武
孫小後魏 262-330- 94
267-745- 92
380-499-179
545-128- 87
552- 38- 18
554- 82- 49
孫久明 483-170-383
569-665- 19
孫文明(餘姚人) 302-154-297
524-135-185
孫文明(朔州人) 547- 56-143
孫王漢 539-349- 8
孫五沈五 明 1264-542- 5
孫元 300-184-194
孫尹晉 256- 30- 60
933-197- 14
孫中元 400-175-513
孫中明 505-812- 74
孫仁明(字世榮) 472-369- 16
475-643- 83
511-317-148
544-210- 52
孫仁明(字偉德) 473-130- 55
515-549- 79
孫仁明(天長人) 511-663-162
孫升宋 286-607-347
397-671-361
472-295- 12
475-374- 68
481-725-333
511-203-144
529-757- 52
孫升明 456-605- 9
孫介宋 1153-636-107
1166-770-附下
1166-775-附下
孫介妻 宋 見張氏
孫氏蜀漢 漢昭烈帝夫人、孫堅女 384-422- 5
508-347- 42
孫氏吳 徐眞妻 524-510-203
孫氏晉 許邁妻、孫宏女 493-1078- 57
512- 7-176
孫氏晉 虞忠妻 256-572- 96
381- 50-185
451- 16- 0
452- 91- 2
479- 60-219
486-316- 14
524-511-203
933-197- 14
孫氏宋 王鎡妻 1153-571-102
孫氏宋 王之道妻、孫祉女 1132-747- 29
孫氏宋 李伉妻、孫量女 1121-584- 6
孫氏宋 何執禮妻 1135-454- 41
孫氏宋 邵公濬妻、孫秉陽女 1125-477- 15
孫氏宋 林士懷妻 530- 3- 54
孫氏宋 胡謂妻、孫志康女 1135-443- 40
孫氏宋 晁仲參妻 1118-931- 62
孫氏宋 常安民妻 481-363-310
孫氏宋 黃庭堅妻、孫覺女 1113-430- 8
1482-415- 3
孫氏宋 葛宮妻、孫冕女 1090-672- 39
孫氏宋 趙士傃妻、孫吉女 1100-514- 48
孫氏宋 趙士稷妻、孫惟道女 1100-546- 52
孫氏宋 韓純彥妻、孫固女 1124-262- 19
孫氏宋 蘇瑑妻、孫綜女 1163-579- 35
孫氏宋 孫護女 1117-191- 16
孫氏宋 張齊賢母 544-235- 63
孫氏元 王額森布哈妻 1217-217- 5
孫氏元 杜保二妻 524-501-203
孫氏元 高昂妻 1203-410- 30
孫氏元 張衡妻 295-640-201
401-186-593
孫氏明 于興妻、孫安女 1253-154- 48
孫氏明 王瑤妻、孫坦菴女 1269-441- 6
孫氏明 王璟妻 472-361- 15
孫氏明 王薦妻 506- 54- 87
孫氏宋 王定邦妻 483-118-379
570-199- 22
孫氏明 王與齡妻 1312-553- 7
孫氏明 王懋極妻 506- 51- 87
506- 65- 87
孫氏明 王懋妻、孫奎女 1289-322- 21
孫氏明～清 田雲龍妻、孫胤光女 538-679- 79
1312-505- 4
孫氏明 史源齊妻 473-369- 64
孫氏明 任道遜妻 821-490- 58
孫氏明 朱得春妻 512- 49-178
孫氏明 汪永錫妻 1408-571-538
孫氏明 沈琳妻 302-228-302
479-189-225
孫氏明 沈思道妻 302-218-301
孫氏明 宋昇妻 506- 29- 86
孫氏明～清 宋淙妻 506- 51- 87
506- 65- 87
孫氏明 宋若璟妻、孫世良女 1239-194- 40
孫氏明 李章妻 506- 45- 87
孫氏明 李資妻 472-578- 24
孫氏明 李懋妻 506- 75- 88
孫氏明 李士標妻 479-102-221
孫氏明 李仁義妻 506- 70- 88
孫氏明 李峙嶸妻 506- 41- 87
孫氏明 邢隆妻 476-867-145
孫氏明 吳廷桂妻 302-234-302
530- 92- 56
孫氏明 孟岳妻 1267-526- 7
孫氏明 孟著妻 472-100- 3
474-605- 31
孫氏明 明太祖妃、孫和卿女 299- 5-113
1224-331- 24
1410-516-733
孫氏明 花雲妻 475-755- 88
孫氏明 易無涵妻 475-332- 65
孫氏明 周懋昭妻 473- 31- 49
孫氏明 金日榮妻 473- 32- 49
孫氏明 苗敏行妻 476-439-122
孫氏明 侯文憲妻 506- 52- 87
孫氏明 唐瀚妻 1271-664- 57
孫氏明 唐鍾祚妻 482-435-361
孫氏明 馬士俊妻 477-135-155
孫氏明 孫同人妻 472-686- 27
孫氏明 夏邦科妻 475-673- 84
512-372-186
孫氏明 徐有生妻、孫元化女 524-511-203
孫氏明 徐爾穀妻 479-102-221
孫氏明 章沐妻 1283-401- 98
孫氏明 郭經妻 506- 73- 88
孫氏明 曹芳妻 506-109- 89
孫氏明 曹鑑妻 506- 82- 88
孫氏明 張羽妻 506-104- 89
孫氏明 張逸妻 512-175-182
孫氏明 張輔妻 506-154- 90

：
孫

孫氏 明	張勳妻 506-44-87			孫氏 清	胡淵妻 478-655-207	孫仍 孫任 明 456-671-11
孫氏 明	張伯安妻、孫國善女		475-78-53	孫氏 清	高而恭妻 474-341-17	孫永 唐 473-74-52
	1243-700-23	孫氏 明	劉開熙妻 483-48-372	孫氏 清	桂登琛妻 479-611-244	479-578-243
孫氏 明	張宗惠妻 524-771-215	孫氏 明	衛廷珪妻 302-223-301	孫氏 清	徐茂芳妻 524-475-202	515-230-64
孫氏 明	張肅紀妻 506-7-86		475-144-57	孫氏 清	郭惟一妻 480-64-260	孫永 宋 286-543-342
孫氏 明	張騰潛妻 506-50-87		479-610-244		533-521-66	382-548-85
孫氏 明	陳思妻 1245-125-3	孫氏 明	蕭行遠妻 506-32-86	孫氏 清	許登仕妻 506-61-87	384-373-19
孫氏 明	陳紀妻 472-440-19	孫氏 明	錢時妻 472-340-14	孫氏 清	梁大用妻 506-62-87	397-628-358
孫氏 明	陳策妻 472-529-22		475-533-77	孫氏 清	康克勤妻 478-520-200	472-65-2
孫氏 明	陳諫妻、孫鶴亭女	孫氏 明	錢官保妻 472-560-23	孫氏 清	曹啟賢妻 506-37-86	472-430-19
	1275-863-55	孫氏 明	韓寧妻 472-313-13	孫氏 清	張來妻 476-829-143	472-662-27
孫氏 明	陳子英妻 472-667-27		475-331-65	孫氏 清	張重妻 512-427-187	472-893-35
	477-257-161	孫氏 明	羅愷妻 475-613-81	孫氏 清	張瑞妻 506-23-86	473-246-60
	538-173-67		512-98-179	孫氏 清	張宏相妻 478-205-184	474-305-16
孫氏 明	陳己久妻	孫氏 明	沈仔母 477-136-155	孫氏 清	張崇旺妻 506-62-87	476-29-97
	1245-125-3	孫氏 明	孫伯光女 476-734-138	孫氏 清	張崇鼎妻、孫時中女	477-473-173
孫氏 明	曾安邦妻 479-796-254	孫氏 明	陳良策母 478-654-207		474-193-9	477-480-173
	530-111-57	孫氏 清	王訢妻 506-20-86	孫氏 清	張輝文妻 474-194-9	478-695-210
孫氏 明	黃鉉妻 1244-686-19	孫氏 清	王國輔妻 503-33-94	孫氏 清	陳琰妻 477-504-174	480-288-271
	1374-403-61	孫氏 清	王進才妻 503-63-95	孫氏 清	陳如茂妻 506-36-86	505-664-69
孫氏 明	黃誼昭妻 302-214-301	孫氏 清	王鍾金妻 506-66-87	孫氏 清	陳焜然妻 474-445-21	532-677-44
	524-627-208	孫氏 清	尹永連妻 476-829-143	孫氏 清	婁珣妻 533-527-66	537-588-60
孫氏 明	賀汝勉妻、孫堂女	孫氏 清	田疇妻 506-38-86	孫氏 清	黃桂林妻 506-66-87	545-116-86
	1276-438-10	孫氏 清	任龍妻 477-380-167	孫氏 清	程正善妻 476-884-146	554-147-51
	1410-419-719	孫氏 清	任豫妻 478-298-188	孫氏 清	楊士弘妻、孫奇逢女	558-140-30
孫氏 明	陽遵哲妻 479-768-252	孫氏 清	沈奇成妻 474-194-9		506-54-87	558-227-32
孫氏 明	閔鳳妻 473-53-50	孫氏 清	宋升妻 506-30-86		506-407-100	933-202-14
孫氏 明	楊芳妻 472-604-25	孫氏 清	宋明友妻 506-65-87	孫氏 清	楊期遠妻 480-616-287	1092-565-53
孫氏 明	楊文試妻 480-546-283	孫氏 清	宋鳴友妻 474-250-12	孫氏 清	楊維城妻 506-67-87	孫永 明 1240-776-8
孫氏 明	葛署妻 506-71-88	孫氏 清	李三近妻 482-79-341	孫氏 清	葛士楫妻 506-24-86	孫玉 元 1197-685-71
孫氏 明	葉承基妻 541-2-29	孫氏 清	李子燽妻 478-355-191	孫氏 清	廖士法妻 478-250-186	孫玉 明 524-284-192
孫氏 明	臧鉞妻 474-825-44		555-164-69	孫氏 清	臧劍妻 477-170-157	820-600-40
	503-30-93	孫氏 清	李元含妻 476-704-137	孫氏 清	趙富妻 477-320-164	孫玉妻 明 見楊氏
孫氏 明	趙三妻 472-753-29	孫氏 清	李世貞妻 474-193-9	孫氏 清	趙繼隆妻 474-193-9	孫本 明 1245-568-29
孫氏 明	趙永妻 478-700-210	孫氏 清	李若霞妻 530-27-54	孫氏 清	潘文昇妻 479-102-221	孫石 明 511-830-168
孫氏 明	趙和妻 472-179-6	孫氏 清	李英賢妻 512-332-185		524-558-205	孫世 明 472-328-14
孫氏 明	趙一琴妻 555-64-67	孫氏 清	李煥元妻 474-249-12	孫氏 清	鄭家檪妻 481-535-326	511-414-152
孫氏 明	翟可教妻 555-51-66		506-66-87	孫氏 清	鄧子元妻 479-611-244	孫田 明 547-38-142
孫氏 明	潘裕妻 472-313-13		506-557-105	孫氏 清	蔡成樑妻 474-193-9	孫四 明 538-102-64
	475-473-72	孫氏 清	李爾熾妻 506-35-86	孫氏 清	劉楹妻 541-28-29	孫代 明 554-668-60
孫氏 明	鄭炳妻 478-353-191	孫氏 清	李魯璠妻 477-212-159	孫氏 清	劉文建妻 477-321-164	孫白 宋 821-154-50
孫氏 明	鄭公昱妻 506-41-87	孫氏 清	吳寄菴妻、孫克明女	孫氏 清	薛培生妻 555-131-68	孫台 明 569-661-19
孫氏 明	歐陽翥妻 479-768-252		1327-342-15	孫氏 清	羅士正妻 530-26-54	572-80-28
孫氏 明	蔡任妻 530-90-56	孫氏 清	林玉妻 475-676-84	孫氏 清	蘇夔妻 530-99-56	孫用 明(字尚本) 472-255-10
孫氏 明	蔡貫妻、孫賢女	孫氏 清	林長春妻 476-755-139	孫氏 清	孫纂升女 530-133-57	510-361-114
	1268-456-71		541-59-29	孫氏 清	程岳母 1318-521-79	孫用 明(字行可) 529-472-43
孫氏 明	劉越妻 524-618-208	孫氏 清	林樹柟妻 530-36-54	孫允妻 元 見李氏		孫弁 明 516-72-90
孫氏 明	劉彥陽妻 472-179-6	孫氏 清	芮鉉妻 506-25-86			1249-837-12
		孫氏 清	施元龍妻 524-459-202

孫安宋 1121-465- 34
孫安明 505-635- 67
孫安女 明 見孫氏
孫交明 300-183-194
473-270- 61
480-173-267
533-191- 53
676-515- 20
孫衣明 569-674- 19
572- 79- 28
孫朴宋 820-386- 33
孫式父宋 524- 95-183
孫吉女 宋 見孫氏
孫存明 475-798- 90
511-369-150
676-546- 22
820-672- 42
1442- 46- 3
1460- 4- 40
孫丞吳~晉 見孫拯
孫匡吳 254-768- 6
384-542- 25
385-492- 53
孫臣戰國 405-182- 68
孫臣明 1291-408- 7
孫因宋 524- 53-180
孫艾明 821-401- 56
1442- 69- 4
孫艾清 456-339- 76
孫甸孫佃 明 540-817-28之3
676-715- 30
孫甸妻 明 見尹氏
孫旭元 472-677- 27
孫任明 見孫仍
孫全清 456-339- 76
孫价妻 明 見湯氏
孫印明 456-681- 11
孫印妻 明 見李氏
孫份明 476-347-116
孫休吳 見吳景帝
孫宏魏 544-202- 62
孫宏女 晉 見孫氏
孫沔宋 285-607-288
371-113- 11
382-453- 70
384-357- 18
397- 78-324
450-188-上23
460-828- 0
472-409- 18
472-912- 36
472-961- 38
472-1052- 44
472-1071- 45
473-790- 85
475-323- 65
475-420- 70
478-571-203
479-233-227
481-801-338
484- 93- 3
486-319- 15
487-108- 8
491-345- 2
491-384- 4
493-769- 42
523-545-173
526-619-279
558-208- 32
563-654- 39
567- 55- 65
1090-540- 25
1106-386- 50
1467- 29- 63
孫河妻 宋 見邊氏
孫沖宋(字升伯) 285-763-299
397-190-331
472- 94- 3
472-489- 21
474-621- 32
475-869- 95
476-750-139
505-789- 73
540-659- 27
545-213- 91
545-238- 92
孫沖宋(字子和) 493-922- 49
589-322- 3
孫沂孫泝 宋 493-749- 41
510-329-113
1170-721- 31
孫序明 1261-170- 13
孫忱明 472-309- 13
孫汲宋 515-502- 72
孫良明 1241-502- 8
孫甫宋(字之翰) 285-697-295
371-137- 14
382-412- 64
384-356- 18
397-144-328
449-111- 9
450-273-中7
450-567-中47
472-660- 27
473-267- 61
477- 80-152
481- 68-293
493-768- 42
523- 11-146
537-312- 56
538-153- 65
545-175- 89
708-333- 50
933-201- 14
1094-663- 73
1098-751- 47
1102-262- 33
1123-154- 16
1356-137- 7
1378-549- 61
1383-611- 54
1410-312-704
孫甫宋(鄧州知縣) 472-765- 30
孫甫宋(襄州人) 470-377-145
孫甫明 559-381-9上
孫抃孫貫、孫實 宋
285-662-292
371- 89- 8
382-457- 71
384-352- 18
397-120-327
450-548-中45
471-959- 53
473-514- 71
481-349-309
559-382-9上
591-634- 46
592-583- 98
674-279-4下
933-201- 14
1092-592- 55
1092-675- 63
孫杓宋 523-479-170
679-176-156
孫成唐 271-594-190中
276- 74-202
384-239- 12
400-601-555
472-573- 24
473- 59- 51
476-612-133
479-556-242
515-194- 63
孫成明 523- 35-147
孫忌後周 見孫晟
孫抗宋 475-566- 79
482-467-363
485-443- 6
511-267-147
515- 13- 57
567- 52- 65
585-754- 4
1089- 24- 3
1105-735- 89
1356-169- 8
1362-729- 66
1376-324- 80
1384-121- 91
1410-107-674
1467- 24- 62
孫玘明 821-418- 56
孫杞宋 384-343- 17
1135-346- 33
孫抑元 295-614-198
400-321-526
476- 84-100
547- 13-141
孫材清 456-339- 76
孫扶宋 491-344- 2
孫昆明 511-180-143
孫助妻 明 見顏氏
孫助清 1316-646- 45
孫吳孫國寶 明 476-222-108
孫谷宋 400-145-512
546-134-119
孫位唐 見孫遇
孫佐明 472-325- 14
524-184-187
孫佑宋 485-502- 9
孫作孫大雅 明 301-819-285
452-262- 8
479- 92-221

511-681-163
528-450- 29
676-448- 17
1229-477- 附
1318-353- 63
1442- 6- 1
1459-304- 8
孫甸明 見孫旬
孫何宋 286- 54-306
371-128- 13
382-300- 47
384-331- 17
384-343- 17
397-255-334
450-713-7下
472-794- 31
473-235- 60
477-417-169
480-177-266
533- 59- 49
538-146- 65
674-276-4中
933-200- 14
孫秀霸城王 吳 256- 7- 59
384-542- 25
385-492- 53
375-184-79下
552- 23- 18
孫沂宋 見孫沂
孫官明 820-714- 43
孫宜明 533-284- 56
1280-378- 84
1442- 66- 4
1460-283- 53
孫沾妻 明 見汪勝璋
孫治明(字五美) 473-130- 55
515-548- 74
孫治明～清(字宇台)
1460-733- 79
524- 14-178
孫怡女 明 見孫節
孫河吳 254-769- 6
375-184-79下
494-331- 7
孫泳晉 496-382- 87
孫放晉 256-350- 82
546-664-137
孫庚元 523-592-175
1439-435- 1
孫炎魏 見孫叔然
孫炎明 302- 4-289
453-538- 4
472-177- 6
475- 74- 53
511-430-153
523-243-157
676-445- 17
1235-601- 21
1268-381- 61
1374-614- 83
1408-530-534
1442- 4- 1
1457-629-401
1458-586-460
1459-224- 4
孫武孫子 春秋 244-364- 65
246- 10- 65
371-510- 36
375-661- 88
384- 24- 1
386-676- 9
405-119- 63
472-588- 24
493-762- 42
510-320-113
933-195- 14
孫武明 547- 24-141
孫杰明 302-324-306
孫松吳 254-768- 6
孫坦宋 488-396- 13
孫玠宋 821-250- 52
孫奇妻 吳 見范姬
孫奇清 546-662-137
孫抱齊 265-1017- 72
380-365-176
933-197- 14
孫邵吳 254-715- 2
370-243- 1
384-553- 27
385-514- 57
476-665-136
孫表漢 820- 33- 22
孫枝宋 491-304- 6
523-590-175
孫枝明(字敬身) 479- 54-218
523-265-158
676-721- 30
孫枝明(字叔達) 821-476- 58
孫林妻 明 見王氏
孫林清 456-339- 76
孫忠孫愚 明(字主敬)
302-191-300
472-527- 22
540-789-28之3
541-116- 32
1244-586- 10
孫忠明(字克誠) 1253- 39- 42
孫忠妻 明 見張氏
孫忠妻 明 見董元貞
孫忠女 明 見孫皇后
孫忠清 524-116-183
孫昌明(字啟宗) 494- 23- 2
554-311- 53
孫昌明(字日藩) 515-369- 68
孫昌明(榆次人) 554-250- 52
孫明元 505-650- 68
孫固宋 286-527-341
382-527- 81
384-368- 19
397-616-357
472- 86- 3
472-457- 20
472-663- 27
474-371- 19
474-434- 21
477- 79-152
505-670- 69
537-601- 60
545-175- 89
933-201- 14
孫固女 宋 見孫氏
孫固元(字以貞) 524- 20-179
孫固元(號古眞道人)
547-559-161
孫岩明 見孫巖
孫虎明 299-259-133
511-497-156
523- 33-147
523- 82-149
孫卓清 475-612- 81
511-814-167
孫昇明 472-390- 17
475-823- 92
511-375-150
孫昇清 505-900- 80
孫昂宋 400-163-513
孫昂明 547- 6-141
孫昕妻 明 見尹氏
孫芳妻 明 見周氏
孫芳清 511-516-157
孫芳妻 清 見尹大姐
孫芝元 460-492- 41
529-451- 43
孫叔宋 1110-587- 34
孫昊明 511-301-148
孫旼明 473-222- 59
532-624- 43
孫和南陽王 吳 254-870- 14
375-187-79下
384-537- 25
385-482-52下
孫和妻 吳 見何氏
孫佶明 483- 47-372
孫侑宋 1089-514- 47
孫佺孫儉 唐 271-792-199下
274-359-106
276-339-219
395-371-214
孫肩明 見詮勝
孫岳後唐 277-568- 69
孫侃明 554-259- 52
558-201- 31
孫侔孫處 宋 288-434-458
401- 21-570
493-1010- 53
494-381- 11
524- 32-179
1095-829- 48
1106- 77- 10
1106-573- 附
1351-707-150
孫郜唐 見孫郜
孫近宋 486- 52- 2
492-699-3上
492-712-3下
孫洪明 472-613- 25
545-275- 93
孫洪妻 清 見賈氏
孫炳明 529-657- 49
孫宥明 554-312- 53
孫洵晉 255-937- 56
孫洵宋 見孫子直

孫祉女 宋 見孫氏
孫恪明(鄒平人) 472-527- 22
540-786-28之3
孫恪明(濠人) 511-419-152
孫恪明(信陽人) 545-377- 97
孫炤明 1264-804- 5
孫烱明 1291-484- 8
孫洋宋 1166-664- 12
孫亮會稽王 吳 254-730- 3
370-261- 3
370-265- 3
384- 78- 4
384-533- 25
385-463- 51
528- 2- 17
589-177- 上
孫亮妻 吳 見全氏
孫彥妻 晉 見環氏
孫彥明 見謝彥
孫洙宋 286-259-321
382-549- 85
384-374- 19
397-408-344
450-395-中25
471-903- 45
472-294- 12
472-308- 13
475-374- 68
475-471- 72
479- 41-218
510-407-115
511-782-166
523- 75-149
674-286-4下
933-202- 14
1110-154- 3
孫奕宋 529-435- 43
孫珏明(侯官人) 515-201- 63
孫珏明(鄞縣人) 528-511- 31
孫拱元 295-658-203
401-119-585
472- 51- 2
505-655- 68
547-557-161
1200-767- 58
孫咸漢 370-141- 12
402-368- 3
孫威孫伊克烏蘭 元
295-657-203
401-119-585
476-259-110
547-551-161
1198-542- 8
1200-764- 58
孫春明 458- 85- 4
558-185- 31
孫拯孫丞 吳～晉 254-770- 6
255-899- 54
375-185-79下
474-165- 8
479- 45-218
485-173- 23
524- 2-178
524-171-187
590-135- 17
1379-305- 37
孫奎女 明 見孫氏
孫珂明 478-767-215
523- 41-148
孫琉明 540-819-28之3
孫赳明 1283-787-128
孫郁明 515-546- 74
孫既唐 472-592- 24
476-668-136
540-740-28之2
孫述妻 清 見郭氏
孫貞明 523-155-153
676-471- 18
1239- 17- 27
1243-680- 22
孫貞妻 明 見柴氏
孫昺明(榆林人) 554-500-57上
孫昺明(當塗人) 1272-113- 10
孫昭明 523-497-170
孫英吳 493-645- 35
孫英明 472-262- 10
孫英明 見孫思傑
孫畋宋 494-340- 7
1135-373- 35
孫迪明(陳留知縣) 472-718- 28
孫迪明(字元吉) 676-499- 19
1253- 43- 42
孫迪明(字仲約) 1237-535- 8
孫迪明(太平州人)
1467- 64- 64
孫迪妻 明 見陳氏
孫重明 572- 78- 28
孫香吳 254-767- 6
385-492- 53
孫信妻 元 見黃氏
孫信妻 明 見張氏
孫科明 572- 86- 28
孫衍明(字世延) 472-243- 9
481-644-330
528-512- 31
532-647- 43
534-827-113
1442- 35- 2
1459-737- 29
孫衍明(餘姚人) 472-337- 14
475-526- 77
孫衍妻 明 見王氏
孫衍清 523-442-167
孫郃孫郃 唐 273-113- 60
472-1085- 46
479-176-225
487-108- 8
491-383- 4
524-283-192
674-269-4中
1153-197- 73
孫勉元 472-879- 35
孫奐吳 254-766- 6
375-180-79下
384- 79- 4
384-541- 25
385-490- 53
480- 47-259
523-503-171
孫侯宋 473-551- 73
559-302-7上
孫俊吳 254-770- 6
孫俊明 511-833-168
孫浦宋 288-410-456
400-299-524
474-176- 8
505-900- 80
孫羌漢 478-481-199
孫浩明(利津人) 301-736-281
472-827- 33
478-337-191
480-563-284
554-309- 53
孫浩明(諸城人) 472-594- 24
孫益孫翊 宋(福州觀察使)
288-284-446
400-145-512
472-480- 21
545-322- 95
孫益宋(泰興人) 288-363-452
400-137-511
475-484- 73
511-470-154
孫益金 1365-296- 9
1445-531- 41
孫旂晉 256- 29- 60
377-655-125
933-197- 14
孫神妻 後魏 見陳氏
孫泰晉 256-645-100
485-488- 9
孫泰唐 538-100- 64
孫泰明(謚烈愍) 456-693- 12
孫泰明(醴陵人) 473-341- 63
481-411-277
533-252- 55
559-277- 6
孫泰明(武進人) 511-449-153
孫泰明(字時寅) 676-534- 21
1442- 41- 2
1459-822- 33
孫泰妻 明 見王氏
孫素宋 515-340- 67
孫眞明 1239- 81- 32
孫哲明 537-318- 56
孫桓吳 254-770- 6
375-185-79下
384- 79- 4
524- 1-178
590-134- 17
孫桐清 570-162-21之2
孫晉明 475-449- 71
孫陞明 300-685-224
479-240-227
523-311-160
676-569- 23
1442- 55- 3
1458-743-476
1460-142- 47
孫陞妻 明 見楊文儷
孫珮妻 清 見陳氏
孫珮妻 清 見賀氏

孫陟吳越 523-354-163
孫根漢 681-278- 17
681-560- 10
682-198- 2
1397-644- 30
孫時宋 820-413- 34
1135-450- 41
孫時明 472-274- 11
孫恩晉 256-645-100
370-380- 10
377-948-130
384-101- 5
孫剛明 474-518- 25
505-860- 77
545-247- 92
孫峴宋 493-774- 42
523- 16-146
孫峻吳 254-917- 19
370-263- 3
375-180-79下
384- 81- 4
384-538- 25
孫豹漢 453-734- 1
482-265-350
563-607- 38
孫息春秋 見荀息
孫紘明 299-842-180
479-183-225
510-375-114
510-495-118
523-454-168
孫倫明 473-211- 59
480- 51-259
532-618- 43
孫臯清 533-166- 52
孫卿戰國 見荀卿
孫修明 505-766- 72
545- 77- 85
孫奚女 吳 見孫寒華
孫淳明 1442-114- 7
1475-482- 21
孫清明 302-153-297
472-313- 13
477-131-155
511-584-159
孫淮妻 宋 見許氏
孫淦清 538- 98- 64
孫翊孫儼 吳 254-768- 6
375-183-79下
384-542- 25
385-492- 53
488- 75- 6
孫翊妻 吳 見徐氏
孫翊宋 見孫益
孫章清 533-168- 52
孫許明 537-270- 55
孫庸宋 286- 54-306
450-526-42中
532-644- 43
1086-291- 29
孫庸明 511-656-162
孫祥明 299-664-167
476-282-111
546- 89-118
孫淡齊 259-541- 55
265-1043- 73
380-100-167
547- 2-141
933-197- 14
孫淑張淑新 元 傅金妻、傅若金妻 1439-461-附2
1469-780- 68
孫訥明 456-458- 4
孫康晉 545-860-113
孫烺明 523-249-157
孫基吳 493-645- 35
孫堅女 蜀漢 見孫氏
孫堅吳 254-694- 1
370-230- 1
384- 77- 4
384-524、24
385-431-49
470- 22- 91
471-915- 47
472-194- 7
472-307- 13
473-332- 63
480-398-277
494-262- 1
523-502-171
532-687- 44
933-196- 14
孫堅妻 吳 見吳氏
孫乾蜀漢 254-615- 8
377-269-118上
384-453- 11
385-165- 18
491-798- 6
559-243- 6
933-196- 14
孫翌唐 見孫季良
孫都漢 535-553- 20
孫彬明 563-799- 41
孫彬妻 明 見謝氏
孫陵漢 470-414-150
孫通妻 明 見張氏
孫晟唐 493-688- 38
孫晟孫忌、孫鳳 後周
278-439-131
279-210- 33
384-307- 16
401-205-595
472-592- 24
491-804- 6
492-527-13上之中
516-221- 96
674-426- 2
933-199- 14
1383-766- 69
孫晟明 546-710-138
孫貫母 宋 見周氏
孫貫宋 1171-769- 27
孫貫宋 見孫抃
孫堂女 明 見孫氏
孫處孫季高 劉宋 258- 98- 49
265-285- 17
376- 37-131
479-230-227
523-543-173
563-613- 38
567- 28- 63
孫處宋 見孫侔
孫晤唐 524-374-198
孫略婢 宋 見呂媼
孫冕宋 471-595- 2
471-741- 21
472-221- 8
473-126- 55
478-759-215
493-697- 39
510-325-113
515-515- 73
523- 9-146
1090-672- 39
孫冕女 宋 見孫氏
孫冕明 516-132- 92
1442- 38- 2
孫衆晉 255-937- 56
孫符清 478-133-181
孫偓唐 275-508-183
384-288- 15
396-247-273
孫紹後魏 262-158- 78
267- 1- 46
379-308-151
496-386- 87
544-211- 62
933-198- 14
孫紹明 516-172- 94
孫紹妻 明 見呂氏
孫絅明 1475-198- 8
孫釧明 570-140-21之2
孫偉宋 473-551- 73
559-303-7上
567-441- 86
1467-151- 67
孫偉明 515-550- 74
569-675- 19
676-532- 21
1442- 40- 2
1459-813- 33
孫統晉 255-937- 56
546-663-137
377-631-124下
384- 93- 5
472-1068- 45
486- 67- 3
524-320-195
933-196- 14
孫統明 547-112-145
孫皎吳 254-765- 6
375-179-79下
384- 78- 4
384-540- 25
480- 47-259
523-503-171
孫臬妻 宋 見文氏
孫逢宋 288-373-453
400-331-528
481-352-309
591-643- 46
1161- 98- 83

孫逖唐 271-593-190中
276- 73-202
384-206- 11
384-239- 12
400-600-555
451-415- 1
469-378- 45
472-573- 24
476-612-133
541-394-35之6
933-198- 14
1071-660- 12
1339-634-702
1371- 56- 附
孫啟明 1271-644- 55
孫啟妻 明 見王氏
孫斌漢 476-857-145
540-703-28之1
孫斌清 475-612- 81
511-313-148
511-484-155
孫渭明 見鄭渭
孫詔宋 559-307-7上
孫恆晉 471-745- 22
孫善元 1198-554- 9
孫翔唐 820-149- 26
孫湛漢 見孫堪
孫湛唐 545-131- 87
孫愉晉 見孔愉
孫渤宋 545-214- 91
孫祺明 456-615- 9
孫雲明 511-526-157
孫琮清 511-548-158
孫琪宋 515-117- 60
孫賁吳 254-767- 6
375-183-79下
384-541- 25
385-491- 53
515- 76- 59
523-504-171
孫博漢 472-470- 20
476-374-117
547-482-159
1059-274- 4
1061-263-109
孫博明 474-312- 16
505-742- 72
545-275- 93
1259-571- 5
1457-695-409
孫惠晉 254-767- 6
256-184- 41
377-754-127
384- 98- 5
479- 45-218
524- 2-178
590-135- 17
933-197- 14
孫撝元 295-577-194
400-255-521
472-559- 23
540-781-28之2
孫壹吳 254-872- 14
375-180-79下
493-645- 35
孫期漢 253-524-109上
380-262-172
476-857-145
540-706-28之1
933-196- 14
孫握宋 1121-487- 36
孫植明 523-274-158
676-312- 11
676-570- 23
1442- 56- 3
1460-144- 47
1475-305- 13
孫盛晉 256-349- 82
370-368- 9
377-873-129下
384-100- 5
476-181-106
524-321-195
546-663-137
550-715-228
677-112- 11
879-169-58上
933-197- 14
孫雄五代 592-287- 78
孫隆明(和州人) 554-365- 54
孫隆明(字從吉) 821-373- 55
孫隆明(字仲迪) 1251-590- 12
孫隆明(泰州人) 1278-583- 1
孫隆明(字東贏) 1460-792- 86
孫登吳 254-866- 14
370-252- 2
375-186-79下
384-536- 25
孫登晉 254-382- 21
256-519- 94
380-417-177
384- 94- 5
386-140-73上上
469-466- 56
472-707- 28
477-203-159
538-159- 66
839- 32- 3
871-905- 19
933-197- 14
1059-290- 6
孫琦明 546-361-127
孫堪孫湛 漢 253-537-109下
370-175- 17
380-270-172
1902-373- 4
477-308-164
538- 26- 62
540-700-28之1
933-196- 14
孫堪宋 1173-225- 79
孫堪明(字志健) 302- 14-289
479-240-227
676-596- 24
1408-562-538
孫堪明(字伯子) 821-407- 56
孫陽明 1375- 31- 上
孫琛宋 516- 94- 91
孫琰吳越 523-552-173
孫琰宋 820-402- 34
孫琡明 554-504-57上
孫揆唐 275-615-193
400-113-509
472-574- 24
476-149-104
476-613-133
540-744-28之2
545-209- 91
933-198- 14
孫森明(字灼卿) 483-267-392
564-198- 46
571-540- 20
孫森明(知滁州) 510-487-118
孫棘劉宋 258-576- 91
265-1038- 73
380- 95-167
475-427- 70
511-579-159
933-197- 14
孫棘妻 劉宋 見許氏
孫逵宋 511-551-158
孫發唐 485-182- 25
孫發宋 515-312- 66
孫貴明 456-493- 5
孫著明 511-574-159
孫量女 宋 見孫氏
孫晷晉 256-434- 88
380- 85-167
451- 5- 0
479- 45-218
493-1038- 55
524- 94-183
590-135- 17
933-197- 14
孫晷妻 晉 見虞氏
孫華漢 402-452- 9
孫華明(沅州知縣) 480-582-285
孫華明(字元寶) 524- 87-182
820-542- 39
1215-699- 10
孫華明(臨安衛首所百戶)
570-128-21之1
孫罕漢 539-349- 8
孫敞清 524-106-183
孫㮚宋 見孫栗
孫鈜宋 473-465- 69
孫傅宋(字伯野) 286-679-353
382-701-108
397-726-364
449-309- 2
472-311- 13
473-282- 61
475-472- 72
480-139-264
511-470-154
533-727- 73
933-203- 14
孫傅宋(字夢臣) 1121-413- 28
孫順妻 明 見王氏
孫程漢 253-506-108
370-201- 20
380-488-179

402-427- 7
402-593- 20
孫皓孫彭祖 吳 254-737- 3
370-271- 4
372-400- 9
384- 78- 4
384-535- 25
385-469- 51
494-262- 1
589-178- 上
819-559- 19
1379-237- 30
孫皓后 吳 見滕芳蘭
孫欽宋 473-349- 63
孫策吳 254-698- 1
370-230- 1
370-231- 1
372-384- 9
384- 77- 4
384-526- 24
385-435- 49
486-33- 2
488- 75- 6
493-645- 35
523-503-171
590-135- 17
孫逸宋 472-196- 7
孫復妻 唐 見李氏
孫復宋 288- 85-432
371-149- 15
382-740-113
384-359- 18
400-443-541
408-667- 26
449-120- 10
450-474-35中
459- 50- 3
472-466- 20
472-522- 22
476- 82-100
476-828-143
515-265- 65
516-128- 92
541-111- 31
541-785-35之20
546-642-136
549-374-194
933-203- 14
1089-749- 18
1090-236- 9
1102-218- 27
1104-330- 30
1255-291- 35
1351-589-140
1356-140- 7
1378-583- 62
1383-643- 64
1383-643- 57
1410-337-707
1437- 11- 1
1447-597- 33
孫溥明 480- 52-259
孫源明 1245-154- 4
孫該魏 254-390- 21
385-652-66下上
540-710-28之1
孫義唐 470-354-142
孫靖明 546-361-127
孫詡明 820-602- 40
孫詢明 676-216- 8
1475-171- 7
1475-190- 8
孫亶宋 1171-774- 27
孫亶明(江陰人) 472-894- 35
478-516-200
558-184- 31
孫亶明(餘姚人) 473-112- 54
515-171- 62
孫愷元 見鄧愷
孫詵齊 265-1018- 72
380-366-176
933-197- 14
1063-767- 3
1415- 65- 85
孫袞明 572-103- 30
孫廉齊 265-991- 70
380-188-170
494-284- 3
933-197- 14
孫祿明 300- 73-187
472-604- 25
476-700-137
孫道宋 820-403- 34
1125-587- 11
孫瑀明 見孫原貞
孫資魏 254-289- 14
384- 87- 4
384-677- 43
385-422- 47
472-432- 19
544-202- 62
545-858-113
孫載宋 475-450- 71
476-112-102
485-187- 25
493-917- 49
494-338- 7
511-230-145
523-115-151
545-369- 97
563-658- 39
589-335- 4
孫頊宋 549-121-185
孫瑚明 563-854- 41
孫椿明 529-687- 50
孫楷吳 375-185-79下
孫瑋明(字純玉) 301-100-241
458-417- 19
478-129-181
554-671- 60
676-727- 30
孫瑋明(字公之) 480-129-264
480-175-266
456-614- 9
孫瑋明(保定巡撫) 505-639- 67
孫瑋明(畫家) 821-462- 57
孫瑞宋 515-828- 83
孫瑜吳 254-764- 6
375-179-79下
384-540- 25
475-665- 84
523-503-170
524- 1-178
590-135- 17
孫瑜晉 見孔愉
孫瑜宋 286-381-330
397-492-349
472-575- 24
472-789- 31
476-823-143
477-409-169
478-760-215
493-767- 42
523- 10-146
537-326- 56
540-755-28之2
933-200- 14
孫瑜明(犍爲人) 473-524- 72
559-380-9上
孫瑜明(字孟秀) 537-247- 55
孫瑜妻 明 見王氏
孫楠明 511-320-148
515-190- 62
孫楫元 1203-459- 34
孫楫妻 清 見朱氏
孫瑒陳 260-700- 25
265-946- 67
370-591- 20
378-515-144
472-226- 8
475-127- 56
485-165- 22
493-863- 47
511-386-151
528-519- 31
563-625- 38
814-257- 7
820-107- 24
933-197- 14
孫達宋 492-712-3下
孫達明 547-136-146
孫達清 456-339- 76
孫楚晉 255-934- 56
377-628-124下
384- 93- 5
385-426- 47
472-433- 19
476-181-106
546-662-137
933-196- 14
1370- 60- 3
1379-324- 40
1395-589- 3
孫楙孫懋 宋 475-607- 81
475-666- 84
510-452-117
511-298-148
孫愚明 見孫忠
孫嗣元 472-774- 30
537-547- 59
孫路唐 524-276-192
孫路宋 286-415-332

397-520-351
472-662- 27
477- 81-152
478-483-199
478-572-203
537-394- 57
545-368- 97
558-172- 31
孫嵩漢 476-664-136
491-798- 6
540-703-28之1
孫嵩元 511-851-169
1227-721- 7
1375- 16- 上
1376-442- 88
孫暉宋 288-369-453
400-162-513
472-203- 7
511-499-156
孫鼎明 299-589-161
301-768-282
453-391- 10
458-611- 1
472-240- 9
473-153- 56
475- 19- 49
479-721-250
493-788- 42
510-289-112
515-671- 78
1241-809- 20
孫敬漢 814-227- 3
孫敬明(眞定人) 472- 99- 3
孫敬明(字克恭) 1241-607- 12
孫敬妻 明 見林菊秀
孫臬孫臯 宋 288-383-454
400-196-515
451-232- 0
479-715-250
515-607- 76
孫遇孫位 唐 524-365-197
592-693-106
812-481- 上
812-521- 2
813- 79- 2
820-269- 29
821- 90- 48
1381-574- 42
孫遇明 301-740-281
472-377- 16
473- 16- 49
475-563- 79
510-428-116
515- 38- 58
540-789-28之3
1252-400- 23
孫鈺明 676-596- 24
孫鈴妻 明 見杜氏
孫艅清 1312-336- 32
孫艅妻 清 見鄒氏
孫嫊清 嚴廷鈇妻 512- 11-176
孫僅宋 286- 56-306
371-128- 13
382-300- 47
384-331- 17
384-343- 17
397-256-334
450-713-7下
472-794- 31
477-417-169
533- 59- 49
538-146- 65
545-366- 97
554-139- 51
674-872- 20
933-200- 14
1437- 8- 1
孫雋漢 879-159-58上
孫雋宋 484-387- 28
孫會晉 256- 9- 59
孫經明 524- 98-183
1313-202- 16
孫鈰明 456-409- 1
孫節宋 285-630-290
397- 94-325
472-661- 27
477- 77-152
482-484-364
538- 37- 63
554-357- 54
567- 59- 65
1467- 34- 63
孫節明 540-799-28之3
孫節饒思明妻 明
479-685-248
1275-350- 16
孫毓明 472-721- 28
538-101- 64
孫綷明 547-129-146
孫鉁明 301-243-250
456-409- 1
孫賓明 472-546- 23
476-855-145
540-672- 27
孫實宋 515-167- 62
589-328- 4
590-448- 0
孫實宋 見孫抃
孫察宋 493-1003- 53
511-468-154
孫誠明(保定人) 456-631- 10
孫誠明(新河人) 510-480-118
孫禎元 1227-159- 19
孫韶吳 254-769- 6
370-251- 2
375-184-79下
384-543- 25
472-1013- 41
475-270- 63
493-645- 35
510-368-114
孫福妻 元 見李氏
孫福清 456-379- 79
孫寧明 572-159- 32
孫搴北齊 263-199- 24
267-160- 55
379-456-154
384-137- 7
472-591- 24
933-198- 14
孫漸宋 559-265- 6
孫漢明 481-419-314
559-323-7上
孫榮明(字世華) 511-585-159
孫榮明(榆次人) 545-658-107
孫榮妻 明 見李氏
孫榮妻 明 見張氏
孫壽漢 梁冀妻 376-709-107
402-430- 8
402-535- 15
孫輔吳 254-767- 6
375-183-79下
384-542- 25
515-139- 61
523-504-171
孫輔明 475-644- 83
孫榛妻 明 見王氏
孫愿唐 472-366- 16
510-442-117
孫戠女 唐 見孫媚容
孫嘉春秋 404-842- 52
933-195- 14
孫構宋 286-392-331
397-501-350
472-576- 24
473-551- 73
475-365- 67
476-615-133
476-854-145
481-235-303
481-290-306
482-347-356
559-302-7上
孫需明 299-716-172
473- 52- 50
473-212- 59
476-917-148
478-767-215
479-534-241
516- 72- 90
532-594- 41
559-251- 6
676-511- 20
孫聚元 1201-667- 25
孫蒼清 478-349-191
554-793- 62
孫蒯春秋 404-842- 52
孫鳳後周 見孫晟
孫鳳明 547- 94-144
孫綜女 宋 見孫氏
孫銘明 1242-245- 32
孫銓明 680-239-248
孫銓妻 明 見談氏
孫緒明 472- 86- 3
505-818- 74
676-529- 21
679-241-162
1442- 39- 2
1459-801- 32
孫綽晉 255-937- 56
370-349- 8
377-631-124下

471-625- 6
471-640- 9
472-433- 19
476-181-106
479-249-228
485-552- 3
486-306- 14
524-321-195
546-663-137
679-760-212
820- 69- 23
933-196- 14
1054-317- 6
1366-789- 6
1379-342- 42
1395-590- 3
孫渠明 511-779-166
孫徹元 見孫轍
孫綝吳 254-918- 19
370-268- 3
375-181-79下
384- 81- 4
384-539- 25
385-564- 63
孫寬明 1467-114- 66
孫廣妻 宋 見崔氏
孫潛晉 256-350- 82
515- 78- 59
孫潮宋 485-534- 1
孫調宋 460-317- 24
529-643- 48
1173-237- 80
孫鄰吳 254-767- 6
375-183-79下
384-541- 25
385-491- 53
479-481-239
515- 76- 39
523-504-171
590-135- 17
孫慶南朝 933-197- 14
孫慶金 1191-333- 30
孫慶明(知濟陽) 472-520- 22
孫慶明(字思敬) 511-553-158
孫慶明(安定州人) 545-146- 88
孫適宋 1098-716- 44
1351-613-142
1376-326- 80
孫適明 524-173-187
820-643- 41
孫賢明(字舜卿) 452-240- 6
458-157- 8
472-666- 27
537-402- 57
676-499- 19
孫賢明(忠州人) 480-582-285
孫賢女 明 見孫氏
孫緦宋 516-160- 94
孫瑾元 295-609-197
400-317-526
472-277- 11
475-278- 63
511-562-158
孫樓明 511-744-165
523-121-151
1442- 67- 4
1460-294- 53
孫璋後唐 277-516- 61
孫璋宋 見孫南已
孫璋明 473- 17- 49
515- 92- 59
孫墀明 479-240-227
孫震元 1221-492- 12
孫震明(字景威) 510-480-118
孫震明(字魯山) 524-329-195
孫震明(渾源人) 547- 53-143
孫璡宋 1365-608- 下
孫璡明(陳州衛人) 456-557- 7
孫璡明(新蔡人) 554-312- 53
孫璡明(字國用) 1253- 46- 42
孫璡妻 明 見張善慶
孫奭宋 288- 67-431
382-293- 46
384-342- 17
400-435-540
499-103- 9
450-557-46中
459- 45- 3
472-546- 23
472-575- 24
472-717- 28
476-778-141
476-823-143
537-287- 55
540-753-28之2
708-332- 50
933-199- 14
1088-340- 39
1088-556- 58
1088-587- 61
1090-239- 9
孫慮吳 254-868- 14
370-248- 2
375-187-79下
385-482-52下
孫賦明 529-645- 48
563-783- 40
孫暻明 515-152- 61
523-427-167
1467- 76- 64
孫鋐妻 明 見王氏
孫億宋 473-178- 57
515-502- 72
1089-203- 20
孫儀明 1474-579- 29
孫儉唐 見孫佺
孫質明 511-573-159
孫德女 宋 見孫芸香
孫鋡明 456-409- 1
孫磐明 300-100-189
474-741- 40
502-383- 64
545-342- 96
孫魯清 511-116-140
孫皜宋 1151-276- 18
孫緬劉宋 380-446-178
1063-766- 3
1415- 65- 85
孫銳宋 511-832-168
1437- 32- 2
孫緯唐 485-498- 9
孫緯宋 493-943- 50
511-729-165
589-354- 6
孫緯明 1313-203- 16
孫緝明 545-147- 88
孫鮒唐 451-478- 7
472-311- 13
511-778-166
515-302- 66
孫敻劉宋 1063-767- 3
1410-511-731
1415- 65- 85
孫稷宋 1135-377- 35
孫稷妻 宋 見強氏
孫稷元 511-837-168
孫義宋 515-335- 67
孫龍明 821-392- 56
孫澤元 1194-675- 12
孫澤妻 元 見杜氏
孫諤宋(字元忠) 286-594-346
397-662-360
472-388- 17
477-129-155
674-166-1上
孫諤宋(字正臣) 471-651- 10
481-695-332
529-623- 48
1125-422- 34
孫諭宋 471-781- 27
473-302- 62
533-338- 58
孫諫明 511-574-159
孫謀明 820-743- 44
孫璜明 456-598- 9
554-718- 61
孫樵唐 273-112- 60
561-212-38之2
592-312- 79
933-805- 60
孫奮吳 254-872- 14
370-277- 4
375-188-79下
385-486-52下
526-837-100
孫彊唐 524- 3-178
孫靜吳 254-764- 6
375-179-79下
384-538- 25
385-489- 53
523-503-171
孫駪元 460-488- 40
孫操明 511-585-159
孫遹唐 271-594-190中
孫蕡明 301-822-285
482- 35-340
493-729- 40
564-276- 47
676-449- 17
680- 38-228
680- 39-228
1318-350- 63

1442- 13- 1
1459-364- 11
孫蕙清 540-860-28 之4
孫蕙妻 清 見杜氏
孫興明 547- 8-141
孫曉明 516- 84- 90
孫鋐明 505-693- 70
孫壆妻 清 見劉氏
孫學妻 明 見季氏
孫錩妻 明 見馮氏
孫錡金 1439- 9- 附
1445-661- 51
孫錦明 821-419- 56
554-678- 60
孫儒唐 275-558-188
384-286- 15
396-268-275
孫衡明 見孫功權
孫錫宋 472-294- 12
479- 41-218
511-202-144
523- 74-149
1105-810- 97
孫錫妻 宋 見莊氏
孫勳明 528-562- 32
孫濬明 475-609- 81
511-304-148
孫謙吳 494-262- 1
孫謙梁 260-455- 53
265-990- 70
380-187-170
384-121- 6
448-321- 下
472-171- 6
472-591- 24
472-960- 38
473-386- 65
475- 68- 52
476-785-141
474- 40-218
480-540-283
489-664- 49
491-801- 6
510-309-113
523- 71-149
532-713- 45
540-722-28之1
933-197- 14
孫謙妻 元 見陳氏
孫襄春秋 404-842- 52
933-195- 14
孫襄清 475-611- 81
511-311-148
孫燧明 302- 12-289
472-521- 22
472-1073- 45
473- 17- 49
476-479-125
479-240-227
479-454-237
515- 45- 58
517-632-131
523-386-164
525-102-221
528-454- 29
537-218- 54
540-619- 27
585-258- 21
1257- 50- 6
1267-669- 12
1269-726- 1
孫壎宋 1173-225- 79
孫聰明 475-701- 86
510-464-117
孫懋宋 515-169- 62
孫懋宋 見孫楙
孫懋明(字德夫) 300-367-203
479-184-225
523-293-159
528-529- 31
537-219- 54
567-112- 67
676-720- 30
1467-101- 65
孫懋明(字行勉) 558-294- 34
孫曙清 見孫承恩
孫臨明 301-671-277
456-545- 7
511-477-155
孫薪宋 524-272-191
孫勱宋 516-160- 94
孫錯宋 493-1103- 58
孫鍾漢 472-964- 38
479- 45-218
524-940-183
孫儲唐 556-127- 85
孫鍊明 456-409- 1
孫禮漢 376-678-107下
孫禮魏 254-434- 24
377-203-117
384- 86- 4
385-395- 41
472- 29- 1
474-239- 12
476-575-131
505-731- 71
510-274-112
545- 2- 83
933-196- 14
孫禮明 571-531- 19
孫璹宋(字壽朋) 523-372-164
1210-379- 13
孫璹宋(字足菴) 559-523- 12
473-533- 72
孫嚞宋 524- 53-180
孫覲宋 1123-585- 11
孫彝後魏 262-161- 78
孫轍孫徹 元 295-620-199
401- 39-573
453-782- 2
473-115- 54
479-658-247
511-666-163
515-765- 81
820-508- 37
1207-547- 38
1207-602- 43
1207-633- 44
1213-752- 23
1439-430- 1
孫闕妻 元 見吳二十
孫曜明 523-218-156
孫藎宋 451-133- 2
孫鎮妻 宋 見晁氏
孫鎮金 546-753-140
1365-231- 7
1439- 9- 附
1445-444- 32
孫鎮明(字希武) 472-329- 14
475-707- 86
477-201-159
511-710-164
676-473- 18
孫鎮明(蒲州人) 547- 74-143
孫臏戰國 244-365- 65
371-511- 36
375-662- 88
472-570- 24
491-793- 6
547-195-148
933-196- 14
孫臏明 554-709- 61
孫鎬明(高陽人) 456-409- 1
孫鎬明(字西涯) 511-409-152
孫簡唐 276- 74-202
384-239- 12
400-601-555
孫簡宋 1118-931- 62
孫簡妻 宋 見常氏
孫簡女 宋 見孫氏
孫簡明 見孫汝敬
孫邈宋(字明遠) 494-348- 7
1121-485- 36
孫邈宋(鄱縣人) 1384-122- 91
孫鵜明 1268-447- 69
孫贇明 510-486-118
孫麒明 473-623- 77
孫瀚明 572- 78- 28
孫璽明(字廷信) 302- 11-289
476-334-115
478-200-184
546-408-128
554-283- 53
1267-392- 1
1410-224-690
1458-593-461
孫璽明(字朝信) 523-436-167
545-280- 94
676-540- 22
1276-400- 10
1442- 44- 3
1459-902- 38
1475-276- 11
孫櫓明 524-372-197
孫韜梁 見孫文韜
孫轔明 533-195- 53
孫攀明 511-813-167
孫瓊晉 鈕滔母 494-419- 13
孫瓊明(字蘊章) 472-230- 8
493-990- 52
511- 98-140
676-495- 19

孫瓊明(字萬芳) 523-491-170
孫鏘明 456-409- 1
孫鵬明 505-693- 70
554-525-57下
孫鏜明(字振遠) 299-741-173
546-148-120
孫鏜明(莒州人) 302- 21-290
540-813-28之3
孫路清 524-200-188
孫繩清 482- 34-340
563-873- 42
孫馥清 477-454-171
537-581- 60
孫寶漢 250-692- 77
376-361-101
384- 51- 2
472-650- 27
473-424- 67
477- 57-151
478- 84-180
481- 14-291
537-373- 57
554- 96- 50
559-258- 6
675-297- 15
933-196- 14
孫譝明 533-339- 58
孫礪孫慶春 宋 451- 54- 2
孫騭後梁 277-215- 24
孫鶚宋 1089-716- 14
孫鶚明 1268-420- 66
孫籌明 559-304-7上
孫纂晉 255-937- 56
孫騰北齊 263-137- 18
267-139- 54
379-426-153
384-137- 7
552- 30- 18
554-922- 64
933-198- 14
孫饒春秋 見蔿艾獵
孫覺女 宋 見孫氏
孫覺宋 286-558-344
302-597- 92
384-372- 19
397-638-359
471-694- 15
471-717- 18
471-910- 46
471-918- 48
472-295- 12
472-324- 14
472-357- 15
472-388- 17
472-409- 18
472-998- 30
473-568- 74
475-119- 55
475-374- 68
475-420- 70
475-604- 81
475-698- 86
475-821- 92
479-133-223
481-524-326
493-701- 39
494-299- 5
510-462-117
511-203-144
523-115-151
528-438- 29
674-286-4下
674-564- 3
821-229- 51
933-202- 14
1096-321- 32
1106- 96- 14
1437- 15- 1
孫繼清 475-123- 55
孫辯晉 494-150- 5
569-673- 19
孫護女 宋 見孫氏
孫霸吳 254-871- 14
375-188-79下
385-485-52下
孫礬宋 286-599-347
397-666-361
472-295- 12
472-545- 23
472-740- 29
472-967- 38
473-623- 77
477-123-155
477-306-163
479- 49-218
511-204-144
523-257-158
528-551- 32
537-301- 56
540-670- 27
1110-645- 38
孫覽宋 286-560-344
382-598- 92
397-639-359
471-910- 46
472-295- 12
472-430- 19
472-644- 26
472-740- 29
473-395- 66
475-374- 68
477- 53-151
478-545-202
511-203-144
532-741- 46
532-751- 46
537-241- 55
545- 51- 84
585-756- 4
933-203- 14
1122-167- 13
孫闢宋 591-159- 12
592-583- 98
孫蘭明 479-226-227
523-163-153
孫鐸金 291-400- 99
399-234-437
472-576- 24
476-616-133
540-768-28之2
1365-304- 9
1439- 5- 附
1445- 70- 2
孫權吳 見吳大帝
孫覿宋 471-869- 40
473-758- 83
484-102- 3
511-767-166
516-206- 95
567-440- 86
585-779- 7
674-344-5下
674-837- 18
820-419- 34
1135- 1- 附
1147-559- 53
1375- 33- 下
1437- 22- 2
1461-911- 47
1467-150- 67
孫鑑明 554-610- 59
孫儼吳 見孫翊
孫儼明 473-569- 74
孫瓚元 505-147- 50
孫瓚明 523-217-156
孫顯元 1201-659- 24
孫顯明(信陽人) 458- 74- 4
472-795- 31
477-418-169
537-565- 60
孫顯明(字微之) 475-215- 60
510-362-114
孫巖宋 1375- 16- 上
孫巖孫岩 明 299-406-146
453-155- 14
472-207- 7
511-419-152
544-251- 63
886-142-138
886-145-138
1240-271- 17
孫鑣明 1475-634- 27
孫鑛明 479-243-227
524- 57-180
676-608- 25
1442- 76- 5
1460-375- 57
孫鑠晉 255-607- 33
377-436-121上
477-247-161
537-476- 58
933-196- 14
孫讓元 1234-294- 46
孫瓛明 1255-709- 72
孫鑨明 300-685-224
458-347- 14
479-242-227
523-311-160
孫鑨妻 明 見錢氏
孫觀魏 254-337- 18
476-474-125
476-820-143

540-644- 27
540-708-28之1
孫鑰明 456-519- 6
孫鑰清 524-104-183
孫鑾明 511-154-142
孫鑾女 明 見孫老姐
孫鸞明 1272-265- 13
1458-682-470
孫鸞妻 明 見吳珩玉
孫一元宋 708-1046- 97
孫一元明 302-167-298
479- 60-219
479-148-223
524-314-194
554-874- 64
556-343- 90
558-469- 39
585-439- 11
588-183- 8
820-670- 42
1262-526- 58
1264-400- 8
1312-302- 29
1408-541-536
1410-389-715
1442- 43- 3
1454-362-123
1457-553-395
1459-887- 37
孫一正明 537-281- 55
554-503-57上
孫一致清 511-779-166
孫一謙明 529-479- 43
533-178- 52
孫一鶤清 見蓋一鶤
孫一騮明 1475-543- 23
孫七政明 511-747-165
1442- 71- 4
孫九敘宋 1175-534- 17
孫九鼎金 472-438- 19
476- 78-100
476-310-113
545-181- 89
546-721-139
1365- 51- 2
1439- 2- 附
1445-336- 22
孫三哲妻 清 見劉氏
孫三傑明 540-830-28之3
554-309- 53
孫三寶元 563-714- 39
孫士良明 473-267- 61
480-200-267
532-656- 44
孫士亭明 476-184-106
547- 47-142
孫士美明 302- 39-291
456-458- 4
474-635- 33
475-183- 59
511-444-153
1442-102- 7
1460-693- 75
孫士英明 554-611- 59
1241-128- 6
1241-144- 7
1241-873- 23
1242-384- 37
孫士英妻 明 見丁善源
孫士俊妻 清 見胡氏
孫士潛不詳 879-185-58下
孫士毅妻 明 見陶氏
孫子良明 472-969- 38
676-475- 18
1237-313- 6
1242- 21- 24
孫子良妻 明 見杜氏
孫子秀宋 287-786-424
398-713-415
472-222- 8
472-254- 10
472-273- 11
472-998- 40
472-1026- 42
472-1072- 45
472-1084- 46
475-120- 55
475-214- 60
475-273- 63
475-367- 67
479-174-225
479-236-227
479-352-233
493-749- 41
493-780- 42
494-270- 2
510-345-114
510-372-114
523-462-169
708-1020- 95
708-1029- 96
孫子直宋 515-749- 80
孫子荊魏 820- 38- 22
孫子野不詳 469-398- 47
孫大公子明 1264-542- 5
孫大年宋 見孫昭遠
孫子成宋 1170-755- 33
孫大成妻 宋 見張氏
孫大成妻 清 見裔氏
孫大祈明 474-587- 30
505-698- 70
孫大倫清 511-516-157
孫大雅明 見孫作
孫大華明 516-141- 92
孫上元妻 清 見顧氏
孫斗柄妻 清 見徐氏
孫方先妻 清 見劉氏
孫方武宋 473-338- 63
480-408-277
533-397- 61
孫方諫孫方簡 後周
278-394-125
279-320- 49
396-434-295
933-199- 14
孫方簡後周 見孫方諫
孫文子春秋 見孫林父
孫文元清 528-569- 32
孫文宗明 821-348- 55
孫文恪妻 明 見楊氏
孫文貞劉燧妻 明
473-157- 56
孫文科妻 清 見李氏
孫文祥宋 529-708- 50
孫文義明 540-785-28之3
孫文篪孫文箎 明
1442- 96- 6
1460-569- 68
孫文標妻 清 見施氏
孫文震元 517-466-127
孫文澤明 545-344- 96
孫文箎明 見孫文篪
孫文韜孫韜 梁 485-557- 3
524-414-200
820-105- 24
孫之沆孫之沅 明456-519- 6
孫之沅明 見孫之沆
孫之泳明 456-409- 1
孫之昌妻 明 見李氏
孫之洁明 見孫之浩
孫之浩孫之洁 明456-519- 6
孫之益明 559-388-9上
孫之埕妻 明 見劉氏
孫之渼明 456-409- 1
孫之渙明 456-409- 1
孫之琮明 1475-516- 22
孫之滂明 456-409- 1
孫之敬妻 清 見張氏
孫之澈明 456-409- 1
孫之漯明 456-409- 1
孫之滓妻 明 見邊氏
孫之衛宋 472-336- 14
孫之澤明 456-409- 1
孫之翰宋 487-147- 9
491-426- 5
524-123-184
1156-912- 18
456-409- 1
孫之濾明 456-519- 6
孫不二馬鈺妻 金
476-705-137
538-344- 70
541- 93- 30
547-513-160
孫太眞錢弘俶妃 吳越
590-138- 17
孫元化明 301-211-248
511-238-145
676-632- 26
1442- 91- 6
1460-520- 65
孫元化女 明 見孫氏
孫元吉明 683- 72- 4
1232-442- 5
孫元孚明 1442- 98- 6
1460-594- 69
孫寂然孫元政 宋
533-768- 74
孫元容妻 清 見汪氏
孫元卿宋 451- 23- 0
孫元肅孫允惇 明
524- 66-181

孫元凱明 511-749-165
孫元暉妻 清 見朱淑媛
孫元蒙元 524-253-190
1228-490- 30
1234-254- 42
孫元衡清 481-763-335
511-263-146
528-567- 32
540-679- 27
592-913- 4
孫扎理清 455-613- 42
孫扎齊清 455-659- 46
孫天正元 1211-363- 51
孫天民元 473- 75- 52
515-234- 64
孫天佑明 821-416- 56
孫天和孫邦祥 金
1191-346- 31
1365-296- 9
1367-663- 51
1439- 11- 附
1445-533- 41
479-528-241
515-223- 63
孫天富明 1229-439-附
孫天慶清 547- 79-143
孫天澤明 559-428-10上
559-521- 12
孫天濟明 547-104-145
孫天繡清 547- 11-141
孫止孝明 476-529-128
孫曰良明 559-275- 6
孫日恭明 473- 24- 49
515-358- 68
孫日旋清 533-149- 51
孫日嚴明 546-149-120
孫公佑元 1195-427- 8
孫公亮元 472-484- 21
546- 86-117
547-559-161
1200-764- 58
孫公與明 473-144- 56
孫公器唐 271-594-190中
孫仁師唐 270- 3- 84
1065-179- 16
1342-523-971
1408-717-555
孫仁貴唐 812-345- 9
821- 43- 46
孫化南明 516-484-105
孫化龍明 545-157- 88
孫介宗宋 487-188- 12
孫允方明 1280-389- 84
孫允中明(太原人) 300-455-209
545-671-107
孫允中明(兗州人) 505-683- 69
孫允惇明 見孫元肅
孫允貴妻 清 見黃氏
孫允貴妻 清 見劉氏
孫玄仁明 472-646- 26
477-442-171
537-338- 56
孫立節宋 471-729- 20
472-273- 11
473-187- 58
479-822-256
510-370-114
516-157- 94
518-183-141
567- 65- 65
679-424-179
1108-478- 92
1197-437- 41
1384-711-144
1467- 38- 63
孫立德妻 明 見張氏
孫必振清 540-858-28之4
1316-648- 45
孫必達宋 821-230- 51
孫必顯明 301- 25-236
554-608- 59
孫永文清 456-338- 76
孫永思明 563-730- 40
1442- 60- 4
1460-185- 48
孫永祚清 511-750-165
孫永清宋 843-673- 下
孫永貴妻 清 見劉氏
孫永慶清 1326-846- 8
孫玉球明 456-639- 10
孫玉璭明 456-639- 10
孫去煩唐 820-155- 26
孫弘祖明 1475-408- 17
孫弘訓妻 清 見陰氏
孫正心妻 明 見朱氏
孫正心妻 清 見吳氏
孫正臣元 516-168- 94
1204-293- 9
孫正祚妻 明 見逯氏
孫正通明 529-634- 48
孫丕揚明 300-690-224
458-363- 15
478-129-181
554-668- 60
孫孕秀明 456-655- 11
孫孕芳明 456-669- 11
554-721- 61
孫孕泰明 456-669- 11
孫可大明 1240-733- 7
孫可元宋 813-135- 11
821-147- 50
孫可僎明 545-120- 86
孫世臣宋 511-794-166
孫世良明 821-462- 57
孫世良女 明 見孫氏
孫世恪明 480- 91-262
533-157- 52
孫世南宋 1121-450- 32
孫世英明 456-608- 9
孫世祐明 473- 30- 49
孫世清清 456-339- 76
孫世華妻 清 見李氏
孫世傑明 554-708- 61
孫世禎明 572-103- 30
1467-131- 66
孫世賢明 511-628-161
孫世龍清 456-339- 76
孫世藎清 476- 43- 98
479-655-247
515-179- 62
545-682-107
孫世譽清 554-223- 52
孫世顯元 1199-208- 21
孫民先宋 545-175- 89
孫民憲元 515-349- 67
孫功權孫衡 明 1260-634- 19
孫以清妻 明 見王氏
孫以敬清 568-420-115
孫丘坦妻 明 見劉氏
孫白谷清 1312- 53- 6
孫用正清 477-211-159
孫用和宋 821-246- 52
孫用章明 1261-542- 18
孫幼如明 820-757- 44
孫守仁明 572-111- 30
孫守正明 563-808- 41
孫守法明 554-609- 59
孫守信清 511-649-162
孫守祖清 456-338- 76
孫守訓明 547- 8-141
孫守彬宋 1085-341- 15
孫守業妻 清 見朱氏
孫守榮孫高榮 宋
288-485-462
孫守榮孫高榮 宋
288-485-462
401-110-582
479- 51-218
511-873-170
516-522-106
524-343-196
1223-674- 14
1224-614- 下
孫安國宋 473-476- 69
559-274- 6
孫安道宋 288-360-452
400-175-513
477-124-155
孫安慶元 400-265-521
孫汝秩宋 485-534- 1
孫汝楝明 511-627-161
孫汝靜宋 林楝妻、孫叔惠女
1185-774- 22
孫再鎬清 524-189-187
孫在豐清 523-284-159
孫存仁明 1253-114- 46
孫存德明 1253-107- 46
孫存德妻 明 見吳氏
孫有芳妻 明 見方氏
孫有知明 821-462- 57
孫有威清 524-179-187
孫有聞明 524-138-185
孫羽客唐 820-282- 30
孫羽侯明 1442- 82- 5
孫老姐明 孫鑾女
475-856- 94
508-371- 42
512-168-181
孫次秀妻 清 見趙琚姐
孫同人妻 明 見孫氏
孫同倫明 515-249- 64
孫光祀清 476-827-143

540-855-28之4
孫光前明 570-107-21之1
孫光祐明 546-604-135
孫光祖明 532-636- 43
孫光祚明 480- 89-262
532-627- 43
孫光祚妻 明 見李氏
孫光祚清 524-105-183
孫光庭宋 1184-590- 13
孫光哲清 524-181-187
孫光啟明 511-499-156
524-248-190
1475-370- 15
孫光啟妻 明 見黃氏
孫光裕明 676-625- 26
1442- 87- 5
1460-498- 64
1675-393- 17
孫光裕妻 明 見邱氏
孫光裕妻 明 見陳氏
孫光憲宋 288-736-483
401-254-602
473-431- 67
480-126-264
480-252-269
481-386-312
534-944-120
559-398-9上
592-575- 97
592-663-104
674-272-4中
674-724- 11
1371- 74- 附
孫光勳明 547- 8-141
孫光耀清 545-229- 91
560- 90- 19
孫兆奎明 456-638- 10
孫兆祥明 511-692-163
孫兆祿明 456-491- 5
孫兆翰妻 清 見陳氏
孫兆麟妻 清 見韓氏
孫伏伽孫伏迦 唐
269-721- 75
274-322-103
384-173- 9
395-335-211
472-572- 24
476-897-147
540-734-28之2
933-198- 14
孫伏迦唐 見孫伏伽
孫名揚清 456-339- 76
孫自一明 300-816-233
456-577- 8
477-547-176
480-129-264
孫自式清 1475-958- 41
孫自式妻 清 見潘氏
孫自牧唐 820-269- 29
孫自修宋 511-707-164
512-770-196
孫自修明 511-829-168
孫自強明 480-243-269
532-672- 44
孫自強妻 明 見溫氏
孫自愼妻 清 見樊氏
孫全照宋 285-121-253
396-476-298
472- 53- 2
554-139- 50
孫好古明 458- 63- 3
538- 51- 63
孫如法明 300-688-224
479-242-227
523-312-160
563-912- 43
孫如芝清 480-138-264
533-373- 60
孫如洵明 523-469-169
孫如游明 301- 88-240
479-242-227
523-313-160
孫如瑜妻 清 見唐氏
孫如龍清 570-156-21之2
孫仲方宋 821-167- 50
孫仲方元 1232-455- 6
孫仲玉明 559-515- 12
孫仲安子清 1321-187-106
孫仲祥妻 元 見荆氏
孫仲嗣明 302- 56-292
456-606- 9
478-170-182
478-717-211
554-734- 61
孫仲龍宋 492-712-3下
孫印蕃妻 清 見曹氏
孫待友宋 285-120-253
472- 53- 2
505-731- 71
孫宏初明 559-529- 12
孫宏毅明 456-669- 11
孫良夫孫桓子 春秋
375-809- 91
384- 22- 1
404-823- 51
448-181- 11
933-195- 14
孫良玉女 明 見孫端貞
孫良臣元 516-168- 94
孫良貴妻 清 見滿氏
孫良器明 1460-336- 55
孫志尹明 456-462- 4
孫志武清 592-784- 2
孫志康女 宋 見孫氏
孫成名明 1475-362- 15
孫成泰明 528-544- 32
1442- 78- 5
1460-393- 58
1475-361- 15
孫成象宋 1099-612- 14
孫孝本明 505-881- 79
孫孝哲唐(契丹人)
271-806-200上
276-499-225上
401-455-627
孫孝哲唐(清河人) 486- 62- 3
孫吾與明 676- 68- 3
676- 89- 3
680- 40-228
孫君澤元 821-294- 53
孫克己清 1322-653- 12
孫克弘明 511-870-170
820-705- 43
821-442- 57
684-500- 下
孫克明女 清 見孫氏
孫克恭明 1240-877- 10
孫克振明 511-425-152
孫克恕明 302- 27-290
482-373-357
483-225-390
483-371-401
567-369- 81
孫克開妻 明 見陳氏
孫克嗣明 1271-645- 55
孫即康金 291-402- 99
399-234-437
472- 35- 1
孫辰龍元 1226-495- 24
孫男玉後魏 262-307- 92
267-724- 91
381- 59-185
472-528- 22
孫吳會宋 1375- 13- 上
孫佐性明 564-293- 47
孫伯仁魏 496-610-104
孫伯玉清 524-178-187
孫伯光女 明 見孫氏
孫伯虎宋 523-185-155
孫伯益唐 821- 98- 48
孫伯恭明 473-116- 54
孫伯堅明 473-428- 67
515-777- 81
孫伯溫宋 515-321- 67
孫伯翳梁 378-338-140
545-861-113
孫伯顏元 516-168- 94
孫伯顏明 537-246- 55
孫伯禮後魏 262-237- 84
267-569- 81
814-260- 8
820-119- 25
孫伯黶春秋 545-721-108
孫希武元 473-730- 82
564- 81- 44
孫希孟妻 清 見袁氏
孫希昇清 547- 78-143
孫希弼唐 820-154- 26
孫希裕唐 839- 53- 4
孫希賢元 295-608-197
400-316-526
476-617-133
孫希賢妻 明 見程添
孫希夔明 505-658- 68
516-152- 93
孫邦正明 1291-417- 7
孫邦傑金 見孫天和
孫秀姑清 楊文龍妻
479- 62-219
524-459-202
孫秀實元 295-606-197
400-315-526

472-626- 25
496-413- 89
502-782- 86
547-122-145
孫妙吉明 吳善慶妻
472-1075- 45
524-636-209
孫妙貞元 宋衡妻
1194-221- 17
孫廷臣妻 宋 見施氏
孫廷佐妻 明 見潘氏
孫廷紀妻 清 見張氏
孫廷瑜妻 清 見鄧氏
孫廷筠宋 492-712-3下
孫廷銓清(字枚先) 476-675-136
540-842-28之4
孫廷銓清(字伯度) 592-778- 2
孫廷標妻 清 見潘氏
孫廷鐸明 592-779- 2
孫宗之劉宋 見孫法宗
孫宗富明 472-767- 30
孫宗彊宋 492-712-3下
孫宗撖明 524- 98-183
孫宗彝清 677-757- 67
孫宗鑑宋 1123-581- 11
孫法宗孫宗之 劉宋
258-573- 91
265-1037- 73
380- 94-167
479-136-223
524-118-184
933-197- 14
孫法祖明 456-629- 10
孫治遠妻 清 見劉氏
孫性初明 1229-338- 12
孫祁雍清 511-771-166
孫武達唐 478-110-181
孫松壽宋 481- 80-294
559-306-7上
559-343- 8
591-563- 42
孫雨修沈雨修 明
1297-574- 5
孫直方宋 549-121-185
549-215-189
孫坦菴女 明 見孫氏
孫居相明 301-297-254
476-208-107

546-209-122
孫孟和明 472-128- 4
476-754-139
540-799-28之3
孫孟恕妻 明 見錢氏
孫孟修明 1240-800- 8
孫孟舉明 536-503- 42
孫孟麟妻 明 見胡氏
孫奉先明 559-270- 6
孫奉伯劉宋 482- 73-341
563-618- 38
820- 89- 24
孫奇彥清 505-901- 80
孫奇逢明 457-981- 57
474-246- 12
505-870- 78
506-664-110
538- 7- 31
678-221- 91
1312-565- 7
1312-849- 11
1326-840- 8
孫奇逢女 清 見孫氏
孫長卿宋 286-388-331
397-498-350
472- 85- 3
472-295- 12
472-308- 13
472-913- 36
474-651- 34
475-323- 65
475-374- 68
478-571-203
505-704- 70
511-202-144
523- 10-146
545- 49- 84
558-208- 32
孫長卿妻 宋 見王氏
孫長孺宋 516-157- 94
孫枝姸明 547-117-145
孫枝秀明 456-490- 5
孫枝芮明 511-586-159
孫枝蔚清 478-132-181
511-904-172
554-857- 63
孫枝蕃清 475-422- 70
510-402-115

孫林父孫文子 春秋
375-814- 91
384- 22- 1
404-841- 52
448-193- 14
933-195- 14
孫承宗明 301-235-250
456-409- 1
458-240- 6
474-244- 12
505-844- 76
676-629- 26
1326-766- 4
1442- 88- 6
1460-681- 75
孫承祐吳越 288-711-480
401-242-600
472-966- 38
485- 73- 11
493-693- 38
493-765- 42
523-509-171
孫承祖明 546-368-127
孫承恩明(字貞甫) 511-126-141
676-542- 22
677-574- 52
820-671- 42
1442- 44- 3
1459-913- 39
孫承恩明(蒲州人) 546-711-138
1442- 60- 4
孫承恩妻 明 見吳氏
孫承恩妻 明 見謝碧桃
孫承恩孫曙 清 475-141- 57
511-752-165
孫承榮明 516-138- 92
孫承德明 1271-638- 55
孫承澤清 474-187- 9
505-881- 79
677-719- 64
680-259-251
孫承謨明 523-107-150
孫芸香宋 周必大妻、孫德女
1147-396- 36
孫尚子隋 812-339- 8
821- 31- 45
孫尚復唐 494-336- 7
孫尚魁明 511-564-158

孫昌言宋 1160-152- 14
孫昌裔明 529-481- 43
孫昌穀妻 明 見張氏
孫昌齡宋 488-394- 13
488-395- 13
孫昌齡清 474-623- 32
505-792- 73
孫明復宋 471-961- 53
674-282-4下
708-334- 50
孫明道元 472-827- 33
554-309- 53
孫明德明 518-247-143
孫卓三明 516-524-106
孫虎臣宋 475-368- 67
510-390-115
孫叔豹宋 526- 66-261
孫叔特妻 宋 見趙尊稱
孫叔敖春秋 見蔿艾獵
孫叔通宋 515-584- 75
孫叔惠女 宋 見孫汝靜
孫叔然孫炎 魏 254-264- 14
377-112-115上
476-665-136
540-710-28之1
孫叔遇宋 1153-485- 96
孫叔謹宋 473-701- 80
482-140-344
529-563- 46
563-683- 39
1178-512- 5
孫知微宋(通判舒州)
288-376-453
400-135-511
475-525- 77
510-414-116
孫知微宋(字思邈) 481- 76-214
561-198-38之1
561-209-38之2
592-720-108
812-454- 1
812-535- 3
813- 89- 4
821-152- 50
孫季良孫翌 唐
271-552-189下
276- 21-199
538-140- 65

孫季高劉宋　見孫處
孫季益妻　明　見應氏
孫和卿女　明　見孫氏
孫朋吉後蜀 820-321-211
孫所性明 1242-702- 3
孫岳頒清 511-754-165
孫秉陽女　宋　見孫氏
孫延壽明 592-782- 2
孫炳炎宋 523-462-169
孫彥及宋 1142-268- 13
孫彥高唐 474-650- 34
孫彥卿元 523- 81-149
孫彥莊明 1237-512- 6
孫彥韜後晉 278-163- 94
孫奕世清 478-275-187
孫拱辰宋 559-379-9上
孫拱辰明 511- 84-139
孫春芳明 480-463-279
孫春般明 1253-186- 49
1376-493- 90
孫南已孫璋　宋 451- 93- 3
孫南光妻　明　見朱氏
孫降衷宋 473-514- 71
559-382-9上
孫建宗清 540-843-28之4
孫茂芝明 524- 25-179
1460-730- 79
1475-441- 19
孫茂槐清 480-172-266
532-651- 43
孫茂蘭清 475-875- 95
502-646- 78
545-113- 86
孫思孔妻　清　見楊氏
孫思克清 478-455-197
558-165- 30
558-687- 47
孫思逑明 572-106- 30
559-270- 6
孫思恭宋 286-274-322
397-417-344
472-603- 25
476-699-137
477-441-171
488-390- 13
540-763-28之2
孫思皓宋 820-332- 32
孫思傑孫英　明 1375- 27- 上
孫思敬明 1240-736- 7
孫思邈唐 271-624-191
275-637-196
384-175- 9
401- 3-568
472-834- 33
476- 90-100
478-110-181
548-151-166
554-867- 64
556-319- 90
742- 34- 1
820-137- 26
871-907- 19
933-198- 14
1054-446- 12
1059-596- 中
1061-321-113
1092-700- 65
孫思邈宋 561-224-38之3
孫若無宋 523-169-154
孫昭子春秋 404-823- 51
孫昭先宋 481-614-329
529-562- 46
孫昭祚北魏 820-323- 31
873-263- 11
孫昭遠孫大年　宋
288-367-453
400-157-513
449-346- 7
473-516- 71
476-914-148
477-306-163
481-351-309
545- 52- 84
559-524- 12
591-640- 46
1147-318- 29
孫英德妻　明　見汪氏
孫皇后明　明宣宗后、孫忠女
299- 8-113
539-339- 8
孫重進後唐　見李存進
孫胤光女　明～清　見孫氏
孫秋碧元 1213-767- 24
孫保邦妻　清　見尤氏
孫保拜妻　清　見尤氏
孫俊彥妻　清　見歐陽氏
孫浩遠明 547-496-159
孫高榮宋　見孫守榮
孫唐卿張唐卿　宋
288-242-443
371-150- 15
400-656-561
472-740- 29
476-671-136
477-522-175
537-351- 56
540-758-28之2
1089-521- 47
孫祖善妻　宋　見鄭氏
孫祖壽明 301-569-271
456-420- 2
474-186- 9
505-835- 76
孫祖壽妻　明　見張氏
孫祖德宋 285-752-299
397-182-331
472-612- 25
476-730-138
540-758-28之2
545-214- 91
1102-514- 64
孫祚昌明 456-629- 11
孫祚昌妻　清　見靳氏
孫益大宋 451- 61- 2
孫益德後魏 262-252- 86
267-629- 84
380-118-167
476-667-136
491-801- 6
540-712-28之1
孫家彥妻　清　見李氏
孫家棟清 479-320-232
523-197-155
孫庭臣妻　宋　見施氏
孫庭芝妻　清　見柯氏
孫庭蘭妻　元　見額森德齊
孫恭介明 554-669- 60
孫原貞孫瑀　明 299-715-172
472-963- 38
473- 50- 50
473-569- 74
478-766-215
479-533- 24
516- 61- 89
523- 40-148
528-451- 29
676-478- 18
1241-112- 5
孫桂發宋 492-713-3下
孫桓子春秋　見孫良夫
孫書言妻　宋　見員氏
孫起予宋 491-304- 6
孫起龍清 538- 56- 63
孫起觀明 524-101-183
孫振先清 475-216- 60
475-856- 94
510-367-114
511-382-150
孫振宗明(晉江人) 460-679- 69
孫振宗明(字簡伯) 511-826-167
孫振基明 301- 23-236
554-676- 60
孫振興妻　清　見李氏
孫挺生明 302- 51-292
456-655- 11
538- 61- 63
孫時中女　清　見孫氏
孫時升宋 451-172- 5
孫虔禮孫過庭　唐
493-1054- 56
511-726-165
812- 72- 下
812-236- 9
812-725- 3
812-744- 3
813-298- 18
814-268- 9
820-149- 26
1065-587- 6
1065-600- 7
1201-347- 94
孫師範唐 820-145- 26
孫能傳明 676-238- 9
676-339- 12
孫純仁元 517-504-128
孫修道梁 485-165- 22
孫逢吉孫逢吉　宋
287-513-404
398-498-398
451- 22- 0
471-667- 12
471-725- 19

473-149- 56
473-401- 66
479-715-250
479-766-252
515-598- 76
517-352-124
1153-485- 96
孫清五妻 清 見張氏
孫商偉明 479- 54-218
523-358-163
孫望雅清 537-472- 58
孫惟中明 505-684- 69
524-264-191
541-593-35之17
1223-577- 11
1457-716- 41
孫惟吉宋 1121-469- 34
孫惟言宋 490-935- 87
524-292-193
538-129- 65
585-145- 8
590-235- 5
674-691- 8
674-884- 20
1180-429- 39
1437- 31- 2
孫惟恭宋 1123-591- 12
孫惟善明 1229-400- 1
孫惟最唐 554-585- 58
孫惟道女 宋 見孫氏
孫剪兒明 511-641-161
孫寂然宋 見孫元政
孫康周明 301-458-263
456-498- 5
476- 31- 97
476-675-136
540-828-28之3
545-158- 88
孫培隆妻 清 見張氏
孫敖曹唐 496-619-105
孫崇先明 554-516-57下
孫崇我明 506-405-100
孫崇望宋 820-332- 32
孫貫之妻 宋 見楊氏
孫國屏清 570-100-20下
孫國祚妻 明 見陳氏
孫國訓明 511-627-161
孫國枚明 676-143- 6
孫國剛妻 清 見仇氏
孫國基妻 清 見冀氏
孫國華明 511-106-140
孫國善女 明 見孫氏
孫國瑞元 1375- 20- 上
孫國穎清 505-919- 81
孫國寶明 見孫吳
孫國顯明 456-632- 10
孫常楷唐 554- 83- 49
1342-212-931
孫處玄唐 271-641-192
孫處約孫道茂 唐
269-797- 81
274-359-106
384-179- 10
395-370-214
472-802- 31
477-501-174
538-148- 65
孫處道宋 587-449- 5
孫處懸唐 511-173-143
孫得成元 1192-586- 13
孫得原明 820-705- 43
孫得盛妻 清 見張氏
孫紹光明 547- 94-144
1267-413- 2
孫紹光明 545-343- 96
孫紹武明 456-557- 7
477-443-171
孫紹祖明 546-408-128
549-466-198
820-671- 42
孫紹統明 554-676- 60
孫紹遠宋 590-456- 0
孫敏政明 571-555- 20
孫從古宋 492-710-3下
孫從範明 456-630- 10
孫從龍明 677-638- 57
孫逢吉後蜀 400-642-559
473-431- 67
481- 76-294
559-340- 8
591-539- 42
820-321- 31
孫逢吉宋(婺源人) 481-581-328
孫逢吉宋(咸淳舉人)
492-713-3下
孫逢吉宋(字彥同) 524- 4-178
孫逢吉宋 見孫逢吉
孫逢吉明(字餘慶) 476-260-110
546- 89-118
554-220- 52
孫逢吉明(江油人) 559-375- 8
孫逢辰宋 515-599- 76
1147-778- 74
孫啟綸清 475-672-814
511-638-161
孫啟賢清 537-459- 58
孫寒華孫奚女 吳
493-1098- 58
1061-346-115
孫渭璜妻 明 見屠湝佩
孫善繼明 532-638- 43
孫普濟齊 473-337- 63
480-406-277
孫曾楠妻 明 見黃德貞
孫雲龍清 540-840-28之4
孫雲翼明 511-775-166
孫雲鶴明 302-335-306
孫博雅清 477-210-159
538- 98- 64
1312-556- 7
孫惠蔚後魏 262-235- 84
267-568- 81
380-310-174
474-637- 33
505-876- 78
933-198- 14
孫閎達清 475-485- 73
476- 32- 97
511-248-145
545-162- 88
孫超之齊 485-165- 22
493-862- 47
孫朝用妻 明 見胡氏
孫朝臣清 456-378- 79
孫朝肅明 511-113-140
孫朝選妻 清 見熊氏
孫朝讓明 528-533- 31
孫登名妻 明 見潘聖姑
孫登龍元 516-167- 94
1197-437- 41
1197-635- 65
孫斯玉明 1240-172- 12
孫斯億明 533-345- 58
孫開先清 528-534- 31
孫開忠明 456-462- 4
孫彭祖吳 見孫皓
孫揚聲清 476-701-137
540-851-28之4
孫景玉宋 1173-236- 80
孫景名明 510-480-118
孫景昌明 592-778- 2
孫景明明 472-197- 7
孫景眞元 1213-131- 10
孫景時明 523-579-175
676-170- 7
孫景修宋 480-407-277
533-451- 63
孫景雲明 473- 62- 51
孫景雲妻 明 見鍾氏
孫景璠宋 490-947- 89
524-342-196
820-338- 32
孫景靈明 515-202- 63
孫貽永宋 371- 37- 4
孫臬龍宋 473-144- 56
孫畯卿明 524-100-183
1229-359- 13
孫無終晉 511-390-151
孫順甫妻 清 見劉氏
孫媚容唐 孫戬女
479- 60-219
孫象燦清 476-588-131
孫源文明 456-634- 10
511-557-158
孫愼行明 301-124-243
457-1036- 59
458-437- 21
475-229- 61
511-161-142
676-621- 25
677-676- 60
1294-557- 14
1442- 84- 5
1460-475- 63
孫義伯宋 473- 22- 49
孫義姑明 李鴻妻
479-561-242
516-351-101
孫義龍唐 820-179- 27
孫裔昌清 563-882- 42
孫裔興明 475-450- 71
孫遊岳劉宋 見孫遊嶽

孫遊嶽孫遊岳 劉宋
472-1033- 42
479-337-232
524-430-200
1060- 43- 5
孫道大宋 481-385-312
孫道元清 524-393-198
孫道夫宋 287-240-382
398-270-382
473-428- 67
473-516- 71
481- 70-293
481-352-309
559-320-7上
559-385-9上
591-645- 46
孫道升妻 明 見蘭氏
孫道民明 456-635- 10
孫道茂唐 見孫處約
孫道登後魏 262-260- 87
267-640- 85
380- 60-166
384-143- 7
475-428- 70
511-465-154
933-198- 14
孫道温妻 後魏 見趙氏
孫塔海元 見塔爾海
孫椿年宋 524-202-188
1163-616- 39
1164-306- 16
孫聖蘭明 1475-505- 22
孫勤川宋 820-422- 34
孫萬益明 821-442- 57
孫萬榮唐 271-790-199下
496-619-105
544-229- 63
孫萬壽隋 263-339- 44
264-1071- 76
267-570- 81
380-400-176
384-158- 8
472- 91- 3
474-638- 33
505-893- 79
933-198- 14
1387-198- 11
孫愚公明 1475-493- 21
孫愚公妻 明 見周蘭秀
孫嗣康清 529-750- 51
孫鼎臣金 545-460-100
孫鼎相明 301-298-254
孫鼎徵明 524-329-195
孫鼎鍾清 511-539-157
孫敬叔明 537-289- 55
孫過庭唐 見孫虔禮
孫傳庭母 明 見吳氏
孫傳庭母 明 見劉氏
孫傳庭明 301-446-262
456-410- 1
476-334-115
477-125-155
477-567-177
533-353- 59
537-224- 54
546-413-128
550-438-222
550-442-222
554-186- 51
676-636- 26
孫傳庭妻 明 見馮氏
孫愈盛清 476-619-133
540-865-28之4
孫愈發妻 明 見雷氏
孫愈賢明 554-257- 52
孫會宗漢 545-858-113
孫會叔元 1199-704- 6
孫會隆妻 清 見羅氏
孫會楠明 524- 26-179
孫經世明 456-640- 10
孫毓珩清 479- 45-218
502-693- 81
523- 94-149
孫演書明 554-987- 65
孫賓利明 529-762- 53
孫賓碩漢 254-348- 18
1408-479-527
孫福翁宋 708-1059- 97
孫端貞明 曹瓛妻、孫良玉女
1257-170- 16
孫漢英後周 278-422-129
孫漢韶李漢韶 後唐
277-454- 53
279-226- 36
396-379-286
孫榮義唐 554- 83- 49
孫榮德清 456-339- 76
孫輔臣元 516-168- 94
孫爾思清 554-855- 63
孫爾禎張爾祚 明～清
505-920- 82
680-331-259
孫碧雲明 554-987- 65
558-486- 41
孫碧霄明 1232-606- 5
孫嘉之唐 271-593-190中
1342-395-955
孫嘉淦清 476- 44- 98
孫嘉績明 301- 89-240
479-245-227
1321- 1- 84
1442-109- 7
孫瑶華明 汪景純妻
1442-126- 8
1460-908- 98
孫夢良宋 484-383- 28
孫夢卿宋 812-450- 1
812-535- 3
813- 88- 4
821-143- 50
孫夢弼妻 明 見林順德
孫夢簡清 475-231- 61
511-842-168
孫夢觀宋 287-781-424
398-707-415
472-981- 39
472-1088- 46
473-583- 75
473-599- 76
475-604- 81
479-179-225
481-673-331
523-289-159
528-523- 31
676-689- 29
1178-424- 3
1178-428- 3
1181- 62- 附
1181-100- 附
1181-104- 附
孫鳴球妻 明 見陳氏
孫鳳垚清 524-103-183
孫鳳珍北齊 263-138- 18
267-140- 54
孫鳳翮清 511-621-160
孫僧化後魏 262-292- 91
267-682- 89
547-147-147
孫維城明 300-735-227
474-514- 25
475-874- 95
476-899-147
477-567-177
540-816-28之3
545- 98- 86
554-183- 51
孫維祺清 511-820-167
孫維藩明 546-503-131
孫肇興明～清 540-840-28之4
1293-732- 4
孫肇薰清 524-115-183
孫潼發宋 472-1017- 41
523-490-170
1209-654-10下
1226-495- 24
孫調鼎清 559-334-7下
568-374-113
孫慶春宋 見孫礪
孫養正明 528-479- 30
孫養默明 545-444- 99
孫養翼妻 明 見李氏
孫賣魚宋 472-314- 13
475-334- 65
511-926-174
孫賣魚妻 清 見陳氏
孫蔗田元 524-277-192
孫德之宋 451-402- 14
孫德秀金 1191-255- 22
孫德或元 見孫德彧
孫德昇妻 元 見周淑敬
孫德性明 1228- 20- 2
孫德恆元 1217-786- 8
孫德昭李德昭 後梁
277-145- 15
279-274- 43
396-407-292
554-586- 59
1408-473-526
孫德昭宋 511-488-155
孫德昭元 1221-485- 11
孫德彧孫德或 元
820-549- 39

1207-699- 50
孫德淵金 291-729-128
400-360-533
474-406- 20
474-558- 28
474-820- 44
496-400- 88
502-368- 62
505-675- 69
540-640- 27
孫德盛清 502-645- 78
孫德源金 545-215- 91
孫德潤元 523-426-167
孫德謙元 476-249-110
545-267- 93
孫緝淵妻 清 見韓氏
孫樂庵明 538-348- 70
孫徵蘭明 559-308-7上
孫憶峰妻 清 見張氏
孫義叟宋 559-318-7上
559-323-7上
孫龍行妻 清 見李氏
孫龍舒宋 1117-330- 14
孫澤盛明 456-556- 7
477-360-146
537-320- 56
孫蕙媛清 莊國英妻
1475-832- 35
孫曇瓘劉宋 258-496- 83
563-618- 38
孫興祖明 299-257-133
475-752- 88
511-496-156
1223-331- 4
孫默齋明 1289-178- 12
孫蓝芳妻 清 見劉氏
孫學易明 483-117-379
570-119-21之1
孫學思明 554-527-57下
孫學詩明 483-117-379
570-138-21之2
孫儒心六世孫 宋
591-159- 12
孫錫光妻 清 見劉氏
孫錫蕃清 532-674- 64
孫錫齡清 546-611-135
孫應元明(謚忠烈) 301-539-269
456-428- 2
550-203-216
孫應元明(號華山) 505-638- 67
孫應奎明(字文宿) 300-321-202
458-102- 4
477-316-164
537-521- 59
545-343- 96
676-721- 30
孫應奎明(字文卿) 300-322-202
537-521- 59
孫應奎明(蘅人) 511-584-159
孫應時明 493-748- 41
510-329-113
523-462-169
679-812-218
1153-635-107
1166-523- 附
1166-775-附下
1166-777-附下
孫應勛明 564-269- 47
孫應傑明 511-654-162
孫應魁妻 明 見李氏
孫應龍明 480-563-284
516-139- 92
孫應鼇孫應鼇 明
483-294-394
554-215- 52
572- 79- 28
572-329- 38
572-436- 41
572-437- 41
676-586- 24
677-615- 55
1324-315- 30
1442- 61- 4
1455-636-238
1460-192- 49
孫應鼇明 見孫應鼇
孫濟遠明 511-330-149
孫懋述明 511-634-161
孫翼鳳明 481-747-334
529-643- 48
孫嶸叟宋 479-236-227
523-304-160
677-409- 38
孫顏老宋 1165-611- 4
孫豐穀清 511-540-157
孫瀚芳妻 清 見李氏
孫懷悅宋 見孫懷說
孫懷說孫懷悅、張懷悅 宋
812-457- 1
812-538- 3
821-157- 50
孫願質宋 491-304- 6
孫鵬舉明 456-500- 5
480- 60-260
533-362- 53
孫繩武明 554-313- 53
孫繩武妻 明 見馮氏
孫繩祖明 1293-240- 14
孫繹如明 1249-178- 11
孫寶著宋 524-132-185
孫蘊韜清 540-684- 27
孫纂升女 清 見孫氏
孫繼有明 300-280-231
523-312-160
孫繼先明(字胤甫) 300-754-229
476-298-112
546-370-127
孫繼先明(字志顯) 567-141- 68
570-106-21之1
孫繼宗明 302-192-300
孫繼岡清 533-391- 60
孫繼芳明 480-465-279
533-284- 56
569-652- 19
473-319- 62
1442- 45- 3
1459-920- 39
孫繼皋明 475-228- 61
511-158-142
676-608- 25
678-214- 90
1442- 76- 5
1460-374- 57
孫繼祿明 523-204-155
孫繼寧元 1197-763- 80
孫繼魯明 300-355-204
475-325- 65
475-873- 95
482-561-369
483-358-400
494-167- 6
537-281- 55
545- 83- 85
570-104-21之1
571-551- 20
孫繼鄴宋 285-621-290
397- 88-325
472-877- 35
475- 73- 53
558-191- 31
孫鶴亭女 明 見孫氏
孫蘭媛清 陸渭妻
1475-832- 35
孫麟超妻 清 見吳氏
孫麟貴清 516-188- 94
孫顯宗明(字存義) 524-174-187
孫顯宗明(字光表)
1244-665- 17
孫顯道明 511-628-161
孫靈暉北齊 263-339- 44
267-569- 81
380-316-174
505-877- 78
540-730-28之1
933-198- 14
孫觀國宋 1133-749- 17
孫徹徹篤元 1211-637- 8
孫伊克烏蘭元 見孫威
班春秋 見周匡王
班氏漢 漢成帝倢伃、班況女
251-291-97下
448- 78- 8
452- 43- 1
544-178- 61
554- 15- 48
1366-757- 3
1370- 16- 1
1395-583- 3
班氏元 宋堅童妻 295-628-200
401-177-593
472-485- 21
班氏明 張麒妻 506- 5- 86
班布清 455-450- 27
班宏唐 270-470-123
275-141-149
384-234- 12
395-743-248
472-708- 28
477-207-159
481- 17-291
537-462- 58
820-219- 28

933-231- 16
班伯漢 476-276-111
478- 95-180
546-682-137
554-625- 60
1405-467-284
班況漢 546-155-120
554- 64- 49
1405-467-284
班況女 漢 見班氏
班孟不詳 1059-274- 4
班固漢 252-844-70上
370-162- 16
376-745-109上
384- 59- 3
402-419- 7
402-461- 10
402-526- 15
402-573- 19
472-831- 33
478- 99-180
554-828- 63
812- 66- 下
812-229- 9
812-719- 3
814-224- 3
820- 29- 22
933-231- 16
1366-768- 4
1395-583- 3
班始漢 253- 89- 77
370-163- 16
554- 68- 49
班佩明 563-827- 41
班斿漢 546-683-137
554-826- 63
班柱清 455-135- 5
班勇漢 253- 89- 77
376-802-109下
384- 63- 3
478-101-180
483-592-414
554-551- 58
933-231- 16
班昭班姬 漢 曹世叔妻、班彪女 253-627-114
381- 42-185
452-106- 3
472-842- 33
478-134-181
555- 3- 66
933-231- 16
班迪清 1325-296- 附
班姬漢 見班昭
班彪漢 252-841-70上
370-162- 16
376-743-109上
384- 59- 3
472-830- 33
474-234- 12
478- 97-180
554-827- 63
558-477- 40
933-231- 16
1405-467-284
班彪妻 漢 見班昭
班第清(科爾沁人) 454-354- 18
班第清 扎薩克郡王(敖漢部人) 454-401- 26
496-218- 76
班第清(圖巴子) 454-473- 46
班第清(博貝子) 454-597- 63
班第清(馬佳氏) 455-170- 7
班第清(正白旗人) 456-209- 66
班第清(葉何氏) 456-253- 69
班第清(墨爾吉濟特氏) 456-258- 69
班第清(卓爾特氏) 456-273- 70
班第清(佟尼耀特氏) 456-286- 71
班第清(正白旗人) 456-347- 77
班第清(托斯察布子) 496-217- 76
班第清(鄂齊爾子) 496-218- 76
班第清(旺佳氏) 502-749- 85
班第清(定北將軍)1304-258- 64
班第清 見蒼津
班琴明 524-336-195
班超漢 253- 81- 77
370-162- 16
376-795-109下
384- 61- 3
402-416- 7
402-529- 15
402-576- 19
471-1053- 68
472-831- 33
477-317-164
478- 99-180
483-591-414
538-322- 69
552- 19- 18
554-549- 58
558-236- 32
820- 29- 22
933-231- 16
1408-424-521
班壹漢 546-155-120
1405-467-284
班雄漢 253- 88- 77
554-550- 58
班嗣漢 554-826- 63
班稚漢 545-205- 91
554-626- 60
1405-467-284
班璉清 545-112- 86
班濟妻 清 見額蘇爾氏
班孺漢 546-155-120
班巴爾元 295-564-193
400-247-520
班巴爾女 元 見珍格
班布里清 455-569- 37
班布施清 456-273- 70
班布海清 456-237- 68
班布泰清 455-377- 23
班布理清(他塔喇氏) 455-217- 11
班布理清(宜特墨氏) 455-617- 42
班布理清(喜塔臘氏) 455-625- 43
班札克清 456-232- 68
班朱琥清 455-552- 35
班珠爾清(額璘臣達什子) 455-465- 38
班珠爾清(綽囉斯氏) 454-841- 97
班珠爾清(固山貝子) 500-725- 37
班珠爾清(和碩親王) 500-727- 37
班惟志元 493-753- 41
820-501- 37
821-290- 53
1439-430- 1
班第達明 547-480-159
班第達清 454-811- 93
班景倩唐 472-357- 15
510-433-116
515- 7- 57
933-231- 16
班積理清 456- 22- 51
班積喇清 455-366- 22
班濟那清 455- 88- 3
班濟哈清 455-433- 26
班麻思結明 見巴特瑪斯結
班達林沁清 496-217- 76
班達爾沙清 496-216- 76
班達爾錫清 456-256- 69
班布爾實皇后元 元明宗
294-187-114
393-349- 80
班珠爾多爾濟清
454-534- 51
珪宋 1053-693- 16
珪納克元 見固納
耆域晉 472-754- 29
473-252- 60
480-301-271
533-766- 74
538-342- 70
1049-545- 37
1050-240- 76
1054- 47- 1
1054-303- 6
盍胥春秋 545-736-109
哲唐 472-496- 21
476- 48- 98
547-479-159
哲元 1222-281- 19
哲辰者赤 明 496-626-106
哲貝清 456- 9- 50
哲伯只必、晉畢 元(托多爾台子) 294-230-119
476-819-143
540-665- 27
哲伯元(字朝用) 528-508- 31
哲伸清 502-606- 76
哲金清 456-281- 71
哲美清 456-258- 69
哲中額清 456-105- 57

哲庫訥清(富察氏) 455-429- 26	桂杞宋 585-788- 8	桂義清 456-302- 73	明 299-296-137
哲庫訥清 456-124- 58	桂秀明 516- 83- 90	桂蕃妻明 見張氏	452-303- 13
哲庫慎清 455-235- 12	桂忠清 456-378- 79	桂繽宋 515-863- 85	452-310- 13
哲倫泰清 455-287- 16	桂芝明 473-465- 69	桂衡明 524- 7-178	458-603- 1
哲都布清 455-287- 16	559-291-7上	585-457- 12	472-1088- 46
哲楚克清 455-488- 30	桂勇明 475- 76- 53	676-452- 17	479-180-225
哲爾古清 455-340- 21	桂容妻明 見喻氏	820-576- 40	523-593-175
哲爾克清 455-114- 4	桂軌明 523- 88-149	1442- 11- 1	547-155-147
哲爾肯清 479-457-237	桂卿南唐 473- 62- 51	1459-443- 14	676-446- 17
515- 70- 58	515-853- 85	桂璘明 524- 43-180	1232-179- 1
哲爾庫清 455- 56- 1	桂梓元 820-530- 38	桂績宋 515-863- 85	1232-207- 2
哲爾球清 455-113- 4	1213-776- 25	679-492-186	1259-824- 6
哲爾蛟清 455-435- 26	桂堂宋 471-975- 56	桂璧宋 515-869- 85	1374-644- 85
哲爾欽清 455-268- 15	473-427- 67	桂鏊明 475-644- 83	1442- 6- 1
哲爾德清(納喇氏) 455-383- 23	481-418-314	482-408-359	1457-484-387
哲爾德清(正藍旗人)	559-383-9上	511-318-148	1459-258- 5
455-682- 48	桂盛女唐 見桂金釵	567-119- 67	桂春陽明 515-812- 82
哲爾德清(都爾勒氏)	桂琛後唐 1052-175- 13	桂驤宋 473-465- 69	532-698- 45
456-147- 60	1052-658- 4	桂九官宋 1086-331- 4	桂南昇宋 494-546- 28
哲爾瑚訥清 455-114- 4	1053-306- 8	桂士訓明 511-633-161	515-858- 85
哲中額艾塔清 哲鍾我愛塔	1054-148- 3	桂子恭宋 515-869- 85	桂茂之明 559-345- 8
455-150- 6	桂琳明 472-481- 21	桂心淵元 516-417-103	桂昱世明 1228-794- 14
456-165- 62	545-288- 94	桂文芳明 547-186-148	桂保姑明 李巖護妻
哲克錫巴班清 455-310- 19	桂森清 455-414- 25	桂天祥明 515-795- 82	475-647- 83
哲祿墨爾根清 455-591- 39	桂華杜革 明 516- 77- 90	1442- 54- 3	512-105-179
哲鍾我愛塔清 見哲中額	1442- 49- 3	1460-124- 46	桂勒赫清 455-106- 4
艾塔	1460- 56- 42	桂丹霞明 1240-827- 9	桂啟芳明 533-180- 52
哲蘇肯華連清 456- 50- 53	桂智妻明 見李氏	桂世卿妻明 見劉氏	桂登琛妻 清 見孫氏
桂山明 559-345- 8	桂舒女 宋 見桂氏	桂生枝明 480-128-264	桂陽王劉宋 見劉休範
567-101- 66	桂慎明 820-565- 40	桂有根明 537-568- 60	桂陽王齊 見蕭鑠
桂王唐 見李綸	1442- 11- 1	桂有煌明 456-545- 7	桂陽王齊 見蕭昭粲
桂王明 見朱常瀛	1459-422- 13	475-645- 83	桂陽王齊 見蕭寶貞
桂木宋 1170-738- 32	桂詢宋 515-855- 85	桂同德明 523-593-175	桂陽王梁 見蕭家
桂氏宋 朱世衡妻、桂舒女	桂萼明 300-215-196	桂如林宋 532-704- 45	桂陽王梁 見蕭融
1122-545- 9	452-446- 2	桂仲武唐 567- 43- 64	桂陽王梁 見蕭大成
1122-549- 10	505-684- 69	桂完澤元 見桂謂勒哲	桂陽王陳 見陳伯謀
桂氏宋 謝杅得母 288-460-460	516- 81- 90	桂李寄元 見桂義方	桂義方桂李寄 元
479-561-242	523-119-151	桂廷鳳妻明 見李中姑	1221-631- 24
桂氏明 沈思妻 481-389-312	1458-542-453	桂宗儒明 542- 43-180	桂萬榮宋 472-1087- 46
桂氏明 姜阿龍妻 479-189-225	桂鼎宋 517-348-124	1240-191- 13	523-449-168
桂父秦(常服桂) 564-612- 56	桂滿明 472-207- 7	桂武仲唐 933-659- 43	桂嘉孝明 559-348- 8
1058-496- 上	桂榮明(固始縣丞) 472-490- 31	桂孟成明 563-783- 40	桂德偶明 見桂彥良
1061-250-108	桂榮明(字君用) 515-888- 86	桂枝楊明 516-134- 92	桂德稱明 見桂彥良
桂本元 515-870- 85	528-457- 29	桂金釵唐 桂盛女	桂錫孫宋 491-432- 6
517-542-129	桂廣明 1246-503- 下	475-646- 83	桂應蟾明 475-644- 83
1226-171- 8	桂襃漢 933-659- 43	512-103-179	桂陽公主唐 見長廣公主
桂舟宋 491-435- 6	桂輪明 570-252- 25	桂首攀妻 明 見李氏	桂鄂勒哲元 見桂謂勒哲
桂全明 537-351- 56	桂德明 見桂彥良	桂彥見桂德、桂德偶、圭德稱	桂謂勒哲桂完澤、桂鄂勒哲

元 295-585-195
400-266-521
472-1118- 48
475-121- 55
479-407-235
523-416-166
桓子春秋 見荀林父
桓氏漢 劉長卿妻、桓鸞女
253-634-114
381- 45-185
452-108- 3
475-755- 88
桓氏後魏 叔孫俊妻
379- 13-146
桓玄桓靈寶 晉 256-616- 99
262-390- 97
377-923-130
488-145- 7
488-147- 7
488-147- 7
488-150- 7
812- 62- 中
812-225- 8
812-714- 3
814-243- 6
820- 71- 23
1379-374- 46
桓占清 455- 86- 3
桓任漢 402-443- 9
桓伊晉 256-331- 81
370-371- 9
377-858-129上
384-100- 5
472-201- 7
475-741- 88
475-748- 88
479-446-237
511-345-149
515- 4- 57
933-221- 16
桓言唐 821- 94- 48
桓沖晉 256-226- 74
370-361- 9
377-780-127
384- 98- 5
472-347- 15
473-245- 60
475-748- 88
480- 11-257
480-238-269
488-135- 7
488-136- 7
511-345-149
515- 4- 57
532-554- 40
933-221- 16
桓典漢 252-812- 67
370-166- 16
376-732-108
384- 59- 3
402-426- 7
402-528- 15
402-584- 20
472-199- 7
475-746- 88
511-342-149
537-420- 58
675-264- 7
933-221- 16
桓叔春秋 見成師
桓宣漢 472-864- 34
554- 99- 50
桓宣晉 256-329- 81
377-856-129上
472-201- 7
473-245- 60
480-286-271
511-345-149
532-553- 40
933-221- 16
桓宣梁 559-279- 6
桓奕漢 537-420- 58
桓威魏 254-382- 21
380-351-175
475-425- 70
511-786-166
桓郁漢 252-811- 67
370-165- 16
376-731-108
384- 59- 3
402-408- 6
402-521- 15
475-746- 88
511-712-164
538- 23- 62
675-262- 7
桓禺魏 480-199-267
桓胤晉 256-229- 74
377-783-127
933-221- 16
桓振晉 256-223- 74
377-778-127
桓祕晉 256-225- 74
377-779-127
1394-539- 7
桓修晉 256-230- 74
377-784-127
桓梁漢 1412-267- 11
桓康齊 259-332- 30
265-663- 46
370-513- 15
378-229-137
384-115- 6
472-553- 23
476-583-131
540-720-28之1
933-222- 16
桓焉漢 252-812- 67
370-165- 16
376-732-108
384- 59- 3
402-413- 6
402-525- 15
475-746- 88
511-712-164
538- 23- 62
539-351- 8
675-262- 7
933-221- 16
桓彬漢 252-814- 67
376-733-108
384- 59- 3
475-746- 88
511-712-164
933-221- 16
1412-433- 18
桓陵晉 254-398- 22
533-243- 55
桓偉晉 256-614- 98
377-922-130
1379-351- 43
桓雲晉 256-221- 74
377-776-127
475-748- 88
933-221- 16
桓雄晉 256-452- 89
380- 39-166
473-337- 63
480-405-277
533-396- 61
桓階魏 254-397- 22
377-175-116
384- 84- 4
384-661- 41
473-336- 63
480-405-277
533-243- 55
933-221- 16
桓景漢 477-424-169
桓勝魏 533-243- 55
桓溫晉 256-606- 98
377-915-130
384-101- 5
469-100- 12
488-131- 7
567- 2- 62
813-243- 7
814-243- 6
820- 71- 23
933-221- 16
1379-342- 42
桓嗣晉 256-229- 74
377-783-127
933-221- 16
桓虞漢 370-181- 18
402-391- 5
桓榮漢 252-808- 67
370-164- 16
376-729-108
384- 59- 3
402-397- 5
402-520- 15
402-564- 19
469-140- 15
472-199- 7
472-680- 27
475-745- 88
511-711-164
538- 22- 62
675-261- 7
933-220- 16
1408-423-521

桓熙晉 256-614- 98
桓嘉魏 533-243- 55
540-644- 27
桓寬漢 472-791- 31
477-412-169
538- 30- 62
674-215-3上
桓誕後魏 262-470-101
267-808- 95
桓範魏 254-184- 9
375-166-79下
475-746- 88
511-787-166
812-316- 4
821- 8- 45
桓曄桓嚴、桓儼、桓礹 漢
252-813- 67
370-166- 16
376-733-108
384- 59- 3
402-424- 7
402-495- 12
475-746- 88
479-249-228
493-1038- 55
511-856-169
524-319-195
563-914- 43
567-423- 86
933-221- 16
1141-790- 33
桓豁晉 256-222- 74
377-776-127
532-554- 40
933-221- 16
桓濟晉 256-614- 98
567- 2- 62
桓謙晉 256-229- 74
370-387- 10
377-783-127
488-151- 7
493-675- 37
桓檀晉 485- 67- 10
桓駿唐 821- 94- 48
桓闓晉 492-593-13下之下
桓彝吳 370-265- 3
桓彝晉 256-220- 74
377-775-127
384- 98- 5
472-200- 7
472-357- 15
475-603- 81
475-748- 88
488-109- 7
511-494-156
933-221- 16
1410-156-681
桓韻晉 256-614- 98
桓譚漢(字君山) 252-678-58上
370-166- 16
376-651-107上
384- 58- 3
402-383- 4
402-442- 9
469-127- 15
469-140- 15
472-199- 7
475-745- 88
511-712-164
839- 28- 3
933-220- 16
桓譚漢(字文林) 493-1066- 57
桓嚴漢 見桓曄
桓驎漢 見桓麟
桓儼漢 見桓曄
桓麟桓驎 漢 252-814- 67
376-733-108
384- 59- 3
475-746- 88
538- 23- 62
879-170-58上
桓礹漢 見桓曄
桓鸞漢 252-813- 67
370-166- 16
376-733-108
384- 59- 3
402-420- 7
475-746- 88
477-199-159
511-645-162
537-272- 55
桓鸞女 漢 見桓氏
桓文高漢 見樊梵
桓少君漢 鮑宣妻
253-626-114
370-209- 22
381- 41-185
452-107- 3
472- 71- 2
474-340- 17
476-156-104
506- 90- 88
541- 60- 29
547-276-152
桓玄範唐 933-222- 16
桓石民晉 256-224- 74
377-777-127
511-415-152
532-661- 44
933-221- 16
桓石生晉 256-225- 74
377-777-127
桓石秀晉 256-224- 74
377-777-127
933-221- 16
桓石虔晉 256-225- 74
370-367- 9
377-777-127
407-598- 5
480-169-266
511-415-152
533-777- 74
933-221- 16
桓石康晉 256-225- 74
377-777-127
桓石綏晉 256-225- 74
377-777-127
桓臣範晉 933-222- 16
桓法嗣隋 264-1172- 85
桓叔興北魏 262-470-101
267-809- 95
桓彥範母 唐 512- 3-176
桓彥範韋彥範 唐 270- 91- 91
274-513-120
384-185- 10
395-495-226
459-370- 22
470- 3- 89
472-275- 11
475-275- 63
482-280-351
511-454-154
563-643- 38
567-427- 86
933-222- 16
桓達理清 502-537- 72
桓靈寶晉 見桓玄
栖公宋 820-468- 36
桐君上古(或有問其姓者則指桐以示因名焉) 524-437-201
742- 22- 1
933- 42- 2
1153- 21- 55
桐峰庵主唐 1053-439- 11
桐泉山禪師潼泉山禪師 五代
1053-240- 6
格文清 456-175- 63
格布清 455- 55- 1
格尼清 455-364- 22
格班漢 933-752- 52
格梅清 456-239- 68
格紳清 502-741- 85
格善清 455-239- 13
格鈕清 456- 18- 51
格嗎清 560-129- 19
格遵唐 274-304-102
格巴庫清(納喇氏) 455-364- 22
格巴庫清(烏蘇氏) 455-571- 37
格布庫清(瓜爾佳氏)
455-110- 4
格布庫清(納喇氏) 455-364- 22
格布庫清(民覺羅氏)
502-736- 84
格布渾清 455-601- 40
格色克清 454-593- 62
格克持清 455-163- 7
格伯訥清 455-286- 16
格希元唐 269-661- 70
格宜祿清 455-500- 31
格林泰清 456-108- 57
格柏庫清 455- 95- 3
格埒克歌羅該 明
496-628-106
格埒克清(車稜旺布子)
454-570- 58
格埒克清(齊旺班珠爾子)
454-573- 59
格哷爾默納克 清
454-391- 24
格勒布清 455-366- 22
格塞理清 455-528- 33
格塞赫清 456- 33- 52

格爾布清(楊佳氏) 456- 65- 54
格爾布清(尼陽尼雅氏)
456-105- 57
格爾台革蘭台 明
496-629-106
格爾根歌魯歌 明
496-628-106
格爾都清 455-136- 5
格輔元唐 269-661- 70
274-304-102
384-183- 10
395-323-210
472-656- 27
477- 69-152
537-383- 57
格圖肯唐 見可突于
格木丕勒清(沙克都爾扎布子)
454-576- 60
格木丕勒清(阿哩雅子)
454-674- 74
格都爾備清 455-388- 23
格爾古德清 505-641- 67
格爾博羅明 革列孛羅
496-629-106
格爾模亨清 455- 66- 2
格爾德濟元 1207-349- 24
格埒克延丕勒清
454-589- 62
格埒克巴木丕勒清
454-563- 57
晉文明 1260-567- 14
晉王後魏 見元伏羅
晉王唐 見李普
晉王後唐 見李克用
晉王後周 見郭熙讓
晉王遼 見耶律仁先
晉王遼 見耶律宗懿
晉王遼 見耶律洪道
晉王遼 見耶律隆運
晉王遼 見耶律道隱
晉王遼 見耶律額嚕温
晉王遼 見蕭布固
晉王遼 見蕭孝先
晉王遼 見蕭珠展
晉王金 見完顏宗翰
晉王元 見巴特瑪策凌扎卜
晉王元 見噶瑪拉
晉王明 見朱棡
晉王明 見朱奇源
晉王明 見朱表榮
晉王明 見朱知烊
晉王明 見朱新⿰火典
晉王明 見朱濟熺
晉王明 見朱鍾鉉
晉王淑媛 明 見院氏
晉氏清 方述振妻 477- 97-153
晉古元 1192- 33- 2
晉臣明 554-512-57下
晉忠清 456-109- 57
晉保清 456-252- 69
晉桂清 455-270- 15
晉畢元 見哲伯
晉偉明 545-773-111
晉統明 547- 21-141
晉馮漢 1412-267- 11
晉琛明 1260-567- 14
晉婼春秋 545-689-108
晉嵩妻 明 見張氏
晉鄙戰國 933-669- 44
晉賢明 547- 46-142
晉鷺宋 473-257- 60
480-318-272
532-682- 44
晉瓛明 1260-567- 14
晉士傑明 1260-567- 14
晉大忠清 476-348-116
523-208-155
545-803-111
晉文公重耳 春秋
244-103- 39
371-339- 16
375- 30-77下
384- 6- 1
386-618- 4
404-163- 10
545-485-101
554-877- 64
1112-643- 7
晉文公夫人 春秋 見文嬴
晉文公夫人 春秋 見杜祁
晉文公夫人 春秋 見季隗
晉文公夫人 春秋 見姜氏
晉文公夫人 春秋 見偪姞
晉文公夫人 春秋 見齊姜
晉文公夫人 春秋 見懷嬴
晉文公女 春秋 見趙姬
晉文帝司馬昭 255- 43- 2
384- 88- 5
386-178-75上
544-202- 62
814-209- 1
819-560- 19
晉文帝后 見王元姬
晉文侯文侯仇 春秋
371-335- 16
375- 28-77下
404-157- 10
545-483-101
晉文經漢 402-487- 12
晉大忠清 479-354-233
晉元帝司馬睿、司馬叡
255- 95- 6
262-374- 96
372-459-10下
384- 94- 5
488- 88- 7
488- 98- 7
488-101- 7
589-178- 上
814-210- 1
819-560- 19
晉元帝宮人 見荀氏
晉元帝后 見虞孟母
晉元帝夫人 見鄭阿春
晉天受清 456-392- 80
晉平王劉宋 見劉休祐
晉平公春秋 371-349- 16
375- 42-77下
384- 7- 1
386-648- 7
404-178- 11
晉平公夫人 春秋 見少姜
晉出公戰國 371-354- 16
375- 43-77下
384- 7- 1
晉出帝石重貴 後晉
278- 48- 81
279- 59- 9
384-304- 16
392-252- 22
537-181- 53
晉出帝后 後晉 見張皇后
晉出帝后 後晉 見馮皇后
晉安王劉宋 見劉子勛
晉安王齊 見蕭子懋
晉安王齊 見蕭寶義
晉安王陳 見陳伯恭
晉安帝司馬德宗 255-145- 10
262-383- 96
370-375- 10
370-400- 10
384- 96- 5
589-180- 上
晉安帝后 見王神愛
晉汝賢元 1201-165- 80
晉成公春秋 244-112- 39
371-344- 16
375- 40-77下
384- 6- 1
404-172- 10
晉成帝司馬衍 晉255-109- 7
262-378- 96
370-309- 7
370-328- 7
372-469-10下
372-476-10下
384- 95- 5
589-179- 上
814-210- 1
819-561- 19
晉成帝后 見杜陵陽
晉成帝貴人 見周氏
晉孝公戰國 384- 7- 1
晉定公春秋 244-116- 39
371-353- 16
375- 43-77下
384- 7- 1
404-182- 11
晉武公曲沃武公 春秋
244- 96- 39
371-335- 16
371-427- 22
375- 29-77下
384- 6- 1
545-484-101
晉武公夫人 春秋 見齊姜
晉武帝司馬炎 255- 52- 3
372-425-10上
384- 88- 5
537-178- 53
813-208- 1

814-209- 1
819-560- 19
1112-658- 9
晉武帝才人 見王媛姬
晉武帝貴嬪 見左芬
晉武帝貴嬪 見胡芳
晉武帝后 見楊芷
晉武帝后 見楊豔
晉武帝夫人 見諸葛婉
晉承眷明 476-779-141
540-663- 27
晉明帝司馬紹 255-104- 6
262-377- 96
370-301- 6
372-466-10下
384- 95- 5
589-179- 上
814-210- 1
891-561- 19
812-317- 5
晉明帝后 見庾文君
晉宣帝司馬懿 255- 26- 1
370-290- 5
372-406-10上
384- 85- 4
384- 88- 5
386-174-75上
472-623- 25
472-719- 28
819-560- 19
1112-657- 9
1379-243- 31
1395-588- 3
晉宣帝后 見張春華
晉哀公戰國 371-354- 16
384- 7- 1
晉哀帝司馬丕 255-125- 8
262-381- 95
370-341- 8
384- 96- 5
589-180- 上
814-210B- 1
819-561- 19
晉哀帝后 見王穆之
晉哀侯春秋 371-335- 16
晉昭公春秋 371-352- 16
384- 7- 1
404-181- 11
晉昭侯春秋 371-335- 16
375- 28-77下
晉幽公戰國 371-354- 16
384- 7- 1
晉高祖石敬瑭 後晉
277-600- 75
278- 1- 76
279- 53- 8
384-304- 16
392-247- 22
537-181- 53
544-160- 61
晉高祖后 後晉 見李皇后
晉家昌妻 清 見劉氏
晉恭帝司馬德文 255-153- 9
262-387- 96
370-400- 10
589-181- 上
晉恭帝后 見褚靈媛
晉恭帝女 見司馬茂英
晉烈公戰國 384- 7- 1
晉悼公春秋 244-114- 39
371-347- 16
375- 42-77下
384- 7- 1
404-176- 10
545-489-101
晉悼公夫人 春秋
404-763- 46
晉淑京清 476- 86-100
晉淑軾清 476- 86-100
545-799-111
晉淑嶠妻 清 見劉氏
晉康帝司馬岳、司馬嶽
255-116- 7
370-329- 8
384- 95- 5
493-643- 35
589-179- 上
814-210- 1
819-561- 19
晉康帝后 見褚蒜子
晉頃公春秋 371-352- 16
375- 43-77下
384- 7- 1
404-182- 11
晉陵子不詳 820-289- 30
晉陵王劉宋 見劉子雲
晉國王遼 見耶律重元
晉國柱明 554-876- 64
晉國璧清 511-425-152
晉惠公晉侯夷吾 春秋
244-101- 39
371-337- 16
384- 6- 1
404-161- 10
554-877- 64
晉惠帝司馬衷 255- 70- 4
384- 90- 5
537-178- 53
晉惠帝后 見羊獻容
晉惠帝后 見賈南風
晉惠帝夫人 見謝玖
晉朝臣明 510-491-118
545-784-111
晉景公春秋 244-112- 39
371-344- 16
375- 40-77下
384- 6- 1
404-173- 10
晉景帝司馬師 255- 39- 2
372-417-10上
384- 88- 5
386-176-75上
814-209- 1
819-560- 19
晉景帝后 見羊徽瑜
晉景帝后 見夏侯徽
晉鄂侯春秋 371-335- 16
384- 6- 1
晉愍帝司馬業、司馬鄴
255- 87- 5
537-178- 53
554- 7- 48
晉達理清 455-671- 47
晉漢臣明 554-887- 64
晉熙王劉宋 見劉昶
晉熙王齊 見蕭銶
晉熙王齊 見蕭寶嵩
晉熙王陳 見陳叔文
晉厲公春秋 244-113- 39
371-346- 16
375- 41-77下
384- 6- 1
404-175- 10
晉靜公戰國 371-354- 16
384- 7- 1
晉穆帝司馬聃 255-119- 7
370-330- 7
384- 95- 5
589-179- 上
晉穆帝后 見何法倪
晉穆侯春秋 244- 95- 39
371-335- 16
375- 28-77下
晉穆侯夫人 春秋 見姜氏
晉應槐明 532-595- 41
545-784-111
晉襄公春秋 371-342- 16
375- 38-77下
384- 6- 1
404-170- 10
晉襄公夫人 春秋 見穆嬴
晉懷公太子圉 春秋
244-103- 39
384- 6- 1
554-877- 64
晉懷公夫人 春秋 見懷嬴
晉懷帝司馬熾 255- 81- 5
372-449-10上
537-178- 53
晉獻公春秋 244- 96- 39
371-335- 16
375- 29-77下
384- 6- 1
404-159- 10
晉獻公夫人 春秋 見大戎狐姬
晉獻公夫人 春秋 見小戎子
晉獻公夫人 春秋 見賈氏
晉獻公夫人 春秋 見驪姬
晉獻公女 春秋 見穆姬
晉靈公春秋 244-110- 39
371-343- 16
375- 39-77下
384- 6- 1
404-170- 10
晉什納密清 456-127- 58
晉孝武帝司馬曜、司馬昌 明
255-137- 9
262-382- 96
370-373- 9
372-491-10下

372-498-10下
384- 96- 5
589-180- 上
814-210- 1
晉孝武帝后 見王法慧
晉孝武帝淑媛 見陳歸女
晉侯夷吾春秋 見晉惠公
晉陵公主唐 見金堂公主
晉國公主高都公主 唐 崔惠童妻、唐玄宗女 274-112- 83
393-280- 73
544-231- 63
554- 52- 49
晉國公主後周 張永德妻、周太祖女 549-232- 63
晉國公主遼 見耶律舒古
晉陽公主唐 裴液妻、唐代宗女 274-115- 83
393-283- 73
544-231- 63
晉陽公主唐 見李明達
晉簡文帝司馬昱 255-132- 9
262-381- 96
370-347- 8
370-350- 8
372-489-10下
384- 96- 5
589-180- 上
814-210- 1
819-561- 19
晉簡文帝后 見王簡姬
晉簡文帝宮人 見李陵容
晉國長公主遼 見耶律巴沁
晉國長公主遼 見耶律觀音
晉國長公主宋 見魯國大長公主
書氏清 瑚勒格諾妻 503- 36- 94
書義清 456-291- 72
書裘清 502-500- 70
書魯木妻 清 見郎氏
弱聲梁 見曼陀羅仙
琉達理清 455-413- 25
耽章唐 見本寂
起漢(姓缺封南郎侯) 535-552- 20
軒氏明 申化妻 506-137- 89
軒和漢 933-206- 14
軒輗明 299-553-158
453-315- 3
453-590- 13
458- 79- 4
472-684- 27
472-963- 38
477-130-155
478-766-215
523- 38-147
528-450- 29
537-429- 58
585-381- 7
軒惟明明 505-676- 69
軒轅氏上古 見黃帝
軒轅集唐 473-695- 80
482- 52-340
564-615- 56
軒轅彌明唐 534-593-101
567-457- 87
585-781- 7
1378-343- 53
哥舒翰唐 270-273-104
274-678-135
384-203- 11
395-625-237
478-652-207
558-135- 30
933-797- 58
哥舒曜唐 274-682-135
384-237- 12
395-628-237
537-199- 54
郝乙金 400-238-519
郝氏晉 王湛妻、郝普女 256-570- 96
547-205-149
郝氏唐玄宗宮女 544-184- 61
郝氏宋 趙仲愈妻、郝惠女 1100- 64- 7
郝氏宋 劉應麒妻 492-606-13下之下
郝氏元 王時亨妻 547-258-151
郝氏元 郭惟辛妻 295-633-201
401-180-593
郝氏元 張保童妻 295-628-200
401-177-593
郝氏明 王希皋妻 506-132- 89
郝氏明 朱充㙺妻 547-314-153
郝氏明 姚登明妻 558-493- 42
郝氏明 祝大用妻 472-578- 24
郝氏都氏 明 袁昇妻 472-701- 28
506-128- 89
郝氏明 張伯通妻 473-391- 65
郝氏明 劉前徽妻 541- 8- 29
郝氏明 郝崇女 506-135- 89
郝氏明 熊維典嫂 479-582-243
郝氏清 王汝雍妻 475-824- 92
郝氏清 皮應瑄妻 479-583-243
郝氏清 任三瑞妻 506- 37- 86
郝氏清 宋權妻、郝有德女 1323-353- 30
郝氏清 吳世傑妻 474-193- 9
郝氏清 林巖妻 476-703-137
541- 46- 29
郝氏清 周萬榮妻 503- 57- 95
郝氏清 周鼐新妻 474-194- 9
郝氏清 苗實妻、郝安女 478-437-196
郝氏清 范肯堂妻 506- 16- 86
郝氏清 梁臣妻 506- 86-118
郝氏清 陶杍妻 475-757- 88
郝氏清 張三貴妻 506-171- 90
郝氏清 張起鯨妻 506- 37- 86
郝氏清 黃士熙妻 482-227-348
郝氏清 顧璉妻 474-194- 9
郝旦漢 496-586-103
郝旦金 見郝震
郝史金 820-484- 36
郝安明 554-475-57上
郝安女 清 見郝氏
郝序明 554-475-57上
郝玘明 472-409- 18
510-399-115
郝佑元 295-363-174
399-670-486
545-652-106
郝邠妻 明 見吳氏
郝杰明 300-635-221
474-518- 25
523- 58-148
郝青元 540-777-28之2
郝孟妻 明 見王氏
郝玭唐 見郝玭
郝忠唐 545-596-104
郝芹明 476-855-145
郝昇金 547-513-160
郝昇妻 明 見沈氏
郝洛清 474-777- 42
郝沿唐 547-131-146
郝珊明 554-734- 61
郝郁明 1239-115- 34
郝玭赫玭 唐 270-822-152
275-378-170
384-237- 12
396-150-265
472-877- 35
478-670-209
558-190- 31
933-739- 51
1079- 68- 11
郝珩明 472-116- 4
郝砆唐 523- 71-149
郝昭魏 254- 67- 3
385-361- 35
476- 33- 98
545-516-102
1408-478-527
郝信明 563-850- 41
郝俁金 383-999- 28
546-634-136
676-695- 29
1365- 54- 2
1439- 4- 附
1445-342- 22
郝俊妻 清 見李氏
郝浴妻 明 見李氏
郝浴清 474-654- 34
481- 27-291
482-324-354
503- 12- 90
505-797- 73
506-657-109
510-300-112
559-325-7下
567-159- 69
568- 3- 97
568-434-115
568-466-117
1315-341- 14
郝軒後魏 545-538-103
郝根明 547- 20-141

郝淮妻 明 見孔氏
郝章宋 821-200- 51
郝庸元 295-143-157
399-461-462
郝彬元 295-322-170
399-645-484
472- 36- 1
472-291- 12
474-180- 8
475-368- 67
475-700- 86
505-721- 71
510-285-112
1206-623- 12
郝崇女 明 見郝氏
郝處宋 812-537- 3
821-146- 50
郝冕明 1258-201- 18
郝偁元 510-502-118
郝逢宋 559-503- 12
591-542- 42
郝從元 1203-390- 29
郝啟清 547-118-145
郝滋明 554-482-57上
郝翔妻 清 見蔡氏
郝善妻 明 見胡氏
郝普蜀漢 254-692- 15
532-712- 45
郝普女 晉 見郝氏
郝琮妻 明 見李氏
郝琪妻 清 見賀千金
郝絜漢 476- 33- 98
545-504-101
郝惠女 宋 見郝氏
郝巽清 511-364-150
郝隆晉 546-723-139
933-738- 51
郝登宋 489-696- 50
郝華妻 明 見李氏
郝絅明 505-685- 69
郝勝五代 546-394-128
郝傑唐 546-385-127
郝傑清 505-803- 74
506-650-109
郝源金 1192-415- 36
郝義明 545-659-107
郝嵩元 1198-769- 5
郝敬明(字仲輿) 301-860-288
457-939- 55
480-175-266
533- 63- 49
676-618- 25
677-669- 60
821-449- 57
1442- 82- 5
1460-442- 60
郝敬明(沅江人) 472-741- 29
480-486-280
537-303- 56
郝經元(字伯常) 295-136-157
399-458-462
451-683- 15
472- 52- 2
472-292- 12
472-505- 21
474-248- 12
476-206-107
477-503-174
505-720- 71
506-506-103
511-903-172
538-321- 69
546-188-121
549-229-189
549-412-196
550-160-215
550-521-224
550-522-224
550-597-225
677-460- 42
820-490- 37
1192- 2- 附
1366-680- 40
1367-768- 58
1439-419- 1
1468-240- 13
郝誠金 1200-720- 54
郝禎元 1200-720- 54
郝福唐 545-334- 96
郝瑨元 1200-721- 54
郝瑨妻 元 見馬氏
郝聚女 明 見郝拾翠
郝鳳明 545-146- 88
郝縉妻 明 見許氏
郝槃明 545-246- 92
545-422- 98
郝戩宋 288-414-456
400-302-524
472-437- 19
476-183-106
547- 41-142
郝戩妻 宋 見聶氏
郝澄宋 812-460- 1
812-538- 3
813-108- 7
821-166- 50
郝賢漢 505-694- 70
539-349- 8
郝瑾明 545-146- 88
郝璋明 546-409-128
郝震郝旦 金 1192-414- 36
郝質宋 286-630-349
382-540- 84
384-362- 18
397-687-362
472-496- 21
476-183-106
478-268-187
545-883-114
549-121-185
郝銳宋 812-544- 4
821-165- 50
郝隨宋 427-376- 5
郝錦明 511-379-150
515- 99- 59
郝衡金 547-144-146
郝勳明 505-896- 80
郝璧清 558-301- 34
郝彝元 295-143-157
399-461-462
547-133-146
郝鎰明 505-818- 74
558-211- 32
郝鷟金 1200-720- 54
郝鵬明 472-439- 19
545-656-107
郝鏜明 554-310- 53
郝鑲隋 545-815-112
郝讓妻 明 見王氏
郝又賢妻 清 見蕭氏
郝九齡明 545-432- 99
郝士安宋 821-200- 51
郝士洪妻 清 見劉氏
郝土膏明 554-670- 60
郝子廉漢 547-125-146
郝大通金 見郝廣寧
郝大鈁清 505-918- 81
郝女君魏 469-542- 66
505-936- 85
547-475-159
郝文珠明 1442-126- 8
郝巴圖元 見郝尚巴圖
郝天祐金 546-689-138
820-483- 36
1192-418- 36
郝天挺金 291-721-127
401- 36-572
472-505- 21
476-206-107
546-688-138
1191-262- 23
1192-416- 36
1365-296- 9
1445-537- 42
郝天挺元 295-363-174
399-670-486
472- 55- 2
472-439- 19
472-826- 33
474-242- 12
483- 94-378
505-883- 78
537-207- 54
1439-425- 1
郝天麟元 1386-488- 47
郝公瑱妻 清 見陳氏
郝仁禹宋 476-656-135
540-647- 27
郝允曜明 456-580- 8
478-436-196
554-740- 61
郝本彰明 546-736-139
547-103-145
郝汝松明 554-527-57下
郝有玉明 547- 97-144
郝有德女 清 見郝氏
郝光輔明 523-218-156
郝全善清 478-546-202
558-421- 37
郝仲連宋 288-356-452
400-154-513
472-457- 20

473-478- 69
476-112-102
481-116-296
545-369- 97
559-509- 12
郝志才明 511-884-171
郝志松元 547-494-159
郝志隆元 541- 95- 30
郝志義明 478-434-196
554-475-57上
郝孝隆宋 821-208- 51
郝作梅妻 清 見杜氏
郝伯堅妻 明 見張氏
郝伯魯元 1214-234- 19
郝廷玉唐 270-816-152
275- 7-136
384-213- 11
395-639-238
558-226- 32
933-738- 51
郝廷表妻 明 見魏氏
郝廷璋妻 明 見張氏
郝廷儒妻 明 見王氏
郝宗儒明 554-279- 53
郝宛然明 見郝藝娥
郝拔都元 見郝哈尚巴圖
郝居中金 1365- 54- 2
郝孟節漢 253-613-112下
380-582-181
386-102-72上
476-158-104
547-488-159
郝奇遇明 302-116-295
456-633- 10
474-623- 32
505-864- 77
郝忠恕元 546-636-136
郝明徽清 533- 72- 49
郝明颺妻 清 見趙氏
郝芳聲明 302- 45-291
456-523- 6
476-311-113
476-577-131
540-636- 27
546-382-127
郝采麟元 295-143-157
399-461-462
郝秉翰妻 清 見李氏
郝拾翠明 何三妻、張三妻、郝聚女 478-421-195
555- 57- 66
郝致才明 472-206- 7
郝致厚宋 400-155-513
郝思仁元 478-337-191
郝思義元 510-426-116
郝思温金 1192-420- 36
郝思温妻 金 見許氏
郝思温元 820-502- 37
郝信臣元 476- 79-120
545-182- 89
郝信甫明 559-281- 6
郝振綱清 478-133-181
554-781- 62
郝時雍妻 明 見劉氏
郝修己明 476- 84-100
545-770-111
郝惟謙清 475-875- 95
545-122- 86
郝惟聰明 511-586-159
郝國忠明 456-600- 9
郝處俊唐 270- 7- 84
274-456-115
384-180- 10
395-449-222
470-285-132
471-808- 31
473-269- 61
480-203-267
533- 65- 49
933-738- 51
郝紹夔明 554-347- 54
郝婉然明 1442-127- 8
1460-911- 98
郝造賢妻 清 見王氏
郝從周妻 清 見陳氏
郝善繼妻 清 見馮氏
郝登科明 547- 92-144
郝景芳明 472-767- 30
郝景春明 302- 59-292
456-425- 2
475-378- 68
480-319-272
511-461-154
533-391- 60
郝景高明 1237-240- 4
郝景隆明 545-220- 91
郝象賢唐 270- 9- 84
274-456-115
384-180- 10
395-451-222
郝雍秀妻 清 見王氏
郝道福齊 265-1045- 73
380-105-167
478-247-186
933-738- 51
郝聖正妻 清 見朱氏
郝瑞日明 302- 88-294
456-501- 5
477-411-169
郝萬秋明 456-657- 11
郝萬幾明 547- 92-144
郝鼎臣元 554-845- 63
郝節娥宋 洪雅女 288-454-460
401-157-590
473-524- 72
481-311-307
559-468-11中
郝爾位妻 清 見左氏
郝鳴鳳妻 明 見邢氏
郝鳴鸞明 302- 60-292
郝鳳升明 481-723-333
529-636- 48
676-543- 22
1442- 45- 3
1459-915- 39
郝鳳歧妻 清 見牛氏
郝銘甫妻 明 見張氏
郝維訥清 474-188- 9
505-726- 71
郝維聰明 456-660- 11
郝維嶽明 559-372- 8
郝廣寧郝大通 金 541- 93- 30
郝澄經清 478-171-182
郝德昌元 1198-769- 5
郝德新宋 820-453- 35
郝鴻猷明 554-306- 53
郝應正清 505-898- 80
郝應聘妻 明 見芮氏
郝應選清 456-373- 78
郝藝娥郝宛然 明 820-770- 44
郝體元妻 明 見顧氏
郝和南巴圖元 見郝哈尚巴圖
郝和南拔都元 見郝哈尚巴圖
郝哈尚巴圖郝巴圖、郝拔都、郝和南巴圖、郝和南拔都 元 295- 50-150
399-416-457
472-438- 19
476- 41- 98
545-649-106
郰叔周 933-429- 28
郟敖春秋 見楚子麇
郟亶宋 475-130- 56
485-130- 19
485-197- 26
493-918- 49
511-230-145
517-324-124
589-317- 3
1437- 17- 1
郟僑宋 493-918- 49
589-343- 5
1437- 17- 1
郟元鼎宋 515-500- 72
郟升卿宋 475-562- 79
485-503- 9
510-424-116
1171-312- 7
院氏明 晉王淑媛、院文舉女 1268-492- 77
院賓母 明 見黎氏
院文舉女 明 見院氏
珠之清 502-736- 84
珠山清 455- 75- 2
珠希清 502-552- 73
珠祿清 456- 88- 56
珠徹元 見卓沁
珠愬清 456-281- 71
珠成額清 502-585- 75
珠拉塔清 456- 65- 54
珠昇阿清 455- 71- 2
珠英額清 455-168- 7
珠格玹金 見珠格邃
珠格邃珠格玹、珠赫玹、珠赫邃 金 1040-240- 3
1445- 37-1上
珠都勒清 455-434- 26

珠勒呼遼 289-705-108
401-111-583
珠雅諾清 455-417- 25
珠楞額清 455-673- 47
珠葉資清 456-195- 65
珠瑪那清 455-205- 10
珠瑪喇清 456-256- 69
珠爾庫清(兆佳氏) 455-504- 31
珠爾庫清(鄂濟氏) 455-660- 46
珠爾庫清(虎爾哈氏)
455-679- 48
珠爾泰清 455-405- 24
珠爾蘇妻 清 見瓜爾佳氏
珠赫玹金 見珠格邃
珠赫納清 502-570- 74
珠赫訥清(舒穆祿氏)
455-156- 6
珠赫訥清(富察氏) 455-450- 27
珠赫訥清(索綽絡氏)
455-651- 45
珠赫邃金 見珠格邃
珠嘉謙元 1201-165- 80
珠蘭泰清(瓜爾佳氏)
455- 95- 3
珠蘭泰清(肇佳氏) 456-254- 69
珠布式葉清 456-252- 69
珠格高乞金 見珠格高琪
珠格高琪珠格高乞 金
291-485-106
399-269-440
珠格筠壽珠赫雲壽、珠赫筠壽 金
291-413-100
399-240-437
1191-295- 27
珠崖二義漢 448- 50- 5
482-269-350
珠爾哈岱清 456- 53- 53
珠爾哈納清 455-343- 21
珠爾噶岱赤只兒瓦歹 元
478-337-191
珠爾噶岱只兒瓦歹 明
496-627-106
珠赫雲壽金 見珠格筠壽
珠赫筠壽金 見珠格筠壽
珠嘉臣嘉朮甲臣嘉 金
291-450-103
399-262-439
496-397- 88
珠嘉佛紳金 見珠嘉佛新
珠嘉佛新朮甲法心、珠嘉佛紳、珠嘉法心、舒佳佛申 金
291-669-121
400-214-517
474-167- 8
499-225-141
珠嘉法心金 見珠嘉佛新
珠勒根文卿 金 291-697-124
400-239-519
珠勒根彥忠阿勒錦彥忠、珠勒根斡克山、珠勒根斡克善 金
291-289- 90
399-173-431
474-871- 47
502-347- 61
珠勒齊格爾元 見楚齊格爾
珠嘉托羅海朮甲脫魯灰、珠嘉托羅該、珠嘉塔爾禪 金
291-692-124
400-233-519
474-874- 47
502-707- 82
554-363- 54
珠嘉托羅該金 見珠嘉托羅海
珠嘉塔爾禪金 見珠嘉托羅海
珠勒根斡克山金 見珠勒根彥忠
珠勒根斡克善金 見珠勒根彥忠
珠勒根穆都哩金
291-184- 81
珠卜斯巴勒戬藏明
302-831-331
珠爾默特策布登清
454-807- 92
袁七妻 清 見陳氏
袁之明 559-423-10上
袁方宋 1157-221- 16
袁方妻 宋 見范普元
袁文宋 1157-218- 16
1157-231- 17
袁文妻 宋 見戴氏
袁王唐 見李紳
袁仁明 524-280-192
1442- 38- 2
1459-776- 30
1475-288- 12
袁氏宋 王夷仲妻、袁玠女
1149-737- 17
袁氏宋 林勉之妻、袁埴女
1157-288- 21
袁氏宋 柳開妻 1085-329- 13
袁氏宋 虞世雄妻 479-664-247
袁氏元 朱至眞妻 516-230- 97
袁氏元 李馬兒妻 295-639-201
401-185-593
479-750-251
503- 27- 93
516-256- 98
袁氏元 張立試妻 479-750-251
袁氏元 陳九淵妻 479-768-252
473-179- 57
袁氏元 曾一元妻
1197-750- 78
袁氏元 劉熙妻 1208-590- 23
袁氏元 戴澿妻 1194-211- 16
袁氏元 羅汝錫母
1213-159- 12
袁氏明 方瑄妻 558-493- 42
袁氏明 王言妻 483-358-400
袁氏明 王一鶴妻
1288-634- 10
袁氏明 王石穀妻
1297- 99- 8
袁氏明 王守業妻 570-190- 22
袁氏明 王朝祐妻 479-665-247
袁氏明 王鈞臣妻 480-440-278
袁氏明 王繼宗妻 506- 42- 87
袁氏明 李錦妻 506- 41- 87
袁氏明 李世英妻 530-140- 58
袁氏明 李崇仁妻 473-189- 58
袁氏明 邢國璽妻 477-482-173
袁氏明 胡良儒妻 480-254-269
袁氏明 馬元吉妻 472-803- 31
袁氏明 夏文達妻
472-1043- 43
袁氏明 張元璽妻 479-684-248
516-269- 98
袁氏明 張均海妻 479-684-248
袁氏明 陳愚妻 1467-259- 72
袁氏明 陳學顏妻 482-353-356
袁氏明 賈爟妻 480-140-264
袁氏明 賈眞儒妻 506- 29- 86
袁氏明 楊昇妻 1376-684- 99
袁氏明 趙雲蒸妻
1283-634-116
袁氏明 鄭瓘妻 472-179- 6
475- 79- 53
512-452-187
袁氏明 鄭善夫妻
1269-175- 13
袁氏明 蔣文妻 1467-260- 72
袁氏明 劉和積妻 479-768-252
袁氏明 盧震初妻 480-141-264
袁氏明 蕭惟學妻 479-684-248
袁氏明 嚴庸妻 473-496- 70
481-250-303
袁氏明 袁傑女 473-396- 66
袁氏明 袁璽女 481-118-296
袁氏清 王明爽妻 474-195- 9
袁氏清 何明旭妻 533-713- 72
袁氏清 林益初妻 503- 52- 95
袁氏清 周棟妻 478-392-193
袁氏清 施雍和妻 475-454- 71
袁氏清 姚順天妻 478-378-192
袁氏清 俞國潮妻 474-194- 9
袁氏清 孫希孟妻 475-783- 89
袁氏清 殷銓妻 478-392-193
袁氏清 張鏡妻 506- 60- 87
袁氏清 張明友妻 530- 37- 54
袁氏清 張漢陽妻 533-630- 70
袁氏清 張體仁妻 555-126- 68
袁氏清 陳國平妻 477-483-173
袁氏清 費彥甫妻 524-460-202
袁氏清 傅應登妻 524-499-203
袁氏清 楊之蕃妻 483-202-388
袁氏清 鄭孝中妻 480-179-266
袁氏清 歐進妻 480-256-269
袁氏清 劉廣業妻 474-193- 9
袁氏清 鍾桂毓妻 482- 48-340
袁氏清 藍燦妻 481- 84-294
袁玄明 821-462- 57
袁弘漢 253- 61- 75
376-784-109下
386- 16-69上
402-498- 12
477-445-171
567-423- 86
袁平明 511-849-169
袁充隋 264-993- 69

267-476- 74
379-785-162
384-157- 8
933-185- 13
袁旦明 558-221- 32
袁仕明 533-236- 54
袁用明 524-100-183
袁安漢 253- 56- 75
254-123- 6
370-182- 18
376-779-109下
384- 62- 3
402-422- 7
402-530- 15
402-571- 19
409- 85- 11
459-229- 14
472-543- 23
472-737- 29
472-792- 31
475-418- 70
476-880-146
477-303-163
477-444-171
537-556- 60
540-663- 27
879-153-58上
933-183- 13
袁式後魏 261-543- 38
266-547- 27
379- 90-147
477-451-171
537-382- 57
933-185- 13
袁吉明 1467-222- 70
袁同明 1241-168- 8
袁任宋 1175-551- 18
袁旭明 472-116- 54
475-605- 81
481-114-296
510-436-116
515-778- 81
559-275- 6
1313-130- 11
袁任妻 宋 見趙氏
袁年明 1442- 79- 5
1460-400- 58
袁年女 明 見袁彤芳
袁宏晉 256-299- 92
380-356-175
384-101- 5
469- 77- 10
471-632- 7
472-655- 27
472-1026- 42
477-447-171
479-317-232
485-553- 3
523-181-155
538-126- 65
563-612- 38
674-189-2上
679-853-223
933-184- 13
1379-346- 42
袁灼宋 487-116- 8
491-434- 6
1157-228- 17
袁沔宋 473-491- 70
481-429-315
559-531- 12
559-409-9上
591-624- 45
袁辛明 1240-839- 9
袁亨妻 明 見翟氏
袁良漢(字周卿) 253- 56- 75
402-527- 15
538- 31- 62
袁良漢(字厚卿) 681-511- 6
681-692- 22
1103-374-135
1397-612- 29
袁良妻 宋 見席氏
袁甫晉 255-882- 52
377-598-124上
384- 93- 5
475-775- 89
511-344-149
933-183- 13
袁甫宋 287-521-405
398-504-398
472-377- 16
472-998- 40
472-1087- 46
473- 60- 51
473-599- 76
475- 18- 49
475-562- 79
479-134-223
479-178-225
479-352-233
479-557-242
481-673-331
491-416- 5
494-322- 6
510-425-116
515-196- 63
523-288-159
528-444- 29
528-523- 31
676-689- 29
袁甫妻 宋 見趙希怡
袁成漢 385- 76- 9
袁杭宋 285-795-301
397-214-332
473- 20- 49
473-426- 67
479-486-239
481- 67-293
481-801-338
482-371-357
515-304- 66
559-264- 6
563-656- 39
567- 64- 65
1467- 34- 63
袁玘漢 472-253- 10
475-212- 60
510-355-114
袁克春秋 405- 94- 61
袁孚宋 451-208- 8
袁佐女 清 見袁貞資
袁宗明 見袁宗彥
袁京漢 253- 59- 75
376-782-109下
538- 31- 62
677- 79- 8
袁京晉 479-767-252
515-495- 72
袁府妻 清 見張氏
袁泌陳 260-657- 18
265-422- 26
378-538-145
933-185- 13
袁定明 523-164-153
袁炎袁寧保 宋 448-395- 0
袁坰宋(字季野) 820-452- 35
袁坰宋(字卿遠) 1157-229- 17
袁玠女 宋 見袁氏
袁表元 547- 50-143
袁表明(字景從) 529-720- 51
571-552- 20
676-588- 24
820-740- 44
1442- 67- 4
袁表明(字邦正) 676-599- 24
1315-577- 35
袁坡明 515-409- 69
袁忠漢 253- 61- 75
376-784-109下
386- 16-69上
402-485- 11
472-792- 31
475-740- 88
477-445-171
524-319-195
537-559- 60
563-914- 43
567-423- 86
1141-790- 33
袁尚漢 254-130- 6
377- 45-113下
385- 92- 9
袁明明 456-612- 9
袁旹明 516-529-106
袁盱漢 253- 60- 75
477-444-171
袁昂袁千里 梁 260-267- 31
265-415- 26
378-393-141
384-111- 6
472-656- 27
472-997- 40
477-450-171
479-132-223
485- 70- 11
493-679- 37
515-79- 59
523-112-151
538- 77- 64
812-335- 7
814-255- 7

821- 25- 45
933-184- 13
1394-465- 5
袁昇後魏 262- 53- 69
袁昇宋 472-1086- 46
524-196-188
袁昇妻 明 見郝氏
袁易元 511-832-168
1209-502-8下
1439-423- 1
1468-195- 11
袁和明(字節吾) 537-457- 58
袁和明(字淑景) 1239- 54- 30
袁岱元 473-456- 68
559-365- 8
袁侃魏 254-213- 11
377- 87-114
477-445-171
933-183- 13
袁采宋 528-522- 31
袁洪元 491-423- 5
1202-292- 20
1203-440- 33
袁洪妻 元 見史棣卿
袁洪明 472-520- 22
511-408-152
袁炳齊 259-511- 52
1394-549- 7
1399-210- 8
1063-765- 3
1415- 63- 85
1408-497-529
袁炳明 見袁昌祚
袁洵劉宋 258-137- 52
378- 95-133
485- 68- 10
493-677- 37
袁恮元 1199-307- 32
袁亮魏 477-445-171
袁彥陳 821- 26- 45
袁彥宋 285-223-261
396-544-303
472-466- 20
476-122-102
546-284-124
袁度宋 515-756- 80
袁度元 1192-583- 13
袁柏妻 明 見趙氏
袁奎明 563-760- 40
袁奎妻 明 見史氏
袁政明 479-378-234
493-1051- 55
511- 95-140
袁英明 523-226-156
袁信妻 元 見陸順
袁俊元 1214-404- 4
袁彖齊 259-476- 48
265-414- 26
378-279-138
477-449-171
494-282- 3
532-126- 28
538- 77- 64
933-184- 13
1379-603- 72
袁容明 299-108-121
472-207- 7
510-104- 91
袁高唐 270-827-153
274-522-120
384-237- 12
395-504-226
472- 69- 2
474-310- 16
494-269- 2
494-290- 4
505-739- 72
563-640- 38
933-185- 13
1076-110- 12
1076-566- 12
1077-135- 12
袁朗唐 271-558-190上
276- 54-201
384-176- 9
400-583-554
554-836- 63
933-186- 13
1395-605- 3
袁朗清 456-359- 77
袁祕漢 253- 61- 75
386- 17-69上
402-498- 12
477-445-171
538- 65- 63
袁衷明 564-146- 45
1467- 67- 64
袁泰元 1369-414- 12
1439-444- 2
1468-201- 11
袁泰明(萬泉人) 472-468- 20
476-123-102
546-301-125
袁泰明(鉛山丞) 473- 61- 51
袁泰明(邵武人) 529-630- 48
袁珙袁廷玉 明 302-175-299
472-1089- 46
479-181-225
524-359-196
676-482- 18
821-365- 55
1219-573- 27
1237-595-上
1374-790-100
1442- 19- 1
1458- 22-415
1459-558- 19
袁原漢 477-444-177
袁珪明 1474-270- 13
袁耽晉 256-363- 83
377-881-129下
477-446-171
532- 98- 27
537-379- 57
933-184- 13
袁起漢 879-186-58下
袁陟宋 515-308- 66
1109-141- 9
1110-430- 23
1437- 16- 1
袁根晉 486-904- 35
524-413-200
袁峨宋 見袁巇
袁盎爰盎 漢 244-663-101
250-232- 49
251-554- 17
376-107- 97
384- 40- 2
472-892- 35
478-481-199
554-623- 60
558-180- 31
933-183- 13
袁峻梁 260-406- 49
265-1022- 72
380-309-176
477-450-171
538-126- 65
820- 99- 24
933-185- 13
袁豹晉 256-363- 83
258-134- 52
265-408- 26
378- 95-133
477-448-171
933-184- 13
袁倩袁蒨 劉宋 812-329- 6
821- 16- 45
袁俸明 494-159- 5
569-679- 19
袁淳明 510-178- 94
袁淮明 1442- 47- 3
1460- 39- 41
袁章宋 491-437- 6
1153-315- 84
1157-222- 16
袁庸明 510-374-114
袁液宋 820-401- 34
袁淑劉宋 258-325- 70
265-408- 26
378- 95-133
380- 45-166
384-111- 6
477-449-171
933-184- 13
1370-146- 7
1379-534- 63
1395-592- 3
袁袠明 301-844-287
475-137- 56
511-743-165
524-314-194
676-560- 23
820-693- 43
1273-273- 33
1284-169-149
1315-577- 35
1442- 53- 3
1455-702-244
1458-271-435
1460-107- 45
1467-108- 65

袁衮明 1315-577- 35
袁康宋 1106-552- 29
袁烺妻 明 見呂氏
袁堅妻 明 見方氏
袁埴女 宋 見袁氏
袁桷元 295-338-172
295-535-190
399-655-485
472-1088- 46
479-180-225
494-433- 13
524- 41-180
677-504- 46
820-501- 37
1214-105- 9
1394-531- 6
1439-426- 1
1468-374- 19
袁桷妻 元 見鄭氏
袁彬明 299-664-167
479-749-251
499-440-160
505-722- 71
515-477- 71
820-629- 41
袁珽妻 清 見史氏
袁捷清 505-841- 76
袁通明 523-156-153
袁貫明 511-877-170
袁崧晉 見袁山松
袁莒明 559-291-7上
袁冕明 568-212-106
袁紱明 529-687- 50
袁翎明 483-340-398
572- 83- 28
袁紹漢 253-442-104上
254-123- 6
377- 41-113下
384- 70- 3
385- 76- 9
402-545- 17
472-792- 31
477-445-171
537-559- 60
548-625-181
933-183- 13
袁術漢 253-471-105
254-133- 6
377- 57-113下
384- 70- 3
385-100- 10
472-792- 31
袁統吳 385-521- 58
袁敏魏 254-213- 11
袁敏明 299-665-167
袁逢漢 253- 59- 75
376-782-109下
402-529- 15
402-591- 20
477-464-171
1412-471- 19
袁寓魏 254-213- 11
袁滋唐 271-465-185下
275-155-151
384-246- 13
395-752-249
472-794- 31
472-824- 33
476-912-148
477-417-169
478-334-191
480-251-269
494-151- 5
537-563- 60
554-233- 52
559-272- 6
569-615-18下之2
814-277- 10
820-217- 28
933-185- 13
1061-305-112
1073-584- 27
1074-423- 27
1075-374- 27
1076-111- 12
1076-567- 12
1077-137- 12
1447-244- 8
袁斌明 456-588- 8
479-747-251
515-112- 60
1242-258- 33
袁斌妻 清 見段氏
袁湘元 545-887-114
549-420-196
1201-519- 12
1201-578- 17
袁善明 301-231-249
482-562-369
483-226-390
569-656- 19
袁湛晉 256-363- 83
258-134- 52
265-407- 26
378- 94-133
384-111- 6
477-448-171
479-132-223
494-277- 2
523-111-151
537-381- 57
933-184- 13
袁湛女 劉宋 見袁齊媯
袁溉宋 1159-524- 32
袁湯漢 253- 59- 75
376-782-109下
477-444-171
537-557- 60
袁渙蜀漢 254-211- 11
377- 86-114
384- 83- 4
384-425- 6
469- 77- 10
472-408- 18
472-653- 27
475-741- 88
477-122-155
477-445-171
537-374- 57
933-183- 13
袁祩明 1475-531- 23
袁黃明 511-111-140
523-440-167
677-665- 59
1319-188- 15
1442- 81- 5
1475-371- 16
袁閎漢 253- 60- 75
376-783-109下
386- 16-69上
402-497- 12
448-111- 下
459-231- 14
472-792- 31
477-445-171
538-166- 66
871-901- 19
933-183- 13
袁植宋 492-706-3上
492-712-3下
511-447-153
袁盛明 571-551- 20
袁彭漢 253- 59- 75
376-782-109下
448-300- 上
477-444-171
537-557- 60
袁森宋 451- 87- 3
袁景明 476- 79-100
545-185- 90
袁菊明 劉鯉妻、袁子簡女
1242-283- 33
袁著漢 477-414-169
袁凱明(字景文) 301-820-285
475-179- 59
511-759-166
1233-163- 附
1318-349- 63
1442- 5- 1
1459-531- 18
袁凱明(字舜舉) 567- 97- 66
1467- 71- 64
袁華唐 1073-585- 27
1074-424- 27
1075-374- 27
袁華明 493-1028- 54
511-732-165
676-454- 17
820-569- 40
1273-152- 21
1369-445- 13
1442- 11- 1
1459-474- 15
袁勛明 1267-331- 36
袁勛妻 明 見韓氏
袁敞漢 253- 60- 75
376-783-109下
477-444-171
537-557- 60
933-183- 13
袁敞北周 263-831- 48
267-785- 93

370-567- 18
381-400-193
袁最劉宋 265-413- 26
380- 49-166
477-449-171
538- 77- 64
袁鈐清 511-401-151
袁喬袁嶠 晉 256-361- 83
377-880-129下
472-655- 27
477-447-171
537-379- 57
679-760-212
933-184- 13
1379-351- 43
袁皓唐 273-112- 60
473-177- 57
515-496- 72
袁扉明 511-531-157
袁鈖明 533-442- 62
袁勝女 明 見袁體柔
袁傑唐 475-703- 86
511-639-161
袁傑女 明 見袁氏
袁復明(字仲仁) 472-296- 12
820-573- 40
袁復明(字景陽) 1240-852- 9
袁溥明 494- 41- 3
494- 43- 3
袁源明 821-454- 57
袁義後唐 812-523- 2
袁義張義 明 299-268-134
473-818- 86
475-706- 86
483-115-379
511-413-152
569-669- 19
袁猷晉 256-362- 83
377-881-129下
494-332- 7
933-184- 13
袁愷明 301-287-253
472-802- 31
476-618-133
540-832-28之3
袁裕元 295-320-170
399-644-484
472-570- 24
472-645- 26
472-751- 29
472-930- 37
474-407- 20
476-619-133
477- 54-151
478-595-204
505-675- 69
537-244- 55
540-640- 27
540-771-28之2
541-112- 31
558-221- 32
1201-166- 80
袁準晉 254-213- 11
256-362- 83
377-881-129下
384-426- 6
839- 39- 4
933-184- 13
袁煒明 300-172-193
525-410-237
676-572- 23
1442- 57- 3
1460-154- 47
袁滂魏 254-211- 11
377- 86-114
933-183- 13
袁袞宋 494-323- 6
820-501- 37
1203-406- 30
1469-426- 1
1468-419- 20
袁祿明 554- 87- 49
袁道明 475-215- 60
479-286-230
510-362-114
515-683- 78
523-173-154
559-308-7上
563-729- 40
1248-588- 2
袁瑀明 1259-225- 17
袁瑀妻 明 見胡玉
袁載明 523-456-168
563-743- 40
袁軾明 515-510- 72
袁隗漢 477-444-171
袁隗妻 漢 見馬倫
袁楷明(鳳翔人) 537-222- 54
554-524-57下
袁楷明(字雪隱) 821-482- 58
袁瑜妻 清 見李氏
袁楫明 533-331- 58
袁裘明 1315-577- 35
袁達唐 559-409-9上
袁達明(知安仁縣) 532-708- 45
袁達明(字德修) 676-544- 22
821-436- 57
1442- 49- 3
1460- 55- 42
袁暐妻 明 見李氏
袁葵明 476- 80-100
476-367-117
505-828- 75
545-445- 99
袁敬陳 260-653- 17
265-422- 26
378-538-145
477-450-171
482- 40-340
563-916- 43
933-185- 13
袁粲袁愍孫 劉宋 258-560- 89
265-411- 26
370-488- 14
380- 46-166
384-111- 6
459-323- 20
472-307- 13
472-656- 27
477-449-177
488-193- 8
488-202- 8
512-723-195
538- 36- 63
933-184- 13
1398-852- 17
1401- 68- 15
袁稚妻 晉 見相烏
袁經明(清苑人) 554-348- 54
袁經明(寧鄉人) 676-523- 21
袁奧魏 254-213- 11
384-426- 6
袁賓明 564-261- 47
袁韶宋 287-655-415
398-604-406
472-222- 8
472-962- 38
472-1014- 41
472-1087- 46
475-120- 55
479- 43-218
479-178-215
479-377-234
491-412- 5
491-437- 6
493-749- 41
510-329-113
523-287-159
袁福晉 王上妻 591-534- 41
袁寧明 533-109- 50
571-554- 20
袁端明 516-173- 94
袁廓宋 285-427-276
472-789- 31
473-447- 68
477-408-169
537-325- 56
559-392-9上
袁彰妻 清 見彭氏
袁榮元 472-925- 36
袁熙漢 377- 45-113下
袁熙妻 魏 見甄洛
袁戩劉宋 258-514- 84
袁瑤明 479-747-251
515-108- 60
540-793-28之3
袁嘏齊 265-1017- 72
380-365-176
933-185- 13
袁蒨劉宋 見袁倩
袁睿明 1239- 69- 31
袁嵩明 524- 66-181
袁鳳宋 515-322- 67
袁銘明 511-231-145
袁銓妻 清 見劉氏
袁澄明 1232-677- 8
袁誼唐 271-559-190上
276- 55-201
493-684- 38
933-186- 13
袁誼明 見袁禹臣
袁禬明 676-207- 8

袁褒明 1315-578- 35
袁檟宋 1157-283- 20
袁檟明 460-825- 92
袁璋明 302- 11-289
481-157-298
559-513- 12
袁樞陳 260-653- 17
265-419- 26
378-535-145
477-451-171
488-272- 11
494-286- 3
537-381- 57
933-184- 13
袁樞宋 287-339-389
398-351-387
472-1014- 41
473-298- 62
473-604- 76
479-377-234
480-241-269
481-627-331
529-608- 47
532-666- 44
袁霆明 546-722-139
袁奭北齊 263-357- 45
袁閬漢 376-853-110
477-414-169
袁嶠晉 見袁喬
袁質晉 256-363- 83
377-881-129下
933-184- 13
袁質劉宋 812-329- 6
821- 16- 45
袁範妻 明 見陳氏
袁徵明 1442-114- 7
袁憲陳 260-696- 24
265-420- 26
370-594- 20
378-536-145
384-111- 6
537-381- 57
814-257- 7
820-126- 25
袁澤明 523- 88-149
554-659- 60
676-170- 7
袁諫明 559-367- 8
袁遵妻 明 見張氏
袁璜清 511-878-170
袁臻妻 明 見林秃
袁疆妻 清 見潘氏
袁璘明 821-393- 56
袁擇宋 492-711-3下
袁璞明 524-241-190
袁駿明 475-137- 56
820-693- 43
821-430- 57
1315-577- 35
1442- 53- 3
袁隨明 511-247-145
袁隨女 明 見袁九淑
袁默宋 472-259- 10
475-223- 61
492-697-3上
492-712-3下
511-766-166
678- 96- 79
袁興明 523-356-163
袁巇袁峨 宋 812-466- 2
813-118- 9
821-111- 49
袁遺漢 254-16- 1
377- 42-113下
385-100- 9
540-630- 27
554-265- 53
袁勳明 554-285- 53
袁錠明 472-741- 29
537-304- 56
559-250- 6
袁濱明 1287- 92- 12
袁濤宋 1157-282- 20
袁濟後魏 379- 91-147
933-185- 13
袁謙明 554-220- 52
袁燮宋 287-466-400
398-456-394
451- 23- 0
472-254- 10
472-1087- 46
475-214- 60
478-178-225
487-116- 8
491-388- 4
491-437- 6
510-360-114
523-589-175
678-138- 83
1174-748- 47
1178-731- 3
袁燮妻 宋 見邊氏
袁聰明 554-610- 59
袁翼明 1273-261- 32
袁擢妻 清 見姜氏
袁舉明 1442- 9- 1
袁轂宋 472-1086- 46
473-640- 78
481-693-332
487-116- 8
491-433- 6
523-448-168
528-537- 31
674-776- 14
1153-244- 77
袁點宋 475-223- 61
492-697-3上
492-712-3下
511-766-166
袁覬劉宋 258-137- 52
袁徽漢 563-914- 43
567-423- 86
袁禮明 554-313- 53
袁璿明 559-362- 8
袁穎宋 524-123-184
袁鎬明 529-616- 47
袁翻後魏 262- 47- 69
267- 15- 47
379-321-151
384-134- 7
472-656- 27
477-451-171
538-150- 65
933-185- 13
袁贇隋 516- 5- 87
袁譚漢 253-458-104下
254-127- 6
377- 45-113下
385- 92- 9
袁璽明 524-139-185
袁璽女 明 見袁氏
袁韜清 560-603-29下
袁顗劉宋 258-511- 84
265-409- 26
370-484- 14
378- 95-133
384-111- 6
袁鏜明 511-648-162
袁鏞宋 472-1088- 46
479-179-225
523-372-164
1229-375- 14
1237-421- 16
1238-682- 23
1240-239- 15
1240-525- 5
袁繹元 1197-682- 70
袁寶明(字士琭) 1239- 80- 32
袁寶明(字尚賓) 1273-638- 7
袁瓌晉(字山甫) 256-360- 83
377-879-129下
472-655- 27
477-446-171
537-378- 57
933-184- 13
袁瓌晉(丹陽令) 489-599- 47
袁藹唐 485-425- 5
袁藻宋 487-510- 7
袁覺圓覺 宋 592-421- 86
1053-839- 19
袁霸魏 254-213- 11
袁顥明 677-590- 53
袁壘明 483-397-403
571-556- 20
袁躍後魏 262-246- 85
267- 19- 47
380-379-176
477-451-171
538-150- 65
933-185- 13
袁蘭妻 明 見丁氏
袁鐶明 1283-542-109
袁襲明 302- 11-289
袁鰲宋 590-454- 0
袁鑑明 528-459- 29
袁儼明 524- 25-179
678-226- 92
1475-441- 19
袁顯宋 473-339- 63
480-408-277
533-398- 61
袁灝明 538-676- 79

袁讓明 540-635- 27
袁觀袁主郎 宋 448-369- 0
袁一相清 523- 64-149
袁一修明 481-310-307
515-492- 71
袁一鳳明 515-511- 72
523- 61-148
554-258- 52
袁一翰明 554-312- 53
袁一鶚明 300-629-221
袁一鰲明 515-512- 72
袁一驥明 528-462- 29
511-159-142
袁九玉清 456-359- 77
袁九皋明 511-247-145
袁九淑明 錢良胤妻、袁隨女
820-768- 44
1442-124- 8
袁九德清 456-359- 77
袁人傑唐 472-326- 14
袁三才妻 明 見龐氏
袁士元袁上元 元
524- 42-180
676-706- 29
1242-354- 36
1374-790-100
1439-434- 1
1469-279- 48
袁士偉明 545-119- 86
袁士廉元 545-400- 98
袁子初明 821-354- 55
袁子昂北周 821- 29- 45
袁子訓明 563-826- 41
袁子傑妻 明 見熊氏
袁子簡女 明 見袁菊
袁子讓明 559-308-7上
袁大用元 561-201-38之1
袁大壯妻 清 見劉氏
袁大珍元~明 見袁仲仁
袁大綸明 563-788- 40
袁上元元 見袁士元
袁山松袁崧 晉 256-362- 83
377-880-129下
384-100- 5
472-220- 8
472-655- 27
477-447-171
485- 65- 10
493-675- 37
538- 36- 63
814-244- 6
820- 72- 23
933-184- 13
1379-348- 42
袁千里梁 見袁昂
袁斗楠元 1202-322- 22
袁文仁明 524-200-188
袁文化明 511-514-157
袁文可明 821-461- 57
袁文仕明 480-133-264
袁文伯明 533-173- 52
袁文信明 524-200-188
袁文紀明 523-202-155
袁文紹明 529-619- 47
袁文超清 529-619- 47
袁文萃妻 明 見蒙氏
袁文蔚妻 清 見李氏
袁文璽妻 明 見蒙氏
袁之阡宋 491-615- 17
袁之機妻 清 見沈氏
袁不約唐 524- 3-178
590-135- 17
袁亢悊唐 820-155- 26
袁孔璋明 821-476- 58
袁天祐妻 元 見焦氏
袁天罡唐(成都人) 見袁天綱
袁天罡唐(南充人) 見袁天綱
袁天啟明 515-504- 72
袁天祿妻 明 見王正賢
袁天與宋 563-711- 39
袁天綱袁天罡 唐(成都人)
271-623-191
276- 97-204
384-176- 9
384-182- 10
401- 92-580
471-977- 56
473-431- 67
473-535- 72
481- 76-294
559-311-7上
592-278- 78
933-186- 13
袁天綱袁天罡 唐(南充人)
481-188-300
561-222-38之3
袁友正妻 宋 見蕭氏
袁中立元 1202-322- 22
袁中甫明 見死心和尚
袁中孚唐 820-287- 30
袁中道明 301-866-288
533-218- 53
676-634- 26
1442- 81- 5
1460-533- 66
袁公壽元 1207-612- 43
袁仁厚宋 812-536- 3
821-149- 50
袁仁敬唐 471-584- 1
472-960- 38
484- 83- 3
523- 72-149
袁化中明 301-147-244
458-210- 3
476-754-139
477-162-157
478- 93-180
537-270- 55
540-818-28之3
545-300- 94
554-296- 53
袁化龍明 456-612- 9
554-719- 61
袁立初元 1197-729- 76
袁主郎宋 見袁觀
袁必文明 481-720-333
袁必正元 1199-310- 32
袁必通妻 明 見張氏
袁永基袁守基 明456-615- 9
477-420-169
538- 67- 63
袁去華宋 674-849- 18
袁弘仁妻 清 見王氏
袁弘道元 1197-810- 86
袁弘道妻 元 見陳氏
袁正已宋 820-331- 32
袁正功宋 492-312-3下
袁正規宋 481-524-326
528-439- 29
袁正辭後唐 279-285- 45
933-186- 13
袁本謙明 1241-791- 19
袁左溪妻 明 見舒氏
袁可立元 1222-304- 23
袁可立明(字禮卿) 458-171- 8
袁可立明(字節寰) 537-432- 58
袁世振明(字滄孺) 533-176- 52
袁世振明(字抑之)1442- 86- 5
袁世膺明 456-614- 9
袁甲郎宋 見袁甲龍
袁甲龍袁甲郎 宋451- 98- 3
袁申儒宋(知眞州) 510-389-115
袁申儒宋(知常德) 532-736- 46
袁生芝清 474-187- 9
478-376-192
505-840- 76
554-220- 52
袁仕鳳明 473- 97- 53
515-187- 62
564-149- 45
袁守侗清 474- 46- 3
袁守基明 見袁永基
袁汝楫明 1226-599- 3
袁州佐清 1322-636- 11
袁有常明 545-220- 91
袁有熊妻 清 見李氏
袁百之宋 1121-602- 7
袁聿修後魏 262-246- 85
263-320- 42
267- 19- 47
379-508-155
448-324-下
474-635- 33
477-451-171
505-654- 68
537-578- 60
933-185- 13
袁光宇明 523-122-151
袁光先明 554-734- 61
袁光孚唐 523-166-154
袁光廷唐 見袁光庭
袁光南明 1313-204- 16
袁光庭袁光廷 唐
271-510-187下
275-606-193
400-105-509
558-239- 32
袁光朝清 481-679-331
袁向科明 456-498- 5
袁自立明 524-139-185

袁仲仁袁大珍 元～明
524-217-189
1240-894-10
袁仲明北齊 265-1018-72
380-366-176
933-185-13
袁仲愚明 1241-491-8
袁仲選清 476-205-107
502-689-81
545-347-96
袁仲暹明 1242-192-30
袁宏道明 301-866-288
480-247-269
510-339-113
533-217-53
676-619-25
1442-81-5
1460-470-62
袁良士清 456-389-80
袁良佐宋 1157-532-上
袁良佐清 572-109-30
袁良怡清 528-518-31
袁良相妻 明 見許氏
袁君正梁 260-270-31
265-419-26
378-396-141
485-69-10
493-679-37
515-79-59
537-381-57
933-184-13
袁杞山明 1319-175-14
1475-179-8
袁見龍明 456-456-4
袁伯鑰明 510-491-118
袁希契妻 明 見劉氏
袁希梧妻 明 見喬氏
袁希變明 533-333-58
袁邦寧元 1215-708-10
袁邦璽妻 清 見楊氏
袁利貞唐 271-559-190上
276-55-201
400-584-554
554-636-60
939-186-13
袁彤芳明 袁年女
1442-124-8
1460-776-84
袁秀芝明 竺公能妻
524-624-208
袁妙覺宋 王思文妻
1171-369-10
袁廷玉明 見袁珙
袁宗佺明 533-297-56
袁宗彥袁宗 明 1442-12-1
袁宗皐明 473-304-62
533-76-49
袁宗道明 301-866-288
533-216-53
676-615-25
1442-81-5
1460-427-60
袁宗道妻 明 見胡氏
袁宗道妻 明 見廖氏
袁宗儒明 300-421-208
474-243-12
505-735-71
523-46-148
袁宗燿明 529-656-49
袁乞遠清 481-182-300
559-330-7下
袁松峰妻 明 見鍾氏
袁直友宋 494-459-15
1164-358-19
袁孟正明 473-247-60
532-680-44
袁孟卓明 1240-782-8
1240-809-8
袁東山明 1287-518-22
袁承序唐 271-558-190上
276-55-201
384-176-9
400-584-554
479-578-243
554-836-63
933-186-13
袁承孟明 見彭承孟
袁忠徹明 302-176-299
524-359-196
676-482-18
1241-653-14
1241-828-21
1244-641-15
1374-739-94
1374-792-100
1442-19-1
1459-559-19
1474-293-14
袁尚紀明 571-542-20
袁尚義妻 清 見李氏
袁昌祚袁炳 明 559-308-7上
564-153-45
676-54-2
袁明子晉 256-503-92
933-184-13
袁明善元 515-767-81
袁易宗妻 元 見奚志寧
袁知玄唐 1073-585-27
1074-424-27
1075-375-27
袁知禮北齊 263-321-42
袁延慶宋 515-116-60
559-508-12
袁洪愈明 300-629-221
475-137-56
511-108-140
528-529-31
1284-177-150
袁客師唐 276-98-204
384-176-9
401-93-580
592-280-78
袁彥通元 505-656-68
袁拱辰宋 451-225-0
袁致道明 533-217-53
袁建豐後唐 277-514-61
279-157-25
396-358-284
554-587-59
933-186-13
袁貞資清 金楝妻、袁佐女
530-34-54
袁思謙明 523-82-149
袁思藝唐 554-83-49
袁昭陽明 1442-71-4
袁禹臣袁誼 明 1291-414-7
袁祖庚明 1284-62-141
袁悅之李悅之 晉
256-242-75
377-791-127
677-117-11
933-183-13
袁珮環妻 清 見阮氏
袁時亨明 567-410-84
袁時習明 1227-85-10
袁時億明(東安人) 523-155-153
袁時億明(新城人) 676-101-3
676-113-4
袁時選明 1442-85-5
1460-480-63
1474-540-27
袁恕己唐 270-101-91
274-522-120
384-186-10
395-503-226
469-534-65
472-69-2
474-310-16
505-739-72
567-427-86
589-77-0
933-185-13
袁師臯明 456-659-11
511-607-160
袁師奭宋 471-985-57
473-491-70
557-373-8
袁添祿明 1241-763-18
袁清吉元 564-82-44
袁清卿妻 宋 見邵氏
袁惟正宋 592-288-78
1096-711-26
袁淵明宋 559-310-7上
袁淑秀清 483-269-392
袁崇煥明 301-393-259
474-818-44
482-39-340
502-297-56
564-155-45
袁國光明 511-634-161
袁國梓清 476-80-100
545-201-90
袁國琮清 511-385-151
袁國棟明 456-458-4
511-323-148
袁逢吉宋 285-456-277
472-658-27
473-489-70
476-816-143
477-73-152
479-482-239
537-386-57

540-612- 27
559-294-7上
袁從修宋 515-233- 64
袁從義金 1191-353- 31
袁從諤袁從鴞 明480-638-288
533-409- 61
456-464- 4
袁從諤明 見袁從諤
袁啟翼清 567-416- 84
袁啟觀明 302- 89-294
456-669- 11
480-206-267
533-478- 64
袁尊尼明 475-137- 56
820-693- 43
1284-180-150
1283-375- 96
1442- 63- 4
1460-215- 49
袁雲蒸清 540-872-28之4
袁雅度明～清 476- 85-100
547- 25-141
袁登道明 821-457- 57
袁開聖清 559-413-9下
袁揆燮明 1475-695- 29
袁景休明 511-834-168
1442- 71- 4
1460-346- 55
袁景芳清 540-875-28之4
袁買奴北齊 820-120- 25
袁舜臣明 511-769-166
袁象斗明 456-664- 11
538- 68- 63
袁象先李紹安 後唐
277-498- 59
279-285- 45
384-311- 16
401-292-607
537-423- 58
933-186- 13
袁象乾清 475-853- 94
510-504-118
袁雍簡妻 明 見李大純
袁喬相妻 清 見黎氏
袁道濟元 1222-629- 2
袁愍孫劉宋 見袁粲
袁瑞徵明 456-483- 5
袁遐齡妻 清 見王氏
袁萬里元 1213-356- 10
袁萬里明 546-720-139
袁敬所明 524-336-195
1442- 17- 1
袁業泗明 515-510- 72
1313-197- 16
袁遇昌不詳 493-1064- 56
袁遇春明 523-251-157
袁福徵明 511-761-166
532-649- 43
676-578- 24
820-729- 44
袁寧保宋 見袁炎
袁齊媯劉宋 宋文帝后、袁湛女 258- 8- 41
265-191- 11
373- 78- 20
537-184- 53
袁說友宋 486- 55- 2
494-430- 13
523-150-153
559-266- 6
1154-404- 20
1318-151- 44
袁廓之劉宋 265-415- 26
378-280-138
477-449-171
538- 77- 64
袁滿仔明 523-227-156
袁滿采漢 1063-229- 6
1397-464- 22
1412-485- 19
袁夢冊袁道昌 宋451- 98- 3
袁夢麟明 456-672- 11
袁鳴泰明 567-351- 80
1467-250- 71
袁鳳瑞妻 清 見王氏
袁鳳鳴明 480-565-284
563-791- 41
袁慶祥明 472-337- 14
473-188- 58
475-526- 77
479-795-254
510-416-116
510-174- 94
515-507- 72
518-785-161
564-754- 60
1249-183- 11
袁慶雲明 481-720-333
袁慶裕明 1474-602- 30
袁慶麟明 516-176- 94
袁養和明 456-576- 8
478-130-181
554-723- 61
袁養福明 511-733-165
820-570- 40
1255-450- 49
袁撫安清 456-389- 80
袁履卿唐 400- 97-509
袁德昌元 1222-347- 33
袁德新明 1245-104- 3
袁德麟元 472-254- 10
510-361-114
袁魯訓明 515-506- 72
袁遵道元 472-413- 18
511-790-166
袁應文明 528-516- 31
袁應春明 545-444- 99
554-678- 60
袁應祐元 1197-745- 77
袁應泰明 301-381-259
456-436- 3
477-162-157
477-244-161
502-296- 56
537-290- 55
554-710- 61
袁應祺明 511-213-144
袁應舉明 558-446- 38
袁應黻明 1460-311- 54
袁懋功清 505-804- 74
袁懋貞明 515-237- 64
袁懋謙明 1442- 87- 5
1460-497- 64
袁懋齡明 510-420-116
袁還樸清 533-148- 51
袁禮亨明 1232-682- 8
袁麗明明 821-462- 57
袁鏘珂清 547- 25-141
袁繼志宋 559-305-7上
袁繼忠宋 285-199-259
396-525-302
472-436- 19
476- 39- 98
545-238- 92
545-622-105
591-691- 48
袁繼咸明 301-659-277
456-412- 1
458-301- 10
479-767-252
510-296-112
515-512- 72
532-601- 41
545-106- 86
1313-195- 16
1442-104- 7
袁繼梓清 1313-237- 19
袁繼登明 302- 99-294
456-579- 8
475- 77- 53
478-573-203
558-213- 32
袁蘭秀明 羅篤良妻
473-158- 56
袁襲裳明 515-123- 60
袁懿達母 漢 見馬氏
袁體柔明 強繩武妻、袁勝女
1253-131- 47
耿五妻 元 見王氏
耿丹清 547- 89-144
耿升金 476-298-112
547- 85-144
耿氏漢 鄧閭妻 252-529- 46
376-548-105
477-379-167
耿氏後魏 史映周妻
262-308- 92
267-725- 91
381- 60-185
477- 92-153
耿氏南唐 耿雲女、耿謙女
464-360- 24
464-485- 17
492-633- 14
821-120- 49
耿氏元 劉信妻 1214-254- 21
耿氏明 石教民妻 474-384- 19
耿氏明 沐英妻、耿再成女
1240-336- 21
耿氏明 趙禮妻 506- 8- 86
耿氏清 王汝書妻 474-605- 31
耿氏清 江文煥妻 477-321-164

耿氏清 李國柱妻 503- 67- 95
耿氏清 張浩妻 478-743-213
耿氏清 劉應賓妻 1312-366- 35
耿氏清 謝宴朝妻、耿培女 506- 69- 87
耿氏清 譚五倫妻 474-280- 14
耿氏清 耿大綱女 477-212-159
耿介清 474-472- 23
477-317-164
505-643- 67
538- 16- 61
耿玄後魏 262-294- 91
267-684- 89
380-626-183
505-927- 83
933-622- 40
耿臣明 554-347- 54
耿光明(字謙甫) 533-171- 52
耿光明(太康人) 538- 81- 64
耿況漢 370-115- 8
472-148- 5
539-351- 8
552- 18- 18
耿定明 299-718-172
472-396- 17
475-812- 91
478-767-215
511-504-156
523- 39-147
耿承漢 252-572- 49
耿忠明 494- 19- 2
523- 34-147
554-364- 54
558-144- 30
耿昌元 538- 95- 64
耿明明 540-797-28之3
耿昉金 545-400- 98
耿金明 1287-788- 11
耿秉漢 252-573- 49
370-117- 8
376-579-106
384- 55- 3
402-412- 6
402-524- 15
402-566- 19
472-831- 33
478-100-180
545-310- 95
552- 18- 18
554-550- 58
933-622- 40
耿秉宋 472-261- 10
479- 43-218
510-371-114
511-145-142
523- 78-149
耿約明 511-648-162
耿信明 472-480- 21
耿种漢 558-180- 31
耿弇漢 252-566- 49
376-573-106
384- 55- 3
402-366- 3
402-539- 17
402-559- 18
459-219- 13
469-498- 60
472-830- 33
472-877- 35
478- 96-180
552- 17- 18
554-548- 58
558-129- 30
933-622- 40
耿紀漢 252-574- 49
376-580-106
384-505- 21
478-103-180
耿段漢 552- 20- 18
耿恭漢 252-575- 49
370-117- 8
376-580-106
384- 55- 3
402-367- 3
402-576- 19
472-831- 33
478-100-180
483-591-414
554-551- 58
558-236- 32
933-622- 40
耿峻宋 540-747-28之2
耿烏清 560-131- 19
耿純漢 252-593- 51
370-124- 10
376-593-106
384- 56- 3
402-368- 3
402-554- 18
472- 87- 3
472-124- 4
474-467- 23
474-617- 32
505-687- 70
505-755- 72
505-786- 73
540-666- 27
933-622- 40
耿純唐 812-347- 9
821- 88- 48
耿純明 545-772-111
1245-395- 17
耿秩妻 明 見張氏
耿清明 見景清
耿望宋 480-288-271
耿通明 299-597-162
476-527-128
540-786-28之3
耿國漢 252-572- 49
370-116- 8
376-578-106
384- 55- 3
402-366- 3
402-564- 19
472-830- 33
478- 98-180
537-323- 56
554-549- 58
933-622- 40
耿偉唐 見耿湋
耿湋耿偉 唐 276- 89-203
400-614-556
451-429- 3
505-882- 79
546-701-138
1365-410- 2
1371- 63- 附
耿授漢 554- 69- 49
耿傅宋 286-315-325
371-187- 19
371-188- 19
382-716-110
384-358- 18
397-444-346
472-749- 29
472-878- 35
472-913- 36
478-571-203
538- 58- 63
1090- 13- 3
1096-609- 32
耿舒漢 478- 96-180
545-256- 93
耿詢隋 264-1094- 78
267-699- 89
380-651-183
475- 73- 53
933-622- 40
耿裕明 300- 8-183
453-690- 34
458-110- 5
472-752- 29
505-705- 70
505-734- 71
537-518- 59
546-363-127
676-500- 19
耿煥元 1204-357- 15
耿戩宋 558-210- 32
耿瑄明 558-294- 34
耿嵩漢 370-173- 16
402-354- 2
耿端妻 清 見王氏
耿豪耿令貴 北周 263-639- 29
267-345- 66
379-634-158
384-141- 7
472-107- 4
546-167-120
933-622- 40
耿輔清 538- 88- 64
耿寬明(饒陽人) 474-640- 33
505-917- 81
耿寬明(合浦人) 564-293- 47
耿潤明 1280-535- 95
耿賢明 474-741- 40
502-381- 64
耿輝明 494- 41- 3
耿橘明 457-1059- 60
475-122- 55
510-339-113

耿曄漢 474-686- 37
502-249- 53
545-310- 95
554-551- 58
耿儒明 494- 41- 3
545-194- 90
554-526-57下
耿勳漢 681-815- 11
耿謙女 南唐 見耿氏
耿臨漢 474-732- 40
483-684-421
502-250- 53
耿燿明～清 477-454-171
538- 83- 64
耿璿妻 明 見江都公主
耿寶漢 252-572- 49
554- 67- 49
耿夔漢 52-574- 49
376-580-106
384- 55- 3
474-731- 40
478-101-180
502-248- 53
552- 19- 18
554-550- 58
933-622- 40
耿霸漢 472-480- 21
耿襲漢 554- 67- 49
耿襲妻 漢 見劉迎
耿一培女 清 見耿氏
耿九疇明 299-552-158
453-303- 2
453-589- 13
458- 78- 4
472-292- 12
472-752- 29
472-828- 33
475-369- 67
476-297-112
477-525-175
477-564-177
481- 23-291
505-734- 71
510-289-112
537-518- 59
546-362-127
554-166- 51
558-148- 30
559-249- 6
676-481- 18
1244-618- 13
耿三麟明 456-598- 9
505-660- 68
505-852- 77
耿大振明 1283-849-133
耿大綱女 清 見耿氏
耿之翰清 477-211-159
538- 98- 14
耿天璧明 299-251-133
511-429-152
耿仁遂宋 843-664- 中
耿世尼清 456-303- 73
耿世安宋 288-380-454
400-184-514
472-308- 13
475- 18- 49
510-284-112
耿世龍清 456-370- 78
耿四目妻 明 見張氏
耿令貴北周 見耿豪
耿守直金 476-297-112
耿汝明明 538-632- 78
耿再成明 299-251-133
453-535- 3
472-205- 7
475-855- 94
511-507-156
523- 32-147
耿再成女 明 見耿氏
耿光榮明 558-434- 37
耿兆組清 511-578-159
耿兆紳清 511-577-159
耿全斌宋 285-486-279
396-726-319
472- 50- 2
474-235- 12
474-603- 31
耿好仁明 505-814- 74
耿如杞明 301-206-248
474-570- 29
476-618-133
505-638- 67
540-827-28之3
耿仲明清 1318-460- 73
耿良將明 571-533- 20
耿志煒明 554-520-57下
耿克從宋 1090- 81- 15
耿希哲明 456-642- 10
耿廷望元 1206-733- 8
耿廷梓明 456-629- 10
耿廷籙明 302-122-295
456-442- 3
483- 34-371
570-128-21之1
耿於彝明 477-454-171
518- 83- 64
耿定力明 300-633-221
480-134-264
528-463- 29
533- 47- 48
561-425- 42
559-270- 6
1457-517-389
耿定向明 300-632-221
457-576- 35
480-133-264
533- 46- 48
567-450- 86
676-587- 24
1467-157- 67
耿定理明 300-632-221
457-584- 35
耿居簡元 1197-639- 65
耿奉訓元 532-667- 44
耿承祖元 546-359-126
耿昌言唐 812-351- 10
812-372- 10
821- 69- 47
耿昌期唐 812-351- 10
821- 69- 47
耿秉田耿秉由 宋
472-388- 17
510-493-118
耿秉由宋 見耿秉田
耿延年宋 486- 55- 2
耿炳文明 299-213-130
453- 32- 4
475-752- 88
494-266- 1
511-417-152
523- 32-147
554-164- 51
558-144- 30
472-827- 33
耿宣威宋 537-333- 56
耿南仲宋 285-676-352
397-724-363
耿昭化宋 472-749- 29
481- 66-293
538- 58- 63
耿章光清 540-842-28之4
545-199- 90
耿國翰母 清 見張氏
耿參同明 456-519- 6
耿朝用明 494- 41- 3
耿幾父宋 476-610-133
540-639- 27
耿復亨元 1206-716- 6
耿復初明 558-473- 40
耿復昭妻 清 見趙氏
耿福綠明 472- 86- 3
474-635- 33
483-267-392
505-702- 70
耿端義金 291-424-101
472-576- 24
540-769-28之2
耿嘉璞妻 清 見任氏
耿鳴世明 476-528-128
545-227- 91
耿鳴雷明 505-685- 69
耿蔭樓明 301-510-266
456-519- 6
474-383- 19
505-852- 77
耿隨龍明 510-394-115
耿應張明～清 477-481-173
537-590- 60
耿願魯清 540-860-28之4
耿獻忠清 478-391-193
554-537-57下
耿聽聲宋(以聲音占)
590-429- 8
耿顯世明 547- 73-143
耿纘祖妻 清 見楊氏
耿之不比春秋 405- 10- 56
栗里晉 446-275- 上
栗祁明 523-121-151
540-813-28之3
545- 95- 86
栗旺明 1283- 47- 70
栗玹明 547- 36-142

栗恕明 545-844-113
栗登明 554-258- 52
栗瑢明 547- 36-142
栗銘明 545-848-113
栗融漢 384- 52- 2
491-797- 6
933-728- 50
栗豐漢 476-820-143
栗大用宋 見栗大用
栗永祿明 515- 54- 58
545-849-113
栗永馨明 545-852-113
547- 36-142
栗生蘭清 559-332-7下
栗在庭明 558-317- 34
栗有恩明 558-457- 38
栗克昌妻 清 見方氏
栗廷用明 569-661- 19
栗春芳妻 明 見劉氏
栗陸氏栗睦氏 上古 383- 44- 6
栗睦氏上古 見栗陸氏
栗魁周明 546-690-138
栗應宏明 546-660-137
1442- 64- 4
1460-234- 50
栗應麟明 546-660-137
676-563- 23
1442- 64- 4
1460-233- 50
栗繼芳明 546- 95-118
振宋(姓缺) 1053-651- 15
振朗唐 480-418-277
1053-189- 5
根泰清 455-218- 11
根特清(瓜爾佳氏) 455- 45- 2
474-773- 41
502-579- 75
根特清(赫舍里氏) 455-200- 10
根特清(正黃旗人) 502-472- 69
根滋清 456-338- 76
根享清(諾爾布子) 454-578- 60
根敦清(杭圖岱子) 454-594- 63
根敦清(伊達木扎布) 454-622- 67
根敦清(綽囉斯氏) 454-842- 97
根敦清(阿弼達子) 454-934-113
根敦清(固山貝子) 500-725- 37
根牟子戰國 933-206- 14
根圖恒清 455-417- 25
根敦扎布清 500-728- 37
殊宋(姓缺) 1052-806- 19
夏干明 524-137-185
夏方漢 482-317-354
483-697-422
567- 21- 63
1467- 3- 62
夏方晉 256-430- 88
380- 81-167
472-1069- 45
479-229-227
486-310- 14
524-130-185
933-609- 39
1321-381-129
夏文明 1240-368- 23
夏王唐 見李一
夏元明 532-648- 43
夏牙漢 253-551-110上
380-339-175
477-126-155
538-130- 65
夏升夏昇 明 301-733-281
472-1041- 43
479-353-233
511-193-143
523-200-155
夏氏春秋 衛出公夫人、夏戊女 404-836- 52
夏氏後唐 李贊華妻、唐莊宗夫人 279- 87- 14
544-232- 63
夏氏宋 呂師愈妻、夏深女 1171-800- 30
夏氏宋 趙仲洵妻、夏伯孫女 1100-550- 52
夏氏元 黃佩妻 1215-662- 8
夏氏元 黃有猷母 1216-116- 6
夏氏明 王斌妻 475-783- 89
夏氏明 成其業妻 506-144- 90
夏氏明 李弘道妻、夏奇峰女 1269-800- 5
夏氏明 吳惟謙妻、夏仲昭女 1255-671- 69
夏氏明 宣謨妻 481-118-296
夏氏明 侯舉妻 478-574-203
夏氏明 侯正一妻 483-341-398
夏氏明 曹柄妻 533-615- 69
夏氏明 陳計長妻、夏可淇女 1312-373- 36
夏氏明 華仲亨妻、夏範女 1291-502- 9
夏氏明 喻燮妻 1283-501-106
夏氏明 程孟麟妻、夏均迪女 1242-207- 31
夏氏明 楊朝妻、夏正東女 1288-649- 11
夏氏明 潘肇薦妻 479-562-242
夏氏明 盧貯妻 516-237- 87
夏氏明 沐天波婢 302-255-303
夏氏清 方自申 475-757- 88
夏氏清 田種珍妻 483-398-403
夏氏清 江迥妻 475-536- 77
夏氏清 李瑞妻 481- 83-294
夏氏清 李之紀妻 475-713- 86
夏氏清 呂九儀妻 1326-778- 4
夏氏清 呂守謙妻 506-149- 90
夏氏清 吳邦畿 481-751-334
夏氏清 吳敦愫妻 533-653- 70
夏氏清 侯國賓妻 506-147- 90
夏氏清 徐章達妻 512-489-189
夏氏清 張中運妻 476-756-139
夏氏清 張存仁妻 506- 25- 86
夏氏清 張國縉妻 481-119-296
夏氏清 張喆光妻 480-616-287
夏氏清 陳太初妻 475-284- 63
夏氏清 潘世志妻 479-411-235
夏氏清 潘秉天妻 479-411-235
夏氏清 劉琥妻 475-757- 88
夏氏清 劉以勳妻、夏廷仕女 480- 97-262
533-546- 67
夏氏清 關良徵妻 481-680-331
夏氏清 夏劼女 512-134-180
夏戊女 春秋 見夏氏
夏正明 524-109-183
584-274- 10
1475-224- 9
夏用宋 451-221- 0
夏安明 1524-184-187
夏光明 523-232-156
夏伋明 1467- 65- 64
夏言明 300-222-196
429-410- 附
452-450- 3
479-560-242
515-886- 86
547-166-147
676-548- 22
820-687- 42
1442- 46- 3
1460- 20- 41
夏亨明(新喻人) 554-346- 54
夏亨明(臨江人) 554-347- 54
夏育漢 558-204- 32
夏玘妻 明 見陳氏
夏杌明 515-149- 61
夏佑明 1246-621- 12
夏佑女 明 見夏翠
夏伯上古 546-234-123
夏伸明 529-451- 43
夏官清 456-367- 78
夏協女 宋 見夏皇后
夏承漢 541-770-35之20
681-267- 16
681-537- 8
682-295- 6
683-260- 6
1397-615- 29
夏承宋 485-502- 9
487-128- 8
491-435- 6
523-372-164
夏忠明(字思誠) 458-168- 8
472-127- 4
夏忠明(字孺和) 533- 51- 48
夏忠王忠 明(字仲寔) 1238-175- 15
夏忠明(延平訓導) 1269-849- 7
夏忠明(字尚忠) 1467- 78- 64
夏尚明 見夏時正
夏芷明 821-375- 55
夏昇明 見夏升
夏昂明 505-800- 74
夏芳妻 清 見任氏
夏旻元 533-279- 56
夏杲明 1246-641- 14
夏炳清 483-340-398
夏津明 1289-392- 28
夏亮明 見朱亮

夏祈明 571-540- 20
夏奕宋 821-209- 51
夏美明 821-418- 56
1467-116- 66
夏相明 1248-512- 24
夏某清(謚忠烈) 1325-667- 1
夏茂明 533- 79- 49
夏思明 511-715-164
夏思明 見夏子孝
夏昺明(字孟暘) 301-829-286
820-590- 40
821-358- 55
1273-146- 21
1289-392- 28
夏英明 481- 69-332
516-131- 92
528-511- 31
528-542- 32
夏泉朱泉 明 301-828-286
473-166- 57
493-982- 52
511-736-165
821-358- 55
820-590- 40
1318-355- 63
1241-185- 8
1241-829- 21
1241-900- 23
1284-132-146
1289-392- 28
夏迪元 524-375-197
821-298- 53
夏迪明 523-317-161
1236-708- 8
夏俅宋 511-613-160
夏禹夏 見禹
夏信明 夏伯庸女 530- 4- 54
夏俊宋 472-197- 7
夏俊明 1255-746- 75
夏泉明 473-101- 53
515-839- 84
1269-736- 1
夏泉妻 明 見王氏
夏涇明 1246-613-11
夏祐宋 515-104- 60
524-271-191
夏祚明 472-351- 15
511-329-149
夏浚明 515-890- 86
676-111- 4
523- 55-148
夏秦明 460-572- 57
夏恭漢 253-551-110上
380-339-175
472-680- 27
476-815-143
477-126-155
538- 22- 62
933-609- 39
夏恭明 1269-851- 7
夏珪宋 524-344-196
585-518- 17
821-224- 51
夏桂宋 見夏誅仲
夏珩明 533-472- 64
夏時明(字以正) 299-589-161
479- 52-218
479-452-237
515- 35- 58
523-261-158
676-216- 8
夏時明(字尚寅) 478-699-210
558-462- 38
夏時明(字中甫) 524- 55-180
夏恩明 見夏子孝
夏恕明 458-167- 8
472-751- 29
537-515- 59
夏倪宋 518-751-160
1116-441- 22
1362-734- 68
夏邕元 鄭濤妻、夏天瑞女
1224-293- 23
夏姬春秋 御叔妻、鄭穆公女
448- 69- 7
夏姬戰國 見夏太后
夏寅宋 484-389- 28
夏寅明(字正夫) 299-593-161
453-694- 35
458-1024- 1
472-242- 9
473- 16- 49
475-179- 59
479-452-237
511-124-141
515- 37- 58
517-585-130
523- 42-148
676- 21- 1
676-495- 19
678-188- 88
678-249- 94
1442- 27- 2
1459-636- 24
夏寅妻 明 見董氏
夏淳明 477-378-167
夏梅妻 清 見江氏
夏偉明 1269-802- 5
1269-852- 7
夏統晉 256-520- 94
380-418-177
384- 94- 5
470- 63- 96
472-1069- 45
477-318-164
479-229-227
486-313- 14
524-285-192
871-893- 19
933-609- 39
1141-800- 34
夏斌明 515-221- 63
夏竦宋 285-536-283
371-108- 11
382-337- 54
384-350- 18
397- 31-322
450-177-22上
471-746- 22
472-195- 7
473- 88- 52
479-482-239
480-288-271
513-120- 92
532-677- 44
674-279-4下
820-360- 32
933-609- 39
1093-347- 47
1362-479- 22
1394-502- 6
1437- 10- 1
夏竦妻 宋 見楊氏
夏雲明 515-839- 84
夏期春秋 404-844- 52
夏雄女 元 見夏淑明
夏椅宋 472-336- 14
475-525- 77
510-414-116
516- 43- 88
夏堪漢 681-591- 12
1397-679- 32
夏琛女 宋 見夏氏
夏森宋 821-225- 51
夏貴宋 472-325- 14
1269-849- 7
夏貴元 1204-274- 8
夏勛明 505-676- 69
夏昜女 清 見夏氏
夏傅明 1261-162- 12
夏傅妻 明 見包氏
夏集明 1289-288- 19
夏溥元 524- 81-182
1439-443- 2
夏源明 1382-437- 2
夏誥明 570-108-21之1
夏煜明 299-276-135
511-718-165
1442- 4- 1
1459-416- 13
夏煒清 533-162- 52
夏瑀妻 清 見許氏
夏塤明 528-452- 29
夏雷明 524-185-187
夏瑄明 1240-567- 附
1245-491- 25
1250-467- 43
夏瑄妻 明 見周慧貞
夏瑚清 455-381- 23
夏椿元 472-242- 9
511-542-158
1195-570- 下
夏瑋清(字禹貢) 510-492-118
夏瑋明(湖廣人) 567-102- 66
1467- 78- 64
夏瑜明 493-983- 52
夏勤漢 376-694-108
475-746- 88
480-539-283
675-297- 15
夏瑛明 515-885- 86
夏鼎夏汝賢 宋 451- 64- 2

夏鼎明(字汝梅) 472-569- 24
515-883- 86
540-642- 27
夏鼎明(字銘韋) 534-955-120
夏鼎明(蘇州人) 821-371- 55
夏鼎妻 清 見葛氏
夏暘明 511-595-159
夏葵明 821-375- 55
夏鉞明 1289-392- 28
夏誠明(字克誠) 479- 53-218
523-356-163
夏誠明(字與誠) 524-173-187
585-566- 21
夏寧明 見夏希純
夏寧妻 明 見葉氏
夏慥清 524-116-183
夏榮唐 511-881-171
夏榮宋 523- 14-146
524-323-195
夏翠明 龔紘妻、夏佑女
1246-615- 11
夏僎宋 523-619-177
678-123- 81
夏稽元 1197-723- 75
夏緇明 1475-449- 19
夏槃妻 明 見魏氏
夏毅明 479-353-233
523- 33-147
523-200-155
1227-112- 13
夏璉明 1239- 87- 32
夏儀明 511-826-167
夏範女 明 見夏氏
夏璟宋 1188-675- 4
夏璣明 473-126- 55
473-195- 58
515-133- 61
515-258- 65
夏臻宋 529-436- 43
夏駰清 1325-722- 6
夏噩宋 493-742- 41
夏輯明 528-513- 31
夏霖明(字民悅) 475-640- 83
510-446-117
夏霖明(字道存) 515-644- 77
1220-380- 3
夏璞妻 明 見江氏
夏隋夏 285-626-290
382-395- 62
397- 91-325
478-418-195
545-644-106
554-356- 54
夏暹明 570-103-21之1
夏儒明(上元人) 302-198-300
夏儒明(字汝醇) 511-182-143
夏衡明 475-179- 59
820-594- 40
821-359- 55
1244-629- 14
夏鴻宋 472-368- 16
511-854-169
585-769- 5
夏濬元 1215-697- 10
夏壎明 299-567-159
473-570- 74
479-293-230
479-452-237
481- 24-291
481-804-338
515- 37- 58
523-318-161
559-251- 6
676-497- 19
夏聲清 1320-562- 62
夏鍭明 299-568-159
472-1106- 47
479-294-230
523-318-161
676-519- 20
1442- 36- 2
1459-751- 29
夏禮明 511-124-141
820-659- 42
夏謨清 474-411- 20
505-853- 77
夏璿元 516- 49- 88
夏鎮元 515-523- 72
夏鎮明 511-633-161
夏馥漢 253-366- 97
376-961-112
384- 66- 3
448-109- 下
472-651- 27
477- 60-151
477-169-157
524-421-200
538-155- 66
933-609- 39
1061-279-111
夏寵明 473-236- 60
480-173-267
夏環清 511-264-146
夏璽妻 清 見扈氏
夏霦明 820-713- 43
夏瓊元 473- 96- 53
515-184- 62
夏鏜明 558-179- 31
夏寶明(鹿邑縣尹) 472-679- 27
夏寶明(號來山) 528-562- 32
夏爔清 572-105- 30
夏齧春秋 405- 98- 62
夏鐸明 569-661- 19
夏鑑明 568- 46- 99
夏一鶚清 475-216- 60
502-638- 78
510-367-114
515- 67- 58
夏九鼎元 見夏友蘭
夏九鼎明 515-158- 61
523-439-167
1292-692- 11
夏人佺清 540-682- 27
夏士英明 537-258- 55
夏士祥妻 明 見吳氏
夏士璋元 517-474-127
夏子文宋 821-248- 52
夏子言元 821-326- 54
夏子孝夏思、夏恩 明
302-157-297
475-530- 77
511-604-160
夏子明明 524-139-185
夏子芳明 472-678- 27
夏子昭妻 明 見顧氏
夏子雲明 559-357- 8
夏子陽明 515-894- 86
夏子謙明 473-267- 61
532-655- 44
夏大均宋 483-321-396
572-158- 32
夏大卿明 1247-383- 14
夏文仲元 537-279- 55
夏文彥元 821-323- 54
夏文度明 1237-497- 5
夏文善明 1269-850- 7
夏文華女 元 見夏守貞
夏文華清 524-188-187
夏文義明 1269-850- 7
夏文煥妻 明 見危氏
夏文達妻 明 見袁氏
夏文敬元 1222-430- 6
夏文榮不詳 592-281- 78
夏文質妻 明 見邵氏
夏之文宋 484-377- 27
517-356-125
夏之令明 301-169-245
458- 63- 3
458-227- 4
477-546-176
537-610- 60
夏之旭明 456-638- 10
夏之邵宋 484-377- 27
夏之彥明 511-377-150
夏之相妻 清 見汪氏
夏之時明(字惟行) 516-132- 92
夏之時明(寧夏人) 558-433- 37
夏之純宋 1090- 21- 4
夏之華妻 清 見嚴氏
夏之鼎明 537-330- 56
夏之鳳明 511-353-149
夏之璜妻 清 見李氏
夏火勳明 572-156- 32
夏云醇明 456-666- 11
477-132-155
夏太后夏姬 戰國 秦孝文王夫人 405-326- 76
夏太后梁 梁元帝妃
265-203- 12
夏太和明 529-718- 51
676- 89- 3
夏元直宋 472-981- 39
夏元瑞清 480- 93-262
533-473- 64
夏元鼎宋 524-442-201
1174-553- 35
夏天瑞女 元 見夏邕
夏友諒明 1242-300- 34
夏友蘭夏九鼎 元
515-766- 81
1197-714- 74
夏日孜元 515-620- 76

820-500- 27
1209-190- 1
夏日富元 1220-374- 2
夏日瑚清 511-629-161
夏日葵明 1475-354- 15
夏中正宋 472-368- 16
475-642- 83
511-313-148
夏仁宗趙仁孝、李仁孝 西夏
288-778-486
291-787-134
401-273-605
558-769- 50
夏仁壽妻 元 見徐氏
夏仁壽明 1229-353- 13
夏允中明 1269-851- 7
夏允茂明 1269-852- 7
夏允彝明 301-667-277
456-439- 3
475-184- 59
479-101-221
481-525-326
511-762-166
524-310-194
528-405- 29
541-112- 31
1442-109- 7
1460-707- 76
夏允彝妻 明 見陸氏
夏允彝女 明 見神一
夏父展春秋 404-507- 30
夏立夫妻 明 見倪氏
夏立中清 533-306- 57
夏立信明 1269-850- 7
夏立誠明 1269-849- 7
夏立讓明 1269-849- 7
夏主信唐 516-509-106
夏必銘明 533-119- 50
夏永昌妻 明 見高氏
夏永慶元 524-123-184
1216-118- 6
1219-501- 21
夏永慶妻 明 見蕭氏
夏弘濟明 1240-541-附
夏正東女 明 見夏氏
夏巨源宋 524-345-196
590-430- 8
夏可淇女 明 見夏氏
夏可漁明 569-659- 19
夏可範明 516-134- 92
夏世英明 302- 75-293
456-611- 9
477-125-155
538- 42- 63
夏世寧妻 清 見陶氏
夏世賢宋 475-375- 68
夏民懷明 511-604-160
夏以忠元 515-503- 72
1228-741- 11
夏以賓明 515-434- 70
夏用珩妻 明 見鄧氏
夏用理明 1269-850- 7
夏用理妻 明 見陳氏
夏用珽明 1269-851- 7
夏用璋明 1269-851- 7
夏用璋妻 明 見施氏
夏用巘明 1269-850- 7
夏守貞元 蔡志善妻、夏文華女 524-607-208
1219-595- 29
夏守恩宋 285-625-290
545-638-106
夏守贇宋 285-625-290
382-395- 62
384-354- 18
397- 90-325
472-437- 19
545-638-106
夏安期宋 285-540-283
472-923- 36
476-913-148
478-166-182
478-543-202
554-145- 51
933-610- 39
夏安禮明 554-337- 54
夏汝賢宋 見夏鼎
夏汝礪明 481-583-328
528-486- 30
夏有慶元 1213-772- 25
夏同霖妻 清 見蔡氏
夏光沅清 533-305- 57
夏名文明 456-666- 11
夏仲臣女 明 見夏玖貞
夏仲甫妻 清 見梁氏
夏仲昭女 明 見夏氏
夏行美遼 289-630- 87
399- 39-420
472-625- 25
474-736- 40
502-327- 59
505-745- 72
夏完淳明 456-542- 7
475-184- 59
511-762-166
1442-109- 7
1460-718- 78
夏汲清元 821-328- 54
夏良心明 475-823- 92
511-377-100
515- 58- 58
517-699-132
夏良規明 1457-625-400
夏良勝陸良勝 明
300-107-189
479-630-245
515-840- 84
517-675-132
676-540- 22
1269-939- 11
1269-959- 12
1269-974- 13
夏良勝妻 明 見趙京
夏良勝女 明 見夏進第
夏良器明 1269-851- 7
夏志誠元 498-466- 94
夏赤松南北朝 524-364-197
夏成德清 476-779-141
夏孝光晉 472-1015- 41
479-379-234
524-160-186
夏均迪女 明 見夏氏
夏克義女 明 見夏叔貞
夏玖貞明 夏仲臣女
1242- 57- 25
夏伯孫母 宋 見李氏
夏伯孫女 宋 見夏氏
夏伯庸女 明 見夏信
夏伯弼明 533-428- 62
夏希純夏寧 明 515-366- 68
554-207- 52
夏希淳明 1269-851- 7
夏希道宋 472-347- 15
510-451-117
夏希肇明 1269-851- 7
夏希賢元 523-623-177
1188-467- 7
夏希賢明 1269-852- 7
夏邦科妻 明 見孫氏
夏廷玉妻 清 見張氏
夏廷仕女 清 見夏氏
夏廷印清 502-776- 86
554-221- 52
夏廷美明 457-519- 32
511-637-161
夏廷威女 明 見夏素定
夏宗文明 472-242- 9
820-594- 40
夏宗亮妻 明 見黄氏
夏宗顯元 1224-307- 24
夏其光明 523-207-155
夏雨金明 511-809-167
676-659- 27
夏孟昌明 572-161- 32
夏奇峰明 1269-851- 7
夏奇峰女 明 見夏氏
夏阿几宋 479-296-230
524-685-211
夏東叟宋 821-248- 52
夏來鳳妻 清 見戴氏
夏承啟妻 清 見周氏
夏承皓宋 479-607-244
516-119- 92
夏尚朴明 見夏尚樸
夏尚忠元 1221-497- 12
夏尚忠明 533-290- 56
夏尚樸夏尚朴 明
301-779-283
457- 98- 7
458-677- 3
479-559-242
515-887- 86
676- 40- 2
679-161-154
夏昌楚明 559-276- 6
夏明誠宋 451-390- 12
524- 71-181
夏叔度明 1255-498- 54
夏叔恢明 524-205-188
夏叔貞明 張士倫妻、夏克義女 1241-219- 10
夏叔慎明 529-658- 49

夏季遠明 1269-849- 7
夏季遠妻 明 見甘氏
夏秉文明 1269-849- 7
夏延器明 545-401- 98
夏建中明 見夏建忠
夏建忠夏建中 明456-606- 9
554-344- 54
夏建寅明 481-584-328
524-248-190
528-488- 30
夏思忠元 523- 81-149
夏思誠妻 明 見王氏
夏若水元 472-1115- 48
479-402-235
夏則中明 482-303-353
夏迪簡明 561-204-38之1
夏皇后後唐 唐明宗后
277-430- 49
279- 92- 15
392-244- 21
393-293- 74
夏皇后宋 宋孝宗后、夏協女
284-882-243
393-317- 77
516-263- 98
1152-783- 49
夏皇后明 明武宗后
299- 17-114
夏衍虞明 456-551- 7
559-510- 12
夏侯夬後魏 262- 76- 71
266-724- 45
379-288-150下
夏侯氏晉 羊祜妻541- 67- 29
夏侯氏後魏 裴叔寶妻
379-285-150下
547-449-158
夏侯氏宋 許洸妻、夏侯綱女
1117-325- 14
夏侯氏宋 趙令蜺妻、夏侯緬女 1100-546- 52
夏侯氏宋 謝綷妻、夏侯晟女
1105-829- 99
1384-180- 95
夏侯玄魏 254-186- 9
377- 74-114
384- 87- 4
384-628- 37
386- 52-70中
820- 41- 22
820-287- 30
1297-675- 3
夏侯孜唐 271-324-177
384-277- 14
384-280- 14
396-226-272
夏侯承晉 255-910- 55
480-613-287
夏侯尚魏 254-185- 9
377- 73-114
384- 87- 4
384-627- 37
552- 22- 18
夏侯尚女 晉 見夏侯徽
夏侯建漢 540-694-28之1
933-773- 54
夏侯朗隋 821- 32- 45
夏侯皋漢 541- 85- 30
夏侯淳晉 255-910- 55
夏侯惇漢 253-478-105
254-170- 9
377- 69-114
384- 83- 4
384-627- 37
472-200- 7
475-778- 89
476-852-145
511-356-150
933-774- 54
夏侯淵魏 253-431-102
254-172- 9
377- 71-114
384- 83- 4
384-627- 37
472-200- 7
475-778- 89
511-421-152
554-102- 50
558-131- 30
933-774- 54
夏侯訢漢 472-680- 27
538- 85- 64
夏侯晟女 宋 見夏侯氏
夏侯莊晉 255-583- 31
夏侯莊女 晉 見夏侯光姬
夏侯湛晉 255-905- 55
377-610-124上
384- 93- 5
469-100- 12
472-200- 7
472-717- 28
475-779- 89
477-241-161
511-822-167
537-285- 55
933-774- 54
1329-974- 57
1331-472- 57
1379-322- 40
1395-589- 3
1398-306- 14
1410-537-737
1413-305- 45
夏侯惠魏 254-174- 9
254-390- 21
377- 73-114
540-644- 27
夏侯開妻 宋 見倪氏
夏侯琳宋 1161-658-129
夏侯勝漢 250-642- 75
251-108- 88
376-366-101
380-251-172
384- 48- 2
459- 16- 1
472-549- 23
476-820-143
540-694-28之1
675-259- 7
933-773- 54
夏侯亶梁 260-247- 28
265-783- 55
378-307-139
472-194- 7
472-324- 14
472-997- 40
473-266- 61
475-697- 86
475-779- 89
479-132-223
480-199-267
494-285- 3
511-356-150
523-113-151
532-643- 43
933-774- 54
夏侯詳梁 260-116- 10
265-783- 55
370-558- 18
378-306-139
384-117- 6
472-201- 7
475-779- 89
480-362-275
480-399-277
511-356-150
532-558- 40
933-774- 54
夏侯楙魏 254-171- 9
夏侯敬漢 476-581-131
夏侯端唐 271-486-187上
275-577-191
384-175- 9
400- 89-508
472-201- 7
472-738- 29
475-749- 88
475-910-148
511-495-156
537-197- 54
547-150-147
559-313-7上
933-774- 54
夏侯榮魏 254-174- 9
377- 73-114
554-103- 50
879-185-58下
1398-274- 12
1413-268- 44
夏侯稱魏 254-174- 9
377- 73-114
1398-274- 12
1413-268- 44
夏侯綱女 宋 見夏侯氏
夏侯審唐 276- 89-203
400-614-556
451-433- 3
夏侯潭唐 271-324-177
夏侯嶠宋 285-651-292
371-100- 9
382-244- 37
384-340- 17

397-110-326
472-555- 23
472-961- 38
475- 16- 49
523- 9-146
540-752-28之2
夏侯緬女 宋 見夏侯氏
夏侯儒魏 254-302- 15
夏侯錫宋 515-498- 72
1090-537- 25
夏侯隱唐 524-423-200
夏侯嬰漢 244-624- 95
250-142- 41
251-528- 11
376- 64- 96
384- 37- 2
469-127- 15
472-410- 18
475-422- 70
511-397-151
547-169-147
933-773- 54
1397-199- 10
夏侯徽晉 晉景帝后、夏侯尚女 255-571- 31
373- 65- 20
夏侯瞻晉 812-323- 5
821- 13- 45
夏侯譒梁 265-785- 55
378-308-139
夏侯籍後魏 262- 77- 71
夏癸夔梁 260-249- 28
265-784- 55
378-308-139
459-868- 52
472-788- 31
475-741- 88
476-910-148
511-357-150
532-643--43
537-195- 54
933-774- 54
夏侯霸魏 254-173- 9
377- 73-114
夏侯霽明 1236-797- 13
夏祖禹明 456-628- 10
505-861- 77
夏祖訓明 456-551- 7
482-560-369
523-363-163
569-678- 19
夏神宗李遵頊、趙遵項 西夏
288-779-486
291-790-134
401-274-605
558-769- 50
夏庭簡宋 1164-408- 23
夏素定明 吳槩妻、夏廷威女
1246-638- 14
夏泰亨元 524- 53-180
678-435-111
夏原吉明(字維喆) 299-434-149
443- 23- 2
453-204- 19
453-566- 8
473-340- 63
478-766-215
480-410-277
493-786- 42
508-254- 39
510-287-112
523- 35-147
533- 95- 50
534-953-120
676-481- 18
820-586- 40
1238-142- 12
1240-322- 21
1240-482- 附
1240-542- 附
1240-559- 附
1240-560- 附
1240-562- 附
1240-563- 附
1240-702- 7
1248-392- 20
1250-371- 35
1256-377- 24
1374-540- 76
1409-628-636
1442- 17- 1
1458-442-447
1459-542- 19
夏桓宗李純佑、李純祐 西夏
291-790-134
401-273-605
558-769- 50
夏時中明 1237-275- 5
夏時化明 515-439- 70
夏時正明 299-542-157
479- 53-218
479-452-237
515- 38- 58
523-262-158
523-579-175
585-469- 13
679-260-164
820-631- 41
1375- 39- 下
夏時行明 456-659- 11
511-477-155
夏時行妻 明 見李氏
夏時亨明 533- 30- 47
夏時芳清 502-766- 86
夏時敏妻 明 見廖妙賢
夏時瞻明 1269-851- 7
夏時瞻妻 明 見余氏
夏師堯宋 511-479-155
夏師顏妻 明 見趙氏
夏惟勤明 545-250- 92
夏章夏清 533-305- 57
夏祥鳳明 473-641- 78
481-694-332
528-541- 32
夏淑吉明 見神一
夏淑明元 譚遇妻、夏雄女
1197-727- 75
夏淑榮元 徐伯龍妻
524-779-216
夏執中宋 284-882-243
473-178- 57
515-501- 72
820-440- 35
夏乾錫宋 472-368- 16
511-854-169
夏崇文明 473-341- 63
夏崇宗李乾順、趙乾順 西夏
288-772-485
291-786-134
289-733-115
401-270-605
558-769- 50
夏國卿明 456-516- 6
夏紹虞明 554-306- 53
夏婉常元 李宗頤妻
295-636-201
401-182-593
516-232- 97
1226-513- 24
夏統春明 302- 88-294
456-492- 5
475-531- 77
480- 89-262
511-475-155
533-364- 60
夏從壽明 511-151-142
528-455- 29
夏從壽妻 明 見周氏
夏啟昌明 532-650- 43
夏敦仁清 511-558-158
夏雲英明 1442-122- 8
夏雲蛟明 456-636- 10
458-1071- 2
夏雲鼎明 533-219- 53
夏惠宗李秉常、趙秉常 西夏
288-767-485
289-732-115
401-269-605
558-769- 50
夏朝卿明 456-642- 10
夏開衡妻 清 見姚氏
夏陽說春秋 404-707- 43
夏景宗李元昊、李曩霄、趙元昊、趙崖塊 西夏
288-759-485
289-731-115
371-197- 20
401-264-604
558-769- 50
820-461- 36
821-257- 52
夏景和明 558-399- 36
夏景孫元 515-343- 67
夏景華明 558-376- 36
夏景澄妻 明 見葉氏
夏進第明 夏良勝女
1269-796- 5
夏源清明 524-223-189
夏義甫元~明 524-282-192
821-351- 55
夏訣仲夏桂 宋 451- 68- 2
夏道一清 474-480- 23

505-922- 82
夏道昌明 524-125-184
夏寑大清 533-318- 57
夏瑚達清 455-365- 22
夏萬亨明 301-686-278
456-463- 4
479-456-237
511-439-153
515- 65- 58
夏愚夫明 1269-852- 7
夏敬齋明 1229- 34- 3
夏愈敬明 1269-850- 7
夏節之不詳 512-787-196
夏漢章妻 清 見鍾氏
夏榮達元 1219-523- 23
夏榮顯元 1219-517- 23
夏熙臣清 533-305- 57
夏嘉瑞清 533-305- 57
夏嘉遇明 301- 28-236
475-182- 59
511-131-141
夏夢軫妻 明 見吳尾宋
夏銘善明 480-564-284
533-293- 56
夏維新明 456-635- 10
511-452-153
夏魁楊明 見夏魁暘
夏魁暘夏魁楊 明456-503- 5
475-823- 92
511-505-156
夏毅宗李諒祚、趙諒祚 西夏
288-764-485
289-732-115
401-267-604
558-769- 50
夏餘達元 511-636-161
夏德威妻 明 見劉桂
夏德強清 456-367- 78
夏魯奇李紹奇 後唐
277-573- 70
279-206- 33
384-307- 16
400-117-510
476-668-136
481-332-308
540-745-28之2
559-525- 12
561-359- 41
561-396- 42
561-408- 42
591-375- 30
1381-473- 37
1383-762- 69
夏徵舒春秋 405- 98- 62
夏穎達宋 516- 28- 88
夏學程妻 明 見丁美音
夏錫祚明 1460-728- 79
夏錫智妻 清 見穆氏
夏應保妻 明 見王氏
夏應純明 524-237-189
夏應祥元 1229-288- 9
夏襄宗李安全 西夏
288-779-486
291-790-134
401-274-605
558-769- 50
夏繡文妻 清 見于氏
夏獻宗李德旺 西夏
288-780-486
291-793-134
401-274-605
558-770- 50
夏顯七妻 明 見蔣全娘
夏顯卿元 515-832-83
夏父弗忌春秋 404-507- 30
夏武烈帝赫連佛佛、赫連屈子、赫連屈丐、赫連勃勃 夏
256-997-130
258-620- 95
262-352- 95
267-762- 93
381-383-193
384-106- 5
384-144- 7
544-204- 62
558-767- 50
夏武烈帝女 北魏 見赫連皇后
夏侯子雲唐 587-436- 5
夏侯文寧女 魏 見夏侯令女
夏侯令女曹文叔妻、夏侯文寧女 魏 375-167-79下
386-208- 78
472-208- 9
475-782- 89
512-139-181
1408-488-528
夏侯光姬晉 司馬伷妻、夏侯莊女 255-583- 31
夏侯長雲女 唐 見夏侯碎金
夏侯尚元元 472-242- 9
511-678-163
夏侯始昌漢 250-642- 75
376-366-101
472-549- 23
476-579-131
540-692-28之1
675-259- 7
933-773- 54
夏侯延祐宋 592-718-107
812-472- 3
812-546- 4
821-146- 50
夏侯恭叔劉宋 265-401- 25
378-236-137
475-779- 89
480-169-266
夏侯道遷後魏 262- 74- 71
266-923- 45
379-288-150下
556-111- 85
814-260- 8
820-117- 25
933-774- 54
夏侯碎金唐 劉寂妻、夏侯長雲女 271-652-193
276-107-205
401-149-589
472-709- 28
477-291-159
538-229- 67
夏侯嘉正宋 288-200-440
382-753-115
384-336- 17
400-638-558
473-301- 62
480-245-269
533-311- 57
537-237- 55
夏漢布祿清 455-205- 10
夏城牧豕者隋 547-141-146
破竈墮唐 1052-266- 19
1053- 58- 2
1054-114- 3
1054-463- 13
破六韓常北齊 263-221- 27
267-120- 53
379-370-152
544-207- 62
破六韓孔雀北朝 267-121- 53
厖傀氏上古 383- 25- 4
酒宋 1053-327- 8
酒穆泰䨇瑪台 元
481-583-328
528-484- 30
退晉 1051- 84- 3
閃氏明 白浩妻 570-203- 22
閃鏜明 570-121-21之1
閃仲儼明 570-122-21之1
閃應華妻 明 見穆氏
閃繼迪明 570-122-21之1
展如春秋 485-149- 20
493-794- 43
展喜春秋 375-710- 89
384- 15- 1
404-493- 30
933-588- 38
展禽春秋 見柳下惠
展毓明 1250-489- 45
展學明 554-311- 53
展濬妻 明 見索氏
展輿春秋 405-104- 62
展獲春秋 見柳下惠
展子度隋 812-338- 8
813- 71- 1
821- 29- 45
展上公不詳 1061-280-111
展莊叔春秋 933-588- 38
桑氏明 朱汝修妻
1295- 54- 4
桑氏明 張玹妻 506- 42- 87
桑氏明 張鳳翼妻 506-143- 90
桑氏清 丁時正妻 506-116- 89
桑氏清 鄧楷妻 477-212-159
桑介明 676-565- 23
桑沙清 455-579- 38
桑秀清 455-506- 31
桑武清 455-530- 33
桑阿顏倓 明 496-628-106
桑芸清 476-919-148

537-227- 54
545-679-107
桑春明 540-792-28之3
桑昭明 563-846- 41
桑悅明 301-836-286
493-1035- 54
475-136- 56
511-738-165
676-508- 20
820-635- 41
1386-405- 44
1284-357-163
1442- 33- 2
1458-198-431
1459-705- 28
桑桂明 558-449- 38
桑格清(完顏氏) 455-468- 28
桑格清(兀札喇氏) 455-490- 30
桑格清(烏爾瑚濟氏)
456-119- 58
桑格清(納賴氏) 456-253- 69
桑格清(王氏) 456-319- 75
桑格清(索柱祖) 456-334- 76
桑格清(傅海祖) 456-350- 77
桑格清(正黃旗) 456-357- 77
桑格清(張氏) 456-387- 80
桑格清(巴林氏) 502-612- 76
桑梅母 清 見張氏
桑莊宋 486-898- 34
524-328-195
桑莊妻 宋 見陸氏
桑惠明 518-820-162
1223-556- 10
桑琳明 820-635- 41
桑華明 821-405- 56
桑喬明 300-458-210
475-377- 68
479-610-244
511-210-144
516-222- 96
545- 86- 85
1442- 55- 3
1460-136- 46
桑欽漢 477-307-164
532- 26- 62
675-266- 7
桑溥明 478-337-191
554-252- 52
1442- 46- 3
1460- 5- 40
桑慎明 452-265- 8
524-310-194
563-910- 43
桑瑜明 511-737-165
桑虞晉 256-438- 88
380- 89-167
472-129- 4
477-203-159
933-418- 27
桑榮明 821-392- 56
桑蓁明 554-602- 59
桑瑾明 511-737-165
1442- 28- 2
1459-654- 25
桑懌宋 286-314-325
371-187- 19
371-188- 19
382-715-110
384-358- 18
397-443-346
472-740- 29
473-762- 84
477- 77-152
477-306-163
478-671-209
537-300- 56
538- 36- 63
567- 53- 65
1102-520- 65
1351-690-149
1356-237- 11
1383-526- 47
1408-510-532
1447-435- 22
1467- 34- 63
桑賚清 502-450- 68
桑之維金 1365-293- 9
1439- 4- 附
1445-528- 40
桑天顯清 479- 58- 219
桑日昇明 533-459- 63
桑古尼清 455-245- 13
桑世昌宋 674-768- 14
桑世傑明 299-255- 21
453-535- 3
472-328- 14
475-706- 86
511-491-156
桑田巫春秋 547-546-161
桑安世宋 545-137- 87
桑光輔宋 1086-289- 29
桑宏羊漢 384- 46- 2
桑成名明 547- 92-144
桑里達清 496-219- 76
桑廷瑞明 1273-1442- 20
桑阿布清 455-336- 20
桑固尼清(瓜爾佳氏)
455- 47- 1
桑固尼清(佟佳氏) 455-320- 19
桑固孫妻 元 見托克托沁
桑固理清 502-747- 85
桑拱陽明 456-673- 11
476- 85-100
545-793-111
桑貞白明 周履靖妻
1442-123- 8
1460-775- 84
1475-809- 34
桑格布清 456-272- 70
桑務理清 455-201- 10
桑哩達清 454-414- 28
桑荊初明 569-675- 19
桑烏遜妻 元 見托克托沁
桑乾王後魏 見元曄
桑開基明 456-628- 10
505-899- 80
桑開運清 505-809- 74
桑景舒宋 511-874-170
桑景詢宋 1147-158- 16
桑結斯散即思 明
302-811-330
桑道茂唐 271-636-191
276-104-204
384-240- 12
401- 97-580
933-418- 27
桑愈高明 533-459- 63
桑鳳翥清 505-868- 78
桑鳳鳴妻 清 見李氏
桑維翰後晉 278-107- 89
279-183- 29
384-304- 16
396-380-287
407-659- 3
472-747- 29
476- 82-100
477-313-164
537-502- 59
545-761-110
933-418- 27
1383-750- 68
桑噶爾清 454-421- 29
桑噶蘇元 399-524-471
桑濟扎爾清 496-218- 76
桑齋多爾濟清 454-521- 49
陜巴明 見善巴
陜西子宋 554-991- 65
陜婦人晉 256-576- 96
381- 54-185
538-304- 68
陡門婦明(居陡門) 472-361- 15
475-613- 81
茂律周 933- 43- 2
茶悟漢 933-298- 21
茶穎吳 933-298- 21
茲無還春秋 384- 17- 1
933- 71- 4
時子周 933- 66- 4
時水晉 見迦留陀伽
時化明 545-469-100
時民宋 陳獻臣妻、時允女
1127-825- 13
時氏明 王宓妻 570-169- 22
時氏明 王俶妻、王淑妻
478-436-196
478-600-204
時氏明 王猷妻 512-144-181
時氏明 陳良謨妻 524-611-208
時氏明 潘興玉妻 475-145- 57
時氏明 魏安仁妻 472-668- 27
538-173- 67
時氏清 霍愼行妻 476-900-147
時允女 宋 見時氏
時光宋 821-235- 51
時全金 291-620-117
時行元 494-473- 18
時忱宋 427-279-10 之11
時佐元 494-473- 18
時青金 291-620-117
401-443-625
時侃元 494-473- 18
時彥宋 286-696-345

472-663- 27
476- 78-100
537-243- 55
時軌後趙 933- 66- 4
時苗魏 377-128-115上
384-667- 42
471-922- 48
472-106- 4
472-194- 7
475-741- 88
505-756- 72
510-469-117
933- 66- 4
時哲明 523-573-174
時恩明 1283-640-117
時恩妻 明 見沈氏
時值妻 明 見賈氏
時習元 524-419-200
時通明 545-409- 98
時荷晉 516-413-103
524-406-199
時敏宋 511-773-166
時惲宋 427-279-10之11
時敦宋 545-337- 96
時植明 302- 11-289
458- 60- 3
477- 88-153
481-439-316
538- 40- 63
時傑元 494-473- 18
時溥唐 271-396-182
275-555-188
277-123- 13
384-290- 15
396-266-275
511-399-151
933- 66- 4
時溥元 821-332- 54
時源明 554-602- 59
時瑞明 529-631- 48
時暌明 456-502- 5
546-341-126
時農不詳 933- 66- 4
時雋宋 494-471- 18
時誌明 523-422-166
時戩金 1040-251- 4
時銓妻 明 見李氏
時銘明 見時季照
時稱劉宋 見畺良耶舍
時澐宋 451-372- 11
時慶妻 明 見曹氏
時蔚明 493-1095- 58
511-919-174
時檄宋 524-307-194
1140-622- 15
時璹宋 485-535- 1
時鎬妻 宋 見陳瓌
時瀾宋 451-372- 11
523-610-176
時鑄宋 678-126- 81
時儼明 524-373-197
821-437- 57
時一新明 528-531- 31
時大彬明 1457-100-352
時文紳清 456-373- 78
時文璧妻 明 見魏氏
時太初元 511-732-165
時少章宋 451-372- 11
524- 71-181
677-382- 35
時公權元 545-475-100
時丹立宋 511-204-144
時立愛金 291-161- 78
399-112-426
472- 54- 2
474-241- 12
505-732- 71
時守中明 537-330- 56
時汝功宋 1150-113- 13
時汝翼宋 1150-107- 12
時汝翼妻 宋 見邵氏
時孝孫宋 427-278- 9
時君卿宋 820-365- 33
時見新清 505-917- 81
時伯庸妻 明 見張氏
時邦曉明 516-135- 92
時來相妻 清 見王氏
時尚儒明 505-668- 69
時叔遠宋 821-249- 52
時季照時銘 明 473-112- 54
524- 42-180
676-458- 17
1442- 8- 1
時彥師宋 477- 54-151
時建亨宋 821-235- 51
時茂先金 291-675-122
400-220-518
476-676-136
540-662- 27
時衍之宋 494-425- 13
時泰壯明 456-600- 9
時起之宋 1140-621- 15
時偕行明 511-239-145
523-136-152
時啟東妻 明 見鄒氏
時超仲妻 清 見顧氏
時舜舉宋 1104-483- 39
時椿老宋 見時夢洪
時達德明 1475-703- 29
時當可宋 451-221- 0
時際明妻 清 見王氏
時際順明 456-662- 11
時夢洪時椿老 宋451- 90- 3
時躋舜明 456-600- 9
474-373- 19
505-672- 69
505-858- 77
時躋舜妻 明 見李氏
晁氏宋 王元妻、晁仲衍女
1118-987- 67
晁氏宋 孫鎭妻、晁貢女
1128-286- 28
晁氏明 李諷妻 506-144- 90
晁氏清 趙大伊妻 480-441-278
晁回宋 472-412- 18
晁宗魏 503- 14- 91
晁武宋 559-379-9上
晁相明 1289-285- 18
晁迥宋 286- 47-305
382-292- 46
384-343- 17
397-250-334
475-430- 70
505-775- 73
511-789-166
592-621-100
674-275-4中
674-716- 10
820-340- 32
933-258- 18
1437- 8- 1
晁清後魏 262-258- 87
267-639- 85
380- 59-166
472-624- 25
474-735- 40
502-696- 82
晁崇後魏 262-286- 91
267-681- 89
380-624-183
384-144- 7
933-258- 18
晁貢女 宋 見晁氏
晁暉後魏 262-286- 91
544-209- 62
晁會金 476-112-102
545-371- 97
546-686-138
676-696- 29
1365-265- 8
1439- 3- 附
1445-489- 36
晁瑮明 472-135- 4
505-890- 79
晁遘妻 宋 見張氏
晁靜宋 葉助妻、晁端友女
1118-952- 65
晁錯漢 244-667-101
250-236- 49
251-557- 17
376-110- 97
384- 40- 2
384- 41- 2
472-650- 27
477- 57-151
537-581- 60
675-258- 7
933-258- 18
1343-553- 98
1407- 32-398
1407- 46-399
晁瀛明 558-212- 32
晁懿後魏 262-286- 91
267-682- 89
380-624-183
晁顯元 475-705- 86
511-335-149
晁讓明 545-464-100
晁子與宋 1147-786- 75
晁公艾晁公壽 宋
1118-368- 19
晁公武晏公武 宋

472-866- 34
475-366- 67
554-156- 51
559-266- 6
561-211-38之2
591-685- 47
592-620-100
晁公壽宋 見晁公艾
晁公謂宋 1153-642-108
晁必登明 483- 47-372
494-158- 5
569-664- 19
晁世興明 511-585-159
晁安愨宋 1118-331- 17
晁仲衍宋 1093-372- 50
晁仲衍女 宋 見晁氏
晁仲參宋 1105-806- 96
1384-150- 93
1410-456-724
晁仲參妻 宋 見孫氏
晁仲詢宋 1118-372- 19
晁仲熙宋 1118-940- 64
晁沖之宋 592-620-100
674-878- 20
1437- 17- 1
1461-673- 32
晁伯談宋 515-749- 80
晁宗恪宋 493-741- 41
515-195- 63
528-481- 30
1098-740- 46
晁宗恪女 宋 見晁德儀
晁宗愨宋 286- 48-305
371- 80- 7
382-292- 46
384-343- 17
397-251-334
505-775- 73
511-225-144
933-258- 18
晁宗簡宋 486- 48- 2
晁東吳明 676-586- 24
820-700- 43
晁叔與宋 820-381- 33
晁皇后唐 唐宣宗后
274- 27- 77
393-271- 73
晁國章元 453-767- 1
546-688-138
1365-265- 8
晁詠之宋 288-249-444
382-760-116
400-663-562
471-900- 44
540-762-28之2
545-369- 97
674-292-4下
674-828- 17
1437- 17- 1
晁補之宋 288-248-444
382-759-116
400-662-562
450-469- 34
471-713- 18
471-900- 44
472-290- 12
472-457- 20
472-519- 22
472-556- 23
476-112-102
476-517-127
476-861-145
494-302- 5
524-302-194
540-761-28之2
545-369- 97
674-289-4下
820-381- 33
821-176- 50
933-259- 18
1394-442- 4
1110-553- 32
1115-407- 48
1118-349- 18
1437- 17- 1
1461-707- 34
晁道焜清 515-813- 82
晁端友晁端有 宋
523- 75-149
541-786-35之20
820-381- 33
1107-481- 34
1113-232- 23
1118-832- 52
1405-613-299
1437- 16- 1
晁端友女 宋 見晁靜
晁端中宋 820-381- 33
1118-994- 68
晁端仁宋 1118-334- 17
1118-980- 67
晁端仁妻 宋 見葉氏
晁端本妻 宋 見閻氏
晁端有宋 見晁端友
晁端稟宋 1118-934- 63
晁端禮宋 674-887- 21
1118-370- 19
1122-396- 28
晁說之宋 471-1063- 70
505-670- 69
674-292-4下
674-834- 18
677-221- 20
821-177- 50
1163-448- 18
1204-511- 18
1362-730- 67
1437- 17- 1
晁德儀宋 曾鞏妻、晁宗恪女
1098-742- 46
晁謙之宋 473- 62- 51
488- 12- 1
488-438- 14
516-209- 96
員之女 宋 見員氏
員氏宋 孫書言妻、員之女
1158-183- 21
員平前涼 933-669- 44
員名唐 812-345- 9
821- 56- 46
員炎元 554-872- 64
1200-655- 49
1439-422- 1
員相唐 1052-400- 29
員紀明 554-347- 54
員眞宋 821-247- 52
員倉前涼 933-669- 44
員敞前涼 933-669- 44
員景前涼 933-670- 44
員碩清 547-107-145
員遠五代 524-408-199
員賢明 554-478-57上
員鼐明 554-526-57下
員半千員餘慶 唐
271-493-187上
271-575-190中
274-424-112
384-180- 10
395-417-219
469-363- 43
471-930- 49
472-194- 7
472-524- 22
473-280- 61
475-741- 88
476- 87-100
476-523-128
476-749-139
477-242-161
480-126-264
491-802- 6
510-469-117
532-628- 43
540-737-28之2
547-161-147
554-885- 64
933-670- 44
1065-420- 2
員安興宋 1158-181- 21
1158-183- 21
員南圭宋 1158-181- 21
員淩繼妻 清 見張氏
員鼎甲清 547-107-145
員嘉靜唐 933-670- 44
員維新明 1288-643- 11
員餘慶唐 見員半千
員興宗宋 676-686- 29
1158-218- 附
員明大師宋 邠國大長公主、宋太宗女
285- 63-248
393-322- 77
恩王唐 見李連
恩充晉(姓名缺) 486- 67- 3
恩成上古 545-688-108
恩克清(馬佳氏) 455-166- 7
恩克清(富察氏) 455-451- 27
恩克清(錫訥特氏) 456-258- 69
恩克清(尹齊氏) 456-283- 71
恩格清 456- 75- 55
恩起清 455-502- 31
恩特清(伊爾根覺羅氏)
455-238- 13

恩特清(那木都魯氏) 455-344- 21
恩特清(尼奇理氏) 456- 48- 5
恩楚安出 明 496-626-106
恩業宋 480-101-262
恩圖漢 456- 11- 50
恩鍖明 1442-119- 8
1460-840- 90
恩鐸清 456-255- 39
恩什特清 502-585- 75
恩克圖元 見昂哈圖
恩努肓清 455-583- 38
恩庫納清 455-577- 38
恩格布清 455-415- 25
恩格伊清 502-757- 85
恩格勒清 455-158- 6
恩格森清 502-610- 79
恩格祿清 456- 91- 56
恩格圖清(喀爾拉哈氏)
456-174- 63
恩格圖清(吳佳氏) 456-281- 71
恩格圖清(正紅旗人)
502-602- 76
恩格德清(納喇氏) 455-396- 24
恩格德清(艾耀施氏)
456-269- 70
恩格壘清 456-203- 66
恩特恒清 455-415- 25
恩崇額清 455-553- 35
恩額圖清 455-485- 30
恩克保喇奄克孛喇 明
302-787-329
恩格德爾清 456-197- 66
502-457- 69
恩克特木爾俺克帖木兒 明
496-628-106
峨眉山人明 見萬世尊
峨眉道者宋 592-661-103
820-471- 36
蚩尤上古 247- 28- 1
383-109- 13
404-386- 23
荀子戰國 見荀卿
荀氏晉 王治妻 814-217- 2
820- 77- 23
荀氏晉 庾亮妻 820- 77- 23
荀氏晉 庾袞妻 477- 92-153
荀氏晉 晉元帝宮人
255-584- 32
荀氏明 翁天經妻 482-227-348
荀氏明 張鐸妻、荀中益女
477-211-159
538-204- 67
538-612- 78
荀氏明 陳文鏊妻 533-796- 75
荀氏清 尹拱宸妻 474-193- 9
荀氏清 杜昌嗣妻 474-655- 34
荀申春秋 見荀甲
荀甲知宣子、荀申 春秋
404-675- 41
404-679- 41
荀匠梁 260-385- 47
265-1051- 74
380-109-167
477-478-173
538-116- 64
933-173- 12
荀吳中行穆子 春秋
384- 18- 1
375-759- 90
404-672- 41
448-250- 23
472-460- 20
546-238-123
荀攸漢 254-203- 10
377- 82-114
384- 82- 4
384-633- 38
385-318- 31
472-653- 27
477-476-173
537-584- 60
933-172- 12
荀況戰國 見荀卿
荀庚中行伯 春秋 384- 18- 1
404-672- 41
933-171- 12
荀孤後魏 見荀孤
荀叔春秋 見荀息
荀采漢 陰瑜妻、荀爽女
253-634-114
381- 45-185
452-108- 3
472-667- 27
477-482-173
538-263- 68
荀袒劉宋 378-132-134
679-854-223
933-173- 12
1379-538- 64
荀首知首、知莊子 春秋
404-675- 41
546-427-129
荀奕晉 255-701- 39
377-480-121下
537-586- 60
933-172- 12
荀盈知盈、知悼子 春秋
404-678- 41
448-245- 21
546-428-129
933- 72- 5
荀昱漢 253-294- 92
376-915-111下
477-475-173
荀信宋 812-468- 2
812-551- 4
821-160- 50
荀侯春秋 545-692-108
荀朗陳 260-633- 13
265-948- 67
378-518-144
472-656- 27
477-478-173
510-461-117
532-105- 27
537-586- 60
933-173- 12
荀朔春秋 404-675- 41
荀悅漢 249- 7- 附
253-298- 92
254-200- 10
376-918-111下
384- 69- 3
402-515- 14
472-653- 27
477-476-173
538-151- 65
674-336-5下
933-172- 12
荀家春秋 546-239-123
933-171- 12
荀彧漢 253-401-100
254-195- 10
377- 78-114
384- 69- 3
384- 82- 4
384-630- 38
385-311- 31
472-653- 27
477-476-173
537-584- 60
933-172- 12
1112-655- 9
1112-817- 5
1297-591- 7
1361-643- 31
1397-553- 26
荀恁漢 見郇恁
荀息原黯、孫息、荀叔 春秋(晉獻公時人) 375-717- 90
384- 19- 1
404-669- 41
448-153- 6
469-398- 47
472-458- 20
545-704-108
546-236-123
546-510-132
548-101-164
550- 67-211
933-171- 12
荀息孫息 春秋(晉靈公時人)
386-635- 5
545-727-109
荀卿荀子、荀況 戰國
244-454- 74
371-506- 34
375-666- 88
384- 26- 1
386-270-83下
405-470- 86
472- 87- 3
472-543- 23
472-586- 24
491-793- 6
505-888- 79
541-109- 31
546-242-123
675-275- 11
933-171- 12
933-172- 12

1355-594- 20
1366-743- 2
1412-163- 7
荀寅中行文子 春秋
375-760- 90
384- 18- 1
404-673- 41
448-267- 27
荀望唐 820-197- 27
荀淑漢 253-294- 92
254-195- 10
376-915-111下
384- 65- 3
402-515- 14
402-587- 20
459-845- 51
469- 54- 7
472-652- 27
475-665- 84
477-407-169
477-475-173
537-582- 60
933-172- 12
荀訥晉 679-365-174
荀爽荀諝 漢 253-294- 92
254-195- 10
376-915-111下
402-515- 14
477-475-173
538- 33- 62
538-167- 66
677- 84- 9
680-669-285
820- 35- 22
933-172- 12
荀爽女 漢 見荀采
荀崧晉 254-203- 10
256-242- 75
377-791-127
472-654- 27
477-477-173
537-586- 60
933-172- 12
荀崧女 晉 見荀灌
荀勗晉 255-695- 39
377-476-121下
384- 91- 5
386-190-75下
472-654- 27
472-693- 28
477-477-173
537-262- 55
812-317- 5
814-231- 4
820- 51- 23
821- 10- 45
933-172- 12
1379-243- 31
1395-588- 3
荀組晉 255-700- 39
377-479-121下
477-477-173
933-172- 12
荀偃中行獻子 春秋
375-758- 90
384- 18- 1
404-773- 47
448-209- 16
933-171- 12
荀惲漢 254-202- 10
荀彧漢 244-767-111
250-336- 55
251-627- 24
472-623- 25
502-247- 53
546-384-127
933-172- 12
荀靖漢 253-294- 92
254-195- 10
448-112- 下
477-475-173
538-167- 66
933-172- 12
荀雍劉宋 1379-532- 63
荀詵明 494-158- 5
荀羨晉 254-203- 10
256-245- 75
327-793-127
472-220- 8
472-307- 13
476-474-125
477-478-173
485- 67- 10
493-674- 37
537-586- 60
540-630- 27
933-172- 12
荀彪晉 254-202- 10
荀粲晉 254-202- 10
386-125-73上上
477-477-173
1398- 80- 5
1408-490-528
荀會春秋 546-239-123
933-171-12
荀賓春秋 384- 18- 1
546-239-123
荀瑤知伯、知瑤、知襄子 春秋
404-679- 41
448-280- 30
546-428-129
荀鳳明 576-653- 5
荀綽晉 255-699- 39
荀緄漢 402-478- 11
荀緯魏 254-381- 21
380-351-175
477-247-161
538-137- 65
荀諝漢 見荀爽
荀罃知罃、知武子 春秋
375-755- 90
384- 18- 1
404-676- 41
448-188- 13
472-460- 20
546-427-129
550- 74-211
933- 71- 4
1112-644- 7
荀曇漢 253-294- 92
370-205- 21
376-915-111下
510-385-115
荀蕤晉 256-245- 75
377-793-127
477-478-173
485- 67- 10
493-674- 37
537-586- 60
933-172- 12
荀濟北齊 267-607- 83
380-383-176
933-173- 12
1401-334- 27
荀輿晉 814-241- 5
820- 64- 23
荀環晉 480- 67-260
荀覬晉 見荀顗
荀鍧明 558-455- 38
荀邃晉 255-699- 39
377-479-121下
477-477-173
537-586- 60
933-172- 12
荀騅春秋 546-239-123
933-171- 12
荀闓晉 255-700- 39
377-479-121下
477-477-173
537-586- 60
933-172- 12
荀貌晉 472-429- 19
476- 26- 97
545-127- 87
荀廙晉 254-202- 10
荀顗荀覬 晉 254-202- 10
255-694- 39
377-475-121下
386-189-75下
402-511- 14
472-653- 27
477-477-173
537-585- 60
933-172- 12
荀藩晉 255-699- 39
377-478-121下
477-477-173
933-172- 12
荀灌晉 荀崧女 256-573- 96
381- 51-185
472-667- 27
477-482-173
538-292- 68
荀躒知躒、知文子 春秋
404-678- 41
546-428-129
荀士遜北齊 263-351- 45
267-610- 83
380-387-176
474-437- 21
505-888- 79
933-173- 12

荀卞之劉宋 494-333-7
荀中益女 明 見荀氏
荀汝安明 546-306-125
荀仲舉北齊 263-357-45
1395-603-3
荀良翰明 456-662-11
荀伯子劉宋 258-210-60
265-501-33
378-131-134
472-655-27
477-478-173
479-654-247
515-164-62
538-151-65
933-173-12
荀伯玉齊 259-340-31
265-671-47
378-255-138
384-115-6
511-201-144
933-173-12
荀法尚陳 260-634-13
265-949-67
378-518-144
荀林父中行桓子、桓子、荀桓子 春秋 375-754-90
384-17-1
404-670-41
448-167-9
472-459-20
546-237-123
933-171-12
933-220-16
荀叔軫春秋 546-236-123
荀桓子春秋 見荀林父
荀萬秋劉宋 258-212-60
265-502-33
378-132-134
933-173-12
荅魯金 見達魯
茹氏明 朱廷芳妻 506-29-86
茹氏明 劉宗岱母
1278-404-18
茹氏清 王寅妻 524-458-202
茹氏清 劉曜如妻 477-322-164
茹玉明 1258-767-7
茹或宋 485-541-1
茹洪明 820-595-40
821-360-55
茹珍清 478-93-180
554-349-54
茹約宋 485-541-1
茹連明 564-164-45
茹常唐 見李嘉慶
茹湜明 1442-15-1
1459-503-17
茹開宋 485-541-1
491-434-6
茹皓後魏 262-319-93
267-740-92
381-28-184
933-656-43
茹榮唐 559-417-10上
592-208-73
茹羯唐 496-617-105
茹瑺明 299-449-151
453-123-11
473-360-64
533-263-55
886-145-138
茹瞻北齊 267-610-83
380-386-176
茹瓊明 1442-127-8
1460-912-98
茹驂宋 485-541-1
茹驤茹阿曾 宋 448-394-0
485-541-1
494-340-7
茹大鵬妻 清 見宿氏
茹文中明 1267-480-5
茹太素明 299-323-139
481-23-291
546-193-122
559-248-6
茹世和明 1258-618-13
茹汝升唐 472-434-19
546-388-127
茹良玉明 1237-217-3
茹孝標宋 472-327-14
473-476-69
475-704-86
511-334-149
559-273-6
茹宗舜明 510-366-114
茹法亮齊 259-550-56
265-1098-77
370-528-16
381-15-184
384-123-6
494-263-1
933-656-43
茹法珍齊 265-1102-77
381-19-184
384-123-6
933-656-43
茹阿曾宋 見茹驤
茹明德女 明 見茹珍如
茹珍如明 莫潛妻、茹明德女
1258-689-16
茹紹庭宋 485-541-1
茹紹賢明 545-464-100
茹義忠唐 549-314-192
1342-40-909
茹道通清 480-582-285
茹懷光唐 見李懷光
茹顯相清 505-908-81
晏乂宋 515-502-72
1365-607-下
晏子春秋 見晏嬰
晏氏宋 晏孝廣女 472-297-12
475-380-68
479-663-247
516-310-100
晏氏明 周書妻、晏安女
1289-367-25
晏安女 明 見晏氏
晏防宋 515-738-80
1122-540-9
晏弱晏桓子 春秋 384-16-1
404-590-35
933-674-45
晏殊宋 286-114-311
371-55-5
382-349-56
384-347-18
397-296-337
449-71-6
450-22-3上
471-694-15
471-738-21
472-195-7
472-337-14
472-677-27
472-825-33
473-113-54
475-776-89
477-123-155
478-90-180
479-656-247
488-381-13
510-477-118
515-733-80
537-254-55
672-277-4中
708-329-50
820-345-32
933-674-45
1102-179-22
1351-653-146
1356-45-3
1363-107-110
1378-476-58
1383-566-51
1410-74-672
1437-10-1
1447-567-31
晏清明 510-459-117
533-178-52
晏圉春秋 404-599-35
晏巽妻 宋 見郭氏
晏溥宋 681-442-0
晏漢南燕 933-674-45
晏稱漢 933-674-45
晏毅明 472-367-16
晏穎宋 516-448-104
晏銳明 475-369-67
510-393-115
晏穆宋 1210-473-18
晏嬰晏子、晏平仲 春秋
244-350-62
246-3-62
249-809-30
371-448-25
375-833-92
384-16-1
386-654-8
404-590-35
446-96-1之8
448-225-18
448-285-上
472-543-23
472-586-24

472-611- 25
491-790- 6
547-156-147
933-674- 45
1408-162-497
1412-161- 7
晏謨南燕 476-666-136
491-800- 6
540-717-28之1
晏壁明 1232-227- 3
晏鐸明 301-830-286
481-213-302
559-371- 8
676- 71- 3
676-495- 19
676-479- 18
1442- 22- 2
1459-585- 21
晏鑣明 532-694- 45
晏子綸明 554-258- 52
559-408-9上
晏大正宋 1150-248- 20
晏文輝明 515-431- 70
523-177-154
晏公武宋 見晁公武
宴父戎春秋 933-674- 45
晏父釐春秋 933-674- 45
晏正寅明 456-674- 11
559-519- 12
晏平仲春秋 見晏嬰
晏北海宋 530-207- 60
晏仕翹明 515-556- 74
晏守成妻 清 見胡氏
晏戍仔元 525- 26-217
583-554- 12
晏成裕妻 宋 見張氏
晏孝廣女 宋 見晏氏
晏廷相妻 明 見李毓貞
晏明遠宋 485-533- 1
晏昇道元 561-212-38之2
晏彥文元 1218-508- 6
晏昭素妻 宋 見吳氏
晏桓子春秋 見晏弱
晏敦復宋 287-222-381
398-257-382
449-607-9下
473-114- 54
479-657-247
515-742- 80
晏朝寅明 480-404-277
532-697- 45
559-376- 8
晏景卿明 1467-248- 71
晏幾道宋 515-737- 80
674-888- 21
晏壽先元 515-536- 74
晏爾鼎妻 明 見牟氏
晏維新明 456-493- 5
晏孺子春秋 見荼
晏璧生清 511-658-162
眰暘殷尚寶 元 516-471-104
唃廝囉唃嘶囉、欺南陵温籛逋、嘉勒斯賚 288-857-492
371-199- 20
401-534-637
唃嘶囉宋 見唃廝囉
骨言十國吳 485-499- 9
骨儀隋 264-702- 39
267-464- 73
384-153- 8
379-766-161
448-326-下
478-108-180
554-326- 54
554-692- 61
骨咄祿不卒祿 唐(阿史那氏) 271-667-194上
276-253-215上
384-294- 15
骨咄祿愛滕里邏羽錄没蜜施合胡祿毗伽懷信可汗 唐(跌跌氏) 276-308-217上
骨力裴羅骨咄祿毗伽闕可汗、懷仁可汗 唐 271-688-195
276-300-217上
骨咄葉護唐 384-294- 15
骨咄祿毗伽闕可汗唐 見骨力裴羅
圂典漢 見圈典
党氏明 田四妻 506- 75- 88
党氏明 吳應正妻、党禮女 558-523- 42
党氏明 雷運泰妻 478-352-191
党氏明 羅詢妻 478-354-191
555- 33- 66
党氏明 權景魁妻、党澤女 1269-436- 6
党氏清 習世科妻 555-175- 69
党成清 476-403-119
546-760-140
550-323-220
党旺明 494- 42- 3
党威黨威 明 456-427- 2
478-274-187
554-716- 61
党茂明 494- 22- 2
554-313- 53
党理黨理 明 472-741- 29
472-915- 36
537-303- 56
558-349- 35
党惠明 494- 42- 3
党傑黨傑 明 545-387- 97
545-433- 99
554-669- 60
党復唐 820-153- 26
党進黨進 宋 285-206-260
371-168- 17
382-191- 28
384-326- 17
396-531-302
450-700-5下
472-483- 21
476-281-111
546-130-119
党端明 494- 45- 3
党鳳妻 明 見張氏
党撫唐 820-181- 27
党澤女 明 見党氏
党豫妻 元 見曹崇善
党聰明 494- 57- 2
党爵黨爵 明 494- 56- 2
党禮女 明 見党氏
党馨明 540-815-28之3
554-258- 52
党文彥元 547-155-147
党中疇明 554-766- 62
党以平黨以平 明458-100- 4
478-768-215
523- 49-148
党汝孝明 554-760- 62
党光前清 554-541-57下
党光嗣黨光嗣 宋567- 65- 65
1113-224- 22
1467- 38- 63
党志善元 見党鼎新
党承志明 546-379-127
党承賜明 477-543-176
党崇雅清 554-678- 60
党國虎黨國虎 清 478-132-181
554-782- 62
党從直妻 清 見李氏
党資祿明 494- 42- 3
党鼎新党志善 元 547-155-147
党還醇明 見黨還醇
党懷英黨懷英 金 291-708-125
383-1007- 29
400-690-565
472-525- 22
476-825-143
478-346-191
540-768-28之2
546-680-137
554-844- 63
676-695- 29
684-493-下
820-478- 36
1190-203- 11
1365- 87- 3
1439- 5- 附
1445-128- 8
荆王漢 見劉賈
荆王北周 見宇文元
荆王唐 見李選
荆王唐 見李元則
荆王唐 見李元景
荆王宋 見趙楫
荆王宋 見趙曦
荆王宋 見趙元儼
荆王金 見完顏守純
荆王明 見朱厚烇
荆王明 見朱瞻堈
荆氏元 孫仲祥妻 506-163- 90
荆氏明 張鐩妻 506- 55- 87
荆氏清 張攀麟妻 474-249- 12
506- 67- 87
荆氏清 張灼母 506-697-112
荆可北周 263-806- 46
267-631- 84

380-122-167
476-116-102
547- 68-143
933-427- 28
荊芸明　546-713-138
荊茂元　見荊茂元
荊浩唐　547-553-161
812-439- 5
812-522- 2
813-125- 10
820-311- 31
821-108- 49
荊祐元　1200-781- 60
荊卿戰國　見荊軻
荊娘明　楊文煥妻 481-337-308
荊偉明　475-279- 63
456-559- 7
511-456-154
荊琨明　546-316-125
558-230- 32
荊軻荊卿、慶卿　戰國
244-551- 86
371-643- 59
380-518-180
405-151- 65
505-865- 77
537-372- 57
933-427- 28
1408-214-502
荊詡明　476-124-102
546-710-138
荊輅明　1285-328- 10
荊嗣宋　285-379-272
371-183- 18
382-226- 34
384-327- 17
396-649-313
472- 94- 3
474-603- 31
545- 36- 84
933-427- 28
荊滌妻　明　見于氏
荊文端明　1312-332- 32
荊之琦明　511-185-143
523- 58-148
荊元成唐　見京元成
荊元實清　559-334-7下
荊公行春秋　933-426- 28
荊本澈荊本徹　明456-547- 7
475-279- 63
511-456-154
荊本徹明　見荊本澈
荊可棟明　546-323-125
荊可標明　547- 75-143
荊世承明　547- 76-143
荊州土荊州士　明476-125-102
546-317-125
549-500-199
荊州士明　見荊州土
荊州俊明　546-318-125
荊衣祿清　456- 69- 55
荊次德北齊　263-379- 49
荊罕儒宋　285-378-272
371-166- 17
382-226- 34
384-327- 17
396-648-313
472-289- 12
474-603- 31
475-364- 67
476- 77-100
510-386-115
933-427- 28
荊其惇清　475-280- 63
477-473-173
511-187-143
537-344- 56
荊玩恒元　1214- 59- 5
荊政芳明　480-564-284
533-293- 56
荊茂元荊茂　元　472-827- 33
554-274- 53
荊思温元　473- 60- 51
荊紅葉明(題繪紅葉詩)
1442-116- 7
荊幹臣元　1200-288- 23
荊膺五妻　清　見史氏
荊山公主唐　見郞國長公主
荊國公主遼　見耶律達年
荊國大長公主宋　萬壽長公主、李遵勗妻、宋太宗女
285- 64-248
393-323- 77
819-594- 20
荊國大長公主宋　陳國長公主、趙弘殷女　285- 63-248
393-322- 77
草菴明　821-488- 58
草衣禪師唐　480-419-277
517-263-122
1054-516- 15
草堂和尚唐　1053-131- 3
郢王北周　見宇文術
郢王唐　見李偘
郢王唐　見李瑛
郢王後梁　見朱友珪
郢王明　見朱棟
郢野老南北朝(耕於郢)
533-335- 58
郢成藺逋叱宋　見立遵
畔富明　570-251- 25
剛清　454-843- 98
剛林清　502-469- 69
剛固清　455-317- 19
剛格清　455-628- 43
剛察清　456-164- 62
剛親清　455-271- 15
剛世貴清　456-369- 78
剛安泰妻　清　見趙氏
剛吉納清　502-553- 73
剛成君戰國　見蔡澤
剛阿岱清　455-115- 4
剛阿達清(納喇氏)　455-357- 22
剛阿達清(烏蘇氏)　455-568- 37
剛阿達清(達木扎氏)
502-569- 74
剛齊喀清　455-490- 30
剛多爾濟清　454-838- 96
500-725- 37
剛法費揚古清　455-448- 27
茘非元禮唐　275- 7-136
384-213- 11
395-639-238
茨充漢　370-160- 15
402-429- 8
471-766- 25
473-357- 64
473-401- 66
477-365-167
480-506-281
532-700- 45
537-535- 59
563-605- 38
575-644- 39
933- 71- 4
茱萸山和尚唐　1053-153- 4
虔王唐　見李禊
虔王唐　見李諒
虔國漢　402-450- 9
柴乙妻　清　見景氏
柴文晉　933-137- 9
柴氏後周　周世宗女
547-400-156
柴氏王勝妻　宋　1154-671- 28
柴氏宋　趙世表妻、柴貽憲女
1100-515- 48
柴氏元　秦閏夫妻 295-636-201
472-469- 20
401-183-593
476- 87-100
547-244-150
柴氏明　王宗妻　475- 79- 53
柴氏明　沈惟瑞妻 302-228-302
柴氏明　居懋妻、柴奎女
1289-299- 19
柴氏明　孫貞妻　302-246-303
476-372-117
柴氏明　郭鞏妻　480-140-264
柴氏明　黃鏑妻　524-786-216
柴氏明　劉星毓妻 474-192- 9
506- 13- 86
柴氏清　李采妻　474-249- 12
506- 62- 87
柴氏清　陳安公妻 474-195- 9
柴氏清　陳彤瑞妻 474-444- 21
柴仲明　820-595- 40
柴良明　472-468- 20
545-773-111
559-287-7上
柴車明　299-535-157
453-238- 22
472-969- 38
478-453-197
479- 52-218
515- 34- 58
523-261-158
558-146- 30
1242-829- 9
柴武漢　933-137- 9
柴杰明　533-333- 58
柴奇明　676-542- 22

1268-504- 79
1442- 45- 3
1459-915- 39
柴忠明 554-313- 53
柴昇明 458- 91- 4
477-378-167
537-550- 59
554-188- 51
柴和明 456-698- 12
柴奎元 524-222-189
柴奎女 明 見柴氏
柴郁元 400-316-526
柴貞元 820-532- 38
柴英明 1241-191- 9
柴浩元 821-315- 54
柴烈妻 北周 見李氏
柴珣宋 843-663-中
柴時妻 明 見劉氏
柴望宋 1187-490-附
1364-852-377
1364-890- 1
1437- 33- 2
柴望明 524-173-187
1229-306- 10
1237-423- 16
1239-215- 41
1456-444-305
柴望清 523-432-167
柴淵宋 1138-814- 23
柴淶明 1474-308- 14
柴莊明 545-888-114
柴紹唐 269-517- 58
274-183- 90
384-165- 9
395-250-203
407-484- 6
472-463- 20
472-933- 37
476- 82-100
512-913-200
544-226- 63
545-759-110
558-181- 31
933-137- 9
柴紹妻 唐 見平陽公主
柴登明 820-661- 42
柴欽明 301-818-285
1243-712- 24
柴傑明 524-198-188
柴楨元 821-293- 53
柴瑛明 1474-544- 27
柴達清 455-577- 38
柴經明 676-548- 22
1474-299- 14
柴榮後周 見周世宗
柴瑾宋 523-486-170
柴震明 472-1005- 40
524-250-190
柴儒明 554-526-57下
柴衡柴惠老 宋 448-360- 0
柴曦明 528-529- 31
柴蘭明 1241-513- 8
柴顧明 523-227-156
柴鑣明 481-774-336
528-554- 32
528-571- 32
1272-426- 12
柴大楠明 533-333- 58
柴文璋明 1259-235- 17
柴之棕清 547-120-145
柴之琦妻 明 見王氏
柴五溪明 533-769- 74
柴元祐宋 見柴元裕
柴元裕柴元祐 宋516- 15- 87
677-786- 69
柴天錫宋 524-268-191
柴中行宋 287-481-401
398-470-395
472-789- 31
473- 48- 50
473-111- 54
473-247- 60
473-767- 84
477-542-176
479-531-241
479-792-254
480-289-271
482-433-361
516- 32- 88
532-574- 41
532-678- 44
537-354- 56
567- 68- 65
677-786- 69
1467- 41- 63
柴平富清 546-761-140
柴世保清 456-357- 77
柴世挺明 528-533- 31
柴世堯明 524-101-183
柴世需明 820-679- 42
柴令武唐 269-518- 58
274-183- 90
545-760-110
柴令武妻 唐 見北景公生
柴用先明 524-436-201
柴守禮後周 279-115- 19
395- 86-187
472-107- 4
柴再用唐 472-789- 31
477-542-176
537-353- 56
柴再用南唐 933-807- 60
柴自建清 558-462- 38
柴自新清 481-645-330
528-517- 31
柴成務宋 286- 64-306
397-261-334
472-556- 23
476-112-102
476-475-125
493-695- 39
540-748-28之2
545-365- 97
549-209-189
1086-469- 10
1086-491- 11
柴克宏南唐 510-357-114
柴壯國明 547- 22-141
柴伯安明 523-200-155
柴伯璵元 1200-548- 42
柴廷美明 見蘇氏
柴宗訓後周 見周恭帝
柴宗慶宋 288-499-463
382-224- 33
384-333- 17
400- 40-502
933-138- 10
柴宗慶妻 宋 見揚國大長公主
柴宗儒明 494-168- 6
570-164-21之2
柴定向明 554-915- 64
柴定桂清 456-369- 78
柴孟冬明 547-116-145
柴孟膚妻 明 見俞清
柴門興妻 清 見吳氏
柴芝蘭妻 明 見張氏
柴芝蘭妻 清 見張氏
柴思恭明 554-346- 54
柴昆陵明 821-367- 55
柴禹錫宋 285-328-268
382-224- 33
371-100- 9
384-333- 17
396-612-309
472-132- 4
472-489- 21
472-568- 24
472-877- 35
474-336- 17
474-434- 21
476-150-104
505-774- 73
540-639- 27
545-212- 91
558-192- 31
933-137- 9
柴禹聲宋 523-619-177
柴皇后後周 周太祖后
278-366-121
279-113- 19
393-297- 74
柴庭明金 545-384- 97
柴哲威唐 545-760-110
柴惟道明 524- 76-181
柴通玄宋 288-476-462
401-104-582
472-754- 29
477-527-175
538-351- 70
547-516-160
柴國柱明 301- 71-239
478-654-207
柴國弼明 554-305- 53
柴紹炳清 479- 58-219
479-823-256
516-226- 96
523-580-175
592-1020-下
1321-241-113
柴惠老宋 見柴衡
柴堪楝清 505-906- 80

柴景春明 1237-500- 5
柴景望宋 515-197- 63
柴貽憲女 宋 見柴氏
柴義方明 1227-133- 16
柴實翁元 517-511-128
柴際洛妻 清 見嚴氏
柴蒙亨宋 524- 75-181
柴鳳鳴清 456-369- 78
柴維煥明 456-659- 11
511-477-155
柴潛道紫潛道 元
546-645-136
676-708- 29
柴德言宋 843-673-下
柴德善明 1227- 99- 12
柴德載明 523-411-166
柴隨亨宋 451- 66- 2
1360-896- 2
柴學參妻 明 見劉氏
柴應乾明 554-527-57下
柴應賓明 528-563- 32
柴薦禋柴薦諲 明477- 56-151
479-357-233
523-411-166
537-251- 55
456-487- 5
柴薦諲明 見柴薦禋
峻極唐 1053- 61- 2
特斗清 455-485- 30
特古清 456-245- 68
特色清 456- 52- 53
特里特哩、特烈 元
294-417-134
399-534-472
547-202-148
特定元 1207-688- 49
特坤清 502-736- 84
特宮春秋 933-754- 52
特庫特虎雅 金 291-658-121
400-206-517
502-697- 82
特烈元 見特里
特哩元 見特里
特黑清 456-253- 69
特順清 455-117- 4
特楚清 456- 70- 55
特實清 455-272- 15
特嘉元 528-508- 31
特墨清 456-212- 66
特木爾清 502-758- 85
特古斯清 454-373- 21
特克泰清 456-291- 72
特克實元 295-693-207
401-508-634
特虎雅金 見特庫
特音珠清 502-752- 85
特庫尹特庫音 清455-109- 4
502-731- 84
特庫音清 見特庫尹
特泰布清 455- 90- 3
特殷珠清 455-461- 28
特普施清 456-258- 69
特爾祜清 454-187- 10
502-425- 67
特爾格元 294-308-125
399-375-452
特爾琴清 455-204- 10
特默台元 547-155-147
特默齊元(赫呼氏) 294-267-122
399-345-449
特默齊元(圖曾卜台人)
294-395-132
399-527-471
特默齊清 454-939-114
特穆津元 見元太祖
特穆深清 見特穆慎
特穆慎特穆深 清455-690- 49
502-749- 85
特穆爾阿齊圖諾延 元(布斯格爾鴻吉哩氏) 294-212-118
400- 80-507
特穆爾元(色目人) 515- 87- 59
523-226-156
特穆爾元 見元成宗
特穆爾元 見伊蘇岱爾
特穆爾帖木兒 明
302-842-332
496-627-106
特濟格元 見特爾格齊
特克色赫清 456- 37- 52
特們德爾元(阿蘇特氏)
294-435-135
399-675-487
特們德爾元(穆爾齊子)
295-679-205
401-383-619
特爾格齊元(輝和爾人)
294-406-133
特爾格齊特濟格、德格蘇、鐵哥朮 元(高昌人)
294-431-135
399-672-487
480-200-267
523-186-155
532-655- 44
特爾德尼清 455-490- 30
特穆爾台元 294-383-131
399-516-470
特默格爾淮陽王、陽翟王、塔瑪噶圖 元 294-472-138
399-774-497
1206-643- 14
1373-285- 19
特穆德格清 502-731- 84
特古勒德爾元 1217- 48- 6
特穆爾巴哈元 見特穆爾布哈
特穆爾巴哈妻 元 見額森呼圖克
特穆爾布哈帖木兒不花、宣讓王、特穆爾巴哈、淮王、鎮南王 元(托歡子) 294-209-117
395-214-200
475-700- 86
特穆爾布哈高昌王 元(納琳德濟子) 294-266-122
399-355-450
532-585- 41
1207-351- 24
1367-309- 26
特穆爾布哈元(塔塔喇岱人)
294-400-132
399-531-472
特穆爾布哈元(元帥府都事)
294-535-143
400-265-521
特穆爾布哈元(廉訪使簽事)
299-144-124
400-281-522
特穆爾布哈帖木兒不花 元(光山令) 477-542-176
特穆爾布哈元(宣寧郡王)
544-239- 63
特穆爾布哈雲南王 元(王禪子) 569-536- 17
特穆爾布哈妻 元 見玉蓮
特穆爾布哈妻 元 見額森呼圖克
特穆爾布哈妻 元 見薩法喇
特穆爾布哈妻 元 見贊布凌
特穆爾托歡元 294-400-132
395-214-200
特穆爾時中元 559-281- 6
特穆爾博羅帖木兒字羅 明
496-628-106
特穆爾達實冀寧王 元
294-498-140
399-788-498
544-239- 63
1209-441-7下
1209-602-10上
特穆爾魯斯元 523- 81-149
特至尸逐侯單于漢 見於扶羅
俱廷不詳 933-120- 8
俱文珍劉貞亮 唐
271-428-184
276-138-207
384-244- 12
401- 48-574
俱匡辟唐 933-120- 8
息氏戰國 韓憑妻 537- 54- 49
息媯春秋 楚文王夫人
405- 80- 61
息塵後晉 1052-330- 23
息夫躬漢 250-191- 45
376- 89- 97
384- 51- 2
息君夫人春秋 448- 38- 4
452- 83- 2
射咸謝服 漢 933-685- 46
933-753- 52
射堅漢 254-560- 2
射援漢 254-560- 2
372-374- 8
385- 37- 2
478-103-180
射慈謝慈 吳 511-464-154
678-696-136
933-753- 52

射濟清 455-552- 35
射匱可汗唐 271-677-194下
381-671-200
384-295- 15
烏山清 455-274- 15
烏丹清 455-215- 11
烏什清 455-246- 13
烏氏明 鎖守貴妻 555- 70- 67
烏存春秋 405-103- 62
933- 99- 6
烏艮明 1232-240- 4
烏色清(正黃旗人) 456-324- 75
烏色清(劉氏) 456-331- 76
烏沖元 1214-168- 14
烏拉清(噶濟勒氏) 455-644- 45
烏拉清 莽古爾泰妻
503- 33- 94
烏延漢 496-587-103
烏春金 291- 48- 67
399- 73-423
烏思明 554-958- 65
烏庫清 502-727- 84
烏倫漢 496-588-103
烏納清 502-471- 69
烏啟清 455-569- 37
烏琳清 455-119- 4
烏喀清(馬佳氏) 455-170- 7
烏喀清(穆克圖氏) 456-121- 58
烏凱清 455-574- 37
烏進清 455-334- 20
烏塔兀台 明 496-626-106
烏遜清 455- 79- 2
烏維漢 251-190-94上
381-596-199
烏樞元 473- 44- 50
515-219- 63
烏震後唐 277-497- 59
279-160- 26
384-302- 16
820-313- 31
1383-738- 67
烏餘春秋 933-999- 6
烏黎漢 539-349- 8
烏緝明 301-815-285
烏獲戰國 933-999- 6
烏贊唐 494-329- 6
烏巴什清(託博克子)
454-933-113
烏巴什清(固山貝子)
500-725- 37
烏巴海清(瓜爾佳氏)
455- 50- 1
烏巴海清(蘇佳氏) 455-680- 48
烏巴泰清 455-190- 9
烏巴達清 454-659- 72
烏巴實元 1221-600- 21
烏巴璽清 456-235- 68
烏木罕元 294-270-122
399-347-449
烏什蘭清 456-187- 64
烏氏倮烏氏蠃 秦
244-931-129
251-148- 91
251-694- 33
380-529-180
烏氏蠃秦 見烏氏倮
烏玉齊清 455-136- 5
烏本良明 1232-255- 5
烏守忠元 583-555- 12
烏沙庫清 455-336- 20
烏克紳元 見額琳沁
烏克善清 454-356- 18
烏努布清 455-519- 32
烏拉氏清 阿雅爾圖妻
503- 83- 96
烏拉岱清 456-252- 69
烏拉納清 502-755- 85
烏枝鳴春秋 404-603- 37
933- 99- 6
烏承玭唐 見烏承玼
烏承洽唐 見烏承玼
烏承玼烏承玭、烏承洽 唐
275- 9-136
384-213- 11
395-641-238
472-142- 5
472-946- 37
478-613-205
544-225- 63
545-133- 87
558-356- 35
933- 99- 6
1073-576- 26
1074-414- 26
1075-364- 26
1341-615-880
烏承恩唐 558-424- 37
烏呼納月忽難 元
515-132- 61
烏呼訥元 473-652- 78
烏和諾妻 清 見覺羅氏
烏音特清 455- 93- 3
烏頁爾吾也而、吾也兒、烏葉爾 元 294-245-120
399-338-448
474-689- 37
496-375- 86
502-270- 55
烏重胤唐 271- 84-161
275-383-171
384-257- 13
384-262- 13
396-152-265
472-544- 23
472-717- 28
472-946- 37
474-336- 17
476-149-104
476-475-125
476-912-148
478-613-205
537-201- 54
545-585-104
552- 58- 19
558-357- 35
681-364- 29
933- 99- 6
1343-823- 60
1383-147- 12
烏紇堤大孩 晉 256-588- 97
381-461-195
烏朗阿清 455-420- 25
烏庫禮清 502-305- 57
烏馬兒元 見烏納爾
烏馬兒元 見賽音謂德齊沙木斯鼎
烏班泰清 455-415- 25
烏晉泰清 455- 88- 3
烏格台元 見元太宗
烏師廬兒單于、詹師盧 漢
244-752-110
251-191-94上
381-597-199
烏納哈清 502-738- 84
烏納海清 456-237- 68
烏納爾烏馬兒 元
294-304-125
1196-502- 1
烏章阿清 455- 90- 3
烏勒莫清 455-539- 34
烏敏特清 455-204- 10
烏雲布清 455-558- 36
烏雲珠清(鈕祜祿氏)
455-129- 5
烏雲珠清(溫徹亨氏)
455-681- 48
烏雅納清 455-203- 10
烏登額清 455-271- 15
烏隆古清 455-450- 27
烏斯道明 301-815-285
473-144- 56
479-180-225
515-149- 61
524- 42-180
820-569- 40
821-345- 55
1232-124- 附
1232-231- 4
1442- 9- 1
1455-574-233
1459-456- 14
烏祿遜清 455-303- 18
烏道沖宋 見斡道沖
烏瑚尼明 456- 62- 54
烏達什清 455-117- 4
烏達哈清 455-272- 15
烏達禪清 502-537- 72
烏葉爾元 烏頁爾
烏瑪喇元 294-279-123
558-289- 34
1206-599- 10
烏瑪喇元 見賽音謂德齊沙木斯鼎
烏赫齊清 456-268- 70
烏臧阿清 456- 70- 55
烏爾占清(博爾濟吉特氏)
454-617- 66
烏爾占清(滿珠習里子)
496-219- 76
烏爾衣漢 496-219- 76
烏爾昆清 502-737- 84
烏爾格清 502-726- 84

烏爾袞清 454-413- 28
烏爾瑚清 455-449- 27
烏爾圖元 294-245-120
399-338-448
烏爾德清 455- 96- 3
烏魯哈清 502-536- 72
烏魯素清(湯務氏) 456- 35- 52
烏魯素清(圖克坦氏)
456- 59- 54
烏魯斯元 見額琳沁
烏默客清 454-548- 54
烏穆通清 456-381- 79
烏禮喀清 455-190- 9
烏薩齊清 456-232- 68
烏齡額清 456- 44- 53
烏靈額清 455-505- 31
烏扎拉氏筆帖式 清 常保妻
503- 38- 94
烏古孫澤元 見烏克遜澤
烏古倫氏金 見烏庫哩氏
烏古遜澤元 見烏克遜澤
烏臼和尚唐 1053-127- 3
烏克星額清 455-169- 7
烏克遜仲元 295-219-163
399-580-477
烏克遜端金 291-695-124
400-236-519
烏克遜澤烏古孫澤、烏古遜澤、烏庫哩澤、烏爾古澤、烏克遜札爾 元 295-218-163
399-580-477
459-922- 56
473-387- 65
473-729- 82
480-541-283
481-492-324
481-550-327
481-550-327
482-320-354
528-475- 30
532-718- 45
563-713- 39
567- 76- 65
1467- 50- 63
烏努瑚齊清 456-125- 58
烏延師中元 見烏雅思忠
烏延蒲魯金 見烏雅富埒琿
烏庫哩氏金 完顏盈歌妻
291- 4- 63
烏庫哩氏烏古倫氏 金 陀滿胡土門妻、圖們呼圖克們妻、圖摩瑚圖們妻 291-751-130
474-875- 47
503- 25- 93
烏庫哩貞元 1200-771- 59
烏庫哩誼烏庫哩雄名 金
291-653-120
烏庫哩澤元 見烏克遜澤
烏庫哩禮烏庫哩祿錦、烏庫哩魯爾錦 金 291-448-103
烏庫哩鎬烏庫哩噶老 金
291-639-119
399-320-446
烏凌阿爽金 1040-241- 3
1439- 12- 附
1445- 38-1上
烏凌阿琳烏凌阿瑠珠 金
291-654-120
烏凌阿琳妻 金 見鄗國公主
烏凌阿復烏凌阿額哩將 金
291-652-120
烏凌阿暉烏凌阿摩羅歡、烏凌阿摩囉歡 金 291-651-120
400- 77-506
545-266- 93
烏凌阿與烏凌阿和卓 金
291-458-104
399-253-439
烏珠克圖清 502-731- 84
烏特巴拉清 454-386- 24
烏勒布懇清 456-257- 69
烏雅扎拉烏雅札拉、烏雅查剌 金 291-241- 86
399-150-429
474-871- 47
502-350- 61
烏雅札拉金 見烏雅扎拉
烏雅威赫金 291-680-122
400-221-518
烏雅查剌金 見烏雅扎拉
烏雅思忠烏延師中 元
292-593- 42
1439-442- 2
烏雅思敬元 820-543- 39
烏雅富魯金 見烏雅富埒琿
烏爾古澤元 見烏克遜澤
烏爾克穆清 456- 71- 55
烏爾東阿清 502- 5- 73
烏爾哲圖清 502-603- 76
烏爾瑚岱清 455-268- 15
烏魯瑚圖清 455-451- 27
烏蘇額琳金 291-198- 82
399-146-429
烏蘭阿古兀剌阿互 明
496-627-106
烏蘭思謀烏蘭色埒默 金
383-997- 27
烏蘭哈達兀良合台、烏里特哈達 元 294-251-121
399-340-448
451-515- 2
482-537-368
569-644- 19
820-529- 38
1200-668- 50
烏古孫兀也金 見烏克遜温屯
烏古孫兀屯金 見烏克遜温屯
烏古孫奴申金 見烏克遜納新
烏古孫良楨元 見烏克遜良楨
烏古哩德升金 見烏庫哩德升
烏古倫元忠金 見烏庫哩元忠
烏古倫榮祖金 見烏庫哩榮祖
烏古論三合金 見烏庫哩薩哈
烏古論仲温金 見烏庫哩仲温
烏古論長壽金 見烏庫哩長壽
烏古論黑漢金 見烏庫哩黑漢
烏克遜卜吉金 見烏克遜仲端
烏克遜布希金 見烏克遜仲端
烏克遜札爾元 見烏克遜澤
烏克遜仲端烏克遜卜吉、烏克遜布希 金 291-694-124
400-235-519
502-708- 82
1040-262- 6
烏克遜良楨烏古孫良楨、烏庫哩良楨 元 295-504-187
399-761-496
481-611-329
523-187-155
528-492- 30
820-519- 38
烏克遜努森金 見烏克遜納新
烏克遜珠紳金 見烏克遜納新
烏克遜烏頁金 見烏克遜温屯
烏克遜納紳金 見烏克遜納新
烏克遜納新吾古孫奴申、吾古遜奴申、烏古孫奴申、烏克遜努森、烏克遜珠紳、烏克孫納紳 金 291-695-124
400-236-519
502-705- 82
1040-256- 5
烏克遜鄂摶金 見烏克遜温屯
烏克遜温屯烏古孫兀也、烏古孫兀屯、烏克孫烏頁、烏克遜鄂摶 金 291-664-121
400-211-517
474-873- 47
502-701- 82
烏里特哈達元 見烏蘭哈達
烏拉海額實元 定宗后
294-183-114
393-345- 80
烏延蒲盧渾金 見烏雅富埒琿
烏延蒲轄奴金 見烏雅普霞努
烏庫里仲温金 見烏庫哩仲温

烏庫里忽罕金 見烏庫哩黑漢
烏庫里德升金 見烏庫哩德升
烏庫哩元忠烏古倫元忠、烏庫哩訛里也、烏庫哩額哩頁 金 291-652-120
400- 77-506
474-166- 8
474-872- 47
502-355- 61
烏庫哩仲温烏古論仲温、烏庫里仲温、烏庫哩呼喇 金 291-667-121
400-213-517
474-739- 40
476- 30- 97
502-702- 82
545- 56- 84
烏庫哩良楨元 見烏克遜良楨
烏庫哩阿珠元 見烏哩特阿珠
烏庫哩長壽包長壽、烏古論長壽 金 291-446-103
399-260-439
472-906- 36
478-515-200
烏庫哩呼喇金 見烏庫哩仲温
烏庫哩和歡金 見烏庫哩黑漢
烏庫哩雄名金 見烏庫哩誼
烏庫哩黑漢烏古論黑漢、烏庫里忽罕、烏庫哩和歡 金 291-686-123
400-230-518
408-944- 2
477-360-166
502-709- 82
烏庫哩祿錦金 見烏庫哩禮
烏庫哩祿錦金 見烏庫哩德升
烏庫哩福興金 見烏庫哩榮祖
烏庫哩榮祖兀古倫榮祖、烏古倫榮祖、烏庫哩福興 金 291-666-121
400-213-517
476-697-137
540-652- 27
烏庫哩慶壽金 291-426-101
399-246-438
554-363- 54
烏庫哩德升烏古哩德什、烏庫哩祿錦、烏庫里德升、烏古哩魯爾錦、烏庫哩魯爾錦 金 291-671-122
400-215-517
476- 30- 97
545-139- 87
烏庫哩噶老金 見烏庫哩鎬
烏庫哩薩哈烏古論三合、烏庫哩薩木哈 金 291-200- 82
399-148-429
477-561-177
502-349- 61
烏凌阿沃衎金 見楊沃衎
烏凌阿沃哩金 見楊沃衎
烏凌阿奇珠金 291-680-122
400-219-518
烏凌阿呼圖金 291-554-111
399-292-443
400-238-519
烏凌阿和卓金 見烏凌阿與
烏凌阿皇后金世宗后、烏凌阿實德琿女 金 291- 15- 64
393-339- 79
烏凌阿幹烈金 見楊沃衎
烏凌阿瑠珠金 見烏凌阿琳
烏凌阿翰烈金 見楊沃衎
烏凌阿噶理金 見楊沃衎
烏珠阿穆巴清 455-418- 25
烏哩特阿珠 河南王、烏庫里阿珠 元 294-336-128
399-488-467
451-515- 2
1200-670- 50
1394-324- 1
烏雅沃里布金 見烏雅沃哩布
烏雅沃哩布烏雅沃里布 金 291-195- 82
399-145-429
烏雅呼爾哈金 291-194- 82
399-144-429
烏雅恩徹亨兀顏訛出虎、完顏恩徹亨、完顏訛出虎、完顏額楚瑚 金 291-681-122
400-221-518
476-180-106
502-703- 82
545-241- 92
烏雅富埒琿烏延蒲魯、烏雅富魯、烏延蒲盧渾 金 291-176- 80
399-121-427
502-347- 61
552- 71- 19
烏雅富埒赫金 291-240- 86
399-150-429
烏雅普霞努烏延蒲轄奴 金 291-241- 86
399-150-429
502-349- 61
烏爾呼瑪爾清 454-363- 19
烏遜特穆爾兀孫帖木兒 明 496-628-106
烏魯斯布哈元 399-678-487
烏嚕斯哈美魯嚕斯哈美 元 294-417-134
523- 23-147
烏蘭色埒默金 見烏蘭思謀
烏古哩魯爾錦金 見烏庫哩德升
烏庫哩尼瑪哈金 291-650-120
烏庫哩和勒端金 400-238-519
烏庫哩訛里也金 見烏庫哩元忠
烏庫哩富勒呼金 291-649-120
烏庫哩魯爾錦金 見烏庫哩禮
烏庫哩魯爾錦金 見烏庫哩德升
烏庫哩額哩頁金 見烏庫哩元忠
烏庫哩薩哩葉金 見烏庫哩元忠
烏庫哩薩木哈金 見烏庫哩薩哈
烏凌阿實德琿女 金 見烏凌阿皇后
烏凌阿摩羅歡金 見烏凌阿暉
烏凌阿摩囉歡金 見烏凌阿暉
烏凌阿額哩埒金 見烏凌阿復
烏累若鞮單于漢 見咸
烏嚕克錫布哈元 1194-606- 7
烏凌阿烏爾固納金 545-140- 87
烏地也拔勒豆可汗唐 見諸曷鉢
烏稽侯尸逐鞮單于漢 見拔
鬼谷子戰國 見鬼谷先生
鬼臾區上古 見大鴻
鬼容區上古 見大鴻
鬼騩氏上古 383- 12- 3
鬼谷先生王詡、鬼谷子 戰國 405-464- 86
472-754- 29
477-504-174
524-405-199
533-765- 74
534-553- 99
538-348- 70
674-224-3上
徐人妻 元 見謝十九娘
徐乂明 1258-746- 7
徐于明 1442-100- 6
徐文金 291-165- 79
399-115-426
徐文明(字貫通) 1244-670- 17
徐文明(字彥章) 1253- 42- 42
徐之明 1475-646- 27
徐王唐 見李元嘉
徐王唐 見李元禮
徐王宋 見趙偁
徐王宋 見趙棣
徐王金 見完顏永升

徐王金 見完顏永蹈
徐王明 見朱允熜
徐元妻 劉宋 見許氏
徐元宋 1409-628-636
徐元明 482-321-354
徐市徐福 秦 1061-273-110
徐木宋 515-216- 63
徐友宋 821-170- 50
徐中明 473- 60- 51
473-616- 77
515-200- 63
徐升宋 515-315- 66
徐氏漢 金季本妻 681-613- 15
徐氏吳 吳大帝夫人、徐望女
254-759- 5
385-478-52上
徐氏吳 孫翊妻 386-210- 78
479- 60-219
512- 97-179
524-510-203
徐氏晉 王濬妻、徐邈女
477-526-175
徐氏晉 張林妻 485-203- 27
1358-754- 6
徐氏唐 盧惟清妻 276-109-205
401-151-589
476-531-128
491-803- 6
538-171- 67
徐氏唐 唐高宗婕妤
554- 21- 48
徐氏唐 張重政母
271-513-187下
徐氏宋 王長方妻、徐順女
1147-393- 36
徐氏宋 吳白妻 516-356-101
徐氏宋 吳穎妻、徐泌女
1094-898- 10
徐氏宋 鉅妻 1105-842-100
徐氏宋 施昌言妻 506- 91- 88
1102-285- 36
徐氏宋 祝磯妻、徐壽女
493-1081- 57
512- 7-176
674-853- 18
徐氏宋 張文英妻、徐守約女
1115-620- 33
徐氏宋 崔發妻 472-298- 12
徐氏宋 黃塄妻、徐彬女
1209-474-8上
徐氏宋 劉愚妻 288-448-459
479-358-233
524-736-213
1164-314- 16
徐氏宋 劉安民妻
1124-349- 5
徐氏宋 劉宜之妻
1166-441- 35
徐氏宋 錢晦仲妻
1156-660- 5
徐氏宋 錢覿後妻、徐鐸女
1132-274- 51
徐氏宋 俞允成母
1154-672- 28
徐氏宋 張揚卿母
1146-143- 91
徐氏元 狄恒妻 295-639-201
401-185-593
472-1106- 47
479-296-230
徐氏元 郁景文妻 460-933- 0
徐氏元 夏仁壽妻 524-453-202
徐氏元 張員妻、徐勉之女
1219-559- 27
徐氏元 黃叔興妻
1197-795- 84
徐氏元 潘元紹妻
493-1083- 53
1386-265- 39
徐氏元 宋謙孫婦 295-640-201
401-186-593
徐氏元 拜降母 1194-132- 10
徐氏明 于栻妻 506- 70- 88
徐氏明 方滿妻 479-334-232
徐氏明 王治妻 506- 56- 87
徐氏明 王愛妻 483- 17-370
徐氏明 王漢妻 475-856- 94
512-168-181
徐氏明 王綬妻 472-209- 7
475-756- 88
徐氏明 王爵妻 506-142- 90
徐氏明 王乾章妻
1290-678- 93
徐氏明 孔聞勉妻 479-358-233
524-733-213
徐氏明 石麟妻 472-101- 3
474-384- 19
506-103- 89
徐氏明 田增妻 476-867-145
徐氏明 田仲卿妻 506- 52- 87
徐氏明 申進妻 475-332- 65
徐氏明 史佐妻 506- 49- 87
徐氏明 包愼妻 472-1074- 45
524-636-209
徐氏明 朱鑑妻 570-203- 22
徐氏明 朱悅㜑妻、徐諷女
299-49-117
560-598-29下
徐氏明 汪卷妻 480- 95-262
徐氏明 沈經妻 1231-447- 附
徐氏明 沈麟妻 524-455-202
徐氏明 沈廷訓妻 512-459-188
徐氏明 沈子昇妻、徐彥名女
1242-277- 33
徐氏明 李信妻 473-319- 62
徐氏明 李珠妻 480- 96-262
徐氏明 李倬妻 533-611- 69
徐氏明 李庸妻 483-282-393
徐氏明 李希潤妻、徐維宗女
1255-657- 68
徐氏明 李時隆妻 476-790-141
徐氏明 李啟東妻 482-524-367
徐氏明 李隆春妻 524-456-202
徐氏明 李攀龍妻、徐宣女
1278-470- 23
1408-713-554
徐氏明 呂原妻 1252-428- 24
徐氏明 呂文正妻 506- 5- 86
徐氏明 吳祺妻 516-238- 97
徐氏明 吳正文妻 506- 52- 87
徐氏明 吳復澄妻 474-444- 21
徐氏明 余鳳妻 524-479-203
徐氏明 余克量妻 524-737-213
徐氏明 何宗聖妻 480-208-267
徐氏明 宗境妻 512- 24-177
徐氏明 卓彥卿妻 524-480-203
徐氏明 周士淳妻
1289-294- 19
徐氏明 周鼎鉉妻 512-475-188
徐氏明 金傑妻 302-218-301
524-627-208
徐氏明 胡鼎妻 1237-609- 上
徐氏明 胡儁妻 533-606- 69
徐氏明 范石泉妻
1277-282- 6
徐氏明 侯競次妻
1291-536- 9
徐氏明 段雲錦妻 480-321-272
徐氏明 馬經妻、徐仲華女
1253- 52- 43
徐氏明 馬希尹妻
1291-490- 8
徐氏明 許紃妻、徐希賢女
1247-537- 24
徐氏明 康光顯妻 530-113- 57
徐氏明 項巽妻 479-297-230
徐氏明 曹鉦妻 479-611-244
徐氏明 陸輿妻 820-767- 44
徐氏明 張岱妻 530- 10- 54
徐氏明 張俊妻 503- 28- 93
徐氏明 張邁妻 524-681-211
徐氏明 張震妻 474-248- 12
506- 57- 87
徐氏明 張師孟妻、徐子魁女
512-129-180
徐氏明 陳力妻、徐悅中女
1291-527- 9
徐氏明 陳輿妻、徐燁女
1256-431- 28
徐氏明 陳清宇妻 512-312-184
徐氏明 莊居敬妻 475-473- 72
徐氏明 睦燔妻 475-282- 63
徐氏明 馮政妻 481-465-319
徐氏明 黃禎祥妻、徐恩女
1253-148- 47
徐氏明 盛滄江妻
1291-497- 9
徐氏明 傅彥恭妻 473- 66- 51
徐氏明 程安國妻 480-139-264
徐氏明 楊鑑妻 480- 63-260
徐氏明 楊初泰妻 480-179-266
徐氏明 楊枝楝妻 483-307-395
徐氏明 楊國瑞妻 479-334-232
徐氏明 萬文式妻 473- 33- 49
徐氏明 趙晛妻 524-708-212
徐氏明 熊開元妻 480- 63-260
徐氏明 潘一夔妻 506- 15- 86
徐氏明 鄭棻妻 506- 55- 87
徐氏明 鄭永迪妻 530- 60- 55
1254-584- 上
徐氏明 鄭廷烋妻 506- 55- 87
徐氏明 鄭翰卿妻

472-1075- 45
524-636-209
徐氏明 劉馴妻 476-829-143
徐氏明 劉鎮妻 506- 45- 87
徐氏明 劉弘遠妻、徐季遠女
1255-634- 66
徐氏明 劉伯川妻
1262-361- 40
徐氏明 蕭賁妻 530-126- 57
徐氏明 錢世清妻 483-283-393
徐氏明 錢愼菴妻
1261-685- 29
徐氏明 戴富妻 480-177-266
徐氏明 戴嗣安妻、徐仁顯女
1242-279- 33
徐氏明 韓昱妻 1244-675- 18
徐氏明 韓玉岡妻 480-208-267
徐氏明 韓鍾英妻 481-465-319
徐氏明 顧聚妻、徐海槎女
1292-205- 18
1283-317- 91
徐氏明 吳适母 512- 5-176
徐氏明 徐遠女 202-214-301
徐氏明 徐綱姊 483-282-393
徐氏明 徐龐女 1442-124- 8
徐氏明 徐宗武女 477- 94-153
1289-331- 22
徐氏明 徐德甫女 512- 14-177
徐氏明 陳壯母 1245-567- 29
徐氏明 鄧塤母 479-633-245
徐氏明 顧養魯母
1283- 98- 74
徐氏清 方成芝妻 506- 28- 86
徐氏清 方逢郁妻 512-367-186
徐氏清 王梓妻、徐時盛女
512-276-183
徐氏清 王德梓妻 506- 19- 86
徐氏清 白文質妻 506- 25- 86
徐氏清 印鴻玉妻 524-558-205
徐氏清 宋崖妻 479-104-221
徐氏清 朱寧九妻 479- 63-219
524-504-203
徐氏清 沈元復妻 479-149-223
徐氏清 李日灝妻 479-360-233
徐氏清 杜斌妻 479-359-233
徐氏清 李石臣妻 480-256-269
徐氏清 李承先妻 480-322-272
徐氏清 李載華妻 479-103-221
徐氏清 邢雲妻 477-381-167
徐氏清 吳世祿妻 475-385- 68
徐氏清 余英妻 481-465-319
徐氏清 何謙妻 478-250-186
徐氏清 何永湜妻 474-196- 9
徐氏清 邵大文妻 474-193- 9
徐氏清 易鴻岸妻 479-634-245
徐氏清 周詩妻 480-322-272
徐氏清 施繼山妻 524-474-202
徐氏清 胡成之妻 474-193- 9
徐氏清 俞夢台妻 479-262-228
徐氏清 唐應由妻 475-614- 81
徐氏清 孫斗柄妻 506- 21- 86
徐氏清 孫端穀妻 475-756- 88
徐氏清 章匡義妻 474-193- 9
徐氏清 郭重發妻 506- 35- 86
徐氏清 陸禮妻 479- 62-219
524-509-203
徐氏清 陸道見妻 524-661-210
徐氏清 張英妻 512-327-185
徐氏清 張鏡妻 483-119-379
徐氏清 張子素妻 506-113- 89
徐氏清 張有苞妻 475-814- 91
徐氏清 張廷文妻 474-194- 9
徐氏清 張秉鳶妻 479-359-233
徐氏清 陳汝模妻 474-196- 9
徐氏清 陳自樹妻 478- 92-342
徐氏清 黃學璸妻 479-583-243
徐氏清 隋璨妻 476-679-136
徐氏清 程元衢妻 524-526-204
徐氏清 温逢光妻 533-663- 71
徐氏清 楊玉正妻 483-179-384
徐氏清 楊國彥妻 478-575-203
徐氏清 董永煌妻 482-436-361
徐氏清 葉士隨妻 479- 73-219
徐氏清 葉鍾藻妻 479-334-232
徐氏清 詹文蔚妻 479-360-233
徐氏清 漆鳳翔妻 479-502-239
徐氏清 趙崑山妻 475-800- 90
徐氏清 趙雲辦妻 474-195- 9
徐氏清 趙集仁妻 479-336-232
徐氏清 滕文煜妻 503- 35- 94
徐氏清 鄭榮組妻 479-359-233
徐氏清 蔣佺妻 524-475-202
徐氏清 劉滋妻 480- 64-260
533-520- 66
徐氏清 劉士昌妻 475-783- 89
徐氏清 劉心泰妻 476-869-145
徐氏清 劉起元妻 480-301-271
徐氏清 劉時侅妻 481-187-300
徐氏清 劉章壽妻 479-359-233
524-746-213
徐氏清 劉繼祖妻 474-194- 9
徐氏清 盧星璨妻 478-139-181
徐氏清 盧龍雲妻 483-349-399
徐氏清 謝海妻 530-145- 58
徐氏清 蘇廷琮妻 482-355-356
徐氏清 王孫枝母 541- 8- 29
徐氏清 汪二蛟母 479-359-233
徐氏清 徐日新女 474-482- 23
徐氏清 徐承林女
1321- 78- 94
徐氏清 徐繼良女
1315-389- 19
徐玉金 545-765-110
徐玉明 1258-620- 13
徐弘漢或晉 510-476-117
523-409-166
525-138-224
徐弘明 515-883- 86
徐正元 534-960-120
徐正明 472-646- 26
徐正清 456-335- 76
徐本宋 821-219- 51
徐本明(嘉興知縣) 472-982- 39
徐本明(平陽知府) 545-184- 90
徐本明(字惟泉) 1229-661- 1
徐本明(字以道) 1250-745- 71
1458-104-424
徐本清 479- 59-219
徐平吳 254-840- 12
524-222-189
徐充明 1442- 50- 3
1460- 71- 43
徐申唐 275- 74-143
395-690-242
472-837- 33
473-682- 79
473-789- 85
478-118-181
481-800-339
482- 74-341
482-483-364
554-452- 56
567- 42- 64
563-634- 38
933- 90- 6
1078-156- 11
1342-268-939
1342-563-976
1467- 18- 62
徐申徐伸 宋 590-228- 5
徐申明(字周翰) 300-411-207
475-137- 56
479-557-242
511-108-140
徐申明(字維嶽) 510-316-117
徐令明 820-708- 43
徐生漢 244-857-121
380-255-172
476-578-131
675-317- 19
933- 85- 6
徐白宋 812-551- 4
821-170- 50
徐白明～清 511-836-168
821-481- 58
1475-517- 22
徐仙明 1442-127- 8
徐弁宋 821-248- 52
徐禾妻 明 見許淑貞
徐安明(濟南知府) 472-520- 22
540-626- 27
徐安明(字古贏) 511-886-171
徐安明(蒲江人) 554-347- 54
徐吉明 554-310- 53
徐吉明 見徐極
徐存徐桂郎 宋(字去非)
448-363- 0
徐存宋(字誠叟) 471-630- 7
472-1042- 43
523-619-177
679-137-152
1145-644- 79
1145-690- 81
徐存妻 明 見王氏
徐匡漢 370-178- 17
402-399- 5
徐舟明 554-188- 51
676-199- 8
676-255- 10
徐旭宋 512-770-196
徐旭明(字孟昭) 473- 50- 50
516- 58- 89

676-484- 18
1236-790- 13
1374-397- 61
徐旭明(富順人) 554-293- 52
徐仲元 523-564-174
徐行明 546-638-136
徐份陳 260-710- 26
265-881- 62
378-562-145
479- 91-221
523- 96-150
933- 88- 6
徐忭明 820-627- 41
1255-585- 62
徐沆明 524- 76-181
徐完明 511- 76-139
徐汧明 301-515-267
456-439- 3
458-300- 10
475-140- 56
511-440-153
1442-107- 7
1460-697- 76
徐沂明 479-330-232
523-328-161
徐亨宋(桐廬人) 472-1016- 41
524-161-186
徐亨明(謚武襄) 299-405-146
1289-396- 28
徐亨明(仁和人) 473-335- 63
480-403-277
532-694- 45
徐汾清 524- 14-178
徐良漢 476-662-136
540-696-28之1
徐良明 1229-295- 10
1289-397- 28
533-276- 56
徐志明 563-754- 40
徐甫明 1280-464- 90
徐甫妻 明 見陳氏
徐成妻 元 見趙氏
徐成明 1460-551- 67
徐均明 299-336-140
482-184-346
1236-805- 13
徐吾戰國 448- 63- 6
徐材明 511-155-142
徐防漢 253- 48- 74
370-192- 19
376-776-109下
384- 62- 3
402-425- 7
402-458- 10
402-525- 15
472-199- 7
475-746- 88
511-341-149
537-261- 55
933- 86- 6
徐孜元 1476-337- 6
徐作明(副使) 482-322-354
567-137- 68
1467-126- 66
徐作明(字季儒) 515-410- 69
徐作明(字汝念) 528-531- 31
徐佈妻 明 見馬氏
徐伸宋 見徐申
徐秀唐 494-336- 7
541-776-35之20
1071-637- 8
徐秀妻 唐 見樊氏
徐秀明 821-461- 57
徐廷明 545-403- 98
徐巡漢 476-520-128
徐宗妻 明 見朱氏
徐泓齊 265-1093- 77
徐泓明 515-884- 86
徐京宋 821-224- 51
徐京明 302-251-303
1275-856- 53
徐官明 524-259-191
徐注宋 487-188- 12
徐泗妻 明 見汪妙善
徐治明 456-619- 9
徐洌明 1442- 87- 5
1460-578- 68
徐初元 475-178- 59
511-543-158
徐泌宋 524- 74-181
徐泌女 宋 見徐氏
徐初明 523-305-160
徐定宋(字德操) 494-313- 5
524-339-195
1164-270- 14
徐定宋(字子固) 515-337- 67
徐定明 820-576- 40
1239-169- 38
徐放唐 820-240- 28
徐夜明 540-834-28之3
徐庚宋 678-552-122
徐杰元 516- 49- 8
徐招北周 263-720- 37
267-405- 70
379-679-159
476-882-146
546-182-121
933- 88- 6
徐孟明 460-657- 67
徐玭明 524-267-191
徐玠南唐 511-224-144
徐奇明(字以正) 473-605- 76
563-731- 40
徐奇明(石門人) 554-220- 52
徐枋明 301-516-267
475-141- 57
511-835-168
1442-111- 7
徐林宋 485-200- 27
493-915- 49
511- 93-140
529-754- 52
589-360- 6
820-418- 34
徐承春秋 933- 85- 6
徐忠明 299-403-146
453-173- 16
472-328- 14
475-708- 86
511-414-152
559-375- 8
886-142-138
886-144-138
1238-148- 13
徐忠妻 明 見江氏
徐昌女 元 見徐淑清
徐昌清 481-679-331
徐明宋 484-378- 27
524-161-186
821-215- 51
徐明明(合肥人) 472-328- 14
475-707- 86
511-491-156
徐明明(徐州人) 511-847-168
徐昇宋 515-118- 60
徐昇明(貴溪人) 481-644-330
528-510- 31
徐昇明(字仲高) 511-655-162
徐昂明 524-240-190
徐昆明 820-751- 44
821-461- 57
徐昆妻 清 見文氏
徐芳明～清(字仲光)
515-848- 84
676-661- 27
1442-110- 7
徐芳明(醴泉人) 554-678- 60
徐昉漢 402-567- 19
徐易宋 511-878-170
812-551- 4
820-359- 32
820-409- 34
821-170- 50
徐易明 515-892- 86
523-134-152
1278-466- 23
徐芬妻 清 見劉氏
徐旻明 559-513- 12
徐果唐 見徐果師
徐杲清 511-538-157
徐的宋 285-776-300
397-200-331
473-297- 62
473-601- 76
473-725- 82
475- 16- 49
475-214- 60
480-240-269
480-362-275
481-675-331
482-225-348
482-319-354
529-593- 47
532-572- 41
563-692- 39
567- 64- 65
1467- 26- 62
徐佩劉宋 933- 87- 6
徐佩明 547- 36-142
徐佩清 511-722-165
徐岱唐 271-552-189下
275-257-161

384-233- 12
396- 70-258
472-983- 39
479- 94-221
485-168- 22
491-109- 13
493-867- 47
523-580-175
933- 90- 6
徐岳北周 263-830- 48
徐房漢 476-662-136
540-699-28之1
徐延漢 244-857-121
933- 85- 6
徐洪唐 見徐彥伯
徐洪宋 1098-719- 44
徐洪明 1227-622- 中
徐炳宋 見徐立之
徐炳明 523-429-167
徐宣漢 511-712-164
徐宣魏 254-405- 22
377-182-116
384- 86- 4
384-642- 39
475-472- 72
477-160-157
511-241-145
933- 86- 6
徐宣妻 明 見卓永潔
徐宣女 明 見徐氏
徐洺明 456-637- 10
徐洛妻 明 見魯氏
徐恪明 300- 34-185
472-230- 8
473-211- 59
475-134- 56
476-917-148
493-994- 52
511-100-140
532-592- 41
537- 29- 48
537-216- 54
1250-843- 80
1258-314- 7
1442- 33- 2
1459-716- 28
徐恂明 528-495- 30
徐炟清 511-216-144
徐炯明 512-737-195
徐炯清 540-677- 27
569-619-18下之2
徐洲明 528-459- 29
徐亮明(會稽人) 559-257-7上
徐亮明(字景明) 1467-203- 69
徐兗宋 472-489- 21
徐兗明 476-151-104
545-221- 91
徐庠明 511-459-154
徐洙明 524-224-189
徐亦魏 254-239- 12
徐奕魏 254-239- 12
377- 96-115上
384- 83- 4
472-590- 24
476-780-141
540-708-28之1
933- 86- 6
徐奕妻 宋 見柯氏
徐度陳 260-625- 12
265-941- 67
378-510-144
480-202-267
493-682- 37
494-286- 3
533-199- 53
563-623- 38
933- 88- 6
徐度宋 674-327-5上
徐恢明 472-1043- 43
524-336-195
徐美明 482-289-352
529-630- 48
563-844- 41
徐珏宋 524- 74-181
472-1041- 43
徐珏宋 515-867- 85
徐珏元 295-607-197
400-316-526
徐珏明 505-928- 84
徐拱宋 1182-610- 40
徐咸漢 380-132-168
徐咸父 明 1272-258- 13
徐咸明 524- 21-179
532-648- 43
676-333- 12
676-542- 22
1442- 45- 3
1459-921- 39
1475-262- 11
徐威明 515-687- 78
676-524- 21
1442- 38- 2
徐春明 1475-244- 10
徐相漢 402-467- 10
徐相明(江西人) 479-175-215
523-132-152
徐相明(字文卿) 516-107- 91
563-844- 41
徐柏明 529-618- 47
徐盈明 515-877- 86
523-103-150
1258-592- 12
徐珂宋 821-216- 51
徐南清 529-670- 49
徐韋明 1442- 70- 4
1460-345- 55
徐勇清 474-774- 41
502-774- 86
533-408- 61
徐政明(儀眞人) 299-487-154
475-375- 68
徐政明(濱州人) 532-707- 45
554-281- 53
徐政明(大冶人) 545-375- 97
徐東明 1278-426- 20
1287-129- 13
徐東妻 明 見許氏
徐述明 473-222- 59
480- 88-262
532-624- 43
徐某明(號靜隱處士)
1229-240- 7
徐建明 528-459- 29
徐茂明 547- 18-141
徐貞明(遠安人) 533-211- 53
徐貞明(字伯周) 1475-508- 22
徐昺元 472-699- 28
537-454- 58
徐苗晉 256-475- 91
380-279-173
476-666-136
491-798- 6
540-713-28之1
677-108- 11
933- 87- 6
徐昱明(字彥昭) 511-511-157
徐昱明(字季東) 1245-544- 28
徐昭元 1197-790- 83
徐昇明 540-660- 27
徐則隋 264-1086- 77
267-677- 88
380-478-178
384-158- 8
472-560- 23
476-792-141
479-299-230
486-904- 35
491-801- 6
524-421-200
540-731-28之1
541- 88- 30
871-910- 19
933- 89- 6
1340-618-783
1064-902- 5
1415-542-103下
徐英魏 254-302- 15
476-110-102
545-351- 96
徐英明(字振烈) 456-639- 10
529-660- 49
徐英明(胙城知縣) 472-706- 28
徐英明(中江人) 559-393-9上
徐迪宋 1085-230- 30
徐迪妻 明 見蔣氏
徐俌明(字公輔) 299-153-125
徐俌明(字輔德) 493-985- 52
徐禹漢 554-890- 64
徐約唐 275-574-190
396-277-275
徐信宋 473-689- 80
564- 74- 44
徐信明 528-527- 31
徐坣清 474-313- 16
徐垕明 見徐宗實
徐紘後魏 262-324- 93
267-742- 92
381- 30-184
徐胤漢 253-161- 83
376-837-170
386- 12-69上
402-502- 12

479-485-239
515-292- 66
1408-431-521
徐衍漢 933- 85- 6
徐勉梁 260-223- 25
265-852- 60
378-421-141
384-119- 6
469-192- 22
472-275- 11
472-553- 23
476-785-141
511-900-170
540-721-28之1
820- 96- 24
933- 38- 6
1387-154- 9
1395-597- 3
徐勉明 559-276- 6
徐爰徐瑗 劉宋 258-604- 94
265-1092- 77
381- 9-184
814-248- 6
820- 89- 24
徐便明 502-280- 56
516- 57- 89
徐俊宋 472-1004- 40
523-367-163
徐俊妻 明 見周氏
徐俊妻 清 見張氏
徐浤明 523-119-151
徐浤妻 清 見嚴氏
徐浦明 529-618- 47
徐海清 456-336- 76
徐容明 567-407- 84
徐容明 見陸容
徐浮晉 540-645- 27
徐浩唐 270-624-137
275-246-160
384-214- 11
384-221- 12
396- 55-257
472-1071- 45
479-233-227
486-349- 16
487-108- 8
524- 51-180
681-432- 0
683-555- 2
684-481- 下
812-738- 3
813-224- 3
814-275- 10
820-205- 28
933- 89- 6
徐浩宋 529-671- 49
徐唐宋 473-625- 77
481-722-333
529-764- 53
徐祐宋 485-185- 25
493-906- 49
589-313- 2
徐祚明 545-442- 99
徐朗宋 1161-619-125
徐益明 515-356- 68
563-923- 43
徐悅妻 明 見方大姑
徐勍清 523-459-168
563-874- 42
徐浚宋 494-342- 7
徐素元 516- 51- 88
徐秦明(字士亨) 473-281- 61
480-127-264
532-633- 43
1248-624- 3
1255-568- 60
徐泰明(字子元) 524- 21-179
676-333- 12
676-532- 21
679-635-200
1442- 40- 2
1459-814- 33
1475-258- 11
徐泰明(字子開) 1236-800- 13
徐珙唐 820-215- 28
徐珙明 524-156-186
585-566- 21
1467- 84- 65
徐恭父 明 1241-152- 7
徐恭明(永豐人) 528-493- 30
徐恭明(字士容) 1229-271- 8
徐恭明(字叔禮) 1245-177- 4
徐貢明 1261-147- 11
徐栻明 300-614-220
511-108-140
515-123- 60
523- 56-148
528-530- 31
569-653- 19
582- 43-121
583-715- 22
676-581- 24
1283-126- 77
徐眞吳 254-759- 5
徐眞妻 吳 254-759- 5
徐眞妻 吳 見孫氏
徐眞明 511-524-157
徐原吳 384-589- 32
485-173- 23
493-862- 47
徐原明 523-616-176
676- 77- 3
676-455- 17
680-229-247
徐珪明(字必信) 300-101-189
479-793-254
480-204-267
533-201- 53
徐珪明(字良璧) 523-486-170
徐珪明(安岳人) 571-524- 19
徐珦宋 515-862- 85
徐桂宋 1181- 48- 5
徐桂明(字子芳) 511-256-146
徐桂明(字茂吳) 511-748-165
524- 9-178
592-1009- 下
676-611- 25
1442- 77- 5
1460-389- 58
徐桂明(字夢節) 821-419- 56
徐桂明(字庭芳) 1224- 7- 15
徐栩漢 402-475- 11
453-745- 3
徐栒明 1259-220- 16
徐哲元 1439-442- 2
徐晉明 511-209-144
徐晉明 見徐廷亮
徐陞明 456-611- 1
徐琉明 676-523- 21
徐珩明 554-347- 54
徐起宋 285-795-301
397-215-332
472-409- 18
472-575- 24
475- 16- 49
475-420- 70
476-576-131
476-862-145
491-345- 2
494-297- 5
532-572- 41
540-758-28之2
徐起清 511-881-171
徐翀明 480-290-271
532-680- 44
徐陟宋 481-675-331
529-593- 47
徐陟明 300-517-213
511-127-141
徐振明 515-474- 71
徐振清 524-142-185
徐員明 524-158-186
徐恩明(江都人) 511-573-159
徐恩明(項里人) 524-137-185
徐恩女 明 見徐氏
徐晃魏 254-334- 17
377-161-115下
384- 84- 4
384-680- 44
476- 81-100
545-754-110
933- 86- 6
徐晫明 1255-763- 76
徐峴唐 814-277- 10
820-206- 28
徐虔明 571-544- 20
徐俯宋 287-101-372
398-161-375
471-722- 19
471-874- 40
471-929- 49

472-338- 14
473- 21- 49
473-768- 84
475-533- 77
479-486-239
515-316- 66
567-435- 86
588-319- 2
674-877- 20
933- 92- 6
1053-843- 19
1363-135-114
1437- 22- 2
1467-147- 67
徐紘明 511-150-142
676-261- 10
徐恕明 1236-795- 13
徐釚清 475-142- 57
511-754-165
1318- 78- 37
徐矩明 472-894- 35
徐耕劉宋 258-573- 91
265-1037- 73
380- 97-167
511-549-158
933- 88- 6
徐倬清 479-146-223
524- 37-179
徐倫唐 見徐堅
徐倫宋 515-329- 67
徐皋宋 821-170- 50
徐純明 554-277- 53
徐娩明 1231-328- 3
徐舫元 302-164-298
472-1017- 41
479-380-234
524-297-193
1224-169- 19
1374-619- 83
1252-632- 36
1410-377-714
1439-446- 2
1458-159-429
1470-643- 19
徐寅唐 407-657- 2
529-724- 51
1388-634- 95
徐寅宋 見徐子寅
徐寅明 1475-691- 29
徐庶徐福 蜀漢 254-580- 5
377-256-118上
384-449- 10
477- 61-151
472-653- 27
537- 70- 49
537-584- 60
533-735- 73
徐淳元 徐師顏女
472-1017- 41
479-383-234
1202-374- 25
徐淳清 476- 31- 97
502-764- 86
545-160- 88
徐清宋 820-463- 36
徐清元 徐師顏女
472-1017- 41
479-383-234
1202-374- 25
徐清清 456-336- 76
徐淮明(字必東) 505-703- 70
510-392-115
徐淮明(字東之) 1258-288- 5
徐淮明(字愛竹) 1442-113- 7
1460-675- 74
1475-544- 23
徐商唐 274-443-113
384-278- 14
384-281- 14
396-230-272
480- 12-257
532-569- 40
534-812-112
537-594- 60
547-188-148
933- 89- 6
1341-542-870
徐悱梁 260-230- 25
265-857- 60
378-426-142
1387-155- 9
1394-788- 12
1395-598- 3
徐悱妻 梁 見劉令嫻
徐惟妻 明 見唐氏
徐淵余月汀 明 524-399-199
1442-117- 8
1460-809- 88
1475-768- 32
徐庸宋 680-451-269
徐庸明 1442- 28- 2
徐祥明(大冶人) 299-405-146
473-214- 59
480- 57-260
552- 77- 19
886-144-138
1289-395- 28
徐訪明 528-458- 29
徐祥明(萬州人) 564-294- 47
徐袍明 1294-244-6上
徐深明 676-461- 17
徐梁明 547- 59-143
徐淑漢 253-106- 78
402-485- 11
511-690-163
徐淑元 林歸妻 1224-586- 下
徐訥明(字敏行) 483-138-380
徐訥明(字敏叔) 1255-546- 58
徐頊宋 530-204- 60
徐聃唐 見徐齊聃
徐瑆宋 見徐紘
徐理徐江老 宋 451- 99- 3
徐理明 299-398-145
458-140- 6
472-795- 31
494-266- 1
537-565- 60
886-144-138
徐理明 見徐有貞
徐基元 515-537- 74
徐基妻 清 見吳氏
徐基妻 清 見張氏
徐堅唐(字元固) 270-248-102
276- 15-199
384-189- 10
400-410-538
472-824- 33
478-342-191
479-140-223
494-374- 10
524- 31-179
554-837- 63
933- 90- 6
1066-207- 19
1341-700-893
1371- 53-附
1387-363- 26
1472-167- 10
徐堅徐倫 唐(字堅)
1072-384- 2
1341-777-903
徐堅明 554-346- 54
徐乾晉 679-360-174
徐乾明 563-754- 40
567-330- 78
1467-220- 70
徐問明 300-308-201
457-883- 52
458-849- 7
474- 94- 3
475-226- 61
476-698-137
479-678-248
481-806-338
483-224-390
511-152-142
515-134- 61
540-653- 27
563-735- 40
571-519- 19
676-531- 21
1442- 40- 2
1459-809- 33
徐晝妻 宋 見周氏
徐彬宋 484-387- 28
1209-456-7下
徐彬女 宋 見徐氏
徐彬明(榮陽人) 554-310- 53
徐彬明(字文質) 1231-404- 9
徐琅明 540-641- 27
徐敖漢 478-201-184
徐捷妻 清 見吳氏
徐梗明 524-186-187
徐爽宋 472-568- 24
540-639- 27
徐通元 515-769- 81
1197-790- 83
徐陵吳 254-840- 12
377-372-122
472-1041- 43
479-354-233
523-485-170
徐陵陳 260-703- 26

265-879- 62
370-589- 20
378-559-145
384-119- 6
476-786-141
485-533- 1
486- 66- 3
511-900-172
540-723-28之1
814-256- 7
820-106- 24
933- 88- 6
1064-792- 附
1387-169- 10
1394-564- 7
1395-599- 3
1401-392- 30
徐晟明 524-279-192
1475-242- 10
徐晦唐 271-146-165
275-249-160
396- 62-257
528-436- 29
徐貫明 523-339-162
676-503- 19
1442- 29- 2
1459-666- 26
徐常宋 585-758- 4
徐晞明 472-262- 10
676-482- 18
1442- 19- 1
1459-559- 19
徐晅明 524- 81-182
1442- 14- 1
1459-396- 12
徐彪明(商河人) 472-457- 20
476- 79-100
545-185- 90
徐彪明(字叔傑) 481-678-331
529-687- 50
徐彪明(字文蔚) 676-378- 14
徐昜明 559-324-7上
572- 84- 28
徐衆陳 見徐儉
徐崍明 821-482- 58
徐釣不詳 1059-605- 中
徐得妻 清 見許氏
徐紹宋 515-856- 85
徐偃漢 933- 86- 6
徐偉宋 473-337- 63
480-464-279
533-462- 63
徐偉不詳 879-163-58上
徐紳明 511-319-148
523-193-155
徐參漢 493-669- 37
徐參妻 清 見許氏
徐敏妻 清 見楊氏
徐逢宋 491-118- 13
徐寓宋 1168-228- 21
徐滋宋 494-516- 25
820-408- 34
徐湘宋 511-845-168
徐渭明 301-860-288
479-243-227
524- 57-180
572-156- 32
820-707- 43
821-432- 57
1408-585-541
1442- 68- 4
1458-661-468
1460-318- 54
徐善十國吳 485-504- 10
徐善清 524- 28-179
1475-653- 28
徐溉宋 529-494- 44
徐渡妻 明 見張氏
徐敦明 511-234-145
徐焱宋 451-100- 3
徐琮後梁 見徐懷玉
徐琮妻 宋 見甘氏
徐琮妻 明 見蔡氏
徐琮清 533-308- 57
徐越清 475-330- 65
511-197-143
1323-769- 5
徐惠唐 唐太宗賢妃、徐孝德女
269-420- 51
274- 4- 76
393-250- 71
407-533- 9
452- 54- 1
472-1005- 40
494-260- 1
554- 20- 48
1371- 78- 附
1388-780-112
徐賁明 301-821-285
475-143- 57
493-1076- 57
511-894-172
524-314-194
537-209- 54
547-203-148
820-562-840
821-343- 55
1318-349- 63
1442- 5- 1
1459-356- 10
徐博明 480-341-273
532-685- 64
820-640- 41
徐喆清 474-589- 30
479-320-232
505-862- 77
523-197-155
546-106- 118
徐植明 493-1008- 53
511-522-157
徐朝明 1256-424- 27
徐盛吳 254-822- 10
377-359-119
384- 80- 4
384-575- 30
472-590- 24
476-780-141
479-603-244
491-798- 6
515-239- 64
540-711-28之1
933- 86- 6
徐盛清 481-182-300
502-778- 86
559-330-7下
徐雄劉宋 265-492- 32
380-621-182
492-599-13下之下
511-508-157
524- 94-183
742- 30- 1
徐登漢 253-608-112下
380-579-181
453-758- 4
473-575- 74
481-536-326
530-196- 60
徐登宋 484-375- 27
徐階明 300-512-213
452-476- 5
457-439- 27
473- 18- 49
475-181- 59
481-644-330
511-127-141
515- 52- 58
523- 50-148
528-513- 31
676-557- 23
820-688- 43
1284- 1-136
1442- 51- 3
1460- 78- 44
徐琦明(字良玉) 299-549-158
472-931- 37
472-969- 38
478-598-204
524-241-190
558-375- 36
585-109- 4
676-478- 18
徐琦明(字廷振) 523-465-169
563-835- 41
徐琨吳 254-759- 5
479- 45-218
523-504-171
徐琨女 吳 見徐氏
徐堪妻 宋 見祝氏
徐棉明 676- 7- 1
676-595- 24
1442- 67- 4
徐弼唐 見李弼
徐弼明(漢陽通判) 473-222- 59
532-625- 43
徐弼明(英德人) 523- 82-149
徐弼明(字良佐) 529-568- 46
徐琛宋 820-418- 96
徐琰宋 820-401- 34
徐琰元 478-763-215
523- 24-147
1194-293- 23
1439-421- 1

徐琳妻 明 見何妙賢
徐報陳 見徐儉
徐揆宋 288-288-447
400-152-512
471-630- 7
472-1042- 43
479-355-233
523-409-166
1145-645- 79
徐森明 523-606-176
徐棟明(徐浩子) 546-419-128
徐棟明(寧國人) 563-818- 41
徐發明 1475-640- 27
徐景宋 472-289- 12
510-389-115
徐貴明(平江人) 473-318- 62
533-284- 56
徐貴明(字汝良) 1253-138- 47
徐著妻 明 見劉氏
徐貽元 821-321- 54
徐量宋 1130-337- 34
徐喈徐鴻祚 明 1475-462- 19
徐凱明 475-708- 86
511-492-156
559-256- 6
徐凱清 456-335- 76
徐萃清 510-492-118
徐棠明 511-625-161
徐順宋 1186-288- 20
徐順女 宋 見徐氏
徐順妻 元 見彭氏
徐傅宋 515-119- 60
517-351-124
徐幾宋 460-434- 33
529-743- 51
徐鈞徐璺 宋～元 524-292-193
1209-386- 6
徐智明 494- 41- 3
徐智女 明 見徐菩提
徐犹宋 288-369-453
400-159-513
徐勝明 483-282-393
徐欽宋 515-340- 67
徐斐明 480-137-264
徐棐明 515-375- 68
徐傑明 見徐興之
徐傑妻 明 見潘氏
徐進元 1209-490-8上
徐進明 524-377-197
徐復母 宋 見李氏
徐復宋 288-429-457
371-152- 15
302-771-118
384-360- 18
401- 18-569
408-667- 26
450-817-21下
473-602- 76
479- 60-219
481-675-331
490-948- 89
524-302-194
529-761- 53
585-385- 8
677-182- 17
933- 91- 6
1098-753- 48
1356-239- 11
1408-517-532
徐復元(字可豫) 511-869-170
徐復元(字希賢) 1229-355- 13
徐媛明 范允臨妻、徐泰時女
512- 9-176
820-768- 44
1442-124- 8
1458-756-478
1460-777- 84
徐源明 511-101-140
523- 45-148
676-512- 20
1255-394- 44
1256-447- 30
1386-319- 41
1386-683- 56
徐溥明(字時用) 299-852-181
452-149- 2
453-620- 19
472-262- 10
475-225- 61
511-148-142
676-499- 19
820-650- 42
1250-882- 84
1259-425- 4
1375- 39-下
1442- 27- 2
1459-648- 25
徐溥明(邵武人) 473-645- 78
徐溥明 見徐文溥
徐溥妻 明 見李德貞
徐試妻 明 見胡氏
徐義宋 515-337- 67
徐義明(字伯制) 473- 24- 49
515-364- 68
徐義明(和州人) 511-427-152
1240-301- 19
徐義明(字仲制) 1241-662- 14
徐義女 明 見徐雪梅
徐猷宋 534-709-106
徐温母 十國吳 見周氏
徐温十國吳 278-468-134
279-432- 61
384-317- 16
472-311- 13
488-327- 12
488-329- 12
488-331- 12
徐溍明 見徐縉
徐滔明 547- 63-143
徐詡宋 933- 92- 6
933-810- 60
徐雍明 523-156-153
徐裕唐 472-1101-47
523-166-154
徐愷元 821-315- 54
徐煜明 511-633-161
徐準明(新城人) 505-651- 68
徐準明(字式平) 1321- 36- 89
徐詳吳 254-901- 17
384- 81- 4
494-262- 1
933- 86- 6
徐詵宋 1216-251- 13
徐詵明 524-360-196
徐煇唐 494-289- 4
徐煳明 301-839-286
529-721- 51
821-750- 44
1442- 82- 5
1460-606- 70
徐煬明 1243-639- 18
徐祿北朝 933- 89- 6
徐祿明 1241-818- 20
徐運南唐 1085- 47- 6
徐道明 456-634- 10
徐煥明 547- 80-144
徐頊唐 820-225- 28
徐資明 483-249-391
572- 87- 29
徐資妻 明 見陳氏
徐楨徐禎 明 505-651- 68
1442- 55- 3
1460-137- 46
徐瑄宋 524-270-191
1173-306- 86
徐瑄明 493-991- 52
511-401-151
554-165- 51
559-250- 6
563-729- 40
徐椿明 547-121-145
徐極徐吉 明 456-467- 4
徐輅明 524- 99-183
徐琊清 524-349-196
徐瑞元 1476-336- 6
徐楠明 475-609- 81
511-304-148
徐幹漢 478- 99-180
554-852- 63
812- 66-下
812-230- 9
814-225- 3
820- 29- 22
徐幹魏 254-379- 21
380-347-175
384- 84- 4
384-650- 40
386- 18-69中
476-665-136
540-707-28之1
541-369-35之6
1355-350- 12
1447-913- 55
徐倫明 517-584-130
徐辟戰國 405-457- 85
539-641-11之6
933- 85- 6
徐勣唐 見李勣
徐勣宋 286-615-348
382-676-105
397-676-361
472-290- 12
472-347- 15

472-359- 15
473-749- 83
475-483- 73
475-607- 81
475-666- 84
482-347-356
488-402- 13
493-744- 41
511-297-148
567- 64- 65
933- 91- 6
1467- 40- 63
徐瑛明 473-585- 75
528-485- 30
徐瑗劉宋 見徐爰
徐瑗元 1222-267- 16
徐瑑宋 473-177- 57
515-120- 60
523-490-170
徐達中山王 明 299-147-125
453- 2- 1
453-505- 1
472- 27- 1
472-204- 7
475-751- 88
505-634- 67
506-333- 98
511-350-149
545- 64- 85
558-143- 30
1224- 68- 17
1283-132- 80
1374-473- 68
徐達女 明 見徐妙錦
徐達女 明 見徐皇后
徐達清 456-335- 76
徐楚明 523-492-170
1442- 57- 3
1460-161- 47
徐照宋 524- 84-182
1164-319- 17
1410-460-724
1437- 27- 2
1462-619- 86
徐嗣徐嗣伯 齊 259-265- 23
265-492- 32
380-621-182
492-599-13下之下
524-342-196
472- 31- 1
徐路後魏 262-292- 91
徐嵩晉 256-847-115
381-252-189
478- 85-180
933- 87- 6
徐鼎明(漳浦人) 515-175- 62
529-570- 46
徐鼎明(字宗器) 564-210- 46
徐鼎妻 明 見吳氏
徐畸元 523-613-176
徐暘明(字用輝) 524-373-197
徐暘明(鄞人) 1245-535- 28
徐暘明(字仲熙) 1260-607- 17
徐敬明(太平知府) 472-348- 15
徐敬明(字敬仲) 515-543- 74
821-347- 55
徐敬明(華亭人) 559-281- 6
徐遇清 511-649-162
徐鉉母 南唐 475-380- 68
徐鉉宋 288-210-441
371-126- 13
382-247- 38
384-328- 17
401-207-595
450-711-7下
471-901- 44
471-929- 49
472-294- 12
475-323- 65
475-373- 68
489-676- 49
492-580-13下之上
511-782-166
516-194- 95
518-127-140
674-272-4中
681-634- 18
684-487- 下
812-740- 3
813-217- 2
814-280- 10
820-329- 32
933- 91- 6
1112-245- 22
1394-762- 11
1437- 7- 1
1461- 40- 2
徐鈺元 472-277- 11
475-278- 63
511-562-158
徐鈺明 300- 80-188
534-954-120
徐鉞宋 524-229-189
1150-887- 49
徐鉞明 523-230-156
徐鋐徐瑆 宋 451- 77- 2
徐鉏春秋 405-105- 62
徐筠宋 515-533- 73
517-385-125
徐謍妻 明 見黃氏
徐經明 554-258- 52
徐節明(字時中) 472-348- 15
483-250-391
510-455-117
523-340-162
545- 76- 85
572- 70- 28
676-511- 20
1255-369- 42
徐節明(臨汾人) 510-293-112
徐節明 葛吉甫妻、徐同甫女
1227-839- 4
徐愛明 301-784-283
457-159- 11
458-900- 8
472-1074- 45
479-241-227
523-600-176
676-539- 22
1442- 44- 3
1459-907- 38
徐賓清 511-136-141
徐察明 511-437-153
徐演妻 齊 見武康公主
徐演唐 556-115- 85
徐演明 524-336-195
徐誠元 511-543-158
1228-497- 30
徐禎明 見徐楨
徐韶宋 524- 63-181
徐福秦 見徐市
徐福漢 478- 95-180
554-623- 60
徐福蜀漢 見徐庶
徐寧晉 256-231- 74
377-784-127
475-363- 67
540-715-28之1
933- 86- 6
徐端宋 515-336- 67
徐說靖江王 明(字以中)
511-302-148
徐說明(寧波人) 676- 56- 2
徐彰明 1242- 67- 26
徐滾妻 清 見張氏
徐榮明 301-737-281
460-650- 65
474-372- 19
821-484- 58
徐榮妻 明 見吳氏
徐榮妻 明 見張貞順
徐榮妻 明 見鍾氏
徐壽宋 473-640- 78
481-524-326
481-693-332
528-537- 31
徐壽女 宋 見徐氏
徐壽明(字永齡) 511-549-158
徐壽明(字彥清) 523-487-170
徐輔妻 明 見林氏
徐摛梁 260-264- 30
265-878- 62
378-452-142
384-119- 6
469-192- 22
471-699- 16
472-376- 16
472-553- 23
472-1014- 41
475-560- 79
476-785-141
479-376-234
485-492- 9
510-422-116
523-211-156
540-723-28之1
933- 38- 6
1395-598- 3
徐槐宋 1150-867- 47
徐熙劉宋 265-491- 32
380-620-182
524-341-196

徐熙南唐 511-861-170
812-469- 3
812-546- 4
813-177- 17
821-114- 49
徐熙宋 516-517-106
徐熙明 511-361-150
徐碩唐 820-147- 26
徐碩妻 宋 見趙氏
徐愿宋 485-536- 1
491-302- 6
491-303- 6
523-449-168
徐瑫明 529-687- 50
徐兢宋 472-395- 17
493-916- 49
511-885-171
516-210- 96
593-909- 附
674-692- 8
820-418- 34
821-201- 51
徐榜明 511-708-164
徐碭明 479-581-243
516-111- 91
徐遘宋 511-817-167
徐遠北齊 263-213- 25
267-169- 55
379-465-154
475-419- 70
510-277-112
546-115-119
547-182-148
徐遠明(字文穆) 511-511-157
徐遠明(字屆甫) 1442-111- 7
1475-509- 22
徐遠女 明 見徐氏
徐圖明 820-752- 44
徐藻明 524-110-183
徐蒙宋 1170-670- 28
徐僨梁 265-844- 59
徐鳳宋 529-609- 47
1174-736- 46
徐鳳元 1210-303- 8
徐鳳明 見徐文溥
徐綜陳 494-261- 1
494-286- 3
徐銘明(字懋功) 472-278- 11
511-179-143
徐銘明(萊陽人) 476-700-137
540-800-28之3
徐銘明(永嘉人) 1457- 51-345
徐璽宋~元 見徐鈞
徐僑宋 287-756-422
398-688-413
451-398- 14
472-1030- 42
479-324-232
479-556-242
523-611-176
677-340- 31
678-136- 82
1210-436- 15
1226-435- 21
1374-443- 64
1457-577-397
徐綰唐 271-365-179
徐肇明 533-380- 60
徐緄梁 933- 87- 6
徐緄女 梁 見徐昭佩
徐綱唐 見李綱
徐綱宋 494-322- 6
523-434-167
徐綱姊 明 見徐氏
徐綱明(字浴泉) 480- 58-260
533- 15- 47
徐綱明(應城人) 533-436- 62
徐綸明 1261-689- 29
徐綸妻 明 見汪閏
徐綸清 1315-349- 15
徐綸妻 清 見劉氏
徐徹明 558-447- 38
徐綬明(昌平人) 476-331-115
545-422- 98
徐綬明(餘杭人) 1442- 71- 4
徐廣晉 256-356- 82
258-164- 55
265-502- 33
370-401- 10
378-132-134
384-112- 6
472-591- 24
491-801- 6
511-899-172
540-717-28之1
933- 87- 6
933- 87- 6
徐廣明 510-314-113
徐廣妻 明 見舒氏
徐賡妻 宋 見蔡氏
徐諒明(字子直) 515-835- 84
徐諒明(字公信) 1255-744- 75
1250-506- 47
徐瑩明 趙為濳妻
472-1033- 42
524-714-212
徐潼妻 清 見王氏
徐潮明 820-679- 42
1255-737- 74
徐潮妻 明 見沉氏
徐潮清 476-920-148
479- 58-219
523-269-158
537-231- 54
徐潤妻 明 見王氏
徐澄明 479-661-247
徐誼宋 287-428-397
398-423-392
451- 22- 0
472-173- 6
472-377- 16
472-962- 38
472-1117- 48
475- 70- 52
475-562- 79
479-405-235
485-240- 31
488- 14- 1
488-465- 14
493-774- 42
523-343-162
1164-379- 21
徐誼明(字宜叔) 472-274- 11
472-1017- 41
510-373-114
523-491-170
532-631- 43
徐誼明(長山人) 545-377- 97
徐潭明(字惟靜) 510-349-114
徐潭明(字汝容) 524-242-190
徐毅元 472-467- 20
546-644-136
1209-635-10下
徐適宋 400-163-513
徐熥明 529-721- 51
1442- 81- 5
1460-431- 60
徐慧唐 516-415-103
徐賢明(徐亨子) 299-405-146
徐賢明(字遂良) 567-307- 77
1467-194- 69
徐標明 301-504-266
456-438- 3
458-260- 7
474- 95- 3
505-640- 67
540-830-28之3
676-654- 27
徐厲漢 539-349- 8
徐瑾明 475-836- 93
511-506-156
徐確宋(字居易) 529-493- 44
徐確宋(善書) 821-220- 51
徐璒明 820-680- 42
徐霈明 523-621-177
徐璋唐 820-263- 29
徐璋明 473-448- 68
559-361- 8
571-545- 20
徐璋妻 清 見左氏
徐樟明 517-648-131
徐樞妻 宋 見揭氏
徐樞明 511-869-170
820-710- 43
徐璆漢 253-106- 78
254- 28- 1
376-815-110
384- 70- 3
402-541- 17
472-307- 13
473-296- 62
475-472- 72
480- 9-257
510-381-115
511-240-145
532-548- 40
537-324- 56
933- 86- 6
徐璉明(字宗獻) 300-287-200
479-766-252
505-830- 75
515-122- 60

517-625-130
554-602- 59
676-529- 21
1320-746- 81
徐璉明(字良器) 523-621-177
徐震宋 479-404-235
523-415-166
徐震明(字廷威) 511-511-157
徐震明(字德重) 511-738-165
1255-707- 72
1256-418- 27
徐震明(餘姚人) 563-760- 40
徐震明(字孟聲) 1239- 69- 31
1240-383- 24
徐模明 515-812- 82
徐奭宋(字武卿) 471-660- 11
472-221- 8
473-601- 76
485-199- 27
493-698- 39
510-325-113
524-338-195
徐奭宋(號沖晦先生)
479- 50-218
524-276-192
590-139- 17
徐奭元 1211-415- 58
徐履徐駒兒 宋 448-402- 0
448-409- 0
471-640- 9
472-1116- 48
524-270-191
821-220- 51
徐嶠唐 276- 16-199
400-411-538
494-375- 10
554-837- 63
徐輝宋 528-442- 29
徐嶢宋 524- 75-181
徐賜元 529-584- 46
徐儀陳 260-710- 26
265-881- 62
378-562-145
490-946- 89
524-302-194
933- 88- 6
徐儀元 1197-791- 83
徐儀明 1241-876- 23
徐儀女 明 見徐雪梅
徐儉徐衆、徐報 陳
260-709- 26
265- 8- 62
378-562-145
476-786-141
479-603-244
533-726- 73
533-736- 73
563-623- 38
933- 88- 6
徐儉明 524-223-189
徐億明 475-182- 59
511-545-158
徐德明 丁維南妻、徐與京女
1238-254- 21
徐緘清 524- 59-180
徐魯明 1467- 60- 64
徐銳宋 484-388- 28
徐範宋 287-763-423
398-692-414
400-141-511
451- 24- 0
473-572- 74
480-402-277
481-527-326
528-538- 32
徐範明 徐海門女 820-769- 44
1475-816- 34
徐樂漢 250-474-64上
251-633- 25
376-236- 99
384- 45- 2
472- 29- 1
474-571- 29
505-726- 71
933- 85- 6
徐徵漢 453-747- 3
482-343-361
567-290- 76
1467-161- 68
徐憲漢 511-661-162
徐憲元 472-261- 10
徐憲明 458- 90- 4
徐憲妻 明 見許氏
徐諷女 明 見徐氏
徐嬴春秋 齊桓公夫人
404-629- 38
徐燎明 1295-120- 9
徐熼明 456-632- 10
徐禘明 561-199-38之1
1247- 11- 1
徐熺清 511-578-159
徐燁女 明 見徐氏
徐澤明 302- 36-291
456-516- 6
473-177- 57
480-298-271
533-390- 60
徐濂清 511-784-166
徐凝唐 451-447- 4
516-215- 96
524- 79-182
813-259- 10
820-222- 28
1371- 69- 附
徐激明 456-637- 10
徐璜漢 253-509-108
380-491-179
徐璟明 559-250- 6
徐璣宋 524- 85-182
820-444- 35
1462-628- 87
1164-385- 21
1437- 27- 2
徐樾明 301-786-283
457-521- 32
494-158- 5
515-889- 86
569-677- 19
571-527- 19
676-567- 23
1457- 35-304
徐穎元 515-352- 67
徐穎明 676-678- 28
1442-101- 6
1442-118- 8
1460-809- 88
1475-454- 19
徐穎妻 清 見郭氏
徐臻宋 288-385-254
400-197-515
472-1118- 48
479-407-235
524-230-189
564-826- 60
徐臻元 1229-503- 4
徐臻明 559-308-7上
徐霏妻 明 見王氏
徐璠明(字魯卿) 300-517-213
1921-398- 7
徐璠明(建德縣人) 524-162-186
徐璠不詳(宜春人) 517-335-124
徐畺宋 473-778- 84
482-523-367
567-363- 81
1467-169- 68
徐整晉 515-295- 66
徐整梁 494-263- 1
494-368- 9
徐翰明 1272-262- 13
徐璘明 見徐繗
徐霖宋 287-795-425
398-720-416
472-1043- 43
473-111- 54
473-376- 65
479-356-233
479-654-247
480-581-285
515-168- 62
523-334-161
532-742- 46
678- 10- 71
徐霖明(字用濟) 515-785- 81
523-102-150
徐霖明(字子仁) 676-553- 22
820-669- 42
821-413- 56
1323-326- 28
1393-685-490
1442- 49- 3
1460- 62- 43
徐霖明(字天澤) 1272-260- 13
徐遹宋 473-602- 76
529-742- 51
徐蕆宋 見徐藏
徐瞮妻 明 見陳氏
徐興宋 285-494-280
396-731-319
472-113- 4
472-592- 24
徐蕃明 300- 80-188
472-297- 12

475-377- 68
511-208-144
徐曄唐 820-281- 30
徐曄妻 明 見朱氏
徐嶧母 明 見雷氏
徐嶧明 456-633- 10
511-442-153
徐暹明 300- 81-188
472-528- 22
476-528-128
540-797-28之3
545- 77- 85
徐篤明 1442-101- 6
徐積宋 288-451-459
382-768-117
384-375- 19
400-330-528
449-289- 14
471-908- 46
472-311- 13
475-327- 65
511-689-163
674-827- 17
708-344- 50
820-384- 33
933- 91- 6
1101-978- 32
1101-981- 32
1101-984- 32
1109-254- 14
1110-550- 32
1138-695- 12
1437- 15- 1
1461-800- 41
徐縞明 475-834- 93
510-498-118
徐縉徐溍 明 676-534- 21
678-249- 94
680-234-247
1275-811- 47
1442- 41- 2
1459-818- 33
徐縉妻 明 見王儀
徐縉妻 明 見郁氏
徐錦明 567-112- 67
徐錦妻 明 見蒙氏
徐儒明 576-654- 5
徐衡宋 516- 19- 87
徐衡明 554-500-57上
徐穆明 452-200- 4
473-157- 56
515-682- 78
572- 84- 28
676-526- 21
1250-956- 90
徐濤宋 821-219- 51
徐鴻漢 494-261- 1
徐謇後魏 262-300- 91
267-708- 90
380-629-183
541-104- 31
742- 30- 1
徐豁劉宋 286-479- 91
258-581- 92
265-503- 33
479-222-227
482- 73-341
486- 63- 3
523-144-153
563-617- 38
933- 87- 6
徐謐明 475-472- 72
511-594-159
徐膺宋 529-665- 49
徐禧宋 286-433-334
382-553- 86
384-374- 19
397-536-353
473- 21- 49
515-308- 66
518-232-143
843-673- 下
933- 92- 6
徐濟明 473-631- 77
820-578- 40
1248-622- 3
徐謙明 511-315-148
徐襄漢 244-857-121
933- 85- 6
徐聰明 1262-413-45
徐輿元 1208-286- 13
徐璮元 見李璮
徐瑺唐 820-226- 28
徐聯明 511-193-143
676-527- 21
1263-511- 5
徐韓清 1327-699- 8
徐趨明 456-635- 10
徐環妻 明 見毛氏
徐駿妻 明 見陶氏
徐還妻 明 見柔福帝姬
徐爵明 473- 50- 50
516- 62- 89
徐總明 524-193-188
徐鍇宋 288-212-441
401-207-595
472-294- 12
475-373- 68
511-782-166
674-582- 3
681-435- 0
812-741- 3
820-316- 31
徐鍾妻 明 見屈氏
徐穉漢 253-160- 83
376-837-110
384- 66- 3
386- 11-69上
402-489- 12
402-584- 20
448-109- 下
453-754- 4
470-132-106
471-722- 19
473- 19- 49
479-484-239
515-291- 66
517-170-120
517-307-123
547-167-147
574-679- 39
575-648- 39
871-900- 19
933- 86- 6
1066-216- 20
1343-729- 53
1353-742-106
1356-339- 16
1356-848- 4
1408-431-521
1409- 30-564
1410-249-694
1418-526- 53
1447-939- 56
徐徽宋 472-402- 18
475-797- 90
511-824-167
1437- 13- 1
徐徽明 1276-417- 10
徐禮明 472-348- 15
510-455-117
徐璹唐 814-277- 10
820-206- 28
徐璹宋 1124-529- 16
徐璿宋 515-329- 67
徐嚞宋 486- 53- 2
493-714- 39
523-332-161
933- 92- 6
徐彝明 473-348- 63
480-436-278
徐藏徐蒇 宋 493-916- 49
510-360-114
511- 93-140
523- 98-150
684-491- 下
820-418- 34
徐鎮明 1229-310- 10
徐鎰明 563-813- 41
徐礐宋 473- 60- 51
515-196- 63
徐簡唐 524-434-201
徐簡清 吳于庭妻
1475-839- 35
徐繗徐璘 明 511-744-165
1442- 50- 3
1460- 72- 43
徐邈魏 254-466- 27
377-224-117
384- 86- 4
384-660- 41
472- 29- 1
472-194- 7
472-943- 37
474-170- 8
478-451-197
478-633-206
505-710- 71
545-166- 89
558-217- 32
812-316- 4
821- 8- 45

933- 86- 6
徐邈晉 256-478- 91
380-282-173
384-101- 5
472-591- 24
475-274- 63
491-799- 6
511-899-172
540-716-28之1
677-116- 11
933- 87- 6
徐邈女 晉 見徐氏
徐麒明 299-492-154
徐爌明 1283-582-112
徐爌妻 明 見吳氏
徐爌清 1475-587- 25
徐鏖明 533-315- 57
徐龐女 明 見徐氏
徐懷明(字明德) 505-636- 67
515- 39- 58
523-340-162
徐懷明(字公允) 1260-622- 18
徐鏊明 300-109-189
475-452- 71
徐瓊明 452-211- 5
473-117- 54
515-782- 81
820-652- 42
徐曠唐 見徐文遠
徐巘妻 明 見李氏
徐巘妻 明 見顧氏
徐鏓妻 明 見苗氏
徐籀清 532-642- 43
徐鏡妻 清 見張氏
徐鏞明 473-214- 59
475-325- 65
480- 57-260
478-671-209
510-383-115
528-452- 29
533- 8- 47
554-310- 53
558-200- 31
1249-302- 18
徐馨明 571-552- 20
徐翻明 1475-826- 34
徐曦明 524-157-186
676-484- 18

徐耀明 511-214-144
徐耀妻 清 見任氏
徐藻父 宋 1170-717- 31
徐繼妻 明 見王氏
徐灌明 460-517- 46
徐夔妻 明 見譚氏
徐顥明 515-135- 61
524- 98-183
徐蘭父 元 1219-143- 3
徐蘭明(字與善) 523-620-177
558-473- 40
676- 20- 1
676-461- 17
678-183- 87
徐蘭明(字秀夫) 524-367-197
821-436- 57
徐蘭明(字芳遠) 684-499- 下
820-692- 43
徐蘭妻 明 見吳氏
徐鐸宋 286-370-329
471-670- 13
494-303- 5
徐鐸女 宋 見徐氏
徐鐸明(字孔聲) 472-520- 22
515-357- 68
徐鐸明(南昌人) 476- 79-100
545-185- 90
徐鐸妻 清 見劉氏
徐彎唐 472-986- 39
479-108-221
524-395-199
1061- 34- 85
1061-276-110
徐驎梁 265-1104- 77
381- 21-184
384-123- 6
徐鑄宋 493-915- 49
523- 77-149
徐鑑明(字子明) 301-738-281
473-738- 82
563-831- 41
1248-501- 24
1250-674- 65
徐鑑明(字克明) 523-492-170
徐鑑明(字觀甫) 676- 38- 2
679-684-205
680-255-250
徐麟後涼 821- 14- 45

徐麟明(字天麟) 470-741- 29
480-130-264
533- 37- 48
537-302- 56
徐麟明(字仁卿) 533- 63- 49
徐麟明(號奇峰) 1236-769- 11
徐麟明(字孟祥) 1260-595- 16
徐瓚徐讚(字朝儀) 472-647- 26
494-156- 5
515- 43- 58
523-561-174
569-652- 19
徐瓚明(嘉興人) 524-246-190
徐瓚明(吳縣人) 528-526- 31
徐巇宋 524- 75-181
徐巖唐 1065-874- 23
1342-444-962
1410-486-727
徐鑣明 456-603- 9
徐鑛明 533-218- 53
徐灝妻 明 見譚氏
徐灝清 479-358-233
524-160-186
徐讓明(綿竹人) 472-766- 30
537-316- 56
徐讓明(布政司理問)
545- 66- 85
徐觀明(字大賓) 473-807- 86
511-328-149
徐觀明(字尚賓) 820-616- 41
徐讚明 見徐瓚
徐驥明 460-806- 86
529-745- 51
678-281- 97
徐鑾明 523-334-161
徐驤宋 511-851-169
680-487-271
徐鸞明 511-242-145
徐一三妻 明 見畢氏
徐一元明 511-590-159
徐一中明 483-139-380
徐一范清 476-279-111
545-328- 95
徐一科明 475-641- 83
510-449-117
徐一唯明 515-125- 60
徐一源明 456-490- 5
477-125-155

479- 98-221
523-364-163
537-259- 55
徐一鳴明 473- 17- 49
515- 51- 58
533-253- 55
676-201- 8
徐一檟明 510-377-114
523-488-170
1283-885-135
徐一耀妻 明 見李氏
徐一夔明 301-817-285
479-101-221
479-291-230
524- 65-181
585-380- 7
588-181- 8
676-448- 17
1318-360- 64
1405-691-307
1442- 10- 1
1459-293- 8
徐二尼妻 清 見王氏
徐九同明 524-224-189
徐九枚明 821-455- 57
徐九思宋 529-595- 47
563-670- 39
徐九思徐九經 明
301-744-281
475- 71- 52
479-560-242
510-315-113
515-888- 86
540-619- 27
576-654- 5
581-703-116
徐九經明 515-890- 86
528-530- 31
徐九經明 見徐九思
徐人傑宋 見徐仁傑
徐人龍明 523-550-173
532-600- 41
1320-710- 78
徐三仁明 554-343- 54
徐三姑明 徐正林女
481-439-316
徐三畏明 505-819- 74
554-298- 53

徐三重明 458-1058- 2
475-182- 59
511-679-163
677-658- 59
1442- 78- 5
1460-395- 58
徐三益妻 清 見孔氏
徐三晉妻 清 見陳氏
徐三級妻 清 見毛氏
徐三暘女 明 見徐貞娥
徐士安宋 524-336-195
徐士良明 1232-402- 2
徐士宗明 301-737-281
523-464-169
徐士英妻 清 見鄭氏
徐士涓明 472-645- 26
537-209- 54
徐士淵明 523-156-153
徐士訥清 479-382-234
523-494-170
徐士雅明 456-629- 10
徐士榮妻 清 見吳氏
徐士謨妻 明 見陸氏
徐士鸎清 476-451-123
523-423-166
545-482-100
徐士驤明 456-673- 11
479-728-250
515-724- 79
徐子才後魏 見徐之才
徐子中宋 515-340- 67
徐子仁女 明 見徐領姑
徐子石宋 515-756- 80
徐子良明 472-985- 39
徐子壯妻 清 見鄭氏
徐子明女 明 見徐亞孫
徐子厚明 524-205-188
徐子奎明 524-205-188
徐子柔宋 見徐經孫
徐子貞明 592-1011- 下
1229-304- 10
1229-333- 12
徐子卿元 1194-221- 17
徐子修明 821-353- 55
徐子寅徐寅 宋 487-122- 8
523-449-168
540-767-28之2
1153-314- 84
1153-406- 91
徐子善明 563-778- 40
567-307- 77
徐子肅明 1293-450- 3
徐子愚元 820-546- 39
徐子端宋 494-328- 6
515-335- 67
徐子壽宋 1180-366- 34
徐子魁女 明 見徐氏
徐子鄧元 1194-205- 15
徐子融宋 515-865- 85
徐子權明 456-696- 12
479-682-248
515-544- 74
588-297- 1
徐于柔宋 見徐經孫
徐大中宋 933- 92- 6
徐大化明 302-330-306
528-555- 32
徐大正宋 1115-635- 38
徐大用宋 1163-414- 14
徐大用清 474-775- 41
476-480-125
476-727-138
502-777- 86
540-676- 27
徐大任明 475-610- 81
511-306-148
528-531- 31
1457-518-389
徐大行明 456-485- 5
554-367- 54
徐大姑清 施士標妻
479- 63-219
524-465-202
徐大受宋(字季可) 523-604-176
680-197-243
徐大受宋(字君猷)
1110-372- 19
徐大美妻 明 見劉氏
徐大相明 300-835-234
479-581-243
516-109- 91
徐大勇清 456-302- 73
徐大發宋 524-161-186
徐大貴清 474-772- 41
502-635- 78
徐大聘妻 清 見陳氏
徐大節宋 933- 92- 6
徐大儀明 678-224- 91
徐大興宋 523-198-155
524-334-195
徐大禮明 302- 23-290
481-212-302
徐大鵬明 523-564-174
徐上達明 515-890- 86
徐山南明 1235-402- 13
徐千能宋 482-303-353
529-503- 44
徐久德明 515-895- 86
559-292-7上
徐心箴妻 明 見李氏
徐斗支明 1442-118- 8
1460-810- 88
1475-795- 33
徐斗牛明 554-297- 53
徐方敬明 456-576- 8
554-721- 61
徐方廣明 511-762-166
徐方聲明 456-576- 8
徐文山明 515-189- 62
徐文斗明 456-583- 8
524-100-182
徐文元清 見徐元文
徐文中元 511-881-171
徐文中妻 明 見王氏
徐文玉女 明 見徐秀澄
徐文伯劉宋 265-491- 32
380-620-182
492-599-13下之下
524-342-196
742- 31- 1
徐文和明 1475-306- 13
徐文采妻 清 見潘氏
徐文津明 1254-481- 6
徐文亮唐 540-737-28之2
徐文旆明 477-502-174
徐文郁明 516- 55- 89
徐文珍明 821-394- 56
徐文昭明 1229- 51- 4
徐文英明(字景華) 477-419-169
538- 66- 63
徐文英明(溧陽人) 511-178-143
徐文高清 456-335- 76
徐文烜清 511-324-148
徐文泰元 1209-457-7下
徐文振明 483- 32-371
569-661- 19
徐文卿宋 674-793- 15
1437- 28- 2
徐文通明 1442- 58- 3
1460-174- 48
徐文彪明 524-205-188
558-476- 40
676-536- 21
徐文敏明 524-153-185
徐文盛梁 260-379- 46
265-899- 64
378-467-142
511-222-144
569-643- 19
933- 88- 6
徐文琳陳堪永妻 清
524-509-203
徐文華明 300-143-191
481-311-307
503- 11- 90
554-220- 52
559-380-9上
571-521- 19
徐文溥徐溥、徐鳳 明
300- 88-188
479-357-233
676-544- 22
820-701- 43
徐文瑄清 511-577-159
徐文瑛妻 清 見王氏
徐文遠徐曠 唐
271-533-189上
276- 3-198
384-175- 9
400-581-554
476-787-141
477-318-164
534-813-112
540-734-28之2
547-149-147
554-884- 64
933- 90- 6
徐文鳳宋 679-542-191
徐文魁清 511-587-159
徐文震宋 472-1031- 42
524-149-185
524-150-185

徐王璉明 515-441- 70
徐文質宋 587-716- 17
1087- 27- 下
1351-583-139
1410-296-703
徐文璠妻 清 見朱氏
徐文燫妻 元 見周氏
徐文璧明 299-153-125
徐文獻宋 1150- 86- 10
徐之才後魏 262-301- 91
263-256- 33
267-709- 90
380-630-183
524-342-196
541-105- 31
742- 33- 1
933- 89- 6
徐之才女 北齊 見徐仙姑
徐之垣明 515-205- 63
徐之紀宋 487-510- 7
徐之瑞明 524- 11-178
1442-109- 7
1460-661- 73
徐之福明 1475-700- 29
徐之綱元 1203-386- 29
徐之璉清 1321-175-105
徐之範北齊 263-259- 33
267-711- 90
742- 34- 1
徐之龍妻 明 512-296-184
徐之龍清 475-232- 61
478-270-187
511-452-153
554-315- 53
徐之鸞明 見齊之鸞
徐尤才清 456-336- 76
徐太玄唐 269-795- 81
徐太虛元 821-330- 54
徐五齋明 1283-679-120
徐五齋妻 明 見陸氏
徐元方宋 1181- 46- 5
徐元之唐 473- 76- 52
494-288- 4
516- 93- 91
徐元文徐文元 清
475-142- 57
511-116-140
1322-594- 9
徐元太父 明 512-771-196
徐元太明 511-303-148
徐元正清 479-146-223
524- 38-179
徐元孝明 545-150- 88
徐元那妻 清 見王氏
徐元杰宋 287-785-424
398-711-415
471-713- 18
473- 64- 51
473-615- 77
479-558-242
481-643-330
515-866- 85
528-507- 31
1171- 70- 9
1181-601- 附
徐元春明(字正夫)
1442- 76- 5
1460-378- 57
徐元春明(字殷仲)
1475-318- 13
徐元貞明 480-200-267
徐元貢明 475-672- 84
徐元泰明 554-188- 51
徐元珙清 511-169-142
1318-435- 70
徐元倬清 524- 13-178
徐元氣明 511-303-148
徐元得元 1194-225- 17
徐元凱妻 清 見田氏
徐元道明 545-225- 91
徐元榆宋 1098-715- 44
1356-196- 9
1410-358-710
徐元聘宋 460-286- 18
徐元概明 1248-623- 3
1250-296- 28
徐元夢清 544-153- 6
478-771-215
徐元慶唐 384-188- 10
400-288-523
554-751- 62
933- 90- 6
徐元瑾妻 明 見高妙安
徐元震元 1222-355- 35
徐元震女 元 見徐永貞
徐元獻明 1255-593- 63
徐孔奇明 515-361- 68
徐孔徒明 456-583- 8
516-110- 91
徐孔第明 533-268- 55
徐天平清 479-403-235
523-238-156
徐天虬妻 清 見吳氏
徐天祐宋(字受之) 494-349- 7
524-257-191
徐天祐宋(武康人) 494-454- 13
徐天祐明 532-650- 43
徐天揚清 456-390- 80
徐天賡妻 清 見吳氏
徐天錫宋 1106-547- 28
徐天麒元 1197-780- 82
徐天寵明 474-373- 19
505-672- 69
徐天麟宋 288-175-438
400-562-551
473-128- 55
480-400-277
482- 74-341
482-320-354
493-778- 42
523- 17-146
563-675- 39
674-634- 5
1177-172- 6
1467- 41- 63
徐友文明 524-232-189
徐日久明 480- 52-259
523-488-170
532-619- 43
徐日升明 540-826-28之3
徐日東清 533-318- 57
徐日迪妻 清 見鍾氏
徐日泰明 302- 69-293
456-487- 5
477-306-163
479-662-247
537-306- 56
徐日章徐夢麟 宋448-385- 0
徐日森清 481-649-330
529-684- 50
徐日舜明 456-467- 4
523-411-166
徐日新女 清 見徐氏
徐日敷明 524-159-186
徐日曦明 523-489-170
徐日耀明 456-488- 5
徐中立宋 1226-694- 2
徐中台明 529-631- 48
徐中行宋(字德臣) 288-422-459
401- 27-571
472-1103- 47
479-288-1230
523-603-176
1356-684- 8
1356-754- 16
徐中行宋(字元立) 515-859- 85
徐中行明 301-853-287
479-145-223
481-720-333
494-158- 5
524- 35-179
528-461- 29
528-553- 32
537-329- 56
569-653- 19
676-582- 24
1278-354- 15
1283-860-134
1442- 65- 4
1457-568-396
1458-749-477
1460-259- 51
徐公武宋 523-240-157
徐公輔明 511-505-156
徐公舉明 1247-390- 15
徐仁則元 820-530- 38
1215-273- 1
1469-115- 41
徐仁紀唐 271-641-192
511-140-142
徐仁得妻 明 見孟氏
徐仁傑徐人傑 宋473- 63- 51
515-863- 85
徐仁顯女 明 見徐氏
徐升貞清 523-442-167
徐升庸妻 明 見王氏
徐升曜清 483-178-384
570-129-21之1
徐化成清(奉天人) 476-920-148
502-691- 81
537-228- 54
徐化成清(字文侯) 479-287-230

505-805- 74
523-179-154
徐化溥清 546-679-137
徐允益元 見徐永益
徐允恭明 見徐輝祖
徐允祿明 678-223- 91
1442- 99- 6
1460-605- 70
徐允薦明 505-672- 69
徐允讓元～明 302-140-296
524-133-185
徐允讓妻 元 見潘妙圓
徐立之宋(字植夫) 487-121- 8
524-315-194
徐立之徐炳 宋(號迴峰先生)
524-276-192
590-139- 17
徐必友宋 524-298-193
1228-774- 13
徐必茂元 1195-576-下
1197-660- 68
徐必登明 456-619- 9
481-721-333
528-555- 32
徐必發妻 明 見陳氏
徐必進明 511-379-150
徐必運妻 清 見楊氏
徐必達明 302- 61-292
475- 71- 52
479- 98-221
678-475-115
1442- 83- 5
1475-376- 16
徐必達劉必達 明456-545- 7
徐必遇清 523-393-164
徐必遠清 511- 85-139
1315-316- 12
徐必遠妻 清 見劉氏
徐必選妻 清 見周氏
徐永元明 511-633-161
徐永吉明 456-678- 1
511-499-156
徐永治明 524-147-185
徐永貞元 曹玄妻683- 64- 3
徐永益元 479-319-232
523-187-155
1226- 95- 5
徐永詔明 547- 6-141
徐永順清 502-646- 78
505-642- 67
徐永滑明 1241-790- 19
徐永達明 472-683- 27
472-852- 34
475-871- 95
477-130-155
537-429- 58
545- 67- 85
554-337- 54
676-471- 18
1241-851- 22
徐永寧明 1250-914- 86
徐永寧清 511-169-142
徐玉姑明 楊善妻
479-358-233
524-739-213
徐玉蘭明 456-661- 11
徐丙晉明 528-564- 32
徐弘成清 511-596-159
徐弘炯明 1475-691- 29
徐弘祖明 511-842-168
570-216- 23
571-597- 34
徐弘敏唐 見徐有功
徐弘道元 524-391-198
徐弘澤明 524- 25-179
524-354-196
820-755- 44
821-473- 58
1442-105- 7
1460-634- 72
1475-399- 17
徐正夫明 456-632- 10
徐正林女 明 見徐三姑
徐本和明 564-246- 47
徐本高妻 明 見王氏
徐石麒明 301-630-275
456-411- 1
458-314- 11
479- 98-221
510-318-113
523-364-163
676-652- 27
1458-613-463
1442-104- 7
1460-700- 76
1475-436- 19
徐石麟妻 明 見楊氏
徐司馬朱司馬 明
299-263-134
511-206-144
523- 33-147
徐可大明 537-282- 55
徐可久明(字有功) 483- 47-372
567-356- 80
569-664- 19
徐可久明(字復貞)
1295- 53- 4
徐可先清 511-167-142
525-253-157
徐可行明(字爾思) 475-485- 73
511-471-154
徐可行明(字心如) 480-404-277
567-353- 80
1467-251- 71
徐可求明 481- 26-291
523-411-166
559-505- 12
徐可期明 524-267-191
678-225- 92
徐可繼明 483- 16-370
徐世用明 571-554- 20
徐世休陳 260-631- 13
徐世亨宋 516-199- 95
徐世沐清 511-684-163
徐世法清 477-473-173
537-345- 56
徐世昌宋 821-219- 51
徐世虎清 456-335- 76
徐世淳明 302- 61-292
456-488- 5
479- 99-221
480-201-267
523-364-163
533-380- 60
677-691- 61
1475-422- 18
徐世淳妻 明 見倪氏
徐世淳妻 明 見趙氏
徐世隆元(字威卿) 295-181-160
399-557-475
451-654- 12
472-569- 24
472-664- 27
474- 93- 3
476-477-125
476-611-133
476-818-143
477-453-171
538-150- 65
540-640- 27
1439-421- 1
1470-108- 5
徐世隆元(東平人) 541- 95- 30
徐世溥明 479-495-239
515-454- 70
徐世勣唐 見李勣
徐世榮宋 821-246- 52
徐世蔭明 523-336-161
528-464- 29
徐世擲齊 265-1102- 77
381- 19-184
徐世學妻 明 見李容娘
徐世譜陳 260-630- 13
265-947- 67
378-516-144
480-251-269
481-236-303
533-207- 53
559-373- 8
591-622- 45
933- 88- 6
徐民式明 529-619- 47
徐民極妻 明 見董春英
徐以忠明 554-766- 62
徐以貞明(字本良) 476-527-128
505-701- 70
徐以貞明(知松溪) 528-529- 31
徐以昭明 524- 76-181
徐以昭妻 明 見白氏
徐以盤妻 明 見黃聰娘
徐令文晉 820- 75- 23
徐冬使黃瓊妻 明
481-650-330
530-128- 57
徐生之齊 265-1045- 73
380-105-167
475-472- 72
徐任宗明 473- 61- 51
479-557-242
515-201- 63
徐仕高明 563-783- 40
徐用元明 511-414-152

徐用光明 524-267-191
徐用和元 511-408-152
徐用莊明 1245-739- 10
徐用極明 456-661- 11
徐用錫清 475-433- 70
徐用檢明 457-203- 14
523-484-170
676- 79- 3
徐仙姑徐姑僊 北齊 徐之才女 564-615- 56
1061-350-115
徐守貞明 胡仲器妻、徐朝英女 1236-764- 11
徐守貞明 潘順妻、徐宗文女
302-227-302
479-148-223
524-580-206
徐守約女 宋 見徐氏
徐守信宋 511-927-174
徐守貴妻 清 見王氏
徐守誠明 524-135-185
徐守質明 456-637- 10
徐守謙明 545-156- 88
徐安子漢 見徐安于
徐安于徐安子 漢820- 35- 22
徐安民宋 473-222- 59
480- 87-262
532-623- 43
徐安生明 821-493- 58
徐安邦宋 1173-200- 77
徐安度元 1217-166- 2
徐安貞徐楚璧 唐(字子貞)
271-588-190中
276- 33-200
472-1041- 43
479-354-233
524- 74-181
814-274- 10
820-170- 27
徐安貞唐(蘭陵人) 470- 74- 97
徐安國宋 567- 68- 65
1467- 42- 63
徐安越妻 元 見余氏
徐安道妻 宋 見葛氏
徐安遠妻 明 見楊氏
徐江山明 479- 54-218
524-175-187
820-691- 43
徐江老宋 見徐理
徐汝一宋 523-564-174
徐汝士妻 宋 見李氏
徐汝化明 480- 59-260
徐汝正明 511-308-148
554-302- 53
徐汝陽明 515-796- 82
徐汝楫明 511-651-162
徐汝寬妻 明 見唐氏
徐汝翼明 537-220- 54
徐州守明 554-313- 53
徐吉貞明 559-277- 6
徐在柯清 511-882-171
徐在漢清 677-750- 66
徐存正明 1241-333- 2
徐存敬明 554-339- 54
徐存誠元 511-880-171
徐存禮明 524-223-189
徐有功徐弘敏 唐270- 20- 85
274-442-113
384-187- 10
395-430-220
459-366- 22
469-192- 22
472-310- 13
472-456- 20
476-110-102
477-311-164
534-813-112
537-497- 59
545-357- 96
933- 89- 6
徐有生妻 明 見孫氏
徐有爲妻 明 見王氏
徐有度明 456-529- 6
529-575- 46
徐有貞徐珵 明 299-700-171
452-142- 1
453-615- 19
472-309- 13
493-985- 52
494-169- 6
511- 96-140
540-617- 27
552- 77- 19
570-217- 23
581-626-109
676-489- 19
820-624- 41
821-389- 56
1255-537- 58
1283-268- 88
1284-133-146
1284-355-163
1386-277- 39
1386-671- 56
1442- 25- 2
1459-620- 24
徐有貞妻 明 見蔡妙貞
徐有傳妻 元 見葉氏
徐有賢明 1255-705- 72
徐有聲明 301-504-266
456-460- 4
475-279- 63
476-251-110
511-457-154
545-305- 94
徐至美明 456-497- 5
523-391-164
徐次鐸宋 472-1030- 42
524- 70-181
徐同甫女 明 見徐節
徐同貞明 1442-113- 7
徐同貞妻 清 見趙氏
徐同寅妻 明 見鄒氏
徐光大明 532-711- 45
徐光大妻 明 見應惟貞
徐光允明 524- 68-181
徐光旭清 479-357-233
523-412-166
徐光辰清 528-517- 31
徐光岳明 523-599-176
徐光國明 676-242- 9
徐光國妻 清 見陳氏
徐光啟明 301-255-251
475-183- 59
511-130-141
676-361- 13
678-477-115
820-736- 44
徐光皓清 479-357-233
523-412-166
徐光鼎妻 明 見萬氏
徐光實宋 523- 98-150
529-530- 45
徐光藩清 515-897- 86
徐兆任明 456-528- 6
505-837- 76
徐兆先明 480-635-288
徐非佐明 1295-140- 11
徐兆璋妻 清 見何氏
徐兆麟妻 明 見何氏
徐旭齡清 476-480-125
479- 57-219
523-268-158
540-674- 27
徐任道明 523-489-170
徐自化明 538- 81- 64
徐自為漢 547-180-148
徐自得明 458- 48- 2
537-407- 57
徐自鑑清 511-649-162
徐向鄉明 481-154-298
徐好問金 1365-297- 9
1445-531- 41
徐好義明 537-302- 56
徐如珂明 301-222-249
481- 26-291
511-437-153
559-256- 6
561-450- 43
徐如珪元 鄭天覺妻
820-553- 39
徐如晦宋 480-614-287
515-323- 67
532-747- 46
徐先進清 456-336- 76
徐仲山妻 明 見朱氏
徐仲山女 清 見徐昭華
徐仲宇明 533-799- 75
徐仲堅宋 511-875-170
1351-642-145
1378-605- 63
1384-184- 96
1384-185- 96
1410-233-691
徐仲雅十楚 473-337- 63
480-406-277
533-316- 57
徐仲華女 明 見徐氏
徐仲源唐 472-338- 14
475-528- 77
511-599-160
徐仲敬明 1240-722- 7

1240-767- 8
1241-467- 7
徐仲端明 563-777- 40
徐仲融劉宋 742- 31- 1
徐仲選明 1442-114- 7
1460-676- 74
1475-543- 23
徐行中妻 明 見莊正圓
徐行可明 456-532- 6
479-609-244
516-140- 92
徐竹周宋 472-326- 14
475-704- 86
徐行恕明 592-1012- 下
徐行健明 523-362-163
徐休復宋 285-431-276
491-344- 2
563-665- 39
徐宏修妻 明 見田氏
徐宏軒妻 明 見柳氏
徐沖淵宋 587-446- 5
徐良夫明 1229-378- 14
徐良甫明 821-349- 55
徐良佐宋 494-347- 7
徐良彥明 510-317-113
515-427- 70
1442- 86- 5
1460-483- 63
徐良能宋 494-340- 7
523-478-170
524-265-191
徐良弼明 473- 61- 51
515-200- 63
徐良傅明 510-364-114
515-792- 82
徐良輔明 1231-354- 5
徐良壁明 1257- 30- 4
徐志根元 1202-259- 18
徐志道宋 515-593- 75
徐志節妻 清 見趙氏
徐志遠宋 515-593- 75
徐甫宰明 300-644-222
481-720-333
482-303-353
523-550-173
528-553- 32
563-796- 41
徐成序妻 清 見周氏
徐成甫宋 1115-620- 36
徐成甫妻 宋 見蔡氏
徐成義清 456-381- 79
徐成楚明 480-320-272
533-240- 54
537-270- 55
徐孝克陳 見法整
徐孝恭宋 523-622-177
徐孝肅隋 264-1032- 72
267-635- 84
380-127-167
472-708- 28
477-206-159
538- 94- 64
933- 89- 6
徐孝義明 472-741- 29
徐孝嗣齊 259-444- 44
265-260- 15
370-521- 16
378-213-137
476-784-141
479-132-223
488-211- 9
494-282- 3
512-729-195
523-111-151
540-719-28之1
814-250- 6
820- 92- 24
933- 87- 6
1379-567- 66
1395-593- 3
1399-414- 8
1415-157- 87
徐孝德女 唐 見徐惠
徐孝穎隋 485-166- 22
493-1005- 53
511-518-157
徐育孫宋 見徐希林
徐育德明 1291-525- 9
徐育德妻 明 見季氏
徐君采元 1222-484- 13
徐君洪宋 515-168- 62
徐君彥明 1227-133- 16
徐君猷宋 532-629- 43
徐君蒨劉宋 265-261- 15
378-420-141
933- 87- 6
徐君慶元 472-402- 18
徐君寶妻 宋 480-466-279
徐君寶元 515-233- 64
徐克仁明 524-153-185
徐克成清 456-335- 76
徐即登徐郎登 明
515-418- 69
537-221- 54
676- 9- 1
676-625- 26
677-664- 59
678-216- 90
徐改之宋 821-215- 51
徐孚躬妻 清 見張氏
徐孚遠明 301-667-277
511-762-166
1442-110- 7
徐位中妻 清 見黃氏
徐佐卿唐 561-216-38之3
徐佀道宋 493-747- 41
徐作霖明 456-665- 11
538- 46- 63
676-657- 27
徐伯虬明 1442- 65- 4
徐伯昌明 456-544- 7
徐伯相明 676-338- 12
徐伯珍齊 259-537- 54
265-1077- 76
370-527- 16
380-451-178
472-1041- 43
479-354-233
524-294-193
677-120- 12
814-255- 7
820- 95- 24
徐伯恭明 473- 23-49
徐伯康妻 明 見蔣氏
徐伯常明 511-373-150
徐伯陽陳 260-786- 34
265-1028- 72
380-377-176
472-554- 23
476-786-141
933- 88- 6
1387-180- 10
1395-601- 3
徐伯琛宋 515-338- 67
徐伯嵩妻 宋 見傅氏
徐伯榮妻 明 見程氏
徐伯鳳明 515-894- 86
徐伯徵明 676-635- 26
1442- 94- 6
1460-541- 66
徐伯龍元 523-420-166
徐伯龍妻 元 見夏淑榮
徐伯齡明(字延之) 524- 7-178
585-468- 13
676-324- 12
徐伯齡明(嘉興人) 821-450- 57
徐希仁妻 明 見汪鳳娘
徐希朱明 563-836- 41
徐希秀劉宋 265-1093- 77
814-250- 6
820- 89- 24
徐希林徐育孫 宋451- 69- 2
徐希周徐景周 宋
1181- 47- 5
徐希賢女 明 見徐氏
徐邦瑞明 456-679- 11
1283-650-118
徐邦憲宋 287-517-404
398-502-398
472-1030- 42
479-324-232
523-326-161
徐邦憲元 517-495-128
徐佛保明 475-225- 61
徐秀姑清 徐明琦女
479-359-233
徐秀澄明 曹以東妻、徐文玉女 1248-631- 3
徐妙安元 盧華妻
1210-363- 11
徐妙英元 彭從龍妻
1197-815- 86
徐妙梓元 陳汝楳妻
524-630-208
1226-445- 21
徐妙善明 梁福妻
473-589- 75
530- 88- 56
徐妙靜元 劉壽妻、徐瑞女
1226-489- 23
徐妙錦明 徐達女512-455-188
1457-742-413

徐廷用明 473-341- 63
480-411-277
1250-935- 88
徐廷印清 474-824- 44
徐廷宗明 505-685- 69
511-322-148
徐廷松明 505-659- 68
540-823-28之3
徐廷玠明 524-206-188
徐廷亮徐晋 明 1250-934- 88
徐廷哈清 524- 59-180
徐廷泰明 524-114-183
徐廷喬妻 清 見葛氏
徐廷試明 456-573- 8
502-716- 83
537-335- 56
徐廷綬明 523-493-170
676-590- 24
1442- 62- 4
1460-208- 49
徐廷璋明 477-418-169
478-453-197
554-188- 51
558-150- 30
徐廷龍女 明 見徐淑英
徐廷謨明 1241-594- 12
徐廷繡妻 清 見丁氏
徐廷璽清 474-694- 37
474-734- 40
502-310- 57
徐廷瓊前蜀 1381-348- 32
徐宗文女 明 見徐守貞
徐宗仁宋 287-796-425
398-721-416
479-559-242
473- 64- 51
515-870- 85
563-709- 39
徐宗仁清 478-133-181
545-329- 95
554-739- 61
徐宗谷妻 明 見張璩奴
徐宗武女 明 見徐氏
徐宗國妻 清 見吳氏
徐宗盛宋 1150-416- 5
徐宗傑明 515-258- 65
徐宗道清 456-336- 76
徐宗敬明 561-199-38之1
徐宗實徐垕 明 299-297-137
479-292-230
493-729- 40
510-333-113
523-400-165
1374-730- 94
徐宗慶宋 529-743- 51
徐宗魯明 515-134- 61
徐於海妻 明 見韓氏
徐治民明 511-363-150
徐治都清 480- 14-257
徐治誠清 456-336- 76
徐定夫明 1442- 50- 3
1460- 70- 43
1475-301- 12
徐定瑞明 趙時堯妻
1223-585- 11
徐泳孫宋 1181- 52- 5
徐炎午宋 515-868- 85
徐其翰清 456-336- 76
徐拔慧明 1475-692- 29
徐松年明 820-712- 43
徐亞長明 徐添男女
302-231-302
徐亞孫明 徐子明女
482-118-343
徐直夫妻 明 見楊氏
徐居仁明 547- 64-143
徐居正明 676-684- 28
1442-129- 8
1460-870- 94
徐孟曾明 511-872-170
徐幸隆宋 525-458-239
徐奇伯元 1197-819- 87
徐阿美清 530- 83- 55
徐阿寄明 1457-655-403
徐表仁唐 見宗偃
徐東山明 1283-569-111
徐林鴻清 524- 18-178
1318-494- 76
徐來臣明 456-484- 5
徐來勒漢 486-903- 35
524-445-201
徐來儀明 見盧氏
徐來麟清 476- 80-100
502-687- 81
545-199- 90
徐承宗明 511- 74-139
徐承林女 清 見徐氏
徐承命妻 清 見趙氏
徐承烈妻 清 見卞氏
徐承珪宋 288-404-456
400-294-524
472-613- 25
476-729-138
540-747-28之2
徐承斌明 456-613- 9
558-417- 37
徐承惠妻 明 見王氏
徐承蔭清 528-466- 29
徐忠甫妻 元 見韓氏
徐尚文清 456-335- 76
徐尚介清 479-146-223
482-226-348
523-369-163
徐尚志女 明 見徐氏
徐尚卿明 302- 58-292
456-556- 7
481-649-330
529-588- 46
559-514- 12
徐尚德明 821-483- 58
徐肯播明 563-830- 41
徐昌祚明 676-142- 6
徐昌盛妻 清 見潘氏
徐明叔宋 460-431- 33
460-432- 33
529-534- 45
徐明善元 516- 45- 88
1439-422- 1
徐明善明 533-731- 73
820-612- 41
徐明琦女 清 見徐秀姑
徐明揚徐明陽 明
302- 50-292
456-482- 5
476-151-104
516- 90- 90
545-228- 91
徐明陽明 見徐明揚
徐明蛟明 456-500- 5
徐明蛟妻 清 見杜氏
徐明備妻 清 見詹三娘
徐昂發清 511-755-165
徐芳聲清 1321-104- 98
徐叔川宋 1174-710- 44
徐叔良元 1222-268- 16
徐叔嚮劉宋 380-620-182
742- 31- 1
徐叔礪明 820-620- 41
徐果師徐果 唐 592-362- 82
1052-270- 19
徐念祖明 456-530- 6
511-444-153
徐知常宋 813- 94- 4
821-259- 52
徐知新唐 479-354-233
524-155-186
徐知誥南唐 見唐烈祖
徐知謂明 497-619- 44
徐知證明 497-619- 44
徐季昭明 511-524-157
徐季益明 1229-535- 3
徐季韶明 524-176-187
徐季遠女 明 見徐氏
徐和仲明 1232-232- 4
徐周官明 524-101-183
徐金星明 510-448-117
徐金鐘清 456-336- 76
徐姑僊北齊 見徐仙姑
徐佩之徐珮之 劉宋
258- 38- 43
265-257- 14
378- 8-131
493-676- 37
徐佩弦明 559-405-9上
徐秉義清 475-142- 57
511-753-165
徐秉壽明 515-372- 68
徐秉衡妻 明 見華氏
徐延休唐 472-253- 10
510-357-114
徐洪祚明 511-393-151
徐炳文明 1232-637- 7
徐恒山妻 清 見沈氏
徐炯紀妻 清 見高氏
徐亮之清 479-382-234
徐郎登明 見徐即登
徐彥名女 明 見徐氏
徐彥良明 511-648-162
徐彥伯徐洪 唐 270-142- 94
274-448-114
395-439-221
469-182- 21

472-456- 20
472-705- 28
476-111-102
476-583-131
477-200-159
537-274- 55
544-230- 63
547-185-148
933- 89- 6
1371- 52- 附
1387-359- 26
徐彥伯宋 1113-258- 24
徐彥威元 1222-468- 11
徐彥若唐 271-365-179
274-443-113
396-231-272
537-594- 60
徐彥裕明 820-581- 40
徐彥實明 1240-214- 14
徐恢祖元 820-541- 39
徐咸清清 524- 58-180
1321- 12- 85
徐春甫明 676-376- 14
徐春芳明 482-117-343
564-262- 47
徐柏齡清 1318-477- 74
1442-107- 7
1460-648- 73
1475-528- 23
徐南金明 567-125- 67
1467-114- 66
徐柔嘉明 劉似之妻
1210-399- 13
徐茂芳妻 清 見孫氏
徐茂貞明 金仲英妻
1242- 71- 26
徐貞元明 572-163- 32
徐貞明明 300-674-223
479-560-242
515-892- 86
523-162-153
徐貞娥葛之泰妻、徐三暘女
明 1457-751-414
徐貞稷明 見徐禎稷
徐思文唐 見李思文
徐思立宋 515-335- 67
徐思明明(當塗人) 511-637-161
徐思明明(都勻人) 572- 78- 28
徐思卿明 572- 93- 29
徐思誠妻 明 見鄭妙靜
徐若訥宋 515-146- 61
徐若渾宋 479-563-242
516-459-104
徐昭文元 524- 53-180
1439-444- 2
徐昭佩梁 梁元帝妃、徐緄女
260-100- 7
265-202- 12
370-556- 18
373- 88- 20
徐昭華清 徐仲山女
1320-577- 64
徐迪哲宋 1150-880- 48
徐待任明 511-113-140
徐待聘明 511-113-140
523-163-153
676-174- 7
徐信孚清 1318-510- 78
徐皇后明 明成祖后、徐達女
292- 5-113
徐衍泗明 456-629- 10
徐衍祖宋 487-512- 7
徐衍慶明 510-447-117
徐律時明 511-311-148
徐紀制清 456-335- 76
徐勉之女 元 見徐氏
徐秋夫劉宋 265-491- 32
380-620-182
511-874-170
742- 31- 1
徐俊民明 515-223- 63
徐海門女 明 見徐範
徐海槎女 明 見徐氏
徐祇先妻 清 見丁氏
徐祚之晉 486- 68- 3
徐高遷明 456-603- 9
570-127-21之1
徐唐佐宋 524-269-191
徐益晉妻 明 見石氏
徐益隆明 456-678- 11
511-477-155
徐悅中女 明 見徐氏
徐效賢明 554-290- 53
559-357- 8
徐庭立明 524-223-189
徐庭琇元 524-295-193
徐庭筠宋 288-443-459
401- 28-571
479-288-230
486-897- 34
523-603-176
1356-756- 16
徐庭璋明 472-795- 31
徐庭蘭母 宋 見趙氏
徐素芳明 李浩妻
1260-603- 17
徐泰亨元 475-640- 83
510-445-117
1209-490-8上
徐泰定宋 524-448-201
徐泰時女 明 見徐媛
徐泰皓妻 明 見陳妙善
徐貢元明 473-268- 61
511-330-149
532-657- 64
676-301- 11
徐眞木清 524-355-196
徐原父明 821-356- 55
徐原顯明 475-810- 91
徐桂郎宋 見徐存
徐桂得元 1197-731- 76
徐桂得女 元 見徐懿如
徐晉卿宋 523-409-166
徐珮之劉宋 見徐佩之
徐起元清 532-602- 42
徐起霖清 511-248-145
徐起霖妻 清 見白氏
徐陟明宋 1127-324- 18
徐振芳明 540-829-28之3
徐振基清 559-329-7下
徐挺古唐 820-286- 30
徐時乂宋 1150-103- 12
徐時任明 532-650- 43
徐時行明 見申時行
徐時勉明 554-312- 53
676-663- 28
1442-113- 7
徐時動宋 515-322- 67
680- 92-234
徐時盛女 清 見徐氏
徐時進明(字元修) 511-556-158
徐時進明(字見可) 523-458-168
1474-531- 26
徐時進明(偏關人) 547- 57-143
徐時懋妻 元 見眞妙靜
徐師仁宋 529-725- 51
徐師回宋 473- 75- 52
479-578-243
485-200- 27
515-231- 64
517-321-123
589-357- 6
徐師皐明 568-223-107
徐師曾明 475-137- 56
511-675-163
677-613- 55
1284-177-150
1442- 61- 4
1458-307-437
1460-194- 49
徐師閔宋 473-176- 57
493-915- 49
511- 91-140
515-116- 60
589-333- 4
徐師道唐 820-156- 26
徐師顏徐晞顏 元
1202-242- 17
1203-454- 34
徐師顏女 元 見徐淳
徐師顏女 元 見徐清
徐卿伯明 483-250-391
572- 74- 28
徐卿孫宋 515-534- 73
1193-200- 28
1367-733- 56
1410-237-691
徐純仁明 456-462- 4
徐修矩唐 493-1045- 55
485-182- 25
511-831-168
1083-410- 20
徐乘六妻 清 見程氏
徐添男女 明 見徐亞長
徐添祿元 529-685- 50
徐淳如明 456-629- 10
徐清叟宋 287-730-420
398-667-411
460-424- 32
529-611- 47
563-664- 39
585-770- 5

徐清源元 1232-679- 8
徐惟德女 明 見徐靜端
徐惟輯明 524- 76-181
徐章達妻 清 見夏氏
徐鹿卿宋 287-777-424
398-704-415
472-222- 8
473- 22- 49
473- 96- 53
473-194- 58
473-568- 74
473-584- 75
475-502- 75
475-667- 84
478-761-215
479-487-239
479-627-245
479-810-255
481-492-324
481-582-328
493-721- 40
510-452-119
515-331- 67
517-415-126
523- 18-146
528-443- 29
528-483- 30
1178-806- 附
1178-946- 附
1178-951- 附
1178-954- 附
1178-955- 附
1178-956- 附
1178-957- 附
1364- 1-240
1437- 28- 2
徐深之明 1242- 96- 27
徐淑英明 林瓚妻、徐廷龍女
530- 59- 55
徐淑清元 沉文名妻、徐昌女
1222-351- 34
徐淑淨明 朱智深妻
530- 62- 55
徐淑順明 朱卓然妻
524-455-202
徐執中明 533-279- 56
徐執楊妻 明 見吳氏
徐梅龜宋 472-1016- 41
479-380-234
523-412-166
679-528-190
徐雪梅明 徐義女、徐儀女
472-314- 13
475-434- 70
477-135-155
徐雪樵妻 明 見湯氏
徐基盤妻 清 見歐氏
徐堅慈唐 494-264- 1
徐乾學清 475-142- 57
511-753-165
徐問眞宋 472-614- 25
476-736-138
491-807- 6
1108-619-102
徐郴臣明 見徐彬臣
徐彬臣徐郴臣 明
524-187-187
1475-488- 21
徐晟全明 1475-710- 29
徐崇岳清 483-139-380
570-156-21之2
徐崇威明 1238-492- 10
1241-612- 12
徐崇矩宋 812-546- 4
813-181- 17
821-150- 50
徐崇嗣宋 812-471- 3
812-546- 4
813-180- 17
821-150- 50
徐崇德明 554-346- 54
徐崇勳宋 821-150- 50
徐崇禮清 537-344- 56
徐晤可明 456-607- 9
533-382- 60
徐國全明 302- 34-291
456-515- 6
徐國和宋 473- 22- 49
徐國泰明 456-457- 4
505-697- 70
523-389-164
徐國珩清 524- 77-181
徐國潤妻 宋 見留氏
徐國鎭宋 524-336-195
徐常吉明 511-159-142
677-662- 59
徐處仁宋 287- 88-371
398-150-375
471-611- 4
472-662- 27
473-387- 65
474-470- 23
476-881-146
477-129-155
477-473-173
478- 91-180
480-540-283
532-716- 45
537-427- 58
540-633- 27
徐處仁妻 宋 見陳氏
徐畢璋妻 明 見朱氏
徐晞顏元 見師顏
徐釣者唐 541- 89- 30
徐得一妻 明 見駱氏
徐得之宋 288-175-438
400-562-551
674-851- 18
679-508-188
徐紹先明 483-348-399
571-550- 20
676-173- 7
徐紹仲妻 元 見宋氏
徐紹曾明 532-638- 43
徐偃王周 404-484- 28
471-630- 7
徐彩鸞元 李文景妻、字景文
妻、徐嗣源女 295-634-201
401-181-593
452-116- 3
473-606- 76
481-679-331
530-137- 58
徐敏齊隋 742- 34- 1
徐啟元清 480-319-272
徐啟芳清 1475-598- 26
徐啟發妻 清 見郭氏
徐從治明 301-211-248
456-503- 5
476-480-125
479- 98-221
523-363-163
540-620- 27
1442- 90- 6
1460-512- 65
1475-401- 7
徐從敬妻 明 見陳氏
徐滋德清 456-335- 76
徐尊生明 301-815-285
479-380-234
524- 82-182
676-447- 17
679-621-199
1318-346- 62
1442- 13- 1
1451-273- 6
徐善安明 529-614- 47
徐善述明 299-460-152
472-1105- 47
479-292-230
526-649-280
678-186- 87
1238-218- 18
1374-758- 96
徐善慶明 515-794- 82
徐善繼明 516-525-106
徐普興妻 清 見劉氏
徐普濟梁 260-384- 47
265-1049- 74
380-105-167
徐湛之劉宋 258-330- 71
265-258- 15
370-476- 14
378- 9-131
384-109- 6
472-288- 12
475-363- 67
476-783-141
488-170- 8
488-172- 8
488-173- 8
820- 84- 24
933- 87- 6
徐雲宏清 533-185- 52
徐雲門清 550-263-218
徐雲虔唐 494-152- 5
569-615-18下之2
徐雲從明 572-158- 32
徐雲翔宋 524-334-195
徐雲程明 515-556- 79
523- 56-148
徐惠謜唐 524-155-186

徐閎中女 宋 見徐觀妙
徐朝宗明 546-338-126
徐朝郎宋 見徐夢宏
徐朝英女 明 見徐守貞
徐朝綱明 302-26-290
482-561-369
483-267-392
570-126-21之1
徐登第明 460-793-84
徐登第清 481-695-332
528-546-32
徐堯臣明 476-438-122
546-419-128
徐堯封妻 明 見吳氏
徐堯莘明 475-530-77
511-258-146
532-721-45
徐開任明 1460-732-79
徐開淑妻 清 見吳氏
徐開遠清 481-721-333
528-558-32
徐開錫清 523-489-170
524-224-189
徐開禧明~清 480-664-290
475-141-57
532-711-45
徐揚先明 515-98-59
徐陽輝明 1474-585-29
徐揆方明 512-784-196
徐逵之劉宋 378-8-131
933-87-6
徐逵之妻 劉宋 見會稽長公主
徐景仁妻 明 見于氏
徐景昌明 299-153-125
1239-117-34
徐景周宋 見徐希周
徐景南明 1227-135-16
1242-394-37
徐景通南唐 見唐元宗
徐景符宋 451-86-3
徐景嵩明 502-384-64
徐景暘明 511-873-170
821-352-55
徐景韶明 1282-736-56
徐景福明 1224-126-18
徐貴貞元 胡際叔妻
1197-672-69

徐菩提明 陳春妻、徐智女
1240-396-25
徐凱之宋 821-247-52
徐無為明 1475-669-28
徐無黨宋 451-264-2
472-1028-42
479-321-232
524-69-181
1102-334-43
徐順明明 554-220-52
徐循行妻 明 見陳氏
徐舜臣元 1211-427-60
徐欽之劉宋 933-87-6
徐象賢宋 472-402-18
511-366-150
徐集孫宋 1364-389-299
1437-30-2
徐進可明 533-337-58
徐進明明 1229-604-2
徐進侯妻 清 見方氏
徐進朝唐 1340-624-783
徐復高明 516-510-106
徐復殷宋 524-75-181
徐復儀明 456-546-7
523-392-164
徐猱頭母 元 見王氏
徐猱頭妻 元 見岳氏
徐義恭後魏 262-321-93
381-29-184
徐溝王明 見朱鍾鏍
徐靖端明 毛京妻
524-658-210
徐羨之劉宋 258-34-43
265-256-15
378-6-131
384-109-6
472-553-23
476-783-141
488-162-8
488-163-8
820-84-24
933-87-6
徐道明宋 288-401-455
400-201-515
472-261-10
475-243-61
徐道季不詳 1061-271-110
徐道度劉宋 380-620-182

524-342-196
742-31-1
徐道隆宋 288-338-451
400-189-514
451-240-0
472-1031-42
479-326-232
493-782-42
494-271-2
523-403-165
1366-935-5
徐道彰明 見道明
徐道廣宋 821-231-51
徐道廣明 570-249-25
徐道興明 302-123-295
456-467-4
477-132-155
483-171-383
569-680-19
徐資用明 460-535-50
563-793-41
徐資節明 523-414-166
徐載孫宋 451-240-0
徐雷開宋 460-452-34
徐聖鳳妻 清 見童氏
徐椿年宋 515-863-85
徐瑞益宋 510-470-117
徐瑞屢明 559-506-12
徐瑞麒妻 清 見陳氏
徐達之宋 258-330-71
徐達左明 493-1031-54
511-673-163
676-464-17
1442-11-1
徐達乾清 483-118-379
570-119-21之1
徐楚玉唐 533-744-73
徐楚璧唐 見徐安貞
徐楙昭明 1246-619-12
徐萬仞明 529-619-47
徐萬安清 529-670-49
徐萬春妻 清 見金氏
徐萬照清 479-382-234
524-163-186
徐萬選妻 明 見陳氏
徐萬謙妻 明 見范氏
徐萬璧明 554-213-52
559-368-8

徐萬寶清 1325-768-9
徐圓朗唐 269-482-55
274-148-86
384-178-9
395-230-201
徐嗣伯齊 見徐嗣
徐嗣華女 明 見徐德莊
徐嗣源女 元 見徐彩鸞
徐嗣徽梁 265-891-63
378-460-142
徐嵩勳宋 812-471-3
徐鼎臣明 524-171-186
徐鼎鼐妻 見竺氏
徐敬之明 302-11-289
559-520-12
徐敬成陳 260-626-12
265-942-67
378-510-144
480-202-267
533-199-53
933-88-6
徐敬業唐 見李敬業
徐敬業唐 見住括
徐敬德明 1442-130-8
1460-878-94
徐經畈元 678-13-71
徐經孫徐子柔、徐于柔 宋
287-592-410
398-555-402
473-22-49
473-335-63
479-487-239
480-402-277
481-492-324
515-332-67
532-692-45
532-704-45
676-689-29
1181-55-附
1181-54-附
1181-56-附
1181-57-附
1363-729-218
1437-29-2
徐毓桂妻 清 見丁氏
徐禎伯明 1232-397-1
徐禎卿明 301-835-286
453-720-42

475-135- 56
676-533- 21
820-669- 42
1265-680- 25
1284-159-148
1386-365- 43
1393-533-478
1410-463-725
1442- 42- 3
1454-360-123
1457-283-369
1458-203-432
1459-860- 36
徐禎稷徐貞稷 明
511-679-163
559-299-7上
1442- 87- 5
1460-500- 64
徐誥武清 511-189-143
徐漸忠清 547- 27-141
徐端本明 見史忠
徐端臣宋 524-202-188
徐端益宋 472-196- 7
472-1029- 42
475-853- 94
524-265-191
徐端卿宋 679-490-186
1173-200- 77
徐端輔宋 523- 78-149
徐端履明 456-676- 11
徐齊聃徐聃 唐
271-566-190上
276- 15-199
384-176- 9
400-410-538
472-1002- 40
478-342-191
479-140-223
494-374- 10
524- 31-179
554-837- 63
933- 90- 6
1065-833- 20
1341-707-894
徐齊莊唐 494-374- 10
徐漢英妻 宋 見盧氏
徐漢稚明 511-746-165
徐榮之金 821-278- 52
徐榮叟宋 287-721-419
398-659-410
460-424- 32
473-605- 76
523-185-155
529-611- 47
徐榮僖妻 明 見王氏
徐壽仁宋 529-725- 51
徐壽隆宋 475-742- 88
徐輔世妻 清 見戴氏
徐與京女 明 見徐德
徐與喬清 511-753-165
徐熙明清 533-183- 52
徐熙春宋 473-646- 78
530-205- 60
徐爾偉妻 清 見楊氏
徐爾鉉明 1442-115- 7
徐爾穀明 676-667- 28
1460-724- 78
1475-487- 21
徐爾穀妻 明 見孫氏
徐際相明 456-489- 5
徐嘉言元 516- 49- 88
徐嘉炎清 524- 27-179
徐嘉祉明 564-266- 47
徐嘉泰明 676-213- 8
徐嘉賓清 482-541-268
502-693- 81
徐嘉謨妻 清 見金氏
徐聞詩宋 491-111- 13
493-750- 41
徐夢吉元 524- 5-178
676-709- 29
1439-443- 2
徐夢宏徐朝郎 宋451- 58- 2
徐夢易明 676-435- 16
徐夢高宋 524-270-191
676-709- 29
徐夢莘宋 288-174-438
400-562-551
473-128- 55
473-194- 58
473-334- 63
479-680-248
480-401-277
482-320-354
515-528- 73
532-691- 45
567- 66- 65
585-766- 5
1153-643-108
1467- 40- 63
徐夢發宋 528-559- 32
徐夢雷宋 494-321- 6
徐夢麒清 1327-700- 8
徐夢麟宋 523-334-161
徐夢麟宋 見徐日章
徐夢麟明(字惟仁) 511-308-148
徐夢麟明(懷遠人) 516-211- 96
徐鳴玉明 523-219-156
676-283- 10
徐鳴珮清 540-870-28之4
徐鳴鶴明 545-226- 91
徐鳴鑾明 528-531- 31
徐蓉姑明 江子宏妻
524-739-213
徐蒙六明 524-219-189
徐領姑明 施之濟妻、施之濬妻、徐子仁女 302-242-303
475-613- 81
1313-214- 17
1320-607- 67
徐鳳英明 479-562-242
徐鳳彩明 511-679-163
徐鳳鳴清 477-500-174
479-484-239
502-663- 79
515-100- 59
537-336- 56
徐鳳賢妻 清 見郭氏
徐銘敬明 1442-109- 7
徐僧權梁 814-255- 7
820-101- 24
徐維原妻 清 見許氏
徐維新清 481-465-319
徐維福妻 清 見陳氏
徐維藩明 505-678- 69
523-252-157
554-347- 54
徐肇梁明 302- 62-292
456-488- 5
徐綱孫宋 1181- 51- 5
徐廣成明 1236-698- 8
徐廣繼妻 明 見顏氏
徐澄宇妻 明 見薛氏
徐調元明 511-394-151
徐鄰唐清 537-441- 58
徐慶亨明 524- 67-181
徐慶餘明 見徐餘慶
徐養心明 475-668- 84
510-459-117
533-220- 53
徐養元清 505-824- 75
505-888- 79
徐養正明 482-372-357
567-337- 79
676-575- 23
1467-231- 70
徐養相明 477-131-155
538- 3- 61
徐養素元 494-417- 12
徐養量明 533-202- 53
徐撫辰宋 487-189- 12
徐增壽明 299-153-125
886-143-138
徐駒兒宋 見徐履
徐鼒臣清 511-332-149
徐震亨清 1475-615- 26
徐穀欒妻 清 見馮氏
徐敷言宋 523-485-170
徐敷言女 宋 見徐蘊行
徐敷政明 572- 75- 28
徐遷繼妻 明 見席氏
徐履成明 524-156-186
徐履和明 1283-878-135
徐履道唐 471-762- 24
532-713- 45
徐履誠明 524- 76-181
676-496- 19
徐嶠之唐 494-288- 4
684-475- 下
812-738- 3
814-275- 10
813-297- 18
820-156- 26
徐嶠慈唐 494-264- 1
徐輝祖徐允恭 明
299-152-125
475-753- 88
511-497-156
820-583- 40
886-162-139
1283- 26- 69
1283-172- 80

徐蓮姑明 方鍾妻、方鐘妻
479-358-233
524-737-213
徐餘慶徐慶餘 明(字兆穀)
456-583- 8
479- 56-218
523-358-163
徐餘慶明(贛州人) 456-640- 10
徐儀姑明 余久齡妻
524-737-213
徐德立妻 清 見邱氏
徐德升明 1254-401- 2
徐德安妻 明 見陳氏
徐德言陳 494-535- 27
徐德言妻 陳 見樂昌公主
徐德甫女 明 見徐氏
徐德昌後蜀 812-528- 2
821-129- 49
徐德明元 1221-423- 5
徐德英明 481-560-327
徐德祖北齊 812-338- 8
821- 28- 45
徐德恩元 472-718- 28
徐德莊明 湯永之妻、徐嗣華女 1260-583- 15
徐德備隋 264-1032- 72
徐德裕明 1232- 14- 2
徐德廉元 523-186-155
徐德賢明 1250-812- 78
1253-197- 50
徐德舉元 1201-594- 18
1367-844- 64
1373-202- 14
徐翩翩明 1442-126- 8
1460-907- 98
徐緯孫宋 1181- 50- 5
徐徵蘭清 葛得我妻
530- 39- 54
徐憲忠明 523-133-152
徐憲卿明 511-239-145
徐龍正明 564-176- 45
徐龍佛宋 525- 94-221
徐龍駒齊 381- 17-184
徐謂弟清 505-828- 75
徐遵明後魏 262-237- 84
267-570- 81
380-311-174
384-142- 7
478-341-191
541-110- 31
554-808- 63
933- 38- 6
徐駭兒明 533-750- 74
徐樹閎清 559-331-7下
570-532-29之8
徐霍蘼妻 清 見葛氏
徐翰材明 1233-258- 4
徐歷東女 明 見常淨
徐奮翼妻 清 見陳氏
徐奮鵬明 515-810- 82
678-464-114
徐靜端明 郭汝文妻、徐惟德女 1255-663- 68
徐興之徐傑 明 821-393- 56
1263-611- 9
1458-692-471
徐興祖明 523-628-177
徐默成宋 523-170-154
徐遺寶劉宋 258-311- 68
徐龜年宋 472-984- 39
491-118- 13
徐學詩明 300-461-210
479-242-227
523-310-160
徐學詩明 見徐學謨
徐學聚明 479-712-250
515-157- 61
523-330-161
676-234- 9
676-728- 30
1442- 80- 5
1460-419- 59
徐學顏明 302- 92-294
456-497- 5
479-331-232
480- 52-259
523-406-165
533-359- 60
676- 86- 3
680-331-259
徐學謨徐學詩 明
301-122-243
480-290-271
511-234-145
532-595- 41
676-583- 24
1442- 60- 4
1460-188- 49
徐縉芳明 301-205-248
460-729- 75
徐錫印妻 明 見朱氏
徐錫德清 524-159-186
徐鴻祚明 見徐喈
徐鴻起明 511-304-148
徐應中宋 460-291- 18
徐應亨明 563-769- 40
徐應亨妻 清 見馬氏
徐應宜明 456-503- 7
徐應庚宋 587-449- 5
徐應坤明 567-354- 80
徐應明明 524-372-197
徐應虎元 820-498- 37
徐應芳明 456-598- 9
479-662-247
徐應芳妻 明 見方氏
徐應亮妻 明 見王尾金
徐應秋明 524- 77-181
徐應泰明 456-587- 8
523-411-166
徐應乾明 563-830- 41
676-302- 11
徐應雷明(字震伯) 524-159-186
徐應雷明(字聲遠)
1442- 99- 6
1460-608- 70
徐應聘明(字伯衡) 300-412-207
679-741-210
1442- 80- 5
1460-418- 59
徐應聘明(字仲覺) 524-251-190
徐應嵩妻 清 見毛氏
徐應魁明 456-613- 9
徐應熛妻 清 見方氏
徐應龍宋 287-410-395
398-408-391
410-423- 32
473-165- 57
473-334- 63
473-605- 76
473-729- 82
479-747-251
480-401-277
482-238-349
515-103- 60
529-609- 47
532-691- 45
554-713- 61
563-688- 39
徐應龍明 456-617- 9
徐應簧明 523-492-170
676-618- 25
1442- 82- 5
1460-441- 60
徐應麒明 1237-239- 4
徐應鰲明 456-617- 9
554-713- 61
徐應麟明 563-837- 41
徐應顯清 524-372-197
徐應鑣宋 288-344-451
400-190-515
451-244- 0
472-1043- 43
479-357-233
523-410-166
585-378- 7
1193-365- 12
徐濬正清 563-885- 42
徐濟貞明 見徐贊辰
徐懋昭元 1203-424- 31
徐彌高宋 473-762- 84
徐聯璧清 456-336- 76
徐徽言宋 288-295-447
400-162-513
472-431- 19
472-923- 36
472-1042- 43
476- 80-106
476-438-122
478-268-187
479-355-233
523-409-166
545-429- 99
554-244- 52
1140-170- 21
徐禮年妻 清 見劉氏
徐彝楚明 533-405- 61
徐簡簡明 吳與妻、吳瑛妻
1442-126- 8
1460-790- 85
徐懷玉徐琮 後梁
277-189- 21
279-132- 22

396-341-282
472-202- 7
476- 77-100
476-778-141
511-422-152
554-134- 50
933- 90- 6
徐韞奇清 1318-492- 76
1460-732- 79
徐攀龍宋 1185-497- 91
徐贊辰徐濟貞 明
1475-531- 23
徐獻子母 宋 見吳氏
徐獻子宋 487-189- 12
徐獻忠明 301-845-287
475-182- 59
511-761-166
524-314-194
676-560- 23
820-691- 43
1280-449- 89
1442- 65- 4
1460-282- 53
徐蘊行宋 徐敷言女
820-473- 36
1147-501- 47
徐騰芳明 511-308-148
徐騰鯨清 481-584-328
502-686- 81
528-488- 30
徐繼申明 820-720- 43
徐繼先宋 516-502-105
徐繼良女 清 見徐氏
徐繼宗宋 491-344- 2
徐繼宗女 明 見徐氏
徐繼恩明～清 見淨挺
徐繼樨清 511-658-162
徐懿如元 徐桂得女
1197-731- 76
徐儼夫宋 472-1117- 48
524-271-191
徐顯問明 456-678- 11
511-475-155
徐顯隆明 1245-564- 29
徐體乾明 511-884-171
徐靈府唐 486-905- 35
524-381-198
徐靈期劉宋 480-514-281
493-1100- 58
533-784- 75
徐觀妙宋 張弼妻、徐閎中女
288-456-460
401-158-590
452-113- 3
475-813- 91
493-1080- 57
512- 18-177
徐觀娘明 鍾彌皋妻
530-152- 58
徐觀復明 481-551-327
528-479- 30
徐觀道明 515-873- 86
徐纘高明 677-721- 64
徐五員人唐(兄弟二人號大徐五小徐五) 524-381- 198
徐州子期戰國 見田忌
徐國長公主宋 潘意妻、宋神宗女 285- 67-248
393-326- 77
徐國大長公主宋 吳元扆妻、宋太宗女 285- 63-248
393-322- 77
娥延後魏 933-296- 21
娥皇上古 舜妃、堯女
404-389- 23
404-390- 23
448- 8- 1
452- 40- 1
544-176- 61
879-171-58上
娥清後魏 261-444- 30
266-508- 25
379- 59-147
546- 13-115
933-296- 21
矩齋先生宋 460-442- 33
脂習魏 254-221- 11
377- 17-113上
386- 49-70上
478-103-180
554-746- 62
933- 70- 4
1063-253- 0
倍伐上古 404-387- 23
倍侯利後魏 262-501-103
267-875- 98
381-655-200
倩平吉漢 1059-293- 7
倡后春秋 趙悼襄王后
448- 73- 7
們都清 456-281- 71
們都清 見阿爾薩朗
們都埒明 302-754-327
倭和清(巴雅拉氏) 455-582- 38
倭和清(鑲黃旗人) 456-333- 76
倭新清 455-564- 36
倭赫清(正藍旗人) 455- 43- 1
倭赫清(鑲紅旗人) 455- 56- 1
倭赫清(輝發地方人)
455- 78- 2
倭赫清(舒穆祿氏) 455-147- 6
倭赫清(西林覺羅氏)
455-296- 17
倭赫清(佟佳氏) 455-332- 20
倭赫清(富察氏) 455-450- 27
倭赫清(蒙鄂索氏) 456-100- 57
倭赫清(福錫氏) 456-163- 62
倭赫清(唐佳氏) 456-195- 65
倭赫清(金氏) 456-290- 72
倭濟清 456-102- 57
倭世渾清 455- 76- 2
倭吉格清 455-552- 35
倭和騰清 456- 11- 50
倭星額清 455-694- 49
倭理克清 455-578- 38
倭楞額清 456-192- 65
倭實渾清 455-336- 20
倭赫訥清(瓜爾佳氏)
455- 47- 1
倭赫訥清(富察氏) 455-429- 26
倭赫訥清(倭徹勒氏)
456-162- 62
倭赫德清 455-166- 7
倭濟赫清 455-320- 19
留三清 455-137- 5
留氏宋 徐國潤妻、留師古女
1163-591- 36
留氏明 黃喬植妻 530- 87- 56
留氏明 劉有長妻 480-440-278
留正宋 287-361-391
398-368-388
451- 22- 0
460-400- 31
471-668- 12
471-729- 20
473-186- 58
473-428- 67
473-587- 75
473-673- 79
473-695- 80
473-712- 81
留正宋 479-792-254
480-439-278
481- 21-291
481-774-336
482-117-343
482-184-346
486- 53- 2
515- 83- 59
529-648- 48
563-690- 39
563-921- 43
933-808- 60
留平吳 386- 75-70下
留色清 456-336- 76
留京晉 515-515- 73
留怙宋 567-434- 86
585-757- 4
1467-145- 67
留東宋 460-403- 31
留忠後燕 496-606-104
留洪宋 529-726- 51
留洙妻 宋 見黃氏
留柏清 456-182- 64
留哈清 502-739- 84
留恭宋 493-779- 42
523-151-153
563-669- 39
留異陳 260-794- 35
265-1154- 80
370-575- 19
378-573-145
留瑞宋 460-403- 31
留福宋 見劉福
留碩宋 563-689- 39
留睿明 524-300-193
1221-428- 6
留德清 456-380- 79
留贊吳 254-918- 19
384-592- 32
386- 74-70下
472-1027- 42

479-320-232
523-557-174
1408-483-527
留鏑宋 460-402- 31
留衢明 472-402- 18
510-486-118
留子直妻 漢 516-227- 97
留元圭宋 528-522- 31
留元亮宋 528-444- 29
留元剛宋 460-403- 31
留仁謜宋 288-738-483
留汝礪妻 明 見黃氏
留志淑明 460-599- 59
481-587-328
510-428-116
523- 48-148
529-537- 45
留居道宋 529-753- 52
留彥綱宋 1207-636- 45
留貞臣妻 陳 見豐安公主
留師古女 宋 見留氏
留從效宋 288-737-483
401-248-601
471-667- 12
473-586- 75
528- 8- 17
933-808- 60
留夢炎宋 1182- 73- 5
留應祖宋 528-506- 31
倉津清 496-217- 76
倉帝上古 見倉頡
倉柱清 455- 57- 1
倉振元 473-712- 81
482-184-346
倉跋後魏 262-254- 86
267-630- 84
380-119-167
477- 67-151
933-414- 27
倉慈魏 254-323- 16
377-153-115下
472-943- 37
478-740-213
511-342-149
554-265- 53
558-237- 32
933-414- 27
倉葛春秋 404-473- 27
933-413- 27
倉頡史皇氏、倉帝、蒼帝、蒼頡
383- 38- 6
404-384- 23
472-129- 4
472-829- 33
505-708- 71
544-145- 61
545-684-108
554-372- 55
814-221- 3
820- 19- 22
933-413- 27
翁亢宋 1457-624-400
翁仁元 1439-445- 2
翁升宋 487-118- 8
491-397- 4
491-434- 6
524-195-188
翁氏宋 林昭度妻、翁允成女
530- 60- 55
翁氏宋 胡寅妻、翁揆女
530-136- 58
翁氏宋 高子莫妻
1164-264- 14
翁氏宋 彭括妻 530-137- 58
翁氏宋 趙叔羈妻、翁舜弼女
1100- 66- 7
翁氏元 方琬妻 524-616-208
翁氏元 翁忠姊 524-453-202
翁氏元 汪明德妻 524-611-208
翁氏明～清 林儼妻
481-533-326
530- 18- 54
翁氏明 周通妻 473-305- 62
翁氏明 周德成妻 473- 66- 51
翁氏明 高翰妻 530- 70- 55
翁氏明 郭允朝妻 530- 86- 56
翁氏明 陳向茂妻 530- 18- 54
翁氏明 陳際中妻 530-140- 58
翁氏明 黃覲妻 475-646- 83
512-103-179
翁氏明 熊堯德妻 530-140- 58
翁氏明 劉淮妻 473-131- 55
翁氏明 俞氏、劉通妻
473-618- 77
530-123- 57
翁氏明 劉永輝妻 516-285- 99
翁氏明 翁慶女 481-591-328
530- 85- 56
翁氏清 李世若妻
1324-993- 33
翁氏清 林宜光妻 530- 30- 54
翁氏清 張一龍妻 530- 27- 54
翁氏清 張士亨妻 530- 28- 54
翁氏清 彭汝弼妻 530- 77- 55
翁氏清 華國治妻 479-436-236
翁古清 455-673- 47
翁旦清 523-414-166
翁安清 455-221- 11
翁托清 455-347- 21
翁合宋 460-329- 25
翁宏宋 567-412- 84
1467-167- 68
翁忱宋 1164-297- 15
翁甫宋 529-612- 47
翁酉宋 460-327- 25
翁克清 455-287- 16
翁谷宋 528-521- 31
翁伯漢 933- 44- 2
翁卷宋 524- 85-182
1437- 27- 2
1462-609- 85
翁定宋 1180-240- 23
翁泳宋 460-326- 25
489-331- 29
翁邵翁醇 宋 460- 23- 1
529-580- 46
翁阿清 455-287- 16
翁忠姊 元 見翁氏
翁易宋 460-323- 25
翁佶清 559-333-7下
翁洮唐 524-296-193
翁珏明 見翁之琪
翁相明 523-429-167
翁浩明 524- 98-183
翁祚明 524-269-191
翁挺宋 473-603- 76
460-422- 32
529-742- 51
1126-573-138
翁桓明 胡介妻 1442-125- 8
1460-786- 85
翁格清 455-637- 44
翁部唐 529-756- 52
翁理明 481-550-327
528-477- 30
翁務妻 明 見陳氏
翁參明 1283-321- 92
翁參妻 明 見吳氏
翁善妻 明 見陳氏
翁開宋 523-412-166
翁揆女 宋 見翁氏
翁森元 453-799- 4
472-1105- 47
523-606-176
676-703- 29
翁華宋 933- 44- 2
翁鄂清 455-268- 15
翁逸明 821-480- 58
翁愷清 455- 79- 2
翁煌清 480-564-284
529-486- 43
532-754- 46
翁勤清 455- 79- 2
翁瑛明 1241-211- 10
翁葵元 1439-439- 1
翁過妻 宋 見黃氏
翁鉞明 554-345- 54
翁經明 1271-602- 51
翁經妻 明 見顧氏
翁愛清(西林覺羅氏)
455-295- 17
翁愛清(卓爾古特氏)
502-588- 76
翁寧宋 翁彥深女
1123-594- 12
翁榮元 1226-503- 24
翁需清 528-557- 32
翁綬唐 451-461- 6
翁慶女 明 見翁氏
翁醇宋 見翁邵
翁頭清 456-155- 61
翁點宋 529-500- 44
翁爵明 564-269- 47
翁績宋 933- 44- 2
翁績宋 見翁熙載
翁藹清 455-397- 24
翁鐘明 524-174-187
翁夔宋 見翁巖壽
翁十朋妻 元 見李如韞
翁士白明 1233-673- 5
翁大立明 300-666-223
510-292-112
572- 9-118

1442- 57- 3
1460-154- 47
翁之章宋 484-386- 28
翁之琪翁珏 明 456-438- 3
523-359-163
翁元岳妻 清 見張氏
翁天經妻 明 見荀氏
翁日賓清 481-525-326
翁什庫清 502-477- 69
翁介眉清 1323-777- 5
翁介眉妻 清 見張氏
翁允成女 宋 見翁氏
翁弘慶明 570-152-21之2
翁正春明 300-562-216
458-395- 17
460-526- 48
481-530-326
529-478- 43
翁世資明 299-539-157
460-546- 52
473-359- 64
473-634- 77
481-555-327
515- 38- 58
517-619-130
529-506- 44
532-706- 45
676-493- 19
翁世經明 567-124- 67
1467-111- 66
翁汝進明 517-721-133
523-431-167
翁汝遇明 523-431-167
翁吉納清(拖活絡氏)
455-694- 49
翁吉訥清(西林覺羅氏)
455-294- 17
翁自涵清 479- 99-221
翁仲益明 523-178-154
翁仲通宋 460-421- 32
529-595- 47
翁仲潛妻 宋 見李素娥
翁仲德宋 451- 54- 2
翁志宏妻 明 見祁淑惠
翁成德妻 清 見葉氏
翁克甫妻 清 見余氏
翁邦彥宋 484-385- 28
翁宗佑明 1273-457- 2
翁孟統明 564-265- 47
翁阿岱清 455-436- 26
502-449- 68
翁長淙妻 清 見洪氏
翁承贊唐 451-478- 7
471-670- 13
529-433- 43
933- 44- 2
1371- 74- 附
1388-619- 93
翁孤峰明 821-487- 58
翁叔元清 511-754-165
翁果托清(納喇氏) 455-403- 24
翁果托清(瑪喇拉氏)
456-270- 70
翁果岱清 455-462- 28
翁果春清 455- 66- 2
翁果圖明 455-365- 22
翁金堂明 537-318- 56
679-741-210
翁延慶宋 529-605- 47
翁彥約宋 460-421- 32
510-387-115
1125-406- 32
翁彥卿宋 843-673- 下
翁彥深宋 460-422- 32
529-598- 47
1134-425- 9
1137-701- 26
1146-146- 91
翁彥深女 宋 見翁寧
翁彥國宋 473-603- 76
484-101- 3
484-102- 3
488-409- 14
529-600- 47
933- 44- 2
翁待舉宋 529-560- 46
翁紀長明 1475-629- 27
翁時可宋 524- 63-181
翁納圖漢 455-231- 12
翁章士妻 清 見林氏
翁基使林霄妻 明530- 10- 54
翁紹宗明 493-788- 42
翁啟隆妻 清 見陳氏
翁登庸妻 清 見陳氏
翁堯英明 460-722- 75
1467-119- 66
翁喀達清 456- 10- 5
翁鄂順清 455- 73- 2
翁鄂舜清 455-554- 35
翁鄂綽清 455-204- 10
翁舜弼女 宋 見翁氏
翁煥文明 523-228-156
翁運標清 480-542-283
翁道祿妻 明 見鄭尾玉
翁達觀女 元 見翁壽安
翁萬達明 300-262-198
474-514- 25
475-872- 95
482-142-344
482-322-354
482-451-362
545-292- 94
554-177- 51
559-259- 6
564-203- 46
567-121- 67
568-257-108
676-560- 23
1458-466-449
1467-105- 65
翁嗣光妻 清 見吳氏
翁嵩年清 524- 17-178
翁福清妻 宋 見劉氏
翁漢傑元 515-833- 83
翁壽安元 朱塤妻、朱瑱妻、翁達觀女、翁觀達女
481-618-329
530-110- 54
1227-179- 21
翁壽卿宋 843-673- 下
翁熙載翁績 宋 529-440- 43
1457-620-400
翁嘉達清 455-605- 41
翁夢得宋 524- 81-182
679-540-191
翁夢鯉明 529-518- 44
676-584- 24
1442- 60- 4
1460-190- 49
翁蒙之宋 449-465-10上
460-423- 32
472-1041- 43
479-351-233
523-198-155
933- 44- 2
1146-145- 91
1147-169- 17
翁鳳翥清 515-229- 63
523-380-164
翁毅弘明 1227- 88- 10
翁德廣宋 481-610-329
528-491- 30
翁憲祥母 明 見王氏
翁憲祥明 300-834-234
511-112-140
523-136-152
翁興賢明 460-526- 48
529-720- 51
翁學淵明 1275-840- 52
翁學賢妻 清 見施氏
翁鴻業明 456-520- 6
523-359-163
翁應兆妻 明 見李氏
翁應霨妻 清 見魏閏家
翁懋勳明 529-619- 47
567-142- 68
翁麐標妻 清 見高氏
翁題元妻 清 見王氏
翁雞乙夏 546-424-129
翁歸靡漢 381-501-196
翁懿宗妻 清 見連氏
翁顯德明 515-835- 84
翁巖壽翁夔 宋 523-627-177
翁觀達女 元 見翁壽安
翁固費揚古清 455-137- 5
紐文元 1211-395- 55
紐因隋 見紐回
紐回紐因、鈕因 隋
264-1030- 72
267-634- 84
380-126-167
547- 98-145
933-621- 40
933-621- 40
紐哩遼 289-597- 79
399- 21-418
紐士雄鈕士雄 隋
264-1030- 72
267-634- 84
380-126-167
476-368-117
547- 98-145

釗周 見周康王
耕刺巫者宋492-600-13下之下
俸秉澮妻 明 見張氏
倚相左史倚相 春秋
384- 26- 1
405- 31- 57
448-252- 23
533-127- 51
933-519- 34
倚遇宋 516-422-103
1052-764- 28
1053-666- 16
倚帝氏上古 383- 19- 3
俺普元 見暗普
俺答明 見諳達
俺克帖木兒明 見思克特木爾
倒斤明 見迪錦
倒流菩薩宋 554-955- 65
倒瓦剌失里明 見達斡達實哩
倒瓦答失里明 見達斡達實哩
倪中元(字中愷) 820-521- 38
倪中元(字德中) 1221-404- 3
倪氏後魏 見兒先氏
倪氏宋 夏侯開妻
1106-508- 22
倪氏宋 許規妻、倪弼女
1093-370- 50
倪氏宋 張觀妙妻
1187-137- 19
倪氏明 伊汝儼妻 506- 74- 88
506-553-105
倪氏明 李時芳妻、倪總女
482-227-348
倪氏明 吳迪妻 1254-332- 9
倪氏明 范甫山妻 506- 9- 86
倪氏明 夏立夫妻、倪珪女
479-536-241
倪氏明 徐世淳妻 479-102-221
倪氏明 陸鰲妻 302-238-302
475-381- 68
倪氏明 張豫妻 472-179- 6
475- 79- 53
1244-674- 18
倪氏明 陳敏妻、陳敏八妻、陳閔八妻 302-234-302
472-1005- 40
524-587-207
倪氏明 陳襄妻 302-232-302
479-190-225
524-610-208
倪氏明 陳受榮妻 473-607- 76
倪氏明 莫聰妻 524-479-203
倪氏明 黃庾妻 530-139- 58
倪氏明 楊仕榮妻 479-561-242
倪氏明 蕭來鳳妻 302-250-303
倪氏明 鮑龍妻、倪成女
1267-330- 36
倪氏明 謝芳妻 506- 92- 88
倪氏明 藍增之妻 530-137- 58
倪氏清 王李妻 506- 23- 68
倪氏清 沉釁璺妻 475-235- 61
倪氏清 宋明鼐妻 506- 27- 86
倪氏清 李文明妻 474-194- 9
倪氏清 陶爾盛妻 475-813- 91
倪氏清 陳黼宸妻 482-566-369
倪氏清 鄭任銓妻 530- 37- 54
倪氏清 劉于生妻 524-473-202
倪氏清 劉之甲妻 533-680- 71
倪本宋 484-383- 28
倪朴宋 見倪樸
倪光明 524-360-196
1459-698- 27
1474- 86- 5
倪宏元 821-320- 54
倪成女 明 見倪氏
倪阜明 511- 76-139
倪岳明 300- 9-183
452-212- 5
453-690- 34
472-178- 6
475- 75- 53
511- 75-139
676-505- 19
820-653- 42
1250-890- 84
1255-555- 59
1256-390- 25
1442- 30- 2
1455-597-235
1459-684- 26
倪岳妻 明 見盧允貞
倪洪倪怙老 宋(字景範)
451- 73- 2
倪洪宋(字師幹) 708-1022- 95
倪津明 524-186-187
倪玳明 554-874- 64
倪政明(甘肅人) 545-223- 91
倪政明(字拱德) 1475-205- 9
倪思宋 287-446-398
398-439-393
451- 24- 0
472-1003- 40
473-583- 75
479-142-223
481-583-328
494-398- 12
494-472- 18
515-103- 60
523-280-159
528-443- 29
528-483- 30
674-851- 18
677-347- 32
1173-293- 85
倪祚明 820-642- 41
1258-320- 7
1258-602- 12
倪涷明 526-659-280
1297-163- 13
倪珪女 明 見倪氏
倪珣明 1249-214- 12
倪珩清 511-592-159
倪峻明 481-644-330
528-509- 31
676-471- 18
1239-193- 40
1258-320- 7
1258-601- 12
1391-547-329
倪恕宋 494-398- 12
倪望明 473-719- 81
482-207-347
563-812- 41
倪涵明 見倪端
倪淵元 400-579-553
472-1004- 40
475-667- 84
510-453-117
523-445-168
676- 17- 1
1209-533-9上
1221-635- 24
倪理明 1292-193- 17
倪乾妻 清 見李淑蕙
倪彬明 1268-415- 65
倪通明 505-817- 74
倪通妻 明 見李氏
倪晦元 295-517-188
倪偁宋 494-398- 12
933-125- 8
倪啟陳 472-253- 10
倪斌明 558-454- 38
倪善明 倪隆女 530- 6- 54
倪普宋 515-147- 61
倪閎宋 529-681- 50
倪隆妻 明 見薛德
倪隆女 明 見倪善
倪登宋 1457-624-400
倪弼女 宋 見倪氏
倪森宋 524-287-192
倪萌漢 見兒萌
倪復明 1442- 37- 2
1459-764- 30
1474-323- 16
倪溢元 1232-253- 5
倪煌明 1475-432- 18
倪勤唐 592-467- 90
倪嵩伊嵩 明 475-671- 84
511-330-149
676-230- 9
倪敬明 299-606-162
475-225- 61
511-147-142
528-451- 29
545- 70- 85
567-448- 86
676-495- 19
1258-320- 7
1258-601- 12
1391-548-329
1442- 26- 2
1459-636- 24
倪粲清 511-721-165
倪鉅明 1442-100- 6
倪賓明 511-399-151
倪端明(字仲正) 821-375- 55
倪端倪涵 明(字惺孩)
1475-486- 21
倪漢宋 見倪澄

倪輔明 524-245-190
676-505- 19
1442- 30- 2
1459-686- 26
1475-231- 10
倪愿宋 494-398- 12
倪鉼妻 明 見王氏
倪寬漢 見兒寬
倪寬倪謀哥 宋 448-387- 0
倪寬明 472-312- 13
倪澄倪漢 宋 451- 61- 2
倪潤明 511-194-143
倪撫明 1475-494- 21
倪德妻 清 見李氏
倪璣明 505-705- 70
554-493-57上
倪機明 676-170- 7
倪樸宋 451-303- 6
452- 24- 下
524- 70-181
1152- 23- 0
1152- 24- 0
1224-523- 31
倪豫明 1232-199- 1
倪勳明 483-268-392
倪濤宋 288-256-444
382-762-116
400-669-562
472-389- 17
475-822- 92
511-375-150
674-832- 17
821-202- 51
933-125- 8
1437- 19- 1
倪謙明 452-207- 5
472-178- 6
511-719-165
676-491- 19
820-632- 41
1442- 26- 2
1455-594-235
1459-626- 24
倪謙妻 明 見姚守眞
倪謙女 明 見倪淑靜
倪總女 明 見倪氏
倪顒明 472-718- 28
537-289- 55
1247-533- 24
1475-226- 10
倪鎮明 533-298- 56
倪鏜元 516- 49- 88
517-487-127
676- 96- 3
倪鎧明 524-259-191
倪麟唐 821- 55- 46
倪瓚元 302-164-298
472-261- 10
475-224- 61
511-840-168
820-537- 39
821-310- 54
1218-786- 5
1220-153- 附
1220-318- 11
1222-465- 10
1231-411- 10
1284-346-162
1369-301- 6
1408-545-536
1439-451- 2
1469-517- 58
倪瓚妻 元 見蔣圓明
倪讓明 558-350- 35
倪驤元 821-318- 54
1221-664- 26
倪三格清 456-367- 78
倪士華明 524-219-189
倪士義妻 明 見楊氏
倪士毅元 400-579-553
453-800- 4
472-381- 16
511-703-164
678-174- 86
680-301-255
1221-357- 7
1375- 21- 上
1376-203- 71
倪大海明 524-153-185
倪千里宋 493-774- 42
524-265-191
1177-243- 9
倪文一宋 529-644- 48
倪文俊元 534-960-120
倪文純明 511-243-145
倪文斯妻 明 見薛氏
倪文煥明 301-169-245
302-321-306
倪文徵明 456-640- 10
倪文舉宋 1467-180- 68
倪元珙母 明 見王氏
倪元珙明 458-380- 16
510-295-112
523-470-169
1297-148- 11
倪元陛妻 清 見王氏
倪元璐明 301-480-265
458-265- 8
479-244-227
523-390-164
677-707- 63
821-474- 58
1442-103- 7
1460-685- 75
倪天申明 1229- 82- 7
倪天池妻 清 見許氏
倪天淵元 524-196-188
倪天澤元 1199-703- 6
倪日新明 1236-439- 3
倪少通宋 1085-211- 27
倪公晦宋 523-612-176
倪仁吉明～清 吳之藝妻、倪仁楨女 524-720-212
1442-125- 8
1460-787- 85
倪仁楨女 明～清 見倪仁吉
倪永壽明 533-289- 56
571-540- 20
倪可大明 456-483- 5
475-378- 68
511-462-154
倪可任妻 清 見歐氏
倪可與明 1232-252- 5
倪民恒妻 明 見劉氏
倪民望金 546-635-136
倪守眞元 494-473- 18
倪次文妻 清 見張氏
倪光大元 1221-417- 4
倪光友清 見倪光佑
倪光佑倪光友 清
478-275-187
554-736- 61
倪光捷妻 清 見王氏
倪仲山宋 1181-752- 10
倪仲威明 1232-592- 5
倪朱謨妻 明 見沉氏
倪甫英明 523-136-152
倪壯猷明 523-438-167
倪我端倪野王 清
1318-511- 78
倪伯玉妻 元 見趙氏
倪廷相妻 明 見林玉衡
倪廷瑊妻 清 見魏氏
倪宗正明 475-449- 71
510-403-115
676-534- 21
1442- 41- 2
1459-822- 33
倪宗美妻 明 見施氏
倪宗賢清 524-207-188
倪宗器明 821-371- 55
倪宗嶽明 540-805-28之3
倪宜弟元 戴銘妻452- 31- 下
倪怙老宋 見倪洪
倪居敬元(永豐人)
1207-286- 19
倪居敬元(杭州人)
1229-285- 9
倪孟明明 1227-108- 13
倪孟賢明 299-339-140
472-1053- 44
479-431-236
515-356- 68
523-244-157
倪長圩明 見倪長玗
倪長玗倪長圩 明
510-340-113
1442-109- 7
1475-488- 21
倪長駕妻 清 見陳氏
倪昌年明 1229-689- 2
倪昌賢妻 清 見鄒氏
倪尚忠明 523-485-170
563-761- 40
倪尚誼明 1375- 27- 5
倪尚德明 1375- 27- 上
倪叔懌元 1222-470- 11
倪美玉董緒妻 明
302-244-303
倪南杰元 1197-795- 84
倪思輝明 301-177-246

511-290-147
倪若水唐 271-454-185下
274-612-128
384-201- 11
395-592-234
459-888- 54
472- 92- 3
472-641- 26
474-376- 19
477- 49-151
481- 16-291
505-748- 72
559-261- 6
593- 34- 上
933-125- 8
倪昭奎元 1207-696- 50
倪祖仁宋 494-399- 12
倪祖信宋 494-399- 12
倪祖淳宋 494-398- 12
倪祖常宋 494-399- 12
494-472- 18
倪祖智宋 494-399- 12
倪祖義宋 494-399- 12
674-791- 15
倪祖禮宋 494-399- 12
倪神保元 529-654- 49
倪泰員明 584-272- 10
倪起扶妻 清 見鄭氏
倪師尹宋 515-597- 76
倪祥善明 523-196-155
倪淑靜明 楊時敷妻、倪謙女
1251-328- 23
倪基聖妻 清 見劉氏
倪國璉清 569-621-18下之2
倪野王清 見倪我端
倪雅哈清 455-273- 15
倪斯蕙明 532-620- 43
倪景四妻 明 見周氏
倪景和元 1204-298- 9
倪景蘭明 1467-242- 71
倪華兆妻 清 見姚氏
倪道原元 1471-410- 8
倪瑞貞元 薛昶妻
1218-611- 2
倪會鼎清 524-207-188
倪端允明 475-672- 84
倪嘉言明 見倪嘉善
倪嘉善倪嘉言 明
676-652- 27
1442-103- 7
1460-613- 71
倪嘉慶明 見大然
倪維哲明 473-587- 75
820-592- 40
倪維德明 302-172-299
511-866-170
倪德政元 473-367- 64
480-483-280
532-737- 46
倪謀哥宋 見倪寬
倪應春明 511-260-146
倪懋祚清 524-268-191
559-334-7下
倪攀柱妻 清 見馬氏
郤文春秋 933-745- 52
郤氏漢 松孫達妻
493-1078- 57
512- 18-177
郤正郤纂 蜀漢 254-655- 12
377-298-118下
384- 76- 4
384-497- 18
385-210- 24
472-743- 29
477-308-164
537-491- 59
559-259- 6
592-610-100
933-745- 52
郤代春秋 933-745- 52
郤至昭子、溫季 春秋
375-734- 90
384- 19- 1
404-648- 39
448-192- 14
546-512-132
933-745- 52
郤辛周 545-125- 87
郤克郤獻子 春秋 375-732- 90
384- 19- 1
404-647- 39
448-186- 12
472-459- 20
933-745- 52
1259-680- 10
郤巡漢 477-444-171
郤宛春秋 405- 36- 58
533-128- 51
郤忠明 472-695- 28
537-267- 55
郤虎春秋 933-745- 52
郤芮冀芮 春秋 375-730- 90
384- 19- 1
404-646- 39
404-774- 47
472-458- 20
933-745- 52
郤豹春秋 404-645- 39
546-510-132
933-745- 52
郤缺郤成子 冀缺 春秋
375-731- 90
384- 19- 1
404-646- 39
448-162- 8
472- 87- 3
472-459- 20
546-503-132
933-745- 52
郤疵春秋 404-792- 48
545-725-109
郤祥明 505-908- 81
郤琠漢 933-745- 52
郤溱春秋 546-512-132
933-745- 52
郤詵晉 255-872- 52
377-596-124上
384- 93- 5
469-111- 13
472-551- 23
476-858-145
477-560-177
540-712-28之1
554-105- 50
933-745- 52
郤稱春秋 404-774- 47
郤毅步毅 春秋 546-513-132
933-655- 43
郤縠春秋 472- 87- 3
505-746- 72
545-718-108
933-745- 52
郤錡春秋 404-648- 39
郤纂蜀漢 見郤正
郤犨苦成叔 春秋 404-648- 39
448-201- 15
472-459- 20
545-164- 89
546-512-132
933-745- 52
郤犨妻 春秋 見施孝叔妻
郤成子春秋 見郤缺
郤恭默妻 清 見楊氏
郤獻子春秋 見郤克
郗七宋 821-252- 52
郗氏晉 王羲之妻、郗鑒女
814-217- 2
820- 77- 23
郗氏明 鞏邦印妻 506- 46- 87
郗坒妻 清 見郭氏
郗恢晉 256-138- 67
377-723-126
473-245- 60
480- 11-257
480-286-271
532-555- 40
540-716-28之1
814-237- 5
820- 60- 23
933- 53- 3
郗純唐 271- 32-157
275- 74-143
395-691-242
476-883-146
郗紹劉宋 265-503- 33
378-133-134
郗愔晉 256-135- 67
370-362- 9
377-720-126
472-1100- 47
476-882-146
479-284-230
486- 35- 2
523- 4-146
540-715-28之1
684-526- 2
812- 61- 中
812-224- 8
812-713- 3
813-277- 14
814-236- 5
820- 60- 23

933- 52- 3
郗愔妻 晉 見傅氏
郗超晉 256-136- 67
370-363- 9
377-721-126
384- 98- 4
485-550- 3
684-526- 2
814-236- 5
820- 60- 23
933- 52- 3
1054-314- 6
郗隆晉 256-139- 67
377-723-126
469-182- 21
472-552- 23
488- 95- 7
540-715-28之1
933- 53- 3
郗漸宋 1135-352- 34
492-711-3下
郗漸妻 宋 見傅氏
郗慮魏 254- 32- 1
384-633- 38
402-592- 20
郗儉魏 547-506-159
郗燁女 梁 見郗徽
郗曇晉 256-138- 67
377-720-126
814-236- 5
820- 60- 23
933- 53- 3
郗曄女 梁 見郗徽
郗徽梁 梁武帝后、郗燁女、郗曄女 260- 97- 7
265-200- 12
370-554- 18
373- 86- 20
814-215- 2
819-566- 19
郗顒劉宋 523-111-151
郗夔明 300- 88-188
476-298-112
546-368-127
郗夔妻 明 見王氏
郗鑑晉 256-132- 67
370-324- 7
377-717-126
384- 98- 5
459-313- 19
469-182- 21
472-324- 14
472-552- 23
475- 14- 49
475-270- 63
475-500- 75
475-697- 86
476-882-146
485- 66- 10
488-118- 7
489-598- 47
510-275-112
515- 3- 57
540-715-28之1
684-525- 2
813-277- 14
814-236- 5
820- 60- 23
933- 51- 3
1413-713- 61
郗鑑女 晉 見郗氏
郗士美唐 271- 32-157
275- 74-143
384-257- 13
395-691-242
448-338- 下
469-182- 21
476-149-104
476-883-146
481-449-317
532-568- 40
540-743-28之2
544-228- 63
545-209- 91
933- 53- 3
郗作楫妻 清 見張氏
郗法遵唐 516-481-105
879-186-58下
郗施僧晉 見郗僧施
郗僧施郗施僧 晉 256-138- 67
370-395- 10
488-156- 7
郗儉之晉 814-236- 5
820- 60- 23
郗繩宗妻 清 見李氏
郜仁妻 明 見邵氏
郜氏明 李如雁妻 506- 73- 88
郜氏明 花雲妻 472-208- 7
475-673- 84
475-755- 88
512-113-180
郜氏清 張握瑾妻 474-482- 23
郜聿唐 見浩聿
郜玟晉 933-679- 45
郜叔周 404-457- 26
郜冠明 511-603-160
郜相明 546-200-122
554-289- 53
郜恭唐 820-216- 28
郜肅元 578-867- 23
郜文忠元 1211-385- 54
郜天德明 456-682- 11
郜永春明 505-875- 78
510-438-116
545-119- 86
郜光光明 510-351-114
545-852-113
549-490-199
554-181- 51
郜知章金 472-439- 19
546-719-139
郜炳元清 474-480- 23
480- 89-262
505-859- 77
533-394- 60
郜國公主延光公主 唐 裴徽妻、蕭升妻、唐肅宗女
274-114- 83
393-282- 73
554- 53- 49
郜國公主金 烏麦阿琳妻
544-238- 63
倫氏清 李先期妻 506- 35- 86
倫氏清 董錦妻 506- 36- 86
倫布清 見魯克素
倫明明 1250-805- 77
倫拜清(他塔喇氏) 455-217- 11
倫拜清(納喇氏) 455-388- 23
倫圖清 455-628- 43
倫文敘明 482- 37-340
564- 94- 45
564-931- 64
676-528- 21
倫以訓明 564-100- 45
676-547- 22
倫以詵明 564-103- 45
倫以諒明 564-100- 45
676-551- 22
1442- 48- 3
1460- 45- 42
倫品著妻 明 見石氏
倫品觀妻 清 見王氏
倫應祥明 482-280-351
515-126- 60
564-239- 46
倫布科色清 455-499- 31
師一宋 524-432-200
588-204- 9
1053-886- 20
師乙春秋 933- 66- 4
師子亭獨尸逐侯鞮單于 漢
253-711-119
381-627-199
師子魏 1053- 27- 1
1054- 43- 1
1054-298- 5
師己春秋 404-550- 33
師心明 505-814- 74
師文春秋 839- 15- 2
師元宋 1198-121- 3
師元元 1210-350- 10
師中漢 839- 27- 3
師丹漢 251- 57- 86
376-441-102下
384- 51- 2
472-589- 24
476-662-136
540-696-28之1
675-280- 11
933- 66- 4
師氏劉宋 宗繇之妻
480-252-269
師氏宋 范孝純妻、師驥女
288-457-460
401-160-590
473-436- 67
473-517- 71
481- 83-294
481-353-309
591-573- 42
師氏金 師逵妹 291-749-130

401-168-592
556-342- 90
師氏明 張三妻 494- 58- 2
師氏明 張晉妻 474-248- 12
506- 57- 87
師氏明 解居乾妻 478-350-191
師氏清 石聲啟妻 483-283-393
師氏清 李華先妻 506-113- 89
師氏清 鍾仁妻 570-189- 22
師朮宋 1053-410- 10
師古宋 529-758- 52
師史漢 244-938-129
251-150- 91
380-531-180
933- 67- 4
師奴唐 821- 99- 48
師安宋 554-755- 62
師吉元 518- 23-136
師存春秋 404-543- 33
師戒宋 533-756- 74
1053-638- 15
師佐清 476-184-106
510-341-113
528-565- 32
537-528- 59
545-897-114
師拓金 1365-136- 4
1445-374- 26
師門夏 547-475-159
1058-492-上
1061-248-108
師叔春秋 933- 66- 4
師服春秋 375-715- 90
404-633- 38
448-135- 2
472-458- 20
545-689-108
933- 66- 4
師彥後梁 1052-174- 13
1053-266- 7
師郁五代 1053-292- 7
師俚春秋 見師悝
師律宋 1052-397- 28
師涓春秋(衛國人) 541-102- 31
師涓春秋(晉國人) 547-546-161
師浩宋 1053-329- 8
師祖唐 1053-154- 4
師悝師俚 春秋 933- 66- 4
師訓宋 1183-160- 10
師桂明 554-502-57上
師茷師筏 春秋 404-811- 49
師虔唐 1053-533- 13
師恕妻 明 見劉氏
師密五代 1053-631- 15
師祥明 554-292- 53
師鈉五代 1053-328- 8
師都隋 558-768- 50
師第女 明 見師嬌姐
師普宋 1053-333- 8
師惠宋 517-332-124
師晉五代 524-407-199
師逵妹 金 見師氏
師逵明 299-443-150
472-559- 23
472-827- 33
476-826-143
540-784-28之3
554-206- 52
師貴五代 1053-330- 8
師筏春秋 見師茷
師智宋 1053-415- 10
師備後梁 1052-173- 13
1052-655- 4
1053-269- 7
1054-143- 3
1054-590- 17
師進宋 1053-327- 8
師試後周 820-315- 31
師頏宋 285-712-296
397-154-329
472-131- 4
472-739- 29
473-366- 64
477-165-157
477-522-175
480-199-267
481-348-309
481-385-312
532-735- 46
537-351- 56
538-134- 65
554-461- 56
師聖元 見巴延
師瑞宋 487-153- 9
1153- 38- 57
師敬明 547- 20-141
師會後漢 1052-391- 28
師經戰國 546-434-129
839- 16- 2
師解唐 1053-171- 4
師賓明 523-119-151
師遠宋 1053-863- 20
師寬五代 1053-619- 15
師慧春秋 404-811- 49
師賢後魏 547-501-159
師範宋(靈石人) 476-348-116
545-138- 87
545-762-110
師範宋(和尚) 524-387-198
592-461- 89
1054-211- 4
師頤元 1201- 87- 72
師靜宋 1053-313- 8
1054-149- 3
師縉春秋 933- 66- 4
師懋明 538- 40- 63
師簡後周 486-901- 35
588-267- 11
1052-318- 22
師簡宋 1183- 57- 5
師曠春秋 384- 20- 1
386-648- 7
386-652- 7
404-750- 46
448-222- 18
469-398- 47
472-460- 20
545-734-109
547-546-161
549-550-201
550-251-218
550-381-221
550-524-224
839- 14- 2
933- 66- 4
師蘊宋 1052-335- 23
師嚴宋 1365-599-上
1366-949- 6
師嚴元 517-528-128
師觸春秋 933- 66- 4
師覺劉宋 見師覺授
師護五代 1053-408- 10
師夔金 291-735-128
478- 91-180
師巍五代 1053-239- 6
師蠲春秋 933- 66- 4
師體宋 1053-890- 20
師驥宋 1139-285- 52
師驥女 宋 見師氏
師人哲妻 明 見王氏
師人淑清 505-816- 74
師子鎧劉宋 見訶梨跋摩
師永錫宋 812-246- 52
師世美元 1197-692- 72
師民瞻宋 1173-315- 87
師功能明 554-876- 64
師以風妻 明 見王氏
師用昌帥用昌 明
473-455- 68
559-287-7上
師安石尹安石、帥安石 金
291-519-108
399-279-441
472- 70- 2
474-339- 17
505-745- 72
1040-261- 6
師克己妻 清 見李氏
師克恭元 見師托里圖
師宜官漢 574-305- 16
684-467-下
812- 58-中
812-221- 8
812-711- 3
814-226- 3
820- 34- 22
師祁犁春秋 933- 66- 4
師夜光帥夜光 唐 273- 83- 59
276-103-204
499-420-158
師兩助明 505-814- 74
師宣藝妻 清 見白氏
師帝賓清 478-599-204
558-380- 36
師彥應元 1194-623- 8
師若璵妻 清 見閻氏
師從政明 1288-646- 11
師渾甫宋 561-204-38之1
592-602- 99
1163-413- 14
1405-683-306
師朝讓明 505-685- 69

師雅助明 505-814- 74
師道立明 561-588- 46
師道南明 505-901- 80
師嘉言明 554-311- 53
師維藩宋 473-516- 71
481-352-309
559-384-9上
師襄子春秋 839- 14- 2
師嬌姐師第女 明555- 56- 66
師覺授師覺 劉宋
265-1036- 73
380- 94-167
472-772- 30
477-372-167
538-107- 64
933- 67- 4
師顯行宋 473-694- 80
563-681- 39
師托里圖師克恭、師圖烈圖
元 493-725- 40
510-332-113
1210-350- 10
師圖烈圖元 見師托里圖
皋簡皋 夏 544-154- 61
皋弘皋伯通 漢 402-443- 9
472-224- 8
485-150- 20
493-1011- 54
511-517-157
511-668-163
933-286- 20
933-286- 20
皋如春秋 405-138- 64
453-729- 1
933-286- 20
皋官清 455-202- 10
皋陶咎繇、庭堅 上古
243- 71- 2
267-895-100
383-139- 16
404-393- 23
545-686-108
546-235-123
皋魚春秋 386-710- 12
皋誨漢 933-286- 20
皋伯通漢 見皋弘
卿宋 1053-847- 19
卿秦戰國 933-428- 28
卿師宋 820-460- 36
卿球清 455-580- 38
狶韋氏上古 383- 31- 5
能五代 1053-566- 14
能宋 1127-490- 8
能仁宋 567-470- 87
能意戰國 405-240- 71
能圖清 569-618-18下之2
能樞妻 明 見王晉寧
能仁甫宋 821-183- 50
能列占明 見鼐爾章
能臣抵之漢 496-588-103
邕王後唐 見李存美
邕王南漢 見劉耀樞
姬于周 546-345-126
姬水上古 933- 68- 4
姬氏漢 王元濆妻 591-620- 45
姬氏明 苗景珠妻 506- 55- 87
姬氏明 劉剛妻、姬管成女
1259-602- 6
姬光陳 見慧可
姬明元 1467- 51- 63
姬敏明 458-165- 8
472-752- 29
537-517- 59
姬琨清 554-537-57下
姬嘉漢 535-553- 20
933- 68- 4
姬澮後魏 261-372- 23
266-406- 20
379- 2-146
544-204- 62
姬曉明 554-709- 61
姬曉妻 明 見李氏
姬翼元 見姬志眞
姬願北周 544-218- 62
姬靈明 559-315-7上
姬文胤明 302- 27-290
456-586- 8
476-577-131
478-348-191
540-636- 27
554-710- 61
姬文啟明 456-679- 11
姬文華明 570-118-21之1
姬文龍元 1214-165- 14
姬汝作金 291-688-123
400-230-518
477-499-174
538- 73- 63
姬序通明 558-312- 34
姬志元金 547-527-160
姬志眞金 547-506-159
姬志眞姬翼 元 498-729-115
586-200- 9
姬洞明宋 554-983- 65
姬思忠明 570-217- 23
姬思誠元 1200-613- 46
姬國瑞明 547- 62-143
姬國瑀明 547- 62-143
姬處遜唐 見周處遜
姬登第明～清 474-411- 20
505-853- 77
姬端修金 見宗端修
姬管成女 明 見姬氏
純正宋 1089- 73- 8
純白宋 592-451- 89
1053-754- 18
純陀唐 554-950- 65
1052-404- 29
純只海元 見沙扎該
純淑眞君明 547-491-159
脇難生 周(侍九祖脇不至席)
1053- 17- 1
1054- 26- 1
1054-263- 3
修唐 820-301- 30
修己上古 見女志
修己宋(嗣道楷) 592-454- 89
1053-591- 14
修己宋(嗣蘊聰) 1053-480- 12
修氏明 薛尚智妻 506- 70- 88
修肅晉 473-146- 56
515-565- 75
修進宋 1052- 96- 7
修意宋 1130-321- 23
修遠清 516-499-105
修廣宋 490-721- 70
590-140- 17
1098-721- 44
修慧宋 1053-673- 16
修德元 1215-604- 6
修範宋 821-270- 52
修顒宋 1053-690- 16
修仁智妻 明 見廖氏
修羊公漢 478-358-191
554-965- 65
1058-497- 上
1061-251-108
修武王明 見朱勤熚
修武長公主漢 見劉保
奚氏唐 鄒保英妻、鄭保英妻
271-654-193
401-152-589
474-279- 14
506- 28- 86
奚氏明 王文妻 493- 98-378
570-196- 22
奚氏明 胡濬妻 570-197- 22
奚氏明 崔啟弼妻 475-647- 83
奚氏明 奚克仁女
1280-542- 95
奚氏清 史宗著妻 482-146-344
奚斤後魏 261-430- 29
266-415- 20
379- 11-146
384-129- 7
546- 5-115
933-122- 8
奚仲任奚仲 夏 546-423-129
933-122- 8
奚拔後魏(代人) 261-433- 29
奚拔秥拔(奚根子) 261-494- 34
266-512- 25
奚昌明 493-1034- 54
奚昊明 676-321- 12
820-637- 41
1250-510- 47
奚采唐 559-289-7上
奚牧後魏 261-422- 28
266-422- 20
379- 17-146
933-122- 8
奚涓漢 539-398- 8
奚陟唐 270-788-149
275-292-164
396- 67-258
469-100- 12
478-117-181
554-451- 56
933-122- 8
1076-112- 12
1076-568- 12
1077-139- 12

1077-338- 2
1341-737-898
1343-791- 58
奚根稽根 後魏 261-494- 34
266-512- 25
379- 64-147
奚耘明 1271-615- 52
奚耕明 1271-617- 52
奚眷後魏 261-445- 30
266-423- 20
379- 19-146
535-556- 20
546-385-127
554-109- 50
933-122- 8
奚得明 483-282-393
571-542- 20
奚兜後魏 261-433- 29
496-422- 90
奚超唐 見李超
奚意漢 535-552- 20
539-348- 8
奚賓妻 明 見彭氏
奚齊春秋 404-686- 41
奚斡遼 見奚和勒博
奚蔵春秋 見奚容箴
奚鬲妻 清 見陳氏
奚獎唐 820-260- 29
奚銘明 472-588- 24
473-642- 78
540-650- 27
奚緒後魏 552- 34- 18
奚鼏南唐 843-658- 上
奚鼐南唐 505-926- 83
843-658- 上
奚翰遼 見奚和勒博
奚濤明 1460-735- 79
奚謙明 494-168- 6
奚簞後魏 379- 11-146
奚難後魏 262-105- 73
奚士達宋 511-298-148
奚士遜宋 511-298-148
奚世亮明 302- 22-290
473-284- 61
480-133-264
528-515- 31
533-370- 60
奚世亮妻 明 見王氏

奚他觀後魏 261-432- 29
266-416- 20
奚汝嘉明 1442- 68- 4
1460-312- 54
奚仲常女 元 見奚志寧
奚志寧元 袁易宗妻、奚仲常女 1226-497- 24
奚克仁女 明 見奚氏
奚伯瑄父元 1217-540- 33
奚廷珪宋 見李廷珪
奚廷寬南唐 見李廷寬
奚洪斗妻 明 見李氏
奚容蔵春秋 見奚容箴
奚容箴奚蔵、奚容蔵 春秋
244-390- 67
375-656- 88
405-447- 85
472-548- 23
505-708- 71
539-496-11之2
奚庭珪宋 見李廷珪
奚康生達溪康生 後魏
262-102- 73
266-754- 37
379-187-149
384-132- 7
472-744- 29
537-593- 60
546- 29-115
554-113- 50
933-122- 8
奚國柱明 571-542- 20
奚買奴後魏 261-433- 29
奚雷發奚鼎孫 宋451- 68- 2
奚鼎孫宋 見奚雷發
奚鼎鉉明 456-672- 11
奚榮先明 572-108- 30
奚顯度劉宋 258-604- 94
381- 8-184
奚和勒博奚斡、奚翰 遼
289-725-114
401-499-632
奚和碩鼐遼 289-622- 85
399- 31-419
奚利邲咄陸可汗唐 見彌射
笑印明 821-487- 58
秧清 明 567-420- 85

1467-197- 69
乘五代 1053-629- 15
乘如唐 1052-208- 15
乘宏漢 538- 26- 62
乘恩唐 1052- 78- 6
乘睢不詳 933-440- 29
乘廣唐 517-172-120
567-467- 87
1077-345- 4
1341-518-867
1467-530- 12
乘公濟妻 齊 見姚氏
臬捩雞後晉 279- 53- 8
392-247- 22
殷才明 570-163-21之2
殷亢元 1232-439- 4
殷王秦 見司馬卬
殷丹漢 486- 33- 2
523-142-153
殷氏晉 韓伯母 477-482-173
殷氏劉氏 劉宋 宋孝武帝淑儀、劉義宣女 265-193- 11
373- 80- 20
1329-986- 57
1331-489- 57
殷氏元 陸文圭妻
1194-710- 13
殷氏元 殷庠女 1232-443- 5
殷氏明 李陵妻 472-529- 22
殷氏明 胡昺妻 472-931- 37
殷氏明 涂天麟妻 480-254-269
533-621- 70
殷氏明 張天倖妻 524-503-203
殷氏明 黃龍妻 1297-714- 5
殷氏明 趙炯妻 506-130- 89
殷氏明 殷士望妹 512-469-188
殷氏清 易廣生妻 480-417-277
533-665- 71
殷氏清 金樂宣妻 475-154- 57
殷氏清 柯仲妻 530-100- 56
殷氏清 郭文蛟妻 524-615-208
殷氏清 曹雲望妻 506- 35- 86
殷玉宋 1189-324- 3
殷巨吳 254-779- 7
殷旦明 523-385-164
殷申明 見殷貳卿
殷台唐 820-239- 28
殷宅唐 485-182- 25

殷沖劉宋 258-194- 59
265-434- 27
378-104-133
494-280- 3
933-181- 12
殷沖妻 清 見丘氏
殷序明 472-569- 24
511-147-142
523-172-154
540-641- 27
殷均梁 見殷鈞
殷玖後魏 267-683- 89
殷孚劉宋 258-194- 59
265-434- 27
殷佐明 1276-418- 10
殷芸梁 260-352- 41
265-859- 60
378-437-142
477-450-171
537-578- 60
933-181- 12
殷昌元 見殷楙
殷侑唐 271-144-165
275-299-164
384-272- 14
396- 74-258
472- 64- 2
472-543- 23
472-657- 27
474-336- 17
476-475-125
476-516-127
479-447-237
477-451-171
515- 10- 57
537-578- 60
540-611- 27
933-181- 12
1073-525- 21
1073-664- 38
1074-352- 21
1074-521- 38
1075-307- 21
1075-463- 38
殷金明 475-282- 63
殷岳清 474-442- 21
475-421- 70
505-889- 79

1312-982- 19
1318-474- 74
殷恒齊 259-487- 49
933-181- 12
殷亮唐 400-418-538
484- 84- 3
820-220- 28
933-181- 12
1071-651- 10
殷庠元 683- 57- 3
1232-513- 10
殷庠女 元 見殷氏
殷度唐 820-175- 27
殷春清 455-205- 10
殷奎女 元 見殷福娘
殷奎明 475-132- 56
493-1028- 54
511-678-163
676-454- 17
1229-435- 附
1231-522- 5
1232-385- 附
1232-502- 10
1232-503- 10
1232-508- 10
1232-510- 10
1232-513- 10
1232-515- 10
1232-517- 10
1232-518- 10
1232-519- 10
1232-520- 10
1232-521- 10
1442- 11- 1
1459-475- 15
殷革明 473- 78- 52
516-104- 91
563-813- 41
殷冑隋 820-126- 25
殷泉明 1275-352- 16
殷俊明 1258-566- 10
1276-431- 10
殷浩晉 256-284- 77
370-342- 8
377-823-128
384- 99- 5
472-655- 27
477-446-171
488-127- 7
488-128- 7
524-332-195
537-577- 60
933-180- 12
殷祐晉 485- 66- 10
493-671- 37
殷效明 511-604-160
殷泰清 455-516- 32
殷泰清 見殷秦
殷秦音泰、殷泰 清
477-569-177
481- 28-291
554-194- 51
殷哲明 472-613- 25
殷時明 511-179-143
殷特清 455-230- 12
殷倫明 494- 42- 3
殷寅唐 270-255-102
276- 29-199
400-418-538
1071-651- 10
殷淳劉宋 258-193- 59
265-434- 27
378-103-133
477-449-171
933-181- 12
殷淵明 302-117-295
456-633- 10
474-442- 21
505-856- 77
1312-965- 18
殷淡劉宋 258-194- 59
933-181- 12
1395-592- 3
殷康晉 472-997- 40
479-132-223
494-274- 2
494-332- 7
523-111-151
殷基吳 254-779- 7
殷堅元 見陳堅
殷乾明 515-248- 64
殷都明 511-237-145
1442- 80- 5
1460-424- 59
殷陶漢 1408-493-529
殷通秦 486- 31- 2
殷馗漢 503- 14- 91
殷偕明 821-363- 55
殷紹後魏 262-293- 91
267-682- 89
380-625-183
殷啟唐 820-287- 30
殷敏明 見郎敏
殷敏明 見段敏
殷富明 558-443- 38
殷善明 821-363- 55
殷登清 455-420- 25
殷肅漢 1412-268- 11
殷弼明 567-452- 86
1459-291- 7
殷琰劉宋 258-545- 87
265-580- 39
370-487- 14
328-180-136
494-323- 6
933-181- 12
殷貴明 482-289-352
1258-164- 15
殷華漢 1332-718- 19
1360-626- 40
殷華元 1231-447- 附
殷鈞殷均 梁 260-241- 27
265-858- 60
378-436-142
472-655- 27
473-111- 54
477-450-171
479-654-247
515-164- 62
537-577- 60
814-254- 7
820-101- 24
933-181- 12
殷傑妻 明 見陸氏
殷溥明 511-600-160
殷裒魏 472-641- 24
477- 48-151
537-346- 56
殷羨晉 256-284- 77
473- 13- 49
515- 77- 59
殷塔清 455-403- 24
殷輅殷德輅 元 523-243-157
569-671- 19
1219-410- 14
殷楙殷昌 元 1232-432- 4
殷鉉清 511-535-157
殷誥明 1236- 75- 5
殷漢妻 明 見牛氏
殷漢媳 明 見王氏
殷輔明 554-707- 61
殷蒨齊 821- 21- 45
殷銓妻 清 見袁氏
殷遥唐(丹陽人) 451-420- 2
殷遥唐(潤州人) 475-276- 63
殷榘明 511-875-170
殷澄宋 511-542-158
1221-630- 24
殷賢明 570-155-21之2
殷霄明 見殷雲霄
殷嶠唐 見殷開山
殷[illegible]唐 812-344- 9
821- 55- 46
殷懌唐 493-1042- 55
殷融晉 258-241- 63
259-487- 49
265-376- 23
378-102-132
378-247-137
485-552- 3
488-125- 7
殷臻劉宋 265-434- 27
378-104-133
殷叡齊 259-487- 49
265-376- 23
378-247-137
殷學明 540-808-28之3
殷衡明 540-791-28之3
殷穆劉宋 258-193- 59
493-676- 37
殷謙明 472-790- 31
505-799- 74
537-328- 56
殷覬晉 見殷顗
殷邁明 457-410- 25
511-667-163
523- 55-148
1442- 57- 3
1458-310-438
殷禮吳 254-779- 7
370-252- 2
385-515- 57

475-274- 63
493-734- 41
511-172-143
殷禮全 474-517- 25
505-913- 81
殷禮明(大同府學教授)
472-480- 21
殷禮明(陽曲人) 505-657- 68
殷謨清 476-331-115
547-138-146
殷璧妻 明 見曹少寧
殷鏊明 511-181-143
殷顗殷覬 晉 256-367- 83
377-885-129下
477-448-171
532-661- 44
537-577- 60
933-181- 12
殷鵬後晉 278-115- 89
殷觀蜀漢 384-464- 12
533-229- 54
殷七七殷文祥、殷天祥、殷道筌 唐 472-278- 11
475-284- 63
511-924-174
558-483- 41
1059-613- 下
1061-331-113
殷士望明 302-157-297
475-278- 63
511-563-158
515- 96- 59
殷士望妹 明 見殷氏
殷士儋明 300-176-193
476-528-128
540-812-28之3
676-581- 24
1442- 59- 4
1460-178- 48
殷子厚明 1232-426- 4
殷子陽唐 820-157- 26
殷子義明 511-591-159
676- 30- 1
677-643- 57
殷子諄元 1232-431- 4
殷子謜妻 元 見邢眞
殷大白明 559-292-7上
殷文圭唐 451-477- 7
475-642- 83
殷文亮唐 538-358- 77
殷文祥唐 見殷七七
殷文撫宋 見洪文撫
殷之才妻 清 見吳氏
殷不佞陳 260-760- 32
265-1056- 74
380-114-167
472-997- 40
477-450-171
479-132-223
493-737- 41
494-335- 7
523-113-151
933-181- 12
殷不害陳 260-759- 32
265-1056- 74
370-583- 20
380-113-167
384-122- 6
472-656- 27
473-301- 62
477-450-171
533-439- 62
538-114- 64
554-884- 64
933-181- 12
殷天祥唐 見殷七七
殷化行王化行 清
478-132-181
554-617- 59
558-166- 30
殷允文妻 清 見薛氏
殷玄祚唐 820-158- 26
殷正夫母明 1278-399- 18
殷正茂明 300-659-222
475-573- 79
482-323-354
511-283-147
567-133- 68
568-318-110
1467-121- 66
殷札喀清 456-156-61
殷令名唐 812-348- 9
814-269- 9
820-135- 26
821- 38- 46
殷他錫清 455-195- 9
殷汝麟明 1278-454- 22
殷汝麟妻 明 見郭氏
殷仲文晉 256-629- 99
370-389- 10
384-101- 5
469- 77- 10
479-317-232
588-447- 2
679-853-223
1379-374- 46
殷仲春明 524-280-192
1442-106- 7
1460-637- 72
1475-394- 17
殷仲容唐 269-516- 58
684-473- 下
812-348- 9
812-371- 0
812-744- 3
814-269- 9
820-136- 26
821- 42- 46
殷仲孫妻 晉 見靡常
殷仲堪晉 256-376- 84
377-891-129下
384-100- 5
472-253- 10
472-1026- 42
473-296- 62
510-355-114
559-259- 6
742- 30- 1
814-244- 6
820- 72- 23
933-180- 12
1259-680- 10
殷仲温元 476-333-115
546-405-128
殷良輔元 1206-678- 2
殷孝祖劉宋 258-536- 86
265-580- 39
370-486- 14
378-179-136
384-113- 6
472-655- 27
477-449-171
538-68-63
540-667- 27
933-181- 12
殷君瑞女 明 見殷妙壽
殷伯固明 528-496- 30
殷伯賢明 1231-371- 6
殷妙壽明 朱顯妻、殷君瑞女
1246-620- 12
殷廷舉明(星子人) 516-106- 91
532-670- 44
殷廷舉明(知太原) 545-154- 88
殷廷蘭明 523-105-150
殷承敘明 300-163-192
478-489-199
558-297- 34
殷承業唐 276- 29-199
殷承憲妻 清 見張氏
殷尚賢明 554-366- 54
殷尚質明 474-692- 37
502-287- 56
505-850- 76
545-288- 94
殷尚明 456-603- 9
475-485- 73
511-471-154
殷尚寶元 見眭暘
殷季友唐 812-344- 9
821- 53- 46
殷秉智妻 清 見樊氏
殷近仁明 472-985- 39
524-108-183
545-243- 92
676-257- 10
1475-165- 7
殷盈孫唐 271-145-165
275-301-164
384-284- 15
396- 75-258
477-451-171
殷英童北齊 812-338- 38
814-262- 8
820-122- 25
821-28- 45
殷紀配晉 廖伯妻
591-534- 41
殷保晦妻 唐 見封絢
殷原善明 524-108-183
殷時中明 533-159- 52
殷時遇元 見陰幼遇
殷時衡妻 明 見張氏

殷惟肖元 1221-445- 7
殷崇義湯悅 南唐
472-368- 16
475-642- 83
511-815-167
殷國鼎明 511-596-159
殷紹宗明 見潘紹宗
殷從儉明 481-494-324
482-351-356
528-460- 29
567-337- 79
1467-231- 70
殷雲霄明 301-838-286
476-587-131
479-431-236
523-247-157
540-798-28之3
676-533- 21
1267-425- 3
1442- 41- 2
1458-214-433
1459-820- 33
殷貳卿殷申 明 1295-118- 9
殷登瀛明 511-304-148
676-300- 11
676-324- 12
殷堯藩唐 451-444- 4
478-343-191
528-435- 29
1371- 69- 附
殷開山殷嶠 唐 269-515- 58
274-179- 90
384-165- 9
395-247-203
472-834- 33
478-109-181
545-130- 87
545-399- 98
554-576- 58
556-340- 90
556-340- 90
814-268- 9
820-135- 26
933-182- 12
1340-556-776
殷景仁劉宋 258-241- 63
265-433- 27
378-102-133
384-111- 6
472-655- 27
477-448-171
488-169- 8
537-577- 60
933-181- 12
殷道矜劉宋 258-243- 63
265-434- 27
378-102-133
933-181- 12
殷道筌唐 見殷七七
殷達理清 455-114- 4
殷達渾清(鑲白旗人)
455- 66- 2
殷達渾清(正白旗人)
455-118- 4
殷達渾清(完顏氏) 455-467- 28
殷達渾清(薩克達氏)
455-548- 35
殷敬仲妻 唐 見顏氏
殷福娘元 殷奎女
1232-442- 5
殷聞禮唐 269-516- 55
812-348- 9
820-135- 26
821- 38- 46
殷僧辯唐 491-343- 2
殷廣成明 1258-766- 7
殷踐猷唐 270-255-102
276- 28-199
384-205- 11
400-418-538
472-657- 27
538-115- 64
933-181- 12
1071-650- 10
殷踐猷妻 唐 見蕭氏
殷德布清 455-468- 28
殷德理清 455-447- 27
殷德輅元 見殷輅
殷應寅清 481-674-331
528-533- 31
殷簡之 256-381- 84
殷曠之晉 485-533- 1
486- 65- 3
殷鐵石梁 820-102- 24
殷體信明 456-482- 5
546-154-120
殷達瑚齊清(富察氏)
455-443- 27
殷達瑚齊清(彰錦氏)
456- 62- 54
殷達渾章色清 455- 66- 2
般上古 404-387- 23
般舟唐 1054-508- 14
般若唐 1052- 31- 3
1054-499- 14
般若力唐 1052- 28- 3
般刺若智慧 唐 1052- 17- 2
般若多羅劉宋 1053- 30- 1
1054- 69- 2
1054-348- 8
般若流支智希 後魏
1051-168- 6
般刺蜜帝唐 見極量
般若斫迦三藏唐 見智慧輪
狼瞫春秋 404-759- 46
472-459- 20
545-720-108
933-418- 27
狼蘧疏春秋 933-418- 27
桀履癸 夏 243- 75- 2
371-218- 3
372- 99-3上
383-243- 23
384- 3- 1
404- 47- 3
544-154- 61
桀妃夏 見末喜
桀溺春秋 448- 92- 上
472-767- 30
871-886- 19
879-151-57下
桀龍漢 535-552- 20
544-199- 62
叟文清 455-432- 26
叟什清 502-611- 76
叟色清(伊爾根覺羅氏)
455-271- 15
叟色清(翁牛特氏) 496-217- 76
叟塞清 456-256- 69
徒璽明 1228-500- 30
徒人費春秋 見費
徒丹航金 見圖克坦航
徒師沼周 545-433- 99
徒單航金 見圖克坦航
徒單銘金 見圖克坦銘
徒單鎰金 見圖克坦鎰
徒單繹金 見圖克坦繹
徒單公弼金 見圖克坦公弼
徒單安春金 見圖克坦鎰
徒單合喜金 見圖克坦喀齊喀
徒單克亭金 見圖克坦克寧
徒單克寧金 見圖克坦克寧
徒單哈希金 見圖克坦喀齊喀
徒單重泰金 見圖克坦銘
徒單習顯金 見圖克坦克寧
徒單愛新金 見圖克坦鎰
徒單錫里金 見圖克坦公弼
徒單錫林金 見圖克坦公弼
徒單錫琳金 見圖克坦公弼
徒單錫馨金 見圖克坦克寧
徒丹扎克繖金 見圖克坦航
徒單扎克繖金 見圖克坦航
徒單珠巴克金 見圖克坦繹
徒單喀齊喀金 見圖克坦喀齊喀
扆繻明 547-101-145
納木清 456-208- 66
納沁元 292- 5- 1
納克妻 元 見蘇爾噶汗
納林清(他塔喇氏) 455-220- 11
納林清(納喇氏) 455-401- 24
納林清(富察氏) 455-434- 26
納延元 見納顏
納海清(瓜爾佳氏) 455- 35- 1
納海清(鑲藍旗人) 502-575- 75
納庫清 455-417- 25
納秦清(瓜爾佳氏) 455- 90- 3

納秦清(正紅旗人) 455-386- 23
納秦清(正藍旗人) 455-397- 24
納琳納麟 元 294-520-142
400- 21-500
479- 43-218
479-451-237
515- 26- 57
39-440- 2
納凱清 455-245- 13
納喇清(富察氏) 455-448- 27
納喇清(額爾圖氏) 456- 61- 54
納進清 455-366- 22
納綬清 455-365- 22
納親清(赫舍里氏) 455-200- 10
納親清(薩克達氏) 455-553- 35
納親清(郭佳氏) 456-102- 57
納穆清(納喇氏) 455-377- 23
納穆清(富察氏) 455-448- 27
納濟清 455-427- 26
納顏納延 元 294-228-119
399-328-447
1209-610-10上
納謨清 456- 10- 50
納麟元 見納琳
納木泰清 455-144- 6
納克楚明 299-200-129
納拉氏清 莽古爾泰妻
474-778- 42
納郎阿清(納喇氏) 455-366- 22
納郎阿清(伊拉理氏)
455-669- 47
納衍太清 455-119- 4
納朗阿清 455-116- 4
納時泰清 455-287- 16
納密達清(岳諾特氏)
456-223- 67
納密達清(索綽羅氏)
502-741- 85
納都瑚清 502-521- 72
納喇氏金 完顏和哩布妻
291- 3- 63
納喇氏清 岳託妻
474-779- 42
503- 33- 94
納達理清 455-332- 20
納達齊清 455- 55- 1
納齊布清(伊爾根覺羅氏)
455-242- 13
納齊布清(舒舒覺羅氏)
455-286- 16
納齊布清(伊拉理氏)
455-668- 47
納漢泰清 455-676- 48
納爾布清 455-657- 46
納爾拜清 456-100- 57
納爾泰清(正藍旗人)
456-379- 79
納爾泰清(巴林氏) 502-606- 76
納爾察清 474-756- 41
502-722- 84
納爾遜清 455-247- 13
納爾德清 502-610- 76
納默庫清 500-925- 37
納噶札清 見納噶察
納噶察納噶札 清
454-936-114
500-727- 37
納穆占清 455-365- 22
納穆岱清(佟佳氏) 455-312- 19
納穆岱清(葉何氏) 456-253- 69
納穆春清 456-208- 66
納穆泰清(阿顏覺羅氏)
455-303- 18
納穆泰清(正黃旗人)
474-758- 41
502-455- 69
納穆清 455-476- 29
納穆賽清 456-225- 67
納顏布清 456-146- 60
納顏泰清 455-205- 10
納蘭泰清(納喇氏) 455-365- 22
納蘭泰清(瓦爾佳氏)
456-148- 60
納木扎勒清(烏默客叔)
454-553- 55
納木扎勒清(圖巴子)
454-681- 75
納木扎勒清(朋素克子)
454-695- 77
納木扎勒清(青海和碩特人)
454-757- 84
納木札爾清 1304-589- 89
納坦謀嘉金 見納塔謀嘉
納林布祿清 474-850- 46
納旺伊什清 454-577- 60
納兒不花明 見鼐爾巴哈
納速剌丁元(謚貞簡) 見尼雅斯拉鼎
納速剌丁元(字士瞻) 見尼雅斯拉鼎
納琳居準元 1196-264- 15
1196-271- 15
納琳哈喇元 1194-600- 6
納琳德濟努爾德濟 元
294-266-122
399-355-450
1207-350- 24
1367-309- 26
納喇路什清 1322-644- 11
納喇綽奇納蘭綽赤、納喇綽齊、納琳綽爾齊 金
291-661-121
400-209-517
474-737- 40
502-701- 82
納喇綽齊金 見納喇綽奇
納塔謀嘉納坦謀嘉、納哈塔謀嘉 金 291-455-104
399-251-439
474-873- 47
475-777- 89
502-264- 54
納瑚爾岱清 456-107- 57
納穆奇善清 456-106- 57
納穆達什清 451-451- 27
納蘭綽赤金 見納喇綽奇
納合蒲剌都金 見納哈塔富拉塔
納延特穆爾乃顏帖木兒 明
496-626-106
納哈塔烏頁金 見納哈塔椿年
納哈塔椿年納哈塔烏頁 金
291-214- 83
399-136-428
納哈塔德俊元 545-117- 86
納哈塔謀嘉金 見納塔謀嘉
納琳綽爾齊金 見納喇綽奇
納喇多囉羅金 見納喇呼喇勒
納喇呼喇勒那蘭呼拉勒、納蘭胡魯剌、納喇多囉囉 金
291-453-103
399-263-439
476-855-145
540-671- 27
545-460-100
納塔和碩台金 291-697-124
400-239-519
納瑪琳藏布清 454-621- 67
納赫布魯都金 見納哈塔富拉塔
納蘇拉迪音元 見尼雅斯拉鼎
納蘭胡魯剌金 見納喇呼喇勒
納木扎勒色稜清
454-494- 44
納木扎勒車凌清
454-765- 86
納木扎勒齊素清
454-657- 71
納哈塔富拉塔納合蒲剌都、納赫布魯都 金 291-674-122
400-220-518
476-150-104
505-857- 77
545-216- 91
納喇噶爾噶圖清
1322-590- 9
納木喀埒克斯巴明
302-832-331

本書承蒙

行政院文化建設委員會補助編輯費用

四庫全書索引叢刊之三

四庫全書傳記資料索引

下　　册

中華文化復興運動推行委員會
四庫全書索引編纂小組
主編

臺灣商務印書館發行

四庫全書傳記資料索引　下册

首字筆畫檢索

十一畫

寇	937	竟	947	執	993	習	1012	捷	1033	圉	1190
涼	938	部	947	專	993	陸	1012	採	1033	國	1190
淇	938	許	947	麥	993	匿	1026	梗	1033	崆	1190
庶	938	訛	960	梵	994	區	1026	爽	1033	崔	1190
瓶	938	郭	960	梅	994	現	1026	棄	1033	常	1203
宿	938	祥	977	頃	996	規	1026	瓠	1033	莘	1206
涪	938	悼	977	戚	996	都	1026	張	1033	荷	1206
淳	938	麻	977	尉	997	聊	1027	通	1124	處	1206
清	939	庸	978	強	998	帶	1027	陵	1125	野	1207
婆	940	鹿	978	陰	998	掩	1027	陳	1125	畢	1207
淮	940	牽	978	雪	999	掃	1027	莆	1186	晞	1209
淦	940	率	978	理	999	掘	1027	莽	1186	晚	1209
淄	940	郯	978	珵	999	梓	1027	荼	1186	蛇	1209
產	940	訪	978	琈	999	郴	1027	晦	1186	崛	1209
商	940	寂	978	堵	999	副	1027	蚳	1186	莎	1209
翊	941	深	979	堆	999	疏	1027	崇	1186	虙	1209
旌	941	淡	979	堅	999	陶	1027	將	1187	彪	1209
望	941	淑	979	曹	999	勒	1032	貫	1187	莢	1209
惇	941	[illegible]	979	聃	1010	彬	1032	堂	1187	莫	1209
惟	941	淥	979	基	1010	務	1032	莒	1187	曼	1211
粘	942	梁	979	乾	1010	閉	1032	莊	1187	啖	1211
密	942	訥	988	接	1010	琅	1032	鹵	1189	罘	1211
淖	942	康	988	推	1010	敖	1032	眭	1189	敝	1211
混	942	衮	991	埜	1010	教	1032	婁	1189	逍	1211
淨	942	庹	991	奢	1010	連	1032	晤	1190	逞	1211
淵	942	庾	991	奝	1010	速	1033	略	1190	移	1211
章	942	被	993	閆	1010	敕	1033	啞	1190	符	1211
		袾	993	問	1010	救	1033	唯	1190	悉	1212
		球	993	屠	1010	掖	1033	圈	1190	祭	1212

字	頁	字	頁	字	頁	字	頁	字	頁	字	頁
魚	1212	條	1215	視	1241	稽	1279	粟	1292	蒹	1302
偽	1212	皎	1215	旒	1241	習	1279	散	1292	萊	1302
偶	1212	啟	1215	惲	1241	盛	1279	提	1292	菰	1302
貨	1212	從	1215	湯	1241	雅	1281	揆	1292	最	1302
得	1212	造	1215	渤	1244	雄	1282	棟	1292	跛	1302
終	1212	透	1216	勞	1244	殖	1282	森	1292	無	1302
笡	1212	逢	1216	渠	1244	畫	1282	棣	1292	等	1302
竿	1212	逡	1216	敦	1244	閏	1282	椒	1292	焦	1302
偏	1212	巢	1216	袾	1244	間	1282	棗	1292	然	1304
偓	1212	十二畫		雲	1244	婺	1282	棘	1292	傅	1304
倕	1212	寒	1216	貳	1245	隋	1282	厥	1292	順	1311
猛	1212	滋	1216	越	1245	隆	1282	裂	1292	須	1311
船	1213	減	1216	惠	1245	登	1283	發	1292	絮	1311
婣	1213	潤	1216	惡	1246	琦	1283	閑	1292	嫣	1311
紹	1213	斌	1216	賁	1246	琥	1283	閔	1292	幾	1311
釧	1213	馮	1216	黃	1246	琨	1283	离	1293	貂	1311
斜	1213	尊	1226	博	1271	堯	1283	貴	1293	鈕	1311
犁	1213	富	1226	項	1272	趄	1283	景	1293	鈞	1312
斛	1213	游	1228	棧	1273	斯	1283	黑	1294	答	1312
脫	1213	湘	1230	寮	1273	鄧	1283	買	1294	筍	1312
偃	1213	湖	1230	尋	1273	覃	1283	紫	1294	程	1312
偉	1213	渥	1230	閎	1273	軻	1283	跋	1294	喬	1323
偏	1213	湝	1230	費	1273	揭	1283	菅	1295	番	1324
郫	1214	渦	1230	賀	1275	桿	1284	菩	1295	皓	1324
兜	1214	童	1230	巽	1279	堪	1284	蓄	1295	智	1324
御	1214	証	1231	斑	1279	辜	1284	虛	1295	循	1326
猗	1214	詞	1231	珀	1279	硯	1284	喀	1295	畬	1326
屝	1214	惜	1231	琴	1279	開	1284	蛭	1296	結	1326
統	1214	善	1231	壺	1279	肅	1284	凱	1296	絡	1326
紳	1214	翔	1232	超	1279	弼	1284	掌	1296	舜	1326
彩	1214	普	1232	喜	1279	犀	1284	華	1296	舒	1326
第	1214	曾	1232	朝	1279	彭	1284	菴	1298	嵇	1329
參	1215	甯	1240	握	1279	揚	1290	羿	1298	郵	1329
欲	1215	渾	1241	揑	1279	陽	1291	喇	1298	備	1329
梨	1215	湛	1241	棓	1279	琛	1292	喻	1299	皖	1329
敏	1215	鄆	1241	楮	1279	琳	1292	鄂	1300	巑	1329
偰	1215	訶	1241	棲	1279	報	1292	單	1301	絕	1329
假	1215			植	1279	欺	1292	棠	1302	絳	1329

鄉 1329
勝 1330
欽 1330
斐 1330
策 1330
象 1330
傑 1330
集 1330
復 1330
進 1330
逯 1330

十三畫

寘 1330
溥 1330
滅 1330
源 1330
滇 1331
滁 1331
意 1331
該 1331
詩 1331
補 1331
慈 1331
義 1331
猷 1332
愼 1332
塞 1332
滑 1332
溫 1332
塗 1335
靖 1335
詮 1336
亶 1336
裔 1336
雍 1336
裕 1336
煙 1336
煜 1336
愷 1336
準 1336
新 1336
詳 1337
誇 1337
溪 1337
歆 1337
廉 1337
祿 1337
運 1337
道 1337
遂 1340
資 1340
載 1340
塤 1340
賈 1340
頓 1346
禁 1347
感 1347
預 1347
隗 1347
雷 1347
瑚 1349
聖 1350
畺 1350
輅 1350
搆 1350
椿 1350
極 1350
塘 1350
塔 1350
厔 1351
琿 1351
瑯 1351
瑞 1351
瑜 1351
馯 1351
馳 1351
肆 1351
靳 1351
斟 1352
搖 1352
楠 1352
榆 1352
幹 1352
碎 1352
辟 1352
瑟 1352
勤 1352
楊 1352
楞 1393
碭 1393
瑕 1393
瑛 1394
較 1394
搜 1394
楚 1394
達 1395
裘 1397
槩 1397
蔿 1397
萬 1397
萬 1400
照 1400
煦 1400
愚 1400
戢 1400
蛾 1400
蜀 1400
嵬 1401
當 1401
落 1401
董 1401
督 1409
睦 1409
睢 1409
暗 1409
盟 1409
嗒 1409
嗢 1409
路 1409
嗣 1410
蜎 1410
園 1410
圓 1410
訾 1411
嵩 1411
葛 1411
萼 1414
鼎 1414
暉 1414
鄖 1414
蜆 1414
募 1414
葉 1414
煠 1422
葆 1422
敬 1422
虞 1423
睽 1426
暎 1426
叟 1426
農 1426
遏 1426
遇 1426
過 1426
曼 1427
業 1427
鉉 1427
鳩 1427
傳 1427
傫 1427
禽 1427
鉅 1427
鉏 1427
鉤 1427
鉛 1427
稠 1427
筠 1427
矮 1427
鮭 1427
詹 1427
僃 1429
雋 1429
會 1429
經 1429
綏 1429
筦 1430
節 1430
毓 1430
鄒 1430
解 1433
鄔 1435
鄗 1435
僊 1435
衙 1435
傷 1435
舅 1435
愛 1435
犍 1436
腹 1436
奧 1436
牒 1436
微 1436
遁 1436
彙 1436

十四畫

賓 1436
實 1436
察 1436
演 1437
漂 1437
漆 1437
漏 1437
漁 1437
誧 1437
誠 1437
誨 1437
旗 1437
漕 1437
韶 1437
語 1437
褚 1437
福 1439
瘖 1440
塵 1440
精 1440
寧 1440
滹 1440
竭 1440
端 1440
齊 1440
誦 1444
鄜 1444
禆 1444
粹 1444
寡 1444
彰 1445
廖 1445
寨 1447
滾 1447
漠 1447
漢 1447
滿 1449
漫 1450
潡 1450
豪 1450
榮 1450

滎 1451
瑪 1451
瑣 1452
壽 1452
赫 1452
甄 1453
輔 1454
與 1454
綦 1454
熙 1454
緊 1454
槐 1454
爾 1454
臧 1455
戩 1456
碩 1456
頗 1457
閩 1457
際 1457
碧 1457
瑠 1457
臺 1457
嘉 1457
趙 1457
監 1499
搘 1499
誓 1499
替 1499
暨 1499
翟 1499
閣 1501
琨 1501
瑤 1501
艷 1501
鄢 1501
斡 1501
翠 1501
聞 1501
障 1501
摎 1501
摻 1502
榜 1502
碭 1502
撤 1502
歌 1502
遠 1502
遜 1502
蒲 1502
蓀 1503
夢 1503
蓐 1503
嘎 1503
對 1503
獃 1503
蒿 1503
蓋 1503
蒨 1503
蒼 1503
睿 1503
蜢 1503
暠 1503
雌 1503
團 1503
圖 1503
幕 1505
蒯 1505
蒒 1506
嘛 1506
暢 1506
裳 1506
蓑 1506
蒙 1506
跌 1507
銚 1507
箕 1507
蜚 1507
滕 1507
僚 1509
鳳 1509
熊 1509
嫘 1513
銅 1513
銘 1513
銓 1513
管 1513
雒 1514
稱 1514
僮 1514
僧 1514
僖 1516
僑 1516
維 1516
箍 1516
算 1516
舞 1516
臯 1516
鄡 1516
魁 1516
肇 1516
綽 1516
綱 1516
綺 1516
綸 1516
嫪 1516
裴 1516
僕 1523
徹 1523
嫫 1524
綬 1524
綠 1524

十五畫

寬 1524
寫 1524
潔 1524
潯 1524
諒 1524
禡 1524
廚 1524
麃 1524
廣 1524
瑩 1524
審 1524
潼 1525
潮 1525
潛 1525
澄 1525
潤 1525
潘 1525
諸 1532
調 1533
禢 1533
憍 1533
翦 1533
窮 1533
澆 1534
潭 1534
潚 1534
論 1534
廝 1534
摩 1534
鄭 1534
鄯 1555
澓 1555
談 1555
敵 1555
褒 1555
慶 1555
適 1556
養 1556
慧 1556
髮 1559
熱 1559
頡 1559
賣 1559
賢 1559
賚 1559
撫 1559
標 1559
穎 1559
厲 1559
隤 1559
駟 1559
駒 1559
髯 1559
鞋 1559
增 1559
播 1559
樓 1559
豎 1560
確 1560
闇 1560
閭 1560
璋 1561
摯 1561
靚 1561
鞏 1561
醉 1561
撓 1561
樟 1561
樗 1561
樞 1561
擗 1561
鄩 1561
翬 1561
鼐 1561
鄧 1561
震 1568
穀 1568
敷 1568
遷 1568
歐 1568
麩 1573
撖 1573
撒 1573
撥 1573
撮 1573
隸 1573
樊 1573
磔 1576
閬 1576
履 1576
賞 1576
蔚 1576
慕 1576
蔣 1577
蔡 1584
賤 1593
暴 1593
罵 1593
墨 1593
瞎 1594
輝 1594
劇 1594
嘯 1594
影 1594
蔓 1594
蓮 1594
蓬 1594
餘 1594
箴 1594
耦 1594
憇 1594
黎 1594
儀 1596
質 1596
德 1596
箬 1597

稽 1597
靠 1597
魯 1597
儋 1601
磐 1601
盤 1601
翩 1601
虢 1601
銳 1601
鄱 1601
範 1601
篇 1601
劉 1601
衛 1679
締 1683
編 1683
膠 1683
稷 1683
儂 1683
樂 1683
徵 1685
練 1685
緹 1686
緱 1686
線 1686
緣 1686

十六畫

嬴 1686
羲 1686
糗 1686
澧 1686
潞 1686
澹 1686
龍 1686
諳 1688
諲 1688
諝 1688
諾 1688
謂 1688
磨 1688
燈 1688
窺 1688
辨 1688
親 1688
澤 1688
諶 1688
謁 1688
諤 1688
諭 1689
寰 1689
澡 1689
激 1689
諫 1689
廩 1689
麇 1689
燉 1689
遵 1689
頭 1689
熹 1689
融 1689
賴 1689
燕 1690
樹 1691
橫 1691
樵 1691
機 1691
穎 1691
螽 1691
臻 1691
閼 1691
霍 1691
駱 1693
墻 1694
翰 1694
橘 1694
橋 1694
酴 1694
歷 1694
奮 1694
闍 1694
閻 1694
彊 1697
靜 1697
璘 1697
輸 1697
擇 1697
璞 1697
瓢 1697
操 1697
樸 1697
遼 1697
遲 1697
豫 1698
隨 1698
默 1698
頻 1698
縣 1698
曇 1698
戰 1699
興 1699
冀 1699
黔 1699
盧 1699
器 1709
噲 1709
圜 1709
蕘 1709
蕭 1709
曉 1726
噶 1726
鄴 1727
蕩 1727
瞞 1727
遺 1727
錢 1727
耨 1734
積 1734
滕 1734
獨 1734
鴟 1735
館 1735
學 1735
龜 1735
雕 1735
錡 1735
錦 1735
鮑 1735
衡 1738
錫 1738
穆 1739

十七畫

賽 1741
鴻 1741
濕 1741
謝 1741
縻 1753
應 1753
燭 1754
謇 1754
豁 1754
濯 1754
禧 1754
營 1754
濟 1754
齋 1755
謌 1755
禪 1755
蹇 1755
濛 1755
濩 1755
濮 1755
謙 1756
糜 1756
麋 1756
襄 1756
燮 1756
戴 1756
聰 1761
鞠 1761
醜 1762
輿 1762
擦 1762
懋 1762
繄 1762
翼 1762
彌 1762
隰 1762
隱 1762
轄 1762
檀 1762
臨 1763
麯 1763
聲 1763
擊 1763
韓 1763
孺 1778
勵 1778
霞 1778
璩 1778
環 1778
轅 1778
薄 1778
戲 1778
蟒 1778
螺 1779
嶽 1779
點 1779
購 1779
嬰 1779
蹋 1779
薊 1779
薛 1779
豳 1789
邁 1789
懇 1789
鍼 1789
繁 1789
總 1789
谿 1789
鍾 1789
矯 1793
黏 1793
鮭 1793
儲 1793
縮 1793
檘 1793
鮮 1793
繆 1794
斂 1794
優 1794
徽 1795
獲 1795
縱 1795
繅 1795

十八畫

額 1795
顏 1796
瀋 1800
謹 1800
禮 1800
謳 1801
謼 1801
鄺 1801
謨 1801
燾 1801

贊 1801
職 1801
轉 1801
檳 1801
檮 1801
璧 1801
闖 1801
璿 1801
騅 1801
豐 1801
翹 1802
釐 1802
醯 1802
醫 1802
闔 1802
騎 1802
聶 1802
彝 1804
覆 1804
慶 1804
闕 1804
薦 1804
藏 1804
藤 1804
蟲 1804
顓 1804
瞿 1804
瞻 1805
藍 1805
薩 1806
嚚 1807
壘 1807
蟜 1807
醬 1807
藐 1807
薳 1807
叢 1807
鎮 1807
鎖 1807
鵠 1807
魏 1807
緜 1818
雞 1818
鎬 1818
鎦 1818
簡 1818
雛 1818
鮎 1818
繒 1818
鐔 1818
歸 1818
酈 1819
獵 1819
繞 1819
繡 1819
雙 1819
邈 1819
織 1819

十九畫

瀛 1819
識 1819
譙 1819
禰 1820
懶 1820
證 1820
龐 1820
廬 1822
靡 1822
離 1822
譚 1822
癡 1825
懷 1825
麴 1826
顛 1826
願 1826
難 1826
韜 1826
隴 1826
疆 1826
麗 1826
關 1826
瓊 1827
礐 1827
藜 1827
藕 1827
曠 1827
疇 1827
藩 1827
羅 1827
藥 1836
蹶 1836
耨 1836
贊 1836
犢 1836
鏗 1836
辭 1836
鏡 1836
邊 1836
邋 1837
繳 1837

二十畫

寶 1837
騫 1838
竇 1838
騷 1841
礪 1841
闡 1841
騶 1842
瓌 1842
壤 1842
攘 1842
鬫 1842
黨 1842
獻 1842
黥 1842
懸 1842
曦 1842
鶡 1842
耀 1842
藺 1842
蘆 1843
蘊 1843
警 1843
贍 1843
藹 1843
蘄 1843
蠕 1843
藻 1843
蘇 1843
嚴 1853
釋 1857
覺 1857
鄱 1858
繼 1858
飂 1858
鐻 1858
纂 1858
騰 1858
觸 1858
鐘 1858
礐 1858
籃 1858
籍 1858
饒 1858
鐔 1859

二十一畫

鶴 1859
癩 1859
竈 1859
灃 1859
灌 1860
懽 1860
辯 1860
護 1860
夔 1860
驃 1860
霸 1860
露 1860
酆 1860
齧 1860
覽 1860
攝 1860
鬫 1860
櫰 1860
顥 1860
纍 1860
巋 1860
蘭 1860
蘧 1860
囊 1861
鐵 1861
顧 1861
續 1868
纏 1868
鐸 1868

二十二畫

龔 1868
讀 1871
癭 1871
襲 1871
鰲 1872
懿 1872
驕 1872
鑒 1872
權 1872
酈 1872
鬻 1873
囊 1873
疊 1873
歡 1873
籛 1873
鱄 1873
鑑 1873
羅 1873
龕 1873
酇 1873
穰 1873

二十三畫

戀 1873
癰 1873
欒 1873
囍 1874
顯 1874
蘿 1874
蠱 1874
體 1874
巖 1874
鑛 1874
鑢 1874
鱗 1874

二十四～三十畫

灝 1874
讓 1874
蠶 1874
靈 1874
鼇 1875
靄 1875
鬭 1875
鼈 1875
鑪 1875
觀 1875
讚 1875
鑾 1875
豔 1875
驢 1875
驪 1876
鬱 1876
爨 1876

四庫全書傳記資料索引 下冊

十一畫

寇卞元 472-827- 33
寇氏明 王瓚妻 477-422-169
寇氏明 馬洲妻 476-867-145
寇氏明 郭以新妻、郭以親妻
480-321-272
533-643- 70
寇氏明 薛瑶妻 506- 46- 87
寇平宋 1093-403- 55
寇先春秋 472-686- 27
538-337- 70
839- 13- 2
1058-495-上
寇治後魏 261-584- 42
554-748- 62
寇洛北周 263-517- 15
267-227- 59
379-521-156
476-280-111
505-712- 71
546-166-120
552- 31- 18
933-704- 48
寇恂漢 252-529- 46
370-118- 9
376-549-105
384- 55- 3
402-356- 3
402-556- 18
459-207- 13
469-563- 69
472- 29- 1
472-640- 26
472-716- 28
472-787- 31
472-877- 35
474-169- 8
477- 47-151
477-241-161
477-406-169
506-462-102
537-284- 55
558-129- 30
933-703- 48
寇封蜀漢 見劉封
寇韋明 533- 92- 49
寇恕明 545-440- 99
寇章唐 820-238- 28
寇深明 453-405- 12
474-243- 12
481-464-319
505-844- 76
559-300-7上
1244-608- 12
寇猛後魏 262-318- 93
267-739- 92
381- 27-184
寇偉宋 554-702- 61
寇陽明 545-671-107
寇祺漢 591-593- 44
879-174-58下
寇慎明 554-520-57下
寇義明 472-767- 30
537-316- 56
寇靖元(鄠縣令) 472-827- 33
554-309- 53
寇靖元(字唐臣) 1198-554- 9
寇準宋 285-508-281
371- 43- 4
382-264- 41
384-332- 17
397- 8-320
449- 46- 4
450- 12-上2
459-480- 29
471-754- 23
471-759- 24
471-762- 24
471-809- 31
471-886- 42
471-989- 58
472-113- 4
472-544- 23
472-587- 24
472-694- 28
472-717- 28
472-739- 29
472-765- 30
472-839- 33
472-852- 34
473-267- 61
473-297- 62
473-387- 65
473-729- 82
474-434- 21
476-656-135
477-359-166
478-122-181
478-335-191
480-340-273
480-540-283
482-239-349
505-630- 67
505-681- 69
532-685- 64
532-715- 45
534-667-105
534-779-110
534-946-120
537-312- 56
540-646- 27
554-410- 55
561-210-38之2
561-375- 41
563-902- 43
674-274-4中
708-327- 50
933-704- 48
1086-183- 19
1135-694- 6
1151-586- 26
1362-422- 9
1437- 8- 1
寇準妻 宋 見蒨桃
寇瑊宋 285-787-301
397-209-332
472-126- 4
472-802- 31
473-454- 68
473-464- 69
474- 91- 3
477- 50-151
477-200-159
477-501-174
480-353-274
481- 67-293
481-181-300
481-332-308
532-685- 44
537-573- 60
559-285-7上
559-290-7上
寇鼎明(上津人) 533-239- 54
寇鼎明(字良用) 570-211- 23
寇雋北周 見寇儁
寇榮漢 252-533- 46
376-552-105
寇銓明 494- 23- 2
寇儉明 545-666-107
寇儁寇雋、寇儶 北周
263-716- 37
266-550- 27
379-598-157
384-131- 7
472-676- 27
472-833- 33
472-865- 34
474-172- 8
476- 77-100
478-243-186
505-712- 71
537-196- 54
554-437- 56
933-704- 48
寇璠妻 清 見賈氏
寇臻後魏 261-583- 42
266-550- 27
379- 92-147
寇謙後魏 見寇謙之

寇謙明 546- 87-118
寇彌後魏 261-584- 42
554-922- 64
寇琛妻 明 見董氏
寇顒北周 263-718- 37
266-551- 27
544-219- 62
寇儁北周 見寇儁
寇讚北魏 261-582- 42
266-549- 27
379- 91-147
384-130- 7
472-154- 5
472-828- 33
477-304-163
505-779- 73
535-556- 20
554-436- 56
554-882- 64
933-703- 48
寇一龍妻 明 見李氏
寇士元明 456-555- 1
480-321-272
533-482- 64
寇士謙元 1214-346- 29
寇元老宋 1114-618- 11
寇元弼宋 1114-618- 11
寇元德元 1198-554- 9
寇天敍明 300-337-203
475- 71- 52
476- 42- 98
477-566-177
478-454-197
479-175-225
510-314-113
523-132-152
545-666-107
554-174- 51
558-155- 30
676-541- 22
1442-43-附3
1459-897- 38
寇天與明 545-670-107
寇日用宋 1104-481- 39
寇永清明 554-875- 64
寇可教明 456-527- 6
480-206-267
533-382- 60
寇如圭明 494- 20- 2
554-313- 53
寇仲溫宋 523-147-153
寇君玉宋 821-181- 50
寇彥和明 1242- 9- 24
寇彥卿後梁 277-184- 20
279-125- 21
384-299- 16
396-335-281
寇祖訓後魏 266-550- 27
379- 92-147
474-171- 8
寇祖禮後魏 266-550- 27
379- 92-147
寇修之北朝 933-703- 48
寇培基妻 清 見李氏
寇國寶寇寶臣 宋 485- 85- 12
493-745- 41
589-345- 5
1437- 24- 2
寇婁敦魏 496-589-103
寇從化明 528-555- 32
寇學海明 533-334- 58
1442- 99-附6
寇錫裪妻 清 見楊氏
寇謙之寇謙 後魏
262-888-114
472- 39- 1
474-196- 9
505-933- 85
547-498-159
554-971- 65
933-703- 48
1054-337- 7
1054-345- 8
1061-277-110
寇徽音清 554-613- 59
寇寶臣宋 見寇國寶
寇顯贇宋 1104-481- 39
涼王唐 見李健
涼王唐 見李璿
涼茂魏 254-215- 11
377- 88-114
384- 83- 4
385-369- 36
472-112- 4
472-518- 22
472-551- 23
474-776- 42
476-816-143
476-882-146
503- 7- 90
505-680- 69
537-261- 55
540-708-28之1
933-321- 23
涼太祖李暠 西涼 256-417- 87
262-441- 99
267-896-100
381-378-193
384-100- 5
384-106- 5
472-944- 37
558-283- 34
涼太祖沮渠蒙遜、大且渠蒙遜 北涼 256-996-129
258-665- 98
262-442- 99
267-774- 93
381-368-192
384-106- 5
384-145- 7
涼後主李愔、李歆 西涼
256-424- 87
262-441- 99
267-897-100
381-380-193
384-106- 5
涼高祖后 西涼 見尹皇后
涼烈祖禿髮烏孤 南涼
256-959-126
262-440- 99
381-345-192
384-105- 5
558-766- 50
涼靈帝呂纂 後涼
256-915-122
262-371- 95
381-307-190
384-105- 5
544-204- 62
558-766- 50
涼靈帝妃 後涼 見楊氏
涼國公主唐 見李華莊
涼懿武帝呂光 後涼
256-907-122
262-371- 95
381-300-190
384-105- 5
558-766- 50
淇陽王元 見伊徹察喇
庶其春秋 405-106- 62
庶長奐戰國 見奐
瓶斐漢 933-439- 29
宿王金 見完顏舒蘇鄂博
宿氏清 茹大鵬妻 474-386- 19
宿石後魏 261-446- 30
266-512- 25
379- 63-147
554- 71- 49
933-715- 49
宿昭妻 明 見黃氏
宿進明 479-683-248
宿士敏明 559-524- 12
宿查干後魏 見宿沓干
宿沓干宿查干 後魏
261-446- 30
554-687- 61
宿夢鯉明 677-683- 61
宿瘤女戰國 齊閔王后
405-261- 72
448- 60- 6
452- 72- 2
472-594- 24
491-793- 6
宿遷王明 見朱詮鉁
宿應麟明 523-218-156
涪王宋 見吳玠
涪翁漢(釣於涪水) 742- 26- 1
淳宋 1053-786- 18
淳于氏宋 王世昌妻
1117-325- 14
淳于式漢 486- 33- 2
523-142-153
淳于長漢 251-170- 93
381- 3-184
933-784- 56
淳于恭漢 252-831- 69
370-187- 18
380- 74-167
402-407- 6
402-567- 19
476-662-136
476-733-138
491-797- 6
540-701-28之1
933-784- 56
淳于晏後唐 277-582- 71
淳于越秦 472-603- 25
491-794- 6
淳于髡戰國 244-454- 74
244-895-126
244-901-126
251-700- 34
371-506- 34
371-651- 60

375-666- 88
380-523-180
384- 32- 1
405-366- 80
472-603- 25
491-792- 6
541-109- 31
933-783- 56
1408-173-498
1408-337-513
淳于量陳 260-619- 11
265-935- 66
378-505-144
384-121- 6
472-176- 6
489-675- 49
492-579-13下之上
511-383-151
567- 5- 62
567-538- 90
933-784- 56
1467- 11- 62
淳于智晉 256-550- 95
380-604-182
476-521-128
541-104- 31
933-784- 56
淳于意漢 244-690-105
380-558-181
472-588- 24
476-660-136
541-103- 31
742- 25- 1
淳于意女 漢 見緹縈
淳于雍宋 472-603- 25
540-753-28之2
淳于斟漢 524-412-200
淳于瑗魏 933-784- 56
淳于誕後魏 262- 81- 71
266-927- 45
379-292-150下
933-784- 56
淳于難唐 472-603- 25
540-734-28之2
淳於棼唐 471-900- 44
淳于緹縈漢 見緹縈
清秦 244-931-129
251-148- 91
380-529-180
481-118-296
591-619- 45
933-297- 21
1408-339-513
清唐 592-283- 78
592-433- 87
清宋(嗣道齊) 1053-421- 10
清宋(嗣明辯) 1053-900- 20
清宋(號簡菴) 1153- 40- 57
清一宋 843-666- 中
清了宋 524-443-201
588-259- 11
592-397- 84
1053-592- 14
1054-204- 4
1054-671- 20
清山清(鈕祜祿氏) 455-129- 5
清山清(揚佳氏) 456- 65- 5
清王漢 見劉慶
清旦宋 592-458- 89
1053-887- 20
清江唐 1052-208- 15
清江清 455-476- 29
清戒宋 見寶麈
清忠明 554-957- 65
清昱五代 524-441-201
清勉五代 1053-242- 6
清海五代 1053-630- 15
清海宋 1053-342- 8
清剖宋 1053-578- 14
清素唐 485-404- 4
511-934-175
清素宋 592-417- 85
1053-822- 19
清珙元 479-154-223
524-398-199
1439-458- 2
1469-768- 68
清悟宋 宋仁宗后、郭允恭女
284-864-242
382-105- 13
384-345- 17
393-305- 75
544-186- 61
933-736- 51
清格妻 清 見瓜爾佳氏
清晏唐 472-1018- 41
479-386-234
524-437-201
清涼宋 見清源
清梵明 1475-781- 33
清晝唐 見皎然
清欲元 1439-458- 2
清皎宋 480-145-264
1053-333- 8
清越唐 511-935-175
清雅宋 491-189- 22
清堪清 455-155- 6
清換五代 1053-318- 8
清虛唐 592-445- 88
1052-351- 25
清然明 558-487- 41
清順宋(字怡然) 490-724- 70
585-484- 14
清順宋(虎丘律寺開山祖)
493-1091- 58
清進五代 1053-306- 8
清源唐 1052-410- 29
清源清涼 宋 516-423-103
1053-730- 17
1116-457- 23
清源清 547-497-159
清塞周賀 唐 451-492- 8
674-273-4中
1371- 70- 附
1388-387- 73
清裕申國長公主、衛國大長公主 宋 宋太宗女 285- 64-248
393-323- 77
1054-166- 4
清運五代 1053-321- 8
清稟五代 516-429-103
1053-629- 15
清搆清 456-109- 57
清幹五代 1053-367- 9
清滿宋 1053-696- 16
清遠宋 511-932-175
592-416- 85
1053-815- 19
1130-823- 24
清徹唐 1052-218- 16
清徹宋 486-902- 35
清慕宋 1053-341- 8
清辨宋(居秀州眞如草堂)
524-397-199
清辨宋(居烏巖寺) 524-448-201
清諤宋 1053-326- 8
清澾明 1142-119-附8
1460-834- 90
清錫宋 1053-394- 10
清濬明 1442-118-附8
清豁唐 481-621-329
530-201- 60
1053-332- 8
清聳五代 588-186- 9
1053-388- 10
清鎬明 517-621-130
清簡宋 1053-416- 10
清瀾五代 485-481- 8
511-934-175
1142-533- 6
清耀五代 1053-630- 15
清覺宋 1054-196- 4
清辯宋 1053-659- 15
清鑑清 455- 52- 1
清儼宋 1053-753- 18
清讓唐 1053-372- 9
清觀唐 524-424-200
1052-297- 20
清文勝明 481-236-303
清太祖努爾哈赤 清
501- 92- 5
清平王明 見朱常淓
清平吉漢 475-759- 88
清吉那清 455-696- 49
清吉納清 455-672- 47
清河王漢 見劉年
清河王漢 見劉乘
清河王漢 見劉竟
清河王漢 見劉湯
清河王漢 見劉義
清河王漢 見劉蒜
清河王魏 見曹貢
清河王晉 見司馬覃
清河王晉 見司馬遐
清河王後魏 見元懌
清河王後魏 見托跋紹
清河王北齊 見高岳
清河王唐 見李孝節
清沸魋春秋 404-779- 48
清高宗弘曆 清 564-914- 62
564-915- 62
564-916- 62
清源王明 見朱幼埒
清嘉努清 455-568- 37
清田和尚唐 1053-142- 4
清河公主唐 見李敬
清和眞人元 547-495-159
清院禪師五代 1053-232- 6
清源公主唐 唐穆宗女
393-285- 73

544-231- 63
清溪二生宋 511-485-155
清溪道人唐 821- 97- 48
清虛靈照大師昇國大長公主 宋 宋眞宗女 285- 65-248
393-323- 77
婆提後魏 見勒那摩提
婆芬陀魏 1054-299- 5
婆須密周 見婆須蜜
婆須蜜婆須密 周
1053- 16- 1
1054- 25- 1
1054-260- 3
婆舍斯多晉 1053- 28- 1
1054- 52- 2
1054-307- 6
婆修盤頭漢 1053- 24- 1
1054- 36- 1
1054-282- 5
淮王元 見青海
淮王元 見特穆爾布哈
淮王明 見朱祐棨
淮王明 見朱瞻墺
淮安王唐 見李神通
淮南王漢 見劉安
淮南王漢 見劉武
淮南王漢 見劉長
淮南王漢 見劉喜
淮南王漢 見黥布
淮南王晉 見司馬允
淮南王劉宋 見劉子孟
淮南王陳 見陳叔彪
淮南王北齊 見高仁光
淮南王唐 見李茂
淮陵王晉 見司馬漼
淮陽王漢 見劉友
淮陽王漢 見劉武
淮陽王漢 見劉延
淮陽王漢 見劉昞
淮陽王漢 見劉欽
淮陽王漢 見劉餘
淮陽王劉宋 見劉子霄
淮陽王後魏 見元欣
淮陽王後魏 見元孝友
淮陽王唐 李僖
淮陽王唐 見李道玄
淮陽王唐 見李道明
淮陽王元 見特默格爾
淮南八公漢(劉安門下八士)
475-759- 88
淮陰賢婦秦 1124-348- 5
淮陽公主唐 柳正元妻、唐穆宗女 393-285- 73
淦氏明 涂崇義妻 479-499-239
516-249- 97
淦宏祐明 456-464- 4
淦宏裕明 456-464- 4
淦君鼎明 456-464- 4
479-581-243
516-110- 91
淦秀貞明 456-464- 4
淦關生明 456-464- 4
淄王唐 見李協
淄王宋 見趙世雄
淄川王漢 見劉終
淄川王唐 見李孝同
淄川王明 見朱墿
產科明 1460-559- 67
商王宋 見趙元份
商友元 1206-159- 17
商氏宋 劉允妻、商餘慶女
1117-323- 13
商氏清 楊二小妻 474-386- 19
商氏清 董佶妻 541- 57- 29
商氏清 劉孟紘妻 506- 29- 86
商古清 455-695- 49
商伉宋 529- 80- 35
商均上古 404-390- 23
商君戰國 見商鞅
商洛妻 清 見謝氏
商南司商 周 554-888- 64
商容商 404-414- 24
448- 90- 上
537-357- 57
871-884- 19
879-149-57下
商祚明 821-376- 55
商訓宋 812-463- 2
812-544- 4
821-165- 50
商晉清 455-285- 16
商挺元 295-162-159
399-470-464
451-639- 11
472-558- 23
472-826- 33
476-865-145
477-562-177
478-452-197
540-776-28之2
554-204- 52
558-143- 30
820-493- 37
1439-420- 1
商倬宋 529- 80- 35
商清元 1206-159- 17
商淵妻 元 見張貞
商堅清 455-580- 38
商晦高晦 元 472-677- 27
537-255- 55
商喜明 821-376- 55
商琦元 295-165-159
821-288- 53
商琥元 295-164-159
475- 18- 49
540-776-28之2
商復明 1228- 33- 2
商進元 1206-159- 17
商準明 528-449- 29
商輅明 299-778-176
452-146- 2
453-430- 14
453-619- 19
472-1017- 41
479-381-234
523-338-162
676-493- 19
820-630- 41
1242-743- 5
1284-356-163
1375- 39- 下
1442- 26-附2
1459-629- 24
商瑗宋 524-337-195
商賓明 458-169- 8
472-367- 16
475-640- 83
510-446-117
商榮宋 567-443- 86
商瑭元 295-165-159
商瑤宋 1115-413- 49
1351-632-144
1356-213- 9
商鞅公孫鞅、商君、衛鞅 戰國
243-135- 5
244-394- 68
371-521- 39
375-903- 93
384- 30- 1
386-282-83下
405-268- 73
537-370- 57
933-794- 58
商暠明 476-865-145
商潤明 528-203- 23
商賚明 537-282- 55
商澤春秋 244-389- 67
375-656- 88
405-447- 85
472-548- 23
539-495-11之2
933-408- 26
商默宋 見商休復
商錡妻 宋 見陳氏
商衡金 291-692-124
400-232-519
472-557- 23
476-865-145
478-545-202
540-771-28之2
554-336- 54
1191-242- 21
1191-456- 39
商璹元 821-288- 53
商瞿春秋 244-387- 67
246- 27- 67
371-492- 32
375-654- 88
405-445- 85
472-547- 23
481- 72-294
539-494-11之2
559-337- 8
592-484- 91
675-237- 3
933-408- 26
商瓊元 517-526-128
商鏜明 見南鏜
商麟明 547- 20-141
商顯明 533-332- 58
商瓛明 540-801-28之3
商子車春秋 933-408- 26

商子游春秋 933-408- 26
商大節明 300-362-204
473-236- 60
479-484-239
480-174-267
481-806-338
515- 96- 59
533-377- 60
563-747- 40
商大儒明 456-629- 10
商之輅妻 清 見戴氏
商太宗太甲 243- 82- 3
371-221- 4
404- 54- 4
537-173- 53
商中宗太戊 243- 83- 3
371-221- 4
384- 3- 1
537-173- 53
商玄中劉宋 258- 55- 44
商汝泰明 524-227-189
商汝頤明 524- 82-182
商吉努清 455-365- 22
商吉穆清 456-175- 63
商仲文妻 明 見劉氏
商休復商默 宋 1191-455- 39
商良輔明 576-653- 5
商廷試明 523-549-173
532-635- 43
676-435- 16
商河王明 見朱載堪
商孟和明 見商家梅
商阿哈清 456-370- 78
商阿塔清 456- 72- 55
商周初明 1297-130- 10
商周祚明 528-545- 33
商周祚女 明 見商景蘭
商邱成漢 539-349- 8
商為正明 528-461- 29
商奕詮清 475-450- 71
商飛卿宋 287-515-404
398-500-398
472-1104- 47
479-289-230
523-316-161
商高宗武丁 243- 84- 3
371-222- 4
372-105-3上
384- 3- 1
404- 61- 4
537-173- 53
550-175-215
550-192-216
商家梅商孟和 明
821-484- 58
1442- 99-附6
1460-605- 70
商城王明 見朱勤烒
商桂庭清 456-370- 78
商栖霞商棲霞 唐
472-396- 17
511-940-175
商婉人清 526-663-280
商從龍明 456-552- 7
商棲霞唐 見商栖霞
商景蘭明 祁彪佳妻、商周祚女 1442-125-附8
1460-782- 85
商夢弼元 472-645- 26
537-288- 55
商醇儒明 456-629- 10
商餘慶女 宋 見商氏
商顯和元 1206-159- 17
商吉爾圖清 455-558- 36
商那和修舍那婆斯、金那婆斯 周 1053- 13- 1
1054- 22- 1
1054-256- 3
商邱子胥漢 1058-503- 下
商延和落清 見商顏和羅
商陵牧子周 839- 20- 2
商顏和羅商延和落 清
455-178- 8
502-515- 71
翊聖保德眞君宋
1061-184-103
旌德王明 見朱表楷
望明忠清 456-307- 74
惇泰清 502-475- 69
惟一唐 517-213-121
惟一宋 1053-422- 10
惟一元 1198-137- 4
惟巳惟已 宋 592-410- 85
1096-805- 下
1096-806- 下
惟已宋 見惟巳
惟久宋 蘇悌妻、范珣女
1053-762- 18
惟中唐 570-254- 25
惟中宋 592-378- 83
1096-686- 22
1354-793- 45
1381-564- 41
惟正惟政 宋 511-922-174
524-389-198
588-272- 11
820-468- 36
1052-725- 19
1053-423- 10
惟白宋 1053-692- 16
1054-650- 19
惟安明 554-957- 65
惟良唐 511-925-174
惟初宋 1053-711- 16
惟忠唐(居法定寺) 592-362- 82
1052-282- 19
惟忠唐(居黃龍山) 1052-124- 9
惟尚宋(俗姓曹) 490-723- 70
524-389-198
惟尚宋(居廣福寺) 588-265- 11
1053-706- 16
惟勁後唐 1052-244- 17
1053-299- 7
惟政唐(嗣普寂) 541- 90- 30
554-953- 65
1053- 61- 2
1054-130- 3
1054-551- 16
惟政唐(嗣道一) 1053-118- 3
惟政宋 1053-488- 12
惟政宋 見惟正
惟建唐 1053-118- 3
惟則唐(工書翰) 820-306- 30
惟則唐(居奉慈寺)
1052-380- 27
惟則唐 見遺則
惟則維則 元 493-1095- 58
516-445-104
1439-459- 2
1469-775- 68
惟則明 1442-119-附8
1475-740- 31
惟信宋 1053-735- 17
惟衍宋 588-216- 9
惟悟宋 820-466- 36
惟素宋 1053-422- 10
惟恭唐 1052-356- 25
惟寅明 820-764- 44
惟宿宋 1053-421- 10
惟清宋 516-422-103
1052-778- 30
1053-733- 17
1054-194- 4
1054-656- 19
1116-456- 23
惟訥宋 1147-436- 40
惟爽宋 1053-757- 18
惟善重善 宋 1052-699- 13
1053-638- 15
惟湛宋 1053-697- 16
惟靖唐 1053-498- 12
惟勝宋 592-455- 89
1053-722- 17
惟愼宋 530-200- 60
惟靖唐 493-1089- 58
1052-169- 12
惟瑛唐 554-903- 64
惟照宋 592-391- 84
1053-588- 14
惟嵩唐 820-306- 30
惟敬洪上 明 570-251- 25
惟實唐 1052-372- 26
惟寬唐 524-435-201
554-951- 65
1052-134- 10
1053-122- 3
1080-460- 41
惟廣宋 1053-489- 12
惟慤唐 1052- 68- 6
惟禮宋 1053-683- 16
惟簡宋(居勝因院) 591- 95- 7
1096-698- 24
惟簡宋(字宗古) 592-412- 85
1108-436- 89
1112-750- 20
1354-856- 50
1378-442- 57
1381-705- 50
惟簡宋(嗣懷澄) 1053-658- 15
惟曠五代 1053-305- 8
惟儼唯儼 唐 473-370- 64
533-794- 75

1052-239- 17
1053-184- 5
1053-241- 6
1054-544- 16
1054-129- 3
1344- 13- 62
惟儼宋 1102-321- 41
1351- 12- 86
1378-353- 53
1383-508- 45
1405-670-305
惟皇后北魏 見祁皇后
粘鵬明 820-576- 40
529-552- 45
粘割韓奴金 見鈕祜祿罕努
粘葛奴申金 見鈕祜祿納新
粘割斡特剌金 見鈕祜祿額特埒
密王唐 見李綱
密王唐 見李元曉
密王後梁 見朱友倫
密王宋 見趙元偓
密行五代 1053-241- 6
密佑密祐 宋 288-341-451
400-186-514
451-238- 0
472-327- 14
472-593- 24
473- 11- 49
475-705- 86
479-449-237
511-491-156
515- 21- 57
517-236-121
1366-933- 4
密祐宋 見密佑
密姬春秋 齊桓公夫人
404-629- 38
密詣元 820-551- 39
密賽清 456-202- 66
密拉他清 455-118- 4
密拉齊元 294-241-120
密康公母 周 見魏氏
密康公周 384- 12- 1
密濟克清 496-218- 76
密雅克達清 455-285- 16
密山扎哈理清 455-500- 31
密資胡斯屯清 455-332- 20
密修神化尊者宋
1052-318- 22
淖齒戰國 405-261- 72
933-678- 45
混塡南朝 265-1113- 78
淨宋 820-470- 36
淨元 547-493-159
淨明 547-525-160
淨元宋 524-389-198
淨日元 1203-419- 31
淨圭元 1460-837- 90
淨伏元 1054-219- 4
1439-457- 2
淨名宋 1053-693- 16
淨全宋 486-531- 6
524-418-200
1053-873- 20
淨戒明 1229-315- 11
淨秀齊 梁粲之女
1048-609- 23
1401-287- 25
1415-158- 87
淨明明 1475-739- 31
淨洪明 516-505-105
淨悟五代(嗣可文) 1053-239- 6
淨悟五代(號懷烈) 1053-319- 8
淨悟宋(嗣元禪師)1053-686- 16
淨悟宋(字機先) 1183-159- 10
淨眞宋 472-244- 9
475-192- 59
淨眞元 511-922-174
淨挺徐繼恩、靜挺 明～清
524-103-183
677-746- 65
1321-204-109
1475-796- 33
淨倫淨輪 明 570-248- 25
1442-119-附8
1460-839- 90
淨訥清 533-788- 75
淨梵宋 588-249- 10
淨雲宋 820-467- 36
淨源宋 524-388-198
588-277- 11
1054-185- 4
1054-638- 19
淨義唐 1054-448- 12
淨瑄明 554-958- 65
淨業隋 1050-700-107
淨業宋 473-479- 69
481-121-296
561-219-38之3
592-436- 87
淨端宋 524-404-199
1052-726- 19
1053-501- 12
淨滿唐 592-432- 87
淨榮金 586-188- 8
淨慈道潛 五代 524-384-198
588-197- 9
1052-179- 13
1053-390- 10
1054-156- 3
1054-601- 17
淨澄明 547-534-160
淨輪明 見淨倫
淨愍北齊 547-496-159
淨曇宋 524-397-199
1053-758- 18
淨藏梁 見智藏
淨覺唐 1071-303- 24
淨師子唐 見善無畏
淵宋 1053-902- 20
淵白明 1229-208- 5
章公子章 戰國 405-218- 70
章五代 1053-548- 13
章子戰國 405-226- 71
章文漢 515-289- 66
章文明 473-584- 75
章文明 見章簡甫
章氏唐 章頂女 472-382- 16
485-472- 8
512-480-189
1217- 51- 6
章氏宋 方大道妻 530- 69- 55
章氏宋 李繼妻 512-370-186
章氏宋 黃祖善妻、章慶女
1113-433- 8
章氏宋 蓋經妻、章終女
1169-720- 17
章氏宋 羅懷表妻、章天平女
1183-726- 27
章氏宋 章積女 1113-434- 8
章氏宋 章志孟女
1140-180- 22
章氏元 馬驥妻 524-524-204
章氏明 方良規妻 524-708-212
1254- 83- 3
章氏明 王希賢妻 479-149-223
章氏明 朱璋妻 524-502-203
章氏明 朱璵妻 473-271- 61
章氏明 汪炳妻 475-647- 83
章氏明 沈祚妻 302-228-302
479-189-225
524-618-208
章氏明 杜元妻 475-647- 83
章氏明 胡世松妻 533-576- 68
章氏明 張孝妻 506- 4- 86
章氏明 童心開妻 480- 63-260
章氏明 童寬濟妻 472-361- 15
475-614- 81
章氏明 趙廣妻 530-125- 57
章氏明 劉宗周妻、章仕華女
1294-551- 13
章氏明 金鉉母 474-192- 9
506- 15- 86
章氏明 章方揚女
1294-590- 15
章氏清 吳光國妻 530-145- 58
章氏清 吳來煒妻 475-649- 83
章氏清 周儒妻 481-120-296
章氏清 金日昌妻 479-254-228
章氏清 胡秉怡妻 506- 24- 86
章氏清 許志獻妻 479- 63-219
章氏清 張仕妻 503- 55- 95
章氏清 張瑾妻 477-136-155
章氏清 張璐妻 483- 37-371
章氏清 張世儒 483- 37-371
章氏清 張廷芳妻 480-322-272
章氏清 張試之妻 478-249-186
章氏清 陳吉士妻 475-677- 84
章氏清 陳明心妻 475-649- 83
章氏清 閔灝妻 506- 85- 88
章氏清 顧汝楫妻 475-148- 57
章氏清 張毓瑞母
1321- 87- 95
章玄明 676-264- 10
章永宋 1127-340- 19
章玉明 1240-737- 7
章同元 494-418- 12
章沖宋 679-504-188
章忱明 474-617- 32

505-701- 70
523-466-169
章沐明 1283-401- 98
章沐妻 明 見孫氏
章甫宋(字端叔) 460-185- 11
485-197- 26
493-924- 50
529-596- 47
680- 86-234
1386-691-上
章甫宋(字冠之) 1437- 26- 2
章甫妻 宋 見沈氏
章成元 1216-251- 13
章杞明 511-637-161
章克清 455-504- 31
章谷清 524-349-196
章告宋 1224- 56- 16
章注妻 明 見張氏
章邯秦 933-398- 26
章表妻 宋 見陳氏
章芸明 524- 82-182
章忠明 511-634-161
章明漢 473-429- 67
559-502- 12
591-508- 41
章岵宋 472-221- 8
493-698- 39
510-325-113
章昂明 559-316-7上
章岷宋 484- 46-下
485- 85- 12
486- 49- 2
493-698- 39
494-296- 5
589-313- 2
章佳清 455-451- 27
章金妻 清 見李氏
章糾明 見章藩
章服宋 493-774- 42
523-324-161
528-521- 31
933-401- 26
1171-760- 26
章袒明 676-355- 13
章拯明 299-820-179
458-790- 5
472-1032- 42
479-330-232
523-328-161
676-294- 11
1467-100- 65
章珍明 524- 44-180
章述明 563-811- 41
章茇宋 485-502- 9
章茂清 456-373- 78
章品明 523-617-176
章迪元 515-767- 81
章重宋 1224- 56- 16
章律明 505-657- 68
511- 99-140
523-571-174
567-102- 66
1284-139-147
1467- 74- 64
章奐妻 宋 見張氏
章俁妻 宋 見應氏
章俊妻 清 見高氏
章浩妻 宋 見胡氏
章祐妻 宋 見張氏
章珙明 1250-480- 44
章泰清(伊爾根覺羅氏鑲紅旗尼馬察地方人) 455-270- 15
章泰清(伊爾根覺羅氏鑲藍旗杭佳地方人) 455-274- 15
章泰清(完顏氏) 455-467- 28
章泰清(扎思瑚理氏) 455-618- 42
章珪明(字孟端) 493-1051- 55
505-635- 67
章珪明(字伯玉) 1226-218- 10
章珣宋 485-533- 1
章埴宋 479-325-232
523-403-165
章格元 1209-583-9下
1224- 57- 16
章格明 493-995- 52
511- 99-140
528-452- 29
1284-139-147
章格清 455-206- 10
章翃母 宋 526-629-279
章書明 516- 80- 90
章夏宋 472-359- 15
章峴宋 585-757- 4
章倫清 483- 77-377
505-848- 76
569-681- 19
章适明 524-267-191
676-581- 24
1442- 60-附4
1460-185- 48
章寅明 見童寅
章惇宋 288-586-471
382-619- 95
384-367- 19
401-339-614
427-230- 5
450-800-下18
484- 96- 3
494-300- 5
567-436- 86
820-405- 34
933-399- 26
1112-409- 37
1121-352- 23
1437- 16- 1
1467-145- 67
章惇妻 宋 見張氏
章淵宋 674-730- 11
章淑明 劉坡妻、章穎女
524-637-209
1294-571- 14
章訥明 524-139-185
章袞明 515-797- 82
676-337- 12
676-558- 23
679-241-162
章康宋 493-1047- 55
511-832-168
章頂女 元 見章氏
章彬明 518-820-162
章彬妻 清 見王氏
章授宋 460-185- 11
471-660- 11
章陬明 524- 66-181
676- 20- 1
678-187- 88
章冕明 820-751- 44
章崙明 見章綸
章得宋 523- 73-149
章終女 宋 見章氏
章紹明 見章禮
章徠宋 523-325-161
章善元 515-628- 76
章善明 1240-184- 12
章惠明 511-367-150
523-228-156
章超清 524-105-183
章弼元 820-527- 38
章琛明 1229-265- 8
章琰宋 475-608- 81
1375- 34-下
章琳明 524-162-186
章援宋 494-303- 5
章森宋 488- 13- 1
488-460- 14
488-461- 14
章著宋 1171-770- 27
章華陳 260-748- 30
265-974- 69
378-554-145
384-121- 6
479-139-223
494-370- 9
523-366-163
563-916- 43
933-398- 26
章華清 480-249-269
章敞章敵 明 299-548-158
453-242- 22
472-1073- 45
479-238-227
545- 66- 85
1239- 27- 28
1240-138- 10
1240-387- 24
1242-831- 9
1442- 20-附2
1459-570- 20
章順宋 1224- 56- 16
章順明 472-207- 7
章程宋 821-247- 52
章復明 473- 50- 50
473-750- 83
516- 55- 89
567- 82- 66
820-575- 40
1467- 58- 64
章桀明 523-120-151
1289-376- 26
章煎宋 章友直女 820-472- 36
821-271- 52

章溢元～明 299-191-128
452-256- 7
453- 63- 6
453-527- 2
472-1055- 44
479-433-236
523-350-162
526- 88-261
526-639-280
529-757- 52
1224- 58- 16
1224- 91- 17
1374-487- 70
1442- 4-附1
章熤清 524-181-187
章煥宋 1157-269- 20
章煥明 532-595- 41
1442-57-附3
1460-155- 47
章瑄明 523-465-169
676-500- 19
章極明 567-355- 80
1467-254- 71
章瑞明 511-279-147
章楶宋 286-359-328
382-630- 97
384-374- 19
384-383- 19
397-477-348
471-660- 11
472-878- 35
472-913- 36
472-938- 37
473-601- 76
475-186- 59
478-545-202
478-572-203
481-676-331
486- 49- 2
493-926- 50
511-386-151
529-596- 47
558-182- 31
558-198- 31
558-209- 32
563-668- 39
820-400- 34
933-400- 26
1363-228-132
1437- 18- 1
章瑴宋 516- 9- 87
章愚明 561-205-38之1
章葆明 821-349- 55
章僅宋 485-502- 9
章詧宋 288-435-458
401- 22-570
473-432- 67
481- 78-294
561-198-38之1
592-216- 73
592-656-103
674-217-3上
680-449-269
1098-218- 28
1108-620-102
章敭明 見章敞
章誠元 545-843-113
章漸明 1294-547- 13
章漸妻 明 見顧氏
章齊元 511-552-158
1218-725- 4
章齊清(瓜爾佳氏) 455-114- 4
章齊清(伊爾根覺羅氏)
455-274- 15
章粹宋 540-639- 27
章漠妻 明 見蔡氏
章樝清 515-849- 84
章壽宋 480-126-264
章輔章黼 明 475-451- 71
511-791-166
1455-354-212
章熙明 567-127- 67
1467-107- 65
章瑢宋 472-277- 11
511-560-158
章嘉清 455-366- 22
章碣唐 524- 79-182
1365-434- 4
1371- 73- 附
章圖宅禿 明 496-627-106
章綜宋 286-361-328
397-478-348
493-928- 50
494-303- 5
933-400- 26
1135-312- 31
1135-340- 33
1386-416- 45
章僑明 300-423-208
479-330-232
523-483-170
章鉶明 524- 98-183
章魁宋 見章魁孫
章綸章崙 明(字大經)
299-604-162
443- 59- 4
453-394- 11
453-629- 21
472-1118- 48
479-408-235
523-346-162
525-162-225
1249-319- 20
1257-279- 25
章綸明(浙江人) 483-372-401
572-159- 32
章綸明(桐城人) 545-272- 93
章徹明 1242-266- 33
章綬宋 1133-754- 17
章綖宋 286-361-328
493-928- 50
章潢明 301-796-283
457-401- 24
458-1060- 2
479-494-239
515-418- 69
676-397- 15
677-656- 58
972-850- 附
章潤明(字實甫) 511-212-144
章潤明(字良玉) 567-355- 80
1467-218- 70
章誼宋 287-190-379
398-232-380
472-221- 8
472-962- 38
473-603- 76
479- 42-218
481-676-331
488- 12- 1
488-433- 14
492-704-3上
493-708- 39
510-328-113
523- 78-149
529-600- 47
674-343-5下
933-401- 26
章諍明 476-698-137
567-113- 67
1467- 92- 65
章慶女 宋 見章氏
章穎章潁 明 523-602-176
1294-583- 15
章瑾莊瑾 明 511-870-170
820-629- 41
821-362- 55
章增明 472-240- 9
523-491-170
章駒章孟駒 宋 448-390- 0
章勱宋 515-168- 62
章銳明 475-744- 88
510-472-117
523-454-168
1474-279- 13
章徵唐 505-910- 81
章憲宋 485-101- 14
485-197- 26
493-924- 50
511-672-163
1136- 93- 5
章樵宋 479- 51-218
523-578-175
679-526-190
章穎宋 287-514-404
398-499-398
451- 22- 0
473-128- 55
479-680-248
480-541-283
515-527- 73
532-716- 45
章穎明 見章穎
章穎女 明 見章淑
章樸明 479-293-230
章頻宋 285-790-301
397-211-332
473-601- 76
481- 67-293
481-524-326
481-675-331
529-592- 47

章默宋 1107-236- 15
1109-141- 9
1110-433- 23
章積女 宋 見章氏
章衡宋 286-606-347
397-670-361
471-660- 11
472-644- 26
473-602- 76
474-470- 23
477- 53-151
481-676-331
486- 50- 2
494-319- 6
537-347- 56
933-401- 26
章縡宋 286-361-328
397-478-348
475- 17- 49
475-365- 67
493-927- 50
589-349- 5
678-552-122
933-400- 26
1135-337- 33
章錫清 455-460- 28
章謐章端承 宋 448-360- 0
章濟宋 1171-792- 29
章濟妻 宋 見田氏
章燮宋 494-405- 12
章聰明 523-482-170
567- 92- 66
章聰明 魏壽孫妻 473-607- 76
章懋明 299-818-179
453-644- 25
457-756- 45
458-785- 5
472-1032- 42
479-329-232
523-616-176
528-453- 29
676-509- 20
1254-142- 附
1257-276- 24
1257-520- 8
1261-196- 15
1442- 33-附2
1458-369-442
1459-710- 28
章嶼明 1243-509- 8
章顏元 683- 43- 1
章禮章紹 明 1294-521- 12
章贄章逢吉 宋 451- 74- 2
章燾宋 511-299-148
532-631- 43
1161-608-125
章嚞元 524- 86-182
1202-207- 15
章騆宋 485-535- 1
章鎰明 479-182-225
523-292-159
章簡明 301-666-277
456-531- 6
475-185- 59
章韞宋 491-434- 6
章瓊妻 宋 見盛氏
章曠明 301-721-280
475-184- 59
480- 89-262
532-651- 43
1442-109-附7
章黼明 見章輔
章藩章糾 明 1254- 91- 3
章鯨宋 486- 51- 2
章寶明 呂芝山妻、章省菴女
1276-466- 11
章藻明 820-709- 43
章鑄宋(字子壽) 472-1004- 40
523-367-163
章鑄宋(知信州) 473- 60- 51
515-197- 63
章鑑母 宋 見盛氏
章鑑宋(字公秉) 287-705-418
398-645-409
473- 22- 49
494-344- 7
章鑑宋(字君保) 494-343- 7
523-260-158
章一恆明 475-645- 83
章一桂宋 451- 58- 2
章一焯明 456-586- 8
523-418-166
章一綱妻 明 見黃細姑
章一壁宋 510-493-118
章一鶚明 524- 66-181
章又新宋 451- 58- 2
章八元唐 273-113- 60
451-432- 3
479-379-234
524- 78-182
1365-482- 7
1371- 63- 附
章士洊明 472-695- 28
章士雅明 1442- 82-附5
1460-442- 60
章士斐清 524- 13-178
章士穎清 481-250-303
481-784-337
559-332- 7下
529-651- 48
章士麟明 524-213-188
章子明元 1210- 47- 6
章子厚宋(浦城人) 471-660- 11
471-887- 42
章子厚宋(湖北常平使)
471-806- 31
章于國清 511-610-160
章才邵宋 933-402- 26
章大士清 511-685-163
章大任宋 473-652- 78
528-492- 30
章大醇宋(大府卿) 523-128-152
章大醇宋(字景孟)
1193- 51- 7
章大寶陳 265-937- 66
378-507-144
章斗津明 588-314- 2
章方太明 1229-761- 9
章方揚女 明 見章氏
章文友明 475-432- 70
章文炳明 302- 23-290
481-114-296
529-573- 46
章文莊宋 494-401- 12
章文煥宋 708-1049- 97
章文粹明 528-563- 32
章文錫宋 1224- 56- 16
章文寶妻 元 524-767-215
章文麟元 1235-749- 4
章元任宋 1141-500- 70
章元振宋 473-640- 78
473-712- 81
524-245-190
528-537- 72
529-600- 47
563-687- 39
933-402- 26
章元緝明 517-738-133
章元澤元 1218-683- 4
1221-510- 13
章元禮宋 524-296-193
章巴延元 516-206- 95
章天平女 宋 見章氏
章友直宋 530-213- 61
683-893- 下
812-752- 3
813-217- 2
820-356- 32
821-180- 50
933-399- 26
1105-763- 91
1356-225- 10
1384-169- 94
章友直女 宋 見章煎
章友善明 524-166-186
章公美明 820-701- 43
章公探宋 1224- 56- 16
章公弼宋 473- 47- 50
516- 13- 87
528-537- 32
章公逸宋 524-229-189
章仁肇五代 524-336-195
章仁燧南唐 見章獻誠
章仁績五代 見周章
章仇翼隋 見盧太翼
章允賢明 511-319-148
章允儒明 510-353-114
515-439- 70
章玄應吳玄應 明
299-604-162
479-408-235
523-346-162
676-512- 20
章立鎬妻 明 見劉氏
章正法明 505-693- 70
章正岳明 515-802- 82
章正宸明 301-361-258
458-478- 24
479-245-227
523-392-164
章可試明 523-568-174
章可聞清 524-227-189

章世安宋 1224- 57- 16
章世純明 301-869-288
479-662-247
510-504-118
515-806- 82
568-713-127
章世絅明 見章尚絅
章世禎明 516- 83- 90
章世德清 475-646- 83
511-324-148
528-518- 31
章世麟清 477-500-174
章以善明 472-646- 26
477- 55-151
537-246- 55
章仕堯元 453-792- 3
472-1118- 48
523-628-177
章仕華女 明 見章氏
章仕澄女 明 見章如玉
章仔鈞閩 473-599- 76
528-520- 31
933-399- 26
1224- 55- 16
1226-212- 10
章仔鈞妻 閩 見練寯
章用之宋 1224- 57- 16
章用中宋 1150-873- 47
章幼文明 473- 25- 49
章汝鈞宋 472-390- 17
475-823- 92
511-375-150
章吉納清(庫雅拉氏)
455-540- 34
章吉納清(阿禮哈氏)
456- 25- 51
章存道妻 宋 見葉氏
章存道明 299-193-128
479-433-236
523-421-166
545-267- 93
章有渭明 朱泓妻
1442-125-附8
1460-786- 85
章匡義妻 清 見徐氏
章自孝明 456-619- 9
523-392-164
章自炳明 523-485-170
章自然宋 516-417-103
533-749- 74
章全益唐 275-634-195
400-291-523
481-334-308
591-608- 44
592-273- 77
933-398- 26
章全素宋 493-1102- 58
章全啟唐 933-398- 26
章如玉明 傅敏聲妻、章仕澄女 1243-703- 23
章如旦宋 516- 43- 88
章如愚章俊卿 宋
451-396- 13
472-1030- 42
479-324-232
523-610-176
676-419- 15
680-199-244
1375- 34- 下
章如鋌明 820-752- 44
章完之明 505-677- 69
章良肱宋 494-401- 12
章良朋宋 494-401- 12
494-402- 12
章良能宋 494-401- 12
章志宗明 1391-916-365
1394-274-506
1442-117-附8
1460-807- 88
章志孟女 宋 見章氏
章成緬唐 451- 10- 0
472-965- 38
479- 48-218
524- 95-183
章孝規唐 813-300- 18
820-272- 29
章孝標唐 524- 79-182
章君庭宋 1113-259- 24
1410-253-694
章伯高妻 明 見沈氏
章伯奮宋 528-443- 29
章伯顏元 473-749- 83
章含生妻 清 見姜氏
章希義明 479- 55-218
524-177-187
章邦傑宋 1123-206- 1
章邦翰明 515-416- 69
章佛青清 455-597- 40
章廷圭明 515-274- 65
章廷俊明 524-193-188
章廷珪元 523-546-173
章廷珪明 511-317-148
章廷龜唐 820-209- 28
章宗原妻 明 見鄧柔玉
章宗實明 528-554- 32
1280-443- 88
章宗遠元 1217-209- 6
章宗禮明 515-191- 62
章宜賓妻 明 見范氏
章武王後魏 見托跋太洛
章武理清(他塔喇氏)
455-221- 11
章武理清(伊爾根覺羅氏)
455-269- 15
章其修明 1313-259- 20
章其讜妻 清 見葛氏
章居實元 1194-212- 16
章居簡宋 見章思廉
章孟駒宋 見章駒
章尚絅章世絅 明
301-456-263
456-575- 8
478- 93-180
479-246-227
523-390-164
554-346- 54
章明道明 524-372-197
章固理清(舒穆祿氏)
455-155- 6
章固理清(兆佳氏) 455-504- 31
章金鉉明 567-146- 68
章佳英明 475-646- 83
章季思宋 590-453- 0
章秉中明 1294-523- 12
章秉中妻 明 見俞氏
章秉法清 510-305-112
章秉忠明 528-459- 29
章炳文宋 472-677- 27
章彥明宋 1141-498- 70
章美中明 511-743-165
567-127- 67
1280-347- 81
1442- 60-附4
章要兒陳 陳武帝后、章景明女 260-588- 7
265-203- 12
370-580- 20
373- 89- 20
494-259- 1
494-352- 8
814-215- 2
819-567- 19
933-398- 26
章思廉章居簡 宋
472-1056- 44
479-437-236
524-448-201
章昞如明 820-577- 40
章省菴女 明 見章寶
章昭達沈昭達 陳
260-620- 11
265-936- 66
370-581- 20
378-506-144
384-121- 6
472-1001- 40
479-139-223
479-318-232
494-264- 1
494-367- 9
523-526-172
563-624- 38
567- 31- 63
933-398- 26
1410-506-730
1415-546-103下
章俊卿宋 見章如愚
章格理清 455-601- 40
章晉錫明 511-394-151
章耿光清 511-171-142
章時鸞明 457-409- 25
475-644- 83
476-577-131
511-318-148
581-707-117
章卿孫元 295-603-197
400-312-526
481- 81-294
章寅臣宋 1173-270- 82
章望之宋 288-241-443
382-756-115
384-360- 18

400-655-561
460-185- 11
473-601- 76
481-676-331
494-337- 7
529-741- 51
679- 33-141
933-401- 26
1102-319- 41
章強宗宋 1224- 57- 16
章崇雅妻 明 見洪氏
章國泰清 455-601- 40
章國舜明 684-500- 下
820-719- 43
章得一元 524-282-192
章得象宋 286-120-311
371- 54- 5
382-349- 56
384-347- 18
397-301-337
450-248-中4
460-184- 11
471-660- 11
471-712- 18
471-722- 19
471-852- 37
473- 59- 51
473-601- 76
481-675-331
482- 89-342
515-195- 63
523-167-154
529-592- 47
544-234- 63
563-677- 39
820-338- 32
933-399- 26
1088-333- 39
1088-559- 59
1437- 10- 1
章得簡清 511-588-159
章婉婉宋 1119-263- 24
章啟周清 523-394-164
章啟謨明 1294-523- 12
章啟謨妻 明 見何氏
章敏子宋 523-170-154
章逢吉宋 見章贇
章雲就宋 472-1054- 44
523-420-166
章雲龍清 455-601- 40
章朝宗章僧哥 宋448-373- 0
章朝鳳明 524-271-191
章斯立宋 1224- 57- 16
章開緒妻 清 見吳氏
章揆蒼妻 清 見馬氏
章厥謨明 1237-406- 14
章景良妻 明 見蔡氏
章景明陳 494-264- 1
章景明女 陳 見章要兒
章華國明 511-641-161
章順舉明 511-359-150
章道勇陳 494-264- 1
章煥文宋 1224- 57- 16
章煥然明 533-331- 58
章載道明 1474-596- 30
章聖舉宋 492-713-3下
章遇孫元 1224- 57- 16
1224-300- 24
章傳普明 524-109-183
章節夫宋 473-114- 54
515-750- 80
章福順元 甯求己妻、章履坦女 1202-267- 19
章端承宋 見章謐
章端叔宋 1125-426- 35
章齊一宋 489-689- 50
章爾佩清 572-101- 30
章嘉姑明 512-484-189
章嘉貞明 見章嘉禎
章嘉楨明 見章嘉禎
章嘉禎章嘉貞、章嘉楨 明
458-355- 14
475-667- 84
479-145-223
510-458-117
676-612- 25
1460-402- 58
1442- 79-附5
章聚奎明 532-651- 43
章夢符明 見莊夢符
章夢賢元 511-542-158
章鳴謙明 456-586- 8
475-472- 72
章僧哥宋 見章朝宗
章維心妻 清 見張氏
章魁孫章魁 宋 451- 57- 2
章銀兒明 302-220-301
479-333-232
524-707-212
章銀兒義妹 明 見茅氏
章養仁明 1294-586- 15
章養仁妻 明 見劉氏
章增奴明 524-603-207
章履坦女 元 見章福順
章德英清 523-393-164
章德俊妻 明 見胡氏
章德禎元 錢瑞妻683- 77- 4
章德懋元 820-498- 37
章質夫宋 494-349- 7
章魯封五代 524- 79-182
章憲文明 1442- 81- 5
章憲極明 559-393-9上
章橫塘明 821-344- 55
章應全宋 1113-622- 9
章應奎明 559-282- 6
章應鳳妻 清 見鞏氏
章謙亨宋 494-405- 12
515-198- 63
523-445-168
1171- 69- 9
1171- 78- 10
章簡甫章文 明 820-709- 43
1283-313- 91
1458-639-466
章懷德明 1294-540- 13
章韞奴明 524-723-723
章贊元章贊化 明456-577- 8
523-390-164
章贊化明 見章贊元
章寶臣明 820-680- 42
章獻中明 564-218- 46
章獻誠章仁燧 南唐
1224- 56- 16
章繼伯齊 812-331- 7
821- 22- 45
章繼魯明 511-608-160
章闢之宋 1149-885- 4
章顯章漢 胡廣妻
1063-225- 6
1397-468- 22
1412-486- 19
章仇子陁北齊 1401-463- 34
章仇太翼隋 見盧太翼
章仇兼瓊唐 481- 66-293
559-245- 6
章吉帖木元 見章吉特穆爾
章壽仙人唐 530-196- 60
章吉特穆爾章吉帖木 元
483-161-382
569-676- 19
竟脫宋 533-760- 74
1053-625- 15
竟欽宋 592-376- 83
1052-687- 10
1053-625- 15
竟陵王晉 見司馬楙
竟陵王劉宋 見劉誕
竟陵王劉宋 見劉義宣
竟陵王齊 見蕭子良
部六孤通北周 見陸通
許九宋 492-706-3上
許大晉 516-413-103
許方明 473- 15- 49
515- 88- 59
許王唐 見李解
許王唐 見李元祥
許王唐 見李素節
許王後唐 見李從益
許王後晉 見石從益
許王金 見完顏永中
許王明 見朱見淳
許元宋 285-762-299
382-485- 75
384-358- 18
397-189-331
450-322-中15
472-273- 11
472-292- 12
472-359- 15
475- 16- 49
475-272- 63
485-440- 6
486- 48- 2
510-370-114
511-267-147
523- 10-146
933-552- 36
1102-261- 33
1376-332- 81
1383-622- 55
許元明 見許存仁

許尹宋(興元府尹)471-1036- 66
472-866- 34
554-258- 52
許尹宋(字覺民) 473- 47- 50
516- 16- 87
523-241-157
許友清 529-723- 51
許中宋 516- 13- 87
許公春秋 384- 10- 1
許公宋 見王祥
許仁宋 524-327-195
許仁明(字元夫) 523-428-167
許仁明(高安人) 559-287-7上
許仁明(廣東人) 559-310-7上
許毛不詳 473-720- 81
許升妻 漢 見呂榮
許升宋 460-286- 18
473-587- 75
481-585-328
529-531- 45
許升清 456-348- 77
許氏劉宋 孫棘妻
265-1039- 73
475-434- 70
許氏劉宋 徐元妻、許攬女
258-576- 91
265-1039- 73
380- 96-167
477-421-169
許氏唐 鍾紹京妻 516-396-102
許氏宋 沈周妻、許仲容女
512- 4-176
1098-727- 45
1356-233- 10
許氏宋 孫淮妻、許式女
1117-333- 15
許氏宋 黃珙妻、許勝女
1099-609- 14
許氏宋 黃朝佐妻、許颳女
1146-170- 92
許氏宋 許遜女 1106-549- 29
許氏宋 許永宗女
1345-399- 19
許氏宋 張沆母 1106-549- 29
許氏金 郝思溫妻
1192-422- 36
許氏元 陳春妻 530- 89- 56
許氏元 趙洙妻 295-637-201
401-184-593
472-700- 28
474-777- 42
477-169-157
503- 27- 93
許氏明 王安妻 1246-632- 13
許氏明 王侃妻 506- 29- 86
許氏明 王琮妻、許黯女
1262-430- 47
許氏明 王璣妻 512- 73-178
許氏明 王業元妻 482-565-369
許氏明 江務本妻 472-383- 16
許氏明 朱國祚妻 479-410-235
許氏明 汪良標妻
1283-630-116
許氏明 沈同訓妻 530-112- 57
許氏明 李文網妻 530-126- 57
許氏明 李日俊妻 530-109- 57
許氏明 李占鰲妻 477-380-167
538- 64- 63
許氏明 李伯亨妻 482- 42-340
許氏明 李時傑妻、許何書女
473-118- 54
許氏明 李澤溥妻 475-783- 89
許氏明 吳正宗妻 479- 61-219
許氏明 何順妻 506- 47- 87
許氏明 何講妻 506-130- 89
許氏明 林在勉妻 530- 65- 55
許氏明 林有栻妻 530- 92- 56
許氏明 林伯謙妻 530- 92- 56
許氏明 林應元妻 530- 93- 56
許氏明 周騰麟妻 506- 11- 86
許氏明 洪子泉妻、許德誠女
1241-217- 10
許氏明 洪伯大妻 473-589- 75
530- 90- 56
許氏明 韋起妻 1289-386- 27
許氏明 馬應禎妻、許珊女
1291-468- 8
許氏明 郝縉妻、許偉女
1266-620- 10
許氏明 袁良相妻 483-341-398
許氏明 徐柬妻、許瓊女
821-491- 58
1278-462- 23
1280-396- 85
許氏明 徐憲妻 481-726-333
許氏明 郭昌妻、許旺女
1256-592- 7
許氏明 張本妻 506- 73- 88
許氏明 張廷諧妻 530- 94- 56
許氏明 張起鳳妻 475-783- 89
許氏明 陳茂馨妻 530-111- 57
許氏明 曾直妻、許泰女
1275-348- 16
許氏明 黃龍標妻 530- 88- 56
許氏明 黃錡英妻 512- 92-179
許氏明 盛世英妻 475-534- 77
許氏明 彭德亮妻 533-611- 69
許氏明 傅隨妻 475-473- 72
許氏明 喬玥妻 483- 35-371
許氏明 賈應鶚妻 506- 9- 86
許氏明 楊祐妻 1458-219-433
許氏明 楊再興妻 530- 95- 56
許氏明 劉大節妻 481-118-296
許氏明 劉廷獻妻 483-341-398
許氏明 劉芳聲妻 506- 56- 87
許氏明 劉顯清妻 473-258- 60
480-321-272
許氏明 盧建妻 530- 7- 54
許氏明 錢海妻 503- 28- 93
許氏明 謝君福妻 530-111- 57
許氏明 韓邦仁妻 明
1269-478- 8
許氏明 顧士掄妻 475-486- 73
512-477-188
許氏明 龔數妻 479-664-247
許氏明 許初女 302-228-302
475-187- 59
許氏明 郭廷用母
1270- 58- 4
許氏清 任培元妻 512-468-188
許氏清 朱延祐妻 541- 29- 29
許氏清 汪立樞妻 512-115-180
許氏清 宋登妻 474-314- 16
許氏清 吳琪妻 483-397-403
許氏清 佘允震妻 475-584- 79
許氏清 谷承佑妻 506- 35- 86
許氏清 周興宗妻 530- 98- 56
許氏清 金升妻 475- 80- 53
許氏清 胡廷聘妻 479-252-228
480-321-272
許氏清 相有法妻 476-619-133
541- 30- 29
許氏清 查繼序妻 524-504-203
許氏清 馬璽妻 478-250-186
許氏清 夏瑀妻 478-601-204
許氏清 徐得妻 503- 35- 94
許氏清 徐參妻 479-797-254
許氏清 徐維原妻 475-614- 81
512-102-179
許氏清 倪天池妻 479-102-221
524-558-205
許氏清 郭廷妻 479- 70-219
許氏清 張彪妻 474-193- 9
506- 23- 86
許氏清 張以寧妻 477-257-161
許氏清 張國彥妻 506- 20- 86
許氏清 許芝荷妻 503- 60- 95
許氏清 陳國是妻、許有為女
524-605-207
許氏清 陳鼎祚妻 530- 33- 54
許氏清 黃存肅妻 530- 77- 55
許氏清 傅華妻 474-779- 42
503- 56- 95
許氏清 程應枝妻 475-579- 79
許氏清 楊祐芳妻 479- 73-219
許氏清 趙廷標妻、許文胄女
1321-116- 99
許氏清 鄭楚白妻 530- 75- 55
許氏清 鄭漢徵妻 530- 77- 55
許氏清 劉炳妻 506- 26- 86
許氏清 劉瀛妻 506- 26- 86
許氏清 鮑應舉妻 512-498-189
許氏清 韓敬妻 506-115- 89
許氏清 藍斌妻、藍陳斌妻、許世昌女
530-116- 57
1327-861- 20
許氏清 瞿若樾妻 512-217-182
許介宋 472-367- 16
475-639- 83
510-444-117
許允魏 254-191- 9
377- 76-114
386- 58-70中
545-516-102
許允妻 魏 見阮氏
許玄晉 見許邁
許永漢 402-474- 11
許永宋 1123-593- 12
許弘唐 1355-603- 20
1378-461- 58
1383-156- 12
1410- 42-668

許正宋 1117-331-15
許正清 563-887-42
許古金 291-531-109
399-284-442
472-71-2
472-742-29
474-311-16
477-315-164
505-741-72
538-330-69
1040-248-4
1365-163-5
1439-8-附
1445-394-28
許古妻 金 見劉氏
許平宋 485-433-6
1105-798-95
1351-605-141
1378-569-61
1384-162-94
1410-347-708
1418-335-47
1476-200-11
許田清 525-368-235
許申宋 471-839-35
471-842-36
473-682-79
473-701-80
473-757-83
482-74-341
482-141-344
563-673-39
564-62-44
許由許繇 上古 247-675-61
383-64-9
404-398-23
448-88-上
451-4-0
537-41-48
538-161-66
538-700-80
547-139-146
585-383-8
839-7-1
871-883-19
879-146-57下
1343-728-53
1410-260-696
許生漢 476-579-131
許用明 456-636-10
475-231-61
許式晉 254-192-9
許式宋 1053-655-15
許式女 宋 見許氏
許朴明 541-99-30
許光漢 489-598-47
1415-225-89
許光妻 明 見朱氏
許舟明 821-350-55
許自許崇鼎 宋 451-56-2
許全明 524-338-195
許仲宋 1134-298-43
許份宋 449-310-2
529-437-43
537-608-60
許宏明 530-213-61
821-378-55
許沆宋 473-529-72
559-397-9上
592-599-99
許汴元 1376-455-88
許亨陳 260-780-34
265-858-60
370-581-20
378-533-144
474-239-12
933-551-36
許亨妻 隋 見范氏
許亨明(字士通) 523-37-147
585-380-7
1240-290-18
許亨明(字存禮) 676-456-17
許亨妻 清 見陳瑞姐
許忻宋 287-752-422
398-685-413
477-130-155
479-663-247
516-205-95
1145-688-81
1145-747-84
許判明 529-738-51
許良金 547-13-141
許快晉 見許邁
許志妻 明 見程氏
許均宋 285-482-279
396-723-319
472-659-27
477-72-152
478-267-187
537-387-57
許抗宋 473-98-53
515-820-83
528-504-31
許劭許邵 漢 253-379-98
254-413-23
377-4-113上
384-68-3
469-85-11
472-792-31
475-380-68
477-407-169
477-414-169
511-898-172
516-191-95
538-166-66
933-550-36
1408-755-558
許攻晉 1408-755-558
許孜晉 256-431-88
370-327-7
380-82-167
384-94-5
472-1027-42
479-320-232
524-148-185
526-295-268
545-149-88
933-551-36
許虬明 511-750-165
許孚明 475-485-73
許伯春秋 405-37-58
933-550-36
許希宋 288-478-462
401-105-582
477-78-152
538-354-71
許邦宋 1123-638-4
許利明 473-623-77
許伸宋 1135-424-38
許伸妻 明 見葉氏
許豸明 478-770-215
523-61-148
529-482-43
676-657-27
1442-107-附7
1460-650-73
許攸魏 254-235-12
377-94-115上
384-635-38
386-83-71上
許官明 見許宮
許官清 456-349-77
許洞宋 473-387-65
許性明 820-596-40
許河明 547-111-145
許初明 511-866-170
820-697-43
許初女 明 見許氏
許武漢 472-256-10
475-217-61
511-549-158
許松元 1203-399-30
許玩宋 1125-396-31
許坦唐 271-520-188
許坦明(字履夫) 460-515-46
許坦明(號恆齋) 523-487-170
許直明 301-502-266
458-284-9
475-485-73
482-140-344
498-3-63
511-471-154
523-196-155
563-797-41
1442-109-附7
1460-689-75
許玠宋 1147-589-55
許坪明 1255-548-58
許奇晉 254-192-9
386-59-70中
許奇宋 516-200-95
許奇明 483-250-391
559-289-7上
572-72-28
許邵漢 見許劭
許忠唐 527-583-15
許忠明(洵陽人) 554-664-60
許忠明(歙人) 1260-689-23
許尚明 483-200-388
569-676-19
許旺女 明 見許氏
許明明 473-599-76

許昂明 821-379- 55
許昇妻 漢 見呂榮
許叔許淑 漢 473-807- 86
482-560-369
494-160- 6
570-101-21之1
許和明 1283- 80- 73
許周明 480-341-273
許佲明 569-665- 19
許金明 朱應期妻、許相卿女
1272-281- 14
許侃明 472- 66- 2
許采宋 494-514- 25
820-407- 34
許延晉 559-259- 6
許延妻 晉 見杜氏
許洪明 1237-355- 9
1239-217- 41
1239-248- 43
許洪妻 明 見陳氏
許炳宋 480-464-279
許炳清 529-678- 49
許炳妻 清 見李氏
許宣明 302- 72-293
456-663- 11
477-378-167
538- 64- 63
許洞宋 288-209-441
400-641-559
472-227- 8
475-129- 56
485-185- 25
493-871- 48
511-728-165
589-291- 1
許洄明 532-717- 45
許洽明 1442-129- 8
1460-876- 94
許恂許絢 後魏 261-636- 46
266-527- 26
379- 73-147
許洸妻 宋 見夏侯氏
許郊明 302- 15-289
許彥後魏 261-635- 46
266-526- 26
379- 73-147
472- 52- 2
474-239- 12
933-551- 36
許奕宋 287-541-406
398-518-399
471-952- 52
473-435- 67
473-528- 72
481- 80-294
481-333-308
481-373-311
494-265- 1
559-314-7上
559-318-7上
559-344- 8
591-569- 42
678-137- 82
820-439- 35
1173-359- 91
1173-692- 69
許恢宋 472-254- 10
475-213- 60
510-358-114
許珏宋 564- 62- 44
許拱明(字宏莊) 510-350-114
許拱明(兗州人) 554-250- 52
許珊女 明 見許氏
許桂明 524-146-185
許拯宋 1117-174- 14
許柳晉 488-116- 7
許飛元 1375- 21- 上
許勇明 472-684- 27
538- 44- 63
許思明 1260-689- 23
許昍許暄 明 528-528- 31
564-759- 60
564-760- 60
許界明 456-683- 11
許英明 545-393- 97
許映晉 見許邁
許迪宋 511-872-170
821-234- 51
許迴許洄 宋 485-433- 6
1090-610- 32
1351-446-126
1378-632- 63
1408-755-558
許負漢 477-256-161
538-356- 71
許信明 1475-198- 8
許科妻 明 見王氏
許衎宋 529-532- 45
許衎明 571-543- 20
許俞宋 485-442- 6
511-623-161
1351-446-126
1376- 99- 64
1378-632- 63
1408-755-558
許紃明 見許釧
許紃妻 明 見徐氏
許勉明 540-788-28之3
許俊明(金陵人) 821-369- 55
許俊明(字朝用) 1241-819- 20
許俊妻 明 見陳氏
許俊妻 明 見劉氏
許海唐 1378-461- 58
1383-156- 12
許宮許官 明 456-663- 11
許祚宋 288-405-456
400-295-524
479-607-244
516-119- 92
許朗梁 475-697- 86
許宸清 510-379-114
537-552- 59
許浹宋 473-144- 56
515-144- 61
許泰元 1197-703- 73
許泰妻 元 見王氏
許泰明 302-354-307
許泰女 明 見許氏
許貢漢 485- 64- 10
493-669- 37
510-321-113
許原元 523-129-152
1219-470- 19
1457-704-410
許珦明 1247-531- 24
許栒元 1218-798- 6
許晉宋 511-448-153
許書清 511-293-147
許陞清 456-349- 77
許時明 483-340-398
572- 83- 28
許恩明(蘄水人) 302-159-297
473-284- 61
480-132-264
許恩明(字仁甫) 546-605-135
許恩明(雅州人) 559-376- 8
許晏漢 538- 19- 62
680-669-285
許荆漢 253-487-106
380-163-169
384- 62- 3
402-459- 10
453-743- 2
471-766- 25
472-256- 10
473-357- 64
473-401- 66
475-217- 61
480-634-288
511-549-158
532-700- 45
563-605- 38
933-550- 36
許虔漢 933-550- 36
1408-755-558
許迴宋 見許迥
許峻漢 253-603-112下
380-573-181
477-413-169
許恕元 511-840-168
1217-320- 附
1471-575- 14
許倜明 545-380- 97
許釗妻 明 見潘氏
許倫明 見許論
許純清 538- 94- 64
許晨許和爾果斯、許和爾郭斯
元 295-299-168
399-631-482
476- 83-100
477-562-177
545-767-110
554-161- 51
許颬女 宋 見許氏
許清元 見蔡清
許清明 494- 57- 2
許淳明 559-346- 8
許商漢 476-749-139
478- 95-180
554-803- 63
許惇北齊 263-325- 43
266-527- 26

379-510-155
384-136- 7
472- 53- 2
472-124- 4
474-239- 12
505-688- 70
505-731- 71
544-217- 62
933-551- 36
許淹唐 271-535-189上
400-406-538
489-675- 49
492-580-13下之上
511-666-163
許混魏 254-413- 23
許章宋 528-521- 31
許章明 1475-229- 10
許訢明 472-827- 33
478- 92-180
554-275- 53
許庸明 473-186- 58
479-793-254
515-272- 65
許寂後唐 277-583- 71
524-283-192
許寀明 456-663- 11
許淑漢 見許叔
許淑明 張以信妻、許伯玉女
1376-681- 99
許衮宋 493-695- 39
505-715- 71
1089-685- 12
許梅明 473-588- 75
481-592-328
530- 90- 56
許球妻 清 見華氏
許理明 558-342- 35
許堅宋 1106-364- 47
許乾明 1272-269- 13
許規宋 472-368- 16
511-614-160
511-631-161
1351-446-126
1378-632- 63
1408-755-558
許規妻 宋 見倪氏
許都明 301-666-277
許都明 見許聞過
許都清 1321-275-116
許琇金 545-764-110
547- 13-141
許彬父 明 1241-229- 10
許彬母 明 見張氏
許彬明 299-671-168
452-177- 3
540-787-28之3
554-209- 52
1442- 22-附2
許捷明 676-220- 8
許授唐 494-346- 7
許授妻 唐 見韋氏
許通金 1198-436- 12
許通明（冠縣人）476-617-133
許通明(泗州人) 545-401- 98
許通明(善畫牛) 821-420- 56
許將宋 286-548-343
382-626- 96
384-346- 18
384-379- 19
397-630-358
471-648- 10
472-545- 23
473-571- 74
476-817-143
477- 53-151
481-527-326
494-320- 6
494-324- 6
529-435- 43
537-608- 60
540-670- 27
547-193-148
933-553- 36
1362-798- 78
1437- 15- 1
許莊明 554-281- 53
676-525- 21
許國宋 559-290-7上
許國金 1040-253- 5
許國明 300-603-219
475-574- 79
511-284-147
676-591- 24
1442- 63-附4
1460-210- 49
許莘明 569-662- 19
許彪宋 559-344- 8
許曼漢 253-603-112
380-573-181
538-360- 71
933-551- 36
許翎清 511-559-158
許猛晉 254-192- 9
386- 59-70中
許紹唐 269-526- 59
274-181- 90
384-168- 9
395-284-206
471-795- 29
471-809- 31
472-738- 29
473-269- 61
473-296- 62
477-521-175
480-202-267
480-340-273
532-662- 44
533-199- 53
537-349- 56
933-551- 36
1340-557-776
1351-445-126
許釧許綑 明 1247-524- 23
1247-535- 24
許偃春秋 933-550- 36
許偉女 明 見許氏
許紳明(謚恭僖) 302-180-299
許紳明(錢塘人) 1408-757-558
許紳妻 明 見葉氏
許敏明 475-744- 88
許敏妻 明 見鍾蘭芳
許逖宋 477-200-159
485-431- 6
537-276- 55
554-238- 52
1102-301- 38
1376-322- 80
1378-632- 63
1383-668- 59
1408-755-558
許逖妻 宋 見王氏
許逖女 宋 見許氏
許滋妻 明 見居氏
許滋妻 明 見俞氏
許富妻 清 見梁氏
許湄清 480-614-287
523-442-167
許詞明 1271-582- 49
許渾唐 273-114- 60
451-450- 5
471-604- 3
472-276- 11
473-233- 60
475-276- 63
475-666- 84
480-169-266
511-772-166
523-211-156
563-919- 43
674-264-4中
813-230- 5
820-262- 29
1365-390- 1
1371- 70- 附
1388-419- 76
許湍明 見許端
許評明 537-550- 59
許渤宋 1089-748- 18
1104-667- 12
許雲清 481-763-335
528-568- 32
許琮明 676-684- 28
1442-129-附8
1460-870- 94
許賁父 宋 1104-670- 12
許巽宋 510-485-118
許超妻 明 見齊淑賢
許盛明 524-245-190
許雄清 524-114-183
許登許紹祖 宋(字升卿)
448-376- 0
529-561- 46
許登宋(字公進) 484-373- 27
許登妻 宋 見陳氏
許琫妻 清 見程氏
許琨唐 812-344- 9
821- 55- 46
許堪宋 510-390-115
許堪明 523-488-170
572-156- 32
許開宋(字仲啟) 494-327- 6
許開宋(字幾先) 1202-294- 20

許開明 529-735- 51
許弼元 473-222- 59
532-623- 43
許弼明(東安人) 475-853- 94
510-502-118
許弼明(字廷輔) 1224-470- 29
許琰明 302-116-295
456-633- 10
475-140- 56
511-441-153
1442-114-附7
1460-692- 75
許殼宋 485-535- 1
許棟明 584-129- 5
許逵明 302- 14-289
453-700- 37
458- 58- 3
472-521- 22
472-795- 31
473- 17- 49
474-733- 40
476-479-125
476-751-139
477-545-176
479-454-237
502-287- 56
515- 46- 58
517-632-131
538- 73- 63
538-664- 79
538-693- 79
541-701-35之19下
許貴明 299-746-174
475-376- 68
511-396-151
545-271- 93
許圍春秋 405- 86- 61
許棠唐 451-463- 6
475-606- 81
475-646- 83
511-811-167
1371- 72- 附
1388-548- 88
許幾宋 286-687-353
397-733-364
472-545- 23
473- 62- 51
475-604- 81
476-817-143
515-855- 85
540-670- 27
1128-241- 26
許絢後魏 見許恂
許舜漢 248-618- 8
535-553- 20
539-349- 8
1412-125- 5
許勝女 宋 見許氏
許鈇明 1289-344- 23
許鈇妻 明 見汪氏
許棐宋 524-279-192
1364-314-290
1437- 29- 2
許傑明(紹興人) 473-112- 54
515-170- 62
許傑明(咸陽人) 554-852- 63
許傑清 456-348- 77
許進明(字季升) 300- 47-186
453-686- 33
458- 39- 2
472-521- 22
472-753- 29
474-733- 40
476-250-110
476-479-125
476-577-131
477-525-175
478-453-197
537-605- 60
502-285- 56
540-618- 27
545-277- 93
554-168- 51
558-152- 30
676-509- 20
1250-847- 81
1267-538- 7
許進明(長山人) 540-795-28之3
許進明(上海人) 563-771- 40
許復元 820-484- 36
820-503- 37
許源明 474-652- 34
許慈蜀漢 254-648- 12
377-292-118下
384-495- 18
385-584-65上下
472-771- 30
538- 29- 62
559-243- 6
933-551- 36
許慎漢 253-541-109下
380-273-172
385-580-65上下
472-194- 7
472-652- 27
477-474-173
538- 33- 62
680-669-285
812- 66- 下
812-230- 9
812-719- 3
814-225- 3
820- 30- 22
933-550- 36
許靖蜀漢 254-611- 8
377-266-118上
384- 75- 4
384-451- 11
447-187- 7
472-793- 31
477-414-169
479-249-228
524-319-195
537-559- 60
559-242- 6
563-914- 43
567-423- 86
591-666- 47
820- 44- 22
933-551- 36
1112-818- 5
1408-755-558
許靖元 1201-168- 80
許詢晉 370-334- 8
469-540- 66
485-552- 3
524-321-195
1054- 58- 2
1054-317- 6
1379-348- 42
許詢明 511-695-163
許愭明 676-684- 28
許煜明 1255-684- 70
許煇明 456-604- 9
477-525-175
許運明 1231-399- 9
許道梁 267-715- 90
許遂宋 472-359- 15
511-623-161
1378-632- 63
1408-755-558
許廉明 820-629- 41
1250-509- 47
許搏宋 494-308- 5
529-496- 44
許楨元 1439-442- 2
1468-517- 24
許瑄妻 明 見王氏
許碏許鵲 唐 477-259-161
524-406-199
530-204- 60
547-539-160
820-292- 30
1059-590- 上
1061-318-113
1473-753-100
許瑜妻 明 見季添
許楫元 295-548-191
400-366-534
472-377- 16
472-439- 19
473-298- 62
473-348- 63
475-562- 79
476-310-113
479-450-237
480-242-269
480-363-275
510-426-116
515- 24- 57
532-582- 41
546-378-127
1201-167- 80
許瑒宋 451-133- 2
許瑒明 302- 15-289
許楊漢 253-593-112上
380-567-181
477-412-169
538-359- 71
933-550- 36
許瑕春秋 933-550- 36
許瑛明 1247-553- 25

許瑗明 302- 3-289
472-348- 15
473- 49- 50
475-667- 84
479-532-241
510-454-117
516- 52- 89
許楚清 511-810-167
許楙妻 元 見謝淑秀
許達妻 清 見蔡氏
許遐晉 254-192- 9
許路明 476-617-133
540-799-28之3
許暄明 見許昍
許嗣元 1209-539-9上
許嗣妻 元 見張氏
許鼎清 529-695- 50
許暉北齊 267-689- 89
許蜺元 546-725-139
許敬漢 402-460- 10
許敬明(鳳翔知府) 472-852- 34
554-248- 52
許敬明(字孟寅) 524-353-196
許遇清 529-723- 51
許頌宋 485-501- 9
許稠南唐 1408-755-558
許筠明 1442-130- 8
1460-880- 94
許經妻 宋 見張正因
許節明 1217-361- 附
許寘明 1442- 97- 6
1460-580- 69
許誠明 1408-757-558
許禎明 1247-530- 24
許寧明 299-747-174
475-376- 68
478-269-187
511-396-151
許寧清 511-881-171
許端許湍 明 821-370- 55
許誥明 300- 48-186
458- 7- 1
538- 17- 61
1267-618- 11
許褚魏 254-343- 18
377-169-116
384- 84- 4
384-680- 44
469-100- 12
472-200- 7
475-778- 89
511-422-152
933-551- 36
許廓許廞 明 453-228- 21
458- 30- 2
472-666- 27
537-589- 60
820-587- 40
1240-279- 18
許廓女 明 見許淑英
許廓女 明 見許淑貞
許輔元 476-527-128
540-781-28之2
許碧妻 清 見周氏
許瑶元 1375- 35- 下
許榜妻 清 見程氏
許聚明 472-753- 29
許遠唐 271-508-187
275-603-192
384-215- 11
400-104-509
451- 9- 0
459-383- 23
470- 40- 93
471-585- 1
472-676- 27
472-965- 38
477-123-155
479- 48-218
482-183-346
523-352-163
537-253- 55
550-156-215
550-450-222
563-644- 38
564-782- 60
585-225- 16
933-552- 36
1247-374- 14
1351-447-126
1354- 76- 9
1378-331- 52
1408-755-558
1418- 11- 35
1447-147- 2
許遜許鳳翔 晉 471-722- 19
471-966- 54
472-796- 31
473- 33- 49
479-503-239
479-686-248
516-411-103
517-215-121
538-347- 70
559-321-7上
561-553- 45
588-353- 3
591-126- 9
592-191- 73
1061-237-106
許遜北齊 263-325- 43
許遜宋 471-1036- 66
許遜明 545-785-111
許蓁明 511-595-159
許箕明 1475-707- 29
許熊元 1209-577-9下
許銘明(南昌人) 472-963- 38
523- 37-147
許銘明(宛平人) 545-422- 98
許僩明 1442- 63-附4
1460-213- 49
許魁明 529-693- 50
許綱明 570-113-21之1
許綸明 537- 36- 48
許裴晉 494-332- 7
許澄隋 264-1103- 78
267-716- 90
380-658-183
505-924- 83
許澄明 1320-729- 79
許潛明(貴池人) 472-369- 16
511-318-148
許潛明(詔安人) 473-656- 78
567-100- 66
1467- 78- 64
許論明(字廷議) 300- 50-186
458- 42- 2
475-873- 95
537-606- 60
545- 87- 85
545-285- 94
676-561- 23
許論許倫 明(沁水人)
547- 64-143
許慶漢 402-442- 9
許廞明 見許廓
許瑾宋 523-599-176
許醇宋 471-1066- 70
許璋明 457-133- 10
523-600-176
許穀明 475- 76- 53
511-720-165
820-696- 43
1442- 56-附3
1460-146- 47
許穀清 476-396-119
545-471-100
許樊宋 559-342- 8
許奭梁 264-1103- 78
許遷後周 278-422-129
許篈明 1442-130-附8
1460-880- 94
許稹宋 1090-657- 37
許儀明 1237-532- 7
許儉宋 460-282- 17
529-654- 49
許繇元 1211-154- 21
許德明 482-140-344
許銳明 476-699-137
540-794-28之3
許稷唐 529-734- 51
許諮明 505-908- 81
許燁明 493-1029- 54
許諫明 1266-397- 6
許諫妻 明 見劉氏
許遵北齊 263-379- 49
267-689- 89
380-638-183
505-924- 83
538-352- 71
933-551- 36
許遵宋 286-381-330
382-733-112
384-375- 19
397-492-349
472-203- 7
472-998- 40
475-854- 94
479-133-223
494-339- 7
511-380-150
523-115-151

540-652- 27
許頤漢 524-117-184
許熹元 1209-546-9上
許璠梁 820-104- 24
許璠妻 清 見蘇氏
許翰宋 286-802-363
398- 57-370
472-683- 27
477-129-155
537-427- 58
545-762-110
674-343-5下
674-835- 18
677-253- 23
許歷戰國 405-206- 69
許靜晉 820- 67- 23
許甭明 505-672- 69
許璞明 523- 84-149
554-474-57上
許默明 1475-711- 29
許縉明 821-420- 56
許錦明 676-684- 28
許儒晉 370-316- 7
許儒唐 384-182- 10
472-176- 6
許衡元 295-147-158
399-464-463
451-605- 8
453-765- 1
459-128- 8
472-706- 28
472-721- 28
477-254-161
478- 92-180
537- 46- 48
537- 63- 49
538- 7- 61
538-697- 79
539-506-11之2
541-111- 31
554-205- 52
677-463- 42
820-490- 37
1198-436- 12
1198-440- 13
1198-447- 13
1210- 71- 9
1226-284- 14
1266-562- 7
1367-222- 18
1373- 9- 附
1373- 74- 6
1439-420- 1
1468-276- 15
許獬明 481-589-328
529-736- 51
676-625- 26
1442- 87-附5
1460-497- 64
許錫宋 516- 32- 88
517-408-126
許穆許謐 晉 370-355- 9
472-175- 6
486-335- 15
489-598- 47
489-599- 47
511-717-165
538-347- 70
820- 76- 23
1141-801- 34
1281-228-134
1415-225- 89
許穆明(宜興主簿) 472-255- 10
許穆明(上饒人) 528-526- 31
許鴻明 570-216- 23
許謐晉 見許穆
許謙後魏 261-377- 24
266-426- 21
379- 20-146
476-252-110
496-422- 90
544-208- 62
546- 8-115
933-551- 36
許謙元 295-524-189
400-569-552
453-790- 3
459-136- 8
472-1031- 42
479-326-232
523-613-176
526-251-266
539-506-11之2
820-504- 37
1199-531- 附
1209-136- 7
1209-521-8下
1226-300- 14
1439-430- 1
1469-248- 47
許懋梁 260-339- 40
265-857- 60
378-436-142
384-119- 6
473-315- 62
474-239- 12
505-869- 78
532-746- 46
933-551- 36
1408-755-558
許懋元 523-510-171
許檖明(蘭陽人) 532-752- 46
許檖明(南京戶部員外郎)
676-566- 23
許邁許玄、許快、許映 晉
256-323- 80
370-338- 8
377-852-129上
384-100- 5
472-175- 6
472-969- 38
475- 82- 53
479- 60-219
486-904- 35
489-598- 47
489-671- 49
492-591-13下之下
493-1078- 57
511-916-174
524-379-198
538-347- 70
585-496- 15
587-433- 5
820- 69- 23
933-551- 36
1061-237-106
1281-229-134
許邁妻 晉 見孫氏
許邁妻 清 見陳氏
許繇上古 見許由
許鎡明(字國器) 483- 34-371
570-111-21之1
許鎡明(字待時) 1278-446- 21
許鎡妻 明 見張氏
許謹明 456-462- 4
許璹許壽壽 宋 448-391- 0
許撗女 明 見許淑英
許撗女 明 見許淑貞
許壁明 1467-223- 70
許顒明(高邑人) 472- 98- 3
許顒明(字孟敬) 473- 75- 52
515-235- 64
許顒明(寧夏人) 558-430- 37
許顒妻 明 見牛氏
許顒妻 明 見陳氏
許瞻妻 宋 見楊氏
許繕明 481-694-332
528-544- 32
許歸宋 820-360- 32
許懷明 1267-622- 11
許鵠唐 見許碏
許瓊宋(開封鄢陵人)
288-422-457
許瓊宋(字世英) 523-401-165
525-126-223
1210-447- 15
許瓊女 明 見許氏
許顗宋 1437- 20- 1
許翽許玉斧 晉 370-355- 9
820- 76- 23
1060- 40- 5
1061- 46- 86
1415-226- 89
許鵬明(字廷舉) 511-857-169
許鵬明(字雲程) 545-376- 97
許鏜明 1263-491- 3
1263-516- 5
許寶明 821-446- 57
許瓏明 524-126-184
許繼明(字從志) 511-691-163
許繼明(字士修) 523-607-176
676-472- 18
1235-649- 22
1374-643- 85
1442- 9-附1
1459-528- 18
許繼明(章邱人) 545-281- 94
許譽明(長山人) 472-646- 26
477- 55-151
537-245- 55
許譽明(知寶慶府) 532-726- 45
許黯女 明 見許氏

許鐸唐 274-448-114
許鑑宋 523-496-170
528-445- 29
許鑑明 532-656- 44
許鑑妻 明 見吳氏
許瓚清 482-563-369
許靈清 554-961- 65
許攬女 劉宋 見許氏
許觀明 1247-537- 24
許觀明 見黃觀
許纘明 見許讚
許讚許纘 明 300- 48-186
458- 41- 2
472-964- 38
505-694- 70
523- 48-148
537-606- 60
676-527- 21
820-687- 43
1442- 39-附2
1459-792- 32
許驤宋 285-452-277
396-700-317
472- 33- 1
472-682- 27
475- 15- 49
477-128-155
488-370- 13
515- 12- 57
537-425- 58
許一鳴許汝霖 宋451- 65- 2
許一圖妻 清 見吳氏
許一德明(貴陽人) 572- 73- 28
許一德明(浙江按察司僉事)
676-125- 5
許力士唐 269-526- 59
許力達清 510-320-113
許九枝明 821-462- 57
許九娘明 王廷岳妻
530- 93- 56
許人度明 見陳借句
許三姑明 蔡九經妻
524-455-202
許三娘明 王酉忠妻
530- 94- 56
許三選明 511-663-162
許三禮清 479- 45-218
523- 93-149
537-460- 58
許士奇明 523-519-171
許士彥明 456-678- 11
許士柔明 300-568-216
458-460- 23
511-115-140
許士俊明(內鄉人) 456-667- 11
許士俊明(懷遠人) 475-754- 88
511-648-162
許士達明 511-275-147
許士經明 528-562- 32
許士榮明 1244-635- 14
許士翹明 564-178- 46
許子安宋 1122-534- 8
許子良宋 479-286-230
523-480-170
1223-529- 10
許子良明 523-266-158
528-460- 29
571-520- 19
許子威漢 475-703- 86
511-710-164
許子春宋 1102-313- 40
許子紹宋 567-440- 86
585-769- 5
1467-147- 67
許子偉明 564-233- 46
572-159- 32
677-664- 59
許子遜元 546-678-137
許子儒唐 271-539-189上
276- 12-198
511-666-163
許大方宋 1118-663- 34
1405-617-299
許大成妻 清 見曹氏
許大忠明 516- 88- 90
許大寧宋 1376-510- 91
許大環清 529-711- 50
許心亮明 456-682- 11
511-498-156
許文岐明 302- 90-294
456-430- 2
458-225- 7
479- 55-218
480-129-264
523-358-163
532-640- 43
533-353- 59
許文表妻 清 見曾氏
許文胄女 清 見許氏
許文泰明 1229-235- 6
許文經北周 263-325- 43
266-527- 26
許文蔚宋 1171-363- 10
1375- 11- 上
1376-179- 70
許文薦元 1197-697- 72
許文爵清 523-401-165
許文獻明(涉縣知縣)
477-162-157
許文獻明(令永定) 528-554- 32
許文耀清 480-320-272
533-393- 60
許之漸清 475-233- 61
511-169-142
許之選宋 515-761- 80
563-678- 39
許之獬清 572-109- 30
許王家明 456-632- 10
511-442-153
許元公春秋 384- 10- 1
許元忱妻 明 見胡氏
許元宗宋 516- 17- 87
許元琰元 400-265-521
許元溥明 511-750-165
許孔明宋 451- 87- 3
511-273-147
許天正唐 481-610-329
528-480- 30
許天琦明 460-706- 73
569-654- 19
許天瑞宋 529-437- 43
許天榮清 537-611- 60
許天箎元 515-618- 76
許天錫明 300- 86-188
481-530-326
529-462- 43
676-526- 21
1442- 39-附2
1459-788- 31
許天贈明(字德夫) 511-284-147
523- 89-149
676-242- 9
678-459-113
許天贈明(字懋勳) 524-114-183
許天贈明(字南台) 528-531- 31
許天麟金 546-644-136
許天麟元 529-666- 49
許天麟妻 清 見溫氏
許天驥妻 清 見黃氏
許及之宋 287-404-394
398-402-390
451- 24- 0
472-1117- 48
515-118- 60
許日章清 524-178-187
許日琮明 302- 72-293
456-662- 11
477-378-167
許日瓏清 524-106-183
許中正宋 821-181- 50
許水清許重行 宋448-387- 0
許公言宋 592-217- 73
許公為春秋 404-847- 52
許公高明 515-224- 63
許公範唐 518- 4-136
許月卿許千里駒 宋
475-568- 79
511-478-155
676-694- 29
1375- 14- 上
1376-118- 66
1437- 33- 2
1462-835-102
許仁卿明 515-110- 60
523-476-169
許立逵許立達 清480- 60-260
533-362- 60
許立達清 見許立逵
許立德明 511-616-160
許永宗女 宋 見許氏
許永僖許永禧 明302- 76-293
456-491- 5
477-411-169
537-331- 56
545-792-111
許永禧明 見許永僖
許玉斧晉 見許翽
許弘綱明 510-377-114
1442- 78-附5
許強勳清 479-227-227
482-541-368
502-626- 77

523-165-153
569-657- 19
1320-582- 65
許正蒙明 1442-112-附7
許本忠明 511-647-162
許巨川宋 563-672- 39
許古清元 1375- 19- 上
許石潤妻 清 見周氏
許右章妻 清 見劉氏
許可用清 476-331-115
502-686- 81
545-425- 98
許可宗宋 1123-593- 12
許可崇五代 532-688- 44
許可徵明 477- 89-153
538- 41- 63
許世奇妻 明 見劉氏
許世昌明 554-491-57上
1269-449- 7
許世昌清 479-457-237
502-647- 78
515- 69- 58
528-466- 29
許世昌女 清 見許氏
許世英五代 530-123- 57
許世卿明 457-1058- 60
458-454- 22
475-229- 61
511-841-168
1292-181- 16
許世隆清 558-436- 37
許世登妻 清 見隗氏
許世瑞妻 明 見林茂敬
許世緒唐 269-507- 57
274-163- 88
384-168- 9
395-252-203
472-433- 19
476- 35- 98
545-557-103
許世蓋明 537-433- 58
許占魁清 476- 80-100
478-349-191
545-200- 90
554-612- 59
許令典明 524-243-190
676-630- 26
1442- 89-附6
1460-511- 65
許令瑜明 676-662- 27
1475-506- 22
許仕淵元 1197-657- 67
許仕達明 299-632-164
473-569- 74
475-571- 79
528-451- 29
許用敬明 820-753- 44
許用衡女 明 見許安世
許幼道明 1236-780- 12
1238- 59- 5
許守中元 1221-480- 11
許守恩明 554-672- 60
許守謙明 505-822- 75
許安仁宋 528-504- 31
許安仁金 291-363- 96
399-212-434
472- 70- 2
474-311- 16
476-204-107
505-741- 72
545-338- 96
1439- 5- 附
1445-364- 25
許安石宋 505-704- 70
許安世宋 471-823- 33
1117-174- 14
許安世明 蔣喆妻、許用衡女
1246-654- 16
許安貞元 許有壬妹
1211-455- 64
1211-722- 0
許安都後魏 261-377- 24
544-211- 62
許安國宋 451- 81- 2
許汝元明 547- 46-142
許汝翊元 460-463- 36
許汝登明 554-287- 53
許汝進明 505-683- 69
許汝魁明 510-353-114
516-136- 92
許汝霖宋 見許一鳴
許汝霖明 524-288-192
許汝霖清 475- 22- 49
479- 59-219
505-642- 67
510-303-112
524- 15-178
許汝驥明 475-610- 81
511-305-148
許吉娘清 陳元超妻
530-100- 56
許有壬元 295-447-182
399-729-493
472-699- 28
476-430-121
477-168-157
515- 26- 57
537-454- 58
545-386- 97
820-518- 38
1211-517- 附
1373- 16- 附
1373-343- 22
1439-427- 1
1468-502- 24
許有壬妻 元 見趙定
許有壬妻 元 見趙鸞
許有壬妹 元 見許安貞
許有孚元 1439-428- 1
1468-514- 24
許有孚妻 元 見張氏
許有為女 清 見許氏
許有恆元 1211-451- 64
1211-719- 0
許有容妻 明 見陳冰娘
許有寰明 523-252-157
許百高明 524-193-188
許存仁許元 明 299-300-137
458-608- 1
472-328-232
479-328-232
523-616-176
563-910- 43
1229- 61- 5
許存衷明 1233-659- 4
許而燦妻 清 見黃氏
許次紓明 592-998- 上
1457-309-377
許同書明 515-779- 81
許光大五代 481-750-334
528-558- 32
許光亨宋 529-559- 46
許光宗明 476-251-110
545-288- 94
許光祚明 676-624- 25
820-719- 43
許光震妻 清 見李氏
許光禧明 592-1005- 上
許此翁元 1228-777- 13
許自永妻 清 見景氏
許自言宋 820-338- 32
許自俊清 476-396-119
511-793-166
545-471-100
許自然宋 1123-280- 0
許自嚴明 505-908- 81
許全義明 1237-594- 上
許好問明 472- 27- 1
許如圭明 821-352- 55
許如龍妻 清 見李氏
許如蘭明 475-710- 86
511-339-149
523-162-153
676-633- 26
許仲方明 1232-399- 2
1232-400- 2
許仲宣宋 285-355-270
396-631-311
472-592- 24
472-610- 25
473-551- 73
473-748- 83
476-668-136
476-725-138
481- 18-291
481-801-338
540-748-28之2
545- 35- 84
559-302-7上
563-651- 39
567- 48- 64
1467- 21- 62
許仲容女 宋 見許氏
許仲容清 1314-437- 12
許仲傑元 545-431- 99
許仲蔚宋 523- 76-149
許沖遠宋 484-374- 27
許良惇妻 清 見沈氏
許志尚妻 明 見靳氏
許志超妻 明 見葉坤隨
許志雍唐 471-820- 33
480-169-266

許志寧宋	559-370- 8	許伯祥元	1204-469- 13		569-655- 19	許昌王唐	見李倧	
許志學明	1289-365- 25	許伯祥妻 清	見邱氏	許宗鑑明	見許宗鎰	許昌言妻 明	見楊氏	
許志獻妻 清	見章氏	許伯會唐	275-629-195	許法慎唐	275-633-195	許昌國清	1323-558- 23	
許赤虎後魏	261-636- 46		400-287-523		400-290-523	許明陞明	537-355- 56	
許成之宋	473-395- 66		479-233-227		474-338- 17		554-258- 52	
	532-751- 46		486-312- 14		505-905- 80	許明時清	511-644-161	
許成名明(字思仁)			524-132-185		933-552- 36	許明章清	511-339-149	
	540-800-28之3		933-552- 36	許法稜唐	524-296-193	許明道妻 明	見周氏	
	676-542- 22	許伯繼宋	523-403-165	許泮古明	676- 39- 2	許明賢清	511-577-159	
	820-691- 43	許伯鸞宋	529-562- 46	許初娘清	見許祈娘	許郵姊 清	見沈氏	
	1442- 45-附3	許希孔清	482-563-369	許定升清	511-117-140	許叔牙唐	271-539-189上	
	1459-914- 39	許希孟明	545-296- 94	許定斌妻 明	見雲氏		276- 12-198	
許成名明(字賓實)	571-535- 19	許希周明	563-813- 41	許松佶清	517-794-135		384-182- 10	
許成楚明	523-196-155	許希曾妻 明	見李氏		517-806-135		400-408-538	
許孝恭宋	476- 82-100	許邦才母 明	見張氏	許其進明	540-828-28之3		472-176- 6	
	545-763-110	許邦才明	540-810-28之3	許其義妻 清	見陳氏		475- 73- 53	
許孝敬許洞兒 北周			676-577- 24	許直可宋	472-1029- 42		489-675- 49	
	263-828- 48		1278-403- 18	許孟和明	545-243- 92		492-580-13下之上	
	493-864- 47		1442- 66-附4	許孟容唐	271- 4-154		511-666-163	
	511-433-153		1460-292- 53		275-266-162		933-552- 36	
許西娘明 呂登三妻		許邦才妻 明	見孟氏		384-231- 12	許淑度宋	529-749- 51	
	530- 96- 56	許邦相清	483- 34-371		384-255- 13	許淑達宋	515-320- 67	
許君用宋	484-377- 27		570-114-21之1		396- 83-259	許淑微宋	472-296- 12	
許君輔宋	451- 60- 2	許邦屏妻 清	見李氏		472-837- 33		511-572-159	
許克昌宋	472-241- 9	許利川唐	524-160-186		475-742- 88		674-759- 13	
	511-122-141	許何書女 明	見許氏		478-118-181	許季同唐	275-267-162	
許克修元	1192-567- 11	許廷佐妻 清	見王氏		493-868- 47		396- 84-259	
許克溫妻 明	見林氏	許廷珪妻 明	見浦淑清		510-397-115		554-644- 60	
許岑雄元	567-590- 94	許廷桂明	511-362-150		554-643- 60	許季長漢	402-460- 10	
許孚遠明	301-791-283	許廷瑛妻 明	見申氏		587- 88- 2	許佳允明	456-487- 5	
	457-684- 41	許廷試清	475-606- 81		933-552- 36	許制孝清	456-349- 77	
	458-924- 8	許宗之後魏	261-635- 46		1076-111- 12	許岳英明	523-157-153	
	479-145-223		266-527- 26		1076-567- 12	許秉文清	456-392- 80	
	479-627-245		379- 73-147		1077-137- 12	許秉哲妻 清	見謝氏	
	515-190- 62	許宗洙妻 清	見魯氏	許孟卿明	528-533- 31	許延祚後梁	493-739- 41	
	523-587-175	許宗堯宋	511-851-169	許長卿宋	517-323-124	許延壽漢	535-553- 20	
	554-215- 52	許宗慶妻 明	見劉潤貞	許長卿元	1194-116- 9	許宣平唐	472-383- 16	
	676-590- 24	許宗魯明(字東侯)	478-128-181	許東良明	554-345- 54		475-584- 79	
	1442- 62-附4		502-286- 56	許東望明	540-809-28之3		476-792-141	
	1457-516-389		545-283- 94	許來音清	474-652- 34		485-475- 8	
許伯玉女 明	見許淑		554-663- 60		505-706- 70		511-933-175	
許伯明明	821-399- 56		820-691- 43		529-577- 46		524-437-201	
許伯貞明	820-680- 42		1442- 47-附3	許承周明	479-226-227		1059-599- 中	
許伯旅明	524- 65-181		1460- 23- 41	許承宣清	511-218-144		1061-323-113	
	1442- 7-附1	許宗魯明(河内人)	505-659- 68	許承家清	511-218-144		1142-533- 6	
	1459-418- 13	許宗禮妻 清	見王氏	許承瑛妻 清	見劉氏		1375- 3- 上	
許伯原明	523-130-152	許宗鎰許宗鑑 明		許忠信明	1239-213- 41		1376-693-100上	
許伯倫明	820-744- 44		529-544- 45	許尚忠清	592-788- 2		1473-751-100

許洞兒北周 見許孝敬
許洛陽後魏 261-377-24
266-426-21
379-20-146
552-27-18
933-551-36
許恂如明 1475-433-18
許祈娘許初娘 清 陳京妻
481-594-328
530-101-56
許彥先宋 473-689-80
564-57-44
585-760-4
許彥伯唐 269-801-82
276-442-223上
401-321-612
許彥忠明 1283-601-114
許彥國宋 674-429-2
1437-18-1
許彥餘明(懷仁知縣)
476-249-110
許彥餘明(浙江人) 540-671-27
許相卿明 300-421-208
479-54-218
523-264-158
676-548-22
1272-270-13
1442-47-附3
1442-63-附4
1457-564-396
1460-37-41
1475-267-11
許相卿女 明 見許金
許相卿女 明 見許貞惠
許相卿女 明 見許淑貞
許相卿甥 明 見朱某
許胡恩妻 明 見楊金孃
許南傑明 515-258-65
許建昌妻 清 見郭氏
許茂官清 456-348-77
許茂繁清 564-309-48
許貞惠明 沈朝臣妻、許相卿女 1272-280-14
許思溫許斯溫 明
299-444-150
493-975-52
1284-129-146
許思謙妻 明 見李氏
許昭公春秋 384-10-1
404-327-19
許昭先劉宋 258-575-91
265-1038-73
380-95-167
475-218-61
511-550-158
933-551-36
許則祖元 473-49-50
479-532-241
516-50-88
許重行宋 見許水清
許重華清 537-414-57
567-153-69
許重熙明 511-115-140
許皇后漢 漢成帝后、許嘉女
251-287-97下
373-24-19
539-339-8
814-215-2
819-556-19
許皇后漢 漢宣帝后
251-283-97
539-339-8
許衍之宋 492-712-3下
許胤宗唐 271-622-191
276-97-204
384-176-9
401-91-580
475-221-61
511-872-170
742-34-1
933-552-36
許高娘清 黃安觀妻
530-100-56
許浩志明 460-810-87
473-625-77
許益之妻 宋 見劉氏
許益光明 564-230-46
許祝年清 511-643-161
許效賢明 523-162-153
許庭光明 517-665-131
許泰瀾清 479-823-256
許栻卿妻 明 見董氏
許眞常明 1258-757-7
許孫荃清 477-569-177
554-224-52
許桂芳明 567-545-91
許栖巖唐 見許棲巖
許晉孫元 1209-494-8上
許起龍明 456-667-11
許時久明 1408-757-558
許時泰妻 清 見蔡氏
許時盛妻 清 見鍾氏
許翁孫漢 248-618-8
1412-125-5
許師可元 1198-437-12
許師善妻 明 見陳妙秀
許師敬元(善篆) 820-510-37
許師敬元(字敬臣)
1198-437-12
許純誠明 456-588-8
505-846-76
許清密元 陳德輝妻
1230-322-5
許惟一明 456-667-11
許惟長妻 明 見郭貞姐
許惟高妻 明 見江氏
許惟清清 537-551-59
許寄生妻 清 見林氏
許悼公春秋 384-10-1
404-328-19
許淑貞明 徐禾妻、許相卿女
1272-281-14
許淑英明 尉善妻、蔚善妻、許廓女、許擴女 472-668-27
538-293-68
許淑眞明 盛全妻、許廓女、許擴女 472-668-27
538-293-68
許康佐唐 271-554-189下
276-53-200
384-273-14
400-434-539
681-369-30
820-253-29
許將愈妻 清 見鄧標秀
許崇仁明 523-474-169
許崇鼎宋 見許自
許貫之明 515-155-61
523-429-167
許莊公春秋 384-10-1
許圉師唐 269-527-59
274-182-90
384-168-9
395-284-206
472-694-28
473-269-61
477-161-157
479-791-254
515-262-65
533-65-49
537-264-55
933-551-36
1378-632-63
1408-755-558
許國士明 523-221-156
許國王金 見完顏烏達
許國忠明 523-249-157
許國柱明 571-545-20
許國琳妻 清 見沈氏
許國棠清 559-329-7下
許國楠清 481-613-329
528-499-30
554-735-61
許國聘清 456-349-77
許國誠明 523-206-155
許國禎元 295-297-168
399-631-482
472-467-20
476-83-100
545-765-110
許國榮明 511-240-145
許國璠清 511-198-143
許國翰明 554-523-57下
554-610-59
許國璧清 505-823-75
許彪祖宋(玉池人)
559-314-7上
許彪祖宋(簡州人)
1366-925-3
許彪孫宋 288-324-449
400-181-514
451-228-0
473-528-72
481-22-291
481-80-294
591-569-42
許得功清 476-919-148
537-226-54
許啟洪明 523-252-157
許啟敏明 511-291-147
許紹祖宋 見許登
許紹祖元 1198-438-12

許偉樟妻 清 見李氏
許從吉明 505-866-77
許從宗明 1198-438-12
許從坤明 554-664-60
許從宣元 1198-438-12
許從龍明 1283-378-96
許從龍清 517-791-135
許逢桂妻 清 見吳氏
許逢龍妻 清 見吳性娘
許善心隋 264-876-58
267-616-83
380-394-176
384-155-8
472-53-2
472-965-38
474-239-12
479-47-218
505-843-76
523-352-163
547-192-148
933-551-36
1394-595-8
許善所明 572-74-28
許善護唐 540-638-27
許翔鳳明 545-781-111
許敦仁宋 286-717-356
許雲封唐 541-105-31
許雲程妻 明 見樊氏
許雲鵬明 540-800-28之3
許博昌漢 554-890-64
許黃民劉宋 524-414-200
1060-41-5
許悳方宋 1173-165-74
許賀來清 570-160-21之2
許巽貞元 趙彝妻、許熙載女
1211-452-64
1211-721-0
許棲巖許栖巖 唐554-977-65
592-261-76
許朝相妻 清 見孟氏
許登甲妻 清 見劉氏
許登仕明 554-346-54
許登仕妻 清 見孫氏
許登隆清 554-613-59
許登魁清 456-348-77
許登瀛明 570-160-21之2
許斯溫明 見許思溫
許換姑清 許騰宇女
524-576-206
許景先唐 271-586-190中
274-610-128
384-201-11
395-593-234
472-257-10
475-221-61
511-766-166
933-552-36
1371-56-附
1472-68-3
許景亮宋 1123-666-7
許景陽宋 460-291-18
許景樊明 676-685-28
1442-131-附8
1460-888-95
許景輝元 529-634-48
許景衡宋 286-803-363
398-58-370
472-1116-48
479-403-235
523-340-162
674-836-18
1137-681-26
許景衡妻 宋 見陳氏
許華宇明 456-603-9
許無念明 820-744-44
許智仁唐 269-520-59
許智藏隋 264-1102-78
267-715-90
380-657-183
384-159-8
472-53-2
474-240-12
505-924-83
538-352-71
742-35-1
許喬遷妻 明 見樊氏
許婉姝明 李瓊妻
477-380-167
許欽京妻 清 見金氏
許欽明唐 269-527-59
274-182-90
395-285-206
533-379-60
1351-445-126
許欽寂唐 269-526-59
274-182-90
395-284-206
480-202-267
502-257-53
533-379-60
1351-445-126
1378-632-63
許象先明 511-615-160
許復禮明 474-184-9
505-801-74
許溥化明 1376-651-97
許義夫元 295-559-192
400-374-534
472-413-18
472-677-27
477-124-155
477-201-159
511-227-144
537-256-55
545-440-99
許道幼梁 264-1102-78
474-239-12
許道東明 1283-675-120
許道師明 493-664-36
許道寧宋 554-909-64
812-463-2
812-543-4
813-132-11
821-155-50
許達允明 456-525-6
許當辰明 456-588-8
523-358-163
許當俊明 523-514-171
許嗣印清 481-236-303
許嗣宗唐 472-258-10
許嗣隆清 569-620-18下之2
許嗣復明 456-612-9
478-338-191
505-852-77
554-345-54
許嗣興清 476-114-102
502-683-80
545-381-97
559-332-7下
許鼎文妻 清 見江氏
許鼎臣明 511-163-142
545-107-86
許敬宗唐 269-799-82
276-440-223上
384-167-9
384-177-9
384-179-10
401-319-612
470-40-93
1371-48-附
1387-253-16
許敬軒明 301-738-281
481-720-333
523-473-169
許敬觀明 524-126-184
許毓芳清 511-169-142
許韶伯唐 485-72-11
許壽壽宋 見許璹
許輔乾唐 269-527-59
許熙載元 472-699-28
537-453-58
676-319-11
1204-230-5
1373-343-22
許熙載女 元 見許巽貞
許爾成妻 清 見李氏
許爾忠明 505-822-75
許爾昌明 456-684-11
540-836-28之3
許際可明 554-254-52
許嘉賢清 524-104-183
許嘉謨明 524-110-183
許瑤之宋 528-519-31
許聞至明 523-583-175
許聞造明 523-266-158
1475-356-15
許聞過許都 明 1272-271-13
許夢熊明 511-306-148
528-461-29
許鳴時明 1237-280-5
許鳴鶴明 820-582-40
1241-689-15
許蒼野宋 451-133-2
許鳳翔晉 見許遜
許鳳潔明 周梯雲妻
473-158-56
479-729-250
許僖公春秋 384-10-1
404-327-19
許維新明(字周翰) 510-353-114
540-820-28之3
545-344-96

許維新明(郡侯) 512-736-195
許維楨許維禎 元
295-548-191
400-366-534
472-308- 13
473-505- 71
475-324- 65
559-392-9上
591-618- 44
許維禎元 見許維楨
許肇篪明 511-842-168
許廣大元 472-1027- 42
479-319-232
523-472-169
1225-237- 9
1226- 95- 5
1439-442- 2
許廣漢漢 248-618- 8
539-349- 8
1412-125- 5
許履中妻 清 見王氏
許德之宋 492-703-3上
492-712-3下
許德之妻 宋 見戴氏
許德仁妻 元 見余氏
許德言宋 473-758- 83
567-433- 86
1467-145- 67
許德成清 456-348- 77
許德華明 524- 34-179
許德溥明 456-635- 10
許德誠女 明 見許氏
許德彰元 494-415- 12
許德璠清 511-535-157
許德懷元 1192-249- 23
許魯瞻宋 524-143-185
許樂善明 511-129-141
許龍湫宋 821-261- 52
許頤齡清 524-180-187
許靜民晉 814-243- 6
820- 67- 23
許靜金唐 820-285- 30
許擇山元 821-295- 53
許興學明 554-296- 53
許興繇明 460-518- 46
許學文清 511-884-171
許錫璋明 524-111-183
許錫瓚明 524-111-183
許穆之宋 見司馬飛龍
許穆公春秋 384- 10- 1
許穆公夫人 春秋 衛懿公女
448- 27- 3
538-292- 68
許鴻翔清 477-361-166
554-612- 59
許鴻儒清 479-295-230
482-372-357
523-401-165
567-150- 69
許應元宋 493-724- 40
510-331-113
許應元明 523-428-167
567-126- 67
676- 61- 2
679-648-202
1442- 55-附3
1458-289-436
1460-133- 46
1467-106- 65
許應亨明 676-578- 24
許應奎明 505-638- 67
許應寅宋 533-324- 57
許應逵明 523-438-167
545-388- 97
許應龍宋 287-719-419
398-658-410
459-913- 55
473-573- 74
473-701- 80
481-528-326
482-140-344
529-446- 43
563-683- 39
676-688- 29
1181-293- 6
許應鯤清 477-411-169
537-332- 56
許襄隆妻 明 見李氏
許燦英明 戴鼎妻
516-368-101
許懷宗宋 1090-457- 37
許懷宗妻 宋 見楊氏
許懷德宋 286-293-324
371-194- 19
382-396- 62
384-357- 18
427- 28- 上
472-662- 27
478-418-195
554-356- 54
許騰宇女 清 見許換姑
許繼文妻 明 見彭氏
許繼先宋 524- 80-182
許繼志明 1295-552- 7
許繼志妻 明 見郭氏
許繼微妻 清 見汪喜弟
許繼嶽妻 清 見鄧氏
許譽卿謝譽卿 明
301-352-258
475-182- 59
511-131-141
許譽卿妻 明 見王微
許顯純明 302-335-306
許靈公春秋 404-328- 19
許觀祐明 1242-205- 31
許纘曾明 511-134-141
許千里駒宋 見許月卿
許昌公主唐 柳涉妻、唐宣宗女 393-287- 73
許和爾果斯元 見許扆
許和爾郭斯元 見許扆
許國長公主宋 見陳國大長公主
訛里也金 見額哩頁
郭九宋 見郭興世
郭三妻 元 見楊氏
郭小後魏 544-208- 62
郭斗明 475-873- 95
532-626- 43
545- 89- 85
570-106-21之1
820-700- 43
郭方明 559-320-7上
郭文晉 256-527- 94
370-318- 7
380-425-177
472-719- 28
472-964- 38
477-247-161
479- 59-219
492-571-13下之上
524-301-194
538-161- 66
587-433- 5
590- 13- 17
871-906- 19
933-731- 51
郭文明 494-168- 6
559-287-7上
570-163-21之2
1459-488- 16
郭太郭泰 漢 253-375- 98
377- 1-113上
384- 66- 3
384- 68- 3
386- 3-69上
402-482- 11
402-583- 20
448-110- 下
472-495- 21
476-181-106
477- 92-153
538-323- 69
545-505-101
549-257-191
550-199-216
550-383-221
871-900- 19
933-730- 51
1063-198- 5
1329-996- 58
1331-502- 58
1397-441- 21
1408-438-522
1410- 22-665
1412-476- 19
1417-409- 20
郭太元 515-624- 76
郭丑元 鄭玄妻、郭彬女
1223-593- 11
郭元明(知會寧) 301-737-281
郭元明(邠州人) 478-405-194
郭友元 564- 81- 44
郭友明 494- 45- 3
郭公晉 547-548-161
郭丹漢 252-671- 57
370-174- 17
376-647-107上
384- 60- 3
402-381- 4
402-454- 9
472-770- 30

475-868- 95
477-365-167
533-226- 54
537-533- 59
545-126- 87
933-729- 51
郭仁明(長洲人) 528-513- 31
郭仁明(兵部郎) 676-200- 8
郭仁明(號水村) 821-455- 57
郭仁明(龍溪人) 1467-114- 66
郭氏劉宋 劉凝之妻、郭銓女 480-252-269
郭氏唐 唐敬宗貴妃、郭義女 269-441- 52
274- 27- 77
393-270- 72
郭氏唐 唐懿宗淑妃 274- 28- 77
393-272- 73
郭氏宋 宋子固妻、郭敏通女 1124-644- 29
郭氏宋 晏巽妻、郭作德女 1168-463- 38
郭氏宋 趙士魷妻、郭瓌女 1100-537- 51
郭氏宋 趙公恃妻、郭師仁女 1170-260- 14
郭氏宋 趙世覃妻、趙世單妻、郭昭晦女 820-472- 36
821-271- 52
1102-297- 37
郭氏宋 趙令教妻、郭肅之女 1100-527- 50
郭氏宋 趙令緝妻、郭昭簡女 1100-544- 52
郭氏宋 趙仲玘妻、郭琮女 1100-489- 45
郭氏宋 趙仲亥妻、郭履祥女 1100-514- 48
郭氏宋 趙仲寂妻、郭承顏女 1100-490- 45
郭氏宋 趙宗博妻、郭崇仁女 1099-608- 14
郭氏宋 蔣鷚妻、郭筠女 1178- 74- 8
郭氏宋 劉邦翰妻 1150- 87- 10
郭氏宋 關嶒妻 1175-549- 18
郭氏宋 王昭遠祖母 474-314- 16
506- 69- 88
郭氏宋 郭師厚女 1165-364- 22
郭氏元 王德政妻 295-626-200
401-175-593
472-135- 4
474-481- 23
506-141- 90
郭氏元 白應元妻 1210-723- 20
郭氏元 齊義妻 524-692-211
郭氏明 丁大德妻 481-726-333
郭氏明 王紹妻 506- 70- 88
郭氏明 王允元妻 475-783- 89
郭氏明 王醇宇妻 480-416-277
郭氏明 史學熙妻 506- 49- 87
郭氏明 江濬妻、郭夔女 1278-435- 21
郭氏明 朱楝妻、郭英女 480-177-266
郭氏明 朱澄之妻 506- 32- 86
郭氏明 沈應詰妻 506- 4- 86
郭氏明 宋之僎妻 506- 54- 87
郭氏明 宋體道妻 302-251-303
郭氏明 李賢妻 473-118- 54
516-317-100
郭氏明 李瀛妻 474-248- 12
506- 45- 87
郭氏明 李之玉妻 506- 55- 87
郭氏明 李向陽妻 506-121- 89
郭氏明 李志銘妻 506- 44- 87
郭氏明 李時陽妻 506-107- 89
郭氏明 李觀音保妻 1245-507- 26
郭氏明 邢茂政妻、郭孟辰女 1246-438- 9
郭氏明 吳徽珍妻 530- 64- 55
1254-589- 上
郭氏明 何志道妻 506- 31- 86
郭氏明 林作惠妻 530-112- 57
郭氏明 東群芳妻 478-351-191
郭氏明 尚秉彝妻 1269-428- 6
郭氏明 明太祖寧妃、郭山甫女 299- 5-113
郭氏明 周士成妻 478-637-206
郭氏明 胡熙妻 474-384- 19
郭氏明 宮論妻 506- 79- 88
郭氏明 高巴延布哈妻、高巴顏布哈妻、高伯顏卜花妻 452-118- 3
472-795- 31
474-778- 42
477-547-176
503- 27- 93
郭氏明 殷汝麟妻、郭巽女 1278-454- 22
郭氏明 許繼志妻 1295-553- 7
郭氏明 張讚妻 477-320-164
郭氏明 張大漢妻 512-169-181
郭氏明 張洪本妻、郭師孟女 1259-276- 21
1408-545-536
郭氏明 陳文妻 530- 87- 56
郭氏明 陳鑑妻 473-216- 59
郭氏明 陳于王妻 480- 96-262
郭氏明 陳大雅妻、郭受益女 1289-313- 21
郭氏明 陳可化妻 480- 96-262
郭氏明 陳殷道妻 530- 94- 56
郭氏明 陳景正妻、郭榮女 530- 64- 55
1254-590- 上
郭氏明 陳應美妻 530-112- 57
郭氏明 曾謨妻 516-294- 99
郭氏明 賀孟員妻 1254-663- 4
郭氏明 雷廣生妻 473-626- 77
481-726-333
郭氏明 楊從晉妻、郭才卿女 1242-106- 27
郭氏明 葉時彥妻 530- 4- 54
郭氏明 鄒張魯妻 480-487-280
郭氏明 榮樂湖妻 512-133-180
郭氏明 聞顯宗妻 524-479-203
郭氏明 熊直妻、郭子沖女 1239-201- 40
郭氏明 潘維城妻、郭立彥女 530- 85- 56
郭氏明 鄭棐妻 506- 55- 87
郭氏明 鄭鉉妻 475- 79- 53
512- 15-177
郭氏明 鄭文煥妻 530- 70- 55
郭氏明 鄭廷勳妻 506- 55- 87
郭氏明 劉公溓妻 480- 95-262
郭氏明 賴尚珠妻 479-812-255
郭氏明 蕭翀妻、郭與恭女 1238-253- 21
1241-222- 10
郭氏明 蕭以德妻 1237-377- 11
郭氏明 譚有臨妻 506- 32- 86
郭氏明 韓秉仁妻 547-362-155
郭氏明 鍾原英妻 1239-209- 40
郭氏明 羅高妻 1261-158- 12
郭氏明 白圭母 506-161- 90
郭氏明 李躍龍孫媳 530- 96- 56
郭氏明 郭大宏女 481-312-307
郭氏明 張淄母 1258-289- 5
郭氏明 張萱母 1268-405- 64
郭氏清 王文璟妻 479-253-228
郭氏清 王京保妻 474-412- 20
郭氏清 王協和妻 478-729-212
郭氏清 王登雲妻 474-826- 44
503- 58- 95
郭氏清 王揚柱妻 483- 49-372
郭氏清 毛永會妻 477-322-164
郭氏清 石璽妻 481- 84-294
郭氏清 田貴妻 506- 65- 87
郭氏清 伊達色妻 503- 74- 96
郭氏清 宋一勵妻 475-619- 81
郭氏清 宋三汶妻 479-502-239
郭氏清 李光景妻 480-417-277
郭氏清 李果植妻 474-194- 9
郭氏清 李維屏妻 480-566-284
郭氏清 吳唐妻、郭斗山女 524-476-202
郭氏清 吳瑞雲妻 481-751-334
郭氏清 周彬妻 506- 24- 86
郭氏清 范可章妻 506-158- 90
郭氏清 范景玉妻 474-195- 9
郭氏清 种寅妻 474-641- 33
郭氏清 段錦妻 506-158- 90
郭氏清 孫述妻 478-355-191
郭氏清 徐穎妻 541- 76- 29
郭氏清 徐啟發妻 530-117- 57
郭氏清 徐鳳賢妻 506-112- 89
郭氏清 鄒岱妻 474-249- 12
506- 64- 87

郭氏清 許建昌妻 530-132- 57
郭氏清 郭必光妻 479-335-232
郭氏清 連協仲妻 530- 78- 55
郭氏清 張瑎妻 477-320-164
郭氏清 張爾翰妻 480-301-271
郭氏清 莊高取妻 570-191- 22
郭氏清 崔進經妻 477-170-157
郭氏清 黃義妻 530-120- 57
郭氏清 黃有達妻 481-751-334
郭氏清 賀麟妻 478-171-182
郭氏清 彭一龍妻 506- 60- 87
郭氏清 焦毓慶妻 541- 4- 29
郭氏清 楊溥印妻 474-625- 32
郭氏清 葉政妻、郭啟元女
482-566-369
570-179- 22
郭氏清 葉賡朝妻 530-101- 56
郭氏清 趙宏仁妻 503- 58- 95
郭氏清 趙贊化妻、郭驥圖女
524-712-212
郭氏清 蒲肇基妻 530- 97- 56
郭氏清 黎秉忠妻 474-195- 9
郭氏清 劉廷妻 481-621-329
郭氏清 劉熉妻 477- 95-153
郭氏清 劉國印妻 506- 63- 87
郭氏清 燕鐸妻 477- 95-153
郭氏清 霍顯才妻 476-453-123
郭氏清 羅韙漢妻 481-728-333
郭氏清 楊仲文母 481-784-337
郭永女 魏 見郭女王
郭永宋 288-302-448
400-161-513
449-348- 7
472-133- 4
472-430- 19
472-545- 23
474-476- 23
475-870- 95
476- 29- 97
476-817-143
478-168-182
505-857- 77
540-664- 27
545-137- 87
1128-177- 20
1128-376- 9
郭永明 456-597- 9
郭玉漢 253-605-112下
370-197- 19
380-575-181
481- 73-294
592-276- 78
742- 26- 1
933-730- 51
郭弘漢 253- 68- 76
376-788-109下
933-730- 51
郭弘明 505-917- 81
郭正魏 544-202- 62
郭正元 554-309- 53
郭巨漢 472-696- 28
476-820-143
477-246-161
505-909- 81
538- 90- 64
540-698-28之1
547-167-147
879-183-58下
郭本明(安陽人) 472-700- 28
477-168-157
538- 92- 64
郭本明(字道充) 494-158- 5
567-311- 77
569-673- 19
571-521- 19
1442- 66-附4
1467-198- 69
郭石明 476-260-110
546- 92-118
郭田明 523-103-150
554-494-57上
郭用金 291-674-122
400-217-517
郭用明 1240-892- 10
郭卯宋 561-613- 46
郭安明 547- 7-141
郭安妻 清 見李氏
郭江宋 1164-421- 23
郭江明 478-272-187
554-708- 61
郭汜漢 254-119- 6
370-207- 21
402-534- 15
郭朴郭樸 明 300-520-213
452-488- 6
458-123- 5
477-168-157
537-457- 58
郭圭元 528-508- 31
郭有明 476-114-102
郭托清 455-480- 29
郭匡漢 539-351- 8
郭臣妻 明 見王氏
郭回元 295-601-197
400-310-526
473-644- 78
481-697-332
529-689- 50
郭光清 511-578-159
郭伉明 547-105-145
郭任明 299-351-141
456-693- 12
475-278- 63
511-455-154
886-163-139
郭任清 529-696- 50
郭全元 295-605-197
400-314-526
472-627- 25
474-741- 40
502-782- 87
郭如明 1240-823- 9
郭如清 511-587-159
郭份宋 1146-148- 92
郭休唐 554-868- 64
郭伋漢 252-734- 61
370-158- 15
376-680-107下
384- 58- 3
402-428- 8
402-525- 15
402-570- 19
459-830- 50
472- 25- 1
472-428- 19
472-641- 26
472-769- 30
472-830- 33
474-165- 8
475-868- 95
477- 47-151
478- 97-180
537-340- 56
545-125- 87
554-427- 56
933-729- 51
1408-419-520
郭言後梁 277-190- 21
郭究漢 681- 44- 3
681-565- 10
681-681- 21
682-260- 5
1397-654- 31
郭完明 478-516-200
郭忱清 554-529-57下
郭良明(隱居以卒) 456-698- 12
郭良明(字文易) 554-846- 63
郭良明(字復吾) 569-655- 19
郭良妻 明 見柏氏
郭成三國 472-964- 38
郭成宋 286-651-350
382-673-104
384-375- 19
397-704-362
472-881- 35
478-549-202
558-182- 31
558-334- 35
1139-873- 15
郭成元 295-606-197
400-315-526
475-780- 89
郭成明 300-505-212
571-533- 19
郭孝明 523-513-171
郭巫宋 518-719-159
郭均隋 264-773- 46
267-491- 75
478-341-191
郭均元 478-347-191
554-470- 56
郭均妻 清 見林春使
郭杞宋 516-163- 94
郭孜明 546-602-135
郭旰唐 554-697- 61
郭岐金 1191-315- 28
郭孚漢 563-599- 38
567- 17- 63
郭佑明 299-628-164
郭佃妻 明 見張氏
郭秀北齊 263-383- 50
267-751- 92

381- 32-184
郭秀金 476-222-108
郭秀元 1200-731- 55
郭秀妻 明 見趙氏
郭廷妻 清 見許氏
郭宗元 1232-675- 8
郭京宋 288-430-457
408-667- 26
1092-709- 67
郭府明 524-102-183
郭府妻 明 見華氏
郭治明 523-119-151
569-659- 19
郭況漢 370-133- 11
373- 35- 19
402-380- 4
郭泳宋 529- 89- 35
郭波明 676-550- 22
1442- 48-附3
1460- 39- 41
郭松明 554-312- 53
郭武明(郭彥輝子) 1242-276- 33
郭武明(字旻隆) 1442- 19-附1
1459-560- 19
郭付宋 485-196- 26
493-918- 49
郭杭宋 1173-111- 70
郭孟妻 漢 見敬楊
郭坤明 554-310- 53
郭拖明 547- 6-141
郭邵明 1386-370- 43
郭林清 515-728- 79
郭東宋 485-502- 9
郭東明 523-105-150
546-204-122
郭承唐 384-271- 14
郭忠漢 478-612-205
558-213- 32
郭忠明(字廷臣) 523-246-157
1250-536- 50
郭忠明(徐州人) 554-337- 54
郭典漢 505-673- 69
郭昌漢 244-767-111
250-336- 55
251-626- 24
473-806- 86
494-146- 5
546- 2-115
郭昌妻 漢 見劉氏
郭昌女 漢 見郭聖通
郭昌妻 明 見許氏
郭岩元 472-766- 30
郭岩明 821-405- 56
郭昕唐 270-442-120
275- 21-137
395-651-238
554-698- 61
558-239- 32
郭昪唐 820-213- 28
郭昪明(新建人) 473- 29- 49
郭昪明(字騰霄) 511-360-150
郭昪明(蒲縣人) 547-122-145
郭昪明(字景暘) 1271-612- 52
郭昂元 295-250-165
399-600-479
472-699- 28
473-376- 65
477-167-157
480-582-285
532-584- 41
532-742- 46
537-453- 58
1201-430- 3
1210-304- 8
1439-422- 1
1470-113- 5
郭昂明 546-316-125
554-347- 54
郭昂妻 明 見朱氏
郭畀元 見郭天錫
郭昈郭昈 唐 400-110-509
476-668-136
540-741-28之2
1079- 13- 3
1336-439-370
1409-610-634
郭芝漢 681-477- 3
郭旻漢 681-260- 15
681-773- 3
681-862- 19
1397-682- 32
郭昊明 546-201-122
郭和金 1200-731- 55
郭和清(瓜爾佳氏) 455-110- 4
郭和清(赫舍里氏) 455-193- 9
郭周元 472-439- 19
545-653-106
郭朋妻 明 見劉氏
郭侗剡王、郭青哥 後周
278-370-122
279-114- 19
郭佺郭瑾 宋 515-578- 75
郭肫明 472-741- 29
537-303- 56
郭岱明 820-713- 43
郭侃元 295- 33-149
399-401-455
478-346-191
540-640- 27
554-598- 59
郭受宋 491-303- 6
郭洪妻 明 見杜氏
郭洪妻 明 見齊氏
郭宣元 472-409- 18
郭昶唐 556-370- 91
1342-147-922
郭恆妻 明 見楊氏
郭恂妻 明 見劉氏
郭洗宋 1176-344- 35
郭亮漢 472-792- 31
477-414-169
537-558- 60
郭亮明 299-403-146
472-328- 14
544-251- 63
886-144-138
郭郊明 523- 84-149
郭桁明 547- 38-142
郭彥北周 263-722- 37
267-399- 70
379-673-159
544-215- 62
545-552-103
554-566- 58
933-731- 51
郭彥明 1287-741- 8
郭哀夏 546-423-129
郭奕晉 254-465- 26
255-778- 45
377-543-123
385-419- 45
472-432- 19
476- 33- 98
477-241-161
545-517-102
545-519-102
552- 24- 18
933-731- 51
郭奕宋 471-1047- 67
561-205-38之1
郭恢明 1242- 51- 25
郭珏郭選公 宋 451- 89- 3
郭珏明 472-309- 13
郭咸宋 820-344-212
郭威漢 554-803- 63
郭威後周 見周太祖
郭型明 見郭珩
郭柏明 545-220- 91
郭奎郭子章 明 301-811-285
472-328- 14
511-819-167
676-451- 17
1231-639- 附
1442- 8-附1
1459-412- 12
郭南明 301-737-281
475-121- 55
578-911- 25
郭郁元 515-218- 63
517-486-127
523-128-152
郭郁明 532-648- 43
郭某明(陳墅里人) 1442-116-附7
郭建後梁 見韓建
郭建清 476-283-111
郭茂宋 484-373- 27
郭思宋 674-770- 14
821-199- 51
郭思清 456-350- 77
郭昱宋 288-192-439
400-631-557
533-739- 73
郭英唐 544-225- 63
郭英明 299-215-130
453- 49- 5
472-205- 7
475-752- 88
476-916-148
483-281-393
511-418-152
537-208- 54
571-531- 19

1240-263- 17
1374-553- 77
郭英妻 明 見朱氏
郭英女 明 見郭氏
郭映唐 270-425-120
275- 18-137
郭禹唐 見成汭
郭約明 1239-142- 36
郭信杞王、郭意哥 後周
278-370-122
279-114- 19
郭信宋 821-210- 51
郭衍叱羅衍 隋 264-903- 61
267-471- 74
379-780-162
384-155- 8
474-304- 16
476-277-111
488-305- 12
488-310- 12
545-316- 95
545-865-113
933-731- 51
郭紀明(大同人) 546-678-137
676-499- 19
郭紀明(以力農富) 547- 82-144
郭勉明(眞定知府) 472- 86- 3
郭勉明(字景敏) 1242-218- 31
郭俁金 291-458-104
496-397- 88
546-186-121
郭俊明(字獻傑) 529-677- 49
郭俊明(字士英) 1246-642- 14
郭象宋 532-615- 43
郭容明 540-653- 27
546- 89-118
郭浩宋 287- 42-367
398-110-372
472-866- 34
472-881- 35
478-244-186
478-295-188
478-418-195
478-549-202
481-153-298
554-154- 51
558-335- 35
郭浩明 476-297-112
546-363-127
郭浩妻 明 見王氏
郭浩清 481-721-333
528-556- 32
郭祚後魏 261-870- 64
266-874- 43
379-249-150上
384-133- 7
472-433- 19
476- 34- 98
544-211- 62
545-542-103
814-260- 8
820-117- 25
933-731- 51
郭泰漢 見郭太
郭泰元 1208-588- 23
郭泰妻 明 見陳氏
郭珙明 523-102-150
529-460- 43
郭恭元 546-636-136
郭眞宋 見郭稹
郭原明 458-109- 5
472-666- 27
537-401- 57
1241-793- 19
郭桂明 476- 79-100
476-658-135
524-372-197
545-189- 90
554-487-57上
郭晉明 1239-771- 32
郭琉明 劉孟淵妻、郭明道女
1242-235- 32
郭珩郭型 明 456-633- 10
郭配晉 254-465- 26
385-419- 45
545-517-102
郭軒明(字文載) 473-236- 60
480-173-267
528-454- 29
533- 60- 49
533-191- 53
郭軒明(字瞻夫) 1257-555- 10
郭珅明 545-844-113
郭𦕈唐 見郭昈
郭振唐 見郭元振
郭振宋 472-325- 14
475-700- 86
郭展晉 254-465- 26
385-419- 45
545-517-102
郭恩魏 254-513- 29
380-587-182
386-106-72中
郭恩宋 286-320-326
371-189- 19
397-447-346
477- 78-152
478-268-187
538- 37- 63
545-418- 98
554-358- 54
郭恩元 1198-631- 19
1468-111- 6
郭晊漢 376-789-109下
472-764- 30
477-357-166
537-592- 60
郭虔唐 820-257- 29
郭峻宋 516-159- 94
郭恕元(廣東宣慰副使)
537-564- 60
1204-308- 10
郭恕明(字安仁) 679-629-200
郭紘明 546-720-139
郭翁元 郭興父 541-106- 31
郭航唐 476-729-138
1409-610-634
郭郛明(字維藩) 301-765-282
457- 45- 2
458-749- 4
554-820- 63
1293-371- 20
郭郛明(于蕃) 510-383-115
683-108- 1
683-130- 2
郭釗唐 270-440-120
275- 20-137
395-650-238
545- 26- 83
554- 79- 49
559-273- 6
569-644- 19
591-678- 47
郭釗妻 清 見蒲氏
郭倫宋 561-609- 46
郭躬漢 253- 68- 76
370-183- 18
376-788-109下
384- 61- 3
402-526- 15
472-651- 27
477- 58-151
537-592- 60
933-730- 51
郭師唐 1394-736- 11
郭能宋 528-441- 29
郭能女 明 見郭妙清
郭純漢 402-510- 14
郭純宋 476- 82-100
546-643-136
郭純郭文通 明(永嘉人)
524-376-197
821-362- 55
1240-784- 8
郭修魏 254- 86- 4
郭涼漢 376-598-106
474-276- 14
476-329-115
505-726- 71
544-200- 62
545-412- 98
郭淳明 546-199-122
郭清明 見郭敦
郭涓明 458-127- 5
郭淮魏 254-463- 26
377-222-117
384- 86- 4
384-683- 44
385-417- 45
472-432- 19
476- 33- 98
477-560-177
544-202- 62
545-514-102
554-104- 50
556-111- 85
558-131- 30
933-730- 51
郭望毛望 明 1242-212- 31
郭密宋 285-419-275
472-930- 37
478-595-204

505-763- 72
558-220- 32
郭淵元 511-660-162
512-788-196
1224-490- 29
郭章宋 589-350- 6
郭竟漢 535-554- 20
郭庸元 295-596-196
400-279-522
472- 27- 1
505-633- 67
郭祥妻 明 見陳氏
郭祥女 明 見郭妙明
郭梁明 456-633- 10
558-417- 37
郭訥晉 933-731- 51
郭訥唐 820-174- 27
郭球明 524-110-183
1475-331- 13
郭珵明 1229-261- 6
郭基漢 554-324- 54
1412-267- 11
郭基清 529-663- 49
郭堅明(汲縣人) 472-709- 28
郭堅明(字屏翰) 558-339- 35
郭乾明 505-742- 72
537-281- 55
郭都明 474-514- 25
505-696- 70
1278- 31- 2
郭陶唐 820-215- 28
郭琇清 475-123- 55
476-733-138
510-342-113
540-863-28之4
郭彬宋 843-671- 下
郭彬女 元 見郭丑
郭通唐 556-370- 91
1342-147-922
郭通金 545-459-100
郭通元 472-413- 18
511-581-159
郭晟明 1243-704- 23
郭異宋 486- 46- 2
488-371- 13
郭崇郭崇威 宋 285-136-255
382-154- 21
384-326- 17
396-484-299
472-482- 21
546- 68-117
933-736- 51
郭將宋 見郭溥
郭貫元 295-360-174
399-668-486
472- 55- 2
474-181- 8
479-450-237
505-721- 71
515- 25- 57
545- 60- 84
820-503- 37
1201-445- 4
1206-167- 18
郭堂宋~元 見郭隚
郭莊明 558-400- 36
1288-627- 10
1442- 74-附5
1460-358- 56
郭晤唐 270-425-120
郭常唐 516-520-106
1079- 22- 4
1336-443-371
1409-612-634
郭荷晉 256-536- 94
380-432-177
478-697-210
558-470- 39
820- 72- 23
933-731- 51
1340-675-790
郭晞唐 270-438-120
275- 19-137
384-219- 11
395-649-238
475-868- 95
547-202-148
554-582- 58
554-697- 61
933-735- 51
郭冕明 481-698-332
529-691- 50
郭紹元 525- 94-221
郭紹明 1257-175- 17
郭偃春秋 見卜偃
郭偉宋 472-347- 15
475-666- 84
郭偉妻 宋 見杜氏
郭偉清 483- 48-372
570-147-21之2
郭統明 1241-458- 6
1242- 49- 25
1242-391- 37
郭紳明 473-179- 57
515-507- 72
523-173-154
郭第明 1442- 70-附4
1460-337- 55
郭敘宋 559-309-7上
郭敏明 554-277- 53
郭斌金 472-938- 37
558-183- 31
郭翔明 1241-496- 8
郭浣明 458-128- 5
郭渾清(瓜爾佳氏) 455- 73- 2
郭渾清(佟佳氏) 455-337- 20
郭湛隋 545-130- 87
郭湍明 510-456-117
563-820- 41
郭敦郭清 明(字仲厚)
299-533-157
453-195- 18
472-577- 24
472-645- 26
472-827- 33
472-1041- 43
476-617-133
479-353-233
523-200-155
537-210- 54
540-784-28之3
554-164- 51
1238-226- 19
郭敦明(字君厚) 576-653- 5
郭雲明 299-270-134
458-154- 8
472-766- 30
477-377-167
510-312-113
537-315- 56
郭琮宋 288-407-456
400-296-524
472-1103- 47
479-287-230
524-142-185
1175-737- 16
1356-687- 9
郭琮女 宋 見郭氏
郭琪唐 560-600-29下
郭琪宋 529-491- 44
郭琪金 545-241- 92
郭惠魏 254-109- 5
郭賀漢(字喬卿) 252-658- 56
370-175- 17
376-638-107上
384- 58- 3
402-385- 4
402-486- 11
407-586- 4
471-779- 27
472-743- 29
437-295- 62
477-307-164
480- 9-257
481-294-294
532-547- 40
537-490- 59
591-509- 41
879-158-58上
933-729- 51
郭賀漢(謚成) 537-592- 60
郭賀妻 明 見劉氏
郭巽女 明 見郭氏
郭琯妻 明 見陳氏
郭琯清 476-451-123
545-481-100
郭琩金 1191-316- 28
郭喜魏 254-110- 5
郭登明 299-736-173
453-602- 16
475-754- 88
476-249-110
505-722- 71
511-420-152
545-270- 93
558-475- 40
679-631-200
1391-485-322
1442- 27-附2
1459-638- 24
郭琦晉 256-525- 94
380-423-177

472-432- 19
476- 34- 98
546-623-136
933-731- 51
郭琦明 554-873- 64
郭琥明 478-637-206
545-297- 94
554-181- 51
郭開戰國 405-224- 70
郭開明 456-488- 5
郭弼清 456-294- 72
郭肅明 1242- 94- 27
郭琛明 529-712- 50
郭琰後魏 267-641- 85
380- 60-166
478-333-191
552- 30- 18
554-116- 50
郭揆唐 1071-614- 5
郭棟金 544-238- 63
郭逵宋 285-630-290
382-399- 62
397- 94-325
450-306-中13
472-749- 29
472-922- 36
473-347- 63
474-371- 19
476-309-113
478-418-195
478-571-203
480-436-278
480-613-287
532-573- 41
532-724- 46
532-746- 46
537-509- 59
545-330- 95
554-146- 51
1100-439- 40
1115-811- 7
郭貴明 571-532- 19
郭睍唐 544-231- 63
郭勛明 299-216-130
820-662- 42
郭棠妻 明 見李氏
郭棻清 474-247- 12
505-884- 79
郭最春秋 404-604- 37
933-729- 51
郭鉉明 見郭鋐
郭然明 545-250- 92
554-527-57下
郭然妻 清 見李氏
郭鈞元 554-275- 53
郭鈞妻 清 見李氏
郭智明 511-328-149
郭循明 299-599-162
473-152- 56
479-720-250
515-663- 77
1249-400- 26
郭絢隋 264-1040- 73
267-662- 86
380-208-170
472- 26- 1
474-166- 8
476-368-117
546-459-130
郭紝明 472-337- 14
505-676- 69
524-262-191
郭舒晉 255-751- 43
377-520-122
384- 91- 5
472-772- 30
477-371-167
480-285-271
532-612- 43
537-542- 59
933-731- 51
郭舒明 473-656- 78
529-566- 46
郭備妻 明 見周氏
郭絳宋 1354-849- 50
1381-698- 50
郭欽漢 376-325-100
384- 51- 2
472-853- 34
478-201-184
554-627- 60
郭欽元 472-149- 5
郭欽明(字子敬) 458-160- 8
郭欽明(金鄉人) 554-258- 52
郭棐明 494-158- 5
559-299-7上
564-105- 45
569-654- 19
676-590- 24
郭觚唐 494- 54- 2
郭象晉 255-847- 50
377-581-123
384- 92- 5
386-140-73上上
472-744- 29
538-139- 65
933-731- 51
郭逸後魏 544-208- 62
郭進宋 285-393-273
371-163- 16
382-201- 29
384-327- 17
396-659-314
450-699-下5
472- 53- 2
472-113- 4
472-602- 25
472-705- 28
474-240- 12
474-434- 21
476-309-113
476-697-137
477-200-159
505-630- 67
505-731- 71
537-275- 55
540-651- 27
545- 35- 84
郭進明 472-309- 13
郭進明 見郭璡
郭溥郭將 宋 561-610- 46
郭源女 明 見郭妙寧
郭義女 唐 見郭氏
郭義宋 288-416-456
400-304-524
481-553-327
郭義元 1194-460- 4
郭義明 299-508-155
郭靖宋 288-317-449
400-137-511
郭靖明 481-157-298
郭詡明 516-516-106
821-405- 56
1458-637-466
郭詢宋 1100-425- 38
郭雍宋 288-447-459
401- 32-571
471-795- 29
472-750- 29
473-300- 62
480-342-273
533-340- 58
538-162- 66
674-539- 1
677-267- 24
1163-515- 27
1238- 36- 3
郭雍清 529-724- 51
郭裕明 302- 89-294
456-430- 2
479-683-248
480-291-271
515-563- 74
533-389- 60
郭鄗明 505-826- 75
郭廉明(富順人) 559-370- 8
郭廉明(江寧人) 563-842- 41
郭煥宋 821-181- 50
郭瑊女 宋 見郭皇后
郭瑀晉 256-536- 94
380-432-177
470-440-153
478-614-205
558-472- 39
933-731- 51
郭載宋 285-430-276
396-683-316
478-694-210
481- 66-293
537-387- 57
592-488- 91
郭資明(武安人) 299-452-151
453-576- 10
458-156- 8
472-699- 28
477-168-157
537-454- 58
1240-273- 17
1374-557- 77
郭資明(上杭人) 473-625- 77
郭預宋 820-462- 36
郭隗戰國 405-145- 65

472- 52- 2
505-709- 71
933-729- 51
郭瑄元 510-398-115
郭瑄明(定襄人) 546-722-139
郭瑄明(忻州人) 554-312- 53
郭極明 546-733-139
郭厘明 1442- 22-附2
1459-596- 22
郭瑞明 528-530- 31
郭楠明 300-163-192
460-712- 74
481-587-328
529-538- 45
郭瑛元 528-541- 32
郭瑛明 523-189-155
1241-856- 22
郭瑛妻 明 見申伴君
郭瑗晉 476-396-119
546-517-132
郭瑑妻 宋 見周順之
郭達宋 473-315- 62
郭槩宋 1112-406- 37
郭圓唐 820-259- 29
郭嵩明 1251-311- 22
郭鼎宋 見郭龍發
郭鼎明(字彥鉉) 545-786-111
554-348- 54
1239- 72- 31
郭鼎明(郭純後) 821-362- 55
郭敬明 302-263-304
郭嶸後周 820-315- 31
郭鉉妻 明 見黃氏
郭鈺元 515-625- 76
1219-157- 附
1439-454- 2
1469-540- 59
郭鈺明 1459-529- 18
郭鉞明 563-828- 41
郭傳郭正傳 明 301-823-285
524- 54-180
1223-147- 7
1318-351- 63
1405-689-307
郭筠女 宋 見郭氏
郭筠元 1206-142- 16
郭雋隋 見郭儁
郭經宋 511-325-149
郭經明 456-693- 12
郭經妻 明 見孫氏
郭節明 456-698- 12
564-239- 46
570-214- 23
郭解漢 244-888-124
251-156- 92
251-686- 31
380-509-180
472-718- 28
537-473- 58
933-729- 51
1408-335-513
郭愛明 宣宗嬪 299- 8-113
1460-753- 82
郭實元 1206-166- 18
郭實明 300-834-234
554-299- 53
郭察晉 515-139- 61
933-731- 51
郭誠吳王 後周 278-371-122
279-116- 20
郭誠明 473-195- 58
479-811-255
515-257- 65
郭誠明 見楊誠
郭韶明 510-383-115
545-780-111
郭滸宋 288-351-452
382-722-111
400-160-513
472-881- 35
478-549-202
558-419- 37
郭端明 516-171- 94
郭端明 葉繼甫妻 530- 63- 55
郭誦晉 472-641- 26
477- 48-151
537-345- 56
郭彰晉 255-711- 40
377-488-121下
933-730- 51
郭滿女 魏 見郭皇后
郭遡明 558-339- 35
郭榮隋 264-809- 50
267-487- 75
379-800-162
544-220- 62
544-221- 62
545-555-103
552- 48- 19
554-196- 52
933-731- 51
郭榮後周 見周世宗
郭榮元 472-108- 4
郭榮女 明 見郭氏
郭壽郭永壽 宋 1118-356- 18
郭輔漢 575-482- 27
681- 45- 3
681-590- 12
681-672- 21
1103-381-136
1397-678- 32
郭熙宋 812-544- 4
813-134- 11
821-167- 50
郭瑨明 546-491-131
郭碧清 455-552- 35
郭嘉漢～魏 253-403-100
254-273- 14
377-116-115上
384- 82- 4
384-636- 38
385-338- 33
472-653- 27
477- 61-151
537-592- 60
933-730- 51
1412-564- 23
郭嘉元 295-573-194
400-252-520
472-133- 4
474-478- 23
474-817- 44
502-276- 55
505-857- 77
540-780-28之2
郭隚郭堂、郭鄞 宋～元
460-453- 35
529-717- 51
679-568-194
1188-678- 4
1202-237- 17
1202-245- 17
1439-424- 1
郭暨宋 491-433- 6
郭瑋明 456-658- 11
郭聚元 1214-246- 20
郭歌清 560-131- 19
郭遜郭定哥 後周 279-114- 19
郭蒼漢 453-755- 4
564- 9- 44
郭睿郭璿 明(霍州人)
476-348-116
547- 14-141
郭睿明(字彥思) 1239-168- 38
郭鄞宋～元 見郭隚
郭蒙漢 539-348- 8
郭蒙劉宋 258-596- 93
933-731- 51
郭鳳漢 370-189- 18
380-569-181
郭鳳明 505-812- 74
郭僎宋 288-361-452
400-133-511
473- 43- 50
475-604- 81
477- 82-152
477-123-155
479-525-241
515-214- 63
537-237- 55
538- 38- 63
郭銛唐 275- 20-137
395-651-238
554- 80- 49
郭銓女 劉宋 見郭氏
郭銓明 480-342-273
郭僖漢 253- 70- 76
376-789-109下
郭僩明 540-803-28之3
郭緒宋 473-603- 76
554-813- 63
郭緒明 299-645-165
458- 86- 4
482-539-368
569-650- 19
676-515- 20
1258-195- 18
郭維宋(字仲逸) 511-325-149
1105-795- 95
郭維宋(河南人) 524-316-194
郭綽宋 485-541- 1
郭綸宋 473-551- 73

559-302-7上
1112- 3- 1
郭綸明(字理之) 472-240- 9
510-348-114
郭綸明(華亭人) 473-268- 61
532-656- 44
郭綸明(知商州) 554-258- 52
郭槩明 564-106- 45
郭寬清 482-563-369
郭諒漢 402-475- 11
郭澄宋 1150-115- 13
1164-265- 13
郭潤明 528-552- 32
郭潤妻 清 見劉氏
郭誼郭宗誼、越王 後周
278-371-122
279-116- 20
郭適元 1204-312- 10
郭誕漢 486- 34- 2
郭誕北周 546-182-121
郭慶隋 見楊慶
郭慶明 480-132-264
533-172- 52
郭賢北周 263-634- 28
379-652-158
476-394-119
545-450- 99
郭瑾宋 見郭佺
郭瑾明(字邦器) 473-178- 57
515-506- 72
郭瑾明(字良玉) 554-476-57上
郭鋆明 546-202-122
676-567- 23
郭閭宋 482- 35-340
郭璋唐 478-334-191
郭鞏妻 明 見柴氏
郭鼐明 494- 56- 2
1269-489- 8
郭震唐 1342-427-960
郭震唐 見郭元振
郭震宋(字希聲) 382-770-118
473-432- 67
561-198-38之1
561-605- 46
592-577- 98
674-872- 20
1437- 8- 1
郭震宋(字子東) 1169- 63- 5
郭震金 545-241- 92
郭震明 546-304-125
郭璉明 528-449- 29
郭嶠金 1191-315- 28
郭堯郭蕘 宋(字高叔)
475-604- 81
510-434-116
郭嶢宋(仙遊人) 529-498- 44
郭餘明 515-644- 77
郭鋐郭鉉 明 299-656-166
475-709- 86
511-337-149
567-108- 66
1250-952- 90
郭稹郭眞 宋 285-793-301
397-213-332
472-661- 27
477- 78-152
538-128- 65
郭儀元(江夏人) 533-484- 64
郭儀元(字宜之) 1201-169- 80
郭儀明 1241-525- 9
郭德元 1206-706- 6
郭質元 476-204-107
545-338- 96
554-313- 53
郭畿宋 1121- 81- 8
郭魯明 540-784-28之3
郭磐明 547- 97-144
郭儁郭雋、郭世雋、郭世儁、郭世巂 隋 264-1030- 72
267-648- 85
380-128-167
384-143- 7
472-433- 19
476- 35- 98
547- 2-141
933-732- 51
郭鋒唐 478-267-187
554-233- 52
郭緯妻 明 見李氏
郭憲漢 253-592-112上
380-567-181
472-199- 7
472-791- 31
475-778- 89
477-543-176
511-355-150
537-556- 60
538-359- 71
879-154-58上
933-730- 51
郭憲魏 254-221- 11
472-793- 31
478-653-207
537-559- 60
郭憲妻 明 見趙巧雲
郭諴韓王 後周 279-116- 20
郭諮宋 286-325-326
397-450-346
472- 95- 3
472-113- 4
474-434- 21
474-621- 32
476-150-104
476-309-113
478-418-195
505-681- 69
505-789- 73
540-669- 27
545-213- 91
545-406- 98
554-358- 54
郭熺清 529-678- 49
郭遵北齊 267-579- 81
380-322-174
郭遵宋 286-310-325
397-440-346
472-660- 27
477- 76-152
478-166-182
538- 37- 63
545-419- 98
554-356- 54
郭遵妻 明 見胡氏
郭璜妻 漢 見劉禮劉
郭橫清 481-721-333
528-556- 32
郭璣明 554-311- 53
郭頤宋 524- 80-182
郭頤明 476-260-110
546- 87-118
郭整漢 558-470- 39
郭翰唐 274-477-117
384-183- 10
395-476-224
472-912- 36
558-205- 32
郭閶宋 473-675- 79
532-729- 46
564- 44- 44
郭璘後晉 278-172- 95
郭璘明 547- 54-143
郭璞晉 249- 9- 附
256-195- 72
377-759-127
384- 98- 4
469-398- 47
472-255- 10
472-461- 20
476-396-119
480-342-273
492-598-13下之下
511-897-172
516-211- 96
524-338-195
533-735- 73
546-517-132
547-548-161
561-211-38之2
561-213-38之2
677-110- 11
820- 61- 23
933-731- 51
1061-275-110
1370- 87- 4
1379-338- 41
郭璞明 1228-813- 14
郭璡元 1199-702- 6
郭璡郭進 明(字時用)
299-534-157
453-577- 10
472- 56- 2
505-734- 71
郭璡明(福建參議咨詢)
473-569- 74
郭樸唐 547-132-146
郭樸明 見郭朴
郭豫晉 385-419- 45
545-517-102
郭默晉 256- 81- 63
377-690-125
郭興父 元 見郭翁
郭興郭子興 明 299-229-131

453- 28- 3
472-205- 7
475-751- 88
511-418-152
558-145- 30
1374-524- 74
郭興明 511-647-162
郭興妻 明 見張氏
郭蕘宋 見郭堯
郭曄宋 473-737- 82
563-696- 39
郭縝宋 529-735- 51
郭錋明 1296-429- 5
郭鋼唐 270-425-120
郭儒明 478-404-194
546-670-137
554-291- 53
676-300- 11
郭獬明 456-658- 11
郭衡妻 宋 見曾氏
郭濤宋 515-117- 60
郭鴻宋 533-279- 56
郭濬明 479-291-230
524- 65-181
676-458- 17
1235-655- 22
郭濬清 505-884- 79
郭禧漢 681-869- 19
郭濟宋 529-666- 49
郭濟明 458-109- 5
472-665- 27
537-400- 57
1241-840- 21
郭檟明 458-1008- 1
523-606-176
郭翼晉 545-206- 91
郭翼元(字羲仲) 493-1027- 54
511-730-165
676-464- 17
683- 69- 4
1221-441- 7
1318-147- 43
1369-344- 9
1439-445- 2
1470-623- 19
郭翼元(保定清苑人)
1206-166- 18
郭璲明 473-479- 69
郭曙唐 270-440-120
275- 20-137
395-651-238
544-227- 63
554-697- 61
933-735- 51
郭曖唐 270-439-120
275- 19-137
384-219- 12
395-650-238
554- 79- 49
933-735- 51
郭曖妻 唐 見齊國公主
郭曖女 唐 見郭皇后
郭鎡明 554-258- 52
郭縱戰國 224-931-129
郭謹唐 278-249-106
郭禮清 455-231- 12
郭贄宋 285-300-266
371- 67- 6
396-591-307
382-236- 36
384-338- 17
472-682- 27
473-297- 62
477-128-155
480-239-269
537-425- 58
544-235- 63
933-737- 51
郭璿明 見郭睿
郭礎清 511-216-144
郭曜唐 270-438-120
275- 18-137
384-219- 12
395-648-238
544-227- 63
554-752- 62
933-734- 51
郭鎮漢 253- 69- 76
376-789-109下
477- 58-151
537-592- 60
933-730- 51
郭鎮晉 385-419- 45
545-517-102
郭鎮明(宛平人) 482-559-369
569-657- 19
郭鎮明(雄縣人) 505-814- 74
郭鎮明(字彥鼎) 1235-656- 22
郭鎔明 554-310- 53
郭盤明 546-690-138
郭翻晉 256-531- 94
380-428-177
473-213- 59
479-663-247
480- 54-260
516-204- 95
533-328- 58
933-731- 51
郭璽明 505-825- 75
540-791-28之3
1250-475- 44
1410-239-692
1458-450-447
郭瓊五代～周 285-215-261
371-155- 16
396-538-303
472-143- 5
472-519- 22
472-544- 23
472-892- 35
474-277- 14
476-516-127
476-656-135
476-778-141
478-594-204
478-716-211
505-728- 71
540-623- 27
558-232- 32
郭藩明 511-648-162
郭鏘妻 明 見張氏
郭贊宋 288-362-452
400-158-513
477-409-169
481-386-312
郭鵬南唐 515-571- 75
郭鐙明 540-792-28之3
559-315-7上
郭鏦唐 270-441-120
275- 20-137
395-650-238
544-228- 63
554- 80- 49
1079- 70- 11
1342-245-935
郭鏦唐 見李暢
郭寶晉 480-317-272
郭麐晉 256-562- 95
380-616-182
538-360- 71
558-488- 41
933-731- 51
郭瓌女 宋 見郭氏
郭齡明 546-490-131
郭曦明 545-664-107
郭勸宋 285-730-297
397-167-330
472-556- 23
472-610- 25
476-725-138
476-823-143
540-755-28之2
郭璜明 480-175-266
郭饒後晉 472-500- 21
1408-474-526
郭夔女 明 見郭氏
郭霸郭弘霸 唐 271-475-186上
276-167-209
384-191- 10
400-378-535
郭鐸明 529-710- 50
郭襲遼 289-598- 79
399- 22-418
郭鰲明 547- 15-141
郭瓘唐 820-182- 27
郭權南唐 812-525- 2
821-119- 49
郭囊明 1283-760-126
郭囊妻 明 見黃氏
郭鑑明(咸寧人) 545-247- 92
郭鑑明(絳縣人) 546-592-134
郭麟明(定襄人) 523-130-152
郭麟明(字廷祥) 1261-178- 13
郭麟妻 明 見胡氏
郭瓚宋 537-326- 56
559-528- 12
591-572- 42
郭顯宋 567-419- 85
585-779- 7
1467-153- 67
郭巖元 537-314- 56
郭巖明 1253-123- 46

郭觀明(武進人) 472-521-22
476-479-125
540-617-27
郭觀明(歸善人) 564-182-40
郭觀妻 明 見侯氏
郭一輪明 516-136-92
郭一龍明 554-307-53
郭一儒明 554-312-53
郭一鵾清 537-526-59
郭一鶚清 477-317-164
537-528-59
郭九有明 545-380-97
郭九鼎明 564-156-45
郭九鼎妻 清 見孟氏
郭九會清 546-716-139
郭九會妻 清 見李氏
郭人麟清 529-724-51
郭三仁明 554-290-53
郭三杰明 511-502-156
郭三妹清 劉正龍妻
483-60-374
郭三益宋 472-983-39
493-744-41
510-326-113
郭三莊明 530-68-55
郭三傑郭之杰 明
456-657-11
郭士文元 1208-587-23
郭士文妻 明 見李氏
郭士元元 1228-342-8
郭士侗妻 明 見陳氏
郭士英清 547-40-142
郭士原明 472-527-22
郭士棟清 538-98-64
郭士道明 1238-470-8
郭士瑛清 511-644-161
郭士禎明 456-678-11
郭士標清 538-98-64
郭士賢清 475-71-52
502-688-81
郭士璟清 511-784-166
郭土竈宋 見郭上竈
郭子沖女 明 見郭氏
郭子成妻 宋 見鄧奴娘
郭子法明 1269-421-6
1410-466-725
郭子炎元 1194-696-13
郭子直明 1442-75-附5
1460-361-56
1475-343-14
郭子和唐 見李子和
郭子美宋 515-578-75
郭子昭明 1232-594-5
郭子皋宋 1100-464-42
郭子章明 481-26-291
483-224-390
515-712-79
523-57-148
528-531-31
532-598-41
545-97-86
559-255-6
563-791-41
571-520-19
676-606-25
677-643-57
1442-75-附5
1460-360-56
郭子章明 見郭奎
郭子通金 545-764-110
1040-258-5
郭子虛明 559-297-上
郭子智明 476-819-143
郭子進明 528-553-32
郭子賢元 1222-429-5
郭子儀唐 270-425-120
275-11-137
384-209-11
384-218-12
395-642-238
448-118-0
459-388-24
472-456-20
472-836-33
472-922-36
475-868-95
478-344-191
478-403-194
478-594-204
544-225-63
545-13-83
554-399-55
556-370-91
558-135-30
933-732-51
1341-614-880
1407-52-400
1407-62-401
郭子儀妻 唐 見王氏
郭子興滁陽王 明
299-116-122
453-5-1
472-204-7
475-750-88
511-646-162
1283-220-83
1374-441-64
郭子興明 見郭興
郭子盧明 473-490-70
郭子爵妻 清 見阮氏
郭干城妻 清 見楊氏
郭于襄妻 明 見嚴鳳姑
郭才卿女 明 見郭氏
郭大宏女 明 見郭氏
郭大治明 564-121-45
郭大昕宋 1113-618-9
郭大美妻 明 見景氏
郭大科明 529-709-50
郭大娜清 郭聖嘉女
524-541-205
郭大深明 529-712-50
郭大鯤明 473-654-78
528-496-30
郭大鐸清 482-185-346
郭大詒清 570-147-21之2
郭上竈郭土竈 宋472-669-27
477-98-153
郭山甫女 明 見郭氏
郭山惲唐 271-546-189下
274-391-109
384-186-10
395-445-221
郭女王魏 魏文帝后、郭永女
254-110-5
373-55-19
385-268-29上
郭千里唐 1342-36-908
1410-188-684
郭久中宋 561-609-46
郭斗山女 清 見郭氏
郭方煜妻 明 見陶氏
郭文周明 481-749-334
529-646-48
676-579-23
郭文亮清 540-869-28之4
郭文相妻 清 見張氏
郭文英明 554-914-64
556-806-100
郭文涓明 676-572-23
1442-66-附4
1460-292-53
郭文恭後魏 262-254-86
267-631-84
380-120-167
476-181-106
547-41-142
933-732-51
郭文振金 291-630-118
399-310-445
472-438-19
476-41-98
476-430-121
544-238-63
545-385-97
545-647-106
郭文祥清 456-351-77
郭文通明 563-782-40
郭文通明 見郭純
郭文博明 460-603-59
郭文雄清 475-123-55
510-341-113
1316-567-38
郭文蛟妻 清 見殷氏
郭文煥明 460-713-74
郭文達妻 清 見趙氏
郭文會明 547-59-143
郭文輔明 533-172-52
郭文綱妻 明 見李氏
郭文廣明 554-338-54
郭文蔚妻 清 見邢氏
郭文範明 524-175-187
郭文舉晉 1061-275-110
郭文瓚妻 明 見劉氏
郭文顯明 540-788-28之3
郭文秀清 481-746-334
502-774-86
528-565-32
郭之奇明 456-443-3
482-143-344
528-464-29
郭之杰明 見郭三傑
郭之美宋 1090-688-40

郭之建明 570-164-21之2
郭之英明 456-658- 11
郭之產明 456-658- 11
郭之培清 505-819- 74
523- 66-149
郭之豪明 456-658- 11
郭之翰妻 清 見段氏
郭之麟明 456-532- 6
476-282-111
546-154-120
558-212- 32
郭太元明 554-342- 54
郭太素明 1237-249- 4
郭五常明 458-101- 4
郭元方宋(字子正) 812-533- 3
813-205- 20
821-167- 50
郭元方宋(字天益)
1099-760- 13
郭元亨元 1220-366- 2
郭元谷明 570-261- 25
郭元長金 547-484-159
郭元亮明 678-184- 87
郭元柱明 676-238- 9
郭元貞後魏 545-547-103
郭元振郭振、郭震 唐
270-165- 97
274-545-122
384-191- 10
384-197- 11
395-522-228
448-118- 0
469-450- 54
471-854- 37
471-1013- 62
472-130- 4
472-944- 37
473- 43- 50
473-503- 71
473-713- 81
474-474- 23
478-451-197
482-187-346
505-771- 73
515-210- 63
544-226- 63
545-566-104
549-188-188
558-134- 30
559-312-7上
563-900-430
591-366- 29
591-703- 50
933-732- 51
1065-882- 25
1342-526-972
1371- 51- 附
1408-666-551
郭元祥明 547-115-145
郭元釪清 511-784-166
郭元弼金 1191-315- 28
郭元靖唐 473- 76- 52
516- 93- 91
郭元愷明 460-713- 74
郭元賡宋 見郭源明
郭元瑾妻 清 見毛氏
郭元德女 宋 見郭正順
郭元邁宋 288-314-449
400-162-513
475-131- 56
485-196- 26
493-1003- 53
511-435- 53
郭元謹清 官居鼎妻
530- 28- 54
郭孔完明 554-310- 53
郭孔曾妻 明 見張敬娘
郭天中明 530-211- 61
684-501- 下
820-741- 44
郭天中妻 明 見朱玉耶
郭天中妻 明 見李佗那
郭天吉明 301-457-263
456-429- 2
478-274-187
554-728- 61
郭天成妻 清 見張氏
郭天信宋 288-481-462
401-107-582
郭天祐元 1203-364- 27
郭天祚妻 明 見顧氏
郭天珪元 1200-731- 55
郭天錫郭畀 元 511-774-166
820-508- 37
821-293- 53
1210-480- 18
1439-428- 1
1470-210- 8
郭天錫明 540-798-28之3
郭天寶妻 明 見李氏
郭友直宋 592-491- 91
592-560- 96
678-368-104
1096-791- 39
郭日休明 529-515- 44
郭日燧清 479-496-239
515-455- 70
郭中行宋 484-375- 27
郭中錫宋 472-568- 24
476-854-145
郭公甫宋 1091-538- 13
郭公葵元 524- 64-181
郭公榮父 明 1242-107- 27
郭公壽宋 473-533- 72
559-303-7上
郭公緒明 1237-288- 5
郭公義元 472-142- 5
郭仁壽妻 明 見王珍
郭仁龍明 568-707-127
郭仁顯明 529-711- 50
郭允升宋 515-584- 75
532-716- 45
郭允升明 545-793-111
郭允明郭竇十 後漢
278-257-107
279-194- 30
396-388-288
郭允厚明 540-824-28之3
郭允恭宋 933-736- 51
郭允恭女 宋 見清悟
郭允朝妻 明 見翁氏
郭允圖明 見郭永固
郭立彥女 明 見郭氏
郭必光妻 清 見郭氏
郭永忠宋 480-340-273
532-685- 44
郭永固郭永圖 明456-552- 7
546-607-135
郭永清明 533-406- 61
郭永道明 472-925- 36
554-526-57下
郭永壽宋 見郭壽
郭永磐妻 清 見張氏
郭永靜清 479-558-242
502-687- 81
515-205- 63
郭玉安妻 明 見李氏
郭弘化明 300-410-207
479-725-250
515-698- 79
571-522- 19
郭弘敬元 506-639-109
1198-555- 9
1367-665- 51
1410-461-724
郭弘霸唐 見郭霸
郭弘纘清 482- 76-341
529-576- 46
563-876- 42
郭正一唐 271-572-190中
274-351-106
384-180- 10
395-366-214
469-512- 62
472- 91- 3
474-375- 19
505-748- 72
933-732- 51
郭正子宋 679-525-190
郭正子妻 宋 見林道靜
郭正中明 523-431-167
郭正玉清 481-700-332
郭正孫宋 473-537- 72
1173-260- 82
郭正域明 300-719-226
458-359- 15
480- 58-260
533- 16- 47
680-248-249
1442-79-附5
郭正順宋 盧孝孫妻、郭元德女 479-561-242
516-345-101
郭正傳明 見郭傳
郭正誼明 見郭正諤
郭正諤郭正益 明
456-678- 11
477-420-169
郭本澄妻 清 見趙氏
郭丕蘭清 476-371-117
郭司南明 456-521- 6
554-714- 61

十一畫 郭

郭可久明 533-482- 64
郭可學明 1234-288- 46
郭可權妻 明 見劉氏
郭世元明 547-563-161
郭世玉妻 明 見陳氏
郭世旺妻 清 見李氏
郭世珍遼 505-717- 71
郭世通劉宋 見郭世道
郭世琯妻 清 見程氏
郭世隆清 474- 96- 3
481-808-338
505-641- 67
528-469- 29
532-605- 42
563-860- 42
郭世祿明 546-682-137
554-344- 54
郭世道郭世通 劉宋
258-568- 91
265-1033- 73
380- 91-167
384-122- 6
479-230-227
486-310- 14
524-130-185
933-731- 51
郭世雋隋 見郭儁
郭世潔明 456-668- 11
郭世儁隋 見郭儁
郭世[illegible]隋 見郭儁
郭布延元 523-117-151
郭充廣清 559-439-10下
郭民父妻 明 見易氏
郭民安明 511-883-171
郭民則元 1220-376- 3
郭民效妻 清 見呂氏
郭民敬明 476-261-110
546- 93-118
郭以重明 302- 91-294
456-497- 5
480-136-264
533-372- 60
郭以新妻 明 見寇氏
郭以親妻 明 見寇氏
郭以藏明 1245-791- 14
郭申錫宋 286-377-330
397-489-349
472-132- 4
474-477- 23
475-214- 60
476-610-133
488-388- 13
505-775- 73
510-358-114
540-639- 27
1099-571- 11
郭申錫妻 宋 見吳氏
郭由中宋 561-609- 66
郭由謙妻 明 見聶氏
郭四娘明 530-112- 57
郭四朝秦 1061-280-111
郭四維明 554-312- 53
郭四維清 510-431-116
郭用中金 546-643-136
676-696- 29
1365-271- 8
1439- 5- 附
1445-496- 37
郭用賢明 524-150-185
郭幼明唐 270-442-120
275- 21-137
395-651-238
郭幼高女 明 見郭巽貞
郭守文宋 285-195-259
371-115- 11
382-155- 21
384-326- 17
396-522-302
472-436- 19
476- 39- 98
481- 66-293
545- 36- 84
545-621-105
1086-280- 28
933-736- 51
郭守文女 宋 見郭皇后
郭守素唐 472-114- 4
505-910- 81
郭守智妻 清 見陳氏
郭守源明 493-1110- 58
郭守敬元 295-227-164
399-587-478
451-618- 9
459-701- 42
472-108- 4
472-930- 37
474-410- 20
505-757- 72
558-220- 31
581-546-102
1226-290- 14
1367-647- 50
1408-685-552
1458- 4-415
郭守筠後周 見郭守愿
郭守愿郭守筠 後周
279-114- 19
郭守憲明 1288-648- 11
郭安仁宋 564- 59- 44
郭安國金 291-193- 82
郭安道明 1232-293- 4
郭汝文妻 明 見徐靜端
郭汝宣明 820-747- 44
郭汝能母 明 見談氏
郭汝梅元 1201-169- 80
郭汝賢宋 528-473- 30
529-600- 47
郭汝霖明 515-704- 79
676-586- 24
1287-739- 8
郭汝翼金 546-418-128
郭在中妻 明 見唐氏
郭在微後唐 820-313- 31
郭在豐明 554-309- 53
郭存忠明 1250-943- 89
郭存謙明 505-813- 74
郭有春明 528-545- 32
郭有時清 456-351- 77
郭有棟妻 清 見周氏
郭羽士明 541-108- 31
郭羽宸清 483-184-385
郭匡晉妻 明 見溫氏
郭托爾元 528-475- 30
郭而澮妻 清 見李氏
郭灰兒妻 元 見趙氏
郭光詹明 523- 92-149
郭伏羌明 456-481- 5
558-422- 37
郭名望清 502-763- 86
郭名揚明 505-901- 80
郭自修清 476-403-119
479-794-254
479-821-256
515-282- 65
546-613-135
郭自經明 494- 23- 2
郭全義五代 472-195- 7
郭企忠金 291-197- 82
399-146-429
476-180-106
545-240- 92
郭好德元 1206-730- 8
郭如川明 523-108-150
郭如朱妻 清 見劉氏
郭如星明 537-524- 59
572-158- 32
郭如嵩明 456-683- 11
郭如魯明 554-512-57下
郭竹師宋 547-494-159
郭仲文唐 270-441-120
544-228- 63
郭仲元金 見完顏仲元
郭仲奇漢 681-543- 9
681-681- 21
1397-621- 29
郭仲和妻 明 見任氏
郭仲和清 524-101-183
郭仲金清 505-809- 74
郭仲恭妻 唐 見金堂公主
郭仲荀宋 486-897- 34
524-327-195
郭仲敏元 1221-410- 4
郭仲翔唐 400-325-527
561-562- 45
郭仲賓元 540-641- 27
郭行先女 唐 見郭紹蘭
郭行餘唐 271-201-169
275-467-179
396-200-270
554-329- 54
郭朵兒元 見噶達爾
郭宏敬妻 元 見張文婉
郭宏毅妻 清 見韓氏
郭宏德明 480-664-290
515-706- 79
郭亨貞明 676-454- 17
郭罕然元 547-524-160
郭良三妻 明 見阮鈴娘
郭良臣宋 1164-265- 13
郭良時明 505-901- 80
郭良弼妻 明 見馬氏
郭良翰明 676- 35- 2

郭良顯宋 1164-266- 13
郭志生晉 592-225- 74
1061-273-110
郭志安唐 477- 49-151
郭志空金 472-529- 22
541- 94- 30
郭志高宋 540-652- 27
郭志祥妻 清 見李氏
郭成德宋 933-737- 51
郭孝友宋 473-148- 56
515-584- 75
563-658- 39
郭孝恪唐 269-807- 83
274-406-111
384-174- 9
395-400-218
472-656- 27
472-676- 27
477- 68-152
537-253- 55
537-594- 60
540-638- 27
558-237- 32
933-732- 51
郭孝穆清 559-332-7下
郭孝禮妻 明 見劉氏
郭克一明 460-556- 54
460-591- 58
563-788- 40
郭克安女 元 見郭順正
郭克明元 505-734- 71
郭克舒清 455-537- 34
郭克廣清 481-214-302
郭見忠清 505-908- 81
郭見義宋 515-255- 65
郭佐卿元 400-308-526
郭作德女 宋 見郭氏
郭伯昌金 1200-731- 55
郭伯郁明 554-913- 64
郭伯英金 1040-250- 4
郭伯泰明 528-526- 31
郭伯通漢 見郭伯道
郭伯睨妻 清 見鄭啟
郭伯順元 546-419-128
546-726-139
郭伯道郭伯通 漢820- 35- 22
郭伯達元 1201-168- 80
郭孚周宋 529-684- 50
郭希朴宋 561-609- 46
郭希林劉宋 258-596- 93
265-1066- 75
380-443-178
480- 54-260
533-329- 58
933-731- 51
郭希泰元 505-900- 80
1206-166- 18
郭希湯明 546-712-138
郭希聖明 456-483- 5
郭希樸宋 561-198-38之1
郭邦彥金 1365-251- 7
1439- 11- 附
1445-470- 34
郭邦奠明 547- 97-144
郭秀齊後魏 544-210- 62
郭妙明明 劉清妻、郭祥女
1242-222- 31
郭妙清明 劉橘菴妻、郭能女
1243-300- 17
郭妙寧明 何璧妻、郭源女
1239- 49- 29
郭廷用母 明 見許氏
郭廷用母 明 見蕭氏
郭廷良明 563-815- 41
郭廷佐明 546-713-138
郭廷珪明 537-404- 57
郭廷煒宋 295-599-197
400-308-526
郭廷聘妻 清 見符氏
郭廷謂宋 285-370-271
371-162- 16
396-641-312
472-412- 18
475-429- 70
481-332-308
511-224-144
820-330- 32
郭廷邀明 529-710- 50
郭宗文明 473-569- 74
528-449- 29
郭宗昌明 554-851- 63
683-535- 附
郭宗訓後周 見周恭帝
郭宗振明 456-576- 8
554-719- 61
郭宗皋明 300-297-200
476-331-115
476-700-137
515-701- 79
540-807-28之3
545-422- 98
郭宗純元 518- 36-136
郭宗舜明 554-656- 60
郭宗廥明 483-321-396
572- 82- 28
郭宗誼後周 見郭誼
郭宗賢明 545-157- 88
郭宗磐明 523-249-157
郭宗儒妻 清 見劉氏
郭宗讓後周 見郭熙讓
郭宜哥後周 278-371-122
279-116- 20
郭性之明 554-513-57下
郭定哥後周 見郭遜
郭炎金郭阿岷 宋451- 92- 3
郭其昌明 456-640- 10
郭青哥後周 見郭侗
郭居鼎清 529-679- 49
郭居敬元 460-464- 36
481-647-330
592-681- 50
郭居賢明 460-712- 74
郭孟辰女 明 見郭氏
郭門高後唐 見郭從謙
郭奉世宋 473-144- 56
515-144- 61
515-521- 73
郭奉超後周 279-114- 19
郭奇遴妻 清 見王氏
郭阿林金 見完顏阿林
郭阿岷宋 見郭炎金
郭長吉妻 明 見李氏
郭長倩金 291-705-125
400-688-565
472-604- 25
476-699-137
540-767-28之2
676-694- 29
1365-270- 8
1439- 3- 附
1445-496- 37
郭長卿宋 1189-277- 1
郭長孺宋 561-198-38之1
592-581- 98
郭東山明 540-796-28之3
1320-761- 83
郭東維明 1242-133- 28
郭東藩明 540-811-28之3
郭承汾明 456-550- 7
460-716- 74
郭承忠妻 明 見王氏
郭承祐宋 285-107-252
371-116- 11
382-396- 62
384-357- 18
545-639-106
郭承嗣妻 明 見雷氏
郭承嘏唐 271-143-165
275- 19-137
395-649-238
478-344-191
554-645- 60
933-735- 51
郭承顏女 宋 見郭氏
郭忠宁明 676-631- 26
1442- 90- 6
1460-519- 65
郭忠孝宋 288-293-447
400-156-513
448-526- 14
472-750- 29
475-870- 95
478- 91-180
538- 58- 63
545-369- 97
554-202- 52
674-371- 1
674-539- 1
1238- 36- 3
郭忠厚宋 843-672- 下
郭忠信明 511-306-148
郭忠恕郭恕先 宋
288-235-442
382-735-113
384-335- 17
400-629-557
407-681- 5
472-748- 29
477-313-164
538-141- 65
674-583- 3
678- 95- 79

684-488-下
812-475- 3
812-532- 3
812-750- 3
813-113- 8
814-281- 10
820-336- 32
821-141- 50
933-737- 51
1108-516- 94
1241-681- 15
1273-160- 22
郭忠義宋 505-851- 77
郭忠鼎郭鼎忠 明
567-141- 68
1467-127- 66
郭忠諫妻 宋 見田氏
郭忠顯明 472-679- 27
郭尚忠清 456-351- 77
郭尚敬明 564-162- 45
郭尚賓明 301-111-242
564-109- 45
郭尚賢明 570-148-21之2
郭尚賢妻 明 見趙氏
郭尚謙明 529-673- 49
郭尚禮明 547- 22-141
郭尚竃郭馬兒 宋
554-983- 65
郭明世明 見郭鳴世
郭明郁明 559-354- 8
郭明肅唐 1341-246-832
郭明道女 明 見郭琉
郭明德元 1214-130- 11
郭昌年母 宋 見陳氏
郭卓然唐 820-193- 27
郭叔和明 524-219-189
郭叔雲宋 482-141-344
564- 63- 44
郭叔誼宋 1173-276- 83
郭知章宋 286-713-355
397-751-365
473-147- 56
515-580- 75
567-432- 86
郭知逵宋 見郭知達
郭知運唐 270-259-103
274-662-133
384-202- 11
395-618-237
478-652-207
544-228- 63
549-239-190
549-240-190
558-170- 31
933-735- 51
1065-820- 19
1342- 25-907
1343-786- 57
1394-736- 11
1410-167-683
郭知運宋 524-239-190
郭知達郭知逵 宋
473-465- 69
559-290-7上
郭知微宋 515-581- 75
郭季良宋 505-654- 68
郭和達清 456-103- 60
郭和齊清 455-320- 19
郭和濟清 455-547- 35
郭周藩唐 546-704-138
郭狗狗郭格格元 295-600-197
400-309-526
476- 83-100
郭金門清 533-318- 57
郭金科明 524-100-183
郭金海後晉 278-159- 94
郭金城明 302- 92-294
456-484- 5
480-129-264
533-369- 60
郭金臺明~清 見陳金臺
郭金鉉清 505-831- 75
郭舍人漢 244-898-126
380-526-180
1412- 98- 5
郭命弘妻 清 見李氏
郭受益女 明 見郭氏
郭秉忠明 456-681- 11
558-425- 37
郭秉敦明 529-675- 49
郭迎褒明 546-606-135
郭延卿宋 871-894- 19
郭延壽明 529-681- 50
郭延魯後晉 278-159- 94
279-297- 46
384-312- 16
396-419-294
472-500- 21
473-233- 60
476-418-120
480- 87-262
532-643- 43
546-336-126
1383-810- 74
1408-474-526
郭延澤宋 285-372-271
471-924- 48
472-198- 7
475-755- 88
郭延濬宋 285-371-271
396-642-312
475-429- 70
481- 67-293
511-224-144
郭延禧唐 820-286- 30
郭洪春妻 清 見李氏
郭洪基妻 清 見王氏
郭洪陽妻 清 見湯氏
郭宣道金 1365-289- 8
1445-521- 39
郭洞陽秦 530-203- 60
郭彥仁明 523-214-156
郭彥和明 1237-301- 6
郭彥郁妻 清 見李氏
郭彥清妻 明 見蕭氏
郭彥章宋 479-604-244
郭彥章元 515-626- 76
郭彥通宋 1202-314- 22
郭彥常明 1238-196- 17
1241-457- 6
郭彥常妻 明 見蕭繼柔
郭彥輝明 1242-276- 33
郭彥輝妻 明 見蕭幼
郭彥澤元 524-304-194
郭玳之清 528-534- 31
537-552- 59
郭拱辰宋 821-223- 51
1145-565- 76
郭拱璇妻 清 見劉氏
郭咸和明 516-184- 94
563-787- 40
郭春渠明 515-703- 79
郭春震明 564-826- 60
郭厚菴妻 明 見黃氏
郭南義宋 561-605- 46
郭郁鄰明 473-673- 79
郭契夫宋 485-534- 1
郭致祥明 1275-275- 12
郭建村清 547- 56-143
郭建邦明 511-310-148
676-652- 27
郭茂賢妻 明 見林氏
郭貞姐明 許惟長妻
530-112- 57
郭貞順明 見郭眞順
郭思貞元 472-468- 20
546-706-138
1192-503- 3
郭思恭元 1211-420- 59
郭思道宋 1125-370- 28
郭思極明 505-827- 75
郭思敬元 545-218- 91
郭思誠郎思誠 清
475-646- 83
511-635-161
郭若虛宋 515-741- 80
郭昭乾宋 524-343-196
郭昭晦女 宋 見郭氏
郭昭慶南唐 473-146- 56
479-713-250
515-570- 75
郭昭簡女 宋 見郭氏
郭英乂唐 270-390-117
274-663-133
395-619-237
549-291-192
933-735- 51
1341-683-891
郭英傑唐 270-259-103
274-663-133
395-618-237
933-735- 51
郭重光明 456-628- 10
郭重發妻 清 見徐氏
郭皇后魏 魏明帝后、郭滿女
254-112- 5
385-270-29上
537-184- 53
郭皇后唐 唐憲宗后、郭曖女
269-439- 52
274- 24- 77
393-267- 72

452- 55- 1
554- 23- 48
郭皇后宋 宋孝宗后、郭瑊女
284-882-243
393-317- 77
537-187- 53
1152-782- 49
郭皇后宋 宋眞宗后、郭守文女 284-859-242
382-103- 13
384-337- 17
393-302- 75
452- 55- 1
544-185- 61
郭皇后明 明光宗后、郭維城女 299- 23-114
郭皇畿清 505-649- 69
郭俊義明 見郭俊儀
郭俊實宋 487-717-211
郭俊儀郭俊義 明 483- 15-370
546-324-125
569-679- 19
郭祖深梁 265-992- 70
380-190-170
384-212- 6
448-332-下
473-249- 60
475-666- 84
480-294-271
533-232- 54
879-162-58上
933-731- 51
1401-332- 27
郭祖德宋 558-183- 31
郭祚升妻 清 見辛氏
郭宸郛清 474-238- 12
505-661- 68
郭庭梧明 545-195- 90
郭凌漢母 清 見盧氏
郭凌漢妻 清 見盧氏
郭凌霄清 564-298- 48
郭泰亨宋 524-233-189
郭馬兒宋 見郭尚竈
郭眞順郭貞訓 明 周伯玉妻 482-144-344
564-343- 49
1327-705- 9
1442-122-附8
1460-768- 84
郭原平劉宋 258-569- 91
265-1033- 73
380- 92-167
479-230-227
486-310- 14
524-130-185
933-731- 51
郭原琳明 1238-172- 15
郭珣瑜宋 451-173- 5
郭栖鳳妻 清 見石氏
郭格格元 見郭狗狗
郭振先妻 清 見趙氏
郭振參妻 清 見潘氏
郭時斗明 563-762- 40
567-124- 67
568-228-107
郭時中妻 元 見雷氏
郭時亮明 571-525- 19
郭虔瓘唐 270-167- 97
270-257-103
274-662-133
384-202- 11
395-617-237
476-523-128
491-803- 6
544-227- 63
郭恕先宋 見郭忠恕
郭翁中漢 545-858-113
郭師中宋 510-424-116
郭師仁女 宋 見郭氏
郭師古明 511-403-151
郭師孟女 明 見郭氏
郭師厚女 宋 見郭氏
郭師禹宋 494-268- 2
郭師從五代 472-326- 14
523- 8-146
郭師惠明 530-214- 61
郭師夔妻 明 見楊氏
郭修翰明 516-515-106
郭逢原宋 1120-223- 33
郭寅日明 456-529- 6
郭翊中妻 明 見黃氏
郭望奎明 460-730- 75
郭產桂明 456-628- 11
478-405-194
郭惟一妻 清 見孫氏
郭惟辛妻 元 見郝氏
郭惟賓元 1206-186- 19
郭惟誠明 820-749- 44
郭惟賢明 300-737-227
460-713- 74
481-589-328
515-136- 61
529-547- 45
郭密之唐 479-223-227
523-146-153
郭祥正宋 288-255-444
382-757-115
400-668-562
471-674- 13
471-691- 15
471-832- 34
472-350- 15
473-623- 77
473-712- 81
475-669- 84
481-718-333
482-183-346
511-817-167
528-548- 32
563-686- 39
674-875- 20
933-737- 51
1053-806- 19
1362-803- 80
1437- 16- 1
郭祥鵬明 528-561- 32
559-310-7上
郭康年宋 485-534- 1
郭執中宋 472-881- 35
郭梅巖明 1283-294- 90
郭梅巖妻 明 見吳氏
郭培墉清 477-210-159
538- 98- 64
郭乾祐南唐 813-161- 15
821-118- 49
郭乾暉南唐 812-525- 2
813-160- 15
821-118- 49
郭習中明 472- 37- 1
郭都賢明 533-256- 55
郭務元元 517-196-120
郭連城清 546-503-131
郭崇仁宋 288-497-463
郭崇仁女 宋 見郭氏
郭崇威宋 見郭崇
郭崇韜後唐 277-480- 57
279-139- 24
384-301- 16
396-345-283
396-404-291
472-482- 21
476-332-115
546-391-128
550- 72-211
933-735- 51
1112-677- 11
1383-721- 65
郭崇韜妻 後唐 見李氏
郭國泰明 547-103-145
郭國棟妻 清 見劉氏
郭處曷妻 明 見蕭氏
郭符中明 見郭符甲
郭符甲郭符中 明 456-543- 7
460-715- 74
481-590-328
529-555- 45
1442-112-附7
郭紹鳳明 547- 95-144
郭紹儀明 1442-104-附7
1460-618- 71
1475-446- 19
郭紹蘭唐 任宗妻、郭行先女 555- 10- 66
郭敏通女 宋 見郭氏
郭造卿明 460-511- 45
529-720- 51
676-594- 24
1460-323- 54
郭逢義明 1287-581- 26
郭啟元劉宋 258-584- 92
郭啟元女 清 見郭氏
郭從吉元 529-697- 50
郭從林明 547-116-145
郭從善元 545-219- 91
郭從義李從義 宋 285-106-252
382-141- 19
384-325- 17
396-469-298
472-435- 19
476- 39- 98

545-608-105
554-135- 50
820-330- 32
郭從道明 545-288- 94
郭從謙郭門高 後唐
279-230- 37
384-309- 16
401-131-586
1383-780- 71
郭從禮明 1458-581-459
郭寓民明 570-260- 25
郭游卿宋 592-725-108
821-205- 51
郭善仁妻 明 見羅徽娘
郭善明後魏 547-550-161
812-336- 8
郭博理清 455-673- 47
郭巽貞明 練高妻、郭幼高女
1235- 15- 上
郭朝用妻 清 見姜氏
郭登庸明 546- 91-118
郭登龍元 1194-696- 13
郭堯中妻 明 見王氏
郭堯京清 479-821-256
515-284- 65
554-529-57下
郭肅之女 宋 見郭氏
郭開圖明 479-728-250
郭景尚後魏 261-874- 64
266-877- 43
379-252-150上
545-544-103
933-731- 51
郭景昌清(字瑞旭) 515- 70- 58
郭景昌清(字仙岩) 537-526- 59
郭景相明 456-639- 10
郭景南妻 明 見高氏
郭景祥明 299-276-135
475-810- 91
510-490-118
511-351-149
郭景順妻 明 見何氏
郭景嵩明 302- 50-292
456-552- 7
554-217- 52
郭景聞妻 宋 見孔氏
郭景儀清 567-160- 69
郭虛己唐 1071-614- 5
郭虛舟唐 839- 50- 4
郭無名唐 1076-451- 上
1076-877- 上
1383-313- 27
1410-288-701
郭無為北漢 279-502- 70
288-729-482
371-120- 12
401-260-603
548-636-181
郭順正元 曾良儒妻、郭克安女 1199-320- 32
郭喬卿漢 469-592- 72
郭欽止宋 524-216-189
1146-169- 92
郭復性明 456-660- 11
511-468-154
郭復初明 456-660- 11
511-468-154
郭復淵元 1217-540- 3
郭復虢清 570-161-21之2
郭源明郭元賡 宋
397-168-330
472-1066- 45
486- 66- 3
523-148-153
1092-637- 59
郭意哥後周 見郭信
郭愼實宋 491-434- 6
郭義重宋 473-633- 77
529-665- 49
郭煥章元 515-626- 76
郭道昌明 1242-843- 10
郭道卿宋 592-725-108
821-205- 51
郭道卿元 295-599-197
400-308-526
473-634- 77
481-554-327
529-666- 49
郭道興後魏 812-336- 8
郭雷煥元 1366-1047- 9
郭聖通漢 漢光武帝后、郭昌女 252-173-10上
373- 35- 19
郭聖嘉女 清 見郭大娜
郭提道清 456-350- 77
郭萬里明 547-115-145
郭萬國清 477-481-173
479-528-241
515-229- 63
538- 70- 63
郭萬程明 529-657- 49
676-571- 23
1442- 56-附3
1460-153- 47
郭嗣汾清 524-102-183
郭嗣齡清 511-692-163
郭鼎忠明 見郭忠鼎
郭鼎貞明 1240-752- 7
郭鼎藩明 554-307- 53
554-525-57下
郭敬之唐 556-370- 91
1071-630- 7
1341-613-880
1342-147-922
郭敬守明 1238- 36- 3
郭遇吉郭遇春 明 456-493- 5
郭遇明宋 843-667- 中
郭遇春明 見郭遇吉
郭遇卿明 529-476- 43
郭遇熙清 477-211-159
537-472- 58
563-873- 42
郭傳芳清 478- 94-180
546-679-137
554-320- 53
郭毓秀清 479-794-254
515-286- 65
554-539-57下
郭精義清 455-305- 18
郭寧登明 456-463- 4
郭齊宗唐 486- 41- 2
郭齊雲明 515-179- 62
郭滿玉清 吳國瑞妻
479-797-254
516-408-102
郭榮之宋 1176-343- 35
郭榮祖元 1201-165- 80
郭榮貴清 481-184-300
559-411-9下
郭與立元 1228-752- 12
郭與恭女 明 見郭氏
郭爾布清 455-451- 27
郭爾渾清 455-268- 15
郭爾琨清 455-677- 48
郭爾端清 455-475- 29
郭爾儼妻 清 見邵氏
郭熙誨蘄王 後周
278-371-122
279-116- 20
郭熙謹紀王 後周
278-371-122
279-116- 20
郭熙讓郭宗讓、曹王 後周
278-371-122
279-116- 20
544-232- 63
郭嘉文明 554-289- 53
559-356- 8
郭嘉鐸妻 清 見鄒氏
郭鳴世郭明世 明
456-630- 10
505-847- 76
郭鳴鳳清 532-640- 43
郭鳳翔妻 明 見雷氏
郭鳳儀明(字舜符) 532-635- 43
郭鳳儀明(陝西人) 571-538- 20
郭鳳躚明 533-343- 58
郭銓遠妻 明 見谷氏
郭維甸妻 清 見劉氏
郭維周明 529-710- 50
郭維屏明 570-134-21之2
571-556- 20
郭維貞妻 明 見侯氏
郭維城女 明 見郭皇后
郭維清清 538- 93- 64
郭維新明 494- 42- 3
郭維經明 301-683-278
456-423- 2
479-727-250
515-722- 79
郭維墉妻 清 見雷氏
郭維賢清 483- 33-371
569-679- 19
郭維藩明(字价夫) 537-406- 57
676-544- 22
1442- 45-附3
1459-915- 39
郭維藩明(芮城人) 547-106-145
郭維藩清 554-319- 53
郭澄之晉 256-508- 92
380-359-175
546-624-136

933-731- 51
郭潛曜妻 唐 見臨晉公主
郭慶宜明 676- 20- 1
郭養性明 456-598- 9
郭磊卿宋 523-317-161
郭增光明 505-827- 75
郭震辰明 456-483- 5
郭震樾清 476-588-131
540-848-28之4
郭履祥女 宋 見郭氏
郭履球隋 556-370- 91
郭蝦蟆金 見郭哈瑪爾
郭德成明 299-230-131
郭德明漢 559-376- 8
郭德明妻 元 見林佛奴
郭德海元 295- 33-149
399-401-455
478-346-191
554-597- 59
郭德暢宋 523-372-164
郭德麟宋 1171-765- 26
郭磐石明 554-313- 53
郭衛民明 546-340-126
郭衛宸明 545-793-111
郭衛國妻 明 見董氏
郭劍泉妻 明 見鄒氏
郭龍發郭鼎 宋 451- 65- 2
郭諫臣明 475-138- 56
511-109-140
郭凝鼎明 456-524- 6
540-831-28之3
郭靜中清 547-524-160
郭橐駞唐(行有類橐駞者)
556-468- 93
1076-163- 17
1076-617- 17
1077-213- 17
1340-703-794
1351-735- 上
1354-95- 12
1408-621-545
1447-286- 11
郭豫亨元 1439-434- 1
1470-572- 17
郭選公宋 見郭珏
郭興文元 1199-298- 31
郭興世郭九 宋
451- 89- 3
郭興儒明 563-838- 41
567-326- 78
郭學乾元 524-314-194
郭學業明 476-788-141
郭穆韶清 455-645- 45
郭鴻嘉清 540-868-28之4
郭鴻圖妻 清 見張氏
郭應奎明 515-704- 79
郭應祥宋 674-893- 21
郭應第明 456-678- 11
郭應聘明 300-630-221
481-558-327
481-807-338
482-322-354
529-518- 44
563-725- 40
567-134- 68
568-262-108
676-728- 30
1467-125- 66
郭應銓妻 清 見何氏
郭應翰明 567-348- 80
1467-246- 71
郭應響明 302- 50-292
456-424- 2
529-481- 43
554-218- 52
郭謙光唐 814-273- 9
820-157- 26
郭襄圖明 1475-631- 27
郭懋三明 533- 12- 47
郭懋宏妻 明 見楊氏
郭彌約宋 1147-384- 35
郭聲遠妻 清 見王氏
郭嶷然清(字因之) 481-154-298
554-531-57下
559-330-7下
郭嶷然清(字石潛) 546-717-139
郭徽言元 1217-156- 1
郭徽得妻 宋 見盛氏
郭顒仰妻 明 見蔡氏
郭歸厚女 後梁 見晢正
郭懷漸唐 820-196- 27
郭羅丹金 400-240-519
郭藥師完顏藥師 宋～金
288-603-472
291-193- 82
401-423-623
408-947- 3
497- 72- 4
郭鵬翼元 1206-706- 6
郭寶玉元 295- 32-149
399-400-455
478-346-191
544-238- 63
554-596- 59
郭竇十後漢 見郭允明
郭獻卿妻 宋 見燕舒國大長公主
郭繼宗明 554-598- 59
郭繼芳明 510-491-118
郭繼祖元 1206-197- 20
郭繼曾明 480-582-285
郭鐵子宋 821-252- 52
郭權輝五代 812-441- 0
郭麟孫元 1439-423- 1
1471-280- 2
郭顯文明 567-123- 67
1467-118- 66
郭顯宗明 523-235-156
郭顯忠五代 481-642-330
528-503- 31
郭顯和明 554-258- 52
郭顯星明 456-609- 9
538- 61- 63
郭纘化明 456-618- 9
481-236-303
郭觀英妻 清 見梁氏
郭驥圖女 清 見郭氏
郭鸞鶯明 1442-127-附8
郭巴爾圖清 455-336- 20
郭里店僧宋 541- 92- 30
郭周子孚宋 494-347- 7
郭哈瑪爾郭蝦蟆 金
291-699-124
400-240-519
478-488-199
558-183- 31
558-415- 37
郭秦布祿清 456- 89- 56
郭墟野人春秋 404-612- 37
491-791- 6
祥五代 1053-332- 8
祥宋 1053-642- 15
祥雲北齊 547-477-159
祥盤元 496-427- 90
祥邁元 505-935- 85
586-189- 9
悼懷王明 299-101-120
悼穆帝姬宋 宋徽宗女
285- 68-248
393-328- 77
麻氏明 李淳妻 1257-518- 7
麻吉宋 545-438- 99
麻光漢 933-298- 21
麻色清 455-149- 6
麻宗唐 見李延昌
麻姑漢 王方平妹 472-232- 8
472-604- 25
473-102- 53
476-705-137
479-635-245
516-453-104
517-261-122
541- 85- 30
麻姑後趙 麻秋女、麻胡秋女
473-285- 61
480-145-264
533-753- 74
麻封妻 清 見張氏
麻革金 546-707-138
1439- 13- 附
1445-690- 54
1471-231- 1
麻秋後趙 933-298- 21
麻秋女 後趙 見麻姑
麻俊明 554- 86- 49
麻陞妻 清 見王氏
麻純金 見麻九疇
麻康明 559-323-7上
麻富明 546-151-120
麻琳明 1467- 87- 65
麻貴明 301- 52-238
476-282-111
478-269-187
502-292- 56
546-151-120
554-182- 51
558-159- 30
麻溶明 475-610- 81
511-307-148
545-100- 86
麻祿明 301- 52-238
546-150-120

麻達漢 933-298- 21
麻察唐 274-615-128
546-268-124
933-298- 21
麻信明 301-475-264
456-444- 3
478-574-203
545-102- 86
558-422- 37
麻信妻 明 見楊氏
麻錦明 301- 55-238
546-151-120
麻嬰春秋 933-298- 21
麻襦晉 256-558- 95
麻鐩妻 明 見和氏
麻九疇麻純、麻文純 金
291-716-126
383-1004- 29
400-694-566
474-588- 30
477-421-169
477-482-173
505-885- 79
538-152- 65
684-493-下
820-481- 36
1040-232- 2
1365-193- 6
1439- 11- 附
1445-290- 19
麻三雍明 1442-105-附7
1460-639- 72
麻三衡明 456-638- 10
1460-708- 76
麻文純金 見麻九疇
麻永平明 1241-478- 7
麻永吉明 545-226- 91
558-354- 35
麻衣仙明(冬夏衣麻)
541- 97- 30
麻仲英宋 476-670-136
540-756-28之2
麻希夢宋 491-805- 6
麻居禮唐 812-501-下
812-522- 2
821- 93- 48
麻東輝明 541-108- 31
麻承宗明 456-456- 4
502-298- 56
546-153-120
麻承訓明 546-153-120
麻承恩明 546-153-120
麻承詔明 546-153-120
麻秉彝金 476-122-102
546-707-138
547- 70-143
1439- 3- 附
1445-657- 51
麻胡秋女 後趙 見麻姑
麻振揚清 476-282-111
546-154-120
麻勒吉清 510-299-112
569-618-18下之2
麻登雲明 547- 52-143
麻田僊女宋(凡七女姑)
533-783- 75
麻衣仙姑明(披麻衣隱石室山中)
472-496- 21
476-187-106
547-495-159
麻衣道者宋 554-909- 64
麻衣禪師唐(嘗衣麻衣)
511-935-175
麻帔先生金 291-641-119
408-955- 4
麻那惹加那明 302-714-325
1374-595- 81
庸光漢 933- 45- 2
庸譚漢 476-727-138
540-706-28之1
933- 45- 2
庸成氏上古 383- 36- 5
庸衍之明 482- 37-340
鹿氏清 王熊印妻 506- 62- 87
鹿氏清 尹襄妻 475-435- 70
鹿正明 458-229- 5
505-866- 77
鹿生後魏 262-262- 88
267- 11- 46
476-515-127
540-726-28之1
鹿位明 547- 81-144
鹿何宋 446-288-下
1152-812- 52
鹿勁明 456-658- 11
511-502-156
鹿祐清 475-781- 89
鹿悆鹿畬、鹿愈 後魏
262-181- 79
267- 11- 46
379-318-151
472-554- 23
933-720- 49
鹿畬後魏 見鹿悆
鹿愈後魏 見鹿悆
鹿賓清 505-817- 74
鹿旗漢 933-720- 49
鹿愿隋 267-526- 78
鹿曉妻 清 見顧氏
鹿鸚明 511-424-152
512-783-196
鹿久徵明 458-229- 5
474-244- 12
505-736- 71
545-344- 96
鹿化麟明 505-901- 80
鹿皮公漢 見鹿皮翁
鹿皮翁鹿皮公 漢
472-529- 22
476-534-128
541- 85- 30
1058-500-下
1061-252-108
鹿皮翁明 483-341-398
572-164- 32
鹿兆圖清 532-621- 43
鹿廷瑄清 476-702-137
540-865-28之4
鹿茂之元 541- 95- 30
鹿苑圭宋 567-470- 87
鹿善繼鹿繼善 明
301-516-267
457-931- 54
458-229- 5
458-1066- 2
474-245- 12
505-845- 76
506-532-104
676-632- 26
680-326-258
1296-599- 1
鹿萬春妻 明 見張氏
鹿遇明清 505-910- 81
鹿獻陽明 511-363-150
鹿繼善明 見鹿善繼
鹿苑和尚唐(居鹿苑)
1053-371- 9
牽弘魏 254-461- 26
377-222-117
933-243- 17
牽秀晉 254-463- 26
256- 30- 60
377-656-125
820- 54- 23
933-244- 17
牽招魏 254-461- 26
377-220-117
472-429- 19
474-165- 8
474-602- 31
474-686- 37
476-329-115
502-250- 53
505-784- 73
545-413- 98
933-243- 17
1413-219- 41
牽嘉魏 933-243- 17
率子廉宋 480-515-281
533-786- 75
1107-539- 39
郟王唐 見李惲
郟王唐 見李琮
郟王唐 見李經
郟韶郟詔 元 494-415- 12
524- 34-179
821-314- 54
1221-439- 7
1222-267- 16
1222-306- 24
1369-365- 10
1439-451- 2
1471- 55- 21
郟城王明 見朱當滋
郟國公主唐 楊清妻、唐肅宗女 393-282- 73
訪式宋 493-870- 47
寂梁 1410-511-731
寂五代 1053-629-15
寂友彌陀山 唐 1051-225- 9
1052- 25- 2
寂玉明 516-499-105

寂宗清 554-961- 65
寂明明 572-161- 32
寂室宋 1053-710- 16
寂惺宋 1053-760- 18
寂然唐 524-417-200
1052-379- 27
寂然明 524-400-199
寂照唐 482-355-356
寂照宋 584- 54- 2
820-471- 36
寂慧明 547-493-159
寂蓮清 478-298-188
554-960- 65
寂懃清 554-960- 65
寂默唐 見牟尼室利
寂瀾明 821-489- 58
1475-781- 33
寂觀明(號法界) 570-256- 25
寂觀明(字內惺) 1475-773- 32
深五代(居奉先寺) 1053-623- 15
深五代(居慈雲山) 1053-631- 15
深宋(嗣妙禪師) 1053-712- 16
深宋(嗣清遠) 1053-859- 20
深王唐 見李悰
深有明 533-758- 74
深毓明 554-958- 65
淡氏明 曾泰妻 472-686- 27
淑慶公主宋 見安德帝姬
涎夜干晉 見涎奕干
涎奕干涎夜干 晉
496-592-103
淥清唐 1053-204- 5
淥水和尚唐 1053-172- 4
梁才妻 明 見延氏
梁山明 820-747- 44
梁卞明 546-669-137
梁心明 505-852- 77
梁文明(穎州衛指揮同知)
511-500-156
梁文明(著定海備倭紀略)
676-201- 8
梁王漢 見彭越
梁王漢 見劉立
梁王漢 見劉武
梁王漢 見劉恢
梁王漢 見劉揖
梁王漢 見劉買
梁王漢 見劉暢
梁王漢 見劉襄
梁王蜀漢 見劉理
梁王晉 見司馬肜
梁王晉 見司馬璲
梁王晉 見司馬珍之
梁王唐 見李忠
梁王唐 見李休復
梁王唐 見李承業
梁王遼 見耶律隆慶
梁王元 見王禪
梁王元 見巴咱爾斡爾密
梁王元 見庫庫
梁王元 見噶瑪拉
梁王元 見蘇克繖
梁王女 元 見阿爾噶
梁王明 見生瞻垍
梁五春秋 404-777- 48
梁氏唐 李兼金妻、梁澄女
1342-479-966
梁氏宋 李生妻 401-161-590
梁氏宋 劉宰妻、梁季秘女
1170-730- 32
1170-741- 32
梁氏宋 韓世忠妻 478-171-182
512- 44-178
555- 12- 66
梁氏金 梁鏤女 1191-279- 25
梁氏元 宋仲榮妻 401-175-593
梁氏元 李從輪妻 482-187-346
梁氏元 吳虎孫妻、梁榮國女
1225-246- 9
梁氏明 方懷溪妻 530- 63- 55
梁氏明 王一洮妻 506- 73- 88
梁氏明 王維暐妻 480-253-269
梁氏明 尹之路妻 302-214-301
474-191- 9
506- 12- 86
梁氏明 宋希周妻 480-652-289
梁氏明 李實妻 1467-273- 72
梁氏明 李洪嗣妻、梁敏女
1467-274- 72
梁氏明 李惟華妻、梁柱女
559-456-11上
梁氏明 阮福妻 472-440- 19
梁氏明 吳崇讓妻 512-132-180
梁氏明 余侍佐妻 530- 62- 55
梁氏明 何聰妻 1274-372- 13
梁氏明 高應命妻 476-404-119
梁氏明 唐朝選妻 480-653-289
梁氏明 陸松妻 506- 33- 86
梁氏明 陶濂妻 570-200- 22
梁氏明 張瑄妻 530-123- 57
梁氏明 張繼盛妻 506- 14- 86
梁氏明 陳喬宇妻 482- 42-340
梁氏明 黃桂妻 483-141-380
570-205- 22
梁氏明 溫和王妻、梁昇女
1262-399- 44
梁氏明 楊寅秋妻、梁澤女
1291-653- 2
梁氏明 甄朝璉妻 482-188-346
梁氏明 鄭爾城妻 506- 55- 87
梁氏明 蔣志泰妻 473-361- 64
梁氏明 蔡寬妻 530- 87- 56
梁氏明 黎輔妻 482-188-346
梁氏明 譚宗良妻 558-494- 42
梁氏明 薛霄妻 506- 42- 87
梁氏明 顧履方妻
1273-257- 31
梁氏明 王誼母 1291-633- 2
梁氏明 梁奎女 1287-558- 25
梁氏明 梁容女 1467-279- 72
梁氏明 梁銓女 506- 51- 87
梁氏清 方國棟妻 506- 21- 86
梁氏清 王永隆妻 503- 83- 96
梁氏清 王永霖妻 482-240-349
梁氏清 王邦進妻 477-136-155
梁氏清 王茂芝妻 524-679-210
梁氏清 田大稔妻
1316-667- 46
梁氏清 包逢第妻 479-436-236
梁氏清 朱道光妻 475-435- 70
梁氏清 李炘妻 506-125- 89
梁氏清 李昌緒妻 474-194- 9
梁氏清 周頌妻 482-190-346
梁氏清 夏仲甫妻 524-500-203
梁氏清 許富妻、梁成女
482-511-366
梁氏清 郭觀英妻 482- 51-340
梁氏清 張汝鰲妻 474-251- 12
梁氏清 張德明妻 503- 68- 95
梁氏清 黃緝熙妻 482- 43-340
梁氏清 黃鎮中妻 481-700-332
梁氏清 粟堯基妻 480-653-289
梁氏清 楊兆奎妻 558-501- 42
梁氏清 董夔官妻 506-150- 90
梁氏清 趙德潤妻 506-137- 89
梁氏清 熊卜尚妻 482-566-369
梁氏清 鄭亞強妻 482-189-346
梁氏清 蔣奇玉妻 475- 79- 53
梁氏清 盧尚義妻 506- 25- 86
梁氏清 戴起源妻 480-142-264
533-581- 68
梁氏清 羅世昌妻 480-514-281
梁氏清 梁慶蕃女 482- 44-340
梁介宋(利州轉運判官)
481- 70-293
561-613- 46
梁介宋(三衢人) 567- 73- 65
1467- 47- 63
梁允梁允狗 漢 252-777- 64
376-711-108
梁立宋 485-535- 1
梁立妻 明 見麥氏
梁永明 302-288-305
梁丙春秋 545-735-109
933-318- 23
梁弘春秋 545-721-108
546-507-132
933-318- 23
梁弘明 547- 94-144
梁本明 567-420- 85
梁民明 547- 89-144
梁用明 480-173-267
梁弁宋 523-333-161
梁宇元 546-330-126
梁有元 499-432-159
梁臣妻 清 見郝氏
梁任清 480-405-277
532-700- 45
梁全元 564- 80- 44
梁份清 515-851- 84
梁休漢 681-762- 1
682-218- 3
梁宏漢 487-106- 8
491-303- 6
491-379- 4
524-195-188
梁宏明(高要人) 528-458- 29
梁宏明(字廓之) 564- 86- 45
梁沂明 554-288- 53
梁成明(字公濟) 540-810-28之3
梁成明(巴縣人) 554-259- 52
梁成女 清 見梁氏

梁杞宋 546- 52- 44
梁材宋 515-577- 75
梁材明(字大用) 300-192-194
472-178- 6
472-999- 40
475- 75- 53
478-768-215
479- 44-218
479-134-223
481-806-338
505-723- 71
511- 78-139
512-719-195
523- 47-148
563-734- 40
676-720- 30
梁材明(博興人) 528-449- 29
梁孜明 564-131- 45
820-709- 43
821-435- 57
1283-465-103
梁壯明 567-336- 79
1467-242- 71
梁佐金 見完顏佐
梁佐明 676-580- 24
梁伯春秋 933-318- 23
梁秀明 511-569-158
梁妠漢 漢順帝后、梁商女
252-191-10下
370-102- 6
373- 44- 19
402-342- 2
814-215- 2
819-557- 19
梁宜元 472-545- 23
472-577- 24
476-617-133
540-634- 27
540-780-28之2
1439-428- 1
梁泂明 1241-197- 9
梁性明 1467-207- 69
梁並漢 478- 85-180
552- 19- 18
554-100- 50
梁初明 523- 82-149
梁券妻 清 見李氏
梁松漢 252-767- 64
376-705-108
384- 58- 3
402-567- 19
472-879- 35
478-547-202
558-322- 35
梁松妻 漢 見劉義王
梁松宋 821-218- 51
梁玠宋 473-528- 72
559-318-7上
梁林漢 933-318- 23
梁忠清 505-643- 67
梁典明 564-137- 45
820-703- 43
梁明後魏 552- 33- 18
梁旺明 1251-722- 7
梁固梁(字仲堅) 285-715-296
397-156-329
472-555- 23
476-823-143
540-751-28之2
680-539-275
1104-477- 39
梁固宋(字達夫) 1135-379- 35
梁昕北周 263-736- 39
267-399- 70
379-674-159
478-106-180
537-349- 56
554-438- 56
558-328- 35
933-319- 23
梁昇女 明 見梁氏
梁芳明 302-267-304
梁昉明 523- 41-148
564-127- 45
梁杲明 476-180-106
545-245- 92
梁果明 1242-274- 33
梁侃明 1251-701- 5
梁佩明 1467-121- 66
梁岳明 1442- 76-附5
1460-366- 56
梁秉元 1200-583- 44
梁宣漢 814-227- 3
820- 32- 22
梁洽唐 812-355- 10
812-372- 0
821- 79- 47
梁洋隋 472-788- 31
537-353- 56
梁津明 564-257- 47
梁亮宋 493-1106- 58
梁軌隋 476-394-119
545-452- 99
549-658-205
梁柱女 明 見梁氏
梁春明 472-868- 34
554-526-57下
梁奎明 473-177- 57
515-122- 60
564-241- 47
梁奎女 明 見梁氏
梁琉金 291-754-131
401- 86-579
梁貞元 472-699- 28
472-718- 28
537-288- 55
1211-401- 56
梁貞明(字叔亨) 523-304-160
梁貞明(字松間) 524-449-201
1228-586- 4
梁思唐 545-867-113
梁昱金 476-517-127
540-625- 27
梁昱明 472-431- 19
476-296-112
545-401- 98
梁毗隋 264-908- 62
267-514- 77
379-834-163
384-152- 8
448-327- 下
472-880- 35
472-912- 36
473-559- 73
478- 86-180
478-548-202
481-268-305
494-150- 5
554-326- 54
558-223- 32
558-330- 35
559-301-7上
569-643- 19
933-319- 23
1222- 80- 1
梁英女 明 見梁新姐
梁迥梁迴 宋 285-405-274
476-417-120
545- 36- 84
梁紀明 546-755-140
梁俊宋 515-593- 75
梁海明 571-554- 20
梁容女 明 見梁氏
梁高漢 402-414- 6
梁高明 567-324- 78
1467-215- 70
梁祐後魏 262- 73- 71
266-922- 45
379-287-150下
554-229- 52
梁祐元 1206-314- 3
梁祚後魏 262-230- 84
267-565- 81
380-307-174
478-105-180
554-807- 63
558-348- 35
梁祚明 524-170-186
梁益元 295-541-190
400-700-567
453-783- 2
472-261- 10
475-224- 61
511-680-163
678-431-111
梁悅唐 384-258- 13
400-289-523
473-695- 80
563-918- 43
梁宸明 533-174- 52
梁珙明 546-758-140
梁恭後魏 544-211- 62
梁貢妻 清 見羅氏
梁格明 546-755-140
676- 84- 3
680-314-257
梁琦明 299-496-154
477-418-169
458-140- 6
571-532- 19
梁陟元 472- 36- 1
梁耿唐 820-194- 27

梁栗明 1241- 86- 4
梁挺明 564-125- 45
梁時明 472-229- 8
493-1032- 54
511-734-165
820-590- 40
1442- 25-附2
梁恩明 554-253- 52
576-654- 5
梁剛隋 264-711- 40
梁迥宋 見梁迥
梁矩明 472-128- 4
梁倫明 676- 91- 3
梁邕後唐 820-313- 31
梁寅明 301-754-282
458-607- 1
473-129- 55
479-681-248
515-542- 74
517-552-129
517-677-132
676-448- 17
1442- 14-附1
1459-294- 8
梁渚明 456-585- 8
538- 47- 63
梁淮明 520-643- 41
梁商漢 252-772- 64
370-140- 12
376-707-108
384- 58- 3
402-421- 7
402-571- 19
472-879- 35
478-547-202
558-323- 35
933-318- 23
梁商女 漢 見梁妠
梁混明 見梁本之
梁許明 554-310- 53
梁祥明 547- 53-143
梁琚明 564-268- 47
梁習魏 254-298- 15
377-135-115下
384-662- 41
385-403- 43
472-429- 19
472-680- 27
475-868- 95
477-126-155
478-514-200
537-421- 58
545- 1- 83
933-318- 23
梁現宋 515-256- 65
梁野梁戴 宋 530-207- 60
533-783- 75
梁昆明 473- 78- 52
516-105- 91
梁魚明 482-433-361
564-129- 45
567-104- 66
1467- 85- 65
梁扈漢 376-706-108
梁統漢 252-767- 64
370-139- 12
376-704-108
384- 58- 3
402-410- 6
402-568- 19
472-879- 35
472-943- 37
475-740- 88
478-547-202
478-633-206
558-216- 32
558-322- 35
933-318- 23
梁敏明 564-284- 47
676-470- 18
梁敏女 明 見梁氏
梁詔宋 471-873- 40
473-784- 85
482-468-363
567-378- 82
1467-172- 68
梁曾元 295-405-178
399-695-490
472- 37- 1
472-962- 38
474-181- 8
475-324- 65
477-360-166
479- 43-218
505-720- 71
523- 80-149
1202-662-附
1210-480- 18
1439-424- 1
梁焯明 457-468- 30
482- 38-340
564- 99- 45
梁竦漢 252-767- 64
370-139- 12
376-706-108
384- 58- 3
402-420- 7
402-463- 10
472-879- 35
478-547-202
558-323- 35
933-318- 23
梁竦女 漢 見梁嫕
梁琮宋 494-344- 7
梁琮元 472-699- 28
538- 91- 64
545-886-114
676-260- 10
梁琮明 545-148- 88
梁越後魏 262-229- 84
267-564- 81
380-307-174
476-310-113
545-414- 98
546-721-139
552- 33- 18
933-319- 23
梁喜漢 539-349- 8
梁婺明 見梁棨
梁琦明 546-101-118
梁椅宋 523-630-177
679-818-219
梁肅唐 276- 82-202
400-608-555
472-746- 29
538-140- 65
1054-496- 14
1076-111- 12
1076-567- 12
1077-137- 12
1342-312-944
1394-652- 9
梁肅金 291-277- 89
399-163-430
472-149- 5
472-625- 25
474- 93- 3
474-471- 23
474-516- 25
474-820- 44
476-394-119
476-517-127
476-818-143
477-161-157
496-372- 86
502-365- 62
505-690- 70
505-779- 73
545-459-100
梁軫明 482-186-346
梁琢宋 460-311- 23
梁揆宋 813-142- 12
821-255- 52
梁棟宋(字隆吉) 492-637- 14
524-303-194
1437- 31- 2
1462-888-106
梁棟明(字允道) 515-588- 75
梁棟明(崑山人) 511-524-157
梁棟明(字伯材) 554-520-57下
梁棟明(貴州人) 569-660- 19
572-103- 30
梁棠漢 539-351- 8
544-200- 62
梁喬明 481-723-333
529-626- 48
梁溥明 546-599-135
1267-630- 11
梁愼北周 547-109-145
梁該宋 564- 73- 44
梁雍漢 539-351- 8
梁雍明 567-399- 83
梁準明 478-203-184
554-759- 62
梁新唐 533-779- 74
梁新明 564-210- 46
梁瑀明 523-226-156
梁載元 524- 91-182
梁輈明 1241-598- 12
梁資明 1250-524- 49
梁椿北周 263-618- 27
267-341- 65

379-631-158
476-257-110
546- 45-116
933-319- 23
梁楷宋 821-225- 51
梁楹明 511- 81-139
梁瑞元 472-197- 7
梁瑜元 545-886-114
梁瑜明 564-250- 47
梁瑛元 545-886-114
549-415-196
1198-770- 5
梁楚宋 473-720- 81
482-208-347
梁棨梁棨 明 299-461-152
473-154- 56
478-767-215
511- 41-148
515-670- 78
1241-130- 6
梁嵩南漢 471-870- 40
473-784- 85
482-468-363
567-377- 82
1467-165- 68
梁蕚明 515-778- 81
676-490- 19
梁鼎宋 286- 29- 304
397-237-333
472-409- 18
473-143- 56
473-432- 67
475-561- 79
479-710-250
481- 77-294
515-142- 61
554-238- 52
559-342- 8
591-539- 42
592-581- 98
684-488- 下
820-342- 32
梁暉漢 575- 46- 2
梁經明 567-406- 84
1467-185- 69
梁節元 1204-307- 10
梁賓妻 明 見趙氏
梁禎元 1203-345- 26

梁福漢 370-207- 21
402-416- 7
梁福元 547- 71-143
梁福妻 明 見徐妙善
梁慬漢 253- 91- 77
376-804-109下
384- 63- 3
472-914- 36
478-573-203
545-233- 92
558-346- 35
梁端宋 494-304- 5
梁滿宋 482- 90-342
梁榮北周 263-736- 39
梁榮明 1242-848- 10
梁熙清 537-417- 57
梁臺賀蘭臺 北周 263-619- 27
267-341- 65
379-632-158
552- 43- 19
554-120- 50
933-319- 23
梁翟漢 539-351- 8
梁瑤明 473-623- 77
528-551- 32
564-215- 46
梁遠隋 559-323-7上
梁睿北周～隋 263-539- 17
264-686- 37
267-238- 59
379-728-160
384-153- 8
472-880- 35
478-417-195
478-548-202
478-634-206
480-199-267
481- 15-291
546-168-121
554-120- 50
558-329- 35
559-245- 6
569-643- 19
933-319- 23
梁嫕梁嫕 漢 448- 83- 8
452- 89- 2
477-379-167
梁銘明 299-496-154

458-140- 6
472-795- 31
477-418-169
537-565- 60
梁銓明 475-274- 63
510-377-114
梁銓妻 明 見劉氏
梁銓女 明 見梁氏
梁蒨宋 1099-592- 13
梁維明 546-756-140
梁綱明 546-756-140
梁綸明 546-647-136
梁榘明 1237-404- 13
梁寬唐 812-344- 9
821- 41- 46
梁廣唐 812-354- 10
812-372- 0
813-158- 15
821- 77- 47
梁廣妻 明 見張氏
梁潔明 567-309- 77
1467-196- 69
梁澄女 唐 見梁氏
梁澄明 547- 16-141
梁潛鍾潛 明(字用之)
299-461-152
453-134- 13
479-718-250
482-184-346
515-645- 77
559-282- 6
563-802- 41
676-471- 18
820-587- 40
1237-177- 附
1237-427- 16
1238-199- 17
1241-135- 6
1241-279- 12
1284-354-163
1374-599- 81
1391-714-346
1442- 19-附1
1459-555- 19
梁潛明(字孔昭) 515-274- 65
梁毅女 明 見梁留姐
梁適宋 285-570-285
382-424- 66

384-348- 18
397- 53-323
450-415-中28
472-136- 4
472-307- 13
472-430- 19
472-556- 23
472-892- 35
473-776- 84
475-420- 70
476-823-143
482-451-362
493-741- 41
510-397-115
540-754-28之2
545- 49- 84
558-227- 32
567- 53- 65
933-320- 23
1093-427- 58
1467- 25- 62
梁堪清 547- 49-142
梁瑾明 475-274- 63
510-377-114
梁瑺金 1365-305- 9
1445- 71- 2
梁樞元 505-875- 78
梁鼒清 556-386- 91
梁震唐～五代 407-671- 4
473-299- 62
473-536- 72
480-252-269
533-737- 73
559-387-9上
591-586- 43
933-319- 23
梁震明 300-477-211
453-673- 30
458-144- 6
476-250-110
477-378-167
478-269-187
545-290- 94
554-603- 59
梁遷元 1211-425- 60
梁鼎清 556-386- 91
梁鋐清 478-132-181
554-681- 60

梁頠宋 529-747- 51
梁億宋 460-203- 12
679-809-218
梁儉明 482-266-350
563-835- 41
梁儁明 1270- 79- 7
梁緯妻 晉 見辛氏
梁諷漢 253- 91- 77
370-195- 19
402-417- 7
梁龍明 567-398- 83
1467-244- 71
梁澤明 478-126-181
532-732- 46
554-481-57上
梁澤女 明 見梁氏
梁諶晉 554-970- 65
梁璟明 300- 32-185
473-211- 59
476-334-115
532-593- 41
546-406-128
549-442-197
554-209- 52
1250-820- 78
梁熹宋 566-247- 42
568- 33- 98
梁穎後魏 261-623- 45
梁頵宋 482-467-363
564- 63- 44
1089-204- 20
梁翰宋 471-822- 33
梁翰明 558-295- 34
梁鼐清 556-386- 91
梁霖明 567-380- 82
1467-194- 69
梁操隋 264-711- 40
梁蕙明 547-114-145
梁冀漢 252-772- 64
370-141- 12
376-708-108
384- 58- 3
402-423- 7
402-508- 12
402-575- 19
933-318- 23
梁冀妻 漢 見孫壽
梁冀女 漢 見梁女瑩
梁默隋 263-664- 31
264-711- 40
267-452- 73
379-754-161
梁曇妻 清 見李氏
梁興妻 明 見區氏
梁盧晉 564-614- 56
梁暹妻 清 見陳氏
梁禦紇豆陵禦 北周
263-538- 17
267-237- 59
379-526-156
476-280-111
476-393-119
544-214- 62
545-451- 99
546-167-120
552- 37- 18
933-319- 23
梁錡唐 1065-276- 9
1342-439-961
梁衡明 540-654- 27
梁衡妻 清 見李氏
梁鴻梁運期、運期燿、運期耀
漢 253-619-113
370-188- 18
380-410-177
402-407- 6
448-106- 下
452-105- 3
471-596- 2
472-223- 8
472-832- 33
475-143- 57
478-101-180
493-625- 34
493-1065- 57
511-891-172
541-110- 31
554-863- 64
839- 29- 3
871-897- 19
933-318- 23
1343-728- 53
1386-215- 37
1408-442-522
梁鴻妻 漢 見孟光
梁謐妻 明 見龍氏
梁謙明 559-388-9上
梁襄金 291-364- 96
399-214-435
459-673- 40
472-467- 20
476-401-119
478-404-194
546-752-140
554-273- 53
1190-196- 11
1365-174- 5
1439- 5- 附
1445-412- 29
1445-658- 51
梁戴宋 見梁野
梁臨明 564-278- 47
梁璨元 1201-669- 25
梁儲明 300-120-190
482- 36-340
564-129- 45
676-513- 20
820-662- 42
1320- 81- 11
1408-547-536
1442- 34-附2
1459-734- 29
梁儲妻 明 見馮德坤
梁禮唐 478-417-195
554-231- 52
梁燾宋 286-535-342
382-585- 90
397-621-357
472-556- 23
473-720- 81
476-150-104
476-824-143
480- 49-259
482-209-347
532-614- 43
540-761-28之2
545-213- 91
563-904- 43
567-433- 86
933-321- 23
梁璧明 473- 15- 49
515- 89- 59
梁覲明(廣平知府) 472-113- 4
梁覲明(字廷實) 554-209- 52
梁鎮唐 478- 87-180
554-268- 53
梁鎮金 1191-411- 35
梁鵠漢～魏 254- 29- 1
574-305- 16
683-461- 1
684-467- 下
812- 58- 中
812-222- 8
812-711- 3
814-228- 4
820- 34- 22
梁嫕漢 見梁嫕
梁鯉春秋 見梁鱣
梁璽明 472-578- 24
540-794-28之3
梁黼妻 明 見莊氏
梁鏆明 554-759- 62
梁贊北周 1065-237- 6
梁鵬明(字沖宇) 528-532- 31
梁鵬明(刑部主事) 528-564- 32
梁鐙金 545-216- 91
梁鏞明 564-250- 47
梁寶明 1467-225- 70
梁礪明 820-594- 40
梁耀明 554-526-57下
梁饒元 516-522-106
梁覽北朝 267- 69- 49
379-353-151
472-905- 36
558-285- 34
933-319- 23
梁顥梁灝 宋 285-713-296
382-299- 47
384-343- 17
397-155-329
472-555- 23
472-642- 26
476-822-143
477- 50-151
540-748-28之2
933-320- 23
梁蘭明 515-642- 77
1237-352- 8
1239-180- 39
1442- 15-附1
1459-494- 16
梁鐻女 金 見梁氏

梁顥宋 484-388- 28
梁灝宋 見梁顥
梁鱣梁鯉 春秋 244-389- 67
371-494- 32
375-656- 88
405-445- 85
491-791- 6
539-495-11之2
933-318- 23
梁觀明 473-701- 80
481-804-338
511-327-149
563-745- 40
梁纘唐 276-477-224下
梁驥明 472-521- 22
540-627- 27
梁一言明 561-201-38之1
梁一眞明 梁景致女
1259-202- 15
梁一桂明 559-317-7上
梁一倉妻 明 見周氏
梁一道明 546-606-135
554-287- 53
梁一騰明 481-724-333
529-701- 50
梁二老宋 見梁汝昌
梁九思北周 547-109-145
梁九賦明 554-520-57下
梁三王晉 381-454-195
梁士昌妻 清 見黃氏
梁士彥北周～隋 263-663- 31
264-710- 40
267-451- 73
379-753-161
384-153- 8
472-880- 35
476- 77-100
933-319- 23
梁士淳明 554-303- 53
梁士閔宋 見梁師閔
梁士楚明 481-612-329
528-497- 30
564-122- 45
梁士瑋清 474-383- 19
梁士濟明 515-138- 61
梁士麒梁士麟 明
456-676- 11
梁士麟明 見梁士麒
梁子才妻 宋 538-172- 67
梁子美宋 285-571-285
382-426- 66
397- 54-323
427-366- 4
540-736-28之2
梁子琦明 511-353-149
梁子諒宋 1114-626- 12
梁子璠明 567-145- 68
1467-135- 66
梁子興清 515-728- 79
梁子渼明 301-682-278
456-545- 7
475-378- 68
479-712-250
515-159- 61
1442-112-附7
1460-708- 76
梁大用元 1206-726- 7
梁大用明 567-454- 87
梁大用妻 清 見孫氏
梁大安妻 明 見蕭氏
梁大材明 564-295- 47
梁大柱元 1439-456- 2
梁大新妻 明 見陶氏
梁大舉明 523-426-167
梁小玉明 820-769- 44
1442-127-附8
梁小槐明 554-772- 62
梁女瑩漢 漢桓帝后、梁冀女
252-193-10下
373- 46- 19
梁心始清 540-875-28之4
梁斗南金 472- 34- 1
505-880- 79
梁斗輝明 564-170- 45
676-304- 11
梁方圖明 567-411- 84
1467-257- 71
梁文冠明 1267-390- 1
1458-352-441
梁文奎宋 564- 73- 44
梁文貞唐 271-528-188
275-629-195
384-182- 10
400-286-523
472-746- 29
477-524-175
538-103- 64
538-121- 64
933-319- 23
梁文英明 蕭時玉妻
473-158- 56
梁文英妻 清 見陳氏
梁文映明 554-875- 64
梁文矩後晉 278-141- 92
梁文盛明 494- 56- 2
梁文德明 談誦妻
1257-161- 15
梁文謙隋 264-1035- 73
267-659- 86
380-204- 170
471-715- 18
473- 43- 50
479-525-241
515-210- 63
567-425- 86
梁文讓隋 264-1035- 73
267-659- 86
544-221- 62
梁之佑妻 清 見劉氏
梁之德宋 567-461- 87
梁太祖朱晃、朱溫、朱全忠
後梁 277- 29- 1
279- 14- 1
384-298- 16
392-216- 19
537-180- 53
813-213- 1
819-577- 19
1383-681- 61
梁太祖后 後梁 見張惠
梁太祖昭容 後梁 見李氏
梁太祖昭儀 後梁 見陳氏
梁不移妻 明 見陳順止
梁不疑漢 252-777- 64
370-141- 12
376-711-108
402-463- 10
梁元一唐 813-233- 5
820-295- 30
梁元吉後魏 267-565- 81
梁元帝蕭繹 梁 260- 73- 5
265-144- 8
370-549- 17
372-613- 13
372-616- 13
384-117- 6
532- 87- 26
589-187-上
677-122- 12
812-333- 7
814-212- 1
819-565- 19
1387-113- 7
1395-595- 3
1401-215- 22
梁元帝妃 梁 見夏太后
梁元帝妃 梁 見徐昭佩
梁元柱明 564-141- 45
梁元成清 547- 27-141
梁元奇明 564-801- 60
梁天峻妻 明 見羅氏
梁天翔元 545-886-114
梁天爵清 1313-242- 19
梁日榮妻 明 見粟氏
梁中節明 456-698- 12
479-181-225
523-374-164
梁公竦明 567-593- 95
梁化鳳清 475- 21- 49
476-251-110
478-131-181
510-298-112
545-305- 94
554-419- 55
556-384- 91
梁允玳明 567-349- 80
1467-254- 71
梁允珩妻 明 見李氏
梁允植清 505-823- 75
523- 93-149
梁立則宋 471-854- 37
473-712- 81
482-183-346
563-686- 39
梁必擢清 478-699-210
梁永年明 564-222- 46
梁永祚清 559-334-7下
梁永瀚妻 清 見何氏
梁玉剛元 505-920- 82
梁弘化明 554-258- 52
梁弘道明 511-467-154
梁本之梁混 676-484- 18

1238-235- 20
1240-720- 7
1241-165- 8
梁本之妻 明 見劉氏
梁石君漢 491-793- 6
540-691-28之1
梁加琦清 478-131- 81
545-159- 88
554-611- 59
梁孕龍明 558-420- 37
梁可均母 清 見杭氏
梁可棟明 456-491- 5
477-525-175
梁世昌妻 宋 見黃氏
梁世基宋 473-790- 85
482-485-364
567-296- 76
1467-172- 68
梁世節清 456-356- 77
梁世勳清(字廷庸) 474-694- 37
502-311- 57
梁世勳清(延安人) 475-503- 75
510-305-112
梁世鰲明 554-915- 64
梁民望明 547- 88-144
梁民養明 456-659- 11
554-713- 61
梁末帝朱瑱、朱鍠、朱友貞 後梁 277- 87- 8
279- 26- 3
384-299- 16
392-225- 19
537-180- 53
813-213- 1
819-577- 19
梁末帝德妃 後梁 見張氏
梁末帝妃 後梁 見誓正
梁以恭明 567-421- 85
梁以樟妻 明 見張氏
梁以樟清 511-904-172
676-660- 27
梁以衡梁以蘅 明
528-554- 32
564-168- 45
梁以蘅明 見梁以衡
梁田玉明 299-378-143
456-698- 12
479-181-225
523-374-164
梁由靡春秋 404-697- 42
545-705-108
933-318- 23
梁令瓚唐 820-170- 27
821- 55- 46
梁仕昌妻 清 見黃氏
梁丘賀漢 251-105- 88
380-249-172
472-589- 24
476-661-136
540-695-28之1
675-238- 3
677- 58- 5
933-318- 23
梁丘據春秋 404-628- 38
448-261- 25
933-318- 23
1340-595-780
梁丘臨漢 675-239- 3
梁用逵明 564-137- 45
梁守抃五代 516-502-105
梁守謙唐 683-343- 19
梁安世宋 567-442- 86
585-766- 5
1467-152- 67
梁安兒宋 見梁南一
梁汝元明 見何心隱
梁汝昌梁二老 宋 448-372- 0
484-390- 28
梁汝貴明 456-455- 4
梁汝嘉宋 287-405-394
398-403-390
472-962- 38
472-1054- 44
479- 42-218
479-432-236
484-103- 3
493-708- 39
1147-730- 69
梁汝霖宋 見梁岩老
梁宇初元 545-386- 97
梁州尹明 547- 44-142
梁州彥明 570-124-21之1
梁州儒明 547- 44-142
梁在和妻 宋 見金氏
梁有年明 532-599- 41
梁有譽明 301-853-287
482- 38-340
564-279- 47
676-582- 24
1280-523- 94
1442- 64- 4
1460-255- 51
梁百揆宋 482- 35-340
564- 43- 44
梁至良妻 清 見鄭氏
梁羽明清 537-415- 57
梁羽翰明 564-293- 47
梁次挹明 564-313- 45
梁光裕明 554-669- 60
梁光遠妻 宋 見黃氏
梁兆明明 511-196-143
梁自立妻 明 見蒲氏
梁自德清 456-356- 77
梁如圭妻 宋 見董氏
梁如京明 545-388- 97
梁先鐵漢 473-464- 69
梁仲保宋 473-758- 83
482-408-359
567-363- 81
1467-196- 68
梁仲敏宋 486-328- 15
523-302-160
梁仲善明 301-566-271
456-456- 4
梁仲新金 1365-280- 8
1439- 7- 附
1445-510- 38
梁仲載明 1241-816- 20
梁宏道明 456-660- 11
梁宏道妻 明 見胡氏
梁良玉明 299-378-143
456-698- 12
479-181-225
523-374-164
梁良用明 299-378-143
456-698- 12
479-181-225
523-374-164
梁志一元 1200-747- 57
梁志仁明 302- 55-292
456-484- 5
475- 77- 53
480-129-264
511-432-153
533-368- 60
梁成大宋 287-760-422
梁孝鳳明 馬正添妻
481-119-296
梁君讙宋 529-761- 53
梁克中元 473-144- 56
515-148- 61
梁克俊宋 563-680- 39
梁克家宋 287-267-384
398-293-384
460-202- 12
460-203- 12
471-648- 10
471-659- 11
471-668- 12
472-173- 6
472-221- 8
473-587- 75
475-120- 55
481-524-326
481-585-328
528-442- 29
529-531- 45
933-321- 23
梁克從明 537-410- 57
554-297- 53
梁克順明 554-297- 53
梁辰魚明 820-719- 43
1442- 70-附4
1460-344- 55
梁里許明 564-218- 46
1239-167- 38
梁壯威明 456-597- 9
梁見孟明 505-813- 74
梁孚將宋 523-527-174
梁谷才明 559-288-7上
梁作心宋 564- 75- 44
梁伯臣宋 1125-398- 31
梁伯達明 515-185- 62
梁伯興明 473-150- 56
515-635- 77
梁希皋明 456-528- 6
515-723- 79
梁希賢明 532-708- 45
梁秀實元 1201-169- 80
梁妙清元 1225-793- 19
梁廷臣妻 明 見劉氏
梁廷建明 554-521-57下

梁廷振明 523- 54-148
564-101- 45
梁廷楝明 301-341-257
梁宗仁明 1237-522- 6
梁宗範宋 484-377- 27
梁武帝蕭衍 梁 260- 12- 1
262-424- 98
265-109- 6
372-583- 13
372-607- 13
384-116- 6
488-224- 9
488-225- 10
532- 87- 26
589-186- 上
677-121- 12
812- 70- 下
812-234- 9
812-723- 3
814-211- 1
819-565- 19
879-170-58上
1054-376- 9
1112-667- 10
1387-106- 7
1401-159- 20
1407- 9-395
梁武帝貴嬪 梁 見丁令光
梁武帝后 梁 見阮令嬴
梁武帝后 梁 見郗徽
梁武帝女 梁 見安吉公主
梁武帝女 梁 見長城公主
梁武帝女 梁 見臨安公主
梁孟玉妻 清 見張氏
梁孟冬妻 清 見李氏
梁孟昭明 茅九仍妻
821-491- 58
梁孟祥明 564-253- 47
梁孟嶽明 472-309- 13
510-399-115
梁東之明 564-267- 47
梁東旭明 571-533- 19
梁東溪明 1248- 380- 19
梁承宗明 559-370- 8
梁承學明 540-815-28之3
梁承齋明 547-561-161
梁忠信宋 812-544- 4
821-166- 50

梁尚志妻 明 見鄧靜
梁尚道明 563-840- 41
梁昌御明 567-420- 85
梁明帝蕭巋 梁 263-823- 48
264-1108- 79
267-780- 93
370-565- 18
370-566- 18
381-395-193
384-119- 6
1341-586-876
梁明帝女 隋 見蕭皇后
梁明翰明 545-894-114
梁岩老梁汝霖、梁巖老 宋
484-376- 27
529-439- 43
梁昇卿唐 274-545-122
684-476- 下
812-747- 3
814-273- 9
820-169- 27
梁叔剛明 821-371- 55
梁叔諧隋 264-711- 40
梁知至唐 820-267- 29
梁知微唐 485- 72- 11
梁季珌宋 494-322- 6
1170-742- 33
梁季珌妻 宋 見吳靜貞
梁季珌女 宋 見梁氏
梁和叔宋 515-610- 76
梁周泰元 547-559-161
梁周翰宋 288-185-439
382-248- 38
384-328- 17
400-626-557
471-958- 53
472-658- 27
477- 71-152
493-695- 39
538-153- 65
933-320- 23
梁佳植明 515-513- 72
523-164-153
梁佩蘭清 482- 40-340
1475-963- 41
梁秉鈞元 545-885-114
梁延嗣宋 288-737-483
401-254-602

473-233- 60
475-742- 88
478-122-181
480- 87-262
480-239-269
554-588- 59
梁為憲明 456-674- 11
梁宣文妻 明 見蔣氏
梁宣帝蕭詧 梁 263-818- 48
276-777- 93
370-563- 18
381-392-193
384-119- 6
384-145- 7
1341-586-876
1356-700- 10
梁洛仁唐 552- 55- 19
梁洵義金 見梁持勝
梁亭表明 564-140- 45
梁彥回宋 1092-630- 58
梁彥光隋 264-1034- 73
267-658- 86
380-202-170
459-877- 53
472-694- 28
472-851- 34
472-881- 35
477-160-157
478-198-184
478-549-202
537-263- 55
552- 47- 19
554-121- 50
558-330- 35
933-319- 23
梁彥昌宋 540-762-28之2
1123-482- 15
梁彥明宋 486- 49- 2
梁彥深宋 1127-150- 8
梁彥通宋 478-336-191
554-243- 52
1118-961- 65
梁彥舉元 1221-387- 1
梁持勝梁洵義、梁詢誼 金
291-675-122
383-1002- 28
400-221-518
474-732- 40

502-266- 54
546-589-134
1040-254- 5
1365-174- 5
1439- 8- 附
1445-412- 29
梁威遜元 295-608-197
400-317-526
547- 70-143
梁胡狗漢 見梁允
梁杜臣明 676-580- 24
1442- 66-附4
1460-294- 53
梁南一梁安兒 宋448-381- 0
529-735- 51
梁郁山妻 明 見冉氏
梁致育明 482-186-346
564-250- 47
梁建中元 524- 6-178
梁建中明 456-679- 11
558-418- 37
梁建辰明 532-726- 46
梁思年明 820-751- 44
梁思泰明 483-248-391
564-252- 47
571-538- 20
梁思問元 547-527-160
梁思溫元 472-197- 7
472-677- 27
梁若衡明 456-548- 7
梁昭德宋 564- 58- 44
梁待賓北周 1065-236- 6
1342- 21-906
梁信成妻 清 見喻氏
梁紀善妻 明 見周氏
梁浮山妻 明 見楊氏
梁浩然清 479-378-234
523-222-156
梁高望唐 820-178- 27
梁祖榮明 472-678- 27
477-124-155
537-256- 55
564-207- 46
梁益耳春秋 933-318- 23
梁益謙宋 563-672- 39
梁涎之清 554-681- 60
梁泰來清 505-653- 68
梁恭之隋 820-127- 25

梁桂茂明 820-713- 43
梁時元明 554-914- 64
梁時亨妻 明 見林台姑
梁恕齋明 1261-867- 42
梁留姐明 梁毅女
483-140-380
570-203- 22
梁師成宋 288-557-468
382-792-121
401- 81-578
820-461- 36
1128-509- 8
梁師孟宋 1099-589- 13
梁師都唐 269-495- 56
274-156- 87
384-178- 9
395-239-202
梁師閔梁士閔 宋
813-203- 20
821-197- 51
梁清宏明 456-528- 6
505-852- 77
梁清標清 474-383- 19
505-755- 72
梁惟敬元 1217-747- 5
梁惟簡宋 567-433- 86
梁培泰明 563-843- 41
梁問孟明 458-162- 8
523-205-155
537-468- 58
梁崇牽唐 567-583- 94
梁崇義唐 270-451-121
276-465-224上
384-241- 12
401-394-620
梁莊夫明 1251-225- 17
梁國林宋 484-384- 28
梁國相明 567-345- 79
1467-246- 71
梁國棟明 547- 47-142
梁國棟清 456-356- 77
梁國傑妻 清 見張氏
梁國賓清 484-378- 27
梁國輔妻 清 見高氏
梁晨棟宋 563-885- 42
梁猛女漢 見鄧猛女
梁紹甫明 1260-683- 23
梁偉棟明 564-295- 47
梁健植清 483-163-382
梁啟陽清 529-695- 50
梁從吉宋 288-548-467
401- 77-577
梁從善妻 明 見向氏
梁從實宋 529-689- 50
梁游楚唐 820-195- 27
梁敦峻清 482-353-356
567-392- 82
梁善政明 456-618- 9
540-836-28之3
梁曾甫元 563-719- 39
梁雲高妻 明 見劉氏
梁雲構清 537-412- 57
梁雲龍明 482-268-350
564-232- 46
梁惠王戰國 見魏惠王
梁惠生明 564-253- 47
梁喜柏明 567-368- 81
梁朝相妻 清 見吳氏
梁朝挺明 460-684- 70
梁朝鍾明(謚節愍) 456-548- 7
梁朝鐘明(字未央)
1442-110-附7
1460-714- 77
梁弼直宋 564- 75- 44
梁景行明 482- 37-340
564-131- 45
梁景秀妻 明 見李氏
梁景致女 明 見梁一眞
梁貴賓五代 532-688- 44
梁買子春秋 405-104- 62
梁順甫明 533-240- 54
1467- 94- 65
梁順孫宋 473-713- 81
473-470- 85
482-185-346
482-484-364
564- 63- 44
567- 65- 65
1467- 38- 63
梁智寬清 456-390- 80
梁勝章妻 清 見溫氏
梁進德明 456-668- 11
梁詩正清 479- 59-219
1308-293- 59
梁愼初唐 1342-350-949
梁義夫宋 564- 79- 44
梁靖帝蕭琮 263-825- 48
264-1109- 79
267-781- 93
370-566- 18
381-396-193
384-119- 6
552- 49- 19
1401-576- 39
梁詢誼金 見梁持勝
梁新姐梁英女 明
482-524-367
1467-275- 72
梁運期漢 見梁鴻
梁道明明 302-710-324
梁道敷妻 清 見陳郎馨
梁道凝明 554-313- 53
梁道濟明 559-521- 12
梁載言唐 271-577-190中
400-598-555
469-456- 54
梁椿選宋 460-430- 33
梁殿邦明 547- 44-142
梁萬斛明(平度人)
540-813-28之3
梁萬斛明(膠東人)
1457-684-407
梁萬爵明 456-548- 7
梁萬鍾明 523- 85-149
554-251- 52
559-345- 8
梁嵩遵後魏 261-624- 45
梁鼎賢明 554-220- 52
梁敬帝蕭方智 梁260- 89- 6
265-151- 8
384-117- 6
528- 3- 17
589-187- 上
梁敬帝后 梁 見王皇后
梁敬眞隋 264-910- 62
梁粲之女 齊 見淨秀
梁誌通元 547-495-159
558-485- 41
梁漢璋後晉 278-168- 95
梁漢顒後晉 278-101- 88
梁榮國女 元 見梁氏
梁榮紳妻 清 見黃氏
梁爾升明 554-850- 63
梁爾壽清 479-811-255
515-261- 65
梁夢卜明 532-682- 44
554-525-57下
梁夢日明 564-219- 46
梁夢奇宋 564- 66- 44
梁夢昌妻 明 見張氏
梁夢昇宋 540-624- 27
梁夢陽妻 明 見李氏
梁夢鼎明 564-219- 46
梁夢龍明 300-700-225
474-382- 19
502-291- 56
505-754- 72
1297-178- 14
1442- 61-附4
1460-191- 49
梁夢環明 302-324-306
梁鳳翔清 478-132-181
482-485-364
545-229- 91
554-539-57下
567-162- 69
梁鳳鳴清 523- 65-149
梁維本清 505-822- 75
梁維屏妻 清 見張氏
梁維恭妻 清 見安氏
梁維基明 505-755- 72
梁維新清 515-492- 71
梁維樞清 505-822- 75
540-675- 27
1312-327- 32
梁綠珠晉 見綠珠
梁調元明 564-285- 47
梁潡之清 554-781- 62
梁慶蕃女 清 見梁氏
梁賢植宋 567-461- 87
梁德佐元 1201-166- 80
梁德珪梁溫都爾 元
295-324-170
399-646-484
472- 36- 1
474-181- 8
505-720- 71
1203-429- 32
梁德遠明 472-358- 15
480-438-278
510-436-116
533-460- 63

梁諸海元 547- 70-143
梁澤民宋 493-746- 41
梁凝禧妻 明 見馮氏
梁翰臣明 456-608- 9
梁積壽梁積慶 唐473-832- 87
569-671- 19
梁積慶唐 見梁積壽
梁龜年宋 529-748- 51
梁儒秀明 見楊儒秀
梁錫匠明 538- 81- 64
梁應元清 475-641- 83
502-625- 77
梁應中妻 清 見黃氏
梁應旭清 480-321-272
梁應求明 561-254-38之1
梁應材明 510-459-117
564-171- 45
梁應庚宋 1185-757- 21
梁應運妻 清 見李氏
梁應暘妻 清 見江氏
梁應龍宋 564- 59- 44
梁應澤明 505-813- 74
梁彌治後魏 381-468-195
梁彌忽後魏 381-468-195
梁彌博後魏 381-468-195
梁彌機後魏 381-468-195
梁魏都明 456-615- 9
梁懷仁明 460-619- 61
529-735- 51
820-702- 43
梁繼本明 567-313- 77
梁繼祖清 502-676- 80
545-426- 98
梁鶴鳴明 1467-128- 66
梁體坤明 456-654- 11
554-711- 61
梁巖老宋 見梁岩老
梁觀國宋 564- 39- 44
1137-700- 26
梁纘素清 545-902-114
梁俟力提後魏 544-209- 62
梁晉國王金 見圖克坦恭
梁國公主唐 鄭何妻、唐順宗女(謚恭靖) 393-284- 73
梁國公主普寧公主 唐 于季友妻、唐憲宗女(謚惠康)
393-284- 73
554- 56- 49
梁溫都爾元 見梁德珪
梁節姑姊周 448- 50- 5
梁餘子養春秋 404-634- 39
545-699-108
梁簡文帝蕭綱 梁
260- 68- 4
265-141- 8
384-117- 6
528- 3- 17
589-187- 上
814-212- 1
819-565- 19
1387-110- 7
1395-595- 3
1401-182- 21
梁簡文帝后 梁 見王靈賓
梁宋國公主 遼 見耶律特哩
訥努清 456-104- 57
訥庫清(鈕祜祿氏) 455-133- 5
訥庫清(薩克達氏) 455-546- 35
訥泰清 455-156- 6
訥們揚、達爾漢哈丹巴圖魯 清
502-595- 76
訥勒清(伊爾根覺羅氏)
455-231- 12
訥勒清(鄂蘇爾瑚氏)
456-107- 57
訥新清 455-502- 31
訥圖清 455-550- 35
訥蘇清 456-186- 64
訥古伯元 523-200-155
訥古理清 455-217- 11
訥克林捏可來 明
496-628-106
訥呼理清 455- 56- 1
訥音圖清 456- 22- 51
訥勒布清 456- 23- 51
訥楚庫清 456- 72- 55
訥齊布清 456-184- 64
訥爾泰清(兀札喇氏)
455-494- 30
訥爾泰清(汪札爾氏)
456-282- 71
訥爾特清 502-724- 84
訥爾斜清 455-206- 10
訥爾赫清 456-152- 61
訥爾圖清 455-679- 48
訥爾蘇平郡王 清454-144- 8
訥赫遜清 456- 35- 52
訥圖庫清 456- 74- 55
訥徹布清 455-476- 29
訥濟蘭清 502-552- 73
訥爾庫噶哈清 455-166- 7
康漢 381-496-196
康王南涼 見禿髮利鹿孤
康王後魏 見元樂平
康王唐 見李汶
康王後梁 見朱友孜
康王宋 見高繼勳
康仁元 1202-882-16
康仁明 1467-124- 66
康氏宋 趙允成妻、康仁矩女
1097-314- 22
康氏宋 趙世耀妻、康遵度女
1105-843-100
康氏宋 趙仲瞞妻、康德濟女
1100-522- 49
康氏金 嚴沂妻 472-925- 36
康氏元 鄭臘兒妻 401-177-593
472-560- 23
康氏明 丁文衡妻 480-616-287
康氏明 王珏妻、康友賢女
472-721- 28
康氏明 王湯臣妻 476-702-137
康氏明 尹聰妻 1467-263- 72
康氏明 李榮妻、康仲名女
1240-358- 23
康氏明 李九星妻 512- 33-177
康氏明 李載柯妻 480-440-278
康氏明 吳泰妻 530- 92- 56
康氏明 高翔妻 478-137-181
康氏明 陳玉妻 473-216- 59
康氏明 陳璲妻 530- 65- 55
康氏明 馮瀾妻 506- 93- 88
康氏明 曾嶽妻 473-157- 56
康氏明 賀谷榮妻 478-420-195
康氏明 楊宋妻、康浩女
1267-536- 7
1457-740-413
康氏明 葉秀春妻 530- 91- 56
康氏明 歐陽欽孔妻
516-300- 99
1294-267-6下
康氏明 蔡正妻 506-103- 89
康氏清 于嗣明妻 480-616-287
康氏清 李坤妻 506- 62- 87
康氏清 李永吉妻 474-194- 9
康氏清 林就妻 530-120- 57
康氏清 張志妻 474-385- 19
506-115- 89
康氏清 張京妻 506- 20- 86
506-556-105
康氏清 張時隆妻 506- 27- 86
康氏清 黃元吉妻
1325-808- 11
康玉元 1202-882- 16
康巨康臣 漢 1051- 18- 1
康朴明 545-388- 97
康臣漢 見康巨
康佐明 494- 25- 2
康京妻 清 見張氏
康河明 554-510-57下
676-560- 23
康玠唐 820-214- 28
康虎妻 清 見李氏
康昕晉 812-319- 5
814-242- 6
820- 70- 23
821- 11- 45
康叔周 見衛康叔
康果清 455-467- 28
康和明 494- 45- 3
康岳明 1239- 60- 30
1241-189- 9
康阜明 494- 39- 3
1266-395- 6
康洽唐 451-424- 2
康拯明 554-338- 54
康郁明 554-655- 60
康耑元 見康瑞
康信明 480-436-278
康勉明 473-624- 77
康海明 301-834-286
478-391-193
494- 41- 3
554-847- 63
676-530- 21
1266-624- 10
1442- 42-附3
1458-222-433
1459-871- 36
康海妻 明 見尚氏
康海清 558-427- 37

康容漢 564-612- 56
康浩明 494- 41- 3
康浩女 明 見康氏
康郎明 481-588-328
529-542- 45
554-179- 51
1442- 56-附3
1460-146- 47
康泰清(正黃旗包衣人)
456-137- 59
康泰清(張掖人) 478-614-205
558-427- 37
康泰妻 清 見楊氏
康恭妻 明 見孟氏
康晉明 523-252-157
康栗妻 明 見楊氏
康恕明 1287-764- 9
康恕妻 明 見胡氏
康紋女 明 見康清姑
康庶宋 530-212- 61
康祥明 474-479- 23
505-912- 81
康庸元 472-519- 22
540-625- 27
康規明 1239- 88- 32
康規妻 明 見楊榮
康莊清 505-881- 79
康國妻 明 見賓氏
康健明(字自強) 494- 39- 3
1266-394- 6
康健康子榮 明(合州人)
559-352- 8
康琚明 475-834- 93
510-498-118
康植宋 523-479-170
1226-436- 21
1457-579-397
康堯明 558-447- 38
康桌明 554-848- 63
康絢梁 260-173- 18
265-792- 55
378-316-139
472-833- 33
478-105-180
532-559- 40
533-233- 54
535-556- 20
554-555- 58
康傑宋 288-361-452
400-174-513
472-852- 34
478-200-184
康源宋 1053-740- 17
康愷清 455-432- 26
康椿妻 清 見謝氏
康瑞康崗 元 1439-444- 2
康勤後梁 見朱友文
康照遼 見康默記
康敬元 1194-229- 18
康演明 494- 42- 3
康誥明 570-163-21之2
820-716- 43
康福後晉 278-131- 91
279-296- 46
396-418-293
康禋明 494- 39- 3
康榮明 1237-268- 5
1239-189- 39
康壽唐 558-348- 35
康壽明 楊肇妻、康天得女
1239-207- 40
康戩宋 288-788-487
479-604-244
480-340-273
486- 46- 2
康嘉清 515-729- 29
康睿明 周伯服妻、康協盛女
530- 64- 55
1254-589- 上
康慶明 473-251- 60
康震元(字宗武) 515-627- 76
康震元(字震亨) 1198-191- 4
康履宋 288-561-469
401- 83-578
康德北齊 267-124- 53
379-374-152
546- 37-116
康憲明 473-349- 63
480-438-278
533-109- 50
康諝宋 288-562-469
康燊元 1194-214- 16
康駢唐 472-368- 16
475-641- 83
511-815-167
674-229-3下
康頮明 571-548- 20
1241- 93- 5
康曄元 676-699- 29
康錦明(長州縣丞) 494- 42- 3
康錦明(慶陽人) 558-455- 38
康衡漢 384- 50- 2
康錫金 291-560-111
545-371- 97
1040-256- 5
1191-246- 21
1365-284- 8
1439- 10- 附
1445-516- 39
康錫明 494- 42- 3
康謙唐 276-499-225上
康翼宋 1134-304- 44
康鵬明 見康志高
康鏞明 494- 39- 3
494- 42- 3
554-847- 63
1262-385- 43
1266-422- 8
1410-132-677
1458-669-469
康鏞妻 明 見張氏
康鐸明 299-213-130
473-283- 61
533-170- 52
康鑑明 563-923- 43
康麟明 564-127- 45
康衢明 512-783-196
康驥明 473-155- 56
515-678- 78
康鑾明 494- 45- 3
康乃心清 554-858- 63
康子元唐 276- 40-200
384-205- 11
400-427-539
472-1070- 45
479-232-227
486-306- 14
523-598-176
康子連妻 清 見項氏
康子榮明 見康健
康大和明 見康太和
康小二女 元 見金火二仙姑
康太和康大和 明
524-310-194
529-731- 51
676-569- 23
1442- 56-附3
1460-144- 47
康元弼金 291-379- 97
399-222-435
472-484- 21
476-259-110
546- 80-117
康元積明 533-268- 55
康元穗明 515-719- 79
523-109-150
康孔高祖母 明 見陳氏
康孔高明 1237-314- 6
1238-467- 8
康孔猷明 1242-178- 30
康天英元 1201-169- 80
康天得女 明 見康壽
康天錫清 483-184-385
570-129-21之1
康天爵明 545-782-111
康友惠明 472-546- 23
康友賢女 明 見康氏
康日知唐 275-121-148
395-733-247
472-930- 37
474-616- 32
505-700- 70
545-172- 89
558-372- 36
康公弼金 291-131- 75
401-310-610
472-484- 21
476-277-111
546- 84-117
康仁安妻 明 見陳端
康仁矩女 宋 見康氏
康仁傑五代 473-586- 75
康允之劉宋 812-329- 6
821- 20- 45
康允之宋 472-196- 7
484-102- 3
510-470-117
康玄辯唐 273-111- 60
康永桂清 456-390- 80
康永惠明 558-489- 41
康永韶明 299-834-180

473-585- 75
475-570- 79
511-276-147
康永嘉明 494- 42- 3
康正福妻 明 見吳氏
康正諫明 456-605- 9
475-575- 79
511-481-155
康丕承明 547-117-145
康以忠明 1232-578- 4
康以寧明 1455-588-234
康四維明 456-502- 5
546-609-135
康月天元 821-301- 53
康汝楫明 472-841- 33
473-504- 71
494- 38- 3
554-526-57下
康光顯妻 明 見徐氏
康仲名女 明 見康氏
康仲和妻 明 見顧氏
康仲穎宋 1457-579-397
康志高康鵬 明 1239-222- 41
康志陸唐 見康志睦
康志睦康志陸 唐275-122-148
395-733-247
康孝良明 482-348-356
1467- 59- 64
康孝基宋 491-345- 2
康君立康君利 後唐
277-465- 55
546- 61-117
康君利後唐 見康君立
康克勤妻 清 見孫氏
康呂賜清 554-825- 63
康住住金 見康珠珠
康住珠金 見康珠珠
康希銑唐 273-111- 60
1071-633- 7
康邦濟明 510-377-114
康廷相妻 明 見楊氏
康廷瑞元 478-391-193
494- 38- 3
康宗性明 1242-181- 30
康宗武明 1238-108- 9
康其武清 477-500-174
康武理清 455-339- 21
康孟詳漢 1051- 19- 1
康居祿妻 明 見黃氏
康協盛女 明 見康睿
康長源妻 明 見崔氏
康承訓唐 275-122-148
384-279- 14
395-733-247
567-539- 90
康承業後唐 見張承業
康承爵明 523-519-171
康明秋明 547- 97-144
康叔封周 見衛康叔
康叔臨宋 533-745- 73
康果理清 455- 56- 1
康果禮清 474-757- 41
502-483- 70
康秉恆明 1237-408- 15
康延孝李紹琛 後唐
277-594- 74
279-280- 14
384-310- 16
401-287-607
546- 61-117
560-601-29下
1383-805- 74
康延壽遼 289-573- 74
399- 5-417
康延澤宋 285-152-255
396-494-299
450-147-上17
473-503- 71
481-332-308
559-313-7上
592-521- 93
1086-276- 28
康流來妻 明 見趙氏
康彥民明 472-1102- 47
479-286-230
515-649- 77
523-172-154
康彥英妻 明 見羅靜端
康彥登明 529-721- 51
1442-101-附6
康茂才明 299-212-130
453- 56- 6
472-741- 29
473-283- 61
476-113-102
477-523-175
480-130-264
533- 36- 48
534-165- 82
537-208- 54
545-375- 97
1224- 74- 17
1374-482- 69
康思立後唐 277-576- 70
279-169- 27
396-365-284
546- 62-117
康若泰元 537-278- 55
1221-694- 29
康范生清 515-726- 79
康保裔宋 288-270-446
382-230- 34
384-327- 17
400-126-511
472- 50- 2
472- 65- 2
472-748- 29
474-235- 12
476- 28- 97
505-630- 67
538- 57- 63
1237-222- 3
康庭玉元 1208-585- 23
康泰眞元 496-427- 90
康桂華宋 1206-316- 5
康珠珠康住住、康住珠 金
291-749-130
478-420-195
康時升明 533-267- 55
康時萬明 820-749- 44
康清姑明 康紋女
475-647- 83
512-104-179
康惟進明 1242-271- 33
康惟蔚唐 820-267- 29
康惟德女 明 見康祥姑
康祥姑明 康惟德女
481-725-333
康執權宋 529-749- 51
康雪庭明 820-765- 44
康國安唐 273-111- 60
康國相明 554-852- 63
康國新明 456-667- 11
康紹文清 478-297-188
康從理明 524- 88-182
676-594- 24
1442- 69-附4
1460-322- 54
康善陀唐 見康薩陀
康雲泉明 1229- 36- 3
康朝選妻 清 見劉氏
康買得唐 400-289-523
554-753- 62
康喀勒清 502-545- 73
康喀賚清 455-678- 48
康傑權宋 554-273- 53
康義誠後唐 277-546- 66
279-169- 27
384-303- 16
396-365-284
1383-743- 67
康新民明 515-718- 79
康廉采清 481-551-327
康道和晉 1051- 75- 3
康瑞孫元 1197-785- 83
康萬秋明 456-667- 11
康萬欽妻 明 見彭氏
康綏獻清 515-728- 79
康齊卿父 唐 1083- 86- 8
康與之宋 674-888- 21
820-420- 34
1169- 48- 4
1363-433-171
康夢吉宋 515-612- 76
康夢相明 576-655- 5
康僧淵晉 1050-101- 66
康僧會吳 511-916-174
524-394-199
820- 44- 22
1051- 36-2上
1054- 42- 1
1054-297- 5
康僧會唐 見僧伽
康僧鎧康僧顗 魏
1051- 28- 1
1054-299- 5
康僧顗魏 見康僧鎧
康維新明 456-6[illegible]- 11
康慶遠妻 清 見毛氏
康德昭明 1232-578- 4
康德璋金 1191-304- 27
康德濟女 宋 見康氏

康德輿宋 286-328-326
397-453-346
472-748-29
474-470-23
474-616-32
477-51-151
537-507-59
康親王清 見傑書
康遵度女 宋 見康氏
康霖生清 476-727-138
540-684-27
康默記康照 遼 289-573-74
399-5-417
474-177-8
505-717-71
康學詩明 820-712-43
1280-442-88
康應祥清 478-297-188
康應弼宋 515-614-76
康薩陀康善陀 唐 812-344-9
821-41-46
康懷貞後梁 見康懷英
康懷英康懷貞 後梁
277-208-23
279-127-22
384-299-16
396-336-281
1383-713-64
康懷珪宋 493-696-39
康藩錫妻 清 見張氏
康繼英宋 382-231-34
384-327-17
933-403-36
康麟文明 676-744-31
康里脫脫元 見喀喇托克托
康軋犖山唐 見安祿山
康淑帝姬宋 宋徽宗女
285-69-248
393-327-77
康國長公主宋 見秦國大長公主
康阿義屈達于唐
1071-621-6
袞布清(本塔塔爾從子)
454-482-42
袞布清(博爾濟吉特氏喀爾喀部人) 454-656-71
袞布清(阿寶長子) 454-717-80
袞布清(博爾濟吉特氏青海和碩特人) 454-749-83
袞布清(羅卜藏子) 454-848-99
袞布清(納喇氏) 456-256-69
袞布清(博爾濟吉特氏鑲黃旗滿洲人) 502-448-68
袞布清(烏扎拉氏) 502-742-85
袞占清 454-608-64
袞岱清 455-468-28
袞拜清 455-292-17
袞泰清 502-569-74
袞善清 455-404-24
袞登清 455-57-1
袞布魯清 456-126-58
袞雲石元 見貫蘇爾約蘇哈雅
袞裕實元 見貫蘇爾約蘇哈雅
袞楚克清(博爾濟吉特氏)
454-407-27
496-218-76
袞楚克清(乾隆三十二年卒)
454-719-80
袞綽斯清 502-590-76
袞布扎布清 454-618-66
袞布巴勒元 1194-683-12
袞布車稜清 454-680-75
袞扎克喇實元 見丹巴
袞布多爾濟清 496-217-76
袞布伊勒登清 454-437-33
袞齊斯扎布清 見袞濟斯扎布
袞濟斯扎布袞齊斯扎布 清
454-397-25
496-217-76
袞阿思蘭海涯元 見貫阿爾斯蘭哈雅
袞碩裕實哈雅元 見貫蘇爾約蘇哈雅
袞阿爾斯蘭哈雅元 見貫阿爾斯蘭哈雅
袞蘇爾約蘇阿雅元 見貫蘇爾約蘇哈雅
庹振繼妻 清 見楊氏
庾氏齊 蕭嶷妻 475-78-53
庾皮春秋 933-577-37
庾冰晉 256-213-73
370-330-8
377-771-127
448-309-上
471-618-5
472-654-27
477-64-151
480-10-257
485-67-10
488-122-7
488-125-7
488-126-7
493-645-35
493-672-37
515-3-57
532-554-40
537-378-57
814-237-5
1413-713-61
庾冰女 晉 見庾道憐
庾希晉 256-215-73
377-771-127
485-67-10
493-672-37
庾抱唐 271-560-190上
276-56-201
400-584-554
庾易齊 259-534-54
265-715-50
380-453-178
384-116-6
472-773-30
473-299-62
477-373-167
480-250-269
533-736-73
538-165-66
933-578-37
庾岳庾岳延、庾業延 後魏
261-423-28
266-419-20
379-15-146
472-694-28
476-253-110
537-196-54
546-4-115
933-579-37
庾亮晉 256-206-73
370-325-7
377-766-127
384-98-5
471-684-14
471-693-15
471-745-22
471-784-28
471-785-28
471-787-28
472-347-15
472-654-27
473-86-52
473-208-59
473-245-60
475-666-84
477-64-151
480-10-257
488-125-7
510-275-112
515-3-57
532-553-40
537-377-57
814-237-5
820-62-23
933-577-37
1413-712-61
庾亮妻 晉 見荀氏
庾持庾待 陳 260-780-34
265-1048-73
378-533-144
477-66-151
494-335-7
814-264-8
820-107-24
933-579-37
庾珉晉 255-846-50
377-580-123
385-597-65下上
476-87-100
477-64-151
538-35-63
庾待陳 見庾持
庾信北周 263-756-41
267-611-83
380-389-176
384-143-7
470-354-142
473-301-62
477-375-167

477-521-175
480-251-269
494-263- 1
533-310- 57
538-144- 65
554-119- 50
554-884- 64
674-246-4上
814-263- 8
820-123- 25
933-579- 37
1064-298-首上
1064-318-首下
1339-610-699
1366-799- 6
1387-218- 12
1394-352- 2
1395-604- 3
1401-468- 35
庾准庾準 晉 814-237- 5
820- 63- 23
庾悅劉宋 258-129- 52
265-530- 35
378-151-135
384-112- 6
933-578- 37
庾城北齊 480- 48-259
庾峻晉 255-844- 50
377-580-123
385-594-65下上
469- 54- 7
472-654- 27
477- 62-151
538- 21- 62
933-578- 37
庾純晉 255-847- 50
377-582-123
384- 92- 5
477- 63-151
537-376- 57
933-578- 37
庾乘漢 253-377- 98
377- 3-113上
384- 66- 3
386- 5-69上
472-652- 27
477- 60-151
538-157- 66
545-506-101
933-577- 37
庾袞庾裒 晉 256-431- 88
380- 83-167
384- 94- 5
477- 63-151
477-169-157
538- 77- 64
933-578- 37
庾袞妻 晉 見荀氏
庾袞妻 清 見樂氏
庾域梁 260-126- 11
265-800- 56
378-324-139
384-118- 6
472-773- 30
473-233- 60
477-374-167
481- 15-291
533-205- 53
533-438- 62
537-543- 59
554-229- 52
933-579- 37
庾旉晉 255-850- 50
377-583-123
477- 63-151
537-377- 57
933-578- 37
庾彬晉 256-212- 73
377-769-127
933-577- 37
庾統晉 256-213- 73
377-770-127
庾倏晉 256-216- 73
377-770-127
515- 77- 59
庾賁唐 540-632- 27
541-439-35之8
庾琛晉 256-513- 93
380- 3-165
庾琛女 晉 見庾文君
庾喬齊 265-695- 49
378-397-141
庾準晉 見庾准
庾準唐 270-410-118
275- 94-145
395-709-244
庾詵梁 260-444- 51
265-1086- 76
380-467-178
472-773- 30
477-375-167
480-250-269
538-165- 66
677-125- 12
814-254- 7
820-103- 24
933-579- 37
庾裒晉 見庾袞
庾道後魏 見庾導
庾楷晉 256-373- 84
庾葉後魏 546- 29-115
庾敳晉 255-846- 50
377-580-123
384- 92- 5
385-597-65下上
477- 64-151
933-578- 37
庾銑齊 259-511- 52
庾震齊 265-1043- 73
380-100-167
477-372-167
933-579- 37
庾蓽梁 260-451- 53
265-693- 49
378-396-141
472-773- 30
477-372-167
479-222-227
480-238-269
486- 39- 2
523-146-153
537-543- 59
933-578- 37
庾儉隋 267-699- 89
庾質隋 264-1093- 78
267-698- 89
380-650-183
933-579- 37
庾敻齊 265-695- 49
378-397-141
庾羲晉 256-212- 73
377-769-127
485- 67- 10
493-672- 37
494-276- 2
523- 70-149
933-577- 37
庾導庾道 後魏 262- 81- 71
266-925- 45
814-260- 8
820-117- 25
庾懌晉 256-213- 73
377-770-127
515-163- 62
537-378- 57
814-237- 5
820- 62- 23
庾翼晉 256-216- 73
370-332- 8
377-772-127
384- 98- 5
473- 86- 52
473-208- 59
477- 64-151
480- 10-257
494-317- 6
515- 3- 57
524-310-194
532-554- 40
537-379- 57
684-530- 3
812- 69- 下
812-232- 9
812-722- 3
813-280- 15
814-237- 5
820- 62- 23
933-578- 37
庾闡晉 256-496- 92
380-355-175
472-655- 27
477- 64-151
538-126- 65
933-578- 37
1379-344- 42
庾龢晉 256-212- 73
377-769-127
475- 68- 52
477- 65-151
933-578- 37
庾子輿梁 265-801- 56
378-324-139

472-773- 30
477-374-167
533-438- 62
538-106- 64
933-579- 37
庾子翼五代 561-210-38之2
庾文君晉 晉明帝后、庾琛女
255-584- 32
370-313- 7
373- 73- 20
537-184- 53
庾元威梁 814-255- 7
820-103- 24
庾公差春秋 933-577- 37
庾弘遠劉宋 265-534- 35
378-224-137
515-239- 64
庾自直隋 264-1076- 76
267-623- 83
380-402-176
477-478-173
538-152- 65
933-579- 37
庾仲文劉宋 見庾炳之
庾仲容梁 260-427- 50
265-534- 35
378-417-141
477- 66-151
485-425- 5
538-126- 65
933-578- 37
庾仲遠劉宋 265-531- 35
378-152-135
477- 65-151
庾沙彌梁 260-388- 47
265-1047- 73
380-113-167
477- 66-151
485-390- 3
511-888-172
523-112-151
538- 78- 64
933-579- 37
庾於陵梁 260-406- 49
265-716- 50
378-397-141
477-374-167
480-251-269
523-182-155
533-205- 53
933-578- 37
庾承先梁 260-445- 51
265-1087- 76
380-468-178
477- 66-151
480-250-269
538-157- 66
933-579- 37
庾杲之齊 259-362- 34
265-693- 49
370-513- 15
378-292-138
384-115- 6
472-773- 30
477-372-167
533-205- 53
538-143- 65
933-578- 37
1394-544- 7
庾肩吾梁 260-407- 49
265-716- 50
378-397-141
384-116- 6
470-354-142
472-1102- 47
473-301- 62
477-375-167
479-296-230
480-251-269
524-326-195
533-310- 57
812- 70- 下
812-234- 9
812-723- 3
814-256- 7
820-101- 24
933-578- 37
1387-131- 8
1394-471- 5
1395-596- 3
庾季才梁～隋 260-445- 51
264-1091- 78
267-696- 89
380-648-183
384-158- 8
472-773- 30
533-777- 74
933-579- 37
庾岳延後魏 見庾岳
庾炳之庾仲文 劉宋
258-146- 53
265-531- 35
378-152-135
472-655- 27
庾祖乙唐 933-579- 37
庾祖申唐 933-579- 37
庾深之劉宋 258-449- 79
庾曼倩梁 260-445- 51
265-1087- 76
380-467-178
473-301- 62
533-206- 53
庾登之劉宋 258-145- 53
265-530- 35
378-151-135
472-655- 27
477- 65-151
485-488- 9
493-672- 37
537-380- 57
933-578- 37
庾肅之晉 256-496- 92
494-334- 7
庾景休齊 820- 96- 24
庾道怜晉 見庾道憐
庾道愍齊 265-1047- 73
380-104-167
477- 66-151
538- 77- 64
563-915- 43
933-579- 37
庾道憐庾道怜 晉 司馬奕后、庾冰女 255-588- 32
537-184- 53
庾敬休唐 271-515-187下
275-258-161
384-271- 14
396- 76-258
472-774- 30
477-376-167
933-579- 37
庾業延後魏 見庾岳
庾傳美後唐 592-509- 92
庾蔚之宋 679- 22-140
庾黔婁梁 260-385- 47
265-715- 50
380-106-167
384-116- 6
473-300- 62
477-374-167
480-251-269
481- 15-291
532-746- 46
533-438- 62
538-107- 64
559-260- 6
820-101- 24
933-578- 37
祓衣上古 448- 87- 上
879-145-57下
被條漢 933-518- 34
被瞻周 933-518- 34
被離春秋 405-118- 63
485-146- 20
493-793- 43
被裘公周 見披裘公
袾宏明 見祩宏
球蘭清 502-450- 68
球羅理清 456- 57- 54
執煥宋 821-219- 51
執失思力唐 274-397-110
384-174- 9
395-392-217
專趙王 元 294-218-118
400- 85-507
專諸春秋 見鱄設諸
麥氏唐 馮君衡妻
1065-819- 19
麥氏明 梁立妻 482-188-346
麥氏清 黃肇陽妻 482- 44-340
麥氏清 容士望母 482- 44-340
麥色清 502-735- 84
麥良元 473-837- 87
483-161-382
570-125-21之1
麥成明 473-317- 62
480-614-287
麥宗元 473-837- 87
483-162-382
494-163- 6
570-262- 26
麥琯清 482-468-363

麥士奇清 482-502-365
567-392- 82
麥文貴元 473-689- 80
482- 90-342
564- 83- 44
麥公恕明 見木公恕
麥而元明 564-285- 47
麥而炫明 301-689-278
456-466- 4
麥志德明 564-239- 46
麥孟才隋 264-931- 64
267-521- 78
379-870-164
482- 90-342
564- 18- 44
933-747- 52
麥祈慶明 1467- 87- 65
麥茂實明 559-286-7上
麥章斐妻 清 見霍氏
麥斯行明 680-255- 250
麥聖清妻 清 見陳氏
麥鐵杖隋 264-929- 64
267-520- 78
379-869-164
384-156- 8
472-623- 25
473-689- 80
477-408-169
482- 90-342
502-254- 53
537-325- 56
564- 18- 44
933-747- 52
麥邱邑人春秋 見麥邱封人
麥邱封人麥邱邑人 春秋
404-613- 37
491-790- 6
梵公宋 479-437-236
524-447-201
梵言宋 1053-747- 17
梵思宋 1053-841- 19
梵卿宋 486-340- 15
524-418-200
梵隆宋 494-521- 25
821-268- 52
梵琦元 472-986- 39
524-410-199
588-250- 10
676-678- 28
820-550- 39
1442-118-附8
1460-813- 89
1475-731- 31
梵臻宋 588-218- 9
梅元女 明 見梅氏
梅月明 572- 76- 28
梅氏元 浦玉田妻
493-1082- 57
512- 18-177
1230-299- 4
梅氏明 王鍍妻 475-613- 81
梅氏明 王備武妻 480- 94-262
梅氏明 伍景妻 473-370- 64
梅氏明 孟琳妻 473- 79- 52
梅氏明 唐世明妻、梅元女
1268-448- 69
梅氏明 謝黑兒妻 472- 39- 1
474-190- 9
506- 5- 86
梅氏明 顧燁妻、梅江女
472-986- 39
梅氏清 丁宏緒妻 481-651-330
梅氏清 王漢侯妻 475-146- 57
梅氏清 李春流妻 533-578- 68
梅氏清 施閏章妻、梅枝選女
1313-281- 22
梅氏清 高桂妻 475-614- 81
512-101-179
梅氏清 張廷機妻 481-312-307
梅氏清 鍾士槐 481-188-300
梅氏清 饒典妻 479-634-245
梅玉明 524-351-196
梅生明 周世遴妻
1442-124-附8
1460-779- 85
梅江明 523-435-167
1442- 34-附2
1459-721- 28
1475-238- 10
梅江女 明 見梅氏
梅良清 456-372- 78
梅豸明 572- 76- 28
梅庚清 475-612- 81
511-814-167
梅奇明 537-266- 55
梅芹元 524-444-201
梅昇妻 明 見唐氏
梅芳明 533-154- 52
梅洪明 511-512-157
梅琉宋 515-144- 61
梅建清 545-348- 96
572-102- 30
梅紀妻 明 見方氏
梅紀妻 明 見熊氏
梅浩明 1269-797- 5
梅浩妻 明 見鄧氏
梅純明 676-120- 5
676-515- 20
梅殷明 299-104-121
458-136- 6
477-130-155
537-428- 58
梅殷妻 明 見寧國公主
梅淳明 511-330-149
梅清明 523-102-150
梅雪明 572- 92- 29
梅寔元 見梅實
梅盛晉 525-119-222
526- 96-262
1374-454- 65
梅欽清 482-266-350
511-312-148
563-884- 42
梅溶宋 452- 6-上
479-321-232
523-401-165
1224-518- 31
梅詢宋 285-785-301
382-305- 48
384-343- 17
397-207-332
450-479-中36
471-585- 1
471-694- 15
471-717- 17
471-924- 48
472-359- 15
472-366- 16
472-388- 17
475-606- 81
475-742- 88
475-821- 92
493-697- 39
511-296-148
933-134- 9
1102-212- 27
1105-729- 88
1351-662-146
1366-958- 1
1378-540- 60
1383-606- 54
1384-115- 91
1410-153-680
1437- 9- 1
梅鄉清 1313-278- 22
梅楞清(博爾濟斯氏)
456-252- 69
梅楞清(崔氏) 456-300- 73
梅鼎宋 843-667- 中
梅鼎元 821-301- 53
梅遇清 478-201-184
479-631-245
515-850- 84
553-309- 40
554-318- 53
梅實梅寔 元 472-360- 15
475-608- 81
511-483-155
1366-1018- 6
梅福吳市門 漢 250-525- 67
376-302-100
384- 50- 2
453-735- 1
471-721- 19
471-922- 48
472-199- 7
472-232- 8
473- 12- 49
475-143- 57
475-745- 88
479-249-228
479-481-239
486-333- 15
493-1065- 57
511-856-169
515- 75- 59
516-411-103
517-185-120
517-419-126
517-454-127
524-319-195
530-203-203

533-729- 73
933-134- 9
1091-565- 16
1141-797- 34
1197-479- 46
1407- 84-402
梅寧明 545-150- 88
梅赫清 456-188- 64
梅熙明 524-235-189
梅摯梅贄 宋 285-736-298
382-485- 75
384-358- 18
397-170-330
471-585- 1
471-874- 40
471-946- 51
472-126- 4
472-172- 6
472-221- 8
472-961- 38
473-767- 84
475-119- 55
477-200-159
481- 79-294
482-433-361
484- 94- 3
488-388- 13
493-699- 39
523- 75-149
545-367- 97
559-341- 8
567- 53- 65
591-550- 42
592-582- 98
933-134- 9
1106-262- 36
1354-613- 29
1362-688- 59
1381-402- 34
1437- 12- 1
1467- 25- 62
梅鋗漢 453-730- 1
473-336- 63
475-564- 79
480-405-277
482- 90-342
508-322- 41
564- 4- 44
879-165-58上
933-133- 9
1376-612-96上
梅鋗清 475-612- 81
476-451-123
481-495-324
511-312-148
528-470- 29
545-482-100
梅澤宋 485-501- 9
梅頤晉 515- 78- 59
梅頤元 1439-436- 1
1442- 12-附1
1459-456- 14
梅錫清 515-851- 84
梅應元 1204-570- 7
梅隱元 524-299-193
梅贄宋 見梅摯
梅蟠宋 564- 78- 44
梅鎭妻 清 見丁氏
梅贍宋 843-667-中
梅鶚明 511-813-167
梅鷟明 676- 22- 1
梅瓚妻 明 見武氏
梅讓宋 1102-248- 31
梅士昌清 1323-574- 1
梅士學明 511-626-161
梅文鼎清 475-612- 81
511-709-164
1323-571- 1
1323-574- 1
梅之行清 479-631-245
梅之信清 531- 20-首
梅之煥明 301-203-248
458-431- 20
480-135-264
533-177- 52
梅之熉明 533-334- 58
梅五娘唐 洪勝可妻
475-613- 81
512- 97-179
梅元吉明 561-203-38之1
梅友月明 572- 84- 28
梅友松明(良鄉人) 456-627- 10
梅友松明(內江人) 545-101- 86
554-182- 51
559-404- 9上
梅友松妻 清 見葉氏
梅正臣宋 1099-760- 13
梅巨儒清 475-611- 81
梅用鼎明 532-705- 45
梅守和明 511-308-148
梅守相明 511-307-148
梅守峻明 511-307-148
梅守極明 511-307-148
梅守箕明 511-813-167
1442- 95-附6
1460-555- 67
梅守德明 457-409- 25
475-609- 81
511-303-148
梅再思五代 見梅行思
梅有振明 511-628-161
梅光宗明 524-233-189
梅行思梅再思 五代
812-472- 3
812-525- 2
813-160- 15
821-117- 49
梅志仙金 472- 39- 1
505-933- 85
梅成和宋 511-298-148
梅李茂宋 見梅應春
梅克讓明 472-677- 27
梅性覺明 過宗武妻、梅福通女 1246-604- 10
梅庚娘明 萬紹祖妻
530-160- 58
梅來兒宋 524- 96-183
梅枝選女 清 見梅氏
梅知巖唐 511-408-152
梅命夔清 見湯命夔
梅致和元 511-853-169
1439-446- 2
梅思祖明 299-231-131
458-134- 6
472-683- 27
473-807- 86
477-130-155
482-539-368
483-221-390
523- 32-147
537-427- 58
569-648- 19
571-530- 19
梅朗三妻 清 見劉氏
梅振英明 456-490- 5
梅時舉宋 524- 86-182
梅清隱明 1238- 29- 3
梅執仁宋 487-188- 12
梅執禮宋(字和勝) 286-733-357
382-706-109
397-765-366
451-279- 3
452- 6-上
472-401- 18
472-1028- 42
473-281- 61
475-796- 90
479-321-232
510-484-118
523-402-165
526-316-268
674-832- 17
933-134- 9
1224-518- 31
梅執禮宋(知潤州) 472-273- 11
梅國正明 見梅國楨
梅國秀明 456-659- 11
梅國淳宋 533-332- 58
梅國楝妻 清 見鄧氏
梅國楨梅國正 明
300-744-228
478-596-204
533- 51- 48
545-299- 94
676-626- 26
480-134-264
梅堯中明 1313-261- 20
梅堯臣宋 288-237-443
382-756-115
384-359- 18
400-654-561
450-465- 34
471-694- 15
472-359- 15
472-366- 16
475-607- 81
475-639- 83
477-472-173
494-324- 6
511-812-167
537-342- 56
674-282-4下

674-816- 17
678-364-104
933-134- 9
820-354- 32
1095-701- 35
1099-432- 附
1102-265- 33
1102-332- 42
1351-593-140
1356-144- 7
1378-595- 62
1383-635- 56
1410-329-706
1437- 12- 1
1461-122- 8
梅堯臣妻 宋 見謝氏
梅運昌妻 清 見李氏
梅當阿清 456-108- 57
梅鼎臣宋(翁源人) 473-684- 79
482- 77-341
564- 56- 44
梅鼎臣梅鼎成 宋(宣城人)
475-607- 81
511-296-148
梅鼎成宋 見梅鼎臣
梅鼎祚明 475-610- 81
511-814-167
1442- 95-附6
1460-556- 67
梅福通女 明 見梅性覺
梅彀成清 475-612- 81
梅綿祚明 511-309-148
梅寬夫宋 523-128-152
523-420-166
梅調元清 524- 93-182
梅蕃祚明 1442- 95-附6
1460-557- 67
梅應奇宋 1178-424- 3
梅應春梅李茂 宋451- 95- 3
473-283- 61
480-130-264
梅應時明 494-159- 5
梅應發宋 472-390- 17
511-375-150
梅應發元 493-1009- 53
1209-317- 3
梅應魁明(威遠人)
472-1085- 46
473-524- 72
523-130-152
559-380-9上
梅應魁明(宣城人) 511-624-161
梅應魁妻 明 見李氏
梅蟲兒南朝 265-1102- 77
381- 19-184
494-263- 1
494-535- 27
933-134- 9
梅鶤祚明 475-611- 81
511-308-148
梅繼勳明 532-625- 43
梅山拙逸宋 820-459- 36
頃氏明 李富妻 480-139-264
頃父春秋 545-689-108
戚文明 558-431- 37
戚王明 見朱載壂
戚氏元 朱元瑜妻、戚紹女
1224-200- 20
戚氏明 朱廣運妻 570-204- 22
戚氏清 張繼元妻 479-152-223
戚仲宋 821-229- 51
戚伸明 1320-765- 83
戚杰明 511-663-162
512-789-196
1320-765- 83
戚忠漢 683-266- 7
戚金明 456-456- 4
戚姑唐 戚文秀女 516-448-104
戚袞陳 260-769- 33
265-1007- 71
380-296-173
472-965- 38
479- 46-218
523-577-175
590-135- 17
679- 23-140
933-751- 52
戚袞明 457-409- 25
戚通妻 明 見祁氏
戚紹女 元 見戚氏
戚雄明 523-329-161
676- 5- 1
戚慎明 494-158- 5
569-670- 19
戚楊妻 宋 見周氏
戚達清 456-373- 78
戚敬元 472-984- 39
479- 94-221
524-107-183
1229-152- 1
戚韶明 1271-402- 30
1442- 50-附3
1460- 70- 43
戚寧明 472-709- 28
戚遜明 472-360- 15
511-300-148
戚綸宋 286- 58-306
371-125- 13
382-298- 47
384-343- 17
397-257-334
450-710-下7
471-732- 20
473-143- 56
475-776- 89
476-656-135
476-778-141
476-816-143
476-861-145
479- 41-218
479-710-250
484- 88- 3
515-142- 61
523- 73-149
540-750-28之2
933-751- 52
1410-355-710
戚賢明 300-429-208
457-408- 25
475-799- 90
479-134-223
511-369-150
523-120-151
676-561- 23
1442- 53-附3
戚勳明(字伯屏) 456-462- 4
475-231- 61
511-452-153
戚勳明(字世臣) 821-460- 57
戚藩清 511-770-166
戚瀾明 1375- 39- 下
戚文秀女 唐 見戚姑
戚文秀宋 812-551- 4
821-161- 50
戚元佐明 524- 22-179
676-233- 9
676-589- 24
820-701- 43
821-435- 57
1442- 62-附4
1457-673-406
1460-207- 49
1475-323- 13
戚元禮明 532-617- 43
戚化元宋 821-249- 52
戚世位妻 清 見潘氏
戚存心明 472-1105- 47
戚同文宋 288-420-457
371-125- 13
382-298- 47
401- 12-569
408-664- 26
450-711-下7
472-682- 27
476-861-145
538-158- 66
540-746-28之2
933-751- 52
1410-355-710
戚如琥宋 472-1030- 42
523-610-176
戚仲咸元 523-615-176
戚仲陞明 821-462- 57
戚伯堅明 821-462- 57
戚伯著漢 681-589- 12
戚秉忠明 482-390-358
戚秉肅明 1229-259- 7
戚貞吉明 見咸貞吉
戚師道宋 1098-696- 42
1410-359-710
戚崇僧元 820-509- 37
1209-574-9下
戚國泰明 510-419-116
戚逍遙不詳 薊溽妻
1059-595- 上
戚雲鵠清 511-649-162
戚舜臣宋 473-111- 54
540-669- 27
515-166- 62
1098-694- 42
1351-610-142
1356-187- 9

1410-355-710
戚舜賓宋 1104-327- 30
戚象祖元 1209-504-8下
戚象祖妻 元 見朱壽
戚勳八明 511-452-153
戚繼光明 300-498-212
474- 94- 3
476-700-137
478-768-215
481-494-324
505-637- 67
523- 52-148
528-458- 29
540-824-28之3
541-609-35之17
676-596- 24
1287-170- 11
1442- 68-附4
1460-309- 54
戚繼芳明 510-351-114
戚繼美明 300-503-212
尉元後魏 261-678- 50
266-515- 25
379- 65-147
384-130- 7
472-481- 21
476-255-110
535-556- 20
546- 20-115
554-112- 50
尉止春秋 404-887- 55
尉羽尉翊 後魏 261-683- 50
379- 67-147
尉聿後魏 261-407- 26
266-410- 20
379- 6-146
546- 26-115
尉佗漢 見趙陀
尉能明 494- 57- 2
尉翊後魏 見尉羽
尉眷後魏 261-405- 26
266-408- 20
379- 5-146
546- 11-115
尉善妻 不詳 見許淑英
尉景北齊 263-116- 15
267-145- 54
379-389-152
546-113-119
尉粲北齊 263-117- 15
267-146- 54
379-390-152
尉摽尉㩳 北齊 263-152- 19
267-124- 53
379-374-152
546- 37-116
尉瑾北齊 261-406- 26
263-298- 40
266-409- 20
379-455-153
尉撥後魏 261-449- 30
266-512- 25
379- 64-147
476-254-110
544-212- 62
546- 21-115
尉翩春秋 404-887- 55
933-650- 42
尉諾後魏 261-404- 26
266-408- 20
379- 5-146
546- 8-115
尉㩳北齊 見尉摽
尉興北朝 267-122- 53
尉繚戰國 243-152- 6
405-467- 86
472-650- 27
537-370- 57
尉力斤後魏 261-407- 26
尉仇台漢 381-418-194
尉古眞後魏 261-404- 26
266-408- 20
379- 5-146
476-252-110
546- 7-115
尉世辯北齊 267-146- 54
尉地干後魏 261-406- 26
266-410- 20
379- 5-146
546- 15-115
尉多侯後魏 261-405- 26
266-409- 20
379- 5-146
546- 21-115
尉長命北齊 263-146- 19
267-122- 53
379-372-152
546-114-119
尉長壽後魏 261-407- 26
尉相貴北齊 263-152- 19
267-124- 53
379-374-152
546- 37-116
尉相願尉相顯 北齊
263-152- 19
267-124- 53
379-374-152
546- 37-116
尉相顯北齊 見尉相願
尉姚合明 554-346- 54
尉斯離戰國 384- 32- 1
尉義臣隋 見楊義臣
尉慶賓後魏 261-406- 26
266-409- 20
379- 5-146
546- 21-115
尉諫元妻 清 見劉氏
尉遲氏北周 拓拔競妻、尉遲迥女 1064-292- 10
1064-778- 16
1342-458-963
1394-757- 11
1400-187- 8
1410-480-726
1416- 94-111下
尉遲忻北周 見陳忻
尉遲汾唐 820-256- 29
尉遲欣北周 見陳忻
尉遲迥北周 263-569- 21
267-284- 62
379-560-156
384-140- 7
472-694- 28
472-482- 21
476-257-110
481- 15-291
537- 17- 48
537-263- 55
546- 48-116
591-670- 47
593- 46- 中
933-786- 56
尉遲迥女 北周 見尉遲氏
尉遲恭唐 見尉遲敬德
尉遲崇隋 264-921- 63
267-464- 73
546- 54-116
尉遲閏明 見尉遲潤
尉遲勝唐 270-727-144
274-403-110
395-399-217
尉遲運北周 263-742- 40
267-288- 62
379-564-156
476-257-110
546- 51-116
552- 49- 19
933-786- 56
尉遲說唐 559-299-7上
尉遲綱北周 263-565- 20
267-288- 62
379-563-156
493-644- 35
546- 51-116
933-786- 56
1400-114- 3
尉遲潤尉遲閏 明
481-550-327
494- 57- 2
528-476- 30
尉遲樂唐 見智嚴
尉興敬北齊 263-146- 19
尉積隆妻 清 見李氏
尉顯業後魏 261-406- 26
尉遲乙僧唐 554-896- 64
812-343- 9
812-365- 0
813- 74- 1
821- 39- 46
尉遲天澤元 546-590-134
尉遲俟兜後魏 267-285- 62
尉遲義臣隋 見楊義臣
尉遲敬德尉遲恭 唐
269-632- 68
274-170- 89
384-164- 9
395-277-206
472-482- 21
472-877- 35
472-922- 36
476-281-111
493-644- 35

511-913-173
546-125-119
549-260-191
933-786-56
1054-403-11
1340-555-776
1342-59-911
尉遲德誠元 295-394-176
399-707-490
472-467-20
475-871-95
476-401-119
502-275-55
545-60-84
546-590-134
尉遲繁熾北周 見華首
尉遲跋質那唐 554-896-64
812-340-8
821-32-45
強氏宋 孫稷妻、強恕女
1135-443-40
強氏明 陳經妻 558-531-43
強氏明 楊旒妻 558-532-43
強氏清 金國用妻 474-194-9
強氏清 高協緒妻 555-149-68
強永前秦 933-614-39
強可元 1222-45-6
強仕明 676-566-23
1442-66-附4
1460-287-53
強至宋 472-967-38
477-51-151
479-49-218
524-4-178
537-239-55
585-444-12
674-827-17
1091-3-附
1098-463-12
1384-242-101
強伸金 291-553-111
400-234-519
476-123-102
537-206-54
546-296-124
強京後秦 933-614-39
強效清 456-122-58
強帛前秦 933-614-39
強珇元 1221-448-8
1222-263-15
強珍明 299-834-180
472-358-15
474-340-17
474-691-37
475-605-81
502-284-56
505-745-72
1249-797-7
強容後趙 933-406-26
強恕女 宋 見強氏
強晟明 676-599-24
1260-337-9
強紳唐 554-906-64
強斌後秦 933-614-39
強超後秦 933-614-39
強循唐 271-457-185下
274-291-100
384-172-9
395-347-212
472-824-33
472-868-34
478-87-180
478-248-186
554-329-54
933-406-26
強鉏春秋 404-848-53
強榮妻 清 見史氏
強練北周(類李練好言未然之事)
263-817-47
267-696-89
380-645-183
478-144-181
554-972-65
933-406-26
強穎唐 812-354-10
821-87-48
強霓宋 558-210-32
強文寶妻 元 見程氏
強玉昇清 456-122-58
強幼安宋 1140-293-5
強存仁明 821-446-57
強自省明 545-194-90
強行父宋 933-406-26
強君翊宋 511-146-142
1121-482-35
強希顏明 559-322-7上
強於義清 456-369-78
強忠武明 456-600-9
強尚質明 516-88-90
強浚明宋 933-406-26
強恕齋宋 493-582-31
強淵明宋 286-720-356
933-406-26
強偉明宋 933-406-26
強敬業清 554-792-62
強圖理清 456-32-52
強繩武妻 明 見袁體柔
強獻明宋 933-406-26
陰氏明 王莊妻 506-47-87
陰氏明 王之肱妻 506-52-87
陰氏明 王忠十妻 516-239-97
陰氏明 王家瑞妻 506-54-87
陰氏明 覃吉甫妻 483-322-396
陰氏明 羅一鶴妻 481-726-333
陰氏清 王欽妻 477-321-164
陰氏清 孫弘訓妻 506-63-87
陰氏清 劉聯捷妻 506-61-87
陰生漢 554-969-65
1058-502-下
1061-253-108
陰光晉 820-75-23
陰序明 559-249-6
陰里春秋 933-494-33
陰恆不詳 1059-276-4
陰盈明 458-169-8
陰修漢 402-500-12
陰陸陰睦 漢 252-175-10上
370-133-11
402-370-3
陰陸女 漢 見陰麗華
陰崇唐 485-72-11
陰猛漢 370-208-21
陰就漢 252-754-62
376-696-108
陰博漢 見陰傅
陰軼漢 563-897-43
陰暐宋 400-332-528
陰傅陰博 漢 370-134-11
402-385-4
535-554-20
陰祿明 547-22-141
陰瑜妻 漢 見荀采
陰睦漢 見陰陸
陰嵩漢 879-159-58上
陰壽隋 264-701-39
267-463-73
379-766-161
384-153-8
472-945-37
474-90-3
478-635-206
496-366-86
558-360-35
933-494-33
陰綱漢 535-554-20
陰綱女 漢 見陰皇后
陰慶漢 252-754-62
陰興漢 252-752-62
370-134-11
376-695-108
384-58-3
402-412-6
402-559-18
477-365-167
533-224-54
537-533-59
933-494-33
陰曄明 545-462-100
陰豐妻 漢 見劉綬
陰識漢 252-752-62
370-133-11
376-695-108
402-381-4
402-556-18
472-769-30
477-365-167
533-224-54
537-532-59
933-494-33
陰鏗陳 260-788-34
265-900-64
378-569-145
384-119-6
472-945-37
478-635-206
494-335-7
558-360-35
674-425-2
933-494-33
1387-167-10
1395-599-3
陰子方漢 533-223-54

933-494- 33
陰子春梁 260-382- 46
265-899- 64
378-467-142
478-635-206
554-108- 50
558-359- 35
933-494- 33
陰子淑明 473-234- 60
478-296-188
532-647- 43
554-250- 52
571-527- 19
陰上升清 529-707- 50
陰不佞春秋 933-494- 33
陰化陽明 456-574- 8
538- 71- 63
陰弘道孫 唐 1341-776-903
陰平王後魏 見托跋烈
陰平王明 見朱勇
陰世師隋 264-701- 39
267-464- 73
379-766-161
472-945- 37
478-612-205
478-635-206
558-214- 32
558-427- 37
933-494- 33
陰世隆後魏 261-712- 52
陰用炤元 515-347- 67
陰幼遇殷時遇 元
473- 23- 49
479-487-239
515-336- 67
676-420- 15
陰仲達後魏 261-712- 52
478-635-206
547-170-147
558-360- 35
陰宜登清 529-704- 50
陰武卿陰武鄉 明
554-220- 52
559-403-9上
1283-618-115
陰武鄉明 見陰武卿
陰孟貴後魏 379-164-148
陰長生漢 472-776- 30
473-479- 69
477-382-167
481-121-296
533-766- 74
538-345- 70
561-219-38之3
592-240- 75
820- 37- 22
1059-278- 5
1061-234-106
陰東陽明 554-220- 52
陰虎頭後魏 見陰遵和
陰秉陽明 見陰秉暘
陰秉暘陰秉陽 明
537-468- 58
545-193- 90
676- 85- 3
680-315-257
陰秉衡明 561-206- 38之1
678-685-135
陰皇后漢 漢和帝后、陰綱女
252-181-10上
370-101- 6
373- 40- 19
537-183- 53
814-215- 2
819-557- 19
陰祖善明 529-703- 50
陰時通妻 明 見胡氏
陰卿月清 1327-870- 20
陰啟光明 546-500-131
陰康氏上古 383- 67- 9
554- 2- 48
陰崇儒妻 明 見王氏
陰道方後魏 261-712- 52
1415-681-110
陰瑕呂春秋 見瑕呂飴甥
陰萬化妻 清 見蔡氏
陰遵和陰虎頭 後魏
261-712- 52
陰應節清 545-799-111
陰麗華漢 漢光武帝后、陰陸女
252-175-10上
370-100- 6
373- 35- 19
373- 36- 19
402-340- 2
452- 44- 1
532- 88- 26
537-183- 53
陰繼先妻 明 見崔氏
陰安公主漢 見劉吉
雪心明 821-488- 58
雪印明 516-438-103
雪空明 524-400-199
雪凭明 561-221-38之3
雪庭明 588-258- 11
雪軒明 570-256- 25
572-164- 32
雪舫明 483-179-384
雪梅明 1442-120-附8
雪簑明 541-100- 30
雪不台元 見蘇布特
雪溪子明 533-743- 73
雪竇禪宋 491-807- 6
雪峰和尚明 561-220-38之3
雪菴和尚葉雲、葉暨、葉希賢 明 299-350-141
456-697- 12
472-1055- 44
479-434-236
523-422-166
561-210-38之2
570-214- 23
1408-553-537
雪溪漁父明 524-340-195
理眞漢 561-223-38之3
理徵商 267-895-100
理格色清 455-217- 11
理囟和明 458-152- 7
458-295- 10
537-580- 60
珵園妻 明 見李氏
琈清 1475-794- 33
堵氏明 李世茂妻、堵翰女
512-464-188
堵叔春秋 933-582- 37
堵狗春秋 404-887- 55
堵炳明 821-352- 55
堵郎明 1231-328- 3
堵翰女 明 見堵氏
堵鴻明 1291-482- 8
堵鴻妻 明 見蘇氏
堵簡元 472-277- 11
511-455-154
820-531- 38
821-321- 54
1439-449- 2
堵女父春秋 404-887- 55
堵太冲明 1292-607- 10
堵信卿元 821-325- 54
堵胤錫明 301-703-279
475-231- 61
511-393-151
511-556-158
523- 61-148
676-659- 27
679-699-207
1442-109-附7
堵俞彌春秋 見洩堵寇
堵景濂明 511-683-163
堵維垣明 523-207-155
堵維垣清 533-160- 52
堵維常明 678-466-114
680-256-250
堆泰清 見堆秦
堆秦堆泰 清 456- 23- 51
堆琴戰國 405-318- 76
堅峻蜀 933-246- 17
堅通堅童 元 294-419-134
399-535-472
堅晟明 472-570- 24
540-642- 27
558-399- 36
堅童元 見堅通
堅鐔漢 252-603- 52
370-125- 10
376-600-106
384- 56- 3
402-372- 4
472-651- 27
477-474-173
537-581- 60
933-246- 17
曹三妻 明 見閔氏
曹三妻 清 見赤氏
曹大媳 清 見楊氏
曹山明(字東陽) 494- 24- 2
554-348- 54
曹山明(什邡人) 559-347- 8
曹文宋 511-477-155
曹王北周 見宇文允
曹王唐 見李明
曹王後周 見郭熙讓

曹王 宋 見趙光濟
曹王 金 見完顏永升
曹王 金 見完顏永功
曹王 金 見劉筈
曹元 唐 1340-167-735
曹元 金 1191-323- 29
曹元妻 金 見霍氏
曹元 明 302-313-306
曹友妻 明 見王氏
曹夬 宋 511-478-155
曹中 宋 529-580- 46
1137-685- 26
曹仁 魏 254-176- 9
375-157-79下
384- 83- 4
384-624- 37
385-302- 30
475-778- 89
511-421-152
933-266- 19
曹氏 晉 鄭袤妻 256-570- 96
381- 48-185
476-588-131
541- 18- 29
933-266- 19
曹氏 後魏 甄凝妻 379-220-149
曹氏 北齊 齊後主昭儀、曹僧奴女 266-297- 14
曹氏 後唐 李克用妻
277-428- 49
279- 84- 14
393-290- 74
544-232- 63
曹氏 宋 王宣妻 288-456-460
401-159-590
472-208- 7
475-755- 88
曹氏 宋 汪泱妻、曹韶女
1171-795- 30
曹氏 宋 黃准妻、曹彥純女
1167-215- 18
曹氏彭鳳 宋 曹一夔女
1167-216- 18
曹氏 宋 趙士倞妻、曹諤女
1100-515- 48
曹氏 宋 趙仲吞妻、曹評女
1100-541- 51
曹氏 宋 朱昌年母
1166-443- 35
曹氏 宋 曹修古女 473-606- 76
530-135- 58
1090-610- 32
1351-701-150
1408-520-533
曹氏 宋 薛仲邕母
1149-732- 17
曹氏 元 于同祖妻、曹德夫女
295-638-201
401-184-593
473-341- 63
480-415-277
533-658- 71
曹氏 元 任直諒妻、曹用女
1206-728- 8
曹氏 元 吳逸菴妻
1218-303- 13
曹氏 元 張珊妻 476-210-107
曹氏 明 王清妻 474-825- 44
503- 29- 93
曹氏 明 王仕濂妻
472-1033- 42
曹氏 明 王廷徵妻 506- 47- 87
曹氏 明 宋國興妻 475-711- 86
曹氏 明 李時徹妻 506- 4- 86
曹氏 明 李敬吾妻、曹本女
1293-754- 5
曹氏 明 吳汝倫妻、曹徵祿女
1291-516- 9
曹氏 明 林德賓妻 473-391- 65
曹氏 明 周淳妻、曹察女
1291-466- 8
曹氏 明 柯潛妻 530- 61- 55
1254-585-上
曹氏 明 柯廷玉妻 475-647- 83
曹氏 明 時慶妻 475-782- 89
曹氏 明 張琮妻 472-685- 27
曹氏 明 張聚良妻 506- 45- 87
曹氏 明 陳音妻 479-297-230
曹氏 明 馮青選妻 474-624- 32
曹氏 明 溫淮妻 1288-660- 13
曹氏 明 楊晉妻 474-624- 32
曹氏 明 劉定民妻、曹希舜女
1293-752- 5
曹氏 明 劉延齡妻 481-408-313
曹氏 明 盧友傑妻 473-237- 60
曹氏 明 錢淳妻 479-102-221
曹氏 明 謝傅堯妻 483-283-393
曹氏 明 蘇珣妻 472-369- 16
曹氏 明 饒孚哲妻 480-208-267
曹氏 明 曹學佺孫女
530- 11- 54
曹氏 清 方位齋妻
1321-183-106
曹氏 清 王有明妻 512-216-182
曹氏 清 王國士妻 506- 95- 88
曹氏 清 王得榮妻 503- 67- 95
曹氏 清 王得興妻 503- 67- 95
曹氏 清 王夢禎妻 541- 75- 29
曹氏 清 孔興智妻 541- 26- 29
曹氏 清 安九埏妻 506-149- 90
曹氏 清 朱守榮妻 503- 68- 95
曹氏 清 汪釗妻 475-435- 70
曹氏 清 李作梅妻 482- 51-340
曹氏 清 李佳秀妻 506- 35- 86
曹氏 清 李福中妻 480-640-288
曹氏 清 吳鶴薦妻 512-261-183
曹氏 清 何有信妻 530- 29- 54
曹氏 清 唐之坦妻 479- 63-219
524-508-203
曹氏 清 孫印蕃妻 506- 36- 86
曹氏 清 許大成妻 503- 64- 95
曹氏 清 陸韜妻 512-463-188
曹氏 清 張天爵妻 506- 28- 86
曹氏 清 張鵬翊妻 478-520-200
曹氏 清 陳正妻 512-182-182
曹氏 清 陳俊傑妻 478-520-200
曹氏 清 崔茂惠妻 506- 24- 86
曹氏 清 曾景徽妻 530- 35- 54
曹氏 清 程夢虎妻 479-537-241
曹氏 清 楊春暉妻 475-455- 71
曹氏 清 葛新永妻 524-509-203
曹氏 清 詹仕亨妻 479-667-247
曹氏 清 鄒維寧妻、曹垂燦女
512-236-183
曹氏 清 鄔顯秀妻 479-612-244
曹氏 清 廖榮文妻 480-639-288
曹氏 清 劉士瑜妻 478-356-191
曹氏 清 劉連登妻 503- 51- 95
曹氏 清 衡士鑑妻 512-299-184
曹氏 清 譚朝士妻 480-639-288
曹氏 清 羅瑞梓妻 482-291-352
曹氏 清 江之崑媳 479-359-233
曹氏 清 曹金榮女 481- 85-294
曹氏 清 蔣廷錫母 512- 5-176
曹介 明 1442- 7-附1
1459-418- 13
曹玄妻 元 見徐永貞
曹立 元 1218-762- 5
曹永 元 511-869-170
820-526- 38
1215-216- 3
曹玉 明 476-883-146
曹弘 明(字文淵) 472-291- 12
473-340- 63
510-289-112
533- 97- 50
曹弘 明(字毅之) 1442- 47-附3
1460- 38- 41
曹本 元 820-544- 39
曹本女 明 見曹氏
曹丕 魏 見魏文帝
曹平 宋 492-710-3下
曹充 漢 476-581-131
540-699-28之1
675-317- 19
曹用女 元 見曹氏
曹禾 清 511-770-166
曹安 明 676-146- 6
676-321- 12
曹宇 燕王 魏 254-368- 20
375-173-79下
385-290-29下
曹圭 後梁 472-966- 38
485- 72- 11
493-692- 38
523-508-171
曹臣 明 1442-116-附7
1460-678- 74
曹同 曹同升 明 456-555- 9
511-493-156
曹光 明 554-312- 53
曹任 晉 820- 75- 23
曹全 漢 554-265- 53
683-697- 0
683-721- 1
1318-186- 47
1397-651- 30
曹全 宋 400-175-513
曹休 魏 254-177- 9
375-159-79下
384- 83- 4
385-307- 30

511-421-152
544-202- 62
933-266- 19
曹宏宋 1138-164- 15
曹忭明 559-356- 8
曹沖鄧王 魏 254-366- 20
375-172-79下
384-624- 37
385-289-29下
1360-614- 39
1412-619- 24
1412-693- 26
曹亨明 458- 91- 4
477-420-169
537-568- 60
曹良魏 見曹幹
曹志晉 254-364- 19
255-842- 50
375-171-79下
385-286-29中
475-779- 89
476-296-112
545-398- 98
933-266- 19
曹甫元 472-413- 18
曹玨明 511-618-160
曹均魏 254-372- 20
375-176-79下
385-295-29下
曹玗妻 清 見李氏
曹冏魏 511-822-167
曹谷明 1475-404- 17
曹佃宋 1150-105- 12
曹邦清 456-388- 80
曹泳宋 484-105- 3
486- 53- 2
曹沫春秋 見曹劌
曹武齊 見曹虎
曹松唐 273-115- 60
451-475- 7
472-338- 14
475-528- 77
480-509-281
511-797-167
516-193- 95
563-920- 43
674-269-4中
1142-531- 6
1365-444- 5
1371- 73- 附
1388-565- 89
曹松元 1200-145- 12
曹協贊王 魏 254-373- 20
375-177-79下
385-296-29下
曹林沛王 魏 254-368- 20
375-174-79下
385-291-29下
曹忠晉 472-429- 19
曹忠元 523- 81-149
1221-616- 23
曹忠明 473-177- 57
曹昌元 程子魯妻、曹涇女
1376-669- 98
曹昌明 564-267- 47
曹昌女 明 見曹少寧
曹虎曹武、曹虎頭 齊
259-334- 30
265-665- 46
378--230-137
511-222-144
933-266- 19
曹旴女 漢 見曹娥
曹昂豐王 魏 254-366- 20
375-172-79下
385-288-29下
曹昂後魏 262-181- 79
曹昂妻 明 見張氏
曹昇後魏 262-181- 79
曹芳齊王 魏 254- 80- 4
384- 86- 4
384-622- 36
537-177- 53
曹芳妻 明 見孫氏
曹易宋 1173-141- 72
曹昉宋 1167-240- 20
曹果後唐 見曹杲
曹杲曹果 後唐 490-742- 73
523-183-155
590-117- 14
曹朋唐 528-503- 31
曹周妻 明 見趙氏
曹佾宋 288-507-464
382-779-119
384-360- 18
400- 46-503
474-378- 19
505-751- 72
曹金明 537-407- 57
554-188- 51
676-580- 24
曹岱明 1229-381- 14
曹侃明 821-378- 55
1459-704- 27
曹洪魏 254-176- 9
375-159-79下
384- 83- 4
384-624- 37
385-305- 30
511-421-152
933-266- 19
曹洪宋 533-260- 55
曹冠宋 472-1029- 42
524- 69-181
674-849- 18
674-881- 20
曹洵清 見炤如
曹恆金 1040-243- 3
曹恂明 見陳恂
曹津宋 678-620-129
曹度妻 明 見顧妙眞
曹恢明 559-358- 8
曹玹濟陽王 魏 254-369- 20
375-175-79下
385-292-29下
曹珏金 676-697- 29
1191-264- 23
1365-320- 9
1445-689- 53
曹垓元 1235-639- 22
曹柄妻 明 見夏氏
曹珊明 479-581-243
曹柱明 571-553- 20
曹韋明 1242-206- 31
曹珍明 見曹珖
曹建宋 447-309- 3
473- 48- 50
479-531-241
516- 33- 88
1146-109- 90
曹茂樂陵王 魏 254-372- 20
375-177-79下
385-295-29下
曹盅宋 1153-619-106
曹毗晉 256-496- 92
380-355-175
475-779- 89
511-822-167
933-266- 19
1379-347- 42
曹英後周 278-420-129
曹英明(謚節愍) 456-550- 7
曹英明(字文華) 558-293- 34
曹重清 559-331-7下
曹信五代 472-980- 39
曹科明 537-329- 56
曹卹春秋 244-389- 67
375-656- 88
405-445- 85
472-790- 31
539-496-11之2
933-265- 19
曹奐曹璜、陳留王 魏
254- 98- 4
384- 87- 4
384-623- 36
537-177- 53
曹俊明 494- 20- 2
554-313- 53
曹容明 538- 87- 64
曹涇宋~元 511-807-167
676- 81- 3
676-699- 29
680-209-245
1375- 17- 上
1376-589-95上
曹涇女 元 見曹昌
曹唐五代 407-648- 1
451-459- 6
482-349-356
524-326-195
567-412- 84
674-268-4中
1083-129- 附
1083-144- 附
1365-428- 4
1371- 77- 附
1388-510- 84
1466-728- 59
1467-165- 68
曹朔漢 380-340-175
曹訓魏 254-179- 9

曹訓宋 515-118-60
曹窋漢 1408-227-503
曹珙明 1255-577-61
曹泰妻 元 見劉冀之
曹泰明 511-760-166
820-622-41
曹泰明 見陳泰
曹貢清河王 魏 254-373-20
375-178-79下
385-297-29下
曹城宋 538-23-62
曹恭明 547-104-145
曹眞魏 254-178-9
375-160-79下
384-83-4
384-625-37
385-308-30
475-779-89
511-421-152
933-266-19
曹烈明 1297-579-6
曹珪金 291-660-121
400-208-517
472-413-18
475-431-70
511-399-151
曹珪元 683-64-3
曹珪明 480-132-264
523-217-156
533-42-48
554-188-51
曹桂妻 明 見杜氏
曹桂清 455-397-24
曹格明 511-647-162
曹晉元 472-254-10
510-361-114
曹珖曹珍 明 301-298-254
476-674-136
540-823-28之3
曹珩明 480-171-266
572-82-28
曹恩明 554-258-52
曹恩妻 明 見黃氏
曹峻陳留王 魏 254-370-20
375-175-79下
385-292-29下
535-555-20
552-20-18
曹豹明 537-335-56
曹娥漢 曹盱女 253-632-114
381-44-185
471-625-6
472-1074-45
479-249-228
486-107-6
486-316-14
486-418-20
524-671-210
575-667-40
681-668-20
1332-722-19
1360-629-40
1410-150-680
曹紘明 523-245-157
曹矩范陽王 魏 254-370-20
375-175-79下
385-292-29下
曹矩宋 472-380-16
1376-100-64
曹矩清 511-613-160
曹卿明 510-399-115
曹純魏 254-176-9
375-159-79下
385-304-30
552-22-18
曹邕邯鄲王 魏 254-373-20
375-178-79下
385-297-29下
曹庶明 1442-129-附8
1460-868-94
曹清宋(字立甫) 475-646-83
511-911-173
曹清宋(烏程人) 479-141-223
494-396-11
524-119-184
曹淮妻 清 見楊氏
曹密宋 679-819-219
曹竟漢 376-325-100
384-52-2
540-699-28之1
曹祥明(字世奇) 511-236-145
523-161-153
1280-445-88
曹祥明(字應麟) 511-277-147
571-519-19
曹祥妻 明 見王氏
曹訪宋 821-149-50
曹深明 511-280-147
曹袞中山王 魏 254-368-20
375-174-79下
385-291-29下
曹梅明(閩縣人) 563-835-41
曹梅明(鹽山人) 1442-61-4
1460-192-49
曹頂明 511-471-154
曹雪楊雪 元 524-452-202
585-401-9
1222-120-6
曹基清 456-303-73
曹培清 475-755-88
511-649-162
曹埜元 820-525-38
曹規明 511-600-160
曹彬宋 285-183-258
371-94-9
382-183-27
384-324-17
396-511-301
449-8-1
450-531-中43
459-791-48
472-94-3
472-171-6
472-642-26
474-377-19
481-18-291
489-354-31
489-637-48
505-749-72
506-497-103
510-281-112
510-397-115
537-204-54
545-34-84
559-247-6
591-678-47
708-324-50
820-329-32
933-267-19
1087-664-34
曹務妻 清 見俞氏
曹爽魏 254-179-9
375-161-79下
384-87-4
384-625-37
511-421-152
曹通唐 1065-263-8
1342-54-910
曹晟宋 1149-888-4
曹晟妻 宋 見陳氏
曹晟妻 宋 見榮德帝姬
曹崇明 473-78-52
曹貫宋 491-435-6
曹冕明 1245-512-26
曹彪楚王 魏 254-371-20
375-176-79下
385-293-29下
曹衆漢 380-340-175
554-830-63
曹得明 472-485-21
547-52-143
曹耜宋 1142-258-11
1153-576-103
曹偕宋 288-508-464
400-47-503
曹組宋 538-153-65
674-831-17
933-271-19
1153-576-103
1437-20-1
曹躭晉 679-21-140
曹參漢 243-213-8
244-290-54
250-112-39
251-478-4
251-478-4
376-42-96
384-36-2
459-147-9
469-127-15
472-410-18
472-456-20
472-586-24
475-422-70
476-473-125
511-218-144
540-643-27
544-198-62
933-265-19
1241-162-7
1397-198-10
1407-54-400

1408-227-503
曹敏魏 544-202-62
曹詔妻 明 見劉氏
曹曾漢 253-525-109上
476-857-145
540-699-28之1
675-260-7
曹湛漢 544-200-62
曹測宋 1090-25-5
曹評宋 288-508-464
400-47-503
820-399-34
曹評女 宋 見曹氏
曹湜妻 宋 見崇德帝姬
曹湫明 見曹養晦
曹琮魏 544-201-62
曹琮宋 285-191-258
382-188-27
396-518-301
472-878-35
474-378-19
478-695-210
554-358-54
558-137-30
558-226-32
曹琪清 537-611-60
1321-57-91
曹琚明 563-748-40
567-111-67
1467-91-65
曹喜漢 478-101-180
554-852-63
684-466-下
812-58-中
812-221-8
814-224-3
820-28-22
曹超清 475-812-91
511-658-162
曹植魏 254-352-19
375-169-79下
384-623-37
385-273-29中
472-200-7
475-778-89
511-822-167
535-554-20
674-244-4上
813-273-13
814-217-2
819-559-19
1054-296-5
1370-23-2
1379-177-23
1395-585-3
1412-631-26
曹植女 魏 見曹金瓠
曹雄唐 384-280-14
曹雄明 299-765-175
554-601-59
曹登宋 515-255-65
517-318-123
曹隆明 511-423-152
曹隆清 456-353-77
曹琬豐王 魏 544-201-62
552-22-18
曹琦曹念祖 宋 288-363-452
400-199-515
451-67-2
473-477-69
481-114-296
559-509-12
曹琥明 300-96-188
472-329-14
473-62-51
475-709-86
511-338-149
515-203-63
曹肅宋 533-327-57
曹肅明 302-117-295
456-633-10
曹閎曹隨 宋 1167-238-19
曹開春秋 933-265-19
曹棟明 511-183-143
曹森明 554-852-63
曹敕明 559-354-8
曹逵明 511-107-140
511-236-145
563-478-40
1280-426-87
曹逵妻 明 見陸氏
曹逵妻 明 見顧氏
曹閔明 300-83-188
511-545-158
472-243-9
475-180-59
528-512-31
曹凱明 299-631-164
472-594-24
473-76-52
476-672-136
515-235-64
517-591-130
517-594-130
540-790-28之3
曹華唐 271-96-162
275-385-171
384-257-13
396-154-265
472-519-22
472-681-27
476-475-125
476-749-139
540-742-28之2
933-267-19
曹勛宋 287-200-379
398-239-380
472-663-27
477-83-152
486-898-34
524-328-195
537-595-60
567-439-86
588-170-8
1152-807-52
1153-576-103
1437-23-2
曹棻清 1325-180-11
曹傅宋 515-499-72
曹絳宋 524-230-189
曹欽明 547-104-145
曹詩妻 宋 見兗國大長公主
曹義明(字敬方) 299-746-174
472-297-12
474-690-37
475-376-68
502-281-56
511-396-151
曹義明(字子宜) 676-478-18
1241-107-5
曹溶明～清 479-99-221
524-27-179
545-307-94
1475-520-23
曹靖宋 473-402-66
480-636-288
533-116-50
1113-126-15
曹裕宋 473-360-54
480-510-281
533-260-55
曹煜清 476-611-133
曹準魏 254-354-19
曹裒漢 491-797-6
曹祿明 547-43-142
曹廉明 558-315-34
曹道後魏 262-181-79
曹道妻 明 見羅氏
曹塡妻 清 見劉氏
曹雷明 1268-390-62
曹楷妻 明 見王氏
曹瑋宋 285-188-258
371-95-9
382-185-27
384-341-17
396-515-301
449-42-3
450-537-中43
459-795-48
472-95-3
472-125-4
472-717-28
472-825-33
472-877-35
472-892-35
472-912-36
474-378-19
474-469-23
476-656-135
476-725-138
478-543-202
478-570-203
478-694-210
505-630-67
505-750-72
506-499-103
537-287-55
540-646-27
554-355-54
558-136-30
558-192-31

558-206- 32
558-226- 32
708-326- 50
1087-657- 33
1087-663- 34
1105-746- 90
1384-124- 91
1408-679-552
曹瑞元 472-402- 18
曹瑞清 456-353- 77
曹幹曹良、趙王 魏
254-370- 20
375-175-79下
385-293-29下
544-201- 62
曹萬宋 400-178-514
451-221- 0
曹喈魏 1360-621- 39
曹嵩漢 254- 14- 1
402-596- 21
曹鼎明 476-452-123
547-122-145
曹暘明 520- 29- 34
曹敬明 456-633- 10
曹昞妻 清 見劉氏
曹賁妻 宋 見嘉德帝姬
曹傳元 1218-798- 6
曹鉦妻 明 見徐氏
曹節漢(字漢豐) 253-512-108
370-205- 21
380-493-179
552- 19- 18
曹節漢(子元偉) 254- 13- 1
曹節漢 漢獻帝后、魏武帝女
252-199-10下
373- 50- 19
402- 55- 18
曹節明 見曹時中
曹察女 明 見曹氏
曹誠明 511-546- 158
曹誠清 475-645- 83
511-487-155
曹詔女 宋 見曹氏
曹塾明 511-564-158
曹誥明 523-231-156
曹福女 明 見曹椒葉
曹寧妻 漢 見陳順謙
曹端明(字正夫) 301-761-282
457-747- 44
458- 3- 1
458-614- 2
472-752- 29
476-113-102
476-347-116
477-316-164
538- 14- 61
538-633- 78
545-186- 90
548-107-164
550-163-215
550-164-215
550-199-216
678- 14- 71
1243- 20- 0
曹端明(華陰人) 472-841- 33
473-599- 76
528-526- 31
曹端女 明 見曹春桃
曹說宋 523-591-175
曹彰任城王 魏 254-351- 19
375-168-79下
384-623- 37
385-271-29中
475-778- 89
511-421-152
1360-615- 39
曹誘宋 288-508-464
400- 47-503
曹輔宋(字載德) 286-675-352
397-723-363
449-307- 2
473-402- 66
473-617- 77
480-638-288
481-646-330
481-745-334
516-199- 95
528-558- 32
529-580- 46
820-405- 34
1125-449- 37
曹輔宋(字子方) 494-543- 28
585-757- 4
1110-483- 27
曹壽漢 820- 36- 22
曹壽妻 漢 見陽信公主
曹壽明 515-362- 68
820-597- 40
曹熙宋 見曹穎叔
曹嘉晉 1379-327- 40
曹嘉明 458-101- 4
1442- 47-附3
1460- 28- 41
曹需明 476-452-123
曹髦高貴鄉公 魏 254- 88- 4
384-622- 36
537-177- 53
812-316- 4
814-209- 1
819-558- 19
曹遜明 456-633- 10
曹暠明 473-112- 54
515-172- 62
曹滕明 559-527- 12
曹鳳漢 478-481-199
558-168- 31
曹鳳明(字鳴岐) 458- 90- 4
475-122- 55
477-418-169
537-566- 60
545- 77- 85
1269-384- 4
曹鳳明(臨淮人) 474-817- 44
曹熊蕭王 魏 254-364- 19
375-172- 79下
曹銘明(新野人) 458-168- 8
曹銘明(會寧人) 472-898- 35
558-311- 34
曹銘明(臨清人) 554-310- 53
曹銘明(全州人) 568-335-111
曹僖宋 1384-126- 91
曹肇魏 254-178- 9
385-308- 30
曹綬妻 明 見蘇氏
曹瑩宋 821-216- 51
曹潤元 524-144-185
曹毅元 1194-595- 6
1203-381- 28
1214- 71- 6
1221-429- 6
曹褒漢 244-767-111
252-784- 65
370-185- 18
376-715-108
402-363- 3
402-561- 18
472-550- 23
476-581-131
477- 48-151
477-241-161
537-285- 55
540-701-28之1
675-317- 19
933-266- 19
曹賢妻 明 見單氏
曹樓明 559-255- 6
曹確唐 271-326-177
275-487-181
396-213-271
469- 22- 3
472-746- 29
477-312-164
537-501- 59
曹樞宋 528-505- 31
曹鼐明 299-660-167
452-173- 3
453-585- 12
472- 99- 3
473-145- 56
474-622- 32
505-863- 77
506-510-104
515-151- 61
545-421- 98
曹鼐妻 明 見葉氏
曹震明 299-242-132
472-752- 88
559-248- 6
561-398- 42
曹璉明 533-117- 50
曹遷明 1375- 26- 上
1442- 12-附1
1459-480- 15
曹劌曹沫 春秋 244-545- 86
375-709- 89
384- 15- 1
386-599- 2
404-505- 30
448-139- 3
933-265- 19
1408-214-502
曹暲妻 清 見廖氏

曹儀宋 371- 97- 9
554-201- 52
曹德妻 元 見侯氏
曹德明 541-117- 32
曹緯宋 475-642- 83
511-816-167
933-271- 19
曹憲唐 271-535-189上
276- 4-198
384-175- 9
400-406-538
472-294- 12
475-373- 68
511-690-163
814-267- 9
933-267- 19
曹憲宋 1096-356- 36
曹熾漢 681-659- 20
曹羲魏 254-179- 9
469-100- 12
曹羲明 821-460- 57
曹龍晉 812-323- 5
821- 14- 45
曹澤明 528-498- 30
曹諤女 宋 見曹氏
曹遵宋 400-299-524
474-620- 32
505-916- 81
曹璜魏 見曹奐
曹璜明 478- 93-180
540-819-28之3
554-254- 52
676-259- 10
曹璣元 545-219- 91
曹翰宋 285-203-260
371-169- 17
382-192- 28
384-326- 17
396-528-302
450-701-下5
472-131- 4
473-246- 60
480-287-271
505-654- 68
505-774- 73
532-676- 44
547-154-147
581-463- 94
933-268- 19
1437- 7- 1
曹閴明 1442- 21-附2
1459-579- 21
曹璘母 明 見李榮
曹璘明 299-844-180
480-298-271
533- 90- 49
曹霖東海王 魏 254-373- 20
375-177-79下
385-296-29下
544-201- 62
曹據彭城王、義陽王 魏
254-367- 20
375-173-79下
385-290-29下
535-555- 20
曹操魏 見魏武帝
曹隨宋 見曹閱
曹隨曹爾善 明 1475-422- 18
曹興曹興才 明 299-244-132
曹蕤北海王 魏 254-373- 20
375-177-79下
385-296-29下
曹曄宋 1150-101- 11
曹鄴唐 273-114- 60
451-458- 5
473-750- 83
482-349-356
538-127- 65
567-292- 76
585-773- 6
1083-129- 附
1371- 71- 附
1388-506- 84
1467-165- 68
1469-728- 59
1473-467- 83
曹叡魏 見魏明帝
曹暹明 545-103- 86
曹學明 483- 97-378
483-201-388
570-219- 23
820-710- 43
821-439- 57
曹衡明 820-598- 40
曹錫宋 473-115- 54
515-754- 80
1184-220- 33
曹穆明 567-321- 78
1467-206- 69
曹勳明 524- 26-179
1475-464- 20
曹濬妻 清 見華氏
曹濛明 523-247-157
曹謙漢 481-113-296
曹謙明(西安左衛人)
299-765-175
曹謙明(字廷遜) 523-465-169
曹謙明(字鳴吉) 1458-674-469
曹襄漢 244-767-111
251-626- 24
933-266- 19
曹輿明 545-888-114
曹翼明 472-790- 31
480-131-264
曹韓明 537-269- 55
554-494-57上
曹璨宋 285-187-258
371- 95- 9
382-185- 27
396-514-301
472- 95- 3
472-717- 28
474-377- 19
478-267-187
505-750- 72
537-204- 54
554-354- 54
558-220- 32
曹璪宋 1125-420- 34
曹豳宋 287-675-416
472-1117- 48
473-477- 69
479-406-235
479-578-243
481-113-293
493-779- 42
523-345-162
559-274- 6
曹繇宋 1149-887- 4
曹鏠明 1263-505- 4
曹徽東平王 魏 254-372- 20
375-176-79下
385-295-29下
曹禮元城王、京兆王 魏
254-373- 20
375-177-79下
385-296-29下
552-22- 18
曹攄晉 254-178- 9
256-463- 90
380-172-170
385-308- 30
459-861- 52
472-200- 7
472-586- 24
472-641- 26
475-779- 89
476-655-135
477-304-163
477-471-173
511-356-150
537-340- 56
540-644- 27
933-266- 19
1370- 82- 4
1379-328- 40
曹璧明 546-592-134
554-311- 53
曹璿明 456-618- 9
540-831-28之3
曹覲宋 288-272-446
371-153- 15
382-717-110
384-358- 18
400-127-511
408-276- 10
471-834- 35
473-602- 76
473-712- 81
482-183-346
529-595- 47
563-698- 39
933-270- 19
曹覲妻 宋 見劉氏
曹礎宋 1127-812- 12
曹鎬明 563-843- 41
曹贇明 558-235- 32
曹麒明 558-452- 38
曹懷母 明 見王氏
曹懷明 511-448-153
曹瓊明 523-273-158
曹鵬明(靖州衛指揮)

十一畫 曹

473-396- 66
480-651-289
533-410- 61
曹鵬明(瑞昌人) 516-132- 92
曹鏞明(懷寧人) 475-528- 77
511-599-160
曹鏞明(字汝器) 1241- 23- 2
曹鷺宋 487-188- 12
曹鶚明 567-329- 78
1467-221- 70
曹耀明 456-665- 11
曹騰漢 253-509-108
254- 13- 1
380-490-179
402-596- 21
539-351- 8
曹鏷明 676-526- 21
1442- 38-附2
1459-787- 31
曹鶴明 545-844-113
曹贛宋 288-324-448
400-181-514
曹瀹明 524-187-187
曹爚清 524-115-183
曹覇唐 812-349- 9
813-147- 13
821- 63- 47
曹蘭明(字德芳) 545- 82- 85
554-494-57上
曹蘭明(蘭州人) 545-222- 91
曹鑑東武陽王 魏 254-373- 20
375-177-79下
385-296-29下
曹鑑元 295-501-186
399-760-496
472- 37- 1
478-763-215
505-867- 78
676-705- 29
曹鑑妻 明 見孫氏
曹儼廣平王 魏 254-373- 20
375-178-79下
385-297-29下
曹麟明 533-173- 52
曹鑠相王 魏 254-366- 20
375-172-79下
385-289-29下
曹瓛妻 明 見孫端貞
曹觀宋 473- 96- 53
515-182- 62
曹鸞漢 483-136-380
494-147- 5
569-673- 19
曹一奇清 537-413- 57
曹一貞明 456-599- 9
曹一彬清 483-184-385
570-115-21之1
曹一夔女 宋 見曹氏
曹一夔明 533-110- 50
676-609- 25
曹七善明 511-628-161
曹三捷明 483- 15-370
570-128-21之1
曹三暘明 511-156-142
曹士志宋 1167-250- 20
曹士冕宋 820-451- 35
曹士銓明 456-681- 11
483-321-396
572- 96- 29
曹子上魏 254-371- 20
375-176-79下
385-293-29下
曹子京魏 254-372- 20
375-176-79下
385-295-29下
曹子昭元 1194-583- 5
曹子明元 546- 86-117
曹子英妻 元 見尤氏
曹子純明 1375- 28- 上
曹子乘魏 254-371- 20
375-176-79下
385-295-29下
曹子章明 1227-140- 17
曹子棘魏 254-372- 20
375-176-79下
385-295-29下
曹子勤魏 254-371- 20
375-176-79下
385-293-29下
曹子整魏 254-371- 20
375-176-49下
385-293-29下
552- 22- 18
曹子學明 1232-446- 5
曹子徽明 554-258- 52
曹于汴明 301-295-254
457-933- 54
458-1062- 2
476-370-117
546-501-131
549-429-197
680- 50-229
1293-670- 附
1293-792- 9
曹大川明 473- 19- 49
曹大中元 1198-226- 上
曹大同明 511-795-166
820-742- 44
1283- 66- 72
1442- 67-附4
1460-301- 53
曹大行明 554-347- 54
曹大受明 533-176- 52
曹大咸明 533-218- 53
曹大章明(襄陵人) 505-685- 69
曹大章明(字一呈) 511-775-166
676-585- 24
1283-381- 96
曹大章妻 明 見王氏
曹大埜明 300-551-215
559-358- 8
曹大復曹天復 清
475-711- 86
511-856-169
曹大椿妻 明 見汪氏
曹大震明 456-671- 11
480-137-264
曹大聲清 480-138-264
曹大鎬明 456-442- 3
曹小娥宋 524-685-211
曹上謨明 456-670- 11
曹山秀清 1318-515- 78
曹六姑清 洪班妻、曹以恆女
479- 63-219
524-517-204
曹心明明 537-433- 58
曹文公春秋 371-308- 12
404-315- 19
曹文行唐 547- 99-145
曹文叔妻 魏 見夏侯令女
曹文炳明 821-444- 57
曹文英明 516-106- 91
曹文姬唐 820-307- 30
曹文章元 546-358-126
曹文晦元 524- 64-181
1470-612- 19
曹文詔明 301-520-268
456-408- 1
476-261-110
478-269-187
537-224- 54
545-104- 86
546-101-118
554-367- 54
558-162- 30
曹文華父 元 1209-568-9下
曹文道妻 明 見潘氏
曹文蔚清 511-324-148
曹文輝明 558-317- 34
曹文緯明 516-136- 92
曹文耀明 301-523-268
456-499- 5
曹之格宋 820-452- 35
曹之棟宋 532-673- 4
曹之賢清 476- 31- 97
545-160- 88
曹之謙金 476- 87-100
546-677-137
1439- 13- 附
1445-702- 55
1471-248- 1
曹尤士清 456-353- 77
曹不興曹不興、曹弗興 吳
492-612- 14
493-1052- 56
524-355-196
812-316- 4
813- 96- 5
821- 8- 45
曹丑兒妻 明 見呂氏
曹元方明 1315-312- 12
曹元用元 295-339-172
399-655-485
472-558- 23
476-586-131
540-778-28之2
676-701- 29
1439-426- 1
1471-320- 4
曹元忠宋 558-215- 32
曹元周元 472-274- 11
曹元達母 元 見吳氏

曹元達曹天德 元683- 58- 3
曹元廓唐 812-347- 9
812-372- 0
821- 42- 46
曹元龍明 533-291- 56
曹元勳明 481-807-338
曹元聲清 511-655-162
曹孔章明 524- 34-179
1459-478- 15
曹天心明 456-664- 11
曹天復清 見曹大復
曹天祿清 511-538-157
曹天德元 見曹元達
曹天憲明 516- 79- 90
523-161-153
曹友聞宋 288-319-449
400-178-514
451-221- 0
472-867- 34
472-898- 35
478-246-186
478-696-210
478-717-211
481-154-298
554-362- 54
558-437- 37
559-512- 12
591-692- 48
1249-366- 23
1366- 920- 2
曹日任妻 清 見林氏
曹日新妻 清 見鞏氏
曹日瑋清 511-410-152
曹少寧明 殷璧妻、曹昌女
1232-439- 4
曹丹赤妻 清 見葉氏
曹仁希曹仁熙 宋
475-374- 68
511-872-170
812-465- 2
812-551- 4
821-161- 50
曹仁傚明 480-652-289
曹仁熙宋 見曹仁希
曹允升妻 清 見楊氏
曹允明妻 清 見吳朏
曹立卿明 559-511- 12
曹永年明 545-787-111
曹永明妻 清 見李氏
曹永盛妻 清 見方氏
曹永護明 511-618-160
曹正國宋 821-231- 51
曹正儒明 300-834-234
567-388- 82
568-336-111
曹丕興吳 見曹不興
曹司宰明 505-685- 69
曹孕祥明 547- 75-143
曹平公春秋 384- 9- 1
曹可久妻 清 見閔氏
曹可昇妻 明 見王氏
曹世宗齊 265-665- 46
933-266- 19
曹世表後魏 262- 99- 72
266-936- 45
379-301-150下
472-788- 31
476-609-133
505-680- 69
537-196- 54
540-637- 27
814-260- 8
820-118- 25
933-267- 19
曹世叔妻 漢 見班昭
曹世卿明 537-330- 56
曹世盛明 1442- 54-附3
1460-127- 46
曹世貴元 1201-657- 24
曹世澄南朝 933-266- 19
曹世龍明 1289-292- 19
曹世興妻 明 見謝玉華
曹弗興吳 見曹不興
曹民信明 547- 60-143
曹以東妻 明 見徐秀澄
曹以恆女 清 見曹六姑
曹四公宋 530-209- 60
曹申吉清 540-856-28之4
曹申甫宋 821-214- 51
曹代之明 554-677- 60
曹代蕭明 523-107-150
曹令忠唐 見李元忠
曹仕輔明 476-283-111
曹丘生漢 244-660-100
曹用之金 1365-298- 9
1445-534- 41
曹用璧妻 清 見王氏
曹守忠明 558-445- 38
曹守貞明 511-211-144
曹守勳明 1442- 93-附6
1460-532- 66
曹安仁元 541-112- 31
曹汝良明 511-320-148
曹汝弼宋 511-850-169
820-343- 32
1127-501- 10
1375- 4- 上
1437- 10- 1
曹汝葵明 554-527-57下
曹汝蘭明 515-488- 71
559-278- 6
曹共公春秋 244- 60- 35
371-307- 12
375- 20-77上
384- 9- 1
404-315- 19
曹吉利魏 見魏武帝
曹吉祥明 302-263-304
443- 63- 4
曹在豐清 1327-300- 13
曹有光清 476-151-104
545-229- 91
曹有實母 元 見吳氏
曹有賢明 676-130- 5
曹同升明 見曹同
曹同德明 524-205-188
曹光實宋 285-381-272
382-227- 34
384-334- 17
396-651-313
471-970- 55
473-533- 72
473-551- 73
473-682- 79
478-267-187
481-290-306
481-801-338
545-391- 97
554-353- 54
559-302-7上
559-523- 12
563-673- 39
591-626- 46
933-269- 19
曹光德明 523-107-150
曹自守明 475-122- 55
510-337-113
曹自強明(字象乾) 456-612- 9
538- 74- 63
曹自強明(事親至孝)
547- 17-141
曹自得明 547-123-145
曹全晶唐 476-516-127
曹全晸唐 476-475-125
540-612- 27
曹如琯清 554-789- 62
曹仲玄南唐 489-696- 50
812-438- 0
812-529- 2
813- 85- 3
821-116- 49
曹仲達北齊 812-337- 8
821- 27- 45
曹仲達吳越 472-966- 38
523-509-171
曹仲賓明 821-379- 55
曹仲璞北齊 812-338- 8
821- 28- 45
曹良臣明 299-258-133
472-205- 7
475-752- 88
511-496-156
544-250- 63
545- 65- 85
曹良良明 547-103-145
曹良棟明 547-123-145
曹良輔清 456-353- 77
曹志明明 301-686-278
456-638- 10
曹志高清 456-388- 80
曹志祥清 456-388- 80
曹志遇明 533- 19- 47
563-810- 41
曹志德清 456-388- 80
曹成公春秋 371-308- 12
384- 9- 1
404-316- 19
曹孝先宋 523-372-164
曹克明宋 285-382-272
371-181- 18
382-227- 34
384-334- 17

396-652-313
471-879- 41
473-376- 65
473-533- 72
473-748- 83
473-789- 85
481-290-306
482-318-354
482-347-356
482-484-364
523- 9-146
532-741- 46
559-376- 8
567- 50- 64
591-627- 46
933-269- 19
1467- 23- 62
曹更新清 547- 55-143
曹孜學明 511-619-160
曹伯化明 1297-582- 6
曹伯來明 524-112-183
曹伯起元 472-413- 18
曹伯起明 1229-249- 7
曹伯崇唐 821- 58- 46
曹伯啓元 295-383-176
399-700-490
472-826- 33
475-214- 60
475-431- 70
483-220-390
511-226-144
523- 26-147
571-516- 19
676-701- 29
1202-535- 附
1207-452- 31
1214- 56- 5
1214-116- 10
1439-427- 1
1468-493- 23
曹伯陽春秋 244- 61- 35
371-308- 12
375- 21-77上
384- 9- 1
曹希彬妻 明 見劉氏
曹希舜明(勤儉好禮)
547-103-145
曹希舜明(字伯孝)
1293-738- 5
曹希舜妻 明 見張氏
曹希舜妻 明 見喬氏
曹希舜女 明 見曹氏
曹希鳴元～明 1236-437- 3
曹邦化明 559-358- 8
曹邦輔明 300-375-205
472-128- 4
475- 20- 49
476-866-145
505-691- 70
540-808-28之3
547-183-148
554-178- 51
曹利用宋 285-619-290
371-103- 10
382-314- 49
384-340- 17
397- 86-325
450-698-下5
472- 95- 3
473-762- 84
474-621- 32
481-801-338
482-318-354
505-789- 73
552- 70- 19
563-652- 39
567- 50- 64
933-270- 19
1467- 24- 62
曹秀先清 479-497-239
曹妙清元 585-430- 11
820-553- 39
1221-446- 7
1439-461- 2
曹廷元明 474-572- 29
曹廷桂明 523-175-154
曹廷偉清 479-794-254
515-282- 65
546-227-122
曹廷傑明 511-776-166
曹廷瑜清 1325-295- 附
曹廷隱後唐 277-580- 71
曹宗載明 554-303- 53
曹宗輔元 472-999- 40
494-345- 7
523-117-151
曹宗璠明 676-658- 27
曹宗儒明 676- 63- 2
679-670-204
曹宗謨妻 清 見何氏
曹法參明 547- 81-144
曹炒兒妻 明 見霍氏
曹定國元 1194-609- 7
曹定國明 547-123-145
曹武公春秋 384- 9- 1
404-317- 19
曹松泉宋 820-446- 35
曹居一元 1200-770- 59
曹居貞明 515-644- 77
曹居敬明 472-766- 30
537-316- 56
曹孟文明 1237-312- 6
曹孟仁元 515-771- 81
曹奉祿妻 明 見尹氏
曹函光明 820-760- 44
曹旺七妻 明 見齊氏
曹昌先明 1442- 96-附6
1460-569- 68
曹明周明 533-731- 73
曹明登妻 清 見胡氏
曹明達明 472-594- 24
曹虎頭齊 見曹虎
曹叔達宋 見曹叔遠
曹叔遠曹叔達 宋
287-675-416
398-621-407
472-1117- 48
473-177- 57
473-477- 69
479-406-235
479-766-252
481-114-296
481-333-308
515-119- 60
517-767-134
523-345-162
559-274- 6
曹侍德宋 見曹觀妙
曹的休魏 485-285-40
曹念祖宋 見曹琦
曹知白元 511-837-168
821-312- 54
1215-695- 10
曹知微宋 843-667- 中
曹知慤唐 554- 85- 49
曹金瓠魏 曹植女
1360-621- 39
曹金榮女 清 見曹氏
曹秉乾妻 清 見劉淑端
曹欣之劉宋 258-488- 83
曹延禧清 547- 66-143
曹洪然清 524-116-183
曹宣公春秋 371-308- 12
384- 9- 1
404-316- 19
曹首望清 505-643- 67
505-809- 74
曹彥可元 295-575-194
400-253-520
472-204- 7
475-780- 89
511-500-156
曹彥約宋 287-587-410
398-551-402
473- 77- 52
473-222- 59
473-367- 64
479-580-243
480- 87-262
480-363-275
481-154-298
516- 96- 91
532-580- 41
532-622- 43
532-736- 46
567-296- 76
676-314- 11
676-689- 29
1173-321- 87
曹彥約妻 宋 見王氏
曹彥約女 宋 見曹柔美
曹彥約女 宋 見曹柔則
曹彥純女 宋 見曹氏
曹持裕妻 清 見張氏
曹春桃明 曹端女
474-314- 16
506-553-105
曹南王元 見伊爾根
曹勇義金 291-131- 75
401-309-610
曹柔美宋 陳時妻、曹彥約女
1167-192- 15

曹柔則宋 牛斗極妻、曹彥約女 1167-191- 15
曹茂之晉 820- 71- 23
曹貞麟明 547- 91-144
曹思正明 456-570- 8
558-418- 37
曹思順元 1218-671- 3
曹思敬明 571-553- 20
曹昭公春秋 404-314- 19
曹垂燦女 清 見曹氏
曹皇后後唐 唐明宗后
277-431- 49
279- 92- 15
393-293- 74
曹皇后宋 宋仁宗后
284-864-242
382-105- 13
384-345- 18
393-305- 75
452- 56- 1
819-592- 20
曹祖才明 1251-324- 23
曹祖保清 456-353- 77
曹粉容明 478-351-191
曹家甲清 479-496-239
515-458- 70
曹庭訓明 458-168- 8
472-752- 29
537-605- 60
曹泰財妻 元 見劉氏
曹泰曾清 511-136-141
528-480- 30
曹原傑元 1197-677- 70
曹桓公春秋 371-307- 12
曹桂傳唐 533-797- 75
曹晉叔宋 460-303- 20
曹振先妻 清 見羅氏
曹振南曹震南 明 456-661- 11
曹破石漢 402-478- 11
曹時中曹節 明 475-180- 59
512-733-195
523- 45-148
820-637- 41
曹時忠妻 清 見劉氏
曹時益元 1221-398- 3
曹時泰元 1221-397- 3
曹時晉元 1221-398- 3
曹時晉妻 元 見霍氏
曹時復母 元 見霍氏
曹翁善宋 451- 59- 2
曹師魯五代 472-966- 38
523-508-171
曹修古宋 285-729-297
397-166-330
472-376- 16
473-601- 76
473-630- 77
481-549-327
481-642-330
481-675-331
485-500- 9
528-473- 30
529-593- 47
1090-610- 32
曹修古女 宋 見曹氏
曹修睦宋 285-730-297
397-167-330
473-601- 76
473-640- 78
481-693-332
528-537- 31
1090-667- 38
曹望之金 291-307- 92
399-176-431
476-248-110
540-625- 27
676-697- 29
曹惟寸明 1320-722- 79
曹悼公春秋 371-308- 12
381- 9- 1
404-318- 19
曹淑貞清 515-206- 63
曹理孫元 524- 86-182
曹崇之宋 1134-323- 46
曹崇善元 党豫妻 1210-765- 25
曹崇樸明 554-285- 53
曹莊公春秋 404-314- 19
曹國光明 533-103- 50
曹國柄清 563-868- 42
曹國相清 456-303- 73
曹國珍後晉 278-151- 93
曹國祺明 567-354- 80
1467-253- 71
曹國舅宋 511-928-174
曹國樸清 533-221- 53
曹紹宗子 宋 1167-218- 18
曹偉謨明 1475-658- 28
曹逢巳宋 1175-550- 18
曹逢時宋 524- 83-182
曹啟賢妻 清 見孫氏
曹善誠元 511-521-157
曹雲望清 474-572- 29
505-899- 80
曹雲望妻 清 見殷氏
曹雲梯明 456-606- 9
554-367- 54
曹巽之明 483-149-381
曹朝節明 676-610- 25
曹椒葉明 曹福女 558-523- 42
曹景宗梁 260-109- 9
265-780- 55
370-557- 18
378-301-139
384-117- 6
470-354-142
472-773- 30
477-373-167
510-468-117
532-103- 27
537-543- 59
933-267- 19
1387-154- 9
1394-462- 5
曹景星清 533-490- 65
曹景暘明 554-256- 52
曹虛白宋 821-250- 52
曹順甫元 526-150-263
曹欽程明 302-325-306
曹進之宋 515-183- 62
517-389-125
曹進可明(曹邦化子) 559-358- 8
曹進可明(江津人) 571-542- 20
曹復彬妻 明 見楊氏
曹義金後唐 278-501-138
曹靖公春秋 384- 9- 1
曹靖國元 473- 87- 52
479-605-244
515-244- 64
曹裕興母 元 見王氏
曹新貴妻 清 見樊氏
曹道沖宋 587-633- 11
曹道振元 460-464- 36
528-447- 29
曹道剛齊 265-1100- 77
381- 17-184
曹煥章元 511-869-170
821-326- 54
曹楨孫元 524- 86-182
曹幹臣元 1206- 66- 8
曹達才妻 明 見石氏
曹嗣宗明 473-403- 66
473-490- 70
533-117- 50
559-324-7上
曹鼎望清 517-779-135
曹敬亭明 見柳敬亭
曹敬姬漢 周紀妻 591-581- 43
曹愈參明(涪州人) 505-638- 67
曹愈參明(字古清) 532-637- 43
曹演父宋 1112-275- 26
曹禎驥清 1475-621- 26
曹粹中宋 487-127- 8
491-403- 4
491-435- 6
524-252-190
1153-192- 73
曹壽奴明 1442-126-附8
1460-789- 85
曹爾坊清 1475-616- 26
曹爾垣明 1475-638- 27
曹爾奏明 456-664- 11
曹爾善明 見曹隨
曹爾堪清 524- 27-179
1313-233- 19
1475-594- 26
曹爾嘉明 456-677- 11
曹際昌妻 清 見張氏
曹臺望明 511-513-157
曹鳴鶚明 456-482- 5
477-162-157
505-836- 76
曹鳳南明 502-280- 56
曹僧奴女 北齊 見曹氏
曹維屏清 482-373-357
567-373- 81
曹維楨明 456-609- 9
曹廣攄清 1315-591- 36

曹慶孫宋 見曹慶龍
曹慶孫元 821-312- 54
1215-212- 3
曹慶龍曹慶孫 宋451- 76- 2
曹養晦曹湫 明 1235-652- 22
曹穎叔宋 見曹穎叔
曹震南明 見曹振南
曹履吉明 511-331-149
820-738- 44
821-448- 57
1442- 92-附6
曹履泰明 523-440-167
曹儀庭明 533-339- 58
曹德夫女 元 見曹氏
曹德休晉 1059-607-下
曹德休明 516-418-103
曹德懋明 563-773- 40
曹徵庸明 524- 24-179
554-347- 54
820-736- 44
1442- 86-附5
1460-489- 63
1475-387- 16
曹徵祿女 明 見曹氏
曹穎叔曹熙、曹穎叔 宋
286- 38-304
397-243-333
472-203- 7
473-490- 70
477-561-177
478-544-202
481-236-303
511-358-150
528-438- 29
554-145- 51
559-296-7上
曹穎洙清 1325-175- 11
1325-189- 12
1442-122-附8
1460-755- 82
曹興才明 見曹興
曹興宗宋 516- 96- 91
曹學臣明 見曹學程
曹學易明 567-347- 80
1467-248- 71
曹學佺母 明 見曾氏
曹學佺明 301-868-288
456-440- 3
460-527- 48
481-531-326
529-479- 43
1442- 85-附5
曹學佺孫 明 見曹氏
曹學參明 567-346- 79
1467-245- 71
曹學程曹學臣 明
300-833-234
482-352-356
523-177-154
567-349- 80
568-335-111
676-174- 7
1467-248- 71
曹錫遠清 456-311- 74
曹鴻逵明 547-122-145
曹應元清 482-373-357
567-372- 81
曹應昌明 533-180- 52
570-218- 23
曹應符宋 475-178- 59
曹應爵明 545-288- 94
曹懋通明 547-122-145
曹隱公春秋 384- 9- 1
曹聲公春秋 384- 9- 1
曹懷節唐 537-274- 55
曹繩武明 1295-151- 12
曹蘊清清 537-469- 58
曹繼祖清 1313-240- 19
曹繼祖妻 清 見王氏
曹鶴徵清 547-564-161
曹續祖清 476- 86-100
546-761-140
曹鑑平明 1475-662- 28
曹鑑徵清 1475-619- 26
曹變蛟明 301-580-272
456-421- 2
474-818- 44
476-261-110
478-485-199
502-301- 56
545-303- 94
546-103-118
曹體仁明 472-545- 23
533-153- 52
540-665- 27
曹觀妙曹侍德 宋
533-768- 74
曹觀起元 1218-762- 5
曹大格色清 456-353- 77
曹叔振鐸周 404-457- 26
曹國長公主明 李貞妻、朱世珍女 299-104-121
聃季聃季載 周 404-454- 26
聃甥春秋 472-767- 30
537-368- 57
聃季載周 見聃季
基全 476-420-120
547-522-160
基布舒清 502-536- 72
乾氏明 高文煥妻 302-252-303
480- 97-262
乾俊唐 524-430-200
乾道妻 清 見楊妙明
乾輔唐 524-430-200
乾日貞明 456-583- 8
559-506- 12
乾峯和尚唐 1053-539- 13
接子戰國 見接予
接子不詳 933-766- 53
接予接子、捷子 戰國
244-454- 74
384- 32- 1
405-467- 86
476-661-136
933-766- 53
接輿陸通、陸通接輿、楚狂接輿 春秋 386-692- 11
405- 79- 61
448- 93- 上
470-385-146
471-780- 27
471-954- 52
473-523- 72
533-130- 51
541-109- 31
561-211-38之2
592-223- 74
871-886- 19
879-151-57下
1058-493- 上
1061-249-108
接輿妻 春秋 448- 25- 2
533-504- 66
推德元 1200-774- 59
推布訥清 455- 66- 2
推特克清 456-208- 66
推謨和清 455- 95- 3
推勒布哈元 見台哈布哈
埜僊元 見額森
奢香明 安靄翠妻、靄翠妻
302-545-316
483-372-401
572-141- 31
奢寅明 302-468-312
奢龍上古 404-382- 23
奢崇明明 302-467-312
560-603-29下
奢爾瑚訥清 455-563- 36
畜然宋 288-838-491
820-471- 36
閆山妻 清 見李氏
閆氏明 馬翰如妻 478-205-184
閆氏明 趙諳妻 558-503- 42
閆氏清 王澤妻 506-149- 90
閆順清 547- 90-144
閆震明 558-317- 34
閆化淳明 558-318- 34
閆世勳妻 明 見張氏
閆生斗明 見閻生斗
閆西來清 見閻西來
閆有功清 523-208-155
閆邦偉明 547- 87-144
閆希言明 1283- 31- 69
閆宗一宋 1122-413- 30
閆奇英清 482-141-344
502-692- 81
閆延選妻 清 見黨氏
閆彥超後周 見慕容彥超
閆拱宸妻 清 見杜氏
閆拱宸媳 清 見張氏
閆若璩清 見閻若璩
閆重光明 546-648-136
閆祚茂清 見閻祚茂
閆祚盛清 見閻祚盛
閆福玉清 見閻福玉
閆夢夔明 見閻夢夔
閆慶胤後魏 見閻慶胤
閆養醇明 546-323-125
閆環奇妻 清 見李氏
問宋 516-430-103
屠氏明 吳駉妻、展揮女
1294-266-6下

屠氏明　吳仕讓妻、屠胄子女 1283-449-102
屠氏明　談愷妻、屠秋野女 1280-541- 95
屠氏清　趙子新妻 479-263-228
屠任明 524-258-191
537-288- 55
820-578- 40
屠沂清 533-168- 52
屠性元 1229- 50- 4
1369-433- 13
1439-443- 2
屠尚清 479-484-239
515-100- 59
屠昪明 571-532- 19
屠約元 592-1001-上
1194-164- 13
1439-425- 1
屠徑明 1442- 45-附3
1459-914- 39
屠容明 528-454- 29
屠倬明 528-486- 30
屠隆明 301-861-288
475-777- 89
479-186-225
524- 47-180
676-627- 26
677-659- 59
1282-748- 57
1442- 78- 5
1455-267-205
1460-277- 52
1474-368- 19
屠隆女　明　見屠瑤瑟
屠堯明 523-273-158
567-113- 67
1475-272- 11
屠揮女　明　見屠氏
屠瑀妻　明　見劉氏
屠楷明 482-351-356
567-330- 78
1467-227- 70
1467-312- 74
屠睦明　吳繼妻、屠應埈女
1283-170- 79
屠滽屠鏞　明 479-183-225
523-290-159
559-251- 6
567-104- 66
820-653- 42
1252-601- 33
1255-383- 43
1467- 79- 64
1474-100- 6
屠熙明 1258-266- 4
屠熙妻　明　見陸氏
屠遠清 511-873-170
屠蒯杜蕢　春秋 404-757- 46
933- 83- 5
屠僑明 300-319-202
479-184-225
481-493-324
523-293-159
528-513- 31
676-542- 22
1393-109-451
1442- 45-附3
1459-914- 39
1474-172- 8
屠餘春秋 545-737-109
933- 83- 5
屠機明 524-183-187
1253-373- 60
屠勳明 474- 94- 3
479- 96-221
523-273-158
525-389-236
676-510- 20
820-639- 41
1261-673- 28
1442- 34-附2
1459-719- 28
1475-236- 10
屠濬明 1283-336- 93
屠濟明 478-297-188
554-504-57上
屠擊春秋 545-719-108
933- 83- 5
屠爌明 524-280-192
1460-732- 79
1475-538- 23
屠鏞明　見屠滽
屠巒屠鸞　明 483- 96-378
483-294-394
559-303-7上
561-563- 45
570-118-21之1
572- 78- 28
屠瓚宋 494-409- 12
494-472- 18
屠鸞明　見屠巒
屠一衡屠玉衡　明
1474-600- 30
屠大山明 523-535-172
559-276- 6
676-558- 23
1283-349- 94
1442- 51-附3
1460- 84- 44
1474-184- 8
屠大來明 1409-420-611
屠文正屠覺緣　元
1226-674- 2
屠元沐明 524-247-190
576-654- 5
屠中孚明 1475-406- 17
屠牛吐戰國 405-260- 72
屠必元清 456-372- 78
屠玉衡明　見屠一衡
屠本畯明 528-463- 29
676-636- 26
1442- 94-附6
1460-543- 67
1474-390- 20
屠用泰妻　清　見鄭氏
屠安民明(興安人) 545-288- 94
屠安民明(保縣知縣)
559-323-7上
屠宇鎭清 533- 33- 47
屠羊說春秋 386-690- 11
933- 83- 5
屠存仁明 510-429-116
屠仲律明 475-701- 86
510-465-117
523-437-167
屠我好清 1325-143- 9
屠廷楫明 1318-69- 36
1475-676- 28
屠廷輔妻　清　見陳氏
屠門高秦 839- 20- 2
屠岸賈春秋 404-790- 48
933- 83- 5
屠叔方明 524-185-187
676-118- 5
1475-360- 15
屠金樞妻　明　見沈天孫
屠洪基清 479- 99-221
482-290-352
523-365-163
屠胄子女　明　見屠氏
屠秋野女　明　見屠氏
屠耆堂握衍、朐鞮單于　漢
251-198-94上
381-604-199
屠紹皋明 456-556- 7
475-611- 81
511-484-155
屠敦增明 1475-668- 28
屠斯立明 533-158- 52
屠景先不詳 933- 83- 5
屠象美明 1475-467- 20
屠嘉正清 482-502-365
屠嘉賓明 511-529-157
屠瑤琴明　見屠瑤瑟
屠瑤瑟屠瑤琴　明　黃玄覽妻
、屠隆女 512- 11-176
1442-124-附8
1460-775- 84
1474-379- 19
1474-599- 30
屠蒞佩明　孫渭璜妻
1475-816- 34
屠羲英明 475-609- 81
511-304-148
屠應守清 533- 34- 47
屠應埈明 301-847-287
479- 96-221
524- 21-179
1442- 52-附
1460-102- 45
1475-291- 12
屠應埈女　明　見屠睦
屠應韶明 1442-115-附7
1460-670- 74
屠襄孫明 1475-407- 17
屠環智吳越 494-330- 6
523-631-163
屠獻宸明 456-465- 4
屠獻宸妻　明　見朱氏
屠耀孫妻　明　見黃淑德
屠覺緣元　見屠文正
屠體中清 533-304- 57

屠耆單于漢 見薄胥堂
屠特若尸逐就單于 漢 253-715-119 381-631-199
習氏魏 龐林妻 480-299-271 533-634- 70
習氏清 王施仁妻 506-115- 89
習玄明 821-483- 58
習成明 472-144- 5
習郁漢 533-223- 54 879-161-58上
習珍蜀漢 473-249- 60 480-292-271 533-387- 60
習貞蜀漢 見習禎
習英吳 李衡妻 254-733- 3 377-421-120 480-299-271 492-603-13下之下 512-112-180 533-634- 70
習是元 1197-570- 58
習溫吳 480-293-271 533-228- 54 879-161-58上
習經明 見習嘉言
習禎習貞 蜀漢 254-689- 15 384-464- 12 480-293-271 533-227- 54
習韶明 515-639- 77 563-783- 40 1237-307- 6
習爾唐 見錫勒
習諲明 1240-849- 9
習融漢 480-292-271 879-161-58上
習響漢 933-763- 53
習文質元 518- 30-136
習孔化明 554-220- 52
習孔言明 559-309-7上
習孔教明 528-487- 30 1442- 74-附5 1460-351- 56
習匆啜唐 544-228- 63
習世科妻 清 見党氏
習全史清 481-385-312 523- 93-149 554-535-57下 559-335-7下
習完初妻 清 見王氏
習良民妻 明 見陳氏
習順偕宋 1119-271- 25
習辟彊晉 933-763- 53
習嘉言習經 明 473-129- 55 515-546- 74 676-479- 18
習懷恭妻 明 見吳氏
習鑿齒晉 256-353- 82 370-363- 9 377-876-129下 384-100- 5 470-376-145 471-816- 32 473-249- 60 473-358- 64 479-768-252 480-294-271 516-198- 95 533-313- 57 534-842-113 680-543-276 820- 72- 23 933-763- 53 1379-348- 42 1394-539- 7
陸乂北齊 266-564- 28 379-505-155 680-670-285
陸才陳 493-822- 44
陸山明 678- 22- 71
陸文明 821-401- 56
陸元陸標錫 清 1325-178- 11
陸引明 529-451- 43
陸尹明 1245-180- 4
陸友元 493-1056- 56 511-731-165 684-494- 下 820-508- 37 1471-523- 12
陸仁元 820-582- 40 1369-439- 13 1471-593- 15
陸印北齊 263-268- 35 266-563- 28 380-121-167 476-256-110 547- 93-144
陸氏晉 張茂妻 256-573- 96 381- 51-185 475-144- 57 479-250-228 485-204- 27 486-316- 14 493-1078- 57 524-648-209
陸氏步六孤氏、步陸孤氏 北周 宇文儉妻、陸通女 1064-282- 10 1064-762- 16 1342-452-963 1400-181- 8 1410-479-726 1416- 89-111下
陸氏唐 張誠妻、陸善經女 1080-460- 41
陸氏宋 桑莊妻 1163-563- 33
陸氏宋 黃齊妻 1163-599- 37
陸氏宋 楊大雅妻、陸軫女 1117-190- 16
陸氏宋 劉子翬妻、陸賓女 1134-429- 9 1410-203-687
陸氏元 吳中立妻 1213-775- 25
陸氏明 尤基妻 1283-483-104
陸氏明 王土妻 1289-385- 27
陸氏明 王夢鸞妻、陸巖女 1295- 55- 4
陸氏明 史訪妻、陸粲女 1283-341- 83
陸氏明 江玭妻 1252-539- 31
陸氏明 朱良妻、陸松女、陸桂女 1289-319- 21
陸氏明 沈基仁妻 524-481-203
陸氏明 李應元妻 512-109-181
陸氏明 周必章妻、陸旺女 1257-165- 15
陸氏明 周如盤妻 483-118-379
陸氏明 岳端妻 1250-917- 86
陸氏明 邱世第妻 570-204- 22
陸氏明 夏允彝妻 1442-126-附8 1460-790- 85
陸氏明 徐士謨妻 524-531-204
陸氏明 徐五齋妻 1283-679-120
陸氏明 殷傑妻 1467-267- 72
陸氏明 曹逵妻 1283-581-112
陸氏明 屠熙妻 1258-266- 4
陸氏明 張子仁妻 1291-456- 8
陸氏明 張中炳妻 533-620- 70
陸氏明 陳達道妻 524-511-203
陸氏明 黃鈞妻、陸祥女 567-481- 88
陸氏明 黃應爵妻 302-255-303
陸氏明 華夏妻 302-255-303 479-190-225
陸氏明 華賡虞妻 1291-425- 7
陸氏明 喬嶽妻、陸紳女 1268-424- 66
陸氏明 溫九思妻 524-582-206
陸氏明 楊濂妻 1293-290- 16
陸氏明 楊三畏妻 570-173- 22
陸氏明 蔣壁妻、陸應賓女 1274-427- 15 1474-597- 2 1457-744-413
陸氏明 劉鉉妻、陸用儀女 1239-208- 40
陸氏明 劉宗德妻 533-643- 70
陸氏明 譚文煥妻 512- 23-177
陸氏明 顧瓊妻、陸裝方女 1261-703- 30
陸氏明 顧性成妻 1292-229- 21
陸氏明 陸堅女 1280-495- 92
陸氏明 陸應鴻女 1295-374- 9
陸氏明 華時享母 1297-153- 12
陸氏明 葉裕母 1289-327- 21
陸氏清 王迅妻、陸嚴之女 524-535-204
陸氏清 王燕妻 474-194- 9
陸氏清 王紹先妻 506- 35- 86
陸氏清 田玉妻 503- 59- 95
陸氏清 沈有譽妻 512-259-183
陸氏清 李克敬妻 474-193- 9
陸氏清 李朝逵妻 482- 46-340

陸氏清 邵周書妻 479- 62-219
524-475-202
陸氏清 林日曙妻 530-118- 57
陸氏清 周經邦妻 506- 15- 86
陸氏清 韋俊廉妻 482-409-359
陸氏清 張窪妻、張霪妻
474-641- 33
506-168- 90
陸氏清 張擴妻 530-133- 57
陸氏清 陳如鏞妻 475-455- 71
陸氏清 陳伯期妻 482-190-346
陸氏清 路舉妻 475-785- 89
陸氏清 廖良田妻、陸梅女
512-492-189
陸氏清 蔡履恆妻 475-151- 57
陸氏清 薛聯臣妻 503- 60- 95
陸氏清 龐負圖妻、陸濂女
512-495-189
陸氏清 傅光遇母
1321- 83- 95
陸玄北周 263-629- 28
546- 45-116
陸弘明 558-233- 32
陸正陸唐 元 479- 95-221
523-581-175
680-211-245
陸正明 572- 76- 28
陸本明(字思名) 523-130-152
陸本明(雲間人) 547-477-159
陸平明(字國平) 524-183-187
陸平明(字以和) 820-677- 42
1268-516- 81
陸平妻 明 見吳氏
陸旦宋 1118-380- 19
陸守宋 484-374- 27
陸安明 475-451- 71
511-589-159
陸安妻 明 見鍾氏
陸州明 473-368- 64
523-476-169
532-739- 46
陸圭宋 583-548- 12
陸亘陸桓 唐 271-102-162
275-242-159
396- 52-256
475-129- 56
476-576-131
478-759-215
485- 72- 11
485-160- 21
486- 44- 2
493-826- 44
511- 90-140
523- 7-146
540-632- 27
1053-156- 4
陸有宋 400-132-511
陸羽陸疾、陸鴻漸 唐
275-645-196
384-216- 11
401- 9-568
451-483- 8
471-611- 4
471-713- 18
471-810- 31
471-829- 34
472-999- 40
473- 62- 51
473-235- 60
479-147-223
479-561-242
480-172-266
492-704-3上
511-897-172
516-208- 96
516-214- 96
518-712-159
524-311-194
533-335- 58
534-835-113
820-207- 28
871-910- 19
933-714- 49
1054-506- 14
1340-697-793
1408-603-542
陸夷梁 493-821- 44
陸同宋 472-349- 15
475-811- 91
511-372-150
陸旭北周 263-627- 28
266-560- 28
476-255-110
陸合女 宋 見陸德正
陸行妻 明 見李氏
陸宏吳 491-114- 13
528-519- 31
陸灼明 見陸采
陸言清 沈季友妻、陸棻女
1475-846- 35
陸沔明 1268-520- 81
1407-387-429
陸完梁 493-814- 44
陸完明 300- 65-187
511-387-151
676-518- 20
820-664- 42
1284-147-147
1442- 36-附2
1459-748- 29
陸沅宋 1163-574- 34
陸享明 476-331-115
545-421- 98
陸志宋 537-265- 55
陸成明 1248-490- 23
陸抗吳 254-860- 13
370-279- 4
377-387-120
384- 81- 4
384-596- 33
385-548- 62
459-747- 45
471-607- 3
471-611- 4
472-241- 9
473-296- 62
475-177- 59
479-603-244
480-340-273
485-151- 20
491-113- 13
493-802- 44
511-121-141
515-239- 64
陸圻清 524- 13-178
526-662-280
675-493-117
679-710-208
1318-336- 61
1475-956- 41
陸孚唐 820-281- 30
陸谷陸樵 明 1475-655- 28
陸位唐 545-115- 86
陸佐明 523-487-170
陸佃宋 286-554-343
382-631- 97
397-635-358
471-626- 6
472-172- 6
472-1071- 45
475- 69- 52
475-776- 89
479-234-227
486-320- 15
488-400- 13
493-645- 35
523-598-176
679- 37-141
933-715- 49
1375- 33- 下
陸伸明 1442- 44-附3
1459-907- 38
陸佖妻 宋 見吳氏
陸佖妻 宋 見虞麗華
陸京明 572-76- 28
陸京明 陸深女 1268-487- 76
陸京妻 清 見王氏
陸官明 1475-431- 18
陸治明 511-834-168
820-704- 43
821-430- 57
1280-375- 83
1284-176-150
1442- 69-附4
1460-326- 55
陸怡元 511-869-170
陸河妻 清 見蔣氏
陸杰明 479- 96-221
523-273-158
554-213- 52
1442- 46-附3
1460- 2- 40
陸松妻 明 見梁氏
陸松女 明 見陸氏
陸青宋 821-223- 51
陸坦明 511-848-168
676-657- 27
1442-107- 7

1460-647- 73
陸杳北齊 266-564- 28
379-505-155
陸玩晉 256-272- 77
370-327- 7
377-812-128
384- 99- 5
475-125- 56
485-153- 20
491-114- 13
493-807- 44
511-121-141
587- 61- 0
813-244- 7
820- 59- 23
1358- 750- 6
陸玠陸珍 陳 260-784- 34
265-691- 48
378-568-145
493-818- 44
511-725-165
陸坤明 505-637- 67
558-299- 34
陸邳唐 820-242- 28
陸奇明 524-177-187
陸邵劉宋 486- 64- 3
陸東明 524-100-183
陸忠明(永淳人) 567-307- 77
1467-193- 69
陸忠明(字秉誠) 1255-605- 63
陸典明 511-574-159
陸旺女 明 見陸氏
陸昂明 585-459- 13
1442- 29-附2
陸昇明 563-838- 41
567-304- 77
1467-187- 69
陸杲梁 260-235- 26
265-691- 48
378-416-141
384-115- 6
472-225- 8
475-127- 56
485-155- 21
493-820- 44
511- 89-140
812-333- 7
814-253- 7
820- 97- 24
821- 25- 45
陸杲明 524-185-187
陸果陸定桂 明 陸深女
1268-489- 76
陸肱唐 820-265- 29
陸金明 1442- 47-附3
1460- 37- 41
陸采陸灼 明 1274-609- 3
1458-277-436
陸秉明 571-530- 19
陸延後魏 261-451- 30
379- 65-147
564- 18-115
陸竑宋 484-379- 28
陸炳明 302-355-307
1409-550-624
陸宣元 1439-443- 2
陸宣明(字汝為) 564-172- 45
陸宣明(字廷甸) 821-377- 55
陸昶後魏 261-564- 40
陸昶明 511- 99-140
676-499- 19
1284-138-147
陸洿唐 820-243- 28
陸洸宋 1153-309- 83
1163-580- 35
陸庠元～明 1231-397- 9
陸彥北周 見逵逞
陸垔明 532-748- 46
陸相明(字思誠) 511-591-159
陸相明(字良弼) 676-525- 21
1442- 38-附2
1459-788- 31
陸厚宋(號東園散人)
511-837-168
524-314-194
陸厚元(字景周) 821-324- 54
陸奎明(蘇人) 1254-828- 6
陸奎明(字均昂) 1263-523- 5
陸軌後周 490-736- 72
590-114- 14
陸珂明 524-185-187
陸郁明 473- 87- 52
524-269-191
陸珍陳 見陸玠
陸政後魏 263-667- 32
267-383- 69
379-660-159
544-214- 62
554-749- 62
陸柬明 458-171- 8
532-727- 46
陸某宋 493-1007- 53
511-519-157
陸某元(樂間處士)1222-352- 34
陸茂妻 明 見錢氏
陸貞明 1241-546- 10
陸昞明 820-714- 43
821-431- 57
陸昞妻 清 見楊氏
陸則唐(杭州刺史) 484- 86- 3
陸則唐(字內儀) 1076-121- 13
1076-576- 13
1077-148- 13
陸英妻 明 見李氏
陸垕元 295-403-177
400-365-534
472-261- 10
475-224- 61
478-762-215
494-266- 1
511-146-142
523- 22-147
1194-714- 14
1194-735- 15
1194-781- 18
陸胤吳 254-894- 16
377-401-120
384- 81- 4
385-547- 62
448-305- 上
475-177- 59
481-799-338
485-152- 20
491-113- 13
493-809- 44
563-609- 38
567- 26- 63
1358-749- 6
1467- 6- 62
陸紆吳 254-853- 13
485-151- 20
陸勉明(字懋昭) 528-542- 32
陸勉明(字懋成) 820-681- 42
陸俟後魏 261-554- 40
266-557- 28
379- 95-147
384-131- 7
472- 84- 3
472-481- 21
474-600- 31
476-254-110
477-560-177
505-627- 67
546- 13-115
554-109- 50
陸俊明 1256-417- 27
陸海唐 494-288- 4
陸海明 821-484- 58
陸容徐容 明 301-830-286
475-451- 71
493-997- 52
511-231-145
523- 44-148
676-509- 20
1253-203- 50
1255-760- 76
1284-141-147
1284-357-163
1386-412- 44
1442- 33-附2
1459-716- 28
陸朗明 523- 60-148
陸祐宋 471-648- 10
484-187- 8
484-381- 28
528-445- 29
529-654- 49
陸唐元 見陸正
陸宲陸宷 宋 493-746- 41
523-168-154
1163-554- 32
陸衰梁 見陸襄
陸疾唐 見陸羽
陸眞後魏 261-450- 30
266-513- 25
379- 64-147
476-254-110
478- 86-180
546- 17-115
554-110- 50
陸烈漢 493-734- 41
510-320-113

陸珪宋 1092-639- 59
陸珪妻 宋 見邊氏
陸珪明(字廷玉) 524-183-187
陸珪明(字廷璧) 524-254-190
陸桂明 1458-668-469
陸桂女 明 見陸氏
陸桓唐 見陸亘
陸堦清 524- 15-178
陸垹明 473-367- 64
479- 96-221
480-463-279
523-274-158
532-732- 46
532-738- 46
676-560- 23
678- 20- 71
1442- 52-附3
1460- 98- 45
1475-290- 12
陸起宋 473-682- 79
482- 74-341
515-517- 73
563-676- 39
陸耽晉 255-902- 54
485-153- 20
陸珠明 483-358-400
572-159- 32
陸埈宋 491-116- 13
524-308-194
1170-671- 28
陸退晉 493-809- 44
陸展劉宋 482- 32-340
563-617- 38
陸恩小賀 明 524-357-196
陸晏吳 254-863- 13
陸郢唐 820-226- 28
陸晃南唐 524-350-196
812-439- 0
812-530- 2
813- 86- 3
821-115- 49
陸峴唐 820-142- 26
陸矩明 472- 71- 2
505-817- 74
823-530-172
554-188- 51
1241-224- 10
陸釜宋 485-536- 1
陸娟明 馬龍妻、陸德蘊女
512- 10-176
1442-123-附8
1460-771- 84
陸俸明 1442- 45-附3
1442- 71-附4
1459-925- 39
陸卿明 571-532- 19
陸純妻 明 見彭氏
陸扆陸允迪 唐 271-366-179
275-506-183
384-288- 15
396-245-273
472-741- 29
472-983- 39
477-524-175
479- 94-221
493-645- 35
493-826- 44
511-727-165
524- 19-179
538-333- 69
545-455- 99
813-226- 4
820-270- 29
933-714- 49
1371- 74- 附
陸納晉 256-273- 77
377-813-128
384- 99- 5
448-310- 上
472-997- 40
475-125- 56
479-131-223
485-153- 20
491-114- 13
493-808- 44
523-110-151
526-608-279
587- 61- 0
陸寅清 524-105-183
陸淙唐 820-212- 28
陸淞明 523-273-158
676-523- 21
1475-270- 11
陸宸宋 1163-483- 23
陸淳唐 見陸質
陸淳妻 明 見鄧氏
陸清陸澄 明(字汝清)
538-80- 64
1273-639- 7
陸清妻 明 見李金櫻
陸清明 陸深女(上海人)
1268-488- 76
陸淮明 1475-657- 28
陸淵妻 明 見李氏
陸祥明(思明土府人)
567-544- 91
陸祥明(崑山人) 1232-398- 2
陸祥女 明 見陸氏
陸郯明 571-548- 20
陸寀宋 見陸宲
陸深明 301-839-286
475-180- 59
481-644-330
511-761-166
528-515- 31
545- 79- 85
676-532- 21
820-690- 43
1263-488- 3
1442- 40-附2
1455-620-237
1459-816- 33
陸深女 明 見陸京
陸深女 明 見陸果
陸深女 明 見陸清
陸康漢 252-745- 61
254-842- 12
376-689-107下
384- 68- 3
402-502- 12
453-748- 3
459-847- 51
472- 64- 2
472-240- 9
473-366- 64
474-335- 17
475-177- 59
475-696- 86
480-482-280
485-151- 20
491-112- 13
493-798- 44
505-667- 69
510-461-117
511-120-141
532-734- 46
陸梅明 510-312-113
陸梅妻 明 見潘氏
陸梅女 清 見陸氏
陸埜明(登州衛人)
540-820-28之3
陸埜明(字我謀) 1475-683- 29
陸培明 301-673-277
456-439- 3
458-307- 11
479- 56-218
523-359-163
676-661- 37
1442-110-附7
1460-697- 76
陸培妻 清 見陳氏
陸堅陸友悌 唐 276- 41-200
400-428-539
477-311-164
537-498- 59
814-272- 9
820-170- 27
1371- 53- 附
陸堅明 567-407- 84
陸堅女 明 見陸氏
陸堇明 見杜堇
陸琇後魏 261-556- 40
266-559- 28
379- 97-147
546- 22-115
陸珽唐 270-403-118
陸爽隋 264-873- 58
266-566- 28
379-846-163
472-697- 28
477-163-157
538-133- 65
陸通春秋 見接輿
陸通步六孤通、部六孤通 北周
263-667- 32
267-383- 69
379-660-159
384-142- 7
472-226- 8
481-311-307
493-810- 44
552- 32- 18

554-561- 58
933-712- 49
陸通女 北周 見陸氏
陸冕明(歸德知縣) 472-679- 27
陸冕明(字子端) 511-107-140
1442- 52-附3
1460- 92- 44
陸崑明 300- 81-188
472-128- 4
479-144-223
523-282-159
陸崑清 479-187-225
524-128-184
陸彪明 1442-1111-附7
陸逞步六孤逞、步陸孤彥、步陸孤逞、陸彥 北周
263-668- 32
267-384- 69
379-661-159
472-226- 8
493-811- 44
554-120- 50
554-561- 58
587- 87- 2
933-712-49
1064-202- 8
1064-637- 13
1341-753-900
1400-115- 3
1400-140- 5
1410-163-682
1416- 46-111中
陸釴吳釴、吳越、陸鉞 明(字鼎儀)
301-830-286
472-230- 8
475-134- 56
475-451- 71
493-996- 52
511-695-163
676-505- 19
679-643-201
820-652- 42
1250-470- 43
1284-140-147
1442- 29-附2
1459-669- 26
陸釴明(字舉之) 301-847-287
479-185-225
524- 45-180
540-619- 27
676-550- 22
1442- 48-附3
1460- 40- 42
1474-244- 11
陸符明 524- 48-180
陸偘唐 510-370-114
陸偘妻 唐 見韋氏
陸偁陸稱 明 523-535-172
528-454- 29
540-619- 27
陸倕梁 260-237- 27
265-685- 48
378-409-141
384-115- 6
470- 23- 91
472-225- 8
475-126- 56
485-156- 21
493-813- 44
511-724-165
589-199- 上
814-254- 7
820- 97- 24
1387-156- 9
1394-766- 12
陸偉明 476-205-107
523-428-167
545-341- 96
陸紳女 明 見陸氏
陸參唐 見陸傪
陸逢漢 453-748- 3
475-177- 59
陸逢隋 545-355- 96
陸健明 571-528- 19
陸啟明 568-709-127
陸滋宋 479- 49-218
523-578-175
590-135- 17
1091-389- 35
陸游宋 287-413-395
398-410-391
471-617- 5
471-626- 6
472-1072- 45
473-490- 70
479-235-227
479-377-234
479-448-237
481-235-303
515- 18- 57
524- 52-180
528-559- 32
554-309- 53
559-296-7上
588-175- 8
592-620-100
674-846- 18
820-436- 35
1163-304- 附
1163-312- 附
1375- 33- 下
1437- 24- 2
1462-229- 64
陸游妻 宋 見王氏
陸游女 宋 見陸定孃
陸渭清 1475-580- 25
陸渭妻 清 見孫蘭媛
陸曾唐 820-142- 26
陸愉陸瑜 明(揚州人)
456-637- 10
511-463-154
陸愉明(泗州人) 472-325- 14
475-834- 93
510-498-118
陸愉明(嘉定人) 474-617- 32
505-701- 70
陸雲晉 254-864- 13
255-899- 54
377-608-124上
384- 93- 5
385-678-66下下
472-241- 9
472-641- 26
475-178- 59
477- 48-151
485-152- 20
491-114- 13
493-805- 44
511-758-166
537-235- 55
674-245-4上
683-167- 5
814-233- 4
820- 54- 23
1063-464- 附
1221-498- 12
1370- 79- 4
1379-289- 36
陸琮宋 821-235- 51
陸琪妻 宋 見王氏
陸琪明 523-174-154
陸賀宋 515-741- 80
1156-482- 27
陸閎漢 253-581-111
402-440- 9
493-798- 44
陸喜吳 254-849- 12
255-902- 54
377-609-124上
384- 93- 5
384-598- 33
385-535- 60
475-178- 59
485-153- 20
491-113- 13
493-806- 44
511-759-166
陸堦明 524-248-190
陸堦清 524- 13-178
1321-169-105
陸植明 515-775- 81
陸朝明 524-354-196
陸隆陳 260-685- 22
陸琦明 524-184-187
1442-31-附2
1459-692- 27
1475-188- 8
陸弼唐(梁) 559-317-7上
592-294- 79
陸弼陸君弼 明 511-783-166
1442- 96-附6
1460-573- 68
陸軫宋 486- 48- 2
491-345- 2
526-618-279
1117-168- 14
陸軫妻 宋 見吳氏
陸軫女 宋 見陸氏
陸琛陳 260-784- 34
265-691- 48
378-568-145
485-156- 21

493-818- 44
511-725-165
陸琰陳 260-783- 34
265-691- 48
378-568-145
472-226- 8
475-127- 56
485-156- 21
493-817- 44
511-725-165
陸琰明 821-345- 55
陸琳南北朝 524-281-192
陸琳明 1475-276- 11
陸森元 676-371- 13
陸森明 1467-203- 69
陸厥齊 259-511- 52
265-686- 48
378-287-138
384-115- 6
472-225- 8
475-126- 56
498-814- 44
511-517-157
1379-605- 72
1395-594- 3
陸閑齊 259-546- 55
265-686- 48
378-287-138
485-154- 21
493-814- 44
511-433-153
陸景吳 254-864- 13
377-387-120
384-598- 33
385-548- 62
485-152- 20
491-113- 13
493-803- 44
1394-535- 7
陸晾明 554-347- 54
陸著漢 493-1037- 55
陸凱吳 254-889- 16
377-398-120
384- 81- 4
384-598- 33
385-541- 62
459-744- 45
472-241- 9
472-1066- 45
475-177- 59
479-221-227
482-266-350
485-152- 20
486- 66- 3
491-113- 13
493-808- 44
511-121-141
523-143-153
563-609- 38
陸凱後魏 261-557- 40
266-559- 28
379- 98-147
384-131- 7
472-481- 21
476-255-110
545-447- 99
546- 19-115
陸凱楊陸凱 明 456-628- 10
陸華晉 532- 98- 27
陸華妻 明 見薛氏
陸棠宋 1137-742- 30
陸棻女 清 見陸言
陸順元 陸元吉女、袁信妻
1226-497- 24
陸舜清 511-786-166
陸絳齊 259-546- 55
265-686- 48
378-287-138
493-814- 44
511-517-157
陸絳宋 見陸綰
陸勝明 547- 72-143
陸復明 821-367- 55
陸週妻 明 見陳氏
陸賓宋 487-124- 8
陸賓女 宋 見陸氏
陸溥明(字元博) 523-264-158
陸溥明(字宗傳) 1250-809- 77
1255-584- 62
陸源元 1222-258- 14
陸源明 524-184-187
陸意明 1289-308- 20
陸裕明 見楊貞娘
陸詡陳 260-770- 33
265-1007- 71
380-297-173
485-157- 21
493-1012- 54
陸愷宋 1125-418- 34
陸愷明 676-494- 19
1248-479- 23
陸涀唐 812-371- 0
821- 89- 48
陸誇唐 485-160- 21
493-1046- 55
陸詵宋 286-410-332
397-516-351
451- 14- 0
472-967- 38
473-749- 83
473-790- 85
474-470- 23
478-167-182
478-695-210
479- 49-218
481- 69-293
482-347-356
523-257-158
567- 60- 65
585-754- 4
1110-147- 3
1467- 35- 63
陸煒明 1475-692- 29
陸煥妻 明 見張氏
陸賈漢 244-642- 97
250-159- 43
251-539- 13
376- 75- 96
384- 37- 2
384- 38- 2
472-828- 33
473-671- 79
475-423- 70
478-391-193
511-219-144
554-879- 64
563-598- 38
1408-270-506
陸載劉宋 525- 67-220
陸塤明 1246-645- 15
陸塤妻 明 見張端
陸瑄明 821-345- 55
陸瑁吳 254-848- 12
377-375-120
384- 80- 4
384-598- 33
385-534- 60
472-241- 9
475-177- 59
485-151- 20
491-112- 13
493-806- 44
511-121-141
陸搢隋 485-157- 21
493-1018- 54
陸楣清 511-771-166
陸階明 510-448-117
陸瑋漢 524-275-192
陸瑜陳 260-783- 34
265-691- 48
378-568-145
475-127- 56
485-156- 21
493-817- 44
511-725-165
1387-171- 10
1395-600- 3
陸瑜明 472-521- 22
472-1089- 46
479-182-225
523-290-159
540-618- 27
1249-429- 29
1474-260- 12
陸瑜明 見陸愉
陸楫明 1442- 69-附4
1460-328- 55
陸楙清 505-653- 68
1475-699- 29
陸煦梁 265-692- 48
485-155- 21
493-821- 44
511-724-165
陸嵩明 523-445-168
528-512- 31
陸暐後魏 261-557- 40
266-560- 28
379- 98-147
546-673-137
陸罩梁 265-692- 48
378-417-141
485-155- 21

511-724-165
1395-598- 3
陸茦陸世枋 清 524- 27-179
1321-199-108
陸粲明 300-396-206
475-137- 56
479-712-250
511-107-140
515-155- 61
676-561- 23
1283-864-134
1284-168-149
1442- 53-附3
1460-103- 45
陸粲妻 明 見盛德媛
陸粲女 明 見陸氏
陸鉞明 見陸釴
陸愈明 475-369- 67
510-391-115
523-435-167
1255-594- 63
陸筠宋 473-114- 54
515-744- 80
680- 94-234
1147-564- 53
陸稠漢 453-748- 3
475-177- 59
475-363- 67
陸雋後魏 261-564- 40
陸經宋 813-238- 6
820-354- 32
1147-557- 53
陸經明(字載道) 523-220-156
陸經明(鶴慶府人)
570-123-21之1
陸綏劉宋 812-327- 6
821- 15- 45
陸鈳明 523-293-159
528-456- 29
1474-298- 14
陸傪陸參 唐 485-495- 9
524-323-195
1073-491- 17
1073-506- 19
1074-314- 17
1074-332- 19
1075-273- 17
1075-288- 19
1078-168- 13
1336-443-371
1342-372-952
1344-110- 69
1409-588-629
1447-399- 19
陸旗明 554-312- 53
陸廙宋 1093-660- 20
陸寧女 明 見陸淑正
陸禕吳 254-891- 16
385-543- 62
472-241- 9
485-152- 20
491-113- 13
493-809- 44
1098-774- 50
陸漻清 511-868-170
陸輔明 見陸友仁
陸監吳 472-241- 9
491-115- 13
陸翠明 黃涔妻、陸東隱女
1268-401- 63
陸聚明 299-234-131
陸遠明 510-407-115
523-435-167
陸遜陸議 吳 254-853- 13
370-255- 2
377-377-120
384- 81- 4
384-593- 33
385-507- 56
459-747- 45
470- 23- 91
471-606- 3
471-691- 15
471-785- 28
471-787- 28
471-795- 29
472-241- 9
472-347- 15
472-960- 38
473-208- 59
473-296- 62
475-177-59
475-665- 84
479- 40-218
480- 10-257
480-237-269
485-151- 20
491-112- 13
493-645- 35
493-799- 44
511-120-141
512-896-200
523- 70-149
532-550- 40
陸鄙唐 820-285- 30
陸暢唐 493-1019-54
511-727-165
1371- 67- 附
陸蒙梁 485- 84- 12
493-737- 41
陸馛陸馥 後魏 261-556- 40
266-558- 28
379- 97-147
384-131- 7
472-694- 28
476-254-110
477-160-157
537-262- 55
546- 18-115
陸僚齊 265-683- 48
378-287-138
陸銓漢 見陸瑲
陸銓明(字選之) 301-847-287
479-185-225
523-456-168
567-122- 67
1442- 52-附3
1460- 86- 44
1474-206- 9
陸銓明(字民用) 1271-639- 55
陸稱明 見陸偁
陸僑明 540-831-28之3
陸綰陸絳 宋 493-910- 49
511-728-165
679-431-180
陸綬宋 484-373- 27
陸寬後魏 546-673-137
陸寬明 821-397- 56
陸澐明 821-393- 56
陸廣宋 494-338- 7
1105-768- 92
1384-160- 94
陸廣元 821-314- 54
陸廣明(撫州知府) 473-112- 54
515-172- 62
陸廣明(字士弘) 1258-305- 7
陸潤明 523-229-156
陸澄齊 259-398- 39
265-682- 48
370-520- 16
378-281-138
384-115- 6
396-126-263
472-225- 8
475-126- 56
485-154- 21
492-621- 14
493-818- 44
511-723-165
1401- 69- 15
陸澄明 300-245-197
457-198- 14
458-901- 8
523-587-175
陸澄明 見陸清
陸褒漢 453-748- 3
475-177- 59
陸慶陳 260-775- 33
265-1011- 71
380-300-173
475-127- 56
485-157- 21
493-1012- 54
511-669-163
陸慧齊 472-1066- 46
陸慤陳慤 唐 821- 58- 46
陸瑾宋 813-136- 11
821-147- 50
陸駒明 563-804- 41
陸璋妻 明 見鄒氏
陸震母 明 見茅氏
陸震明 300-113-189
458-790- 5
473-146- 56
479-330-232
515-153- 61
523-405-165
1254- 88- 3
1442- 44-附3
1459-903- 38
陸璉梁 493-1011- 54
511-669-163

陸璉明 676-665- 28
1442-113-附7
1460-740- 80
陸質陸淳、陸文通 唐
271-553-189下
275-347-168
384-243- 12
396-126-263
459- 41- 3
485-158- 21
511-670-163
674-563- 3
679-382-176
933-714- 49
1076- 80- 9
1076-539- 9
1077-100- 9
1342-515-970
1378-602- 63
1383-319- 28
1410-230-691
1418- 59- 37
1447-380- 18
1476-160- 9
陸鉿明 1442-111-附7
1475-508- 22
陸魯父 元 1194-708- 13
陸徵明 473-623- 77
528-552- 32
1241-813- 20
1243-582- 12
陸龍宋 494-348- 7
陸諝漢 1124-343- 4
陸澤明 1471-600- 51
陸寰明 1289-297- 19
陸濂女 清 見陸氏
陸凝宋 見陸維之
陸璟唐 472-494- 21
陸璣吳 493-810- 44
511-722-165
678-347-101
陸機晉 254-864- 13
255-890- 54
377-599-124上
384- 93- 5
385-665-66下下
471-596- 2
471-606- 3
472-241- 9
475-178- 59
477-318-164
485-152- 20
491-114- 13
493-804- 44
511-758-166
538-323- 69
674-245-4上
813-276- 14
814-233- 4
820- 54- 23
1221-498- 12
1366-780- 5
1370- 71- 4
1379-270- 34
1394-338- 2
1395-588- 3
陸樵明 見陸谷
陸融北周 263-630- 28
陸璠妻 明 見丁氏
陸橘明 456-597- 9
陸整梁 812-335- 7
821- 26- 45
陸據唐 271-596-190下
276- 80-202
400-607-555
陸操後魏 266-566- 28
379-101-147
476-256-110
陸曄陸士光 晉 256-271- 77
377-812-128
472-241- 9
475-125- 56
485-153- 20
491-114- 13
493-807- 44
511-121-141
陸曄後魏 266-560- 28
379- 98-147
546-673-137
陸叡後魏 261-560- 40
266-565- 28
379-100-147
陸錫明 821-346- 55
陸鋹明 523-436-167
563-794- 41
陸濬宋 515-755- 80
陸禧清 564-301- 48
陸襄陸袞 梁 260-242- 27
265-688- 48
378-410-141
471-715- 18
472-225- 8
473- 43- 50
473- 46- 50
475-126- 56
479-525-241
485-155- 21
493-814- 44
511-518-157
515-209- 63
1341-339-842
1399-734- 8
1415-591-105
陸燦明(字振玉) 456-519- 6
479- 99-221
523-364-163
陸燦明(蘇州人) 572-157- 32
陸輿妻 明 見徐氏
陸懋明 511-526-157
陸璯陸銓 漢 492-704-3上
493-667- 37
511-839-168
524-319-195
陸璥明 515-122- 60
523-483-170
陸璩明 1265-684- 25
陸璪唐 274-470-116
395-468-223
472-705- 28
472-738- 29
475-128- 56
476-180-106
485-159- 21
493-825- 44
511- 90-140
537-274- 55
545-236- 92
554-232- 52
陸駿吳 254-853- 13
485-151- 20
陸邁晉 493-810- 44
1398-470- 20
陸績吳 254-842- 12
377-372-120
384- 80- 4
384-428- 6
385-606-65下下
453-748- 3
470- 22- 91
471-863- 39
471-873- 40
472-240- 9
473-776- 84
473-783- 85
475-177- 59
482-466-363
485-151- 20
491-112- 13
493-799- 44
511-677-163
567- 26- 63
677-104- 10
1467- 7- 62
陸績女 晉 見陸鬱生
陸鍷明 1283-167- 79
陸鍵明 678-222- 91
515-191- 62
陸衆明 1474-535- 27
陸徽劉宋 258-582- 92
265-691- 48
370-490- 14
378-416-141
475-125- 56
481- 15-291
481-799-338
485-154- 21
489-599- 47
493-819- 44
511- 87-140
559-259- 6
563-617- 38
1394-340- 2
陸徽明 1232-249- 5
陸禮明(浙江人) 505-682- 69
陸禮明(字守道) 1239-103- 33
陸禮妻 清 見徐氏
陸贄唐 270-643-139
275-212-157
384-229- 12
396- 28-254
448-339- 下
459-408- 25

471-922- 48
471-1007- 61
472-824- 33
472-983- 39
473-476- 69
478- 88-180
479- 93-221
481-438-316
485-159- 21
491-108- 13
523-270-158
554-328- 54
559-272- 6
561-520- 44
591-695- 49
674-255-4上
820-217- 28
933-713- 49
1072-573- 附
1112-675- 11
1130-175- 17
1150- 52- 6
1243-341- 19
1371- 65- 附
1386-639- 55
1408-634-548
1417-729- 34
1447-218- 7
陸肅妻 元 見趙氏
陸璿明 1268-524- 82
1268-525- 82
陸闓明 472-296- 12
511-782-166
820-573- 40
821-345- 55
1238-101- 9
1459-443- 14
陸顒明 511-206-144
676-482- 18
820-573- 40
821-345- 55
1442- 23-附2
1459-599- 22
陸曜唐 見陸庭曜
陸簡明 452-232- 6
472-263- 10
511-149-142
676-509- 20
1250-856- 82
1253- 29- 41
陸鎰明 528-526- 31
陸繕陳 260-690- 23
265-685- 48
378-566-145
472-226- 8
472-1014- 41
479-376-234
485-156- 21
485-493- 9
493-813- 44
523-211-156
813-293- 17
820-108- 24
陸歸後魏 546-673-137
陸馥後魏 見陸馛
陸鏊明 1475-442- 19
陸韜妻 清 見曹氏
陸麗後魏 261-558- 40
266-562- 28
379- 98-147
546- 19-115
陸攀明 1475-705- 29
陸瓊陳 260-742- 30
265-690- 48
378-567-145
472-226- 8
475-127- 56
485-156- 21
493-816- 44
511-725-165
1395-600- 3
陸瓊明 1252-544- 32
陸瓊妻 明 見陳氏
陸蟾明 567-413- 84
1091-568- 16
1467-171- 68
陸簴宋 494-348- 7
陸穩明 515- 55- 58
523-531-172
678-202- 89
1458-528-452
陸贊明 820-612- 41
1247-546- 24
1475-191- 8
陸鵬後周 559-299-7上
陸鏜宋 451- 75- 2
陸鏜妻 明 見楊氏
陸鏞元 1194-621- 7
1194-728- 15
陸鏞明 545-431- 99
陸騫北齊 266-565- 28
陸騫隋 472- 84- 3
陸寶明 1442-105-附7
1460-632- 72
陸議吳 見陸遜
陸瀹妻 清 見朱氏
陸耀晉 493-1053- 56
陸蘊宋 286-691-354
397-736-364
473-571- 74
473-598- 76
1157- 93- 8
陸藻宋 473-583- 75
陸騰北周 263-627- 28
266-560- 28
379-570-157
471-1066- 70
473-496- 70
476-257-110
481-250-303
546- 44-116
559-293-7上
1400-115- 3
陸黯南北朝 523-515-171
陸顧明 820-680- 42
陸續母 漢 475-144- 57
512- 2-176
陸續漢 253-581-111
380-136-168
402-448- 9
453-748- 3
475-177- 59
493-1038- 55
511-541-158
陸鰲明(字鎭卿) 511-105-140
陸鰲明(字子任) 680-314-257
1475-296- 12
陸鰲明(字伯載) 1284-168-149
陸鰲妻 明 見倪氏
陸瓚明(龍游人) 482-238-349
524-269-191
563-823- 41
陸瓚明(蘭溪人) 524-433-200
陸驗梁 265-1104- 77
381- 21-184
384-123- 6
陸巖女 明 見陸氏
陸讓母 隋 見馮氏
陸曬宋 524-358-196
陸鑪明 820-630- 41
陸鑰妻 明 見高巽
陸鑾明 820-640- 41
陸一鳳明 511-388-151
1283-300- 90
陸一鳳妻 明 見陳氏
陸又機明 678-228- 92
陸九州明 820-710- 43
1442- 70-附4
1460-337- 55
陸九姑清 劉門年妻
567-507- 89
陸九思宋 515-746- 80
陸九皋宋 515-746- 80
1156-496- 28
陸九淵宋 288-113-434
400-512-547
449-817- 15
459-105- 6
471-738- 21
471-797- 29
473- 62- 51
473-114- 54
473-234- 60
479-657-247
480-170-266
515-748- 80
517-424-126
524-331-195
532-645- 43
539-504-11之2
674-348-5下
674-849- 18
1156-239- 附
1156-620- 2
1156-642- 4
1156-647- 5
1157- 90- 8
1178-728- 3
1363-705-213
1373-754- 21
1437- 25- 2
陸九敘宋 1156-489- 28

陸九韶宋 288-113-434
400-512-547
473-114- 54
479-657-247
515-747- 80
517-424-126
1437- 25- 2
陸九齡宋 288-112-434
400-511-547
449-815- 15
459-105- 6
471-747- 22
473-114- 54
473-209- 59
479-657-247
480- 49-259
515-747- 80
517-424-126
524-331-195
532-614- 43
820-437- 35
1150-116- 13
1156-482- 27
1156-620- 2
1181-764- 11
1437- 25- 2
陸九衢明 456-602- 9
483- 33-371
483-139-380
569-679- 19
陸三省宋 494-348- 7
陸士元妻 明 見蔣申中
陸士仁明 821-429- 57
陸士弘妻 明 見潘惟祥
陸士光晉 見陸曄
陸士沈後魏 見陸子彰
陸士秀陸士季 隋
493-1012- 54
493-1017- 54
511-725-165
陸士季隋 見陸士秀
陸士奎清 511-559-158
陸士隆明 475-225- 61
511-448-153
陸士鉉明 456-601- 9
479- 99-221
523-364-163
1475-519- 22
陸子才陳 265-946- 67
378-515-144
陸子才妻 明 見蔡氏
陸子厚明 520- 35- 34
陸子眞劉宋 265-683- 48
378-285-138
472-288- 12
485-154- 21
陸子隆陳 260-684- 22
265-945- 67
378-514-144
472-226- 8
480-239-269
485-157- 21
493-821- 44
511-385-151
532-560- 40
陸子彰陸士沈 後魏
261-559- 40
266-563- 28
379-100-147
472-717- 28
537-286- 55
546- 28-115
陸子彰妻 後魏 見上庸公主
陸子適宋 472-173- 6
492-565-13下之上
陸才子梁 260-429- 50
陸大用金 545-241- 92
陸大用元 見睦大用
陸大同唐 554-328- 54
陸大成明 1283-629-116
陸大受明 301- 9-235
475-229- 61
479-655-247
511-163-142
515-177- 62
陸大漳明 524-200-188
陸大銑明 524-113-183
陸大勳清 528-499- 30
陸大鍈明 524-113-183
陸上瀾明～清 524- 27-179
1475-532- 23
陸山才陳 260-658- 18
265-966- 68
378-550-145
485-157- 21
485-493- 9
493-822- 44
511-386-151
陸文圭元 295-540-190
400-700-567
453-783- 2
472-261- 10
475-224- 61
511-680-163
1439-429- 1
陸文圭妻 元 見殷氏
陸文圭妻 明 見陳氏
陸文旺明 511-544-158
陸文昌宋 484-385- 28
陸文俊妻 明 見楊氏
陸文通唐 見陸質
陸文通宋 813-90- 4
821-154- 50
陸文組明 1442- 71-附4
陸文博明 515- 97- 59
陸文諒妻 明 見林氏
陸文衡明 1442-94-附6
陸之泓明 1475-634- 27
陸之武陳 260-684- 22
265-946- 67
378-515-144
493-822- 44
陸之裘明 676-599- 24
1442- 68-附4
陸之蕃清 515-229- 63
523-393-164
陸之瀚清 1475-581- 25
陸王猷明 456-607- 9
陸元方唐 270- 55- 88
274-467-116
384-184- 10
395-466-223
470- 23- 91
472-226- 8
475-128- 56
485-158- 21
493-823- 44
511- 89-140
591-675- 47
933-712- 49
1065-876- 24
1342-246-936
陸元吉女 元 見陸順
陸元光宋 494-299- 5
陸元杰宋 見陸夢發
陸元長宋 820-436- 35
陸元厚明 820-755- 44
821-475- 58
陸元郎唐 見陸德明
陸元輔清 475-454- 71
511-696-163
陸元機清 523-470-169
563-871- 42
陸元錫明 475-526- 77
陸天祐元 524-197-188
陸天祚明 456-618- 9
515-126- 60
陸天街妻 清 見張氏
陸天濤清 1325-144- 9
陸友仁陸輔 明 820-600- 40
1240-377- 24
陸友悌唐 見陸堅
陸友誠妻 明 見王澂
陸中行明 820-704- 43
陸公望元 見黄公望
陸仁章吳越 494-294- 4
523-566-174
陸升之陸高僧 宋448-368- 0
820-421- 34
1163-438- 17
陸化淳明 511-112-140
515-280- 65
518-784-161
582-103-127
陸化熙明 511-112-140
678-477-115
陸介蕃妻 清 見周氏
陸允迪唐 見陸扆
陸立廉妻 清 見汪氏
陸必壽明 559-393-9上
陸永仲宋 585-497- 15
陸永資妻 明 見潘妙靜
陸弘肅劉宋 812-327- 6
821- 16- 45
陸平遠五代 517-548-129
陸可宗明 511-625-161
1313-266- 21
陸可教明 524-267-191
676-610- 25
1291-819- 3
1442- 77-附5

陸世枋清　見陸棻
陸世科明　523-296-159
563-763- 40
陸世栻明　1475-692- 29
陸世登妻　明　見辛氏
陸世楷清　482- 89-342
523-440-167
563-877- 42
1318-508- 78
1475-572- 25
陸世勣明　515-125- 60
陸世儀清　475-454- 71
511-696-163
1460-747- 80
陸世鎧明　456-637- 10
陸世權明　見陸枝山
陸以道元　511-681-163
676-115- 4
陸以衜元　453-794- 3
492-261- 10
492-713-3下
陸令萱北齊　駱超妻
267-754- 92
381- 35-184
陸用儀女　明　見陸氏
陸守道妻　明　見吾貞
陸安道明　820-697- 43
陸在前明　1475-406- 17
陸在新清　511-117-140
515-161- 61
陸有常宋　472-587- 24
511-504-156
540-648- 27
陸光之陸定哥　宋448-370- 0
陸光宅明　523-583-175
陸光旭清　474-169- 8
505-649- 68
1475-603- 26
陸光宙明　1442- 70-附4
1460-339- 55
1475-347- 14
陸光岳明　1475-380- 16
陸光祖明　300-684-224
477-201-159
479-97-221
523-274-158
525-389-236
537-282- 55
676-581- 24
1442-59-附4
1475-310- 13
陸光祚明　523-275-158
676-588- 24
1475-317- 13
陸光揚妻　清　見馬氏
陸光遠妻　明　見成妙清
陸光圖南漢　482-185-346
564- 35- 44
陸任忠明　564-256- 47
陸自嶽明　523-139-152
陸自巖明　523-123-151
陸如岡妻　清　見仲氏
陸如松明　1261-701- 30
陸如衢明　559-289-7上
陸完學明　478-769-215
511-163-142
523- 60-148
陸仲仁宋　511-875-170
821-219- 51
陸仲亨明　299-233-131
511-418-152
563-845- 41
陸仲車明　517-548-129
陸仲明宋　821-246- 52
陸仲遠元　511-882-171
陸行直明　820-576- 40
821-346- 55
1439-443- 2
陸良勝明　見夏良勝
陸志孝明　511-547-158
陸求可清　475-330- 65
511-197-143
1318-483- 75
陸孝斌唐　1065-835- 20
1342-189-928
陸君弼明　見陸弼
陸克昇妻　清　見詹氏
陸克清妻　清　見張氏
陸見閑陳　見陸見賢
陸見賢陸見閑　陳
260-691- 23
493-814- 44
陸吳山明　1283-683-120
陸吳山妻　明　見高氏
陸伯玉唐　1065-870- 23
1342-359-950
陸伯良明　532-705- 45
陸伯倫明　820-594- 40
陸含章明　1258-677- 16
陸含章妻　明　見秦氏
陸希道後魏　261-562- 40
266-566- 28
503- 9- 90
546- 25-115
陸希質後魏　261-563- 40
陸希聲唐　274-469-116
384-288- 15
395-467-223
472-227- 8
475-129- 56
485-159- 21
485-498- 9
493-824- 44
493-1054- 56
511-727-165
674-160-1上
813-227- 4
814-279- 10
820-270- 29
陸邦玠清　524-105-183
陸秀夫宋　288-343-451
400-199-515
451- 55- 2
451-245- 0
459-668- 39
472-275- 11
472-311- 13
475-328- 65
508-289- 40
511-459-154
563-709- 39
564-803- 60
564-825- 60
564-938- 64
1373-751- 21
陸秀夫妻　宋　512- 48-178
陸廷掄清　1322- 43- 3
陸廷貴明　1249-152- 9
陸宗秀明　524-183-187
陸宗善明　475-179- 59
820-577- 40
陸宗博妻　明　見華氏
陸宗道妻　清　見楊氏
陸宗學明　1475-168- 7
陸法言北朝　266-566- 28
陸法和北齊　263-245- 32
267-693- 89
380-641-183
384-144- 7
473-305- 62
480-256-269
533-777- 74
533-791- 75
1395-603- 3
陸法眞劉宋　493-821- 44
563-617- 38
陸法愷妻　清　見李氏
陸怡梅明　1261-864- 42
陸定桂明　見陸果
陸定哥宋　見陸光之
陸定娘宋　見陸定孃
陸定國後魏　261-558- 40
266-562- 28
379- 99-147
546- 19-115
陸定徵清　1325-192- 12
陸定龍元　820-544- 39
陸定孃陸定娘、陸閏娘、陸閏孃　宋　陸游女1163-566- 33
1410-366-712
陸其燧清　524-190-187
陸坦之宋　1170-710- 31
陸居仁元～明　301-810-285
475-178- 59
511-838-168
1268-571- 88
1318-360- 64
1439-451- 2
1471-565- 14
陸長庚明　475-822- 92
479- 97-221
510-495-118
515- 59- 58
517-788-135
523-276-158
567-143- 68
820-746- 44
1442- 78-附5
1460-396- 58
1475-364- 15
陸長春明　1475-370- 15
陸長源唐　270-735-145

275-154-151
384-229- 12
395-751-249
471-659- 11
472-227- 8
473-598- 76
475-128- 56
477-498-174
485-159- 21
493-645- 35
493-825- 44
511- 90-140
528-520- 31
545-208- 91
820-221- 28
933-713- 49
1080-449- 40
1371- 67- 附
陸東隱女 明 見陸翠
陸枝山陸世權 明 1475-706- 29
陸承休宋 484-384- 28
陸承祚清 479- 57-219
524-102-183
陸承孫妻 元 見楊端慧
陸承祺清 479- 57-219
524-102-183
陸承憲明 1442- 71-附4
陸尚賓唐 820-286- 30
陸尚質明 302-145-296
524-136-185
陸肯堂清 511-755-165
陸昌期明 563-769- 40
陸明永明 見眭明永
陸昕之後魏 261-559- 40
266-563- 28
379- 99-147
546- 24-115
陸昕之妻 後魏 見常山公主
陸知命隋 264-962- 66
267-514- 77
379-833-163
472-965- 38
479- 47-218
523-505-171
590-135- 17
933-712- 49
陸非熊妻 清 見馬氏
陸受萬清 456-371- 78
陸洽原明 1475-696- 29
陸炯耀妻 明 見艾氏
陸彥先明 1458- 90-422
陸彥沖明 456-637- 10
陸彥師隋 264-1027- 72
266-565- 28
379-812-162
472-696- 28
474-650- 34
477-163-157
538- 90- 64
544-220- 62
陸彥章陸彥璋 明300-555-216
475-181- 59
511-128-141
820-734- 44
1442- 8-附5
1460-439- 60
陸彥遠齊 820- 96- 24
陸彥遠唐 820-141- 26
陸彥璋明 見陸彥章
陸持之宋 287-776-424
398-703-415
479-658-247
493-779- 42
515-755- 80
677-363- 33
1173-150- 73
陸相儒明 481-644-330
523-438-167
528-515- 31
陸奎章明 523-134-152
陸胥峰明 1283-846-133
陸南金唐 271-527-188
275-629-195
384-204- 11
400-287-523
472-226- 8
472-1083- 46
479-173-225
485-159- 21
487-187- 12
493-1006- 53
511-518-157
523-125-152
507-419- 85
1467-175- 68
陸南陽明 480-404-277
532-697- 45
陸東之唐 485-158- 21
493-1053- 56
511-863-170
812- 65- 中
812-229- 8
812-718- 3
812-738- 3
812-250- 8
814-267- 9
820-141- 26
陸柔柔宋 歐陽夢桂妻
1408-523-533
陸茂才妻 明 見錢氏
陸思孝元 295-612-198
400-318-526
472-1072- 45
479-236-227
524-133-185
陸思鐸後晉 278-124- 90
279-288- 45
384-311- 16
396-414-293
477-447-171
陸貞姑明 482-468-363
陸若濟宋 515-143- 61
陸昭符南唐 472-176- 6
475-213- 60
511- 71-139
陸禹臣唐 547-516-160
567-457- 87
1467-512- 11
陸高僧宋 見陸升之
陸祖尚妻 清 見陳氏
陸庭曜陸曜 唐 812-347- 9
812-371- 0
821- 57- 46
陸旅攜陸應節、陸鳴僕 明
820-712- 43
1280-384- 84
陸兼物唐 493-646- 35
陸素蘭明 顧澄妻、陸筠松女
1268-399- 63
陸恭之後魏 261-557- 40
266-560- 28
379- 98-147
546-673-137
陸振奇明 523-580-175
陸振芬清 511-134-141
陸時通明 473- 27- 49
陸時雍宋 472-1016- 41
494-320- 6
524-161-186
1140-291- 5
陸時雍明(字幼淳) 515-110- 60
523-446-168
陸時雍明(字仲昭)
1475-457- 19
陸師古陸陳僧 宋448-391- 0
陸師閔宋 286-412-332
陸師閔妻 宋 見范氏
陸師道明 301-845-287
475-137- 56
511-741-165
684-499- 下
820-697- 43
821-429- 57
1283-120- 76
1284-174-150
1442- 57-附3
1460-164- 47
陸師道女 明 見陸卿子
陸師贄明 480-248-269
533-216- 53
陸卿子明 趙宧光妻、陸師道女 475-454- 71
512- 8-176
820-768- 44
1442-124-附8
1460-776- 84
陸卿正明 511-393-151
陸修正明 524-329-195
陸修靜劉宋 479-153-223
479-583-243
493-1100- 58
494-436- 13
511-918-174
516-474-105
517-333-124
517-546-129
524-401-199
879-144-57下
1060- 41- 5
陸清原明 456-440- 3

479- 99-221
523-365-163
563-766- 40
1442-108-附7
1460-656- 73
1475-481- 21
陸清都後魏 261-564- 40
544-211- 62
陸惇彥宋 1118-380- 19
陸惟忠宋 592-235- 74
1108-437- 89
1108-617-102
1110-678- 41
1410-360-711
陸惟敬妻 明 見陳氏
陸淵之明 523-466-169
559-291-7上
676-509- 20
820-638- 41
1442- 33-附2
1459-717- 28
陸深原清 1475-548- 24
陸淑正明 王宗妻、陸寧女
1271-603- 51
陸淑清明 493-1085- 57
512- 22-177
陸康稷明 511-113-140
515-158- 61
515-204- 63
陸基恕明 1475-351- 14
陸基誠明 524-186-187
陸問禮明 511-388-151
564-801- 60
陸乾元明 1278- 23- 1
陸探微劉宋 493-1053- 56
511-862-170
812-326- 6
813- 70- 1
821- 15- 45
陸張烈清 523-442-167
陸陳僧宋 見陸師古
陸逞通北周 544-219- 62
陸紹祖清 547- 78-143
陸紹琦清 479-100-221
陸紹聞元 1196-151- 8
陸從平明 571-547- 20
陸從典陳 260-743- 30
265-690- 48
378-567-145
485-157- 21
493-816- 44
511-725-165
陸從龍宋 1170-689- 29
陸從龍明(都均人) 483-295-394
572- 88- 29
陸從龍明(杭州人) 820-744- 44
陸從龍清 511-547-158
陸啟宏明 1475-469- 20
陸敏捷明 546- 99-118
陸敏學明 554-313- 53
陸善經女 唐 見陸氏
陸翔華清 482-523-367
523-521-171
567-152- 69
陸曾曄明 524- 58-180
820-750- 44
陸敦信唐 472-983- 39
陸雲公梁 260-428- 50
265-689- 48
378-411-141
472-225- 8
475-126- 56
485-155- 21
493-814- 44
511-724-165
1401-312- 26
陸雲將明 456-637- 10
陸惠曉齊 見陸慧曉
陸費錫明 1475-629- 27
陸超之齊 265-643- 44
375-336- 82
475-126- 56
485-155- 21
493-1000- 53
511-433-153
陸閏娘宋 見陸定孃
陸閏孃宋 見陸定孃
陸提略妻 明 見段氏
陸森立清 1475-564- 24
陸景文晉 491-115- 13
494-343- 7
陸景元元 511-732-165
陸景初唐 見陸象先
陸景思宋 488-491- 14
陸景倩唐 270- 56- 88
274-469-116
395-467-223
448-333-下
472-226- 8
472-641- 26
477-441-171
485-158- 21
493-824- 44
511- 89-140
933-712- 49
陸景雲唐 477- 49-151
陸景融唐 274-469-116
395-467-223
472-227- 8
475-128- 56
485-158- 21
493-824- 44
820-142- 26
陸華之元 524-345-196
585-540- 19
陸舜臣明 567-415- 84
1467-222- 70
陸逸沖南北朝 524-394-199
陸象先陸景初 唐270- 55- 88
274-468-116
384-191- 10
395-466-223
470- 23- 91
472-226- 8
472-273- 11
473-425- 67
475-128- 56
476-111-102
481- 16-291
485-158- 21
493-823- 44
511- 89-140
545-358- 96
559-260- 6
933-712- 49
陸象賢明 564-169- 45
陸詢武宋 549-124-185
陸運昌明 479-712-250
515-159- 61
523-431-167
676-658- 27
1313-132- 11
陸道光明 524-353-196
陸道見妻 清 見徐氏
陸道乾明 1475-309- 13
陸煥之宋 1163-420- 15
1163-605- 38
陸聖姬明 周槩妻
1475-808- 34
陸瑞金妻 清 見張氏
陸瑞銓明 524-187-187
陸萬友宋 285-368-271
472-482- 21
546- 68-117
陸萬言明 820-744- 44
821-448- 57
陸萬里明 820-744- 44
陸萬垓明 479-455-237
481-746-334
515- 56- 58
523-275-158
528-563- 32
567-139- 68
1467-127- 66
1475-340- 14
陸萬頃妻 清 見楊氏
陸遇龍明 1325-180- 11
陸遇霖清 1319-707- 44
陸筠松女 明 見陸素蘭
陸經術明 559-322-7上
567-352- 80
1467-253- 71
陸愛溪明 1283-452-102
陸賓虞唐 485-160- 21
493-826- 44
陸韶之宋 1127-808- 12
陸壽國明 1442-115-附7
1460-672- 74
陸嘉淑明 524- 13-178
1460-742- 80
陸嘉穎明 1442-105-附7
1460-637- 72
陸嘉鯉明 567-407- 84
1467-214- 70
陸趙璧唐 271-527-188
400-287-523
陸遠郊唐 820-282- 30
陸夢斗明 676-173- 7
陸夢祖明 510-378-114
523-313-160
陸夢發陸元杰 宋451- 70- 2
1193-640- 31

1375- 14- 上
1376-356- 83
陸夢龍明 301- 96-241
456-424- 2
478-546-202
479-244-227
483-227-390
515- 62- 58
523-387-164
540-672- 27
676- 12- 1
677-684- 61
1442- 91-附6
1460-680- 75
陸夢韓明 676-203- 8
陸鳴和明 820-755- 44
陸鳴僕明 見陸旅攜
陸蒙老宋 524- 32-179
陸鳳儀明 515-225- 63
523-484-170
陸僧瓚女 宋 見慧感夫人
陸維之陸凝、陸凝之 宋
524-276-192
587-439- 5
陸維祺清 524-188-187
陸肇泰清 482- 40-340
陸肇熊清 1325-179- 11
陸澄原明 676-653- 27
1442-104-附7
1460-619- 71
1475-442- 19
陸潤卿女 元 見陸靜貞
陸慧曉陸惠曉 齊
259-463- 46
265-683- 48
370-523- 16
378-285-138
384-115- 6
472-225- 8
475-126- 56
479-222-227
484- 44- 下
485-154- 21
492-621- 14
493-811- 44
511- 89-140
523-145-153
1379-604- 72
陸標錫清 見陸元
陸敷樹清 1475-593- 25
陸敷錫明 523-519-171
567-127- 67
1467-113- 66
陸震發宋 523-623-177
679-534-191
陸履敬清 515-456- 70
陸履謙明 821-460- 57
陸蔚之唐 820-251- 29
陸餘慶唐 270- 56- 88
274-469-116
395-468-223
472-226- 8
475-128- 56
485-158- 21
493-825- 44
511-726-165
537-198- 54
545-337- 96
933-712- 49
陸儀吉明 821-462- 57
陸德方元 524-309-194
陸德正宋 史蒙卿妻、陸合女
1185-504- 92
陸德明陸元朗 唐
271-534-189上
276- 4-198
384-167- 9
400-581-554
471-596- 2
472-226- 8
475-128- 56
485-157- 21
493-645- 35
493-1013- 54
511-670-163
677-142- 14
933-715- 49
陸德芳明 1271-640- 55
陸德芳妻 明 見謝氏
陸德源元 1369-296- 6
1439-443- 2
陸德漸明 1474-544- 27
陸德潤元 1232-430- 4
陸德衡明 1268-523- 82
陸德輿宋(字載之) 472-984- 39
479- 94-221
491-118- 13
陸德輿宋(知南康軍)
515-233- 64
陸德蘊女 明 見陸娟
陸憲元宋 1093-661- 20
陸龍成後魏 261-564- 40
540-645- 27
544-211- 62
陸龍其清 見陸隴其
陸龍津明 1274-219- 9
陸親仁明 563-838- 41
陸凝之宋 見陸維之
陸樹德明 300-731-227
475-187- 59
511-129-141
1283-841-133
陸樹聲明 300-554-216
475-187- 59
511-128-141
820-698- 43
1294-268-6下
1294-272-6下
1442- 57-附3
1460-165- 48
陸頤真宋 1203-426- 31
陸穎武明 1475-695- 29
陸靜之宋 1163-565- 33
陸靜貞元 邵景義妻、陸潤卿女 1216-613- 12
陸褧方女 明 見陸氏
陸龜蒙唐 275-646-196
384-281- 14
401- 10-568
451-485- 8
471-596- 2
472-227- 8
472-1002- 40
475-129- 56
479-147-223
484- 37- 下
485-160- 21
493-1042- 55
494-292- 4
508-237- 38
511-831-168
524-311-194
526-293-268
674-268-4中
683-220- 8
871-910- 19
933-714- 49
1083-233- 1
1083-271- 5
1083-384- 16
1083-408- 附
1083-412- 附
1083-414- 附
1119- 60- 0
1210-422- 14
1340-723-796
1344-468- 99
1365-411- 3
1371- 72- 附
1385-353- 14
1386-442- 45
1386-643- 55
1388-458- 80
1408-606-542
1408-607-542
1473-486- 85
陸錫明明 510-430-116
524-249-190
1442-104-附7
1460-618- 71
1475-442- 19
陸錫命明 524-186-187
陸錫恩明 1442- 85-附5
1460-480- 63
1475-381- 16
陸鴻休唐 1467-143- 67
陸鴻漸唐 見陸羽
陸應祥明 547- 52-143
陸應陽明 1442-101-附6
陸應節明 見陸旅攜
陸應賓妻 明 見胡氏
陸應賓女 明 見陸氏
陸應龍明 576-653- 5
1274-613- 3
陸應鴻女 明 見陸氏
陸濬明清 1475-570- 25
陸濬睿清 474-515- 25
505-697- 70
523-440-167
1475-553- 24
陸懋龍明 1442- 78-附5
1460-393- 58

陸繁弨清 524- 16-178
1460-746- 80
陸徽之宋 485-160- 21
493-934- 50
511-728-165
589-343- 5
陸懷玉明 523-440-167
676-635- 26
1442- 94- 6
1460-541- 66
1475-429- 18
陸懷玉清 528-565- 32
陸懷道宋 821-235- 51
陸隴有清 見陸隴其
陸隴其陸龍其、陸隴有
474-373- 19
475-450- 71
479-100-221
505-673- 69
510-406-115
523-584-175
539-507-11之2
1316-638- 44
1325-281- 附
1325-294- 附
1325-297- 附
1325-298- 附
1475-701- 29
陸鵬升宋 708-1023- 95
708-1052- 97
陸鵬南元 1439-423- 1
陸瀹原清 1475-618- 26
陸獻明明 511-238-145
陸嚴之女 清 見陸氏
陸騰駿清 511-196-143
陸釋麟明 1442-115-附7
陸繼恩明 1268-490- 76
陸繼翁明 524-357-196
陸辯惠陸辯慧 陳
260-690- 23
265-686- 48
陸辯慧陳 見陸辯惠
陸蘭徽清 1325-180- 11
陸疊山明 524-347-196
陸觀蓮清 殳丹生妻
1475-842- 35
陸鬱生晉 陸績女、張白妻
254-843- 12
386-211- 78
475-144- 57
485-203- 27
493-1078- 57
512-186-182
陸通接輿春秋 見接輿
匿舍朗碩舍朗 唐
496-617-105
區氏明 梁興妻 482-188-346
區冊唐 471-829- 34
473-674- 79
564- 30- 44
564-676- 59
區昌明 567- 95- 66
567-105- 66
區金齊 564- 13- 44
區祉漢 563-606- 38
區革宋 471-879- 41
567-412- 84
1467-173- 68
區益明 482-186-346
523-232-156
564-211- 46
676-574- 23
區寄唐 1076-164- 17
1076-618- 17
1077-214- 17
1340-704-794
1383-254- 21
1408-500-530
1447-290- 11
區連漢 見區憐
區越明 564-168- 45
區逵漢 見區憐
區景不詳 933-120- 8
區瑞明 564-242- 47
區憐區連、區逵 漢
567-581- 94
575-602- 36
區澤唐 見高澤
區大相明 564-284- 47
676-617- 25
1442- 83-附5
1460-444- 61
區大倫明 505-693- 70
564-212- 46
區大樞明 517-719-133
區元晉明 569-670- 19
區伯虎陳 482-183-346
563-625- 38
區希範宋 288-895-495
371-201- 20
567-585- 94
區廷芳明 564-208- 46
區禹民明 564-127- 45
區國龍明 564-295- 47
區慶雲明 564-112- 45
區適子元 564- 83- 44
區懷瑞明 480-171-266
564-285- 47
區健維貞妻 清 見鄭氏
現明 554-914- 64
規紀上古 404-383- 23
都支阿史那都支 唐
384-295- 15
都氏明 王治民妻 483-397-403
都氏明 陳揀塘母 518-218-142
都氏明 見郝氏
都氏清 鄒方宋妻 512-259-183
都任明 302-100-294
456-428- 2
458- 65- 3
477- 89-153
478-269-187
538- 41- 63
545-107- 86
554-219- 52
都印明 1259-227- 7
1458-678-470
都沁元 399-337-448
都君上古 見舜
都貝清 502-750- 85
都坦清 455-230- 12
都呼元 294-273-122
399-350-449
都岱清 455-433- 26
都兒唐 547- 99-145
都袒明 479-225-227
523-155-153
都柳清 455-607- 41
都倫清 456- 9- 50
都納元 524-452-202
都理清 455- 86- 3
都都清 455-296- 17
都絜宋 見都潔
都睨宋 546-185-121
547-133-146
都勝明 299-657-166
505-818- 74
都潔都絜 宋 451-134- 2
473-194- 58
515-255- 65
都賚清(揚佳氏) 456- 65- 54
都賚清(金氏) 456-289- 72
都頡宋 473- 47- 50
516- 12- 87
都稽漢 453-732- 1
933-120- 8
都隨宋 473- 46- 50
516- 11- 87
都穆明 472-231- 8
475-136- 56
511-739-165
512-727-195
676-529- 21
677-561- 51
820-666- 42
1284-151-148
1386-362- 43
1442- 39-附2
1454-361-123
1458-255-434
1459-805- 32
都勳清 547- 66-143
都藍隋 見雍虞閭
都嚮宋 547-557-161
都類清 502-507- 71
都馨清 455-331- 20
都文信明 493-1009- 53
511-523-157
都什巴清 455-282- 16
都先覺清 511-612-160
都朱魯清 455-179- 8
都忒赫清 455-283- 16
都克錫清 456-177- 63
都廷諫明 456-546- 7
都拉米清 456-293- 72
都忽禿明 見多和圖
都兒禿明 見都哩圖
都珠瑚清 455-479- 29
都哩圖都兒禿 明
496-625-106
都尉娘晉 陳壽妻
591-342- 27

都琥禪清 455-384- 23
都景運明 554-524-57下
都喀禪清 455-668- 47
都喇錫清 456-173- 63
都智拔清 455- 48- 1
都楞額清 455-464- 28
都達哈清 455-200- 10
都達海清 502-502- 70
都嗣成明 820-581- 40
都爾古清 455-469- 45
都爾柏清 455-620- 42
都爾班清 455-170- 7
都爾琥清 455-450- 27
都爾瑚清 455-587- 39
都爾瑪清(戴佳氏) 455-479- 29
都爾瑪清(錫納氏) 502-587- 76
都爾德清 502-580- 75
都嘉猷宋 546-185-121
都維明明 821-403- 56
都慶訥清 455-435- 26
都錫布清 455-414- 25
都璧庫清 455-579- 38
都薩阿土領阿 明
496-628-106
都蘭泰清(那木都魯氏)
455-346- 21
都蘭泰清(薩克達氏)
455-552- 35
都蘭泰清(冬果爾氏)
456-270- 70
都囊阿清 455-480- 29
都布可汗唐 見社尒
都胡盧克清 455-695- 49
都思噶爾清 454-459- 37
都哩布哈朵里不花 元
479-451-237
都哩默色元(蒙古人)
563-716- 39
都哩默色元(伊琳特穆爾子)
1367-923- 70
都稜特穆爾元 見音咱納實哩
都爾巴琥賚瑚清455- 56- 1
聊倉漢 見膠倉
聊著漢 933-261- 18
聊讓明 299-627-164
515- 90- 59
524-266-191
558-291- 34
聊城王明 見朱安瀶
帶佗戰國 933-668- 44
掩餘公子掩餘、蓋餘 春秋
384- 24- 1
405-124- 63
485-149- 20
掩耳道士唐 592-263- 76
掃地和尚五代 481- 86-294
掘多唐 1052-139- 10
梓愼春秋 380-542-181
404-549- 33
448-239- 20
469-182- 21
541-102- 31
933-518- 34
郴王唐 見李逾
郴王後梁 見朱友裕
副伏羅伊匐後魏 267-877- 98
副伏羅窮奇後魏 267-876- 98
副伏羅彌俄突後魏
276-876- 98
副伏羅阿伏至羅後魏
267-876- 98
疏言唐 480-418-277
疏受漢 250-586- 71
376-307-100
491-795- 6
540-695-28之1
675-295- 15
1408-377-516
疏源漢 453-752- 3
564- 3- 44
疏廣漢 250-586- 71
376-307-100
384- 48- 2
469-199- 23
472-549- 23
476-579-131
491-795- 6
540-695-28之1
675-295- 15
1408-377-516
陶清 455-480- 29
陶文明 563-830- 41
陶丹妻 晉 見湛氏
陶氏晉 陶潛妹 1063-526- 8
陶氏宋 葉時可妻
1170-701- 30
陶氏宋 劉宰妻 1170-741- 32
陶氏明 王琇妻 472-361- 15
陶氏明 王世望妻
1283-709-122
陶氏明 王守邦妻 473- 89- 52
479-611-244
陶氏明 王萬年妻 480-440-278
陶氏明 史斌妻 473-396- 66
陶氏明 朱廷傑妻 480-139-264
陶氏明 周道光妻
1283-457-102
陶氏明 金時秀妻 475-382- 68
陶氏明 孫士毅妻 302-254-303
475-673- 84
512-114-180
陶氏明(徐駿妻) 482-353-356
1467-260- 72
陶氏明 郭方煜妻 480- 95-262
陶氏明 梁大新妻 480-440-278
陶氏明 董深妻、陶楷女
1272-278- 14
陶氏明 樊用節妻
1241-220- 10
陶代明 龐大治妻 483-163-382
陶氏明 季龍伯母
1289-321- 21
陶氏明 陶琰女 550-451-222
陶氏清 李上苑妻 475-758- 88
陶氏清 吳維南妻 482-436-361
陶氏清 周六哥妻 474-192- 9
506- 21- 86
陶氏清 周泰可妻 530- 99- 56
陶氏清 金來儀妻 479-336-232
陶氏清 俞廷耀妻 475-676- 84
陶氏清 夏世寧妻 530-145- 58
陶氏清 張晟妻 506- 66- 87
陶氏清 張鑑妻 530-145- 58
陶氏清 張士達妻 506- 69- 87
陶氏清 鄭兆昌妻 437-436-236
陶氏清 劉秉乾妻 483-141-380
陶本明 511-326-149
陶旦明 524-236-189
陶令宋 472-196- 7
510-501-118
陶安明(字主敬) 299-281-136
443- 2- 1
452-184- 4
453- 94- 9
453-526- 2
472-350- 15
473- 15- 49
473- 44- 50
473-281- 61
475-670- 84
479-452-237
479-527-241
480-127-264
511-326-149
515- 32- 58
532-631- 43
676-444- 17
1442- 4-附1
1459-224- 4
陶安明(知灤州) 472-142- 5
505-650- 68
陶安明(知平江) 473-316- 62
532-731- 46
陶安妻 明 見陳氏
陶安妻 明 見喻德常
陶回晉 256-298- 78
377-830-128
472-175- 6
472-349- 15
472-997- 40
475-668- 84
479-131-223
489-598- 47
489-668- 49
492-575-13下之上
494-275- 2
511- 70-139
523-110-151
933-272- 19
陶色清(楊氏) 456-338- 76
陶色清(李氏) 456-379- 79
陶汪晉 472-357- 15
510-432-116
陶沔唐 516-198- 95
陶冶明 821-462- 57
陶成明(字孔思) 299-638-165
472-963- 38
478-766-215
482-524-367
523- 38-147
567-306- 77

1248-509- 24
1467-191- 69
1467-291- 73
陶成明(字懋學) 820-637- 41
821-396- 56
1442- 49-附3
1460- 56- 42
陶成清 1325-812- 11
陶秀明(昭平人) 482-434-361
567-308- 77
1467-194- 69
陶秀明(字子實) 515-842- 84
523-175-154
陶性明 540-820-28之3
陶庚明 570-166-21之2
陶青漢 933-272- 19
陶拉清 455-544- 35
陶杭晉 489-668- 49
陶杼妻 清 見郝氏
陶玶明 見陶匏
陶忠宋 821-218- 51
陶叔周 933-272- 19
陶舍漢 535-552- 20
933-272- 19
陶金明 563-785- 40
陶岱晉 256-121- 66
陶侃晉 256-113- 66
370-319- 7
377-703-125
384- 97- 5
407-594- 5
459-308- 19
470-177-111
471-715- 18
471-745- 22
471-775- 26
471-779- 27
471-782- 27
471-785- 28
471-787- 28
471-816- 32
471-829- 34
471-918- 48
471-928- 49
472-336- 14
473- 46- 50
473- 86- 52
473-208- 59
473-221- 59
473-245- 60
473-296- 62
473-314- 62
473-333- 63
473-347- 63
473-671- 79
473-890- 90
475-524- 77
479-606-244
480- 10-257
480- 47-259
480-199-267
480-361-275
480-435-278
481-799-338
483-697-422
489-351- 31
489-632- 48
510-412-116
516- 3- 87
517-760-134
532- 97- 27
532-552- 40
563-611- 38
567- 27- 63
814-236- 5
820- 61- 23
933-272- 19
1251-696- 5
1409-279-594
1467- 9- 62
陶岳宋 473-389- 65
533-105- 50
陶延晉 564- 11- 44
陶洪晉 256-121- 66
陶旂宋 見陶旐
陶炳明 523-517-171
1475-274- 11
陶宣明 1467-204- 69
陶恆妻 明 見楊氏
陶亮妻 明 見王氏
陶亮妻 明 見吳氏
陶威晉 933-272- 19
陶玻明 820-643- 41
陶昺明 510- 47-115
陶毗晉 1061-241-107
陶英唐 567-430- 86
1467-143- 67
陶英明(卒贈都指揮)
483-268-392
571-540- 20
陶英明(巴縣人) 564-271- 47
陶信明 1260-634- 19
陶唐宋 516- 95- 91
陶浚明 570-255- 25
陶珙明 456-586- 8
480-437-278
532-728- 46
570-138-21之2
陶泰清 455-366- 22
陶格清 455-137- 5
陶振明 493-1030- 54
511-735-165
524- 20-179
676-455- 17
1220-341- 12
1318-238- 52
1442- 11-附1
1459-483- 15
1475-165- 7
陶夏晉 256-121- 66
陶峴唐 485-166- 22
493-1041- 55
511-831-168
516-118- 92
1408-508-531
陶納清 455-487- 30
陶寅陶瑀叔 宋 451- 69- 2
陶清明 559-316-7上
陶淡晉 256-539- 94
380-435-177
473- 88- 52
480-415-277
516-115- 92
533-781- 75
1283-134- 77
陶基晉 472-349- 15
564- 11- 44
陶梓明 546-755-140
陶匏陶玶 明 1475-420- 18
陶崇宋 473-751- 83
482-350-356
567-299- 76
1467-179- 68
陶偉明 473- 78- 52
1240-182- 12
陶滋明 300-303-201
476-402-119
546-601-135
陶斌晉 256-121- 66
陶旐宋 494-389- 11
523-444-168
1128-256- 26
1128-394- 11
陶湮晉 255-947- 57
489-668- 49
陶旒清 456- 33- 52
陶雲唐 593- 28- 上
陶賀明 821-434- 57
陶雅五代 472-326- 14
485-498- 9
510-443-117
陶隆劉宋 820- 88- 24
1061-241-107
陶琦晉 256-121- 66
陶弼宋 286-441-334
397-544-353
471-866- 39
471-878- 41
473-366- 64
473-390- 65
473-725- 82
473-748- 83
473-757- 83
473-790- 85
480-543-283
480-563-284
482-225-348
482-347-356
482-484-364
532-735- 46
532-745- 46
533-272- 56
563-692- 39
567- 54- 65
933-274- 19
1099-574- 12
1113-222- 22
1117-606- 8
1365- 7- 96
1437- 13- 1
1467- 25- 62
陶弼妻 明 見艾氏

陶琛明 493-1026- 54
511-733-165
820-569- 40
陶琰明(字廷信) 300-302-201
476-402-119
478-546-202
478-768-215
523- 47-148
528-454- 29
537-217- 54
546-597-134
陶琰明(字稚圭) 456-635- 10
458-1071- 2
511-441-153
陶琰明(姚安所人)
570-120-21之1
陶琰女 明 見陶氏
陶凱父 元 1221-201- 2
陶凱明 299-286-136
453-548- 5
479-290-230
524- 64-181
524-144-185
526- 84-261
676-447- 17
1229-209- 5
1442- 6- 附
1459-270- 6
陶華明 524-346-196
676-382- 14
陶棨明 483-207-389
陶復明 1254-407- 2
陶試明 1272-259- 13
陶猷晉 255-947- 57
489-668- 49
陶靖元 1221-462- 9
陶靖明 1254-407- 2
陶裔宋 554-910- 64
812-471- 3
812-547- 4
821-154- 50
陶煜元 524-143-185
592-1021- 下
820-527- 38
1216-606- 12
1221-642- 24
陶廉明(字敬甫) 479-135-223
523-120-151
陶廉明(字介夫) 570-109-21之1
陶歆明 563-810- 41
陶資清 455-377- 23
陶瑄明 567-317- 78
陶楷明 820-676- 42
陶楷女 明 見陶氏
陶幹唐 475-275- 63
1072-546- 下
陶照明 523-517-171
1475-269- 11
陶鼎明 563-849- 41
陶鉉元 821-297- 53
陶愈女 明 見陶安亶
陶鉦明 524-184-187
陶鈐明 456-619- 9
陶旗晉 256-122- 66
陶福明 540-660- 27
陶寧明 494-168- 6
570-162-21之2
陶碩漢 402-445- 9
陶輔明 676-331- 12
陶銓明 472-468- 20
546-594-134
554-220- 52
陶稱晉 256-122- 66
陶魁妻 清 見王氏
陶潰晉 933-272- 19
陶諒元 1200-772- 59
陶潛陶元亮、陶淵明 晉
256-540- 94
258-593- 93
265-1059- 75
380-435-177
384-101- 5
384-122- 6
446-274- 上
470-177-111
471-709- 17
471-745- 22
473- 88- 52
479-607-244
489-599- 47
489-679- 49
516-116- 92
517-333-124
517-545-129
533-720- 73
588-156- 8
674-245-4上
839- 40- 4
871-902- 19
879-144-57下
933-272- 19
1054- 67- 2
1054-334- 7
1063-472- 附
1063-673- 4
1127-491- 8
1283-134- 77
1329-984- 57
1331-484- 57
1370- 93- 5
1379-353- 44
1395-590- 3
1398-696- 11
1408-496-529
1408-602-542
1414-497- 81
1454-272-112
陶潛妻 晉 見翟氏
陶潛妹 晉 見陶氏
陶誼妻 元 見王淑
陶誼明 見陶宗儒
陶窳清 511-890-172
陶震妻 明 見諸氏
陶模隋 264-1015- 71
472-429- 19
476- 26- 97
478-108-180
545-130- 87
554-691- 61
陶穀唐穀 宋 285-336-269
371-125- 13
382-204- 30
384-328- 17
401-305-608
450-710-下7
472-839- 33
478-404-194
492-710-3下
546-632-136
554-843- 63
820-329- 32
933-273- 19
陶魯明 299-639-165
482- 33-340
482-524-367
563-742- 40
564-117- 45
564-753- 60
567-315- 78
1457-530-392
1467-211- 70
1467-446- 6
陶範晉 256-121- 66
494-332- 7
陶諧明 300-342-203
476-918-148
479-240-227
481-806-338
515- 50- 58
523-307-160
558-479- 40
563-724- 40
580-365- 22
676-527- 21
1442- 39-附2
1459-792- 32
陶澤元 1221-462- 9
陶澤明 1458-577-458
陶懌明 524-259-191
陶濂明 559-292-7上
陶濂妻 明 見梁氏
陶璜晉 255-945- 57
377-637-124下
385-569- 64
472-175- 6
472-349- 15
475- 72- 53
489-598- 47
489-667- 49
492-574-13下之上
511-383-151
567- 26- 63
933-272- 19
1467- 7- 62
陶臻晉 256-122- 66
377-711-126
479-607-244
516- 4- 87
933-272- 19
陶翰唐 451-418- 1
511-772-166
674-857- 19

1371- 58- 附
陶續宋 821-185- 50
陶濬晉 489-668- 49
陶濬宋 567-394- 83
1467-166- 68
陶謙漢 253-440-103
254-157- 8
377- 40-113下
384- 70- 3
385-106- 10
472-349- 15
472-408- 18
475- 14- 49
475-500- 75
475-668- 84
475-697- 86
489-598- 47
510-460-117
933-272- 19
陶燦明 564-118- 45
陶輿晉 256-122- 66
377-711-126
479-607-244
516- 5- 87
933-272- 19
陶嬰周 448- 41- 4
陶鍔明 515-174- 62
陶燿清 517-778-135
陶謨晉 1061-241-107
陶薰宋 1173-215- 78
陶瞻晉 256-212- 66
377-710-126
479-607-244
516- 4- 87
933-272- 19
陶鎔明(字汝器) 473- 61- 51
515-201- 63
陶鎔明(新安知縣) 477-366-163
陶璽明(威海衛人) 545-248- 92
陶璽明(字廷用) 546-595-134
陶鏞妻 明 見鍾氏
陶馥晉 489-668- 49
陶繼明 820-569- 40
陶繼妻 明 見方氏
陶灌明 524-232-189
陶鑄明 見陶垕仲
陶瓚祖母 明 見阿曩
陶瓚妻 清 見李氏
陶鸞妻 清 見覺氏
陶一貫明 479-581-243
516-107- 91
陶人群明 528-545- 32
陶士達宋 1170-735- 32
陶子明妻 清 見張氏
陶子舸妻 明 見方氏
陶子鏘梁 265-1054- 74
380-111-167
475- 73- 53
489-674- 49
492-578-13下之上
511-508-157
933-273- 19
陶大倫妻 明 見張氏
陶大順明 300-343-203
479-240-227
528-461- 29
陶大甄父 宋 1169- 62- 5
陶大甄宋 1170-674- 28
陶大臨明 300-343-203
479-240-227
1283- 73- 73
陶大舉唐 472-350- 15
511-325-149
陶千歲唐 820-215- 28
陶文昌明 472-678- 27
陶文昭元 見陶宗暹
陶文淵明 1280-440- 88
陶文隆明 524-231-189
陶文靖明 571-554- 20
陶之哲明 533-428- 62
陶之欽明 1467-123- 66
陶之駿清 480-138-264
533-374- 60
陶元亮晉 見陶潛
陶元素明 511-666-163
676-490- 19
陶元淳清 475-143- 57
482-266-350
511-118-140
563-884- 42
1325-416- 12
1327-332- 15
陶元幹元 473-251- 60
480-297-271
533-315- 57
陶公達唐 515-300- 66
陶允宜明 676-608- 25
1442- 77-附5
1460-381- 57
陶允嘉明 676-636- 26
1442- 95-附6
1460-546- 67
陶永成明 1241-495- 8
陶永淳明 505-676- 69
1267-340- 37
陶弘才清 474-169- 8
505-649- 69
506-558-105
陶弘景陶通明 梁
260-439- 51
265-1082- 76
380-463-178
384-123- 6
446-274- 上
470- 9- 90
471-685- 14
472-176- 6
475- 73- 53
475-281- 63
486-335- 15
486-904- 35
489-353- 31
489-672- 49
491-588- 15
492-592-13下之下
511-828-168
524-406-199
677-124- 12
682-441- 15
684-472- 下
742- 33- 1
812- 70- 下
812-234- 9
812-723- 3
812-333- 7
813-246- 8
814-253- 7
820- 98- 24
839- 43- 4
871-903- 19
933-273- 19
1060- 43- 5
1061-240-107
1141-803- 34
1283-136- 77
1341-561-873
1373-756- 21
1387-154- 9
1394-348- 2
1394-716- 11
1395-597- 3
1399-349- 5
1399-352- 5
1401-303- 26
1410-157-681
1410-471-726
1414-580-82下
陶正心妻 清 見呂氏
陶正發清 483- 48-372
570-147-21之2
陶世雄宋 1178-423- 3
陶世模隋 267-400- 70
379-768-161
陶世徵明 547-117-145
陶世謨隋 545-556-103
陶世顯明 456-551- 7
571-539- 20
陶以忠明 559-530- 12
陶仕成明 524-205-188
陶丘洪漢 476-520-128
540-705-28之1
陶守立南唐 511-854-169
812-438- 0
812-529- 2
821-114- 49
陶守訓明 567-342- 79
1467-235- 71
陶守義妻 清 見王氏
陶守道明 554-348- 54
陶安公隋 516-414-103
1058-503- 下
1061-254-108
陶安垕明 陶愈女、錢良傅妻
683- 58- 3
陶安時宋 523-572-174
陶汝鼐明 533-342- 58
820-759- 44
1442-108-附7
1460-655- 73
1475-957- 41
陶汝礪明 480-413-277
陶托理清 456-152- 67

陶回孫宋 491-302- 6
陶光寵明 545-409- 98
陶自悅清 475-233- 61
476-114-102
511-170-142
545-381- 97
陶竹軒元 1232-698- 9
陶仲文陶典眞 明
302-357-307
533-774- 74
陶仲淵明 1229-542- 4
陶朱公春秋 見范蠡
陶忱仲明 524-144-185
526- 84-261
陶良知妻 明 見劉氏
陶志華明 1249-233- 13
陶志頤元 547-477-159
陶志學明 456-619- 9
陶克忠宋 567-458- 87
陶希皋明 483-117-379
570-120-21之1
陶希謙明 456-552- 7
陶廷奎明 677-593- 53
陶廷錦明(字公重) 524-185-187
陶廷錦明(字晉溪)
1475-315- 13
陶宗孔明 532-732- 46
567-354- 80
1467-253- 71
陶宗恆清 524-116-183
陶宗婉元 周本妻、陶明元女
401-186-593
1221-691- 28
1406-466-367
陶宗媛元 杜思絅妻、陶明元女 295-639-201
401-185-593
472-1106- 47
479-296-230
1221-691- 28
1223-653- 13
1406-466-367
陶宗澍妻 清 見彭氏
陶宗誼明 見陶宗儒
陶宗儀元~明(字九成)
301-818-285
472-240- 9
475-186- 59
479-291-230
511-896-172
524- 63-181
820-567- 40
1229-501- 4
1283-138- 77
1442- 14-附1
1459-386- 12
陶宗儀明(密雲人) 505-837- 76
陶宗暹陶文昭 元
820-528- 38
821-313- 54
陶宗儒妻 元 見王淑
陶宗儒陶誼、陶宗誼 明
524- 65-181
1442- 8-附1
1459-419- 13
陶治臣明 523-571-174
陶治恭明 547-117-145
陶直夫宋 1127-536- 14
陶居仁宋 288-364-452
400-185-514
472-273- 11
472-350- 15
475-273- 63
475-670- 84
511-488-155
陶承學明 475-563- 79
510-429-116
515- 57- 58
523-311-160
528-456- 29
陶典眞明 見陶仲文
陶尚德明 516-107- 91
陶明元女 元 見陶宗婉
陶明元女 元 見陶宗媛
陶明禮明 567-348- 79
1467-250- 71
陶叔量陶時貞 宋 451- 59- 2
陶叔獻宋 1097-103- 10
陶季直梁 260-449- 52
265-1050- 74
380-107-167
472-176- 6
475- 72- 53
481-672-331
489-674- 49
492-578-13下之上
511-508-157
528-519- 31
933-273- 19
陶季容明 299-497-154
陶秉端父 明 1289-399- 29
陶洪元妻 清 見蔡氏
陶洪謨明 572-104- 30
陶彥植明 1232-388- 1
陶拱聖明 528-498- 30
陶致完宋 482-434-361
567-298- 76
陶致煒明 540-828-28之3
陶貞寶劉宋 820- 88- 24
1061-241-107
陶亙仲陶鑄 明 299-335-140
472-1088- 46
473-569- 74
479-180-225
481-493-324
528-448- 29
陶唐氏上古 見堯
陶唐炎宋 492-712-3下
陶朗先明 476-698-137
1475-402- 17
陶晉楧明 1475-431- 18
陶起祖元 472-369- 16
511-485-155
陶起翱明 523-574-174
陶時貞宋 見陶叔量
陶師孟清 524-208-188
陶望齡明 300-565-216
457-612- 36
479-243-227
523-602-176
676-617- 25
1442- 82-附5
1460-434- 60
陶淵明晉 見陶潛
陶梁君春秋 見范蠡
陶通明梁 見陶弘景
陶國俊妻 清 見杜氏
陶國祚明 456-462- 4
陶國清妻 明 見談氏
陶紹宗宋 482-434-361
567-294- 76
1467-166- 68
陶善鼎唐 476- 77-100
545-171- 89
陶登雲清 456-371- 78
陶景眞齊 812-331- 7
821- 23- 45
陶菊隱宋 479- 94-221
524-182-187
陶無名金 1190-629- 8
陶答子妻 周 448- 22- 2
452- 86- 2
陶舜相妻 明 見李氏
陶舜卿妻 宋 見林氏
陶欽皋明 516-132- 92
陶欽夔明 516-131- 92
陶復亨元 515-472- 71
陶復初元 820-528- 38
821-313- 54
陶瑀叔宋 見陶寅
陶椿卿宋 524-123-184
陶鼎鉉清 474-617- 32
502-690- 81
505-702- 70
陶敬宣南唐 1085-115- 15
陶敬圖明 480-508-281
陶虞颺清 559-336-7下
陶節夫宋 286-624-348
397-682-361
472-923- 36
473- 47- 50
473-673- 79
476- 29- 97
478-167-182
482- 33-340
494-325- 6
516- 15- 87
545- 52- 84
554-150- 51
563-670- 39
陶齊亮母 唐 見金氏
陶漢生明 1229-213- 5
陶爾性清 510-496-118
陶爾盛妻 清 見倪氏
陶爾德明 456-575- 8
478-130-181
554-721- 61
陶際壯妻 清 見李氏
陶嘉祉明 523-109-150
陶夢桂宋 515-330- 67
陶鳴鎬妻 明 見牟氏
陶鳳儀明 564-119- 45

陶賡明明 456-570- 8
陶奭齡明 523-603-176
陶憲皋妻 明 見汪氏
陶龍見明 1475-452- 19
陶遵道妻 明 見李氏
陶興公晉 1061-241-107
陶學瞻明 1475-498- 22
陶應昌明 456-657- 11
陶應賡明 456-657- 11
陶應龍明 537-248- 55
陶覆之劉宋 680-669-285
陶躍之妻 宋 見吳氏
陶顯位明 480-414-277
533-316- 57
陶顯曾清 524-128-184
勒克清(伊爾根覺羅氏)
455-274- 15
勒克清(索佳氏) 455-639- 44
勒貝清 455-170- 7
勒岱清 455-479- 29
勒柳清 455-593- 39
勒特清(舒舒覺羅氏)
455-287- 16
勒特清(完顏氏) 455-458- 28
勒殷清 455-401- 24
勒勒清 455-504- 31
勒得清 455-200- 10
勒黑清 455-222- 11
勒福清 455-578- 38
勒赫清 455-466- 28
勒蒲晉 933-754- 52
勒德清 502-554- 73
勒騰清 455-577- 38
勒士敏明 541-112- 31
勒克楚清 455-490- 30
勒治揚清 481-763-335
勒思齊唐 472-395- 17
511-426-152
勒普都清 455-564- 36
勒普赫清 455-558- 36
勒赫德清 455-267- 15
勒爾錦順承郡王 清
454-151- 8
勒錫泰清 455-366- 22
勒騰額清 456- 10- 50
勒克車慕清 455-494- 30
勒克德渾順承郡王 清
454-150- 8
勒那摩提婆提寶意 後魏
1051-163- 6
彬宋 1053-642- 15
820-766- 44
務人春秋 見公叔務人
務光商 404-403- 24
547-475-159
814-221- 3
820- 20- 22
933-657- 43
1058-492- 上
1061-249-108
務勿塵晉 381-644-200
務成子上古 933-657- 43
務達海清 454-173- 10
502-422- 67
閉貞明 見閉禎
閉悌明 567-310- 77
1467-197- 69
閉師宋 見閉復亨
閉禎閉貞 明 473-584- 75
528-485- 30
567-307- 77
1467-194- 69
閉魯明 567-311- 77
1467- 78- 64
1467-198- 69
閉復亨閉師 宋 451- 95- 3
閉珊居集唐 473-830- 87
483- 16-370
494-161- 6
琅邪王漢 見劉宇
琅邪王漢 見劉京
琅邪王漢 見劉容
琅邪王漢 見劉尊
琅邪王漢 見劉壽
琅邪王漢 見劉澤
琅邪王漢 見劉據
琅邪王晉 見司馬伷
琅邪王晉 見司馬裒
琅邪王晉 見司馬煥
琅邪王晉 見司馬覲
琅邪王晉 見司馬道子
琅邪王晉 見司馬楚之
琅邪公主北齊 見元玉儀
敖漢 528- 2- 17
敖山明 472-578- 24
540-794-28之3
545- 74- 85
676-514- 20
敖氏元 張鼎實妻 473-179- 57
敖氏清 鄒先魯妻、敖應徵女
572-344- 38
敖相妻 明 見劉氏
敖英明 515-550- 74
559-254- 6
1442- 48-附3
1460- 48- 42
敖翁清 455-582- 38
敖納清 456- 65- 54
敖翔明 569-660- 19
敖鉞明 480-171-266
515-477- 71
532-649- 43
534-754-109
敖銑明 515-483- 71
敖融妻 明 見馮氏
敖璠明 515-553- 74
敖選明 559-347- 8
敖顒妻 明 見崔氏
敖文楨明 見敖文禎
敖文禎敖文楨 明
515-487- 71
676-627- 26
敖玉溪元 517-485-127
敖用敬妻 明 見易淵碧
敖廷採妻 清 見簡氏
敖宗慶明(字汝承) 483-321-396
572- 81- 28
敖宗慶明(新喻水北里人)
518-783-161
敖起宗妻 清 見張氏
敖陶孫宋 493-1071- 57
528-491- 30
529-444- 43
563-661- 39
1180-403- 37
1357-935- 18
1364-538-321
1437- 27- 2
1457-617-400
敖得義明 545-468-100
敖毓元明 515-549- 74
518-780-161
570-218- 23
敖毓珣妻 清 見楊氏
敖魁春妻 明 見林德宋
敖榮繼明 572- 81- 28
敖應徵女 清 見敖氏
敖繼公敖繼翁 元
400-579-553
460-456- 35
472-999- 40
479-147-223
524-313-194
676-700- 29
678-670-133
敖繼翁元 見敖繼公
敖拉漢傑金 見蕭漢傑
教五代 1053-445- 11
教明 1229-416- 2
教亨金 541- 94- 30
1054-679- 20
教德清 502-437- 68
連五代 1053-316- 8
連氏明 田保三妻 530-123- 57
連氏明 黃廷柱妻 481-726-333
連氏清 林翊妻 530- 24- 54
連氏清 高如信妻 477-257-161
連氏清 翁懿宗妻 481-775-336
連氏清 劉雍妻 481-785-337
連氏清 劉鳴皋妻 530- 79- 55
連休漢 496-588-103
連均明 473-605- 76
連庠宋 480-203-267
533- 67-,49
1088-116- 14
1090- 25- 5
1115-356- 41
連俊明 475-449- 71
493-758- 41
510-403-115
554-474-57上
連浩妻 清 見蘇氏
連席宋 1098-829- 8
連格元 474-513- 25
連格明 545-299- 94
連庶宋 288-435-458
401- 22-570
472-196- 7
473-269- 61
475-742- 88
480-203-267
533- 66- 48

1088-116- 14
1115-356- 41
連捷明 558-343- 35
連崧宋 460-314- 23
連健妻 明 見劉氏
連盛明 505-766- 72
545-387- 97
連登清 474-408- 20
502-686- 81
505-679- 69
540-676- 27
連楹明 299-352-141
406-691- 12
476-155-104
481-529-326
545-844-113
連精元 473-818- 86
連紫元 546-659-137
1439-437- 1
連稱春秋 933-246- 17
連肇元 545-842-113
連總唐 529-715- 51
連鰲宋 821-213- 51
連瓚明 529-650- 48
連鑛明(永平人) 475-822- 92
510-495-118
連礦明(字伯金) 505-889- 79
545- 89- 85
581-696-116
820-701- 43
連一貫明 529-712- 50
連九鼎元 472-197- 7
連三益宋 528-506- 31
連山氏上古 見神農氏
連可久宋 516-470-104
連世瑜宋 524-164-186
連以敬妻 清 見吳氏
連守度明 540-821-28之3
連光裕宋 529-433- 43
連光耀明 456-492- 5
連步雲明 547-500-159
連希夷宋 484-383- 28
連希覺宋 482- 89-342
563-677- 39
連孟斛妻 清 見李氏
連協仲妻 清 見郭氏
連南夫宋 473- 43- 50
473-269- 61
473-673- 79
488-412- 14
510-470-117
533- 67- 49
563-659- 39
674-898- 22
1165-299- 19
連城璧明(金谿人) 563-819- 41
連城璧明(字如白) 676-363- 13
連得志妻 明 見賈氏
連康時宋 484-382- 28
連婉娘明 黃坦妻
530-179- 59
連舜賓宋 471-818- 32
480-203-267
529-433- 43
533-732- 73
534-873-115
1102-192- 24
1356-221- 10
1378-604- 63
1383-651- 58
1447-573- 31
連新玉明 張六一妻
481-784-337
530-192- 59
連萬夫宋 288-377-453
400-135-511
479-608-244
480-203-267
516-123- 92
533-380- 60
連際遇清 475-781- 89
連尊生妻 清 見林氏
連繼芳明 481-784-337
529-650- 48
連濟民明 547- 37-142
逨哥元 見蘇克
逨不台元 見蘇布特
逨世勳妻 清 見陳氏
逨哥察理元 見素克察理
敕勃後燕 933-754- 52
敕連可汗後魏 見郁久閭吳提
敕連頭兵伐可汗後魏 見郁久閭阿那瓌
救乂漢 933-711- 48
掖清 455-403- 24
掖普綬清 455-485- 30
捷宋 1053-681- 16
捷子戰國 見接予
採明 1229-676- 1
採藥者明 564-291- 47
梗氏金 史詠妻 291-633-118
399-311-445
爽五代 1053-626- 15
爽和雙虎 金 474-275- 14
爽朗道人後周 567-459- 87
1467-514- 11
爽菴眞者不詳
567-470- 87
棄上古 見后稷
棄春秋 宋平公夫人、芮司徒女
404-813- 50
棄疾春秋 見公子去疾
棄蘇農唐 見棄宗弄贊
棄宗弄贊棄蘇農、棄宗弄讚 唐 271-703-196上
276-273-216上
384-295- 15
401-531-637
棄宗弄贊妻 唐 見文成公主
棄宗弄讚唐 見棄宗弄贊
棄隸蹜贊棄隸縮贊 唐
271-707-196上
276-278-216上
384-295- 15
401-532-637
棄隸縮贊唐 見棄隸蹜贊
瓠巴春秋 541-102- 31
839- 15- 2
933-657- 43
張乙明 1297-717- 5
張丁明 見張孟兼
張力明(字揁侯) 456-461- 4
474-480- 23
505-859- 77
張力明(字德夫) 558-317- 34
張八妻 清 見楊氏
張弋北周 1065-867- 23
張弋張奕 宋 1364-421-303
1437- 28-附2
張三妻 明 見郝拾翠
張三妻 明 見師氏
張三清 456-324- 75
張才元 547-133-146
張才明(淶水縣學教諭)
472- 52- 2
張才明(山東人) 554-258- 52
張才明(字茂參) 1442- 59-附3
1460-174- 48
張大妻 清 見劉氏
張山元 1194-701-13
1214-191- 16
張六金 1040-245- 4
張卞蜀漢 561-222-38之3
591-289- 23
592-244- 75
張亢晉 255-926- 55
377-616-124上
474-636- 33
476-665-136
494-332- 7
933-367- 25
張亢宋 286-296-324
371-191- 19
382-387- 61
384-357- 18
397-431-345
472- 65- 2
472-576- 24
472-878- 35
472-923- 36
474-236- 12
474-304- 16
476-330-115
476-854-145
476-863-145
477-123-155
478-166-182
478-417-195
478-543-202
540-757-28之2
545-428- 99
554-143- 51
558-194- 31
1089-516- 47
張斗明 456-521- 6
545-381- 97
569-679- 19
張方晉 256- 36- 60
377-661-125
張方宋(字義立) 473-523- 72

559-267- 6
559-306-7上
559-311-7上
559-399-9上
591-572- 42
592-605- 99
張方宋(大名人) 515-166- 62
張文漢 820- 33- 22
張文宋 見通慧
張文元(孟人) 546-357-126
張文明(字經藏) 473-130- 55
479-683-248
515-551- 74
1259-273- 21
張文明(字存簡) 511-207-144
523- 45-148
1252-396- 23
1253- 58- 43
張文明(字堯冕) 515-551- 74
張文明(六安人) 523- 35-147
張文明(鄖縣人) 533-315- 57
張文明(青城人) 540-816-28之3
張文明(濟陽人) 540-818-28之3
張文明(字載道) 558-349- 35
張文女 明 見張秀汝
張文妻 清 見劉氏
張五明 張廷鉉妹 302-254-303
張五妻 清 見姚氏
張丑戰國 405-372- 80
張丑明 1442-106- 7
1460-639- 72
張元北周 263-807- 46
267-632- 84
380-123-167
384-143- 7
476-368-112
472-462- 20
547- 98-145
張元宋 472- 50- 1
張元金 472-457- 20
張元明(字普生) 524-232-189
張元明(陝西人) 545-187- 90
張元明(南昌人) 563-768- 40
張元明(字天生) 592-1016- 下
張元妻 清 見趙氏
張引明 1283-490-105
張引妻 明 見伍氏
張尹明 554-338- 54
張友宋 473-631- 77
481-550-327
528-475- 30
張友妻 明 見洪氏
張及宋 473-536- 72
494- 18- 2
554-271- 53
559-311-7上
591-692- 48
張中元 821-312- 54
張中明 302-174-299
479-667-247
516-450-104
524-140-185
1223-545- 10
張月明 劉率性妻、張賢初女
1239-238- 42
張勻明 1475-669- 28
張仁妻 元 見龔源
張仁明(河間知府) 472-546- 23
540-665- 27
張仁明(蔚州人) 494- 25- 2
張仁明(字守性) 820-741- 44
張仁明(字從善) 1238-236-20
張仁明(字世榮) 1267-408- 2
張仁妻 明 見丘氏
張午宋 1173-146- 73
張升漢 253-558-110下
380-342-175
477- 60-151
538-125- 65
933-366- 25
張升金 291-605-116
476-394-119
545-460-100
546- 84-117
張升明 474-741- 40
502-793- 88
張化明(尋甸人) 483- 16-370
570-144-21之2
張化明(沁州人) 547- 82-144
張氏漢 張魯女 591- 66- 5
張氏吳 顧承妻，顧承官妻
475-144- 57
485-203- 27
493-1078- 57
張氏吳 張溫妹 485-203- 27
493-1078- 57
張氏晉 公乘會妻 591-533- 41
張氏晉 呂紹妻 256-579- 96
381- 57-185
477-526-175
558-559- 43
張氏晉 劉殷妻、張宣子女
547-311-153
張氏前秦 秦宣昭帝夫人
256-577- 96
381- 55-185
555- 7- 66
558-558- 43
張氏劉宋 宋武帝妃
265-190- 11
張氏後魏 胡長命妻
262-306- 92
267-724- 91
381- 58-185
張氏後魏 高謙之妻
262-153- 77
張氏後魏 董景起妻
262-308- 92
267-725- 91
381- 60-185
477- 92-153
538-171- 67
張氏唐 于敏直妻、張儉女
271-653-193
276-107-205
401-149-589
478-135-181
張氏唐 李璿妻、張安仁女
1342-472-965
張氏唐 姚仙客妻
1246-666- 17
張氏唐 張巡姐 477-379-167
張氏唐 張明女 1342-228-933
張氏唐 張伯禽女
1342-489-967
張氏後梁 梁末帝德妃、張歸霸女 277-115- 11
279- 79- 13
393-290- 74
張氏後周 周太祖貴妃
278-367-121
279-113- 19
393-297- 74
張氏宋 王祐妻 1094-659- 72
張氏宋 王銍妻 1131-656- 36
張氏宋 王堯善妻、張武仲女
1122-183- 14
張氏宋 王景亮妻、張璧女
1121-616- 8
張氏宋 司馬光妻、張存女
1094-719- 78
張氏宋 宋若水妻 820-473- 36
張氏宋 宋高宗貴妃
284-881-243
393-317- 77
537-187- 53
張氏宋 宋高宗賢妃
284-881-243
393-317- 77
張氏宋 胡天啟妻 591-625- 45
張氏宋 范如山妻
1170-768- 34
張氏宋 俞寬妻、張浹女
1164-268- 14
張氏宋 馬廷鸞妻、張遂女
1187-139- 19
張氏宋 孫介妻、張日休女
1166-775- 下
張氏宋 孫大成妻、張大用女
1170-678- 29
張氏宋 晁遘妻 1098-735- 45
張氏宋 晏成裕妻、張師皋女
1096-382- 39
張氏宋 章奐妻、張仁肅女
1088-584- 60
張氏宋 章祐妻、張士龍女
1098-733- 45
張氏宋 章惇妻 481-679-331
530-135- 58
張氏宋 崔均妻 478-249-186
張氏宋 曾發妻、張激女
1167-760- 41
張氏宋 黃厚之妻、張啟女
1176-764- 10
張氏宋 楊大雅妻、張保衡女
1102-485- 62
張氏宋 楊大雅妻、張從古女
1102-287- 36
1378-599- 62
張氏宋 楊希元妻、張彭女
1115-420- 50
張氏宋 廖天經妻、張[illegible]女

1161-678-131
張氏宋 趙士宥妻、張巽女
1100-513- 48
張氏宋 趙士普妻、張舉一女
1100-519- 49
張氏宋 趙令籛妻、張道周女
1100-531- 50
張氏宋 趙令講妻、張用莊女
1100-530- 50
張氏宋 趙仲璑妻、張守素女
1100-491- 45
張氏宋 趙仲醻妻、張修遠女
1100-529- 50
張氏宋 趙宗彥妻、張文慶女
1104-450- 38
張氏宋 趙承訓妻、張利用女
1095-870- 52
張氏宋 趙叔寄妻、張仲昌女
1123-472- 14
張氏宋 樓弁妻、張詢女
1153-540-100
張氏宋 韓公彥妻、張文昌女
1089-526- 48
張氏宋 龔自立妻 482- 79-341
張氏宋 李格母 1085-224- 29
張氏宋 李若水母 506-126- 89
張氏宋 張奎女 1096-798- 40
張氏宋 張建女 493-1079- 57
512-458-188
張氏宋 張昷女 512- 4-176
張氏宋 張隱女 1117-185- 15
張氏宋 張曜女 1113-431- 8
張氏宋 張日新女
1119-330- 32
張氏宋 陳子師母
1166-447- 35
張氏宋 楊安持母
1125-385- 30
張氏宋 鄒浩母 475-234- 61
張氏宋 鄒浩姨 1121-448- 32
張氏金 李英妻 291-749-130
472-614- 25
476-734-138
503- 24- 93
張氏金 金世宗元妃、張玄徵女
291- 16- 64
393-340- 79
張氏元 亢起鳳妻 477-526-175
張氏元 王思忠妻 401-177-593
張氏元 向存仁妻 480-252-269
張氏元 李五妻、李午妻、李伍妻
295-629-200
401-178-593
452-116- 3
472-528- 22
481-750-334
530-178- 59
541- 5- 29
1223-592- 11
張氏元 胡立妻 1208-537- 17
張氏元 苗子榮妻 472-685- 27
張氏元 茅元妻 530- 60- 55
張氏元 高垕妻 295-625-200
401-174-593
472-329- 14
475-717- 86
張氏元 馬天祥妻、張立女
1206-714- 6
張氏元 許嗣妻 1209-540-9上
張氏元 許有孚妻
1204-329- 11
張氏元 陳恭妻 401-177-593
496-414- 89
張氏元 湯煇妻、湯輝妻
295-633- 201
401-181-593
472-1055- 44
479-435-236
張氏元 黃善妻 483-140-380
張氏元 賀敏妻 472-925- 36
478-420-195
張氏元 溫都爾妻 401-180-593
張氏元 楊三妻 401-178-593
476-828-143
張氏元 楊厥妻 476-619-133
張氏元 瑪穆特妻、張達魯女
1214-256- 21
張氏元 管壽昌妻
1218-301- 13
張氏元 劉開妻 479-728-250
張氏元 劉誠妻 1197-640- 65
張氏元 錢瑛妻 479-729-250
張氏元 張琦女 1213-360- 11
張氏元 陳文杰母
1213-139- 11
張氏元 張元亨母
1201-714- 29
張氏明 丁列妻 483-141-380
張氏明 丁彔妻 524-456-202
張氏明 于一鳴妻 480-321-272
張氏明 方鳳妻、張錦女
1289-316- 21
張氏明 方懐一妻 482- 42-340
張氏明 文在中妻 480-416-277
張氏明 王玉妻 506- 42- 87
張氏明 王召妻 477- 94-153
張氏明 王臣妻 506-131- 89
張氏明 王武妻 530-125- 57
張氏明 王忠妻 1250-903- 85
張氏明 王威妻 534-562- 99
張氏明 王英妻 530- 4- 54
張氏明 王紀妻 478-171-182
張氏明 王泰妻 473-378- 65
張氏明 王原妻、張二翁女
1259-193- 14
張氏明 王許妻 506- 32- 86
張氏明 王華妻、張廷玉女
1269-793- 5
張氏明 王道妻 480-253-269
533-620- 70
張氏明 王綖妻 483 118 379
570-202- 22
張氏明 王寬妻 472-340- 14
張氏明 王麒妻 472-604- 25
張氏明 王三極妻 506-109- 89
張氏明 王大治妻 506- 11- 86
張氏明 王大勳妻 530- 70- 55
張氏明 王之璠妻 480-440-278
張氏明 王仁益妻 479-189-225
張氏明 王世英妻 481-250-304
張氏明 王以誠妻、張仲晦女
1239-210- 40
張氏明 王令辰妻 506- 42- 87
張氏明 王自選妻 477-319-164
張氏明 王良富妻 483- 48-372
張氏明 王伯壎妻、張雲航女
526-646-280
張氏明 王宗寶妻
1291-912- 6
張氏明 王乾所妻 506- 14- 86
張氏明 王問善妻 506- 54- 87
張氏明 王華石妻 530- 9- 54
張氏明 王新藩妻 512-132-180
張氏明 王繼漢妻 483-201-388
張氏明 王襲芳妻 476-589-131
張氏明 毛信妻 472-594- 24
張氏明 毛璣妻 480-253-269
張氏明 左剛妻 483-201-388
570-208- 22
張氏明 石捷妻 478-352-191
張氏明 田侃妻 483-321-396
張氏明 田銳妻 477- 93-153
1262-529- 58
1408-544-536
1457-738-413
張氏明 田一方妻 477-422-169
張氏明 田子順妻 533-588- 69
張氏明 田大濟妻 533-642- 70
張氏明 田廣生妻 480-141-264
張氏明 史著馨妻 302-253-303
475-382- 68
張氏明 丘民法妻 475-837- 93
512-166-181
張氏明 白瑀妻 506- 49- 87
張氏明 白麟妻 478-351-191
張氏明 安智妻 472-529- 22
張氏明 江蛟妻 506- 8- 86
張氏明 江化龍妻 506- 10- 86
張氏明 池可深妻 533-507- 66
張氏明 吉自松妻 478-353-191
張氏明 向春妻 480-584-285
張氏明 朱比妻、朱北妻
473-271- 61
480-207-267
張氏明 朱玉妻 483-283-393
張氏明 朱价妻 475-332- 65
張氏明 朱相妻 506-118- 89
張氏明 朱能妻 477-211-159
張氏明 朱一鴻妻 475-145- 57
512- 24-177
張氏明 朱拱樹妻
1283-564-111
張氏明 朱茂淳妻 530- 71- 55
張氏明 朱景賢妻 479-611-244
張氏明 朱復初妻 478-551-202
張氏明 汪綬妻 512- 72-178
張氏明 汪寶妻 473-305- 62
張氏明 沈坦妻、張沂女
1289-318- 21
張氏明 沈士琳妻、張子英女
1246-601- 10
張氏明 辛楝隆妻 506- 32- 86

張氏明 宋鏜妻 506- 47- 87
張氏明 宋鑑妻 506- 47- 87
張氏明 宋瓛妻 506-105- 89
張氏明 宋文燿妻 506- 30- 86
張氏明 成國玉妻、張寅啟女 481-118-296
張氏明 杜廷蓁妻 506- 77- 88
張氏明 李全妻 483- 48-372
張氏明 李成妻 1258-295- 5
張氏明 李旺妻 506- 6- 86
張氏明 李珠妻 506- 8- 86
張氏明 李棟妻(投水死) 302-238-302
張氏明 李棟妻(瀘溪人) 480-565-284
張氏明 李傑妻 1262-529- 58
1408-543-536
1457-738-413
張氏明 李勤妻 483-140-380
張氏明 李達妻 506- 71- 88
張氏明 李鵠妻、張縞女 1283-734-124
張氏明 李寶妻 1280-524- 94
張氏明 李夔妻 482- 41-340
482-188-346
張氏明 李大中妻 483-118-379
張氏明 李文遠妻 524-546-205
張氏明 李太麒妻 480-565-284
張氏明 李日芳妻 547-361-155
張氏明 李合天妻 506- 50- 87
張氏明 李君霑妻 483- 48-372
張氏明 李邦臣妻 506- 45- 87
張氏明 李廷實妻 506-554-105
張氏明 李青虬妻 524-480-203
張氏明 李明夔妻 477-526-175
張氏明 李昇之妻 506- 31- 86
張氏明 李茂德妻 506- 70- 88
張氏明 李貫五妻 479-665-247
516-321-100
張氏明 李瑞恬妻 506- 51- 87
張氏明 李興祖妻 506- 70- 88
張氏明 李翹曾妻 481-119-296
張氏明 邢東妻 472-529- 22
張氏明 阮尚德妻 473-131- 55
張氏明 吳旻妻 472-578- 24
張氏明 吳恕妻 506- 3- 86
張氏明 吳根妻、張恆女 1291-524- 9
張氏明 吳稽妻 480- 63-260
張氏明 吳之瑞妻 302-253-303
475-535- 77
張氏明 吳圖南妻 530-157- 58
張氏明 余祥妻 481-353-309
張氏明 余陽妻 473- 32- 49
479-499-239
張氏明 何儀妻 473-285- 61
張氏明 何惟演妻 480-467-279
張氏明 何運泰妻 530-127- 57
張氏明 祁爾謨妻 506- 84- 88
張氏明 武試妻 512-411-187
張氏明 孟福妻 473-216- 59
張氏明 孟養善妻 506- 10- 86
張氏明 邵桂妻 506- 51- 87
張氏明 邵倫妻 503- 29- 93
張氏明 林焜妻、張遵信女 1257-552- 10
張氏明 林公燮妻 482- 42-340
張氏明 林圭使妻 530- 15- 54
張氏明 林彥佩妻 530-109- 57
張氏明 林雲器妻 530-125- 57
張氏明 林景雍妻 474-520- 25
506-153- 90
張氏明 林與岐妻 302-236-302
張氏明 林德成妻 473-369- 64
張氏明 尚志妻 506-120- 89
張氏明 明熹宗裕妃 299- 25-114
張氏明 易經文妻 1291-916- 7
張氏明 周成妻 480-584-285
張氏明 周佩妻 1271-596- 51
張氏明 周科妻 570-204- 22
張氏明 周眞妻、張從義女 1253-126- 46
張氏明 周祥妻 302-216-301
張氏明 周冕妻 480-584-285
張氏明 周顯妻 524-479-203
張氏明 周本訓妻 506- 73- 88
張氏明 周國正妻 483-118-379
570-200- 22
張氏明 周登順妻 481-454-318
559-463-11上
張氏明 周德新妻 472-396- 17
張氏明 芮昌申妻 506- 10- 86
張氏明 邸炳妻 506- 53- 87
張氏明 洪昶妻、張綸女 530- 88- 56
張氏明 洪有執妻 482-144-344
張氏明 洪肇曾妻 530- 67- 55
張氏明 施經綸妻 483-119-379
張氏明 胡萬倉妻 474-248- 12
506- 56- 87
張氏明 柳金妻 477- 94-153
538-177- 67
張氏明 苗百壽妻 512-169-181
張氏明 昝約妻 1288-617- 10
張氏明 俞寅妻、張鶴女 1291-521- 9
張氏明 俞大本妻 530-127- 57
張氏明 紀瓛妻、張文哲女 1248-618- 3
張氏明 涂崇位妻、涂崇信妻 479-499-239
516-249- 97
張氏明 高誠妻 476-589-131
張氏明 高廷諤妻 1271-661- 57
張氏明 高依仁妻 506- 72- 88
張氏明 高英繼妻 512-737-195
張氏明 高原昌妻 503- 28- 93
張氏明 唐福妻 506- 29- 86
張氏明 唐應星妻 482-354-356
張氏明 祝綸妻 506- 8- 86
張氏明 凌曰桂妻 524-454-202
張氏明 秦生鋌妻 476-589-131
張氏明 馬一夔妻 477-380-167
張氏明 馬從龍妻 506-111- 89
張氏明 眞大韶妻 530-141- 58
張氏明 孫忠妻 506- 33- 86
張氏明 孫信妻 530-113- 56
張氏明 孫通妻 473-251- 60
張氏明 孫榮妻 473-589- 75
530- 90- 56
張氏明 孫立德妻 506- 51- 87
張氏明 孫昌穀妻 474-624- 32
張氏明 孫祖壽妻 506- 12- 86
張氏明 桂蕃妻 530-109- 57
張氏明 晉嵩妻 472-668- 27
538-175- 67
張氏明 郝伯堅妻 506-100- 89
張氏明 郝廷璋妻 506- 43- 87
張氏明 郝銘甫妻、張顗女 472-469- 20
張氏明 袁遵妻 480- 96-262
張氏明 袁必通妻 483-141-380
張氏明 耿秩妻 474-825- 44
503- 28- 93
張氏明 耿四目妻 476-372-117
張氏明 時伯庸妻、張昱女 1239-253- 43
張氏明 党鳳妻 472-505- 21
547-344-154
張氏明 柴芝蘭妻 478-171-182
張氏明 徐渡妻 530- 91- 56
張氏明 倖秉澹妻、張五衡女 567-504- 88
張氏明 殷時衡妻 1258-693- 16
張氏明 章注妻 1289-320- 21
張氏明 許鎡妻、張宣女 1278-445- 21
張氏明 郭佃妻 506- 10- 86
張氏明 郭興妻 480- 96-262
張氏明 郭鏘妻 533-590- 69
張氏明 鹿萬春妻 512-146-181
張氏明 梁廣妻 506- 49- 87
張氏明 梁以樟妻 302-250-303
474-191- 9
477-135-155
506- 15- 86
張氏明 梁夢昌妻 564-325- 49
張氏明 康鏞妻、張賢女 1266-422- 8
張氏明 曹昂妻 477-319-164
張氏明 曹希舜妻、張健甫女 1239-738- 5
張氏明 閆世勳妻 506-155- 90
張氏明 陸煥妻 1289-317- 21
張氏明 陶大倫妻 506- 9- 86
張氏明 陳賢妻 530- 5- 54
張氏明 陳曙妻 472-1074- 45
張氏明 陳謨妻 506- 76- 88
張氏明 陳士章妻 506- 57- 87
張氏明 陳大策妻 478-297-188
張氏明 陳光先妻 547-419-157
張氏明 陳我績妻 506- 56- 87
張氏明 陳衷韞妻 512-114-180
張氏明 陳殷莊妻 530- 94- 56
張氏明 陳得顯妻 473-216- 59
張氏明 陳啟方妻、張廷秀女 1242-115- 27
1242-866- 10

張氏明 陳萬受妻、陳萬壽妻 473-625- 77 481-726-333
張氏明 陳學明妻 473-319- 62
張氏明 張廷妻(年二十九夫亡) 506- 54- 87
張氏明 張廷妻(年二十二夫亡) 506- 54- 87
張氏明 張周妻 483-164-382
張氏明 張德貞妻 506- 50- 87
張氏明 崔格妻 506- 8- 86
張氏明 常元楨妻 547-374-155
張氏明 扈文妻 506- 7- 86
張氏明 馮永安妻 533-636- 70
張氏明 游銓妻 302-229-302 530-143- 58
張氏明 黃璉妻 1267-548- 7
張氏明 黃肯堂妻 530- 65- 55
張氏明 黃采之妻 530- 71- 55
張氏明 黃朝屏妻 475-534- 77
張氏明 費珦妻 473- 66- 51
張氏明 賀謙妻 506- 57- 87
張氏明 賀約禮妻 478-354-191
張氏明 覃通妻 483-322-396
張氏明 彭汝明妻 479-768-252
張氏明 閔彝妻 506- 75- 88
張氏明 華時禎妻、張時敏女 1257-552- 10 1258-666- 15
張氏明 單惟欽妻 478-351-191
張氏明 傅寧妻 506- 5- 86
張氏明 焦岷妻 506-117- 89
張氏明 焦奎光妻 506-117- 89
張氏明 喬遷妻 478-275-187
張氏明 楊林妻 506- 6- 86
張氏明 楊春妻 506- 4- 86
張氏明 楊泰妻 506- 3- 86
張氏明 楊專妻 478-351-191 555- 52- 66
張氏明 楊景妻 1250-529- 49 1255-752- 75
張氏明 楊椿妻 483-140-380
張氏明 楊質妻 494- 58- 2
張氏明 楊文瓚妻 302-255-303 479-190-225 524-611-208
張氏明 楊玉山妻 302-219-301 475-187- 59
張氏明 楊成名妻 481-291-306
張氏明 楊佳任妻 530-105- 57
張氏明 楊應時妻 506- 3- 86
張氏明 楊繼盛妻 506- 49- 87
張氏明 萬傳妻 483- 35-371 570-184- 22
張氏明 董琪妻、董瑱妻 473- 53- 50 479-535-241
張氏明 董麟妻 480-253-269
張氏明 董沖澹妻 1271-648- 56
張氏明 董若玠妻 479-536-241 516-374-101
張氏明 路如軾妻 506-108- 89
張氏明 葉台妻、張涵女 479-297-230 524-700-211
張氏明 鄒鵬妻 533-610- 69
張氏明 褚言妻 506- 9- 86
張氏明 齊邦典妻 476-754-139
張氏明 趙理妻 483-171-383
張氏明 趙瑞妻 506- 44- 87
張氏明 趙署妻 483- 36-371
張氏明 趙興妻 506- 13- 86
張氏明 趙直菴妻、張勳女 1269-396- 5
張氏明 趙東山妻 506- 45- 87
張氏明 趙東周妻 1280-645-103
張氏明 翟得妻 472-100- 3 474-641- 33
張氏明 熊威妻 472-686- 27
張氏明 熊士章妻 512-107-179
張氏明 熊可久妻 530-126- 57
張氏明 管聲宣妻 480-441-278
張氏明 裴倫妻、張忠女 1262-404- 44
張氏明 潘廷威妻、張鉞女 1267-436- 3
張氏明 鄭亨妻 475-711- 86
張氏明 鄭煥妻 302-212-301 1287-556- 25
張氏明 鄭瑁妻 538-180- 67
張氏明 鄭子會妻 530- 66- 55
張氏明 鄭祿壽妻 479-685-248
張氏明 鄭爾經妻 506- 55- 87
張氏明 鄧蕃錫妻 475-282- 63
張氏明 樊義妻 506- 50- 87
張氏明 樊璡妻 506- 50- 87
張氏明 蔡貢妻 506- 50- 87
張氏明 蔡邦禮妻 530-105- 57
張氏明 蔡純仁妻 480-140-264 533-570- 68
張氏明 蔡應龍妻 506-131- 89
張氏明 劉正妻 1261-706- 30
張氏明 劉旭妻 472-361- 15 475-613- 81
張氏明 劉定妻 472-361- 15
張氏明 劉奉妻 506- 3- 86
張氏明 劉卿妻 475-434- 70
張氏明 劉琳妻 564-341- 49
張氏明 劉慎妻 506- 12- 86
張氏明 劉經妻 570-187- 22
張氏明 劉漢妻 473-285- 61 480-139-264
張氏明 劉錫妻 472-209- 7 475-756- 88
張氏明 劉鑑妻 1258-280- 4
張氏明 劉一貴妻 475-783- 89
張氏明 劉辛一妻 481-725-333
張氏明 劉伯春妻、張組女 302-217-301 479-101-221
張氏明 劉東明妻 506-122- 89
張氏明 劉恆性妻 506- 74- 88
張氏明 劉思縉妻 506- 6- 86
張氏明 劉執玉妻 506- 12- 86
張氏明 劉國佐妻 512-145-181
張氏明 劉源潔妻 555- 42- 66
張氏明 劉嗣昌妻 506- 56- 87
張氏明 劉漢鼎妻 483-397-403
張氏明 練天與妻 530-125- 57
張氏明 龍起化妻 506- 13- 86
張氏明 賴紹宗妻 481-726-333
張氏明 霍瓚妻 506- 50- 87
張氏明 盧熉妻 530-109- 57
張氏明 蕭中妻 480-254-269
張氏明 蕭玉振妻 506- 50- 87
張氏明 蕭可才妻 477-548-176
張氏明 蕭師文妻 1239-210- 40
張氏明 蕭體仁妻 516-314-100
張氏明 錢奎妻 479-251-228
張氏明 糜正妻 1228-345- 9
張氏明 檀天齡妻 480-300-271
張氏明 薛鳳章妻 483-269-392
張氏明 韓洪謨妻 475-187- 59
張氏明 鍾亮沂妻、張文華女 516-395-102
張氏明 繆釜妻 302-228-302
張氏明 魏隆甫妻 475-782- 89 508-357- 42
張氏明 魏爾直妻 506- 6- 86
張氏明 簡詢妻 480-253-269
張氏明 羅旦妻 480-665-290
張氏明 羅京妻、張復亨女 1242-272- 33
張氏明 羅舉妻 302-229-302 481-651-330 530-128- 57
張氏明 羅辛叔妻 482-118-343
張氏明 羅克忠妻 530-127- 57
張氏明 邊寵妻 506- 54- 87
張氏明 嚴大臨妻、張弘裕女 524-587-207 1289-262- 16
張氏明 嚴文昌妻 472-340- 14
張氏明 饒宇桀妻、張大朴女 516-248- 97
張氏明 饒燮中妻 480-141-264
張氏明 顧言妻、張鸞女 1283-528-108
張氏明 顧思源妻 476-677-136
張氏明 尹元正媳 477-482-173
張氏明 汪客媳 302-216-301
張氏明 成德母 506- 14- 86
張氏明 李克恭母 1288-652- 11
張氏明 吳寬母 1255-533- 57
張氏明 姚俊民母 1264-212- 12
張氏明 許彬母 1241-229- 10
張氏明 許邦才母 1456-580-325
張氏明 張屺女 475-673- 84
張氏明 張明女 481-619-329 530-114-114
張氏明 張宣女 476-702-137
張氏明 張海女 512-128-180
張氏明 張組女 1475-808- 34
張氏明 張祿女 472-685- 27
張氏明 張楚女 1258-774- 8
張氏明 張遇女 1287-772- 10

張氏明 張誠女 472-396- 17
張氏明 張澄女 506- 43- 87
張氏明 張禮女 482-353-356
567-482- 88
1467-261- 72
張氏明 張燿女、張耀女
475-454- 71
1289- 58- 4
1289-414- 30
1457-750-414
張氏明 張彝女 1255-753- 75
張氏明 張文秀女 480-139-264
張氏明 張西溟女
1271-667- 58
張氏明～清 張奉先女
474-412- 20
506-124- 89
506-555-105
張氏明 張美含女 477-503-174
張氏明 張科甫女 480-141-264
張氏明 陳燉祖母
1257-914- 5
張氏明 陳廷章母
1280-509- 93
張氏明 常伯章母
1374-357- 57
張氏明 曾異撰母 530- 11- 54
張氏明 楊應寧母
1250-529- 49
張氏明 葉程方母 530-157- 58
張氏明 劉懷恩母
1291-919- 7
張氏清 卜爾侯妻 506-157- 90
張氏清 于天良妻 478-139-181
555-120- 68
張氏清 于躍江妻 506- 68- 87
張氏清 尤翔妻 474-193- 9
張氏清 王市妻 506- 61- 87
張氏清 王卓妻 476-755-139
張氏清 王玗妻、張廷琦女
474-341- 17
張氏清 王棟妻 478-378-192
張氏清 王幾妻 506- 68- 87
張氏清 王鈺妻 474-249- 12
506- 59- 87
張氏清 王鰲妻 480-142-264
張氏清 王璉妻 474-195- 9
張氏清 王頤妻 479-503-239
張氏清 王璽妻 483- 36-371
張氏清 王士禎妻、張萬鍾女
1315-391- 19
1322-244- 18
1323-364- 31
張氏清 王文祥妻 478-354-191
張氏清 王仁昇妻 547-410-156
張氏清 王用俊妻 512-215-182
張氏清 王自古妻 477-257-161
張氏清 王仲舉妻 477-382-167
張氏清 王助芳妻 478-354-191
張氏清 王希孔妻 483-119-379
張氏清 王廷汲妻 481-159-298
張氏清 王宗渭妻 506-171- 90
張氏清 王宗臺妻 474-194- 9
張氏清 王承芳妻 506- 61- 87
張氏清 王明元妻 474-192- 9
506- 16- 86
張氏清 王季銓妻 474-192- 9
506- 20- 86
張氏清 王所錫妻 474-192- 9
506- 18- 86
張氏清 王悅曾妻 476-420-120
張氏清 王孫斐妻 474-193- 9
張氏清 王孫葆妻 506- 61- 87
張氏清 王時亨妻 512-215-182
張氏清 王恩掄妻 478-700-210
張氏清 王嘉棟妻 474-193- 9
張氏清 王夢蘭妻、張居易女
479-633-245
張氏清 王維煥妻 503- 57- 95
張氏清 王維藩妻 512-425-187
張氏清 王德遠妻 483-185-385
張氏清 王錫祉妻 530-100- 56
張氏清 王颺廷妻 512-470-188
張氏清 甘作棟妻 482- 92-342
張氏清 孔王惠妻 482-305-353
張氏清 尹士偉妻 480- 99-262
張氏清 尹惟廉妻 506- 64- 87
張氏清 尹遇湯妻 506- 22- 86
張氏清 石祚煥妻 480-566-284
張氏清 冉國輔妻 483-322-396
張氏清 田茂奕妻、張體謙女
483-349-399
張氏清 田緒宗妻、張禎女
1322-681- 12
1324-377- 36
張氏清 史紹光妻 506- 67- 87
張氏清 白良柱妻 474-195- 9
張氏清 江之崑妻 479-359-233
張氏清 江漢英妻 503- 55- 95
張氏清 任又布妻 478-140-181
張氏清 任士修妻 478-275-187
張氏清 牟采妻 558-499- 42
張氏清 朱大復妻 524-493-203
張氏清 朱元陛妻 474-194- 9
張氏清 朱廷璋妻 481-751-334
張氏清 朱若士妻 480-179-266
張氏清 朱振伯妻 479-253-228
張氏清 朱敬德妻
1235- 18- 上
張氏清 汪之灝妻 475-333- 65
張氏清 汪在佃妻 512-298-184
張氏清 沈杰妻 524-475-202
524-585-206
張氏清 沈明妻 479-153-223
張氏清 沈燿文妻
1314- 96- 7
張氏清 辛越妻 506- 19- 86
張氏清 宋炳妻 474-195- 9
張氏清 宋文奎妻 474-445- 21
張氏清 宋進妻 474-605- 31
張氏清 宋爾易妻 530- 80- 55
張氏清 成夢斗妻 474-482- 23
506-147- 90
張氏清 杜天昇妻 506- 62- 87
張氏清 杜天起妻 506- 62- 87
張氏清 杜立言妻 506- 22- 86
張氏清 杜本榮妻 506- 25- 86
張氏清 杜育泓妻 474-195- 9
張氏清 李坦妻 474-193- 9
張氏清 李佩妻 477-136-155
張氏清 李興妻 480- 99-262
張氏清 李之桑妻 506- 27- 86
張氏清 李必英妻 480-513-281
張氏清 李永昌妻 524-653-209
張氏清 李世昌妻 481-120-296
張氏清 李世珍妻 506- 60- 87
張氏清 李守富妻 476-829-143
張氏清 李光亨妻 482- 79-341
張氏清 李完秀妻 506- 18- 86
張氏清 李枝奐妻 480-566-284
張氏清 李盛宗妻 530- 75- 55
張氏清 李登舉妻 506- 19- 86
張氏清 李發顯妻 503- 66- 95
張氏清 李與堦妻 478-354-191
張氏清 李學孟妻 506- 38- 86
張氏清 李應講妻 506- 60- 87
張氏清 李蘭馨妻 506- 18- 86
張氏清 李纘緒妻 474-195- 9
張氏清 阮邦尹妻 479-254-228
張氏清 吳士錦妻 524-507-203
張氏清 吳之音妻 478-356-191
張氏清 吳元宣妻 479-105-221
張氏清 吳孔銘妻 530- 41- 54
張氏清 吳天孕妻 541- 58- 29
張氏清 吳日光妻 482-146-344
張氏清 吳克灼妻 474-195- 9
張氏清 吳宗和妻 474-195- 9
張氏清 吳其幹妻 479-537-241
張氏清 吳起龍妻 482-374-357
張氏清 吳紹京妻 474-193- 9
張氏清 余偉妻 530- 82- 55
張氏清 余時卿妻 481-534-326
張氏清 何之英妻 478-355-191
張氏清 何天才妻 481-159-298
張氏清 何永澤妻 474-195- 9
張氏清 武建烈妻 477-321-164
張氏清 孟太慶妻 478-520-200
張氏清 孟良玉妻 477-380-167
張氏清 邵世錦妻 480-179-266
張氏清 邵聯瀛妻 474-195- 9
張氏清 林元亮妻 530- 75- 55
張氏清 林長裔妻 530-118- 57
張氏清 林翼生妻 530- 82- 55
張氏清 來斯行妻 479-253-228
張氏清 尚瑢妻 478-406-194
張氏清 芮伯祥妻 506- 16- 86
張氏清 周增妻 524-487-203
張氏清 周之德妻 481- 84-294
張氏清 周永安妻 481- 84-294
張氏清 周甲鼎妻 558-548- 43
張氏清 周兆元妻 481-727-333
張氏清 周逢甲妻 479-253-228
張氏清 岳廷鳳妻 481-337-308
張氏清 金鑣妻 483- 49-372
張氏清 金殿勳妻 474-195- 9
張氏清 洪潢妻、張仲安女
1321- 45- 90
張氏清 洪之庭妻 481-764-335
張氏清 姜應望妻 480-256-269
張氏清 姜瀛秀妻 512-275-183
張氏清 施琅妻 1324-996- 33
張氏清 胡一言妻 479-253-228

張氏清 胡九瑞妻 480-417-277
張氏清 胡希仲妻 474-194- 9
張氏清 胡來臣妻 506- 64- 87
張氏清 胡來麟妻 481-291-306
張氏清 韋聖聰妻 512-487-189
張氏清 范朱祥妻 482- 80-341
張氏清 范邦佐妻 512- 55-178
張氏清 姚部妻 477-483-173
張氏清 姚以誠妻 524-600-207
張氏清 姚光廕妻 506-113- 89
張氏清 皇甫國妻 479-385-234
張氏清 俞承恩妻 474-280- 14
506- 37- 86
張氏清 紀溶妻 474-194- 9
張氏清 侯思忠妻 506- 59- 87
張氏清 保璜妻 478-614-205
張氏清 段錦柱妻 481-353-309
張氏清 高朗妻 541- 54- 29
張氏清 高起鵬妻 474-194- 9
張氏清 高華宗妻 475-332- 65
張氏清 祖君榮妻 506- 59- 87
張氏清 馬成妻 506- 36- 86
張氏清 馬普妻 477- 97-153
張氏清 馬雯妻 506- 23- 86
張氏清 馬瑞妻 474-192- 9
506- 19- 86
張氏清 馬寧妻 478-356-191
張氏清 馬有驥妻 478-491-199
558-499- 42
張氏清 馬志熹妻 475-237- 61
張氏清 馬起鳳妻 477-212-159
張氏清 孫之敬妻 506- 64- 87
張氏清 孫廷紀妻 483-185-385
張氏清 孫清五妻 524-676-210
張氏清 孫培隆妻 475-756- 88
張氏清 孫得盛妻 477-320-164
張氏清 孫憶峰妻 524-499-203
張氏清 袁府妻 474-194- 9
張氏清 夏廷玉妻 541- 41- 29
張氏清 員清繼妻 477-170-157
張氏清 柴芝蘭妻 478-172-182
張氏清 徐俊妻 475-188- 59
張氏清 徐基妻 512- 12-176
張氏清 徐滾妻 477-170-157
張氏清 徐鏡妻 474-316- 16
張氏清 徐孚躬妻 512-457-188
張氏清 翁元岳妻 524-470-202
張氏清 翁介眉妻
1323-777- 5
張氏清 郗作楫妻 506-116- 89
張氏清 倪次文妻 530- 32- 54
張氏清 殷承憲妻 474-193- 9
506- 23- 86
張氏清 章維心妻 474-193- 9
張氏清 郭文相妻 474-195- 9
張氏清 郭天成妻 512-275-183
張氏清 郭永磐妻 474-193- 9
張氏清 郭鴻圖妻 506-150- 90
張氏清 麻封妻 506- 59- 87
張氏清 梁孟玉妻
1312-365- 35
張氏清 梁國傑妻 478-421-195
張氏清 梁維屏妻 503- 63- 95
張氏清 康京妻 474-192- 9
張氏清 康藩錫妻 483-179-384
張氏清 曹持裕妻 506- 22- 86
張氏清 曹際昌妻 474-384- 19
張氏清 陸天街妻 503- 61- 95
張氏清 陸克清妻 474-194- 9
張氏清 陸瑞金妻 481-534-326
張氏清 陶子明妻 474-193- 9
506- 22- 86
張氏清 敖起宗妻 483-322-396
張氏清 張錕妻 481-159-298
張氏清 張翻妻、張君執女
1327-324- 14
張氏清 張汝焯妻 503- 60- 95
張氏清 張克會妻 506- 19- 86
張氏清 張宗李妻 483- 49-372
張氏清 陳美妻 512-474-188
張氏清 陳彬妻 477- 94-153
張氏清 陳通妻 530-116- 57
張氏清 陳士奇妻 482-414-360
張氏清 陳士俊妻 530- 41- 54
張氏清 陳六錫妻 483- 71-376
張氏清 陳文選妻 506- 26- 86
張氏清 陳兆宜妻 530- 32- 54
張氏清 陳廷雪妻 479-335-232
張氏清 陳尚堯妻 530-132- 57
張氏清 陳昌期妻、張洪翼女
1315-375- 18
1316-623- 43
張氏清 陳理陽妻 506- 64- 87
張氏清 陳國增妻 474-641- 33
張氏清 陳紹祖妻 530-132- 57
張氏清 陳實蓁妻 530- 31- 54
張氏清 陳熙生妻 530- 37- 54
張氏清 陳嘉謨妻 474-196- 9
張氏清 陳夢龍妻 481-619-329
530-121- 57
張氏清 常玿繼妻 474-252- 12
張氏清 常懷遠妻 506- 24- 86
張氏清 甯世忠妻 479-436-236
張氏清 黃洪妻 475-756- 88
張氏清 黃賓妻 530-121- 57
張氏清 黃鏞妻 530-115- 57
1325-808- 11
張氏清 黃之鐘妻 506-150- 90
張氏清 黃仲甫妻 530- 82- 55
張氏清 黃良豫妻 482-118-343
張氏清 黃廷案妻 477-484-173
張氏清 黃苑青妻 481-785-337
張氏清 黃能喆妻 530- 83- 55
張氏清 黃善德妻 530-119- 57
張氏清 項毓禎妻 524-475-202
張氏清 彭英妻 474-195- 9
張氏清 閔介清妻 480-209-267
張氏清 華彥松妻、張炯女
512-261-183
張氏清 傅常美妻 477-136-155
張氏清 程翺妻 478-491-199
張氏清 舒明逸妻 524-738-213
張氏清 廉義黨妻 474-195- 9
張氏清 賈樂性妻 474-444- 21
張氏清 雷憬妻 533-632- 70
張氏清 雷時順妻 474-194- 9
張氏清 楊元妻 483- 37-371
張氏清 楊均妻 483- 18-370
張氏清 楊淳妻 478-422-195
張氏清 楊緒妻 478-422-195
張氏清 楊蕃妻 481- 85-294
張氏清 楊九業妻 477-212-159
張氏清 楊之玉妻、張庚次女
474-605- 31
506-554-105
張氏清 楊廷擢妻 547-389-156
張氏清 楊明基妻 478-141-181
張氏清 楊啟泰妻 558-563- 43
張氏清 董志成妻 478-357-191
張氏清 路引章妻 478-575-203
張氏清 葉上蘭妻 479-437-236
張氏清 葉維漢妻 533-527- 66
張氏清 葉韡蓁妻 530-130- 57
張氏清 詹士偉妻 483-359-400
張氏清 解玫妻 476-735-138
張氏清 鄒心存妻 480-546-283
張氏清 鄒秉正妻 474-195- 9
張氏清 齊永祚妻 506- 68- 87
張氏清 榮彰妻 474-194- 9
張氏清 榮鳴珂妻 478-139-181
555-125- 68
張氏清 趙順妻 482-355-356
張氏清 趙暘妻 478-718-211
張氏清 趙鏊妻 474-341- 17
張氏清 趙躋妻 506- 36- 86
張氏清 趙士魁妻 478-172-182
張氏清 趙守福妻 474-342- 17
張氏清 趙仲金妻 503- 63- 95
張氏清 趙宏智妻 503- 66- 95
張氏清 趙廷弼妻 503- 63- 95
張氏清 趙孟諮妻 479-634-245
張氏清 趙連茹妻 503- 63- 95
張氏清 趙堯裔妻 478-357-191
張氏清 趙鳳苞妻 478-356-191
張氏清 趙顯榮妻 503- 67- 95
張氏清 蒲世聲妻 480-585-285
張氏清 蒙文熿妻 478-358-191
張氏清 熊矗妻 533-553- 67
張氏清 熊伯虎妻 482-525-367
張氏清 熊飛源妻 478-601-204
張氏清 裴華妻 477-382-167
張氏清 裴綬妻 478-206-184
張氏清 潘九鉉妻 476-869-145
張氏清 翦如琰妻 533-717- 72
張氏清 鄭玹妻 476-373-117
張氏清 鄭鎬妻 530- 79- 55
張氏清 鄭尚郁妻 530-146- 58
張氏清 鄭國撰妻 530- 24- 54
張氏清 鞏尚友妻 503- 57- 95
張氏清 鄧進龍妻 476-373-117
張氏清 樊廷桂妻 477-483-173
張氏清 樊時新妻 474-412- 20
張氏清 蔣玉錫妻 481-119-296
張氏清 蔡芳表妻 475-435- 70
張氏清 蔡恆衷妻 530- 97- 56
張氏清 蔡樹瓊妻 474-192- 9
506- 16- 86
張氏清 蔡懋良妻 475-145- 57
張氏清 魯祥妻 475-188- 59
512- 34-177
張氏清 劉崑妻 483- 71-376
570-194- 22

十一畫 張

張氏清 劉琪妻 474-522- 25
張氏清 劉禋妻 478-421-195
張氏清 劉賢妻 506- 17- 86
張氏清 劉文善妻 503- 54- 95
張氏清 劉之甲妻 533-631- 70
張氏清 劉天榮妻 503- 64- 95
張氏清 劉汝良妻 506- 60- 87
張氏清 劉成立妻 479-536-241
張氏清 劉為鐸妻 506-169- 90
張氏清 劉時道妻 506- 60- 87
張氏清 劉國柱妻 478-143-181
張氏清 劉煜侖妻 476-791-141
張氏清 駱其驊妻 530- 99- 56
張氏清 閻縄祖妻 555-138- 68
張氏清 蕭定所妻 530-130- 57
張氏清 穆維頤妻 506- 37- 86
張氏清 謝偉妻 481-726-333
張氏清 戴川妻 475-235- 61
張氏清 戴上賓妻 479-732-250
張氏清 戴國詔妻 482-566-369
張氏清 戴聖欽妻 479-335-232
張氏清 薛起妻 476-405-119
547-456-158
張氏清 韓棟妻 474-193- 9
張氏清 鄺宏毅妻 482- 79-341
張氏清 羅乾妻 477- 95-153
張氏清 嚴一中妻 480-467-279
張氏清 顧士達妻 512-215-182
張氏清 田雯母 1316-616- 42
張氏清 耿國翰母 474-193- 9
506- 27- 86
張氏清 桑梅母 506- 61- 87
張氏清 閆拱宸媳 506- 18- 86
張氏清 張眇女 506- 66- 87
張氏清 張訒女 524-509-203
張氏清 張興女 1321- 98- 97
張氏清 張文富女 481-215-302
張氏清 張王典女 524-550-205
張氏清 張忠孝女 572-123- 31
張氏清 張國憲女 475-758- 88
張氏清 張廣土妻 547-346-154
張介宋 471-717- 18
511-858-169
524-343-196
張介金 1365-287- 8
1439- 11- 0
1445-519- 39
張介元 1201-169- 80
張介明(內江人) 571-549- 20
張介張所見 明(字曉生)
1475-463- 19
張介清 511-713-164
張允吳 485-170- 23
張允齊 259-355- 33
265-474- 31
378-265-138
張允後漢 278-266-108
279-378- 57
384-316- 16
396-450-296
505-749- 72
933-389- 25
1383-831- 76
張玄漢(字處虛) 252-805- 66
376-729-108
386- 15-69上
933-365- 25
張玄漢(字君夏) 253-538-109下
370-169- 16
380-272-172
402-385- 4
472-718- 28
472-737- 29
477-246-161
537-349- 56
538- 25- 62
554-324- 54
933-366- 25
張玄漢(字伯雅) 1063-229- 6
1397-464- 22
1412-484- 19
張玄吳 254-791- 8
385-500- 54
張玄前蜀 812-492- 中
812-582- 2
813- 85- 3
821-122- 49
張玄明 1252-430- 24
張立唐 821- 94- 48
張立後唐 592-575- 97
張立宋 482-319-354
567- 58- 65
張立元 295-248-165
399-599-479
472-526- 22
540-774- 28之2
張立女 元 見張氏
張宁金 見張公著
張永劉宋 258-142- 53
265-470- 31
378-117-134
384-112- 6
472-225- 8
472-997- 40
485- 68- 10
485-175- 24
486- 38- 2
486- 67- 3
489-599- 47
493-843- 46
494-279- 3
814-247- 6
820- 87- 4
843-657- 上
933-369- 25
張永宋(尉治) 485-536- 1
張永宋(洛陽人) 524-365-197
張永宋(趙郡人) 545-406- 98
張永金 見張特立
張永明 302-274-304
479-378-234
523-215-156
559-365- 8
張玉宋 285-629-290
397- 94-325
408-282- 10
472- 53- 2
474-176- 8
505-716- 71
554-357- 54
567- 58- 65
1467- 33- 63
張玉元(保定人) 295-263-166
399-608-480
張玉元(字德潤) 478-337-191
554-275- 53
張玉明(字世美) 299-389-145
453-147- 14
458-137- 6
472-665- 27
477- 86-153
537-398- 57
886-145-138
1238-696- 25
1374-532- 75
張玉明(吳橋人) 505-817- 74
554-188- 51
張玉明 蕭仲齡妻、張源春女
1237-381- 11
張弘吳 493-1052- 56
511-862-170
812- 60- 中
812-223- 8
812-713- 3
814-231- 4
820- 43- 22
張弘晉 560-599-29下
張弘明 456-556- 7
511-493-156
張弘女 清 見張二山
張正唐 見張萬福
張正宋 471-1030- 65
張正明 524-165-186
1228-579- 4
1240-874- 10
張巨宋(武進人) 472-258- 10
511-680-163
張巨宋(字國材) 529-597- 47
張巨妻 明 見趙氏
張本金～元 492-467- 94
684-493- 下
820-484- 36
1365-240- 7
1439- 10- 附
1445-455- 33
張本元(茌平人) 295-602-197
400-311-526
476-617-133
張本元(字在中) 460-465- 36
529-740- 51
張本明(字致中) 299-532-157
453-191- 18
453-571- 9
472-291- 12
472-559- 23
473- 15- 49
476-826-143
515- 33- 58
540-784-28之3
1238-220- 19
1240-278- 18
1240-899- 10

張本明(錢塘人) 473-145- 56
479-711-250
515-153- 61
554-310- 53
張本明(餘干人) 473-653- 78
528-494- 30
張本明(四川布政司都事)
494- 42- 3
張本明(宣城人) 511-302-148
張本明(河內人) 554-347- 54
張本明(大邑人) 554-347- 54
張本明(字宗原) 1243-370- 22
張本明(字斯植) 1442- 51-附3
張本妻 明 見胡氏
張本妻 明 見許氏
張丕五代 545-597-105
張召妻 明 見賴氏
張平漢 544-199- 62
張平晉 548-626-181
張平後魏 262- 37- 68
266-822- 40
379-222-149
張平宋 285-434-276
396-686-316
476-669-136
張平明 554-348- 54
張可金 見宋可
張世劉宋 見張興世
張布宋 680-195-243
張布清 476-827-143
540-840-28之4
張充漢 879-158-58上
張充齊 259-355- 33
260-195- 21
265-474- 31
378-387-141
384-112- 6
472-225- 8
485- 69- 10
485-179- 24
493-842- 46
511- 89-140
511-669-163
512-723-195
523- 71-149
933-369- 25
1394-546- 7
張末春秋 見張柳朔
張旦唐 481- 18-291
張旦宋 286- 86-308
397-276-335
473-426- 67
474-469- 23
474-620- 32
481-385-312
505-788- 73
505-863- 77
559-319-7上
張旦明 559-432-10上
張田宋 286-425-333
397-528-352
472-132- 4
472-324- 14
473-673- 79
474-236- 12
474-477- 23
474-601- 31
475-698- 86
477-123-155
482- 33-340
482-347-356
494-298- 5
505-775- 73
510-462-117
523-115-151
563-668- 39
567- 63- 65
585-756- 4
1467- 36- 63
張由明 見張名由
張四明 1263-537- 6
張申張鐵樹 宋 451- 77- 2
張甲宋 516- 14- 87
張代後魏 262-262- 88
472- 50- 2
472-149- 5
張令明 301-535-269
456-426- 2
481- 27-291
481-454-318
559-518- 12
張生戰國 405-255- 72
張生漢 675-258- 7
張仕妻 清 見章氏
張白妻 晉 見陸鬱生
張仝元 554-872- 64
1200-632- 48
張台唐 見張苔
張匄春秋 404-819- 50
張仙明 572-166- 32
張守母 宋 見王氏
張守宋(字子固) 287-146-375
398-197-378
449-366- 1
472-260- 10
472-106- 45
473- 14- 49
475-223- 61
479-224-227
479-448-237
481-492-324
481-524-326
486- 51- 2
486- 52- 2
488- 12- 1
488-437- 14
511-143-142
515- 14- 57
523-149-153
528-440- 29
674-839- 18
820-410- 34
1127-782- 10
1127-849- 15
1127-850- 15
1135-397- 37
1147-575- 54
張守宋(字謙中) 674-182-1下
張守明 505-651- 68
554-488-57上
張守清 1475-966- 41
張安明(張勇子) 299-407-146
張安明(環縣人) 545-376- 97
張安明(字定之) 546- 90-118
554-172- 51
1256-585- 6
1261-693- 29
張安明 張開源女
1255-642- 66
張江明 523-204-155
張宇漢 見張禹
張宇宋 494-308- 5
1135-397- 37
張宇金 1445-699- 54
張宇清 479-332-232
張交梁 260-299- 34
張交宋 491-345- 2
張式唐 1076-112- 12
1076-568- 12
1077-139- 12
張式宋 510-469-117
515-264- 65
1105-771- 92
1375- 32- 下
張式元 545-439- 99
張戎漢 554-427- 56
張共宋 1094-638- 69
張吉宋(合水人) 288-350-452
400-128-511
472-914- 36
478-573-203
558-421- 37
張吉宋(延安人) 478-671-209
554-704- 61
張吉宋(鄱陽人) 516- 10- 87
張吉明 457-769- 46
458-800- 6
473- 52- 50
479-534-241
482-184-346
483-207-389
516- 74- 90
563-801- 41
567-106- 66
569-677- 19
676-515- 20
678-249- 94
1257-591- 附
1442- 35-附2
1459-738- 29
1467- 81- 64
張吉妻 明 見田氏
張旨宋 285-796-301
397-215-332
408-204- 7
472- 85- 3
472-610- 25
475-742- 88
477-252-161
478-267-187
505-702- 70
537-480- 58

540-656- 27
545-406- 98
554-332- 54
張旨妻 宋 見李氏
張存蜀漢 見張處仁
張存宋 286-253-320
397-405-344
450-293- 11
472- 95- 3
472-694- 28
474-371- 19
474-603- 31
476-854-145
505-784- 73
506-636-109
537-204- 54
540-669- 27
554-201- 52
1094-694- 76
張存女 宋 見張氏
張存明(字性中) 511-774-166
676-464- 17
張存明(會寧人) 558-318- 34
張有宋 820-463- 36
張在元 1214-171- 14
張羽妻 元 見段氏
張羽張來儀、張附鳳 明(字來儀) 301-821-285
475-143- 57
479-147-223
479-609-244
493-1076- 57
511-893-172
516-128- 92
524-313-194
588-181- 8
676-449- 17
684-496-下
820-561- 40
821-343- 55
1220-341- 12
1273-150- 21
1284-353-163
1442- 5-附1
1459-350- 10
張羽明(烏程人) 472-1004- 40
張羽明(字伯翔) 474-435- 21
478-248-186
505-683- 69
554-492-57上
張羽明(字鳳舉) 475-485- 73
511-245-145
523-174-154
528-543- 32
1264-246-附
張羽明(字仕儀) 494- 40- 3
494- 43- 3
545-146- 88
張羽明(山陰人) 546- 87-118
張羽明(慶陽衛人) 558-422- 37
張羽明(字子儀) 676-551- 22
1442- 49-附3
1460- 50- 42
張羽妻 明 見孫氏
張耳趙王 漢 244-577- 89
250- 22- 32
251-501- 8
376- 13- 95
384- 38- 2
472-650- 27
537-373- 57
933-363- 25
1408-246-505
張匡漢 253-535-109下
476-881-146
540-698-28之1
569-614-18下之2
張老春秋 384- 21- 1
404-708- 43
448-207- 16
472-460- 20
545-732-109
933-362- 25
張扞唐 532- 78- 25
張臣明 301- 57-239
478-272-187
554-605- 59
張弛明 554-313- 53
張聿唐 472-239- 9
475-175- 59
493-646- 35
510-343-114
張岊宋 549-121-185
張因唐 1076-104- 11
1076-561- 11
1077-129- 11
1076-112- 12
1076-568- 12
1077-139- 12
張回明 1460-910- 98
1442-127-附8
張光晉 255-948- 57
377-640-124下
472-864- 34
477-415-169
478-242-186
533-357- 60
554-106- 50
933-367- 25
張光明 1467- 63- 64
張光清 511-515-157
張光妻 清 見程氏
張卮女 明 見張氏
張收晉 821- 10- 45
張收明 820-603- 40
張舟唐 1076- 90- 10
1076-548- 10
1077-112- 10
1342-270-939
1383-308- 27
1378-530- 60
1383-308- 60
1394-762- 11
張旭唐 271-587-190中
276- 76-202
384-207- 11
400-603-555
471-595- 2
472-227- 8
475-128- 56
484- 45- 下
485-181- 24
493-738- 41
493-1018- 54
493-1054- 56
511-726-165
684-559- 5
812-734- 3
813-297- 18
814-271- 9
820-183- 27
933-386- 25
1385-385- 15
1472-162- 10
張旭明 1241-523- 9
張旭清(呈貢人) 482-563-369
570-159-21之2
張旭清(惠來人) 564-310- 48
張旬宋 1132-261- 50
張任漢 254-558- 2
559-502- 12
張任明(字碧岑) 456-497- 5
478-405-194
554-718- 61
張任明(字希尹) 511-234-145
523-106-150
567-139- 68
571-531- 19
1283-804-130
1284-180-150
1467-125- 66
張任妻 清 見王氏
張全明(臨淮人) 511-647-162
張全明(婺源人) 559-303-7上
張全明 見張三丰
張合張顯郎 宋 451- 93- 3
張合明 473-841- 87
483-138-380
570-121-21之1
820-695- 43
821-429- 56
張先宋(開封人) 285-330-268
472-677- 27
480- 87-262
532-622- 43
587-717- 17
820-355- 32
1087-677- 35
1102-217- 27
1356-153- 7
1378-597- 62
1383-640- 57
1410-331-706
張先宋(烏程人) 471-611- 4
472-981- 39
472-1002- 40
493-742- 41
494-382- 11
494-545- 28
524- 32-179
585-418- 10
674-886- 21

1437- 12- 1
1487- 92- 0
張先宋(蓬州人) 561-202-38之1
591-610- 44
張先明 545-185- 90
張仲周 554-741- 61
933-362- 25
張仲宋 821-230- 51
張仲元 1206-188- 19
張仲明 559-321-7上
張价宋 559-307-7上
591-692- 48
張价金 537-452- 58
張价女 金 見張季玉
張价明 511-651-162
張印漢 402-558- 18
張印妻 明 見李氏
張耒宋 288-249-444
382-759-116
400-663-562
471-604- 3
471-694- 15
471-908- 46
471-935- 50
472-311- 13
473-282- 61
475-327- 65
477-454-171
480- 94-262
480-139-264
511-778-166
533-727- 73
538-331- 69
674-290-4下
820-382- 33
933-396- 25
1128-155- 17
1394-512- 6
1437- 17- 1
1461-621- 30
張休吳 254-776- 7
377-324-119
384-551- 27
386- 91-71下
475-425- 70
張休唐 473- 13- 49
515- 7- 57
518-211-142
1343-303- 21
張伋宋 554-309- 53
張伋明 473-585- 75
張宏宋(字巨卿) 285-311-267
371- 99- 9
382-238- 36
384-333- 17
396-600-308
472-592- 24
476-669-136
481-332-308
505-654- 68
540-749-28之2
559-315-7上
張宏宋(字公度) 487-120- 8
491-394- 4
491-434- 6
張宏宋(字子廣) 516- 44- 88
張宏元 1202-215- 16
1367-655- 50
張宏明(碭山人) 472-414- 18
473-299- 62
511-228-144
537-247- 55
張宏明(內鄉人) 494- 20- 2
554-313- 53
張宏明(正定人) 505-821- 75
554-188- 51
張宏明～清(字君度)
511-868-170
821-476- 58
張汴宋 288-384-454
400-197-515
451-232- 0
481- 80-294
張灼母 清 見荆氏
張沅後周 278-433-131
張沆宋 478-268-187
張沆母 宋 見許氏
張沆妻 清 見秦氏
張汪女 晉 見張春華
張沔唐 820-224- 28
張沔宋 473-601- 76
1095-878- 53
張沔妻 宋 見魏氏
張言後唐 見張全義
張言明 567-340- 79
1467-232- 70
張完齊 見張克
張完宋 550-354-221
張完金 547- 58-143
張完元 1197-679- 70
張完妻 明 見王氏
張沛唐 933-375- 25
張沛明 558-432- 37
張沖齊 259-488- 49
265-484- 32
380- 51-166
472-194- 7
475-126- 56
485-177- 24
511-433-153
544-213- 62
933-370- 25
張沖隋 264-1065- 75
267-597- 82
380-337-174
475-127- 56
485-180- 24
493-1013- 54
511-669-163
張沖明(字弘謙) 473- 16- 49
479-483-239
515- 90- 59
張沖明(字應和) 511-528-157
1275-836- 51
1278-432- 20
1280-390- 84
1280-488- 92
1289-352- 24
1410-258-695
張沖清 480-353-274
張沂明 494-563- 29
張沂女 明 見張氏
張亨宋 288-357-452
400-171-513
張亨金(字彥通) 291-373- 97
399-218-435
472-149- 5
474-178- 8
505-695- 70
505-719- 71
545- 56- 84
張亨金(崞縣人) 554-309- 53
張亨妻 元 見劉宜
張亨明(判官) 494- 57- 2
張亨明(海鹽人) 524-186-187
張亨明(字嘉會) 1248-632- 3
張亨妻 明 見蕭氏
張序宋 1125-398- 31
張忻北齊 見張欣
張忻妻 後魏 見平陽公主
張汶明 301-170-245
473- 61- 51
505-855- 77
張沐明 546-649-136
張沐清 477-420-169
538- 17- 61
1325-297- 附
張汭漢 473-475- 69
559-271- 6
張泛宋 545-211- 91
張良漢 244-296- 55
250-117- 40
251-482- 5
376- 45- 96
384- 36- 2
459-140- 9
472-650- 27
472-309- 13
475-433- 70
477- 57-151
511-905-172
537-591- 60
545-740-110
933-363- 25
1192-390- 34
1324-749- 15
1340-591-780
1360-608 38
1397-198- 10
1407- 44-399
1407- 83-399
1408-231-504
1410-875-780
張志唐 821- 88- 48
張志明 472-665- 27
537-399- 57
張志妻 清 見康氏
張甫完顏甫 宋～金
288-662-477
291-629-118
399-309-445
478-336-191

554-334- 54
張甫元 547- 33-142
張甫明 524-187-187
張抃唐 480- 89-262
533-363- 60
張杓宋 見張杓
張成宋 545-438- 99
張成元 524-351-196
1202-610- 下
張成明 494-159- 5
569-679- 19
張成妻 明 見唐妙堅
張孝唐 見張孝忠
張孝明(河內人) 538-102- 64
張孝明(夏縣人) 547-104-145
張孝妻 明 見章氏
張址明 456-661- 11
538-111- 64
張均唐 270-175- 97
274-575-125
395-542-230
493-684- 38
820-165- 27
1371- 60- 0
1387-408- 33
張均宋 488- 13- 1
488-462- 14
張均元 295-265- 16
399-609-480
472-526- 22
476-526-128
張呈清 505-816- 74
張玘宋(字伯玉) 288-317-453
400-173-513
472-750- 29
477-315-164
538- 59- 63
590-114- 14
張玘宋(字子佩) 523-396-165
張玘宋(四川都巡檢)
559-503- 12
張玘元 1206-189- 19
張玘明(永城人) 302-190-300
821-408- 56
張玘明(霸州人) 494- 55- 2
545-147- 88
545-393- 97
張玘女 明 見張仙貞
張玘妻 清 見竇氏
張杞宋 516- 20- 87
張杞明 475-672- 84
張克張完 齊 259-355- 33
265-474- 31
張岊齊 480-418-277
533-781- 75
564- 14- 44
張岊宋 286-321-326
397-448-346
408-204- 7
472-923- 36
478-270-187
545-136- 87
554-591- 59
張材宋 559-314-7上
張杉清 524- 58-180
1321-165-104
張劭張邵 漢 253-578-111
380-134-168
472-791- 31
477-413-169
537-558- 60
1408-440-522
張扶宋 451-135- 2
張辰清 1475-622- 26
張孜宋 286-292-324
382-398- 62
384-357- 18
397-429-345
472-430- 19
476- 29- 97
477- 78-152
477-441-171
537-393- 57
545- 44- 84
843-667- 中
1097-295- 20
張卣明 見張鹵
張里明 516- 60- 89
張芒女 漢 見張麗英
張芑女 漢 見張麗英
張芑清(介休人) 476-184-106
547- 48-142
張芑清(字武仕) 511-263-146
533-362- 60
559-333-7下
張芊明(南充人) 554-220- 52
張芊明(四川人) 554-258- 52
張步漢 252-475- 42
376-517-104
384- 57- 3
張岐宋(字詔卿) 473-737- 82
477-200-159
563-695- 39
張岐宋(建陽人) 515-142- 61
張岐明 472-367- 16
1261-545- 18
張孚唐 540-632- 27
張孚元 472-197- 7
張谷唐(張遇子) 843-663- 上
張谷唐(善音律) 1409-614-634
張谷妻 唐 見李新聲
張谷宋 1102-192- 24
1378-610- 63
1383-652- 58
1410-193-686
張甸宋 485-502- 9
張位明 300-605-219
515-413- 69
676-604- 25
678-211- 90
679-214-160
1442- 74-附5
1460-351- 56
張佐明(武昌人) 483-170-383
569-665- 19
張佐明(赤水指揮) 571-553- 20
張佐明(字瀛洲) 1467-121- 66
張佑宋 485-521- 10
張佑明 482- 38-340
張佑妻 明 見宋氏
張佑清 511-803-167
張伾唐 271-512-187下
275-610-193
384-238- 12
400-108-509
474-434- 21
505-680- 69
510-500-118
546-182-121
張含明 483-138-380
494-167- 6
570-121-21之1
820-676- 42
1442- 49-附3
1460- 50- 42
張希梁 260-298- 34
張利元 547- 14-141
張佛明 見張度
張伸宋 559-319-7上
591-684- 47
張伸張紳 明 456-461- 4
張兌明 1225-571- 1
張豸宋 529-742- 51
張豸元 1200-771- 59
張秀唐 1071-564- 9
張秀清 560-115- 19
張佖宋 1090-682- 40
張攸明 1247-382- 14
張佚漢 370-166- 16
張廷明(沁水人) 547- 61-143
張廷明(字春卿) 1291-630- 2
張廷妻 明(年二十二夫亡) 見張氏
張廷妻 明(年十九夫亡) 見張氏
張巡姐 唐 見張氏
張巡唐 271-507-187下
275-598-192
384-215- 11
400-100-509
459-381- 23
469-385- 46
472-113- 4
472-642- 26
472-676- 27
472-774- 30
474-434- 21
477- 49-151
477-122-155
477-376-167
505-681- 69
517-223-121
538- 63- 63
538-662- 79
540-638- 27
546-463-130
550-155-215
550-424-222
550-450-222
550-563-224
564-782- 60
585-225- 16

933-383- 25
1247-374- 14
1249-421- 28
1354- 76- 9
1371- 60- 0
1378-331- 52
1417-694- 32
1418- 11- 35
1447-147- 2
張宗漢 252-819- 68
376-737-109上
472-770- 30
476-371-117
477-500-174
537-572- 60
540-643- 27
547-196-148
933-366- 25
張宗明(沂州人) 473-523- 72
559-307-7上
張宗明(晉江人) 473-587- 75
張宗妻 清 見黑氏
張京明 554-302- 53
張京清 475-668- 84
510-459-117
546-217-122
張京妻 清 見康氏
張忞宋 451-196- 7
張宜宋 1095-695- 34
張宜妻 元 見周氏
張宙唐 820-214- 28
張官宋 1132-265- 51
張官明 554-488-57上
張注宋 485-534- 1
張沼唐 540-668- 27
張沼妻 明 見吳氏
張治明(字文邦) 473-341- 63
480-411-277
533-253- 55
676-551- 22
820-687- 43
1442- 48-附3
1460- 41- 42
張治明(潁川衛人) 554-310- 53
張治明(字榮平) 1283-559-110
張怡張遺、張鹿徵 明
511-830-168
676-665- 28
1326-841- 8
1442-113-附7
1460-739- 80
張泮明 546-381-127
張河唐 見張道源
張況漢 370-132- 11
402-370- 3
474-370- 19
張祁宋 475-673- 84
475-811- 91
511-372-150
張祁女 宋 見張法善
張卷梁 260-164- 16
265-429- 31
378-392-141
485-178- 24
張泌唐 1371- 74- 附
張泌宋 473-601- 76
529-593- 47
張泌明 472-207- 7
475-780- 89
511-359-150
張泌妻 清 見趙氏
張初張允孝 明 511-838-168
820-709- 43
821-435- 57
張初妻 明 見李氏
張定宋 523-546-173
1209-138- 7
張定元 821-325- 54
張定明 547- 94-144
張定妻 明 見李氏
張泳宋 460-317- 24
529-643- 48
張泳明 515-221- 63
張放漢 250-407- 59
251-166- 93
376-203-98下
381- 4-184
554- 63- 49
張庚明 554-311- 53
張武漢(平陽人) 250-677- 76
376-352-101
472-676- 27
477-122-155
545-752-110
933-364- 25
張武漢(由拳人) 253-581-111
380-136-168
453-748- 3
472-983- 39
479- 93-221
491-108- 13
524-107-183
張武唐 473-478- 69
559-351- 8
張武明(諡忠毅) 299-400-146
473-340- 63
480-410-277
533-251- 55
886-144-138
張武明(遠安人) 480-246-269
533-210- 53
張雨漢 476-828-143
張雨張天雨、張嗣眞 元
472-970- 38
511-889-172
524-390-198
585-108- 4
676-439- 16
676-713- 29
820-548- 39
821-330- 54
1207-670- 48
1216-352- 附
1216-389- 附
1216-415- 附
1220-340- 12
1229-372- 14
1229-377- 14
1284-345-162
1369-271- 5
1439-456- 2
1458-646-467
1469-714- 66
張雨明 554-990- 65
張其宋 510-358-114
張杰宋 1113-236- 23
張杰明 477-419-169
張杰清(字前川) 502-685- 81
523- 63-149
張杰清(字如三) 511-610-160
張松蜀漢 254-558- 2
377- 57-113下
879-158-58上
張松梁 472-176- 6
489-675- 49
492-579-13下之上
511-508-157
張松明(洛陽人) 537-522- 59
張松明(保山人) 570-155-21之2
張弦宋 473-478- 69
559-351- 8
張青漢 見王青
張坰宋 532-644- 43
張杓張杓 宋 286-783-361
398- 40-368
471-725- 19
472-173- 6
472-273- 11
472-962- 38
473-434- 67
478-761-215
479- 42-218
479-448-237
479-766-252
480-288-271
481-406-313
486- 54- 2
494-270- 2
494-312- 5
515- 18- 57
515-118- 60
517-362-125
517-373-125
523- 16-146
532-678- 44
559-407-9上
585-765- 5
591-561- 42
張亞不詳 591-339- 26
592-303- 79
張直唐 285-246-262
476-860-145
540-744-28之2
張弨清 511-690-163
張居宋 554-243- 52
張居明 505-884- 79
張孟漢 見灌孟
張孟明 480-414-277
張奉漢 469-444- 53
張奉明 820-679- 42
張玭明 505-651- 68
545-893-114

十一畫 張

張玠唐 270-667-140
396- 44-255
張玠明 511-885-171
張幸後魏 544-208- 62
張幸唐 494-318- 6
張坤明 505-896- 80
張坤妻 明 見李未娘
張拙唐 1053-222- 6
張拙明 820-710- 43
張奇明 505-668- 69
558-233- 32
張奇清(字嘉會) 475-672- 84
張奇清(順治五年卒)
528-573- 32
張邯漢 475-745- 88
張邵漢 見張劭
張邵張梨 劉宋 258- 74- 46
265-482- 32
378-119-134
384-112- 6
472-225- 8
473-245- 60
480-286-271
485-176- 24
493-850- 46
494-281- 3
511- 88-140
532-556- 40
933-370- 25
張邵宋 287-111-373
398-170-376
449-336- 5
472-395- 17
474-189- 9
474-875- 47
475-811- 91
476-676-136
487-129- 9
491-398- 4
503- 10- 90
505-927- 84
511-372-150
524-315-194
1147-685- 65
1158-656- 62
張邵元 1229-459- 下
張屈明 676-664- 28
1442-115-附7
1460-665- 74
張協晉 255-922- 55
377-616-124上
472- 64- 2
474-303- 16
474-636- 33
476-665-136
505-663- 69
505-893- 79
933-367- 25
1370- 67- 4
1379-320- 39
張枋張綖 宋 451- 79- 2
張表漢(字公表) 370-197- 19
469-444- 53
張表張長 漢(字元異)
681-534- 8
1397-611- 29
張表蜀漢 254-666- 13
377-303-118下
384-486- 16
張表明(豐潤知縣) 505-651- 68
張表明(鹿邑人) 554-311- 53
張玫後蜀 812-496- 中
812-528- 2
821-125- 49
張玫明 546-495-131
張東宋 820-453- 35
張長漢 見張表
張林妻 晉 見徐氏
張林元 1192-573- 12
張來妻 清 見孫氏
張承魏 254-213- 11
385-365- 36
377- 88-114
933-366- 25
張承吳 254-776- 7
370-250- 2
377-324-119
384-551- 27
385-497- 54
475-425- 70
511-221-144
張承明 1459-769- 30
張孤清 511-658-162
張忠晉 256-534- 94
380-431-177
469-512- 62
474-652- 34
476-827-143
505-921- 82
541- 87- 30
933-368- 25
張忠後魏 544-209- 62
張忠宋(字聖毗) 286-285-323
472-660- 27
537-391- 57
張忠宋(英州團練使)
286-319-326
397-447-346
481-801-338
538- 37- 63
563-699- 39
張忠張龍寶 宋(字民望)
448-401- 0
張忠元 1210-385- 12
張忠妻 元 1210-385- 12
張忠明(霸縣人) 302-276-304
張忠明(大寧都司都指揮)
472- 51- 2
張忠明(開縣人) 472-134- 4
張忠明(字友直) 478-485-199
558-177- 31
張忠明(號梅江) 676- 28- 1
676-565- 23
678-456-113
張忠明(字彥良) 1235- 19- 上
張忠明(字子中) 1242-190- 30
張忠女 明 見張氏
張典清 533-305- 57
張尚吳 254-791- 8
386- 97-71下
張尚清 502-630- 77
528-466- 29
545-199- 90
張肯明 1385- 48- 2
1442- 25-附2
1459-616- 23
張旺宋 1409-628-636
張旺明 558-446- 38
張旺妻 明 見武氏
張旺清 476- 43- 98
545-682-107
549-540-200
張昌晉 256-633-100
377-938-130
張昌唐 見張敬則
張昌宋 528-548- 32
張昌明 546-646-136
676-463- 17
張昌妻 明 見呂氏
張明女 唐 見張氏
張明宋 821-200- 51
1121-490- 36
1467-283- 73
張明明(海澄人) 456-683- 11
529-678- 49
張明明(字孟昭) 1458-666-469
張明女 明 見張氏
張明不詳 879-187-58下
張固唐 585-751- 3
張固明 299-579-160
473-129- 55
479-682-248
481-268-305
515-547- 74
1242-255- 33
張岵明 523-399-165
張岩明 538- 84- 64
張岩明 見張巖
張岫明(安邑人) 472-647- 26
537- 6- 48
546-492-131
張岫明(太守) 1247-379- 14
張芹明(字文林) 300-417-208
479-683-248
515-550- 74
1458-490-449
張芹明(字獻之) 545-894-114
張芹明(順慶人) 559-366- 8
張昇後魏 262-254- 86
267-630- 84
380-119-167
477- 67-151
538-119- 64
張昇張昪 宋 286-222-318
382-456- 71
384-352- 18
384-361- 18
397-381-342
472-839- 33
475-271- 63
478-345-191
478-695-210

510-270-117
545-458-100
554-650- 60
933-393- 25
1437- 12-附1
張昇元(字伯高) 295-401-177
399-711-491
472-142- 5
474-277- 14
476-478-125
477-410-169
479-225-227
502-275- 55
505-729- 71
523-151-153
537-326- 56
540-615- 27
張昇元(汝寧知府) 472-789- 31
張昇元(字伯起) 473-618- 77
481-648-330
515- 88- 59
529-584- 46
張昇明(字啟明) 300- 21-184
452-213- 5
473-101- 53
479-630-245
515-838- 84
676-510- 20
1259-237- 17
1442- 34-附2
1459-718- 28
張昇明(字叔暉) 302-190-300
453-211- 19
458-142- 6
537-428- 58
張昇明(御史) 472-174- 6
張昇明(字德輝) 483-138-380
張昇明(濟陽人) 494-158- 5
569-658- 19
張昇明(字仲高) 524-240-190
張昇明(字伯東) 537-281- 55
546-204-122
張昇清 528-558- 32
張昕明 1261-681- 29
張昕明 見張賓暘
張昂妻 明 見王氏
張芳清 532-711- 45
張芬唐 820-211- 28
1340-623-783
張芬清 524- 14-178
張昉宋(張信父) 288-421-457
401- 12-569
張昉宋(南安路總管)
515-256- 65
張昉宋(字升卿) 812-455- 1
812-538- 3
821-160- 50
張昉元 295-321-170
399-644-484
472-558- 23
473-194- 58
476-585-131
479-810-255
517-448-127
540-774-28之2
541-120- 32
張昉明 537-435- 58
1442-109-附7
張易後唐 476-530-128
張易元 1201-165- 80
1439-420- 1
張易明 1293-747- 5
張芝漢 253-339- 95
376-943-112
477-523-175
478-340-191
554-852- 63
558-404- 36
682- 10- 2
684-516- 2
812- 54- 中
812-218- 8
812-707- 3
813-272- 13
814-226- 3
820- 30- 22
933-366- 25
張芝張芝初 明 511-278-147
676- 91- 3
680-493-271
1467-90- 65
張芮明 452-241- 6
476-370-117
546-493-131
張叔張歐 漢 244-679-103
250-202- 46
376- 95- 97
384- 40- 2
476-661-136
483- 95-378
554-742- 62
570-115-21之1
592-491- 91
933-363- 26
張旻宋 見張耆
張旻元 見張雯
張旻明(日照人) 476-788-141
張旻明(字必仁) 1283-423-100
張炅晉 533-358- 60
張昊元 1200-477- 37
張昊明(海康人) 482-433-361
564-220- 46
567- 92- 66
1467- 64- 64
張昊明(字朝元) 511-381-150
張昊明(字景昇) 1475-198- 8
張杲明(長洲人) 523- 84-149
張杲明(字克明) 1289-306- 20
張果梁 見張善果
張果唐 271-631-191
276-103-204
384-207- 11
401- 96-580
472-101- 3
472-470- 20
476-129-102
478-251-186
505-937- 85
533-795- 75
547-510-160
550-344-221
879-186-58下
1054-468- 13
1059-598- 中
1061-322-113
張果宋 475-604- 81
510-434-116
張知宋 484-383- 28
張季元 537-302- 56
張季妻 明 見李氏
張和元 545-843-113
張和明(字節之) 493-991- 52
511- 97-140
676-491- 19
1245-117- 3
1284-135-146
1386-393- 44
1442- 26-附2
1459-625- 24
張和明(字宗禮) 511-193-143
張周妻 明 見張氏
張佶張信 後梁 277-160- 17
張佶宋 286- 88-308
397-277-335
472- 33- 1
473-426- 67
477-560-177
478-123-181
478-267-187
481- 67-293
505-716- 71
545-406- 98
554-354- 54
張佶明 511-228-144
張佺漢 402-444- 9
張金晉 843-657-上
張金宋 585-769- 5
585-776- 6
張金明(廣德州人) 532-732- 46
張金明(字德純) 821-439- 57
張金明(字子堅) 1460- 74- 43
張岱齊 259-344- 32
265-471- 31
378-264-138
384-112- 6
472-225- 8
472-997- 40
475-126- 56
479-132-223
479-222-227
485- 68- 10
485-176- 24
486- 64- 3
493-850- 46
494-283- 3
494-334- 7
511- 88-140
523-111-151
933-369- 25
張岱妻 明 見徐氏
張岱清 524- 59-180
張侃宋 288-368-453

十一畫 張

400-132-511
張佩明 480- 52-259
張佩妻 明 見盧氏
張岳明(字維喬) 300-295-200
457-872- 52
458-855- 7
460-635- 64
460-638- 64
481-587-328
481-806-338
482-226-348
515- 51- 58
529-539- 45
563-724- 40
567-123- 67
571-516- 19
676-548- 22
679- 61-144
1442- 46-附3
1460- 22- 41
張岳明(字汝宗) 300-728-227
479-242-227
515- 58- 58
523-311-160
張岳明(江西巡撫) 473- 18- 49
張所宋 286-805-363
398- 60-370
472-593- 24
476-671-136
479-610-244
516-221- 96
537-205- 54
540-765-28之2
張受漢 539-349- 8
張受張大受 明(盧江人)
456-656- 11
張受明(字應祥) 1244-647- 15
張采元 492-717-3下
張采明(字受先) 301-870-288
475-453- 71
511-695-163
515-179- 62
676-656- 27
1442-106-附7
張采張彩 明(字還白)
540-821-28之3
678-474-115
張采妻 明 見萬氏
張秉漢 472-256- 10
張秉宋 285-791-301
485-435- 6
820-337- 32
1375- 4- 上
1376-550-94上
張秉明 494- 42- 3
張秉不詳(武陵人) 473-370- 64
張秉不詳(文士) 879-170-58上
張牧宋 1117-319- 13
張欣張忻 北齊 263-154- 20
379-375-152
張延後魏 552- 39- 18
張延元 676- 17- 1
676-132- 5
676-708- 29
1214-163- 14
張近宋 286-684-353
397-731-364
472-663- 27
477- 81-152
537-395- 57
張洪明(安福人) 299-663-167
515-672- 78
559-250- 6
張洪明(字宗海) 472-230- 8
493-978- 52
511-401-151
569-617-18下之2
676-482- 18
677-540- 49
1318-354- 63
1442- 19-附1
1458-522-451
1459-556- 19
張洪妻 明 見姚氏
張洪妻 明 見劉德彝
張炫明(涇陽人) 480-651-289
張炫明(字德昭) 481-556-327
529-730- 51
張炳晉 820- 75- 23
張炳元(字元暉) 494-345- 7
張炳元(字仲文) 1193-686- 33
張炳妻 清 見李氏
張宣宋 451-221- 0
張宣張瑄 明(字藻重)
301-816-285
452-263- 8
511-767-166
676-447- 17
679-621-199
820-568- 40
1223-439- 7
1318-353- 63
1442- 9-附1
1459-281- 7
張宣明(知茶陵州) 473-336- 63
532-695- 45
張宣明(字德敷) 676-507- 19
張宣女 明 見張氏
張洞宋 285-754-299
397-184-331
472-661- 27
475- 17- 49
475-776- 89
476-750-139
477- 78-152
479-448-237
515- 13- 57
537-393- 57
1118-917- 62
張洵金 477-201-159
張洵清 見張恂
張洎宋 285-321-267
371- 64- 6
382-241- 37
384-333- 17
396-608-308
471-913- 47
472-402- 18
475-797- 90
511-824-167
674-427- 2
張洽唐 933-375- 25
張洽宋 288- 57-430
400-553-550
459-914- 55
473- 75- 52
473-128- 55
473-143- 56
473-176- 57
473-298- 62
475-639- 83
479-578-243
479-681-248
479-711-250
479-766-252
480-241-269
481-406-313
510-444-117
515-573- 73
517-428-126
518-150-140
529-443- 43
532-666- 44
559-407-9上
679-514-189
張祖漢 554-853- 63
684-466- 下
812- 58- 中
812-222- 8
812-711- 3
814-226- 3
820- 31- 22
張祖後魏 261-480- 33
張祖明 554-761- 62
張恆唐 516-457-104
張恆元 482-209-347
張恆明 475-452- 71
511-237-145
515- 59- 58
676-306- 11
676-626- 26
1297-733- 7
1442- 79-附5
1460-403- 58
張恆女 明 見張氏
張恆清 474-602- 31
505-700- 70
張恫明 528-476- 30
張恬明 1467- 93- 65
張恂後魏 262-262- 88
266-444- 21
380-190-170
384-130- 7
469-574- 71
472- 84- 2
472-112- 4
472-149- 5
474-370- 19
474-433- 21
474-515- 25
505-669- 69

505-680- 69
505-778- 73
張恂明 480-542-283
480-664-290
532-710- 45
張恂張洵 清 511-904-172
547-186-148
554-854- 63
張恪唐 1065-868- 23
1342-444-962
張恪妻 唐 見董氏
張恪張莊過 宋(字季武)
448-363- 0
524- 75-181
張恪宋(字季忱) 472-277- 11
511-560-158
張恪金 545-338- 96
張恪明 540-808-28之3
張恪清 476-181-106
545-252- 92
張祉明(固始人) 458-161- 8
537-609- 60
545-152- 88
張祉明(字天與) 516-519-106
張炤元 295-320-170
399-643-484
472-274- 11
472-526- 22
472-545- 23
472-569- 24
476-526-128
476-576-131
476-611-133
540-775-28之2
1196-268- 15
張炯元 494-345- 7
張炯清 478-131-181
張炯女 清 見張氏
張津宋 486- 54- 2
524- 90-182
張津明 300- 52-186
473-585- 75
481-583-328
482-116-343
523-132-152
528-486- 30
528-528- 31
564-189- 46
張洸明 554-287- 53
張亮北齊 263-211- 25
267-168- 55
379-465-154
544-210- 62
545-865-113
張亮唐 269-644- 69
274-217- 94
384-165- 9
395-291-207
472-623- 25
544-227- 63
933-374- 25
張亮明 301-662-277
456-439- 3
481-389-312
559-529- 12
張旆明 456-455- 4
張庠張翔 宋 473-147- 56
515-581- 75
張庠明 559-394-9上
571-527- 19
張郎後唐 547- 3-141
張郎明 456-684- 11
張祈妻 明～清 見葉氏
張奕宋 1092-629- 58
張奕宋 見張弋
張奕金 291-726-128
400-358-533
477-124-155
546-185-121
張度後魏 261-379- 24
379- 38-146
496-364- 86
張度宋(紹定五年卒)
451-220- 0
張度宋(知邵武) 481-693-332
528-536- 32
張度明(字景儀) 472-255- 10
564-158- 45
張度張佛 明(字孟欽)
529-535- 45
張度妻 清 見李氏
張美宋 285-195-259
371-114- 11
382-150- 21
384-326- 17
396-522-302
472- 65- 2
472-115- 4
474-438- 21
478-335-191
505-763- 72
540-747-28之2
554-138- 51
933-389- 25
張美明 545-848-113
張美妻 清 見王氏
張恢漢 477-244-161
張恢宋 524- 75-181
張珏宋(字君玉) 288-347-451
400-198-515
451-241- 0
472-868- 34
473-477- 69
478-248-186
481- 22-291
554-705- 61
559-509- 12
591-699- 49
張珏宋(字公予) 511-614-160
1145-678- 81
1376-113- 65
張珏明 524-205-188
張垓宋 451-324- 7
473-790- 85
482-484-364
524-216-189
567- 72- 65
1467- 47- 63
張持張伯虎 宋 564- 74- 49
1098-711- 43
1356-227- 10
張拱宋 472-669- 27
473-790- 85
477- 98-153
538-336- 70
567- 59- 65
1115-743- 3
1115-800- 6
1467- 32- 63
張拱明 1267-319- 36
張咸宋 473-433- 67
474-433- 67
481-405-313
561-561- 45
592-597- 99
1146-222-95上
1381-653- 47
張咸清 474-313- 16
505-905- 80
張咸晉 472-867- 34
張威隋 264-847- 55
267-463- 73
379-765-161
559-317-7上
張威宋 287-506-403
398-492-396
472-898- 35
478-696-210
478-717-211
558-401- 36
張威明 511-663-162
張春明(字泰宇) 302- 37-291
474-276- 14
478-348-191
502-298- 56
505-638- 67
張春明(字景初) 458-166- 8
472-665- 27
537-589- 60
張春明(眞定人) 505-754- 72
1457- 36-344
張春明(字仁伯) 515-556- 74
張春明(峨眉人) 559-380-9上
張春妻 明 見毛氏
張春妻 明 見翟氏
張珦宋 473-233- 60
480- 87-262
張珊妻 元 見曹氏
張咨漢 254-696- 1
張咨明 537-280- 55
張軌漢 472-522- 22
張軌晉 256-394- 86
262-436- 99
381- 72-186
472-880- 35
472-944- 37
478-451-197
478-547-202
558-218- 32
558-325- 35
933-368- 25
張軌宇文軌 北周 263-720- 37

267-397- 70
379-672-159
476-366-117
491-801- 6
540-729-28之1
545-435- 99
933-372- 25
張軌隋 545-452- 99
張軌明 見張軏
張洎唐 270-175- 97
274-576-125
395-542-230
1387-409- 33
張洎妻 唐 見齊國公主
張拯唐 270-201- 99
274-588-126
537-297- 56
564- 23- 44
933-380- 25
張拾元 474-572- 29
505-895- 80
張柱明(壽光人) 540-811-28之3
張柱明(涪州人) 571-549- 20
張柱明(字文輔) 1267-531- 7
張相明 554-310- 53
張柟宋 見張柵
張柟明 538-158- 66
張柵張柟 宋 493-937- 50
511-520-157
張柏明(字汝憲) 511-564-158
張柏明(新都人) 1290-585- 81
張查劉宋 見張敷
張胡妻 明 見管氏
張厚宋 1118-390- 20
張厚明(醴泉人) 554-678- 60
張厚明(宣慰司人) 559-317-7上
572-100- 30
張厚女 明 見張淑清
張奎宋 286-302-324
397-434-345
450-290- 10
472-172- 6
472-307- 13
472-544- 23
472-576- 24
472-740- 29
473-528- 72
475-323- 65
476-817-143
476-863-145
479-351-233
488-385- 13
510-310-113
537-300- 56
540-757-28之2
545- 44- 84
559-318-7上
張奎妻 宋 見王氏
張奎女 宋 見張氏
張奎明 554-347- 54
張奎清(正白旗人) 456-325- 75
張奎清(鄧州人) 538- 65- 63
張路漢 544-200- 62
張珂母 明 見陳氏
張珂明 473-605- 76
518- 47-137
1240- 34- 2
1241-831- 21
張革宋 1090-197- 3
張柷明 821-373- 55
1386-290- 40
張南蜀漢 254-691- 15
張南後唐 812-526- 2
821-111- 49
張郁元(靈璧人) 511-349-149
張郁元(字威卿) 1192-581- 12
1201-680- 26
張郁元(字景文) 1192-591- 13
張郁明(蒲江典史) 559-311-7上
張郁明(蓬州人) 559-367- 8
張郁明(字文範) 1240-787- 8
張既魏 254-299- 15
377-136-115下
384- 85- 4
384-674- 43
472-832- 33
472-877- 35
477-559-177
478-103-180
478-451-197
545-165- 89
554-553- 58
558-217- 32
933-366- 25
張飛蜀漢 254-597- 6
377-258-118上
384- 75- 4
384-442- 9
385-156- 16
459-287- 17
469-563- 69
469-568- 70
471-795- 29
471-1050- 68
472- 29- 1
473-296- 62
473-445- 68
474-170- 8
480-237-269
481-152-298
505-709- 71
532-660- 44
552- 21- 18
559-241- 6
591-701- 50
684-470- 下
820- 45- 22
933-367- 25
張飛女 蜀漢(敬哀皇后) 見張皇后
張飛女 蜀漢(敬哀皇后之妹) 見張皇后
張珍宋 451-225- 0
張勃漢 554-378- 55
張勃魏 見張斆
張勃明 512-737-195
張勇明 299-407-146
472-207- 7
張熊清 478-248-186
478-455-197
554-420- 55
558-164- 30
張政元 538- 91- 64
張政明(廬江人) 475-709- 86
511-641-161
張政明(廣德人) 475-871- 95
545- 68- 85
張政明(字彥公) 1241-828- 21
張柬劉宋 258- 76- 46
張述宋 286- 22-303
397-231-333
475-853- 94
481-335-308
559-391-9上
張述明(海豐人) 476-659-135
張述明(上海人) 1256-444- 30
張迢張超 唐 820-287- 30
張柔元 295- 1-147
401-314-611
451-558- 6
472- 54- 2
474-241- 12
475-777- 89
505-733- 71
506-596-107
510-479-118
1191-288- 26
張柔妻 元 見毛氏
張柔女 元 見張文婉
張建女 宋 見張氏
張建金 291-713-126
400-693-566
472-840- 33
478-346-191
554-845- 63
676-696- 29
1365-222- 7
1439- 7- 附
1445-434- 31
張茂魏 385-399- 42
475-747- 88
511-221-144
張茂晉(字偉康) 256-298- 78
377-830-128
479-229-227
485- 66- 10
486-309- 14
493-671- 37
523-380-164
933-368- 25
張茂晉(字成遜) 256-400- 86
262-436- 99
381- 77-186
張茂妻 晉 見陸氏
張茂宋 821-223- 51
張茂明(字敏實) 460-633- 64
張茂明(文安縣人) 499- 18-122
張茂清 456-324- 75
張貞妻 漢 見黃帛
張貞元 見張楨
張貞元 盛彝妻 475-381- 68
張貞張眞 元 商淵妻

479-251-228
1229-120- 9
張貞明(字有祥) 494- 41- 3
511-373-150
張貞明(字國輿) 512-766-196
張貞清 540-865-28之4
張思宋 1089-200- 20
1102-210- 26
張思明 820-710- 43
張昺明(諡忠烈) 299-360-142
456-692- 12
474- 94- 3
476-207-107
505-634- 67
546-194-122
886-159-139
張昺明(字仲明) 299-594-161
473- 61- 51
479-183-225
479-557-242
481- 24-291
515-201- 63
523-291-159
559-251- 6
1474-102- 6
張昺明(字德遠) 483-138-380
570-154-21之2
820-619- 41
張昺明(侍郎) 550-200-216
張昺清 511-679-163
張若戰國 559-257- 6
張苗晉 742- 28- 1
張苔張台 唐 820-174- 27
張昱唐 821- 95- 48
張昱張光弼 明(字光弼)
301-818-285
511-895-172
515-633- 77
518-818-162
524-305-194
585-154- 9
585-430- 11
676-712- 29
1216-116- 6
1222-500- 附
1227-847- 4
1232-568- 3
1238-569- 15
1439-451- 2
1459-393- 12
1469-496- 57
張昱明(張維世孫) 456-444- 3
張昱明(字以暹) 528-450- 29
1467-192- 69
張昱妻 明 見彭妙寧
張昱妻 明 見趙氏
張昱女 明 見張氏
張星明(字文宿) 511-310-148
張星明(字聚薇) 533- 51- 50
張星明(字子陽) 567-330- 78
1467-222- 70
1467-309- 74
張昭魏 254-213- 11
377- 88-114
張昭吳 254-773- 7
254-776- 7
370-250- 2
377-322-119
381-549- 27
384- 79- 4
385-493- 54
469-127- 15
472-411- 18
475-425- 70
489-350- 31
489-598- 47
489-654- 48
493-645- 35
511- 62-138
679-348-173
814-230- 4
820- 42- 22
933-367- 25
1112-817- 5
張昭陳 260-763- 32
265-1057- 74
380-116-167
472-226- 8
475-127- 56
485-180- 24
493-1005- 53
511-518-157
933-371- 25
張昭後魏 261-480- 33
266-539- 27
933-372- 25
張昭張昭遠 宋 285-246-263
371-124- 13
382-203- 30
384-328- 17
396-555-304
407-682- 5
472- 69- 2
472-574- 24
476-860-145
505-885- 79
540-746-28之2
545- 33- 84
674-608- 4
933-390- 25
張昭元 541-117- 32
張昭明(蒲臺人) 299-634-164
540-791-28之3
張昭明(字斯明) 511-626-161
張苹明 1280-466- 90
張苹妻 明 見戴氏
張茁清 510-421-116
1475-597- 26
張苞清 480- 53-259
張呈妻 明 見陳氏
張昪宋 472-273- 11
張昪宋 見張昇
張則劉宋 812-330- 6
821- 19- 45
張品妻 明 見陳妙姐
張峒唐 820-270- 29
張峋宋 487-187- 12
1098-533- 19
1384-270-103
張眇女 清 見張氏
張英漢 402-523- 15
張英宋 561-222-38之3
張英元 821-326- 54
張英明(諡忠壯) 475- 76- 53
張英明(字時俊) 482-560-369
570-102-21之1
張英明(沁水人) 494- 20- 2
張英明(字居傑) 547-101-145
張英明(號平水翁) 547-563-161
張英明(揚州人) 571-544- 20
張英明(字廷傑) 1252-410- 23
張英妻 明 見侯氏
張英清 475-532- 77
511- 67-138
張英妻 清 見姚氏
張英妻 清 見徐氏
張英不詳 592-262- 76
張彔明(中書省參知政事)
299-140-124
張彔明(永城人) 302-190-300
1239-111- 34
張畋宋 1118-627- 30
1122-412- 30
張迪宋(景陵人) 473-235- 60
480-172-266
533- 59- 49
張迪宋(張載父) 539-508-11之2
張迪元 1210-101- 9
張迪明(增城人) 473- 61- 51
515-200- 63
564-159- 45
張迪明(字俊彥) 537-517- 59
張俌明 1255-563- 60
張禹張宇 漢(字子文)
250-735- 81
376-398-102上
384- 50- 2
469-444- 53
472-718- 28
537-473- 58
554-826- 63
675-239- 3
679-752-211
680-667-285
933-364- 25
1343-555- 38
1407- 36-398
張禹漢(字伯達) 253- 47- 74
370-133- 11
376-775-109下
402-401- 6
402-568- 19
469-491- 59
472-106- 4
472-171- 6
472-307- 13
472-394- 17
474-408- 20
475- 14- 49
475-418- 70
475-809- 91
475-852- 94

488- 73- 6
505-755- 72
510-273-112
510-396-115
523- 2-146
933-365- 25
張禹漢(字長子) 474-436- 21
張風明(字大風) 821-479- 58
張風明(天台山人)
1408-549-536
1458-106-424
張約宋 559-263- 6
張約明(曹縣人) 523-172-154
張約明(字存博) 523-400-165
張約明(張翰弟) 820-616- 41
張約明(字守之) 1274-612- 3
張重漢 370-179- 17
453-740- 2
482-226-348
564- 6- 44
張重妻 清 見孫氏
張信後梁 見張佶
張信宋 559-262- 6
張信元 1216-599- 12
張信明(祥符人) 299-391-145
458- 30- 2
472-666- 27
537-400- 57
559-249- 6
張信明(字彥文) 299-404-146
472-207- 7
473-866- 88
572-102- 30
886-144-138
1238-689- 24
張信明(輝縣人) 302- 77-293
456-612- 9
477-473-173
537-344- 56
張信明(掖縣人) 472-613- 25
476-731-138
540-824-28之3
1239- 38- 29
1241-460- 6
1241-771- 18
1242-156- 29
張信明(河南人) 473-767- 84
482-433-361
567- 82- 66
1467-57- 64
張信明(膚施人) 478-170-182
張信妻 明 見馮氏
張垕元 523-152-153
張盾劉宋 265-477- 31
378-390-141
472-253- 10
485-179- 24
492-710-3下
493-847- 46
933-369- 25
張郃魏 254-332- 17
377-160-115下
384- 84- 4
384-679- 44
385-354- 34
472- 66- 2
474-307- 16
505-737- 72
933-367- 25
張科明 516-134- 92
張衍後梁 277-215- 24
張衍宋 554-911- 64
張衍妻 元 見姚氏
張衍明 473-428- 67
559-249- 6
張弇宋 491-345- 2
1090- 88- 16
張俞宋 見張愈
張俞妻 宋 見蒲芝
張紆漢 478-481-199
558-167- 31
張紆宋 533-321- 57
張紀宋 821-216- 51
張紀明(字浣瀾) 479-606-244
515-250- 64
張紀明(字文正) 524-354-196
821-417- 56
張紀明(岢嵐令) 545-148- 88
張紀明(字廷緒) 547- 80-144
張紀明(字齊方) 1442-113-附7
1460-740- 80
張勉明(字希安) 483-162-382
570-123-21之1
張勉明(鉅野人) 554-277- 53
張勉明(崇寧知縣) 559-268- 6
張奐張煥 漢 253-336- 95
370-204- 21
376-941-112
384- 68- 3
402-418- 7
402-490- 12
402-585- 20
448-302-上
470-442-153
472-623- 25
472-944- 37
478-350-191
478-633-206
478-669-209
478-741-213
545-232- 92
554-552- 58
558-186- 31
558-217- 32
558-403- 36
675-264- 7
933-365- 25
張奐元 564- 83- 44
張保宋 489-549- 43
張俊漢 376-783-109下
481- 74-294
張俊宋 287- 60-369
398-125-374
449-585- 7
472-897- 35
478-699-210
488-426- 14
493-770- 42
494-268- 1
510-283-112
515- 16- 57
523- 13-146
540-664- 27
558-394- 36
1142-178- 23
1188-133- 15
1188-143- 16
張俊妻 宋 見張穠
張俊元 472-587- 24
476-478-125
540-649- 27
1218-743- 5
張俊明(宣府前衛人)
299-766-175
474-518- 25
476-278-111
505-829- 75
545-325- 95
張俊明(盧龍人) 456-628- 10
張俊明(益都人) 472-706- 28
537-280- 55
張俊明(字俊民) 523-118-151
1241-228- 10
張俊明(博野人) 523-202-155
張俊明(濱州人) 540-801-28之3
張俊明(汜縣人) 554-278- 53
554-346- 54
張俊明(瀘州人) 559-397-9上
張俊妻 明 見史慕貞
張俊妻 明 見徐氏
張俊妻 明 見臧氏
張彖唐 477-524-175
537-604- 60
張浤唐 1072-249- 11
張海明(字文淵) 472- 27- 1
505-635- 67
540-792-28之3
569-675- 19
1255-609- 64
張海明(字子深) 472-1089- 46
523-451-168
張海明(字克寬) 483- 33-371
570-110-21之1
張海明(字本東) 1259-211- 16
張海女 明 見張氏
張訒女 清 見張氏
張祓明 524-205-188
張容唐 812-372- 0
821- 89- 48
張容元 546-645- 136
張涇宋 493-1055- 56
張涇宋 見張經
張涇清 482-143-344
張浩漢 見張皓
張浩劉宋 258- 79- 46
258-260- 59
265-486- 32
378-124-134
張浩宋 843-667-中
張浩潞王 金 291-207- 83
399-132-428
472-625- 25

474-737- 40
476- 78-100
502-364- 62
544-237- 63
545-177- 89
552- 71- 19
張浩明(滄州人) 472-546- 23
476-855-145
540-672- 27
480-615-287
533-116- 50
張浩明(巴陵人) 523- 82-149
張浩明(南寧人) 570-144-21之2
張浩明(字養直) 1259-207- 15
張浩清 515-127- 60
張浩妻 清 見耿氏
張高唐 516-457-104
張高明 1467- 69- 64
張唐戰國 384- 32- 1
張祜唐 273-114- 60
451-445- 4
471-900- 44
472-275- 11
475-276- 63
475-641- 83
493-1067- 57
505-889- 79
511-900-172
524-302-194
563-638- 38
820-259- 29
1083-343- 10
1365-419- 3
1365-445- 5
1371- 69- 附
1388-322- 69
1473-280- 70
張祜母 元 見杜氏
張祐新平王 後魏 262-331- 94
267-746- 92
380-501-179
552- 27- 18
張祐劉宋 472-960- 28
479- 40-218
494-333- 7
523- 71-149
張祐元 472-522- 22
541-112- 31
張祐明(字天祐) 299-658-166
482-115-343
482-322-354
482-408-359
567-113- 67
張祐明(鉛山人) 482-433-361
567-112- 67
1467- 90- 65
張祐明(字一德) 511-373-150
523-245-157
張祐明(字天吉) 821-390- 56
張祐明(字添祐) 1240-349- 22
張祚晉 256-410- 86
262-437- 99
381- 85-186
張祚明(字永錫) 475-180- 59
511-390-151
張祚明(觀城人) 554-347- 54
張朗後晉 278-126- 90
張朗明 820-749- 44
張烜明(字仲熙) 523-120-151
676-564- 23
張烜明(宜山人) 567-415- 84
1467-229- 70
張烟元 見炳同
張益元(西河人) 472-496- 21
546-668-137
張益元(張山祖父) 1194-701- 13
張益明(字士謙) 299-660-167
452-249- 6
472-230- 8
475- 74- 53
493-983- 52
511-431-153
820-614- 41
821-358- 55
1251-303- 22
1284-355-163
1375- 38- 下
張益明(安平人) 472- 99- 3
張益明(南溪人) 480-171-266
張益明(絳州人) 547-111-145
張宰宋 1135-397- 37
張涗唐 486- 42- 2
張訓吳 見張敦
張訓南唐 511-424-152
張訓明 480-131-264
533-369- 60
張旂宋 477-243-161
張祝明(長洲人) 493-1030- 54
張祝明(魏縣人) 554-346- 54
張悅劉宋 258- 79- 46
265-488- 32
378-123-134
張悅明 300- 30-185
453-685- 33
472-243- 9
472-963- 38
473-212- 59
475-180- 59
511-125-141
523- 42-148
532-591- 41
559-251- 6
張涉唐 270-505-127
384-235- 12
546-703-138
812-372- 0
821- 89- 48
933-375- 25
張悌吳 254-744- 3
384-509- 21
386- 76-70下
480-293-271
492-525-13上之中
511-887-172
523-395-165
533-387- 60
張悌梁 265-1049-74
380-105-167
張悌元 524-410-199
1210-366- 11
張悌明 571-525- 19
張悌明 見張梯
張宸明 528-511- 31
張案明 529-710- 50
張浹宋 821-217- 51
張浹女 宋 見張氏
張涘明 見張成德
張浚母 宋 481-407-313
張浚宋 286-773-361
398- 31-368
449-523- 3
450-637- 55
459-596- 35
471-648- 10
471-684- 14
471-756- 23
471-771- 25
471-850- 37
471-910- 46
471-966- 54
471-1001- 60
471-1036- 66
472-173- 6
472-221- 8
472-866- 34
472-894- 35
473- 14- 49
473-267- 61
473-334- 63
473-336- 63
473-388- 65
473-434- 67
473-568- 74
473-674- 79
475- 69- 52
475-119- 55
477-561-177
478-484-199
479-483-239
480-545-283
481-405-313
481-532-326
482-290-352
488- 13- 1
488-446- 14
488-449- 14
489-356- 31
494-270- 2
510-282-112
515- 15- 57
523- 13-146
528-440- 29
533-744- 73
534-151- 81
554-152- 51
558-141- 30
558-229- 32
559-406-9上
561-324- 40
563-906- 43
567-437- 86
588-170- 8

591-556- 42
592-598- 99
933-397- 25
1137- 47- 5
1145-727- 83
1146-221-95上
1146-252-95下
1150- 66- 8
1161-461-116
1381-487- 37
張庭宋 487-188- 12
張庭明 301- 9-235
476-125-102
546-322-125
張敉明 見張獻翼
張泰魏 254-223- 11
張泰妻 元 見李氏
張泰明(字叔亨) 300- 56-186
473-247- 60
482- 36-340
528-511- 31
537-404- 57
564-128- 45
張泰明(字亨甫) 301-830-286
475-451- 71
493-997- 52
511-791-166
676-505- 19
820-627- 41
1442- 30-附2
1458-206-432
1459-685- 26
張泰明(字世亨) 458- 43- 2
476-577-131
505-741- 72
545-117- 86
554-173- 51
張泰明(臨潁人) 532-680- 44
張泰明(寧夏人) 558-376- 36
張泰明(字國泰) 821-396- 56
張泰清 456-307- 74
張素明(字元卿) 472-313- 13
511-779-166
676-282- 10
676-508- 20
張素明(字季文) 570-104-21之1
張珙明 472-718- 28
張珙不詳 493-1063- 56
張恭魏 254-348- 18
380- 30-166
472-895- 35
478-741-213
558-406- 36
張恭元 295-609-197
400-317-526
472-751- 29
477-315-164
538-103- 64
張恭清 511-612-160
張栻宋 288- 49-429
400-505-546
440-926-282
447-291- 2
449-801- 13
459-100- 6
471-617- 5
471-756- 23
471-780- 27
471-858- 38
471-966- 54
472-1014- 41
473-176- 57
473-298- 62
473-434- 67
473-749- 83
479-377-234
479-766-252
480-240-269
480-415-277
480-512-281
481-406-313
482-348-356
489-357- 31
489-604- 47
515-118- 60
523-213-156
532-666- 44
533-742- 73
539-504-11之2
559-406-9上
561-324- 40
561-504- 44
563-921- 43
567- 69- 65
585-765- 5
591-560- 42
674-355-5下
674-844- 18
1145-572- 76
1146- 8- 85
1146- 79- 89
1161-474-116
1169-628- 12
1180-243- 23
1363-685-211
1381-488- 37
1437- 25-附2
1467- 44- 63
張眞妻 漢 見黄帛
張眞元 524-211-188
1206-194- 20
張眞元 見張貞
張眞明(蘇州人) 523-155-153
張眞明(字以誠) 525-363-235
張眞明(字子純) 547-112-145
張眞妻 明 見宋氏
張烈張徽之、張徽仙 後魏
262-136- 76
266-935- 45
379-299-150下
540-727-28之1
933-372- 25
張烈清 474-188- 9
505-868- 78
1325-130- 8
張原明 300-158-192
429-352- 附
478-128-181
554-662- 60
676-546- 22
676-720- 30
1293-302- 17
張珪宋 288-410-456
400-299-524
477-208-159
張珪金 821-274- 52
1191-312- 28
張珪元(歸德人) 295- 77-152
473-165- 57
479-747-251
515-106- 60
張珪元(字公端) 295-366-175
399-687-489
472- 56- 2
474-242- 12
475- 71- 52
505-733- 71
523- 25-147
820-503- 37
1207-260- 18
1367-692- 53
1439-427-附1
1470- 88- 4
張珣明 494- 56- 2
張珣妻 明 見陳氏
張珦宋 523-151-153
張耆張旻 宋 285-622-290
371-106- 10
382-316- 50
384-343- 17
397- 88-325
472-659- 27
477- 74-152
537-388- 57
545- 41- 84
張哲明(蠡縣人) 505-810- 74
張哲明(蒲城人) 540-653- 27
張哲明(石泉人) 559-375- 8
張桂唐 821- 95- 48
張桂宋(四川都統) 288-324-449
400-181-514
451-228- 0
481- 22-291
張桂宋(字德芳) 515-757- 80
張桂元 1376-451- 88
張桂明 472-999- 40
523-118-151
張桓元 295-569-194
400-249-520
472- 98- 3
472-790- 31
474-381- 19
477-418-169
505-851- 77
538- 66- 63
張桓明(字宗武) 1239-132- 35
張桓明(字德威) 1257-883- 4
張桐元 1201-165- 80
張桐清 505-915- 81
張桐妻 清 見劉氏
張格後唐 277-583- 71
張格宋 473-712- 81

563-688- 39
張格金 472-504- 21
張格明 547- 47-142
張翃張翊 明 1460-702- 76
1475-518- 22
張晉明(清苑人) 456-526- 6
張晉明(字德昭) 1235-599- 21
張晉妻 明 見師氏
張陛明～清 481-645-330
524-206-188
528-518- 31
張陞明 540-800-28之3
570-137-21之2
張書明 533-142- 51
張珥清 554-824- 63
張珖宋 591-572- 42
張珖妻 宋 見費法謙
張珖明 559-375- 8
張珤明 533-285- 56
張珩宋 515-609- 76
張珩明 476-184-106
524-241-190
545-891-114
549-467-198
554-179- 51
558-474- 40
張珩妻 明 見楊氏
張起明(順天人) 302-316-306
張起明(泰興人) 475-485- 73
511-573-159
張軏張軌 明(諡勇襄)
299-391-145
472- 99- 3
537-398- 57
544-251- 63
1244-678- 18
張軏明(清潤人) 545-245- 92
張軏明(陽城人) 546-200-122
張翀元 1220-427- 8
張翀明(字習之) 300-152-192
481-336-308
559-394-9上
561-211-38之2
676-543- 22
張翀明(字子儀) 300-469-210
479-455-237
482-373-357
483-295-394
515- 55- 58
567-344- 79
572-157- 32
676-586- 24
1442- 61-附4
1460-192- 49
1467-238- 71
張翀明(字鳳舉) 452-264- 8
張翀明(字鵬舉) 515-109- 60
張翀明(號圖南) 821-476- 58
張翀清 479-434-236
523-501-170
528-466- 29
張毣宋 473-640- 78
524-335-195
528-539- 32
張哥張駕 宋 494-326- 6
529-579- 46
1125-447- 37
1137-716- 27
張哥女 宋 見張季蘭
張振宋 820-338- 32
張振明 1475-191- 8
張挺宋 484-376- 27
張根宋 286-724-356
397-757-365
472-1052- 44
473- 47- 50
473- 59- 51
475- 17- 49
479-430-236
479-448-237
479-529-241
479-556-242
480-638-288
516- 11- 87
523-240-157
677-237- 22
1128-215- 24
1128-410- 14
張根明 533- 37- 48
張夏宋(字伯起) 478-760-215
523- 10-146
583-545- 11
590-116- 14
張夏宋(知泗州) 510-501-118
張夏明 680- 59-230
張時元 472-594- 24
540-785-28之3
張時明(字敏中) 676-455- 17
1442- 12-附1
1459-485- 15
張時明(字宗易) 1453-651- 71
張員妻 漢 見黃帛
張員妻 元 見徐氏
張員明 524-367-197
820-571- 40
張恩明(字元錫) 515-843- 84
張恩明(黃梅人) 533-485- 64
張恩明(廣西府人)
570-148-21之2
張晏漢 249- 8- 0
張晏晉 505-921- 82
張晏母 宋 見張氏
張峒元 494-316- 5
張蚝弓蚝 前秦 544-204- 62
545-813-112
張剛明 554-310- 53
554-607- 59
張㝵明 1268-480- 74
張㝵妻明 見沈氏
張峰明 1287-578- 26
張峰妻 明 見廖氏
張峻明 482-266-350
563-831- 41
張特魏 385-362- 35
475-697- 86
張紘吳 254-789- 8
370-247- 2
377-332-119
384- 79- 4
384-558- 28
385-498- 54
472-293- 12
475-371- 68
511-200-144
812- 67- 下
812-231- 9
812-720- 3
814-230- 4
820- 42- 22
933-367- 25
張紘張絃 宋 473-729- 82
482-237-349
563-692- 39
1146-222-95上
張紘明(單縣人) 474-237- 12
張紘明(上海人) 515-189- 62
張恕元 684-494- 下
820-510- 37
1219-329- 7
1224-145- 19
張恕明(字以行) 1471-531- 12
張恕明(霸州人) 505-800- 74
540-642- 27
張恕明(上元人) 523-232-156
張恕明(汧陽人) 545-246- 92
554-509-57下
張恕明(懷慶府知事)
547- 14-141
張恕明(字克己) 1242- 85- 26
張矩明 460-797- 85
528-527- 31
529-757- 52
820-575- 40
張釜宋 451- 24- 0
451- 200- 7
張倉女 明 見張四桂
張釗明 472- 801- 31
張釗妻 明 見毛氏
張耕宋 674-351-5下
張耕元 472-106- 4
505-633- 67
1201-204- 82
張俸明 571-553- 20
1280-381- 84
張倬明 676-493- 19
張倬清 505-832- 75
張倫後魏 261-381- 24
266-444- 21
379- 39-146
張倫宋 384-344- 17
張倫明(諡節愍) 299-362-142
456-695- 12
張倫明(潞安府人) 472-491- 21
476-155-104
張倫明(鞏縣人) 481-465-319
559-301-7上
張倫明(碭人) 511-585-159
張倫明(鳳陽人) 511-646-162
張倫明(字伯敘) 533- 59- 49
張倫明(懷慶人) 538-102- 64
張倫明(長治人) 547- 36-142
張倫明(澤州人) 554-289- 53

張倫明(平涼衛人) 558-340-35
張倫明(汶上人) 676-300-11
張倫明(字秉彝) 821-393-56
張倫明(字天敘) 1267-380-1
張皋唐 271-226-171
274-500-118
張皋妻 金 見毛氏
張皋明(寧夏人) 558-489-41
張卿明 1274-361-13
張躬漢 479-481-239
515-75-59
張能明 456-691-12
564-270-47
張能妻 明 483-359-400
張紞明 299-451-151
453-127-12
472-841-33
473-807-86
478-125-181
482-539-368
494-154-5
554-471-57上
569-648-19
886-154-139
1442-16-1
張純漢 250-408-59
252-780-65
370-146-13
376-204-98下
376-712-108
384-59-3
402-384-4
402-566-19
472-830-33
478-98-180
512-904-200
539-351-8
933-364-25
張純吳 254-869-14
485-171-23
493-839-46
511-433-153
512-904-200
879-169-58上
張純宋 見張震金
張純明(字志忠) 473-303-62
480-246-269
533-211-53
676-479-18
1243-584-12
張純明(武邑縣學訓導)
494-40-3
張純明(字碩恆) 576-654-5
張純明(曲江人) 1467-59-64
張秘明 1288-612-10
張修漢 402-451-9
張修宋 486-50-2
1171-328-7
張修妻 清 見鄧氏
張秩明 515-710-79
張扆張子黼 明 493-1031-54
820-565-40
張倣宋 933-396-25
張臬明(字正野) 473-29-49
515-399-69
567-449-86
1467-157-67
張納漢 681-501-5
1397-660-31
張寅明(字仲明) 300-401-206
505-657-68
1283-56-71
1284-164-149
張寅李午、李福達 明
545-80-85
548-644-181
張寅明(浦江丞) 1410-257-695
張寅妻 明 見蘇氏
張淇妻 元 見戴鳳
張淇明 1292-175-16
張淇清 511-548-158
512-738-195
張庶宋 1173-223-79
張宿唐 271-9-154
275-421-175
396-167-266
張宿宋 1135-397-37
張淳宋 523-627-177
1150-872-47
張淳元(字子素) 505-922-82
680-285-254
張淳元(清州人) 1367-919-70
張淳明(字希古) 301-745-281
475-530-77
478-769-215
511-257-146
523-58-148
528-531-31
張淳明(字宗厚) 472-329-14
473-145-56
475-709-86
479-711-250
511-338-149
515-153-61
571-521-19
張淳明(孝感人) 533-159-52
張清妻 唐 544-232-63
張清子 唐 1378-530-60
1383-308-27
張清宋 529-757-52
張清明(寧州人) 472-915-36
558-350-35
張清明(巴縣人) 473-479-69
張清明(婺源人) 505-701-70
張清明(肅州人) 558-488-41
張淮宋 1100-421-38
張淮明(字邦正) 472-309-13
554-210-52
559-304-7上
561-560-45
683-162-5
張淮明(字豫源) 493-1033-54
511-737-165
張淮明(字本豫) 510-400-115
張淮明(字時濟) 1274-611-3
張淮明(字伯東) 1283-496-105
張淮明(賀縣人) 1467-199-69
張淮妻 明 見王氏
張淮妻 明 見洪氏
張淄母 明 見郭氏
張商宋 1138-880-4
張翊南唐 516-203-95
張翊明(濟寧人) 563-924-43
張翊張翌 明(字唯忠)
1263-517-5
1458-583-459
張翊明 見張翃
張翊妻 明 見李氏
張惇吳 見張敦
張情明 1283-741-125
張悱唐 274-172-89
張惟妻 晉 見程貞玦
張密張彭老 宋 448-400-0
張密清 524-154-185
張淹劉宋 258-79-46
258-200-59
265-488-32
378-124-134
張涵女 明 見張氏
張淵張深 後魏 262-287-91
267-682-89
380-624-183
張淵宋 528-474-30
張淵妻 宋 見戴氏
張淵元 820-509-37
張淵明(泰寧知縣) 473-641-78
528-541-32
張淵明(江西人) 510-473-117
張淵明(字惟本) 523-536-172
1474-333-17
張淵明(字子靜) 524-120-184
820-656-42
1259-855-8
1459-699-27
張淵妻 清 見嚴氏
張淛明 1386-372-43
張章漢 248-619-8
539-349-8
1412-126-5
張章宋 484-381-28
張訢張訴 宋 481-693-332
528-538-32
1145-659-80
張率梁 260-281-33
265-476-31
378-389-141
384-112-6
471-699-16
472-225-8
475-127-56
485-179-24
485-491-9
493-846-46
933-369-25
1387-129-8
1395-595-3
張率明 493-755-41
515-873-86
676-453-17
1236-385-2
1442-11-附1
1459-454-14

張庸元(字存中) 295-596-196
400-279-522
479-407-235
499-124-132
523-417-166
張庸元(字惟中) 1439-454-附2
1459-401- 12
張庸明(吳江人) 472-790- 31
537-327- 56
張庸明(江寧人) 478-168-182
554-311- 53
張庸明(字熙載) 1442- 12-附1
1459-484- 15
張庸妻 明 見白氏
張祥隋 472-429- 19
545-130- 87
554-691- 61
張祥元(字彥禎) 528-541- 32
張祥元(字端之) 1203-409- 30
張祥明(字元吉) 511- 80-139
張祥明(江陵人) 559-323-7上
張祥明(四川行都司指揮僉事)
571-531- 19
張祥明(字惟和) 1247-396- 15
張祥明(字廷禎) 1253-160- 48
張祥妻 明 見賈氏
張郯宋(鄞人) 491-399- 4
張郯宋(字彥知) 510-388-115
1163-593- 37
張寀清 481-115-296
554-738- 61
張深後魏 見張淵
張涑明 524-243-190
張淋清 477-162-157
張淑宋 1195-168- 2
張淑元 見孫淑
張梁吳 384-541- 25
張訥漢 681-289- 19
張訥元(藍田人) 554-654- 60
張訥元(字近仁) 1221-689- 28
張訥妻 元 見劉氏
張訥明 302-326-306
張袞後魏 261-377- 24
266-442- 21
379- 37-146
384-130- 7
472-149- 5
474-515- 25
505-778- 73
933-371- 25
張袞明 511-153-142
1442- 48-附3
1460- 46- 42
張袞妻 明 見毛氏
張烺清 559-413-9下
張康元 295-655- 203
401-118-585
473-340- 63
480-409-277
533-316- 57
533-798- 75
張玹妻 明 見桑氏
張球宋 473-348- 63
480-436-278
532-724- 46
張球明 1241-800- 20
張珹明 511-795-166
張梅明(弘農人) 505-658- 68
張梅明(合肥人) 511-640-161
張域清 524-228-189
張頊妻 明 見朱氏
張頂唐 515-732- 80
張豜魏 見張蒢
張韶元 546-659-137
張理宋 288-366-453
400-131-511
523-415-166
張理元(字仲純) 400-578-553
515-538- 74
676- 17- 1
張理元(字伯雅) 1226-748- 4
張理明(胙城人) 472-709- 28
537-466- 58
張理明(字玉文) 528-493- 30
1224-271- 23
1226-234- 11
張理明(建陽人) 528-510- 31
張理妻 清 見尹氏
張珵明 472-696- 28
1235-534- 18
張琄宋 見張瑁
張培明 456-678- 11
張埴元 533-743- 73
1207-267- 18
張堅宋(字仲固) 451-198- 7
張堅宋(字適道) 523-598-176
張埜金 546-186-121
張基明(字德載) 475-138- 56
1283- 90- 74
張基明(字惟正) 1263-115- 19
張桷宋 843-672- 下
張乾陳 260-763- 32
265-1057- 74
380-116-167
475-127- 56
485-180- 24
493-1005- 53
511-518-157
933-371- 25
張乾明 820-642- 41
821-399- 56
張乾女 清 見張惜惜
張翌晉 見張翼
張翌明 見張翊
張問宋(字昌言) 286-400-331
397-507-350
472- 65- 2
472-126- 4
473-250- 60
474- 90- 3
474-336- 17
474-469- 23
480-296-271
505-664- 69
533-235- 54
540-613- 27
545-213- 91
1110-460- 25
1437- 12-附1
張問宋(字道卿) 1089-712- 13
1089-749- 18
張習明(字企翱) 493-1035- 54
1442- 34-附2
1459-721- 28
張習明(字子翀) 1442- 58-附3
1460-171- 48
張梓明 676-751- 31
1289-279- 18
1458-699-472
張棁宋 1167-738- 39
張琇唐 271-527-188
275-630-195
384-204- 11
400-287- 523
472-464- 20
476-369-117
547- 98-145
張彭五代 592-556- 96
張梯張悌 明 545-665-107
554-279- 53
張梯清 1321- 55- 91
張彬宋(戎州人) 473-465- 69
559-370- 8
張彬宋(固始人) 477-50-151
張彬明(字文質) 1226-597- 3
張彬清 538- 94- 64
張務唐 505-918- 81
張琅妻 清 見李度貞
張敖漢 244-583- 89
250- 27- 32
1397-198- 10
1408-246-505
張敖妻 漢 見魯元公主
張敖女 漢 見張皇后
張敖唐 516- 6- 87
張敖明 560-602-29下
張埏宋 523-396-165
張敔明 676- 53- 2
張掞宋 286-421-333
397-525-352
474-371- 19
476-524-128
476-657-135
476-725-138
540-759-28之2
1110-250- 10
1112-277- 26
張捷明 511-456-154
張採唐 473-729- 82
563-646- 38
張連宋 473-334- 63
張連明 554-311- 53
張通蜀漢 477-415-169
537-559- 60
張通後魏 266-701- 34
379-161-148
張通唐 812-351- 10
821- 63- 47
張通宋 554-912- 64
821-220- 51
1218-743- 5
張通明(岳池縣主簿)

494- 42- 3
張通明(字仲宣) 570-158-21之2
張通明(字大亨) 1266-400- 7
張通明(鳳陽人) 1442- 68-附4
1460-309- 54
張通妻 明 見王氏
張陵漢(字處沖) 252-805- 66
376-729-108
384- 67- 3
402-473- 11
473-430- 67
477-501-174
481- 74-294
559-338- 8
張陵漢(字輔漢) 511-927-174
張晟妻 元~明 見李氏
張晟明(安邱人) 476-205-107
545-341- 96
張晟明(都指揮僉事)
571-532- 19
張晟明(字德齋) 820-642- 41
張晟妻 明 見于永壽
張晟妻 清 見陶氏
張異明 1236-571- 3
張崇唐 681-319- 23
張崇南唐 511-422-152
張崇宋 472-349- 15
475-669- 84
511-636-161
張崇元 472-827- 33
554-309- 53
張崇明 676-173- 7
張崇妻 清 見高氏
張貫明(靈璧人) 472- 27- 1
472-208- 7
505-634- 67
511-351-149
張貫明(蠡縣人) 502-286- 56
505-812- 74
張莒唐 1076-112- 12
1076-568- 12
1077-139- 12
張莊宋 286-626-348
397-684-361
585-758- 4
張鹵張卣 明 458-102- 4
477- 88-153
537- 407- 57
545-343- 96
1442- 62-附4
1460-201- 49
張唯明 452-263- 8
458-154- 8
538-329- 69
張國明 456-684- 11
張畦明 1231-403- 9
張略清 559-532- 12
張崖陳 260-770- 33
265-1007- 71
933-371- 25
張荷宋 476-669-136
491-806- 6
540-759-28之2
張冕明(知安慶府) 472-337- 14
張冕明(字汝端) 511-207-144
張冕明(字章甫) 460-641- 64
523-120-151
529-543- 45
563-811- 41
567-128- 67
1467-103- 65
張冕明(字服周) 546-669-137
張冕明(字一桂) 1271-402- 30
張冕清 476- 86-100
547- 26-141
張野晉 516-118- 92
517-333-124
820- 75- 23
879-140-57下
張野元 1439-422- 附1
張崢清 524-190-187
張崙明(宿遷人) 472-313- 13
張崙明(字景嵩) 524-347-196
張崙妻 明 見游芝
張虙宋 287-557-407
398-528-400
472-1087- 46
473- 75- 52
479-179-225
479-578-243
491-411- 5
515-232- 64
523-590-175
679-113-149
張彪梁 265-906- 64
378-471-142
384-119- 6
473-249- 60
480-295-271
486- 40- 2
486-309- 14
493-681- 37
523-381-164
張彪妻 梁 見楊氏
張彪唐 451-482- 8
820-207- 28
張彪妻 清 見許氏
張勗明 493-981- 52
511- 95-140
張臾宋 820-433- 35
張符唐 813-151- 13
821- 76- 47
張偲梁 482- 76-341
564- 15- 44
張偲明 515-413- 69
張愻張景說 宋 523-383-164
張絃宋 見張紘
張紱宋 473-128- 55
515-529- 73
張紱妻 清 見蕭氏
張耜宋 530-197- 60
張倆宋 484-106- 3
張猛漢 250-426- 61
376-217- 99
384- 49- 2
471-1054- 68
472-867- 34
478-247-186
554-624- 60
879-177-58下
張猛魏 254-346- 18
385-363- 35
張紹元 515-769- 81
張紹明 547- 19-141
張紹妻 明 見鄺氏
張紹不詳 820- 75- 23
張組女 明 見張氏
張絅明(張蘭曾孫) 460-825- 92
張絅明(吉水人) 515-705- 79
張絅明(字廷文) 564-287- 47
張斛金 820-477- 36
1365- 13- 1
1439- 2- 0
1445- 98- 5
張偉晉 見張禕
張偉晉 見張褘
張偉張翠螭 後魏 262-230- 84
267-565- 81
380-307-174
476- 34- 98
546-665-137
933-373- 25
張偉張彭老 宋 448-364- 0
張偉明(謚康靖) 302-190-300
張偉明(米脂人) 505-683- 69
554-497-57上
張偉明(定襄人) 546-379-127
張偉清 511-169-142
張躭漢 370-200- 20
張御唐 見張自勉
張御妻 明 見易氏
張統晉(犍為人) 559-378-9上
張統前燕 502-314- 58
張紳明(字仲紳) 472-527- 22
676-452- 17
820-579- 40
821-344- 55
1220-341- 12
1273-154- 21
1442- 7-附1
1459-443- 14
張紳明(字佩之) 547-168-147
張紳明(商河人) 554-311- 53
張紳明(字仲書) 820-617- 41
張紳明 見張伸
張紳妻 清 見高氏
張第明 558-431- 37
張彩明 見張采
張參唐 820-209- 28
張參明 515-123- 60
張敘元 1218-661- 3
張梨劉宋 見張邵
張敏漢 253- 50- 74
370- 198- 20
376-777-109下
402-426- 7
472- 66- 2
472-788- 31
474-307- 16
477-406-169
505-737- 72
537-323- 56

933-365- 25
張敏金 545-439- 99
554-468- 56
676-707- 29
張敏元 540-780-28之2
張敏明(同安人) 299- 12-113
張敏明(永清人) 492- 38- 1
505-799- 74
張敏明(漢陽人) 473-222- 59
533-153- 52
張敏明(徐州人) 473-616- 77
481-644-330
528-510- 31
533-401- 61
張敏明(蠡縣人) 479- 44-218
523- 85-149
張敏明(永樂間舉人)
494- 41- 3
張敏明(字志學) 511-277-147
張敏明(黃縣人) 540-788-28之3
張敏明(字時勉) 545- 78- 85
張敏明(大理人) 559-291-7上
張敏明(太和人) 570-117-21之1
張敏妻 清 見劉馮姐
張啟女 宋 見張氏
張啟明 473-340- 63
533-250- 55
張偀清 515-251- 64
張造唐 554-329- 54
張造五代 559-294-7上
張寓宋 1122-412- 30
張滋宋 843-667- 中
張滋明(字天潤) 546-600-135
張滋明(張潤弟) 547- 24-141
張訴宋 見張訢
張就漢 476-881-146
張就魏 254-348- 18
張斌宋 475-743- 88
張斌明(咸陽知縣) 472-827- 33
張斌明(永平人) 505-825- 75
張斌姚斌 明(字憲卿)
515-809- 82
567-146- 68
張斌明(安邑人) 547-101-145
張馮宋 451- 67- 2
張湄清 481-763-335
張渥元 821-319- 54
1471-517- 12
張渭宋(字象之) 1113-220- 22
張渭宋(字渭叔) 1156-653- 5
張渭明(商邱人) 456-665- 11
張渭明(字子瀾) 1475-707- 29
張詔宋 287-487-402
398-473-396
478-245-186
478-717-211
558-402- 36
張愔唐 270-670-140
275-233-158
396- 45-255
933-382- 25
張惺妻 清 見李氏
張焆妻 清 見駱氏
張翔宋 見張庠
張翔金(字子翱) 554-273- 53
張翔金(字茂進) 1040-252- 5
張翔元 1439-435-附1
張翔明(鹽城教諭) 510-383-115
張翔明(字元龍) 559-319-7上
820-616- 41
821-387- 56
張翔明(字騰遠) 820-641- 41
1250-514- 48
張翔妻 明 見王氏
張翔妻 明 見朱氏
張善元 1214-191- 16
張善明(字性之) 473-605- 76
529-615- 47
張善明(膚施人) 554-678- 60
張曾元 見張惟賢
張曾妻 清 見汪氏
張普漢 820- 34- 22
張湛漢 252-666- 57
370-144- 13
376-644-107上
384- 58- 3
402-390- 5
402-565- 19
472-831- 33
478- 97-180
554-627- 60
933-364- 25
張湛後魏 261-706- 52
266-700- 34
379-161-148
478-742-213
558-407- 36
933-372- 25
張港妻 明 見李氏
張惲宋 472-1116- 48
張愖明 1442- 25-附2
1459-615- 23
1474- 71- 4
張焯宋 487-512- 7
張焜清 479-496-239
515-456- 70
554-320- 53
張渤漢 490-745- 73
525- 63-220
590-118- 14
張湯母 漢 448- 75- 8
張湯漢 244-863-122
250-400- 59
251-675- 30
376-198-98下
384- 44- 2
554-917- 64
933-364- 25
1408-325-512
張寔晉 256-397- 86
262-436- 99
381- 75-186
384-106- 5
558-218- 32
933-368- 25
張湜宋 820-446- 35
張渙元 537-288- 55
張渙明 821-377- 55
張竦漢 250-677- 76
253- 40- 73
376-352-101
376-434-102下
472-357- 15
545-752-110
554-423- 56
張竣明 529-687- 50
張詠宋 285-675-293
371-130- 13
382-285- 45
384-342- 17
397-128-327
449- 35- 3
450-138- 16
450-544- 44
459-483- 29
471-585- 1
471-684- 14
471-754- 23
471-785- 28
471-946- 51
472-172- 6
472-575- 24
472-642- 26
472-922- 36
472-961- 38
473-209- 59
473-333- 63
473-426- 67
475- 69- 52
475-776- 89
476-861-145
477- 50-151
478- 89-180
478-267-187
480- 48-259
481- 66-293
484- 87- 3
488-373- 13
488-375- 13
489-354- 31
510-310-113
515-167- 62
523- 73-149
532-613- 43
532-689- 45
534-595-101
534-948-120
537-236- 55
540-751-28之2
554-139- 51
559-262- 6
585-374- 7
591-679- 47
672-276-4中
708-326- 50
933-391- 25
1085-653- 附
1085-654- 附
1085-657- 附
1085-662- 附
1085-664- 附
1086-185- 19

1088-597- 62
1089-541- 50
1095-760- 41
1243-447- 4
1351-552-136
1354-671- 34
1354-827- 48
1354-845- 49
1381-479- 37
1381-607- 44
1381-694- 49
1394-401- 3
1418-620- 57
1437- 8-附1
1461-103- 6
張敦漢 452- 12- 上
523-478-170
張敦張訓、張惇 吳
254-779- 7
479-578-243
485-171- 23
493-839- 46
張敦唐 472-1028- 42
478-334-191
554-267- 53
張敦宋 1224-520- 31
張祇宋 見張枋
張雲宋(吉州人) 288-378-454
400-197-515
473-149- 56
515-609- 76
張雲宋(字立之) 567-418- 85
張雲母 明 見李氏
張雲明(信陽人) 545-190- 90
張雲明(平谷人) 545-245- 92
張雲妻 明 見秦氏
張雲妻 清 見杜氏
張琮明(字廷獻) 472-178- 6
511-103-140
1263-533- 6
張琮明(東安人) 480-544-283
張琮明(四川人) 563-803- 41
張琮妻 明 見曹氏
張琪宋 476-616-133
540-765-28之2
張琪元 476-753-159
張琪明 572- 91- 29
張裁妻 宋 見趙氏
張越漢 539-348- 8
張越晉 814-233- 4
820- 74- 23
張惠後梁 梁太祖后、張蕘女
277-115- 11
279- 78- 13
392-225- 19
393-289- 74
張惠張烏爾古蒲爾圖 元
295-275-167
399-616-481
472- 27- 1
473-436- 67
474- 93- 3
476-477-125
481- 80-294
523- 22-147
540-615- 27
張惠明(德州人) 472-527- 22
476-527-128
481- 23-291
540-787-28之3
張惠明(字克仁) 523-201-155
529-536- 45
張賁宋 511-882-171
821-206- 51
張賁明 559-346- 8
676-509- 20
張撝唐 820-196- 27
張撝明 564-286- 47
張賀漢 554-378- 55
張賀明(龍溪人) 523-248-157
張賀明(海澄人) 529-676- 49
張巽宋 460-289- 18
529-530- 45
張巽女 宋 見張氏
張巽明 494- 42- 3
張巽妻 明 見劉氏
張琯唐 820-224- 28
張琯宋 515- 84- 59
515-500- 72
517-394-125
523- 98-150
1163-601- 38
張琚隋 474-468- 23
張琚金 546-708-138
1365-239- 7
1439- 9- 附
張琴明(雞澤人) 545-191- 90
張琴明(繁時人) 554-283- 52
張琴妻 明 見胡香
張壹清 538-121- 64
張喜明 1278-453- 22
張超漢(字子並) 253-568-110下
380-345-175
472- 66- 2
474-307- 16
505-885- 79
812- 67- 下
812-230- 9
812-719- 3
814-227- 3
820- 34- 22
933-366- 25
張超漢(東平人) 510-385-115
張超唐 見張迢
張超宋 491-426- 5
524-123-184
張超清 1475-608- 26
張植宋 1126-758-168
張雅宋 843-667- 中
張朝唐 見張潮
張朝明 571-542- 20
張盛魏 516-456-104
張盛明 576-638- 4
576-640- 4
張盛妻 明 見朱貞王
張雄唐 275-573-190
384-292- 15
396-276-275
488-325- 12
511-394-151
張雄南唐 511-458-154
張雄明(溧陽人) 494-158- 5
569-648- 19
張雄明(同州人) 554-483-57上
張珔張[illegible]、張[illegible] 魏
254-227- 11
380-414-177
384- 83- 4
384-512- 22
386- 26-69中
469-491- 59
472-106- 4
474-408- 20
476-156-104
505-921- 82
547-163-147
張隆漢 402-556- 18
933-363- 25
張隆宋 1114-669- 16
張隆明 483-348-399
494- 42- 3
523- 84-149
570-110-21之1
571-550- 20
張隆妻 明 見劉氏
張登戰國 405-372- 80
張登張澄 梁 265-790- 55
537-562- 60
張登唐 451-434- 3
674-261-4中
張登宋 484-383- 28
張閏張閶 元 295-600-197
400-309-526
472-925- 36
478-170-182
554-756- 62
張琬宋(提點刑獄) 486- 50- 2
張琬宋(韓城人) 1110-418- 22
張琬宋(鄱陽人) 1110-418- 22
張琬宋(字禹錫) 1156-488- 28
張琬妻 宋 見范氏
張琬明 299-308-138
473- 50- 50
479-532-241
561- 53- 89
張琦元 見劉琦
張琦女 元 見張氏
張琦明(字君玉) 481-550-327
524- 44-180
528-477- 30
1257- 45- 5
1257- 72- 7
1260-101- 3
1442- 39-附2
1459-803- 32
1474-106- 7
張琦明(字廷珍) 524- 44-180
張琦明(字鍾瀾) 546-491-131
554-276- 53
張琦明(知隴州) 554-259- 52
張琦明(寧夏人) 558-489- 41
張琦清 511-365-150

張琦妻 清 見裴氏
張琥宋 491-118- 13
張琥宋 見張璪
張琨妻 明 見李氏
張揮宋 1142-537- 6
1376-701-100下
張揮宋 見仲殊
張揖魏 249- 8- 0
814-230- 4
820- 40- 22
張堪漢 252-738- 61
370-159- 15
376-684-107下
384- 58- 3
402-394- 5
402-446- 9
402-530- 15
402-580- 20
448-297- 上
459-833- 50
470-354-142
471-945- 51
472- 25- 1
472-769- 30
473-424- 67
474-165- 8
477-365-167
481- 64-293
537-534- 59
559-258- 6
561-564- 45
591-658- 47
933-364- 25
張堪明 554-678- 60
張肅北周 263-721- 37
267-398- 70
558-419- 37
張肅宋(舒城人) 472-327- 14
張肅宋(字穆之) 1118-627- 30
1118-659- 34
1122-412- 30
張肅明 559-395-9上
1246-452- 10
張弼宋(字舜元) 473-633- 77
481-552-327
529-725- 51
677-234- 21
張弼宋(字乘道) 494-543- 28
張弼妻 宋 見徐觀妙
張弼金 1190- 47- 6
張弼元 1194-694- 13
張弼明(字汝弼) 301-830-286
472-243- 9
473-195- 58
475-180- 59
479-811-255
511-125-141
515-258- 65
517-589-130
517-596-130
517-621-130
676-509- 20
820-633- 41
1247- 26- 2
1252-599- 34
1256-411- 26
1325-142- 9
1442- 33-附2
1455-597-235
1458-183-430
1458-201-431
1459-711- 28
張弼明(無極人) 505-908- 81
張弼明(字汝能) 1283- 41- 70
張弼明(道州人) 1467-120- 66
張晛宋 545-438- 99
張開完顏開 金 291-633-118
399-312-445
544-237- 63
545-216- 91
張彭女 宋 見張氏
張彭清 528-547- 32
張軫妻 元 見趙與婉
張琛元 295-601-197
400-310-526
張琛明(字廷玉) 472-559- 23
476-826-143
1241- 24- 2
張琛明(宜川人) 554-657- 60
張琰唐 1065-881- 24
1342-471-965
張琰宋 472-587- 24
1365-601- 上
張琰明 473-674- 79
563-737- 40
張琰女 清 見張巧兒
張琳前蜀 471-958- 53
473-512- 71
559-309-7上
張琳遼 289-687-102
399- 67-422
383-763- 19
474-736- 40
502-332- 59
張琳明 571-541- 20
張琳明 見史琳
張琳妻 明 見王氏
張琳清 476-334-115
546-417-128
張琡明 558-339- 35
張雯張旻 元 493-1024- 54
511-730-165
524- 5-178
1216-611- 12
張雯明 570-161-21之2
張棨妻 明 見雙氏
張揆宋 285-691-294
397-140-328
472-525- 22
476-524-128
540-756-28之2
張提明 524-291-193
張森宋 821-222- 51
張森明 473-408- 66
480-353-274
張森妻 明 見劉氏
張棟母 元 401-186-593
張棟妻 元 見王氏
張棟明(字伯任) 300-811-233
475-138- 56
511-110-140
515- 97- 59
676-725- 30
張棟明(字士隆) 505-813- 74
571-526- 19
張棟清 482-563-369
570-143-21之2
張逵明(字懋登) 300-388-206
479-241-227
523-310-160
676-551- 22
1442- 48-附3
1460- 47- 42
張逵明(字九逵) 505-824- 75
張逵明(字九達) 1375- 30- 上
張逵明(字惟達) 1375- 31- 上
張閑明 473-112-542
張發明 456-489- 5
554-727- 61
張買漢 453-731- 1
564- 2- 44
張景漢 820- 34- 22
張景宋 473-302- 62
480-245-269
533-311- 57
674-427- 2
1088-571- 59
1351-599-141
張景明 458-161- 8
537-567- 60
676-559- 23
張貴宋 288-328-450
400-182-514
451-229- 0
473-247- 60
480-289-271
533-388- 60
張貴元(樂安人) 476-658-135
張貴元(字國實) 540-775-28之2
張貴元(博興人) 540-780-28之2
張貴元(三原人) 1206-409- 3
張貴明(臨淄人) 528-454- 29
張貴明(威清指揮) 571-532- 19
張貴明(溫州人) 1263-537- 6
張貴妻 明 見黃氏
張對明 528-531- 31
張著宋(字少微) 473-125- 55
515-130- 61
523-498-170
張著宋(河間人) 494-339- 7
張著宋(善畫) 821-217- 51
張著金 546-644-136
1365-231- 7
1439- 9- 附
張著元 476- 83-100
546-644-136
549-407-196
1200-780- 60
1439-426-附1
張著明 472-923- 36
478-168-182
554-275- 53

1442- 11-附1
1459-450- 14
張凱明 528-510- 31
張岊張巖 明 473-299- 62
475-667- 84
480-242-269
510-374-114
510-455-117
532-669- 44
1245-549- 28
張萃妻 明 見王氏
張華晉(字茂先) 254-410- 22
255-645- 36
377-465-121下
384- 91- 5
469-563- 69
472- 29- 1
473-598- 76
474- 90- 3
474-170- 8
499- 33-124
502-251- 53
505-626- 67
505-710- 71
528-519- 31
544-203- 62
674-244-4上
684-521- 2
742- 29- 1
812- 60- 中
812-224- 8
812-713- 3
813-273- 13
814-233- 4
820- 52- 23
933-367- 25
1366-784- 5
1370- 53- 3
1379-243- 31
1395-588- 3
張華晉(字元宗) 469-485- 58
張晛宋 484-374- 27
張勛明(保定人) 472-569- 24
540-642- 27
張勛明(高苑縣防城指揮)
540-650- 27
張勛明(字鼎彝) 558-312- 34
張勛妻 明 見賈氏
張棠妻 清 見金氏
張敞漢 250-672- 76
376-348-101
384- 48- 2
459-819- 49
469-385- 46
471-908- 46
472- 83- 3
472-461- 20
472-543- 23
472-610- 25
472-787- 31
472-823- 33
474- 89- 3
476- 26- 97
476-724-138
476-909-148
478- 84-180
505-625- 67
537-191- 54
540-654- 27
545-750-110
554-422- 56
587- 86- 2
812- 66- 下
812-229- 9
812-718- 3
814-223- 3
820- 26- 22
933-364- 25
張敞晉 485- 67- 10
493-840- 46
張敞明 1467-219- 70
張然張鼎孫 宋 448-391- 0
張傃元 1200-213- 17
張傅宋 285-780-300
397-203-331
472-202- 7
472-307- 13
475-323- 65
475-780- 89
476-816-143
511-357-150
515- 12- 57
523- 10-146
540-632- 27
張順宋 288-327-450
400-181-514
451-228- 0
473-247- 60
480-289-271
533-388- 60
843-666- 中
張順金 291-672-122
400-215-517
472-525- 22
476-525-128
540-770-28之2
張順明(字弘裕) 532-647- 43
820-644- 41
張順明(誠齋先生) 820-597- 40
張順妻 清 見劉氏
張幾明 554-495-57上
張貂漢 253-612-112下
380-582-181
張鈞漢 474-652- 34
張鈞宋 1173-267- 82
張鈞明 302-156-297
476-184-106
547- 42-142
張鈐張翼 宋 812-468- 2
812-550- 4
821-148- 50
張智明(保定人) 456-631- 10
張智明(定遠知縣) 472-197- 7
張智明(五臺知縣) 472-431- 19
545-421- 98
張智明(洛陽知縣) 472-741- 29
張智明(字玄略) 473-618- 77
481-648-330
529-614- 47
1240-328- 21
1374-666- 87
張程明 456-606- 9
張喬漢 473-424- 67
473-806- 86
473-890- 90
481- 14-291
482-317-354
482-537-368
483-697-422
494-147- 5
563-602- 38
567- 20- 63
569-641- 19
591-660- 47
1467- 3- 62
張喬唐 451-465- 6
475-641- 83
511-815-167
1371- 72- 附
張喬明 559-258- 6
張喬妻 清 見楊氏
張皓張浩 漢 253-191- 86
254-680- 15
376-850-110
384- 63- 3
385-201- 23
459-254- 15
473-513- 71
481-349-309
559-381-9上
591-578- 43
933-365- 25
張翕漢 473-806- 86
481-268-305
482-558-369
494-146- 5
569-641- 19
張絢明 451-173- 5
張給妻 清 見趙氏
張勝明 479-793-254
515-273- 65
張勝明 見黃善聰
張鉄張鐵 明 524- 45-180
820-656- 42
1268-269- 43
1442- 37-附2
1459-764- 30
張欽唐 見張德廣
張欽元 546-636-136
張欽李欽 明(字敬之)
300- 93-188
474-184- 9
499-375-154
505-636- 67
505-724- 71
554-258- 52
559-254- 6
張欽明(南昌人) 482-303-353
563-754- 40
張欽明(字克敬) 511-400-151
554-167- 51
1253- 44- 42

張欽明(寧夏人) 558-431- 37
張欽明(字士敬) 821-416- 56
張策後唐 277-164- 18
279-217- 35
384-308- 16
401-284-607
537-502- 59
554-886- 64
1383-772- 70
張策明 528-553- 32
567-414- 84
1467-222- 70
張傑唐 820-178- 27
張傑遼 502-260- 54
張傑元 523- 80-149
1221-617- 23
張傑明(隴西人) 456-680- 11
558-416- 37
張傑明(字立夫) 457- 25- 1
458-652- 2
478-203-184
545-187- 90
554-816- 63
1293-350- 20
張傑明(順天人) 554-189- 51
張傑明(字文英) 554-277- 53
張傑明(永昌指揮僉事)
558-219- 32
張傑明(甘州人) 558-358- 35
張傑明(雷州衛指揮同知)
563-848- 41
張傑妻 明 見劉氏
張傑妻 清 見田氏
張逸宋 288- 6-426
400-349-531
472-663- 27
473-246- 60
473-513- 71
477- 52-151
477- 76-152
480-288-271
481- 67-293
481-348-309
493-769- 42
537-600- 60
545- 44- 84
559-309-7上
591-691- 48
張逸明 1245-576- 30
張逸妻 明 見孫氏
張逸清 1475-608- 26
張進唐 472- 91- 3
張進宋 285-483-279
472-555- 23
474-469- 23
476-585-131
540-751-28之2
545- 41- 84
張進元 295-263-166
399-608-480
472- 36- 1
張進明 494- 23- 2
張進明 見張由益
張桀明(字士儀) 457-409- 25
475-609- 81
511-708-164
512-770-196
張桀明(字澄復) 564-186- 46
張集清 511-135-141
張復唐 533-347- 58
547-515-160
1077-289- 下
張復元(字伯陽) 460-478- 38
529-744- 51
676-317- 11
張復張復亨 元(字剛父)
472-1004- 40
479-143-223
494-414- 12
524- 33-179
1439-425-附1
張復元(山長) 1194-294- 23
張復明(洪州知縣) 472-801- 31
張復明(字明善) 523-624-177
679-626-199
張復明(字子遠) 533-728- 73
張復明(長葛人) 545-325- 95
張復明(字元春) 821-445- 57
張復明(字善初) 1258-765- 7
張復明 見張復陽
張溥張鳳兒 宋(字德施)
448-378- 0
523-499-170
張溥宋(字道濟) 528-504- 31
張溥明 301-870-288
475-453- 71
511-696-163
676- 65- 2
676-657- 27
1442-107-附7
張源明 523-171-154
張意漢 370-208- 21
402-456- 10
張意明 676-565- 23
1442- 54-附3
1460-127- 46
張該盛該 宋 708-1057- 97
張該妻 宋 見林慈午
張詩李詩 明 505-880- 79
820-676- 42
1442- 50-附3
1460- 65- 43
張試明 523-468-169
張愫清 480-414-277
張愼明 460-635- 64
563-774- 40
1272-372- 7
張廌晉 524-297-193
張祺宋 1113-241- 23
張祺妻 宋 見史琰
張義明(邳州人) 511-582-159
張義明(字恆齋) 570-157-21之2
張義明 見袁義
張義清 482-451-362
567-162- 69
570-137-21之2
張慈妻 清 見王氏
張慈北周 見賀婁慈
張潽清 505-911- 81
張溫吳 254-843- 12
377-373-120
384- 80- 4
384-602- 34
385-691- 67
402-510- 14
470- 23- 91
472-224- 8
475-125- 56
485-170- 23
493-838- 46
511- 87-140
933-367- 25
1361-551- 12
張溫妹 吳 見張氏
張溫後唐 277-500- 59
張溫宋 1096-779- 38
張溫金 1365-299- 9
1439- 8- 附
1445-535- 41
張溫元 563-717- 39
張溫明 299-243-132
558-176- 31
張靖明 821-418- 56
張詡明 301-779-283
457-119- 9
458-713- 3
473-675- 79
482- 37-340
564-118- 45
張詢唐 554-886- 64
564- 31- 44
812-503- 下
812-521- 2
813-125- 10
821- 92- 48
張詢宋 486- 50- 2
494-303- 5
張詢女 宋 見張氏
張詢明 545-464-100
張詮劉宋 516-117- 92
517-333-124
879-141-57下
張雍宋 286- 67-307
397-263-335
471-1013- 62
472-524- 22
473-503- 71
481-332-308
482- 89-342
559-313-7上
563-677- 39
591-705- 50
張裔蜀漢 254-641- 11
377-287-118下
384- 76- 4
384-480- 15
385-173- 19
447-190- 7
473-430- 67
481- 75-294
559-502- 12
591-524- 41

933-367- 25
張裔元 820-544- 39
張烇妻 清 見黃氏
張煜明 1254-752- 2
張煜妻 明 見杜氏
張煜妻 明 見余氏
張愷元(鄱陽人) 516-523-106
張愷明(安化知縣) 473-299- 62
張愷明(字德和) 480-242-269
524-254-190
532-669- 44
1474-277- 13
張愷明(字元之) 505-651- 68
511-150-142
571-551- 20
676-517- 20
1258-683- 16
1273-214- 27
1276-402- 10
張愷明(雲南人) 559-270- 6
張愷妻 明 見華貞
張裕蜀漢 254-647- 12
384-517- 23
張裕劉宋 見張茂度
張裕唐 485-497- 9
張裕宋 524-295-193
張裕元 1196-296- 17
張裕明 545-782-111
張裕女 明 見張靜圓
張裕清 511-630-161
張準宋 見張遹
張準明(字平軒) 473-599- 76
481-674-331
528-527- 31
張準明(字立之) 516-131- 92
563-825- 41
張詵宋 286-393-331
397-501-350
472-893- 35
472-1067- 45
473-490- 70
473-602- 76
478-482-199
478-695-210
479-223-227
481-235-303
481-675-331
484- 97- 3
492-710-3下
493-921- 49
523-148-153
529-594- 47
558-228- 32
559-295-7上
張煇宋 472-1116- 48
523-625-177
張煇明 546-712-138
1293-756- 5
張煒張爗 金 291-413-100
399-240-437
張煒張瑋 明(字汝器)
474-312- 16
505-817- 74
張煒明(字德南) 820-678- 42
張滂明 1275-854- 53
張歆漢 253- 47- 74
370-133- 11
張廉明(字惟清) 472-458- 20
476-113-102
545-186- 90
1243-377- 22
545-375- 97
張廉明(字孟介) 483-223-390
524-250-190
571-518- 19
張廉明(天長人) 511-429-152
544-251- 63
張祿戰國 見范睢
張祿宋 820-421- 34
張祿明 821-391- 56
張祿女 明 見張氏
張祿妻 清 見王氏
張運宋 287-510-404
398-495-398
472-348- 15
473- 63- 51
473-367- 64
475-666- 84
475-699- 86
479-535-241
479-558-242
479-678-248
480-401-277
480-483-280
480-663-290
510-451-117
515-860- 85
532-691- 45
532-703- 45
532-735- 46
張運宋 見張詠之
張道明 516-134- 92
523-106-150
張遂唐 見一行
張遂女 宋 見張氏
張遂明 537-399- 57
545-197- 90
676-268- 10
張煥漢 見張奐
張煥元 472-718- 28
1201-170- 80
張煥明(濟源縣丞) 472-718- 28
張煥明(字主奎) 479-226-227
523-159-153
張煥明(益都人) 540-814-28之3
545-224- 91
張羨漢 253-464-104下
254-136- 6
473-386- 65
532-712- 45
張羨叱羅羨 隋 264-772- 46
267-490- 75
379-804-162
472- 68- 2
474-309- 16
544-218- 62
544-221- 62
張瑀明 515-803- 82
張瑀妻 明 見黎氏
張資元 547- 33-142
張載張冀 漢 402-460- 10
515-292- 66
張載晉 255-921- 55
377-616-124上
348- 93- 5
469-518- 63
472- 88- 3
474-636- 33
476-665-136
505-892- 79
540-714-28之1
933-367- 25
1370-66- 4
1379-318- 39
張載宋 288- 19-427
382-745-114
400-456-542
440-723-274
448-455- 6
449-680- 4
459- 58- 4
472-854- 34
472-922- 36
478-167-182
478-202-184
505-655- 68
523- 11-146
538-327- 69
539-498-11之2
545-135- 87
554-811- 63
556-341- 90
556-399- 91
556-533- 94
674-295-4下
674-353-5下
677-207- 19
820-370- 33
933-395- 25
1146- 8- 85
1293-329- 19
1437- 15-附1
張載明 見張幼文
張載清 475-532- 77
511-850-169
1319-695- 43
張軾明(知寧鄉) 545-249- 92
張軾明(知綏德) 547- 91-144
張搏唐 493-692- 38
張楨張貞 元 295-489-186
399-752-495
472-291- 12
472-664- 27
475-368- 67
477- 85-152
505-690- 70
537-398- 57
547-197-148
張楨明 475-176- 59
554-346- 54
張感後魏 379-222-149
張戢宋 812-550- 4

821-146- 50
張雷明 547- 46-142
張瑄元 493-1138- 60
1218-653- 3
張瑄明(字廷璽) 299-579-160
453-477- 20
472-178- 6
473-145- 56
475- 75- 53
476-917-148
479-711-250
481-804-338
511- 74-139
515-151- 61
537-215- 54
1241-898- 23
1320-731- 80
張瑄明(齊東主簿) 472-520- 22
張瑄明(睢陽人) 473-316- 62
480-614-287
532-748- 46
張瑄明(字文瑄) 1261-682- 29
張瑄明(內官監太監)
1460-792- 86
張瑄明 見張宣
張瑄妻 明 見梁氏
張瑃清 477-244-161
477-568-177
537-291- 55
546-218-122
554-190- 51
559-327-7下
張瑁張琄 秦 472-349- 15
511-636-161
張瑝唐 271-527-188
275-630-195
400-287-523
張聖宋 530-197- 60
張輅明(字行素) 524- 7-178
585-451- 12
張輅明(蒲州人) 547- 73-143
張塘明 530-616- 73
1410-240-692
張椿宋 1167-747- 40
張椿明 540-626- 27
張楷漢 252-804- 66
402-453- 9
473-430- 67
477-501-174
478-350-191
481- 74-294
538-333- 69
554-863- 64
559-338- 8
591-510- 41
675-298- 15
933-365- 25
張楷陳楷 明 453-331- 5
523-533-172
554-208- 52
676-480- 18
680-229-247
680-309-256
820-615- 41
1244-621- 13
1247-134- 4
1375- 38- 下
1391-592-335
1442- 22-附2
1458-507-450
1459-591- 21
張極明 554-256- 52
張極妻 清 見朱氏
張翃妻 明 見房氏
張匯宋 484-104- 3
張電明 820-709- 43
張馴漢 253-526-109上
380-263-172
402-495- 12
469-114- 13
475-603- 81
476-857-145
510-432-116
540-706-28之1
680-673-287
683-855- 上
820- 33- 22
張瑋明(字席之) 301-303-254
475-230- 61
511-165-142
676-636- 26
1442- 93-附6
1460-530- 66
張瑋明(字嘉玉) 511-102-140
1273-235- 29
張瑋明 見張煒
張瑋妻 明 見王珍
張瑋妻 明 見陳氏
張瑞明 547- 51-143
張瑞明 見張伯祥
張瑞妻 明 見陳轉柱
張瑞清 540-843-28之4
張瑞妻 清 見孫氏
張瑜明 554- 87- 49
張楠宋 見張斗南
張楠明 1458- 54-418
張概妻 明 見金淑寧
張楫元(吉水知縣) 515-147- 61
張楫元(字巨川) 1201-166- 80
張楫元(字仲濟) 1206-713- 6
張楫明 472-695- 28
537-267- 55
張群吳 384-507- 21
張楊漢 254-159- 8
377- 65-114
544-201- 62
933-366- 25
張瑛蜀漢 552- 21- 18
張瑛宋 515-609- 76
張瑛明(字彥華) 302- 9-289
473-599- 76
479-380-234
481-674-331
523-413-166
528-527- 31
張瑛明(字子玉) 452-138- 1
453-259- 24
472-109- 4
505-824- 75
1239-292- 46
1240-179- 12
張瑛明(通海人) 473-477- 69
559-275- 6
張瑛明(鞏昌衛百户)
494- 45- 3
張瑛明(字廷彥) 537-402- 57
張瑛明(夏縣人) 547-105-145
張瑛明(字玉華) 561-204-38之1
張瑛明(陳州人) 563-775- 40
張瑛妻 清 見劉氏
張瑛妻 清 見盧氏
張瑗宋 1105-764- 91
張瑗清 511-294-147
537-231- 54
張瑴金 291-732-128
400-362-533
472-664- 27
472-826- 33
477-480-173
478-336-191
537-588- 60
554-335- 54
820-480- 36
1040-247- 4
1365-273- 8
1439- 6- 附
1445-499- 37
張鼓張瑴 金 538-168- 66
1040-231- 2
1365-273- 8
1445-660- 51
張楙明 523-121-151
1289-275- 18
張楧元 592-1001- 上
1194-594- 6
1208-539- 24
張楚劉宋 265-1036- 73
380- 94-167
933-371- 25
張楚元 1200-605- 46
張楚女 明 見張氏
張達宋 451-245- 0
482-142-344
張達妻 宋 見陳璧娘
張達明(崇禎十四年卒)
456-610- 9
480-341-273
張達明(諡忠剛) 476-250-110
478-348-191
478-636-206
545-289- 94
558-428- 37
張達明(字時達) 515-674- 78
張達明(蒲州人) 546-303-125
張達明(字文通) 478-654-207
558-351- 35
張達妻 明 見王氏
張遐漢 473- 46- 50
516- 2- 87
張棨女 宋 見張正因
張梴明 559-353- 8
張照清 569-621-18下之2

1308-293- 59
張煦唐 270-458-122
274-666-133
張煦宋 286- 87-308
397-276-335
472-659- 27
474-370- 19
475-561- 79
477- 74-152
482-318-354
537-389- 57
540-669- 27
545-399- 98
554-355- 54
張當宋 1087- 18- 中
張署唐(河間人) 473-185- 58
479-791-254
480-613-287
480-663-290
505-740- 72
506-632-109
515-263- 65
532-746- 46
1073-602- 30
1074-445- 30
1075-395- 30
1378-522- 60
1383-184- 15
1410-279-700
張署唐(武功尉) 554-329- 54
張萱唐 554-899- 64
812-347- 9
812-369- 0
813- 98- 5
821- 52- 46
張萱母 明 見郭氏
張萱明(字孟奇) 482-117-343
564-191- 46
676-613- 25
820-731- 44
821-450- 57
1442- 79-附5
1460-405- 58
張萱明(字德輝) 515-223- 63
545-222- 91
1267-429- 3
1271-585- 50
張睦唐 528-436- 29
張睦後漢 484- 43- 下
張暄明 523-159-153
張晒梁 505-926- 83
張圓唐 476-111-102
545-362- 96
1073-571- 25
1074-407- 25
1075-358- 25
1354- 78- 9
1378-618- 63
1383-190- 15
1410-256-695
張⿰𧾷存魏 見張⿰至存
張路明 538-354- 71
821-398- 56
1285-631- 8
1458- 64-419
張嵩唐 270-259-103
張鼎唐 451-475- 7
張鼎宋 1118-1002- 68
1410-363-712
張鼎元 1204-475- 14
張鼎明 457- 24- 1
458-652- 2
478-127-181
545-148- 88
547-203-148
554-657- 60
1293-353- 20
張暉宋(大城人) 285-384-272
396-653-313
472- 32- 1
472- 85- 3
472-544- 23
472-865- 34
474-175- 8
474-601- 31
476-778-141
478-243-186
478-335-191
505-654- 68
505-716- 71
545-211- 91
554-200- 52
559-247- 6
張暉宋(知蕭山) 523-150-153
張暉不詳 1223-439- 7
張暐唐 270-298-106
274-528-121
554-122- 50
張暐宋 567- 66- 65
1467- 39- 63
張暐金 291-477-106
399-264-440
472-593- 24
476-787-141
540-768-28之2
張暐妻 明 見李氏
張粲明 516-511-106
張粲女 明 見張淑正
張葵明 511-885-171
張敬明(清江人) 483-178-384
569-665- 19
張敬明(字子儀) 515-542- 74
張敬明(字爾和) 1442- 78-附5
1460-395- 58
張最清 515- 74- 58
533-203- 53
張煚叱羅煚 隋 264-772- 46
267-490- 75
379-804-162
472- 68- 2
474-309- 16
474-601- 31
505-628- 67
505-739- 72
933-372- 25
張遇唐 820-226- 28
843-662- 上
張遇宋 473-125- 55
515-130- 61
張遇明 505-820- 74
張遇女 明 見張氏
張業漢 253-581-111
380-136-168
402-448- 9
453-748- 3
張業明 473-154- 56
515-676- 78
676- 21- 1
張嵊梁 260-360- 43
265-479- 31
380- 52-166
475-127- 56
479-132-223
479-232-227
485-178- 24
485-554- 3
493-999- 53
494-285- 3
511-434-153
523-113-151
523-381-164
933-370- 25
1395-598- 3
張嵊妻 梁 見劉氏
張嵲宋 288-264-445
400-676-563
473-250- 60
480-297-271
494-424- 13
524-313-194
533- 88- 49
674-840- 18
820-409- 34
張鉉金 478-336-191
676-697- 29
張鉉元 1375- 35- 下
張鉉明(高淳人) 528-554- 32
張鉉明(太康人) 538- 81- 64
張鉞明(字汝虔) 473-367- 64
480-484-280
505-657- 68
532-738- 46
張鉞明(義州人) 502-792- 88
張鉞明(字文輔) 516- 78- 90
523- 49-148
676-720- 30
張鉞明(新安人) 523-156-153
張鉞明(膠東人) 1457-684-407
張鉞女 明 見張氏
張鉞清 524- 60-180
張頌唐 820-286- 30
張傳唐 485- 71- 11
張頎明 472-520- 22
張僉明 1241-462- 6
張愈張俞 宋 288-432-458
382-772-118
384-360- 18
401- 20-570
471-974- 55
473-432- 67
481- 78-294
547-135-146

561-198-38之1
563-920- 43
591-550- 42
592-580- 98
674-284-4下
933-396- 25
1108-614-102
1381-697- 50
1437- 13-附1
張愈妻 宋 見蒲芝
張紘明 523-248-157
張紘不詳 470-222-123
張鉗漢 591-513- 41
張筠後晉 278-120- 90
279-299- 47
384-312- 16
396-421-294
張僅宋 485-181- 24
493-918- 49
589-331- 4
張經宋(歙縣知縣) 485-501- 9
張經張涇 宋(姑蘇人)
812-552- 4
821-170- 50
張經元 493-754- 41
1386-716-上
1439-450-附2
張經明(字天敘) 300- 92-188
474-742- 40
502-383- 64
張經蔡經 明(字廷彝)
300-369-205
481-530-326
523- 50-148
529-466- 43
567-121- 67
568-166-104
676-549- 22
1442- 46-附3
1460- 21- 41
1467- 97- 65
1467-242- 71
張經明(字道器) 558-382- 36
張經明(字孔升) 1442- 16-附1
張經妻 明 見詹氏
張經妻 明 見劉氏
張經清(贊皇人) 505-823- 75
張經清(通州人) 511-878-170
張經清(惠來人) 564-301- 48
張綏明 545-422- 98
張節明 457- 45- 2
554-820- 63
820-680- 42
1293-370- 20
張節妻 明 見李氏
張毓妻 清 見胡氏
張鈔清 547- 66-143
1316-611- 42
張愛明 481-722-333
529-697- 50
張鉄明 見張鉄
張稜陳 260-677- 21
485-179- 24
933-370- 25
張微蜀漢 254-682- 15
384-493- 17
張微明 482-304-353
564-247- 47
張賓後趙 256-724-105
381-170-187
469-491- 59
472-106- 4
505-756- 72
933-368- 25
張賓明(宿遷人) 475-432- 70
511-584-159
張賓明(字廷賓) 510-375-114
540-793-28之3
1267-441- 3
張2賓妻 明 見王氏
張實妻 明 見李氏
張察宋 820-407- 34
張演劉宋 258-142- 53
378-117-134
493-840- 46
張演元 1210-382- 12
張潆宋 820-453- 35
張誌清 476-335-115
張誠唐 1080-459- 41
1341-739-898
1386-224- 37
張誠妻 唐 見陸氏
張誠元(字彥諶) 1206-743- 9
張誠元(字信甫) 1208-595- 24
張誠明(字自明) 472-1102- 47
473-644- 78
481-687-332
523-172-154
529-629- 48
張誠明(荊州衛人) 473-304- 62
533-487- 64
張誠明(陝西人) 545-401- 98
張誠明(高唐人) 820-593- 40
張誠女 明 見張氏
張誨唐 547-185-148
張誨岳母 宋 見王氏
張誨宋 1117-625- 10
張誨妻 清 見鄒氏
張禎元 見張楨
張禎女 清 見張氏
張窪妻 清 見陸氏
張韶陳 535-556- 20
張韶元 473-391- 65
533-322- 57
張韶明 523-173-154
張誥明 511-125-141
569-650- 19
1261-692- 29
1268-252- 41
張福宋 560-602-29下
張福元(字仁甫) 1192-578- 12
張福元(字顯祖) 1210-101- 9
張福明(江都人) 511-575-159
張福明(蒲州人) 540-657- 27
546-302-125
張福明(朝邑人) 554- 86- 49
張福妻 明 見王氏
張福妻 明 見李氏
張福妹 明 見張義姑
張熇明 480-582-285
張寧唐 516-193- 95
張寧元 528-446- 29
張寧明 299-828-180
453-636- 23
472-985- 39
479- 96-221
523-272-158
524- 8-178
528-552- 32
585-466- 13
588-181- 8
676-500- 19
820-621- 41
821-388- 56
1392-136-382
1442- 28-附2
1459-649- 25
1475-211- 9
張寧妻 明 見王瓊瓊
張寧妻 明 見李晚翠
張寧妻 明 見高寒香
張寧妻 明 見唐貞眞
張漳宋 523-420-166
張端元(涿州人) 524-165-186
張端元(字希尹) 676-709- 29
820-542- 39
1255-508- 55
1439-453-附2
1469-285- 48
張端明(桃源知縣) 472-309- 13
張端明(嘉善人) 473-599- 76
524-245-190
張端明(字端夫) 511-582-159
張端明(字正夫) 530-213- 61
684-498-下
820-623- 41
張端明 陸填妻、張景忠女
1246-647- 15
張端妻 清 見吳氏
張端妻 清 見胡氏
張齊梁 260-168- 17
265-670- 46
378-305-139
472-394- 17
475-809- 91
480-172-266
510-489-118
533-188- 53
554-556- 58
933-370- 25
933-386- 25
張齊明(錢塘人) 472-377- 16
475-563- 79
510-427-116
張齊明(字尚修) 1242-858- 10
張齊明(字宗魯) 1278-438- 21
張誦妻 明 見丁氏
張說漢 539-348- 8
張說劉宋 258-200- 59
張說唐 270-169- 97
274-571-125
384-191- 10

384-196- 11
395-538-230
448-118- 0
448-121- 0
451-414- 1
469- 22- 3
471-792- 29
471-885- 42
472-429- 19
472-694- 28
472-745- 29
473-315- 62
473-725- 82
476- 27- 97
477-311-164
478-594-204
482-227-348
505-929- 84
516-224- 96
532-729- 46
537-498- 59
545- 11- 83
554-122- 50
558-134- 30
563-899- 43
674-248-4上
820-163- 27
933-376- 25
1066-195- 18
1340-540-775
1342-248-936
1365-410- 2
1371- 53- 附
1383-365- 27
1472-133- 8
張說宋 288-575-470
401-138-587
480-462-279
494-551- 28
張鄘明 545- 68- 85
563-804- 41
張禕張偉、張禕 晉
256-458- 89
258- 76- 46
258-194- 59
265-485- 32
378-121-134
380- 45-166
384-112- 6
475-125- 56
485-171- 23
492-579-13下之上
493-999- 53
511-433-153
張禕晉 見張禕
張禕唐 271-103-162
張禍宋 1105-822- 98
張煒明 676-587- 24
張禓唐 271-337-178
482-183-346
563-644- 38
張漢明 300-354-204
547-156-147
張滿明 547- 22-141
張漣張璉 宋 472-368- 16
511-314-148
張漣明 524-355-196
1312-397- 38
張榮宋 472-290- 12
477-408-169
533-352- 59
張榮元(字世輝) 295- 53-150
399-417-457
472-526- 22
476-525-128
540-771-28之2
1202-215- 16
張榮張烏蘇齊 元(清州人)
295- 67-151
399-429-458
472- 71- 2
474-339- 17
505-745- 72
1196-285- 16
張榮元(河間人) 517-527-128
張榮元(韶州路總管)
563-714- 39
張榮元(字仲華) 1207-418- 29
1468-573- 26
張榮明(陽穀人) 493-756- 41
張榮明(龍門人) 505-914- 81
張榮明(字伯仁) 511-878-170
張榮明(金華人) 526- 86-261
張榮明(字顯仁) 529-585- 46
張榮明(清流人) 529-635- 48
張榮明(祥符人) 545-409- 98
張榮明(平遥人) 547- 43-142
張槱妻 金 見馮妙眞
張瑱清 511-610-160
張壽漢(字伯禧) 469-675- 83
591-515- 41
879-174-58下
張壽漢(字仲吾) 681-531- 7
681-689- 22
1103-379-136
1397-609- 29
張壽元 511-562-158
張壽明 476- 30- 97
545-148- 88
554-526-57下
張赫明 299-222-130
472-206- 7
475-752- 88
511-418-152
張輔晉 256- 33- 60
377-658-125
384- 93- 5
472-771- 30
477-241-161
477-370-167
478- 85-180
537-542- 59
554-265- 53
933-367- 25
張輔元 472-504- 21
476-204-107
545-340- 96
張輔明(字文弼) 299-484-154
453-573- 10
458-138- 6
472-666- 27
477- 86-153
483-697-422
538- 40- 63
886-144-138
1248-412- 20
1283-211- 83
張輔明(張羽子) 494- 41- 3
張輔明(貢生) 494- 57- 2
張輔妻 明 見吳悟成
張輔妻 明 見孫氏
張酺漢 253- 62- 75
370-190- 19
376-784-109下
384- 62- 3
402-387- 5
402-508- 12
472-199- 7
472-693- 28
472-737- 29
474-467- 23
475-778- 89
477-159-157
477-303-163
505-687- 70
511-714-164
537-260- 55
540-666- 27
933-365- 25
張熙明 472-1068- 45
523-188-155
張綦元 481- 23-291
559-247- 6
張戩唐 270- 19- 85
張戩宋 288- 21-427
382-746-114
400-457-542
448-461- 6
449-690- 4
472-854- 34
473-427- 67
476-366-117
478-203-184
478-335-191
481- 69-293
545-437- 99
554-812- 63
559-265- 6
821-204- 51
1293-332- 19
1351-631-144
張愻唐 568-114-102
張瑭明 479-182-225
523-374-164
1274-418- 15
1458-604-463
張碧唐 451-442- 4
1473-108- 57
張嘉漢 812-721- 3
820- 68- 23
張翥元(字仲舉) 295-502-186
399-760-496

453-802- 4
472-467- 20
472-964- 38
476- 83-100
479-535-241
505-892- 79
516-213- 96
524-304-194
546-646-136
585-425- 11
588-179- 8
820-519- 38
1204-197- 2
1439-441-附2
1469- 46- 38
1488-682- 附
1488-684- 附
張翥元(濟寧人) 473-144- 56
515-147- 61
張翥明(字汝振) 473- 16- 49
479-483-239
515- 90- 59
1256-428- 28
張翥明(字九皋) 1247-563- 25
1475-194- 8
張翥妻 明 見丁妙圓
張翥妻 清 見高氏
張閏元 見張閏
張閏明 楊士倫妻 473-607- 76
530-138- 58
張閣宋 286-684-353
397-731-364
472-962- 38
479- 42-218
484-100- 3
523- 77-149
張需明 474-168- 8
張瑶明(謚忠節) 302- 28-290
456-446- 3
476-701-137
537-250- 55
540-830-28之3
張瑶明(字朝貢) 524-109-183
張瑶明(華陰人) 545-464-100
張瑶張瑶濬 明(冀城人)
547- 20-141
張瑶明(字獲珍) 1269-490- 8
張瑶妻 明 見齊氏
張瀹隋 264-929- 64
267-520- 78
379-868-164
472-571- 24
475-327- 65
477-358-166
479-654-247
511-424-152
540-731-28之1
933-373- 25
張聞明 554-678- 60
張榜明(謚烈愍) 456-503- 5
張榜明(字賓王) 511-720-165
張榜明(字汝元) 523-574-174
張聚元 538- 95- 64
張聚妻 明 見劉氏
張轂宋 見張覺
張轂金 見張鼓
張轂明 見張廷璧
張遘妻 明 見徐氏
張遠宋 821-200- 51
張遠元 821-297- 53
張遠元 見張光遠
張遜唐 384-285- 15
479-223-227
486- 65- 3
523-147-153
張遜宋 285-329-268
371- 94- 9
382-224- 33
384-333- 17
396-613-309
472-574- 24
480-240-269
491-436- 6
532-664- 44
540-749-28之2
933-391- 25
張遜元 820-539- 39
821-286- 53
1369-412- 12
1471-531- 12
張遜明 473-585- 75
481-583-328
528-485- 30
676-521- 20
1255-603- 63
1258-783- 8
張遜妻 明 見王氏
張蒲張譔 後魏 261-479- 33
266-539- 27
379- 81-147
472-694- 28
472-719- 28
477-160-157
537-262- 55
933-371- 25
張蒲明 554-310- 53
張蓁明 545-388- 97
張嵿明(字時俊) 300-285-200
479-239-227
479-453-237
481-806-338
515- 42- 58
523-307-160
528-477- 30
567-114- 67
676-518- 20
1320-545- 61
1320-663- 73
1467- 88- 65
張嵿明(字子謙) 820-701- 43
張蓋明 473-234- 60
532-647- 43
張蓋清 474-442- 21
505-922- 82
1318-473- 74
張蒼漢 244-631- 96
250-150- 42
250-153- 42
251-532- 12
376- 68- 96
384- 39- 2
469- 71- 9
472-650- 27
477-245-161
537-373- 57
545-253- 93
675-292- 15
933-363- 25
1408-267-506
張睿明(字思微) 473-112- 54
515-172- 62
1254-816- 5
張睿明(字志通) 537-401- 57
張睿清 511-198-143
張睿妻 清 見王氏
張圖後梁 812-437- 0
812-526- 2
821-109- 49
張圖清 455-155- 6
張蒞明 林樸軒妻、張孔堅女
1257-191- 18
張蓩宋 1117-346- 17
張暢晉 515- 78- 59
張暢劉宋 258- 76- 46
258-194- 59
265-485- 32
378-121-134
384-112- 6
472-225- 8
472-409- 18
485-176- 24
486- 37- 2
493-852- 46
511- 88-140
820- 88- 4
933-370- 25
1401- 46- 15
張蒙唐 563-640- 38
張蒙元 472-377- 16
張蒙明 1229-487- 2
張滕女 明 見趙氏
張鳳父 明 1254-329- 9
張鳳明(字子儀) 299-537-157
453-301- 2
474-640- 33
505-795- 73
1244-617- 13
張鳳明(字應時) 472-127- 4
473-179- 57
482-408-359
515-507- 72
537-268- 55
567-110- 67
569-658- 19
張鳳明(文登知縣) 472-603- 25
476-697-137
540-653- 27
張鳳明(武功縣貢生)
494- 42- 3
張鳳明(延綏鎮人) 554-708- 61
張鳳明(字廷儀) 558-400- 36
張鳳明(松潘衛指揮)

559-521- 12
張鳳明(字景翔) 1245-509- 26
張鳳明(字雲霄) 1269-427- 6
張鳳明(袁州人) 1467- 90- 65
張鳳妻 明 見姜玉蓮
張鳳妻 明 見潘氏
張鳳妻 明 見劉氏
張鳳妻 清 見劉氏
張僎明(字立所) 456-498- 5
476-675-136
540-826-28之3
張僎明(餘干人) 523-247-157
張僎明(平遥人) 545-888-114
張銘妻 清 見李氏
張銓明(定遠人) 299-223-130
472-206- 7
511-418-152
張銓明(字宇衡) 302- 32-291
474-693- 37
476-208-107
502-297- 56
505-660- 68
546-210-122
554-189- 51
558-160- 30
676-111- 4
679-685-206
1442- 89-附6
1460-680- 75
張銓明(字文衡) 524-242-190
585-581- 22
張銓妻 明 見霍氏
張翡明 1264-307-下
張氳張蘊 唐 473- 33- 49
479-503-239
516-414-103
518-206-142
547-482-159
張稱宋 見張西慶
張種陳 260-676- 21
265-479- 31
378-569-145
472-226- 8
475-127- 56
485-179- 24
492-704-3上
493-849- 46
511-518-157
933-370- 25
張僖明 511-352-149
張僖明 529-637- 48
張僖妻 明 見陳玉珍
張綰梁 260-298- 34
265-800- 56
378-323-139
479-482-239
515- 79- 59
933-371- 25
1401-331- 27
張緒齊 259-354- 33
265-472- 31
370-516- 16
378-265-138
384-112- 6
470- 23- 91
472-225- 8
485- 68- 10
485-177- 24
493-840- 46
511-669-163
933-369- 25
張緒宋 1140-182- 22
張緒劉燧 明(字文綸)
480- 90-262
510-418-116
533- 23- 47
559-322-7上
張緒明(字卿理) 515-554- 74
張緒明 見張廷端
張維宋(烏程人) 494-473- 18
張維宋(字振綱) 529-583- 46
585-764- 5
1146-183- 93
1362-531- 29
張維宋(字公言) 820-344- 32
張維妻 宋 見羅氏
張維金 499-430-159
張維明(蒲州人) 483- 47-372
569-664- 19
張維明(昆明人) 494-168- 6
570-158-21之2
張維明(字叔廉) 537-574- 60
張維明(祥符人) 545-221- 91
張維明(南寧人)
570-144-21之2
張維明(字四維) 676-674- 28
1460-792- 86
張維明(字叔維) 821-471- 58
張維妻 明 見王氏
張維妻 明 見淩氏
張維妻 明 見楊氏
張銑張懷義 後魏 261-706- 52
266-701- 34
379-161-148
933-372- 25
張銑清 456-377- 79
張銑妻 清 見劉氏
張魁明 475-563- 79
510-428-116
張綽唐 820-227- 28
張綽明 820-617- 41
張綱漢 253-192- 86
254-680- 15
370-200- 20
376-851-110
384- 63- 3
402-472- 11
402-581- 20
459-254- 15
469-607- 74
471-900- 44
472-288- 12
473-513- 71
475-363- 67
481-349-309
510-385-115
559-382-9上
561-397- 42
591-168- 12
591-578- 43
933-365- 25
張綱舅 宋 見李某
張綱舅母 宋 見胡氏
張綱宋 287-348-390
398-358-387
451-196- 7
471-604- 3
472-276- 11
475-277- 63
511-175-143
674-547- 2
674-839- 18
678-107- 80
820-413- 34
1131- 2- 附
1131-242- 40
1284-332-161
1363-157-119
1437- 23-附2
張綱元(武鄉人) 476-418-120
545-392- 97
張綱元(字文季) 1214-173- 14
張綱明(字大振) 472-527- 22
515- 38- 58
張綱明(米脂人) 472-925- 36
554-473-57上
張綱明(字萬善) 511-368-150
571-551- 20
張綱妻 明 見劉氏
張綿明 547-117-145
張綸唐 544-229- 63
張綸宋 288- 3-426
371-186- 19
382-730-112
400-346-531
450-151- 18
459-899- 55
471-804- 30
471-906- 45
472- 65- 2
472-202- 7
472-289- 12
472-308- 13
472-825- 33
472-877- 35
473-376- 65
474-304- 16
475- 16- 49
475-365- 67
475-779- 89
480-563-284
481- 18-297
510-282-112
511-357-150
532-741- 46
554-243- 52
558-193- 31
581-473- 95
1089-673- 11
張綸明(字仁伯) 460-634- 64
張綸明(字大經) 472-360- 15
475-609- 81

505-800- 74
511-301-148
676-255- 10
676-517- 20
張綸明(黃縣人) 478-337-191
554-284- 53
張綸明(字參可) 480-545-283
張綸明(字宣甫) 540-808-28之3
676- 7- 1
張綸明(陽城人) 546-197-122
554-284- 53
張綸明(興平人) 554-490-57上
559-268- 6
張綸明(惠安人) 1272-372- 7
張綸明(字理之) 1442- 44-附3
1459-905- 38
張綸女 明 見張氏
張綸清 529-660- 49
張裴明 559-376- 8
張棨明(淶水人) 472- 56- 2
張棨明(字範中) 511-783-166
張徹唐 472- 26- 1
505-629- 67
506-630-109
1073-637- 34
1074-491- 34
1075-436- 34
1355-625-21上
1378-524- 60
1383-174- 14
1410-278-699
1447-263- 10
張徹宋 533- 59- 49
張徹妻 宋 見呂氏
張徹明 515-545- 74
張綬宋 473- 46- 50
516- 9- 87
張綬明 476-438-122
546-419-128
547- 96-144
張綬妻 明 見周仲娘
張綵明 302-314-306
410-450- 95
張綖明 511-209-144
676-544- 22
1442- 49-附3
1460- 55- 42
張綖妻 明 見錢氏
張寬漢 469-592- 72
472-737- 29
473-429- 67
481- 72-294
537-349- 56
559-337- 8
561-305- 40
591-502- 41
592-491- 91
879-157-58上
1088-424- 47
1354-828- 48
1381- 609- 44
張寬元(字子裕) 472-775- 30
473-234- 60
480- 88-262
532-605- 43
537-547- 59
張寬元(陽邱人) 1192-513- 12
張寬明(晉江人) 460-574- 57
張寬明(字宏周) 473-656- 78
529-566- 46
張寬明(福建人) 480-200-267
532-655- 44
張寬明(字伯仁) 533-236- 54
張寬明(應山人) 559-317-7上
張寬明(字德宏) 1442- 41-附2
1459-823- 33
張潔明 482-561-369
張澍明 554-708- 61
張濆唐 524-290-193
張諒宋 821-209- 51
張諒元 460-478- 38
529-744- 51
張諒明(字子貞) 472-882- 35
558-338- 35
張諒明(鹿邑人) 545-463-100
張廣明 820-711- 43
821-438- 57
張瑩唐 529-715- 51
張瑩元 1218-504- 6
張瑩明 547- 64-143
張憬明 820-597- 40
張潼明 511-647-162
張潮張朝 唐 1371- 61- 附
1387-582- 43
張潮明(字叔孚) 493-760- 41
張潮明(字惟信) 559-402-9上
676-544- 22
820-671- 42
張潮明(字思信) 820-603- 40
張潛唐 384-278- 14
933-375- 25
933-386- 25
張潛金 291-722-127
401- 36-572
474-179- 8
1365-320- 9
1445-688- 53
張潛明(字以修) 515-774- 81
張潛明(字用昭) 554-489-57上
556-729- 98
558-314- 34
558-399- 36
676-587- 24
820-656- 42
1442- 61-附4
1460-198- 49
張潤明 476- 85-100
537-305- 56
545-780-111
張潤清 482-563-369
570-142-21之2
張澄晉 485-171- 23
493-839- 46
814-241- 5
820- 68- 23
張澄梁 見張登
張澄宋(朝請大夫) 484-104- 3
488-430- 14
488-433- 14
523- 78-149
張澄宋(字仲容) 1098-831- 9
張澄金 537-514- 59
1191-427- 37
1365-288- 8
1439- 12- 附
1445-523- 40
張澄明(安福人) 482-303-353
563-784- 40
張澄明(盧江人) 511-641-161
張澄明(安岳人) 559-526- 12
張澄女 明 見張氏
張誼唐 820-224- 28
張誼宋 286- 60-306
472-681- 27
537-424- 58
張誼明(字履道) 511-870-170
張誼明(字叔方) 1229-169- 2
張熠張燿、張耀 後魏
262-184- 79
267- 12- 46
379-320-151
472-772- 30
477-375-167
537-544- 59
544-212- 62
554-115- 50
張潭唐 820-214- 28
張論明 537-525- 59
559-256- 6
張論妻 清 見石氏
張禕張偉、張褘 晉
255-651- 36
377-470-121下
933-367- 25
張褘晉 見張禕
張潑明 476-754-139
545-121- 86
張澂宋 479-663-247
516-205- 95
1318-202- 49
張毅宋 480-126-264
492-710-3下
張毅元 472-377- 16
475-562- 79
510-426-116
1367-380- 31
張毅明(安塞人) 554-472-57上
張毅明(字彥剛) 1228-581- 4
1232-213- 2
張談春秋 見張孟同
張課妻 明 見劉氏
張誕後魏 261-379- 24
505-778- 73
張誕唐 見蕭定
張慶女 漢 見張微子
張慶張顯明 後魏 262-332- 94
267-746- 92
380-501-179
張慶元 295-602-197
400-311-526
474-381- 19
505-908- 81

張慶妻 元 見陳氏
張慶明 472-521- 22
472-546- 23
540-627- 27
540-635- 27
張適宋 285-455-277
張適宋 見張希顏
張適元 1201-166- 80
張適明(字子宜) 472-229- 8
493-1030- 54
511-734-165
1318-247- 53
1386-663- 56
1442- 8-附1
1459-419- 13
張適明(號甘節) 1284-127-146
張養明(江右人) 456-684- 11
張養明(字惟直) 545-676-107
張璁張孚敬 明(字秉用)
300-210-196
452-437- 2
453-717- 41
532-347-162
676-551- 22
679- 61-144
1280-353- 82
1442- 48-附3
1460- 41- 42
張璁明(字廷璧) 483- 16-370
493-165- 6
515- 43- 58
517-619-130
570-109-21之1
張憼宋 286-804-363
398- 59-370
451-183- 6
472- 70- 2
474-311- 16
505-740- 72
511-900-172
張憼明 見張彥之
張頡宋 286-403-331
397-510-350
473-297- 62
473-369- 64
480-240-269
480-400-277
480-485-280
482-319-354
482-347-356
533-288- 56
567- 61- 65
585-757- 4
1106-259- 35
1112-452- 40
1112-453- 40
1112-457- 40
1112-531- 46
1467- 36- 63
張撫宋 526-250-266
張撫明 554-482-57上
571-523- 19
張標唐 494-324- 6
張標明 456-597- 9
張標清 511-784-166
張穎宋 見張穎
張賢漢 539-351- 8
張賢明(字思齊) 472-842- 33
554-474-57上
張賢明(字牛山) 505-829- 75
張賢明(漳州人) 515-107- 60
張賢明(字堯臣) 545-189- 90
張賢明(廣葛人) 554-312- 53
張賢明(瓊山人) 564-224- 46
張賢女 明 見張氏
張駕宋 見張哿
張緦宋 1150- 95- 11
張駒宋 820-452- 35
張瑾宋 451-135- 2
張瑾元 569-648- 19
張瑾明 456-661- 11
477-133-155
538- 48- 63
張瑾清 482-560-369
511-217-144
張瑾妻 清 見章氏
張璭明 1442-111-附7
張增唐 820-215- 28
張椿清 481- 28-291
張櫝劉宋 見張敷
張確宋 288-282-446
382-720-111
400-146-512
472-489- 21
472-840- 33
472-1014- 41
476-150-104
478-405-194
523-212-156
545-214- 91
554-702- 61
張誾宋 559-376- 8
張璋宋 933-397- 25
張摯漢 244-672-102
250-251- 50
933-363- 25
1408-279-507
張輗明 299-391-145
1244-660- 17
張樞宋 533-272- 56
張樞元(字子長) 295-620-199
401- 39-573
472-1031- 42
479-326-232
524- 71-181
679-581-195
1209-659-10下
1375- 36- 下
張樞元(字夢辰) 820-540- 39
1442- 9-附1
張翬宋 515-591- 75
張翬明 821-399- 56
張鼐明(字用和) 300- 58-186
472-528- 22
474-691- 37
476- 79-100
476-527-128
476-917-108
502-285- 56
537-216- 54
540-793-28之3
545-190- 90
張鼐明(寧晉人) 476-331-115
張鼐明(字世調) 511-130-141
1442- 88-附6
張鼐明(字大鼎) 570-158-21之2
張鼐清 455-480- 29
張震周 見韋震
張震吳 385-497- 54
張震宋(嚴州知縣)
472-1014- 41
523-214-156
張震宋(字彥亨) 494-309- 5
523-150-153
張震宋(字子發) 559-295-7上
張震宋(字東父) 561-205-38之1
592-671-104
張震元 510-391-115
張震明(餘姚人) 302-154-297
524-135-184
張震明(字宗震) 1242-141- 28
張震妻 明 見王氏
張震妻 明 見徐氏
張璇明 580-604- 44
張璇妻 清 見高氏
張璥明 540-641- 27
張璉宋 見張漣
張璉明(曲周人) 472-116- 4
張璉明(華陰人) 472-841- 33
張璉明(字商鼎) 478-126-181
張璉明(字汝器) 478-127-181
554-660- 60
張璉明(澤州人) 676-295- 11
張穀張轂 明(書家)
820-583- 40
張穀明(字濟民) 1261-697- 30
張奭宋 515-600- 76
1147-769- 73
1161-520-119
1161-671-130
張奭妻 宋 見王氏
張敷張查、張櫝 劉宋
258- 76- 46
258-230- 62
265-484- 32
378-120-134
475-125- 56
485-176- 24
493-1004- 53
494-281- 3
511-517-157
933-370- 25
張模宋 516-469-104
張歐漢 見張叔
張遷漢 540-630- 27
540-663- 27
541-447-35之9
683-263- 6
1397-658- 31
張履宋 1147-775- 73
張履妻 宋 見史琰
張翟張翼 明 524- 20-179

820-581- 40
1442- 10-附1
1459-299- 8
張墨晉 812-318- 5
821- 10- 45
張隆妻 清 見吳德臻
張嶠宋 933-396- 25
張輝明 475-643- 83
494- 45- 3
511-317-148
張鋐明 1442- 49-附3
1460- 56- 42
張稹明 1243-307- 17
張黎後魏 261-429- 28
266-507- 25
379- 58-147
476-332-115
546-385-127
554-110- 50
820-115- 25
933-371- 25
張頠宋 523-570-174
張億明 554-280- 53
張儀戰國 244-419- 70
371-538- 41
375-892- 93
384- 28- 1
405-352- 79
472-460- 20
537-371- 57
546-243-123
820- 21- 22
933-363- 25
1360-608- 38
張儀明 494- 23- 2
556-848-100
張儉漢 253-370- 97
376-964-112
384- 68- 3
385- 62- 5
472-550- 23
476-582-131
476-702-137
540-704-28之1
933-366- 25
1412-518- 21
張儉唐 269-808- 83
274-406-111
384-174- 9
395-401-218
472-142- 5
472-429- 19
472-623- 25
472-834- 33
474-687- 37
476-330-115
478-111-181
496-367- 86
502-255- 53
545-415- 98
554-443- 56
933-375- 25
張儉女 唐 見張氏
張儉遼 289-600- 80
399- 32-419
472- 34- 1
472-480- 21
474-177- 8
476-248-110
505-717- 71
545-264- 93
張儉元 545-142- 87
張儉明 523-475-169
張質後魏 262-136- 76
266-935- 45
379-300-150下
張質五代 812-526- 2
821-131- 49
張質宋 286- 92-309
397-279-335
472-575- 24
476-614-133
540-752-28之2
張質明 456-559- 7
477-453-161
545-199- 90
張德唐 李伯魚妻
1065-881- 24
1342-471-965
張德元 1213-133- 10
張德元 見正宗
張德明(字仲敬) 475-278- 63
511-456-154
張德明(揚州人) 511-463-154
張德明(松溪人) 529-686- 50
張德明 456-325- 75
張魯女 漢 見張氏
張魯魏 253-470-105
254-165- 8
377- 69-114
933-366- 25
1223-434- 7
張魯明 481-865-338
張儁後梁 277-215- 24
張磐張盤 漢 402-487- 11
475-668- 84
482-317-354
511-383-151
567- 22- 63
1467- 3- 62
張磐女 宋 見張濩
張盤漢 見張磐
張緬梁 260-290- 34
265-797- 56
378-320-139
459-868- 52
479-482-239
933-370- 25
張銳明 473-599- 76
528-528- 31
532-625- 43
558-398- 36
1293-353- 20
張銳妻 明 見孟氏
張範魏 254-213- 11
377- 88-114
384- 83- 4
384-505- 20
385-365- 36
472-719- 28
477-203-159
511-905-172
537-475- 58
933-366- 25
張範元 820-506- 37
1210-101- 9
張僤明 494-158- 5
張衜宋 288-397-455
400-141-511
451- 23- 0
張緯明(謚節愍) 456-601- 9
475-330- 65
張緯明(字文之) 554-664- 60
張緯妻 清 見詹純
張緝魏 254-303- 15
384-674- 43
386- 58-70中
554- 69- 49
820- 41- 22
張緝元 295-614-198
400-320-526
472-613- 25
475-380- 68
476-731-138
511-572-159
540-781-28之2
張緝明 見張績
張魴晉 482- 76-341
564- 11- 44
張稷漢 402-457- 10
張稷梁 260-162- 16
265-478- 31
378-390-141
472-997- 40
479-132-223
485-178- 24
485-533- 1
486- 65- 3
493-847- 46
494-285- 3
523-112-151
933-370- 25
張稷女 梁 見張楚媛
張稷妻 宋 見嚴氏
張稷明 299-835-180
676-511- 20
1250-533- 50
1251-296- 22
張儇唐 515-141- 61
張徹元 1206-672- 2
張徵晉 559-378-9上
張徵宋(字新仲) 475-704- 86
511-335-149
張徵宋(監察御史) 585-760- 4
張徵宋(字伯常) 1437- 12-附1
張徵明 472- 86- 3
554-914- 64
張憲後唐 277-564- 69
279-179- 28
384-303- 16
396-372-285
472-434- 19

476- 38- 98
545- 31- 83
545-599-105
550- 36-210
933-387- 25
1383-749- 68
張憲宋(諡烈文) 287- 56-368
398-122-373
559-512- 12
585-158- 9
張憲宋(貴溪人) 472-1040- 43
473- 63- 51
515-860- 85
張憲妓 宋 見墨娥
張憲明(德興人) 299-716-172
473- 52- 50
474-168- 8
478-767-215
479-534-241
510-335-115
516- 70- 90
523- 44-148
張憲明(字思廉) 301-819-285
479-236-227
524- 54-180
676-711- 29
1217-366- 附
1219-389- 12
1221-404- 3
1229-502- 4
1439-450-附2
1460-794- 87
1469-408- 54
張憲明(涇陽人) 472- 27- 1
505-635- 67
545-464-100
554-487-57上
張憲明(成安人) 474-441- 21
505-911- 81
張憲明(孟縣人) 494- 25- 2
張憲明(刑部主事) 494- 41- 3
494- 42- 3
張憲明(夏縣人) 547-104-145
張憲明(字志綱) 567-409- 84
1467-223- 70
張諷宋 486- 49- 2
1089-754- 19
1117-616- 9

張嬴明 529-763- 53
張憑晉 256-253- 75
377-798-127
384- 99- 5
472-224- 8
485-171- 23
493-839- 46
511-722-165
679-212-212
933-368- 25
張導漢 537-474- 58
張熾晉 820- 75- 23
張燝金 見張煒
張潞宋 1180-250- 24
張澹唐 820-225- 28
張澹宋 285-344-269
396-622-310
472-742- 29
472-774- 30
537-503- 59
張龍明(濠人) 299-219-130
475-752- 88
511-418-152
552- 77- 19
張龍明(順天人) 302-316-306
張諲唐 451-420- 2
812-350- 10
814-276- 10
820-188- 27
821- 68- 47
張諾張江郎 宋 448-363- 0
張謂唐 451-423- 2
480-399-277
1371- 60- 附
1387-683- 46
張澤漢 539-349- 8
張澤明(字大被) 473-367- 64
475-529- 77
480-484-280
481-236-303
511-474-155
523-204-155
532-739- 46
569-677- 19
570-501-29之8
張澤明(字堯民) 537-268- 55
張澤明(世農家) 1267-838- 8
張澥明 483- 48-372

570-214- 23
張辨劉宋 1401- 69- 15
張諶宋 288-286-447
400-150-512
張諤宋 285-791-301
451-176- 6
472-378- 16
481- 18-291
485-431- 6
511-265-147
張諤明 547- 19-141
張懌元 517-475-127
張寰明(字守中) 515-369- 68
張寰明(字允清) 820-698- 43
1280-637-103
1284-166-149
1289-339- 23
張寰妻 明 見鈕氏
張濂明(鹿邑知縣) 472-679- 27
張濂明(平夷衛人) 483- 16-370
570-135-21之2
張濂明(字景周) 505-829- 75
523-104-150
張濂明(字子清) 524-243-190
張濂明(平和人) 529-676- 49
張瀠明(字景川) 300-162-192
482- 37-340
515-188- 62
564-133- 45
張瀠明(字仲湜) 452-216- 5
567-318- 78
1467-205- 69
1467-298- 73
張澡明 475-836- 93
511-379-150
張激宋 480-126-264
張激女 宋 見張氏
張諫明 483-372-401
505-636- 67
511-512-157
572- 85- 28
張凝宋 285-479-279
288-271-446
371-177- 18
398-720-319
472- 50- 2
472- 70- 2
474-235- 12

474-339- 17
476-752-139
478-403-194
505-744- 72
540-752-28之2
558-207- 32
張遵蜀漢 559-503- 12
張璣漢 見張機
張璣明(字士璇) 524-262-191
張璣明(文水人) 545-664-107
554-277- 53
張璣妻 明 見瞿氏
張璟明(沁州人) 301-737-281
474-372- 19
505-671- 69
張璟明(訓導) 494- 57- 2
張璟明(臨潼人) 545-221- 91
張璝明 453-481- 20
473-112- 54
473-653- 78
528-494- 30
564-116- 45
張熹漢 477-407-169
537- 37- 48
537-324- 56
張熹宋 820-401- 34
張熹明 563-852- 41
張燕褚燕 漢 254-164- 8
377- 66-114
384- 70- 3
385-116- 11
933-366- 25
張融齊 259-420- 41
265-488- 32
370-520- 16
378-273-138
384-112- 6
472-225- 8
475-126- 56
484- 44- 下
485-178- 24
493-854- 46
511-723-165
563-898- 43
567-424-86
812- 63- 中
812-227- 8
812-716- 3

814-250- 6
820- 93- 24
933-370- 25
1379-602- 72
1395-594- 3
1401-135- 19
張融明 571-541- 20
張機張璣 漢 473-332- 63
477-368-167
480-398-277
532-687- 44
533-780- 74
538-359- 71
674-404- 2
742- 26- 1
張機明(祁陽人) 480-544-283
張機明(字子樞) 511-841-168
張機明(大寧人) 547-122-145
張頤宋 559-306-7上
張頤明(字養正) 545-661-107
1256-374- 24
張頤明(錢塘人) 820-596- 40
張穎後周 278-425-129
張穎張麟子 宋(字仲山)
448-361- 0
張穎張潁 宋(慈谿令)
479-173-225
487-188- 12
523-126-152
張穎明 533-175- 52
張璚宋 見張瓊
張璠明(蒲縣人) 546-621-135
張璠明(會寧人) 559-287-7上
張璠明(字峒一) 1475-662- 28
張璠妻 清 見樊氏
張磬明 494- 56- 2
張壇明 529-568- 46
張整宋 286-651-350
397-705-362
472-203- 7
472-892- 35
477-129-155
481-153-298
511-423-152
張整妻 明 見劉氏
張輻明 569-653- 19
張橘明 554-523-57下
張橋明 570-106-21之1
820-701- 43
張翰晉 256-495- 92
380-354-175
384- 94- 5
470- 23- 91
471-596- 2
472-224- 8
475-125- 56
485-171- 23
485-220- 29
493-1039- 55
508-237- 38
511-830-168
526-293-268
589-322- 3
683-220- 8
814-233- 4
820- 54- 23
839- 37- 3
933-368- 25
1119- 60- 0
1395-589- 3
張翰宋 460-425- 32
529-749- 51
張翰金 291-476-105
399-235-437
472-438- 19
476-310-113
546-376-127
581-511- 99
1365-274- 8
1439- 6- 附
1445-502- 37
張翰明(京山人) 476-893-147
張翰明(字文鳳) 546-492-131
張翰明(安丘人) 820-616- 41
張翰清 511-427-152
張奮漢 252-783- 65
376-714-108
402-525- 15
402-569- 19
478-100-180
554-744- 62
張奮吳 254-776- 7
385-497- 54
511-397-151
張壁明 見張壁
張璘明 533- 37- 48
張輯宋 1357-932- 17
張肅明(字希賢) 537-399- 57
679-155-154
張肅張肅 明(字宗獻)
554-258- 52
578-921- 25
683-139- 3
張擇唐 見張無擇
張擇元 1218-785- 5
1439-432-附1
張霖明 473-757- 83
482-371-357
567- 86- 66
1467- 59- 64
張璞明(字中善) 300- 92-188
473-215- 59
480- 57-260
494-156- 5
533- 9- 47
546-493-131
569-651- 19
張璞明(徽州同知) 472-894- 35
張璞明(號荆山) 546-713-138
張璞明(字廷采) 821-386- 56
張璞妻 明 見王氏
張璞妻 明 見黃氏
張璞清 538- 90- 64
張璡明(安仁人) 505-656- 68
張璡明(安邑人) 546-492-131
張璡明(字伯純) 676-333- 12
1267-523- 6
張樸宋 286-726-356
473- 47- 50
479-529-241
516- 12- 87
張遼聶遼 魏 254-327- 17
377-155-115下
384- 84- 4
384-677- 44
385-351- 34
469-434- 51
472-324- 14
472-481- 21
476-279-111
544-202- 62
546-108-119
933-366- 25
張豫明 1386-309- 40
張豫妻 明 見倪氏
張適張準 宋 1121-414- 28
張選明 300-412-207
475-227- 61
511-155-142
676-362- 13
676-564- 23
張隨明 546-490-131
張蕙明 546-379-127
張冀漢 見張載
張興漢 253-523-109上
380-261-172
472-651- 27
477- 58-151
538- 20- 62
933-366- 25
張興唐 275-606-193
384-215- 11
400-106-509
472- 53- 2
474-240- 12
474-635- 33
505-844- 76
933-385- 25
張興明(壽州人) 299-407-146
511-419-152
張興明(綏德人) 554-735- 61
張興明(字俊民) 567-317- 78
1467-203- 69
張興清 見李興
張興女 清 見張氏
張蕤女 後梁 見張惠
張骼春秋 545-735-109
933-362- 25
張暈女 宋 見張氏
張曄明 505-693- 70
張曉唐 546-463-130
張曉明(字光曙) 537-216- 54
545-221- 91
554-481-570上
張曉明(字明衡) 540-825-28之3
592-778- 2
張暹明 559-316-7上
張遺明 見張宜
張錤宋 1163-587- 36
張縝宋 451-210- 9
472-277- 11
488-420- 14

511-455-154
1131-187- 31
張壄明 1442- 70-附4
1460-339- 55
張錞明(字聲伯) 1241-486- 7
張錞明(字汝器) 1252-299- 17
1252-498- 28
張學明(寧化人) 456-674- 11
張學明(常熟人) 523-216-156
張雕張彫武、張彫虎 北齊
263-337- 44
267-578- 81
380-321-174
472- 90- 3
505-877- 78
933-373- 25
張翶元 400-281-522
1200-545- 42
張翶明(字鵬舉) 482-485-364
563-753- 40
567-319- 78
1467-205- 69
張翶明(字鳳儀) 494- 41- 3
494- 43- 3
張翶明(濟南遞運大丞)
494- 45- 3
張翶明(字羽翶) 524-346-196
585-398- 8
張縞女 明 見張氏
張縉母 明 見楊氏
張縉明(字文錫) 473-616- 77
481-644-330
528-509- 31
張縉明(字元素) 523- 47-148
559-355- 8
張縉明(字朝用) 545-661-107
576-653- 5
581-650-111
676-510- 20
張縉明(安陽人) 554-342- 54
張縉明(字廷肅) 1261-682- 29
張縉明 見超福
張鋼宋 515-601- 76
1147-783- 74
張錕妻 清 見張氏
張錦金 547-100-145
張錦明(岷州人) 478-518-200
505-636- 67
558-314- 34
558-398- 36
676-510- 20
1250-897- 85
張錦明(岳池人) 515-108- 60
張錦明(山陰人) 547- 53-143
張錦明(山東人) 554-310- 53
張錦明(寧羌衛人) 554-734- 61
張錦明(永福人) 567-396- 83
1467-223- 70
張錦明(慶陽衛人) 821-378- 55
張錦女 明 見張氏
張錦清 524-142-185
張儒明(謚節愍) 456-572- 8
張儒明(靖州人) 533-119- 50
張儒明(枝江人) 545-388- 97
張儒明(越州人) 554-340- 54
張儒妻 清 見米氏
張衡漢(字平子) 253-231- 89
376-879-111上
384- 64- 3
402-537- 19
470-354-142
472- 64- 2
472-770- 30
474-303- 14
477-368-167
505-663- 69
533-731- 73
538-142- 65
681-253- 14
681-650- 19
812-315- 4
821- 7- 45
933-365- 25
1065-404- 2
1332-721- 19
1395-584- 3
1397-302- 14
1398-270- 12
1410- 19-665
張衡漢(字靈眞) 592-177- 72
張衡隋 264-855- 56
267-472- 74
379-781-162
384-155- 8
472-719- 28
933-372- 25
張衡元 820-500- 37
821-290- 53
張衡妻 元 見孫氏
張衡明 299-332-139
515-638- 77
820-602- 40
張錫唐 270- 19- 85
274-440-113
395-430-220
473-695- 80
張錫五代～宋 285-236-262
473-570- 74
476-516-127
476-750-139
540-659- 27
張錫宋 285-690-294
397-140-328
450-282- 9
472-126- 4
473-222- 59
473-712- 81
476-475-125
477- 52-151
479-765-252
480- 89-262
482-183-346
515-115- 60
533-152- 52
540-758-28之2
563-685- 39
1102-236- 30
1378-547- 61
1383-610- 54
1410-311-704
張錫明(字天寵) 540-789-28之3
張錫明(號海觀) 585-465- 13
張錫明(成化貢士) 820-639- 41
張勳宋 285-366-271
473-401- 66
張勳明 528-554- 32
張勳妻 明 見孫氏
張勳妻 明 見張氏
張穆張佑郎 宋 448-379- 0
張穆明(字敬之) 511- 97-140
523- 43-148
1386-395- 44
張穆明(完縣人) 545-150- 88
張穆明(字穆之) 1460-741- 80
張穆清 1314-398- 10
張鍍明 820-677- 42
張錄明 300-395-206
540-800-28之3
張濤明(字悅清) 524-186-187
張濤明(字元裕) 510-429-116
533- 27- 47
張鴻唐 564- 32- 44
張鴻明 見張自新
張鴻妻 明 見盧氏
張濂妻 明 見王氏
張應張膺 後魏 262-263- 88
267-651- 86
380-191-170
476-575-131
540-631- 27
554-229- 52
933-373- 25
張懫唐 見張蟦
張濬唐 271-358-179
275-524-185
384-284- 15
384-287- 15
396-241-273
471-1004- 61
472- 69- 2
473-476- 69
474-310- 16
505-740- 72
559-273- 6
933-383- 25
張濬明(常熟知縣) 472-223- 8
張濬明(字哲之) 529-458- 43
563-794- 41
676-503- 19
1392-839-442
張濬明(安南人) 572- 86- 28
張謐明(皮南) 505-820- 74
張謐明(字宗學) 1260-632- 19
張膺後魏 見張應
張禧宋 見張以中
張禧元(謚武宣) 295-240-165
399-594-479
472- 36- 1
472-593- 24
571-515- 19
張禧元(建城人) 1197-679- 70
張禧明 523- 84-149

張禧明 見張世禧
張濟漢(字元江) 253- 65- 75
402-529- 15
張濟漢(平陽侯) 544-201- 62
張濟後魏 261-485- 33
266-541- 27
379- 84-147
472-495- 21
476-181-106
545-861-113
933-372- 25
張濟唐 見甄濟
張濟宋 491-436- 6
張濟妻 宋 見邱靜姬
張濟元 479- 43-218
張濟明(邵武府學教授)
473-642- 78
張濟明(垣曲人) 547-115-145
張濟明(安定人) 558-315- 34
張濟明(字巨川) 1241-344- 2
張濡宋 494-330- 6
張濼妻 明 見陳氏
張濛後唐 554-906- 64
張謙元(字文益) 475-744- 88
510-471-117
張謙元(字子讓) 1196-531- 3
張謙元(字無咎) 1198-777- 5
張謙元(字受益) 1439-425-附1
張謙明(崑山人) 456-635- 10
張謙明(慈谿人) 472-128- 4
474-471- 23
505-692- 70
張謙明(字彥道) 473- 23- 49
515-355- 68
張謙明(字伯恭) 473-719- 81
515-775- 81
張謙明(肥城人) 477-201-159
張謙明(字子受) 479-185-225
523-457-168
1442- 55-附3
1460-139- 46
1467-104- 65
張謙明(廣南府檢校)
494- 41- 3
張謙明(字益之) 505-811- 74
1253-134- 47
張謙明(臨朐人) 545-440- 99
547-197-148

張謙清 480- 61-260
531- 33- 附
533-150- 51
張襄明 1467-232- 70
張燮明 460-787- 83
481-616-329
529-739- 51
594-139- 附
張燫明 511-824-167
張燦明 564-248- 47
張燦明 見張璨
張燦妻 明 見劉氏
張壎清 537-307- 56
張輿晉 255-651- 36
820- 62- 23
張輿明(督標副總兵)
456-490- 5
537-259- 55
張輿明(字仁和) 524- 7-178
585-451- 12
1442- 8-附1
張檟明 300-472-210
張檝金 546-676-137
1365-311- 9
1439- 7- 附
1445- 84- 3
張懋女 宋 見張玉娘
張懋元 295- 76-152
399-418-457
473-144- 56
479-711-250
515-147- 61
張懋明 299-487-154
523-154-153
張懋妻 明 見賴啟娘
張懋女 明 見張萬玉
張懋妻 清 見田氏
張翼蜀漢 254-680- 15
377-313-118下
384- 77- 4
384-492- 17
385-201- 23
447-194- 7
473-513- 71
481-349-309
559-289-7上
559-312-7上
559-378-9上

591-583- 43
933-367- 25
張翼張翌 晉 813-244- 7
814-241- 5
820- 67- 23
張翼宋 821-228- 51
張翼宋 見張鈐
張翼元 505-705- 70
張翼明(臨淮人) 299-243-132
571-530- 19
張翼明(靈石知縣) 472-458- 20
張翼明(歸安人) 472-1005- 40
524-193-188
張翼明(通道知縣) 473-395- 66
532-751- 46
張翼明(泰安人) 476-826-143
張翼明(知縣) 494- 57- 2
張翼明(合肥人) 510-494-118
張翼明(字飛卿) 511-552-158
820-575- 40
1224-232- 21
1374-622- 83
張翼明(秦安人) 515- 35- 58
558-397- 36
張翼明(字拱極) 533-435- 62
張翼明(介休人) 545-890-114
559-282- 6
張翼明(莊浪人) 558-179- 31
張翼明(字文翔) 820-629- 41
張翼明(號北林) 820-657- 42
張翼明(字羽升) 1475-461- 19
張翼明 見張翟
張翼清 480-509-281
張翼妻 清 見戴氏
張彌晉 469-466- 56
張隱女 宋 見張氏
張隱明 511-546-158
張隲唐 見張騭
張霔妻 清 見陸氏
張璐妻 清 見章氏
張臨漢 250-407- 59
376-203-98下
554- 63- 49
張臨元 540-779-28之2
張壆張舉 宋 288-440-458
401- 24-570
472-259- 10
475-223- 61

511-840-168
820-387- 33
821-209- 51
1100-566- 55
1138-683- 10
1351-514-132
1375-619- 49
1437- 18-附1
張檜明 1273-505- 5
張磻唐 820-251- 29
張磻宋 287-734-420
473-573- 74
481-528-326
515-132- 61
529-446- 43
張舉吳 479-173-225
523-125-152
張舉宋 見張壆
張舉明(字孟賢) 473-316- 62
474-382- 19
480-463-279
505-821- 75
532-732- 46
1259-568- 5
張舉明(字元直) 564-114- 45
1467- 69- 64
張聲妻 明 見陳氏
張鼐明 見張鼒
張勵明 558-311- 34
張璨張燦 明 524-135-185
1392- 97-377
張璪張藻 唐 493-1054- 56
511-863-170
812-353- 10
812-366- 0
813-125- 10
820-211- 28
821- 71- 47
張璪張琥 宋 286-347-328
382-537- 83
384-367- 19
384-379- 19
397-468-348
472-402- 18
933-394- 25
1112-451- 40
張環明(字庭器) 541-112- 31
張環明(字瑤夫) 546-600-135

張環明(樂清人) 820-751- 44
張駿晉 256-402- 86
262-436- 99
381- 78-186
933-368- 25
1379-380- 46
1395-590- 3
張駿明(瀘州人) 473-529- 72
張駿明(字天駿) 820-634- 41
張駿妻 清 見王氏
張轂明 見張穀
張檝明 546-407-128
張薦唐 270-789-149
275-254-161
384-233- 12
396- 68-258
472- 92- 3
474-639- 33
505-794- 73
933-382- 25
1408-634-546
張黻明(字兼素) 300-187-194
472-198- 7
473-156- 56
473-477- 69
479-722-250
515-680- 78
569-665- 19
張黻明(字廷儀) 505-671- 69
546-199-122
張黻明(字孟著) 820-594- 40
張嶼妻 清 見劉氏
張嶽明 483-224-390
張曙唐 451-449- 5
張濩宋 葛勝仲妻、張磐女
1127-544- 14
張嶷蜀漢 254-667- 13
377-304-118下
384- 77- 4
384-486- 16
447-197- 7
459-731- 44
473-455- 68
473-559- 73
473-806- 86
481-155-298
481-182-300
481-268-305
483-219-390
494-149- 5
559-301-7下
559-515- 12
569-642- 19
571-513- 19
591-596- 44
933-367- 25
張嶷明 302-686-323
張爵明 529-617- 47
張繇梁 見張僧繇
張鎡宋 585-413- 10
588- 7- 1
588-172- 8
820-452- 35
821-233- 51
張鎡明 1313-262- 21
張翥張顗 元 295-522-189
400-568-552
453-781- 2
472-293- 12
473-436- 67
476-576-131
481- 81-294
511-889-172
540-633- 27
559-344- 8
591-573- 42
592-607- 99
680- 31-227
1197-707- 73
張績宋 1139-297- 54
張績張緝 明 473-251- 60
533-236- 54
張鍇宋 1185-496- 91
張鍾明 1245-572- 30
張膽清(字貢赤) 511-810-167
張膽清(徐州人) 523- 64-149
張儲明 1442- 98-附6
1460-592- 69
張鍊明 554-667- 60
張鍵明 545-891-114
張鍰明 554-283- 53
張徽漢 516-467-104
張徽宋 471-810- 31
473-235- 60
480-172-266
533-308- 57
張徽明 479- 96-221
523-436-167
676-716- 30
1475-284- 11
張旟明 見張旟
張燻清 476-335-115
546-725-139
張謹唐 481-526-326
528-520- 31
529-432- 43
張謹明 476-527-128
張鋈明 300- 30-185
472-242- 9
505-636- 67
511-124-141
1250-857- 82
張禮明(盧龍人) 456-628- 10
張禮明(威武堡人) 456-680- 11
張禮明(巢縣人) 472-329- 14
張禮明(南皮縣丞) 494- 45- 3
張禮明(歸安人) 524-193-188
張禮明(浦江人) 524-220-189
張禮明(興化人) 567- 86- 66
1467- 61- 64
張禮明(字用和) 1475-194- 8
張禮妻 明 見趙氏
張禮女 明 見張氏
張燿後魏 見張熠
張燿明 見張耀
張燿妻 見李氏
張燿女 明 見張氏
張翽妻 明 見楊氏
張謨後魏 見張蒲
張謨妻 明 見李氏
張璟元 820-521- 38
張璵明 524-246-190
張燾宋(字景元) 286-422-333
397-525-352
472-196- 7
472-610- 25
473-427- 67
474-470- 23
475-501- 75
476-725-138
476-778-141
476-864-145
481- 69-293
540-760-28之2
545- 45- 84
張燾宋(字子公) 287-233-382
398-265-382
449-380- 3
472-173- 6
473- 47- 50
473-427- 67
475- 69- 52
479-133-223
479-530-241
481- 19-291
488- 13- 1
488-441- 14
488-444- 14
494-320- 6
516- 18- 87
523-115-151
561-363- 41
591-682- 47
1147-678- 64
1354-439- 13
張燾明 528-514- 31
1442- 67-附4
1460-298- 53
張燾清 529-664- 49
張燾妻 清 見韓氏
張擴宋(字子充) 485-479- 8
511-880-171
1142-536- 6
1376-701-100下
張擴宋(字彥實) 516- 14- 87
1437- 24-附2
張擴妻 清 見陸氏
張璧女 宋 見張氏
張璧張壁 明(字景辰)
472-489- 21
545-220- 91
1442- 9-附1
1459-441- 14
張璧明(字崇象) 473-304- 62
533- 78- 49
676-542- 22
1442- 44-附3
1459-912- 39
張璧明(六安人) 481-745-334
528-563- 32
張璧明(字世良) 515-509- 72
張璧明(鄞縣人) 563-753- 40

張䆂明 511-245-145
523-104-150
554-177- 51
563-913- 43
張豐漢 370-215- 23
402-428- 8
張璿明 505-822- 75
554-173- 51
676-541- 22
張璿妻 明 見胡氏
張璿妻 清 見郭氏
張翹宋 480-564-284
533-293- 56
張闓晉 256-269- 76
377-811-128
472-253- 10
472-349- 15
475-212- 60
475-270- 63
475-668- 84
489-598- 47
489-669- 49
492-576-13下之上
510-355-114
511- 69-139
535-555- 20
933-368- 25
張彝後魏 261-874- 64
266-877- 43
379-252-150上
384-133- 7
472-571- 24
472-892- 35
478-694-210
540-726-28之1
558-225- 32
933-372- 25
張彝明(字秉彝) 1232-178- 1
張彝明(字天常) 1442-30-附2
1459-689- 27
張彝女 明 見張氏
張礎元 295-278-167
399-618-481
474-435- 21
478-762-215
505-682- 69
523- 22-147
567- 76- 65
1439-421-附1
1467- 50- 63
張礎明 472-1115- 48
523-227-156
張藏唐 812-345- 9
821- 49- 46
張薰明 570-106-21之1
張藎清 477-361-166
537-322- 56
張曜北齊 見張耀
張曜宋 549-121-185
張曜女 宋 見張氏
張瞻清 511-587-159
張壘明 見張罍
張蹟晉 255-651- 36
張藥唐 820-230- 28
張鏄明(字伯始) 554-510-57下
張鏄明(字汝聲) 1274-609- 3
張鎮晉 1398-470- 20
張鎮宋 554-365- 54
張鎮元 1229-458- 下
張鎮妻 元 見葉氏
張鎮妻 明 見黃氏
張鎮清 505-918- 81
1321- 15- 85
張鵠妻 明 見王氏
張顗元 見張璽
張鎔明 571-547- 20
張鎬唐 270-348-111
275- 32-139
384-210- 11
395-688-241
448-120- 0
469-444- 53
472-573- 24
473- 13- 49
476-613-133
476-911-148
479-447-237
515- 7- 57
517-178-120
518-209-142
537-199- 54
540-740-28之2
933-381- 25
1072-216- 8
1072-366- 1
1340-542-775
1340-546-775
張鎬明(字叔京) 474-654- 34
505-832- 75
張鎬明(字啟內) 505-735- 71
張鎰母 唐 475-144- 57
張鎰唐 270-486-125
275-159-152
384-226- 12
395-754-250
472-194- 7
672-746- 29
475-128- 56
475-741- 88
485-180- 24
493-646- 35
493-866- 47
510-469-117
511-434-153
515- 9- 57
537-500- 59
933-382- 25
張鎰宋 820-452- 35
821-235- 51
張鎰妻 明 見王氏
張簡宋 1173-123- 71
張簡明(字仲簡) 301-816-285
493-1029- 54
511-732-165
820-570- 40
1318-341- 62
1369-416- 12
1439-451-附2
1459-283- 7
1471-587- 15
張簡明(懷遠人) 511-646-162
張簡明(弋陽人) 554-259- 52
張簡明(號可齋) 1273-142- 20
張鯉明 476-732-138
537-319- 56
1457-520-389
張繡魏 254-165- 8
377- 68-114
384- 70- 3
385-117- 11
472-938- 37
933-366- 25
張繡清 盛重妻 524-543-205
張邈漢 254-141- 7
377- 59-113下
384- 70- 3
476-820-143
540-705-28之1
933-366- 25
張邈魏 254-223- 11
502-251- 53
張邈唐 510-451-117
張穠宋 張俊妻 526-627-279
張瀛唐 451-422- 4
張瀛明 511-402-151
558-413- 37
張譏陳 260-771- 33
265-1008- 71
370-593- 20
380-297-173
472-571- 24
476-895-147
540-724-28之1
677-127- 12
933-371- 25
張麒元 508- 67- 31
張麒明(謚恭靖) 302-190-300
472-683- 27
537-428- 58
張麒明(興化人) 472-296- 12
張麒妻 明 見班氏
張麒女 明 見張皇后
張贇清 511-803-167
張寵明 532-668- 44
張瀚明(字子文) 300-698-225
472-358- 15
475-701- 86
479- 54-218
505-692- 70
510-465-117
523-264-158
554-181- 51
676-570- 23
820-695- 43
821-429- 56
1280-275- 76
1442- 56-附3
1460-145- 47
張瀚明(字克容) 510-437-116
張襘明 474-184- 9
505-723- 71
張譚宋 515-213- 63

張懷明 479-241-227
523-310-160
張璽明 547- 16-141
張璽清 540-871-28之4
張鏊明 473- 29- 49
502-288- 56
515-398- 69
1442- 52-附3
1460- 98- 45
張彊宋 529-448- 43
張韜明 482-209-347
563-854- 41
張韜妻 清 見黃氏
張攀宋 493-1022- 54
511-729-165
張攀明(字鳳臺) 456-494- 5
540-835-28之3
張攀明(甘州衛人) 558-425- 37
張麓明 540-815-28之3
張騤宋 547-556-161
張瓊北齊 263-154- 20
267-126- 53
379-375-152
546- 32-116
張瓊張璚 宋 285-202-259
396-528-302
472-574- 24
476-613-133
523-563-174
540-747-28之2
張瓊明 473-428- 67
559-267- 6
張鵾清 477-526-175
張黼明(字良伯) 299-579-160
473-129- 55
515-547- 74
張黼明(字仕欽) 511-125-141
張黼明(字孟昭) 820-594- 40
張顗唐 813-228- 4
820-280- 3
張顗女 明 見張氏
張蟾明 516- 77- 90
559-276- 6
張鏘明 563-787- 40
張簧金 477-200-159
張贊唐 812-523- 2
821- 94- 48
張鵬唐 473- 46- 50
516- 6- 87
563-647- 38
張鵬後漢 278-250-106
張鵬明(字騰霄) 299-579-160
453-482- 20
472- 56- 2
474-589- 30
503- 11- 90
505-783- 73
528-560- 32
567-447- 86
1467- 74- 64
張鵬明(字搏南) 460-803- 86
529-616- 47
張鵬明(洛陽人) 472-842- 33
478-377-192
張鵬明(字鳴南) 476-418-120
546-338-126
張鵬明(定遠人) 554-369- 54
張鵬明(洪雅人) 559-380-9上
張鵬明(黃平人) 572- 93- 29
張鵬明(字應秋) 821-477- 58
張鯨明 302-284-305
張鏜宋 288-378-454
400-197-515
張鏜宋(長沙人) 473-360- 64
480-409-277
480-511-281
533-399- 61
559-530- 12
張鏜明(武功右衛人)
476-577-131
張鏜明(字尚節) 554-491-57上
張鏜明(號石渠) 1442- 74-附5
1460-357- 56
張繪明 494- 42- 3
張鏡劉宋 258-142- 53
265-470- 31
378-117-134
384-112- 6
485-175- 24
485-488- 9
493-842- 46
511-723-165
張鏡妻 清 見袁氏
張鏡妻 清 見徐氏
張鏞明 505-825- 75
558-200- 31
張鯤明 477- 88-153
張鯢明 524-186-187
張繹梁 485-180- 24
493-1100- 58
張繹宋 288- 25-428
400-462-543
448-507- 12
449-736- 9
459- 80- 5
472-750- 29
477-314-164
538- 13- 61
1136- 78- 2
張繹明(清苑人) 554-347- 54
張繹明(字思詔) 559-291-7上
570-111-21之1
張寶遼 474-819- 44
502-780- 87
張寶元 546-190-121
張寶明(錦州人) 474-824- 44
張寶明(靈石人) 547- 17-141
張騫漢 244-767-111
244-873-123
250-421- 61
251-626- 24
376-213- 99
384- 45- 2
470-292-133
471-1036- 66
472-867- 34
478-247-186
483-590-414
535-553- 20
539-349- 8
554-547- 58
558-235- 32
879-177-58下
933-364- 25
1408-317-511
張騫明 546-690-138
張旗張旟 明 472-587- 24
476-430-121
476-658-135
540-649- 27
545-656-107
546-330-126
張翽清 1327-339- 15
張瀾明(字東之) 564-214- 46
張瀾明(普安州判) 571-554- 20
張瀾明(字道源) 1467-118- 66
張瀾清 524-188-187
張瀲清 515-285- 65
張鷗明 1268-393- 62
張礪遼 278-198- 98
289-585- 76
383-754- 16
399- 12-417
503- 9- 90
張鷟張隲唐 1065-851- 21
1065-865- 23
1342-135-921
張闡宋 287-227-381
398-261-382
449-413- 6
472-1116- 48
479-404-235
523-341-162
1147-637- 61
張瓌齊 259-275- 24
265-475- 31
370-508- 15
378-388-141
472-220- 8
472-225- 8
472-997- 40
479-132-223
480-286-271
485- 68- 10
485-177- 24
488-222- 9
493-844- 46
494-281- 3
523-111-151
933-369- 25
張瓌唐 275-531-186
396-252-274
張瓌宋 286-380-330
397-491-349
472-402- 18
473- 13- 49
475- 16- 49
475-797- 90
479-482-239
511-366-150
515- 82- 59
518-231-143

1088- 65- 8
1106-188- 27
1106-323- 43
1437- 12-附1
張齡明 523-157-153
張融妻 清 見宗氏
張蠙張憤 唐 451-476- 7
505-889- 79
592-617-100
592-645-102
674-271-4中
1365-485- 8
1371- 74- 0
1388-577- 90
1473-671- 96
張鸎明 676- 52- 2
張耀後魏 見張熠
張耀張曜 北齊 263-212- 25
267-169- 55
379-465-154
384-137- 7
472- 30- 1
474-172- 8
505-779- 73
張耀明(壽州人) 299-258-133
472-206- 7
511-496-156
張耀張燿 明(字融我)
302-121-295
456-424- 2
476-395-119
478-130-181
483-228-390
545-469-100
554-733- 61
571-525- 19
張耀明(廣通人) 456-551- 7
張耀妻 明 見周輝
張耀女 明 見張氏
張蘊唐 見張氳
張蘊宋(字積之) 286-652-350
397-705-362
477- 81-152
554-360- 54
張蘊宋(字延蘊) 476-516-127
491-808- 6
1088-540- 57
1089-722- 14
張蘊宋(字仁溥) 1357-982- 21
1364-163-267
1437- 30-附2
張蘊清 475- 77- 53
張藻唐 見張璪
張巖唐 475-639- 83
510-442-117
張巖妻 明 見朱氏
張巖妻 清 見史氏
張鐄妻 明 見孔氏
張鐄妻 清 見韓氏
張籌明 299-285-136
475-225- 61
511-767-166
1442- 7-附1
1459-251- 5
張纂後魏 262- 37- 68
266-822- 40
379-222-149
張纂北齊 263-210- 25
267-168- 55
379-464-154
472-482- 21
535-556- 20
546- 34-116
張纂宋 529-755- 52
張騰西燕 545-532-102
張騰唐 546-460-130
812-483- 上
812-523- 2
821- 83- 47
張纁明 473-251- 60
張鐘明 483-138-380
570-121-21之1
張鸒宋 287-197-379
398-237-380
471-663- 12
472-1052- 44
473-572- 74
473-615- 77
479-430-236
481-527-326
481-642-330
484-375- 27
523-240-157
528-505- 31
529-439- 43
1128-623- 18
張籍唐 271- 71-160
275-431-176
384-254- 13
396-171-267
451-437- 3
471-926- 49
472-336- 14
472-395- 17
475-129- 56
475-811- 91
493-1019- 54
511-726-165
512-912-200
674-259-4上
679-770-213
813-254- 9
820-236- 28
933-383- 25
1106-338- 45
1371- 68- 附
1386-638- 55
1388-170- 59
張覺張轂宋 288-601-472
291-774-133
401-438-625
張覺清 570-113-21之1
張繼蜀漢 見衛繼
張繼唐 273-113- 60
451-426- 2
1371- 64- 附
1388-253- 63
張繼明(字述之) 474-407- 20
505-676- 69
554-482-57上
張繼明(燕山人) 821-393- 56
張斆張勃 魏 254-348- 18
558-406- 36
張斆明 515-547- 74
張鶴明(字鳴皋) 547- 88-144
張鶴明(修武人) 554-279- 53
張鶴妻 明 見劉氏
張鶴女 明 見張氏
張辯劉宋 258-145- 53
493-848- 46
張爚元 524-287-192
張夔宋 473-702- 80
482-141-344
482-183-346
482-207-347
563-686- 39
564- 63- 44
張夔元 528-484- 30
張夔明 472-337- 14
475-526- 77
張夔清 505-694- 70
511-263-146
張夔妻 清 見薛齊宋
張霸漢 252-803- 66
370-196- 19
376-727-108
402-422- 7
402-453- 9
402-572- 19
469-592- 72
472-220- 8
472-1066- 45
473-430- 67
475-118- 55
481- 73-294
486- 32- 2
493-668- 37
510-321-113
523-142-153
559-416-9下
561-565- 45
591-510- 41
592-491- 91
675-298- 15
879-158-58上
933-365- 25
1274-690- 7
張霸妻 漢 見司馬氏
張趯春秋 545-735-109
933-362- 25
張譽明 821-477- 58
張欅元 1197-801- 85
張蘩清 吳詔妻 512- 11-176
張顥漢 402-592- 20
張顥元 295- 70-152
張罍張壘 明 515-107- 60
523-446-168
532-647- 43
張蘭妻 明 見尹氏
張蘭妻 明 見蕭氏
張飈妻 清 見李氏
張續明 533-155- 52

張鐸宋 285-224-261
張鐸宋 見張令鐸
張鐸張鑄山 元 295-444-182
820-506- 37
1210-101- 9
張鐸明(字文振) 473-585- 75
564-189- 46
張鐸明(全椒人) 505-666- 69
張鐸明(監察御史) 511- 80-139
張鐸明(泰和人) 515-694- 78
567-109- 67
1241-181- 8
1467- 68- 64
張鐸明(清江人) 528-560- 32
張鐸明(字道鳴) 545-148- 88
張鐸明(字邦敷) 546-660-137
張鐸明(字孟宣) 558-292- 34
張鐸明(推官) 569-667- 19
張鐸明(張錦弟) 821-378- 55
張鐸妻 明 見于氏
張鐸妻 明 見李氏
張鐸妻 明 見荀氏
張鐩元 472-349- 15
511-636-161
張鐩妻 明 見荊氏
張讀唐 270-791-149
275-256-161
396- 69-258
張讀宋 460-119- 7
473-631- 77
529-529- 45
張鷟唐 270-789-149
275-254-161
384-188- 10
396- 68-258
472- 92- 3
472-717- 28
474-638- 33
477-242-161
505-893- 79
537-286- 55
589- 77- 0
674-230-3下
674-250-4上
674-800- 16
933-382- 25
1394-794- 12
張巒明 302-197-300
1248-654- 4
張巒女 明 見張皇后
張禴明 478-338-191
505-800- 74
554-213- 52
張襲後魏 262-331- 94
張瓘後漢 278-247-106
張權明 1271-642- 55
張歡妻 北周 見元皇后
張鑄宋(字司化) 285-236-262
472-747- 29
537-503- 59
820-330- 32
張鑄宋(晉陵人) 472-258- 10
張鑄明 554-346- 54
張鑄妻 清 見蔡氏
張籛後晉 271-121- 90
279-300- 47
張鑑宋 285-439-277
396-690-317
472- 33- 1
472-125- 55
473-672- 79
474-176- 8
477-211-159
480-483-280
481- 18-291
482- 32-340
505-716- 71
515- 11- 57
532-735- 46
546-288-124
563-666- 39
張鑑母 明 見杜氏
張鑑明(郟縣主簿) 472-801- 31
張鑑明(瑞昌人) 473-388- 65
532-720- 45
張鑑明(永州衛人) 473-391- 65
533-274- 56
張鑑明(眉州人) 473-517- 71
張鑑明(字汝明) 476-479-125
481-184-300
523-160-153
559-367- 8
張鑑明(字惟明) 516-105- 91
554-188- 51
張鑑明(成都人) 528-529- 31
張鑑明(河間人) 545-149- 88
張鑑明(字克明) 1247-554- 25
張鑑清 456-326- 75
張鑑妻 清 見陶氏
張儼漢 472-964- 38
520- 20- 34
524-172-187
524-275-192
張儼吳 254-739- 3
385-695- 67
472-224- 8
475-125- 56
485-170- 23
493-839- 46
511-722-165
879-169-58上
張鷟清 477-526-175
張麟明(都指揮使) 472-827- 33
472-930- 37
張麟明(字天瑞) 478-673-209
558-451- 38
張麟明(字仲翔) 569-649- 19
張麟明(字文瑞) 1261-846- 41
張麟女 明 見張皇后
張欒明 516- 78- 90
張瓚金 1365-225- 7
1439- 9-附
1445-436- 31
張瓚元 1201-167- 80
張瓚明(字宗器) 299-722-172
473-270- 61
479-175-225
480- 90-262
481- 24-291
533-153- 52
545-146- 88
559-251- 6
563-738- 40
676-495- 19
1247- 81- 6
張瓚明(宿松人) 456-637- 10
511-607-160
張瓚明(當塗人) 545-246- 92
張瓚明(字廷圭) 554-484-57上
559-310-7上
張瓚妻 清 見李氏
張靁元 1213-772- 25
張顯宋 489-328- 29
516- 38- 88
張顯元 1218-743- 5
張顯明(字緝熙) 473- 24- 49
515-360- 68
676-484- 18
1240-308- 20
張顯明(建昌衛指揮使)
481-268-305
張顯明(萊蕪人) 494- 25- 2
張顯明(漢川人) 554-346- 54
張顯妻 明 見蔡氏
張巘明 見張瓛
張體元 820-526- 38
張髗明 511-595-159
張巖宋 287-427-396
398-422-391
451- 24- 0
493-717- 40
494-430- 13
張巖張岩 明(字維石)
456-458- 4
546-105-118
張巖明(彰德人) 523-175-154
張巖明 見張嵒
張鑛明 554-521-57下
554-875- 64
張鑣明 554-875- 64
張鑴明 456-467- 4
張鐇明 547- 88-144
張纓明 564-287- 47
571-553- 20
張籥妻 明 見管氏
張鱗妻 明 見熊眞姑
張灝元 480-173-267
張灝明 538-121- 64
張灝妻 清 見林氏
張讓漢 253-516-108
380-496-179
張讓明 545-377- 97
張瓛宋 554-334- 54
張瓛金 1365-297- 9
1445-531- 41
張瓛明(福山人) 510-400-115
張瓛張巘 明(字孔圭)
515-274- 65

529-616- 47
676-312- 11
676-515- 20
1258-206- 18
張瓛明(泰州人) 523-215-156
張瓛明(合肥人) 528-494- 30
張瓛明(揚州人) 545-341- 96
張靈明 511-740-165
821-410- 56
張靈妻 清 見趙氏
張鼇明(安福人) 515-695- 78
張鼇明(字文魁) 1261-725- 31
張靄宋 473-600- 76
529-591- 47
933-396- 25
張鑫元 1209-110- 6
張觀宋(字仲賓) 285-432-276
396-684-316
472-258- 10
475-222- 61
475-364- 67
511-140-142
張觀宋(字思正) 285-655-292
371-107- 10
382-346- 55
384-355- 18
397-114-326
472-126- 4
472-466- 20
474-469- 23
476-400-119
476-817-143
484- 90- 3
540-670- 27
546-569-134
820-350- 32
1092-808-下
張觀宋(字逵之) 481-747-334
529-641- 48
張觀明(字國賓) 482-559-369
569-657- 19
張觀明(字可觀) 493-1057- 56
511-877-170
821-315- 54
張纘梁 260-291- 34
265-798- 56
378-321-139
479-132-223
480-362-275
480-399-277
494-285- 3
523-113-151
933-370- 25
1394-469- 5
1395-596- 3
張纘妻 清 見谷氏
張鑰明 472-198- 7
張鑭明 302-191-300
張讚唐 479-528-241
張讚明(字葆赤) 456-557- 7
458- 71- 3
537-306- 56
538- 61- 63
張讚明(字宗器) 523-159-153
張讚妻 明 見郭氏
張驥明(字仲德) 299-718-172
472-915- 36
476-478-125
478-574-203
478-766-215
523- 38-147
540-617- 27
558-350- 35
張驥明(蒲州人) 554-348- 54
張讜後魏 261-839- 61
266-928- 45
379-292-150下
476-896-147
544-208- 62
933-372- 25
張讜宋 473- 43- 50
515-213- 63
張鑾明(字清甫) 1442- 70-附4
張鑾明(字顯文) 1460-335- 55
張鸞明(字應祥) 478-767-215
523- 46-148
554-658- 60
張鸞明(均州人) 480-298-271
533-238- 54
張鸞明(張翀繼子) 494- 42- 3
張鸞明(騰驤衛人) 554-259- 52
張鸞妻 明 見汪氏
張鸞妻 明 見張氏
張一才明 456-681- 11
張一川明 456-486- 5
張一元明 476-529-128
張一甲明 1327-278- 13
張一成明 505-908- 81
張一奇明 821-438- 57
張一厚明 505-672- 69
張一桂明 537-408- 57
1442- 74-附5
張一桂妻 明 見李氏
張一桂妻 明 見邵氏
張一清妻 明 見陳道貞
張一貫張一貴 明456-491- 5
張一隆明 533-285- 56
張一棟明 529-572- 46
680-527-274
張一貴明 見張一貫
張一愷明 569-663- 19
張一睦妻 明 見葉三娘
張一敬明 476- 80-100
張一韶明 524- 73-181
張一鳳明 511-652-162
張一綸清 511-644-161
張一賢妻 明 見蔣氏
張一魯妻 明 見黃氏
張一龍清 476-417-120
502-688- 81
545-396- 97
張一龍妻 清 見翁氏
張一應妻 明 見李氏
張一鵠清 511-763-166
張一鶚妻 明～清 見趙氏
張一鵬明(偃師人) 456-662- 11
張一鵬明(句容人) 511-514-157
張一鯤明 554-310- 53
張一躍清 505-900- 80
532-641- 43
張一鷺明 456-662- 11
張二山清 張弘女
482-280-351
張二果明 564-291- 47
676-423- 16
張二姑清 朱聖迪妻
524-471-202
張二姐清 477-549-176
張二南明 559-395-9上
張二翁女 明 見張氏
張二黑妻 清 見孟氏
張又新唐 270-790-149
275-419-175
384-265- 13
396- 69-258
396-158-266
451-441- 4
471-640- 9
933-384- 25
張又齡妻 清 見李氏
張九一明 301-855-287
458-162- 8
537-567- 60
1442- 65-附4
1460-264- 52
張九方明 511-769-166
張九方妻 明 見董妙聰
張九功明 558-403- 36
張九成宋 287-124-374
398-181-377
449-603- 9
451- 15- 0
471-640- 9
471-747- 22
471-772- 26
472-967- 38
472-1115- 48
473-195- 58
473-348- 63
479- 50-218
479-402-235
479-812-255
480-436-278
516-223- 96
523-258-158
523-578-175
525- 37-218
532-724- 46
588-171- 8
674-355-5下
676-687- 29
820-410- 34
933-397- 25
1053-880- 20
1054-201- 4
1437- 23-附2
1462- 13- 50
張九宗唐 471-1017- 63
471-1029- 65
473-464- 69
473-504- 71
481-211-302

559-289-7上
559-390-9上
張九思宋 1102-488- 62
張九思金 291-290- 90
399-174-431
472-625- 25
474-820- 44
502-366- 62
張九思元(字子有) 295-309-169
399-637-483
472- 36- 1
474-181- 8
505-720- 71
1207-242- 17
張九思元(濟南人)
1206-188- 19
張九哥宋 472-669- 27
477- 98-153
張九臯唐 270-201- 99
274-589-126
395-554-231
473-683- 79
515-262- 65
563-630- 38
564- 23- 44
933-380- 25
1341-745-899
張九章唐 563-630- 38
564- 23- 44
564-680- 59
張九逵明 473-196- 58
479-811-255
516-151- 93
1467- 90- 65
張九萬明 見張鵬飛
張九鼎妻 明 見劉氏
張九經明(文縣人) 545-152- 88
558-403- 36
張九經明(涪州人) 559-511- 12
張九韶明 見張美和
張九歌明 569-670- 19
張九賢清 570-139-21之2
張九德明 558-160- 30
558-669- 47
張九徵清 475-280- 63
476-920-148
511-187-143
537-228- 54
張九霞明 547- 71-143
1293-740- 5
張九疇明 558-467- 39
張九齡張博物 唐
270-199- 99
274-585-126
384-198- 11
395-551-231
459-379- 23
470-483-159
471-722- 19
471-779- 27
471-839- 35
471-852- 37
473- 13- 49
473-296- 62
473-683- 79
473-689- 80
473-748- 83
480-239-269
482- 76-341
482-318-354
515- 7- 57
532-663- 44
563-630- 38
564- 21- 44
564-705- 59
564-720- 59
564-744- 60
567- 38- 64
585-748- 3
589- 75- 0
674-249-4上
674-799- 16
820-164- 27
933-378- 25
1077-664- 9
1248-338- 17
1273-143- 20
1370-192- 11
1371- 56- 附
1387-380- 29
1394-377- 2
1467- 13- 62
1472-147- 9
張人龍張文龍 明456-571- 8
477-500-174
505-835- 76
537-335- 56
張人龍妻 明 506- 13- 86
張乂祖宋 820-387- 33
張三丰張全、張三風、張全一、張君實、張君寶 明
302-175-299
472-595- 24
472-854- 34
473-252- 60
473-537- 72
474-828- 44
476- 91-100
478-206-184
480-209-267
483-283-393
503- 19- 92
511-917-174
533-768- 74
538-349- 70
541-97- 30
547-517-160
554-986- 65
558-485- 41
561-216-38之3
561-226-38之3
570-257- 25
572-162- 32
820-762- 44
821-486- 58
1391-916-365
1458- 77-420
張三同明(字大亨) 472-489- 21
476-151-104
545-220- 91
張三同明(吳縣人) 554-275- 53
張三光明 547- 95-144
張三汲明 554-521-57下
張三近妻 清 見王氏
張三省明 1475-627- 27
張三風明 見張三丰
張三異清 477-361-166
523-165-153
537-322- 56
張三貴妻 清 見郝氏
張三傑明 456-528- 6
474-480- 23
505-859- 77
張三極明 1442- 97-附6
1460-581- 69
張三鳳明 523-406-165
張三興清 456-325- 75
張三謨明 458-420- 19
546-370-127
張士元唐 516-457-104
張士元張公顯 元(字允甫)
1194-217- 16
張士元元(字弘道) 510-445-117
1209-487-8上
張士玉妻 清 見王氏
張士弘清 570-160-21之2
張士弘妻 清 見劉氏
張士亨明 515-238- 64
張士亨妻 清 見翁氏
張士良明 472-999- 40
523-118-151
張士奇明 554-510-57下
張士昂宋 529-689- 50
張士佩明 554-504-57上
676-588- 24
張士佺母 宋 見羅氏
張士彥清 480- 93-262
533-160- 52
張士相妻 明 見陳氏
張士柏妻 明 見陳氏
張士貞明 1240-144- 10
張士浩清 559-335-7下
張士益明 538-105- 64
張士倫明 1236- 77- 5
張士倫妻 明 見夏叔貞
張士臯宋 見張子臯
張士能宋 474-349- 7
張士梅清 1316-685- 47
張士習妻 清 見賴媧娘
張士彬明 472-312- 13
511-191-143
537-209- 54
張士寔明 820-680- 42
張士隆張仕隆 明300- 90-188
458- 93- 4
477-168-157
505-672- 69
537-456- 58
545-118- 86
554-213- 52
1267-475- 5
1320-762- 83

張士琦妻 明 見洪氏
張士貴張忽峍 唐269-815- 83
274-202- 92
395-289-206
472-745- 29
477-524-175
537-496- 59
546-347-126
567- 37- 64
933-374- 25
1467- 13- 62
張士傑明 456-663- 11
477-420-169
張士傑妻 明 見李氏
張士傑清 456-326- 75
張士傑妻 清 見李氏
張士楷明 460-785- 83
529-739- 51
張士槲明 481-763-335
529-764- 53
張士達明(南城人) 515-835- 84
張士達明(長樂人) 821-377- 55
張士達妻 清 見陶氏
張士賓唐 1375- 31- 下
張士誠明 299-125-123
493-659- 36
1224- 67- 17
張士粹明 547-123-145
張士榮明 554-764- 62
1269-439- 6
張士熙元 473- 87- 52
479-605-244
張士甄清 505-804- 74
張士遜張仕遜 宋
286-127-311
371- 51- 5
382-323- 52
384-340- 17
384-346- 18
397-308-337
450- 33- 4
471-651- 10
471-822- 33
471-823- 33
473-250- 60
473-503- 71
473-640- 78
474- 91- 3
479-447-237
480-296-271
481-332-308
481-693-332
488-381- 13
515- 13- 57
528-536- 32
532-109- 27
533- 88- 49
540-659- 27
559-313-7上
563-650- 39
591-705- 50
933-393- 25
1088-542- 57
1088-960- 40
張士毅宋 451- 69- 2
張士賢明 523-176-154
張士儋張和尚 宋448-397- 0
張士龍女 宋 見張氏
張士衡張仕衡 唐
271-537-189上
276- 9-198
400-586-554
472- 68- 2
474-309- 16
505-739- 72
933-385- 25
1054-416- 11
張士謙張仕謙 元
472-594- 24
475-563- 79
510-427-116
515-769- 81
540-781-28之2
張士隱齊 見張大隱
張士璵妻 明 見王氏
張士鏜明 1280-533- 95
張士瀹明 1442- 69-附4
1460-331- 55
張士麟妻 清 見李氏
張士巖唐 384-175- 9
400-292-523
477- 71-152
933-385- 25
張士觀元 1210-309- 8
張子才明 529-698- 50
張子文妻 明 見尹氏
張子文妻 明 見吳氏
張子仁明 1291-456- 8
張子仁妻 明 見陸氏
張子立明 554-177- 51
1442- 52-附3
張子弘明 563-832- 41
張子召明 1238-108- 9
張子羽金 1365- 39- 2
1439- 2- 附
1445-118- 7
張子言明 517-652-131
821-468- 58
張子沖明 530-205- 60
張子良唐 見張奉國
張子良元 295- 75-152
399-418-457
472- 35- 1
1191-311- 28
張子良明 1241-333- 2
張子志妻 明 見劉立娘
張子成明 529-709- 50
張子辰唐 483- 99-378
張子初明 529-454- 43
張子忠明 518- 81-138
張子明明 299-254-133
453-543- 4
473- 15- 49
515-773- 81
821-361- 55
張子厚唐 480-542-283
張子厚金 1191-275- 24
張子厚妻 明 見廖氏
張子建妻 明 見李氏
張子貞明 475-836- 93
511-378-150
張子胄唐 485-533- 1
486- 66- 3
張子英元 529-689- 50
張子英女 明 見張氏
張子信北齊 263-381- 49
267-692- 89
380-641-183
472-719- 28
538-356- 71
742- 32- 1
張子俊明(知常德) 473-367- 64
480-484-280
532-737- 46
張子俊明(號古淡) 821-379- 55
張子容唐 451-415- 1
張子高元 1206-675- 2
張子素妻 清 見徐氏
張子眞劉宋 258-142- 53
張子眞明 1246-109- 4
張子紘明 821-365- 55
張子耕妻 明 見南氏
張子皋張士皋 宋
285-292-265
396-586-306
540-754-28之2
1090- 98- 17
張子修宋 524-307-194
張子清明 545-157- 88
張子祥隋 516-457-104
張子魚明 1474-592- 30
張子惠宋 529-689- 50
1184-876- 3
張子登明 480-563-284
張子載元 1206-759- 11
張子瑋元 1206-414- 3
張子瑜北齊 263-336- 44
張子愚明 1229- 72- 6
張子榮宋 485-536- 1
張子蟄元 540-777-28之2
張子蓋宋 287- 65-369
398-130-374
449-478- 12
472-897- 35
475-272- 63
478-699-210
523- 14-146
558-395- 36
張子潛清 550-151-214
1316-543- 37
張子儀明 1240-810- 8
1243-655- 20
張子憲宋 285-292-265
396-586-306
480-288-271
540-759-28之2
張子謙宋 821-185- 50
張子環明 1290-613- 84
張子顏宋 473- 60- 51
486- 54- 2
493-1070- 57
515-196- 63

張子黼明 見張扆
張子夔元 295-601-197
400-310-526
張子權金 1439- 11- 附
1445-662- 51
張子麟明(字元瑞) 477-410-169
505-754- 72
537-328- 56
張子麟明(永淳人) 567-400- 83
張干宸明 見張于宸
張于太妻 清 見何氏
張于廷清 1316-655- 45
張于宸張干宸 明
563-774- 40
567-359- 80
張于壘明 676-638- 26
1442-101-附6
張也恭明 572- 93- 29
張大九元 480-130-264
張大才明 456-668- 11
張大卞宋 484-377- 27
張大中宋 473-491- 70
481-429-315
559-409-9上
592-595- 99
張大中妻 宋 見黃千金
張大本妻 明 見潘氏
張大用女 宋 見張氏
張大用明 554-214- 52
559-367- 8
張大用清 456-325- 75
張大安唐 269-640- 68
274-172- 89
567-426- 86
1467- 13- 62
1467-139- 67
張大朴女 明 見張氏
張大有宋 1092-599- 56
張大有清 474-169- 8
張大同宋 821-185- 50
張大同明(諡烈愍) 456-461- 4
張大同明(字同甫) 456-677- 11
511-501-156
張大光明 529-646- 48
張大艾明 477-135-155
張大年宋 529-601- 47
張大亨元 1192-578- 12
張大亨明 483-116-379
567-345- 79
569-670- 19
張大壯明 483-371-401
571-553- 20
張大治明 480- 89-262
532-627- 43
張大受張夢時 明(字伯可)
458-456- 22
511-393-151
張大受明(字海若) 533-385- 60
張大受明 見張受
張大受清 511-756-165
張大美明 554-310- 53
張大美妻 清 見李氏
張大垣清 510-320-113
張大訓宋 1173-310- 86
張大訓明 456-668- 11
張大悅元 559-286-7上
561-210-38之2
張大素唐 269-640- 68
274-172- 89
張大烈明 524-244-190
張大夏明 456-668- 11
張大師唐 552- 59- 19
張大統清 547- 30-141
張大登明 見張大發
張大發張大登 明547- 45-142
張大傑妻 清 見聶大姑
張大復明 511-748-165
1442-106-附7
1460-635- 72
張大猷明(普定人) 483-268-392
張大猷明(字允升) 533- 28- 47
張大猷明(字武程) 563-762- 40
張大猷明(字元敬) 564-175- 45
676-754- 32
張大祿明 456-597- 9
張大道明 456-612- 9
480-249-269
533-386- 60
張大經宋 287-350-390
398-359-387
473- 99- 53
473-599- 76
475- 17- 49
475-366- 67
479-629-245
479-710-250
515-824- 83
528-522- 31
1161-550-121
張大經妻 明 見于氏
張大節金 291-371- 97
399-217-435
472-438- 19
474- 93- 3
474-336- 17
476- 30- 97
476-333-115
546-399-128
581-509- 99
1365-269- 8
1445-495- 37
張大韶母 明 見杜氏
張大韶明(安定人) 456-668- 11
張大韶明(字鳴德)
1283-355- 94
張大寧宋 1110-551- 32
張大漢妻 明 見郭氏
張大綱金 478- 91-180
張大綱明 584-269- 10
張大綸明(東陽人) 510-363-114
張大綸明(成都人) 554-278- 53
張大賡明 511-655-162
張大履明 511-642-161
張大魯明 1283-463-103
張大魯妻 明 見趙氏
張大隱張士隱 齊820- 95- 24
張大翼明 456-662- 11
張大爵金 545-420- 98
張大齡明 676-648- 26
張大齡清 478-133-181
554-775- 62
張小艾明 477-135-155
張小春明 477-211-159
張小暢妻 明 見王買姐
張上行宋 471-980- 56
559-299-7上
張上達張上選 明456-482- 5
張上選明 見張上達
張山甫宋 494- 19- 2
554-333- 54
張山拊漢 251-108- 88
380-252-172
472-829- 33
478- 95-180
554-802- 63
675-259- 7
933-364- 25
張山翁宋 288-381-454
400-332-528
480- 61-260
533-722- 73
591-617- 44
592-606 - 99
張乞驢張奇爾 金
291-668-121
400-214-517
張千秋漢 478- 95-180
554-378- 55
張千載宋 515-613- 76
張久中明 511-609-160
張久輝清 456-387- 80
張六一妻 明 見連新玉
張六五宋 1321-384-129
張六郎唐 見張介然
張六朗唐 見張介然
張六師明 456-597- 9
張六瓊妻 清 見宋氏
張心田元 821-325- 54
張心易清 477- 91-153
537-416- 57
張心禹元 515-628- 76
張心開妻 清 見姚氏
張斗辰張斗宸 明456-681- 11
476-452-123
547-123-145
張斗南張楠 宋 1147-541- 51
張斗南明 547- 37-142
張斗星明 546-621-135
張斗宸明 見張斗辰
張斗煇妻 清 見何氏
張斗樞明 480-248-269
533-217- 53
張斗衡孫女 清 見張招叔
張方平宋 286-216-318
382-477- 74
384-366- 19
397-377-342
449-174- 3
450-367- 22
471-595- 2
471-901- 44
471-913- 47

471-944- 51
471-946- 51
472-172- 6
472-221- 8
472-401- 18
472-682- 27
472-740- 29
472-892- 35
472-961- 38
473-426- 67
475-119- 55
475-796- 90
477- 51-151
477-129-155
477-442-171
478-695-210
479- 41-218
479-377-234
481- 68-293
484- 93- 3
488-385- 13
488-386- 13
493-472- 41
510-325-113
511-902-172
523- 74-149
537-239- 55
537-275- 55
540-647- 27
559-264- 6
581-476- 96
589-304- 2
591-680- 47
674-341-5下
674-818- 17
708-336- 50
833-393- 25
1092-739- 70
1104-517- 附
1104-958- 15
1107-485- 34
1107-741- 53
1108-419- 88
1354-160- 21
1354-789- 45
1356-102- 5
1356-346- 16
1363-155-118
1378-406- 55
1381-562- 41
1384-387-116
1409-194-584
1418-352- 47
1437- 11-附1
1447-651- 36

張方迪後晉 見張萬迪
張文才明 558-464- 38
張文之宋 473- 48- 50
516- 34- 88
張文元明 821-476- 58
張文元清(正黃旗人)
456-325- 75
張文元清(大同人) 505-906- 80
張文友明 511-583-159
張文介明 1442- 70-附4
1460-337- 55
張文在元 1375- 22- 上
張文在明 476- 79-100
張文光明～清 523- 92-149
538- 82- 64
545-199- 90
張文光明 533- 19- 47
張文光清 547-376-155
張文收唐 270- 19- 85
274-440-113
395-430-220
505-890- 79
張文仲唐 271-627-191
276- 97-204
384-177- 9
401- 91-580
538-358- 71
742- 34- 1
933-386- 25
張文良妻 清 見陳氏
張文君晉 472-1115- 48
張文玘女 明 見張存兒
張文玘女 明 見張桂兒
張文佐明 458-165- 8
538-111- 64
545-189 -90
張文邦清 見張嗣達
張文秀妻 明 見胡氏
張文秀女 明 見張氏
張文秀清 483-184-385
570-129-21之1

張文宗唐 見張文琮
張文宗妻 明 見陳月順
張文定不詳 592-274- 77
張文奇妻 明 見石氏
張文奇妻 明 見楊氏
張文表宋 279-478- 66
288-733-483
371-123- 12
382-172- 24
401-235-599
張文玫唐 933-375- 25
張文忠明(字甫相) 480- 56-260
張文忠明(尋甸人)
570-144-21之2
張文昌女 宋 見張氏
張文昌明 473- 15-495
515- 36- 58
張文明明(字應奎) 300- 91-188
476- 42- 98
477-565-177
502-286- 56
545-667-107
554-173- 51
563-912- 43
張文明明(夏縣人) 547-105-145
張文明妻 清 見周氏
張文虎元 1218-735- 4
張文芳清 540-866-28之4
張文炳元 295- 77-152
張文炳明(上蔡人) 456-661- 11
張文炳明(字斯光) 547-123-145
張文柱明 511-745-165
1442- 82-附5
1460-433- 60
張文奎明 545- 82- 85
554-479-57上
張文貞元 523-417-166
張文峙明 511-721-165
張文峙明 見張可仕
張文昱明 473-641- 78
821-347- 55
張文昭明 540-792-28之3
張文英妻 宋 見徐氏
張文英元 524-197-188
張文英明 480-319-272
533-391- 60
張文迪明 533- 22- 47
張文海明 301-815-285

張文浩明 456-600- 9
476-675-136
540-835-28之3
張文高清 474-623- 32
張文祐唐 820-283- 30
張文泰明 558-298- 34
張文孫妻 元 見賴道慈
張文哲女 明 見張氏
張文桂元 559-310-7上
張文瑢元 1237-601- 上
張文剛宋 494-382- 11
525-397-237
1105-817- 97
張文娥明 方印妻、方印妻、張元春女
473- 32- 49
516-242- 97
張文宿明 524- 8-178
676-544- 22
張文淵明 524- 56-180
820-655- 42
張文淵明 見張海海
張文烶明 540-651- 27
張文規唐(蒲州人) 270-529-129
274-601-127
395-565-232
820-231- 28
張文規唐(河東人) 494-291- 4
張文通妻 明 見俞氏
張文冕明 410-448- 95
張文婉元 郭宏敬妻、張柔女
1198-556- 9
張文造明 529-463- 43
563-754- 40
張文啟清 524-349-196
張文富女 清 見張氏
張文琮張文宗 唐270- 19- 85
274-440-113
395-429-220
473-598- 76
474-474- 23
481-672-331
505-770- 73
528-520- 31
540-737-28之2
933-375- 25
1371- 49- 附
張文琮明 473- 97- 53
515-185- 62

張文盛元 820-545- 39
1194-706- 13
張文弼明 510-479-118
張文貴元 299-143-124
400-281-522
475-608- 81
511-482-155
張文貴明(杭州人) 524-348-196
張文貴明(文縣人) 558-464- 38
張文華宋 526- 86-261
張文華女 明 見張氏
張文進明 540-824-28之3
張文詡隋 264-1087- 77
267-678- 88
380-478-178
384-158- 8
472-463- 20
476-118-102
546-698-138
933-373- 25
張文裕宋(陝州人) 288-405-456
400-295-524
張文裕宋(齊州人)
1088-541- 57
張文煇清 505-841- 76
張文運明 301-805-284
張文運清 478-133-181
554-779- 62
張文道明 1235-650- 22
張文煥元 295- 77-152
張文煥明 456-518- 6
472-480- 21
474-337- 17
476-249-110
505-668- 69
545-267- 91
554-311- 53
張文瑞元 472- 97- 3
537-278- 55
張文達明 523-207-155
張文達清 511-643-161
張文暉明 820-735- 44
張文會明 見張良寶
張文福妻 清 見李氏
張文榮妻 清 見劉氏
張文熙明 523- 57-148
567-347- 79
1467-247- 71
張文鳳明 567-653- 5
張文魁明 456-597- 9
478-454-197
545- 79- 85
558-155- 30
1269-415- 5
張文魁明 見張元禎
張文魁清 511-534-157
張文綸明 529-709- 50
張文慶女 宋 見張氏
張文標妻 清 見姚氏
張文樞元 494-524- 25
524-357-196
821-297- 53
張文蔚唐 271-337-178
277-163- 18
279-216- 35
384-308- 16
401-284-607
933-387- 25
933-807- 60
1383-771- 70
張文蔚宋 450-516- 41
張文蔚元 494-418- 12
張文輝妻 清 見顏氏
張文德宋 546-353-126
張文德妻 明 見劉氏
張文德清 476-395-119
502-685- 81
545-470-100
張文質明(字時中) 476-250-110
545-275- 93
554-476-57上
張文質明(字允中) 505-806- 74
1253-116- 46
張文質明(字中甫) 515-837- 84
518-785-161
張文憲明 524- 21-179
820-691- 43
張文龍明 見張人龍
張文翰妻 明 見李氏
張文選明 680-308-256
張文興清 456-307- 74
張文學明 554-345- 54
558-461- 38
張文錦明(字闇夫) 300-289-200
472-337- 14
475-526- 77
476-673-136
510-417-116
540-797- 28之3
張文錦明(河州人) 559-320-7上
張文錦明(字素卿)
1280-529- 95
張文衡清(字聚垣) 474-519- 25
505-861- 77
張文衡清(開平衛人)
478-454-197
558-426- 37
張文應明 460-650- 65
張文禧唐 820-223- 28
張文謙元 295-134-157
399-457-462
451-591- 7
472-108- 4
472-930- 37
474-410- 20
478-595-204
505-632- 67
505-757- 72
558-221- 32
1201-179- 81
1367-371- 30
1367-764- 58
張文燧明 545-277- 93
張文舉南北朝 546-684-138
張文舉明(鞏縣人) 472-752- 29
537-516- 59
張文舉明(會稽人)
1240-194- 13
張文舉妻 明 見姚氏
張文聲妻 明 見左氏
張文禮王德明 後唐
270-708-142
277-461- 54
277-518- 62
279-238- 39
張文禮明 570-110-21之1
張文燿明(字芝陽) 480-565-284
571-526- 19
張文燿明(湖廣人) 559-278- 6
張文謨妻 明 見黃英娘
張文曜明(行人) 524-254-190
張文曜明(臨洮人) 559-270- 6
張文寶後唐 277-561- 68
張文瓘唐 270- 18- 85
274-440-113
384-179- 10
395-428-220
469-486- 58
472-573- 24
474-473- 23
476- 26- 97
476-897-147
505-770- 73
540-735-28之2
545-130- 87
933-375- 25
張文麟明 1280-433- 87
張文麟妻 明 見吳氏
張文顯元 472-485- 21
546- 86-117
張之才宋 472-504- 21
476-204-107
545-337- 96
張之才元 480-341-273
533-209- 53
張之材清 529-661- 49
張之坦張之垣 明456-461- 4
張之坪妻 清 見邸氏
張之垣明 見張之坦
張之屏妻 清 見劉氏
張之振妻 清 見趙氏
張之普清 511-548-158
張之渠明 554-764- 62
張之象明 301-845-287
511-761-166
676-593- 24
1442- 67-附4
1458-239-434
1460-303- 53
張之楚明 1475-709- 29
張之綱元 540-640- 27
張之賢元 1197-666- 68
張之翰元 472-239- 9
475-176- 59
510-345-114
張之翰清 592-779- 2
張之蕃妻 清 見李氏
張之衡明 456-667- 11
張之藩清 524-214-188
張之麟清 511-587-159
張不二明 456-632- 10
張不疑漢 933-363- 25

張太后劉宋　宋武帝夫人
257-53-4
258-8-41
370-423-11
372-523-11
張太岳明　534-617-102
張太素明　1266-625-10
張太虛明　481-121-296
561-220-38之3
張太寧宋　494-320-6
張王治清　511-240-145
張王典清　523-442-167
張王典女　清　見張氏
張五典明　546-210-122
1442-83-附5
1460-460-62
張五美明　456-662-11
張五衡妻　明　見張氏
張五權清　1313-202-16
張元之齊　524-394-199
張元化晉　472-803-31
477-504-174
538-348-70
張元永元　523-171-154
張元吉宋　564-48-44
張元吉明　302-183-299
張元羽明　561-225-38之3
張元老宋　1098-207-26
張元向妻　明　見王氏
張元仲宋　523-168-154
張元忭明　301-793-283
457-214-15
458-922-8
523-600-176
676-606-25
678-212-90
820-729-44
1458-414-445
1442-75-附5
1460-359-56
張元沖明　457-202-14
523-601-176
1294-538-13
1320-677-74
張元沖妻　明　見胡氏
張元亨唐　494-54-2
張元亨母　元　見張氏
張元甫元　1206-414-3
張元佐宋　484-388-28
張元秀妻　清　見陳氏
張元努金　見張僅言
張元定元　1197-752-79
張元始南北朝　533-759-74
張元亮後魏　262-81-71
554-560-58
張元度宋　492-711-3下
張元春明　515-383-68
張元相明　515-383-68
張元貞明　見張元楨
張元俊元　564-82-44
張元祖漢　477-60-151
張元祚元　473-194-58
515-256-65
張元素隋　547-200-148
張元素金(字潔古)　291-756-131
401-113-584
474-588-30
505-926-83
1200-536-41
張元泰明　見張文娥
張元珠明　528-513-31
張元卿明　1283-543-109
張元卿妻　明　見周氏
張元秩明　1392-844-442
張元淳宋　545-399-98
張元紳明　460-553-53
張元善元　1221-598-21
1222-291-21
張元善張原善　明(知新化)
473-348-63
532-725-46
張元善明(韓城人)
554-505-57上
張元凱明　511-744-165
1442-68-附4
1460-310-54
張元凱清　533-453-63
張元鈖清　解心翼妻
516-302-99
張元楨張元貞　明456-605-9
511-505-156
張元電明　505-657-68
559-402-9上
張元幹宋　1136-583-附
1136-584-附
1136-667-10
1437-20-附1
1462-1-48
張元鈿妻　清　見彭氏
張元會宋　494-472-18
張元會清　479-320-232
523-197-155
張元賓後魏　262-37-68
266-822-40
379-222-149
張元禎張文魁、張元徵、張東白　明　300-8-184
452-232-6
453-693-35
457-761-45
458-766-5
473-25-49
479-490-239
515-376-68
676-504-19
1250-940-89
1256-354-22
1257-34-4
1442-29-附2
1459-666-26
張元漢元　1213-761-24
張元嘉清　529-674-49
張元銘明　524-73-181
張元澄明　820-654-42
張元慶明　505-652-68
張元慶妻　明　見趙氏
張元樞清　479-432-236
505-804-74
523-253-157
張元德宋　530-214-61
張元德妻　清　見劉氏
張元銳妻　清　見王氏
張元徵明　見張元禎
張元諭明　569-674-19
張元璘清　523-63-149
張元學妻　清　見朱氏
張元勳明　300-508-212
523-554-173
張元舉明　820-744-44
821-452-57
張元禮宋　484-379-28
張元禮元(指揮使)　472-602-25
540-652-27
張元禮元(字仲和)
1215-701-10
張元璽明　460-597-59
張元璽妻　明　見袁氏
張元藩明　523-550-173
567-126-67
1467-112-66
張元鑑妻　清　見王氏
張予卿明　456-522-6
張引元明　楊安世妻、張本嘉女　512-10-176
1442-124-附8
張引慶明　張本嘉女
512-10-176
1442-124-附8
張巴延元　見張世昌
張巴哈元　569-661-19
張巴圖張拔都、膽巴圖爾　元
295-66-151
399-428-458
474-179-8
張巴圖元　見張弘範
張孔孫元　295-364-174
399-670-486
472-127-4
472-546-23
474-471-23
475-368-67
505-633-67
532-584-41
820-494-37
821-287-53
1439-422-附1
張孔修明　563-758-40
張孔堅女　見張蒞
張孔教陳孔教　明302-118-295
456-499-5
479-244-227
523-389-164
張孔傳明　511-715-164
張孔聲妻　清　見楊氏
張天才妻　清　見丁氏
張天永元　511-906-172
張天生後魏　545-759-110
張天雨元　見張雨
張天叔明　563-827-41
張天珏宋　473-456-68
559-364-8
591-612-44

張天威明 456-602- 9
528-499- 30
張天相明 545-666-107
張天英張天瑛 元524- 87-182
1369-210- 3
1439-445-附2
1471-445- 10
張天保明 820-620- 41
張天祐元 1201-611- 20
張天陞妻 元 見李幼貞
張天俸妻 明 見殷氏
張天秩明 559-397-9上
張天敘明 456-613- 9
張天琯妻 清 見孟氏
張天植清 537-227- 54
1475-579- 25
張天植妻 清 見王湘貞
張天馭明 537-269- 55
張天蛟清 456-324- 75
張天復明 523-549-173
820-699- 43
張天祺宋 471-1030- 65
張天祿明 545-779-111
張天祿妻 明 見宋氏
張天祿清 478-274-187
528-517- 31
554-611- 59
張天樞明 529-658- 49
張天瑞元 547- 13-141
張天瑞明(字天祥)
540-794-28之3
676-515- 20
張天瑞明(善書畫) 821-399- 56
張天瑛元 見張天英
張天鳳元 1221-204- 2
張天綱金 291-641-119
399-320-446
472- 35- 1
474-179- 8
505-720- 71
張天駙明 511-381-150
張天慧妻 清 見李氏
張天憲明 545-151- 88
張天錫張公純、張獨活 晉
256-413- 86
262-439- 99
381- 87-186
張天錫妻 晉 見閻氏
張天錫妻 晉 見薛氏
張天錫金 820-479- 36
張天錫元(字君予)
1224-306- 24
1229-460- 下
1229-471- 附
張天錫元(號梅月)
1439-435-附1
張天錫明 545-152- 88
張天駿婢 明 820-769- 44
張天爵明 533-420- 62
張天爵妻 清 見曹氏
張天騏明 494-330- 6
張天麟元 1218-719- 4
張天麟明(字季昭) 523-572-174
張天麟明(天門人) 533-190- 53
張天麟明(深州人)
1442- 56-附3
1460-152- 47
張天顯明 1392-843-442
張天衢明 460-650- 65
張友仁妻 宋 見鄭如玉
張友正唐 511-850-169
820-172- 27
1375- 3- 上
張友正宋 286-129-311
533-315- 57
820-371- 33
張友先明 554-311- 53
張友直宋 286-129-311
472-1067- 45
479-223-227
486- 48- 2
523-149-153
533- 88- 49
1088-947- 38
張友直明 545-222- 91
張友明元 482-209-347
564- 81- 44
張友科妻 清 見駱氏
張友益妻 清 見蘇氏
張友程明 456-552- 7
476-430-121
546-333-126
張友誠清 511-539-157
張友聞明 474-587- 30
505-698- 70
張友諒明 559-512- 12
張友德清 524-115-183
張友霖明 676-437- 16
張友齡明 1241-730- 17
張友讓明 1241-711- 16
1242-760- 6
張及之五代 554-908- 64
813-152- 14
821-133- 49
張日中宋 481-550-327
515-830- 83
528-475- 30
張日用宋 472-295- 12
549-121-185
張日孜明 1238-458- 7
張日炳明 554-876- 64
張日宣明 1241-228- 10
張日惺明 524-444-201
張日新宋 482-484-364
516- 8- 87
567- 59- 65
張日新女 宋 見張氏
張日新明 302- 43-291
456-598- 9
479-382-234
523-414-166
540-628- 27
554-605- 59
張日損宋 486-906- 35
張日曜明 563-828- 41
張日韜明 300-161-192
475-215- 60
481-557-327
529-514- 44
張中升清 456-324- 75
張中孚金 291-167- 79
401-311-610
476- 45- 98
478-545-202
547-155-147
558-337- 35
張中炳妻 明 見陸氏
張中彥金 291-168- 79
401-312-610
478-484-199
558-337- 35
張中庸宋 472-866- 39
554-238- 52
張中逵清 511-576-159
張中發明 540-793-28之3
張中運妻 清 見夏氏
張中樂宋 820-359- 32
張中選清 523-180-154
張中鴻明 537-305- 56
張中蘊明 510-474-117
張少悌唐 820-196- 27
張內實明 456-678- 11
張公良宋 523-147-153
張公佐金 821-276- 52
張公秀宋 493-922- 49
511-729-165
524-308-194
張公直元 540-780-28之2
張公明宋 843-673- 下
張公庠宋 1364-550-323
1437- 12-附1
張公度唐 472-194- 7
張公紀宋 471-1030- 65
張公素唐 271-373-180
276-212-212
396-312-278
933-386- 25
張公純晉 見張天錫
張公弼唐 554-973- 65
張公弼宋 487-189- 12
張公著張宁 金 1191-196- 17
張公裕宋 677-186- 17
1104-686- 14
張公瑾宋 451- 90- 3
張公璉明 559-526- 12
張公爵元 1214-192- 16
張公謹唐 269-639- 68
274-172- 89
384-165- 9
395-283-206
407-374- 2
472-130- 4
472-429- 19
473-246- 60
474-473- 23
476-330-115
480-287-271
505-770- 73
532-565- 40
545-415- 98
933-373- 25
1340-555-776

張公藝唐 271-520-188
384-175- 9
400-284-523
472-554- 23
476-583-131
540-737-28之2
541-737-35之19下
張公蘂金 676-695- 29
1365- 57- 2
1439- 4- 附
1445-345- 23
張公顯元 見張士元
張仁果漢 473-811- 86
張仁近明 1228-430- 21
張仁肅女 宋 見張氏
張仁皓宋 487-120- 8
張仁義元 295-240-165
541-112- 31
張仁亶唐 見張仁愿
張仁遇宋 288-410-456
400-299-524
477- 75-152
張仁節唐 見靈慧
張仁愿張仁亶 唐270-126- 93
274-418-111
384-186- 10
395-412-218
472-738- 29
472-835- 33
472-930- 37
477-305-163
478-112-181
478-266-187
478-593-204
537-296- 56
545-318- 95
554-396- 55
558-133- 30
933-375- 25
張仁愿後晉 278-152- 93
279- 124- 21
396-334-281
475-779- 89
511-650-162
933-386- 25
張仁愿宋 820-332- 32
張仁熙清 533-184- 52
張仁禕唐 269-795- 81
274-357-106
395-369-214
張仁穎後梁 933-386- 25
張仁謙後晉 472-802- 31
537-573- 60
張仁檝金 547-100-145
張仁聲明 1297-184- 14
張仁聲清 515-113- 60
張仁覆明 553-292- 53
張仁蘊北周 554-266- 53
張丰應宋 480- 55-260
533-302- 57
張牛兒金 見張仲軻
張升仲妻 清 見林氏
張升孫妻 清 見王氏
張升孫妻 清 見范氏
張升卿妻 宋 見錢氏
張化成清 533- 82- 49
張化基宋 288-410-456
400-299-524
張化樞明 456-554- 7
475-701- 86
483-139-380
570-131-21之1
張化樞清 476-203-108
546-181-121
張化龍妻 明 見謝氏
張介然張六郎、張六朗 唐
271-502-187下
275-594-191
384-204- 11
400- 96-508
476-119-102
476-910-148
537-198- 54
546-270-124
933-383- 25
張介賓明 524-368-197
張介福明 302-164-298
493-1045- 55
511-833-168
張允中元 538-135- 65
張允中明 820-674- 42
張允升明 554-673- 60
張允孝明 見張初
張允孚明 559-431-10上
張允孚妻 清 見劉氏
張允伸唐 271-373-180
276-212-212
384-281- 14
396-311-278
472- 31- 1
505-713- 71
933-386- 25
張允迪宋 1181-147- 5
張允恭女 宋 見張景昭
張允恭妻 元 見魏德璦
張允修明(字建初) 300-527-213
480-248-269
533-385- 60
張允修張克修 明(謚節愍)
456-573- 8
張允登明 302- 50-292
456-481- 5
477-567-177
554-217- 52
張允誠明(豫章人) 526-154-263
張允誠明(字允誠)
1226-192- 9
張允澂清 558-459- 38
張允濟唐 271-439-185上
275-649-197
384-175- 9
400-336-530
472- 50- 2
472-568- 24
472-612- 25
474-234- 12
476-729-138
476-853-145
491-802- 6
505-654- 68
540-735-28之2
559-309-7上
591-690- 48
933-385- 25
張允濟明 545-468-100
張允蹈宋 481-549-327
528-474- 30
張玄之晉 472-997- 40
493-856- 46
494-276- 2
511-723-165
張玄度元 820-539- 39
張玄素唐 269-723- 75
274-324-103
384-173- 9
395-336-211
407-386- 2
448-331- 下
459-778- 47
472- 64- 2
472-463- 20
476-119-102
546-263-124
933-374- 25
張玄素金 291-212- 83
399-135-428
474-737- 40
502-365- 62
張玄晏唐 273-113- 60
張玄略明 1227- 84- 10
張玄靖晉 見張玄靚
張玄賓漢 1061- 36- 85
1061-281-111
張玄慶張慶玄 明821-486- 58
張玄靚張玄靖 晉
256-412- 86
262-438- 99
381- 86-186
張玄徵女 金 見張氏
張立任宋 1467- 32- 63
張立試妻 元 見袁氏
張立道元 295-269-167
399-612-481
472-133- 4
473-807- 86
473-811- 86
473-815- 86
474-478- 23
482-538-368
483- 32-371
505-776- 73
569-645- 19
1439-421-附1
張主敬明 505-754- 72
545-226- 91
張必大明 554-523-57下
張必弘清 483- 71-376
569-681- 19
張必成元 1221-652- 25
張必昇妻 明 見陳氏
張必美妻 明 見蕭氏
張必科清 474-337- 17

474-775- 41
502-761- 86
505-668- 69
張必強宋 576- 34- 下
張必煥明 570-138-21之2
張永安明 302-156-297
476-184-106
547- 43-142
張永年張念十一 宋(字時發)
448-397- 0
張永年宋(張武翼子)
821-209- 51
張永庚清 540-683- 27
張永昌明(商邱人) 456-678- 11
張永昌明(開化人) 524-157-186
張永明明 300-327-202
476-918-148
479-144-223
510-457-117
523-282-159
537-220- 54
676-571- 23
張永相妻 明 見王氏
張永茂明 545-786-111
554-310- 53
張永祚明 558-417- 37
張永泰明 537-245- 55
張永卿明 534-771-110
張永淳金 521-276- 52
張永清明 545-192- 90
張永祥妻 清 見羅氏
張永康妻 清 見姚氏
張永堅妻 明 見李氏
張永通金 546-398-128
張永隆明 529-635- 48
張永祺明 537-590- 60
張永誠明 523-188-155
張永禎明 1442-105- 附7
1460-625- 71
張永福清 456-324- 75
張永德妻 後周 見晉國公主
張永德宋 285-144-255
371-174- 18
382-154- 21
384-326- 17
401-302-608
472-125- 4
472-436- 19
472-765- 30
476- 39- 98
537-203- 54
545-613-105
933-389- 25
張永錫元 1201-168- 80
張永錫清 511-611-160
張玉利妻 清 見苻氏
張玉林明 540-636- 27
559-401-9上
張玉姑明 劉鳳儀妻、張選學女 479-499-239
516-249- 97
張玉書清 475-280- 63
511-188-143
張玉娘宋 沈佺妻、張懋女
524-783-216
1471-650- 16
張玉裁清 475-280- 63
張玉龍妻 清 見李氏
張玉璘清 559-330-7下
張玉衡妻 清 見史氏
張玉璿妻 清 見靳氏
張玉麒清 554-615- 59
張玉蘭明 472-685- 27
張玉蘭不詳 張靈眞女
591- 66- 5
張玉瓚明 456-632- 10
張去非元 1209-541-9上
張去為宋 288-562-469
張去偏元 820-545- 39
張去惑宋 493-699- 39
張去華宋 286- 60-306
397-259-334
472-682- 27
472-961- 38
477-128-155
479- 41-218
480-540-283
484- 87- 3
493-696- 39
523- 72-149
537-424- 58
545-174- 89
張去華金 554-309- 53
張去逸女 唐 見張皇后
張弘之劉宋 265-1038- 73
張弘代明 523-178-154
676-174- 7
張弘至明 299-848-180
475-180- 59
511-126-141
820-655- 42
1442- 33-附2
張弘宜明 511-126-141
523-174-154
820-634- 41
張弘治明 505-685- 69
張弘素梁 472- 30- 1
張弘烈清 547- 65-143
張弘剛明 545-789-111
張弘基妻 清 見甯氏
張弘略元 295- 5-147
399-452-461
472- 55- 2
474-242- 12
479-450-237
515- 24- 57
張弘雅唐 564- 20- 44
張弘勛妻 清 見劉氏
張弘策梁 260-124- 11
265-795- 56
370-559- 18
378-318-139
384-118- 6
474-171- 8
505-710- 71
567- 4- 62
933-370- 25
張弘猷清 480-505-277
502-631- 77
張弘靖唐 270-527-129
274-600-127
384-249- 13
384-262- 13
395-564-232
476-119-102
544-230- 63
546-275-124
820-231- 28
933-380- 25
張弘裕女 明 見張氏
張弘道明(環縣人) 456-614- 9
558-423- 37
張弘道明(字志夫) 511-657-162
張弘道妻 明 見陳氏
張弘業明 456-581- 8
476-311-113
546-382-127
張弘圖妻 清 見李氏
張弘綱元 295-242-165
399-595-479
472-593- 24
483-220-390
510-409-115
1197-668- 69
1211-217- 30
張弘綱明 529-672- 49
張弘範張巴圖、張巴爾圖 元
295-124-156
399-450-461
451-562- 6
472- 55- 2
472-127- 4
474-241- 12
474-471- 23
505-690- 70
505-733- 71
523- 21-147
563-712- 39
1191-705- 附
1207-207- 14
1367-249- 21
1439-420-附1
1470- 83- 4
張弘範清 476-733-138
540-842-28之4
張弘襟明 505-658- 68
554-527-57下
張弘籍梁 260- 97- 7
265-200- 12
373- 86- 20
張正元妻 清 見李玉靖
張正夫元 1204-248- 6
張正中清 510-496-118
張正化清 481-430-315
559-534- 12
張正立明 1457- 51-345
張正因宋 許經妻、張槩女
1180-456- 41
張正名明 554-735- 61
張正言唐 812-371- 0
821- 89- 48

張正甫唐 271-102-162
493-689- 38
556-122- 85
張正甫母 清 見賈氏
張正見陳 260-787- 34
265-1029- 72
380-378-176
469-485- 58
476-895-147
516-219- 96
814-256- 7
820-107- 24
933-371- 25
1387-171- 10
1395-600- 3
張正芳妻 清 見邱氏
張正茂清 511-620-160
張正倫金 537-452- 58
1191-226- 20
張正常明 302-183-299
516-461-104
1224-109- 18
張正道明 559-396-9上
張正福明 480-132-264
張正蒙元 460-933- 0
張正蒙妻 元 見韓氏
張正蒙女 元 見張池奴
張正蒙明 1442- 96-附6
1460-568- 68
張正綱清 511-668-163
張正誼明 456-444- 3
張正隨宋 516-458-104
張正學明 559-396-9上
676-433- 16
1312-551- 7
張正儒明 545-388- 97
張正禮漢 533-788- 75
張巨君不詳 1061-274-110
張巨源宋 288-405-456
400-295-524
480-296-271
張古山明 511-940-175
張古理清 455-205- 10
張古道唐 561-207-38之2
張本中宋 563-697- 39
張本立明 554-348- 54
張本森明 533-474- 64
張本端明 533-427- 62
張本嘉妻 明 見王鳳嫺
張本嘉女 明 見張引元
張本嘉女 明 見張引慶
張本暢妻 清 見雷氏
張本濟明 554-250- 52
張丕式明 554-735- 61
張丕吉清 540-843-28之4
張石麟清(堂邑人)
540-868-28之4
張石麟清(平定人) 547- 89-144
張右民清 524- 14-178
張召南清 515-161- 61
554-538-57下
張平甫元 1210- 74- 18
張平叔唐 384-262- 13
556-121- 85
1080-460- 41
張平高唐 269-506- 57
274-166- 88
395-254-203
472-923- 36
547-150-147
554-575- 58
張可大宋 516-460-104
1223-434- 7
張可大明(將樂人) 528-509- 31
張可大明(字觀甫) 301-556-270
456-587- 8
475- 77- 53
479-175-225
511-432-153
523-137-152
540-620- 27
676-641- 26
1442- 94-附6
1460-680- 75
張可久元 1217-831- 7
1219-758- 10
1439-423-附1
張可久清 505-859- 77
張可立清(奉天人) 475-370- 67
510-396-115
張可立清(字蔚生) 559-330-7下
張可仕張文峙 清
301-557-270
張可用金(滏陽人) 478-336-191
張可用金(平順人) 547-490-159
張可表妻 清 見賴氏
張可前清 480-249-269
533- 82- 49
張可述明 481-311-307
559-430-10上
張可捷清 475-702- 86
510-467-117
張可象宋 288-410-456
400-299-524
475-780- 89
張可復後周 278-434-131
張可載明 564-274- 47
張可曇元 476-265-110
547-503-159
張可舉妻 清 見王氏
張巧兒清 張琰女 474-412- 20
張世才明 511-196-143
張世弘妻 明 見鄭氏
張世正清 480-584-285
533-465- 63
張世臣張世昌 明(新野人)
475-450- 71
510-404-115
張世臣明(鄖縣人) 533-449- 62
張世任清 532-733- 66
張世孝清 456-325- 75
張世宜明 460-518- 46
張世忠明 474-278- 14
476-250-110
505-842- 76
545-152- 88
張世昌張巴延、張伯顏 元(字正卿) 481-745-334
528-560- 32
1216-538- 9
1216-603- 12
1386-736- 下
張世昌元(字叔京)
1439-445-附2
張世昌明 見張世臣
張世昌妻 明 見楊氏
張世昌妻 明 見劉氏
張世美妻 明 見王慧明
張世威明 545-443- 99
張世思清 540-875-28之4
張世則明 540-816-28之3
張世英元 472-741- 29
537-302- 56
張世英明 554-311- 53
張世烈明 554-511-57下
張世翀明 494- 45- 3
張世恩明 558-447- 38
張世基妻 清 見顧氏
張世通妻 明 見曾氏
張世偉明 475-139- 56
511-529-157
1442- 91-附6
張世雄宋 288-372-453
400-173-513
張世貴妻 清 見冉氏
張世勛妻 明 見李氏
張世傑宋 288-341-451
400-200-515
451-245- 0
459-669- 39
472- 33- 1
474-176- 8
480-127-264
493-724- 40
505-834- 76
523- 20-146
563-707- 39
564-803- 60
564-826- 60
張世傑元 1211-405- 57
張世傑明 558-432- 37
張世祿明 821-369- 55
張世祿清 560-105- 19
張世寧唐 547-476-159
張世瑢清 540-872-28之4
張世榜明 524-147-185
張世澤元 295- 66-151
399-428-458
472- 36- 1
505-720- 71
張世篤母 明 見劉氏
張世儒妻 清 見章氏
張世應明 558-185- 31
張世禧張禧 明 456-633- 10
張世爵明 558-343- 35
張世謨妻 清 見姚氏
張世顯明 475-330- 65
張充善妻 清 見李氏
張民表明 456-666- 11
458-151- 7
538-130- 65
820-734- 44

1442- 83-附5
1460-459- 62
張民師宋 559-280- 6
張民望明 505-908- 81
張民感明 1313-255- 20
1315-576- 35
張功懋元 1218-304- 13
張未僧張捨郎 宋451-101- 3
張皮雀張道修 明
493-1110- 58
511-920-174
張以文元 821-312- 54
張以中張禧 宋 529-685- 50
張以仁元 460-481- 38
張以仁明 1227- 71- 8
張以仁妻 明 見吳妙安
張以信妻 明 見許淑
張以道明 1283-598-113
張以誠明 511-130-141
676-625- 26
820-736- 44
1442- 86-附5
1460-491- 64
張以寧明 301-813-285
452-193- 4
473-573- 74
529-717- 51
676- 57- 2
676-445- 17
679-740-210
1226-518- 附
1240-296- 19
1374-606- 82
1442- 5-附1
1459-234- 4
張以寧妻 清 見許氏
張以澄明 473-369- 64
533-289- 56
張以謙明 537-524- 59
554-299- 53
張由益張進 明 524- 66-181
張四子妻 清 見侯氏
張四丈宋 1112-743- 20
1112-745- 20
張四奇明 456-659- 11
張四知明(字詒白) 301-290-253
676-653- 27
張四知明(字子畏) 458-125- 5
676- 8- 1
1442- 60-附4
1460-189- 49
張四美明 456-659- 11
張四重明 511-654-162
張四哲明 456-658- 11
475-710- 86
511-642-161
張四桂明 張倉女555- 42- 66
張四娘明 張純昭女
530- 68- 55
張四教明 554-347- 54
張四教清 540-846-28之4
張四術明 510-487-118
張四廕明 547- 76-143
張四維明(字子維) 300-601-219
452-510- 7
476-124-102
546-313-125
549- 69-183
549-475-198
550-139-214
張四維明(黃安人) 533-427- 62
張四維明(陽曲人) 545-668-107
張占鰲清 480-243-269
533-387- 60
545-681-107
554-737- 61
張冉本宋 1085-181- 23
張北山宋 1221-438- 7
張甲元明 547-491-159
張甲徵明 300-602-219
576-654- 5
張令臣金 545-430- 99
張令名明 547- 94-144
張令君明 534-631-102
張令望妻 明 見周氏
張令問張令聞 唐471-950- 52
524-290-193
591- 84- 6
張令聞唐 見張令問
張令聞明 547- 95-144
張令儀清 540-873-28之4
張令憲清 475-232- 61
482- 34-340
511-452-153
563-890- 42
張令藺明 483-372-401
張令鐸張鐸 宋 285- 92-250
396-461-297
472-524- 22
476-752-139
540-747-28之2
張仕可清 532-611- 42
537-231- 54
張仕政唐 533-779- 74
張仕國明 563-778- 40
張仕期妻 清 見趙氏
張仕隆明 見張士隆
張仕華妻 清 見李婃
張仕遜宋 見張士遜
張仕縉清 481-698-332
529-631- 48
張仕衡唐 見張士衡
張仕謙元 見張士謙
張白澤張鍾葵 後魏
261-380- 24
266-443- 21
379- 38-146
472-149- 5
474-515- 25
505-778- 73
554-111- 50
張用成張用誠、張伯端 宋
472-1107- 47
476- 90-100
478-298-188
479-299-230
486-906- 35
524-425-200
547-483-159
547-512-160
1061-524- 0
張用直金 291-471-105
399-169-431
張用泰宋 451- 86- 3
張用晦明 456-671- 11
480-206-267
張用莊女 宋 見張氏
張用誠宋 見張用成
張用禮明 568-299-110
張仙春清 鄭有位妻
479-536-241
張仙貞明 張玘女472-351- 15
512-113-180
張仙童明 558-489- 41
張仙喬張愛兒 唐812-345- 9
821- 56- 46
張幼文張載 明 515-373- 68
張幼昭宋 陳傅良妻、張孝愷女 1150-895- 50
1164-277- 14
張幼楨明 1275-192- 9
張幼實妻 明 見李兆明
張幼學清 511-216-144
張守大元 546-645-136
張守中元 546- 86-117
張守中明(字裕齋) 511-212-144
張守中明 見張守忠
張守正明 456-557- 7
張守亨明 478-546-202
558-201- 31
張守身妻 清 見盧氏
張守宗明 572- 82- 28
張守宗媳 明 見王氏
張守直明 475-450- 71
505-802- 74
510-404-115
張守忠張守中 明(字大石)
474-168- 8
477-566-177
546-603-135
554-181- 51
676-402-119
張守忠妻 明 見李氏
張守約宋 286-643-350
397-698-362
472-576- 24
472-878- 35
472-913- 36
472-935- 37
473-757- 83
476-864-145
478-482-199
478-515-200
478-544-202
478-572-203
478-695-210
482-371-357
540-759-28之2
554-243- 52
558-181- 31
558-196- 31
558-208- 32

567- 53- 65
1467- 34- 63
張守約明(字彥博) 523-404-150
533-284- 56
張守約明(字希曾) 567-341- 79
1467-239- 71
張守約明(號梅村)
1475-318- 13
張守信唐 486- 42- 2
張守素女 宋 見張氏
張守泰妻 清 見楊氏
張守眞宋(天興人) 478-206-184
張守眞宋(字遵一) 516-460-104
張守珪唐 270-261-103
274-665-133
384-203- 11
395-620-237
472- 26- 1
472-745- 29
472-944- 37
474- 90- 3
476-369-117
478-741-213
505-629- 67
537-604- 60
546-461-130
558-238- 32
933- 38- 25
張守剛明 572- 82- 28
張守清張洞因 元533-763- 74
張守符妻 清 見江氏
張守虛宋 561-223-38之3
張守進後梁 見張萬進
張守道明(保定人) 456-600- 9
張守道明(字岸先) 475-610- 81
511-307-148
張守業明 559-505- 12
張守蒙明 540-811-28之3
張守綸妻 明 見陳氏
張守標明 476-180-106
張守爵妻 清 見李氏
張守讓明 483-306-395
564-107- 45
571-545- 20
張安上宋 476-752-139
540-758-28之2
張安仁女 唐 見張氏
張安仁明 482- 75-341
516-129- 92
563-772- 40
張安石宋 516-206- 95
張安世漢 248-615- 8
250-404- 59
376-201-98下
384- 46- 2
384- 48- 2
459-171- 11
472-829- 33
478- 95-180
539-349- 8
545-750-110
554-378- 55
820- 25- 22
839- 27- 3
933-364- 25
1408-352-514
1412-123- 5
張安行宋 559-375- 8
張安甫明 505-660- 68
1248-151-148
1386-398- 44
張安住妻 明 見王氏
張安茂清 511-133-141
張安祖後魏 262-260- 87
267-641- 85
477-249-161
537-477- 58
552- 35- 18
933-373- 25
張安祖宋 820-454- 35
張安修宋 529-749- 51
張安國元 494-418- 12
張安國明 523-374-164
1232-576- 4
1458- 35-416
張安道宋 485- 85- 12
561-505- 44
1090-198- 3
張安節宋 484-382- 28
張安豫明～清 476-519-127
479-320-232
511-133-141
523-196-155
張江郎宋 見張諸
張汝士宋 820-355- 32
1102-195- 24
1102-489- 62
1378-611- 63
1383-653- 58
1410-197-686
張汝水清 547- 25-141
張汝永宋 820-440- 35
1170-713- 31
張汝幵宋 1170-727- 32
張汝舟宋 486- 51- 2
張汝舟明(渾源州人)
302- 11-289
474-168- 8
546- 91-118
張汝舟明(字濟民) 511-101-140
515- 92- 59
張汝孝妻 明 見王氏
張汝秀明 564-238- 46
張汝昌明 820-616- 41
張汝明宋(字舜文) 286-616-348
397-677-361
472-292- 12
472-430- 19
473-147- 56
473-222- 59
473-315- 62
475-375- 68
478-336-191
480- 87-262
480-463-279
511-204-144
515-582- 75
532-622- 43
532-730- 46
545-330- 95
554-334- 54
554-465- 56
張汝明宋(字晦叔) 529-627- 48
張汝明金 1191-238- 21
張汝芳金 540-661- 27
張汝恭明 456-628- 10
張汝卿元 472-577- 24
張汝乾明 476-395-119
545-225- 91
545-467-100
張汝焯妻 清 見張氏
張汝弼金 291-212- 83
399-135-428
張汝弼元 547-133-146
張汝楝明 554-678- 60
1288-624- 10
張汝華宋 510-362-114
張汝勤宋 524- 75-181
張汝說宋 487-188- 12
張汝賢宋 511-204-144
張汝醇明 676-173- 7
張汝緯妻 清 見鄒氏
張汝霖金 291-209- 83
399-134-428
474-737- 40
502-367- 62
544-238- 63
821-275- 52
1365-302- 9
1439- 4- 附
1445- 62- 1
張汝霖元 1221-450- 8
張汝霖明(字肅之) 515-137- 61
張汝霖明(字雨若) 571-528- 19
張汝濟明(字澤民) 515-176- 62
533-214- 53
張汝濟明(通州人) 545-346- 96
張汝翼金 1191-231- 20
張汝蘭明 見張如蘭
張汝鰲妻 清 見梁氏
張宇宗宋 1173-238- 80
張宇初明 516-462-104
676-677- 28
820-763- 44
821-486- 58
1442-117-附8
1460-804- 88
張宇清明 821-486- 58
張宇發宋 486-326- 15
523-382-164
張宅相明 1240-852- 9
張池奴元 張正蒙女
401-184-593
460-933- 0
張吉大清 474-246- 12
505-902- 80
張吉甫明 456-457- 4
張吉祿清 455-468- 28
張在魯妻 明 見羅素珠
張西溟女 明 見張氏
張西銘明(濱州人) 480-403-277
532-696- 45

張西銘明(字希載) 483- 33-371
494-166- 6
515-172- 62
570-110-21之1
820-638- 41
張存仁明 821-462- 57
張存仁清 474- 95- 3
476-919-148
481-494-324
505-640- 67
523- 62-149
537-227- 54
540-673- 27
張存仁妻 清 見夏氏
張存兒明 張文玘女
478-204-184
張存信後唐 見李存信
張存意明 533-285- 56
張存義明 563-780- 40
張存敬後梁 277-184- 20
279-124- 21
384-299- 16
396-334-281
472-202- 7
511-422-152
933-386- 25
張存誠女 明 見張妙微
張有元明 529-693- 50
張有孚清 559-329-7下
張有奎妻 清 見傅氏
張有苞妻 清 見徐氏
張有俊明 302- 54-292
456-604- 9
475-778- 89
張有常張重五 元
1217-599- 4
張有得明 見張有德
張有惠清 見張愼娘
張有德唐 485- 72- 11
張有德張有得 明
456-637- 10
張有餘明 547- 87-144
張有譽明 511-165-142
676- 72- 3
680- 55-230
1442-103-附7
1460-614- 71
張百程張伯程 清
480-137-264
533-476- 64
張至隆清 482-184-346
563-879- 42
張至發明 301-282-253
505-652- 68
張至龍宋 1364-652-342
1437- 30-附2
張羽材元 見張與材
張羽禮明 554-526-57下
張次山宋 471-905- 45
471-906- 45
472-295- 12
475-483- 73
510-387-115
張次之宋 820-356- 32
張次元宋 472-290- 12
511-366-150
1121-525- 40
張次元妻 宋 見嚴氏
張次公漢 244-767-111
250-335- 55
251-626- 24
476-367-117
544-199- 62
933-363- 25
張次化明 515-844- 84
張次仲明 524- 11-178
677-704- 63
678-484-116
1442-102-附7
1460-623- 71
張次宗唐 270-529-129
274-601-127
487-120- 8
491-343- 2
張次卨宋 529-607- 47
張次道宋 494-347- 7
張次賢宋 515-103- 60
張次夔宋 528-441- 29
張尗起明 821-348- 55
張同朱妻 宋 見陳氏
張同桂明 楊世昌妻、張志臣女 480-440-278
533-690- 72
張同雲清 550-154-214
張同敞明 300-526-213
456-423- 2
480-248-269
568-499-118
572-157- 32
1442-112-附7
張同德明 458-163- 8
張光斗明 456-501- 5
478-274-187
554-731- 61
張光斗清 554-738- 61
張光宇明 483-171-383
545-788-111
569-666- 19
張光孝明 554-503-57上
張光孝妻 清 見安氏
張光祁清 475-576- 79
477-361-166
511-292-147
537-322- 56
張光玭唐 547- 32-142
張光前明(字爾荷) 301-116-242
476-208-107
546-212-122
張光前明(彰德人) 505-659- 68
張光奎明 302- 50-292
456-552- 7
476-209-107
546-216-122
張光祖元 523- 81-149
525- 35-218
張光祖明(永城人) 456-525- 6
張光祖明(潁州人) 511-361-150
張光祖清 477- 90-153
537-597- 60
559-327-7下
563-884- 42
張光射明 547-102-145
1293-750- 5
張光射妻 明 見李氏
張光球明 1313-267- 21
張光晟唐 270-502-127
張光紹妻 清 見魯氏
張光啟明 528-551- 32
張光琪妻 清 見蘇氏
張光弼明 見張昱
張光裔明 456-598- 9
張光輔唐 270- 89- 90
張光遠張遠 元 515-617- 76
1224-279- 23
張光燦清 547- 30-141
張光璧清 476-262-110
張光璽明 302- 50-292
456-552- 7
張兆亨妻 清 見林氏
張兆治明 1475-657- 28
張兆昌妻 清 見李氏
張兆斌妻 清 見李氏
張兆曾明 554-218- 52
570-134-21之2
張兆鳳明 456-543- 7
529-703- 50
張兆熊清(字宜男) 478-248-186
554-528-57下
張兆熊張兆羆 清(漢中人)
480-363-275
532-603- 42
張兆熊妻 清 見何氏
張兆羆清 見張兆熊
張兆驄妻 清 見李氏
張兆蘭明 456-673- 11
515-513-72
張兆麟妻 清 見黃氏
張多學清 1316-651- 45
張名世明(字今我) 456-456- 4
474-693- 37
502-295- 56
523-388-164
張名世明(字經宇) 456-458- 4
546-154-120
554-310- 53
554-313- 53
張名世女 明 見張順娥
張名世妻 清 見李氏
張名由張凡 明 511-847-168
1442- 96-附6
1460-570- 68
張名式明 569-668- 19
張名昭元 545-461-100
張名振唐 271-512-187下
275-611-193
384-238- 12
400-109-509
545-361- 96
張名揚明 456-465- 4
張名德元 472-527- 22
476-527-128
540-780-28之2

張名翰明 456-437- 3
張名顯明 538- 81- 64
張旭初明 1293-753- 5
張旭陽明 554-289- 50
張任晟明 570-113-21之1
張任學明 301-425-260
481-336-308
545-158- 88
559-396-9上
676-653- 27
張自孔明 511-609-160
張自友妻 清 見李氏
張自民宋 見張自明
張自奇妻 清 見仝氏
張自昌清 見馬弘良
張自明張自民 宋
482-390-358
567- 73- 65
567-463- 87
585-768- 5
1467- 47- 63
張自勉張御 唐 523-563-174
張自烈清 479-768-252
511-890-172
515-514- 72
680-334-259
680-335-259
張自涵清 537-228- 54
張自祥清 456-326- 75
張自強清 456-325- 75
張自偉明 524-140-185
張自超清 475- 78- 53
511-668-163
1326-843- 8
張自新明(分宜人) 456-614- 9
515-514- 72
532-650- 43
張自新張鴻 明(字子賓)
511-745-165
1289-373- 26
張自德清 537-228- 54
張自興清 546-622-135
張自蘊明 545-346- 96
張向宸明 570-139-21之2
張全一明 見張三丰
張全昌明 301- 59-239
554-713- 61
張全義張言、張宗奭、張居言
後唐 277-522- 63
279-282- 45
384-291- 15
384-311- 16
396-411-293
472-739- 29
477-305-163
537-299- 56
933-387- 25
張全鮑妻 清 見王氏
張合兒明 477-455-171
張合緫唐 486- 42- 2
張企程明 554-673- 60
張企誠元 476-865-145
540-782-28之2
張企濂妻 清 見葉氏
張好古宋 515-130- 61
張好古元 295- 71-152
399-432-459
472-569- 24
476-611-133
480-127-264
533-367- 60
540-640- 27
張好古明 546-201-122
張好奇清 554-534-57下
張好問明 558-489- 41
張如玉明 見馬如玉
張如良明 456-640- 10
482-562-369
張如宗明 472-134- 4
張如砥元 510-345-114
1192-573- 12
張如愚妻 明 見王氏
張如遇元 820-543- 39
張如鳳明 570-161-21之2
張如錦清 554-321- 53
張如蘭張汝蘭 明
676-354- 13
676-597- 24
1442- 68-附4
1460-311- 54
張如巒明 559-388-9上
張先志清 478-133-181
554-739- 61
張先基清 533- 57- 48
張先猷明 456-582- 8
張先翼妻 明 見楊氏
張仲山明 1283- 1- 67
張仲方唐 270-202- 99
271-222-171
274-589-126
395-554-231
472-865- 34
478-295-188
482- 76-341
554-133- 50
564- 23- 44
933-380- 25
1080-778- 70
1342-321-945
張仲方宋 515- 83- 59
張仲方明 1258-288- 5
張仲文元 558-229- 32
張仲文明(易州人) 545-402- 98
張仲文明(嘉定人) 567-447- 86
張仲友宋 515-525- 73
張仲仁宋 1086-454- 9
張仲仁元 511-495-156
張仲安金 1040-252- 5
張仲安女 清 見張氏
張仲宇宋 567-412- 84
585-774- 6
1467-178- 68
張仲辛妻 明 見洪氏
張仲良妻 明 見周性端
張仲孝明 523-234-156
張仲武唐 271-372-180
276-210-212
384-275- 14
396-310-278
472- 31- 1
472-142- 5
474- 91- 3
505-713- 71
545- 28- 83
933-386- 25
張仲昌女 宋 見張氏
張仲金清 478-637-206
558-430- 37
張仲宣金 1365-289- 8
1439- 11- 附
1445-522- 39
張仲容宋 546-658-137
1365-299- 9
張仲素唐 273-100- 59
451-439- 4
472-142- 5
1371- 66- 附
張仲原宋 1122-405- 29
張仲珪宋 485-501- 9
張仲倩宋 472-1052- 44
523-240-157
1094-710- 78
張仲淳宋 524-182-187
張仲章元 1240-185- 12
張仲深元 1215-309- 附
張仲堅隋 550-725-228
張仲梓宋 1153-601-104
張仲晦女 明 見張氏
張仲莊妻 宋 見王氏
張仲偉妻 明 見周端秀
張仲隆宋 529-756- 52
1145-600- 77
張仲軻張牛兒 金
291-738-129
401-141-588
張仲琰隋 554-692- 61
張仲傑明 1291-922- 7
張仲溫後唐 476- 77-100
545-172- 89
張仲瑀後魏 379-254-150上
933-372- 25
張仲達妻 明 見林靜貞
張仲業明 529-709- 50
張仲實元 678-164- 85
張仲壽元 820-547- 39
1439-428-附1
張仲賢明 563-849- 41
張仲蔚漢 448-102- 中
478-101-180
554-862- 64
871-895- 19
張仲儀元(字伯威) 476-401-119
515- 30- 57
546-591-134
1224-585- 下
張仲儀元(燕人) 528-475- 30
張仲德清 563-867- 42
張仲謀唐 813-299- 18
820-280- 30
張仲璜清 480- 94-262
533-167- 52
567-160- 69

張仲儒明 494-45-3
張仲舉妻 明 見王氏
張印利女 清 見張桂姐
張行七宋 見土主
張行中宋 288-286-447
400-150-512
張行中金 見張行信
張行成唐 269-763-78
274-333-104
384-173-9
384-179-10
395-363-214
472-53-2
474-240-12
478-86-180
505-731-71
554-326-54
933-374-25
張行成宋 559-360-8
559-388-9上
591-613-44
592-488-91
1172-394-33
張行忠金 見張行信
張行昌唐 見志徹
張行信張行中、張行忠 金
291-499-107
384-1005-27
399-266-440
472-593-24
476-787-141
478-671-209
502-264-54
540-770-28之2
1040-260-6
1190-208-12
1365-307-9
1439-5-附
1439-75-2
張行素明 1237-489-5
張行敏明 558-445-38
張行健清 475-564-79
510-431-116
523-365-163
張行博唐 820-285-30
張行簡金 291-479-106
399-265-440
472-593-24
474-236-12
476-787-141
491-808-6
505-632-67
540-769-28之2
676-695-29
1190-200-11
1365-310-9
1439-5-附
1445-81-3
張伊智妻 明 見韓氏
張休猜唐 820-284-30
張宏初妻 明 見周氏
張宏門明 456-605-9
張宏相妻 清 見孫氏
張宏思妻 明 見韓氏
張宏猷清 532-698-45
張宏道妻 清 見岳氏
張宏業明 456-552-7
張宏傳清 456-325-75
張宏圖宋 529-445-43
1458-69-419
張宏圖清 533-313-57
張宏綱元 473-64-51
525-871-85
張宏綱明 456-606-9
481-588-328
張宏器妻 清 見王氏
張宏儒明 821-406-56
張沖之陳 260-677-21
張沖吾妻 明 見周氏
張沖然明 456-629-10
張沖極清 529-679-49
張沖翼清 554-679-60
559-333-7下
張辛孫宋 見張桂龍
張亨甫明 554-312-53
張宋卿宋 473-695-80
482-116-343
564-58-44
張良臣宋 491-410-5
491-436-6
524-316-194
1147-572-54
1153-161-70
1364-439-306
1437-26-附2
張良臣妻 明 見段氏
張良伍清 483-35-371
570-114-21之1
570-644-29之12
張良材元 515-199-63
張良佐明 456-531-6
474-733-40
502-279-56
張良知明 554-342-54
張良孫妻 元 見胡至靜
張良弼明 1264-215-12
張良弼清 456-307-74
張良裔宋 473-625-77
張良輔明 537-327-56
張良賢明 559-505-12
張良寶張文會 明
1274-404-14
張志尹清 547-107-145
張志玄元 1200-762-58
張志朴元 476-407-120
547-540-160
張志臣女 明 見張同桂
張志行宋 524-292-193
525-126-223
526-250-266
張志奇清 547-77-143
張志芳明 476-208-107
505-666-69
546-208-122
張志和張龜齡 唐
275-643-196
384-216-11
384-222-12
401-8-568
451-259-1
451-482-8
471-611-4
471-625-6
472-999-40
472-1028-42
475-577-79
479-147-223
479-249-228
479-321-232
486-315-14
494-520-25
511-909-173
524-291-193
533-721-73
812-355-10
812-377-0
814-276-10
820-208-28
821-65-47
871-909-19
933-385-25
1059-585-上
1061-313-113
1071-646-9
1130-159-16
1141-796-33
1371-61-附
1387-703-46
1410-32-666
張志和明 559-268-6
張志素元 498-465-94
張志格元 586-200-9
張志皋明 482-559-369
569-659-19
572-86-28
張志純張志偉 元541-95-30
1439-456-附2
張志能明 523-227-156
張志淳明 473-841-87
494-165-6
570-121-21之1
676-516-20
820-663-42
821-415-56
張志清元 295-651-202
476-91-100
547-485-159
張志淑明 515-111-60
524-264-191
張志偉元 見張志純
張志越明 529-673-49
張志雄明 299-254-133
張志棟清 1320-641-71
張志道宋 472-277-11
677-378-35
張志道元 567-445-86
1467-154-67
張志道明 472-647-26
477-442-171
537-339-56
張志誠唐 473-807-86
494-161-6

570-158-21之2
820-255- 29
張志端元 1206-195- 20
張志寧明 554-340- 54
張志遠明 1442-106-附7
1460-636- 72
1475-463- 19
張志遠清 546-639-136
張志遜唐 820-141- 26
張志寬唐 271-519-188
275-625-195
384-175- 9
400-284-523
472-463- 20
476-368-117
547- 98-145
933-385- 25
張志縉妻 清 見陳氏
張志穆妻 明 見林靈金
張志禧清 540-857-28之4
張志譽明 481-114-296
張甫明明 472- 57- 2
505-915- 81
張成已宋 479-766-252
張成文妻 清 見金氏
張成化張建成 唐
570-254- 25
張成良清 456-325- 75
張成家妻 清 見李氏
張成福清 476-856-145
張成德元 493-754- 41
張成德張湙 明 523-474-169
張孝七明 456-684- 11
張孝友宋 511-509-157
張孝安元 523-187-155
1212-155- 12
張孝伯宋 472-395- 17
511-372-150
524-325-195
張孝秀梁 260-445- 51
265-1087- 87
380-468-178
472-772- 30
479-607-244
516-218- 96
537-545- 59
814-255- 7
820-103- 24
933-371- 25
張孝直宋 473-114- 54
515-749- 80
張孝忠張孝、張阿勞 唐
270-683-141
275-118-148
384-236- 12
395-731-247
472- 85- 3
474-587- 30
490-391- 87
505-629- 67
933-381- 25
1341-569-874
1409-740-650
張孝忠妻 唐 見谷氏
張孝忠宋 472-312- 13
475-328- 65
511-458-154
517-207-120
820-440- 35
1237-648- 下
張孝忠元 295-250-165
400-245-520
張孝芳宋 561-211-38之2
張孝思唐 812-371- 0
張孝思元 528-446- 29
張孝則元 537-266- 55
張孝起明 301-708-279
456-442- 3
張孝時清 511-118-140
張孝師唐 812-343- 9
813- 74- 1
821- 39- 46
張孝純宋 545- 53- 84
1365-302- 9
1439- 2- 附
1445- 60- 1
張孝祥宋 287-344-389
398-355-387
471-685- 14
471-755- 23
471-780- 27
471-927- 49
472-222- 8
472-395- 17
473-298- 62
475-120- 55
475-811- 91
479-654-247
480-241-269
480-401-277
482-348-356
487-129- 9
488- 13- 1
488-450- 14
489-548- 43
493-713- 39
511-372-150
515-167- 62
559-343- 8
567- 68- 65
585-764- 5
592-598- 99
592-666-104
674-351-5下
674-844- 18
820-416- 34
933-397- 25
1140-755- 附
1140-756- 附
1284-332-161
1363-280-144
1437- 24-附2
1467- 42- 63
1488- 9- 附
張孝曾宋 473-233- 60
480-170-266
487-129- 9
張孝傑岳母 宋 見葉氏
張孝傑耶律仁傑、耶律孝傑 遼 289-710-110
401-371-618
張孝愷宋 523-625-177
張孝愷女 宋 見張幼昭
張孝嵩唐 273-111- 60
274-662-133
395-618-237
558-238- 32
張孝綽宋 1122-412- 30
張孝徵隋 472-307- 13
510-407-115
張李八唐 821- 88- 48
張杏孫元 1214-406- 4
張吾貴後魏 262-234- 84
267-567- 81
380-309-174
384-142- 7
472- 89- 3
474-652- 34
505-877- 78
張吾瑾清 481- 82-294
540-683- 27
559-410-9下
張西慶張稱 宋 451- 88- 3
張均海妻 明 見袁氏
張育才明 523-176-154
張君正明 456-637- 10
張君平宋 286-322-326
371-194- 19
397-449-346
472-698- 28
473-476- 69
474-438- 21
481-449-317
505-763- 72
張君臣張君呂 春秋
384- 21- 1
404-708- 43
933-362- 25
張君呂春秋 見張君臣
張君佐元 295- 67-151
399-429-458
張君房宋 471-809- 31
473-269- 61
533-309- 57
張君胄宋 451-176- 6
張君祖陳 1401-410- 31
張君執女 清 見張氏
張君實明 見張三丰
張君奭宋 451-176- 6
張君璧元 294-533-143
400-260-521
張君寶明 見張三丰
張君寶妻 明 見王氏
張克文明 479-353-233
523-205-155
張克公宋 286-620-348
397-680-361
472-663- 27
477- 82-152
537-396- 57
張克用明 1227-846- 4
張克見陳 820-107- 24

張克忠元 1214-178- 15
張克柔金 547-133-146
張克信明 821-364- 55
張克容清 476- 44- 98
張克恭唐 270-686-141
張克眞宋 530-204- 60
張克修明 見張允修
張克義妻 清 見朱氏
張克溫明 545-781-111
張克勤唐 270-687-141
275-121-148
張克會妻 清 見張氏
張克誠明 472- 37- 1
張克戩宋 288-281-446
382-722-111
400-148-512
449-342- 6
472-221- 8
472-495- 21
472-663- 27
475-119- 55
476-180-106
477- 82-152
493-746- 41
510-327-113
538- 38- 63
545-239- 92
張克寬元 546-300-124
張克賢妻 清 見李氏
張克儉唐 275-121-148
395-732-247
張克儉宋 1117-336- 16
張克儉明(字禹型) 302- 60-292
456-444- 3
533-353- 59
545-854-113
676-658- 27
張克儉明(鎭南人)
570-152-21之2
張克嶷清 476-403-119
546-761-140
1325-417- 12
張克禮唐 270-686-141
275-120-148
395-732-247
張克禮妻 唐 見襄陽公主
張克讓唐 270-687-141
275-121-148
395-732-247
張克讓元 505-869- 78
張克讓妻 元 見葛氏
張克讓明 1232-632- 6
張即之宋 288-268-445
400-679-563
494-349- 7
820-444- 35
1284-332-161
張即功妻 宋 見趙氏
張更化明 547- 43-142
張扶翼清 480-582-285
張肖孫妻 元 見費氏
張壯行清 537-413- 57
張見炫明 456-607- 9
張見道宋 288-562-469
張步仲妻 清 見支氏
張步雲明 480-134-264
533- 46- 48
張岐鳳明 533-413- 62
張我正明 302- 51-292
456-656- 11
477-525-175
張我訓清 554-776- 62
張我鼎清 476-618-133
540-836-28之4
張我德明 302- 51-292
456-656- 11
477-525-175
張我龍妻 清 見胡氏
張我翼明 456-558- 7
537-320- 56
張我繩明 554-199- 52
張我續明 301-225-249
張似渠明 523-137-152
張孚一明 820-672- 42
張孚卿妻 唐 見王氏
張孚敬明 見張璁
張谷寶元 473-505- 71
559-392-9上
張住兒明 511-567-158
張佐治明 481-616-329
529-572- 46
1457-519-389
張佑郎宋 見張穆
張作礪清 505-809- 74
張伯仁元 820-545- 39
張伯玉宋 471-596- 2
472-430- 19
473-601- 76
486- 48- 2
493-699- 39
510-325-113
545-134- 87
549-121-185
589-309- 2
812-753- 3
820-357- 32
張伯玉元 472-545- 23
540-662- 27
張伯安妻 明 見孫氏
張伯行清 475- 22- 49
476-480-125
477- 91-153
481-495-324
510-305-112
528-470- 29
538- 2- 61
540-678- 27
1325-663- 1
1327-664- 7
張伯成妻 明 見林氏
張伯雨元 585-499- 15
張伯虎宋 見張持
張伯威宋 288-417-456
400-304-524
478-248-186
554-755- 62
張伯垓宋 451- 24- 0
486- 55- 2
張伯英張伯庸 明683- 76- 4
張伯泉明 458-141- 6
張伯祖漢 742- 27- 1
張伯原明 534-603-101
張伯淳元 295-414-178
472-984- 39
479- 94-221
524- 20-179
676-701- 29
820-497- 37
1054-718- 21
1194-432- 附
1194-433- 附
1202-229- 17
1207- 84- 5
1284-345-162
1439-425-附1
1470-192- 7
張伯祥張瑞 明 510-456-117
515- 99- 59
1474-282- 13
張伯庸明 見張伯英
張伯通妻 明 見郝氏
張伯常宋 473-235- 60
480-177-266
533-729- 73
張伯隅明 1295-154- 12
張伯程清 見張百程
張伯裕明 572-156- 32
張伯楨清 1325-671- 2
張伯瑜女 明 見張福媛
張伯禽女 唐 見張氏
張伯端宋 見張用成
張伯豪妻 金 見聶舜英
張伯銘妻 明 見陳妙善
張伯綱明 559-310-7上
張伯輝妻 明 見陳氏
張伯儀唐 275- 8-136
395-640-238
523-211-156
532-565- 40
563-633- 38
933-381- 25
張伯顏元 見張世昌
張伯瑨妻 清 見陳氏
張伯鯨明 301-510-267
456-438- 3
475-377- 68
511-214-144
523-138-152
554-185- 51
張伯麟宋 475-670- 84
511-488-155
張含光明 554-282- 53
張含秀妻 清 見尚氏
張含烈妻 清 見武氏
張含瑾清 515-192- 62
546-325-125
張含輝父 明 1315-405- 20
張希一宋 285-623-290
397- 89-325
474- 92- 3
477- 75-152
537-390- 57

張希九妻 明 見王氏
張希文元 517-502-128
677-780- 69
1213-351- 9
張希元唐 820-177- 27
1065-783- 16
1339-624-701
張希元宋 1378-416- 56
張希旦妻 明 見冉氏
張希白明 1257- 5- 1
張希良清 480-138-264
533-186- 52
張希夏明 554-310- 53
張希皋明 563-812- 41
張希崇後晉 278- 98- 88
279-303- 47
384-312- 16
396-423-294
472- 32- 1
472-930- 37
478-594-204
505-714- 71
558-219- 32
933-388- 25
1383-810- 74
張希參宋 484-376- 27
張希善女 明 見張金福
張希曾妻 清 見劉氏
張希超唐 525-371-235
張希堯明 538-117- 64
張希復唐 270-790-149
396- 69-258
張希聖明 529-693- 50
張希賢張希顏 宋
471-725- 19
473-176- 57
515-115- 60
張希魯明 547- 60-143
張希憲元 1201-178- 80
張希顏張適 宋(漢州人)
592-730-108
821-199- 51
張希顏宋 見張希賢
張邦士明 546-309-125
張邦才妻 明 見左氏
張邦仁明 1474-535- 27
張邦伊明 1442- 67-附4
1460-299- 53
1474-538- 27
張邦直金 1040-251- 5
1445-663- 51
張邦玠妻 清 見王氏
張邦奇明 300-309-201
457-869- 52
458-851- 7
472-1089- 46
479-183-225
480- 13-257
523-594-175
676-533- 21
677-565- 51
1393-544-479
1442- 41-附2
1459-817- 33
1474-164- 8
張邦昌宋 288-634-475
291-151- 77
382-794-122
383-1008- 30
401-482-631
張邦侗明 676-600- 24
1474-538- 27
張邦彥宋 491-435- 6
680-184-242
張邦彥金 545-765-110
676-697- 29
1365-285- 8
張邦彥明 545-851-113
張邦俊明 554-674- 60
張邦寄清 475-668- 84
510-460-117
張邦教明(蒲州人) 546-711-138
554-220- 52
張邦教明(字敬敷)
570-155-21之2
張邦棟妻 清 見章氏
張邦祺清 456-325- 75
456-387- 80
張邦達明 563-803- 41
張邦達妻 清 見劉氏
張邦敬明 554-512-57下
張邦福清 479-227-227
523-164-153
張邦敷明 554-678- 60
張邦鉉明 511-449-153
張邦憲金 291-690-123
400-226-518
472-898- 35
475-434- 70
張邦翼明(字君弼) 456-579- 8
480-136-264
533-370- 60
張邦翼明(號軫南) 523-177-154
張邦翼明(蘄陽人) 676-187- 7
張利一宋 285-624-290
397- 90-325
472- 50- 1
474-235- 12
505-655- 68
537-390- 57
張利民母 明 見陳氏
張利民明 見甲中和尚
張利用女 宋 見張氏
張利汝明 尹子琳妻、張文女
1258-169- 15
張秀芳妻 清 見王氏
張秀樗宋 523-495-170
1164-462- 26
張妙秀明 477-422-169
張妙清元 洪士良妻
1197-814- 86
張妙淨元 585-430- 11
張妙微明 諸景通妻、張存誠
女 1255-639- 66
張妙靜宋 李蓁妻
524-616-208
張妙靜元 楊鎔妻
1194-201- 15
張妙嚴元 陳君卿妻
1212-366- 5
張妙觀元 683- 68- 4
張廷文妻 清 見徐氏
張廷元妻 清 見劉氏
張廷中明 511-603-160
張廷立明 1442-112-附7
張廷玉金 見張庭玉
張廷玉女 明 見張氏
張廷玉清 475-532- 77
1308-284- 58
張廷巨妻 明 見全氏
張廷用明 676-528- 21
張廷式明 1245-740- 10
張廷臣明 511-747-165
1283-425-100
1289-375- 26
張廷臣妻 明 見李氏
張廷光妻 明 見王氏
張廷作明 570-113-21之1
張廷邦唐 820-214- 28
張廷秀妻 明 見張氏
張廷玠妻 清 見胡氏
張廷芳明 460-571- 57
張廷芳妻 清 見章氏
張廷拱明 475-526- 77
529-551- 45
張廷相明 545-465-100
張廷柱清 559-335-7下
張廷柏明 559-298-7上
張廷珍妻 清 見劉氏
張廷俊明 569-676- 19
張廷祚妻 明 見李氏
張廷珪張庭珪 唐
270-233-101
274-483-118
384-187- 10
395-480-225
471-715- 18
472-125- 4
472-720- 28
472-745- 29
473-221- 59
474-468- 23
477-250-161
480- 87-262
493-684- 38
505-688- 70
537-478- 58
554-231- 52
684-475- 下
812-746- 3
814-273- 10
820-166-27
933-375- 25
1054-450- 12
張廷珪明 554-346- 54
張廷珩清 511-804-167
張廷恩明 1262-391- 43
張廷球妻 清 見劉氏
張廷偃宋 492-710-3下
張廷琦女 清 見張氏
張廷傑宋 1147-363- 33
張廷傑妻 宋 見李氏

十一畫 張

張廷裕後唐 277-540- 65
張廷瑞元 473-428- 67
481- 71-293
559-267- 6
張廷瑞元 見張庭瑞
張廷瑞明 472-369- 16
475-643- 83
511-317-148
張廷瑑清 475-532- 77
張廷鉉妹 明 見張五
張廷端張緒 明 820-594- 40
821-358- 55
1245-523- 27
張廷端妻 明 見楊眞
張廷槐明(字子徵) 545-394- 97
張廷槐明(莆田人) 563-794- 41
張廷輔清 502-767- 86
張廷瑤明 567-409- 84
張廷鳳明 554-313- 53
張廷綸明 567-313- 77
1467-200- 69
張廷潤妻 明 見錢氏
張廷範唐 276-456-223下
401-331-613
813-299- 18
820-290- 30
張廷譜妻 明 見許氏
張廷機妻 清 見梅氏
張廷翰宋(陵川人) 285-201-259
396-534-302
472-505- 21
476-206-107
546-183-121
張廷翰宋(信都人) 285-364-271
396-638-312
474-601- 31
張廷翰明 511-627-161
張廷璐清 475-532- 77
張廷璂清 511-803-167
1319-704- 43
張廷璧張穀 明 524- 66-181
張廷璧妻 清 見傅氏
張廷藩清 476-185-106
張廷蘊後晉 278-158- 94
279-304- 47
384-312- 16
396-424-294
472-681- 27
476-778-141
477-127-155
537-424- 58
545-455- 99
933-389- 25
張廷蘭明 見張庭蘭
張廷瓘清 511-804-167
張廷瓚清 475-532- 77
511-264-146
1319-702- 43
張宗之後魏 262-330- 94
267-745- 92
380-501-179
537-491- 59
張宗之明 1268-254- 41
張宗之妻 清 見李氏
張宗元張越哥 宋(字會卿)
448-381- 0
張宗元宋(字淵道) 486- 54- 2
585-763- 5
1467- 42- 63
張宗元宋(江州通判)
494-270- 2
張宗元元 472-1043- 43
524- 75-181
張宗仁明 456-628- 10
張宗永宋 554-843- 63
張宗古隋 547- 58- 63
張宗古宋 547-133-146
821-170- 50
張宗旦宋 1345-340- 14
張宗沆張壽老 宋448-399- 0
張宗李妻 清 見張氏
張宗孟明 554-305- 53
張宗信明 510-496-118
張宗海明 537-245- 55
張宗烜明 516-523-106
張宗望妻 宋 見吳氏
張宗惠妻 明 見孫氏
張宗雅妻 宋 見符氏
張宗堯宋 494-270- 2
張宗華元 529-762- 53
820-574- 40
張宗煒明 567-352- 80
1467-257- 71
張宗載明 483-163-382
570-139-21之2
張宗楚明 570-100-20下
570-163-21之2
張宗演元 295-649-202
401-125-585
516-461-104
張宗誨宋 285-291-265
382-223- 32
396-585-306
471-1033- 65
473-464- 69
478-417-195
481-211-302
540-750-28之2
547-193-148
554-238- 52
559-290-7上
591-691- 48
1090- 95- 17
張宗漢妻 元 見葉惠柔
張宗奭後唐 見張全義
張宗魯明 458-147- 7
477- 86-153
538-118- 64
張宗範宋 561-200-38之1
張宗諤宋 481-153-298
張宗璠清 482-435-361
張宗璉明 301-737-281
472-255- 10
475-215- 60
479-719-250
510-362-114
515-659- 77
1238-168- 14
1238-202- 17
1374-463- 66
張宗儒妻 清 見汪氏
張宗衡明(謚節愍) 456-522- 6
540-827-28之3
545-300- 94
張宗衡明(字梁山) 510-354-114
張宗濤宋 494-322- 6
張宗顏唐 1079- 39- 7
張宗顏宋 287- 66-369
398-131-374
472-325- 14
472-924- 36
475-699- 86
478-169-182
523- 14-146
554-595- 59
張宗顏明 528-526- 31
張宗禮明 1229-554- 5
張法孔明 483- 34-371
570-112-21之1
張法受唐 821- 43- 46
張法保明 474-182- 9
505-895- 80
張法眞元 481-215-302
561-222-38之3
張法善宋 韓元龍妻、張祁女
1165-365- 22
張京元明 680-325-258
張京瓚清 554-792- 62
張於廉明 456-586- 8
559-529- 12
張治光明 456-673- 11
張治具明 460-678- 69
529-547- 45
676- 22- 1
張治道明 472-128- 4
554-848- 63
676-546- 22
1442- 46-附3
1455-442-220
1460- 18- 40
張治載明 456-663- 11
張性之元 820-523- 38
張性倫清 561-206-38之1
張性善元 1195-162- 2
張性魯明 532-635- 43
張初旭清 540-847-28之4
張初俊明 見釋禪
張定安妻 金 見完顏鼐喇古
張定安明 1283- 88- 74
張定和隋 264-928- 64
267-519- 78
379-868-164
477-242-161
478-108-180
535-557- 20
537-286- 55
554-690- 61
933-373- 25
張夜义唐 592-320- 80
張庚次女 清 見張氏
張武仲女 宋 見張氏

張武愍妻 清 見蔣氏
張其平明 301-208-208
張其完妻 明 見李氏
張其完清 515-726- 79
張其孝明 563-815- 41
張其法明 456-662- 11
張其抱清 476-618-133
540-847-28之4
張其度明 456-662- 11
張其相清 538- 94- 64
張其郁清 476-403-119
515-228- 63
546-613-135
張其能妻 清 見楊氏
張其善清 511-374-150
張其湜明 820-655- 42
張其程明 456-662- 11
張其猷妻 明 見盧氏
張其綱明 540-816-28之3
張其瑾明 476-856-145
張其劌妻 清 見李氏
張其衡明 456-662- 11
張其翽妻 清 見李氏
張其蘊清 554-619- 59
張其顯清 529-688- 50
張拔都元 見張巴圖
張松谷元 511-935-175
張松壽唐 554-270- 53
張松齡清 481- 29-291
481-558-327
529-524- 44
559-328-7下
張附翔明 547- 36-142
張附鳳明 見張羽
張招叔清 張斗衡孫女
482-306-353
張招姐明 陳嘉賓妻
558-506- 42
張亞子晉 548- 76-164
張亞夫唐 525- 16-217
張亞卿宋 471-861- 38
473-758- 83
563-691- 39
567-412- 84
1467-169- 68
張坦咨妻 清 見董氏
張直方唐 271-373-180
276-211-212
384-279- 14
396-311-278
張直齋妻 清 見林氏
張居元明 547-114-145
張居中金 676-370- 13
張居仁明 1312-837- 11
張居仁妻 清 見馬氏
張居正明 300-520-213
452-503- 7
480-247-269
533-213- 53
676-580- 24
1442- 59-附4
1460-177- 48
張居言後唐 見張全義
張居易女 清 見張氏
張居彥明 545-462-100
1241-352- 2
1241-798- 20
張居祐元 1200-797- 61
張居詠南唐 1085- 45- 6
張居傑明 473- 16- 49
515- 37- 58
1241-352- 2
張居敬元 472-113- 4
505-682- 69
張居敬明(字大欽) 523-118-151
張居敬明(字伯簡) 558-185- 31
張居翰後唐 277-587- 72
279-233- 38
384-309- 16
401- 61-575
554- 85- 49
933-386- 25
1383-782- 71
張居禮明 524-138-185
張孟中明 529-464- 43
張孟同張談、張孟談 春秋
404-788- 48
545-496-101
張孟男明 300-637-221
458-121- 5
477- 88-153
537-407- 57
張孟芳妻 明 見董氏
張孟兼張丁 明 301-816-285
475-871- 95
524- 72-181
545- 65- 85
676-447- 17
1229- 407- 2
1229-468- 附
1235-609- 21
1442- 4-附1
1457-549-394
1459-279- 7
張孟喆妻 明 見李氏
張孟喆婢 明 見妙聰
張孟陽妻 明 見陳氏
張孟循明 1229-410- 2
張孟暄明 524-221-189
張孟敬妻 宋 見黃安貞
張孟談春秋 見張孟同
張孟賢明 537-455- 58
張孟德明 1287-523- 22
張孟顒明 1475-208- 9
張奉先明 528-509- 31
張奉先妻 明 見華氏
張奉先女 明～清 見張氏
張奉武清 456-325- 75
張奉國張子良 唐
276-471-224上
401-398-620
1279-606- 52
張坤貞清 余天士妻
530- 41- 54
張事心明 676- 63- 2
張奇化明 301-572-271
456-457- 4
張奇功明 456-503- 5
540-654- 27
張奇星清 481-214-302
559-533- 12
張奇彩妻 清 見楊氏
張奇策明 456-596- 9
540-821-28之3
張奇瑞明 533-486- 64
張奇爾金 見張乞驢
張奇學妻 明 見王氏
張奇嚕金 545-217- 91
張奇韜明 571-553- 20
張奇齡明 524- 25-179
張阿伴元 見張阿蟠
張阿童明 493-1011- 53
張阿勞唐 見張孝忠
張阿錢清 見張曼殊
張阿蟠張阿伴 元
511-552-158
1218-316- 14
張長安漢 476-881-146
675-278- 11
張長年張萇年 後魏
262-262- 88
266-444- 21
380-191-170
469-574- 71
472-149- 5
472-788- 31
477-407-169
537-324- 56
張長雲清 456-323- 75
張長遜唐 269-509- 57
274-166- 88
395-254-203
554-575- 58
933-373- 25
張東白明 820-748- 44
張東白明 見張元楨
張東明唐 1344- 74- 67
張東周明 533- 14- 47
559-316-7上
張東皐明 559-302-7上
張東喬宋 471-904- 45
張來鳳清 1312-859- 12
張來儀明 477-419-169
538- 67- 63
張來儀明 見張羽
張陂娘明 彭阿積妻
473-618- 77
481-650-330
530-128- 57
張承休唐 485-180- 24
493-864- 47
511-519-157
1065-870- 23
1342-393-955
1386-703- 上
張承相明 302-156-297
476-184-106
547- 47-142
張承祖妻 明 見邢氏
張承祖妻 明 見吳氏
張承祚明 679-691-206
張承恩明 475-483- 73

十二畫 張

510-410-115
張承恩清 475-274- 63
510-378-114
528-546- 32
張承詔明 515-511- 72
張承惠明 545-153- 88
張承傑南唐 515-115- 60
張承業康承業 後唐
277-585- 72
279-231- 38
384-309- 16
401- 59-575
545-595-104
549-425-196
1383-781- 71
1408-470-526
張承業清 456-387- 80
張承廕張承蔭 明
301- 58-239
456-420- 2
474-692- 37
478-272-187
502-292- 56
張承蔭明 見張承廕
張承德明 456-615- 9
張承憲明 505-861- 77
1442- 59-附3
張承寵清 533-478- 64
張具瞻明 523-227-156
張忠志唐 見張寶臣
張忠孝宋 515-198- 63
張忠孝清 532-610- 42
張忠孝女 清 見張氏
張忠恕宋 287-580-409
398-544-401
473-315- 62
473-376- 65
475-604- 81
480-614-287
481-406-313
494-312- 5
523-116-151
532-741- 46
532-747- 46
567-443- 86
591-561- 42
1173-198- 77
1467-152- 67
張忠輔宋 288-305-448
400-145-512
472-431- 19
476-330-115
545-419- 98
張肯堂元 1196-151- 8
張肯堂明 301-646-276
456-413- 1
475-184- 59
511-443-153
528-464- 29
張肯穀清 475-711- 86
511-340-149
張旺舅元 295-608-197
400-316-526
472-204- 7
475-780- 89
511-651-162
張尚友宋 460-442- 33
張尚友明 511-528-157
張尚仁清 456-326- 75
張尚忠明 547- 82-144
張尚明明 458-163- 8
張尚柔梁 蕭順之妻、張穆之女 260- 96- 7
265-200- 12
370-554- 18
張尚紀女 明 見張蟬雲
張尚智宋 484-388- 28
張尚義明 456-628- 10
張尚瑗清 511-755-165
517-781-135
517-786-135
張尚賢清 474-693- 37
474-734- 40
502-310- 57
張尚德宋 484-389- 28
張尚質明 1293-740- 5
張尚儒明 511-374-150
張昌中宋 見張昌宗
張昌任妻 清 見賴氏
張昌辰明 515- 97- 59
張昌宗唐 269-765- 78
274-334-104
276- 58-201
384-188- 10
400-589-554
401-128-586
張昌宗張昌中 宋
473-222- 59
480- 89-262
張昌胤明 567-410- 84
1467-257- 71
張昌祚妻 清 見杜氏
張昌期唐 269-766- 78
274-335-104
401-129-586
張昌嗣宋 821-206- 51
張昌蒲張菖蒲 魏 鍾繇妻
254-494- 28
476-185-106
547-304-153
550-217-217
1361-778- 60
1413-100- 36
張昌齡唐 271-565-190上
276- 58-201
384-176- 9
400-589-554
474-603- 31
505-891- 79
933-386- 25
張昌齡明 529-744- 51
676-466- 17
張明友妻 清 見袁氏
張明仁明 547- 25-141
張明亨唐 570-256- 25
張明亮妻 清 見李氏
張明俊明 524-187-187
張明卿元 524- 64-181
820-541- 39
821-322- 54
1224-287- 23
張明理明 456-667- 11
張明理清 456-325- 75
張明異妻 清 見陳永姐
張明善元 1221-405- 3
張明善明 見張思誠
張明惠唐 476-350-116
張明弼明 511-776-166
676-658- 27
1442-108-附7
張明棐清 475-754- 88
511-649-162
張明試妻 清 見顧氏
張明煒妻 明 見游氏
張明道明 473-284- 61
480-133-264
533- 44- 48
張明道妻 明 見齊氏
張明經清 524-154-185
張明德元 821-300- 53
張明徵妻 清 見鄢氏
張明儒妻 明 見向焦女
張明勳清 1315-370- 17
張昇雲唐 見張茂昭
張昂之明 511-133-141
559-283- 6
張昂霄元 1206-613- 11
1373-269- 18
張易之唐 269-765- 78
274-334-104
384-173- 9
401-128-586
933-374- 25
張易升妻 清 見鮑氏
張易宗明 533- 40- 48
張易貞明 1229-241- 7
張芳洲妻 明 見晚色
張芳洲妻 明 見寒香
張芳溁妻 清 見俞氏
張芳聲妻 清 見白氏
張芳譽清 570-125-21之1
張芝初明 見張芝
張芝夢清 524-102-183
張叔夜宋 286-681-353
382-702-108
397-728-364
449-340- 6
449-344- 6
471-713- 18
472-663- 27
472-766- 30
472-904- 36
473- 63- 51
475-471- 72
476-517-127
477- 83-152
478-483-199
510-407-115
515-856- 85
538- 38- 63
540-625- 27
558-175- 31

1145-746- 84
1146- 93- 89
1437- 20-附1
張叔明唐 540-741-28之2
張叔宣明 475-810- 91
510-491-118
512-786-196
張叔紀漢 王遵妻
591-534- 41
591-594- 44
1397-553- 26
張叔振宋 529-749- 51
張叔寅宋 451-220- 0
張叔溫元 1221-577- 19
張叔維明 524-305-194
張叔鐙明 515-562- 74
張叔獻宋 484-104- 3
張炅然明 456-629- 10
張杲之宋 545-438- 99
張果老唐 471-1059- 69
511-917-174
張忽峍唐 見張士貴
張知玄唐 271-452-185下
274-291-100
395-347-212
張知古唐 1065-574- 5
張知白宋 286-110-310
371- 50- 5
382-322- 51
384-340- 17
384-346- 18
397-292-336
471-1043- 67
472- 50- 2
472- 70- 2
472-126- 4
472-195- 7
472-676- 27
472-717- 28
473-445- 68
474-339- 17
477-242-161
477-359-166
505-744- 72
510-478-118
537-287- 55
540-646- 27
559-280- 6
933-392- 25
張知泰唐 271-452-185下
274-291-100
395-347-212
545-132- 87
554-445- 56
張知晦唐 271-452-185下
274-291-100
395-347-212
張知默唐 271-452-185下
274-291-100
395-347-212
554-445- 56
張知謇張知蹇、張知騫 唐
271-452-185下
274-291-100
384-172- 9
395-347-212
472- 31- 1
472-336- 14
472-394- 17
472-518- 22
474-173- 8
475-809- 91
480-318-272
505-712- 71
510-489-118
540-623- 27
545-454- 99
554-445- 56
933-374- 25
張知蹇唐 見張知謇
張知騫唐 見張知謇
張孝友唐 1073-599- 29
1074-441- 29
1075-391- 29
張季玉金 王寂妻、張价女
1190- 52- 6
張季知齊 812-331- 7
821- 23- 45
張季和宋 516-148- 93
張季思明 559-404- 9
張季珣隋 264-1024- 71
267-647- 85
380- 69-166
384-157- 8
478-108-180
545-399- 98
554-691- 61
933-373- 25
張季蘭宋 胡寅妻、張卲女
1137-553- 20
1137-688- 26
1137-717- 27
張和尚宋 見張士儋
張和孫宋 523-396-165
張和禎妻 明 見胡氏
張委禽妻 明 見程菊英
張朋舉明 494- 45- 3
張佳胤明 300-658-222
477-202-159
478-769-215
481-117-296
494-158- 5
523- 56-148
537-282- 55
545-377- 97
559-356- 8
561-521- 44
569-653- 19
676-583- 24
1282-696- 53
1283-713-123
1284- 70-141
1289-798- 2
1442- 65-附4
1460-262- 52
張金和明 533- 55- 48
張金基清 480-138-264
532-651- 43
張金基妻 清 見金氏
張金陵明 482-371-357
515-675- 78
567- 93- 66
1245-514- 26
張金鉉明 456-673- 11
張金福明 張希善女
530- 4- 54
張金榜明 558-451- 38
張金龍清 1312-869- 12
張金操宋 480-288-271
張始均後魏 261-878- 64
266-879- 43
379-254-150上
張肫仁清 483-118-379
570-153-21之2
張所志清 481- 28-291
502-631- 77
528-468- 29
559-325-7下
張所見明 見張介
張所修清 538-105- 69
張所修妻 清 見汪氏
張所薀清 547- 64-143
張所懷妻 清 見劉氏
張所蘊明 567-409- 84
1467-254- 71
張所蘊清 474-247- 12
480-291-271
505-848- 76
533-391- 60
張秉一南唐 516-458-104
張秉文明 302- 40-291
456-436- 3
475-531- 77
476-480-125
511-474-155
540-621- 27
張秉文妻 明 見方孟式
張秉中明 1235- 16- 上
張秉正明 569-660- 19
張秉孚妻 明 見吳氏
張秉和明 481-723-333
529-698- 50
張秉美妻 清 見劉氏
張秉貞明 532-601- 41
張秉貞清 511-262-146
張秉純明 456-632- 10
475-812- 91
512-786-196
張秉純妻 明 見劉氏
張秉乾清 479-176-225
523-139-152
張秉壼明 529-517- 44
1442- 57-附3
1460-157- 47
張秉誠明 547- 91-144
張秉衡妻 清 見林魁姐
張秉薦妻 清 見徐氏
張秉彝明 473-302- 62
1227-605- 中
張秉彝清 475-531- 77
511-609-160
1319-697- 43

張秉彝妻 清 見吳氏
張依誠明 511-653-162
張延允妻 明 見田氏
張延朗後唐 277-568- 69
279-161- 26
384-302- 16
396-360-284
933-387- 25
1383-739- 67
張延師唐 269-809- 83
274-408-111
395-402-218
554-443- 56
張延通宋 285-404-274
396-667-315
472-490- 21
545-822-112
張延統清 481-746-334
528-565- 32
張延登明 540-821-28之3
676-201- 8
張延聖清 524-160-186
張延壽漢 250-407- 59
376-203-98下
554-378- 55
張延壽唐 820-145- 26
張延播後晉 278-183- 97
張延賞張寶符 唐
270-524-129
274-598-127
384-227- 12
395-562-232
472-288- 12
472-464- 20
472-739- 29
475-364- 67
476-119-102
476-911-148
481- 17-291
510-280-112
537-200- 54
545- 15- 83
546-274-124
559-246- 6
591-675- 47
820-218- 28
933-380- 25
張延翬清 524-225-189
張延齡明 302-197-300
張欣泰齊 259-502- 51
265-405- 25
378-245-137
820- 94- 24
933-369- 25
張迎吉妻 清 見劉氏
張近方妻 清 見秦氏
張洪本妻 明 見郭氏
張洪祁妻 後魏 見劉氏
張洪極清 510-421-116
張洪範元 496-413- 89
502-782- 87
張洪勳明 456-495- 5
558-425- 37
張洪勳妻 清 見劉氏
張洪翼女 清 見張氏
張冠玉清 547-107-145
張冠岳明 676-461- 17
張冠期妻 明 見朱氏
張為煥清 479-811-255
515-261- 65
張炳文清 546-692-138
張炳炎宋 493-1056- 56
張炳祖清 511-565-158
張炳然明 456-629- 10
張炳璿明 554-525-57下
張宣力唐 1076-113- 12
1076-569- 12
1077-140- 12
張宣子晉 546-376-127
張宣子女 晉 見張氏
張宣軌後魏 262- 37- 68
266-822- 40
張洞囦元 見張守清
張洵武宋 484-376- 27
張首標明 545-159- 88
張首齡清 482- 79-341
張亮臣妻 明 見楊氏
張亮則漢 554-433- 56
569-641- 19
571-513- 19
879-178-58下
張亮則妻 漢 見陳惠謙
張郊芳明 456-612- 9
張施大清 537-471- 58
張施深梁 516-481-105
張彥士清 540-843-28之4
張彥方明 299-364-142
456-694- 12
479-527-241
479-434-236
515-652- 77
523-500-170
571-534- 19
588-297- 1
張彥方妻 明 見趙氏
張彥文元 480-170-266
張彥之張愬 明 1460-733- 79
張彥弘唐 276-156-208
384-289- 15
401- 57-575
張彥由宋 1122-541- 9
張彥忱妻 明 見蕭氏
張彥成後周 278-378-123
張彥材明 821-349- 55
張彥明妻 明 見劉氏
張彥明妻 明 見錢氏
張彥和明 1229-413- 2
張彥威後周 545-817-112
張彥英明 1240-876- 10
張彥悅宋 821-222- 51
張彥珩清 481-551-327
528-480- 30
張彥卿張彥能 南唐
472-307- 13
475-323- 65
510-381-115
張彥能南唐 見張彥卿
張彥清宋 460-113- 6
494-349- 7
529-609- 47
1174-738- 46
張彥章妻 明 見陳氏
張彥常明 1237-515- 6
張彥博宋 1098-470- 13
1105-787- 94
張彥超後周 278-424-129
張彥聖明 528-544- 32
張彥實元 1218-366-15
張彥彰明 1242-159- 29
張彥輔元 821-329- 54
張彥遠唐 270-529-129
274-601-127
395-565-232
546-276-124
674-768- 14
684-485- 下
813-310- 20
820-269- 29
張彥穎明 302-183-299
張彥澤後晉 278-193- 98
279-342- 52
384-314- 16
401-478-630
張彥璘清 554-261- 52
張彥聰妻 明 見范氏
張彥舉宋 1189-275- 1
張彥禮明 511-380-150
張奕靈清 564-302- 48
張美含明(字哲顯) 537-551- 59
張美含明(字孟美) 538-142- 65
張美含女 明 見張氏
張美和張九韶 明
299-300-137
452-261- 8
458-609- 1
473-129- 55
515-541- 74
1318-348- 63
張拱文明 559-254- 6
張拱辰宋 510-424-116
張拱辰元 1214-407- 4
張拱辰明(字仰德) 564-134- 45
張拱辰明(富川人) 567-382- 82
1467-217- 70
張拱微明 456-456- 4
478-273-187
554-735- 61
張拱端明 547- 37-142
張拱璧清 533-471- 64
張拱耀妻 明 見牛氏
張咸寧宋 1351-498-131
張威熙宋 821-250- 52
張咸濟妻 清 見黃氏
張春先妻 明 見陳氏
張春兒元 李青妻
477-379-167
1218-624- 2
張春華晉 晉宣帝后、張汪女
255-570- 31
373- 65- 20
張垣崇明 456-527- 6
511-586-159

張柱秀張桂秀　明　張啟明女
473- 53- 50
479-536-241
516-364-101
張相業明 456-643- 10
張相霖明 523-556-173
張柏亭明 524-436-201
張柏菴妻　明　見羅氏
張軌端明 480-437-278
511-132-141
張厚德清 456-307- 74
張厚權清 456-324- 75
張奎華明 533- 72- 49
張奎璧清 547- 28-141
張矜貴清　陳康珩妻
530- 41- 54
張胥鄙春秋 386-680- 9
493-793- 43
張柳朔張未　春秋
404-782- 48
505-673- 69
545-725-109
張南本唐 812-486-上
812-521- 2
813- 80- 3
821- 91- 48
張南史唐 273-113- 60
451-429- 3
1371- 64-附
1388-255- 63
張南伯明 821-372- 55
張南金宋 515-232- 64
516-147- 93
張南溪明 556-456- 93
張南溪妻　明　見黃氏
張南溪女　明　見張貞順
張南園明 1458-719-474
張郁蘭明 563-788- 40
張屏山宋 1185-772- 22
張飛閣明 533-437- 62
張契眞宋 524-385-198
張奏凱明 456-500- 5
559-510- 12
張東之唐 270- 69- 89
270- 96- 91
274-520-120
384-186- 10
395-502-226
459-368- 22
470-376-145
471-779- 27
471-816- 32
471-854- 38
471-950- 52
471-1023- 64
472-738- 29
473-250- 60
473-296- 62
473-425- 67
473-475- 69
480-239-269
480-295-271
481- 16-291
481-113-296
482-187-346
482-280-351
533- 87- 49
534-553- 99
537-296- 56
545-131- 87
559-272- 6
563-643- 39
591-672- 47
933-376- 25
張述古明 1248-611- 3
張致中明 676-668- 28
1442-114-附7
張致和元　史賓之妻
1203-452- 33
張致遠宋 287-155-376
398-204-378
451- 23- 0
481-524-326
481-647-330
481-802-338
528-440- 29
529-581- 46
張建中元 1194-701- 13
張建中妻　明　見趙氏
張建成唐　見張成化
張建成妻　清　見齊氏
張建封唐 270-667-140
275-232-158
384-236- 12
396- 44-255
472-409- 18
472-774- 30
475- 15- 49
475-419- 70
475-500- 75
475-741- 88
477-376-167
510-279-112
537-546- 59
540-740-28之2
541-110- 31
545- 17- 83
933-382- 25
1074-305- 17
1075-264- 17
1339-646-704
張建封妻　唐　見關盼盼
張建南妻　清　見劉氏
張健侯宋 473-376- 65
480-563-284
480-581-285
533-407- 61
張建高明 523-252-157
張建業妻　清　見王氏
張建節明 1280-459-89
張思中明(樂清人) 545-220- 91
張思中明(分宜人)
1467-130- 66
張思仁妻　明　見王氏
張思立元 472-677- 27
537-255- 55
張思孝元(華州人) 295-608-197
400-317-526
478-347-191
張思孝元(字奉先)
1218-806- 6
張思孝妻　元　見華氏
張思孝媳　明　見劉氏
張思均宋　見張思鈞
張思伯北齊 263-337- 44
267-578- 81
380-321-174
505-870- 78
933-373- 25
張思忠元 1200-632- 48
張思忠明 1237-277- 5
張思明妻　宋　見卞妙覺
張思明元 295-397-177
399-708-491
472-709- 28
472-962- 38
476-249-110
477-209-159
478-763-215
523- 25-147
537-465- 58
545-266- 93
張思明明 456-658- 11
張思明不詳 1223-439- 7
張思房清 559-410-9下
張思恆明 1237-220- 3
1237-277- 5
1237-335- 7
張思恭元 559-274- 6
張思恭明 472-207- 7
511-359-150
張思恭清 510-302-112
張思問明 516-139- 92
張思鈞張思均　宋
285-497-280
396-732-319
472-107- 4
554-354- 54
張思義宋 821-247- 52
張思敬明(徐州人) 511-585-159
張思敬明(洋縣人)
554-526-57下
559-275- 6
張思誠明(大邑人) 559-388-9上
張思誠張明善　明(字思誠)
1228-795- 14
張思語妻　清　見陳氏
張思齊宋 487-512- 7
張思齊明 480-131-264
533- 40- 48
563-805- 41
張思誼明 511-603-160
張思調明 563-796- 41
張思濂妻　明　見江氏
張思靜明 554-509-57下
676-582- 24
張思謙妻　明　見劉氏
張茂之元 472-395- 17
511-372-150
張茂生清 546-227-122
張茂良宋 567-413- 84
585-775- 6

1467-180- 68
張茂身明 見張茂貞
張茂宗唐 270-687-141
275-120-148
395-732-247
張茂宗女 唐 見鄭國公主
張茂直宋 285-712-296
397-154-329
472-555- 23
476-585-131
張茂和唐 270-688-141
395-732-247
張茂恂明 456-656- 11
張茂度張裕 劉宋
258-141- 53
265-469- 31
378-117-134
384-112- 6
472-225- 8
475-125- 56
479-222-227
481-799-338
482- 73-341
485-175- 24
486- 37- 2
493-840- 46
511- 87-140
523-144-153
563-615- 38
814-247- 6
820-87- 4
933-369- 25
張茂貞張茂身 明
456-656- 11
張茂昭張昇雲 唐
270-685-141
275-120-148
384-257- 13
395-732-247
933-381- 25
張茂則宋 288-546-467
401- 76-577
477- 79-152
張茂英明 572-110- 30
張茂信妻 清 見方氏
張茂梧明 567-358- 80
1467-256- 71
張茂植明 567-390- 82
1467-256- 71
張茂實宋 見張孜
張茂樞唐 274-601-127
395-565-232
546-276-124
張茂頤明 515-562- 74
張茂蘭明 505-676- 69
540-798-28之3
541-619-35之17
張貞生清 479-728-250
515-727- 79
張貞教明 547-112-145
張貞順明 徐榮妻、張南溪女
1274-363- 13
張貞學妻 明 見李氏
張貞觀明 300-814-233
476-659-135
511-229-144
張若水宋 288-543-467
張若化明 460-784- 83
529-678- 49
1325-720- 6
張若劣唐 820-281- 30
張若仲明 460-785- 83
1325-720- 6
張若谷宋 285-752-299
397-183-331
472-1052- 44
473-616- 77
479- 41-218
481-153-298
481-646-330
484- 91- 3
488-382- 13
523- 73-149
529-578- 46
545- 48- 84
張若金明 1242-785- 7
張若虛唐 271-588-190中
1371-740- 附
張若需清 475-532- 77
張若澄清 475-532- 77
張若霈清 511-264-146
567-163- 69
張若羲清 511-839-168
1442-111-附7
張若霖清 511-264-146
511-612-160
張若麒明 505-660- 68
張若齡清 533-463- 63
張若靄清 475-532- 77
張苟兒齊 見張敬兒
張昭允宋 285-476-279
396-719-319
472-708- 28
474-234- 12
537-464- 58
張昭式妻 宋 見鮑氏
張昭成晉 516-457-104
張昭胤前蜀 820-319- 31
張昭孫元 517-527-128
張昭遠宋 286-329-326
371-178- 18
397-454-346
472- 51- 2
472- 85- 3
474-371- 19
505-654- 68
540-756-28之2
554-354- 54
張昭遠宋 見張昭
張昭儀蜀漢 朱叔賢妻
591-534- 41
張星法清 505-832- 75
張星法妻 清 見李氏
張星瑞清 511-770-166
張星燦清 547- 27-141
張星曜妻 清 見趙氏
張星耀清 505-918- 81
張胄玄隋 264-1100- 78
267-703- 89
380-655-183
384-159- 8
474-309- 16
505-925- 83
張則明明 1241-673- 15
張則善明 1239-124- 35
張英奇清 505-832- 75
張英時妻 明 見劉氏
張映奎明 456-610- 9
張映奎明 見張應奎
張映宿明 456-559- 7
張映發明 456-637- 10
張迪哲明 820-763- 44
1236-429- 3
張迪祿金 545-765-110
1365-285- 8
張禹珪宋 285-224-261
474-469- 23
476- 28- 97
476-576-131
505-689- 70
540-632- 27
張待問宋 540-624- 27
張約之劉宋 511-430-153
張信夫金 1190-206- 12
1190-248- 17
張信民明 458- 21- 1
476-251-110
538- 16- 61
676- 50- 2
676-101- 3
676-307- 11
張信臣宋 511-358-150
張信眞金 541- 94- 30
張侶顏妻 明 見王氏
張皇后漢 漢惠帝后、張敖女
251-273-97上
373- 4- 19
張皇后蜀漢 漢後主后、張飛女(謚敬哀) 254-576- 4
384-422- 5
385- 55-4上
張皇后蜀漢 漢後主后、張飛女(敬哀皇后之妹)
254-576- 4
384-422- 5
385- 55-4上
張皇后唐 張去逸女
269-432- 52
274- 20- 77
393-264- 72
537-185- 53
554- 22- 48
張皇后後晉 晉出帝后、張重訓女 278- 91- 86
張皇后宋 宋仁宗貴妃、張堯封女 284-866-242
382-106- 13
384-345- 17
393-307- 75
537-186- 53
張皇后明 明仁宗后、張麒女、張麟女 299- 6-113

537-188- 53
1459-185- 1
張皇后明 明世宗后
299- 17-114
張皇后明 明孝宗后、張巒女
299- 16-114
張皇后明 明熹宗后、張國紀女
299- 25-114
537-188- 53
張重五元 見張有常
張重政母 唐 見徐氏
張重訓女 後晉 見張皇后
張重華晉 256-407- 86
262-437- 99
381- 82-186
558-169- 31
933-368- 25
張重潤清 540-848-28之4
張重齡清 554-533-57下
張垂芳明 547- 62-143
張垂舊宋 1121-404- 27
張紅橋明 林鴻妻
1442-123-附8
1460-768- 84
張科甫女 明 見張氏
張衍瑞明 300-109-189
458- 98- 4
477-210-159
537-467- 58
545-192- 90
張俞卿妻 清 見劉氏
張俞嚴明 554-346- 54
張勉學明 511-108-140
張保民明 505-659- 68
546-382-127
張保洛北齊 263-151- 19
267-124- 53
379-373-152
544-216- 62
張保孫宋 1100-433- 39
張保皋唐 483-685-421
1081-576- 3
1340-715-795
1408-504-531
張保通元 295-250-165
400-245-520
張保童妻 元 見郝氏
張保雍宋 1098-749- 47
張保衡女 宋 見張氏
張保續宋 285-402-274
472-838- 33
478-122-181
554-587- 59
張俊大元 1204-329- 11
張俊民金 1040-257- 5
張泉逸元 473-652- 78
張後甲明 511- 82-139
張後胤唐 271-538-189上
276- 10-198
400-407-538
475-128- 56
476- 45- 98
485- 180- 24
493-1013- 54
511-670-163
547-150-147
933-386- 25
張後餘唐 1073-492- 17
1074-315- 17
1075-274- 17
張後覺明 301-793-283
457-455- 29
476-618-133
540-816-28之3
541-598-35之17
1458-373-442
張海海張文淵 明
523-413-166
張宴之張晏之 北齊
263-268- 35
266-880- 43
379-505-155
472-572- 24
476-896-147
933-372- 25
張祖周明 456-677- 11
張祖信元 540-782-28之2
張祖順宋 1153-309- 83
1153-592-104
張祚延明 456-557- 7
張祚達明 559-509- 12
張唐民宋 1102-330- 42
張唐英宋 286-658-351
382-662-102
397-711-363
450-319- 14
471-1047- 67
480-288-271
481- 78-294
532-671- 44
559-341- 8
591-349- 28
591-550- 42
592-590- 98
820-371- 33
1121-480- 35
1354-851- 50
1381-700- 50
張唐卿宋 見孫唐卿
張訓禮張敦禮 宋
821-223- 51
張悅遂元 見張悅遠
張悅遠張悅遂 元
472-1027- 42
1212-172- 13
張神卜明(善卜) 570-261- 25
張神武陳神武 明
301-566-271
456-456- 4
474-693- 37
479-494-239
502-297- 56
515-441- 70
張神武妻 明 見呂氏
張神峰明 516-518-106
張家玉明 301-690-278
482- 39-340
564-157- 45
676-662- 27
677-728- 64
1442-112-附7
張家傳明 534-750-109
張浚明明 547- 6-141
張效芳明 533-377- 60
張衷燦妻 清 見林氏
張疾遷元 1212-501- 14
張庭玉張廷玉 金
505-891- 79
1365-293- 9
1445-528- 40
張庭珍元 295-272-167
399-614-481
472-677- 27
473-234- 60
474-558- 28
476-915-148
477- 54-151
480-170-266
496-410- 89
502-376- 63
532-679- 44
537-206- 54
1201-694- 28
1367-673- 52
張庭珪唐 見張廷珪
張庭堅宋 286-592-346
382-652-100
397-660-360
371-1031- 65
473-368- 64
473-456- 68
473-758- 83
477-526-175
480-487-280
381-183-300
482-373-357
559-364- 8
561-306- 40
567-434- 86
591-350- 28
591-612- 44
678-102- 79
1467-147- 67
張庭瑞張廷瑞 元
295-273-167
399-615-481
474-558- 28
496-411- 89
502-377- 63
559-291-7上
1201-467- 6
1201-613- 20
張庭諷唐 820-147- 26
張庭蘭張廷蘭 明473-318- 62
533-294- 56
張泰元妻 清 見陳氏
張泰交清 475- 22- 49
476-210-107
478-771-215
510-304-112
523- 68-149

546-227-122
1316-676- 46
張泰亨元 295-261-166
399-607-480
540-773-28之2
張泰乎清 545-253- 92
張泰來元 554-336- 54
張泰階明 545-227- 91
張泰階清 481-336-308
559-413-9下
567-154- 69
568-503-118
張泰階妻 清 見汪氏
張泰徵明 300-602-219
張素仁清 523-110-150
張素和明 676-760- 32
張素卿唐 592-695-106
812-484-上
812-522- 2
813- 81- 2
821-100- 48
張恭二明 1259-862- 8
張恭父明 821-458- 57
張恭生清 456-378- 79
張恭嗣後唐 820-313- 31
張恭舉清 456-324- 75
張眞一元 476-187-106
547-494-159
548-246-169
張眞祐宋 見張應中
張原明明 458-100- 4
554-213- 52
張原泰妻 明 見姚氏
張原善明 見張元善
張原湜明 473-387- 65
532-719- 45
張烈文明 483-201-388
570-140-21之2
張烈宿明 456-520- 6
張孫美明 567-350- 80
1467-251- 71
張孫瑶妻 清 見葉爾烈
張孫繩明 567-346- 79
1467-246- 71
張桂秀明 見張柱秀
張桂芳妻 清 見羅氏
張桂姐清 張印利女
474-342- 17
張桂兒明 張文玘女
478-204-184
張桂貞明 476-677-136
張桂喜清 尹春妻
475-584- 79
512- 96-179
張桂龍張辛孫 宋
451- 61- 2
張晉亨元 295- 70-152
399-431-459
472-197- 7
472-274- 11
472-545- 23
474-604- 31
475-273- 63
475-743- 88
476-818-143
510-285-112
540-665- 27
張晉卿妻 宋 見丁氏
張晉望宋 494-322- 6
張晉毓妻 清 見聶氏
張晉蕃妻 明 見李氏
張書言宋 564- 41- 44
張書紳明 456-643- 10
820-711- 43
張起元元 547- 86-144
張起田妻 明 見牛氏
張起宗明 472-377- 16
張起居唐 820-289- 30
張起雲清 481-584-328
528-489- 30
張起陽明 475-527- 77
張起鼎清 559-333-7下
張起鳳妻 明 見許氏
張起鳳清 456-324- 75
張起龍清 456-325- 75
張起鯨妻 清 見郝氏
張起麟清 569-621-18下之2
張起巖宋 480-651-289
張起巖元(字夢臣) 295-444-182
399-727-492
472-526- 22
472-602- 25
474- 94- 3
476-526-128
476-697-137
540-778-28之2
820-506- 37
1210-103- 9
1439-427-附1
1471-315- 4
張起巖元(號東崖) 547-133-146
張振之明 511-235-145
515-156- 61
1283-663-119
1284-181-150
張振古宋 481-719-333
528-549- 32
張振名清 529-706- 50
張振秀明 302- 44-291
456-522- 6
張振英明 820-757- 44
張振祚明 456-556- 7
456-664- 11
475-710- 86
511-643-161
張振德明 302- 23-290
458-228- 5
475-139- 56
475-453- 71
481-212-302
511-469-154
559-518- 12
561-483- 43
1442- 94-附6
1460-680- 75
張挺卿宋 1092-625- 58
張挺卿妻 宋 見蘇氏
張挺然妻 明 見黃氏
張根時妻 宋 見黃氏
張時中元 472-106- 4
505-675- 69
張時中明 559-419-10上
張時宜明 676-322- 12
張時彥明 1229-272- 8
張時厚明 475-836- 93
張時泰明 676-135- 5
張時庵明 1293-706- 3
張時習明 523-172-154
張時敏明 1474-319- 16
張時敏女 明 見張氏
張時隆妻 清 見康氏
張時暘明 511-331-149
張時髦元 545-843-113
張時徹明(字維靜) 300-309-201
494-158- 5
524- 46-180
559-259- 6
1442- 51-附3
1460- 82- 44
1283-345- 94
1474-195- 8
張時徹明(南城人) 510-440-116
張峨南明 561-206-38之1
張晏之北齊 見張宴之
張晏然宋 473-283- 61
張盎之宋 286- 15-303
397-226-333
472-196- 7
472-259- 10
472-402- 18
475-501- 75
481-801-338
494-297- 5
511-366-150
523-223-156
563-652- 39
1090-682- 40
1121-449- 32
張荀仲清 1313-103- 9
張虔威張乾威 隋
264-960- 66
266-880- 43
379-851-163
472-572- 24
475-363- 67
476-897-147
540-731-28之1
547-149-147
933-372- 25
張虔釗後唐 277-598- 74
張虔雄張乾雄 隋
264-961- 66
266-880- 43
379-851-163
472-572- 24
475-741- 88
540-732-28之1
545-334- 96
933-372- 25
張峻夫隋 591-380- 30
張特立張永 金 291-734-128
295-619-199

440-363-533
453-769- 1
472-133- 4
472-154- 5
472-741- 29
474-478- 23
474-513- 25
477-306-163
505-695- 70
505-776- 73
505-874- 78
537-301- 56
540-774-28之2
677-456- 41
張射斗清 476-439-122
546-420-128
張鬼靈宋 524-373-197
張恕徵清 547- 65-143
張倩倩明 沈自徵妻
512- 9-176
1442-125-附8
1460-783- 85
張留孫元 295-650-202
401-125-585
473- 67- 51
479-563-242
497-607- 43
516-461-104
1197-634- 64
1203-461- 34
1207-701- 50
張針姑明 孟七保妻
472-668- 27
張卿弼宋 517-504-128
680-211-245
1207-128- 8
張師文金 1191-275- 24
張師立唐 820-139- 26
張師正宋 486-898- 34
524-328-195
張師良宋 1161- 50- 77
張師孟妻 明 見徐氏
張師明元 1222-276- 18
張師益明 563-828- 41
567-356- 80
張師臯女 宋 見張氏
張師曾元 1439-446- 2
張師載明(保安人) 456-628- 10
505-861- 77
張師載明(字巨卿) 480-174-266
523-105-150
張師聖清 505-843- 76
張師愚元 511-812-167
1366-963- 1
張師震元 1217-540- 3
張師德宋 286- 62-306
371-136- 14
397-260-334
472-682- 27
477-128-155
537-425- 58
547-189-148
張師穎金 546-188-121
張師錫宋 821-249- 52
張師顏明 456-662- 11
505-853- 77
張師繹明 515-136- 61
張能信妻 明 見劉氏
張能恭明 460-819- 90
529-694- 50
529-747- 51
張能鱗清 559-325-7上
561-652- 47
張純心妻 明 見李氏
張純臣明 505-814- 74
張純孝清 512-787-196
張純昭女 明 見張四娘
張純誠明 472-394- 17
523-317-161
張純熙清 475-744- 88
510-474-117
張純儒明 456-598- 9
474-245- 12
474-617- 32
505-702- 70
505-845- 76
張修身明 456-517- 6
474-373- 19
505-672- 69
張修遠女 宋 見張氏
張修德明(字鳳芝) 537-409- 57
張修德明(字季成)
1442- 78-附5
1460-396- 58
張納陛明 300-782-231
458-954- 9
475-228- 61
511-160-142
1292-196- 17
張寅啟女 明 見張氏
張添祿明 473-517- 71
張添錫明 1467- 69- 64
張清之宋 451- 94- 3
張清臣宋 1090- 18- 4
張清志元 1197-519- 50
張清河宋 506-399-100
張清雅明 302-160-297
456-660- 11
475-531- 77
511-606-160
張清模妻 清 見董氏
張清豐隋 505-922- 82
張清議清 511-405-152
張商英宋 286-656-351
382-662-102
384-382- 19
397-709-363
450-787- 16
471-722- 19
471-780- 27
471-785- 28
471-795- 29
471-913- 47
471-950- 52
471-961- 53
471-989- 58
471-994- 59
472-740- 29
473- 14- 49
473-209- 59
473-267- 61
473-281- 61
473-300- 62
473-433- 67
473-476- 69
473-476- 69
473-490- 70
481-429-315
484-100- 3
515- 82- 59
533-737- 73
545- 51- 84
561-302- 40
588-169- 8
592-590- 98
674-292-4下
820-395- 34
933-395- 25
1053-773- 18
1054-659- 19
1354-681- 35
1363- 98-106
1381-603- 44
1437- 19-附1
張商卿張道升 宋448-365- 0
張商卿明 523-499-170
張惜惜清 張乾女
524-577-206
張惟一明 541-108- 31
張惟正明 820-716- 43
張惟弟明 1258-785- 8
張惟亘唐 812-351- 10
821- 69- 47
張惟吉宋 288-542-467
401- 73-577
545- 47- 84
張惟任明 523- 59-148
537-220- 54
554-672- 60
張惟赤清 524-188-187
張惟孝宋 287-616-412
398-574-403
473-251- 60
480-297-271
533-235- 54
張惟明明 524-139-185
張惟芳明 532-658- 44
張惟易明 554-310- 53
張惟康明 472- 86- 3
張惟敏元 472-751- 29
537-514- 59
張惟善元 517-450-127
547-137-146
張惟賢張曾 元 1212-518- 15
張惟賢元 見張維賢
張惟儉唐 472-350- 15
475-669- 84
511-710-164
1076-112- 12
1076-568- 12
1077-139- 12
張惟德宋 1098-217- 28

張惟馨清 511-538-157
張熇乾明 546-323-125
張淵洌妻 明 見吳氏
張淵道元 473-235- 60
533-189- 53
張淵微宋 515-828- 83
張淨峰明 568-215-106
張祥鳶明 482-559-369
511-183-143
569-659- 19
676-588- 24
1442- 62-附4
1460-203- 49
張祥龍宋 1186-832- 4
張祥應宋 見張詳榮
張鹿牀清 1314-209- 1
張鹿徵明 見張怡
張淑正明 顧清妻、張粲女
1261-860-42
張淑柔明 劉彥良妻
1243-701- 23
張淑英清 朱懋璧妻
530-147- 58
張淑眞元 吳挺君妻
1224-309- 24
張淑清明 衛士安妻、張厚女
1240-855- 9
張淑堅宋 678-119- 81
1150-112- 13
張淑義後代 清 1318-473- 74
張淑勵明 476-518-127
1278-413- 19
張康年宋 821-209- 51
張康伯宋 1115-636- 38
張康國宋 286-663-351
382-165-103
397-714-363
478-760-215
523- 12-146
933-395- 25
張掑之宋 534-949-120
張梅間元 820-541- 39
張雪兒妻 清 見唐氏
張培基妻 清 見杜氏
張曹語明 547- 24-141
張捨郎宋 見張未僧
張乾元明 1458-578-458
張乾威隋 見張虔威
張乾雄隋 見張虔雄
張乾曜宋 516-458-104
張乾護唐 820-196- 27
張問士明 515-562- 74
張問仁明(邢臺人) 545-250- 92
張問仁明(字子兼) 676-129- 5
676-262- 10
張問行明(安定人) 456-681- 11
張問行明(字子書) 478-338-191
537-456- 58
545-467-100
張問行妻 明 見李氏
張問明明 474-543-176
546-315-125
張問明清 515-514- 72
張問明妻 清 見吳氏
張問達明(字德允) 301- 94-241
478-129-181
張問達明(字德孚) 523-108-150
559-405-9上
張問達妻 明 見李氏
張問達妻 明 見范氏
張問禮明 533-241- 54
張問禮妻 清 見金氏
張都甫清 476-205-107
538- 83- 64
545-348- 96
張務志元 1204-323- 11
張敕提後魏 262-274- 89
267-668- 87
380-230-171
384-143- 7
張珽璉元 1199-283- 30
張欸光妻 清 見盧氏
張連元明 456-667- 11
張連捷明 456-667- 11
張連翹唐 533-754- 74
張連璧清 533-478- 64
張連曜明 456-610- 9
479-382-234
523-414-166
張通古金 291-206- 83
399-131-428
472- 54- 2
474-588- 30
505-783- 73
1445- 56- 1
張通裕張道裕 梁
493-554- 30
493-1100- 58
張將仕元 1206-584- 8
張崇旺妻 清 見孫氏
張崇高母 元 見鄒氏
張崇祐後周 見張崇詁
張崇訓後周 見張崇詁
張崇眞張崇禎 宋
472-506- 21
476-213-107
547-506-159
張崇詁張崇祐、張崇訓 後周
288-751-484
400-125-510
476-366-117
545-115- 86
張崇貴宋 288-533-466
382-783-120
384-344- 17
401- 68-576
張崇道元 540-656- 27
張崇嗣宋 546-353-126
張崇鼎妻 清 見孫氏
張崇禎宋 見張崇眞
張崇德明 545-154- 88
張崇德妻 明 見李氏
張崇禮妻 明 見宗氏
張崇禮妻 明 見曾氏
張貫之宋 1088-541- 57
張莊過宋 見張恪
張國士明 537-250- 55
張國士妻 明 見竇氏
張國正明(謚烈愍) 456-490- 5
475-837- 93
511-506-156
張國正明(字永和)
570-164-21之2
張國史清 456-324- 75
張國用清 502-630- 77
張國臣明 511-890-172
張國光明(謚節愍) 456-528- 6
477-543-176
505-837- 76
張國光明(字賓吾) 545-790-111
張國良妻 清 見馬氏
張國材妻 明 見李氏
張國治明 554-524-57下
張國治清 456-326- 75
張國忠清 456-324- 75
張國罔元 475-608- 81
511-483-155
張國彥明 505-766- 72
545-194- 90
張國彥清 505-842- 76
554-371- 54
張國彥妻 清 見許氏
張國柱明 505-693- 70
張國柱清(遼東人) 481-645-330
528-517- 31
張國柱清(字斯石) 511-324-148
張國柱清(漳州人) 528-499- 30
張國威明 1467-121- 66
張國珍妻 明 見朱氏
張國珍清 547- 49-142
張國珍妻 清 見王氏
張國英元 472-239- 9
510-345-114
張國紀明(祥符人) 302-202-300
張國紀明(絳州人) 547-112-145
張國紀女 明 見張皇后
張國紀妻 清 見李氏
張國紀妻 清 見余氏
張國俟妻 清 見吳氏
張國泰清 554-221- 52
張國城清 511-340-149
563-880- 42
張國振妻 清 見劉氏
張國卿清 477- 57-151
537-252- 55
張國紞張國紘、張國鋐 明
456-668- 11
張國祥明 554-670- 60
張國揚妻 明 見王氏
張國揚妻 明 見劉氏
張國華妻 明 見史氏
張國華妻 明 見李氏
張國勛明 302- 57-292
302- 89-294
456-607- 9
480-201-267
533-381- 60
張國欽明 301-445-262
456-491- 5
張國紘明 見張國紞
張國紘妻 明 見楊氏
張國經明 563-744- 40

676- 64- 2
679-697-207
張國禎明 456-660- 11
554-714- 61
張國禎子 清 1323-794- 6
張國端明 見張國翰
張國輔張國翰 明456-618- 9
540-654- 27
張國輔清 477- 57-151
502-692 81
張國維母 明 見陳氏
張國維明(字玉笥) 301-645-276
456-412- 1
458-308- 11
475- 21- 49
479-331-232
510-295-112
523-407-165
563-765- 40
1442-104-附7
張國維明(謚節愍) 456-528- 6
505-839- 76
張國綱金 540-671- 27
546-188-121
張國綱明 558-317- 34
676-715- 30
張國綸妻 明 見鄭氏
張國賢清 476- 31- 97
505-841- 76
545-160- 88
張國震明 676-175- 7
張國鋐明 見張國紘
張國鋐妻 明 見楊氏
張國儁明 456-619- 9
476-701-137
540-829-28之3
張國銳明 554-220- 52
張國憲弟媳 清 見龔氏
張國憲女 清 見張氏
張國龍清 529-706- 50
張國翰張國端 明(謚節愍)
456-517- 6
張國翰明(鳳陽衛指揮)
510-474-117
張國翰明 見張國輔
張國縉妻 清 見夏氏
張國謙明 523-234-156
張國鎮清 572-166- 32
張國璽明 545-404- 98
張國寶妻 元 見祝清
張國鑑清 547- 28-141
張國纓清 476-222-108
545-332- 95
張國錀明 516- 88- 90
張常洧唐 472-176- 6
489-676- 49
492-580-13下之上
511-508-157
張常清宋 477-171-157
張常德元 524-211-188
張荷姑清 512-361-185
張處仁張存 蜀漢 254-688- 15
張處厚南唐 843-663- 上
1121-450- 32
張處厚宋(滁州人) 510-485-118
張處厚宋(字進道) 511-177-143
張處約妻 宋 見高氏
張處重明 524-170-186
張處恭明 505-671- 69
張處虛漢 477-501-174
張逍遥清 479-504-239
516-418-103
張曼殊張阿錢 清 毛奇齡妻
1320-609- 67
1321- 90- 96
1321- 91- 96
張衆甫唐(京口人) 451-483- 8
張衆甫唐(字子初)
1342-292-942
張得山母 宋 見楊氏
張得山妻 明 見王粉兒
張得中明 472-1089- 46
523-451-168
676- 98- 3
676-475- 18
1474-292- 14
張得先明 554-275- 53
張得滿明 547- 42- 142
張售珄清 554-789- 62
張紹大妻 元 見謝氏
張紹文後蜀 820-321- 31
張紹光明 547- 91-144
張紹先唐 820-142- 26
張紹先宋(建陽人) 529-756- 52
張紹先宋(平定人) 546-719-139
張紹先清 505-824- 75
張紹良明 511-394-151
張紹宗明 561-199-38之1
張紹宗妻 明 見王氏
張紹芳明 545-423- 98
554-501-57上
張紹思元 533-749- 74
張紹英宋 511-925-174
張紹祖元 295-614-198
400-320-526
472-204- 7
475-780- 89
511-650-162
張紹訓清 478-637-206
張紹烈明 505-901- 80
張紹登明 302- 57-292
456-486- 5
479-631-245
480-201-267
515-847- 84
533-380- 60
張紹載妻 明 見陳氏
張紹德妻 清 見吳氏
張紹謙明 515-845- 84
張偉如妻 清 見蘇氏
張偉奇清 481-465-319
559-412-9下
張彫武北齊 見張雕
張彫虎北齊 見張雕
張敏夫元 821-294- 53
張敏行宋 821-181- 50
張敏行明 456-606- 9
張敏叔宋 821-249- 52
張敏道妻 明 見趙氏
張逢源宋 1437- 32-附2
張啟元明(馬邑人) 456-459- 4
張啟元明(字應貞) 515-710- 79
張啟旭清 479-332-232
張啟行妻 明 見陳氏
張啟忠妻 明 見謝氏
張啟明明 547- 88-144
張啟明女 明 見張柱秀
張啟泰清 510-475-117
540-846-28之4
張啟祥清 456-323- 75
張啟蒙明(運庠人) 547-103-145
張啟蒙明(霸州人) 554-301- 53
張健甫女 明 見張氏
張從古女 宋 見張氏
張從正金 291-755-131
401-113-584
538-354- 71
1040-265- 6
1439- 12- 附
1445-676- 52
張從申唐 493-1053- 56
511-726-165
812-747- 3
814-277- 10
820-190- 27
張從式宋 285-435-276
396-686-316
張從吉宋 285-435-276
396-686-316
1467- 23- 62
張從臣宋 482-389-358
張從易明 1291-475- 8
張從約唐 820-191- 27
張從信元 505-656- 68
505-675- 69
張從訓後晉 278-134- 91
張從恩宋 278-135- 91
285-127-254
472-435- 19
545-610-105
張從恕明 547-165-147
張從師唐 485-181- 24
493-864- 47
820-191- 27
1072-249- 11
1342-508-970
張從義唐 820-191- 27
張從義女 明 見張氏
張從道明(字質德) 473-235- 60
480-173-266
533-190- 53
張從道明(解州人) 528-493- 30
張從楚後唐 見李紹文
張從賓後晉 278-183- 97
張從儉元 546- 86-117
張從龍宋 568-218-106
張從諫元 476- 87-100
547-162-147
張從禮元 1200-789- 61
張從璧妻 明 見陳氏
張滋德清 456-307- 74
張游朝唐 1410- 32-666

張渭芳清 524-102-183
張渭叟宋 517-401-126
張善安唐 269-493- 56
274-155- 87
384-178- 9
395-236-202
張善治明 554-527-57下
張善果張果 梁 812-335- 7
821- 25- 45
張善相唐 271-490-187上
275-581-191
400- 92-508
477-478-173
477-498-174
538- 69- 63
933-385- 25
張善昭明 515-133- 61
564-254- 47
1269-798- 5
張善則妻 明 見彭氏
張善信明 570-248- 25
張善淵元(字深父)
493-1108- 58
張善淵元(字幾道)
1200-772- 59
1200-794- 61
張善教明 528-509- 31
564-224- 46
張善得清 456-326- 75
張善慶宋 見張聲子
張善慶明 孫璉妻
1253- 82- 45
張善慶明 錢伯鉉妻
1386-435- 45
張善繼清 563-891- 42
1327-692- 8
張普仁元 497-820- 58
1200-749- 57
張普惠後魏 262-161- 78
267- 3- 46
379-310-151
384-134- 7
472- 89- 3
472-788- 31
474-374- 19
505-747- 72
505-872- 78
537-195- 54
554-114- 50
933-372- 25
1401-437- 32
張普貴宋 1204-567- 7
張普圓明 547-101-145
張曾裕清 474-373- 19
505-673- 69
523-433-167
張焜芳明 302- 45-291
456-437- 3
479-245-227
523-391-164
張詠之張運 宋 451- 54- 2
張敦義宋 529-626- 48
張敦頤宋 511-806-167
528-505- 31
1375- 7- 上
張敦禮宋 288-513-464
400- 51-503
821-178- 50
張敦禮宋 見張訓禮
張敦禮妻 宋 見韓魏國大長公主
張敦簡唐 821- 78- 47
張雲厓明 1289-172- 11
張雲航明 526-646-280
張雲航女 明 見張氏
張雲章清 511-794-166
張雲祥妻 明 見于氏
張雲蛟清 456-326- 75
張雲鳳清 476- 44- 98
547- 10-141
張雲龍明 511-530-157
張雲龍清 456-326- 75
張雲翰明 559-407-9上
張雲翼宋 484-388- 28
張雲翼宋 見張觀國
張雲翼元 554-470- 56
張雲翼明 545-791-111
張雲翼清(陝西人) 510-304-112
張雲翼清(字鵬程) 537-526- 59
張雲鵬元 1193-639- 31
1201-168- 80
張雲鵬明 559-292-7上
張雲鵬妻 明 見臺氏
張雲鶚明 456-574- 8
554-727- 61
張雲鶚妻 明 見蕭氏
張雲鷟明 680-331-259
張雲鷳妻 明 見莊氏
張貳德明 479- 99-221
張惠明唐或宋 472-470- 20
474-626- 32
505-940- 85
547-482-159
張惠紹梁 260-170- 18
265-790- 55
378-314-139
477-373-167
532-559- 40
537-562- 60
933-370- 25
張惠感唐 516-426-103
張博物唐 見張九齡
張越哥宋 見張宗元
張巽之宋 559-376- 8
張閎中宋 448-524- 14
張閎道宋 820-401- 34
張喆光妻 清 見夏氏
張超昌宋 487-147- 9
張超藝明 456-660- 11
張握瑾妻 清 見郜氏
張棲筠宋 523-213-156
張雅圖清 456-325- 75
張朝臣清 474-279- 14
505-843- 76
張朝京妻 明 見劉氏
張朝明妻 明 見李氏
張朝珍清 502-675- 80
張朝紀清 547- 78-143
張朝寀清 540-866-28之4
張朝國清 479-662-247
515-814- 82
528-534- 31
張朝琮清 524-207-188
張朝瑞明 475-472- 72
511-242- 145
523-194-155
678-251- 94
張朝瑞清 477-306-163
537-306- 56
張朝綱明 302-123-295
456-551- 7
483-117-379
545-305- 94
570-131-21之1
張朝綖明 529-555- 45
張朝璘清 502-671- 80
張朝選明 533-419- 62
張盛美明 540-830-28之3
張雄飛宋 1193-685- 33
張雄飛元(字鵬舉) 295-211-163
399-575-477
472-558- 23
476-788-141
478- 92-180
480-614-287
540-772-28之2
547-165-147
554-161- 51
張雄飛唐古雄飛 元(唐古氏)
1439-427-附1
張登元明(字文蔚) 456-640- 10
483-139-380
張登元明(新鄉人) 538- 96- 64
張登科明 456-460- 4
張登高明 540-809-28之3
張登渭妻 清 見薛氏
張登雲明 546-215-122
570-219- 23
張登棟妻 清 見何婉玉
張登衡明 532-639- 43
567-359- 80
張登燦妻 清 見金氏
張登瀛妻 清 見唐氏
張斯文妻 明 見鄺氏
張斯立元 1206-189- 19
張斯美明 456-490- 5
張斯軾明 523-205-155
張堯文明 510-440-116
515-560- 74
523-207-155
張堯民明 820-717- 43
張堯臣明 559-404-9上
569-655- 19
張堯同宋 1363-338-154
張堯年明 510-376-114
523-295-159
張堯行明 545-409- 98
張堯佐宋 288-499-463
371-116- 11
382-778-119
384-360- 18
400- 41-502

471-992- 59
479-747-251
張堯封宋 288-500-463
張堯封女 宋 見張皇后
張堯封明 592-781- 2
張堯恩明 821-476- 58
張堯卿宋 1104-491- 40
張堯卿明 481-745-334
張開宗妻 清 見阮清霜
張開祚明 456-504- 5
563-855- 41
張開源女 明 見張安
張開熙明 456-671- 11
480-136-264
張肅紀妻 明 見孫氏
張肅範明 456-658- 11
張彭老宋 見張密
張彭老宋 見張偉
張彭年宋 288-286-447
400-150-512
張彭祖漢 251-167- 93
251-689- 32
381- 2-184
539-349- 8
820- 25- 22
張彭祖晉 485-171- 23
493-1052- 56
814-241- 5
820- 69- 23
張揚卿母 宋 見徐氏
張陽春明 524-272-191
528-516- 31
張發辰清 478- 94-180
554-320- 53
569-620-18下之2
張景仁北齊 263-336- 44
267-577- 81
380-319-174
384-142- 7
472-554- 23
684-472- 下
814-261- 8
820-120- 25
933-373- 25
張景仁梁 265-1053- 74
380-111-167
480-294-271
933-371- 25
張景仁金 291-225- 84
399-140-428
472-625- 25
474-820- 44
502-789- 88
張景仁元 563-923- 43
張景百清 456-324- 75
張景仲明 456-643- 10
張景仲清 510-300-112
張景良明 515-654- 77
張景良清 559-329-7下
張景忠妻 明 見陳文婉
張景忠女 明 見張端
張景周元 472-377- 16
張景春妻 明 見胡素安
張景珉明 554-313- 53
張景思前蜀 812-501- 下
812-529- 2
821-122- 49
張景昭宋 葉大顯妻、張允恭女 1156-659- 5
張景星清 476-298-112
547- 89-144
張景星妻 清 見劉氏
張景素明 1229-224- 6
張景倩唐 473-111- 54
515-165- 62
張景留清 523-254- 157
張景純明 458-149- 7
張景修宋 493-1067- 57
589-321- 3
1437- 16-附1
張景雲元 482-560-369
570-102-21之1
張景琮唐 820-267- 29
張景華明 476-788-141
540-804-28之3
張景運妻 明 見李氏
張景愚明 473-719- 81
482-207-347
563-810- 41
張景嵩後魏 262-340- 94
267-750- 92
380-506-179
張景說宋 見張愁
張景蒼清 517-803-135
張景維明 456-582- 8
張景賢宋 1191-251- 22
張景賢明 559-386-9上
820-702- 43
張景輝明 456-640- 10
張景輝妻 明 見賀氏
張景儉宋 549-121-185
張景憲宋 286-379-330
397-490-349
472- 65- 2
472-748- 29
474-304- 16
475- 17- 49
475-869- 95
476-913-148
477-129-155
477-243-161
505-664- 69
537-507- 59
545- 47- 84
1104-711- 16
張景憲妻 宋 見尹氏
張景龍妻 清 見劉氏
張景顏明 1229-671- 1
張景齡妻 清 見韓氏
張景耀明(昆陽人) 456-640- 10
張景耀明(字振兮) 456-680- 11
554-712- 61
張景巖元 545-219- 91
張貴娘明 481-650-330
530-128- 57
張貴謨宋(知常州) 510-360-114
張貴謨宋(字子知) 517-396-125
1161- 51- 77
張貴謨宋(字子智) 523-348-162
678-405-108
張買奴北齊 263-334- 44
267-575- 81
380-317-174
476-522-128
491-801- 6
933-373- 25
張買奴妻 元 見王氏
張買農北齊 540-730-28之1
張菖蒲魏 見張昌蒲
張虛白宋(南陽人) 472-776- 30
477-383-167
538-346- 70
張虛白宋(遊武陵仙去)
480-488-280
533-795- 75
張貽憲唐 271-337-178
張嵓起元 295-575-194
400-253-520
476-183-106
545-885-114
張華宗宋 523-396-165
張華原北齊 263-359- 46
267-653- 86
380-195-170
384-143- 7
459-872- 53
472-482- 21
472-543- 23
476-256-110
476-576-131
540-631- 27
546- 34-116
張萇年後魏 見張長年
張無咎元 1206- 69- 8
張無故漢 476-881-146
張無惑宋 821-183- 50
張無盡不詳 592-543- 95
張無夢宋 472-1119- 48
479-412-235
486-906- 35
524-425-200
張無擇張擇 唐 472-394- 17
472-1085- 46
475-809- 91
487-107- 8
491-586- 15
510-489-118
523- 72-149
524-122-184
1080-458- 41
1342-186-927
1343-801- 58
1386-223- 37
張順娥明 劉鯉江妻、張名世女 1287-762- 9
張順娘清 陳阿戍妻
482-145-344
張須陁隋 264-1017- 71
267-643- 85
380- 64-166
384-157- 8
472-518- 22

472-641- 26
472-745- 29
476-516-127
477- 49-151
477-523-175
538- 72- 63
540-622- 27
張絲如妻 清 見俞氏
張智諒唐 516-426-103
張程恩明 554-714- 61
張喬松明 569-655- 19
張循古明 676-594- 24
1442- 67-附4
1460-302- 53
張循憲唐 545- 23- 83
張舜元明 505-813- 74
張舜民宋 286-605-347
382-616- 94
384-373- 19
384-382- 19
397-669-361
471-766- 25
471-823- 33
472-840- 33
472-913- 36
478-377-192
478-405-194
478-571-203
554-652- 60
558-209- 32
567-432- 86
674-234-3下
674-291-4下
674-825- 17
820-396- 34
821-178- 50
933-394- 25
1394-440- 4
1437- 15-附1
張舜功元 524-143-185
張舜臣明 545-377- 97
1442- 56-附3
1460-144- 47
張舜典明 554-822- 63
張舜咨元 1369-297- 6
1439-443-附2
張舜舉明 494- 41- 3
1266-419- 8
張舜舉清 478-339-191
481-407-313
554-316- 53
559-414-9下
張舜齡清 533-465- 63
張舒翼妻 明 見李氏
張勝予金 1191-425- 36
張欽元唐 813-231- 5
820-280- 30
張欽祖元 545-386- 97
張象仁宋 547-136-146
張象先宋 515-145- 61
張象翀清 481-337-308
559-413-9下
張象賢宋 546-352-126
張傑夫明 564-170- 45
1229- 60- 5
張集義明 567-451- 86
1467-158- 67
張進九元 523-421-166
張進之劉宋 258-572- 91
265-1035- 73
380- 50-166
479-403-235
524-228-189
933-371- 25
張進中元 499-431-159
1367-743- 56
1410-205-687
張進東妻 清 見程氏
張進昭唐 384-175- 9
400-292-523
511-639-161
張進祿明 545- 74- 85
554-657- 60
張進誠妻 明 見王氏
張進寶明(南宮人) 505-866- 77
506-550-105
張進寶明(岳陽人) 547- 17-141
張復亨元 見張復
張復亨明 1442-101-附6
張復亨女 明 見張氏
張復初元 1208-592- 23
張復振妻 明 見王氏
張復陽宋 820-464- 36
張復陽張復 明 524-399-199
820-763- 44
821-487- 58
1475-741- 31
張復禮元 1224-140- 19
1234-264- 43
張溥洽妻 清 見李氏
張源春女 明 見張玉
張源湜明 676-464- 17
張源德後梁 279-205- 33
400-116-510
472-568- 24
505-681- 69
545-597-105
1383-761- 69
張試之妻 清 見章氏
張慎行清 479-484-239
515-100- 59
張慎言明 301-628-275
476-208-107
476-856-145
511-913-173
540-672- 27
546-212-122
558-475- 40
676-631- 26
1442- 90-附6
1460-514- 65
張慎思後梁 277-147- 15
張慎修宋 485-501- 9
張慎娘清 謝錫川妻、張有惠女 1327-720- 9
張義上元 821-296- 53
張義甫妻 明 見楊氏
張義明妻 清 見王氏
張義奎清 456-324- 75
張義貞唐 271-528-188
張義潮唐 478-741-213
558-239- 32
張義德清 456-324- 75
張義禮清 456-387- 80
張補之宋 473-176- 57
515-116- 60
張靖之明 585-531- 17
585-581- 22
張雍敬清 1318- 49- 35
張煌言明 456-423- 2
479-187-225
1442-111-附7
1460-722- 78
張裕善妻 清 見金氏
張新建明 456-642- 10
張新標清 475-330- 65
511-197-143
張詳榮張祥應 宋451- 89- 3
張煥然明 516- 55- 89
張運亨明 456-615- 9
546-340-126
張運通明 547- 9-141
張遂辰明 592-997-上
張遂隆唐 820-146- 26
張道升宋 見張商卿
張道古唐 273- 96- 59
473-408- 66
481- 82-294
張道生明 1224-493- 29
張道生明 547- 81-144
張道用元 1199-202- 21
張道安宋 494-472- 18
張道岸清 524-357-196
張道周女 宋 見張氏
張道洽宋 524- 75-181
1366-234- 20
1437- 29-附2
張道脉明 456-612- 9
張道眞宋 564- 73- 44
張道修明 見張皮雀
張道清宋(郢州人) 473-217- 59
480- 67-260
533-759- 74
張道清宋(字得一) 481-237-303
張道祥清 476-331-115
480- 14-257
532-610- 42
545-426- 98
張道通唐 541- 89- 30
張道陵漢 295-649-202
473- 67- 51
473-448- 68
473-506- 71
479-563-242
481-159-298
516-455-104
524-379-198
561-214-38之2
561-221-38之3
567-455- 87
585-494- 15
592-177- 72

592-253- 76
1059-282- 5
1061-265-109
1223-434- 7
1467-508- 11
張道湜清 546-692-138
張道順漢 402-402- 6
張道澍明～清 476-210-107
547- 61-143
張道源張河 唐
271-489-187上
275-580-191
384-175- 9
400- 91-508
407-453- 5
472-433- 19
476- 35- 98
545-558-103
547- 2-141
933-383- 25
張道溫宋 472-506- 21
476-213-107
541- 89- 30
547-506-159
張道裕梁 見張通裕
張道裕明 570-259- 25
張道榮明 511-625-161
張道寬元 505-936- 85
張道濬明 302- 33-291
張道膺妻 明 見林氏
張道謙元 1229-352- 13
張道燦元 1200-747- 57
張道隱後蜀 見姜道隱
張祿臣清 456-324- 75
張載述明 456-467- 4
475-611- 81
張載福王載福 明456-486- 5
張載熙宋 820-387- 33
張頑住妻 元 見杜氏
張資祿金 見鈕祜祿資祿
張聖化妻 清 見賈氏
張聖佐清 502-676- 80
張聖妲清 475-235- 61
張聖翼明 456-667- 11
張聖鐸清 510-304-112
張瑞午清 502-773- 86
張瑞河妻 清 見謝氏
張瑞童金 820-484- 36
張瑞毓妻 清 見劉氏
張瑞圖明 302-319-306
張瑞徵清 476-919-148
537-228- 54
540-854-28之4
張瑞衡宋 821-234- 51
張瑞鱗妻 清 見鍾氏
張聘夫明 511-808-167
528-460- 29
676-591- 24
張幹山明 676-364- 13
張辟疆漢 251-272-97上
1343-553- 38
1407- 35-398
張勤紹妻 清 見李氏
張達泉明 511-880-171
張達魯女 元 見張氏
張楚材宋 843-672- 下
張楚材妻 元 見翟氏
張楚金唐 271-489-187上
275-581-191
400- 92-508
張楚昭唐 820-213- 28
張楚英妻 明 見王氏
張楚城明 533-215- 53
張楚媛梁 張稷女475-144- 57
479-250-228
485-204- 27
493-1079- 57
張萬山明 524-221-189
張萬中子 宋 708-1051- 97
張萬公金 291-346- 95
383-1005- 29
399-202-434
472-457- 20
472-519- 22
472-557- 23
476-112-102
476-517-127
476-824-143
540-768-28之2
545-370- 97
1191-177- 16
1365-303- 9
1439- 4- 附
1445- 64- 1
張萬玉明 錢承宗妻、張懋女
1248-619- 3
張萬言清 563-883- 42
張萬成宋 821-236- 51
張萬里明 529-657- 49
張萬和唐 479-233-227
486-311- 14
524-131-185
張萬迪張方迪 後晉
279-208- 33
384-307- 16
400-118-510
張萬紀明(字舜卿) 478-489-199
558-298- 34
558-666- 47
張萬紀明(字汝守) 481-749-334
529-645- 48
張萬策妻 清 見唐氏
張萬進張守進 後梁
277-128- 13
張萬進後晉 278-104- 88
張萬福張正 唐 270-820-152
275-376-170
384-221- 12
384-231- 12
396-149-265
471-924- 48
471-926- 49
472-130- 4
472-194- 7
472-336- 14
472-394- 17
474-475- 23
475-524- 77
475-697- 86
475-741- 88
475-809- 91
505-771- 73
510-413-116
510-469-117
933-382- 25
1408-634-548
1447-217- 7
張萬鍾明 559-403-9上
張萬鍾女 清 見張氏
張萬藻妻 清 見林氏
張當居漢 539-349- 8
張路斯唐 472-201- 7
475-603- 81
508-356- 42
510-432-116
511-939-175
682-267- 5
1108-384- 86
張嗣本後唐 見李嗣本
張嗣良宋 491-435- 6
張嗣成元 516-519-106
820-547- 39
821-329- 54
張嗣宗唐 384-176- 9
472-226- 8
張嗣房元 517-453-127
張嗣祖明 676-470- 18
1240-317- 20
張嗣眞元 見張雨
張嗣詵明 456-629- 10
張嗣達張文邦 清
1313-312- 25
張嗣德元 516-519-106
821-329- 54
1439-456-附2
張鼎成元 554-309- 53
張鼎延清 537-526- 59
680- 55-229
1312-319- 31
張鼎思明 676- 36- 2
張鼎孫宋 見張然
張鼎新明 473-376- 65
480-563-284
532-742- 46
張鼎實妻 元 見敖氏
張葆光宋 523-581-175
張葵軒金 1204-479- 14
張敬一明 545-476-100
張敬玄唐 820-222- 28
張敬仙唐 820-208- 28
張敬兒張苟兒 齊 259-280- 25
265-654- 45
370-509- 15
378-217-137
472-772- 30
532-101- 27
537-543- 59
張敬忠唐 274-420-110
張敬則張昌 唐 270-729-144
張敬祖妻 清 見朱氏
張敬修明 533-215- 53
張敬娘明 郭孔曾妻

530-180- 59
張敬詢後唐 277-514- 61
張敬達後唐 277-576- 70
279-207- 33
384-307- 16
400-118-510
546-394-128
1383-764- 69
張虞卿明 1442- 70-附4
1460-340- 55
張遇林明 472-291- 12
510-391-115
張遇留明 456-629- 10
張遇龍清 456-325- 75
張獨活晉 見張天錫
張愈奎清 533-430- 62
張愈嚴明 515-236- 64
559-386-9上
張筠碧清 482-560-369
張稚升妻 清 見王氏
張僅言張元努 金
291-775-133
401-438-625
張會元宋 546-643-136
張綏遠清 482-408-359
502-627- 77
567-162- 69
張經世明 537-305- 56
554-527-57下
張經世妻 明 見石瓊秀
張經綸清 558-446- 38
張經濟明 559-376- 8
張毓瑞母 清 見章氏
張毓粹明 456-662- 11
477-317-164
張毓寧明 1264-308- 下
張解蘭明 505-899- 80
張僊童明 821-367- 55
張愛兒唐 見張仙喬
張微子漢 張慶女
1061-347-115
張賓羽妻 清 見張氏
張賓暘張昕 明 511-124-141
1222-275- 42
1240-359- 23
張賓儀元 1196-154- 8
張禎叔明 559-354- 8
張禎遜明 524-258-191
張福衎清 529-577- 46
張福時明 見福時
張福能妻 清 見黃氏
張福媛明 張伯瑜女
480-140-264
張福壽明 554-713- 61
張福臻明 540-826-28之3
張端上妻 清 見吳氏
張端午清 481-695-332
528-547- 32
張端拱女 清 見張學典
張端拱女 清 見張學象
張端莊明 474-411- 20
張端弼宋 1151-295- 20
張端義宋 1181-148- 5
1437- 31-附2
張端節宋 494-348- 7
張端穀妻 清 見徐氏
張端禮宋 523-498-170
1126-761-169
張齊方張齊芳 漢
472-1085- 46
487-106- 8
491-379- 4
524-283-192
張齊正清 456-326- 75
張齊芳漢 見張齊方
張齊賢唐 276- 21-199
384-189- 10
400-414-538
472-745- 29
477-524-175
張齊賢母 宋 見孫氏
張齊賢宋 285-285-265
371- 42- 4
382-219- 32
384-331- 17
384-337- 17
396-582-306
449- 17- 1
450-676- 2
459-466- 28
471-759- 24
471-808- 31
472-430- 19
472-555- 23
472-717- 28
472-742- 29
472-825- 33
472-877- 35
473-267- 61
473-297- 62
473-358- 64
476-330-115
476-861-145
479-447-237
480-199-267
480-240-269
480-507-281
515- 11- 57
532-702- 45
538-326- 69
540-749-28之2
545-416- 98
554-138- 51
558-191- 31
559-290-7上
708-325- 50
820-333- 32
933-390- 25
1223-630- 13
1437- 7-附1
張粹娘明 王仁父妻
530-121- 57
張漢之宋 493-749- 41
張漢臣媳 宋 見董氏
張漢英宋 479-179-225
523-372-164
張漢俊明 558-445- 38
張漢卿宋 472-338- 14
475-528- 77
511-849-169
張漢卿明 300-157-192
458-161- 8
477- 87-153
505-691- 70
537-406- 57
張漢陽妻 清 見袁氏
張熒然明 456-629- 10
張榮一明 511-544-158
張榮一妻 明 見蕭氏
張榮祖金 1191-338- 30
張榮貴宋 533-479- 64
張榮實元 295-263-166
399-608-480
472- 36- 1
張榮誥明 529-702- 50
張榮魁明 547- 21-141
張榮德妻 清 見何氏
張榮潞妻 清 見范氏
張與三妻 清 見吳氏
張與行明 505-659- 68
張與材張羽材 元
295-650-202
479-108-221
479-563-242
516-519-106
516-461-104
524-397-199
820-547- 39
821-329- 54
1223-434- 7
1439-456-附2
張與棣元 295-649-202
張壽玉元 于成妻
1197-815- 86
張壽老宋 見張宗沆
張壽芳清 475-755- 88
張壽朋明 515-844- 84
588-323- 2
676-626- 26
1442- 80-附5
1460-421- 59
張壽祖明 524-151-185
張壽福妻 清 見劉氏
張壽鵬明 524-146-185
張輔之元 1210-423- 14
張輔之明 511-237-145
張輔官明 456-584- 8
546-341-126
張輔武妻 清 見何氏
張熙祖元 517-501-128
張搏霄元 482- 89-342
563-714- 39
張槐孫宋 見張維正
張愿中明 1237-491- 5
張爾見明 538-668- 79
張爾見清 477-256-161
張爾岐清 540-848-28之4
張爾勖妻 清 見馬氏
張爾忠明 537-271- 55
540-832-28之3
張爾祚明～清 見孫爾祚
張爾素清 476-209-107

532-752- 46
546-221-122
張爾修清 482-453-362
567-402- 83
張爾基明 546- 99-118
張爾翔清 511-539-157
張爾猷明 456-495- 5
478-349-191
554-719- 61
張爾葆明 821-478- 58
張爾塾明 456-460- 4
476-261-110
546-104-118
張爾嘉明 678-222- 91
張爾緒妻 清 見程氏
張爾翬明 456-630- 10
張爾翰妻 清 見郭氏
張爾翮清 510-475-117
張碧山明 554-914- 64
張嘉士妻 清 見韓氏
張嘉孚明(字以貞) 476-151-104
545-224- 91
558-316- 34
張嘉孚明(知黃州) 532-635- 43
張嘉秀明 1475-296- 12
張嘉貞唐 270-195- 99
274-596-127
384-197- 11
395-560-232
448-120- 0
469-385- 46
472-464- 20
472-824- 33
472-865- 34
476- 27- 97
476-119-102
478-243-186
478-694-210
544-230- 63
545- 23- 83
546-267-124
546-268-124
554-122- 50
820-167- 27
933-380- 25
1371- 55- 附
張嘉祐唐 270-195- 99
274-601-127
395-561-232
477-161-157
933-380- 25
張嘉善明 456-631- 10
張嘉瑜唐 477-359-166
張嘉會明 563-808- 41
張嘉賓宋 484-382- 28
張嘉賓明 546-306-125
張嘉慶明 1474-326- 16
張嘉璪清 1475-615- 26
張嘉謀清 456-323- 75
張嘉謨明 558-376- 36
676-531- 21
820-664- 42
張嘉謨妻 明 見易氏
張榕端清 474-442- 21
張暨辰明 554-875- 64
張瑤滄明 見張瑤
張翠峰宋 821-229- 51
張翠螭後魏 見張偉
張聚良妻 明 見曹氏
張聚奎明 570-150-21之2
張遠猷宋 523-150-153
張遠遊明 267-687- 89
547-551-161
742- 33- 1
張遠霄唐 473-517- 71
481-354-309
561-225-38之3
592-234- 74
張遜業明 676-600- 24
820-708- 43
1280-436- 88
張夢臣明 1228-304- 2
張夢庚元 524-377-197
張夢周妻 明 見呂氏
張夢奎宋 492-713-3下
張夢高宋 451- 79- 2
張夢時明 見張大受
張夢祥宋 516-123- 92
張夢乾宋 554-982- 65
張夢輔明(澄州人) 472-696- 28
510-399-115
張夢輔明(宣化人) 505-696- 70
張夢徵明 524-121-184
張夢鯉明(諡節愍) 456-581- 8
張夢鯉明(字汝化) 476-700-137
477- 55-151
537-249- 55
540-812-28之3
545-101- 86
張夢鯨明 537-221- 54
張夢獻妻 清 見李氏
張夢齡明 456-598- 9
474-411- 20
505-853- 77
張鳴岐清 524-355-196
張鳴珂清 533-317- 57
張鳴道妻 明 見王氏
張鳴節明 見張鳴錦
張鳴鳳明(字世祥) 300- 83-188
475-180- 59
511-125-141
1268-452- 70
張鳴鳳明(字羽玉) 676-584- 24
1442- 67-附4
1460-296- 53
張鳴鳳妻 明 見任氏
張鳴鳳妻 明 見周潔
張鳴錦張鳴節 明456-580- 8
480- 60-260
533-362- 60
張鳴鶴元 546-591-134
張睿卿明 524- 36-179
張圖南元 1204-285- 8
張圖南明 547-128-146
張蜚英清 505-893- 79
張鳳山宋 見張應元
張鳳世明 456-662- 11
511-586-159
張鳳奴金 291-753-130
401-171-593
477-482-173
張鳳羽明 570-117-21之1
張鳳岐妻 清 見楊氏
張鳳奇明 302- 35-291
456-457- 4
474-276- 14
505-652- 68
545-677-107
張鳳來明 528-497- 30
張鳳歧妻 明 見陳氏
張鳳兒宋 見張溥
張鳳翀明(虞城人) 456-679- 11
張鳳翀明(寧州人) 475-605- 81
510-439-116
張鳳翀明(字光世) 478-297-188
554-846- 63
676-529- 21
820-654- 42
1262-527- 58
1442- 40-附2
1459-805- 32
張鳳翔明～清 505-685- 69
540-839-28之4
679-292-167
張鳳翔明(太原人) 547- 6-141
張鳳翔明 見張鳳翽
張鳳陽妻 清 見趙氏
張鳳翥唐鳳翥 明
456-501- 5
511-476-155
523-109-150
559-529- 12
1442-107-附7
1460-651- 73
張鳳翥妻 明 見趙氏
張鳳墀明 1474-551- 27
張鳳鳴明 456-522- 6
張鳳霄明 545-402- 98
張鳳儀元 473-683- 79
482- 75-341
563-719- 39
張鳳儀明(字恆拙) 511-592-159
張鳳儀明(長洲人) 821-482- 58
張鳳儀明(號野塘)
1275-363- 16
張鳳儀清(字君表) 475-280- 63
511-776-166
張鳳儀清(字瑞梧) 479-456-237
479-557-242
502-675- 80
515- 68- 58
515-205- 63
張鳳質明 458-153- 7
張鳳徵清 475-611- 81
511-311-148
張鳳融明 見張鳳翽
張鳳翽張鳳融 明
302-100-294
456-445- 3
478-248-186
554-724- 61
張鳳翱妻 清 見童氏

十一畫 張

張鳳翼明(代州人) 301-344-257
546-412-128
張鳳翼明(字異羽) 456-575- 8
540-830-28之3
張鳳翼明(字伯起) 511-742-165
675-397- 3
820-705- 43
1442- 64-附4
張鳳翼明(沛縣人) 554-312- 53
張鳳翼妻 明 見桑氏
張鳳翼妻 明 見黃寬姐
張鳳翼妻 明 見蕭氏
張鳳舉明 1289-284- 18
張鳳翶張鳳翔 明
456-666- 11
477-378-167
張僧皓後魏 262-137- 76
266-935- 45
379-300-150下
540-727-28之1
張僧繇張繇 梁 485-293- 43
493-1053- 56
494-519- 25
511-863-170
812-334- 7
813- 71- 1
821- 23- 45
張緒宗明 554-311- 53
張緒倫明 540-832-28之3
張維正張槐孫 宋
451- 81- 2
張維世明 302- 74-293
456-444- 3
477-453-171
478-338-191
538- 41- 63
545-197- 90
554-220- 52
張維光明 510-431-116
張維任妻 明 見段氏
張維赤清 534-849-114
張維忠明 554-734- 61
張維垣明 538-113- 64
張維則宋 546-184-121
張維黃明 456-657- 11
511-654-162
張維新明 537-575- 60
1442- 77-附5
1460-389- 58
張維遠清 567-162- 69
張維綱明 456-461- 4
張維賢張惟賢 元
479-290-230
523-398-165
張維賢清 540-865-28之4
張維樞明 529-551- 45
677-677- 60
張維德清 475-710- 86
511-642-161
張維翰明 456-640- 10
張肇祚明 456-599- 9
張肇斌清 476-251-110
545-306- 94
張魁吾妻 清 見宋氏
張綱甫明 547-101-145
張綿壽妻 明 見劉氏
張綸音明 480- 88-262
532-626- 43
554-513-57下
張綸音清 570-147-21之2
張廣土女 清 見張氏
張廣年宋 487-512- 7
張廣明明 1274-425- 15
張廣孫元 1207-590- 41
張廣寧清 456-324- 75
張賡奏明 1475-537- 23
張憬藏唐 271-626-191
276- 98-204
384-176- 9
401- 93-580
538-361- 71
933-386- 25
張審素唐 271-527-188
275-629-195
400-287-523
張潛養清 505-918- 81
張潤子宋 477- 98-153
張潤之宋 472-1031- 31
523-612-176
張潤民清 476-371-117
537-230- 54
546-504-131
張潤身明 523-203-155
張調鼎清 563-868- 42
張調燮清 554-856- 63
張慘居妻 清 見劉氏
張毅夫唐 271-103-162
張慶之宋 493-1023- 54
511-729-165
680-496-272
張慶玄明 見張玄慶
張慶受明 529-690- 50
張慶涓妻 清 見趙繼英
張慶孫清 1318-384- 66
張慶雲明 456-656- 11
546-216-122
張慶遠宋 485-534- 1
張慶臻明 302-191-300
458- 71- 3
505-839- 76
張養才明 554-512-57下
張養心清 547-120-145
張養中明 554-769- 52
張養志明 476-856-145
張養所明 456-528- 6
505-839- 76
張養浩元 295-378-175
399-692-489
472-526- 22
472-569- 24
472-827- 33
476-526-128
476-611-133
477-562-177
540-778-28之2
541-466-35之9
541-468-35之9
554-162- 51
1192-473- 附
1192-581- 13
1209-590-10上
1212-205- 15
1226-700- 2
1439-426-附1
1468-477- 23
張養蒙明 301- 4-235
476-208-107
546-205-122
張養蒙清 538- 83- 64
張慧清宋 1170-263- 14
張賢臣明 524-205-188
張賢初女 明 見張月
張賢贊元 481-745-334
528-560- 32
張鴈奴元 1192-593- 13
張樞言宋 492-711-3下
張樗翁明 1269-166- 11
張震金張純 宋 451- 90- 3
張震發宋 563-908- 43
張震維清 477-500-174
537-336- 56
張璇光明 456-639- 10
張穀英金 1040-251- 4
張穀寶妻 元 見祝清
張敷華明 300- 43-186
453-684- 33
472-964- 38
473-155- 56
473-211- 59
475-872- 95
477-565-177
478-767-215
479-722-250
480- 13-257
515-675- 78
523- 42-148
532-593- 41
545- 74- 85
554-168- 51
581-653-112
676-505- 19
1275-185- 9
1457-494-387
張履正明 1442- 86-附5
1460-489- 63
張履素清 1318-504- 77
張履翁宋 515-607- 76
張履祥明 1475-543- 23
張履旋明 301-630-275
456-666- 11
546-217-122
張履端明 511-131-141
張慕渠明 515-176- 62
張輝文妻 清 見孫氏
張輝簡妻 清 見劉氏
張德元元 493-1010- 53
張德元明 524-366-197
張德夫明 576-654- 5
張德升清 456-326- 75
張德功清 456-326- 75
張德地清 481- 28-291
559-328-7下

張德宏妻 清 見劉氏
張德沖清 263-338- 44
267-579- 81
張德亨陳德亨 元
1215-722- 10
張德成元 1217-578- 2
張德直金 545-765-110
554-274- 53
1365-285- 8
1439- 10- 附
1445-517- 39
張德林元(張山父)
1194-701- 13
張德林元(字茂卿)
1367-744- 56
1410-236-691
張德林明 510-287-112
511-350-149
張德昌明 301- 59-239
張德昌妻 清 見任氏
張德明宋 547-556-161
張德明元 552- 73- 19
1206-736- 8
1214-237- 20
張德明明 523-498-170
張德明妻 清 見梁氏
張德冠清 524-154-185
張德政明 1442- 31-附2
1459-691- 27
張德貞妻 明 見張氏
張德昭後蜀 820-321- 31
張德昭元 472-239- 9
475-176- 59
510-346-114
張德剛明 524-351-196
張德崇明 456-678- 11
張德常元 1216-496- 7
張德琪元 820-518- 38
821-294- 53
張德貴清 456-326- 75
張德鈞宋 見王繼恩
張德勝明 299-252-133
453-535- 3
472-328- 14
475-706- 86
511-412-152
張德棐明 1239-65- 31
張德源後晉 384-307- 16
540-638- 27
張德新宋 821-250- 52
張德新元 472-587- 24
540-780-28之2
張德新妻 明 見沈氏
張德輔明 821-369- 55
張德聚元 1192-578- 12
張德遠妻 明 見董氏
張德廣張欽 唐 516-202- 95
張德潤元 561-210-38之2
張德潤明 541-107- 31
張德鄰元 476-417-120
545-392- 97
張德輝元 295-213-163
399-577-477
451-630- 10
472-438- 19
472-457- 20
475-871- 95
476- 41- 98
476-477-125
476-818-143
540-665- 27
545- 59- 84
545-649-106
1200-534- 41
張德輝明 524-360-196
821-368- 55
1235- 16- 上
張德熹明 523-134-152
張德蕙明 祁理孫妻
1442-125-附8
1460-785- 85
張德興張德輿 宋
472-336- 14
511-459-154
張德輿宋 見張德興
張德懋元 533-423- 62
張德馨宋 526-250-266
張德耀清 456-324- 75
張德讓明 820-716- 43
張稽古明 545-154- 88
1457-519-389
張範孔明 456-663- 11
張徵音明 554-513-57下
張憲臣明 523- 54-148
1280-423- 87
張憲仲妻 清 見宋氏
張憲翔明 540-813-28之3
張憲載清 478-489-199
558-302- 34
張憶牧宋 451-226- 0
張澹然明 821-486- 58
張龍起妻 清 見余氏
張龍德明 456-601- 9
523-365-163
張龍寶宋 見張忠
張龍鱗清 476-348-116
547- 29-141
張澤民明 534-837-113
張凝秀明 456-581- 8
張凝和明 456-525- 6
張遵信元 546-645-136
張遵信女 明 見張氏
張遵業北齊 263-154- 20
張遵誨後唐 277-515- 61
張遵禮唐 812-348- 9
812-371- 0
821- 57- 46
張憨子宋 533-332- 58
張樹田妻 明 見宣氏
張樹屏清 511-198-143
張頤孫宋 451- 98- 3
張燕翼明 511-743-165
820-705- 43
821-430- 57
1283-429-100
1442- 64-附4
1460-238- 50
張燕翼清 480- 60-260
533-146- 51
張翰芳明 546-607-135
張翰宸清 505-809- 74
張奮翼妻 明 見王氏
張靜圓明 金士宜妻、張裕女
1231-408- 9
張擇行宋 285-792-301
476-671-136
張擇端宋 821-205- 51
張橓徵明 456-582- 8
張遹祖元 1201-170- 80
張選學女 明 見張玉姑
張默言北齊 263-151- 19
張興世張世 劉宋
258-110- 50
265-404- 25
378- 93-133
384-111- 6
480-172-267
533- 58- 49
933-369- 25
張興宗宋 288-380-454
400-183-514
張興祖元 1201-641- 23
1367-823- 63
1373-179- 13
張興祖妻 元 見周氏
張興祖明 見汪興祖
張曉初明 511-525-157
張篤敬明 1293-464- 4
張篤敬妻 清 見董氏
張積中明 1227-116- 14
張積源明 1408-586-541
張學孔明 547-113-145
張學中明 524-238-189
張學先妻 清 見姚氏
張學典清 楊旡咎妻、張端拱女
512- 11-176
張學書明 479-431-236
523-251-157
張學閔明 456-597- 9
張學程妻 清 見李氏
張學象清 張端拱女
512- 11-176
張學道明 545-409- 98
554-850- 63
張學聖清 475-564- 79
502-682- 80
510-431-116
張學懋明 554-347- 54
張學顏明 300-656-222
474-441- 21
474-692- 37
502-290- 56
505-766- 72
545-193- 90
張龜年宋 478- 89-180
554-271- 53
張龜齡唐 見張志和
張錦鳳清 547-118-145
張錦蘊清 570-163-21之2
張儒秀清 478-770-215
523- 63-149
張儒珍明 494- 42- 3

十一畫 張

1266-402- 7
張儒童梁 812-335- 7
821- 25- 45
張錫昌妻 清 見杜氏
張錫命明 510-317-113
559-395-9上
張錫眉明 456-635- 10
475-183- 59
511-592-159
張錫齡妻 清 見任氏
張錫蘭明 821-477- 58
張穆子不詳 1061-268-110
張穆之梁 260- 96- 7
265-200- 12
373- 86- 20
張穆之女 梁 見張尚柔
張穆仲元 676-248- 9
張鴻光明 456-490- 5
張鴻印清 見李氏
張鴻烈清 475-331- 65
511-779-166
張鴻猷清(奉天人) 502-763- 86
張鴻猷清(字匡鼎) 505-805- 74
張鴻業妻 明 見李氏
張鴻磐明 1442-113-附7
張鴻鸞明 456-628- 10
張應斗妻 清 見李氏
張應文明 1442- 70-附4
1460-335- 55
張應文妻 明 見王氏
張應元張鳳山 宋451- 89- 3
張應中張眞祐 宋451- 75- 2
張應召明 541-108- 31
821-456- 57
張應沛明 524-152-185
張應吾明 572- 79- 28
張應辰宋 460-452- 34
張應辰妻 宋 見王氏
張應辰明(字環北) 458-130- 5
537-525- 59
張應辰明(宜君人)
554-527-57下
張應辰清 515-458- 70
張應京清 516-463-104
張應治明 300-547-215
479- 97-221
523-438-167
676-723- 30
1475-326- 13
張應武明 511-747-165
546-678-137
1442- 70-附4
1460-335- 55
張應奇明 456-607- 9
481- 71-293
572-109- 30
張應昌明 301- 59-239
554-712- 61
張應亮明 479- 44-218
523- 87-149
張應春張應龍 明456-484- 5
張應奎張映奎 明(懷寧人)
456-677- 11
511-477-155
張應奎明(蘄水人) 594-216- 7
張應珍元 見吳鄴
張應星明 460-646- 64
張應科宋 563-711- 39
張應祐明 524-242-190
張應宸明 511-609-160
張應宸妻 明 見吳氏
張應泰明(永壽人) 456-675- 11
張應泰明(字大來) 528-487- 30
張應祥清 476-919-148
537-225- 54
張應理清 456-325- 75
張應捷明 456-678- 11
張應捷妻 清 見何氏
張應唯明 820-746- 44
張應詔明 545-345- 96
張應詔清(五開衛人)
483-358-400
張應詔清(字圖園) 559-335-7下
572-105- 30
張應期明 483-307-395
546-543- 20
張應登明 559-405-9上
張應堯明 547- 45-142
張應揚明 511-286-147
523-194-155
張應勝清 479-662-247
482-523-367
515-814- 82
567-157- 69
568-377-113
張應雷明 515-797- 82
523-121-151
676-179- 7
820-719- 43
張應聘清(海澄人) 528-518- 31
張應聘清(字象賢) 533-471- 64
張應暘明 563-816- 41
張應熙妻 清 見熊氏
張應槐明 523-484-170
張應圖明 528-532- 31
張應魁明 524- 68-181
張應徵明(字賓明) 456-504- 5
511-498-156
張應徵明(字元聘) 546-712-138
554-294- 53
張應龍明 見張應春
張應龍妻 明 見馮氏
張應諤妻 明 見劉氏
張應選明 456-634- 10
505-837- 76
張應禮明 456-577- 8
張應贄妻 明 見趙氏
張應麒宋 523-199-155
張應麟明 1474-555- 28
張濬仲宋 451- 99- 3
張濟民明 456-658- 11
張濟美唐 271-337-178
張濟時明 563-785- 40
張謙吉妻 清 見蔡氏
張燦垣明(霍邱人) 456-658- 11
511-652-162
張燦垣明(字紫城) 510-449-117
張懋生妻 明 見蔣氏
張懋官明 456-634- 10
張懋英明 820-716- 43
張懋悅妻 清 見陳氏
張懋修明 533-216- 53
張懋賢明 676-545- 22
張懋賞明 456-634- 10
張懋勳明 511-692-163
張懋謙明 515-251- 64
523-431-167
張懋齡明 456-681- 11
張彌壽程彌壽 明676-465- 17
1375- 25- 上
張翼之妻 明 見金氏
張翼之妻 明 見潘氏
張翼明明 301-208-248
張翼星清 505-920- 82
張翼舒明 547-116-145
張翼新明 523-250-157
張翼鵬明 456-586- 8
張翼鵬清 528-501- 30
張檉芳明 456-527- 6
505-837- 76
張聯台明 456-682- 11
張聯芳明 532-640- 43
張聯奎妻 明 見何氏
張聯軫明 592-778- 2
張聯箕清 592-779- 2
張聯標妻 清 見傅氏
張聯璧清 547- 66-143
張舉一女 宋 見張氏
張聲子張善慶 宋451- 69- 2
張孺子清 479-610-244
516-142- 92
張孺文妻 明 見劉氏
張璩奴明 徐宗谷妻
472-1106- 47
張環中妻 明 見陳敦宋
張環奇清 505-917- 81
張駿烈妻 明 見趙氏
張薦明後唐 279-213- 34
384-308- 16
1383-769- 70
張邁努妻 元 見王氏
張鍼姑明 孟七保妻
477-455-171
張鮏化明 476- 85-100
545-792-111
張總之宋 1096-711- 26
張鍾發清 524-179-187
張鍾葵後魏 見張白澤
張鍾靈明 473-215- 59
張穉升妻 清 見王氏
張優才清 456-324- 75
張徽之後魏 見張烈
張徽仙後魏 見張烈
張徽卿明 820-769- 44
張縫彥清 538- 97- 64
張瀉里明 見姜瀉里
張禮修漢 趙嵩妻555- 6- 66
879-183-58下
張璧光明 564-168- 45
張璧娘明 1442-127-附8
張豐玉清 528-573- 32
張覲北清 572- 92- 29

張犇訓明 540-816-28之3
張犇憲明 302-300-305
張藏英宋 285-369-271
396-639-312
472- 32- 1
474-175- 8
476-516-127
499-420-158
505-714- 71
540-623- 27
546-283-124
張瞻甫元 546-300-124
張瞻韓明 563-797- 41
張曜靈晉 見張耀靈
張蟬雲明 張尚紀女
302-232-302
555- 93- 67
張鎮之妻 宋 見韋氏
張鎮周唐 472-338- 14
475-524- 77
510-278-112
511-252-146
張鎮孫宋 473-675- 79
564- 40- 44
張簡熙妻 明 見程氏
張歸弁後梁 277-154- 16
279-132- 22
396-340-282
張歸厚後梁 277-153- 16
279-132- 22
396-340-282
505-762- 72
933-387- 25
張歸霸後梁 277-152- 16
279-131- 22
384-300- 16
396-340-282
472-114- 4
474-437- 21
476-725-138
505-762- 72
933-386- 25
張歸霸女 後梁 見張氏
張癡六明(行六，不修繩檢，人呼為癡六) 511-923-174
張懷邦明 571-553- 20
張懷相妻 明 見潘氏
張懷貞明 524-158-186
張懷約唐 473- 76- 52
516- 93- 91
張懷悅宋 見孫懷說
張懷陽明 483-283-393
572-162- 32
張懷義後魏 見張銑
張懷義妻 清 見李氏
張懷德元 483-248-391
571-537- 20
張懷器唐 476- 77-100
545-171- 89
張懷瓌唐 820-173- 27
張懷瓘唐 505-879- 79
812-747- 3
814-276- 10
820-173- 27
張韞秀清 505-911- 81
張麗英漢 張芒女、張芭女
479-825-256
516-501-105
517-412-126
張麗華陳 陳後主貴妃
260-592- 7
265-205- 12
370-594- 20
373- 91- 20
張攀麟妻 清 見荆氏
張鵾羽清 483- 34-371
張鵾翔清 475-702- 86
510-467-117
張羅士妻 明 見高氏
張羅疋唐 473-841- 87
494-152- 5
張羅彥明 302-114-295
456-526- 6
458-292- 10
474-245- 12
506-541-105
張羅彥妻 明 見宋氏
張羅彥妻 明 見錢氏
張羅俊明 302-114-295
456-461- 4
458-293- 10
474-245- 12
505-846- 76
506-542-105
張羅善明 302-114-295
456-631- 10
張羅善妻 明 見高氏
張羅喆妻 明 見王氏
張羅喆清 505-920- 82
張羅輔明 302-114-295
456-631- 10
張羅輔妻 明 見白氏
張鵬羽妻 清 見鄭氏
張鵬沖明(河內人) 456-682- 11
張鵬沖明(字襟溟) 505-814- 74
張鵬飛張九萬 明 458- 75- 4
537-549- 59
張鵬翀清 569-621-18下之2
張鵬翊妻 清 見曹氏
張鵬異明 533-402- 61
張鵬翔明 533- 56- 48
張鵬雲明(字雨蒼) 505-639- 67
張鵬雲明(字漢中) 537-258- 55
546-213-122
張鵬程清 478-274-187
554-612- 59
張鵬遠明 533-419- 62
張鵬翰明 545-222- 91
558-353- 35
張鵬翮清 475- 22- 49
475-875- 95
476-480-125
478-771-215
481-337-308
510-303-112
523- 67-149
540-675- 27
545-122- 86
559-413-9下
張鵬翱明 554-307- 53
張鵬翼元 476-151-104
545-219- 91
張鵬翼明(諡節愍) 302- 95-294
456-578- 8
480-509-281
481-184-300
張鵬翼明(諡烈愍) 456-463- 4
張鵬翼明(鳳陽人) 456-483- 5
張鵬翼明 見張獻翼
張鵬翼妻 明 見史氏
張鵬翼妻 明 見劉氏
張鵬翼清(鑲黃旗包衣人)
456-294- 72
張鵬翼清(昌平人) 478-635-206
558-430- 37
張鵬翼妻 清 見溫氏
張鵬舉明 473-599- 76
528-526- 31
張繩武妻 明 見李氏
張繩皋明 568-212-106
張鏡心明 458-131- 5
475-421- 70
505-826- 75
510-401-115
563-727- 40
676-652- 27
677-708- 63
1312-569- 7
1316-689- 47
1467-484- 8
張寶山明 456-487- 5
510-419-116
張寶珍明 547- 21-141
張寶符唐 見張延賞
張寶稱劉宋 見張寶積
張寶積張寶稱 劉宋
265-491- 32
378-276-138
485-178- 24
493-848- 46
張獻可明 1276-427- 10
1277-845- 7
張獻甫唐 270-458-122
274-666-133
395-622-237
478-403-194
537-604- 60
546-468-130
554-128- 50
張獻忠宋 1138-880- 4
張獻忠明 302-411-309
556-848-100
560-603-29下
1315-589- 36
張獻恭唐 270-458-122
274-666-133
384-203- 11
395-622-237
546-467-130
張獻塘妻 明 見李氏
張獻誠唐 270-457-122
274-666-133

384-203- 11
395-621-237
546-467-130
張獻翼張敉、張鵬翼 明
511-743-165
820-705- 43
1283-546-109
1284- 65-141
1442- 64-附4
1460-238- 50
張耀采明 540-825-28之3
張耀采明 見張釋采
張耀高妻 清 見何氏
張耀祖清 545-252- 92
張耀壁妻 明 見洪氏
張耀靈張曜靈 晉
256-410- 86
262-437- 99
381- 85-186
張蘊古唐 271-563-190上
400-587-554
538-134- 65
張嚴侯妻 清 見史氏
張騰潛妻 明 見孫氏
張騰霄明(字子翀) 567-415- 84
1467-226- 70
張騰霄明(保定人)
1245-451- 22
張騰霧明 554-958- 65
張騰鸞明 482-267-350
564-273- 47
張鐘音明 523-556-173
張鐘異清 456-325- 75
張鐘毅妻 清 見易氏
張釋之漢 244-670-102
250-249- 50
251-567- 18
376-119- 97
384- 40- 2
459-156- 10
472-768- 30
477-362-167
537- 36- 48
537-529- 59
933-363- 25
1408-279-507
張釋采張耀采 明 456-586- 8
張覺民宋 471-1065- 70
472-897- 35
張繼元妻 清 見戚氏
張繼先宋 516-458-104
820-463- 36
1223-434- 7
張繼先元 1222-660- 7
張繼先妻 清 見陳氏
張繼仲清 476- 44- 98
547- 11-141
張繼志元 559-504- 12
張繼志明 533-344- 58
張繼宗明(安莊人) 572-107- 30
張繼宗明(字述之)
1269-431- 6
張繼宗清 516-463-104
張繼孟明 302-117-295
456-445- 3
478-204-184
481- 27-291
483-171-383
554-733- 61
569-666- 19
張繼芳明 554-299- 53
張繼美宋 488-372- 13
張繼祖元 1210-381- 12
1224-493- 29
張繼祖妻 明 見杜氏
張繼祚後晉 278-175- 96
張繼桂明 523-251-157
張繼倫妻 清 見孔氏
張繼能宋 288-535-466
401- 69-576
545-628-106
張繼曾明 510-459-117
張繼曾清 567-151- 69
572-104- 30
張繼盛妻 明 見梁氏
張繼登妻 明 見曾氏
張繼業清 456-324- 75
張繼儒清 456-325- 75
張鶴鳴明(字元平) 301-335-257
511-500-156
571-517- 19
張鶴鳴明(字采宇) 511-229-144
張鶴樓明 517-712-133
張鶴翼明 524-237-189
張鶴齡唐 933-385- 25
張鶴齡明 302-197-300
張鶴騰明 301-337-257
456-483- 5
511-501-156
545-226- 91
張夔升明 572- 90- 29
張蘭武張蘭虎 北齊
267-578- 81
380-321-174
張蘭虎北齊 見張蘭武
張鐵腳漢 476-406-119
547-538-160
張鐵樹宋 見張申
張顧行清 554-792- 62
張襲仁明 458-150- 7
張襲隆明 1295-143- 11
張懿文宋 523-126-152
張儼然明 456-682- 11
張麟子宋 見張穎
張麟昭清 1316-653- 45
張顯仁明 572- 93- 29
張顯父宋 460-309- 22
張顯宗明 473-625- 77
481-722-333
529-635- 48
張顯忠宋 1090- 76- 14
張顯明後魏 見張慶
張顯郎宋 見張合
張顯思明 511-653-162
張顯祖元 493-753- 41
510-332-113
張顯謨明 558-429- 37
張體中明 460-795- 84
529-740- 51
張體仁宋 494-270- 2
張體仁妻 清 見袁氏
張體義妻 清 見謝氏
張體謙女 清(田茂奕妻) 見張氏
張體謙女 清(次女) 見張氏
張巖叟金 291-372- 97
399-218-435
546-400-128
張鷹揚明 456-570- 8
張靈均唐 270- 31- 86
274- 76- 81
395- 46-184
張靈眞女 不詳 見張玉蘭
張靈符後魏 261-480- 33
張觀妙妻 宋 見倪氏
張觀省明 1283-592-113
張觀國張雲翼 宋 448-389- 0
張觀僧元 524-133-185
張鸞三明 見張鸞山
張鸞山張鸞三 明 456-684- 11
張鸞旗後魏 262-330- 94
張巴圖爾元 見張弘範
張四月兒明 547- 53-143
張念十一宋 見張永年
張烏蘇齊元 見張榮
張萬嘉努元 295-249-165
400-244-520
569-646- 19
張蒙古台元 見張蒙固台
張蒙完得元 510-427-116
張蒙固台張蒙古台 元
295- 66-151
399-428-458
張諾爾布元 見張諾爾貝
張諾爾貝張諾爾布 元
295- 67-151
399-429-458
張佳鄂貌圖清 1322-630- 11
張烏爾古鼐爾圖元 見張惠
通唐(吳人) 511-935-175
通唐(嗣懷海) 1053-140- 4
通宋(嗣義存) 588-243- 10
1053-294- 7
通宋(嗣明遠) 1053-343- 8
通宋(嗣師戒) 1053-646- 15
通明(清流人) 530-202- 60
通明(居九塚寺) 541- 97- 30
通不詳 1053-245- 6
通凡丘遂 明 676-664- 28
821-490- 58
1442-113- 7
1442-121- 8
1460-670- 74
1475-434- 18
通王唐 見李滋
通王唐 見李諶
通王後唐 見李存確
通玄唐 516-429-103
1052-671- 7
1053-542- 13

通旭清 524-411-199
通色清(正白旗馬察地方人)
455-465- 28
通色清(把爾達氏) 455-691- 49
通色清(葉赫勒氏) 456-106- 57
通罕明 見圖罕
通忍清 511-934-175
516-506-105
通泗清 456-323- 75
通奇清 1475-787- 33
通門明 511-920-174
通岸明 1442-120- 8
1460-847- 91
通洽明 1442-122- 8
通柱清 455-689- 49
通容清 524-400-199
通恩金 291- 51- 67
通乘明 1475-795- 33
通章明 1475-773- 32
通理宋 1053-605- 14
通琇清 474-196- 9
475-243- 61
511-924-174
524-405-199
通通元 515- 30- 57
1439-441- 1
通賀清 554-961- 65
通發明 1442-122- 8
1460-854- 91
通貴清 455-392- 24
通蛟清 455-556- 36
通傑明 498-578-104
通復清 1475-791- 33
通達唐 1049-673- 45
通微清 1475-795- 33
通潤明 1442-121- 8
1460-848- 91
通慧唐(居龍山寺) 483-341-398
572-164- 32
通慧唐(居永樂院) 516-427-103
通慧張文 宋 472-669- 27
538-336- 70
554-955- 65
通賢清 1475-787- 33
通醉清 561-218-38之3
通辨謝德富 元 472- 57- 2
474-253- 12
505-939- 85
通蘊明 1460-856- 91
通辯宋 588-199- 9
通古里清 455-571- 37
通吉氏獨吉氏 金 完顏撒合輦妻、完顏薩哈連妻、通吉遷嘉努女、獨吉千家奴女、獨吉察雅努女 291-750-130
401-169-592
474-875- 47
503- 24- 93
通吉氏元 甯居贇妻、通吉禮女 1210-401- 13
1213-174- 13
通吉善清 455-581- 38
通吉義通吉呼拉布 金
291-239- 86
399-149-429
通吉鼐清 456- 90- 56
通吉禮女 元 見通吉氏
通阿圖清 455-660- 46
通眞量周 見提多迦
通謨克清 454-610- 65
通江童子明 456-675- 11
通吉思忠通吉遷嘉努 金
291-323- 93
399-231-436
通班元氏琨信然 上古
1061-180-102
通吉呼拉布金 見通吉義
通吉遷嘉努金 見通吉思忠
通吉遷嘉努女 金 見通吉氏
陵川王明 見朱佶烇
陵陽子明陵陽伯玉 漢
472-361- 15
475-619- 81
1058-505- 下
1061-255-108
1131-632- 33
陵陽伯玉漢 見陵陽子明
陳力宋 288-363-452
400-186-514
陳力明(字子列) 546-314-125
陳力明(咸寧人) 554-527-57下
陳力明(字子相) 1291-527- 9
陳力妻 明 見徐氏
陳乂後唐 277-561- 68
陳三妻 明 見金氏
陳三妻 清 見劉氏
陳士明 821-462- 57
陳巳宋(字九成) 489-683- 49
陳巳宋(兗州人) 843-664- 中
陳山金 1202- 80- 7
陳山父 明 1239- 19- 27
陳山明 452-139- 1
473-618- 77
529-584- 46
563-779- 40
1240-186- 12
陳山妻 明 見潘三娘
陳山妻 清 見葉氏
陳乞陳僖子 春秋 404-620- 38
陳亢春秋 371-495- 32
405-448- 85
539-497-11之2
陳亢齊 491-791- 6
陳亢宋 451-177- 6
511-561-158
陳斗明 蕭德蕡妻、陳果女
1239-191- 40
陳方元 676-711- 29
820-538- 39
1471-497- 11
陳文宋 523-570-174
陳文明(諡孝勇) 299-266-134
472-328- 14
475-707- 86
511-414-152
陳文明(字安簡) 299-672-168
452-180- 3
473-153- 56
515-669- 73
1241-663- 14
陳文明(騰衝衛指揮)
483-137-380
569-675- 19
陳文明(字美中) 511-183-143
陳文明(字簡之) 533-172- 52
554-311- 53
陳文明(字彥章) 676-520- 20
1247-517- 23
陳文明(字汝明) 820-642- 41
陳文妻 明 見郭氏
陳王漢 見劉均
陳王漢 見劉羨
陳王漢 見劉寵
陳王魏 見曹植
陳王北周 見宇文純
陳王唐 見李珪
陳王唐 見李元慶
陳王唐 見李成美
陳王後晉 見石重杲
陳王後漢 見劉承勳
陳王宋 見趙佖
陳王金 見完顏希尹
陳王金 見完顏宗雋
陳元漢 252-798- 66
370-164- 16
376-724-108
384- 59- 3
402-524- 15
453-737- 2
471-872- 40
473-777- 84
482-185-346
482-452-362
564- 5- 44
567-289- 76
675-294- 15
933-154- 11
1467-159- 68
陳元明 523-219-156
523-248-157
陳元清 528-569- 32
陳天妻 明 見吳氏
陳木宋 1117-171- 14
陳友明 299-653-166
472-403- 18
475-798- 90
511-425-152
571-532- 19
陳友妻 清 見廖氏
陳中元(長樂人) 530- 3- 54
陳中元(字子中) 1209-646-10下
陳中明 460-535- 50
473-634- 77
529-729- 51
陳中女 明 見陳氏
陳丹明 505-652- 68
陳丹清 474-276- 14
陳仁元 1216-609- 12
陳仁明(字子居) 300- 43-186
460-533- 49

481-556-327
523-247-157
529-510- 44
676-518- 20
1257-184- 17
陳仁明(字體元) 460-811- 88
529-637- 48
陳午妻 漢 見劉嫖
陳午女 漢 見陳皇后
陳升遼 821-273- 52
陳升明 1242-171- 29
陳化吳 254-716- 2
370-243- 1
384-609- 35
385-688- 67
477-415-169
537-560- 60
陳氏晉 劉臻妻 256-574- 96
381- 52-185
512- 7-176
933-156- 11
陳氏六朝 陳日志女
564-314- 49
陳氏後魏 孫紳妻 267-727- 91
381- 61-185
476-372-117
陳氏隋 隋文帝夫人、陳宣帝女
264-676- 36
266-301- 14
陳氏唐 白季庚妻、陳潤女
1080-505- 46
陳氏唐 楊歷妻、陳玄女
1065-860- 22
1342-235-934
陳氏唐 劉杞妻、陳昌女
530-196- 60
陳氏梁太祖昭儀 後梁
279- 79- 13
393-289- 74
陳氏後唐 唐太祖夫人
819-578- 19
陳氏宋 王逢妻、陳之武女
1105-842-100
1384-179-95
1386-710-上
陳氏宋 朱伯履妻
472-1106- 47
479-296-230
486-899- 34
1356-740- 14
1356-741- 14
陳氏宋 朱聖言妻、陳錫女
1156-235- 20
陳氏宋 汪穀妻、陳諮女
1128-224- 24
陳氏宋 李頤妻 482- 41-340
564-315- 49
陳氏宋 李覿妻 1095-278- 31
陳氏宋 李以達妻 482-187-346
陳氏宋 呂紹義妻、陳子淵女
1163-586- 36
陳氏宋 吳元度妻、陳景溫女
1180-450- 41
陳氏宋 吳長裕妻、陳祕女
1113-434- 8
1410-362-712
陳氏宋 余楚妻 473-606- 76
530-137- 58
1105-832- 99
1384-178- 95
陳氏宋 何充妻 481-407-313
陳氏宋 林璞妻 1164-386- 21
陳氏宋 林子埜妻 530- 3- 54
陳氏宋 林公遇妻
1180-438- 40
陳氏宋 周瑄妻、周誼妻、陳安世女 530-136- 58
1146-192- 93
陳氏宋 胡則妻、陳文諭女
1089-693- 12
陳氏宋 胡宗古妻、陳時彥女
1137- 44- 5
陳氏宋 俞備妻 1120-225- 33
陳氏宋 涂端友妻 288-459-460
401-161-590
473-117- 54
479-663-247
516-310-100
陳氏宋 徐處仁妻、陳向女
1128-290- 28
陳氏宋 商錡妻、陳宗禹女
1171-790- 29
陳氏宋 章表妻、陳鳴道女
1181-763- 11
陳氏宋 許登妻 530-103- 57
陳氏宋 許景衡妻
1127-348- 20
陳氏宋 曹晟妻 1149-888- 4
陳氏宋 張同朱妻 475-856- 94
512-167-181
陳氏宋 畢從古妻、陳師古女
1092-670- 62
陳氏宋 游夔妻、陳敏女
1150-120- 13
陳氏宋 童棐妻、陳縉女
1178- 73- 8
陳氏宋 黃丙炎妻 516-311-100
陳氏宋 黃頎之妻 530-104- 57
陳氏宋 程畋妻、陳與女
1376-666- 98
陳氏宋 程琳妻、陳京女
1105-833- 99
陳氏宋 賈如訥妻、陳景芳女
1151-297- 20
陳氏宋 賈昌朝妻、陳堯咨女
1093-415- 56
陳氏宋 趙子明妻、陳象古女
1100-519- 49
陳氏宋 趙世侹妻、陳承德女
1100-523- 49
陳氏宋 趙世瑞妻、陳知德女
1100-507- 47
陳氏宋 趙仲全妻、陳祐之女
1100-547- 52
陳氏宋 趙師郰妻
1156-915- 18
陳氏宋 鄭濬妻、陳鄰臣女
1138-164- 15
陳氏宋 鄧立妻、陳求女
1092-672- 62
陳氏宋 劉式妻 516-268- 98
陳氏宋 劉士英妻
493-1081- 57
陳氏宋 劉大禮妻、陳文德女
1171-796- 30
陳氏宋 鮑當妻、陳易女
1097-317- 22
陳氏宋 韓璩妻、陳士元女
1089-524- 48
陳氏宋 韓璹妻、陳詁女
1118-948- 64
陳氏宋 韓宗恕妻、陳博古女
1118-392- 20
陳氏宋 蘇紳妻、陳從易女
530- 84- 56
陳氏宋 方符母 1180-415- 38
陳氏宋 郭昌年母
1123-672- 7
陳氏宋 陳賁女 1117-181- 15
陳氏宋 廖人俊祖母
1197-600- 61
陳氏宋 鄭倫母 1095-268- 30
陳氏宋 劉克莊從母
1180-377- 35
陳氏遼 邢簡妻、陳陘女
289-703-107
401-165-591
472-144- 5
474-559- 28
476-262-110
496-414- 89
503- 22- 93
506- 28- 86
547-321-153
陳氏元～明 孔世熙妻
480-300-271
533-638- 70
陳氏元 汪彌亨妻 524-607-208
1219-560- 27
陳氏元 李宗長妻 564-317- 49
陳氏元 吳惟深妻
1205-293- 9
陳氏元 武僉事妻 480- 94-262
陳氏元 林克威妻 530-179- 59
陳氏元 周榮妻 506- 2- 86
陳氏元 周誠德妻 479-409-235
陳氏元 柯宗實妻、陳希亮女
295-639-201
530- 11- 54
陳氏元 孫謙妻 478-350-191
陳氏元 袁弘道妻、陳庚女
1197-790- 83
陳氏元 陸文圭妻
1194-711- 13
陳氏元 張慶妻 472-135- 4
474-482- 23
陳氏元 華鉉妻 511-552-158
1216-566- 10
陳氏元 傅賀妻 524-713-212
1210-399- 13
陳氏元 舒仲甫妻 473- 31- 49
陳氏元 劉子直妻

1195- 80- 6
陳氏元 龍均用妻 479-768-252
陳氏元 蘇眞定妻 530- 89- 56
陳氏元 李柔母 1213-175- 13
陳氏明 丁有儀妻 564-322- 49
陳氏明 方諒妻 472-209- 7
475-756- 88
陳氏明 方之斗妻 481-390-312
陳氏明 方其娠妻 530- 93- 56
陳氏明 文晉妻 478-490-199
558-496- 42
陳氏明 王生妻 302-247-303
478-137-181
陳氏明 王忭妻 479-334-232
524-704-212
陳氏明 王直妻、陳良輔女
1242-281- 33
陳氏明 王明妻 473-607- 76
530-142- 58
陳氏明 王英妻 1255-669- 69
陳氏明 王祿妻 1273-637- 7
陳氏明 王璉妻 512-241-183
陳氏明 王璣妻、陳仲莊女
1246-627- 13
陳氏明 王爵妻 530- 91- 56
陳氏明 王瓘妻 481-186-300
陳氏明 王衢妻 482-564-369
陳氏明 王三苟妻 524-681-211
陳氏明 王自省妻 506- 31- 86
陳氏明 王良佐妻 530-110- 57
陳氏明 王其昌妻 506- 53- 87
陳氏明 王明求妻 506- 8- 86
陳氏明 王明德妻 530- 64- 55
陳氏明 王和欽妻
472-1032- 42
陳氏明 王祚昌妻 474-605- 31
陳氏明 王家瑛妻 482-270-350
陳氏明 王原德妻 530- 69- 55
陳氏明 王崇禮妻 480-141-264
陳氏明 王紹先妻 480-178-266
陳氏明 王萬爵妻 473-319- 62
陳氏明 王德滋妻 530- 62- 55
陳氏明 王應宿妻 475-534- 77
陳氏明 王懷江妻 524-771-215
陳氏明 孔允發妻 512- 15-177
陳氏明 尹東魯妻 541- 26- 29
陳氏明 尹鄭任妻 530- 70- 55
陳氏明 左之龍妻 541- 47- 29
陳氏明 司恩妻 478-551-202
陳氏明 江汝松妻 530-107- 57
陳氏明 池寬妻 474-520- 25
506-151- 90
陳氏明 光德妻 530-126- 57
陳氏明 任一暘妻 512-245-183
陳氏明 朱宣妻 473-319- 62
陳氏明 朱政妻 481-419-314
陳氏明 朱焯妻 530- 90- 90
陳氏明 朱企鏻妻 480-440-278
陳氏明 朱雲衢妻 530- 69- 55
陳氏明 朱朝勳妻 481-560-327
530- 69- 55
陳氏明 沈堯中妻、陳寶女
1283-163- 79
陳氏明 宋道弘妻 524-454-202
陳氏明 沐啟元妻 482-565-369
陳氏明 李文妻 503- 30- 93
陳氏明 李宏妻 480-566-284
陳氏明 李芳妻 503- 30- 93
陳氏明 李烜妻 530- 5- 54
陳氏明 李雄妻、陳中女
1261-711- 30
陳氏明 李發妻 506- 32- 86
陳氏明 李塗妻、陳篪女
530- 70- 55
陳氏明 李齊妻 472-1033- 42
524-723-212
陳氏明 李諒妻 472-701- 28
477-170-157
陳氏明 李嚴妻 472-298- 12
陳氏明 李希賢妻 506- 70- 88
陳氏明 李定榮妻 506- 54- 87
陳氏明 李雨亭妻、陳熺女
1292-661- 11
陳氏明 李明龍妻 477-526-175
陳氏明 李宸揚妻 530-108- 57
陳氏明 李德淵妻 530-105- 57
陳氏明 李應辰妻 530- 65- 55
陳氏明 呂潤妻 530- 91- 56
陳氏明 岑統妻 482-188-346
陳氏明 步善慶妻 452-118- 3
475-533- 77
陳氏明 吳宣妻、陳賢女
1274-615- 3
陳氏明 吳造妻 530- 68- 55
陳氏明 吳喜妻 482-144-344
陳氏明 吳概妻 530- 67- 55
陳氏明 吳寬妻、陳謹女
1255-533- 57
1255-658- 68
陳氏明 吳中芸妻 483-251-391
陳氏明 吳仕讓妻、陳應奎女
1283-449-102
陳氏明 吳應桓妻 530- 70- 55
陳氏明 吳應魁妻 530-108- 57
陳氏明 吳寶秀妻 479-410-235
479-582-243
515-236- 63
516-379-102
陳氏明 吳鰲江妻、陳元憲女
1283-521-107
陳氏明 余廷瀚妻 482-144-344
陳氏明 余時和妻 530- 65- 55
陳氏明 谷得與妻
472-1056- 44
479-435-236
陳氏明 何禮妻 1262-422- 46
陳氏明 何天祐妻 564-329- 49
陳氏明 何錧昌妻 530- 19- 54
陳氏明 林廷妻 533-561- 68
陳氏明 林咸妻 530- 69- 55
陳氏明 林焯妻 530- 6- 54
陳氏明 林聰妻 530-106- 57
陳氏明 林瀾妻 530-107- 57
陳氏明 林伏豸妻 530-106- 57
陳氏明 林知言妻
1283- 42- 70
陳氏明 林景靖妻 530- 61- 55
陳氏明 林維翰妻 482-270-350
陳氏明 林懋植妻 482-210-347
陳氏明 林觀文妻 530- 70- 55
陳氏明 易可久妻 480- 96-262
533-534- 67
陳氏明 竺欽妻 479-189-225
陳氏明 周轍妻 530- 64- 55
陳氏明 周汝相妻 480-545-283
陳氏明 周重智妻 512-465-188
陳氏明 周國輔妻 483-201-388
陳氏明 周學樂妻 530-108- 57
陳氏明 金國宗妻 478-490-199
陳氏明 邱希嶽妻 474-314- 16
陳氏明 房申妻 512- 81-179
陳氏明 宣鳴虞妻 530- 66- 55
陳氏明 胡廷相妻 479-410-235
陳氏明 胡覲龍妻 475-282- 63
陳氏明 柳桂妻 1223-581- 11
陳氏明 范弘祖妻 506- 10- 86
陳氏明 范耿吾妻 530-127- 57
陳氏明 茆大綬妻、茅大綬妻
480-584-285
483-341-398
陳氏明 茅公輔妻 530- 67- 55
陳氏明 姚楷妻 530- 92- 56
陳氏明 姚聖言妻
483- 251-391
572-118- 31
陳氏明 高年妻 506- 85- 88
陳氏明 高孝妻 478-172-182
陳氏明 高慧妻 472-298- 12
475-381- 68
陳氏明 高尚賢妻 530-109- 57
陳氏明 高靜樂妻、陳定寬女
1275-316- 14
陳氏明 唐戊妻 479-685-248
陳氏明 唐烈妻 302-248-303
480- 97-262
533-544- 67
陳氏明 唐閔妻 482-145-344
陳氏明 唐熊妻 1283-485-104
陳氏明 唐錡妻 570-175- 22
陳氏明 祖衍澤妻 478-392-193
陳氏明 祝仁齋妻、陳紳女
1260-572- 15
陳氏明 馬祥妻 473-378- 65
陳氏明 馬全昌妻、陳文熙女
530- 67- 55
陳氏明 馬利仁妻 482- 43-340
陳氏明 馬魁選妻、馬選魁妻
478-551-202
558-520- 42
陳氏明 孫迪妻 524-453-202
陳氏明 孫光裕妻 506- 15- 86
陳氏明 孫克開妻 506- 92- 88
陳氏明 孫國祚妻 506- 48- 87
陳氏明 孫鳴球妻 506- 48- 87
陳氏明 袁範妻 472-263- 10
陳氏明 夏玘妻 483-251-391
陳氏明 夏用理妻
1269-853- 7
陳氏明 徐甫妻 1280-464- 90
陳氏明 徐資妻 572-113- 31
陳氏明 徐瞮妻 524-502-203
陳氏明 徐必發妻 530-159- 58

陳氏明 徐從敬妻 530- 65- 55
陳氏明 徐循行妻 530-107- 57
陳氏明 徐萬選妻 524-672-210
陳氏明 徐德安妻 452-119- 3
473- 52- 50
479-535-241
陳氏明 翁務妻 530- 8- 54
陳氏明 翁善妻 479- 61-219
陳氏明 許洪妻 506- 5- 86
陳氏明 許俊妻 506- 82- 88
陳氏明 許顒妻 452-118- 3
陳氏明 郭泰妻 530-109- 57
陳氏明 郭祥妻 472-361- 15
陳氏明 郭琯妻 530-108- 57
陳氏明 郭士侗妻 530-107- 57
陳氏明 郭世玉妻 472-496- 21
陳氏明 習良民妻 558-522- 42
陳氏明 陸迥妻 564-346- 49
陳氏明 陸瓊妻 530-113- 57
陳氏明 陸一鳳妻、陳言女
1283-300- 90
陳氏明 陸惟敬妻、陳宗義女
1255-646- 67
陳氏明 陶安妻 475-673- 84
512-113-180
陳氏明 張垕妻 512-483-189
陳氏明 張珣妻 472-403- 18
陳氏明 張瑋妻 1223-678- 5
陳氏明 張澡妻 530- 65- 55
陳氏明 張聲妻 480- 96-262
陳氏明 張士相妻
1297-779- 11
陳氏明 張士栢妻 512- 25-177
陳氏明 張必昇妻 512-193-182
陳氏明 張弘道妻 473-378- 65
陳氏明 張守綸妻 483- 98-378
陳氏明 張伯輝妻 530-138- 58
陳氏明 張孟陽妻 506- 41- 87
陳氏明 張彥章妻 530-141- 58
陳氏明 張春先妻 506- 48- 87
陳氏明 張紹載妻 477- 94-153
陳氏明 張啟行妻 506- 55- 87
陳氏明 張從璧妻
1254-589- 上
陳氏明 張鳳歧妻 530- 92- 56
陳氏明 陳予啟妻 506- 55- 87
陳氏明 崔茂妻 506- 47- 87
陳氏明 崔儀妻 530- 69- 55
陳氏明 馮天開妻 481-186-300
陳氏明 曾杲妻 475-486- 73
陳氏明 曾三聘妻 480-546-283
陳氏明 曾允文妻、陳以常女
1242- 86- 26
陳氏明 曾養吾妻 473-216- 59
陳氏明 甯眞妻 1248-630- 3
陳氏明 湛英妻 1265-688- 25
陳氏明 黃河妻 530- 70- 55
陳氏明 黃流妻 473-396- 66
陳氏明 黃啟妻 558-530- 43
陳氏明 黃士寵妻 530- 70- 55
陳氏明 黃日芳妻 302-246-303
475-783- 89
480- 95-262
陳氏明 黃作賓妻 530-126- 57
陳氏明 黃廷繼妻 479-499-239
陳氏明 黃貞勝妻 530-129- 57
陳氏明 黃思詔妻 530- 94- 56
陳氏明 黃庭實妻 479-665-247
516-323-100
陳氏明 黃崇槦妻 530- 92- 56
陳氏明 黃福安妻、陳演女
493-1084- 57
陳氏明 黃輔時妻 475-534- 77
陳氏明 黃樂善妻 530- 63- 55
陳氏明 黃彝鉉妻 475-813- 91
陳氏明 黃體堅妻 473-130- 55
479-684-248
516-270- 98
陳氏明 項近溪妻
1283-407- 98
陳氏明 彭蒙妻 480-207-267
534-571- 99
陳氏明 彭商賢妻 481-390-312
陳氏明 彭鶴正妻 564-321- 49
陳氏明 華仲亨妻、陳輔女
1291-540- 9
陳氏明 傅世禎妻 524-457-202
陳氏明 程克良妻 472-383- 16
陳氏明 程其信妻 570-174- 22
陳氏明 舒錦妻 1467-267- 72
陳氏明 溫瀾妻、陳榮女
482-270-350
陳氏明 雷大莊妻 480-440-278
陳氏明 楊格妻 481-784-337
陳氏明 楊瑄妻、陳傑女
302-216-301
477- 93-153
538-174- 67
1262-529- 58
1408-543-536
1457-738-413
陳氏明 楊銑妻 1257-764- 1
陳氏明 楊霄妻 516-295- 99
陳氏明 楊謨妻 1258-298- 5
陳氏明 楊驥妻 475-813- 91
陳氏明 楊朴菴妻
1250-915- 86
陳氏明 楊宗禮妻、陳眞女
1244-672- 18
陳氏明 董昌徵妻 481-119-296
陳氏明 董原德妻
1247-495- 22
陳氏明 葉孜妻 530-140- 58
陳氏明 葉楷妻 530-141- 58
陳氏明 葉福妻 473-625- 77
陳氏明 葉以清妻 479-824-256
陳氏明 葉貞明妻 480-207-267
陳氏明 葉惠勝妻 302-229-302
陳氏明 鄒承先妻 480-253-269
陳氏明 廖大訓妻 530- 66- 55
陳氏明 廖承訓妻 506- 33- 86
陳氏明 廖國器妻 473-189- 58
479-823-256
陳氏明 趙文妻 530- 87- 56
陳氏明 趙晃妻 474-314- 16
陳氏明 趙顒妻 533-643- 70
陳氏明 趙萬善妻 570-205- 22
陳氏明 聞能妻 524-609-208
陳氏明 潘瀾妻 506-106- 89
陳氏明 鄭瓚妻、陳珪女
1271-820- 8
陳氏明 鄭玉紞妻 481-158-298
陳氏明 鄭光表妻、陳敘女
530- 64- 55
陳氏明 鄭宗奇妻 530-108- 57
陳氏明 鄧林彩妻 530-129- 57
陳氏明 歐陽淮妻
1242-404- 37
陳氏明 蔡雙妻 1283-398- 98
陳氏明 蔡文盛妻 530-124- 57
陳氏明 蔡遇春妻 474-778- 42
503- 29- 93
陳氏明 黎彭齡妻 482- 41-340
陳氏明 劉安妻 472-753- 29
陳氏明 劉傑妻 1278-449- 22
陳氏明 劉瑀妻 480-342-273
陳氏明 劉鎮妻 558-549- 43
陳氏明 劉士恕妻
1261- 14- 1
陳氏明 劉安仲妻
1261- 14- 1
陳氏明 劉廷輿妻 481-750-334
530-184- 59
陳氏明 劉秉璧妻 570-205- 22
陳氏明 劉浩然妻 479-824-256
陳氏明 劉弼主妻 478-392-193
陳氏明 劉壽暹妻 473-217- 59
陳氏明 劉養大妻 530-106- 57
陳氏明 諶炷妻 473- 32- 49
479-499-239
陳氏明 賴元爵妻 530-125- 57
陳氏明 盧瑞妻 530- 61- 55
陳氏明 盧士行妻 530- 69- 55
陳氏明 盧眞暘妻 530- 93- 56
陳氏明 蕭騰妻 1270- 58- 4
陳氏明 蕭汝六妻 480-255-269
陳氏明 錢棅妻 524-548-205
陳氏明 謝澍妻 482-144-344
陳氏明 謝諫妻 506- 44- 87
陳氏明 謝鶚妻 530-124- 57
陳氏明 謝文瓚妻 530- 87- 56
陳氏明 謝廷最妻 530- 6- 54
陳氏明 謝應京妻 530-138- 58
陳氏明 謝應祚妻 530- 94- 56
陳氏明 蹇龍妻 512-241-183
陳氏明 韓英妻 1269-420- 6
陳氏明 韓景昌妻 506- 33- 86
陳氏明 聶萬衿妻 480-440-278
陳氏明 魏雲鼎妻 530-127- 57
陳氏明 歸善世妻、陳鼎彝女
512- 23-177
1408-582-540
1457-754-414
陳氏明 羅士綸妻、陳宗啟女
1249-448- 30
陳氏明 蘇希益妻 530- 90- 56
陳氏明 蘇會嘉妻 530-105- 57
陳氏明 嚴之恒妻 480-141-264
陳氏明 龔潤妻 473- 66- 51
陳氏明 康孔高祖母
1236- 59- 4
陳氏明 張珂母 1240-727- 7

陳氏明 張利民母 530- 9- 54
陳氏明 張國維母 512-158-181
陳氏明 陳守女 1288-560- 11
陳氏明 陳昱女 530- 9- 54
陳氏明 陳貢女 477- 93-153
陳氏明 陳策女 1283-507-106
陳氏明 陳富女 479-685-248
陳氏明 陳永居孫女 530-129- 57
陳氏明 陳仕進婢 481-651-330 530-124- 57
陳氏明 陳仲嘉女 1258-653- 15
陳氏明 陳成貴女 479-824-256
陳氏明 陳希聞女 530- 6- 54
陳氏明 陳廷瓚女 473-131- 55
陳氏明 陳其道母 533-702- 72
陳氏明 陳孟寔女 473- 32- 49
陳氏明 彭韶祖母 530- 61- 55
陳氏明 陳珂妹、魏允升母 1271-651- 56
陳氏清 丁修身妻 476-790-141
陳氏清 丁裕芳妻 530- 24- 54
陳氏清 方式大妻 482- 46-340
陳氏清 方懋勳妻 475-648- 83
陳氏清 王士朋妻 530-119- 57
陳氏清 王文傑妻 503- 61- 95
陳氏清 王之賢妻 570-177- 22
陳氏清 王元之妻 478-600-204
陳氏清 王弘勳妻 506- 25- 86
陳氏清 王兆吉妻 476-790-141
陳氏清 王兆琰妻 479-410-235
陳氏清 王仲義妻 474-195- 9
陳氏清 王定安妻 530-101- 56
陳氏清 王時聖妻 533-582- 68
陳氏清 王啟甲妻 481-120-296
陳氏清 王福多妻 474-385- 19
陳氏清 王福海妻 474-193- 9 506- 23- 86
陳氏清 王德溥妻 506- 19- 86
陳氏清 王龍御妻、陳經正女 1316-657- 45
陳氏清 王應會妻 482-118-343
陳氏清 王霞舉妻 533-692- 72
陳氏清 王顯猷妻 558-501- 42
陳氏清 孔衍昌妻 524-469-202
陳氏清 孔時聖妻 480-142-264
陳氏清 田雯妻 474-249- 12 506- 61- 87
陳氏清 白奉亭妻、陳忠蓋女 1312-375- 36
陳氏清 包存錫妻 479-192-225
陳氏清 江起雲妻 503- 60- 95
陳氏清 江瑞麟妻、汪瑞麟妻 475-618- 81 512-361-185
陳氏清 朱馥妻 481-785-337
陳氏清 朱中哲妻 530- 98- 56
陳氏清 朱純人妻 530- 80- 55
陳氏清 汪玉虹妻 478-519-200 558-512- 42
陳氏清 宋愷妻 478-250-186
陳氏清 宋大雄妻 481-700-332 530-160- 58
陳氏清 宋延祚妻 506-162- 90
陳氏清 杜方先妻 533-632- 70
陳氏清 李菁妻 477- 97-153
陳氏清 李愆妻 475-676- 84 512-374-186
陳氏清 李裳妻 506- 36- 86
陳氏清 李文秀妻 474-314- 16 506- 85- 88
陳氏清 李文鉷妻 474-195- 9
陳氏清 李文鶴妻 530- 37- 54
陳氏清 李元章妻 482-227-348
陳氏清 李兆魁妻 530- 30- 54
陳氏清 李定國妻 474-195- 9
陳氏清 李開垌妻 530-117- 57
陳氏清 李廣生妻 479-537-241
陳氏清 李儀祿妻 480-467-279
陳氏清 阮朝拱妻 479-298-230
陳氏清 改肇新妻 474-194- 9
陳氏清 呂亮中妻 479-254-228
陳氏清 呂繹如妻 482-525-367
陳氏清 吳山妻 530- 30- 54
陳氏清 吳士徵妻 483- 49-372
陳氏清 吳元會妻 482-145-344
陳氏清 吳公拔妻 481-561-327 530- 81- 55
陳氏清 吳志用妻 530- 83- 55
陳氏清 吳明燧妻 479-335-232
陳氏清 吳瑛昌妻 479-385-234
陳氏清 吳肇焞妻 530-101- 56
陳氏清 余順老妻 481-651-330 530-133- 57
陳氏清 余鳴環妻 530- 78- 55
陳氏清 余觀生妻 479-500-239 516-254- 97
陳氏清 何琮妻 530- 81- 55
陳氏清 何裕妻 481-533-326
陳氏清 官仁妻 530- 29- 54
陳氏清 邵堯章妻 483-322-396
陳氏清 林崇妻 530-132- 57
陳氏清 林漢妻 530- 26- 54
陳氏清 林士騏妻 530- 32- 54
陳氏清 林文球妻 530- 97- 56
陳氏清 林元琰妻 530- 83- 55
陳氏清 林允祥妻 479-411-235
陳氏清 林永叢妻 530- 39- 54
陳氏清 林秀起妻、陳立敏女 530- 29- 54
陳氏清 林廷光妻、陳實女 530- 30- 54
陳氏清 林其默妻 530- 27- 54
陳氏清 林奇英妻 530- 24- 54
陳氏清 林洪謨妻 530- 98- 56
陳氏清 林炳申妻 530- 78- 55
陳氏清 林茂烈妻 530- 82- 55
陳氏清 林祖發妻 530- 36- 54
陳氏清 林象鎔妻 482-118-343
陳氏清 林遇亨妻 482-146-344
陳氏清 林榮署妻 481-561-327 530- 78- 55
陳氏清 林際泰妻 530- 33- 54
陳氏清 林韓仲妻 530- 79- 55
陳氏清 周佃妻 479- 62-219 524-525-204
陳氏清 周鎧妻 474-194- 9
陳氏清 周嶽齡妻 512-485-189
陳氏清 邱晉仲妻 530- 81- 55
陳氏清 姜志圉妻 512-275-183
陳氏清 姜國英妻、陳奇策女 524-483-203
陳氏清 施永仁妻 479-153-223
陳氏清 胡茂妻 475-648- 83
陳氏清 胡敏妻 479-297-230
陳氏清 胡文曜妻、陳舜仁女 512-178-182
陳氏清 胡仕帥妻 480-142-264
陳氏清 胡兆顯妻 530- 25- 54
陳氏清 柯上達妻 530-115- 57
陳氏清 柯光泰妻 530-116- 57
陳氏清 柳九苞妻 512-254-183
陳氏清 柯秉直妻 512-110-179
陳氏清 范鉦妻 530-132- 57
陳氏清 范斐然妻 481-680-331
陳氏清 姚文治妻 475-190- 59
陳氏清 姚弘珍妻 530- 25- 54
陳氏清 姚孕良妻 530- 75- 55
陳氏清 姚世治妻 524-654-209
陳氏清 浦凱妻 512-261-183
陳氏清 高貴妻 566- 30- 86
陳氏清 高國秀妻 474-193- 9
陳氏清 唐應選妻 480-441-278
陳氏清 唐懋才妻 475-458- 71
陳氏清 祝紹煐妻 482-435-361
陳氏清 馬璘妻 474-193- 9
陳氏清 馬中嗣妻 474-315- 16
陳氏清 馬徵珥妻 530- 77- 55
陳氏清 孫珮妻 475-857- 94
陳氏清 孫兆翰妻 474-194- 9
陳氏清 孫賣魚妻 475-486- 73 512- 75-178
陳氏清 郝公瑱妻 480-208-267
陳氏清 郝從周妻 477-170-157
陳氏清 袁七妻 475-146- 57 512- 30-177
陳氏清 徐三晉妻 474-194- 9
陳氏清 徐大聘妻 482-566-369
陳氏清 徐光國妻 512-282-184
陳氏清 徐瑞麒妻 479-360-233
陳氏清 徐維福妻 474-315- 16
陳氏清 徐奮翼妻 483-202-388 570-209- 22
陳氏清 翁啟隆妻 530- 79- 55
陳氏清 翁登庸妻 530- 75- 55
陳氏清 倪長駕妻 479-257-228
陳氏清 奚鬲妻 524-472-202
陳氏清 許邁妻 530- 38- 54
陳氏清 許其義妻 530- 42- 54
陳氏清 郭守智妻 530-118- 57
陳氏清 梁暹妻 480-181-266
陳氏清 梁文英妻 479-751-251
陳氏清 麥聖清妻 482-240-349
陳氏清 陸培妻 524-499-203
陳氏清 陸祖尚妻 482-486-364
陳氏清 屠廷輔妻 512-258-183
陳氏清 速世勳妻 483- 49-372
陳氏清 張文良妻 506-166- 90
陳氏清 張元秀妻 475-652- 83
陳氏清 張光緒妻 481-680-331
陳氏清 張伯瑨妻 482-189-346

陳氏清 張思語妻 481-620-329
陳氏清 張泰元妻、陳兆奎女 1318-469-73
陳氏清 張懋悅妻 482-145-344
陳氏清 張繼先妻 478-276-187
陳氏清 陳仲呂妻、程仲呂妻 480-65-260
533-526-66
陳氏清 陳繼善妻 1327-856-20
陳氏清 崔崇妻 503-64-95
陳氏清 馮孟浣妻 479-297-230
524-685-211
陳氏清 童惠妻 479-563-242
陳氏清 黃士雯妻 530-83-55
陳氏清 黃文經妻 530-36-54
陳氏清 黃亦謙妻 530-98-56
陳氏清 黃宸適妻 530-38-54
陳氏清 黃宸謨妻 530-39-54
陳氏清 黃頤騶妻 530-99-56
陳氏清 費廷樞妻 479-66-219
陳氏清 賀逢皞妻 480-513-281
陳氏清 彭景昌妻 479-537-241
陳氏清 傅井滿妻 482-79-341
陳氏清 程濃妻 533-616-69
陳氏清 楊遠妻 481-83-294
陳氏清 楊子美妻 530-117-57
陳氏清 楊天溥妻 530-120-57
陳氏清 楊恭驥妻 530-35-54
陳氏清 楊國正妻 541-18-29
陳氏清 楊遇春妻 530-40-54
陳氏清 楊曠欽妻 479-730-250
陳氏清 董應鯤妻 479-298-230
陳氏清 路守愈妻 558-515-42
陳氏清 葉申妻 530-25-54
陳氏清 葉日炳妻 481-533-326
陳氏清 葉敦毅妻 530-98-56
陳氏清 趙安妻 474-590-30
陳氏清 趙銓妻 530-27-54
陳氏清 趙文炳妻 479-190-225
陳氏清 趙中德 482-454-362
陳氏清 熊應鳳妻 524-476-202
陳氏清 潘大綱妻 530-32-54
陳氏清 潘聖惠妻 530-29-54
陳氏清 鄭賫妻 506-60-87
陳氏清 鄭元楨妻 530-119-57
陳氏清 鄭有開妻 530-39-54
陳氏清 鄭克塽妻、陳永華女 481-764-335
530-188-59
陳氏清 鄭承楝妻、陳俞侯女 530-99-56
陳氏清 樓賢材妻 479-334-232
陳氏清 鄧麟生妻 530-133-57
陳氏清 蔡璧妻 1325-784-9
陳氏清 蔡德塘妻 479-297-230
陳氏清 黎廷鐸妻 478-249-186
陳氏清 劉瑛妻 480-514-281
陳氏清 劉藻妻 483-207-389
陳氏清 劉元端妻 503-54-95
陳氏清 劉光秀妻 474-195-9
陳氏清 劉景從妻 480-65-260
陳氏清 龍顏近妻 480-566-284
陳氏清 諶日昇妻 479-751-251
陳氏清 賴大成妻 481-652-330
陳氏清 靜維精妻 474-573-29
陳氏清 蕭傑妻 481-561-327
530-83-55
陳氏清 蕭文美妻 478-491-199
陳氏清 賽資妻 503-83-96
陳氏清 謝昶妻 475-81-53
陳氏清 謝瑄妻 530-132-57
陳氏清 謝承坤妻 482-119-343
陳氏清 藍可望妻 482-306-353
陳氏清 譚佰生妻 480-416-277
陳氏清 羅璟妻 479-665-247
516-329-100
陳氏清 蘇元遠妻 530-82-55
陳氏清 嚴協廣妻 530-30-54
陳氏清 王顯母 506-148-90
陳氏清 白夢鼎母 512-5-176
陳氏清 宋裔昌母 512-5-176
陳氏清 陳迪女 1321-84-95
陳氏清 陳東曙女 1312-847-11
陳氏清 陳昌第女 482-189-346
陳氏清 陳瑞昇女 482-45-340
陳介宋 484-375-27
1185-771-22
陳介妻 宋 見程瓊
陳介元(鄧州人) 472-775-30
538-108-64
陳介元(字彥碩) 515-768-81
陳介明(銅梁人) 473-316-62
480-463-279
532-732-66
陳介明(南鄭人) 537-338-56
554-526-57下
陳允宋 見陳充
陳允宋 見陳士元
陳玄陳 879-184-58下
陳玄女 唐 見陳氏
陳玄後晉 278-179-96
陳玄明 1442-12-附1
1459-460-14
陳立漢 473-464-69
473-536-72
478-514-200
483-136-380
483-219-390
494-147-5
558-224-32
559-289-7上
569-641-19
571-513-19
591-577-43
陳立後唐 554-907-64
陳立元 821-299-53
陳立明(汝州人) 472-802-31
537-574-60
陳立明(字子綱) 482-186-346
564-267-47
陳立明(交城人) 547-8-141
陳汀唐 273-115-60
陳汀明 299-498-154
陳永明(溧水人) 473-599-76
528-527-31
陳永明(東莞人) 528-459-29
陳永明(新城人) 528-459-29
陳永明(字德清) 1241-620-13
陳玉元 546-356-126
陳玉明(宜興人) 511-553-158
陳玉明(字無壞) 554-987-65
陳玉明(字德卿) 676-526-21
676-718-30
陳玉明(字汝良) 676-577-24
陳玉明(善山水) 821-407-56
陳玉妻 明 見康氏
陳弘晉 524-333-195
陳正明 林瑞儀妻 530-105-57
陳正妻 清 見曹氏
陳本魏 254-405-22
933-155-11
陳本明(會稽人) 473-729-82
482-238-349
563-826-41
陳本明(字子深) 515-843-84
陳本明 見陳本輝
陳左宋 821-229-51
陳平漢 244-305-56
250-124-40
251-489-6
376-51-96
384-37-2
469-5-1
469-71-9
472-480-21
472-650-27
477-244-161
537-373-57
547-169-147
933-153-11
1397-198-10
1408-237-504
陳平清 515-72-58
陳玎明 1289-307-20
陳充陳允 宋 288-207-441
400-640-559
473-432-67
481-77-294
491-344-2
523-126-152
559-340-8
592-576-98
674-427-2
陳功明 456-674-11
陳旦陳清 宋(字明仲)
448-388-0
460-299-20
1146-9-85
陳旦宋(懷安人) 528-507-31
陳旦明 820-635-41
陳田清 571-536-19
陳申明(閩縣人) 473-234-60
532-646-43
陳申明(字崇澄) 1250-508-47
陳代戰國 405-457-85
539-641-11之6
陳冊明 456-617-9
475-279-63
511-457-154
陳仕明 479-557-242

515-204- 63
533-173- 52
陳仕妻 明 見余氏
陳仝妻 宋 見鄧氏
陳用明 460-531- 49
473-634- 77
陳卯明 張應華妻 479-333-232
524-729-213
陳弁宋 599-295-7上
陳禾宋(字秀實) 286-806-363
398- 60-370
472-1086- 46
475-755- 88
479-177-225
479-556-242
487-119- 8
491-339- 1
491-392- 4
491-434- 6
523-285-159
677-236- 22
陳禾宋(字文秀) 484-388- 28
陳守宋 460-365- 29
529-497- 44
陳守女 明 見陳氏
陳字宋 493-946- 51
陳安晉 558-224- 32
陳安元 1192-557- 10
陳安陳坦公 明(乙酉年卒)
456-601- 9
陳安明(字靜簡) 473- 25- 49
515-370- 68
陳安明(字孟寬) 1241- 43- 2
陳江明(長樂人) 515-112- 60
陳江明(蒲州人) 547- 74-143
陳江妻 明 見杜氏
陳宇宋 460-366- 29
482-451-362
567- 68- 65
1467- 42- 63
陳宇明 529-764- 53
1442- 50-附3
1460- 75- 43
陳池宋 王碩妻、陳莊女
1092-673- 62
陳并宋 471-994- 59
陳交明 482-303-353
523-191-155
陳式唐 821- 83- 47
陳式陳翁默 宋(字潛聖)
448-385- 0
陳式宋(永嘉人) 473-490- 70
559-324-7上
陳戌宋 485-535- 1
陳朴明 567-406- 84
1467-188- 69
陳圭宋 563-683- 39
1181-299- 6
陳圭明(諡武襄) 299-475-153
陳圭明(字錫玄) 302-142-296
479-291-230
524-145-185
1374-392- 60
陳圭明(字世秉) 563-847- 41
陳吉明 545-850-113
陳存宋 472-1004- 40
494-432- 13
523-367-163
陳羽唐 451-435- 3
1365-454- 5
1371- 68- 附
陳艮明 529-451- 43
陳艮女 明 見陳貞
陳同宋 見陳亮
陳同宋 見陳紹商
陳回妻 宋 見詹端貞
陳光唐 559-390-9上
陳光宋 陳覯兒 448-391- 0
460-219- 14
680-185-242
陳光明 1375- 23- 上
陳光妻 明 見范氏
陳旭宋 288-406-456
516-120- 92
陳旭宋 見陳升之
陳旭明(全椒人) 299-406-146
472-403- 18
886-145-138
陳旭明(杭之新城人)
583-551- 12
陳旭明(字叔旦) 820-602- 40
陳旭妻 明 見臧氏
陳任宋 484-389- 28
陳任明 529-646- 48
陳自妻 明 見程氏
陳自婢 明 見重貞
陳向宋(字民瞻) 484-378- 27
陳向宋(字適中) 1117-350- 18
陳向女 宋 見陳氏
陳全明 460-497- 42
529-718- 51
1238-518- 12
1442- 21-附2
1459-578- 21
陳好陳豪 宋 460- 21- 1
563-921- 43
陳年宋 400-195-515
陳仲明 559-353- 8
陳价明 483-372-401
559-352- 8
1245-455- 22
陳休宋 820-402- 34
陳宏宋～元 472-240- 9
511-678-163
陳宏明 473-656- 78
529-567- 46
陳忭明 533-215- 53
陳灼明 524-176-187
陳沆後唐 1090-663- 38
陳言宋 524-377-197
陳言明(字宜昌) 460-565- 56
523-582-175
529-731- 51
676- 22- 1
678-205- 89
陳言明(黃梅人) 473-283- 61
陳言明(長樂人) 505-657- 68
陳言明(字于庭) 529-732- 51
陳言明(信陽人) 554-310- 53
陳言明(字國楨) 820-715- 43
821-439- 57
陳言明(字伯實) 1474-536- 27
陳言女 明 見陳氏
陳完陳敬仲 春秋 244- 65- 36
244-220- 46
371-433- 23
384- 17- 1
404-600- 37
405- 97- 62
448-141- 3
537-367- 57
933-152- 11
933-233- 17
933-690- 46
陳完明 1442- 30-附2
1459-691- 27
陳完明 見陳仲完
陳沅妻 明 見黃氏
陳沂宋(字伯澡) 460-361- 28
529-498- 44
陳沂宋(錢塘人) 524-344-196
陳沂陳圻 明 301-838-286
475- 76- 53
476-479-125
511-719-165
524- 44-180
554-285- 53
676-549- 22
820-670- 42
821-415- 56
1263-329- 2
1263-332- 2
1442- 43-附3
1458-302-437
1459-885- 37
1474-219- 10
陳沂妻 明 見馬閑卿
陳亨明(諡襄敏) 299-396-145
453-181- 17
472-207- 7
472-395- 17
472-684- 27
537-429- 58
1240-812- 9
陳亨明(莆田人) 559-287-7上
陳亨明(字伯吉) 1261-714- 30
陳亨妻 明 見楊枳
陳序宋 451-180- 6
1170-617- 24
陳序明 524-166-186
陳忻尉遲忻、尉遲欣、陳欣
263-779- 43
267-349- 66
379-638-158
535-556- 20
552- 47- 19
933-156- 11
陳汶元 見陳浩
陳良戰國 933-152- 11
陳良明(會昌人) 516-174- 94
528-494- 30
陳良明(字文謙) 1226-634- 4

十一畫 陳

陳良明(字明遇) 1475-241- 10
陳志明(巴縣人) 299-407-146
473-479- 69
545-422- 98
559-353- 8
陳志明(字思尚) 529-518- 44
陳志妻 明 見彭氏
陳赤清 511-714-164
陳戒宋 523-242-157
陳求女 宋 見陳氏
陳成元 529-671- 49
陳址宋 460-366- 29
1146-220- 94
陳址明(字道從) 460-518- 46
529-720- 51
陳址明(施州衛人) 510-481-118
陳均宋(字平甫) 481-554-327
529-727- 51
1181-298- 6
陳均宋(字子公) 523-496-170
陳均清 456-333- 76
陳玘妻 明 見葉氏
陳圻明 見陳沂
陳拚宋 491-434- 6
陳杋明 1246-109- 4
陳杞元 453-801- 4
473-730- 82
482-239-349
564- 84- 44
陳克宋 489-678- 49
523-396-165
674-879- 20
1363-245-136
陳劭明 532-721- 45
陳束明 301-848-287
479-185-225
524- 46-180
1442- 53- 3
1460-120- 46
1474-225- 10
陳束妻 明 見董氏
陳扶明 1283-439-101
陳扶妻 明 見韓氏
陳孜唐 1065-590- 6
1342-442-961
陳孜明(字敏學) 476- 84-100
545-777-111
1257-273- 24
陳孜明(南陵人) 511-302-148
554-252- 52
陳孜明(邳州人) 540-662- 27
陳卣明(陝西按察司僉事)
472-827- 33
陳卣明(永平人) 523-118-151
陳壯明 299-593-161
474-183- 9
505-800- 74
524-258-191
1250-920- 87
1458-449-447
陳見明 302- 22-290
481-530-326
529-464- 43
529-658- 49
陳助明 820-618- 41
821-387- 56
1246-641- 14
陳岐宋 538- 91- 64
陳岌唐 494-264- 1
陳孚宋 473-738- 82
564- 66- 44
陳孚元 295-536-190
400-698-567
472-1104- 47
479-290-230
479-352-233
523-317-161
1439-424- 1
1470-131- 6
陳谷明 524-300-193
陳佐明 571-541- 20
陳佑宋 559-398-9上
591-554- 42
陳佑明 820-599- 40
陳佃宋 558-229- 32
陳佃明 1255-722- 73
陳伯元 545-219- 91
陳伯妻 明 見黄氏
陳希宋 494-341- 7
陳弅宋 1147-587- 55
陳伸宋 523-287-159
陳秀明～清 528- 9- 17
陳秀明 554-338- 54
陳秀妻 明 見李氏
陳彤唐 1073-519- 20
1074-346- 20
1075-302- 20
陳宗漢 537-252- 55
陳宗宋(永嘉人) 288-416-456
400-304-524
524-164-186
陳宗宋(字正夫) 524-261-191
陳宗明 562-793- 88
陳宗明 見陳亢宗
陳宗妻 明 見柯氏
陳泓明 1442-118- 8
1460-812- 88
1475-797- 33
陳京唐 276- 45-200
384-239- 12
400-431-539
472-1015- 41
479-379-234
494-259- 1
524-160-186
933-157- 11
1074-310- 17
1075-269- 17
1076- 75- 8
1076-111- 12
1076-534- 8
1077- 93- 8
1077-137- 12
1342-550-975
陳京宋 492-710-3下
陳京妻 宋 見楊氏
陳京女 宋 見陳氏
陳京明 523-192-155
526- 89-261
陳京妻 清 見許祈娘
陳府明 505-683- 69
陳宜宋 484-373- 27
陳宜明 473-154- 56
515-670- 78
571-517- 19
陳注明 456-684- 11
陳泗明(永康人) 481-745-334
528-562- 32
陳泗明(崇陽人) 1467-119- 66
陳治明 524-253-190
陳治母 明 見楊氏
陳炌明 515-793- 82
陳宓宋 287-567-408
398-536-400
451-379- 11
459-122- 7
460-369- 29
473- 75- 52
473-615- 77
473-633- 77
479-578-243
481-554-327
481-583-328
481-643-330
515-232- 64
518-150-140
528-483- 30
528-506- 31
529-502- 44
679-520-189
820-439- 35
1180-362- 33
陳泌宋 1149-706- 15
陳泌清 533-772- 74
陳定宋 460-365- 29
529-497- 44
1146-126- 91
陳定明 494-158- 5
陳庚宋 564- 77- 44
陳庚元 1202-171- 13
陳庚元 見陳庚
陳庚女 元 見陳氏
陳武吳 254-817- 10
377-353-119
384- 80- 4
384-576- 30
472-326- 14
475-527- 77
511-472-155
933-155- 11
1397-199- 10
陳武宋 451- 23- 0
陳武清 477-133-155
538- 48- 63
陳其明 564-119- 45
陳松明(字秀夫) 505-824- 75
陳松明(青州人) 523-104-150
陳亞宋 473-712- 81
486- 48- 2
494-298- 5
674-280-4下
1437- 9- 1

陳坦宋 812-539- 3
821-169- 50
陳坦妻 宋 見鄭氏
陳直元 676-391- 14
陳居妻 明 見李氏
陳奉漢 480-482-280
陳奉明 302-286-305
陳玠唐 820-254- 29
陳玠宋 529-674- 49
陳玠明 572-159- 32
陳拙唐 839- 53- 4
陳拙五代 見陳用拙
陳枅宋 460-280- 17
陳修後魏 262-231- 84
267-566- 81
380-308-174
472- 53- 2
505-869- 78
546-729-139
陳奇宋 見陳仲賓
陳奇明 見陳錡
陳到蜀漢 254-688- 15
384-445- 9
477-414-169
陳邵晉 256-473- 91
380-278-173
511-689-163
540-712-28之1
933-156- 11
陳協清 505-804- 74
陳協妻 清 見程氏
陳協妻 清 見趙氏
陳表吳 254-817- 10
377-354-119
384-504- 20
384-576- 30
475-527- 77
475-560- 79
485-486- 9
511-251-146
523-210-156
陳表明(襲昌國衛百戶)
523-375-164
陳表明(蒼溪諸生) 559-513- 12
陳表明(字子仁) 564-235- 46
陳表明(號草池) 570-136-21之2
陳表明(安莊人) 572- 76- 28
陳表妻 清 見戴氏
陳長不詳 1059-288- 6
陳坡明 529-464- 43
563-806- 41
陳東宋 288-387-455
400-138-511
451-168- 5
472-277- 11
475-277- 63
508-280- 39
511-455-154
820-415- 34
1136-324- 6
1136-325- 6
1136-330- 6
1170-554-20
1437- 21- 2
陳東元 529-760- 53
陳東明 559-320-7上
陳林明 558-211- 32
陳來明 522- 25- 34
陳忠漢 253- 74- 76
370-193- 19
376-792-109下
384- 63- 3
472-199- 7
475-746- 88
511-342-149
933-154- 11
陳忠宋 1218-831- 7
陳忠元 295-283-168
陳忠明(臨淮人) 299-491-154
511-497-156
陳忠明(字良甫) 483-171-383
569-666- 19
陳忠明(新城人) 483-248-391
483-383-402
571-539- 20
陳忠明(字南塘) 511-384-151
陳忠明(字藎廷) 529-694- 50
陳忠明(合江人) 559-398-9上
陳忠明(普定指揮) 571-540- 20
陳忠妻 明 見王氏
陳忠妻 明 見杜氏
陳忠妻 明 見周氏
陳忠妻 明 見段氏
陳典明 558-451- 38
陳昌衡陽王 陳 260-636- 14
265-909- 65
375-399-83下
494-257- 1
532-103- 27
533-731- 73
陳昌女 唐 見陳氏
陳昌宋 見陳桂
陳昌明(字穎昌) 1442- 31-附2
1459-693- 27
1475-200- 9
陳昌明(字漢彬) 1475-662- 28
陳昌明 見陳孟京
陳昌清 558-430- 37
陳旺元 1206-150- 16
陳旺明 558-350- 35
陳旺妻 明 見唐氏
陳明宋(人呼陳院長)
486-530- 6
524-417-200
820-463- 36
陳明宋(字昭甫) 1171-781- 28
1410-459-724
陳明明(歷城人) 676-560- 23
陳明明(臨江人) 1467- 78- 64
陳岩明 540-801-28之3
陳岵唐 820-238- 28
陳壯母 明 見徐氏
陳芹元 1226-468- 22
陳芹妻 元 見江愛
陳芹明 511-720-165
676-568- 23
820-706- 43
821-433- 57
1442- 66- 4
1460-288- 53
陳卓宋 287-546-406
398-522-399
473-213- 59
473-633- 77
479-177-225
480- 54-260
481-554-327
491-415- 5
491-437- 6
524-252-190
1178-421- 3
陳卓清 475-378- 68
511-216-144
陳虬明 見陳蚪
陳昕梁 265-865- 61
378-443-142
475-220- 61
511-446-153
933-156- 11
陳昪唐 820-146- 26
陳昪宋 517-436-126
陳昪元 821-322- 54
陳昪明(字德輝) 482- 90-342
564-181- 46
陳昪明(金齒指揮使)
483-137-380
569-673- 19
陳昪明(吏部主事) 820-573- 40
陳昪明(建安人) 1240-152- 10
陳昂宋 484-375- 27
陳昂明(漢陽人) 473-222- 59
陳昂明(字欽顒) 481-616-329
529-567- 46
陳昂明(字雲仲) 516-222- 96
529-732- 51
676-643- 26
1408-587-541
1442- 95- 6
1460-561- 68
陳昂明(寧海人) 524-146-185
陳岢陳苛 金 291-535-109
472- 71- 2
474-339- 17
505-745- 72
陳芳宋 400-302-524
472-720- 28
477-253-161
538-100- 64
陳芳明 1254- 98- 3
陳昉宋(江州人) 288-406-456
陳昉宋(字叔方) 523-345-162
陳易宋(字復之) 460-287- 18
529-649- 48
679-804-217
陳易宋(興化人) 473-636- 77
陳易宋(字體常) 529-761- 53
陳易女 宋 見陳氏
陳易明 511-100-140

十一畫 陳

陳旼宋 523- 79-149
陳昊明 524-174-187
陳杲唐 479-578-243
515-230- 64
陳杲宋 484-378- 27
陳杲元 524-144-185
陳果明 1238-186- 16
陳果妻 明 見羅思柔
陳肱宋 1091-395- 35
陳佳妻 明 見王氏
陳侗宋 494-299- 5
933-162- 11
陳和宋 843-664- 中
陳和明 523-216-156
558-443- 38
陳和妻 明 見王氏
陳和妻 明 見高氏
陳周明 511-149-142
1255-365- 41
陳金明 300- 70-187
473-270- 61
479-453-237
480-204-267
515- 40- 58
517-617-130
524-258-191
533- 68- 49
563-732- 40
568-207-106
571-524- 19
1320-755- 82
1467- 87- 65
陳金女 明 見陳香
陳侃宋 400-295-524
472-1115- 48
479-403-235
524-228-189
陳侃明 529-585- 46
陳侁宋 460- 27- 2
589-339- 5
590-449- 0
1139-647- 3
陳佩明 533-497- 65
陳岱清 455-231- 12
陳岳唐 473-126- 55
515-567- 75
518-713-159
陳岳宋 484-381- 28
563-688- 39
陳岳元 524-428-200
820-539- 39
821-327- 54
陳岳明 1254-477- 6
陳受宋 484-378- 27
陳受元 295-582-195
400-261-521
479-559-242
陳秉宋 487-120- 8
491-435- 6
陳秉清 1475-590- 25
陳牧宋 484-375- 27
陳延清 511-880-171
陳欣北周 見陳忻
陳洪宋(字秀穎) 484-376- 27
陳洪宋(字禹範) 528-524- 31
陳洪元 528-508- 31
陳洪明 1245-181- 4
陳洪妻 明 見石氏
陳洪妻 明 見劉氏
陳洪清 481-698-332
529-632- 48
532-754- 46
陳竑宋 515-521- 73
陳冠明(工部主事) 473- 29- 49
陳冠明(知和州) 510-491-118
陳炫清 江亘南妻 481-699-332
530-159- 58
陳炳母 宋 見杜氏
陳炳宋(字德先) 451-361- 10
524- 70-181
陳炳宋(字晦之) 473-187- 58
479-794-254
516-157- 94
陳炳宋(字若蒙) 484-374- 27
陳炳宋(字宜之) 523-434-167
陳炳明 554-305- 53
陳宣漢(字子興) 402-447- 9
475-424- 70
511-694-163
陳宣漢(字彥成) 1318-190- 47
陳宣宋 477-305-163
陳宣元 523-398-165
陳宣明(字文德) 480-341-273
524-271-191
532-670- 44
676-164- 7
陳宣明(永壽人) 537-305- 56
554-511-57下
陳宣明(字廷實) 567-315- 78
陳宣明(全州人) 567-407- 84
1467-196- 69
陳宣明(字以昭) 820-681- 42
陳宣明(嘗畫五馬圖)
821-392- 56
陳洄明 302-165-298
479-328-232
1223-558- 10
陳洎宋 676-686- 29
1115-798- 6
1118-647- 33
陳洎子 宋 1114-668- 16
陳洽明 299-490-154
453-226- 21
453-583- 12
472-262- 10
475-225- 61
511-449-153
820-587- 40
1240-714- 7
陳音春秋 453-728- 1
陳音明 300- 19-184
481-556-327
529-507- 44
676-505- 19
1249-845- 12
1249-852- 13
1250-813- 78
1251-286- 21
1255-350- 40
1256-373- 24
1442- 30-附2
1457-487-387
1459-686- 26
陳音妻 明 見曹氏
陳恬錢塘王 陳 260-735- 28
265-921- 65
375-411-83下
陳恬宋 592-581- 98
820-387- 33
陳恬元 525-108-221
陳恆陳成子 春秋 404-623- 38
448-281- 30
陳恪陳格 唐 812-354- 10
821- 87- 48
陳恪明 473- 17- 49
475-526- 77
479-144-223
515- 45- 58
523-282-159
676-760- 32
陳恪妻 明 見朱玉
陳恪清 1475-564- 24
陳恂曹恂 明 1442-111- 7
1475-510- 22
陳恮東陽王 陳 260-734- 28
265-921- 65
375-411-83下
陳炤宋 1288-329-450
400-185-514
472-261- 10
475-224- 61
511-447-153
1207-634- 44
陳炤明 529-709- 50
陳津明 1442- 66- 4
1460-284- 53
陳亮陳同 宋 288-142-436
400-524-548
449-825- 16
451-326- 8
472-1029- 42
479-324-232
524- 70-181
674-850- 18
1164-237- 12
1164-434- 24
1410-460-724
1437- 26- 2
1488-108- 附
陳亮明 301-827-286
529-717- 51
1318-352- 63
1442- 18-附1
1459-378- 11
陳亮明 見陳巖
陳亮妻 清 見鞏氏
陳兗宋 933-158- 11
1128-230- 25
陳彥永嘉王 陳 260-734- 28
265-921- 65
375-410-83下
陳彥元 505-920- 82

陳彥明(字晉所) 533-215- 53
陳彥明(吏部尚書)1227-152- 18
陳洙宋(字師道) 471-660- 11
494-337- 7
529-595- 47
933-161- 11
1093-662- 20
陳洙宋(祁門知縣) 475-561- 79
陳洙明 529-475- 43
569-655- 19
陳奕元 472-683- 27
537-427- 58
陳度漢 681-867- 19
陳度宋 451-179- 6
陳恢漢 477-362-167
陳恢元 523-397-165
陳美明(字在中) 302- 88-294
456-428- 2
479-495-239
480-291-271
515-448- 70
陳美明(字克良) 1242-188- 30
陳美妻 清 見張氏
陳珏宋 821-231- 51
陳垓宋 510-389-115
陳持宋 1150-105- 12
陳咸漢(字子康) 250-517- 66
253- 70- 76
376-262- 99
376-790-109
472-199- 7
475-745- 88
511-341-149
511-494-156
933-153- 11
陳咸漢(御史中丞)
376-388-102上
陳咸宋 287-617-412
398-575-403
472-867- 34
473-454- 68
481-153-298
481-181-300
481-387-312
481-554-327
554-203- 52
559-320-7上
591-568- 42
591-707- 50
陳威明 1239-235- 42
陳春元 472-981- 39
479- 92-221
523- 99-150
陳春妻 元 見許氏
陳春妻 明 見徐菩提
陳春明 472-206- 7
陳珊明(字鳴仲) 483-349-399
572- 84- 28
陳珊明(寧海人) 524-213-188
陳垚元 1197-784- 82
陳括明 821-412- 56
陳拯明 515-480- 71
陳柱明 821-431- 57
陳相戰國 933-152- 11
陳相宋(合肥人) 472-327- 14
陳相宋(兗州人) 843-664- 中
陳相明(洛陽人) 523-103-150
陳相明(泰州人) 523-174-154
陳相明(蘄州人) 563-852- 41
陳柏元 524-303-194
1439-445- 2
1470-562- 17
陳柏明(謚節愍) 456-516- 6
陳柏明(字憲卿) 533-192- 53
676-274- 10
676-583- 24
1283-743-125
1442- 60- 4
1460-190- 49
陳垣明 524-146-185
陳烟明 524-139-185
陳厚明(知荊門州) 480-171-266
陳厚明(字熙載) 494- 25- 2
陳厚明(性孝) 524-166-186
陳厚明(合州人) 554-348- 54
陳厚明(知重慶府)554-475-57上
陳厚明(字良載) 820-657- 92
陳奎宋 492-713-3下
陳奎明(南昌人) 473- 27- 49
陳奎明(字秉文) 523-346-162
陳奎明(字汝星) 529-473- 43
陳矜宋 491-344- 2
陳胥漢 535-552- 20
陳珂陳琦 明 523-263-158
528-454- 29
676- 78- 3
676-351- 13
676-523- 21
680-233-247
陳珉劉宋 258-585- 92
493-735- 41
510-322-113
陳柯明 529-472- 43
陳南妻 劉宋 見戴氏
陳研宋 529-532- 45
陳奎宋 288-382-454
400-195-515
473- 49- 50
479-532-241
516- 41- 88
陳珍宋 821-210- 51
陳珍妻 明 見林氏
陳勇清 456-333- 76
陳政隋 264-928- 64
267-486- 75
379-800-162
陳政唐 528-489- 30
陳政元(奉元人) 472-914- 36
558-211- 32
陳政元(字政之) 541-112- 31
陳政明(邳州人) 472-312- 13
511-400-151
陳政明(字以正) 473-168- 57
515-478- 71
陳政明(字宣之) 564-115- 45
陳垓妻 宋 見周氏
陳述明 493-1052- 55
511-231-145
676-490- 19
陳柔宋 524-229-189
陳建後魏 261-493- 34
266-511- 25
379- 63-147
546- 17-115
933-156- 11
陳建明 564-280- 47
陳某揚王、楊王 明(明太祖外祖父) 302-188-300
1224-100- 18
1374-476- 69
陳某明(謚節愍) 456-572- 8
陳某明(西郭生) 526-256-266
陳茂漢 402-447- 9
563-601- 38
567- 21- 63
1467- 3- 62
陳茂隋 264-928- 64
267-486- 75
379-800-162
476-118-102
546-257-123
1103-403-138
陳茂明 1242- 25- 24
陳貞元 821-319- 54
陳貞元 王良玉妻、陳寀女
1235-596- 21
陳貞明(鄞縣人) 479-628-245
陳貞明(字景貞) 532-680- 44
陳貞明(祁陽人) 533-323- 57
陳貞明(字徽貞) 1241-786- 19
陳貞明 陳艮女 1259-212- 16
陳貞明 見陳眞
陳貞明 見陳禎
陳貞清 479-187-225
515-193- 62
523-379-164
陳昺宋 1164-441- 25
陳昺妻 宋 見姚氏
陳昺明(秀水人) 524-108-183
陳昺明(高安人) 554-311- 53
陳思宋 484-383- 28
陳思明 516-135- 92
陳思妻 明 見孫氏
陳昱宋 820-407- 34
843-667- 中
陳昱明 524-174-187
陳昱妻 明 見馬氏
陳昱女 明 見陳氏
陳昭陳 1395-601- 3
陳昭唐 524-369-197
820-174- 27
陳昭宋 484-389- 28
549-121-185
陳省妻 漢 見楊禮珪
陳省明 529-474- 43
676-589- 24
陳苛金 見陳岢
陳苞明 1475-667- 28
陳則梁 820-105- 24
陳則宋 515-145- 61
陳則明(字文度) 301-822-285
493-1050- 55

511-732-165	380-139-168	538-116- 64	476-655-135
	1318-349- 63	471-725- 19	933-154- 11	476-815-143
	1442- 5-附1	473-177- 57	1332-719- 19	477-363-167
	1459-364- 11	475-775- 89	1410- 23-665	537-532- 59
十 陳則明(字養新) 564- 95- 45	479-767-252	陳紀宋 564- 77- 44	539-351- 8	
一 陳崑宋 585-513- 16	510-477-118	陳紀明(字孟綱) 472-647- 26	540-643- 27	
畫 陳盼明 陳德升女 524-773-215	515-494- 72	537-247- 55	933-153- 11	
陳 陳英宋 529-749- 51	523-142-153	545-772-111	陳俊明(字時英) 299-540-157	
陳英元 1192-576- 12	933-154- 11	陳紀明(字維修) 482-560-369	453-468- 18	
陳英明(字廷賢) 523-453-168	陳扃陳扃 宋 473- 60- 51	559-404-9上	453-664- 29	
576-653- 5	515-196- 63	569-660- 19	473-634- 77	
陳英明(字廷佐) 564-286- 47	陳信元 1214-659- 18	陳紀明(南昌人) 515-364- 68	481-555-327	
陳英明(陳銖子) 821-391- 56	陳信明(字履信) 472-969- 38	523-118-151	529-506- 44	
陳英明(巴縣人) 1240-395- 25	493-731- 40	陳紀明(字仲理) 523-135-152	567- 97- 66	
陳英妻 清 見呂氏	524-241-190	529-618- 47	1247- 71- 5	
陳泉妻 明 見何氏	585-390- 8	陳紀明(字德廉) 524-147-185	1467- 71- 64	
陳映宋 528-550- 32	陳信明(字秋鴻) 820-612- 41	陳紀明(字叔振) 529-459- 43	陳俊明(字俊民) 524-266-191	
陳迪宋 494-473- 18	陳信明(開封人) 1241-741- 17	陳紀明(岳池人) 554-282- 53	陳俊明(邵武人) 529-630- 48	
陳迪明(字景道) 299-351-141	陳香明 黃樓妻、陳金女	陳紀妻 明 見王氏	陳俊明(浮山人) 547- 16-141	
456-691- 12	1268-445- 69	陳紀妻 明 見孫氏	陳俊明(字秀依) 554-250- 52	
472-360- 15	陳俎明 505-684- 69	陳勉明(字希進) 299-547-158	陳俊明(三水人) 563-820- 41	
472-520- 22	陳科妻 明 見李氏	473-188- 58	陳俊明(字廷傑) 1250-497- 46	
475-608- 81	陳衍宋 288-550-468	479-795-254	陳俊明(字彥秀) 1266-732- 7	
476-478-125	401- 78-578	516-171- 94	陳後明 821-402- 56	
479-663-247	陳衍明 1442-106- 7	陳勉明(字汝勉) 472-337- 14	陳海陳宗海 明(福清人)	
482-539-368	1460-638- 72	515-202- 63	299-142-124	
483-221-390	陳胤吳興王 陳 260-733- 28	524-263-191	400-280-522	
508-331- 41	265-920- 65	563-802- 41	陳海明(洛陽人) 554-346- 54	
511-483-155	375-410-83下	陳勉明(建德人) 473- 97- 53	陳海妻 明 見李氏	
516-206- 95	494-258- 1	515-187- 62	陳祗蜀漢 254-625- 9	
540-616- 27	陳胤明 473-570- 74	陳勉明(字自勉) 473-117- 54	377-273-118上	
569-648- 19	陳異漢 253-525-109上	515-784- 81	384-461- 12	
571-523- 19	402-577- 19	陳勉明(字進之) 676-495- 19	385-194- 22	
572-156- 32	477- 59-151	820-617- 41	陳祗信義王 陳 260-734- 28	
886-150-139	538- 21- 62	821-372- 55	265-921- 65	
陳迪明(字保中) 564-209- 45	陳俞陳子公 宋 451- 51- 2	陳泉妻 明 見方氏	375-410-83下	
陳迪明(赤水人) 572- 85- 28	821-301- 53	陳奐明 510-313-113	陳宮漢 254-145- 7	
陳迪女 清 見陳氏	1186-554- 7	523-451-168	377- 63-113下	
陳備宋 529-751- 51	陳俞元 1366-677- 39	陳俊漢 252-560- 48	476-857-145	
陳禹陳 265-953- 67	陳俞明 涂華妻 530-105- 57	370-125- 10	陳容漢 254-150- 7	
378-522-144	陳俞妻 明 見賈氏	376-569-105	472-310- 13	
陳約宋 1123-188- 20	陳紀漢 253-302- 92	384- 55- 3	473-852-145	
陳約明 524- 20-179	254-398- 22	402-366- 3	475-326- 65	
676-452- 17	376-922-111下	402-519- 15	511-458-154	
1391-685-343	386- 9-69上	402-559- 18	540-667- 27	
1442- 7-附1	472-652- 27	472-518- 22	陳容宋(字公儲) 515-132- 61	
1459-444- 14	476-515-127	472-586- 24	529-448- 43	
陳重漢 253-583-111	477-475-173	472-768- 30	821-228- 51

1201- 6- 66
陳容宋(三山人) 523-224-156
陳容宋(字益之) 524-209-188
1356-721- 12
陳涓漢 535-552- 20
陳浮漢 370-125- 10
402-366- 3
陳涇宋 484-376- 27
陳浩陳汶 元 1225-246- 9
陳浩明 472-468- 20
陳高宋 677-236- 22
陳高元 524- 87-182
529-753- 52
676-712- 29
1216-273- 16
1439-444- 2
1469-312- 50
陳高妻 元 見林道外
陳唐父 宋 1118-648- 33
陳祐宋 286-596-346
382-650-100
384-382- 19
397-663-360
427-368- 4
471-961- 53
473-433- 67
475-796- 90
480-342-273
480-615-287
481-386-312
674-291-4下
933-161- 11
陳祐陳祜、陳天祐 元
295-283-168
399-622-482
472- 98- 3
472-645- 26
472-706- 28
472-741- 29
474-622- 32
475-421- 70
477- 54-151
477-201-159
477-522-175
478-762-215
505-791- 73
505-863- 77
523- 23-147
537-277- 55
676-698- 29
1200-707- 53
1200-712- 54
1200-832- 65
1373-410- 26
1439-421-附1
陳祜元 見陳祐
陳祖宋 524-203-188
陳祖明 473-573- 74
529-451- 43
559-268- 6
陳祚宋 484-380- 28
陳祚明 299-598-162
472-230- 8
475-132- 56
493-980- 52
511- 95-140
528-450- 29
537-211- 54
676-101- 3
683-181- 5
1255-681- 70
1284-130-146
1385-412- 16
1386-356- 42
陳悃明 545-150- 88
陳郎宋(字子彝) 530-209- 60
陳朗宋(兗州人) 843-663- 中
陳朔漢 402-490- 12
陳益宋 1171-766- 27
陳益明 515-479- 71
陳烓明 676-514- 20
1442- 35-附2
1459-736- 29
陳烜宋 484-387- 28
陳訓晉 256-544- 95
380-598-182
386-118-72下
475-810- 91
492-597-13下之下
511-885-171
933-156- 11
陳訓元 511-520-157
陳訓妻 元 見王氏
陳訓明 547- 42-142
陳悅明 1255-718- 73
陳浵清 474-247- 12
505-870- 78
506-560-105
陳祕女 宋 見陳氏
陳悌妻 明 見賈氏
陳旅元 295-541-190
400-700-567
453-792- 3
460-460- 36
472-962- 38
473-126- 55
473-634- 77
481-555-327
529-728- 51
585-423- 11
820-507- 37
1375- 36- 下
1439-431- 1
1469- 27- 37
陳庭唐 812-372- 0
821- 39- 46
陳庭妻 明 見李氏
陳逆春秋 404-623- 38
陳泰魏 254-401- 22
377-178-116
384- 87- 4
384-641- 39
472-429- 19
472-824- 33
475-868- 95
477-476-173
537-585- 60
545- 2- 83
554-104- 50
558-131- 30
933-155- 11
陳泰宋 843-664- 中
陳泰元 479-792-254
515-269- 65
676-711- 29
1439-429- 1
1469-235- 46
陳泰曹泰 明(字吉亨)
299-559-159
453-367- 8
460-815- 89
473-644- 78
481-697-332
493-788- 42
505-635- 67
510-290-112
529-629- 48
540-617- 27
545- 69- 85
559-250- 6
676-480- 18
676-716- 30
1442- 22-附2
陳泰明(字仲亨) 1239-179- 39
1239-243- 43
陳泰明(字思易) 1265-678- 25
陳泰妻 明 見高氏
陳泰妻 明 見嚴氏
陳秦唐 820-213- 28
陳素明(仁壽人) 456-676- 11
陳素明(靈寶人) 505-672- 69
陳素明(字澹仙) 1475-480- 20
陳珙宋(字德厚) 451-141- 3
陳珙宋(字子重) 528-570- 32
陳珙妻 明 見朱氏
陳珙清 480-437-278
陳貢女 明 見陳氏
陳恭妻 元 見張氏
陳恭明(新化人) 480-438-278
陳恭明(奉節人) 559-374- 8
陳恭明(字孟起) 1241-125- 6
陳恭清 456-333- 76
陳烈南唐 見陳德成
陳烈宋 288-434-458
382-764-117
384-360- 18
401- 21-570
408-668- 26
460-168- 10
471-648- 10
473-571- 74
481-526-326
484-186- 8
529-435- 43
933-159- 11
陳烈明(謚烈愍) 456-464- 4
陳烈明(字思紹) 523-249-157
529-618- 47
陳眞陳貞 明 程有德妻
472-1106- 47
479-296-230
陳眞明 沈文華妻、陳守仁女

1246-612- 11
陳眞女 明 見陳氏
陳原宋 見陳起東
陳原明(定遠人) 483-294-394
571-543- 20
陳原明(字復初) 547-203-148
1243-385- 23
陳珪漢 253-202- 86
402-494- 12
475-326- 65
陳珪明(謚忠襄) 299-401-146
472-297- 12
511-396-151
886-144-138
陳珪明(歸化人) 481-724-333
529-699- 50
陳珪明(合江人) 559-398-9上
陳珪明(字禹成) 564-216- 46
陳珪明(字伯圭) 821-347- 55
陳珪女 明 見陳氏
陳珣明 572-104- 30
陳珦唐 459-885- 54
529-558- 46
陳哲明 301-736-281
472- 52- 2
474-237- 12
505-656- 68
陳桂陳昌 宋 451- 52- 2
陳桂明(字汝芳) 511-634-161
陳桂明(和順人) 546-333-126
547- 80-144
陳桂清 456-333- 76
陳桓明 299-244-132
483-371-401
571-530- 19
陳格唐 見陳恪
陳晉元 511-521-157
陳陞明 473- 97- 53
515-186- 62
陳陛明 537-435- 58
陳陘女 遼 見陳氏
陳書春秋 404-603- 37
陳珩宋 821-228- 51
陳耽漢 476-779-141
511-189-143
540-704-28之1
陳起南唐 473-282- 61
480-126-264
532-628- 43
533-169- 52
陳起宋(沅江人) 473-369- 64
480-485-280
533-288- 56
陳起宋(字宗之) 1357-1008- 24
1364-678-348
1437- 29- 2
陳起元 511-572-159
陳軒宋 286-594-346
397-662-360
471-660- 11
471-674- 13
473-602- 76
473-623- 77
481-676-331
481-718-333
484- 98- 3
488-400- 13
493-701- 39
523- 77-149
529-595- 47
933-164- 11
陳珊明 820-630- 41
陳陟父 宋 1095-269- 30
陳耿宋 1095-880- 53
陳栗明 473-654- 78
481-783-337
515-374- 68
528-572- 32
陳振陳公振 宋 493-961- 51
493-1134- 60
511-520-157
820-449- 35
陳振元 524-314-194
陳振明 見陳叔紹
陳埈明 1257-159- 15
陳根清 524-208-188
陳時明 1475-495- 21
陳恩明 473-585- 75
524-158-186
陳晏妻 宋 見丘氏
陳晅宋 524-156-186
陳晊明 1246-604- 18
陳蚪陳虯 明 478-168-182
554-249- 52
陳郢宋 484- 46- 下
485-189- 25
陳剛元 523-628-177
678-247- 94
680-298-255
陳剛明 523-373-164
1234-290- 46
陳剛妻 明 見劉氏
陳剛清 456-333- 76
陳峴隋 267-527- 78
陳峴宋 451- 23- 0
523-345-162
563-663- 39
1174-695- 64
1364-709-353
陳虔南海王 陳 260-734- 28
265-921- 65
375-410-83下
陳豹春秋 404-623- 38
陳耘明 493-757- 41
陳俱陳五哥 宋 448-379- 0
陳恕宋 285-315-266
371- 54- 5
382-239- 36
384-338- 17
396-603-308
449- 34- 3
472-125- 4
473- 20- 49
473-315- 62
474-469- 23
476-330-115
479-485-239
480-240-269
480-613-287
505-689- 70
515-303- 66
532-746- 46
545-417- 98
708-326- 50
933-157- 11
陳恕明 472-914- 36
505-806- 74
505-868- 78
陳恕妻 明 見周氏
陳矩明(安肅人) 302-290-305
陳矩明(字善方) 558-477- 40
陳矩明(字諒之) 676-519- 20
陳秬宋 516- 99- 91
陳秠宋 516- 99- 91
陳値明 456-502- 5
523-379-164
陳扃宋 見陳扃
陳翁宋 484-380- 28
陳訔宋 515-105- 60
陳釗明 523-174-154
陳釗妻 明 見李壽娘
陳倬宋 533-469- 64
陳倬清 1325-674- 2
陳倫明(太和人) 511-653-162
陳倫明(尤溪人) 529-683- 50
陳倫明(岐山人) 554-761- 62
陳倫明(攸縣人) 559-282- 6
陳倫明(字維明) 1246-648- 15
陳師唐 516-416-103
陳師明 569-674- 19
1442- 67-附4
1460-296- 53
陳臯宋 821-146- 50
陳卿明 676-534- 21
陳能明(字大用) 528-513- 31
533-284- 56
陳能明(安化人) 545-464-100
陳純明(潁州人) 456-658- 11
陳純明(字希文) 473- 16- 49
515- 89- 59
陳純明(性孝) 572- 91- 29
陳修漢 515- 76- 59
523-478-170
524-264-191
陳修吳 254-817- 10
384-576- 30
511-250-146
陳修唐 879-157-58上
陳修明(字伯昂) 299-306-138
453-100- 9
473- 64- 51
476-518-127
479-559-242
515-872- 86
540-626- 27
1236-788- 13
陳修明(政和人) 529-687- 50
陳修清 1327-696- 8
陳修妻 清 見鄭閏芳
陳殷元 1208-286- 13
陳逅明 300-405-207
511-106-140

528-456- 29
563-820- 41
陳辰清 481-185-300
559-411-9下
陳寅春秋 404-820- 50
陳寅唐 529-664- 49
陳寅宋 288-322-449
400-177-514
451-220- 0
472-894- 35
478-515-200
538- 50- 63
545-240- 92
558-182- 31
591-693- 48
陳寅妻 宋 見杜氏
陳添明 456-684- 11
陳庶唐 812-354- 10
812-372- 0
821- 77- 47
陳宿宋 1180-425- 39
陳淳母 宋 見黃氏
陳淳宋 288- 59-430
400-555-550
459-113- 7
460-349- 28
473-655- 78
481-614-329
529-563- 46
539-505-11之2
676-688- 29
1168-898- 附
1168-900- 附
1375- 34- 下
1437- 27- 2
陳淳明(字維素) 482-561-369
570-103-21之1
陳淳明(字德溫) 523-453-168
陳淳明 見陳道復
陳清宋 見陳旦
陳清明 472-328- 14
511-414-152
陳清妻 明 見鄭坤玉
陳清妻 明 見劉氏
陳淮明 511-437-153
584-269- 10
陳商唐 472-350- 15
475-669- 84
511-817-167
陳翊明 494-158- 5
陳祜清 1313-268- 21
陳情明(灤州人) 476-180-106
545-249- 92
陳情明(字汝孝) 524-159-186
陳情妻 明 見李氏
陳淬宋 288-355-452
400-164-513
473-632- 77
474-371- 19
481-552-327
505-631- 67
505-681- 69
529-496- 44
554-359- 54
陳淵陳 見陳深
陳淵陳漸 宋 287-156-376
398-205-378
460- 20- 1
473-617- 77
481-647-330
492-712-3下
518- 13-136
529-583- 46
674-840- 18
1161- 74- 80
1363-663-208
1437- 22- 2
陳淵明 472-914- 36
564-222- 46
陳章明 676-514- 20
1255-398- 44
1257-312- 28
1442- 35-附2
1459-736- 29
陳庸唐 820-197- 27
陳庸宋(字時中) 524-261-191
陳庸宋(字景回) 1113-228- 22
陳庸明(字秉常) 457-127- 9
564- 92- 45
陳庸明(永春人) 529-711- 50
陳庸明(字以靜) 1239-186- 39
陳庸妻 明 見曾福
陳祥元 1201-170- 80
陳祥明(字應和) 515-478- 71
523-158-153
563-780- 40
陳祥明(福建永安人)
523- 86-149
陳祥明(字從儉) 523-317-161
陳祥明(字吉夫) 558-294- 34
559-253- 6
陳祥明(字添麟) 1240-857- 9
陳祥明 丘邦禮妻、陳德和女
1246-508- 下
陳烯宋 473-176- 57
515-117- 60
陳寀女 元 見陳貞
陳深陳淵、始安王 陳
260-733- 28
265-920- 65
375-410-83下
488-295- 11
567- 5- 62
1401-388- 30
陳深宋 493-1047- 55
676- 14- 1
676-702- 29
677-440- 40
820-449- 35
1255-443- 48
1318-246- 53
1349-433- 1
1468-190- 11
陳深明(直隸人) 480-341-273
陳深明(字子淵) 676- 79- 3
676-437- 16
678-599-127
陳梁明 476-249-110
515-278- 65
545-276- 93
554-3484-57上
陳梁明 見廣籍
陳梁妻 明 見劉氏
陳衮明(新城人) 528-553- 32
陳衮明(字廷章) 1269-998- 13
陳康唐 見陳康士
陳康妻 明 見劉潮
陳庾陳庚 元 1202-303- 21
1439- 13- 附
陳焌明 515-812- 82
陳球漢 253-199- 86
370-204- 21
376-856-110
402-428- 8
402-494- 12
402-510- 14
472-310- 13
475-326- 65
475-425- 70
477-160-157
480-539-283
505-687- 70
508-123- 33
511-220-144
532-712- 45
537-261- 55
567- 21- 63
681- 47- 3
681-557- 10
681-686- 21
682-206- 2
933-155- 11
1103-383-136
1397-452- 21
1397-634- 30
陳球清 524-214-188
陳珹宋 451-179- 6
陳梅明 517-663-131
陳基晉 820- 75- 23
陳基明 301-815-285
493-1076- 57
511-894-172
524- 65- 181
588-181- 8
676-712- 29
1318-342- 62
1369- 176- 1
1386-437- 45
1386-652- 55
1439-450- 2
1459-262- 6
1469-382- 53
陳基妻 明 見黃氏
陳埴宋 472-1117- 48
479-406-235
523-627-177
陳桱元 452-194- 4
472-223- 8
479-180-225
511-893-172
524- 42-180
1219-384- 12

1439-441- 2
陳桷宋 287-170-377
398-217-379
472-1116- 48
473-246- 60
479-404-235
480-288-271
481-491-324
493-770- 42
523-341-162
528-439- 29
532-677- 44
陳埜宋 451- 79- 2
陳堅殷堅 元 1232-432- 4
陳堅明 482-303-353
533-280- 56
陳理明 299-124-123
陳乾明 567-386- 82
1467-244- 71
陳乾清 511-659-162
陳習陳東琪 宋 1098- 98- 13
1098-188- 23
陳琓明 559-315-7上
陳現妻 明 見董氏
陳都清 456-301- 73
陳規宋 287-164-377
398-212-379
449-473-上11
459-907- 55
472-325- 14
472-593- 24
473-267- 61
475-639- 83
475-699- 86
475-777- 89
476-671-136
480- 87-262
480-200-267
510-479-118
511-912-173
532-654- 44
540-766-28之2
陳規金 291-525-109
399-282-442
476-401-119
546-586-134
1040-247- 4
1365-166- 5
1439- 7- 附
1445-401- 28
陳陶南唐 451-489- 8
471-722- 19
473- 19- 49
473-616- 77
479-497-239
516-193- 95
529-740- 51
563-919- 43
588-331- 2
933-157- 11
1317- 71- 附
1388-630- 95
1473-559- 89
陳捷明 456-643- 10
陳捷清 524-261-191
陳彬元 400-265-521
陳彬明(字儒珍) 524-212-188
陳彬明(惠安人) 1467-123- 66
陳彬妻 清 見張氏
陳琔清 559-411-9下
陳梗明 493-760- 41
陳逕妻 明 見吳氏
陳通明 511-655-162
陳通妻 清 見張氏
陳晦宋 494-406- 12
494-472- 18
524- 33-179
陳晦明 821-396- 56
陳晟明(字克昭) 511-206-144
陳晟鍾晟 明(字美宣)
564-254- 47
陳晟明(授七品散官)
572- 90- 29
陳晟明(應天六合人)
1242-866- 10
陳時妻 宋 見曹柔美
陳崇宋 288-406-456
陳崇明 515-222- 63
529-460- 43
陳貫宋 286- 23-303
397-233-333
459-902- 55
472-698- 28
472-705- 28
472-878- 35
474- 91- 3
477-252-161
478-670-209
481-153-298
537-275- 55
545- 46- 84
554-203- 52
558-193- 31
1090- 77- 14
陳堂明(字明佐) 564-106- 45
陳堂明(字宅之) 1224-172- 19
陳莊會稽王 陳 260-734- 28
265-921- 65
375-410-83下
488-295- 11
陳莊女 宋 見陳池
陳蒞晉 591-601- 44
陳畦宋 516-100- 91
陳略清 511-340-149
陳常漢 402-467- 10
陳常宋 821-184- 50
陳常明(敘州人) 554-310- 53
陳常明(長壽人) 559-352- 8
陳常明(字時勉) 564-228- 46
陳常明(字仕恆) 1241-801- 20
陳莘元 1225-246- 9
陳莘明 473-267- 61
480-200-267
532-656- 44
567-302- 77
陳晞宋 820-272- 33
陳冕明 1273-280- 34
陳勗明(太平人) 456-677- 11
陳勗明(字世勉) 481-750-334
529-646- 48
陳勗明(字典伯) 545-197- 90
陳勗明(字永年) 1229-221- 5
陳眾漢 475- 14- 49
475-500- 75
陳釪明 477-543-176
523-203-155
537-354- 56
陳符晉 591-601- 44
陳偁宋(字君舉) 460-115- 6
471-846- 36
473-617- 77
473-694- 80
482-115-343
528-438- 29
529-578- 46
563-679- 39
陳偁宋(延平人) 484-199- 9
陳偕宋(字同夫) 529-654- 49
陳偕宋(廣陵人) 821-181- 50
1110-417- 22
1115-554- 25
1408-519-533
陳婤陳 陳後主女 494-261- 1
陳絅明 676-453- 17
1391-687-343
1459-495- 16
陳紹宋 1150-890- 50
陳紹元 524-197-188
陳紹明(字用光) 300-462-210
523-311-160
563-771- 40
陳紹明(字紹平) 472-678- 27
537-256- 55
陳紹明(雷州推官) 563-825- 41
陳釪妻 清 見黃文琦
陳偉母 元 見姜氏
陳偉妻 清 見黃氏
陳術蜀漢 254-651- 12
384-497- 18
385-587-65上下
478-247-186
554-831- 63
592-550- 96
陳統明 567-336- 79
1467-230- 70
陳紳明(字文佩) 529-586- 46
陳紳明(字用章) 1260-579- 15
陳紳女 明 見陳氏
陳第明 460-519- 46
481-530-326
529-475- 43
676- 29- 1
676-597- 24
677-648- 58
1442- 68-附4
1460-313- 54
陳第女 明 見陳氏
陳動明 821-436- 57
陳參明 1287-759- 9
陳敘女 明 見陳氏
陳敏晉 256-634-100
370-287- 5

377-939-130
488- 97- 7
494-355- 8
陳敏宋(字元功) 287-485-402
398-472-396
472-308- 13
473-188- 58
475-324- 65
475-366- 67
475-642- 83
479-822-256
481-610-329
516-164- 94
528-492- 30
陳敏宋(字伯修) 472-259- 10
479-285-230
492-697-3上
492-712-3下
511-551-158
523-168-154
陳敏女 宋 見陳氏
陳敏明(華亭人) 299-640-165
478-550-202
481-418-314
559-323-7上
820-598- 40
陳敏明(鞏昌知府) 472-894- 35
陳敏明(交址人) 476-452-123
547-203-148
陳敏明(巴州人) 481-157-298
陳敏明(字內修) 511-381-150
陳敏明(永嘉人) 528-526- 31
陳敏明(陸川人) 563-834- 41
567-308- 77
1467-188- 69
陳敏明(字思懋) 820-618- 41
陳敏明(字季明) 1226-149- 7
陳敏明(字志學) 1255-697- 71
陳敏明 見陳敏政
陳敏妻 明 見倪氏
陳敏妻 明 見劉氏
陳造宋(字唐卿) 493-777- 42
510-330-113
511-782-166
677-348- 32
1437- 26- 2
1461-748- 37
陳造宋(字公甫) 1118-388- 20
陳造妻 宋 見阮徽
陳逢陳逸 宋(字次孟)
451- 65- 2
陳逢宋(字彥默) 515-167- 62
陳啟妻 明 見潘氏
陳從明 見陳景著
陳寓明 472-378- 16
529-645- 48
1252-299- 17
陳斌明 475-563- 79
陳富明(涇縣人) 472-360- 15
陳富明(龍溪人) 529-676- 49
陳富明(遊擊都司守備)
571-553- 20
陳富女 明 見陳氏
陳湘宋(衡陽妓) 820-475- 36
陳湘宋(兗州人) 843-664- 中
陳渭明 523-217-156
陳詁女 宋 見陳氏
陳詔明(字廷詢) 523-350-162
陳詔明(字宣卿) 529-547- 45
陳詔明(安仁人) 533-265- 55
陳詔妻 清 見王氏
陳詞明 1276-448- 11
1410-219-689
陳善宋(字德成) 516-512-106
陳善宋(沙縣人) 530-202- 60
陳善宋(紹興間人) 821-214- 51
陳善元(屯留人) 545-218- 91
陳善元(號容城生)
1439-445-附2
陳善明(無為知縣) 472-325- 14
陳善明(歷陽知縣) 472-394- 17
陳善明(山東按察副使)
472-521- 22
476-479-125
540-618- 27
陳善明(弋陽人) 480-508-281
515-877- 86
532-707- 45
陳善明(夏邑人) 481-644-330
528-509- 31
陳善明(字思敬) 494-158- 5
569-653- 19
676-575- 23
陳善明(字克一) 523-119-151
陳善明(字復初) 1246-650- 15
陳善明(字敬佐) 1247-474- 20
1475-232- 10
陳善清 456-334- 76
陳翔漢 253-371- 97
376-965-112
385- 62- 5
402-461- 10
402-571- 19
472-652- 27
475- 14- 49
477-474-173
537-583- 60
545-312- 95
933-155- 11
陳翔明 533-101- 50
陳普宋 511-435-153
陳普陳尚德 元 453-799- 4
460-485- 40
473-660- 78
481-748-334
529-644- 48
676-700- 29
677-418- 38
1364-713-355
1471-266- 2
陳曾唐 820-240- 28
陳曾元 820-503- 37
陳渾漢 472-960- 38
479- 40-218
490-750- 74
523- 70-149
陳湛漢 591-518- 41
陳溉宋 484-389- 28
陳訑明 564-148- 45
陳評元 1195-418- 8
陳惲吳 472-1015- 41
479-386-234
524-437-201
陳焯宋 1185-770- 22
陳焯明 529-682- 50
陳焯清 511-802-167
陳焯明 529-719- 51
820-639- 41
1442- 32-附2
1459-703- 27
陳湯漢 250-570- 70
376-290-100
384- 49- 2
472-550- 23
476-580-131
483-591-414
540-697-28之1
558-235- 32
933-153- 11
1355-299- 10
1407- 51-400
1407- 84-402
1408-368-516
陳寔陳實 漢 253-302- 92
254-398- 22
376-921-111下
384- 65- 3
386- 7-69上
402-531- 15
402-584- 20
459-844- 51
469- 54- 7
472-652- 27
476-393-119
477-122-155
477-475-173
537- 10- 48
537-583- 60
545-446- 99
681-635- 18
933-154- 11
1063-195- 5
1063-196- 5
1063-197- 5
1329-998- 58
1331-504- 58
1397-438- 21
1397-439- 21
1410- 21-665
1412-473- 19
1412-474- 19
1412-475- 19
1417-410- 20
陳寔陳愿 宋 451- 90- 3
陳寔清 1312-559- 7
陳湜明 見陳景著
陳渙宋 484-383- 28
陳渠明 533-202- 53
陳詠宋 451- 63- 2
陳詠宋 見陳漢公
陳詠明 523-306-160
陳雲唐 820-287- 30

陳雲宋 528-538- 32
陳琮宋 484-388- 28
陳琮明(冀城人) 547- 18-141
陳琮明(字叔正) 820-594- 40
陳珷明 564- 91- 45
陳琪宋 1114-671- 16
1114-673- 16
陳琪妻 宋 見龐氏
陳琪明 529-614- 47
陳越宋 288-223-441
400-647-559
477- 75-152
538-128- 65
1437- 9- 1
陳撝宋 516-517-106
陳撝明(金谿人) 528-541- 32
陳撝明(字仲謙) 820-598- 40
821-365- 55
陳惠元 483- 95-378
494-162- 6
570-116-21之1
陳惠明(龍溪人) 473- 61- 51
473-656- 78
515-201- 63
529-567- 46
陳惠明(鄞縣人) 480- 88-262
陳惠明(字汝受) 564-180- 46
陳項晉 見陳項
陳賀漢 539-348- 8
陳閎唐 524-364-197
812-349- 9
812-369- 0
813- 99- 5
821- 65- 47
陳閎陳潼老 宋(字傳父)
451- 95- 3
陳閎宋(陳升之子) 451-125- 1
陳巽宋 473- 76- 52
516-121- 92
1098-745- 46
陳琚宋 516-167- 94
陳琚明 482-485-364
563-853- 41
567-366- 81
1467-240- 71
陳琴明 529-681- 50
陳喆明 559-380-9上
陳喆清 528-546- 32
陳喜明(字希和) 460-825- 92
陳喜明(字仲樂) 821-485- 58
陳植宋 見陳𩆜立
陳植元(字中吉) 515-625- 76
679-599-197
1439-434- 1
陳植元(字叔方) 821-314- 54
1189-733- 0
1216-602- 12
1255-494- 54
1386-735-下
1439-446- 2
1468-194- 11
陳植明(謚烈愍) 299-359-142
456-693- 12
475-707- 86
511-493-156
陳植明(字公培) 1241- 95- 5
陳雅漢 554-629- 60
879-179-58下
陳雅明 510-436-1160
陳盛明 473-387- 65
532-720- 45
陳雁妻 明 見周氏
陳雄唐 674-208-2下
陳雄妻 宋 見林匹善
陳雄明 481-558-327
529-668- 49
陳登漢 253-202- 86
254-146- 7
377- 63-113下
384-424- 6
385-127- 14
472-288- 12
475-363- 67
475-327- 65
475-425- 70
475-852- 94
510-385-115
510-396-115
511-221-144
陳登宋(字敬齋) 473-165- 57
479-747-251
515-105- 60
陳登宋(字元龍) 820-431- 35
陳登明(字思孝) 301-829-286
460-497- 42
529-718- 51
676-484- 18
820-591- 40
1238-222- 19
1238-518- 12
1318-356- 63
1458-632-466
陳登明(字從善) 676-464- 17
陳登妻 明 見林尾姑
陳階晉 591-601- 44
陳隆明 563-794- 41
陳畫明 515-810- 82
陳琬明 567-318- 78
1467-205- 69
陳琦宋 473-128- 55
515-531- 73
1161-651-128
陳琦明(字士英) 472-394- 17
475-810- 91
510-490-118
545-771-111
陳琦明(字公琰) 481-749-334
529-645- 48
1237-270- 5
陳琦明(字粹之) 493-1035- 54
1256-425- 28
1386-360- 42
陳琦明(字文玉) 545-661-107
陳琦明(天長人) 820-602- 40
陳琦明 見陳珂
陳琦妻 明 見林瓊
陳琦妻 明 見蘇氏
陳琦妻 清 見王氏
陳琦妻 清 見胡氏
陳琥宋 515-183- 62
529-449- 43
陳琥明 1283- 38- 70
陳覃宋 486- 47- 2
1189-286- 1
陳揮金 546-295-124
陳堯明 505-801- 74
511-247-145
523-176-154
567-127- 67
571-524- 19
676-570- 23
1283- 60- 72
1442- 56- 3
1460-146- 47
1467-104- 65
陳堯妻 清 見官氏
陳堪漢 402-458- 10
陳弼宋 484-387- 28
陳肅宋(字雍之) 484-383- 28
陳肅宋(建昌南城人)
1095-264- 30
1095-272- 30
1095-273- 30
陳蕭元(字文端) 564- 80- 44
陳肅元(字伯將) 1439-449- 2
1471-418- 9
陳肅明 820-603- 40
陳閌宋 451-125- 1
陳開春秋 見陳武子
陳開宋 529-492- 44
陳開元 524-287-192
陳開妻 清 見林氏
陳勤吳 254-821- 10
陳軫戰國 244-429- 70
371-547- 41
375-901- 93
384- 28- 1
405-363- 80
533-134- 51
554-543- 58
陳揚宋 821-250- 52
陳揚明 524-212-188
陳陽明 473-130- 55
482-559-369
494-158- 5
515-549- 74
569-658- 19
1467- 82- 64
陳琛明(字思獻) 301-759-282
458-808- 6
460-609- 60
481-587-328
529-538- 45
676-547- 22
1272-478- 16
1274-429- 16
1457-600-398
1458-353-441
陳琛明(字廷美) 1247-528- 23
陳琢妻 明 見沈氏
陳琰宋(字伯玉) 285-790-301
397-212-332

472-132- 4
474-477- 23
477-208-159
505-775- 73
545- 46- 84
陳琰宋(字仲叔) 679-522-189
陳琰明(字公信) 472-827- 33
511-206-144
554-207- 52
陳琰明(字廷玉) 511-857-169
陳琰妻 清 見孫氏
陳琳魏 254-379- 21
380-347-175
384- 84- 4
384-650- 40
385-637-66下上
470-222-123
471-900- 44
472-293- 12
472-310- 13
475-327- 65
475-371- 68
505-932- 84
511-780-166
1082-496- 4
1379-202- 26
1395-587- 3
陳琳宋 821-231- 51
陳琳元 821-287- 53
陳琳明(字玉疇) 300- 80-188
472-174- 6
482-140-344
529-511- 44
563-797- 41
陳琳明(應城人) 559-287-7上
陳琳明(歸善人) 563-804- 41
陳報宋 484-375- 27
陳援明 472-1004- 40
陳棟明(字隆之) 515-401- 69
陳棟明(儀封人) 545-146- 88
陳棟明(寧夏人) 558-431- 37
陳棖明 見陳叔剛
陳粟明 1457-433-381
陳逵晉 813-294- 17
820- 73- 23
陳逵宋 523-242-157
陳逵明 511-510-157
511-662-162
1241-867- 22
1251-305- 22
陳發元 510-426-116
陳㬎明 473- 97- 53
陳貴明 楊仲穆妻、陳有開女
1242-112- 27
陳貴明(字遵道) 1242-818- 9
陳貴明(字仲和) 1247-532- 24
陳貴妻 明 見李氏
陳著陳祥孫 宋 451- 87- 3
523-289-159
陳著妻 宋 見童尚柔
陳著女 元 見陳潤
陳凱宋 1176-820- 6
陳凱妻 宋 見黃氏
陳凱明 564-255- 47
陳萍元 523-559-174
陳萃明 1292-213- 19
陳萃妻 明 見杜氏
陳華宋 400-131-511
陳晛南唐 473- 76- 52
473-570- 74
479-582-243
516-215- 96
529-759- 53
陳睍宋 494-348- 7
陳勛晉 516-413-103
陳勛明 476-658-135
陳棠宋 1163-421- 15
陳敞漢 554-891- 64
812-315- 4
821- 7- 45
陳萇妻 唐 見柳氏
陳暕明 564-289- 47
陳暕明 見陳浩淵
陳最宋 481-747-334
484-380- 28
529-641- 48
陳傅明 529-455- 43
陳順明 473-645- 78
529-690- 50
陳順妻 明 見方氏
陳媯周惠王后 春秋
404-453- 26
陳媯鄭文公夫人 春秋
404-885- 55
陳鈞宋 517-420-126
陳鈞元 511-687-163
1439-432- 1
陳鈞明 676-463- 17
1442- 12-附1
1459-504- 17
陳智明(陳賢子) 299-406-146
陳智明(字孟機) 480- 57-260
515- 35- 58
533- 7- 47
554-206- 52
1242- 82- 26
陳程妻 元 見葉氏
陳喬南唐 472-255- 10
473-126- 55
479-713-250
492-706-3上
511-446-153
515-570- 75
1275-265- 12
陳皓唐 812-483- 上
812-521- 2
821- 82- 47
陳循明 299-667-168
452-140- 1
473-152- 56
503- 10- 90
515-662- 77
676-477- 18
676-735- 31
1238- 51- 4
1442- 21-附2
1459-582- 21
陳翕魏 820- 42- 22
陳絢明 564-257- 47
陳鈍明(字斯鈍) 524-271-191
陳鈍明(字魯若) 529-455- 43
陳舒明 529-676- 49
陳絳宋 529-725- 51
陳嬅元 陳自中女 524-707-212
陳勝秦 244-253- 48
250- 1- 31
376- 1- 95
384- 37- 2
472-198- 7
472-791- 31
933-153- 11
1408-347-514
陳勝妻 清 見紀氏
陳欽漢 471-835- 35
473-777- 84
567-404- 84
675-294- 15
陳欽明(字亮之) 505-683- 69
511-719-165
820-639- 41
1255-797- 0
陳欽明(桂平人) 567-414- 84
1467-200- 69
陳策宋 1185-499- 91
陳策明(謚烈愍) 301-565-271
456-456- 4
陳策明(武陵人) 473-369- 64
533-290- 56
陳策明(官霸州道) 505-637- 67
陳策明(字嘉言) 511-151-142
515-223- 63
1258-642- 14
陳策明(江西人) 533-368- 60
陳策明(青城人) 540-803-28之3
陳策明(柳城人) 563-835- 41
陳策妻 明 見孫氏
陳策妻 清 見林淑蓁
陳棐明 458- 76- 4
475-484- 73
510-410-115
676-147- 6
陳象唐 518-713-159
陳儆宋 493-1102- 58
陳傑唐 820-281- 30
陳傑宋 484-376- 27
陳傑元 1194-698- 13
1194-699- 13
陳傑明(字彥卿) 473-222- 59
533- 21- 47
陳傑明(字國英) 523-247-157
529-513- 44
陳傑明(字位卿) 559-348- 8
陳傑女 明 見陳氏
陳復元 1439-433- 1
陳復陳福(字本初) 明
299-553-158
472-963- 38
479- 44-218
523- 83-149
529-454- 43
585-381- 7
1241-849- 22

陳復明(字啟陽) 499-438-160
821-402- 56
陳復明 見陳性善
陳復妻 明 見鄒淑清
陳逸漢 474-443- 21
505-931- 84
陳逸宋 見陳逢
陳週明 460-501- 43
1459-409- 12
陳進宋 371-201- 20
陳進明 558-439- 37
陳溱明 572-157- 32
陳溥明 458-116- 5
537-405- 57
545-150- 88
陳溥妻 明 見滕氏
陳源宋 288-563-469
陳該唐 1065-592- 6
1340-636-785
陳試宋 288-290-447
陳詩妻 清 見吳氏
陳詩妻 清 見歐陽氏
陳祺宋 484-387- 28
陳愫明 456-600- 9
546-503-131
陳慎宋 524-215-189
陳慎清 475-450- 71
505-805- 74
510-406-115
陳義漢 370-218- 23
陳義唐 812-344- 9
821- 54- 46
陳義明(宜賓人) 515-151- 61
陳義明(敘州人) 563-827- 41
陳義妻 明 見鄭淑英
陳猷明 1467- 93- 65
陳湆元 1226-477- 23
陳滄明 524-163-186
陳滄妻 清 見王氏
陳靖漢 473- 45- 50
516- 2- 87
陳靖宋 288- 2-426
382-729-112
384-335- 17
400-345-531
475-119- 55
476-912-148
477- 50-151
481-551-327
481-581-328
481-773-336
486- 47- 2
523-183-155
528-570- 32
529-489- 44
820-341- 32
933-161- 11
1086-297- 30
1247- 70- 5
陳詡陳 683- 11- 0
陳詡唐 273-113- 60
529-715- 51
陳詢明(字汝同) 452-237- 6
473-234- 60
511-123-141
532-646- 43
820-621- 41
陳詢明(字士問) 821-438- 57
1475-274- 11
陳詥宋 491-433- 6
陳亶明 見陳亹
陳雍宋 1095-264- 30
陳雍元 524-277-192
陳雍明 480-318-272
532-682- 44
陳雍妻 明 見顧氏
陳裕宋 1125- 45- 3
陳裕明(字孟寬) 515-202- 63
1247- 56- 4
陳裕明(字景容) 1442- 22-附2
陳愷宋 523-128-152
陳愷明(字仲和) 1245-546- 28
陳愷明(字企元) 1255-614- 64
1256-399- 25
陳烇宋 491-111- 13
528-539- 32
陳煌妻 清 見劉氏
陳準明 559-372- 8
陳準妻 明 見邱氏
陳準妻 清 見林氏
陳新元 515-624- 76
陳新明(字鼎夫) 460-821- 91
陳新明(臨桂人) 473-737- 82
563-834- 41
567-304- 77
1467-188- 69
陳新清 524-207-188
陳詳陳 260-641- 15
265-909- 65
375-398-83下
陳詵唐 821- 87- 48
陳詵宋 491-433- 6
陳詵清 479- 58-219
483-229-390
523-269-158
陳煇明 554-189- 51
554-610- 59
陳煇明 見陳輝
陳煒宋 529-503- 44
陳煒明 460-501- 43
473-574- 74
481-529-326
515- 39- 58
529-458- 43
676-504- 19
820-639- 41
1247- 66- 4
1254-828- 6
陳煒明 見陳函輝
陳滂陳伯達 宋 448-376- 0
陳廉明 530-210- 61
820-599- 40
陳廉明 見陳孟潔
陳祼明 見陳叔祼
陳祿明 567-323- 78
1467-214- 70
陳煥宋(字時可) 515-339- 67
678-424-110
679- 47-142
陳煥宋(字少微) 564- 78- 44
陳煥女 宋 見陳善堅
陳煥明(字德彰) 523-218-156
陳煥明(字子文) 567-119- 67
821-451- 57
陳煥明(臨海人) 567-143- 68
1467-133- 66
陳運明 564-187- 46
陳道元 481-697-332
529-690- 50
陳道明(字克修) 472-208- 7
511-381-150
554-220- 52
564-116- 45
陳道明(字霽宇) 524-270-191
陳道明(知石州) 545-245- 92
陳遂漢 380-512-180
陳遂明 524-168-186
陳項陳項 晉 490-738- 72
525- 15-217
590-115- 14
陳項陳 見陳宣帝
陳珹宋 559-285-7上
1132-516- 21
陳瑀漢 253-201- 86
402-494- 12
485- 64- 10
493-669- 37
陳瑀宋 451-221- 0
567-329- 78
1467-220- 70
陳軾宋 473-281- 61
480-126-264
515-739- 80
532-630- 43
1106-226- 32
陳軾明(字子敬) 473-270- 61
533- 69- 49
陳軾明(大理人) 567-110- 67
陳軾清 529-722- 51
陳載金 546-688-138
陳賈宋 451- 24- 0
陳塤宋(字和仲) 287-770-423
398-699-414
472-1088- 46
479-178-225
479-352-233
493-781- 42
494-271- 2
523-288-159
1437- 28- 2
陳塤宋(字伯和) 524-337-195
陳楨元 517-532-128
陳預陳道孫 宋 451- 77- 2
陳雷晉 524-429-200
陳雷元 1391-644-341
1439-450-附2
1471-470- 10
陳雷明 554-347- 54
陳雷明 見陳士啟
陳瑄明(字彥純) 299-472-153
453-175- 16
453-573- 10

472-309- 13
472-329- 14
475- 19- 49
475-325- 65
475-708- 86
510-287-112
511-335-149
540-616- 27
581-602-107
581-609-107
886-143-138
886-145-138
1238-151- 13
1240-397- 25
1374-546- 77
1458-440-447
陳瑄明(字元獻) 563-793- 41
陳瑄明(字德新) 568-219-106
陳瑄女 明 見陳細秀
陳瑚清 475-453- 71
511-696-163
1442-111-附7
陳輊明(青陽人) 472-369- 16
511-317-148
陳輊明(字用昂) 570-109-21之1
陳輅明(漢陽人) 532-626- 43
陳輅明(南充人) 537-248- 55
陳塏宋 287-798-425
398-722-416
472-222- 8
472-348- 15
472-984- 39
472-1084- 46
473- 14- 49
473- 87- 52
475-120- 55
475-667- 84
479- 94-221
479-319-232
491-118- 13
493-720- 40
510-284-112
515- 20- 57
517-414-126
524-309-194
529-448- 43
563-670- 39
576- 36- 下
陳塏明 524-260-191
676-716- 30
679- 58-144
820-695- 43
陳椿宋 821-221- 51
陳椿明 529-686- 50
陳楷明 572-110- 30
陳楷明 見張楷
陳極宋 1122-529- 8
陳瑋妻 明 見范氏
陳瑞晉 560-599-29下
陳瑞宋 484-385- 28
陳瑞明(字五玉) 456-669- 11
480- 60-260
陳瑞明(號文峰) 475-873- 95
545- 90- 85
陳瑞明(忠州人) 481-439-316
559-354- 8
陳瑞明(善畫驢) 821-392- 56
陳瑞妻 明 見吳氏
陳瑞妻 明 見賈氏
陳瑞妻 明 見盧氏
陳瑜元(字仲庸) 400-281-522
482-321-354
567- 79- 65
1467- 53- 63
陳瑜元(字瑜玉) 1197-821- 87
陳楠宋 482-119-343
530-201- 60
547-513-160
564-617- 56
567-462- 87
1467-521- 11
陳楠妻 元 見黃氏
陳楠明(字子材) 528-461- 29
陳楠明(字彥才) 532-727- 46
陳群魏 254-398- 22
377-176-116
384- 84- 4
384- 85- 4
384-640- 39
385-372- 37
402-591- 20
472-653- 27
477-476-173
537-585- 60
679-755-211
933-155- 11
陳瑛元 561-509- 44
820-448- 35
陳瑛明(陳志孫) 299-407-146
陳瑛明(滁人) 302-370-308
1467-503- 10
陳瑛明(封邱人) 477-210-159
538- 80- 64
陳瑛明(晉江人) 515-177- 62
陳瑛明 529-520- 44
陳瑛明(竹山人) 533-239- 54
陳瑛明(知蓬州) 559-287-7上
陳瑛明(字廷秀) 1261-839- 41
陳瑛明(字宣遠) 1474-590- 30
陳瑛妻 明 見王妙清
陳瑛妻 明 見吳淑清
陳瑛妻 明 見余氏
陳瑗明(字大玉) 478-613-205
558-357- 35
1255-787- 77
陳瑗明(烏程人) 493-757- 41
陳楚漢 402-462- 10
陳楚唐 270-688-141
275-121-148
395-733-247
472- 93- 3
陳達晉 479-147-223
524-311-194
陳達宋 484-389- 28
陳達陳遠 元 523-404-165
820-525- 38
1228-782- 13
1374-715- 92
1410-209-688
陳達明(零陵人) 533-274- 56
陳達明(字兼善) 537-289- 55
540-791-28之3
陳達明(揚州人) 559-308-7上
陳達明(字德英) 529-463- 43
676-534- 21
1392-829-441
陳達清(正白旗包衣管領下人)
456-333- 76
陳達清(鑲白旗人) 456-381- 79
陳槩陳道生 宋(字辛平)
448-374- 0
陳槩宋(字少儀) 523-287-159
陳槩宋(劍州人) 559-360- 8
591-610- 44
陳槩明 563-833- 41
陳愚明(字元樸) 533-437- 62
陳愚明(字孟濂) 567-420- 85
1467-196- 69
陳愚妻 明 見袁氏
陳愚清 533-298- 56
559-334-7下
陳照妻 明 見楊氏
陳蜀唐 530-346- 66
陳睦宋 493-921- 49
511-728-165
589-309- 2
933-161- 11
1110-446- 24
陳睦明 523-373-164
陳睠明 529-738- 51
陳暄陳 265-866- 61
378-569-145
933-156- 11
1395-601- 3
1401-399- 30
陳嗣唐 561-319- 40
1065-579- 5
1341-564-873
1344-116- 70
1381-650- 47
陳圓宋 516- 95- 91
陳嵩明 472-410- 18
524- 66-181
679-628-200
1375- 28- 7
陳嵩清 523-433-167
陳鼎元 1201-166- 80
陳鼎明(字大器) 300- 91-188
472-604- 25
476-699-137
540-798-28之3
554-213- 52
676-533- 21
1475-243- 10
陳鼎明(泉州人) 456-639- 10
陳鼎明(字重器) 473-714- 81
479-627-245
482-186-346
515-186- 62
517-580-129
564-210- 46
1241-585- 11

陳鼎明 汪仕政妻、陳偉人女
1253-199- 50
陳鼎妻 明 見鄧氏
陳暉媳 宋 見方氏
陳暉明 見陳輝
陳暉妻 明 見唐氏
陳暉清 529-484- 43
陳暐明 578-921- 25
683-139- 3
陳暘宋 288- 95-432
382-750-114
400-480-544
460-178- 10
481-527-326
529-436- 43
674-766- 14
陳葵宋(字伯嚮) 460-118- 7
484-373- 27
529-438- 43
陳葵宋(字叔向) 479-433-236
523-629-177
1164-322- 17
陳葵明 472-309- 13
472-546- 23
510-399-115
540-671- 27
陳敬元 480-651-289
陳敬明(增城人) 302- 4-289
482- 36-340
483- 15-370
483-162-382
564-241- 47
569-682- 19
陳敬明(碭山人) 472-414- 18
511-400-151
陳敬明(字行簡) 472-752- 29
473-694- 80
482-115-343
563-783- 40
陳敬明(奉化人) 524-124-184
陳敬清 見陳廷敬
陳粲唐 529-759- 53
陳粲宋 529-654- 49
陳粲明 821-451- 57
陳業漢 486- 33- 2
524-129-185
879-156-58上
陳遇宋 484-375- 27
陳遇明 299-273-135
453-547- 5
458-602- 1
472-177- 6
475- 74- 53
511-666-163
821-342- 55
1239- 52- 30
1374-719- 93
陳鉉明 見陳會鼎
陳鈺明 1240-309- 20
陳鉞宋 492-637- 14
陳鉞明(溧水人) 473-316- 62
532-731- 46
陳鉞明(字廷威) 515-107- 60
陳傳明 473-624- 77
陳頎明 493-1034- 54
511-737-165
676-171- 7
676-321- 12
676-502- 19
1255-680- 70
1386-349- 42
1442- 28-附2
陳愈明 1257-158- 15
陳愈清 見陳鳳翥
陳會元 518-769-160
陳經宋(字正甫) 473-660- 78
481-748-334
529-749- 51
678-142- 83
陳經宋(字叔綸) 529-737- 51
陳經宋(字公適) 1117-339- 16
陳經明(太原左衛人)
476-222-108
545-331- 95
545-669-107
陳經明(字伯常) 476-673-136
540-804-28之3
陳經明(字質之) 481-290-306
533-264- 55
559-303-7上
陳經明(東安人) 533-497- 65
陳經明(平陽人) 547- 18-141
陳經妻 明 見強氏
陳經妻 明 見勞妙祥
陳節宋 484-383- 28
陳節明 563-837- 41
陳愛明 561-199-38之1
陳筴妻 宋 見朱氏
陳稜隋 264-934- 64
267-527- 78
379-875-164
475-703- 86
511-333-149
511-411-152
陳賓宋(號白衣御史)
471-977- 56
559-387-9上
591-637- 46
陳賓宋(字承之) 484-380- 28
陳賓宋(紹興進士) 484-388- 28
陳賓明 1249-182- 11
陳實漢 見陳寔
陳實明(字秀卿) 482-268-350
494-473- 18
510-363-114
564-228- 46
1258-576- 11
1258-684- 16
陳實明(字吉生) 529-729- 51
陳實女 清 見陳氏
陳察宋(字晦叔) 493-743- 41
陳察宋(海州人) 494-339- 7
陳察明 300-346-203
475-135- 56
482-539-368
511-105-140
545- 79- 85
559-253- 6
569-651- 19
676-531- 21
1280-340- 81
1284-156-148
陳演明(井研人) 301-290-253
陳演明(茂名人) 1467- 68- 64
陳演女 明 見陳氏
陳誌明 456-529- 6
陳誌妻 清 見車氏
陳誠明(字子實) 479-719-250
515-647- 77
陳誠明(字表端) 564-290- 47
陳誠明(詔著西域行程紀)
676-208- 8
陳誠明(字信中) 1240-360- 23
1240-862- 9
陳誠明(字致明) 1246-102- 4
陳誠妻 明 見王氏
陳誨南唐 473-600- 76
528-503- 31
528-520- 31
陳誨明 456-468- 4
483- 97-378
570-130-21之1
陳禎明(謚烈愍) 456-468- 4
483- 97-378
570-130-21之1
陳禎陳貞 明(字景祺)
472-242- 9
476-916-148
511-123-141
537-209- 54
1442- 22-附2
陳誥明 510-481-118
515-260- 65
陳誥妻 明 見王品姐
陳誥清 563-889- 42
陳膏宋 287-543-406
472-495- 21
473-632- 77
482-115-343
545-239- 92
563-679- 39
陳福元(越之錢清人)
524-133-185
1222- 44- 6
陳福元(鄭州密縣人)
1206-720- 7
陳福明(永春人) 529-712- 50
陳福明(號抱灌子) 1238-269- 22
陳福明(字彥貞) 1257-273- 24
陳福明 見陳復
陳福清 478-455-197
478-599-204
558-163- 30
558-378- 36
陳慥明 821-407- 56
陳寧宋 471-1025- 64
559-311-7上
陳寧元(安慶人) 510-414-116
陳寧元 魏庭郁妻
1242- 47- 25
陳寧明(茶陵人) 302-369-308
475-822- 92

510-494-118
533-250- 55
陳寧明(字士泰) 563-753- 40
1458-552-454
陳寧明(字以道) 1386-358- 42
陳漸宋 285-549-284
473-447- 68
481-156-298
559-360- 8
592-580- 98
陳漸宋 見陳淵
陳滯明 472-128- 4
537-281- 55
陳端明 康仁安妻、陳仁可女
1232-577- 4
1238-255- 21
陳端明(字仲德) 1289-286- 18
陳端明(字用端) 1442- 23-附2
陳說宋 1150-887- 49
陳說明 1467-120- 66
陳廓宋 451-178- 6
475-277- 63
511-175-143
陳禕唐 見玄奘
陳粹宋 473-623- 77
陳滿劉宋 528-548- 32
陳滿劉宋 380- 51-166
陳滿妻 清 見葉氏
陳漢明(字天章) 483- 16-370
570-135-21之2
陳漢明(宿松人) 511-405-152
559-392-9上
陳漢明(懷安人) 529-455- 43
563-809- 41
陳窯宋 451-180- 6
陳豪宋 見陳好
陳豪明 529-464- 43
陳褎陳褒 明 460-825- 92
481-749-334
529-646- 48
678-455-113
1442- 52-附3
1460- 93- 44
陳慥宋 285-750-298
471-935- 50
471-959- 53
473-282- 61
480-139-264
533-726- 73
534-555- 99
591-635- 46
1107-538- 39
1351-702-150
1356-244- 11
1384-658-139
1408-515-532
陳絜妻 宋 見黃氏
陳榮宋 494-328- 6
陳榮明(字仲仁) 523- 85-149
1263-514- 5
陳榮明(甌寧人) 529-685- 50
陳榮明(字勉仁) 529-710- 50
陳榮明(戎縣人) 554-310- 53
陳榮女 明 見陳氏
陳璨清 478- 94-180
554-320- 53
陳壽晉 256-343- 82
377-868-129上
384-100- 5
385-629-66中上
469-693- 86
471-1018- 63
473-455- 68
481-182-300
537- 66- 49
559-363- 8
591-601- 44
933-155- 11
陳壽妻 晉 見都尉娘
陳壽宋 564- 72- 44
陳壽明(謚敏肅) 299-444-150
480-204-267
533- 68- 49
陳壽明(字本仁) 300- 53-186
453-593- 13
472-627- 25
473-130- 55
474-822- 44
475-711- 86
477-565-177
502-382- 64
511-913-173
515-549- 74
545-273- 93
554-172- 51
陳壽明(字伯龍) 480- 92-262
533-420- 62
陳壽明(字克永) 1375- 29- 上
陳壽明 見陳延齡
陳壽妻 明 479-768-252
516-264- 98
陳與女 宋 見陳氏
陳輔宋(字輔之) 451-150- 3
511-843-168
陳輔宋(字安國) 487-114- 8
491-390- 4
494-339- 7
1118-983- 67
陳輔明(宜賓人) 559-372- 8
陳輔明(江西廣昌人)
569-668- 19
陳輔明(推官) 1459-453- 14
陳輔女 明 見陳氏
陳熙明(慈谿人) 473-654- 78
528-572- 32
陳熙明(字子明) 821-452- 57
陳搏宋 288-421-457
371- 16- 2
382-769-118
384-336- 17
401- 13-569
407-679- 5
408-663- 26
449-113- 10
451-490- 8
471-1021- 63
472-682- 27
472-843- 33
473-252- 60
476-187-106
477-138-155
478-358-191
511-857-169
516-475-105
533-767- 74
538-159- 66
547-168-147
548-127-165
554-870- 64
556-336- 90
561-226-38之3
591-382- 30
592-264- 76
677-165- 16
820- 62- 36
933-158- 11
1096-805-下
1104-362- 33
1437- 7- 1
陳榛妻 明 見龔氏
陳槐明 523-534-172
528-529- 31
1474-283- 13
陳鳶明 460-563- 55
529-676- 49
陳愿宋 見陳寔
陳愿明 505-909- 81
陳戩宋 449-411-上5
472-1052- 44
473-605- 76
523-240-157
529-600- 47
1127-821- 13
陳瑭宋 1121-412- 28
陳瑭明 523-624-177
陳碧妻 清 見劉氏
陳翥宋(號閉門先生)
472-369- 16
511-854-169
陳翥宋(延平人) 567-443- 86
1467- 45- 63
陳嘉元 524-419-200
陳嘉明(魏縣人) 472-134- 4
陳嘉明(長樂人) 523- 83-149
529-455- 43
陳嶔南北朝 524-675-210
陳構唐 820-242- 28
陳瑤明(字仲華) 473-177- 57
515-122- 60
559-252- 6
567-318- 78
1467-203- 69
陳瑤明(桂林人) 563-833- 41
陳瑤明(仁和人) 585-580- 22
陳瑤妻 明 見胡氏
陳兢邵陵王 陳 260-734- 28
265-921- 65
375-410-83下
535-556- 20
陳兢宋(德安人) 288-406-456
400-295-524
473- 88- 52

十一畫 陳

479-607-244
516-119- 92
陳兢宋(字戒叔) 529-737- 51
陳墉明 821-484- 58
陳髦宋 529-680- 50
陳豨漢 243-229- 8
244-611- 93
250- 51- 34
陳聞明 1238-138- 12
陳翠戰國 405-145- 65
陳聚元 1439-443- 2
陳聚明 505-863- 77
陳穀明(進賢人) 559-268- 6
陳橐宋 287-322-388
398-339-386
472-1071- 45
472-1101- 47
473-673- 79
479-234-227
479-285-230
479-448-237
482- 33-340
486-328- 15
515- 16- 57
523-303-160
563-659- 39
陳嘏唐 473-585- 75
529-734- 51
陳遘宋 288-288-447
382-705-109
400-149-512
472- 65- 2
472- 86- 3
473-390- 65
474-651- 34
475- 17- 49
476-610-133
478-760-215
480-543-283
505-631- 67
523- 12-146
533-403- 61
540-640- 27
567- 65- 65
585-759- 4
1467- 37- 63
陳遘元 820-543- 39
陳遠宋 484-383- 28
陳遠元 見陳達
陳遠明 472-1088- 46
511-861-170
524-318-194
820-566- 40
821-342- 55
陳遜妻 元 見吳氏
陳遜明 473-606- 76
473-807- 86
510-287-112
529-614- 47
569-648- 19
1240-260- 16
1240-875- 10
1241-184- 8
陳蒨陳 見陳文帝
陳睿元 820-526- 38
陳圖晉 559-259- 6
陳蒞明 540-816-28之3
陳暐宋 494-348- 7
陳睍妻 清 見王氏
陳暢晉 684-470-下
814-244- 6
820- 55- 23
陳蒙宋 287-773-423
398-700-414
479-632-245
516-207- 95
523-288-159
陳蒙明(字允德) 511-739-165
1442- 37-附2
1459-769- 30
陳蒙明(字亨父) 1263-520- 5
陳蒙妻 明 見王氏
陳僎明 493-984- 52
511-387-151
1255-535- 58
陳僎妻 明 見周妙清
陳賁漢 475-603- 81
陳鳳漢 539-350- 8
陳鳳宋 1184-625- 15
陳鳳明(榆林人) 478-272-187
545-297- 94
554-179- 51
陳鳳明(巴州人) 559-361- 8
陳鳳明(號玉泉) 676-571- 23
820-695- 43
1442- 56-附3
1460-151- 47
陳鳳明(杭州衛指揮)
676-597- 24
陳鳳明(陳景初孫) 821-376- 55
陳鳳明(字鳴岐) 1442- 69-附4
1460-332- 55
陳熊宋 484-376- 27
524-229-189
陳熊明 299-474-153
陳銘宋 515-856- 85
陳銘明(字公晉) 533-331- 58
陳銘明(字以義) 1240-361- 23
陳銓明(號筆山) 529-677- 49
陳銓明(直隸資州人)
559-320-7上
陳銓清 563-875- 42
陳僖宋 1153-319- 84
陳縉女 宋 見陳氏
陳維宋 1161-645-127
陳維明 554-258- 52
陳維妻 明 見林氏
陳銑明 572-107- 30
1241-494- 8
陳篪女 明 見陳氏
陳綺明 576-653- 5
陳綱漢 554-744- 62
879-179-58下
陳綱宋(字舉正) 528-520- 31
529-527- 45
陳綱宋(字少張) 1113-236- 23
陳綱明(字從道) 453-385- 10
511- 97-140
陳綱明(字文舉) 482-207-347
563-811- 41
564-201- 46
陳綱明(禮部郎中) 820-644- 41
陳綱明(字宗憲) 1274-601- 2
陳綱明 見舒綱
陳綸明(字孔經) 529-585- 46
陳綸明(字汝中) 1255-587- 62
陳綸明(字以言) 1255-745- 75
陳榘明(字公方) 480-205-267
陳榘明(寧都人) 563-707- 39
陳綬明 473-645- 78
陳寬明(歙縣人) 532-695- 45
陳寬明(字孟賢) 821-390- 56
1386-310- 40
陳寬明(字存太) 1274-408- 14
陳寬妻 明 見鄭氏
陳寬妻 明 見劉氏
陳潔前蜀 592-475- 90
陳諒宋 528-443- 29
529-502- 44
陳廣女 晉 見陳歸女
陳廣宋 821-245- 52
陳廣明(寧德人) 460-821- 91
陳廣明(壽九十八) 512-740-195
陳賡宋 1090- 73- 14
陳賡金 476-123-102
546-709-138
1202-305- 21
1439- 13- 附
1471-239- 1
陳賡妻 清 見楊氏
陳憬明 1226-644- 4
陳潮明 481-649-330
529-682- 50
陳澄唐 683- 9- 0
陳潤妻 唐 見白氏
陳潤女 唐 見陳氏
陳潤元 黃正孫妻、陳著女
1209-528-9上
陳潤明(泗水人) 494- 21- 2
554-279- 53
陳潤明(順天人) 554-310- 53
陳潤明(字德潤) 1246-437- 9
陳澗明 523-206-155
陳澗妻 明 見劉錦娘
陳澔宋 400-579-553
473- 77- 52
479-580-243
516-101- 91
539-506-11之2
679- 53-143
陳誼妻 清 見趙氏
陳謹女 明 見陳氏
陳調漢 554-745- 62
879-181-58下
陳論明 676-221- 8
陳論清 524- 15-178
陳毅金 546-376-127
陳談明 529-464- 43
陳褒唐 494-346- 7
陳褒南唐 516-119- 92
陳褒明 見陳褎
陳慶明 537-281- 55

676-584- 24
1294-242-6上
陳慶明 見陳公賢
陳適宋(字正中) 484-384- 28
529-440- 43
陳適宋(字至叔) 288-288-447
382-706-109
400-150-512
陳駭元(泉州人) 473-584- 75
528-484- 30
陳駭元(字玄甫) 1439-444- 2
陳慤唐 812-347- 9
陳賢唐 820-280- 30
陳賢明(壽州人) 299-406-146
511-419-152
886-143-138
陳賢明(崇禎十六年卒)
456-673- 11
陳賢明(字廷傑) 460-529- 49
473-194- 58
529-505- 44
1247-49- 3
陳賢明(順天人) 545-387- 97
陳賢妻 明 見張氏
陳賢女 明 見陳氏
陳撰明 533-416- 62
陳標明 511-513-157
陳標妻 清 見趙氏
陳賚妻 清 見褚氏
陳瑾宋 524-228-189
1164-389- 21
陳瑾明 515-261- 65
532-600- 41
陳瑾清 528-466- 29
533-181- 52
陳輞明 515-189- 62
陳醇明 523-491-170
528-561- 32
陳增明 302-285-305
陳確明 見陳道永
陳闇明 529-686- 50
陳璋明(字公獻) 458-162- 8
820-731- 44
陳彰明(字廷章) 479- 53-218
524- 98-183
陳璋明(字宗獻) 479-408-235
523-347-162
676-255- 10
陳璋明(字圭仲) 510-456-117
陳璋明(固始人) 538-122- 64
陳璋明(字子璋) 1224-492- 29
陳璋妻 明 見瞿氏
陳瑺清 481-185-300
532-753- 46
559-411-9下
陳瑺妻 清 見邸氏
陳墀明 529-463- 43
563-754- 40
1392-825-441
陳樞母 宋 見周氏
陳樞宋 494-380- 11
528-481- 30
1356-188- 9
陳閱唐 486-406- 19
陳鼐宋 524-292-193
陳鼐明 456-611- 9
538- 52- 63
陳璆宋 1095-263- 30
陳震蜀漢 254-623- 9
377-276-118上
384-460- 12
385-685- 67
447-194- 7
470-354-142
472-771- 30
477-369-167
481-348-309
537-539- 59
559-304-7上
591-667- 47
591-689- 48
933-155- 11
陳震宋 528-522- 31
529-735- 51
679-510-188
陳震明(字起東) 493-1034- 54
陳震明(字起元) 528-498- 30
陳震明(字文靜) 545- 75- 85
558-351- 35
陳霆明 676-531- 21
1442- 40-附2
1459-812- 33
陳璇明(字汝衡) 478-766-215
511-351-149
523- 39-147
陳璇明(字治之) 567-120- 67
1467-120- 66
陳璇明(字叔維) 1257-546- 10
陳璉明(字廷器) 453-223- 20
472-402- 18
472-646- 26
473-675- 79
475-797- 90
481- 23-291
482- 36-340
510-486-118
529-635- 48
537-343- 56
559-249- 6
564-143- 45
567- 85- 66
676-481- 18
820-611- 41
1242-148- 29
1284-355-163
1442- 18-附1
1459-545- 19
1467- 58- 64
陳璉明(興化人) 473-186- 58
515-272- 65
陳璉明(字宗器) 547-561-161
陳璉明(字汝器) 1241-803- 20
陳璉妻 明 見孔氏
陳穀明(字仲旦) 569-658- 19
1241-657- 14
陳穀明(字粟餘) 821-444- 57
陳穀明(字世用) 1241-826- 21
陳模陳謨 宋 460-191- 12
1318-232- 52
陳遬漢 544-198- 62
陳遷宋(字安仲) 484-382- 28
陳遷宋(字德升) 515-738- 80
516-452-104
陳遷明 529-730- 51
陳遷妻 明 見李娥
陳履明 523-107-150
564-153- 45
陳賞陳岳孫 宋 451- 51- 2
陳賞女 宋 見陳氏
陳賞明 473-152- 56
515-661- 77
1239-228- 42
1241-294- 13
陳慕陳篆 宋 473- 77- 52
516- 96- 91
陳蔡明 563-798- 41
陳嶠唐 1084-150- 6
1084-151- 6
陳輝宋 484-107- 3
陳輝妻 元 見白氏
陳輝明(上虞人) 473-112- 54
515-172- 62
陳輝陳煇、陳暉 明 (字伯煒)
473-573- 74
529-719- 51
676-478- 18
820-592- 40
1442- 22-附2
1459-584- 21
陳輝清 528- 9- 17
陳賜明 563-775- 40
陳蓬唐 481-751-334
530-208- 60
陳餘漢 243-197- 7
244-578- 89
250- 22- 32
251-501- 8
376- 13- 19
384- 38- 2
472-650- 27
544-197- 62
933-153- 11
1408-246-505
陳鋐清 505-897- 80
陳箴宋 559-399-9上
陳箴明 見陳緘
陳穡明 564-117- 45
陳儀明(字羽伯) 820-599- 40
陳儀明(字象之) 821-444- 57
陳儀明(字叔度) 1241-206- 10
陳儀清 511-873-170
陳質妻 宋 見丁氏
陳質明(謚烈愍) 299-362-142
456-694- 12
545-267- 93
陳質明(字太素) 558-474- 40
陳質明(雲南按察副使)
1241-810- 20
陳德明 299-230-131
472-206- 7
475-753- 88
511-418-152

十一畫 陳

545-340- 96
1227-154- 19
陳緘陳箴 明 456-519- 6
陳畿妻 明 見王氏
陳魯明 547-563-161
陳銳宋 484-387- 28
陳銳明 299-474-153
475-325- 65
568-219-106
1250-908- 86
陳銳清 456-333- 76
陳劍唐 471-674- 13
473-623- 77
481-718-333
528-548- 32
陳範宋 460-301- 20
陳範明(字道宗) 558-297- 34
陳範明(字文範) 564-261- 47
1240-104- 7
陳範清 554-616- 59
陳皞明 1246-618- 12
陳緯唐 見玄奘
陳緯宋(台州人) 515-146- 61
陳緯宋(字經仲) 524-209-188
陳緯清 482-451-362
陳緝明 1391-687-343
1459-496- 16
陳篆陳華國 宋 448-369- 0
492-701-3上
492-712-3下
陳篆宋 見陳慕
陳稷明 1256-414- 26
陳稷妻 明 見譚氏
陳樂明 1274-446- 17
陳樂妻 明 見賴氏
陳徵元 453-786- 3
472-223- 8
493-1074- 57
511-893-172
516-102- 91
1216-611- 12
1386-738- 下
陳徵明 456-551- 7
陳憲劉宋 477-407-169
511-395-151
陳憲明(字廷章) 479-181-225
515- 34- 58
524-253-190
陳憲明(西平人) 510-392-115
陳熾吳 254-716- 2
384-610- 35
385-688- 67
陳導漢 370-208- 21
陳潞明 554-258- 52
陳龍元 1220-720- 8
陳諮女 宋 見陳氏
陳熺清 480-545-283
陳澤明 523-248-157
陳諶漢 253-303- 92
254-398- 22
376-922-111下
386- 10-69上
477-476-173
933-154- 11
陳諶元 1206-194- 20
陳諤宋 1142-636- 8
陳諤明 299-597-162
453-267- 24
453-582- 11
482- 36-340
505-636- 67
564-114- 45
陳燁宋 1164-650- 25
陳寰明 676-543- 22
1280-343- 81
陳寰女 明 見陳氏
陳濂明(字德清) 472-309- 13
510-291-112
523-534-172
1474-261- 12
陳濂明(字道源) 563-800- 41
陳濂明(號東莊) 1274-415- 15
1458-697-471
陳濂妻 明 見黎氏
陳諫唐 275-347-168
820-227- 28
陳諫明 554-513-57下
陳諫妻 明 見李氏
陳諫妻 明 見孫氏
陳燉祖母 明 見張氏
陳燉明 1257-914- 5
陳遴清 524-233-189
陳遵漢 251-159- 92
253- 40- 73
370-213- 23
380-512-180
402-380- 4
472-737- 29
472-830- 33
537-294- 56
554-919- 64
814-223- 3
820- 27- 22
933-153- 11
1408-397-518
陳遵明 821-452- 57
陳璜明 578-934- 25
578-935- 25
陳璜清 524- 68-181
陳璟宋 529-440- 43
陳璟宋 見陳鑑之
陳璟明 1258-688- 16
陳璟妻 明 見朱氏
陳璣宋 1171-374- 10
陳璣妻 宋 見何氏
陳璣明(福清人) 473-166- 57
515-107- 60
陳璣明(連城人) 481-723-333
529-699- 50
陳璣明(字天器) 524-354-196
821-376- 55
陳璣明(字廷用) 1247-532- 24
陳熹明 532-669- 44
陳頤明(字克養) 821-392- 56
陳頤明(字九齡) 1242-175- 30
陳融唐 511-829-168
1077-649- 7
1344-119- 70
陳樲妻 清 見段氏
陳樵元 453-802- 4
479-327-232
524-293-193
676-709- 29
1221-427- 6
1224-258- 22
1439-431- 1
1458-325-439
1469-137- 42
陳機宋 460-192- 12
陳穎隋 見侯莫陳穎
陳穎宋 563-684- 39
陳臻戰國 405-457- 85
539-641-11之6
陳頵晉 256-191- 71
377-757-127
473-314- 62
477-127-155
480-613-287
532-745- 46
537-421- 58
554-107- 50
933-155- 11
陳頵唐 564- 25- 44
陳璚明 511-101-140
545-189- 90
676-514- 20
1250-835- 80
1256-429- 28
1284-144-147
1386-361- 42
1442- 35-附2
1459-736- 29
陳璠明(字瑕無) 570-218- 23
陳璠明(字汝玉) 523-531-172
1269-450- 7
陳璠清 481-808-338
563-894- 42
陳翰明 529-760- 53
陳翰妻 明 見林氏
陳壁明 見陳文東
陳璘宋 451-179- 6
陳璘明(字朝爵) 301-195-247
481- 26-291
482- 78-341
483-225-390
563-847- 41
571-534- 19
陳璘明(字邦瑞) 545-665-107
554-175- 51
1269-412- 5
陳輯宋 564-704- 59
陳鼐明 1467- 68- 64
陳霖宋 288-377-453
400-137-511
479-821-256
481-586-328
529-533- 45
陳霖明(福建福清人)
472-645- 26
537-343- 56
陳霖明(字士悅) 1239-157- 37
陳操唐 1053-177- 4

陳樸陳朴 宋 460-191- 12
481-774-336
528-491- 30
529-648- 48
陳樸元 472-223- 8
陳選宋 1121-449- 32
1121-702- 4
1125-365- 27
1125-366- 27
1126-711-162
1136-659- 9
1145-689- 81
陳選明(字士賢) 299-591-161
453-466- 18
453-631- 32
457-763- 45
458-771- 5
472-174- 6
472-1105- 47
473- 16- 49
475- 19- 49
476-917-148
479-294-230
479-452-237
481-805-338
493-789- 42
510-291-112
515- 37- 58
523-607-176
537-215- 54
563-732- 40
564-720- 59
678-684-135
680- 41-228
683-118- 1
1249-833- 11
1255-552- 59
1458-346-441
陳選明(字子俊) 529-722- 51
陳豫宋(字由用) 1135-370- 35
陳豫宋(字謙仲) 1138-441- 20
陳豫妻 宋 見潘氏
陳豫明 299-474-153
陳蕪明 見王瑾
陳曇陳譚 唐 812-353- 10
812-371- 0
821- 77- 47
陳興宋 285-481-279
396-722-319
400-175-513
472-131- 4
472-877- 35
477-208-159
478-543-202
558-192- 31
陳興元 1206-150- 16
陳興明 532-633- 43
陳蕃陳藩 漢 253-345- 96
370-203- 21
376-947-112
384- 65- 3
402-426- 7
402-479- 11
402-579- 20
459-259- 16
469- 85- 11
471-721- 19
472-586- 24
472-716- 28
472-792- 31
473- 12- 49
476-655-135
477-414-169
479-481-239
515- 76- 59
538- 65- 63
540-644- 27
588-363- 3
933-154- 11
1112-654- 8
陳蕃陳藩 陳 260-734- 28
265-921- 65
375-411-83下
493-644- 35
陳蕃宋 484-389- 28
陳蕃妻 明 見任氏
陳[illegible]明 523-319-161
陳曄宋(福州人) 472-1014- 41
473-682- 79
523-213-156
563-665- 39
592-536- 94
陳曄宋(長樂人) 481-719-333
528-550- 32
529-445- 43
陳曄宋(字孟華) 491-111- 13
陳曄明 554-254- 52
陳踰宋 1150-891- 50
陳蕩唐 820-287- 30
陳蕖明 564-779- 60
1291-626- 1
陳叡南唐 515-732- 80
陳暹宋 484-378- 27
陳暹明(富順人) 480-319-272
532-683- 44
陳暹明(字季昭) 511-866-170
821-404- 56
1260-601- 17
陳暹明(永平衛人) 554-311- 53
陳暹明(字德輝) 529-463- 43
567-129- 67
1467-103- 65
陳暹明(教諭) 676-171- 7
陳遺劉宋 265-1035- 73
380- 93-167
475-125- 56
485-163- 22
493-1004- 53
511-517-157
879-183-58下
933-156- 11
陳篤明 558-452- 38
陳篔明 472-242- 9
陳耤明 820-613- 41
1442- 31-附2
1459-699- 27
陳縝宋 529-441- 43
陳龜漢 253-139- 81
370-202- 21
376-826-110
402-457- 10
472-504- 21
472-623- 25
472-823- 33
476-205-107
478- 85-180
546-181-121
554-100- 50
933-154- 11
陳翺唐 820-242- 28
陳錞明 524-361-196
陳錙明 511-567-158
陳縞明 523-133-152
陳縉明 558-432- 37
陳錡元 524-235-189
陳錡陳奇 明(字器之)
473-660- 78
481-749-334
529-644- 48
陳錡明(字有容) 1255-564- 60
陳錡清 475-379- 68
511-463-154
陳鋼明 301-742-281
473-336- 63
480-403-277
480-582-285
511- 77-139
532-694- 45
532-743- 46
820-636- 41
821-396- 56
1251-317- 23
1263-545- 6
1457-710-410
陳鋼妻 明 見金氏
陳錦明(高平人) 547-133-146
陳錦明(漳州人) 563-828- 41
陳錦清 474-824- 44
481-494-324
502-673- 80
528-465- 29
陳儒唐 275-531-186
396-252-274
陳儒明(字懋學) 478-769-215
505-801- 74
523- 50-148
554-214- 52
陳儒明(字鑑章) 515-491- 71
545-101- 86
545-227- 91
陳儒明(交阯人) 676-558- 23
陳儒明(字惟學) 1246-652- 15
陳衡宋(字秀平) 529-561- 46
陳衡宋(字公權) 1146-214- 94
陳衡妻 宋 見黄氏
陳衡明(永豐人) 515-656- 77
554-188- 51
陳衡明(字祖平) 564-284- 47
陳錫唐 820-195- 27
陳錫宋 451-100- 3
陳錫女 宋 見陳氏
陳錫明(字元之) 524- 68-181

677-616- 55
陳錫明(字祐卿) 564- 95- 45
陳勳明 529-480- 43
676-625- 26
820-736- 44
821-448- 57
1442- 87-附5
陳勳明 見饒勳
陳錄明 見陳憲章
陳濤元 1193-515- 23
陳鴻唐 273- 92- 59
陳鴻明 529-721- 51
1442-116-附7
陳應戰國 405-365- 80
陳應宋 482-524-367
568-737- 附
568-742- 附
陳應明 1253-158- 48
陳鎏明 511- 95-140
532-670- 44
676-572- 23
820-696- 43
1283- 63- 72
1284-173-150
陳濬南唐 515-301- 66
陳謐宋 487-120- 8
491-433- 6
陳講明 545- 90- 85
559-395-9上
676-237- 9
676-551- 22
陳膺宋 511-844-168
陳膺妻 元 見李氏
陳禧唐 1205-388- 15
陳禧明 523-547-173
陳濟明(字伯載) 299-461-152
453-225- 21
472-262- 10
475-225- 61
511-681-163
676- 27- 1
678-187- 87
1237-279- 5
陳濟明(字伯舟) 1376-658- 97
陳濟明(字以舟) 1475-241- 10
陳濟明 見陳霽
陳濞漢 535-551- 20
539-348- 8
陳禪漢 253-135- 81
376-823-110
384- 63- 3
402-463- 10
469-693- 86
472-623- 25
472-864- 34
473-455- 68
474-731- 40
478-242-186
481-182-300
502-248- 53
554- 99- 50
559-363- 8
591-591- 44
933-154- 11
陳濛宋 475-367- 67
陳謙漢 402-470- 10
402-567- 19
陳謙宋 287-426-396
398-422-391
472-1117- 48
475-214- 60
523-495-170
523-570-174
678-564-123
1164-447- 25
陳謙元(字子平) 493-968- 51
511-520-157
677-522- 48
1222-345- 33
1471-427- 9
陳謙元(字伯謙) 820-545- 39
陳謙明(茶陵人) 533-250- 55
559-318-7上
陳謙明(字以遜) 570-211- 23
陳謙明(字士謙) 820-641- 41
821-397- 56
1250-746- 71
1458-104-424
陳謙明(字晶讓) 1243-468- 5
陳襄宋 286-257-321
382-549- 85
384-370- 19
397-406-344
449-285- 14
459- 54- 3
460-160- 10
471-585- 1
471-614- 4
471-648- 10
471-659- 11
472-254- 10
472-644- 26
472-717- 28
472-961- 38
472-1084- 46
472-1101- 47
473-571- 74
473-598- 76
475-214- 60
477-242-161
479- 41-218
479-285-230
481-526-326
481-672-331
484- 96- 3
484-186- 8
510-359-114
523- 75-149
528-521- 31
529-434- 43
537-287- 55
588-176- 8
708-344- 50
820-370- 33
933-159- 11
1093-705- 25
1093-710- 25
1093-712- 25
1093-717- 25
1093-719- 25
1126-577-138
1147-632- 60
1362-837- 83
1437- 15- 1
陳襄八世孫 元 1222-494- 14
陳襄明 564-281- 47
陳襄妻 明 見倪氏
陳燮明 481-555-327
1254-580- 上
陳燧明(字德潤) 1258-777- 8
陳燧明(字民初) 1442- 9-附1
1459-483- 15
陳燧明 見陳璲
陳輿晉 255-624- 35
陳輿明 1256-408- 26
陳輿妻 明 見徐氏
陳懋明 299-397-145
453-183- 17
478-595-204
511-419-152
1244-583- 10
1374-566- 78
陳懋妻 明 見楊氏
陳翼明(字沖霄) 453-159- 15
陳翼明(字良輔) 523-530-172
1247-515- 23
陳臨漢 402-440- 9
473-776- 84
482-450-362
564- 3- 44
567- 20- 63
1467- 2- 62
陳覯清 515-726- 79
陳孺陳叔禎 宋 448-358- 0
471-738- 21
515-744- 80
陳駿宋 460-317- 24
529-642- 48
678-403-108
陳駿明 482-371-357
564-196- 46
567- 88- 66
1467- 67- 64
陳璲陳燧 明(字廷嘉)
479-293-230
515- 35- 58
523-607-176
676-476- 18
1467- 67- 64
陳璲明(字仲和) 567-318- 78
1467-214- 70
1467-304- 74
陳璲明(字孟規) 1255-591- 62
陳璲明(莆田人) 1267-595- 10
陳璲妻 明 見王氏
陳璲妻 明 見康氏
陳璲妻 明 見鄭氏
陳環唐 525-388-236
陳環女 明 見陳五妹
陳擬陳 260-641- 15
265-908- 65
375-398-83下

488-274- 11
488-295- 11
陳薦宋 286-273-322
382-547- 85
384-373- 19
397-416-344
472-108- 4
473-427- 67
474-409- 20
481- 68-293
505-757- 72
545- 43- 84
559-265- 6
933-159- 11
陳薦明 480-544-283
533-108- 50
554-188- 51
陳黻明 見陳元謨
陳嬰母 秦 448- 75- 8
452- 87- 2
475-856- 94
512- 1-176
陳嬰漢 243-187- 7
472-198- 7
511-428-152
陳曙五代 533-726- 73
陳曙妻 明 見張氏
陳覬宋 529-654- 49
陳嶷南平王 陳 260-734- 28
265-921- 65
375-410-83下
陳嶷宋 538- 91- 64
陳嶷明 475-781- 89
511-360-150
陳爵明 473-656- 78
529-566- 46
563-794- 41
1254-436- 3
陳穗女 明 見陳義姑
陳鍹清 511-323-148
陳鍾明 558-413- 37
陳矯魏 254-405- 22
377-181-116
384- 86- 4
384-641- 39
472-200- 7
472-293- 12
472-693- 28
475-854- 94
477-160-157
505-688- 70
511-380-150
537-261- 55
552- 23- 18
933-155- 11
陳韡清 505-884- 79
陳穉明 821-417- 56
陳徽晉 488- 96- 7
陳顏宋 484-383- 28
陳顏金 291-719-127
400-306-525
472-709- 28
477-209-159
538- 95- 64
陳顏明 524-145-185
陳廥金 見陳賡
陳燽女 明 見陳氏
陳謹明 460-519- 46
529-472- 43
563-782- 40
676-586- 24
陳禮明(建德人) 472-1017- 41
陳禮明(字正言) 483-320-396
571-546- 20
1241- 38- 2
陳禮明(濟陽人) 537-266- 55
陳禮妻 明 見何氏
陳糦清 533-323- 57
陳謨宋 見陳模
陳謨明(字一德) 301-755-282
458-603- 1
473-150- 56
479-716-250
515-641- 77
676-455- 17
678-182- 87
1232-526- 附
1232-737- 0
1442- 14-附1
1459-487- 16
陳謨明(字昌言) 524-111-183
陳謨明(字繼顯) 529-657- 49
陳謨明(嘉靖舉人) 545-895-114
陳謨明(有孝行) 547- 47-142
陳謨明(字古訓) 820-681- 42
陳謨妻 明 見王氏
陳謨妻 明 見張氏
陳騏陳麒 明 494-155- 5
564- 90- 45
569-650- 19
821-391- 56
陳璸明 302-102-294
456-430- 2
479-175-225
479-766-252
481-617-329
515-126- 60
523-138-152
529-575- 46
陳璸清 480-364-275
481- 29-291
481-496-324
481-763-335
482-239-349
528-471- 29
528-567- 32
532-608- 42
559-326-7下
564-304- 48
陳璹宋 1138-796- 21
1145-695- 81
陳燾宋 473-720- 81
482-208-347
陳贄明 524- 56-180
676-501- 19
820-619- 41
1245-435- 21
1442- 28-附2
1459-655- 25
陳擴宋 484-375- 27
陳攄宋 473-615- 77
481-643-330
487-121- 8
491-394- 4
491-434- 6
523-448-168
528-505- 31
陳璧宋 493-748- 41
494-406- 12
510-328-113
陳璧女 元 見陳淑眞
陳璧明(字天瑞) 523-456-168
陳璧明(字道良) 529-477- 43
陳璧明(字瑞卿) 540-641- 27
541-697-35之19下
545-662-107
1255-371- 42
陳璧明(字德如) 545-667-107
陳璧明 見陳文東
陳豐漢 251- 22- 84
陳豐陳應壽 宋 448-361- 0
448-404- 0
473-712- 81
563-688- 39
933-166- 11
陳璿妻 清 見李氏
陳覲明 523-549-173
陳彝明(青州人) 479-378-234
523-219-156
陳彝明(號西溪) 1442- 38-附2
陳彝清 511-610-160
陳藎妻 明 見程氏
陳囂漢 402-461- 10
陳鵠明 1287-747- 8
陳鎬明(字宗之) 300- 70-187
472-175- 6
511-719-165
676-518- 20
陳鎬明(字德高) 1228-812- 14
陳鎬妻 清 見李氏
陳鎰明(字有戒) 299-558-159
453-579- 10
472-230- 8
472-828- 33
472-963- 38
475-133- 56
493-984- 52
511- 96-140
523- 37-147
554-165- 51
558-147- 30
676-477- 18
1284-131-146
1442- 21-附2
1459-582- 21
陳鎰明(臨清人) 476- 30- 97
545-148- 88
545-387- 97
陳鎧明 472-666- 27
477- 87-153
538- 80- 64
陳簡唐 820-291- 30

陳簡明(屯田人) 505-684- 69
陳簡明(字文澈) 1250-475- 44
陳簡不詳 1061-290-112
陳鎜明 1375- 28- 上
陳儁明 480-652-289
陳儁妻 明 見劉氏
陳穟明 1242-390- 37
陳瀛明 1442- 50-附3
1460- 74- 43
1475-263- 11
陳贇唐 843-663- 中
陳麒明 見陳騏
陳爌清 477-568-177
537-526- 59
554-222- 52
陳譚唐 見陳曇
陳譁明 515-441- 70
陳懷明 299-512-155
472-329- 14
511-493-156
545-269- 93
559-504- 12
陳璽明(絳州人) 476-402-119
547-111-145
陳璽明(字子珍) 533-414- 62
陳璽明(字德符) 1392-826-441
1442- 50-附3
1460- 69- 43
陳璽妻 明 見戴氏
陳韞唐 683- 9- 0
陳韜明 472-603- 25
476-698-137
540-654- 27
546- 91-118
546-602-135
陳麗元 1202-287- 20
陳韡妻 宋 見林氏
陳騤宋 287-389-393
398-389-389
472-1103- 47
479-288-230
523-315-161
678-130- 81
陳櫟陳佳老 元 295-526-189
400-570-552
453-787- 3
459-133- 8
472-381- 16
475-569- 79
508-320- 41
511-703-164
676-699- 29
678-160- 85
1205-152- 附
1205-393- 15
1205-441- 17
1205-442- 17
1205-448- 附
1375- 20- 上
1376-196- 71
1439-428- 1
1468-529- 24
陳疇宋 532-717- 45
585-767- 5
陳黼宋 472-1029- 42
479-323-232
524-265-191
陳顗明 1253- 57- 43
陳藩漢 見陳蕃
陳藩陳 見陳蕃
陳蟾明 524-146-185
陳贊宋 529-643- 48
陳鵬明 456-504- 5
481-807-338
陳鏜後唐 1090-663- 38
陳鏞唐 529-715- 51
陳鏞明(濠人) 299-231-131
陳鏞明(字叔振) 299-496-154
479- 52-218
523-356-163
676-478- 18
1238-191- 16
1374-724- 93
陳鏞明(東昌指揮僉事)
540-641- 27
陳繹宋(字和叔) 286-375-329
473- 96- 53
477- 80-152
478-452-197
488-397- 13
515-182- 62
1092-642- 60
陳繹宋(性孝) 933-164- 11
陳繹宋(字元成) 1150-891- 50
陳繹明 1391-687-343
陳鏐明 472-367- 16
陳鶱劉鶱 晉 255-624- 35
377-447-121上
386-188-75下
472-201- 7
475-854- 94
511-380-150
933-155- 11
陳寶明(鹽城人) 511-568-158
陳寶明(字大訓) 1242-244- 32
陳寶妻 清 見董氏
陳議元 1206-194- 20
陳瀾明(麗水人) 479-793-254
515-280- 65
陳瀾明(江南泰州人)
569-662- 19
陳瀾清 564-300- 48
陳闡宋 528-521- 31
529-491- 44
陳瓌唐 820-181- 27
陳瓌宋 時鎬妻 1150-121- 13
陳獻明 473-298- 62
480-242-269
532-668- 44
陳獻妻 明 見呂氏
陳曦宋(字景初) 484-375- 27
陳曦宋(字元和) 487-120- 8
491-436- 6
523-286-159
陳贍宋 843-666- 中
陳藻宋 460-139- 8
529-442- 43
676-692- 29
1254-582- 上
1363-649-205
1437- 26- 2
1457-625-400
陳藻明 567-400- 83
陳嚴宋 523-557-174
陳鑢明 299-407-146
陳籌宋 529-578- 46
陳纁明 301-463-263
456-582- 8
480-176-266
533-378- 60
陳繻明 456-606- 9
陳繼陳釋童 明 299-462-152
472-230- 8
475-133- 56
493-980- 52
508-236- 38
511-674-163
676-482- 18
821-357- 55
1238-166- 14
1240-353- 22
1385- 48- 2
1386-694- 上
1442- 19-附1
1458-175-430
1459-558- 19
陳覺明 563-840- 41
陳寵漢 253- 70- 76
370-192- 19
376-790-109下
384- 61- 3
384- 62- 3
402-405- 6
402-456- 10
402-522- 15
471-966- 54
472-199- 7
475-746- 88
481- 65-293
511-341-149
540-663- 27
591-658- 47
933-154- 11
陳寵明 1255-500- 54
陳瀧宋 493-1023- 54
1437- 32- 2
陳瀚明(字深源) 1271-590- 50
陳瀚明(字玄海) 1475-302- 12
陳瀠明 1475-625- 27
陳鵠宋 529-495- 44
563-681- 39
陳鶴明 524- 57-180
564-288- 47
676-597- 24
820-707- 43
821-432- 57
1442- 68-附4
1455-762-248
1458-243-434
1460-312- 54
陳灌陳瓘 明 301-729-281
453-126- 12

453-546- 5
472-357- 15
479-716-250
510-435-116
515-636- 77
1238-162- 14
1374-597- 81
陳爚妻 宋 見王懋娘
陳夔明 1257-159- 15
陳夔妻 明 見俞氏
陳露明 563-802- 41
陳酆唐 529-558- 46
537-607- 60
陳酆女 唐 見陳性溫
陳韡宋 287-724-419
398-661-410
451-402- 14
472-173- 6
473- 14- 49
473-572- 74
473-599- 76
473-615- 77
475-367- 67
479-449-237
481-528-326
481-643-330
481-673-331
481-693-332
488- 14- 1
488-474- 14
515- 20- 57
528-523- 31
528-539- 32
528-550- 32
529-445- 43
1174-383- 25
陳顥元 295-403-177
399-711-491
472- 71- 2
472-144- 5
474-339- 17
505-729- 71
1202- 80- 7
1439-428- 1
陳顥明 1391-647-341
1442- 24-附2
1459-615- 23
1475-191- 8
陳黯唐 481-591-328
529-754- 52
674-425- 2
1084-178- 8
1084-249- 5
1339-674-707
1339-675-707
1405-667-304
陳黯後梁 407-650- 1
陳囂戰國 933-152- 11
陳囂漢(字君期) 370-209- 21
680-669-285
陳囂漢(字子公) 402-453- 9
453-738- 2
479-227-227
524-200-188
陳躋妻 清 見林氏
陳籓清 456-309- 74
陳鐸明(字大聲) 511-791-166
676-553- 22
820-595- 40
821-416- 56
1442- 49-附3
1460- 62- 43
陳鐸明(福安人) 529-710- 50
陳亹陳亹 明 460-772- 81
473-655- 78
529-565- 46
563-732- 40
陳爟明 1258-205- 18
陳懿宋 1127-337- 19
陳懿元 盧琦妻、陳怡孫女
1214-757- 附
陳瓘春秋 404-622- 38
陳瓘宋 286-580-345
382-649-100
384-381- 19
397-653-359
427-348- 2
427-349- 2
449-281- 13
459-573- 34
460-116- 6
471-611- 4
471-663- 12
471-710- 17
471-725- 19
471-766- 25
471-868- 39
471-901- 44
471-908- 46
471-920- 48
472-292- 12
472-309- 13
472-325- 14
472-706- 28
472-1067- 45
472-1084- 46
472-1102- 47
473- 76- 52
473-177- 57
473-402- 66
473-617- 77
473-725- 82
475-331- 65
475-365- 67
475-485- 73
475-533- 77
475-605- 81
475-698- 86
477-200-159
479-174-225
479-296-230
479-610-244
479-768-252
480-638-288
481-646-330
482-227-348
493-746- 41
494-325- 6
510-462-117
511-901-172
516-199- 95
524-327-195
529-579- 46
537-276- 55
563-905- 43
588-166- 8
674-291-4下
674-342-5下
674-829- 17
677-220- 20
708-343- 50
820-396- 34
933-160- 11
1139-520- 21
1145-385- 70
1145-709- 82
1319-172- 14
1356-682- 8
1363- 50-100
1437- 19- 1
1457-292-369
陳瓘明 見陳灌
陳權宋 529-735- 51
陳霽陳濟 明 676-528- 21
1442- 39-附2
1459-796- 32
陳鑄宋 477-411-171
528-437- 29
529-489- 44
537-337- 56
陳鑄明 1255-623- 65
陳儻宋 564- 77- 44
陳鑑宋 492-713-3下
陳鑑元 524- 90-182
陳鑑明(字貞明) 299-602-162
473-168- 57
479-749-251
515-476- 71
537-213- 54
陳鑑明(字緝熙) 452-237- 6
474-741- 40
493-989- 52
502-792- 88
511-737-165
676-494- 19
820-631- 41
1255-572- 61
1386-350- 42
陳鑑明(吳縣人) 477-564-177
陳鑑明(字虛白) 482-451-362
567-144- 68
570-112-21之1
1467-128- 66
陳鑑明(字用明) 524-279-192
1442- 50-附3
1460- 72- 43
1475-260- 11
陳鑑明(字子明) 532-620- 43
陳鑑明(四川資江人)
554-276- 53
陳鑑妻 明 見郭氏
陳儼宋 529-593- 47

陳儼元 1207-188- 12
陳儼明(字時莊) 515-677- 78
571-517- 19
1249-211- 12
陳儼明(字德威) 1257-218- 20
陳麟宋 529-581- 46
陳麟元 523-496-170
523-570-174
1219-513- 23
1439-450- 2
陳麟明 458- 17- 1
538- 15- 61
676-337- 12
陳麟妻 清 見俞氏
陳瓚宋 288-346-451
400-194-515
529-505- 44
1257- 41- 5
陳瓚明(字廷祼) 300-635-221
475-137- 56
511-108-140
676-588- 24
1283-688-121
1284-178-150
陳瓚明(字敬夫) 505-742- 72
陳瓚明(字玉崗) 554-522-57下
陳瓚明(永淳人) 567-313- 77
1467-201- 69
陳瓚明 見陳叔祼
陳顯宋(字文昭) 523-285-159
563-921- 43
陳顯宋(兗州人) 843-664- 中
陳顯元 505-745- 72
陳顯妻 明 見趙眞娘
陳巖唐 481-695-332
528-436- 29
529-621- 48
530-583- 72
陳巖宋(字清隱) 511-854-169
1189-689- 0
1437- 32- 2
陳巖宋(字仲石) 1164-259- 13
陳巖陳亮、陳友亮 明
511-359-150
1239- 42- 29
陳鑛明 473-408- 66
480-353-274
陳籥明 1442- 50-附3
1460- 75- 43
陳灝明(長樂人) 563-809- 41
陳灝陳魯生 明(歸善人)
564-182- 46
陳讓元 1206-194- 20
陳讓明(字原禮) 460-605- 60
523-160-153
529-541- 45
676-567- 23
1457-595-398
陳讓明(字德光) 472-312- 13
479- 44-218
511-192-143
523- 85-149
陳讓明(穀城人) 480-297-271
533- 89- 49
陳讓明 529-462- 43
陳讓明(絳縣人) 547-115-145
554-347- 54
陳讓明(字克遜) 1245-525- 27
陳瓛明(字微仲) 460-572- 57
529-762- 53
陳瓛明(松江人) 505-657- 68
陳瓛明(龍巖人) 563-834- 41
陳蘦明 1252-698- 39
陳觀宋(字思正) 505-689- 70
陳觀宋(字國秀) 1203-382- 28
1437- 32- 2
陳觀明(字廷賓) 299-301-134
529-505- 44
554-205- 52
陳觀明(字思賢) 564-288- 47
1459-604- 22
陳觀明(湖廣人) 567- 91- 66
1467- 67- 64
陳觀明(字宗仁) 1240-332- 21
陳纘妻 明 見程氏
陳鑰明(潮陽人) 480-319-272
陳鑰明(字孔貞) 533-211- 53
陳鑰明(字以可) 1273-234- 29
陳讚明 529-463- 43
陳驥宋 933-166- 11
陳驥妻 明 見王氏
陳讜唐 529-653- 49
563-640- 38
陳讜宋(字正仲) 451- 24- 0
473-633- 77
585-769- 5
820-444- 35
933-166- 11
陳讜宋(瀧水人) 482-279-351
564- 67- 44
陳讜明 545-424- 98
陳鑾明 559-320-7上
陳一文妻 明 見秦氏
陳一文妻 清 見盛氏
陳一太清 538- 71- 63
陳一元明 301-205-248
515- 59- 58
529-480- 43
563-807- 41
陳一定明 567-137- 68
1467-131- 66
陳一松明 564-198- 46
陳一原明 1227- 88- 10
陳一貫明 529-469- 43
陳一棟妻 清 見鄧茂鸞
陳一發宋 533-279- 56
陳一欽明 1227-192- 23
陳一新宋 460-194- 12
529-648- 48
陳一道明 475-667- 84
481-587-328
510-457-117
529-540- 45
陳一敬明 1467-123- 66
陳一經明(字懷古) 511-556-158
陳一經明(成都人) 559-346- 8
679-198-158
陳一經妻 明 見雷氏
陳一德清 502-772- 86
陳一龍明(字內潭)
570-138-21之2
陳一龍明(印江人) 572- 82- 28
陳一韓明 456-502- 5
529-576- 46
陳一薦宋 515-756- 80
陳一簡明 475-672- 84
511-331-149
陳一鶚宋 1147-517- 48
陳一鶴明 570-155-21之2
陳一夔明 554-310- 53
陳一夔清 529-484- 43
陳二典明 456-493- 5
陳二娘明 周仕昂妻
530- 91- 56
陳二娘明 王從彝妻
530- 93- 56
530-112- 57
陳七兒明 554-759- 62
陳七郎明 456-684- 11
陳力均明 456-660- 11
陳力修宋 523-346-162
陳又博明 564-724- 59
陳九川明 300-109-189
457-315- 19
479-660-247
515-790- 82
529-755- 52
676-547- 22
1275-326- 15
1442- 46-附3
1460- 17- 40
陳九功明 523-251-157
陳九州明 1442- 71-附4
1460-345- 55
陳九成明 821-371- 55
陳九郎五代 480- 67-260
陳九思明(浙江人) 515-271- 65
陳九思鐵九思 明(永平副總兵)
523-514-171
陳九皋明 524-100-183
陳九淵妻 元 見袁氏
陳九敍明 460-783- 83
陳九敍妻 明 見吳氏
陳九鼎明 1467-244- 71
陳九韶明 570-138-21之2
陳九德明(號遜齋) 676-715- 30
陳九德明(字子吉)
1475-327- 13
陳九疇明 300-351-204
476-865-145
478-453-197
482-289-352
540-797-28之3
558-156- 30
563-844- 41
陳九疇清 478-349-191
554-792- 62
陳九齡妻 清 見魏氏
陳九鶴明 533-111- 50
陳三才明 572- 79- 28
陳三元明 456-606- 9
陳三仁明 456-654- 11

陳三姐清　陳尚貴女
474-654- 34
陳三郎妻　清　見劉氏
陳三貞明　陳仕良女
473-361- 64
陳三畏妻　明　見李氏
陳三益明　456-528- 6
523-390-164
陳三島清　1475-963- 41
陳三接明　302- 42-291
456-459- 4
474-306- 16
545-677-107
陳三捷明　456-527- 6
474-373- 19
505-672- 69
540-836-28之3
陳三義妻　清　見王氏
陳三齊清　475-672- 84
511-638-161
陳三槐明　676-176- 7
陳三績明　533-344- 58
陳士一清　564-306- 48
陳士心妻　明　見東氏
陳士文元　1217-758- 6
陳士元陳允　宋　812-459- 1
812-538- 3
821-164- 50
陳士元女　宋　見陳氏
陳士元元　460-483- 39
481-697-332
529-763- 53
陳士元明　533-310- 57
676-579- 24
陳士尹宋　516-123- 92
陳士本清　532-604- 42
陳士名明　473-653- 78
481-612-329
528-494- 30
陳士宏宋　1142-637- 8
1142-644- 9
陳士更清　李於池妻、陳次剛女　512- 12-176
陳士京明　456-546- 7
陳士性明　456-618- 9
483-117-379
陳士直宋　460-283- 17
陳士奇明(字平人)　301-462-263
456-431- 2
481- 27-291
515- 64- 58
559-506- 12
571-528- 19
676-654- 27
陳士奇明(字弓甫)　529-575- 46
陳士奇妻　清　見張氏
陳士恪明　570-161-21之2
陳士首宋　492-713-3下
陳士相妻　清　見江氏
陳士貞元　1219-337- 7
陳士俊清　481-763-335
529-711- 50
陳士俊妻　清　見張氏
陳士貢明　529-655- 49
陳士珪宋　1125-392- 31
陳士哲妻　清　見鄧氏
陳士桂明　1228-345- 9
陳士修妻　明　見翟氏
陳士淵明　473-616- 77
523-385-164
陳士章宋　1168-796-166
陳士章妻　明　見張氏
陳士偉明　533-464- 63
陳士偉妻　清　見劉氏
陳士啟陳雷　明　299-584-161
476-478-125
479-719-250
515-656- 77
540-616- 27
1239- 21- 27
1241- 83- 4
1242-291- 34
陳士偀妻　清　見李氏
陳士琳妻　清　見劉氏
陳士凱清　476-881-146
540-687- 27
陳士欽妻　清　見李氏
陳士傑宋　1120-225- 33
陳士道明　456-641- 10
陳士楚陳仕楚　宋460-134- 8
515-130- 61
529-500- 44
933-165- 11
陳士達明(永壽人)　456-617- 9
554-725- 61
陳士達明(南京人)　456-637- 10
475- 77- 53
陳士寧明　585-457- 12
陳士龍元　1197-770- 81
陳士諤明　564-141- 45
陳士舉明　458-160- 8
陳士錄妻　清　見方氏
陳士鵠明　1442-106-附7
1460-640- 72
陳士繡明　1474-551- 27
陳士麟元　460-462- 36
1214-743- 下
陳士驥清　483-118-379
570-153-21之2
陳子才明　524-279-192
陳子上元　1214-499- 6
陳子方明　456-698- 12
陳子文宋　529-685- 50
陳子文明　529-468- 43
532-636- 43
1442- 54-附3
1460-124- 46
陳子元陳泰初　宋451- 76- 2
陳子元明　524-213-188
陳子中妻　明　見李秀寧
陳子公宋　見陳俞
陳子永妻　清　見蔡氏
陳子正元　550-367-221
陳子全宋　482-208-347
陳子良唐　592-528- 94
陳子良明　460-816- 89
陳子良妻　清　見江氏
陳子壯明　301-689-278
456-413- 1
482- 38-340
545-113- 45
676-636- 26
1442- 93-附6
1460-714- 77
陳子昂唐　271-577-190中
274-366-107
384-188- 10
395-376-215
451-414- 1
469-669- 82
471-1013- 62
473-504- 71
481-334-308
559-389-9上
561-459- 43
561-494- 44
591-362- 29
591-604- 44
592-571- 97
674-248-4上
674-798- 16
821- 69- 47
933-156- 11
1065-648- 附
1065-655- 附
1065-657- 附
1065-659- 附
1340-694-793
1370-184- 11
1371- 50- 附
1394-367- 2
1405-704-309
1472- 90- 5
陳子芳元　460-477- 37
陳子和明　821-416- 56
陳子恆元　472-602- 25
540-776-28之2
陳子威明　1237-333- 7
陳子英元　533-170- 52
陳子英妻　明　見孫氏
陳子英清　524-122-184
陳子容妻　明　見周氏
陳子高陳　陳蠻子494-535- 27
陳子晉妻　清　見莫氏
陳子迴漢　511-780-166
陳子師母　宋　見張氏
陳子淵女　宋　見陳氏
陳子晟明　529-451- 43
1235-650- 22
陳子常宋　529-725- 51
陳子終戰國　見陳仲子
陳子雲明　456-684- 11
陳子新清　456-333- 76
陳子幹唐　550-249-218
1341-346-843
陳子達妻　明　見汪氏
陳子達清　481-531-326
陳子敬宋　288-386-454
400-333-528
473-188- 58
479-795-254
516-167- 94

陳子韶明 1238-551- 14
陳子潛明 511-110-140
陳子翟元 524- 42-180
820-545- 39
陳子履宋 545-175- 89
550-100-212
陳子魯明 1240-888- 10
1241- 86- 4
陳子龍宋 見陳文龍
陳子龍明 301-666-277
456-412- 1
475-184- 59
479-226-227
511-762-166
523-164-153
676-660- 27
1442-110-附7
陳子頤宋 1180-229- 22
陳子穎女 清 見陳寶娘
陳于王明(字丹衷) 301-533-269
511-440-153
陳于王明(晉江人) 530-212- 61
陳于王明(字伯襄) 532-598- 41
陳于王妻 明 見郭氏
陳于廷陳于庭 明
301-299-254
458-375- 16
475-229- 61
477-543-176
511-161-142
545-120- 86
1442- 84-附5
1460-476- 63
陳于廷清 523-222-156
陳于宸陳於宸 明
456-550- 7
483-201-388
570-132-21之1
陳于庭明 見陳于廷
陳于陛明(字元忠) 300-577-217
481-184-300
559-369- 8
561-481- 43
676-604- 25
1442- 74-附5
1460-350- 56
陳于陛明(字蓋齋) 505-766- 72
陳于夏清 561-201-38之1
陳于堦明 見陳于階
陳于階陳于堦 明(字瞻一)
456-531- 6
475-185- 59
陳于階明(遵化人) 475-526- 77
510-418-116
陳于舜明 570-152-21之2
陳己久妻 明 見孫氏
陳才弼宋 484-389- 28
陳才傑明 480-204-267
陳才輔宋 484-379- 28
陳丈人清 533-339- 58
陳大卞宋 473-632- 77
陳大方陳慶隆 宋(字少廣)
448-366- 0
484-390- 28
陳大方宋(字履道)
1133-753- 17
陳大中明 480-132-264
533- 41- 48
陳大本明(無為州人)
473-186- 58
515-272- 65
陳大本明(陽朔人) 482-352-356
567-379- 82
1467-244- 71
陳大本妻 清 見王氏
陳大可明 533-480- 64
陳大用宋 492-912-3下
1184-344- 49
陳大有宋 524-230-189
陳大有明(南海人) 481-550-327
528-478- 30
陳大有明(瓊山人) 564-232- 46
陳大任明 456-635- 10
陳大年弟媳 清 見段氏
陳大宏明 518-282-144
陳大亨宋 529-500- 44
陳大亨妻 清 見游端宋
陳大志妻 清 見蔣氏
陳大成明 523-561-174
陳大成祖母 清 見周氏
陳大壯明 511-402-151
559-292-7上
陳大位明 529-710- 50
陳大忠宋 529-697- 50
陳大昇明 524- 66-181
陳大和宋 473-757- 83
陳大受妻 清 見趙氏
陳大科明(字思進) 511-247-145
567-142- 68
陳大科明(維揚人)
1291-626- 1
陳大紀宋 482-484-364
523-570-174
567- 71- 65
1467- 45- 63
陳大素陳太素 隋
516-435-103
1226-711- 3
陳大烈明(江南丹徒人)
545-469-100
陳大烈明(字允成) 564-232- 46
陳大哥宋 見陳康嗣
陳大倫元 524- 54-180
821-322- 54
1224-277- 23
陳大倫清 475-778- 89
510-483-118
陳大章明(字明之) 511-381-150
820-639- 41
821-395- 56
陳大章明(字昭達) 564-228- 46
陳大章清 533-186- 52
陳大雅宋 524-195-188
1118-983- 67
陳大雅妻 明 見郭氏
陳大策妻 明 見張氏
陳大猷宋(東陽人) 451-395- 13
陳大猷宋(字文獻) 479-580-243
516-100- 91
678-143- 83
陳大道明 533- 91- 49
537-305- 56
陳大經明(南寧人) 480-582-285
陳大經明(字正之) 481-644-330
1256-421- 27
陳大經明(字爾至)
570-126-21之1
陳大經清 511-171-142
陳大經妻 清 見金氏
陳大賓明 473-304- 62
569-653- 19
陳大賓妻 明 見鄧氏
陳大韶明 482-561-369
陳大韶妻 明 見萬氏
陳大綱宋 564- 59- 44
陳大綱明 523-377-164
545-223- 91
558-353- 35
陳大綸明 515-278- 65
陳大綸妻 明 見宋氏
陳大綬明 516- 85- 90
陳大輦清 481-763-335
528-570- 32
533-187- 52
567-163- 69
陳大震宋 563-694- 39
564- 45- 44
陳大儀清 529-695- 50
陳大魯明 676-645- 26
1474-591- 30
陳大濩明 676-552- 22
1283-588-113
1442- 49-附3
1460- 50- 42
1467-112- 66
陳大禮明 482-117-343
564-248- 47
陳大謨元 564- 80- 44
陳小奴明 王三狗妻
472-1106- 47
陳小韞明 陳宗九女
1456-591-326
陳上年清 474-247- 12
505-848- 76
567-153- 69
陳上美唐 1365-481- 7
陳上庸明 456-414- 1
陳上善清 516-196- 95
陳山提女 北周 見華光
陳山毓明 1292-654- 11
1475-426- 18
陳乞七明 456-684- 11
陳乞兒元 295-601-197
400-310-526
538- 86- 64
陳千仞明 460-684- 70
陳千雲宋 484-388- 28
陳千齡宋 515-588- 75
陳久可明 511-323-148
陳六奇明 456-551- 7
511-432-153
陳六御妻 清 見宋氏

陳六軨明 456-528- 6
481-784-337
529-651- 48
陳六錫妻 清 見張氏
陳六禮清 480-414-277
陳心學明(謚節愍) 456-571- 8
陳心學明(仁壽人) 559-402-9上
陳亢宗陳宗 明 1241-613- 12
1442- 19-附1
1459-558- 19
陳斗南宋 見陳紹南
陳斗南明 475-329- 65
511-568-158
陳斗祥元 1195-573-下
陳斗輝元 1195-556-下
陳斗龍元 479- 52-218
524- 96-183
1367-906- 96
陳方中宋 1150-894- 50
陳方直明 見陳直方
陳方泰陳 260-638- 14
265-911- 65
375-400-83下
陳方期晉 516-154- 94
陳方慶梁 592-528- 94
1065-582- 6
陳方慶陳 260-639- 14
265-911- 65
375-401-83下
陳文子春秋 見陳無順
陳文友明 569-658- 19
陳文玉梁 482-238-349
564- 15- 44
陳文仲元 563-716- 39
陳文沛林文沛 明523- 54-148
529-465- 43
1442- 47-附3
1460- 27- 41
陳文沛女 明 見陳臾姐
陳文秀妻 元 見賴氏
陳文杰母 元 見張氏
陳文杰元 511-146-142
1218-641- 3
陳文或明 1237-334- 7
陳文東陳壁、陳璧 明
472-242- 9
511-869-170
820-564- 40
1442- 11-附1
陳文忠妻 清 見何氏
陳文昌宋 484-383- 28
陳文明明 567-367- 81
1467-240- 71
1467-460- 7
陳文炳明 567-367- 81
陳文帝陳蒨 260-546- 3
265-169- 9
370-572- 19
370-577- 19
372-630- 14
384-120- 6
486- 40- 2
494-263- 1
589- 188-上
814-212- 1
819-566- 19
1401-380- 30
陳文帝后 見沈妙容
陳文帝女 見信義公主
陳文帝女 見富陽公主
陳文帝女 見豐安公主
陳文亮明 1249-442- 30
陳文禹明 523-203-155
陳文剛妻 宋 見李氏
陳文豹明 456-642- 10
陳文矩妻 漢 見李穆姜
陳文祥清 456-333- 76
陳文彬元 515-539- 74
陳文彬明 564-223- 46
564-270- 47
陳文通明(彰德知府)
472-695- 28
537-266- 55
陳文通明(漢陽人) 473-222- 59
533-153- 52
陳文崑妻 清 見涂氏
陳文偉明 533-138- 51
540-650- 27
陳文偉清 483- 48-372
570-214- 23
陳文婉明 張景忠妻
524-453-202
陳文焯明 563-817- 41
陳文閑妻 明 見盧氏
陳文華明 1232-223- 3
陳文試明 515-173- 62
529-463- 43
陳文煥明 515-796- 82
523-220-156
554-188- 51
陳文煥清 524-206-188
陳文煥妻 清 見鄭氏
陳文頊宋 288-742-483
821-149- 50
陳文瑞明 510-340-113
陳文輔明 564-117- 45
陳文熙女 明 見陳氏
陳文僧宋 見陳仲謌
陳文瑩宋 1170-781- 36
陳文蔚宋 473- 63- 51
515-864- 85
677-344- 31
1171- 2- 附
陳文德女 宋 見陳氏
陳文質明 533-289- 56
陳文龍母 宋 見林氏
陳文龍陳子龍 宋288-345-451
400-194-515
451-242- 0
460-366- 29
473-633- 77
481-492-324
481-554-327
525-361-235
529-504- 44
585-364- 6
1257- 41- 5
1366-937- 5
陳文諭女 宋 見陳氏
陳文選妻 清 見張氏
陳文蕃明 529-681- 50
陳文學明 572- 71- 28
陳文衡明 516- 84- 90
563-744- 40
陳文燭明 511-911-173
533-308- 57
559-255- 6
676-592- 24
1282-747- 57
1442- 63-附4
1460-211- 49
陳文濠妻 明 見高氏
陳文燧明 479-660-247
515-795- 82
676-590- 24
陳文燦明 482-486-364
567-367- 81
陳文舉妻 元 見蔣淑貞
陳文徽明 821-456- 57
陳文禮明 533-137- 51
陳文繡妻 明 見姚氏
陳文鏊妻 明 見荀氏
陳文顗宋 288-741-483
陳文獻明 見林文獻
陳文藻宋 1095-264- 30
陳文譽明 523-456-168
陳文顥宋 288-741-483
478-335-191
陳文顯宋 288-741-483
陳之元宋 1105-780- 93
1378-569- 61
1384-161- 94
陳之可明 516- 86- 90
陳之光宋 1356-183- 8
陳之武女 宋 見陳氏
陳之奇祖父 宋 1122-532- 8
陳之奇母 宋 見丁氏
陳之奇宋 484- 46-下
485-189- 25
493-908- 49
511-671-163
589-292- 1
陳之邵宋 528-439- 29
陳之恪明 523-252-157
陳之美宋 484-374- 27
陳之美明 529-631- 48
陳之茂宋 472-260- 10
472-998- 40
485-399- 4
488- 13- 1
488-450- 14
488-454- 14
492-702-3上
492-712-3下
494-309- 5
523-116-151
820-411- 34
陳之淯明 533-143- 51
陳之淵宋 492-702-3上
492-712-3下
陳之祥宋 1105-798- 95
陳之問清 524- 12-178

陳之遇妻 清 見劉氏
陳之經宋 523-516-171
陳之輔明 473-270-61
陳之遠宋 484-377-27
陳之綱宋 472-984-39
523-434-167
陳之駓清 533-318-57
陳之璉清 479-332-232
陳之龍明(號去亢) 515-514-72
554-258-52
陳之龍明(字士夔)
1474-532-26
陳之翰宋 472-1086-46
487-124-8
491-396-4
524-195-188
陳之閶清 524-178-187
1316-694-47
1322-651-12
陳之閣清 524-178-187
陳之顏宋 1482-420-3
陳之鸞妻 清 見譚氏
陳太初宋 473-517-71
481-354-309
561-225-38之3
592-235-74
1108-621-102
陳太初明 821-351-55
陳太初妻 清 見夏氏
陳太和宋 567-68-65
1467-39-63
陳太素隋 見陳大素
陳太素宋 285-778-300
397-201-331
472-749-29
476-576-131
477-314-164
479-173-225
523-126-152
537-508-59
陳太竭唐 452-9-上
472-1028-42
479-321-232
524-148-185
526-296-268
陳王化明 534-955-120
陳王宁妻 明 見游氏
陳王明妻 清 見趙氏
陳王度明 547-15-141
陳王政明(保昌人) 482-90-342
564-247-47
陳王政明(字純甫)
1283-415-99
陳王庭明(號葑石) 515-191-62
陳王庭明(北直永平人)
554-300-53
陳王庭明(盧龍人) 554-309-53
陳王庭女 明 見陳靜英
陳王策明 563-812-41
陳王猷明 564-222-46
陳王猷清 1327-698-8
陳王道明(寧鄉人) 478-434-196
545-895-114
554-301-53
陳王道明(字仁輔) 533-48-48
陳王賓陳祖年 宋448-402-0
陳王謨明 299-475-153
456-583-8
483-397-403
571-556-20
1291-897-6
陳五太清 533-772-74
陳五典清 559-335-7下
陳五典妻 清 見李氏
陳五妹明 韓汝美妻、陳環女
1259-196-15
陳五美妻 清 見劉氏
陳五哥宋 見陳俱
陳五雲明 561-220-38之3
陳元士妻 清 見黃氏
陳元大宋 680-275-253
陳元夫妻 明 見楊氏
陳元平宋 528-538-32
陳元平妻 宋 見朱氏
陳元吉元 529-671-49
陳元吉妻 明 見周萬
陳元光唐 459-884-54
460-1043-4
473-652-78
477-544-176
481-610-329
482-141-344
528-489-30
538-73-63
564-29-44
陳元汾明 524-232-189
陳元良妻 清 見游氏
陳元成清 525-372-235
陳元伯妻 宋 見李氏
陳元秀妻 清 見鄭氏
陳元明宋 517-346-124
陳元亮宋 473-167-57
515-469-71
陳元亮明 見陳潛中
陳元奎妻 元 見黃氏
陳元珂明 529-470-43
676-570-23
1442-56-附3
1460-152-47
陳元貞明 楊子將妻
1239-313-48
陳元岱清 524-37-179
陳元胤明 1442-100-附6
陳元泰明 456-683-11
529-702-50
陳元素明 511-747-165
820-753-44
821-473-58
1460-637-72
陳元桂宋 288-327-450
400-181-514
451-227-0
473-115-54
473-125-55
479-658-247
479-678-248
487-189-12
515-757-80
517-662-131
陳元康北齊 263-200-24
267-160-55
379-457-154
384-137-7
472-107-4
505-761-72
933-156-11
陳元偉宋 491-166-20
陳元彩明 見王叔英
陳元敘妻 明 見吳玉蓮
陳元善元 529-675-49
1227-167-20
陳元超妻 清 見許吉娘
陳元登明 529-722-51
陳元琛明 515-488-71
陳元琰明 676-582-24
陳元發陳亨弟 宋451-94-3
陳元凱陳元愷 元515-86-59
515-245-64
523-24-147
544-239-63
546-298-124
547-70-143
1196-715-9
陳元復元 1194-597-6
陳元愷元 見陳元凱
陳元達高元達 晉
256-676-102
381-121-186
933-156-11
1128-618-17
陳元達明 820-582-40
陳元敬唐 471-1013-62
473-504-71
561-205-38之1
1065-582-6
1065-655-附
1342-440-961
1344-118-70
1410-268-698
陳元肇清 524-200-188
陳元憲明 473-126-55
473-575-74
515-134-61
529-461-43
陳元憲女 明 見陳氏
陳元龍元 564-80-44
陳元龍清 479-59-219
陳元勳宋 1167-231-19
陳元勳妻 清 見楊氏
陳元謨陳黻、陳洪謨 明
1255-598-63
陳元藻明 529-522-44
陳扎衮陳昭衮 遼
289-606-81
399-35-419
472-483-21
476-259-110
546-79-117
陳予敔妻 明 見陳氏
陳孔立明 820-602-40
陳孔叶明 529-675-49
陳孔有元 529-666-49

陳孔夙宋 460-276- 17
陳孔志明 529-676- 49
陳孔教明 見張孔教
陳孔道明 456-670- 11
陳孔傳妻 明 見魯氏
陳孔碩宋 460-276- 17
473-186- 58
473-572- 74
479-792-254
481-693-332
515-268- 65
528-538- 32
529-443- 43
585-769- 5
679-234-162
820-439- 35
1180-361- 33
陳夫乞漢 515-288- 66
517-421-126
陳天才清 505-897- 80
陳天民宋 821-228- 51
陳天申清 483- 77-377
569-681- 19
陳天生清 533- 56- 48
534-888-116
陳天台明 821-483- 58
陳天行妻 清 見林氏
陳天良清 456-333- 76
陳天成妻 清 見薩氏
陳天佑妻 明 見周氏
陳天性妻 清 見于氏
陳天定明(字惠生) 460-786- 83
529-575- 46
680-330-259
陳天定明(字定之) 511-866-170
821-430- 57
陳天拔明 456-637- 10
511-463-154
陳天和明 547- 96-144
陳天迪明 1375- 26- 上
陳天益宋 484-374- 27
陳天祐元 見陳祐
陳天祐明(犍為人) 456-675- 11
559-523- 12
陳天祐明(長陽人) 528-510- 31
陳天祐清 505-897- 80
陳天清清 477-133-155
537-440- 58
陳天章妻 清 見李氏
陳天祥元 295-284-168
399-623-482
459-705- 43
472- 98- 3
472-742- 29
473-210- 59
473-234- 60
474-622- 32
480- 50-259
480-170-266
505-791- 73
532-615- 43
538-328- 69
540-615- 27
680-282-254
1192-553- 10
1206-194- 20
陳天祥明 511-388-151
571-518- 19
1320-758- 82
陳天楝清 474-515- 25
505-697- 70
陳天華明 564-214- 46
陳天然明 564-230- 46
陳天瑞宋 472-1104- 47
479-289-230
523-605-176
陳天瑞明 472-308- 13
510-382-115
陳天福元 533-490- 65
陳天壽明 547- 5-141
陳天德明 563-769- 40
陳天篤清 511-827-167
陳天錫宋 1150-893- 50
陳天錫妻 宋 見林氏
陳天錫元 473-599- 76
528-525- 31
529-644- 48
1439-434- 1
1471-399- 8
陳天錫龐天錫 清
483- 70-376
523-394-164
569-680- 19
陳天隱宋 472-1028- 42
524-149-185
陳天顏妻 清 見姚氏
陳天騏元 1222-347- 33
陳天寵宋 1205-388- 15
陳天麟陳寧郎 宋
448-367- 0
472-359- 15
475-607- 81
511-297-148
532-678- 44
1366-958- 1
陳友仁宋 485-536- 1
陳友沅宋 515-336- 67
1202-607- 下
陳友定陳有定 明
299-141-124
400-279-522
481-493-324
1280-402- 85
1439-450- 2
1458-132-426
陳友忠妻 明 見魯氏
陳友亮明 見陳巖
陳友常明 1467- 63- 64
陳友諒元～明 299-122-123
534-960-120
1224- 69- 17
陳友韓妻 清 見黃氏
陳曰志女 六朝 見陳氏
陳日光明 529-460- 43
陳日南女 宋 見陳圭姐
陳日烜元 295-718-209
陳日卿元 523-413-166
陳日強宋 515-132- 61
1184-241- 36
陳日華妻 清 見王氏
陳日新元 1207-694- 50
陳日照宋 見陳日煚
陳日煚陳日照、謝升卿 宋
288-805-488
568-710-127
陳日煋明 302-643-321
陳日燇元 295-725-209
1439-462- 2
陳中立元 460-461- 36
1224-168- 19
陳中正宋 843-672- 下
陳中州明 524-273-191
陳中孚宋 471-894- 43
473-737- 82
564- 67- 44
陳中振妻 清 見弋氏
陳中常明 1232-593- 5
陳中復宋 528-521- 31
529-492- 44
陳中道清 456-333- 76
陳中漸明 524-176-187
陳少方宋 1139-649- 3
陳少帝陳伯宗 260-557- 4
265-172- 9
384-120- 6
589-188- 上
陳少帝后 見王皇后
陳少游唐 見陳少遊
陳少遊陳少游 唐
270-496-126
276-468-224上
384-242- 12
401-396-620
471-1002- 60
486- 43- 2
陳少韓妻 清 見劉潤姑
陳仏念劉宋 258- 16- 41
陳公才宋 484-376- 27
陳公才元 821-326- 54
陳公成明 523-473-169
陳公佐明 821-379- 55
陳公亨明 1234-273- 43
陳公昌明 524-221-189
陳公相明 510-440-116
陳公振宋 見陳振
陳公恩齊 812-331- 7
821- 22- 45
陳公望母 元 見王氏
陳公望元 821-325- 54
陳公崇宋 見陳卯東
陳公弼宋 見陳希亮
陳公琰宋 515-519- 73
陳公著宋 820-445- 35
陳公裕妻 明 見方肅英
陳公達明 515-541- 74
523-154-153
陳公誥明 456-634- 10
475-645- 83
511-487-155
陳公榮宋 529-449- 43
陳公輔宋 287-195-379
398-235-380

449-408-上5
472-1103- 47
475-119- 55
479-288-230
493-770- 42
523-314-161
陳公輔明 821-379- 55
陳公緒妻 宋 見劉氏
陳公綸明 524- 67-181
1442- 71-附4
陳公賢陳慶 明 493-1059- 56
1255-301- 36
1255-735- 74
1256-423- 27
陳公餘明 1241-678- 15
陳公璟宋 517-391-125
559-296-7上
1160-635- 66
1161-692-132
陳公濟元 1192-576- 12
陳壬使清 楊學佐妻
530- 24- 54
陳丹赤清 478-771-215
481-115-296
481-531-326
523- 66-149
529-484- 43
559-329-7下
陳丹衷明 511-721-165
820-759- 44
821-477- 58
陳丹餘妻 明 見宋氏
陳丹藎妻 清 見楊氏
陳月菴明 1264-234- 14
陳月順明 張文宗妻
481-651-330
530-128- 57
陳月儀北周 見華光
陳仁子宋 480-409-277
陳仁可女 明 見陳端
陳仁道妻 清 見龐氏
陳仁稜唐 820-285- 30
陳仁壽元(字仁甫) 683- 67- 4
陳仁壽元(字景禮) 820-530- 38
陳仁嬌宋 473-739- 82
564-617- 56
陳仁壁宋 473-631- 77
1086-297- 30
陳仁錫明 301-865-288
458-456- 22
475-140- 56
508-236- 38
511-749-165
676-652- 27
677-705- 63
1294-576- 15
1442-102-附7
陳升之陳旭 宋 286-141-312
382-516- 80
384-354- 18
384-364- 19
397-312-337
450-783-下15
451-125- 1
471-604- 3
471-660- 11
471-834- 35
471-900- 44
472-290- 12
473-221- 59
473-602- 76
481-675-331
482-183-346
486- 49- 2
515-254- 65
529-594- 47
563-685- 39
933-159- 11
陳升卿宋(字光祖) 481-153-298
559-281- 6
591-705- 50
陳升卿宋(字舜臣) 484-386- 28
陳升紹妻 清 見樓氏
陳允文宋 484-380- 28
陳允文元(瑞安人) 524- 87-182
陳允文元(字昭祖)
1219-417- 14
陳允文明 821-348- 55
陳允中清 563-882- 42
陳允升陳允昇 唐
472-960- 38
523- 72-149
陳允升南唐 479-538-241
陳允升明(守滁州) 510-487-118
陳允升明(字霽衡) 532-597- 41
1442- 75-附5
陳允升明(字雲逵)
1442- 86-附5
1460-490- 63
陳允平宋 676-690- 29
1364-497-315
1437- 30- 2
陳允功宋 484-378- 27
陳允直明 546-314-125
陳允昌宋 1125- 44- 3
陳允昇唐 見陳允升
陳允堅明 523-163-153
陳允莊明 1217-740- 4
陳允諧明 483- 32-371
569-662- 19
陳允遴妻 清 見林氏
陳允蘅清 515-850- 84
陳玄子齊 265-1045- 73
380-105-167
475-219- 61
511-550-158
933-156- 11
陳玄禮唐 270-303-106
274-531-121
395-511-227
933-157- 11
陳立已宋 487-120- 8
陳立大元 1213-757- 24
陳立功元 1214-744- 下
陳立言妻 清 見林德宜
陳立伯宋 460-452- 34
陳立相妻 清 見王氏
陳立敏女 清 見陳氏
陳立善元 821-313- 54
陳立誠明 545-267- 93
1254-582- 上
陳主忠明 456-632- 10
540-837-28之3
陳主亮明 529-669- 49
陳主策清 510-441-116
537-606- 60
陳必琦妻 明 見黃氏
陳必堯妻 明 見宗氏
陳必復宋 1364-119-261
1437- 30- 2
陳必達陳奉眞 宋
451- 54- 2
陳必敬宋 460-442- 33
陳必謙明 511-389-151
537-222- 54
陳永文明 821-471- 58
陳永年明(新淦人) 473-584- 75
481-583-328
528-485- 30
陳永年明(字從訓) 511-775-166
陳永年妻 明 見周淑志
陳永言明 515-543- 74
陳永伯晉 472-776- 30
538-345- 70
1059-298- 8
陳永直明 510-473-117
510-503-118
陳永居孫女 明 見陳氏
陳永昌妻 清 見湯氏
陳永姐清 張明異妻
530- 37- 54
陳永章元 1232-456- 6
陳永逵明 529-712- 50
陳永貴白永貴 隋
264-834- 53
267-460- 73
379-763-161
陳永貴妻 清 見雲氏
陳永華女 清 見陳氏
陳永彰明 563-834- 41
陳永齡宋 473-725- 82
482-225-348
563-700- 39
陳永齡程永齡 明456-483- 5
陳玉珍明 張倩妻
564-340- 49
陳玉桓妻 清 見計氏
陳玉堦妻 清 見林氏
陳玉潔明 林仲熹妻
530- 63- 55
陳玉輝明(字荆惠) 481-589-328
529-551- 45
676-259- 10
陳玉輝明(屯馬御史)
510-294-112
陳玉樹妻 清 見祝氏
陳玉環明 456-603- 9
陳去病唐 820-257- 29
陳去疾唐 529-715- 51
陳去革宋 564- 77- 44
陳弘乘明 532-697- 45
陳弘規宋 563-683- 39

陳弘策妻 清 見余氏
陳弘緒明 301-104-241
515-453- 70
677-745- 65
1313-249- 20
陳弘德妻 明 見彭淑柔
陳弘驥妻 清 見鄭氏
陳正己宋 487-120- 8
陳正心妻 明 見姜氏
陳正孔明 567-383- 82
1467-257- 71
陳正中明 481-721-333
528-555- 32
陳正臣宋 1189-558- 5
陳正言明 1237-287- 5
陳正亨明 456-485- 5
陳正芳妻 清 見吳氏
陳正叔漢 402-441- 9
陳正姐清 林情妻530- 38- 54
陳正倫明 472-767- 30
473-152- 56
515-661- 77
537-317- 56
554-207- 52
陳正國妻 清 見狄氏
陳正鉀清 559-329-7下
陳正猷明 456-640- 10
483-139-380
陳正暉妻 清 見吳氏
陳正蒙明 564-187- 46
陳正標妻 清 見林氏
陳正豫明 564-222- 46
陳正謙唐 547- 32-142
陳巨任妻 清 見劉氏
陳巨源宋 400-295-524
陳巨濟元 400-265-521
陳甘節唐 472-376- 16
475-560- 79
510-423-116
陳本忠明 511-641-161
陳本深明 299-588-161
473-145- 56
479-181-225
479-711-250
515-151- 61
523-452-168
1241-704- 16
1241-744- 17
1474-273- 13
陳本道元 473-784- 85
567- 78- 65
1467- 53- 63
陳本潔明 1458-422-445
陳本輝陳本 明 1234-296- 46
陳丕顯宋 484-376- 27
陳平子漢 380-134-168
473-336- 63
533-489- 65
陳平村明 1291-921- 7
陳可大唐 473- 74- 52
陳可大宋 528-440- 29
528-490- 30
陳可久宋 821-231- 51
陳可化妻 明 見郭氏
陳可晰明 564-206- 46
陳可復元(字復心) 491-644- 18
524-410-199
1196-534- 3
陳可復元(善畫) 821-323- 54
陳可道明 1229-666- 1
陳可達明 475-227- 61
511-556-158
陳可樂妻 明 見王氏
陳可徵清 529-660- 49
陳可徵妻 清 見莊賽璋
陳可願明 526-656-280
陳世禾妻 清 見鄭氏
陳世安宋 475-324- 65
陳世良明 515-173- 62
523-318-161
676-518- 20
陳世甫陳世輔 明473- 18- 49
515- 95- 59
陳世成明 1230-323- 5
陳世材宋 484-389- 28
陳世昌宋 515-464- 71
陳世昌元～明 472-982- 39
524-239-190
676-460- 17
陳世胄明 530-212- 61
陳世英明 820-678- 42
陳世則妻 宋 見符氏
陳世倌清 479- 59-219
陳世卿宋 286- 75-307
382-730-112
397-268-335
473-616- 77
473-672- 79
481-332-308
481-645-330
481-672-331
482- 32-340
529-578- 46
563-666- 39
1098-748- 47
陳世卿妻 宋 見羅氏
陳世培明 456-551- 7
陳世善明 564-290- 47
陳世凱清 480-353-274
533-242- 55
陳世傑妻 明 見戴氏
陳世瑛妻 清 見黃氏
陳世會清 456-333- 76
陳世榮元(字顯卿) 515- 87- 59
陳世榮元(字茂卿) 524-210-188
陳世輔明 見陳世甫
陳世鳳明 563-765- 40
陳世龍妻 清 見李氏
陳世儒宋 382-422- 66
陳世瞻明 1467-115- 66
陳世寶明 476-367-117
545-444- 99
陳世齡清 515-493- 71
陳世顯明 559-373- 8
陳民志明 537-551- 59
陳民俊陳諸生 明
1474-558- 28
陳以安妻 元 見趙氏
陳以見明 505-928- 84
陳以忠元 517-463-127
陳以忠陳忠言 明
554-278- 53
1283-100- 75
1292-207- 19
1292-216- 20
1458-141-427
陳以約明 1291-533- 9
陳以約妻 明 見吳氏
陳以信妻 明 見金氏
陳以信妻 明 見蔡氏
陳以剛女 清 見陳士更
陳以恕妻 明 見何三娘
陳以莊宋 529-743- 51
1180-239- 23
陳以莊明 561-208-38之2
陳以常女 明 見陳氏
陳以運明 511-323-148
515-138- 61
陳以道明 480-404-277
陳以瑞明 523-252-157
陳以勤明 300-174-193
481-183-300
559-369- 8
561-426- 42
561-479- 43
1289-181- 12
陳以實元 1226-208- 10
陳以誠明 524-352-196
821-365- 55
陳四四宋 524-107-183
陳四姐明(獻縣人) 474-314- 16
陳四姐明 吳得珍妻(福安人)
530-184- 59
陳四端妻 明 見葉氏
陳四聰清 481-337-308
559-413-9下
陳代仁五代 564-616- 56
陳令孜唐 見田令孜
陳生輝妻 清 見侯氏
陳仕良女 明 見陳三貞
陳仕淵明 481-644-330
528-510- 31
陳仕貴元 1197-776- 82
陳仕進婢 明 見陳氏
陳仕楚宋 見陳士楚
陳仕輔明 559-422-10上
陳仕賢明 523- 88-149
陳仕濟妻 清 見莊氏
陳白軺清 523-139-152
陳白誠元 1213-120- 9
陳白齋明 460-572- 57
陳台宜妻 明 見王六娘
陳台孫清 1475-955- 41
陳用之宋 見陳用志
陳用之明 481-583-328
528-486- 30
陳用亨妻 清 見伍氏
陳用志陳用之、陳用智 宋
812-455- 1
812-464- 2
812-467- 2
812-538- 3

813-133- 11
821-162- 50
陳用庚宋 1170-257- 13
陳用拙陳拙 五代
564- 35- 44
陳用明明 510-375-114
陳用虎妻 宋 見朱氏
陳用柔明 1241- 64- 3
陳用原明 820-613- 41
陳用晦元 1206-150- 16
陳用智宋 見陳用志
陳用樞明 456-439- 3
陳用賓明 569-654- 19
陳卯東陳公崇 宋451- 54- 2
陳幼學明 301-746-281
458-382- 16
475-229- 61
477- 55-151
477-410-169
479-135-223
511-160-142
523-122-151
537-249- 55
676- 50- 2
676- 86- 3
677-670- 60
陳幼學妻 明 見董氏
陳幼學妻 明 見葉氏
陳守仁明 510-439-116
陳守仁女 明 見陳眞
陳守仁妻 清 見王淑桂
陳守忠南唐 515-181- 62
陳守約明 524-147-185
陳守娘明 田大眞妻
530- 18- 54
陳守道明 1232-650- 7
陳守愚明(字子直) 511-563-158
陳守愚明(字如愚)
540-806-28之3
陳亦言明 460-572- 57
陳亦所元 821-315- 54
陳安二明 456-684- 11
陳安公妻 清 見柴氏
陳安仁宋 1104-688- 14
陳安仁妻 清 見吳氏
陳安石宋 286- 24-303
397-233-333
472-698- 28
473-490- 70
475-870- 95
481-235-303
537-450- 58
545- 50- 84
554-360- 54
559-295-7上
陳安石妻 宋 見王氏
陳安世漢 554-968- 65
1059-267- 3
陳安世女 宋 見陳氏
陳安生妻 明 見林氏
陳安定宋 1093-664- 20
陳安國宋 484-387- 28
陳安國妻 宋 見謝希孟
陳安國清 478-248-186
481- 28-291
515- 67- 58
554-530-57下
559-327-7下
陳安策清 476-578-131
陳安節宋 1165-338- 21
陳安節妻 宋 見王氏
陳安節妻 宋 見王堂前
陳安福明 473-358- 64
532-706- 45
陳安禮妻 宋 見李氏
陳安邊清 456-333- 76
陳汝元明 554-313- 53
陳汝玉明 見陳璠
陳汝石明 302- 8-289
483-698-422
陳汝仕宋 484-373- 27
陳汝言明 493-1075- 57
676-453- 17
821-347- 55
1220-307- 10
1273-169- 23
1442- 9-附1
1459-451- 14
陳汝言妻 明 見吳靜貞
陳汝忠妻 明 見劉氏
陳汝昌清 559-411-9下
陳汝咸清 479-188-225
481-613-329
523-297-159
528-502- 30
1325-706- 5
1325-776- 9
1327-660- 7
陳汝修明 1442-101-附6
陳汝秩明 493-1075- 57
511-833-168
516-103- 91
821-347- 55
1220-307- 10
1439-452- 2
陳汝弼宋 見陳良弼
陳汝義宋 559-285-7上
陳汝新妻 清 見劉氏
陳汝楫宋 1146-341- 97
陳汝楫明 1442- 8-附1
1459-498- 16
陳汝達宋 482-238-349
564- 79- 44
陳汝楳妻 元 見徐妙梓
陳汝暘明 545-299- 94
陳汝嘉元 1221-406- 3
陳汝賢妻 明 見蘇氏
陳汝瑾妻 清 見蘇氏
陳汝模妻 清 見徐氏
陳汝奭宋 451-125- 1
475-276- 63
511-900-172
陳汝霖元 1217-740- 4
陳汝器宋 515-144- 61
陳汝器明 567-303- 77
1467-188- 69
陳汝錡明 515-485- 71
陳汝錫宋 472-1053- 44
486- 51- 2
523-499-170
674-843- 18
1153-511- 98
陳汝機元 524-123-184
1235-637- 22
陳汝翼妻 宋 見李氏
陳宇暉妻 清 見蔡氏
陳冰娘明 許有容妻
481-560-327
530- 69- 55
陳共公春秋 371-311- 13
404-303- 18
陳圭姐宋 陳日南女
564-315- 49
陳吉士妻 清 見章氏
陳吉老宋 472-998- 40
473-623- 77
473-633- 77
481-719-333
494-339- 7
523-115-151
528-548- 32
529-496- 44
933-165- 11
陳吉甫元 1210-681- 14
陳在中宋 529-734- 51
陳在良妻 明 見方邵娘
陳再玠妻 清 見葉氏
陳存若妻 清 見蘇氏
陳存信妻 明 見程氏
陳有元明 679- 74-145
陳有世妻 清 見李氏
陳有守明 1442- 96-附6
1460-567- 68
陳有光明 456-579- 8
533-401- 61
陳有年明 300-688-224
479-242-227
479-455-237
515- 56- 58
523-312-160
676-590- 24
陳有成明 456-677- 11
陳有泗清 456-333- 76
陳有定元 529-634- 48
陳有定明 見陳友定
陳有容明 511-282-147
陳有容妻 明 見姚氏
陳有祐明 529-660- 49
陳有祚明 529-763- 53
陳有章宋 1205-389- 15
陳有彩清 456-333- 76
陳有寓明 821-437- 57
陳有開女 明 見陳貴
陳有量妻 清 見海氏
陳有虞清 478-132-181
481-551-327
528-480- 30
554-736- 61
陳有智妻 明 見李氏
陳有諒妻 元 479-796-254
516-397-102
陳有慶女 明 見陳順止

陳有霖元 460-454- 35
529-655- 49
陳有聲宋 473-165- 57
陳至仁妻 明 見劉氏
陳至言清 524- 60-180
537-232- 54
陳羽士明 483-185-385
570-253- 25
陳羽龍妻 清 見賴氏
陳臣章妻 清 見黃氏
陳臣謙清 524- 68-181
陳老滿清 529-705- 50
陳而經妻 清 見李氏
陳聿修唐 見陳思應
陳次尹妻 宋 見黃氏
陳次公宋 515-822- 83
陳次升宋 286-585-346
397-656-360
427-378- 5
471-670- 13
472-292- 12
473-632- 77
473- 69- 80
475-380- 68
476-657-135
481-552-327
482-117-343
511-902-172
529-492- 44
545- 52- 84
563-905- 43
933-162- 11
陳夷行唐 271-255-173
275-483-181
384-269- 14
384-274- 14
396-209-271
472-657- 27
477-481-173
538-331- 69
933-157- 11
陳同寅元 1208-270- 12
陳光斗明 456-611- 9
537-306- 56
陳光玉明 456-462- 4
陳光正清 511-635-161
陳光先妻 明 見張氏
陳光表宋 484-390- 28
陳光美明 511-564-158
陳光奎妻 明 見何蘭清
陳光茂妻 清 見易氏
陳光昺元 295-715-209
1439-462- 2
陳光祖宋 529-498- 44
1168-570- 9
陳光祖清 1322-654- 12
陳光祖妻 清 見程氏
陳光祚明 511-634-161
陳光庭宋 524-230-189
陳光振明 1240-798- 8
陳光問唐 533-315- 57
陳光現宋 1090-663- 38
陳光華明 529-516- 44
陳光裕明 見陳南賓
陳光節妻 明 見林氏
陳光遠父 宋 1095-268- 30
陳光遠明 511-877-170
陳光綷明 1475-656- 28
陳光綷妻 清 見王煒
陳光寵妻 清 見江氏
陳光贊明 1475-361- 15
陳光顯妻 明 見程氏
陳此丹明 483-178-384
570-148-21之2
陳兆宜妻 清 見張氏
陳兆奎女 清 見陳氏
陳兆麟妻 清 見王氏
陳兆鸞清 540-853-28之4
陳名世明 460-521- 47
529-659- 49
陳名華明 505-652- 68
陳名蟠清 481-419-314
529-647- 48
559-336-7下
陳自中宋 479-325-232
陳自中女 元 見陳媁
陳自仁宋 288-354-452
400-165-513
481-553-327
529-495- 44
陳自幼元 820-553- 39
陳自沛明 554-346- 54
陳自明宋 516-517-106
陳自修明 456-657- 11
511-648-162
陳自強宋 287-400-394
398-398-390
陳自然宋 821-183- 50
陳自然明 820-717- 43
陳自新元 460-488- 40
460-820- 91
473-660- 78
529-750- 51
1439-435- 1
陳自樹妻 清 見徐氏
陳自觀宋 530-200- 60
陳向茂妻 明 見翁氏
陳全之妻 明 見林應光
陳全之妻 明 見鄭氏
陳全五妻 清 見何氏
陳全學明 564-275- 47
陳好智明 1239-294- 46
陳如升清 568-374-113
陳如京明 1442- 84-附5
陳如松明 510-404-115
523-163-153
陳如金妻 明 見劉氏
陳如茂妻 清 見孫氏
陳如珪明 1229- 31- 3
陳如許清 鄭澤達妻
480- 65-260
533-525- 66
陳如晦宋 460-336- 26
529-447- 43
679-819-219
陳如福清 456-333- 76
陳如綸明(字德宣) 511-233-145
528-458- 29
陳如綸明(字元泉) 515-490- 71
陳如鏞妻 清 見陸氏
陳如寶妻 唐 見王氏
陳先得元 1197-821- 87
陳先進妻 明 見林氏
陳先鳳清 502-768- 86
571-536- 19
陳竹原明 568-215-106
陳价夫明 529-721- 51
1442- 84-附5
陳仲子陳子終 戰國
405-259- 72
448- 98- 中
871-890- 19
1412-163- 7
陳仲文元(字奎甫) 460-454- 35
529-655- 49
陳仲文元(字輔之)
1206-193- 20
陳仲仁元 821-287- 53
陳仲同女 明 見陳秀瑛
陳仲完陳完 明 460-497- 42
473-573- 74
529-451- 43
676-484- 18
1238-518- 12
1239-244- 43
1240-324- 21
陳仲亨明 1237-215- 3
陳仲亨妻 明 見王金
陳仲吕妻 清 見陳氏
陳仲京明 1237-414- 16
陳仲林漢 486-903- 35
陳仲酋宋 473-476- 69
陳仲美明 821-353- 55
陳仲泰明 524-232-189
陳仲孫妻 宋 見卞氏
陳仲剛元 1221-406- 3
陳仲秩明 478-338-191
554-251- 52
陳仲祥元 540-648- 27
陳仲堅明 523-246-157
陳仲通唐 523-167-154
陳仲晦明 569-662- 19
陳仲莊女 明 見陳氏
陳仲敏宋 400-165-513
陳仲鈞明 533-498- 65
陳仲進陳伯康 明(字仲進)
460-497- 42
529-451- 43
676-453- 17
676-466- 17
1238-518- 12
1459-458- 14
陳仲進明(號南雅)
1237-281- 5
1240-878- 10
陳仲源明 1231-385- 7
陳仲裕女 明 見陳端正
陳仲飾明 529-710- 50
陳仲微宋 287-758-422
398-758-422
398-690-413
473-167- 57

陳

	473-281- 61	陳宏祖陳宏道 明456-605- 8	陳良弼元　511-300-148
	479- 92-221	陳宏道明　見陳宏祖	523-100-150
	479-748-251	陳宏謀清　475- 22- 49	1366-1007- 5
	480- 50-259	482-353-356	1439-435- 1
	480-127-264	陳言諫明　554-284- 53	陳良棟清　556-462- 93
	481-549-327	陳亨弟宋　見陳元發	陳良策母明　見孫氏
	515-467- 71	陳亨祖宋　288-372-453	陳良策明　529-656- 49
	523- 99-150	400-173-513	陳良傑宋　1145-596- 77
	528-474- 30	477-442-171	陳良楚明　530-212- 61
	532-615- 43	538- 66- 63	陳良鼎明　529-468- 43
	532-631- 43	陳亨運宋　529-666- 49	陳良敬明　1287-791- 11
陳仲微女宋　見陳梅莊		陳亨道宋　484-375- 27	陳良輔女明　見陳氏
陳仲賓陳奇宋 451- 94- 3		陳序進明　1247-389- 15	陳良德清　524-114-183
陳仲甄女明　見陳妙秀		陳宋霖宋　460-284- 17	陳良翰宋　287-312-387
陳仲輔宋　564- 74- 44		484-385- 28	398-331-385
	820-450- 35	529-440- 43	472-1103- 47
陳仲嘉女明　見陳氏		陳汶輝明　299-325-139	479-288-230
陳仲寬明　1232-218- 3		481-615-329	523-315-161
陳仲賢明　473- 23- 49		529-564- 46	528-522- 31
	515-361- 68	陳良心明　1458-575-458	1146-345- 97
陳仲憲妻明　見王氏		陳良玉明(字德夫) 473-234- 60	1147-697- 66
陳仲諤陳文僧宋		480-171-266	陳良翰明　561-211-38之2
	448-401- 0	532-648- 43	陳良器宋　515- 81- 59
陳仲錄明　473- 18- 49		陳良玉明(建寧人)	陳良器明　472-367- 16
	480-486-280	1240-199- 13	510-446-117
	533-113- 50	陳良玉明(字彥溫)	陳良謙明　529-646- 48
陳克謙金　546-295-124		1271-618- 52	陳良謨明(字士亮) 301-499-266
陳仲舉漢　537- 38- 48		陳良玉妻明　見霍氏	458-285- 9
陳仲舉晉　541- 87- 87		陳良言明(字志行) 524-125-184	479-186-225
陳仲舉陳　472-997- 40		陳良言明(進賢人) 563-765- 40	481- 27-291
	472-1001- 40	陳良佑妻明　見李氏	523-378-164
陳仲禮妻明　見朱氏		陳良知明　554-199- 52	陳良謨明(崇禎五年卒)
陳仲鑑妻明　見雷氏		陳良計清　529-679- 49	456-503- 5
陳印瑞清　482-563-369		陳良祐宋　287-318-388	陳良謨明(字中夫) 524-251-190
	570-143-21之2	398-336-386	676-333- 12
陳行中宋　484-384- 28		472-1029- 42	676-549- 22
陳伊訓妻清　見高氏		479-322-232	1280-517- 94
陳朱明明　見陳潛夫		516-198- 95	1442- 47-附3
陳朱垣清 540-853-28之4		523-324-161	1460- 36- 41
陳休光陳　見陳休先		陳良訓明　515-442- 70	陳良謨明(涪州知州)
陳休先陳休光陳		陳良孫宋　587-442- 5	545-157- 88
	265-910- 65	陳良能宋　1171-770- 27	陳良謨妻明　見時氏
	494-263- 1	陳良能元　1221-665- 26	陳志元妻明　見鄭友姐
陳休烈宋　484-386- 28		陳良琬妻清　見鞏氏	陳志召明　456-654- 11
陳休復唐　554-977- 65		陳良弼陳汝弼宋(字夢日)	564-246- 47
陳休錫宋　523-149-153		448-396- 0	陳志同父宋　1150-870- 47
陳宏己明　1241-653- 14		陳良弼宋(字希說) 524-328-195	陳志剛明　547- 73-143
陳宏和妻明　見吳氏		陳良弼妻宋　見彭氏	陳志堅妻明　見沐氏

陳志堯明　1467-255- 71	
陳志敬明　564-151- 45	
1283-560-110	
陳志敬妻明　見趙氏	
陳志業唐　480-435-278	
陳志寧元　524-203-188	
陳志遠妻明　見王氏	
陳志學元　523-225-156	
683- 56- 3	
陳赤美明　529-682- 50	
陳赤衷清　524- 49-180	
陳求古宋　485-533- 1	
陳求道宋　288-310-448	
400-134-511	
473-213- 59	
478-124-181	
480- 55-260	
533-258- 60	
581-500- 98	
陳求魯宋　523-495-170	
528-507- 31	
1185-777- 22	
陳成子春秋　見陳恆	
陳成公春秋　371-311- 13	
384- 9- 1	
404-304- 18	
陳成父宋　460-317- 24	
529-749- 51	
陳成貴女明　見陳氏	
陳孝先宋　見陳思文	
陳孝若宋　1099-608- 14	
陳孝則宋　460-191- 12	
529-530- 45	
陳孝恭宋　451-126- 1	
陳孝常妻宋　見龐氏	
陳孝軻明　528-510- 31	
陳孝意隋　264-1024- 71	
267-647- 85	
380- 68-166	
472-429- 19	
476-118-102	
476-329-115	
540-631- 27	
545-414- 98	
546-261-123	
933-156- 11	
陳孝嘗宋　1099-607- 14	
陳孝標宋　1099-606- 14

陳孝標妻　宋　見李氏
陳吾琳妻　明　見金氏
陳吾德陳董德　明
300-548-215
479-528-241
482-117-343
515-225- 63
545-327- 95
564-169- 45
1286-708- 16
陳均保妻　明　見向氏
陳杏姐明　黃覃恩妻
530-106- 57
陳君仁宋　528-523- 31
陳君平宋　1095-265- 30
陳君可金　1040-244- 4
陳君用元(字子材) 295-589-195
400-270-521
473-617- 77
481-648-330
481-673-331
528-525- 31
529-584- 46
陳君用元(謚忠潔) 473-655- 78
528-492- 30
529-564- 46
陳君式妻　清　見林氏
陳君佐元　821-296- 53
陳君佐明　511-875-170
陳君卿妻　元　見張妙嚴
陳君修妻　明　見楊氏
陳君寔唐　見陳君賓
陳君聖妻　清　見李氏
陳君節元　591-610- 44
591-618- 44
陳君賓陳君寔、陳君實　唐
271-438-185上
275-648-197
400-336-530
472-765- 30
477-358-166
494-259- 1
494-264- 1
505-674- 69
537-311- 56
陳君實唐　見陳君賓
陳君奭妻　宋　見方氏
陳君範隋　265-913- 65
陳君翰妻　清　見邱氏
陳君寵明　456-586- 8
480-439-278
533-405- 61
陳玘兆清　547- 57-143
陳克己宋(休寧人) 511-613-160
陳克己宋(字子淵)
1173-227- 79
陳克宅明　300-688-224
479-241-227
483-223-390
523-309-160
陳克成宋　591-541- 42
陳克和元　1224-257- 22
陳克侯明　528-462- 29
564-138- 45
陳克峻清　517-759-134
531-181- 52
陳克祥清　511-817-167
陳克震明　460-515- 46
陳克奭妻　清　見湯氏
陳克鑑清　524-180-187
陳抒泰妻　清　見于氏
陳抑亭明　517-669-131
陳岊山明　524-346-196
585-542- 19
陳肖孫宋　491-423- 5
493-782- 42
524-253-190
陳肖堂元　821-320- 54
陳壯猷妻　清　見劉氏
陳見素妻　宋　見樂氏
陳見龍明　523-250-157
528-531- 31
陳我堯清　481-449-317
陳我謀明　511-467-154
571-553- 20
陳我續妻　明　見張氏
陳佐才清　483-201-388
570-157-21之2
陳佐周清　476-404-119
547-120-145
陳佐堯宋　484-385- 28
陳佐舜明　456-683- 11
陳伯大女　明　見陳柔應
陳伯山鄱陽王　陳
260-724- 28
265-913- 65
375-402-83下
486- 40- 2
493-682- 37
494-257- 1
陳伯山陳惟忠　宋
448-369- 0
484-390- 28
陳伯之梁　260-185- 20
265-860- 61
378-437-142
384-119- 6
933-156- 11
陳伯之後魏　261-843- 61
陳伯友明　301-113-242
540-823-28之3
陳伯仁盧陵王　陳
260-726- 28
265-914- 65
375-403-83下
814-219- 2
819-567- 19
陳伯升宋　843-673- 下
陳伯仝宋　1205-389- 15
陳伯安明　473-284- 61
510-473-117
533-154- 52
545-422- 98
559-287-7上
陳伯光明　524-377-197
陳伯宗陳　見陳少帝
陳伯昌妻　明　見鄭氏
陳伯固陳伯國、新安王　陳
260-802- 36
265-913- 65
375-403-83下
485-347- 1
488-291- 11
494-286- 3
陳伯宣唐　288-406-456
516-119- 92
陳伯宣明　473- 26- 49
479-490-239
515-381- 68
陳伯奎元　475-640- 83
510-444-117
陳伯茂始興王　陳
260-722- 28
265-912- 65
370-573- 19
375-401-83下
488-276- 11
814-219- 2
819-567- 19
1415-566-104
陳伯信衡陽王　陳
260-725- 28
265-910- 65
375-399- 83下
485- 71- 11
493-682- 37
494-257- 1
陳伯恭晉安王　陳
260-725- 28
265-914- 65
375-403-83下
485- 71- 11
493-682- 37
528- 3- 17
陳伯剛明　481-117-296
陳伯康明　見陳仲進
陳伯通元　533-338- 58
陳伯通清　1322-583- 9
陳伯貫明　559-529- 12
陳伯國陳　見陳伯固
陳伯紹劉宋　482-225-348
523-525-172
563-616- 38
567- 29- 63
陳伯敏明　1291-418- 7
陳伯惠妻　明　見戴四娘
陳伯期妻　清　見陸氏
陳伯雄宋　見陳希微
陳伯虛宋　494-383- 11
陳伯智永陽王　陳
260-726- 28
265-914- 65
375-404-83下
485- 71- 11
486- 40- 2
493-682- 37
813-293- 17
814-219- 2
819-567- 19
1401-389- 30
陳伯義江夏王　陳
260-726- 28

265-914- 65
375-403-83下
陳伯溫宋 529-737- 51
陳伯瑗明 554-346- 54
陳伯達宋 511-678-163
陳伯達宋 見陳滂
陳伯敬漢 253- 70- 76
376-790-109下
陳伯魁明 567-406- 84
1467-188- 69
陳伯諒明 523-103-150
529-464- 43
陳伯謀桂陽王 陳
260-727- 28
265-914- 65
375-404-83下
494-286- 3
814-219- 2
819-567- 19
陳伯彊宋 491-434- 6
陳伯彊不詳 592-566- 96
陳伯顏元 472-981- 39
523- 99-150
陳伯禮武陵王 陳
260-726- 28
265-914- 65
375-404-83下
494-286- 3
814-219- 2
陳伯獻明 529-730- 51
821-402- 56
陳希文元 1222-281- 19
陳希文明(青州知府)
472-337- 14
陳希文明(錢塘人) 528-530- 31
陳希文明(字載道) 564- 92- 45
陳希元明 554-312- 53
陳希尹明 821-372- 55
陳希友明 529-660- 49
陳希古宋 476- 78-100
545-174- 89
陳希仝明 見陳希金
陳希伋宋 473-702- 80
564- 62- 44
陳希良明(字克忠) 511-625-161
陳希良明(絳州人) 546-600-135
陳希良明(太守) 1227- 78- 9
陳希金陳希仝 明
477- 88-153
538-119- 64
陳希亮陳公弼 宋
285-746-298
382-486- 75
384-358- 18
397-178-330
450-439-中31
459-903- 55
471-823- 33
471-959- 53
472-126- 4
472-195- 7
472-544- 23
472-643- 26
472-740- 29
472-826- 33
472-852- 34
473-185- 58
473-257- 60
473-333- 63
473-514- 71
475-698- 86
475-742- 88
476-476-125
476-854-145
476-912-148
477- 51-151
477-200-159
478-200-184
480-318-272
480-400-277
481-349-309
510-461-117
515-264- 65
532-683- 44
532-690- 45
537-204- 54
554-240- 52
559-305-7上
559-382-9上
591-634- 46
592-487- 91
592-582- 98
1107-535- 39
1197-757- 79
1356-241- 11
1367-841- 64
1373-199- 14
1384-658-139
陳希亮女 元 見陳氏
陳希烈唐 270-176- 97
276-449-223上
384-199- 11
401-326-612
820-165- 27
陳希造宋 529-496- 44
陳希愈宋 820-452- 35
陳希微陳伯雄 宋
493-1103- 58
陳希聞女 明 見陳氏
陳希學明 511-606-160
陳希聲宋 587-446- 5
陳希點宋 見陳晞點
陳希顏明 1240-752- 7
陳邦正明 564-233- 46
陳邦臣宋 1157-262- 19
陳邦光宋(太子詹事)
475-646- 83
陳邦光宋(知府) 488-415- 14
陳邦和妻 清 見吳氏
陳邦亮妻 明 見黃氏
陳邦彥明 301-691-278
456-424- 2
482- 39-340
676-667- 28
1460-714- 77
陳邦珍妻 明 見吳氏
陳邦科明 515-487- 71
陳邦訓明 1442- 80-附5
1460-425- 60
陳邦涑妻 明 見林氏
陳邦貢妻 明 見林氏
陳邦倖明 567-323- 78
1467-221- 70
陳邦修明 482-351-356
567-336- 79
1467-230- 70
陳邦基明 456-672- 11
陳邦鉽明 480-544-283
陳邦符明 511-602-160
陳邦偁明 567-408- 84
1467-221- 70
陳邦傅明 567-323- 78
1467-216- 70
陳邦傑明 564-252- 47
陳邦靖明 533-219- 53
陳邦瑞明 511-585-159
陳邦敷明 572-155- 32
陳邦儀明 515-488- 71
陳邦器明 1263-103- 17
陳邦衡宋 523-630-177
陳邦顏明 510-351-114
529-544- 45
陳邦謨妻 明 見劉氏
陳邦瞻陳邦贍 明
301-107-242
479-749-251
515-487- 71
567-145- 68
1442- 85-附5
1460-482- 63
陳邦鎭明 547- 9-141
陳邦簡清 563-878- 42
陳邦寵明 538-119- 64
陳邦獻宋 1171- 97- 12
陳邦贍明 見陳邦瞻
陳邦藻明 見陳薦夫
陳利仁妻 清 見王淑賢
陳利貞唐 275- 8-136
395-640-238
472- 31- 1
474-173- 8
505-713- 71
1342-376-953
陳佛智南北朝 473-713- 81
陳秀民元 820-547- 39
1439-450- 2
1460-801- 87
1471-466- 10
陳秀峻元 見陳秀崚
陳秀崚陳秀峻 1211-399- 56
1439-462- 2
陳秀瑛明 楊潤妻、陳仲同女
1243-376- 22
陳秀實陳桂騰 宋448-383- 0
484-390- 28
陳秀舉陳肅奇 宋451- 65- 2
陳彤瑞妻 清 見柴氏
陳妙玉明 胡貴妻
481-650-330
530-123- 57
陳妙秀明 許師善妻、陳仲甄女
1239-241- 42

陳妙姐明 張品妻
530-112- 57
陳妙珍陳妙眞 元 陳南溪女
524-776-216
1224- 63- 16
1409-730-649
陳妙眞元 見陳妙珍
陳妙善明 徐泰皓妻
524-453-202
陳妙善明 張伯銘妻
1238-246- 21
1240-305- 19
陳妙登劉宋 宋明帝貴妃、李道兒妻、陳金寶女
258- 16- 41
265-194- 11
陳廷言元(集賢侍講)
676-709- 29
陳廷言元(字君從)
1439-441- 2
陳廷柱妻 清 見宋氏
陳廷俊宋 1171-778- 28
陳廷祖梁 820-105- 24
陳廷泰明 820-660- 42
1249-407- 26
陳廷章母 明 見張氏
陳廷雪妻 清 見張氏
陳廷策明(衡陽人) 533-343- 58
陳廷策明(字穎夫) 564-199- 46
陳廷策妻 明 見林端娘
陳廷傑明 1237-302- 6
1238-176- 15
陳廷詩明 563-829- 41
陳廷敬陳敬 清 476-210-107
546-223-122
549-538-200
陳廷會清 524- 14-178
592-1020- 下
陳廷對明 456-663- 11
陳廷璋明 456-663- 11
陳廷選明 456-661- 11
511-606-160
陳廷器明 1247-385- 15
陳廷禮清 568-501-118
陳廷禮妻 清 見諸氏
陳廷謨明 545-121- 86
677-708- 63
陳廷熿妻 明 見鄧氏
陳廷耀妻 清 見楊氏
陳廷瓚女 明 見陳氏
陳宗九女 明 見陳小韞
陳宗大女 清 見陳阿丑
陳宗山元 524-375-197
陳宗文明 516-516-106
陳宗之明 1442-108-附7
1460-653- 73
陳宗仁妻 明 見邵氏
陳宗古宋 484-382- 28
陳宗石清 505-703- 70
陳宗石妻 清 見侯氏
陳宗全明 473-584- 75
陳宗朱明 456-615- 9
陳宗武明 533-119- 50
陳宗孟明 473-660- 78
陳宗佩明 529-690- 50
陳宗亮元 820-546- 39
陳宗契明 480-512-281
533-268- 55
陳宗昱明 564-274- 47
陳宗海明 見陳海
陳宗訓宋 585-520- 17
821-229- 51
陳宗哲明 545-185- 90
陳宗淵明 820-592- 40
陳宗祥女 明 見陳淑莊
陳宗球妻 明 見史氏
陳宗禼女 宋 見陳氏
陳宗偉宋 1127-338- 19
陳宗啟妻 明 見陳氏
陳宗堯明 547- 55-143
陳宗順明 529-585- 46
563-783- 40
陳宗舜明 515-633- 77
陳宗義女 明 見陳氏
陳宗道宋 529-747- 51
陳宗聖明 563-838- 41
陳宗達宋 480-138-264
陳宗虞明 559-362- 8
676-584- 24
1442- 60-附4
1460-189- 49
陳宗慶宋 482- 74-341
陳宗慶明 515-792- 82
523-160-153
陳宗億明 529-644- 48
陳宗篆明 529-681- 50
陳宗諤宋 564- 76- 44
1122-548- 10
陳宗諤妻 宋 見吳氏
陳宗翰宋 491-435- 6
陳宗器明 1260-106- 3
陳宗顏宋 1090-666- 38
陳宗禮宋(字立之) 287-743-421
398-677-412
473- 99- 53
479-629-245
515-825- 83
1195-373- 5
陳宗禮宋(字夢昌) 484-382- 28
陳宗彝子 明 1242-148- 29
陳宗瞻清 505-848- 76
陳宗夔明 480- 58-260
陳宗譽宋 523-557-174
1163-556- 32
陳法容劉宋 宋明帝昭華
258- 16- 41
265-195- 11
陳於王明 456-485- 5
陳於宸明 見陳于宸
陳宜之妻 清見林姜
陳宜中宋 287-705-418
398-645-409
472-1118- 48
473-568- 74
479-407-235
481-525-326
493-781- 42
陳宜中從子 宋 523-416-166
陳宜亮清 456-334- 76
陳宜衍清 黃宸達妻
530- 36- 54
陳宜泰明 529-668- 49
陳宜孫元 1375- 17- 上
1376-393- 85
陳宜廣妻 清 見宋氏
陳宜獻明 1231-390- 8
陳治安宋 473-726- 82
564- 66- 44
陳治安明 532-728- 46
陳治邦明 456-492- 5
538- 51- 63
陳治典明 510-408-115
陳治明明 564-270- 47
陳治紀明 533-219- 53
陳治溥妻 清 見林叔朝
陳治徵妻 清 見朱氏
陳性天清 505-809- 74
陳性善陳復、陳復初 明
299-359-142
456-696- 12
472-1073- 45
479-238-227
523-385-164
820-583- 40
886-152-139
陳性善妻 明 見胡氏
陳性溫唐 鄭伯嘉妻、陳酈女
530-109- 57
陳性學明(字所養) 528-462- 29
陳性學明(字還沖) 563-735- 40
陳怡孫女 元 見陳懿
陳定中清 533-335- 58
陳定國宋 484-380- 28
陳定國清 528-518- 31
陳定寬女 明 見陳氏
陳炎酉元 473- 75- 52
479-578-243
515-233- 64
陳武子陳開 春秋
404-602- 37
陳武仲宋 484-382- 28
陳武帝陳霸先 260-520- 1
265-157- 9
370-569- 19
370-572- 19
372-622- 14
372-630- 14
384-120- 6
486- 40- 2
488-258- 10
488-259- 10
488-267- 10
488-268- 11
494-263- 1
589-188- 上
814-212- 1
819-566- 19
陳武帝后 見章要兒
陳武帝女 見會稽公主
陳武齡宋 1170-715- 31
陳其元妻 清 見姚氏
陳其仁明 523-195-155

陳其志明 529-732- 51
陳其志明 見陳其忠
陳其赤明 302-118-295
456-582- 8
478- 93-180
479-662-247
515-809- 82
554-258- 52
陳其忠陳其志 明456-605- 9
陳其柱明(蘇州人)505-638- 67
陳其柱明(字元素)523-138-152
陳其恭明 511-635-161
陳其楝清 533-331- 58
陳其策妻 明 見常氏
陳其詩明 511-236-145
陳其道母 明 見陳氏
陳其敬妻 清 見楚氏
陳其誠清 516-110- 91
陳其誠妻 清 見薛氏
陳其樂明 475-701- 86
510-465-117
陳其諤妻 清 見王去華
陳其謀妻 明 見李氏
陳其學明 476-700-137
540-809-28之3
554-188- 51
1291-891- 6
陳其禮明 456-543- 7
523-411-166
陳其謨妻 明 見林氏
陳其難清 511-684-163
陳直方元 1217-239- 7
陳直方陳方直 明
480-242-269
532-668- 44
陳直躬宋 821-181- 50
陳亞卿宋 484-380- 28
陳坦公明 見陳安
陳坦然宋 473-784- 85
482-452-362
567-294- 76
1089-196- 20
1467-168- 68
陳門增清 456-333- 76
陳居中宋 821-225- 51
陳居仁宋 287-543-406
398-520-399
472-273- 11
472-377- 16
472-1086- 46
473-568- 74
473-599- 76
473-633- 77
475-272- 63
475-562- 79
479-177-225
480- 49-259
481-524-326
481-553-327
481-673-331
491-407- 5
491-436- 6
510-424-116
523-286-159
528-442- 29
529-498- 44
933-166- 11
1147-673- 64
1153-301- 83
1153-369- 89
陳居恭明 505-736- 71
506-644-109
陳居敬明 472-207- 7
陳孟壯清 1327-701- 8
陳孟京陳昌 明、1239-164- 38
陳孟東妻 明 見王瑞
陳孟芝明 547-101-145
陳孟珂明 476-528-128
陳孟省明 1238-267- 22
陳孟浩明 515-546- 74
683- 97- 1
1238-499- 11
陳孟姬明 鄭天錫妻、陳薦夫女 530- 10- 54
陳孟晟明 511-317-148
陳孟寔女 明 見陳氏
陳孟溫明 473-645- 78
481-698-332
529-691- 50
陳孟潔陳廉 明 1237-403- 13
1238-215- 18
陳孟龍明 460-820- 91
陳孟顒明 820-566- 40
陳孟藻明 1242-312- 34
陳孟藻妻 明 見伊氏
陳奉勅清 474-340- 17
505-906- 80
陳奉眞宋 見陳必達
陳坤文元 1197-757- 79
陳坤正明 王賓興妻
530- 8- 54
陳函輝陳煒 明 301-651-276
456-441- 3
479-295-230
510-367-114
523-400-165
676-659- 27
1442-109-附7
陳奇可明 529-572- 46
陳奇傑明 456-612- 9
陳奇策明 554-310- 53
陳奇策女 清 見陳氏
陳奇猷明 483-163-382
570-124-21之1
陳奇瑜明 301-410-260
548-654-181
554-185- 51
陳奇器明 568-212-106
陳阿丑清 陳宗大女
482-189-346
陳阿戍妻 清 見張順娥
陳阿帶清 482-189-346
陳協吉妻 明 見葉氏
陳表仁唐 820-285- 30
陳表臣宋 480-289-271
529-442- 43
陳長方宋 460- 30- 2
484-386- 28
511-672-163
589-339- 5
590-449- 0
678-115- 80
679-487-186
1139-657- 5
陳長世妻 清 見劉氏
陳長吉陳綠衣 清
1321- 80- 94
陳長祚明 529-477- 43
554-216- 52
陳長源陳興孫 宋448-399- 0
陳長源妻 明 見林萊
陳取青宋 524-292-193
陳東美唐 1340-623-783
陳東琪宋 見陳習
陳東曙女 清 見陳氏
陳來朝明 505-706- 70
陳來學明 456-661- 11
480-413-277
陳林南明 1241-499- 8
陳承己妻 宋 見彭氏
陳承叔齊 見陳胤叔
陳承昭南唐 見陳承詔
陳承昭宋 285-216-261
396-539-303
472-176- 6
511- 72-139
581-460- 94
陳承堅唐 524-119-184
陳承詔陳承昭 南唐
473-165- 57
515-101- 60
陳承德女 宋 見陳氏
陳忠言明 見陳以忠
陳忠厚宋 1121-410- 27
1386-490- 47
陳忠盛唐 554- 83- 49
1342-211-931
陳忠藎女 清 見陳氏
陳尚文宋 1375- 7-上
陳尚仁明 456-515- 6
陳尚古明 821-482- 58
陳尚老清 511-629-161
陳尚伊明 480-665-290
533-267- 55
陳尚表明 558-403- 36
559-310-7上
陳尚明明 480-563-284
陳尚炳明 456-677- 11
511-476-155
陳尚堯妻 清 見張氏
陳尚象明 300-810-233
483-295-394
572- 78- 28
陳尚義妻 清 見石氏
陳尚猷妻 清 見林氏
陳尚銘明 820-601- 40
陳尚德元 見陳普
陳尚樂妻 明 見俞氏
陳尚謙明 1274-356- 12
陳尚謙妻 明 見莊靜順
陳尚謙女 明 見陳淑靜
陳昌大妻 明 見林淑琬

陳昌世宋 493-961- 51
陳昌年宋 485-535- 1
陳昌言明(宿松人) 456-659- 11
511-477-155
陳昌言明(通山人) 533-417- 62
陳昌言清(字禹前) 546-691-138
陳昌言清(字禹欽) 554-321- 53
陳昌言妻 清 見劉氏
陳昌祖宋 529-674- 49
陳昌祚明 476-222-108
545-332- 95
陳昌晦唐 1145-540- 75
陳昌第女 清 見陳氏
陳昌期清 1316-618- 43
陳昌期妻 清 見張氏
陳昌裔明 456-550- 7
陳昌運宋 1171-780- 28
陳昌積明 515-701- 79
676-572- 23
陳昌應明 見廣籍
陳昌齡妻 清 見周氏
陳昌蘭妻 清 見王氏
陳明心妻 清 見章氏
陳明同宋 451- 58- 2
陳明府唐 523-212-156
陳明善明 510-497-118
陳明遇陳明選 明456-462- 4
475-216- 60
陳明經清 478- 94-180
554-322- 53
572-106- 30
陳明節清 529-679- 49
陳明選明 見陳明遇
陳明錦明 567-366- 81
1467-223- 70
陳卓然宋 484-381- 28
陳昇之母 宋 見竇氏
陳昇卿宋 475-639- 83
510-443-117
陳芳烈清 533-307- 57
陳芳夏清 568-374-113
陳易泰明 505-909- 81
陳易從唐 473-425- 67
559-266- 6
591-672- 47
陳易輔唐 559-390-9上
陳芝田元 821-297- 53
陳芝荷妻 清 見許氏

陳昊元明 564-119- 45
陳昊賢明 545-119- 45
陳果仁隋 490-747- 73
511-391-151
512-911-200
525- 15-217
525-143-224
590-118- 14
陳叔文晉熙王 陳
260-730- 28
265-918- 65
375-407-83下
陳叔平湘東王 陳
260-732- 28
265-919- 65
375-408-83下
陳叔匡太原王 陳
260-733- 28
265-920- 65
375-409-83下
544-213- 62
陳叔利女 明 見陳殊秀
陳叔坦新會王 陳
260-732- 28
265-920- 65
375-409-83下
陳叔明宜都王 陳
260-729- 28
265-917- 65
375-407-83下
陳叔明明 302-643-321
陳叔宣陽山王 陳
260-732- 28
265-919- 65
375-409-83下
陳叔垚母 元 見黃氏
陳叔英豫章王 陳
260-727- 28
265-917- 65
375-406-83下
陳叔重始興王 陳
260-730- 28
265-918- 65
375-408-83下
陳叔剛陳根 明 460-501- 43
473-574- 74
524-258-191
529-655- 49

676-480- 18
1242-213- 31
1243-687- 22
1442- 22-附2
1459-591- 21
陳叔卿建安王 陳
260-729- 28
265-917- 65
375-407-83下
528- 10- 17
陳叔純新興王 陳
260-732- 28
265-919- 65
375-409-83下
544-213- 62
陳叔堅長沙王 陳
260-727- 28
265-917- 65
375-406-83下
488-283- 11
488-294- 11
493-682- 37
陳叔理妻 清 見向氏
陳叔敖臨賀王 陳
260-732- 28
265-919- 65
375-409-83下
567- 5- 62
陳叔陵始興王 陳
260-799- 36
265-915- 65
370-587- 20
375-404-83下
488-289- 11
陳叔彪淮南王 陳
260-730- 28
265-918- 65
375-408-83下
陳叔紹陳振 明 460-501- 43
676-494- 19
1442- 46-附3
陳叔雄巴山王 陳
260-732- 28
265-919- 65
375-408-83下
陳叔隆新寧王 陳
260-733- 28
265-920- 65

375-409-83下
陳叔愼岳陽王 陳
260-731- 28
265-918- 65
375-408-83下
480-362-275
480-399-277
488-296- 11
494-257- 1
532-104- 27
陳叔祼陳祼、陳瓚 明
511-747-165
820-717- 43
821-446- 57
陳叔達義陽王 陳
260-731- 28
265-918- 65
269-549- 61
274-278-100
375-408-83下
384-171- 9
395-257-204
488-292- 11
494-258- 1
494-264- 1
535-555- 20
545-452- 99
933-156- 11
1371- 48- 附
1387-247- 15
陳叔虞武昌王 陳
260-732- 28
265-919- 65
375-408-83下
陳叔禎宋 見陳孺
陳叔韶岳山王 陳
260-732- 28
265-919- 65
375-409-83下
488-295- 11
陳叔齊新蔡王 陳
260-729- 28
265-918- 65
375-407-83下
486- 40- 2
494-258- 1
535-555- 20
814-219- 2

819-567- 19
陳叔榮新昌王 陳
260-733- 28
265-920- 65
375-409-83下
陳叔嘉宋 484-384- 28
陳叔澄陳 260-732- 28
265-919- 65
375-409-83下
陳叔毅隋 539-661-11之7
陳叔儉南安王 陳
260-732- 28
265-919- 65
375-409-83下
528- 8- 17
陳叔興沅陵王 陳
260-732- 28
265-919- 65
375-409-83下
陳叔盥宋 460-135- 8
陳叔穆西陽王 陳
260-732- 28
265-919- 65
375-409-83下
陳叔謙明 821-394- 56
陳叔謨巴東王 陳
260-732- 28
265-920- 65
375-409-83下
陳叔懷長沙王 陳
813-247- 8
819-568- 19
陳叔寶陳 見陳後主
陳叔獻河東王 陳
260-729- 28
265-918- 65
375-407-83下
544-213- 62
1064-911- 5
1415-547-103下
陳叔獻宋 1096-780- 38
陳叔儼尋陽王 陳
260-731- 28
265-918- 65
375-408-83下
陳叔顯臨海王 陳
260-732- 28
265-920- 65
375-409-83下
陳念一妻 明 見曾氏
陳非熊宋 479-236-227
523-384-164
陳知白宋 545-138- 87
549-564-201
陳知和宋 820-382- 33
1118-943- 64
1482-423- 3
陳知柔宋 460-193- 12
473-695- 80
481-774-336
524-324-195
528-491- 30
529-647- 48
563-920- 43
933-165- 11
陳知訓明 456-601- 9
陳知章宋 1118-388- 20
陳知雄宋 1122-175- 13
陳知溫唐 820-195- 27
陳知微宋 286- 77-307
397-270-335
472-294- 12
472-544- 23
475-374- 68
476-475-125
511-202-144
540-613- 27
581-471- 95
陳知儉宋 492-710-3下
537- 27- 48
1100-424- 38
陳知默宋 1122- 74- 6
陳季子明 1232-391- 1
陳季雅宋 524- 84-182
1164-275- 14
陳季璩北齊 263-202- 24
505-854- 77
陳周哲明 456-669- 11
陳周瑞明 456-669- 11
陳周鼎明 456-669- 11
陳佳士明 480-664-290
陳佳老元 見陳櫟
陳金臺郭金臺 明～清
533-318- 57
1442-114-附7
陳金寶女 劉宋 見陳妙登
陳侃六妻 明 見范氏
陳岳孫宋 見陳賞
陳所立明 505-652- 68
陳所有明 1442- 67-附4
1460-294- 53
陳所有妻 明 見田氏
陳所行明 476-418-120
505-693- 70
546-339-126
陳所志明 515-846- 84
陳所見妻 明 見薛氏
陳所思妻 明 見戴氏
陳所思清 547- 76-143
陳所問明 見陳所聞
陳所問妻 明 見王氏
陳所得妻 清 見何氏
陳所達明 1237-301- 6
陳所聞陳所問 明(謚節愍)
456-587- 8
476-726-138
540-658- 27
陳所聞明(字無聲) 511-132-141
陳所聞明(字辛華) 511-602-160
陳所養妻 清 見羅氏
陳所學明(字正甫) 480-175-266
533-193- 53
676-627- 26
陳所學明(字行父) 524-246-190
陳所優清 546-612-135
陳所蘊明(崇禎九年卒)
456-597- 9
陳所蘊明(字子有) 676-617- 25
1442- 82-附5
1460-441- 60
陳受榮妻 明 見倪氏
陳秉浩明 510-352-114
陳秉哲宋 484-387- 28
陳秉善明 570-162-21之2
陳秉鈞明 683-154- 4
陳秉禮宋 485-536- 1
陳秉彝明 472-313- 13
473-477- 69
481-438-316
511-242-145
559-276- 6
陳秉彝清 475-484- 73
502-687- 81
510-410-115
陳秉繼妻 清 見劉氏
陳延齡陳壽 明 676-501- 19
1442- 28-附2
1459-612- 23
1459-656- 25
1475-223- 9
陳臾姐明 林鏡妻、陳文沛女
530- 8- 54
陳洪宗妻 明 見鄭氏
陳洪烈明 480-341-273
陳洪進宋 288-738-483
371-118- 12
382-173- 24
384-329- 17
384-336- 17
401-249-601
408- 46- 2
528- 8- 17
552- 69- 19
933-157- 11
陳洪道元 1210-716- 19
陳洪圖清 528-500- 30
陳洪綬明 524-368-197
821-478- 58
1318-369- 64
1320-726- 79
陳洪綬妻 明 見吳淨鬘
陳洪範妻 明 見朱桂英
陳洪範清 570-142-21之2
陳洪諫清 475-370- 67
510-396-115
1324-345- 32
陳洪謐明 460-752- 77
475-122- 55
481-590-328
510-340-113
529-554- 45
陳洪濛明 479- 54-218
515-798- 82
523-512-171
537-269- 55
545- 93- 85
1283-821-131
陳洪謨明 473-369- 64
473-654- 78
479-454-237
480-486-280
481-612-329

482-539-368
517-615-130
528-495- 30
533-112- 50
676-526- 21
1263-300- 5
陳洪謨明 見陳元謨
陳洪璧明 460-605- 60
陳宣公春秋 371-310- 13
404-302- 18
陳宣帝陳頊 260-561- 5
265-176- 10
370-579- 20
370-586- 20
372-635- 14
384-120- 6
488-280- 11
589-189- 上
1401-385- 30
陳宣帝后 見柳敬言
陳宣帝女 見樂昌公主
陳宣帝女 隋 見陳氏
陳宣懋梁 820-106- 24
陳洞天明 570-262- 26
陳計長妻 明 見夏氏
陳祈廣清 529-724- 51
陳彥才宋 524-269-191
陳彥文宋 493-921- 49
陳彥回黃禮 明 299-364-142
456-692- 12
472-377- 16
475-563- 79
481-555-327
510-427-116
529-505- 44
532-731- 46
886-157-139
1254-582- 上
陳彥良明 538- 87- 64
陳彥武明 456-597- 9
陳彥奇明 456-684- 11
陳彥明元 1217-738- 4
陳彥和明 1239- 64- 31
陳彥高元 1221-485- 11
陳彥恭宋 529-493- 44
1128-258- 27
陳彥啟宋 484-381- 28
陳彥弼陳廉弼 清
481-531-326
529-661- 49
陳彥道妻 明 見胡正
陳彥達宋 529-670- 49
陳彥暄明 564-181- 46
陳彥寧宋 484-389- 28
陳彥德元 821-322- 54
陳哀公春秋 244- 66- 36
371-312- 13
384- 9- 1
404-305- 18
陳奕禧清 524- 17-178
陳美章妻 明 見林氏
陳珊卿妻 清 見詹氏
陳春光妻 清 見林氏
陳胡公周 371-310- 13
404-300- 17
537- 73- 49
陳杜國清 505-843- 76
陳相心元 524-375-197
陳厚耀清 511-785-166
陳南一陳純禮 宋(字一之)
451- 71- 2
陳南一宋(興寧人) 564- 59- 44
陳南仲唐 494- 16- 2
554-329- 54
陳南仲宋 515-751- 80
陳南美宋 484-383- 28
487-510- 7
陳南強宋 484-388- 28
陳南溪女 元 見陳妙珍
陳南賓陳光裕 明
299-297-137
473-750- 83
480-410-277
482-348-356
533-251- 55
567-445- 86
676-466- 17
1467-184- 69
陳南箕明 479-728-250
515-726- 79
陳南樓明 460-606- 60
陳珍之明 1263-121- 22
陳政三妻 明 見楊氏
陳致一宋 484-381- 28
陳致一女 宋 見陳體眞
陳致中明 480- 92-262
533-472- 64
陳致甫明 1283-759-126
陳致恭妻 明 見林氏
陳致虛唐 483-322-396
572-163- 32
陳致雍五代 529-724- 51
674-688- 8
陳柔應元 陳伯大女
1197-722- 75
陳茂元宋 524-167-186
陳茂芳明 564-234- 46
陳茂祖宋 524- 96-183
陳茂烈明 301-780-283
447-123- 附
453-649- 26
457-125- 9
458-723- 3
460-554- 54
473-145- 56
481-557-327
515-153- 61
529-511- 44
1257- 70- 7
1257-192- 18
1263- 78- 13
1263- 93- 16
1263-116- 19
1458-342-440
陳茂卿元 1194-736- 15
陳茂義明 523-536-172
陳茂濂宋 515-533- 73
陳茂禮明 523-537-172
581-697-116
陳茂馨妻 明 見許氏
陳茂齡明 523-137-152
陳貞申明 456-661- 11
511-476-155
陳貞姑清 481-593-328
530-100- 56
陳貞姐明 宋史妻
530-105- 57
陳貞度明 482-239-349
陳貞娘清 黃允卿妻、陳英芝女 1327-720- 9
陳貞達明 456-528- 6
458-377- 16
511-451-153
陳貞節唐 276- 35-200
384-205- 11
400-422-539
538- 33- 62
陳貞慧清 458-378- 16
475-231- 61
511-842-168
1315-406- 20
陳思文陳孝先 宋448-381- 0
484-390- 28
陳思光唐 820-179- 27
陳思名妻 元 見謝氏
陳思育明 533-113- 50
陳思孟明 547- 63-143
陳思忠清 545-229- 91
陳思恭妻 明 見莊氏
陳思恭清 538- 82- 64
陳思順明 523-247-157
陳思程妻 明 見林細娘
陳思詩妻 明 見劉氏
陳思道宋 288-408-456
400-297-524
472-258- 10
475-222- 61
511-551-158
陳思道元 554-309- 53
陳思道明 299-287-136
479-238-227
陳思虞妻 清 見成氏
陳思誠宋 523- 17-146
陳思齊宋 1123-478- 15
陳思賢明 299-374-143
456-696- 12
473-653- 78
481-611-329
482-209-347
528-493- 30
564-251- 47
陳思翰明 456-635- 10
陳思應陳聿修 唐589- 76- 0
陳思濟元 295-294-168
399-628-482
472-500- 21
472-569- 24
472-683- 27
472-1068- 45
475- 19- 49
475-640- 83
476-417-120

477-130-155
478-762-215
510-444-117
523- 22-147
537-427- 58
545-392- 97
1207-469- 33
1207-591- 41
1210-307- 8
1439-425- 1
1470-199- 7
陳思謙宋 460-306- 21
529-738- 51
陳思謙元 295-472-184
399-743-494
472- 98- 3
474-622- 32
505-791- 73
505-872- 78
陳思謙明 528-530- 31
陳思聰明 559-373- 8
陳思禮明 524-124-184
1224-454- 28
陳思謨明 481-612-329
528-495- 30
陳思讓宋 285-218-261
396-541-303
472-106- 4
472-144- 5
477-200-159
505-630- 67
陳省躬南唐 472-676- 27
515-141- 61
陳省華宋 285-543-284
397- 35-323
472-220- 8
472-717- 28
472-825- 33
473-447- 68
475-119- 55
477-242-161
478- 89-180
481-156-298
493-696- 39
510-324-113
537- 27- 48
537-286- 55
554-270- 53
559-359- 8
561-380- 41
591-608- 44
1118-943- 64
陳省華妻 宋 見馮氏
陳若沖宋 484-384- 28
529-716- 51
陳若拙宋 285-220-261
396-542-303
472-144- 5
474-469- 23
476-475-125
478- 89-180
505-728- 71
540-612- 27
545- 40- 84
554-139- 51
陳若英陳若瑛 明
473-168- 57
516-233- 97
陳若虛清 511-878-170
陳若瑛明 見陳若英
陳若瑛明 舒郎妻
530- 69- 55
陳若愚唐 812-501-下
812-522- 2
813- 81- 2
821-100- 48
陳若蒙宋 451- 65- 2
陳昭明宋 見陳經國
陳昭度宋 460-137- 8
529-726- 51
1142-644- 9
1185-673- 12
陳昭美宋 484-388- 28
陳昭袞遼 見陳扎袞
陳昭遇宋 284-472-461
564-623- 56
陳星樞明 511-529-157
陳星寰妻 宋 見馬氏
陳則之宋 529-759- 53
陳則清明 510-486-118
529-466- 43
陳則從明 456-632- 10
558-429- 37
陳則登妻 宋 見朱氏
陳英芝女 清 見陳貞娘
陳英弼明 1467- 64- 64
陳英發宋 451- 96- 3
陳是集明 564-236- 46
陳禹咨明 533-275- 56
陳禹謨明(字錫元) 511-389-151
680-317-257
陳禹謨明(字孟文) 523-266-158
陳重生宋 490-937- 87
陳皇后漢 漢武帝后、陳牙女
251-276-97上
373- 7- 19
陳皇后宋 宋神宗后
284-871-243
382-109- 14
384-364- 19
393-310- 76
537-186- 53
陳皇后明 明世宗后
299- 17-114
陳皇后明 明穆宗后
299- 20-114
陳帥英明 1276-376- 8
陳胤叔陳承叔 齊
259-332- 30
523-544-173
陳衍虞清 564-299- 48
陳俞侯女 清 見陳氏
陳紀範清 554-371- 54
陳爰謀明 456-549- 7
568-214-106
570-127-21之1
陳秋光明 鄧世源妻
482-189-346
陳秋堂妻 元 見黃氏
陳奐彰元 515-617- 76
陳侯周春秋 見陳湣公
陳保山明 456-484- 5
511-498-156
陳保素妻 清 見曾氏
陳保極南唐 278-174- 96
529-750- 51
陳俊民明 472-985- 39
陳俊秀明 529-683- 50
陳俊卿母 宋 見卓氏
陳俊卿宋 287-249-383
398-277-383
459-647- 38
460-364- 29
471-648- 10
471-659- 11
471-667- 12
471-670- 13
471-685- 14
472-173- 6
473-568- 74
473-583- 75
473-598- 76
473-633- 77
475- 70- 52
475-366- 67
481-492-324
481-553-327
481-582-328
488- 13- 1
488-449- 14
488-459- 14
528-441- 29
528-482- 30
528-522- 31
529-497- 44
674-880- 20
933-165- 11
1146- 51- 87
1146-287- 96
1161-570-123
1437- 24- 2
陳俊傑妻 清 見曹氏
陳後主陳叔寶 260-577- 6
265-180- 10
370-587- 20
384-120- 6
407-498- 7
589-189-上
819-566- 19
1387-164- 10
1395-599- 3
1401-387- 30
陳後主后 陳 見觀音
陳後主貴妃 陳 見陳麗華
陳後主女 陳 見陳媧
陳後主子 隋 見鏡臺翁
陳姝娘陳媚娘 明 王國助妻
481-592-328
530- 90- 56
陳浩淵陳暕 明 524-125-184
陳浩然宋 484-374- 27
陳祐之女 宋 見陳氏

陳祐甫宋 488-401-13
陳祖六明 456-684-11
陳祖仁元 295-494-186
399-755-495
472-664-27
477-85-152
511-898-172
538-39-63
1229-163-2
1375-37-下
1458-707-473
陳祖年宋 見陳王賓
陳祖武宋 484-375-27
陳祖苞明 301-208-248
505-652-68
510-339-113
陳祖訓明 563-807-41
陳祖堯宋 484-385-28
陳祖舜明 554-346-54
559-403-9上
陳祖義明 302-710-324
陳祖虞明 529-722-51
陳祖虞清 529-739-51
陳祖綬明 見陳組綬
陳祖禮宋 484-382-28
陳祚明明 524-12-178
1460-742-80
陳祚熙清 476-789-141
陳朗馨清 梁道敷妻
530-36-54
陳益昌父 宋 1188-757-5
陳益修清 540-847-28之4
陳益虞妻 清 見任氏
陳益稷元 295-726-209
1439-462-2
1469-786-68
陳訏謨明 529-480-43
陳神武明 見張神武
陳神護宋 見陳震炎
陳席珍明 532-649-43
陳家相妻 清 見胡氏
陳家楝明 480-91-262
陳家楝妻 明 見劉氏
陳衷赤清 511-801-167
陳衷脈明 1442-105-附7
陳衷韞妻 明 見張氏
陳效忠明 505-803-74
陳庭傑宋 1138-404-16
陳泰交明(字日章) 524-139-185
陳泰交明(字同倩) 678-215-90
1475-398-17
陳泰廷妻 清 見曾氏
陳泰初宋 見陳子元
陳泰來宋 540-632-27
陳泰來明(字伯符) 300-787-231
479-97-221
676-627-26
820-731-44
1442-77-5
1460-390-58
1475-359-15
陳泰來明(字剛長) 301-686-278
456-440-3
479-750-251
515-492-71
陳素行明 1241-473-7
陳素抱清 476-114-102
502-685-81
545-381-97
陳素蘊明 564-285-47
陳馬生明 529-675-49
陳恭尹清 482-40-340
陳恭錫清 474-571-29
505-653-68
陳原友妻 明 見薛氏
陳原武明 473-446-68
559-281-6
陳原習明 517-639-131
陳眞孫元 511-588-159
陳眞晟明 301-764-282
457-764-46
458-794-6
460-772-81
460-775-81
473-656-78
481-615-329
481-784-337
529-565-46
陳眞應明 529-682-50
陳孫四明 456-684-11
陳耆公宋 529-674-49
陳耆卿母 宋 見姚氏
陳耆卿宋 479-289-230
523-605-176
陳桂芳妻 明 見蕭氏
陳桂姑清 479-436-236
陳桂孫元 533-490-65
陳桂棟明 456-554-7
559-516-12
陳桂騰宋 見陳秀實
陳桓子春秋 見陳無宇
陳桓公春秋 371-310-13
384-9-1
404-301-18
陳陛謨清 533-305-57
陳起元清 見陳啟元
陳起宗宋 493-937-50
陳起東陳原 宋 451-72-2
陳起相明 572-160-32
陳起祚妻 清 見鄭氏
陳起泰清 見陳啟泰
陳起龍明(海澄人) 523-179-154
陳起龍明(字雲從) 523-514-171
陳起龍明(字念徐) 528-499-30
陳振烈清 554-779-62
陳振孫宋 493-777-42
494-407-12
524-33-179
陳振茲妻 清 見王氏
陳振琦明 570-212-23
820-760-44
陳振翰妻 明 見李六娘
陳殊秀明 陳叔利女
479-665-247
陳夏聲妻 清 見傅氏
陳時升宋 484-387-28
陳時可宋 484-388-28
陳時仲宋 484-384-28
陳時雨明 517-613-130
陳時彥女 宋 見陳氏
陳時起妻 明 見黃氏
陳時敏元 524-375-197
陳時雍明 564-269-47
陳時霈清 570-163-21之2
陳時範明 494-157-5
529-465-43
陳時舉宋 491-435-6
陳員韜明 299-593-161
473-97-53
479-293-230
479-627-245
481-23-291
481-804-338
515-186-62
517-225-121
523-473-169
559-250-6
563-737-40
1245-746-11
陳晏郎明 456-684-11
陳晏祖唐 683-9-0
陳剛中宋 460-179-10
479-792-254
484-383-28
490-933-87
515-266-65
525-359-235
529-440-43
585-110-4
590-229-5
陳特立宋 515-320-67
陳特穆清 455-54-1
陳恕可宋 820-447-35
1213-155-12
陳娥姐明 王天保妻
530-113-57
陳借句明 許人度
572-162-32
陳留王魏 見曹奐
陳留王魏 見曹峻
陳留王後魏 見元子直
陳留王後魏 見托跋虔
陳留王北齊 見高惠寶
陳留武清 476-894-147
陳翁默宋 見陳式
陳皋仁隋 1258-580-11
陳皋謨明 546-409-128
1442-59-附3
1460-176-48
陳師孔宋 484-389-28
陳師尹宋 484-388-28
陳師中父 宋 1482-413-3
陳師古女 宋 見陳氏
陳師可元 1218-300-13
陳師良宋 1132-750-29
陳師孟宋 528-505-31
陳師亮明 546-649-136
陳師泰明 見程師泰
陳師清宋 524-161-186
陳師堯妻 宋 見宋氏
陳師凱元 400-578-553
678-173-86

陳師愷宋 516-101- 91
陳師道宋 288-250-444
382-760-116
384-382- 19
400-664-562
427-246- 6
449-290- 14
471-871- 40
472-412- 18
475-430- 70
476-867-145
478-297-188
511-790-166
588-165- 8
674-290-4下
708-344- 50
933-161- 11
1110-529- 30
1114-738- 附
1118-836- 53
1121-411- 28
1437- 17- 1
1461-518- 25
陳師衡妻 明 見朱氏
陳師錫宋 286-586-346
382-677-105
397-657-360
449-304- 1
471-660- 11
471-766- 25
472-308- 13
473-402- 66
473-602- 76
475-420- 70
479-133-223
480-638-288
481-676-331
493-702- 39
494-326- 6
523- 76-149
529-596- 47
545-438- 99
674-897- 22
933-161- 11
1110-551- 32
1128-606- 16
1145-385- 70
陳能于宋 494-320- 6
陳純夫宋(永興人) 473-402- 66
533-327- 57
陳純夫宋(字德全) 532-644- 43
陳純德明 301-500-266
456-525- 6
458-285- 9
480-545-283
533-404- 61
545-109- 86
陳純禮宋 見陳南一
陳修已宋 821-183- 50
陳修古宋 1099-605- 14
陳修輔宋 484-389- 28
陳辰頌明 554-305- 53
陳辰學妻 明 見楊氏
陳殷莊妻 明 見張氏
陳殷道妻 明 見郭氏
陳添佐明 564-252- 47
陳添桂明 482-144-344
564-266- 47
陳庶子唐 821- 44- 46
陳淳老宋 1124-646- 29
陳淳祖宋 494-314- 5
515-233- 64
523-495-170
陳清宇妻 明 見徐氏
陳清江妻 清 見俞氏
陳清波宋 585-520- 17
821-230- 51
陳清隱元 472-369- 16
陳清藻明 施君藎妻
530-112- 57
陳惟中宋 482-208-347
陳惟玉唐 820-144- 26
陳惟孝明 456-611- 9
523-392-164
537-335- 56
陳惟直明 559-380-9上
陳惟忠宋 見陳伯山
陳惟芝明 537-523- 59
554-293- 53
陳惟岳唐 821- 91- 48
陳惟裕明 529-458- 43
676-504- 19
陳惟德宋 529-489- 44
陳惟學明 1234-590- 95
陳淨心唐 見陳靜心
陳淨眼唐 見陳靜眼
陳章伯宋 480-664-290
陳章應明 473-587- 75
545-146- 88
陳許廷明 524- 25-179
1475-529- 23
陳祥甫宋 515-761- 80
陳祥孫宋 見陳著
陳祥道宋 288- 95-432
400-780-544
460-177- 10
471-648- 10
473-571- 74
484-187- 8
529-436- 43
陳祥麟明 460-565- 56
529-731- 51
569-672- 19
676- 84- 3
680-313-257
陳梁甫吳 820- 43- 22
陳淑貞元 見陳淑眞
陳淑貞清 潘均妻530- 37- 54
陳淑眞陳淑貞 元
295-636-201
401-182-593
473- 31- 49
479-498-239
516-232- 97
陳淑莊明 周庚妻、陳宗祥女
1255-637- 66
陳淑敬明 王愼中妻
1274-494- 20
陳淑靜明 朱液妻、陳尚謙女
1274-345- 12
陳康士陳康 唐 674- 13- 1
839- 52- 4
陳康年宋 563-684- 39
陳康伯宋 287-264-384
398-290-384
449-370-上2
459-645- 38
471-630- 7
471-667- 12
471-713- 18
472-1041- 43
473- 63- 51
473-583- 75
479-351-233
479-558-242
481-582-328
493-746- 41
515-859- 85
518-750-160
523-199-155
528-482- 30
820-428- 35
陳康延宋 564- 39- 44
陳康祖元 494-415- 12
592-1001- 上
陳康珩妻 清 見張矜貴
陳康嗣陳大哥 宋448-395- 0
陳烺然妻 清 見孫氏
陳球玉清 邵天麟妻
530- 34- 54
陳執中唐 529-653- 49
陳執中宋 285-556-285
371- 54- 5
382-421- 66
384-348- 18
397- 44-323
471-722- 19
471-872- 40
472-126- 4
472-196- 7
472-587- 24
473- 20- 49
473-221- 59
473-776- 84
474-469- 23
476-657-135
479-486-239
482-451-362
488-382- 13
515-304- 66
528-481- 30
540-646- 27
552- 70- 19
567- 50- 64
588-318- 2
820-348- 32
933-159- 11
1101-696- 22
1104-417- 37
1467- 23- 62
陳執中元(宿州人) 472-127- 4
505-690- 70

陳執中元(杭州推官) 1221-421- 5
陳執中明 1227-106- 12
陳執古宋 1105-791- 95
1356-179- 8
1384-137- 92
陳執禮宋 1105-730- 88
1356-170- 8
1384-117- 91
陳梅莊宋 陳仲微女
1437- 40- 2
陳梅湖元 511-861-170
陳理陽妻 清 見張氏
陳基虞明 563-762- 40
陳埜僊元 472-519- 22
陳培貞清 見陳培禎
陳培祺清 563-889- 42
陳培禎陳培貞 清475- 21- 49
475-502- 75
502-689- 81
510-298-112
陳問世明 456-657- 11
陳埽靜後魏 見陳掃靜
陳掃靜陳埽靜 後魏
262-321- 93
381- 29-184
陳張科妻 明 見鄧氏
陳通方唐 529-715- 51
陳通老宋 見陳錫榮
陳晟伯元 1194-210- 16
陳崇政宋 480-567-384
533-795- 75
陳崇德明 529-461- 43
676-515- 20
陳崇謙清 564-307- 48
陳堂前宋 見王氏
陳莊公春秋 404-302- 18
陳莊官清 吳浩妻530- 35- 54
陳莊齡妻 清 見丁氏
陳國平妻 清 見袁氏
陳國甲清 511-636-161
陳國忠清 456-390- 80
陳國柱明 546-713-138
554-298- 53
陳國柱清 456-154- 61
陳國屏妻 明 見井氏
陳國政明(完縣人) 456-630- 10
陳國政明(字憲生)
1475-626- 27
陳國政妻 清 見李氏
陳國是明 529-480- 43
陳國是妻 清 見許氏
陳國俊明 456-615- 9
陳國訓明 570-134-21之2
陳國祝清 533-166- 52
陳國珙明 529-678- 49
陳國琬清 483- 35-371
570-114-21之1
陳國琦清 529-662- 49
陳國華宋 451- 85- 3
陳國華妻 明 見韓氏
陳國瑄清 570-143-21之2
陳國禎明 529-587- 46
陳國銓妻 清 見曾氏
陳國維妻 明 見王氏
陳國增妻 清 見張氏
陳國質元 567-413- 84
1467-182- 68
陳國憲妻 明 見李氏
陳國儒明 見程國儒
陳國璵妻 清 見林氏
陳國璽妻 明 見程正卿
陳國寶清 480-512-281
陳常夏清 529-739- 51
陳常道明 570-104-21之1
陳處允宋 473- 96- 53
陳處亨元 821-314- 54
陳處廷明 524-198-188
陳處厚母 宋 見林氏
陳處瑩宋 1090-664- 38
陳晞點陳希點 宋
493-717- 40
510-330-113
1153-511- 98
陳衆甫唐 1076-113- 12
1076-569- 12
1077-140- 12
陳得棟妻 清 見蔣氏
陳得顯妻 明 見張氏
陳終德後魏 263-200- 24
陳紹大陳潭孫 宋451- 69- 2
陳紹大元 523-606-176
680-287-254
陳紹文明 1460-291- 53
陳紹平明 480-664-290
陳紹光明 820-611- 41
陳紹叔元 460-457- 35
529-728- 51
陳紹美明 528-516- 31
陳紹南陳斗南 宋451- 92- 3
陳紹南明 456-606- 9
陳紹英明 571-541- 20
1442-112-附7
陳紹祖元 1212-364- 5
陳紹祖妻 清 見張氏
陳紹庭元 1203-376- 28
陳紹孫宋 1092-667- 62
陳紹孫元 400-311-526
陳紹商陳同 宋 451- 91- 3
陳紹惠妻 明 見李氏
陳紹復宋 517-347-124
陳紹裘宋 451- 71- 2
陳紹慶妻 明 見田氏
陳紹儒明 473- 18- 49
564-103- 45
1442- 57-附3
1460-155- 47
陳紹翼妻 清 見林莊哥
陳組綬陳祖綬 明
676-658- 27
1442-108-附7
1460-660- 73
陳細卞明 456-684- 11
陳細五明 456-684- 11
陳細秀明 陳瑄女
479-664-247
516-316-100
陳細官清 黃汝瓊妻
530- 39- 54
陳偉人女 明 見陳鼎
陳偉經妻 清 見朱氏
陳彩玉清 昌言妻530- 82- 55
陳參生宋 524-143-185
陳欲潤明 460-608- 60
陳敏八妻 明 見倪氏
陳敏政陳敏 明(字志行)
473- 75- 52
493-758- 41
515-235- 64
517-575-129
517-576-129
523-427-167
532-646- 43
陳敏政明(臨安人) 528-450- 29
陳敏政女 明 見陳懿德
陳敏陞明 456-679- 11
陳敏識宋 473- 14- 49
515- 83- 59
陳啟方陳啟芳 明
1242-115- 27
1242-866- 10
陳啟方妻 明 見張氏
陳啟文明 1274-390- 14
陳啟元陳起元 清
532-728- 46
537-470- 58
陳啟亨妻 清 見馮氏
陳啟秀清 529-688- 50
陳啟芸清 1327-350- 15
陳啟忠妻 清 見潘氏
陳啟明清 563-889- 42
陳啟芳明 見陳啟方
陳啟泰陳起泰 清
474-774- 41
477-202-159
481-495-324
502-769- 86
528-500- 30
537-283- 55
陳啟瀛妻 清 見沈氏
陳逢午清 511-837-168
陳逢春宋 1184-625- 15
陳逢寅宋 528-521- 31
陳從古宋 451-179- 6
511-773-166
1147-377- 34
陳從易宋(字簡夫) 285-782-300
371-145- 14
382-379- 60
397-204-331
460-190- 12
473-186- 58
473-586- 75
473-640- 78
473-672- 79
479-791-254
481- 67-293
481-584-328
482- 32-340
484- 90- 3
515-264- 65
528-536- 32

529-587- 45
545-139- 87
563-667- 39
933-158- 11
陳從易宋(字和夫) 484-384- 28
陳從易女 宋 見陳氏
陳從信宋 285-434-276
396-685-316
陳從義清 529-661- 49
陳從道明 1241-564- 10
陳從熙明 517-578-129
陳斌三明 529-711- 50
陳富光妻 清 見林氏
陳富春明 481-749-334
陳富娘清 530-116- 57
陳游瓌唐 820-279- 30
陳湣公陳侯周、陳閔公 春秋
207-334- 3
244- 67- 36
371-313- 13
384- 9- 1
404-306- 18
陳渭叟元 524-277-192
585-501- 15
陳惺泉妻 明 見過氏
陳焻祖妻 明 見王女英
陳翔龍明 456-598- 9
陳翔鸞明 545-249- 92
陳善方明 1237-295- 6
陳善安明 529-686- 50
陳善行明 528-554- 32
陳善見隋 812-340- 8
821- 31- 45
陳善住明 482-227-348
564-218- 46
陳善保妻 明 見林氏
陳善堅宋 丘升妻、陳煥女
1185-758- 21
陳善道明(字敬甫) 510-459-117
524-246-190
陳善道明(景陵人) 523- 88-149
陳善道清 456-309- 74
陳善慶妻 明 見蔡氏
陳善藏隋 263-202- 24
267-163- 55
陳曾孫妻 元 見汪氏
陳渤年妻 清 見周辰姑
陳詠之宋 473-111- 54
515-168- 62
1178-770- 6
陳敦化宋 1159-559- 34
陳敦化明 511-512-157
陳敦宋明 張環中妻
530- 2- 54
陳敦履明 460-607- 60
陳敦豫明 460-607- 60
陳雲石妻 清 見鄧氏
陳雲布唐 516-448-104
陳雲逵明 1267-612- 11
陳雲嘉婢 明 見陳鸚兒
陳雲嶠元 585-490- 14
陳雲鵬明 456-676- 11
559-506- 12
陳雲鵬妻 明 見曾淑眞
陳惠公春秋 244- 66- 36
371-313- 13
404-305- 18
陳惠安元 毛秀實妻
1197-778- 82
陳惠謙漢 張亮則妻
555- 6- 66
879-182-58下
陳越琪妻 清 見黃氏
陳巽言明 515-509- 72
陳雅言明 676- 20- 1
676-320- 12
678-184- 87
1374-724- 93
陳朝老宋 529-602- 47
陳朝君清 554-541-57下
陳朝章宋 528-549- 32
陳朝疏明 571-546- 20
陳朝焜妻 清 見舒氏
陳朝棟清 511-700-164
陳朝璋明 676-139- 5
676-377- 14
陳朝儀明 559-408-9上
陳朝器明 1274-426- 15
陳朝麟妻 清 見賀氏
陳盛杭妻 明 見尹氏
陳隆之宋 288-324-449
400-181-514
451-227- 0
473-428- 67
481- 22-291
559-504- 12
561-371- 41
591-687- 47
陳登雲明 300-808-233
474-411- 20
477- 55-151
505-791- 73
1291-899- 6
陳登雲妻 清 見李氏
陳登選妻 明 見沈孫娘
陳堯臣宋 524-370-197
821-202- 51
933-810- 60
陳堯言明 523-348-162
676-175- 7
陳堯佐宋 285-543-284
371- 53- 5
382-279- 44
384-347- 18
397- 35-323
449- 69- 6
450-133- 15
471-842- 36
471-846- 36
471-918- 48
472-125- 4
472-195- 7
472-324- 14
472-429- 19
472-504- 21
472-643- 26
472-739- 29
472-825- 33
472-877- 35
472-961- 38
473-447- 68
473-694- 80
473-700- 80
475-698- 86
475-742- 88
475-869- 95
476- 29- 97
476-204-107
477-200-159
477-305-163
478- 89-180
478-336-191
478-759-215
481-156-298
482-115-343
482-140-344
493-766- 42
510-461-117
510-470-117
523- 9-146
537- 27- 48
537-238- 55
537-275- 55
545- 40- 84
554-145- 51
558-193- 31
559-359- 8
561-380- 41
563-684- 39
591-609- 44
592-580- 98
674-276-4中
684-488-下
708-329- 50
820-339- 32
933-158- 11
1088-348- 40
1102-158- 20
1128-154- 17
1128-373- 8
1378-467- 58
1383-562- 50
1410- 63-671
1437- 11- 1
陳堯典明 523- 89-149
567-353- 80
1467-251- 71
陳堯咨宋 285-548-284
371- 54- 5
382-280- 44
384-347- 18
397- 38-323
471-780- 27
472-125- 4
472-544- 23
472-765- 30
472-825- 33
473-297- 62
473-447- 68
476-817-143
478- 89-180
481-156-298

505-630- 67
505-689- 70
537- 27- 48
537-312- 56
540-669- 27
554-140- 51
559-359- 8
561-380- 41
591-609- 44
820-340- 32
933-158- 11
陳堯咨女 宋 見陳氏
陳堯英宋 524- 84-182
1164-332- 18
陳堯英妻 清 見趙氏
陳堯恩明 563-835- 41
567-117- 67
陳堯叟宋 285-545-284
371- 53- 5
382-278- 44
384-331- 17
384-340- 17
397- 37-323
471-832- 34
471-858- 38
471-1047- 67
472-717- 28
473-447- 68
473-737- 82
473-748- 83
473-762- 84
476-912-148
481-156-298
482-318-354
537- 27- 48
537-287- 55
559-359- 8
561-380- 41
563-651- 39
567- 49- 64
591-608- 44
592-513- 92
820-339- 32
933-157- 11
1467- 23- 62
陳堯問宋 484-386- 28
陳堯弼明 523-157-153
陳堯道宋 529-725- 51
陳堯道元(字景傳) 524- 71-181
1209-401- 6
陳堯道元(嘉興人) 524-279-192
陳堯道明 680- 50-229
陳堯道清 554-539-57下
陳堯賓明 545-470-100
陳堯賢清 482-467-363
陳堯德明 1475-418- 18
陳堯龍元 1194-224- 17
陳堯舉宋 473- 99- 53
515-827- 83
陳弼哲妻 清 見林氏
陳開公春秋 見陳滑公
陳開泰明 483-162-382
569-676- 19
陳開運清 529-705- 50
陳肅奇宋 見陳秀舉
陳彭年宋 285-593-287
371- 67- 6
382-282- 44
384-340- 17
397- 69-324
471-740- 21
471-1051- 68
472-866- 34
473- 98- 53
479-628-245
493-696- 39
494-325- 6
515-816- 83
933-158- 11
陳彭壽宋 481-550-327
485-535- 1
528-474- 30
528-539- 32
陳揚庭宋 見陳過庭
陳陽盈元 481-748-334
529-644- 48
1471-401- 8
陳陽純元 1471-401- 8
陳陽復元 1471-401- 8
陳揀塘母 明 見都氏
陳閔八妻 明 見倪氏
陳景文宋 148-891- 50
陳景元陳景初 宋813-239- 6
820-464- 36
1106-292- 40
陳景元清 503- 4- 89
陳景正妻 明 見郭氏
陳景先宋 484-377- 27
陳景行宋 451- 65- 2
陳景行明 302-198-300
陳景育妻 明 見黃氏
陳景初宋 見陳景元
陳景初元 1222-280- 19
陳景初明 524-353-196
821-376- 55
陳景東宋 1135-428- 39
陳景尚梁 485-164- 22
493-1100- 58
陳景芳女 宋 見陳氏
陳景周宋 510-372-114
511-178-143
1170-709- 31
陳景莪明 820-614- 41
陳景思宋 493-717- 40
1164-338- 18
陳景星妻 明 見王氏
陳景秋明 1458-115-425
陳景淵明 1240-180- 12
陳景雲清 1075-576- 附
1075-577- 附
陳景超明 1467-121- 66
陳景隆明(字茂之) 523-119-151
820-591- 40
陳景隆明 529-460- 43
陳景肅宋 460-417- 32
529-561- 46
陳景著陳湜 明 460-491- 41
473-574- 74
529-719- 51
陳景源清 王廷璉妻
530- 35- 54
陳景溫女 宋 見陳氏
陳景融明 1391-646-341
陳景魏宋 460-192- 12
529-648- 48
563-685- 39
陳貴一宋 見陳經正
陳貴恆妻 清 見虞氏
陳貴誠宋 494-322- 6
陳貴誼宋 287-715-419
398-653-410
473-572- 74
481-528-326
494-431- 13
523-281-159
529-444- 43
1173-312- 87
1180-233- 22
陳著奇宋 見陳龍復
陳虛齋妻 明 見黃氏
陳貽序宋 524- 61-181
陳貽範宋 479-288-230
陳量德清 456-334- 76
陳華育清 524-189-187
陳華國宋 見陳篆
陳鄂年妻 清 見楊氏
陳菊香明 賴孫盛妻
530-129- 57
陳菊娘清 陳錫謙女
1327-718- 9
陳無宇田桓子、田無宇、陳桓子 春秋 371-433- 23
404-601- 37
448-247- 22
陳無吝元 515-627- 76
陳無須田文子、田須無、陳文子、陳須無 春秋
371-433- 23
404-600- 37
448-247- 22
491-791- 6
陳傅良宋 288-117-434
400-515-547
451- 22- 0
471-641- 9
472-1117- 48
479-405-235
480-663-290
481-524-326
481-750-334
523-626-177
528-442- 29
529-758- 52
532-704- 45
820-443- 35
1150-919- 附
1150-924- 附
1150-930- 附
1152-791- 51
1153-471- 95
1164-301- 16
1437- 26- 2

1462-345- 70
陳傅良妻 宋 見張幼昭
陳傅嘉明 564-232- 46
陳順止明 梁不移妻、陳友慶女 1238-250- 21
1424- 39- 25
陳順甯明 529-690- 50
陳順謙漢 曹寧妻 879-182-58下
陳須無春秋 見陳無須
陳幾道宋 493-703- 39
1099-763- 14
陳智仲明 1240-877- 10
1242-308- 34
陳智深陳 265-953- 67
378-522-144
陳智廣唐 530-209- 60
陳喬宇妻 明 見梁氏
陳喬伯妻 清 見黃氏
陳媚姜明 見陳姝娘
陳舜仁明 676-626- 25
陳舜仁女 清 見陳氏
陳舜申宋 528-491- 30
529-443- 43
677-352- 32
陳舜咨元 400-316-526
472-577- 24
陳舜俞宋 286-401-331
397-508-350
471-607- 3
471-710- 17
471-922- 48
472-983- 39
472-999- 40
473- 74- 52
479-101-221
479-141-223
479-223-227
479-578-243
491-109- 13
494-381- 11
494-472- 18
511-759-166
515-231- 64
523-444-168
525- 51-219
585- 14- 附
674-822- 17
1152-798- 51
1209-450-7下
1437- 14- 1
陳舜叟元 1210-724- 20
陳舜道明 476-180-106
陳舜謀妻 明 見林靖
陳舜穆妻 明 見唐氏
陳勝孫宋 見陳德修
陳勝通明 529-585- 46
陳欽成妻 明 見黃瑛玉
陳欽福明 594-215- 7
陳象古女 宋 見陳氏
陳象明明 301-691-278
456-466- 4
482- 39-340
564-156- 45
陳傑八妻 明 見李氏
陳集原唐 271-521-188
275-629-195
400-287-523
473-713- 81
482-279-351
564- 27- 44
陳復平清 482-143-344
564-303- 48
1327-697- 8
陳復旦妻 清 見吳鸞使
陳復初明 見陳性善
陳復拱妻 明 見黃三姐
陳復原明 見李復原
陳復新清 515-161- 61
545-856-113
陳復寮明 見李復原
陳源長陳履長 元 1205-390- 15
陳源湛明 529-587- 46
陳詩教明 1475-461- 19
陳試傑明 532-667- 44
陳愽古女 宋 見陳氏
陳慈童元 1216-252- 13
陳義民宋 1150-885- 49
陳義昌明 456-667- 11
陳義明妻 清 見劉氏
陳義姑明 陳穗女 302-215-301
530-123- 57
陳義高元 1194-463- 4
陳義娘清 鄭雪妻
481-561-327
530- 81- 55
陳溫卿宋 484-377- 27
陳靖建明 456-678- 11
538-328- 69
陳新甲明 301-347-257
559-358- 8
陳新第明 456-550- 7
483-249-391
571-538- 20
陳新塗妻 晉 見李氏
陳廉弼清 見陳彥弼
陳煥章明(錢唐人) 585-514- 16
陳煥章明(字煥章) 1238-567- 15
陳運泰清 481-783-337
528-573- 32
陳道夫元 472-339- 14
475-528- 77
511-473-155
陳道止陳道正 齊 蕭承之妻、陳肇之女 259-240- 20
265-195- 11
373- 83- 20
陳道永陳確 明 1460-730- 79
陳道正齊 見陳道止
陳道生宋 見陳槩
陳道生明 532-706- 45
陳道安妻 元 見林氏
陳道回元 蔣國秀妻 530- 12- 54
陳道亨明 301-103-241
479-493-239
515-416- 69
582-139-130
陳道明唐 1053-163- 4
陳道周宋 473-339- 63
534-718-107
陳道眞宋 843-673- 下
陳道眞明 張一清妻 530- 4- 54
1223-579- 11
陳道孫宋 見陳預
陳道清明 572-166- 32
陳道基陳道賢 明 481-588-328
529-544- 45
563-731- 40
567-128- 67
1467- 98- 65
陳道基明(字以忠) 523-104-150
陳道曾明 460-571- 57
473-166- 57
473-588- 75
676-479- 18
陳道閑女 明 見陳賢時
陳道復陳淳 明 301-845-287
511-741-165
820-668- 42
821-412- 56
1442- 69-附4
1460-325- 55
陳道暉明 529-755- 52
陳道賓明 511-608-160
陳道壽明 見程道壽
陳道輔金 554-912- 64
821-277- 52
陳道潛明 460-530- 49
529-729- 51
陳道談始興王、陳道譚 陳 260-722- 28
494-263- 1
陳道賢明 見陳道基
陳道譚陳 見陳道談
陳道韞宋 吳漢英妻、陳巖震女 1170-711- 31
陳資偉妻 明 見林氏
陳資壽元 545-885-114
547-168-147
陳載春明 282-847- 65
陳塤伯宋 460-452- 34
陳損之宋 475-366- 67
陳聖元宋 534- 86-182
陳聖敬妻 清 見羅氏
陳聖澤宋 1218-300- 13
陳瑞玉清 江位三妻 530- 33- 54
陳瑞官清 林以潛妻 530- 34- 54
陳瑞昇女 清 見陳氏
陳瑞姐清 許亨妻 530- 23- 54
陳瑞孫元 見陳端孫
陳瑞龍明 564-201- 46
陳瑞蘭明 方廷揚妻 530- 13- 54
陳楠老元 460-480- 38

1439-444- 2
陳楚舟元 480-664-290
533-262- 55
陳楚春元 533-319- 57
陳楚英明 1293-791- 9
陳楚產明 533-175- 52
1467-158- 67
陳達色清 456-333- 76
陳達道妻 明 見陸氏
陳達興清 456-333- 76
陳萬夫妻 明 見董氏
陳萬年漢 250-517- 66
376-262- 99
384- 48- 2
472-198- 7
475-745- 88
511-341-149
933-153- 11
陳萬言唐 564- 25- 44
陳萬言明(元城人) 302-198-300
陳萬言明(字道襄) 475-641- 83
510-447-117
564-105- 45
陳萬言明(字居一) 524- 23-179
676-635- 26
1442- 93-附6
1460-537- 66
1475-422- 18
陳萬里元 1203-374- 28
陳萬卷明 480-133-264
陳萬忠明 567-395- 83
1467-254- 71
陳萬昇清 475-646- 83
511-636-161
陳萬受妻 明 見張氏
陳萬策明 302- 90-294
456-670- 11
480-248-269
陳萬策清 1328-885- 19
陳萬壽妻 明 見張氏
陳萬鑑妻 清 見李氏
陳董德明 見陳吾德
陳嗣功明 676-149- 6
陳嗣光宋 529-707- 50
陳嗣宗明 559-308-7上
陳嗣源妻 清 見汪氏
陳嗣虞明 456-576- 8
554-720- 61
陳嗣楚妻 明 見鄭氏
陳鼎祚妻 清 見許氏
陳鼎彝妻 明 見陳氏
陳葆光宋 472-264- 10
475-243- 61
陳敬止明 821-349- 55
陳敬四明 456-684- 11
陳敬仲春秋 見陳完
陳敬甫妻 清 見蔡氏
陳敬求清 529-723- 51
陳敬宗明 299-614-163
453-298- 2
453-606- 17
458-1021- 1
472-1089- 46
475-643- 83
479-181-225
511-315-148
523-593-175
676-475- 18
820-610- 41
1238-475- 9
1240-167- 11
1241-296- 13
1284-354-163
1391-587-334
1442- 20-附2
1459-565- 20
陳敬叟宋 480-664-290
533-319- 57
陳敬瑄唐 276-485-224下
384-293- 15
401-407-621
陳虞之宋 479-407-235
523-416-166
821-232- 51
陳虞奇南北朝 481-532-326
陳虞亮清 1325-190 -12
陳虞胤明 456-520- 6
陳虞裔明 554-735- 61
陳過庭陳揚庭 宋
286-680-353
382-699-108
397-728-364
449-303- 1
472-1071- 45
473-282- 61
479-234-227
480-139-264
486-321- 15
523-382-164
533-727- 73
540-640- 27
933-161- 11
陳鉉美妻 清 見程氏
陳稚升漢 473-776- 84
482-450-362
567- 21- 63
1467- 2- 62
陳會鼎陳鉉 明 1242-840- 10
陳經正陳貴一 宋
448-525- 14
523-626-177
陳經正明 523-122-151
陳經正女 清 見陳氏
陳經孚明 302-157-297
524-165-186
陳經邦明 481-558-327
529-519- 44
676-591- 24
陳經國陳昭明 宋(字世顯)
448-369- 0
484-390- 28
陳經國宋(字伯夫) 451- 75- 2
陳經綸明 564-167- 45
陳經濟明 476-113-102
545-379- 97
陳經濟妻 明 見趙氏
陳經疇妻 明 見林淑清
陳毓秀清 547- 76-143
陳毓華妻 明 見浦氏
陳毓賢明 529-465- 43
陳解人妻 清 見林氏
陳實蓁妻 清 見張氏
陳誠之宋 471-648- 10
473-572- 74
484-387- 28
陳誠卿妻 明 見吳氏
陳誠遜明 523-130-152
陳韶英明 456-488- 5
陳韶孫元 295-602-197
482- 35-340
503- 10- 90
564- 82- 44
陳福山明 473-387- 65
480-541-283
532-719- 45
陳福元妻 清 見焦氏
陳福侯妻 清 見王氏
陳寧郎宋 見陳天麟
陳寧祖宋 451- 77- 2
陳寧國宋 532-747- 46
陳寧實明 524-221-189
陳端才妻 元 見蔡三玉
陳端中宋 1171-784- 28
陳端仁宋 484-384- 28
陳端正明 陳仲裕女
564-320- 49
陳端言明 523-207-155
陳端孫陳瑞孫 元
481-748-334
528-447- 29
陳端卿妻 宋 見彭氏
陳端淙妻 清 見池氏
陳端禮明 523-593-175
陳齊仲宋 460-286- 18
陳齊孟明 568-501-118
陳齊孟妻 清 見林氏
陳齊孟妻 清 見諸氏
陳說之妻 宋 見項氏
陳禘嘗妻 清 見解友榕
陳粹父宋 1114-669- 16
陳寡言唐 486-905- 35
524-415-200
陳漢公陳詠 宋
1095-275- 31
陳漢良清 559-332-7下
陳漢杜妻 明 見鄭氏
陳漢卿宋 820-355- 32
1102-239- 30
1383-620- 55
陳漢超妻 清 見王氏
陳漢隆明 1237-378- 10
陳漢鳳妻 明 見李氏
陳滿堂明 456-620- 9
505-853- 77
陳榮祖元 545-340- 96
陳榮祖明(臨晉人) 546-302-125
554-275- 53
陳榮祖明(同安人) 563-786- 40
陳榮祖元 11197-724- 75
陳榮顯明 676- 38- 2
679- 76-146
陳壽老宋 見陳寥吳

陳壽孫宋 523-415-166
陳壽徵明 820-717- 43
陳輔堯明 302- 35-291
456-456- 4
474-734- 40
475-377- 68
502-294- 56
511-461-154
陳與郊明 505-678- 69
583-490- 8
678-631-129
陳與義宋 288-258-445
400-671-563
471-611- 4
471-772- 26
471-792- 29
471-880- 41
472-750- 29
473-348- 63
473-768- 84
477-315-164
480-439-278
494-305- 5
524-327-195
533-745- 73
538-142- 65
563-921- 43
567-437- 86
674-294-4下
674-879- 20
820-413- 34
933-164- 11
1127-488- 8
1129-665- 附
1131-647- 35
1437- 22- 2
1461-819- 42
1467-149- 67
陳熙生妻 清 見張氏
陳熙廷明 523-568-174
陳熙昌明 523-108-150
564-112- 45
1442- 92-附6
1460-531- 66
陳熙韶明 564-112- 45
陳槐卿宋 1181-425- 5
陳爾見明 820-697- 43
陳爾飛妻 清 見錢氏
陳爾耕明 1291-509- 9
陳爾耕妻 明 見談氏
陳爾斌妻 清 見林氏
陳碩眞唐 274-384-109
陳碩望明 1238-450- 7
陳臧孫宋 515-146- 61
517-392-125
陳際中妻 明 見翁氏
陳際泰明 301-870-288
479-662-247
481-725-333
515-807- 82
517-747-133
陳碧芝清 羅正楷妻
530- 42- 54
陳嘉元妻 清 見潘氏
陳嘉引明 554-313- 53
陳嘉言宋(景陵人) 473-235- 60
480-173-267
533-375- 60
陳嘉言宋(字聖謨)
1170-748- 33
陳嘉言明(蘇州人) 479-579-243
515-236- 64
陳嘉言明(字可彰) 511-877-170
821-481- 58
陳嘉言明(東莞人)
1467- 75- 64
陳嘉祐清 456-333- 76
陳嘉訓明 516- 87- 90
陳嘉起妻 清 見王氏
陳嘉略明 572- 76- 28
陳嘉猷宋(字道美) 484-386- 28
陳嘉猷宋(字獻可) 523-348-162
陳嘉猷宋(陽江人) 564- 65- 44
陳嘉猷明(字忠軒) 456-631- 10
505-847- 76
陳嘉猷明(番禺人) 523-218-156
陳嘉猷明(字世用) 524-241-190
陳嘉猷明(字聖佐) 529-660- 49
陳嘉猷明(富順人) 554-347- 54
陳嘉猷清 547- 55-143
陳嘉瑞明 572-110- 30
陳嘉會宋 484-384- 28
陳嘉賓妻 明 見張招姐
陳嘉慶明 480-200-267
532-655- 44
陳嘉興元 1219-401- 13
陳嘉績宋 484-388- 28
陳嘉績清 478-133-181
554-538-57下
陳嘉禮明(臨汾人) 545-784-111
陳嘉禮明(富順人) 563-822- 41
陳嘉謨宋 1205-389- 15
陳嘉謨明 301-791-283
456-547- 7
457-343- 21
479-726-250
511-881-171
515-705- 79
陳嘉謨清 475-379- 68
511-575-159
陳嘉謨妻 清 見張氏
陳嘉寵清 511-570-158
陳趙璧清 529-684- 50
陳需桐妻 清 見莊正肅
陳聞詩明 302- 20-290
458- 63- 3
472-684- 27
477-131-155
538- 44- 63
陳轂潤宋 1113-427- 8
陳歌泰清 511-859-169
陳遠大元 523-560-174
1210-361- 11
陳遜勵妻 明 見鄭懿德
陳夢良宋 460-282- 17
陳夢庚宋 1185-767- 22
陳夢林清 1325-676- 2
陳夢祥明 517-593-130
陳夢熊明 456-551- 7
483-139-380
陳夢魁元 820-502- 37
陳夢龍宋 482-142-344
陳夢龍明 529-475- 43
陳夢龍清 533-772- 74
陳夢龍妻 清 見張氏
陳夢鯉妻 清 見林氏
陳夢鶴明 540-811-28之3
676-202- 8
陳鳴珂明 540-831-28之3
陳鳴球明 460-778- 81
陳鳴陽明 1442- 97-附6
1460-587- 69
陳鳴華明 1282-855- 65
陳鳴道女 宋 見陳氏
陳鳴鶴明 1442-101-附6
陳蒼永妻 清 見彭孫懿
陳睿娘清 邵旦妻530-121- 57
陳睿傑明 529-667- 49
陳睿謨明(字常采) 511-393-151
537-222- 54
陳睿謨明(字鹿華) 528-532- 31
陳暠伯元 1203-394- 29
陳嘛哩宋 530-207- 60
陳蒙正元 460-476- 37
陳蒙貞妻 明 見宋氏
陳鳳岐明 1280-462- 90
陳鳳岐妻 明 見林瓊
陳鳳典明 570-260- 25
陳鳳杜妻 明 見林氏
陳鳳翀清 476- 86-100
陳鳳梧明 479-723-250
515-685- 78
532-594- 41
545- 78- 85
676-526- 21
677-560- 51
1264-302- 下
1269-467- 8
陳鳳瑞妻 明 見楊氏
陳鳳翥陳愈 清 1315-627- 40
陳鳳翱妻 清 見周氏
陳僖子春秋 見陳乞
陳維孝明 477-500-174
陳維坤清 511-596-159
陳維明明 477-503-174
陳維春明 572-159- 32
陳維屏清 481-559-327
529-525- 44
陳維屏妻 清 見秦氏
陳維城明 505-651- 68
陳維剛宋 529-494- 44
陳維崧清 475-233- 61
511-770-166
538-318- 69
陳維國清 533-114- 50
陳維復妻 清 見姜氏
陳維裕明 見陳惟裕
陳維新清 474-169- 8
482-323-354
502-674- 80
505-642- 67
567-150- 69

陳維德宋 528-437- 29
陳維翙妻 清 見尤氏
陳維藩明 546-615-135
陳維夔妻 清 見李氏
陳肇之女 齊 見陳道止
陳肇昌清 533- 21- 47
563-870- 42
陳肇采妻 清 見鄭氏
陳肇祉妻 清 見劉懋資
陳肇崗妻 明 見劉細娘
陳肇曾明 679-696-207
陳綬添妻 清 見謝氏
陳綠衣清 見陳長吉
陳廣心明 302- 42-291
456-599- 9
474-617- 32
505-858- 77
陳廣惠明 567-395- 83
陳瑩中明 見陳德文
陳審確宋 285-218-261
396-541-303
陳潼老宋 見陳閎
陳潛夫陳朱明 明(字玄倩)
301-671-277
456-441- 3
458-324- 12
477- 56-151
479- 55-218
523-359-163
537-225- 54
1442-109-附7
陳潛夫明(字振祖)
1459-424- 13
陳潛中陳元亮 明
563-803- 41
陳潛齋宋 1180-246- 23
陳潤祖元 494-417- 12
陳諸生明 見陳民俊
陳調元明 523-196-155
陳潭孫宋 見陳紹文
陳鄰臣女 宋 見陳氏
陳慶子唐 821- 58- 46
陳慶大宋 1205-389- 15
陳慶之宋 260-271- 32
265-863- 61
378-440-142
384-119- 6
472-257- 10
475-220- 61
477-407-169
511-390-151
933-156- 11
陳慶勉宋 480- 50-259
1205-276- 9
1205-392- 15
1375- 12- 上
1376-388- 85
陳慶雲明 517-666-131
陳慶隆宋 見陳大方
陳養元清 480-487-280
陳養質明 456-679- 11
陳慧紀陳 260-642- 15
265-909- 65
375-398-83下
494-258- 1
523-527-172
陳賢才明 537-249- 55
陳賢時明 宋文昭妻、陳道閑女 1223-286- 2
1224-324- 24
陳厲公春秋 244- 64- 36
386-594- 1
404-301- 18
陳駒郎宋 見陳舉善
陳增新清 1475-571- 25
陳醇儒清 511-883-171
陳震亨明 475-230- 61
511-450-153
陳震炎陳神護 宋451- 64- 2
陳霆萬清 476-659-135
523-442-167
540-684- 27
陳遷鶴清 481-591-328
529-736- 51
陳履升清 523-432-167
陳履正元 1205-389- 15
陳履長元 見陳源長
陳履忠明 515-281- 65
陳履貞明 460-753- 77
陳履祥明 511-910-173
1294-279-6下
陳履熙清 511-871-170
陳履謙元 1206-194- 20
陳蔚起妻 清 見胡氏
陳蔡生明 480-412-277
陳賜一明 456-684- 11
陳億孫宋 400-188-514
480-510-281
533-402- 61
陳德一宋 473-573- 74
529-717- 51
陳德文陳瑩中 明
302-850-332
473-689- 80
482- 90-342
564-179- 46
陳德中明 1237-486- 5
陳德升女 明 見陳盼
陳德永元 524- 63-181
820-527- 38
1439-432- 1
1471-397- 8
陳德永清 456-284- 71
陳德沂元 529-697- 50
陳德亨元 見張德亨
陳德成陳烈 南唐
1085-126- 16
陳德宗明 529-657- 49
陳德林宋 471-903- 45
472-290- 12
陳德固宋 451-278- 3
523-402-165
陳德芳明 533-340- 58
陳德芳清 李大捷妻
530-147- 58
陳德和女 明 見陳祥
陳德金元 羅良妻
481-725-333
530-109- 57
陳德海明 547- 33-142
陳德高宋 524-216-189
526- 64-261
1163-471- 21
陳德剛宋 523-287-159
陳德純妻 明 見杜氏
陳德修陳勝孫 宋448-375- 0
陳德貴妻 明 見曾氏
陳德詢明 524- 91-182
陳德敬妻 元 見黃斯崇
陳德遜明 1239-123- 35
1242-315- 34
陳德潤明 480-205-267
陳德輝妻 元 見許清密
陳德諭明 511-186-143
陳德豫宋 529-444- 43
陳德鎏妻 清 見彭氏
陳德懋明 460-515- 46
529-463- 43
陳德顏明 524-377-197
821-352- 55
陳德驥明 510-495-118
陳魯生明 見陳灝
陳魯生妻 明 見李炳姐
陳緯孫宋 見何鳴鳳
陳樂芸明 1458-116-425
陳憲度明 483-307-395
572- 80- 28
陳憲章陳錄 明 524-365-197
821-391- 56
陳憲章明 見陳獻章
陳憲道清 566-277- 56
陳龍玉明 456-543- 7
陳龍正陳龍致 明
301-375-258
457-1071- 61
458-311- 11
523-583-175
1475-479- 20
陳龍津妻 明 見尤圭妹
陳龍致明 見陳龍正
陳龍孫妻 清 見彭孫婧
陳龍峰妻 清 見游氏
陳龍復陳著奇 宋
288-378-454
400-197-515
451- 69- 2
451-232- 0
473-587- 75
529-534- 45
563-706- 39
564-826- 60
陳龍輔宋 451-126- 1
475-276- 63
陳龍樹唐 473-713- 81
陳龍巖清 529-556- 45
陳龍驤清 523-197-155
陳澤九明 456-677- 11
511-654-162
陳澤民宋 523-212-156
陳激衷明 481-694-332
528-544- 32
564-100- 45

陳遵賢清 456-332- 76
陳樹槐妻 清 見朱氏
陳機六明 456-684- 11
陳燕翼明 529-483- 43
563-797- 41
陳頤正明 676- 28- 1
678-516-119
陳穎達元 820-531- 38
陳翰臣明 529-732- 51
陳翰英明 482- 89-342
563-777- 40
陳翰侯妻 清 見林氏
陳靜心陳淨心 唐
812-346- 9
812-372- 0
821- 46- 46
陳靜英明 高士鳳妻、陳王庭女 506- 33- 86
陳靜眼陳淨眼 唐812-346- 9
812-372- 0
821- 46- 46
陳靜婉宋 仲并妻
1137-829- 4
陳擇善明 511-778-166
676-464- 17
陳豫抱明 302- 72-293
456-663- 11
477-379-167
538- 64- 63
陳豫養明 302- 72-293
456-663- 11
陳豫懷明 302- 72-293
456-663- 11
陳選士妻 明 見鄭氏
陳隨時清 505-915- 81
陳默言明 456-663- 11
陳默恆明 456-663- 11
陳默通明 456-663- 11
陳曇朗南康王 陳260-637- 4
265-910- 65
375-400-83下
494-257- 1
陳暻雯清 559-412-9下
陳興立宋 493-1125- 59
陳興言明 456-459- 4
陳興孫宋 見陳長源
陳興魁妻 清 見于氏
陳興鏡妻 清 見尤氏

陳遺玉唐 820-145- 26
陳積中宋 484-376- 27
陳積玉明 529-699- 50
陳積善唐 821- 87- 48
陳積祿妻 明 見鍾氏
陳學心宋 473- 49- 50
479-532-241
516- 38- 88
陳學伊明(侯官人) 523-252-157
陳學伊明(字爾聘) 529-545- 45
676-337- 12
陳學良明 456-617- 9
511-476-155
陳學尚妻 清 見趙氏
陳學明妻 明 見張氏
陳學乾明(揭陽人) 528-544- 32
陳學乾明(潮州人)
1467-119- 66
陳學顏妻 明 見袁氏
陳學夔明 472-679- 27
482-391-358
567-342- 79
569-652- 19
1467-232- 70
陳學夔清 529-486- 43
陳學麟明 529-474- 43
陳龜年宋 1171-782- 28
陳龜齡宋 1356-721- 12
陳錫侯妻 清 見吳氏
陳錫榮陳通老 宋451- 73- 2
陳錫嘏清 479-188-225
524- 48-180
1325-777- 9
陳錫謙女 清 見陳菊娘
陳錫爵明 477-543-176
483-137-380
537-355- 56
564-109- 45
陳穆公春秋 371-310- 13
404-303- 18
陳鴻恩明 533-334- 58
陳鴻業妻 明 見楊氏
陳鴻漸明 473-574- 74
529-457- 43
陳鴻籌妻 清 見游氏
陳謝尚漢 475-809- 91
陳應乙宋 515-611- 76
陳應元宋 482-267-350
564- 67- 44
陳應正清 533-309- 57
陳應功宋 529-664- 49
陳應辰宋 564- 46- 44
陳應辰明 564-228- 46
陳應角宋 493-750- 41
陳應炎宋 1185-180- 38
陳應典明 529-677- 49
陳應昌明 511-776-166
陳應芳明 523-249-157
陳應洪元 1202-287- 20
陳應美妻 明 見郭氏
陳應春明 494-157- 5
529-475- 43
568-741- 附
1467-126- 66
陳應相清 563-878- 42
陳應奎女 明 見陳氏
陳應科妻 明 見黃氏
陳應科清 571-536- 19
陳應娘明 江惠勝妻
530-143- 58
陳應祥宋 524-435-201
陳應偉清 533-164- 52
陳應期明 475-644- 83
511-320-148
陳應隆明 564-275- 47
陳應新明 456-676- 11
陳應瑞妻 明 見李氏
陳應禎明 554-347- 54
559-376- 8
571-545-220
陳應壽宋 見陳豐
陳應熙明(字仲穆) 529-618- 47
陳應熙明(黃平人) 572-110- 30
陳應鳳清 1313-244- 19
陳應魁明(海康人) 564-270- 47
陳應魁明(莆田人) 676-574- 23
陳應魁明(字君玉)
1235-637- 22
陳應鄰明 554-254- 52
陳應賢妻 明 見董氏
陳應龍宋 529-749- 51
陳應龍明(號起田) 475-701- 86
510-465-117
陳應龍明(字時見) 564-232- 46
陳應蕃妻 清 見虞氏
陳應黿宋 492-713-3下

陳應禮明 563-840- 41
陳應鵾明 456-600- 9
523-377-164
陳應鶴清 511-884-171
陳應麟宋 524-283-192
陳應麟明 576-654- 5
陳應顯明 554-312- 53
陳濟世明 456-614- 9
511-507-156
陳濟民明 571-553- 20
陳濟生明 1442-112-附7
陳濟叔宋 1166-637- 10
陳懋仁明 524- 25-179
676-114- 4
1475-400- 17
陳懋簡宋 1161-675-131
陳懋觀明(福建人) 510-465-117
陳懋觀明(字孔質) 523-161-153
陳翼飛明 529-739- 51
1442- 90-附6
1460-517- 65
陳彌正明 523-205-155
陳彌作宋 484-386- 28
陳擢穎妻 明 見楊氏
陳舉善陳駒郎 宋448-394- 0
陳舉善明 821-353- 55
陳聯芳明 529-473- 43
陳聯輝明 563-820- 41
陳聲遠清 529-663- 49
陳薦夫陳邦藻 明
529-721- 51
1442- 84-附5
1460-474- 62
陳薦夫女 明 見陳孟姬
陳鍼子春秋 405- 94- 61
陳總龜宋 460-301- 20
陳鍾琠明 529-736- 51
陳鍾盛明 515-803- 82
676-236- 9
676-358- 13
676-381- 14
676-636- 26
陳儲賢清 476-430-121
502-686- 81
陳禮恭明 564-260- 47
陳邃如清 554-793- 62
陳轉杜明 孫瑞妻
481-389-312

陳璧娘宋 張達妻
482-144-344
陳聶恆清 481-212-302
511-170-142
559-331-7下
陳彝行宋 524-143-185
陳藏器唐 524-358-196
陳鎰明明 547-112-145
陳簡能宋 529-716- 51
陳歸女晉 晉孝武帝淑媛、陳廣女 255-591- 32
陳歸聖宋 820-408- 34
陳颺言明 456-640- 10
陳類兒明 533-429- 62
陳懷公春秋 244- 66- 36
371-313- 13
404-306- 18
陳懷西明 456-676- 11
559-517- 12
陳懷志唐 820-178- 27
陳懷金清 538- 90- 64
陳懷珽明 533-417- 62
陳懷堂明 524-220-189
陳懷順宋 549-121-185
陳懷節唐 820-282- 30
陳懷瑾明(字輯瑞) 456-642- 10
483-201-388
陳懷瑾明(通山人) 533-417- 62
陳懷德明(巴縣人) 559-509- 12
陳懷德明(字思誠) 676-320- 12
陳懷禮妻 明 見李氏
陳懷禮清 511-649-162
陳瓊玉宋 524-432-200
陳黼宸妻 清 見倪氏
陳藥山宋 530-208- 60
陳藥山宋 530-208- 60
陳贊化明 540-828-28之3
陳贊明吳越 485- 85- 12
493-766- 42
陳鵬年清 475- 22- 49
476-481-125
476-920-148
479-354-233
480-415-277
510-304-112
523-208-155
533-257- 55
540-675- 27
陳鵬飛宋(字少南) 471-846- 36
472-1116- 48
473-695- 80
482-117-343
523-626-177
563-908- 43
674-546- 2
678-114- 80
1164-253- 13
陳鵬飛宋(字圖南)
1176-821- 6
陳鏗韶明 530-197- 60
陳繹曾元 295-542-190
400-701-567
472-1055- 44
479-433-236
494-415- 12
524- 90-182
676-742- 31
820-507- 37
陳寶生元 511-589-159
524-108-183
821-326- 54
陳寶生明 1229-439- 0
陳寶娘清 黃士振妻、陳子穎女 1327-717- 9
陳寶應陳 260-795- 35
265-1155- 80
370-576- 19
378-574-145
528- 3- 17
陳黨九明 456-684- 11
陳獻臣妻 宋 見時氏
陳獻奇明 1458-692-471
陳獻章陳憲章 明
301-778-283
453-492- 22
453-647- 26
457-108- 8
458-698- 3
473-675- 79
480-513-281
482- 36-340
516-224- 96
539-507-11之2
564-165- 45
564-719- 59
564-899- 62
676-494- 19
820-632- 41
821-394- 56
1246-333-附
1246-342-附
1246-343-附
1246-345-附
1247- 5- 1
1257-115- 10
1257-293- 26
1442- 26-附2
1454-716-165
1458-337-440
1458-338-440
1459-631- 24
陳獻章妻 明 見劉氏
陳獻琛妻 清 見鄭氏
陳獻策明 563-824- 41
陳耀文明 458-162- 8
477- 88-153
538-148- 65
676-323- 12
陳耀奎妻 明 見戴氏
陳蘇來妻 清 見林氏
陳嚴之明 569-674- 19
陳騰章清 476-114-102
545-382- 97
陳騰實妻 元 見丁臨
陳騰鳳明 460-568- 56
529-522- 44
537-221- 54
陳騰龍妻 明 見李氏
陳騰鸞明 1263- 99- 17
陳饒奴唐 275-634-195
400-291-523
473- 46- 50
479-528-241
516- 6- 87
陳釋童明 見陳繼
陳覺民宋 473-632- 77
529-492- 44
933-164- 11
陳覺伯宋 529-449- 43
陳繼文宋 529-670- 49
陳繼之明 299-353-141
456-697- 12
473-634- 77
481-555-327
529-506- 44
886-154-139
陳繼元妻 明 見林氏
陳繼先明 515-636- 77
676-470- 18
1236-792- 13
1237-349- 8
陳繼芳明 460-564- 56
陳繼周宋 288-384-454
400-197-515
473-188- 58
479-822-256
516-166- 94
523- 20-146
陳繼思明 529-658- 49
陳繼信明 456-658- 11
511-502-156
陳繼泰明 554-610- 59
陳繼善明 1239- 71- 31
陳繼善妻 清 見陳氏
陳繼盛盛繼 明 481-749-334
529-646- 48
陳繼緒妻 清 見沈氏
陳繼賢元 473-456- 68
559-365- 8
陳繼儒明 302-168-298
475-183- 59
511-762-166
820-743- 44
821-472- 58
1442- 89-附6
陳瘳立陳植 宋 460-418- 32
481-615-329
529-564- 46
陳瘳吳陳壽老 宋 451-98- 3
陳鶴陽明 554-311- 53
陳鶴齡清 474-247- 12
505-885- 79
506-561-105
陳顗文宋 1090-666-38
陳蠡測明 456-627- 10
陳霸先陳 見陳武帝
陳霸先唐 529-653- 49
陳躍馭清 554-613- 59
陳蘭姐明 林招德妻
530- 6- 54
陳蘭孫元 533-490- 65
陳鰲升清 479-435-236

陳聽思唐 473-729- 82
563-646- 38
陳懿良明 吳孟恭妻
530- 5- 54
陳懿伯宋 451- 74- 2
陳懿典明 524- 23-179
676-619- 25
1442- 84-附5
1460-461- 62
1475-375- 16
陳懿德明 李昂妻、陳敏政女
1442-123-附8
1460-769- 84
陳鑑之陳璟 宋 1364-599-331
1437- 30- 2
陳鑑如元 585-524- 17
821-297- 53
陳顯元明 302- 78-293
456-428- 2
477-306-163
480-137-264
537-306- 56
陳顯公宋 517-379-125
陳顯仁宋 1116-413- 20
陳顯曾元 1439-441- 2
陳顯道明 523-560-174
陳顯達齊 259-295- 26
265-652- 45
370-510- 15
378-223-137
384-115- 6
473- 86- 52
515- 5- 57
陳顯微宋 1058-582- 附
陳顯際明 301-511-267
456-524- 6
476-698-137
陳顯謨明 529-673- 49
陳顯耀清 478-377-192
554-787- 62
陳體文明 1442- 69-附4
1460-330- 55
陳體眞宋 李潮妻、陳致一女
1140-515- 8
陳巖夫宋 1102-494- 63
1378-426- 56
陳巖震女 宋 見陳道輼
陳靈公春秋 244- 65- 36
371-311- 13
384- 9- 1
404-304- 18
陳蠻子陳 見陳子高
陳觀兒宋 見陳光
陳觀陽明 511-565-158
陳纘宗明 533-443- 62
陳鸚兒明 陳雲嘉婢
475-235- 61
陳留老父 漢 253-624-113
380-413-177
472-652- 27
538-156- 66
陳國公主宋 石端禮妻、宋神宗女 285- 67-248
393-326- 77
陳德爾亨清 455-467- 28
陳燕子丁唐 820-306- 30
陳國長公主宋 見荆國大長公主
陳國大長公主許國長公主 宋 魏咸信妻、宋太祖女
285- 63-248
393-322- 77
1087-289- 29
莆田女鬼明 見王氏
莽什清 502-451- 68
莽色清(富察氏鑲黃旗沙濟地方人) 455-411- 25
莽色清(富察氏正黃旗吉林烏喇人) 455-438- 26
莽色清(章佳氏) 455-596- 40
莽色清(高佳氏) 456-109- 57
莽佳清(瓜爾佳氏) 455- 90- 3
莽佳清(葉穆氏) 456- 51- 53
莽金清 455-188- 9
莽科清 455-393- 24
莽祚清 455-274- 15
莽格金 見愛新
莽啟清 455-569- 37
莽健清 455-403- 24
莽愛清 455-317- 19
莽檢清 455-666- 47
莽古楚清 455-346- 21
莽吉那清 455-646- 45
莽吉納清 456- 9- 50
莽吉理清(富察氏) 455-448- 27
莽吉理清(納塔氏) 456-128- 58
莽吉祿清 455-195- 9
莽吉圖清(馬佳氏鑲黃旗人)
455-169- 7
莽吉圖清(舒舒覺羅氏)
455-281- 16
莽吉圖清(完顏氏) 455-467- 28
莽吉圖清(滿洲鑲白旗人)
481-808-338
莽吉圖清(馬嘉氏正黃旗滿州人)
502-476- 69
莽吉蘇默色斯 元
294-298-124
399-358-450
1202- 68- 6
莽伊祿清 455-609- 41
莽伊達清 455-147- 6
莽阿木清 455-558- 36
莽阿圖清 455-637- 44
莽依圖清 455-332- 20
莽哈岱元 見莽喀岱
莽喀岱莽哈岱 元
474-572- 29
1186-559- 7
莽喀納清 455-137- 5
莽喀喇清(富察氏) 455-451- 27
莽喀喇清(墨爾赫氏)
456-187- 64
莽瑚理清 456-280- 71
莽瑞體莽噠喇 明302-520-315
莽賚扣元 見元憲宗
莽噶納清 455-696- 49
莽噠喇明 見莽瑞體
莽應裏明 302-520-315
莽蘇爾滿速兒 明302-787-329
302-795-329
莽古爾岱清 502-457- 69
莽古爾泰清 454-208- 12
莽古爾泰妻 清 見烏拉
莽古爾泰妻 清 見納拉氏
莽噶里克清 500-747- 38
莽鑑台齊清 455-372- 23
莽果博囉歡元 1367-777- 59
莽賚時穆爾元 294-298-124
荼安孺子、晏孺子 春秋
244- 28- 32
404-609- 37
晦菴宋 530-197- 60
蚳鼃戰國 491-791- 6
崇五代 1053-627- 15
崇宋 1053-637- 15
崇王宋 見趙元億
崇王宋 見趙伯圭
崇王宋 見趙宗瑗
崇王金 見完顏元壽
崇王明 見朱見澤
崇化宋 820-465- 36
崇阿清 502-488- 70
崇昇明 563-848- 41
崇岳宋 524-449-201
588-193- 9
1054-212- 4
1054-684- 20
1163-625- 40
崇珍宋 1053-499- 12
崇政唐 1052-342- 24
崇信唐 480-257-269
533-763- 74
1052-139- 10
1053-254- 7
1054-129- 3
1054-540- 15
崇眞宋 1053-564- 14
崇珪唐 1052-128- 9
崇哲宋 533-790- 75
1053-510- 12
崇恩唐 1053-219- 6
崇剛明 299-359-142
456-697- 12
475-369- 67
崇惠唐 1052-240- 17
1054-492- 14
崇惠唐 見崇慧
崇智宋 1117-595- 7
崇進宋 1116-396- 19
崇廙唐 1052- 58- 5
崇裕元 516-496-105
崇業唐 1052-193- 14
崇粵宋 1053-503- 12
崇演唐 1052-152- 11
崇慧崇惠 唐 1053- 52- 2
1054-494- 14
崇辨崇辯 宋 472-101- 3

505-940- 85
崇簡唐 820-305- 30
崇辯宋 見崇辨
崇儼唐 516-454-104
崇大年宋 472-1052- 44
485-195- 26
493-906- 49
523-239-157
崇什喀清 455-592- 39
崇正學明 511-382-150
崇成己明 512-789-196
崇侯虎商 404-418- 24
554-916- 64
崇善王明 見朱安涺
崇德可汗妻 唐 見定安公主
崇德帝姬宋 曹湜妻、宋徽宗女 285- 69-248
393-327- 77
崇元廣化眞人元 472- 39- 1
474-196- 9
505-934- 85
崇文廣道純德元陽眞人明
1242- 31- 24
將渠戰國 405-150- 65
將軍摎戰國 見摎
貫漢漢 478-450-197
558-168- 31
933-673- 45
貫公漢 474-436- 21
505-873- 78
貫休後梁 407-649- 1
451-492- 8
472-1033- 42
479-337-232
493-1091- 58
497-821- 58
524-431-200
561-585- 46
588-274- 11
589-326- 3
592-373- 83
592-530- 94
592-702-106
674-273-4中
812-502- 下
812-530- 2
813- 87- 3
813-304- 19
814-280- 10
820-319- 31
821-124- 49
1052-417- 30
1053-244- 6
1054-140- 3
1084-527- 附
1371- 77- 附
1388-748-108
1473-712- 98
貫玗清 481-157-298
559-438-10下
貫高漢 244-583- 89
933-673- 45
貫珠戰國 見貫珠人
貫仲瞻貫南山 元
1220-692- 4
貫南山元 見貫仲瞻
貫珠人貫珠 戰國 491-793- 6
933-673- 45
貫雲石元 見貫蘇爾約蘇哈雅
貫裕實元 見貫蘇爾約蘇哈雅
貫阿思蘭海涯元 見貫阿爾斯蘭哈雅
貫碩裕實哈雅元 見貫蘇爾約蘇哈雅
貫阿爾斯蘭哈雅衮阿思蘭海涯、衮阿爾斯蘭哈雅、貫阿思蘭海涯 元 294-531-143
400- 6-499
1375- 36- 下
貫蘇爾約蘇哈雅衮雲石、衮裕實、衮碩裕實哈雅、衮蘇爾約蘇哈雅、貫雲石、貫裕實、貫碩裕實哈雅 元
294-530-143
400- 5-499
472-964- 38
479- 60-219
524-304-194
585-420- 11
588-174- 8
820-504- 37
1210- 84- 9
1219- 63- 2
1439-426- 1
1470-165- 7
堂邑父漢 見堂邑甘父
堂邑王明 見朱翊鐵
堂溪惠漢 477- 57-151
堂谿典漢 820- 32- 22
堂邑甘父堂邑父 漢
244-873-123
莒子春秋 384- 10- 1
莒王唐 見李紓
莒誦漢 933-565- 36
莒僕太子僕 春秋 405-103- 62
莒郊公春秋 384- 10- 1
404-332- 19
莒犁比公莒黎比公 春秋
384- 10- 1
404-331- 19
莒著邱公春秋 384- 10- 1
404-332- 19
莒黎比公春秋 見莒犁比公
莊子戰國 見莊周
莊元宋 530-208- 60
莊壬宋 529-533- 45
莊氏宋 孫錫妻 1096-379- 39
莊氏明 李一陽妻 530- 91- 56
莊氏明 吳金童妻 302-217-301
482-239-349
564-353- 49
1246-128- 4
莊氏明 周彥敬妻 302-248-303
564-343- 49
莊氏明 唐順之妻
1410-418-719
莊氏明 席旺妻 1254-664- 4
莊氏明 梁黼妻 530- 86- 56
莊氏明 張雲鵬妻、莊竹溪女
1271-470- 35
莊氏明 陳思恭妻 524-552-205
530- 89- 56
1229-187- 4
莊氏明 黃欽祥妻 473-589- 75
530- 87- 56
莊氏明 傅元英妻 524-457-202
莊氏明 賴伯玉妻 530-125- 57
莊氏明 錢大用妻 570-182- 22
莊氏明 錢文通妻、莊克勤女
1255-665- 69
莊氏明 錢世用妻 483- 17-370
莊氏清 狄惟賢妻 512-275-183
莊氏清 周碏妻 1327-705- 9
莊氏清 陳仕濟妻 530- 40- 54
莊氏清 葉演馥妻 530- 98- 56
莊同妻 明 見林淑瑶
莊光漢 見嚴光
莊光宋 460-231- 15
莊辛戰國 384- 30- 1
405- 70- 60
533-134- 51
933-405- 26
莊忌漢 見嚴忌
莊典莊琠 明 473- 45- 50
482-142-344
515-152- 61
564-249- 47
莊尚妻 明 見胡氏
莊昪明 559-345- 8
莊叔春秋 見叔孫得臣
莊季妻 明 見鄭淑愼
莊周莊子 戰國 244-355- 63
246- 5- 63
371-500- 33
375-658- 88
384- 32- 1
386-278-83下
405-463- 86
448- 96- 中
471-924- 48
472-198- 7
472-679- 27
537-367- 57
550- 62-210
871-889- 19
933-405- 26
1356-341- 16
1408-163-497
1415-589-105
莊昶明 299-820-179
453-645- 25
457-759- 45
458-790- 5
472-178- 6
475- 75- 53
480-664-290
511- 66-138
532-707- 45
676-509- 20

十一畫 莊

820-633- 41
1254-351- 0
1254-361- 0
1442- 33-附2
1459-708- 28
莊姜母 春秋 448- 12- 1
莊姜春秋 衛莊公夫人
404-834- 52
448- 12- 1
538-228- 67
莊政妻 明 見林氏
莊昭明 賴五十妻 530-124- 57
莊則宋 王植妻 1164-301- 16
1410-369-712
莊英明 472-382- 16
莊信元 1211-413- 58
莊信妻 明 見謝瑞姿
莊姪戰國 楚頃襄王夫人
448- 62- 6
533-504- 66
莊科明 563-806- 41
莊恭明 460-585- 58
莊夏宋 287-411-395
398-408-391
460-404- 31
473-587- 75
473-652- 78
479-792-254
481-586-328
481-611-329
481-774-336
515-267- 65
528-492- 30
529-648- 48
679- 41-142
莊飽清 524-189-187
莊得明 299-362-142
456-694- 12
558-215- 32
莊敏明 473-588- 75
563-821- 41
莊尊漢 見嚴遵
莊善春秋 386-737- 15
533-133- 51
933-405- 26
莊琠明 見莊典
莊琦明 1272-476- 16
莊琛明 820-618- 41
莊賈周 933-405- 26
莊椿元 529-654- 49
莊瑜明 1467- 73- 64
莊概明 460-584- 58
1467- 77- 64
莊敬元 505-656- 68
莊誠明 483- 95-378
559-346- 8
569-668- 19
莊寧女 明 見莊八兒
莊熙女 明 見莊靜順
莊嘉元 528-447- 29
莊賢明 529-668- 49
莊瑾明 見章瑾
莊遵漢 見嚴光
莊遵漢 見嚴遵
莊歙明 511-275-147
莊熑清 529-660- 49
莊舉妻 明 見劉氏
莊徽宋 472-221- 8
493-703- 39
511-204-144
1128-248- 26
莊襗明 505-666- 69
511-151-142
莊轍明 473-281- 61
480-128-264
532-633- 43
莊蹻戰國 244-795-116
473-806- 86
494-145- 5
571-512- 19
莊鵬明 460-586- 58
1272-472- 16
莊鑑明 299-753-174
474-733- 40
476-249-110
502-283- 56
545-325- 95
莊麟元 511-901-172
820-508- 37
821-312- 54
莊麟明 548-127-165
莊觀明 472-382- 16
475-571- 79
552-208- 52
1376-605-95下
莊一俊明 1442- 54-附3
1460-127- 46
莊十一妻 明 見范氏
莊九疇明 1227-136- 16
莊八兒明 劉學良妻、莊寧女
480- 62-260
1408-575-539
1457-748-413
莊士元明 460-696- 72
莊士因妻 明 見李淑明
莊士亮妻 清 見林氏
莊士英明 559-271- 6
莊子固明 301-586-272
456-462- 4
474-743- 40
502-718- 83
莊子華宋 見莊孟芳
莊大化明 480-509-281
532-710- 45
570-110-21之1
莊大全妻 明 見白氏
莊文昭元 472-699- 28
472-766- 30
477-360-166
537-314- 56
820-533- 38
莊之琳妻 清 見沈氏
莊元臣明 680-325-258
莊天合明 533- 99- 50
莊天澤妻 清 見呂氏
莊日思明 1475-541- 23
莊公岳宋 529-528- 45
莊月杼清 鄭光宋妻、莊國儀女 530- 35- 54
莊允中明 511-545-158
莊允祥妻 明 見曾選玉
莊必彊宋 451-195- 7
莊正密清 何兆啟妻
530- 40- 54
莊正肅清 陳需桐妻
530- 34- 54
莊正圓明 徐行中妻、莊惟賢女 1245-790- 14
莊正端清 余瑞霖妻
530- 34- 54
莊以敬清 529-662- 49
莊用賓明 460-694- 72
481-587-328
523- 55-148
529-540- 45
莊安常宋 1128-260- 27
1137-826- 4
莊安期明 1274-374- 13
莊安期妻 明 見屈任只
莊安期妻 明 見金貞淑
莊宇毅明 1467-123- 66
莊圭復元 460-441- 33
460-462- 36
莊自勉明(字子貴)
570-109-21之1
莊自勉明(曲靖人)
1467-132- 66
莊竹溪女 明 見莊氏
莊仲祥明 511-564-158
莊君平漢 見嚴遵
莊克勤女 明 見莊氏
莊冏生清 475-231- 61
511-769-166
莊伯良唐 820-240- 28
莊伯和明 529-675- 49
莊伯微不詳 1061-271-110
莊希俊明 529-655- 49
莊秀五妻 明 見朱氏
莊妙清明 戴文昱妻、莊思恭女 1255-662- 68
莊廷臣明 678-477-115
1442- 90-附6
莊松年宋 1170-736- 32
莊居敬妻 明 見徐氏
莊孟芳莊子華 宋451- 75- 2
莊奇顯明 460-749- 77
529-736- 51
莊東守妻 清 見王雅宋
莊明揚妻 清 見潘氏
莊叔淵明 516- 60- 89
莊孩思清 1475-597- 26
莊思恭女 明 見莊妙清
莊南傑唐 451-444- 4
莊柔正宋 481-524-326
528-439- 29
莊省齋明 1272-473- 16
莊高取妻 清 見郭氏
莊祖詔明 456-583- 8
559-507- 12
莊祖誥明 302-120-295
456-500- 5
481- 81-294

515-156- 61
559-507- 12
莊祖誼明 510-474-117
莊起元明 479-320-232
511-164-142
523-195-155
1442- 90-附6
1460-515- 65
莊振猷妻 清 見蔣農
莊振徽清 529-485- 43
567-154- 69
莊惟賢女 明 見莊正圓
莊淑禮明 564-266- 47
莊國英妻 清 見孫蕙媛
莊國禎明 460-696- 72
529-545- 45
莊國儀女 清 見莊月杼
莊逢辰明 460-571- 57
529-761- 53
莊朝生清 537-229- 54
莊朝賓明 529-543- 45
567-130- 67
莊喬新明 1474-549- 27
莊欽祖元 545-183- 89
莊欽鄰明 529-551- 45
莊萬程明 456-637- 10
莊爾燦妻 清 見林氏
莊際昌莊夢岳 明
460-697- 72
529-553- 45
莊盡娘明 481-591-328
530- 90- 56
莊夢岳明 見莊際昌
莊夢符章夢符 明
1232-396- 1
莊鳴道宋 484-388- 28
莊鳳章明 460-696- 72
莊瑩中明 1247-375- 14
莊正孫元 460-462- 36
莊履朋明 1442- 80-附5
1460-421- 59
莊履豐明 460-699- 72
676-611- 25
莊龍光明 460-697- 72
莊親王清 見允祿
莊靜順明 陳尚謙妻、莊熙女
1274-358- 12
莊學思妻 明 見全少光
莊學曾明 1474-540- 27
莊賽璋清 陳可徵妻
530- 33- 54
莊應元明 529-471- 43
莊應詔清 475-231- 61
莊應琳妻 清 見林氏
莊應會明 528-464- 29
莊應會清 475-231- 61
511-167-142
515- 67- 58
莊濟翁明 473-186- 58
479-821-256
515-271- 65
莊彌邵宋 460-405- 31
莊願貞明 吳煒妻530- 92- 56
莊鼇獻明 301-365-258
460-752- 77
529-554- 45
鹵承漢 569-534- 17
眭氏明 朱倪點妻 478-600-204
眭弘眭孟 漢 250-642- 75
376-366-101
472-550- 23
476-579-131
491-796- 6
540-693-28之1
675-295- 15
933- 55- 3
眭石明 511-775-166
676-625- 26
眭本明 1460-722- 78
眭夸眭旭、眭昶 後魏
262-278- 90
267-673- 88
380-469-178
384-144- 7
469-498- 60
472- 88- 3
474-617- 32
505-922- 82
933- 55- 3
眭旭後魏 見眭夸
眭孟漢 見眭弘
眭昶後魏 見眭夸
眭敖明 1269-391- 4
眭燔妻 明 見徐氏
眭子蘊明 511-182-143
眭仲讓後魏 263-357- 45
680-670-285
眭明永陸明永 明456-601- 9
475-177- 59
475-279- 63
511-457-154
676-661- 27
1442-111-附7
1460-708- 76
眭時聘明 554-518-57下
婁氏明 周泰妻 512- 10-176
婁氏明 賈定妻 1262-439- 47
婁氏清 任肇智妻 524-653-209
婁圭魏 254-237- 12
377- 94-115上
386- 83-71上
婁西明 547- 63-143
婁忱明 301-779-283
1271- 44- 5
婁良明 458-169- 8
477- 87-153
537-402- 57
婁杓妻 清 見李氏
婁性明 676-128- 5
婁奈後魏 見畢衆敬
婁昇明 533-316- 57
婁建元 1202-256- 18
婁昭北齊 263-117- 15
267-146- 54
379-390-152
476-256-110
544-216- 62
546- 34-116
933-487- 32
婁珣妻 清 見孫氏
婁郝宋 1202-256- 18
婁淵宋 523-415-166
婁捺後魏 見畢衆敬
婁堅明 301-863-288
475-453- 71
511-792-166
820-753- 44
1442- 89-附6
1460-598- 70
婁琇明 456-489- 5
478-672-209
480-413-277
533-401- 61
婁逞齊 378-227-137
婁提後魏 262-258- 87
263-117- 15
267-146- 54
267-638- 85
380- 58-166
476-254-110
546- 22-115
933-487- 32
婁楻齊 933-487- 32
婁殿妻 明 見劉氏
婁敬漢 見劉敬
婁壽漢 533- 84- 49
538-164- 66
681- 45- 3
681-546- 9
681-674- 21
683-263- 6
1103-381-136
1397-626- 29
婁銓明 547- 63-143
婁諒明 301-779-283
457- 83- 5
458-676- 3
479-559-242
515-878- 86
1271- 41- 5
婁廣明 572-111- 30
婁慶元 樓光亨妻
1224-308- 24
婁樞明 458- 10- 1
505-677- 69
538- 8- 61
婁機宋 287-584-410
398-548-402
472-983- 39
473- 44- 50
475-810- 91
479- 43-218
479- 94-221
479-526-241
491-110- 13
515-216- 63
523-271-158
684-492- 下
820-437- 35
1153-492- 97
婁叡北齊 263-118- 15
263-374- 48

267-147- 54
379-391-152
933-487- 32
婁應宋 547- 99-145
婁謙明 473- 65- 51
510-291-112
515-880- 86
554-210- 52
559-252- 6
婁寶後魏 266-421- 20
379- 17-146
476-256-110
545-315- 95
546- 26-115
933-487- 32
婁鑄宋 1176-760- 10
婁鑑明 540-653- 27
554-278- 53
婁瓚明 1269-392- 4
婁觀明 472-646- 26
537-246- 55
婁一均清 476-578-131
婁九德明 483-268-392
572- 75- 28
婁千寶唐 524-369-197
婁大方明 472-142- 5
505-650- 68
婁大拔後魏 379- 17-146
婁文煥明 456-640- 10
523-379-164
婁文輔元 1202-256- 18
婁內干女 北齊 見婁昭君
婁永叔明 524-140-185
婁可道明 524-134-185
婁幼瑜齊 265-1078- 76
378-285-138
380-452-178
472-1027- 42
523-608-176
933-487- 32
婁守堅宋 472-314- 13
475-334- 65
511-926-174
婁汝初清 479-295-230
523-401-165
婁至德明 見婁志德
婁伏連後魏 見樓伏連
婁仲英元 821-302- 53
婁志沖元 1207-613- 43
婁志淳元 518- 21-136
1197-315- 30
婁志德婁至德 明477-453-171
478-769-215
523- 49-148
676-234- 9
537-580- 60
1272-245- 11
婁君玉清 482- 34-340
563-875- 42
婁廷璋明 559-323-7上
婁治安元 524-211-188
婁定遠北齊 263-117- 15
267-146- 54
379-391-152
婁南良婁德剛 宋515-762- 80
518- 21-136
1197-315- 30
婁思德唐 見婁師德
婁昭君北齊 齊神武帝后、婁內干女 263- 74- 9
266-291- 14
373-106- 20
544-180- 61
婁起莘元 515-768- 81
婁師德婁思德 唐270-123- 93
274-382-108
384-184- 10
395-387-216
469- 71- 9
472-288- 12
472-480- 21
472-656- 27
475-363- 67
477-249-161
478-652-207
537-478- 58
545- 21- 83
545-263- 93
554-122- 50
558-133- 30
933-487- 32
婁寅亮宋 287-457-399
398-450-394
472-1116- 48
479-404-235
523-341-162
婁陵雲明 547- 63-143
婁鈐轄宋 288-340-451
400-193-515
482-485-364
婁傳通元 1217-729- 4
婁實克元 294-409-133
399-540-473
婁維嵩清 479-528-241
515-228- 63
婁墨林明 524-140-185
婁德剛宋 見婁南良
婁應奎清 554-222- 52
婁懋履明 456-601- 9
婁繼英五代 279-331- 51
396-436-295
婁爾塔坦元 569-677- 19
晤恩宋 524-386-198
588- 20- 1
588-252- 10
1052- 97- 7
略陽王後魏 見托跋羯兒
啞女五代 524-408-199
唯約唐 1052-379- 27
唯德元 547-532-160
唯儼唐 見惟儼
圈典圂典 漢 1063-221- 6
1397-463- 22
1412-480- 19
囷公陽春秋 405- 60- 59
國氏明 馮炳妻 506- 46- 87
國安安國 元 294-257-121
399-343-448
國安清(瓜爾佳氏) 455-119- 4
國安清(完顏氏) 455-468- 28
國佐國武子、賓媚人 春秋 384- 16- 1
404-573- 35
448-193- 14
國泰清(瓜爾佳氏) 455- 95- 3
國泰清(李氏) 456-321- 75
國書春秋 384- 16- 1
404-574- 35
國弱國景子 春秋 384- 16- 1
404-574- 35
國夏國惠子 春秋 404-574- 35
國淵魏 254-215- 11
377- 89-114
384- 83- 4
384-635- 38
472-590- 24
474-776- 42
476-780-141
491-798- 6
503- 7- 90
540-708-28之1
675-320- 19
933-752- 52
國參春秋 384- 23- 1
404-870- 54
國勝春秋 384- 16- 1
國詮唐 820-139- 26
國僑春秋 見公孫僑
國慶宋 1053-661- 15
國賚清 456- 25- 51
國德清 455-689- 49
國禮清 456-389- 80
國璧明 554-276- 53
國寶赫色、赫色勒 元 294-256-121
399-343-448
國麟清 455-270- 15
國文甫漢 1412-771- 31
國之材宋 676-314- 11
國用安國安用、國咬兒、完顏用安 金 291-617-117
401-442-625
國安用金 見國用安
國武子春秋 見國佐
國昭子春秋 404-575- 35
國咬兒金 見國用安
國莊子春秋 見國歸父
國惠子春秋 見國夏
國景子春秋 見國弱
國道者後梁 1052-418- 30
國鳳卿宋 472-197- 7
國歸父國莊子 春秋 384- 16- 1
404-573- 35
國懿伯春秋 404-575- 35
國成子高春秋 491-791- 6
崆根果斡元 294-221-119
399-322-447
崔子春秋 見崔杼
崔文元 1200-618- 46
崔文明(安慶衛指揮) 299-768-175

472-337- 14
崔文明(字道器) 1258-185- 17
崔元唐 820-284- 30
崔元明 299-110-121
546-407-128
崔丹明 見崔子忠
崔仁清 476-676-136
崔氏後魏 房愛親妻、崔元孫女
262-307- 92
267-724- 91
381- 59-185
452-109- 3
472-117- 4
506-125- 89
541- 36- 29
933-143- 10
崔氏北齊 王昕母 263-240- 31
506-126- 89
崔氏隋 趙元楷妻、崔儦女
264-1120- 80
267-733- 91
381- 68-185
452-111- 3
472-117- 4
474-443- 21
506-126- 89
崔氏隋 鄭誠妻、崔彥睦女、崔彥穆女 264-1116- 80
267-730- 91
381- 65-185
452- 91- 2
472-116- 4
474-443- 21
477- 92-153
506-126- 89
933-143- 10
崔氏唐 王澄妻、崔貢女
1342-491-968
崔氏唐 宋璟妻、崔藝女
1071-607- 4
崔氏唐 李廷節妻 276-113-205
401-154-589
477-503-174
538-281- 68
崔氏唐 唐代宗妃、崔峋女
269-435- 52
393-266- 72
崔氏唐 崔雋女 1072-256- 12
崔氏唐 崔縱女 1342-484-967
崔氏宋 包繶妻 288-455-460
401-158-590
472-329- 14
475-711- 86
512-388-186
崔氏宋 杜昉妻、崔立女
1104-669- 12
崔氏宋 黃彥臣妻 530-103- 57
崔氏宋 孫廣妻、趙扶妻
1097-316- 22
崔氏宋 韓琦妻、崔立女
820-472- 36
1089-502- 46
崔氏宋 杜儀母 1104-669- 12
崔氏宋 崔志女 476-531-128
541- 10- 29
崔氏元 周珠赫妻、周珠勒呼妻
295-624-200
401-173-593
476- 87-100
547-238-150
崔氏明 丁璽妻 1267-411- 2
崔氏明 王佐妻 506- 55- 87
崔氏明 王錫田妻 302-245-303
474-191- 9
504- 12- 86
崔氏明 司傑妻 506- 47- 87
崔氏明 史斌妻 506- 49- 87
崔氏明 米和邦妻 506-105- 89
崔氏明 李倫妻 1262-420- 46
崔氏明 林鴻漸妻 481-751-334
崔氏明 周傑妻 472-100- 3
474-641- 33
崔氏明 康長源妻 530- 67- 55
崔氏明 陰繼先妻 506- 53- 87
崔氏明 敖顯妻 472-578- 24
崔氏明 黃一巷妻 479-102-221
崔氏明 楊成妻 506- 29- 86
崔氏明 楊倫妻 472-529- 22
崔氏明 鵠和鳳妻 506-143- 90
崔氏清 丁圻妻 506- 27- 86
崔氏清 王世桂妻 478-392-193
崔氏清 王鶴沖妻 474-482- 23
506-147- 90
崔氏清 朱士忠妻 474-249- 12
506- 64- 87
崔氏清 李世傑妻 480-353-274
崔氏清 李世新妻 506- 27- 86
崔氏清 李用行妻 506- 68- 87
崔氏清 李發顯妻 503- 67- 95
崔氏清 馮意恍妻 482-189-346
崔氏清 楊祖位妻 480- 64-260
崔氏清 滕文煥妻 503- 35- 94
崔氏清 劉天祿妻 503- 64- 95
崔氏清 韓萬福妻 506-169- 90
崔允明 559-287-7上
崔天春秋 933-139- 10
崔立宋 288- 5-426
382-731-112
400-348-531
472-195- 7
472-253- 10
472-544- 23
472-660- 27
472-694- 28
473-454- 68
475-213- 60
475-742- 88
476-576-131
477- 74-152
477-161-157
477-472-173
481-181-300
510-358-114
537-390- 57
540-632- 27
554-237- 52
558-393- 36
559-285-7上
581-471- 95
933-151- 10
1089-546- 50
崔立女 宋 見崔氏
崔立金 291-597-115
401-506-633
崔永明 472-985- 39
479- 95-221
524-108-183
563-923- 43
崔正妻 清 見宋氏
崔平唐 820-264- 29
崔生唐 1061-306-112
崔白後魏 見崔恬
崔白唐或宋 511-884-171
812-548- 4
813-188- 18
821-167- 50
崔台漢 見崔寔
崔戎唐 260-102-162
275-245-159
384-253- 13
396- 54-256
448-340- 下
459-894- 54
472-824- 33
478-335-191
481- 17-291
545- 25- 83
554-234- 52
933-147- 10
崔吉明 546-734-139
547-106-145
崔羽宋 564-616- 56
崔艮清 547- 40-142
崔光崔孝伯 後魏 262- 16- 67
266-900- 44
379-267-150下
384-134- 7
472-571- 24
535-556- 20
540-726-28之1
547-172-147
683-857- 上
820-114- 25
933-143- 10
1401-434- 32
崔旭元 821-317- 54
崔合後魏 379-134-148
崔如春秋 933-139- 10
崔休後魏 262- 40- 69
266-485- 24
379- 51-146
472- 64- 2
472-571- 24
474-335- 17
476-896-147
505-667- 69
505-759- 72
540-725-28之1
933-141- 10
崔宏後魏 見崔玄伯
崔沆唐 271-108-163
275-252-160

384-283- 15
396- 64-257
933-148- 10
崔汪唐 1342-398-956
崔沔唐 271-524-188
274-618-129
384-200- 11
395-587-234
478-114-181
505-688- 70
554-751- 62
933-146- 10
1071-674- 14
1072-354- 1
1339-625-701
1371- 54- 附
崔沂後唐 277-559- 68
494-376- 10
崔忻後魏 379-135-148
崔志宋 529- 74- 34
崔志女 宋 見崔氏
崔成春秋 404-619- 38
933-139- 10
崔均妻 宋 見張氏
崔迅唐 515-230- 64
崔芃唐 1076-113- 12
1076-569- 12
1077-140- 12
崔冏後魏 266-484- 24
380-634-183
476-896-147
崔旰唐 見崔寧
崔孚唐 494-336- 7
523-113-151
1080-763- 69
1341-741-898
崔邠唐 271- 14-155
275-277-163
384-231- 12
396- 91-260
448-119- 0
469-486- 58
472-573- 24
476-898-147
933-148- 10
554-346- 54
崔秀妻 清 見劉氏
崔泳唐 1342-433-960
崔庚明 537-283- 55
崔杼崔子、崔武子 春秋
375-838- 92
384- 17- 1
404-618- 38
448-249- 22
933-139- 10
崔協唐 277-489- 58
479-223-227
523-147-153
崔劼北齊 263-316- 42
266-906- 44
379-485-154
540-729-28之1
933-143- 10
崔林魏 254-427- 24
377-197-117
384- 86- 4
384-654- 40
469-485- 58
472- 26- 1
472-570- 24
474- 89- 3
476-894-147
535-555- 20
540-709-28之1
933-140- 10
崔林明 554-609- 59
崔東明 472-1068- 45
523-154-153
崔忠明(唐縣人) 545-146- 88
崔忠明(字景忠) 1250-853- 81
崔明春秋 404-619- 38
崔明明 545-376- 97
崔明清 456-337- 76
崔昂北齊 263-237- 30
266-653- 32
379-449-153
472- 89- 3
933-142- 10
崔昇唐 270- 96- 91
崔杲元 1192-399- 35
崔和後魏 261-391- 24
266-916- 44
崔侃明 545-665-107
崔秉崔康 後魏 261-675- 49
266-641- 32
379-134-148
崔洪晉 254-192- 9
255-778- 45
377-542-123
384- 92- 5
472- 88- 3
474-636- 33
505-792- 73
820-409- 34
933-140- 10
崔冠明 547- 83-144
崔恬崔白 後魏 261-385- 24
379- 36-146
崔恂唐 484- 84- 3
崔訂唐 見崔訏
崔亮後魏 262- 8- 66
266-909- 44
379-276-150下
384-134- 7
472-571- 24
476-896-147
478- 86-180
540-725-28之1
554-113- 50
820-115- 25
933-143- 10
崔亮宋 528-490- 30
崔亮明 299-283-136
472-520- 22
474-382- 19
476-518-127
505-753- 72
540-626- 27
崔庠後魏 262- 29- 67
266-909- 44
379-276-150下
崔郎晉 933-140- 10
崔度宋 1104-333- 30
崔珏唐(字夢之) 273-114- 60
1371- 72- 附
崔珏崔元靖 唐(長子縣令)
472-489- 21
476-149-104
545-207- 91
546-347-126
548-112-165
549-580-202
崔鉦唐(淇縣令) 472-705- 28
崔咸唐 271-602-190下
275-435-177
384-262- 13
396-177-268
472-573- 24
472-739- 29
476-898-147
477-522-175
537-202- 54
540-473-28之2
933-149- 10
崔括妻 北齊 見元靜儀
崔括元 472-766- 30
537-314- 56
崔軌後魏 261-392- 24
崔政明 1244-634- 14
崔述唐 471-823- 33
473-257- 60
532-682- 44
1342-374-952
崔茂妻 明 見陳氏
崔昭唐 486- 43- 2
崔峘妻 清 見歐氏
崔峒唐 400-614-556
451-433- 3
1365-467- 6
1371- 63- 附
崔峋女 唐 見崔氏
崔胐後魏 261-386- 24
266-442- 21
379- 37-146
崔衍唐 271-528-188
275-293-164
384-232- 12
400-290-523
459-890- 54
472- 92- 3
472-366- 15
472-366- 16
472-376- 16
474-639- 33
475-500- 75
476- 27- 97
477-521-175
505-797- 73
510-279-112
545-133- 87
554-309- 53
933-148- 10

崔衎明 472- 66- 2
472-614- 25
崔胤唐 271-310-177
276-453-223下
384-292- 15
401-329-613
崔勉後魏 261-776- 57
266-650- 32
379-139-148
崔勉明 541-108- 31
崔俊唐 384-260- 13
475-119- 55
崔俊明 536-498- 42
崔海明 523-233-156
崔涇宋 472-296- 12
崔涓唐 275-495-182
523- 72-149
崔浩崔桃簡 後魏 249- 9- 附
261-495- 35
266-428- 21
379- 22-146
384-129- 7
472-571- 24
476-895-147
505-759- 72
540-725-28之1
545-257- 93
677-128- 13
814-258- 8
820-114- 25
933-140- 10
1054-337- 7
崔朗後魏 261-779- 57
379-140-148
崔剖後魏 261-385- 24
266-441- 21
379- 36-146
崔訏崔訂 唐 471-810- 31
473-233- 60
480- 87-262
崔悅晉 255-761- 44
379- 36-146
814-258- 8
820- 77- 23
崔悛南北朝 472-572- 24
崔珙唐 271-314-177
275-494-182
384-271- 14
384-274- 14
396-219-272
472- 93- 3
474-653- 34
475-419- 70
475-852- 94
505-796- 73
510-500-118
554-134- 50
556-124- 85
563-636- 38
567- 43- 64
933-149- 10
崔泰清 456-300- 73
崔貢宋 451- 15- 0
523-578-175
崔恭唐 820-235- 28
崔恭明 299-562-159
453-682- 32
472-109- 4
472-611- 25
473-210- 59
474-410- 20
475- 19- 49
476-726-138
479-452-237
505-758- 72
510-290-112
515- 39- 58
532-590- 41
540-657- 27
683-178- 5
1255-273- 33
1385-400- 16
崔城唐 559-312-7上
崔烈漢 376-835-110
崔彧後魏 262-302- 91
266-484- 24
380-634-183
472-571- 24
541-105- 31
崔彧元 295-346-173
399-661-486
472-484- 21
474-517- 25
505-780- 73
546-143-120
崔珪唐 933-144- 10
崔珣明 554-279- 53
崔哲明 502-383- 64
545-342- 96
559-323-7上
崔桐明 299-825-179
475-492- 74
511-245-145
676-547- 22
1442- 46-附3
1460- 19- 41
崔格妻 明 見張氏
崔陞明 299-839-180
458- 87- 4
472-696- 28
477-168-157
554-250- 52
1262-435- 47
1267-489- 5
1410-391-716
崔陞妻 明 見李慧
崔陞清 456-337- 76
崔珩清 545-229- 91
545-857-113
崔挹妻 唐 見鄭氏
崔振後魏 261-778- 57
266-656- 32
379-140-148
472- 89- 3
474-637- 33
476-309-113
505-792- 73
545-404- 98
933-142- 10
崔挺後魏 261-773- 53
266-648- 32
379-137-148
472- 89- 3
472-610- 25
474-636- 33
476-725-138
505-792- 73
537-352- 56
540-727-28之1
814-259- 8
820-116- 25
933-142- 10
崔峨妻 明 見李氏
崔豈唐 271-339-178
崔郢唐 270- 96- 91
崔豹晉 679-758-212
崔恕後魏 261-387- 24
崔恕明 554-346- 54
崔矩明 546-338-126
崔耕宋 451-212- 9
崔倚唐 820-188- 27
崔悼唐 820-210- 28
崔倫唐 275-293-164
400-106-509
474-639- 33
505-794- 73
545-172- 89
崔能唐 271- 3-177
274-446-114
395-722-245
933-144- 10
崔紓唐 820-230- 28
崔殷唐 491-343- 2
崔倰崔陵、崔棱 唐
270-421-119
275- 59-142
395-674-241
475-603- 81
485- 72- 11
493-689- 38
510-433-116
532-567- 40
554-458- 56
1079-613- 54
崔納唐 820-285- 30
崔淙崔琮 唐 472-376- 16
478-334-191
485-496- 9
510-422-116
554-233- 52
1077-640- 5
1342-571-977
崔涯明 475-609- 81
511-305-148
崔涓明 511-331-149
崔惇唐 472-357- 15
崔密唐 270-394-117
崔訦宇文訦、宇文說、崔說、崔士約 北周 263-694- 35
266-646- 32
379-613-157
506-563-106

552- 32- 18
1064-227- 9
1064-646- 13
1342- 1-904
1400-142- 5
1410-162-682
1416- 57-111中
崔祥妻 明 見劉氏
崔液北朝 266-655- 32
崔液崔海子 唐 269-713- 74
274-277- 99
395-320-209
820-155- 26
933-145- 10
崔深唐 545-335- 96
崔深明 820-677- 42
821-416- 56
崔訥妻 唐 見劉氏
崔倰北齊 263-194- 23
266-486- 24
379-421-153
384-136- 7
933-141- 10
崔康後魏 見崔秉
崔球唐 271-316-177
崔接後魏 261-780- 57
266-658- 32
379-140-148
崔習後魏 261-677- 49
379-135-148
476-110-102
崔梲崔稅 後晉 278-150- 93
279-365- 55
384-315- 16
396-443-296
933-150- 10
崔勔後魏 262- 25- 67
崔陵唐 見崔倰
崔晟元 820-523-218
崔崇妻 清 見陳氏
崔國北齊 263-197- 23
崔逞後魏 261-467- 32
266-483- 24
379- 50-146
472-571- 24
476-895-147
933-141- 10
崔宷妻 清 見李氏
崔倕唐 473-176- 57
515-114- 60
1077-343- 3
1341-673-889
崔倕妻 唐 見李氏
崔猛明 302-597-318
崔偃齊 259-500- 51
265-659- 45
328-227-137
820- 95- 24
崔偉唐 472-865- 34
478-295-188
554-235- 52
崔參妻 明 見信氏
崔敏唐 473-386- 65
480-540-283
532-714- 45
1076- 86- 9
1076-544- 9
1077-107- 9
1342-378-953
崔敏明 302-141-296
476- 84-100
547- 14-141
崔皎唐 554-267- 53
崔造唐 270-535-130
275-148-150
384-227- 12
395-748-249
472- 92- 3
474-639- 33
481-672-331
505-794- 73
933-147- 10
崔造妻 唐 見柳氏
崔途唐 見崔塗
崔從唐 271-307-177
274-445-114
384-252- 13
384-272- 14
395-720-245
472-289- 12
472-524- 22
475- 15- 49
475-364- 67
476- 45- 98
476-523-128
478-417-195
481-361-310
510-280-112
537-298- 56
540-742-28之2
547-151-147
554-131- 50
591-675- 47
820-232- 28
933-144- 10
崔斌元 295-344-173
399-659-486
472-484- 21
476-281-111
476-915-148
537-207- 54
540-665- 27
546-145-120
1439-421- 1
崔寓唐 486- 42- 2
崔游後魏 見崔遊
崔善子 元 1210-760- 24
崔善清 456-338- 76
崔湛唐 1341-619-881
崔溉唐 820-210- 28
崔寔崔台、崔湜、崔實 漢
253-152- 82
370-171- 16
376-833-110
384- 61- 3
384- 65- 3
402-398- 5
474-636- 33
505-792- 73
545-311- 95
812- 67-下
812-230- 9
812-719- 3
814-225- 3
820- 30- 22
933-140- 10
崔湜漢 見崔寔
崔湜唐 269-712- 74
274-276- 99
384-186- 10
395-319-209
472- 92- 3
933-145- 10
1371- 52-附
1387-347- 25
崔渙唐 270-318-108
274-518-120
384-200- 11
384-210- 11
395-500-226
474-639- 33
484- 84- 3
505-794- 73
591-703- 50
933-145- 10
崔琮唐 見崔淙
崔琪唐 491-343- 2
崔琪清 478-490-199
崔惠明 473-588- 75
479-821-256
481-586-328
515-273- 65
529-536- 45
崔越清 528-571- 32
崔賁女 見崔氏
崔琯祖母 唐 見唐氏
崔琯唐 271-314-177
275-495-182
384-271- 14
396-220-272
474-653- 34
505-796- 73
933-149- 10
崔植唐 270-420-119
275- 58-142
384-260- 13
395-673-241
472- 92- 3
554-405- 55
820-249- 29
933-147- 10
崔植明 524- 42-180
崔朝漢(安平人) 253-143- 82
崔朝漢(字我邦) 556-341- 90
崔朝唐 1341-619-881
崔琦漢 253-555-110上
380-341-175
402-529- 15
472- 87- 3
474-636- 33
505-864- 77
506-468-102

933-140- 10
崔郾唐 271- 14-155
275-277-163
384-264- 13
396- 92-260
459-896- 54
473-209- 59
476-898-147
477-522-175
480- 11-257
523- 7-146
532-569- 40
540-743-28之2
933-148- 10
1081-640- 11
1342-574-977
崔郾宋 見崔鶠
崔彭隋 264-840- 54
266-645- 32
379-848-163
472- 90- 3
474-638- 33
505-793- 73
535-556- 20
544-221- 62
933-142- 10
崔琰魏 254-233- 12
377- 92-115上
384- 83- 4
384-657- 41
472-570- 24
476-894-147
540-708-28之1
675-320- 19
933-140- 10
崔琰明 537-267- 55
崔琳唐 269-755- 77
271-494-187
274-386-109
384-200- 11
395-435-221
476-898-147
540-738-28之2
820-165- 27
933-144- 10
崔棟元 1204-296- 9
崔閑宋 516- 95- 91
崔發宋 484-380- 28
崔發妻 宋 見徐氏
崔對清 474-480- 23
476-779-141
505-859- 77
崔對妻 清 見王氏
崔華清 479-354-233
505-823- 75
523-208-155
崔睍宋 1118-991- 67
崔敞後魏 261-386- 24
266-442- 21
379- 37-146
崔順唐 494-288- 4
崔鈞漢 545-233- 92
崔稅唐 518- 8-136
1340- 77-726
崔稅後晉 見崔棁
崔策唐 1076-218- 23
1076-665- 23
崔逸崔景儁 後魏 261-764- 56
266-643- 32
379-135-148
933-142- 10
崔傑女 宋 見朱皇后
崔傑元 1197-670- 69
崔傑明 494- 22- 2
崔復元 494-434- 13
821-313- 54
崔復妻 明 見趙淑端
崔媛唐 見崔瑗
崔源明 523-374-164
崔猷宇文猷 北周～隋
263-694- 35
266-650- 32
379-611-157
472- 90- 3
554-117- 50
933-142- 10
崔塗崔途 唐 273-114- 60
451-472- 7
561-209-38之2
1365-437- 4
1371- 73- 附
1388-539- 87
崔雍唐 275-246-159
396- 54-256
崔裕明 494- 41- 3
崔詵後魏 544-214- 62
崔滂明 1267-501- 6
1410-516-733
崔遊晉 256-475- 91
380-280-173
476-152-104
478-612-205
546-655-137
933-140- 10
崔遊崔游 後魏 261-781- 57
266-661- 32
379-141-148
537-273- 55
505-793- 73
545-353- 96
崔損唐 270-621-136
275-336-167
384-230- 12
396-120-262
472- 92- 3
933-149- 10
1076-112- 12
1076-568- 12
1077-137- 12
崔愍北朝 266-490- 24
379- 51-146
崔楷後魏 261-765- 56
266-644- 32
379-136-148
384-132- 7
472- 89- 3
472-705- 28
474-616- 32
505-700- 70
505-864- 77
537-273- 55
933-142- 10
崔瑜後魏 見崔瑜之
崔群唐 271- 59-159
275-317-165
384-214- 11
384-250- 12
396-111-261
459-789- 47
471-694- 15
472-357- 15
472-573- 24
476-898-147
540-743-28之2
681-367- 30
933-149- 10
1074-308- 17
1075-267- 17
1076-113- 12
1076-569- 12
1077-140- 12
崔瑛明 302-592-318
崔瑗漢 253-151- 82
370-171- 16
376-831-110
384- 61- 3
402-468- 10
402-533- 15
469-568- 70
472-705- 28
474-636- 33
477-199-159
505-792- 73
537-272- 55
682- 11- 2
812- 54- 中
812-217- 8
812-706- 3
814-225- 3
820- 30- 22
933-140- 10
崔瑗妻 漢 見劉氏
崔瑗崔媛 唐 薛巽妻、崔簡女
820-306- 30
1076-126- 13
1076-582- 13
1077-154- 13
崔達明 472-100- 3
崔萱唐 1388-799-113
崔圓唐 270-317-108
275- 40-140
384-200- 11
384-210- 11
395-660-240
469-486- 58
472-114- 4
481- 16-291
540-739-28之2
545-236- 92
933-146- 10
1341-536-869
1343-741- 54

1343-816- 60
崔嵩妻 唐 見咸直公主
崔嵩明 554-366- 54
558-355- 35
崔敬元(字伯恭) 295-475-184
399-745-494
472-627- 25
474- 94- 3
474-559- 28
475- 19- 49
496-412- 89
502-379- 63
545-266- 93
崔敬元(字行簡) 505-656- 68
崔鉉唐 271-107-163
275-251-160
384-273- 14
384-277- 14
396- 64-257
472-573- 24
540-744-28之2
933-147- 10
崔鈺女 明 見崔慧英
崔鈺妻 清 見楊氏
崔頌宋 288- 76-431
400-624-557
472-747- 29
538- 27- 62
820-330- 32
崔詹唐 474-653- 34
崔雋女 唐 見崔氏
崔稜唐 見崔倰
崔賓妻 元 見尚氏
崔實漢 見崔寔
崔實宋 484-373- 27
崔福宋 287-726-419
398-663-410
408-981- 3
崔寧崔旰 唐 270-391-117
275- 79-144
384-222- 12
384-238- 12
395-698-243
469-512- 62
472-708- 28
473-425- 67
537-462- 58
560-600-29下
591- 18- 2
591-674- 47
933-147- 10
崔寧妻 唐 見任氏
崔漪唐 1065-836- 20
1342-204-930
崔端明 523-511-171
1247-552- 25
1475-196- 8
崔說北周 見崔訦
崔廓漢 見崔廣
崔廓隋 264-1084- 77
267-675- 88
380-477-178
384-158- 8
474-638- 33
505-923- 82
933-143- 10
崔廓明 545-305- 94
崔滌唐 見崔澄
崔榮明 547-106-145
崔榮妻 清 見劉氏
崔輔明 554-312- 53
崔瑨唐 271-316-177
820-254- 29
崔碧明 1243-370- 22
1243-392- 23
崔碣唐 274-520-120
395-501-226
472-738- 29
537-298- 56
933-145- 10
崔遠唐 271-316-177
275-495-182
384-288- 15
396-220-272
474-653- 34
813-228- 4
820-271- 29
933-149- 10
崔嘏唐 273-115- 60
275-481-180
473-711- 81
482-183-346
505-674- 69
563-642- 38
1079-345- 附
崔聚元 1206-170- 18
崔聚明 299-495-154
472-207- 7
511-497-156
537-211- 54
崔蓯清 529-750- 51
崔鳳明 476-151-104
545-220- 91
崔銑唐 276- 59-201
崔銑妻 唐 見定安公主
崔銑明 301-771-282
453-661- 28
457-818- 48
458- 11- 1
458-840- 7
472-700- 28
477-168-157
537- 18- 48
538- 6- 61
676-532- 21
677-563- 51
1267-628- 11
1442- 40-附2
1459-816- 33
崔銑妻 明 見李氏
崔綽後魏 261-675- 49
379-134-148
472- 88- 3
崔綽唐 820-238- 28
崔寬後魏 261-385- 24
266-441- 21
379- 36-146
476-895-147
崔寬唐 270-394-117
崔諒魏 254-237- 12
崔諒宋 400-299-524
505-905- 80
崔廣崔廓 漢 380-406-177
448-100- 中
472-1085- 46
478-377-192
479-176-225
487-105- 8
491-377- 4
491-794- 6
524-283-192
538-160- 60
540-690-28之1
554-860- 64
839- 25- 3
871-890- 19
崔廣後魏 261-677- 49
崔澄崔滌 唐 269-714- 74
274-277- 99
395-320-209
933-145- 10
崔潛後魏 261-382- 24
379- 36-146
814-258- 8
820- 78- 23
崔潮清 456-337- 76
崔潤明 472-297- 12
崔憕唐 547-189-148
崔論唐 269-713- 74
274-277- 99
崔鄯唐 271- 14-155
275-278-163
396- 92-260
484- 86- 3
933-148- 10
崔澂明 1442- 37-附2
1459-763- 30
崔毅漢 505-923- 82
崔毅妻 明 見楊氏
崔適崔遹 後魏 261-469- 32
266-491- 24
379- 52-146
472-253- 10
496-606-104
933-142- 10
1342-370-952
崔璨唐 820-227- 28
崔賢明 456-518- 6
474-601- 31
476-334-115
505-700- 70
崔賢妻 明 見王氏
崔憼唐 273- 82- 59
崔憼宋 812-548- 4
813-191- 18
821-168- 50
崔瑾後魏 505-873- 78
崔璆唐 486- 45- 2
崔璆宋 1365-605- 下
崔震明 1248-609- 3
崔璉明 554-500-57上
崔模後魏(字思範) 261-387- 24

266-491- 24
379- 52-146
崔模後魏(字叔軌) 261-765- 56
266-644- 32
379-136-148
552- 36- 18
崔蔚後魏 267-357- 67
崔鄲唐 271-155- 14
275-278-163
384-270- 14
396- 92-260
933-148- 10
崔稹崔積 唐 820-219- 28
1076-113- 12
1076-509- 12
1077-140- 12
1341-619-881
崔儀妻 明 見陳氏
崔魯唐 451-471- 7
1365-444- 5
崔篆漢 253-143- 82
370-170- 16
376-828-110
477- 91-153
505-792- 73
538-332- 69
677- 78- 8
崔徵妻 唐 見盧氏
崔憲金 1190-196- 11
崔澮唐 271-316-177
275-495-182
933-149- 10
崔辨魏 見崔辯
崔諭唐 820-284- 30
崔澱明 820-762- 44
821-485- 58
1442-130-附8
1460-881- 94
崔澳唐 1342-249-936
崔遴唐 1342-429-960
崔遵金 1040-243- 3
1365-242- 7
1445-457- 33
崔融唐 270-137- 94
271-307-177
274-444-114
384-188- 10
395-439-221
469-162- 19
472-524- 22
491-802- 6
933-144- 10
1371- 51- 附
1387-295- 21
1394-363- 2
崔頤崔周兒 後魏 261-468- 32
266-484- 24
379- 50-146
933-141- 10
崔樹妻 清 見蔣氏
崔駰漢 253-143- 82
370-171- 16
376-828-110
384- 61- 3
402-532- 15
472- 87- 3
474-636- 33
505-892- 79
506-466-102
933-139- 10
崔翰唐 506-631-109
1073-557- 24
1074-391- 24
1075-342- 24
崔翰宋 285-211-260
371-168- 17
382-193- 28
384-334- 17
396-535-302
472-839- 33
478- 89-180
478-122-181
545- 35- 84
554-588- 59
933-150- 10
崔彊春秋 404-619- 38
崔駢唐 554-234- 52
崔璞唐 485- 71- 11
崔隨晉 254-429- 24
崔適後魏 見崔適
崔適宋 472-961- 38
479- 42-218
523- 76-149
1121-468- 34
崔興明 523-228-156
崔器唐 270-376-115
276-171-209
384-217- 11
400-381-535
崔蕘唐 270-395-117
275- 82-144
崔暈唐 見崔玄暐
崔嶧宋 285-263-299
397-191-331
472-839- 33
475-869- 95
481-332-308
545- 51- 84
554-935- 64
崔暹後魏 262-276- 89
267-669- 87
380-231-171
384-143- 7
崔暹北齊 263-232- 30
266-658- 32
379-418-153
472- 89- 3
505-793- 73
933-143- 10
崔積唐 見崔稹
崔縉唐 820-240- 28
崔縉明 546-596-134
崔錡清 480-437-278
崔衡後魏 261-386- 24
266-442- 21
379- 37-146
476-110-102
476-896-147
540-728-28之1
545-353- 96
814-259- 8
820-114- 25
820-284- 30
崔穆後魏 379-141-148
崔應唐 820-259- 29
崔鴻後魏 262- 26- 67
266-907- 44
379-273-150下
384-134- 7
472-571- 24
540-726-28之1
546-673-137
933-143- 10
崔濬明 302-593-318
崔禧金 1040-249- 4
崔膺唐 821- 80- 47
崔謙北周 見崔士謙
崔謙明(修武知縣) 472-718- 28
崔謙明(高平人) 554-313- 53
崔燦明～清 474-604- 31
505-863- 77
崔懋清 476-519-127
502-664- 79
崔翳唐 476- 77-100
545-171- 89
崔舉明 554-288- 53
崔勵後魏 262- 25- 67
266-906- 44
379-273-150下
472-571- 24
547-172-147
崔霞唐 812-347- 9
821- 88- 48
崔璩唐 270- 96- 91
崔璪唐 271-316-177
崔嶽清 511-877-170
崔曙唐 451-420- 2
538-132- 65
崔儦隋 263-197- 23
264-1070- 76
266-489- 24
380-398-176
384-158- 8
472-572- 24
476-897-147
540-731-28之1
933-141- 10
崔儦女 隋 見崔氏
崔鍾崔鐘 後魏 261-386- 24
266-442- 21
379- 37-146
崔徽後魏 261-385- 24
266-441- 21
379- 36-146
476-895-147
554-109- 50
崔徽唐 821-103- 48
1109-509- 27
崔縱唐 270-318-108
274-519-120
384-222- 12
384-231- 12

十一畫 崔

395-501-226
472-738- 29
472-824- 33
474-639- 33
478- 88-180
505-794- 73
554-128- 50
933-145- 10
崔縱女 唐 見崔氏
崔縱宋 288-312-449
400-163-513
472-1101- 47
473-114- 54
479-656-247
515-743- 80
523-168-154
540-766-28之2
崔璵唐 271-316-177
384-272- 14
545- 11- 83
崔璡唐 820-243- 28
崔賾隋 264-1084- 77
267-675- 88
379-845-163
472- 91- 3
474-638- 33
505-893- 79
547-149-147
933-143- 10
崔翹唐 1371- 55- 附
崔覲唐 271-647-192
275-645-196
384-258- 13
401- 9-568
472-868- 34
554-869- 64
崔瞻崔贍 北齊 263-196- 23
266-487- 24
379-423-153
384-136- 7
540-729-28之1
550-720-228
933-141- 10
崔鎰妻 明 見蕭氏
崔簡崔覽 後魏 261-385- 24
266-441- 21
379- 36-146
814-259- 8
820-114- 25
崔簡唐 1076- 87- 9
1076-545- 9
1077-108- 9
1383-311- 27
崔簡妻 唐 見柳氏
崔簡女 唐 見崔瑗
崔邈唐 820-185- 27
崔璽明 554-311- 53
崔藝女 唐 見崔氏
崔曠北周 263-694- 35
崔鵬唐 見崔元翰
崔繪妻 唐 見盧氏
崔鏞明 545-223- 91
554-604- 59
崔寶漢 554-226- 52
崔鷗崔鄘、崔鶡 宋
286-722-356
382-680-105
397-756-365
471-699- 16
471-734- 20
472-376- 16
472-663- 27
472-801- 31
473-165- 57
477- 82-152
477-503-174
485-420- 5
515-102- 60
538-153- 65
545-330- 95
674-293-4下
674-828- 17
820-406- 34
933-151- 10
1118-403- 20
1366-248- 20
1437- 19- 1
崔獻唐 1065-281- 10
1342-520-971
1408-720-555
崔耀清 547- 97-144
崔贍北齊 見崔瞻
崔曨宋 288- 76-431
400-624-557
538- 27- 62
崔騰北周 263-729- 38
267-405- 70
崔纂後魏 261-780- 57
266-658- 32
379-141-148
505-793- 73
崔鐘後魏 見崔鍾
崔覺齊 265-657- 45
崔辯崔辨 後魏 261-764- 56
266-643- 32
379-135-148
472- 88- 3
474-636- 33
505-793- 73
933-142- 10
崔覽後魏 見崔簡
崔覽妻 後魏 見封氏
崔顥唐 271-597-190下
273-113- 60
276- 86-203
384-207- 11
400-611-556
451-416- 1
538-127- 65
674-855- 19
1365-435- 4
1371- 57- 附
崔鶡宋 見崔鷗
崔黯唐 270-395-117
275- 82-144
494-269- 2
820-254- 29
1054-566-16
崔鐸清 456-337- 76
崔鐶唐 820-174- 27
崔鰲明 見焦鰲
崔蠡唐 270-394-117
275- 82-144
395-700-243
崔瓘唐 270-377-115
275- 49-141
395-698-243
473-315- 62
473-333- 63
480-613-287
505-688- 70
532-566- 40
532-746- 46
崔鑑後魏 261-675- 49
266-641- 32
379-134-148
472- 88- 3
933-142- 10
崔鑑明 302-155-297
崔瓚後魏 262-276- 89
崔顯元 1214-278- 23
崔巖唐 270-422-119
崔巖明 473-403- 66
480-637-288
533-118- 50
崔讓元 505-705- 70
崔觀明 558-402- 36
崔驥唐 820-281- 30
崔乃鏞清 483- 65-375
崔九圍清 474-480- 23
505-913- 81
崔三畏明 545-152- 88
崔士元後魏 379-137-148
崔士元唐 523- 72-149
崔士安後魏 262- 12- 66
崔士和後魏 262- 12- 66
崔士英明 480-638-288
崔士約北周 見崔訦
崔士泰後魏 262- 12- 66
266-913- 44
崔士偉明 554-292- 53
崔士謙宇文謙、崔謙 北周
263-692- 35
266-645- 32
379-612-157
472- 89- 3
474-637- 33
480-239-269
481-152-298
532-562- 40
933-142- 10
崔士瞻清 505-897- 80
崔士瞻妻 清 見任氏
崔子方宋 592-493- 91
674-567- 3
崔子元後魏 262- 28- 67
266-909- 44
崔子玉唐 494-241- 10
516-567-108
588-363- 3
崔子忠崔丹 明 505-881- 79
821-478- 58

1318-262- 54
1318-369- 64
1442-116-附7
崔子侃北齊 266-490- 24
379-425-153
崔子約北齊 266-490- 24
379-425-153
476- 44- 98
547-148-147
崔子朗後魏 261-779- 57
崔子博北齊 379-489-154
崔子發北齊 379-489-154
472- 90- 3
崔子敬元 1199-288- 30
崔子端北齊 379-489-154
崔子樞北齊 266-642- 32
379-488-154
崔上煥清 524-114-183
崔斗之妻 明 見盧氏
崔方實唐 473-776- 84
482-450-362
567- 42- 64
1467- 16- 62
崔文子春秋 592-173- 71
742- 24- 1
1058-498-上
1061-251-108
崔文子漢 541- 84- 30
崔文友妻 明 見童氏
崔文友妻 明 見黃氏
崔文生清 456-337- 76
崔文仲齊 259-317- 28
265-675- 47
378-255-138
崔文昇明 302-299-305
崔文奎明 540-794-28之3
1267-598- 10
崔文豹後魏 379-137-148
崔文達明 1271-616- 52
崔文榮明 302- 92-294
456-430- 2
480- 53-259
533-354- 59
崔文翼元 1222-661- 7
崔之道宋 472-340- 14
475-540- 77
511-932-175
崔不意漢 558-235- 32
崔元式唐 271-108-163
275-252-160
384-276- 14
崔元吉妻 明 見李氏
崔元受唐 271-108-163
275-252-160
崔元亭唐 471-1018- 63
崔元珍後魏 261-779- 57
545-167- 89
崔元祖齊 265-674- 47
378-255-138
933-140- 10
崔元孫女 後魏 見崔氏
崔元略唐 271-106-163
275-251-160
396- 63-257
472-573- 24
820-254- 29
933-147- 10
崔元靖唐 見崔鉦
崔元暉唐 459-370- 22
崔元禎妻 明 見馬氏
崔元綜唐 270- 89- 90
274-450-114
384-183- 10
395-472-223
崔元翰崔鵬 唐 270-628-137
276- 88-203
400-613-556
547-152-147
933-150- 10
1339-649-704
1371- 65- 附
崔元儒唐 271-108-163
崔元譽唐 494-288- 4
崔元禮唐 見崔敦禮
崔孔昕明 532-635- 43
崔天佑清 見崔天祐
崔天祐崔天佑 清
456-337- 76
崔天錫明 479-793-254
515-271- 65
崔天禧清 456-338- 76
崔友諒宋 821-230- 51
崔日用唐 270-193- 99
274-527-121
384-192- 10
395-506-227
469- 68- 9
472-429- 19
473-297- 62
476- 27- 97
477-206-159
537-463- 58
545- 12- 83
545-436- 99
933-145- 10
1339-636-702
崔日知唐 270-195- 99
274-527-121
395-507-227
472-130- 4
472-824- 33
477-206-159
933-145- 10
1371- 54- 附
崔公度宋 286-688-353
471-910- 46
472-295- 12
511-782-166
1119-497- 21
1163-478- 22
崔公孺宋 1089-530- 49
崔仁師唐 269-710- 74
274-275- 99
384-171- 9
395-319-209
473-674- 79
474-653- 34
505-796- 73
563-898- 43
933-145- 10
崔仁冀宋 472-966- 38
523-509-171
崔允升明 515-280- 65
崔允純妻 明 見林氏
崔玄伯崔宏 後魏
261-382- 24
266-426- 21
379- 20-146
384-129- 7
472-571- 24
476-895-147
540-724-28之1
545-257- 93
814-258- 7
820-114- 25
933-140- 10
崔玄亮唐 271-139-165
275-299-164
384-271- 14
396- 74-258
472-376- 16
472-465- 20
472-697- 28
473-454- 68
475-380- 68
475-561- 79
481-180-300
485-497- 9
494-291- 4
510-422-116
524-311-194
546-614-135
559-284-7上
839- 50- 4
933-149- 10
1080-770- 70
1342-384-954
崔玄暐母 唐 見盧氏
崔玄暐崔曅 唐 270- 95- 91
274-518-120
384-186- 10
395-499-226
448-334-下
469-512- 62
474-638- 33
505-794- 73
567-426- 86
933-145- 10
1467-139- 67
崔立之明 554-346- 54
1074- 83- 4
1074-297- 16
1075- 83- 4
1075-256- 16
崔永復元 1229-173- 3
崔炳陞妻 清 見馮氏
崔弘正唐 472-694- 28
崔弘宇明 456-617- 9
558-416- 37
崔弘昇隋 264-1051- 74
266-647- 32
380-243-171

崔弘度隋 264-1050- 74
266-646- 32
380-242-171
472- 91- 3
478-333-191
544-218- 62
544-221- 62
552- 46- 19
554-121- 50
933-142- 10
崔弘裕唐 820-230- 28
崔弘毅明 545-462-100
崔弘禮唐 271-109-163
275-298-164
396- 73-258
472-494- 21
472-543- 23
472-705- 28
472-717- 28
476-475-125
537-202- 54
540-743-28之2
545-237- 92
933-148- 10
崔正言宋 1198-786- 5
崔正誼清 517-763-134
崔巨倫後魏 261-764- 56
266-644- 32
379-135-148
崔可儀元 545-400- 98
崔世召明 481-750-334
529-647- 48
532-750- 46
676-630- 26
1442- 91-附6
1460-519- 65
崔世榮明(寧夏人) 476-278-111
545-327- 95
崔世榮明(榆林人) 554-734- 61
崔四畏妻 清 見鄭氏
崔台符宋 286-707-355
397-747-365
崔安潛唐 271-308-177
274-446-114
396-225-272
472-642- 26
476-523-128
481- 18-291
537-203- 54
933-145- 10
933-806- 60
崔汝成明 480-651-289
崔汝孝明 546-496-131
崔州平漢 474-636- 33
崔光伯後魏 262- 14- 66
266-915- 44
379-281-150下
540-728-28之1
崔光弼妻 宋 見吳氏
崔光業明 505-896- 80
崔光韶後魏 262-12- 66
266-913- 44
379-279-150下
384-134- 7
472-571- 24
476-896-147
540-728-28之1
933-143- 10
崔光遠唐 270-342-111
275- 48-141
384-201- 11
384-213- 11
395-693-243
554-123- 50
933-146- 10
崔兆祥清 476-156-104
547- 39-142
崔自然唐 472-330- 14
475-715- 86
511-938-175
崔仲方隋 263-696- 35
264-889- 60
266-651- 32
379-846-163
384-154- 8
472-922- 36
474-638- 33
478-481-199
505-793- 73
544-219- 62
554-196- 52
559-260- 6
933-142- 10
崔仲文北齊 263-197- 23
266-489- 24
379-425-153
472-572- 24
540-729-28之1
933-140-10
933-141- 10
崔仲和明 547- 37-142
崔仲哲後魏 261-676- 49
266-642- 32
379-135-148
472- 88- 3
崔仲翔唐 537-350- 56
崔仲溫金 1192-399- 35
崔行功唐 271-565-190上
276- 59-201
400-589-554
505-887- 79
820-144- 26
崔沖其宋 見崔志亨
崔良佐唐 472-130- 4
474-639- 33
538- 24- 62
崔良承元 1210-374- 11
崔良貴明 1291-882- 6
崔志亨崔沖其 宋
1127-155- 8
崔成名清(保定人) 475-822- 92
崔成名清(安肅人) 505-815- 74
510-496-118
崔成輔唐 見崔宗之
崔孝伯後魏 見崔光
崔孝直後魏 261-777- 57
266-655- 32
379-139-148
505-793- 73
崔孝芬後魏 261-775- 57
266-649- 32
379-138-148
474-637- 33
505-893- 79
933-142- 10
崔孝政後魏 261-778- 57
266-656- 32
379-140-148
505-916- 81
崔孝偉後魏 見崔孝暐
崔孝暐崔孝偉 後魏
261-777- 57
266-653- 32
379-139-148
474-616- 32
505-793- 73
崔孝演後魏 261-777- 57
266-655- 32
379-139-148
505-864- 77
崔育王後魏 379-137-148
崔育梗明 545-793-111
崔君綽北周 267-358- 67
379-645-158
崔君舉元 1199-288- 30
崔克昇明 472-134- 4
477-168-157
538- 93- 64
崔呈秀明 302-319-306
崔佐時唐 569-614-18下之2
崔伯玉金 1192-399- 35
崔伯鳳後魏 261-391- 24
崔伯謙北齊 263-362- 46
266-643- 32
380-199-170
384-132- 7
459-873- 53
472- 89- 3
472-106- 4
472-543- 23
474-616- 32
474-637- 33
476-609-133
505-674- 69
505-793- 73
540-664- 27
933-142- 10
崔伯驎後魏 261-391- 24
崔伯驥後魏 261-391- 24
崔希甫宋 472-294- 12
511-202-144
崔希高唐 478-334-191
554-269- 53
崔希眞唐 821- 69- 47
1061-296-112
崔邦亮明 554-297- 53
崔廷奎明 564-120- 45
崔廷槐明 505-658- 68
540-807-28之3
676-561- 23
崔廷勳後晉 278-200- 98
崔宗人清 502-639- 78

崔宗之崔成輔 唐
274-527-121
820-169- 27
1371- 57- 附
1388-830-116
崔宗泰清 475-216- 60
510-367-114
崔泌之明 302- 74-293
456-491- 5
474-238- 12
477-132-155
505-660- 68
538- 45- 63
崔武子春秋 見崔杼
崔武色清 456-183- 64
崔居州妻 明 見李氏
崔居儉後晉 279-365- 55
384-315- 16
396-443-296
472-114- 4
505-762- 72
933-150- 10
崔孟傳明 547-485-159
崔孟先妻 明 見王氏
崔奇觀明 515-178- 62
崔長文後魏 262- 29- 67
266-909- 44
379-275-150下
547-172-147
554-325- 54
崔長謙後魏 262- 42- 69
崔承宗後魏 262-253- 86
267-630- 84
380-119-167
476-522-128
崔承福唐 486- 41- 2
崔忠讓妻 清 見單氏
崔尚志妻 清 見單氏
崔尚義明 558-233- 32
崔尚質清 476-331-115
545-425- 98
崔帖穆明 563-834- 41
崔叔仁後魏 262- 41- 69
266-490- 24
379-425-153
崔叔義後魏 262- 42- 69
266-490- 24
崔叔瓚北齊 266-642- 32
379-489-154
472- 90- 3
505-793- 73
崔知悌唐 274-350-106
395-365-214
477- 69-152
崔知溫唐 271-443-185上
274-350-106
384-180- 10
395-365-214
472-656- 27
472-930- 37
477- 69-152
478-481-199
478-593-204
537-383- 57
558-170- 31
558-219- 32
崔季良後魏 261-676- 49
266-642- 32
379-135-148
472- 90- 3
崔季眞唐 516-507-106
崔季舒北齊 263-289- 39
266-656- 32
379-451-153
472- 90- 3
742- 33- 1
814-261- 8
820-121- 25
933-143- 10
崔周兒後魏 見崔賾
崔周度後周 278-431-130
476-576-131
崔周衡唐 820-285- 30
崔岱齊妻 清 見唐氏
崔秉重妻 明 見王氏
崔延伯後魏 262-107- 73
266-758- 37
379-191-149
384-132- 7
472- 90- 3
532-561- 40
532- 39- 18
554-113- 50
933-143- 10
崔延壽後燕 379- 52-146
933-142- 10
崔洪範元 473-505- 71
559-392-9上
崔洪憲清 547- 39-142
崔為璉妻 清 見江氏
崔彥昭母 唐 474-443- 21
506- 40- 87
崔彥昭唐 271-339-178
275-505-183
384-283- 15
396-234-273
472-573- 24
474-437- 21
476- 28- 97
505-762- 72
540-743-28之2
545- 30- 83
933-150- 10
崔彥俊明 515-365- 68
571-549- 20
崔彥曾唐 271-310-177
274-447-114
396-225-272
484- 85- 3
933-145- 10
崔彥進宋 285-200-259
382-148- 20
384-326- 17
396-526-302
472- 31- 4
505-774- 73
933-150- 10
崔彥睦女 隋 見崔氏
崔彥暉明 1229-201- 5
崔彥會唐 475-420- 70
崔彥輔崔彥輝 元524-277-192
820-538- 39
821-314- 54
崔彥輝元 見崔彥輔
崔彥融唐 473-729- 82
崔彥穆北周 263-707- 36
267-357- 67
379-644-158
472-572- 24
476-896-147
540-728-28之1
933-143- 10
崔彥穆女 隋 見崔氏
崔彥齡明 1229-333- 12
1234-591- 95
崔剋躬唐 1079- 51- 9
崔茂惠妻 清 見曹氏
崔昭緯唐 271-357-179
276-456-223下
384-292- 15
401-329-613
崔致堯南唐 1085-230- 30
崔致遠唐 273-115- 60
崔迪吉清 476-618-133
540-858-28之4
崔重文明 1442-126-附8
1460-908- 98
崔重觀明 456-574- 8
崔信明唐 271-562-190上
276- 57-201
384-176- 9
400-588-554
451-411- 1
476-667-136
491-803- 6
540-735-28之2
547-185-148
933-150- 10
崔保恭隋 1410-637- 43
崔海子唐 見崔液
崔高客崔高容 後魏
262- 73- 71
266-923- 45
379-287-150下
820-115- 25
崔高容後魏 見崔高客
崔祐甫唐 270-417-119
275- 56-142
384-225- 12
395-671-241
459-396- 24
472- 92- 3
472-837- 33
478-117-181
506-390-100
554-404- 55
933-146- 10
1072-355- 1
1076-107- 11
1076-563- 11
1077-132- 11
1410-513-732

崔祐甫妻 唐 見王氏
崔祖虬後魏 261-391-24
崔祖思齊 259-311-28
265-673-47
370-512-15
378-253-138
384-114-6
476-894-147
540-720-28之1
933-140-10
崔祖龍後魏 261-391-24
崔祖螭後魏 261-391-24
崔神基唐 269-755-77
274-385-109
384-183-10
395-434-221
933-144-10
崔神慶唐 269-755-77
274-385-109
384-188-10
395-434-221
472-429-19
472-572-24
476-27-97
476-725-138
540-737-28之2
545-22-83
崔亥利後魏 379-52-146
崔庭玉唐 820-176-27
崔效林清 476-126-102
547-79-143
崔凌漢妻 清 見李氏
崔桃簡後魏 見崔浩
崔恭祖齊 259-500-51
378-226-137
崔起鳳妻 清 見侯氏
崔振臬明 523-136-152
崔師訓明 511-310-148
528-563-32
677-677-60
崔培元明 1442-92-附6
1460-527-65
1475-406-17
崔掄奇清 475-71-52
479-606-244
510-319-113
515-251-64
546-736-139
崔莽牛清 456-300-73
崔國安妻 明 見米氏
崔國臣清 456-337-76
崔國裕明 510-394-115
554-515-57下
崔國順妻 清 見廖氏
崔國福清 456-337-76
崔國輔唐 273-111-60
451-416-1
674-856-19
1371-58-附
崔國寶清 456-337-76
崔野子不詳 1061-270-110
崔偓佺宋 288-79-431
382-736-113
384-335-17
400-441-540
477-208-159
933-151-10
崔從教明 545-433-99
崔從麟妻 清 見鄭氏
崔啟元清 505-649-68
崔啟弼妻 明 見奚氏
崔富榮妻 清 見劉氏
崔善岱清 456-337-76
崔善為唐 271-620-191
274-196-91
384-169-9
395-265-204
472-572-24
476-897-147
477-521-175
537-349-56
540-733-28之2
933-144-10
崔善卿宋 1189-329-3
崔翔鳳妻 清 見廉氏
崔敦詩宋 492-587-13下之上
493-952-51
511-795-166
1165-343-21
崔敦禮崔元禮 唐269-790-81
274-352-106
384-173-9
384-179-10
395-366-214
472-834-33
478-111-181
554-580-58
933-144-10
崔敦禮宋 472-175-6
492-587-13下之上
489-682-49
崔黃中唐 820-182-27
崔惠童妻 唐 見晉國公主
崔惠景齊 見崔慧景
崔博陵唐 549-194-188
崔雅章唐 526-130-262
崔隆宗後魏 261-469-32
266-491-24
476-896-147
崔斯立唐 472-824-33
崔堯龍清 523-238-156
崔肅冽妻 唐 見李氏
崔陽元唐 見崔陽光
崔陽光崔陽元 唐812-351-10
821-69-47
崔景元清 456-337-76
崔景眞齊 265-674-47
378-255-138
472-572-24
933-140-10
崔景哲後魏 262-302-91
380-634-183
崔景晊崔璵晊 唐
1072-382-2
1072-409-3
1341-758-900
1342-279-940
崔景晊妻 唐 見鄭氏
崔景榮母 明 見劉氏
崔景榮明 301-327-256
458-356-14
474-480-23
505-778-73
545-299-94
崔景鳳北齊 263-197-23
崔景儁後魏 見崔逸
崔貽孫後唐 277-567-69
崔無詖唐 271-503-187下
275-594-191
400-96-508
477-49-151
537-347-56
554-77-49
崔無斁五代 592-286-78
崔喬遷妻 明 見李氏
崔進經妻 清 見郭氏
崔源之明 537-435-58
崔義玄唐 269-754-77
274-384-109
384-181-10
395-433-221
472-572-24
472-1026-42
479-318-232
523-182-155
540-735-28之2
933-144-10
1065-465-3
崔愼由唐 271-307-177
271-309-177
274-446-114
384-277-14
396-224-272
469-485-58
476-523-128
933-144-10
崔慈懋後魏 262-29-67
崔道固劉宋 258-559-88
崔道固後魏 261-388-24
266-915-44
379-281-150下
547-171-147
933-143-10
崔道融唐 451-463-6
480-245-269
524-338-195
529-752-52
533-311-57
1371-73-附
崔瑜之崔瑜 後魏261-779-57
379-140-148
崔達拏北周 263-234-30
266-661-32
379-420-153
崔嗣業唐 480-482-280
崔敬友後魏 262-25-67
266-906-44
379-273-150下
崔敬邕後魏 261-780-57
266-658-32
379-140-148
505-793-73

崔敬嗣唐 270-342-111
480-318-272
崔敬默後魏 262-12-66
崔廓之北齊 263-316-42
崔漢臣宋 1142-445-11
崔漢衡唐 270-460-122
275-71-143
395-688-242
472-573-24
540-741-28之2
933-147-10
崔榮宗明 554-734-61
崔壽之宋 1189-307-2
崔爾仰清 476-403-119
546-612-135
1322-677-12
崔爾進明 545-226-91
554-515-57下
崔爾達崔爾遠 明
456-576-8
554-368-54
554-721-61
崔爾遠明 見崔爾達
崔與之宋 287-534-406
398-512-399
472-291-12
473-96-53
475-428-67
473-446-68
473-675-79
473-737-82
473-784-85
473-790-85
475-366-67
475-743-88
479-627-245
481-21-291
481-802-338
482-35-340
482-320-354
482-408-359
482-467-363
482-484-364
510-283-112
515-183-62
559-267-6
559-281-6
563-664-39
564-49-44
567-70-65
585-770-5
591-686-47
676-689-29
1180-368-34
1181-184-11
1363-769-227
1437-27-2
1467-41-63
崔嘉彥宋 516-216-96
517-363-125
517-371-125
1145-634-79
崔夢臣金 1191-48-4
崔鳴鷟清 476-396-119
545-471-100
崔種德金 1192-399-35
崔僧祐後魏 261-389-24
崔僧淵後魏 261-390-24
266-916-44
崔維邦妻 明 見潘氏
崔維律明 見崔維葎
崔維葎崔維律 明456-518-6
540-836-28之3
崔肇師北齊 263-198-23
266-913-44
379-486-154
崔誼之清 505-643-67
崔慧英明 易蓁妻、崔鈺女
1263-529-5
崔慧景崔惠景 齊
259-496-51
265-657-45
370-525-16
378-225-137
384-115-6
崔慰祖齊 259-513-52
265-1019-72
380-366-176
472-572-24
476-894-147
540-721-28之1
933-140-10
崔履謙元 523-225-156
崔蔚林清 1316-687-47
崔德立後魏 379-135-148
崔德彰元 1197-676-70
崔徵璧清 505-828-75
537-292-55
崔論德宋 839-56-5
崔諤之唐 271-443-185上
崔遵用宋 1092-106-14
崔遵度南唐 674-784-15
崔遵度宋 288-220-441
382-754-115
384-344-17
400-646-559
473-301-62
476-78-100
476-524-128
480-245-269
541-111-31
545-174-89
933-151-10
崔璟晊唐 見崔景晊
崔頤正宋 288-79-431
382-736-113
384-335-17
400-440-540
472-660-27
477-208-159
538-21-62
540-656-27
933-151-10
崔靜仁妻 清 見李氏
崔龜從唐 271-303-176
275-252-160
384-277-14
396-223-272
469-485-58
813-255-9
820-261-29
933-147-10
1394-317-1
崔儒秀明 302-35-291
456-516-6
474-734-40
477-525-175
502-297-56
545-469-100
崔賽昭清 476-87-100
崔應元明 302-335-306
崔應科明 554-255-52
崔應泰清 502-761-86
崔應鳳清 505-805-74
崔應魁清 586-172-7
崔應麟明 1457-518-389
崔翼之元 517-511-128
崔隱甫唐 271-459-185下
274-631-130
384-200-11
395-590-234
472-573-24
472-738-29
472-824-33
476-180-106
476-898-147
478-334-191
537-297-56
540-738-28之2
545-11-83
545-236-92
554-231-52
933-146-10
崔聯芳清 505-899-80
崔禮弼清 456-300-73
崔懷順崔懷慎 齊
259-540-55
265-1040-73
380-96-167
476-894-147
540-725-28之1
933-140-10
崔懷慎齊 見崔懷順
崔攀龍明 456-543-7
481-674-331
528-533-31
崔繼孝妻 清 見劉氏
崔繼勳宋 見焦繼勳
崔繼勳妻 明 見黎罕壁
崔懿之晉 547-548-161
崔靈恩梁 260-400-48
265-1002-71
380-291-173
384-122-6
472-571-24
476-895-147
540-722-28之1
933-140-10
崔鸎鸎唐 1079-658-6
常十漢 537-75-49
常山明 515-247-64
常元明 473-87-52

常友妻 明 見盧溫柔
常中元 1206-730- 8
常氏北魏 魏文成帝乳母
261-211- 13
266-280- 13
常氏宋 孫簡妻 1118-931- 62
常氏明 王山妻 474-444- 21
常氏明 尹監賢妻、常汝敬女
1467-271- 72
常氏明 朱標妻、常遇春女
299- 30-115
1227-153- 19
常氏明 武強妻、常瑣女
506-129- 89
常氏明 陳其策妻 481-465-319
常氏明 滑守先妻 506- 74- 88
常氏明 葉夢林妻 1291-894- 6
常氏明 鄭繼明妻 506- 42- 87
常氏明 劉悌妻 570-169- 22
常氏明 劉金住妻、常伯良女
478-574-203
558-530- 43
常氏明 李念慈母 1315-380- 18
常氏清 王基英妻 506-165- 90
常氏清 王國棟妻 503- 62- 95
常氏清 胡滄妻 506- 65- 87
常氏清 符鴻澤妻 503- 67- 95
常目明 547-115-145
常守明 547- 89-144
常在遼 472- 40- 1
474-196- 9
505-933- 85
常在明 505-666- 69
546-332-126
常在清 455-255- 14
常存明 554-887- 64
常丞宋 559-318-7上
常同宋 287-152-376
398-202-378
471-977- 56
472-982- 39
473-537- 72
481-362-310
491-116- 13
494-305- 5
559-387-9上
591-637- 46
1138-785- 20
1182- 77- 5
1467- 39- 63
常先上古 404-383- 23
933-403- 26
常志女 唐 見常醜女
常忌晉 559-387-9上
591-532- 41
常住清 455-372- 23
常羌漢 見當羌
常庚清 538- 62- 63
常武清(納喇氏) 455-403- 24
常武清(趙氏) 456-386- 80
常坦宋 491-670- 20
常奇清 456-203- 66
常長女 晉 見元常
常林魏 254-413- 23
377-187-116
384- 86- 4
384-667- 42
469-444- 53
472-106- 4
472-719- 28
474-406- 20
476-156-104
477-246-161
505-674- 69
537-475- 58
547-163-147
933-403- 26
常明清(鑲藍旗瓜爾佳人)
455-117- 4
常明清(鑲藍旗包衣人)
455-119- 4
常岫清 1475-789- 33
常昇明 570-213- 23
常委宋 1053-660- 15
常和宋 843-666-中
常延明 547-115-145
常洵妻 清 見李氏
常洽漢 591-518- 41
常洽女 漢 見紀常
常垍宋 561-607- 46
常珍清 481-268-305
559-534- 12
常建唐 451-417- 1
常茂明 299-156-125
1283-186- 81
常思後周 278-419-129
279-320- 49
384-313- 16
545-817-112
933-404- 26
常英後魏 262-215-83上
380- 10-165
常英清 455-480- 29
常信明 472-337- 14
511- 83-139
820-719- 43
821-439-57
常保妻 清 見烏扎拉氏
常俊唐(登州刺史) 540-651- 27
常俊唐(俗姓張) 683- 15- 0
常俊宋 1191-266- 24
常悟宋 1053-701- 16
常泰元 1204-577- 8
常泰明(典史) 494- 23- 2
常泰明(徐溝人) 545-668-107
常泰明(寧夏人) 558-376- 36
常珙宋 1098-181- 22
常城宋 1149-712-16
常眞吳 585- 17- 2
常眞宋 288-410-456
400-299-524
477-452-171
538-115- 64
常珪宋 1122-161- 123
常格清 456-102- 57
常書清 456- 34- 52
常軏明 456-198-122
常挺宋 287-743-421
398-677-412
473-573- 74
481-528-326
常晏宋 288-411-456
400-299-524
常倫明 546-689-138
550-147-214
820-672- 4
821-415- 56
1442- 45-附3
1459-922- 39
常修妻 唐 見闕氏
常修清 547-503-159
常秩宋 286-363-329
382-774-118
384-375- 19
397-478-348
408-669- 26
472-203- 7
475-780- 89
933-405- 26
1095-829- 48
1378-614- 63
1384-182- 96
1410-233-691
常清妻 明 見王氏
常清清 455-610- 41
常淨明 徐歷東女 530-203- 60
常袞唐 270-423-119
275-146-150
395-747-249
471-647- 10
481-858- 38
472-837- 33
473-567- 74
473-700- 80
478-116-181
481-491-324
482-140-344
528-435- 29
554-642- 60
563-641- 38
933-404- 26
1371- 63-附
1394-384- 3
常爽後魏 262-232- 84
266-867- 42
379-245-150上
384-133- 7
472-719- 28
477-249-161
478-637-206
538- 25- 62
547-170-147
558-475- 40
680-162-240
933-404- 26
常通唐 524-407-199
1053-174- 4
常勗晉 559-387-9上
591-532- 41
常善北周 263-616- 27
267-340- 65
379-631-158

常曾唐 473- 59- 51
515-194- 63
常惠漢 250-568- 70
376-289-100
384- 47- 2
472-432- 19
476- 32- 98
483-591-414
545-231- 92
545-503-101
933-403- 26
常超唐 1072-407- 3
常堪清 455-156- 6
常景後魏 262-206- 84
266-868- 42
379-246-150上
477-249-161
538-137- 65
554-266- 53
587- 6- 1
933-404- 26
1387-208- 12
常貴清 455-437- 26
常棠宋 524-279-192
常悲李娥姿 北周 周武帝后
263-471- 9
266-298- 14
常智明 571-531- 19
常舒清 455-509- 32
常欽明 511-926-174
常進唐 1054-504- 14
常溥宋 1098-197- 24
常煒晉 496-421- 90
常道明 511-425-152
常資元 1202- 86- 7
常椲宋 485-535- 1
常楫宋(清江人) 473-128- 55
常楫宋(字濟川) 528-551- 32
常楙常懋 宋 287-745-421
398-678-412
472-222- 8
472-389- 17
472-984- 39
472-1067- 45
475- 18- 49
475-120- 55
475-449- 71
475-502- 75
475-821- 92
479- 92-221
479-319-232
481-362-232
481-362-310
491-116- 13
493-723- 40
494-410- 12
510-331-113
510-494-118
523-271-158
591-638- 46
常達唐(陝州人) 271-487-187上
275-578-191
384-175- 9
400- 89-508
472-745- 29
477-523-175
478-199-184
537-603- 60
554-231- 52
933-404- 26
常達唐(字文舉) 1052-221- 16
常粲唐 554-904- 64
812-487- 上
812-521- 2
813- 79- 2
821- 90- 48
1381-574- 42
常遇唐 1052-303- 21
常綏清 455-529- 33
常實唐 586-179- 8
常察宋 1053-233- 6
常福明 547- 8-141
常榮明 299-258-133
511-496-156
常瑣女 明 見常氏
常輔明 554-312- 53
常構妻 宋 見李氏
常琦清 455-171- 7
常綬清(薩克達氏) 455-546- 35
常綬清(碧喇氏) 456-125- 58
常頞秦 569-614-18下之2
常寬晉 591-531- 41
常瑩李肇亨 明 820-734- 44
821-470- 58
821-489- 58
1442-114-附7
1460-673- 74
1475-467- 20
常澄明 554-512- 57下
常潤明 502-284- 56
常慧五代 1053-318- 8
常慧明 586-192- 9
常播蜀漢 254-692- 15
384-509- 21
385-209- 24
481- 75-294
559-502- 12
591-526- 41
常賜明 546-199-122
常德妻 明 見甄氏
常興唐 516-419-103
1053-120- 3
常濬唐 384-284- 15
常濟元 479- 43-218
523- 80-149
常謙元 1206-745- 9
常懋宋 見常楙
常總宋 481-652-330
516-494-105
517-329-124
530-202- 60
1052-747- 24
1053-719- 17
1054-182- 4
1054-6421- 19
1109-389- 19
1109-400- 21
1120-232- 34
常彝明 1475-441- 19
常曜南北朝 470- 23- 91
常懷明 456-493- 5
常寶五代 1053-627- 15
常騫晉 591-531- 41
常覺宋 1052-394- 28
1053-571- 14
常顯明 517-597-130
546-332-126
常觀唐 516-428-103
1053-140- 4
常一清明 547- 18-141
常九成明 1229- 32- 3
常九思宋 482- 74-341
563-674- 39
常三省明 511-381-150
581- 87- 62
常士昭明 見常仕昭
常大忠清 475-527- 77
476- 43- 98
505-661- 68
510-421-116
545-681-107
559-336-7下
常小課明 476-677-136
常山王漢 見劉勃
常山王漢 見劉昞
常山王漢 見劉舜
常山王晉 見司馬衡
常山王後魏 見托跋遵
常山王唐 見李承乾
常方壺元～明 1221-136- 4
1232-625- 6
常文烇明 1282-853- 65
常文樸妻 清 見聶氏
常元紹宋 400-299-524
480-296-271
常元楨妻 明 見張氏
常天壽金 547-479-159
常日暄清 478-132-181
554-738- 61
常中行宋 587-439- 5
常公振妻 明 見行剛
常仁壽唐 559-301-7上
常世爵明 505-814- 74
常四明清 474-247- 12
505-902- 80
常生子不詳 1061-681-110
常仕艾明 456-681- 11
505-856- 77
常仕昭常士昭 明
473-777- 84
567- 85- 66
1467- 59- 64
常用晦金 1191-266- 24
常守信明 554-216- 52
常守規宋 400-299-524
常安民宋 286-596-346
382-648-100
384-382- 19
397-663-360
459-803- 48
471-997- 56
472-401- 18

473-536- 72
475-119- 55
475-796- 90
481- 69-293
481-361-310
493-743- 41
510-326-113
559-387-9上
591-636- 46
820-402- 34
933-405- 26
常安民妻 宋 見孫氏
常汝敬女 明 見常氏
常存仁明(高平人) 546-204-122
常存仁明(武定府教授)
569-679- 19
常存畏明 302- 52-292
456-656- 11
480-298-271
常有開宋 1173-274- 83
常有榮明 511-654-162
常有魁妻 清 見蒲氏
常光裕清 480-652-289
481-584-328
502-633- 77
常名揚清 510-304-112
常自省妻 明 見李氏
常自裕明 458-171- 8
475-526- 77
510-418-116
常仲山女 晉 見靡常
常仲孺唐 1076-113- 12
1076-569- 12
1077-140- 12
常休明唐 540-668- 27
常成龍妻 清 見王氏
常克念明 456-558- 7
545-198- 90
常伯良女 明 見常氏
常伯章母 清 見張氏
常希文妻 明 見金氏
常希仁明 528-553- 32
常秀蘭明 479-768-252
常居敬明 533- 16- 47
常阿岱巽親王 清 454- 52- 3
常長生晉 591-532- 41
常明聰妻 清 見潘氏
常果那清 455-129- 5
常季賢後魏 262-321- 93
381- 29-184
常延昱唐 561-607- 46
常延信宋 286- 90-309
397-278-335
472-436- 19
482-347-356
545-619-105
常延齡明 299-157-125
511- 84-139
1328-247- 7
常彥能五代 511-650-162
常玿繼妻 清 見張氏
常珍奇後魏 261-837- 61
常思明妻 清 見黃氏
常思德宋 285-416-275
396-674-315
472-658- 27
477- 73-152
537-386- 57
常省身明 456-655- 11
常重胤唐 554-904- 64
812-488- 上
812-521- 2
821- 90- 48
1381-574- 42
常高繼明 1475-388- 16
常眞傑明 483- 95-378
567-353- 80
569-669- 19
1467-251- 71
常時光明 456-597- 9
常留留宋 480-341-273
常師儒唐 523- 72-149
常惟德明 511-496-156
常野先常額森 元
479- 43-218
523- 81-149
常得志隨 264-1079- 76
267-624- 83
380-403-176
554-835- 63
556-708- 98
常善榮明 李昇妻
1253- 40- 42
常無名唐 1342-297-942
常義遠不詳 567-455- 87
常詵孫宋 542-279-192
常道立明(字修之) 456-444- 3
554-723- 61
常道立明(字五疑) 533- 26- 47
常道行明 456-617- 9
546-420-128
常遇春開平王 明
299-154-125
453- 7- 1
453-508- 1
472-204- 7
475-751- 88
498-660-109
506-612-107
511-416-152
523- 32-147
525-135-224
554-164- 51
558-143- 30
1224- 67- 17
1241-147- 7
1283-186- 81
1374-464- 66
1374-478- 69
1410-116-676
常遇春女 明 見常氏
常壽過春秋 405- 86- 61
常嘉元明 456-655- 11
常夢龍明 567-353- 80
1467-251- 71
常夢錫南唐 1085-156- 20
常維翰明 458-130- 5
常慶祚元 1206-744- 9
常慶福宋 481-438-316
559-274- 6
常德勝明 511-496-156
常德新明 1229-187- 4
常諤臣宋 1118-956- 65
常噶岱清 456-252- 69
常應文明 546-333-126
常濬孫宋 491-116- 13
常醜女唐 常志女(貌陋)
476-129-102
547-511-160
常額森元 見常野先
常懷仁明 547- 81-144
常懷遠妻 清 見張氏
常懷德唐 563-641- 38
常懷寶妻 清 見楊氏
常繼祖明 570-213- 23
常小和尚元 1202- 87- 7
常山公主北魏 陸昕之妻、魏獻文帝女 476-262-110
1410-159-681
常布哷齊元 1202- 87- 7
常那邪舍後魏 547-501-159
常約爾珠信都王 元
1202- 87- 7
常烏爾圖元 120- 86- 7
常寧公主明 沐昕妻、明成祖女 299-109-121
常樂公主 趙瓌妻、唐高祖女
274-105- 83
393-274- 73
537- 46- 49
莘王宋 見趙植
莘王金 見完顏羅索
莘王金 見洛索
莘野明 676-453- 17
821-346- 55
1442- 12-附1
1459-458- 14
荷蕢春秋 448- 92- 上
871-886- 19
879-151-57下
荷峰公明 1263-573- 7
荷篠丈人春秋 448- 93- 上
472-767- 30
879-151-57下
處子周 933-565- 36
處良宋 820-470- 36
1163-621- 40
處林元 1229-368- 14
處林明 1227-621- 中
處咸宋 486-902- 35
524-426-200
處幽宋 1053-704- 16
處眞五代 1053-544- 13
處祥宋 1053-684- 16
處寂唐 592-357- 82
1052-284- 20
處評宋 1053-464- 11
處微唐 1053-160- 4
處輝宋 1053-692- 16
處默後梁 1052-417- 30
處興不詳 933-565- 36
處謙宋 486-902- 35

處嚴宋 524-443-201
820-469- 36
1151-292- 19
1151-300- 20
處可汗後魏 見郁久閭吐賀眞
處羅侯葉護可汗 隋 267-886- 99
381-666-200
處羅可汗唐 見俟利弗設
野奴唐(姓佚) 820-289- 30
野辯女春秋(楚野善辯之婦人) 448- 55- 6
野王二老漢 253-615-113
380-407-177
472-719- 28
477-245-161
538-160- 66
野仙普化元 見額森布哈
野亭老父明 1442-116-附7
野咥可汗唐 見乙失鉢
野詩良輔唐 270-823-152
275-379-170
396-150-265
478-199-184
畢文明 476- 31- 97
545-673-107
畢王北周 見宇文賢
畢王唐 見李璋
畢王唐 見李上金
畢木明 1293-456- 3
畢氏宋 畢從古女 1122-187- 14
畢氏明 尹湯聘妻 512-474-188
畢氏明 邢和妻 472-604- 25
畢氏明 武用之妻、畢宗伊女 1278-433- 20
畢氏明 武邦衛妻 506-109- 89
畢氏明 徐一三妻 480-140-264
畢氏明 鄧節妻 302-213-301
506- 71- 88
畢氏清 賀廷瑒妻 477- 96-153
畢氏清 趙浮妻 503- 68- 95
畢氏清 趙守富妻 506-139- 89
畢玉明 1253-165- 48
畢本明 821-473- 58
1293-472- 4
畢田宋 473-338- 63
480-407-277
533- 95- 50
畢生宋 821-235- 51
畢用明 472-678- 27
477-124-155
537-257- 55
畢伉唐 485- 72- 11
畢如明 1239-100- 33
畢如妻 明 見駱氏
畢宏唐 812-352- 10
812-371- 0
813-125- 10
821- 66- 47
畢亨明(字嘉會) 472- 27- 1
472-528- 22
523- 44-148
畢亨明(字文亨) 528-451- 29
676-500- 19
畢伸明 456-629- 10
畢炕唐 274-609-128
472-113- 4
474-434- 21
505-680- 69
538- 57- 63
540-740-28之2
畢坰唐 274-609-128
477-242-161
537-286- 55
1073-569- 25
1074-405- 25
1075-356- 25
1378-527- 60
1383-186- 15
1410-282-700
畢取漢 453-732- 1
564- 2- 44
畢昌明 1241-849- 22
畢卓晉 255-838- 49
370-309- 7
377-577-123
384- 92- 5
386-163-73下下
472-654- 27
472-793- 31
477-416-169
537-561- 60
933-725- 50
畢昇明 511-180-143
畢和妻 清 見汪氏
畢恪明 1293-453- 3
畢軌魏 254-183- 9
375-165-79下
385-428- 48
畢貞明 523-200-155
畢畊明 570-141-21之2
畢浩元 472-923- 36
478-271-187
554-248- 52
畢烜明 564-175- 45
畢恭明 474-822- 44
502-380- 64
畢栩唐 674-209-128
畢倬明 456-629- 10
畢清明 523-134-152
546-150-120
畢理明 1250-828- 79
畢尋漢 370-208- 21
畢陽春秋 546-429-129
畢陽明 511-615-160
畢琳明 538-167- 66
畢逵明 554-312- 53
畢瑄明 563-750- 40
畢瑜明 473- 65- 51
515-878- 86
畢萬春秋 244-198- 44
371-413- 21
404-720- 44
472-458- 20
546-427-129
933-725- 50
畢經明 554-384- 54
畢誠唐 384-280- 14
畢誠子 唐 1066-199- 18
1342-264-939
畢漸宋 473-235- 60
畢構唐 270-210-100
274-609-128
395-574-233
472-745- 29
475-271- 63
477-310-164
481- 16-291
510-369-114
537-497- 59
545-358- 96
559-260- 6
591-672- 47
933-726- 50
畢遜元 473-298- 62
480-242-269
畢銀明 511-405-152
畢增唐 1383-186- 15
畢輝明 472-982- 39
479- 92-221
523-100-150
畢德明 見畢文德
畢誠唐 271-327-177
275-504-183
396-228-272
472-337- 14
472-745- 29
472-912- 36
475-533- 77
476- 28- 97
477-312-164
511-908-173
537-501- 59
540-744-28之2
545- 29- 83
554-134- 50
558-206- 32
820-565- 29
933-726- 50
畢濟明 1283-326- 92
畢濟妻 明 見吳氏
畢曜畢耀 唐 271-483-186下
1371- 59- 附
畢璽明 546-198-122
畢鏘明 300-615-220
511-319-148
1458-157-428
畢贊宋 288-407-456
400-297-524
480-407-277
畢耀唐 見畢曜
畢鸞明(井陘人) 472-100- 3
505-908- 81
畢鸞明(鳳翔人) 554-495-57上
畢九宮妻 清 見高氏
畢三俊宋 見畢時中
畢乂林宋 541-111- 31
畢士元宋 見畢士安
畢士安畢士元 宋 285-502-281

371- 41- 4
382-263- 41
384-338- 17
397- 4-320
449- 45- 4
450-689-下4
472-195- 7
472-483- 21
472-489- 21
472-544- 23
472-570- 24
472-642- 26
472-1101- 47
473- 43- 50
476-258-110
476-867-145
477- 73-152
479-223-227
479-285-230
486- 46- 2
523-167-154
538-332- 69
540-752-28之2
545-212- 91
546- 72-117
554-409- 55
708-327- 50
820-339- 32
933-726- 50
1086-480- 11
1099-562- 11
1122-198- 16
畢斗南元 1217-575- 2
畢文德畢德 明 1245-515- 26
畢文質元 1209-417-7上
畢元愷唐 540-651- 27
畢元賓後魏 261-834- 61
266-792- 39
379-202-149
933-725- 50
畢天培妻 清 見沈氏
畢中衍宋 見畢仲衍
畢公高周 404-456- 26
472-737- 29
537-190- 54
554-376- 55
畢允升宋 515-756- 80
畢世長宋 472-679- 27
933-726- 50
畢世持清 540-868-28之4
1325-415- 12
畢仕和明 533-443- 62
畢汝舟明 472- 37- 1
540-653- 27
畢再遇宋 287-487-402
398-474-396
472-196- 7
472-557- 23
475-367- 67
476-585-131
494-427- 13
523-528-172
540-766-28之2
1177-482- 21
畢自耘明 1293-474- 4
畢自肅明 505-659- 68
畢自嚴明 301-329-256
476-529-128
510-353-114
540-821-28之3
1442- 83-附5
1460-459- 62
畢自嚴妻 明 見胡氏
畢仲衍畢中衍 宋
285-505-281
397- 7-320
477- 80-152
537-345- 56
540-762-28之2
546- 77-117
554-465- 56
933-726- 50
1122-210- 16
畢仲偃宋 933-726- 50
畢仲游宋 285-506-281
382-264- 41
397- 7-320
472-826- 33
475-870- 95
477- 80-152
478- 91-180
540-762-28之2
545- 52- 84
546- 78-117
554-241- 52
554-466- 56
674-290-4下
933-727- 50
1092-671- 62
畢仲詢宋 820-372- 33
畢仲愈宋 285-508-281
382-264- 41
933-727- 50
畢伊周明 456-656- 11
畢良史宋 590-455- 0
674-568- 3
674-842- 18
820-420- 34
821-213- 51
畢志善女 明 見畢靜一
畢成溓明 523-236-156
畢君卿宋 473-757- 83
畢宗伊女 明 見畢氏
畢宗賢明 559-288-7上
畢忠臣明 1293-454- 3
畢叔賢金 540-671- 27
1191-331- 30
畢祈鳳宋 1376-441- 88
畢彥昇妻 明 見鄭氏
畢拱辰明 301-458-263
456-498- 5
476- 31- 97
540-827-28之3
545-109- 86
畢貞士明 301-685-278
456-638- 10
畢星燦明 1475-421- 18
畢高選清 510-460-117
畢祖朽後魏 261-835- 61
266-793- 39
379-202-149
畢祖彥後魏 261-837- 61
266-795- 39
379-203-149
畢祖暉後魏 261-836- 61
266-793- 39
379-203-149
554-114- 50
畢振姬清 546-691-138
549-170-187
550-264-218
550-491-223
550-567-224
563-869- 42
1325-297- 附
畢時中畢三俊 宋451- 89- 3
畢師鐸唐 271-393-182
401-402-621
畢竟立明 515-888- 86
畢國棟妻 清 見趙氏
畢衆敬婁奈、婁捺 後魏
261-833- 61
266-791- 39
379-201-149
476-821-143
933-725- 50
畢從古宋 933-726- 50
1122-205- 16
畢從古妻 宋 見陳氏
畢從古女 宋 見畢氏
畢從周宋 1122-180- 14
畢善昭北齊 266-794- 39
畢義雲北齊 263-371- 47
266-793- 39
380-237-171
933-725- 50
畢義暢後魏 379-203-149
畢資倫金 291-697-124
400-239-519
474-517- 25
505-859- 77
畢敬賢明 1293-452- 3
畢業素清 455-625- 43
畢聞慰後魏 261-836- 61
266-795- 39
379-203-149
畢綠池明 1293-430- 2
畢靜一明 程富妻、畢志善女
1376-687- 99
畢濟川明 679-633-200
畢濟時明 576-653- 5
畢懋良明 301-108-242
475-575- 79
511-289-147
515-125- 60
畢懋康明 301-107-242
475-575- 79
511-289-147
511-290-147
554-188- 51
676-623- 25
680- 50-229

1442- 85-附5
1460-482- 63
畢蓋臣明 541-108- 31
畢鏘匽明 676-578- 24
畢力克圖清 502-608- 76
畢也速答立元 見巴雅遜達賫
畢禮袞達賴清 496-217- 76
畢蘭阿魯岱金 476-150-104
畢哩袞鄂齊爾清 454-377- 22
晞明梁 516-471-104
晞容明 456-664- 11
559-527- 12
晚色明 張芳洲妻(不知姓) 1249-637- 6
蛇玄晉 933-298- 21
蛇姑宋(屋房有蛇護之) 486-906- 35
崛多三藏唐 1053- 63- 2
莎衣道人宋 288-485-463
401-110-582
472-232- 8
472-314- 13
473-696- 80
475-474- 72
511-929-174
524-419-200
567-470- 87
820-762- 44
虙犧氏太昊、太皞、伏義氏、伏犧氏、包犧氏、宓犧氏、庖犧氏 上古 244-964-附
371-210- 1
383- 72- 10
384- 2- 1
386-255-83上
537-170- 53
558-693- 48
742- 20- 1
814-207- 1
819-554- 19
933-720- 49
彪子後魏 381-468-195
彪約宋 1137-713- 26
彪傒春秋 404-830- 51
彪虎臣宋 480-408-277
1137-168- 3
彪虎臣妻 宋 見王氏
莢氏宋 楊振妻 1137-698- 26
莫丘浮尤鞮單于 漢 253-706-119
381-623-199
莫友妻 宋 見葉氏
莫止明 1442- 37-附2
1459-767- 30
莫及宋 1166-672- 12
莫氏唐 唐玄宗才人 554- 21- 48
莫氏宋 胡伋妻 1132-276- 52
莫氏明 吳鴻猷妻 530- 72- 55
莫氏明 蔣正謨妻 480-440-278
莫氏明 劉源澄妻 480-440-278
莫氏清 于繼綸妻 506- 16- 86
莫氏清 王宏章妻 480-301-271
莫氏清 李廷鏞妻 482-486-364
莫氏清 姜卓妻 475-785- 89
莫氏清 陳子晉妻 482-291-352
莫氏清 鄧一柱妻 482-239-349
莫正明 567-408- 84
莫旦明 511-738-165
676-174- 7
676-733- 31
莫生妻 唐 見何氏
莫任明 528-554- 32
莫伋宋 471-881- 41
莫伋明 見莫士安
莫沖莫德兒 宋 448-386- 0
494-472- 18
莫汲莫佑兒 宋 448-358- 0
448-404- 0
473-720- 81
482-209-347
494-394- 11
563-908- 43
莫抃宋 472-983- 39
491-118- 13
莫邪春秋 干將妻 386-679- 9
485-214- 29
493-1060- 56
莫住明 481-720- 33
莫佐妻 明 見周氏
莫含後魏 261-373- 23
266-407- 20
379- 3-146
472-433- 19
476-332-115
933-739- 51
莫拙明 820-715- 43
莫昌莫維賢 元 524- 6-178
585-450- 12
820-545- 39
1221-442- 7
1227-844- 4
莫洛清 502-739- 84
554-191- 51
莫相明 483-116-379
567-325- 78
569-672- 19
1467-216- 70
莫高妻 清 見王氏
莫砥宋 494-383- 11
莫荃莫荃 宋 周渭妻
286- 29-304
482-290-352
482-435-361
564-315- 49
1467-270- 27
莫特清 455-620- 42
莫卿明 563-837- 41
567-305- 77
莫將宋(樂平人) 481-491-324
莫將宋(字少虛) 515-320- 67
1053-864- 20
莫堂宋 491-436- 6
莫普明 567-324- 78
莫雲後魏 261-373- 23
266-407- 20
379- 3-146
546-384-127
554-109- 50
933-739- 51
莫琮宋 472-982- 39
491-117- 13
莫揚明 480- 52-259
515-707- 79
532-619- 43
莫然明 523-228-156
莫筌宋 見莫荃
莫鈍明 567-325- 78
1467-217- 70
莫勝明 821-387- 56
莫愚明(臨桂人) 299-588-161
475-215- 60
482-351-356
510-362-114
567-305- 77
1467-192- 69
莫愚明(字汝明) 1268-481- 75
莫章宋 493-716- 40
523-444-168
莫疑妻 明 見朱氏
莫蓁明 563-924- 43
莫濬明 528-531- 31
莫蒙宋 524- 19-179
莫潛明 1258-316- 7
1258-689- 16
莫潛妻 明 見茹珍如
莫潤妻 明 見沈氏
莫慶明 1255-626- 65
莫震明 480- 51-259
532-617- 43
莫魯明(字省菴) 567-416- 84
莫魯明(宜山人) 1467-196- 69
莫繙明 524- 7-178
585-463- 13
莫儔宋 1135-417- 38
1386-422- 45
莫濟宋 494-395- 11
494-472- 18
莫濛宋 287-351-390
398-360-387
472-291- 12
472-1003- 40
475-366- 67
479-142-223
480-289-271
494-395- 11
510-388-115
523-280-159
532-630- 43
莫謙明 554-310- 53
莫聰妻 明 見倪氏
莫懋明 820-642- 41
821-396- 56
莫璠宋 494-383- 11
莫駿明 482-434-361
567-383- 82
1467-222- 70
莫轅明 493-1009- 53
511-522-157
1255-544- 58

莫禮明 493-1049- 55
莫藏明 524- 22-179
820-613- 41
821-377- 55
1247-541- 24
1442- 32-附2
1459-700- 27
1475-194- 8
莫題後魏(莫顯子) 261-373- 23
266-407- 20
379- 3-146
933-739- 51
莫題後魏(代人) 261-422- 28
266-422- 20
379- 18-146
莫瓊妻 明 見李氏
莫懽明 567-325- 78
1467-215- 70
莫聰明 511-149-142
莫顯後魏 933-739- 51
莫一杜妻 明 見歐陽氏
莫九齡明 554-312- 53
莫士元元 821-325- 54
莫士安莫伋 明 1442- 11-附1
1459-424- 13
莫士先宋 516-147- 93
莫士秀清 482- 40-340
564-307- 48
莫子材莫吉孫 宋451- 91- 3
莫子純母 宋 見虞氏
莫子純宋 471-626- 6
493-717- 40
523-304-160
莫已知明 515-149- 61
莫才都宋 567-590- 94
莫大勳清 479- 93-221
523-110-150
莫之永清 524-140-185
莫之倣清 482-290-352
563-890- 42
莫元鼎宋~元 見莫起炎
莫天祐宋 564- 75-44
莫天祐元~明 299-128-123
莫天賦明 528-478- 30
564-221- 46
569-668- 19
莫天麒明 572- 73- 28
莫天護明 567-593- 95
莫公晟宋 288-883-494
473-763- 84
567-589- 94
莫明鼎宋~元 見莫起炎
莫立之明 515-122- 60
莫可及明 456-579- 8
475-231- 61
511-451-153
莫世忍宋 288-883-494
莫世榮元 540-671- 27
莫以中元 515-349- 67
莫幼明宋 1166-683- 13
莫汝良妻 明 見劉氏
莫汝俊明 563-836- 41
莫汝齊妻 明 見邵氏
莫吉孫宋 見莫子材
莫光朝宋 472-984- 39
524- 19-179
莫多婁後魏 544-207- 62
莫自棄明 567-399- 83
莫如士明 482-186-346
564-212- 46
莫如忠明 301-866-288
475-181- 59
511-761-166
820-696- 43
1442- 57-附3
1460-159- 47
莫如善明 676-199- 8
莫如勤明 482-227-348
564-219- 46
莫仲仁元 1221-480- 11
莫仲昭明 473-479- 69
559-352- 8
莫休符唐 585-752- 3
1467- 19- 62
莫宏灝明 302-659-321
莫志喜妻 明 見方氏
莫君陳宋 472-1002- 40
494-383- 11
523-586-175
莫更生明 見莫叔明
莫佑兒宋 見莫汲
莫伯軨宋 485-534- 1
莫希夔妻 明 見歐陽氏
莫廷芬宋 1132-241- 49
莫廷瑒元 821-316- 54
莫官憲清 456-380- 79
莫沾乙宋~元 見莫起炎
莫屈賢明 567-399- 83
莫表深宋 1125-411- 33
莫叔光宋 486-332- 15
523-304-160
莫叔明莫更生 明524-306-194
1280-628-102
1283-587-113
1410-423-720
1442- 71-附4
莫秉倫明 567-381- 82
1467-244- 71
莫秉清清 511-839-168
莫洪皓宋 288-882-494
莫洪冑宋 473-763- 84
莫冠卿宋 491-436- 6
莫宣卿唐 471-835- 35
473-713- 81
482-185-346
564- 31- 44
莫宣寶明 482-267-350
莫洞觀宋 564-617- 56
567-463- 87
1467-522- 11
莫洛渾清 474-765- 41
502-722- 84
莫彥朴明 見莫彥樸
莫彥逵宋 1128-624- 18
莫彥樸莫彥朴 明567-308- 77
1467-194- 69
莫若沖宋 494-342- 7
523-434-167
莫若明妻 明 見王氏
莫若晦宋 523-434-167
莫若善明 1467- 64- 64
莫若鼎明 456-579- 8
莫若鉦明 456-579- 8
莫是龍莫雲卿 明301-866-288
475-181- 59
511-761-166
820-696- 43
821-443- 57
1442- 94-附6
1460-545- 67
莫是驊明 456-485- 5
莫起炎莫元鼎、莫月鼎、莫沾乙 宋~元 472-1005- 40
479-153-223
493-1108- 58
511-928-174
524-404-199
821-331- 54
1218-735- 4
莫能強妻 清 見唐氏
莫純卿明 1292-214- 20
莫淮閬宋 567-584- 94
莫雲卿明 見莫是龍
莫雲卿清 592-1024-下
莫賀弗隋 381-673-200
496-613-105
莫賀咄屈利俟毗可汗、莫賀咄侯屈利俟毗可汗 唐
271-678-194下
276-261-215下
莫朝宣妻 明 見蔣妙慶
莫登庸明 302-657-321
594-269- 12
莫貴德明 456-643- 10
570-127-21之1
莫勝儒清 524-465-202
莫嗣祖劉宋 265-413- 26
380- 50-166
莫敬山明 473-778- 84
567-302- 77
1467-189- 69
莫與京明 571-547- 20
莫與倫妻 明 見石氏
莫銘琨妻 明 見方氏
莫維賢元 見莫昌
莫慶善元 821-318- 54
莫德兒宋 見莫沖
莫遺賢明 567-409- 84
1467-254- 71
莫謙之宋 288-401-455
400-201-515
472-261- 10
475-243- 61
475-273- 63
511-447-153
莫藏用唐 933-739- 51
莫羅渾清 502-738- 84
莫敖子華戰國 405- 67- 60
533-134- 51
莫敖大心戰國 533-349- 59
莫多數貸文北齊 263-148- 19
267-123- 53

379-372-152
545-168- 89
546-115-119
933-803- 59
莫多數敬顯北齊 263-148- 19
267-123- 53
379-373-152
546-120-119
933-803- 59
莫賀弗勿于魏 496-611-104
莫賀咄侯屈利俟毗可汗唐 見莫賀咄
曼仍明 1231-328- 3
曼伯公子曼伯、檀伯 春秋 404-851- 53
曼阿奴妻 漢 見阿南
曼阿娜妻 漢 見阿南
曼濟台曼濟臺、濟寧王 元 294-212-118
曼濟臺元 見曼濟台
曼濟臺妻 元 見囊嘉特章
曼陀羅仙弘弱、弘聲 梁 1051-156- 6
啖助唐 276- 42-200
384-216- 11
400-429-539
459- 41- 3
472- 92- 3
472-829- 33
474-619- 32
478-134-181
479-284-230
505-876- 78
554-809- 63
679-380-176
933-635- 41
啖鐵前秦 933-635- 41
啖鱗澹鱗 唐 933-635- 41
啖彥珍澹彥珍 唐 933-635- 41
啜刺唐 496-617-105
眾天晉 見僧迦提婆
眾仲春秋 375-679- 89
384- 15- 1
404-503- 30
448-131- 1
469-182- 21
933-642- 42
眾現前秦 見僧伽跋澄
眾賢齊 見僧伽跋陀羅
眾鎧劉宋 見僧伽跋摩
眾鎧梁 見僧伽婆羅
敞無存春秋 404-604- 37
逍遥唐 1053-131- 3
逞吉兒明 見成格勒
移良漢 933-.69- 4
移剌氏元 見伊喇氏
移剌成金 見伊喇成
移剌益金 見伊喇益
移剌溫金 見伊喇溫
移剌道金 見伊喇道
移剌履金 見伊喇履
移剌八斤金 見伊喇鄂爾多
移剌捏兒元 見伊喇聶哷
移剌福僧金 見伊喇富森
移剌子敬金 見伊喇子敬
移剌巴沁金 見伊喇鄂爾多
移喇福森金 見伊喇富森
移喇古與涅金 見伊喇古尼
移喇阿里合金 見伊喇阿里哈
移喇屋骸魯金 見伊喇子敬
符氏宋 李昉妻 1098-872- 15
符氏宋 張宗雅妻、符惟忠女 1093-666- 20
符氏宋 陳世則妻、符臻女 1482-428- 4
符氏明 楊復榮妻 1250-1002- 94
符氏清 林公興妻 481-751-334
符氏清 郭廷聘妻 530-187- 59
符仕明 554-311- 53
571-549- 20
符存後唐 符存審
符松妻 明 見眞奴
符林宋 564- 79- 44
符信明 494- 41- 3
符泰明 494- 91- 3
494- 43- 3
符習後唐 277-496- 59
279-159- 26
384-302- 16
396-359-284
474-620- 32
505-788- 73
540-612- 27
933-113- 7
符珽明 494- 42- 3
符授符媛 宋 473- 99- 53
485-534- 1
1138-161- 15
符載唐 516-215- 96
518- 8-136
592-574- 97
674-261-4中
符節明(南平人) 532-669- 44
符節明(字性善) 570-154-21之2
符賓妻 明 見羅氏
符蒙後唐 279-160- 26
符鳳妻 唐 見玉英
符綬宋 見符授
符慶明 559-287-7上
符融漢 253-378- 98
377- 4-113上
384- 66- 3
386- 6-69上
402-484- 11
472-652- 27
477- 60-151
538-156- 66
933-112- 7
符臻女 宋 見符氏
符璘唐 271-510-187下
275-609-193
400-107-509
540-741-28之2
547-152-147
符錫明 482- 75-341
515-552- 74
563-772- 40
符鍾明 480-541-283
515-403- 69
532-720- 45
符驗明 510-363-114
528-530- 31
符瓊明 482-209-347
564-251- 47
符觀明 510-376-114
515-550- 74
567-110- 67
676-523- 21
符文進妻 元 見李氏
符令奇唐 275-608-193
384-238- 12
400-107-509
476-787-141
491-802- 6
547-164-147
933-112- 7
符令謙後唐 279-159- 26
396-359-284
474-616- 32
符有光明 572- 80- 28
符存審李存審、符存 後唐 277-475- 56
279-151- 25
384-302- 16
396-353-283
477-452-171
933-113- 7
1383-732- 66
符光宏符先宏 明 456-667- 11
符先宏明 見符光宏
符行中宋 515-823- 83
561-501- 44
符彥卿女 後周 見符皇后
符彥卿宋 285- 98-251
371-158- 16
382-138- 19
384-325- 17
396-465-297
450-701-下5
472-544- 23
472-658- 27
472-717- 28
476-475-125
477-452-171
537-203- 54
544-232- 63
933-113- 7
符彥卿女 宋 見符皇后
符彥超後唐 277-477- 56
279-152- 25
396-354-283
符彥饒後唐 278-136- 91
279-153- 25
396-354-283
符昭愿宋 285-100-251

符昭壽宋 285-101-251
382-139- 19
符皇后後周 李崇訓妻、周世宗后、符彥卿女 278-368-121
279-116- 20
393-298- 74
407-680- 5
符皇后宋 宋太宗后、符彥卿女 284-858-242
382-102- 13
384-331- 17
393-301- 75
537-186- 53
符振芳明 456-632- 10
符烏震五代 396-359-284
符惟忠宋 288-498-463
400- 40-502
581-476- 96
符惟忠女 宋 見符氏
符執桓清 515-138- 61
545-800-111
符偉明唐 559-389-9上
符渭英清 474-652- 34
505-706- 70
符景第妻 明 見李氏
符景第妻 明 見楊氏
符道昭李繼遠 後梁
277-188- 21
279-124- 21
396-334-281
933-112- 7
符道隱宋 554-912- 64
812-545- 4
821-165- 50
符應科妻 明 見田氏
符應乾明 511-689-163
符應第明 456-632- 10
符應舉明 456-632- 10
符鍾奇妻 清 見任氏
悉羅侯晉 496-593-103
祭公周 404-438- 25
祭仲祭足 春秋 375-787- 91
384- 24- 1
404-886- 55
448-132- 1
933-665- 44
祭足春秋 見祭仲
祭伯春秋 384- 13- 1
祭肜漢 252-586- 50
370-122- 9
376-588-106
384- 56- 3
402-381- 4
402-564- 19
472-623- 25
472-737- 29
474-731- 40
476-777-141
477-303-163
477-474-173
502-248- 53
537-294- 56
537-582- 60
540-660- 27
933-665- 44
祭參漢 370-122- 9
402-422- 7
祭遵漢 252-583- 50
370-121- 9
376-586-106
384- 55- 3
402-363- 3
402-440- 9
402-519- 15
402-558- 18
472-651- 27
472-851- 34
477-474-173
537-581- 60
554- 98- 50
933-665- 44
祭公謀父 周 384- 12- 1
404-438- 25
554-377- 55
魚弘梁 260-250- 28
265-785- 55
879-162-58上
魚石春秋 404-815- 50
魚府春秋 404-815- 50
魚注唐 見鄭注
魚佩晉 478- 85-180
魚侃明 477- 55-151
493-1030- 54
511- 96-140
1284-137-147
魚潛宋 511-855-169
1365-605- 下
魚贇隋 267-525- 78
556-839-100
魚又玄唐 813-260- 10
820-295- 30
魚天愍梁 511-391-151
魚玄機唐 451-494- 8
556-846-100
1371- 78-附
魚孟威唐 473-748- 83
482-347-356
567- 44- 64
1467- 18- 62
魚周詢魯周詢 宋286- 2-302
397-217-332
472-661- 27
473-427- 67
477- 76-152
481- 69-293
537-392- 57
559-265- 6
魚思賢唐 472- 64- 2
474-304- 16
505-664- 69
魚俱羅隋 264-933- 64
267-525- 78
379-873-164
384-157- 8
478-108-180
545-317- 95
554-573- 58
魚崇遠宋 見魚崇諒
魚崇亮魚崇遠 宋
285-343-269
396-621-310
472-311- 13
477-525-175
魚朝恩唐 271-425-184
276-135-207
384-216- 11
384-223- 12
401- 45-574
552- 56- 19
魚智德唐 見尚可孤
魚嘉鵬明 456-675- 11
559-519- 12
魚慶則隋 見虞慶則
偽蜀童子後蜀 820-322- 31
偶桓明 493-1028- 54
511-791-166
676-482- 18
1442- 22-附2
1459-594- 22
1467- 61- 64
貨郎妻 清 476-790-141
得珍宋 1053-576- 14
得彬宋 1089- 67- 7
終古夏 546-425-129
終軍漢 250-480-64下
376-238- 99
384- 46- 2
469-162- 19
472-522- 22
476-520-128
491-795- 6
540-692-28之1
563-607- 38
933- 40- 2
終南二叟唐 554-902- 64
笪勝元 515-219- 63
笪光弘明 511-475-155
456-660- 11
笪重光清 511-188-143
笪繼良明 481-721-333
511-688-163
528-555- 32
677-672- 60
竿融漢 933-753- 52
傴姞春秋 晉文公夫人
404-762- 46
偓佺上古 547-481-159
554-962- 65
933-725- 50
1058-490- 上
1061-248-108
倕上古 見垂
猛氏明 奉𡚒妻、猛雍女
483-150-381
570-207- 22
猛可明 見蒙克
猛足春秋 545-699-108
猛忠明 456-481- 5
猛朋妻 明 見易喬
猛卿明 570-124-21之1
猛雍女 明 見猛氏
猛蓋明 570-124-21之1

猛緤妻 明 見易朵
猛獲春秋 404-814- 50
933-624- 40
猛可歹明 見蒙克岱
猛如虎明 301-536-269
456-426- 2
478-273-187
545-105- 86
554-716- 61
猛先捷明 456-488- 5
猛廷瑞明 302-486-313
猛克塞兒明 見蒙克薩勒
船篷道人元 1200-473- 37
婤姶春秋 衛襄公夫人
404-836- 52
紹唐 592-443- 88
紹五代(嗣景欣) 1053-235- 6
紹五代(嗣遇禪師) 1053-567- 14
紹大元 524-439-201
紹安五代 588-257- 11
1053-407- 10
紹先後魏 381-457-195
紹先宋 1053-706- 16
紹孜五代 1053-304- 8
紹宗五代(號圓智) 485-290- 42
493-1091- 58
1053-316- 8
紹宗五代(嗣智閑)1053-367- 9
紹宗宋(嗣智珣) 1053-707- 16
紹宗宋(居大悲禪院)
1165-778- 10
紹宗明 511-922-174
紹明後唐 493-1091- 58
紹明元 1204-611- 12
紹岩宋 588-237- 10
紹珍宋 1053-421- 10
紹思元 480- 67-260
紹晏宋 1053-636- 15
紹祖王逸民 宋(字逸民)
820-407- 34
821-201- 51
紹祖宋(字繼遠) 1163-620- 40
紹悟宋 1053-864- 20
紹卿五代 1053-293- 7
紹修五代 516-451-104
1053-338- 8
紹清宋 1053-504- 12
紹淵宋 592-387- 84
紹郭元～明 516-473-104
紹祥元 1204-587- 9
紹乾明 561-218-38之3
紹隆宋 511-940-175
1053-829- 19
1054-668- 20
紹慈宋 567-468- 87
1053-739- 17
紹遠宋 1053-572- 14
紹睿元 516-473-104
紹銑宋 1052-723- 18
1053-666- 16
紹緣宋 1089- 81- 9
紹曇母 元 見李氏
紹鑑宋 1094-623- 67
紹顯宋 1053-401- 10
紹巖宋 524-386-198
554-955- 65
1052-335- 23
1053-400- 10
釧氏明 楊洪妻 483- 98-378
斜飛元 1201-169- 80
斜卯阿里金 見錫默阿里
犁鉏春秋 404-548- 33
犁彌黎彌 春秋 384- 17- 1
404-604- 37
448-276- 29
933-123- 8
斛勃乙注車鼻可汗、車鼻可汗
唐 271-666-194上
276-251-215上
384-294- 15
401-523-636
斛僖解禧 宋 515-613- 76
1161-694-132
斛律平北齊 263-135- 17
267-158- 54
544-216- 62
546-110-119
斛律光北齊 263-129- 17
267-154- 54
379-399-152
384-137- 7
459-771- 46
476-279-111
544-211- 62
545-168- 89
546-117-119
933-801- 59
斛律光女 北齊 見斛律皇后
斛律金斛律敦 北齊
263-129- 17
267-152- 54
379-397-152
384-137- 7
472-482- 21
476-279-111
545-472-100
546-110-119
933-801- 59
斛律敦北齊 見斛律金
斛律羨北齊 263-134- 17
267-157- 54
379-402-152
474-166- 8
546-119-119
斛律鍾北齊 263-134- 17
斛斯元後魏 544-210- 62
斛斯政隋 264-1001- 70
267- 59- 49
379-774-161
斛斯椿後魏 262-188- 80
267- 56- 49
379-347-151
544-208- 62
933-800- 59
斛斯徵北周 263-609- 26
267- 58- 49
379-684-159
546-674-137
552- 45- 19
933-800- 59
斛瑟羅竭忠事主可汗、繼往絶可汗 唐 276-267-215下
384-295- 15
斛律孝卿義寧王 北齊
263-155- 20
267-125- 53
379-375-152
544-216- 62
546-120-119
斛律羌舉北齊 263-155- 20
267-125- 53
379-375-152
546-115-119
斛律武都北齊 263-134- 17
267-157- 54
斛律皇后北齊 元仁妻、齊後主后、斛律光女 263- 77- 9
266-295- 14
斛斯元壽後魏 267- 59- 49
379-348-151
斛斯萬善隋 264-935- 64
267-526- 78
379-875-164
545-414- 98
脫因元 見托音
脫剛明 523- 84-149
脫脫元 見托克托
脫脫明(薩滿子) 見托克托
脫脫明(哈密衛人) 見托克托
脫脫明(烏梁海人) 見托克托
脫鎬明 545-248- 92
脫懽元 見托歡
脫懽明 見托懽
脫歡安定王 元 552- 72- 19
脫有德妻 清 見馬氏
脫兒察明 見托爾楚
脫海龍妻 清 見趙氏
脫脫亦明 見托克托沁
脫脫哈元 見托克托
脫脫真元 見托克托沁
脫兒火察明 見托爾楚
脫烈海牙元 見托里哈雅
脫脫不花明 見托克托布哈
脫脫木兒岐王 元
552- 72- 19
脫脫孛兒明 見托克托博羅
脫脫真達元 見托克托沁
脫脫懷氏元 見托克托懷氏
脫魯忽察兒明 見托爾楚
偃師周 554-887- 64
偉山清 455-274- 15
偉托清 455-504- 31
偉禮清 456-102- 57
偉赫圖清 455-166- 7
偉羅渾清 455-468- 28
偏呂漢 933-247- 17
偏圖清(鑲黃旗人) 456-133- 59
偏圖清(正白旗滿洲人)

十一畫 猛、船、婤、紹、釧、斜、犁、斛、脫、偃、偉、偏

554-369- 54
郳黎來春秋 933-126- 8
兜樓儲呼蘭若尸逐就單于 漢
253-714-119
381-630-199
御宋 1053-642- 15
御叔周 933-656- 43
御叔妻 春秋 見夏姬
御孫春秋 384- 15- 1
404-506- 30
448-145- 4
御長倩漢 933-656- 43
猗頓春秋 244-931-129
251-148- 91
380-529-180
547-186-148
548-150-166
933- 55- 3
猗盧晉 548-625-181
扈文妻 明 見張氏
扈元宋 559-315-7上
扈氏明 鄭昕妻 506- 79- 88
扈氏清 夏壐妻 503- 36- 94
扈海元 473-652- 78
528-493- 30
扈習清 502-743- 85
扈彬妻 明 見趙氏
扈累魏
254-230- 11
380-416-177
384-514- 22
386-128-73上上
554-865- 64
扈進明 478-200-184
扈載後周 278-435-131
279-198- 31
384-306- 16
396-391-289
472- 32- 1
474-175- 8
505-879- 79
674-811- 16
扈壽清 502-450- 68
扈蒙宋 285-338-269
371-124- 13
382-209- 30
384-334- 17
396-617-310
472- 32- 1
474-176- 8
扈標清 515-206- 63
扈暹明 472- 99- 3
554-258- 52
扈謙漢或晉 477-171-157
1061-282-111
扈輒不詳 933-582- 37
扈護清 502-755- 85
扈鐸元 295-606-197
400-315-526
477- 85-152
538- 78- 64
扈子賢明 528-528- 31
扈扎拉清 502-567- 74
扈永通明 540-808-28之3
676-567- 23
扈永寧明 456-605- 8
475-527- 77
扈再興宋 287-504-403
398-490-397
472-311- 13
475-328- 65
511-395-151
扈周卿宋 476- 78-100
545-175- 89
扈彥珂宋 285-128-254
396-478-298
472-435- 19
478-335-191
546-394-128
扈俊臣明 472-678- 27
537-256- 55
扈爾漢清 455-313- 19
474-754- 41
502-481- 70
扈彌碩清 502-535- 72
統葉護統葉護可汗 唐
271-677-194下
276-261-215下
381-671-200
384-295- 15
統葉護可汗唐 見統葉護
紳布清 455-529- 33
彩鍾清 456-187- 64
第五永漢 402-493- 12
第五泰唐 476-668-136
第五峰唐 554-751- 62
第五倫漢 253- 1- 71
370-180- 18
376-755-109上
384- 60- 3
402-377- 4
402-440- 9
402-522- 15
402-560- 18
448-300- 上
459-227- 14
471-1027- 64
472-220- 8
472-831- 33
472-1066- 45
473-347- 63
473-424- 67
473-454- 68
475-118- 55
476-372-117
478- 98-180
479-221-227
481- 64-293
481-180-300
486- 32- 2
493-667- 37
510-321-113
523-141-153
547-196-148
554-429- 56
559-257- 6
559-284-7上
933-785- 56
1274-690- 7
第五訪漢 253-489-106
380-164-169
459-840- 50
472-832- 33
472-943- 37
473-424- 67
478- 99-180
478-450-197
478-612-205
481- 65-293
554-432- 56
558-214- 32
559-258- 6
591-659- 47
933-785- 56
第五琦唐 270-469-123
275-140-149
384-211- 11
384-222- 12
395-742-248
471-630- 7
472-836- 33
478-115-181
479-173-225
494-290- 4
510-386-115
552- 57- 19
554-449- 56
933-786- 56
第五種漢 253- 5- 71
376-759-109上
472- 84- 3
472-543- 23
472-610- 25
474- 89- 3
476-474-125
476-725-138
476-852-145
478-102-180
505-626- 67
540-629- 27
547-145-147
554-429- 56
933-786- 56
第五頡漢 253- 5- 71
376-758-109上
459-229- 14
478-102-180
532-723- 46
554-429- 56
第五緯明 554-522-57下
第優格清 455-487- 30
第五居仁周居仁 元
295-531-189
400-573-552
453-780- 2
472-841- 33
478-125-181
546-637-136
554-815- 63
1293-346- 19
第五昌言元 554-845- 63
第五勝愚元 554-872- 64
第五嗣先明 554-516-57下

參胡不詳 933-499- 33
參盧上古 383-106- 13
欲魯布哈元 見伊嚕布哈
欲嚕特穆爾元 見伊嚕特穆爾
梨靈氏上古 383- 11- 3
敏春清 455-538- 34
敏傳宋 820-468- 36
821-267- 52
敏子綜宋 511-386-151
敏子縡宋 511-386-151
敏珠爾元(韶州路同知)
473-683- 79
敏珠爾元(字從道)
1439-441- 2
敏珠爾清 454-609- 64
敏珠爾昂霄元 1218-784- 5
敏珠爾多爾濟清
454-510- 47
敏珠爾拉布坦清 見敏珠爾喇布坦
敏珠爾喇布坦敏珠爾拉布坦 清 454-384- 23
496-216- 76
偰上古 見契
偰斯明 472-178- 6
493-755- 41
511-179-143
1232-403- 2
偰遜元~明 見偰百遼遜
偰睽妻 明 見王氏
偰士忠明 570-216- 23
偰文質元 295-566-193
472-389- 17
475-282- 63
1204-233- 5
1367-925- 70
偰玉立元 295-566-193
528-484- 30
1367-925- 70
1471-442- 10
偰百遼元~明 見偰百遼遜
偰列篪偰琳沁、齊哩克扣 元
295-566-193
475-282- 63
479-488-239
511-900-172
515-351- 67
588-371- 4
1367-925- 70
偰直堅元 295-566-193
1367-925- 70
偰哲篤元 295-566-193
1221-208- 2
1367-925- 70
1471-445- 10
偰朝吾元 295-566-193
1367-925- 70
偰琳沁元 見偰列篪
偰傒斯元 472-222- 8
493-754- 41
偰百遼遜偰遜、偰百遼 元~明 295-566-193
676-684- 28
1226-199- 9
1442-128-附8
1460-864- 94
假倉瑕倉 漢 477- 57-151
538- 19- 62
933-298- 21
933-605- 39
條定不詳 933-254- 18
條理前秦 933-254- 18
條假後趙 933-254- 18
條鴻上古 546-234-123
皎然清晝 唐 273-115- 60
451-491- 8
479-153-223
485-289- 42
493-1090- 58
494-536- 27
524-403-199
588-185- 9
674-273-4中
821-101- 48
1052-406- 29
1054-122- 3
1071-776- 附
1371- 77- 附
1388-724-105
1473-695- 98
皎然五代 1053-291- 7
皎鑑清 455-448- 27
啟夏 243- 74- 2
371-217- 3
383-230- 23
384- 3- 1
404- 42- 3
537-172- 53
544-152- 61
啟王孫啟 春秋 405- 42- 58
啟宋 1053-681- 16
啟方春秋 見公子開方
啟芳唐 1052-343- 24
啟柔五代 1053-624- 15
啟泰清 455-672- 47
啟崙後燕 933-520- 34
啟他特清 456-281- 71
啟統氏上古 383- 29- 4
從一宋 1053-694- 16
從一元 見了義
從公漢 933- 44- 2
從氏明 芮允元妻 506- 11- 86
從允後唐 821-112- 49
從吉宋 285-458-277
從任明 511-882-171
從志五代 1053-542- 13
從欣唐 1053-315- 8
從彥宋 1052-394- 28
從貞明 473-234- 60
532-646- 43
從朗宋 486-339- 15
524-417-200
從悅宋 516-504-105
1053-741- 17
1054-186- 4
1054-659- 19
從展唐 1053-279- 7
從密宋 820-470- 36
從晦唐 407-626- 下
從善宋 1053-345- 8
從盛五代 1053-305- 8
從登宋 530-199- 60
從琛五代 1053-321- 8
從貴五代 1053-330- 8
從進宋(居得藏寺) 524-397-199
從進宋(嗣清錫) 1053-420- 10
從鉉明 533-760- 74
554-988- 65
從實五代 1053-237- 6
從漪宋 1053-345- 8
從廓宋 1153-677-110
從諗從穗 唐 474-626- 32
476-870-145
505-940- 85
541- 90- 30
547-530-160
1052-151- 11
1053-142- 4
1054-140- 3
1054-586- 17
從審後梁 1052-357- 25
從範唐 1053-268- 7
從龍宋(姓缺) 533-374- 60
從龍李從龍 明 473-236- 60
480-173-266
483-294-394
533-191- 53
571-543- 20
從諫唐 1052-159- 12
從諫宋 524-448-201
588-229- 10
1053-702- 16
從謙唐 820-305- 30
從謙宋 473-658- 78
481-621-329
從隱後漢 1052- 93- 7
從穗唐 見從稔
從禮後唐 1052-225- 16
從瓌宋 588-257- 11
1053-319- 8
從譽宋 1121-417- 28
從襲宋 588-275- 11
1053-295- 7
從顯宋 1053-401- 10
從二姑明 趙璁妻、從必達女
480- 62-260
1457-747-413
從士熊明 456-576- 8
從士默明 456-576- 8
從子龍元 821-303- 53
從必達女 明 見從二姑
從所向從所尚 明
456-576- 8
533-378- 60
從所尚明 見從所向
造宋 592-458- 89
1053-864- 20
造父周 243-122- 5
244-170- 43
371-395- 20
545-688-108

透登額清(蜚悠城人)
455- 76- 2
透登額清(訥殷地方人)
455- 99- 3
逢同春秋 405-138- 64
逢伯春秋 533-123- 51
933- 51- 3
逢紀漢 253-403-100
254-130- 6
逢盛漢 681-559- 10
1397-644- 30
逢萌逢萠 漢 253-616-113
370-172- 16
380-407-177
402-365- 3
472-611- 25
474-776- 42
476-727-138
491-797- 6
503- 6- 90
540-698-28之1
933- 51- 3
逢滑春秋 472-649- 27
537-368- 57
933- 51- 3
逢羡前燕 503- 9- 90
逢丑父春秋 375-838- 92
384- 17- 1
404-605- 37
933- 51- 3
逢於何春秋 404-616- 38
逢時行宋 471-1001- 60
逢應瑞妻 元 見湯氏
逡上古 見嚳
巢王唐 見李元吉
巢父上古 404-398- 23
448- 88- 上
871-882- 19
879-146-57下
933-264- 19
巢氏宋 巢紹椿女
1175-537- 17
巢谷巢穀 宋 288-451-459
382-767-117
384-375- 19
400-330-528
473-515- 71
473-713- 81
481-350-309
559-384-9上
561-462- 43
563-920- 43
591-633- 46
933-264- 19
1108-259- 78
1110-384- 20
1112-775- 24
1351-706-150
1356-245- 11
1378-624- 63
1381-801- 60
1384-916-162
1408-516-532
巢堪漢 370-191- 19
933-264- 19
巢穀宋 見巢谷
巢元方隋 742- 35- 1
巢牛臣春秋 405- 38- 58
933-264- 18
巢尚之劉宋 258-602- 94
258-603- 94
485-489- 9
814-248- 6
820- 89- 24
巢書子明 1457-552-395
巢紹椿女 宋 見巢氏
巢鳴盛明 1318-334- 61
1442-109-附7
1460-662- 73
1475-491- 21

十二畫

寒山唐 472-1107- 47
479-299-230
486-900- 35
524-423-200
1052-272- 19
1053- 90- 2
1054-102- 3
1065- 31- 附
寒香明 張芳洲妻
1249-367- 6
寒侯周 545-490-101
寒朗漢 253- 12- 71
376-764-109上
384- 60- 3
472-550- 23
477- 47-151
491-797- 6
540-701-28之1
933-217- 15
寒浞夏 371-217- 3
372- 98-3上
383-237- 23
384- 3- 1
404-404- 24
548-621-181
933-217- 15
滋陽王明 見朱當漬
減宣咸宣 漢 244-870-122
251-136- 90
251-682- 30
380-216-171
476-365-117
933-635- 41
1408-325-512
湡宋 1053-596- 14
斌金(姓缺) 821-278- 52
馮三元 295-585-195
400-267-521
480- 56-260
533-483- 64
馮山馮獻能 宋 473-505- 71
481-335-308
559-391-9上
591-611- 44
674-177-1下
674-429- 2
676-687- 29
1098-290- 附
1362-778- 75
1437- 14- 1
馮元宋 285-688-294
371-139- 14
382-295- 46
384-343- 17
397-137-328
450-560-中46
472-647- 26
473-674- 79
482- 35-340
538-316- 69
564- 37- 44
933- 28- 1
1088-601- 62
1351-548-136
馮友明 545-154- 88
554-499-57上
馮友妻 明 見劉氏
馮仁妻 明 見劉氏
馮氏周(伍員奔楚浣紗女子赴水死以絶口) 512- 50-178
馮氏漢 漢元帝昭儀、馮奉世女
251-301-97下
448- 77- 8
452- 43- 1
476-156-104
544-178- 61
554- 14- 48
馮氏北齊 爾朱世隆妻、拓跋雲妻 266-293- 14
馮氏隋 陸讓母 264-1118- 80
267-732- 91
381- 67-185
476-156-104
547-276-152
馮氏宋 宋仁宗賢妃
284-867-242
393-307- 75
452- 57- 1
476-828-143
馮氏宋 高廣妻 1116-553- 29
馮氏宋 陳省華妻 452- 94- 2
481-158-298
537-132- 51
544-235- 63
559-454-11上
馮氏宋 趙惟和妻、馮訥女
1102-295- 37
馮氏元 黃仲起妻 401-182-593
馮氏明 王紹經妻、馮從吾女
555- 40- 66
1293-292- 16
馮氏明 王稚豐妻
1283-645-117
馮氏明 危景福妻 473-217- 59
馮氏明 朱之馮妻 474-191- 9
506- 13- 86
馮氏明 朱國臣妻 480- 95-262
馮氏明 沈思義妻、馮承賜女

1242-238- 32
馮氏明 沈信魁妻 302-228-302
479-189-225
馮氏明 宋甫林妻 506- 70- 88
馮氏明 杜升之妻 506- 56- 87
馮氏明 李繼宗妻 506- 4- 86
馮氏明 呂義妻、馮玉女
1242- 79- 26
馮氏明 吳章燦妻 506- 12- 86
馮氏明 何秉善妻 506- 33- 86
馮氏明 易鶴妻 482-188-346
馮氏明 周儀妻 478-137-181
馮氏明 胡棟妻、馮九金女
476-420-120
馮氏明 郁自魯妻 524-546-205
馮氏明 侯抒悋妻 477-483-173
馮氏明 海福妻 473-216- 59
馮氏明 孫錩妻 506-123- 89
馮氏明 孫傳庭妻、馮明期女
1296-318- 4
馮氏明 孫繩武妻 506- 77- 88
馮氏明 梁凝禧妻 302-248-303
480-208-267
533-613- 69
馮氏明 敖融妻 480-342-273
馮氏明 張信妻 477-211-159
馮氏明 張應龍妻 480-321-272
馮氏明 盛項妻 1258-651- 15
馮氏明 董三漢妻 472-440- 19
馮氏明 趙竑妻、馮定女
1253-147- 47
馮氏明 劉慶妻 302-227-302
475-614- 81
馮氏明 劉三重妻 506-122- 89
馮氏明 劉克昌妻 506- 56- 87
馮氏明 劉揆度妻 481- 83-294
馮氏明 劉慶八妻 512- 98-179
馮氏明 蕭應鳳妻 530-127- 57
馮氏明 馮華女 482-188-346
馮氏明 馮麗女 482-188-346
馮氏明 馮希聘女 564-319- 49
馮氏清 王鎮妻 474-482- 23
506-148- 90
506-551-105
馮氏清 王昌言妻 482-270-350
馮氏清 任記珍妻 483-383-402
馮氏清 李志妻 506- 16- 90
馮氏清 李文登妻 503- 68- 95
475-539- 77
馮氏清 林元標妻 479-410-235
馮氏清 孫二妻 503- 56- 95
馮氏清 郝善繼妻 506- 36- 86
馮氏清 梁穀欒妻 475-651- 83
馮氏清 陳啟亨妻 506- 25- 86
馮氏清 崔丙陞妻 474-642- 33
馮氏清 黃震妻 530-148- 58
馮氏清 滑良妻 506- 89- 88
馮氏清 趙燦妻 483-332-397
馮氏清 趙文煜妻 506- 24- 86
馮氏清 趙進啟妻 503- 51- 95
馮氏清 鍾松養妻 482- 92-342
馮氏清 顏廷魁妻 482- 47-340
馮氏清 魏一經妻 477-212-159
馮氏清 譚珣妻 482-502-365
馮氏清 龔沆妻 533-655- 70
馮氏清 冉存異母 481-187-300
馮氏清 馮鎮鼎妹
1318-522- 79
馮允漢 252-823- 68
376-741-109上
481-182-300
559-363- 8
591-593- 44
馮允明 473- 44- 50
515-220- 63
馮立漢 250-716- 79
376-393-102上
472-494- 21
472-922- 36
476-179-106
478-433-196
540-660- 27
545-233- 92
545-255- 93
545-809-112
554- 93- 50
933- 24- 1
馮立唐 271-491-187上
275-578-191
384-175- 9
473-671- 79
554-442- 56
563-628- 38
馮永妻 清 見祁氏
馮玉後晉 278-114- 89
279-369- 56
384-315- 16
396-444-296
馮玉明 547-123-145
馮玉女 明 見馮氏
馮弘北燕 見燕昭成帝
馮石漢 252-761- 63
370-148- 13
376-701-108
402-425- 7
馮本明 472-358- 15
馮平宋 472-679- 27
馮由妻 漢 見劉王
馮用元 1216-590- 11
馮安元 505-700- 70
1206-626- 13
馮安清 455-150- 6
馮式宋 見馮商
馮式妻 宋 見朱氏
馮吉宋 288-194-439
400-633-557
401-290-607
407-682- 5
820-314- 31
馮吉明 567-466- 87
馮夷上古 554-962- 65
馮伉唐 271-553-189下
275-258-161
384-232- 12
396- 71-258
448-340- 下
472-130- 4
472-824- 33
478- 88-180
505-772- 73
547-164-147
554-268- 53
933- 26- 1
馮伉宋(字仲咸) 288-682-478
472-378- 16
1086-194- 20
馮伉宋(推官) 558-226- 32
馮伉宋(知永康軍) 559-263- 6
馮任明 559-398-9上
馮休宋 471-1018- 63
561-201-38之1
馮沈明 524-146-185
馮沛清 1324-353- 32
馮忱隋 264-1017- 71
馮宋宋 559-390-9上
馮良漢 253-159- 83
370-199- 20
376-836-110
402-398- 5
472-197- 7
472-770- 30
537-537- 59
1408-430-521
馮志明 524-254-190
馮甫妻 明 見沈氏
馮成宋 524-338-195
馮忌戰國 405-373- 80
545-804-112
511-102-140
554-845- 63
1365-286- 8
1439- 10- 附
1445-518- 39
馮更宋 451- 99- 3
馮孜明 473-642- 78
481-694-332
528-542- 32
559-365- 8
馮壯清 505-805- 74
馮孚魏 見李孚
馮京宋 286-205-317
382-524- 81
384-346- 18
384-367- 18
397-370-341
450-785-下16
471-786- 28
471-879- 41
471-918- 48
471-946- 51
472-172- 6
472-290- 12
472-324- 14
472-643- 26
473-213- 59
473-427- 67
473-763- 84
473-777- 84
476- 28- 97
477- 51-151
480- 54-260
481- 69-293

482-390-358
488-388- 13
510-310-113
511-908-173
516-216- 96
533- 3- 47
537-239- 55
545-136- 87
559-264- 6
561-499- 44
567-295- 76
568-243-108
591-684- 47
820-367- 33
933- 29- 1
1437- 14- 1
1467-170- 68
馮治宋 451- 57- 2
馮洗唐 1128-611- 16
271-189-168
275-438-177
384-261- 13
396-179-268
472-1028- 42
523-321-161
933- 26- 1
1078-122- 5
馮定女 明 見馮氏
馮劫秦 545-805-112
馮杰明 547-179-147
馮杰清 505-815- 74
馮玠宋 1124-641- 29
馮長馮延壽 周 472-843- 33
554-962- 65
馮忠明 676-758- 32
馮旺明 572- 82- 28
馮岵馮崧 元 1201-168- 80
1201-616- 20
1367-837- 64
1373-194- 14
馮旻明 564-623- 56
馮和晉 547-163-147
馮朋妻 清 見黃氏
馮制宋 524-195-188
馮侃後蜀 820-321- 31
馮侃明 572-156- 32
馮岱漢 402-485- 11
477- 48-151
馮岳明 473- 19- 49
515- 57- 58
523-535-172
528-514- 31
571-516- 19
676-562- 23
馮受明 546-615-135
馮炳妻 明 見國氏
馮宣明 564-237- 46
馮洽宋 533-301- 57
馮祖明 473-210- 59
480- 51-259
馮洸明 1267-328- 36
馮亭戰國 472-489- 21
537- 58- 49
933- 23- 1
馮亮戰國 262-279- 90
267-674- 88
380-470-178
384-143- 7
477-318-164
538-165- 66
933- 26- 1
馮亮明 523-483-170
馮亮清 見馮鎭鼎
馮恢晉 474-602- 31
馮珊明 547-104-145
馮柱妻 漢 見劉姬
馮拯宋 285-560-285
371- 46- 4
382-313- 49
384-339- 17
384-346- 18
397- 47-323
471-834- 35
472-739- 29
473-712- 81
477-252-161
537-480- 58
933- 28- 1
馮厚明 524- 43-180
676- 59- 2
679-629-200
馮玶明 559-405-9上
馮郁明 569-649- 19
馮政妻 明 見徐氏
馮昱隋 264-834- 53
267-460- 73
379-763-161
933- 26- 1
馮昱馬昱 明 476-865-145
537-216- 54
540-790-28之3
馮胄漢 253-597-112上
380-570-181
476-152-104
547-131-146
馮英明 554-311- 53
馮英妻 明 見劉氏
馮迪明 554-259- 52
馮風後魏 262-219-83上
馮耔宋 1139-870- 15
馮信馬信 漢(字季誠)
380-131-168
469-669- 82
473-465- 69
481- 73-294
559-377-9上
561-205-38之1
591-590- 44
馮信漢(齊臨淄人) 742- 25- 1
馮侶宋 1086-195- 20
馮科明 1442- 96- 6
1460-569- 68
1475-307- 13
馮衍漢 252-681-58上
370-152- 14
376-654-107下
384- 58- 3
402-391- 5
402-520- 15
472-831- 33
474-650- 34
476- 26- 97
478- 97-180
505-704- 70
545-126- 87
546-653-137
554-828- 63
933- 25- 1
馮紀妻 明 見趙氏
馮勉宋 475-643- 83
1199-673- 4
馮保明 302-382-305
馮俊宋 583-551- 12
585-244- 19
馮俊明 482-391-358
567-313- 77
1467-201- 69
1467-294- 73
1467-445- 6
馮俊清 563-894- 42
馮海明 511-545-158
馮涇明 300-111-189
479-184-225
523-375-164
馮涓馬涓 唐 473-512- 71
524- 69-181
559-309-7上
561-212-38之2
591- 33- 3
馮唐漢 244-672-102
250-251- 50
251-569- 18
376-120- 97
384- 40- 2
469-431- 51
472- 87- 3
506-438-102
546- 1-115
554-622- 60
933- 23- 1
1408-279-507
馮朗女 北魏 見馮皇后
馮益宋 288-562-469
401- 84-578
馮訓明 554-313- 53
馮悅明 524-174-187
馮宸明 564-268- 47
馮泰明 559-311-7上
馮原宋 524-327-195
馮員漢 561-221-38之3
馮班清 511-751-165
馮珪明 505-810- 74
馮珣明 540-827-28之3
554-346- 54
馮時明 561-206-38之1
馮恩元 545-653-106
馮恩明 300-439-209
457-408- 25
475-180- 59
511-127-141
554-709- 61
563-912- 43

676-561- 23
1283-114- 76
1442- 53- 3
馮盎唐 270-322-109
274-394-110
384-174- 9
395-390-217
471-882- 42
473-720- 81
482-208-347
493-644- 35
544-226- 63
563-645- 38
564- 25- 44
567- 35- 64
933- 26- 1
1467- 12- 62
馮荇清 光御寵妻
1326-847- 8
馮柴明 1467-190- 69
馮豹漢 252-700-58下
370-154- 14
376-660-107下
402-524- 15
478-101-180
478-633-206
545-813-112
554-744- 62
933- 25- 1
馮恕北周 544-220- 62
馮恕妻 明 見朱氏
馮翁明 299-378-143
456-699- 12
481-237-303
561-203-38之1
1408-553-537
馮倫唐 683- 8- 0
馮紞晉 255-701- 39
377-184-121下
386-191-75下
472- 88- 3
933- 25- 1
馮純元 472-438- 19
545-653-106
馮修後魏 262-217-83上
267-548- 80
380- 13-165
馮寅宋 564- 74- 44
馮寅明 494- 43- 3
馮宿唐 271-188-168
275-438-177
384-261- 13
396-179-268
451-260- 1
472-376- 16
472-739- 29
472-1028- 42
473-503- 71
479-321-232
481- 17-291
485-496- 9
523-321-161
537-298- 56
559-272- 6
559-312-7上
591-703- 50
933- 26- 1
1371- 68- 附
馮淳妻 清 見齊氏
馮清宋 812-467- 2
812-550- 4
821-160- 50
馮清明(字士潔) 505-898- 80
554-311- 53
馮清明(餘姚人) 676-525- 21
馮翊清 524-189-187
馮商漢 249-805- 30
478- 96-180
554-826- 63
馮商馮式 宋 533-721- 73
1467-170- 68
馮筳宋 見馬筳
馮章北周 1400-116- 3
馮章妻 清 見劉氏
馮庸明 558-467- 39
馮祥明 472-468- 20
馮淑妻 清 見劉氏
馮袞北齊 1401-463- 34
馮袞唐 485- 71- 11
馮訥女 宋 見馮氏
馮理宋 448-524- 14
馮珵明 見馬珵
馮堅明 299-323-139
473- 97- 53
479-627-245
515-185- 62
馮習蜀漢 254-690- 15
480-244-269
533-383- 60
馮琇清 558-436- 37
馮彬明(臨城人) 472- 99- 3
馮彬明 482-239-349
523-232-156
564-221- 46
馮模漢 402-404- 6
馮異漢 252-528- 47
370-119- 9
376-552-105
384- 55- 3
402-355- 3
402-520- 15
402-557- 18
459-204- 13
469- 61- 8
472-737- 29
472-769- 30
472-877- 35
472-912- 36
477-500-174
478-569-203
537-571- 60
545-333- 96
554- 97- 50
558-128- 30
558-204- 32
933- 24- 1
馮晦宋 564- 78- 44
馮崧元 見馮岵
馮貫明 505-811- 74
1248-666- 4
馮冕明 472-721- 28
537-482- 58
馮崑明 476-698-137
540-654- 27
馮偉北齊 263-334- 44
267-575- 81
380-317-174
384-142- 7
474-652- 34
933- 25- 1
馮參漢 250-716- 79
376-393-102上
476-152-104
545-255- 93
545-809-112
554- 63- 49
933- 24- 1
馮敏馮智安 明 1240-230- 15
1241-192- 9
1241-585- 11
1243-686- 22
馮倎清 523-458-168
563-868- 42
馮逡漢 250-715- 79
376-392-102上
478-481-199
546-653-137
558-167- 31
933- 24- 1
馮渭元 1201-168- 80
1201-619- 20
馮善明 453-423- 13
453-425- 13
676- 49- 2
馮湛宋 1157-208- 15
馮渠明 563-787- 40
1457-519-389
馮漢明 1467- 78- 64
馮詠明 524-212-188
馮惠明 554-312- 53
馮琚明 567-108- 66
1467- 87- 65
馮登妻 明 見衛氏
馮琦明 300-558-216
458-367- 15
476-674-136
540-818-28之3
541-614-35之17
558-413- 37
676-611- 25
1291-821- 3
1442- 77- 5
1460-384- 58
馮琨明 475-134- 56
511-102-140
馮椅宋 287-794-425
473- 77- 52
473-165- 57
479-580-243
516- 98- 91
馮陽漢 477-520-175
馮景北周 263-575- 22

267-295- 63
379-573-157
933- 25- 1
馮貴明 299-491-154
473-369- 64
480-485-280
533-406- 61
馮跋北燕 見燕文成帝
馮華元 680-299-255
1209-507-8上下
馮華女 明 見馮氏
馮昺清 511-534-157
馮順漢 544-200- 62
馮順妻 漢 見劉奴
馮順妻 明 見趙氏
馮智明 299-492-154
馮勝子 五代 592-257- 76
馮勝馮宗異、馮國勝 明(定遠人) 299-197-129
453- 35- 4
475-751- 88
511-417-152
537-208- 54
547-179-147
554-164- 51
558-144- 30
1283-229- 84
馮勝明(淮東人) 515-149- 61
馮傑明(謚恪愍) 302- 10-289
472- 38- 1
481- 25-291
541-696-35之19下
馮傑明(字孟英) 523-482-170
馮進明 554-472-57上
馮復元 505-876- 78
馮溥清 476-675-136
540-848-28之4
1321-254-115
馮源宋 482-467-363
馮源明 473-623- 77
馮源妻 明 見閔氏
馮源女 明 見馮銀
馮源清 540-874-28之4
馮義元 1206-735- 8
馮義明(字時宜) 494- 42- 3
1266-420- 8
馮義明(任縣人) 505-823- 75
馮義明(滇人) 559-287-7上
馮淮明 570-214- 23
馮裕明 300-560-216
476-673-136
510-400-115
540-799-28之3
571-527- 19
馮道後周 278-396-126
279-351- 54
384-314- 16
401-288-607
472- 69- 2
933- 27- 1
933-807- 60
1112-678- 11
1383-824- 76
1408-475-526
馮煖戰國 見馮驩
馮煥漢 376-740-109上
472- 26- 1
559-363- 8
591-592- 44
681-595- 13
馮瑋明 494- 23- 2
馮瑞妻 清 見白氏
馮馴明 528-477- 30
559-367- 8
馮概宋 451- 81- 2
馮楫宋 471-1017- 63
473-528- 72
559-318-7上
559-391-9上
588-176- 8
1053-859- 20
1054-205- 4
馮楊漢 472-129- 4
472-737- 29
537-348- 56
馮勤漢 252-659- 56
370-147- 13
376-639-107上
384- 58- 3
402-378- 4
472-129- 4
477-162-157
933- 24- 1
馮睢周 404-490- 29
馮暉後周 278-390-125
279-317- 49
384-313- 16
396-433-295
472-131- 4
472-930- 37
474-476- 23
478-594-204
505-773- 73
558-219- 32
933- 27- 1
馮敬明 570-113-21之1
馮鉞明 472-679- 27
馮愈元 476- 84-100
547-121-145
馮頎宋 1147-521-49
馮經明 1256-595- 7
馮經妻 明 見李氏
馮經妻 明 見余玉娘
馮誠明(字至誠) 516- 64- 89
554-188- 51
563-752- 40
1244-630- 14
馮誠明(字擇善) 1374-773- 98
馮禎明 299-767-175
478-435-196
554-708- 61
馮寧明(同官人) 554-479-57上
馮寧明(字本原) 683-200- 6
馮彰漢 370-120- 9
402-356- 3
馮榮明 472-239- 9
510-347-114
511-373-150
馮熙後魏 262-216-83上
267-547- 80
380- 11-165
552- 27- 18
554-883- 64
933- 25- 1
馮熙吳 254-715- 2
384-609- 35
385-691- 67
馮熙女 北魏(廢為庶人) 見馮皇后
馮熙女 北魏(謚幽皇后) 見馮皇后
馮聚元 1216-590- 11
馮遠漢 474-433- 21
馮遜馮安孫 宋 451- 96- 0
馮圖唐 396-179-268
馮維明 533-289- 56
馮綽妻 明 見孟氏
馮緄馮鯤 漢 252-821- 68
376-740-109上
402-471- 11
470-328-138
471-1031- 65
473-455- 68
474-731- 40
475- 14- 49
480-361-275
481-182-300
502-249- 53
510-274-112
523- 2-146
532-548- 40
537-192- 54
559-363- 8
591-345- 27
591-592- 44
681-265- 16
681-528- 7
933- 25- 1
1381-794- 59
1397-606- 28
馮緄子 漢 592-257- 76
馮綸妻 明 見朱氏
馮銀明 524-146-185
馮銀明 唐繼祖妻、馮源女 1442-123- 8
1460-770- 84
馮裴唐 547-131-146
馮諒明 472-296- 12
馮廣元 516-211- 96
馮審唐 271-190-168
275-439-177
396-178-268
馮誕後魏 262-217-83上
267-548- 80
380- 13-165
馮慶妻 明 見南氏
馮瑾清 567-151- 69
馮駉明 537-225- 54
馮璋妻 明 見王氏
馮樟妻 明 見冉氏
馮模漢 370-207- 21
馮遷北周 263-491- 11

267-209- 57
375-536-85下
馮遷明 676-608- 25
1442- 95- 6
1469-561- 68
馮儀唐 515- 80- 59
馮嫽漢 820- 28- 22
馮魯馮希元 元 1204-320- 11
馮銳明 505-672- 69
馮魴漢 252-760- 63
370-148- 13
376-600-108
384- 59- 3
402-409- 6
402-461- 10
402-574- 19
472-693- 28
472-769- 30
472-800- 31
477-122-155
477-366-167
477-498-174
533-226- 54
537-332- 56
544-200- 62
547- 1-141
933- 25- 1
馮徵明 545-331- 95
馮龍後魏 545-815-112
馮澤明 456-631- 60
505-847- 76
馮澥宋 287- 90-371
398-152-375
473-455- 68
473-505- 71
559-285-7上
559-391-9上
591-611- 44
676-687- 29
1098-290- 附
馮諼戰國 見馮驩
馮遵明 564- 91- 45
1256-587- 6
馮遵女 明 見馮德坤
馮融梁 564- 14- 44
馮融唐 933- 26- 1
馮燕唐 1079- 21- 4
1340-712-795
1408-506-531
馮豫元 1221-658- 26
馮興唐 545-115- 86
馮曉唐 820-240- 28
馮曉明 821-461- 57
馮翺明 1271-809- 8
馮衡唐 見馮君衡
馮衡明 559-354- 8
馮穆後魏 262-219-83上
380- 14-165
馮謐馮延魯 宋 288-681-478
1086-194- 20
馮濟明 820-679- 42
馮濛女 後晉 見馮皇后
馮謙明 523-465-169
馮懋父 宋 1149-705- 15
馮翼元 523-151-153
540-780-28之2
1439-427- 1
馮翼明 528-570- 32
馮駿漢 370-161- 15
402-358- 3
馮薦明 559-367- 8
馮徽妻 唐 見薛玄同
馮璧金 291-542-110
383-1003- 28
399-289-442
474-379- 19
502-265- 54
505-751- 72
545-671- 97
554-197- 51
820-482- 36
1040-258- 5
1191-216- 19
1201-428- 3
1201-438- 3
1365-185- 6
1439- 7- 附
1445-419- 30
馮轄明 505-668- 69
馮覲宋 813-143- 12
821-255- 52
馮覲明 523-512-171
馮彝明 1467- 69- 64
馮顒明 300- 88-188
482-267-350
564-227- 46
馮贇後唐 279-166- 27
384-303- 16
馮瀚清 477- 90-153
馮譚漢 545-808-112
933- 24- 1
馮幡宋 見馮康國
馮麗女 明 見馮氏
馮瓊明 547- 9-141
馮顗明 502-288- 56
546-204-122
馮曠宋 821-171- 50
馮鏞清 515-896- 86
馮鯤漢 見馮緄
馮寶妻 隋 見冼氏
馮寶唐 933- 26- 1
馮瀾妻 明 見康氏
馮礪宋 486- 46- 2
馮勸清 533-471-169
馮顥馮灝 漢 469-669- 82
473-424- 67
473-504- 71
481-268-305
482-558-369
559-258- 6
559-388-9上
569-673- 19
591-593- 44
879-158-58上
馮蘭馬蘭 明(字佩之)
524- 56-180
676-510- 20
1442- 34-附2
1459-720- 28
馮蘭明(蠡縣人) 505-812- 74
馮續明 472- 27- 1
472-614- 25
540-792-28之3
馮驁妻 明 見谷氏
馮鑑明 564-221- 46
馮鑑妻 明 見江氏
馮儼宋 559-303-7上
馮儼明 473-465- 69
馮瓚宋 285-351-270
396-628-311
472-336- 14
473-503- 71
475-524- 77
481-332-308
510-413-117
559-313-7上
591-705- 50
馮顯宋 1165-335- 21
馮顯明 505-735- 71
馮灝漢 見馮顥
馮讓明 559-320-7上
馮驥宋 400-184-514
494-330- 6
523-355-163
馮驥元 515-170- 62
馮驩馮煖、馮諼 戰國
244-461- 75
405-250- 72
406-312- 11
406-551- 4
933- 24- 1
馮鸞明 511-878-170
馮一第明 302- 95-294
456-669- 11
480-413-277
533-401- 61
680-258-251
1442-105- 7
1460-683- 75
馮二酉明 1297-186- 14
馮力士唐 見高力士
馮九金女 明 見馮氏
馮三奇元 472-338- 14
475-528- 77
511-798-167
馮三謨妻 明 見謝氏
馮士一妻 明 見丁氏
馮士元明 515-490- 71
馮士升元 1221-645- 25
馮士身妻 清 見劉氏
馮士勇清 456-367- 77
馮士啟元 571-537- 20
馮士義元 532-679- 44
馮士頤元 524- 5-178
馮士衡明 540-820-28之3
馮士翼妻 明 見丁氏
馮子咸明 300-560-216
476-674-136
540-817-28之3
676-346- 12
679- 69-145
馮子振元 295-537-190

473-340- 63
533-316- 57
588-177- 8
676-701- 29
820-517- 38
1238-664- 22
1439-425- 1
馮子修宋 554-309- 53
559-364- 8
馮子琮北齊 263-299- 40
267-177- 55
379-480-154
933- 25- 1
馮子華唐 524-148-185
526-295-268
933- 26- 1
馮子猷唐 274-395-110
馮子履明 1291-926- 7
馮子翼趙子翼 金
496-400- 88
502-789- 88
1201-428- 3
1365- 59- 2
1439- 4-附
1445-348- 23
馮大本女 明 見馮桂秀
馮大有宋 821-225- 51
馮大成明 456-643- 10
馮大受明 820-731- 44
1442- 78- 5
1460-396- 58
馮大亮馮大量 唐
592-204- 73
馮大恩唐 486- 41- 2
馮大量唐 見馮大亮
馮大緯明 456-598- 9
554-731- 61
馮小憐北齊 齊後主淑妃
266-296- 14
373-112- 20
1222- 85- 1
馮小寶唐 見薛懷義
馮上賓明 554-258- 52
馮上銓妻 明 見史氏
馮夕照宋 821-205- 51
馮斗祥馮百四 宋451- 90- 3
馮文仲元 821-318- 54
馮文炷妻 明 見王氏
馮文珪妻 明 見王氏
馮文通北燕 見燕昭成帝
馮文盛明 515-488- 71
馮文智宋 288-473-461
547-555-161
馮文舉元 473-436- 67
482-559-369
559-504- 12
569-677- 19
591-574- 42
馮文舉妻 元 見馬氏
馮文顯宋 1099-771- 14
馮之純宋 492-565-13下之上
馮之漢妻 明 見李氏
馮之圖明 533- 20- 47
馮太玄唐 683-482- 3
馮元白明 1475-670- 28
馮元仲馮天益 明
524- 48-180
1442-116- 7
1460-678- 74
馮元叔唐 見馮元淑
馮元淑馮元叔 唐
271-448-185上
274-435-112
395-425-219
477- 49-151
477-164-157
478- 87-180
505-681-69
537-236- 55
933- 26- 1
馮元常唐 271-448-185上
274-434-112
384-181- 10
384-187- 10
395-425-219
472-697- 28
477-164-157
481-348-309
537-446- 58
559-260- 6
559-309-7上
563-628- 38
591-690- 48
933- 26- 1
馮元輔宋 1141-496- 70
馮元興後魏 262-180- 79
267- 13- 46
379-321-151
505-873- 78
933- 25- 1
馮元颺明 301-351-257
475-122- 55
479-186-225
510-296-112
馮元飆明 301-349-257
458-470- 24
523-296-159
563-797- 41
1442-103- 7
1460-612- 71
馮天益明 見馮元仲
馮天培清 481-185-300
559-411-9下
馮天開妻 明 見陳氏
馮天祿明 533-413- 62
馮天載清 482- 40-340
馮天瑞元 1221-660- 26
馮友能宋 559-361- 8
馮日望明 537-318- 56
馮中德唐 561-205-38之1
馮少墟明 556-343- 90
馮公亮馮起孫 宋448-382- 0
馮仁海唐 472-114- 4
505-910- 81
馮允中十一世祖 唐
1145-707- 82
馮允中宋 460-312- 23
馮允倫清 456-367- 78
馮允敬明 559-361- 8
馮玄鑑明 820-736- 44
1475-389- 16
馮永安妻 明 見張氏
馮永保妻 元 見王氏
馮去非宋 287-794-425
398-719-416
473- 77- 52
475-367- 67
479-580-243
516- 98- 91
馮去疾秦 545-805-112
馮去疾宋 473-209- 59
517-465-127
532-615- 43
馮弘鐸唐 275-573-190
384-292- 15
396-277-275
488-325- 12
馮正子宋 451- 96- 3
馮正吉明 456-491- 5
538- 43- 63
馮正卿元 1222-104- 4
馮正符宋 592-493- 91
674-176-1下
674-565- 3
馮本清明 523-463-169
1250-802- 77
馮本新明 1288-638- 11
馮平國父 宋 1138-884- 4
馮可參清 529-632- 48
馮可賓明 523-123-151
馮世勇清 456-391- 80
馮世基馮世期 隋
264-773- 46
267-491- 75
476-153-104
545-815-112
馮世期隋 見馮世基
馮世傑母 明 見李氏
馮世傑明 483- 16-370
570-144-21之2
馮世傑妻 明 見李氏
馮世雍明 533-302- 57
820-692- 43
1442- 52- 3
1460- 93- 44
馮世寧宋 288-551-468
馮世選明 545-855-113
馮世寵明 572- 89- 29
馮令頵五代 472-376- 16
馮生虞明 300-818- 23
馮仕萃妻 清 見董氏
馮用休馮慶孫 宋448-396- 0
馮用表清 511-403-151
馮守信宋 382-272- 42
384-343- 17
450-145-上17
472-132- 4
537-465- 58
933- 28- 1
1105-728- 88
馮守禮明 302- 43-291

456-523- 6
476-125-102
540-666- 27
546-324-125
馮安上宋 471-836- 35
馮安民宋 821-227- 51
1142-443- 11
馮安孫宋 見馮遜
馮安國宋 481-647-330
529-582- 46
496-606-104
馮汝弼女 元 見馮淑安
馮汝弼明 523-437-167
676-566- 23
1282-743- 57
1442- 55- 3
1460-137- 46
1475-298- 12
馮汝賢明 524-366-197
馮有功清 502-652- 79
馮有為明 532-626- 43
馮有經明(順天人) 505-803- 74
馮有經明(字正子)
1442- 82- 5
1460-440- 60
馮百四宋 見馮斗祥
馮百家明 456-638- 10
馮至剛明 1232-223- 3
馮光奴明 479-297-230
馮光浙明 528-459- 29
馮光戩宋 473-505- 71
559-390-9上
馮光濟妻 明 見劉氏
馮多福宋 523-127-152
馮兆元妻 清 見李氏
馮兆亨妻 明 見閔氏
馮名聖明 456-490- 5
馮自壽妻 清 見薛氏
馮自警妻 明 見王氏
馮如京清(字秋水) 476-334-115
478-168-182
546-416-128
554-221- 52
679-716-208
馮如京清(振武衛人)
510-297-112
馮如京妻 清 見楊氏
馮如晦父 宋 1096-792- 39
馮如晦宋 473-505- 71
559-391-9上
591-611- 44
1096-792- 39
1172-454- 39
馮如集妻 明 見龔氏
馮仲德元 1206-626- 13
馮仲燁宋 288-324-449
400-180-514
473-513- 71
481-348-309
馮行己宋 285-563-285
397- 49-323
476-309-113
476-330-115
477-252-161
545-418- 98
馮行可明 300-439-209
511-545-158
1283-114- 76
1442- 66- 4
馮行襲唐 275-532-186
277-144- 15
279-269- 42
384-286- 15
384-310- 16
396-254-274
472-865- 34
473-250- 60
478-295-188
480-296-271
933- 27- 1
馮亨期清 476-335-115
547- 96-144
馮良亨明 679-464-201
馮良輔明 1467-206- 69
馮志忠妻 明 見郁氏
馮志英清 483- 71-376
569-681- 19
馮志恩金 547-136-146
馮成能明 523-537-172
571-524- 19
馮孝慈隋 267-526- 78
545-414- 98
馮君期妻 宋 見朱氏
馮君道元 585-528- 17
821-295- 53
馮君衡馮衡、馮君衡、馮象衡
唐 1065-819- 19
1065-871- 23
1065-892- 25
1342- 77-913
1342-358-950
馮君衡妻 唐 見麥氏
馮君衡唐 見馮君衡
馮克利明 567-465- 87
1467-524- 11
馮克敏元 515-244- 64
馮那有妻 明 見王氏
馮伯元明 1467-190- 69
馮伯初明 1459-458- 14
馮伯達劉宋 479-635-245
1061-274-110
馮伯禎明 1475-397- 17
馮伯禋明 1475-397- 17
馮伯禮明 676- 64- 2
1475-362- 15
馮希元元 見馮魯
馮希聘女 明 見馮氏
馮仲己宋 285-563-285
397- 49-323
473-748- 83
473-762- 84
473-789- 85
477-252-161
482-347-356
482-389-358
482-434-364
567- 53- 65
1467- 24- 62
馮秀誠唐 547- 3-141
馮妙眞金 張樬妻、馮延登女
291-751-130
401-169-592
476- 87-100
478-420-195
547-468-158
555- 13- 66
馮廷櫆清 1325-416- 12
馮宗岱妻 清 見胡氏
馮宗異明 見馮勝
馮宗儀清 1323-785- 5
馮宗魯明 563-833- 41
馮河清唐 270-489-125
275-111-147
384-237- 12
395-725-246
472-837- 33
472-877- 35
478-117-181
478-670-209
554-699- 61
558-189- 31
馮其隆明 820-745- 44
馮青選妻 明 見曹氏
馮亞斗妻 清 見潘氏
馮孟浣妻 清 見陳氏
馮奉世漢 250-710- 79
376-388-102上
384- 49- 2
472-490- 21
472-828- 33
476-152-104
545-806-112
554-547- 58
558-235- 32
933- 24- 1
馮奉世女 漢 見馮氏
馮奇莪妻 明 見李氏
馮承芳明 1467-226- 70
馮承素唐 820-140- 26
馮承賜女 明 見馮氏
馮忠恕宋 473-446- 68
559-281- 6
馮忠嘉馮閏漢 宋
448-364- 0
馮昌辰明 456-491- 5
馮昌奕清 554-260- 52
559-328-7下
馮明臣妻 清 見顧氏
馮明雨清 478-672-209
558-421- 37
馮明期女 明 見馮氏
馮易安元 見馮淑安
馮叔安元 見馮淑安
馮叔吉明 510-294-112
馮昊仙唐 820-180- 27
馮知十明 456-637- 10
馮周老宋 見馮騰茂
馮受宇漢 476-152-104
馮秉恭清 1475-588- 25
馮秉謙妻 清 見李氏
馮延巳南唐 511-781-166
820-316- 31

1085- 46- 6
馮延年明 1442-114- 7
1475-500- 22
馮延年妻 清 見辛氏
馮延登金 291-694-124
383-1002- 28
400-235-519
472-467- 20
476- 83-100
546-614-135
676-696- 29
677-455- 41
1040-250- 4
1191-221- 19
1365-168- 5
1439- 12- 附
1445-402- 28
馮延登女 金 見馮妙眞
馮延壽周 見馮長
馮延魯宋 見馮謐
馮延錫宋 1124-639- 29
馮洪業明 524-111-183
1475-406- 17
馮施叔宋 1150-871- 47
馮奕垣明 564-109- 45
馮拱奇馮振奇 明
456-523- 6
馮厚敦明 456-530- 6
475-216- 60
475-279- 63
511-457-154
馮思翊明 546-669-137
馮思齊元 473-777- 84
567- 78- 65
1467- 53- 63
馮思齊明 533- 37- 48
馮思賢元 482-451-362
馮若愚明 480-290-271
523-458-168
532-681- 44
馮昭奏唐 473-209- 59
480- 48-259
馮昭泰唐 494-318- 6
1065-848- 21
1342-137-921
馮皇后北魏 魏文成帝后、馮朗女 261-211- 13
266-280- 13
373- 98- 20
819-568- 19
933- 25- 1
馮皇后北魏 魏孝文帝后、馮熙女(廢為庶人) 261-214- 13
266-282- 13
373-100- 20
馮皇后北魏 魏孝文帝后、馮熙女(諡幽皇后) 261-214- 13
266-283- 13
373-100- 20
馮皇后後晉 晉出帝后、馮濛女 278- 91- 86
279-104- 17
393-296- 74
馮拜佐宋 559-380-9上
馮祖澄宋 見馮寅起
馮庭堅宋 1178-765- 6
馮素弗晉 256-957-125
381-344-191
496-606-104
505-784- 73
933- 25- 1
馮素眞宋 473- 78- 52
479-582-243
馮眞卿元 529-690- 50
馮桂秀明 馮大本女
481-119-296
馮晉卿明 571-522- 19
馮起孫宋 見馮公亮
馮起龍清 511-517-157
馮振奇明 見馮拱奇
馮時化明 505-892- 79
馮時可明 300-439-209
494-158- 5
523- 57-148
532-599- 41
676-607- 25
677-640- 57
1442- 75- 5
1460-364- 56
馮時行宋 471-995- 59
473-478- 69
473-490- 70
559-295-7上
559-351- 8
592-488- 91
592-596- 99
1138-895- 附
1437- 23- 2
馮時行妻 明 見何氏
馮時亨明(陵川人) 546-203-122
馮時亨明(興縣人) 547- 8-141
馮時泰明 474-817- 44
502-292- 56
505-808- 74
馮時雍明 505-818- 74
馮皋強清 見馮皋彊
馮皋彊馮皋強、馮皋疆 清
476-125-102
478-246-186
546-325-125
554-348- 54
馮皋謨明 523-517-171
1442- 60- 4
1458-484-449
1460-191- 49
1475-312- 13
馮皋疆清 見馮皋彊
馮師孔明 301-455-263
456-444- 3
477-255-161
477-567-177
505-640- 67
554-187- 51
馮師寵明 456-642- 10
馮躬厚宋 933-809- 60
馮寅起馮祖澄 宋 451- 98- 3
馮寅賓元 820-532- 38
1238-622- 19
馮添孫明 524-120-184
馮翊王漢 見劉焉
馮翊王後魏 見元季海
馮翊王北齊 見高潤
馮惟吉元 473-701- 80
563-715- 39
馮惟良唐 見馬惟良
馮惟重明 676-574- 23
820-697- 43
1291-880- 6
馮惟重妻 明 見蔣氏
馮惟悅宋 見馮惟說
馮惟訥明 300-560-216
476-673-136
510-365-114
540-809-28之3
676-573- 23
1291-871- 6
1442- 64- 4
1460-231- 50
馮惟敏明 540-809-28之3
676-562- 23
1442- 63- 4
1460-230- 50
馮惟健明 540-800-28之3
1442- 63- 4
1460-230- 50
馮惟說馮惟悅 宋
479-352-233
523-199-155
馮祥聘清 476-519-127
540-681- 27
馮祥興唐 516-155- 94
馮淑元唐 472-641- 26
馮淑安馮易安、馮叔安、馮淑英 元 李如忠妻、馮汝弼女
295-628-200
401-176-593
452- 95- 2
472-135- 4
474-481- 23
476-263-110
506-141- 90
524-635-209
526-150-263
541- 25- 29
541-592-35之17
547-320-153
1208-302- 0
1209-376- 5
1367-909- 69
馮淑英元 見馮淑安
馮康國馮幡 宋 287-150-375
398-201-378
473-505- 71
481-335-308
559-392-9上
591-613- 44
馮國用明 299-197-129
456-462- 4
475-751- 88
馮國勝明 見馮勝
馮國楨明 483-281-393
571-541- 20

馮處厚元 1201-166- 80
馮野王漢 250-714- 79
376-391-102上
384- 50- 2
472-490- 21
472-586- 24
472-829- 33
472-892- 35
476-152-104
476-655-135
478- 95-180
478-332-191
478-481-199
480-169-266
532-642- 43
540-643- 27
545-808-112
554- 93- 50
558-167- 31
933- 24- 1
馮得意明 547-104-145
馮猛將唐 554-751- 62
馮紹正馬紹政、馮紹政 唐
812-346- 9
812-370- 0
821- 51- 46
馮紹政唐 見馮紹正
馮紹綱妻 明 見盧氏
馮敏功明 523-438-167
582- 6-118
582- 39-121
1283-164- 79
1475-323- 13
馮敏効明 820-750- 44
1442- 96- 6
1460-569- 68
1475-332- 13
馮從吾明 301-130-243
457-691- 41
458-339- 13
458-958- 10
478-129-181
554-821- 63
676-617- 25
680- 49-229
680-322-258
1442- 82- 5
1460-437- 60
馮從吾女 明 見馮氏
馮逢皋馬逢皋 明
545-196- 90
554-676- 60
馮善主元 1202-254- 18
馮善甫元 1204-571- 7
馮曾檜明 511-185-143
馮勞謙明 480-171-266
馮敦直唐 820-158- 26
馮敦忠清 511-548-158
馮雲程清 554-857- 63
馮雲路明 302- 93-294
456-670- 11
480- 61-260
533-475- 64
馮雲驌清 546-725-139
馮雲驤清 546-725-139
549-170-187
559-327-7下
馮期明妻 明 見李氏
馮盛世明 1475-367- 15
馮盛明明 505-802- 74
537-221- 54
554-220- 52
馮盛唐明 563-815- 41
馮閏漢宋 見馮忠嘉
馮登鰲馬登鰲 明456-519- 6
474-373- 19
478-170-182
505-672- 69
554-731- 61
馮堯夫宋 1121-530- 40
馮提伽北周 812-338- 8
821- 28- 45
馮景夏清 475- 22- 49
479-100-221
馮景隆明 300-754-229
馮貴吉明 515-485- 71
馮貴娘明 530-162- 59
馮無擇秦 545-805-112
馮順德元 529-689- 50
馮智安明 見馮敏
馮智戴唐 274-395-1110
384-174- 9
395-391-217
564- 26- 44
馮舜田明 476-779-141
馮舜漁明 546-313-125
馮象衡唐 見馮君衡
馮象臨明 302-159-297
479-186-225
524-127-184
馮復京明 456-640- 10
511-749-165
馮進成宋 812-468- 2
812-550- 4
821-149- 50
馮媛安宋 楊恪妻
1156-658- 5
馮意恍妻 清 見崔氏
馮慈明隋 264-1016- 71
267-179- 55
274-434-112
380- 63-166
384-157- 8
474-602- 31
475-363- 67
505-862- 77
510-386-115
933- 25- 1
馮愷愈明 1460-746- 80
馮道二妻 元 460-936- 0
馮道心宋 492-912-3下
馮道亨明 545-389- 97
馮道助明 524-367-197
馮道振梁 384-118- 6
馮道根梁 260-171- 18
265-790- 55
378-315-139
472-114- 4
475-697- 86
475-796- 90
480-294-271
510-276-112
933- 25- 1
馮運泰明 547- 48-142
馮運隆明 456-599- 9
505-667- 69
505-843- 76
馮損之宋 1098-209- 26
馮聖兆清 505-815- 74
馮聖眞清 476-452-123
547-124-145
馮聖朝清 478-376- 92
554-315- 53
馮聖源妻 明 見朱氏
馮瑞景元 1213-770- 25
馮達道清 475-232- 61
馮殿魁妻 清 見金氏
馮萬金明 480- 51-259
532-617- 43
馮鼎位明 1442-112- 7
馮鼎珵清 524-181-187
馮鼎爵明 1442-113- 7
馮敬舒明 554-218- 52
馮會東明 1289-290- 19
馮誠之宋 1173-219- 79
馮福貞清 朱彝尊妻、馮鎭鼎女 1318-527- 80
馮端方宋 1152-581- 31
1153-311- 83
馮端棋明 1312-872- 12
馮端棋妻 明 見魏氏
馮端榮宋 528-524- 31
馮爾玉明 547- 35-142
馮爾暉清 478-599-204
馮熙載宋 382-670-103
472-1042- 43
933- 29- 1
馮嘉言明 1442-105- 7
1460-636- 72
馮嘉遇明 564-275- 47
馮夢桂明 821-484- 58
馮夢得宋 473-617- 77
481-646-330
馮夢弼元 1216-590- 11
馮夢禎明 479- 97-221
524- 23-179
676-610- 25
678-214- 90
1442- 77- 5
1460-387- 58
1475-357- 15
馮夢蓮妻 清 見霍氏
馮夢龍明 511-749-165
528-564- 32
676-665- 28
1442-113- 7
1460-679- 74
馮蓋羅晉 592-190- 73
馮奭翁元 515-617- 76
馮鳳雛元 483-396-403
馮維京馮繼京 明
456-628- 10

456-680- 11
558-417- 37
馮肇楠清 515-161- 61
馮調鸞明 見馬調鸞
馮慶孫宋 見馮用休
馮養志明 554-313- 53
馮履祥明 524-126-184
584-271- 10
馮慕堯妻 清 見劉氏
馮德之宋 587-443- 5
馮德坤明 梁儲妻、馮遵女
1256-599- 7
馮德昭元 1206-382- 1
馮奮庸明 456-662- 11
458- 67- 3
538- 60- 63
馮擇之宋 1141-496- 70
馮據奇明 見馮攄奇
馮興宗宋 1175-489- 13
1175-544- 18
馮積祿明 559-402-9上
馮學明明 482- 90-342
564-247- 47
馮學易明 523-476-169
馮學海妻 明 見丁氏
馮學經明 524-147-185
馮應京明 301- 35-237
457-407- 24
458-1064- 2
475-855- 94
480- 52-259
511-382-150
532-598- 41
679-115-149
1293-742- 5
1293-792- 9
馮應昌明 456-637- 10
511-463-154
馮應奎明 1474-296- 14
馮應科元 524-357-196
馮應鳳明 523-468-169
569-654- 19
馮應鰲明 532-697- 45
馮翼翁元 473-150- 56
515-617- 76
676- 67- 2
678-684-135
1204-193- 2

1220-449- 12
馮聯京明 456-628- 10
馮鍾宿清 476-335-115
馮攄奇馮據奇 明456-523- 6
馮鎭鼎馮亮 清 1318-476- 74
馮鎭鼎妹 清 見馮氏
馮鎭鼎女 清 見馮福貞
馮簡子春秋 404-884- 55
537-361- 57
933- 23- 1
馮繩祖明 524- 68-181
馮獻能宋 見馮山
馮騰茂馮周老 宋451- 86- 3
馮繼冉妻 清 見薛氏
馮繼京明 見馮維京
馮繼科明 528-530- 31
馮繼祖明 545-394- 97
馮繼業宋 285-117-253
382-190- 28
384-326- 17
472-132- 4
552- 69- 19
933- 28- 1
馮觀祥妻 明 見王氏
馮觀園宋 473-646- 78
馮乞直伐北燕 見燕文成帝
尊法伽梵達摩、伽梵達磨 唐
1051-215-8下
1052- 22- 2
尊勝唐 491-119- 14
尊稱北齊 見那連提黎耶舍
尊生子明 1229-105- 8
383- 52- 8
尊達實哩左答納失里、尊達納實哩 元 479-402-235
523-225-156
尊達納實哩元 見尊達實哩
富子春秋 933-704- 48
富上隋 592-346- 81
富氏宋 田況妻、富言女
1110-430- 39
富氏明 傅永清妻 474-384- 19
富言宋 450-498-中39
富言女 宋 見富氏
富辰春秋 375-669- 89
384- 12- 1
404-470- 27

448-151- 6
494- 27- 3
537-190- 54
554-682- 61
933-704- 98
富玫五代 812-526- 2
821-132- 49
富岱清 455-655- 46
富洪明 1261-869- 42
富昶元 1439-457-附2
富晨清 455-466- 28
富善清 455-468- 28
富弼宋 286-149-313
382-434- 68
384-349- 18
384-361- 18
384-364- 19
397-324-338
449-146- 2
450- 38-上5
459-513- 31
472-544- 23
472-587- 24
472-717- 28
472-749- 29
472-789- 31
472-801- 31
475-365- 67
475-776- 89
476-394-119
476-657-135
476-913-148
477-242-161
477-314-164
477-408-169
477-499-174
494-472- 18
510-478-118
537-507- 59
540-646- 27
544-234- 63
545-458-100
552- 70- 19
588-163- 8
674-281-4下
708-335- 50
820-347- 32
933-705- 48

1053-703- 16
1101-744- 29
1104-655- 11
1104-715- 17
1108-398- 87
1118-328- 17
1135-708- 7
1351-666-147
1356- 64- 4
1362-634- 49
1410- 89-673
1437- 11- 1
1447-834- 50
富喀清 455-419- 25
富喀清(正藍旗包衣)
455-434- 26
富喀清(兆佳氏) 455-506- 31
富喀清(正黄旗滿洲人)
502-476- 69
富塔清 455-170- 7
富滿清 455-135- 5
富賚清 455-272- 15
富增清 454-120- 7
富德清 456-128- 58
富遴清 455-286- 16
富燮宋 821-203- 51
富嚴宋 485-196- 26
486- 48- 2
493-909- 49
589-302- 1
富元衡宋 493-909- 49
532-574- 41
589-302- 1
820-431- 35
富允文漢 933-704- 48
富可濟明 529-673- 49
富好禮明 473-455- 68
511-127-141
559-286-7上
559-301-7上
1442- 51-附3
富色克金 見磐
富色克清 455-205- 10
富沙王閩 見王延政
富克善妻 清 見唐氏
富克察清 456- 19- 51
富那愷清 455-479- 29
富宜氏女 上古 見女皇

富拉布清 502-750- 85
富拉理清 455-563- 36
富拉渾清 455-451- 27
富拉塔妻 金 見澤國公主
富拉塔清(伊爾根) 455-228- 12
富拉塔清(佟佳氏) 455-321- 19
富拉禪清(舒穆祿氏)
455-157- 6
富拉禪清(洪鄂氏) 456- 70- 55
富直柔宋 287-149-375
398-200-378
472-750- 29
537-513- 59
富延年宋 1130-304- 31
富格愼清 155-644- 45
富勒呼金 472-741- 29
537-351- 56
富紹京宋 933- 706- 48
1100-425- 38
富紹庭宋 286-154-313
382-442- 68
384-364- 19
397-330-338
472-196- 7
537-512- 59
933-706- 48
富紹隆宋 933-706- 48
富隆阿清 455-255- 14
富陽王明 見朱安灈
富森布清 456-182- 64
富喀那清 455-577- 38
富喀達清 455-420- 25
富喀察清 455-448- 27
富喀禪傅喀禪 清
502-546- 73
1322-579- 9
富喇塔傅喇塔 清447-229- 0
454-182- 10
526-247-266
526-249-266
富順王明 見朱至深
富塔納清 455-435- 26
富塔喜清 500-726- 37
富達理清 455-678- 48
富達禮清 455-146- 6
富察氏金 完顏完堯妻
291- 13- 64
富察氏金 完顏頤拉淑妻
291- 3- 63
富察氏清 塔庫納妻
474-876- 47
富察氏清 德舒妻503- 72- 96
富察通富察富埒琿、富察富勒渾 金 291-348- 95
399-187-432
474-178- 8
505-718- 71
富察琦富察阿林、富察阿琳、蒲察琦、蒲察阿林、蒲察阿琳 金 291-696-124
400-236-519
472-525- 22
476-752-139
540-770-28之2
富察鉉金 537-244- 55
富察禧元 1201-167- 80
富寧安清 455-443- 27
558-166- 30
富齊拉清 455-341- 21
富爾那清 455-136- 5
富爾琥清 455- 50- 1
富爾瑚清 455- 98- 3
富爾薩清 455-129- 5
富嘉謀宋 523-242-157
富嘉謨唐 271-575-190中
276- 69-202
384-189- 10
400-597-555
478-390-193
494- 36- 3
545-131- 87
554-838- 63
933-704- 48
富德庸元 479-174-225
523-128- 152
富錫爾清 1304-260- 64
富鴻基清 529-556- 45
530-620- 73
富禮塔清 455-446- 27
富父終生春秋 見富父終甥
富父終甥富父終生 春秋
933-704- 48
富那夜奢周 1053- 17- 1
1054- 27- 1
1054-265- 4
富拉克塔清 502-524- 72
富珠哩翀富珠哩思溫、博都里翀 元 295-461-183
399-736-493
453-781- 2
472-775- 30
473-247- 60
477-377-167
516-201- 95
523- 28-147
538- 30- 62
1214- 97- 8
1373- 21- 附
1439-424- 1
1470-118- 5
富珠哩遠元 295-463-183
399-738-493
533-388- 60
538- 63- 63
富珠哩遠妻 元 見雷氏
富珠哩德金 295-461-183
399-736-493
472-767- 30
538-329- 69
富陽公主陳 柳盼妻、侯淨藏妻、陳文帝女 494-261- 1
富察文政蒲察文政 元
1219-406- 13
富察糺舍金 見富察濟色
富察布展金 540-656- 27
富察世傑富察阿薩爾 金
291-300- 91
399-179-432
474-406- 20
502-352- 61
富察吉遜金 見富察濟色
富察官努金 291-607-116
399-304-444
富察阿里蒲察阿里 金
291-448-103
399-261-439
496-396- 88
富察阿林金 見富察琦
富察阿琳金 見富察琦
富察明秀蒲察明秀 金 完顏長樂妻、富察納甲女、富察納申女、富察納恰女、富察納紳女、富察納新女、富察訥申女、蒲察納甲女、蒲察納申女、蒲察納恰女、蒲察納紳女、蒲察納新女、蒲察訥申女
291-751-130
474-875- 47
478-420-195
503- 25- 93
555- 13- 66
富察和尚金 見富察鼎壽
富察和卓金 291-737-129
400-382-535
富察和珍金 291-184- 81
399-125-427
554-362- 54
富察思忠富察烏延 金
291-463-104
399-256-439
富察皇后金 金章宗后、富察鼎壽女 291- 19- 64
393-341- 79
富察哲琳金 見富察鄭留
富察哲魯金 見富察鄭留
富察烏延金 見富察思忠
富察納甲女 金 見富察明秀
富察納申女 金 見富察明秀
富察納恰女 金 見富察明秀
富察納紳女 金 見富察明秀
富察納新女 金 見富察明秀
富察訥申女 金 見富察明秀
富察鄂倫金 291-244- 86
富察鼎壽富察和尚、蒲察鼎壽 金 291-651-120
400- 77-506
474-236- 12
474-305- 16
474-871- 47
477-200-159
502-352- 61
537-277- 55
富察鼎壽女 金 見富察皇后
富察徹辰金 富察阿古岱女
291- 12- 63

富察鄭留富察哲琳、富察哲魯、蒲察哲琳、蒲察哲魯、蒲察鄭留 金 291-730-128
400-361-533
474-738- 40
476-278-111
502-356- 61
545-324- 95
546-141-119
富察濟色富察糺舍、富察吉遜、蒲察糺舍、蒲察吉遜、蒲察濟色 金 291-669-121
400-214-517
474-167- 8
富察羅索蒲察婁室 金
291-677-122
400-223-518
478-419-195
502-703- 82
545-372- 97
富察耀珠金 291-737-129
400-383-535
富珠哩克恭元 547- 32-142
富珠哩玖珠金 見范用吉
富珠哩定方富珠哩阿哈 金
291-243- 86
400-209-517
富珠哩阿哈金 見富珠哩定方
富珠哩思溫元 見富珠哩翀
富珠哩福壽孛朮魯福壽、博舒魯福壽 金 291-674-122
400-217-517
474-237- 12
富珠哩端仁金 505-705- 70
富珠哩德裕富珠哩富拉塔 金
291-425-101
399-246-438
富察伊埒圖金 291-465-104
399-257-439
富察阿古岱女 金 見富察徹辰
富察阿里庫金 完顏亮昭妃、富察穆里延女 291- 8- 63
富察阿薩爾金 見富察世傑
富察富埒琿金 見富察通
富察富勒渾金 見富察通
富察穆里延女 金 見富察阿里庫
富察額古德葛王 金
291-650-120
富珠哩阿老罕孛朮魯阿魯罕、富珠哩阿嘍罕 金
291-302- 91
399-181-432
502-352- 61
554-363- 54
富珠哩阿嘍罕金 見富珠哩阿老罕
富珠哩富拉塔金 見富珠哩德裕
游乙明 529-657- 49
游元隋 264-1015- 71
267-642- 85
380- 63-166
384-157- 8
472-107- 4
474-408- 20
475-741- 88
475-776- 89
476-882-146
505-853- 77
933-481- 32
游元宋 515-750- 80
游氏北齊 齊神武帝妃、游京之女 266-293- 14
373-108- 20
游氏宋 湯順之妻
1123-190- 20
游氏宋 黃崇妻、游儀女
530-149- 58
820-473- 36
1146-133- 91
游氏元 雷德潤妻 530-136- 58
820-553- 39
游氏明 吳節妻 530-125- 57
游氏明 余睿昭妻 473- 31- 49
游氏明 周大佐妻 530- 71- 55
游氏明 張明煒妻 475-534- 77
游氏明 陳王宁妻 475-382- 68
游氏清 丁庚甲妻 530- 30- 54
游氏清 林大偉妻 530- 36- 54
游氏清 林志揚妻 530- 76- 55
游氏清 林顯祚妻、游雲鴻女
550- 76- 55
游氏清 季元卿妻 530- 33- 54
游氏清 馬汝聽妻 474-251- 12
游氏清 陳元良妻 479-665-247
游氏清 陳龍峰妻 530- 40- 54
游氏清 陳鴻籌妻 530-132- 57
游氏清 黃元孚妻 530- 80- 55
游氏清 黃永顯妻 530- 28- 54
游氏清 黃廷燦妻 530- 35- 54
游氏清 黃道滂妻 530- 80- 55
游氏清 葉綦英妻、游叔驊女
530- 76- 55
游朴明 見游樸
游吉子太叔 春秋 375-805- 91
384- 23- 1
404-856- 53
448-230- 19
472-649- 27
537-360- 57
547-158-147
游兆明 510-480-118
游完金 472-438- 19
547- 94-144
游汶宋 472-1004- 40
523-367-163
528-445- 29
529-753- 52
游良春秋 384- 23- 1
404-856- 53
游似宋 287-684-417
398-627-408
473-456- 68
481-183-300
524-312-194
559-364- 8
591-615- 44
游宜明 529-676- 49
游明明 473-570- 74
515-373- 68
528-452- 29
1249-212- 12
游芝明 張崙妻、游泰女
1246-211- 12
游販春秋 見游販
游炳元 1376-706-100下
游宣明 460-493- 41
529-458- 43
游昭宋 821-218- 51
游珙明 529-682- 50
游泰女 明 見游芝
游烈宋 481-695-332
529-745- 51
游桂宋 559-364- 8
561-307- 40
592-496- 91
592-599- 99
674-578- 3
679- 40-142
游晏妻 清 見鄭氏
游倪宋 460-303- 20
游殷魏 254-300- 15
游祥後魏 261-745- 55
266-694- 34
379-155-148
933-481- 32
游堅明 558-474- 40
游彬宋 460-452- 34
游速渾罕 春秋 384- 23- 1
404-860- 53
404-884- 55
933-480- 32
游販游眅 春秋 384- 23- 1
404-856- 53
游雅游黃頭 後魏 561-730- 54
266-692- 34
379-153-148
384-132- 7
472-107- 4
474-408- 20
505-756- 72
545-352- 96
933-480- 32
游酢宋 288- 24-428
382-749-114
400-462-543
448-485- 9
449-722- 7
459- 75- 5
460- 25- 2
471-660- 11
471-667- 12
471-782- 27
471-924- 48
471-926- 49
471-928- 49
472-336- 14

472-394- 17
472-1067- 45
473-222- 59
473-583- 75
473-602- 76
475-525- 77
475-743- 88
475-809- 91
479-224-227
480- 87-262
481-582-328
481-676-331
510-413-116
523-148-153
528-481- 30
529-597- 47
532-622- 43
540-624- 27
677-230- 21
933-481- 32
121-703- 4
1125-409- 33
1145-598- 77
1363-227-131
1437- 19- 1
游酢妻 宋 見呂氏
游開宋 460- 27- 2
游欽元 528-524- 31
游復宋 460- 27- 2
1125-387- 30
游靖宋 494- 38- 3
游瑞明 473- 89- 52
516-130- 92
游楚春秋 見公孫楚
游楚魏 254-300- 15
385-405- 43
476-110-102
545-351- 96
558-169- 31
游嗣元 1376-706-100下
游銓妻 明 見張氏
游肇後魏 261-743- 55
266-693- 34
379-154-148
474-408- 20
477-160-157
505-756- 72
505-872- 78
537-263- 55
933-481- 32
游綸妻 明 見吳氏
游潛宋 1482-419- 3
游潛明 676-321- 12
676-755- 32
1442- 40-附2
游醇宋 460- 27- 2
933-481- 32
游璋妻 清 見楊氏
游璉明 529-464- 43
676-543- 22
1442- 45-附3
1459-916- 39
游輝明 515-478- 71
游儀女 宋 見游氏
游龍清 529-750- 51
游操游子操 宋 460- 27- 2
494-548- 28
933-481- 32
游樸游朴 明 481-709-334
529-646- 48
1442- 76- 5
1460-380- 57
游邃前燕 503- 8- 90
游騰戰國 404-488- 29
游夔妻 宋 見陳氏
游顯元 493-782- 42
1201-631- 22
游九功宋 460- 28- 2
481-582-328
523-241-157
529-611- 47
1180-370- 34
游九言游九思 宋460- 28- 2
473-604- 76
528-441- 29
529-611- 47
游九思宋 見游九言
游士任明 見游仕任
游子賢元 1194-202- 15
游子操宋 見游操
游大勳明 456-588- 8
483- 32-371
483-171-383
569-679- 19
游之英明 523-250-157
游之雲明 456-613- 9
480-135-264
533-373- 60
游元英宋 1171- 90- 12
游天與宋 484-378- 27
游及遠明 1442- 99- 6
1460-598- 70
游日弘妻 清 見查氏
游日章明 515-177- 62
529-519- 44
563-814- 41
676- 22- 1
676- 44- 2
678-283- 97
游中孚宋 530-401- 67
游少游宋 473- 99- 53
515-825- 83
游仁翁元 1204-231- 5
游允達明 515-444- 70
游弘道元 473-719- 81
482-207-347
563-718- 39
游世溫明 1243-471- 5
游仕任游士任 明
480- 59-260
533-143- 51
游奴貞明 473-168- 57
游安國妻 清 見黃氏
游在恭明 見李在恭
游同得明 676-597- 24
游光濟宋 494- 37- 3
游仲鴻宋 287-467-400
398-457-394
451- 22- 0
473-456- 68
473-523- 72
481-154-298
481-183-300
481-309-307
481-333-308
559-307-7上
559-364- 8
591-614- 44
1181-132- 3
游志遜明 473- 64- 51
515-873- 86
1233-687- 6
游克敬元 1376-706-100下
游壯猷妻 清 見曾氏
游伯常元 1197-695- 72
游邦直妻 清 見林氏
游於詩明 511-698-164
游於廣明 460-792- 84
游京之女 北齊 見游氏
游居敬元 472-677- 27
游居敬明 460-791- 84
478-768-215
481-649-330
523- 53-148
529-586- 46
676-568- 23
游東昇清 479-662-247
515-814- 82
游明根後魏 261-741- 55
266-693- 34
379-153-148
384-132- 7
469-491- 59
472-107- 4
474-408- 20
476-575-131
505-756- 72
540-630- 27
554-882- 64
820-116- 25
游叔驊女 清 見游氏
游季勳明 480- 51-259
576-654- 5
游為光妻 清 見黃氏
游茂先宋 1124-307- 5
游茂洪唐 473- 96- 53
479-627-245
515-181- 62
517-634-131
游師雄宋 286-416-332
382-593- 91
384-374- 19
397-520-351
472-840- 33
472-878- 35
476-112-102
478-391-193
478-452-197
478-483-199
478-545-202
494- 37- 3
545-368- 97

554-593- 59
558-173- 31
558-197- 31
558-722- 48
674-662- 7
933-481- 32
游崇功清 528-569- 32
1327-681- 7
游從善元 1220-369- 2
游雲鴻女 清 見游氏
游黃頭後魏 見游雅
游朝宗明 511-881-171
游欽祖明 515-170- 62
游義生明 460-491- 41
529-451- 43
游義肅宋 481-524-326
528-444- 29
游敬仲宋 460-309- 22
游端宋清 陳大享妻
530- 40- 54
游壽寧游潼郎 宋448-400- 0
游僕生明 529-657- 49
游潼郎宋 見游壽寧
游震得明 480-563-284
511-705-164
676- 7- 1
677-608- 54
游德之妻 清 見林氏
游德洪元 1197-719- 74
游德昭元 1197-717- 74
游應斗元 1197-689- 71
游應梅元 1194-206- 15
游應乾明 511-284-147
游應翔宋 460- 28- 2
460-480- 38
529-763- 53
游應鈴妻 元 見余妙眞
游簡言南唐 473-600- 76
529-591- 47
1085- 51- 6
游蘭仲明 1375- 29- 上
湘王明 見朱柏
湘東王齊 見蕭子建
湘東王陳 見陳叔平
湘懷王明 見朱由栩
湘中老人唐 473-319- 62
480-468-279
533-792- 75
湘中蛟宮姊唐 533-793- 75
湖沚明 547- 72-143
湖潭明 547- 72-143
湖山隱者元 1219-110- 6
1469-626- 62
渥巴錫清 454-862-102
500-729- 37
湣莊春秋 見閔孟克
渦尚不詳 933-297- 21
童文明 523-173-154
童升宋 400-299-524
476-585-131
童氏元 俞士淵妻 295-633-201
401-181-593
452-117- 3
472-1017- 41
479-383-234
524-748-214
童氏明 王彭年妻 475-534- 77
童氏明 吳倖妻 479-383-234
童氏明 崔文友妻、黃庭畹女
1260-638- 19
童氏明 潘士桂妻 479-334-232
童氏明 劉萬妻 530- 87- 56
童氏明 劉寬妻 530-137- 58
童氏明 童伯隆妹
533-515- 66
童氏明 童洪儒女 480- 63-260
童氏清 林占春妻 479-410-235
童氏清 高良妻 524-475-202
童氏清 徐聖鳳妻 479-335-232
童氏清 張鳳翱妻 483-141-380
童氏清 潘二爆妻 480-144-264
童可童起 宋 451- 60- 2
童用宋 見童用賓
童艮明 1467-120- 66
童旭明 515-108- 60
童金元 479-180-225
524-196-188
童恢董种、董仲、僮种 漢
253-492-106
380-166-169
402-471- 11
459-849- 51
472-590- 24
472-610- 25
476-664-136
476-742-138
491-797- 6
540-701-28之1
681-596- 13
933- 33- 1
童昱明 460-810- 87
529-748- 51
童品明 676-528- 21
677-560- 51
童勁妻 清 見沈氏
童信明 472-627- 25
童律上古 546-234-123
童俊明 524-266-191
676- 90- 3
童悅明 524-213-188
童眞明 524-240-190
559-249- 6
童珮明 524-295-193
821-453- 57
1283- 68- 72
1289-133- 9
1442-101- 6
童起宋 見童可
童軒明 472-175- 6
473- 51- 50
479-533-241
481- 24-291
494-158- 5
511-889-172
512-717-195
516- 66- 89
559-251- 6
676-498- 19
820-652- 42
1250-817- 78
1251-330- 23
1392- 34-369
1442- 27-附2
1459-645- 25
童倪明 1291-640- 2
童寅章寅 明 480-204-267
533- 68- 49
童翊漢 253-492-106
380-167-169
459-849- 51
476-816-143
童宗明 554-347- 54
童淑宋 523-566-174
童貫宋 288-555-468
382-787-121
401- 79-578
813-141- 12
821-255- 52
童猛唐 529-590- 47
童偉宋 1178- 73- 8
童敍明 676-485- 18
童敦妻 明 見李榮
童惠妻 清 見陳氏
童琥明 676-523- 21
1442- 51-附3
童發後晉 516- 7- 87
童棐宋 1178- 73- 8
童棐妻 宋 見陳氏
童進隋 592-405- 85
童愷清 524-163-186
童翊明 1255-575- 61
童瑞明 559-380-9上
童賓明 518-205-142
童壽晉 見鳩摩羅什
童蒙宋 515-823- 83
童僧宋 529-685- 50
童綸明 533-154- 52
童寬明 1442- 44-附3
1459-908- 38
童潮明 473- 87- 52
505-657- 68
515-247- 64
童輝明 524-112-183
童頵五代 523-565-174
童冀明 676-448- 17
1442- 9- 1
459-311- 8
童器明 523-497-170
童嶽妻 清 見李氏
童徽母 元 見吳貴
童謨明 523-472-169
563-751- 40
童璽明 529-636- 48
569-664- 19
童騰北朝 540-667- 27
童覺晉 見鳩摩羅佛提
童驤宋 1187-581- 7
童九棘明 529-701- 50
童八娜童八娘 宋
288-462-460
401-164-590
472-1089- 46

487-147- 9
491-426- 5
524-606-208
童八娘宋 見童八娜
童士淵妻 元 見俞氏
童土楷明 456-667- 11
童子明明 523-406-165
童子陽明 1229-486- 2
童子煒明 460-738- 76
童大定童德潤 宋448-394- 0
童大望明 526-117-262
童久仁明 523-231-156
童心開妻 明 見章氏
童文貞明 529-686- 50
童之懋宋 1185-214- 45
童太一劉宋 370-483- 14
378-189-136
童元善明 1227-184- 22
童元鎭明 301-193-247
567-351- 80
童天申明 456-614- 9
480-129-264
480-353-274
533-394- 60
童天臣妻 清 見范氏
童仁益宋 812-539- 3
821-153- 50
童必大宋 523-403-165
童永恕明 529-698- 50
童左生妻 清 見朱氏
童世堅明 460-810- 87
529-764- 53
童以明明 533-137- 51
童以清元 1221-218- 3
童仕開妻 清 見傅氏
童用和明 1241-306- 1
童用賓童用 宋 448-369- 0
童汝槐明 524-139-185
童自澄明 511-699-164
童仲揆童仲睽 明
301-565-271
456-456- 4
474-693- 37
502-295- 56
511-432-153
童仲睽明 見童仲揆
童判子宋 524-195-188
童志高唐 533-772- 74
童志道明 456-613- 9
558-424- 37
童君睍母 宋 見蔡氏
童佐乾妻 明 見姚氏
童伯羽宋 460-298- 20
529-763- 53
680-267-252
童伯隆妹 明 見童氏
童含山明 460-651- 66
童邦傑明 529-700- 50
童宗說宋 515-827- 83
童居易宋 523-449-168
童居高女 宋 見童尚柔
童承敘明 473-236- 60
480- 90-262
533-192- 53
676-550- 22
1442- 48-附3
1460- 45- 42
童尚柔宋 陳著妻、童居高女
1185-492- 90
童明詩妻 清 見江氏
童金焰清 524-177-187
童洪儒女 明 見童氏
童彥芳明 511-632-161
童彥恆明 1232-392- 1
童彥蒙明 1229-676- 1
童述先明 483-116-379
569-672- 19
童時明明 523-493-170
567-144- 68
1467-132- 66
童師章明 1232-238- 4
童乾震明 528-497- 30
童得慶明 529-698- 50
童朝儀明 523-551-173
820-756- 44
821-474- 58
童超之齊 380-100-167
童堯民宋 524-269-191
童景祥明 1240-146- 10
童聖化清 529-707- 50
童漢臣明 300-460-210
479- 54-218
523-265-158
545- 87- 85
童爾阿清 502-758- 85
童蒙正明 569-674- 19
童維坤明 465-481- 5
523-389-164
童寬濟妻 明 見章氏
童養廉明 821-442- 57
童養廉清 524-179-187
童養靜明 821-442- 57
童鋐遠清 511-803-167
童德潤宋 見童大定
童釋卿妻 明 見羅氏
童鶴年妻 清 見聶氏
童子先生不詳 1061-269-110
証智唐 1052-296- 20
詞鐸唐 1053-373- 9
愔都剌嘉議元 517-515-128
善晉 見單道開
善入元 1203-418- 31
善心宋 524-439-201
善巴陝巴 明 302-785-329
善巴清(烏梁罕氏) 454-394- 25
496-217- 76
善巴清(博爾濟吉特氏)
454-633- 69
善丹清 454-490- 44
善月宋 491-593- 16
524-409-199
善本唐 554-902- 64
善本五代 1053-241- 6
善本宋 490-720- 70
588-201- 9
590-140- 17
1052-769- 29
1053-689- 16
1054-185- 4
1054-652- 19
善平元 1229-254- 7
善吉陳 見須菩提
善良元 1203-421- 31
善戒宋 524-426-200
善住元 1439-457- 2
1467-745- 67
善沼宋 1053-334- 8
善卷上古 404-398- 23
448- 88- 上
471-801- 30
473-368- 64
533-346- 58
871-883- 19
879-147-57下
933-589- 38
善直宋 1053-876- 20
善岩明 505-934- 85
505-938- 85
善昇宋 490-718- 70
1089-624- 7
善果宋 1053-860- 20
善周宋 516-437-103
1053-504- 12
善為明 1227-599- 中
善美宋 1053-346- 8
善柔元 1202-300- 21
善昭宋 547-496-159
1052-654- 3
1053-454- 11
1054-168- 4
1054-615- 18
善胄隋 592-443- 88
1049-337- 23
1049-353- 24
善信唐 473- 33- 49
479-503-239
480-209-267
516-420-103
1053-172- 4
1054-129- 3
善悟宋 1053-853- 20
善財不詳 1053- 85- 2
善能宋 1053-898- 20
善能元 1219-393- 12
善清宋 482- 92-342
564-621- 56
1053-734- 17
善堅善賢 明 570-248- 25
善規陳 見須菩提
善崔唐 1053-437- 11
善啟明 676-679- 28
1374-690- 89
1386-743- 下
1410-530-735
1442-119- 8
1460-838- 90
善著元 295-566-193
1367-925- 70
善進金 820-485- 36
善義元 1210-429- 15
善道唐(諡眞寂禪師)
516-433-103

1053-239- 6
善道唐(嗣曠禪師) 1053-200- 5
善道元 472-595- 24
541- 96- 30
554-958- 65
善道清 455-478- 38
善資宋 567-470- 87
1053-747- 17
善達宋 588-218- 9
善業陳 見須菩提
善會唐 480-616-287
1053-205- 5
1054-138- 3
1054-581- 17
善福清(他塔喇氏) 455-223- 11
善福清(唐尼氏) 456-153- 61
善端宋 1053-500- 12
善寧宋 1053-689- 16
善圖清 455-155- 6
善慶宋 567-470- 87
善慶清 456-167- 62
善慧金 547-531-160
善賢明 見善堅
善儁宋 820-465- 36
善緣明 530-197- 60
善熹宋 1183- 56- 5
善靜五代 554-954- 65
1052-177- 13
1053-238- 6
善隨宋 1053-755- 18
善冀宋 1053-580- 14
善暹宋 516-477-105
1053-652- 15
善積清 456-252- 69
善學元 516-496-105
676-679- 28
1227-626- 中
1439-460- 2
1460-836- 90
善藏五代 1053-231- 6
善覺唐 480-418-277
533-782- 75
1053-126- 3
善繼元 524-419-200
588-234- 10
善權宋 674-885- 20
1437- 38- 2
善無畏成婆揭羅僧訶、淨師子、輸波迦羅 唐 1051-237- 9
1052- 14- 2
1072-386- 2
善部末摩唐 1052- 28- 3
善穆巴喇什清 496-216- 76
翔朔 劉宋 1051-140-5下
翔鳳妻 明 見鄧氏
普宋 1053-637- 15
普月宋 1053-596- 14
普仁明 524-433-200
普化唐 586-177- 8
1052-286- 20
1053-158- 4
1054-135- 3
普化元 494-152- 5
普氏清 趙修祺妻 475- 81- 53
普安隋 554-944- 65
1049-548- 37
普交宋 487-149- 9
491-592- 16
524-409-199
1053-769- 18
普光唐(師事三藏玄奘)
1052- 42- 4
普光唐(嗣大川) 1053-198- 5
普合明 483- 65-375
570-115-21之1
普印宋 1053-506- 12
普汰清 476-421-121
547-522-160
普孜宋 1053-498- 12
普初宋 1053-768- 18
普明劉宋 541- 87- 30
1049-354- 24
普明法京 陳 486-900- 35
1401-566- 39
普明唐 1052-265- 18
普明五代 1053-297- 7
普明元 493-1095- 58
821-332- 54
普明明 524-399-199
1475-741- 31
普岸唐 486-901- 35
524-426-200
1052-379- 27
1053-139- 4
普和宋 541- 92- 30
普恆劉宋 592-338- 81
1050-612-101
1401- 69- 15
普信宋 1053-784- 18
普悅元 1194-630- 8
普泰明 1442-120- 8
1460-841- 90
普眞唐 505-939- 85
普能宋 588-264- 11
1053-506- 12
普寂唐 271-634-191
547-519-160
554-949- 65
1052-117- 9
1054-117- 3
1054-471- 13
普通宋 564-622- 56
普崇宋 1053-767- 18
普莊明 1442-119- 8
1460-835- 90
普衆宋 475-192- 59
普紹宋 1053-710- 16
普惠漢 592-404- 85
普惠元 476-300-112
547-525-160
普惠明 547-493-159
普喜元 541- 96- 30
普貴字貴 宋 473-854- 88
571-552- 20
普貴清 454-167- 9
普菴宋 473-179- 57
1202- 88- 7
1054-763- 22
普智明 524-392-198
普勝宋 1052-396- 28
普慈明 1442-119- 8
普煥清 477-212-159
普資元 547-543-160
普照唐 1054-463- 13
普照五代 1053-633- 15
普照元 見行滿
普暉明 546-594-134
普實明 473-320- 62
480-468-279
533-793- 75
普滿唐(澤路僧) 547-492-159
1052-295- 20
普滿唐(謚證眞禪師)
1053-537- 13
普聞唐 473-646- 78
481-700-332
530-205- 60
1052-662- 5
1053-221- 6
1054-145- 3
普遒齊 486-900- 35
普慧唐 516-451-104
普慧元 1217-601- 4
普燈元 1212-456- 9
普融宋 1053-823- 19
普靜後周 1052-334- 23
普隨五代 530-204- 60
普濟宋 588-215- 9
普願唐 511-936-175
1052-149- 11
1053-102- 3
1054-130- 3
1054-552- 16
普禰元 516-517-106
普覺元 1054-761- 22
普露唐 571-552- 20
普鑑宋 1053-749- 17
普大雲明 821-488- 58
普元禮元 533-384- 60
普屯威北周 見辛威
普日仁明 547-115-145
普名聲明 302-480-313
普爾普清 500-728- 37
普寧公主唐 見梁國公主
普賢不花元 見布顏布哈
普顏不花元 見布延布哈
普爾普車稜清 454-624- 67
普慶庵老僧清 541-101- 30
曾子春秋 見曾參
曾文妻 明 見潘氏
曾元春秋 539-631-11之6
曾丰宋 515-748- 80
517-409-126
1156- 3- 附
1207-479- 34
曾升宋 529-440- 43
曾氏宋 王平妻、曾會女
530- 84- 56
1098-723- 45
曾氏宋 王無咎妻、曾易占女
1098-737- 46
1121-495- 37

曾氏宋 李富妻 1161-631-126
曾氏宋 吳敏妻、曾致堯女
1105-839-100
1356-230- 10
曾氏宋 郭衡妻、曾肅女
1130-568- 12
曾氏宋 關景暉妻、曾易占女
1098-737- 46
曾氏宋 朱軾母 1098-741- 46
曾氏宋 曾希仁女 479-664-247
曾氏宋 曾周南女 479-664-247
曾氏元 蕭均褒妻 516-280- 99
曾氏元 曠維禎妻 479-729-250
516-281- 99
曾氏明 王道濟妻、曾君寶女
1237-380- 11
曾氏明 尹子厚妻、曾自誠女
1242- 60- 25
曾氏明 李完妻 483- 35-371
曾氏明 李綱妻 1247-521- 23
曾氏明 李紹賢妻 480-321-272
曾氏明 吳周封妻 533-562- 68
曾氏明 林堅妻 530- 68- 55
曾氏明 胡汝棡妻 479-633-245
曾氏明 胡若均妻 479-685-248
曾氏明 姚敏端妻 533-646- 70
曾氏明 張世通妻 479-812-255
曾氏明 張崇禮妻 472-529- 22
曾氏明 張繼登妻 480-179-266
曾氏明 陳念一妻 530- 64- 55
曾氏明 東德貴妻 530-168- 59
曾氏明 熊養性妻 480-321-272
533-640- 70
曾氏明 羅秉厚妻、曾忠翔女
473-158- 56
曾氏明 羅惟遠妻 530- 6- 54
曾氏明 蘇鴻節妻 530-107- 57
曾氏明 曹學佺母
1410-469-725
曾氏明 曾鼎女 473-157- 56
曾氏明 曾梅巖女
1241-314- 1
曾氏清 仲升妻 479- 61-219
524-482-203
曾氏清 朱湛鎔妻 533-526- 66
曾氏清 汪元俊妻 530-120- 57
曾氏清 李益妻 474-194- 9
曾氏清 李元麓妻 474-194- 9
曾氏清 李經書妻 482- 79-341
曾氏清 邵弼勳妻 481-651-330
530-133- 57
曾氏清 林邦基妻 479- 63-219
524-493-203
曾氏清 馬愷妻 481-374-311
曾氏清 馬希援妻 474-194- 9
曾氏清 許文表妻 530-132- 57
許氏清 陳保素妻 530-100- 56
曾氏清 陳泰廷妻 530- 76- 55
曾氏清 陳國銓妻 530-117- 57
曾氏清 游壯猷妻 530-116- 57
曾氏清 黃茂發妻 481- 84-294
曾氏清 楊朝綸妻 530- 75- 55
曾氏清 詹接濟妻 479-562-242
曾氏清 解萬通妻 474-194- 9
曾氏清 鄭國瀚妻 530- 82- 55
曾氏清 鄧光珩妻 480-441-278
曾氏清 蔡渼妻 480-417-277
曾氏清 劉永錫妻 474-195- 9
曾氏清 劉錫侯妻 530- 26- 54
曾氏清 蕭定所妻 530-130- 57
曾氏清 謝琦妻 530- 37- 54
曾氏清 薛儦妻 530- 31- 54
曾氏清 鍾育瑤妻 479-797-254
曾氏清 曾守德女 530-134- 57
曾夭春秋 933-434- 29
曾丙明 1475-318- 13
曾弘明 1241-508- 8
曾本明 510-399-115
曾布宋 288-589-471
382-621- 95
384-379- 19
401-341-614
427-357- 3
450-809-下20
451-130- 2
471-604- 3
471-740- 21
471-868- 40
567-434- 86
585-677- 2
585-756- 4
820-369- 33
933-435- 29
1437- 16- 1
曾布女 宋 見曾季儀
曾旦曾旭 明 515-775- 81
曾申春秋 405-451- 85
曾生明 見曾景修
曾朴元 1222-278- 18
曾圭元 480-511-281
532-718- 45
曾西春秋 539-631-11之6
曾光宋(字元明) 515-321- 67
曾光宋(泰順人) 523-570-174
曾旭明 見曾旦
曾全明(泰和人) 473-153- 56
曾全明(字復初) 480-637-288
533-118- 50
曾合妻 清 見鄭碧娘
曾先宋 529-679- 50
曾伋宋 473-176- 57
515-117- 60
517-351-124
曾忭明 515-701- 79
528-543- 32
曾沂明(號幽求子) 564-295- 47
曾沂明(字以文) 821-371- 55
1227-259- 2
曾亨晉 516-413-103
曾怗宋 見曾忠
曾炎宋 494-266- 1
494-472- 18
515-825- 83
1153-500- 97
曾松宋 516-165- 94
529-756- 52
曾直明 515-687- 78
563-800- 41
676-368- 13
1275-348- 16
曾直妻 明 見許氏
曾協宋 494-425- 13
1140-226- 附
1153-500- 97
曾忠明 516-183- 94
曾旺宋 484-385- 28
曾昇妻 清 見李氏
曾昂明 559-354- 8
1275-147- 6
曾芳南漢 482-303-353
563-642- 38
曾易女 明 見曾隆
曾易清 570-100-20下
曾旼宋 678-104- 79
曾昊明 539-631-11之6
曾和明 821-418- 56
曾侗明 529-586- 46
曾金明 1241-138- 6
1242-256- 33
曾佩明 515-792- 82
曾牧明 564-200- 46
曾炳宋 1089-524- 48
曾洧妻 明 見任氏
曾恬宋 460-398- 31
曾昶明 676-170- 7
曾庠宋 1098-742- 46
曾亮清 559-413-9下
曾彥明 452-199- 4
473- 56-156
515-681- 78
1249-799- 7
曾垓宋 1467- 47- 63
曾忠曾怗 宋 288-299-448
400-166-513
473- 99- 53
479-629-245
486-411- 19
515-823- 83
524-324-195
曾柏明 479-823-256
516-175- 94
曾建宋 933-437- 29
曾思宋 533-740- 73
674-878- 20
1161-107- 84
曾昺明 482-485-364
567-108- 66
曾彔妻 明 見陳氏
曾彔妻 清 見趙氏
曾紆宋 473- 99- 53
494-304- 5
515-823- 83
674-836- 18
820-418- 34
933-435- 29
1128-279- 28
1135-315- 31
曾勉元 821-326- 54
曾俊明 564- 99- 45
676- 21- 1
曾泉明 301-740-281
472-646- 26

477- 55-151
479-720-250
515-663- 77
537-348- 56
1238-454- 7
1241-717-16
1241-789- 19
1242-210- 31
曾海明 481-389-312
曾浩宋 1165-325- 20
曾悟宋 288-299-448
400-167-513
472-196- 7
475-776- 89
510-479-118
515-824- 83
曾烜明 見曾日章
曾祐明 532-733- 46
曾益明 456-550- 7
483-228-396
515-811- 82
571-527- 19
曾宰宋 820-369- 35
1098-743- 46
1106-208- 29
曾訏宋 400-132-511
曾祕宋 460-292- 18
曾泰明 533- 5- 47
曾泰妻 明 見淡氏
曾栻明 456-477- 5
480- 53-259
515-812- 82
533-360- 60
曾桂宋 見曾肅翁
曾栝宋 見曾震
曾翀明 300-442-209
475-781- 89
511-500-156
515-709- 79
曾屐宋 484-375- 27
曾晏宋 487-510- 7
曾紘宋 473-248- 60
533-740- 73
1161-108- 84
曾秬明 1241-755- 18
曾綸明 559-288-7上
曾皋明 515-716- 79
曾惇宋 494-327- 6
933-436- 29
1356-770- 17
曾悟母 宋 見蘇氏
曾淵宋 515-828- 83
曾袠明 510-458-117
曾烶明 533- 43- 48
567-449- 86
1283-393- 97
1467-157- 67
曾球明 481-613-329
528-497- 30
曾堅妻 宋 見王幼平
曾堅元 515-774- 81
676- 27- 1
678-441-112
1223-416- 7
1439-441- 2
曾埜宋 515-184- 62
曾崇宋 1165-348- 21
曾貫元 515-623- 76
677-522- 48
曾莊唐 539-631-11之6
曾莊明 王思齊妻
1239-105- 33
曾莘明 1467-133- 66
曾偉漢 539-631-11之6
曾偉妻 明 見石氏
曾統宋 451-130- 2
曾參曾子 春秋 244-385- 67
246- 26- 67
371-488- 32
375-653- 88
386-266-83上
405-408- 83
448- 94-上
472-548- 23
498- 70- 67
539-485-11之2
562- 15- 1
839- 11- 1
871-887- 19
879-152-57下
933-434- 29
1340-590-780
1449-298- 15
曾啟明 1237-410- 15
1239-121- 35
1241-362- 3
曾進宋 482- 74-341
515-824- 83
563-676- 39
564-698- 59
曾渙漢 539-631-11之6
曾詠元 515-771- 81
曾雲明 1467-111- 66
曾琮明 820-655- 42
曾賁曾道生 宋 448-367- 0
484-390- 28
曾植宋 529-531- 45
曾植明 515-563- 74
曾隆明 王修本妻、曾易女
1238-256- 21
1240-342- 22
曾琦明 1236-799- 13
曾開宋 287-242-382
398-272-382
473-188- 58
479-795-254
481-235-303
481-802-338
485-502- 9
516-161- 94
588-172- 8
933-437- 29
1053-893- 20
曾肅宋 473-147- 56
515-581- 75
曾肅女 宋 見曾氏
曾棟明 515-804- 82
曾發妻 宋 見張氏
曾貴明 473-554- 73
曾華元 1223-301- 3
1409- 37-565
曾䍐宋 518-734-159
曾棠宋 494-349- 7
曾順元 1224-188- 20
曾幾宋 287-241-382
398-271-382
472-742- 29
473-188- 58
473-784- 85
477-123-155
479-285-230
479-561-242
479-795-254
480-512-281
482-320-354
493-771- 42
516-162- 94
517-357-125
523- 15-146
524-324-195
538-327- 69
567-437- 86
585-763- 5
674-879- 20
677-255- 23
933-437- 29
1163-558- 32
1177- 89- 3
1226-348- 17
1363-537-190
1375- 33- 下
1437- 22- 2
1467-149- 67
曾鈞明 300-349-203
472-309- 13
473- 29- 49
475- 20- 49
479-491-239
482-540-368
515-391- 69
559-255- 6
580-397- 25
曾喬明(寧化人) 529-701- 50
曾喬明(字子木) 820-702- 43
1283-498-105
曾策元 1375- 36- 下
曾集宋 473- 75- 52
516-165- 94
517-367-125
933-437- 29
1145-657- 80
曾棨明(字子啟) 452-228- 6
453-230- 21
453-596- 15
473-151- 56
479-719-250
515-652- 77
676-474- 18
820-610- 41
1237-338- 7
1238-160- 14
1240-337- 21

1240-401- 25
1241- 84- 4
1241-498- 8
1284-354-163
1374-667- 87
1375- 38- 下
1391-748-350
1442- 20-附2
1459-562- 20
曾棨明(麻城人) 559-307-7上
曾進明 473-156- 56
曾源明(字叔用) 1240-833- 9
曾源明(海陽人) 1467- 85- 65
曾祺明 570-158-21之2
曾愼宋 493-747- 41
510-328-113
曾義妻 明 見王氏
曾煜元 1197-749- 78
曾準宋 473-187- 58
516-158- 94
曾廉明 473-154- 56
515-672- 78
曾祿明 559-252- 6
564-189- 46
曾瑀明 1261- 18- 1
曾塤宋 473-165- 57
479-747-251
515-105- 60
523-384-164
曾琄明 564-237- 46
曾輅明 1242- 48- 25
曾椿明 529-676- 49
曾極宋 473-114- 54
480-545-283
515-751- 80
1437- 31- 2
曾瑞元 821-315- 54
曾群宋 487-512- 7
曾瑟明 見曾元良
曾瑛妻 明 見蕭氏
曾楙宋 見曾懋
曾逮宋 473- 60- 51
494-308- 5
曾暉明 1240-842- 9
曾鼎明(字元友) 302-140-296
479-716-250
515-636- 77
684-496- 下
820-570- 40
1238-231- 20
曾鼎明(字復鉉) 1241-732- 17
曾鼎明 見曾眞保
曾鼎女 明 見曾氏
曾畹曾傳燈 清 516-186- 94
1475-605- 26
曾暘明 1249-449- 30
曾敬妻 清 見黃氏
曾遇元 475-179- 59
511-759-166
820-500- 37
曾遇明 563-816- 41
曾稔明 1241-214- 10
曾傳明 554-310- 53
559-530- 12
曾傃宋 1178-740- 3
曾愈宋 471-667- 12
曾筠明 301-688-278
456-465- 4
曾會宋 471-628- 7
481-584-328
491-345- 2
529-527- 45
933-436- 29
1053-665- 16
曾會女 宋 見曾氏
曾鄔明 1242- 45- 25
曾福明 陳庸妻、曾思立女
1239-186- 39
曾漸宋 471-740- 21
473- 99- 53
515-825- 83
1164-382- 21
曾說元 1232-678- 8
曾慥宋 820-421- 34
曾榮宋 484-379- 28
曾槐宋 564- 42- 44
曾槐明 473-257- 60
480-319-272
532-683- 44
曾熙明 480-318-272
曾攄漢 見曾據
曾遜明 559-269- 6
曾蒧曾點 春秋 244-386- 67
246- 27- 67
371-491- 32
375-654- 88
405-444- 85
472-547- 23
539-508-11之2
933-434- 29
曾鳳宋 564-826- 60
曾銑明 300-356-204
474-691- 37
475-377- 68
475-872- 95
477-566-177
479-394-230
502-287- 56
511-210-144
512-752-195
523-554-173
545- 92- 85
550-137-214
554-178- 51
558-156- 30
曾肇宋 286-240-319
382-304- 48
384-371- 19
384-381- 19
397-395-343
427-276- 9
449-239- 9
450-810-下20
451-130- 2
471-675- 13
471-740- 21
471-906- 45
471-913- 47
472-290- 12
472-401- 18
472-409- 18
472-677- 27
473- 99- 53
473-624- 77
475-796- 90
475-809- 91
479-628-245
488-400- 13
510-311-113
510-398-115
515-821- 83
529-757- 52
545-138- 87
674-289-4下
674-822- 17
678-102- 79
708-341- 50
820-368- 33
933-435- 29
1101-398- 4
1101-407- 4
1101-410- 4
1110-461- 25
1125-374- 29
1394-439- 4
1437- 16- 1
曾槃宋 494-322- 6
820-440- 35
曾誼宋 515-820- 83
563-680- 39
1098-703- 42
曾誕宋 286-580-345
397-652-359
473-586- 75
481-585-328
曾慶唐 539-631-11之6
曾慶明 1261-155- 12
曾賢元 1215-704- 10
曾緦宋 485-535- 1
曾確明 528-513- 31
曾璋妻 明 見鄭氏
曾鞏宋 286-238-319
382-302- 48
384-371- 19
397-394-343
449-237- 9
450-587-中49
471-628- 7
471-647- 10
471-691- 15
471-722- 19
471-740- 21
472-347- 15
472-519- 22
472-1067- 45
472-1084- 46
473- 13- 49
473- 99- 53
473-246- 60
473-568- 74
475-776- 89
476-516-127

479-174-225
479-223-227
479-482-239
479-628-245
481-524-326
491-346- 2
505-668- 69
515-819- 83
517-425-126
517-493-128
518- 11-136
523-148-153
528-438- 29
532-676- 44
540-624- 27
674-286-4下
708-341- 50
820-368- 33
933-434- 29
1098-778- 附
1098-783- 附
1098-786- 附
1101-385- 3
1101-742- 29
1102-327- 42
1153-499- 97
1207-490- 35
1351-664-146
1354-257- 32
1362-723- 65
1375- 33- 下
1384-191- 0
1437- 13- 1
曾鞏妻 宋 見晁德儀
曾翬明 299-560-159
473-153- 56
479-721-250
515-668- 78
540-617- 27
567- 93- 66
676-489- 19
1249-435- 29
1245-399- 2
1467- 66- 64
曾震曾栝 宋 1161-666-130
556-747- 99
559-398-9上
曾璉明 473-304- 62
480-247-269
533-385- 60
曾璉妻 明 見艾氏
曾穀明 1242- 90- 26
曾儀明 1241-574- 11
曾質宋 484-385- 28
曾德元 295-613-198
400-319-526
472- 36- 1
474-181- 8
505-894- 80
曾德明 1257-187- 17
曾魯明(字得之) 299-286-136
453- 72- 7
458-610- 1
473-129- 55
479-681-248
515-540- 74
676-447- 17
1224-106- 18
1374-502- 71
1410-125-676
1442- 6- 1
1458-164-429
1459-271- 6
曾魯明 820-603- 40
曾樂明 515-554- 74
曾諤宋 485-501- 9
485-519- 10
曾機宋 1161-682-131
曾噩宋 563-683- 39
曾據曾攄 漢 515-289- 66
539-631-11之6
曾曄宋 1098-736- 46
曾遲明 545-394- 97
1241-757- 18
曾縉妻 明 見趙氏
曾濬妻 宋 見朱氏
曾濬明 299-361-142
456-693- 12
474-168- 8
曾濟明 1242-313- 34
曾燦曾傳粲、曾傳燦 明
516-186- 94
1460-742- 80
曾懋曾楙 宋 493-745- 41
516-161- 94
524-334-195
933-437- 29
曾嶽妻 明 見康氏
曾嶼明 見曾璵
曾點春秋 見曾蒧
曾曙明 517-682-132
523-104-150
567-340- 79
1467-228- 70
曾謨妻 明 見郭氏
曾璵曾嶼 明 479-627-245
481-373-311
515-188- 62
676-539- 22
820-674- 42
1442- 44-附3
1458-296-436
1459-906- 38
曾闓妻 元 見李氏
曾顒明 1237-390- 11
曾鎰明 564-237- 46
曾譚漢 473-389- 65
533-270- 56
曾懷宋 493-939- 50
曾鯨清 524-355-196
821-453- 57
1475-537- 23
曾鵬明 473-654- 78
528-495- 30
564-228- 46
曾寶漢 539-631-11之6
曾礪明 540-820-28之3
曾䡵明 473-403- 66
480-637-288
533-297- 56
曾齡明 570-145-21之2
曾耀漢 539-631-11之6
曾顋明 1261-192- 14
曾纁宋 1128-267- 27
1153-500- 97
曾覺宋(晉江人) 510-451-117
曾覺宋(字道濟) 1098-739- 46
曾櫻明 301-648-276
456-440- 3
458-332- 12
475-215- 60
479-683-248
481-494-324
510-366- 114
515-561- 74
528-464- 29
曾爟明 見曾日章
曾覿宋 288-572-470
401-137-587
曾鑑明 300- 32-185
473-403- 66
474-183- 9
480-637-288
505-800- 74
523- 27-147
1250-929- 88
曾麟明 515-648- 77
曾顯明(太和人) 480-651-289
515-683- 78
532-752- 46
曾顯明(知滁州) 510-486-118
曾顯明(字文煥) 523-497-170
曾觀明 493-756- 41
曾纘明 820-617- 41
曾一元元 1197-797- 84
曾一元妻 元 見袁氏
曾一中女 明 見曾靜貞
曾一清明 1291-646- 2
曾一貫明 533-459- 63
曾一漢元 1210-131- 10
1367-711- 54
1410-374-713
曾一儀妻 清 見姚氏
曾一龍宋 見曾從龍
曾一懋清 567-392- 82
曾一鶚元 1194-198- 15
曾三省妻 清 見韋氏
曾三英宋 515-532- 73
曾三娘宋 530- 85- 56
曾三異宋 515-533- 73
820-444- 35
曾三復宋 287-652-415
398-602-406
473-128- 55
473-194- 58
479-680-248
515-530- 73
曾三聘宋 287-755-422
398-687-413
451- 22- 0
473-128- 55
473-234- 60

479-680-248
479-715-250
515-530- 73
曾三聘妻 明 見陳氏
曾三鳳清 479-409-235
523-419-166
曾士元明 564-273- 47
曾士彥明 528-532- 31
曾士迪明 529-660- 49
曾士倬宋 451- 92- 3
494-337- 7
曾士揚清 482-453-362
567-411- 84
曾士賢曾世賢 宋
530-214- 61
821-234- 51
曾士選明 456-672- 11
曾子良宋 515-760- 80
523-214-156
677-412- 38
曾子貫明 1237-252- 4
1241- 94- 5
曾子敏明 1237-290- 5
曾子啟明 見曾棨
曾子翬元 1213-753- 23
曾于拱明 515-710- 79
曾于乾明 515-710- 79
678-251- 94
1287-743- 8
曾才魯明 567-379- 82
1467-188- 69
曾大升清 529-485- 43
曾大有明(字子遜) 460-598- 59
529-730- 51
曾大有明(字世亨) 473-283- 61
475-744- 88
510-472-117
533- 40- 48
曾上珍妻 清 見李氏
曾斗南宋 515-761- 80
曾斗南元 1213-748- 23
曾文迪後梁 473-189- 58
479-798-254
516-528-106
曾文清宋 518-754-106
曾文煌妻 清 見謝氏
曾文達清 539-631-11之6
曾文照宋 515-515- 73
1085-232- 30
曾文蔚明 456-523- 6
曾文緯明 572-156- 32
曾之作妻 清 見唐氏
曾太永女 明 見曾德柔
曾王孫清 523-441-167
556-435- 92
曾元良曾瑟 明 1442-116- 7
1460-676- 74
1475-516- 22
曾元烈元 1439-433- 1
曾孔一清 533-471- 64
曾孔志明 563-759- 40
曾友文妻 明 見賴氏
曾友龍元 1195-409- 8
曾止善元 515-627- 76
曾止齋明 1291-634- 2
曾曰忠妻 清 見楊氏
曾曰唯清 533-481- 64
曾曰琥明 515-563- 74
曾曰瑛清 481-763-335
曾日章曾炟、曾爟、曾日彰 明 472-229- 8
493-976- 52
1392-107-378
1442- 19-附1
1459-557- 19
曾日彰明 見曾日章
曾公亮宋 286-138-312
382-449- 69
384-349- 18
384-361- 18
384-364- 19
397-310-337
449-202- 6
450-617-中52
471-625- 6
471-667- 12
472-643- 26
472-1066- 45
473-586- 75
477- 51-151
478- 90-180
479-223-227
481-585-328
486- 62- 3
494-324- 6
523-147-153
529-527- 45
537-347- 56
554-149- 50
588-173- 8
708-339- 50
933-436- 29
1106-197- 28
曾公望宋 1091-391- 35
曾公薦宋 1147-584- 55
曾化龍明 460-749- 77
529-553- 45
曾允文明 1242- 86- 26
曾允文妻 明 見陳氏
曾立清妻 明 見賴氏
曾必榮妻 元 見劉慧珍
曾永昌明 1249-446- 30
曾玉眞明 左世瑤妻、曾應魁女 1245-792- 14
曾弘宇清 529-707- 50
曾弘初明 1467- 76- 64
曾弘毅明 539-631-11之6
曾正民妻 宋 見劉氏
曾可立明 480-542-283
曾可前明 533- 80- 49
曾可聖妻 清 見何氏
曾可漁明 528-554- 32
曾世臣妻 明 見劉氏
曾世昌宋 484-383- 28
曾世惠妻 元 見李氏
曾世榮元 533-798- 75
曾世賢宋 見曾士賢
曾民瞻宋 473- 14- 49
515-587- 75
曾以誠明 567-409- 84
曾仕鑑明 676-615- 25
1442- 80- 5
1460-425- 60
曾仙廣明 529-681- 50
曾用升明 537-220- 54
曾用虎宋 481-549-327
528-475- 30
1180-229- 22
曾幼度宋 473-114- 54
曾守約宋 516-147- 93
曾守約明 564-183- 46
曾守意明 523-221-156
曾守德女 清 見曾氏
曾守魯明 533-276- 56
曾安止宋 674-709- 10
曾安邦妻 明 見孫氏
曾安強宋 515-583- 75
1147-555- 52
曾安強妻 宋 見溫氏
曾汝為清 477-307-163
曾汝檀明 460-782- 82
515-174- 62
529-650- 48
曾存仁明 515-698- 79
567-122- 67
1467-103- 65
曾存禮明 1241-367- 3
1242- 42- 25
曾同亨明 300-618-220
479-726-250
515-702- 79
676-588- 24
1442- 62- 4
1460-200- 49
曾光斗妻 明 見溫氏
曾光圭妻 明 見黃氏
曾光祖宋 515-601- 76
679- 41-142
1147-760- 72
曾光庭宋 473-148- 56
479-714-250
515-588- 75
曾光庭妻 宋 見劉氏
曾光登宋 見曾惠迪
曾自明明 515-784- 81
曾自誠女 明 見曾氏
曾如春明 515-796- 82
580-581- 42
676-723- 30
曾如瑤明 1237-611- 上
曾如驥宋 480-436-278
515-605- 76
517-230-121
533-404- 61
534-727-108
曾仲姐清 王瑾甫妻
530- 35- 54
曾仲魁明 563-755- 40
1274-365- 13
曾仲濬明 1241-788- 19
1241-845- 21
曾行斯明 1227-123- 14

曾印昌明 456-500- 5
559-519- 12
曾宏正宋 585-770- 5
曾沖子元 515-764- 81
1202-230- 17
曾亨應明 301-687-278
456-465- 4
479-662-247
515-811- 82
曾良儒元 1199-292- 30
曾良儒妻 元 見郭順正
曾志堅明 483-269-392
572-161- 32
曾志聖妻 明 見謝氏
曾志靜宋 473-158- 56
479-735-250
曾志願妻 明 見鄧氏
曾孝序宋 288-367-453
400-132-511
472-292- 12
472-587- 24
473-334- 63
473-586- 75
476-657-135
480-400-277
488-403- 13
488-407- 13
532-690- 45
540-648- 27
曾孝寬宋 286-140-312
382-450- 69
384-368- 19
397-311-337
472-545- 23
473-586- 75
476-817-143
477- 52-151
540-670- 27
933-436- 29
曾孝廣宋 286-140-312
397-311-337
484- 99- 3
曾孝蘊宋 286-140-312
397-312-337
472-376- 16
475-501- 75
475-561- 79
479- 42-218
484-100- 3
485-501- 9
488-402- 13
510-424-116
523- 12-146
581-493- 97
曾君寶女 明 見曾氏
曾克偉明 515-649- 77
曾伯虞宋 1147-472- 44
曾伯輿明 481-697-332
529-749- 51
曾希仁女 宋 見曾氏
曾希升明 517-559-129
1237-210- 3
曾廷芝明 533- 23- 47
曾廷策明 564-274- 47
曾宗孔明 572-109- 30
曾法興元 見曾義山
曾宜勉明 1237-265- 5
曾治鳳宋 523- 79-149
曾表正宋 484-381- 28
曾長治妻 明 見戴氏
曾承芳明 460-615- 60
曾承業明 539-631-116
曾忠翔女 明 見曾氏
曾尚溶清 539-631-11之6
曾尚賓元 482-321-354
1467- 54- 63
曾明發宋 1147-584- 55
曾易占宋 450-524-中42
475-482- 73
510-408-115
515-816- 83
1105-773- 93
1114-674- 16
1378-564- 61
1384-140- 92
1410-343-708
曾易占妻 宋 見吳氏
曾易口女 宋(王無咎妻) 見曾氏
曾易占女 宋(關景暉妻) 見曾氏
曾易占女 宋 見曾德操
曾易占女 宋 見曾德耀
曾易明明 516-517-106
曾叔卿宋 288-452-459
400-331-528
479-628-245
515-819- 83
曾季貍宋 515-746- 80
674-789- 15
674-843- 18
1363-194-125
曾季儀宋 江褒妻、曾布女
1130-311- 31
曾和應宋 516-147- 93
曾和應明 301-687-278
456-642- 10
曾周易妻 明 見羅氏
曾周南女 宋 見曾氏
曾所能明 559-357- 8
569-662- 19
曾秉正明 299-324-139
479-488-239
515-357- 67
曾延伯妻 明 見李氏
曾延膺宋 539-631-11之6
曾彥圭宋 1147-777- 74
曾彥威女 明 見曾掌珠
曾拱璧明 536-837- 41
曾春齡明 1237-381- 11
1239- 83- 32
曾致堯宋 288-213-441
382-301- 48
400-642-559
450-143-上16
450-237-中2
471-740- 21
471-906- 45
471-922- 45
472-289- 12
473- 98- 53
479-628-245
493-697- 39
494-269- 2
494-270- 2
510-470-117
515-816- 83
933-434- 29
1102-166- 21
1105-765- 92
1153-499- 97
1356-176- 8
1383-577- 51
1384-144- 93
1405-678-306
1418-516- 52
1437- 8- 1
1447-914- 55
曾致堯妻 宋 見黃氏
曾致堯女 宋 見曾氏
曾貞豫清 539-631-11之6
曾思文妻 明見楊氏
曾思孔明 529-693- 50
曾思立女 明 見曾福
曾思謀清 480- 94-262
533-422- 62
曾省吾明 480-174-266
533-193- 53
559-255- 6
676-194- 7
曾若虛宋 554-911- 64
曾昱儒清 533-481- 64
曾衍文明 523-154-153
539-631-11之6
曾秋潭明 1287-519- 22
曾海寬明 559-398-9上
曾高捷明 570-119-21之1
曾唐傑宋 1123-181- 19
曾祖述宋 492-587-13下之上
曾粉娘元 曾塔卿女
479-632-245
曾原一宋 516-166- 94
567-443- 86
585-769- 5
1197-228- 21
1467-153- 67
曾眞保曾鼎 明 473-644- 78
515-221- 63
676-480- 18
曾耆年宋 1169-728- 18
曾起濱元 1241- 64- 3
曾師孔明 460-493- 41
曾能濟明 1237-323- 6
曾逄龍宋 見曾逢龍
曾望宏明 515-682- 78
曾惟珍明 1242-812- 9
曾惟謙明 523-251-157
曾淵子宋 515-758- 80

1366-950- 6
1437- 33- 2
曾淑尼明 456-615- 9
476-430-121
545-389- 97
曾淑眞明 陳雲鵬妻
530-125- 57
曾梅巖女 明 見曾氏
曾理瓊妻 明 見李淑善
曾乾亨明 300-619-220
476-251-110
479-726-250
515-713- 79
545-298- 94
1294-277-6下
曾乾度宋 515-516- 73
曾陳易明 515-135- 61
曾異撰母 明 見張氏
曾異撰明(字弗人) 301-868-288
460-753- 77
481-590-328
1442-110- 7
曾異撰明(諡烈愍) 302-121-295
456-468- 4
481-117-296
483-267-392
483-383-402
559-511- 12
571-554- 20
曾崇範唐 539-631-11之6
曾國楨明 523-122-151
曾婁英明 479-665-247
曾得祿明 533-239- 54
曾紹宗明 482-305-353
曾紹芳明 523-121-151
曾紹榮妻 宋 見王氏
曾紹魯明 1237-332- 7
曾偉芳明 529-736- 51
1467-158- 67
曾敏行宋 1147-507- 47
曾敏恭宋 1160-486- 45
曾啟盛清 456-147- 60
曾從龍曾一龍 宋
287-716-419
398-655-410
460-398- 31
473- 60- 51
473-334- 63
473-587- 75
479-557-242
481-586-328
515-197- 63
529-532- 45
532-580- 41
933-437- 29
1180-364- 34
曾逢龍曾逄龍 宋
479-822-256
482- 33-340
482- 89-342
516-167- 94
563-701- 39
曾逢震宋 460-280- 17
529-447- 43
曾翔龍女 元 見曾慶雲
曾雲峰元 821-318- 54
曾惠迪曾光登 宋451- 53- 2
曾巽申元 515-615- 76
517-461-127
676- 82- 3
676-252- 9
1207-278- 19
曾賀孫宋 528-522- 31
曾朝陽宋 473-147- 56
515-576- 75
曾朝節明 533-102- 50
677-658- 59
1460-383- 58
曾登遴清 523-453- 63
曾肅翁曾桂 宋 451- 93- 3
曾發祥明 456-607- 9
480-129-264
480-175-266
533-378- 60
曾景武明 1240-151- 10
曾景昭妻 明 見鄧氏
曾景修曾生 明 460-530- 49
676- 44- 2
曾景瑞妻 明 見柯氏
曾景徽妻 清 見曹氏
曾晞顏元 517-461-127
1199- 87- 10
曾掌珠明 蕭莘夫妻、曾彥威女 1259-246- 18
1458-658-468
曾舜漁明 564-193- 46
曾勝淳明 1238-201- 17
曾勝淳妻 明 見劉辰年
曾欽掄宋 534-952-120
曾象乾明 見馬象乾
曾義山曾法興 元
516-512-106
曾道生宋 見曾賁
曾道娘清 侯寧妻530- 83- 55
曾道唯明 564-112- 45
曾塔卿女 元 見曾粉娘
曾楚卿明 481-558-327
529-522- 44
1442- 91- 6
1460-522- 65
曾達臣宋 821-248- 52
曾萬中明 473-150- 56
515-632- 77
曾嗣宗明 456-465- 4
479-823-256
516-183- 94
曾鼎臣宋 524-271-191
曾敬勝明 1237-375- 11
曾傳粲明 見曾燦
曾傳燈清 見曾畹
曾傳燦明 見曾燦
曾福可元 見行滿
曾榮祖元 1197-296- 28
曾壽貴明 533-290- 56
曾熙丙明 529-479- 43
563-764- 40
曾嘉袞明 561-424- 42
曾嘉瑞妻 明 見廖益姑
曾嘉謨妻 宋 見李氏
曾遜敏宋 1133-751- 17
曾夢吳曾寶歌 宋451- 93- 3
曾睿卿妻 明 見林氏
曾鳳韶明 299-373-143
456-692- 12
473-151- 56
479-718-250
515-645- 77
886-155-139
曾鳳儀彭鳳儀 明
533-267- 55
676-423- 16
676-627- 26
曾維倫明 515-800- 82
532-638- 43
曾廣翰明 515-555- 79
曾慶雲元 曾翔龍女
1195-417- 8
曾養吾妻 明 見陳氏
曾雪之宋 494-396- 11
524-119-184
曾履雋妻 清 見盧氏
曾質粹明 301-804-284
539-631-11之6
曾德柔明 劉宜正妻、曾太永女 1239-209- 40
曾德裕元 515-615- 76
517-461-127
676-232- 9
676-706- 29
1204-338- 12
1207-478- 34
曾德賢妻 宋 見鄒氏
曾德操宋 王幾妻、曾易占女
1098-744- 46
曾魯山明 516-170- 94
1232-617- 6
曾魯瞻明 1240-762- 8
曾穎茂宋 515-826- 83
曾穎瑞元 1202-219- 16
曾靜貞明 胡原長妻、曾一中女 518-207-142
1236-765- 11
1408-535-535
曾選玉明 莊允祥妻
473-589- 75
曾興宗宋 473-188- 58
479-822-256
516-163- 94
1168-435- 37
曾興琚妻 清 見林氏
曾縉紳妻 明 見趙妙琉
曾應泰明 523-195-155
曾應珪明 1286-718- 16
曾應祥清 529-679- 49
曾應魁女 明 見曾玉眞
曾應龍元 1199-290- 30
曾應遴明 516-182- 94
曾薦祚明 456-664- 11
曾羅蓮明 包埙妻
481-750-334
曾寶歌宋 見曾夢吳
曾嚴卿元 1209-563-9下

曾繼祖明 539-631-11之6
曾鶴齡明 452-198- 4
453-310- 3
473-152- 56
515-664- 77
676-479- 18
1239- 23- 27
1241-201- 9
1241-619- 13
1243-684- 22
1442- 22-附2
1459-586- 21
曾躍麟宋 528-442- 29
528-549- 32
564- 65- 44
曾纓娘明 吳衛妻 530-152- 58
曾丁荅失元 見別多喇卜丹
甯尹宋 515-215- 63
甯氏明 吳傑妻 473-216- 59
甯氏明 馬汝麟妻 503- 30- 93
甯氏明 劉眞兒妻 452-117- 3
472-594- 24
甯氏明 盧蕙妻 483-340-398
甯氏清 吳弼超妻 474-195- 9
甯氏清 高體榮妻 474-194- 9
甯氏清 張弘基妻 506- 38- 86
甯氏清 程荅之妻 512-368-186
甯玉元 472-1084- 46
493-784- 42
523-129-152
537-481- 58
甯正章正 明 299-267-134
472-206- 7
473-807- 86
472-937- 37
475-753- 88
478-485-199
478-595-204
511-419-152
558-177- 31
甯良明 473-391- 65
480-544-283
533-106- 50
甯成寧成 漢 244-862-122
251-131- 90
251-674- 30
380-212-171
933-437- 29
933-690- 46
甯秀寧秀 明 472-603- 25
541-112- 31
甯直明 475-421- 70
510-399-115
甯忠明 475-707- 86
511-492-156
甯叔漢 591-513- 41
甯采唐 821- 78- 47
甯洵妻 明 見范氏
甯封上古 見甯封子
甯咸明 533-319- 57
甯威妻 明 見方氏
甯春明 494- 42- 3
甯相春秋 404-822- 51
甯俞甯武子 春秋 375-812- 91
384- 22- 1
404-821- 51
448-162- 8
472-707- 28
537-363- 57
933-690- 46
甯浩明 554-312- 53
甯烈明 1467-134- 66
甯眞明 1248-630- 3
甯眞妻 明 見陳氏
甯桂明 546-604-135
547-114-145
甯純唐 482-226-348
546- 26- 44
甯笏明 554-259- 52
甯祥明 472-240- 9
510-348-114
甯戚春秋 386-598- 1
404-587- 35
472-611- 25
472-707- 28
491-790- 6
537-363- 57
554-876- 64
933-689- 46
933-690- 46
甯堅明 460-817- 89
473-645- 78
481-698-332
529-691- 50
甯速甯莊子 春秋 375-809- 91
384- 22- 1
404-821- 51
537-362- 57
933-689- 46
甯越戰國 472-649- 27
472-706- 28
933-689- 46
甯喜甯悼子 春秋 375-815- 91
384- 22- 1
404-841- 52
933-690- 46
甯殖甯惠子 春秋 384- 22- 1
404-841- 52
933-690- 46
甯然夏 546-423-129
甯智宋 476- 82-100
546-643-136
甯智明 545-221- 91
甯欽明 480-511-281
523-159-153
533-266- 55
甯靖明 476-205-107
545-341- 96
甯瑛明 546-594-134
甯雋妻 宋 見賀氏
甯瑧妻 清 見葉氏
甯賡唐 473- 46- 50
516- 7- 87
甯閱明 483-320-396
571-546- 20
甯儉明 456-658- 11
511-501-156
甯嬴春秋 404-704- 43
933-689- 46
甯龍甯寵 明(諡節愍)
456-581- 8
甯龍明(穎州人) 456-658- 11
甯澥元 1201-167- 80
甯濤宋 554-911- 64
821-202- 51
甯寵明 見甯龍
甯麟宋 515-101- 60
甯二翰明 546-757-140
547-113-145
甯三樂妻 清 見馬氏
甯三翰甯之翰 明
546-607-135
554-293- 53
甯久中宋 554-911- 64
821-202- 51
甯文達宋 511-631-161
甯之鳳清 476-587-131
540-845-28之4
甯之翰明 見甯三翰
甯予慶明 511-363-150
甯天驥妻 元 見吳氏
甯中立明 511-652-162
甯化龍明 554-220- 52
1291-901- 6
甯世忠妻 清 見張氏
甯世珽清 546-612-135
甯汝環明 456-585- 8
554-344- 54
甯丞烈明 見甯承烈
甯光先明 1293-468- 4
甯仲英明 472-329- 14
511-414-152
甯完我清 474-758- 41
502-641- 78
甯求己妻 元 見章福順
甯武子春秋 見甯俞
甯居贇妻 元 見通吉氏
甯孟魁明 547- 46-142
甯承烈甯丞烈 明
301-504-266
456-525- 6
474-187- 9
505-837- 76
甯明軒明 1293-758- 5
甯明軒妻 明 見王氏
甯知微金 1040-243- 3
甯封子甯封 上古
1058-489-上
1061- 32- 85
1061-247-108
甯思道唐 820-157- 26
甯祖武明 1442- 95- 6
1460-546- 67
甯悌原甯原悌 唐
473-725- 82
482-226-348
564- 26- 44
甯原悌唐 見甯悌原
甯珠赫甯豬狗 元
295-600-197
400-309-526

478-613-205
558-457- 38
甯時鳳宋 400-174-513
516- 34- 88
533-367- 60
甯惟志妻 明 見劉氏
甯惟成明 533-454- 63
甯悼子春秋 見甯喜
甯連芳明 537-525- 59
甯莊子春秋 見甯速
甯惠子春秋 見甯殖
甯楝姐明 506- 31- 86
甯集略妻 明 見姑姑
甯端甫元 569-616-18下之2
甯嘉曷唐 270- 33- 86
274- 77- 81
545-476-100
甯鳴玉清 510-488-118
甯維邦清 479-606-244
502-683- 80
515-251- 64
甯豬狗元 見甯珠赫
甯德友清 456-371- 78
甯學倫明 547-114-145
甯顏孫妻 明 見危氏
甯獻誠清 547-119-145
渾清 456-232- 68
渾巴清 455-450- 27
渾罕春秋 見游速
渾岱清(鑲藍旗人) 455-365- 22
渾岱清(輝發地方人)
455-404- 24
渾岱清(哲爾德氏) 455-682- 48
渾岱清(康儀理氏) 456- 73- 55
渾侃唐 549-343-193
1342- 98-916
渾都清 455-270- 15
渾冕清 455-231- 12
渾敦清 455-117- 4
渾進唐 見渾瑊
渾瑊渾進 唐 270-586-134
275-200-155
384-236- 12
396- 20-252
459-429- 26
472-877- 35
472-906- 36
476-111-102
478-487-199
544-225- 63
545-360- 96
546-385-127
552- 54- 19
554-124- 50
556-117- 85
558-287- 34
1341-652-886
1343-775- 57
渾塔清 455-404- 24
渾齊清(喀爾沁氏) 456-110- 57
渾齊清(白蘇氏) 456-269- 70
渾鎬唐 270-591-134
275-202-155
396- 22-252
546-387-127
558-288- 34
渾鐬唐 270-591-134
275-203-155
396- 22-252
546-388-127
558-288- 34
渾他哈清 455-546- 35
渾托和清(瓜爾佳氏)
455-119- 4
渾托和清(佟佳氏) 455-317- 19
渾沌氏上古 383- 25- 4
渾良夫春秋 404-839- 52
渾迴貴唐 544-230- 63
渾惟慶唐 544-231- 63
渾塔哈清 455-337- 20
渾達理清(薩克達氏)
455-548- 35
渾達理清(章佳氏) 45-598- 40
渾達喀清 455-582- 38
渾齊理清 455-405- 24
渾碧雅清 455-189- 9
渾釋之唐 472-906- 36
湛一明 821-489- 58
湛氏晉 陶丹妻 256-571- 96
381- 49-485
452- 90- 2
470-164-109
479-610-244
479-684-248
516-355-101
517-549-129
933-636- 41
湛仔宋 484-378- 27
湛池明 541-107- 31
湛亨宋 484-378- 27
湛空明 550-132-214
湛雨明 見湛若水
湛若宋 523-598-176
湛英明 1265-686- 25
湛英妻 明 見陳氏
湛重諶仲、諶重 漢
402-446- 9
515-290- 66
933-636- 41
湛俞宋 529-759- 53
湛清元 492-711-3下
湛賁唐 492-710-3下
516-198- 95
湛然唐 486-900- 35
511-923-174
524-424-200
820-298- 30
1052- 70- 6
1054-496- 14
湛鉞明 482-227-348
564-217- 46
湛嶢宋 484-388- 28
湛諝宋 484-374- 27
湛禮明 482- 75-341
523-426-167
559-320-7上
563-770- 40
湛露明 見湛若水
湛上錫清 563-875- 42
湛用和明 1237-490- 5
湛茂之劉宋 492-704-3上
湛若水湛雨、湛露 明
301-781-283
457-617- 37
458-714- 3
473-675- 79
482- 37-340
505-929- 84
511-910-173
533-743- 73
564-160- 45
676-532- 21
677-564- 51
820-689- 43
1442- 40-附2
1457-584-397
1458-726-475
1459-815- 33
湛剛中宋 484-374- 27
湛然江月眞人元
505-935- 85
鄆王唐 見李棨
鄆王宋 見趙楫
鄆王宋 見趙楷
鄆王金 見完顏昂
鄆王金 見完顏琮
鄆王元 見拜珠
鄆國公主宋 宋仁宗女
1104-452- 38
訶隋 264-1140- 83
訶梨跋摩師子鎧 劉宋
1401-149- 19
視連晉 256-587- 97
262-462-101
381-460-195
視羆晉 256-587- 97
381-461-195
旒庫清 456-106- 57
旒格清 455-591- 39
旒留清 455-291- 17
旒琥清 456-185- 64
旒珠瑚清 456- 20- 51
惲氏清 沈龍麟妻 512-260-183
惲格惲壽平 清 511-842-168
惲釜明 511-153-142
惲巍妻 明 見蕭愛
惲本初明 511-873-170
821-484- 58
惲紹美明 554-308- 53
惲壽平清 見惲格
湯天乙、成湯、履 商
243- 75- 2
243- 80- 3
371-220- 4
372-101-3上
386-259-83上
404- 49- 4
537-172- 53
539-338- 8
839- 3- 1
湯妃 商 見有㜪

湯干湯于 宋 1157-488- 19
1174-672- 42
湯于宋 見湯干
湯巾宋 1180-372- 34
湯文明 1475-243- 10
湯中妻 清 見王氏
湯氏宋 趙必愿妻、湯邦彥女
1170-705- 30
湯氏宋 趙希泉妻、湯叔雅女
821-271- 52
湯氏宋 趙時侃妻、湯國彥女
1170-778- 35
湯氏元 逢應瑞妻、湯懋女
1213-779- 25
湯氏元 鄭瑞妻 1216-118- 6
湯氏明 汪吉安妻 516-347-101
湯氏明 李秉玉妻 483-251-391
湯氏明 余所蘊妻 480-467-279
湯氏明 唐在衡妻 480- 97-262
533-542- 67
湯氏明 馬時寧妻 482- 42-340
湯氏明 孫价妻 530-113- 57
湯氏明 徐雪樵妻、湯貴女
1263-527- 5
湯氏明 喬禾妻、湯雪懷女
1268-484- 75
湯氏明 楊玉驄妻 483-251-391
湯氏明 楊懋學妻 483- 35-371
湯氏明 謝承舉妻、湯文玹女
1263-531- 5
湯氏明 湯津女 1283- 8- 67
湯氏清 王祚朋妻 506- 60- 87
湯氏清 王夢雲妻 479-298-230
湯氏清 季爵妻 479-436-236
湯氏清 岳繼忠妻 479-612-244
湯氏清 郭洪陽妻 506- 63- 87
湯氏清 陳永昌妻 524-493-203
湯氏清 陳克爽妻 524-508-203
湯氏清 湯國巡妻 512-260-183
湯氏清 蔡汝清妻 506- 17- 86
湯氏清 劉士臨妻 480-418-277
湯氏清 薛元瑛妻 474-196- 9
湯全明 571-527- 19
湯全妻 明 見金善觀
湯仰明 523-205-155
559-347- 8
湯行明 559-291-7上
湯休劉宋 見惠休
湯沐明 300-385-206
472-263- 10
472-982- 39
475-226- 61
511-151-142
523-102-150
523-192-155
676-527- 21
1257- 71- 7
1273-141- 20
1442- 39-附2
1459-795- 32
湯宗明 299-448-150
472-1118- 48
523-346-162
湯泳宋 511-686-163
湯矼宋 1140-694- 29
湯明明 571-553- 20
湯芬明 301-650-276
456-465- 4
479- 99-221
湯和東甌王 明 299-166-126
453- 19- 2
453-513- 1
472-205- 7
475-751- 88
483-221-390
510-286-112
510-361-114
511-416-152
523- 32-147
528-448- 29
537-208- 54
558-144- 30
559-247- 6
571-530- 19
1235-624- 22
1283-199- 82
1374-525- 74
湯津女 明 見湯氏
湯流明 1237-417- 16
1239-163- 38
1242-310- 34
湯胣明 676- 60- 2
679-643-201
湯相明 481-783-337
528-572- 32
湯郁明 1231-371- 6
湯郁妻 明 見范伯愚
湯珍明 511-741-165
676-552- 22
1442- 49-附3
1460- 60- 43
湯述明 1231-371- 6
湯建宋 472-1117- 48
523-626-177
678-406-108
湯昭明 523-119-151
湯垕明 1226-217- 10
湯益宋 見湯仲友
湯浙明 533-463- 63
554-313- 53
湯悅南唐 見殷崇義
湯夏宋 516- 9- 87
湯恩明 528-514- 31
湯哻明 483-250-391
572- 71- 28
湯矩妻 明 見劉氏
湯修明 1283-431-100
湯淳清 505-886- 79
湯深元 1213-742- 23
湯晙宋 524-370-197
湯婍元 472-1055- 44
479-435-236
湯斌清 475- 22- 49
477-134-155
478-338-191
479-457-237
510-301-112
515- 69- 58
538- 5- 61
549-170-187
554-222- 52
1312-622- 附
1312-676- 附
1315-337- 14
1323-764- 5
1323-794- 6
湯善清(舒穆祿氏) 455-157- 6
湯善清(烏蘇氏) 455-573- 37
湯琮明 494-168- 6
570-165-21之2
湯賁唐 273-111- 60
湯惠明 1271-605- 51
湯琯明 456-678- 11
湯琳妻 明 見羅妙應
湯貴女 明 見湯氏
湯鈞女 元 見湯潤
湯湣明 1255-579- 61
湯裔清 475-781- 89
湯煇妻 元 見張氏
湯焕明 820-718- 43
湯載明 見湯有容
湯瑄明 1260-579- 15
湯輅清 481-185-300
湯聘清 505-673- 69
511- 86-139
湯鼎明 472-329- 14
湯敬明 820-661- 42
湯鉉明 1242-204- 31
湯鉉清 505-820- 74
湯節明 472-292- 12
湯賓明 505-745- 72
湯齊明 523-108-150
湯滾明 1410-442-722
湯滾妻 明 見沈氏
湯漢宋 288-170-438
400-558-551
473- 49- 50
479-532-241
479-557-242
481-492-324
516- 40- 88
528-445- 29
湯滌明 524-249-190
1475-236- 10
湯熒元 820-544- 39
湯榮明 529-690- 50
湯榮女 明 見湯慕貞
湯榮妻 清 見方氏
湯熙明 515-368- 68
湯蓀明 1475-457- 19
湯銘明 1245-178- 4
湯銘妻 明 見劉氏
湯潤元 葉珂妻、湯鈞女
1224-592- 下
湯鼐明 299-840-180
475-754- 88
511-352-149
558-476- 40
湯震宋 見湯長卿
湯輝妻 元 見張氏
湯箴明 524-212-188
湯德明 472-222- 8

493-728- 40
湯盤元 515-349- 67
湯盤明 528-527- 31
湯謂妻 明 見唐氏
湯澤妻 明 見宋氏
湯橋妻 明 見穆氏
湯霖陽霖 元 295-614-198
400-320-526
473- 23- 49
479-488-239
湯衡宋 524-370-197
湯衡明 516-172- 94
563-834- 41
湯濱明 1260-610- 17
湯燦清 481-374-311
湯懋女 元 見湯氏
湯績明 478-269-187
湯璹宋 287-593-411
398-555-402
473-339- 63
480-408-277
493-949- 51
533-247- 55
679-510-188
湯彝明 1229-199- 5
湯瀚明 1255-606- 63
湯鏞宋～元 526- 79-261
1209-438-7下
湯寶明 1276-423- 10
湯蘧清 515-852- 84
湯鑑明 559-270- 6
湯鷺湯鷺欽 宋 471-896- 43
473-737- 82
529-583- 46
563-696- 39
湯一元明 1241-836- 21
湯九州明 301-531-269
456-425- 2
511-486-155
537-224- 54
538- 61- 63
湯九圍清 475-797- 90
502-689- 81
510-488-118
湯三聘明 511-662-162
湯子昇宋 813-108- 7
821-147- 50
湯子厚明 511-191-143
湯大勳妻 清 見李氏
湯文守明 1260-610- 17
湯文玹女 明 見湯氏
湯文英元 475-178- 59
493-1011- 53
511-542-158
湯文端明 528-450- 29
湯文輝妻 清 見石氏
湯文瓊明 302-116-295
456-633- 10
474-189- 9
475-645- 83
505-928- 84
511-487-155
湯之旭清 537-443- 58
湯之相明 533-174- 52
湯之新清 483-307-395
湯之錡清 511-684-163
湯元善宋 524-229-189
湯日昭明 676-177- 7
湯中山元 524-230-189
湯公雨元 511-833-168
湯什理清 455-504- 31
湯允恭宋 472-368- 16
475-642- 83
511-314-148
湯永之妻 明 見徐德莊
湯正臣宋 820-402- 34
湯正仲宋 821-223- 51
湯古理清 455-590- 39
湯右曾清 479- 59-219
524- 16-178
湯世功妻 明 見王氏
湯守仁妻 清 見韓氏
湯守敬明 511-852-169
湯有吉元 821-325- 54
湯有光明 515-111- 60
湯有容湯載 明 564-253- 47
1467- 64- 64
湯兆京明 301- 20-236
458-353- 14
475-229- 61
511-161-142
515- 98- 59
545-299- 94
湯名揚明 456-615- 9
559-527- 12
湯自強明 567-398- 83
湯自超清 511-169-142
湯自愿元 516- 48- 88
湯如迪明 524-235-189
湯仲友湯益 宋 493-1023- 54
1437- 32- 2
湯宋彥宋 494-327- 6
511-561-158
1170-683- 29
1170-763- 34
湯良弼明 572- 91- 29
湯志道宋 511-925-174
湯成大明 524-170-186
湯克昭宋 511-561-158
湯克寬明 300-498-212
511-467-154
523- 53-148
湯伯瑜明 524-153-185
湯希富妻 明 見蔡氏
湯希閔明 511-320-148
湯邦彥宋 451-204- 8
511-177-143
湯邦彥女 宋 見湯氏
湯身之明 456-682- 11
湯廷耀明 456-504- 5
516- 89- 90
湯宗元明 511-563-158
湯性方明 554-207- 52
564-173- 45
湯庚使清 湯樂春女
530- 82- 55
湯長卿湯震 宋 451- 73- 2
湯東野宋 451-164- 4
472-221- 8
472-277- 11
488-414- 14
493-705- 39
511-177-143
湯來賁清 515-848- 84
湯來賀清 510-395-115
515-848- 84
563-747- 40
1442-110- 7
湯叔用宋 821-224- 51
湯叔雅女 宋 見湯氏
湯命夔梅命夔 清
564-297- 48
湯炳龍元 511-687-163
1189- 73- 10
1439-425- 1
1471-282- 2
湯彥清明 529-690- 50
湯拱辰明 見楊拱辰
湯春年清 479-632-245
湯建衡明 511-392-151
515-189- 62
湯思退宋 287- 95-371
398-157-375
486- 53- 2
820-433- 35
湯胤勣明 299-169-126
475-754- 88
511-497-156
511-901-172
554-365- 54
676-501- 19
1252-382- 22
1253-170- 49
1318-357- 63
1408-539-535
1442- 28-附2
1457-668-405
1459-658- 25
湯祖相清 529-705- 50
湯祖契妻 明 見趙氏
湯祖契清 537-438- 58
1312-579- 7
湯家相清 480-291-271
532-753- 46
545-800-111
湯展娥明 盧仲良妻
1229-686- 2
湯時倬明 821-462- 57
湯師炎明 572- 73- 66
湯師項明 1467-134- 66
湯執中明 456-587- 8
479- 99-221
523-364-163
湯陰王明 見朱祁鏽
湯雪懷女 明 見湯氏
湯國彥宋 1170-778- 35
湯國彥女 宋 見湯氏
湯國紀明 456-598- 9
湯莘叟宋 471-675- 13
529-748- 51
湯紹中明 515-848- 84
湯紹祖明 524- 23-179

湯紹恩明 301-743-281
479-226-227
481-336-308
523-159-153
559-395-9上
1320-702- 77
湯偉協妻 宋 見潘氏
湯啟祥明 545-158- 88
湯逢原元 529-762- 53
湯普徹唐 820-141- 26
湯雲山清 480- 61-260
湯惠林宋 933-418- 27
湯開遠明 301-371-258
479-661-247
515-804- 82
湯景仁宋 472-389- 17
湯景明明 572- 74- 28
湯順之妻 宋 見游氏
湯喬年宋 451-166- 5
472-277- 11
511-561-158
湯裔振清 505-820- 74
559- 331-7下
湯溪王明 見朱勤烶
湯道亨宋 524-396-199
湯道衡明 511-185-143
537-258- 55
540-620- 27
676- 38- 2
湯雷奮元 1213-756- 24
湯聖師宋 王公袞妻
1204-321- 11
湯聘尹明 515- 96- 59
523-177-154
湯傳楹明 1460-678- 74
湯愛鼎清 511-340-149
湯賓尹明 475-610- 81
511-813-167
676-621- 25
677-675- 60
1442- 84- 5
湯福新元 511-566-158
湯夢觀宋 473-178- 57
515-500- 72
563-679- 39
湯維祺宋 1185-220- 46
湯維新明 545-445- 99
湯誼伯宋 494-328- 6
湯調鼎清 480-614-287
532-748- 46
湯慧信明 鄧林妻
302-213-301
472-243- 9
475-187- 59
湯慕貞明 王常妻、湯棨女
1223-582- 11
湯德明元 515-629- 76
湯德威宋 1174-420- 27
湯德符妻 清 見芮氏
湯德潤元 1201-494- 9
湯樂春女 清 見湯庚使
湯頤年宋 820-432- 35
1170-750- 33
湯學尹清 481-449-317
561-201-38之1
湯賽師宋 585-509- 16
湯應式清 554-321- 53
湯應曾明 1458- 70-419
湯應瑞明 456-504- 5
湯應龍明 820-751- 44
湯彌昌宋 493-951- 51
511-729-165
678-584-125
820-531- 38
1439-423- 1
湯鍾壽明 1294-263-6下
湯禮敬明 300- 86-188
475-278- 63
511-181-143
湯鵬舉宋 451-201- 8
472-277- 11
484-105- 3
486- 52- 2
493-710- 39
511-176-143
1170-778- 35
湯顯祖明 300-768-230
479-660-247
482-239-349
515-799- 82
523-249-157
676-626- 26
1442- 80- 5
1460-421- 59
湯巖起宋 472-368- 16
475-642- 83
511-314-148
679-787-215
湯鸞欽宋 見湯鸞
渤海王晉 見司馬恢
渤海王唐 見李奉慈
勞氏明 龐秉綱妻 564-320- 49
勞氏清 楊中惺妻 524-504-203
勞氏清 趙景和妻 524-474-202
勞丙漢 933-286- 20
勞沙清 502-748- 85
勞帖清 456-191- 65
勞珅清 564-296- 48
勞堪明 516-130- 92
678-459-113
勞鉞明 516-130- 92
523-119-151
676-171- 7
勞樟明 473-282- 61
532-636- 43
勞翰清(富察氏) 455-450- 27
勞翰清(劉氏) 456-311- 74
502-553- 73
勞翰清(他塔拉氏) 474-772- 41
502-750- 85
勞薩清 455- 62- 2
474-760- 41
502-746- 85
勞霸晉 933-286- 20
勞文盛明 564-223- 46
勞之芳妻 清 見管氏
勞永嘉明(石門人) 476-480-125
540-621- 27
勞永嘉明(字無施) 510-458-117
勞妙祥明 陳經妻
524-454-202
勞周相明 571-551- 20
勞彥遠後蜀 933-286- 20
勞俶融清 524-188-187
勞溫良清 481-182-300
559-331-7下
勞載是妻 不詳 見董貴珍
勞瑞寰妻 清 見李氏
勞傳相明 559-289-7上
勞山道士明 541- 99- 30
渠孔春秋 933-121- 8
渠伯周 933-121- 8
渠參漢 933-121- 8
渠沖寧明 541-106- 31
敦布清 455-515- 32
敦多清 455-170- 7
敦岱清 455-365- 22
敦柱清 455-162- 7
敦拜清(富察氏) 455-410- 25
474-765- 41
502-459- 69
敦拜清(錫克特理氏)
455-538- 34
敦倚不詳 933-206- 14
敦敏元 821-289- 53
敦舒晉 480- 48-259
敦督清 456-257- 69
敦圖清 455-537- 34
敦鐸清(密札氏) 456-162- 62
敦鐸清(兆巴爾氏) 456-266- 70
敦多奇清 456-100- 57
敦都巴清 455-450- 27
敦達理清 455-217- 11
敦達禮清(正黃旗人)
502-474- 69
敦達禮清(果爾羅斯氏)
502-742- 85
敦積理清 455-269- 15
敦鐸和清 456-146- 60
敦拜章京清 455-319- 19
敦淑帝姬福壽公主 宋 宋徽宗女 285- 69-248
393-328- 77
敦丹多爾濟清 454-507- 46
敦多布多爾濟清
454-512- 47
袾宏宏株、袾宏 明
479- 75-219
524-392-198
588- 14- 1
588- 42- 2
820-766- 44
雲宋(居寶山) 585-483- 14
雲宋(嗣義青) 1053-587- 14
雲宋(嗣義懷) 1053-682- 16
雲宋(嗣洪英) 1053-758- 18
雲王元 見博爾歡
雲氏明 許定斌妻 482-270-350
雲氏清 陳永貴妻 506- 39- 86
雲石明 533-799- 75
雲布清 456-166- 62
雲住元 517-476-127

雲定不詳 472-777- 30
雲奇明 564-933- 64
雲知宋 588-188- 9
1053-657- 15
雲恆清 586-199- 9
雲威元 586-189- 9
雲昰明 564-272- 47
雲海明 554-365- 54
雲峰明 533-758- 74
雲皋唐 517-273-122
820-301- 30
雲通元 見元童
雲章唐 820-300- 30
雲軻唐 820-305- 30
雲勝宋 820-465- 36
雲達宋 1089- 88- 9
雲蓋唐 1053-221- 6
雲震五代 1053-630- 15
雲嶮唐 820-303- 30
雲濤明 820-769- 44
雲謙母 元 見韓氏
雲豁宋 1053-643- 15
雲邃唐 1052-410- 29
雲山子明 1231-454- 0
雲山翁元 561-200-38之1
591-625- 45
592-607- 99
雲中王元 見雅雅克阿實克
雲中官清 475-823- 92
511-826-167
雲名山明 564-295- 47
雲名元明 564-295- 47
雲定興隋 264-902- 61
267-533- 79
379-879-164
384-156- 8
933-182- 12
雲和王明 見朱詮鐘
雲南王元 見和克齊
雲南王元 見特穆爾布哈
雲南王元 見額森特穆爾
雲南王元 見羅丹
雲得臣唐 478-333-191
554-326- 54
雲從龍元 473-738- 82
雲陽氏少昊氏 上古
383- 15- 3
532- 84- 26
547-198-148
554- 1- 48
雲陽氏上古 見少皞氏
雲福履妻 清 見黑氏
雲山和尚唐 1053-438- 11
雲山和尚明 570-248- 25
雲住和尚五代 1053-552- 13
雲頂禪師不詳 1053-245- 6
雲峰觀道士明 547-543-160
琮宋 473-730- 82
貳格清(兀札喇氏) 455-493- 30
貳格清(王氏) 456-318- 75
貳搆清 455-194- 9
貳塵後秦 933-649- 42
越吳 見支謙
越王隋 見楊侗
越王唐 見李貞
越王唐 見李係
越王後周 見郭誼
越王南唐 見劉仁贍
越王宋 見趙偲
越王宋 見趙元傑
越王宋 見趙德昭
越王金 見完顏永中
越王金 見完顏永功
越王元 見圖喇
越王明 見朱瞻墉
越氏清 冉瓖妻 483-252-391
越者春秋(隱伏於北唐)
547-129-146
越昇明 572- 70- 28
越英明 572- 71- 28
越姬春秋 楚昭王夫人、句踐女
252-182-10上
448- 45- 5
452- 82- 2
473-305- 62
524-634-209
533-502- 66
越梁明 572-110- 30
越椒春秋 見鬭椒
越闓清 572-101- 30
越王搖戰國 見越東海王搖
越王翳戰國 488- 69- 6
越石父春秋 386-656- 8
404-613- 37
越民袁明 569-670- 19
572- 72- 28
越民牧明 483-162-382
569-675- 19
572- 72- 28
越其杰明 483-250-391
561-450- 43
572- 74- 28
越效忠明 456-481- 5
越倫質元 295-566-193
1367-925- 70
越野王北周 見宇文盛
越繇王漢 見騶丑
越王不壽戰國 488- 69- 6
越王句踐春秋 見句踐
越王朱句戰國 488- 69- 6
越王無彊越王無疆、無彊、無彊 春秋 244-152- 41
371-393- 19
375-608- 87
384- 10- 1
404-298- 17
488- 70- 6
越王無彊春秋 見越王無彊
越王鮐與鮐輿 戰國
488- 69- 6
越國公主遼 見耶律特哩
越國公主遼 見耶律舒古
越國公主遼 見耶律延壽女
越東海王搖越王搖 戰國
384- 10- 1
惠夏 見發
惠王後梁 見朱友能
惠王宋 見趙僅
惠王宋 見趙令懬
惠王明 見朱由楷
惠王明 見朱常潤
惠日唐 480-514-281
惠氏明 李友槐妻 475-382- 68
惠氏明 趙守曾妻 478-351-191
555- 90- 67
惠氏明 錢世端妻、惠以範女
1258-779- 8
惠氏明 鄒觀母 1258-695- 16
惠立唐 見慧立
惠主唐 592-442- 88
1049-729- 49
惠可陳 見慧可
惠布陳 見慧布
惠安唐 1052-269- 19
惠安唐 見慧安
惠地梁 見慧地
惠印唐 558-483- 41
惠休劉宋 378- 10-131
1379-539- 64
惠汶元 1054-771- 22
惠秀唐 1052-281- 19
惠宗唐 見慧忠
惠定宋 1163-620- 40
惠定明 516-497-105
惠直宋 見宋惠直
惠忠唐 見慧忠
惠明唐 490-715- 70
524-382-198
惠明唐 見道明
惠明唐 見慧明
惠叔仲孫難、惠叔難 春秋
375-704- 89
404-509- 31
惠金宋 1053-665- 16
惠始後魏 見曇始
惠洪宋 見慧洪
惠施戰國 405-176- 67
546-436-129
933-659- 43
惠美清 502-537- 72
惠持晉 見慧持
惠南宋 見慧南
惠思陳 見慧思
惠思宋 490-723- 70
惠英宋 1116-474- 24
1116-502- 26
1116-503- 26
惠迪宋 1135-426- 39
惠約梁 見慧約
惠泉宋 1122-270- 5
惠海唐 見慧海
惠朗唐 見慧朗
惠泰清 455-256- 14
惠貞唐 1072-430- 4
1341-469-860
惠哲宋 1164-353- 19
惠根漢 933-659- 43
惠益戰國 405-180- 67
惠能唐 見慧能
惠乘漢 933-659- 43

惠乘唐 1054-404- 11
1054-405- 11
惠淳宋 見慧淳
惠淨清 見慧淨
惠寂唐 見慧寂
惠寂金 1191-344- 31
惠理晉 見慧理
惠堅後蜀 821-130- 49
惠通唐 820-298- 30
惠通宋 1128-632- 18
1132-129- 24
惠崇宋 511-884-171
惠崇宋 見慧崇
惠莊漢 554-801- 63
惠符唐 1052-268- 19
惠皎梁 見慧皎
惠越隋 見慧越
惠超唐 1054-494- 14
惠超宋 1116-482- 24
惠開唐 見慧開
惠琛宋 1053-498- 12
惠琳唐 1054-417- 11
惠萃女 宋 見惠道素
惠欽宋 1054-491- 14
惠詢唐 1153-674-110
惠詮宋 見惠銓
惠勤宋 見慧勤
惠敬遼 496-425- 90
惠敬妻 明 見劉氏
惠演宋 471-1050- 68
惠漸明 456-494- 5
554-728- 61
惠瑱北周 547-491-159
1050-341- 82
惠熙明 820-764- 44
惠遠晉 見慧遠
惠遠隋 見慧越
惠遠宋 見慧遠
惠銓守詮、惠詮 宋
485-290- 42
493-1092- 58
511-919-174
惠寬唐 見慧寬
惠寬五代 見慧寬
惠褒唐 見慧褒
惠遷宋 517-320-123
惠融唐 820-296- 30
惠豫齊 1049-885- 59
惠曇宋 820-470- 36
惠叡劉宋 見慧叡
惠暹宋(嗣道臻) 1053-504- 12
惠暹宋(南豐人) 1095-280- 31
惠儒明 476-577-131
540-636- 27
554-496-57上
惠舉五代 524-417-200
惠豐後魏 見檀特師
惠簡劉宋 1051-138-5下
惠疇宋 493-749- 41
1176-335- 34
惠疇清 511-557-158
惠覺齊 812-331- 7
821- 23- 45
惠覺後魏 見曇覺
惠辯宋 見慧辯
惠顧唐 820-306- 30
惠響梁 493-1089- 58
惠鑑元 見照鑑
惠顯明 456-429- 2
478-436-196
554-728- 61
惠觀劉宋 1054-344- 8
惠士玄妻 元 見王氏
惠士鉉妻 元 見王氏
惠子蘭惠叔蘭 春秋
404-839- 52
405-449- 85
惠翰明 545-290- 94
554-499-57上
惠及岐明 554-875- 64
惠化舉妻 清 見李氏
惠永貞明 456-609- 9
537-321- 56
惠以範女 明 見惠氏
惠汝賢妻 明 見鄧氏
惠希孟元 472-261- 10
惠承芳明 554-500-57上
惠叔難春秋 見惠叔
惠叔蘭春秋 見惠子蘭
惠周惕清 511-755-165
惠思忠元 1212-426- 7
惠高兒妻 元 見李氏
惠堂阿清 455-112- 4
惠從順宋 400-295-524
惠道昌妻 明 見白氏
惠道素宋 惠萃女
1154-402- 20
惠端方宋 1164-353- 19
惠應詔清 478- 93-180
554-369- 54
惠式道人識道人 晉
814-424- 6
820- 76- 23
惠淑帝姬惠慶公主 宋 宋徽宗女 285- 69-248
393-327- 77
惠慶公主宋 見惠淑帝姬
惠牆伊戾春秋 404-813- 50
惡來商 243- 86- 3
243-122- 5
404-418- 24
賁光漢 933-206- 14
賁浦周 933-206- 14
賁嵩晉 933-206- 14
賁赫漢 535-552- 20
賁顓晉 933-206- 14
賁布努清 455-293- 17
黃几妻 清 見林氏
黃三妻 清 見蔡氏
黃己元 529-666- 49
1224-175- 19
黃山明 473-168- 57
515-478- 71
黃千宋 471-961- 53
黃亢宋 288-234-442
400-653-560
473-601- 76
481-676-331
529-743- 51
1473- 10- 1
黃文明(任邱人) 474-312- 16
505-904- 80
1244-686- 19
1374-403- 61
黃文明(婺川人) 572-111- 30
黃五明 524-236-189
黃丑元 楊載至妻、黃荀龍女
1228- 44- 3
1234-267- 43
黃元明 554-312- 53
黃元妻 清 見林氏
黃友宋 288-355-452
400-147-512
472- 26- 1
472-1116- 48
474-470- 23
479-318-232
479-404-235
505-689- 70
523-415-166
545-139- 87
黃友明 見黃金文
黃中宋(字通老) 287-238-382
398-269-382
460-213- 13
471-651- 10
473-643- 78
481-696-332
494-404- 12
529-626- 48
820-430- 35
1146-134- 91
1147-580- 55
黃中黃子龍 宋(字文仲)
451- 54- 2
黃中元(金壇縣尹) 472-274- 11
475-273- 63
黃中元(字彥美) 820-526- 38
黃中明(字文卿) 524- 92-182
676- 7- 1
676-656- 23
676-721- 30
677-604- 54
1442- 66- 4
1460-287- 53
黃中明(石砫司人)560-603-29下
黃中明(字通理) 1235- 17- 上
黃仁明 460-796- 85
黃午宋 451- 98- 3
黃升宋 473-626- 77
481-729-333
530-207- 60
黃升明 533-775- 74
黃氏齊 蔣儁之妻
265-1041- 73
380- 99-167
475-234- 61
黃氏南唐 唐後主保儀、黃守忠女 819-579- 19
黃妃宋 宋光宗貴妃
284-884-243

393-319- 77
黃氏宋 林高妻、黃偏女 530- 3- 54
1096-357- 36
1098-725- 45
1475-621-400
黃氏宋 林瑑妻、黃輊女 1458-147-428
黃氏宋 周晄妻、黃大圭女 1171-796- 30
黃氏宋 周若訥妻 1171-775- 27
黃氏宋 翁過妻 524-763-215
黃氏宋 留洙妻 530- 86- 56
黃氏宋 梁世昌妻 1156-488- 28
黃氏宋 梁光遠妻 1156-491- 28
黃氏宋 張根時妻、黃履女 1126-770-170
黃氏宋 陳凱妻、黃寅女 1176-820- 6
黃氏宋 陳棨妻、黃亞夫女 1113-625- 9
黃氏宋 陳衡妻、黃仲文女 530- 2- 54
1146-194- 93
黃氏宋 陳次尹妻、黃大圭女 1171-790- 29
黃氏宋 曾致堯妻 1105-830- 99
1384-176- 95
1410-353-709
黃氏宋 葉傳妻 530- 60- 55
黃氏宋 鄭德稱妻、黃待問女 1136-669- 10
黃氏宋 樂許國妻、黃慶長女 1090- 83- 15
黃氏宋 謝方妻 516-311-100
黃氏宋 蘇遜妻 1112-748- 20
黃氏宋 王安石外祖母 1105-754- 90
1351-642-145
1410-202-687
黃氏宋 陳淳母 1120-229- 34
黃氏宋 黃昌女 1181- 49- 5
黃氏宋 黃德全女 475-533- 77
黃氏元 尹大中妻 473-251- 60
480-300-271
黃氏元 吳曾妻 1214-424- 6
黃氏元 何登妻、黃俊女 1217-230- 6
黃氏元 林子順妻 530- 60- 55
黃氏元 季富妻 472-231- 8
493-1082- 57
黃氏元 秦鍾城妻 530- 89- 56
黃氏元 孫信妻 479-409-235
黃氏元 陳楠妻、黃慶老女 1197-732- 76
黃氏元 陳元奎妻 530- 90- 56
黃氏元 陳秋堂妻 1197-694- 72
黃氏元 陳元實女 481-699-332
黃氏元 黃汝礪女 1197-670- 69
黃氏明 王恪妻 479-751-251
黃氏明 王恂妻、王珣妻 302-229-302
481-651-330
530-129- 57
黃氏明 王珙妻、黃貴女 530-129- 57
黃氏明 王焻妻 480-321-272
黃氏明 王輔妻 530- 88- 56
黃氏明 王治新妻、黃健極女 541- 58- 29
黃氏明 王俊國妻 480-207-267
黃氏明 王維藩妻、黃梔女 1288-618- 10
黃氏明 王德潤妻 1250-864- 82
黃氏明 孔才妻 1246-496- 下
黃氏明 古玉安妻 482-305-353
黃氏明 安海妻、黃璟女 1236- 20- 2
黃氏明 朱彥永妻 1242-230- 32
黃氏明 朱運熙妻 530-127- 57
黃氏明 沈振傑妻 524-457-202
黃氏明 李津妻 481-751-334
黃氏明 李貞妻 473-223- 59
黃氏明 李子明妻 481-337-308
黃氏明 李本素妻 480- 63-260
黃氏明 李能方妻 481-619-329
黃氏明 李啟謨妻 530- 71- 55
黃氏明 貝克寬妻 473-118- 54
黃氏明 吳瑀妻 516-335-100
黃氏明 吳聰妻 530- 87- 56
黃氏明 余勝妻 473-319- 62
黃氏明 余存爵妻 533-696- 72
黃氏明 余衍年妻 482-144-344
黃氏明 余鶴年妻 473- 79- 52
黃氏明 孟魯難妻 480- 63-260
黃氏明 林昺妻 530- 68- 55
黃氏明 林儉妻 479-409-235
黃氏明 林龍妻、黃建孫女 530- 60- 55
黃氏明 林濬妻 473-575- 74
黃氏明 林翹妻 530- 94- 56
黃氏明 林夔妻 481-619-329
黃氏明 林大輅妻 529-514- 44
黃氏明 林元旭妻、黃滋女 1257-274- 24
黃氏明 林孔育妻 530- 64- 55
黃氏明 林廷準妻 481-560-327
黃氏明 林東奇妻 482-145-344
黃氏明 林道淵妻 530- 62- 55
黃氏明 周祐妻 482-435-361
1467-271- 72
黃氏明 金一龍妻 302-237-302
479-252-228
黃氏明 胡宗華妻 1239-203- 40
黃氏明 相延鄉妻 472-369- 16
475-647- 83
黃氏明 姚光表妻 506- 83- 88
黃氏明 涂欽妻 473-102- 53
黃氏明 秦建義妻 564-329- 49
黃氏明 孫光啟妻 479-611-244
黃氏明 夏宗亮妻 1269-852- 7
黃氏明 徐畬妻 530- 92- 56
黃氏明 留汝礪妻 1257-908- 5
黃氏明 宿昭妻 547-278-152
黃氏明 郭鉉妻 506- 6- 86
黃氏明 郭囊妻、黃賢女 1283-760-126
黃氏明 郭厚菴妻 533-607- 69
黃氏明 郭翊中妻 480- 64-260
黃氏明 康居祿妻 530-105- 57
黃氏明 曹恩妻 483-332-397
黃氏明 張貴妻 472-685- 27
黃氏明 張璞妻 506- 54- 87
黃氏明 張鑌妻 506- 5- 86
黃氏明 張一魯妻 480- 95-262
黃氏明 張南溪妻 1274-349- 12
黃氏明 張挺然妻 302-252-303
480- 97-262
533-545- 67
黃氏明 陳沅妻 530-138- 58
黃氏明 陳伯妻 302-233-302
475- 79- 53
黃氏明 陳基妻 530-110- 57
黃氏明 陳必琦妻 478-297-188
黃氏明 陳邦亮妻 1272-278- 14
黃氏明 陳時起妻 530- 6- 54
黃氏明 陳景育妻 481-618-329
530-105- 57
黃氏明 陳虛齋妻、黃海女 1268-429- 67
黃氏明 陳應科妻 530-110- 57
黃氏明 崔文友妻、黃蘭女 1255-655- 68
黃氏明 曾光圭妻 530- 68- 55
黃氏明 楊愼妻、黃珂女 820-767- 44
1442-123- 8
1460-772- 84
黃氏明 楊敬妻 530-109- 57
黃氏明 楊允繩妻、黃籍女 1283-404- 98
黃氏明 楊繼周妻 530-124- 57
黃氏明 葉之旭妻 530-157- 58
黃氏明 詹秉直妻 481-560-327
530- 69- 55
黃氏明 鄒士第妻 482-118-343
黃氏明 趙景妻 820-768- 44
黃氏明 潘遜妻 530- 86- 56
黃氏明 鄭三妻 482-239-349
黃氏明 鄭泓妻 1457-755-414
黃氏明 鄭紀妻 1257-173- 16
黃氏明 鄭浩妻 482-239-349
黃氏明 鄭命賢妻 480-584-285
黃氏明 鄧文燮妻 473-607- 76
黃氏明 歐如虹妻 481-337-308
黃氏明 歐陽組妻 483-332-397
黃氏明 蔣朝輔妻 530-124- 57
黃氏明 黎禧妻 482-353-356
1467-260- 72

黃氏明 劉相妻 473-89-52; 479-610-244; 516-383-102
黃氏明 劉祥妻 479-632-245; 516-335-100
黃氏明 劉鶚妻、黃鋭女 482-435-361; 1467-271-72
黃氏明 劉子謙妻 506-71-88
黃氏明 劉成憲妻 506-56-87
黃氏明 蕭晳妻 530-112-57
黃氏明 蕭來鳳妻 530-126-57
黃氏明 蕭衡良妻 479-730-250
黃氏明 謝永昂妻、黃叔獻女 1251-591-12
黃氏明 鞠養容妻 480-321-272
黃氏明 魏銘妻 480-62-260
黃氏明 譚忠義妻 480-95-262
黃氏明 嚴顯忠妻 524-529-204
黃氏明 黃文豔女 483-397-403
黃氏明 黃仲光女 1250-518-48
黃氏明 黃竹樓女 1249-397-26
黃氏明 黃君庸女 482-118-343
黃氏明 黃德炫女 482-239-349
黃氏清 王三接妻 541-78-29
黃氏清 王文蘭妻 530-118-57
黃氏清 王君藎妻 530-38-54
黃氏清 王作位妻 478-298-188
黃氏清 王居謙妻 477-526-175
黃氏清 王紹寰妻 482-270-350
黃氏清 王錫祉妻、黃鳳翼女 530-101-56
黃氏清 王錫榮妻 481-700-332
黃氏清 田愷妻 480-343-273
黃氏清 汪宗哲妻 512-331-185
黃氏清 沈芝山妻 475-492-74
黃氏清 李端妻 480-98-262; 533-651-70
黃氏清 李天器妻 530-35-54
黃氏清 李應第妻 479-665-247
黃氏清 岑統魏妻 482-511-366
黃氏清 吳沛妻 475-579-79
黃氏清 余紫山妻、黃文顯女 1327-306-13
黃氏清 余麟正妻 482-210-347
黃氏清 何兆鉉妻 530-39-54
黃氏清 何憲臯妻 530-130-57
黃氏清 邵錫褒妻 479-192-225
黃氏清 林紫妻 530-117-57
黃氏清 林百驎妻 481-533-326
黃氏清 林茂南妻 530-78-55
黃氏清 林宸弼妻 530-80-55
黃氏清 林常青妻 530-146-58
黃氏清 林登驪妻 530-99-56
黃氏清 林階供妻 530-133-57
黃氏清 林鼎黼妻 530-76-55
黃氏清 林德蕎妻 481-533-326
黃氏清 林燿國妻 530-80-55
黃氏清 邱厚妻 530-116-57
黃氏清 洪道炯妻 530-98-56
黃氏清 胡枚妻 530-30-54
黃氏清 胡士彥妻 475-146-57; 512-29-177
黃氏清 胡公翰妻 506-23-86
黃氏清 韋光燦妻 482-511-366
黃氏清 范紹文妻 483-141-380
黃氏清 高日章妻 530-76-55
黃氏清 凌維策妻 475-190-59
黃氏清 馬兆麟妻 483-98-378
黃氏清 馬任傅妻 475-584-79
黃氏清 孫允貴妻 512-315-184
黃氏清 徐位中妻 479-635-245
黃氏清 許天驥妻 530-98-56
黃氏清 許而燦妻 530-75-55
黃氏清 梁士昌妻、梁仕昌妻 482-43-340; 482-46-340
黃氏清 梁榮紳妻 482-46-340
黃氏清 梁應中妻 482-512-366
黃氏清 張烇妻 481-593-328
黃氏清 張韜妻 480-255-269
黃氏清 張兆麟妻 481-727-333
黃氏清 張咸濟妻 479-337-232
黃氏清 張福能妻 530-117-57
黃氏清 陳偉妻 530-76-55
黃氏清 陳元士妻 481-561-327
黃氏清 陳友韓妻 482-291-352
黃氏清 陳世瑛妻 481-84-294
黃氏清 陳臣章妻 530-23-54
黃氏清 陳越琪妻 481-764-335
黃氏清 陳喬伯妻 530-75-55
黃氏清 常思明妻 503-64-95
黃氏清 馮朋妻 474-642-33
黃氏清 游安國妻 530-32-54
黃氏清 游為光妻 530-40-54
黃氏清 曾敬妻 482-145-344
黃氏清 彭士炯妻、黃起雒女 530-74-55
黃氏清 華生國妻 474-192-9; 506-16-86
黃氏清 傅璇妻 481-764-335
黃氏清 焦遇春妻 479-751-251
黃氏清 程御侯妻 530-77-55
黃氏清 廉鈔妻 474-195-9
黃氏清 雷萬春妻 482-436-361
黃氏清 楊為蕃妻 483-99-378
黃氏清 楊樹敏妻 530-131-57
黃氏清 葉愈雄妻 483-308-395
黃氏清 詹公儀妻 530-147-58
黃氏清 廖啟烘妻 481-651-330; 530-131-57
黃氏清 趙應龍妻 483-99-378
黃氏清 趙彝周妻 482-51-340
黃氏清 鄭文卿妻 530-28-54
黃氏清 鄭宗炳妻 530-115-57
黃氏清 鄧頤妻 481-651-330; 530-132-57
黃氏清 鄧亞長妻 482-46-340
黃氏清 蔣之棻妻 480-417-277
黃氏清 樊文詩妻 480-639-288; 533-712-72
黃氏清 魯演周妻 533-653-70
黃氏清 劉徽伯妻 530-80-55
黃氏清 龍騰雲妻 482-436-361
黃氏清 盧懋瑛妻 482-354-356
黃氏清 謝國鳳妻 530-148-58
黃氏清 戴汝聽妻 533-603-69
黃氏清 薛銑妻、黃鑑女 530-37-54
黃氏清 鍾逢耀妻 480-441-278
黃氏清 鍾朝格妻 482-119-343
黃氏清 繆士琳妻 530-28-54
黃氏清 藍銘瑜妻 530-116-57
黃氏清 魏煜妻 481-560-327; 530-75-55
黃氏清 羅阿妹妻 482-146-344
黃氏清 羅漢章妻 481-312-307
黃氏清 羅遵甫妻 481-727-333
黃氏清 黃彪女 474-483-23
黃氏清 黃鼎女 530-23-54
黃氏清 黃玉樓女 524-535-204
黃氏清 黃世亮女 475-584-79
黃氏清 黃德初女 479-359-233
黃介宋(字剛中) 288-363-452; 400-186-514; 476-854-145; 479-487-239; 515-339-67
黃介宋(字幾復) 515-309-66; 1113-235-23; 1113-824-23
黃允漢 253-377-98; 377-3-113上; 386-5-69上; 545-507-101; 933-409-27
黃玄明 301-827-286; 473-78-52; 529-719-51; 676-450-17; 1318-352-63; 1442-13-附1; 1459-385-11
黃永明 511-405-152
黃永女 明 見黃婉
黃玉黃廷玉 南唐 473-195-58; 516-144-93
黃玉明 1264-555-7
黃玉妻 明 見毛氏
黃弘妻 明 見鄭氏
黃正宋 見黃仲通
黃正明(晉江人) 460-597-59
黃正明(字景齊) 472-403-18; 511-655-162
黃正黃政 明(碭山人) 472-413-18; 475-432-70; 511-227-144
黃正明(慶陽衛人) 558-354-35
黃本明(字喬嶽) 515-787-81; 532-669-44
黃本明(字維成) 528-450-29
黃石宋 1147-359-32
黃平明 1241-576-11
黃由宋 451-22-0; 471-596-2; 472-228-8; 475-131-56; 493-645-35; 493-954-51

511- 93- 140
523-150-153
1177-869- 40
黃由妻 宋 見胡氏
黃申宋 288-381-454
400-332-528
473-435- 67
479-449-237
479-655-247
481-388-312
494-344- 7
515- 21- 57
559-400-9上
1197-691- 72
黃甲明(湘潭人) 456-672- 11
黃甲明(陝西人) 545-191- 90
黃甲明(字首卿) 676-582- 24
1442- 61- 4
黃代妻 明 見林氏
黃生明 1239-215- 41
黃生清 511-852-169
黃守明 見黃約仲
黃安漢 547-498-159
黃安明 567-304- 77
1467-190- 69
黃宇明 572- 76- 28
黃池明 524- 92-182
黃朴宋(字文卿) 529-562- 46
黃朴宋(號白雲山人)
1166-637- 10
黃朴女 元 見黃至規
黃圭元 515-536- 74
黃吉宋 見黃嘉
黃亘隋 264-986- 68
267-720- 90
380-661-183
黃有宋 451- 95- 0
黃至明 530-213- 61
黃羽清 529-678- 49
黃臣明 476-527-128
540-800-28之3
黃同漢 453-732- 1
黃回劉宋 258-493- 83
265-598- 40
370-483- 14
378-190-136
494-360- 8
933-409- 27
黃回明 祁福妻 1253-103- 45
黃艾宋 460-296- 19
529-501- 44
黃舟唐 515-853- 85
黃旭元 1213-763- 24
黃向漢 402-445- 9
515-293- 66
黃竹明 480-653-289
黃伋明 1442-113- 7
黃宏元 472-1104- 47
524- 63-181
1439-426- 1
黃宏明(字德裕) 302- 15-289
472-178- 6
473- 17- 49
475- 78- 53
479-454-237
511-431-153
515- 47- 58
黃宏明(順德人) 569-659- 19
黃究宋 484-385- 28
黃沖元 515-351- 67
黃亨明 524-137-185
黃忱宋 1467- 38- 63
黃良明 510-480-118
黃良清 563-893- 42
黃甫宋 529-671- 49
黃均宋 1123-186- 20
黃均妻 明 見丁定姑
黃育黃渥 宋 1113-865- 13
黃克明 見紹烈
黃杞宋 529-562- 46
黃甬明 483-142-380
570-258- 25
黃材明 473- 89- 52
479-609-244
516-131- 92
黃里明 302- 4-289
476-278-111
523-385-164
黃里清 479-794-254
515-284- 65
黃孚元 518- 21-136
黃佐明(字才伯) 301-845-287
457-849- 51
458-1046- 2
482- 38-340
482-322-354
564-162- 45
567-120- 67
676-550- 22
1442- 48-附3
1460- 42- 42
1467-108- 65
黃佐明(常山人) 676- 61- 2
黃佑明(江西廣昌人)
676- 23- 1
676-313- 11
黃佑明(字時濟) 1273-233- 29
黃希宋 515-748- 80
675-387- 3
黃何宋 480- 50-259
511-271-147
532-615- 43
1171-376- 11
1376-375- 84
黃伸宋 473-643- 78
528-481- 30
黃兌宋 515-745- 80
黃秀明 494- 57- 2
黃廷清 528- 9- 17
黃宗明 1260-134- 6
黃泓晉 256-559- 95
380-613-182
496-418- 90
505-926- 83
538-355- 71
541-104- 31
933-409- 27
黃京父 宋 1118-969- 66
黃京宋(字葉叔) 460-221- 14
黃京宋(濟州金鄉人)
1118-969- 66
黃宙宋 460-427- 32
529-735- 51
黃宜宋 523-316-161
黃注宋 515-306- 66
1102-221- 28
1113-624- 9
1351-590-140
1356-150- 7
1378-545- 61
1383-639- 57
1410-330-706
黃注妻 宋 見溫氏
黃泗明 515-276- 65
黃性明 1238-564- 15
1238-692- 24
1240-340- 22
1241-262- 12
1374-550- 77
黃河明(袞州人) 478-338-191
黃河明(字汝清) 511-246-145
黃河妻 明 見陳氏
黃祀宋 見黃宏子
黃卷明(字蘭輝) 456-528- 6
480-176-266
482-560-369
533-378- 60
黃卷明(字景文) 480-133-264
533- 44- 48
1283-368- 95
1457-699-409
黃卷明(字文萃) 511-556-158
黃卷明(荊門人) 523-194-155
黃卷明(字惺吾) 523-330-161
黃初明 515-888- 86
黃定宋 471-648- 10
529-443- 43
563-682- 39
黃定元 1206-171- 18
黃定明 524-251-190
黃泳宋(字潛夫) 481-747-334
黃泳宋(建寧人) 528-439- 29
黃泳宋(大觀四年賜五經及第)
530-371- 66
黃庚宋 821-245- 52
黃庚元 524- 64-181
1439-423- 1
1468-160- 9
黃炎宋(字晦之) 494-320- 6
516-158- 94
黃炎宋(江華縣令) 532-716- 45
黃玹明 302-590-318
566-717- 61
黃武宋 528-548- 32
黃武明 524-366-197
黃玥妻 清 見唐氏
黃坦妻 明 見連婉娘
黃直明(字以方) 300-410-207
473-654- 78
479-660-247
481-612-329
515-791- 82

黃直明(直隸人) 545-191- 90
黃直明(常州人) 570-214- 23
黃杭宋 1167-211- 18
黃門明 528-460- 29
黃玠元 524- 41-180
524-282-192
1439-451- 2
黃表明(連城人) 529-699- 50
黃表明(字一屏) 533-140- 51
黃表明(南平人) 559-287-7上
黃東宋 460-282- 17
1168-471- 38
黃東明 529-656- 49
黃芸明 515-388- 68
559-288-7上
黃忠蜀漢 254-600- 6
377-260-118上
384- 75- 4
384-443- 9
385-157- 16
470-354-142
472-771- 30
477-369-167
537-539- 59
559-241- 6
933-409- 27
黃忠清 529-696- 50
黃忠妻 清 見蔡氏
黃尚漢 376-909-111下
黃昌漢 253-498-107
380-224-171
402-465- 10
453-746- 3
472-1069- 45
473-424- 67
477-357-166
479-227-227
479-228-227
481- 65-293
486-290- 14
493-667- 37
559-258- 6
591-659- 47
933-409- 27
黃昌女 宋 見黃氏
黃昌明(建寧人) 473-644- 78
黃昌明(字景文) 523-132-152
黃昌明(字子園) 532-672- 44
黃昌妻 明 見蔡氏
黃明明(字允靜) 460-598- 59
黃明明(字天章) 511-126-141
黃芹明 460-604- 59
529-751- 51
676- 6- 1
黃虎宋 1176-341- 35
黃虎明 472-377- 16
黃卓宋 460-300- 20
529-740- 51
黃卓明 820-593- 40
黃昇明 523- 85-149
黃芳明 473-654- 78
523-246-157
黃昉清 533-256- 55
黃易清 482-117-343
528-557- 32
529-576- 46
564-298- 48
黃芮唐 472-378- 16
475-565- 79
485-472- 8
511-613-160
1142-519- 6
1253-113- 46
1376- 94- 64
黃旻妻 明 見劉氏
黃杲宋 460-283- 17
黃季宋 見黃夢冠
黃和明 554-220- 52
黃周元 529-747- 51
821-323- 54
黃佶妻 明 見劉氏
黃金明(光化知縣) 473-247- 60
黃金明(字良貴) 511-647-162
676-260- 10
黃金明(休寧人) 528-530- 31
黃姑唐 592-245- 75
黃侃妻 元 見夏氏
黃侃明 511-617-160
黃岱黃紹孫 宋 448-402- 0
黃佩妻 明 見謝氏
黃岳唐 481-526-326
481-746-334
529-640- 48
黃岳妻 唐 見林氏
黃岳明 472-377- 16
黃帛漢 張貞妻、張眞妻、張員妻 473-466- 69
481-214-302
575-559- 33
591-186- 15
591-581- 43
黃命明 456-619- 9
558-413- 37
黃采明(字宗素) 473-616- 77
528-509- 31
540-634- 27
820-579- 40
黃采明(字以載) 1241-806- 20
黃采清 515-849- 84
黃洪妻 清 見張氏
黃竑宋 515-330- 67
黃炳宋 515-168- 62
黃炳宋 見黃焱
黃炳妻 明 見李氏
黃冠宋 529-734- 51
黃宣宋 529-495- 44
黃洧宋 563-661- 39
1146-175- 93
黃洞宋 564- 73- 44
黃洵明 524-152-185
黃洽宋 287-301-387
398-322-385
473-572- 74
481-527-326
529-441- 43
黃袓明 820-580- 40
黃恪宋 481-745-334
528-559- 32
黃烱明 見黃絅
黃流明 515-551- 74
黃流妻 明 見陳氏
黃洲清 505-861- 77
黃帝公孫天樞、公孫軒轅、有熊氏、地皇、帝鴻氏、軒轅氏、歸藏氏 上古 243- 37- 1
245- 4- 1
247- 27- 1
371-211- 1
372- 81- 1
383- 47- 7
383-114- 14
384- 2- 1
404- 16- 2
537-171- 53
539-337- 8
554- 2- 48
558-693- 48
560-590-29下
742- 21- 1
814-207- 1
819-554- 19
1058-489- 上
1061- 32- 85
1061-154-100
黃帝妃 上古 見女節
黃帝妃 上古 見方纍氏
黃帝妃 上古 見彤魚氏
黃帝妃 上古 見嫘祖
黃帝妃 上古 見嫫母
黃庠宋 288-242-443
400-657-561
473- 21- 49
479-486-239
515-307- 66
518-232-143
黃祈宋 515-534- 73
黃彥宋 493-920- 49
黃彥明 456-695- 12
黃度宋 287-384-393
398-386-389
451- 23- 0
472-173- 6
472-1072- 45
472-1115- 48
473-568- 74
475- 70- 52
479-235-227
481-524-326
488- 14- 1
488-466- 14
510-312-113
523-303-160
528-443- 29
674-548- 2
678-127- 81
1157-171- 13
1164-372- 20
黃度明 見黃金度
黃美明 515-483- 71
黃美清 529-661- 49
黃玹明 473-214- 59
480- 57-260

533-139- 51
571-521- 19
黃玗明(字玉合) 458-1008- 1
472-1073- 45
523-599-176
1228-171- 8
1374-624- 83
1458-330-440
黃珏明(鹽城知縣) 472-308- 13
510-382-115
黃珏明(字重美) 473- 78- 52
516-105- 91
1238-177- 15
黃封明 559-374- 8
黃垓元 529-654- 49
黃春明(字伯元) 523-191-155
676-175- 7
黃春明(長壽人) 554-348- 54
黃春明(字伯熙) 1272-480- 16
黃相明 1442- 39-附2
1459-798- 32
黃相清 481-618-329
481-808-338
529-577- 46
563-893- 42
黃珂明 300- 35-185
473-367- 64
477-565-177
480-484-280
481-336-308
532-738- 46
545- 78- 85
559-394-9上
571-521- 19
黃珂妻 明 見聶氏
黃珂女 明 見黃氏
黃飛宋 485-537- 1
黃珍明 820-713- 43
821-416- 56
黃珍明 見王珍
黃珍妻 明 見楊氏
黃勑明 559-393-9上
黃某清 黃清僕 511-515-157
黃茂明 533-117- 50
黃茂清 456-258- 69
黃昭宋 532-729- 46
黃昭元 563-713- 39
黃昭明 511-151-142
黃蛊元 515-503- 72
1207-535- 38
黃英明 480-410-277
黃是妻 清 見吳氏
黃俌妻 明 見鮑氏
黃香漢 253-552-110上
370-195- 19
380-339-175
402-403- 6
402-452- 9
402-572- 19
459-727- 44
470-285-132
471-808- 31
471-823- 33
472-124- 4
472-693- 28
473-268- 61
477-160-157
480-201-267
505-687- 70
533-434- 62
537-261- 55
680-668-285
879-159-58上
933-409- 27
1408-493-529
黃重明(莆田人) 563-803- 41
黃重明(字子任) 564- 97- 45
黃信明(彭澤人) 473- 89- 52
479-609-244
516-127- 92
黃信明(字允之) 540-803-28之3
黃垕明 見黃宗載
黃科明 460-812- 88
黃朏明 510-377-114
黃紀明 515-791- 82
黃勉唐 516- 6- 87
黃勉明 820-588- 40
黃保明 524-152-185
黃俊宋 482- 35-340
563-707- 39
黃俊女 元 見黃氏
黃俊明 523-217-156
黃海明 見黃伯用
黃海女 明 見黃氏
黃浮漢 472-307- 13
476-777-141
510-381-115
黃浩唐 276-525-225下
黃涔明 1268-401- 63
黃涔妻 明 見陸翠
黃唐宋 529-443- 43
黃祐妻 明 見謝氏
黃祖蜀漢 471-785- 28
黃朗魏 254-423- 23
475-747- 88
黃益宋 821-225- 51
黃訓明 679-208-159
黃旄清 456-354- 77
黃拳明 515-106- 60
黃衷明 564- 93- 45
567-113- 67
676-526- 21
1442- 39-附2
1459-795- 32
黃泰元 1197-714- 74
黃泰明 537-335- 56
黃泰清 456-349- 77
黃珙宋 473-360- 64
533-260- 55
1089-191- 19
黃珙妻 宋 見許氏
黃珙明 473-403- 66
533-297- 56
黃恭晉 482- 35-340
564- 11- 44
黃恭明 473-186- 58
483-358-400
515-272- 65
571-551- 20
黃埒明 523-411-166
黃眞漢 402-469- 10
477- 59-151
黃眞皇甫眞 宋 皇甫謹女
1166-280- 22
黃眞明 559-275- 6
黃眞妻 明 見朱氏
黃烈宋 523-240-157
黃珪宋 484-373- 27
523- 77-149
1138-438- 20
黃珣明 524-259-191
676-515- 20
1442- 35-附2
1459-737- 29
黃桂宋 515-232- 64
黃桂明 494-159- 5
黃桂妻 明 見梁氏
黃桓唐 473-642- 78
481-695-332
529-689- 50
黃哲宋 559-503- 12
591-556- 42
黃哲明 301-823-285
472-545- 23
476-819-143
540-665- 27
564-276- 47
676-449- 17
1318-350- 63
1372- 2- 1
1442- 13-附1
1459-373- 11
黃垺宋 528-507- 31
黃陛清 511-366-150
黃陞宋 1138-783- 20
黃琉明 533-109- 50
黃琉清 456-300- 73
黃珮妻 清 見聶氏
黃振宋 524-202-188
黃振明 473-186- 58
515-273- 65
黃時明 1442- 95- 6
1460-547- 67
黃恩明 456-603- 9
570-127-21之1
黃嵗宋 563-678- 39
黃晏元 1206-172- 18
黃哻元 295-594-196
400-276-522
473-115- 54
479-659-247
515-770- 81
1374-593- 80
黃特宋 485-541- 1
黃恕宋 525- 82-220
黃矩明 473-117- 54
515-782- 81
黃秠宋 1134-294- 42
黃釗明 479-631-245
黃耕妻 宋 見樓氏
黃倫女 宋 見黃氏
黃倫明 559-319-7上

黃卿明 473- 18- 49
476- 30- 97
515- 55- 58
540-799-28之3
545-152- 88
554-220- 52
676-540- 22
1442- 44-附3
1459-908- 38
黃純明 472-403- 18
511-367-150
黃翗宋 460-135- 8
黃乘宋 820-380- 33
黃宸明(字文斷) 515-277- 65
黃宸明(字思瞻) 554-503-57上
黃宸妻 明 見朱氏
黃寅女 宋 見黃氏
黃寅元 400-265-521
黃淙明 567-141- 68
1467-132- 66
黃庶宋 515-308- 66
563-677- 39
674-825- 17
1362-496- 25
1437- 12- 1
黃庶妻 宋 見李氏
黃淳元 1197-748- 78
黃淳明 564-169- 45
黃清明(字用澄) 479-659-247
515-777- 81
黃清明(上饒人) 515-895- 86
523-107-150
582- 58-123
黃清明(字明恆) 533-420- 62
黃清明(安南人) 1442-131- 8
1460-890- 95
黃清僕 清 見黃某
黃淮妻 宋 見曹氏
黃淮明(字宗豫) 299-415-147
452-136- 1
453-563- 7
472-1118- 48
479-408-235
523-346-162
676-471- 18
1240-168- 11
1374-550- 77
1374-685- 89
1442- 18-附1
1459-543- 19
黃淮明(字中甫) 511-822-167
黃淮妻 明 見李道賢
黃翊元 515-348- 67
518-274-144
黃淵黃仲元 宋 460-450- 34
529-503- 44
676- 81- 3
676-700- 29
680-208-245
1188-680- 4
1254-597- 下
黃淵明 510-313-113
黃章宋 1164-444- 25
黃章清 564-931- 64
黃章妻 清 見施氏
黃許清 1228-499- 30
黃祥明 530-214- 61
黃袍明 569-670- 19
黃淡明 456-637- 10
511-608-160
黃淑宋 王防妻 530-150- 58
黃庾妻 明 見倪氏
黃袞隋 264-986- 68
267-720- 90
380-661-183
黃袞宋 473- 60- 51
515-196- 63
黃袞妻 清 見王氏
黃袞妻 清 見林氏
黃旋清 529-688- 50
黃梅明 820-620- 41
黃梅妻 清 見王氏
黃強吳 384-507- 21
黃培明 524-152-185
黃堅元 見黃公望
黃堅明 1240-169- 11
黃基明 456-629- 10
黃埴父 宋 1123-180- 19
黃梧清 481-617-329
528- 9- 17
529-576- 46
黃掄宋 451- 24- 0
黃梓父 明 1224- 45- 16
黃梔女 明 見黃氏
黃都妻 明 見何氏
黃琇明 鄭瀛妻、黃德清女
524-729-213
1223-580- 11
黃彬明 299-235-131
479-451-237
515- 31- 58
黃逗明 567-545- 91
黃連明 476-124-102
546-305-125
黃通宋 473-642- 78
529-745- 51
820-360- 32
黃崇蜀漢 254-663- 13
384-483- 16
481-155-298
559-511- 12
591-599- 44
黃崇宋 1146-132- 91
1152-248- 6
黃崇妻 宋 見游氏
黃晟五代 472-1085- 46
491-344- 2
491-389- 4
523-532-172
黃晟宋 515-827- 83
黃異元 453-803- 4
473- 77- 52
516-102- 91
676-707- 29
黃堂明 515-174- 62
黃堂妻 明 見俞氏
黃國明 456-658- 11
黃常女 宋 見黃安貞
黃常元 516- 45- 88
1439-430- 1
黃常明(字叔彝) 676-100- 3
黃常明(字有恆) 1241-205- 10
黃莘宋 472-113- 4
474-434- 21
505-681- 69
1099-601- 14
1099-768- 14
黃晞宋 288-433-458
401- 20-570
473-601- 76
481-676-331
529-741- 51
592-529- 94
674-324-5上
677-189- 17
1090-561- 27
1092-689- 64
黃彪明(臨川人) 510-428-116
黃彪明(平樂人) 545-270- 93
黃彪女 清 見黃氏
黃符宋 515-739- 80
黃紱明 300- 29-185
453-688- 33
458- 82- 4
477-210-159
477-565-177
483-282-393
537-400- 57
554-166- 51
572- 77- 28
572-324- 38
1262-531- 58
黃紹元 295-590-195
400-270-521
479-483-239
479-659-247
515-768- 81
黃絅黃烱 明 301-456-263
456-580- 8
458- 64- 3
477-546-176
477-568-177
538- 74- 63
554-219- 52
黃釧明 302- 22-290
479-402-235
481-588-328
481-749-334
523-232-156
529-545- 45
529-646- 48
584-270- 10
676-572- 23
1280-420- 86
1457-644-402
黃釧妻 明 見林氏
黃釧妻 明 見卓氏
黃偉宋 見黃維之
黃偉明 460-613- 60
563-776- 40
黃紳宋 484-377- 27
黃紳妻 明 見洪氏

黃婉明 黃永女 1475-802- 34
黃敏明(汀州衛指揮僉事) 473-623- 77
481-719-333
黃敏明(字宗學) 473-631- 77
511-252-146
黃啟黃隨 宋 451- 72- 0
黃啟妻 明 見陳氏
黃巢唐 271-815-200下
276-517-225下
384-286- 15
401-466-629
黃滋女 明 見黃氏
黃渥宋 見黃育
黃童宋 494-327- 6
黃童明(字仕穉) 529-614- 47
黃童明(字仲器) 820-598- 40
黃詔妻 明 見鄒氏
黃善妻 元 見張氏
黃焯明(商城人) 456-663- 11
黃焯明(字子昭) 481-649-330
529-586- 46
676-545- 22
679-161-154
黃渤妻 明 見宋氏
黃寔黃實 宋 286-692-354
397-736-364
472- 85- 3
472-662- 27
474-651- 34
477-452-171
505-704- 70
537-579- 60
1110-572- 33
黃湜明 見黃子澄
黃渙宋(字德亨) 471-651- 10
481-696-332
529-627- 48
1177-619- 28
黃渙宋(字彥舟) 473-726- 82
482-226-348
564- 70- 44
黃渙宋(字巽翁) 1171-365- 10
黃敦明 511-603-160
黃焱黃炳 宋 1209-437-7上
黃雲宋 1164-460- 26
黃雲元 295-590-195
400-270-521
479-498-239
515-769- 81
黃雲明(字應龍) 511-739-165
820-657- 42
1442- 37-附2
1459-765- 30
黃雲明(字叔卿) 554-603- 59
黃琮宋(澧州太守) 473-315- 62
480-613-287
533-408- 61
黃琮宋(字子方) 481-693-332
481-744-333
528-442- 29
528-481- 30
528-490- 30
528-537- 32
528-558- 32
黃琮宋(臨璋人) 563-687- 39
黃琮父 明 1240-206- 14
1240-233- 15
黃琮明(字廷獻) 460-817- 89
黃琮明(中部知縣) 472-923- 36
554-313- 53
黃琮明(字伯玉) 494- 40- 3
494- 43- 3
黃琮明(字禮坤) 511-554-158
黃琮明(睢州人) 554-347- 54
黃琮明(黃廣成子) 567-544- 91
黃琮明(字元質) 676-533- 21
1263-515- 5
1467- 93- 65
黃琮明(字廷瑞) 1249-478- 31
黃琮明(字進賢) 1253- 41- 42
1376-533-92下
黃琮妻 明 見謝氏
黃惠明 1241-624- 13
黃越清 511-721-165
黃閎漢 469-696- 86
471-1047- 67
471-1050- 68
473-446- 68
481-115-296
559-359- 8
591-588- 44
592-534- 94
879-157-58上
933-740- 51
黃巽母 宋 見李氏
黃雄明(烏程人) 524-251-190
571-554- 20
黃雄明(揭陽人) 1467-131- 66
黃隆明(廬州人) 563-854- 41
黃隆明(字自立) 1474-104- 6
黃登宋(吉水人) 515-604- 76
黃登宋(字君涉) 529-761- 53
黃閔宋 1171-371- 10
黃閏明 516-172- 94
559-288-7上
1442- 22-附2
1459-584- 21
黃琬漢 253-290- 91
370-196- 19
376-914-111下
384- 67- 3
385-120- 12
402-428- 8
402-581- 20
459-728- 44
472-788- 31
473-269- 61
476-910-148
480-202-267
533- 65- 49
537-192- 54
540-644- 27
933-409- 27
黃琬明 528-452- 29
黃琦明 1442-130- 8
1460-876- 94
黃琥明 472-905- 36
473- 26- 49
482-184-346
515-377- 68
563-799- 41
1257-741- 0
黃琥妻 明 見雷氏
黃堮宋 1209-473-8上
黃堮妻 宋 見徐氏
黃肅明(字敬夫) 511- 76-139
黃肅明(字子邕) 515-835- 84
676-446- 17
1442- 6-附1
1459-248- 5
黃開宋 479-235-227
523-598-176
黃開妻 元 見宋氏
黃琛明(武昌人) 473-214- 59
黃琛明(字廷獻) 473-618- 77
481-648-330
529-585- 46
1241-871- 22
1245-561- 29
黃琛妻 明 見慶陽公主
黃琳宋 484-378- 27
黃琳明 571-540- 20
黃琳明 楊顯妻 530-125- 57
黃琢元 515-618- 76
黃揆宋 528-506- 31
529-442- 43
563-688- 39
黃棟王棟 明(保定人)
456-631- 10
黃棟明(湯陰人) 545-442- 99
黃逵宋 473-748- 83
黃逵明 460-597- 59
黃逵清 511-904-172
黃逮妻 元 見眞氏
黃閔梁 473-369- 64
480-485-280
533-325- 57
黃發宋 523-240-157
黃景明 515-478- 71
黃貴明 559-400-9上
黃貴女 明 見黃氏
黃嵐明 524-151-185
黃凱宋 1168-468- 38
黃華唐 529-734- 51
黃華明(遂寧人) 510-350-114
559-395-9上
676-568- 23
黃華明(字實夫) 511-277-147
黃華妻 明 見李氏
黃棠宋 559-290-7上
黃棠妻 清 見顧氏
黃森宋 529-763- 53
黃鈊清 533-256- 55
黃傅明 458-789- 5
472-255- 10
524-266-191
黃須明 1242-178- 30
黃鈞妻 明 見陸氏
黃筌後蜀 592-708-107
592-710-107
812-453- 1

812-464- 2
812-470- 3
812-439- 上
812-527- 2
813-163- 16
821-127- 49
黃智母 明 見林氏
黃智明 529-615- 47
黃智妻 明 見蔣氏
黃程宋 564- 60- 44
黃皓蜀漢 254-625- 9
377-273-118上
384-500- 19
黃結明 473-585- 75
564-147- 45
黃舒晉 564- 12- 44
黃舒唐 482- 35- 340
黃婷妻 清 見周慧貞
黃勝元 567-590- 94
黃勝明 523-201-155
黃勝清 533-394- 60
563-892- 42
黃策宋(字子虛) 485-198- 26
493-920- 49
511-728-165
589-311- 2
1133-249- 12
黃策宋(字子長) 1167-213- 18
黃桀宋 460-215- 13
480-651-289
532-751- 46
黃象明 473-402- 66
532-750- 46
黃傑明 563-830- 41
1457-700-409
黃復宋 481-647-330
529-584- 46
黃逸妻 明 見蔡端謹
黃進宋 564-703- 59
黃溥宋 484-383- 28
黃溥元 453-797- 4
黃溥明 473- 65- 51
515-875- 86
532-685- 44
1242-198- 30
1242-390- 37
黃溥妻 明 見詹氏
黃源明(閩縣人) 473- 87- 52
479-605-244
515-247- 64
黃源明(清流人) 820-679- 42
黃源清 478-574-203
黃祺明 516-107- 91
黃義明 545-394- 97
558-439- 37
黃義妻 清 見郭氏
黃補宋 529-726- 51
679-811-218
黃溍黃搢、黃潛、黃縉 元
295-441-181
399-725-492
453-798- 4
472-962- 38
472-1031- 42
472-1067- 45
472-1102- 47
479-225-227
479-286-230
479-326-232
494-410- 12
494-415- 12
523-614-176
525-128-223
526-638-280
585-434- 11
588-178- 8
820-506- 37
1209-216- 附
1221-633- 24
1224-342- 25
1226-326- 16
1238-607- 18
1369-196- 2
1375- 36- 下
1439-429- 1
1468-683- 31
黃滔唐 273-115- 60
471-670- 13
473-631- 77
481-551-327
529-489- 44
1084- 89- 附
1084-187- 8
1084-189- 8
1388-614- 93
黃塗妻 明 見周氏
黃雍宋 529-760- 53
黃愷明 1240-391- 24
黃新元 524-204-188
黃廉宋 286-603-347
397-668-361
427-267- 8
473- 21- 49
475-870- 95
479-486-239
481- 19-291
515-307- 66
1113-608- 8
黃遂宋 451- 73- 2
黃項妻 明 見方氏
黃瑊宋 523-167-154
1090-539- 25
1356-777- 18
黃瑀宋 475-175- 59
481-773-336
484-386- 28
510-344-114
528-570- 32
529-440- 43
1146-178- 93
1174-361- 24
黃資明 1261-714- 30
黃載宋 515-827- 83
黃載明 1231-446- 0
黃損後梁 407-655- 2
473-674- 79
482-290-352
564- 34- 44
黃頊宋 678-104- 79
黃輊女 宋 見黃氏
黃輅明 見黃子威
黃塏宋 1123-185- 20
黃搢元 見黃溍
黃椿宋 1171-362- 10
黃楷明 510-481-118
黃楷清 511-872-170
黃極元 515-767- 81
黃極明 570-137-21之2
黃極清 559-333-7下
黃瑜宋 484-386- 28
黃瑜明(字中美) 476-577-131
482-184-346
482-184-346
482-238-349
563-821- 41
567-309- 77
1467-196- 69
黃瑜明(字廷美) 481-525-326
482-303-353
564-161- 45
676- 21- 1
676-128- 5
676-500- 19
678-189- 88
1257-225- 20
1442- 28-附2
1459-654- 25
黃匯黃耆孫 宋 448-384- 0
黃幹宋 見黃榦
黃楊宋 472-981- 39
黃瑛明 820-573- 40
黃瑗明 473-588- 75
481-587-328
529-537- 45
563-800- 41
黃槩宋 1169- 61- 5
黃照宋 1099-590- 13
黃嵩明 529-565- 46
1467- 72- 64
黃鼎明 1475-501- 22
黃鼎明 見黃玉鉉
黃鼎妻 明 見鄧氏
黃鼎清(字玉耳) 511-428-152
黃鼎清(字尊古) 511-868-170
黃鼎女 清 見黃氏
黃暉明 473- 78- 52
516-106- 91
黃暐明 676-332- 12
黃蜺宋 472-1016- 41
524- 80-182
黃暘明 482-409-359
567-545- 91
1467-242- 71
黃敬漢 533-794- 75
1059-310- 10
黃敬明(天台人) 482-238-349
523-473-169
黃敬明(字仲簡) 1236-803- 13
1410-381-714
黃歇春申君 戰國 244-479- 78
371-581- 48
375-952- 94

384- 27- 1
405- 72- 60
471-936- 50
472-253- 10
472-791- 31
473-368- 64
492-694-3上
493-764- 42
510-273-112
533-287- 56
537-607- 60
933-408- 27
黃農清 511-535-157
黃業明 1327-690- 8
黃鉉妻 明 見孫氏
黃鈺元 1439-432- 1
黃鉞明(字叔揚) 299-373-143
456-692- 12
472-229- 8
475-132- 56
493-974- 52
511-436-153
886-155-139
1284-128-146
黃鉞明(南安人) 460-602- 59
黃鉞明(字長白) 511-384-151
黃鉞明(舒城人) 545-387- 97
黃鉞妻 明 見賴氏
黃鉞妻 清 見王氏
黃頌宋 487-187- 12
黃鉦明 515-793- 82
黃雋明 見黃寯
黃會明 473-117- 54
515-782- 81
黃經明 511-654-162
黃節明 515-369- 68
黃賓妻 清 見張氏
黃實宋 見黃寔
黃演漢 563-604- 38
黃誠明(合浦人) 510-455-117
黃誠明(刑部侍郎) 561-566- 45
黃誥宋 472-376- 16
473-317- 62
480-463-279
485-501- 9
510-423-116
533-277- 56
黃韶明 524- 56-180
黃福妻 元 見蕭氏
黃福明 299-488-154
453-199- 18
453-570- 9
460-797- 85
472-431- 19
472-613- 25
472-646- 26
476- 30- 97
476-731-138
477-442-171
483-698-422
537-338- 56
540-785-28之3
545-145- 88
1239- 14- 27
1240-880- 10
1242-307- 34
1242-384- 37
1242-800- 8
1442- 18-附1
1459-544- 19
黃寧明 563-839- 41
黃寧明 周瑄妻 512-458-188
黃漳明 821-436- 57
黃齊宋(字思賢) 813-139- 12
821-196- 51
黃齊宋 見黃濟
黃齊妻 宋 見陸氏
黃齊不詳 592-214- 73
黃廓宋 529-665- 49
黃犖宋 1157-190- 14
黃漢清 533-422- 62
黃豪漢 453-757- 4
黃熒明 529-567- 46
1257-219- 20
黃榮宋 515-754- 80
黃榮元 529-675- 49
黃榮明(邵州知府) 473-683- 79
黃榮明(商城人) 477-545-176
黃榮明(字儼仁) 523- 43-148
529-509- 44
676-512- 20
1442- 34-附2
1459-730- 28
黃壽妻 宋 見余正
黃壽明(靖州人) 545-220- 91
黃壽明(字永齡) 820-579- 40
黃碩宋 460-207- 13
黃槐宋 530-208- 60
黃熙明 529-656- 49
黃熙清 479-631-245
515-850- 84
黃熙妻 清 見李氏
黃輔晉 473-166- 57
515-460- 71
黃輔明 483-118-379
570-216- 23
黃頗唐 479-767-252
515-496- 72
黃瑢黃周蔭 451- 58- 2
黃瑭明 524-152-185
黃嘉黃吉 宋(字亨父)
451- 67- 2
黃嘉宋(萍鄉人) 515-500- 72
黃需明 564-192- 46
黃瑶明 554-343- 54
黃瑶清 478-169-182
481-439-316
554-315- 53
559-532- 12
黃碣唐 275-614-193
384-285- 15
400-112-509
479-318-232
481-526-326
523-183-155
529-432- 43
933-410- 27
黃榜明 554-299- 53
黃榜妻 明 見吳氏
黃聚明 567-383- 82
1467-214- 70
黃遠宋 1159- 43- 4
黃榦黃幹 宋 288- 52-430
400-549-550
459-109- 7
460-316- 24
460-333- 26
472-197- 7
472-336- 14
472-981- 39
473-111- 54
473-222- 59
473-572- 74
475- 70- 52
475-525- 77
475-743- 88
479- 92-221
479-654-247
479-678-248
480- 87-262
481-528-326
481-748-334
510-414-116
515-131- 61
515-168- 62
517-413-126
517-681-132
518-150-140
523- 98-150
526- 16-259
529-447- 43
529-642- 48
532-622- 43
539-505-11之2
674-553- 2
1232-454- 6
1363-738-220
1375- 33- 下
1437- 26- 2
黃遜明 524-166-186
1242-197- 30
黃蓋吳 254-814- 10
377-351-119
384- 80- 4
384-574- 30
385-520- 58
471-771- 25
473-366- 64
473-389- 65
475- 68- 52
475-639- 83
475-665- 84
480-482-280
480-542-283
532-734- 46
533-104- 50
564- 10- 44
567- 26- 63
933-409- 27
1467- 5- 62
黃裳宋(字文叔) 287-378-393
398-382-389

473-447- 68
473-617- 77
481-157-298
559-360- 8
561-391- 41
592-599- 99
674-851- 18
679-457-183
1153-523- 99
1381-405- 34
黃裳宋(字冕仲) 471-663- 12
479-382-234
481-646-330
524-337-195
529-580- 46
674-834- 18
677-228- 21
933-411- 27
1363- 89-105
1437- 19- 1
黃裳宋(字元吉) 529-707- 50
黃裳女 宋 見妙道
黃裳元 460-487- 40
黃裳明(字元吉) 299-663-167
478-767-215
482- 78-341
523- 39-147
564-177- 46
黃裳明(字子重) 524- 99-183
黃裳明(字元佐) 524-220-189
黃裳明(字迪吉) 528-527- 31
564-113- 45
676-471- 18
黃裳明(字文中) 564-278- 47
黃裳明(字丹霞) 820-763- 44
黃裳妻 明 見諶氏
黃蒙明 見黃養正
黃鉷明 567-544- 91
黃鳳明(字文儀) 515-357- 68
黃鳳明(新添人) 572-110- 30
黃鳳明(字儀韶) 1257-160- 15
黃鳳妻 明 見李肅姜
黃鳳妻 清 見王氏
黃銅明 529-452- 43
黃銘女 明 見黃超秀
黃銘女 明 見黃龍英
黃銓明(麻城人) 554-346- 54
黃銓明(字衡可) 820-573- 40
黃種明 558-338- 35
黃僩妻 明 見林氏
黃綰明(字宗賢) 300-243-197
452-447- 2
457-194- 13
523-608-176
545-286- 94
680-237-248
黃綰明(字公綬) 300-394-206
458- 60- 3
477-545-176
479-226-227
523-160-153
黃縉明 564-191- 46
黃維明 473- 78- 52
516-104- 91
黃箎黃篪 明 1255-613- 64
1256-400- 25
黃魁黃存中 明 299-352-141
456-695- 12
529-535- 45
886-163-139
黃綱明 1263- 79- 13
黃綸明(修邑令) 676-176- 7
黃綸明(字廷經) 1253-142- 47
黃銖宋 460-108- 6
529-742- 51
684-492- 下
820-436- 35
1145-218- 64
1145-588- 76
1405-618-299
黃榘明 515-542- 74
黃徹唐 530-210- 61
黃綬明(平谷人) 474-182- 9
505-834- 76
黃綬明(寧夏人) 558-377- 36
黃寬元 460-489- 40
黃寬明(鳳翔人) 554-526-57下
黃寬明(字經裕) 563-805- 41
黃寬明(字浩中) 1251-592- 12
黃寬妻 明 見李氏
黃寬妻 明 見態氏
黃澍明 483-116-379
494-158- 5
529-462- 43
569-672- 19
黃潯明 473- 30- 49
黃諒明 563-752- 40
黃廣宋 821-246- 52
黃廣明 563-799- 41
黃廡宋 494-349- 7
黃澄宋 451- 88- 3
黃澄明 564-223- 46
黃潛宋 451- 91- 3
黃潛元 見黃溍
黃潛明 460-679- 69
569-659- 19
黃潛明 見黃仲昭
黃潤明 460-590- 58
510-350-114
510-364-114
529-540- 45
1442- 48-附3
1460- 49- 42
黃畚宋 287-774-423
398-701-414
472-1052- 44
472-1101- 47
473- 22- 49
479-285-230
479-431-236
479-487-239
480-581-285
515-339- 67
523-169-154
1164-323- 17
黃潾明 524-152-185
黃毅宋 484-386- 28
黃適宋 563-672- 39
黃談宋 515-325- 67
1134-291- 41
1147-516- 48
黃賢明 460-700- 73
黃賢女 明 見黃氏
黃標妻 明 見陳香
黃標清 537-229- 54
黃瑾明 572- 91- 29
黃堪清 529-723- 51
黃椿明 1274-377- 13
黃層清 482-502-365
黃璋黃公才 宋 448-387- 0
黃璋元 1439-445- 2
黃璋明 473-195- 58
515-258- 65
黃瑺明 528-542- 32
黃墀明 456-698- 12
黃鞏明 300-104-189
453-697- 36
458-1038- 2
460-551- 53
473-268- 61
473-635- 77
480-200-267
481-557-327
529-512- 44
532-656- 44
1257- 65- 6
1257-508- 7
1257-541- 10
1272-289- 1
1442- 41-附2
1459-819- 33
黃樞宋 482- 89-342
515-827- 83
黃樞明(字翼卿) 473- 30- 49
515-407- 69
523-121-151
黃樞明(字子運) 676-451- 17
1375- 26- 上
1442- 14-附1
1459-398- 12
黃鼐宋 473-790- 85
567- 73- 65
1467- 48- 63
黃鼐清 502-693- 81
黃駜宋 529-670- 49
黃震宋(字伯起) 286- 22-303
397-232-333
473-601- 76
473-672- 79
475- 16- 49
481-333-308
481-675-331
481-801-338
493-697- 39
529-592- 47
559-314-7上
563-652- 39
黃震宋(字東發) 288-180-438
400-565-551
451- 72- 2
459-917- 55

472-222- 8
472-239- 9
472-389- 17
472-1067- 45
472-1088-46
473-111- 54
475-120- 55
475-176- 59
475-821- 92
479-179-225
479-225-227
479-655-247
491-423- 5
493-750- 41
510-329-113
510-494-118
515-169- 62
523-591-175
1209-489-8上
黃震妻 清 見李氏
黃震妻 清 見馮氏
黃璉明(字汝器) 460-533- 49
529-508- 44
1254-583- 上
1257-153- 14
1267-548- 7
黃璉明(萬全人) 475-483- 73
510-410-115
黃璉明(廣昌人) 515-842- 84
567-104- 66
黃璉妻 明 見張氏
黃遷晉 見慧遠
黃遷元 1197-741- 77
黃奭明 479-353-233
523-200-155
黃履宋 286-349-328
382-627- 96
384-374- 19
397-469-348
471-651- 10
473-642- 78
486- 49- 2
488-399- 13
488-400- 13
493-702- 39
933-410- 27
1437- 16- 1
黃履女 宋 見黃氏
黃輝明 301-864-288
481-184-300
559-369- 8
676-617- 25
820-733- 44
1442- 82-附5
1460-440- 60
黃輝妻 明 見王氏
黃儀明 1241-530- 9
黃儀清(字子鴻) 475-142- 57
511-754-165
黃儀清(漢陽人) 480- 94-262
533-422- 62
黃德元 515-768- 81
黃德明 569-661- 19
黃緬明 1268-334- 53
黃鋭女 明 見黃氏
黃皞明 564-174- 45
黃徵明 540-806-28之3
黃遯明 1254- 84- 3
黃憲漢 253-158- 83
376-836-110
384- 66- 3
386- 11-69上
402-489- 12
472-792- 31
477-414-169
533-738- 73
534-847-113
537- 39- 48
537-558- 60
538-666- 79
879-154-58上
933-409- 27
1378-619- 63
1408-430- 521
黃憲明 472-377- 16
523-101-150
黃寯黃雋 明 473- 16- 49
515- 90- 59
529-459- 43
黃龍明 301-573-271
456-420- 2
474-742- 40
502-299- 56
黃龍妻 明 見吳尾姐
黃龍妻 明 見殷氏
黃龍妻 明 見顧氏
黃燆明 476-779-141
黃澣黃瀚 明 567-116- 67
1467-116- 66
黃澤宋 473- 14- 49
481-388-312
黃澤元 295-527-189
400-571-552
453-795- 4
473- 88- 52
473-436- 67
479-609-244
516-221- 96
561-463- 43
677-519- 47
680-219-246
1221-336- 7
1381-707- 51
黃澤明 299-624-164
481-529-326
523- 37-147
529-453- 43
537-213- 54
676-477- 18
1240-173- 12
1391-818-357
黃謁金 821-277- 52
黃諤唐 812-372- 0
821- 89- 48
黃諤宋 529-717- 51
黃懌明 528-487- 30
黃諫明 452-198- 4
511-902-172
558-291- 34
563-910- 43
676- 20- 1
676-492- 19
678-188- 88
820-625- 41
821-390- 56
黃遵宋 533-412- 62
黃遵母 明 見甘氏
黃璟女 明 見黃氏
黃璣宋 524-292-193
黃橒元 1224-288- 23
黃機清 479- 57-219
523-268-158
黃穎宋(字仲實) 460-165- 10
528-490- 30
529-725- 51
1254-596- 下
黃穎宋(字秀實) 460-208- 13
678-555-122
820-450- 35
黃頤宋 1117-170- 14
黃翰明(字汝申) 473-388- 65
475-179- 59
511-124-141
820-611- 41
1240-196- 13
1241-728- 17
黃翰明(豐城人) 532-721- 45
黃奮明 554-873- 64
黃璘宋 523-212-156
529-601- 47
567- 65- 65
黃霖清 561-208-38之2
黃璞唐 529-715- 51
黃適宋 529-626- 48
黃隨宋 見黃啟
黃興明 黃德甫女
1242-270- 33
黃曉宋 473- 98- 53
515-817- 83
黃暹明 820-630- 41
821-373- 55
黃錝明 524-247-190
黃積明 567-366- 81
1467-225- 70
黃館宋 529-749- 51
黃鋿妻 明 見柴氏
黃壂明 515-558- 74
黃縉元 見黃溍
黃縉妻 明 見劉淑貞
黃縉清 546-383-127
黃錦明(鄭縣人) 477-502-174
黃錦明(字元美) 1273-641- 7
黃錦妻 明 見李氏
黃篪明 見黃箎
黃儒明 456-586- 8
481-531-326
529-482- 43
黃錫妻 明 見鄧氏
黃勳宋 473-675- 79
563-687- 39
564- 39- 44
黃勳明 564-202- 46

黃濤明 1475-539- 23
黃應妻 明 見余氏
黃濬明(字景衡) 529-744- 51
黃濬明(字逢源) 1237-308- 6
黃謐明 524-152-185
黃講明 529-667- 49
黃濟黃齊 宋 471-854- 37
473-712- 81
473-750- 83
482-184-346
482-350-356
563-688- 39
567-298- 76
585-774- 6
1467-176- 68
黃濟元 476-658-135
黃濟明(知南安) 473-585- 75
黃濟明(臨川人) 481-583-328
528-486- 30
黃濟明(橫州人) 567-317- 78
1467-204- 69
黃濟明(字汝楫) 1269-803- 5
黃濙明 見黃瀠
黃瀠黃濙 明 563-839- 41
564-265- 47
黃謙宋(字德炳) 460-291- 18
460-314- 23
黃謙宋(字牧仲) 515-255- 65
黃謙明(字損之) 299-363-142
456-697- 12
511-448-153
黃謙明(字益甫) 529-729- 51
黃謙明(字亨夫) 529-731- 51
黃謙明(蕪湖人) 559-286-上
黃謙明(字撝之) 820-637- 41
黃謙明(字克讓) 1243-705- 23
黃襄宋 1113-823- 1
676- 85- 3
680-316-257
黃燧明 677-604- 54
黃聰明 523-244-157
黃聰妻 明 見劉氏
黃懋宋 1171- 81- 10
黃懋明 472- 99- 3
479- 92-221
523-101-150
黃隱宋 473-632- 77
481-552-327
529-491- 44
黃翼清 528-501- 30
529-577- 46
黃勵五代 564-616- 56
黃璲明 512-781-196
黃璨明 821-390- 56
黃瓌明 511-368-150
黃環明 564-293- 47
黃爵妻 明 見戴氏
黃鎡明 515-485- 71
黃僬妻 清 見吳氏
黃績宋 460-449- 34
529-503- 44
680-271-252
黃鍾黃鐘 宋(字器之)
529-726- 51
678-575-125
黃鍾宋(字彥遠) 1176-825- 6
黃鍾明(江華人) 473-391- 65
533-274- 56
黃鍾明(望都人) 474-243- 12
505-901- 80
黃鍾明(延慶州人) 505-829- 75
黃鍠明 1274-354- 12
黃鮪宋 484-382- 28
黃鍰宋 460- 21- 1
473-604- 76
529-600- 47
679-788-215
黃徽明 1460-903- 97
黃禮元 1229-174- 3
黃禮明(字廷文) 460-700- 73
黃禮明(陽曲人) 540-627- 27
545-657-107
黃謏明 523-244-157
529-506- 44
1254-779- 3
1257-103- 9
1263- 67- 11
黃櫄宋 460-208- 13
528-506- 31
529-562- 46
678-403-108
黃璧元 1197-468- 44
黃璧明 416- 65- 89
523-157-153
黃璧妻 清 見鄭氏
黃璿明(字公璀) 559-427-10上
1242-425- 1
黃璿明(開封人) 1241-667- 14
黃覲宋 484-374- 27
黃彝宋 529-728-108
821-182- 50
黃彝明 680-310-256
黃顒母 明 見方氏
黃顒明 529-510- 44
563-799- 41
564-759- 60
564-760- 60
1257-179- 17
1263- 79- 13
黃曜明 見黃孔昭
黃鎮明(武昌人) 480- 67-260
黃鎮明(南平人) 529-682- 50
533-750- 74
黃鎬明 299-539-157
473-574- 74
481-529-326
483-222-390
529-455- 43
571-521- 19
黃鎰宋 1119-609- 29
黃鎰元 400-316-526
479-532-241
黃簡宋 1180-419- 38
黃簡清 480-545-283
黃繡明 515-550- 74
黃贇宋 見董贇
黃贇元 295-611-198
400-318-526
479-681-248
515-536- 74
黃識宋 820-338- 32
黃讃明 528-510- 31
黃麒明 563-798- 41
黃瀚宋 460-314- 23
黃瀚明 見黃澣
黃端明 554-312- 53
558-178- 31
黃懷明 1408-584-540
黃璽明 302-152-297
479-239-227
524-137-185
黃願宋 529-559- 46
黃霦宋 515-754- 80
黃瓊漢 253-286- 91
370-196- 19
376-910-111下
384- 64- 3
402-414- 6
402-527- 15
459-727- 44
473-269- 61
480-202-267
533- 64- 49
534-548- 99
540-637- 27
675-264- 7
933-409- 27
黃瓊女 漢 見黃景華
黃瓊明(字良玉) 480-511-281
533-265- 55
黃瓊明(宜興人) 482-266-350
黃瓊明(字尚英) 1227-120- 14
黃瓊妻 明 見徐冬使
黃藜清 481-361-310
559-334-7下
黃鷗妻 明 見李民
黃黼宋(字元章) 287-390-393
398-390-389
451- 22- 0
472-968- 38
479- 50-218
523-426-167
黃黼宋(莆田人) 529-491- 44
黃黼明 1234-300- 47
黃鵬明 563-840- 41
黃鏗明 460-516- 46
黃鏜明 529-682- 50
黃繪妻 明 見饒氏
黃鏞明 571-532- 19
黃鏞妻 清 見張氏
黃臘清 456-254- 69
黃鏌明 571-529- 19
黃寶元 1026-171- 18
黃寶明 473-340- 63
480-411-277
533- 97- 50
554-171- 51
黃寶明 482-485-364
567-366- 81
1467-225- 70
黃議女 明 見黃幼藻
黃瀾明 529-730- 51

678-191- 88
黃瓌母 宋 見皇甫氏
黃瓌宋 1167-209- 18
黃瓌女 宋 見黃惟淑
黃藻宋 473-623- 77
481-719-333
528-549- 32
黃蘇明 533- 72- 49
黃籌媳 明 見姚氏
黃鐘宋 見黃鍾
黃籍女 明 見黃氏
黃鶴明 537-408- 57
黃廱宋 515-307- 66
黃霸漢 244-637- 96
248-620- 8
251-121- 89
376-365-101
380-152-169
384- 48- 2
459-813- 49
469- 77- 10
472-650- 27
472-737- 29
472-823- 33
475- 14- 49
476-365-117
477- 46-151
477-303-163
477-443-171
478- 83-180
488- 72- 6
510-273-112
523- 2-146
537-340- 56
545-349- 96
554-423- 56
675-259- 7
933-408- 27
1412- 95- 5
1412-127- 5
黃譽明 523- 41-148
529-506- 44
黃櫸明 515-805- 82
523-137-152
黃韡唐 481-584-328
黃蘭明 1467- 77- 64
黃蘭明 見黃仲芳
黃蘭女 明 見黃氏
黃鐸宋 476-657-135
黃鐸明(字仲信) 524-169-186
黃鐸明(尤溪人) 529-683- 50
黃鐸明(字文器) 1257-163- 15
黃鐸妻 明 見吳氏
黃鶯明 1274-381- 13
黃巒明 511-555-158
黃權漢 253-470-105
254-662- 13
377-300-118下
384- 76- 4
384-483- 16
386-171- 74
473-446- 68
591-598- 44
黃覿宋 484-375- 27
黃鑄宋(封江夏郡公)
494-266- 1
494-410- 12
黃鑄宋(邵武人) 1119-251- 23
黃鑄元 1209-474-8上
1210-514- 20
黃鑑宋 288-234-442
400-653-560
473-601- 76
481-676-331
493-701- 39
1087-679- 35
黃鑑明(字德昭) 511-615-160
黃鑑明(字明夫) 511-838-168
黃鑑明(新喻人) 571-545- 20
黃鑑明(字愈明) 1249-206- 12
1249-445- 30
黃鑑女 清 見黃氏
黃鑠明 529-537- 45
黃儼明 1235-661- 22
黃儼妻 明 見鄭惠貞
黃麟明 515-357- 68
黃瓚明 472-297- 12
472-521- 22
476-479-125
511-207-144
540-619- 27
676-516- 20
679-158-154
黃瓚清 529-695- 50
黃顯明 564-230- 46
黃顯妻 清 見魏氏
黃纓黃維纓 宋 493-921- 49
511-728-165
590-454- 0
黃灝宋 288- 61-430
400-556-550
451- 23- 0
472-981- 39
473- 77- 52
479- 92-221
479-580-243
479-605-244
493-777- 42
516- 97- 91
518-150-140
523- 97-150
1175-758- 19
黃灝明 523-631-177
黃灝妻 明 見李氏
黃讓明(字用遜) 299-607-162
475-671- 84
511-328-149
567-448- 86
1467-156- 67
黃讓明(字遜齋) 482-117-343
482-304-353
564-262- 47
黃鼈宋 529-716- 51
黃驟明 482-351-356
黃靉明 見蔡靉
黃觀許觀 明 299-371-143
453-128- 12
456-692- 12
472-369- 16
475-643- 83
508-216- 37
511-486-155
886-150-139
1442- 16-附1
1459-517- 18
黃觀妻 明 見李氏
黃觀妻 明 見翁氏
黃觀妻 明 見雍氏
黃驥明(字致遠) 299-623-164
473-751- 83
567-303- 77
1240-830- 9
1467-187- 69
黃驥明(田州人) 302-597-318
黃驥明(字德良) 524-137-185
黃驥清 476-659-135
502-694- 87
540-686- 27
黃鑾明 1280-283- 76
黃讜漢 523-141-153
黃一正宋 見黃雷利
黃一正明 511-783-166
黃一卷妻 明 見崔氏
黃一清元 511-614-160
1209-509-8下
1376-451- 88
1376-672- 98
黃一陽明 523-501-170
黃一道明 528-477- 30
黃一鳳明 515-560- 74
黃一鶤黃一鯤 明456-491- 5
523-407-165
黃一鯤明 見黃一鶤
黃一騰明 511-310-148
黃二姐明 黃元陽女
530-114- 57
黃十九宋 482-208-347
黃十公宋 524-447-201
黃九成明 554-504-57上
黃九英妻 清 見李氏
黃九鼎明(字禹鈞) 524- 93-182
黃九鼎明(字君重) 533-394- 60
黃九霄明 821-421- 56
黃九錫清 475-837- 93
511-661-162
黃九衢明 515-644- 77
黃三姐明 陳復拱妻、黃大廉女
530- 70- 55
黃三陽明 460-807- 86
529-745- 51
黃士旦妻 清 見林氏
黃士良宋 1122-539- 9
黃士玟妻 清 見林氏
黃士珍妻 清 見劉氏
黃士俊明 301-284-253
黃士振妻 清 見陳寶娘
黃士彩明 456-631- 10
黃士雯妻 清 見陳氏
黃士凱妻 清 見王氏
黃士熙妻 清 見郝氏
黃士毅宋 460-294- 19
481-554-327

十二畫 黃

493-1072- 57
529-502- 44
678-662-132
1172-594- 53
黃士熼妻 清 見劉氏
黃士龍清 559-330-7下
564-298- 48
黃士寵妻 明 見陳氏
黃士觀妻 明 見趙氏
黃子元妻 明 見范氏
黃子中宋 529-734- 51
黃子中女 明 見黃妙寧
黃子充明 1229- 55- 5
黃子仲妻 明 見周氏
黃子美明 540-823-28之3
黃子威黃幍 明 472-240- 9
475-176- 59
493-757- 41
515-366- 68
黃子厚妻 明 見林氏
黃子信宋 481-615-329
529-738- 51
黃子莊宋 1122-533- 8
黃子野唐 526-610-279
黃子游宋 472-366- 16
475-639- 83
491-395- 4
510-443-117
523-168-154
524-315-194
1147-370- 33
1153-582-103
黃子萬妻 清 見林氏
黃子嘉明 505-656- 68
黃子澄黃湜 明 299-345-141
452-245- 6
456-690- 12
473-178- 57
479-767-252
515-505- 72
518-819-162
886-146-139
1282-530- 40
1442- 16-附1
黃子龍宋 見黃中
黃子錫清 1475-557- 24
黃大本明 460-655- 67
黃大用妻 清 見萬氏
黃大圭女 宋(周晄妻) 見黃氏
黃大圭女 宋(陳次尹妻) 見黃氏
黃大年明 529-618- 47
黃大昌宋 460-484- 39
黃大明元 1207-616- 43
黃大知宋 484-377- 27
黃大受宋 1364-157-266
1437- 30- 2
黃大城妻 清 見廖氏
黃大雅妻 明 見林氏
黃大廉明 529-517- 44
黃大廉女 明 見黃三姐
黃大節明 516-184- 94
黃大臨宋 471-725- 19
515-310- 66
820-379- 33
黃大鵬明 301-674-277
456-463- 4
481-678-331
529-619- 47
黃大鵬清 482-185-346
黃大耀明 567-545- 91
黃山君上古 1059-262- 1
黃千金宋 張大中妻
472-339- 14
黃千能宋 515-336- 67
黃千乘宋 見黃正巳
黃久約金 291-358- 96
399-208-434
472-694- 28
474-435- 21
476-825-143
505-681- 69
540-768- 28之2
黃久菴明 821-441- 57
黃六八明 515-271- 65
黃方子元 460-457- 35
529-728- 51
黃文友宋 1153-523- 99
黃文旦清 480- 93-262
533- 32- 47
534-886-116
黃文光明 511-280-147
黃文年清 476-618-133
540-867- 28之4
黃文昌黃聖保 宋
448-374- 0
1160-484- 45
黃文明明 554-348- 54
1228-754- 12
黃文芳明 456-642- 10
黃文炳明(湘潭人) 456-672- 11
黃文炳明(字以約) 460-565- 56
黃文炳明(晉江人) 567-141- 68
黃文炳明(字懋新) 676-627- 26
黃文政宋 288-379-454
400-193-515
472-312- 13
475-328- 65
482-320-354
511-459-154
黃文若宋 484-374- 27
黃文星明 511-260-146
黃文訪明 529-683- 50
黃文梯明 820-698- 43
黃文晟宋 1147-200- 19
1156-490- 28
黃文就妻 清 見李氏
黃文琦清 陳釪妻 530- 33- 54
黃文傑元 516-148- 93
679-238-162
黃文進妻 明 見李氏
黃文靖後梁 277-177- 19
黃文煜明 564-238- 46
黃文煒明 510-351-114
515-845- 84
黃文煥明 460-528- 48
529-482- 43
676-732- 31
黃文煥清 511-890-172
黃文雷宋 1357-977- 21
1364-552-324
黃文達妻 清 見周氏
黃文照明 460-746- 77
529-735- 51
黃文會明 529-656- 49
黃文經妻 清 見陳氏
黃文魁明 481- 26-291
黃文廣妻 明 見吳氏
黃文德元 1369-420- 12
黃文憲清 533-318- 57
黃文聲明 529-710- 50
黃文謨清 529-696- 50
黃文黼明 567-317- 78
1467-215- 70
黃文顯女 清 見黃氏
黃文艷女 明 見黃氏
黃之正祖母 明 見王氏
黃之俊明 515-559- 74
黃之純妻 宋 見魏端意
黃之理妻 清 見林氏
黃之璠妻 清 見文氏
黃之璧明 820-748- 44
821-457- 57
黃之鐘妻 清 見張氏
黃之麟清 475-532- 77
511-262-146
515-283- 65
黃太和唐 530-196- 60
黃五哥宋 見黃克仁
黃元功宋 843-672- 下
黃元功明 537-330- 56
黃元白明 481-430-315
559-409-9上
黃元仙妻 隋～唐 見瞿氏
黃元安明 1247- 45- 3
黃元吉唐 516-415-103
黃元吉元(襄陽人) 533-235- 54
黃元吉元(字希文)
1207-700- 50
黃元吉清 524-355-196
黃元吉妻 清 見康氏
黃元成明 515-555- 74
黃元孚妻 清 見游氏
黃元治清 475-577- 79
黃元承元 1217- 18- 3
黃元美清 1327-849- 19
黃元恭明 1283-390- 97
1474-307- 14
黃元恭妻 明 見毛氏
黃元珪妻 元 見吳氏
黃元淵元 460-464- 36
黃元啟明 564-192- 46
黃元陽女 明 見黃二姐
黃元會明 545-395- 97
黃元實元 460-484- 39
1471-429- 9
黃元實女 元 見黃氏
黃元儒隋 533-745- 73
黃元耀不詳 512-769-196
黃元驥清 567-159- 69
黃孔昭黃曜 明(字世顯)

299-554-158
453-693- 35
458-1025- 1
472-1105- 47
479-293-230
523-318-161
676-504- 19
1250-487- 45
1255-550- 59
1458-498-450
黃孔昭明(字含美) 676-664- 28
1442-108- 7
黃天一妻 清 見沈氏
黃天祥明 1458-417-445
黃天得清 456-349- 77
黃天第妻 清 見王氏
黃天順清 483- 50-372
570-252- 25
黃天賜明 482- 75-341
516-152- 93
563-773- 40
黃天爵明 460-598- 59
黃天麟元 1197-802- 85
黃天驥妻 元 見蔡氏
黃友杭妻 明 見丁氏
黃友茂妻 明 見李氏
黃友璋明 511-627-161
黃曰瑚女 清 見黃克巽
黃日炌清 482- 32-340
黃日昌明 563-791- 41
黃日芳妻 明 見李氏
黃日芳妻 明 見陳氏
黃日新妻 清 見程氏
黃日新妻 清 見廖氏
黃日煥清 481-725-333
529-640- 48
黃日敬明 515-175- 62
黃日曦清 516-188- 94
黃中立妻 明 見賴氏
黃中立清 529-703- 50
黃中玉元 523-362-163
1228-342- 8
黃中正明 529-683- 50
黃中色明 540-819-28之3
黃中色妻 明 見韓氏
黃中和明 571-553- 20
黃中美宋 481-696-332
529-623- 48
933-411- 27
1146- 91- 89
黃中理黃衷赤 明(六安人)
456-664- 11
黃中理明(寧州人) 533-749- 74
黃中理清 533-257- 55
黃中理妻 清 見李氏
黃中通明 456-637- 10
黃中通清 529-555- 45
黃中通清 見黃仙春
黃中輔宋 524-265-191
黃中德明(懷寧人) 456-637- 10
黃中德明(字觀成) 524-211-188
黃中澹明 515-847- 84
黃少度唐 567-584- 94
黃少卿唐 567-584- 94
黃公才宋 見黃璋
黃公立宋 451- 68- 2
黃公甫明 532-669- 64
黃公孝宋 820-358- 32
黃公亮明 563-731- 40
黃公度宋 471-670- 13
473-633- 77
473-712- 81
481-553-327
482-184-346
529-497- 44
530-372- 66
563-689- 39
674-888- 21
933-411- 27
1257-313- 28
1437- 23- 2
1462-638- 88
黃公望陸公望、黃堅 元
472-970- 38
475-186- 59
493-1057- 56
511-832-168
524-339-195
585-521- 17
821-309- 54
1218-709- 4
1439-445- 2
1470-456- 14
黃公紹宋 1437- 32- 2
1470- 79- 3
黃公僅女 元 見黃斯崇
黃公廙宋 484-387- 28
黃公輔明(字振璽) 482- 39-340
564-171- 45
黃公輔明(廣東人) 532-600- 41
黃公器明 1240-802- 8
黃公懋宋 529-765- 53
黃仁山明 515-553- 74
523-203-155
黃仁傑宋 515-752- 80
黃仁榮宋 484-106- 3
黃仁榮明 523-235-156
黃仁儉宋 523-450-168
820-450- 35
1153-582-103
黃仁靜宋 1164-292- 15
黃仁環宋 452- 13- 上
523-557-174
黃仁還明 533-486- 64
黃仁覽晉 473-168- 57
479-752-251
516-425-103
517-422-126
黃今度明 475-836- 93
511-506-156
黃化治妻 清 見謝氏
黃化寧妻 清 見丁氏
黃介瑞妻 清 見鮑氏
黃允芳清 481-584-328
528-489- 30
黃允恭元 1209-570-9下
黃允卿妻 清 見陳貞娘
黃允謙明 523-176-154
黃仍緒清 511-794-166
黃玄覽妻 明 見屠瑶瑟
黃立夫妻 明 見詹氏
黃立中明 570-112-21之1
黃立恭明 472-403- 18
黃立極明 302-318-306
黃半開明 516-437-103
黃必大宋 451- 73- 2
黃必昌宋 460-362- 28
529-735- 51
679-235-162
1181-142- 4
黃必達元 1195-424- 8
黃永乾宋 486-906- 35
黃永齡妻 明 見薛氏
黃永顯妻 清 見游氏
黃玉鉉黃鼎 明 515-642- 77
680-229-247
1236-760- 11
1238-262- 22
1240-897- 10
1408-533-535
黃玉鉉清 533-453- 63
黃玉樓女 清 見黃氏
黃去私宋 473-114- 54
黃去疾宋 481-643-330
529-747- 51
黃去抦宋 451- 76- 2
黃丙炎宋 515-759- 80
1186-547- 7
黃丙炎妻 宋 見陳氏
黃弘宇明 564-230- 46
黃弘綱明 301-790-283
457-309- 19
458-900- 8
479-796-254
516-177- 94
518-160-140
528-554- 32
1275-325- 15
黃弘憲明 564-231- 46
黃正巳黃千乘 宋
1164-291- 15
黃正之元 1193-648- 31
黃正色明 300-412-207
475-227- 61
503- 11- 90
511-154-142
523- 88-149
563-756- 40
黃正色妻 明 見蕭氏
黃正叔宋 820-380- 33
黃正物明 559-270- 6
黃正孫元 1209-527-9上
黃正孫妻 元 見陳潤
黃正晃明 529-693- 50
黃正賓明 300-809-233
511-292-147
黃正標清 529-694- 50
黃正憲女 明 見黃淑德
黃本初元 517-456-127
黃本固明 482-239-349
564-220- 46
黃石公圯上老人 秦

448-100- 中
475-437- 70
541- 84- 30
871-891- 19
黃石老宋 820-464- 36
黃石翁元 1203- 25- 2
1439-456- 2
1471-197- 25
黃布行清 483-383-402
黃可久明(字柳溪) 533-333- 58
黃可久明(會同人) 564-236- 46
黃世仁清 456-310- 74
黃世臣清 481-185-300
559-411-9下
黃世忠明(建寧縣人)
460-819- 90
529-745- 51
黃世忠明(字孝卿) 515-274- 65
黃世昌宋 484-384- 28
黃世亮女 清 見黃氏
黃世彥清 456-349- 77
黃世能明 511-239-145
1297-715- 5
黃世清黃祖年 明
302- 97-294
456-428- 2
476-587-131
477-567-177
478-376-192
540-833-28之3
545-107- 86
554-219- 52
黃世康明(字士幹) 529-732- 51
黃世康明(字元幹)
1442-100- 6
黃世規妻 宋 見盧氏
黃世弼元 518- 19-136
黃世發清 483-321-396
505-643- 67
572-104- 30
黃世經明 558-400- 36
黃世榮元 567-394- 83
黃世慶妻 清 見廖氏
黃世勳明 567-546- 91
黃世顒明 529-659- 49
黃世耀明 564-194- 46
黃世麟妻 清 見王氏
黃充纘明 676-251- 9
黃功懋明 523-219-156
黃以位妻 清 見吳氏
黃以春明 559-374- 8
黃以貞元 494-346- 7
黃以盛明 1274-435- 16
黃以寧宋 460-206- 12
黃以靜清 476-404-119
黃以謙元 676- 74- 3
黃以翼宋 460-206-12
460-362- 28
黃以權女 宋～元 見黃嗣眞
黃四娘明 江甲燿妻
530- 93- 56
黃四娘明 李能妻530-110- 57
黃由庚宋 473-194- 58
515-255- 65
黃令荀清 511-548-158
黃令微唐 479-667-247
516-447-104
1071-645- 9
黃仕儁明 676-493- 19
黃用中明 529-720- 51
821-442- 57
黃用直明 564-201- 46
黃用福妻 清 見朱氏
黃用賢明 475-836- 93
511-660-162
黃仙春黃中通 清
1327-695- 8
黃卯錫明 1475-500- 22
黃卯錫妻 明 見項蘭貞
黃幼可宋 451- 87- 3
黃幼安宋 820-379- 33
黃幼藻明 林啟昌妻、黃議女
1442-124- 8
1460-779- 85
黃守一明 820-599- 40
1410-462-725
黃守忠女 南唐 見黃氏
黃守剛妻 清 見王氏
黃守純明 482-559-369
494-158- 5
569-657- 19
黃守道明 511-531-157
黃守經明 510-499-118
黃守濂明 1263-114- 18
黃守鍾明 見黃守鐘
黃守鐘黃守鍾 明
483-118-379
570-216- 23
黃亦曾清 529-679- 49
黃亦謙妻 清 見陳氏
黃汝大妻 元 見胡淑娘
黃汝亨明 479- 55-218
515- 63- 58
524- 10-178
820-738- 44
1442- 86- 5
黃汝亨女 明 見黃修娟
黃汝良明 460-742- 76
481-589-328
529-549- 45
676-616- 25
1442- 81- 5
1460-427- 60
黃汝剛明 529-762- 53
黃汝楫宋 472-1071- 45
486-539- 7
524-202-188
黃汝槐明 554-300- 53
黃汝榜清 479-631-245
黃汝霖宋 708-1019- 95
黃汝濟明 532-693- 45
黃汝翼祖父 宋 1410-365-712
黃汝礪女 元 見黃氏
黃汝瓊妻 清 見陳細官
黃安邦清 511-593-159
黃安貞宋 張孟敬妻、黃常女
479-664-247
516-312-100
黃安泰明 515-245- 64
黃安觀妻 清 見許高娘
黃朴菴元 516-432-103
黃吉士明 537-458- 58
黃在中明 480-206-267
黃在中清 568-374-113
黃在貞明 1273-357- 6
黃存中明 見黃魁
黃存生妻 清 見洗氏
黃存肅妻 清 見許氏
黃有章清 516- 91- 90
黃有常明 511-657-162
黃有猷母 元 見夏氏
黃有達妻 清 見郭氏
黃百壽妻 清 見鮑正姑
黃至規元 黃朴女
821-335- 54
1200-123- 11
黃耳鼎明 533-181- 52
黃列子不詳 1061-269-110
黃列嬴漢 胡貢妻
1063-224- 6
1397-467- 22
1412-488- 19
黃次山宋 515-314- 66
黃夷簡宋 288-208-441
400-641-559
473-570- 74
481-526-326
523-125-152
529-716- 51
黃光中明 533-219- 53
571-539- 20
黃光表妻 清 見姚氏
黃光昇明(字明舉) 460-617- 61
523- 55-148
529-540- 45
563-739- 40
676-172- 7
678-200- 89
黃光昇明(字羲輪)
1442-105- 7
1460-637- 72
黃光庭宋 484-380- 28
黃光煒明 545-380- 97
黃兆美妻 清 見趙氏
黃旭炯妻 明 見吳開姐
黃任榮宋 1165-310- 20
黃自信宋 1185-756- 21
黃自然宋 460-328- 25
515-131- 61
黃向堅清 511-533-157
黃全初明 511-288-147
黃全楨唐 516- 7- 87
黃好信明 1442- 97- 6
1460-585- 69
黃好謙宋 477-409-169
529-595- 47
黃如斗妻 明 見王氏
黃如雲清 533-417- 62
黃如瑾清 511-188-143
黃如龍明 483-307-395
571-534- 19

黃如籥明 554-874- 64
黃竹樓女 明 見黃氏
黃竹關黃伯祥 元
516-432-103
黃色中明 563-829- 41
黃仲文宋 451-227- 0
黃仲文女 宋 見黃氏
黃仲元宋 見黃淵
黃仲光女 明 見黃氏
黃仲甫妻 清 見張氏
黃仲芳黃蘭 明 473-605- 76
479-319-232
523-189-155
529-615- 47
1240-179- 12
黃仲昭黃潛 明 299-820-179
458-1027- 1
460-535- 50
473- 16- 49
473-635- 77
481-556-327
529-508- 44
676-509- 20
678-190- 88
1247- 34- 2
1442- 33-附2
1459-710- 28
黃仲起妻 元 見朱氏
黃仲起妻 元 見馮氏
黃仲起女 元 見黃臨安奴
黃仲起弟妻 元 見蔡氏
黃仲通黃正 宋 563-678- 39
564- 55- 44
1089-184- 19
黃仲熊宋 1113-255- 24
1410-362-712
黃仲瑾妻 明 見吳德敬
黃仲燕妻 清 見唐氏
黃行可明 563-822- 41
黃朱昺清 567-154- 69
黃宏子黃祀 宋 451- 87- 0
黃宏猷明 見王宏猷
黃宏綽妻 清 見李氏
黃宋翰宋 484-386- 28
黃沐之宋 529-643- 48
1178- 71- 8
黃良弓女 宋 見黃德方
黃良姐清 李鍾書妻
530- 39- 54
黃良昶明 524-152-185
黃良卿明 570-212- 23
黃良節明 482-115-343
黃良豫妻 清 見張氏
黃良豐明 564-266- 47
黃志傑明 529-703- 50
黃志輔妻 清 見王氏
黃志璋清 568-371-113
黃志遴清 529-555- 45
黃成章明 510-383-115
黃成富清 481-531-326
529-661- 49
黃孝則元 1376-464- 89
黃孝恭宋 460-314- 23
529-746- 51
黃孝綽宋 530-213- 61
820-450- 35
1099-600- 14
黃李茂明 676-177- 7
黃君任宋 460-451- 34
黃君胤明 1240-354- 22
黃君俞宋 529-725- 51
678- 97- 79
1113-428- 8
1254-596- 下
黃君庸女 明 見黃氏
黃君雋妻 宋 見胥氏
黃君澤明 1231-781- 2
黃克仁黃五哥 宋448-365- 0
529-626- 48
黃克正明 460-819- 90
黃克侯妻 清 見劉瑞姊
黃克晦明 529-736- 51
676-595- 24
821-433- 57
1442- 96- 6
1460-574- 68
黃克巽清 黃曰瑚女
512- 12-176
黃克嘉明 456-502- 5
511-493-156
515-179- 62
黃克纘明 301-328-256
460-743- 77
475-744- 88
510-473-117
515-280- 65
529-548- 45
540-619- 27
676-612- 25
1442- 78- 5
黃阮邱漢 1058-505- 下
黃扶寬明 567-400- 83
黃里雲明 545-324- 95
黃見泰明 529-482- 43
黃步松五代 564-616- 56
黃佐才元 481-782-337
528-572- 32
黃作賓妻 明 見陳氏
黃伯仁明 1227-101- 12
黃伯用黃海 明 524- 56-180
黃伯良元 524-218-189
黃伯奇明 473-178- 57
515-506- 72
黃伯固宋 473-165- 57
473-617- 77
515-104- 60
1177-243- 9
黃伯恆元 1222-662- 7
黃伯思宋 288-246-443
400-659-561
473-643- 78
481-696-332
529-746- 51
530-405- 67
674-831- 17
820-394- 34
821-199- 51
1126-755-168
1273-149- 21
黃伯英妻 明 見雍氏
黃伯泰妻 明 見杜妙眞
黃伯庸元 1212-185- 14
黃伯庸明 1227-617- 中
黃伯祥元 見黃竹關
黃伯善明 460-741- 76
676-574- 23
黃伯經明 1232-618- 6
黃希文宋 484-389- 28
黃希旦宋 473-646- 78
530-205- 60
1437- 36- 2
黃希范明 299-374-143
456-695- 12
黃希英明 571-545- 20
1393-528-477
黃希旼妻 宋 見丁氏
黃希穀明 821-369-55
黃希憲明(字伯客) 479- 93-221
515-793- 82
523-107-150
676-299- 11
676-586- 24
黃希憲黃金貴 明(字又生)
510-295-112
515-511- 72
563-765- 40
黃希憲明(字千頃) 821-460- 57
黃希顏明 460-589- 58
黃兒金明 456-677- 11
480-176-266
黃邦佐宋 484-390- 28
黃邦彥宋 523-499-170
黃邦俊宋 484-373- 27
529-716- 51
676-260- 10
黃邦鎭明 564-212- 46
黃秀老女 元 見黃妙權
黃妙宣明 506- 31- 86
黃妙貞明 劉元妻、黃得和女
1238-203- 17
黃妙清明 姚榮妻683-208- 7
1228-554- 2
1373-734- 20
黃妙寧明 韓士陽妻、黃子中女 1246-615- 11
黃妙銖元 李述甫妻
530-138- 58
黃妙瑩明 葉繼生妻
530-143- 58
黃妙權元 韓孚妻、黃秀老女
524-667-210
1228-173- 8
黃妙觀元 蔡安妻
530-104- 57
黃廷才妻 明 見丁氏
黃廷永妻 明 見林氏
黃廷玉南唐 見黃玉
黃廷用明(榆林人) 456-613- 9
554-726- 61
黃廷用明(莆田人) 676-570- 23
黃廷佐元 477- 54-151
537-347- 56

黃廷柱明 456-602- 9
黃廷柱妻 明 見連氏
黃廷柏清 476-181-106
502-765- 86
545-251- 92
黃廷政明 456-494- 5
554-726- 61
黃廷俊宋 484-382- 28
黃廷案妻 清 見張氏
黃廷桂清 477-569-177
1308-298- 59
黃廷弼明 456-613- 9
554-726- 61
黃廷極明 見黃建極
黃廷瑞宋 484-384- 28
黃廷楫明 460-619- 61
黃廷瑛妻 明 見謝氏
黃廷綬妻 清 見李氏
黃廷樑妻 清 見姜氏
黃廷燦妻 清 見游氏
黃廷鵠明 676-311- 11
黃廷繼妻 明 見陳氏
黃宗仁宋 524- 80-182
黃宗旦宋 473-586- 75
529-734- 51
黃宗孝明 472-695- 28
黃宗昌黃忠昌 明
301-358-258
458-472- 24
540-829-28之3
1442-103- 7
1460-616- 71
黃宗明明 300-241-197
452-447- 2
457-200- 14
479-184-225
523-594-175
1474-235- 11
黃宗海明 1229-668- 1
黃宗晦明 559-525- 12
黃宗道宋 821-203- 51
黃宗載黃垕 明 299-545-158
453-247- 23
473- 23- 49
479-488-239
515-359- 68
532-589- 41
1240-161- 11
1240-246- 15
1241-142- 7
黃宗聖清 456-349- 77
黃宗聖妻 清 見葛淑聰
黃宗會清 524- 58-180
黃宗榮明 533-415- 62
黃宗諒宋 1153-593-104
黃宗憲妻 清 見王氏
黃宗羲清 479-248-228
523-603-176
黃宗繼明 529-677- 49
黃法氍陳 260-618- 11
265-935- 66
378-505-144
479-655-247
515-731- 80
517-238-121
588-362- 3
933-410- 27
黃性震清 1327-657- 7
黃怡姐明 林鳴鳳妻
481-650-330
530-129- 57
黃河清明(字應期) 460-587- 58
676-531- 21
黃河清明(號陸終子)
570-213- 23
黃河圖明 570-218- 23
黃初平晉 見皇初平
黃定國宋 484-378- 27
黃炎午黃應先 宋451- 89- 3
黃其英明 567-358- 80
黃亞夫女 宋 見黃氏
黃亞仲宋 484-389- 28
黃亞兒妻 清 見李氏
黃居中明 460-753- 77
511-512-157
529-736- 51
676-615- 25
1442- 80- 5
1460-425- 60
黃居宷後蜀 592-712-107
592-714-107
812-454- 1
812-471- 3
812-494- 中
812-546- 4
813-173- 17
821-142- 50
黃居寶後蜀 592-712-107
684-487- 下
812-494- 中
812-528- 2
813-167- 16
820-320- 31
821-128- 49
黃孟舟明 473-316- 62
473-645- 78
532-747- 46
黃孟深清 481-763-335
529-711- 50
黃孟端明 528-510- 31
黃奉先宋 475-646- 83
512-103-179
黃奇士明 533- 28- 47
黃奇孫宋 524-287-192
黃阿繼妻 清 見柳氏
黃表之宋 843-673- 下
黃表中妻 宋 見李氏
黃長元元 1197-796- 84
黃長公唐 515- 6- 57
黃長娘宋 邱禮奇妻
530-150- 58
黃來姐清 530- 81- 55
黃來聘妻 清 見魏氏
黃承玄明 510-316-113
515- 61- 58
576-654- 5
676-615- 25
1442- 81- 5
1460-429- 60
1475-372- 16
黃承宗明 456-518- 6
474-238- 12
476-701-137
505-660- 68
黃承宗妻 清 見劉氏
黃承芳妻 清 見楊氏
黃承昊明 1442- 93- 6
1460-533- 66
1475-415- 18
黃承昊妻 明 見沈紉蘭
黃承昊女 明 見黃雙蕙
黃承彥蜀漢 480-292-271
533-227- 54
879-161-58上
黃承眞蜀漢 592-213- 73
黃承務宋 821-254- 52
黃忠昌明 見黃宗昌
黃尚正明 564-243- 47
黃尚斌明 524-262-191
黃尚義妻 明 見王氏
黃尚質明(字宗商) 511- 81-139
515-135- 61
黃尚質明(號醒泉) 524- 57-180
676-582- 24
821-435- 57
1442- 67- 4
1460-294- 53
黃肯堂妻 明 見張氏
黃肯播元 1214-179- 15
黃昌元元 529-685- 50
黃昌言明 821-435- 57
黃昌期清 479-332-232
黃昌裔妻 清 見楊氏
黃昌圖明 476-205-107
黃明良明 570-133-21之2
黃明善女 明 見黃惠端
黃明陽妻 清 見李氏
黃明遠唐 533-795- 75
黃明學明 516-436-103
黃芳世清 528- 9- 17
529-577- 46
黃芳度清 528- 9- 17
528-501- 30
黃芳柏妻 明 見唐氏
黃芳泰清 528- 9- 17
黃易春清 456-349- 77
黃叔度漢 469- 85- 11
黃叔美宋 515-829- 83
黃叔英元 479-179-225
523-592-175
676-703- 29
1209-488-8上
黃叔敖宋 515-312- 66
1113-825- 1
黃叔敖妻 宋 見李蒙
黃叔通宋 1174-432- 28
黃叔雅元 1203-394- 29
黃叔琬 569-620-18下之2
黃叔琳清 474-189- 9
476-480-125
黃叔達宋(字知命) 515-311- 66
黃叔達宋(字公濟) 564- 66- 44

黃叔通明 820-749- 44
黃叔與妻 元 見徐氏
黃叔樵元 515-871- 85
黃叔獻女 明 見黃氏
黃忽都黃呼都克 明
1236-811- 14
1467-287- 73
黃侅孫宋 473- 96- 53
黃知命宋 820-380- 33
黃知新宋 484-388- 28
黃知微宋 479-613-244
516-482-105
黃季貞明 饒仲高妻
473-118- 54
479-664-247
516-315-100
黃季倫明 516- 59- 89
1439-444- 2
黃季滋妻 明 見吳氏
黃季儒妻 清 見林氏
黃周新明 見黃周星
黃周星黃周新 明
524-315-194
676-661- 27
1323-525- 附
1442-110- 7
1460-723- 78
黃周蔭宋 見黃瑢
黃和叔宋 1113-255- 24
黃金文黃友 明 456-664- 11
黃金元清 529-706- 50
黃金色明 680- 48- 229
黃金度黃度 明 456-664- 11
黃金階清 533-422- 62
黃金貴明 見黃希憲
黃金華明 1236-760- 11
1408-533-535
黃金鉉清 481-698-332
529-695- 50
黃金璽明 456-635- 10
475- 77- 53
黃金耀明 見黃淳耀
黃金耀妻 明 見邱氏
黃金蘭明 475-640- 83
1241-697- 16
黃佩韋明 460-782- 82
黃所志元 1202-257- 18
黃岳宷明 456-617- 9
黃受山明 567-545- 91
黃受理清 456-349- 77
黃采之妻 明 見朱氏
黃采之妻 明 見張氏
黃秉中清 476-856-145
540-685- 27
黃秉彝明 1259-256- 19
黃秉蘭明 529-676- 49
黃牧之宋 1147-818- 78
黃延年宋 515-196- 63
黃延年明 563-830- 41
黃延浩五代 812-526- 2
821-132- 49
黃洪元清 475-280- 63
511-566-158
1315-591- 36
黃洪毗明 676-573- 23
黃洪憲明 479- 97-221
524- 23-179
676-606- 25
677-642- 57
1442- 75- 5
1475-342- 14
黃炳吉妻 清 見林氏
黃炳如明 460-795- 84
黃宣泰清 511-197-143
黃洞源唐 473-370- 64
533-794- 75
534-654-104
黃洽中明 480-413-277
515-125- 60
533-255- 55
黃流芳明 564-192- 46
567-142- 68
黃彥士明 480- 91-262
533- 28- 47
黃彥正明 532-693- 45
黃彥臣宋 460-207- 13
529-559- 46
黃彥臣妻 宋 見崔氏
黃彥法清 456-349- 77
黃彥俊明 1458-499-450
黃彥清明 299-374-143
475-570- 79
511-480-155
886-163-139
黃彥彬妻 清 見蔡氏
黃彥達宋 585- 54- 0
黃彥節宋 1053-883- 20
黃彥輔宋 515-314- 66
黃彥遠宋 515-742- 80
680-184-242
黃拱斗明 570-260- 25
黃咸聲妻 清 見鄭氏
黃春伯宋 1174-579- 36
黃厚之妻 宋 見張氏
黃眉翁宋(眉長垂兩頰)
533-332- 58
黃南老宋 484-381- 28
黃建中明 511-212-144
黃建孫女 明 見黃氏
黃建極黃廷極 明456-520- 6
540-642- 27
554-714- 61
黃茂光明 564-243- 47
黃茂先宋 820-357- 32
黃茂宗宋 515-304- 66
1113-256- 24
黃茂性明 480-637-288
黃茂梧妻 明 見顧若璞
黃茂發妻 清 見曾氏
黃貞泰清 561-653- 47
黃貞勝妻 明 見陳氏
黃貞麟清 540-855-28之4
黃思永宋 1168-451- 38
黃思位妻 明 見羅氏
黃思問岳母 宋 見薛氏
黃思詔妻 明 見陳氏
黃思道明 545-424- 98
黃思銘明 524-284-192
黃思綱妻 明 見羅氏
黃思讓明 473-335- 63
480-403-277
532-693- 45
黃省曾明 301-844-287
457-410- 25
475-138- 56
524-325-195
675-397- 3
1275-745- 36
1442- 66- 4
1455-680-242
1460-285- 53
黃若水妻 明 見彭氏
黃昭武宋 529-685- 50
黃昭娘明 彭祖振妻
481-750- 334
黃昭道明 300- 83- 188
473-318- 62
480-465-279
515- 43- 58
533-284- 56
黃苑青妻 清 見張氏
黃則忠元 1217-225- 6
黃英衍明 567-592- 95
黃英娘明 張文謨妻
530-125- 57
黃英傑明 567-592- 95
黃英賢明 533-433- 62
黃禹端妻 清 見朱氏
黃禹錫宋 528-472- 30
黃待問女 宋 見黃氏
黃待聘宋 1194-651- 10
黃待顯明 529-514- 44
黃約仲黃守 明 460-531- 49
481-555-327
529-729- 51
676-482- 18
820-597- 40
1442- 19-附1
1459-557- 19
黃信一元 511-849-169
黃信中明 301-733-281
472-963- 38
472-1115- 48
479- 43-218
479-402-235
516- 61- 89
523- 83-149
523-228-156
黃信中清 511-593-159
黃信甫宋 見黃夢履
黃信初明 1242-236- 32
黃信初妻 明 見楊氏
黃信義妻 明 見葉氏
黃紀賢明 1291-626- 1
黃後渠妻 明 見王恭
黃宮球清 479-663-247
黃唐佑宋 528-538- 32
黃唐傑宋 485-541- 1
黃祖年明 見黃世清
黃祖善妻 宋 見章氏
黃祖堯宋 484-377- 27
黃祖舜宋 287-291-386

398-314-385
460-224- 14
473-571- 74
481-527-326
484-382- 28
529-439- 43
677-259- 23
黃益受明 564-277- 47
黃益純明 529-637- 48
黃神氏上古 383- 11- 3
黃家才清 537-590- 60
黃家林明 571-551- 20
黃家桂明 533-215- 53
黃家梧明 533-312- 57
黃家瑞妻 清 見王氏
黃家鼎清 478- 94-180
554-318- 53
黃家雋明 見黃嘉雋
黃家遴清 515-228- 63
黃宸達妻 清 見陳宜衍
黃宸適妻 清 見陳氏
黃宸謨妻 清 見陳氏
黃衷赤明 見黃中理
黃庭浩宋 821-248- 52
黃庭堅宋 288-247-444
382-758-116
400-661-562
449-292- 1
471-691- 15
471-722- 19
471-722- 19
471-732- 20
471-738- 21
471-771- 25
471-786- 28
471-879- 41
471-928- 49
471-1000- 60
471-1005- 61
471-1029- 65
472-126- 4
472-336- 14
472-347- 15
472-766- 30
473- 21- 49
473- 43- 50
473-143- 56
473-465- 69
473-477- 69
473-762- 84
474-470- 23
475-525- 77
475-666- 84
475-776- 89
476-156-104
477-359-166
479-486-239
480- 49-259
481-214-302
482-391-358
510-413-116
515-310- 66
517-385-125
517-746-133
532-614- 43
537-313- 56
547-165-147
559-273- 6
561-210-38之2
561-211-38之2
561-212-38之2
567-435- 86
858-779- 7
588-168- 8
674-289-4下
820-379- 33
933-411- 27
1053-736- 17
1110-303- 14
1138-688- 11
1147-625- 59
1284-331-161
1366-828- 8
1375- 33- 下
1461-566- 28
1437- 17- 1
黃庭堅妻 宋 見孫氏
黃庭堅妻 宋 見謝氏
黃庭堅八世孫 明
516-417-103
黃庭畹女 明 見童氏
黃庭實妻 見陳氏
黃兼倩妻 清 見蘇氏
黃恭甫妻 明 見林氏
黃眞淨元 諸葛用中妻
1218-317- 14
黃原昌明 473-644- 78
529-629- 48
黃原泰宋 524-210-188
黃原道明 569-659- 19
黃原銘元 483-340-398
571-549- 20
黃孫茂王孫茂 明456-587- 8
515-846- 84
黃耆孫宋 見黃匯
黃桂林妻 清 見孫氏
黃晉良清 529-723- 51
黃配元明 510-419-116
515-809- 82
黃匪躬後梁 564- 36- 44
黃匪躬宋 484-381- 28
黃起雒女 清 見黃氏
黃起龍明 529-521- 44
黃起鯤明 529-733- 51
黃振宗明 1241-830- 21
黃振英明 572- 84- 28
黃振龍宋 1168-442- 37
1174-718- 45
黃挺賢清 564-306- 48
黃時中明 569-662- 19
黃時可妻 清 見傅氏
黃時雨明 511-389-151
563-781- 40
黃時訓妻 明 見嚴氏
黃時清妻 元 見李氏
黃時鸞明 676-272- 10
黃員通明 493-760- 41
黃荀龍女 元 見黃丑
黃荆梅清 鄭慶妻
530-189- 59
黃茶山妻 明 見吳氏
黃峻卿明 1270- 82- 8
黃徐老宋 見黃適中
黃師中宋 510-485-118
黃師旦宋 533-260- 55
黃師南宋 1173-239- 80
黃師剛元 1229-360- 13
黃師雍宋 287-783-424
398-709-415
460-335- 26
472-308- 13
473-572- 74
475-324- 65
481-528-326
481-611-329
523-185-155
528-540- 32
529-448- 43
黃師道宋 533-260- 55
黃能應宋 見黃應辰
黃姬水明 475-138- 56
820-704- 43
1284-178-150
1442- 70- 4
黃修娟明 黃汝亨女
1442-125- 8
1460-785- 85
黃渟耀黃金耀 明
301-773-282
456-439- 3
458-313- 11
458-1070- 2
475-453- 71
511-696-163
676-662- 27
1318- 67- 37
1325-141- 9
1442-112- 7
1460-704- 76
黃清老元 460-483- 39
473-644- 78
529-747- 51
676- 67- 2
676-707- 29
679-577-195
1214-158- 13
1226-591- 3
1439-432- 1
1470-465- 15
黃惟一明 564-220- 46
黃惟天黃維天 明
820-620- 41
1253- 35- 42
黃惟弘明 515-539- 74
黃惟直宋 1174-395- 26
黃惟亮宋 821-142- 50
黃惟桂清 515-287- 65
黃惟淑宋 蔣修妻、黃環女
1167-215- 18
黃淵耀明 301-773-282
456-439- 3
黃祥獅妻 明 見藍明娘

黃淑清明 460-588-58
1274-211-9
黃淑德明 屠耀孫妻、黃正憲女 1442-125-8
1475-812-34
黃淑靜明 李賢妻 1244-677-18
黃康國宋 484-387-28
黃執中唐 820-284-30
黃執中清 528-468-29
黃執矩宋 564-78-44
黃雪洲明 1263-561-7
黃乾行明 460-824-92
481-749-334
676-37-2
679-64-145
黃乾亨明 530-376-66
1261-626-22
黃乾曜唐 567-583-94
黃習遠明 1442-98-6
1460-592-69
黃連生妻 清 見蕭氏
黃通理明 473-45-50
黃異望妻 清 見李氏
黃崇義宋 515-760-80
黃崇嘏前蜀 561-585-46
820-320-31
821-124-49
黃崇樠妻 明 見陳氏
黃國用明 515-693-78
563-912-43
黃國材清 568-452-116
黃國泰清 456-349-77
黃國卿明 523-234-156
564-205-46
黃國琦王國琦 明～清 511-890-172
515-493-71
黃國華宋 524-234-189
1228-436-22
黃國華明 515-401-69
559-301-7上
黃國鼎明 460-690-71
529-551-45
677-677-60
黃國鎮宋 528-439-29
黃唯德明 564-318-49
黃常祖明 460-543-52
475-871-95
529-506-44
545-68-85
1247-53-4
黃荷玉明 530-87-56
黃野人晉 473-696-80
482-119-343
564-614-56
黃得一宋 708-1016-95
黃得功明 301-525-268
456-411-1
474-743-40
475-710-86
502-719-83
黃得功清 558-427-37
黃得和女 明 見黃妙貞
黃得禮宋 473-21-49
515-312-66
1132-788-4
1208-228-9
黃紹杰明 301-361-258
479-727-250
515-721-79
黃紹芳明 564-192-46
黃紹烈黃克 明 473-116-54
515-777-81
676-20-1
676-471-18
678-184-87
679-56-144
黃紹孫宋 見黃岱
黃紹欽明 479-319-232
523-188-155
黃細姑明 章一綱妻 512-481-189
黃細娘明 阮有道妻 530-70-55
黃敏才明 570-133-21之2
黃敏求宋(懷安軍人) 680-176-242
黃敏求宋(字叔敏) 1357-894-13
黃健極女 明 見黃氏
黃啟宗宋 528-491-30
黃從周妻 明 見吳氏
黃從律明 523-89-149
黃從貴明 456-553-7
480-319-272
533-391-60
473-64-51
480-170-266
515-867-85
黃從龍元 1202-249-18
1224-520-31
黃斌老宋 592-728-108
821-182-50
黃斌卿明 456-546-7
529-524-44
黃尊素明 301-164-245
457-1064-61
458-221-4
475-606-81
479-244-227
510-440-116
523-388-164
676-634-26
680-326-258
1295-540-6
1442-93-6
1458-620-464
1460-532-66
黃尊素妻 明 見姚氏
黃善德妻 清 見張氏
黃善聰張勝 明 302-212-301
475-79-53
黃善繼明 1274-402-14
黃敦書宋 1127-122-6
黃雲師清 516-141-92
黃雲翔元 524-427-200
黃雲齊妻 明 見鍾妙節
黃雲龍元 1195-73-6
黃雲錦妻 清 見廖氏
黃雲閣明 533-25-47
黃惠之宋 524-286-192
黃惠端明 韓蒼雪妻、黃明善女 1270-86-8
黃越甫清 1325-795-10
黃壺石明 530-213-61
黃超秀明 黃銘女 482-91-342
黃超然元 472-1104-47
479-290-230
黃朝田明 567-606-95
黃朝佐妻 宋 見許氏
黃朝宗清 529-674-49
黃朝奉宋 473-719-81
黃朝封妻 明 見呂氏
黃朝相明 511-799-167
黃朝屏妻 明 見張氏
黃朝章女 明 見黃銀奴
黃朝弼明 472-348-15
510-454-117
黃朝聘明 456-678-11
黃朝選明 676-172-7
黃朝薦清 537-590-60
黃朝鍹明 456-518-6
540-835-28之3
黃閏玉明 見黃潤玉
黃登榜妻 明 見吳氏
黃堯彩明 516-138-92
黃斯崇元 陳德敬妻、黃公僅女 1207-292-20
黃覃恩妻 明 見陳杏姐
黃開先明 516-137-92
黃開先妻 明 見李氏
黃開運清 481-389-312
559-534-12
黃開鳳清 529-704-50
黃開顏明 1257-166-16
黃陽復明 1327-690-8
黃棣開清 533-490-65
黃景昌宋 452-26-下
523-613-176
678-153-84
1209-150-8
1457-570-397
黃景明明 473-713-81
567-147-68
1467-135-66
黃景昉明 301-261-251
481-590-328
529-554-45
676-653-27
1442-104-7
黃景春明 547-20-141
黃景信明 473-790-85
567-302-77
1467-188-69
黃景星明 678-221-91
黃景珪宋 1209-472-8上
黃景章明 1474-545-27
黃景華漢 黃瓊女 1061-347-115
黃華秀明 516-153-93
黃華姑唐 473-118-54

黃華南妻 明 見謝氏
黃喬如妻 明 530-130- 57
黃喬焜妻 明 見秦氏
黃喬植妻 明 見留氏
黃喬楝明 676- 23- 1
676- 79- 3
680-256-250
1442-68- 4
1460-311- 54
黃循聖宋 1138-799- 22
黃舜卿宋 1117-171- 14
黃勝寶妻 明 見葉氏
黃欽祥妻 明 見莊氏
黃逸山妻 明 見王氏
黃進忠清 572- 89- 29
黃復之元 1213-758- 24
黃復生清 533-298- 56
559-334-7下
黃復圭元 516- 50- 88
1471-42- 9
黃復陽妻 清 見林氏
黃媛介清 楊世功妻
1313-216- 17
1475-829- 35
黃媛貞明 朱茂時妻
1442-126- 8
1460-789- 85
1475-831- 35
黃猷吉明 820-718- 43
黃義明宋 515-752- 80
黃義勇宋 515-752- 80
黃義貞元 479-236-227
524-133-185
黃義剛宋 515-752- 80
黃新德清 482-144-344
564-306- 48
1327-692- 8
黃裡誠妻 明 見朱氏
黃運升妻 明 見劉氏
黃運昌明 572- 77- 28
黃運泰明 1321- 33- 88
黃運啟清 479-747-251
515-113- 60
540-857-28之4
黃運寧明 483-268-392
572- 88- 29
黃運遠明 483-268-392
黃道月明 511-820-167
黃道弘妻 明 302-255-303
黃道弘清 528-501- 30
黃道充明 820-740- 44
黃道年明(字延卿) 523-221-156
黃道年明(福建人) 559-269- 6
黃道行清 528-518- 31
黃道沖宋 480-616-287
黃道亨明 505-659- 68
554-516-57下
黃道周明 301-318-255
456-412- 1
457-953- 56
458-318- 12
460-783- 83
481-617-329
529-574- 46
567-452- 86
676- 23- 1
676-652- 27
677-706- 63
820-753- 44
821-474- 58
1325-716- 6
1325-805- 11
1326-767- 4
1442-104- 7
1406-710- 77
黃道周妻 明 見蔡玉卿
黃道俊元 523-572-174
黃道眞晉 473-370- 64
480-488-280
黃道原宋 1123-178- 19
黃道珪清 476-893-147
540-686- 27
黃道婆元 508-256- 39
黃道淵明 493-1109- 58
黃道隆妻 清 見趙氏
黃道發妻 清 見唐氏
黃道滂妻 清 見游氏
黃道敬明 529-548- 45
黃道賢元 295-613-198
400-320-526
473-587- 75
481-586-328
529-671- 49
黃道瞻明 529-547- 45
黃道權清 524-129-184
黃道儼妻 清 見林氏
黃煥國宋 564- 62- 44
黃預之妻 宋 見陳氏
黃雷利黃一正 宋451- 97- 3
黃聖保宋 見黃文昌
黃椿老宋 見黃嗣廉
黃椿芳妻 明 見李氏
黃楣漳明 鄭承惠妻
530-112- 57
黃瑞曾妻 元 見彭德玉
黃瑞節元 453-794- 3
473-150- 56
515-616- 76
676-317- 11
黃瑞璋妻 清 見汪氏
黃勢榮元 1467-182- 68
黃瑛玉明 陳欽成妻
530-107- 57
黃達可妻 清 見林氏
黃萬戶後蜀 見黃萬祐
黃萬里元 1221-398- 3
黃萬里明 529-635- 48
黃萬里妻 明 見劉氏
黃萬金妻 明 見賴氏
黃萬祐黃萬戶 後蜀
561-219- 38之3
592-251- 75
黃萬頃宋 472-290- 12
473-587- 75
529-735- 51
黃照中妻 明 見江氏
黃照鄰宋 471-774- 26
473-360- 64
533-319- 57
黃路清明 554-610- 59
黃嗣眞宋～元 吳泰發妻、黃以權女 479-664-247
516-312-100
518-238-143
518-245-143
黃嗣廉黃椿老 宋448-401- 0
黃嗣憲清 567-411- 84
黃鼎甲妻 清 見藍氏
黃鼎臣明 564-193- 46
黃鼎象明 523- 90-149
676-170- 7
黃暉烈清 511-558-158
黃葆光宋 286-617-348
382-679-105
397-678-361
472-379- 16
472-1052- 44
473-768- 84
475-566- 79
479-430-236
482-435-361
485-450- 7
511-268-147
523-240-157
567-435- 86
933-410- 27
1376-282- 77
1467-147- 67
黃敬止明 563-803- 41
黃敬姐清 530- 83- 55
黃敬則元 518- 25-136
1207-458- 32
黃敬璣清 540-850-28之4
黃虞再清 558-320- 34
黃虞彥妻 清 見范氏
黃虞稷清 475- 78- 53
黃虞龍明 456-589- 8
483-282-393
571-542- 20
黃遇卿宋 1178-513- 5
黃傳康宋 484-378- 27
黃嫣助妻 明 見林氏
黃毓奇清 482-468-363
567-373- 81
黃毓祺明 301-669-277
456-636- 10
1460-707- 76
黃愛玉明 林超南妻
530- 91- 56
黃禎祥明 1253-148- 47
黃禎祥妻 明 見徐氏
黃禎祺明 1253- 13- 40
黃福安妻 明 見陳氏
黃福璋明 王齊玉妻
1271-822- 8
黃端伯明 301-635-275
456-462- 4
479-631-245
515-847- 84
523-139-152
676-656- 27
1442-107- 7

1460-696- 76
黃端卿宋 480-402-277
515-327- 67
黃潒清明 460-588- 58
黃榮六明 511-599-160
黃瑪舒清 455-531- 33
黃壽之明 523-250-157
黃壽生明 460-534- 50
473-634- 77
529-729- 51
676-476- 18
黃爾性清 556-430- 92
黃爾玢妻 清 見王氏
黃與迪宋 821-182- 50
黃與堅清 511-793-166
1475-967- 41
黃與瑞妻 明 見林淑清
黃輔之宋 473-165- 57
515-103- 60
黃輔時妻 明 見陳氏
黃輔國宋 529-597- 47
黃熙印明 564-807- 60
黃熙胤清 529-555- 45
黃熙燿妻 明 見李子娘
黃熙纘清 475-527- 77
510-420-116
黃嘉仁明 1442- 50-附3
1460- 73- 43
黃嘉善明 554-183- 51
黃嘉猷唐 529-670- 49
黃嘉默妻 明 見李氏
黃嘉雋黃家雋、黃嘉寯 明
456-588- 8
479-187-225
483-249-391
523-379-164
571-539- 20
黃嘉賓明 529-618- 47
黃嘉賓妻 明 見暨氏
黃嘉寯明 見黃嘉雋
黃夢升宋 1447-599- 33
黃夢庚明 524-169-186
1228-580- 4
黃夢炎宋(字如晦) 473-167- 57
515-470- 71
黃夢炎宋(字子陽) 523-480-170
1209-436-7上
1223-643- 13
黃夢冠黃季 宋 451- 64- 2
黃夢弼清 533-317- 57
黃夢裴明 524-169-186
1228-580- 4
黃夢履黃信甫 宋451- 88- 3
黃夢薦黃興哥 宋451- 59- 2
黃鳴俊明 523- 60-148
529-523- 44
黃鳴晉明 460-729- 75
黃鳴喬明 479-766-252
515-125- 60
529-521- 44
黃圖安清 540-844-28之4
黃圖昌明 545-346- 96
黃圖昌清 545-410- 98
黃鳳翔明(字鳴周) 300-557-216
460-700- 73
481-588-328
529-546- 45
676-603- 25
1442- 73- 5
黃鳳翔明(字沖宵)
570-105-21之1
黃鳳德明 456-672- 11
480-414-277
黃鳳翼女 清 見黃氏
黃鳳麟隋 473- 76- 52
516-214- 96
533-301- 57
黃維之黃偉 宋 460-205- 12
528-538- 32
529-648- 48
黃維天明 見黃惟天
黃維章清 572- 92- 29
黃維楫明 1290-589- 82
1442- 96- 6
1460-567- 68
黃維纓宋 見黃纓
黃肇陽妻 清 見麥氏
黃銀奴明 周元惠妻、黃朝章女 530- 64- 55
1254-590-上
黃寬姐明 張鳳翼妻
481-784-337
黃廣平明 302-589-318
黃潛善宋 288-606-473
401-351-616
471-651- 10
黃潤中明 460-703- 73
黃潤玉明 299-590-161
453-414- 13
457-751- 45
458-1018- 1
475-810- 91
479-181-225
482-321-354
505-928- 84
510-490-118
523-593-175
567- 92- 66
678-591-126
1467- 67- 64
1474- 57- 4
黃澄瀾妻 明 見李氏
黃誼昭妻 明 見孫氏
黃慶老女 元 見黃氏
黃慶長女 宋 見黃氏
黃養正黃蒙 明(字養正)
299-663-167
447-122- 0
471-1118- 48
479-408-235
523-418-166
820-597- 40
821-360- 55
黃養正明(字童聖) 567-416- 84
黃養蒙明 516-152- 93
黃適中黃徐老 宋448-368- 0
黃賢秀清 吳珍妻
516-327-100
黃賢相明 566-709- 61
567-308- 77
1467-194- 69
黃震昌明 481-720-333
528-553- 32
黃霆發宋 460-452- 34
黃撥沙宋 530-210- 61
黃履素妻 明 見沈伯姬
黃履翁元 460-488- 40
黃膚卿宋 1152-584- 31
黃幡綽唐 820-290- 30
黃蓬石唐 591-329- 25
592-262- 76
黃蓬石宋 561-202-38之1
黃儀韶妻 見李純德
黃質甫清 530- 81- 55
黃質菴妻 明 見方氏
黃德方宋 蕭之美妻、黃良弓女 1167-214- 18
黃德全女 宋 見黃氏
黃德甫女 明 見黃興
黃德初女 清 見黃氏
黃德明明(字本初)
563-798- 41
黃德明明(泰邑人)
1227-104- 12
黃德明妻 清 見戴氏
黃德炫女 明 見黃氏
黃德洋明 529-546- 45
黃德貞明 孫曾楠妻
1475-815- 34
黃德清女 明 見黃琇
黃德隆元 515-245- 64
516-222- 96
黃德順元 劉時明妻
1204-326- 11
黃德溫明 516-172- 94
黃德裕宋 528-438- 29
黃德潤明 473-188- 58
黃德輿宋 288-404-456
400-294-524
481-386-312
黃德環明 567-466- 87
1467-526- 11
黃魯曾明 475-138- 56
511-741-165
1275-858- 54
1280-519- 94
1442- 66- 4
1458-285-436
黃緯色妻 明 見胡氏
黃緝熙妻 清 見梁氏
黃樂善妻 明 見陳氏
黃憲昭宋 563-909- 43
黃憲清明 460-741- 76
563-816- 41
黃龍光明 483-307-395
572-158- 32
516- 86- 90
黃龍眉清 569-620-18下之2
黃龍英明 黃銘女
481-374-311
黃龍標妻 明 見許氏
黃龍躍明 567-401- 83

1467-257- 71
黃諫卿明 456-488- 5
481-558-327
529-521- 44
黃樵仲宋 460-208- 13
528-549- 32
529-562- 46
679- 41-142
黃頤驕妻 清 見陳氏
黃興哥宋 見黃夢薦
黃器先明 564-292- 47
黃暾江妻 明 見林氏
黃積厚宋 485-502- 9
黃學行宋 529-533- 45
黃學朱清 481-679-331
529-688- 50
黃學和清 533-256- 55
黃學皋宋 460-306- 21
481-615-329
529-738- 51
黃學張明 564-289- 47
黃學曾明 532-697- 45
黃學詩明 516-137- 92
黃學準明 480-171-266
564-174- 45
黃學謙明 533-316- 57
黃學璸妻 清 見徐氏
黃龜年宋 287-224-381
398-259-382
449-420-上6
473-572- 74
481-527-326
491-404- 4
494-427- 13
524-316-194
529-438- 43
黃錡英英妻 明 見許氏
黃儒炳明 564-139- 45
676-629- 26
1442- 88- 6
1460-501- 64
黃儒熿明 456-679- 11
黃應甲明 300-507-212
511-405-152
567-133- 68
676-354- 13
黃應用明 515-557- 74
黃應考妻 明 見盧氏
黃應先宋 見黃炎午
黃應辰黃能應 宋451- 70- 2
黃應坤明 515-225- 63
黃應坤妻 清 見劉氏
黃應明明 523-137-152
黃應春宋 678-405-108
黃應奎明 528-555- 32
黃應奎妻 明 見李保哥
黃應律清 479-332-232
黃應旂元 1375- 18- 上
黃應泰妻 明 見余氏
黃應童明 529-686- 50
黃應登明 511- 82-139
511-720-165
黃應發妻 明 見劉文淑
黃應傑清 554-612- 59
563-887- 42
黃應運明 456-551- 7
黃應運妻 明 見顏氏
黃應瑞元 517-477-127
1202-165- 13
黃應僖明 820-759- 44
黃應震明 1474-584- 29
黃應龍明(太湖人) 456-665- 11
511-475-155
黃應龍明(字訒齋) 480- 52-259
532-619- 43
黃應龍明(字國瑞) 529-618- 47
黃應舉明 528-498- 30
黃應爵妻 明 見陸氏
黃應麟清 511-649-162
黃應纘清 528- 9- 17
黃濟之明 524-137-185
黃濟叔宋 1188-209- 24
黃燦如 清 見趙氏
黃燦然明 456-588- 8
567-369- 81
黃聰娘明 徐以謦妻
530-141- 58
黃懋中明 460-690- 71
黃翼登明 678-254- 94
黃翼聖明 676-663- 28
1442-113- 7
黃駿發明 456-678- 11
黃鍾吉元 1222-682- 1
黃徽胤清 475-875- 95
529-555- 45
545-111- 86
黃顏榮宋 529-716- 51
黃禮遐明 1458-499-450
黃彝如明 456-580- 8
黃彝鉉妻 見陳氏
黃鎮中妻 清 見梁氏
黃鎮成元 400-578-553
453-800- 4
460-482- 39
473-644- 78
481-697-332
529-747- 51
676- 18- 1
676- 25- 1
677-514- 47
1439-445- 2
1469-332- 51
黃雙蕙明 黃承昊女
1442-124- 8
1475-820- 34
黃懷玉宋 812-464- 2
812-543- 4
821-165- 50
黃願素明 511-291-147
黃麗甫明 460-729- 75
黃疇若宋 287-625-415
398-602-406
473- 21- 49
473-144- 56
473-428- 67
473-523- 72
479-486-239
479-710-250
480-541-283
481- 70-293
482-348-356
482-371-357
494-265- 1
515-325- 67
559-266- 6
559-305-7上
567- 70- 65
591-687- 47
1147-584- 55
1394-516- 6
1467- 48- 63
黃鵬揚清 529-751- 51
黃寶賢宋 見黃驤子
黃獻可明 523-106-150
黃騰五清 482- 40-340
黃騰春明 529-669- 49
黃鐘高妻 清 見葉氏
黃鐘聲妻 元 見周氏
黃巖孫宋 460-291- 18
481-586-328
529-534- 45
黃覺經元 295-603-197
400-312-526
473-100- 53
479-629-245
515-833- 83
黃繼立明 1442- 95- 6
1460-547- 67
黃繼祖清 540-866-28之4
黃繼善宋 515-829- 83
黃鶴仙妻 明 見盧氏
黃蘭若妻 明 見林氏
黃襲明宋 486-896- 34
524-209-188
黃懿德明 林時清妻
530- 62- 55
黃麟徵妻 明 見劉氏
黃體仁明 511-130-141
黃體行明 529-511- 44
黃體純明 1254-474- 6
黃體堅妻 明 見陳氏
黃靈徵唐 1061-349-115
黃觀英明 564-258- 47
黃觀象宋 473-402- 66
480- 56-260
480-636-288
533-412- 62
黃觀福唐或宋 559-467-11中
592-228- 74
1061-356-116
黃驤子黃寶賢 宋451- 86- 3
黃衣和尚明(衣黃衣)
480-322-272
533-770- 74
黃多倫岱元 400-265-521
黃花老人明 474-789- 42
503- 20- 92
黃呼都克明 見黃忽都
黃冠道人宋 541- 91- 30
黃冠道士明 483-322-396
572-163- 32
黃華爾圖清 456-258- 69

黃摑九住金　見洪果玖珠
黃龍禪師宋(居黃龍寺)　1053-315- 8
黃臨安奴元　黃仲起女　401-182-593
黃皮二仙女唐(於黃皮山修道)　516-431-103
博王後梁　見朱友文
博屯清　455-359- 22
博牛清　455-220- 11
博吉清　455-437- 26
博多金　291-661-121　400-208-517
博貝元　294-279-123　399-356-450
博貝清(根敦子)　454-596- 63
博貝清(博爾濟吉特氏)　454-606- 64
博奇清(富察氏)　455-449- 27
博奇清(舒舒覺羅氏)　502-583- 75
博周清　455-345- 21
博岱清　455- 96- 3
博洛端重親王　清　454-125- 7　502-420- 67
博洽明　見溥洽
博亮清　455-240- 13
博索清　455-446- 27
博恭清　456-381- 79
博理清　456- 70- 55
博紳清　456- 90- 56
博惠清　455-332- 20
博絡清(馬佳氏)　455-170- 7
博絡清(富察氏)　455-448- 27
博絡清(土默特氏)　456-284- 71
博道清　456- 10- 50
博敬明　1467-192- 69
博碩元　見博綽
博綽博碩、撥徹　元　294-354-129　399-498-468　1207-344- 24　1367-303- 25
博濟清　477-569-177　554-193- 51
博壘清　455-650- 45
博羅孛孛　明　496-631-106
博羅清　455-387- 23
博囉元　294-225-119　399-325-447
博囉明　1259-206- 15
博子勞漢　933-740- 51
博木布清　454-444- 34
博平王明　見朱安泧
博布哈清　456-155- 61
博布泰清　456- 72- 55
博托波清　456- 4- 50
博多和清　496-217- 76
博多納元　見布都訥
博多渾清　455-683- 48
博色泰清　455-133- 5
博古托金　291-663-121　400-211-517
博奇納清　455-305- 18
博拖闊清　455-569- 37
博果斯元　294-243-120　399-368-451
博和託清　454-174- 10　502-424- 67
博和哩金　545-371- 97
博和理清(董鄂氏)　455-180- 8
博和理清(章佳氏)　455-601- 40
博和諾清　455-347- 21
博洛渾清　456- 22- 51
博思嘉清　502-582- 75
博迪蘇元　294-298-124　399-373-452
博索泰清(富察氏)　455-438- 26
博索泰清(富思庫氏)　456-192- 65
博索瑪元　1210-324- 9
博特音元　見布敦
博倫泰清　456-163- 62
博勒呼元　見博囉罕
博麥王後魏　見元暢
博陵王北齊　見高濟
博野王明　見朱成鍈
博斯呼元　569-644- 19
博絡和清　456-271- 70
博瑚察清　455-374- 23
博爾托清　455-663- 46
博爾多清　569-620-18下之2
博爾和清　456-233- 68
博爾晉清(完顏氏)　455-455- 28　474-756- 41　502-540- 73
博爾晉清(泰瑚特氏)　456-138- 59
博爾渾清(伊爾根覺羅氏)　455-271- 15
博爾渾清(吉魯氏)　456-117- 58
博爾塞清　455-114- 4
博爾齊清　456-217- 67
博爾輝清　455-490- 30
博爾齊元　294-231-119　399-329-445　451-523- 3
博爾濟清(納喇氏)　455-394- 24
博爾濟清(溫徹亨氏)　455-681- 48
博爾渧清(高達瑪氏)　456-286- 71
博爾騰清　455-578- 38
博爾歡博魯歡　元(謚武穆)　294-258-121　399-521-470　1197-629- 64
博爾歡元(實喇阿古爾子)　294-429-134　399-548-474
博爾歡雲王　元　544-239- 63
博爾鐸清　456-144- 60
博蓀泰清　455-440- 26
博德訥清(納喇氏)　455-402- 24
博德訥清(富察氏)　455-415- 25
博魯歡元　見博爾歡
博龍義清　456-292- 72
博穆波清　455-112- 4
博豁哩金　見巴古拉
博濟達清　455-377- 23
博雞者清　1457-651-403
博羅兒清　502-597- 76
博羅特清(浩齊特部人)　454-446- 35
博羅特清(正黃旗人)　456-212- 66
博羅特清(巴雅喇氏)　456-252- 69
博囉罕博勒呼　元　294-233-119　399-330-447
博克瑚齊清　455-438- 26
博郭勒岱元　545-373- 97
博都里𢬵元　見富珠哩𢬵
博都里遠妻　元　見雷氏
博爾卓海清　455-206- 10
博爾和津清　500-727- 37
博爾絡岱清　456-254- 69
博爾圖克清　456-101- 57
博爾鍾果清　455-445- 27
博爾鍾鄂清(那木都魯氏)　455-341- 21
博爾鍾鄂清(輝和氏)　455-588- 39
博濟爾岱清　456- 35- 52
博羅哈雅元　見博囉哈雅
博囉布色元　見巴咱爾斡爾密
博囉布哈元　294-427-134　399-547-474
博囉哈雅博羅哈雅　元　294-305-125　399-359-450
博囉哈達元　294-392-132　399-526-471
博勒和罕札元　294-437-135　399-677-487
博舒魯福壽金　見富珠哩福壽
博羅費揚古清　455- 56- 1
博囉特穆爾元(字國賓)　295-585-195　400-267-521　480-290-271　533-388- 60
博囉特穆爾元(達實巴圖爾子)　295-694-207　401-508-634　548-638-181
博囉特穆爾妻　元　見高麗氏
博囉特穆爾女　元　見布延呼圖克
博囉特穆爾女　元　見諤勒哲呼圖克
博多哩阿毛罕字朮魯阿魯罕、博都哩阿里罕　金　475-870- 95　477-561-177
博都哩阿里罕金　見博多哩阿老罕
博爾齊哈敦珠瑚清

455-270- 15
項心明 456-532- 6
項氏宋 陳說之妻
1170-703- 30
項氏明 明憲宗妃
1248-620- 3
項氏明 周應祁妻、項道亨女
302-235-302
475-145- 57
479-101-221
524-539-205
項氏明 戴德祐妻 479-189-225
524-623-208
項氏清 康子連妻 479-734-250
項氏清 劉之玩妻 512-346-185
項充宋 473-148- 56
515-598- 76
項他漢 933-515- 34
項羽秦 見項籍
項全妻 清 見龔氏
項志明 見項忠
項伾明 472-255- 10
項伯漢 933-515- 34
項忠項志 明 299-802-178
453-662- 29
472-828- 33
472-985- 39
473-210- 59
477-564-177
479- 95-221
480- 13-257
481-804-338
523-272-158
532-590- 41
554-166- 51
558-149- 30
676-493- 19
1250-824- 79
1442- 26-附2
1459-628- 24
1475-204- 9
項昕元 524-365-197
676-462- 17
1219-472- 19
項易明 456-524- 6
545-199- 90
項旻明 528-528- 31
項冠元 524-182-187
項炯元 1369-337- 8
1471-363- 5
項洙唐 821- 83- 47
項奎明 1475-706- 29
項茂明 524-146-185
項信唐 821- 83- 47
項容唐 812-355- 10
812-372- 10
813-124- 10
821- 73- 47
項訓宋 524-225-189
項悅宋 見項公悅
項眞明 820-756- 44
1442-114- 7
1460-669- 74
1475-468- 20
項珪元 見項公望
項珮明 吳統持妻
1442-125- 8
1460-785- 85
1475-823- 34
項倫明 511-661-162
項惇明 1242-110- 27
項梁秦 243-185- 7
243-215- 7
250- 6- 31
933-515- 34
項愉明 1242-231- 32
項巽妻 明 見徐氏
項斯唐 273-114- 60
451-455- 5
472-1103- 47
479-287-230
524- 61-181
1365-519- 10
1371- 71- 附
1388-487- 81
1473-442- 82
項森明 524-237-189
項智明 528-560- 32
項喬明 479-408-235
481-493-324
481-806-338
515-174- 62
524- 88-182
528-562- 32
676-145- 6
676-337- 12
項給明 563-829- 41
項復宋 523-630-177
項愫明 523-534-172
項溶清 592-1020- 下
項瑄明 494-168- 6
570-164-21之2
項鼎元 1207-271- 18
1271-815- 4
項經明 479- 95-221
523-435-167
項誦漢 515-291- 66
項綺明 程道昭妻、項福慶女
1253-164- 48
項澄明 529-458- 43
項質明 1247-522- 23
項德宋 288-366-453
400-131-511
472-1208- 42
479-321-232
523-401-165
項璣宋 524-143-185
項燕戰國 933-515- 34
項轂明 821-484- 58
項橐春秋 933-515- 34
項錫明 528-530- 31
項穆明 見項德純
項襄漢 933-515- 34
項翼明 456-532- 6
項嶷明 1245-536- 28
項騏明 479- 53-218
項壘元 524- 91-182
項麒項麟 明 472-969- 38
524-241-190
525- 29-217
585-229- 16
820-643- 41
項鶚宋 485-535- 1
項籍項羽 秦 243-185- 7
250- 6- 31
251-433- 1
376- 4- 95
384- 37- 2
933-515- 34
1343-748-55上
1360-611- 38
1408- 17-479
項麟明 見項麒
項一科清 545-306- 94
項一經清 479-378-234
480- 94-262
523-222-156
533-165- 52
項一鶚元 1202-604- 下
項子全明 1227-669- 2
項大章清 524-177-187
項文曜明 523-338-162
項元汴明 479- 98-221
524- 22-179
820-706- 43
821-434- 57
1475-325- 13
項元淳明 524-185-187
項元淇明 524- 22-179
820-706- 43
1442- 67- 4
1457-673-406
1460-300- 53
1475-324- 13
項天覺元 1194-203- 15
項止堂元 1219-596- 29
項日永清 524-105-183
項中宣明 473- 15- 49
項公悅項悅 宋 523-495-170
528-440- 29
項公望項珪 元 1209-506-8下
項公澤宋 493-750- 41
494-313- 5
510-329-113
項玉筍明 1475-643- 27
項世賢項嗣宗 明
516-524-106
項民彝明 523-422-166
項守禮明 523-457-168
項安世宋 287-431-397
398-426-392
451- 22- 0
472-1054- 44
473-302- 62
480-245-269
532-579- 41
533-209- 53
674-542- 1
677-305- 28
1210-482- 18
項汝廉明 563-812- 41
項如臯明 475-611- 81

511-311-148
項良枋明 1475-373- 16
項志寧明 456-636- 10
511-442-153
項邦柱明 563-836- 41
567-339- 79
項利侯明 1475-417- 18
項利賓明 1475-391- 16
項宜中宋 524-234-189
項承恩明 821-473- 58
項昂霄妻 元 見唐伯貞
項始震清 479-432-236
523-253-157
項近溪妻 明 見陳氏
項拱辰明 820-749- 44
項思教明 554-258- 52
項思諭明 524-153-185
項禹揆明 1460-722- 78
1475-493- 21
項祚臨明 456-597- 9
項桂芳明 1475-351- 14
項振宗項應宗 元
1197-720- 75
項淑美明 方希文妻
302-255-303
479-383-234
524-752-214
項猛奴陳 見周文育
項惠可妻 元 見唐氏
項隆錫清 1475-592- 25
項景襄清 479- 57-219
523-268-158
1475-610- 26
項道民明 1475-365- 15
項道亨女 明 見項氏
項聖謨明 821-434- 57
1460-748- 80
項嗣宗明 見項世賢
項鼎鉉明 676-625- 26
項毓禎妻 清 見張氏
項福慶女 明 見項綺
項嘉謨明 456-532- 6
479- 99-221
523-365-163
1442-114- 7
1460-702- 76
1475-513- 22
項夢原明 523-519-171
項維聰明 525-471-240
項賢輔明 524-378-197
項德成明 1475-397- 17
項德純項穆、項德醇 明
524-185-187
820-706- 43
1475-364- 15
項德新明 821-434- 57
項德醇明 見項德純
項德輝明 515-274- 65
項篤壽明 1318-245- 53
項應宗元 見項振宗
項應珍宋 843-673- 下
項應祥明 510-353-114
528-532- 31
項應瑞明 528-545- 32
項聲表明 1475-513- 22
項聲國明 1318-245- 53
項繼成清 511-620-160
項蘭貞明 黃卯錫妻
1442-125- 8
1460-783- 85
1475-812- 34
棧潛魏 245-452- 25
385-398- 42
933-588- 38
尞允牛允、宇文允 北周
263-725- 37
尋相隋 933-498- 33
尋适明 473-750- 83
567- 83- 66
尋諸妻 清 見首氏
尋魯晉 933-498- 33
尋治本明 456-504- 5
571-554- 20
尋陽王梁 見蕭太心
尋陽王陳 見陳叔儼
尋閣勸唐 569-536- 17
閎夭周 404-435- 25
933-429- 28
閎孺漢(名閎) 244-892-125
545-349- 96
933-429- 28
費徒人費 春秋 404-605- 37
491-791- 6
費于後魏 261-616- 44
費文宋 1098-212- 27
費文妻 宋 見魏氏
費氏後蜀 蜀睿文英武仁、聖明孝帝慧妃 591- 42- 4
592-648-102
1371- 79- 0
1388-784-112
1437- 39- 2
費氏元 何魏孫妻 480- 61-260
費氏元 張肖孫妻1196-539- 3
費氏明 李拓機妻 476-490-141
費氏明 周紳妻 1467-265- 72
費氏明 周士龍妻 533-574- 68
費立晉 559-378-9上
591-586- 43
費汎漢 453-754- 4
472-999- 40
494-351- 8
510-396-115
526-210-265
681-579- 11
1397-671- 32
費色清(赫舍里氏) 455-206- 10
費色清(正黃旗人) 456-356- 77
費仲商 404-418- 24
933-648- 42
費宏漢 476-575-131
費宏明 300-166-193
452-431- 1
473- 65- 51
479-559-242
515-879- 86
676-518- 20
680-233-247
1442- 36-附2
1459-746- 29
費直漢 251-106- 88
380-250-172
472-611- 25
476-698-137
476-727-138
540-693-28之1
675-241- 3
677- 75- 8
933-648- 42
費昌夏 546-425-129
費昇明 1248-482- 23
費昇妻 明 見朱氏
費袒梁 380-374-176
473-213- 59
533-301- 57
1395-598- 3
費柱清 455-435- 26
費玒宋 1182-614- 40
費若宋 479-141-223
費容明 524-192-188
費朗費慧 明 1475-398- 17
費珙元 見胡珙
費珣妻 明 見張氏
費釗明 1246-633- 13
費密清 481- 82-294
511-904-172
559-437-10下
費寀明 300-168-193
479-559-242
515-880- 86
676-542- 22
1442- 44-附3
費造宋 492-713-3下
費雄女 元 見費元琇
費雄女 元 見費元徽
費琦宋 1098-199- 24
費肅宋 492-700-3上
492-712-3下
費著元 481- 81-294
559-344- 8
費貽漢 473-523- 72
473-725- 82
482-225-348
559-377-9上
563-606- 38
591-577- 43
1467- 2- 62
費詩蜀漢 254-644- 11
377-289-118下
384- 76- 4
384-481- 15
473-523- 72
481-310-307
483-136-380
483-219-390
559-378- 8
569-642- 19
591-582- 43
933-648- 42
費詵元 1225-791- 19
費瑄明 300-168-193
473- 65- 51

475-421- 70
479-559-242
515-877- 86
費達清 511-188-143
費愚明(字子賢) 494-330- 6
費愚明(字希明) 524-259-191
費愚妻 明 見朱氏
費廣明 511-573-159
費寀元 472-242- 9
511-122-141
523-530-172
費聚明 299-233-131
475-855- 94
483-221-390
511-429-152
523- 33-147
571-530- 19
1374-432- 63
費鳳漢 453-754- 4
494-331- 7
494-351- 8
524-191-188
526-210-265
681- 39- 3
683-265- 7
683-266- 7
1103-375-136
1397-561- 27
1397-562- 27
費銘明 554-368- 54
費銘妻 明 見林淑圓
黃廣明 559-353- 8
567-311- 77
1467-198- 69
黃禕蜀漢 254-673- 14
377-308-118下
384- 77- 4
384-475- 14
385-192- 22
447-193- 7
459-291- 17
471-811- 31
472-793- 31
477-415-169
481- 14-291
533-135- 51
537-559- 60
559-244- 6
591-665- 47
933-648- 42
費慧明 見費朗
費誾明 452-214- 5
472-278- 11
511-774-166
1248-275- 14
1251-284- 21
費樞女 宋 見費法謙
費震明 299-308-138
472-867- 34
473- 50- 50
478-246-186
479-532-241
516- 52- 89
554-248- 52
費霆女 明 見費金菊
費德妻 明 見濮貞
費緝晉 559-378-9上
費諫明 524-112-183
費璠明 515-876- 86
1250-833- 80
費穆後魏 261-616- 44
267- 86- 50
379-366-151
545-261- 93
558-187- 31
933-648- 42
費襄唐 559-417-16上
費隱妻 元 見王氏
費鍇宋 492-712-3下
費鑑明 524-193-188
費巘明 見費瓛
費巖妻 元 見王氏
費瓛費巘 明 299-510-155
472-207- 7
475-753- 88
478-453-197
511-420-152
558-145- 30
費觀蜀漢 254-686- 15
477-415-169
費士戣宋 592-569- 97
費子賢明 299-269-134
523- 33-147
費文質明 473-455- 68
559-287-7上
費元之宋 1170-677- 29
費元琇元 朱道存妻、費雄女
472-243- 9
472-263- 10
475-187- 59
1218-648- 3
費元祿明 515-890- 86
1442- 97- 6
費元瑶晉 820- 75- 23
費元徽元 費雄女 472-243- 9
費必具明 458-163- 8
費弘道明 559-515- 12
費甲鏞明 545-251- 92
554-876- 64
費甲鑄明 554-876- 64
費有明妻 清 見白氏
費有時明 511-625-161
費光輝唐 533-753- 74
費兆元明 515-237- 64
費良佐明 1312-341- 33
費良弼明 570-211- 23
費孝先宋 473-537- 72
559-387-9上
592-288- 78
費伯恭宋 1187-131- 18
費妙清明 嚴士穀妻、費原達女 1242-158- 29
費廷樞妻 清 見陳氏
費宗善明 1260-747- 28
費宗道宋 821-184- 50
費法謙宋 張珖妻、費樞女
1160-557- 32
費松年元 821-321- 54
費長房漢 253-609-112下
380-579-181
472-796- 31
477-424-169
533-769- 74
538-346- 70
547-506-159
561-214-38之3
592-174- 71
933-648- 42
費長房隋 1051-188- 7
1401-591- 40
費長統明 456-548- 7
費東平宋 592-589- 98
費尚珍元 余文佐妻
516-231- 97
費明楝明 456-665- 11
費叔玉妻 明 見余氏
費金吾清 479-147-223
523-284-159
費金菊明 費霆女
524-560-205
費岳色清 455-435- 26
費冠卿唐 470-127-105
472-367- 16
475-641- 83
511-631-161
1061-301-112
費彥甫妻 清 見袁氏
費彥芳明 456-482- 5
479- 98-221
523-363-163
費查庫清 456-300- 73
費茂元妻 明 見賈氏
費昭霽明 1255-358- 40
費英東清 455- 34- 1
474-753- 41
502-428- 68
費約色清 455-504- 31
費原達女 明 見費妙清
費振遠明 1232-598- 5
費桑阿清 455-346- 21
費師古宋 480- 55-260
533- 3- 47
費國暄清 479- 44-218
523- 92-149
費國興明 456-668- 11
費曾謀明 302- 73-293
456-557- 7
477- 56-151
479-560-242
437- 56- 49
537-250- 55
費雅達清(瓜爾佳氏)
455- 55- 1
費雅達清(鈕祜祿氏)
455-132- 5
費雅達清(薩克達氏)
455-553- 35
費雅達清(滿洲人) 478-246-186
481-454-318
554-193- 51
559-533- 12
費揚古清(瓜爾佳氏)

455- 90- 3
費揚古清(鈕祜祿氏)
455-137- 5
費揚古費揚武　清(謚襄壯)
455-174- 8
545-329- 95
費揚古清(雅爾湖地方人)
455-246- 13
費揚古清(雅哈地方人)
455-268- 15
費揚古清(舒舒覺羅氏)
455-278- 16
費揚古清(長白山地方人)
455-305- 18
費揚古清(佛阿拉地方人)
455-305- 18
費揚古清(納喇氏) 455-366- 22
費揚古清(完顏氏) 455-462- 28
費揚古清(章佳氏) 455-598- 40
費揚古清(噶濟勒氏)
455-646- 45
費揚古清(鄂卓氏) 455-656- 46
費揚古清(哲爾德氏)
455-682- 48
費揚古清(覺禪氏) 455-689- 49
費揚古清(康氏) 456-354- 77
費揚古清(贈雲騎射)
502-731- 84
費揚武清 502-566- 74
費揚武清　見費揚古
費揚格清 455-689- 49
費揚珠清 502-730- 84
費無極春秋 405- 91- 61
448-270- 27
933-648- 42
費斐德清 455-694- 49
費復初元 472-222- 8
493-754- 41
1232-402- 2
費復初子　明 1232-445- 5
費道用明 528-456- 29
費道寧宋 530-210- 61
821-200- 51
費楊古妻　清　見赫舍哩氏
費楊武妻　清　見傅氏
費達理清 455-267- 15
費經虞明 482-560-369
511-904-172
569-660- 19
費爾佳漢 456- 33- 52
費嘉誥明 559-350- 8
費摩亨費摩哈希、裴滿亨　金
291-370- 97
399-216-435
474-739- 40
502-356- 61
545- 56- 84
費摩達費摩呼達　金
291-648-120
400- 68-506
費摩達女　金　見費摩皇后
費德理清 455-467- 28
費懋文明 515-892- 86
費懋中明 300-168-193
費懋賢明 300-168-193
費懋謙明 515-892- 86
518-791-161
1442- 94- 6
1460-544- 67
費雞師唐(抱雞而治病者)
592-284- 78
費岳爾渾清 455-547- 35
費音圖琛清 455-513- 32
費約絡和清 455- 94- 3
費約爾渾清 455-334- 20
費雅克塔清 455-419- 25
費雅庫納清 456-143- 60
費摩呼達金　見費摩達
費摩哈希金　見費摩亨
費摩皇后金　金太祖后
291- 4- 63
393-336- 79
費摩皇后金　金熙宗后、費摩達女 291- 4- 63
393-337- 79
費摩德輝金 291-695-124
400-236-519
費摩薩布金 291-676-122
400-221-518
費摩阿固岱金　見費摩阿固岱
費摩阿古岱費摩阿虎帶、費摩阿古岱　金 291-695-124
400-236-519
1040-256- 5
費摩阿虎帶金　見費摩阿固岱
賀二清 1324-366- 33
賀方賀芳　元 294-543-144
400-275-522
476-348-116
545-654-106
545-769-110
1439-449- 2
賀王後梁　見朱友雍
賀元宋 472-595- 24
476-680-136
476-792-141
491-807- 6
541- 91- 30
賀氏後魏　拓跋什翼健妻、賀野干女 261-210- 13
266-278- 13
賀氏宋　甯儁妻、賀師孟女
1161-663-130
賀氏宋　程驤妻、賀做女
1117-182- 15
賀氏元　江安行妻 516-446-104
賀氏明　史洪綸妻 475-282- 63
512-272-183
賀氏明　武玉墀妻 480-566-284
賀氏明　姜大受妻
1312-867- 12
賀氏明　段鎰妻 472-686- 27
賀氏明　張景輝妻 477-319-164
538-253- 68
賀氏明　董一經妻 506- 43- 87
賀氏明　鄭當時妻、賀文忠女
533-539- 67
賀氏明　劉福妻 478-421-195
賀氏清　申國位妻 481-120-296
賀氏清　孫珮妻 475-857- 94
賀氏清　陳朝麟妻 474-194- 9
賀氏清　蘇方元妻 506-158- 90
賀玄漢 402-389- 5
402-421- 7
賀正宋 554-912- 64
賀守明 558-414- 37
賀安明 569-657- 19
賀托清 455-592- 39
賀沚明 482-266-350
515-713- 79
549-156-186
563-837- 41
676- 8- 1
676-302- 11
賀言賀賢　明 1255-438- 48
1442- 24-附2
賀甫明 1255-402- 45
1255-595- 63
1386-347- 42
1442- 28-附2
賀甫妻　明　見王正
賀甫女　明　見賀順貞
賀均元　見蒙古額森呼圖克
賀劭吳　見賀邵
賀佛清 554-960- 65
賀宗明 533-251- 55
賀府明 510-336-113
賀泥後魏 262-213-83上
267-544- 80
賀邵賀劭　吳 254-925- 20
254-1035- 6
370-281- 4
377-414-120
384- 81- 4
384-586- 31
472-1069- 45
479-229-227
493-671- 37
494-514- 25
510-321-113
523-380-164
814-231- 4
820- 43- 22
879-156-58上
933-679- 45
1361-617- 24
賀承明 1255-541- 58
賀昇妻　明　見楊妙貞
賀芳元　見賀方
賀岳後魏 384-135- 7
賀岳明 524-352-196
賀祉元 295-261-166
399-607-480
540-773-28之2
賀革梁 260-397- 48
265-870- 62
378-444-142
933-679- 45
賀珍明 456-460- 4
505-846- 76
賀紀唐 271-560-190上
276- 56-201

十二畫 賀

賀朗陳 486-348- 16
814-257- 7
820-109- 24
賀朔女 五代 見賀英如
賀朔女 五代 見賀華如
賀說後魏 262-213-83上
267-544- 80
546- 3-115
賀迷後魏 262-214-83上
267-545- 80
380- 10-165
546- 13-115
賀泰唐 515-567- 75
賀泰明(字志同) 300- 91-188
523-202-155
676-736- 31
賀泰明(眞定人) 472- 99- 3
賀貢明 554-299- 53
賀眞宋 821-201- 51
賀恩明 1255-567- 60
1386-348- 42
賀倫明 1247-546- 24
賀純慶純 漢 254-875- 15
402-484- 11
453-751- 3
479-227-227
486-289- 14
544-209- 62
賀倣女 宋 見賀氏
賀混隋 820-127- 25
賀庸元 472-293- 12
賀祥元 1206-190- 20
賀訥後魏 262-212-83上
267-543- 80
380- 8-165
546- 3-115
賀崐女 清 見賀千金
賀敏妻 元 見張氏
賀賁元 295-301-169
472-167- 20
547-121-145
554-755- 62
賀賁明 523-233-156
賀琦明 524-199-188
賀弼劉宋 258-442- 79
510-385-115
賀琛梁 260-319- 38
265-870- 62
378-444-142
384-119- 6
479-231-227
486-305- 14
523-597-176
680-670-285
933-679- 45
賀琳明 545-186- 90
554-474-57上
賀景吳 254-877- 15
933-679- 45
賀勛明 473-340- 63
483-170-383
494-158- 5
533-252- 55
賀鈞明 515-693- 78
676-547- 22
賀循晉 254-927- 20
256-150- 68
370-292- 5
377-728-126
384- 98- 5
448-308- 上
472-220- 8
472-253- 10
472-996- 40
472-1069- 45
475-212- 60
479-131-223
479-229-227
485- 66- 10
486-294- 14
492-567-13下之上
493-671- 37
494-332- 7
510-355-114
523-596-176
526- 6-259
933-679- 45
賀勝後魏 384-135- 7
賀勝賀巴延、賀伯顏 元
295-415-179
399-712-491
478-125-181
505-633- 67
546-617-135
549-394-195
554-469- 56
1207-194- 13
1207-255- 18
1367-687- 53
賀欽明 301-780-283
453-648- 26
457-122- 9
458-717- 3
472-627- 25
474-822- 44
502-381- 64
676-509- 20
1320-738- 80
1442- 33-附2
1459-712- 28
賀復元 1206-191- 20
賀進明 547- 46-142
賀溱明 505-696- 70
賀愷明 511-562-158
賀煬明 299-634-164
賀廉明 493-1033- 54
賀道明 1250-746- 71
1458-104-424
賀瑒梁 260-397- 48
265-869- 62
378-443-142
384-119- 6
472-1070- 45
479-231-227
486-305- 14
523-596-176
677-124- 12
933-679- 45
賀梗清 546-621-135
賀達吳 254-875- 15
933-679- 45
賀鼎妻 明 見于氏
賀敬明 1467-192- 69
賀節明 554-708- 61
賀誠明 301-555-270
456-422- 2
505-847- 76
賀誠妻 明 見高氏
賀禎明 474-471- 23
賀誥妻 明 見霍氏
賀漸明 1246-504- 下
賀齊吳 254-875- 15
377-387-120
384- 81- 4
384-585- 31
472-376- 16
472-1013- 41
472-1069- 45
475-560- 79
479-228-227
479-351-233
479-376-234
485-486- 9
485-532- 1
486- 65- 3
486-292- 14
510-422-116
523-542-173
933-679- 45
賀榮明(神木人) 505-651- 68
賀榮明(字師桓) 524- 8-178
賀榮妻 明 見韋氏
賀監唐 486-407- 19
賀棠清 511-776-166
賀敳唐 276- 56-201
賀銀明 472- 27- 1
472-1105- 47
賀寬明 515-688- 78
523-192-155
賀寬清 511-188-143
賀澄明 494- 45- 3
賀璸明 546-407-128
賀賢明 見何賢
賀賢明 見賀言
賀確明 511-829-168
524-318-194
676-485- 18
賀德元 505-741- 72
賀魯阿史那賀魯、沙鉢羅可汗
唐 271-680-194下
276-263-215下
384-295- 15
賀憲明 480-411-277
賀憑唐 515-141- 61
518- 9-136
賀諤妻 明 見劉氏
賀璠明 546-407-128
賀霖明 493-732- 40
賀盧後魏 262-213-83上
267-544- 80
賀勳明 569-665- 19
賀謙妻 明 見張氏

賀懋明 472-337- 14
賀隰晉 933-679- 45
賀環後梁 384-300- 16
賀顯明 561-206-38之1
賀韜晉 839- 40- 4
賀瓌後梁 277-207- 23
279-136- 23
396-343-282
472-574- 24
476-860-145
賀獻清 533-788- 75
賀瓔明 554-311- 53
賀鑄宋 288-244-443
382-761-116
384-383- 19
400-658-561
472-256- 10
472-708- 28
475-143- 57
477-209-159
485-334- 50
493-1067- 57
511-897-172
538-136- 65
545- 46- 84
589-323- 3
820-384- 33
933-680-451
115-348- 40
1123-293- 附
1129-658- 8
1130-150- 15
1363-162-120
1437- 15- 1
賀鑄裔孫 宋(號鑑湖嬾民)
821-253- 52
賀麟明 1475-196- 8
賀麟妻 清 見郭氏
賀欒晉～宋 541- 86- 30
賀顯明 1242-287- 33
賀讓明 483-339-398
533-264- 55
559-319-7上
571-549- 20
賀讚明 301-554-270
456-421- 2
505-846- 76
賀一桂明 676-725- 30
賀人龍明 301-600-273
賀士迪元 511-935-175
賀士貴元 517-521-128
1204-330- 11
賀士諮明 474-822- 44
503- 4- 89
賀子羨妻 清 見李氏
賀大行清 515-729- 79
賀大明明 456-664- 11
賀大雷明 456-493- 5
賀大震妻 清 見王氏
賀上林清 475-281- 63
511-566-158
賀千金清 郝琪妻、賀峴女
1325-731- 6
賀心泉妻 明 見周氏
賀文忠女 明 見賀氏
賀文和漢 402-360- 3
賀文振宋 451-244- 0
賀文發南北朝 524- 50-180
賀王盛明 676-656- 27
賀元良妻 明 見吳氏
賀元忠明 482-539-368
567-101- 66
569-650- 19
1256-451- 30
1386-321- 41
賀巴延元 見賀勝
賀日章妻 清 見葉氏
賀仁傑元 295-301-169
399-632-483
472-154- 5
472-840- 33
478-124-181
505-633- 67
546-617-135
554-755- 62
1201-580- 17
1206-679- 3
賀允中宋 486-898- 34
524-328-195
1165-317- 20
賀允中金 545-215- 91
賀永中明 1238-444- 6
賀正鏌妻 清 見劉氏
賀世祿明 505-909- 81
賀世壽明 511-185-143
676-631- 26
賀世魁明 456-613- 9
554-726- 61
賀世賢明 301-564-271
456-420- 2
474-693- 37
478-272-187
502-295- 56
賀以正明 570-247- 25
賀令圖宋 288-489-463
382-776-119
384-336- 17
400- 35-502
賀汝勉妻 明 見孫氏
賀汝勉妻 明 見楊氏
賀有年明 554-488-57上
賀光明明 456-409- 1
賀多羅後魏 544-206- 62
賀自貞五代 1059-592- 上
1061-319-113
賀仲英元 515-623- 76
賀仲善元 515-622- 76
賀仲軾明 456-584- 8
458- 67- 3
458-294- 10
477-210-159
510-378-114
538- 54- 63
540-621- 27
554-310- 53
676- 65- 2
679-686-206
賀仲軾妻 明 見王氏
賀宏遠元 1211-504- 72
賀谷榮妻 明 見康氏
賀伯顏元 見賀勝
賀希孔明 547- 46-142
賀邦泰明 511-183-143
545-100- 86
賀廷瑒妻 清 見畢氏
賀狄干後魏 261-424- 28
266-422- 20
379- 18-146
476-253-110
546- 8-115
554-882- 64
賀拔仁北齊 267-124- 53
379-373-152
546-117-119
賀拔允北齊 263-144- 19
263-512- 14
267- 62- 49
379-351-151
384-135- 7
472-482- 21
544-209- 62
546-156-120
賀拔永後魏 544-208- 62
賀拔岳北周 262-194- 80
263-512- 14
267- 65- 49
379-518-156
546-158-120
賀拔恕唐 820-237- 28
賀拔惎唐 820-238- 28
賀拔勝北周 262-193- 80
263-508- 14
267- 63- 49
379-515-156
169-434- 51
476-279-111
546-156-120
554-351- 54
賀拔緯北周 544-218- 62
賀孟員明 1254-663- 4
賀孟員妻 明 見郭氏
賀奇勳明 456-482- 5
賀來佐明 547- 43-142
賀來泰清 533-391- 60
賀來獻明 554-347- 54
賀昌明 480- 60-260
533-470- 64
賀虎臣明 301-554-270
456-424- 2
478-596-204
賀知章唐 275-642-196
271-587-190中
384-204- 11
401- 7-568
451-415- 1
470- 63- 96
471-625- 6
471-628- 7
472-1071- 45
472-1085- 46
479-233-227
485-554- 3

486-303- 14
486-349- 16
486-905- 35
487-108- 8
487-363- 2
491-383- 4
494-422- 13
524- 51-180
526-174-264
540-632- 27
812-746- 3
813-296- 18
814-272- 9
820-184- 27
933-680- 45
1141-803- 34
1178-429- 3
1371- 54- 附
1472-162- 10
賀秉鉞明 302- 45-291
456-459- 4
505-846- 76
賀延壽元 1206-190- 20
賀延夔明 533-290- 56
賀祈年明 1241-308- 1
賀彥達明 537-399- 57
賀美明妻 清 見林氏
賀胡兒明 494- 45- 3
賀貞所明 1264-498- 1
賀思聰明 510-480-118
賀若統北周 263-630- 28
267-375- 68
賀若敦北周 263-630- 28
267-375- 68
379-657-159
384-141- 7
472-865- 34
477-309-164
552- 33- 18
933-799- 59
賀若弼隋 263-632- 28
264-824- 52
267-377- 68
379-720-160
384-151- 8
472-288- 12
472-744- 29
477-310-164
478-759-215
510-278-112
523- 5-146
933-800- 59
賀若誼北周 263-632- 28
264-708- 39
267-379- 68
379-723-160
478-542-202
478-593-204
481-234-303
933-800- 59
賀若璿妻 唐 見元氏
賀英如五代 賀朔女
524-680-211
賀約禮妻 明 見張氏
賀皇后北魏 魏太武帝后
261-211- 13
266-280- 13
544-180- 61
賀皇后宋 宋太祖后、賀景思女 284-857-242
382-101- 13
384-323- 17
393-300- 75
537-185- 53
賀祖嗣明 516- 61- 89
賀時雨明 456-674- 11
賀時泰明 458-451- 22
533- 17- 47
賀師孟女 宋 見賀氏
賀納賢明 511-184-143
賀惟一元 見蒙古太平
賀惟忠宋 285-399-273
371-161- 16
382-202- 29
384-327- 17
396-664-314
472- 50- 2
472-436- 19
474-587- 30
476-310-113
545-405- 98
546-374-127
賀康載明 515-719- 79
523-207-155
賀婁慈張慈 北周
541-770-35之20
1064-231- 9
1064-689- 14
1342- 15-906
1400-155- 6
1410-160-682
1416- 59-111中
賀婁詮隋 267-457- 73
933-800- 59
賀婁慶北周 1064-231- 9
賀國正妻 清 見劉氏
賀國定明 545-249- 92
賀野干女 後魏 見賀氏
賀從政明 569-675- 19
賀逢舜明 515-137- 61
賀逢聖明 301-467-264
456-409- 1
458-252- 7
480- 59-260
532-658- 44
533-361- 60
534-582-100
賀逢皞妻 清 見陳氏
賀雲舉清 511-565-158
賀盛瑞明 545-345- 96
賀朝萬唐 271-588-190中
524- 51-180
賀登科清 547-496-159
賀揚庭金 291-375- 97
399-219-435
472-557- 23
474-435- 21
476-864-145
505-632- 67
540-767-28之2
賀景文元 1219-724- 8
賀景思女 宋 見賀皇后
賀華如五代 賀朔女
524-680-211
賀順貞明 沈堂妻、賀甫女
1255-635- 66
賀遂回唐 820-181- 27
賀運和明 533-195- 53
賀道力劉宋 486-348- 16
814-248- 6
820- 87- 24
賀道養南北朝 524-364-197
賀萬祚明 523-519-171
676-631- 26
1318-427- 70
1442- 90- 6
1460-518- 65
1467-134- 66
1475-403- 17
賀馱甚唐 820-243- 28
賀增壽清 558-462- 38
賀德仁唐 271-559-190上
276- 56-201
384-176- 9
400-584-554
479-232-227
486-307- 14
524- 51-180
545-357- 96
680-670-285
933-680- 45
賀德英宋 473-339- 63
533-451- 63
賀德倫後梁 277-194- 21
279-278- 44
384-312- 16
396-409-292
賀德基陳 260-770- 33
265-1008- 71
380-297-173
384-122- 6
472-1070- 45
479-232-227
523-593-176
680-670-285
933-679- 45
賀龍岡妻 明 見劉氏
賀賴頭晉 544-204- 62
賀據德元 1208-588- 23
賀興隆明 480-410-277
480-436-278
533-400- 61
534-728-108
1250-984- 92
賀應旌清 475-274- 63
510-379-114
賀應選明 456-431- 2
475-279- 63
511-456-154
賀燦然明 678-219- 91
1442- 85- 5
1460-478- 63

1475-381- 16
賀懋敬明 511-185-143
賀覲明明 456-409- 1
賀懷浦宋 288-489-463
538- 39- 63
545-322- 95
賀蘭師北周 267-269- 61
賀蘭祥北周 263-563- 20
267-268- 61
379-548-156
384-140- 7
546-175-121
賀蘭椿北周 見蘇頌
賀蘭敬北周 267-269- 61
賀蘭誠唐 820-197- 27
賀蘭臺北周 見梁臺
賀蘭寬北周 267-269- 61
賀蘭蕃隋 264-950- 65
267-528- 78
賀蘭璨北周 267-269- 61
賀蘭讓北周 267-269- 61
544-214- 62
賀州道人宋 567-461- 87
賀拔尒頭後魏 267- 62- 49
546-155-120
賀拔伏恩北周 544-218- 62
賀拔仲華北周 263-512- 14
賀拔度拔後魏 267- 62- 49
546-155-120
賀若懷亮隋 267-379- 68
賀婁子幹隋 264-829- 53
267-456- 73
379-759-161
384-154- 8
476-248-110
476-276-111
478-634-206
544-219- 62
545-262- 93
546- 54-116
554-269- 58
933-800- 59
賀蘭二老明 558-486- 41
賀蘭敏之唐 820-144- 26
賀蘭棲眞宋 288-475-462
472-713- 28
477-259-161
538-340- 70
賀蘭進明唐 270-345-111
1371- 59-附
巽宋(姓缺) 486- 46- 2
巽親王清 見常阿岱
巽親王清 見滿達海
斑漢(姓缺) 681-588- 12
1397-677- 32
琣五代 1053-310- 8
琴氏明 宋世將妻 480-616-287
琴牢春秋 見琴張
琴高戰國 472-101- 3
472-361- 15
475-437- 70
475-619- 81
499- 72-128
505-940- 85
511-927-174
547-521-160
839- 13- 2
1058-494- 上
1061-249-108
琴張琴牢 春秋 371-495- 32
405-448- 85
505-708- 71
539-497-11之2
933-499- 33
琴彭明 302- 8-289
琴操宋 585-506- 16
壺公漢 933-122- 8
1059-302- 9
壺叔春秋 545-720-108
壺弢元 494-411- 12
524-282-192
676-708- 29
壺敏明 821-378- 55
壺遂漢 376-149-98上
477-125-155
933-122- 8
壺德宋 494-471- 18
壺微宋 494-408- 12
壺黯周 933-122- 8
壺衍鞮漢 251-195-94上
381-600-199
壺嘉會宋 494-472- 18
壺丘子林戰國 448- 95- 中
538-168- 66
871-888- 19
超五代 1053-555- 13
超宋 821-267- 52
超明 821-489- 58
超正自堅 清 586-197- 9
超古清 554-961- 65
超見清 586-198- 9
超岸唐 1052-147- 11
超信宋 567-468- 87
1053-491- 12
超悟五代 1053-297- 7
超喜漢 933-262- 18
超然宋 821-268- 52
1200-325- 27
1201-336- 93
超福張緍 明 1315-587- 36
超哈爾清 474-761- 41
502-723- 84
喜唐 見難陀
喜明 1227-602- 中
喜子唐(姓名缺) 1079- 23- 4
喜山元 820-529- 38
喜夷漢 370-208- 21
喜同元 見周喜同
喜同妻 元 見刑氏
喜佛清 455-480- 29
喜福清 502-552- 73
502-749- 85
喜寧明 302-264-304
喜一華妻 明 見法氏
喜普蘇清 456-370- 78
喜爾登額清 456-174- 63
朝吳春秋 405-100- 62
537-369- 57
933-262- 18
朝宗元 1219-408- 13
朝保清 456-257- 69
朝衡仲滿 唐 271-784-199 上
276-362-220
401-519-635
朝吧王明 見朱祁鎔
握登上古 舜母 544-176- 61
握衍朐鞮單于漢 見屠耆堂
捏可來明 見訥克林
棓生漢(安陵卜者) 554-890- 64
楮淨眞元 1197-667- 69
棲五代(嗣義存) 1053-296- 7
棲宋(嗣義懷) 1053-682- 16
棲倫宋 1053-402- 10
棲隱唐 1052-415- 30
棲霞敬眞 南唐 475- 83- 53
棲霞洞道士宋 567-460- 87
1467-516- 11
植相梁 592-338- 81
植以進明 564-267- 47
植廷曉五代 564- 34- 44
植敏槐清 481-362-310
559-413-9下
植敏槐妻 清 見楊氏
詡唐 1052-113- 8
詡光習光 唐 524-441-201
813-304- 19
814-280- 10
820-302- 30
1052-419- 30
1083-504- 4
詡良宋 516-472-104
1053-691- 16
習光唐 見詡光
盛王唐 見李琦
盛夬宋 526-634-279
盛氏宋 洪懷祖妻、盛師聖女 1153-541-100
盛氏宋 郭餐盛妻、盛得象女 1167-244- 20
盛氏宋 章瓊妻 524-526-204
盛氏宋 傅瑩妻 1117-188- 16
盛氏宋 鄭卞妻 1138- 83- 6
盛章宋 章鑑母 1176-348- 35
盛氏宋 盛度姪 1105-833- 99
盛氏元 邱巖妻 479-148-223
524-580-206
盛氏明 登鑑妻 473-285- 61
盛氏明 顏晃榮妻 473-589- 75
盛氏明 顧存仁妻
1276-433- 10
盛氏明 顧起經妻、盛武臣女
1283-635-116
盛氏明 盛忠女 1255-648- 67
盛氏明 盛彌俊女 516-250- 97
盛氏清 王德俊妻 480-417-277
533-667- 71
盛氏清 邵重妻 512-483-189

盛氏清 陳一文妻 475-648- 83
盛氏清 羅錦妻 482-355-356
盛允漢 575-405- 23
681-661- 20
盛世明 1458-643-466
盛安明 820-658- 42
821-396- 56
盛安明 見盛祥
盛吉漢 402-474- 11
933-702- 47
盛舟宋 843-664- 中
盛全妻 不詳 見許淑眞
盛年明 821-475- 58
盛宏明 493-1058- 56
盛均唐 273-100- 59
529-750- 51
盛京宋 285-653-292
488-383- 13
盛治清 480- 53-259
532-621- 43
盛治妻 清 見劉宋
盛事明 821-459- 57
盛忠明 554-347- 54
盛忠女 明 見盛氏
盛典明 559-514- 12
盛果明 480-341-273
盛周明 524-247-190
528-530- 31
676-586- 24
1442- 61- 4
1460-196- 49
盛洪盛洪甫 元 821-312- 54
盛洪明 511-102-140
盛洛明 456-503- 5
盛彥晉 256-429- 88
380- 81-167
472-293- 12
475-372- 68
492-520- 13上之中
511-571-159
933-702- 47
盛度宋 285-652-292
371- 72- 7
382-343- 55
384-351- 18
397-111-326
450-720-下8
471-936- 50
472-682- 27
472-967- 38
479- 48-218
493-698- 39
515- 14- 57
524- 3-178
933-702- 47
盛度姪 宋 見盛氏
盛美明 456-657- 11
盛柱清 455-528- 33
盛昭元 295-578-194
400-256-521
472-683- 27
475-368- 67
477-130-155
510-382-115
538- 44- 63
821-296- 53
盛彔明 299-607-162
481-403-313
493-993- 52
511- 99-140
540-617- 27
559-322- 7上
563-729- 40
1287-513- 22
盛俌明 1260-615- 18
盛重妻 清 見張繡
盛信宋 843-664- 中
盛唐明(和州人) 456-657- 11
盛唐明(桐城人) 511-605-160
盛彧元 1439-454- 2
盛眞宋 843-664- 中
盛格清 455-273- 15
盛時明 480-403-277
盛納明 見盛訥
盛寅盛起東、盛啟東 明
302-178-299
493-1058- 56
511-865-170
676-487- 18
1284-131-146
1442- 24-附2
1459-614- 23
盛章宋 493-704- 39
盛庸明 299-380-144
476-478-125
盛祥盛安 明(字天瑞)
472-278- 11
473-388- 65
480-541-283
511-179-143
532-720- 45
676-470- 18
盛祥明(字鳳卿) 680-243-248
盛淑元 柳貫妻 1210-392- 12
盛訥盛納 明 301-127-243
478-348-191
554-670- 60
盛接明 530-214- 61
盛陶宋 286-605-347
397-670-361
427-256- 7
472-662- 27
477- 80-152
515-144- 61
537-600- 60
盛通宋 843-664-中
盛彪元 1439-425- 1
盛健明 1260-637- 19
盛逮明 493-1050- 5
511-523-157
盛著明 821-349- 55
盛皓宋 843-664-中
盛該宋 見張該
盛新宋 489-547- 43
盛煥明 1264-180- 10
盛道漢 933-702- 47
盛道妻 漢 見趙媛姜
盛項明 1258-651- 15
盛項妻 明 見馮氏
盛塤明 473-641- 78
盛楓清 524- 28-179
盛瑞宋 475-824- 92
511-915-173
盛勤宋 見盛懃
盛暄明 1255-380- 43
盛敬明 563-728- 40
盛虞明 821-366- 55
盛稔明 676-101- 3
676-276- 10
盛暟明 1255-727- 74
盛寬明 見盛覺
盛儀明 511-209-144
盛德明(字大本) 523-513-171
盛德明(汝州人) 540-635- 27
盛德清 455-504- 31
盛憲吳 254-769- 6
386- 90- 71下
453-458- 4
479-228-227
485- 64- 10
486-291- 14
493-670- 37
524- 49-180
1063-238- 0
1412-512- 21
盛濂明 524-173-187
盛頤明 1255-713- 73
盛璞明 473-281- 61
532-632- 43
盛濤唐 820-216- 28
盛懋元 524-351-196
821-312- 54
盛懃盛勤 宋 1053-653- 15
1091-557- 15
盛璲宋 見盛溫如
盛彝妻 元 見張貞
盛顒明 299-609-162
453-161- 15
472- 52- 2
472-262- 10
473-641- 78
474-237- 12
475-226- 61
476-478-125
481-694-332
505-656- 68
511-148-142
528-511- 31
528-542- 32
540-618- 27
676-497- 19
1248-472- 23
1255-306- 36
盛瀧明 524-259-191
盛曠宋 585- 54- 0
盛鵬明 510-408-115
盛覺盛寬 明 456-487- 5
盛繼明 見陳繼盛
盛覽漢 483- 95-378
494-159- 6
561-578- 46

570-115-21之1
盛子充宋 473-213- 59
480- 55-260
533- 4- 47
盛子思宋 545-139- 87
盛文昭宋 510-425-116
盛王贊明 511-115-140
523-196-155
盛公行明 1237-520- 6
盛仁熟宋 1189- 89- 12
盛允升宋 494-424- 13
1133-245- 12
盛立旺二子 宋 524- 96-183
盛本一明 523-514-171
盛本初明 472- 27- 1
盛本源明 524-151-185
盛可學明 456-605- 9
盛可藩明 523-252-157
盛世承明 511-257-146
盛世英妻 明 見許氏
盛瑞妻 清 見嚴麒姑
盛世鳴明 見盛鳴世
盛世翼明 515-178- 62
盛以弘明 301-127-243
554-670- 60
盛以恆明 302- 69-293
456-487- 5
477-125-155
478-348-191
554-715- 61
盛以約明 1442- 97- 6
1460-581- 69
盛以達明 554-521-57下
盛申甫宋 285-653-292
494-298- 5
盛仕春明 529-750- 51
盛汝謙明 511-255-146
554-188- 51
盛匡道 843-664- 中
盛如梓元 1439-425- 1
盛仲芳明 572-110- 30
盛仲孫宋 1119-264- 25
盛我凝妻 明 見李氏
盛希年明 524-212-188
盛於斯清 511-814-167
盛武臣女 明 見盛氏
盛明叟元 524- 6-178
盛明遠宋 511-832-168
盛叔大明 821-370- 55
盛洪甫元 見盛洪
盛昶之明 456-575- 8
554-719- 61
盛彥忠元 1221-400- 3
盛彥英明 1227-618- 中
盛彥師唐 269-648- 69
274-220- 94
384-169- 9
395-293-207
472-681- 27
477-127-155
537-423- 58
933-702- 47
盛南金明 559-297-7上
盛建極清 511-540-157
盛茂煜明 821-475- 58
盛貞一元 見盛眞一
盛胤昌明 821-481- 58
盛眞一盛貞一 元 馬彥奇妻
524-686-211
1439-461- 2
盛起東明 見盛寅
盛起東妻 明 見顏妙定
盛時泰明 511-720-165
512-721-195
820-706- 43
821-433- 57
1442- 96- 6
1460-568- 68
盛時龍明 1475-430- 18
盛師聖女 宋 見盛氏
盛師顏宋 821-236- 51
盛修己宋 510-470-117
盛得象女 宋 見盛氏
盛紹先明 821-484- 58
盛紹遠南北朝 524-276-192
盛啟東明 見盛寅
盛善才明 516-241- 97
盛朝綱妻 清 見唐氏
盛斯顯明 1263-471- 2
盛堯民明 821-479- 58
盛景年元 1221-609- 22
盛象翁元 523-606-176
盛溫如盛璲 宋 515-327- 67
678- 8- 71
盛滄江明 1291-497- 9
盛滄江妻 明 見徐氏
盛萬年明 523-518-171
567-144- 68
676-626- 26
1442- 80- 5
1460-424- 59
盛萬紀明 511-848-168
盛端明明 302-362-307
1271-620- 53
盛熙明元 820-528- 38
1318-147- 43
盛鳴世盛世鳴 明511-857-169
1442- 97- 6
1460-586- 69
盛鳳儀明 564-206- 46
盛賚汝王賚汝 明511-108-140
563-758- 40
盛德材明 1241-333- 2
盛德媛明 陸粲妻、盛應期女
1274-607- 3
盛德瑞元 1232-434- 4
盛德潛明 524-280-192
821-475- 58
盛遵甫妻 宋 見王氏
盛應宗明 1283-705-122
1458- 58-418
盛應奎清 1321-148-103
盛應期明 300-663-223
472-231- 8
475-135- 56
479-454-237
481- 25-291
511-104-140
515- 50- 58
517-632-131
554-211- 52
1273-252- 31
1274-621- 4
1284-154-148
1319-177- 14
1386-373- 43
1467- 95- 65
盛應期女 明 見盛德媛
盛彌俊女 明 見盛氏
盛鍾奇妻 清 見李氏
盛鍾賢清 524-245-190
盛韞貞明 1442-125- 8
1460-786- 85
雅王唐 見李涇
雅王唐 見李逸
雅王唐 見李禛
雅王後唐 見李存紀
雅古元 見雅勒呼
雅布簡親王 清 454-111- 6
雅努清 456-133- 59
雅哈清(瓜爾佳氏) 455- 96- 3
雅哈清(伊爾根覺羅氏)
455-272- 15
雅哈清(鑲白旗) 456- 13- 50
雅泰清 455- 86- 3
雅泰清 474-771- 41
502-559- 74
雅格亞哥 元 478-337-191
554-248- 52
雅珠清 455-155- 6
雅納清 456-192- 65
雅隆清 455-149- 6
雅琥清 455-438- 26
雅喇清 456-154- 61
雅塞清 456-100- 57
雅瑚清(舒穆祿氏) 455-149- 6
雅瑚清(富察氏) 455-433- 26
雅圖清(富察氏) 455-451- 27
雅圖清(巴理氏) 456-109- 57
雅圖清(瑪爾丹氏) 456-145- 60
雅賚清(伊爾根覺羅氏)
455-272- 15
雅賚清(佟佳氏) 502-482- 70
雅鼐清 455-545- 35
雅魯清(佟佳氏) 455-312- 19
雅魯清(兀札喇氏) 455-485- 30
雅親清 456-152- 61
雅賴清 455-315- 19
雅薩清 455-467- 28
雅蘭清 455-458- 28
雅元聲明 456-664- 11
511-503-156
雅木達清 455-107- 4
雅古納清 455-629- 44
雅布哈清 502-500- 70
雅西塔清 455-310- 19
雅克章元 294-366-130
399-506-469
雅克舒妻 清 見吳氏
雅希禪清 455-164- 7
474-756- 41
502-431- 68

雅尚人清 456-379- 79
雅郎阿清(納喇氏) 455-364- 22
雅朗阿清(彥濟理氏) 456-119- 58
雅哈那清 455-687- 49
雅哈納清 455-524- 33
雅哈爾清 456-144- 60
雅朗阿克勤郡王 清 454-146- 8
雅起布清 456-109- 57
雅清阿清 455-439- 26
雅理布清 455-386- 23
雅勒呼雅古 元 1206-594- 9
1234-307- 47
1439-433- 1
1470-346- 11
雅魯達清 455-116- 4
雅普圖清 455-206- 10
雅隆阿清(他塔喇氏) 455-220- 11
雅隆阿清(喀爾達蘇氏) 456- 38- 52
雅達渾清 455-677- 48
雅齊布清 455-657- 46
雅齊納清 455-505- 31
雅爾巴清(瓜爾佳氏) 455- 36- 1
雅爾巴清(佟佳氏) 455-312- 19
雅爾古清 455-418- 25
雅爾布清(鑲黃旗) 455-252- 14
雅爾布清(哈達地方人) 455-256- 14
雅爾布清(西林覺羅氏) 455-296- 17
雅爾布清(呼倫覺羅氏) 455-304- 18
雅爾布清(葉赫地方人) 455-364- 22
雅爾布清(輝發地方人) 455-397- 24
雅爾布清(郭絡羅氏) 455-512- 32
雅爾那清(瓜爾佳氏) 455- 96- 3
雅爾那清(赫舍里氏) 455-204- 10
雅爾那清(尼沙氏) 455-693- 49
雅爾哈清(烏蘇氏) 455-569- 37
雅爾哈清(虎爾哈氏) 455-379- 48
雅爾拜清(伊爾根覺羅氏) 455-255- 14
雅爾拜清(喜塔臘氏) 455-625- 43
雅爾泰清 455-267- 15
雅爾納清(西林覺羅氏) 455-293- 17
502-534- 72
雅爾納清(納塔氏) 456-128- 58
雅爾遜妻 清 見赫舍里氏
雅爾鼐元 294-457-137
399-772-497
雅魯堪清 455-682- 48
雅龍阿清 455-552- 35
雅錫布清 455-512- 32
雅穆素清 455-696- 49
雅穆喀清 455-411- 25
雅穆達清(蜚悠城人) 455-420- 25
雅穆達清(黑龍江) 455-450- 27
雅穆錫清 456- 24- 51
雅穆蘇清 502-604- 76
雅濟達清 455-635- 44
雅克布琳元 294-438-135
399-677-487
雅克星阿清 455-386- 23
雅克默色趙國大長公主 元 準布咳嗽妻、元定宗女 393-351- 80
雅爾江阿簡親王 清 454-111- 6
雅爾吉勒清 456-118- 58
雅爾哈齊清 474-743- 40
502-389- 65
雅爾噶鼐元(漳州路達嚕噶齊) 528-492- 30
雅爾噶鼐元(字明德) 1493-442- 2
雅穆什達清 455-606- 41
雅穆布拉清 502-753- 85
雅穆哈納清 502-474- 69
雅蘭丕勒清 454-880-106
雅克特穆爾元(謚忠武) 294-466-138
399-769-497
1206-645- 14
1373-286- 19
雅克特穆爾元(輝和爾氏) 1210-699- 16
雅克特穆爾妻 元 見托克托懷氏
雅克特穆爾女 元 見喇特納實哩
雅爾堅雅里元 294- 43-135
399-673-487
雅雅克阿實克雲中王 元 544-239- 63
雄俊唐 592-369- 83
1052-348- 24
雄陶上古 404-399- 23
933- 42- 2
雄渠態渠子 周 933- 29- 1
雄圖清 455- 75- 2
雄辨范洪源 元 476- 91-100
547-488-159
雄鑑明 821-489- 58
雄山四貞明 547-278-152
殖綽春秋 404-604- 37
畫荚者周 821- 6- 45
閏孫金 291-661-121
400-208-517
閏洪標清 569-678- 19
閏振單于漢 251-203-94下
間滋妻 明 見解氏
間仲宇明 554-253- 52
嫢王唐 見李懌
隋王唐 見李迅
隋王唐 見李隆悌
隋王金 見完顏永升
隋王金 見完顏永功
隋氏明 劉允升妻 476-677-136
隋潮明 540-801-28之3
隋蕃漢 933- 67- 4
隋璨妻 清 見徐氏
隋贇明 475-834- 93
476-731-138
510-198-118
隋寶元 295-256-166
472-610- 25
隋文帝楊堅、楊那羅延 264- 16- 1
266-227- 11
372-830- 18
372-844- 18
384-149- 8
488-305- 12
554- 9- 48
1401-531- 38
隋文帝夫人 見陳氏
隋文帝夫人 見蔡氏
隋文帝后 見獨孤伽羅
隋文帝女 見楊阿五
隋不矜明 540-821-28之3
隋世昌元 295-256-166
399-603-480
472-604- 25
476-699-137
540-773-28之2
隋明德元 1222-489- 13
隋恭帝楊侑 264- 72- 5
266-270- 12
372-859- 18
384-155- 8
544-220- 62
554- 9- 48
隋煬帝楊英、楊廣 264- 49- 3
266-250- 12
372-845- 18
372-858- 18
384-155- 8
537-179- 53
554- 9- 48
814-212- 1
819-568- 19
1387-187- 11
1395-604- 3
1401-555- 39
隋煬帝后 見蕭皇后
隋煬帝女 見南陽公主
隆宋(嗣楚明) 1053-708- 16
隆宋(善山水) 821-270- 52
隆安清 455- 79- 2
隆英明 474-601- 31
隆格清 456-319- 75
隆琦清 530-198- 60
隆暢明 302-557-316
隆暢妻 明 見米魯
隆什瑚清 455-169- 7
隆托科清 455- 67- 2
隆扶羊明 567-604- 95
隆昌王明 見朱奉鐍
隆和默色元 294-293-124

399-358-450
隆福公主宋　見安淑帝姬
隆慮公主漢　漢景帝女
554- 43- 49
隆慮公主漢　見劉迎
登古清 455-115- 4
登秀清 456- 33- 52
登豹漢 933-440- 29
登順清 455-593- 39
登道漢 933-440- 29
登德清 455-273- 15
登尼費清 456-125- 58
登對齊清 455-552- 35
登利可汗苾伽骨咄祿可汗　唐
271-675-194上
276-259-215下
琦元 1221-473- 10
琦塔理清 456- 60- 54
琥什清 455-505- 31
琥球清 455-588- 39
琥雅清 455-610- 41
琥什塔清 456- 34- 52
琥寧阿清 455-588- 39
琥爾巴清 455-670- 47
琥爾哈齊清 455- 54- 1
琨濟楞困即來　明302-814-330
堯陶唐氏、放勳　上古
243- 43- 1
371-212- 2
383-176- 20
384- 2- 1
386-256-83上
404- 23- 2
539- 37- 8
544-146- 61
550-161-215
550-332-221
550-335-221
550-338-221
819-555- 19
839- 3- 1
1112-641- 7
1192-368- 33
堯妃　上古　見女皇
堯女　上古　見女英
堯女　上古　見娥皇
堯宋 1053-685- 16
堯氏明　謝世源妻 481-465-319
堯甘清 455-528- 33
堯民元(姓名缺) 1217- 89- 4
堯泰清 456-348- 77
堯卿明 483-348-399
559-393-9上
571-550- 20
堯章宋 494-516- 25
堯雄北齊 263-156- 20
266-554- 27
379- 94-147
474-304- 16
476-153-104
544-210- 62
545-815-112
933-254- 18
堯傑北齊 263-157- 20
266-554- 27
堯暄堯鍾葵　後魏 261-588- 42
266-554- 27
379- 94-147
472-490- 21
476-152-104
544-210- 62
545-814-112
552- 36- 18
933-254- 18
堯遵後魏 261-588- 42
堯奮北齊 261-588- 42
263-157- 20
545-474-100
堯一言妻　明　見李氏
堯允恭宋 511-691-163
堯世美明 529-691- 50
堯君素隋 264-1023- 71
267-646- 85
380- 67-166
384-157- 8
407-455- 5
472-697- 28
476-110-102
477-164-157
538- 49- 63
545-356- 96
933-254- 18
堯伯開上古 1061-179-102
堯珠岱清 456-283- 71
堯鍾葵後魏　見堯暄
堯難宗後魏 261-588- 42
趉胡鶻甘豆可汗唐　見順
斯從吳 933- 69- 4
斯敦吳 472-1027- 42
479-320-232
524-148-185
526-295-268
斯植宋 1437- 38- 2
斯學明 1442-121- 8
1460-848- 91
1475-765- 32
斯永福妻　清　見永氏
斯為樸妻　清　見李氏
鄄子士春秋 404-844- 52
覃氏明　高掛妻 482-453-362
覃氏明　馬千乘母 302-471-312
覃氏清　顏于彝妻 482-486-364
覃吉明 302-265-304
567-542- 90
覃昌宋 482-372-357
567-404- 84
1467-169- 68
覃昌明 567-541- 90
1467-288- 73
覃佺五代 592-252- 75
覃訓清 478-297-188
覃桓明 481-612-329
528-495- 30
覃彬明 567-324- 78
1467-219- 70
覃通妻　明　見張氏
覃榮元 473-683- 79
覃銓清 481-117-296
覃澄元 545-652-106
覃璞明　見覃樸
覃樸覃璞　明 456-675- 11
覃衡明 567-302- 77
1467-188- 69
覃聰明 567-365- 81
覃一揆妻　清　見吳氏
覃文應明 567-372- 81
覃元先覃無名　梁564- 14- 44
覃天印明 571-553- 20
覃天明明 456-601- 9
覃石長清 482-453-362
覃吉甫妻　明　見陰氏
覃光佃宋 473-758- 83
482-372-357
567-294- 76
1467-167- 68
覃事君明 571-553- 20
覃季子唐 480-542-283
533-321- 57
1076-107- 11
1076-563- 11
1077-131- 11
1378-591- 62
1383-307- 27
1410-288-701
覃海芳清 567-375- 81
覃師孔明 547- 56-143
覃純孝宋 591-617- 44
覃無名梁　見覃元先
覃滋榮元 545-652-106
覃慶元宋 482-372-357
覃德玉明 567-327- 78
1467-224- 70
覃應元明 546- 93-118
覃懋德明 456-618- 9
軻比能漢 381-642-200
揭氏宋　徐樞妻、揭丕承女
1181- 45- 5
揭氏元　劉嚴妻 1195-411- 8
揭氏明　高宏妻 473-102- 53
479-632-245
揭氏明　劉敏妻 473-102- 53
479-633-245
516-332-100
揭汯元 473- 23- 49
481-674-331
515-347- 67
524-317-194
528-525- 31
820-505- 37
1224-134- 18
揭車元 517-527-128
揭軏明 473-116- 54
515-775- 81
676-448- 17
1318-348- 63
1442- 10-附1
1459-310- 8
揭昭明　何文淵妻、揭淑聰女
1249-450- 30
揭高元 1195- 77- 6
揭崖明 529-699- 50
揭雲元 820-506- 37

揭悳元 517-472-127
揭誠明 1249-461- 30
揭樞明 820-565- 40
1236-824- 15
揭稽明 473-101- 53
475-701- 86
510-464-117
515-836- 84
揭鴻明 529-587- 46
揭懋元 517-472-127
揭鎮唐 515-114- 60
揭夔明 1289-350- 24
揭世奇明 480-404-277
揭大德妻 宋 見楊氏
揭正伯妻 宋 見王如玉
揭丕承女 宋 見揭氏
揭廷才妻 明 見傅氏
揭其大明 676- 23- 1
揭長生妻 清 見余氏
揭來成元 515-341- 67
517-482-127
1202-108- 9
1210- 33- 5
揭叔元元 1242- 6- 24
揭垚翁元 1208-229- 9
揭春高明 529-639- 48
揭飛雄宋 515-328- 67
揭重熙明 301-688-278
456-424- 2
481-746-334
515-810- 82
528-564- 32
1442-109- 7
揭祐民元 515-831- 83
1439-428-附1
1470-262- 9
揭傢美元 1202-294- 20
揭望希明 676-660- 27
揭淑聰女 明 見揭昭
揭斯禰妻 清 見吳氏
揭陽定漢 535-553- 20
揭傒斯元 293-439-181
399-724-492
453-797- 4
473- 23- 49
479-487-239
515-342- 67
517-483-127
820-505- 37
1209-626-10上
1210-126- 10
1284-345-162
1375- 36- 下
1439-429- 1
1468-655- 30
揭道孫宋 515-339- 67
1197-664- 68
1207-271- 18
揭應強元 1202-294- 20
揭應強妻 元 見何妙靜
揭瓊芳妻 明 見蕭氏
揭繼可元 515-833- 83
棹樹和尚唐 1053-131- 3
堪泰清(納喇氏) 455-364- 22
堪泰清(烏蘇氏) 455-573- 37
堪泰清(正白旗人) 502-503- 70
堪錫清(納喇氏) 455-363- 22
堪錫清(富察氏) 455-449- 27
堪布祿清(鑲藍旗人)
455- 78- 2
堪布祿清(正藍旗人)
455- 88- 3
堪楚瑚清 455-364- 22
幸中元 473- 60- 51
515-199- 63
幸氏明 幸鳳翼孫女
481-390-312
幸氏清 王有章妻 478-138-181
幸俊明 515-797- 82
幸皐明 473- 44- 50
479-527-241
515-220- 63
533-137- 51
幸增明 473-491-239
515-388- 68
幸顓明 516- 69- 89
幸正煐清 479-496-239
515-453- 70
幸用琥明 515-399- 69
569-665- 19
幸志會明 523-250-157
幸純溫妻 清 見林氏
幸朝薦清 529-758- 52
564-198- 46
幸鳳翼明 559-529- 12
幸鳳翼孫女 明 見幸氏
硯堅元 見硯彌堅
硯彌堅硯堅 元 505-930- 84
1214- 86- 7
開方春秋 見公子開方
開祕唐 820-304- 30
開章漢 933-152- 11
開喀清 456-102- 57
開趙宋 493-774- 42
1386-238- 38
開濟明 299-314-138
453-550- 5
458- 25- 2
472-751- 29
537-516- 59
開平王明 見常遇春
開明氏戰國 見叢帝
開木楚克清 454-540- 52
肅王唐 見李詳
肅王宋 見趙樞
肅王明 見朱楧
肅王明 見朱眞於
肅回遼 820-476- 36
肅正德梁 933-721- 49
肅親王清 見豪格
弼生妻 清 見廖氏
弼祿清 455-640- 44
弼喇什清 502-605- 76
犀首公孫衍 戰國 244-431- 70
371-548- 41
375-901- 93
384- 28- 1
405-369- 80
472-460- 20
537-371- 57
546-242-123
554-545- 58
933-126- 8
彭二明 299-360-142
456-694- 12
474-168- 8
886-163-139
彭方宋 510-425-116
516- 98- 91
彭文明 572- 93- 29
彭王唐 見李愓
彭王唐 見李僅
彭王唐 見李元則
彭止宋 529-743- 51
彭氏北齊 齊武成帝夫人、彭樂女 266-295- 14
彭氏宋 李汝明妻、彭九成女
1130-578- 12
彭氏宋 殷琯妻、彭聞名女
1134-307- 44
彭氏宋 陳良弼妻
1122-546- 9
彭氏宋 陳承巳妻 481-158-298
彭氏宋 陳端卿妻
1122-545- 9
彭氏宋 楊雰妻 1165-776- 10
彭氏宋 趙令琤妻、彭崇一女
1100-523- 49
彭氏宋 趙叔干妻、彭崇正女
1123-470- 14
彭氏宋 蕭唐卿妻、彭伯莊女
1161-623-126
彭氏宋 彭泰女 288-454-460
401-157-590
479-498-239
516-229- 97
彭氏宋 賈易母 475-711- 86
彭氏金 程晉妻 538-252- 68
彭氏元或清 李成妻
476-619-133
541- 32- 29
彭氏元 姜本道妻 516-231- 97
彭氏元 401-177-593
472-560- 23
473-828-143
彭氏元 葛聚妻、彭平女
477-547-176
彭氏元 潘元紹妻
493-1083- 57
1386-265- 39
彭氏明 丁侗妻 480- 96-262
彭氏明 王鷺妻 473-271- 61
彭氏明 王枚皐妻 302-233-302
476-677-136
彭氏明 王尚忠妻、彭欽之女
482-391-358
1467-270- 72
彭氏明 左爾良妻 530-181- 59
彭氏明 丘履素妻
1274-370- 13
彭氏明 李存妻 530-138- 58
彭氏明 李文厚妻、彭端女

1266-401- 7
彭氏明 李厚載妻 473-131- 55
479-684-248
彭氏明 吳京煥妻 530-141- 58
彭氏明 何紹妻 506-104- 89
彭氏明 林冑妻 530-178- 59
彭氏明 周希瑜妻 530- 68- 55
彭氏明 奚賓妻 570-206- 22
彭氏明 許繼文妻 481-439-316
彭氏明 康萬欽妻
1262-362- 40
彭氏明 陸純妻 506- 33- 86
彭氏明 張善則妻、彭伯讓女
1242- 42- 25
彭氏明 陳志妻 473-216- 59
彭氏明 黃若水妻 480- 63-260
彭氏明 楊顯德妻 480-616-287
彭氏明 葉模妻 530-138- 58
彭氏明 熊斐妻 473-131- 55
479-684-248
1262-362- 40
1457-744-413
彭氏明 劉仁妻 506-143- 90
彭氏明 劉一春妻 479-729-250
彭氏明 劉大煥妻 480-416-277
彭氏明 劉日懋妻 516-247- 97
彭氏明 關輔宗妻 482-354-356
1467-266- 72
彭氏清 李可從妻 555-131- 68
彭氏清 李汝暹妻 479-500-239
彭氏清 李其進妻、彭大昌女
559-492-11下
彭氏清 李忠亮妻 481-120-296
彭氏清 李延賡妻 541- 61- 29
彭氏清 余英涵妻 479-582-243
彭氏清 施士忠妻 1313-122-10
彭氏清 袁天璜妻 530-147- 58
彭氏清 袁彰妻 480-441-278
533-693- 72
彭氏清 陶宗樹妻、彭喆女
533-578- 68
彭氏清 張元鈿妻 516-305- 99
彭氏清 陳德鑾 479-769-252
彭氏清 程家瑞妻 477-548-176
彭氏清 楊廷錫妻 480- 97-262
533-550- 67
彭氏清 趙鏞妻 481-680-331
彭氏清 劉斐妻 480-441-278
533-693- 72
彭氏清 劉璧星妻 474-482- 23
506-149- 90
彭氏清 賴灝妻 481-726-333
彭氏清 謝天駒妻 530- 77- 55
彭氏清 謝自湛妻 475-799- 90
彭氏清 彭鐣女 482-291-352
彭介宋 480-407-277
彭玉妻 清 見李氏
彭朮明 1467-244- 71
彭正明 511-882-171
彭平女 元 見彭氏
彭生春秋 405- 21- 57
彭台明 533- 45- 48
彭禾妻 明 見施氏
彭光明 1241-579- 11
彭艾明 563-792- 41
彭名春秋 405- 21- 57
933-424- 28
彭伉晉 479-503-239
516-412-103
彭伉唐 515-495- 72
彭任宋 473-456- 68
559-364- 8
彭任清 516-186- 94
彭合宋 473-125- 55
473-148- 56
515-597- 76
1138-801- 22
彭年明 511-742-165
820-703- 43
1280-477- 91
1284-175-150
1442- 69- 4
1460-325- 55
彭份明 505-652- 68
515-364- 68
彭休漢 475-118- 55
彭宏漢 474-165- 8
彭甫明 529-510- 44
567-105- 66
1467- 82- 64
彭志明 1237-384- 11
彭成明 561-218-383
彭玗唐 515-568- 75
1455-335-211
彭杞明 1229-413- 2
彭圾明 515-421- 69
彭更戰國 405-547- 85
539-641-11之6
933-424- 28
彭佑清 515-458- 70
彭宗劉宋 472-414- 18
475-437- 70
511-927-174
彭京明 515-636- 77
彭性明 1242-821- 9
彭罙元 1369-403- 12
1471-529- 12
彭杰明 515-686- 78
彭忠明 480-320-282
533-239- 54
彭岡明 533-494- 65
彭芳妻 清 見田氏
彭昉明 820-674- 42
1273-244- 30
1386-367- 43
彭果唐 820-180- 27
彭杲彭皋 宋 821-221- 51
彭非晉 王輔妻 591-534- 41
彭金明 1467- 86- 65
彭受宋 529-665- 49
彭炳元 469-481- 38
1471-405- 8
彭宣漢 250-592- 71
376-311-100
376-398-102上
384- 51- 2
472-651- 27
476- 26- 97
477-443-171
538- 19- 62
540-663- 27
544-199- 62
554- 94- 50
675-240- 3
933-424- 28
彭祈晉 472-895- 35
558-303- 34
681-296- 20
682-492- 20
1398-469- 20
彭持宋 515-499- 72
彭咸商 404-414- 24
彭威明 1243-454- 4
彭括妻 宋 見翁氏
彭英妻 元 見汪氏
彭英妻 清 見張氏
彭信明 523-511-171
彭律明 559-319-7上
彭俞宋 473-178- 57
515-499- 72
彭俊明 1241-694- 15
彭高明 1243-450- 4
彭祖彭剪、彭鏗、籛鏗 上古
383-150- 17
472-198- 7
473-517- 71
475-437- 70
481-353-309
516-474-105
530-203- 60
547-521-160
561-224-38之3
592-221- 74
933-424- 28
1058-492- 上
1059-259- 1
彭席明 1275-313- 14
彭悅宋 1086-450- 8
彭悅金 1190-497- 43
彭泰女 宋 見彭氏
彭泰妻 明 見李足姑
彭恭妻 明 見周氏
彭烈明 299-609-162
472-174- 6
472-741- 29
481-311-307
510-313-113
537-304- 56
彭孫宋 473-624- 77
481-722-333
528- 10- 17
529-632- 48
彭翊明 480-597-286
彭桓明 528-495- 30.
彭琉明 473-153- 56
473-674- 79
479-720-250
515-663- 77
540-641- 27
563-745- 40
676-479- 18
1244-644- 15

十二畫 彭

彭珥明 528-455- 29
彭起妻 清 見汪氏
彭根明 1242-816- 9
彭時明 299-775-176
452-174- 3
453-427- 14
453-618- 19
473-154- 56
479-722-250
515-672- 78
820-624- 41
1284-256-163
1375- 39- 下
彭娥漢 480-299-271
533-633- 70
彭倫明 299-656-166
473-212- 59
480-614-287
483-223-390
483-340-398
571-532- 19
彭皋宋 見彭杲
彭卿明 456-574- 8
彭修彭循 漢 253-576-111
380-132-168
402-472- 11
453-747- 3
472-256- 10
475-217- 61
485- 83- 12
493-665- 37
511-137-142
511-548-158
512-910-200
933-424- 28
彭修明 528-509- 31
彭乘宋 285-735-298
371-141- 14
382-385- 60
384-357- 18
397-169-330
471-782- 27
471-1021- 63
473-267- 61
473-433- 67
473-489- 70
473-503- 71
481- 77-294
481-235-303
481-332-308
559-294-7上
559-313-7上
559-417-10上
561-499- 44
591-382- 30
591-542- 42
933-424- 28
彭淳彭醇 宋 515-580- 75
1147-566- 54
彭清明(字源潔) 299-754-174
478-271-187
554-366- 54
554-601- 59
彭清明(錢塘人) 1467- 64- 64
彭淵隋 554-944- 65
彭剪上古 見彭祖
彭淑元 517-457-127
彭宷明 515-175- 62
彭羕蜀漢 254-630- 10
377-279-118上
384- 76- 4
384-467- 13
385-178- 20
447-202- 8
519-521- 41
559-317-7上
933-424- 28
1361-640- 30
彭堅唐 812-483- 上
812-521- 2
821- 82- 47
彭教明 473-155- 56
515-674- 78
676-505- 19
彭通明 545- 65- 85
564- 85- 45
彭貫明 1244-653- 16
彭崑明 472-678- 27
彭勗明(字祖期) 299-588-161
453-387- 10
479-720-250
515-661- 77
563-778- 40
676-160- 7
678-186- 87
1241-484- 7
1245-552- 29
彭勗明(字德勉) 821-360- 55
彭紹宋 843-672- 下
彭偃唐 270-506-127
276-515-225中
彭啟明 1242-120- 28
彭富明 483-162-382
570-123-21之1
1289-259- 16
彭湘明 1294-246-6上
彭燚妻 明 見胡氏
彭燚清 533-305- 57
彭雲唐 473-177- 57
彭雲宋 843-672- 下
彭琠妻 明 見劉氏
彭越梁王 漢 244-587- 90
250- 45- 34
251-509- 9
376- 29- 95
384- 36- 2
472-548- 23
540-690-28之1
933-424- 28
彭猋妻 明 見胡氏
彭尋宋 473- 77- 52
516- 98- 91
彭閎漢 402-562- 18
彭琯明 458-285- 9
481-613-329
528-499- 30
559-511- 12
彭喆女 清 見彭氏
彭期清 515-852- 84
彭琴明 483-698-422
彭琬清 1475-837- 35
彭肅宋 1147-588- 55
彭琰清 朱化鵬妻
1475-837- 35
彭琢明 473-336- 63
480-403-277
532-695- 45
彭森明 564- 88- 45
彭嵋妻 明 見胡氏
彭華明 299-674-168
452-181- 3
473-155- 56
515-676- 78
676-500- 19
1250-870- 83
1251-292- 21
1442- 28-附2
1459-651- 25
彭絲元 473-150- 56
515-618- 76
1204-295- 9
彭智明 558-215- 32
彭智女 明 見彭亞光
彭程宋(徐州人) 400-295-524
475-430- 70
彭程宋(字幼遠) 517-430-126
彭程明 299-845-182
473- 52- 50
479-534-241
516- 71- 90
523-516-171
554-346- 54
567-449- 86
676-352- 13
1259-251- 19
1458-455-447
彭循漢 見彭修
彭欽宋 523- 99-150
1173-167- 74
彭腴明 564-222- 46
彭詡明 1238-182- 16
彭瑊唐 533-293- 56
彭塤明 1240-704- 7
彭輅明 1442- 60- 4
1460-186- 48
1475-309- 13
彭瑜宋 288-415-456
400-303-524
479-713-250
515-581- 75
彭群明 1238-194- 16
1242-145- 28
彭戢宋 471-1027- 64
473-456- 68
559-364- 8
591-610- 44
彭戢明 820-594- 40
彭路宋 529-742- 51
彭鉉宋 515-530- 73
彭鉉明 1242-183- 30
彭鈺清 564-311- 48
彭演宋 833-425- 28

彭詔明 300- 4-183
453-469- 19
453-641- 24
458-763- 5
460-544- 52
473-634- 77
478-767-215
481- 24-291
481-555-327
481-805-338
505-635- 67
510-291-112
523- 43-148
529-507- 44
559-251- 6
563-732- 40
571-523- 19
676-503- 19
1249-426- 28
1257- 38- 5
1257-201- 19
1410-129-677
1442- 29-附2
1459-663- 26
彭福明 510-392-115
516- 73- 90
彭端女 明 見彭氏
彭齊宋 515-573- 75
彭滿明 見定山
彭慥宋 1099-602- 14
彭輔明 1243-698- 23
彭遠明 301-740-281
472-309- 13
473- 24- 49
473-674- 79
475-325- 65
481-804-338
510-382-115
515-366- 68
563-732- 40
彭聚明 456-693- 12
彭蒙妻 明 見陳氏
彭鳳宋 見彭蠡
彭鳳妻 宋 見曹氏
彭鳳明 515-508- 72
彭銓明 533-236- 54
1255-592- 62
彭銓妻 明 見李氏
彭綱明 299-839-180
473-130- 55
477-499-174
479-682-248
483- 17-370
515-549- 74
570-212- 23
676-513- 20
1442- 34-附2
1459-734- 29
彭瑩明 676-174- 7
彭誼明 299-566-159
472-1068- 45
474-690- 37
479-225-227
482- 36-340
502-284- 56
523-156-153
564-146- 45
彭瑾妻 清 見李氏
彭醇宋 見彭淳
彭璉明 見彭汝器
彭億宋 528-505- 31
彭儀妻 明 見吳氏
彭樂北齊 267-131- 53
379-403-152
558-328- 35
933-424- 28
彭樂女 北齊 見彭氏
彭龍明 515-686- 78
彭澤明(字濟物) 300-256-198
451-447- 2
472-906- 36
472-964- 38
474-372- 19
475-563- 79
476-917-148
478-489-199
481- 25-291
505-672- 69
510-428-116
523- 46-148
533-253- 55
537-218- 54
558-295- 34
559-252- 6
680-502-272
彭澤明(攸縣人) 1442- 28- 附2
1459-654- 25
彭諫妻 明 見劉氏
彭璟宋 473-358- 64
532-702- 45
彭豫明 482- 33-340
515-639- 77
563-767- 40
1238-170- 15
1242-139- 28
彭選清 456-370- 78
彭興明 554-346- 54
彭曉五代 481- 86-294
彭錕明 456-546- 7
479-823-256
516-183- 94
彭錦妻 清 見樂氏
彭儒明 511-369-150
彭謙明(湘陰人) 533- 97- 50
彭謙明(字德光) 1442- 59- 3
1460-177- 48
彭燦明 820-716- 43
彭懋明 515-408- 69
彭翼漢 473-177- 57
彭瑺南唐 527-595- 15
528-520- 31
彭舉明 473-762- 84
彭鍾明 1467- 94- 65
彭禮明(字時序) 511-327-149
彭禮明(字彥恭) 515-680- 78
彭燿明 554-311- 53
彭藎明 480-597-286
彭鎔清 481-337-308
559-441-10下
彭簪明 479-724-250
480-508-281
510-364-114
515-694- 78
532-708- 45
676-208- 8
彭寵漢 252-476- 42
370-214- 23
376-518-104
384- 57- 3
402-348- 2
933-424- 28
彭懷宋 1161-689-132
彭蟾唐 515-495- 72
彭鵬清 481-559-327
482-324-354
529-525- 44
563-865- 42
567-161- 69
彭鏗上古 見彭祖
彭鐙女 清 見彭氏
彭鏞元 515-539- 74
彭鏞明 545-245- 92
彭鯤明 456-615- 9
彭寶明 475-529- 77
511-602-160
彭齡江鶴、祝萬壽、鄒長春 明
1442-118- 8
彭齡清 533-320- 57
彭耀明 456-547- 7
彭騰宋 529-709- 50
彭爚宋 493-711- 39
彭韻明(字士淳) 1241-750- 18
1242-134- 28
彭韻明(字遵道) 1276-455- 11
彭黯明 300-371-205
515-705- 79
彭蠡彭鳳 宋 516- 98- 91
1167-245- 20
彭蠡明 571-540- 20
彭驥明 529-709- 50
彭一琮清 533-297- 56
彭一龍妻 清 見郭氏
彭九成妻 明 見白氏
彭九成女 宋 見彭氏
彭九萬宋~元 529-613- 47
1206-703- 5
彭九萬妻 元 見李氏
彭士弘明 456-526- 6
474-601- 31
502-717- 83
505-700- 70
506-374- 99
1312-840- 11
彭士奇彭庭琦 元
1195-161- 2
彭士奇明 456-570- 8
彭士炯妻 清 見黃氏
彭士垣清 559-414-9下
彭士望清 479-496-239
515-454- 70
彭士揚明 1241-442- 6
彭士廉明 1229-658- 1

彭士節明 1243-661- 20
彭士遠明 515-509- 72
彭士錦清 529-663- 49
彭子民宋 585-758- 4
1467- 37- 63
彭子沖明 472-1015- 41
479-377-234
523-214-156
彭子發宋 1124-255- 18
彭大用妻 清 見汪氏
彭大同明 511-248-145
彭大同妻 明 見任氏
彭大治明 529-513- 44
彭大昌女 清 見彭氏
彭大科明 515-511- 72
彭大雅宋 408-983- 3
516- 35- 88
559-274- 6
彭大義妻 明 見李氏
彭大壽清 480- 93-262
533- 33- 47
彭大遠元 1242- 87- 26
1374-735- 94
1410-248-693
彭大翮明 302- 90-294
456-666- 11
480-175-266
533-477- 64
彭大翼明 511-795-166
彭千里宋 1147-797- 75
彭久康妻妹 明 見潘氏
彭方迥彭甲孫 宋451- 56- 2
彭文之劉宋 258-496- 83
彭文昌宋 486-906- 35
524-426-200
彭文炳明 456-516- 6
540-826-28之3
彭文炯明 456-516- 6
彭文彩明 456-516- 6
彭文煒清 677-761- 67
彭文嗣宋 484-380- 28
彭文遠元 515-627- 76
1242- 87- 26
1374-735- 94
1410-248-692
彭文質明 529-519- 44
彭文驥元 583-555- 12
彭之年明 475-836- 93
彭之壽清 533-101- 50
彭之鳳清 533-293- 56
彭之藩明 550-144-21之2
彭太素宋 820-344- 32
彭元亨宋 515-589- 75
1147-759- 72
彭元達宋 528-482- 30
彭元鼎妻 明 見丁氏
彭引祥清 楊泗清妻
479-685-248
516-277- 98
彭天益宋 473-338- 63
480-407-277
533-246- 55
彭天翔明 511-397-151
彭天禩明 820-747- 44
彭天翼元 1213-759- 24
彭友方宋 471-775- 26
473-335- 63
480-400-277
532-692- 45
彭友元明 480-413-277
彭友信明 480-410-277
533-250- 55
彭日隆宋 530-204- 60
1439-456- 2
彭公永宋 933-425- 28
484-386- 28
彭公衍女 明 見彭妙寧
彭月浴明 456-634- 10
彭仁翁元 1216-250- 13
彭介翁明 1241-297- 13
彭允中明 456-614- 9
彭允升清 479-534-241
516- 91- 90
彭允年明 563-766- 40
572-104- 30
彭玄中明 821-487- 58
彭玄明明 821-487- 58
彭永春明 456-601- 9
479-606-244
515-251- 64
彭正德明 1442- 8- 附1
1459-447- 14
彭可謙清 476-611-133
502-687- 81
540-682- 27
彭世昌南唐 515-497- 72
彭世騏彭世麒 明302-425-310
480-597-286
彭世麒明 見彭世騏
彭世麟明 480-597-286
彭以見妻 明 見劉氏
彭占祺明 523-231-156
彭甲孫宋 見彭方迥
彭仕淵元 515-833- 83
彭仕義宋 288-868-493
彭用光明 516-515-106
彭幼朔明 554-989- 65
彭幼謙唐 533-782- 75
彭安和明 1236- 65- 5
彭汝方宋 286-590-346
382-719-110
397-659-360
473- 47- 50
479-351-233
479-529-241
516- 10- 87
523-198-155
933-425- 28
彭汝明妻 明 見張氏
彭汝為明 558-428- 37
彭汝弼妻 清 見翁氏
彭汝楠明 529-523- 44
1442- 92- 6
1460-529- 66
彭汝實明 300-428-208
481-311-307
559-380-9上
彭汝賢明 528-531- 31
彭汝諧明 820-746- 44
1442- 93- 6
1460-534- 66
彭汝霖宋 286-589-346
1053-786- 18
彭汝器元 475-179- 59
彭汝器彭璉 明 473-152- 56
515-655- 77
1240-873- 10
1242-819- 9
彭汝礪宋 286-588-346
382-614- 94
384-361- 18
384-373 19
384-380- 19
397-658-360
449-252- 10
450-443-中31
473- 46- 50
473-652- 78
479-529-241
516- 9- 87
677-226- 21
708-342- 50
933-424- 28
1106- 29- 3
1363-124-113
1437- 18- 1
彭百鍊明 1239-290- 46
1241- 92- 5
1241-196- 9
1241-298- 13
1241-317- 1
1241-441- 6
1242-389- 37
彭有年妻 明 見劉氏
彭有德清 545-329- 95
彭有譔明 533-373- 60
彭至朴妻 明 見劉素能
彭老生妻 後魏 見兒先氏
彭而述清 477-379-167
482-324-354
537-552- 59
538-610- 78
545-158- 88
1315-563- 34
1318- 79- 37
彭而珩明 515-559- 74
彭同升明 1242-853- 10
彭屼貞明 1236- 97- 5
彭名世明 563-818- 41
彭自新明 515-509- 72
彭好古元 528-525- 31
彭好古明 505-658- 68
518-202-142
554-291- 53
554-313- 53
彭好古妻 明 見楊氏
彭仲宣元 523-153-153
彭仲恭明 1241-893- 23

彭仲剛宋 479-285-230
523-495-170
1145-758- 84
1164-284- 15
彭仲爽春秋 405- 19- 57
933-424- 28
彭仲寬明 517-255-121
彭仲德元 476-394-119
545-461-100
彭仲壘妻 清 見溫氏
彭行先清 1315-323- 13
彭宏大明 511-922-174
彭宏著妻 明 見吳貞善
彭良臣明 563-785- 40
678- 21- 71
彭君實元 524-351-196
彭君選明 456-639- 10
481-650-330
彭克明不詳 592-287- 78
彭克清明 533-277- 56
彭克韶明 1467- 60- 64
彭克濟明 533-277- 56
彭似孫元 1206-703- 5
彭似孫妻 元 見嚴氏
彭佐聖妻 清 見伍氏
彭伯莊女 宋 見彭氏
彭伯壽夏 546-424-129
彭伯讓女 明 見彭氏
彭希曾明 545-668-107
彭希顏明 563-836- 41
彭邦光彭狗兒 宋448-373- 0
彭邦貴妻 明 見王氏
彭妙寧明 張昱妻、彭公衍女
472-985- 39
524-528-204
彭妙壽元 1215-719- 10
彭廷堅元 見彭庭堅
彭宗因明 1475-409- 17
彭宗孟宋 533-341- 58
彭宗孟明 1475-392- 17
彭定求清 475-142- 57
511-677-163
彭亞光明 劉英妻、彭智女
482-187-346
彭直方明 1242- 44- 25
彭阿積妻 明 見張陂娘
彭長宜明 475-177- 59
510-354-114
676-662- 27
1442-111- 7
1475-507- 22
彭長庚元 1204-299- 9
彭長庚清 510-497-118
彭長春妻 清 見楊氏
彭承孟袁承孟 明456-672- 11
480-439-278
533-493- 65
彭尚仁妻 明 見李氏
彭明甫明 510-439-116
彭明輔明 302-426-310
彭叔度宋 1147-771- 73
彭叔敏明 1239-102- 33
1240-351- 22
彭季肅明 1237-229- 4
彭周老宋 1161-635-126
彭狗兒宋 見彭邦光
彭金姑清 江詩雅妻
530- 32- 54
彭始搏彭始摶 清
478-772-215
523- 69-149
537-553- 59
彭始摶清 見彭始搏
彭炳文明 515-703- 79
彭彥士妻 明 見劉氏
彭彥班宋 529-448- 43
563-680- 39
彭春年宋 472-1104- 47
彭南起元 1207-694- 50
彭南溟元 821-301- 53
彭述謨明 554-368- 54
彭建夫妻 明 見劉氏
彭思永宋 286-252-320
384-356- 18
397-404-344
449-196- 5
471-927- 49
472- 65- 2
472-357- 15
472-1014- 41
473-147- 56
474-304- 16
475-812- 91
479-713-250
481- 67-293
488-389- 13
505-664- 69
511-914-173
515-576- 75
523-167-154
563-682- 39
708-338- 50
1106-286- 39
1345-608- 3
彭若舟元 480-636-288
彭信古明 534-955-120
彭高運明 570-156-21之2
彭祖眉妻 明 見唐氏
彭祖振妻 明 見黃昭娘
彭家屏清 517-809-135
彭庭堅彭廷堅 元
295-586-195
400-268-521
472-545- 23
472-1118- 48
473-599- 76
479-407-235
481-673-331
523-417-166
528-525- 31
540-662- 27
彭庭奇元 見彭士奇
彭淩雲明 456-496- 5
彭淩碧明 456-661- 11
彭淩霄明 537-551- 59
彭城王漢 見劉和
彭城王漢 見劉恭
彭城王魏 見曹據
彭城王晉 見司馬植
彭城王晉 見司馬釋
彭城王晉 見司馬權
彭城王劉宋 見劉義康
彭城王梁 見元景隆
彭城王後趙 見石遵
彭城王後魏 見元勰
彭城王北齊 見高湝
彭原復明 1239- 91- 33
彭原復女 明 見劉靈
彭孫婧清 陳龍孫妻
1475-845- 35
彭孫貽清 1475-550- 24
彭孫遹清 479-100-221
524- 27-179
彭孫繩清 1475-562- 24
彭孫懿清 陳蒼永妻
524-509-203
彭桂子元 1206-703- 5
彭起龍妻 清 見蔣氏
彭時著妻 清 見王氏
彭時濟明 1467-117- 66
彭師立元 820-498- 37
彭師寶宋 288-868-493
彭修翮明 456-666- 11
533-477- 64
彭清典清 533-160- 52
彭裔老宋 515-598- 76
1147-764- 72
彭商賢妻 明 見陳氏
彭惟成明 515-717- 79
彭惟孝宋 1147-527- 49
1163-611- 39
彭惟享明 515-555- 74
彭淑柔明 陳弘德妻、彭體昇女 1240-370- 23
彭球紳妻 明 見劉氏
彭崇一女 宋 見彭氏
彭崇仁宋 1113-441- 9
1115-680- 6
彭崇正女 宋 見彭氏
彭國光明 481-584-328
505-638- 67
516-135- 92
528-487- 30
彭國琮妻 清 見林安靜
彭國儀妻 清 見鄧氏
彭紹賢明 1475-380- 16
彭敘古明 820-613- 41
彭啟原明 1243-708- 24
彭啟豐清 569-621-18下之2
彭逢達宋 1189-580- 3
彭從龍妻 元 見徐妙英
彭普貴明 560-602-29下
彭雲從明 1227-139- 17
彭雲構唐 見彭構雲
彭雲翼妻 宋 見劉氏
彭期生明 301-680-278
456-545- 7
479- 98-221
479-456-237
479-493-254
510-318-113
515- 65- 58

523-364-163
676-634- 26
1442- 93- 6
1460-711- 77
1475-415- 18
彭朝義唐 820-208- 28
彭堯昇明 554-310- 53
彭堯輔宋 515-598- 76
1147-751- 71
彭堯諭明 1442-113- 7
彭開祐清 511-764-166
彭景直唐 276- 20-199
400-413-538
505-871- 78
933-424- 28
彭景昌妻 清 見陳氏
彭景岳明 1243-709- 24
彭菊莊妻 明 見戈淨寧
彭舜安元 547-560-161
彭舜卿明 821-379- 55
彭舜榮明 516-171- 94
彭舜齡清 477-133-155
537-439- 58
彭欽之女 明 見彭氏
彭象周明 480-597-286
彭復初元 515-618- 76
彭義斌宋 475-324- 65
彭祿孫女 元 見彭德玉
彭運成宋 1173-117- 70
彭道詵妻 明 見劉氏
彭雷巖元 516-528-106
彭椿年宋 524-261-191
彭楚書明 533-415- 62
彭殿元清 479-728-250
515-727- 79
彭萬年清 1320-727- 79
彭萬忠妻 明 見楚氏
彭萬昌明 483-201-388
彭敬叔元 540-779-28之2
彭會淇清 511-189-143
彭韶祖母 明 見陳氏
彭寧求清 511-754-165
彭端吾明 477-132-155
518-203-142
537-434- 58
彭漢老宋 515-598- 76
1147-772- 73
1161-523-119
彭壽思夏 546-424-129
彭與明明 299-359-142
515-652- 77
彭際盛清 481-185-300
559-411-9下
彭嘉世妻 清 見李氏
彭構雲彭雲構 唐
515-495- 72
517-279-122
1098-817- 6
彭聞名女 宋 見彭氏
彭夢祖明 511-370-150
1442- 79- 5
1460-399- 58
彭夢槐妻 明 見廖璧
彭鳳儀明 見曾鳳儀
彭養生明 456-672- 11
彭震龍宋 288-383-454
400-196-515
451-232- 0
473-149- 56
515-607- 76
彭敷哲明 1240-807- 8
彭敷詢明 1237-284- 5
彭餘璋明 1246-657- 16
彭餘璋妻 明 見鄭慶
彭德玉元 黃瑞曾妻、彭祿孫女 1195-431- 8
彭德亮妻 明 見許氏
彭樂善明 1242-824- 9
彭憲祖明 564-261- 47
彭龍躍明 456-666- 11
彭辨之明 511-379-150
523- 86- 149
彭遵古明 300-782-231
彭擇仁宋 1467- 45- 63
彭學禮明 1241-188- 9
彭學禮妻 明 見任玉
彭龜年宋 287-375-393
398-380-389
451- 22- 0
473-128- 55
479-680-248
479-766-252
515-527- 73
680-195-243
1153-477- 96
彭儒猛宋 288-866-493
480-596-286
533-294- 56
彭應元明 554-311- 53
彭應先元 1195- 85- 6
彭應奎明 516- 76- 90
彭應桂元 1195-524- 上
彭應時明(山陰人) 456-619- 9
523-387-164
584-274- 10
彭應時明(字宜所) 515-712- 79
567-137- 68
彭應捷明 528-463- 29
彭應雷元 515-503- 72
彭應震明 537-606- 60
彭懋祖明 564-261- 47
彭懋賢明 570-157-21之2
彭翼宸清 537-415- 57
彭儲粹妻 明 見劉氏
彭藎臣明 510-337-113
彭攀龍宋 516-512-106
彭繩祖清 533-184- 52
563-878- 42
彭鯤化明 458-164- 8
537-569- 60
彭寶林元 515-629- 73
彭獻忠唐 554- 84- 49
1342-216-932
彭繼凱元 473-178- 57
515-503- 72
彭鶴正妻 明 見陳氏
彭顯烈明 1247-379- 14
彭體昇女 明 見彭淑柔
彭封彌子春秋 見彌子瑕
彭城老父漢 448-103- 中
871-896- 19
揚清 見訥們
揚王宋 見趙昉
揚王明 見陳某
揚武清(佟佳氏) 455-332- 20
揚武清(阿魯氏) 456-143- 60
揚周清 456- 75- 55
揚善楊善 清 455- 38- 1
474-760- 41
502-520- 72
揚雄漢 251- 64-87上
376-443-102下
384- 52- 2
386-272-83下
469-592- 72
471-946- 51
473-429- 67
481- 73-294
547-187-148
559-338- 8
561-210-38之2
561-305- 40
561-414- 42
561-525- 44
591-507- 41
814-223- 3
820- 27- 22
933-300- 22
1063- 4- 附
1095-836- 49
1118-359- 19
1118-364- 19
1354-828- 48
1381-609- 44
1366-760- 4
1408-399-518
1412-218- 8
揚著清(伊爾根覺羅氏)
455-273- 15
揚著清(赫濟理氏) 456-127- 58
揚福清 455-376- 23
揚錫清 455-205- 10
455-591- 39
揚巴圖元 見楊濟智格
揚古利楊古利 清 455-142- 6
474-755- 41
502-453- 69
揚古理清 456-192- 65
揚吉努清 455-375- 23
揚阿納清 456- 60- 54
揚阿理清 455-451- 27
揚恰爾元 1234-305- 47
揚桑阿清(伊爾根覺羅氏)
455-231- 12
揚桑阿清(兀札喇氏)
455-490- 30
揚節鼐清 456- 52- 54
揚珠布哈元 1194-680- 12
揚珠格爾元 1216-579- 11
揚葛濟格元 見楊濟智格
揚國大長公主宋 柴宗慶妻、宋太宗女 285- 63-248

393-323- 77
陽引後魏 見楊引
陽氏明 楊渭妻 570-197- 22
陽氏明 楊汝為妻 570-195- 22
陽氏明 楊東明妻 482-565-369
陽尼後魏 262- 86- 72
267- 20- 47
379-324-151
384-134- 7
472- 30- 1
474-571- 29
505-882- 79
933-313- 23
陽尼妻 後魏 見高氏
陽甲商 544-154- 61
陽生不詳 1061-269-110
陽匄春秋 405- 57- 59
933-312- 23
陽戎戰國 見楊朱
陽完春秋 405- 57- 59
陽亨明 559-268- 6
陽岊楊岊 宋 533-325- 57
陽伯上古 546-234-123
陽佗春秋 405- 57- 59
陽枋陽昌朝、楊枋 宋
1183-429- 12
1183-439- 12
533-325- 57
陽東明 532-649- 43
陽明明 497-829- 59
554-957- 65
陽固後魏 262- 87- 72
267- 20- 47
379-325-151
474-571- 29
505-727- 71
933-313- 23
陽虎春秋 375-712- 89
384- 15- 1
404-556- 34
448-268- 27
933-312- 23
陽旻楊旻 唐 275-206-156
396- 24-253
505-674- 69
505-728- 71
陽春明 523-154-153
陽昭北齊 267- 26- 47
379-441-153
933-313- 23
陽高清 456-279- 71
陽益楊益 明 473-349- 63
480-438-278
533-276- 56
陽城唐 271-646-192
275-620-194
384-238- 12
400-325-527
459-418- 25
469-572- 70
471-762- 24
472- 53- 2
472-458- 20
472-739- 29
473-387- 65
474-240- 12
476-372-117
480-540-283
505-731- 71
506-495-103
506-576-106
陽城唐 532-713- 45
546-469-130
549-333-193
933-314- 23
1076- 78- 9
1076-538- 9
1077- 98- 9
1383-315- 28
1408-634-548
1409-737-650
1447-220- 7
陽姬漢 591-580- 43
陽寅明 532-709- 45
567-331- 78
554-891- 64
812-315- 4
821- 7- 45
陽球漢 253-499-107
370-204- 21
380-225-171
402-426- 7
402-527- 15
402-579- 20
472- 29- 1
474-170- 8
475-740- 88
505-709- 71
933-312- 23
陽畢春秋 404-712- 43
545-735-109
陽貨春秋 933-312- 23
陽猛後魏 552- 37- 18
554-437- 56
陽躭晉 502-253- 53
陽雄北周 263-790- 44
267-354- 66
379-643-158
552- 35- 18
554-566- 58
933-313- 23
陽弼楊弼 後魏 262- 87- 72
541-110- 31
陽斐北齊 263-313- 42
267- 26- 47
379-441-153
933-313- 23
陽雍漢 933-312- 23
陽雍隋 538-103- 64
陽裕晉 256-767-109
381-197-188
474-571- 29
490-417- 90
933-313- 23
陽慶不詳 742- 24- 1
陽膚春秋 405-453- 85
539-640-11之6
陽嶠唐 271-455-185下
274-628-130
384-193- 10
395-588-234
472-125- 4
474-468- 23
476-516-127
505-688- 70
540-638- 27
933-313- 23
陽霖元 見湯霖
陽鴻唐 1065-862- 22
陽騖晉 256-788-111
381-200-188
472- 29- 1
474-571- 29
496-416- 90
505-726- 71
933-313- 23
陽藻後魏 262- 87- 72
267- 26- 47
379-326-151
505-727- 71
933-313- 23
陽瓚劉宋 537-272- 55
541-764-35之20
1329-981- 57
1331-481- 57
1398- 695- 11
1410-545-738
陽大明宋 516-148- 93
陽山王陳 見陳叔宣
陽不語明 505-935- 85
陽元景北齊 見陽昭
陽平王後魏 見托跋熙
陽平王後魏 見托跋新成
陽平治不詳(居陽平洞中)
1061-356-116
陽令終春秋 405- 57- 59
陽守一宋 見楊守一
陽休之北齊 263-318- 42
267- 23- 47
379-437-153
474-571- 29
505-727- 71
532-675- 44
540-667- 27
933-313- 23
陽孝本宋 288-437-458
401- 23-570
473-187- 58
479-794-254
516-159- 94
526-620-279
1121-374- 25
陽昌朝宋 見陽枋
陽始亨清 533-256- 55
陽思謙明 480-439-278
528-487- 30
陽信王明 見朱當渚
陽城王明 見朱祐櫟
陽夏王明 見朱載⿱非土
陽翁伯陽雍伯 春秋或晉
499-247-144
505-935- 85

十二畫 陽

933-312- 23
1397-681- 32
陽翁偉漢 592-276- 78
陽處父春秋 375-729- 90
384- 20- 1
404-703- 43
448-168- 9
545-493-101
933-312- 23
陽惠元楊惠元 唐
270-720-144
275-205-156
396- 24-253
474-276- 14
505-842- 76
554-351- 54
933-315- 23
陽黑頭齊 265-1045- 73
380-105-167
478-247-186
933-313- 23
陽詮之後魏 262- 93- 72
陽雍伯春秋 見陽翁伯
陽辟彊北齊 263-320- 42
陽翟王元 見特默格爾
陽德潤元 474-570- 29
陽遵哲妻 明 見孫氏
陽靜立北齊 267- 27- 47
933-313- 23
陽麗天明 456-640- 10
陽顯嘉明 571-550- 20
陽信公主平陽公主 漢 曹壽妻、衛青妻、漢景帝女
554- 42- 49
陽城胥渠春秋 404-785- 48
陽安長公主漢 見劉華延
陽翟長公主漢 見劉修
琛五代 1053-324- 8
琳宋 1089- 74- 8
1089- 83- 9
琳元 493-1095- 58
1218-771- 5
琳沁巴勒亦憐眞班、伊勒哲伯、齊王、額琳沁巴勒 元
294-545-145
400- 8-499
479-451-237
515- 28- 57
琳丕勒多爾濟清
454-534- 51
琳沁巴勒濟戩藏明
302-832-331
報恩宋 1053-584- 14
欺南陵溫籛逋宋 見唃厮囉
粟氏明 梁日榮妻 480-653-289
粟氏清 蘇挺健妻 482-354-356
粟說妻 清 見劉氏
粟擧魏 933-722- 49
粟大用粟大用 宋
473-758- 83
482-468-363
567-405- 84
1467-169- 68
粟堯基妻 清 見梁氏
散即思明 見桑結斯
散宜生周 404-434- 25
提氏明 魏繼標妻 506- 14- 86
提和晉 見僧迦提婆
提多迦香衆、通眞量 周
1053- 14- 1
1054- 23- 1
1054-258- 3
提彌明春秋 404-759- 46
547- 12-141
提腳道人明(常以繩提左足趾而行) 482-568-369
570-249- 25
提雲般若唐 見天智
提雲陀若那唐 見天智
揆澄清 502-756- 85
棟阿清 502-755- 85
棟戩宋 見董氈
棟阿珠元 見棟阿矩
棟阿矩棟阿珠 元
473-725- 82
563-716- 39
棟阿賚清 474-770- 41
502-526- 72
棟果爾清 454-368- 20
棟和羅清 502-601- 76
棟岱青清 454-433- 32
棟格矩元 見呼嚕古爾
棟鄂樂清 502-503- 70
棟囉布清 454-488- 43
棟阿達什朵阿達實 元
477-410-169
棟伊思喇布清 454-465- 38
森特清 455-271- 15
森都楞清 455-580- 38
森徹訥清 456- 44- 53
森徹赫元 見沙扎該
森濟圖元 294-410-133
棣王唐 見李祤
棣王唐 見李惴
棣王唐 見李琰
椒擧春秋 見伍擧
棗祇魏 254-310- 16
384- 84- 4
385-411- 44
472-641- 26
477- 48-151
477- 61-151
537-235- 55
933-610- 39
1412-558- 23
棗腆晉 526-493- 92
933-610- 39
棗嵩晉 256-493- 92
538-151- 65
933-610- 39
棗據晉 256-493- 92
380-354-175
469- 54- 7
475-322- 65
477-241-161
477-477-173
538-151- 65
933-610- 39
1379-265- 33
棗陽王明 見朱祐梘
棗樹和尚宋 1053-334- 8
棘子成春秋 933-754- 52
厥機魏 496-590-103
裂夷秦 見裂裔
裂裔烈裔、裂夷 秦
554-889- 64
812-314- 4
821- 6- 45
發后敬、惠、敬發 夏
383-243- 23
544-154- 61
發周 見周武王
發瑚清 455-287- 16
發庫達清 455-255- 14
閑唐(嗣普願) 1053-155- 4
閑唐(嗣慧清) 1053-373- 9
閑珊居集唐 570-260- 25
閔氏明 周維新妻 570-169- 22
閔氏曹三妻 明 472-298- 12
閔氏明 馮源妻 506- 76- 88
閔氏明 馮兆亨妻 482-144-344
閔氏明 劉智才妻 503- 27- 93
閔氏清 周玉規妻 503- 66- 95
閔氏清 曹可久妻 506- 85- 88
閔氏清 閔宗德女
1315-393- 19
閔正宋 539-632-11之6
閔本元 295-592-196
400-277-522
472-721- 28
477-255-161
538- 55- 63
閔汶明 1291-815- 3
閔址明 516- 86- 90
閔宗後魏 503- 14- 91
閔法春秋 539-631-11之6
閔貢漢 370-172- 16
376-840-110
402-400- 5
402-457- 10
448-104-中
476- 32- 98
476-372-117
511-905-172
547-125-146
550-200-216
閔珪明 300- 12-183
479-143-223
479-453-237
515- 39- 58
523-281-159
567-105- 66
676-505- 19
1249-795- 7
1256-438- 29
1442- 30-附2
1459-686- 26
1467- 79- 64
閔陞明 1291-886- 6
閔時明 456-602- 9
閔湛後魏 546-624-136
閔溶明 481-525-326

528-460- 29
閔焯明 539-632-11之6
閔道元 549-659-205
閔項唐 396-251-274
閔損閔子騫 春秋 244-378- 67
246- 20- 67
371-479- 32
375-646- 88
386-733- 14
405-414- 83
472-547- 23
539-488-11之2
839- 10- 1
879-183-58下
933-585- 38
1378-405- 55
閔楨明 481-583-328
閔楷明 545- 93- 85
閔電明 511-443-153
閔煦明 545- 90- 85
閔節明 1250-826- 79
閔鳳妻 明 見孫氏
閔魯明 528-529- 31
閔遵漢 539-632-11之6
閔鴻晉 511-780-166
539-632-11之6
933-585- 38
閔彝妻 明 見張氏
閔鶚明 528-561- 32
閔鑑明 537-346- 56
閔灝妻 清 見章氏
閔三元清 502-639- 78
閔士英妻 清 見王氏
閔士毅妻 明 見萬秀英
閔子馬閔馬父 春秋
404-544- 33
448-246- 22
933-585- 38
閔子騫春秋 見閔損
閔文和後魏 812-336- 8
閔文振明 528-562- 32
閔之聞明 563-763- 40
閔及申明 528-533- 31
閔介清妻 清 見張氏
閔公緘清 533- 83- 49
閔世文清 456-369- 78
閔世翔明 515-158- 61
閔以仁明 545-247- 92
554-312- 53
閔有義清 510-405-115
閔兆勝明 1253- 72- 44
閔自成清 524-349-196
閔自寅明 545-380- 97
閔如霖明 524- 35-179
676-567- 23
1442- 54- 3
1460-128- 46
閔希聲宋 528-438- 29
閔邦燦妻 明 見萬氏
閔廷甲明 480-135-264
510-366-114
閔廷言唐 518-714-159
閔廷俊宋 821-226- 51
閔廷桂明 483-200-388
569-676- 19
閔宗聖明 559-278- 6
570-123-21之1
閔宗德女 清 見閔氏
閔居正妻 元 見蒲氏
閔居敬不詳 485-518- 10
閔孟克滑孟莊 春秋
404-600- 37
閔洪學明 569-656- 19
閔派魯清 475- 71- 52
510-319-113
閔則哲妻 明 見程氏
閔紉絃妻 明 見臧氏
閔衍櫓清 539-632-11之6
閔胤喜清 516-142- 92
閔馬父春秋 見閔子馬
閔國瑞清 456-369- 78
閔道弘漢 539-632-11之6
閔齊華明 676-739- 31
閔夢得明 481-613-329
528-498- 30
閔德祚妻 明 見吳氏
閔興汶清 539-632-11之6
閔懋選明 533-419- 62
閔翼明明 516- 88- 90
閔繼縉明 559-529- 12
禼上古 見契
貴春秋 見周景王
貴三清 502-732- 84
貴王南漢 見劉洪道
貴格元 羅五十三妻
295-631-200
401-179-593
貴遷漢 933-650- 42
貴勒赫清 456-104- 57
貴穆臣清 502-738- 84
景五代 1053-237- 6
景文清 455-251- 14
景王南涼 見禿髮傉檀
景王唐 見李祕
景王宋 見趙杞
景王宋 見趙宗漢
景王明 見朱載圳
景元宋 472-1119- 48
479-412-235
524-443-201
1053-833- 19
1183-158- 10
景丹漢 252-598- 52
370-122- 9
376-596-106
384- 56- 3
402-375- 4
402-558- 18
472-831- 33
478- 96-180
505-694- 70
552- 18- 18
554-549- 58
933-623- 40
景氏明 馬仲迪妻
1288-615- 10
景氏明 郭大美妻 480-321-272
景氏明 龔勗妻 1280-507- 93
景氏清 柴乙妻 1316-568- 38
景氏清 許自永妻 474-194- 9
景氏清 談經妻 474-195- 9
景丙明 494- 41- 3
景朴後蜀 821-129- 49
景如宋 1053-344- 8
景岑唐 480-418-277
533-782- 75
1053-149- 4
1054-575- 17
1116-389- 18
景佐明 476-124-102
546-303-125
景奇妻 晉 見貢羅
景尚漢 544-200- 62
景昇明 494- 40- 3
景芳明 537-269- 55
545-402- 98
景昉明 505-659- 68
景舍戰國 405- 67- 60
景欣唐 1053-217- 6
景宣宋 524-443-201
景厚元 473-222- 59
480- 90-262
533-153- 52
景建漢 539-349- 8
景星明 676- 40- 2
680-304-256
景風漢 933-623- 40
景泰梁 564-618- 56
景泰宋 286-317-326
397-445-346
472-878- 35
472-913- 36
473-504- 71
478-544-202
478-570-203
478-716-211
481-335-308
558-207- 32
559-390-9上
591-612- 44
景差戰國 405- 18- 56
933-623- 40
景卿明 821-436- 57
景純宋 1053-693- 16
景淳宋 567-469- 87
1467-533- 12
景清耿清 明 299-352-141
456-691- 12
472-915- 36
478-573-203
558-421- 37
886-154-139
景翔五代 407-644- 1
景祥宋 473-103- 53
479-635-245
516-455-104
景深宋 1053-598- 14
景曹春秋 宋元公夫人
404-813- 50
景通五代 1053-365- 9
景雲唐 813-304- 19
820-304- 30

景超後晉 516-489-105
1052-332- 23
景隆明 588-271- 11
景覃金 554-844- 63
1365-231- 7
1439- 6- 附
1445-444- 32
景陽戰國 405- 67- 60
景陽宋 473-854- 88
景進後唐 279-229- 37
384-309- 16
401-130-586
1383-779- 71
景溱明 546-305-125
景煥宋 843-664- 中
景歲宋 524-356-196
景暈宋 1053-876- 20
景暘明 472-178- 6
475-377- 68
511-667-163
511-783-166
676-539- 22
820-671- 42
1442- 43-附3
1454-361-123
1459-894- 38
景福明 472-207- 7
景寧明 547- 59-143
景齊宋 1053-736- 17
景榮明 1277-302- 10
1458- 62-418
景監戰國 554- 82- 49
景蒙宋 1153-672-110
景審鄧景審 唐 813-231- 5
820-250- 29
景毅漢 473-430- 67
482-559-369
494-147- 5
554-264- 53
559-405-9上
569-641- 19
571-513- 19
591-520- 41
879-173-58下
景養唐 494-435- 13
景霄後唐 588-274- 11
1052-226- 16
景輝唐 534-939-119
景輝明 820-760- 44
景範後周 278-408-127
476-523-128
540-746-28之2
541-116- 32
541-783-35之20
景鯉戰國 405- 67- 60
景籥明 547-102-145
景鸞漢 253-533-109下
380-268-172
469-679- 84
471-1043- 67
473-446- 68
481-404-313
559-406-9上
591-590- 44
592-485- 91
592-495- 91
592-534- 94
677- 79- 8
879-174-58下
933-623- 40
景一元明 546-602-135
景一高明 456-605- 9
景二陽明 554-312- 53
景于岡明 547-102-145
景同春妻 明 見趙氏
景光大妻 清 見李氏
景光哥宋 見景黃裳
景自芳宋 473-533- 72
559-376- 8
景自潤妻 明 見朱氏
景希孟宋 473-476- 69
559-274- 6
景林洙宋 473-491- 70
481-429-315
559-531- 12
景承芳明 554-498-57上
景知果不詳 592-215- 73
景知常宋 472-776- 30
477-383-167
538-346- 70
景延廣後晉 278- 96- 88
279-184- 29
384-304- 16
396-381-287
1383-752- 68
景思立宋 288-350-452
400-128-511
478-167-182
478-545-202
481-335-308
558-171- 31
景思忠宋 288-350-452
400-128-511
481-335-308
559-526- 12
景思誼宋 490-734- 72
590-114- 14
景素陽元 472-470- 20
476- 91-100
547-485-159
景淑範明 456-524- 6
476-779-141
景理鶴清 554-961- 65
景崇儀宋 590-114- 14
景黃裳景光哥 宋 448-400- 0
景運嘉明 533-433- 62
景寧王明 見朱祐椀
景嘉會明 547-103-145
景養育明 456-678- 11
景德友宋 1149-709- 16
景德章明 494- 45- 3
景翩翩明 丁長發妻
1442-126- 8
1460-909- 98
景興宗宋 481-333-308
景成先生唐 476- 90-100
547-482-159
景固勒岱清 474-760- 41
502-488- 70
景福草書僧唐(景福間僧善作草書) 820-303- 30
黑氏清 張宗妻 555-143- 68
黑氏清 雲福履妻 476-900-147
黑色清 456-272- 70
黑肱春秋 405-106- 62
黑春明 474-823- 44
502-289- 56
黑能明 546- 89-118
黑尚仁明 456-490- 5
黑雲鶴明 456-455- 4
黑虎禪師唐(能馴黑虎)
541- 90- 30
黑眼和尚唐 1053-128- 3
黑澗和尚唐 1053-129- 3
黑齒常之唐 270-326-109
274-400-110
384-174- 9
384-181- 10
395-395-217
478-652-207
483-685-421
558-223- 32
933-802- 59
買奴元 1197-659- 67
買住元 482- 75-341
買緯五代 384-316- 16
買木丁元 1221-619- 23
買撒都剌元 見瑪什都蘭
紫石清(常持一缽丐飯若紫石)
572-166- 32
紫珪王 春秋 吳王夫差女
484- 39- 下
485-308- 47
587- 61- 0
紫賢薛式、薛道光、薛道原、薛道源 547-512-160
554-983- 65
1061-525- 0
紫克振清 505-820- 74
紫潛道元 見柴潛道
紫衣眞人三代(喜服紫衣)
554-963- 65
紫府先生上古(黃帝授三皇籙及天文大字) 547-509-160
紫房眞人唐 592-246- 75
紫桐和尚唐 1053-175- 4
紫團眞人晉(居紫團山)
547-489-159
紫邏任叟唐 見紫邏樵叟
紫邏樵叟紫邏任叟 唐
820-293- 30
1061-302-112
跋陀佛陀 後魏 538-342- 70
547-502-159
跋陁秦 1053- 86- 2
跋異後梁 554-908- 64
812-438- 0
812-529- 2
821-110- 49
跋摩隋 821- 32- 45
跋橙前秦 見僧伽跋澄
跋日羅菩提唐 見金剛智

菅氏晉　李叡妻、菅襲女　933-232- 16
菅襲女　晉　見菅氏
菅崇嗣唐　933-232- 16
菩薩唐　271-687-195
276-298-217上
401-525-636
菩提登隋　1051-188- 7
菩提多羅梁　見菩提達磨
菩提流支唐　見達摩流支
菩提流志唐　見達摩流支
菩提留支唐　見達摩流支
菩提達摩梁　見菩提達磨
菩提達磨菩提多羅、菩提達摩、達摩、達磨　梁
477-322-164
492-596-13下之下
511-917-174
538-342- 70
564-618- 56
1053- 31- 1
1054- 77- 2
1054-367- 9
1115-370- 43
1401-442- 33
菑壯後燕　933- 70- 4
菑川王漢　見劉交
菑川王漢　見劉志
菑川王漢　見劉尚
菑川王漢　見劉建
菑川王漢　見劉橫
菑川王漢　見劉遺
菑川王漢　見劉終古
菑丘訢春秋　386-678- 9
虛己宋　821-266- 52
虛中唐　451-492- 8
516-433-103
虛受後唐　524-396-199
1052- 87- 7
虛閭權渠漢　251-197-94上
381-603-199
喀三清　見喀山
喀山喀三　清　455-358- 22
502-574- 75
喀凡清　456- 32- 52
喀屯清　455- 87- 3
喀巴清　455- 96- 3
喀尼清　455-572- 37
喀拉清　456- 63- 54
喀坤清　455- 89- 3
喀岱喀玳　清　455-619- 42
456- 44- 53
喀玳清　見喀岱
喀柱清　455-625- 43
喀拜清(瓜爾佳氏)　455-112- 4
喀拜清(顏札氏)　455-516- 32
喀泰清(舒穆祿氏)　455-155- 6
喀泰清(兆佳氏)　455-505- 31
喀珠清　455-538- 34
喀訥清　455-695- 49
喀理清　455-451- 27
喀喀清(瓜爾佳氏)　455- 54- 1
喀喀清(納喇氏)　455-405- 24
喀喀清(佑祜魯氏)　456- 9- 50
喀喀清(伊穆氏)　456-144- 60
喀凱清　455-462- 28
喀喇清(那木都魯氏)
455-345- 21
喀喇清(葉赫地方人)
455-365- 22
喀喇清(正白旗人)　455-376- 23
喀喇清(哈達地方人)
455-386- 23
喀喇清(兆佳氏)　455-504- 31
喀喇清(精吉氏)　456-133- 59
喀喇清(嘉哈瑪氏)　456-157- 61
喀喇清(葉赫勒氏)　456-193- 65
喀喇清(謚恭襄)　502-728- 84
喀察清　456-105- 57
喀賚清(碧魯氏)　455-518- 32
喀賚清(拖活絡氏)　455-696- 49
喀薩清　502-447- 68
喀蘭清　455-601- 40
喀巴爾清　455-449- 27
喀尼穆清(納喇氏)　455-387- 23
喀尼穆清(完顏氏)　455-462- 28
喀朱蘭清　455-552- 35
喀克圖清　455-417- 25
喀克錫清　455-373- 23
喀特蘇清　456-167- 62
喀喀理清　455-109- 4
喀喀穆清　502-446- 68
喀喀濟清　455-618- 42
喀喇回元　見喀喇和和
喀塔哈清　455-199- 10
喀寧阿清　455-668- 47
喀齊布清　455-220- 11
喀齊都清　456-136- 59
喀齊啟清　455-156- 6
喀齊堪清　455-462- 28
喀齊喀清　455-306- 18
喀齊蘭清　455-250- 14
喀瑪拉清　455-517- 32
喀瑪岱清　455-120- 4
喀爾扎清　455-222- 11
喀爾沁清　455-193- 9
喀爾岱清　502-552- 73
喀爾泰清　455-451- 27
喀爾特清　455-564- 36
喀爾堪清(完顏氏)　455-468- 28
喀爾堪清(湯務氏)　456- 35- 52
喀爾凱清　455- 90- 3
喀爾達清　456-186- 64
喀爾齊清　455-255- 14
喀爾魁清　456-123- 58
喀爾禪清　455-553- 35
喀爾薩清　456-293- 72
喀圖理清　455- 77- 2
喀穆圖清　455-451- 27
喀濟納清　455-490- 30
喀爾泰清　456-165- 62
喀爾濟清　455-119- 4
喀囊阿清　455- 45- 1
喀克都哩清　502-483- 70
喀克蘇尼清　455- 71- 2
喀喇巴拜清　456-205- 66
喀喇布哈元　820-529- 38
喀喇明安元　294-436-135
399-676-487
喀喇和和喀喇回　元
294-527-143
400- 3-499
493-784- 42
820-492- 37
1224-588-下
1439-427- 1
喀喇庫庫喀爾庫庫　元
294-525-143
400- 2-499
472-962- 38
493-784- 42
523- 28-147
585-534- 18
820-492- 37
1284-345-162
1439-427- 1
喀喇時用元　見喀喇博果密
喀喇強通元　見喀喇慶通
喀喇鼎珠元　506-323- 97
喀喇維山元　294-527-143
喀喇慶通喀喇強通、喀喇慶童　元
294-515-142
400- 18-500
472-962- 38
478-765-215
523- 30-147
814-763- 7
820-520- 38
1215-677- 9
喀喇慶童元　見喀喇慶通
喀爾巴圖清　455-116- 4
喀爾吉善清　481-496-324
喀爾庫庫元　見喀喇庫庫
喀爾喀木清　455-552- 35
喀爾喀瑪清(葉赫地方人)
455-364- 22
喀爾喀瑪清(正黃旗人)
455-377- 23
喀爾喀瑪清(輝發地方人)
455-397- 24
喀爾喀瑪清(富察氏)
455-411- 25
喀爾喀濟清(瓜爾佳氏)
455- 93- 3
喀爾喀濟清(吳雅氏)
455-475- 29
喀爾塔拉清　474-761- 41
502-742- 85
喀爾楚渾清　454-170- 9
502-422- 67
喀爾齊岱清　455-687- 49
喀爾圖瑚清　455- 86- 3
喀爾濟善清　456-100- 57
喀顏巴圖清　456-110- 57
喀札費揚古清　455-466- 28
喀喇不忽木元　見喀喇博果密
喀喇巴克什清　456-258- 69
喀喇布呼密元　見喀喇博果密
喀喇布庫穆元　見喀喇博

果密
喀喇布呼齊元 294-437-135
399-676-487
喀喇托克托伊納克托克托、康里脫脫、喀爾托克托
294-463-138
399-767-497
478-763-215
523- 26-147
1209-600-10上
喀喇沙卜珠元 294-437-135
399-677-487
喀喇按達拉元 見喀喇溫都爾
喀喇烏魯斯喀喇烏嚕斯、喀喇斡羅思 元 294-426-134
399-547-474
399-676-487
483-220-390
571-515- 19
喀喇烏嚕斯元 見喀喇烏魯斯
喀喇博果密喀喇時用、喀喇不忽木、喀喇布呼密、喀喇布庫穆 元 294-366-130
399-506-469
451-536- 4
459-696- 42
474-372- 19
1196-692- 7
1394-327- 1
1439-421-附1
喀喇博果密妻 元 見王氏
喀喇溫都爾喀喇按達拉 元
295-553-192
400-369-534
459-929- 56
532-679- 64
540-648- 27
545-386- 97
喀喇斡羅思元 見喀喇烏魯斯
喀爾托克托元 見喀喇托克托
喀爾庫守中金 見瓜爾佳守中
喀爾瑪他錫清 455- 56- 1
喀尼穆都珠瑚清
455-384- 23
喀喇特爾格台元
294-437-135
喀爾庫阿多古金 見瓜爾佳守中
喀爾庫阿都古金 見瓜爾佳守中
喀錫鼐色布登喇什清
454-810- 93
蛭拔寅後魏 262-258- 87
凱丕清 455-673- 47
凱屏清 456-265- 70
凱起清 455-254- 14
凱倫清 455-451- 27
凱費清 456- 49- 53
凱音布清 455- 85- 3
掌同晉 933-614- 39
掌禹錫宋 285-679-294
397-132-328
472-661- 27
477-480-173
538-152- 65
545- 49- 84
677-189- 17
1092-602- 56
華明 554-958- 65
華山明 511-149-142
1258-164- 15
華方明 1255-294- 35
華王宋 見趙仲癸
華元春秋 375-820- 91
384- 22- 1
404-798- 49
448-176- 10
933-685- 46
933-684- 46
華木女 明 見華氏
華化晉 255-882- 52
華氏漢 趙募君妻 591-620- 45
華氏宋 王沖妻、華輯女
1096-380- 39
華氏元 張思孝妻 401-186-593
472-485- 21
550-450-222
華氏元 鄒珙妻 475-234- 61
華氏明 王重道妻、華性傳女
1277-843- 7
華氏鄒氏 明 王重道妻、華惺女、鄒泳女 1291-491- 8
華氏明 浦鳳竹妻、華西樓女
1292-187- 16
華氏明 徐秉衡妻 533-542- 67
華氏明 郭府妻 524-481-203
華氏明 陸宗博妻
1256-461- 31
華氏明 張奉先妻
1228-234- 5
華氏明 鄒魯妻、華德女
1258-522- 8
華氏明 劉志浩妻 479-334-232
華氏錢椋 明 華文遠女
1258-290- 5
華氏明 顧大棟妻、華木女
1268-464- 72
華氏明 顧起東妻、華際亨女
1291-519- 9
華氏明 華壽女 506- 32- 86
華氏清 汪湧妻 478-600-204
華氏清 許球妻 512-261-183
華氏清 曹濬妻 512-467-188
華氏清 蔣世安妻 512-260-183
華正明 見華守正
華亥春秋 404-815- 50
448-268- 27
933-684- 46
933-685- 46
華臣春秋 384- 22- 1
404-799- 49
華光陳月儀 北周 周宣帝后、陳山提女 263-472- 9
266-299- 14
華舟春秋 386-643- 6
華色清(舒穆祿氏) 455-157- 6
華色清(伊爾根覺羅氏)
455-253- 14
華色清(舒舒覺羅氏)
455-287- 16
華色清(富察氏) 455-440- 26
華色清(洪鄂春氏) 456- 60- 54
華玘安郡王 清 454-137- 8
華佐明 1245-524- 27
華佑妻 明 見鄒氏
華佗華陀、華旉 漢
253-605-112下
254-505- 29
380-575-181
472-200- 7
475-433- 70
475-778- 89
511-884-171
742- 27- 1
933-685- 46
1407- 33-398
華秀妻 清 見鮑氏
華定春秋 404-815- 50
933-684- 46
華松華崧 漢 402-459- 10
華松妻 明 見林氏
華陀漢 見華佗
華表晉 254-256- 13
255-761- 44
377-529-122
402-534- 15
476-521-128
933-685- 46
華昇明 571-554- 20
華周晉 254-256- 13
華金明 511-154-142
華妵華姓 春秋 404-816- 50
華姓春秋 見華妵
華岳宋 288-397-455
400-142-511
475-642- 83
511-485-155
529-756- 52
676-688- 29
1364- 6-242
華岳元 821-298- 53
華洪前蜀 見王宗滌
華恆晉 255-763- 44
377-531-122
469-456- 54
472-570- 24
476-521-128
540-715-28之1
933-685- 46
華炯妻 明 見闕氏
華首尉遲繁熾、華道 北周 周宣帝后 263-473- 9
266-300- 14
544-181- 61
華津明 505-683- 69
511-150-142

1258-648- 15
華津妻 明 見錢淑
華春明 1252-385- 22
華奎妻 明 見鄒氏
華茂晉 486- 68- 3
華貞明 張愷妻、華成文女
1258-681- 16
華峙華申甫 宋 1121-528- 40
華泉明 511-151-142
563-770- 40
676-526- 21
1258-640- 14
1261-847- 41
華秋隋 264-1032- 72
267-635- 84
380-127-167
472-129- 4
477-206-159
505-912- 81
538- 94- 64
933-685- 46
華高明 299-222-130
472-395- 17
475-812- 91
511-426-152
563-845- 41
1224- 80- 17
1374-485- 70
華泰明 1258-657- 15
華珩明 472-127- 4
華夏明 456-640- 10
華夏妻 明 見陸氏
華恩明 820-714- 43
華剛明 483-170-383
494-158- 5
569-665- 19
572- 78- 28
華豹春秋 404-816- 50
華寅春秋 404-844- 52
華淳明 472-679- 27
華清明 493-732- 40
533-310- 57
820-636- 41
821-395- 56
華寄漢 535-552- 20
539-348- 8
華混晉 255-763- 44
476-521-128
華淑明 1442-115- 7
1460-668- 74
華珵明 1258- 268- 4
1273-211- 27
華旉漢 見華佗
華崧漢 見華松
華莊明 1256-406- 26
華牼春秋 404-816- 50
華敏明 299-629-164
華皎陳 260-672- 20
265-962- 68
378-526-144
933-685- 46
華惺女 明 見華氏
華善元 1223-266- 2
華善元 見和尚
華善清 455-240- 13
華雲明 511-555-158
華博晉 254-256- 13
華黃清 505-653- 68
華喜春秋 933-685- 46
華盛明 474-514- 25
華登春秋 404-816- 50
933-684- 46
華陽劉宋 446-278- 上
華軼晉 256- 52- 61
377-671-125
476-521-128
480- 47-259
515- 2- 57
933-685- 46
華椒春秋 933-685- 46
華喇清 455-387- 23
華智明 1258-568- 10
華勝元樂尚 北周 周宣帝后、元晟女 263-473- 9
266-300- 14
537-185- 53
華煌妻 清 見鄒氏
華歆漢 253-161- 83
254-253- 13
377-105-115上
384- 83- 4
384-632- 38
385-327- 32
402-533- 15
448-304- 上
469-456- 54
472-570- 24
479-481-239
515- 76- 59
933-685- 46
1112-817- 5
華廉元 1439-448- 2
華道北周 見華首
華督春秋 見華父督
華暄明 1258-779- 8
華鉉妻 元 見陳氏
華鈺明 301- 38-237
511-184-143
524- 45-180
567-118- 67
820-673- 42
1467-110- 66
1474-237- 11
華察明 301-847-287
511-154-142
1274-214- 9
1280-555- 97
1442- 52- 3
1460-100- 45
華廙晉 254-256- 13
255-762- 44
377-529-122
472-570- 24
476-521-128
933-685- 46
華韶元 524-123-184
華齊春秋 404-844- 52
華禕妻 明 見吳氏
華榮妻 明 見王氏
華榮女 明 見華妙清
華壽女 明 見華氏
華暢晉 533-735- 73
933-685- 46
華徹晉 933-685- 46
華諒明 1291-481- 8
華慶明 524-223-189
華閱春秋 384- 22- 1
404-799- 49
華嶠晉 254-256- 13
255-764- 44
377-531-122
402-534- 15
472-571- 24
476-521-128
540-713-28之1
933-685- 46
華耦春秋 404-799- 49
華德女 明 見華氏
華緯妻 明 見吳氏
華澹晉 254-256- 13
華融漢 254-919- 19
511-460-154
華輯女 宋 見華氏
華燧明 1258-324- 7
華薈晉 255-763- 44
華鍾秦鍾 清 475-232- 61
511-452-153
華顏明 676-633- 26
華謹妻 明 見鄒氏
華瞻清 455-116- 4
華鎮宋 524- 52-180
1119-340- 附
1119-614- 30
1362-771- 73
華貙春秋 404-816- 50
華譚晉 255-878- 52
377-597-124上
384- 93- 5
470- 23- 91
472-293- 12
472-800- 31
473-389- 65
475-372- 68
475-697- 86
475-834- 93
476-853-145
477-498-174
511-781-166
533-104- 50
537-333- 56
879-164-58上
933-685- 46
華覈吳 254-930- 20
370-281- 4
377-417-120
384- 82- 4
384-605- 34
386- 93-71下
475-217- 61
475-274- 63
511-765-166
933-685- 46

華寶齊 259-541- 55
265-1043- 73
380-100-167
475-218- 61
492-706-3上
508-266- 39
511-550-158
933-685- 46
1323-818-. 7
華露妻 明 見談氏
華蘭華存誠 明 1253- 73- 44
華巒明 473-283- 61
533-306- 57
1250-519- 48
華鰲華黿 明 541-107- 31
821-458- 57
華黿明 見華鰲
華鑰明 676-560- 23
820-702- 43
華二菴明 1292-607- 10
華士捷清 474-435- 21
505-686- 69
533-269- 55
華士嶟明 528-545- 32
華士瞻明 458-167- 8
472-751- 29
537-515- 59
華子昂明 1287-734- 8
華子期漢 511-930-175
564-612- 56
1059-264- 2
1061-258-109
華山王後魏 見元鷙
華山王北齊 見高凝
華文南明 523- 87-149
華文遠女 明 見華氏
華文耀妻 明 見鄒氏
華之方明 820-742- 44
華之克妻 明 見吳氏
華元禔明 511-163-142
537-258- 55
華毋害漢 523-541-173
544-198- 62
華仁租宋 524-335-195
華允誠明 301-354-258
456-531- 6
457-1071- 61
458-202- 2
458-954- 9
475-230- 61
511-682-163
676- 64- 2
679-696-207
1315-570- 35
華允誼明 458-482- 24
華允諆明 458-482- 24
華父督華督 春秋
244- 86- 38
404-814- 50
933-684- 46
華玉谿元 1194-602- 6
華布夏清 455-269- 15
華以常女 明 見華淑清
華申甫宋 見華峙
華申錫宋 1121-467- 34
華生國妻 清 見黃氏
華白滋明 511-451-153
華幼武元 511-552-158
1391-542-329
1439-453- 2
1459-391- 12
1469-639- 63
華守方妻 明 見顧氏
華守正華正 明 1253-202- 50
華亦祥清 511-169-142
華汝修清 511-558-158
華汝礪明 1291-458- 8
華朴中明 821-488- 58
華西樓女 明 見華氏
華存誠明 見華蘭
華存禮明 524-235-189
華多僚春秋 404-816- 50
華合比春秋 404-799- 49
華仲平宋 1121-485- 36
華仲亨明 1291-502- 9
華仲亨妻 明 見夏氏
華仲亨妻 明 見陳氏
華仲賢明 472-255- 10
華成文女 明 見華貞
華克勤明 545- 66- 85
華伯貞妻 明 見安氏
華希賢明 見華晞顏
華希顏明 見華晞顏
華邦憲宋 843-672-下
華妙清明 華榮女
479- 61-219
524-453-202
華廷詔明 523-250-157
華宗壽明 1255-713- 73
華宗澤明 1291-427- 7
華宗韡明 511-841-168
華性傳女 明 見華氏
華松溪元 1222-421- 4
華直淵妻 宋 見鄒氏
華直溫宋 1092-609- 56
華孟姬春秋 齊孝公夫人
448- 37- 4
452- 69- 2
541- 38- 29
華承學明 540-802-28之3
華尚濂明 456-531- 6
華明素唐 820-282- 30
華叔陽明 1280-639-103
華秉中明 540-642- 27
華彥松妻 清 見張氏
華原謙妻 明 見李氏
華時亨母 明 見陸氏
華時亨明 677-694- 62
華時禎明 1258-667- 1
華時禎妻 明 見張氏
華皋比春秋 404-799- 49
華淑清明 趙汝明妻、華以常女 1249-472- 31
華國治妻 清 見翁氏
華國柱明 564-178- 46
華晞顏華希賢、華希顏 明
511-840-168
676-464- 17
821-346- 55
華御事春秋 404-798- 49
華從智明 1276-453- 11
1410-218-689
華啟直明 1291-420- 7
華善述明 1442- 95- 6
1460-553- 67
華善繼明 676-642- 26
1442- 95- 6
1460-552- 67
華敦復明 511-163-142
523- 60-148
華雲龍明 299-217-130
475-752- 88
511-418-152
1224- 85- 17
1410-122-676
華費遂春秋 375-822- 91
384- 22- 1
404-816- 50
華堯欽明 1283-421- 99
華陽王明 見朱悅燿
華陽君戰國 見芊戎
華源長明 1252-385- 22
華源長妻 明 見鄒氏
華溫琪後晉 278-121- 90
279-298- 47
384-312- 16
396-420-294
476-750-139
537-424- 58
540-659- 27
華椿枝明 1291-537- 9
華椿枝妻 明 見錢氏
華際亨女 明 見華氏
華蒙實妻 明 見鄒氏
華賡虞妻 明 見陸氏
華瑾之宋 528-519- 31
華質學元 524- 34-179
華學泉清 511-683-163
華陽太后戰國 帝太后、秦孝文王后 405-326- 76
華陽公主唐 見瓊華眞人
華蓋眞人五代 541- 90- 30
華顏班第清 456-251- 69
華嚴和尚唐(恆持華嚴經以為淨業) 1052-354- 25
華嚴和尚五代 1053-547- 13
菴卜祿清 455-251- 14
菴羅辰北齊 267-871- 98
381-653-200
粥粥翁元(呼雞聲曰粥粥)
1215-644- 8
喇什清 454-362- 19
喇布簡親王 清 454-109- 6
喇哈清 456- 62- 54
喇布坦清(博爾濟吉特氏)
454-614-65
喇布坦清(巴朗子) 454-681- 75
喇布坦清(羅布藏車布登子)
496-216- 76
喇瑚達清 455-150- 6
喇嘛丹元 見噶瑪拉丹
喇嘛扎布清(達什敦多布子)

454-635- 69
喇嘛扎布清(博爾濟吉特氏) 454-926-112
喇嘛扎布清(封多羅貝勒) 500-725- 37
喇嘛什希清 454-370- 20
喇特納實哩元 見剌特納實哩
喇特納實哩元 元惠宗后、雅克特穆爾女 294-187-114
393-349- 80
喇勒智喇斡立智理威、瑠濟哩威、瑠濟理威 元 294-239-120
399-335-448
473-523- 72
475- 19- 49
481-309-307
532-586- 41
喻氏明 周宏祁妻 480-139-264
喻氏明 桂容妻 477-548-176
喻氏明 羅漢鼎妻 480- 96-262
喻氏清 朱符妻 530- 77- 55
喻氏清 梁信成妻 478-298-188
喻氏清 顏鳳麒妻 516-252- 97
喻甲明 480- 93-262
喻江明(郴州人) 473-403- 66
480-638-288
533-409- 61
喻江明(字朝之) 523- 86-149
567-323- 78
喻合晉 515-295- 66
喻良明 473-466- 69
559-371- 8
喻均明 510-352-114
1442- 74- 5
1460-357- 56
喻河明 483- 94-378
569-668- 19
喻孟漢 見喻猛
喻昌清 479-496-239
511-894-172
喻政明 572- 84- 28
喻省明 1459-702- 27
喻鳧唐 273-114- 60
472-1015- 41
479-382-234
494-337- 7
515-300- 66
524-336-195
1371- 70- 附
1388-484- 81
喻陟宋 820-409- 34
喻時明 458-161- 8
477-546-176
537-609- 60
545-118- 86
554-180- 51
676-573- 23
1280-357- 82
1442- 57- 3
1460-155- 47
喻師宋 1171-785- 28
喻師妻 宋 見王氏
喻偘宋 524- 70-181
1223-525- 10
1457-573-397
喻猛喻孟 漢 473-776- 84
482-450-362
515-290- 66
567- 20- 63
1467- 2- 62
喻援妻 清 見胡氏
喻智明 475-671- 84
511-329-149
喻皓五代 524-342-196
喻義明 1467-111- 66
喻敬明 569-658- 19
喻漢明 567-323- 78
1467-221- 70
喻槱宋 288- 97-433
400-483-545
458-184- 1
472-1016- 41
475-525- 77
479-379-234
492-705-3上
511-144-142
515-322- 67
523-621-177
674-574- 3
820-417- 34
1147-527- 49
喻銳明 1258-283- 5
喻燭明 563-761- 40
喻謙明 477-545-176
538-122- 64
喻燮明 1283-122- 76
喻歸晉 515-296- 66
933-657- 43
喻燮妻 明 見夏氏
喻鏞明 533-738- 73
喻三元明 515-424- 69
558-202- 31
喻三畏清 474-775- 41
475-778- 89
481-674-331
510-483-118
528-535- 31
喻子賢明 515-512- 72
563-763- 40
喻于義妻 明 見董氏
喻元傑明 480-321-272
喻天時宋 587-439- 5
喻天敘明 456-658- 11
喻化鵬明 533-798- 75
喻可道元 1210-721- 19
喻以恕明 516-139- 92
喻以善妻 明 見王眞
喻用國宋 451- 85- 3
喻守初明 533- 81- 49
喻安性明 677-677- 60
喻汝政女 明 見喻德常
喻汝礪宋 400-331-528
471-961- 53
473-446- 68
559-280- 6
561-206-38之1
592-598- 99
1363-523-188
1437- 20- 1
喻在莪明 1410-468-725
喻有立明 510-382-115
喻有功明 677-695- 62
喻仲衡明 511-326-149
喻良倚宋 1363-467-179
喻良能宋 451-360- 10
451-364- 10
472-1029- 42
479-323-232
676-687- 29
680-194-243
1363-467-179
喻良弼宋 524- 69-181
喻成龍清 479-678-248
502-676- 80
515-139- 61
540-677- 27
喻希連明 821-457- 57
喻希禮明 300-409-207
480-132-264
533-172- 52
喻邦佐喻紹祖 宋448-399- 0
喻法先元 1221-155- 6
喻於義明 480-206-267
喻南強宋 524-216-189
1223-527- 10
1457-575-397
喻南嶽明 515-408- 69
喻致知明 515-422- 69
喻茂堅明 472- 66- 2
472-647- 26
472-828- 33
473- 30- 49
473-479- 69
473-570- 74
515-386- 68
523-175-154
554-188- 51
559-356- 8
喻常清明 561-220-38之3
喻紹祖宋 見喻邦佐
喻萃慶明 456-548- 7
482-238-349
563-829- 41
喻傅金妻 元 見張淑新
喻祿孫明 524-138-185
喻夢炎元 1226-446- 21
1226-508- 24
喻夢炎妻 元 見石端靜
喻德昭明 473-116- 54
479-659-247
515-776- 81
喻德常明 陶安妻、喻汝政女 512-486-189
1224-204- 20
1226-453- 22
喻應台明 559-356- 8
喻應豸明 559-356- 8
喻應益明 1442-116- 7
1460-679- 74
喻應鶴妻 明 見謝氏

鄂王唐 見李瑶
鄂王唐 見李潤
鄂屯清(烏理津氏) 456-256- 69
鄂屯清(功格喇普氏)
456-280- 71
鄂屯清(富察氏) 502-526- 72
鄂扎信郡王 清 454- 90- 5
鄂巴清 456-257- 69
鄂什清 456-127- 58
鄂申清 502-514- 71
鄂多清(瓜爾佳氏) 455-115- 4
鄂多清(輝和氏) 455-588- 39
鄂克清 502-731- 84
鄂貝清 502-476- 69
鄂豸清 455- 96- 3
鄂岱清(戴佳氏) 455-479- 29
鄂岱清(濟喇敏鄂瑪特氏)
456-280- 71
鄂思清 455-156- 6
鄂哈清(舒舒覺羅氏)
455-285- 16
鄂哈清(董佳氏) 456- 50- 53
鄂拜清 455-290- 17
鄂侯商 546-613-135
鄂海清 455-598- 40
鄂泰清 455- 44- 1
鄂倫清(瓜爾佳氏) 455- 96- 3
鄂倫清(赫舍里氏) 455-206- 10
鄂倫清(納喇氏) 455-386- 23
鄂梅清 502-610- 76
鄂理清 456-105- 57
鄂通清 456-240- 68
鄂偲清 456-118- 58
鄂善清(富察氏) 455-414- 25
鄂善清(李塔理氏) 456-284- 71
鄂敦清 456-137- 59
鄂黑清 455-607- 41
鄂斐清 454-179- 10
鄂備清 455-444- 27
鄂齊清(鄂斐子) 454-180- 10
鄂齊清(赫舍里氏) 455-206- 10
鄂滿清 455-335- 20
鄂碩清 502-489- 70
鄂碧清 455- 64- 2
鄂對清 454-961-118
500-747- 38
鄂鼐清(瓜爾佳氏) 455- 90- 3
鄂鼐清(馬佳氏) 455-170- 7
鄂鼐清(舒舒覺羅氏)
455-285- 16
鄂鼐清(郭爾佳氏) 456- 60- 54
鄂鼐清(寶濟氏) 456-251- 69
鄂鼐清(康熙三年卒)
502-514- 71
鄂德清 455-125- 5
鄂錫清 455-677- 48
鄂邁清 455-447- 27
鄂壘清 455-661- 46
鄂千秋漢 539-348- 8
933-740- 51
鄂屯茂元 545-116- 86
鄂屯襄鄂屯添壽 金
291-448-103
鄂木布清 454-469- 39
鄂什泰清 455- 85- 3
鄂本岱清 502-595- 76
鄂平吉清 455-270- 15
鄂布哈清 456-221- 67
鄂托倫清 456-255- 69
鄂成額清 456-177- 63
鄂克什清 455- 78- 2
鄂克托清(赫舍里氏)
455-206- 10
鄂克托清(宏義氏) 456-137- 59
鄂克索清 455-449- 27
鄂克遜清 455-397- 24
鄂武納清 455-600- 40
鄂松果清 456-103- 57
鄂拉齊阿倫赤 明
496-628-106
鄂奇塔清 455-341- 21
鄂奇達清 455-451- 27
鄂和布清 455-433- 26
鄂和訥清 455-672- 47
鄂和理清 455-137- 5
鄂和達清 455-519- 32
456-133- 59
鄂星阿清 455-231- 12
鄂容安清 1304-258- 64
鄂恩崇清 496-219- 76
鄂倫圖元 295-479-185
820-528- 38
鄂倫穆清 456- 65- 54
鄂密善清 456-137- 59
鄂密達清 455- 86- 3
鄂理他清 455- 52- 1
鄂勒哲元 見諤勒哲
鄂通果清(阿哈覺羅氏)
455-305- 18
鄂通果清(富察氏) 455-428- 26
鄂通果清(兆佳氏) 455-502- 31
鄂通鄂清 455-217- 11
鄂博特清 456-252- 69
鄂博諾清 455-364- 22
鄂隆達清 455-537- 34
鄂斯瑺清 454-965-118
鄂順阿清 455-295- 17
鄂絡漢清 456-272- 70
鄂絡穆清 455-601- 40
鄂齊里清 1322-580- 9
鄂齊理清(瓜爾佳氏)
455- 57- 1
鄂齊理清(完顏氏) 455-468- 28
鄂齊爾清(巴林部人)
454-413- 28
496-219- 76
鄂齊爾清(翁牛特部人)
454-431- 32
496-217- 76
鄂齊爾清(奈漫部人)
496-218- 76
鄂齊蘭清 455-487- 30
鄂爾布清(鑲白旗人)
455-570- 37
鄂爾布清(正白旗人)
502-737- 84
鄂爾多元 569-616-18下之2
鄂爾多清(寧古塔氏)
455-607- 41
鄂爾多清(愛義氏) 456-185- 64
鄂爾泰清 482-324-354
482-541-368
569-621-18下之2
570-516-29之8
570-517-29之8
570-521-29之8
1308-284- 58
鄂爾索清 455-434- 26
鄂爾綽清 455-494- 30
鄂爾諾清 455-490- 30
鄂爾錦清 502-606- 76
鄂德理清 456-270- 70
鄂錫塔清 455-493- 30
鄂濟拜清 456-232- 68
鄂彌納清 502-536- 72
鄂禮喀清 455-447- 27
鄂羅山清 456-177- 63
鄂羅休清 455-646- 45
鄂羅渾清 455-155- 6
鄂羅齊元 見鄂囉齊
鄂囉齊鄂羅齊 元
294-383-131
399-516-470
532-585- 41
1211-340- 47
鄂靈阿清 456- 21- 51
鄂屯世英元 295- 65-151
399-427-458
鄂屯希尹元 295- 65-151
399-428-458
鄂屯希愷元 295- 65-151
399-428-458
502-378- 63
鄂屯忠孝鄂屯雅格 金
291-462-104
399-256-439
鄂屯保和元 295- 65-151
474- 93- 3
鄂屯添壽金 見鄂屯襄
鄂屯雅格金 見鄂屯忠孝
鄂木布濟清 454-619- 66
鄂托巴彥清 455-397- 24
鄂托克齊元 294-308-125
399-375-452
鄂克松阿清 455-272- 15
鄂邑公主漢 漢武帝女
554- 43- 49
鄂和剛泰清 455-447- 27
鄂岳爾昆清 455-479- 29
鄂洛塞臣清 502-557- 74
鄂約達勒元 294-257-121
399-343-448
鄂勒哲圖元 1199-699- 6
鄂勒哲圖元 見諤勒哲圖
鄂通高山元 1211-368- 51
鄂莫克圖清 474-767- 41
鄂森布哈元 見額森布哈
鄂齊爾桑清(博爾濟吉特氏)
474-764- 41
502-436- 68
鄂齊爾桑清(烏爾占子)
496-219- 76

鄂爾本果清 455-516- 32
鄂爾多斯女 明 見三娘子
鄂爾多瑪清 456-104- 57
鄂爾奇瑪妻 清 見奇穆晉氏
鄂爾東果清 455-435- 26
鄂爾和順清 455-321- 19
鄂爾追圖清 496-218- 76
鄂爾渾春清 456-145- 60
鄂爾博諾清 455-448- 27
鄂爾齊布清 455- 49- 1
鄂爾霍達清 456-266- 70
鄂爾積圖清 456-166- 62
鄂爾齋圖清(額爾德尼子)
454-404- 26
鄂爾齋圖清(博爾濟吉特氏)
456-204- 66
鄂爾濟圖清 456-224- 67
鄂穆多羅清 456- 25- 51
鄂穆克圖清 502-533- 72
鄂穆崇額清 455- 70- 2
鄂穆綽科清 455-118- 4
鄂謨克托清 455-405- 24
鄂謨克圖清(謚襄壯)
455-359- 22
502-561- 74
鄂謨克圖清(武佳氏)
456-102- 57
鄂謨克圖清(瑚爾哈蘇氏)
456-164- 62
鄂謨爾托清 455-559- 36
鄂蘭徹爾女 元 見巴拜哈斯
鄂屯綽華善金 見鄂屯醜和尚
鄂屯醜和尚鄂屯綽華善 金
鄂通醜和尚 291-672-122
400-215-517
476-330-115
545-420- 98
鄂米那喀啟清 455-135- 5
鄂勒晳巴圖元 見諤勒哲圖
鄂通醜和尚金 見鄂屯醜和尚
鄂爾根薩里元 見諤爾根薩里
鄂壁爾巴爾清 456-257- 69
鄂囉木咱卜清 454-919-110
鄂淩阿章固理清
455-264- 15
鄂勒哲呼圖克元 見諤勒哲呼圖克
單晉 見單道開
單氏宋 余充甫妻
1123-480- 15
單氏明 曹賢妻 506- 43- 87
單氏清 芮復份妻 474-194- 9
單氏清 崔忠讓妻 474-195- 9
單氏清 崔尚志妻 478-298-188
單宇明 299-633-164
479-659-247
515-782- 81
676-331- 12
單伯春秋 404-460- 27
單固魏 254-480- 28
386- 62-70中
單恂明 676-661- 27
1442-110- 7
單拯宋 1118-1004- 68
單祐妻 明 見俞氏
單訥明 476- 79-100
545-194- 90
單烺清 476-733-138
單崇明 456-498- 5
540-826-28之3
單超漢 253-509-108
380-491-179
552- 19- 18
單復單復亨 明 676-757- 32
單詩明 見周詩
單雍明 564-288- 47
單煒宋 820-444- 35
821-227- 51
單達明 533-738- 73
單照宋 1123-478- 15
單旗單穆公 春秋 375-677- 89
384- 12- 1
404-463- 27
448-262- 26
單輔明 460-689- 71
單槐明 524-170-186
單煦宋 286-430-333
397-533-352
472-525- 22
473-476- 69
476-524-128
478- 91-180
481-113-296
537-300- 56
559-274- 6
591-696- 49
單慶元 523-152-153
單穀妻 清 見田氏
單導母 宋 見葉妙慧
單諤宋 見單鍔
單錫宋 472-259- 10
單鍔單諤 宋 475-223- 61
485-141- 19
511-766-166
576- 14- 0
1123-479- 15
單鵠元 546-645-136
單颺漢 253-604-112下
380-574-181
476-882-146
541-103- 31
680-673-287
820- 33- 22
933-589- 38
單夔宋 486- 55- 2
494-311- 5
820-451- 35
單驤宋 592-289- 78
單子春魏 254-513- 29
單文應明 456-618- 9
單之賓明 456-500- 5
480-583-285
481-333-308
483-340-398
572- 83- 28
單公選單淮郎 宋
451- 56- 2
475-472- 72
單父聖漢 535-552- 20
單平公春秋 404-465- 27
單以清唐 485-287- 41
493-1101- 58
單安仁明 299-311-138
472-206- 7
475-753- 88
478-765-215
511-351-149
523- 34-147
單仲昇元 564- 82- 44
單志仁明 見單思仁
單成公春秋 404-463- 27
單邦顯宋 821-211- 51
單庚金元 1194-208- 16
單武公春秋 404-465- 27
單武襄明 456-641- 10
570-127-21之1
單居離春秋 539-640-11之6
單思仁單志仁 明302- 55-292
456-607- 9
533-368- 60
單俊良明 524-366-197
單淮郎宋 見單公選
單惟欽妻 明 見張氏
單執禮明 516-203- 95
單頃公春秋 404-463- 27
單國成清 480-466-279
單國祚明 302-120-295
456-603- 9
479-246-227
483- 33-371
523-388-164
569-679- 19
單雄信唐 269-458- 53
274-128- 84
單復亨明 見單復
單靖公春秋 384- 12- 1
404-463- 27
單道開善、單、道開 晉
256-559- 95
380-613-182
473-696- 80
477-171-157
482-119-343
533-338- 70
558-481- 41
564-613- 56
933-589- 38
1049-401- 27
1049-530- 36
單愆期春秋 404-465- 27
單經德明 554-769- 62
單經翰明 456-630- 10
476-701-137
單經翰妻 明 見王氏
單演之宋 471-1032- 65
單嘉猷妻 清 見李氏

十二畫 單、棠、萇、萊、菰、最、跛、無、等、焦

單興詩明 554-610- 59
單穆公春秋 見單旗
單濟之元 1194-704- 13
單襄公春秋 375-671- 89
384- 12- 1
404-460- 27
448-183- 12
537-358- 57
單獻公春秋 404-463- 27
單于斯彥北周 820-124- 25
棠公妻 春秋 見東郭姜
萇弘萇叔 春秋 380-541-181
384- 13- 1
404-472- 27
471-1020- 63
473-429- 67
537-191- 54
559-528- 12
591-501- 41
933-403- 26
萇叔春秋 見萇弘
萇湛妻 清 見趙氏
萇總唐 933-403- 26
萇紹瓊後晉 見萇從簡
萇從簡萇紹瓊 後晉
278-155- 94
279-299- 47
384-312- 16
396-420-294
933-403- 26
萊朱商 見仲虺
萊章春秋 404-603- 37
萊章漢 933-151- 10
萊駒春秋 545-721-108
933-151- 10
萊陽王明 見朱安滈
菰城媼吳 494-436- 13
最弱清 516-499-105
最樂宋 1053-756- 18
跛兒干明 302-264-304
無了唐 530-198- 60
1053-125- 3
無心明 511-932-175
無文明 1460-857- 91
無本賈島 唐 275-432-176
384-254- 13
396-172-267
451-443- 4
471-1017- 63
471-1021- 63
472- 31- 1
473-503- 71
474-174- 8
477-318-164
482-564-369
499-118-132
499-119-132
505-879- 79
538-325- 69
556-704- 98
559-312-7上
561-367- 41
561-516- 44
570-211- 23
588-157- 8
591-369- 30
591-381- 30
592-613-100
674-273-4中
674-861- 19
684-484- 下
820-236- 28
933-607- 39
1365-434- 4
1371- 70- 附
1381-487- 37
1388-361- 72
1473- 25- 52
無可唐 451-492- 8
820-301- 30
無名北周 558-482- 41
1387-217- 12
1401-467- 35
無名唐 1052-241- 17
無休五代 1053-239- 6
無言唐 473-808- 86
482-568-369
483-141-380
494-241- 10
570-254- 25
570-257- 25
無言明 1242-770- 6
無往唐 592-367- 83
1053- 62- 2
1054-120- 3
1054-483- 14
無作唐 820-303- 30
820-312- 31
1052-416- 30
無知唐 550- 94-212
無染唐(居善住閣院)
1052-326- 23
無染唐(俗姓韋) 1054-524- 15
無染五代 1053-367- 9
無染宋 821-262- 52
無相隋 592-432- 87
無相唐(居淨因寺) 561-215-383
無相唐(居淨衆寺) 591- 17- 1
592-360- 82
1052-275- 19
無相宋 1053-511- 12
無畏唐 554-949- 65
1054-461- 13
1054-468- 13
無涅清 1321-217-110
無迹後唐 1052-419- 30
無殷南唐 516-443-104
1052-664- 5
1053-234- 6
1085-206- 27
無涯明 524-436-201
無側唐 1052-405- 29
無意明 480-653-289
533-797- 75
無間上古 見毋句氏
無等唐 1052-148- 11
1053-123- 3
無逸宋 1053-344- 8
無詰元 821-333- 54
無慍明 524-428-200
676-679- 28
1442-119- 8
1460-836- 90
無瑕宋 561-224-38之3
無遐明 561-217-38之3
無照明 1246-654- 16
無業唐 476-187-106
547-496-159
1052-144- 11
1053-120- 3
1054-538- 15
1054-128- 3
1116-386- 18
無演宋 1113-252- 24
無漏唐 1052-305- 21
無語清 570-250- 25
無餘夏 404-291- 17
546-425-129
無駭公子展孫、司空無駭 春秋
404-493- 30
無彊春秋 見越王無彊
無學唐 1053-197- 5
無學明 516-446-104
無繹唐 1054-134- 3
無窮明 570-251- 25
無疆春秋 見越王無疆
無壞明 554-956- 65
無邊明 1458-653-467
無叉羅晉 見無羅叉
無名僧明 547-543-160
無何公明 見巨腹子
無為子明 1229-304- 10
無垢眼晉 見卑摩羅叉
無極高阿地瞿多 唐
1051-215-8下
1052- 22- 2
無懷氏上古 383- 67- 9
無羅叉無叉羅 晉
1051- 54-2下
無鹽氏毋鹽氏 戰國
556-788-100
無上可汗唐 見李盡忠
無名老人金 547-484-159
無名相士宋 516-512-106
無名祖師唐 547-496-159
等俊金 586-188- 8
等偉遼 586-184- 8
焦三妻 明 見易氏
焦元明 554-526-57下
焦氏元 袁天祐妻 295-625-200
401-174-593
472-843- 33
478-136-181
555- 14- 66
焦氏元 趙思恭妻、焦茂才女
1197-645- 66
焦氏明 任忱妻 472-179- 6
焦氏明 沐天波妻 570-170- 22
焦氏明 齊景才妻 472-485- 21
焦氏明 熊民懷妻 480- 62-260
焦氏清 王函妻 474-195- 9
焦氏清 王四璉妻 481-419-314

焦氏清 杜士榮妻 477-503-174
焦氏清 呂應龍妻 478-141-181
焦氏清 何士璋妻 547-317-153
焦氏清 陳福元妻 475-619- 81
焦氏清 程裔隆妻 506-172- 90
焦氏清 酈大慶妻 477-382-167
焦永元 1203-386- 29
焦玉明 481-745-334
528-560- 32
焦玉妻 清 見王氏
焦白焦德乙郎 元 821-321- 54
1218-797- 6
焦用元 295- 87-153
472- 54- 2
505-733- 71
焦光魏 見焦先
焦光不詳 469- 39- 6
焦旭金 291-376- 97
399-219-435
472- 26- 1
472- 96- 3
474-166- 8
474-621- 32
505-790- 73
焦先焦光 魏 254-229- 11
380-415-177
384-513- 22
386-126-73上上
448-113- 下
469-385- 46
472-274- 11
475-281- 63
476-367-117
511-843-168
547-129-146
547-482-159
871-902- 19
1059-290- 6
1379-215- 27
1395-587- 3
焦宏明 453-325- 4
458-168- 8
472-775- 30
515- 34- 58
523- 38-147
537-549- 59
1241-153- 7
焦成明 1250-839- 80
焦位明 515-355- 68
1457- 3-341
焦芳明 302-311-306
452-156- 2
1320-766- 83
焦芳妻 明 見呂氏
焦昉明 474-471- 23
505-690- 70
焦姑明 511-917-174
焦竑明 301-863-288
457-586- 35
475- 76- 53
511-720-165
676-617- 25
677-666- 60
820-733- 44
1442- 82- 5
焦洵明 299-526-156
焦度齊 259-333- 30
265-664- 46
370-513- 15
378-229-137
472-895- 35
532-558- 40
558-303- 34
674-232-3下
933-260- 18
焦峎妻 明 見張氏
焦保晉 477-127-155
焦俊明 299-526-156
焦涇妻 明 見田氏
焦浴明 545-228- 91
焦悅元 678-435-111
1214-170- 14
焦珙明 560-602-29下
焦淇明 299-526-156
焦訥妻 明 見李氏
焦烺明 559-322-7上
焦球晉 545-398- 98
焦埏明 456-458- 4
476-261-110
546- 95-118
焦敏明 559-344- 8
焦雲明 570-215- 23
焦楝明 299-526-156
焦晛漢 545-351- 96
焦勝明 546-361-127
焦煜明 511-305-148
焦煥宋 475-835- 93
511-715-164
512-788-196
焦瑀明 559-349- 8
焦瑞明 511- 81-139
563-819- 41
焦勤清 482-349-356
554-533-57下
567-151- 69
焦瑗宋 1141-815- 36
焦嵩晉 256-449- 89
380- 37-166
焦粲元 821-326- 54
焦韶明 483- 15-370
569-660- 19
焦榮元(青城人) 476-752-139
540-775-28之2
焦榮元(字潤之) 676-371- 13
1206-725- 7
焦榮清 481-721-333
515-160- 61
528-557- 32
焦寬明 458- 36- 2
焦潤明 532-750- 46
焦瑾元 476-752-139
焦瑾明 1250-515- 48
焦璉明 456-466- 4
568-500-118
焦禛宋 554-334- 54
焦澤明 545-289- 94
焦霖明 567-312- 77
1467-199- 69
焦樸妻 清 見李氏
焦錫宋 821-218- 51
焦燦妻 清 見馬氏
焦蹈宋 471-920- 48
472-327- 14
475-704- 86
511-819-167
焦禮明 299-526-156
1244-597- 11
焦馨明 476-529-128
505-639- 67
540-823-28之3
焦蘭妻 清 見姚氏
焦鰲崔鰲、焦黿 明
456-552- 7
476-205-107
545-346- 96
焦鑑明 472-485- 21
476-260-110
547- 51-143
焦顯明(字文明) 537-268- 55
559-250- 6
焦顯明(字宗仁) 1244-657- 16
焦贛漢 見焦延壽
焦黿明 見焦鰲
焦一霔妻 明 見周氏
焦乃康母 明 見李氏
焦士廉妻 元 見王氏
焦士廉妻 元 見杜氏
焦子春明 537-523- 29
焦子學妻 明 見李氏
焦千之宋 451-127- 1
472-254- 10
472-276- 11
479-401-235
492-710-3下
511-686-163
523-223-156
1096-334- 34
焦文炳元 540-782-28之2
焦文炯元 1218-614- 2
1439-433- 1
焦之雅清 478-131-181
焦中山宋 524-172-187
焦世英明 1457- 35-344
焦世傑明 1457- 35-344
焦世榮齊 259-334-334
焦守節宋 285-222-261
371-185- 19
477-479-173
532-572- 41
537-588- 60
焦仲卿妻 漢 見劉蘭芝
焦仲榮妻 明 見周氏
焦伯誠明 511-838-168
820-568- 40
焦希望唐 554- 84- 49
1342-214-931
焦承勳妻 明 見李氏
焦延壽焦贛 漢 250-645- 75
251-106- 88
376-368-101
472-640- 26
477- 46-151

477-126-155
511-693-163
538- 22- 62
675-240- 3
677- 60- 6
1408-379-517
焦延慶明 456-517- 6
焦炳炎宋 472-982- 39
491-111- 13
511-299-148
524-308-194
焦春和金 400-239-519
焦奎光妻 明 見張氏
焦茂才女 元 見焦氏
焦思剛明 554-526-57下
焦思義妻 清 見全氏
焦映漢清 554-542-57下
568-373-113
焦起良明 1241-588- 11
1242-194- 30
焦尊生明 820-733- 44
焦善甫元 821-304- 53
焦黃兒明(姓焦鬻黃餅為生)
550- 54-210
焦巽之宋 1173-283- 84
焦景章明 1467-199- 69
焦復亨妻 明 見楊氏
焦源清明 301-472-264
456-444- 3
458-254- 7
545-304- 94
554-720- 61
焦源溥明 301-472-264
456-429- 2
458-253- 7
474-407- 20
478-130-181
505-678- 69
545-302- 94
554-720- 61
焦道廣北周 554-972- 65
焦煥炎宋 475-640- 83
491-112- 13
510-444-117
焦遇春妻 清 見黃氏
焦毓瑞清 540-849-28之4
541-621-35之17
焦毓慶清 476-530-128
540-844-28之4
焦毓慶妻 清 見郭氏
焦毓慶妻 清 見劉氏
焦僧護梁 560-600- 29下
焦維章明 559-349- 8
焦潤生明 456-551- 7
483- 16-370
569-679- 19
焦澄清妻 清 見戴氏
焦慶延妻 明 見韓氏
焦養直元 295-235-164
399-592-478
472-577- 24
476-617-133
540-775-28之2
焦德用元 505-665- 69
焦德裕元 295- 87-153
399-436-459
472- 55- 2
474-241- 12
475-368- 67
焦應鶴明 554-311- 53
焦懷肅唐 384-175- 9
400-292-523
481- 76-294
933-260- 18
焦寶願梁 812-335- 7
821- 25- 45
焦繼勳崔繼勳 宋
285-221-261
396-543-303
472-658- 27
472-892- 35
478-694-210
537-587- 60
547-153-147
558-226- 32
焦德乙郎元 見焦白
然宋(蜀人) 592-382- 83
然宋(嗣明辯) 1053-900- 20
然友戰國 472-548- 23
然丹然丹子革 春秋
375-856- 92
384- 25- 1
404-880- 54
405- 41- 58
448-241- 20
532-547- 40
933-247- 17
然明春秋 見鬷蔑
然溫漢 471-1001- 60
473-478- 69
481-115-296
559-351- 8
然逸期金 554-984- 65
1445-782- 61
然丹子革春秋 見然丹
傅三明 529-692- 50
傅山清 476- 43- 98
傅丹明 見傅汝舟
傅仁清 456-368- 78
傅氏漢 漢元帝昭儀
251-298-97下
373- 29- 19
傅氏三國 嚴以作妻
475-824- 92
傅氏晉 郗愔妻 814-217- 2
820- 77- 23
傅氏北齊 趙奉伯妻
476-531-128
傅氏唐 武倶兒母
1078-179- 15
1410-491-728
傅氏宋 王瓘妻 1150-412- 5
傅氏宋 向紘妻、傅求女
1097-313- 21
傅氏宋 徐伯嵩妻 481-591-328
530- 86- 56
傅氏宋 郗漸妻、傅璋女
1135-441- 40
傅氏宋 趙詢妻 544-235- 63
傅氏宋 關魯妻、傅霖女
1098-733- 45
傅氏宋 危之郜母
1123-189- 20
傅氏宋 傅瑩女 1132-270- 51
傅氏金 路伯達妻 474-604- 31
506-161- 90
傅氏元 劉壎妻 1195-418- 8
傅氏明 田稅妻 480-545-283
533-683- 71
傅氏明 李溥麟妻 530- 89- 56
傅氏明 吳邦瑨妻 479-252-228
傅氏明 吳宗澄妻 479-633-245
傅氏明 但驄妻 479-582-243
傅氏明 金伯謙妻
1295-143- 11
傅氏明 茅永妻 530- 62- 55
傅氏明 馬國琳妻 506-111- 89
傅氏明 揭廷才妻、傅克寬女
479-633-245
516-338-100
傅氏明 程良儒妻 480- 97-262
傅氏明 潘聰妻 482-453-362
傅氏明 劉仁妻 474-605- 31
傅氏明 劉澤妻 506- 45- 87
傅氏明 劉冉泉妻、傅愛萱女
1292-663- 11
傅氏明 蘇守業妻 506- 51- 87
傅氏明 傅梓女 479-189-225
傅氏明 傅仲昇女
1242-259- 33
傅氏清 王自瑞妻 474-195- 9
傅氏清 王槐三妻 476-405-119
傅氏清 朱銓妻 474-194- 9
傅氏清 李淮妻 474-624- 32
506-165- 90
傅氏清 李塤妻 477-170-157
傅氏清 李經妻 503- 61- 95
傅氏清 李選妻 477- 94-153
傅氏清 李光鼎妻 530- 98- 56
傅氏清 呂儲元妻 506- 39- 86
傅氏清 周應祥妻 533-632- 70
傅氏清 胡愼妻 541- 64- 29
傅氏清 張有奎妻 477-258-161
傅氏清 張廷璧妻 477-212-159
傅氏清 張聯標妻 479-410-235
506- 18- 86
傅氏清 陳夏聲妻 478-143-181
傅氏清 童仕開妻 481-338-308
傅氏清 黃時可妻 530- 99- 56
傅氏清 費楊武妻 503- 34- 94
傅氏清 葉調元妻 479-633-245
傅氏清 趙胤芳妻 530-101- 56
傅氏清 劉士崑妻 482-355-356
傅氏清 劉永祚妻 474-194- 9
傅氏清 譚文用妻 480-343-273
傅氏清 傅巖女 1321-138-102
傅玄晉 255-797- 47
377-549-123
384- 92- 5
472-914- 36
478-104-180
552- 24- 18

554-630- 60
558-347- 35
592-552- 96
812- 67- 下
812-231- 9
812-720- 3
814-233- 4
820- 52- 23
933-651- 43
1370- 59- 3
1379-250- 32
1395-588- 3
傅立宋 1105-794- 95
傅立元 473- 49- 50
516- 45- 88
677-492- 45
傅永後魏 262- 55- 70
266-930- 45
379-294-150下
384-134- 7
469-485- 58
472-114- 4
505-760- 72
540-725-28之1
547-172-147
933-651- 43
傅玉傅操 晉 820- 55- 23
傅弘梁 1401-362- 29
傅充妻 晉 見辛氏
傅生明 559-527- 12
傅安明 458- 56- 2
477-453-171
537-400- 57
傅光宋 524-215-189
傅兆宋 523-242-157
傅兆明 533-154- 52
傅伏北齊 263-310- 41
267-136- 53
379-407-152
384-137- 7
472-523- 22
476-822-143
546-121-119
933-651- 43
傅舟明 515-544- 74
傅伊明 533-472- 64
傅亨明 820-680- 42
傅汶宋 528-505- 31
529-500- 44
傅成元 540-779-28之2
傅成清 523-238-156
傅求傅球 宋 286-378-330
397-489-349
472-196- 7
472-913- 36
475-853- 94
477-208-159
477-561-177
478-571-203
510-502-118
537-426- 58
558-208- 32
1104-412- 36
傅求女 宋 見傅氏
傅育漢 478-633-206
478-652-207
558-214- 32
傅岐梁 260-355- 42
265-985- 70
378-432-142
478-597-204
558-370- 36
933-651- 43
傅佐明 820-644- 41
傅佑明 456-574- 8
傅彤蜀漢 254-691- 15
384-506- 21
477-369-167
538- 65- 63
559-502- 12
591-664- 47
傅宗明 472-367- 16
傅祁唐 515-301- 66
傅杰宋 1171- 92- 12
傅玥妻 清 見劉氏
傅忠妻 明 見壽春公主
傅芷宋 523-611-176
680-196-243
傅岩明 見傅巖
傅虎前趙 545-861-113
傅昇明 524-175-187
傅昂明 569-670- 19
傅岡妻 明 見祝氏
傅金妻 元 見孫淑
傅佩明 見傅珮
傅洪明 見傅起巖
傅冠明 301-468-264
456-423- 2
479-494-239
481-699-332
515-448- 70
676-652- 27
1442-102- 7
傅宣漢 402-570- 19
傅宣晉 255-807- 47
377-558-123
558-347- 35
傅恆清 1308-286- 58
傅炯明 473- 29- 49
傅亮劉宋 258- 39- 43
265-262- 15
378- 10-131
384-109- 5
472-930- 37
478-597-204
558-368- 36
933-651- 43
1379-530- 63
傅彥明 456-662- 11
傅奕漢 814-227- 3
傅奕唐 269-771- 79
274-361-107
384-174- 9
395-372-215
459-353- 21
469-460- 55
472-697- 28
477-164-157
537-445- 58
820-137- 26
933-652- 43
1054-404- 11
1054-405- 11
1054-418- 11
傅珏宋(字寶臣) 1094-712- 78
傅珏宋(字仲溫) 1117-175- 14
傅咸晉 255-801- 47
377-553-123
384- 92- 5
472-914- 36
478-104-180
485- 65- 10
493-671- 37
510-321-113
554-631- 60
558-347- 35
933-651- 43
1379-259- 32
傅厚明 569-661- 19
傅柔宋 452- 12- 上
1224-520- 31
傅建女 不詳 見傅禮和
傅昱元 1206-732- 8
傅昭梁 260-232- 26
265-846- 60
378-430-142
384-118- 6
472-930- 37
473-143- 56
473-155- 56
478-597-204
479-284-230
479-710-250
515-140- 61
523-166-154
558-369- 36
814-254- 7
820- 99- 24
933-615- 43
傅映梁 260-234- 26
265- 8- 60
378-432-142
478-597-204
494-334- 7
558-370- 36
933-651- 43
傅迪劉宋 258- 39- 43
558-368- 36
傅俊漢 252-603- 52
370-125- 10
376-600-106
384- 56- 3
402-376- 4
472-651- 27
477-474-173
537-582- 60
933-650- 43
傅海明 474-441- 21
505-911- 81
傅祇傅祖 晉 255-806- 47
377-557-123
472-641- 26

472-914- 36
477- 48-151
478-104-180
537-346- 56
554-684- 61
558-347- 35
933-651- 43
傅容魏 545-413- 98
傅容明 1259-178- 13
1259-222- 16
傅高宋 475-528- 77
傅准北周 263-829- 48
554-834- 63
傅祖晉 見傅祇
傅浚明 460-598- 59
473-588- 75
529-537- 45
676-243- 9
傅泰明 1250-539- 50
傅恭明 473-641- 78
528-541- 32
傅珪明 300- 22-184
452-218- 5
453-655- 27
472- 57- 2
474-243- 12
505-735- 71
676-518- 20
1267-522- 6
1268-246- 40
1442- 36-附2
1459-753- 29
傅珪明 533- 22- 47
傅耆宋 559-391-9上
592-488- 91
1170-273- 15
傅珮傅佩 明 510-393-115
523-265-158
傅恕明 301-815-285
479-180-225
1318-343- 62
傅甡清 537-472- 58
傅釗明 554-365- 54
554-600- 59
傅倫明 1460-792- 86
傅修宋 1168-452- 38
傅寅宋 451-396- 13
523-610-176
678-247- 94
1209-453-7下
傅淇傅湛 宋 529-499- 44
933-653- 43
傅淳明 472-1088- 46
523-593-175
678-280- 97
傅清明 523-175-154
傅章宋 1052- 95- 7
傅康宋 460-411- 31
528-443- 29
528-507- 31
528-550- 32
傅球宋 見傅求
傅梅明 301- 97-241
302- 42-291
456-522- 6
474-411- 20
505-853- 77
537-306- 56
1442- 97- 6
1460-587- 69
傅習明 473- 37- 49
515-395- 69
傅梓女 明 見傅氏
傅彬清 533-162- 52
傅國明 676-632- 26
傅常宋 1117-179- 15
傅常元 523-153-153
傅晞晉 486- 68- 3
554-631- 60
933-651- 43
傅野宋 515-822- 83
1123-186- 20
傅野元 524- 71-181
1209-401- 6
1439-429- 1
傅偉明 533- 25- 47
傅紳清 569-619-18下之2
傅富清 571-536- 19
傅翔明 473-376- 65
480-563-284
532-743- 46
傅湛宋 見傅淇
傅巽漢 254-137- 6
385- 67- 5
傅賀妻 元 見陳氏
傅喜傅去古 漢 250-751- 82
376-408-102上
384- 51- 2
472-718- 28
477-245-161
537-473- 58
933-650- 43
傅隆劉宋 258-165- 55
265-263- 15
378- 12-131
475-212- 60
478-597-204
558-368- 36
820- 84- 4
933-651- 43
傅琦明 1259-195- 15
傅雱宋 452- 13-上
473-127- 55
524-331-195
傅琰齊 259-519- 53
265-984- 70
380-182-170
384-121- 6
459-866- 52
472-930- 37
472-997- 40
472-1066- 45
478-597-204
479-132-223
479-222-227
486- 63- 3
494-317- 6
494-334- 7
523-144-153
558-368- 36
933-651- 43
傅琰明 554-365- 54
傅著明 301-815-285
493-1026- 54
511-732-165
676-463- 17
傅喀清 502-538- 72
傅凱明 460-578- 57
傅華妻 清 見許氏
傅翕梁 472-1033- 42
479-337-232
524-430-200
1053- 87- 2
1054- 75- 2
1054-372- 9
1064-891- 5
1130-178- 18
1415-538-103下
1229-273- 8
傅舜明 1291-884- 6
傅傁春秋 404-785- 48
545-726-109
傅傑妻 明 見王氏
傅進元 1209-499-8下
傅逸宋 821-210- 51
傅桀明 510-481-118
傅義明 559-513- 12
傅裕明 554-346- 54
傅祿明 472-695- 28
537-268- 55
傅道明 515-245- 64
524-240-190
傅楨漢 820- 33- 22
傅賈子 清 1322-581- 9
傅幹魏 478-103-180
傅概宋 515-855- 85
傅楫宋 286-613-348
397-675-361
460-166- 10
472-196- 7
472-1052- 44
473-632- 77
475-853- 94
481-552-327
510-501-118
523-240-157
529-492- 44
933-653- 43
1128-244- 26
1128-388- 11
傅楫明 554-709- 61
傅匯明 515-775- 81
1236-434- 3
傅瑕春秋 404-887- 55
傅瑛明 554-600- 59
傅瑗晉 258- 39- 43
558-368- 36
1398-640- 8
1414- 41- 64
傅鼎明 554-312- 53
傅敬明 567-306- 77
傅僉蜀漢 254-691- 15

384-506- 21
538- 65- 63
554-102- 50
559-502- 12
591-664- 47
傅察宋 288-279-446
382-720-111
400-144-512
449-317- 3
471-668- 12
472-720- 28
477-253-161
538- 54- 63
933-652- 43
1124-695-附
1124-786-下
1147-548- 52
1363-201-128
1437- 20- 1
傅察妻 宋 見趙氏
傅察清 502-730- 84
傅誠宋 460-295- 19
529-501- 44
933-653- 43
傅詔明 515-678- 78
傅寧妻 明 見張氏
傅說商 243- 84- 3
404-409- 24
469- 39- 6
472-458- 20
538-692- 79
546-426-129
550-175-215
550-192-216
550-549-224
傅榮明 545-186- 90
554-678- 60
傅瑤明 538-117- 64
傅嘏魏 254-391- 21
377-173-116
384- 87- 4
384-653- 40
385-379- 38
472-738- 29
472-914- 36
477-304-163
478-104-180
537-193- 54

544-202- 62
554-630- 60
558-347- 35
933-651- 43
傅遜明 511-590-159
傅暢晉 255-807- 47
377-558-123
544-204- 62
1398-220- 10
傅蒙宋 460-135- 8
529-726- 51
傅寬漢 244-648- 98
250-146- 41
251-544- 14
376- 67- 96
384- 37- 2
545-254- 92
552- 16- 18
933-650- 43
1397-199- 10
傅寬明 524-152-185
傅瑩妻 宋 見盛氏
傅瑩女 宋 見傅氏
傅潛宋 285-475-279
382-270- 42
384-342- 17
396-717-319
傅潮明 578-930- 25
683-130- 2
683-151- 4
683-153- 4
683-156- 4
820-653- 42
傅澄明 570-103-21之1
傅潤明 523-427-167
傅毅漢 253-551-110上
380-339-175
384- 61- 3
472-831- 33
478-100-180
554-829- 63
933-650- 43
傅毅明 1233-262- 4
傅賢漢 402-452- 9
傅瑾宋(字公寶) 511-823-167
傅瑾宋(字君玉) 1171- 96- 12
傅瑾清 478-637-206
558-430- 37

傅霈明 546-381-127
554-310- 53
傅璋女 宋 見傅氏
傅摯春秋 404-606- 37
傅鼐明 558-230- 32
傅璇妻 清 見黃氏
傅敷晉 255-806- 47
377-557-123
554-631- 60
933-651- 43
傅德明 456-493- 5
523-233-156
傅諴宋 933-653- 43
傅壅宋 528-523- 31
傅潚宋 1171- 68- 9
傅璟母 宋 見周氏
傅融後魏 262- 58- 70
傅霖宋(青州人) 472-592- 24
476-670-136
491-804- 6
傅霖宋(江寧縣人)
492-525-13上之中
傅霖女 宋 見傅氏
傅霖金 472- 35- 1
474-571- 29
502-268- 54
1201- 91- 73
傅霖明(字應期) 502-288- 56
546-380-127
傅霖明(字佐時) 515-877- 86
523-101-150
傅操晉 見傅玉
傅隨妻 明 見許氏
傅興明 473-168- 57
479-749-251
515-480- 71
傅縝宋 515-862- 85
1181-765- 11
傅學明 572- 87- 28
傅衡明 472-458- 20
545-440- 99
傅縡陳 260-744- 30
265-973- 69
370-588- 20
378-554-145
384-121- 6
472-930- 37
558-370- 36

933-651- 43
1395-601- 3
1401-400- 30
傅燮漢 253-219- 88
376-871-111上
384- 68- 3
459-267- 16
472-892- 35
472-390- 37
478-514-200
478-597-204
558-180- 31
558-367- 36
933-650- 43
傅燮宋 515-519- 73
傅樴明 302-149-297
460-613- 60
481-589-328
529-673- 49
傅翼元 683- 71- 4
1232-427- 4
傅璪清 511-878-170
傅鍾明 554-611- 59
傅穉宋 820-446- 35
傅顏元 546-357-126
121-411- 14
傅謹明 1253- 85- 45
傅禮明(黔陽縣典史)
473-376- 65
532-742- 46
傅禮明(字公緒) 821-379- 55
傅璧宋 1249-241- 14
傅鎭明 529-541- 45
傅翻漢 402-504- 12
傅寵明 554-310- 53
傅翰明 300- 20-184
452-213- 5
473-129- 55
479-682-248
515-547- 74
820-652- 42
1250-900- 85
1255-355- 40
1256-391- 25
傅韜元 1217-162- 1
1217-164- 1
傅瓊宋 1117-178- 15
傅翽南朝 265-985- 70

380-183-170
384-121- 6
472-220- 8
478-597-204
484- 44- 下
485- 84- 12
486- 63- 3
493-736- 41
510-322-113
558-369- 36
933-651- 43
傅寶晉 473-830- 87
494-160- 6
570-109-21之1
572- 69- 28
傅礪明 473-641- 78
傅鶚明 515-553- 74
傅藻明 452-262- 8
472-1032- 42
524- 72-181
傅鐸明(內黃人) 472-134- 4
傅鐸明(傅瑛子) 554-365- 54
554-600- 59
傅鑑明 567-312- 77
1467-200- 69
傅巖宋 1123-179- 19
傅巖傅岩 明 456-547- 7
523-407-165
676-658- 27
1442-108- 7
傅巖女 清 見傅氏
傅瓛明 480-246-269
533-209- 53
傅鑰明 474-822- 44
502-384- 64
523- 48-148
545- 82- 85
1274-440- 17
傅一新傅蕭龍 宋451- 57- 2
傅乃根明 533-158- 52
傅士謙元 528-541- 32
傅子英明 821-355- 55
傅子異元 1219-391- 12
傅子雲宋 473-114- 54
479-657-247
515-750- 80
528-522- 31
677-373- 34
679-813-218
傅子榮明 472-801- 31
477-499-174
537-334- 56
傅大受清 562-622- 77
傅大聘明 1467-123- 66
傅大業清 475-606- 81
510-441-116
傅大聲宋 482-115-343
529-501- 44
563-680- 39
傅文用宋 812-472- 3
812-547- 4
821-146- 50
傅文鳳妻 清 見薛氏
傅文權清 524-154-185
傅文驥後魏 262- 62- 70
傅五芳清 潘思周妻、傅統會女 524-655-209
傅元初明 460-728- 75
678-226- 92
傅元和明 572-106- 30
傅元英妻 明 見莊氏
傅元賓元 1222-656- 6
傅元勳明 572- 99- 29
傅井滿妻 清 見陳氏
傅天奇清 529-696- 50
傅天貴清 456-368- 78
傅天錫明 572-440- 41
傅友諒宋 933-653- 43
傅友德明 299-200-129
453-529- 3
475-431- 70
483-221-390
494-154- 5
511-400-151
545- 64- 85
559-247- 6
571-529- 19
1283-233- 84
傅曰仁妻 清 見劉氏
傅日炯明 456-636- 10
523-391-164
傅公朝明 515-224- 63
533-218- 53
傅公弼宋 460-296- 19
487-189- 12
傅公議元 見傅公讓
傅公讓傅公議 元
476-672-136
1217-737- 4
傅仁均唐 269-769- 79
472-130- 4
1054-404- 11
傅仁義元 1211-426- 60
傅介子漢 248-616- 8
250-567- 70
376-288-100
471-808- 31
471-811- 31
472-914- 36
478-573-203
483-590-414
535-553- 20
558-346- 35
579-264- 30
1412-123- 5
傅允謙明 1232-613- 6
傅永吉清 481- 82-294
481-613-329
528-499- 30
559-532- 12
傅永淳明 505-754- 72
545-443- 99
554-185- 51
679- 78-146
傅永清妻 明 見富氏
傅永康明 545-792-111
傅玉良明 1237-273- 5
1240-725- 7
傅玉潤明 1240-725- 7
傅玉聲妻 明 見趙氏
傅去古漢 見傅喜
傅弘之劉宋 258- 96- 48
265-272- 16
378- 26-131
472-914- 36
478-105-180
554-685- 61
558-348- 35
933-651- 43
傅弘祖明 456-532- 6
516-138- 92
傅弘烈清 479-496-239
482-324-354
515-456- 70
567-158- 69
568-377-113
傅弘基清 479-332-232
481-613-329
523-408-165
528-501- 30
傅可知明 302- 93-294
456-670- 11
480- 92-262
傅世舟清 537-528- 59
傅世長宋 1123-174- 19
傅世烈清 540-680- 27
傅世楫明 見傅世濟
傅世禎妻 明 見陳氏
傅世濟傅世楫 明
302- 51-292
456-655- 11
477-317-164
538-104- 64
傅以恭明 570-141-21之2
傅以漸清 476-618-133
540-839-28之4
傅占衡明 515-810- 82
傅代言宋 1095-274- 31
傅仕琦明 1467- 60- 64
傅仙宗唐 481-390-312
554-975- 65
561-215-38之3
傅守望明 456-628- 10
傅汝友清 478-436-196
481-117-296
554-739- 61
559-532- 12
571-536- 19
傅汝舟宋 515-830- 83
傅汝舟傅丹 明(字木虛)
529-719- 51
1274-218- 9
1442- 50-附3
1460- 68- 43
傅汝舟明(思州人) 572- 83- 28
傅汝舟明(字遠度)
1442-101- 6
傅汝為明 301-446-262
456-571- 8
477-411-169
480-248-269
533-385- 60

傅汝循明 820-758-44
傅汝楫明(恩縣舉人) 559-324-7上
傅汝楫明(字木剡) 1394-131-497
1442-50-附3
1460-69-43
傅汝霖明 1238-522-12
傅汝礪元 511-790-166
傅汝礪明 554-527-57下
傅次泉明 1229-401-1
傅同元簡履道 明
516-436-103
傅光宅明 481-114-296
510-338-113
540-818-28之3
559-278-6
820-738-44
1442-78-5
傅光前明 523-594-175
傅光遇母 清 見陸氏
傅光箕妻 清 見吳氏
傅自修宋 563-682-39
933-653-43
傅自得宋 460-406-31
471-659-11
471-877-41
473-585-75
473-599-76
473-758-83
529-531-45
567-441-86
1146-353-98
1467-152-67
傅向老宋 1384-249-102
傅好禮明 301-31-237
474-185-9
478-769-215
505-698-70
505-724-71
523-57-148
545-98-94
554-293-53
傅如圭明 456-578-8
480-92-262
533-365-60
傅仲昇女 明 見傅氏
傅仲益宋 933-653-43
傅仲禮元 545-218-91
傅休奕晉 477-256-161
傅良言明 523-206-155
傅良弼唐 275-132-148
395-738-247
474-437-21
478-267-187
505-762-72
540-661-27
933-652-43
1078-167-13
傅良弼元 見傅巖起
傅良弼明 570-140-21之2
傅良瑞明 533-496-65
傅志華妻 明 見譚氏
傅孝明宋 529-666-49
傅君用母 元 見黎氏
傅克己明 1241-708-16
傅克察清 502-751-85
傅克寬女 明 見傅氏
傅形嘉妻 明 見岳氏
傅作舟明 538-105-64
傅作霖明 301-722-280
456-442-3
533-406-61
傅伯成宋 287-649-415
398-600-406
460-409-31
472-720-28
473-568-74
473-652-78
475-272-63
477-254-161
479-174-225
479-627-245
481-524-326
481-585-328
481-611-329
481-673-331
510-371-114
523-127-152
528-442-29
528-491-30
529-531-45
537-481-58
1174-534-34
1180-358-33
1180-530-49
1375-34-下
傅伯通宋 516-521-106
傅伯壽宋 451-24-0
538-138-65
傅希孟明 546-312-125
554-342-54
554-346-54
傅希說明 1227-97-11
傅希摯明 300-671-223
580-439-29
傅希龍宋 481-610-329
528-490-30
傅邦柱明 1442-98-6
1460-593-69
傅邦楨明 456-578-8
傅邦霖明 456-578-8
傅廷佩明 554-313-53
傅廷堅晉 820-75-23
傅廷雅妻 明 見葉氏
傅宗皋明 481-645-330
515-430-70
傅宗祥明 572-107-30
傅宗龍明 301-440-262
482-562-369
483-226-390
505-639-67
523-59-48
537-223-54
558-162-30
570-108-21之1
571-522-19
傅法獻後魏 262-62-70
傅性良清 477-317-164
554-314-53
傅性喆清 524-59-180
傅定保元 453-780-2
460-459-36
473-587-75
676-87-3
680-299-255
1213-157-12
1439-424-1
傅松阿清 455-204-10
傅坦之宋 1121-582-6
傅孟春明 515-484-71
傅孟素明 515-543-74
1240-778-8
傅阿興宋 見傅勉之
傅長遠妻 明 見李榮娘
傅尚文明 480-466-279
傅明道明 476-430-121
547-81-144
傅明賢清 480-545-283
533-459-63
傅明應明 515-481-71
1458-419-445
傅芳明妻 清 見趙氏
傅叔偉後魏 262-58-70
傅知柔宋 528-482-30
528-572-32
傅朋奔宋 487-512-7
傅金山明 821-455-57
傅秉忠明 570-260-25
傅秉悊明 533-421-62
傅延耆明 505-659-68
545-296-94
傅彥恭妻 明 見徐氏
傅彥榮明 1240-778-8
傅致柔明 524-151-185
1224-281-23
傅思齊宋 1122-400-29
傅思讓宋 285-419-275
472-94-3
傅若金元 472-409-18
473-129-55
515-537-74
820-518-38
1214-161-13
1439-432-1
1470-271-10
傅若金妻 元 見孫淑
傅若霖明 1236-440-3
傅皇后漢 漢哀帝后
251-301-97下
傅垂範宋 1095-265-30
傅勉之傅阿興 宋451-80-2
傅朗阿清 456-292-72
傅桂芳清 480-320-272
533-395-60
傅起榮妻 清 見王氏
傅起巖傅巖起 元
472-468-20
476-83-100
546-645-136
傅起巖傅洪 明 1442-50-附3
1460-71-43

傅振商明	458-131- 5
	477-420-169
	537-569- 60
	676-630- 26
	1442- 60- 4
傅夏器明	460-619- 61
	529-735- 51
	1442- 60- 4
傅時中宋	1145-764- 84
傅時勉明	523-251-157
傅時望明	559-374- 8
傅時雍清	512-779-196
傅乘乾妻 明	見文氏
傅添錫明	570-495-29之7
傅惟肖宋	529-529- 45
傅惟宗明	567-414- 84
	1467-192- 69
傅帷清清	561-202-38之1
傅惟翼明	510-401-115
傅淑訓明(字啟昧)	533- 30- 47
	545-196- 90
	1442- 88- 6
	1460-500- 64
傅淑訓明(字咨伯)	820-736- 44
傅崇中明	515-443- 70
傅崧之宋	523-623-177
傅崧卿宋	479-234-227
	486- 51- 2
	486-327- 15
	523-303-160
	679- 85-147
	1119-609- 29
	1163-422- 15
傅常美妻 清	見張氏
傅得一五代	479-503-239
	516-416-103
傅得節唐	820-146- 26
傅統會女 清	見傅五芳
傅敏聲妻 明	見章如玉
傅啟耀明	456-463- 4
	523-407-165
傅啟讓明	472-646- 26
	473-303- 62
	480-246-269
	533- 75- 49
	537-211- 54
傅游藝武游藝 唐	
	271-471-186上
	276-445-223上
	384-183- 10
	401-322-612
傅雲龍明	456-543- 7
	515-809- 82
	523- 61-148
傅朝佑明	301-363-258
	479-661-247
	515-806- 82
	676-652- 27
傅朝烇妻 清	見王氏
傅登瀛清	481-645-330
傅堯俞宋	286-531-341
	382-582- 90
	384-372- 19
	384-379- 19
	397-619-357
	449-251- 10
	471-926- 49
	472-127- 4
	472-324- 14
	472-394- 17
	472-409- 18
	472-556- 23
	472-717- 28
	472-718- 28
	472-789- 31
	472-1084- 46
	475-420- 70
	475-809- 91
	477-200-159
	477-253-161
	479-174-225
	488-392- 13
	510-489-118
	523-126-152
	538-321- 69
	540-759-28之2
	708-342- 50
	933-652- 43
	1147-547- 52
傅揚善明	523-482-170
傅景明妻 清	見唐氏
傅喀禪清	見富喀禪
傅華祝妻 清	見劉氏
傅喇塔清	見富喇塔
傅愼子戰國	533-134- 51
傅愼微金	291-728-128
	400-358-533
	477-561-177
	496-374- 86
	545-406- 98
	554-204- 52
	676-115- 4
傅新德明	546-722-139
	676-617- 25
	1442- 82- 5
	1460-440- 60
傅道清元	1222- 47- 6
	1222-392-下
傅感丁清	524-244-190
傅椿年元	516-510-106
傅達理清	455-227- 12
傅達禮清	569-618-18下之2
傅萬輝妻 明	見楊氏
傅當阿清(瓜爾佳氏)	
	455-111- 4
傅當阿清(兆佳氏)	455-505- 31
傅鼎銓明	301-688-278
	515-811- 82
傅敬子宋	460-296- 19
傅敬仲後魏	379-299-150下
傅敬和後魏	262- 62- 70
	266-934- 45
傅敬紹後魏	379-298-150下
傅遇高明	570-159-21之2
傅愛萱女 明	見傅氏
傅實之宋	515-533- 73
	679-528-190
傅輔之金	505-842- 76
傅輔之元	1198-785- 5
傅與霖妻 明	見錢氏
傅爾才明	572-106- 30
傅爾正明	554-312- 53
傅爾佺清	538- 82- 64
傅爾建清	456-251- 69
傅爾訥明	572-111- 30
傅嘉行明	554-313- 53
傅夢臣宋	1189-295- 2
傅夢臣元(金州判官)	
	472-905- 36
	558-176- 31
傅夢臣元(京兆人)	473-523- 72
	559-307-7上
傅夢泉宋	480-508-281
	515-829- 83
傅鳳翔明	473-270- 61
	480-205-267
	533-202- 53
傅僧祐劉宋	258-164- 55
	258-584- 92
	486- 63- 3
傅維祖清	481-746-334
傅維登妻 清	見呂氏
傅維霖清	見傅維鱗
傅維鱎妻 清	見李氏
傅維鱗傅維霖 清	
	474-383- 19
	505-755- 72
傅肇序妻 清	見周氏
傅諒友宋	1135-358- 34
傅慶貽明	516-153- 93
	563-760- 40
傅毅誠宋	460-296- 19
傅暨眼後魏	262- 58- 70
	266-932- 45
	379-296-150下
	472-114- 4
	481- 15-291
	540-726-28之1
	591-669- 47
	933-651- 43
傅墨卿宋	486-325- 15
傅魯肯清	502-571- 74
傅凝之明	456-635- 10
傅凝遠宋	1163-566- 32
傅蕭龍宋	見傅一新
傅錦泉明	1312-233- 22
傅應吉妻 明	見左氏
傅應兆明	476-673-136
傅應貞明	見傅應禎
傅應祥明	563-755- 40
傅應詔明	554-527-57下
傅應期明	515-442- 70
傅應登妻 清	見袁氏
傅應禎傅應貞 明	
	300-754-229
	479-726-250
	480-541-283
	515-711- 79
	532-721- 45
傅應鳳明	546-104-118
	554-312- 53
傅應薦清	475-853- 94

502-691- 81
510-504-118
傅謙之宋 515-533- 73
傅燮調清 559-334-7下
傅隱逸唐 見傅隱遥
傅隱遥傅隱逸 唐
479-412-235
524-440-201
傅翼之宋 1123- 79- 8
傅鍾秀明 456-529- 6
540-831-28之3
傅禮和傅建女 不詳
1061-346-115
傅臘塔傅蠟塔 清
475- 22- 49
510-302-112
1298-654- 34
傅獻策明 563-802- 41
567-324- 78
1467-207- 69
傅齡發明 456-547- 7
524-101-183
傅齡熙明 456-547- 7
524-101-183
傅鶴祥清 537-570- 60
傅蠟塔清 見傅臘塔
傅巖起傅良弼 元
1206-400- 2
傅巖起元 見傅起巖
傅靈根後魏 379-297-150下
傅靈越後魏 262- 58- 70
265-593- 40
266-933- 45
379-297-150下
傅靈慶後魏 262- 58- 70
266-932- 45
379-297-150下
傅鸞祥清 537-570- 60
傅爾塔哈清 455-693- 49
順趉胡呂烏甘豆可汗 唐
381-467-195
順宋 592-379- 83
順明 472-440- 19
554-956- 65
順巴清 455- 96- 3
順支唐 1053-366- 9
順貞唐 1052- 21- 2
順璟唐 1052- 44- 4
順布祿清 455-154- 6
順思王後魏 819-568- 19
順陽王劉宋 見劉休範
順陽王明 見朱有烜
順義王明 見布色圖
順慶王明 見朱朝埴
順德王元 見哈喇哈斯
順承郡王清 見勒爾錦
順承郡王清 見勒克德渾
順承親王清 見錫保
順昌山人宋(避難順昌山)
288-439-458
401- 26-570
順淑帝姬順慶公主 宋 宋徽宗女 285- 68-248
393-327- 77
順慶公主宋 見順淑帝姬
順德帝姬宋 向子扆妻、宋徽宗女 285- 69-248
393-328- 77
須無漢 933-120- 8
須賈戰國 405-279- 74
933-120- 8
須達南朝 265-1111- 78
須頌漢 見須誦
須誦須頌 漢 370-207- 21
402-388- 5
須之彥明 523-195-155
須菩提善吉、善現、善業 陳
1051-179- 7
1053- 85- 2
須卜骨都侯漢 253-715-119
絮舜漢 933-657- 43
嬀皓漢 402-477- 11
524- 94-183
嬀鵠漢 933- 68- 4
嬀覽不詳 933- 68- 4
幾玄唐(姓缺) 820-289- 30
貂勃戰國 405-254- 72
鈕清 455-451- 27
鈕氏明 張寶妻 1289-357- 24
鈕充漢 494-352- 8
鈕因隋 見紐回
鈕沖漢 494-352- 8
鈕克清 456- 9- 50
鈕約唐 813-231- 5
820-280- 30
鈕胤晉 494-262- 1
494-352- 8
鈕淑吳 494-262- 1
494-352- 8
鈕琇清 478-339-191
482-185-346
554-321- 53
563-880- 42
鈕滔晉 494-352- 8
933-621- 40
鈕詳吳 494-262- 1
494-352- 8
鈕瑒鈕錫 晉 494-352- 8
494-470- 18
鈕楚清 455-640- 44
鈕赫清(馬佳氏) 455-169- 7
鈕赫清(阿哈) 455-306- 18
鈕赫清(薩克達氏) 455-545- 35
鈕緯漢 494-352- 8
鈕衡漢 494-352- 8
鈕錫晉 見鈕瑒
鈕馥漢 494-352- 8
鈕麟元 1439-442-附2
鈕士雄隋 見紐士雄
鈕尼哈清 502-517- 71
鈕仲玉明 1442- 50-附3
1460- 71- 43
鈕良勳清 456-310- 74
鈕克讓元 545-887-114
鈕彥圖清 456- 47- 53
鈕皇后吳 吳景帝后
494-352- 8
鈕倫泰清 456-156- 61
鈕瑚圖清 455-553- 35
鈕楚赫清 455-466- 28
鈕鼎阿清 456-138- 59
鈕衡額清 455-429- 26
鈕應斗明 1442-111- 7
鈕繼武明 554-313- 53
鈕鐸理清 455-266- 15
鈕祜祿氏清 諾敏妻
503- 36- 94
鈕祜祿貞鈕祜祿展、鈕祜祿綽哈 金 291-681-122
400-221-518
505-695- 70
545-460-100
鈕祜祿展金 見鈕祜祿貞
鈕祜祿暉金 見鈕祜祿仝周
鈕爾胡山清 455-579- 38
鈕爾謨諾清 455-494- 30
鈕祜祿仝周鈕祜祿暉 金
291-550-111
鈕祜祿守愚女奚烈守愚、女稀烈守愚、鈕瑚魯舍音、鈕祜祿和倫克們 金 291-731-128
400-361-533
474-379- 19
476-778-141
505-751- 72
540-662- 27
鈕祜祿罕努粘割韓奴、鈕祜祿韓努 金 291-659-121
400-207-517
502-698- 82
鈕祜祿重山元 見鈕祜祿珠順
鈕祜祿珠順鈕祜祿重山 元
294-559-146
399-368-451
鈕祜祿恩楚女奚烈幹出、鈕祜祿溫綽、鈕祜祿幹出 金
291-675-122
400-220-518
478-337-191
554-247- 52
鈕祜祿烏展金 291-700-124
鈕祜祿納罕元 294-559-146
399-368-451
鈕祜祿納紳金 見鈕祜祿納新
鈕祜祿納新粘葛奴申、鈕祜祿納紳、鈕祜祿努色勒、葉赫納愼 金 291-636-119
399-319-446
477-442-171
537-338- 56
鈕祜祿溫綽金 見鈕祜祿恩楚
鈕祜祿資祿女奚烈資祿、張資祿 金 291-678-122
400-223-518
474-740- 40
478-419-195
502-703- 82

545-212- 91
554-158- 51
鈕祜祿經寶金 291-614-117
399-318-446
鈕祜祿斡出金 見鈕祜祿恩楚
鈕祜祿綽哈金 見鈕祜祿貞
鈕祜祿韓努金 見鈕祜祿罕努
鈕瑚魯舍音金 見鈕祜祿守愚
鈕祜祿努色勒金 見鈕祜祿納新
鈕祜祿額特埒粘割斡特剌金 291-349- 95
399-187-432
474-737- 40
502-354- 61
544-238- 63
鈕祜祿和倫克們金 見鈕祜祿守愚
鉤喜漢 933-170- 11
答魯金 見達魯
答里麻元 見達爾瑪
答祿與權明 見達魯特與權
答剌麻八剌妻 元 見嗒濟
筠溪翁明 1289-383- 26
程二妻 元 見成氏
程二明 567-454- 87
程斗元 524- 75-181
程文元 295-542-190
400-701-567
472-381- 16
511-806-167
676-708- 29
1217- 3-附
1222-295- 22
1252-632- 36
1375- 21-上
1376-132- 66
1439-441- 2
1458-707-473
程文明(確山人) 475-701- 86
510-464-117
程文明(字煥章) 511-279-147
676-535- 21
程文明(字貫道) 564-208- 46
程文明(潯州通判) 1467-113- 66
程元隋 546-749-140
程仁明 見程國英
程氏唐 衛方厚妻、衡方厚妻 271-656-193
276-113-205
401-154-589
482-486-364
程氏宋 王彥暉妻、程械女 1150-119- 13
程氏宋 史念賜妻 561-468- 43
1203-458- 34
1207-293- 20
1381-716- 51
程氏宋 林師醇妻、程端女 1121-493- 37
程氏宋 趙世設妻、程莘女 1100-532- 50
程氏宋 趙令話妻、程祥女 1100-541- 51
程氏宋 蔡高妻 481-560-327
530- 59- 55
1254-592-上
程氏宋 蔡君謨妻、程宇女 1113-625- 9
程氏宋 韓玉汝妻、程琳女 1096-381- 39
程氏宋 蘇洵妻、程仁霸女 473-517- 71
481-353-309
559-470-11中
591-653- 46
1094-718- 78
1104-977-附上
程氏宋 程顥女 1345-725- 12
程氏宋 程淑清女 485-521- 10
1376-662- 98
程氏元 史天倪妻 474-190- 9
506- 2- 86
程氏元 強文寶妻、程載女 1210-766- 25
程氏元 楊振妻 1198-258-附
程氏元 潘元紹妻 493-1083- 57
1386-265- 39
程氏元 鄭玉妻 1252-347- 20
程氏明 王觀妻 472-491- 21
程氏明 王旦生妻 480- 96-262
533-533- 67
程氏明 王谷樹妻 473-319- 62
533-709- 72
程氏明 汪一中妻 1408-571-538
程氏明 汪道夫妻 472-383- 16
475-578- 79
程氏明 沈虞妻、程鉞女 1275-865- 55
程氏明 沐晟妻、程庸女 1238-245- 21
程氏明 李通妻 474-778- 42
503- 30- 93
程氏明 李裕妻 506- 8- 86
程氏明 李大芳妻、程鵬女 547-427-157
程氏明 邵以輝妻 1253-322- 56
程氏明 胡尚絅妻 302-215-301
475-382- 68
程氏明 姚通妻 472-685- 27
程氏明 祝瓊妻 479-536-241
516-364-101
程氏明 徐伯榮妻 480-179-266
程氏明 許志妻、程卓女 1260-692- 23
程氏明 張簡熙妻 533-575- 68
程氏明 陳自妻 475-534- 77
程氏明 陳藎妻 506- 53- 87
程氏明 陳纘妻 530-113- 57
程氏明 陳存信妻 472-263- 10
475-234- 61
程氏明 陳光顯妻 506- 53- 87
程氏明 閔則哲妻 480-208-267
程氏明 程瑛妻 482-269-350
程氏明 賈岳妻、程凱女 482-269-350
1236-764- 11
程氏明 楊宗禮妻 512-479-189
程氏明 董珖妻 516-372-101
程氏明 潘仲岳妻 472-1043- 43
479-358-233
524-744-213
程氏明 劉崇文妻 480-178-266
程氏明 魏國才妻 476-420-120
程氏明 程煜節祖姑 302-253-303
程氏明 程煜節姑 302-253-303
程氏明 程應龍孫女 530-109- 57
程氏清 王之麟妻 475-578- 79
程氏清 王萬榮妻 474-193- 9
506- 23- 86
程氏清 王經世妻 480-143-264
程氏清 石鼎妻 478-205-184
程氏清 朱元德妻 475-581- 79
程氏清 汪九漪妻 512- 6-176
程氏清 沈必第妻 533-652- 70
程氏清 李天授妻 530- 34- 54
程氏清 何公掄妻 477-136-155
程氏清 林乾妻 530-120- 57
程氏清 林一沂妻 530- 80- 55
程氏清 林元秀妻 530- 41- 54
程氏清 林永喦妻 530- 38- 54
程氏清 林廷璧妻 530- 79- 55
程氏清 柯錫袞妻 530- 80- 55
程氏清 馬自銓妻 479-384-234
程氏清 徐乘六妻 512-329-185
程氏清 許琫妻、程憲淳女 1327-721- 9
程氏清 許榜妻 530-122- 57
程氏清 郭世琯妻 479-436-236
程氏清 張光妻 477-503-174
程氏清 張進東妻 478-654-207
程氏清 張爾緒妻 477-321-164
程氏清 陳協妻 474-195- 9
程氏清 陳光祖妻 530-119- 57
程氏清 陳鉉美妻 530- 82- 55
程氏清 黃日新妻 512-484-189
程氏清 楊琯妻 481- 83-294
程氏清 趙之秀妻 547-349-154
程氏清 潘深妻 479- 73-219
程氏清 鄭元勳妻 475-384- 68
程氏清 鄭世傑妻 506- 26- 86
程氏清 蔡致妻 474-196- 9
程氏清 劉子明妻 480- 66-260
程氏清 錢含芬妻 474-483- 23
程氏清 程尚女 1316-679- 46
程介宋 1375- 13-上
程玉元 1200-739- 56
程玉妻 明 見王氏
程玉明 方琳妻、程載興女 1253- 88- 45

1253- 98- 45
程本春秋 545-721-108
933-420- 28
1412-162- 7
程本明(雲夢人) 480-204-267
程本明(開化人) 524-157-186
程本明(字孟中) 564-211- 46
程本明 見程本初
程平明 1376-471- 89
程充明 1253- 90- 45
程未漢 1063-168- 2
程旦明 676-560- 23
程四宋 511-613-160
程包漢 478-247-186
程守女 宋 見程氏
程宇妻 明 見吳氏
程式明(字以則) 511-436-153
程式明(穎川人) 537-352- 56
程式程超 明(字邦憲)
1242-845- 10
程羽宋 285-244-262
382-728-112
384-335- 17
396-554-303
472- 53- 2
472-642- 26
476-576-131
476-816-143
477- 50-151
481- 66-293
505-732- 71
933-423- 28
1376- 52-62上
程异唐 270-610-135
275-356-168
384-250- 13
396-128-263
473-757- 83
478-119-181
554-456- 56
933-421- 28
程因宋 1115-798- 6
程舟宋 516- 26- 88
程全宋(北海人) 473-165- 57
479-747-251
515-103- 60
540-765-28之2
程全宋(字禹昌) 511-478-155
1376-110- 65
程先宋 511-850-169
1375- 10- 上
1376-175- 69
程沂宋 493-747- 41
510-328-113
程沂明 1259-184- 14
程亨明(懷寧人) 472-339- 14
程亨明(澤州人) 570-215- 23
程亨明(字文通) 1375- 30- 上
程良遼 1192-400- 35
程良明 516- 82- 90
程玘母 明 見王氏
程圻明 1253-54- 54
程杞宋 見程師望
程材明 511-278-147
528-553- 32
679-262-165
1256-445- 30
程杉齊 564- 13- 44
程邑清 511-721-165
程宗明 473-145- 56
493-994- 52
511- 99-140
515-152- 61
676-497- 19
1248-665- 4
1249-323- 20
程祁蜀漢 254-691- 15
384-507- 21
程祁宋 1375- 5- 上
1376-328- 80
程泳元 820-502- 37
1205-283- 9
程放宋 1376-509- 91
程松齊 564- 13- 44
程松宋 287-425-396
398-421-391
1467-153- 67
程坦宋(字坦然) 450-517-中41
1093-345- 47
程坦宋(善畫) 821-186- 50
程孟明 1253- 33- 42
1375- 30- 上
1376-609-95下
程玩明 1376-610-95下
程玠明 511-808-167
676-363- 13
程坤明 482-562-369
570-126-21之1
程尚女 清 見程氏
程昌明 458-790- 5
563-729- 40
676- 42- 2
676-539- 22
676-718- 30
679-208-159
程卓宋 472-380- 16
511-270-147
1169-730- 18
1375- 10- 上
1376-240- 74
程卓女 明 見程氏
程昆明 見程汝器
程昂唐 820-197- 27
程昂妻 宋 見汪氏
程昂明 480- 90-262
程昉宋 288-552-468
401- 78-578
程易宋 1375- 8- 上
程旼齊 見程旼
程旼明 511-253-146
程和元 1200-772- 59
程周明 511-616-160
程佳明 1460- 69- 43
程佫明 1253- 79- 44
1376-658- 97
程金明 511-283-147
程岳母 清 見孫氏
程秉吳 254-791- 8
377-333-119
384- 79- 4
384-561- 28
385-598-65下下
477-446-171
538- 32- 62
563-915- 43
567-424- 86
677-104- 10
933-420- 28
1467-137- 67
程宣明 676-468- 17
程洁明 1283-704-122
程洵宋 475-567- 79
511-701-164
1147-569- 54
1375- 9- 上
1376-171- 69
程洛妻 清 見王氏
程庠妻 明 見方氏
程洙宋 475- 70- 52
510-312-113
511-479-155
1375- 14- 上
程奕宋 524-342-196
程度明 563-844- 41
程珏明 494- 57- 2
554-492-57上
程相元 1376-403- 86
程栖明 1442- 69- 4
1460-334- 55
程琉宋 1345-736- 13
程珌宋 287-757-422
472-381- 16
493-776- 42
511-806-167
588-171- 8
676-688- 29
1171-224- 附
1363-713-216
1375- 12- 上
1376-569-94下
1437- 27- 2
程勇明 516- 74- 90
程政元 820-543- 39
821-304- 53
程茂齊 1375- 2- 上
程昳妻 宋 見陳氏
程昱魏 254-269- 14
377-112-115上
384- 83- 4
384-635- 38
469-121- 14
472-551- 23
472-568- 24
476-852-145
540-707-28之1
933-420- 28
程昭宋 1090-676- 39
程昭明 1260-629- 19
程苞漢 554-552- 58
879-180-58下
程則唐 見程行謀
程迪宋 288-294-447

400-157-513
472-664- 27
477- 82-152
478- 91-180
492-710-3下
538- 38- 63
554-361- 54
程迵程迴 宋 288-154-437
400-532-548
459-908- 55
472-1068- 45
473- 14- 49
473- 44- 50
473- 60- 51
475-483- 73
477-130-155
479-249-228
479-483-239
479-526-241
479-556-242
515- 83- 59
524-324-195
538- 3- 61
674-541- 1
820-431- 35
程信漢 554-683- 61
879-181-58下
程信明 299-719-172
453-398- 11
453-626- 20
472-382- 16
474-690- 37
475-571- 79
502-282- 56
505-929- 84
511-275-147
559-250- 6
676-493- 19
1253- 21- 41
1374-697- 90
1375- 30- 上
1376-274- 76
1376-529-92下
程信妻 明 見林淑清
程郇元 494-415- 12
523-445-168
1209-551-9上
程衎宋 485-536- 1
程勉明 564- 88- 45
程俊宋 472-938- 37
558-446- 38
程敀程旼 齊 471-843- 36
473-701- 80
482-304-353
564- 13- 44
程祇妻 漢 見李穆姜
程容宋 485-534- 1
程浩唐 820-213- 28
程浩元 1196-696- 7
程高漢 742- 26- 1
程唐宋 286-688-353
1165-778- 10
程益元 472-526- 22
540-781-28之2
1439-433- 1
程訓明 554-297- 53
程悌元 汪德裕妻、程文昌女、程昌文女 1218-616- 2
1376-673- 98
程宲程寀 金 291-467-105
399-129-428
472- 34- 1
474-177- 8
474-816- 44
502-262- 54
505-719- 71
程浪妻 明 見朱氏
程浚清 511-622-160
1318-503- 77
程泰明 511-275-147
1253- 55- 43
1376-420- 86
程珙宋 516- 38- 88
517-678-132
程恭元 510-312-113
程烈明 676-565- 23
1442- 54- 3
程珦程溫 宋 288- 13-427
471-604- 3
471-732- 20
471-870- 40
471-934- 50
471-966- 54
472-694- 28
472-866- 34
473-185- 58
473-194- 58
473-281- 61
473-427- 67
473-783- 85
479-810-255
480- 87-262
481- 69-293
482-467-363
510-370-114
510-397-115
515-254- 65
537-511- 59
539-508-11之2
554-241- 52
559-264- 6
567- 52- 65
591-685- 47
1345-728- 13
1345-729- 13
1375- 5- 上
1376- 57-62上
1467- 31- 63
程珦妻 宋 見侯氏
程珦明 532-622- 43
程格明 1442- 95- 6
1460-577- 68
程桂明 見程貴
程格妻 清 見王氏
程晉妻 金 見彭氏
程書明 547- 4-141
程軏明 554-180- 51
程袁唐 384-181- 10
程振宋 286-735-357
382-707-109
397-767-366
449-321- 3
472-545- 23
473- 47- 50
476-913-148
477- 54-151
479-529-241
516- 20- 87
517-408-126
540-613- 27
933-422- 28
1128-212- 23
1128-381- 10
1171-349- 9
1376-101- 64
程振明 475-574- 79
程晏唐 273-113- 60
程峴元 1376-456- 88
程迴宋 見程迵
程俱宋 288-262-445
400-675-563
472-1042- 43
479- 92-221
479-356-233
485-101- 14
493-745- 41
510-327-113
524- 75-181
674-837- 18
820-410- 34
1130- 5- 附
1130-402- 附
1363-602-201
1375- 6- 上
1376-559-94上
1437- 22- 2
1462- 64- 56
程徐妻 元 見金氏
程徐明 299-321-139
程恕元 1375- 18- 上
程恕妻 明 見方錦僊
程娥明 302-253-303
475-381- 68
程倉明 1280-540- 95
程倫明 523-202-155
程倫清 456-358- 77
程能宋 476-912-148
程乘元 1193-678- 33
程添明 孫希賢妻、程子善女
472-383- 16
475-578- 79
1376-686- 99
程淳元 516- 47- 88
程淮宋 1375- 12- 上
程淘唐 1375- 3- 上
程淵元 見程龍
程章明(保定人) 554-277- 53
程章明(內江人) 554-311- 53
程章明(保山人) 570-165-21之2
程庸女 明 見程氏
程祥女 宋 見程氏
程寀金 見程宲

程球宋 559-290-7上
程埜元 472-75中-29
537-514-59
程桯明 511-698-164
程梓明 523-617-176
程規明 563-777-40
程通明 299-374-143
456-695-12
472-381-16
475-570-79
511-480-155
559-313-7上
676-471-18
886-157-139
1253-180-49
1375-29-上
1376-144-67
程晟明 1376-529-92下
程崇宋 472-380-16
523-170-154
程堂宋(雙流知縣) 473-426-67
559-263-6
591-684-47
程堂宋(字公明) 592-728-108
821-195-51
程紹明 301-109-242
476-529-128
476-918-148
540-820-28之3
程偉妻 漢 1059-293-7
1061-35-85
程紳明 545-92-85
1273-732-9
程紳妻 明 見蔣氏
程敏明 472-665-27
537-399-57
程斌明 558-415-37
程富隋 1252-406-23
程富明 453-328-5
511-275-147
518-45-137
1375-30-上
1376-360-83
1376-526-92下
程富妻 明 見畢靜一
程註明 480-91-262
533-30-47
程翔元 1203-393-29
程翔妻 清 見林氏
程普吳 254-814-10
377-350-119
384-80-4
384-573-30
385-519-58
472-143-5
473-208-59
474-276-14
480-47-259
505-726-71
525-396-237
532-612-43
588-441-1
933-420-28
程曾漢 253-538-109下
380-271-172
479-484-239
515-290-66
933-420-28
程寔明 1376-471-89
程棫女 宋 見程氏
程琯明 511-278-147
程植妻 元 見王靜琬
程雅唐 812-346-9
程超明 見程式
程隆元 1376-400-85
程琦明 511-617-160
程琨明 見程汝器
程覃宋 494-407-12
523-127-152
1171-372-10
1376-352-82
程琰元 516-49-88
程琳宋(字天球) 285-599-288
371-86-8
382-339-54
384-351-18
397-72-324
449-74-6
450-30-上4
450-359-中20
472-53-2
472-126-4
472-922-36
473-426-67
474-240-12
474-469-23
476-296-112
477-50-151
478-167-182
481-67-293
505-689-70
505-732-71
537-238-55
540-647-27
545-399-98
554-144-51
559-263-6
708-329-50
933-421-28
1102-172-21
1102-241-30
1252-644-37
1356-56-3
1375-4-上
1376-53-62上
1378-473-58
1378-574-62
1383-559-50
1383-584-52
1410-70-671
1447-566-31
程琳宋(字奇卿) 482-89-342
515-756-80
563-678-39
程琳妻 宋 見陳氏
程琳女 宋 見程氏
程琳清 524-190-187
程逵宋 見程達
程揆宋 1149-716-16
程森宋 1375-14-上
程黑漢 539-348-8
程貴程桂 明 1253-773-附
程凱女 明 見程氏
程掌宋 559-385-9上
1173-279-83
程華唐 見程日華
程華女 宋 見程氏
程順宋 591-653-46
程筠宋 516-9-87
1376-328-80
程智明 511-164-164
程絢宋 480-463-279
程勝明 821-454-57
程鈉清 547-39-142
程策明 511-291-147
532-659-44
1283-659-118
1467-467-7
程傑元 1214-228-19
程進唐 812-345-9
821-56-46
程復女 明 見程粹然
程溥明 516-54-89
程溥清 559-336-7下
程源宋 592-988-上
1375-12-上
程源明 570-217-23
程詩明 見程實
程溫宋 見程珦
程溫明 473-391-65
533-107-50
1261-151-12
程煜元 1439-443-附2
1459-460-14
程新明 472-646-26
473-100-53
515-834-84
537-210-54
程煒明 524-227-189
程煒清 511-516-157
程瑀臧瑀 宋 287-225-381
398-260-382
449-397-上4
473-47-50
479-529-241
479-556-242
516-13-87
1375-6-上
1376-292-78
程載女 元 見程氏
程戡宋 285-649-292
371-89-8
382-455-70
384-352-18
397-109-326
472-65-2
472-661-27
473-185-58
473-426-67
474-304-16
477-78-152

478-167-182
478-543-202
479-791-254
481- 68-293
505-664- 69
515-264- 65
537-594- 60
554-145- 51
558-193- 31
559-263- 6
933-422- 28
1104-406- 36
程瑄明 567-315- 78
程瑁元 453-796- 4
554-815- 63
1293-346- 19
程瑎明 820-659- 42
程楷明(諡烈愍) 456-489- 5
475-710- 86
511-493-157
程楷明(字正之) 473- 52- 50
516- 70- 90
程塏宋 524-299-193
程輅明(字邦載) 511-282-147
676-552- 22
程輅明(字伯衡) 515-836- 84
820-582- 40
程搢明 528-512- 31
程瑞元 1200-739- 56
程瑞明 517-533-128
532-623- 43
533-153- 52
程瑜宋 1345-618- 4
程榆宋 515-198- 63
524-272-191
1175-547- 18
程瑛妻 明 見程氏
程達程逵 宋 516- 15- 87
677-241- 22
程達元(藍田人) 554-470- 56
程達元(太原祁縣人)
1201-651- 24
程達明(字順甫) 515-560- 74
程達明(字時望) 523-204-155
559-319-7上
程達明(景寧縣令) 676-178- 7
程達明(歙人) 821-437- 57
程萬元 1214-215- 18
程萬明 1253- 60- 43
程鼎宋 511-850-169
1146-108- 90
1376-171- 69
1376-426- 87
程鉞女 明 見程氏
程頌妻 明 見李氏
程稘元 820-532- 38
程詧梁 1375- 2- 上
程節宋 473- 46- 50
516- 9- 87
1376-328- 80
程實程詩 明 1253-149- 47
1376-491- 90
程演妻 清 見韋氏
程誥明(字欽之) 516- 76- 90
679-205-159
程誥明(字自邑) 1442- 50-附3
1457-682-407
1460- 66- 43
程寧元 1219-146- 3
程端女 宋 見程氏
程端明 545-325- 95
程粹明 301-785-283
479-330-232
程漢元 1375- 22- 上
程漢明 1442-100- 6
程慥明 533- 71- 49
程熙明 473-624- 77
528-552- 32
1253- 47- 42
程碧明 547- 82-144
程趙妻 元 見鄭氏
程瑤明 676-568- 23
程墉唐 1376- 46-62上
程遠妻 元 見駱氏
程遜唐 821- 57- 46
程遜後晉 278-179- 96
程遜明 545-296- 94
程箕明 475-574- 79
481-745-334
511-480-155
528-563- 32
程銈明 676-530- 21
1393-521-477
程銓清 511-577-159
程緒漢 546- 2-115
程維唐 821- 57- 46
程魁宋 515-869- 85
程徹宋 1375- 16- 上
程寬宋 1117-182- 15
程寬明 511-423-152
程澐唐 1252-406- 23
1376-616-96上
程廣明 676-503- 19
程瑩明 533- 38- 48
程鄭春秋 546-239-123
程鄭漢 244-937-129
251-150- 91
251-698- 33
380-530-180
933-420- 28
程鄰宋 585-758- 4
1376-328- 80
程適宋 516- 9- 87
程賢明 523-173-154
程璋元 1196-696- 7
程璋明 511-633-161
程璫明 524-174-187
程樟宋 523-499-170
程樞元 1375- 23- 上
程鼐明 1253-100- 45
程震金 291-545-110
399-292-442
472-483- 21
472-645- 26
477- 54-151
537-244- 55
546-141-119
554-653- 60
1040-255- 5
1191-240- 21
程震元 1196-696- 7
程霆明 678- 20- 71
程輝金 291-351- 95
399-204-434
472-483- 21
474-516- 25
程德元 見程順道
程畿蜀漢 254-691- 15
384-507- 21
386- 49-70上
481-155-298
559-512- 12
591-594- 44
程範明 494- 56- 2
程衛晉 255-774- 45
472-114- 4
474-436- 21
505-759- 72
933-420- 28
程緯宋 487-188- 12
程憶明 1375- 27- 上
程龍程淵 元 511-704-164
677-474- 43
1375- 17- 上
1375-587-95上
程龍明 301-533-269
456-485- 5
程熺明 528-541- 32
程澥程文孫 宋 451- 52- 2
程澥妻 宋 見譚幼玉
程寰明 481-694-332
528-545- 32
程濃妻 清 見陳氏
程諫唐 1375- 2- 上
程諫明 554-346- 54
程凝五代 812-525- 2
821-132- 49
程頤宋 288- 16-427
382-747-114
384-383- 19
400-455-542
408-619- 25
448-436- 4
449-665- 3
450-819-下21
459- 65- 4
471-748- 23
471-795- 29
471-934- 50
471-1004- 61
472-647- 26
472-749- 29
473-429- 67
473-477- 69
477-314-164
481-118-296
516-222- 96
533-724- 73
534-691-106
538- 10- 61
539-499-11之2
561-207-38之2

561-208-38之2
567-431- 86
591-697- 49
674-288-4下
677-215- 20
820-376- 33
933-423- 28
1145-626- 78
1145-658- 80
1146-367- 98
1375- 5- 上
1376- 62-62下
1437- 15- 1
1467-144- 67
程璠宋 473- 13- 49
515- 84- 59
1345-619- 4
程翰明 473-395- 66
511-405-152
532-751- 46
程據晉 742- 30- 1
程遹宋 480- 87-262
532-622- 43
程默明 457-409- 25
程曉魏 254-272- 14
377-115-115上
540-709-28之1
933-420- 28
程暹明 571-531- 19
程錤明 474-823- 44
502-783- 87
程學明 820-620- 41
程翺妻 清 見張氏
程衡妻 明 見潘氏
程濬宋 1098-176- 21
程濟明 299-377-143
456-698- 12
478-347-191
494- 54- 2
554-706- 61
561-570- 45
570-214- 23
886-161-139
程⿰火鄉明(字文純) 474-306- 16
475-325- 65
505-666- 69
510-315-113
515-841- 84
1271-416- 31
程⿰火鄉明(建昌人) 483-306-395
571-545- 20
程謙明 545-676-107
554-307- 53
程翼元 515-347- 67
程璲明 559-297-7上
程環明 821-460- 57
程駿後魏 261-823- 60
266-806- 40
379-211-149
472-114- 4
474-436- 21
505-760- 72
933-420- 28
程瞳明 511-706-164
程嬰春秋 386-639- 6
404-790- 48
472-432- 19
545-731-109
程邁宋 472-379- 16
485-453- 7
511-267-147
528-439- 29
1142-538- 6
1376-370- 84
程燿明 1253-109- 46
程邃清 511-810-167
程謨明 533-462- 63
程璧元 1214-214- 18
程鎖明 1410-467-725
程邈秦 554-852- 63
684-465- 下
684-552- 5
814-222- 3
820- 22- 22
程邈唐 812-347- 9
812-372- 0
821- 89- 48
程瀚清 479-528-241
515-228- 63
程瓊蜀漢 481-349-309
559-378-9上
程瓊宋 陳介妻 479-664-247
程瓊明 473-402- 66
480-635-288
532-750- 66
程黼妻 明 見于氏
程鵬明 546-494-131
554-283- 53
程鵬女 明 見程氏
程鵬清 511-630-161
程顥宋 288- 13-427
382-746-114
384-383- 19
400-452-542
448-415- 2
449-654- 2
450-818-下21
459- 60- 4
471-684- 14
471-748- 23
471-934- 50
472-172- 6
472-504- 21
472-644- 26
472-647- 26
472-749- 29
472-801- 31
474-470- 23
475- 69- 52
476-204-107
477-314-164
477-442-171
477-699-174
478- 90-180
481- 82-294
489-310- 29
489-355- 31
489-600- 47
505-689- 70
508-213- 37
510-310-113
516-222- 96
533-724- 73
534-691-106
537- 11- 48
538- 9- 61
539-499-11之2
545-336- 96
554-333- 54
556-382- 91
561-207-38之2
567-431- 86
591-682- 47
820-375- 33
933-423- 28
1100-418- 37
1101-754- 29
1121-699- 4
1135-717- 8
1145-626- 78
1145-658- 80
1345-717- 12
1345-724- 12
1351-571-138
1351-615-143
1351-643-145
1363-325-130
1375- 5- 上
1376- 58-62下
1376- 62-62下
1410-201-687
1418-312- 46
1437- 15- 1
1467-144- 67
程顥女 宋 見程氏
程顥女 宋 見程澶娘
程權程執恭 唐 270-715-143
276-222-213
384-259- 13
396-319-279
程鑑元 1213-767- 24
程鑑明 563-847- 41
程瓚隋 812-340- 8
821- 32- 45
程顯宋 1227-708- 6
程顯妻 明 見王氏
程巖唐 1252-641- 36
1375- 3- 上
1376- 48-62上
程巖明 547- 5-141
程讓明 1260-740- 27
程驤唐 1082-442- 10
1344-483-100
程驤父 宋 1149-715- 16
程驤宋(富順人) 559-370- 8
程驤宋(字師孟) 1253- 93- 45
1376-631-96上
程驤妻 宋 見賀氏
程一順清 511-586-159
程一模妻 明 見樊氏
程一夔元 1375- 18- 上
程二貴妻 清 見王氏

程九公清 456-358-77
程九百清 480-60-260
程九垓明 568-176-104
程九程明 見程九萬
程九萬宋 472-998-40
475-642-83
511-315-148
523-116-151
程九萬程九程 明456-532-6
510-449-117
程三槃明 554-256-52
程士奇明 554-311-53
程士庸唐 1252-640-36
程士龍宋 523-449-168
程子山宋 471-807-31
程子文妻 明 見楊氏
程子民妻 清 見楊氏
程子明宋 1202-466-0
程子善女 明 見程添
程子敬元 1375-19-上
程子魯妻 元 見曹昌
程子謙清 1324-363-33
程子鏊明 見程子鰲
程子鐸明 528-516-31
程子鰲程子鏊 明
511-286-147
676-175-7
程大中妻 宋 見侯氏
程大本元 820-531-38
程大用清 533-34-47
程大任清 511-620-160
程大年宋 1090-677-39
程大呂清 533-162-52
程大昌宋 288-100-433
400-485-545
472-380-16
472-1084-46
475-567-79
478-761-215
479-448-237
481-719-333
494-428-13
511-270-147
515-17-57
523-16-146
528-549-32
674-847-18
1147-656-62
1375-8-上
1376-159-68
程大夏清 533-203-53
545-230-91
程大倫明 820-717-43
程大純清 533-306-57
程大畢清 533-167-52
563-871-42
程大雅宋 524-234-189
程大順清 532-641-43
程大策妻 清 見潘氏
程大廉明 515-110-60
程大賓明 457-409-25
571-524-19
程大緒清 533-167-52
程小姑宋 姚三五妻
473-537-72
481-363-310
程千里唐 271-509-187下
275-605-193
384-215-11
400-105-509
472-836-33
476-149-104
478-116-181
545-208-91
554-698-61
933-421-28
程千里程桂筵 宋448-368-0
程千秋宋 473-298-62
473-725-82
480-240-269
532-665-44
程六德清 511-621-160
程心宇元 1376-444-88
程心傳明 554-299-53
程文杰明 1442-32-附2
1459-700-27
程文昌女 元 見程悌
程文季陳 260-615-10
265-944-67
378-513-144
472-378-16
475-564-79
479-376-234
485-427-6
485-493-9
511-477-155
532-643-43
933-420-28
1252-406-23
1376-92-64
程文英唐 1066-44-6
1342-177-926
1376-42-62上
程文海元 見程鉅夫
程文孫宋 見程瀰
程文矩妻 漢 見李穆姜
程文宿明 547-6-141
程文淵元 1375-18-上
程文冕明 511-625-161
程文渙元 1376-440-88
程文弼明 572-73-28
程文楷明(字守夫) 524-82-182
1265-689-25
程文楷明(松溪人) 529-687-50
程文德明 301-788-283
457-202-14
479-331-232
482-208-347
523-330-161
563-913-43
567-450-86
676-563-23
1442-53-3
1460-121-46
1467-157-67
程文彝清 511-293-147
程之才宋 820-385-33
1098-179-21
程之才妻 宋 見蘇小妹
程之元宋 559-295-7上
1098-179-21
程之奇明 456-612-9
480-137-264
533-377-60
程之邵宋 286-687-353
397-734-364
472-852-34
473-490-70
473-515-71
478-200-184
478-483-199
481-69-293
481-235-303
481-351-309
554-243-52
559-384-9上
591-636-46
1098-179-21
程之玿清 546-661-137
程之試明 534-955-120
程之遠妻 明 見周氏
程之緒明 561-203-38之1
程之魯明 511-800-167
程不器宋 516-14-87
程不識漢 376-150-98上
384-44-2
545-411-98
933-420-28
程太虛隋 481-188-300
561-221-38之3
591-345-27
592-258-76
程元白宋 450-506-中40
515-115-60
1102-170-21
1376-51-62上
程元佐明 見程國勝
程元利明 1280-554-96
程元直元 545-141-87
545-461-100
程元岳宋 472-380-16
511-273-147
1375-14-上
1376-356-83
程元振唐 271-425-184
276-134-207
384-223-12
401-45-574
552-57-19
554-84-49
程元愈清 511-815-167
程元鳳宋 287-699-418
398-640-409
472-380-16
473-44-50
475-120-55
475-568-79
479-526-241
493-721-40
511-272-147
515-216-63
676-689-29

1375- 12- 上
1376-250- 75
程元憲元 1194- 73- 5
程元翼明 1226-175- 8
程元譚晉 1252-406- 23
程元衢妻 清 見徐氏
程孔述清 477-454-171
程孔著明 1249-204- 12
程天民宋 472-1042- 43
524- 75-181
1117-194- 16
1376-498- 91
程天成妻 清 見萬氏
程天祐妻 明 見劉氏
程天祚劉宋 258-376- 74
378-182-136
1130-306- 31
程天符明 1442- 70- 4
1460-335- 55
程曰可明 820-566- 40
程日華程華 唐 270-714-143
276-221-213
384-241- 12
396-319-279
1252-406- 23
1376- 44-62上
程少良唐 1082-442- 10
程少章宋 1142-265- 12
程公望宋 561-211-38之2
程公許宋 287-657-415
398-606-406
473-177- 57
473-408- 66
473-465- 69
479-766-252
480-353-274
481- 70-293
481-212-302
481-403-313
515-120- 60
524-313-194
532-685- 44
559-370- 8
591-651- 46
592-606- 99
674-349-5下
676-688- 29
1375- 34- 下
程公達妻 明 見汪氏
程公說宋 592-493- 91
674-570- 3
程公遠明 528-451- 29
程公穎唐 269-645- 69
程壬孫宋 559-434-10上
程月仙明 程敏政女
1253- 90- 45
程仁發明 1375- 29- 上
程仁霸宋 471-959- 53
592-479- 90
1108-511- 93
1409-617-635
程仁霸女 宋 見程氏
程介福元 1201-651- 24
程允元清 511-538-157
程玄輔明 1442- 37-附2
1459-771- 30
程立中明 533-302- 57
程立信宋 1092-114- 15
1376-497- 91
程立誠宋 1178- 73- 8
程必進明 456-545- 7
479-434-236
523-422-166
程永奇宋 511-702-164
680-268-252
1375- 10- 上
1376-176- 69
程永得妻 明 見汪淑端
程永寧明 見陳永齡
程玉泉明 821-354- 55
程玉潤明 677-686- 61
程正己明 476-155-104
545-853-113
程正己妻 明 見朱氏
程正言清 480- 94-262
533- 32- 47
程正性清 481-237-303
505-694- 70
559-412-9下
程正家明 545-854-113
程正卿明 陳國璽妻、程應龍女 530- 10- 54
程正善妻 清 見孫氏
程正隆清 533-305- 57
程正揆妻 明 見舒氏
程正揆清 533- 31- 47
533-305- 57
程正遇妻 明 見劉氏
程正誼明 523-330-161
程正撰清 533- 32- 47
程本立明 299-371-143
456-616- 12
458-1017- 1
472-984- 39
479- 95-221
483- 77-377
494-154- 5
523-362-163
537-245- 55
538- 59- 63
569-666- 19
676-472- 18
886-156-139
1442- 16-附1
1459-518- 18
1475-174- 8
程本初程本 明 472-766- 30
516- 56- 89
537-315- 56
程可中明 1442- 97- 6
1460-584- 69
程可正明 456-619- 9
程可法妻 清 見李氏
程可則清 564-311- 48
程可則妻 清 見唐氏
程可紹元 1221-363- 7
1376-477- 89
程世光明 516-523-106
程世京元 1217-166- 2
程世昌明 545-198- 90
程世厚明 533-436- 62
程世微妻 清 見王氏
程世勳明 482-561-369
570-126-21之1
程世鵬明 528-459- 29
程世鐸清 511-621-160
程世顯清 1321- 65- 92
程民悅明 456-603- 9
程未年漢 1412-421- 18
程以南元 1375- 18- 上
程以臨元 515-342- 67
程甲化明 529-524- 44
程申之宋 517-434-126
程仕貴明 1227- 89- 10
程用之宋 1171-367- 10
程用晦明 1375- 27- 上
程用楫明 1460-736- 79
程守善元 472-906- 36
478-491-199
558-485- 41
程守瓌宋 1104-406- 36
程安國妻 明 見徐氏
程安節宋 1376-630-96上
程汝士宋 524-294-193
程汝能宋 516- 15- 87
1146-117- 90
1376-506- 91
程汝義妻 明 見汪氏
程汝器程昆、程琨 明
676- 3- 1
676-468- 17
1375- 27- 上
程汝繼明 523- 90-149
676- 12- 1
程吉輔明 1376-475- 89
程有守明 563-781- 40
程有德妻 明 見陳貞
程再伊明 516- 87- 90
程次山宋 516- 21- 87
程光甸明 515- 97- 59
程光廷宋 511-478-155
程光奎清 1325-420- 12
程光祖清 524-114-183
程光祚明 572-166- 32
程光遠後周 545-172- 89
程名振唐 269-814- 83
274-415-111
395-410-218
472-114- 4
472-623- 25
474-688- 37
476-897-147
496-367- 86
502-256- 53
505-761- 72
540-733- 28之2
程自修宋 1365-595- 上
1366-948- 6
1445-675- 52
程自康妻 清 見吳氏
程仲仁妻 明 見劉貞一
程仲良明 505-916- 81

程仲呂妻 清 見陳氏
程仲庸妻 清 見羅氏
程仲賢元 472-766- 30
537-314- 56
程仲謙元 1194-602- 6
程行謀程則 唐 1341-669-889
程行諶唐 1371- 54- 附
程休甫裔 宋 1095-395- 下
程宏圖宋 516- 28- 88
1375- 8- 上
程宏濟宋 1163-599- 37
程良全妻 元 見李氏
程良金妻 元 見李氏
程良球明 545-305- 94
程良符明 475-822- 92
510-496-118
533-422- 62
程良儒妻 明 見傅氏
程良孺清 533- 31- 47
程良籌明 302- 97-294
456-578- 8
480- 92-262
533-365- 60
程志保元 547-480-159
程杜壽明 1376-485- 90
程杜壽妻 明 見汪氏
程君愛明 547-116-145
程君寶元 820-524- 38
程克一宋 1128-265- 27
程克仁明 301-805-284
程克正明 472- 99- 3
程克良妻 明 見陳氏
程克明元 545-142- 87
程克柔元 524-279-192
程克俊宋 473- 47- 50
494-309- 5
516- 21- 87
677-260- 24
1375- 7- 上
1376-563-94下
程佑之宋 473-750- 83
585-764- 5
程伯友宋 1149-711- 16
程伯成明 1237-295- 6
程伯祈明 511-620-160
程伯啟元 545-439- 99
程伯陽明 1442- 96- 6
1460-569- 68
程伯達後魏 261-827- 60
程伯榮宋 460-284- 17
程伯儀唐 812-371- 0
821- 75- 47
程伯簡明 529-709- 50
程伯鐈清 524-115-183
程希舜清 478-204-184
程希濂明 533-428- 62
程希灝明 563-802- 41
程邦仁明 511-616-160
程邦化妻 清 見王氏
程邦彥元 472-495- 21
545-242- 92
程邦容妻 清 見劉氏
程邦翰妻 明 見譚氏
程秀民明(西安人) 515-175- 62
程秀民明(字天毓) 528-529- 31
程廷全明 1283-631-116
程廷全妻 明 見吳氏
程廷珙明 473- 51- 50
516- 72- 90
567-106- 66
程廷策明 676- 8- 1
680- 46-229
程宗大明 1253-368- 60
程宗程妻 清 見王氏
程宗舜明 533-325- 57
程宗傑元 475-525- 77
程宗道明 476-296-112
545-401- 98
程宗楚唐 1252-406- 23
1375- 3- 上
程宗齊明 547- 4-141
程宗儒明 481-748-334
程京萼清 511-830-168
程宜之妻 元 見金柔貞
程炎子宋 511-853-169
1357-897- 14
程其信妻 明 見陳氏
程直方元 511-703-164
677-491- 44
1375- 16- 上
1376-189- 70
程孟麟妻 明 見夏氏
程邵公宋 見程端愨
程表師唐 933-421- 28
程承辯後蜀 592-715-107
812-499- 中
821-130- 49
程忠甫妻 元 見汪淑正
程忠謀妻 清 見周氏
程尚義明 1283-632-116
程尚義妻 明 見金氏
程尚勤明(字必勵) 545-853-113
程尚勤明(長治人) 554-310- 53
程尚質明 1255-715- 73
程昌文女 元 見程悌
程昌胤妻 唐 見廣寧公主
程昌寓宋 473-367- 64
480-483-280
532-736- 46
程叔良宋 1090-676- 39
程叔達宋 472-380- 16
511-269-147
1161-602-125
1375- 8- 上
1376-340- 82
程念梅女 明 見程瑗祖
程知節程齩金 唐
269-637- 68
274-183- 90
384-165- 9
395-279-206
472-554- 23
540-735-28之2
933-421- 28
1340-556-776
程佳祚明 456-587- 8
程所好明 540-799-28之3
程所聞明 456-609- 9
程為常明 456-661- 11
480-137-264
程彥澤明 1374-368- 58
程春化明 456-577- 8
483-250-391
572- 74- 28
程春震明 473-270- 61
480-204-267
533- 69- 49
559-316-7上
程春齡明 1236- 70- 5
程南金宋 1173-265- 82
程南雲明 473-100- 53
515-837- 84
820-615- 41
821-386- 56
程南節唐 1252-249- 14
程述祖宋 1375- 15- 上
程建用宋 559-313-7上
程貞玦晉 張惟妻
591-535- 41
程思溫明 472-382- 16
475-571- 79
1375- 30- 上
程思廉元 295-217-163
399-580-477
459-921- 56
472-484- 21
473-807- 86
475-871- 95
476-915-148
482-538-368
545- 60- 84
546-142-120
549-399-195
554-468- 56
569-647- 19
1367-875- 67
程若中宋 460-281- 17
程若庸宋 475-568- 79
511-702-164
678- 10- 71
1375- 15- 上
1376-188- 70
程若筠宋 821-259- 52
程禹圭元 1196-696- 7
程香兒明 胡朓妻
480- 62-260
程衍壽明 1283-702-122
程祐之宋 567-440- 86
1467-151- 67
程家瑞妻 清 見彭氏
程衷素明 820-759- 44
程兼善元 1376-645- 97
程原泰明 1253- 86- 45
程桂奇妻 清 見周氏
程桂筵宋 見程千里
程桂隱宋 1176-910- 2
程晉之妻 宋 見胡氏
程袁師唐 275-627-195
400-285-523
472-681- 27
477-127-155
538- 85- 64

程振鷗清 見程振鵬
程振鵬程振鷗 482-563-369
570-159-21之2
程時信妻 明 見劉氏
程時修明 559-505- 12
程時登宋 516- 42- 88
676-699- 29
1375- 15- 上
1376-184- 70
程時翼宋 515-742- 80
程俱羅唐 275-632-195
384-216- 11
400-290-523
478-597-204
558-459- 38
558-693- 48
933-421- 28
1340-592-780
程師文明 1283-603-114
程師孟宋 286-399-331
288- 9-426
400-342-531
472-228- 8
472-457- 20
472-1067- 45
473- 13- 49
473- 74- 52
473-176- 57
473-490- 70
473-568- 74
473-672- 79
475-130- 56
475-869- 95
479-223-227
479-448-237
479-482-239
479-578-243
481-235-303
481-524-326
482- 32-340
485-186- 25
486- 49- 2
493-904- 49
511- 91-140
515- 14- 57
523-148-153
528-438- 29
545- 49- 84
559-296-7上
563-668- 39
589-315- 3
591-697- 49
1375- 4- 上
1376-366- 84
1384-283-105
1437- 14- 1
程師泰陳師泰 明
533-334- 58
820-758- 44
程師泰清 511-803-167
程師望程杞 宋 451- 76- 2
程師德宋 533-329- 58
程邕之劉宋 378-174-136
程修己唐 812-369- 0
821- 75- 47
程乘龍清 476-419-120
547- 84-144
程逢泰妻 清 見龍氏
程寅郎宋 見程雷發
程惟象宋 472-379- 16
485-479- 8
511-880-171
1376-696-100上
程深夫宋 460-283- 17
程淶公元 494-473- 18
程淑清女 宋 見程氏
程康莊清 510-379-114
546-718-139
程執恭唐 見程權
程接道明 301-805-284
456-504- 5
程問之妻 明 見韓氏
程務挺唐 269-814- 83
274-415-111
384-174- 9
395-410-218
472-114- 4
476-897-147
505-761- 72
540-738-28之2
545-318- 95
933-421- 28
程通南明 502-281- 53
程國正妻 清 見唐氏
程國英程仁 明 1226-865- 6
1376-472- 89
程國泰妻 清 見祝氏
程國祥明 301-287-253
511- 83-139
程國祥妻 清 見錢氏
程國勝程元佐 明
299-255-133
475-570- 79
511-479-155
1374-506- 72
1376-140- 67
程國聘清 511-630-161
程國儒陳國儒 明588-334- 2
676-452- 17
1375- 24- 上
1442- 8-附1
1459-447- 14
程處默唐 474-616- 32
505-700- 70
程晞尹宋 1376-435- 87
程曼卿宋 程敦謹女
1173-317- 87
程紹開宋 1376-183- 70
程紹魁宋 1375- 14- 上
程紹儒明 528-516- 31
程偉績清 547- 84-144
程偃孫宋 489-550- 43
程御侯妻 清 見黃氏
程敏行明 1253- 49- 42
程敏叔宋 515-254- 65
517-326-124
程敏政明 301-830-286
452-231- 6
472-382- 16
475-571- 79
511-808-167
676-508- 20
820-653- 42
1376-688- 99
1442- 33-附2
1459-707- 28
程敏政女 明 見程月仙
程敏德明 1253- 91- 45
1374-697- 90
程逢午元 676- 46- 2
679-153-153
1221-347- 7
1375- 20- 上
1376-203- 71
1376-412- 86
程從龍宋 533-329- 58
程啟充明 300-386-206
478- 92-180
481-310-307
554-282- 53
559-380-9上
676-720- 30
1442- 44-附3
1459-902- 38
程啟南明 546-339-126
程啟隆妻 明 見江氏
程翔卿程應龍 元
1376-516-92上
程善定明 1283-397- 98
程敦厚宋 473-395- 66
480-652-289
483-358-400
572-159- 32
674-717- 10
程敦書宋 1139-288- 52
程敦謹女 宋 見程曼卿
程博文宋 473-615- 77
516- 11- 87
程博古宋 490-734- 72
590-114- 14
程惠民明 477- 55-151
537-348- 56
程喜娘清 周振台妻
530- 34- 54
程超逸妻 清 見林氏
程朝京明 511-287-147
515-226- 63
程堯卿明 1457-678-407
程菊英明 張委禽妻
524-744-213
1408-579-540
程景宗妻 明 見吳氏
程景雲明 558-376- 36
程景華程新春 明
1376-532-92下
程景嵩明 1253-318- 56
程蛟龍妻 清 見唐氏
程順道程德 元
1376-526-92下
程答之妻 清 見甯氏
程復心元 453-800- 4
472-381- 16

十二畫　程

511-703-164
680-292-255
1375- 21- 上
1376-205- 71
1376-670- 98
程煜節祖姑　明　見程氏
程煜節姑　明　見程氏
程煜節叔母　明　見胡氏
程煜節叔母　明　見鄒氏
程煜節叔母　明　見劉氏
程裔隆妻　清　見焦氏
程新春明　見程景華
程新益妻　清　見王氏
程道東明　511-284-147
程道南明　820-718- 43
程道昭妻　明　見項綺
程道壽陳道壽　明
302- 97-294
456-578- 8
475-797- 90
480- 92-262
533-366- 60
程道養宋　560- 600-29下
程道翼妻　清　見汪氏
程載興明　1253- 97- 45
程載興女　明　見程玉
程雷發程寅郎　宋451- 86- 3
程聖訓明　572- 74- 28
程瑞禴清　1475-968- 41
程瑗姐明　程念梅女
530-109- 57
程楚翁宋　511-479-155
1376-439- 87
程達仁清　456-357- 77
程萬里明　473-318- 62
533-281- 56
676-503- 19
程萬恭明　516- 59- 89
程嗣功明　571-528- 19
程嗣昌宋　820-408- 34
程嗣弼宋　1100-427- 38
程鼎新元　1376-460- 89
程遇孫宋　559-434-10上
程鉅夫程文海　元
295-331-172
399-650-485
473-100- 53
479-629-245
480-173-267
481-492-324
515-830- 83
528-447- 29
532-586- 41
533-729- 73
676-698- 29
820-500- 37
1202- 4- 附
1202-464- 附
1202-466- 附
1210-314- 8
1241-290- 13
1241-297- 13
1375- 18- 上
1376-263- 75
1439-422- 1
1468-322- 17
程毓槐清　478-349-191
554-791- 62
程毓櫃清　554-791- 62
程賓賜明　1376-481- 90
程實之宋　1375- 10- 上
程福生明　516-519-106
820-742- 44
程福亮清　537-528- 59
程福賓後晉　278-172- 95
279-214- 34
384-308- 16
400-328-527
1383-770- 70
程寧可明　472-678- 27
537-256- 55
程端中宋　475-642- 83
475-834- 93
508-367- 42
510-497-118
511-484-155
1375- 7- 上
程端蒙宋　479-531-241
516- 32- 88
517-678-132
1146- 9- 85
1146-116- 90
1375- 9- 上
1376-169- 69
程端愨程郃公　宋
1345-621- 4
程端學元　295-539-190
400-575-553
472-1088- 46
523-591-175
679-575-195
1375- 20- 上
1376-200- 71
程端禮元　295-539-190
400-575-553
453-788- 3
472-367- 16
472-1088- 46
475-640- 83
479-180-225
510-444-117
523-591-175
676-699- 29
1209-561-9下
1375- 20- 上
1376-198- 71
程粹然明　程謨女
1274-393- 14
程榮秀元　511-704-164
680-527-274
1375- 19- 上
1376-193- 71
程際雲清　476-827-143
540-852-28之4
程嘉行明　516- 83- 90
程嘉德宋　484-384- 28
程嘉積明　546-340-126
程嘉燧明　301-863-288
475-454- 71
475-575- 79
511-810-167
821-470- 58
1442- 89- 6
程夢斗妻　明　見周氏
程夢虎妻　清　見曹氏
程夢桂宋　528-540- 32
程夢熊妻　清　見趙氏
程鳴鳳宋　511-273-147
678-290- 97
1375- 14- 上
1376-630-96上
程鳴鳳妻　元　見齊靜眞
程㬎道元　680- 29-227
程鳳金明　515-247- 64
533-173- 52
程緒祖清　479-101-221
程維賢明　456-588- 8
505-843- 76
程養全元　1375- 22- 上
1376-133- 66
程震元清　481-559-327
程德玄宋　286- 90-309
472-865- 34
537-600- 60
554-236- 52
程德秀宋　1202-466- 附
程德萃宋　1376-440- 88
程緣德明　1253-161- 48
程憲淳女　清　見程氏
程澶娘宋　程顥女
1345-621- 4
程遵彥宋　1108- 4- 60
1110-503- 28
1110-511- 29
1376-100- 64
程學庸明　533- 27- 47
程學曾明　533-421- 62
程學博明　480- 91-262
481-114-296
533- 25- 47
559-277- 6
程學顏明　457-509- 32
程錫襟清　481-725-333
程應元明　523-235-156
程應甲程應祥　宋451- 90- 3
程應奇明　見程應琦
程應枝妻　清　見許氏
程應孫妻　清　見胡氏
程應桂清　511-659-162
程應祥宋　見程應甲
程應登明　546-660-137
程應登妻　明　見韓氏
程應琦明　456-516- 6
程應龍元　見程翔卿
程應龍女　明　見程正卿
程應龍孫女　明　見程氏
程懋正明　524-225-189
程彌壽明　見張彌壽
程隱微元　1222-482- 12
程懷立宋　821-184- 50
程懷直唐　270-715-143
276-222-213

384-241- 12
396-319-279
程懷亮妻 唐 見李敬
程懷信唐 270-715-143
276-222-213
384-241- 12
396-319-279
程願學元 482-303-353
1221-346- 7
1376-412- 86
程願學清 511-577-159
程鷴化清 476-611-133
529-525- 44
540-680- 27
程麗甫妻 明 見方宜順
程曠平梁 820-104- 24
程鵬遠妻 明 見孟氏
程鵬霄元 1206-413- 3
程繩祖明 511-274-147
程繩翁宋 494-266- 1
494-473- 18
程繼中妻 明 見林氏
程蘭香明 477-421-169
程靈虬後魏 261-827- 60
程靈洗陳 260-614- 10
265-943- 67
378-512-144
472-378- 16
475-564- 79
485-384- 3
485-426- 6
485-492- 9
511-406-152
523- 4-146
532-560- 40
933-420- 28
1142-487- 3
1252-245- 14
1252-281- 14
1252-406- 23
1253-462- 67
1375-570- 44
1375-576- 44
1376- 32- 61
1376- 41-62上
程觀生明 1475-530- 23
程齩金唐 見程知節
喬元宋 490-736- 72
590-114- 14
喬木明 475-181- 59
545-227- 91
喬氏南唐 唐後主宮人
820-318- 31
喬氏宋 宋徽宗貴妃
284-878-243
393-314- 76
喬氏明 王祥妻 472-101- 3
506-163- 90
喬氏明 王希禮妻 506- 44- 87
喬氏明 李銳妻 494- 40- 3
喬氏明 袁希梧妻 506-131- 89
喬氏明 曹希舜妻、喬華女
1293-738- 5
喬氏明 趙光裕妻 506- 46- 87
喬氏清 岳林光妻 547-342-154
喬氏清 韋龍甲妻 475-383- 68
512- 58-178
喬氏清 榮希皐妻 480-208-267
533-616- 69
喬氏清 蔣玉麟妻 512-259-183
喬氏清 劉源泓妻 506-151- 90
喬仝宋 1109-379- 19
喬禾明 1268-484- 75
喬禾妻 明 見湯氏
喬安明 547-102-145
喬宇明 300-181-194
429-403- 4
476-297-112
546-365-127
547-561-161
549-460-198
550-124-213
676-516- 20
820-663- 42
1442- 35-附2
1459-741- 29
喬伊明 505-802- 74
喬份明 546-380-127
喬良明 505-705- 70
喬育明 476-151-104
545-221- 91
喬宗女 明 見喬松
喬松明 劉承恩妻、喬宗女
1263-528- 5
喬玥妻 明 見許氏
喬岩明 547- 75-143
喬拱宋 1150- 97- 11
喬貞南唐 見喬匡舜
喬剛明 540-657- 27
喬恕明 537-430- 58
喬扆喬逢辰 金 545-215- 91
546-643-136
1365- 69- 2
1439- 3- 附
1445-360- 24
喬堅元 572-159- 32
喬梓明 547- 73-143
喬彬明 547- 63-143
喬通明 547- 72-143
喬侶唐 271-574-190中
喬敏明 528-528- 31
喬竦宋 471-910- 46
472-295- 12
475-374- 68
喬隆妻 明 見吳氏
喬登明 523-106-150
喬軫妻 清 見馬氏
喬雯妻 明 見令狐氏
喬琳唐 270-504-127
276-474-224下
384-226- 12
401-400-621
559-312-7上
喬森妻 宋 見俞氏
喬華女 明 見喬氏
喬敞宋 1113-228- 22
喬萊清 511-217-144
1318-463- 73
喬順不詳 1061- 47- 86
喬備唐 271-574-190中
喬慎矯慎 漢 253-622-113
380-412-177
448-107- 下
478-102-180
478-206-184
554-967- 65
871-899- 19
喬瑞明 545-782-111
554-341- 54
喬瑛明 820-654- 42
喬達元 821-289- 53
喬萬清 455-580- 38
喬鼎明 494- 45- 3
喬鉢清 559-330-7下
喬誠明 472-842- 33
494- 57- 2
545- 68- 85
554-526-57下
喬鳳明 546-364-127
1250-505- 47
喬銘明 473-599- 76
喬銓妻 明 見丁氏
喬潤妻 明 見王氏
喬潭唐 477-305-163
喬毅明 472-439- 19
546-363-127
喬毅妻 明 見高氏
喬遷明 545-782-111
喬遷妻 明 見張氏
喬諷後蜀 592-524- 94
喬璣明 477-378-167
喬縉明 458- 45- 2
537-519- 59
581-651-111
喬檀妻 明 見吳氏
喬嶽妻 明 見陸氏
喬爵明 533-274- 56
喬彝元 295-574-194
400-253-520
472-468- 20
476- 83-100
545-769-110
喬璽明 472-128- 4
505-691- 70
喬鏜明 475-181- 59
1283-481-104
喬鏜妻 明 見儲氏
喬鑽妻 清 見劉氏
喬巍明 456-575- 8
554-723- 61
喬鑑明 523-129-152
喬顯元 1213- 50- 4
喬一琪明 見喬一琦
喬一琦喬一琪 明
301-189-247
456-419- 2
475-183- 59
喬三教宋 821-230- 51
喬士容清 515- 73- 58
喬于昆明 456-662- 11
喬大臨宋 472-981- 39
523- 97-150

喬文光妻 明 見解氏
喬文錦清 559-329-7下
喬元柱明 見喬遷高
喬天衞妻 明 見田氏
喬天翼金 476-30-97
545-140-87
546-404-128
喬中和唐 505-873-78
喬允升明 301-294-254
458-164-8
476-395-119
477-316-164
537-524-59
545-469-100
喬弘濟清 547-30-141
喬可聘明 458-480-24
475-378-68
511-215-144
1316-691-47
1318-66-36
1442-103-7
1460-616-71
喬可聘妻 清 見潘氏
喬世寧明 554-501-57上
559-254-6
1442-57-3
1460-159-47
喬匡舜喬貞 南唐
511-202-144
1085-124-16
喬因羽明 545-195-90
喬光大明 546-380-127
喬光庭元 1209-109-6
喬光烈清 475-186-59
喬仲常宋 821-205-51
喬仲觀妻 清 見王氏
喬行簡宋 287-679-417
398-625-408
451-391-13
472-1030-42
475-483-73
479-324-232
493-776-42
523-326-161
588-176-8
喬君章金 478-337-191
554-335-54
喬君章明 545-792-111
喬壯受清 476-751-139
540-681-27
喬作霖妻 明 見李氏
喬廷儀妻 明 見路氏
喬明旃明 475-606-81
喬明楷明 456-678-11
538-45-63
喬知之唐 271-574-190中
478-342-191
554-76-49
674-855-19
1371-50-附
喬知之妻 唐 見碧玉
喬拱璧明 523-108-150
喬若雯明 302-40-291
456-421-2
474-623-32
505-863-77
540-636-27
喬起鳳明 554-311-53
喬起鶴妻 明 見范氏
喬時英明 523-178-154
喬師望唐 820-138-26
喬惟忠金 1191-324-29
1192-424-36
喬惟岳宋 見喬維岳
喬惟嶽宋 見喬維岳
喬執中宋 286-612-347
397-674-361
471-910-46
472-295-12
475-374-68
476-817-143
476-913-148
477-53-151
511-203-144
537-242-55
540-664-27
677-225-21
喬戚里元 821-327-54
喬國屏明 456-662-11
喬國恩妻 清 見劉小件
喬得儒妻 清 見劉氏
喬逢辰金 見喬辰
喬景華明 476-261-110
547-52-143
喬智明晉 256-465-90
380-174-170
472-693-28
477-160-157
537-262-55
933-259-18
喬象觀明 456-492-5
546-382-127
喬復光唐 見楊復光
喬萬里明 523-136-152
喬夢符宋 472-1029-42
479-323-232
523-479-170
喬維岳喬惟岳、喬惟嶽、喬維嶽 宋 286-66-307
397-262-335
459-897-55
472-195-7
472-307-13
472-658-27
473-583-75
475-15-49
475-323-65
477-452-171
481-581-328
493-696-39
510-281-112
528-481-30
537-579-60
喬維嶽宋 見喬維岳
喬舞鳳明 547-81-144
喬遷岐明 476-518-127
喬遷高喬元柱 明
456-492-5
476-311-113
478-338-191
546-382-127
550-438-222
550-442-222
554-219-52
喬學詩明 545-101-86
喬龜年唐 814-277-10
820-211-28
喬應甲明 546-319-125
喬應萃明 545-403-98
喬濟聖妻 明 見段氏
喬鍾馗宋 821-230-51
喬璧星明 300-761-229
喬簣成元 820-497-37
1194-592-6
1284-345-162
喬難陀隋 480-482-280
番係漢 545-348-96
番吾君戰國 547-191-148
番德柱清 456-294-72
皓玉唐 1052-408-29
皓泰宋 1053-475-12
皓進春秋 405-138-64
453-729-1
皓端宋 524-396-199
1052-95-7
智唐 1053-54-2
智宋 1053-780-18
智清 533-783-75
智一劉宋 588-186-9
1052-399-29
智才宋(嗣義懷) 588-262-11
1053-678-16
智才宋(嗣守進) 1053-499-12
智山隋 見智仙
智方隋 592-349-81
智元清 1313-206-16
智及明 493-1094-58
588-217-9
1442-118-8
智中明 591-387-31
592-400-84
561-217-38之3
智月宋 1053-703-16
智什宋 821-269-52
智氏後魏 智重顯女
547-525-160
智玄唐 見知玄
智永法極 隋 472-1075-45
479-153-223
486-348-16
494-515-25
524-401-199
812-64-中
812-227-8
812-717-3
813-295-17
814-264-8
820-109-24
1401-647-43
智永宋 821-266-52
智本宋 1053-805-19
1116-546-29

智平宋 821-266- 52
智仙智山、智僊 隋
476-129-102
547-518-160
554-959- 65
1054-392- 10
1116-427- 21
智江後周 1052-392- 28
智朴清 586-199- 9
智同宋 1053-639- 15
智光隋 516-491-105
智光明 302-184-299
302-827-331
智如唐 1080-765- 69
智克只克 明 302-818-330
智迂元 1214-350- 30
智孜宋 473-626- 77
1053-681- 16
智孚唐 516-465-104
1053-292- 7
智作五代 1053-325- 8
智伯春秋 550- 69-211
智希後魏 見般若流支
智性宋 1163-625- 40
智雨宋 1086-161- 17
智林齊 1401-155- 19
智林宋 1104-506- 40
智具唐 1053-161- 4
智明五代 1053-625- 15
智明宋(號介石) 588-214- 9
智明宋(號佛慧禪師)
1053-695- 16
智明宋(嗣祖心) 1053-736- 17
智明明 1475-768- 32
智昇唐 1051-237- 9
1052- 58- 5
1054-462- 13
智旻唐 476-406-119
547-540-160
智果隋 486-348- 16
812- 71-下
812-234- 9
812-724- 3
814-264- 8
820-127- 25
1401-647- 43
智朋五代 524-409-199
1053-598- 14
智佺後周 1052- 94- 7
智岳五代 1053-326- 8
智依五代 1053-395- 10
智洪宋 1053-333- 8
智炫隋 592-344- 81
智宣後梁 1052-418- 30
智恆唐 1052-280- 19
智首隋 1401-646- 43
智度明 524-449-201
智封唐 1052-114- 8
1053- 57- 2
智威唐(居石城寺) 524-447-201
1052- 69- 6
智威唐(居天寶寺)1052-113- 8
1053- 51- 2
智昱宋 1053-647- 15
智映宋 1053-650- 15
智海宋 1053-711- 16
1116-551- 29
智海元 821-332- 54
智海清 533-791- 75
智浩唐 591- 34- 3
智浩元 821-332- 54
智朗後晉 1052-390- 28
智素明 516-498-105
智恭元 1188-218- 24
智原宋 1178-420- 3
智航宋 1053-695- 16
智倫宋 1053-345- 8
智納宋 見智訥
智納明 820-766- 44
智淳宋 1185-668- 11
智清宋 1126-580-139
智淵宋 1053-807- 19
智寂五代 1053-623- 15
智深唐 585-780- 7
智深宋 1053-891- 20
智訥智納 宋 524-397-199
1053-706- 16
1135-325- 32
智旋明 1475-780- 33
智堅唐 1053-118- 3
智連宋 487-151- 9
491-592- 16
1153-679-110
智通隋 1401-643- 43
智通唐(居牛頭山寺)
592-444- 88
智通唐(居總持寺)1051-215-8下
1052- 26- 3
智通唐(嗣慧能) 1053- 65- 2
智通唐(自稱大禪師)
1053-157- 4
智通元 592-432- 87
592-437- 87
智通明 472-777- 30
477-383-167
智常唐(諡至眞禪師)
479-583-243
516-476-105
1052-242- 17
1053-108- 3
1054-125- 3
1054-526- 15
智常唐 1053- 67- 2
智晞隋 524-422-200
1401-648- 43
智舷明 524-400-199
820-766- 44
1442-121- 8
1475-760- 32
智猛劉宋 554-943- 65
1051-113-4下
智富唐 476-406-119
547-540-160
智善宋 1053-643- 15
智越隋 486-900- 35
1401-638- 43
智琚唐 485-481- 8
1142-532- 6
1376-692-100上
智超五代 547-520-160
智詡唐 1052-310- 21
1054-124- 3
1054-520- 15
智隆五代 1053-563- 14
智隍唐 1053- 74- 2
智堯宋 1053-777- 18
智軫宋 1115-356- 41
智琰隋 493-1090- 58
智閑唐 516-492-105
1052-172- 13
1053-361- 9
智順齊 541- 87- 30
1050-700-107
智順明 524-444-201
智筠宋 1053-399- 10
智舜隋 1054-398- 10
1401-551- 38
智策宋 524-427-200
588-227- 10
1053-787- 18
1153-664-110
智源宋 821-266- 52
智愷陳 1401-422- 31
智詳唐 820-298- 30
智詵隋 1401-644- 43
智詵唐 592-353- 82
1052-275- 19
智通明 1475-782- 33
智道清 1321-214-110
智楷陳 820-110- 24
智楫金 545-400- 98
智楫元 476- 91-100
智勤宋 1053-408- 10
智勤明 1256-454- 30
智瑛明 516-497-105
智愚宋 491-593- 16
588-210- 9
智圓宋(字無外) 479- 74-219
490-719- 70
524-387-198
585- 86- 2
588-236- 10
1054-168- 4
1054-614- 18
1437- 37- 2
智圓宋(嗣善昭) 1053-476- 12
智圓宋(嗣超信) 1053-503- 12
智圓元 1439-460- 2
1460-837- 90
智嵩後魏 262-877-114
智嵩五代 1053-325- 8
智嵩宋(號三交) 1053-462- 11
智嵩宋(居鐵佛院)1053-463- 11
智暉五代 554-955- 65
821-112- 49
1052-388- 28
1052-685- 10
1053-558- 13
智過春秋 546-430-129
智僊隋 見智仙
智端宋 1053-573- 14
智齊宋 1089- 90- 9

智滿唐 476-48-98
547-478-159
智瑰唐 812-347-9
821-100-48
智遠五代 1053-328-8
智聚隋 493-1090-58
1401-552-38
1401-576-39
智稱齊 1048-605-23
1401-317-26
智寬元 1439-458-2
1475-727-30
智廣唐(居開元寺) 592-409-85
1052-383-27
智廣唐(諡正覺大師)
1054-131-3
智潛姜埰 明 301-365-258
475-143-57
475-369-67
475-613-81
476-701-137
510-395-115
511-894-172
511-911-173
524-325-195
540-832-28之3
676-657-27
1442-107-7
1460-648-73
1475-955-41
智澄宋 1053-682-16
智慧唐 見般剌若
智慧宋 588-216-9
智賢北周 見攘那跋陀羅
智賢唐 見若那跋陀羅
智賢宋(寧海人) 486-902-35
智賢宋(嗣良雅) 1053-651-15
智誾明 516-466-104
1460-857-91
智遷宋(嗣義懷) 517-320-123
1053-680-16
智遷宋(嗣慧覺) 1053-492-12
智輝明 1223-150-14
智鋌明 302-327-306
智緣宋 288-480-462
401-107-582
473-271-61
480-209-267
533-776-74
智燈唐 1052-350-24
智燈宋 1121-417-28
智辨唐 820-296-30
智辨元 517-482-127
智融邢沚、邢澄 宋
821-268-52
1153-265-79
智頵唐 1052-381-27
智靜五代 1053-564-14
智興唐(號金舌和尚)
476-350-116
547-487-159
智興唐(居大莊嚴寺)
1049-650-44
智興宋 592-397-84
智曇宋 583-485-8
智積晉 493-1089-58
821-23-45
智謙隋 534-808-112
智謙唐 820-299-30
智璪唐 524-423-200
智鍇隋 516-491-105
智藏淨藏 梁
492-596-13下之下
1054-76-2
1401-363-29
智藏唐(諡大覺禪師)
479-798-254
516-503-105
1052-130-10
1053-113-3
智藏唐(俗姓皮) 524-416-200
1052-72-6
智藏唐(俗姓黃) 1052-151-11
智顒五代 1053-335-8
智證明 見知證
智願唐 李克用妻、唐昭宗宮嬪
277-429-49
智顗隋 472-796-31
472-1107-47
473-306-62
475-82-53
477-549-176
479-299-230
480-257-269
486-900-35
511-917-174
524-422-200
526-212-265
533-762-74
538-351-70
585-473-14
1053-89-2
1054-88-2
1054-394-10
1344-1-61
1401-386-30
1401-581-40
1401-616-42
智藥劉宋 564-618-56
智蘊五代 812-530-2
821-113-49
智嚴劉宋 1049-456-31
1051-123-5上
智嚴尉遲樂、鬱持樂 唐
1051-236-9
1052-27-3
1054-112-3
智嚴宋 1053-325-8
智覺宋 1053-696-16
智鑑宋 1053-606-14
1153-669-110
智儼唐(俗姓曹) 473-404-66
533-797-75
1077-352-4
1341-519-867
智儼唐(善畫) 821-102-48
智儼宋 475-192-59
493-1094-58
511-922-174
智儼不詳 480-640-288
智巖唐 1053-50-2
智觀明 1442-120-8
1460-847-91
1460-856-91
智仲謙母 元 見劉氏
智受益元 472-775-30
537-548-59
820-518-38
1207-201-13
智重顯女 後魏 見智氏
智熙善元 1439-434-1
智慧輪般若斫迦三藏 唐
1052-33-3
智懷行清 474-411-20
505-909-81
506-549-105
智慧菩薩明 周曉師女
561-223-38之3
智異山和尚唐 1053-438-11
智瑪喇卜丹元 1439-430-1
循王唐 見李遹
畬唐(姓缺追封彭王)
1376-625-96上
結當布吉達布、吉當普 元
481-23-291
559-247-6
絡羅渾清 456-220-67
舜母 上古 見握登
舜大舜、有虞氏、重華、都君、虞舜 上古 243-46-1
243-50-1
371-213-2
372-89-2
383-192-21
384-2-1
386-257-83上
404-26-2
534-810-112
539-337-8
544-147-61
550-336-221
839-3-1
1112-641-7
1408-491-529
舜妃 上古 見女英
舜妃 上古 見癸比氏
舜妃 上古 見娥皇
舜華春秋 545-495-101
舜松古清 502-525-72
舜彌喇清 455-528-33
舒山清 455-332-20
舒王唐 見李誼
舒王唐 見李元名
舒王宋 見王安石
舒王宋 見趙德林
舒元朱元 宋 288-679-478
舒化明 300-616-220
479-660-247
515-794-82
532-708-45
676-571-23
舒氏宋 竺頎妻 1157-528-上

舒氏明 危立翔妻 530-163- 59
舒氏明 沈原本妻
1250-1001- 94
舒氏明 袁左溪妻
1410-442-722
舒氏明 徐廣妻 480- 62-260
舒氏明 程正揆妻 480- 97-262
舒氏明 楊順成妻 570-170- 22
舒氏明 劉寀妻、舒檜女
482-354-356
1467-266- 72
舒氏清 李天植妻 564-364- 50
舒氏清 呂一國妻 475-614- 81
舒氏清 涂璋妻 479-500-239
舒氏清 陳朝焜妻 524-492-203
舒汀明 523- 54-148
529-470- 43
舒弘元 1217-674-附1
1471- 37- 21
舒弘妻 元 見戴氏
舒古元 544-239- 63
舒向明 472- 28- 1
舒沂宋 見舒衎
舒志元 1222-113- 6
舒法遼 見室昉
舒法明 1269-989- 13
舒杭舒辰孫 宋 451- 94- 3
舒邵魏 477- 62-151
舒林明 516- 78- 90
舒忠明 494- 40- 3
舒昌清 456-379- 79
舒卓元 524- 64-181
舒芬明 299-824-179
457-913- 53
458-1044- 2
473- 28- 49
479-491-239
515-384- 68
676-547- 22
677-580- 53
1442- 46-附3
1458-259-435
1460- 19- 41
舒杲宋 1164-402- 22
舒津宋 523-591-175
678-144- 83
1185-482- 89
舒郎妻 明 見陳若瑛
舒柏明 515-387- 68
舒貞元 諸仕俊妻
472-1074- 45
舒英妻 明 見龔氏
舒迪元 見舒頔
舒香母 清 見劉氏
舒衎舒沂 宋 1157-276- 20
舒泰元 515-351- 67
舒格清 455-467- 28
舒書清(富察氏) 455-433- 26
舒書清(顏扎氏) 455-517- 32
舒書清(伊拉理氏) 455-672- 47
舒書清(納喇氏) 502-473- 69
舒倫清(赫舍里氏) 455-205- 10
舒倫清(武佳氏) 456-102- 57
舒清明 473- 51- 50
476-917-148
478-767-215
479-533-241
482-322-354
516- 71- 90
523- 43-148
567-105- 66
1467- 80- 64
舒淑清 455-287- 16
舒訥清 455-680- 48
舒通明 460-809- 87
舒莊元 524-253-190
舒冕明 460-808- 87
529-699- 50
舒敏清 455-279- 16
舒琮宋 1157-529- 上
舒雅宋 288-208-441
400-641-559
472-337- 14
472-358- 15
475-533- 77
485-429- 6
493-1020- 54
511-804-167
1375- 4- 上
1376-548-94上
1437- 7- 1
舒琥明 1257-752- 0
舒揚宋 1156-656- 5
舒舒清 455-673- 47
舒亶宋 286-368-329
382-638- 98
384-374- 19
397-482-348
487-117- 8
933-118- 8
1362-875- 90
1437- 16- 1
舒祿清 455-651- 45
舒敬明 515-365- 68
523-101- 150
舒經明 529-699- 50
舒滸宋 523-591-175
舒漢清 455-546- 35
舒瑪清 455-231- 12
舒遠元 1217-676-附2
1439-452- 2
1471- 52- 21
舒遜明 511-852-169
1217-676-附2
1439-452- 2
舒頔舒迪 元 676-450- 17
684-495- 下
820-530- 38
1217-549- 附
1217-668-附1
1217-669-附1
1217-670-附1
1217-671-附1
1217-672-附1
1217-674-附1
1217-683-附2
1375- 25- 上
1439-452- 2
1459-387- 12
1471- 37- 21
舒綽隋 524-369-197
舒綱陳綱 明(進賢人)
473- 26- 49
515-384- 68
舒綱明(字朝舉) 567-396- 83
1467-217- 70
舒遷明 511-282-147
舒鋭宋 1157-533- 上
舒璘宋 287-586-410
398-551-402
472-377- 16
472-1087- 46
475-562- 79
479-178-225
487-144- 9
491-386- 4
523-589-175
678-404-108
1226-718- 3
1467- 43- 63
舒蕃清 455-364- 22
舒曈明 536-483- 42
舒錦妻 明 見陳氏
舒勳妻 清 見劉氏
舒賽清(赫舍里氏) 455-199- 10
舒賽清(兆佳氏) 455-498- 31
舒賽清(謚壯敏) 455-544- 35
474-758- 41
502-574- 75
舒賽清(鑲紅旗人) 455-552- 35
舒檜女 明 見舒氏
舒謨明 472-358- 15
510-436-116
516- 63- 89
1243-697- 23
舒瀛宋 523-372-164
舒黼宋 1157-531- 上
舒斆明 1246-629- 13
舒蘇元 295-544-190
400-577-553
舒鰲明 516- 81- 90
舒鑑明 1442- 32-附2
1459-701- 27
舒九思明 594-215- 7
舒士貴清 480-129-264
532-642- 43
舒大邦宋 見舒文英
舒大猷明 480- 58-260
533- 16- 47
559-310-7上
舒文英舒大邦 宋
516- 38- 88
舒文璧明 559-323-7上
舒元輿唐 271-200-169
275-465-179
384-268- 14
396-199-270
471-632- 7
472-1028- 42
479-321-232
524- 69-181
8[illegible]-253- 29

十二畫 舒

933-118- 8
舒天瑞宋 843-673-下
舒日敬明 515-428-70
舒公平元 515-346-67
1197-743-77
舒弘志明 567-350-80
1467-250-71
舒弘道妻 元 見王氏
舒弘道女 元 見舒靖正
舒弘道女 元 見舒靖貞
舒弘緒明(字崇孝) 300-810-233
480-59-260
舒弘緒明(字芑孫) 515-492-71
舒本謙明 545-401-98
舒可式清 455-420-25
舒吉理清 456-294-72
舒有翼明 533-276-56
舒仲甫妻 元 見陳氏
舒仲誠明 511-316-148
515-121-60
舒仲應漢 475-740-88
舒宏謨妻 明 見向氏
舒完岱清 455-218-11
舒辰孫宋 見舒杭
舒里琿清 474-771-41
502-466-69
舒邦佐宋 515-328-67
532-615-43
舒邦弼宋 523-184-155
舒邦儒明 516-87-90
676-64-2
舒妙眞元 吳克己妻
1203-393-29
舒其志明 480-135-264
515-62-58
533-52-48
559-256-6
舒松阿清 455-488-30
舒孟華明 515-446-70
舒忠讜明 821-480-58
舒明逸妻 清 見張氏
舒呼理清 455-91-3
舒知雄宋 288-680-478
舒岳祥舒嶽祥 宋451-73-0
472-1105-47
479-289-230
524-62-181
679-122-150
1437-30-2
舒岳祥妻 宋 見王氏
舒延柱清 455-336-20
舒春芳明 516-82-90
528-529-31
舒昭遠宋 288-680-478
舒益生明 533-476-64
舒庫理清 455-47-1
舒庫爾元 294-278-123
399-352-449
舒泰之宋 843-673-下
舒桑阿清 455-273-15
舒清國宋 523-486-170
舒通阿清(鈕祜祿氏)
455-132-5
舒通阿清(扎庫塔氏)
455-560-36
舒通阿清(洪鄂氏) 456-70-55
舒崑山明 473-283-61
533-171-52
舒逢吉清 533-308-57
舒舒那清 455-478-38
舒靖正元 舒弘道女
473-31-49
舒靖貞元 舒弘道女
473-31-49
舒道紀唐 524-431-200
585-53-0
舒瑚魯清 455-193-9
456-38-52
舒萬化明 476-659-135
舒嗣隆宋 515-335-67
舒寧阿清 455-581-38
舒寧額清 502-730-84
舒榮都明 475-575-79
511-290-147
舒赫德清(鈕祜祿氏)
455-137-5
舒赫德清(軍機處章京)
1308-288-58
舒爾古清 455-119-4
舒爾罕元 294-383-131
399-516-470
舒爾傑妻 清 見鄧氏
舒爾漢清 455-493-30
舒爾穆清 456-217-67
舒夢桂舒慶祖 宋451-75-2
舒慶祖宋 見舒夢桂
舒慶遠元 515-347-67
舒穆海清 456-292-72
舒穆齊清 455-531-33
舒穆魯清 455-426-26
舒應龍明 528-461-29
532-596-41
567-344-79
580-600-43
582-102-127
1467-239-71
舒嶽祥宋 見舒岳祥
舒嚕平遼 遼太祖后、舒嚕淵女 279-512-72
289-555-71
383-742-13
393-329-78
舒嚕杰述律杰、舒穆嚕杰、蕭杰 元 494-152-5
1207-165-10
1212-253-18
1213-79-6
1213-170-13
1214-18-1
1214-668-19
舒嚕淵女 遼 見舒嚕平
舒鵬翼明 554-669-60
舒繼明宋 477-409-169
538-66-63
舒顯應明 456-578-8
480-92-262
533-365-60
舒佳佛申金 見珠嘉佛新
舒爾哈齊清 502-392-65
舒穆喀努清 455-170-7
舒穆魯元金 見舒穆嚕元
舒穆嚕下舒穆嚕阿爾噶里 金
291-299-91
399-184-432
舒穆嚕元石抹元、舒穆魯元 金 291-731-128
400-362-533
474-820-44
476-517-127
477-243-161
502-781-87
540-625-27
舒穆嚕氏清 巴銀達里妻
503-72-96
舒穆嚕杰元 見舒嚕杰
舒穆嚕嵩金 291-594-114
舒穆嚕榮金 291-304-91
399-186-432
舒嚕羅索述律羅索 遼
383-752-15
舒奇墨爾根清 455-437-26
舒隆桑固理清 455-77-2
舒穆嚕元善元 1222-386-下
舒穆嚕元毅石抹元毅、舒穆嚕神思、舒穆嚕舒蘇 金
291-663-121
400-210-517
472-154-5
472-495-21
474-305-16
474-740-40
476-180-106
477-359-166
502-699-82
545-240-92
舒穆嚕扎拉元 295-44-150
295-79-152
399-411-456
舒穆嚕布拉元 295-102-154
399-445-460
舒穆嚕世勣石抹世勣 金
291-593-114
400-236-519
502-708-82
1040-249-4
1365-280-8
1439-8-附
1445-510-38
舒穆嚕安扎元 295-101-154
399-444-460
舒穆嚕老哈金 見舒穆嚕仲溫
舒穆嚕仲溫舒穆嚕老哈、舒穆嚕羅哈 金 291-447-103
399-260-439
舒穆嚕伊遜元 見舒穆嚕宜孫
舒穆嚕宜孫石抹宜孫、舒穆嚕伊遜 元 295-518-188
400-23-500
472-1053-44
478-765-215

479-431-236
523- 30-147
526-232-266
529-757- 52
1439-450- 2
舒穆嚕奇爾元 295-264-166
399-608-480
舒穆嚕阿巴金 1445-798- 62
舒穆嚕昌齡石抹昌齡 元
496-413- 89
502-782- 87
舒穆嚕明安元 295- 52-150
399-412-456
472-154- 5
505-780- 73
舒穆嚕明里元 見舒穆嚕明埒
舒穆嚕明埒舒穆嚕明里 元
295-307-169
399-635-483
舒穆嚕高努元 295-264-166
399-608-480
舒穆嚕神思金 見舒穆嚕元毅
舒穆嚕格根元 295-264-166
399-608-480
舒穆嚕舒蘇金 見舒穆嚕元毅
舒穆嚕愛新元 見舒穆嚕額森
舒穆嚕赫嚕元 295-307-169
399-635-483
舒穆嚕額森石抹也先、石抹額森、舒穆嚕愛新 遼
295- 43-150
295- 79-152
399-410-456
474-740- 40
496-378- 86
502-372- 63
1196-276- 16
舒穆嚕羅哈金 見舒穆嚕仲溫
舒穆嚕繼祖元 295-518-188
472-1102- 47
523-243-157
舒穆嚕拜達勒石抹孛迭兒 元 295- 63-151
399-426-458
496-379- 86
舒穆嚕庫嚕默舒穆嚕庫嚕默滿 元 295- 44-150
295- 79-152
399-411-456
1199-568- 2
舒穆嚕格哷勒元
295- 43-150
399-411-456
舒穆嚕圖隆拉子 元
1196-284- 16
舒穆嚕阿爾噶里金 見舒穆嚕卞
舒穆嚕庫嚕默滿 元 見舒穆嚕庫嚕默
舒穆嚕阿拉克巴圖爾蕭阿拉克巴圖爾 元1206-138- 16
嵇氏明 楊一敬妻 480-253-269
嵇氏清 薛如芳妻 512-281-184
嵇含晉 256-444- 89
380- 32-166
472-200- 7
475-747- 88
511-821-167
933-123- 8
1379-330- 40
1394-787- 12
嵇拔後魏 見奚拔
嵇根後魏 見奚根
嵇清宋 524-343-196
嵇康稽康 魏～晉 254-381- 21
255-831- 49
377-570-123
384- 92- 5
384-651- 40
386-129-73上上
469-100- 12
469-140- 15
472-200- 7
472-718- 28
472-1069- 45
475-747- 88
477-256-161
486-312- 14
511-820-167
538-321- 69
547-187-148
674-244-4上
812- 60- 中
812-223- 8
812-323- 5
812-712- 3
814-231- 4
820- 53- 23
821- 10- 45
839- 34- 3
933-123- 8
1141-791- 33
1221-562- 18
1232-692- 9
1370- 44- 3
1379-216- 28
1395-587- 3
1398-410- 18
嵇都明 480-484-280
嵇紹稽紹 晉 254-382- 21
256-442- 89
380- 30-166
384- 94- 5
472-200- 7
475-747- 88
511-494-156
535-555- 20
537-120- 51
839- 37- 3
933-123- 8
1379-329- 40
1398-107- 6
嵇喜晉 254-993- 3
469-140- 15
1379-223- 28
嵇敬後魏 379- 64-147
嵇綱嵇鋼 明 511-193-143
523- 86-149
嵇適宋 480-240-269
532-664- 44
1104-495- 40
嵇穎稽穎 宋 285-736-298
397-169-330
477-128-155
537-425- 58
472-682- 27
1104-502- 40
嵇曄北齊 474-165- 8
嵇鋼明 見嵇綱
嵇聳稽聳 宋 511-572-159
1253-368- 60
嵇鏞稽鏞 明 475-483- 73
510-410-115
嵇元夫明 524- 36-179
1442- 97- 6
1460-585- 69
嵇永仁清 475-233- 61
511-452-153
1319-200- 附
1319-252- 附
嵇永仁妻 清 見楊氏
嵇古靈稽古靈 清
481-121-296
561-221-38之3
嵇汝沐明 528-531- 31
嵇宗孟清 475-331- 65
511-779-166
嵇居易宋 1164-258- 13
嵇曾筠稽曾筠 清
475-326- 65
476-481-125
478-772-215
嵇隆柢清 見了義
嵇寶鈞稽寶鈞 梁812-335- 7
821- 26- 45
郵良春秋 見郵無恤
郵無正春秋 見郵無恤
郵無恤王良、郵良、郵無正 春秋 404-713- 43
545-723-109
933-324- 24
備渾清 455-563- 36
備達清 455-489- 30
備親清 455- 55- 1
皖伯周 471-928- 49
彘子春秋 見先縠
彘季春秋 見士魴
彘季春秋 見先縠
彘恭子春秋 見士魴
絶照元 821-333- 54
絳王唐 見李悟
絳王金 見完顏洪裕
絳縣老人春秋 404-756- 46
472-460- 20
547-142-146
鄉郡公主後魏 爾朱榮妻
544-213- 62

勝宋 592-395-84
1053-862-20
勝玉春秋 吳王闔閭女
493-622-34
勝安明 538-337-70
勝光唐 1053-174-4
勝光五代 486-901-35
勝名北周 見闍那耶舍
勝莊唐 1052-42-4
勝學明 533-750-74
勝天綬清 478-247-186
欽隋 1052-252-18
欽五代 1053-633-15
欽宋(嗣法聰) 1053-605-14
欽宋(嗣臻禪師) 1053-643-15
欽不詳 1053-246-6
欽王唐 見李諤
欽王唐 見李績
欽王宋 見趙祈
欽王宋 見趙宗祐
欽光周 見摩訶迦葉
欽義明 1442-121-8
欽楫清 511-868-170
欽璉清 475-177-59
欽德唐 276-338-219
496-623-105
欽謙明 511-436-153
欽徽明 554-527-57下
欽士佃清 533-308-57
欽允文妻 清 見朱氏
欽允言明 1260-635-19
欽叔陽明 1442-96-6
1460-569-68
欽德載宋 523-367-163
1222-51-6
斐組隋 478-243-186
斐邃梁 480-169-266
斐光前妻 清 見李氏
斐養武清 455-268-15
斐雅斯哈清 474-765-41
502-467-69
策丹自當 元 294-527-143
400-3-499
478-764-215
523-27-147
策淩清 454-638-70
500-725-37
策眞慧超 宋 1053-401-10
策爾特清 455-270-15
策爾錦清 455-578-38
策旺扎布清 454-585-61
策淩孟克清 500-725-37
策爾布赫清 455-89-3
策穆特赫清 455-419-25
策旺喇布坦清 454-745-82
策旺諾爾布清 454-659-72
策淩烏巴什清 500-725-37
策楞德勒克清 500-729-37
策卜登多爾濟清
500-728-37
策伯克多爾濟清
454-865-102
500-729-37
策淩納木札爾清
540-820-28之3
500-729-37
策喇實巴鄂爾嘉勒元
295-644-202
象宋 1053-708-16
象敦宋 1053-659-15
象微宋 821-264-52
象德清 456-153-61
傑尼清 456-300-73
傑書康親王 清 454-52-3
傑碩清 456-303-73
傑林璧清 456-304-73
傑漢尼清 456-300-73
傑臨弼清 456-294-72
集王唐 見李緗
集道者宋 516-444-104
集謙亨妻 明 見牛氏
復禮唐 1051-220-9
1052-232-17
復揚清明 472-852-34
554-337-54
復株絫若鞮單于漢 見雕陶莫皋
進不詳 511-929-174
進平唐 1052-404-29
進布清 455-115-4
進忠清 456-351-77
進英宋 516-444-104
1053-748-17
1116-558-30
進泰清 455-526-33
進揚漢 王博妻 519-580-43
逯石漢 933-721-49
逯宏明 585-452-12
1240-347-22
逯明晉 546-345-126
逯杲明 302-346-307
逯昶明 570-211-23
676-451-17
1391-514-326
1442-14-附1
1459-409-12
逯相明 505-909-81
逯嵐明 554-342-54
逯端明 585-452-12
逯韜清 505-911-81
逯中立明 300-769-230
476-618-133
逯仁傑唐 933-721-49
逯西皐元 524-305-194
585-452-12
逯希韓明 1442-97-6
逯國顯妻 清 見胡氏
逯得山明 見逯德山
逯經生妻 明 見于氏
逯德山逯得山 明 458-54-3
538-66-63
逯魯曾元 295-507-187
399-763-496
477-254-161
537-481-58

十三畫

賓宋 1053-506-12
溥光李溥光 元 476-265-110
547-502-159
820-549-39
821-332-54
1195-541-上
1196-513-2
1202-206-15
1284-344-162
1439-427-1
1471-306-4
溥洽博洽 明 493-1095-58
524-420-200
676-678-28
1238-297-25
1391-946-366
1442-119-附8
1460-834-90
溥員元 見溥圓
溥圓溥員 元 820-550-39
821-332-54
1195-542-上
溥畹清 570-250-25
滅喜隋 見毗尼多流支
源宋 1053-489-12
源氏唐 源老時女
1342-477-966
源休唐 270-503-127
401-465-628
源空元 473-818-86
570-257-25
源延後魏 261-569-41
478-653-207
源洧唐 270-184-98
274-603-127
477-165-157
537-447-58
933-194-13
源奐後魏 261-578-41
源師隋 263-327-43
264-957-66
266-573-28
379-864-164
558-382-36
933-193-13
源崇隋 264-705-39
544-222-62
545-206-91
552-49-19
源彪北齊 263-326-43
266-572-28
379-510-155
558-381-36
933-193-13
源賀禿髮賀、禿髮破羌、源破羌 後魏 261-566-41
266-567-28
379-101-147
384-131-7
472-84-3
472-945-37
474-600-31
478-653-207

505-627- 67
547-184-148
558-380- 36
933-193- 13
源雄隋 264-704- 39
266-573- 28
379-865-164
476-276-111
478-654-207
545-316- 95
552- 45- 19
558-382- 36
933-193- 13
源道宋 588-215- 9
源楷源楷之 北齊 263-328- 43
814-250- 6
820-121- 25
源際明 1442-122-附8
源懷源思禮 後魏 261-569- 41
266-569- 28
379-103-147
384-131- 7
472-945- 37
478-653-207
545-313- 95
552- 28- 18
554-111- 50
558-381- 36
933-193- 13
源護宋 488-370- 13
源子恭源子參 後魏
261-575- 41
266-572- 28
379-106-147
558-380- 36
933-193- 13
源子邕後魏 見源子雍
源子參後魏 見源子恭
源子雍源子邕 後魏
261-573- 41
266-571- 28
379-106-147
478-266-187
478-653-207
544-207- 62
554-113- 50
558-381- 36
933-193- 13
源文舉北齊 263-327- 43
源老時女 唐 見源氏
源光裕唐 270-184- 98
274-603-127
395-566-232
477-165-157
537-447- 58
933-194- 13
源延伯後魏 261-575- 41
544-211- 62
源思禮後魏 見源懷
源破羌後魏 見源賀
源乾曜唐 270-183- 98
274-601-127
384-197- 11
395-565-232
469- 85- 11
469-460- 55
471-985- 57
472-697- 28
472-824- 33
473-489- 70
477-165-157
478- 87-180
537-446- 58
554-123- 50
559-293-7上
933-193- 13
1371- 53- 附
源楷之北齊 見源楷
滇媼漢 567-456- 87
滁陽王明 見郭子興
意祖宋 820-466- 36
意眞宋 劉光世侍兒
820-474- 36
意利珍豆啟民可汗隋 見染干
該古清 455-537- 34
該里丹元 400-260-521
詩索妻 漢 見徵貳
補帽匠明 見何白雲
補鍋匠明(業補鍋) 299-377-143
456-698- 12
481-237-303
483-179-384
561-203-38之1
570-252- 25
1408-553-537
補羅稽舍唐 593-785- 11
慈宋 1053-600- 14
慈仁不詳 933- 69- 4
慈悅宋 485-288- 41
慈航宋 1053-788- 18
慈卿宋 545-458-100
慈善唐 483- 98-378
494-161- 6
慈智魏賑 遼 497-862- 61
慈欽晉 見法安
慈感宋 1053-724- 17
慈慧唐 1053-363- 9
慈賢宋 820-467- 36
慈濟唐 516-471-104
慈濟宋(居普定寺) 472-278- 11
慈濟宋(拜佛洱海危壁上)
570-254- 25
慈藏唐 1050-326- 81
慈光禪師五代 1053-631- 15
義唐 485-289- 42
493-1090- 58
1052-296- 20
義五代 1053-567- 14
義明(居天界寺) 1227-600- 中
義明(號了菴) 1386- 8- 29
義了不詳 472-330- 14
義王唐 見李玭
義天宋 1054-184- 4
1054-637- 19
義中唐 見義忠
義中金 820-485- 36
義氏漢 馬妙祈妻 591-620- 45
義氏明 義天誥女 480-546-283
義玄唐 476-870-145
505-937- 85
541- 90- 30
1052-159- 12
1053-426- 11
1054-135- 5
1054-574- 17
1054-754- 22
義安唐(居鎭國禪院)
511-936-175
義安唐(嗣天然) 1053- 97- 5
義存唐 524-383-198
530-200- 60
1052-164- 12
1053-260- 7
1054-143- 3
1054-589- 17
1084-147- 15
義因五代 1053-305- 8
義收義淑 唐 473-576- 74
481-536-326
530-196- 60
義全唐 821-101- 48
義甫宋 545-335- 96
義初唐 1053-370- 9
義初宋 1053-601- 14
義青宋 511-931-175
1052-718- 17
1053-577- 14
1054-632- 19
義忠義中 唐(嗣寶通)
473-658- 78
481-621-329
1053-198- 15
1344- 39- 64
義忠唐(居大慈恩寺)
1052- 48- 4
義金明 472-440- 19
476- 49- 98
547-480-159
義姁義㚰 漢 244-866-122
251-133- 90
547-246-150
義宣唐 1052-205- 15
義柔五代 1053-388- 10
義昭五代 1053-305- 8
義㚰漢 見義姁
義海宋 1053-420- 10
義高元 530-197- 60
義能宋 1053-418- 10
義淨唐 1051-229- 9
1052- 5- 1
1054-109- 3
義寂羲寂 宋 524-425-200
1052- 98- 7
義深宋 1135-240- 23
義淑唐 見義收
義通宋 1054-164- 4
義將唐 1052- 73- 6
義莊宋 1052-396- 28
義常清 455-388- 23
義湘唐 1052- 46- 4
義雲宋 588-214- 9

1163-627- 40
義隆宋 1053-410- 10
義琛遼 499-203-139
義欽宋 1053-646- 15
義詮宋 1053-346- 8
義道唐 820-299- 30
義楚後周 476-534-128
541- 90- 30
1052- 96- 7
義圓宋 1053-411- 10
義誠宋 1053-573- 14
義福唐 271-634-191
547-492-159
554-949- 65
1052-117- 9
1054-467- 13
義寧宋 588-242- 10
1053-666- 16
義端唐 1053-154- 4
義銛葛天民 585-590- 23
1364-269-285
1437- 28- 2
義澄五代 1053-305- 8
義澄宋 472-1018- 41
524-439-201
義褒唐 1054-437- 12
義興晉 1321-219-110
義聰五代 1053-330- 8
義懃宋 1053-573- 14
義縱漢 244-866-122
251-133- 90
251-678- 30
380-213-171
384- 46- 2
547-246-150
933-642- 42
1408-325-512
義懷宋 511-937-175
524-442-201
1052-693- 11
1053-662- 16
1054-176- 4
1054-626- 18
1116-131- 7
義韜宋 1085-218- 28
義太初宋 480-543-283
533-321- 57
義天誥女 明 見義氏

義安王梁 見蕭大昕
義思哈妻 清 見覺羅氏
義陽王魏 見曹據
義陽王晉 見司馬望
義陽王後趙 見劉石鑒
義陽王劉宋 見劉昶
義陽王陳～唐 見陳叔達
義陽王唐 見李琮
義陽王唐 見李承度
義寧王北齊 見斛律孝卿
義寧王明 見朱安涘
義寧王明 見朱奇漢
義章公主唐 見鄭國公主
義陽公主唐 權毅妻、唐高宗女 274-107- 83
393-276- 73
554- 48- 49
義陽公主唐 見魏國公主
義豐公主唐 韋處仁妻、唐穆宗女 274-118- 83
393-285- 73
猷北周 592-342- 81
猷尚清 456-378- 79
猷恭清 456-380- 79
愼子戰國 384- 30- 1
405- 69- 60
愼氏宋 關彥長妻、愼暉吉女 1097-319- 22
愼到戰國 244-454- 74
375-666- 88
384- 32- 1
405-467- 86
541-109- 31
933-670- 44
愼祐明 1278- 33- 3
愼釴宋 473- 96- 53
515-182- 62
愼條周 933-670- 44
愼蒿宋 1099-751- 12
愼蒙明 528-496- 30
1283-297- 90
愼徽宋 1053-674- 16
愼三史唐 嚴瓘夫妻 1388-791-113
愼伯筠愼東美 宋 524-295-193
812-753- 3
820-357- 32

愼東美宋 見愼伯筠
愼知禮宋 285-458-277
396-703-317
472-1041- 43
479-354-233
524-156-186
538-330- 69
愼假仞清 482-279-351
523-369-163
563-890- 42
愼從吉宋 285-458-277
396-703-317
472-1041- 43
524- 74-181
愼溫其愼溫琪 五代～宋 524-222-189
538-330- 69
愼溫琪五代～宋 見愼溫其
愼暉吉女 宋 見愼氏
愼漢公宋 820-401- 34
愼德秀宋 見眞德秀
塞色清 455-286- 16
塞冷清(正黃旗人) 456-204- 66
塞冷清(博爾濟吉特氏) 456-208- 66
塞克清 456-119- 58
塞柱清 456-352- 77
塞特清 456-106- 57
塞都清 456-265- 70
塞勒清 455-504- 31
塞鈕清 455-516- 32
塞楞清(博碩氏) 456-252- 69
塞楞清(布顏特古斯子) 500- 726- 37
塞稜清 496-219- 76
塞赫清 456-115- 58
塞布騰清 496-219- 76
塞白理清 523- 65-149
塞白圖清 456-143- 60
塞克西清 456- 63- 54
塞克理清 456-348- 77
塞倫泰清 455-451- 27
塞勒布清 455-271- 15
塞爾特清 455-114- 4
塞爾弼清 455-305- 18
塞爾圖清(瓜爾佳氏) 455- 71- 2

塞爾圖清(瑚雅拉氏) 456-106- 57
塞赫特清 455-268- 15
塞赫訥清 455-421- 25
塞德理清 455-626- 43
塞克精額清 455-194- 9
塞爾吉尼清 456- 88- 56
塞爾庫德清 456-165- 62
塞勒穆扎普清 456-279- 71
塞楞鄂哈思虎清 455-254- 14
滑氏元 賈諒妻 506-163- 90
滑良妻 清 見馮氏
滑壽明 302-171-299
511-875-170
524-366-197
1374-371- 59
1458- 26-416
滑懋宋 585-776- 6
1467-178- 68
滑守先妻 明 見常氏
溫人戰國 404-492- 29
溫王宋 見趙禔
溫王金 見完顏玠
溫氏唐 李邕妻 475-380- 68
溫氏宋 曾安強妻 516-279- 99
溫氏宋 黃注妻、溫可賢女 1113-625- 9
溫氏元 宋謙媳 295-640-201
401-186-593
溫氏明 孟宗聖妻 483-118-379
570-200- 22
溫氏明 段可成妻、溫純女 1288-620- 10
溫氏明 孫自強妻 506- 83- 88
溫氏明 郭匡普妻 473- 32- 49
479-499-239
516-239- 97
溫氏明 曾光斗妻 479-825-256
溫氏明 趙澤妻 1262-402- 44
溫氏明 溫欽女 506- 73- 88
506-554- 105
溫氏明 溫所知女 478-138-181
溫氏清 沈文然妻、溫楧 女 524-583-206
1318-470- 73
1321-246-113
溫氏清 杜昆妻 477-320-164

溫氏清 林在岐妻 530- 36- 54
溫氏清 許天麟妻 570-180- 22
溫氏清 梁勝章妻 482- 52-340
溫氏清 張鵬翼妻 506-172- 90
溫氏清 彭仲壘妻 482-306-353
溫氏清 楊天貴妻 483-373-401
溫氏清 楊守高妻 503- 64- 95
溫氏清 劉儒義妻 503- 53- 95
溫允溫充 晉 255-766- 44
545-525-102
溫石金 538- 91- 64
溫古唐 820-298- 30
溫布清 454-402- 26
496-218- 76
溫充晉 見溫允
溫光宋 708-340- 50
溫序漢 253-576-111
370-169- 16
380-132-168
402-562- 18
472-432- 19
476- 32- 98
545-504-101
558-129- 30
558-181- 31
933-203- 14
溫良明(山西榆次人)
537-259- 55
溫良明(字從善) 547-137-146
溫良明(字允仁) 529-735- 51
820-617- 41
821-387- 56
溫良明(字叔子) 1460-741- 80
溫成明 570-251- 25
溫岐唐 見溫庭筠
溫卓明 516-178- 94
溫昪唐 見劉昪
溫歧唐 見溫庭筠
溫季春秋 見郤至
溫和明(河間主簿) 547- 7-141
溫和明(商州知縣) 554-258- 52
溫佶唐 見溫輔國
溫岱清 456-103- 57
溫受宋 516-443-104
溫疥漢 552- 16- 18
933-203- 14
溫洸明 547-113-145
溫恢魏 254-303- 15
377-138-115下
472-432- 19
476- 33- 98
540-630- 27
545-511-102
933-204- 14
溫革宋(石城人) 473-187- 58
516-157- 94
517-297-123
溫革宋(字叔皮) 481-585-328
529-529- 45
溫述唐 820-272- 29
溫建唐 820-283- 30
溫勉明 1288-660- 13
溫勉妻 明 見劉氏
溫祇晉 255-766- 44
377-533-122
溫益宋 286-556-343
382-631- 97
384-382- 19
397-637-358
933-205- 14
溫訓明 545-154- 88
溫泰清(鑲白旗人) 455-366- 22
溫泰清(鑲黃旗人) 455-376- 23
溫恭明(平遙人) 545-892-114
溫恭明(晉江人) 820-661- 42
溫原明 472-144- 5
505-806- 74
溫振唐 269-549- 61
274-188- 91
395-257-204
547- 3-141
溫挺唐 269-549- 61
274-188- 91
395-257-204
溫挺妻 唐 見安定公主
溫純明 300-620-220
458-1050- 2
478-129-181
523- 56-148
540-650- 27
554-418- 55
676-591- 24
1288-350- 10
溫純妻 明 見宋氏
溫純妻 明 見李氏
溫純妻 明 見楊氏
溫純女 明 見溫氏
溫淮明 1288-660- 13
溫淮妻 明 見曹氏
溫訥十國 485-183- 25
493-870- 47
溫康宋 708-340- 50
溫都清 456- 70- 55
溫琇清 473-584- 75
564-165- 45
溫造唐 271-140-165
274-189- 91
384-255- 13
384-264- 13
384-272- 14
396- 87-259
471-1036- 66
472- 26- 1
472-434- 19
472-717- 28
472-865- 34
473-366- 64
473-376- 65
476- 37- 98
477-256-161
478-243-186
480-482-280
505-629- 67
537-145- 52
537-202- 54
538-325- 69
544-230- 63
545- 26- 84
545-585-104
554-132- 50
559-294-7上
933-204- 14
1073-529- 21
1074-356- 21
1075-311- 21
溫普清(薩克達氏) 455-551- 35
溫普清(喜塔臘氏) 455-625- 43
溫琮明 528-453- 29
559-346- 8
569-649- 19
溫雅唐 820-305- 30
溫義元 547- 4-141
溫裕晉 255-766- 44
377-533-122
溫新明 676-574- 23
1442- 57-附3
1460-157- 47
溫欽女 明 見溫氏
溫廉明 545-889-114
溫羨劉溫羨 晉 255-766- 44
377-533-122
472-433- 19
476- 34- 98
537-194- 54
544-203- 62
545-521-102
933-204- 14
溫楏明 456-618- 9
558-414- 37
溫達清 455-633- 44
溫楧女 清 見溫氏
溫敬明 545-148- 88
溫敬妻 明 見余鼎娘
溫鉞明 302-154-297
476-260-110
547- 52-143
溫察清(他塔喇氏) 455-216- 11
溫察清(伊爾根覺羅氏)
455-243- 13
溫察清(洪鄂氏) 456- 70- 55
溫福明 473-402- 66
溫齊清(屯齊子) 454-190- 10
溫齊清(溫察氏) 455-683- 48
溫壽漢 476-515-127
547- 2-141
溫璋唐 271-143-165
274-190- 91
396- 88-259
478- 89-180
545-587-104
554-132- 50
933-205- 14
溫璋明 524-193-188
溫璉五代 499-423-158
溫嶠晉 256-124- 67
377-711-126
384- 97- 5
459-304- 18
472-171- 6
472-433- 19
472-489- 21
473- 86- 52

475- 68- 52
476- 34- 98
476-149-104
479-446-237
488-109- 7
488-112- 7
489-627- 48
510-307-113
515- 3- 57
517-217-121
532-553- 40
545-522-102
548-607-180
550-171-215
567- 2- 62
812-323- 5
821- 10- 45
933-204- 14
1237-616-上
溫儀明 529-585- 46
溫憲唐 451-453- 5
546-631-136
溫璜溫以介 明 301-664-277
456-422- 2
475-564- 79
479-146-223
510-430-116
523-368-163
676-662- 27
1442-111-附7
1460-699- 76
溫璜妻 明 見茅氏
溫錫明 547- 72-143
溫膺元 1200-604- 46
溫徽明 547- 47-142
547-561-161
溫韜李彥韜、李紹沖、溫昭圖 後唐 277-591- 73
279-254- 40
384-310- 16
396-404-291
1383-800- 73
溫瓊唐 525- 10-217
525-158-225
1224- 36- 16
溫鏜溫道郎 宋 448-360- 0
溫寶清 456- 33- 52
溫瀾妻 明 見陳氏
溫曦唐 274-188- 91
395-257-204
溫曦妻 唐 見李華莊
溫顯明 820-731- 44
溫九思妻 明 見陸氏
溫子昇後魏 262-248- 85
267-605- 83
380-381-176
384-143- 7
472-546- 23
476-530-128
476-859-145
541-110- 31
546-625-136
933-204- 14
1387-209- 12
1394-360- 2
1395-602- 3
1401-437- 32
溫子盛後魏 267-607- 83
380-383-176
溫大有溫彥將 唐
269-549- 61
274-188- 91
384-169- 9
395-257-204
544-229- 63
545-235- 92
545-559-103
933-204- 14
溫大雅唐 269-547- 61
274-187- 91
384-169- 9
395-256-204
472-434- 19
476- 35- 98
545-558-103
933-204- 14
溫元春明 456-633- 10
558-417- 37
溫予知明 554-419- 55
溫日知明 554-419- 55
溫日觀宋 585-485- 14
溫可貞明 483-116-379
569-671- 19
571-547- 20
溫可掬明 479-579-243
515-238- 64
溫可賢女 宋 見溫氏
溫世儒清 480-415-277
溫布祿清(納喇氏) 455-365- 22
溫布祿清(溫都氏) 456- 23- 51
溫以介明 見溫璜
溫以厲妻 明 見韓氏
溫式之晉 256-132- 67
377-717-126
溫西華妻 唐 見宋國公主
溫同海妻 明 見龍氏
溫光涵溫光含 清
481-695-332
528-546- 32
溫多順清 455-593- 39
溫自選妻 清 見王氏
溫如玉明(字孟醇) 473-258- 60
480-320-272
533- 92- 49
540-654- 27
1280-430- 87
溫如玉明(字白雪) 820-746- 44
溫如玉清 505-826- 75
溫如春明 505-693- 70
537-522- 59
溫如珍清 482-373-357
溫仲舒宋 285-305-266
371- 67- 6
382-240- 36
384-333- 17
384-339- 17
396-595-307
472-748- 29
472-852- 34
472-892- 35
478-694-210
537-506- 59
558-226- 32
933-205- 14
溫成祥妻 清 見王氏
溫成義妻 清 見王氏
溫君羽明 456-682- 11
溫克勤妻 清 見楊氏
溫伯壽明 483-268-392
571-540- 20
溫廷皓唐 見溫庭皓
溫廷筠唐 見溫庭筠
溫廷槱清 559-334-7下
溫廷璽妻 清 見劉氏
溫放之晉 256-132- 67
377-717-126
545-525-102
814-243- 6
820- 70- 23
溫昆來明 456-664- 11
溫季春明 545-466-100
溫和王妻 明 見梁氏
溫所知女 明 見溫氏
溫為璇妻 明 見沈圓
溫彥將唐 見溫大有
溫彥博唐 269-548- 61
274-188- 91
384-169- 9
395-256-204
407-373- 2
476- 35- 98
544-227- 63
545- 11- 83
545-559-103
933-204- 14
溫春甫元 516-168- 94
溫若春宋 564- 73- 44
溫昭圖後唐 見溫韜
溫俊雲妻 清 見何氏
溫庭皓溫廷皓 唐
271-615-190下
274-191- 91
384-273- 14
400-619-556
472-409- 18
475-420- 70
476- 37- 98
545-592-104
933-205- 14
溫庭筠溫岐、溫歧、溫廷筠 唐 271-615-190下
274-191- 91
384-273- 14
400-618-556
451-452- 5
476- 37- 98
546-631-136
674-267-4中
820-259- 29
933-205- 14
1365-479- 7
1371- 71- 附

1388-431- 77	
	1394-497- 6	
	1473-396- 78	
溫素知明	546-608-135	
	554-308- 53	
溫泰期明	530-214- 61	
溫珪輔元	545-218- 91	
溫祥卿明(大同人)		
	472-1004- 40	
	524-314-194	
溫祥卿明(長興人)		
	482-266-350	
溫都理清	455-106- 4	
溫都爾妻 元 見張氏		
溫崇道宋	1121-581-8 6	
溫崇嚴明	559-435-10上	
溫國奇明	516-180- 94	
	563-782- 40	
溫逢光妻 清 見徐氏		
溫普理清	455-446- 27	
溫朝鳳明	1288-660- 13	
溫朝鳳妻 明 見王氏		
溫景葵明	505-637- 67	
	546- 92-118	
溫無隱唐	269-548- 61	
	274-187- 91	
	395-256-204	
溫道郎宋 見溫鐣		
溫塔錫清(瓜爾佳氏)		
	455- 89- 3	
溫塔錫清(圖普蘇氏)		
	456- 89- 56	
溫達錫清	455-625- 43	
溫察海清	456-168- 62	
溫輔國溫佶 唐	274-189- 91	
	396- 87-259	
	477-169-157	
	545-574-104	
	547-127-146	
	933-204- 14	
溫嘉柔明 蔡密齋妻		
	1274-407- 14	
溫徹恆清	455-689- 49	
溫遷約唐	480- 48-259	
溫德中明	516-171- 94	
溫德嘉清	554-855- 63	
溫德彝唐	545-363- 96	
溫樹珖清	554-855- 63	

399-309-445
472-149- 5
474-516- 25
474-587- 30
505-859- 77
靖江王明 見朱守謙
靖江王明 見徐說
靖郭君戰國 見田嬰
詮唐 1052-196- 14
詮五代 1053-626- 15
詮勝孫肩 明 1475-634- 27
亶父商 見古公亶父
裔氏清 孫大成妻
475-382- 68
裔款春秋 404-628- 38
雍子春秋 933- 44- 2
雍己商 537-173- 53
雍王唐 見李漢
雍王唐 見李賢
雍王唐 見李繪
雍王唐 見李素節
雍王後唐 見李重美
雍王宋 見趙昕
雍王明 見朱祐橒
雍氏宋 趙卯發妻 451-230- 0
524-526-204
591-625- 45
1212-159- 13
雍氏明 黃觀妻 472-369- 16
雍氏明 黃伯英妻 530-105- 57
雍氏清 王子瞻妻 478-700-210
雍汜宋 451- 74- 2
雍存宋 472-402- 18
475-797- 90
511-858-169
雍沖宋 472-868- 34
554-652- 60
雍巫春秋 見易牙
雍沿宋 559-364- 8
雍叔周 404-457- 26
雍季春秋 545-719-108
雍周明 558-463- 38
雍糾春秋 933- 44- 2
雍姞春秋 鄭莊公夫人
404-885- 55
雍泰明 300- 51-186
453-681- 31
472-842- 33
474-514- 25
475-121- 55
475-369- 67
478-126-181
510-336-113
523- 45-148
537-317- 56
554-479-57上
676-510- 20
683-143- 3
1267-512- 6
1293-299- 17
雍恩雍謝師 宋 448-375- 0
雍陶唐 273-114- 60
451-451- 5
482-564-369
570-211- 23
592-574- 97
674-264-4中
1371- 70- 咐
雍焯明 558-300- 34
雍鉏春秋 933- 44- 2
雍鈞宋 473-456- 68
559-364- 8
雍熙元 559-310-7上
雍齒漢 471-966- 54
591-502- 41
933- 44- 2
雍締明 456-496- 5
558-435- 37
雍廩春秋 933- 44- 2
雍闓蜀漢 560-599-29下
雍儵漢 370-207- 21
402-410- 6
雍勸漢 1397-678- 32
雍巘宋 554-912- 64
821-220- 51
雍士憲妻 明 見林氏
雍之奇宋 471-1026-64
559-273- 6
雍田調漢 569-535- 17
雍有容雍寶寶 宋
448-386- 0
雍孝閔宋 見雍孝聞
雍孝聞雍孝閔 宋
473-447- 68
559-360- 8
561-561- 45
591-612- 44
592-273- 77
1163-503- 25
雍門周戰國 見雍門子周
雍退翁宋 471-1054- 68
雍康年明 558-471- 39
雍無逸唐 473-496- 70
559-299-7上
雍裕之唐 451-442- 4
雍虞閭都藍、頡伽施多那都藍
可汗 隋 264-1156- 84
267-886- 99
381-666-200
雍鳴鑾明 480- 89-262
雍學詩明 545-389- 97
雍謝師宋 見雍恩
雍繁孫宋 473-496- 70
559-375- 8
雍寶寶宋 見雍有容
雍獻策明 545-346- 96
雍門子周雍門周 戰國
405-253- 72
541-103- 31
839- 18- 2
雍門司馬戰國 491-793- 6
雍國大長公主宋 王貽永妻
、宋太宗女 285- 64-248
393-323- 77
裕宋 1053-344- 8
裕雲唐 見鬱于
裕勒斯滿元 294-292-124
399-357-450
裕爾伯特瑶里孛迭 金
291-343- 94
399-200-433
496-394- 88
502-265- 54
裕魯布哈元 見伊嚕布哈
裕嚕實克特穆爾元
545-142- 87
545-375- 97
煙霞眞人金 547-484-159
煜元 1222-257- 14
愷穆庫清 456-182- 64
準布清(瓜爾佳氏) 455- 90- 3
準布清(納喇氏) 455-364- 22
準拜清 455-386- 23
準泰清(伊爾根覺羅氏)
455-274- 15
準泰清(薩克達氏) 455-549- 35
502-741- 85
準泰清(鈕顏氏) 456- 17- 51
準塔清 455-314- 19
474-764- 41
502-495- 70
準達清 455- 55- 1
準布哈妻 元 見雅克默色
準布祿清(瓜爾佳氏)
455- 50- 1
準布祿清(他塔喇氏)
455-217- 11
準布魯清 456-123- 58
新宋 1053-416- 10
新明 1240-739- 7
新布清 455-279- 16
新建唐 1053-173- 4
新泰清(瓜爾佳氏) 455-117- 4
新泰清(覺爾察氏) 502-734- 84
新化王明 見朱表榛
新化王明 見朱知爀
新平王蜀漢 見劉恂
新平王後魏 見張祐
新平王宋 見趙宗保
新平王明 見朱祁銳
新安王劉宋 見劉子鸞
新安王明 見朱有熹
新昌王陳 見陳叔榮
新昌王明 見朱厚熸
新垣衍戰國 244-518- 83
新城王明 見朱芝坦
新泰王明 見朱埗
新都王晉 見司馬垓
新野王晉 見司馬歆
新野王劉宋 見劉夷父
新野王明 見朱瓊煒
新達理清 456-289- 72
新會王陳 見陳叔坦
新會王明 見朱同鏻
新寧王陳 見陳叔隆
新寧王北齊 見叱利長乂
新蔡王晉 見司馬確
新蔡王晉 見司馬騰
新蔡王陳 見陳叔齊
新樂王明 見朱載壐
新興王劉宋 見劉嵩
新興王梁 見蕭大莊

新興王陳 見陳叔純
新興王後魏 見元俊
新興王唐 見李晉
新興王唐 見李德良
新稗狗春秋 545-726-109
新羅僧唐 516-465-104
新平公主唐 姜慶初妻、裴玲妻、唐玄宗女 274-113- 83
393-281- 73
554- 52- 49
新平公主唐 見李季姜
新昌公主唐 蕭衡妻、唐玄宗女 274-112- 83
393-280- 73
554- 52- 49
新城公主唐 長孫詮妻、韋正矩妻、唐太宗女 274-107- 83
393-276- 73
554- 48- 49
新都公主唐 田華妻、唐代宗女 274-115- 83
393-283- 73
554- 55- 49
新達爾漢清 455-365- 22
新興公主北周 蘇威妻、宇文護女 544-220- 62
新興公主唐 長孫曦妻、唐太宗女 274-106- 83
393-275- 73
554-231- 63
新興公主唐 唐昭宗女
544-231- 63
新野長公主漢 見劉元
新野恭簡王妻 明 見太邢
詳悟元 554-956- 65
誇喇哈苦郎哈 明
496-628-106
誇巴特馬清 456-206- 66
溪巴溫宋 288-861-492
溪洪斗妻 明 見李氏
歆志賁漢 496-586-103
廉氏明 熊富秋妻 473-370- 64
廉氏明 劉潤妻、廉景浩女
1267-325- 64
廉氏清 崔翔鳳妻 474-195- 9
廉布宋 511-874-170
821-212- 5
廉充元 1207- 79- 5
廉犯漢 472-480- 21
廉忱元 481-694-332
528-540- 32
廉孚宋 821-212- 51
廉政明 545-846-113
廉范漢 252-739- 61
370-183- 18
376-684-107下
384- 60- 3
402-416- 7
402-524- 15
402-575- 19
459-836- 50
471-945- 51
471-1063- 70
472-831- 33
472-892- 35
473-424- 67
474-165- 8
476-248-110
478- 99-180
478-633-206
478-716-211
481- 65- 293
545-256- 93
554-430- 56
559-257- 6
591-658- 47
933-501- 33
1408-421-520
廉浦元 見廉阿尼格巴哈
廉惇元 1204-247- 6
廉傑明 554-499-57上
廉復宋 540-764-28之2
廉溥元 見廉阿尼格巴哈
廉靖明 505-685- 69
516- 87- 90
廉瑀春秋 405-449- 85
廉絜廉潔 春秋 244-390- 67
375-657- 88
405-446- 85
472-707- 28
505-708- 71
539-497-11之2
廉節宋 451-227- 0
廉鈖妻 清 見黃氏
廉頗戰國 244-506- 81
371-601- 51
375-942- 94
384- 28- 1
405-202- 69
469-481- 58
472- 87- 3
505-758- 72
506-428-102
544-196- 62
545-498-101
550- 76-211
933-501- 33
1192-370- 33
1408-201-500
廉潔春秋 見廉絜
廉褒漢 558-302- 34
廉稽春秋 386-743- 15
廉範漢 1408-493-529
廉儒明 554-347- 54
廉簡元 820-510- 37
廉女貞唐 820-306- 30
廉公謂宋 472-574- 24
476-616-133
476-817-143
540-763-28之2
廉汝為明 545-288- 94
554-499-57上
廉希貢元 820-499- 37
廉希賢廉珠德哈雅 元
294-322-126
399-481-465
廉希憲元 294-314-126
399-476-465
451-578- 7
459-687- 41
472-623- 25
472-826- 33
473-298- 62
474-689- 37
477-562-177
478-452-197
480-12-257
502-272- 55
532-583- 41
554-159- 51
558-142- 30
1367-848- 65
廉思蘭元 劉宏母
1218-748- 5
廉惟德宋 1099-772- 14
廉景浩女 明 見廉氏
廉景孫北齊 379-464- 154
547- 12-141
廉義黨妻 清 見張氏
廉德民妻 清 見安氏
廉德孚妻 清 見王氏
廉和斯哈雅廉惠山哈雅、廉瑚遜哈雅 元 294-546-145
400- 8-499
474-167- 8
515- 29- 57
537-208- 54
廉珠德哈雅元 見廉希賢
廉惠山哈雅元 見廉和斯、哈雅
廉瑚遜哈雅元 見廉和斯哈雅
廉額琳巴哈元 見廉阿尼格巴哈
廉阿尼格巴哈廉浦、廉溥、廉額琳巴哈 元 523-187-155
1214-664- 18
祿氏清 祿永明妻 483- 65-375
祿氏清 祿天倫妻 483- 71-376
570-195- 22
祿格清 455-620- 42
祿實元 493-1138- 60
1222-237- 12
祿天倫女 清 見祿氏
祿永明女 清 見祿氏
祿永命明 456-549- 7
祿東贊唐 271-705-196上
276-274-216上
祿堅復宋 1173-288- 84
運能吳越 見蘊能
運期燿漢 見梁鴻
運期耀漢 見梁鴻
道唐 1053-141- 4
道宋 1053-637- 15
道一唐(諡大寂禪師)
479-503-239
481- 86-294
516-419-103
561-215-38之3
588-341- 3
592-362- 82
1052-130- 10

1053- 96- 3
1054-121- 3
1054-500- 14
1340-641-786
1344- 42- 64
道一唐(字法崙) 1072-427- 4
1341-465-860
道一宋 1053-476- 12
道川宋 485-291- 42
493-1094- 58
1053-512- 12
道王北周 見宇文充
道王唐 見李元慶
道元宋(住永安禪院)
472-232- 8
475-157- 57
493-1092- 58
511-919-174
道元宋(字徹庵) 592-386- 84
1053-838- 19
道元宋(嗣有瑞) 1053-772- 18
道元元 見本誠
道月宋 1133-743- 16
道升宋 見慧升
道丕後周 1052-245- 17
1053-547- 13
道平宋 1053-505- 12
道可元 1226-898- 7
道世唐 見玄惲
道生明 820-767- 44
道仙道僊 隋 592-343- 81
1049-431- 29
道安晉 262- 75-114
533-766- 74
554-940- 65
1049-349- 24
1054- 60- 2
1054-315- 6
道安北周 1054-386- 10
1401-510- 37
道安唐 473-812- 86
570-254- 25
道安唐 見慧安
道匡宋 588-239- 10
1053-313- 8
道因唐 541- 89- 30
592-353- 82
1052- 19- 2
道因宋(居大安寺) 1052-319- 22
道因宋(號草庵) 1054-207- 4
道同明 見多通
道光道先 唐(居華嚴寺)
524-382-198
588-263- 11
1052-197- 14
1071-845- 8
1340-644-786
道光唐(俗姓李) 592-359- 82
1071-322- 25
道光明 1409-590-629
道舟後晉 1052-333- 23
道全唐 1053-538- 13
1089- 86- 9
道全宋(俗姓王) 516-429-103
1112-265- 25
道全宋(嗣克文) 1053-749- 17
道先唐 見道光
道印宋 588-190- 9
1053-877- 20
道行唐(俗姓楊) 1052-291- 20
道行唐(嗣道一) 1052-294- 20
1053-118- 3
道行宋 524-436-201
1053-854- 20
道行元 683- 47- 2
道宏唐 820-304- 30
道宏宋 592-732-108
820-484- 36
821-265- 52
道汪劉宋 592-336- 81
1401- 68- 15
道沖宋 524-389-198
588-224- 10
1054-215- 4
道成唐 1052-186- 14
道成明 511-917-174
道吾五代 480-302-271
1053-175- 4
道育後晉 524-425-200
1052-331- 23
道冏劉宋 1049-718- 48
道布唐 見達摩流支
道希五代 1053-310- 8
道秀唐 820-299- 30
道宗唐(俗姓田) 586-178- 8
道宗唐(俗姓孫) 1049-491- 33
道法劉宋 592-337- 81
道泓唐 271-635-191
276-102-204
533-773- 74
1052-402- 29
道忞清 524-411-199
541-101- 30
道初宋 533-755- 74
1053-822- 19
道松唐 820-304- 30
道玠唐 812-372- 0
821-102- 48
道劼宋 1116-551- 29
道林隋 1401-642- 43
道林潘香光 唐(號圓修)
524-382-198
588-235- 10
590-139- 17
1052-149- 11
1053- 55- 2
1054-125- 3
1054-538- 15
1189-250-3上
道林唐(號道林) 567-466- 87
道林唐(居潭州) 1054-568- 16
道昌宋 1053-709- 16
1129-539- 35
道明唐(號悟空禪師)
472-1018- 41
479-386-234
524-438-201
1054-138- 3
1116-455- 23
道明惠明、慧明 唐(俗姓陳)
516-471-104
524-402-199
1052-108- 8
1053- 56- 2
道明唐(嗣道一) 1053-119- 3
道明徐道彰 明 524-392-198
道昂唐 1049-336- 23
道岸唐 1052-189- 14
道芬唐 812-355- 10
821-101- 48
道旻宋 479-613-244
516-495-105
1053-770- 18
道和唐 516-465-104
道和宋 1053-698- 16
道延唐 516-428-103
1053-542- 13
道宣唐 547-529-160
554-947- 65
588-449- 2
1051-214-8下
1052-183- 14
1054-106- 3
1054-443- 12
道宣宋 1053-605- 14
道恒晉 1054-328- 7
道恒宋 1053-389- 10
道亮唐 524-416-200
1052-111- 8
道度梁 1050-810-115
道珍梁 516-490-105
道茂唐 472-383- 16
475-585- 79
485-481- 8
1142-535- 6
1376-700-100下
道昺晉 516-486-105
517-333-124
879-137-57下
道昭唐(居羅漢閣) 530-200- 60
道昭唐(俗姓康) 592-371- 83
道幽唐 1053-539- 13
道英唐(居普濟寺) 1049-671- 45
道英唐(居法海寺) 1052-263- 18
道英宋 1053-754- 18
道恁五代 524-441-201
588-246- 10
1052-176- 13
1053-286- 7
1054-146- 3
道香北周 592-341- 81
道信唐 473-285- 61
479-735-250
480-145-264
516-442-104
533-754- 74
1053- 40- 1
1054-103- 3
1054-430- 12
道信宋 1053-701- 16
道衍姚天僖、姚廣孝 明
299-388-145

472-229- 8
493-975- 52
497-610- 43
511-920-174
588-181- 8
676-481- 18
676-679- 28
820-584- 40
821-356- 55
886-138-138
1220-341- 12
1231-431- 12
1284-128-146
1442-119-附8
1459-536- 19
道俊唐 1052-111- 8
道涓明 524-450-201
道祖宋 1053-842- 19
道悟唐(嗣希遷) 480-257-269
524-430-200
533-762- 74
1052-137- 10
1053-252- 7
1054-123- 3
1054-514- 15
道悟唐(住紫雲山) 533-755- 74
道悟唐(居天主寺)
1053-253- 7
1054-124- 3
1054-514- 15
道悟宋 530-204- 60
道悟金 558-483- 41
1054-696- 20
道泰北涼 1051-115-4下
道眞阿史那道眞 唐
270-323-109
274-396-110
395-392-217
道原元 820-551- 39
1221-467- 10
道哲唐 541- 90- 30
道振宋 516-437-103
道虔唐(謚大覺禪師)
516-428-103
1052-663- 5
1053-215- 6
道虔唐(俗姓陳) 1089- 86- 9
道虔宋 1053-566- 14
道氤唐 1052- 59- 5
1054-116- 3
道耕明 1475-771- 32
道倫五代 564-621- 56
1053-626- 15
道能宋 1053-877- 20
道殷五代 1053-319- 8
道清唐 473-808- 86
494-260- 10
570-247- 25
道翊五代 524-384-198
558-227- 10
道望元 683- 47- 2
道淵宋 1053-510- 12
道寂李仁萬 唐 541- 90- 30
道強清 456-391- 80
道堅唐 1052-132- 10
道堅宋(嗣法安) 1053-419- 10
道堅宋 杜志儒女(號福慧慈懿大師) 1087-270- 27
道韶晉 554-941- 65
1054-327- 7
道基唐 592-342- 81
道通唐 1052-133- 10
1053-124- 3
道通道童 元 294-543-144
400-263-521
479-451-237
493-726- 40
510-332-113
515- 28- 57
820-520- 38
道晤唐 1052-405- 29
道常北齊 820-122- 25
道常唐 1053-156- 4
道童元 見道通
道焜清 533-788- 75
道超唐(俗姓段) 483-142-380
570-257- 25
道超唐(居興善寺) 1052- 63- 5
道盛齊 1401-152- 19
道盛清 479-563-242
516-466-104
524-393-198
1460-858- 91
道雄唐 511-939-175
道隆宋(賜號圓明大師)
1052-728- 20
1053-482- 12
1054-624- 18
1089- 79- 9
道隆宋(嗣悟新) 524-439-201
1053-761- 18
道登後魏 547-502-159
道開晉 見單道開
道琛宋 1054-205- 4
道琳梁 1049-831- 55
道琳宋 1053-604- 14
道援明 1475-785- 33
道閑唐 1053-267- 7
道閑宋(嗣靈照) 1053-327- 8
道閑宋(字無著) 1053-897- 20
道晧唐 516-492-105
道菴明 570-256- 25
道喇清 502-512- 71
道欽清欽、忠欣 唐
479- 74-219
485-289- 42
493-1093- 58
524-382-198
588-220- 10
589-308- 2
820-299- 30
1052-125- 9
1053- 53- 2
1054-121- 3
1054-485- 14
1341-502-865
道欽五代(嗣道匡) 1053-342- 8
道欽五代(嗣文益) 1053-395- 10
道傑隋 1041-644- 43
道進晉 1049-604- 41
道進劉宋 見法進
道進後魏 547-501-159
道溥五代 1053-290- 7
道源清 511-921-174
1460-856- 91
道義唐 524-434-201
1053-300- 21
道慈法慈 劉宋 1401- 87- 16
道慈宋 1053-415- 10
道溫劉宋 1401- 90- 16
道詮宋(嗣慧輪) 516-476-105
1052-688- 10
1053-343- 8
道詮宋(號明因大師)
547-479-159
1102-495- 63
1356-317- 15
1378-437- 57
1383-551- 49
道楷宋 541- 92- 30
1052-719- 17
1053-581- 14
1054-190- 4
1116-459- 23
道瑞清 570-251- 25
道勤宋 1053-606- 14
道圓唐 1052- 75- 6
道圓宋(嗣德韶) 1053-411- 11
道圓宋(嗣慧南) 1053-730- 17
道暉元 1202-281- 20
道敬劉宋 486-337- 15
516-487-105
517-333-124
541- 87- 30
879-138-57下
道會唐 592-405- 85
道會宋 1053-597- 14
道儁隋 見道仙
道微唐 591-298- 23
592-435- 87
道微宋 1053-591- 14
道演清 1320-725- 79
道誠宋(號慧悟大師)
490-718- 70
524-387-198
585-478- 14
590-140- 17
道誠宋(號通法禪師)
1053-418- 10
道寧宋 485-482- 8
1053-817- 19
1142-536- 6
道端宋 1053-416- 10
道齊唐 588-186- 9
1052-409- 29
道齊宋 1052-673- 7
1053-414- 10
道榮宋(居長隴院) 486-901- 35
524-426-200
道榮宋(號覺印禪師)
1053-695- 16
道榮元 547-493-159

道熙五代 1053-321- 8
道愻唐 476-129-102
547-519-160
1049-491- 33
道綽唐 547-479-159
1049-519- 35
道寬宋 1053-487- 12
道廣唐 1089- 84- 9
道潛五代 見淨慈
道潛曇潛 宋 472-232- 8
472-414- 18
472-970- 38
475-157- 57
479- 74-219
485-291- 42
490-722- 70
493-1093- 58
524-388-198
585-480- 14
588-236- 10
590-140- 17
820-467- 36
1054-188- 4
1110-318- 15
1354-252- 31
道澄唐 1052-218- 16
道鄰遼 496-426- 90
道慧齊 486-336- 15
524-414-200
道慧明 561-227-38之3
道賢後唐 1052-359- 25
道賢元 1196-299- 17
道標唐 524-382-198
588-185- 9
590-139- 17
1052-212- 15
1054-122- 3
道樞宋 524-404-199
588-190- 9
1053-789- 18
道震宋 1053-765- 18
道敷明 1442-121-附8
1475-770- 32
道蓮明 570-251- 25
道遵唐 524-402-199
1052-377- 27
1071-853- 9
1341-489-863
1410-143-679
道遵五代 1053-625- 15
道璣萬福敦 明 533-757- 74
821-486- 58
道樹唐 511-939-175
1052-127- 9
1053- 58- 2
1054-521- 15
道融晉 554-941- 65
1054-328- 7
道融梁 516-491-105
道臻後魏 1054- 81- 2
道臻宋 821-265- 52
1052-755- 26
1053-497- 12
1054-181- 4
1054-644- 19
道整趙正、趙整 晉
472-744- 29
537-491- 59
1050- 99- 66
1379-380- 46
1408-485-527
道興唐 592-356- 82
道興元靜 宋 592-452- 89
1053-818- 19
道興清 547-543-160
道積唐(住福感寺) 592-354- 82
1050-326- 81
道積相里子才 唐(住普救寺)
1049-531- 36
道衡明 1442-121-附8
道穆宋 473-306- 62
480-257-269
道鴻宋 1053-403- 10
道膺唐 479-583-243
516-476-105
1052-163- 12
1052-665- 6
1053-526- 13
1054-137- 3
1054-587- 17
道濟宋 479- 74-219
524-389-198
585-485- 14
588-218- 9
1183-159- 10
1437- 38- 2
道謙宋 1053-870- 20
道隱唐 1052-404- 29
道隱五代 1053-569- 14
道隱元 821-332- 54
道彌元 683- 47- 2
道聯明 820-765- 44
道顏宋 592-459- 89
1053-866- 20
道邃唐 1052-404- 29
道豐北齊 538-338- 70
道瞻清 455-513- 32
道簡唐 479-583-243
516-476-105
1052-683- 9
1053-551- 13
道瓊宋 1053-511- 12
道嚴劉宋 1051-140-5下
道辯宋 1053-740- 17
道龔北涼 1051-109-4下
道鑑唐 485-289- 42
493-1091- 58
1052-258- 18
道巘宋 1053-177- 4
道觀宋 1053-785- 18
道拉錫元 545-218- 91
道宣王隋 見楊嵩
道悼王隋 見楊靜
道達喀清 455-583- 38
遂王唐 見李禕
遂成宋(姓缺) 486- 46- 2
遂班清 455-204- 10
遂瑞唐 見遂端
遂端遂瑞 唐 479-193-225
524-407-199
1052-356- 25
遂人氏上古 383- 33- 5
遂平王明 見朱安瀙
遂昌王明 見朱祐櫍
遂勒丹清 456- 62- 54
遂寧王明 見米在鈺
資王唐 見李謙
資成不詳 933- 70- 4
資國唐 1053-265- 7
資若霖妻 清 見谷氏
載國周 933-669- 44
載錦明 559-354- 8
1257- 32- 4
載戴漢 933-669- 44
載友仁明 456-610- 9
載國柱明 456-486- 5
埧明 1229-212- 5
賈山漢 250-259- 51
376-125- 97
384- 40- 2
469- 54- 7
472-650- 27
477- 57-151
538-151- 65
933-605- 39
1355-180- 7
賈文宋 541- 91- 30
賈尹宋 559-314-7上
賈友元 1206-162- 17
賈丹漢 546-384-127
賈氏春秋 晉獻公夫人
404-760- 46
賈氏漢 明帝妃 252-179-10上
賈氏漢 韓瑤妻 555- 3- 66
賈氏唐 賈強仁姊、賈彊仁姊、
賈疆仁姊 271-652-193
276-108-205
401-149-589
476-867-145
541- 79- 29
賈氏後梁 賈章女 474-383- 19
506-140- 90
賈氏宋 王十朋女、賈如訥女
1151-634- 29
1410-515-733
賈氏宋 趙仲訦妻、賈達女
1100- 64- 7
賈氏宋 趙宗旦妻、賈德滋女
1093-392- 53
賈氏宋 趙宗訥妻、賈德滋女
1093-392- 53
1102-294- 37
賈氏宋 趙叔慈妻、賈世奕女
1123-472- 14
賈氏宋 楊榆母 591-618- 44
賈氏明 于傅妻 477-380-167
賈氏明 王遇隆妻 478-574-203
558-537- 43
賈氏明 李栢妻 506- 92- 88
賈氏明 和中妻 506-122- 89
賈氏明 祝淵妻 524-502-203
賈氏明 時值妻 477- 93-153

賈氏明　連得志妻 506-111- 89
賈氏明　張祥妻 506-106- 89
賈氏明　張勛妻 476-404-119
547-451-158
賈氏明　陳俞妻 302-222-301
474-340- 17
賈氏明　陳悌妻 478-249-186
賈氏明　陳瑞妻 474-248- 12
賈氏明　費茂元妻 477-257-161
賈氏明　靳光祚妻 506- 41- 87
賈氏明　潘燿卿妻、潘耀卿妻、賈瀾女 473-378- 64
480-565-284
533-706- 72
賈氏明　劉兆元妻 506- 45- 87
賈氏明　韓敏妻 1223-584- 11
賈氏明　賈太初女 506-554-105
賈氏清　李金錫妻 474-655- 34
賈氏清　金式呂妻 475-713- 86
賈氏清　孫洪妻 474-413- 20
賈氏清　寇璠妻 477-483-173
賈氏清　張聖化妻 506-113- 89
賈氏清　劉登妻 477-381-167
賈氏清　劉天光妻 479-797-254
賈氏清　劉登科妻 503- 35- 94
賈氏清　衛琦妻 1316-670- 46
賈氏清　韓詔妻 506-157- 90
賈氏清　魏見威妻 506- 64- 87
賈氏清　顧存志妻 481- 84-294
賈氏清　張正甫妻 1315-523- 31
賈允元 1206- 71- 8
賈充魏～晉 254-307- 15
255-704- 40
377-481-121下
384- 91- 5
384-673- 43
386-183-75下
933-606- 39
1379-264- 33
賈充母　晉　見柳氏
賈充妻　晉　見李氏
賈充女　晉　見賈南風
賈疋晉 256- 41- 60
377-665-125
472-945- 37
478-635-206
554-106- 50
558-187- 31
558-427- 37
933-606- 39
賈圭宋 1100- 64- 7
賈至唐 271-584-190中
274-506-119
395-494-225
451-423- 2
472-745- 29
538-140- 65
556-114- 85
674-252-4上
933-607- 39
1371- 59- 附
1387-569- 42
1394-599- 8
賈同賈先、賈罔、賈岡　宋
288- 84-432
400-442-541
472-544- 23
472-592- 24
476-669-136
491-805- 6
540-755-28之2
賈收宋 494-385- 11
524-281-192
賈全唐 486- 43- 2
1076-112- 12
1076-568- 12
1077-138- 12
賈全元 473- 15- 49
515- 86- 59
賈先宋　見賈同
賈竹元 538-136- 65
820-532- 38
1439-422- 1
賈宏明 1262-425- 46
賈宏女　明　見賈瓊英
賈沈晉 474-687- 37
502-252- 53
賈辛春秋 404-725- 44
545-123- 87
933-605- 39
賈良元 475-528- 77
511-798-167
賈壯清 477-481-173
510-420-116
537-591- 60
賈佺金 1190-491- 42
賈佗春秋 404-705- 43
933-605- 39
賈何宋 400-168-513
賈秀後魏 261-488- 33
266-544- 27
379- 87-147
賈完漢 370-115- 8
376-563-105
402-361- 3
477-367-167
537-530- 59
539-351- 8
554-226- 52
賈宗漢　見賈琮
賈宗宋 475-365- 67
賈注宋 450-500-中39
1088-564- 59
賈注妻　宋　見史氏
賈定明 476-395-119
537-402- 57
545-463-100
1262-439- 47
賈定妻　明　見婁氏
賈定妻　明　見劉氏
賈泳金 1365-263- 8
1445-480- 35
賈炎宋 285-569-285
478- 91-180
478-168-182
505-751- 72
554-151- 51
933-608- 39
賈武明 571-539- 20
賈青宋 493-702- 39
賈玭宋 285-292-265
396-586-306
賈玭妻　宋　見王氏
賈林宋 1167-760- 41
賈忠明(字能誨) 493-759- 41
賈忠明(崞縣人) 546-406-128
賈昌唐 554-900- 64
賈旹晉　見賈南風
賈岡宋　見賈同
賈罔宋　見賈同
賈芳明 546-323-125
賈易唐 820-287- 30
賈易唐 820-287- 30
賈易母　宋　見彭氏
賈易宋 286-699-355
397-741-365
472-327- 14
472-388- 17
475-214- 60
511-335-149
賈季春秋　見狐射姑
賈和元 1214-230- 19
賈和妻　元　見田氏
賈侃明 546-368-127
賈岳宋 487-511- 7
賈岳妻　明　見程氏
賈洪魏 254-265- 13
380-274-172
385-592-65下上
478-103-180
554-831- 63
680-669-285
賈冠梁 546-640-136
賈洵金 1191-384- 34
賈恪明 523- 40-148
537-402- 57
676-492- 19
賈炤金 1191-384- 34
賈垓妻　明　見高氏
賈威明 472-647- 26
477- 55-151
537-348- 56
賈郁五代 473-630- 77
481-549-327
528-472- 29
賈建妻　漢　見劉利
賈昭明 472-527- 22
545-185- 90
547-203-148
賈泉明 554-311- 53
賈信明 473-168- 57
515-476- 71
676-361- 13
賈垕元 472- 86- 3
賈弇唐 1076-112- 12
1076-568- 12
1077-138- 12
賈紀妻　清　見翟氏
賈侯春秋 545-692-108
賈俊明 300- 29-185
474-243- 12

478-453-197
505-811- 74
545- 72- 85
賈益金 291-288- 90
399-172-431
474-406- 20
賈涉宋 287-502-403
398-488-397
472-308- 13
472-1104- 47
475-367- 67
479-289-230
510-388-115
523-552-173
賈涉妻 宋 見胡氏
賈悌明 456-490- 5
賈眞元 480-289-271
賈珪明 545-187- 90
賈栩漢 591-511- 41
賈耽唐 270-638-138
275-320-166
384-230- 12
384-242- 12
396-101-261
469-534- 65
472- 69- 2
472-495- 21
474-338- 17
476-180-106
476-893-147
476-911-148
505-744- 72
545-237- 92
820-217- 28
933-607- 39
1341-658-887
1344- 89- 68
賈起金 1191-385- 34
賈時明 472-684- 27
賈恩劉宋 258-568- 91
265-1033- 73
380- 91-167
472-1070- 45
479-230-227
486-310- 14
524-130-185
933-606- 39
賈島唐 見無本
賈混晉 255-710- 40
545-756-110
賈淵賈希鏡 齊 259-516- 52
265-1021- 72
380-369-176
546-640-136
933-606- 39
賈淵元 472-741- 29
賈章女 後梁 見賈氏
賈祥宋 813-196- 19
821-256- 52
賈深唐 475-697- 86
510-461-117
賈梁明 559-270- 6
賈淑漢 253-377- 98
377- 3-113上
384- 66- 3
402-495- 12
476-181-106
545-506-101
賈訥明 494- 57- 2
賈梧妻 明 見李氏
賈彬明 547- 42-142
賈班妻 明 見齊氏
賈通明 554-346- 54
賈崇南唐 516-205- 95
賈冕明 474-823- 44
502-288- 56
賈彪漢 253-373- 97
376-966-112
384- 66- 3
402-475- 11
402-542- 17
472-651- 27
472-788- 31
477-368-167
477-541-176
537-352- 56
537-539- 59
933-606- 39
賈偁妻 宋 見王氏
賈啟明 473-284- 61
510-437-116
533- 41- 48
554-176- 51
賈偉宋 472-1104- 47
481-235-303
賈斌明 299-629-164
547-156-147
676-276- 10
賈善妻 元 見宋嫳
賈曾唐 271-583-190中
274-506-119
384-201- 11
395-493-225
469- 22- 3
477-311-164
538-139- 65
933-607- 39
1371- 54- 附
賈渾晉 256-449- 89
380- 37-166
472-494- 21
476-179-106
545-233- 92
933-606- 39
賈渾妻 晉 見宗氏
賈渤賈忠郎 宋 448-402- 0
賈竦唐 820-240- 28
賈詠明 458-115- 5
477-481-173
537-590- 60
賈琮賈宗、賈綜 漢
252-744- 61
376-689-107下
384- 68- 3
402-496- 12
402-516- 14
448-299- 上
459-846- 51
469-456- 54
472- 84- 3
472-570- 24
473-890- 90
474- 89- 3
476-611-133
478- 85-180
482-317-354
483-697-422
505-626- 67
540-705-28之1
545-312- 95
554-265- 53
563-603- 38
567- 23- 63
933-606- 39
1467- 4- 62
賈琮明 476-297-112
546-363- 217
賈越明 545-892-114
賈蕡唐 476-853-145
540-668- 27
賈盛明 484- 23- 2
賈琰宋 285-569-285
472- 94- 3
474-377- 19
505-750- 72
1089-700- 13
賈逵漢 252-800- 66
370-185- 18
376-726-108
384- 61- 3
384- 62- 3
402-403- 6
402-442- 9
459- 22- 2
472-832- 33
478- 99-180
554-804- 63
675-318- 19
680-667-285
814-224- 3
820- 29- 22
933-606- 39
賈逵賈衢 魏 254-304- 15
377-139-115下
384- 85- 4
384-671- 43
385-406- 43
469-363- 43
472-456- 20
472-461- 20
472-737- 29
472-788- 31
476- 76-100
476- 81-100
476-910-148
477-160-157
477-304-163
477-521-175
537-193- 54
545-447- 99
545-752-110
550-157-215

933-606- 39
1103-390-137
賈逵宋 286-631-349
382-540- 84
384-358- 18
397-688-362
408-282- 10
472- 95- 3
472-852- 34
474-378- 19
478-418-195
505-751- 72
554-150- 51
567- 59- 65
581-477- 96
1099-532- 7
1467- 34- 63
賈華春秋 545-699-108
賈嵒宋 286-651-350
397-704-362
472-662- 27
477- 81-152
537-395- 57
545- 52- 84
558-209- 32
1121-470- 34
賈棠明 563-883- 42
賈鈞元 295- 92-153
399-439-459
474-381- 19
505-753- 72
賈智後魏 262-190- 80
267- 60- 49
379-349-151
505-747- 72
賈循唐 275-598-192
384-215- 11
400- 99-509
474-166- 8
474-275- 14
478-115-181
540-160- 27
545-416- 98
554-695- 61
933-607- 39
賈策元 821-295- 53
1213-160- 12
1439-442-附2
賈復漢 252-550- 47
370-114- 8
376-562-105
384- 55- 3
402-360- 3
402-539- 17
472-768- 30
477-363-167
537- 42- 48
537-530- 59
539-351- 8
547-196-148
933-605- 39
1408-412-520
賈逸唐 1049-552- 37
賈進元 295-607-197
400-315-526
472-485- 21
547- 50-143
賈進明 511-191-143
賈義妻 明 見王氏
賈義不詳 470-142-107
賈詡魏 254-206- 10
377- 84-114
384- 82- 4
384- 85- 4
384-634- 38
385-323- 31
470-431-152
472- 84- 3
472-944- 37
478-635-206
558-359- 35
933-606- 39
1112-655- 9
1407- 47-399
賈亶宋 545-240- 92
賈雍漢 567-361- 81
1467-416- 5
賈煜明 456-656- 11
賈溉金 820-484- 36
賈祿清 456-370- 78
賈遊晉 255-711- 40
賈遂明 456-659- 11
538- 46- 63
賈煥元 510-453-117
賈載唐 473-221- 59
480- 87-262
532-622- 43
賈瑄明 561-201-38之1
賈馳唐 451-451- 5
賈馴元 506-706-114
1206-162- 17
1367-218- 18
賈瑛明 1262-432- 47
賈達女 宋 見賈氏
賈達元 479-402-235
523-225-156
賈愚妻 清 見李氏
賈嵩元 1229-379- 14
賈粲後魏 262-336- 94
267-749- 92
380-504-179
賈遇妻 明 見李氏
賈鉉金 291-399- 99
399-233-437
472-576- 24
476-616-133
540-769-28之2
賈鉞明 554-284- 53
賈會唐 275-598-192
400- 99-509
478-115-181
554-752- 62
賈節明 545-273- 93
賈實明 554-313- 53
賈誌明 821-439- 57
賈禎後魏 261-489- 33
266-544- 27
379- 88-147
賈韶明 523-232-156
賈寧晉 485-487- 9
賈輔元 295-242-165
472- 54- 2
474-241- 12
505-733- 71
1190-491- 42
1192-403- 35
賈嘉漢 244-538- 84
933-605- 39
賈遠妻 清 見蘇氏
賈綜漢 見賈琮
賈銓明 299-561-159
474-440- 21
483- 94-378
494-158- 5
505-765- 72
569-667- 19
賈銓清 559-410-9下
賈諒妻 元 見滑氏
賈諒明 299-547-158
453-241- 22
472-559- 23
473-210- 59
476-587-131
479-452-237
510-289-112
515- 34- 58
532-589- 41
540-787-28之3
559-250- 6
1241-699- 16
賈澄明 820-716- 43
賈澄妻 明 見李氏
賈潤清 505-905- 80
賈誼漢 244-533- 84
250-211- 48
376- 95- 97
384- 39- 2
459-154- 10
469- 22- 3
471-754- 23
472-743- 29
473-332- 63
477-307-164
480-398-277
532-547- 40
534-826-113
538-139- 65
675-293- 15
933-605- 39
1355-184- 7
1360-611- 38
1366-747- 3
1408-211-501
賈潭南唐 1085-114- 15
賈論明 533-237- 54
賈閭元 563-717- 39
賈璇明 476-183-106
545-890-114
賈璉後周～宋 471-961- 53
1088-564- 59
賈模晉 255-711- 40
377-488-121下

476- 82-100
544-203- 62
545-756-110
賈奭唐 1077-286- 下
賈奭宋 933-608- 39
賈奭明 493-732- 40
523-131-152
559-353- 8
賈德元 505-665- 69
1200-626- 47
賈質清 505-841- 76
賈魯元 295-506-187
399-762-496
472-505- 21
476-207-107
476-916-148
540-615- 27
546-190-121
580-310- 17
賈魯明 567-406- 84
1467-441- 6
賈儁後魏 261-489- 33
266-544- 27
379- 88-147
478-375-192
554-112- 50
賈銳明 547- 46-142
賈銳清 505-816- 74
賈緯後周 278-436-131
279-377- 57
396-449-296
505-887- 79
1088-564- 59
1089-700- 13
賈魴漢 684-466- 下
814-225- 3
820- 30- 22
賈餗唐 271-200-169
275-465-179
384-268- 14
396-199-270
469- 22- 3
472-746- 29
537-501- 59
933-607- 39
1077-287- 下
賈諲宋 493-704- 39
賈翰明 456-642- 10
賈蕃宋 見賈藩
賈衡母 明 見魏氏
賈衡明 505-812- 74
賈穆清 505-891- 79
賈錠明 458- 85- 4
523- 44-148
528-528- 31
賈濬妻 明 見劉氏
賈謐晉 見韓謐
賈禧元 526-637-280
1221-411- 4
賈謙金 1040-259- 6
賈謙明 821-439- 57
賈聰明 1467-190- 69
賈嶼明 554-515-57下
賈徽漢 675-275- 11
賈獲春秋 405- 94- 61
537-368- 57
賈謨明 547- 6-141
賈燾清 547- 40-142
賈懋明 505-896- 80
賈彝後魏 261-488- 33
266-543- 27
379- 87-147
472- 88- 3
472-945- 37
478-635-206
496-606-104
505-784- 73
558-360- 35
933-606- 39
賈瓊隋 547-200-148
賈瓊妻 宋 見韓希孟
賈藩賈蕃 宋 554-309- 53
1122-166- 13
賈贈明 1293-748- 5
賈馥後唐 277-581- 71
賈瀾女 明 見賈氏
賈壤元 1214-231- 19
賈護漢 477-202-159
538- 24- 62
賈黯宋 286- 4-302
371-144- 14
382-491- 76
384-346- 18
384-358- 18
397-219-332
450-284-中9
472-774- 30
477- 52-151
477-377-167
537-547- 59
933-608- 39
1093-399- 54
1096-335- 34
賈蘭明 547- 74-143
賈爟妻 明 見袁氏
賈鑄宋 680-204-244
賈麟明(曲陽人) 472- 99- 3
賈麟明(冀城人) 554-258- 52
賈麟明(字彥仁) 1231-347- 5
賈巖明 300-782-231
475-799- 90
511-370-150
賈衢魏 見賈逵
賈驥明 472-1068- 45
523-155-153
賈讜母 宋 見王氏
賈又彪清 511-643-161
賈三光明 456-673- 11
476-222-108
547- 57-143
賈三近明 300-732-227
476-587-131
540-815-28之3
1442- 74-附5
賈士彥宋 1117-337- 16
賈士楚清 476- 44- 98
賈士璋清 474-519- 25
505-861- 77
賈子坤宋 288-322-449
400-177-514
472-894- 35
473-505- 71
478-515-200
481- 80-294
558-183- 31
559-525- 12
591-617- 44
591-693- 48
賈大玉清 558-458- 38
賈大亨明 524-260-191
賈大姑清 高成龍妻
479-150-223
賈大隱唐 276- 9-198
400-406-538
賈文備元 295-242-165
399-596-479
472- 55- 2
474-241- 12
賈文應明 481-115-296
482-373-357
賈文耀清 554-798- 62
賈之琯明 456-571- 8
賈之鳳明 547- 63-143
賈太初明 456-521- 6
474-313- 16
505-849- 76
532-682- 44
賈太初女 明 見賈氏
賈五會明 546-194-122
賈元凱明 532-705- 45
賈少沖金 291-287- 90
399-172-431
472- 35- 1
472-480- 21
474-178- 8
476-513- 25
496-372- 86
505-632- 67
505-718- 71
賈公彥唐 271-537-189上
276- 9-198
400-406-538
674-169-1上
678-547-121
賈公逑宋 485-534- 1
賈公望宋 472-221- 8
485- 85- 12
493-702- 39
510-501-118
589-348- 5
賈公傑宋 821-207- 51
賈仁元明 476-125-102
505-658- 68
546-315-125
554-188- 51
賈允重清 547- 78-143
賈必選明 511- 83-139
賈永昌妻 明 見高氏
賈玉瑪清 周琦妻
478-654-207
賈弘祚清 478-349-191
554-680- 60

賈正儀明 472-408- 20
537-210- 54
546-754-140
賈古昪明 554-678- 60
賈世奕女 宋 見賈氏
賈世祥明 472-128- 4
537-282- 55
賈世隆明 547- 18-141
賈民仰清 538- 94- 64
賈用中元 524-172-187
賈守亨明 547- 48-142
賈守智妻 明 見高氏
賈守謙金 見賈益謙
賈守謙元 1367-801- 61
賈安世明 456-678- 11
賈安宅宋 472-1003- 40
494-385- 11
賈存義明 523-188-155
賈有福清 482-523-367
502-693- 81
567-160- 69
賈光大明 554-258- 52
賈光前清 474-572- 29
505-898- 80
賈名儒明(眞定人) 300-811-233
474-382- 19
賈名儒明(號實齋)
1475-291- 12
賈如訥宋 1151-296- 20
賈女訥妻 宋 見陳氏
賈如訥女 宋 見賈氏
賈如規宋 472-1116- 48
524-229-189
1151-262- 17
1164-197- 9
賈仲穎宋 1180-243- 23
賈行恭宋 821-209- 51
賈言忠唐 271-583-190中
274-506-119
賈良薦明 547- 19-414
賈志通明 515-121- 60
賈志儒明 547- 60-143
賈克忠明 554-518-57下
賈見虎妻 清 見李氏
賈似道宋 288-628-474
401-366-617
585-347- 5
1180-221- 21
賈希朱明 1262-421- 46
賈希鏡齊 見賈淵
賈邦憲賈邦獻 金
291-676-122
400-222-518
476-348-116
545-764-110
賈邦獻金 見賈邦憲
賈廷佐賈庭 宋 451-302- 5
472-1029- 42
494-321- 6
524-331-195
1212-132- 11
賈廷柱明 533-238- 54
賈廷璋清 478-168-182
554-315- 53
賈廷瓚妻 清 見宋氏
賈宗仁元 547- 71-143
賈宗悌明 523-447-168
537-305- 56
賈宗望母 宋 478-275-187
賈昔剌元 見賈實喇
賈直言唐 271-514-187下
275-612-193
384-258- 13
400-111-509
482- 40-340
540-632- 27
547-151-147
563-918- 43
933-607- 39
賈直言妻 唐 見董德貞
賈居貞元 295- 90-153
399-438-459
472- 97- 3
474-379- 19
479-450-237
480- 12-257
505-751- 72
515- 22- 57
532-583- 41
1201-165- 80
1201-600- 19
1202-160- 12
1373-159- 12
賈長卿元 559-352- 8
591-626- 45
592-607- 99
賈忠郎宋 見賈渤
賈尚節妻 清 見李氏
賈昌朝宋 285-564-285
371- 59- 5
382-414- 65
384-348- 18
397- 50-323
450- 53-上6
450-334-中17
472- 95- 3
472-126- 4
472-643- 26
472-677- 27
474-469- 23
505-750- 72
537-341- 56
559-306-7上
820-348- 32
933-608- 39
1088-565- 59
1093-409- 56
1105- 722- 87
1191-384- 34
1356- 59- 3
1410-100-674
1437- 11- 1
賈昌朝妻 宋 見陳氏
賈昌衡宋 285-569-285
397- 52-323
481-332-308
賈昌齡宋 1089-700- 13
賈明孝明 680-331-259
賈明善妻 元 見宋婺
賈明觀唐 271-427-184
賈和仲宋 567-442- 8
賈佩徵清 546-651-136
賈彥璿唐 820-180- 27
賈南金宋 524-149-185
526-296-268
賈南風賈峕 晉 晉惠帝后、賈充女 255-580- 31
373- 69- 20
544-179- 61
賈思同後魏 262- 95- 72
267- 28- 47
379-328-151
476-666-136
540-729-28之1
541-124- 32
679-370-175
賈思伯後魏 262- 93- 72
267- 27- 47
379-326-151
472-591- 24
476-666-126
491-800- 6
540-729- 28
933-607- 39
賈若芷妻 清 見李氏
賈待旌明 547- 39-142
賈待問明 474-441- 21
505-856- 75
515- 59- 58
554-182- 51
賈待聘清 532-753- 46
賈益謙賈守謙 金
291-481-106
399-267-440
472- 96- 3
474-621- 32
505-790- 73
1191-384- 34
1365-305- 9
1439- 10- 附
1445- 71- 2
賈庭佐宋 見賈廷佐
賈庭瑞元 1197-643- 66
賈泰亨元 473-234- 60
480-170-266
532-645- 43
賈眞儒妻 明 見金氏
賈眞儒妻 明 見袁氏
賈捐之漢 250-486-64下
376-242- 99
384- 49- 2
472-743- 29
477-307-164
537-489- 59
933-605- 39
賈夏谷妻 清 見俞氏
賈時俊明 456-683- 11
賈時雍妻 明 見楊氏
賈師古宋 821-218- 51
賈師逵明 554-518-57下
賈師順唐 270-261-103
274-664-133

478-741-213
554-582- 58
賈純孝宋 288-322-449
400-177-514
481- 80-294
591-693- 48
賈惟貞元 472- 97- 3
賈執中元 524-172-187
賈強仁姊 唐 見賈氏
賈國楨清 523-164-153
賈國璵清 515-455- 70
賈偉節宋 286-721-356
397-756-365
賈敏夬元 545-769-110
賈從仁元 1234-252- 41
賈從林唐 400- 99-509
賈敦實唐 271-441-185上
275-651-197
400-339-530
472-738- 29
474-635- 33
477-242-161
505-702- 70
537-296- 56
540-737-28之2
賈敦頤唐 271-441-185上
275-651-197
400-339-530
459-883- 54
472- 64- 2
472- 84- 3
472-554- 23
472-738- 29
474-304- 16
476-859-145
477-305-163
505-664- 69
537-296- 56
540-737-28之2
933-607- 39
賈黃中宋 285-292-265
371- 63- 6
382-232- 35
384-332- 17
396-586-306
472- 69- 2
472-171- 6
472-357- 15
474-338- 17
475-603- 81
481-801-338
488-369- 13
505-744- 72
510-310-113
510-433-116
933-608- 39
1437- 7- 1
賈朝宦明 505-678- 69
賈朝聘妻 清 見王氏
賈棲鸞明 480- 52-259
賈開宗清 538-133- 65
賈弼之晉 546-639-136
賈景儁後魏 261-489- 33
266-544- 27
379- 88-147
賈景興賈景輿 後魏
261-489- 33
266-544- 27
379- 88-147
賈景輿後魏 見賈景興
賈欽儀宋 559-263- 6
賈逸祖宋 516-210- 96
1181-765- 11
賈義居妻 明 見王氏
賈道醇清 476-125-102
545-160- 88
賈嗣玄明 1229-255- 7
賈毓祥明 540-819-28之3
545-157- 88
賈愛仁後魏 544-206- 62
賈實喇賈昔剌、賈錫喇 元
295-303-169
399-633-483
1200-676- 51
賈廕序明 456-608- 9
賈漢策清 540-860-28之4
賈漢復清 477-568-177
545-794-111
554-191- 51
556-434- 92
賈漢誼清 482-523-367
567-153- 69
賈熙載明 554-259- 52
554-313- 53
賈夢豹妻 清 見王氏
賈夢鯨明 547- 38-142
賈夢麟妻 明 見王氏
賈鳴鑾清 547- 29-141
賈鳴璽清 546-651-136
賈種民宋 427-365- 4
賈維正清 505-915- 81
賈維孝明 570-158-21之2
賈維盛妻 清 見吳氏
賈維新明 545-771-111
賈增順妻 元 見韓氏
賈餘絢唐 494-161- 6
570-211- 23
820-283- 30
賈德玉元 1200-282- 23
1200-573- 44
賈德成元 1214-253- 21
賈德胄北齊 820-121- 25
賈德滋女 宋(趙宗旦妻) 見賈氏
賈德潤明 545-394- 97
賈締芳清 554-680- 60
賈樂性妻 清 見張氏
賈彊仁姊 唐 見賈氏
賈儒秀明 456-607- 9
478-376-192
賈錫喇元 見賈實喇
賈錫穎明 474-313- 16
505-905- 80
賈鴻洙明 552-218- 52
賈鴻儒妻 清 見朱氏
賈應元明 474-572- 29
505-802- 74
545-299- 94
賈應昌母 清 見李氏
賈應昌妻 清 見李氏
賈應春明 300-326-202
474-382- 19
477-566-177
505-754- 72
510-491-118
532-625- 43
545-233- 91
554-179- 51
賈應龍明(祥符人) 510-317-113
賈應龍明(安陽人) 510-473-117
賈應璧明 532-636- 43
賈應鷴妻 明 見許氏
賈膺福唐 271-441-185上
814-270- 9
820-152- 26
賈隱朴唐 見賈隱林
賈隱林賈隱朴 唐
270-725-144
275-598-192
472-837- 33
554-695- 61
賈還素妻 明 見尹氏
賈鍾斗明 456-676- 11
賈疆仁姊 唐 見賈氏
賈瓊英明 朱鍩妻、賈宏女
1262-400- 44
1410-401-716
賈繼之明 545-892-114
賈繼春明 302-333-306
賈顯度賈顯慶 後魏
262-190- 80
267- 59- 49
379-349-151
505-747- 72
544-208- 62
933-607- 39
賈顯慶後魏 見賈顯度
賈六十八元 295- 64-151
399-427-458
賈果勒齊元 見賈和爾齊
賈和爾齊賈果勒齊 元
295-303-169
399-633-483
1200-676- 51
賈塔爾琿元 295- 64-151
399-427-458
賈酬尼貲賈綽尼資 元
295-303-169
399-633-483
1200-677- 51
賈實勒們元 1439-444- 2
賈綽尼資元 見賈酬尼貲
賈圖沁布哈賈塔齊爾布哈 元
295-303-169
399-634-483
1207-244- 17
賈塔齊爾布哈元 見賈圖沁布哈
頓夏 見厔
頓弱戰國 405-319- 76
554-543- 58
頓喜明 821-493- 58

頓琦漢 453-754- 4
482-452-362
564- 9- 44
567-377- 82
879-164-58上
879-165-58上
1467-162- 68
頓肅漢 933-674- 45
頓銳明 505-880- 79
1442- 45-附3
1459-932- 39
頓子獻魏 933-674- 45
頓丘王後魏 見李峻
頓莫賀妻 唐 見燕國公主
頓莫賀達干合骨咄祿毗伽可汗、武義成功可汗 唐
271-695-195
276-305-217上
禁神明 558-489- 41
感溫五代 1053-229- 6
預知和尚唐 561-222-38之3
592-375- 83
隗氏清 許世登妻 474-249- 12
506- 59- 87
隗炤晉 256-552- 95
380-606-182
472-201- 7
475-779- 89
511-885-171
538-360- 71
隗相隗叔通 漢 402-540- 17
469-641- 79
469-1029- 65
473-465- 69
473-465- 69
483- 95-378
494-160- 6
559-430-10上
570-149-21之2
591-577- 43
隗禧魏 254-266- 13
380-275-172
385-593-65下上
478-103-180
554-807- 63
680-157-240
隗囂漢 252-482- 43
370-216- 23
376-521-104
384- 57- 3
402-349- 2
402-552- 18
472-894- 35
558-620- 46
558-765- 50
1112-652- 8
隗好詩妻 明 見冀氏
隗叔通漢 見隗相
雷公上古 742- 22- 1
雷牛唐 558-483- 41
雷氏宋 王庭珪舅母
1134-291- 41
雷氏元 孛朮魯遠妻、富珠哩遠妻、博都里遠妻 472-776- 30
477-379-167
533-635- 70
雷氏元 郭時中妻、雷晞顏女
1201-232- 85
雷氏明 王學讓妻 555- 52- 66
雷氏明 1285-646- 9
雷氏明 甘春霖妻
1457-673-406
雷氏明 朱鉞妻 530-138- 58
雷氏明 呂怡妻 475-534- 77
雷氏明 姚憲妻 558-497- 42
雷氏明 張愈發妻 483-185-385
雷氏明 郭承嗣妻 506- 4- 86
雷氏明 郭鳳翔妻 478-136-181
雷氏明 陳一經妻、雷俸女
1291-422- 7
雷氏明 陳仲鑑妻 482-435-361
雷氏明 黃琥妻 480-665-290
雷氏明 劉長庚妻 302-252-303
478-352-191
雷氏明 韓繼宗妻 478-352-191
494- 58- 2
1269-478- 8
雷氏明 徐嶧母 480-254-269
雷氏清 王愼獵妻 478-354-191
雷氏清 李若谷妻 534-577-100
雷氏清 呂承謨妻 478-139-181
雷氏清 吳中憲妻 474-280- 14
雷氏清 郭維墉妻 481-215-302
雷氏清 張本暢妻 478-357-191
雷氏清 楊奉魁妻 478-354-191
雷氏清 楊知敏妻 483- 99-378
570-198- 22
雷氏清 劉應蘭妻 533-694- 72
雷氏清 蕭龍光妻 533-631- 70
雷本宋 473-751- 83
482-356-356
564-616- 56
567-453- 87
1467-516- 11
雷令明 533-275- 56
雷同蜀漢 933-135- 9
雷同妻 明 見較氏
雷沂妻 元 見蒙氏
雷孚宋 473-165- 57
473-186- 58
479-792-254
515-465- 71
雷作宋 515-469- 71
雷況宋 559-264- 6
雷杭元 460-479- 38
676- 17- 1
雷協宋 460-216- 13
雷長清 楊世修妻 481-727-333
530-177- 59
雷虎清(章佳氏) 455-597- 40
雷虎清(滿洲人) 1325-296- 附
雷昇元 1207-609- 43
雷杲明 572- 78- 28
雷恆明 537-580- 60
雷亮明 472-841- 33
554-526-57下
雷庠宋 564- 72- 44
雷度宋 515-743- 80
雷咸唐 820-287- 30
雷政清 456-308- 74
雷思金 472-483- 21
505-655- 68
546-675-137
677-455- 41
1365-267- 8
1439- 4- 附
雷星女 明 見雷閏
雷浩明 510-446-117
雷益元 1201-443- 4
雷恭明 554-655- 60
雷栱元 460-479- 38
雷狆明 545-470-100
554-521-57下
雷時元 1206-697- 5
雷俸女 明 見雷氏
雷笏明 533-156- 52
雷淵金 291-544-110
399-291-442
472-545- 23
476-259-110
476-818-143
540-664- 27
546-676-137
1040-229- 1
1191-243- 21
1224-487- 29
1365-208- 6
1367-660- 51
1374-742- 95
1410-371-713
1439- 10- 附
1445-309- 20
1458-712-473
雷淵妻 元 見侯氏
雷祥元 554-913- 64
雷堂明 456-669- 11
雷紹後魏 267- 69- 49
379-354-151
476-279-111
478- 86-180
546-683-137
554-116- 50
933-135- 9
雷紳元 529-748- 51
雷賀明 1442-58-附3
1460-168- 48
雷琯金 554-845- 63
1040-238- 3
1224-488- 29
1365-247- 7
1374-742- 95
1439- 12- 附
1445-464- 34
1458-712-473
雷閏明 吳國賢妻、雷星女
1283-764-126
雷開商 404-418- 24
雷景妻 明 見李氏
雷復明 299-564-159
472-431- 19
473-391- 65
475-872- 95

480-544-283
533-106- 50
545- 72- 85
567- 93- 66
1245-737- 10
1467- 71- 64
雷義漢 253-584-111
380-139-168
402-467- 10
472-641- 26
473- 45- 50
479-528-241
515-494- 72
516- 2- 87
537-337- 56
933-135- 9
雷溫妻 明 見江氏
雷裕元 1206-744- 9
雷煥晉 471-721- 19
473- 13- 49
473- 46- 50
515-294- 66
933-135- 9
雷零明 545-440- 99
雷塤明 473-605- 76
529-614- 47
雷瑄明 529-699- 50
雷瑚清 455-206- 10
雷電妻 清 見鄧氏
473-616- 77
515-365- 68
528-509- 31
雷禎元 1206-724- 7
雷烇妻 明 見魏璣
雷說宋 471-991- 58
473-489- 70
559-294-7上
雷滿唐 275-529-186
277-161- 17
279-257- 41
384-310- 16
396-251-274
552- 54- 19
雷深宋(字朝宗) 516- 96- 91
雷深宋(長沙人) 532-749- 46
雷墊明 515-278- 65
雷境明 529-763- 53
676-485- 18
雷潔明 545-893-114
554-311- 53
雷憬妻 清 見張氏
雷潛明 473-606- 76
529-615- 47
雷震宋 1170-737- 32
雷震明 559-374- 8
雷憲宋 820-360- 32
雷龍明 558-317- 34
雷澤明(字時霖) 476-311-113
546-379-127
雷澤明(號坦齋) 529-691- 50
雷機元 460-479- 38
481-583-328
481-678-331
528-484- 30
529-613- 47
1214-736-下
1224-212- 21
1439-428- 1
雷機妻 元 見危德馨
雷霓明 494- 56- 2
雷霖明 554-846- 63
雷適元 1206-691- 4
雷興清 474-774- 41
502-627- 77
雷縉明 472-480- 21
476-367-117
545-441- 99
雷勳明 見雷伯宗
雷勳女 明 見雷氏
雷膺元 295-316-170
399-641-484
472-484- 21
475-871- 95
476-260-110
478-762-215
493-782- 42
523- 23-147
546-677-137
1196-168- 8
雷禧元 1206-746- 9
雷濟明 479-796-254
516-177- 94
雷燮明 529-617- 47
1467- 94- 65
雷燦元 528-484- 30
雷爵明 494- 56- 2
510-399-115
554-486-57上
1269-489- 8
雷禮明 510-438-116
515-396- 69
528-477- 30
676-567- 23
雷鎮妻 清 見李氏
雷鯉明 530-213- 61
820-656- 42
821-401- 56
1459-764- 30
雷瀛明 821-448- 57
雷譚吳 473-296- 62
933-135- 9
雷嚴明 494- 56- 2
雷轟明 559-317-7上
572- 78- 28
雷鐸清 554-796- 62
雷鐩明 473-605- 76
529-615- 47
雷鑑明 見雷誠
雷顯明 567-331- 78
雷鑣清 478-349-191
雷觀宋(寧化人) 460-216- 13
529-633- 48
雷觀宋(字仲立) 515-320- 37
雷驥明 1467-191- 69
雷一龍清 505-804- 74
雷一聲明 456-680- 11
雷九功明 533-764- 74
雷三益宋 529-697- 50
雷士俊清 511-846-168
雷士楨明 554-671- 60
雷子堅明 476-726-138
478-435-196
540-657- 27
554-495-57上
雷子質明 494- 56- 2
676-552- 22
雷于霖清 554-854- 63
雷大姐清 474-195- 9
雷大夏妻 清 見何氏
雷大莊妻 明 見陳氏
雷大道明 554-513-57下
雷大震宋 475-368- 67
雷上儒明 515-277- 65
雷太初明 554-765- 62
1269-455- 7
雷孔聞明 559-357- 8
雷月孫妻 清 見伊氏
雷老姑明 雷廷惠女
473-361- 64
480-665-290
雷允恭宋 288-553-468
382-783-120
384-360- 18
401- 72-577
雷永祈妻 明 見江氏
雷正海妻 清 見歐陽氏
雷世守清 1325-776- 9
雷以仁明 533-214- 53
雷四郎唐 477-358-166
雷仕檀明 529-616- 47
雷安民明 456-456- 4
雷吉生明 473-606- 76
529-615- 47
雷有終宋 285-464-278
371-115- 11
382-277- 43
384-334- 17
396-708-318
472-125- 4
472-642- 26
472-839- 33
472-892- 35
473-297- 62
473-425- 67
476- 28- 97
476-816-143
478-345-191
480-240-269
481- 18-291
488-370- 13
537-341- 56
540-664- 27
545-437- 99
554-588- 59
559-262- 6
591-680- 47
933-135- 9
1106-271- 37
雷有鄰宋 285-464-278
雷次宗劉宋 258-596- 93
265-1066- 75
380-443-178

384-123- 6
470-132-106
471-722- 19
472-174- 6
473- 20- 49
479-485-239
479-610-244
489-352- 31
489-599- 47
489-681- 49
492-681- 9
492-569-13下之上
511-888-172
515-297- 66
517-333-124
879-142-57下
933-135- 9
雷光霆元 473- 23- 49
479-487-239
515-342- 67
678-427-111
雷兆英妻 清 見于氏
雷仲澤震仲澤 金
1445-664- 51
雷行之雷壽哥 宋448-378- 0
雷宏華清 456-308- 74
雷孝友宋 473-167- 57
515-465- 71
雷孝先宋 285-469-278
396-713-318
537-341- 56
554-589- 59
雷伯宗雷勳 明
530-213- 61
676-379- 14
雷邦鑑妻 明 見鄭氏
雷秀貞明 478-673-209
558-522- 42
雷廷惠女 明 見雷毛姑
雷宗道宋 554-911- 64
821-183- 50
雷宜中雷宜仲 宋
515-334- 67
563-665- 39
1178-738- 3
雷宜仲宋 見雷宜中
雷定國清 1325-681- 2
雷明德清 456-369- 78
雷叔聞明(南郡人) 523-251-157
雷叔聞明(字實先) 533-216- 53
559-271- 6
676-109- 4
雷物正妻 清 見薛氏
雷廷發明 456-665- 11
511-475-155
雷彥恭後梁 277-161- 17
雷彥器明 1240- 47- 10
雷思道明 1291-287- 4
1458- 75-420
雷思齊元(字齊賢) 516-449-104
676-713- 29
677-526- 48
1203-422- 31
雷思齊元(字希賢)
1206-697- 5
雷思霈明 480-342-273
533- 80- 49
676-627- 26
1442- 87-附5
1460-497- 64
雷起聲妻 清 見李氏
雷振揚明 456-571- 8
537-335- 56
雷振闗明 554-763- 62
雷時成明 472-679- 27
雷時順妻 清 見張氏
雷添祥元 481-722-333
529-697- 50
雷乾位妻 清 見宋氏
雷乾綱明 533-449- 62
雷晞顏女 元 見雷氏
雷得昌明 529-698- 50
雷動化清 481-724-333
529-704- 50
雷啟東明(開封人) 476-658-135
雷啟東明(汾州人) 554-313- 53
雷從龍妻 清 見趙氏
雷逢辰宋 見雷德潤
雷肅之劉宋 258-597- 93
雷開演妻 清 見李氏
雷景照妻 元 見鄭氏
雷復亨明 1269-433- 6
雷復亨妻 明 見劉氏
雷復始元 1201-706- 29
雷復豫明 476-395-119
雷進暹明 456-609- 9
537-319- 56
雷運泰妻 明 見党氏
雷萬春唐 275-604-192
384-215- 11
400-105-509
477-123-155
537-253- 55
933-135- 9
雷萬春妻 清 見黃氏
雷葵陽妻 明 見成氏
雷壽哥宋 見雷行之
雷夢麟明 515-407- 69
676-255- 10
雷鳴魯清 559-331-7下
雷綿祚明 456-660- 11
511-475-155
雷廣生妻 明 見郭氏
雷震通元 1206-697- 5
雷德遜宋 見雷德驤
雷德潤雷逢辰 宋
460-478- 38
529-613- 47
雷德潤妻 元 見游氏
雷德驤雷德遜 宋
285-463-278
396-707-318
472-839- 33
478-345-191
554-649- 60
1106-271- 37
雷稽古明 540-813-28之3
雷龍濟宋 529-613- 47
雷應奇明 456-682- 11
559-507- 12
雷應春宋 473-403- 66
480-636-288
533-116- 50
雷應禹清 505-898- 80
雷應乾明 533- 81- 49
雷應通明 302- 11-289
559-513- 12
雷應龍明(字孟升) 481-550-327
483-200-388
494-166- 6
528-477- 30
570-125-21之1
1260-126- 5
雷應龍明(御史) 510-292-112
雷膺祚明 456-665- 11
511-475-155
雷濟民明 821-378- 55
雷聲發妻 清 見吳氏
雷縯祚明 301-621-274
458-297- 10
475-531- 77
511-261-146
雷簡夫宋 285-470-278
382-277- 43
384-334- 17
396-714-318
471-970- 55
473-533- 72
480-563-284
481-290-306
554-589- 59
559-302-7上
812-752- 3
820-354- 32
933-135- 9
雷覺民宋 494-236- 6
529-684- 50
雷躍龍明 483- 47-372
570-136-21之2
雷顯和北齊 263-311- 41
379-408-152
瑚巴清 455-656- 46
瑚什清(鈕赫勒氏) 455-659- 46
瑚什清(文達氏) 456-144- 60
瑚什清(薩必罕弟) 502-752- 85
瑚石清 455-160- 7
瑚西清 455-696- 49
瑚兆清 456-280- 71
瑚沙清 502-438- 68
瑚貝清 456-226- 67
瑚岱清 456-233- 68
瑚柱清 455-689- 49
瑚泰清(鈕祜祿氏) 455-137- 5
瑚泰清(馬佳氏) 455-169- 7
瑚班清 502-610- 76
瑚珠清 455-691- 49
瑚紐清 見瑚鈕
瑚倫清 455-157- 6
瑚理清 456-102- 56
瑚敏清 455-155- 6
瑚雅清 455-672- 47
瑚鈕清(納喇氏) 455-356- 22

瑚鈕清(顏扎氏) 455-516- 32
瑚鈕瑚紐 清(瑚玉魯氏)
456- 85- 56
502-571- 74
瑚祿清 455-198- 10
瑚齊清 455-600- 40
瑚圖清(長白山人) 455-440- 26
瑚圖清(多爾吉人) 455-448- 27
瑚圖清(烏蘇氏) 455-569- 37
瑚圖清(把爾達氏) 455-692- 49
瑚圖清(瑚圖氏) 456-183- 64
瑚圖清(寧佳氏) 456-192- 65
瑚錫清(瓜爾佳氏) 455- 48- 1
瑚錫清(郭絡羅氏) 455-510- 32
瑚蘭忽蘭 元 475-871- 95
546- 86-117
瑚什屯清(瓜爾佳氏)
455- 57- 1
瑚什屯清(顏扎氏) 455-515- 32
瑚什屯清(洪鄂氏) 456- 69- 55
瑚什屯清(蒙古楚氏)
456-103- 57
瑚什屯清(西爾圖氏)
456-187- 64
瑚什巴清(馬佳氏) 455-170- 7
瑚什巴清(舒舒覺羅氏)
455-285- 16
瑚什巴清(伊拉理氏)
455-672- 47
瑚什巴清(嘉普塔喇氏)
456-135- 59
瑚什巴清(穆佳氏) 456-184- 64
瑚什巴清(瑚德勒氏)
456-191- 65
瑚什布清(伊爾根覺羅氏)
455-230- 12
瑚什布瑚碩布 清(佟佳氏)
455-314- 19
502-735- 84
瑚什布清(鑲藍旗人)
502-576- 75
瑚什布清(正白旗人)
502-736- 84
瑚什納清 502-501- 70
瑚什理清 456-135- 59
瑚什喀清 456-127- 58
瑚什塔清(他塔喇氏)
455-216- 11
瑚什塔清(舒舒覺羅氏)
455-286- 16
瑚什塔清(蒙鄂索氏)
456-100- 57
瑚什塔清(瑚雅氏) 456-124- 58
瑚什圖清(扎拉理氏)
456- 20- 51
瑚什圖清(瑚爾佳氏)
456-185- 64
瑚什霸清 455-305- 18
瑚丕理清 456-152- 61
瑚世穆清 455-190- 9
瑚世禮清 455-632- 44
瑚西屯清 455-670-347
瑚沙喇清 455-357- 22
瑚拉哈清 502-747- 85
瑚拉渾清 455-165- 7
瑚虎那清 455-148- 6
瑚呼納清(佟佳氏) 455-335- 20
瑚呼納清(完顏氏) 455-468- 28
瑚席布清 455-363- 22
瑚哲墨清 456-182- 64
瑚桑阿清 455-624- 43
瑚哩布清 502-512- 71
瑚清額清 455-170- 7
瑚密什清 502-726- 84
瑚密色清 455-243- 13
瑚都崑清 456- 90- 56
瑚都渾清 456- 75- 55
瑚納勒清 456- 91- 56
瑚琛布清 455-475- 29
瑚通格清 502-736- 84
瑚程額清 455- 79- 2
瑚瑚那清(鑲紅旗人)
455- 46- 1
瑚瑚那清(鑲白旗人)
455- 72- 2
瑚塔善清 456-103- 57
瑚達海清 455-270- 15
瑚達理清 455-305- 18
瑚爾巴清 455-569- 37
瑚爾拜清 455-459- 28
瑚爾琥清 455-255- 14
瑚爾漢清 456- 64- 54
瑚爾禪清 455-365- 22
瑚碩布清 見瑚什布
瑚圖理清 455-387- 23
瑚錫巴清 455-273- 15
瑚錫布清(鑲藍旗人)
455-355- 22
瑚錫布清(鑲紅旗人)
455-396- 24
瑚錫布清(鑲黃旗人)
455-400- 24
瑚錫哈清 455-377- 23
瑚錫泰清 455-413- 25
瑚錫納清 455-573- 37
瑚錫敦清 455-448- 27
瑚錫達清 456- 23- 51
瑚穆齊清 455-546- 35
瑚穆圖清 455-206- 10
瑚錫圖清 455-626- 43
瑚濟穆清 455-436- 26
瑚璧泰清 456-266- 70
瑚璧圖清 455-672- 47
瑚蘇貝清 456-222- 67
瑚騰額清 455-118- 4
瑚克特克清 455-605- 41
瑚拉爾岱清 456-127- 58
瑚勒格諾妻 清 見書氏
瑚深布祿清 455-657- 46
瑚雅克泰清 456-279- 71
瑚瑪爾岱清 456-144- 60
瑚爾赫訥清 455- 49- 1
瑚圖靈阿清 454-387- 24
瑚魯瑚昌吉鼐清
455-595- 40
瑚錫納費揚古清
455-511- 32
聖姜春秋 見聲姜
聖婆不詳 572-162- 32
聖僧宋 472-314- 13
475-474- 72
聖者頭陁五代 486-901- 35
亶良耶舍時稱 劉宋
1051-121-5上
輅氏明 見駱氏
搆色清 455-107- 4
椿晉清 456-258- 69
椿大年元 585-490- 14
椿布祿清 455- 89- 3
極量般剌蜜帝 唐
1052- 23- 2
塘烏明安岱爾元 見唐古明安岱爾
塘烏明安達爾元 見唐古明安岱爾
塔本元 294-289-124
399-370-452
496-375- 86
塔本清(瓜爾佳氏) 455- 86- 3
塔本清(章佳氏) 455-600- 40
塔出兀(父保喇) 見達春
塔出元(扎拉爾氏) 見達春
塔金清 455-274- 15
塔拜清 454-199- 11
502-425- 67
塔海塔爾海 元 559-307-7上
571-516- 19
塔海元 見塔爾海
塔海清(舒舒覺羅氏)
455-286- 16
塔海清(伊爾根覺羅氏)
502-743- 85
塔朗清 455-659- 46
塔泰清 455-564- 36
塔晉清 455-156- 6
塔第清 455-485- 30
塔斯扎拉古 元 294-226-119
399-326-447
1367-284- 24
塔凱清 456-134- 59
塔鈕清 455-270- 15
塔進清 455-689- 49
塔齊元 294-400-132
塔僧明(用磚壘塔坐其中)
483-269-392
572-161- 32
塔綬清 455-364- 22
塔穆清 455-116- 4
塔濟元 見嗒濟
塔濟清(穆爾察氏) 455-630- 43
塔濟清(瑚鼎氏) 456-174- 63
塔禮清 455-419- 25
塔力尼明 見塔爾尼
塔什巴清 455-638- 44
塔布台塔布岱 元
295-574-194
400-252-520
480-289-271
517-491-128
517-499-128
517-500-128
533-388- 60

1439-430- 1
塔布岱元 見塔布台
塔布岱清 455-682- 48
塔克圖清(正黃旗人) 455-149- 6
塔克圖清(鑲藍旗人) 455-157- 6
塔克圖清(穆爾察氏) 455-630- 43
塔克圖清(薩哈那曾祖) 456-100- 57
塔克圖清(錫瑪拉氏) 456-165- 62
塔克潭清 455-694- 49
塔那喀清 455-535- 34
塔法拉清 455-573- 37
塔坦氏清 福克山妻 503- 35- 94
塔拉布清 455- 90- 3
塔拉渾清 456-351- 77
塔奇理清 455-494- 30
塔恰喇清 455-490- 30
塔郎阿清 455-501- 31
塔思太妻 清 見伊爾根覺羅氏
塔思哈清 456-187- 64
塔哈那清 455- 55- 1
塔庫秦清 455-490- 30
塔庫納妻 清 見富察氏
塔納喀清 502-747- 85
塔密那清 455-490- 30
塔普舒清 455-619- 42
塔喀納清 456- 52- 53
塔喇齊元 294-433-135
399-674-487
528-446- 29
塔塔拉氏清 代德妻、圖拉女 474-779- 42
塔察爾元 544-239- 63
塔齊爾布展 元(學順氏) 294-235-119
399-332-447
塔齊爾元(蘇爾嘉氏) 399-524-471
塔瑪海清 456-268- 70
塔爾屯清 456-156- 61
塔爾布清 456- 35- 52
塔爾尼塔力尼 明 302-812-330
塔爾海塔海、孫塔海 元(赫呼氏) 294-268-122
399-346-449
472-325- 14
475-700- 86
477- 54-151
510-463-117
546-358-126
塔爾海元(哈勒哈人) 563-712- 39
塔爾海元 見塔海
塔爾渾清 456-187- 64
塔爾瑚清 455-344- 21
塔爾楚元 523-117-151
塔爾謙清 455-485- 30
塔蒙阿清 455-570- 37
塔馨塔清 455-557- 36
塔蘭珠清 455-167- 7
塔靈阿清 455-254- 14
塔本巴顏清 455-329- 20
塔本哲爾元 294-283-123
399-524-471
塔本默色元 1200-682- 51
塔失不花元 見達實布哈
塔克唐阿清 455-494- 30
塔思哈那清 455- 70- 2
塔晉巴顏清 455- 72- 2
塔特庫善清 455-347- 21
塔瑜王如元 額森布哈曾祖母 1204-265- 7
塔斯布哈元 見台哈布哈
塔塔兒台元 見塔塔爾台
塔塔爾台塔塔兒台、塔塔爾泰 元 476-818-143
540-665- 27
塔塔爾泰元 見塔塔爾台
塔塔圖該元 294-292-124
399-357-450
塔喇齊元 294-433-135
塔瑪噶圖元 見特默格爾
塔爾比希清 455-118- 4
塔爾巴齊清 455-678- 48
塔爾吉善清 502-554- 73
塔旺扎木素清 454-443- 34
塔海特穆爾元 見塔爾海特穆爾
塔納喀廣袞清 455- 46- 1
塔哩雅圖默色元 元寧宗后 294-187-114
393-349- 80
塔爾海特穆爾塔海特穆爾 元 294-434-135
399-674-487
廑頔 夏 383-242- 23
544-154- 61
琿沁清 502-744- 85
琿達理清 502-570- 74
瑯邪王北齊 見高儼
瑯琊王唐 見李沖
瑞五代 1053-555- 13
瑞元(善畫山水) 821-334- 54
瑞元(字竺曇) 1219-586- 28
瑞丸明(吳興老儒女) 821-492- 58
瑞王明 見朱常浩
瑞仙宋 1053-771- 18
瑞光明 533-788- 75
瑞珙宋 1053-806- 19
瑞新宋 1053-647- 15
瑞巖五代 1053-236- 6
瑞安王明 見朱祐桓
瑞金王明 見朱勤烸
瑞竹領占明 558-486- 41
瑜春秋 見周定王
瑜宋 1053-336- 8
馯臂戰國 405-451- 85
533-130- 51
933-233- 16
馳九垓明 483-348-399
571-550- 20
肆臣周 933-649- 42
肆敏漢 933-649- 42
肆葉護可汗唐 見拔灼
靳斗明 456-616- 9
546-503-131
靳仁元 1218-732- 4
靳氏晉 靳康女 256-576- 96
381- 54-185
靳氏元 王天鐸妻 1200-659- 49
靳氏明 王亨妻 494- 58- 2
靳氏明 王以諫妻 478-249-186
靳氏明 李庭妻 506- 71- 88
靳氏明 許志尚妻 478-171-182
靳氏明 葛引妻、靳林泉女 1296-452- 2
靳氏清 史進妻 478-358-191
靳氏清 孫祚昌妻 478-140-181
靳氏清 張玉瑨妻 533-704- 72
靳用元 545-768-110
1202- 72- 6
靳志妻 明 見趙氏
靳必元 545-842-113
靳青宋 821-258- 52
靳邵晉 742- 29- 1
靳忠元 1210-370- 11
靳和元 472-467- 20
545-461-100
545-765-110
1202- 72- 6
靳恆唐 1066-203- 19
1340-537-775
靳柱元 546-645-136
靳相明 533-339- 58
靳茂明 547-106-145
靳昺元 295-613-198
400-319-526
476- 84-100
547- 14-141
549-423-196
靳能明 494- 56- 2
靳祥元 295-655-203
505-776- 73
545-840-113
靳康女晉 見靳氏
靳通明 494- 45- 3
靳善明 558-200- 31
靳詠宋 821-212- 51
靳貴明 452-158- 2
472-278- 11
511-180-143
676-523- 21
1255-410- 45
1256-452- 30
1442- 38-附2
1459-778- 31
靳義元 400-281-522
475-667- 84
510-454-117
靳義明 458- 75- 4
477-209-159
537-466- 58
靳詳蜀漢 545-516-102

靳瑜明 511-180-143
1250-922- 87
1259-271- 21
靳馳明 547- 15-141
靳禎妻 明 見王氏
靳榮元 1439-430- 1
靳輔清 475- 21- 49
475-325- 65
475-502- 75
476-480-125
502-621- 77
510-300-112
540-674- 27
580-686- 50
靳榜清 478-339-191
554-314- 53
靳頡元 545-769-110
靳賢明 476-417-120
545-395- 97
558-343- 35
靳彊靳疆 漢 476- 81-100
544-199- 62
545-740-110
933-670- 44
靳歙漢 244-649- 98
250-147- 41
251-544- 14
384- 37- 2
933-670- 44
1397-199- 10
靳像宋 524-344-196
靳襄清(字天垣) 515-262- 65
靳襄清(遼東人) 523- 93-149
靳黈戰國 545-204- 91
靳禮明 472-718- 28
537-289- 55
靳疆漢 見靳彊
靳讓清 505-649- 68
靳八公宋 541- 91- 30
靳士龍明 547- 45-142
靳可增清 456-370- 78
靳用中明 1229-534- 3
靳用古元 476-366-117
靳用章宋 541- 91- 30
靳汝弼元 1214- 70- 6
靳汝弼妻 元 見王氏
靳光祚妻 明 見賈氏
靳光祚媳 明 見左氏
靳成名妻 清 見王氏
靳孝模唐 554-693- 61
靳克中元 472-491- 21
476-113-102
476-155-104
545-374- 97
545-842-113
549-650-205
靳廷賓明 554-310- 53
靳於中明 537-409- 57
679- 71-145
靳於耕妻 清 見李氏
靳治青清 1318-511- 78
靳治揚清 528-567- 32
靳孟亨元 1214- 80- 7
靳東發宋 821-212- 51
靳東齊明 554-259- 52
靳林泉女 明 見靳氏
靳尚才明 541-107- 31
靳秉璋清 545-229- 91
靳桂香明 558-222- 32
靳時芳明 483-117-379
570-153- 21之2
靳時熙明 494- 56- 2
靳得進元 見靳德進
靳敏道元 559-281- 6
靳滋昂明 458-163- 8
538-158- 66
靳裁之宋 477-480-173
538- 17- 61
靳智異唐 見靳智翼
靳智翼靳智異 唐812-343- 9
821- 40- 46
靳聖居明 302- 99-294
456-492- 5
478-573-203
505-858- 77
506-535-104
545-228- 91
545-855-113
558-213- 32
靳熙祖妻 元 見呂氏
靳賢靜明 545-226- 91
靳德淵元 544-239- 63
靳德進靳得進 元
295-655-203
401-117-585
472-133- 4
474-478- 23
505-776- 73
547-558-161
1196-718- 9
靳學古明 554-313- 53
靳學曾明 300-539-214
545- 84- 85
靳學顏明 300-537-214
476-883-146
479-712-250
515-155- 61
540-808-28之3
541-607-35之17
1442- 56-附3
1460-146- 47
靳謙吉靳謙書 明
456-655- 11
458- 67- 3
538- 61- 63
靳謙書明 見靳謙吉
靳雙姐清 477-423-169
靳懷德宋 286- 98-309
397-284-335
472- 64- 2
472-126- 4
472-575- 24
474-469- 23
476-516-127
476-614-133
靳繼昌元 545-843-113
斟鄩夏 546-424-129
斟灌夏 546-424-129
933-499- 33
搖毋餘漢 453-731- 1
564-825- 60
搖兼濟唐 1077-619- 3
楠道清 455-683- 48
榆老姑不詳(榆木精)
592-333- 80
幹生清 456-253- 69
幹都清 502-610- 76
幹珠爾清 456-272- 70
幹珠琥清 455-272- 15
幹道沖宋 見斡道沖
幹齊哈清 456-194- 65
幹羅思元 510-382-115
碎奚晉 見辟奚
碎塵明 572-161- 32
辟方周 見周孝王
辟邪後魏 381-458-195
辟奚碎奚 晉 256-587- 97
258-641- 96
262-462-101
381-460-195
辟子方漢 933-753- 52
辟閭訓晉 820- 75- 23
辟閭渾晉 540-645- 27
辟閭嵩晉 545-256- 93
辟蛇行者晉(善驅蛇)
516-489-105
瑟特爾清 456-265- 70
勤唐 820-299- 30
勤宋(嗣緣密) 1053-636-15
勤宋(嗣光祚) 1053-650- 15
勤明 1229-169- 2
勤自厲妻 唐 見林氏
楊一元 295-602-197
400-311-526
472-721- 28
477-254-161
523-375-164
538-101- 64
楊一妻 明 見李氏
楊乙楊重慶 宋 451- 88- 3
楊二妻 明 見王氏
楊二妻 清 見王氏
楊七妻 明 見蒙氏
楊三妻 元 見張氏
楊子戰國 見楊朱
楊于楊干郎 宋 451- 55- 2
楊六妻 清 見王氏
楊方晉 256-154- 68
377-731-126
479-229-227
486-304- 14
492-568-13下之上
523-596-176
563-612- 38
933-301- 22
1379-340- 42
1395-589- 3
楊方宋 460-343- 27
479-796-254
481-722-333
515- 84- 59
516-225- 96

529-633- 48
585-769- 5
820-435- 35
楊文女 漢 見敬楊
楊文宋 473-544- 72
571-555- 20
1224-536- 10
楊文女 元 見楊氏
楊文明(含山人) 472-396- 17
483-221-390
511-427-152
571-531- 19
楊文明(字宗周) 472-1027- 42
523-191-155
676- 5- 1
楊文明(平越人) 483-282-393
559-298-7上
572- 77- 28
楊文明(永樂八年卒)
523-228-156
楊文明(號筠先) 523-555-173
楊文明(字美玉) 1248-625- 3
楊文明(字廷顯) 1467-202- 69
楊文妻 明 見熊氏
楊文妻 不詳 見李正流
楊云楊榮 明 524-372-197
楊五明 480-320-272
楊王明 見楊某
楊元宋 518-813-162
楊元明(謚節愍) 456-527- 6
505-838- 76
楊元明(字務本) 483-138-380
494-166- 6
570-121-21之1
楊引陽引 後魏 262-253- 86
267-629- 84
380-118-167
476-153-104
547- 32-142
933-304- 22
楊引明 302-165-298
479-717-250
515-642- 77
楊巴隋 見楊异
楊友宋 471-885- 42
473-725- 82
482-225-348
563-692- 39
楊友明 302-460-312
494- 56- 2
楊中明(字伯允) 1238-112- 10
楊中明(字致行) 1442- 38-附2
1459-774- 30
楊丹宋 821-148- 50
楊仁漢 253-534-109下
380-269-172
402-567- 19
473-424- 67
473-446- 67
481- 64-293
481-155-298
559-258- 6
559-359- 8
591-590- 44
933-301- 22
楊仁宋 473-533- 72
559-303-7上
楊仁明 571-533- 19
楊仁妻 明 見尤氏
楊升明(邵武教授) 473- 75- 52
楊升明(字起宗) 563-923- 43
楊化明 510-503-118
楊氏魏 姜敘母 254-442- 25
386-206- 78
478-519-200
558-501- 42
楊氏後涼 涼靈帝妃、楊桓女
256-579- 96
381- 56-185
472-753- 29
477-526-175
478-350-191
555- 7- 66
558-559- 43
楊氏梁 張彪妻 378-472-142
480-300-271
486-317- 14
524-648-209
533-634- 70
楊氏後魏 侍承祖姨
262-307- 93
267-725- 91
381- 59-185
楊氏唐 李侃妻 276-110-205
401-152-589
452- 93- 2
472-667- 27
477-454-171
538-288- 68
1078-161- 12
1340-726-796
1344-467- 99
1408-501-530
1418- 87- 38
1447-401- 19
楊氏豆盧氏、宜芳公主、宜芬公主 唐 李延寵妻
496-413- 89
楊氏唐 李重俊妻、楊知慶女
1065-877- 24
1342-466-964
楊氏唐 武攸止妻、楊宏女
1065-859- 22
1342-233-934
1410-175-683
楊氏唐 柳宗元妻、楊憑女
820-306- 30
1076-124- 13
1076-579- 13
1077-151- 13
1342-497-968
楊氏唐 唐太宗妃、楊帝女
554- 20- 48
楊氏唐 楊晏女 1342-485-967
楊氏唐 董昌齡母 271-656-193
276-111-205
401-153-589
452- 94- 2
477-421-169
538-275- 68
楊氏後漢 劉昂妻 278-202- 99
楊氏後周 石光輔妻、周太祖淑妃、楊強裕女 278-367-121
279-113- 19
393-297- 74
楊氏宋 王元壽妻
492-608-13下之下
楊氏宋 宋皐妻、楊徽之女
474-624- 32
506-126- 89
506-163- 90
楊氏宋 宋仁宗德妃、楊忠女
284-866-242
393-307- 75
楊氏宋 吳禹功妻
1135-445- 40
楊氏宋 孫貫之妻、楊霖女
1105-836- 99
楊氏宋 夏竦妻 820-472- 36
楊氏宋 許瞻妻 1096-797- 40
楊氏宋 許懷宗妻
1090-657- 37
楊氏宋 陳京妻、楊苗女
1125-397- 31
楊氏宋 滿涇妻、楊元賓女
1105-829- 99
楊氏宋 趙士諶妻、楊永保女
1100-544- 52
楊氏宋 趙仲參妻、楊宗識女
1100-542- 51
楊氏宋 趙彥呐妻、楊鐸女
1173-264- 82
楊氏宋 鞏法妻 524-726-213
1163-574- 34
1164-276- 14
楊氏宋 歐陽修妻、楊大雅女
1102-491- 62
楊氏宋 蔡若訥妻、楊友之女
530- 86- 56
楊氏宋 閻路妻、楊元吉女
1096-799- 40
楊氏宋 韓瀆妻、楊蜺女
1094-717- 78
楊氏宋 家定國母
1100-449- 41
楊氏宋 張得山母
1189-301- 2
楊氏宋 楊安國女 530- 85- 56
楊氏宋 楊次山妹、楊皇后妹
820-473- 36
楊氏宋 鄒迪母 479-684-248
516-268- 98
1095-266- 30
楊氏元 馬潤妻、楊琰女
1206-639- 13
楊氏元 郭三妻 295-624-200
401-173-593
472-560- 23
473-828-143
楊氏元 虞汲妻、楊文女、楊文仲女、楊仲文女 473-517- 71
481-353-309

516-312-100
559-471-11中
591-574- 42
1221-322- 6
楊氏元 壽安妻 479-561-242
楊氏元 趙瑨妻 1201-692- 27
1367-718- 55
1373-127- 10
楊氏元 蓋昊妻 530- 90- 56
楊氏元 蔡彥謙妻 460-933- 0
楊氏元 霍顯卿妻 295-626-200
401-175-593
472-667- 27
477- 93-153
楊氏元 韓肅妻 472-313- 13
楊氏明 方進貴妻 506- 72- 88
楊氏明 王沂妻 1258-193- 17
楊氏明 王芳妻 302-238-302
480-207-267
楊氏明 王紀妻、楊登師女
549-508-199
楊氏明 王乾妻 475-782- 89
楊氏明 王達妻 473-216- 59
楊氏明 王萬妻 479-149-223
楊氏明 王鈿妻 512-409--187
楊氏明 王增妻 506- 80- 88
楊氏明 王三有妻 478-137-181
楊氏明 王小六妻 506-107- 89
楊氏明 王加會妻 475-782- 89
楊氏明 王世昌妻 302-220-301
477-170-157
538-222- 67
楊氏明 王汝為妻 483- 98-378
570-196- 22
楊氏明 王光忠妻 474-314- 16
楊氏明 王朶懋妻 506- 15- 86
楊氏明 王彥章妻 475-188- 59
楊氏明 王家相妻 483- 35-371上
楊氏明 尹章妻 506- 49- 87
楊氏明 田亮妻 506- 3- 86
楊氏明 田鳴岐妻 480-566-284
楊氏明 白璋妻 474-624- 32
楊氏明 白鏞妻 506- 33- 86
楊氏明 包志妻、楊周女
524-531-204
楊氏明 任犨妻 478-298-188
楊氏明 任效廉妻 483-321-396
楊氏明 朱渙妻 479-297-230
楊氏明 朱光印妻 506- 51- 87
楊氏明 朱識鋐妻 558-496- 42
楊氏明 沈秋妻 483- 98-378
570-196- 22
楊氏明 忻玉妻 524-609-208
楊氏明 成世華妻、楊旻女
1258-203- 18
楊氏明 杜棨妻、楊湧女
1243-309- 17
楊氏明 杜子登妻 476-755-139
楊氏明 李信妻 506- 3- 86
楊氏明 李培妻 558-504- 42
楊氏明 李儒妻 483-184-385
570-193- 22
楊氏明 李錄妻 473-349- 63
楊氏明 李二貴妻 480-546-283
楊氏明 李士能妻 477-169-157
楊氏明 李元靜妻 483- 17-370
570-182- 22
楊氏明 李仁山妻 482-564-269
570-168- 22
楊氏明 李奇雍妻 530-154- 58
楊氏明 李彥章妻 478-136-181
楊氏明 李慕劬妻
1297-187- 14
楊氏明 李樂道妻 483-164-382
楊氏明 吳復妻 472-179- 6
475- 79- 53
475-711- 86
483-268-392
楊氏明 吳守忠妻 478-275-187
楊氏明 吳仲淇妻 302-227-302
475-534- 77
楊氏明 吳進性妻 302-236-302
楊氏明 吳愼樞妻 524-581-206
楊氏明 余必明妻 483- 36-371
楊氏明 余世泰妻 530-158- 58
楊氏明 余彥昭妻、余彥照妻
472-263- 10
475-235- 61
512-242-183
楊氏明 谷天生妻 483-141-380
楊氏明 何清妻 473-305- 62
480-253-269
楊氏明 何永昭妻 472-298- 12
475-382- 68
楊氏明 何宗禮妻 481-337-308
楊氏明 孟隆妻 506- 72- 88
楊氏明 邵守琪妻 482-291-352
楊氏明 周雲鵠妻、楊東溪女
1271-668- 58
楊氏明 金廣妻 506-143- 90
楊氏明 金養全妻 478-354-191
楊氏明 施梅齋妻 530- 88- 56
楊氏明 胡紹妻 1291-638- 2
楊氏明 胡惠妻 479-334-232
楊氏清 胡文燦妻 479-685-248
楊氏明 胡允朝妻 483-332-397
楊氏明 郁縚妻 1283-520-107
楊氏明 南邦彥妻 506- 46- 87
楊氏明 柯大林妻 480-440-278
楊氏明 范安妻 472-485- 21
楊氏明 范瑟妻、楊瑛女
1278-436- 21
楊氏明 俞暉妻、楊復女
1271-663- 57
1276-435- 10
楊氏明 段茂妻 506- 80- 88
楊氏明 段愼妻 1253- 67- 44
楊氏明 淩雲妻 1265-681- 25
楊氏明 秦景宣妻 480-342-273
楊氏明 馬旺妻 477-455-171
楊氏明 馬任政妻 506- 72- 88
楊氏明 馬呈祥妻 480- 96-262
楊氏明 孫玉妻 524-479-203
楊氏明 孫文格妻 520-659-280
楊氏明 徐石麟妻 483- 49-372
楊氏明 徐安遠妻 512- 39-177
楊氏明 徐直夫妻
1258-275- 4
楊氏明 倪士義妻 512- 21-177
楊氏明 許昌言妻 478-352-191
楊氏明 郭恆妻 302-234-302
478-352-191
555- 54- 66
楊氏明 郭師夔妻 481-312-307
楊氏明 郭懋宏妻、楊述忠女
481-214-302
559-462-11上
楊氏明 麻僖妻 478-574-203
558-534- 43
楊氏明 梁浮山妻
1283-465-103
楊氏明 康栗妻 555- 35- 66
1457-740-413
楊氏明 康廷相妻、楊繼成女
506- 49- 87
楊氏明 曹復彬妻 302-250-303
475-382- 68
楊氏明 陸鏜妻 533-587- 69
楊氏明 陸文俊妻 483-372-401
楊氏明 陶恆妻 474-412- 20
楊氏明 張珩妻 472-243- 9
475-187- 59
楊氏明 張維妻 533-625- 70
楊氏明 張翽妻 506- 32- 86
楊氏明 張文奇妻 478-205-184
楊氏明 張世昌妻 506- 33- 86
楊氏明 張先翼妻 483- 98-378
楊氏明 張亮臣妻 475-187- 59
楊氏明 張國紘妻、張國鉉妻
302-249-303
478-519-200
558-505- 42
楊氏明 張義甫妻
1271-662- 57
楊氏明 陳照妻 530-139- 58
楊氏明 陳懋妻 558-493- 42
楊氏明 陳元夫妻 530-156- 58
楊氏明 陳君修妻 475-188- 59
楊氏明 陳政三妻 473-271- 61
楊氏明 陳辰學妻 506- 55- 87
楊氏明 陳鳳瑞妻 481-118-296
楊氏明 陳鴻業妻 506- 30- 86
楊氏明 陳擢穎妻 506- 55- 87
楊氏明 崔毅妻 567-480- 88
1467-261- 72
楊氏明 符景第妻 524-515-204
楊氏明 曾思文妻 473-157- 56
楊氏明 黃珍妻 558-495- 42
楊氏明 黃信初妻、楊仲賢女
1242-236- 32
楊氏明 賀汝勉妻、楊冔女
1276-438- 10
1410-419-719
楊氏明 揭大德妻 530-125- 57
楊氏明 彭好古妻 483-332-397
楊氏明 傅萬輝妻 481-119-296
楊氏明 焦復亨妻、楊四聰女
538-612- 78
1312-399- 38
楊氏明 程子文妻 479-410-235
楊氏明 溫純妻、楊濩女
1288-653- 11
楊氏明 賈時雍妻 506-10- 86

楊氏 明 楊崙妻 474-654-34
楊氏 明 楊煥袍妻 483-118-379
楊氏 明 葉翠妻 483-35-371
楊氏 明 葉履貞妻 524-456-202
楊氏 明 鉛山王妃、楊桐女 558-496-42
558-725-48
楊氏 明 鄒先魯妻 483-321-396
572-344-38
楊氏 明 鄒榮華妻 480-513-281
楊氏 明 廖伯爵妻 479-685-248
楊氏 明 趙大勳妻 482-280-351
楊氏 明 趙宣奴妻 483-201-388
楊氏 明 趙國泰妻 530-9-54
楊氏 明 鄭儼妻 472-1043-43
524-738-213
楊氏 明 鄭子琜妻 302-211-301
524-617-208
楊氏 明 鄭邦相妻 480-64-260
楊氏 明 樊得華妻、樊德華妻 474-341-17
506-84-88
楊氏 明 蔡宗德妻 530-88-56
楊氏 明 劉熾妻 480-63-260
楊氏 明 劉之芹妻 472-589-131
楊氏 明 劉之綸妻 481-214-302
楊氏 明 劉文義妻 506-93-88
楊氏 明 劉自重妻 506-4-80
楊氏 明 劉承健妻 480-440-278
楊氏 明 劉壽昌妻 302-231-302
506-45-87
楊氏 明 劉爾甲妻 478-171-182
楊氏 明 衛一鳳妻 549-525-200
楊氏 明 閻翼經妻 476-589-131
楊氏 明 盧紱妻 480-141-264
楊氏 明 蕭如薰妻、楊兆女 301-67-239
478-171-182
555-45-66
楊氏 明 鮑啟登妻 480-487-280
533-703-72
楊氏 明 許聰妻 473-32-49
516-243-97
楊氏 明 鞠以和妻 483-118-379
楊氏 明 韓范妻 506-30-86
楊氏 明 韓迪妻 494-58-2
楊氏 明 韓森妻 506-117-89
楊氏 明 韓應庚妻 506-33-86
楊氏 明 魏仁妻 506-3-86
楊氏 明 譚德化妻 480-95-262
楊氏 明 羅仁妻 481-726-333
楊氏 明 羅賢英妻 483-172-383
570-192-22
楊氏 明 饒鼎妻 302-234-302
475-613-81
512-99-179
楊氏 明 顧珣妻 1256-434-29
楊氏 明 顧澄妻 474-778-42
503-30-93
楊氏 明 顧潛妻 1289-184-12
楊氏 明 龔兆奎妻 480-177-266
楊氏 明 宋傑母 506-127-89
楊氏 明 阮銘祖母 506-57-87
楊氏 明 苗景珠媳 506-55-87
楊氏 明 高邦佐母 549-169-187
楊氏 明 張縉母 533-608-69
楊氏 明 陳治母 1318-517-79
楊氏 明 楊浩女 481-389-312
楊氏 明 楊雲鸞女 483-35-371
570-186-22
楊氏 明 楊傳芳女 476-431-121
楊氏 明 鄭子淶妻 479-189-225
楊氏 明 劉啟母 506-10-86
楊氏 清 文焯妻 480-513-281
楊氏 清 王六妻 503-63-95
楊氏 清 王瑞妻 474-194-9
楊氏 清 王瑛妻 474-195-9
楊氏 清 王三策妻 480-343-273
楊氏 清 王文曦妻 482-435-361
楊氏 清 王之雲妻、楊威女 547-317-153
楊氏 清 王守敬妻 503-62-95
楊氏 清 王新政妻 475-454-71
512-73-178
楊氏 清 王羅彥妻 506-172-90
楊氏 清 尹沐妻 474-483-23
楊氏 清 仇文獻妻 478-357-191
楊氏 清 毛泰妻 477-258-161
楊氏 清 古受甲妻 483-99-378
楊氏 清 石越凡妻 503-65-95
楊氏 清 田仁洋妻 480-566-284
楊氏 清 史正序妻 483-322-396
楊氏 清 艾張顯妻 483-185-385
楊氏 清 向斗垣妻 480-322-272
533-645-70
楊氏 清 朱爾均妻 506-66-87
楊氏 清 沈贊化妻 524-458-202
楊氏 清 杜為禮妻 503-63-95
楊氏 清 李完妻 479-73-219
楊氏 清 李瑤妻 483-98-378
楊氏 清 李蔭妻 474-194-9
楊氏 清 李濬妻 483-119-379
楊氏 清 李藫妻 480-143-264
楊氏 清 李士俊妻 481-83-294
楊氏 清 李之榮妻 530-118-57
楊氏 清 李永琪妻 474-194-9
楊氏 清 李永鶴妻 474-194-9
楊氏 清 李可則妻 506-68-87
楊氏 清 李名賢妻 474-194-9
楊氏 清 李含章妻 479-436-236
楊氏 清 李廷贊妻 476-791-141
楊氏 清 李長清妻 480-566-284
楊氏 清 李悅我妻 506-123-89
楊氏 清 李增榮妻 503-58-95
楊氏 清 李應和妻 483-99-378
楊氏 清 吳珖妻 506-38-86
楊氏 清 吳才崙妻 480-488-280
楊氏 清 吳允謙妻 483-37-371
楊氏 清 吳雲錦妻 475-785-89
楊氏 清 何昌祖妻 483-185-385
楊氏 清 邵永成妻 512-259-183
楊氏 清 芮翊周妻 483-201-388
570-209-22
楊氏 清 季聯芳妻 506-65-87
楊氏 清 周彬妻 482-79-341
楊氏 清 周士俟妻 480-639-288
楊氏 清 周岱生妻 479-611-244
楊氏 清 邱念祖妻 530-131-57
楊氏 清 洪賜妻 530-98-56
楊氏 清 施萬裔妻、楊漢廷女 512-498-189
楊氏 清 胡一璵妻 512-137-180
楊氏 清 胡定慶妻 479-190-225
楊氏 清 胡昇猷妻 524-643-209
楊氏 清 姚紳妻 479-359-233
楊氏 清 姚士伸妻 506-60-87
楊氏 清 保亮妻 482-566-369
楊氏 清 唐珩妻 481-215-302
楊氏 清 唐嘉會妻 475-188-59
楊氏 清 唐鳳騰妻、唐騰鳳妻 475-614-81
512-101-179
楊氏 清 祝之茂妻 481-312-307
楊氏 清 秦昌期妻 482-525-367
楊氏 清 馬崇勛妻、楊繼震女 474-384-19
506-113-89
楊氏 清 孫思孔妻 481-83-294
楊氏 清 袁邦璽妻 506-60-87
楊氏 清 耿纘祖妻 477-423-169
楊氏 清 徐敏妻 482-567-369
楊氏 清 徐必運妻 478-205-184
楊氏 清 徐爾偉妻 474-194-9
楊氏 清 郤恭默妻 478-551-202
楊氏 清 寇錫陶妻 478-143-181
楊氏 清 郭子城妻 478-357-191
楊氏 清 康泰妻 503-53-95
楊氏 清 庹振繼妻 481-188-300
楊氏 清 曹淮妻 506-26-86
楊氏 清 曹允升妻 530-29-54
楊氏 清 陸昞妻 474-193-9
楊氏 清 陸宗道妻 479-501-239
楊氏 清 陸萬頃妻 483-99-378
楊氏 清 敖毓琱妻 481-120-296
楊氏 清 張八妻 474-195-9
楊氏 清 張喬妻 480-179-266
楊氏 清 張孔聲妻 483-36-371
楊氏 清 張守泰妻 524-472-202
楊氏 清 張其能妻、楊葉女 570-179-22
楊氏 清 張奇彩妻 483-60-374
楊氏 清 張鳳岐妻 474-193-9
楊氏 清 陳賡妻 506-18-86
楊氏 清 陳元勳妻 530-119-57
楊氏 清 陳丹藎妻 481-620-329
楊氏 清 陳廷耀妻 482-52-340
楊氏 清 陳鄂年妻 480-417-277
楊氏 清 崔鈺妻 474-195-9
楊氏 清 常懷寶妻 478-491-199
楊氏 清 馮如京妻、楊可植女 1316-681-46
楊氏 清 游璋妻 481-374-311
楊氏 清 曾日忠妻 480-97-262
楊氏 清 黃承芳妻 479-500-239
516-253-97
楊氏 清 黃昌裔妻 530-131-57
楊氏 清 植敏槐妻 481-363-310
楊氏 清 彭長春妻 481-120-296
楊氏 清 程子民妻 533-645-70
楊氏 清 嵇永仁妻 512-6-176
楊氏 清 溫克勤妻 503-57-95
楊氏 清 楊世宏妻 503-61-95

楊氏清 萬鵬程妻 482-567-369
楊氏清 董宗裔妻 483- 99-378
楊氏清 廖鴻度妻 530-132- 57
楊氏清 趙桂妻 474-194- 9
楊氏清 趙樸妻 474-194- 9
楊氏清 趙明徵妻 541- 3- 29
楊氏清 趙秉良妻 483-141-380
楊氏清 趙能容妻 474-195- 9
楊氏清 趙養生妻 479-335-232
楊氏清 鄭仕楫妻 530-147- 58
楊氏清 鄭迪啟妻 533-697- 72
楊氏清 鄭國琠妻 530-146- 58
楊氏清 鄧全縉妻 479-635-245
楊氏清 蔡而烷妻 530-115- 57
楊氏清 劉翔妻 533-654- 70
楊氏清 劉承家妻 506- 67- 87
楊氏清 劉茂源妻、楊令哲女
1323-589- 2
楊氏清 劉毓俊妻 474-194- 9
楊氏清 劉廣才妻 481-430-315
楊氏清 劉燿萑妻 530- 24- 54
楊氏清 盧繼伯妻 506- 30- 86
楊氏清 謝重燕妻 530- 37- 54
楊氏清 韓陞妻 506-167- 90
楊氏清 薛功溥妻 506- 66- 87
楊氏清 薛宗州妻 474-521- 25
楊氏清 魏庭昭妻 503- 52- 95
楊氏清 譚介維妻 482-189-346
楊氏清 羅育萬妻 524-476-202
楊氏清 羅廷璠妻 479-500-239
516-255- 97
楊氏清 邊國鏡妻 474-196- 9
楊氏清 嚴嶒妻、楊克愚女
483-172-383
楊氏清 嚴心標妻 506-116- 89
楊氏清 嚴以容妻 481- 85-294
楊氏清 鐘士璠妻 482-486-364
楊氏清 龔輝祖妻 474-194- 9
楊氏清 曹大媳 512- 57-178
楊氏清 楊志秀女 478-392-193
楊氏清 楊夢叟女 1321- 67- 93
楊氏不詳 陶珙妻 472-403- 18
楊介宋 472-203- 7
511-886-171
楊介元 515-623- 76
楊允元 472-801- 31
537-334- 56
1192-571- 11
楊玄劉宋 258-661- 98
262-458-101
267-821- 96
381-455-195
楊立後唐 277-597- 74
楊立明 338-322- 69
楊玉明 1242-118- 27
楊玉清 吳穆妻 530-121- 57
楊丙宋 473-586- 75
楊弘河間王 隋 264-742- 43
267-417- 71
375-553-85下
476-110-102
478-569-203
545-355- 96
楊弘妻 金 見李氏
楊弘明 820-599- 40
楊正漢 370-170- 16
楊正唐 820-250- 29
楊正清 570-136-21之2
楊本宋 1375-35- 下
楊本明 299-362-142
456-694- 12
458-171- 8
477- 86-153
523-573-174
538- 40- 63
楊石春秋 見食我
楊石宋 288-250-465
400- 57-504
楊平晉 564- 11- 44
楊平明 1261-193- 14
楊平妻 清 見藍氏
楊世漢 556-317- 90
楊世晉 381-454-195
楊布宋 487-188- 12
楊充漢 481-404-313
559-405-9上
591-593- 44
879-174-58下
楊由楊田 漢 253-569-112上
380-569-181
481- 74-294
591-517- 41
592-275- 78
879-157- 78
879-157-58上
933-301- 22
楊旦 明 299-428-148
460-801- 85
529-616- 47
676-551- 22
1320-763- 83
1442- 38-附2
1459-779- 31
1467- 88- 65
楊旦明(字明甫) 511-285-147
楊旦明(字啟東) 576-653- 5
楊旦明(字延暹) 1242-132- 28
楊田漢 見楊由
楊四妻 明 見劉氏
楊申楊應 宋(字文起)
451- 99- 3
楊申宋(字宣卿) 473-127- 55
515-517- 73
楊申妻 宋 見王氏
楊甲宋 559-392-9上
1364-818-374
楊仞妻 明 見朱氏
楊生明 541-100- 30
楊安晉 381-454-195
楊安唐 1065-273- 9
楊安明 473- 87- 52
楊安清 455-129- 5
楊江唐 820-284- 30
楊朴宋 見楊樸
楊圭宋(字國瑞) 523-169-154
楊朏宋(楊朏子) 821-158- 50
楊在明 456-549- 7
楊存宋 515-581- 75
518-738-159
1161-565-122
楊至宋 460-288- 18
529-735- 51
楊匡楊章 漢 376-930-112
402-475- 11
402-542- 17
459-247- 15
472-652- 27
477- 59-151
537-374- 57
楊玗唐 820-256- 29
楊圯明 505-905- 80
楊异楊巴 隋 264-770- 46
266-851- 41
379-713-160
475-363- 67
478-295-188
478-342-191
481- 15-291
933-303- 22
楊同明 554-280- 53
楊因春秋 404-785- 48
楊回春秋 933-299- 22
楊收唐 271-318-177
275-511-184
384-280- 14
396-229-272
472-838- 33
473-712- 81
475-143- 57
478-343-191
485-182- 25
493-868- 47
511-891-172
516-220- 96
544-231- 63
544-841- 63
933-307- 22
楊兆明 505-635- 67
554-504-57上
楊兆女 明 見楊氏
楊舟楊輈 元(字梓夫)
480-615-287
678-436-111
1439-430-附1
楊舟元(字道濟) 515-618- 76
楊舟明(字濟川) 494- 42- 3
1266-406- 7
楊舟明(雲南縣人)
570-151-21之2
楊舟妻 明 見李氏
楊名元 494-164- 6
楊名明(字實卿) 300-409-207
481-336-308
559-394-9上
561-211-38之2
676-563- 23
楊名明(字彥實) 482-485-364
567-379- 82
1467-191- 69
楊仕明 456-694- 12
479- 95-221
523-362-163

1475-179- 8
楊全明 483-163-382
494-167- 6
楊企明 554-312- 53
楊先妻 清 見張氏
楊仲明 547-114-145
楊价宋 473-544- 72
571-555- 20
1223-536- 10
楊朱陽戎、楊子 戰國
384- 32- 1
386-276-83下
405-462- 86
933-299- 22
楊休明 547-104-145
楊伋元 1439-443-附2
楊宏女 唐 見楊氏
楊宏宋 見楊琦
楊宏明(字希仁) 475-325- 65
478-127-181
511-242-145
554-601- 59
558-201- 31
676-235- 9
676-553- 22
楊宏明(山東安東衛人)
537-269- 55
楊宏妻 明 見趙氏
楊忭明 511-715-164
楊汪隋 264-856- 56
267-474- 74
379-782-162
384-156- 8
480-239-269
547-188-148
933-304- 22
楊言明 300-406-207
479-184-225
523-294-159
676-551- 22
1442- 48-附3
1460- 48- 42
1474-250- 11
楊完明 559-311-7上
楊牢唐 274-501-118
477-312-164
楊沛魏 254-307- 15
377-142-115下
385-405- 43
477- 48-151
477-160-157
478-103-180
537-261- 55
540-644- 27
554-433- 56
楊沂明(南充人) 528-531- 31
楊沂明(西充人) 559-367- 8
楊辛明 472-695- 28
537-266- 55
楊亨元 1197-782- 82
楊序宋 1121- 73- 7
楊忱宋 1105-780- 93
1356-181- 8
1384-134- 92
1410-344-708
楊宋明 1267-536- 7
楊宋妻 明 見康氏
楊宋妻 清 見李氏
楊汲宋 286-708-355
397-747-365
473-586- 75
486- 50- 2
楊志唐 485- 72- 11
楊成元 1214-189- 16
楊成明(成都人) 473-126- 55
515-133- 61
楊成明(字汝大) 511-109-140
楊成明(字全卿) 523-219-156
楊成明(字仲禮) 1239- 90- 32
楊成妻 明 見崔氏
楊均宋 524- 5-178
楊均明 1293-291- 16
楊均妻 清 見張氏
楊均妻 清 見閻氏
楊抗宋(辰州通判) 473-376- 65
480-563-284
532-741- 46
楊抗宋(字抑之) 515-861- 85
楊杞宋 1161- 64- 79
1161-449-115
楊杞清 482-563-369
楊岊宋 見陽岊
楊材明 511-258-146
528-498- 30
楊扶漢 252-825- 68
453-742- 2
523-478-170
563-600- 38
楊扶唐 472-1028- 42
楊扶宋 515-530- 73
楊技唐 271-297-176
楊孚漢 453-740- 2
564- 3- 44
楊谷明 511-194-143
楊告宋 286- 39-304
397-244-333
473- 13- 49
473-615- 77
475- 69- 52
475-699- 86
476-912-148
479-482-239
481-405-313
488-384- 13
515- 82- 59
楊佐宋 286-419-333
397-523-352
472-359- 15
473-427- 67
475-607- 81
477- 51-151
481-385-312
511-296-148
559-319-7上
581-474- 95
楊佐明(上元人) 511-514-157
楊佐明(聞喜人) 547-113-145
楊佐妻 明 見李氏
楊佐清 528-499- 30
楊佑唐 473-806- 86
楊佑明 547- 75-143
楊伾宋 515-573- 75
楊作宋 1120-619- 49
楊含妻 唐 見蕭氏
楊邠晉 559-382-9上
591-585- 43
楊邠後漢 278-254-107
279-191- 30
384-305- 16
396-386-288
472-574- 24
813-236- 6
820-314- 31
楊何漢 244-857-121
251-104- 88
476-520-128
540-692-28之1
675-237- 3
677- 56- 5
楊伸明 554-602- 59
楊秀蜀王 隋 264-760- 45
267-426- 71
375-561-85下
384-155- 8
560-595-29下
楊秀宋 480- 56-260
楊秀明 533-414- 62
楊廷清 482-267-350
563-894- 42
楊宗漢 559-377-9上
560-561- 27
楊宗唐 547-161-147
楊泓母 清 見吳氏
楊京楊本潤 明 456-630- 10
540-836-28之3
楊宜元 476- 79-100
545-183- 89
545-767-110
楊宜明(字伯時) 300-371-205
505-785- 73
545-442- 99
楊宜明(字從義) 1242- 45- 25
楊注唐 271-323-177
楊宛明 820-769- 44
1442-127-附8
1460-912- 98
楊泮明 524-169-186
楊祁宋 821-207- 51
楊祀宋 515-585- 75
楊炌明 1475-685- 29
楊初晉 381-454-195
楊定晉 262-458-101
381-455-195
楊炎唐 270-405-118
275- 91-145
384-225- 12
395-706-244
472-854- 34
478-202-184
554-927- 64
812-352- 10
812-368- 0

821- 69- 47
933-305- 22
楊武漢 469- 5- 1
535-552- 20
楊武明(字文宗) 476-518-127
540-628- 27
545-284- 94
554-660- 60
820-655- 42
1458-557-455
楊武明(曲沃人) 528-476- 30
楊雨明 494-169- 6
570-150-21之2
楊杰元 1215-710- 10
楊松明(河南衛人) 300-547-215
537-520-59
545-102- 86
楊松明(字孟岳) 460-805- 86
楊松明 見楊壽夫
楊青明 511-870-170
楊坦楊垣 唐 554-901- 64
812-346- 9
821- 57- 46
楊直明 473-436- 67
559-344- 8
楊居明 1224-162- 19
楊坤妻 明 見柳氏
楊奇漢 402-495- 12
472-788- 31
477-407-169
478-340-191
537-324- 56
554-629-60
楊奇明 545-846-113
1258-181- 17
1263-461- 1
楊枋宋 見陽枋
楊表明(龍溪人) 473-657- 78
532-696- 45
楊表明(字子儀) 567-344- 79
楊玫明 559-346- 8
楊林宋 515-184- 62
楊林妻 明 見張氏
楊東明 511-330-149
楊長清 478-349-191
楊承宋 481-309-307
楊忠楊奴奴 北周 263-556- 19
264- 16- 1
266-227- 11
372-827- 18
532-106- 27
544-214- 62
547-181-148
楊忠女 宋 見楊氏
楊忠明(寧夏人) 302- 10-289
478-598-204
558-430- 37
楊忠明(臨洮知府) 472-894- 35
楊忠明(青州人) 528-509- 31
楊忠明(聞喜人) 554-312- 53
楊芷晉 晉武帝后、楊駿女
255-574- 31
373- 68- 20
554- 18- 48
楊芷明 533- 70- 49
480-205-267
楊明宋 559-385-9上
楊明妻 宋 見朱氏
楊明明 456-492- 5
554-726- 61
楊芾宋 288-416-456
400-303-524
479-714-250
515-577- 75
820-434- 35
楊芾明 524- 72-181
676-745- 31
1226-235- 11
楊卓魏 592-243- 75
楊卓明 299-337-140
479- 43-218
479-717-250
481-803-338
515-634- 77
523- 82-149
1238-108- 9
1238-260- 22
楊昇隋 486- 40- 2
楊昇唐 812-347- 9
813- 97- 5
821- 53- 46
楊昇元 473-812- 86
494-163- 6
570-116-21之1
楊昇明(阿迷州人) 483- 33-371
570-135-21之2
楊昇明(字起同) 511-104-140
楊昇明(武平衛人) 511-651-162
楊昇明(字孟潛) 676-472- 18
679-624-199
1239- 32- 28
1241-436- 5
1376-544- 93
楊昇明(字繼明) 1241-862- 22
楊昇妻 明 見袁氏
楊昇妻 清 見甄氏
楊昂楊新哥 宋 448-390- 0
楊昂明 563-753- 40
楊昕明(字元霽) 510-348-114
1245-431- 20
1246-507- 下
1249-213- 12
楊昕明(浙江處州人)
540-650- 27
楊芳宋 451- 22- 0
楊芳明(字以德) 523-135-152
1291-239- 3
楊芳明(貴州衛人) 571-541- 20
楊芳明(字青之) 821-479- 58
楊芳妻 明 見孫氏
楊昉唐 274-354-106
554-445- 56
楊易明 529-616- 47
楊旻唐 見陽旻
楊旻楊昊 明(字克彰)
475-329- 65
511-567-158
512-748-195
1253-311- 56
楊旻明(字思仁) 1386-744- 下
楊旻明 見楊日初
楊旻女 明 見楊氏
楊昊明 見楊旻
楊杲趙王 隋 264-887- 59
267-434- 71
375-568-85下
楊果元 295-233-164
399-590-478
451-629- 10
472- 54- 2
474-241- 12
505-733- 71
505-883- 79
1200-771- 59
1439-420-附1
1470-106- 5
楊果明(字實夫) 472-297- 12
475-376- 68
511-208-144
楊果明(陽曲人) 476-779-141
545-670-107
楊秇清 1325-146- 9
楊侍明 533-421- 62
楊知宋 541-106- 31
楊和唐 1342-108-917
1410- 29-666
楊和元 1214-190- 16
楊和明(臨城人) 472- 99- 3
楊和明(涪州判官) 494- 41- 3
楊和明(城步人) 533-110- 50
楊和明(固安人) 545-387- 97
楊周明 511-544-158
楊周女 明 見楊氏
楊佶遼 289-639- 89
399- 44-420
472- 34- 1
472- 51- 2
472-148- 5
474-177- 8
474-513- 25
474-587- 30
505-717- 71
楊侑隋 見隋恭帝
楊侗越王 隋 264-883- 59
267-430- 71
375-565-85下
537-179- 53
楊金妻 宋 見阿毛
楊肸春秋 見羊舌肸
楊侃後魏 261-783- 58
266-826- 41
379-226-150上
384-133- 7
478-341-191
552- 29- 18
554-560- 58
933-302- 22
楊侃宋 見楊大雅
楊侃明 559-369- 8
楊佩明 見楊光郁
楊皐漢 253-430-102
254-441- 25

377-208-117
384- 86- 4
384-668- 42
470-414-150
472-895- 35
478-517-200
554-227- 52
558-231- 32
558-385- 36
933-301- 22
楊岳楊仙哥 宋(字子山)
448-363- 0
楊岳宋(夾江人) 559-379-9上
楊岳明 479-403-235
523-234-156
楊秉漢 253-170- 84
370-198- 20
376-844-110
384- 66- 3
402-426- 7
402-493- 12
402-510- 14
448-301- 上
459-237- 14
472-408- 18
472-543- 22
472-737- 29
472-788- 31
472-832- 33
476-474-125
476-909-148
478-340-191
510-274-112
537-191- 54
540-629- 27
554-385- 55
675-263- 7
933-301- 22
1063-210- 5
1397-450- 21
1412-467- 19
楊牧唐 544-231- 63
楊洪蜀漢 254-642- 11
377-288-118下
384- 76- 4
384-462- 12
385-174- 19
447-190- 7
473-513- 71
481- 65-293
481-349-309
559-378-9上
591-581- 43
933-301- 22
楊洪明 299-729-173
453-351- 6
453-602- 16
472-154- 5
472-868- 34
474-514- 25
475- 74- 53
505-780- 73
511-383-151
554-599- 59
1240-157- 11
1240-159- 11
1241- 15- 1
1241-339- 2
楊洪妻 明 見釧氏
楊冠明(字尚文) 564-218- 46
567-102- 66
1467- 75- 64
楊冠明(號朴軒道人)
1247-457- 19
楊炫妻 明 見秦氏
楊炳宋 481-586-328
677-349- 32
679- 41-142
楊炳明(山西安邑人)
540-636- 27
546-501-131
楊炳明(字文彪) 547-562-161
楊宣漢 473-429- 67
481- 73-294
559-338- 8
591-506- 41
592-277- 78
楊宣明(新城人) 505-811- 74
楊宣明(字均政) 567-305- 77
1467-190- 69
楊洄妻 唐 見咸直公主
楊洵宋 見楊恂
楊洛妻 明 見邵氏
楊音漢 476-655-135
540-643- 27
楊恆明 302-165-298
479-237-227
524-287-192
1223-569- 11
楊恂楊洵 宋 287-348-390
398-358-387
481-351-309
559-384-9上
591-641- 46
楊恂明 300-770-230
476-334-115
546-411-128
楊恂妻 清 見金氏
楊恪妻 隋 見柳氏
楊恪妻 宋 見馮媛安
楊姜明 510-340-113
559-353- 8
楊炬宋 485-536- 1
楊炤明 1460-744- 80
楊炯唐 271-567-190上
276- 63-201
384-190- 10
400-592-554
451-412- 1
478-343-191
554-838- 63
674-247-4上
933-308- 22
1065-286- 附
1065-288- 附
1371- 49- 附
1394-651- 9
1472- 77- 4
楊炯明 511-774-166
楊炯妻 明 見柳氏
楊津楊延祚 後魏 261-793- 58
266-832- 41
379-232-150上
472-851- 34
478-198-184
478-333-191
478-341-191
505-628- 67
545-404- 98
554-559- 58
933-302- 22
楊津明 554-313- 53
楊洲明 570-146-21之2
楊帝女 唐 見楊氏
楊亮元 515-870- 85
楊彥宋 484-380- 28
楊恢宋 473-247- 60
480-289-271
楊美楊光美 宋 285-387-273
371-162- 16
472-435- 19
472-610- 25
476- 39- 98
476-725-138
540-656- 27
545-618-105
楊美明 1374-756- 96
楊珏漢 591-518- 41
楊珏宋 515-269- 65
523-450-168
楊玳明 554-283- 53
楊威漢 524-129-185
楊威宋 821-208- 51
楊威元 1200-556- 43
1201-168- 80
1201-171- 80
楊威明(諡烈愍) 456-494- 5
558-425- 37
楊威明(字廷振) 532-747- 46
楊威明(膚施人) 554-348- 54
楊威女 清 見楊氏
楊威不詳 575-667- 40
楊拭唐 271-297-176
楊枳明 陳亨妻、楊和叔女
1240-369- 23
楊春明(鄖縣舉人)
533-340- 58
楊春明(汶上人) 545-146- 88
楊春明(安岳人) 554-348- 54
楊春明(字子元) 1241-825- 21
楊春妻 明 見張氏
楊春妻 明 見劉氏
楊垣唐 見楊坦
楊相妻 漢 見劉泰瑛
楊相明(字之宜) 473-151- 56
515-656- 77
1239-140- 36
楊相明(蒲州人) 546-316-125
楊相明(安南人) 572- 86- 28
楊相妻 明 見廖氏
楊厚漢 252-716-60上
楊皆明 676-574- 23

楊奎明 1291-650- 2
楊盈明 545-222- 91
楊珂宋 529-762- 53
楊珂明(平州人) 302-560-316
楊珂明(楊景隆子) 494- 42- 3
楊珂明(字汝鳴) 524- 57-180
820-675- 42
楊南明 456-554- 7
楊郁妻 清 見何氏
楊珍元 1201-166- 80
楊珍明 547- 92-144
楊勇房陵王 隋 264-752- 45
267-419- 71
375-555-85下
384-154- 8
554- 27- 48
楊政漢 253-523-109上
370-178- 17
380-261-172
402-389- 5
472-831- 33
478- 98-180
547-169-147
554-805- 63
680-667-285
933-301- 22
楊政母 宋 478-673-209
楊政宋 287- 44-367
398-112-372
472-866- 34
472-882- 35
478-200-184
478-244-186
478-673-209
481- 19-291
554-155- 51
558-335- 35
楊述明(邢臺人) 505-909- 81
楊述明(字宗道) 676-498- 19
1242-239- 32
楊柔唐 1065-266- 9
1342-240-935
1410-483-727
楊芮明 524-197-188
楊茂明(字本隆) 480-583-285
楊茂明(鄉試舉人) 494- 55- 2
楊茂明(號湛盧山人)
529-745- 51
楊茂明(四川人) 541-113- 31
楊茂明(夾江人) 554-313- 53
楊茂明(字延秀) 570-155-21之2
楊貞金 476- 83-100
545-479-100
546-614-135
楊貞明 494- 41- 3
1313-208- 17
楊昺明 523- 37-147
533- 7- 47
楊昺女 明 見楊氏
楊峙明 546-754-140
楊省元 511-857-169
楊若宋 1118-671- 35
楊苗女 宋 見楊氏
楊苗明 524-199-188
楊昱後魏 261-790- 58
266-830- 41
379-230-150上
554-631- 60
楊昱明(字子晦) 460-810- 87
529-637- 48
楊昱明(字仲明) 482-140-344
563-794- 41
楊昭隋 264-882- 59
267-429- 71
375-564-85下
554- 27- 48
楊昭宋 1223-536- 10
楊胄唐 558-238- 32
楊茁楊畾 明 456-666- 11
楊苞清 533-203- 53
楊畾明 見楊茁
楊英隋 見隋煬帝
楊英明 530-214- 61
821-438- 57
楊彔明(仁和人) 472-309- 13
510-383-115
楊彔明(安東教諭) 472-309- 13
楊畏宋 286-705-355
382-642- 99
384-382- 19
397-745-365
楊畋宋 285-773-300
397-198-331
472-923- 36
473-315- 62
473-358- 64
476- 41- 98
478-271-187
480-462-279
532-729- 46
545-646-106
554-650- 60
563-654- 39
820-348- 32
1105-701- 84
1112-204- 18
楊迪吳 479-485-239
515-294- 66
楊迪宋 448-498- 10
460- 22- 1
529-581- 46
1133-542- 12
楊風後魏 267-629- 84
楊約隋 264-792- 48
266-850- 41
379-712-160
933-303- 22
楊信漢 244-752-110
681-636- 18
楊信楊義 宋 285-205-260
396-530-302
472- 69- 2
505-654- 68
楊信明(字文實) 299-732-173
475- 74- 53
511-384-151
554-166- 51
554-600- 59
楊信明(邯鄲人) 479-377-234
523-215-156
楊信明(字中孚) 1240-141- 10
楊信明(字仲實) 1255-751- 75
楊信妻 明 見汪氏
楊朏唐 821- 58- 46
楊朏妻 唐 見萬春公主
楊朏宋(閩縣人) 529-437- 43
楊朏宋(京師人) 812-538- 3
821-158- 50
楊胤明 820-574- 40
1243-675- 22
楊紀隋 見楊文紀
楊勉明(江陵人) 472-719-165
511-178- 6
楊勉明(平陽人) 510-373-114
楊奐楊知章 元 295- 89-153
399-437-459
451-658- 13
453-770- 1
472-840- 33
476-914-148
478-391-193
554-813- 63
1191-257- 23
1198-221- 附
1198-256- 附
1198-261- 附
1198-270- 附
1293-340- 19
1367-396- 32
1439-420-附1
1470- 89- 4
楊俁宋 471-863- 39
楊保元 483- 96-378
494-164- 6
楊俊魏 254-416- 23
377-189-116
384-655- 40
476- 44- 98
477-203-159
477-358-166
537-461- 58
547-146-147
933-301- 22
楊俊晉 381-454-195
楊俊秦王 隋 264-758- 45
267-425- 71
375-560-85下
384-154- 8
552- 47- 19
1401-575- 39
楊俊元 533-332- 58
楊俊元 見楊琛
楊俊明(六合人) 299-731-173
楊俊明(巴陵人) 510-446-117
楊俊妻 明 見謝氏
楊浦明 511-553-158
楊海明 515-710- 79
1287-788- 11
楊海清 456-184- 64
楊涇妻 明 見秦氏
楊浩秦王 隋 264-760- 45
267-426- 71

375-561-85下
楊浩明(濟寧人) 299-634-164
540-791-28之3
545-117-86
楊浩明(字大宣) 472-113-4
505-682-69
楊浩明(江陵人) 472-197-7
510-472-117
楊浩明(知崇慶州) 473-428-67
559-267-6
楊浩明(遼州人) 547-80-144
楊浩女 明 見楊氏
楊浩清 483-48-372
570-147-21之2
楊高漢 402-481-11
楊祐楊祜 明(字汝承)
524-9-178
676-563-23
1442-54-附3
1458-218-433
1460-123-46
楊祐明(內江人) 554-310-53
楊祐妻 明 見許氏
楊祜明 見楊祐
楊祚元 569-647-19
楊朗秦 544-196-62
楊益唐 533-721-73
楊益元 563-714-39
820-508-37
1204-194-2
楊益明 456-694-12
楊益明 見陽益
楊訓宋 529-597-47
679-36-141
楊訓明 676-596-24
楊涉唐 271-322-177
275-514-184
279-217-35
384-289-15
384-308-16
401-284-607
493-869-47
820-272-29
933-308-22
1383-771-70
楊祕楊秘 明 472-409-18
475-421-70
546-332-126
楊庭唐 813-231-5
820-152-26
楊淩唐 396-62-257
1076-111-12
1076-567-12
1077-136-12
1371-65-附
楊浚楊末哥 宋 448-396-0
485-535-1
楊浚元 515-473-71
楊迹宋 473-515-71
559-384-9上
591-642-46
楊素隋 264-784-48
266-841-41
379-702-160
384-151-8
472-429-19
472-833-33
478-342-191
523-5-146
814-263-8
820-124-25
933-303-22
1387-190-11
1395-604-3
楊素妻 明 見劉氏
楊泰唐 820-255-29
楊泰楊兒孫 宋 451-85-3
楊泰元 510-398-115
楊泰明(山陽人) 472-312-13
楊泰楊秦 明(良鄉人)
474-184-9
505-801-74
楊泰明(代州人) 554-312-53
楊泰妻 明 見張氏
楊泰清(字春和) 479-484-239
515-100-59
546-181-121
楊泰清(安寧人) 482-563-369
570-159-21之2
楊秦明 見楊泰
楊珙明 1240-188-13
楊珙妻 明 見羅氏
楊珙女 明 見楊銀
楊珧晉 255-713-40
377-489-121下
554-70-49
楊貢明 473-117-54
474-306-16
493-731-40
515-781-81
楊恭明(字允寬) 473-606-76
1238-675-23
1242-113-27
楊恭明(陝西布政使)
494-55-2
楊恭明(永清人) 545-342-96
楊恭明(字克敬) 576-653-5
楊恭明 見楊恭叔
楊眞明 林愚逸妻、楊一翬女
1227-160-19
楊眞明 張廷端妻、楊彥立女
1255-636-66
楊砥明 299-446-150
472-505-21
476-207-107
546-194-122
547-59-143
1374-670-88
楊烈明 302-461-312
楊烈妻 明 見姜氏
楊珪元 1213-761-24
楊珪明 494-56-2
楊珣明 494-25-2
楊耆宋 1109-144-9
1110-771-下
楊桂妻 明 見李氏
楊桂妻 明 見劉氏
楊桓女 後梁 見楊氏
楊桓元 295-232-164
399-590-478
472-558-23
476-586-131
540-772-28之2
820-495-27
1394-456-4
楊桐女 明 見楊氏
楊格妻 明 見陳氏
楊晉元 820-541-39
楊晉妻 明 見曹氏
楊晉清 511-868-170
楊晉妻 清 見謝雲使
楊珮明 456-529-6
540-831-28之3
楊珩明 559-419-10上
楊起宋 451-221-0
楊軒明 480-439-278
楊翀妻 明 見龐氏
楊耿宋 460-418-32
楊振宋 524-356-196
843-672-下
楊振妻 宋 見莢氏
楊振元 1198-256-附
楊振妻 元 見程氏
楊振明 301-580-272
456-458-4
474-823-44
502-300-56
楊廷明 1239-188-39
楊根明 554-341-54
楊展明 458-466-23
楊時宋(字中立) 288-28-428
293-498-77
400-464-543
448-487-10
449-724-8
458-179-1
459-75-5
460-7-1
471-625-6
471-755-23
472-256-10
472-962-38
472-1067-45
473-298-62
473-334-63
473-617-77
479-42-218
479-224-227
479-333-232
480-240-269
480-401-277
481-646-330
489-356-31
511-897-172
515-265-65
523-76-149
524-330-195
529-579-46
532-665-44
532-690-45
539-503-11之2
674-166-1上

674-354-5下
674-835- 18
677-230- 21
1139-447- 17
1164-204- 10
1229-257- 7
1252-174- 10
1325-656- 1
1363- 19- 97
1437- 19-附1
楊時宋(丹稜人) 473-515- 71
楊時金 545-178- 89
545-764-110
楊時明 494- 40- 3
楊時妻 明 見杜氏
楊恩明 558-318- 34
楊荃清 524-116-183
楊荐北周 263-673- 33
267-385- 69
379-662-159
478-106-180
554-568- 58
933-304- 22
楊晏唐 554-641- 60
楊晏女 唐 見楊氏
楊晃父 唐 1078-219- 4
1342-408-957
楊剛明 1237-319- 6
楊峯妻 清 見周氏
楊峻明 472-274- 11
473- 26- 49
473-570- 74
478-767-215
479-490-239
515-380- 68
523- 44-148
楊倞唐 820-260- 29
楊紘宋 286- 46-305
397-250-334
472-1084- 46
473-601- 76
475- 17- 49
479-173-225
486- 48- 2
494-296- 5
523-126-152
529-592- 47
楊恕宋(字可久) 494-311- 5
523-213-156
1170-734- 32
楊恕宋(字仲如) 523-372-164
楊恕宋(字寬之) 1113-240- 23
楊恕金～元 546-719-139
1201-166- 80
1201-172- 80
楊釜明 529-566- 46
楊釗唐 見楊國忠
楊倚宋 1086-439- 7
楊倫楊綸 漢 253-529-109上
380-266-172
472-129- 4
472-652- 27
477- 59-151
538- 20- 62
933-301- 22
楊倫明 456-460- 4
474-818- 44
502-302- 56
楊倫妻 明 見崔氏
楊能明(字文敬) 299-732-173
472-178- 6
511-384-151
1245-499- 26
1245-539- 28
楊能明(壺關人) 545-846-113
楊純明(鄰水人) 481-183-300
559-366- 8
571-521- 19
楊純明(字秉誠) 554-258- 52
563-806- 41
楊純明(字粹夫) 558-353- 35
楊純明(字彥實) 1241-606- 12
楊秘明 見楊祕
楊修漢 253-180- 84
254-353- 19
254-381- 21
380-350-175
386- 79-71上
554-832- 63
812-316- 4
821- 8- 45
楊修明 528-543- 32
楊乘元 295-578-194
299-144-124
400-256-521
474-339- 17
475-186- 59
476-180-106
476-753-139
505-850- 76
511-895-172
540-782-28之2
545-242- 92
1218-621- 2
楊倓燕王 隋 264-883- 59
267-430- 71
375-565-85下
楊倓宋(楊存中子) 287- 42-367
494-268- 2
楊倓宋(字和義) 510-452-117
楊寅宋 473-315- 62
532-730- 46
楊寅元 554-470- 56
1293-343- 19
楊淇明 456-603- 9
483- 97-378
570-130- 21之1
楊淞明 516-103- 91
楊添明 523-486-170
537-247- 55
楊淳明 554-493-57上
576-653- 5
580-362- 22
楊淳妻 清 見張氏
楊清唐 270-545-131
楊清妻 唐 見郯國公主
楊清明(新鄉知縣) 472-706- 28
楊清明(建昌所千戶)
473- 97- 53
515-186- 62
楊清明(字澹孺) 533- 71- 49
554-875- 64
楊清明(太和人) 554-310- 53
楊清明(永淳人) 567-305- 77
楊清明(字子肅) 1238-259- 22
楊淮漢 見楊準
楊淮明(字東川) 300-161-192
475-226- 61
511-153-142
1258-687- 16
楊淮明(桂林人) 515-175- 62
楊淮妻 明 見姜氏
楊惇明 473-599- 76
511-715-164
528-528- 31
楊章漢 見楊匡
楊庸元 1201-169- 80
楊祥唐 398-701-414
480-406-277
楊祥明(直隸灤州人)
540-672- 27
楊祥明(寶雞人) 554-477-57上
楊祥明(商州人) 554-655- 60
楊宋妻 明 見李氏
楊淑楊琡 唐 820-216- 28
楊訥南唐 見李平
楊訥明 533-480- 64
楊專妻 明 見張氏
楊雪元 見曹雪
楊理明 472- 51- 2
472-313- 13
511-192-143
楊基明 301-820-285
472-229- 8
475-132- 56
475-187- 59
493-971- 52
511-733-165
676-449- 17
820-561- 40
821-343- 55
1230-486- 附
1386-657- 55
1442- 5-附1
1459-342- 10
楊培明 554-310- 53
楊基清 570-114-21之1
楊梧明 554-520-57下
楊堅女 北周 見楊麗華
楊堅隋 見隋文帝
楊梓明 523-204-155
楊梓妻 清 見何氏
楊琇不詳 沈遹聲妻
592-1024- 下
楊梯明 523- 92-149
楊彬明 571-549- 20
楊琅明 460-547- 52
473-634- 77
481-556-327
529-508- 44
楊琁漢 見楊璇
楊爽衛王 隋 264-749- 44

267-417-71
375-552-85下
478-634-206
535-556-20
楊爽唐 821-57-46
楊掞宋 287-615-412
398-573-403
473-115-54
479-658-247
480-127-264
515-758-80
532-631-43
楊捷清 474-519-25
540-675-27
1322-662-12
楊授唐 271-296-176
275-416-174
396-165-266
554-455-56
楊通明(南靖知縣) 473-653-78
楊通明(南部人) 554-346-54
楊通明(字文達) 1267-428-3
楊莽漢 591-577-43
楊晟唐 275-535-186
396-255-274
481-66-293
559-503-12
楊晦明 1239-233-42
楊崇晉 591-622-45
楊崇明(字尚賢) 473-388-65
480-541-283
515-376-68
532-720-45
1257-750-附
楊崇明(字遜夫) 529-616-47
楊崇明(連江人) 529-656-49
楊國晉 381-454-195
楊略北周 267-354-66
554-568-58
楊略唐 820-157-26
楊崞明 538-105-64
楊冕明 559-393-9上
楊崙妻 明 見楊氏
楊彪漢 253-178-84
254-56-2
376-849-110
384-68-3
385-122-12
402-532-15
402-592-20
459-240-14
472-765-30
472-832-33
477-358-166
478-85-180
478-340-191
537-309-56
554-386-55
675-264-7
933-301-22
楊晨宋 473-491-70
481-429-315
559-409-9上
591-624-45
楊眾漢 376-844-110
478-340-191
547-196-148
675-264-7
楊移明 523-215-156
楊終漢 253-94-78
376-807-110
384-61-3
402-540-17
473-429-67
481-73-294
559-338-8
591-509-41
592-491-91
592-507-92
933-300-22
楊偕宋 285-766-300
397-192-331
450-363-21
472-924-36
472-961-38
474-91-3
475-869-95
476-29-97
476-112-102
478-419-195
479-41-218
523-73-149
545-45-84
545-367-9
554-649-60
1102-229-29
1118-942-64
1378-534-60
1383-608-54
1410-306-704
1447-586-32
楊偁明 472-348-15
510-454-117
楊紹北周 263-643-29
267-370-68
379-655-159
552-46-19
554-567-58
559-320-7上
933-303-22
楊紹宋 1149-701-15
楊偉魏 554-629-60
楊偉宋 286-46-305
397-250-334
473-600-76
476-854-145
523-198-155
529-593-47
540-669-27
楊偉明(字季眞) 515-642-77
楊偉明(號龜山) 523-89-149
楊統漢(字仲通) 252-716-60上
376-670-107下
472-408-18
475-418-70
481-73-294
592-503-91
680-428-267
楊統漢(楊牧子) 681-529-7
1397-608-29
楊統元 546-645-136
楊紳明 473-377-65
532-743-46
楊動明 472-127-4
477-201-159
537-280-55
楊參宋 523-151-153
楊假唐 271-320-177
楊偰宋 1152-785-49
楊敏明 561-199-38之1
楊逡宋 1223-536-10
楊寓明 見楊士奇
楊斌明 302-460-312
楊斌清 524-103-183
楊富明 1280-294-77
楊渥十國吳 278-466-134
279-427-61
384-316-16
401-191-594
488-327-12
楊渭十國吳 見吳高祖
楊渭妻 明 見陽氏
楊愔楊秦王 北齊
263-260-34
266-836-41
379-432-153
384-133-7
384-138-7
472-790-31
476-44-98
478-341-191
538-323-69
540-729-28之1
547-148-147
554-70-49
933-307-22
楊善吳 479-735-250
516-440-104
楊善明(字思敏) 299-702-171
472-38-1
505-722-71
1241-395-4
1283-265-87
楊善明(隆德人) 456-552-7
楊善明(歸安人) 554-220-52
楊善妻 明 見劉氏
楊善清 見揚善
楊曾宋 見楊公饑
楊曾明 1243-375-22
楊湛隋 264-760-45
267-426-71
375-561-85下
楊旒妻 明 見強氏
楊惲漢 248-619-8
250-513-66
376-259-99
384-48-2
478-339-191
535-553-20
554-424-56
933-300-22
1395-582-3

1412-126- 5
楊焯宋 1226-235- 11
楊焯明 1460-741- 80
楊湧女 明 見楊氏
楊湜元 295-323-170
399-646-484
472- 98- 3
1201-166- 80
楊湜明 559-298-7上
楊渙漢(字孟義) 559-377-9上
楊渙漢(字孟文) 591-580- 43
楊渙明 515-672- 78
563-804- 41
楊竦漢 481- 14-291
482-558-369
569-641- 19
楊雲明 1261-854- 41
楊雲妻 明 見宋氏
楊琮唐 274-630-130
楊琮清 554-799- 62
楊琪父 宋 1104-689- 14
楊琪宋 1102-231- 29
楊貳清 456-338- 76
楊越唐 545-235- 92
1065-577- 5
1342-178-926
楊越明 473-359- 64
532-706- 45
楊惠晉 812-323- 5
821- 14- 45
楊惠隋 見楊雄
楊惠元(浙東廉訪使)
400-281-522
楊惠元(威楚人) 483-116-379
494-163- 6
楊惠元(監察御史) 820-527- 38
楊惠明 545-387- 97
549-690-206
楊賁明 299-278-135
475-798- 90
楊博明 300-529-214
474- 94- 3
475-873- 95
476-124-102
478-454-197
505-637- 67
545-327- 95
546-307-125
549-484-199
550-117-213
554-286- 53
558-155- 30
676-564- 23
1275-729- 34
1282-722- 55
1442- 53-附3
1458-476-449
1460-121- 46
楊撝唐 271-297-176
楊城五代 見楊瑊
楊巽宋 559-376- 8
楊瑄明 546-497-131
547-103-145
楊瑄妻 清 見程氏
楊琚明 473-155- 56
473-211- 59
515-678- 78
532-591- 41
楊斑明 532-633- 43
楊琴妻 清 見谷氏
楊植宋 485-534- 1
楊植明 546-207-122
楊椎隋 見楊雄
楊晳遼 289-638- 89
399- 44-420
472- 34- 1
505-717- 71
544-236- 63
楊朝妻 明 見夏氏
楊雄楊惠、楊椎、觀王 隋
264-745- 43
267-370- 68
379-747-161
384-154- 8
933-303- 22
楊盛成都王 劉宋 258-661- 98
262-458-101
267-821- 96
381-455-195
楊隆明 554-739- 53
楊閏金 546-404-128
550-229-217
1367-903- 69
楊登宋 見楊夢斗
楊琬元 460-486- 40
楊琬明 1228-802- 14
楊琬妻 明 見周氏
楊琦楊宏 宋 451- 53- 2
楊琦明 676- 84- 3
680-309-256
楊琦妻 清 見李氏
楊堯宋 472-898- 35
楊覃宋 286- 74-307
397-267-335
472-195- 7
473-333- 63
473-672- 79
478- 89-180
480-399-277
482- 32-340
532-689- 45
563-666- 39
楊軻晉 256-533- 94
380-430-177
472-895- 35
478-697-210
554-865- 64
558-470- 39
933-302- 22
楊揮宋 見楊暉
楊堪妻 明 見胡氏
楊弼漢 681-821- 11
楊弼後魏 見陽弼
楊開明 456-578- 8
480-404-277
482-143-344
564-250- 47
1327-691- 8
楊彭晉 559-378-9上
楊軫宋 1223-536- 10
楊琛楊俊 元 545-768-110
楊琛明(蒲州人) 505-699- 70
楊琛明(龍巖人) 529-712- 50
楊琰女 元 見楊氏
楊琳漢 402-574- 19
554-204- 53
楊琳清 563-861- 42
楊琡唐 見楊淑
楊逵明 480-439-278
533-462- 63
楊逵清 477-454-171
538- 43- 63
538- 69- 63
545-328- 95
楊棟宋 287-737-421
398-672-412
472-1103- 47
473-516- 71
473-568- 74
481-352-309
481-550-327
524-328-195
528-444- 29
528-475- 30
559-386-9上
591-651- 46
592-604- 99
1172-302- 24
楊棟明 1276- 29- 3
楊森楊普明 宋 451- 89- 3
楊森明(字德甡) 1241-179- 8
楊森明(字用材) 1475-223- 9
楊棣宋 506-615-107
楊揆宋 524-328-195
楊提明 554-346- 54
570-124-21之1
楊厥漢 1397-584- 28
楊厥妻 元 見張氏
楊發唐 271- 31-177
275-513-184
396-230-272
451-449- 5
475-119- 55
481-491-324
485- 72- 11
493-869- 47
528-436- 29
554-460- 56
楊景明 482-560-369
570-102-21之1
1250-384- 36
1253-363- 60
楊景妻 明 見張氏
楊貴後魏 552- 40- 18
楊貴明(合江人) 473-316- 62
532-732- 46
楊貴明(安慶人) 511-600-160
楊貴妻 明 見唐氏
楊著漢 681-581- 11
1397-674- 32
楊著金 546-719-139
楊凱明 494- 41- 3

楊萃明 456-558- 7
楊華梁 260-329- 39
265-886- 63
378-455-142
楊鄂宋 559-390-9上
楊勛前蜀 592-647-102
楊勛宋 473-347- 63
480-436-278
532-724- 46
楊敞漢 248-616- 8
248-512- 66
376-258- 99
384- 46- 2
472-829- 33
478-339-191
933-299- 22
1412-124- 5
楊敞妻 漢 見司馬氏
楊敞楊尚文 明 1265-759- 28
1467- 93- 65
楊棻清 547-119-145
楊最明(字殿之) 300-437-209
472-1085- 46
473-506- 71
479-175-225
480-128-264
481-336-308
523- 50-148
525- 76-220
545- 82- 85
554-220- 52
559-526- 12
569-653- 19
571-524- 19
楊最明(知黃州) 532-636- 43
楊蛟明 558-354- 35
楊順劉宋 381-455-195
楊順後魏 261-793- 58
547-181-148
552- 28- 18
楊順明 523-564-174
楊鈞後魏 261-798- 58
263-576- 22
554-560- 58
楊鈞宋 559-263- 6
楊鈞明(雲南人) 567-128- 67
1467-119-66
楊鈞明(字大用) 570-110-21之1
楊鈞妻 明 見李氏
楊智明(字思明) 460-574- 57
473-588- 75
1254-379- 2
楊智明(介休人) 472-496- 21
476-183-106
547- 42-142
楊智妻 清 見李氏
楊喬漢 370-208- 21
402-483- 11
453-742- 2
524-265-191
1407-695-465
楊喬明 567-329- 78
1467-220- 70
楊鈍明 554-678- 60
楊舒清 455-509- 32
474-755- 41
楊備宋 489-683- 49
1364- 4-241
楊欽元 554-654- 60
楊欽明 1257-763- 1
楊欽明 見楊允恭
楊斐楊棐 宋 812-456- 1
813- 93- 4
821-148- 50
楊棐宋 見楊斐
楊棐明 529-617- 47
楊傑隋 見楊諒
楊傑宋(字次公) 288-244-443
382-757-115
400-658-561
472-327- 14
475-704- 86
484- 92- 3
511-710-164
515-182- 62
588-167- 8
674-823- 17
820-383- 33
933-312- 22
1053-684- 16
1099-681- 附
1362-849- 85
1437- 16-附1
楊傑宋(南豐令) 471-740- 21
楊傑宋(閬州人) 821-208- 51
楊傑明(字廷俊) 546-365-127
1268-394- 62
楊傑明(字子英) 1240-198- 13
楊集明 264-749- 44
267-417- 71
楊集唐 見韋集
楊集明 299-604-162
505-657- 68
楊棨明 567-309- 77
1467-195- 69
楊逸後魏 261-796- 58
266-834- 41
379-235-150上
476-725-138
540-655- 27
552- 40- 18
554-437- 56
933-302- 20
楊進漢 王博妻 591-594- 44
楊進妻 明 見王氏
楊復宋 460-346- 27
473-660- 78
481-747-334
529-642- 48
楊復元 1375- 18- 上
楊後明(字遂初) 472-1004- 40
524- 34-179
676-476- 18
楊復明(字後環) 1239-226- 42
楊復妻 明 見涂氏
楊復女 明 見楊氏
楊寘宋 288-242-443
371-143- 14
384-346- 18
384-357- 18
400-657-561
472-327- 14
511-818-167
546-633-136
楊溥十國吳 見吳高尚思弘古讓帝
楊溥明 299-428-148
452-136- 1
453-279- 1
453-557- 6
473-303- 62
480-246-269
533- 73- 49
534-953-120
676-474- 18
820-586- 40
1242-403- 37
1242-740- 5
1242-831- 9
1373-758- 21
1375- 38- 下
1442- 12-附1
1459-541- 19
楊源明 299-608-162
473- 27- 49
479-490-239
515-372- 68
517-708-132
537- 64- 49
楊源妻 明 見王氏
楊意明 1240-228- 15
楊祺明(字吉玉) 530-212- 61
楊祺明(泰和人) 559-269- 6
楊補清 511-835-168
楊愼明 300-149-192
481- 81-294
482-564-369
483-140-380
483-201-388
483-251-391
494-169- 6
559-505- 12
561-621- 46
570-217- 23
570-679-29之13
572-155- 32
676-541- 22
677-572- 52
820-671- 42
1442- 44-附3
1458-247-434
1459-909- 39
楊愼妻 明 見王氏
楊愼妻 明 見黃氏
楊義宋 見楊信
楊義元 1214-190- 16
楊義明 567-399- 83
1467-241- 71
楊義清 545-794-111
楊慈宋 見楊叔濟
楊慈明 460-543- 52
473-634- 77

529-729- 51
楊潼明(臨潼縣人) 545-444- 99
楊溢明(字宗謙) 1258-292- 5
楊溫隋 264-748- 44
267-416- 71
楊滔唐 269-561- 62
楊靖楊靖郎 宋 448-400- 0
楊靖明(字仲寧) 299-310-138
472-312- 13
475-328- 65
511-190-143
楊靖明(字安之) 1276- 69- 7
楊靖妻 明 見王氏
楊雍清 505-881- 79
楊煌明 456-666- 11
楊煌清 547- 29-141
楊準楊淮 漢 591-518- 41
681-820- 11
楊準元 515-615- 76
楊準明(字汝宅) 479-353-233
523-205-155
楊準明(太和人)570-150- 21之2
楊詵滕王 隋 264-748- 44
267-417- 71
楊焯宋(字元光) 471-896- 44
472-1101- 47
473-738- 82
479-285-230
523-168-154
563-907- 43
1135-453- 41
楊焯宋(字隱文) 559-386-9上
1138-883- 4
楊廉明(字方震) 301-766-282
453-660- 28
458-815- 6
473- 26- 49
4774-168- 8
479-490-239
505-639- 67
515-383- 68
676-519- 20
1261- 49- 4
1442- 36-附2
1458-366-442
1459-749- 29
楊廉明(諡節愍) 456-585- 8
554-368- 54
楊廉明(字念清) 483-221-390
571-525- 19
楊祿明 1256-400- 25
楊慊妻 明 見蒲氏
楊遂宋 見楊燧
楊遂元 1218-865- 6
楊煥宋 1223-536- 10
楊煥元 1211-442- 62
楊煥明 494- 56- 2
楊煥妻 明 見王氏
楊瑊楊阿蹬啜、楊城 五代
278-183- 97
279-335- 51
401-417-622
楊瑀元 523-426-167
820-516- 38
1221-628- 24
1439-442-附2
楊資明 547- 95-144
楊載宋 473-478- 69
559-324-7上
559-351- 8
591-624- 45
楊載元 295-538-190
400-699-567
460-481- 38
472-968- 38
473- 44- 50
473-605- 76
479- 52-218
524-303-194
529-744- 51
585-423- 11
676-703- 29
820-492- 37
1209-486-8上
1439-429-附1
1468-588- 27
楊載明(仙遊人) 456-682- 11
楊載明(招諭日本)1229- 58- 5
楊軾宋 1223-536- 10
楊輈元 見楊舟
楊塤楊瑄 明 499-440-160
505-866- 77
821-393- 56
1267-513- 6
1457-653-403
楊損唐 271-296-176
275-416-174
384-269- 14
396-165-266
554-455- 56
楊瑄明 299-607-162
453-164- 15
453-634- 23
472-963- 38
473- 25- 49
478-767-215
479-489-239
483-307-395
515-371- 68
523- 42-148
567-447- 86
572- 89- 29
1467-156- 67
楊瑄明 見楊塤
楊瑄妻 明 見陳氏
楊瑄妻 明 見劉氏
楊瑁明 494- 41- 3
楊閎妻 明 見劉德順
楊椿後魏 261-786- 58
266-827- 41
379-228-150上
478-341-191
545-315- 95
554-559- 58
933-302- 22
楊椿宋(字元老) 450-458- 33
473-516- 71
559-385-9上
1172-504- 44
楊椿宋(字大年) 1165-775- 10
楊椿元 299-144-124
400-281-522
493-1003- 53
511-435-153
1255-439- 48
1255-489- 53
1439-449-附2
楊椿妻 明 見王氏
楊椿妻 明 見何氏
楊椿妻 明 見張氏
楊楷妻 隋 見元氏
楊楷明(字元範) 523-230-156
楊楷明(馬湖人) 532-658- 44
楊極唐 1072-357- 1
1339-628-701
楊瑋明 511-126-141
559-319-7上
楊瑞明(鳳翔人) 554-473-57上
559-275- 6
楊瑞明(安定人) 558-316- 34
楊幹宋(字之才) 484-382- 28
楊幹宋(廣信人) 528-482- 30
楊楠明(陝西盩厔人)
545-197- 90
楊楠明(字毓秀) 554-520-57下
楊楠明(岐山人) 554-763- 62
楊楠妻 明 見劉氏
楊楫宋 460-315- 24
460-426- 32
481-747-334
529-642- 48
楊榆母 見賈氏
楊匯宋 473-433- 67
561-198-38之1
591-567- 42
楊瑒唐 271-458-185下
274-630-130
384-200- 11
395-589-234
472-851- 34
478-199-184
478-343-191
554-641- 60
933-305- 22
楊瑛元 1213-141- 11
楊瑛明(字希玉) 473-606- 76
529-615- 47
楊瑛明(字潤卿) 511-232-145
楊瑗明 511-882-171
821-419- 56
楊達隋 264-746- 43
267-371- 68
379-748-161
474-616- 32
477- 49-151
478-652-207
933-304- 22
楊達明(合肥人) 523- 84-149
楊達明(堂邑人) 523-119-151
楊達明(字景通) 1251-301- 22
楊楙宋 528-441- 29
楊照宋 288-369-453

400-163-513
472-197- 7
475-743- 88
510-470-117
楊照明 474-823- 44
502-289- 56
楊照明 571-547- 20
楊晅北周 263-689- 34
554-689- 61
楊晅明 302- 98-294
456-496- 5
476-209-107
478- 93-180
546-216-122
554-305- 53
楊晅妻 清 見李氏
楊嗣宋 285-205-260
371-184- 19
396-530-302
474-235- 12
474-311- 16
476-438-122
505-740- 72
楊嵩道王 隋 267-417- 71
375-552-85下
554- 34- 48
楊鼎宋 1137-698- 26
楊鼎明 299-538-157
458-750- 4
472-842- 33
478-126-181
554-656- 60
676-491- 19
676-716- 30
楊暈宋 1090-656- 37
楊暉楊揮、楊輝 宋
812-466- 2
812-551- 4
813-120- 9
821-119- 49
楊暐後魏 261-797- 58
554-833- 63
楊蛻女 宋 見楊氏
楊敬唐 見楊敬之
楊敬妻 元 見方迎
楊敬明(歸德人) 302-148-297
472-683- 27
477-131-155
538- 86- 64
楊敬明(麻城人) 523- 82-149
楊敬明(字行簡) 1241-299- 13
楊敬妻 明 見黃氏
楊葉女 清 見楊氏
楊粲宋 1223-536- 10
楊暕齊王 隋 264-886- 59
267-433- 71
375-566-85下
1394-583- 8
1401-575- 39
楊㬇宋 529-742- 51
楊㬇妻 清 見李氏
楊臾唐 271-296-176
275-416-174
396-165-266
478-345-191
554-647- 60
楊業宋 285-374-272
382-228- 34
384-335- 17
396-645-313
472-435- 19
472-480- 21
476- 40- 98
476-248-110
476-330-115
545-263- 93
545-416- 98
545-626-106
933-309- 22
楊業妻 宋 見折氏
楊遇明 見楊士奇
楊過金 1190-200- 11
楊鉉明(大興人) 456-634- 10
楊鉉明(華陽人) 559-420-10上
楊鉞明 554-310- 53
楊鉅唐(字文碩) 271-322-177
554-841- 63
820-272- 29
楊鉅唐(善書) 813-228- 4
楊經楊綏 晉 820- 56- 23
1329-973- 56
1331-469- 56
1398-305- 14
1410-541-737
1413-308- 45
楊經明(盧氏人) 538-104- 64
楊經明(寧鄉人) 547- 42-142
楊經明(字子經) 683- 77- 4
楊綏晉 見楊經
楊節明(徐州知州) 472-409- 18
楊節明(字居儉) 820-658- 42
821-407- 56
楊鼠武都王 後魏 552- 27- 18
楊鉁明 554-181- 51
楊愛明 302-459-312
楊鉄清 476- 44- 98
楊遁後魏 261-796- 58
266-834- 41
379-234-150上
554-560- 58
933-302- 22
楊賓明 505-695- 70
楊實元 523-546-173
楊實明 1250-380- 36
楊察母 宋 475-711- 86
楊察宋 285-708-295
371-143- 14
382-409- 64
384-357- 18
397-152-328
472-196- 7
472-327- 14
475- 17- 49
475-704- 86
511-334-149
545-645-106
561-559- 45
933-311- 22
楊誠明(字敬方) 683- 75- 4
楊誠郭誠 明(字道存)
1242-859- 10
楊誠明(字君言) 1291-494- 9
楊誠明 見楊信民
楊誥妻 明 見尹氏
楊福明(字宗善) 494- 42- 3
494- 44- 3
楊福明(字伯昌) 515-880- 86
楊寧唐 275-419-175
396-165-266
812-347- 9
813- 97- 5
821- 53- 46
楊寧宋 492-710-3下
楊寧明(字彥謐) 299-713-172
453-323- 4
472-382- 16
473- 16- 49
475-571- 79
479- 52-218
479-452-237
511-274-147
515- 36- 58
523-510-171
569-617-18下之2
569-648- 19
676-488- 19
1241-817- 20
1242-385- 37
1374-789-100
1375- 30- 上
1376-272- 76
楊寧明(字以安) 476-310-113
546-379-127
楊寧明(字時謐) 570-474-29之7
楊端唐 473-544- 72
483-396-403
571-555- 20
1202-221- 16
1223-536- 10
楊端明(字公冕) 472-665- 27
537-595- 60
楊端明(岳池人) 559-367- 8
楊端妻 明 見王氏
楊端妻 明 見任氏
楊端妻 明 見鄭氏
楊說妻 唐 見衛國公主
楊廓隋 545-317- 95
楊裭楊褫 明 473-369- 64
480-486-280
533-112- 50
1263-301- 5
楊澈宋 285-717-296
397-158-329
473-185- 58
474-616- 32
476-656-135
479-791-254
481-675-331
515-263- 65
540-646- 27
540-747-28之2
楊漱宋 480-583-285

楊漣明 301-134-244
458-206- 3
475-122- 55
480-205-267
510-339-113
533-381- 60
534-171- 82
676-630- 26
1442- 89-附6
1460-509- 65
楊漣妻 明 見詹氏
楊漢明 524-338-195
楊滌唐 820-264- 29
楊慥金 472-438- 19
476-333-115
546-723-139
1040-257- 5
1365-308- 9
1439- 8- 附
1445- 76- 2
楊榮漢 540-643- 27
楊榮宋 400-299-524
478-270-187
楊榮外兄 明 見劉某
楊榮楊子恭、楊子榮、楊道應 明(字勉仁) 299-426-148
443-217- 12
452-130- 1
453-556- 6
460-799- 85
473-605- 76
481-678-331
529-614- 47
676-474- 18
820-586- 40
1237-572- 上
1239-136- 36
1240- 2- 附
1240- 3- 附
1240- 4- 附
1240-130- 9
1240-230- 15
1240-403- 附
1240-419- 附
1240-423- 附
1240-425- 附
1240-429- 附
1241-124- 6
1241-133- 6
1241-236- 11
1284-354-163
1373-757- 21
1374-657- 86
1375- 38- 下
1442- 17-附1
1459-540- 19
楊榮明(萬曆三十四年卒) 302-289-305
1288-271- 5
楊榮明(永川人) 475-274- 63
510-374-114
567-448- 86
1467-156- 67
楊榮明(陽溪人) 479-329-232
523-405-165
楊榮明(字時秀) 524- 56-180
820-638- 41
821-395- 56
1442- 34-附2
1459-730- 28
楊榮明(代州人) 528-485- 30
楊榮明(宜君人) 554-473-57上
楊榮明(扶風人) 554-526-57下
559-287-7上
楊榮明(青神人) 559-386-9上
571-548- 20
楊榮明 見楊云
楊榮明 康規妻、楊穀女 1239-195- 40
楊瑱宋 517-425-126
楊壽元 1439-425-附1
楊輔宋 287-436-397
398-430-392
473-505- 71
481- 21-291
481-335-308
488- 14- 1
488-466- 14
559-392-9上
591-613- 44
楊輔明(字存誠) 494-165- 6
楊輔明(武陵人) 533-289- 56
楊輔明(平陽衛指揮僉事) 547- 16-141
楊熙明 1242-135- 28
楊楨金 1040-253- 5
楊碩秦 554-860- 64
楊愿宋(字原仲) 287-207-380
398-245-381
488- 13- 1
488-440- 14
1164-423- 23
楊愿宋(字謹仲) 473-128- 55
515-529- 73
1147-191- 19
1147-554- 52
楊戩宋 288-558-468
401- 82-578
楊戩明 472-309- 13
楊碧明 820-661- 42
楊翥明 299-462-152
472-230- 8
475-133- 56
493-978- 52
511-673-163
676-501- 19
683-180- 5
820-621- 41
1284-355-163
1442- 27-附2
1459-642- 25
楊嘉清 510-303-112
楊構宋 1117-338- 16
楊瑡明 456-643- 10
楊墉妻 明 見唐氏
楊遠唐 820-286- 30
楊遠妻 元 見嚴端
楊遠妻 清 見陳氏
楊遜明 533- 90- 49
楊葳明 532-754- 46
559-413-9下
楊睿明(柘城人) 472-457- 20
472-683- 27
545-186- 90
楊睿明(獲鹿人) 554-309- 53
楊暟明 473- 25- 49
515-374- 68
楊暢漢 560-501- 27
楊暢明 1239-224- 42
楊鳳明(日照人) 540-809-28之3
楊鳳明(翼城人) 547- 16-141
楊鳳明(字明正) 570-107-21之1
楊鳳明(字儀之) 1277-395- 5
楊鳳妻 明 見沈氏
楊僎明 483- 33-371
570-111-21之1
572-155- 32
楊銘明(襄陽人) 473-251- 60
533-236- 54
楊銘明(訓導) 494- 57- 2
楊銘明(隴西人) 558-313- 34
楊銘明(普安州人) 572- 85- 28
楊銘明 見哈銘
楊銓明 473- 27- 49
473-631- 77
1442- 46-附3
楊銓清 505-897- 80
楊綰唐 270-412-119
275- 55-142
384-220- 12
395-670-241
459-395- 24
472-837- 33
478-344-191
554-400- 55
588-159- 8
933-305- 22
楊緒妻 清 見張氏
楊維宋(武陵人) 473-369- 64
533-325- 57
楊維宋(字耕常) 530-202- 60
楊維明 533-290- 56
楊銑明 1257-763- 1
楊銑妻 明 見陳氏
楊魁明 545-388- 97
楊肇晉 812- 68- 下
812-231- 9
812-721- 3
814-231- 4
820- 56- 23
1398-314- 14
1413-299- 45
1413-304- 45
楊肇蘇鑑 明(臨江府同知) 676-263- 10
楊肇明(字仲基) 1238-234- 20
楊肇妻 明 見康壽
楊綱元 545-219- 91
楊綱明 1467- 78- 64
楊絢宋 554-703- 61
楊綸漢 見楊倫
楊綸漢 264-748- 44

267-416- 71
375-552-85下
544-220- 62
楊綸唐 見楊恭仁
楊綸明 558-351- 35
楊銀明 邢珣妻、楊拱女
1261-728- 31
楊僕漢(宜陽人) 244-868-122
251-136- 90
251-680- 30
380-216-171
384- 46- 2
471-852- 37
472-623- 25
473-671- 79
502-247- 53
537-489- 59
563-598- 38
933-299- 22
1408-325-512
楊僕漢(福昌人) 472-743- 29
楊綝隋 264-746- 43
267-371- 68
379-748-161
楊綬元 1208-276- 12
楊綵明 554-253- 52
1442- 61-附4
1460-193- 49
楊寬後魏 261-798- 58
263-576- 22
266-852- 41
552- 29- 18
554-567- 58
933-303- 22
379-652-158
楊寬明 558-211- 32
楊廣晉 933-302- 22
楊廣北周 544-219- 62
楊廣隋 見隋煬帝
楊廣妻 明 見趙氏
楊諒楊傑、楊益錢、漢王 隋
264-762- 45
267-428- 71
375-562-85下
384-155- 8
552- 47- 19
1401-575- 39
楊瑩明 476-124-102
546-710-138
楊誼楊誼 明 473- 97- 53
515-186- 62
517-580-129
楊潛唐 556-468- 93
1076-165- 17
1076-618- 17
1077-215- 17
1344-470- 99
1351-736- 上
1355-598- 20
1356-836- 3
1383-252- 21
1408-622-545
1447-288- 11
楊潛宋 1132-508- 14
楊澄宋 見楊震式
楊澄明 545- 78- 85
559-395-9上
楊潤金 545-392- 97
楊潤明(字伯玉) 473-168- 57
515-475- 71
559-252- 6
楊潤明(河津人) 546-754-140
554-339- 54
楊潤明(隰州人) 547-122-145
楊潤妻 明 見陳秀瑛
楊潤妻 明 見劉氏
楊潤妻 清 見趙氏
楊澗明 458- 20- 1
538- 23- 62
楊潭晉 820- 56- 23
楊潭宋 475-742- 88
楊潭明 505- 811- 74
楊論宋 1156-654- 5
楊燁清 533-165- 52
563-873- 42
楊毅晉 381-454-195
楊毅女 明 見楊榮
楊褒宋 556-722- 98
1110-158- 4
楊慶郇王、郭慶 隋(楊弘子)
264-743- 43
267-418- 71
375-553-85下
544-220- 62
楊慶隋(字伯悅) 264-1030- 72
267-634- 84
380-126-167
472- 68- 2
474-308- 16
505-903- 80
933-304- 22
楊慶妻 唐 見王氏
楊慶宋 288-416-456
400-304-524
472-1086- 46
479-177-225
487-147- 9
491-425- 5
524-122-184
楊慶宋 見楊艮孫
楊慶明(長壽人) 480- 51-259
559-354- 8
楊慶明(臨安人) 570-113-21之1
楊慶清 478-519-200
558-320- 34
楊適宋 472-1085- 46
487-110- 8
491-384- 4
524-283-192
楊慧隋 見楊瓚
楊慤宋 401- 12-569
477-128-155
楊憪宋 559-305-7上
楊標明 515-558- 74
楊賢明(字子庸) 540-808-28之3
楊賢明(和州人) 563-810- 41
楊賢明(太和人) 570-165-21之2
楊霄妻 明 見陳氏
楊瑾宋 472-239- 9
510-344-114
楊駒漢 381-454-195
楊增明 1261-149- 11
楊磊清 511-880-171
楊播後魏 261-782- 58
266-825- 41
379-225-150上
472-833- 33
478-341-191
552- 36- 18
554-559- 58
933-302- 22
楊播唐 270-405-118
275- 91-145
395-706-244
820-207- 28
楊璋明 559-253- 6
楊靚元 528-524- 31
楊摯宋 473-432- 67
楊樞元 523-516-171
1209-492-8上
楊樞明(字細林) 528-514- 31
532-625- 43
1442- 66-附4
楊樞明(字子樞) 554-488-57上
楊樞清 547- 25-141
楊翬明 515-556- 74
523-235-156
楊鼐明 570-117-21之1
570-161-21之2
楊鼐清 524- 14-178
1321-190-107
楊霶妻 宋 見彭氏
楊璆漢 471-766- 25
楊槮明 554-488-57上
楊震漢 253-165- 84
370-198- 20
376-840-110
384- 63- 3
402-426- 7
402-493- 12
402-530- 15
402-541- 17
402-578- 20
407-454- 5
448-301- 上
459-234- 14
472- 26- 1
472-610- 25
472-832- 33
473-295- 62
474-165- 8
476-724-138
477-526-175
478-340-191
480- 9-257
532-547- 40
538-333- 69
540-654- 27
554-384- 55
556-111- 85
675-263- 7
680-668-285

681-584- 12
933-300- 22
1397-672- 32
楊震宋 288-280-446
400-131-511
472-437- 19
476-332-115
478-268-187
546-395-128
554-272- 53
1132-233- 48
1238-533- 13
楊霆宋 288-333-450
400-188-514
473-298- 62
473-339- 63
480-242-269
480-409-277
532-667- 44
533-398- 61
楊璇楊琁 漢 252-825- 68
376-743-109上
384- 68- 3
402-490- 12
402-585- 20
452- 11- 上
453-742- 2
470- 74- 97
472-1027- 42
473-386- 65
474-335- 17
479-320-232
480-539-283
523-556-174
532-712- 45
540-658- 27
567- 22- 63
933-300- 22
1224-520- 31
1467- 4- 62
楊璉明(臨桂人) 567-394- 83
1467-193- 69
楊璉明(蒲城人) 1241-756- 18
1271-599- 51
楊⿰王爽女 明 見楊氏
楊敷漢 554-830- 63
楊敷後魏～北周 263-689- 34
266-841- 41
379-702-160
545-474-100
554-689- 61
933-303- 22
楊敷妻 唐 見齊國公主
楊樊明 494-158- 5
569-667-19
572- 70- 28
楊慮蜀漢 254-637- 10
384-473- 13
480-292-271
533-340- 58
879-161-58上
楊輝宋 見楊暉
楊輝明(字廷彰) 302-459-312
1248-567- 2
楊輝明(山東曹州人)
554-279- 53
楊賜漢 253-173- 84
370-198- 20
376-846-110
384- 68- 3
402-428- 8
402-493-12
402-583- 20
459-238- 14
478-340-191
544-201- 62
552- 20- 18
554-386- 55
675-263- 7
820- 33- 22
933-301- 22
1063-203- 5
1063-210- 5
1397-444- 21
1397-445- 21
1397-446- 21
1410- 20-665
1412-468- 19
1412-469- 19
1412-470- 19
1417-408- 20
楊億宋 286- 43-305
371-132- 13
382-296- 47
397-247-334
449- 53- 4
450-713- 7
460-181- 11
460-183- 11
471-643- 9
471-660- 11
471-713- 18
472-647- 26
472-801- 31
472-1052- 44
473-600- 76
477-92- 153
479-430-236
481-675-331
516-208- 96
523-239-157
529-592- 47
538-332- 69
588-160- 8
672-275-4中
674-340-5下
708-327- 50
820-333- 32
933-310- 22
1053-483- 12
1112-752- 21
1362-354- 1
1394-400- 3
1437- 9-附1
楊儀蜀漢 254-637- 10
377-284-118下
384- 76- 4
384-473- 13
447-196- 7
473-249- 60
480-293-271
533-227- 54
559-244- 6
574-499- 29
933-301- 22
楊儀宋 472-867- 34
楊儀明(字彥禮) 472-767- 30
523-487-170
537-317- 56
楊儀明(射洪人) 559-394-9上
571-526- 19
楊儀明(字夢羽) 820-693- 43
楊儉後魏 261-798- 58
263-578- 22
266-851- 41
478- 86-180
552- 35- 18
554-117- 50
楊儉明 540-660- 27
楊德元 1214-242- 20
楊質明 見楊仁愬
楊質妻 明 見張氏
楊魯漢 812-315- 4
821- 8- 45
楊盤晉 381-454-195
楊銳宋 451-220- 0
楊銳明(字進之) 299-767-175
472-337- 14
475- 75- 53
475-526- 77
510-417-116
511-400-151
楊銳明(直隸人) 554-346- 54
楊範後魏 262-337- 94
267-749- 92
380-505-178
552- 39- 18
楊範明 476-205-107
524-253-190
545-342- 96
680-309-256
1253-184- 49
1442- 24-附2
1459-613- 23
1474- 69- 4
楊皞元 295-606-197
400-314-526
472-854- 34
478-203-184
554-757- 62
楊緯唐 820-230- 28
楊緯宋 554-271- 53
1118-936- 63
楊緯明 570-137-21之2
571-551- 20
楊稷晉 559-524- 12
567- 24- 63
591-585- 43
楊稷元 460-464- 36
1439-444-附2
楊憲明(太和人) 456-643- 10
483- 97-378

570-129-21之1
楊憲明(字希武) 545-655-107
楊憑唐 270-753-146
275-249-160
384-253- 13
396- 62-257
471-754- 23
472-746- 29
473-333- 63
477-524-175
484- 84- 3
532-567- 40
538-154- 65
567-429- 86
933-306- 22
1076-111- 12
1076-567- 12
1077-136- 12
1371- 65- 附
1467-141- 67
楊憑女 唐 見楊氏
楊羲蜀漢 見楊戲
楊羲晉 479-612-244
485-281- 40
492-593-13下之下
493-1098- 58
516-480-105
814-244- 6
820- 75- 23
1060- 40- 5
1061-239-106
楊燝清 570-151-21之2
楊諠明 見楊誼
楊諳明 1467-191- 69
楊熺明 820-577- 40
楊澤元 523-170-154
587-610- 9
楊澤明(定興人) 472- 56- 2
505-810- 74
楊澤明(字商霖) 523-474-169
楊澤明(直隸人) 545-464-100
楊辨唐 812-371- 0
821- 89- 48
楊諶明(字伯維) 478-550-202
558-338- 35
楊諶明(蒲州人) 546-710-138
楊褫明 見楊褫
楊懌楊用懌 宋 451- 65- 2
楊寰明 302-335-306
楊濂明 1293-290- 16
楊濂妻 明 見陸氏
楊凝唐 275-250-160
396- 62-257
472-195- 7
475-776- 89
510-477-118
1076- 81- 9
1076-111- 12
1076-540- 9
1076-567- 12
1077-101- 9
1077-136- 12
1339-647-704
楊懍唐 475-606- 81
511-623-161
楊遵宋 485-535- 1
楊遵元～明 510-373-114
820-525- 38
楊遵明 571-541- 20
572-108- 30
楊璜宋 559-303-7上
楊璜清 475-672- 84
511-638-161
楊璟明(謚武信) 299-206-129
472-328- 14
475-706- 86
482-321-354
511-412-152
523- 82-149
532-588- 41
559-248- 6
567- 80- 66
1467- 56- 64
楊璟明(平定人) 547- 87-144
楊熹宋 1173-354- 91
楊熹明 533-325- 57
533-346- 58
楊機後魏 262-148- 77
267- 79- 50
379-359-151
472-895- 35
476-609-133
478-517-200
540-637- 27
558-305- 34
933-303- 22
楊頤明 564-188- 46
1241-470- 7
1241-827- 21
楊整蔡王 隋 267-414- 71
375-550-85下
535-556- 20
554- 34- 48
楊整唐 見暢整
楊整宋 1099-597- 13
楊翮元 676-705- 29
820-541- 39
1221-431- 6
1252-632- 36
1439-453-附2
1471-176- 24
楊橋唐 見楊仙喬
楊翰明 472-389- 17
楊歷唐 681-340- 26
楊歷妻 唐 見陳氏
楊壁明 見楊璧
楊璘宋 1175-545- 18
楊璘明 554-366- 54
558-431- 37
楊靜道王 隋 264-748- 44
楊擲北周 見楊擲
楊霖女 宋 見楊氏
楊霖明 567-322- 78
1467-214- 70
楊璞楊朴、楊樸 宋
288-426-457
401- 15-569
472-659- 27
477- 73-152
538-168- 66
674-872- 20
1437- 10-附1
楊璡明 458- 88- 4
510-375-114
537-403- 57
676-512- 20
楊樸宋 見楊璞
楊樸元 295-576-194
400-254-520
472-402- 18
475-751- 29
475-797- 90
477-315-164
510-485-118
538- 59- 63
楊樸明 537-271- 55
楊樸妻 清 見鄭氏
楊豫晉 488-122- 7
488-126- 7
488-147- 7
楊豫明(字商泉) 460-781- 82
楊豫明(字素定) 478-404-194
554-279- 53
楊豫明(采石人) 563-849- 41
楊選宋 1223-536- 10
楊選明(字以公) 300-365-204
楊選明(蒲州人) 547- 74-143
楊默元 494-328- 6
楊興漢 250-489-64下
楊興唐 494-161- 6
570-121-21之1
楊興元 547- 33-142
楊蕃妻 清 見張氏
楊幨妻 清 見王氏
楊鄴楊繼業 宋 371-164- 17
楊縝妻 宋 見林氏
楊錞明 524-157-186
楊翱妻 宋 見吳氏
楊縉明(浙江歸安人)
472-695- 28
537-267- 55
楊縉明(貴溪人) 515-877- 86
528-553- 32
楊縉明(壽張人) 545-343- 96
楊縉明(聞喜人) 554-188- 51
楊錡妻 唐 見太華公主
楊錡妻 唐 見萬春公主
楊錦明(山陽人) 475-329- 65
511-568-158
楊錦明(榮河人) 494- 25- 2
楊錦明(字尚絅) 554-215- 52
676-199- 8
1269-434- 6
楊衡唐 451-441- 4
494-377- 10
494-471- 18
516-215- 96
524- 32-179
563-919- 43
567-430- 86
585-752- 3
1371- 66- 附

1388-262- 64
1467-142- 67
楊衡明 473-641- 78
481-694-332
528-541- 32
楊獬楊丑丑 宋 448-378- 0
473-128- 55
515-529- 73
523-127-152
528-474- 30
567-443- 86
585-767- 5
1467-151- 67
楊錫明 480-615-287
楊穆漢 545-256- 93
楊穆北周 263-578- 22
266-851- 41
552- 37- 18
楊鋋伯祖母 明 見施氏
楊鋋祖母 明 見趙氏
楊鋋叔祖母 明 見趙氏
楊鴻明 533-292- 56
楊應宋 見楊申
楊濬明 494- 57- 2
533-201- 53
楊謐後魏 266-835- 41
933-302- 22
楊謐明 477- 87-153
楊禧明 473-762- 84
474-276- 14
482-390-358
483- 96-378
567- 91- 66
570-116-21之1
1467- 68- 64
楊濟晉 255-714- 40
377-489-121下
554- 70- 49
楊濟宋 592-605- 99
674-852- 18
1437- 26-附2
楊禪清 554-960- 65
楊濩女 明 見楊氏
楊謙元 511-837-168
楊謙明(聞喜人) 546-599-135
楊謙明(字伯恭) 1238-210- 18
楊襄明 561-205-38之1
楊燫明 456-457- 4
474-276- 14
483-349-399
505-652- 68
572- 84- 28
楊燧楊遂 宋 286-638-349
382-540- 84
384-358- 18
397-694-362
472-661- 27
477- 79-152
537-393- 57
933-311- 22
楊燧明(字心緯) 456-546- 7
479-823-256
516-183- 94
楊燧明 480-463-279
楊燧明(保定左衛人)
505-936- 85
楊燦明 559-249- 6
楊燦明 見楊璨
楊燦妻 明 見李氏
楊聰明(字彥達) 554-276- 53
楊聰明(密縣人) 554-313- 53
楊輿明 460-573- 57
楊擳楊擳、楊櫛 北周
263-683- 34
267-392- 69
379-668-159
384-142- 7
472-462- 20
472-504- 21
476-203-107
476-394-119
545-334- 96
545-447- 97
546-533-132
552- 36- 18
楊懋明(四川人) 523-101-150
楊懋明(字大德) 529-741- 51
楊檟清 547-118-145
楊檀後晉 見楊光遠
楊櫛北周 見楊擳
楊璲元 524- 54-180
楊璲明 475-701- 86
510-464-117
楊璨宋 473-544- 72
483-396-403
571-555- 20
楊璨楊燦 明 479-353-233
510-315-113
523-202-155
楊環唐 564- 31- 44
楊璬唐 見楊睿交
楊駿晉 255-711- 40
377-488-121下
384- 91- 5
544-203- 62
552- 24- 18
554- 70- 49
楊駿女 晉 見楊芷
楊戲楊羲 蜀漢 254-683- 15
377-314-118下
384- 77- 4
384-494- 18
385-203- 24
447-195- 7
469-607- 74
473-503- 71
473-513- 71
481-349-309
559-312-7上
559-382-9上
591-584- 43
592-508- 92
933-301- 22
楊黻明 見楊黼
楊豳明 676-535- 21
楊邁宋 561-611- 46
楊爵明 300-442-209
458-753- 4
478-128-181
547- 55- 3
554-6666- 60
676-564- 23
1276- 69- 7
1276-129-附1
1276-131-附1
1276-132-附1
1276-134-附1
1276-136-附1
1276-167-附4
1293-368- 20
1442- 54-附3
1457-288-369
1460-122- 46
楊爵女 明 見楊子秋
楊縯宋 473-369- 64
533-347- 58
楊績遼 289-669- 97
399- 59-422
472- 34- 1
505-717- 71
楊鍾明 456-548- 7
515-724- 79
楊儲明 1287-736- 8
楊徽妻 唐 見宋國公主
楊徽明 1241-645- 14
楊禮宋 400-180-514
楊禮元 537-278- 55
楊禮明(嘉興人) 456-694- 12
楊禮明(易州人) 472- 57- 2
楊禮明(舉人) 494- 56- 2
楊禮明(河津人) 1243-391- 23
楊謨明 1258-298- 6
楊謨妻 明 見陳氏
楊璹元 見楊鑄
楊璵宋 472-359- 15
511-296-148
1096-335- 34
楊璵明 472-291- 12
楊璧楊壁 明 472-351- 15
475-671- 84
511-328-149
554-209- 52
楊豐楊阿若 魏 254-349- 18
385-363- 35
478-728-212
558-404- 36
楊璿宋 523-578-175
楊璿明 453-446- 16
472-431- 19
475-226- 61
511-147-142
545- 70- 85
554-188- 51
676-492- 19
楊彝元 524- 6-178
820-527- 38
楊彝明(字宗彝) 483-383-402
572-159- 32
676-452- 17
820-577- 40
821-350- 55
1392-104-378

1442- 8-附1
1459-421- 13
楊彝明～清(字子常)
511-677-163
1315-562- 34
1442-114-附7
楊薰明 473- 28- 49
515-397- 69
571-545- 20
楊顒蜀漢 254-686- 15
377-276-118上
384- 77- 4
384-463- 12
385-168- 19
447-195- 7
473-249- 60
480-293-271
533-227- 54
574-499- 29
1106-363- 47
楊顒元 1201-166- 80
楊瞻明 見楊贍
楊蟠宋(字公濟) 288-234-442
382-758-115
400-653-560
471-910- 46
472-1103- 47
479-288-230
524- 61-181
529-741- 51
1110-514- 29
1437- 16-附1
楊蟠宋(江陰僉判) 471-618- 5
471-640- 9
471-660- 11
楊蟠宋(知高郵) 472-290- 12
楊蟠宋(知溫州) 472-1115- 48
楊蟠宋(知絳州) 820-374- 33
楊鎮宋 820-444- 35
821-227- 51
楊鎮妻 宋 見周漢國公主
楊鎮妻 明 見吳氏
楊鎮妻 明 見林氏
楊鎔元 1194-200- 15
楊鎔妻 元 見張妙靜
楊鎬宋 1097-320- 22
楊鎬明 301-378-259
楊鎰元 1439-433-附1
楊鎰妻 明 見吳氏
楊簡宋 287-554-407
398-527-400
451- 23- 0
459-915- 55
472-1067- 45
472-1087- 46
472-1115- 48
473- 44- 50
479- 42-218
479-177-225
479-224-227
479-402-235
479-526-241
487-144- 9
491-387- 4
515-216- 63
523-589-175
820-442- 35
821-227- 51
1156-927-附
1156-942-附
1174-549- 35
1363-711-215
1437- 27-附2
楊馥清 483-229-390
483-372-401
571-553- 20
楊瀛十國吳 見吳高祖
楊瀨宋 533-494- 65
楊瓚元 1196-698- 8
楊麒明(字仁甫) 477-201-159
515-885- 86
楊麒明(字夢孚) 559-310-7上
楊寵女 唐 見楊正見
楊寵宋 821-200- 51
楊瀚明 546-210-122
楊襘明 572- 91- 29
楊璽明(禹城人) 545-342- 96
楊璽明(西充人) 559-368- 8
楊鏊明 473-388- 65
楊麓明 510-472-117
楊瓊宋 285-493-280
396-729-319
472-495- 21
472-930- 37
476-576-131
478-595-204
540-632- 27
545-877-114
558-220- 32
楊瓊元 472- 97- 3
楊黼宋 460-302- 20
楊黼楊黻 明(字民服)
299-298-137
479-720-250
515-662- 77
1237-271- 5
1239-143- 36
楊黼明(號存誠道人)
302-166-298
483- 96-378
570-255- 25
820-677- 42
1410-504-729
1458-351-441
楊巇妻 清 見杜氏
楊藩妻 明 見劉氏
楊鏓明 545-287- 94
楊贊宋 285-206-260
396-530-302
楊鵬楊雲鵬 金 1191-428- 37
1445-665- 51
1471-258- 1
楊鯨明 571-553- 20
楊鏗明 571-555- 20
1235-426- 14
楊鏜明 533-469- 64
楊鏤妻 清 見李氏
楊繩明 474-601- 31
505-699- 70
楊繪宋 286-275-322
382-595- 92
384-373- 19
397-418-344
471-959- 53
472-643- 26
472-866- 34
473-209- 59
473-433- 67
473-513- 71
475-711- 86
477- 52-151
478-244-186
480- 48-259
481-405-313
484- 96- 3
484- 97- 3
494-543- 28
511-913-173
532-614- 43
537-240- 55
554-240- 52
559-309-7上
559-406-9上
591-548- 42
592-589- 98
674-285-4下
678- 96- 79
933-311- 22
1100-436- 39
楊鏡明(謚節愍) 456-556- 7
533-392- 60
楊鏡明(林縣人) 538- 93- 64
楊鏞明 472-197- 64
472-709- 28
510-472-117
537-466- 58
楊騫楊意老 宋(字孝叔)
448-384- 0
楊騫宋(眉山人) 473-464- 69
559-290-7上
楊寶漢 253-165- 84
376-840-110
478-339-191
554-862- 64
楊寶元 483- 95-378
483-115-379
楊寶明 494- 57- 2
楊礪宋 285-582-287
371- 97- 9
382-244- 37
384-323- 17
384-340- 17
397- 62-324
472-642- 26
472-839- 33
478-122-181
480- 48-259
532-613- 43
537-236- 55
554-842- 63
933-309- 22
楊馨明 554-345- 54

楊鶚明 301-409-260
545-121- 86
楊鶚妻 明 見鄭氏
楊蘊宋 533-297- 56
楊贍楊瞻 明 546-305-125
554-286- 53
554-311- 53
楊嚴唐 271-322-177
275-514-184
486- 45- 2
493-869- 47
楊鏸明 460-807- 86
楊籌宋 1156-912- 18
楊纂晉 381-455-195
楊纂北周 263-705- 36
267-358- 67
379-645-158
472-794- 31
478-333-191
537-562- 60
546- 43-116
552- 44- 19
554-120- 50
933-303- 22
楊纂唐 269-745- 77
274-354-106
395-341-212
554-924- 64
楊騰漢 262-457-101
267-820- 96
楊騰後魏 267-557- 80
380- 21-165
楊騰明 474-279- 14
505-899- 80
楊鐘明 見林鐘
楊鏻唐 271-322-177
楊繼明 1239-223- 41
1241-589- 11
楊斆明 1234-362- 54
楊鶴明 301-407-260
523- 59-148
533-291- 56
554-295- 53
571-522- 19
1442- 89-附6
楊鶴妻 明 見鄭氏
楊鶴妻 清 見史氏
楊護明 482-266-350
563-835- 41
567-316- 78
1467-212- 70
楊顥明 1239- 48- 29
1242-186- 30
楊巍明 300-702-225
475-873- 95
510-364-114
540-812-28之3
545- 95- 86
676-581- 24
1442- 59-附4
1460-179- 48
楊蘭明 540-804-28之3
楊續唐 269-561- 62
楊鐸女 宋 見楊氏
楊鐸明(薊州人) 472- 38- 1
473- 75- 52
515-235- 64
563-775- 40
楊鐸明(南樂人) 474-479- 23
505-912- 81
楊鐸明(知丹稜) 559-310-7上
楊鐩明 473-316- 62
532-731- 46
楊鐶妻 明 見易氏
楊懿後魏 261-782- 58
505-680- 69
楊懿清 523-140-152
楊鷗唐 1342-422-959
楊權宋 473- 90- 52
479-613-244
516-483-105
楊鑄楊璹 元 515-349- 67
1226-104- 5
1439-433-附1
楊鑑唐 494-288- 4
楊鑑元 1210-151- 13
楊鑑明 473-545- 72
483-397-403
楊鑑妻 明 見李氏
楊鑑妻 明 見徐氏
楊儼長寧王 隋 264-758- 45
267-425- 71
375-560-85下
楊儼元 554-873- 64
楊儼明 505-699- 70
楊護妻 明 見田氏
楊瓚楊慧、滕王 隋
264-747- 44
267-416- 71
375-551-85下
544-218- 62
544-221- 62
554- 72- 49
楊瓚宋 821-232- 51
楊瓚明 299-590-161
472-197- 7
475-744- 88
478-767-215
505-810- 74
510-472-117
523- 38-147
545-186- 90
楊顯唐 511-798-167
楊顯妻 明 見黃琳
楊鑛清 533-390- 60
538- 71- 63
楊鑣清 554-319- 53
楊讓明 529-686- 50
1241-634- 13
楊鷺明 456-579- 8
533-407- 61
楊衢元 1227-375- 5
楊觀明(上饒人) 473-222- 59
532-623- 43
楊觀明(華陰令) 554-312- 53
楊觀明(蒲城知縣) 559-345- 8
楊觀明(字國賓) 1467- 87- 65
楊觀明 丁文妻 1239-239- 42
1242-156- 29
1242-227- 32
楊纘宋 494-314- 5
楊鑰明 523-233-156
570-123-21之1
楊驥明 457-467- 30
楊驥妻 明 見陳氏
楊驤宋 460-301- 20
楊豔晉 晉武后、楊文宗女
255-573- 31
373- 67- 20
554- 18- 48
814-215- 2
819-561- 19
1360-618- 39
楊鸞明(威清人) 572- 77- 28
楊鸞明(字伯鳴) 1467-229- 70
楊鸞妻 明 見李氏
楊一山明 570-603-29之11
楊一甲明 456-603- 9
楊一位明 480-405-277
533-463- 63
楊一奇明 546-637-136
楊一忠明 456-602- 9
481-115-296
483- 34-371
570-128-21之1
楊一洲明 821-457- 57
楊一桂明(安邑人) 474-237- 12
505-658- 68
楊一桂明(清江人) 528-487- 30
楊一清明 300-249-198
452-159- 2
452-433- 1
453-713- 41
472-275- 11
472-828- 33
475-282- 63
475-872- 95
477-565-177
480-465-279
482-560-369
494-165- 6
511-180-143
533-283- 56
545- 74- 85
554-171- 51
558-152- 30
570-100-20下
570-102-21之1
570-592-29之11
676-511- 20
820-662- 42
1257-516- 7
1260-336- 9
1442- 34-附2
1459-725- 28
楊一登明 456-677- 11
480-248-269
533-480- 64
楊一鈞明 554-252- 52
559-366- 8
楊一廉明 533-286- 56
楊一敬妻 明 見嵇氏

楊一魁明(字后山) 546-497-131
楊一魁明(盂縣人) 547- 88-144
楊一翬女 明 見楊眞
楊一儒清 511-638-161
楊一謨明 529-658- 49
楊一鵬明(臨湘人) 301-420-260
533-286- 56
楊一鵬明(諡節愍) 302- 73-293
456-557- 7
477- 56-151
楊一鶚明 見王一鶚
楊一藻清 476-209-107
楊乙六明 511-637-161
547- 19-141
楊二小妻 清 見商氏
楊二姑清 楊學顏女
524-468-202
楊又清妻 清 見何氏
楊又綰妻 清 見宋氏
楊九垓明 1475-656- 28
楊九娘明 512-475-188
楊九鼎宋 523-354-163
楊九業妻 清 見張氏
楊九經妻 明 見劉氏
楊九韶明(餘姚人) 475-605- 81
510-438-116
楊九韶明(鄧川人) 563-769- 40
楊九儀明 456-669- 11
楊九澤宋 591-653- 46
楊九澤明 554-500-57上
楊三安妻 唐 見李氏
楊三奇清 483-118-379
楊三虎清 479-332-232
523-408-165
571-536- 19
楊三知清 474-188- 9
476- 31- 97
478-270-187
505-841- 76
545-160- 88
554-223- 52
楊三省明(字紫凝) 515-237- 64
楊三省明(閬中人)
559-425-10上
楊三畏妻 明 見陸氏
楊三登元 1197-780- 82
楊三極妻 清 見胡氏
楊士元金 547- 82-144
楊士元明 532-617- 43
楊士化明 563-787- 40
楊士弘元 472-664- 27
473-129- 55
515-537- 74
538-152- 65
1238-617- 19
1439-444-附2
楊士弘妻 清 見孫氏
楊士先妻 明 見王氏
楊士奇楊寓、楊遇 明(字士奇)
299-421-148
443-212- 12
452-126- 1
453-282- 1
453-552- 6
473-151- 56
479-718-250
515-649- 77
533-723- 73
676-481- 18
677-542- 49
820-585- 40
1237-253- 5
1237-305- 6
1239-189- 39
1240-866- 10
1241-239- 11
1241-296- 13
1241-298- 13
1242-732- 4
1284-354-163
1291-598- 1
1373-757- 21
1374-559- 77
1375- 37- 下
1442- 17-附1
1459-537- 19
楊士奇明(字伯英) 456-637- 10
511-607-160
楊士奇妻 明 見嚴琇
楊士林唐 511-394-151
楊士虎清 528-471- 29
楊士芳明 570-141-21之2
楊士珂明 538-109- 64
楊士貞明 456-658- 11
楊士英明 456-491- 5
473-569- 74
477-420-169
528-449- 29
545-305- 94
楊士俊明 456-642- 10
楊士訓楊仕訓 宋
460-307- 21
528-443- 29
529-562- 46
1168-464- 38
楊士倫妻 明 見張閨
楊士深明 1250-874- 83
楊士崇妻 清 見潘氏
楊士雲明 483- 96-378
494-167- 6
570-117-21之2
676-196- 8
676-548- 22
1442- 47-附3
1460- 38- 41
楊士雅清 524-181-187
楊士琦明 456-663- 11
楊士傑明 1442-113-附7
楊士進妻 明 見劉氏
楊士廉明(洛陽人) 537-525- 59
楊士廉明(號思夷) 820-681- 42
楊士鳴楊仕鳴 明
457-468- 30
473-702- 80
楊士賢宋 821-215- 51
楊士德明 473-702- 80
楊士儆明 見楊仕儆
楊士諤唐 471-1050- 68
楊士衡元 545-421- 98
楊士聰明 540-832-28之3
1312-330- 32
楊士瀛宋 530-210- 61
楊士鱗妻 清 見劉氏
楊子山明 517-550-129
楊子仁妻 清 見鮑氏
楊子允妻 明 見錢氏
楊子充明 529-469- 43
楊子江元 554-610- 59
楊子臣明 523-204-155
楊子亨明 820-703- 43
楊子吾明 1232-583- 5
楊子拒妻 不詳 見劉恭樸
楊子阿漢 558-488- 41
楊子明妻 明 見王氏
楊子牧元 1220-526- 8
楊子美妻 清 見陳氏
楊子英明 821-376- 55
楊子秋明 楊爵女
1276- 67- 7
楊子益金 545-459-100
1439- 4- 附
楊子恭明 見楊榮
楊子珮明 1242-280- 33
楊子珩妻 明 見王文貢
楊子祥元 524-287-192
楊子崇隋 264-744- 43
267-419- 71
375-554-85下
545-234- 92
554- 34- 48
楊子將明 1239-311- 48
1240-398- 25
1240-896- 10
楊子將妻 明 見陳元貞
楊子善妻 明 見徐玉姑
楊子超明 820-602- 40
楊子華北齊 812-337- 8
821- 28- 45
楊子遐明 1241-193- 9
楊子榮明 見楊榮
楊子龍明 510-503-118
楊子器明 472-223- 8
472-1089- 46
475-121- 55
476-205-107
479-183-225
510-336-113
523-455-168
537-218- 54
545-342- 96
676-519- 20
676-760- 32
683-133- 3
683-156- 4
1258-263- 4
1442- 36-附2
1459-751- 29
楊子聰宋 1378-383- 54
楊子謨宋 559-526- 12
592-600- 99
1173-160- 74
楊子覲妻 清 見李顯姐

十三畫 楊

楊干郎宋 見楊干
楊干貞五代 473-811-86
494-220-9
楊于世明 456-658-11
楊于臣明 511-779-166
楊于邦明 456-613-9
505-861-77
楊于泓妻 清 見劉氏
楊于庭明 511-656-162
676-612-25
679-677-205
1442-79-附5
1460-401-58
楊于陛明 302-29-290
456-588-8
476-751-139
483-178-384
569-679-19
楊于崑清 533-20-47
楊于堦明 456-554-7
楊于階清 546-717-139
楊于喬妻 明 見李氏
楊于楷明 302-50-292
456-552-7
476-430-122
546-333-126
楊于鼎明 456-661-11
559-514-12
楊于藩清 481-783-337
楊才英妻 明 見胡氏
楊大方宋 534-949-120
楊大中明 472-1105-47
524-64-181
676-462-17
楊大有妻 清 見李氏
楊大同宋 524-234-189
楊大名明 515-112-60
楊大名妻 明 見李氏
楊大全宋(字渾甫) 287-472-400
398-462-394
473-516-71
481-70-293
481-352-309
559-266-6
559-385-9上
591-650-46
楊大全楊壽哥 宋(字道夫)
448-383-0
楊大年宋 518-720-159
楊大忏妻 明～清 見鄧氏
楊大法宋 451-24-0
523-325-161
楊大明宋 821-259-52
楊大明明 481-121-296
561-220-38之3
楊大洪明 534-620-102
楊大奎宋 481-212-302
楊大淵元 295-185-161
399-560-476
472-898-35
楊大章明 532-696-45
楊大異宋 287-774-423
398-701-414
472-173-6
472-1052-44
473-315-62
473-339-63
473-749-83
479-431-236
479-710-250
479-792-254
480-241-269
480-408-277
480-508-281
480-614-287
481-22-291
481-802-338
482-75-341
482-320-354
523-242-157
533-248-55
563-664-39
567-72-65
591-687-47
1467-45-63
楊大眼後魏 262-105-73
266-756-37
379-189-149
384-132-7
478-717-211
532-560-40
558-401-36
933-302-22
楊大善妻 明 見劉氏
楊大雅楊侃、楊大雄 宋
285-783-300
371-136-14
382-380-60
384-343-17
397-205-331
472-966-38
477-128-155
479-48-218
486-47-2
523-256-158
674-639-6
933-310-22
1102-478-61
1383-613-54
楊大雅妻 宋 見陸氏
楊大雅妻 宋(張保衡女) 見張氏
楊大雅妻 宋(張從古女) 見張氏
楊大雅女 宋 見楊氏
楊大雄宋 見楊大雅
楊大進清 見今覞
楊大賓明 523-123-151
572-74-28
楊大韶明 529-587-46
567-136-68
1467-123-66
楊大榮楊太榮 明 559-352-8
1253-195-50
1255-601-63
1256-397-25
楊大德明 545-407-98
楊大濂明 511-856-169
楊大鴻明 456-643-10
楊大濼明 511-529-157
楊大謨妻 明 見段氏
楊大鯤清 511-169-142
515-253-64
楊大寶唐 476-394-119
545-453-99
554-693-61
楊大鶴清 511-771-166
楊大觀清 540-848-28之4
楊小兒明 505-895-80
楊小瑛宋 820-453-35
楊上林明(通江人) 481-157-298
559-424-10上
楊上林明(字子漸) 523-120-151
楊上卿明 572-80-28
楊山松明 533-292-56
楊山龍楊公保 宋 451-97-3
楊乞德後魏 812-337-8
楊千得明 538-101-64
楊千萬魏 381-454-195
楊心赤明 456-611-9
538-47-63
楊方生明 476-43-98
547-9-141
楊方勗妻 清 見劉氏
楊方盛楊芳盛 明
483-163-382
532-620-43
570-124-21之1
楊文弘後魏 381-457-195
楊文正妻 明 見林秀卿
楊文安元 295-185-161
399-561-476
472-898-35
楊文仲母 宋 見胡氏
楊文仲宋 287-799-425
398-722-416
472-1101-47
473-233-60
473-358-64
473-517-71
475-367-67
480-87-262
480-508-281
481-352-309
510-390-115
523-169-154
532-645-43
532-704-45
559-386-9上
591-652-46
592-604-99
楊文仲女 元 見楊氏
楊文秀金 843-673-下
楊文秀清 538-97-64
楊文宗晉 256-512-93
380-3-165
554-70-49
933-302-22
楊文宗女 晉 見楊豔
楊文林明 570-164-21之2
楊文岳明 301-445-262
456-427-2

481-184-300
537-223- 54
559-516- 12
569-656- 19
楊文度劉宋 258-665- 98
381-457-195
楊文奎明 545-281- 94
558-342- 35
楊文厚妻 明 見薛玉瑄
楊文郁元 476-526-128
楊文思楊文恩 隋
264-793- 48
266-853- 41
379-746-161
472-124- 4
474-468- 23
478-716-211
544-219- 62
544-221- 62
552- 45- 19
558-232- 32
933-303- 22
楊文昭元 821-317- 54
楊文昭明 547-563-161
楊文紀楊紀 隋 264-793- 48
266-853- 41
379-747-161
544-221- 62
552- 43- 19
933-303- 22
楊文恩隋 見楊文思
楊文卿明(字質夫) 472-521- 22
523-454-168
545- 75- 85
楊文卿明(字子質)
1442- 68- 4
1460-304- 53
楊文修宋 524-132-185
楊文乾清 476-857-145
540-687- 27
563-866- 42
楊文偉明 563-789- 40
楊文彩明 678-231- 92
楊文啟清 554-614- 59
楊文琦明(鄞縣人) 456-465- 4
楊文琦明(寧都人) 456-639- 10
楊文琦妻 明 見沈氏
楊文勝明 511-404-152
楊文逸南唐 529-591- 47
楊文逸宋 1086-447- 8
楊文試妻 明 見孫氏
楊文詡宋 1105-787- 94
1384-154- 93
楊文煒明 572- 95- 29
楊文煥明 1226-173- 8
楊文煥妻 明 見荊娘
楊文遇明 820-590- 40
楊文廣宋(字仲容) 285-377-272
396-648-313
472-437- 19
473-762- 84
473-790- 85
478-244-186
482-484-364
545-643-106
567- 57- 65
1467- 30- 63
楊文廣宋(字敬德)
1223-537- 10
楊文蔚清 1320-721- 79
楊文德後魏 381-457-195
楊文德明 516-523-106
楊文燝妻 明 見李氏
楊文龍宋 492-713-3下
楊文龍妻 清 見孫秀姑
楊文熹清 476-578-131
楊文選元 545-183- 89
楊文舉明 569-674- 19
楊文薦明 301-683-278
456-440- 3
480-176-267
楊文寶宋 475-869- 95
楊文驄明 301-670-277
572-107- 30
676-651- 27
821-478- 58
1442-102-附7
1460-621- 71
楊文儷明 孫陞妻、楊應獬女
1442-123-附8
1460-774- 84
楊文懿妻 明 見丁氏
楊文瓚明 456-465- 4
楊文瓚妻 明 見張氏
楊之玉妻 清 見張氏
楊之孚妻 清 見馬氏
楊之明明 456-468- 4
481-290-306
楊之易清 480-206-267
510-354-114
533-382- 60
楊之苓妻 清 見劉氏
楊之陛清 533-222- 53
楊之彬明 569-672- 19
楊之瑤妻 明 見何氏
楊之璋明 456-584- 8
477-255-161
538- 55- 63
554-297- 53
楊之德後魏 821- 27- 45
楊之蕃妻 清 見袁氏
楊不花元 見楊布哈
楊太后宋 宋度宗淑妃
284-888-243
393-321- 77
楊太后宋 宋眞宗淑妃、楊知儼女
284-863-242
382-104- 13
384-337- 17
393-304- 75
560-592-29下
楊太沖妻 明 479-499-239
楊太芳妻 明 見謝氏
楊太清妻 清 見王氏
楊太榮明 見楊大榮
楊王休宋 472-1087- 46
487-142- 9
491-409- 5
523-448-168
1153-397- 91
楊王庭明 533- 53- 48
楊王孫漢 250-521- 67
376-263- 99
471-1036- 66
472-867- 34
554-861- 64
879-177-58下
933-300- 22
楊丑丑宋 見楊獬
楊旡咎楊補之 宋
516-510-106
820-411- 34
821-211- 51
楊旡咎明 475-142- 57
511-676-163
楊旡咎妻 清 見張學典
楊元之妻 明 見葉氏
楊元正元(廬陵人) 517-480-127
楊元正元(吉水人) 820-531- 38
楊元正明 1258-687- 16
楊元吉女 宋 見楊氏
楊元亨唐 269-746- 77
楊元定宋 1186-289- 20
楊元直元 587-610- 9
楊元杲明 299-277-135
472-403- 18
475-797- 90
511-367-150
楊元和武都王 後魏
381-457-195
552- 27- 18
楊元秉宋 472-367- 16
475-639- 83
510-443-117
楊元亮唐 516-527-106
楊元珍女 漢 見楊禮珪
楊元浩妻 清 見龐氏
楊元祐明 483-178-384
570-148-21之2
楊元祚妻 清 見牟氏
楊元眞前蜀 812-499- 中
812-529- 2
821-122- 49
楊元卿唐 271- 87-161
275-384-171
384-256- 13
384-262- 13
396-153-265
472-717- 28
478-670-209
933-306- 22
楊元清南唐 473-143- 56
楊元祥明 679-741-210
楊元琰唐 271-453-185下
274-516-120
384-185- 10
395-498-226
472-745- 29
474-616- 32
477-524-175
480-239-269
532-662- 44

537-603- 60
545-357- 96
933-305- 22
楊元琰明 545-358- 96
楊元華清 456-338- 76
楊元傑清 564-309- 48
楊元愼後魏 587- 25- 2
楊元嗣女 唐 見永樂公主
楊元鼎南唐 820-317- 31
楊元賓女 宋 見楊氏
楊元肇元 1198-263-附
楊元禧唐 269-746- 77
274-354-106
395-341-212
554-897- 64
楊元瀛明 456-550- 7
楊元懿北齊 505-886- 79
楊巴圖元 見楊濟智格
楊尹銘楊允銘 明
524-359-196
820-597- 40
楊天立元 1210-728- 20
楊天民明 300-817-233
476- 85-100
476-659-135
540-672- 27
545-789-111
572-159- 32
楊天申明 533-240- 54
楊天申妻 清 見鮮氏
楊天芳元 1208-279- 13
楊天祐妻 明 見劉氏
楊天秩妻 明 見王氏
楊天祥明 564-282- 47
楊天惠宋 473-433- 67
473-505- 71
559-343- 8
559-391-9上
592-588- 98
楊天堦清 見楊天楷
楊天堦妻 清 見聞氏
楊天琦妻 清 見鄭氏
楊天貴妻 清 見溫氏
楊天溥妻 清 見陳氏
楊天楷楊天堦 清
483- 71-376
569-681- 19
楊天與元 515-629- 73
楊天際明 554-303- 53
楊天璋明 545-249- 92
楊天德金 554-813- 63
1293-340- 19
1367-664- 51
1373- 53- 3
楊天龍明 524-153-185
楊天澤元 683- 65- 4
楊天職明 547- 21-141
楊天璽妻 明 見訾氏
楊木盛妻 明 見田盛
楊友之女 宋 見楊氏
楊友松妻 清 見朱氏
楊友直元 1214-229- 19
楊友卿唐 820-286- 30
楊友梅妻 明 見王氏
楊友梅妻 明 見李氏
楊友道明 570-100-20下
楊友敬清 475-837- 93
楊友諒明 473-187- 58
515-273- 65
楊友夔不詳 590-448- 0
楊日言宋 684-492-下
813-111- 7
820-461- 36
821-255- 52
楊日初楊旻 明 1258-200- 18
1258-761- 7
楊日昇妻 明 見李氏
楊日昇清 478-131-181
532-640- 43
554-527-57下
楊日華妻 明 見向氏
楊日進清 511-565-158
楊日贊明 569-672- 19
楊日巖宋 285-789-301
397-210-332
472-748- 29
476-476-125
481- 68-293
537-508- 59
540-613- 27
591-681- 47
楊中立宋 481-782-337
528-572- 32
楊中立明 493-1109- 58
楊中涵妻 清 見馬氏
楊中惺妻 清 見勞氏
楊中楠清 523-433-167
楊中葵楊中蔡 明
456-669- 11
楊中蔡明 見楊中葵
楊少愚元 472-369- 16
511-816-167
楊公才宋 1154-672- 28
楊公亮妻 宋 見何靜恭
楊公亮明 1237-314- 6
楊公度宋 529-597- 47
楊公則梁 260-119- 10
265-787- 55
370-559- 18
378-310-139
478-697-210
480-362-275
558-387- 36
933-302- 22
楊公保宋 見楊山龍
楊公恕元 546-192-121
楊公傑宋 821-234- 51
楊公滿明 567-599- 95
楊公熙後魏 262-460-101
381-456-195
楊公適宋 1105-815- 97
楊公讖楊曾 宋 451- 90- 3
楊公纘宋 676- 56- 2
楊丹珉明 473-618- 77
楊月澗元 821-295- 53
楊仁風元 472-491- 21
545-842-113
550-230-217
1201-167- 80
1439-422-附1
楊仁政明 456-600- 9
楊仁海妻 明 見左氏
楊仁晝唐 見柳泌
楊仁壽明 511-896-172
820-580- 40
楊仁愬楊質 明 1280-600-100
楊升雲元 515-621- 76
楊什伍唐 見楊通幽
楊介如宋 516-417-103
1180-402- 37
楊允中明(直隸人) 537-327- 56
楊允中明(字印南) 554-343- 54
楊允孚元 515-625- 76
1439-449-附2
1469-433- 54
楊允和清 515-287- 65
楊允恭宋(漢州綿竹人)
286- 93-309
371-174- 18
397-279-335
473-431- 67
475- 15- 49
475-698- 86
481-405-313
481-800-338
523- 9-146
559-406-9上
楊允恭宋(字謙仲) 532-717- 45
567-444- 86
585-771- 5
1467-153- 67
楊允恭楊欽 明(字允恭)
524-199-188
楊允恭明(居樂志山房)
1232-646- 7
楊允嘉明 1240-706- 7
楊允銘明 見楊尹銘
楊允繩明 300-454-209
475-181- 59
511-128-141
1283-404- 98
楊允繩妻 明 見黃氏
楊玄就後魏 261-793- 58
266-832- 41
379-232-150上
554-749- 62
楊玄琰女 唐 見楊玉環
楊玄感隋 264-997- 70
266-847- 41
269-447- 53
379-708-160
384-157- 8
933-303- 22
楊玄節唐 486- 41- 2
楊立易清 475-177- 59
楊立義元 473-807- 86
482-560-369
570-140-21之2
楊必大元 1202-232- 17
楊必亨清 529-663- 49
楊必進明 515-696- 78
567-114- 67

1275-360- 16
1467-104- 65
楊必謀妻 清 見林氏
楊永言明 456-468- 4
570-126-21之1
楊永美妻 清 見巫氏
楊永保女 宋 見楊氏
楊永祐明 546-333-126
楊永清明(陽曲人) 545-669-107
楊永清明(忻州人) 554-312- 53
楊永清清 482-468-363
楊永符北漢 820-324- 31
楊永華清 558-462- 38
楊永寧清 546-611-135
楊永寧妻 清 見丁氏
楊永錫明 554-291- 53
楊玉山妻 明 見張氏
楊玉正妻 清 見徐氏
楊玉奴唐 見楊玉環
楊玉英明 官時中妻
302-232-302
481-699-332
530-155- 58
楊玉香明 1442-127-附8
楊玉振明 456-554- 7
楊玉龍妻 清 見丁氏
楊玉環楊玉奴 唐 唐玄宗貴妃、楊玄琰女 269-427- 51
274- 17- 76
393-262- 72
544-184- 61
567-542- 90
594-359- 2
楊玉驄妻 明 見湯氏
楊去盈唐 1065-273- 9
1342-436-961
楊去溢唐 1065-274- 9
1342-438-961
楊戊捜晉 見楊茂捜
楊弘武唐 269-746- 77
274-353-106
384-180- 10
395-341-212
554-635- 60
933-304- 22
楊弘勇妻 清 見白氏
楊弘裕女 後周 見楊氏
楊弘道金～元 491-809- 6
540-778-28之2
676-699- 29
1191-424- 36
1198-161- 附
1200-772- 59
1439-422-附1
楊弘壁明 1237-327- 7
楊弘禮唐 269-745- 77
274-353-106
384-173- 9
395-340-212
472-835- 33
554-580- 58
933-304- 22
楊巨源唐 273-113- 60
451-434- 3
476-120-102
546-703-138
674-256-4上
1073-526- 21
1074-353- 21
1075-308- 21
1365-424- 3
1371- 67- 附
1388-267- 64
1473- 34- 53
楊巨源宋 287-494-402
398-480-396
473-448- 68
478-245-186
481- 79-294
559-361- 8
591-570- 42
楊正中清 505-805- 74
楊正見唐 楊寵女
592-229- 74
楊正位明 483-307-395
572- 95- 29
楊正芳明(謚烈愍) 301-532-269
456-482- 5
楊正芳明(字淳白) 533-237- 54
楊正恆明 480-652-289
533-327- 57
楊正春明 547- 48-142
楊正道唐 270-282-105
楊正道明 456-674- 11
楊正達明 545-250- 92
楊正德金 547- 90-144
楊正韡明 456-494- 5
楊本仁明 676-563- 23
1442- 54-附3
1460-127- 46
1467-102- 65
楊本厚明 480-636-288
532-750- 46
楊本深明 1269-430- 6
楊本潤明 見楊京
楊本巖元 515-627- 76
楊古利清 見揚古利
楊古理清 455-689- 49
楊名春清 480-542-283
楊司訓女 清 見楊閏姐
楊孕秀妻 清 見吳氏
楊孕第清 515-813- 82
楊可立清 558-344- 35
楊可陶明 483-281-393
571-541- 20
楊可教明 558-343- 35
楊可植女 清 見楊氏
楊可經清 478-246-186
554-221- 52
楊可賢明 456-662- 11
481-407-313
559-530- 12
楊可觀明 456-548- 7
楊世永宋 481-585-328
529-530- 45
楊世功妻 清 見黃媛介
楊世宏妻 清 見楊氏
楊世沖明 1237-223- 3
楊世昌宋 821-260- 52
楊世昌妻 明 見張同桂
楊世芳明 546-712-138
楊世威宋 478-246-186
楊世春明 483- 34-371
570-113-21之1
楊世泰妻 明 見朱氏
楊世捃清 456-338- 76
楊世桂明 554-347- 54
571-539- 20
楊世恩明 301-532-269
456-486- 5
楊世恩妻 明 見韋氏
楊世卿明 545-851-113
楊世修妻 清 見雷長
楊世國妻 清 見李氏
楊世寧清 480- 53-259
楊世鳳明 537-290- 55
楊世增明 505-659- 68
楊世學清 475-672- 84
511-332-149
532-604- 42
楊世勳明 523-207-155
楊世勳清 456-338- 76
楊世寵妻 清 見李氏
楊布哈楊不花 元
295-419-179
399-715-491
478-598-204
545-374- 97
558-375- 36
楊民服明 533-174- 52
楊民畏妻 清 見馬氏
楊民望宋 561-610- 46
楊末哥宋 見楊浚
楊末觀明 吳末裾妻
530- 94- 56
楊以任明 479-823-256
510-318-113
516-182- 94
680-330-259
楊以成楊以誠 明(字太和)
302- 26-290
483- 47-372
483-371-401
570-134-21之2
570-146-21之2
571-538- 20
楊以偉明 456-493- 5
楊以傑明 479-823-256
516-185- 94
楊以誠明(字明夫) 515-508- 72
554-189- 51
楊以誠明 見楊以成
楊由義宋 524-303-194
楊四可明 456-660- 11
楊四知明(字畏生) 475-710- 86
511-339-149
楊四知明(字元述)
1460-379- 57
楊四教明 554-296- 53
楊四謙明 456-660- 11
楊四聰女 明 見楊氏
楊令一唐 1065-827- 19

1342- 49-910
楊令仁後魏 262- 72- 71
楊令圭宋 1173-288- 84
楊令青明 456-661- 11
楊令哲女 清 見楊氏
楊令問宋 529-754- 52
楊令聞明 456-683- 11
483-171-383
楊令寶後魏 262- 72- 71
楊仕訓宋 見楊士訓
楊仕敏明 472-898- 35
558-311- 34
楊仕漢明 570-140-21之2
571-551- 20
楊仕榮妻 明 見倪氏
楊仕鳴明 見楊士鳴
楊仕儀妻 明 見周氏
楊仕敬楊仕敬 明
1248-627- 3
1255-608- 64
楊仕顯清 478-349-191
楊用枏妻 清 見趙氏
楊用修明 561-515- 44
楊用晦宋 591-102- 8
楊用道金 1445-664- 51
楊用廣明 570-247- 25
楊用懌宋 見楊懌
楊用霖妻 元 見蕭氏
楊用霖弟婦 明 見劉氏
楊仙客明 見楊教迎
楊仙哥宋 見楊岳
楊仙喬楊橋 唐 554-901- 64
812-346- 9
821- 57- 46
楊奴奴北周 見楊氏
楊守一陽守一、楊守素 宋
285-330-268
371- 94- 9
382-225- 33
384-333- 17
933-309- 22
楊守士清 483- 60-374
楊守州明 546-604-135
554-293- 53
楊守中明(字彥庸) 547-136-146
楊守中明(字處靜) 683-200- 6
楊守仁明 523-218-156
楊守玄金 1190-639- 8
楊守立唐 見李順節
楊守正明 554-289- 53
楊守阯明 300- 17-184
452-216- 5
479-182-225
523-291-159
1474-152- 8
楊守知清 525-372-235
楊守和元 李義妻
1196-298- 17
楊守亮訾亮 唐 275-534-186
384-289- 15
楊守珍宋 288-540-467
401- 71-577
567-540- 90
楊守貞明 楊孟輝女
524-608-208
楊守則元 472-468- 20
楊守信後周 552- 60- 19
楊守素宋 見楊守一
楊守素明 523-200-155
楊守陳明 300- 16-184
452-230- 6
453-464- 18
453-650- 27
458-759- 5
472-1089- 46
479-182-225
523-290-159
676-497- 19
677-544- 49
1249-462- 30
1253-191- 50
1375- 39- 下
1442- 27-附2
1458-500-450
1459-644- 25
1474-144- 8
楊守富妻 清 見溫氏
楊守隅明 300- 45-186
479-182-225
479-453-237
523-454-168
楊守勤明 676-629- 26
楊守誠明 511-211-144
楊守諒元 1202-217- 16
楊守魯明 569-653- 19
楊守隨明 300- 44-186
479-182-225
479-453-237
515- 40- 58
523-291-159
567-448- 86
1467- 83- 65
1474-101- 6
楊守謙明 300-360-204
473-341- 63
475-432- 70
475-873- 95
477-566-177
480-412-277
511-229-144
533-254- 55
545- 86- 85
554-188- 51
676-564- 23
楊守禮明 300-294-200
476-124-102
478-454-197
481- 25-291
532-719- 45
546-304-125
549-456-198
554-177- 51
558-155- 30
楊亦恭妻 清 見汪氏
楊安世妻 明 見張引元
楊安吾明 1239-312- 48
楊安持母 宋 見張氏
楊安國宋 285-691-294
472-592- 24
476-670-136
楊安國女 宋 見楊氏
楊安道宋 821-209- 51
楊汝士唐 271-298-176
275-421-175
384-272- 14
396-166-266
538-148- 65
楊汝允明 1442- 62- 4
1460-209- 49
楊汝名楊汝明 明
482-486-364
567-389- 82
楊汝松明 558-431- 37
楊汝明宋 473-516- 71
473-528- 72
559-318-7上
559-386-9上
1177-845- 40
楊汝明明 見楊汝名
楊汝采妻 明 見饒氏
楊汝為妻 明 見陽氏
楊汝南宋 460-222- 14
528-441- 29
529-561- 46
680-187-243
楊汝貞明 561-217-38之3
楊汝欽清 524-122-184
楊汝經楊汝徵 明
302- 75-293
456-529- 6
477-132-155
楊汝穀明 475-532- 77
楊汝徵明 見楊汝經
楊汝蕙明 1467- 94- 65
楊汝濟宋 1467- 47- 63
楊汝濟明 1237-412- 16
楊汝翼清 570-142-21之2
楊州俊清 482-143-344
564-305- 48
1327-691- 8
楊州雁明 572-101- 30
楊交泰清 482- 34-340
563-872- 42
楊朴菴妻 明 見陳氏
楊吉老宋 821-182- 50
楊吉甫元 1198-653- 22
楊吉努清 455-553- 35
楊再亨明 483-282-393
楊再思唐 270- 86- 90
274-386-109
384-184- 10
395-435-221
933-304- 22
楊再思後梁 483-358-400
571-551- 20
楊再興宋 287- 57-368
398-123-373
477-167-157
477-473-173
533-405- 61
537- 44- 48
537- 75- 49

537-342- 56
楊在陛清 478-132-181
554-531-57下
楊在堯唐 529-724- 51
楊有仁明 559-347- 8
楊有先清 456-338- 76
楊有成明 547-105-145
楊有材妻 524-225-189
楊有位妻 清 見王氏
楊有華妻 清 見葉月娥
楊百朋明 563-819- 41
楊存中楊沂中 宋
287- 38-367
398-107-372
449-569- 6
472-437- 19
475- 18- 49
475-698- 86
476-332-115
476-657-135
479- 92-221
494-268- 2
515- 16- 57
523- 14-146
540-633- 27
546-395-128
585-209- 13
1238-534- 13
楊存中妻 宋 見趙紫眞
楊存禮清 569-620-18下之2
楊西狩清 515-455- 70
楊至誠唐 1065-817- 19
楊至誠妻 唐 見趙氏
楊次山宋 288-250-465
400- 56-504
472-1072- 45
494-268- 2
楊次山妹 宋 見楊氏
楊次鄭宋 451- 56- 2
楊艮孫楊慶 宋 451- 68- 2
楊光休妻 明 見吳氏
楊光明宋 1223-536- 10
楊光美宋 見楊美
楊光郁楊佩 明 1261-157- 12
楊光祖宋 1147-587- 55
楊光祖清 476-203-108
546-181-121
楊光訓明 554-672- 60
676-727- 30
楊光訓清 474-383- 19
楊光富宋 473-395- 66
480-652-289
533-297- 56
楊光溥明 540-793-28之3
676-510- 20
676-761- 32
1442- 34-附2
1459-712- 28
楊光榮宋 1223-536- 10
楊光輔宋 476-669-136
540-757-28之2
楊光遠楊檀、楊阿檀 後晉
278-183- 97
279-335- 51
384-314- 16
401-416-622
407-663- 3
楊光僭宋 480-652-289
楊光震宋 1223-536- 10
楊光澤明 476- 30- 97
545-149- 88
楊光儒南唐 1085-149- 19
楊光翼唐 473- 59- 51
515-194- 63
楊光耀清 511-643-161
楊光夔明 572-110- 30
楊兆奎妻 清 見梁氏
楊兆梧明 1475-498- 22
楊兆隆清 511-537-157
楊兆傑清 480- 60-260
533-147- 51
楊兆鳳清 516-188- 94
楊兆熊清 532-753- 46
559-410-9下
楊兆儀明 533-304- 57
楊兆魯清(字泗生) 511-167-142
楊兆魯清(字巖瞻) 528-533- 31
楊兆璘清 524-106-183
楊兆鯤明 523-252-157
楊多壽妻 清 見朱氏
楊伏生明 1239- 54- 30
楊名時清 482-541-368
楊名道明 456-669- 11
楊名嗣明 456-602- 9
楊名標妻 清 見劉氏
楊名耀清 511-197-143
楊名顯明 558-401- 36
楊自升明 547-105-145
楊自治明 515-123- 60
楊自泊明 559-345- 8
楊自卑妻 明 見李氏
楊自徵明 524-198-188
1474-275- 13
楊自夔宋 591-697- 49
楊向春明 570-165-21之2
楊合問宋 473-654- 78
楊如山元 511-774-166
676-707- 29
679-574-194
楊如松妻 明 見朱氏
楊如春元 楊伯雨女
479-664-247
516-313-100
楊如庭妻 清 見宗氏
楊如皋明 483-349-399
572- 84- 28
楊如雲明 456-619- 9
480-463-279
楊如檀清 537-553- 59
楊先春明 533-773- 74
楊先丼明 456-643- 10
楊先烈清 505-908- 81
楊先進宋 1354-776- 43
楊先憲妻 明 見朱氏
楊仲文女 元 見楊氏
楊仲文母 清 見郭氏
楊仲元宋 286-430-333
397-533-352
472-504- 21
472-663- 27
476-204-107
477- 76-152
477-442-171
480-318-272
537-600- 60
545-336- 96
楊仲弘元 515-870- 85
楊仲吉明 524-273-191
楊仲宜明 1240-218- 14
楊仲武金 291-299- 91
399-185-432
472-904- 36
472-914- 36
472-924- 36
478-170-182
478-484-199
478-572-203
554-596- 59
558-176- 31
558-210- 32
楊仲昌楊沖昌 唐
274-517-120
395-499-226
472-494- 21
476-180-106
545-236- 92
545-358- 96
546-282-124
1343-796- 58
楊仲宣後魏 261-793- 58
554-559- 58
楊仲貞明 494- 55- 2
楊仲振妻 明 見樊氏
楊仲修宋 559- 307-7上
楊仲章元 1217-474- 0
楊仲康明 1242-787- 7
楊仲基明 1237-276- 5
楊仲開元 821-324- 54
楊仲業明 見楊宗業
楊仲賢女 明 見楊氏
楊仲儒宋 517-324-124
楊仲穆明 1242-191- 30
楊仲穆妻 明 見陳貴
楊仲瓊明 554-290- 53
559-381-9上
楊仲續漢 546-693-138
楊仲續唐 545-133- 87
楊印昌清 559-332-7下
楊行中明 474-185- 9
502-288- 56
505-801- 74
523-162-153
楊行矩唐 484- 85- 3
楊行密唐 275-548-188
278-464-134
279-424- 61
384-290- 15
384-316- 16
401-189-594
409-645- 1
471-918- 48
472-326- 14

488-325- 12
488-326- 12
933-307- 22
1383-839- 78
楊行道元 515-350- 67
楊宏中宋 288-396-455
400-141-511
451- 23- 0
472-349- 15
473-572- 74
475-673- 84
481-528-326
511-912-173
楊宏科明 515-137- 61
523-469-169
楊汪中宋 564- 43- 44
楊沖昌唐 見楊仲昌
楊沖遠宋 471-1036- 66
472-858- 34
554-871- 64
楊沂中宋 見楊存中
楊宋奴晉 381-454-195
楊沃衍烏淩阿沃衍、烏淩阿沃哩、烏淩阿斡烈、烏淩阿噶理、烏淩阿翰烈、楊沃哷、楊斡烈、楊翰烈、楊噶理 金
291-684-123
400-227-518
472-484- 21
476-281-111
546-140-119
554-364- 54
楊沃哷金 見楊沃衍
楊沃哩金 見楊沃衍
楊良臣明 545-224- 91
楊志方唐 820-227- 28
楊志本唐 1342- 67-912
楊志秀女 清 見楊氏
楊志善明 558-474- 40
楊志誠唐 271-371-180
276-210-212
396-310-278
楊志操唐 274-631-130
554-641- 60
楊志學明(字遜夫) 300-360-204
472-458- 20
473-341- 63
475-432- 70
476-250-110
476-918-148
480-411-277
545-278- 93
558-155- 30
楊志學明(河南河內人)
545-187- 90
楊甫望妻 清 見王氏
楊成久妻 清 見廖氏
楊成名明 676-590- 24
1442- 62-附4
1460-209- 49
楊成名妻 明 見張氏
楊名恩妻 清 見廖氏
楊成章明 302-149-297
480-544-283
楊成喬明 511-331-149
563-808- 41
楊孝定宋 529-613- 47
楊孝邕後魏 261-792- 58
楊孝傑宋 484-390- 28
楊酉明楊傳奇 宋451- 99- 3
楊君青金 1191-199-18
楊君明妻 明 見孟氏
楊君惠明 554-310- 53
楊克公元 見楊克恭
楊克恭楊克公 元
472-431- 19
476- 30- 97
545-142- 87
楊克愚女 清 見楊氏
楊克敬妻 明 見王氏
楊克遜宋 488-363- 13
488-369- 13
楊克讓宋 285-356-270
396-632-311
472-171- 6
472-839- 33
473-454- 68
478-345-191
478-759-215
481- 18-291
523- 8-146
528-436- 29
554-460- 56
559-285-7上
563-650- 39
楊孜敬晉 554-921- 64
楊呈秀明 302- 56-292
456-482- 5
478-348-191
554-711- 61
楊呈芳明(謚節愍) 302- 77-293
456-571- 8
477-499-174
537-335- 56
楊呈芳明(字泗源) 456-482- 5
554-712- 61
楊壯行元 1207-611- 43
楊見復明 511-662-162
楊角山明 1274-387- 14
楊佐國清 478-376-192
480-176-266
533-197- 53
554-261- 52
1322-656- 12
楊佑之元 545-182- 89
楊作楫明 545-197- 90
楊伯元金 291-378- 97
472-664- 27
476-429-121
477- 84-152
537-397- 57
545-140- 87
545-385- 97
楊伯仁金 291-707-125
400-689-565
472- 96- 3
472-519- 22
474-379- 19
474-471- 23
476-750-139
502-788- 88
楊伯安明 529-685- 50
楊伯成明(龍泉人) 480- 51-259
楊伯成明(字士美)
1237-216- 3
1237-604- 上
1240-303- 19
楊伯成妻 明 見劉順
楊伯雨女 元 見楊如春
楊伯昌妻 元 見洪氏
楊伯珂楊伯柯 明
511-195-143
676- 63- 2
676-113- 4
679-678-205
楊伯柯明 見楊伯珂
楊伯海妻 明 見沈氏
楊伯高明 533-291- 56
楊伯起宋 843-673- 下
楊伯淵金 291-474-105
399-169-431
472-519- 22
474-379- 19
476-476-125
476-818-143
楊伯通宋 1189-338- 4
楊伯通金 291-357- 95
472-484- 21
546-134-119
楊伯雄金 291-473-105
399-168-431
472- 96- 3
472-457- 20
474-378- 19
476- 78-100
502-366- 62
505-751- 72
545-178- 89
676-240- 9
楊伯嵒宋 587-463- 6
楊伯循元 1211-411- 58
楊伯瑞妻 元 見王順榮
楊伯詹宋 561-610- 46
楊伯遠妻 元 見王氏
楊伯憲妻 元 見周氏
楊伯醜隋 264-1099- 78
267-702- 89
380-654-183
384-159- 8
472-833- 33
478-341-191
554-894- 64
楊伯鎭明 1229-257- 7
楊希元宋 475-525- 77
楊希元妻 宋 見張氏
楊希旦宋 460- 24- 1
529-740- 51
1125-350- 25
楊希仲宋 559-343- 8
楊希亮宋 479-791-254
楊希淳明 511-667-163
楊希曾妻 明 見王氏

楊希閔宋 285-357-270
396-633-311
554-460- 56
楊希閔妻 明 見汪莊
楊希聖明 524-269-191
楊希賢元 683- 52- 2
820-510- 37
楊希賢明 547- 37-142
楊希震元 1202-233- 17
楊希震明 456-584- 8
474-480- 23
505-858- 77
楊希憲明 1274-355- 12
楊邦乂宋 288-297-447
400-165-513
449-350- 7
472-172- 6
473-148- 56
475-272- 63
479-714-250
489-349- 31
489-356- 31
489-615- 48
492-528-13上之中
510-311-113
515-585- 75
517-390-125
517-556-129
820-405- 34
1161-504-118
1172-525- 46
1178-374- 下
1204-228- 5
1243-644- 19
1410-572-741
楊邦吉妻 清 見王氏
楊邦基金 291-291- 90
399-175-431
472-431- 19
476- 29- 97
478-346-191
545-140- 87
554-467- 56
820-480- 36
821-274- 52
1201-702- 28
1365-276- 8
1439- 6- 附
1445-503- 37
楊邦弼宋 1136- 93- 5
楊邦憲宋 473-544- 72
560-148- 20
571-555- 20
1223-540- 10
楊邦憲明 523-235-156
楊邦翰明 564-113- 45
楊邦器明 570-156-21之2
楊兒孫宋 見楊泰
楊佛子宋 1222- 42- 6
楊彤庭明 554-219- 52
楊妙明清 乾道妻
481- 83-294
楊妙眞明 賀昇妻、楊原道女
474-825- 44
503- 28- 93
楊廷元妻 明 見解氏
楊廷正妻 清 見何氏
楊廷用明 559-517- 12
楊廷式唐 481-584-328
530-378- 66
楊廷秀楊庭秀 金
476-204-107
545-338- 96
1365-230- 7
1439- 6- 附
1445-443- 32
楊廷松明 533-471- 64
楊廷表明 523-177-154
楊廷芳明 533-109- 50
楊廷和明 300-114-190
452-423- 1
481- 81-294
559-347- 8
561-477- 43
820-662- 42
1410-137-678
1442- 35-附2
1458-538-453
楊廷相明(臨安衛人)
483- 34-371
570-135-21之2
楊廷相明(號青山) 533-341- 58
楊廷茂妻 明 見王氏
楊廷烈明 572- 89- 29
楊廷桂清 554-350- 54
楊廷偉妻 清 見廖氏
楊廷湖明 見楊廷瑚
楊廷詔明 572- 82- 28
楊廷琚清 523-489-170
559-333-7下
楊廷棟明 456-597- 9
楊廷傑宋 559-273- 6
楊廷瑚楊廷湖 明
483-171-383
570-129-21之1
楊廷筠明(字作堅) 523-267-158
楊廷筠明(字淇園) 677-674- 60
楊廷端明 821-404- 56
楊廷槐明 523-430-167
楊廷璋宋 285-138-255
371-157- 16
382-141- 19
384-325- 17
396-485-299
472- 94- 3
474-377- 19
476- 77-100
505-749- 72
545-173- 89
933-308- 22
楊廷樞明 301-515-267
456-439- 3
458-327- 12
475-140- 56
511-676-163
1442-107-附7
1460-716- 78
楊廷樹妻 明 見范引娘
楊廷選明 505-692- 70
楊廷錫妻 清 見彭氏
楊廷擢妻 清 見張氏
楊廷謨明 545-249- 92
楊廷璧元 295-738-210
楊廷璧明 456-610- 9
475-378- 68
511-462-154
楊廷耀妻 明 見朱氏
楊廷耀清 482-452-362
502-632- 77
567-155- 69
楊廷蘭明 532-727- 46
楊廷鑑明 511-557-158
楊廷麟明 301-678-278
456-440- 3
479-683-248
515-563- 79
676-657- 27
1442-108-附7
1460-712- 77
楊宗仁清 478-485-199
478-653-207
480- 14-257
480-364-275
481-809-338
502-640- 78
523- 69-149
532-606- 42
532-712- 45
558-223- 32
563-866- 42
楊宗白明(太和人)
570-474-29之7
楊宗白明(新安人) 821-460- 57
楊宗朱明 572- 82- 28
楊宗吾明 559-347- 8
楊宗伯元 1214-229- 19
楊宗昌清 528-556- 32
楊宗范明 554-313- 53
楊宗訓元 515- 87- 59
楊宗修妻 清 見潘淑珠
楊宗氣明 554-667- 60
楊宗敏明 524-366-197
楊宗盛明 482-408-359
567-413- 84
1467-187- 69
楊宗閔宋 288-280-446
476-332-115
489-545- 43
546-395-128
554-151- 51
1132-228- 48
1238-533- 13
楊宗閔妻 宋 見劉氏
楊宗道明 570-100-20下
楊宗暉明 524-134-185
楊宗業楊仲業 明
456-420- 2
545-332- 95
546-323-125
楊宗榮明 1239-160- 37
楊宗震清 476-883-146
540-846-28之4

楊宗器明 545- 90- 85
楊宗禮妻 明 見陳氏
楊宗禮妻 明 見程氏
楊宗彝明 1229- 685- 2
1457-551-394
楊宗識女 宋 見楊氏
楊法成唐 821-101- 48
楊法持齊 259-549- 56
265-1097- 77
楊法深後魏 381-458-195
楊法象梁 820-105- 24
楊京來明 1276- 70- 7
楊於陵唐 271-127-164
275-286-163
384-243- 12
384-255- 13
384-261- 13
396- 98-260
472-171- 6
472-838- 33
472-1066- 45
473-401- 66
473-672- 79
478- 88-180
478-344-191
478-759-215
479-582-243
481-800-338
486- 43- 2
489-664- 49
516-214- 96
523- 6-146
532-748- 46
545- 18- 83
554-455- 56
563-635- 38
933-306- 22
1076-112- 12
1076-568- 12
1077-139- 12
1078-170- 14
1467- 16- 62
楊泗清妻 清 見彭引祥
楊泗祥明 511-620-160
楊初泰妻 明 見徐氏
楊定國明 570-137-21之2
楊定國清 476-675-136
528-501- 30
楊波遠漢 483-119-379
494-240- 10
570-253- 25
楊武烈明 515-191- 62
楊武通隋 264-834- 53
267-460- 73
379-763-161
472-833- 33
478-342-191
552- 49- 19
554-690- 61
楊其休明 300-811-233
楊其芳妻 明 見朱氏
楊其厚妻 明 見江氏
楊其森妻 明 見林茂卿
楊其禮明 456-596- 9
楊其籍清 476- 31- 97
545-160- 88
楊坦翁明 1274-383- 13
楊直方宋 1124-645- 29
楊居中宋 400-131-511
楊居仁金 1040-257- 5
楊居仁元 472-1041- 43
479-352-233
523-199-155
楊居政宋 473-757- 83
482-408-359
567- 48- 64
1467- 21- 62
楊居義元 1214-239- 20
楊居寬妻 元 見馬氏
楊居簡元 1201-702- 28
1202-272- 19
1367-676- 52
楊孟洪明 460-600- 59
楊孟容宋 473-515- 71
559-383-9上
楊孟祥明 559-282- 6
楊孟弼妻 清 見李氏
楊孟凱明 533-416- 62
559-269- 6
楊孟瑛明 479- 44-218
523- 86-149
559-352- 8
585-436- 11
676-204- 8
楊孟達妻 明 見吳氏
楊孟輝女 明 見楊守貞
楊奉直妻 宋 見諶氏
楊奉時清 476-126-102
楊奉魁妻 清 見雷氏
楊拙修明 676-171- 7
楊奇烈清(奉天蓋州衛人)
540-676- 27
楊奇烈清(三韓人) 559-335-7下
楊奇逢清 476-577-131
540-686- 27
楊奇遇楊椿壽 宋 451- 63- 2
楊奇鯤唐 483- 95-378
494-161- 6
570-160-21之2
楊阿五蘭陵公主 隋 柳述妻、隋文帝女 264-1112- 80
267-727- 91
381- 62-185
547-426-157
554- 44- 49
楊阿若魏 見楊豐
楊阿檀後晉 見楊光遠
楊長世清 516-188- 94
楊長葿清 511-570-158
楊長壽妻 清 見鄭氏
楊長孺宋 472-998- 40
473- 14- 49
473-148- 56
473-568- 74
473-673- 79
494-312- 5
515- 83- 59
515-601- 76
523-116-151
528-443- 29
563-661- 39
1437- 27-附2
楊東明明(字啟修) 301-100-241
457-463- 29
458- 20- 1
458-1058- 2
477-132-155
537-431- 58
楊東明明(平番州人)
456-642- 10
483-268-392
571-541- 20
楊東明妻 明 見陽氏
楊東浙明 533-435- 62
楊東萊明 511-585-159
楊東溪女 明 見楊氏
楊東煥明 533-326- 57
楊東衡妻 清 見何氏
楊林甫唐 274-630-130
楊枝起明 480-404-277
楊枝楝妻 明 見徐氏
楊枝榮清 511-587-159
楊來鳳明(字從儀) 458-100- 4
楊來鳳明(安化人) 558-454- 38
楊來鳳清 480-564-284
481-157-298
533-408- 61
559-533- 12
楊來鳳妻 清 見王氏
楊承仁宋 559-306-7上
楊承仙唐 537-286- 55
1072-218- 8
1340-545-775
楊承宗清 456-338- 76
楊承明妻 明 見魏氏
楊承芳明 456-501- 5
558-417- 37
楊承和唐 820-290- 30
楊承信宋 285-110-252
396-471-298
475-742- 88
478-482-199
545-363- 96
楊承貴後晉 見楊承勳
楊承勳楊承貴 後晉
278-186- 97
楊承鯤明 524- 47-180
1442- 96-附6
1460-566- 68
1474-444- 22
楊忠亮明 570-160-21之2
楊忠惠宋 1098-186- 22
楊忠惠明 483-178-384
570-128-21之1
楊忠義宋 400-299-524
楊忠誠唐 1342-182-926
楊尚文明 見楊敞
楊尚希隋 264-766- 46
267-489- 75
379-803-162
384-153- 8
476-110-102

477-523-175
478-342-191
537-602- 60
544-221- 62
545-356- 96
933-304- 22
楊尚英明 523-537-172
1283-361- 95
1284-182-150
楊尚英妻 明 見呂氏
楊岫之唐 821- 69- 47
楊昌印明 456-603- 9
楊昌祖妻 清 見林壽媛
楊昌祚明 572- 89- 29
楊昌時清 564-302- 48
楊昌御宋 533-297- 56
楊昌裕妻 清 見劉氏
楊昌裔妻 清 見宋氏
楊明八女 明 見楊金孃
楊明甫明 550-112-213
楊明哲明 570-213- 23
楊明時明 511-881-171
楊明基妻 清 見張氏
楊明盛明 456-602- 9
554-674- 60
楊明勝明 569-681- 19
楊明復宋 472-1104- 47
523-606-176
677-404- 37
楊明楷明 301-229-249
483-349-399
楊固理清 455-693- 49
楊芳盛明 見楊方盛
楊芳聲清 481-584-328
528-489- 30
楊易生清 533-752- 74
楊芝瑞明 511-331-149
676-178- 7
楊叔方宋 515-611- 76
680-222-246
楊叔卿楊婉素 明
820-770- 44
楊叔幹元 511-821-167
楊叔器明 529-467- 43
楊叔濟楊慈 宋 451- 75- 2
楊叔謙元 821-290- 53
楊果理清 455-526- 33
楊果圖清 455-137- 5
楊念祖明 572-111- 30
楊知至唐 271-299-176
楊知章元 見楊奐
楊知敏妻 清 見雷氏
楊知溫唐 271-299-176
楊知慶女 唐 見楊皇后
楊知儼女 宋 見楊太后
楊季方明 510-446-117
楊季安明 473-234- 60
480-170-266
532-646- 43
1241-578- 11
1243-714- 24
楊季昭唐 274-387-109
395-436-221
楊季雅清 530-200- 60
楊季琦明 554-276- 53
楊季琛明 517-557-129
1240-768- 8
1241-853- 22
楊季衡宋 821-211- 51
楊和生妻 明 見王氏
楊和廷清 570-257- 25
楊和叔女 明 見楊枳
楊和祥清 456-338- 76
楊周卿元 821-320- 54
楊周憲清 479-484-239
515-101- 59
楊佳任妻 明 見張氏
楊佺期晉 256-381- 84
377-895-129下
537-295- 56
554-921- 64
933-302- 22
楊金奉明 559-352- 8
楊金惜明 林恭伯妻
482-144-344
楊金通明 533-158- 52
楊金蟬宋 1410-361-711
楊金孃明 許胡恩妻、楊明八女 524-718-212
楊岳孫宋 見楊夢魁
楊所修明 302- 70-293
554-297- 53
楊所修妻 明 見沈氏
楊所蘊明 533-203- 53
楊所蘊妻 清 見杜氏
楊秉中明 494- 41- 3
楊秉和明 570-105-21之1
楊秉鉞明 572- 73- 28
楊秉賢妻 明 見馬氏
楊秉鐸明 572- 73- 28
楊牧南唐 1223-536- 10
楊延宗唐 271- 88-161
275-385-171
396-154-265
楊延宗宋 1129-552- 36
楊延昭楊延朗 宋
285-376-272
371-165- 17
382-230- 34
384-335- 17
396-646-313
472- 50- 2
472-437- 19
474-234- 12
474-304- 16
476- 40- 98
476-277-111
505-630- 67
545-632-106
933-309- 22
楊延祚後魏 見楊津
楊延朗宋 見楊延昭
楊延嘉唐 475- 68- 52
楊洪柱妻 明 見萬氏
楊為蕃妻 清 見黃氏
楊洞潛南漢 482- 90-342
564- 33- 44
楊首春明 511-856-169
楊彥中宋 1238-534- 13
楊彥立女 明 見楊眞
楊彥成明 1240-390- 24
楊彥伯唐 473-126- 55
515-515- 73
楊彥珍元 472-766- 30
537-314- 56
1201-597- 18
1367-831- 63
1373-189- 14
楊彥國宋 481-752-334
530-208- 60
楊彥溫後唐 277-598- 74
楊彥詢後晉 278-123- 90
279-301- 47
396-421-294
476-122-102
546-283-124
554-135- 50
933-308- 22
楊彥實明 1238-434- 5
1242-263- 33
楊彥寬元 1202-191- 14
楊美球父 宋 1104-964- 15
楊拱辰湯拱辰 明
456-631- 10
楊咸弼宋 476-204-107
545-335- 96
楊春安明 494- 24- 2
楊春枝明 523- 91-149
楊春芳明 456-570- 8
475-778- 89
480-652-289
533-410- 61
楊春芳清 481-237-303
523-238-156
559-533- 12
楊春前宋 473-503- 71
楊春茂明 528-545- 32
楊春茂明 見李春茂
楊春時明 547- 57-143
楊春卿漢 592-503- 91
楊春暉妻 清 見曹氏
楊春震明 483-178-384
570-146-21之2
570-603-29之11
楊春霽妻 明 見辛氏
楊柱朝清 533-286- 56
559-332-7下
楊相如唐 473- 20- 49
515-298- 66
楊相孫元 460-441- 33
1227-168- 20
楊柏之明 505-829- 75
楊南仲宋 820-356- 32
楊南金明 483- 96-378
494-166- 6
570-117-21之1
楊飛龍晉 381-454-195
楊契丹隋 812-339- 8
821- 31- 45
1121- 74- 7
楊政道唐 264-887- 59
楊政巖宋 533-297- 56

楊述文妻 清 見施氏
楊述忠女 明 見楊氏
楊致祥清(正藍旗人)
456-338- 76
楊致祥清(奉天人) 476-151-104
502-768- 86
545-228- 91
楊致道元 545-142- 87
楊建烈明 554-676- 60
楊茂元明 300- 17-184
472-337- 14
476-479-125
479-183-225
480-403-277
515- 45- 58
523-291-159
540-618- 27
567-448- 86
676-512- 20
820-636- 41
1467- 89- 65
1474-262- 12
楊茂仁明 300- 17-184
479-183-225
559-252- 6
楊茂春明 546-101-118
楊茂清明 510-447-117
1474-285- 13
楊茂搜令狐戊搜、令狐茂搜、楊戊搜 晉 258-659- 98
267-820- 96
381-454-195
558-765- 50
楊茂勳清 481- 29-291
502-661- 79
楊茂謙唐 271-458-185下
275-654-197
400-341-530
505-681- 69
楊貞姬明 陸裕妻
1229-373- 14
楊思玄唐 269-562- 62
楊思平晉 933-302- 22
楊思忠元 545-768-110
楊思忠明 300-415-207
476-298-112
546-369-127
楊思勉唐 見楊思勗
楊思訓唐 269-561- 62
274-279-100
楊思恭明 472- 27- 1
楊思勗查思勉、蘇思勗 唐
271-421-184
276-131-207
384-208- 11
401- 42-574
471-881- 41
567-538- 90
楊思堯妻 明 見王氏
楊思復宋 559-286-7上
楊思義金 546-404-128
楊思義明 299-307-138
570-127-21之1
楊思溫宋 563-663- 39
楊思道明 558-338- 35
1242-815- 9
楊思聖清 505-825- 75
1312-857- 12
楊思誠妻 清 見韋氏
楊思聰唐 820-295- 30
楊思聰元 476-451-123
545-480-100
楊思權後晉 278-101- 88
279-310- 48
384-312- 16
396-429-295
554-933- 64
楊若梓明 505-803- 74
楊若楹清 481-185-300
楊昭度宋 820-345- 32
楊昭雍清 511-611-160
楊昭慶唐 473-517- 71
481-354-309
561-225-38之3
592-229- 74
楊昭儉宋 285-342-269
396-621-310
472-739- 29
477-305-163
537-299- 56
554-648- 60
楊幽經唐 820-158- 26
楊畏知明 301-708-279
302-477-313
456-442- 3
478-204-184
482-540-368
569-678- 19
楊禹錫明 570-100-20下
楊重進宋 288-490-463
400-126-510
474-234- 12
楊重慶宋 見楊乙
楊香哥妻 明 見樊氏
楊信民楊誠 明(字信民)
299-717-172
453-333- 5
473-674- 79
479-239-227
481-804-338
523-305-160
563-727- 40
1248-504- 24
1320-670- 74
楊信民明(江陰人) 676-282- 10
1241-680- 15
楊皇后前秦 苻丕妻、秦哀平帝后 555- 7- 66
楊皇后唐 唐玄宗后、楊知慶女 269-431- 52
274- 17- 76
393-262- 72
554- 22- 48
楊皇后宋 宋寧宗后
284-885-243
393-320- 77
585-302- 2
819-592- 20
1437- 39-附2
楊皇后妹 宋 見楊氏
楊帥厚後梁 見楊師厚
楊衍飭元 1204-615- 13
楊衍慶清 482-563-369
楊秋山宋 1189-589- 4
楊奐章唐 820-283- 30
楊保宗後魏 381-455-195
楊保宗妻 北魏 見拓跋氏
楊保顯後魏 381-456-195
楊俊民元 593- 32-上
676-713- 29
楊俊民明 300-531-214
476-124-102
546-315-125
楊俊聲明 483- 96-378
570-151-21之2
楊後起後魏 259-579- 59
381-457-195
楊泉宗妻 清 見劉氏
楊食我春秋 見食我
楊海珠明 1235-635- 22
楊海清明 473-349- 63
480-438-278
533-493- 65
楊祗本唐 486- 42- 2
楊宮建清 477-500-174
523-433-167
537-336- 56
楊浩然元 1202-241- 17
楊祐芳妻 清 見許氏
楊祖成元 1439-443-附2
楊祖位妻 清 見崔氏
楊祖識宋 561-542- 45
561-610- 46
1381-690- 48
楊益始元 517-508-128
楊益錢隋 見楊諒
楊訓文元 494-316- 5
1442- 6-附1
1459-250- 5
楊家龍明 301-460-263
456-498- 5
476-181-106
476-310-113
505-865- 77
545-251- 92
545-476-100
楊家麟妻 明 見周氏
楊效榮清 547- 28-141
楊庭光唐 812-345- 9
812-370- 0
813- 77- 2
821- 49- 46
楊庭秀金 見楊廷秀
楊庭直宋 1201-272- 19
楊庭芳明 473-569- 74
楊庭堅楊慶郎 宋
448-401- 0
楊庭顯宋 1156-493- 28
1156-927- 附
楊凌曦明 559-516- 12
楊凌曦妻 明 見侯氏
楊泰之宋 288-126-434

400-547-549
473-516- 71
481-114-296
481-181-300
481-290-306
481-333-308
481-352-309
559-306-7上
559-386-9上
591-650- 46
592-604- 99
1173-252- 81
楊泰奴明 楊得安女
302-216-301
524-478-203
楊泰初明 456-552- 7
558-421- 37
楊泰運楊參運 明
456-655- 11
558-421- 37
楊素蘊清 478-420-195
554-680- 60
楊秦王北齊 見楊愔
楊恭仁楊綸 唐 269-560- 62
274-279-100
384-171- 9
401-282-606
472-944- 37
478-451-197
478-612-205
537-197- 54
558-214- 32
933-304- 22
楊恭叔楊恭 明 529-744- 51
楊恭懿元 295-224-164
399-584-478
451-664- 13
453-775- 2
472-840- 33
478-125-181
554-872- 64
1201-587- 18
1293-342- 19
1367-786- 60
1373-130- 10
楊恭驥妻 清 見陳氏
楊桃兒明 472-686- 27
477-135-155
楊眞祐妻 元 見方氏
楊眞惠宋 見楊應辰
楊原英元 1221- 54- 1
楊原道女 明 見楊妙眞
楊孫仲明 524-255-190
楊桂生妻 明 見李氏
楊桂伯妻 清 見王氏
楊起元明 301-786-283
457-571- 34
482-117-343
564-186- 46
676-627- 26
678-215- 90
1294-276-6下
1442- 77-附5
1460-386- 58
楊起文明 1474-316- 16
楊起莘楊崇奇 宋451- 51- 2
楊起雷明 570-150-21之2
楊起龍妻 清 見鄧氏
楊起瀛明 572-101- 30
楊起鰲明 572- 74- 28
楊起麟清 547- 28-141
楊振文明 559-324-7上
572- 71- 28
楊振文妻 明 見劉文
楊振烈妻 清 見李氏
楊振華明 456-643- 10
楊振瑛明 1232-592- 5
楊振熙楊時熙 明456-530- 6
楊挺生清 537-487- 58
楊挺高明 523-104-150
楊迺誠宋 587-441- 5
楊展驥妻 清 見鄭氏
楊桑阿清 455-116- 4
楊時升明 見楊時生
楊時生楊時升 明
456-640- 10
楊時秀明 679-649-202
楊時芳明 546-309-125
楊時周明 1264-557- 7
楊時春妻 元 見林氏
楊時泰明 554-285- 53
楊時泰妻 明 見何氏
楊時習明 515-366- 68
楊時華明 456-643- 10
楊時喬明 300-694-224
457-724- 42
458-413- 19
479-560-242
515-891- 86
676-592- 24
677-619- 55
楊時煦元 1198-660- 24
1198-779- 5
1206- 39- 5
楊時寧明 537-408- 57
545-195- 90
楊時熙明 見楊振熙
楊時暢明 299-539-157
452-242- 6
1250-831- 79
楊時敷妻 明 見倪淑靜
楊時舉明 533-343- 58
楊時薦清 505-825- 75
楊時馨明 537-408- 57
楊恩選明 570-141-21之2
楊剛中元 295-538-190
400-699-567
472-177- 6
492-588-13下之上
511-718-165
676-705- 29
677-495- 45
820-532- 38
1375- 36- 下
楊氣開明 456-608- 9
538- 46- 63
楊師心明 559-350- 8
楊師文元 478-246-186
楊師孔明 572- 73- 28
楊師立唐 560-601-29下
楊師厚後梁 277-196- 22
279-134- 23
384-300- 16
396-341-282
472-202- 7
511-422-152
540-668- 27
1383-717- 64
楊師程明 545-120- 86
570-107-21之1
楊師祿明 511-513-157
楊師道唐 269-562- 62
274-104- 83
274-280-100
384-171- 9
401-282-606
554- 75- 49
814-268- 9
820-136- 26
933-304- 22
1371- 48- 附
楊師道妻 唐 見長廣公主
楊師儒明 524-213-188
楊師錫宋 481-385-312
559-320-7上
楊皐雲妻 清 見丁氏
楊純臣清 558-448- 38
楊殷士唐 見楊魯士
楊寅秋明 515-720- 79
567-142- 68
571-524- 19
1291-757- 4
楊寅秋妻 明 見梁氏
楊清溪元 821-317- 54
楊清澄明 547- 51-143
楊惇禮宋 460-426- 32
481-746-334
529-641- 48
楊惟中元 294-560-146
399-368-451
451-552- 5
472-484- 21
472-645- 26
474-517- 25
476-914-148
477-562-177
480-289-271
505-780- 73
532-581- 41
537-206- 54
554-160- 51
1192-411- 35
1439-420-附1
楊惟立明 1255-375- 42
楊惟吉明 529-655- 49
楊惟休明 515-442- 70
楊惟良元 472-413- 18
楊惟肖元 1212-503- 14
楊惟治明 537-319- 56
楊惟相明 515-438- 70
676- 12- 1
楊惟峻明 570-164-21之2

楊惟寅明 532-673- 44
楊惟執明 1467-122- 66
楊惟聰宋 1223-536- 10
楊惟聰明 545- 93- 85
楊惟聰妻 清 見范氏
楊淵海元 483- 95-378
494-163- 6
570-149-21之2
楊部射唐 1223-536- 10
楊許玉清 524-245-190
楊庸德金 547- 90-144
楊執一唐 1065-845- 21
1341-718-895
楊執中唐 544-228- 63
楊執中宋 400-131-511
楊執柔唐 269-562- 62
274-280-100
楊強子明 456-631- 10
楊埜琳明 1239-109- 34
楊堅頭晉 381-454-195
楊乾運北周 263-789- 44
267-354- 66
379-643-158
552- 32- 18
554-568- 58
933-303- 22
楊陸凱明 見陸凱
楊教化元 1207- 595- 42
楊教迎楊仙客 明
1288-590- 8
楊通宇明 572- 80- 28
楊通杰明 302-160-297
楊通炤明 見楊通照
楊通幽楊什伍 唐
561-226-38之3
592-202- 73
楊通照楊通炤 明
302-160-297
483-349-399
楊通增明 571-553- 20
楊通寶宋 473-395- 66
480-652-289
533-297- 56
楊崇本李繼徽 後梁
277-127- 13
278-445-132
279-253- 40
396-403-291
楊崇奇宋 見楊起莘
楊崇阿清 455-625- 43
楊崇猷明 456-437- 3
楊崇勳宋 285-624-290
382-317- 50
384-343- 17
397- 90-325
472- 33- 1
493-871- 48
505-716- 71
933-310- 22
1088-333- 39
1088-537- 57
1088-578- 60
1088-591- 61
楊崇禮唐 見楊隆禮
楊國正妻 清 見陳氏
楊國本明 563-788- 40
楊國召明 505-869- 78
楊國巡妻 清 見湯氏
楊國忠楊釗 唐 270-293-106
276-123-206
384-199- 11
400- 30-501
469-385- 46
933-308- 22
楊國彥明 456-683- 11
483- 34-371
570-128-21之1
楊國彥妻 清 見徐氏
楊國柱明(字廷石) 301-580-272
456-458- 4
474-824- 44
502-300 56
505-640- 67
楊國柱明(綿竹人) 456-662- 11
楊國柱明(字叔堅)
554-519-57下
楊國卿明 554-289- 53
楊國祥元 547- 86-144
楊國棨明 572- 82- 28
楊國瑞妻 明 見徐氏
楊國璋妻 明 見魏氏
楊國興明 299-256-133
475-215- 60
511-497-156
楊國寶宋 448-468- 7
楊國權妻 明 見劉氏
楊國權妻 清 見劉氏
楊常典妻 明 見趙氏
楊常符明 481-121-296
561-220-38之3
楊處仁元 473-335- 63
480-402-277
532-692- 45
楊處厚宋 1121-464- 34
楊處綱隋 264-744- 43
267-418- 77
375-554-85下
476-110-102
545-355- 96
楊處樂隋 264-744- 43
375-554-85下
楊勗肖明 554-313- 53
楊得安明 472-262- 10
472-982- 39
楊得安女 明 見楊泰奴
楊得坤明 456-658- 11
楊紹中明 480-205-267
楊紹先後魏 381-457-195
楊紹先明 554-310- 53
楊紹先清 533-203- 53
楊紹宗妻 唐 見王氏
楊紹英妻 明 見趙成
楊紹紀妻 清 見劉氏
楊紹祖明(汝陽人) 456-614- 9
楊紹祖明(號慕雲)
1287-767- 10
1291-652- 2
楊紹祖妻 明 見蕭重關
楊紹統妻 清 見劉氏
楊紹程明 554-672- 60
楊紹後唐 820-252- 29
楊紹龍明 537-339- 56
楊紹儒明 533-493- 65
楊衒之後魏 588-157- 8
1401-439- 32
楊御乾清 570-143-21之2
楊御蕃明 540-620- 27
楊婉素明 見楊叔卿
楊參運明 見楊泰運
楊敘臣妻 清 見鄭氏
楊敘年明 483-162-382
楊梨山妻 明 見劉氏
楊敏中金 291-668-121
400-214-517
472-525- 22
476-525-128
540-770-28之2
545-217- 91
楊啟允楊啟充 明
476-331-115
545-423- 98
558-298- 34
楊啟充明 見楊啟允
楊啟明明 1283-851-133
楊啟勇妻 清 見李氏
楊啟泰妻 清 見張氏
楊啟陞妻 明 見李氏
楊啟祥清 482-353-356
567-374- 81
楊啟貴明 480-583-285
楊啟新明 460-744- 77
楊啟蒙明 558-444- 38
楊啟顏妻 明 見王氏
楊逢辰宋 843-673- 下
楊逢春楊遇春 明(咸寧人)
480- 59-260
533-415- 62
楊逢春明(字仁甫) 529-541- 45
1274-396- 14
楊逢原宋 見何逢原
楊逢時明 533-217- 53
楊逢源宋 見何逢原
楊從宜妻 明 見李氏
楊從居宋 1113-115- 14
楊從晉明 見楊從進
楊從晉妻 明 見郭氏
楊從進楊從晉 明
1241-170- 8
1242-106- 27
楊從義宋 552- 70- 19
554-245- 52
楊富老宋 472-1054- 44
479-433-236
524-167-186
楊善哉明(常云善哉)
570-252- 25
楊善祐元 1214--241- 20
楊善會隋 264-1018- 71
267-644- 85
380- 64-166
384-157- 8
472-834- 33

474-433- 21
478-342-191
505-680- 69
540-637- 27
554-691- 61
933-304- 22
楊善舉明 見楊善譽
楊善譽楊善舉 明456-631- 10
楊普明宋 見楊森
楊敦仁宋 460- 22- 1
楊雲才明 480-243-269
532-672- 44
567-355- 80
楊雲外蜀漢 554-969- 65
561-222-38之3
592-250- 75
楊雲林明 821-371- 55
楊雲鳳明 558-454- 38
楊雲翼金 291-536-110
383-1001- 28
399-286-442
472-437- 19
476-297-112
502-265- 54
546-353-126
549-382-195
820-483- 36
1040-246- 4
1191-198- 18
1365-141- 4
1439- 7- 0
1445-270- 18
楊雲鵬金 見楊鵬
楊雲鸞女 明 見楊氏
楊惠之唐 493-1063- 56
511-863-170
812-345- 9
812-442- 0
821- 56- 46
楊惠元唐 見陽惠元
楊惠生清 533-496- 65
楊賁亨宋 516-522-106
楊超曾清 480-487-280
楊期遠妻 清 見孫氏
楊朝烈元 554-274- 53
楊朝晟唐 270-461-122
270-728-144
275-204-156
396- 23-253
472-912- 36
478-270-187
554-584- 58
558-205- 32
933-306- 22
楊朝棟楊棟朝 明
483-163-382
570-124-21之1
楊朝棟妻 清 見蘇氏
楊朝幹明 460-632- 63
楊朝綸妻 清 見曾氏
楊朝徵清 476-893-147
540-679- 27
楊朝勳妻 清 見姚氏
楊殖宗明 523-245-157
楊閏之金 472-519- 22
476-517-127
楊隆演十國吳 見吳高祖
楊隆禮楊崇禮 唐
270-282-105
274-673-134
395-613-236
545-236- 92
554-449- 56
楊登師女 明 見楊氏
楊堯年明 483-178-384
570-146-21之2
楊開泰明 456-597- 9
505-843- 76
楊彭年宋 400-162-513
楊彭齡清 1313-270- 21
楊棟朝明 見楊朝棟
楊發坦妻 清 見閻氏
楊菘畦妻 明 見李淑賢
楊菊姐清 477-258-161
楊紫詔妻 清 見李氏
楊景升清 456-338- 76
楊景安元 523-186-155
1210-334- 9
楊景先明 1246-440- 9
楊景行元 295-554-192
400-369-534
459-926- 56
473-111- 54
473-150- 56
473-186- 58
479-134-223
479-655-247
479-716-250
479-792-254
494-346- 7
515-616- 76
523-117-151
1227-375- 5
楊景行明 554-258- 52
楊景辰明 302-319-306
楊景宗宋 288-497-463
400- 39-502
楊景芬宋 1118-942- 64
楊景淳明 532-671- 44
楊景祥隋 481-523-326
楊景略宋 1092-612- 57
1110-564- 33
楊景惠宋 見楊夢符
楊景雄妻 清 見李桂姐
楊景隆宋 529-735- 51
679-525-190
楊景隆明 494- 45- 3
楊景貴清 456-338- 76
楊景復唐 271-128-164
楊景新明 494- 45- 3
楊景學明 494- 54- 2
楊景衡明(瑞安人)
472-1118- 48
473-569- 74
523-496-170
1240-174- 12
1240-225- 15
楊景衡明(永嘉人) 528-449- 29
楊景懷明 494- 45- 3
楊貴亨元 1439-444-附2
楊貴亨明 559-365- 8
楊貴遷宋 1223-536- 10
楊貽業明 571-545- 20
楊華夏妻 明 見滎氏
楊順甫明 1263-539- 6
楊順甫妻 明 見呂氏
楊順成妻 明 見舒氏
楊須跋唐 812-344- 9
821- 41- 46
楊智積蔡王 隋 264-749- 44
267-414- 71
375-550-85下
384-154- 8
477-521-175
478-333-191
478-342-191
554-121- 50
楊循正妻 明 見趙氏
楊循吉明 301-835-286
475-134- 56
511-739-165
679-632-200
1284-146-147
1386-381- 43
1442- 35-附2
1458-193-431
1459-744- 29.
楊循禮元 540-634- 27
楊舜民元 567-445- 86
1467-154- 67
楊舜美明 1255-352- 40
楊舜漁明 511-642-161
楊勝賢明 554-258- 52
559-362- 8
楊勝儒妻 清 見盧氏
楊集始後魏 381-457-195
楊集朗後魏 381-457-195
楊集義後魏 381-457-195
楊進朝清 505-911- 81
楊進道明 547-202-148
楊進禔妻 明 見蔡康娘
楊復光喬復光 唐
271-431-184
276-143-207
384-285- 15
401- 50-574
545-363- 96
楊復恭林復恭 唐
271-432-184
276-152-208
384-289- 15
401- 54-575
楊復義宋 524-295-193
楊復楚明 546-338-126
楊復榮明 1250-1002- 94
楊復榮妻 明 見符氏
楊溥印妻 清 見郭氏
楊意老宋 見楊騫
楊補之宋 見楊旡咎
楊愼交唐 見楊睿交
楊愼交妻 唐 見長寧公主
楊愼名唐 270-282-105

楊愼矜唐 270-282-105
274-673-134
384-202- 11
395-613-236
554-449- 56
933-305- 22
楊愼餘唐 270-282-105
楊義方五代 473-513- 71
591-587- 43
592-646-102
楊義臣尉義臣、尉遲臣 隋
264-921- 63
267-464- 73
379-767-161
379-767-161
384-156- 8
476-258-110
477-521-175
546- 54-116
楊義成宋 1193-201- 29
楊義忠宋 475-608- 81
511-482-155
楊靖郎宋 見楊靖
楊靖娥明 顧文嘉妻
530- 61- 55
楊靖菴妻 明 見蘇洵
楊雍建清 479- 57-219
523-268-158
1318-445- 71
1475-963- 41
楊裔昌妻 清 見劉氏
楊新哥宋 見楊昂
楊新期明 537-249- 55
546-211-122
楊煥文明 1229-759- 9
楊煥袍妻 明 見楊氏
楊煥斌清 524-208-188
楊運長劉宋 258-611- 94
265-1096- 77
381- 13-184
楊運昌清 477-255-161
537-486- 58
楊道夫宋 460-302- 20
529-743- 51
楊道升明 456-608- 9
538- 51- 63
楊道玄元 1221-121- 2
楊道可明 1455-322-210
楊道亨明 1280-428- 87
楊道孚宋 821-206- 51
楊道東明 550-153-21之2
楊道和元 538-348- 70
楊道泰明(諡烈愍) 456-484- 5
楊道泰明(安定人) 456-669- 11
楊道眞元 541- 95- 30
楊道淳清 559-327-7下
楊道圓元 480-442-278
533-790- 75
楊道會明 460-754- 77
523- 56-148
523-177-154
楊道賓明 300-564-216
460-755- 77
481-589-328
676-615- 25
1442- 81-附5
1460-426- 60
楊道選明 456-486- 5
480-319-272
533-392- 60
楊道應明 見楊榮
楊道臨明 456-665- 11
楊遂初明 1237-494- 5
楊載至妻 元 見黃丑
楊載春明 571-545- 20
楊載鳴明 515-710- 79
528-514- 31
1287-541- 23
楊損之宋 1354-762- 42
楊聖言妻 清 見李氏
楊椿壽宋 見楊奇遇
楊楷正清 1328-826- 13
楊瑞枝明 1475-729- 18
楊幹烈金 見楊沃衍
楊辟邪後魏 381-458-195
楊達夫金 291-694-124
400-234-519
478-124-181
554-705- 61
楊達卿宋 529-685- 50
楊達卿明 1237-422- 16
楊達卿妻 明 見阮嫩
楊楚材唐 820-154- 26
楊楙之北齊 472- 84- 3
楊萬大宋 530-204- 60
楊萬言明 456-640- 10
楊萬里宋 288-102-433
400-487-545
471-732- 20
471-771- 25
471-839- 35
472-338- 14
473- 14- 49
473-148- 56
473-165- 57
473-387- 65
473-673- 79
473-682- 79
473-694- 80
475- 18- 49
479-483-239
479-714-250
479-747-251
480-540-283
481-802-338
482- 74-341
511-908-173
515-594- 76
517-438-126
518-764-160
532-716- 45
563-660- 39
674-847- 18
820-434- 35
1375- 33- 下
1394-515- 6
1437- 24-附2
1462-360- 71
楊萬里妻 宋 見羅氏
楊萬春明 481-720-333
528-555- 32
楊萬泉妻 明 見鍾惠
楊萬廉明 529-673- 49
楊萬騰清 456-379- 79
楊照努楊趙奴 金
474-689- 37
502-267- 54
楊嗣光妻 明 見阮氏
楊嗣東清 482-524-367
楊嗣昌明 301-267-252
533-291- 56
1442- 91-附6
楊嗣勃明 511-621-160
楊嗣修明 538-102- 64
楊嗣復唐 271-293-176
275-413-174
384-269- 14
396-164-266
448-120- 0
554-455- 56
563-642- 38
564-825- 60
933-306- 22
楊嗣源清 1475-554- 24
楊嵩齡妻 清 見周氏
楊鼎臣清 479-534-241
516- 91- 90
楊鼎和明 456-443- 3
楊鼎熙明 676- 39- 2
679- 78-146
楊敬之楊敬 唐 275-250-160
384-272- 14
396- 63-257
477-524-175
538-154- 65
820-252- 29
933-306- 22
楊敬直元 472-664- 27
537-397- 57
587-610- 9
楊敬悳元 1439-430-附1
1471-395- 8
楊虞仲宋 592-603- 99
1172-621- 55
楊虞卿唐 271-297-176
275-419-175
384-261- 13
384-272- 14
396-165-266
472-746- 29
537-604- 60
933-307- 22
楊遇春明(諡節愍) 456-553- 7
楊遇春明(陳留人) 554-312- 53
楊遇春明 見楊逢春
楊遇春妻 清 見陳氏
楊傳奇宋 見楊西明
楊傳芳女 明 見楊氏
楊愈奇妻 清 見宋氏
楊愈森妻 清 見向氏
楊愈懋明 478-348-191
554-710- 61

楊筠松唐 516-527-106
楊會英明 456-527- 6
480-413-277
533-401- 61
楊節之宋 1118-999- 68
楊節中明 510-399--115
楊節譽明 516-511-106
楊毓秀明 456-669- 11
楊毓華明 456-643- 10
楊毓楫明 505-666- 69
楊毓蘭清 537-470- 58
楊賓日宋 1185-160- 34
楊賓朝妻 明 見丁氏
楊實卿明 1275-336- 15
楊韶娘明 李舜明妻
530-130- 57
楊福興宋 451-225- 0
楊福興明 1237-518- 6
1218-687- 24
1240-257- 16
1240-295- 19
1240-799- 8
1242-794- 8
楊寧遠明 473-778- 84
567-304- 77
1467-190- 69
楊漸逵清 547- 11-141
楊端本清 554-535-57下
楊端慧元 陸承孫妻
1204-580- 8
楊端儀明 460-573- 57
楊齊姑明 570-169- 22
楊齊宣唐 528-520- 31
楊齊賢宋 478- 89-180
楊說孫宋 524- 62-181
楊說巖元 821-295- 53
楊粹中宋 288-361-452
400-159-513
472- 96- 3
472-569- 24
474-378- 19
476-854-145
505-851- 77
540-670- 27
楊漢公唐 271-298-176
275-421-175
384-272- 14
396-166-266
486- 44- 2
494-291- 4
585-751- 3
820-252- 29
楊漢廷女 清 見楊氏
楊漢英元 見楊賽因布哈
楊榮祖明 545-144- 88
楊榮蔭清 476-210-107
482-433-361
546-223-122
567-153- 69
楊與立宋 460-298- 20
479-333-232
524-332-195
529-743- 51
楊輔世宋 1161- 77- 80
楊輔政明 559-513- 12
楊壽夫楊松 明 460-797- 85
1240-201- 13
1241-683- 15
楊壽孫宋 288-381-454
400-183-514
473-490- 70
481-236-303
楊壽哥宋 見楊大全
楊熙春明 1247-370- 14
楊熙遠妻 明 見何氏
楊爾恪宋 556-722- 98
楊爾淑清 505-816- 74
楊爾第妻 清 見趙氏
楊爾銘明 475-527- 77
510-419-116
楊際可明 1289-265- 16
楊際會明 567-349- 80
1467-247- 71
楊際熙明 567-336- 79
1467-239- 71
楊嘉貞元 473-544- 72
571-555- 20
楊嘉祚明 515-720- 79
820-737- 44
楊嘉猷明 511-713-164
楊嘉禎明～清 479-768-252
515-514- 72
楊趙奴金 見楊照努
楊閨姐清 楊司訓女
506- 20- 86
楊遠條明 506-407-100
楊夢斗楊登 宋(字清叔)
451- 63- 2
楊夢斗宋(字山父) 451- 65- 2
楊夢信宋 528-475- 30
楊夢叟女 清 見楊氏
楊夢符楊景惠 宋451- 97- 3
楊夢弼明 476-334-115
546-412-128
楊夢鼎明 456-640- 10
楊夢熊明 546-606-135
楊夢魁明 楊岳孫 宋
451- 68- 2
楊夢齡宋 529-530- 45
楊鳴高明 483-295-394
572- 89- 29
楊對廷妻 清 見安氏
楊睿交楊璬、楊慎交 唐
269-561- 62
554- 78- 49
1066-197- 18
1342-244-935
楊鳳苞清 538-123- 64
楊鳳珪妻 漢 見助陳
楊鳳翥明 532-649- 43
楊鳳墀明 456-657- 11
楊鳳藻明 532-752- 46
楊銘父妻 明 見邵玉
楊銘鼒妻 清 見王氏
楊僧嗣後魏 381-457-195
楊維世妻 清 見李氏
楊維貞明 見楊維楨
楊維城妻 清 見孫氏
楊維喬清 474-515- 25
505-643- 67
540-858-28之4
楊維新宋 482-237-349
563-693- 39
楊維楨楊維貞、楊維禎 明
301-809-285
472-240- 9
472-1072- 45
475-186- 59
479-236-227
494-434- 13
511-895-172
524- 53-180
585-426- 11
588-180- 8
820-537- 39
1222-109- 5
1229-407- 2
1232-443- 5
1284-346-162
1318-359- 64
1374-383- 60
1375- 36- 下
1408-610-543
1439-451-附2
1458-161-429
1469-443- 55
楊維勤明 558-456- 38
楊維禎明 見楊維楨
楊維熊清 529-723- 51
楊維翰元 524-365-197
821-291- 53
1221-637- 24
楊維聰明 505-801- 74
楊維嶽明 476-310-113
545-409- 98
楊維璧明 559-395-9上
楊維藩明 474-823- 44
502-289- 56
楊肇基明 301-553-270
476-788-141
540-833-28之3
楊綬宗清 456-379- 79
楊廣仁明 472-678- 27
473- 64- 51
515-874- 86
537-256- 55
楊慶郎宋 見楊庭堅
楊慶崇宋 1173-108- 70
楊慶源元 1439-443-附2
楊霄遠明 515-272- 65
楊樗年宋 451-134- 2
510-344-114
1170-752- 33
楊璆姬明 821-493- 58
楊震生清 533-114- 50
楊震式楊澄 宋 451- 70- 2
楊震仲宋 288-316-449
400-137-511
473-435- 67
473-446- 68
478-245-186
481- 80-294

481-153-298
554-246- 52
559-503- 12
559-512- 12
591-571- 42
楊震發宋 492-713-3下
楊震裔妻 明 見王氏
楊模聖清 482-226-348
511-354-149
563-882- 42
楊履正宋 460-288- 18
楊蓮原妻 清 見俞氏
楊餘蔭明 564-161- 45
楊儀之唐 473-333- 63
532-567- 40
1073-517- 20
1074-343- 20
1075-299- 20
楊儀之宋 見楊徽之
楊德中明 1229-266- 8
楊德本唐 812-351- 10
821- 42- 46
楊德同明 1239- 79- 32
楊德宏妻 清 見余氏
楊德周明 676-629- 26
楊德政明 1442- 78-附5
1460-392- 58
1474-537- 27
楊德修明 480-243-269
532-670- 44
楊德清宋 1147-553- 52
楊德深隋 474-468- 23
楊德紹唐 812-344- 9
821- 41- 46
楊德裔唐 1065-267- 9
1342-354-950
楊德裔妻 唐 見李氏
楊德幹唐 271-570-190上
275-652-197
472-694- 28
554-266- 53
楊德誠元 1206-677- 2
楊德榮元 1202- 74- 6
楊德懋元 511-838-168
楊德蘭明 512-459-188
楊魯士楊殷士 明
271-299-176
楊龍偉宋 515-338- 67
楊凝式後周 278-412-128
279-217- 35
407-644- 1
478-345-191
494-515- 25
554-853- 63
813-306- 19
814-280- 10
820-311- 31
933-308- 22
楊遵勗遼 289-699-105
399- 62-422
472- 34- 1
505-718- 71
楊燕奇唐 478-344-191
587-714- 17
1073-560- 24
1074-394- 24
1075-345- 24
1355-608- 20
1378-503- 59
1383-142- 11
1410- 45-668
楊樹兒唐 812-347- 9
821- 88- 48
楊樹烈明 456-549- 7
570-127-21之1
楊樹敏妻 清 見黃氏
楊翰烈金 見楊沃衍
楊璞齋妻 明 見周氏
楊豫孫明 457-442- 27
楊蕙孃楊曉英 明
820-740- 44
楊冀安明 472-207- 7
511-351-149
楊興宗宋 460-135- 8
460-426- 32
481-747-334
529-641- 48
楊興宗金 1365-262- 8
1445-480- 35
楊興旺明 456-682- 11
481-454-318
楊曉英明 見楊蕙孃
楊噶理金 見楊沃衍
楊遺直妻 宋 見長孫氏
楊積中宋 見申積中
楊積石明 456-666- 11
楊學文元 1238-637- 20
楊學孔明 532-710- 45
楊學可明 561-470- 43
1381-720- 51
楊學佐妻 清 見陳壬使
楊學泗清 479-248-228
524-141-185
楊學程明(陝西漢中人)
545-250- 92
楊學程明(西鄉人) 554-348- 54
楊學詩明 820-750- 44
821-448- 57
楊學顏女 清 見楊二姑
楊學禮明 1460- 75- 43
楊儒秀梁儒秀 明456-461- 4
楊儒魯明 554-258- 52
楊賽姑明 481-337-308
楊應元妻 明 見解氏
楊應元清 456-338- 76
楊應辰楊眞惠 宋451- 53- 2
楊應奇 明 1458-721-474
楊應明妻 明 見侯氏
楊應祈明 511-546-158
楊應春明(仙遊人) 456-682- 11
楊應春明(長壽人) 559-354- 8
楊應奎明(字星岳) 533-435- 62
楊應奎明(字文煥)
540-800-28之3
820-672- 42
楊應時妻 明 見張氏
楊應卿明 529-677- 49
楊應能明 570-214- 23
楊應宿明 570-124-21之1
楊應詔明 457- 45- 2
460-803- 86
529-745- 51
楊應登宋 1365-608- 下
楊應登明 559-321-7上
楊應鈞妻 明 見鍾三姐
楊應詢宋 286-653-350
397-706-362
472- 51- 2
473-432- 67
474-166- 8
474-236- 12
505-654- 68
559-343- 8
591-572- 42
1127-149- 8
楊應廉宋 473- 96- 53
515-183- 62
楊應聘明(字行可) 511-353-149
楊應聘明(字志尹) 523-122-151
楊應禎明 456-665- 11
楊應寧母 明 見張氏
楊應夢妻 宋 見鄭氏
楊應魁清(號斗垣) 478-771-215
523- 66-149
楊應魁清(滿州人)
559-327- 7下
楊應魁清(射洪縣人)
559-413-9下
楊應標清 1475-609- 26
楊應震明 532-710- 45
554-518-57下
楊應龍宋 493-962- 51
楊應龍明(播州土司)
302-462-312
560-603-29下
591-486- 37
楊應龍明(杞縣人) 458-171- 8
楊應霑明 559-270- 6
572-102- 30
楊應儒明 554-289- 53
楊應獬女 明 見楊文儷
楊應鍔清 見楊應鶚
楊應壁明 547- 97-144
楊應鶚楊應鍔 清
483-149-381
483-249-391
570-218- 23
楊應麟清 572-111- 30
楊甑生後魏 262-106- 73
楊濟之明 456-610- 9
楊謙之元 1203-380- 28
楊戴鳴明 563-781- 40
楊懋臣明 1229-189- 4
楊懋昭元 1221-484- 11
楊懋經清 523-551-173
楊懋學妻 明 見湯氏
楊翼之宋 532-717- 45
楊聯芳明(字薌苑) 529-573- 46
680-255-250
楊聯芳明(寧鄉人) 547- 47-142
楊聯芳妻 明 見令狐氏
楊鍾岳清 564-302- 48

楊鍾蘲妻 清 見謝氏
楊徽之楊儀之 宋
285-715-296
371-126-13
384-328-17
397-156-329
450-711-7
460-180-11
460-183-11
471-660-11
471-954-52
473-523-72
473-600-76
478-199-184
479-610-244
481-674-331
516-216-96
529-591-47
933-309-22
1086-488-11
1092-543-51
1174-398-26
1437-7-附1
楊徽之女 宋 見楊氏
楊歛娘明 李舜元妻
530-130-57
楊額理清 455-115-4
楊謹行明 472-827-33
473-316-62
532-731-46
楊禮珪漢 陳省妻、楊元珍女
555-5-66
879-182-58下
楊翹瀛明 569-662-19
楊曜宗明 820-576-40
楊瞿崍明 676-11-1
677-683-61
楊鎮原明 476-205-107
545-346-96
楊歸厚唐 820-230-28
楊歸儒明 537-523-59
楊繡徵明 456-668-11
554-727-61
楊譚眞五代 547-490-159
楊懷玉明 570-156-21之2
楊懷忠宋 481-67-293
559-262-6
楊懷忠明 1242-762-6
楊懷賓唐 472-931-37
楊懷遠清 511-684-163
楊難當劉宋 258-661-98
262-459-101
267-822-96
381-455-195
楊難敵晉 258-659-98
262-458-101
381-454-195
楊麗華北周 周宣帝后、楊堅女 263-471-9
266-299-14
373-114-20
554-19-48
楊攀桂明 547-517-160
楊曠欽妻 清 見陳氏
楊羅漢唐 547-487-159
楊繩武明(字念爾) 301-403-259
483-171-383
537-222-54
545-121-86
570-114-21之1
楊繩武明(字昌倩) 515-438-70
楊繩祖妻 清 見林氏
楊寶初元 1214-241-20
楊寶實唐 1223-536-10
楊獻策清 529-723-51
楊騰龍明 559-396-6上
楊繼文明 567-344-79
1467-239-71
楊繼生清 481-157-298
481-525-326
528-466-29
559-533-12
楊繼先元 1210-686-14
楊繼宗明 299-568-159
453-476-19
453-632-22
472-28-1
472-505-21
472-963-38
474-94-3
476-207-107
478-767-215
482-539-368
505-635-67
523-43-148
546-196-122
549-438-197
585-381-7
楊繼芳清 510-492-118
楊繼周妻 明 見黃氏
楊繼思明 524-213-188
楊繼孫元 1208-280-13
楊繼盛明 300-450-209
458-756-4
474-244-12
476-659-135
478-485-199
504-110-7
505-844-76
506-404-100
506-406-100
558-179-31
676-580-24
1278-663-3
1278-680-4
1278-692-4
1278-696-4
1280-583-99
1285-316-10
1410-405-217
1442-60-附4
1457-636-401
1458-595-462
1460-186-48
楊繼盛妻 明 見張氏
楊繼盛女 明 見楊氏
楊繼業宋 見楊鄴
楊繼震女 清 見楊氏
楊繼勳宋 471-977-56
473-536-72
楊鶴年清 475-797-90
502-689-81
510-488-118
楊鶴齡清 481-721-333
528-556-32
楊魔頭明 547-480-159
楊囊察明 570-193-22
楊續曾妻 清 見王氏
楊懿儒宋 485-190-25
493-924-50
511-832-168
1130-328-33
楊權思明 547-19-141
楊顯民元 515-346-67
楊顯德妻 明 見彭氏
楊體秀明 821-394-56
楊靈萴唐 1342-422-959
楊觀春宋 563-673-39
楊多爾濟楊朵兒只 元
295-417-179
399-713-491
478-598-204
558-375-36
1207-231-16
1367-866-66
楊多爾濟妻 元 見劉氏
楊朵兒只元 見楊多爾濟
楊那羅延隋 見隋文帝
楊阿噔啜五代 見楊瑊
楊格濟格元 見楊濟智格
楊傑只哥元 見楊濟智格
楊濟智格揚巴圖、揚葛濟格、楊巴圖、楊格濟格、楊傑只哥 元 295-73-152
399-433-459
474-180-8
楊賽因布哈楊漢英 元
295-252-165
399-601-479
473-544-72
483-397-403
571-555-20
1203-348-26
1223-541-10
楊安扎爾布哈元
1211-221-31
楞柱清 455-571-37
楞特清 455-332-20
楞格理楞額禮 清
455-143-6
474-758-41
502-454-69
楞僧吉清 455-363-22
楞額禮清 見楞格理
楞伽貧女 宋 見伴娘
碭魯漢 540-660-27
瑕周 見周昭王
瑕丘周 538-339-70
瑕更漢 933-298-21
瑕倉漢 見假倉
瑕禽春秋 933-298-21
瑕飴春秋 見瑕呂飴甥

瑕嘉詹嘉 春秋 545-727-109
933-298- 21
瑕丘仲唐 474-522- 25
505-939- 85
1058-496-上
1061-250-108
瑕叔盈春秋 404-848- 53
瑕丘江公漢 251-115- 88
380-257-172
675-277- 11
瑕呂飴甥呂省、呂甥、呂飴甥、陰瑕呂、瑕飴 春秋
375-721- 90
384- 19- 1
384- 21- 1
404-774- 47
448-160- 7
472-459- 20
546-236-123
1407- 78-402
瑛宋 820-468- 36
較氏明 雷同妻 555- 43- 66
搜諸若鞮單于漢 見且麋胥
楚文宋 1053-808- 19
楚王漢 見劉戊
楚王漢 見劉交
楚王漢 見劉英
楚王漢 見劉郢
楚王漢 見劉禮
楚王漢 見劉囂
楚王漢 見劉延壽
楚王漢 見韓信
楚王魏 見曹彪
楚王晉 見司馬瑋
楚王後魏 見托跋建
楚王唐 見李祐
楚王唐 見李寬
楚王唐 見李智雲
楚王後晉 見石重信
楚王後蜀 見蜀睿文英武仁聖明孝帝
楚王十國楚 見馬殷
楚王宋 見高遵甫
楚王宋 見高繼勳
楚王宋 見趙似
楚王宋 見趙元佐
楚王宋 見趙元偁
楚王宋 見趙德芳
楚王金 見完顏宗雄
楚王元 見托里特穆爾
楚王元 見伊克圖
楚王明 見朱均鈋
楚王明 見朱孟烷
楚王明 見朱季堄
楚王明 見朱榮滅
楚王明 見朱顯榕
楚尹春秋 933-656- 36
楚氏明 高安妻 472-685- 27
477- 93-153
楚氏明 彭萬忠妻 480-639-288
楚氏清 陳其敬妻 482-566-369
楚丘春秋 933-565- 36
楚安五代 812-501-下
812-530- 2
821-102- 48
楚材宋 1053-653- 15
楚明宋 588-206- 9
1053-698- 16
楚金唐 683-291- 11
820-298- 30
1052-345- 24
楚岳明 472-999- 40
523-118-151
楚依清 454-426- 30
楚玠元 295-264-166
楚南唐 524-383-198
588-264- 11
1052-242- 17
1053-166- 4
1054-139- 3
楚珍宋 820-474- 36
楚衍宋 288-477-462
477-209-159
538-353- 71
楚庫清 455-204- 10
楚書明 545-192- 90
558-377- 36
楚清宋 1053-758- 18
楚產妻 清 見劉氏
楚偃宋 1467- 43- 63
楚隆春秋 404-787- 48
楚勛宋 1053-344- 8
楚智明 299-362-142
456-695- 12
楚煙明 302- 44-291
456-523- 6
476-866-145
楚瑁明 545-227- 91
楚楞清 456-117- 58
楚圓宋 567-468- 87
1052-732- 21
1053-465- 12
1054-170- 4
1054-619- 18
1116-395- 19
1467-530- 12
楚鼎元 295-264-166
399-609-480
楚樟明 472-577- 24
476-865-145
楚蒲清 456-291- 72
楚巒前蜀 見曉巒
楚子麇郟敖、麇 春秋
384- 11- 1
404-271- 16
楚心孟清 532-674- 44
楚文王春秋 371-357- 17
384- 10- 1
404-260- 15
楚文王夫人 春秋 見息嬀
楚之奇妻 清 見李氏
楚平王春秋 244-129- 40
371-367- 17
384- 11- 1
404-273- 16
楚平王夫人 春秋
405- 82- 61
楚平王夫人 春秋 見伯嬴
楚共王春秋 371-361- 17
384- 11- 1
404-268- 16
楚共王夫人 春秋 見秦嬴
楚成王春秋 244-124- 40
371-357- 17
384- 10- 1
404-262- 15
楚成王夫人 春秋 見鄭瞀
楚成王夫人 春秋 見鄭二姬
楚武王春秋 244-124- 40
371-356- 17
404-260- 15
楚武王夫人 春秋 見鄧曼
楚芝蘭宋 288-467-461
538-362- 71
楚宣王戰國 371-372- 17
384- 11- 1
楚哀王戰國 384- 11- 1
楚威王熊商 戰國
371-372- 17
488- 70- 6
楚建中宋 286-403-331
397-510-350
471-920- 48
472-324- 14
472-749- 29
475-698- 86
476-112-102
478-417-195
508-350- 42
510-462-117
537-510- 59
545-368- 97
554-332- 54
1104-663- 12
1142-176- 22
楚昭王春秋 244-132- 40
371-368- 17
384- 11- 1
404-274- 16
楚昭王夫人 春秋 見貞姜
楚昭王夫人 春秋 見越姬
楚昭王明 見朱楨
楚昭輔楚照輔 宋
285-171-257
371- 93- 9
382-176- 25
384-325- 17
396-503-300
472-681- 27
477-128-155
537-424- 58
楚幽王戰國 384- 11- 1
488- 70- 6
楚荊瑞明 537-601- 60
楚商梁周 839- 13- 2
楚悼王戰國 371-371- 17
楚康王春秋 371-363- 17
384- 11- 1
404-270- 16
楚執柔宋 475-214- 60

510-359-114
楚莊王春秋 244-125- 40
371-359- 17
375-591- 86
384- 11- 1
386-628- 5
404-263- 15
1112-643- 7
楚莊王夫人 春秋
405- 81- 61
楚莊王夫人 春秋 見樊姬
楚惠王春秋 244-133- 40
371-371- 17
384- 11- 1
404-276- 16
楚隆阿清 455-412- 25
楚隆格清 455-637- 44
楚肅王戰國 371-372- 17
楚陽阿清 455-294- 17
楚照輔宋 見楚昭輔
楚鳳苞明 456-523- 6
楚穆王春秋 244-125- 40
371-357- 17
384- 11- 1
404-263- 15
楚簡王戰國 371-371- 17
楚懷王熊槐 戰國
244-135- 40
371-372- 17
375-597- 86
384- 11- 1
404-277- 16
488- 70- 6
537- 73- 49
楚繼功明 301-576-271
456-458- 4
楚靈王春秋 244-127- 40
371-364- 17
384- 11- 1
404-271- 16
楚王負芻戰國 371-379- 17
384- 11- 1
488- 70- 6
楚江漁者唐 473-301- 62
533-338- 58
楚考烈王熊元、熊完 戰國
371-379- 17
384- 11- 1
404-280- 16
488- 70- 6
554-878- 64
楚考烈王后 戰國 見李后
楚狂接輿春秋 見接輿
楚頃襄王熊横 戰國
244-139- 40
371-377- 17
375-601- 86
384- 11- 1
404-279- 16
488- 70- 6
楚頃襄王夫人 戰國 見莊姪
楚國公主唐 見李上善
楚齊格爾珠勒齊格爾 元
294-269-122
399-347-449
楚爾噶岱清 456-267- 70
楚穆特穆清 456-176- 63
達五代 1053-335- 8
達明 1241-301- 13
達斗清 455-578- 38
達巴清 455- 77- 2
達什清(博爾濟吉特氏)
454-686- 76
達什清(瓜爾佳氏) 455-119- 4
達什清(富察氏) 455-451- 27
達瓦清 500-727- 37
達古清(伊爾根覺羅氏)
455-246- 13
達古清(富察氏) 455-451- 27
達色清(富察氏) 455-448- 27
達色清(剛氏) 456-369- 78
達色清(諾門額爾合圖弟)
496-219- 76
達成清(徐吉氏) 456-118- 58
達成清(史氏) 456-381- 79
達空宋 1136-671- 10
達卓清 455- 70- 2
達杲宋 1053-756- 18
達金清 455-448- 27
達岱清(富察氏) 455-450- 27
達岱清(鑲白旗人) 502-743- 85
達音清 456-162- 62
達春元(呼喇濟子) 294-205-117
395-206-199
達春塔出 元(扎拉爾氏)
294-403-133
399-536-473
474-732- 40
502-274- 55
達春塔出 元(保喇子)
294-432-135
399-673-487
479-449-237
515- 22- 57
達春清 455-247- 13
達括清 455-154- 6
達哈打哈 明 496-630-106
達拜清 455- 78- 2
達海清(瓜爾佳氏) 455- 78- 2
達海清(馬佳氏) 455-170- 7
達海清(烏納特氏) 456-269- 70
達海清(謚文成) 474-763- 41
502-559- 74
1312-922- 15
達素清 474-772- 41
502-443- 68
達泰明 515-274- 65
達格清 455- 57- 1
達珠宋 1053-708- 16
達哩清 454-562- 57
達納元 585-399- 9
達都清(正白旗人) 455- 86- 3
達都清(鑲白旗人) 455-119- 4
達都清(武爾格齊氏)
456- 84- 56
達連明 547-488-159
達敏清(瓜爾佳氏) 455- 43- 1
達敏清(佑祜魯氏) 456- 8- 50
達雲明 301- 68-239
478-637-206
558-161- 30
558-365- 35
達登清 456-192- 65
達進清 455-163- 7
達瑚清 455-136- 5
達節清 456-373- 78
達實遼 383-765- 19
達實元 479-821-256
515-270- 65
達福清 455-202- 10
達犖清 456-256- 69
達漢清 455-118- 4
達漫泥撅處羅可汗、曷薩那可汗
隋 264-1159- 84
267-889- 99
381-669-200
384-295- 15
達摩梁 見菩提達磨
達賚清 455- 75- 2
達賚清(科都氏) 456- 45- 53
達賚清(完顏氏) 456-243- 68
達魯荅魯、答魯 金
474-689- 37
502-267- 54
達磨梁 見若提達磨
達賴清(佟佳氏) 455-314- 19
達賴清(兀札喇氏) 455-484- 30
達賴清(鑲黃旗人) 456-199- 66
達賴清(鑲藍旗人) 456-202- 66
達賴清(烏齊喜特氏)
456-238- 68
達賴清(博爾濟氏) 456-253- 69
達賴清(瑪爾吉特氏)
456-264- 70
達賴清(正紅旗人) 502-603- 76
達翰清 455-118- 4
達顏清 454-754- 84
達禮清(烏爾漢氏) 456- 43- 53
達禮清(錫喇圖氏) 456-285- 71
達藍清 455-195- 9
達耀清 456-145- 60
達蘇清 456-109- 57
達蘭鐵連 元 476-394-119
達蘭清(瓜爾佳氏) 455- 47- 1
502-729- 84
達蘭清(赫舍里氏) 455-200- 10
達蘭清(吹霍克親氏)
456-242- 68
達觀宋 1183-156- 10
達士希清 455- 76- 2
達巴海清 456-220- 67
達巴鼐清 456- 37- 52
達什哈清 455-558- 36
達什泰清 455-467- 28
達瓦齊清 454-921-111
500-726- 37
達古善清 455- 42- 1
達布哈元 見台哈布哈
達布哈清 455-504- 31
達布祿清 455-573- 37
達布漢清 455-285- 16

達克斗清 455-694-49
達克巴清 500-727-37
達里虎佛保、達里胡 清 1321-21-86
達里虎妻 清 見錫克特勒氏
達里胡清 見達里虎
達谷尼清 455-217-11
達希布清 455-415-25
達邦阿清 455-45-1
達其道明 505-824-75
達拉哈元 見哈喇哈斯
達拉哈清 455-412-25
達拉密清 455-46-1
502-477-69
達音布清 455-210-11
502-733-84
達思漢清 455-133-5
達哈那清(伊拉理氏) 455-667-47
達哈那清 456-146-60
達哈納清 456-320-75
達哈塔清 1325-296-附
達哈禪清 455-558-36
達兼善明 524-338-195
達格色清 455-618-42
達珠瑚清(兆佳氏) 455-503-31
474-758-41
502-750-85
達珠瑚清 455-526-33
達奚武北周 263-549-19
267-334-65
379-523-158
384-141-7
476-257-110
478-333-191
545-451-99
546-46-116
552-44-19
554-119-50
933-797-58
達奚明隋 475-271-63
510-369-114
達奚寔達奚實 北周 263-644-29
267-347-66
379-636-158
544-214-62
達奚惎北周 267-335-65
546-52-116
552-47-19
達奚實北周 見達奚寔
達奚震北周 263-551-19
267-335-65
379-625-158
478-333-191
546-52-116
554-119-50
達納渾清 455-451-27
達清阿清 456-101-57
達密善清(納喇氏) 455-403-24
達密善清(薩克達氏) 455-551-35
達理善清(諡勇烈) 502-473-69
達理善清(正藍旗人) 502-568-74
達都瑚清 456-253-69
達都爾清 456-239-68
達勒巴元 1054-765-22
達崇阿清 455-504-31
達費音清 455-137-5
達雅理清 455-383-23
達雅齊清 456-225-67
達隆阿清(赫舍里氏) 455-201-10
達隆阿清(佟佳氏) 455-336-20
達斯環清 456-100-57
達揚阿清 455-662-46
502-517-71
達喇齊妻 遼 見耶律長壽
達楚喀清 456-64-54
達達布清 456-173-63
達實密元(諡忠惠) 1201-524-13
達實密元(諡忠亮) 1209-614-10上
達齊里清 455-569-37
達齊納清 455-402-24
達瑪璘清 454-847-99
達爾扎清(額琳沁從子) 454-494-44
達爾扎清(青海土爾扈特人) 454-777-89
達爾丹清 455-597-40
達爾布清(瓜爾佳氏) 455-90-3
達爾布清(烏蘇氏) 455-567-37
達爾布清(烏札拉氏) 502-737-84
達爾休清 455-505-31
達爾罕元 1367-278-23
達爾岱清(拖活絡氏) 455-695-49
達爾岱清(鑲藍旗人) 502-580-75
達爾侃清(瓜爾佳氏) 455-56-1
達爾查清 456-387-80
達爾泰清 455-315-19
達爾珠清 502-583-75
達爾球清 455-485-30
達爾都清 455-438-26
達爾就清 455-205-10
達爾華清 455-490-30
達爾瑚清 456-174-63
達爾楚清 455-530-33
達爾察清 455-479-29
達爾齊清 455-95-3
達爾漢清(瓜爾佳氏) 455-119-4
達爾漢清(伊爾根覺羅氏) 455-256-14
達爾漢清(納喇氏) 455-370-23
達爾漢清(溫特赫氏) 456-11-50
達爾漢清(烏齊喜特氏) 456-238-68
達爾漢清(郭絡羅氏) 474-758-41
502-557-74
達爾瑪答里麻 元 294-536-144
400-6-499
474-94-3
475-871-95
476-477-125
481-492-324
502-277-55
540-615-27
達爾瑪清 455-337-20
達爾寬清 455-264-15
達爾濟清 456-128-58
達爾禪清(瓜爾佳氏) 455-71-2
達爾禪清(赫舍里氏) 455-188-9
達蒙阿清 455-99-3
達魯哈清 502-739-84
達濃阿清 456-124-58
達穆巴清 496-216-76
達濟哈清 455-512-32
達禮庫清 456-103-57
達禮渾清 456-133-59
達禮瑚清 455-403-24
達蘭轄清 455-671-47
達巴爾漢清(鑲黃旗人) 455-437-26
達巴爾漢清(正白旗人) 455-448-27
達什丕勒清 454-531-51
達什車淩清 454-756-84
達瓦藏布清 500-727-37
達布當阿清 455-659-46
達年扎里唐 見李懷秀
達年札里唐 見李懷秀
達年達薩元 294-543-144
400-275-522
達年蘇爾唐 見李懷秀
達克達禮清 455-280-16
達克薩喀清 502-532-72
達思布煥清 456-339-76
達哩默色元 見德呼默色
達奚長儒達奚長孺 隋 264-828-53
267-455-73
379-758-161
476-257-110
478-266-187
480-239-269
532-563-40
546-52-116
933-797-58
達奚長孺隋 見達奚長儒
達奚思敬唐 1342-200-930
達奚康生後魏 見奚康生
達都瑚理清 456-265-70
達普唐阿清 455-494-30
達斯布哈元 532-683-44
達瑚巴顏清 455-211-11
達實布哈塔失不花 元 474-741-40
502-378-63

達實林牙遼 407-700- 1
達實瑪勒元 545-392- 97
達爾巴齊清 455- 66- 2
達爾巴圖清 454-620- 66
達爾布哈清 455-694- 49
達爾邦阿清 455-246- 13
達爾胡齊清 455- 73- 2
達爾濟雅清 454-560- 56
達爾蘇喀清(富察氏) 455-450- 27
達爾蘇喀清(瓦爾喀人) 456- 20- 51
達摩流支法希、菩提流支、菩提留支、菩提流志、道希、達磨流志、覺愛 唐 533-753- 74
820-119- 25
1051-165- 6
1051-233- 9
1052- 27- 3
1054-109- 3
1054-463- 13
達摩笈多法密、法藏 隋 1051-189- 7
達摩掬多唐 1052- 14- 2
達摩摩提法意 齊 1051-153- 6
達魯與權明 見達魯特與權
達磨流志唐 見達摩流支
達磨普贊唐 見達磨贊普
達磨菩提浩覺 後魏 1051-170- 6
達磨闍那法智 隋 1051-180- 7
達磨贊普達磨普贊 唐 276-293-216下
384-295- 15
達賴古爾清 502-449- 68
達頭可汗隋 見玷厥
達穆扎納清 455-591- 39
達穆松阿清 455-591- 39
達蘭布哈元 400-269-521
達什朋素克清 454-623- 67
達什敦多布清 454-780- 90
達什敦多克清 454-844- 98
達什達爾扎清 496-218- 76
達古山巴顏清 455-132- 5
達古理哈理清 455-615- 42
達理馬識禮元 517-733-133
達實巴圖爾元 294-513-142
400- 16-500
達實巴圖嚕元 532-586- 41
達實帖木兒元 見達實特穆爾
達實特穆爾元(字原理) 294-495-140
達實特穆爾達實帖木兒 元(字九成) 294-500-140
399-789-498
820-521- 38
達實特穆爾元(寧夏人) 505-690- 70
達實特穆爾元(尚公主) 517-498-128
達實特穆爾元(瀚海人) 1200-684- 51
達漢法克什清 455-305- 18
達瑪干公主元 察呼妻 544-240- 63
達瑪琳扎布清 454-575- 59
達爾瑪巴拉元 294-198-115
395-213-200
達爾瑪什哩清 454-478- 41
達爾瑪達都清 454-363- 19
達爾瑪實哩達禮麻識理 元(字遵道) 294-549-145
496-380- 86
400- 9-499
505-633- 67
達爾瑪實哩元(高昌人) 515-147- 61
達幹達實哩倒瓦剌失里、倒瓦答失里 明 302-782-329
達魯特兼善元 523- 30-147
達魯特與權答祿與權、達魯與權 明 299-285-136
452-258- 8
458-155- 8
472-751- 29
537-515- 59
676-463- 17
1318-366-64
達禮麻識理元 見達爾瑪實哩
達蘭特穆爾朶蘭帖木兒 496-627-106
達木巴都噶爾清 500-725- 37
達音齊札斯丁元 見賽音諤德齊沙木斯鼎
達瑪璘色布騰清 454-769- 87
達爾瑪吉爾迪元 1194-639- 9
達爾漢哈丹巴圖魯清 見訥們
裘治宋 486-544- 7
裘尚晉 524-201-188
裘琅清 515-458- 70
裘賢明 473-701- 80
裘日修清 479-497-239
裘兆錦明 523-539-172
裘仲容宋 486-544- 7
524-132-185
裘承詢宋 288-410-456
400-299-524
479-234-227
524-202-188
裘忠廉明 524-147-185
裘致中妻 明 見潘氏
裘俶誠清 524-179-187
裘聖僧明 524-428-200
裘萬頃宋 473- 22- 49
515-328- 67
518-765-160
676-131- 5
676-687- 29
871-894- 19
1169-455- 3
1180-336- 31
1364- 57-252
1437- 27- 2
裘興仁元 1197-774- 81
槩齊物槩濟物、暨齊物、暨濟物 五代 479- 74-219
524-384-198
587-437- 5
槩濟物五代 見槩齊物
蔿周 383-188- 20
蔿子春秋 見薳子馮
蔿章春秋 見薳章
蔿掩春秋 見薳掩
蔿敖春秋 見蔿艾獵
蔿國春秋 404-485- 28
蔿馮春秋 見薳子馮
蔿賈春秋 375-845- 92
384- 25- 1
405- 2- 56
533-123- 51
933- 71- 4
蔿艾獵母 春秋 448- 28- 3
542- 81- 2
512- 1-176
533-503- 66
蔿艾獵孫饒、孫叔敖、蔿敖 春秋 244-843-119
251-702- 34
375-846- 92
380-150-169
384- 25- 1
386-629- 5
405- 2- 56
448-178- 11
448-287- 上
471-936- 50
472-193- 7
472-640- 26
472-791- 31
473-295- 62
510-273-112
533-124- 51
534-802-112
537-369- 57
681-474- 3
933- 71- 4
933-195- 14
933-196- 14
1332-714- 18
1397-594- 28
1409-716-648
萬文明 479-181-225
523-374-164
526-257-266
萬文女 明 見萬齡
萬木明 302- 16-289
479-491-239
515-388- 68
萬中明 483- 32-371
569-661- 19
萬化明 554-258- 52
萬氏宋 王輔妻、萬勇女

1139-871- 15
萬氏宋 吳之才妻 1159- 44- 4
萬氏元 李君問妻 1439-461- 2
萬氏明 王佐妻 472-667- 27
萬氏明 王受之妻 482- 41-340
萬氏明 安節備妻 541- 66- 29
萬氏明 明憲宗貴妃 299- 14-113
萬氏明 姚守中妻 302-247-303
475-813- 91
萬氏明 徐光鼎妻 483-118-379
萬氏明 張采妻 480- 96-262
萬氏明 陳大韶妻 533-700- 72
萬氏明 閔邦燦妻、萬獻女 516-237- 97
萬氏明 楊洪柱妻 480- 97-262
萬氏明 鄧梧妻 473- 32- 49
萬氏明 戴樞妻 480-208-267
萬氏明 羅元方妻 473-118- 54
萬氏明 卜燦妻 512-274-183
萬氏清 朱統鈾妻 479-500-239
萬氏清 黃大用妻 479-562-242
萬氏清 程天成妻 480- 97-262
萬氏清 鄒福生妻 474-195- 9
萬氏清 趙壥妻 474-590- 30
506-160- 90
萬氏清 熊景華妻 479-583-243
萬介萬驥哥 宋 448-364- 0
萬布清 456- 70- 55
萬白明 1442- 6-附1
萬安明(字循吉) 299-673-168
452-147- 2
萬安明(京山人) 523-245-157
萬衣明 516-133- 92
676-576- 23
1442- 58-附3
萬吉明 1276-461- 11
萬卉明 570-249- 25
萬回唐 見萬迴
萬任明 572- 84- 28
萬全明 533-774- 74
萬年漢 554-213- 26
萬言女 明 見萬考英
萬言清 524- 49-180
萬迅清 1327-291- 13
萬庚宋 524- 83-182
萬武明 479-181-225
523-374-164
1474-553- 28
萬表明 457-209- 15
479-185-225
523-537-172
581-691-115
676-554- 22
680-316-257
1442- 68-附4
1460-307- 54
1474-241- 11
萬岩明 1283-479-104
萬昂妻 明 見王氏
萬金明 見力金
萬宣明 477-442-171
537-339- 56
萬拱明 533-780- 74
萬玶妻 宋 見朱氏
萬勇女 宋 見萬氏
萬貞宋 533-302- 57
萬昱妻 金 見范氏
萬岠明 456-495- 5
558-424- 37
萬英明(字靜善) 1242- 77- 26
萬英明(字世才) 1245-404- 18
萬迪明 473-694- 80
482-115-343
563-779- 40
萬信明 472-646- 26
537-247- 55
萬容明 570-113-21之1
萬泰明 1442-109- 附7
萬恭明 300-669-223
475-873- 95
479-492-239
515-401- 69
545- 88- 85
580-421- 27
676-579- 24
萬彧吳 515-128- 61
萬砥明 559-271- 6
萬桂妻 明 見劉氏
萬振齊 516-413-103
588-308- 2
萬迴萬回 唐 477-527-175
538-350- 70
554-948- 65
1052-257- 18
1054-106- 3
1054-454- 12
萬修漢 252-591- 51
376-592-106
384- 56- 3
472- 84- 3
472-830- 33
478- 96-180
552- 18- 18
554-548- 58
933-673- 45
萬清元 515-833- 83
萬章戰國 405-456- 85
491-791- 6
539-498-11之2
萬章漢 376-613-106
萬祥明 567-320- 78
1258-645- 15
1467-207- 69
萬規宋 524-228-189
萬通明 302-196-300
萬晞齊 479-498-239
516-228- 97
萬凰明 477-549-176
萬敏明 515-400- 69
萬斌明 479-181-225
523-374-164
萬喜明 302-196-300
萬盛明 474-184- 9
505-895- 80
萬琛明 302- 9-289
472-360- 15
475-609- 81
479-821-256
511-483-155
515-275- 65
萬貴明 302-196-300
萬祺明 473- 25- 49
515-370- 68
萬煜明 563-826- 41
萬煒明(尚瑞安公主) 299-112- 121
萬煒明(字闇卿) 515-419- 69
萬廉明 515-883- 86
萬瑄明 547-561-161
萬敬妻 明 見史氏
萬傳妻 明 見張氏
萬節葛節 明 473-153- 56
515-664- 77
676-480- 18
1442- 22-附2
1459-591- 21
萬賓唐 820-283- 30
萬福明 515-377- 68
萬齊唐 524- 31-179
萬榮唐 276-336-219
萬輔明 559-347- 8
萬聚元 515-219- 63
萬綺明 1259-186- 14
萬綸明 570-121-21之1
萬潮明 300-109-189
479-491-239
515-385- 68
554-188- 51
567-122- 67
676-544- 22
1467-100- 65
萬慶明 511-374-150
萬適宋 288-426-457
401- 15-569
472-659- 27
477-452-171
538-167- 66
萬億宋 515-268- 65
萬質明 523-247-157
萬縉實都爾 元 541-117- 32
萬燝明 301-168-245
458-224- 4
479-494-239
515-430- 70
1442- 92-附6
1460-530- 66
萬鋼明 515-358- 68
萬禧明 1474-555- 28
萬濟宋 821-246- 52
萬鍾宋 494-427- 13
萬鍾明 479-181-225
523-374-164
萬鍾女 明 見萬義顒
萬鍔宋 517-341-124
528-505- 31
萬鎭宋 480-464-279
533-278- 56
679-534-191
萬簡唐 820-168- 27

萬攀漢 933-673-45
萬鵬明(字子仲) 473-270-61
533-478-64
萬鵬明(武進人) 523-161-153
523-248-157
萬鏜明 300-324-202
473-29-49
515-381-68
676-534-21
萬齡明 萬文女 1256-442-29
萬獻女 明 見萬氏
萬霽明 515-668-78
567-90-66
1467-65-64
萬顯明 563-809-41
567-310-77
1467-198-69
萬鑌妻 明 見王氏
萬觀明 301-734-281
472-458-20
473-24-49
476-79-100
479-378-234
479-489-239
515-361-68
523-215-156
545-186-90
1241-215-10
1241-796-20
萬一之明 515-444-70
萬一本明 545-196-90
萬一洵妻 明 見丁氏
萬人傑宋 480-55-260
萬士和明 300-610-220
475-227-61
481-806-338
511-155-142
515-53-58
571-528-19
676-575-23
1442-58-附3
1460-167-48
萬士傑明 537-288-55
萬士賢明 473-17-49
479-484-239
515-93-59
萬大成明 456-571-8
萬文式妻 明 見徐氏
萬文英明 301-685-278
456-544-7
475-744-88
479-495-239
萬文彩明 483-33-371
559-292-7上
570-111-21之1
萬文勝宋 472-360-15
528-444-29
萬之益妻 明 見沈氏
萬元吉明 301-680-278
456-440-3
479-494-239
480-542-283
482-140-344
515-444-70
532-721-45
563-792-41
1442-105-附7
1460-713-77
萬元亨明 302-54-292
456-656-11
512-781-196
萬天懿後魏 1051-172-6
萬日吉明 676-661-27
1442-110-附7
1460-721-78
萬中儁清 515-457-70
萬月庚清 561-204-38之1
萬月娘明 羅篪妻、萬制三女
524-524-204
萬必貴清 482-563-369
570-143-21之2
萬正色清 481-590-328
529-557-45
萬世延宋 1151-294-20
萬世尊峨眉山人 明
561-224-38之3
萬世德明 476-222-108
502-291-56
546-180-121
萬世讓明 554-259-52
萬布祿清 455-269-15
萬民望明 456-659-11
511-607-160
萬以忠明 533-420-62
萬代芳明 456-544-7
478-168-182
502-714-83
554-306-53
萬安王明 見朱典樌
萬安國後魏 261-494-34
266-512-25
379-64-147
933-673-45
萬有孚明 301-238-250
萬考英明 閔士毅妻、萬言女
516-245-97
萬自約明 476-42-98
545-674-107
554-220-52
萬全保妻 明 見鄒氏
萬全珣妻 明 見鄭氏
萬年策明(五開衛人)
532-684-44
萬年策明(平溪人) 572-83-28
萬言揚明 533-157-52
萬均佐明 524-339-195
萬育高明 515-556-74
萬克明明 1227-93-11
萬谷陽妻 明 見吳氏
萬谷陽清 559-441-10下
萬伯安清 1327-338-15
萬伯昇明 1458-572-457
萬伯璋明 見吳伯璋
萬希孟元 1211-384-54
萬邦孚明 523-539-172
1474-530-26
萬邦孚妻 明 見李氏
萬邦寧元 523-226-156
萬邦應明 547-57-143
萬廷仕清 537-272-55
萬廷言明 457-347-21
515-394-69
528-554-32
677-617-55
萬廷珵明 510-314-113
萬廷彩明 473-29-49
528-561-32
萬廷琮妻 明 見劉氏
萬性善妻 宋 見吳氏
萬其智清 559-335-7下
萬直臣宋 516-470-104
萬孟雅明 472-790-31
477-410-169
537-72-49
537-327-56
萬長祚妻 明 見左氏
萬承儁妻 清 見劉氏
萬尚弘妻 明 見樊鳳英
萬尚烈明 515-440-70
528-545-32
571-541-20
677-672-60
萬姓蘇清 515-458-70
萬制三女 明 見萬月娘
萬為恪清 533-186-52
萬度歸後魏 267-845-97
萬建侯明 571-556-20
萬建崑明 515-417-69
萬思謙明 473-30-49
475-450-71
479-492-239
510-404-115
515-403-69
676-41-2
679-164-155
萬俟湜宋 480-87-262
萬祚亨明 821-484-58
萬振孫明 475-709-86
480-290-271
511-338-149
528-554-32
532-681-44
萬時華明 479-494-239
515-443-70
1442-114-附7
萬惟檀明 540-828-28之3
萬崇義清 570-161-21之2
萬國俊唐 271-473-186上
萬國隆女 明 見萬會貞
萬國欽明 300-766-230
479-493-239
510-430-116
515-415-69
萬國楨明 821-457-57
萬國寧明 456-619-9
533-407-61
萬國樞明 516-418-103
萬紹祖妻 明 見梅庚娘
萬雲路明 554-308-53
萬雲鵬明 511-194-143
523-120-151
萬盛年妻 明 見蘇氏

萬堯化妻 明 見樊氏
萬斯大清 479-188-225
523-594-175
678-617-128
萬斯同清 479-188-225
524- 49-180
萬斯選清 479-188-225
523-595-175
萬發祥萬養正 明456-464- 4
479-683-248
515-563- 74
萬象春明 300-738-227
475-229- 61
511-158-142
萬象新明 545-388- 97
萬義顓明 萬鍾女
302-215-301
479-189-225
524-608-208
526-257-266
萬塔錫清 455-409- 25
萬達甫明 1474-556- 28
萬嗣達明(字禺存) 516-136- 92
萬嗣達明(九江人) 571-550- 20
萬敬宗范敬宗 明302- 89-294
456-573- 8
479-495-239
480-291-271
515-445- 70
533-389- 60
萬敬儒萬敬孺 唐
275-634-195
400-291-523
472-326- 14
475-703- 86
511-638-161
933-673- 45
1054-134- 3
1101-175- 1
萬敬儒元 558-468- 39
萬敬孺唐 見萬敬儒
萬虞愷明 479-491-239
510-365-114
515-393- 69
1442- 57-附3
1460-156- 47
萬虞龍明 1264-397- 8
萬會貞明 胡欽恭妻、萬國隆女 479-499-239
516-245- 97
萬察庫清 455-438- 26
萬福敦明 見道璣
萬壽國明 820-735- 44
萬壽祺明 475-432- 70
511-791-166
1442-107-附7
1460-647- 73
萬嘉律萬嘉閭 元
1211-408- 57
萬嘉閭元 見萬嘉律
萬維壇石維壇 明456-577- 8
萬廣載明 1275-332- 15
萬養正明 見萬發祥
萬蓬頭明 547-538-160
萬德鵬明 528-463- 29
萬應圭萬應奎 明
483-320-396
571-547- 20
萬應奎明 見萬應圭
萬應雷明 見葛應雷
萬濟喀清 455-190- 9
萬蹶生清 479- 82-256
515-286- 65
萬鵬程妻 清 見楊氏
萬鵬舉明 473-144- 56
515-150- 61
萬寶常隋 264-1103- 78
267-716- 90
380-658-183
384-159- 8
933-673- 45
萬驥哥宋 見萬介
萬安公主唐 唐玄宗女
274-112- 83
393-280- 73
554- 51- 49
萬松道人明(上萬松頂上吹簫)
1227-659- 1
萬春公主唐 楊朏妻、楊錡妻、唐玄宗女 274-113- 83
393-281- 73
萬歲和尚唐 1053-141- 4
萬壽公主唐 鄭顥妻、唐宣宗女 274-119- 83
393-286- 73
554- 58- 49
萬壽和尚唐 1053-437- 11
萬壽長公主宋 見荊國大長公主
萬氏尸逐鞮單于漢 見檀
萬章漢 251-158- 92
380-510-180
933-581- 37
照宋(善草蟲水墨) 821-270- 52
照宋(嗣靈照) 1053-327- 8
照宋(嗣智寂) 1053-642- 15
照元 1221-471- 10
照不詳 1053-244- 6
照本元 483-100-378
570-254- 25
照伯明 486-902- 35
照真明 516-499-105
照旋明 1475-782- 33
照源明 1442-121-附8
1475-778- 33
照影明 1460-858- 91
照鑑惠鑑 元 821-334- 54
1439-458- 2
照托倫清 455-583- 38
煦五代 1053-628- 15
愚公春秋 404-612- 37
愚訥生明 1237-528- 7
愚癡道人明 1228-303- 2
戢汝止明 559-419-10上
蛾析蛾皙 春秋 404-697- 42
933-296- 21
蛾皙春秋 見蛾析
蜀王蠶叢氏 春秋
560-592-29下
蜀王隋 見楊秀
蜀王唐 見李佶
蜀王唐 見李恪
蜀王唐 見李祐
蜀王唐 見李愔
蜀王唐 見李遡
蜀王唐 見李元軌
蜀王金 見完顏尼楚赫
蜀王明 見朱友垓
蜀王明 見朱友堉
蜀王明 見朱友壥
蜀王明 見朱申鈘
蜀王明 見朱申鑿
蜀王明 見朱奉銓
蜀王明 見朱承爚
蜀王明 見朱宣圻
蜀王明 見朱悅燇
蜀王明 見朱賓瀚
蜀王明 見朱讓栩
蜀山氏上古 383- 22- 4
蜀高祖王建 前蜀
278-484-136
279-446- 63
384-291- 15
384-317- 16
401-209-596
560-601-29下
933-359- 24
蜀高祖孟知祥 後蜀
278-489-136
279-456- 64
288-684-238
384-317- 16
401-215-597
472-107- 4
560-601-29下
蜀高祖夫人 後蜀 見李氏
蜀高祖后 後蜀 見李皇后
蜀望帝杜宇、蒲卑 周
473-437- 67
481- 85-294
560-592-29下
561-214-38之3
591-142- 11
591-739- 55
1354-654- 32
1381-459- 37
蜀獻王明 見朱椿
蜀國公主宋 見安淑帝姬
蜀國公主遼 見耶律伊林
蜀睿文英武仁聖明孝帝孟昶、孟仁贊、楚王 後蜀
278-490-136
279-460- 64
288-684-479
371-120- 12
382-160- 23
384-317- 16
384-329- 17
401-218-597
408- 14- 1
552- 69- 19
蜀睿文英武仁聖明孝帝慧

妃 後蜀 見費氏
嵬政戰國 見周考王
當色清(瓜爾佳氏) 455-120- 4
當色清(羅佳氏) 456-107- 57
當羌常羌 漢 569-534- 17
當格清 456- 49- 53
當塞清 455-256- 14
當愷清 502-449- 68
當古理清 456- 94- 56
當布理清 455-500- 31
當西堪清 455-217- 11
當珠瑚清 455- 90- 3
當達理清 455-157- 6
當利公主漢 欒大妻、漢武帝女 554- 43- 49
落魄仙唐 473-529- 72
481-374-311
董乂宋 516- 10- 87
董方明 472-439- 19
505-722- 71
董丑元 400-281-522
董元宋 見董源
董元元 1192-580- 12
1206-649- 15
董元明 456-546- 9
董元明 見董玘
董公漢 384- 36- 2
1229-149- 1
1374-452- 65
董氏漢 劉萇妻 252-195-10下
373- 47- 19
董氏唐 唐肅宗妃
1342-472-965
董氏唐 張恪妻、董雄女
1065-868- 23
董氏後周 周太祖德妃、劉進超妻、董光嗣女 278-368-121
279-113- 19
393-297- 74
董氏宋 梁如圭妻
1113-431- 8
董氏宋 劉蘊妻 1161-676-131
董氏宋 張漢臣媳 473- 79- 52
董氏金 劉進妻 541- 18- 29
1218-584- 1
1469-587- 61
董氏元 任椿妻 506- 28- 86
董氏明 于謙妻 1244-394- 12
董氏明 王歷妻 478-551-202
董氏明 王世昌妻、王世貞妻
483- 36-371
570-186- 22
董氏明 石可貞妻 478-204-184
董氏明 米萬厫妻 547-374-155
董氏明 杜維訥妻 477-455-171
董氏明 李一原妻 476-869-145
董氏明 李資生妻 481-408-313
董氏明 周宗義妻 473-305- 62
董氏明 金玉妻、董受孫女
1235-660- 22
董氏明 韋國模妻 512-411-187
董氏明 夏寅妻 473-349- 63
董氏明 寇璨妻 506- 71- 88
董氏明 許栻卿妻、董讓女
1272-279- 14
董氏明 郭衛國妻 506- 5- 86
董氏明 張孟芳妻、董天成女
1239-104- 33
董氏明 張德遠妻
1223-678- 5
董氏明 陳東妻、董玘女
1474-229- 10
董氏明 陳現妻 524-729-213
董氏明 陳幼學妻
1292-659- 11
董氏明 陳萬夫妻 530- 9- 54
董氏明 陳應賢妻 570-175- 22
董氏明 喻于義妻 480-140-264
董氏明 鄒天涯妻 483-141-380
董氏明 解輝妻 476-126-102
董氏明 鄧紹先妻 506- 77- 88
董氏明 劉鈁妻 1273-730- 8
董氏明 錢伯常妻
1255-653- 68
董氏明 戴崇禮妻 480-141-264
董氏明 韓崑旭妻 555- 72- 67
董氏明 魏輔甫妻、董和用女
473- 89- 52
董氏明 蘇蘭妻 483-118-379
570-200- 22
董氏明 朱鑑母 1247-376- 14
董氏明 董成章女 506- 7- 86
董氏清 王熙妻、董正義女
1315-386- 19
董氏清 王景燦妻 475-712- 86
董氏清 左浩成妻 506- 63- 87
董氏清 句文檜妻 506-149- 90
董氏清 沈大詩妻、董允翀女
524-616-208
董氏清 孟卜妻 506-166- 90
董氏清 胡源渤妻 541- 33- 29
董氏清 馬顯妻 474-195- 9
董氏清 張坦咨妻 480- 97-262
董氏清 張清模妻 506- 37- 86
董氏清 張篤敬妻 478-357-191
董氏清 陳寶妻 477- 95-153
董氏清 馮仕萃妻 555-144- 68
董氏清 廖安矩妻 479-797-254
董氏清 趙度妻 475-614- 81
董氏清 趙惇妻 506- 36- 86
董氏清 趙楝妻 474-196- 9
董氏清 趙世祿妻 503- 56- 95
503- 63- 95
董氏清 趙成龍妻 474-625- 32
董氏清 閻邦重妻 474-413- 20
董氏清 穆鵬錫妻 506-149- 90
董氏清 魏良用妻 506- 63- 87
董氏清 李濤母 1322-683- 12
董氏清 董萬財女 474-315- 16
董允蜀漢 254-624- 9
377-272-118上
384- 76- 4
384-460- 12
447-194- 7
459-293- 17
473-300- 62
473-528- 72
480-244-269
481-115-296
559-243- 6
559-397-9上
591-621- 45
933-507- 34
董父上古 404-397- 23
472-458- 20
547-544-161
933-506- 34
董立元 554-846- 63
董必宋 286-711-355
585-760- 4
董永漢 472-590- 24
473-268- 61
477-421-169
480- 94-262
533-417- 62
534-736-108
540-701-28之1
547- 67-143
董正漢 453-751- 3
473-674- 79
564- 9- 44
879-164-58上
董仕明 545-158- 88
董白清 1314-302- 5
1314-527- 17
董幼晉 475-388- 68
1061-277-110
董安妻 明 見王氏
董安清 455-119- 4
董江清 456-336- 76
董朴董樸 元 295-537-190
400-574-553
453-780- 2
472-108- 4
474-410- 20
505-872- 78
546-682-137
1367-721- 55
董朴明 見董樸
董羽五代～宋 511-872-170
812-468- 2
812-551- 4
813-119- 9
821-145- 50
董匡明 564-278- 47
董灰明 見多和
董因春秋 380-547-181
404-746- 46
547-545-161
董旭元 479-236-227
523-384-164
821-320- 54
1439-450- 2
董仲漢 473-237- 60
480-181-266
533-751- 74
董仲漢 見童恢
董仲宋 561-226-38之3
董份明 524- 35-179
676-574- 23
1442- 58-附3
1460-166- 48

董伋宋 523-241-157
董沔宋 545-337- 96
549-121-185
董玘明(字文玉) 472-1074- 45
523-308-160
董玘董元 明(紹興人)
820-660- 42
董玘女 明 見董氏
董玘清 570-114-21之1
1325-773- 9
董扶漢 253-604-112下
254-548- 1
380-574-181
473-430- 67
481- 75-294
481-404-313
559-339- 8
591-518- 41
933-507- 34
董囦明 1246-600- 10
董位妻 清 見王氏
董住清 455-529- 33
董含清 1475-960- 41
董京晉 256-520- 94
380-417-177
477-318-164
558-468- 39
567-456- 87
871-905- 19
933-507- 34
1379-325- 40
1467-138- 67
1467-509- 11
董京後魏 261-392- 24
董性明 559-317-7上
董祀妻 漢 見蔡琰
董奉漢～吳 453-757- 4
473- 90- 52
479-612-244
481-536-236
493-1097- 58
511-884-171
516-480-105
530-196- 60
564-613- 56
567-456- 87
585- 18- 2
742- 27- 1
1059-307- 10
董承漢 385- 74- 8
董忠漢 248-619- 8
539-349- 8
1412-126- 5
董忠唐 821- 43- 46
董尚明 472-255- 10
董昌唐 276-527-225下
384-287- 15
401-473-629
486- 45- 2
董卓漢 253-418-102
254-114- 6
377- 24-113上
384- 68- 3
402-516- 14
402-534- 15
402-595- 21
470-449-154
552- 20- 18
1412-423- 18
董芳妻 明 見潘氏
董易媳 宋 見王氏
董叔春秋 404-747- 46
545-734-109
董叔戰國 546-513-132
董叔隋 591-702- 50
董旻漢 552- 20- 18
董旻明(字子仁) 299-834-180
479-533-241
483-178-384
516- 74- 90
546-365-127
569-665- 19
董旻明(太和人) 570-100-20下
董和蜀漢 254-620- 9
377-272-118上
384- 76- 4
384-449- 10
447-188- 7
459-293- 17
459-853- 51
473-300- 62
473-424- 67
480-244-269
481- 65-293
481-115-296
482-559-369
533- 73- 49
559-258- 6
559-351- 8
569-642- 19
591-620- 45
933-507- 34
董和董純 唐 273- 93- 59
董和明 558-439- 37
董金明 邊節妻、董傑女
1262-404- 44
1264-221- 12
董佶妻 清 見商氏
董狐春秋 404-747- 46
469-398- 47
472-459- 20
545-727-109
933-506- 34
董洪宋 473-615- 77
528-507- 31
董為明 559-398-9上
董宣董興 漢 253-495-107
370-160- 15
380-221-171
402-455- 9
402-560- 18
472-651- 27
472-737- 29
473-208- 59
476-655-135
477- 58-151
477-303-163
480-198-267
532-612- 43
537-294- 56
540-643- 27
879-155-58上
879-155-58上
933-507- 34
董恬明 1271-529- 42
1458-110-424
董怫宋 1171-345- 8
董恢蜀漢 254-624- 9
384-461- 12
447-164- 4
480-293-271
533-228- 54
879-162-58上
董威明 545-462-100
董春漢 402-455- 9
董春妻 明 見田氏
董相明 300- 92-188
477-316-164
537-520- 59
董革宋 1122-608- 10
1122-611- 10
董柔元 1200-727- 55
董昭魏 254-276- 14
377-118-115上
384- 83- 4
384-632- 38
472-551- 23
476-857-145
505-674- 69
540-708-28之1
544-202- 62
933-507- 34
董英明(建寧人) 473-645- 78
董英明(沁人) 494- 23- 2
董禹唐 384-284- 15
董种漢 見童恢
董俞清 511-763-166
1475-967- 41
董紀明 見董良史
董侹董挺 唐 273-112- 60
533-346- 58
820-239- 28
1077-443- 19
1405-606-298
1409-403-608
董俊元 295- 13-148
399-685-454
472- 97- 3
474-371- 19
474-379- 19
505-752- 72
505-851- 77
1367-910- 70
董俊明(南樂人) 472-134- 4
472-610- 25
505-827- 75
540-656- 27
563-834- 41
董俊明(隆德人) 558-451- 38
董祐妻 明 見李氏
董祚明 456-628- 10
505-864- 77

董庫清 455- 57- 1
董悌明 524-121-184
董宷明 569-670- 19
董珙清 479-378-234
523-221-156
董秦唐 見李忠臣
董班漢 472-771- 30
477-368-167
537-538- 59
董珪元(字君章) 472- 56- 2
505-883- 79
董珪元(字君實) 1201-666- 25
董桓明 559-289-7上
董晉唐 270-733-145
275-152-151
384-228- 12
395-751-249
472-465- 20
472-676- 27
476-120-102
537-201- 54
546-273-124
549-195-188
549-302-192
933-507- 34
1073-652- 37
1074-507- 37
1075-449- 37
1341-654-886
1342-559-976
1355-630-21上
1378-634- 64
1383-199- 16
1408-670-551
董珖妻 明 見程氏
董挺唐 見董侹
董展隋 477-416-169
538-360- 71
812-339- 8
813- 72- 1
821- 29- 45
董荊明 524-288-192
821-347- 55
董草宋 494-310- 5
董倫明 299-458-152
302- 20-290
452-226- 6
453-545- 5
472- 37- 1
505-722- 71
537-209- 54
820-584- 40
董純隋 264-948- 65
267-524- 78
379-873-164
472-896- 35
478-698-210
552- 48- 19
933-507- 34
董純唐 見董和
董淞明 524- 8-178
1272-257- 13
1458-576-458
董清元 1214-240- 20
493-725- 40
1201-667- 25
董庸董鏞 明 524- 7-178
886-163-139
1237-501- 5
1240-367- 23
董祥宋 812-549- 4
821-169- 50
董深妻 明 見陶氏
董訥元 1192-580- 12
1214-276- 23
董訥清 476-530-128
540-862-28之4
569-620-18下之2
董球妻 明 見汪氏
董基明 300-822-234
540-818-28之3
董堅妻 元 見王氏
董彬明 528-476- 30
董莒明 547- 53-143
董常隋 547-199-148
董常宋 821-249- 52
821-368- 55
董崑不詳 879-156-58上
董莽宋 585-763- 5
董逌宋 585-763- 5
董紱明 515-247- 64
董紹後魏 262-179- 79
263-729- 38
267- 13- 46
379-320-151
472-793- 31
511-356-150
537-561- 60
554-115- 50
933-507- 34
董紹明 515-111- 60
董偃漢 250-498- 65
376-249- 99
董健宋 524-309-194
董斌清 524-159-186
董湄妻 明 見虞嫄
董善妻 明 見周氏
董曾明 475-700- 86
479-237-227
510-463-117
523-385-164
董湜宋 471-1058- 69
472-897- 35
董渙明 537-327- 56
董琮宋 678-140- 83
董琪妻 明 見周容娘
董琪妻 明 見張氏
董越明 452-214- 5
473-188- 58
479-822-256
516-173- 94
594-107- 附
1250-895- 85
1442- 34-附2
董尋漢～魏 476-368-117
476-609-133
董尋唐 820-256- 29
董尋明 見董彝
董雄女 唐 見董氏
董雄妻 明 見匡氏
董雄妻 明 見戴妙貴
董琬明 456-576- 8
董琦宋 516- 26- 88
1146-195- 93
董琦明(恩縣人) 523-248-157
董琦明(陽信人) 545-343- 96
董陽陳 265-1032- 73
477-544-176
480-130-264
董琰明 見董子莊
董琛宋 821-245- 52
董琳明 523-290-159
1474- 59- 4
董厥蜀漢 254-590- 5
384-465- 12
385-195- 22
477-369-167
559-242- 6
董菩明 570-211- 23
董崿董萼、董諤 唐
812-345- 9
821- 53- 46
董鈞漢 253-536-109下
469-623- 76
471-1020- 63
473-430- 67
481-386-312
559-398-9上
591-511- 41
675-317- 19
933-507- 34
董智明 1268-465- 72
董智清 455- 78- 2
董欽明 524-176-187
董欽妻 明 見劉氏
董策明 821-484- 58
董傑明 299-840-180
472-360- 15
473-234- 60
480- 88-262
505-657- 68
511-707-164
515- 44- 58
532-647- 43
董傑女 明 見董金
董復元 820-524- 38
董復明 475-563- 79
494-158- 5
510-428-116
523-466-169
569-658- 19
董進元 1192-580- 12
董源董元 宋 812-533- 3
813-128- 11
821-140- 50
董源元 見董瀛
董愷明 472-706- 28
537-280- 55
董裕明 515-798- 82
563-759- 40
569-654- 19
1286-700- 15

十三畫 董

董熠宋 516- 32- 88
674-665- 7
1171-360- 10
董溪唐 275-154-151
395-751-249
1073-596- 29
1074-437- 29
1075-387- 29
1378-515- 60
1383-164- 13
1410-272-699
董遂明 537-520- 59
545-225- 91
董楨董禎 元 481-525-326
528-446- 29
董戣金 546-676-137
董楷宋(提舉松江市舶分司上海鎮) 472-239- 9
董楷宋(字正翁) 472-1104- 47
473-165- 57
523-606-176
董瑞宋 見董公揆
董瑜明 545-480-100
董瑒清 524- 59-180
董蕚唐 見董粤
董鼎宋 473- 49- 50
516- 44- 88
董暘明 476-334-115
505-696- 70
505-860- 77
546-410-128
董敬明 558-185- 31
董遇董過 魏 254-265- 13
380-274-172
385-592-65下上
469- 49- 6
477-523-175
528- 33- 62
554-806- 63
677- 91- 10
董過魏 見董遇
董鉞宋 516- 10- 87
董傳宋 1108-182- 72
1109-330- 16
1110-138- 2
董鉅清 505-809- 74
董經魏 546-247-123
董綎妻 宋 見祝氏
董禎元 見董楨
董説明 見南潛
董滿唐 524-119-184
董瑱妻 明 見張氏
董槐宋 287-641-414
398-593-405
472-173- 6
472-203- 7
472-273- 11
472-389- 17
473- 86- 52
473-334- 63
473-749- 83
473-790- 85
475- 70- 52
475-273- 63
475-750- 88
475-821- 92
479-605-244
480-402-277
482-320-354
488- 14- 1
488-478- 14
510-493-118
511-349-149
515- 21- 57
532-580- 41
532-692- 45
567- 73- 65
585-771- 5
1467- 47- 63
董熙明 534-953-120
董緒妻 明 見倪美玉
董綱明 1241-363- 3
董綸明 472-679- 27
477-124-155
537-257- 55
545-673-107
董銖宋 479-531-241
516- 37- 88
1168-453- 38
董槩明 545-388- 97
董綾明 528-479- 30
564-237- 46
董寬明 1253- 18- 40
董澐明 301-785-283
457-196- 14
523-582-175
1265-200- 7
1272-261- 13
1442- 37-附2
1457-583-397
1458-380-442
1459-772- 30
1475-266- 11
董廣明 494- 23- 2
董潛明 見董德彰
董潾清 475-379- 68
511-463-154
董養晉 256-524- 94
267-630- 84
380-422-177
477- 63-151
477- 67-151
538-157- 66
933-507- 34
董慧明 524-174-187
1247-561- 25
董賢漢 251-171- 93
381- 4-184
384- 51- 2
董瑾明 545-888-114
董璋後唐 277-520- 62
279-327- 51
384-313- 16
401-411-622
董樞宋 285-361-270
396-636-311
472- 93- 3
473-445- 68
474-377- 19
480-663-290
481-153-298
482-289-352
505-749- 72
528-503- 31
559-280- 6
563-697- 39
董鼒明 472-611- 25
540-657- 27
554-474-57上
董鼒清 476-751-139
540-686- 27
董璉明 494- 41- 3
董穀明 457-196- 40
523-582-175
524- 21-179
678-507-119
1442- 49-附3
1460- 56- 42
1475-280- 11
董賜明 302-493-314
570-563-29之10
董牖明 456-610- 9
477-546-176
538- 74- 63
董億宋 1147-793- 75
董德清 455- 96- 3
董鋭妻 明 見申氏
董鋭明 524-199-188
董徵後魏 262-238- 84
267-571- 81
380-312-174
472-571- 24
476-858-145
505-874- 78
540-727-28之1
933-507- 34
董龍唐 554-752- 62
董謁漢 820- 24- 22
董諤唐 見董粤
董遵明 458-789- 5
523-617-176
676-273- 10
676-295- 11
董樵明 524-121-184
董璘明(字德文) 299-601-162
511-783-166
676-479- 18
董璘明(汀州人) 460-808- 87
董璘清 474-824- 44
481-645-330
502-774- 86
528-517- 37
董樸元 見董朴
董樸董朴 明 480-131-264
483-116-379
505-657- 68
559-276- 6
569-669- 19
董豫明 473-336- 63
480-403-277
532-695- 45
董興明(長垣人) 299-760-175

董興明(廬州人) 510-427-116
董番元 676-137- 5
董蕭清 455-582- 38
董學明 523-265-158
董學妻 明 見王氏
董錦妻 清 見倫氏
董儒明 554-347- 54
676-716- 30
董錫明 472-395- 17
510-490-118
董濬宋 473- 47- 50
516- 13- 87
董謐後魏 261-392- 24
266-442- 21
379- 37-146
董興漢 見董宣
董講妻 明 見李氏
董謙明 524- 98-183
547- 42-142
董襄清 479-606-244
515-251- 64
537-459- 58
董燧明 515-792- 82
董翼明 480-404-277
559-398-9上
董舉不詳 525-150-224
董懇妻 清 見閻氏
董氈棟戩 宋 288-859-492
401-534-637
董儲宋 820-357- 32
董璵明 820-624- 41
董彝唐 820-284- 30
董彝董尋 明 537-248- 55
676- 37- 2
676- 77- 3
676-465- 17
679-261-165
680-227-247
董鎮元 523-579-175
董鎮女 明 見董淑貞
董瀛董源 元 1200-771- 59
1214-122- 10
董贇黃贇 宋 812-544- 4
821-165- 50
董懷明 1458-684-470
董難明 570-165-21之2
董鏞明 299-353-141
456-697- 12
董鏞明 見董庸
董寶明 483-149-381
494-158- 5
570-129-21之1
董嚴明 494- 40- 3
董騰後魏 476-853-145
董霸晉 473-830- 87
571-514- 19
董轟明 676-484- 18
董黯漢 453-757- 4
472-1085- 46
479-176-225
480- 94-262
487-106- 8
491-378- 4
524-122-184
533-724- 73
682-399- 13
1153- 18- 55
1409-296-595
董巒後魏 261-843- 61
董襲吳 254-818- 10
377-354-119
384- 80- 4
384-576- 30
402-502- 12
479-228-227
486-308- 14
523-380-164
933-507- 34
董鑑明 554-312- 53
董儼宋 286- 69-307
董麟妻 明 見張氏
董瓚元 1217-202- 4
董讓妻 明 見劉氏
董讓女 明 見董氏
董衢宋 515-142- 61
董觀宋 1134-305- 44
董鑰明 523-290-159
董讚明 456-640- 10
董一元明 301- 61-239
474-518- 25
474-692- 37
502-291- 56
505-829- 75
董一化明 456-579- 8
480-136-264
董一經妻 明 見賀氏
董九華明 821-418- 56
董八娜宋 479-188-225
董三元明 456-554- 7
董三秦明 558-343- 35
董三策明 558-344- 35
董三策清 475- 77- 53
董三節妻 清 見李氏
董三齊明 506-534-104
董三漢妻 明 見馮氏
董三槐明 538- 93- 64
董三諒妻 清 見米氏
董三謨明 302- 52-292
456-554- 7
478-376-192
483-358-400
554-307- 53
572- 85- 28
董士元董布哈 元
295-121-156
400-246-520
474-380- 19
505-851- 77
1367-910- 70
董士元妻 元 見淩其淑媛
董士良元 1214-144- 12
董士珍元 506-606-107
董士信妻 清 見萬氏
董士恭元 1209-619-10上
董士毅明 473-284- 61
533- 42- 48
董士選元 295-122-156
399-449-461
472-174- 6
474-381- 19
478-762-215
479-450-237
505-752- 72
510-285-112
515- 25- 57
523- 24-147
1197-625- 64
1210-312- 8
1367-910- 70
董子行明 523-469-169
528-462- 29
董子厚明 1247-380- 14
董子莊董琰 明 299-298-137
452-265- 8
473-116- 54
479-659-247
482-207-347
515-776- 81
董子策明 511-819-167
董子儀漢 453-738- 2
董子儀明 1271-635- 54
董大晟明 524- 47-180
董大學妻 明 見馬氏
董上仙唐 591-379- 30
董文正元 見董文直
董文用元 295- 16-148
399-386-454
451-673- 14
459-699- 42
472-706- 28
472-930- 37
474-380- 19
476-477-125
477-201-159
478-595-204
505-752- 72
537-277- 55
540-615- 27
558-221- 32
581-549-102
1197-653- 67
1207-297- 20
1367-639- 49
1367-910- 70
1439-421- 1
董文甫金 546-658-137
1040-252- 5
1365-319- 9
1439- 8- 附
1445-685- 53
董文直董文正 元
295- 20-148
474-380- 19
1367-861- 65
董文忠元 295- 20-148
399-389-454
451-679- 14
472- 97- 3
474-380- 19
505-752- 72
1197-248- 24
1201-554- 15

1367-805- 61
1367-910- 70
1373-163- 12
董文和妻 宋 見李仲琬
董文炳元 295-116-156
399-446-461
451-667- 14
472- 97- 3
474-372- 19
474-380- 19
476-477-125
476-778-141
505-752- 72
523- 21-147
528-446- 29
1197-653- 67
1367-912- 70
董文彥元 473-815- 86
473-818- 86
483- 33-371
494-163- 6
569-681- 19
570-628-29之12
董文貞元 477-124-155
董文昭明 1227- 87- 10
董文蔚元 295- 54-148
399-386-454
474-380- 19
505-752- 72
董文選清 456-309- 74
董文璽明 456-612- 9
538- 47- 63
董之邵宋 523-533- 172
董之表明 545-346- 96
董之威明 559-510- 12
董太初明 821-370- 55
董元亨宋 288-272-446
400-127-511
472- 54- 2
474-241- 12
474-434- 21
505-681- 69
505-844- 76
505-864- 77
540-639- 27
董元芳元 1217-541- 3
董元貞明 孫忠妻、董彥恭女
1244-586- 10
董元俊清 554-536-57下
董元卿清 510-302-112
董元嗣劉宋 258-604- 94
381- 8-184
董元儒明 505-693- 70
董天成女 明 見董氏
董天楷妻 清 見朱氏
董天錫明 516-175- 94
董天麟宋 1185-493- 90
董少玉明 周弘鑰妻
1442-123-附8
1460-775- 84
董少舒宋 524-149-185
526-296-268
董公健宋 523-382-164
董公揆董瑞 宋 451- 91- 3
董仁中董仁仲 明
473-631- 77
523-482-170
528-476- 30
董仁仲明 見董仁中
董化貞清 540-684- 27
董允貞清 540-860-28之4
董允翀女 清 見董氏
董永煌妻 清 見徐氏
董玉常明 547- 6-141
董玉煒清 524-104-183
董丙哥宋 見董德元
董弘學明 515-812- 82
董正封宋 484-101- 3
485-501- 9
董正義女 清 見董氏
董召南唐 472-201- 7
董孕宗清 529-679- 49
董可善明 558-474- 40
董布哈元 見董士元
董世昌清 524-188-187
董世彥明 532-671- 44
董世登明 1474-593- 30
董世傑元 491-353- 2
492-711-3下
董世道明 529-659- 49
董世增元 1206-649- 15
董世疇女 不詳 見董貴珍
董民譽元 1200-771- 59
董以修妻 明 見劉氏
董以寧清 475-233- 61
511-683-163
董仕毅明 559-289-7上
董四民明 456-462- 4
479-609-244
516-140- 92
董台庸明 460-795- 84
董用文明 456-581- 8
董用威明 537-283- 55
董用圓明 見龔用圓
董幼安元 1217-736- 4
董失里明 見董實哩
董奴子唐 見董好子
董守中元 1208-271- 12
董守中妻 明 見毛氏
董守仁元 1200-694- 52
董守志元 554-985- 65
董守思元 472-254- 10
492-711-3下
董守義清 475-702- 86
481-429-315
502-654- 79
510-468-117
559-336-7下
董守慤明 1226-203- 9
董守諭明 524- 48-180
677-709- 63
1442-104-附7
1460-624- 71
董守簡元 537-208- 54
1209-622-10上
1214-146- 12
董汝漢明 546-316-125
554-286- 53
董汝豫明 554-310- 53
董安于春秋 404-783- 48
472-428- 19
545-123- 87
933-506- 34
董有光明 563-787- 40
董羽宸明 479-226-227
511-131-141
523-163-153
董吐渾後魏 267-630- 84
380-118-167
董光宏明 676-628- 26
1442- 87-附5
1474-542- 27
董光嗣女 後周 見董氏
董光綬妻 清 見解氏
董艾濟清 456-347- 77
董兆麟明 571-553- 20
董旭兆明 554-875- 64
董全素唐 547- 69-143
董全禎唐 473- 46- 50
董好子董奴子 唐
812-347- 9
812-372- 0
821- 57- 46
董如玉明 吳廷貴妻、董廷章女 1259-863- 8
董仲永宋 494-268- 2
1129-547- 36
董仲君漢 1059-293- 7
1061- 34- 85
董仲淵宋 843-666- 中
董仲舒漢 244-857-121
250-339- 56
376-167-98上
384- 42- 2
386-271-83下
407-497- 7
459- 13- 1
469-518- 63
471-900- 44
472- 66- 2
472-610- 25
474-306- 16
475-362- 67
476-724-138
505-870- 78
506-443-102
506-709-114
508-292- 40
510-273-112
539-501-11之2
540-692-28之1
675-294- 15
814-223- 3
820- 24- 22
933-506- 34
1095-836- 49
1355-194- 7
董仲敬明 524-352-196
董宏毅清 479-484-239
502-648- 78
董沖澹妻 明 見張氏
董亨道宋 821-219- 51

董宋臣宋 288-565-469
401- 85-578
585-306- 2
董良史宋 515-525- 73
董良史董紀 明 676-452- 17
820-580- 40
1442- 7-附1
1459-444- 14
董良佐明 481-783-337
528-572- 32
董良卿明 559-308-7上
董志山明 547- 8-141
董志平元 505-935- 85
董志成妻 清 見張氏
董志寧明 456-441- 3
董志聰清 511-515-157
董成夫元 554-706- 61
董成章女 明 見董氏
董成梅清 554-784- 62
董孝良元 1200-728- 55
董孝初明 821-471- 58
董孝章宋 400-299-524
472-466- 20
476-369-117
547- 99-145
董君儀宋 517-304-123
董克正明 567-148- 68
1467-136- 66
董克治明 456-676- 11
559-511- 12
董克振妻 明 見杜氏
董尼吉妻 明 見王英娘
董助教宋 533-484- 64
董岐鳳明 475- 71- 52
510-317-113
董我前明 456-578- 8
480-509-281
董佐寸明 1475-162- 7
董伯益明 516-135- 92
董伯華宋 530-200- 60
董希孟明 545-403- 98
董希曾明 558-341- 35
董邦昌明 456-468- 4
483-282-393
559-278- 6
570-108-21之1
571-542- 20
董邦政明 510-292-112
董邦理明 559-397-9上
董邦達清 479- 59-219
董妙聰明 張九方妻
477-548-176
董廷元清 502-764- 86
董廷玉妻 明 見潘氏
董廷圭明 473-318- 62
533-280- 56
董廷伯清 502--765- 86
董廷章女 明 見董如玉
董廷欽明 563-817- 41
董廷儒清 502-764- 86
545-113- 86
董宗本後漢 473-267- 61
董宗南明 534-775-110
董宗裔妻 清 見楊氏
董宗夔明 538-329- 69
董京威唐 541- 89- 30
董宜陽明 511-761-166
820-676- 42
1442- 70-附4
董官貞明 王表之妻
473-118- 54
董定策明 537-523- 59
董其事妻 清 見蘇氏
董其昌明 301-865-288
475-182- 59
511-761-166
532-598- 41
676-617- 25
820-732- 44
821-468- 58
1442- 82-附5
董居中唐 546-703-138
董居安宋 481-643-330
528-506- 31
董居誼宋 515-753- 80
675-387- 3
1177- 32- 1
董邵南唐 511-645-162
董尚行明 516- 90- 90
董昌裔宋 1147-761- 72
董昌徵妻 明 見陳氏
董昌齡母 唐 見楊氏
董明印妻 清 見李氏
董明庠清 478-405-194
董明道宋 538-121- 64
董昂霄元 295-516-188
400-274-522
董昇六妻 明 見邱氏
董芝翰清 456-347- 77
董叔封隋 見董淑封
董叔經唐 820-224- 28
董叔維妻 明 見李淑寧
董忽力明 見多和倫
董和用女 明 見董氏
董制彩清 456-347- 77
董阜民明 473- 50- 50
516- 61- 89
董受孫女 明 見董氏
董受倉清 456-347- 77
董為良宋 516- 38- 88
1146-114- 90
董洛生後魏 262-252- 86
267-629- 84
380-118-167
476-255-110
933-507- 34
董彥光元 523-546-173
董彥威宋 558-229- 32
董彥恭女 明 見董元貞
董奕文妻 明 見毛氏
董春英明 徐民極妻
512-486-189
董厚英明 1237-310- 6
董南美宋 480-407-277
533-341- 58
董建中明 1267-427- 3
董茂春元 570-145-21之2
董思恭唐 271-566-190上
493-870- 47
1371- 49- 附
董思凝清 569-620-18下之2
董思寵唐 554-752- 62
董若玠妻 明 見張氏
董重質唐 271- 86-161
董俊材元 1201-554- 15
董祖舒妻 明 見李氏
董庭蘭唐 839- 51- 4
董原正明 820-733- 44
董原德妻 明 見陳氏
董眞卿元 400-578-553
董耆饒宋 451- 89- 3
董耿光明 456-587- 8
537-336- 56
董振秀清 476-530-128
540-860-28之4
董時乂元 1375- 35- 下
董時中金 見董師中
董時和明 456-553- 7
554-344- 54
董時彥明 1323-754- 5
董時望明 515-785- 81
676-517- 20
董時習明 547- 47-142
董時儼元 517-522-128
董留紀清 456-347- 77
董師中董時中 金
291-353- 95
399-205-434
472-115- 4
472-495- 21
474-439- 21
505-764- 72
545-240- 92
676-695- 29
1365-304- 9
1439- 3- 附
1445- 70- 2
董躬行明 456-678- 11
董惟茲宋 585- 54- 0
董惟嶽妻 明 見歐陽氏
董淑封董叔封 隋
559-312-7上
591-380- 30
董淑貞元 譚友妻
516-358-101
董淑貞明 見董淑眞
董淑眞明 朱士廉妻、董鎭女
472-985- 39
479-101-221
董訥科清 455-341- 21
董國柱清 456-347- 77
董國新清 456-347- 77
董得偁明 524-128-184
董得祿明 505-901- 80
董紹昌元 1210-755- 23
董紹南唐 1073-514- 20
1074-340- 20
1075-296- 20
董紹舒明([illegible]襄人)
570-113-21之1
董紹舒明(普安州人)
572- 86- 28

董從晦董從誨　後蜀～宋　592-726-108
812-529- 2
821-129- 49
1381-575- 42
董從誨後蜀　見董從晦
董啟明明　456-600- 9
董敦逸宋　286-701-355
382-645- 99
384-382- 19
397-742-365
472-766- 30
473-147- 56
473- 60- 51
477-359-166
479-556-242
479-713-250
494-271- 2
537-313- 56
679-442-442
933-508- 34
董雲漢明　570-136-21之2
董雲龍清　538- 87- 64
董期生明　677-719- 64
董期生清　523-470-169
563-882- 42
董朝憲妻　明　見朱氏
董登文清　456-347- 77
董堯封明　458-123- 5
537-523- 59
董斯張明　524- 37-179
1442- 99-附6
1460-608- 70
董厥修明　476-347-116
545-197- 90
董景仁唐　820-263- 29
董景明妻　清　見李燦官
董景起妻　後魏　見張氏
董景道晉　256-477- 91
380-281-173
472-744- 29
477-523-175
478-340-191
538- 34- 62
554-807- 63
933-507- 34
董貴珍明　勞載是妻、董世疇女　472-1043- 43
524-736-213
董貴哥元　401-177-593
董筆潭元　524-358-196
董象恆明　511-132-141
董進弟明　472-135- 4
510-417-116
董復享明　476-519-127
540-628- 27
董復昌明　475-273- 63
510-374-114
董復貞清　476-403-119
547-117-145
董復禮元　524- 41-180
1209-646-10下
董煥英明　559-315-7上
董遂昇清　476-252-110
545-307- 94
董道明宋　288-407-456
400-296-524
477-544-176
董道隆宋　1173-232- 80
董道醇妻　明　見茅氏
董摶霄元　295-513-188
400-272-522
459-718- 43
472-545- 23
472-699- 28
472-963- 38
476-916-148
478-337-191
478-765-215
494-271- 2
520- 26- 34
523- 29-147
540-634- 27
1439-449- 2
董萬財女　清　見董氏
董嗣成明(字伯念)　300-811-233
479-145-223
523-284-159
676-612- 25
820-731- 44
1442- 79-附5
1460-401- 58
董嗣成明(黎平人)　456-554- 7
董嗣昌明　524- 99-183
董葵陽明　523- 91-149
董傳策明　300-470-210
475-180- 59
511-128-141
567-450- 86
676-583- 24
1467-157- 67
董實哩董失里　明
496-627-106
董漢策清　679-716-208
董漢儒明　301-337-257
474-480- 23
505-778- 73
董輔卿元　545-375- 97
董爾性清　476-396-119
董爾礪明　456-515- 6
董嘉慶唐　569-535- 17
董盡倫明　302- 25-290
478-168-182
481-117-296
559-510- 12
561-449- 43
董夢程宋　678-144- 83
董鳴瑋明　676-347- 12
董睿思清　481-679-331
董鳳舞清　528-556- 32
董僧慧齊　265-643- 44
375-336- 82
475-669- 84
511-487-155
董調元明　456-599- 9
董論道妻　清　見周氏
董養性明　1237-426- 16
董養河明　529-482- 43
676-750- 31
1442-112-附7
董履義妻　清　見李氏
董德元董丙哥　宋
448-358- 0
1148-794-166
董德明明　523-247-157
567-335- 79
1467-230- 70
董德貞董德眞　唐　賈直言妻
276-111-205
401-152-589
472-667- 27
477- 93-153
538-172- 67
董德眞唐　見董德貞
董德彰董潛　明　516-523-106
676-368- 13
董線娘明　李遇陽妻
530-144- 58
董遵誨宋　285-398-273
371-161- 16
382-201- 29
384-327- 17
396-663-314
472- 33- 1
472-912- 36
472-930- 37
474-175- 8
478-570-203
478-595-204
505-715- 71
558-206- 32
558-220- 32
933-508- 34
董翰傑清　456-347- 77
董器重明　559-277- 6
董積躬金　476-752-139
476-818-143
540-767-28之2
董學玘妻　明　見劉氏
董學詩清　476-252-110
502-641- 78
545-308- 94
董錫庫清　455-403- 24
董應圭明　537-319- 56
董應長妻　明　見鄒氏
董應陸清　456-347- 77
董應軫明　533- 38-48
董應揚明　511-164-142
董應魁清　481-808-338
502-622- 77
563-863- 42
董應舉明　301-114-242
460-522- 47
481-531-326
482- 34-340
529-479- 43
679-243-162
1442- 86-附5
董應鯤妻　清　見陳氏
董雙成周　524-378-198
董鵬飛宋　451-221- 0
董攔門清　476-403-119

547-120-145
董獻策明 483-137-380
569-674- 19
董繼周明 515-895- 86
董繼舒明 559-308-7上
董夔官妻 清 見梁氏
董鐵驢元 476-130-102
547-517-160
董昌十七妻 清 見鄭氏
督戎春秋 933-722- 49
督瓚漢 933-722- 49
睦宋 1053-641- 15
睦王唐 見李述
睦王唐 見李倚
睦王後唐 見李存乂
睦坦明 821-371- 55
睦豫北齊 263-357- 45
睦大用陸大用 元
472-495- 21
476-180-106
545-241- 92
睢世雄宋 821-245- 52
暗普俺普 元 552- 73- 19
暗都剌元 見安都勒
盟元 1217-506- 1
盟津王明 見朱見濍
嗒濟塔濟 元 答剌麻八剌妻、呼圖克特穆爾女 294-201-116
393-347- 80
嗢没斯唐 544-226- 63
路元金 546-188-121
路中妻 明 見李氏
路什清 502-725- 84
路氏明 周珪妻 524-516-204
路氏明 喬廷儀妻、路仲室女
1250-517- 48
路氏明 趙三妻 472-668- 27
路氏明 路奇女 524-603-207
路氏清 毛璠妻 506-115- 89
路氏清 李繼民妻 474-195- 9
路邛漢 540-692-28之1
路生唐 554-899- 64
路光路大安 晉 524-429-200
554-970- 65
路忱金 1365-272- 8
1439- 6- 附
1445-499- 37
路侚明 547- 34-142
路泌唐 271- 61-159
275- 63-142
395-682-241
476-613-133
1076-112- 12
1076-568- 12
1077-138- 12
路奇女 明 見路氏
路岩唐 見路巖
路旻唐 472-376- 16
475-561- 79
485-405- 4
510-423-116
路迎明 510-349-114
510-384-115
540-799-28之3
路述晉 476-366-117
545-352- 96
路保明 558-424- 37
路俊明 554-707- 61
路振母 宋 480-545-283
路振宋 288-219-441
371-128- 13
382-754-115
384-336- 17
400-646-559
450-713-下7
473-337- 63
473-389- 65
476-750-139
480-406-277
480-542-283
533-271- 56
540-659- 27
路恕唐 270-459-122
275- 28-138
395-657-239
554-450- 56
路臯宋 821-200- 51
路邕後魏 262-264- 88
267-651- 86
380-192-170
476-515-127
476-896-147
540-728-28之1
933-655- 43
路康宋 1157-278- 20
路彬宋 473-767- 84
482-320-354
567- 65- 65
585-763- 5
1467- 42- 63
路異唐 484- 86- 3
路植宋 516-203- 95
路雄後魏 262- 98- 72
路隋路隨 唐 271- 61-159
275- 63-142
384-267- 14
395-682-241
476-613-133
540-742-28之2
933-656- 43
路欽明 545-190- 90
路進明 523-196-155
路貴明 1250-745- 71
1458-103-424
路義元 472-645- 26
537-343- 56
路義明 559-291-7上
572- 71- 28
路羣唐 271-323-177
275-514-184
476-613-133
540-744-28之2
路瑛明 558-315- 34
路粹魏 254-381- 21
385-634-66中下
538-125- 65
路綸宋 1090- 22- 5
路寬明 480-664-290
1261-802- 37
路遴清 475-232- 61
511-168-142
路隨唐 見路隋
路應路應求 唐 275- 28-138
395-657-239
472-324- 14
472-357- 15
472-1114- 48
473-185- 58
475-500- 75
475-698- 86
479-791-254
510-280-112
510-461-117
515-263- 65
523-223-156
554-450- 56
933-656- 43
1073-575- 26
1074-412- 26
1075-363- 26
1378-460- 58
1383-143- 11
1410- 41-668
路聰明 547- 35-142
路舉妻 清 見陸氏
路邁清 511-557-158
路璧明 515-676- 78
528-452- 29
路顒明 559-372- 8
路謙明 554-312- 53
路巖路岩 唐 271-323-177
275-514-184
384-280- 14
396-232-272
469-450- 54
472-574- 24
473-425- 67
473-713- 81
559-272- 6
591-704- 50
1394-501- 6
路鐸金 291-406-100
399-237-437
474-305- 16
474-604- 31
477-243-161
505-665- 69
505-851- 77
540-664- 27
676-696- 29
1365-132- 4
1365-269- 8
1439- 5- 附
1445-370- 25
路九同明 676-603- 25
路子敬元 1201-169- 80
路大安晉 見路光
路太一唐 1342-203-930
路引章妻 清 見張氏
路允升清 505-911- 81
路允迪宋 567-436- 86
1467-149- 67

路允修清 540-873-28之4
路允鳌清 476-588-131
540-873-28之4
路永聰明 545-394- 97
路去病北齊 263-364- 46
267-657- 86
380-202-170
472-112- 4
472-572- 24
474-433- 21
474-635- 33
505-680- 69
505-702- 70
540-728-28之1
933-656- 43
路可由明 540-810-28之3
路可泰清 511-877-170
路以周清 481-746-334
路守俞妻 清 見陳氏
路守庫妻 明 見盧氏
路有讓元 545-339- 96
路如軾妻 明 見張氏
路如瀛明 456-598- 9
540-642- 27
546-217-122
路仲室女 明 見路氏
路仲信後魏 262- 97- 72
933-655- 43
路仲翁漢 402-448- 9
路仲顯金 見路伯達
路伯達路仲顯 金
291-367- 96
383-1006- 29
399-216-435
472- 96- 3
474-604- 31
505-785- 73
1365-269- 8
1439- 4- 附
1445-494- 37
路伯達妻 金 見傅氏
路伯鏜明 676-576- 23
路法常後魏 262- 98- 72
路昌衡宋 286-690-354
427-260- 8
472-663- 27
477- 82-152
537-396- 57
路岩卿宋 1145-700- 82
路恃慶後魏 262- 97- 72
266-936- 45
379-300-150下
476-896-147
540-726-28之1
933-655- 43
路思令後魏 262- 97- 72
540-728-28之1
路思略後魏 262- 97- 72
路祖璧北朝 933-655- 43
路振飛明 301-652-276
474-441- 21
478- 93-180
505-766- 72
510-296-112
554-302- 53
676-653- 27
1442-105-附7
1460-711- 77
路從廣明 554-915- 64
路惠男劉宋 宋文帝后、路興之女 258- 10- 41
265-192- 11
373- 79- 20
路博德漢 244-768-111
250-336- 55
251-627- 24
472-142- 5
473-671- 79
482-317-354
483-696-422
505-650- 68
539-349- 8
558-213- 32
563-598- 38
564-699- 59
567- 17- 63
933-655- 43
1467- 1- 62
路登甫明 456-597- 9
路開泰清 505-902- 80
路溫舒漢 250-276- 51
376-136- 97
384- 49- 2
469-491- 59
472-106- 4
472-193- 7
474-408- 20
475-852- 94
505-755- 72
506-445-102
510- 5- 99
510-500-118
820- 25- 22
933-655- 43
路遐齡妻 清 見邱氏
路嗣恭路劍客 唐 270-459-122
275- 27-138
384-213- 11
395-656-239
472-836- 33
478-116-181
478-594-204
478-634-206
479-447-237
515- 8- 57
554-449- 56
558-219- 32
563-633- 38
567- 40- 64
682-373- 10
933-656- 43
路敬淳唐 271-544-189下
276- 17-199
384-182- 10
400-412-538
472-573- 24
476-897-147
540-736-28之2
546-629-136
933-656- 43
路敬潛唐 276- 18-199
400-412-538
路衙推宋 812-551- 4
821-250- 52
路審中唐 274-448-114
511-398-151
533-731- 73
545-133- 87
路德延唐 1473-654- 94
路劍客唐 見路嗣恭
路興之女 劉宋 見路惠男
路應求唐 見路應
嗣元宋 1053-425- 10
嗣宗宋 485-483- 8
1053-601- 14
1376-703-100下
嗣珍宋 1053-481- 12
嗣清宋 516-472-104
嗣端宋 820-465- 36
嗣江王唐 見李禕
嗣吳王唐 見李祇
嗣吳王唐 見李巘
嗣岐王唐 見李珍
嗣秀王宋 見趙與檡
嗣紀王唐 見李澄
嗣曹王唐 見李胤
嗣曹王唐 見李皋
嗣滕王唐 見李湛然
嗣蔣王唐 見李煒
嗣魯王唐 見李道堅
嗣虢王唐 見李邕
嗣澤王唐 見李璆
嗣澤王唐 見李義珣
嗣襄王唐 見李熅
嗣濮王唐 見李嶠
嗣濮王宋 見趙宗漢
嗣薛王唐 見李知柔
嗣河間王唐 見李崇義
蜎子春秋 見蜎淵
蜎淵蜎子 春秋 475-437- 70
933-247- 17
園客漢 476-870-145
541- 85- 30
1058-500-下
圓唐 1053-372- 9
圓五代 1053-630- 15
圓宋(善畫) 820-469- 36
圓宋(嗣普交) 1053-785- 18
圓日宋 1053-712- 16
圓至元 516-430-103
1194-123- 9
1221-466- 10
1439-457- 2
1469-740- 67
圓光五代 1053-630- 15
圓光元 547-497-159
圓戒清 572-164- 32
圓成明 586-192- 9
圓明唐(蘄黃人) 479-798-254
516-503-105
圓明唐 1053-172- 4
圓明明 541-108- 31

圓果唐 1052-343- 24
圓果明 588-100- 5
圓相唐 592-372- 83
圓映圖映 明 1442-121-附8
1475-779- 33
圓信明 516-477-105
524-420-200
1442-122-附8
1457-336-373
1460-852- 91
圓朗明 588- 75- 4
圓悟宋 530-204- 60
821-269- 52
圓悟明 475-243- 61
479-193-225
511-924-174
524-411-199
圓修宋 1053-476- 12
圓修明 1322-685- 12
圓寂唐 1052-139- 10
1052-281- 19
圓寂元 511-940-175
圓理明 1442-120-附8
1460-844- 91
1475-753- 32
圓基圓機 金 1040-266- 6
1439- 13- 0
1445-787- 61
圓紹唐 1052-170- 13
圓測唐 1052- 43- 4
圓琛元 820-550- 39
圓智唐 1052-151- 11
1054-553- 16
圓智宋(嗣慧稜) 516-477-105
圓智宋(號證悟) 524-426-200
588-228- 10
1053-246- 6
1129-540- 35
圓智宋(號松堂) 1053-783- 18
圓復明 1442-121-附8
1460-850- 91
圓進宋 1053-418- 10
圓新金 586-185- 8
圓道明 570-259- 25
圓照唐 1052-213- 15
圓暉唐 1052- 58- 5
圓敬唐 1340-638-785
圓滿唐 820-305- 30
圓滿金 547-502-159
圓蓋金 496-426- 90
圓澄圖澄 明 479-264-228
524-420-200
圓震唐 1052-289- 20
圓惝明 1442-121-附8
1460-850- 91
1475-755- 32
圓澤唐 588-114- 5
1054-492- 14
1107-540- 39
圓璣宋 516-423-103
1052-778- 30
1053-729- 17
圓融清 524-393-198
圓機金 見圓基
圓應宋 1053-671- 16
圓覆金 586-187- 8
圓鏡明 472-470- 20
476- 91-100
547-488-159
圓覺唐 473-506- 71
481-338-308
圓覺宋 見袁覺
圓護元 570-255- 25
圓顯明 1258-300- 6
圓觀唐 1052-291- 20
訾氏明 楊天璽妻 472-528- 22
訾亘金 472-669- 27
477- 98-153
538-350- 70
訾虎宋 554-258- 52
訾亮唐 見楊守亮
訾祐春秋 404-782- 48
545-724-109
訾順漢 539-349- 8
933- 68- 4
訾汝道元 295-609-197
400-317-526
476-526-128
540-782-28之2
1214- 73- 6
嵩唐 1052- 19- 2
嵩宋 1053-641- 15
嵩高 晉 1051- 83- 3
嵩鄰唐 276-344-219
嵩山女子唐 820-292- 30
嵩山和尚唐 1053-155- 4
嵩吉爾圖清 455-559- 36
嵩極玄子不詳 933- 43- 2
葛王唐 見李素節
葛王金 見完彥德里
葛王金 見富察額古德
葛引明 1296-452- 5
葛引妻 明 見靳氏
葛木明 523-467-169
葛氏唐 葛祐女 479-663-247
518-207-142
葛氏宋 胡遠妻、葛瑜女
1121-496- 37
葛氏元 徐安道妻
1127-543- 14
葛氏明 張克讓妻
1232-680- 8
葛氏明 尤章山妻
1291-291- 4
葛氏明 沈超妻 524-516-204
葛氏明 李學泌妻 506- 46- 87
葛氏明 秦禾妻、葛恆女
1283- 70- 72
葛氏明 黨文明妻 474-279- 14
506- 33- 86
葛氏明 沈升母 1239-205- 40
葛氏清 王清妻、葛元裕女
1324-337- 32
葛氏清 李蓁妻 530- 34- 54
葛氏清 夏鼎妻 512-315-184
葛氏清 徐廷喬妻 479-254-228
葛氏清 徐霍龐妻 479-253-228
葛氏清 章其讜妻 475-617- 81
葛氏清 葛潔女 1321-102- 98
葛玄晉 472-179- 6
473-524- 72
475- 82- 53
479-686-248
486-334- 15
486-904- 35
492-590-13下之下
493-1097- 58
511-916-174
516-456-104
524-413-200
564-613- 56
592-225- 74
879-154-58上
1059-295- 8
1141-800- 34
1415-227- 89
葛永明 456-584- 8
558-424- 37
葛弘晉 見葛洪
葛由周 481-312-307
561-222-38之3
561-224-38之3
591-353- 28
592-222- 74
1058-494- 上
1061-249-108
葛生漢 516-411-103
葛臣明 476-659-135
葛臣清 455-330- 20
葛同唐 472-568- 24
540-638- 27
葛宏宋 1090-662- 38
葛伯清 456-147- 60
葛邲宋 287-275-385
398-300-384
472-173- 6
472-981- 39
472-1003- 40
472-1067- 45
475- 70- 52
479-142-223
479-224-227
486- 54- 2
494-265- 1
494-403- 12
494-473- 18
511-145-142
523-280-159
葛杰明 見葛垓
葛林明 524-346-196
676-375- 14
葛肯清 455-365- 22
葛昂元 511-473-155
葛昕妻 明 見谷貞
葛念清 524-102-183
葛侗明 1260-588- 13
葛郃葛衍孫 宋 448-358- 0
494-471- 18
葛洪葛弘 晉 256-203- 72
377-765-127
384- 98- 5
386-119-72下

471-883- 42
472-175- 6
473-676- 79
473-696- 80
475- 82- 53
480-181-266
481-312-307
481-751-334
482- 92-342
482-119-343
485-556- 3
486-334- 15
489-598- 47
489-670- 49
492-590-13下之下
505-928- 84
511-828-168
516-468-104
524-379-198
530-208- 60
533-759- 74
561-224-38之3
564-613- 56
567-456- 87
585-148- 8
585-495- 15
674-221-3上
677-111- 11
742- 28- 1
820- 61- 0
1141-801- 34
1229-276- 9
1379-341- 42
葛洪妻 晉 見鮑姑
葛洪子 晉 821- 14- 45
葛洪宋 287-651-415
398-601-406
451-388- 12
472-1029- 42
479-323-232
491-306- 6
493-748- 41
523-325-161
葛洪女 元 見葛懿柔
葛宣明 511-599-160
葛恆女 明 見葛氏
葛彥明 567-354- 80
1467-242- 71
葛垓葛杰 明 821-480- 58
葛貞明 820-601- 40
葛宮宋 286-424-333
397-527-352
472-258- 10
472-981- 39
473-454- 68
473-615- 77
475-222- 61
479- 91-221
481-113-296
481-181-300
481-385-312
481-642-330
511-141-142
523- 97-150
528-504- 31
559-285-7上
1090-672- 39
葛宮妻 宋 見孫氏
葛洇元 511-825-167
葛浩明 300- 82-188
475-853- 94
479-240-227
481-694-332
510-502-118
523-467-169
563-734- 40
葛祐女 唐 見葛氏
葛素明 480- 56-260
葛泰明 511-619-160
葛珣宋 820-386- 33
葛哲明 676-384- 14
1246-637- 14
葛哲妻 明 見蔡淨
葛起清 1318- 52- 35
葛起葛越 不詳 1059-278- 4
1061-265-109
葛郛宋 494-403- 12
葛密宋 286-425-333
397-528-352
472-258- 10
472-789- 31
475-222- 61
477-542-176
537-353- 56
1142-184- 23
葛郯宋 494-471- 18
1053-893- 20
葛符明 820-746- 44
葛湍宋 820-335- 32
葛旒清 456- 44- 53
葛越不詳 見葛起
葛閎宋 1092-606- 56
葛覃明 523-231-156
550-111-213
1267-596- 10
葛景明 554- 87- 49
葛喦明 1235-582- 20
葛菼妻 明 見鄧氏
葛鈞明 452-196- 4
葛欽明 1256-384- 24
葛欽妻 明 見李妙賢
葛源宋 472-1053- 44
473-615- 7
491-433- 6
515- 81- 59
515-143- 61
523-498-170
1105-808- 96
1351-603-141
1356-178- 8
1384-151- 93
1410-458-724
葛詡明 473-377- 65
532-743- 46
葛雍周 548- 77-164
葛煙元 見葛禋
葛詳宋 1090-662- 38
葛楨妻 明 見李氏
葛瑜女 宋 見葛氏
葛署妻 明 見孫氏
葛嵩明 300- 79-188
475-226- 61
511-152-142
1258-269- 4
葛葦宋 820-386- 33
葛節明 見萬節
葛誠明 299-360-142
456-693- 12
474-167- 8
886-160-139
葛禋葛煙 元(字從禮)
476-297-112
546-359-126
葛禋元(字克敬) 545-461-100
549-626-204
820-533- 38
葛滸明 820-669- 42
葛端女 明 見葛妙聰
葛漯宋 515-587- 75
1147-767- 72
葛榮元 545-439- 99
1211-380- 53
葛瑤明 494- 42- 3
葛聚妻 元 見彭氏
葛蒙唐 820-282- 30
葛篪妻 清 見劉氏
葛魁元 524-196-188
葛綱明 511-331-149
葛綸明 1283-373- 96
葛潔女 清 見葛氏
葛賡宋 515-741- 80
1156-494- 28
葛潤妻 明 見劉氏
葛澗明 511-783-166
葛鼐明 511-113-140
葛樞明 511-186-143
葛嬴春秋 齊桓公夫人
404-629- 38
葛鴊明 483-320-396
571-547- 20
葛興明 540-635- 27
676-507- 19
676-521- 20
葛曉明 820-751- 44
葛縉明 545-224- 91
葛衡吳 384-519- 23
511-862-170
葛應明 676-624- 25
葛濟清 455-615- 42
葛檜明 545-191- 90
葛鏡明 572- 93- 29
葛繹妻 宋 見鄧貞定
葛曦明 1296-454- 5
葛蘊宋 491-433- 6
820-371- 33
葛騰妻 明 見馬氏
葛霸宋 285-616-289
382-271- 42
397- 84-325
472- 94- 3
葛蘭明 476-451-123
545-480-100

葛龔漢 253-554-110上
380-341-175
476-393-119
477-126-155
477-160-157
538-130- 65
545-164- 89
葛權宋 1127-540- 14
葛一龍明 511-749-165
676-663- 28
820-746- 44
821-451- 57
1442-112-附7
葛士瑜妻 清 見高氏
葛士楫妻 清 見孫氏
葛才聲元 567-364- 81
1467-182- 68
葛大紀明 545-223- 91
葛小閏宋 524- 96-183
葛文炳明 523-457-168
1474-571- 27
葛之孚妻 明 見胡氏
葛之泰妻 明 見徐貞娥
葛丑兒妻 明 見呂氏
葛元哲葛原哲 元
473-115- 54
515-768- 81
676-706- 29
820-498- 37
1221-209- 2
1221-229- 3
1439-444- 2
葛元裕女 清 見葛氏
葛巴庫清(富察氏) 455-414- 25
葛巴庫清(索綽絡氏)
455-650- 45
葛天氏上古 383- 49- 7
葛天民宋 見義銛
葛天民明 676-464- 17
葛天思宋 479- 51-218
葛天麐清 1320-610- 68
葛天爵明 533-780- 74
葛中選葛仲選 明
480- 52-259
532-620- 43
570-160-21之2
1467-135- 66
葛仁美明 1474-543- 27
葛午炎宋 1235-385- 13
葛立方宋 494-265- 1
494-473- 18
647-848- 18
1362-822- 82
葛立章宋 493-1071- 57
葛正蒙明 1230-323- 5
葛布庫清(富察氏) 455-414- 25
葛布庫清(溫都氏) 456- 23- 51
葛生楚妻 明 見王氏
葛守昌宋 812-549- 4
813-192- 18
821-168- 50
葛守德明 1229-268- 8
葛守禮明 300-536-214
475-873- 95
476-528-128
477-162-157
540-808-28之3
545- 84- 85
554-214- 52
676-564- 23
1296-435- 5
葛守禮妻 明 見王氏
葛吉甫妻 明 見徐節
葛至學明 475- 77- 53
葛次仲宋 1127-550- 15
葛次仲妻 宋 見盧氏
葛光熹清 511-539-157
葛自成宋 1104- 20- 2
葛自得宋 1164-451- 25
葛先質妻 清 見尚氏
葛竹溪明 456-663- 11
554-716- 61
葛仲選明 見葛中選
葛良嗣宋 451-127- 1
1105-772- 92
1106-389- 50
1384-162- 94
1410-349-709
葛伯庫清 455-261- 15
葛妙眞元 295-629-200
401-177-593
472-360- 15
475-613- 81
512-482-189
葛妙聰明 劉貴妻、葛端女
1246-444- 9
葛廷璋明 558-298- 34
葛廷錫明 1257-823- 3
葛拔庫清 455-639- 44
葛孟顒元 1222-259- 14
葛長民晉 370-396- 10
葛長庚宋 473-607- 76
473-739- 82
482-270-350
511-940-175
516-483-105
524-386-198
530-204- 60
547-513-160
564-617- 56
820-462- 36
821-257- 52
1437- 36- 2
葛承杰明 見葛承傑
葛承傑葛承杰 明
524-214-188
677-742- 65
葛和仲宋 1127-488- 8
葛延年宋 484-384- 28
葛延齡元 400-265-521
葛彥祥妻 明 見吳氏
葛威德唐 1065-828- 19
1065-872- 23
1342- 51-910
1342-347-949
1410--172-683
葛若蕙妻 明 見廖氏
葛衍孫宋 見葛郜
葛原哲元 見葛元哲
葛書思宋 286-425-333
397-528-352
472-258- 10
475-639- 83
494-327- 6
511-551-158
1123-475- 15
1127-546- 15
葛書學宋 1115-599- 33
葛書舉宋 477-409-169
505-689- 70
葛珮玉明 1267-639- 11
葛起耕宋 1364-404-301
葛挺之宋 487-510- 7
葛哩麻明 見葛爾麻
葛剛正宋 820-450- 35
葛師望宋 1127-538- 14
葛寅亮明 479-456-237
515- 61- 58
517-725-133
517-726-133
517-727-133
528-463- 29
532-598- 41
葛清隱明 1237-425- 16
1238-443- 6
葛惟明宋 1090-662- 38
葛惟明妻 宋 見承氏
葛祥生明 456-661- 11
葛淑聰清 黃宗聖妻
530- 39- 54
葛乾孫明 302-171-299
493-1024- 54
511-731-165
1458- 44-417
葛通用妻 明 見月娥
葛通甫妻 明 見月娥
葛得我妻 清 見徐徵蘭
葛敏修宋 515-582- 75
葛從周後梁 277-149- 16
279-122- 21
384-299- 16
396-333-281
472-574- 24
476-860-145
540-745-28之2
1383-712- 64
葛善清清 謝欽妻
1245-796- 14
葛普克清 456-105- 57
葛雲蒸明 820-743- 44
葛雲菈清 1315-369- 17
葛隆額清 455- 98- 3
葛登林妻 明 見魏氏
葛琳泰清 455-158- 6
葛勝仲宋 288-266-445
400-677-563
472-277- 1
472-998- 40
475-276- 63
475-561- 79
477-499-174
479-133-223

485-399- 4
494-304- 5
494-424- 13
511-686-163
523-116-151
674-838- 18
1127-656- 23
1127-657- 24
1127-666- 24
1135-306- 30
1142-183- 23
葛勝仲妻 宋 見張濩
葛新永妻 清 見曹氏
葛祿德清 456-144- 60
葛道明清 524-179-187
葛萬慶葛慶龍 元
820-527- 38
1223-673- 14
葛遇朝清 511-711-164
葛經姐明 555-109- 67
葛福順唐 544-227- 63
葛爾麻葛哩麻、噶瑪拉 明
476-337-115
547-533-160
葛閭孫元 472-328- 14
475-705- 86
511-855-169
1214-405- 4
葛鳳翔清 476-371-117
葛維垣明 511-243-145
葛慶龍元 見葛萬慶
葛德聲元 567-364- 81
1467-182- 68
葛徵奇明 676-656- 27
1442-106-附7
1460-645- 73
葛徵奇妻 明 見李因
葛凝秀明 456-526- 6
476-298-112
546-370-127
葛曉雲明 821-492- 58
葛學亮妻 明 見李氏
葛錫璠葛錫蕃 明
511-113-140
537-220- 54
葛錫蕃明 見葛錫璠
葛應典明 820-753- 44
葛應雷萬應雷 元
493-1056- 56
511-864-170
676-391- 14
1209-543-9上
1260-586- 16
1458- 44-417
1458-634-466
葛應龍宋 494-328- 6
葛濟之劉宋 1049-333- 23
葛謙問宋 494-403- 12
葛懷敏宋 285-616-289
371-189- 19
382-272- 42
397- 84-325
472- 51- 2
474-236- 12
540-656- 27
545-478-100
1089-175- 18
葛繼宗明 524-255-190
葛繼祖元 1197-766- 80
葛懿柔元 葛洪女
1197-755- 79
葛勒可汗唐 見磨延啜
葛爾都赫清 456-193- 65
葛邏祿迺賢 元 見葛邏祿納顏
葛邏祿納新 元 見葛邏祿納顏
葛邏祿納顏果囉羅納延、馬迺賢、馬納新、馬納顏、葛邏祿迺賢、葛邏祿納新 元
479-188-225
524-317-194
1439-431- 1
1469-110- 41
蕚綠華晉 480-546-283
鼎文明 (姓佚) 820-762- 44
鼎通元 294-440-135
鼎鼎元 523-153-153
鼎需宋 1053-867- 20
暉唐(陳子昂友) 591-362- 29
暉唐(居石霜山) 1053-219- 6
暉唐(居褒忠寺) 1053-220- 6
暉五代 1053-367- 9
暉元 474-574- 29
鄖王金 見實嘉努
蜆子和尚唐(食蜆充飢)
511-918-174
1053-539- 13
募泰慕泰 梁 260-475- 54
265-1126- 79
381-413-194
葉匕明 523-377-164
584-265- 10
葉三妻 明 見蔡氏
葉三清 456-284- 71
葉元明(字本貞) 482-559-369
494-158- 5
515-882- 86
569-658- 19
葉元明(新昌人) 524-368-197
葉中宋 484-376- 27
葉公春秋 見沈諸梁
葉仁宋 515-145- 61
葉仁元 1218-804- 6
葉仁明 511-614-160
葉介宋 523-558-174
528-539- 32
葉氏唐 柳恭弟子
1097- 25- 5
葉氏宋 史簡妻 487-145- 9
491-425- 5
524-616-208
1153-209- 74
葉氏宋 朱瓛妻、葉育女
1130-823- 24
葉氏宋 晁端仁妻、葉曖女
1118-949- 64
葉氏宋 章存道妻
1120-228- 34
葉氏宋 莫友妻、葉庭茂女
1166-671- 12
葉氏宋 賴元仲妻 481-725-333
葉氏宋 蕭玠妻 530-150- 58
葉氏宋 張孝傑岳母
1123-190- 20
葉氏宋 葉適女 1164-259- 13
葉氏元 姜本源妻 516-231- 97
葉氏元 徐有傳妻
1215-716- 10
葉氏元 張鎮妻、葉信女
1224-292- 23
1229-469- 附
葉氏元 陳程妻 479-435-236
524-777-216
葉氏明 于聰妻 1253- 95- 45
葉氏明 王晉妻 1226-501- 24
1374-623- 83
1410-379-714
葉氏明 王爽妻、葉益蕃女
530- 3- 54
葉氏明 王朝用妻
1256-386- 24
葉氏明 王勝寶妻 473-618- 77
葉氏明 江華妻 302-229-302
530-143- 58
葉氏明 朱希軾妻 473-118- 54
葉氏明 冷逢泰妻、葉桂芳女
559-469- 11中
葉氏明 李尚猷妻 482-305-353
葉氏明 呂蘊妻 1467-277- 72
葉氏明 吳維翰妻、葉期遠女
530-107- 57
葉氏明 佘應泰妻 512-107-179
葉氏明 何材妻 524-455-202
葉氏明 林汝談妻
1255-754- 75
葉氏明 林淑資妻
472-1056- 44
葉氏明 周瑗妻 473- 66- 51
葉氏明 洪溱妻 530- 85- 56
葉氏明 施士和妻 530-125- 57
葉氏明 夏寧妻 570-202- 22
葉氏明 夏景澄妻、葉盛女
472-232- 9
475-144- 57
葉氏明 許伸妻、許紳妻
302-227-302
479-333-232
1276- 30- 3
葉氏明 曹鼐妻 570-185- 22
葉氏明～清 張祈妻
481-700-332
530-160- 58
葉氏明 陳玘妻 483-268-592
葉氏明 陳四端妻 530- 9- 54
葉氏明 陳協吉妻 530- 19- 54
葉氏明 黃信義妻 473-189- 58
葉氏明 黃勝寶妻 530-123- 57
葉氏明 傅廷雅妻 530- 88- 56
葉氏明 楊元之妻、葉深女
1250-875- 83
葉氏明 趙森妻、葉陽女

1259-230- 17
葉氏明 滕澍妻 530-138- 58
葉氏明 劉琬妻 506- 52- 87
葉氏明 衛琮妻 472-604- 25
葉氏明 謝允椿妻 516-401-102
葉氏明 魏豫妻 506- 7- 86
葉氏明 吳餘慶母
1239-203- 40
葉氏明 葉盛女 1259-197- 15
葉氏明 葉彥榮女 482-118-343
葉氏明 葉碧山女 564-318- 49
葉氏清 朱汝楫妻 524-597-207
葉氏清 沈元齡妻 475-188- 59
葉氏清 宋犖妻、葉廷桂女
1323-356- 31
葉氏清 吳廷馨妻 479-436-236
葉氏清 林登瀛妻 530-119- 57
葉氏清 周圻妻、葉天陛女
530- 76- 55
葉氏清 施錡妻 530-117- 57
葉氏清 施灝妻 475-436- 70
葉氏清 翁成德妻 524-670-210
葉氏清 梅友松妻 479-436-236
葉氏清 曹月赤妻 479-536-241
葉氏清 張企濂妻 512-498-189
葉氏清 陳山妻 482-306-353
葉氏清 陳滿妻 530-117- 57
葉氏清 陳再玠妻 482-119-343
葉氏清 甯瑧妻 506- 38- 86
葉氏清 黃鐘高妻 530-146- 58
葉氏清 賀日章妻 479-152-223
葉氏清 熊啟茹妻 479-503-239
葉氏清 鄭震妻 530- 75- 55
葉氏清 鄭光春妻 481-561-327
葉氏清 劉文達妻 482- 79-341
葉氏清 賴全妻 530-117- 57
葉氏清 盧顒妻 475-584- 79
葉氏清 朱彝尊乳母
1318-522- 79
葉申妻 清 見陳氏
葉生明 676-475- 18
葉台妻 明 見張氏
葉朴明 1271-418- 31
葉臣清(舒穆祿氏) 455-149- 6
葉臣清(伊爾根覺羅氏)
455-264- 15
葉臣清(完顏氏) 455-455- 28
474-769- 41

502-544- 73
葉光明 529-454- 43
563-768- 40
葉旭明 523-230-156
葉任宋 1090-669- 38
1090-677- 39
葉任清 529-678- 49
葉份宋 1130-818- 24
葉份明 1442- 52-附3
1460- 92- 44
葉朱元 1375- 18- 上
葉成清 455-570- 37
葉志明 524-170-186
葉李元 295-352-173
399-664-486
472-968- 38
479- 51-218
523-261-158
585-445- 12
1439-422- 1
葉均宋 488-393- 13
葉育女 宋 見葉氏
葉抗妻 元 見王妙泳
葉杞元 1439-444- 2
葉孜妻 明 見陳氏
葉芊妻 明 見謝氏
葉助妻 宋 見晁靜
葉谷宋 524-375-197
843-671- 下
葉兌明 299-275-135
479-290-230
524-291-193
葉宗明(永嘉人) 473-348- 63
532-725- 46
葉宗明(字承元) 532-632- 43
葉宗明(順天人) 554-348- 54
葉京唐 473-600- 76
529-741- 51
葉性明 460-515- 46
1467- 91- 65
葉宜明 473-618- 77
481-648-330
529-585- 46
葉杭妻 元 見王妙泳
葉林元 524-390-198
葉芸妻 明 見鄒氏
葉芷元 1476-387- 9
葉昌元 1204-337- 12

葉旺明 299-264-134
472-624- 25
474-690- 37
475-836- 93
511-428-152
葉昇明(合肥人) 299-236-131
475-707- 86
511-413-152
571-530- 19
葉昇明(字日新) 516- 64- 89
葉芬明 821-483- 58
葉芳宋 1123-673- 7
葉芳明 1250-530- 49
葉杲明 1442- 70-附4
1460-336- 55
葉延晉 256-586- 97
258-641- 96
262-462-101
267-826- 96
381-459-195
葉采宋 460-326- 25
529-746- 51
葉迎妻 明 見盧氏
葉洪明(字子源) 300-400-206
476-528-128
540-807-28之3
葉洪明(廣寧衛人) 502-784- 87
葉恆元 479-225-227
523-450-168
1439-432- 1
葉津明 1227-637- 下
葉津清 1475-663- 28
葉奕明 570-166-21之2
葉封清 480- 94-262
533-165- 52
1475-611- 26
葉春明 299-557-159
479- 95-221
1239-153- 37
葉皆宋 1356-777- 18
葉相明(字良臣) 475-376- 68
511-208-144
523-191-155
1442- 40-附2
1459-811- 33
葉山明(通山人) 480- 57-260
葉相女 明 見葉兆姺
葉相妻 清 見唐氏

葉柱清 455-605- 41
葉珂妻 元 見湯潤
葉政葉公政 元 1218-710- 4
1221-689- 28
葉政妻 清 見郭氏
葉茂明 1239-173- 38
葉昭明 516-103- 91
820-575- 40
葉彔明 523-556-173
葉香明 515-409- 69
葉信女 元 見葉氏
葉容明 524-372-197
葉益元 524-231-189
葉烓明 524- 92-182
葉祐明 456-684- 11
葉浚元 524- 91-182
葉素宋 1090-669- 38
葉素明 524- 92-182
葉泰明 571-541- 20
葉眞宋 460-336- 26
葉砥明 473- 45- 50
476-309-113
479-238-227
479-527-241
515-221- 63
523-463-169
545-407- 98
567- 87- 66
1242-252- 33
1374-677- 88
1467- 57- 64
葉桐宋 1125- 43- 3
葉晉明 見馬晉
葉瑋宋 484-388- 28
葉耿明 524- 88-182
葉挺明 523-628-177
葉時宋 472-968- 38
472-982- 39
479- 50-218
491-111- 13
491-436- 6
523-578-175
528-523- 31
676-689- 29
葉時明 564-262- 47
1286-705- 16
葉恩明 472-367- 16
510-446-117

葉茵宋 1364-341-293
葉峴元(字見山) 524-167-186
1439-434- 1
葉峴元(餘姚人) 1209-366- 5
葉恕明 473-606- 76
516- 63- 89
523- 36-147
葉釗明 300-104-189
473- 27- 49
479-490-239
515-382- 68
葉修明 515-405- 69
532-626- 43
554-253- 52
563-824- 41
葉寅宋 460-312- 23
葉淇明 300- 28-185
472-312- 13
473-126- 55
475-329- 65
475-872- 95
482-321-354
511-192-143
515-133- 61
567-100- 66
1247- 73- 5
1250-893- 84
葉清明 472-795- 31
葉清女 明 見葉淑瑜
葉翊葉寅孫 宋 448-370- 0
葉章明 481-290-306
葉深女 明 見葉氏
葉梁妻 明 見吳氏
葉烶明 456-667- 11
葉球清 謝宣妻、葉汝棟女
530- 25- 54
葉梓宋 485-536- 1
1164-255- 13
葉彬母 明 1269-463- 8
葉陳清 502-735- 84
葉晟明 483- 32-371
葉冕明 472-240- 9
510-348-114
516- 65- 89
523-465-169
葉莫宋 480-436-278
葉凰清 476-283-111
葉紳明 299-846-180
475-134- 56
511-103-140
葉紳明(字朝佩) 523-376-164
584-268- 10
葉参宋 472-1002- 40
486- 47- 2
494-380- 11
589-308- 2
1088-566- 59
葉斌明 511-583-159
葉善明 532-649- 43
葉湜宋 460-298- 20
515-268- 65
1174-702- 44
葉楝明 515-790- 82
523-132-152
葉雲明 524-273-191
葉雲明 見雪菴和尚
葉琪明 1271-641- 55
葉賀宋 見葉味道
葉琴清 455-640- 44
葉喜清 502-743- 85
葉雄吳 933-764- 53
葉盛明 299-799-177
453-402- 11
453-624- 20
472-230- 8
475-133- 56
481-804-338
493-486- 28
493-986- 52
505-635- 67
511- 98-140
545- 71- 85
567- 96- 66
676-494- 19
820-625- 41
1255-300- 36
1284-135-146
1289-349- 24
1374-580- 79
1385-376- 15
1386-390- 44
1442- 26-附2
1455-599-235
1459-629- 24
1467- 70- 64
葉盛女 明(夏景澄妻) 見葉氏
葉盛女 明(鄭瑛母) 見葉氏
葉陽女 明 見葉氏
葉琛葉伯顏 明 299-191-128
472-1055- 44
479-433-236
479-483-239
515- 88- 59
523-421-166
1223-296- 3
1224-296- 3
1409-622-636
葉琰明 524-213-188
葉森宋 821-245- 52
葉森元(字景修) 524- 6-178
葉森元(字仲實) 1218-803- 6
葉菖元 1476-388- 9
葉華明 472-339- 14
葉華妻 明 見季氏
葉棠宋 1356-695- 10
葉復明 1245-183- 4
葉溥明(龍泉人) 472-128- 4
505-691- 70
524-274-191
葉溥明(廣濟知縣) 473-282- 61
532-634- 43
葉溥明(字愛周) 524-232-189
葉溥明(字時用) 528-455- 29
葉祺明 476-819-143
葉裕母 明 見陸氏
葉煒明 511-308-148
葉祿明 523-207-155
葉煥宋 471-660- 11
475-639- 83
葉楷妻 明 見陳氏
葉瑞元 1211-358- 50
1211-660- 10
1373-340- 22
葉瑞明 494-246- 10
葉楠宋 472-368- 16
475-642- 83
511-315-148
1147-383- 35
葉幹明 475-641- 83
510-449-117
葉瑗明 676-496- 19
葉萱明 679-631-200
葉嵩明 472-801- 31
葉鼎宋 820-452- 35
葉鼎明 447- 99- 1
葉葵明 447- 97- 1
葉傳妻 宋 見黃氏
葉鉅明 524-235-189
葉筠宋 528-506- 31
葉筠清 511-909-173
葉雋元 529-685- 50
葉經明 300-462-210
479-241-227
481-525-326
523-310-160
528-457- 29
1276- 29- 3
葉賓宋 473-583- 75
1090-668- 38
葉禎元 1224-191- 20
葉禎明(字夢吉) 299-642-165
482-186-346
482-390-358
564-250- 47
566-250- 42
567- 97- 66
1467- 72- 64
1467-292- 73
葉禎明(字瑞卿) 480-341-273
523-501-170
葉福明 299-353-141
456-696- 12
481-529-326
529-452- 43
葉福妻 明 見陳氏
葉齊宋 471-660- 11
473-600- 76
葉寀明 524-232-189
葉禔宋 524- 89-182
葉榮妻 元或明 見趙氏
葉壽明 554-276- 53
葉赫清 455-336- 20
葉翥宋 451- 24- 0
486- 54- 2
葉翥明 523-348-162
葉暨明 見雪菴和尚
葉翠妻 明 見楊氏
葉遜元 1207-282- 19
1226-494- 24
葉蓁宋 532-644- 43
葉蓋宋 473-360- 64

533-319- 57
葉暢明 1467- 77- 64
葉綰宋 472-1052- 44
523-241-157
葉魁明 456-684- 11
葉綬明 516- 77- 90
820-643- 41
葉寬宋 484-378- 27
葉寬明 510-480-118
529-538- 45
葉廣明(字大用) 523-573-174
1250-942- 89
葉廣葉伯瑛 明(無錫人)
676- 50- 2
葉諒宋 475-642- 83
511-484-155
葉澄宋 491-437- 6
葉澄明 821-374- 55
葉適母 宋 見杜氏
葉適宋 288-119-434
400-517-547
451- 22- 0
471-641- 9
472-173- 6
472-1117- 48
473-281- 61
475- 70- 52
488- 14- 1
488-464- 14
493-775- 42
523-344-162
820-438- 35
1356-684- 8
1375- 34- 下
1437- 27- 2
1462-548- 81
葉適妻 宋 見高氏
葉瑾明 473- 78- 52
516-105- 91
葉增清 482- 91-342
564-305- 48
葉確宋 529-493- 44
葉閭宋 820-448- 35
葉鼒明 511-276-147
676-512- 20
葉震宋 1226-215- 10
葉模妻 明 見彭氏
葉儀明(字景翰) 301-753-282
458-597- 1
479-327-232
523-615-176
葉儀明(長泰人) 1467- 86- 65
葉德明 江萊甫妻、葉遷輔女
1374-605- 82
1376-682- 99
葉澣宋 516-208- 96
葉親清 455- 95- 3
葉澳明 524- 93-182
葉臻宋 1150- 86- 10
葉樾宋 487-510- 7
葉靜唐 524-406-199
葉霖元 1209-564-9下
葉蕙元 1476-387- 9
葉蕡明 1229-198- 5
葉默宋 529-597- 47
葉默明 林守定妻、葉朝宗女
530- 13- 54
葉錡明 見葉子奇
葉衡葉俊哥 宋 287-273-384
398-298-384
448-399- 0
448-409- 0
471-632- 7
472-254- 10
472-962- 38
472-1029- 42
475-214- 60
479- 42-218
479-322-232
488- 13- 1
488-457- 14
510-359-114
523-324-161
1284-331-161
葉衡元 516- 45- 88
528-475- 30
1439-430- 1
葉衡明 523-497-170
葉錫明 299-590-161
472-223- 8
493-759- 41
523-496-170
1245-162- 4
葉錫清 456-127- 58
葉穆明 529-566- 46
545-245- 92
葉濤宋 286-705-355
472-1053- 44
488-401- 13
491-346- 2
524- 89-182
1110-408- 21
1437- 16- 1
葉應明 564-182- 46
676- 4- 1
676-294- 11
葉燮明 511-749-165
葉襄妻 明 見孔氏
葉襄清 511-751-165
葉燦明 511-800-167
1442- 91-附6
1460-522- 65
葉燠宋 486- 51- 2
葉聰明 1442- 37-附2
1459-769- 30
葉懋元 1476-387- 9
葉薦宋 528-441- 29
529-603- 47
葉薈宋 511-632-161
葉曙宋 524-172-187
585-388- 8
1091-387- 35
葉曖女 宋 見葉氏
葉徽元 趙嗣滋妻、葉謹翁女
1226-459- 22
葉贄明 300- 29-185
473- 67- 51
475-329- 65
511-192-143
523-174-154
葉顒宋 287-272-384
398-297-384
460-223- 14
471-670- 13
472-254- 10
472-1052-44
472-1067- 45
473- 60- 51
473-632- 77
473-673- 79
475-214- 60
479-224-227
479-431-236
479-556-242
481-553-327
482- 33-340
510-359-114
515-195- 63
523-150-153
529-496- 44
563-673- 39
933-765- 53
1142-631- 8
1161-508-119
葉顒元 524- 72-181
1247- 73- 5
1439-453-附2
1469-619- 62
葉顒明 493-1029- 54
511-734--165
1386-439- 45
1439-454- 2
葉顓宋 484-382- 28
葉簡五代 524-365-197
葉麒妻 明 見鄭氏
葉瀚明 524-166-186
葉譚晉 見革譚
葉瓊明 葉世傑女
1228-170- 8
葉顗宋 481-553-327
529-496- 44
葉藟明 676-526- 21
葉鏜明 515-891- 86
葉藻明 820-595- 40
820-627- 41
葉籈宋 485-534- 1
葉爚明 476-779-141
葉護唐 271-689-195
葉夔明 676-278- 10
葉顥唐 473-598- 76
481-672-331
528-520- 31
葉蘭元 516- 49- 88
1476-387- 9
葉蘭妻 明 見李氏
葉龔宋 484-376- 27
葉巒明 523-191-155
葉權宋 1164-262- 13
葉權明 1442- 71-附4
葉瓚明 515-873- 86
680- 39-228
葉鑛宋 523-412-166

葉鸞明 475-708- 86
511-337-149
葉一清明 1442-69-附4
1460-334- 55
葉一源唐 523-414-166
葉一蘭妻 明 見劉氏
葉二娘明 林鳳翔妻
530-111- 57
葉二蘭明 515-451- 70
葉了心元 祝化孫妻
1224-319- 24
葉三友元 1202-260- 18
葉三省宋 516-198- 95
葉三娘明 張一睦妻
530- 95- 56
葉士怡清 511-610-160
葉士直明 1274-332- 11
葉士彥明 515- 66- 58
葉士美明 529-461- 43
葉士廉明 1247- 73- 5
葉士寧宋 1164-336- 18
葉士龍宋 460-337- 26
葉士樽妻 清 見劉氏
葉士隨妻 清 見徐氏
葉子仁宋 516-518-106
葉子奇葉錡 明 479-433-236
523-631-177
676-291- 11
676-453- 17
1318-353- 62
1442- 9-附1
1459-461- 14
葉子雲明 524-235-189
葉子澄元 493-1127- 59
葉子震宋 843-673-下
葉子儀宋 529-717- 51
葉大正明 523-562-174
葉大用宋 473- 63- 51
515-856- 85
葉大有宋 473-633- 77
529-503- 44
葉大同宋 524-216-189
葉大任宋 484-378- 27
葉大榮元 1197-812- 86
葉大顯宋 1156-659- 5
葉大顯妻 宋 見張景昭
葉小鸞明 葉紹袁女
512- 9-176
821-491- 58
1442-125-附8
1458-759-478
1460-784- 85
葉上高明 523-419-166
葉上蘭妻 清 見張氏
葉千韶晉 473- 79- 52
479-583-243
516-475-105
1059-604-中
葉方蓁妻 清 見劉楷
葉方藹清 475-142- 57
511-752-165
葉文波葉觀光 清
570-261- 25
葉文炳宋 460-297- 20
528-474- 30
1174-740- 46
葉文炳元 820-498- 37
葉文保明 482-304-353
564-264- 47
葉文詩宋 524-448-201
葉文榮明 302-149-297
479- 52-218
524- 99-183
葉文舉葉應槐 元
523-553-173
1229-365- 14
葉文齡明 524-347-196
676-376- 14
葉之旭妻 明 見黃氏
葉之芳明 1442- 96-附6
1460-562- 68
葉太叔明 見葉亭立
葉元玉明 529-636- 48
676-515- 20
1442- 35-附2
葉元在妻 明 見王氏
葉元凱葉壽孫 宋
448-391- 0
葉元凱明 472-588- 24
540-662- 27
葉元靜明 821-405- 56
葉孔賓妻 明 見何氏
葉孔賓妻 明 見鄭氏
葉天任宋 見葉翔鳳
葉天佑明 1286-720- 16
葉天佑妻 明 見方氏
葉天秀宋 1195-423- 8
葉天保明 524-223-189
葉天球明 581-659-112
1263-535- 6
葉天陸女 清 見葉氏
葉天賜妻 明 見范氏
葉天爵明 473-112- 54
515-173- 62
葉天彝妻 明 見汪氏
葉木濟清 455-119- 4
葉日初明 511-604-160
葉日炳妻 清 見陳氏
葉中額清 502-726- 84
葉少蘊宋 494-385- 11
843-669-中
葉公政元 見葉政
葉月娥清 楊有華妻
479-359-233
葉仁智妻 清 見吳氏
葉仁遇宋 812-460- 1
812-538- 3
821-165- 50
葉介臣妻 清 見韓氏
葉允吉明 473-695- 80
563-787- 40
葉必茂宋 1188-671- 4
葉永秀明 564-150- 45
葉永泉清 456-368- 78
葉永祥清 456-369- 78
葉永盛明 475-610- 81
511-309-148
523- 59-148
葉永華明 524- 93-182
葉玉衡妻 明 見李氏
葉正元明 456-683- 11
529-693- 50
葉正萃清 511-629-161
葉正華妻 明 見余氏
葉正榮清 524-181-187
葉巨卿明 528-478- 30
葉古德清 455-548- 35
葉孕秀明 554-772- 62
葉孕郁妻 清 見李氏
葉可畏明 1283-626-116
葉可興妻 清 見燕氏
葉可權元 1439-436- 1
葉可觀元 821-319- 54
葉世英宋 843-672-下
葉世傑女 明 見葉瓊
葉世愛明 524-166-186
葉世儀妻 明 見李氏
葉世德明 523-497-170
594-214- 7
葉民極葉壽孫 宋
448-394- 0
葉以清元 511-543-158
1221-690- 28
葉以清妻 明 見陳氏
葉以萃明 524-237-189
葉由庚宋 451-406- 14
479-324-232
523-611-176
680-564-278
1223-532- 10
葉仕美明 473-282- 61
葉仙鼎元 見額森鼐爾
葉守正妻 明 見呂氏
葉汝舟元 1204-519- 20
葉汝棟妻 清 見林瑢
葉汝棟女 清 見葉球
葉汝薀葉汝蘅 明
301-644-276
456-530- 6
479-246-227
葉汝蘅明 見葉汝薀
葉汝鑰明 567-388- 82
1467-253- 71
葉有年清 511-871-170
葉有挺清 481-750-334
529-647- 48
葉有聲明 475-182- 59
511-132-141
528-463- 29
葉臣遇清 523-477-169
524-214-188
葉光遠宋 821-223- 51
葉兆姚明 李光庭妻、葉相女
473- 31- 49
479-499-239
516-238- 97
葉自本妻 清 見王氏
葉向高明 301- 74-240
458-383- 17
460-523- 48
481-531-326
529-477- 43

530-603- 73
676-614- 25
1442- 79-附5
1460-415- 59
葉向榮明 456-602- 9
523-408-165
葉企顏元 476-204-107
545-183- 89
545-339- 96
葉好文明 472- 66- 2
505-666- 69
葉如菴元 533-773- 74
葉如檞妻 清 見吳氏
葉如蘭元 支蘭玉妻
516-358-101
葉先祖宋 1164-298- 15
葉竹泉明 821-441- 57
葉仲安明 1227- 72- 8
葉仲凱元 524-287-192
葉仲賢明 473-641- 78
葉仲儀明 524-235-189
葉仲輿元 821-301- 53
葉宋英元 515-766- 81
葉良才葉良材 明
1280-385- 84
1289-294- 19
葉良材明 見葉良才
葉良材妻 明 見沈氏
葉良材妻 明 見周氏
葉良佩葉良珮 明
515-189- 62
523-475-169
677-598- 54
葉良珮明 見葉良佩
葉良器明 523-398-165
葉志道元 516- 51- 88
葉成章明 475-122- 55
510-338-113
529-553- 45
葉孝友葉愛同 明
518-246-143
葉孝墅元 820-541- 39
1222-393- 下
葉君愛元 1193-682- 33
葉君實清 511-576-159
葉折手明 524-347-196
葉克明明 1227- 78- 9
葉克書葉克舒 清
455-586- 39
502-509- 71
葉克舒清(瓜爾佳氏)
455- 94- 3
葉克舒清(正紅旗人)
474-766- 41
葉克舒清 見葉克書
葉肖巖宋 821-230- 51
葉見泰明 524- 65-181
676-457- 17
820-568- 40
1273-149- 21
1442- 8-附1
1459-528- 18
葉見恭明 見葉惠仲
葉見陽明 558-466- 38
葉似珪宋 516-212- 96
葉伯巨葉伯臣 明
299-325-139
443- 77- 5
479-291-230
523-398-165
545-243- 92
1235-607- 21
1457-482-387
葉伯臣明 見葉伯巨
葉伯瑛明 見葉廣
葉伯誠明 1458- 59-418
葉伯鳴明 511-288-147
676-649- 26
葉伯賢女 明 見葉妙貞
葉伯顏明 見葉琛
葉希盛明 524-212-188
葉希賢明 見雪菴和尚
葉希學明 524-158-186
葉邦榮明 676-557- 23
葉秀春妻 明 見康氏
葉秀發宋 475-367- 67
510-389-115
523-610-176
678-563-123
679-812-218
1228-524- 10
1375- 34- 下
1457-571-397
葉秀實明 1242-293- 34
葉妙貞明 劉文斌妻、葉伯賢
女 1257-571- 12
葉妙慧宋 單導母
1154-398- 20
葉廷秀明 301-324-255
474-168- 8
476-866-145
540-830-28之3
葉廷珪宋 460-222- 14
528-482- 30
529-600- 47
葉廷桂明 458-171- 8
537-433- 58
554-217- 52
葉廷桂女 清 見葉氏
葉廷榮明 524-263-191
葉廷驤妻 清 見祝氏
葉宗人明 301-734-281
475-179- 59
葉宗仁妻 明 見鄭氏
葉宗行明 472-963- 38
479- 44-218
511-124-141
523- 83-149
葉宗兗蔡宗兗 明
301-784-283
457-161- 11
479-241-227
481-550-327
523-601-176
528-477- 30
1260-103- 3
葉宗茂葉保翁 明
511-274-147
676-465- 17
1375- 24- 上
1376-358- 83
1456-548-322
葉宗蔭明 505-651- 68
葉宗諤宋 488-426- 14
488-430- 14
葉宗藩清 481-439-316
葉法善唐 271-632-191
276-100-204
384-182- 10
401- 94-580
472-1056- 44
475-652- 83
479-437-236
524-446-201
587-434- 5
葉初春明 300-811-233
511-111-140
676-613- 25
1442- 79-附5
1460-398- 58
葉定國妻 清 見宋氏
葉武子宋 460-313- 23
481-697-332
523-242-157
529-638- 48
葉其瑞妻 明 見王氏
葉其端妻 明 見王氏
葉孟昭明 564-180- 46
葉坤隨明 許志超妻
530- 92- 56
葉阿五宋 見葉謙亨
葉長青妻 清 見繆氏
葉長姐清 謝永昇妻、葉應祥
女 482-119-343
葉承光明 516-139- 92
葉承宗清 540-848-28之4
葉承基妻 明 見孫氏
葉承遇明 523-498-170
528-479- 30
葉承親妻 清 見柯氏
葉尚高明 1460-719- 78
葉尚坦女 清 見葉爾烈
葉昌祉妻 清 見姚氏
葉昌齡明 524-444-201
葉明元明 475-641- 83
510-448-117
515-265- 65
529-546- 45
葉芝六妻 清 見趙氏
葉叔文明 481-550-327
528-476- 30
葉味道葉賀、葉知道、葉賀孫
宋 288-176-438
400-557-550
460--302- 20
472-1054- 44
472-1117- 48
479-406-235
523-627-177
529-611- 47
529-756- 52
677-344- 31

680-267-252
葉知道宋 見葉味道
葉季韶宋 523-630-177
葉季興宋 515-751- 80
葉周安妻 明 見吳氏
葉秉文宋 1132-516- 14
葉秉乾明 481-586-328
529-672- 49
葉秉敬明 523-621-177
532-600- 41
537-221- 54
676-625- 26
葉延年宋 493-748- 41
510-329-113
葉洵仁宋 1150- 83- 10
葉恆來元 526-261-267
葉亭立葉太叔 明
524- 46-180
1442- 97-附6
1460-584- 69
1474-422- 21
葉彥中元 526-637-280
1221-492- 12
葉彥球宋 587-445- 5
葉彥琰宋 528-204- 23
葉彥榮女 明 見葉氏
葉彥寬妻 元 見范氏
葉春及明 300-761-229
481-583-328
482-117-343
528-487- 30
564-185- 46
676-584- 24
676-723- 30
1442- 67-附4
1460-295- 53
葉春華明 524-112-183
葉厚元明 524-224-189
葉南生清 524-159-186
葉南仲宋 484-380- 28
葉致遠宋 471-643- 9
葉茂才明 300-792-231
457-1058- 60
458-453- 22
458-948- 9
475-228- 61
511-160-142
676-618- 25
葉茂實宋 524-373-197
843-672-下
葉貞明妻 明 見陳氏
葉思瑞明 524-220-189
葉昭映宋 1117-332- 15
葉映榴清 475-185- 59
477-569-177
480- 14-257
511-445-153
533-354- 59
554-223- 52
558-165- 30
葉約庵元 1247- 73- 5
葉紈紈明 葉紹袁女
512- 9-176
820-768- 44
1442-125-附8
1460-784- 85
葉重華明 1442-106-附7
葉重達明 1442- 99-附6
葉保翁明 見葉宗茂
葉保卿明 俞大訓妻
530-127- 57
葉俊哥宋 見葉衡
葉高標明 564-194- 46
葉唐稽宋 1130-299- 30
葉租洽宋 286-695-354
397-738-364
471-651- 10
473-642- 78
489-546- 43
葉祖麟妻 清 見胡氏
葉祚徽清 483- 70-376
523-394-164
569-680- 19
葉益蕃女 明 見葉氏
葉庭芬宋 484-376- 27
葉庭茂女 宋 見葉氏
葉庭傑宋 484-378- 27
葉眞壽明 1375- 28-上
葉桂芳女 明 見葉氏
葉桂章明 559-376- 8
葉匪躬宋 473- 60- 51
515-197- 63
葉振寰妻 清 見李氏
葉時可妻 宋 見陶氏
葉時彥妻 明 見郭氏
葉時敏明 529-478- 43
葉時新明 460-781- 82
葉時煥妻 明 見鄭氏
葉師中宋 515-131- 61
葉純眞宋 操昇之妻
1182-613- 40
葉寅孫宋 見葉翊
葉添德明 1240-112- 8
葉清友葉清支 元
524-368-197
821-319- 54
葉清支元 見葉清友
葉清臣宋 285-704-295
371-141- 14
382-408- 64
384-357- 18
397-148-328
472-228- 8
472-825- 33
472-981- 39
475-129- 56
478- 90-180
478-760-215
485-187- 25
488-383- 13
493-900- 49
494-380- 11
494-471- 18
510-281-112
511- 91-140
523- 10-146
540-647- 27
554-146- 51
589-314- 3
820-350- 32
1437- 12- 1
葉清叟元 516-101- 91
葉淑瑜明 李昇妻、葉清女
1241-226- 10
葉淑慧明 樊靜妻
479-561-242
葉敦毅妻 清 見陳氏
葉康直宋 288- 10-426
400-352-531
471-823- 33
472-196- 7
472-893- 35
473-246- 60
473-602- 76
475-776- 89
480-288-271
529-595- 47
532-676- 44
558-229- 32
1110-536- 31
葉梅卿宋 524-439- 201
葉梓素元 821-324- 54
葉貫道元 524-230-189
葉國章明 524- 77-181
葉國祥明 473-536- 72
葉國華明 559-315-7上
葉常春明 563-816- 41
葉處和宋 1151-594- 27
葉紹先明 558-402- 36
葉紹袁明 511-749-165
676-653- 27
1442-104- 7
1460-620- 71
1475-960- 41
葉紹袁妻 明 見沈宜修
葉紹袁女 明 見葉小鸞
葉紹袁女 明 見葉紈紈
葉紹翁宋 1364-113-260
1437- 28- 2
葉紹彭妻 宋 見王氏
葉紹顒明 564-807- 60
葉逢元明 1474-550- 27
葉逢春明(字叔仁) 515-176- 62
676-591- 24
葉逢春明(字夔鉉) 564-193- 46
葉逢陽明 517-661- 31
葉啟英清 529-679- 49
葉啟翼妻 明 見蔡氏
葉從介明 薛用溥妻
530- 13- 54
葉翔鳳葉天任 宋
448-371- 0
484-390- 28
葉普肯清 455-396- 24
葉普舒清 455- 77- 2
葉惠仲葉見恭 明
299-374-143
456-696- 12
472-1105- 47
479-292-230
523-399-165
886-163-139

葉惠柔元 張宗漢妻、葉繼善女 1202-227- 16
葉惠勝妻 明 見陳氏
葉賀孫宋 見葉味道
葉喜兩明 1467- 86- 65
葉朝宗女 明 見葉默
葉朝陽明 523-438-167
葉朝榮明 460-523- 48
515-249- 64
529-476- 43
676-608- 25
1467-129- 66
葉朝鱗明 524-224-189
葉期化明 554-513-57下
葉期遠女 明 見葉氏
葉硜額清 455-448- 27
葉隆光明 511-257-146
葉登遠妻 清 見王氏
葉登禮女 清 見葉滿姑
葉堯咨宋 1171- 79- 10
葉紫芹妻 清 見廖氏
葉景仁元 473-605- 76
481-674-331
528-525- 31
529-613- 47
葉景恩明 302- 16-289
479-491-239
葉景新明 515-389- 68
葉景龍明 482- 89-342
563-775- 40
葉程方母 明 見張氏
葉舒崇明 1475-687- 29
葉進成宋 812-460- 1
812-538- 3
821-164- 50
葉義問宋 287-270-384
398-295-384
472-173- 6
472-1016- 41
473- 86- 52
475- 69- 52
479-380-234
479-526-241
479-604-244
515-213- 63
515-243- 64
523-338-162
葉瑚德清 455-332- 20
葉聖翁元 1234-250- 41
葉聖淑妻 清 見王氏
葉瑞之妻 清 見柳氏
葉瑞齡明 524- 92-182
葉楞額清 455- 49- 1
葉嗣孫元 524- 64-181
葉虞仲宋 473- 62- 51
515-855- 85
葉愈雄妻 清 見黃氏
葉愛同明 見葉孝友
葉演馥妻 清 見莊氏
葉漢卿宋 821-210- 51
葉滿姑清 葉登禮女 482-306-353
葉榮曕明 456-615- 9
葉壽孫宋 見葉元凱
葉壽孫宋 見葉民極
葉赫齊清 455-365- 22
葉赫穆清 455-200- 10
葉蓁英妻 清 見游氏
葉爾烈清 張孫瑤妻、葉尚坦女 479-335-232
524-704-212
葉爾森清 455-114- 4
葉際英明 515-895- 86
葉碧山女 明 見葉氏
葉翥鳳清 1327-344- 15
葉夢林明 1291-894- 6
葉夢林妻 明 見常氏
葉夢淇葉夢琪 明 473-359- 64
532-708- 45
葉夢得宋(字少蘊) 288-260-445
400-672-563
449-394-上4
471-643- 9
472-173- 6
472-228- 8
472-644- 26
472-1003- 40
472-1053- 44
473-568- 74
475- 17- 49
475-130- 56
475-501- 75
477-473-173
479-147-223
484-102- 3
488- 12- 1
488-420- 14
488-433- 14
488-435- 14
488-437- 14
493-902- 49
511- 92-140
524-311-194
528-440- 29
537-342- 56
674-326-5上
674-546- 2
674-836- 18
820-412- 34
933-764- 53
1437- 22- 2
1462- 7- 49
葉夢得宋(寧海人) 479-711-250
葉夢得宋(號是齋) 515-866- 85
517-425-126
517-426-126
葉夢琪明 見葉夢淇
葉夢登宋 524- 89-182
葉夢祺妻 明 見王氏
葉夢鼎宋 287-644-414
398-595-405
472-1084- 46
472-1104- 47
473-177- 57
473-599- 76
479-174-225
479-289-230
479-557-242
479-766-252
481-673-331
515-120- 60
523-317-161
528-524- 31
葉夢熊明(字男兆) 300-744-228
479-793-254
482-116-343
515-279- 65
523- 56-148
554-343- 54
564-184- 46
葉夢熊明(惠州人) 528-459- 29
葉夢鯤明 478-200-184
葉蒙額清 455-256- 14
葉鳳起妻 明 見古氏
葉銘臻明 524- 43-180
葉維青妻 明 見魏氏
葉維漢妻 清 見張氏
葉維藩明 524-147-185
1321-240-113
葉廣居元 524- 5-178
585-446- 12
592-1002- 上
592-1003- 上
1439-442- 2
葉廣彬明 529-657- 49
葉賡朝妻 清 見郭氏
葉審思元 524-433-200
1207- 66- 4
葉調元妻 清 見傅氏
葉適正宋 1121-412- 28
葉慶二明 529-692- 50
葉增光妻 明 見趙氏
葉震生明 546-607-135
葉遷輔女 明 見葉德
葉履貞妻 明 見楊氏
葉德良明 479-434-236
523-422-166
葉憲祖明 524- 57-180
677-691- 61
1442- 94-附6
1460-540- 66
葉龍額清 456- 76- 55
葉樹聲明 680-330-259
葉霑雨明 564-243- 47
葉靜能唐 479-193-225
葉遷韶不詳 1061-284-112
葉蕃春明 512-736-195
葉儞祖宋 523-416-166
葉學則明 569-673- 19
570-217- 23
葉穆柱清 455-235- 12
葉應用明 572-103- 30
葉應光宋 524-167-186
葉應武明 456-457- 4
523-411-166
葉應咸元 1209-573-9下
葉應春明 528-514- 31
葉應祥女 清 見葉長姐
葉應乾明 523-536-172
葉應槐元 見葉文舉
葉應震明 516- 89- 90

葉應選妻 清 見李瑞娘
葉應驄明 300-393-206
479-184-225
523-293-159
1474-286- 13
葉謙亨葉阿五 宋
448-359- 0
515-167- 62
524- 89-182
葉謙甫宋 1119-259- 24
葉翼雲明 456-463- 4
1319-184- 15
葉聯芳明 481-114-296
559-278- 6
572- 86- 28
葉聯雲妻 清 見方氏
葉鍾芝妻 清 見趙氏
葉鍾藻妻 清 見徐氏
葉謹翁元 523-615-176
1209-564-9下
1439-430- 1
葉謹翁女 元 見葉徽
葉覲光清 見葉文波
葉藏質唐 486-905- 35
524-447-201
葉叢椿明 511-634-161
葉懷章妻 清 見李氏
葉贊玉明 518-246-143
葉繼生妻 明 見黃妙瑩
葉繼甫妻 明 見郭端
葉繼美明 510-458-117
葉繼善女 元 見葉惠柔
葉繼華明 524-168-186
葉露新明 545-423- 98
葉韡蓁妻 清 見張氏
葉巍然明 538-113- 64
葉公子高春秋 見沈諸梁
葉臣廣固清 456- 94- 56
葉克汪保清 560-128- 19
葉爾古德清(伊爾根覺羅氏)
455-274- 15
葉爾古德清(黃佳氏)
455-531- 33
葉爾胡訥清 455-583- 38
葉爾庫德清 455-528- 33
葉赫納愼金 見鈕祜祿納新
葉諦彌實元 見伊德默色
葉護可汗隋 見處羅侯
葉赫珠瑪喇清 474-762- 41
502-522- 72
葆申周 386-596- 1
葆光子元 541- 95- 30
敬宋 588-216- 9
敬文清 456-299- 73
敬元宋 491-120- 14
敬氏唐 白季康妻
1080-772- 70
敬羽唐 271-483-186下
276-172-209
400-382-535
敬同漢 見司馬氏
敬君周 812-314- 4
821- 6- 45
敬昕唐 472-717- 28
537-202- 54
敬姒春秋 衛定公夫人
404-835- 52
敬客唐 820-145- 26
敬姜春秋 公父穆伯妻
404-567- 34
448- 12- 1
452- 74- 2
541- 15- 29
敬括唐 270-378-115
275-444-177
476-120-102
478-334-191
546-273-124
1388-831-116
敬珍北周 263-701- 35
547- 68-143
敬眞南唐 見棲霞
敬釗隋 264-1015- 71
267-400- 70
379-768-161
476-118-102
476-329-115
546-260-123
敬祥北周 263-701- 35
敬教秦 547-186-148
敬晦唐 275-444-177
396-183-268
476-122-102
523- 7-146
546-281-124
敬脫隋 814-264- 8
820-128- 25
敬翔後梁 277-165- 18
279-118- 21
384-299- 16
396-330-281
478-345-191
554-931- 64
1383-710- 64
敬翔妻 後梁 見劉氏
敬超唐 1467- 14- 62
敬肅隋 264-1040- 73
267-662- 86
380-208-170
474-304- 16
476-118-102
477-199-159
477-472-173
478- 86-180
478-403-194
478-694-210
546-260-123
554-266- 53
933-690- 46
敬發夏 見發
敬楊漢 郭孟妻、楊文女
591-533- 41
879-176-58下
敬暉唐 270- 94- 91
274-517-120
384-185- 10
395-499-226
459-370- 22
469-398- 47
472-464- 20
472-705- 28
476-399-119
477-200-159
537-274- 55
544-225- 63
545-760-110
933-690- 46
敬鉉元 472- 55- 2
505-875- 78
546-709-138
679-552-193
1197-198- 18
敬誠唐 486- 42- 2
敬澄唐 492-716-3下
敬慧五代 1053-230- 6
敬播唐 271-539-189上
276- 13-198
384-176- 9
400-408-538
476-119-102
546-699-138
933-690- 46
敬嬴春秋 魯宣公母
404-565- 34
敬遵宋 1053-400- 10
敬璡宋 1053-410- 10
敬歸春秋 魯襄公夫人
404-566- 34
敬儼元 295-380-175
399-693-489
472- 55- 2
473- 14- 49
474-589- 30
475- 19- 49
478-763-215
479-450-237
505-783- 73
515- 25- 57
523- 26-147
546-299-124
敬子一漢 見敬承登
敬元禮唐 274-516-120
564- 29- 44
敬玄子不詳 1061-270-110
敬君弘唐 271-490-187上
275-578-191
400- 92-508
476-398-119
546-540-133
933-690- 46
敬長瑜北齊 267-171- 55
379-467-154
933-690- 46
敬承登敬子一 漢
1161-488-117
敬超先唐 473-767- 84
482-432-361
567- 38- 64
敬象子敬像子 唐 樊會仁母
271-651-193
276-107-205

401-148-589
452-111- 3
472-469- 20
476-126-102
547-364-155
敬新磨後唐 279-229- 37
384-309- 16
401-129-586
407-657- 2
1383-778- 71
敬嗣暉金 291-304- 91
399-186-432
敬會眞唐 546-641-136
敬像子唐 見敬象子
敬顯儁北齊 263-217- 26
267-171- 55
379-467-154
476- 82-100
544-217- 62
933-690- 46
敬謹親王清 見尼堪
敬謹親王清 見蘭布
敬武長公主漢 薛宣妻、漢宣帝女 554- 44- 49
虞人春秋 404-613- 37
虞王金 見完顏永升
虞王明 見朱雄英
虞公春秋 384- 10- 1
虞氏漢 漢順帝美人、虞詩女 252-192- 10下
402-551- 18
虞氏晉 孫晷妻、虞預女 451- 16- 0
486-316- 14
虞氏宋 莫子純母 524-667-210
1164-371- 20
虞氏元 史晉伯母 1207-294- 20
虞氏明 李元順妻 473- 66- 51
虞氏清 朱紹先妻 475-539- 77
虞氏清 陳貴恆妻 481-680-331
530-141- 58
虞氏清 陳應藩妻 475-242- 61
虞氏清 劉芳烈妻 478-141-181
虞汜吳 254-842- 12
384-602- 34
385-605-65下下
453-761- 4
486-293- 14
523-299-160
虞申宋 451-130- 2
511-560-158
虞臣明 676-514- 20
676-717- 30
虞仲周 546-426-129
933- 92- 6
虞汴妻 明 見李氏
虞沆宋(會稽人) 563-696- 39
虞沆宋(字叔子) 566-286- 44
虞汲元 295-432-181
399-720-492
473-112- 54
473-436- 67
479-663-247
516-206- 95
559-400-9上
591-573- 42
1221-322- 6
虞汲妻 元 見楊氏
虞育虞慧哥 宋 448-360- 0
虞玖明 524-198-188
虞谷晉 493-673- 37
虞放漢 376-702-108
477- 59-151
虞炎齊 1379-606- 72
虞松魏 254-494- 28
486-347- 16
814-230- 4
820- 41- 22
虞林明 1285-117- 1
虞承漢 402-466- 10
虞忠吳 254-842- 12
384-602- 34
385-605-65下下
480-237-269
486-293- 14
523-380-164
虞忠妻 晉 見孫氏
虞芝不詳 879-163-58上
虞季劉宋 486- 68- 3
虞侊明 524-376-197
虞采元 1204-178- 1
虞延漢 252-762- 63
370-174- 17
376-701-108
384- 60- 3
402-383- 4
402-449- 9
402-569- 19
472-129- 4
472-194- 7
472-651- 27
472-737- 29
472-764- 30
475-775- 89
477- 57-151
477-303-163
510-476-117
537-323- 56
933- 92- 6
虞炫元 1216-610- 12
1386-737- 下
虞恫女 宋 見虞道永
虞奕宋 286-712-355
397-750-365
451- 15- 0
474- 93- 3
475-272- 63
479- 49-218
484-101- 3
523-258-158
虞茂晉 見虞預
虞思姚思 夏 546-424-129
虞昺吳 254-842- 12
384-602- 34
385-605-65下下
476-853-145
540-667- 27
虞昱女 宋 見虞麗華
虞香秦 933- 92- 6
虞信明 473-235- 60
480- 90-262
533-190- 53
537-213- 54
虞胤晉 256-513- 93
380- 3-165
虞俊漢 472-256- 10
475-217- 61
492-695-3上
511-445-153
虞悝晉 256-453- 89
380- 41-166
473-337- 63
480-405-277
533-396- 61
933- 93- 6
虞恭漢 933- 93- 6
虞荔陳 260-663- 19
265-968- 69
370-574- 19
378-551-145
470- 63- 96
472-1070- 45
479-232-227
486-302- 14
491-380- 4
524-131-185
933- 94- 6
1401-400- 30
虞皋明 442-127-附8
虞卿戰國 244-469- 76
371-613- 54
375-937- 94
384- 28- 1
405-210- 70
538-314- 69
675-292- 15
933- 92- 6
虞姬戰國 齊威王夫人 448- 58- 6
452- 70- 2
虞庶宋 592-536- 94
虞悰虞琮 齊 259-384- 37
265-676- 47
370-518- 16
378-257-138
384-115- 6
472-1070- 45
479-231-227
486-300- 14
523-300-160
933- 94- 6
虞望晉 256-453- 89
380- 41-166
533-396- 61
933- 93- 6
虞寄陳 260-664- 19
265-969- 69
378-552-145
479-232-227
486-302- 14
491-382- 4

524-131-185
529-752- 52
933- 94- 6
虞祥明 472-230- 8
493-981- 52
511- 96-140
虞祥妻 明 見鄒氏
虞訥明 473- 51- 50
516- 73- 90
虞球明 473-377- 65
480-563-284
532-743- 46
虞聃宋 見虞祺
虞堅齊 812-332- 7
821- 23- 45
虞陸明 524-198-188
虞授吳 563-610- 38
虞國漢 453-757- 4
虞翔吳 473- 43- 50
479-287-230
515-207- 63
524- 61-181
虞曾女 元 見虞惠正
虞綜齊 見虞悰
虞喜晉 256-473- 91
380-278-173
479-229-227
486-295- 14
487-107- 8
491-380- 4
523-596-176
933- 93- 6
1141-791- 33
虞堪明 493-1031- 54
511-732-165
676-454- 17
821-346- 55
1220-242- 6
1233-583-附
1255-447- 49
1442- 9-附1
1459-477- 15
虞肅隋 267-615- 83
虞肅宋 515-854- 85
虞鈊明 515-259- 65
虞舜上古 見舜
虞兟宋 523-213-156
虞集元 295-432-181
399-720-492
453-791- 3
459-808- 48
473-115- 54
473-436- 67
479-658-247
515-764- 81
524-303-194
559-400-9上
585-423- 11
588-178- 8
591-574- 42
592-607- 99
684-494- 下
820-505- 37
1210- 86- 9
1221-301- 5
1221-321- 6
1284-345-162
1367-224- 18
1375- 35- 下
1439-429- 1
1468-533- 25
虞策宋 286-711-355
397-750-356
472-967- 38
473-281- 61
479- 49-218
484- 98- 3
523-257-158
虞復宋 523-612-176
虞溥晉 256-345- 82
377-870-129上
384-100- 5
471-715- 18
472-552- 23
473- 43- 50
476-882-146
479-525-241
515-208- 63
540-709-28之1
546-182-121
933- 93- 6
虞詩女 漢 見虞氏
虞祺虞聃 宋 473-490- 70
473-504- 71
559-295-7上
559-314-7上
561-328- 40
虞靖明 523-230-156
虞詡漢 253-215- 88
376-868-111上
384- 64- 3
402-567- 19
459-251- 15
471-1063- 70
471-1067- 70
472-680- 27
472-705- 28
472-892- 35
472-1069- 45
477-126-155
477-199-159
478-716-211
512-899-200
537-272- 55
558-231- 32
581-434- 92
681-658- 20
933- 93- 6
1408-433-522
虞煥唐 814-266- 9
820-132- 26
虞摶明 524-371-197
虞預虞茂 晉 256-347- 82
377-872-129下
384-100- 5
472-1070- 45
479-229-227
486-295- 14
524- 49-180
552- 24- 18
933- 93- 6
虞預女 晉 見虞氏
虞瑄明 472-718- 28
537-289- 55
554-526-57下
虞當唐 1076-112- 12
1076-568- 12
1077-138- 12
虞嫄明 董涓妻 524-502-203
1272-232- 9
1457-745-413
1475-807- 34
虞經漢 253-215- 88
虞賓宋 485-501- 9
493-745- 41
510-327-113
虞愿齊 259-519- 53
265-986- 70
380-183-170
384-121- 6
448-320- 下
472-1070- 45
473-567- 74
479-230-227
481-523-326
486-300- 14
523-461-169
528-435- 29
933- 94- 6
虞熙隋 264-970- 67
267-615- 83
380-393-176
523-382-164
虞瑶明 523-350-162
虞幕上古 546-233-123
虞肇宋 529-622- 48
虞綽吳卓 隋 264-1073- 76
267-622- 83
380-400-176
384-158- 8
472-1071- 45
479-232-227
486-307- 14
486-348- 16
516-214- 96
524- 51-180
814-264- 8
820-124- 25
933- 94- 6
虞槃元 295-437-181
399-723-492
473-335- 63
473-436- 67
479-658-247
480-402-277
515-765- 81
532-692- 45
559-400-9上
591-573- 43
1207-605- 43
虞廣梁 見盧廣
虞潭虞譚 晉 254-842- 12

1387-197- 11
1395-605- 3
虞世雄妻 宋 見袁氏
虞世瓔清 482-563-369
570-159- 21之2
虞丘子春秋 533-122- 51
933- 92- 6
虞丘書春秋 545-734-109
虞丘進劉宋 258-101- 49
265-286- 17
378- 38-131
472-553- 23
476-784-141
515-209- 63
540-718-28之1
933- 93- 6
虞守愚明 515- 53- 58
517-641-131
517-643-131
517-667-131
676- 78- 3
680-237-248
680-238-248
虞守隨明 820-672- 42
虞安吉晉 820- 75- 23
虞安垕元 1221-646- 25
虞安澤元 494-346- 7
虞州南隋 470-222-123
虞夷簡虞易簡 宋
473-464- 69
481-211-302
559-290-7上
虞光祖元 460-476- 37
虞光祚清 524-200-188
虞兆清清 523-442-167
559-329-7下
1475-688- 29
虞兆淦明 1475-698- 29
虞仲文金 291-131- 75
401-309-610
472-483- 21
472-898- 35
476-281-111
546-178-121
552- 71- 19
821-273- 52
1365-301- 9
1439- 1- 附
1445- 60- 1
虞仲琳宋 523-598-176
虞志道元 492-703-3上
虞孝仁隋 264-718- 40
267-454- 73
379-757-161
虞君平明 524-376-197
虞似良宋 472-1102- 47
486-898- 34
524- 62-181
684-491- 下
820-431- 35
虞伯龍明 1442- 98-附6
1460-593- 69
虞廷桂明 529-682- 50
虞宗玫明 592-1025- 下
虞宗瑶明 592-1025- 下
虞宗濟明 302-142-296
475-132- 56
511-522-157
虞孟母晉 晉天帝后、虞豫女
255-584- 32
虞玩之齊 259-357- 34
265-677- 47
370-517- 16
378-259-138
486-300- 14
494-333- 7
523-300-160
933- 94- 6
虞易簡宋 虞夷簡
虞眞翁元 460-465- 36
虞原璩明 820-593- 40
虞剛簡宋 295-432-181
399-720-492
473-435- 67
559-399-9上
561-329- 40
677-370- 34
1173-183- 76
虞翁主吳 見虞翁生
虞翁生虞翁主 吳486-334- 15
524-413-200
1141-800- 34
虞淳貞明 524- 9-178
虞淳熙明 524- 9-178
1410-444-722
1442- 80-附5
1460-420- 59
虞執中元 511-252-146
虞通之齊 265-1018- 72
380-366-176
524- 50-180
933- 94- 6
1379-606- 72
虞惠正元 史璘卿毒、虞曾女
1207-289- 19
虞堯賢妻 清 見劉氏
虞順卿明 王世德妻
1283-471-103
虞舜卿明 524- 99-183
虞道永劉道永 宋 江錡妻、
虞恫女 530-136- 58
1146-157- 92
虞瑞巖元 821-318- 54
虞萬良清 456-125- 58
虞毓粹清 見盧毓粹
虞輔國宋 563-700- 39
虞鳳娘明 302-243-303
虞僧誕梁 380-291-173
486-305- 14
523-597-176
虞慶則魚慶則 隋264-717- 40
267-453- 73
379-756-161
384-153- 8
476-179-106
545-234- 92
933- 94- 6
虞慧哥宋 見虞育
虞嘯父晉 256-267- 76
377-809-128
486- 36- 2
493-673- 37
933- 93- 6
虞德華明 523-562-174
虞魯瞻明 821-353- 55
虞羲集不詳 470- 63- 96
虞閼父周 933- 92- 6
虞應酉宋 492-713-3下
虞應龍宋 563-695- 39
虞薦發宋~元 492-713-3下
511-552-158
676-707- 29
虞麗華宋 陸佖妻、虞昱女
1115-600- 33
虞麟伯明 821-481- 58
暌徹清 455- 57- 1
暎琨清 456-320- 75
叜明 683-188- 6
農門清 456-107- 57
農阿理清 455-414- 25
農達理清 見顧喬
遏伯上古 545-685-108
遏必隆清 455-126- 5
502-438- 68
遇唐 1053-372- 9
遇五代 1053-553- 13
遇安宋(時謂安楞嚴)
524-442-281
1053-411- 10
遇安宋(號善智禪師)
490-718- 70
588-273- 11
590-139- 17
1053-409- 10
遇沖漢 933-657- 43
遇寧宋 1053-416- 10
遇賢宋 472-232- 8
475-157- 57
484- 20- 中
485-290- 42
493-1092- 58
1053-343- 8
1054-166- 4
1255-491- 53
1437- 36- 2
遇緣宋 524-435-201
1053-328- 8
遇臻宋 1053-412- 10
過春秋 見內史過
過氏明 邵溥妻、過時明女
1256-367- 23
1256-461- 31
1257-550- 10
1258-538- 9
1258-638- 14
過氏明 陳惺泉妻、過永女
1258-279- 4
過永女 明 見過氏
過昱宋(字彥明) 473- 98- 53
515-305- 66
515-818- 83
過昱過公彥 宋(秘書丞)

523-147-153	鳩麼羅炎晉	256-563- 95	鉛山王妃 明　見楊氏		299-282-136	
過宷宋	485-541- 1	鳩摩羅佛提童覺　晉		稠雕漢	539-349- 8	452-201- 5	
過枃漢	933-297- 21		1051- 88- 3	筠唐	1053-573- 14	453-549- 5	
過晶宋	515-744- 80	鳩摩羅耆婆晉　見鳩摩羅		矮元	1222- 48- 6	472-381- 16	
過源宋	515-740- 80	什		鮭陽鴻漢	253-523-109上	473-282- 61	
過說不詳	933-297- 21	傳古宋	491-594- 16		370-178- 17	475-570- 79	
過儀明	821-360- 55		812-530- 2		380-261-172	480-139-264	
過璘明	472-240- 9		813-118- 9		402-393- 5	511-807-167	
	1261-679- 29		821-262- 52		474-652- 34	533- 36- 48	
過文煥宋	485-541- 1	傳如明	1475-764- 32	詹乂宋	472-1053- 44	676-445- 17	
過水瞻明	821-360- 55	傳宗宋	1053-665- 16		524- 89-182	1375- 23- 上	
過公彥宋　見過昱		傳法五代	1053-242- 6	詹文宋	486- 50- 2	1376-270- 76	
過如珍宋	492-713-3下	傳相明	1475-759- 32	詹友宋	523-420-166	1442- 5-附1	
過宗一元	524-108-183	傳殷五代	1053-339- 8	詹壬女　元　見詹壽		1459-227- 4	
	1228-366- 12	傳惠明　見傳慧		詹氏宋　毛稙妻 1164-452- 25	詹沂明	475-610- 81	
過宗武妻　明　見梅性覺		傳楚五代	1053-237- 6	詹氏宋　蕭遵妻 1147-630- 60		511-306-148	
過俊民明	456-601- 9	傳慧傳惠　明	1442-120-附8	詹氏宋(湖陰女子)1141-344- 49		523-137-152	
	511-451-153		1460-847- 91	詹氏明　吳大興妻 530-126- 57	詹甫宋	933-505- 33	
過庭訓明	532-672- 44	傳哈納清	502-516- 71	詹氏明　林維曜妻 530-125- 57	詹抃宋	1127-810- 12	
	1442- 88-附6	傈祖上古　見嫘祖		詹氏明　洪立妻　473-118- 54	詹抃妻　宋　見邵氏		
	1475-395- 17	禽堅漢	469-592- 72	詹氏明　張徑妻 482-305-353	詹成宋	1121-385- 25	
過時明女　明　見過氏			559-416-10上	詹氏明　黃溥妻　530-139- 58	詹何周	933-504- 33	
過銘盤清	1475-598- 26		591-508- 41	詹氏明　黃立夫妻 479-664-247	詹初宋	511-702-164	
過澤充明	1475-699- 28	禽鄭春秋	933-499- 33	詹氏明　楊漣妻 480-207-267		1437- 26- 2	
矍淵宋	592-501- 91	禽慶漢	384- 52- 2		533-614- 69	詹金明　見詹同	
	680- 98-234		491-797- 6	詹氏明　鄭好密妻 479-435-236	詹侃明	511-617-160	
業方唐	1052-364- 26		540-699-28之1		524-779-216	詹洧明	460-654- 67
業氏明　陳幼學妻 483- 48-372			933-499- 33	詹氏明　鄭鴻澤妻 530-111- 57	詹洛妻　清　見方氏		
業問宋	484-386- 28	禽賢不詳	933-499- 33	詹氏清　余之吉妻 475-539- 77	詹洗唐	933-504- 33	
業遵宋	679- 22-140	鉅鹿王漢　見劉恭		詹氏清　余光煌妻 480- 64-260	詹庠宋	933-505- 33	
業既子夏	546-423-129	鉅鹿王後魏　見元義興			533-522- 66	詹庠宋　見詹祥	
業爾古達清	455-218- 11	鉅野王明　見朱泰㙔		詹氏清　林元昌妻 530- 36- 54	詹度宋	472-1054- 44	
鉉默明　見元默		鉅靈氏上古	383- 10- 3	詹氏清　周肇右妻 530- 78- 55		523-572-174	
鳩巢元	496-427- 90		544-144- 61	詹氏清　胡上進妻 480- 65-260	詹奎明	559-354- 8	
鳩摩羅什童壽、鳩摩羅耆婆			592-168- 71		533-525- 66	詹奎妻　明　見周氏	
晉	256-563- 95	鉏麑春秋	404-759- 46	詹氏清　陸克昇妻 474-194- 9	詹英明	483-249-391	
	380-617-182		472-459- 20	詹氏清　陳珊卿妻 530- 97- 97		569-661- 19	
	478-144-181		537- 62- 49	詹氏清　鄧士鉉妻 479-297-230		572- 70- 28	
	554-940- 65		547- 12-141	詹介宋	523-630-177	572-334- 38	
	1048-597- 23		550-192-216	詹父春秋	404-484- 28	1259-254- 19	
	1049-502- 34		933-122- 8		933-504- 33	1410-226-690	
	1051- 95-4上	鉏用登明	1442-104-附7	詹本宋	529-763- 53	詹迴宋	524-167-186
	1054- 62- 2		1460-624- 71		1365-602- 下	詹信明	480-651-289
	1054-326- 7		1475-462- 19	詹禾明　見詹僖		532-752- 46	
	1379-385- 47	鉤宏鉤岳童　宋 448-385- 0		詹至宋	472-1016- 41	詹俊明	472-695- 28
鳩摩羅多漢	1053- 23- 1	鉤昌期鉤慶孫 宋 448-402- 0			523-566-174	472-790- 31	
	1054- 34- 1	鉤岳童宋　見鉤宏			1167-741- 39	474-435- 21	
	1054-276- 4	鉤慶孫宋　見鉤昌期		詹同詹金、詹書　明		511-327-149	

<div style="text-align:right">十三畫 過、矍、業、鉉、鳩、傳、傈、禽、鉅、鉏、鉤、鉛、稠、筠、矮、鮭、詹</div>

820-570- 40	詹祿明	1274-385- 14	詹鎬明	481-949-334	1141-491- 69
	1238-241- 20	詹祿妻 明 見李氏		詹遴兒	471-998- 60	詹公儀妻 清 見黃氏
詹高明	1289-300- 19	詹軾明	300-111-189		473-408- 66	詹公薦宋 529-600- 47
	1410-429-721		473- 66- 59		559-373- 8	933-505- 33
詹烜明	1375- 25- 上		479-560-242	詹瀚明	300-111-189	詹必勝宋 1376- 94- 64
詹珪明	528-529- 31		515-885- 86		515-885- 86	詹丕遠宋 515-856- 85
詹書明 見詹同			1272-484- 16		676-547- 22	詹世勛宋 475-704- 86
詹純清 張緯妻 1313-214- 17			1458-594-461	詹璽明	515-882- 86	511-478-155
詹寅明	529-538- 45	詹鼎明	299-131-123	詹騵宋	471-626- 6	511-490-156
詹清妻 明 見毛氏			524- 65-181		472-1072- 45	1376- 94- 64
詹淵宋	460-301- 20		1235-605- 21		933-505- 33	詹世龍明(謚烈愍) 456-485- 5
	460-395- 30		1257-888- 5	詹儼明	820-566- 40	詹世龍明(字見卿) 564-221- 46
	529-610- 47		1457-541-393		821-344- 55	詹仕亨妻 清 見曹氏
	933-505- 33	詹鈿母 明 見俞氏		詹鷥唐	813-227- 4	詹仕顯明 821-437- 57
	1174-716- 45	詹崈明	821-387- 56		820-280- 30	詹在泮明(字獻功) 576-654- 5
詹祥詹庠 宋 494-337- 7		詹榮明	300-290-200	詹入民宋	485-534- 1	詹在泮明(詹萊子) 676-130- 5
	529-741- 51		474-278- 14	詹人訓清	532-641- 43	詹丞祉明 559-317-7上
詹淑明(字茂修) 559-321-7上			476-250-110	詹三娘清 徐明備妻		詹光國宋 1376- 94- 64
詹淑明(字士善) 571-556- 20			505-807- 74		479-359-233	詹兆恆明 301-684-278
詹陵明	516- 75- 90		545-284- 94	詹士偉妻 清 見張氏		456-423- 2
詹冕明	563-833- 41		676-562- 23	詹士龍元	472-291- 12	458-311- 11
詹勗明	563-751- 40	詹愷宋	460- 45- 3		475-368- 67	479-560-242
詹符清	524-163-186		529-742- 51		477-544-176	515-895- 86
詹琦宋	460-435- 33	詹壽元 詹壬女 1213-763- 24			510-391-115	528-533- 31
詹斯明	524-223-189	詹嘉春秋 見瑕嘉			538-122- 64	詹兆鵬明 456-485- 5
詹馼明	533-307- 57	詹僧女 元 見詹道餘			1223-573- 11	詹仲至明 821-369- 55
詹貴明	820-678- 42	詹傳詹禾 明 820-658- 42			1410-206-687	詹仲和明 821-403- 56
	1442- 32附2	詹肇唐	933-505- 33	詹士龍明	515-894- 86	詹仰庇明 300-544-215
	1459-700- 27	詹瑩明	545-119- 86	詹大方宋	486- 52- 2	460-710- 74
詹萊明	475-640- 83	詹適宋	472-1053- 44	詹大和宋 見詹太和		481-588-328
	510-447-117		523-348-162	詹大啟妻 明 見何氏		529-545- 45
	528-459- 29		933-505- 33	詹大順宋	516-459-104	676-591- 24
	676-581- 24	詹樞宋	460-327- 25	詹亢宗詹蕃哥 宋 448-388- 0		詹林仁宋 933-505- 33
	680-241-248	詹輙詹雍 宋 448-394- 0		詹斗文明	1442- 71- 附4	詹良臣宋 288-276-446
	1442- 60附4	詹範宋	473-694- 80	詹文光明	533- 12- 47	382-719-110
	1460-186- 48		482-115-343	詹文億明	1283-307- 91	400-131-511
詹桌宋	933-505- 33		563-679- 39	詹文蔚妻 清 見徐氏		471-617- 5
詹鈞宋	538- 73- 63		933-505- 33	詹太和詹大和 宋		472-1015- 41
	1197-680- 70	詹璀妻 明 見林氏			933-505- 33	479-379-234
	1367-736- 56	詹鎦宋	460-304- 20		1128-282- 28	479-430-236
	1410-206-687	詹濟明(都指揮使) 302- 11-289		詹元吉宋	515-757- 80	523-412-166
詹柒明	1283-314- 91	詹濟明(字澤民) 1260-745- 27		詹元善宋	487-517- 7	529-601- 47
詹復宋	529-685- 50	詹䭷宋	487-510- 7	詹天涵妻 明 見江氏		933-505- 33
詹源明	460-710- 74	詹桿宋	523-413-166	詹天顏明(謚忠節) 301-702-279		詹志文明 1467- 86- 65
	529-538- 45	詹徽明	299-283-136		456-442- 3	1467-157- 67
詹靖明	460-709- 74		475-570- 79	詹天顏明(字鄰五) 529-639- 48		詹君履元 460-476- 37
	473- 97- 53		533-170- 52	詹友端宋	475-607- 81	詹君澤後梁 473-585- 75
詹雍宋 見詹輙			1375- 26- 上		511-482-155	477-544-176

左側欄: 十三畫　詹

537-608- 60
詹希元明　見詹希原
詹希原詹希元　明
820-563- 40
1236-824- 15
1376-600-95下
詹希賢明　820-750- 44
詹妙容唐　524-434-201
詹廷堅宋　1171-370- 10
詹宗契宋　523-499-170
詹宗智明　1246-626- 12
詹事講明　475-606- 81
515-799- 82
詹林寧明　821-399- 56
詹明章清　1325-771- 9
詹叔善詹鄭行　宋448-362- 0
473- 63- 51
515-862- 85
詹叔羲宋　515-862- 85
詹念一宋　見詹惠明
詹秉直妻　明　見黃氏
詹彥中明　473-376- 65
480-563-284
532-742- 46
詹奎元清　524-225-189
詹貞吉明　571-526- 19
詹思虞明　523-489-170
545-101- 86
詹思遠晉　813-289- 16
詹思謙明　554-220- 52
詹庭鳳明　533-419- 62
詹桓伯春秋　933-504- 33
詹時升宋　528-473- 30
詹時雨明　516- 89- 90
571-529- 19
詹時明明　533- 55- 48
詹師文宋　460-397- 31
529-609- 47
詹師盧漢　見烏師盧
詹惟聖清　524-227-189
詹郭仁後周　見詹敦仁
詹接濟妻　清　見曾氏
詹崇朴元　515-764- 81
詹國芳元　524-167-186
詹野渡宋　460-442- 33
詹啟元妻　明　見王氏
詹從之宋　843-672- 下
詹從效五代　見詹堯臣
詹敦仁詹郭仁　後周
481-581-328
481-591-328
528-480- 30
詹惠明詹念一　宋
472-379- 16
475-566- 79
485-474- 8
511-614-160
1142-522- 6
1376-112- 65
詹堯臣詹從效　五代
524-333-195
詹開禧清　524-228-189
詹軫光明　676-611- 25
詹景仁元　529-744- 51
1439-433- 1
詹景鳳明　676-323- 12
676-603- 25
820-740- 44
821-448- 57
1467-129- 66
詹象鼎清　480-512-281
53-492- 65
詹復仁宋　516-208- 96
詹復禮明　820-658- 42
詹義民宋　1157-485- 18
1174-658- 42
詹靖之宋　1163-615- 39
詹道愈元　1219-125- 1
詹道餘元　余興妻、詹僧女
1199-779- 5
詹載孚宋　516- 41- 88
詹萬里明　820-750- 44
詹鼎新子　明　1229-215- 5
詹端貞宋　陳回妻
479-664-247
詹爾達明(字起鵬)　479-661-247
515-802- 82
詹爾達明(字思理)　523-220-156
詹爾選明　301-369-258
479-661-247
515-809- 82
詹嘉言明　456-620- 9
479-434-236
523-422-166
詹夢璧詹謾養　宋451- 67- 2
詹鳳翔明　515-774- 81
676-291- 11
詹鳳儀清　524- 60-186
詹鄭行宋　見詹叔善
詹養默明　517-710-133
詹儀之宋　472-1016- 41
479-380-234
494-341- 7
523-622-177
568-285-109
585-767- 5
933-505- 33
詹蕃哥宋　見詹亢宗
詹應夔明　524-227-189
詹謹之清　533-181- 52
詹謾養宋　見詹夢璧
詹體仁宋　287-390-393
398-391-389
451- 23- 0
460-340- 27
473-209- 59
473-604- 76
473-749- 83
478-761-215
479-526-241
481-678-331
482-348-356
493-775- 42
494-349- 7
494-427- 13
515-215- 63
523- 17-146
529-607- 47
567- 71- 65
1164-293- 15
1174-762- 47
1175-765- 19
1467- 45- 63
儋宗漢　933-297- 21
雋不疑母　漢　448- 76- 8
452- 88- 2
474-340- 17
506- 90- 88
雋不疑漢　250-584- 71
376-306-100
384- 46- 2
469-534- 65
472- 66- 2
472-586- 24
472-823- 33
474-377- 17
476-473-125
478- 83-180
505-743- 72
506-444-102
540-643- 27
540-693-28之1
554- 92- 50
933-588- 38
1408-376-516
會晉　381-507-196
會元　516-434-103
會乙不詳　933-668- 44
會王唐　見李纁
會宗唐　1052-353- 25
會炳漢　933-668- 44
會通元吳元卿(號布毛侍者)　唐
524-383-198
585-476- 14
588-235- 10
590-139- 17
1054-125- 3
會通唐(萬年人)　554-946- 65
1050-816-115
會寧唐　1052- 20- 2
會隱唐　1052- 50- 4
會尼喀清　455-116- 4
會伯良明　473-701- 80
會稽王吳　見孫亮
會稽王晉　見司馬道子
會稽王陳　見陳莊
會稽王明　見朱安淶
會稽公主陳　沈君理妻、陳武帝女　494-261- 1
會善寺沙門唐　820-305- 30
會稽長公主劉宋　徐逵之妻、宋武帝女　378- 9-131
475- 78- 53
經濟明　472-207- 7
經希伋明　554-311- 53
567-336- 79
經彥宋明　1467-229- 70
經學參明　545-227- 91
567-355- 80
綏占清　455-525- 33
綏哈清(伊爾根覺羅氏)
455-243- 13

綏哈清(正白旗人) 455-312- 10
綏哈清 455-337- 20
綏哈清(蒙鄂索氏) 456- 99- 57
綏哈清(布尼氏) 456-108- 57
綏班清 455-272- 15
綏赫清 456-138- 59
綏朋額清 456-157- 61
綏建王梁 見蕭大摯
綏巴哈塔清 455-269- 15
筦路漢 476-661-136
筦蘇筦饒 春秋 533-125- 51
筦饒春秋 見筦蘇
節誠宋 1053-645- 15
節靈會上古 1061-174-101
毓色清 456-356- 77
鄒子鄒字 明 1283- 92- 74
鄒王唐 見李宇
鄒氏宋 曾德賢妻
1161-669-130
鄒氏宋 華直淵妻、鄒霖女
1121-494- 37
鄒氏元 周仲賓妻 524-453-202
鄒氏元 劉岳申妻、鄒天濟女
1204-311- 10
1204-336- 12
鄒氏元 李景順母
1206- 78- 9
鄒氏元 張崇高母
1204-253- 6
鄒氏明 王政妻 472-594- 24
鄒氏明 史景忠妻
493-1083- 57
鄒氏明 江東彥妻 530-158- 58
鄒氏明 吳公美妻
1260-614- 18
鄒氏明 胡士達妻 479-536-241
鄒氏明 段思禮妻 473-349- 63
鄒氏明 時啟東妻 570-196- 22
鄒氏明 徐同寅妻 480-179-266
鄒氏明 郭劍泉妻、鄒樸女
1283-405- 98
鄒氏明 陸璋妻 512-406-187
鄒氏明 黃詔妻 533-689- 72
鄒氏明 華佑妻、鄒景懋女
1258-282- 5
鄒氏明 華奎妻 1258-763- 7
鄒氏明 華謹妻 1274-438- 16
鄒氏明 華文耀妻、鄒普女
1258-281- 5
鄒氏明 華源長妻 475-234- 61
鄒氏明 華蒙實妻、鄒珮女
1253-200- 50
鄒氏明 萬全保妻 473- 66- 51
鄒氏明 董應長妻 480-140-264
鄒氏明 葉芸妻 472-232- 8
475-145- 57
493-1085- 57
1249-633- 6
鄒氏明 虞祥妻、鄒長卿女
1255-659- 68
鄒氏明 鄒肇妻 530- 70- 55
鄒氏明 樊奕珩妻 572-124- 31
鄒氏明 蔡元際妻、鄒廷章女
1276-437- 10
鄒氏明 錢世恩妻、鄒林泉女
1261-710- 30
鄒氏明 顧睢妻、鄒公敏女
1255-638- 66
鄒氏明 程煜節叔母
302-253-303
鄒氏明 鄒良節女
1258-782- 8
鄒氏明 見華氏
鄒氏清 王永綿妻 480-514-281
鄒氏清 任雲翔妻 530-148- 58
鄒氏清 李國材妻 480-514-281
鄒氏清 周清勳妻 533-585- 68
鄒氏清 孫餘妻 1312-336- 32
鄒氏清 倪昌賢妻 483- 99-378
570-198- 22
鄒氏清 郭嘉鐸妻 506-156- 90
鄒氏清 張海妻 530- 81- 55
鄒氏清 張汝緯妻 506- 22- 86
鄒氏清 華煌妻 512-261-183
鄒氏清 顧振宗妻、鄒璠女
512-315-184
鄒氏清 何表瑛婢 482-189-346
鄒玉明 561-200-38之1
鄒旦清 483- 17-370
570-145-21之2
鄒用明 515-474- 71
鄒弁明 1258-291- 5
鄒字明 見鄒子
鄒安明 1244-633- 14
鄒朴鄒樸 明 456-696- 12
473-151- 56
515-645- 77
鄒名明 1410-433-721
鄒良明 473-116- 54
473-641- 78
480-508-281
481-694-332
515-779- 81
528-541- 32
1241-536- 9
鄒成明 481-439-316
559-352- 8
鄒忌成侯、鄒忌子、騶忌 戰國
371-505- 34
384- 32- 1
405-226- 71
839- 17- 2
933-478- 31
鄒谷金 291-456-104
399-252-439
472-545- 23
472-593- 24
鄒定宋 1161-626-126
鄒泳女 明 見華氏
鄒武明 528-543- 32
鄒孟鄒制郎 宋 448-388- 0
鄒忠明 820-659- 42
1258-785- 8
鄒典明 821-480- 58
鄒昌明 見鄒允隆
鄒明明 821-365- 55
鄒昊明 524-110-183
鄒昊明 見馬昊
鄒岱妻 清 見謝氏
鄒炳宋 見鄒柄
鄒洞宋 1121-489- 36
1121-505- 38
鄒首宋 見鄭首
鄒亮明 301-830-286
493-1033- 54
511-736-165
676-502- 19
1386-326- 41
1442- 28-附2
1459-661- 25
鄒奕明 493-1029- 54
511-733-165
515-271- 65
676-466- 17
1221-447- 8
1222-274- 18
鄒柄鄒炳 宋 523-168-154
1121-443- 31
鄒陔宋 1135-408- 37
鄒春妻 明 見王喜玉
鄒玶清 559-440-10下
鄒相明 554-678- 60
鄒垣唐 515-301- 61
鄒祝明 1258-272- 4
鄒致宋 515-465- 71
鄒昱明 472-867- 34
554-337- 54
559-345- 8
鄒迪母 宋 見楊氏
鄒迪宋 1095-266- 30
鄒紈明 1467- 93- 65
鄒衍騶衍 戰國 244-452- 74
249-813- 30
371-505- 34
384- 32- 1
405-146- 65
405-467- 86
472- 25- 1
472-588- 24
933-478- 31
鄒俁妻 宋 見江氏
鄒俊明 477- 55-151
鄒浩母 宋 見張氏
鄒浩姨 宋 見張氏
鄒浩宋 286-577-345
382-646-100
384-381- 19
397-650-359
449-279- 13
450-805-下19
459-799- 48
471-614- 4
471-725- 19
471-854- 37
471-874- 40
471-900- 44
472-259- 10
473-713- 81
473-768- 84
475-223- 61
477-473-173
482-187-346

482-435-361
484- 99- 3
493-744- 41
508-271- 39
511-142-142
563-905- 43
567-433- 86
568-256-108
585-779- 7
674-342-5下
674-828- 17
677-212- 19
708-343- 50
820-397- 34
933-478- 31
1164-224- 11
1232-304- 6
1394-445- 4
1410-523-734
1437- 19- 1
1461-724- 35
1467-146- 67
1482-420- 3
529-614- 47
鄒珙妻 元 見華氏
鄒珙明 1256- 20- 2
鄒翃妻 明 見錢氏
鄒珩明 474-617- 32
鄒珮女 明 見鄒氏
鄒矩明 515-776- 81
鄒倫明 559-281- 6
鄒紞明 515-798- 82
559-288-7上
鄒級明 563-806- 41
鄒庸明 1240-857- 9
鄒陶宋 1135-407- 37
鄒彬明 676-365- 13
鄒捷晉 380-354-175
933-478- 31
鄒異宋 529-654- 49
鄒偉元 820-545- 39
鄒斌宋 473-115- 54
515-755- 80
鄒善明 301-783-283
457-222- 16
479-724-250
515-690- 78
鄒普明 1274-378- 13
鄒普女 明 見鄒氏
鄒惺妻 清 見龍氏
鄒湛晉 256-492- 92
380-353-175
472-772- 30
477-370-167
538-143- 65
540-658- 27
677-107- 11
933-478- 31
鄒揚宋 515-315- 66
鄒陽漢 244-523- 83
250-264- 51
376-128- 97
384- 41- 2
496-162- 19
472-589- 24
476-661-136
477-135-155
491-794- 6
538-315- 69
540-691-28之1
933-478- 31
鄒雯宋 1156-658- 5
鄒森明 506-525-104
鄒順明 493-1033- 54
鄒智明 299-821-179
453-696- 36
457-124- 9
458-721- 3
473-479- 69
481-116-296
482- 41-340
482-208-347
559-510- 12
561-474- 43
561-527- 44
563-812- 41
676-519- 20
1257-658- 4
1259-432- 附
1259-479- 附
1259-480- 附
1259-483- 附
1442- 36-附2
1459-752- 29
鄒智妻 明 見劉氏
鄒棐宋 460-175- 10
529-623- 48
1125-369- 28
1125-388- 30
鄒傑明 569-669- 19
鄒溶明 502-282- 56
鄒極宋 473-113- 54
515-738- 80
1202-347- 24
鄒楫明 1294-256-6下
鄒幹明 299-460-152
523-262-158
1248-647- 4
鄒瑛明 559-288-7上
鄒達明 1239-230- 42
鄒愚明 1261-625- 22
鄒遇明 559-350- 8
鄒誠宋 528-524- 31
529-756- 52
鄒誠明 515-483- 71
鄒福明 676-380- 14
鄒熙明 563-801- 41
鄒榘宋 515-463- 71
鄒寬宋 516-521-106
鄒潾明 1442-115-附7
1460-667- 74
鄒慶明 569-669- 19
572- 82- 28
鄒賢明(字恢才) 301-782-283
479-724-250
515-684- 78
鄒賢明(字佑之) 1253-208- 50
1255-612- 64
鄒瑾明 299-370-143
456-696- 12
473-151- 56
479-718-250
515-644- 77
鄒樗鄒大椿 宋 448-376- 0
鄒輗宋 480-464-279
533-323- 57
鄒輗明 523-192-155
鄒餘宋 473-113- 54
515-739- 80
鄒魯明(盱眙人) 472-206- 7
511-380-150
523-154-153
鄒魯明(江津人) 476-855-145
鄒魯明(字至道) 680-502-272
鄒魯妻 明 見王氏
鄒魯妻 明 見華氏
鄒緝明 299-620-164
473-151- 56
479-719-250
515-648- 77
676-474- 18
820-587- 40
1391-718-347
1442- 19-附1
鄒澥宋 1099-758- 13
鄒穎明 820-602- 40
鄒璠女 清 見鄒氏
鄒璘明 524-336-195
鄒霖女 宋 見鄒氏
鄒衡妻 宋 見上官氏
鄒濤明 1294-256-6下
鄒渢宋 288-382-454
400-196-515
473-149- 56
479-715-250
515-606- 76
563-705- 39
564-826- 60
鄒濟明(字汝舟) 299-460-152
453-140- 13
453-658- 28
472-968- 38
479- 52-218
525-374-235
676-483- 18
1239-172- 39
鄒濟明(字養亨) 1294-256-6下
鄒濙明 559-300-7上
鄒謙明 820-746- 44
鄒謙女 明 見鄒賽貞
鄒邁宋 515-315- 66
鄒禮宋 515-470- 71
鄒擴宋 1121-490- 36
鄒樸明 見鄒朴
鄒樸女 明 見鄒氏
鄒璽明 559-277- 6
鄒鵬明 821-420- 56
鄒鵬妻 明 見張氏
鄒蘇清 1314-527- 17
鄒夔宋 460-175- 10
529-623- 48
1125-369- 28

1125-388- 30
鄒衢明 570-215- 23
鄒觀母 明 見惠氏
鄒觀明(臨安人) 524-346-196
鄒觀明(字孚伯) 1256-407- 26
1258-647- 15
鄒一龍宋 1184-352- 50
鄒一龍女 宋 見鄒妙莊
鄒一龍女 宋 見鄒妙善
鄒士元明 515-702- 79
鄒士能女 明 見鄒淑清
鄒士第妻 明 見黃氏
鄒子先明 515-795- 82
鄒子宜元 1197-492- 47
鄒大猷明 460-814- 89
鄒大椿宋 見鄒樗
鄒大賢明 572-110- 30
鄒大績明 524-137-185
鄒大觀元 529-634- 48
鄒心存妻 清 見張氏
鄒方宋妻 清 見都氏
鄒文盛明 300-191-194
473-304- 62
480-247-269
483-223-390
533- 76- 49
571-518- 19
676-525- 21
鄒文慧元~明 460-481- 38
460-796- 85
529-613- 47
鄒之有明 533- 77- 49
鄒之孟明 821-462- 57
鄒之易明 533-177- 52
鄒之奇明 456-637- 10
鄒之翰明 1442-100-附6
鄒之麟明 821-477- 58
鄒王臣宋 516-512-106
鄒元忠明 515-434- 70
563-761- 40
鄒元芝清 533-336- 58
鄒元揆清 481-725-333
鄒元銘妻 元 見金玉
鄒元標明 301-121-243
457-373- 23
458-333- 13
458-1056- 2
475-380- 68
479-727-250
483-295-394
511-903-172
515-714- 79
533-746- 73
572-157- 32
676-627- 26
677-658- 59
1442- 77-附5
1460-386- 58
鄒元標妻 明 見江氏
鄒巴延鄒伯顏 元
295-558-192
400-373-534
481-673-331
528-524- 31
540-780-28之2
1207-581- 41
鄒天涯妻 明 見董氏
鄒天瑞元 460-481- 38
鄒天濟女 元 見鄒氏
鄒日章明 515-848- 84
鄒公敏女 明 見鄒氏
鄒公敢元 見鄒公瑾
鄒公瑾鄒公敢 元
572-160- 32
鄒公瑾明 886-154-139
鄒仁聲元 1209-547-9上
鄒允隆鄒昌 明 460-816- 89
473-645- 78
481-698-332
529-629- 48
鄒勿用鄒夢龍 明
1283-782-128
鄒永太妻 明 見謝氏
鄒永年宋 480-241-269
1123-282- 0
鄒永明清 456-370- 78
鄒永泰妻 明 見謝氏
鄒永福妻 清 見鍾氏
鄒孕孝明 456-601- 9
515-813- 82
鄒平王明 見宋泰塍
鄒世安明 540-805-28之3
鄒世任清 533-269- 5
鄒世斌明 456-617- 9
鄒世聞元 523-355-163
524-304-194
1229-178- 3
鄒世聞妻 元 見李氏
鄒世麒清 524-115-183
鄒以升妻 明 見王瓊
鄒以信明 472-325- 14
475-701- 86
510-463-117
鄒以倫明 523-216-156
鄒守益明 301-782-283
457-221- 16
458-891- 8
475-822- 92
479-724-250
510-495-118
511-910-173
515-690- 78
517-648-131
533-743- 73
676-542- 22
1275-328- 15
1458-406-444
鄒守常明 528-546- 32
鄒守愚明 481-557-327
482- 34-340
529-516- 44
537-219- 54
676-562- 23
鄒安道宋 515-752- 80
鄒汝愚明 561-423- 42
鄒有眞明 524-231-189
鄒次陳宋 515-761- 80
676-700- 29
1197-764- 80
鄒次傳元 1197-492- 47
鄒光祚明(山陰人) 456-611- 9
523-390-164
537-259- 55
鄒光祚明(字承卿) 569-653- 19
鄒光弼明 515-799- 82
鄒光裕明 480-341-273
鄒先魯妻 明 見楊氏
鄒先魯妻 清 見李氏
鄒先魯妻 清 見敖氏
鄒仲熙明 1237-405- 14
鄒良彥明 570-151-21之2
鄒良節女 明 見鄒氏
鄒忌子戰國 見鄒忌
鄒伯顏元 見鄒巴延
鄒希衍宋 516-469-104
鄒邦榮明 456-613- 9
鄒妙莊宋 姚敏妻、鄒一龍女
1184-353- 50
鄒妙善宋 姚敏妻、鄒一龍女
1184-353- 50
鄒廷望明 480-439-278
533-276- 56
鄒廷章女 明 見鄒氏
鄒宗浩清 559-412-9下
鄒宗善明 456-639- 10
529-703- 50
鄒宗道明 456-611- 9
鄒宗謨宋 1135-309- 31
1135-389- 36
鄒宗彝明 554-276- 53
鄒定周清 533-320- 57
鄒孟哲明 572- 82- 28
鄒孟卿宋 516- 33- 88
1177- 85- 3
鄒孟義明 1237-329- 7
1238-497- 11
1241-527- 9
鄒孟輝明 1240-182- 12
鄒孟爵明 1240-733- 7
鄒長武明 532-639- 43
鄒長春明 見彭齡
鄒長倩漢 491-794- 6
鄒長卿女 明 見鄒氏
鄒長孺宋 529-689- 50
鄒來學明 473-283- 61
474-570- 29
480-131-264
505-635- 67
510-290-112
533- 38- 48
鄒東魯明 523-107-150
鄒林泉女 明 見鄒氏
鄒承先妻 明 見陳氏
鄒承芬明 533-491- 65
鄒承恩妻 明 見謝氏
鄒忠倚清 475-232- 61
511-769-166
鄒尚友明 1237-293- 6
鄒昌齡宋 1161-669-130
鄒明善妻 元 見樂德順
鄒明魁明 554-347- 54
鄒非熊宋 473-682- 79

482- 74-341
515-753- 80
528-550- 32
563-676- 39
1177-592- 27
鄒季友元 678-176- 86
鄒制朗宋 見鄒孟
鄒秉正妻 清 見張氏
鄒秉浩妻 明 見劉氏
鄒秉衷妻 明 見錢淑潤
鄒秉鈞宋 485-534- 1
鄒近仁宋 516- 39- 88
678-247- 94
1156-656- 5
鄒近泗妻 清 見邢氏
鄒度洪清 515-455- 70
鄒春陽明 821-461- 57
鄒勇夫五代 481-693-332
528-536- 32
鄒迪光明 511-769-166
676-608- 25
821-469- 58
1442- 76-附5
鄒待徵妻 唐 見薄氏
鄒待證妻 唐 見薄氏
鄒保英唐 472-142- 5
鄒保英妻 唐 見奚氏
鄒祇謨清 475-233- 61
511-770-166
鄒起鳳清 476-395-119
鄒師顏明 299-432-149
473-303- 62
480-246-269
533- 74- 49
鄒望臣妻 清 見劉氏
鄒惇禮鄒敦禮 宋
515-525- 73
1161-669-130
鄒章周清 533-320- 57
鄒淑清明 陳復妻、鄒士能女
1274-595- 1
鄒張魯妻 明 見郭氏
鄒崇禮明 554-348- 54
鄒國恩妻 明 見吳氏
鄒國璽明 569-664- 19
鄒野漁明 505-921- 82
鄒紹先唐 820-282- 30
鄒敏中元 1197-699- 72
鄒逢生妻 清 見蕭氏
鄒逢吉明 480- 53-259
516-139- 92
532-620- 43
鄒敦禮宋 見鄒惇禮
鄒期相明 677-732- 65
鄒期楨鄒期禎 明
511-682-163
678-228- 92
鄒期禎明 見鄒期楨
鄒登龍宋 1364-202-271
1437- 29- 2
鄒堯臣明 483- 96-378
515-189- 62
570-118-21之2
鄒斯盛明 1442-115-附7
鄒景懋女 明 見鄒氏
鄒華南明 559-350- 8
鄒欽堯明 456-632- 10
523-419-166
鄒復元元 821-331- 54
鄒復雷元 821-331- 54
鄒補之宋 472-1043- 43
523-620-177
鄒裔儒妻 明 見任氏
鄒道朋明 1229-684- 2
鄒毓祚明 515-805- 82
鄒福生妻 清 見萬氏
鄒榮華妻 明 見楊氏
鄒嘉生明 545-103- 86
554-255- 52
鄒夢遇宋 516- 39- 88
1156-657- 5
鄒夢龍明 見鄒勿用
鄒維寧妻 清 見曹氏
鄒維璉明 301- 13-235
458-415- 19
479-749-251
481-494-324
481-645-330
515-489- 71
523-313-160
528-516- 31
676-630- 26
1442- 89-附6
1460-511- 65
鄒維勳明 456-502- 5
529-639- 48
鄒養性邱養性 明456-599- 9
474-169- 8
鄒養浩清 559-412-9下
鄒蓮午清 丁彥妻
1475-837- 35
鄒儀周清 475-274- 63
481-649-330
510-379-114
529-588- 46
鄒德久宋 820-435- 35
鄒德泳明 301-783-283
457-223- 16
479-727-250
515-714- 79
鄒德明明 1239-234- 42
鄒德修元 1209-547-9上
1224-226- 21
鄒德涵明 301-783-283
457-222- 16
515-713- 79
鄒德基明 511-769-166
鄒德溥明 301-783-283
457-223- 16
515-714- 79
676-614- 25
677-661- 59
1442- 80-附5
1460-417- 59
鄒魯儀明 820-620- 41
鄒龍光明 1291-462- 8
鄒龍光妻 明 見王氏
鄒學柱明 523-468-169
1297-141- 11
鄒學魯明 559-433-10上
鄒賽貞鄒賽眞 明 濮紱妻、
鄒謙女 512- 11-176
1442-123-附8
1460-770- 84
鄒賽眞明 見鄒賽貞
鄒應泗清 559-332-7下
鄒應昌妻 明 見劉氏
鄒應逢妻 清 見周氏
鄒應博宋 460-342- 27
鄒應隆宋 見鄒應龍
鄒應運清 483- 97-378
570-151-21之2
鄒應榑宋 480- 50-259
鄒應龍鄒應隆 宋
287-718-419
473-643- 78
481-696-332
515-268- 65
524-340-195
528-483- 30
529-627- 48
585-768- 5
933-479- 31
1177-161- 5
鄒應龍明 300-470-210
478-128-181
482-540-368
511-903-172
554-667- 60
558-300- 34
558-666- 47
569-653- 19
鄒濟泰妻 明 見簡祥貞
鄒謙所明 533-331- 58
鄒懋昭明 1292-209- 19
鄒儲賢明 456-455- 4
502-293- 56
鄒雙崖明 1294-216-5下
1294-255-6下
鄒雙崖妻 明 見羅氏
鄒蘊賢清 476-367-117
502-690- 81
545-446- 99
鄒觀光明 480-205-267
533- 71- 49
1323-321- 28
解元太原王 宋 287- 72-369
398-136-374
472-924- 36
475-366- 67
478-169-182
515-590- 75
554-595- 59
1154-670- 28
1236-751- 11
1408-532-535
解氏晉 解結女 476-531-128
解氏元 劉澤妻 401-178-593
解氏元 聶茂卿妻、解元翁女
1236-765- 11
解氏明 間滋妻 1269-398- 5
解氏明 喬文光妻 472-686- 27

解氏明 楊廷元妻、解經達女
478-353-191
解氏明 楊應元妻 509-155- 90
解氏明 解達姊 477-135-155
解氏明 解紹武妹 302-235-302
解氏清 朱從禹妻 541- 23- 29
解氏清 李吉妻 474-194- 9
解氏清 邱運至妻 474-444- 21
解氏清 董光綬妻 506- 61- 87
解氏清 劉澤遠妻 481-454-318
解氏清 閻衍緒妻、解廉貞女
478-354-191
解氏清 解仲良女 479- 62-219
解守明 570-213- 23
解如明 821-489- 58
解宋明 515-176- 62
解育晉 256- 29- 60
377-655-125
933-666- 44
解系晉 256- 28- 60
377-654-125
384- 93- 5
472-523- 22
476-521-128
491-799- 6
540-713-28之1
933-520- 34
933-666- 44
解玫妻 清 見張氏
解狐春秋 545-734-109
546-432-129
933-666- 44
解禹唐 494-336- 7
解原明 見鮮原
解珙明 821-366- 55
解泰解子玉 元 515-622- 76
820-573- 40
1236-756- 11
1236-766- 11
解晏元 1196-309- 18
解倩梁 812-335- 7
821- 26- 45
解倩唐 812-346- 9
821- 57- 46
解修魏 472-543- 23
解悰隋 812-340- 8
821- 32- 45
解琇明 821-366- 55
解張春秋 545-730-109
解通明 547-104-145
解敏明 458-166- 8
472-665- 27
473- 15- 49
478-766-215
515- 32- 58
537-399- 57
解綜妻 明 見劉氏
解琬唐 270-208-100
274-633-130
395-575-233
472-130- 4
474-336- 17
474-474- 23
478-594-204
505-770- 73
545-319- 95
933-666- 44
解開明 515-633- 77
676-465- 17
1236-757- 11
1236-782- 12
解開妻 明 見高妙瑩
解揚解楊 春秋 375-771- 90
384- 20- 1
404-706- 43
448-174- 10
472-458- 20
545-730-109
933-520- 34
933-666- 44
解琛明 1236-781- 12
解結晉 256- 29- 60
377-655-125
933-520- 34
933-666- 44
解結女 晉 見解氏
解勝漢 546-384-127
解楊春秋 見解揚
解楊漢 933-520- 34
解達姊 明 見解氏
解暉宋 285-368-271
371-169- 17
396-640-312
472-115- 4
474-438- 21
505-762- 72
545-391- 97
解經明 505-683- 69
554-484-57上
解誠元 295-243-165
399-596-479
472- 55- 2
474-242- 12
505-733- 71
解禎明 1284-354-163
解榮明 480-563-284
解綸明 479-718-250
1236-768- 11
解綸妻 明 見歐陽晚
解潛宋 473-195- 28
473-298- 62
479-812-255
516-223- 96
解潤清 505-897- 80
解輝妻 明 見董氏
解縉明 299-410-147
452-167- 3
453-137- 13
453-559- 7
473-150- 56
476-283-110
479-718-250
482-502-365
515-646- 77
547-183-148
558-473- 40
563-910- 43
567-446- 86
568-434-115
676-470- 18
820-584- 40
1236-594- 附
1236-836- 附
1236-838- 附
1236-843- 附
1238-204- 17
1284-354-163
1374-601- 81
1375- 37- 下
1442- 17-附1
1459-536- 19
1467-155- 67
解禧宋 見斛僖
解禧元 1201-662- 25
解禮解體 明 472-665- 27
477- 87-153
538- 80- 64
解獵春秋 933-520- 34
解鏘明 554-337- 54
解鵬妻 明 見李氏
解繪明 見解朝夫
解體明 見解禮
解觀解子尚 元 515-616- 76
1236-753- 11
1238-601- 18
解一貫明 300-394-206
476- 42- 98
545-669-107
解一經明 545-667-107
569-665- 19
515-617- 76
1236-784- 12
解子玉元 見解泰
解子尚元 見解觀
解子誠宋 843-667- 中
解心翼妻 清 見張元鈖
解文英解支英 明 456-495- 5
558-434- 37
解元翁女 元 見解氏
解引樾明 554-851- 63
解支英明 見解文英
解友榕清 陳禘嘗妻
516-307- 99
解立敬明 563-749- 40
572-102- 30
解奴辜漢 253-612-112下
380-582-181
解汝為宋 485-535- 1
解汝楫元 295-243-165
399-597-479
474-242- 12
解光紳清 554-791- 62
解光纓明 456-680- 11
554-724- 61
解好古女 宋 見解道寧
解如意唐 820-175- 27
解仲良女 清 見解氏
解仲恭齊 259-545- 55
533-736- 73
解良溫明 547-113-145
解邑君春秋 546-437-129
解妙成明 538-200- 67

解法選北齊 263-380- 49
267-691- 89
380-640-183
538-356- 71
解居乾妻 明 見師氏
解奉先唐 821- 56- 46
解叔謙齊 265-1043- 73
380-100-167
472-433- 19
547- 93-144
933-666- 44
解延年鮮延年 明
472-604- 25
505-635- 67
540-789-28之3
559-287-7上
676- 89- 3
676-321- 12
解政祥元 1201-662- 25
解省身明 547-113-145
解祖謨清 515-728- 79
解特格元 見解特爾格
解處中南唐 812-472- 3
812-547- 4
821-119- 49
解紹武妹 明 見解氏
解從富妻 明 見李氏
解朝夫解繪 明 1236-706- 8
1242- 40- 25
解進忠明 456-555- 7
解廉貞女 清 見解氏
解道寧宋 解好古女
1182-686- 4
解楨亮妻 明 見胡氏
解萬有妻 清 見劉氏
解萬通妻 清 見曾氏
解萬端妻 清 見宋氏
解嗣昇明 456-661- 11
解經邦明 540-636- 27
554-516-57下
解經雅明 554-675- 60
解經達女 明 見解氏
解節亨元 1201-663- 25
1206- 69- 8
解楨期明 820-585- 40
解榮祖元 554-309- 53
解蓼斗元 1197-678- 70
1204-306- 10
解學曾明 456-462- 4
解學龍明 301-631-275
479-320-232
479-456-237
511-214-144
515- 63- 58
523-195-155
解學夔明 481-645-330
528-516- 31
解懷亮明 456-597- 9
解體健清 554-790- 62
解脫和尚隋 476-337-115
547-529-160
解特爾格解特格 元
295-244-165
399-597-479
鄎國長公主荊山公主 唐 鄭者義妻、薛儆妻、唐睿宋女
274-111- 83
393-279- 73
554- 51- 49
1065-855- 22
1342-229-933
1343-755-55下
1410-173-683
鄔氏宋 汪萬頃母
1157-530- 上
鄔氏明 李文玉妻、鄔廷壽女
1259-183- 14
鄔氏明 熊宗義妻 474-825- 44
503- 29- 93
鄔彤唐 見鄔彤
鄔彤鄔彤 唐 812-748- 3
814-274- 10
820-205- 28
鄔孟明 529-452- 43
鄔孟妻 明 見王氏
鄔昆明 821-459- 57
鄔珏明 523-226-156
鄔荼北齊 見那連提黎耶舍
鄔員唐 820-216- 28
鄔修明 1442- 8-附1
1459-504- 17
鄔紳明 511-182-143
523- 54-148
676-559- 23
1442- 52-附3
1460- 93- 44
鄔載唐 494-470- 18
鄔璉明 515-482- 71
576-654- 5
鄔璃明 472-174- 6
510-374-114
515-476- 71
鄔繇唐 820-182- 27
鄔大昕宋 564- 59- 44
鄔中涵明 523-400-165
鄔必信明 480- 58-260
533-330- 58
鄔正畿明 529-660- 49
鄔汝楫清 510-422-116
鄔仲寧明 524-193-188
鄔克誠宋 515-759- 80
鄔佐卿明 511-775-166
820-741- 44
1442- 95-附6
1460-546- 67
鄔廷壽女 明 見鄔氏
鄔昌奇明 見 鄔昌期
鄔昌期鄔昌奇 明456-549- 7
572- 79- 28
鄔明昌明 523- 90-149
鄔若虛明 523-555-173
鄔烈翁明 1227-113- 13
鄔恩武清 524-206-188
鄔通微元 473- 33- 49
516-417-103
1059-590- 上
1061-318-113
鄔崇節宋 451- 59- 2
鄔詠仁元 1194-463- 4
鄔景和明 299-111-121
鄔象鼎清 479- 57-219
481-808-338
523-360-163
563-890- 42
鄔進禮元 820-526- 38
鄔熙和明 480-542-283
鄔鳴雷明(號齊雲) 515-191- 62
鄔鳴雷明(字長豫) 523-458-168
鄔龍啟元 1197-789- 83
鄔龍啟妻 元 見周柔恭
鄔龍翔元 1197-745- 77
鄔應魴妻 明 見蔣氏
鄔顯秀妻 清 見曹氏
鄔波毱多周 見優波毱多
僊天唐 1053-197- 5
僊林唐 見仙林
衙敬卿漢 933-298- 21
傷槐女春秋 傷槐衍女(名婧父衍傷槐當死) 404-632- 38
448- 55- 6
452- 98- 3
541- 38- 29
傷槐衍女 春秋 見傷槐女
舅犯春秋 見狐偃
愛申金 見愛新
愛同唐 1051-235- 9
1052-195- 14
愛那清 455-117- 4
愛努清 455-540- 34
愛柱清 456- 34- 52
愛素清 455- 73- 2
愛泰清 455-539- 34
愛紳金 558-183- 31
愛紳金 見愛新
愛童明 512-762-196
愛喀清 455-500- 31
愛新莽格、愛申、愛紳 金
291-689-123
400-225-518
478-546-202
558-199- 31
愛塔清 455-617- 42
愛楠清 456-303- 73
愛達清 455-449- 27
愛綏元 見阿錫頁
愛愛宋 1101-856- 13
愛滿清 456-226- 67
愛漢清 455-156- 6
愛圖清(果爾吉氏) 456-101- 57
愛圖清(尼瑪察氏) 502-553- 73
愛篤清 456- 48- 53
愛錫清(正紅旗人) 455- 90- 3
愛錫清(正藍旗人) 455-116- 4
愛錫清(伊爾根覺羅氏)
455-230- 12
愛錫清(塞楞吉氏) 456-155- 61
愛錫清(金氏) 456-291- 72
愛賽清 502-753- 85
愛薛元 見阿錫頁
愛蘇清 455-520- 32
愛明阿清 455-636- 44
愛音察清 455-457- 28

愛星阿清 455-680- 48
456-167- 62
愛唐阿清 455- 76- 2
愛密達清 455-332- 20
愛瑚理清 455-271- 15
愛達理清 455-560- 36
愛達漢清(富察氏) 455-437- 26
愛達漢清(費莫氏) 455-634- 44
愛葉隨清 455-227- 12
愛瑪納清 455-274- 15
愛瑪達清 455-673- 47
愛碧隆清 455-119- 4
愛圖喀清 455-624- 43
愛魯克元 294-271-122
愛興阿清 455-636- 44
愛錫喀清 455-366- 22
愛黨阿清 455-343- 21
愛囊阿清 455-270- 15
愛音布祿清 455-336- 20
愛音殼魯清 455-373- 23
愛敏台濟清 455-358- 22
愛寬多穆什清 455- 56- 1
愛滕里邏羽錄没蜜施合胡祿毗伽懷信可汗 唐 見骨咄祿
犍陁勒晉 1049-546- 37
腹䵍戰國 405-462- 86
奧巴清 454-346- 17
牒舍樂北齊 263-152- 19
263-166- 20
267-124- 53
379-374-152
微五代(嗣大同) 1053-229- 6
微五代(嗣匡一) 1053-569- 14
微子商 見微子啟
微仲商 404-412- 24
微虎春秋 404-506- 30
微子啟微子、微子開 商
244- 80- 38
371-325- 15
404-225- 14
404-411- 24
472-676- 27
537- 14- 48
537-357- 57
538-701- 80
839- 8- 1
1343-735- 53
微子開商 見微子啟
微生高周 見尾生
遁儒唐 1053-534- 13
彙明 1231-462- 0

十四畫

賓唐(居金相寺) 516-420-103
賓公宋 567-454- 87
賓氏明 康國妻 480-513-281
賓氏清 韋金德妻 482-469-363
賓孟春秋 見賓起
賓起賓孟 春秋 404-485- 28
933-176- 12
賓圖清 455-517- 32
賓牟賈春秋 405-449- 85
933-176- 12
賓卑聚春秋 1123-156- 16
賓胥無春秋 見賓須無
賓咱雅女 元 見伊德瑞童
賓須無賓胥無 春秋
404-588- 35
933-176- 12
賓媚人春秋 見國佐
賓頭盧不詳 1053- 86- 2
賓禮慶明 473-388- 65
532-719- 45
賓繼學明 482-468-363
567-310- 77
1467-196- 69
賓公道者宋 564-621- 56
實印明 1442-122-附8
實沈上古 404-397- 23
實沙元 493-754- 41
實性不詳 1053-244- 6
實訒明 1442-122-附8
1460-852- 91
實相明 561-221-38之3
實保元 294-416-134
399-533-472
實哩失來 明 496-628-106
實都忻都 元 475-640- 83
510-445-117
實菴明 1227- 82- 9
實巴爾元 545-219- 91
實納台實訥台 元
294-243-120
399-337-448
實訥台元 見實納台
實都沙元 515-105- 60
實都爾元 294-411-133
399-542-473
實都爾元 見萬緍
實勒們元 399-678-487
實喇卜元(額琳特穆爾子)
294-292-124
實喇元(字敬臣) 820-521- 38
實實岱元 見士希
實嘉努鄖王 金 291-647-120
400- 67-506
實叉難陀施乞叉難陀、學喜、覺喜 唐 1051-224- 9
1052- 23- 2
1054-109- 3
實哩達喇元 元成宗后、額埒春女 294-185-114
393-347- 80
實都爾岱失禿兒朵 明
496-626-105
實琳博羅失林博羅 明
496-630-106
實喇什保清 456-265- 70
實喇布哈元 510-463-117
實喇布哈女 元 見托克托呼
實喇尼都元 533-353- 59
實喇濟蘇元 294-273-122
399-350-449
實嘉實祿金 見實嘉紐勒琿
實勒必敬昇元 545-183- 89
實喇卜伯溫元 1213- 57- 5
實喇巴圖爾元 294-438-135
399-677-487
實達爾摩哩元 294-405-133
實嘉女魯歡金 見實嘉紐勒琿
實嘉紐勒琿石盞實祿、石盞女魯歡、石盞紐勒琿、石盞紐勒歡、石盞鈕勒緷、石嘉實祿、石嘉女魯歡、石嘉紐勒琿、石嘉紐勒歡、石嘉紐勒緷、持嘉實祿、持嘉女魯歡、持嘉紐勒琿、持嘉紐勒歡、持嘉鈕勒緷、實嘉實祿、實嘉女魯歡、實嘉紐勒歡、實嘉鈕勒緷 金
291-605-116
399-303-444
472-879- 35
478-546-202
558-199- 31
實嘉紐勒歡金 見實嘉紐勒琿
實嘉鈕勒緷金 見實嘉紐勒琿
實哩雅克圖薩元
515- 26- 57
實喇卜袞楚克元
1054-759- 22
察尼清 454-168- 9
察罕元(蘇頁氏) 294-286-123
399-525-471
523-225-156
察罕元(號白雲) 294-454-137
399-686-488
473-268- 61
476-123-102
476-372-117
480- 50-259
480- 94-262
515- 23- 57
532-616- 43
533-725- 73
546-488-131
1202-246- 18
1202-282- 20
察罕元(奉化州達魯花赤)
523-128-152
察罕清 502-503- 70
察呼妻 元 見達瑪干公主
察哈清 455- 86- 3
察海清 455-404- 24
察庫清(納喇氏) 455-403- 24
察庫清(蒙鄂索氏) 456- 99- 57
察童明 458-170- 8
察楚清 455-564- 36
察實擦實 明 496-628-106
察漢清(兀札喇氏) 455-488- 30
察漢清(薩克達氏) 455-553- 35
察蘇元(奈曼部人) 294-261-121
399-344-449
察蘇元(字靜如) 1218-606- 2
察八兒金 見徹伯爾

察罕台元 544-239-63
察哈岱清(納喇氏) 455-376-23
察哈岱清(都理氏) 456-105-57
察哈泰清(瓜爾佳氏) 455-57-1
察哈泰清(薩克達氏) 474-773-41
502-550-73
察哈理清 455-247-13
察哈喇清 502-524-72
察普吉清 455-696-49
察福拉清 455-696-49
察瑪海清 502-749-85
察爾久清 456-10-50
察爾岱清 456-251-69
察爾拜清 455-583-38
察爾泰清 456-165-62
察爾圖清(瓜爾佳氏) 455-71-2
察爾圖清(佟佳氏) 455-337-20
察穆漢清 455-449-27
察罕丹津清 454-742-82
察罕布哈元 294-427-134
察奇滿泰清 456-61-54
察兒可馬宋 見徹爾庫輝
察漢羅思清 456-237-68
察罕特穆爾潁川王 元 294-506-141
400-11-500
459-714-43
477-563-177
545-61-84
548-179-167
549-388-195
549-628-204
554-163-51
察罕喇布坦清 454-772-88
察琿多爾濟清 454-503-46
察漢巴圖魯清 456-265-70
演教五代 1053-367-9
漂母漢(嘗濟韓信竟漂數十日) 512-2-176
漆堅明 558-412-37
漆登明 515-484-71
漆園明 515-492-71
528-465-29
漆文昌明 483-137-380
494-157-5
515-484-71
532-658-44
569-655-19
漆元中明 515-484-71
漆生色妻 明 見李氏
漆李保宋 見漆秀實
漆布范元 515-472-71
漆秀實漆李保 宋 451-89-3
漆室女春秋(魯漆室邑之女) 404-569-34
448-33-3
472-560-23
879-171-58上
漆榮祖元 1209-497-8上
漆嘉祀清 515-493-71
漆鳳翔妻 清 見徐氏
漆雕哆春秋 244-389-67
375-656-88
405-447-85
472-548-23
539-496-11之2
933-781-55
漆雕從春秋 見漆雕徒父
漆雕開春秋 244-387-67
246-28-67
371-492-32
375-655-88
405-442-85
472-790-31
537-369-57
539-495-11之2
933-781-55
漆雕徒夫春秋 見漆雕徒父
漆雕徒父漆雕從、漆雕徒夫、漆雕從夫 春秋 244-389-67
375-656-88
405-447-85
472-547-23
539-496-11之2
933-781-55
漆雕從夫春秋 見漆雕徒父
漏瑜明 676-473-18
1442-17-附1
1459-534-18
漁父漁夫 戰國(楚亂乃匿名隱釣於江濱) 448-98-中
533-135-51
871-890-19
漁父南朝 265-1068-75
380-445-178
516-115-92
漁者春秋 547-129-146
漁仲修宋 505-654-68
漁陽王後魏 見元湛
漁陽王北齊 見高紹信
誧湟夏 546-424-129
誠惠後唐 見誠慧
誠慧誠惠 後唐 277-583-71
476-265-110
547-502-159
1052-386-27
誠德清 456-236-68
誨機五代 479-503-239
516-421-103
1053-300-8
旗岱納清 502-737-84
旗流甘漢 933-69-4
漕仲漢 見漕仲叔
漕仲叔漕仲 漢 545-858-113
933-679-45
韶王唐 見李暹
韶庸清 455-287-16
韶瞻清 455-357-22
韶護明 493-758-41
523-82-149
554-526-57下
語春秋 見子人
語松明 572-161-32
褚大漢 476-579-131
933-561-36
褚氏齊 范法恂妻 259-542-55
265-1042-73
380-99-167
485-204-27
493-1079-57
褚氏明 宋大化妻 506-4-86
褚氏明 李勝任妻 476-589-131
褚氏明 褚慕雪女 1283-514-107
褚氏清 范懷仁妻 476-589-131
褚氏清 陳賚妻 482-47-340
褚向梁 260-346-41
265-442-28
378-392-141
933-562-36
褚言妻 明 見張氏
褚孜宋 493-1003-53
褚松明 571-548-20
褚玠陳 260-781-34
265-443-28
378-533-144
459-869-52
477-67-151
479-223-227
486-64-3
523-146-153
933-562-36
1395-601-3
褚炫齊 259-345-32
265-443-28
477-66-151
532-613-43
933-562-36
褚炤齊 259-345-32
265-442-28
378-197-137
384-111-6
477-65-151
933-562-36
褚亮唐 269-685-72
274-308-102
384-167-9
395-326-210
451-8-0
470-39-93
472-965-38
479-47-218
524-2-178
537-594-60
585-385-8
588-157-8
590-135-17
933-563-36
1401-597-40
褚相明 545-193-90
褚英清 454-159-9
474-752-40
502-418-67
褚胤晉 258-158-54
493-1062-56
511-862-170
褚奐褚英非 元 820-543-39
褚庫清 474-765-41
502-511-71

褚祚明 511-100-140
523-173-154
褚修梁 260-389-47
265-1053-74
380-111-167
451-8-0
479-46-218
524-95-183
933-563-36
褚淵褚彥回 齊 259-260-23
265-438-28
378-192-137
384-111-6
448-318-下
469-54-7
472-655-27
472-997-40
485-68-10
493-677-37
494-282-3
537-593-60
538-718-80
814-249-6
820-92-24
839-43-4
933-562-36
1329-1000-58
1331-507-58
1395-593-3
1414-294-75
褚球梁 260-348-41
265-437-28
378-392-141
933-562-36
褚䂮晉 380-4-165
477-63-151
褚陶晉 256-493-92
380-354-175
451-5-0
472-964-38
479-46-218
524-2-178
585-383-8
933-561-36
褚爽晉 256-518-93
380-8-165
933-562-36
褚爽女 晉 見褚靈媛
褚晚梁 479-47-218
褚傎明 524-99-183
1229-302-10
褚偉明 1475-629-27
褚翔梁 260-346-41
265-442-28
378-392-141
472-253-10
475-213-60
477-66-151
510-356-114
933-562-36
1395-598-3
褚雲明 554-762-62
褚賁劉宋 265-441-28
378-196-137
477-66-151
537-593-60
814-249-6
820-92-24
933-562-36
褚雅五代 524-172-187
褚棣宋 491-436-6
褚華明 559-276-6
褚順明 554-310-53
褚鈇明 545-672-107
549-431-197
580-564-40
褚該北周 263-817-47
267-715-90
380-648-183
538-362-71
褚煇隋 見褚輝
褚裒晉 256-513-93
370-335-8
380-4-165
384-101-5
472-654-27
473-86-52
475-270-63
477-64-151
479-446-237
515-4-57
537-593-60
933-562-36
1413-712-61
褚裒女 晉 見褚蒜子
褚載唐 273-114-60
451-477-7
褚翜晉 256-276-77
377-816-128
472-654-27
475-68-52
477-64-151
488-120-7
510-308-113
537-593-60
544-204-62
933-562-36
褚嵩明 483-331-397
褚暉隋 見褚輝
褚蓁齊 259-264-23
265-441-28
537-594-60
933-562-36
褚蒙梁 265-443-28
933-562-36
褚鳳明 511-554-158
褚澐梁 265-443-28
378-534-144
494-334-7
933-562-36
褚澄齊 259-264-23
265-442-28
378-196-137
485-68-10
493-677-37
538-362-71
742-33-1
933-562-36
褚澄女 齊 見褚令璩
褚標清 1318-459-72
褚璆唐 274-344-105
395-355-213
523-506-171
褚輝褚煇、褚暉 隋
264-1065-75
267-597-82
380-337-174
475-127-56
485-166-22
493-1013-54
511-670-163
679-279-166
933-563-36
褚篆清 511-836-168
褚燕漢 見張燕
褚冀唐 820-282-30
褚環明 505-904-80
554-309-53
褚鏽褚鏞 明 554-762-62
褚鏞明 見褚鏽
褚籍宋 451-208-8
511-176-143
褚讓明 524-240-190
褚一正宋 288-382-454
400-192-515
475-368-67
511-491-156
褚不華褚布哈 元
295-572-194
400-251-520
472-468-20
475-324-65
476-183-106
479-92-221
510-382-115
523-99-150
545-241-92
545-887-114
褚元明齊 820-96-24
褚元卿明 524-108-183
褚巴噶元 547-42-142
褚少孫漢 475-423-70
475-745-88
511-694-163
933-561-36
褚本紀妻 明 見蔡三妹
褚世標晉 524-289-193
褚布哈元 見褚不華
褚令璩齊 蕭寶卷后、褚澄女
259-242-20
265-198-11
537-185-53
褚冰壑元 821-302-53
褚有聲清 477-134-155
537-443-58
褚志通元 1201-716-30
褚里疾戰國 見樗里子
褚伯玉 宋 258-598-93
259-526-54
265-1069-75
380-446-178
451-6-0

479- 46-218
479-249-228
479-296-230
484- 43- 下
485-556- 3
486-315- 14
493-1067- 57
524-275-192
585-384- 8
590-135- 17
933-563- 36
1141-795- 33
1410-155-681
褚秀之劉宋 258-137- 52
378-105-134
933-562- 36
褚廷縮明 1475-530- 23
褚長文唐 820-185- 27
褚承亮金 291-720-127
401- 35-572
472- 96- 3
474-378- 19
593- 32- 上
1365-112- 4
褚叔度褚裕之 劉宋
258-137- 52
265-436- 28
378-105-134
933-562- 36
褚欣遠劉宋 820- 90- 24
褚彥回齊 見褚淵
褚彥逢宋 見褚彥逢
褚彥逢褚彥逢 宋
400-295-524
480-245-269
褚拱辰妻 明 見杜氏
褚思莊齊 485-295- 43
493-1062- 56
511-862-170
褚英非元 見褚奐
褚信相隋 592-343- 81
1354-655- 32
1354-718- 38
1381-460- 37
褚庭誨唐 812-747- 3
820-166- 27
褚素民明 821-484- 58
褚師比褚師聲子 春秋
404-844- 52
褚師秀元 524-277-192
褚師段春秋 404-809- 49
褚師圃褚師子申 春秋
404-844- 52
褚淡之劉宋 258-137- 52
265-436- 28
378-105-134
479-222-227
486- 36- 2
523-143-153
933-562- 36
褚連時清 1475-565- 24
褚從禮宋 524-239-190
褚善菴明 1289-353- 24
褚湛之劉宋 258-139- 52
265-437- 28
378-107-134
477- 65-151
488-177- 8
933-562- 36
褚朝陽唐 820-193- 27
褚無量唐 270-242-102
276- 31-200
384-189- 10
384-205- 11
400-419-539
451- 9- 0
459- 39- 3
470- 40- 93
472-965- 38
479- 47-218
523-577-175
547-161-147
933-563- 36
1341-722-896
褚裕之劉宋 見褚叔度
褚遂良唐 269-780- 80
274-341-105
384-168- 9
384-178- 10
395-352-213
407-376- 2
451- 9- 0
459-359- 22
471-585- 1
471-754- 23
472-965- 38
473-333- 63
473-748- 83
478-334-191
479- 47-218
480-362-275
480-399-277
523-255-158
545-436- 99
567-426- 86
585-224- 16
585-385- 8
588-157- 8
589- 75- 0
590-135- 17
684-543- 4
812- 65- 中
812-228- 8
812-718- 3
812-737- 3
813-222- 3
814-266- 9
820-136- 26
933-563- 36
1247-372- 14
1371- 48- 0
1387-251- 16
1467-139- 67
褚齊賢唐 820-281- 30
褚爾漢清 455-113- 4
褚蒜子晉 晉康帝后、褚裒女
255-586- 32
370-362- 9
373- 74- 20
537-184- 53
褚慧開南北朝 524-192-188
褚慕雪女 明 見褚氏
褚錫珪元 1221-650- 25
褚靈石劉宋 812-330- 6
821- 20- 45
褚靈媛晉 晉恭帝后、褚爽女
255-591- 32
537-184- 53
褚師子申春秋 見褚師圃
褚師子肥春秋 404-809- 49
褚師聲子春秋 見褚師比
褚庫巴圖魯清 456-216- 67
福宋 1053-636- 15
福王唐 見李縉
福王後梁 見朱友璋
福王宋 見趙與芮
福王明 見朱常洵
福永清 456-182- 64
福生唐 見那提
福定元 294-392-132
福東清 455- 90- 3
福昌清 456-331- 76
福帖清 455-489- 30
福珪元 820-552- 39
福時張福時 明 505-802- 74
福敏清 1308-283- 58
福善明 537- 88- 50
福湛明 561-227-38之3
福登明 547-520-160
福彭平郡王 清 454-144- 8
福琳唐 1052-407- 29
福報元 1442-118-附8
1460-827- 89
福喀清(鑲白旗人) 455-248- 13
福喀清(正黃旗人) 455-254- 14
福喀清(正白旗人) 455-272- 15
福喀清(兆佳氏) 455-505- 31
福喀清(伊拉理氏) 455-672- 47
福裕元 1202- 94- 8
福祿清(瓜爾佳氏) 455- 57- 1
福祿清(伊爾根覺羅氏)
455-265- 15
福瑚清 455-627- 43
福幹清 456-126- 58
福演元 1196-505- 1
福壽唐 1053-371- 9
福壽元 294-542-144
400-275-522
472-174- 6
475- 19- 49
510-286-112
1374-456- 65
福壽明 1241- 64- 3
福德清 456-358- 77
福義清 456-300- 73
福懋明 511-920-174
820-765- 44
821-488- 58
福谿唐 1053-131- 3
福蘭清(瓜爾佳氏) 455- 56- 1
福蘭清(兀札喇氏) 455-483- 30
福攢明 537- 88- 50

福山王明 見朱勛泚
福成額清 502-754- 85
福克山妻 清 見塔坦氏
福松額清 455-364- 22
福拉納清 456-378- 79
福拉渾清 455-274- 15
福拉塔清(穆爾察氏) 455-630- 43
福拉塔清(塞赫理氏) 456-184- 64
福哈察清 456- 99- 57
福哈禪清(伊爾根覺羅氏) 455-269- 15
福哈禪清(納喇氏) 455-362- 22
福拜瑚清 455-551- 35
福倫泰清 455-118- 4
福章吉清 456- 25- 51
福勒渾清 455-206- 10
福盛額清 455-673- 47
福森泰清 455-639- 44
福喀圖清 456- 17- 51
福達哈清 455-552- 35
福達禪清 455-648- 45
福當阿清(馬佳氏) 455-166- 7
福當阿清(拖活絡氏) 455-696- 49
福察拉清 455-340- 21
福爾丹清 455-364- 22
福爾納清 455- 84- 3
福僧額清 455-269- 15
福賜爵妻 清 478-729-212
福德理清 455-404- 24
福噶保清 455-485- 30
福靈阿清 456- 22- 51
福安公主宋 見秦國大長公主
福哈都督清 455-233- 12
福感寺僧後蜀 821-130- 49
福爾佳齊清 455-281- 16
福爾哈塔清 455-494- 30
福爾僧額清 455- 96- 3
瘖僧不詳(瞽瘖) 592-470- 90
塵外唐 1052- 45- 4
精唐 1053-373- 9
精阿拉清 455-337- 20
精額理清(賈佳氏) 456-145- 60
精額理清(金氏) 456-291- 72
寧宋 1053-692- 16
寧明 588-197- 9
寧王遼 見耶律扎木
寧王明 見朱權
寧王明 見朱宸濠
寧王明 見朱奠培
寧丹清 455-118- 4
寧氏明 席廷銓妻 530-158- 58
寧古清 455- 55- 1
寧占清 455-659- 46
寧成漢 見甯成
寧賁唐 1052-411- 29
寧圖唐 455-692- 49
寧賢妻 明 見朱氏
寧德清 455-564- 36
寧化王明 見朱濟煥
寧古貞綽哈 金 478-269-187
寧古泰清 455-147- 6
寧古理清 455-695- 49
寧古塔清 456- 90- 56
寧古齊清(瓜爾佳氏) 455-109- 4
寧古齊清(他塔喇氏) 455-221- 11
寧古齊清(西林覺羅氏) 455-296- 17
寧古齊清(李佳氏) 455-525- 33
寧古齊清(黃佳氏) 455-530- 33
寧河王明 見朱表楠
寧河王明 見朱美塥
寧河王明 見鄧愈
寧津王明 見朱成鋑
寧格禮清 502-568- 74
寧珠布清 455-119- 4
寧陽王明 見朱由椅
寧陽王明 見朱載埣
寧顏孫妻 明 見危氏
寧國公主唐 見蕭國公主
寧國公主明 梅殷妻、明太祖女 299-104-121
455-129- 5
渟川漁者明 1229-640- 4
竭忠事主可汗唐 見解瑟羅
端宋 1053-646- 15
端明 821-490- 58
端王唐 見李邁
端氏清 李世翰妻 512-489-189
端宏明 472-351- 15
511-411-152
端甫唐 683-312- 14
1052- 74- 6
1054-554- 16
1344- 10- 62
端裕宋 486-340- 15
486-530- 6
524-418-200
588-202- 9
1053-831- 19
1054-203- 4
1054-670- 20
端爾清 456-252- 69
端木正宋 539-632-11之6
端木秀明 539-632-11之6
端木炅春秋 539-632-11之6
端木派清 539-633-11之6
端木高宋 539-632-11之6
端木訥唐 539-632-11之6
端木智明 820-592- 40
端木賜子貢、子贛、衛賜 春秋 244-380- 67
244-930-129
246- 23- 67
251-147- 91
251-693- 33
371-481- 32
375-649- 88
380-529-180
384- 15- 1
386-719- 13
405-423- 84
448-275- 29
469-117- 14
472-707- 28
472-787- 31
505-708- 71
537-363- 57
538-702- 80
539-489-11之2
539-632-11之6
547-159-149
933-781- 55
1408-339-513
端木質漢 539-632-11之6
端木謙清 539-633-11之6
端廷赦明 475-671- 84
511-330-149
515-110- 60
端廷弼女 明 見端淑卿
端淑卿明 芮儒妻、端廷弼女 512- 11-176
1442-123-附8
1460-773- 84
端復初端木復初 明 299-309-138
475- 74- 53
511- 73-139
1224-160- 19
端木文獻明 539-632-11之6
端木孝友明 1227-695- 5
端木從矩晉 539-632-11之6
端木復初明 見端復初
端重親王清 見博洛
齊宋(嗣元易) 516-444-104
1053-599- 14
齊宋 1053-402- 10
齊己胡得生、齊已、齊巳 唐 407-665- 3
451-493- 8
480-257-269
533-782- 75
813-261- 11
820-302- 30
1052-418- 30
1054-140- 2
1084-420- 附
1113-316- 30
1317- 77- 附
1473-715- 98
齊己宋 592-426- 86
1053-891- 20
齊王秦 見田榮
齊王秦 見田儋
齊王漢 見田橫
齊王漢 見劉石
齊王漢 見劉肥
齊王漢 見劉晃
齊王漢 見劉章
齊王漢 見劉閎
齊王漢 見劉喜
齊王漢 見劉壽
齊王漢 見劉襄
齊王漢 見劉縯
齊王漢 見劉次景
齊王漢 見劉將閭

齊王漢 見劉無忌
齊王漢 見韓信
齊王魏 見曹芳
齊王晉 見司馬冏
齊王晉 見司馬攸
齊王劉宋 見劉子羽
齊王北周 見宇文憲
齊王隋 見楊暕
齊王唐 見李祐
齊王唐 見李倓
齊王南唐 1085-110- 14
齊王遼 見蕭孝穆
齊王遼 見蕭薩巴
齊王元 見琳沁巴勒
齊王明 見朱榑
齊王明 見朱由楫
齊氏宋 王洙妻、齊永清女 1105-841-100
1384-178- 95
齊氏宋 閻德基婢 1118-972- 66
齊氏元 王履謙妻 295-640-201
401-187-593
472-439- 19
547-395-156
齊氏明 王振妻、齊能女 1268-458- 71
齊氏明 王之班妻 506- 57- 87
齊氏明 郭洪妻 506-121- 89
齊氏明 曹旺七妻 473- 53- 50
1262-362- 40
齊氏明 張瑶妻 476-702-137
齊氏明 張明道妻 480-300-271
533-638- 70
齊氏明 賈班妻 506- 56- 87
齊氏明 劉進朝妻 506- 53- 87
齊氏明或清 魏業懋妻 474-280- 14
506- 30- 86
齊氏明 蘇守義妻 1225-571- 1
齊氏清 王璋妻 503- 61- 95
齊氏清 王臣賡妻 475-856- 94
齊氏清 張建成妻 530- 24- 54
齊氏清 馮淳妻 474-641- 33
齊氏清 趙文炳妻 506- 36- 86
齊氏清 劉起鳳妻 503- 66- 95
齊氏清 閻殿魁妻 503- 60- 95
齊氏清 韓繼忠妻 474-194- 9
齊分清 455-200- 10
齊玉妻 明 見段氏
齊布清 456-123- 58
齊安唐(諡悟空禪師) 524-383-198
590-139- 17
1052-153- 11
1053-107- 3
1341-523-868
齊安唐(嗣智藏) 1053-162- 4
齊汪明 479-293-230
523-400-165
齊抗唐 270-622-136
274-615-128
384-230- 12
395-596-234
485-555- 3
493-688- 38
523-239-157
524-323-195
820-218- 28
1077-654- 8
1341-656-887
1343-769- 56
齊佐唐 見鑑空
齊努元 見齊諾
齊旺清(實第長子) 454-676- 74
齊旺清(羅布藏子) 496-217- 76
齊明戰國 933-124- 8
齊旻唐 812-371- 0
821- 89- 48
齊岳宋 1053-647- 15
齊姜春秋 魯成公夫人 404-566- 34
齊善春秋 魯武公夫人 404-760- 46
齊姜春秋 晉文公夫人 448- 19- 2
齊恢宋 286-275-322
397-418-344
427-246- 6
472- 53- 2
473-427- 67
474-241- 12
505-732- 71
545- 49- 84
559-265- 6
齊柯明 515-400- 69
523-229-156
齊政明(知嘉興府) 472-982- 39
523-100-150
齊政明(孝義縣令) 476-180-106
545-243- 92
齊政明(字以德) 546- 87-118
1248-606- 3
齊政妻 明 見何氏
齊昭明 511-192-143
齊映唐 270-618-136
275-149-150
384-227- 12
395-749-249
469-540- 66
471-701- 16
471-702- 16
471-1053- 68
472- 53- 2
473-358- 64
474-240- 12
480-507-281
505-731- 71
532-702- 45
559-293-7上
812-352- 10
821- 70- 47
1076-110- 12
1076-566- 12
1077-135- 12
1467-141- 67
齊勉明 472-645- 26
477- 54-151
537-245- 55
齊唐宋 479-234-227
524- 52-180
674-818- 17
680-180-242
齊泰元 537-302- 56
545-219- 91
齊泰齊德 明 299-344-141
452-245- 6
456-690- 12
472-178- 6
475- 74- 53
511-431-153
886-147-139
齊珪元 295-149-165
473-247- 60
齊格清 456-237- 68
齊恩明 302- 21-290
475-701- 86
476-438-122
510-464-117
545-432- 99
558-420- 37
584-272- 10
齊豹春秋 404-843- 52
448-269- 27
933-124- 8
齊能女 明 見齊氏
齊添宋 588-258- 11
1053-757- 8
齊清明 559-322-7上
齊推唐 820-241- 28
齊莊明 460-528- 48
齊紹北齊 263-388- 50
267-758- 92
齊敏明 558-420- 37
齊皎唐 812-352- 10
814-277- 10
820-221- 28
821- 70- 47
齊普明 481-525-326
528-450- 29
齊惠明 554-914- 64
齊惡春秋 933-124- 8
齊琦元 516- 57- 89
1221-450- 8
1229-448- 21
1458- 1-415
齊喇元 294-409-133
399-541-473
545-652-106
547-155-147
齊蛟妻 明 見任氏
齊義妻 元 見郭氏
齊準明 559-419-10上
齊道妻 明 見王氏
齊椿金 1040-257- 5
齊廓宋 285-797-301
397-216-332
472-1071- 45
473-333- 63
475- 17- 49
479-233-227

480-400-277
491-345- 2
494-295- 5
523-461-169
532-573- 41
齊壽明 545-325- 95
齊碩宋 523-169-154
齊搏明 523-100-150
齊遜明 473-784- 85
567- 86- 66
1467- 59- 64
齊綬清 455-534- 34
齊璉宋 1053-590- 14
齊德明 見齊泰
齊魯明 458- 75- 4
537-515- 59
齊皞齊曎、齊曙 唐
1073-510- 19
1074-336- 19
1075-292- 19
齊龍清 523- 67-149
齊諸千牛、齊努、遷努 元
294-423-134
399-545-474
474-167- 8
523- 24-147
1202-157- 12
齊澣唐 271-589-190中
274-613-128
384-201- 11
395-594-234
472- 53- 2
472-272- 11
472-456- 20
472-641- 26
474-240- 12
475-271- 63
476-111-102
477- 49-151
505-731- 71
510-369-114
523- 5-146
545-358- 96
581-443- 93
933-124- 8
1371- 56- 附
1387-393- 30
齊融唐 271-588-190中
524- 51-180
齊融宋 494-337- 7
齊整明 554-258- 52
齊翰唐 493-1090- 58
524-402-199
1052-203- 15
1071-842- 8
齊曉宋 567-469- 87
1053-503- 12
1467-534- 12
齊謐宋 1053-762- 18
齊謙元 472- 86- 3
505-701- 70
齊曙唐 見齊皞
齊曎唐 見齊皞
齊聳唐 1053-438- 11
齊禮明 558-338- 35
齊璧宋 1054-200- 4
齊璿明 554-311- 53
齊歸春秋 魯昭公母
404-566- 34
齊瀛明 1313-279- 22
齊闢妻 元 見劉氏
齊蘇屈戍 唐 496-623-105
齊蘇元 294-456-137
399-687-488
544-239- 63
齊譽明 515-399- 68
523-233-156
齊麟明 472-439- 19
546-405-128
齊一本明 547- 16-141
齊一經明 540-816-28之3
齊大同元 516- 47- 88
齊大年金 1190-505- 44
齊大成俞大成 明
456-669- 11
478-420-195
齊大鵬明 554-342- 54
齊心孝明 1442-103-附7
1460-615- 71
齊文郁宋 476-672-136
齊之禮宋 515-856- 85
齊之鸞徐之鸞 明
300-419-208
475-529- 77
478-596-204
511-255-146
523-120-151
676-543- 22
1442- 45-附3
1459-916- 39
齊太公周 見呂尚
齊太公田和、田太公 戰國
244-223- 46
371-435- 23
404-363- 21
933-233- 17
齊太史春秋 491-791- 6
齊王建戰國 244-230- 46
371-442- 23
384- 6- 1
404-366- 21
齊元彝元 472-431- 19
476- 30- 97
545-142- 87
齊天覺宋 475-642- 83
511-816-167
齊什巴清 455-638- 44
齊永祚妻 清 見張氏
齊永清女 宋 見齊氏
齊名南清 479-295-230
齊平公春秋 244- 30- 32
371-284- 9
384- 6- 1
404-205- 12
齊以禮清 1325-725- 6
齊仕坤明 472- 86- 3
505-699- 70
齊幼主高恆 北齊
263- 68- 8
266-177- 8
267-117- 52
372-787- 16
384-136- 7
齊安王北齊 見高廓
齊光祖元 523- 81-149
齊孝公春秋 244- 23- 32
371-278- 9
384- 6- 1
404-195- 12
齊孝公夫人 春秋 見華孟姬
齊君房唐 見鑑空
齊君問明 545-378- 97
齊君實妻 清 見劉氏
齊克中元 472-645- 26
537-277- 55
齊克勒清 456- 89- 56
齊克騰清(正白旗人)
455- 75- 2
齊克騰清(鑲藍旗人)
455-119- 4
齊伯良明 480-582-285
齊伯高明 1227-554- 8
齊希莊宋 1115-379- 45
齊希圖清 455-573- 37
齊邦典明 456-678- 11
476-754-139
540-802-28之3
齊邦典妻 明 見張氏
齊邦柱妻 明 見蔣氏
齊努渾清 455-403- 24
齊宗堯明 545-248- 92
齊宗道明 554-286- 53
齊武帝蕭賾、蕭龍兒
259- 37- 3
262-418- 98
265- 83- 4
372-559- 12
384-114- 6
589-184- 上
814-211- 1
819-563- 19
1401- 95- 17
齊武帝后 見裴惠昭
齊武帝女 見武康公主
齊松阿清 456-104- 57
齊東王明 見朱坪
齊東王明 見朱厚炳
齊承武妻 清 見胡氏
齊忠義明 547-105-145
齊明帝蕭鸞、蕭玄度
259- 59- 6
262-421- 98
265- 95- 5
370-502- 15
372-569- 12
384-114- 6
488-213- 9
493-644- 35
589-185- 上
齊明帝后 見劉惠端
齊和帝蕭寶融 259- 74- 8

262-423- 98
265-106- 5
370-506- 15
384-115- 6
589-186- 上
齊和帝后 見王蕣華
齊受孝漢 544-199- 62
齊秉節元 295-249-165
399-599-479
472-526- 22
476-753-139
479-526-241
515-217- 63
540-773-28之2
齊宣王戰國 244-227- 46
371-436- 23
384- 6- 1
404-364- 21
齊宣王后 戰國 見鍾離春
齊宣公戰國 404-205- 12
齊威王戰國 244-224- 46
371-435- 23
384- 6- 1
404-364- 21
齊威王夫人 戰國 見虞姬
齊胡公周 244- 17- 32
齊思古元 545-242- 92
齊思恭元 545-142- 87
齊昭公春秋 244- 23- 32
371-278- 9
404-196- 12
齊後主高緯 北齊 263- 61- 8
266-170- 8
384-136- 7
537-179- 53
544-158- 61
1401-460- 34
齊後主后 北齊 見胡皇后
齊後主昭儀 北齊 見曹氏
齊後主后 北齊 見斛律皇后
齊後主淑妃 北齊 見馮小憐
齊後主后 北齊 見穆邪利
齊高帝蕭道成、蕭鬬將
259- 12- 1
262-416- 98
265- 71- 4
372-550- 12
372-557- 12
384-114- 6
471-839- 35
488-204- 8
488-206- 9
589-184- 上
812- 70- 下
812-233- 9
812-723- 3
814-211- 1
819-563- 19
1063-768- 3
1379-564- 66
1415- 60- 85
齊高帝后 見劉智容
齊原芳明 472-645- 26
437-343- 56
554-471-57上
齊原銘明 473-194- 58
515-257- 65
齊桓公公子小白 春秋
244- 19- 32
371-275- 9
375-572- 86
384- 5- 1
386-600- 2
404-189- 12
491-790- 6
1112-643- 7
齊桓公夫人 春秋 見少衛姬
齊桓公夫人 春秋 見共姬
齊桓公夫人 春秋 見宋華子
齊桓公夫人 春秋 見長衛姬
齊桓公夫人 春秋 見徐嬴
齊桓公夫人 春秋 見密姬
齊桓公夫人 春秋 見葛嬴
齊桓公夫人 春秋 見鄭姬
齊桓公夫人 春秋 見蔡姬
齊桓公戰國 244-224- 46
404-363- 21
齊哩克元 400-317-526
齊悼公春秋 244- 28- 32
371-283- 9
384- 6- 1
404-204- 12
齊悼公夫人 春秋 見季姬
齊淑賢明 許超妻
472-560- 23
齊康公春秋 244- 30- 32
371-284- 9
384- 6- 1
404-206- 12
齊頃公春秋 244- 24- 32
371-279- 9
384- 6- 1
404-197- 12
齊頃公夫人 春秋 見聲孟子
齊都隨清 456-291- 72
齊莽阿清 455-647- 45
齊莊公春秋 244- 25- 32
371-280- 9
384- 6- 1
404-200- 12
齊國王遼 見耶律隆祐
齊得一宋 288-404-456
400-294-524
476-668-136
齊湣王戰國 244-228- 46
371-437- 23
384- 6- 1
404-365- 21
齊善行唐 486- 41- 2
齊惠公春秋 371-279- 9
384- 6- 1
404-197- 12
齊惠公夫人 春秋 見蕭同叔子
齊雅塔清 502-743- 85
齊朝兒妻 明 見王氏
齊堯智明 554-311- 53
齊閔王后 戰國 見宿瘤女
齊景才妻 明 見焦氏
齊景公春秋 244- 26- 32
371-280- 9
384- 6- 1
404-201- 12
齊景公夫人 春秋 見夫人重
齊景公夫人 春秋 見胡姬
齊景公夫人 春秋 見燕姬
齊景公夫人 春秋 見嬰子
齊景公夫人 春秋 見鬻姒
齊萊名明 1442- 99-附6
齊達勒元 554-274- 53
齊敬宗明 456-690- 12
齊福東明 472-409- 18
齊齊克清 456-253- 69
齊齊克妻 清 見札庫塔氏
齊榮顯元 295- 77-152
399-419-457
472-545- 23
472-577- 24
476-477-125
476-617-133
476-818-143
齊瑪哈清 456-102- 57
齊瑪庫清(正藍旗人)
455-376- 23
齊瑪庫清(鑲白旗人)
455-403- 24
齊瑪塔清 455-226- 12
齊壽邦妻 明 見吳氏
齊爾庫清 456-107- 57
齊聞道明 545-394- 97
齊圖善清 456- 65- 54
齊僖公齊釐公 春秋
244- 18- 32
371-274- 9
384- 5- 1
404-188- 11
齊僖公女 春秋 見文姜
齊貌辨戰國 405-249- 72
齊廢帝高殷、高道人 北齊
263- 49- 5
266-158- 7
372-770- 16
384-136- 7
537-179- 53
544-157- 61
1401-459- 34
齊厲公周 244- 18- 32
371-274- 9
齊履謙元 295-340-172
399-656-485
677-465- 42
1214-102- 9
齊德一宋 540-747-28之2
齊德之元 676-391- 14
齊德成明 529-659- 49

齊龍高宋 524-296-193
齊靜眞元 程鳴鳳妻 1202-289- 20
1376-670- 98
齊興隆宋 516- 41- 88
齊襄王戰國 371-441- 23
384- 6- 1
404-366- 21
齊襄王后 戰國 見君王后
齊襄公春秋 244- 18- 32
371-274- 9
384- 5- 1
404-188- 12
齊釐公春秋 見齊僖公
齊藏珍後周 278-423-129
齊薩穆清 502-758- 85
齊簡公春秋 244- 29- 32
371-283- 9
384- 6- 1
404-205- 12
齊懷壽唐 820-147- 26
齊贊辰清 515-207- 63
齊獻公周 244- 17- 32
371-274- 9
齊蘇勒清 455-399- 24
475- 22- 49
475-325- 65
510-305-112
齊懿公春秋 244- 23- 32
371-278- 9
384- 6- 1
404-196- 12
齊鷹揚金 291-668-121
400-214-517
476-517-127
齊靈公春秋 244- 25- 32
371-279- 9
384- 6- 1
404-198- 12
齊靈公夫人 春秋 見戎子
齊靈公夫人 春秋 見仲子
齊靈公夫人 春秋 見聲孟子
齊靈公夫人 春秋 見顏懿姬
齊靈公夫人 春秋 見鬷聲姬
齊文宣帝高洋、高晉陽 北齊 263- 32- 4
266-146- 7
372-757- 16
372-766- 16
384-135- 7
537-179- 53
544-157- 61
1401-458- 34
齊文宣帝后 北齊 見李祖娥
齊文宣帝昭儀 北齊 見段氏
齊文宣帝嬪 北齊 見薛氏
齊文襄帝高澄 北齊 263- 27- 3
266-141- 6
372-755- 16
579-164- 61
1407- 29-398
齊文襄帝妃 北齊 見元玉儀
齊文襄帝后 北齊 見元皇后
齊文襄帝妃 北齊 見元靜儀
齊木庫爾清 500-728- 37
齊孝昭帝高演 北齊 263- 52- 6
266-160- 77
372-772- 16
384-136- 7
537-179- 53
544-158- 61
1401-459- 34
齊孝昭帝后 北齊 見元皇后
齊克什喀清 455-415- 25
齊克塔哈清 454-179- 10
齊武成帝高湛 北齊 263- 58- 7
266-167- 8
372-776- 16
384-136- 7
537-179- 53
544-158- 61
齊武成帝夫人 北齊 見李氏
齊武成帝后 北齊 見胡皇后
齊武成帝夫人 北齊 見彭氏
齊武成帝嬪 北齊 見盧氏
齊相御妻戰國(晏子僕御妻) 448- 24- 2
452- 68- 2
齊神武帝高歡 北齊 263- 10- 1
266-127- 6
372-740- 16
372-754- 16
384-135- 7
544-161- 61
齊神武帝妃 北齊 見李氏
齊神武帝妃 北齊 見郁久閭氏
齊神武帝后 北齊 見婁昭君
齊神武帝妃 北齊 見游氏
齊神武帝妃 北齊 見爾朱氏
齊神武帝妃 北魏～北齊 見爾朱英娥
齊神武帝妃 北齊 見鄭大車
齊神武帝妃 北齊 見韓氏
齊神武帝女 北魏 見高皇后
齊神武帝女 東魏 見高皇后
齊哩克扣元 見偰列篪
齊哩克岱元 400-310-526
齊哩克齊元 399-679-487
齊峰和尚唐 1053-129- 3
齊國公主升平公主 唐 郭曖妻、唐代宗女 274-114- 83
393-282- 73
554- 53- 49
齊國公主興信公主 唐 張垍妻、楊敷妻、裴穎妻、唐玄宗女 274-113- 83
393-280- 73
齊國公主西華公主 唐 嚴立身妻、唐宗女 274-119- 83
393-286- 73
齊國公主遼 見耶律吉里
齊義繼母周 448- 48- 5
452- 97- 3
541- 38- 29
齊爾格申清 474-760- 41
502-523- 72
齊墨克圖清 502-599- 76
齊巴克扎布清(車棱扎布子) 454-538- 52
齊巴克札布清(博爾濟吉特氏) 454-613- 65
齊旺多爾濟清(車布登子) 454-526- 50
齊旺多爾齊清(博爾濟吉特氏) 454-671- 73
齊旺多爾齊清(奇塔特子) 496-217- 76
齊旺班珠爾清(色稜納木札勒子) 454-493- 44
齊旺班珠爾清(固嚕扎布子) 454-573- 59
齊默特洛瓦清 496-218- 76
齊國大長公主元 見阿嘍罕必濟
齊里克特穆爾元 見徹爾特穆爾
齊巴克雅喇木丕勒清 454-517- 48
誦周 見周成王
鄘王唐 見李遘
鄘王唐 見李憬
鄘王唐 見劉光世
褌諶春秋 404-884- 55
537-361- 57
933- 55- 3
褌竈春秋 380-553-181
404-883- 55
448-239- 20
538-363- 71
933- 55- 3
粹元 1222-253- 13
粹珪宋 1053-702- 16
寡高行高行 漢(梁之寡婦號曰高行) 448- 41- 4
452-105- 3
472-685- 27

477-135-155
538-197- 67
彰屯清 502-729- 84
彰海清 455-656- 46
彰泰清(博和託子) 454-175- 10
彰泰清(納拉氏) 502-537- 72
彰實清 455-384- 23
彰齊清 455-672- 47
彰泰來清 455-519- 32
彰鳳儀清 456- 20- 51
彰德王明 見朱勤熚
廖文明 1467-116- 66
廖及宋 1113-247- 24
廖中明 481-648-330
529-586- 46
廖化廖淳 蜀漢 254-682- 15
384- 77- 4
384-458- 11
385-202- 23
447-195- 7
480-293-271
532-660- 44
533-227- 54
559-245- 6
879-162-58上
廖氏宋 沙邑民妻 530-127- 57
廖氏宋 歐陽希文妻
288-458-460
401-161-590
473-130- 55
479-684-248
516-268- 98
廖氏宋 謝暘妻 1142-443- 11
廖氏元 魏亦顏妻 481-618-329
530-104-104
廖氏明 毛貫易妻 479-824-256
廖氏明 毛調元妻 516-388-102
廖氏明 官岳妻 530-125- 57
廖氏明或清 林人鳳妻
481-652-330
530-125- 57
廖氏明 林肇恆妻 530- 19- 54
廖氏明 袁宗道妻
1410-441-722
廖氏明 修仁智妻 530-165- 59
廖氏明 張峰妻 1287-565- 25
廖氏明 張子厚妻 482- 79-341
廖氏明 楊相妻、廖傳女
473-157- 56
1242-298- 34
廖氏明 葛若蕙妻 482-373-357
廖氏明 鄭必眞妻 473-223- 59
廖氏明 鄭應輝妻 481-158-298
廖氏明 劉良弼妻 530- 13- 54
廖氏明 蕭嘉迪妻 473-131- 55
廖氏明 饒允泰妻 570-208- 22
廖氏清 白鷺妻 530-124- 57
廖氏清 向安妻 480-584-285
廖氏清 朱國永妻 483-383-402
廖氏清 林應鯉妻 530- 23- 54
廖氏清 段啟志妻 478-298-188
廖氏清 曹暐妻 481-785-337
廖氏清 陳友妻 530-120- 57
廖氏清 崔國順妻 480- 66-260
廖氏清 黃大城妻 530- 79- 55
廖氏清 黃日新妻 482- 45-340
廖氏清 黃世慶妻 479-798-254
廖氏清 黃雲錦妻 530- 26- 54
廖氏清 弼生妻 482- 44-340
廖氏清 楊成久妻 481-651-330
530-131- 57
廖氏清 楊成恩妻 530-131- 57
廖氏清 楊廷偉妻 530-131- 57
廖氏清 葉紫芹妻 530-131- 57
廖氏清 衛枝蘭妻 482-354-356
廖氏清 賴達偉妻 482-146-344
廖介清 479-610-244
廖立蜀漢 254-632- 10
377-281-118下
384- 76- 4
384-468- 13
385-180- 20
447-203- 8
473-332- 63
473-368- 64
480-484-280
481-419-314
532-688- 45
533-287- 56
559-242- 6
933-710- 48
廖平明 299-378-143
456-699- 12
524-325-195
廖生明 456-679- 11
538- 48- 63
廖仕明 473-247- 60
廖存明 1236-760- 11
1408-533-535
廖沖梁 564- 15- 44
879-165-58上
1117-395- 3
1344- 58- 65
廖汾唐 528-503- 31
廖玖宋 473-712- 81
1138-437- 20
廖扶漢 253-598-112上
380-571-181
477-413-169
530-212- 61
538- 31- 62
933-709- 48
廖伯妻 晉 見殷紀配
廖忠唐 480- 54-260
533-358- 60
廖昇明 299-370-143
456-693- 12
480-297-271
533-389- 60
886-152-139
廖芳明 569-658- 19
廖洪唐 473-177- 57
479-747-251
515-461- 71
廖持明 1236-760- 11
1408-533-535
1408-534-535
廖珊明 533-454- 63
廖紀明(字時陳) 300-315-202
452-447- 2
474-312- 16
505-742- 72
廖紀明(字惟修) 516-131- 92
528-512- 31
廖俊明(新淦人) 515-552- 74
547-197-148
廖俊明(字文英) 1442- 24-附2
1459-612- 23
廖悅清 481-649-330
529-684- 50
廖珠明 見廖德徵
廖恩宋 529-680- 50
廖剛宋 287-132-374
398-187-377
449-403-上5
460- 19- 1
471-664- 12
471-670- 13
473-617- 77
473-652- 78
481-610-329
481-647-330
528-490- 30
529-581- 46
933-710- 48
1167-730- 38
1199-141- 15
1364-659-343
1437- 22- 2
廖恕明 558-445- 38
廖倚宋 471-755- 23
533-260- 55
廖淳蜀漢 見廖化
廖梯明 523-120-151
571-545- 20
廖莊明 299-605-162
453-396- 11
453-629- 21
473-153- 56
479-721-250
515-667- 78
558-177- 31
676-488- 19
廖偁宋 480-510-281
533-260- 55
678-269- 95
1102-334- 43
1378-350- 53
廖偃五代 407-672- 4
479-822-256
480-406-277
516-156- 94
533-491- 65
廖敏明 473- 78- 52
516-103- 91
廖視宋 532-704- 45
廖竦妻 宋 見蕭氏
廖琮宋 471-1029- 65
559-370- 8
廖超妻 清 見林璋瑞
廖軫明 482-279-351
563-841- 41

十四畫 廖

廖森明 558-229-32
廖貴晉 529-680-50
廖棠晉 529-762-53
廖欽廖敬先 明 301-731-281
477-244-161
1236-772-12
1319-172-14
1408-534-535
廖詩妻 明 見任氏
廖瑀宋 516-528-106
廖輊明 515-787-81
563-778-40
廖轂明 515-715-79
563-812-41
廖鉉明 559-347-8
廖傳明 1242-182-30
廖傳女 明 見廖氏
廖愈妻 清 見李氏
廖經明 563-836-41
廖銜宋 460-22-1
廖漢明 473-215-59
480-57-260
533-139-51
廖輔明 563-843-41
820-654-42
廖輕明 482-89-342
廖圖廖光圖 唐～五代
451-479-7
516-155-94
廖綵明 567-397-83
廖澄後唐 481-645-330
529-577-46
廖毅元 820-509-37
廖標明～清 482-453-362
567-401-83
廖駒明 572-157-32
1442-23-附2
1459-609-23
廖璡明 472-223-8
廖嶢宋 529-740-51
廖賜明 1238-110-9
廖憲明 515-278-65
1467-129-66
廖龍明 1237-263-5
1239-169-38
廖凝五代(贛縣人) 407-673-4
廖凝南唐(字熙績) 473-74-52
480-509-281
515-241-64
533-260-55
廖融唐～五代 480-509-281
516-155-94
533-342-58
廖翰宋 473-465-69
559-369-8
1113-114-14
廖霖明 529-691-50
廖興明 540-789-28之3
廖蕃宋 529-762-53
廖暹明 515-482-71
679-647-201
廖謙宋 480-510-281
廖懋唐 528-536-32
廖懋宋 1139-518-21
廖謹明 564-87-45
676-485-18
1467-63-64
廖謨明 472-66-2
473-152-56
474-306-16
480-403-277
515-662-77
1241-41-2
1241-157-7
1241-469-7
1241-627-13
廖璧明 彭夢槐妻、廖元熙女
530-8-54
廖藏宋 530-202-60
廖顒宋 471-881-41
564-69-44
廖簡明 515-782-81
廖彭妻 明 見趙惠果
廖鏞明 456-695-12
475-708-86
511-640-161
886-156-139
廖鐸明 473-642-78
528-542-32
廖欟明 564-292-47
廖觀清 564-297-48
廖一儒明 564-223-46
廖九成明 567-399-83
1467-256-71
廖人俊祖母 宋 見陳氏
廖人俊元 473-188-58
479-822-256
516-169-94
518-240-143
1197-600-61
廖士宏清 480-249-269
廖士法妻 清 見孫士
廖士貞清 479-609-244
481-182-300
516-142-92
533-394-60
559-330-7下
廖士能明 見廖仕能
廖士會女 明 見廖益姑
廖士衡明 564-229-46
廖子仲宋 559-313-7上
廖子孟宋 515-116-60
1096-689-23
廖子實宋 451-54-2
廖大受清 511-898-172
廖大科明 564-158-45
廖大訓妻 明 見陳氏
廖大器妻 明 見王淑
廖心傳明 1271-798-7
廖方達清 533-490-65
廖文光明 511-80-139
515-135-61
廖文昌明 481-648-330
529-585-46
廖文明晉 528-503-31
廖文英妻 清 見李氏
廖文陞明 529-588-46
廖文鑑妻 明 見李氏
廖元熙女 明 見廖璧
廖孔說明 533-787-75
1442-105-附7
廖天經妻 宋 見張氏
廖天覺宋 529-580-46
廖日監明 559-288-7上
廖仁端明 529-683-50
廖立仁明 482-559-369
569-658-19
廖立孫元 515-342-67
廖永安明 299-246-132
453-541-4
472-328-14
475-705-86
511-491-156
廖永忠明 299-203-129
453-532-3
475-705-86
511-413-152
559-248-6
563-845-41
567-80-66
1467-55-64
廖永量明 546-499-131
廖永綏明 515-840-84
廖正一宋 382-760-116
384-383-19
480-61-260
529-579-46
533-301-57
674-290-4下
820-388-33
1118-650-33
1437-18-1
廖正古宋 481-646-330
529-578-46
廖本祥明 533-341-58
廖世昭明 676-141-6
1442-48-附3
1460-39-41
廖世魁明 460-518-46
廖仕能廖士能 明
567-307-77
1467-192-69
廖安矩妻 清 見董氏
廖汝恆明 515-250-64
廖汝健明 456-602-9
515-205-63
廖汝欽唐汝欽 明 456-517-6
474-279-14
廖汝衡明 533-267-55
廖有功清 474-776-41
481-526-326
502-777-86
528-467-29
廖有衡宋 559-370-8
廖匡圖五代 1371-74-0
廖夷清宋 1095-276-31
廖光圖唐～五代 見廖圖
廖自公明 1408-534-535
1457-719-411
廖自強明 533-179-52
廖仲芳妻 清 見何氏
廖仲符宋 1095-276-31

廖行之宋 676-687- 29
1167-407- 附
1167-410- 附
廖良田妻 清 見陸氏
廖志賢元 571-537- 20
廖志灝清 533-317- 57
廖均用元 480- 56-260
廖均卿明 516-529-106
1240-805- 8
廖君玉宋 563-675- 39
廖克任妻 明 見王氏
廖足娘明 王約妻
530-154- 58
廖伯裴明 554-258- 52
廖伯爵妻 明 見楊氏
廖伯鐸妻 明 見吳氏
廖希元明 515-174- 62
廖希賢明 見廖希顏
廖希顏廖希賢 明(字叔愚)
480-412-277
533-254- 55
1442- 55-附3
1460-139- 46
廖希顏明(武平人) 529-702- 50
廖邦傑宋 528-540- 32
廖妙祿元 530-137- 58
廖妙賢明 夏時敏妻、廖瑞可女 1237-615- 上
1240-566- 附
廖廷皓明 511-634-161
廖定國妻 清 見劉氏
廖居仕宋 529-584- 46
廖居素南唐 473-616- 77
529-578- 46
1095-276- 31
廖奇生妻 清 見潘氏
廖東升明 1467-255- 71
廖東晞明 1467-247- 71
廖承訓妻 明 見陳氏
廖明哲宋 529-584- 46
廖明略妻 宋 見任氏
廖叔安上古 見飂叔安
廖知章宋 1095-276- 31
廖季翹清 529-707- 50
廖金濫明 567-600- 95
廖佩紳妻 清 見吳氏
廖秉綏明 473-101- 53
廖冠平明 511-646-162
廖恆吉明 559-409-9上
廖彥正宋 471-985- 57
473-491- 70
559-373- 8
廖彥若唐 481-581-328
廖彥修宋 1161- 40- 76
廖彥舉明 529-690- 50
廖益姑明 曾嘉瑞妻、廖士會女 530-206- 60
廖益麾妻 明 見蔡氏
廖時英明 567-307- 77
廖師奭妻 元 見蕭氏
廖惟俊明 475-215- 60
廖執象宋 529-740- 51
廖國遴明 480-413-277
505-660- 68
533-256- 55
廖國器妻 明 見陳氏
廖得金明 481-648-330
529-681- 50
廖紹祿妻 明 見阮氏
廖啟烘妻 清 見黃氏
廖雲翔明 523-132-152
529-462- 43
廖琮繼妻 明 見龐氏
廖揚光妻 清 見李氏
廖舒鳳明 533-496- 65
廖道南明 473-216- 59
533-139- 51
676-719- 30
1442- 48-附3
1460- 45- 42
廖瑞可女 明 見廖妙賢
廖鼎佐清 481-649-330
529-684- 50
廖敬先明 見廖欽
廖敬先妻 明 見王善
廖愈達妻 明 見李氏
廖榮文妻 清 見曹氏
廖鳳徵清 511-136-141
廖維義明 510-482-118
廖瑩中宋 585-354- 5
820-446- 35
廖履亨明 456-551- 7
廖德明宋 288-168-437
400-557-550
459-912- 55
460-342- 27
473-617- 77
473-673- 79
473-682- 79
473-784- 85
481-549-327
481-647-330
481-802-338
482- 75-341
482-140-344
482-467-363
529-583- 46
563-662- 39
567- 70- 65
1199-141- 15
1467- 43- 63
廖德璋明 564-159- 45
廖德徵廖珠 明 529-508- 44
廖翰標明 456-548- 7
482- 39-340
廖鴻度妻 清 見楊氏
廖應元明 302- 89-294
456-669- 11
480-206-267
廖應淮宋 492-602-13下之下
515-829- 83
680-482-271
1373-749- 21
1407-685-465
1454-353-123
廖應瑞元 1202-301- 21
廖應魁明 533-331- 58
廖應機妻 清 見魏氏
廖聯翼清 480-512-281
533-269- 55
廖邃明宋 567-413- 84
1467-177- 68
廖鵬舉明 523-138-152
529-552- 45
廖騰烇清 510-431-116
529-588- 46
廖顯玢明 481-724-333
529-700- 50
寨僧清 456-285- 71
寨自理清 見色伯哩
寨桑扎爾固齊清
456-211- 66
寨桑達爾漢和碩齊清
456-207- 66
滾布清 455-486- 30
漠泊帕爾清 500-747- 38
漢王晉 見司馬固
漢王北周 見宇文贊
漢王隋 見楊諒
漢王唐 見李恪
漢王唐 見李貞
漢王唐 見李元昌
漢王唐 見李元慶
漢王宋 見趙椿
漢王宋 見趙元佐
漢王明 見朱高煦
漢岱清 454-195- 11
漢都清(烏蘇氏) 455-569- 37
漢都清(泰楚魯氏) 455-628- 43
漢德明 558-467- 39
漢文帝劉恆、劉恆之
243-246- 10
249- 80- 4
384- 38- 2
554- 4- 48
1112-646- 7
1407- 15-395
漢文帝后 見竇皇后
漢文帝女 見劉嫖
漢元帝劉奭、劉奭之
249-150- 9
384- 49- 2
554- 6- 48
814-208- 1
819-556- 19
839- 25- 3
1343-505- 34
漢元帝后 見王政君
漢元帝昭儀 見馮氏
漢元帝昭儀 見傅氏
漢元帝女 見南陽公主
漢中王 見劉嘉
漢中王唐 見李瑀
漢中宗劉晟、劉洪熙
278-481-135
279-467- 65
384-318- 16
401-225-598
567- 14- 62
漢少帝劉辯 252-160- 8
漢少帝妃 見唐姬
漢平帝劉衎、劉衎之

249-177- 12
384- 51- 2
554- 6- 48
漢平帝后 見王皇后
漢世祖劉崇、劉旻 北漢
278-482-135
279-499- 70
288-722-482
384-319- 16
401-255-603
544-172- 61
546- 66-117
1383-852- 79
漢安帝劉祜、劉祜
252-108- 5
370- 86- 3
370- 87- 3
384- 62- 3
402-337- 1
537-176- 53
539-338- 8
819-557- 19
漢安帝后 見閻姬
漢沖帝劉炳 252-134- 6
370- 88- 3
370- 89- 3
384- 65- 3
537-177- 53
漢成帝劉驁、劉驁之
249-160- 10
372-225-5下
384- 50- 2
554- 6- 48
漢成帝婕妤 見班氏
漢成帝后 見許皇后
漢成帝昭儀 見趙合德
漢成帝后 見趙飛燕
漢武帝劉徹、劉徹之
243-265- 12
249-101- 6
384- 41- 2
554- 5- 48
814-208- 1
819-556- 19
1095-473- 9
1112-648- 8
漢武帝婕妤 見尹氏
漢武帝夫人 見李氏
漢武帝后 見陳皇后
漢武帝夫人 見趙氏
漢武帝后 見衛子夫
漢武帝女 見鄂邑公主
漢武帝女 見當利公主
漢武帝李雄 成漢
256-897- 21
262-387- 96
381-292-190
384-105- 5
560-599-29下
漢明帝劉莊、劉陽
252- 66- 2
370- 79- 2
370- 80- 2
370- 82- 2
384- 59- 3
402-333- 1
402-548- 18
537-176- 53
漢明帝后 見馬皇后
漢明帝妃 見賈氏
漢明帝女 見劉奴
漢明帝女 見劉臣
漢明帝女 見劉次
漢明帝女 見劉仲
漢明帝女 見劉迎
漢明帝女 見劉致
漢明帝女 見劉姬
漢明帝女 見劉惠
漢明帝女 見劉小民
漢明帝女 見劉小迎
漢明帝女 見劉小姬
漢和帝劉肇 252- 94- 4
370- 84- 2
370- 85- 2
384- 61- 3
402-336- 1
537-176- 53
漢和帝后 見陰皇后
漢和帝后 見鄧綏
漢和帝女 見劉成
漢和帝女 見劉利
漢和帝女 見劉保
漢和帝女 見劉興
漢宣帝劉詢 249-132- 8
384- 46- 2
554- 5- 48
漢宣帝后 見王皇后
漢宣帝后 見許皇后
漢宣帝后 見霍成君
漢宣帝女 見敬武長公主
漢宣帝女 見劉施
漢哀帝劉欣、劉欣之
249-171- 11
384- 50- 2
539-338- 8
554- 6- 48
1112-650- 8
漢哀帝后 見傅皇后
漢昭帝劉弗之、劉弗陵
249-124- 7
384- 46- 2
554- 5- 48
1112-649- 8
1343-505- 34
漢昭帝后 見上官皇后
漢後主劉禪 蜀漢254-567- 3
384- 74- 4
384-408- 2
385- 45- 3
560-591-29下
933-445- 30
漢後主昭儀 蜀漢 見李氏
漢後主后 蜀漢(敬哀皇后)
見張皇后
漢後主后 蜀漢(敬哀皇后妹)
見張皇后
漢高祖劉邦 243-209- 8
249- 28-1上
251-449- 2
372-159-5上
384- 35- 2
539-338- 8
554- 4- 48
560-590-29下
819-556- 19
839- 25- 3
1112-645- 7
1395-581- 3
1408- 31-480
漢高祖后 見呂雉
漢高祖姬 見薄太后
漢高祖女 見魯元公主
漢高祖劉暠、劉知遠 後漢
278-202- 99
279- 64- 10
384-304- 16
392-256- 23
537-181- 53
544-161- 61
漢高祖后 後漢 見李皇后
漢高祖劉陟、劉龑、劉龔、劉巖 南漢 278-480-135
279-464- 65
371-122- 12
384-318- 16
401-223-598
567- 13- 62
819-580- 19
漢桓帝劉志 252-138- 7
370- 89- 3
384- 65- 3
402-339- 1
537-177- 53
漢桓帝后 見梁女瑩
漢桓帝后 見鄧猛女
漢桓帝后 見竇妙
漢桓帝女 見劉修
漢桓帝女 見劉堅
漢桓帝女 見劉華延
漢章帝劉炟 252- 80- 3
370- 82- 2
384- 60- 3
402-335- 1
402-548- 18
537-176- 53
814-209- 1
819-557- 19
漢章帝后 見宋皇后
漢章帝后 見竇皇后
漢章帝女 見劉王
漢章帝女 見劉吉
漢章帝女 見劉男
漢陰叟春秋 見漢陰丈人
漢惠帝劉盈、劉盈之
243-235- 9
249- 70- 2
384- 38- 2
554- 4- 48
漢惠帝后 見張皇后
漢陽王北齊 見高洽
漢陽王唐 見李瓌
漢景帝劉啟、劉啟之

243-260- 11
249- 94- 5
384- 40- 2
554- 5- 48
1112-646- 7
漢景帝后 見王娡
漢景帝后 見薄皇后
漢景帝女 見南宮公主
漢景帝女 見隆慮公主
漢景帝女 見陽信公主
漢順帝劉保 252-124- 6
370- 87- 3
370- 88- 3
394- 63- 3
402-338- 1
537-176- 53
漢順帝后 見梁妠
漢順帝美人 見虞氏
漢順帝貴人 見竇氏
漢順帝女 見劉生
漢順帝女 見劉廣
漢順帝女 見劉成男
漢睿宗劉鈞、劉承鈞 北漢
279-501- 70
288-722-482
384-319- 16
384-330- 17
401-256-603
544-173- 61
819-581- 19
漢殤帝劉隆 252-106- 4
370- 85- 2
384- 62- 3
537-176- 53
漢殤帝劉玢、劉洪度 南漢
278-481-135
279-466- 65
384-318- 16
401-224-598
漢質帝劉纘 252-134- 6
370- 89- 3
384- 65- 3
537-177- 53
漢濟郎清 455-217- 11
漢隱帝劉粲 漢(前趙)
256-675-102
262-346- 95
381-107-186
384-102- 5
漢隱帝劉承祐 後漢
278-216-101
279- 66- 10
384-305- 16
392-258- 23
537-181- 53
546- 66-117
漢獻帝劉協 252-160- 8
384- 69- 3
537-177- 53
漢獻帝后 見伏壽
漢獻帝后 見曹節
漢靈帝劉宏 252-150- 8
370- 90- 3
384- 67- 3
402-340- 1
537-177- 53
814-209- 1
819-557- 19
漢靈帝美人 見王氏
漢靈帝后 見宋皇后
漢靈帝后 見何皇后
漢光武帝劉淵、劉元海 漢(前趙) 256-654-101
381- 89-186
384-102- 5
544-168- 61
漢光武帝劉秀 252- 30-1上
370- 68- 1
370- 69- 1
370- 78- 1
372-239-6上
384- 53- 3
402-329- 1
402-547- 18
532- 85- 26
537-175- 53
539-338- 8
560-590-29下
819-556- 19
1112-651- 8
1192-384- 34
1407- 5-395
1408- 53-482
漢光武帝后 見郭聖通
漢光武帝后 見陰麗華
漢光武帝女 見劉綬
漢光武帝女 見劉中禮
漢光武帝女 見劉紅夫
漢光武帝女 見劉義王
漢光武帝女 見劉禮劉
漢更始帝劉玄 玄漢
252-460- 41
370-211- 23
376-505-104
402-347- 2
402-552- 18
漢更始帝夫人 玄漢 見韓氏
漢昭文帝李壽 成漢
256-902-121
262-388- 96
381-296-190
384-105- 5
560-599-29下
漢昭武帝劉載、劉聰 漢(前趙)
256-675-102
262-344- 95
381- 94-186
384-102- 5
544-169- 61
814-234- 4
819-562- 19
漢昭武帝后 漢(前趙) 見劉英
漢昭武帝后 漢(前趙) 見劉娥
漢昭烈帝劉備 蜀漢
254-552- 2
372-369- 8
384- 73- 4
384-395- 1
385- 28- 2
402-596- 21
447-145- 3
539-338- 8
560-590-29下
561-527- 44
933-445- 30
1112-656- 9
1192-375- 33
漢昭烈帝后 蜀漢 見甘皇后
漢昭烈帝后 蜀漢 見吳皇后
漢昭烈帝夫人 蜀漢 見孫氏
漢陰丈人漢陰叟 春秋
448- 95- 中
470-385-146
471-780- 27
471-1051- 68
533-131- 51
554-859- 64
871-887- 19
漢陰老父漢濱老父 漢
253-623-113
380-413-177
448-109- 下
473-235- 60
480-172-267
533-335- 58
871-899- 19
漢陽公主唐 見李暢
漢儀布吉清 455-404- 24
漢濱老父漢 見漢陰老父
滿周 見周穆王
滿漢 251-234- 95
滿唐 554-898- 64
滿五代 1053-626- 15
滿宋 1053-454- 11
滿月唐 1052- 33- 3
滿氏清 張良貴妻 506-169- 90
滿正明 523-362-163
滿本清 502-742- 85
滿丕清(瓜爾佳氏) 455- 55- 1
滿丕清(赫舍里氏) 455-200- 10
滿丕清(阿哈覺羅氏)
455-304- 18
滿丕清(佟佳氏) 455-332- 20
滿丕清(富察氏) 455-448- 27
滿色清(伊爾根覺羅氏)
455-273- 15
滿色清(富察氏) 455-451- 27
滿色清(朱氏) 456-357- 77
滿甫明 472-527- 22
滿住清 456-291- 72
滿昌蒲昌 漢 477- 57-151
538- 32- 62
933-113- 7
933-587- 38
滿岱清(瓜爾佳氏) 455- 54- 1
滿岱清(鑲紅旗人) 455-256- 14

滿岱清(鑲黃旗人) 455-271- 15
滿岱清(富察氏) 455-450- 27
滿岱清(伊拉理氏) 455-672- 47
滿岱清(正紅旗人) 502-517- 71
滿柱清(鑲紅旗人) 455-231- 12
滿柱清(正黃旗人) 455-246- 13
滿保清 481-495-324
滿涇妻 宋 見楊氏
滿庫明 456-457- 4
滿泰清(鈕祜祿氏) 455-137- 5
滿泰清(赫舍里氏) 455-188- 9
滿泰清(費莫氏) 455-634- 44
滿泰清(莽佳氏) 456-183- 64
滿泰清(鄭氏) 456-350- 77
滿桂明 301-567-271
474-519- 25
476-251-110
505-861- 77
545-302- 93
滿珠清(瓜爾佳氏) 455- 63- 2
滿珠清(富察氏) 455-450- 27
滿都清(佟佳氏) 455-337- 20
滿都清(碧魯氏) 455-520- 32
滿都清(鄂卓氏) 455-654- 46
滿爽晉 820- 75- 23
滿偉魏 254-458- 26
933-587- 38
滿意唐 1052-193- 14
滿塞清 456-373- 78
滿道元 572-164- 32
滿諾清 456- 9- 50
滿奮晉 254-458- 26
滿寵魏 254-455- 26
377-215-117
384- 85- 4
384-682- 44
472-551- 23
472-788- 31
475-697- 86
476-882-146
477-407-169
477-471-173
510-274-112
537-324- 56
540-710-28之1
933-587- 38
滿熊清 455-449- 27
滿寶清 455-366- 22
滿鶱梁 820-105- 24
滿蘭清 455-572- 37
滿中行宋 674-429- 2
1110-445- 24
滿丕納清 455-271- 15
滿平阿清 455-501- 31
滿社吉清 456-294- 72
滿長武晉 254-458- 26
933-587- 38
滿春尼清 456-302- 73
滿都布清 456- 17- 51
滿都理清(瓜爾佳氏)
455- 75- 2
滿都理清(伊爾根覺羅氏)
455-274- 15
滿都理清(富察氏) 455-433- 26
滿都理清(聶格理氏)
456- 64- 54
滿都渾清 456-115- 58
滿都琥清 456- 20- 51
滿都瑚清(他塔喇氏)
455-223- 11
滿都瑚清(伊爾根覺羅氏)
455-231- 12
滿都瑚清(舒舒覺羅氏)
455-281- 16
滿都瑚清(納喇氏) 455-387- 23
滿都漢清 455-337- 20
滿都禮清(舒舒覺羅氏)
455-281- 16
滿都禮清(正藍旗人)
502-567- 74
滿都護清 502-500- 70
滿速兒明 見莽蘇爾
滿朝薦明 301-173-246
478- 93-180
480-583-285
533-407- 61
554-295- 53
滿達海巽親王 清454- 51- 3
502-423- 67
滿達理清(顏扎氏) 455-517- 32
滿達理清(烏蘭氏) 456-254- 69
滿達理清(納喇氏) 502-728- 84
滿福周明 540-784-28之3
滿福理清 455-116- 4
滿圖渾清 455-271- 15
滿圖瑚清(墨爾哲勒氏)
456- 33- 52
滿圖瑚清(尼陽尼雅氏)
456-105- 57
滿珠習里清 見滿珠習禮
滿珠習理清 456-252- 69
滿珠習禮清(科爾沁部人)
454-353- 18
滿珠習禮滿珠習里 清(巴林部人) 454-416- 28
496-219- 76
滿都布祿清 455-371- 23
滿達爾漢清(鑲藍旗人)
455-195- 9
滿達爾漢清(正白旗人)
455-200- 10
滿達爾漢清(伊爾根覺羅氏)
455-255- 14
滿達爾漢清(諡敬敏)
474-760- 41
502-464- 69
474-760- 41
滿滿剳該明 見滿濟勤噶
滿濟勤噶女 元 見巴罕
滿濟勤噶女 元 見蘇喀達喇
滿濟勤噶滿滿剳該 明
496-628-106
滿濟勤噶台元 294-475-138
399-776-497
554-162- 51
漫客明(姓名不詳)
1227-176- 21
潡王唐 見李縱
豪格肅親王 清 454- 95- 5
474-748- 40
502-407- 66
榮弋妻 宋 見周氏
榮王唐 見李琬
榮王唐 見李憒
榮王金 見完顏爽
榮王金 見完顏洪熙
榮王明 見朱祐樞
榮氏宋 馬元穎妻 288-456-460
401-159-590
472-297- 12
475-380- 68
榮氏明 沈之選妻 480-208-267
榮氏明 施我經妻 506- 12- 86
榮氏明 楊華夏妻 506- 6- 86
榮伯周 554-376- 55
榮叔春秋 933-427- 28
榮祈春秋 見榮旂
榮毗隋 264-961- 66
267-513- 77
379-838-163
384-155- 8
472- 30- 1
474-571- 29
476-110-102
478-333-191
505-727- 71
545-356- 96
554-326- 54
933-427- 28
榮祐金 1201-636- 22
榮旂榮祈 春秋 244-390- 67
375-656- 88
405-446- 85
472-547- 23
539-496-11之2
榮振宋 1122-389- 28
榮清明 554-478-57上
榮淮元 1201-637- 22
榮衮妻 清 見韓氏
榮黃春秋 405- 13- 56
榮華明 554-478-57上
榮瑄明 302-148-297
482-267-350
564-272- 47
榮節明 554-311- 53
榮察明 554-478-57上
榮彰妻 清 見張氏
榮僧元 820-529- 38
榮廣漢 476-579-131
675-299- 15
榮譓宋 286-426-333
397-529-352
472-557- 23
472-602- 25
472-643- 26
473-682- 79
476-475-125
477- 52-151
481-802-338
537-239- 55
540-756-28之2

563-656- 39
榮興元 1201-636- 22
榮叡唐 1054-463- 13
榮薿宋 484-106- 3
榮本固妻 清 見郁氏
榮夷公周 933-427- 28
榮良貴明 540-804-28之3
榮成伯春秋 見榮駕鵞
榮希皋妻 清 見喬氏
榮宗範宋 479-556-242
榮建緒隋 264-961- 66
267-513- 77
379-838-163
474-571- 29
477-541-176
479-482-239
481-153-298
505-727- 71
933-427- 28
榮恕旻宋 288-409-456
400-298-524
474-240- 12
505-900- 80
榮啟期春秋 448- 92- 上
839- 16- 2
871-885- 19
879-150-57下
1407-654-463
1413-467- 50
榮爾奇清 476-251-110
545-306- 94
榮鳴珂妻 清 見張氏
榮駕鵞榮成伯 春秋
404-545- 33
448-244- 21
榮樂湖妻 明 見郭氏
榮應瑞元 518- 19-136
榮顯祖元 1201-636- 22
榮淑帝姬宋 宋徽宗女
285- 69-248
393-327- 77
榮國公主金 見完顏和寧
榮德帝姬宋 曹晟妻、宋徽宗女 285- 68-248
393-327- 77
榮國長公主宋 見兖國大長公主
滎陽王唐 見李瑒
滎陽王宋 見趙伯圭
滎陽王明 見朱載堵
滎澤王明 見朱表椳
瑪尼清(扎嚕特部人) 454-422- 29
瑪尼清(額爾德木圖子) 496-217- 76
瑪色清(伊爾根覺羅氏) 455-256- 14
瑪色清(寧古塔氏) 455-606- 41
瑪沁清 502-548- 73
瑪沙清(瓜爾佳氏) 455- 90- 3
瑪沙清(阿哈覺羅氏) 455-305- 18
瑪希清 502-601- 76
瑪拉清(薩克達氏) 455-546- 35
瑪拉清(喜塔臘氏) 455-626- 43
瑪岱清 455-231- 12
瑪哈清(納喇氏) 455-376- 23
瑪哈清(札魯特氏) 456-268- 70
瑪海清 455-505- 31
瑪泰清 455- 76- 2
瑪納清 455-489- 30
瑪載清 456- 26- 69
瑪瑚清 455- 78- 2
瑪察金 291- 50- 67
399- 74-423
瑪韶清 456-108- 57
瑪寧清 455-534- 34
瑪瑪清 500-728- 37
瑪鼐清(瓜爾佳氏) 455- 93- 3
瑪鼐清(舒舒覺羅氏) 455-285- 16
瑪鼐清(庫穆圖氏) 456- 72- 55
瑪魯元 見瑪嚕
瑪奮清 502-752- 85
瑪優清 456-138- 59
瑪瞻清 454-201- 11
502-427- 67
瑪嚕瑪魯 元 1218-734- 4
1439-454- 2
瑪蘭清 455-430- 26
瑪木特清 500-726- 37
瑪克占清 455-387- 23
瑪克圖清(瓜爾佳氏) 455- 54- 1
瑪克圖清(錫克德氏) 456-144- 60
瑪克圖清(正白旗人) 502-500- 70
瑪里達瑪勒岱 元 元明宗后、帖木迭兒女 294-186-114
393-349- 80
瑪希納清 455-689- 49
瑪努琥清 455-272- 15
瑪法察清 455-579- 38
瑪拉噶毛里該 明 302-751-327
瑪和善元 544-239- 63
瑪星阿清 456-100- 57
瑪哈圖清 455-344- 21
瑪唐阿清 455-474- 29
瑪庫理清(瓜爾佳氏) 455-116- 4
瑪庫理清(托謨氏) 456- 35- 52
瑪晉泰清 455-255- 14
瑪時泰清 455-321- 19
瑪納海清 502-749- 85
瑪納漢清 455-680- 48
瑪勒岱元 見瑪里達
瑪雅哈元 見瑪雅噶
瑪雅噶瑪雅哈 元 295-606-197
400-314-526
瑪隆武清 456-138- 59
瑪隆阿清 455-517- 32
瑪喀拉清 455-528- 33
瑪喇希清 502-547- 73
瑪瑚善清 455- 70- 2
瑪達漢清 455-553- 35
瑪達爾清 456-254- 69
瑪當阿清 455-118- 4
瑪福他清 455-220- 11
瑪福納清 455-204- 10
瑪福塔清(阿哈覺羅氏) 455-305- 18
瑪福塔清(富察氏) 455-420- 25
瑪福塔清(納喇氏) 502-464- 69
瑪齊克清 456-195- 65
瑪齊喀清 455-451- 27
瑪爾吉清 455-306- 18
瑪爾虎清 455-230- 12
瑪爾哈清 455-285- 16
瑪爾善清 455-504- 31
瑪爾渾安郡王 清454-137- 8
瑪爾塔清 455-292- 17
瑪爾漢清 455-625- 43
瑪爾圖清(瓜爾佳氏) 455- 75- 2
瑪爾圖清(扎庫塔氏) 455-562- 36
502-741- 85
瑪爾賽清 456-154- 61
瑪圖堪清 455-578- 38
瑪穆特元 1201-165- 80
1214-256- 21
瑪穆特妻 元 見張氏
瑪濟根清 455-206- 10
456-286- 71
瑪濟理清 455-590- 39
瑪蘇庫元 528-525- 31
瑪蘇庫妻 元 530- 11- 54
瑪什巴圖清 454-840- 97
500-725- 37
瑪什都蘭買撒都剌 元 481-611-329
瑪古岱爾元 294-244-120
399-338-448
瑪克星阿清 455-670- 47
瑪林和碩清 455-342- 21
瑪哈多丹妻 宋 見摩納倫
瑪哈實哩元 400-268-521
533-389- 60
瑪哈爾齊清 455-504- 31
瑪哈穆特元(隆興人) 505-670- 69
瑪哈穆特元(字均章) 523-199-155
528-525- 31
瑪哈穆特元(色目人) 528-446- 29
瑪哈穆特馬哈木 明 302-770-328
瑪雅實希清 455- 84- 3
瑪察克台馬札兒台 元 477-562-177
瑪爾洪阿清 455-433- 26
瑪爾德濟元 294-265-122
瑪爾積哈清 455- 90- 3
瑪蘇庫必元 545-183- 89
瑪哈瑪迪沙元 528-446- 29
瑪哈穆特沙元 528-484- 30
瑪哈穆特實克元 1210-104- 9

瑪蘇庫阿薩爾元 569-616-18下之2
瑣達卿元 1206-305- 2
瑣諾木清(正藍旗人) 456-200- 66
瑣諾木清(博爾濟吉特氏) 456-212- 66
瑣諾木塔思瑚爾海清 456-208- 66
壽唐 530-203- 60
壽後梁 1052-224- 16
壽宋 1053-650- 15
壽子公子壽 春秋 375- 22-77上
404-836- 52
537-362- 57
壽王唐 見李瑁
壽王後晉 見石重乂
壽王金 見完顏爽
壽王金 見完顏洪輝
壽王金 見完顏從憲
壽王明 見朱祐榰
壽安元 473- 60- 51
515-199- 63
壽安妻 元 見楊氏
壽艮清 502-534- 72
壽良漢 933-621- 40
壽良晉 481- 75-294
559-339- 8
591-527- 41
壽海唐 483- 99-378
570-253- 25
壽堅宋 1053-711- 16
壽越春秋 485-148- 20
493-791- 43
壽道元 1218-367- 15
壽夢春秋 見吳王壽夢
壽緝蜀漢 481-113-296
559-272- 6
壽光王明 見朱由桂
壽光侯漢 253-612-112
380-582-181
壽於姚春秋 405-124- 63
933-621- 40
壽春峰明 1278- 42- 3
壽寂之劉宋 258-610- 94
265-1096- 77
381- 12-184
壽張王明 見朱載堌
壽陽王明 見朱台濠
壽安公主唐 蘇發妻、唐玄宗女 274-113- 83
393-281- 73
554- 52- 49
壽昌公主唐 竇克良妻、唐代宗女 274-115- 83
393-283- 73
壽春公主唐 見李上善
壽春公主明 傅忠妻、明太祖女 299-106-121
壽淑帝姬壽慶公主 宋 宋徽宗女 285- 69-248
393-327- 77
壽康公主金 見完顏布拉
壽陽公主明 侯拱辰妻、明穆宗女 299-112-121
544-251- 63
壽福公主宋 見敦淑帝姬
壽寧公主明 冉興讓妻、明神宗女 299-112-121
壽慶公主宋 見壽淑帝姬
壽陽長公主後魏 蕭綜妻、元勰女 261-812- 59
266-587- 29
544-213- 62
赫臣清 455-250- 14
474-755- 41
502-727- 84
赫色元 見國寶
赫色清(富察氏) 455-451- 27
赫色清(額哲氏) 456-166- 62
赫佛清 455-274- 15
赫攸清 455-217- 11
赫奕明 480-320-272
533- 93- 49
赫書清 455-385- 23
赫基清 456-291- 72
赫勒清(瓜爾佳氏) 455- 69- 2
502-531- 72
赫勒清(赫舍里氏) 455-199- 10
赫勒清(富察氏) 455-415- 25
赫勒清(扎拉理氏) 456- 20- 51
赫勒清(洪鄂春氏) 456- 60- 54
赫勒清(書瑪理氏) 456-111- 57
赫紳清 456-165- 62
赫隆清 455-206- 10
赫斯元 1217-573- 2
赫赫妻 元 見阿魯溫氏
赫墩清 455-112- 4
赫魯女 元 見布延德濟
赫木頗金 291-182- 81
399-102-425
赫什恆清 455-303- 18
赫色勒元 見國寶
赫努懇清 455-494- 30
赫門德清 456-138- 59
赫東額清 455-164- 7
赫頁諾清 502-515- 71
赫胥氏上古 見赫蘇氏
赫英額清 455-112- 4
赫理布清 455-190- 9
赫連氏北周 爾綿永妻、赫連悅女 1400-155- 6
赫連折夏 見劉昌
赫連定夏 見劉定
赫連昌夏 見劉昌
赫連悅女 北周 見赫連氏
赫連達北周 263-611- 27
267-338- 65
379-628-158
384-141- 7
476-280-111
546-121-119
552- 30- 18
赫爾禧清 見赫爾喜
赫連韜唐 481-614-329
赫通額清 455-266- 15
赫崇德明 456-681- 11
478-436-196
赫達色清 455-615- 42
赫董額清 455-681- 48
赫爾素清 455-166- 7
赫爾喜赫爾禧 清 456-116- 58
456-193- 65
赫碩色清 456-120- 58
赫錫亨清 455-430- 26
赫穆訥清 455-592- 39
赫藍泰清 455- 75- 2
赫蘇氏赫胥氏 上古 383- 48- 7
532- 85- 26
539-336- 8
赫舍里氏清 雅爾遜妻 503- 34- 94
赫舍里氏清 費揚古妻 503- 34- 94
赫舍哩德金 291-733-128
400-363-533
474-689- 37
502-267- 54
赫連子悅北齊 263-300- 40
267-177- 55
379-479-154
477-160-157
537-263- 55
赫連佛佛夏(胡夏) 見夏武烈帝
赫連屈子夏(胡夏) 見夏武烈帝
赫連屈丐夏(胡夏) 見夏武烈帝
赫連勃勃夏(胡夏) 見夏武烈帝
赫連皇后北魏 魏太武帝后、夏武烈帝女 261-211- 13
266-280- 13
554- 19- 48
赫爾博古清 455-435- 26
赫色哩鶴壽金 見赫舍哩鶴壽
赫舍利桓端金 見赫舍利和勒端
赫舍哩良弼赫舍哩洛索、赫舍哩羅索 金 291-257- 88
399-154-430
502-351- 61
547-178-147
赫舍哩志本金 見赫舍哩約赫德
赫舍哩志寧紇石烈志寧、紇石烈撒曷輦，紇石烈薩哈連、赫舍哩撒曷輦、赫舍哩薩哈連 金 291-245- 87
400- 71-506
474-870- 47
496-370- 86
502-351- 61
赫舍哩志寧妻 金 544-238- 63
赫舍哩呼喇金 291-196- 82
赫舍哩洛索金 見赫舍哩良弼

赫舍哩柏壽金 291-646-119
400-238-519
赫舍哩皇后金 金太祖后 291- 4- 63
393-336- 79
赫舍哩桓端金 見赫舍利和勒端
赫舍哩執中赫舍哩呼沙呼、澤王 金 291-768-132
401-505-633
544-237- 63
赫舍哩羅索金 見赫舍哩良弼
赫舍哩鶴壽紇石烈鶴壽、赫色哩鶴壽 金 291-676-122
400-222-518
478-418-195
554-158- 51
赫舍利和勒端紇石烈桓端、紇石烈和勒端、赫舍利桓端、赫舍哩桓端、赫舍哩和勒端 金 291-450-103
399-262-439
502-267- 54
546-136-119
赫舍哩牙吾塔金 見赫舍哩約赫德
赫舍哩牙忽帶金 見赫舍哩約赫德
赫舍哩呼沙呼金 見赫舍哩執中
赫舍哩呼實默金 291-464-104
赫舍哩和勒端金 見赫舍利和勒端
赫舍哩約赫德紇石烈志本、紇石烈牙吾塔、紇石烈牙忽帶、紇石烈約赫德、紇石烈雅爾呼達、赫舍哩志本、赫舍哩牙忽塔、赫舍哩牙忽帶、赫舍哩雅爾呼達 金 291-557-111
399-293-443
1040-264- 6
赫舍哩撒曷輦金 見赫舍哩志寧
赫舍哩薩哈連金 見赫舍哩志寧
赫舍哩雅爾呼達金 見赫舍哩約赫德
甄唐 1052-151- 11
甄六妻 明 見吳氏
甄王唐 見李琬
甄氏明 李大妻、李大林妻 302-211-301
452-117- 3
472-100- 3
474-384- 19
甄氏明 常德妻 478-637-206
甄氏明 叢貴妻 506- 10- 86
甄氏清 李維城妻 474-193- 9
甄氏清 李兆麟妻 482-52-340
甄氏清 楊昇妻 474-654- 34
506-171- 90
甄氏清 魯廷英妻 506- 24- 86
甄氏清 劉培妻 506- 21- 86
甄旦宋 472-1052- 44
523-239-157
甄宇漢 253-537-109下
370-168- 16
380-271-172
402-357- 3
476-663-136
491-798- 6
540-700-28之1
933-176- 12
甄完明 472-647- 26
523-464-169
甄沛明 540-813-28之3
甄芑清 564-304- 48
甄佚唐 511-581-159
甄拔宋 559-290-7上
甄邯漢 933-176- 12
甄承漢 380-271-172
甄旺明 523-229-156
甄叔唐 516-432-103
1052-139- 10
1053-126- 3
甄侃後魏 262- 35- 68
266-821- 40
379-221-149
甄洛魏 袁熙妻、魏文帝后、甄逸女 254-108- 5
373- 54- 19
385-265- 29
593- 48- 中
814-215- 2
819-559- 19
甄恆妻 元 見邢從正
甄恬梁 260-387- 47
265-1052- 74
380-110-167
480-244-269
533-439- 62
933-176- 12
甄昭清 546-721-139
甄英明 1457-656-403
甄特清 502-731- 84
甄密後魏 262- 36- 68
266-822- 40
379-222-149
474-374- 19
505-747- 72
甄庸明 472- 38- 1
472-240- 9
505-798- 74
甄淑明 533-177- 52
甄彬梁 265-984- 70
380-182-170
448-320- 下
933-176- 12
甄逢甄憲臺 唐 275-619-194
400-325-527
474-376- 19
477-207-159
480-299-271
505-907- 81
533-739- 73
537-462- 58
933-177- 12
甄琛後魏 262- 30- 68
266-817- 40
379-219-149
472- 88- 3
474-374- 19
477-304-163
505-747- 72
537-295- 56
933-176- 12
甄援宋 471-1032- 65
甄逸漢 933-176- 12
甄逸女 魏 見甄洛
甄詡隋 267-785- 93
381-400-193
甄亶唐 1065-830- 20
1342- 75-913
甄楷後魏 262- 36- 68
266-821- 40
379-221-149
甄敬明 474-471- 23
505-692- 70
546-369-127
甄實明 472-414- 18
甄寬後魏 262- 36- 68
甄慧宋 813-154- 14
821-148- 50
甄鼐妻 明 見韓氏
甄儀明 472-854- 34
554-472-57上
1238-159- 14
甄凝妻 後魏 見曹氏
甄濟張濟 唐 271-513-187下
275-618-194
384-204- 11
384-215- 11
400-324-527
472- 92- 3
472-708- 28
474-376- 19
477-207-159
505-748- 72
505-920- 82
537-461- 58
933-176- 12
甄豐漢 376-478-103
820- 27- 22
933-176- 12
甄權唐 271-621-191
276- 96-204
384-176- 9
401- 91-580
477-451-171
538-353- 71
742- 34- 1
933-177- 12
甄于廷清 476- 43- 98
547- 10-141
甄玄成北周 263-828- 48
267-784- 93
381-400-193
933-176- 12
甄立言唐 271-621-191
538-353- 71

十四畫 甄、輔、與、綦、熙、緊、槐、爾

742- 34- 1
甄世良元 593- 33- 上
1214-183- 15
甄任蓮妻 清 見吳氏
甄求野明 821-473- 58
甄成德明 546-369-127
甄克敏元 1214-256- 21
甄伯成妻 明 見周氏
甄希賢明 554-472-57上
甄廷輔妻 明 見朱氏
甄法崇劉宋 265-983- 70
380-182-170
472- 88- 3
933-176- 12
甄奇傑明 301-541-269
456-490- 5
甄昌祖元 1367-728- 55
甄皇后遼 遼世宗后
289-556- 71
383-744- 13
393-330- 78
甄婆兒宋 288-403-456
400-293-524
478-123-181
554-754- 62
甄偉璧明 510-318-113
甄棲眞宋 288-476-462
401-104-582
476-870-145
541- 91- 30
547-483-159
甄朝璉妻 明 見梁氏
甄殿魁妻 清 見劉氏
甄夢弼明 537-271- 55
甄德輝明 1238-540- 13
甄憲臺唐 見甄逢
甄龍友宋 585-297- 2
588-173- 8
輔匡蜀漢 254-688- 15
480-293-271
輔昌元 1206-721- 7
輔超宋 285-373-271
396-644-312
472-436- 19
476-310-113
546-374-127
輔逵宋 472-982- 39
524-308-194
輔廣宋 472-984- 39
479- 94-221
491-117- 13
523-580-175
678-134- 82
輔褒宋 288-366-453
400-131-511
輔躒春秋 545-735-109
933-582- 37
輔公祏唐 269-488- 56
274-152- 87
384-178- 9
395-235-202
488-313- 12
與恭元 524-419-200
綦氏宋 仇車妻、綦崇禮女
1134-757- 36
綦奎宋 1152-583- 31
綦泰元 540-775-28之2
綦禎明 473-210- 59
480- 51-259
綦儁後魏 262-200- 81
267- 84- 50
379-364-151
546- 28-115
933- 56- 3
綦公直元 295-251-165
399-600-479
476-672-136
540-775-28之2
綦毋恢戰國 404-489- 29
綦毋俊綦母俊 漢 453-743- 2
479-227-227
482-317-354
523-542-173
563-601- 38
567- 20- 63
1467- 2- 62
綦毋潛綦母潛 唐
273-113- 60
451-416- 1
516-155- 94
533-311- 57
1371- 58- 0
1387-577- 43
綦毋虞綦母虞 宋
482-185-346
564- 64- 44
綦母俊漢 見綦毋俊
綦母潛唐 見綦毋潛
綦母虞宋 見綦毋虞
綦洪寔綦洪實 後魏
262-200- 81
267- 85- 50
933- 56- 3
綦洪實後魏 見綦洪寔
綦連猛北齊 263-306- 41
267-133- 53
379-405-152
476-256-110
544-212- 62
544-217- 62
545- 8- 83
546- 33-116
933- 56- 3
綦崇禮宋 287-187-378
398-229-379
449-429-上7
472-613- 25
472-1067- 45
472-1102- 47
473-652- 78
476-730-138
479-224-227
481-610-329
486- 51- 2
486-897- 34
491-808- 6
523-149-153
524-327-195
528-490- 30
540-766-28之2
674-348-5下
674-838- 18
1134-822-附下
1152-801- 51
綦崇禮女 宋 見綦氏
綦毋珍之綦母珍之 齊
265-1099- 77
381- 16-184
綦毋懷文綦母懷文 北齊
263-381- 49
267-692- 89
380-641-183
綦毋珍之南齊 見綦毋珍之
綦母懷文北齊 見綦毋懷文
綦孟古岱元 295-251-165
熙怡唐 516-492-105
1054-504- 14
1344- 18- 62
熙詠宋 1053-707- 16
熙淑帝姬熙福公主 宋 宋徽宗女 285- 69-248
393-328- 77
熙福公主宋 見熙淑帝姬
緊那羅元 538-344- 70
槐芬、祖武 夏 383-241- 23
544-153- 61
槐元忠唐 933-152- 10
槐公儉唐 933-152- 10
槐樹女子明 481-560-327
爾朱氏北齊 元曄后、齊神武帝妃、盧景璋妻、爾朱兆女
266-292- 14
373-108- 20
爾朱氏北周 爾朱休最女
1064-783- 16
1342-460-964
爾朱兆後魏 262-121- 75
267- 47- 48
379-339-151
548-628-181
爾朱兆女 北齊 見爾朱氏
爾朱洞唐 473-457- 68
473-479- 69
481-188-300
爾朱弼後魏 262-128- 75
爾朱敞隋 264-844- 55
267- 49- 48
379-752-161
475-419- 70
545-554-103
554-120- 50
爾朱榮太原王 後魏
262-110- 74
267- 38- 48
379-330-151
384-134- 7
544-206- 62
548-626-181
552- 35- 18
587- 6- 1
爾朱榮妻 後魏 見鄉郡公主

爾朱榮女 北魏～北齊 見爾朱英娥
爾綿永北周 見段永
爾綿永妻 北周 見赫連氏
爾綿岌段岌 北周
263-706- 36
267-359- 67
379-646-158
爾朱叉羅後魏 262-119- 74
379-338-151
544-206- 62
爾朱文殊後魏 262-119- 74
379-338-151
544-207- 62
爾朱文略北齊 263-374- 48
267- 46- 48
379-338-151
548-628-181
爾朱文暢後魏 262-119- 74
263-374- 48
267- 46- 48
379-338-151
爾朱天光後魏 262-129- 75
267- 52- 48
379-344-151
544-208- 62
545-545-103
552- 29- 18
爾朱世承後魏 262-128- 75
267- 52- 48
爾朱世隆後魏 262-125- 75
267- 50- 48
379-342-151
544-207- 62
爾朱世隆妻 北齊 見馮氏
爾朱代勤後魏 262-110- 74
267- 38- 48
544-206- 62
545-539-103
爾朱羽健後魏 262-110- 74
267- 38- 48
545-538-103
爾朱仲遠後魏 262-124- 75
267- 49- 48
379-341-151
545-546-103
爾朱休最女 北周 見爾朱氏
爾朱彥伯後魏 262-124- 75
267- 47- 48
379-341-151
545-546-103
爾朱度律後魏 262-128- 75
267- 52- 48
379-344-151
爾朱英娥北魏～北齊 齊神武帝妃、魏孝莊帝后、爾朱榮女
266-292- 14
373-107- 20
爾朱皇后唐 見鄭皇后
爾朱通微唐 481-121-296
561-219-38之3
561-222-38之3
561-223-38之3
592-251- 75
爾朱菩提後魏 262-119- 74
379-338-151
爾朱智虎後魏 262-124- 75
爾朱新興後魏 262-111- 74
267- 39- 48
545-541-103
臧氏漢 李翊妻 681-591- 12
1397-679- 32
臧氏宋 丘經妻 1164-261- 13
臧氏宋 姚棐忱妻
1121-497- 37
臧氏明 王福妻 474-778- 42
503- 30- 93
臧氏明 張俊妻 506- 44- 87
臧氏明 陳旭妻 472-263- 10
475-234- 61
512- 37-177
臧氏明 閔紉紘妻、臧心堯女
1297-466- 6
臧氏明 魏爾顯妻 506- 42- 87
臧丙臧愚 宋 285-431-276
396-684-316
472-132- 4
474-476- 23
476-429-121
481-234-303
505-774- 73
545-383- 97
1086-283- 28
臧灼宋 451- 88- 3
臧良元 821-298- 53
臧性明 820-593- 40
臧虎明 540-799-28之3
臧旻漢 253-225- 88
254-147- 7
376-875-111上
402-498- 12
472-310- 13
475- 14- 49
475-326- 65
511-189-143
523- 3-146
545-127- 87
臧洪漢 253-225- 88
254-147- 7
376-875-111上
384- 71- 3
473-852-145
475-326- 65
476-474-125
505-687- 70
511-457-154
540-667- 27
933-412- 27
1408-444-523
臧盾梁 260-354- 42
265-302- 18
378-419-141
476-785-141
511-685-163
540-723-28之1
臧宮漢 252-561- 48
370-124- 10
376-570-105
384- 55- 3
402-368- 3
402-519- 15
469- 61- 8
471-936- 50
472-148- 5
472-802- 31
477-500-174
537-572- 60
559-240- 6
591-701- 50
933-412- 27
臧哲明 472-594- 24
473-428- 67
540-785-28之3
1467- 57- 64
臧格宋 491-413- 5
臧釗妻 清 見孫氏
臧寅劉宋 258-389- 74
378-174-136
933-413- 27
臧翌宋 1166-439- 35
臧梓宋 523-213-156
臧荼漢 243-196- 7
臧厥梁 260-355- 42
265-302- 18
378-420-141
476-785-141
481-523-326
540-722-28之1
933-413- 27
臧詢宋 1132-154- 30
臧煥劉宋 258-164- 55
臧瑀宋 見程瑀
臧賈春秋 933-412- 27
臧愚宋 見臧丙
臧鉞妻 明 見孫氏
臧稜劉宋 933-413- 27
臧彊春秋 見臧僖伯
臧鳳明 479-226-227
523-157-153
537-289- 55
臧綽劉宋 485-488- 9
臧質劉宋 258-367- 74
265-303- 18
370-477- 14
378- 50-132
384-110- 6
488-177- 8
933-413- 27
1395-592- 3
臧儁女 劉宋 見臧愛親
臧熹劉宋 258-367- 74
265-303- 18
378- 49-132
476-782-141
479-284-230
523-166-154
540-717-28之1
933-413- 27
臧操梁 933-413- 27
臧邃劉宋 933-413- 27
臧燾劉宋 258-161- 55

265-299- 18
378- 47-132
384-110- 6
472-591- 24
476-782-141
489-599- 47
491-801- 6
511-685-163
540-716-28之1
933-412- 27
臧疇春秋 933-412- 27
臧鏗宋 1166-439- 35
臧嚴梁 260-425- 50
265-302- 18
378-419-141
476-785-141
480-169-266
511-685-163
540-721-28之1
933-413- 27
臧霸魏 254-339- 18
377-166-116
384-679- 44
385-359- 35
472-523- 22
540-708-28之1
933-412- 27
臧心堯女 明 見臧氏
臧文仲春秋 見臧孫辰
臧中立宋 524-358-196
1156-913- 18
臧未甄梁 265-302- 18
378-419-141
485-492- 9
933-413- 27
臧希讓唐 683-286- 10
1071-615- 5
1071-618- 5
臧武仲春秋 見臧孫紇
臧長博梁 260-355- 42
臧宣叔春秋 見臧孫許
臧哀伯春秋 見臧孫達
臧昭伯春秋 404-502- 30
臧孫至春秋 933-412- 27
臧孫辰母 春秋 448- 30- 3
452- 76- 2
臧孫辰臧文仲 春秋
375-681- 89
384- 14- 1
404-496- 30
448-139- 3
469-182- 21
933-412- 27
臧孫紇臧武仲 春秋
375-683- 89
384- 15- 1
404-499- 30
448-207- 16
933-412- 27
臧孫許臧宣叔、臧孫宣叔 春秋 375-682- 89
384- 15- 1
404-498- 30
448-190- 13
933-412- 27
臧孫達臧哀伯、臧孫哀伯 春秋 375-680- 89
384- 14- 1
404-496- 30
448-133- 2
933-412- 27
臧湘友明 524-357-196
臧惟一明 476-674-136
540-814-28之3
臧斐基妻 明 見吳氏
臧照如明 1294-530- 12
臧照如妻 明 見吳氏
臧愛親劉宋 宋武帝后、臧儁女 258- 7- 41
265-190- 11
373- 78- 20
臧榮緒晉 473-389- 65
臧榮緒齊 259-532- 54
265-1076- 76
370-527- 16
380-449-178
469-207- 24
475-281- 63
476-784-141
491-800- 6
511-843-168
540-720-28之1
933-413- 27
臧爾令明 476-674-136
臧爾勵妻 清 見左氏
臧爾勸明 476-674-136
540-821-28之3
臧嘉猷唐 473- 20- 49
479-485-239
515-299- 66
藏夢解元 295-402-177
400-365-534
472-254- 10
472-962- 38
472-1088- 46
473-749- 83
473-790- 85
479- 43-218
479-179-225
479-450-237
482-320-354
523-450-168
567- 77- 65
678-585-125
1467- 51- 63
臧僖伯公子彄、臧彄 春秋
375-680- 89
384- 14- 1
404-495- 30
448-130- 1
469-182- 21
933-412- 27
臧澄之劉宋 258-164- 55
臧潭之劉宋 258-164- 55
臧論道宋 516-417-103
臧諶之劉宋 494-332- 7
臧凝之劉宋 258-164- 55
265-301- 18
378- 49-132
933-413- 27
臧應奎明 300-162-192
479-144-223
523-368-163
1458-356-441
臧懋中明 523-447-168
1467-466- 7
臧懋循明 524- 36-179
676-613- 25
820-731- 44
1442- 79-附5
1460-402- 58
臧懷恪唐 683-285- 10
1071-615- 5
1071-618- 5
臧懷亮唐 1066- 37- 5
1066- 45- 6
1342- 29-907
1342-347-949
臧懷慶唐 1071-618- 5
臧繼芳明 523-446-168
臧孫宣叔春秋 見臧孫許
臧孫哀伯春秋 見臧孫達
戩多卜元 1207-237- 16
碩清 455-395- 24
碩布清 456-252- 69
碩色清(哈達地方人) 455- 84- 3
碩色清(鑲白旗人) 455- 90- 3
碩色清(烏喇地方人) 455- 96- 3
碩色清(鑲藍旗包衣人) 455-117- 4
碩色清(馬佳氏) 455-166- 7
碩色清(赫舍里氏) 455-183- 9
碩色清(正藍旗人) 455-227- 11
碩色清(鑲黃旗人) 455-267- 15
碩色清(阿顏覺羅氏) 455-301- 18
碩色清(佟佳氏) 455-336- 20
碩色清(納喇氏) 455-404- 24
碩色清(富察氏) 455-439- 26
碩色清(索綽絡氏) 455-469- 45
碩色清(拖活絡氏) 455-696- 49
碩色清(蒙古爾濟氏) 456- 24- 51
碩色清(墨爾哲勒氏) 456- 34- 52
碩色清(伏爾哈氏) 456-124- 58
碩色清(索徹理氏) 456-165- 62
碩色清(博爾濟氏) 456-172- 63
碩色清(瑚魯克氏) 456-282- 71
碩色清(金氏) 456-290- 72
碩岱清 455-272- 15
碩迪碩德 元 294-229-119
399-328-447
1209-611-10上
碩託清 454-212- 12
碩秘晉 479-131-223
碩泰清 456- 12- 50
碩格元 571-515- 19
碩納清 455-205- 10
碩喀清 455-133- 5

碩塞承澤親王　清(謚裕)
454- 99- 5
碩塞清(舒舒覺羅氏)
455-279- 16
碩塞清(阿哈覺羅氏)
455-305- 18
碩詹清 474-766- 41
502-493- 70
碩賓清 456-205- 66
碩瑪清 455- 84- 3
碩圖清 502-536- 72
碩德元　見碩迪
碩濟清 455-202- 10
碩禮清(戴佳氏) 455-479- 29
碩禮清(張氏) 456-294- 72
碩本吉清 455-414- 25
碩佛絡清 455-205- 10
碩拉瑪清 455-480- 29
碩果理清　見碩果禮
碩果禮碩果理　清
456-110- 57
碩舍朗唐　見匿舍朗
碩約赫清 455-651- 45
碩翁科清 455-534- 34
碩通鄂清 455-689- 49
碩隆古清 455-647- 45
碩舒堪清 455-385- 23
碩爾岱清 455-336- 20
碩穆多清 455- 78- 2
碩禮喀清 455-404- 24
碩迪巴拉元　見元英宗
碩爾錐音清 500-726- 37
碩什烏巴什清 502-568- 74
碩色吳巴世清 455-395- 24
碩薩納該達清 455-216- 11
頗起清 455-659- 46
頗廷相明 456-455- 4
頗羅鼐清 560-186- 21
閩師宋 821-263- 52
閩太宗王鏻、王延鈞
278-472-134
279-488- 68
384-319- 16
401-245-601
528- 5- 17
閩光宗王昶、王繼鵬
278-472-134
279-490- 68
384-319- 16
401-246-601
528- 6- 17
閩越王漢　見騶無諸
閩景宗王曦、王延羲
278-472-134
279-491- 68
384-319- 16
401-247-601
407-653- 2
528- 6- 17
閩粵王漢　見騶無諸
際五代 1053-445- 11
際得清 547-497-159
際瞻明 1442-122-附8
碧山清 456- 23- 51
碧玉唐　喬知之妻 1222-93- 3
碧峰明 511-917-174
碧布賽清 456-266- 70
碧禮克清(滿津氏) 456-251- 69
碧禮克清(齊穆克氏)
456-255- 69
碧禮克清(博爾器濟斯氏)
456-267- 70
碧川道人明(名字不詳)
1227-706- 6
碧禮克圖清 455-438- 26
碧落觀二道士唐
820-295- 30
瑠濟哩威元　見喇勒智喇斡
瑠濟理威元　見喇勒智喇斡
臺唐 1053-141- 4
臺氏明　張雲鵬妻 302-245-303
475-782- 89
512-141-181
臺亨宋 288-415-456
400-303-524
547-100-145
821-172- 50
1094-640- 69
臺佟漢 253-621-113
380-411-177
448-107- 下
477-162-157
538-159- 66
871-898- 19
933-136- 9
臺產晉 256-566- 95
380-619-182
478-376-192
933-136- 9
臺崇漢 933-136- 9
臺與梁　卑爾呼宗女
260-476- 54
381-416-194
臺駘上古 404-387- 23
臺濛唐 275-565-189
401-196-594
472-326- 14
臺叔齡妻　元　見劉氏
臺彥高前趙 933-136- 9
臺淑齡妻　元　見劉氏
嘉漢(姓缺) 478-332-191
嘉王唐　見李運
嘉王元　見鴻和特穆爾
嘉父春秋 933-298- 21
嘉尚唐 1052- 45- 4
嘉彬元 545-840-113
嘉渾清(伊爾根覺羅氏)
455-268- 15
嘉渾清(舒舒覺羅氏)
455-285- 16
嘉渾清(納喇氏) 455-364- 22
嘉渾清(烏爾答氏) 456- 58- 54
嘉塔清 502-571- 74
嘉琿元 294-285-123
399-524-471
嘉滿清 455- 73- 2
嘉木素清 455- 75- 2
嘉古善清 455-551- 35
嘉努喀清 502-502- 70
嘉定王明　見朱厚烼
嘉呼禪清 455- 86- 3
嘉祥王明　見朱由樫
嘉祥王明　見朱常浧
嘉郎阿清 456-102- 57
嘉哈禪清 456- 36- 52
嘉素蘭清 455-148- 6
嘉理哈清 456-290- 72
嘉勒尼清 455-489- 30
嘉隆阿清(富察氏) 455-435- 26
嘉隆阿清(錫克特哩氏)
502-475- 69
嘉隆阿清(瓜爾佳氏)
502-737- 84
嘉喬資清 456-128- 58
嘉塔海清 455-231- 12
嘉琿達元 510-479-118
嘉穆蓀清 456- 49- 53
嘉蘭布清 455-115- 4
嘉札喇庫清 456-176- 63
嘉勒斯賚宋　見唃廝囉
嘉國公主宋　宋孝宗女
285- 70-248
393-328- 77
嘉渾巴顏清 455-270- 15
嘉誠公主唐　見趙國公主
嘉德帝姬宋　曹僉妻、宋徽宗女 285- 68-248
393-327- 77
嘉豐公主唐　高怡妻、唐代宗女 274-115- 83
393-282- 73
554- 54- 49
嘉國長公主宋　見蔡國長公主
嘉勒斡密迪哩元　見必嚕匝納實哩
嘉勒斡蜜迪哩元　見必嚕匝納實哩
嘉魯克鼐達實元
294-425-134
399-546-474
趙三妻　明　見孫氏
趙三妻　明　見路氏
趙三妻　清　見劉氏
趙子漢 251-113- 88
380-255-172
472-718- 28
477-245-161
538- 24- 62
675-281- 11
933-591- 38
趙才隋 264-949- 65
267-527- 78
379-876-164
478-728-212
558-405- 36
933-594- 38
趙才後蜀 812-498- 中
812-528- 2
821-129- 49

趙山明 1268-454- 70
趙方宋 287-499-403
398-485-397
408-983- 3
473-209- 59
473-247- 60
473-267- 61
473-298- 62
473-360- 64
475-639- 83
480- 49-259
480-200-267
480-241-269
480-289-271
480-510-281
481-236-303
510-444-117
532-614- 43
532-654- 44
532-667- 44
532-678- 44
533-261- 55
趙方妻 宋 見胡氏
趙文戰國 405-198- 69
趙文趙宋永 宋~元
515-613- 76
1199-279- 29
1202-316- 22
1439-423- 1
1470- 62- 3
趙文妻 元 見胡懿恭
趙文明(字夢得) 523-426-167
567- 83- 66
1467- 58- 64
趙文明(字渙然) 1376-543- 93
趙文明 見趙宗文
趙文妻 明 見陳氏
趙王秦 見趙歇
趙王漢 見張耳
趙王漢 見劉友
趙王漢 見劉良
趙王漢 見劉恢
趙王漢 見劉乾
趙王漢 見劉遂
趙王漢 見劉如意
趙王漢 見劉彭祖
趙王魏 見曹幹
趙王晉 見司馬倫
趙王北齊 見高叡
趙王北周 見宇文招
趙王隋 見楊杲
趙王唐 見李業
趙王唐 見李福
趙王金 見完顏永中
趙王元 見布頁赫
趙王元 見專
趙王元 見摩和納
趙王明 見朱杞
趙王明 見朱厚煜
趙王明 見朱高燧
趙元趙元亮 唐 274-373-107
395-380-215
477-206-159
478-403-194
537-461- 58
839- 48- 4
1065-569- 5
1344- 73- 67
1407-638-460
趙元金(字善長) 291-283- 90
399-128-427
505-718- 71
趙元趙宜祿 金(字宜之)
546-721-139
1040-233- 2
1365-174- 5
1439- 9-附
1445-413- 29
趙元元~明 見趙原
趙元明 545-188- 90
554-526-57下
趙元妻 明 見高氏
趙友宋 400-299-524
476-452-123
547-121-145
趙友元 1198-772- 5
趙友明(字文會) 532-669- 44
趙友趙祓 明(括蒼人)
821-371- 55
趙及宋 286- 40-304
397-245-333
472-125- 4
472-742- 29
474-469- 23
537-504- 59
545-478-100
趙及清 475-370- 67
趙中明 515-121- 60
趙仁明 472-604- 25
540-784-28之3
趙仁妻 明 見李氏
趙氏戰國 代王夫人、趙鞅女
386-742- 15
448- 47- 5
452- 86- 2
趙氏漢 漢武帝夫人
244-269- 49
251-280-97上
468- 16- 3
587-235- 20
1058-499- 下
1412- 89- 5
趙氏吳 吳大帝夫人
812-317- 4
814-215- 2
819-560- 19
趙氏齊 吳康之妻 259-541- 55
265-1041- 73
475-234- 61
512-240-183
趙氏後魏 孫道溫妻
267-727- 91
381- 61-185
474-641- 33
506-166- 90
555- 8- 66
趙氏唐 唐玄宗麗妃、趙元禮女
270-305-107
1065-854- 22
1343-754- 55
趙氏唐 楊至誠妻
1065-818- 19
趙氏唐 趙璘女 474-340- 17
506- 91- 88
趙氏宋 王元妻、趙慎微女
1118-986- 67
趙氏宋 王孚妻、趙不忙女
1161-655-129
趙氏宋 王袞妻 288-459-460
401-161-590
473- 52- 50
479-535-241
516-357-101
趙氏宋 王荀龍妻、趙繼永女
1099-610- 14
趙氏宋 向傳範妻、趙惟吉女
1097-312- 21
趙氏宋 杜安石妻、趙村女
544-235- 63
趙氏宋 李甝妻、趙恭和女
1122-394- 28
趙氏宋 吳奎妻、趙立女
1095-881- 53
趙氏宋 洪壽卿妻、趙士鵬女
1158-755- 75
趙氏宋 俞似妻 820-473- 36
趙氏宋 袁任妻、趙不怡女
1157-294- 21
趙氏宋 徐碩妻 1171-793- 29
趙氏宋 張栽妻 1124-259- 19
趙氏宋 張即功妻
1124-258- 19
趙氏宋 傅察妻、趙挺之女
530- 84- 55
趙氏宋 管鑑妻 1142-495- 4
趙氏宋 鄭惇儒妻、趙鼎女
1117-181- 15
趙氏宋 劉廷宇妻1086-452- 8
趙氏安康郡主 宋 羅良臣妻、魏惠獻王女 285- 70-248
趙氏宋 沈瀛母 1163-634- 41
趙氏宋 范祖堯母1113-626- 9
趙氏宋 徐庭蘭母1178-329- 35
趙氏宋 趙紳女 1113-432- 8
趙氏宋 趙雄女 1176-911- 2
趙氏宋 趙資女 1124-224- 14
趙氏宋 趙樞女 1232-261- 1
1369-451- 13
1369-463- 13
趙氏宋 趙化成女
1099-766- 14
趙氏宋 趙宗説女
1104-455- 38
趙氏宋 趙孟堅女1181-365- 4
趙氏宋 趙嘗舉女 506-126- 89
趙氏元 王保子妻 401-177-593
趙氏元 宋謙妻 295-640-201
401-186-593
474-190- 9
506- 2- 86
趙氏元 李潤妻 1202-888- 16
趙氏元 姚君實妻、趙泰女

476-404-119
547-457-158
1200-686- 51
趙氏元 徐成妻 1195-564- 下
趙氏元 倪伯玉妻
1216-254- 13
趙氏元 郭灰兒妻 401-177-593
趙氏元 陸鼐妻 1218-802- 6
趙氏元 陳以安妻 482- 41-340
趙氏元或明 葉榮妻
472-330- 14
趙氏元 劉治妻 506- 41- 87
趙氏元 劉恕妻 401-177-593
趙氏元 劉楫妻 401-177-593
479-535-241
趙氏元或明 衛蘭妻
472-986- 39
趙氏元 謝思明妻 401-176-593
478-699-210
趙氏元 戴良妻 1219-601- 29
趙氏元 趙晉女 1218-672- 3
趙氏明 丁大志妻 474-191- 9
506- 12- 86
趙氏明 于通妻 476-678-136
趙氏明 王塘妻 481-158-298
趙氏明 王勤妻 478-275-187
趙氏明 王璠妻 570-184- 22
趙氏明 王錦妻 477-257-161
538-663- 79
1266-567- 7
趙氏明 王子臣妻 483- 17-370
趙氏明 王之楫妻 506- 11- 86
趙氏明 王允武妻 506-131- 89
趙氏明 王尚賓妻 506- 29- 86
趙氏明 王聚倉妻 474-384- 19
506-104- 89
趙氏明 石玉妻、趙準女
1255-674- 69
趙氏明 石起鳳妻 478-551-202
趙氏明 田付妻 477-211-159
趙氏明 仲本妻、趙剛女
1258-756- 7
趙氏明 仲愨妻 475-282- 63
趙氏明 朱璘妻 1297-102- 9
趙氏明 宋鎧妻 474-248- 12
506- 53- 87
趙氏明 宋文美妻 472-594- 24
趙氏明 成夢震妻 506-144- 90
趙氏明 李玉妻 1245-526- 27
趙氏明 李讓妻 472-668- 27
趙氏明 呂坤妻 476-702-137
趙氏明 吳天祥妻
493-1084- 57
512-458-188
趙氏明 吳思敬妻 477-211-159
趙氏明 何偉妻 483- 98-398
趙氏明 武守己妻 506-129- 89
趙氏明 武繼先妻 506-130- 89
趙氏明 居之敬妻 483-179-384
趙氏明 邵雲寰妻 480- 63-260
趙氏明 林崇妻 530- 61- 55
趙氏明 林時顯妻 506- 75- 88
趙氏明 尚綸妻 541- 68- 29
趙氏明 明光宗選侍
299- 25-114
趙氏明 周賓妻 482-564-369
趙氏明 周子義妻、趙勉之女
1291-401- 7
趙氏明 周宗制妻 524-595-207
趙氏明 姜溢妻 478-354-191
趙氏明 胡泰妻 479-633-245
趙氏明 胡默凄 555- 99- 67
趙氏明 范為詮妻 477- 94-153
趙氏明 俞夔齋妻
1263-495- 3
趙氏明 唐琛妻 1268-442- 69
趙氏明 馬班保妻 530- 4- 54
趙氏明 袁柏妻 524-547-205
趙氏明 夏師顏妻 472-263- 10
趙氏明 徐世淳妻 479-102-221
趙氏明 郭秀妻 483-295-394
趙氏明 郭尚賢妻 483-171-383
趙氏明 梁賓妻 478-249-186
555-104- 67
趙氏明 康流來妻 477-319-164
趙氏明 曹周妻、趙旺女
1273-727- 8
趙氏明 張巨妻 506-144- 90
趙氏明 張昱妻、趙讓女
472-243- 9
1261-624- 22
趙氏明 張滕妻 506-132- 89
趙氏明 張禮妻 472-313- 13
475-473- 72
趙氏明～清 張一鶚妻
530- 11- 54
530- 29- 54
趙氏明 張大魯妻、趙節女
1283-463-103
趙氏明 張元慶妻 506- 14- 86
趙氏明 張彥方妻 474-412- 20
趙氏明 張建中妻 478-490-199
558-492- 42
趙氏明 張敏道妻 452-118- 3
478-421-195
趙氏明 張鳳翥妻 472-560- 23
趙氏明 張應贄妻 506- 31- 86
趙氏明 張駿烈妻 477- 94-153
趙氏明 陳志敬妻
1283-560-110
趙氏明 陳經濟妻 477- 94-153
趙氏明 扈彬妻 474-384- 19
趙氏明 馮紀妻 506- 73- 88
趙氏明 馮順妻 506- 4- 86
趙氏明 曾縉妻 473-575- 74
趙氏明 湯祖契妻、趙尚敬女
302-250-303
477-136-155
538-205- 67
538-680- 79
1312-583- 7
1313-272- 21
1315-601- 37
1320-566- 63
1323-793- 6
1449-856- 29
趙氏明 黃士觀妻 530- 92- 56
趙氏明 景同春妻 483-118-379
570-201- 22
趙氏明 傅玉聲妻 479-685-248
趙氏明 靳志妻 483-118-379
趙氏明 楊宏妻 506- 80- 88
趙氏明 楊廣妻 506-102- 89
趙氏明 楊常典妻 530-105- 57
趙氏明 楊紹英妻 530-124-124
趙氏明 楊循正妻 570-200- 22
趙氏明 葉增光妻 478-137-181
趙氏明 趙允昂妻 481-185-300
趙氏明 翟恕妻、翟軾妻、趙威女
473-271- 61
533-604- 69
趙氏明 蒙士彥妻 482- 79-341
564-335- 49
趙氏明 潘胡妻、趙玉女
1278-460- 22
趙氏明 潘棨妻 558-493- 42
趙氏明 歐陽玳妻 506- 32-286
趙氏明 蔣欽妻 506- 7- 86
趙氏明 劉錄妻、趙哲女
1268-467- 73
趙氏明 劉竹繼妻 477- 94-153
趙氏明 劉呈芳妻 506- 93- 88
趙氏明 劉興邦妻 476-868-145
趙氏明 賴承謙妻 506- 76- 88
趙氏明 盧果妻 1292-203- 18
趙氏明 錢嗣聖妻、趙文度女
1312-866- 12
趙氏明 謝乾妻 524-687-211
1250-477- 44
趙氏明 謝存憲妻 473-217- 59
趙氏明 戴裕津妻 479-102-221
趙氏明 宋儒母 506-127- 89
趙氏明 楊鋌祖母
570-474-29之7
趙氏明 楊鋌叔祖母
570-474-29之7
趙氏明 趙忠女 503- 28- 93
趙氏明 趙苞女 482-565-369
趙氏明 趙彬女 541- 70- 29
趙氏明 趙趣女 481-439-316
趙氏明 趙龍女 473-391- 65
480-546-283
趙氏明 趙廷玉女 533-686- 71
趙氏明 趙來佳女 506- 33- 86
趙氏明 趙應啟女 506- 13- 86
趙氏明 劉鴻儒母 506- 71- 88
趙氏清 丁莆妻、趙傑女
474-194- 9
趙氏清 王六妻 506- 65- 87
趙氏清 王泉妻 483- 99-378
趙氏清 王瑜妻 503- 61- 95
趙氏清 王士元妻 530- 26- 54
趙氏清 王宏猷妻 474-194- 9
趙氏清 王宏璋妻 474-642- 33
趙氏清 王啟文妻 483- 71-376
趙氏清 包一祿妻 503- 65- 95
趙氏清 包景運妻 483- 77-377
趙氏清 朱暐妻 474-192- 9
506- 21- 86
趙氏清 沈玉璉妻 481-237-303
趙氏清 宋權妻、趙時女
1323-349- 30

趙氏清　宋登龍妻　506- 59- 87
趙氏清　良應妻　481-187-300
趙氏清　杜有太妻　474-386- 19
趙氏清　李宋妻　481-764-335
趙氏清　李度妻　503- 33- 94
趙氏清　李茂妻　478-172-182
趙氏清　李鈺妻　474-194- 9
趙氏清　李鳴妻　506- 62- 87
趙氏清　李澤妻　478-520-200
趙氏清　李思貞妻　476-619-133
趙氏清　李國瑜妻　474-249- 12
　　　　　　　　506- 64- 87
趙氏清　李雯光妻　506-149- 90
趙氏清　李鳴陽妻　506- 60- 87
趙氏清　呂萬魁妻　503- 64- 95
趙氏清　吳來尹妻　503- 63- 95
趙氏清　邵秉業妻　555-131- 68
趙氏清　阿克順妻　503- 33- 94
趙氏清　阿爾登阿妻
　　　　　　　　503- 37- 94
趙氏清　林子侯妻　481-751-334
趙氏清　林文恢妻　530- 83- 55
趙氏清　尚其志妻　478-298-188
趙氏清　周維先妻　475-713- 86
　　　　　　　　475-756- 88
趙氏清　洪訓妻　503- 54- 95
趙氏清　胡士龍妻　481-680-331
趙氏清　胡學猗妻　524-497-203
趙氏清　姚廷錫妻　479- 63-219
趙氏清　俞呈琦妻　482-567-369
趙氏清　侯嘉玉妻　503- 62- 95
趙氏清　段鵬起妻　474-483- 23
趙氏清　唐士騤妻　474-195- 9
趙氏清　郝明颺妻　474-280- 14
　　　　　　　　506- 36- 86
趙氏清　耿復昭妻
　　　　　　　　1312-883- 13
趙氏清　剛安泰妻　503- 34- 94
趙氏清　徐同貞妻　524-558-205
趙氏清　徐志節妻　474-193- 9
趙氏清　徐承命妻　506-170- 90
趙氏清　郭文達妻　503- 61- 95
趙氏清　郭本澄妻　479-261-228
趙氏清　郭振先妻　474-195- 9
趙氏清　張元妻　506- 34- 86
趙氏清　張泌妻　506- 20- 86
趙氏清　張給妻　474-193- 9
趙氏清　張靈妻　478-139-181

　　　　　　　　555-132- 68
趙氏清　張之振妻　480-209-267
趙氏清　張仕朝妻　530-119- 57
趙氏清　張星曜妻　503- 66- 95
趙氏清　張鳳陽妻　503- 53- 95
趙氏清　陳協妻　506- 17- 86
趙氏清　陳誼妻　481-363-310
趙氏清　陳標妻　476-829-143
趙氏清　陳大受妻　474-522- 25
趙氏清　陳王明妻　570-189- 22
趙氏清　陳堯英妻　482-486-364
趙氏清　陳學尚妻　479-386-234
趙氏清　軍國棟妻　474-779- 42
　　　　　　　　503- 51- 95
趙氏清　脫海龍妻　478-674-209
趙氏清　曾泉妻　570-198- 22
趙氏清　黃兆美妻　530- 98- 56
趙氏清　黃道隆妻　480-343-273
趙氏清　黃燦如妻　524-596-207
趙氏清　葰湛妻　477- 97-153
趙氏清　傅芳明妻　503- 59- 95
趙氏清　程夢熊妻　474-605- 31
趙氏清　雷從龍妻　478-490-199
　　　　　　　　558-498- 42
趙氏清　楊芬妻　482-566-369
　　　　　　　　570-181- 22
趙氏清　楊潤妻　483- 99-378
趙氏清　楊用枅妻　478-378-192
趙氏清　楊爾第妻　503- 59- 95
趙氏清　葉芝六妻　530-119- 57
趙氏清　葉鍾芝妻　479-334-232
趙氏清　趙玉堂妻　478-205-184
趙氏清　圖桑阿妻　503- 36- 94
趙氏清　鄭棟妻　506- 67- 87
趙氏清　鄭景洛妻　506- 67- 87
趙氏清　劉三妻　474-193- 9
　　　　　　　　506- 24- 86
趙氏清　劉統妻　475-614- 81
趙氏清　劉晫妻　474-196- 9
趙氏清　劉溶妻　474-196- 9
趙氏清　劉碣妻　506- 39- 86
趙氏清　劉沈如妻　506- 64- 87
趙氏清　劉開基妻　503- 66- 95
趙氏清　劉毓琦妻　474-826- 44
　　　　　　　　503- 59- 95
趙氏清　劉體乾妻　506- 22- 86
趙氏清　盧兆璜妻　480- 64-260
趙氏清　蕭有薑妻　506- 38- 86

趙氏清　穆立泰妻　503- 34- 94
趙氏清　謝見性妻　474-779- 42
　　　　　　　　503- 57- 95
趙氏清　謝俊陞妻　479-435-236
趙氏清　韓勳妻　503- 55- 95
趙氏清　竇瑪妻　547-362-155
趙氏清　闕元保妻　503- 36- 94
趙介宋　1147-763- 72
趙介明　301-823-285
　　　　564-277- 47
　　　　676-449- 17
　　　　1318-351- 63
　　　　1372- 30- 4
　　　　1442- 13-附1
　　　　1459-375- 11
趙允明　481-525-326
　　　　528-449- 29
趙立宋(諡忠烈)　288-307-448
　　　　400-168-513
　　　　449-484-上13
　　　　472-308- 13
　　　　472-412- 18
　　　　475-323- 65
　　　　475-430- 70
　　　　510-501-118
　　　　511-465-154
趙立宋(字德修)　288-349-451
　　　　400-198-515
　　　　473-479- 69
　　　　481-116-296
　　　　559-352- 8
　　　　591-625- 45
　　　　591-699- 49
趙立女　宋　見趙氏
趙永明　299-619-163
　　　　505-723- 71
　　　　676-531- 21
趙永妻　明　見孫氏
趙玉後唐　288-728-482
　　　　472- 32- 1
　　　　474-174- 8
　　　　476- 45- 98
　　　　505-865- 77
　　　　547-153-147
趙玉趙穆爾齊　1206-708- 6
趙玉明(遷安人)　505-806- 74
趙玉明(字汝石)　558-449- 38
　　　　1266-405- 7

趙玉女　明　見趙氏
趙玉清　476-203-108
　　　　547- 57-143
趙丙宋　1094-637- 69
趙弘五代　821-133- 49
趙弘明　473-391- 65
　　　　533-274- 56
趙正晉　見道整
趙正明　472-240- 9
趙本明　511- 74-139
　　　　523- 36-147
趙左明　511-871-170
　　　　821-444- 57
趙可金　291-704-125
　　　　400-688-565
　　　　472-505- 21
　　　　476-206-107
　　　　820-482- 36
　　　　1365- 51- 2
　　　　1439- 3-附
　　　　1445-338- 22
趙功妻　清　見高氏
趙占明　559-403-9上
趙由漢　見周陽由
趙玑宋　1096-777- 38
趙玑女　宋　見趙英
趙叶宋　472- 86- 3
　　　　505-670- 69
趙代漢　252-662- 56
趙仕明　554-503-57上
趙白明　505-821- 75
趙用明　529-660- 49
趙弁宋　820-419- 34
　　　　821-226- 51
　　　　1147-534- 50
趙安女　漢　見趙娥
趙安元　1213-778- 25
趙安明(字仲盤)　299-515-155
　　　　492-906- 36
　　　　478-488-199
　　　　558-290- 34
趙安明(葉縣人)　472-367- 16
　　　　472-775- 30
　　　　510-445-117
　　　　537-548- 59
趙安明(益陽尉)　532-694- 45
趙安妻　清　見陳氏
趙江趙珏　北周　263-679- 33

267-391- 69
379-667-159
趙汎宋 見趙屼
趙池明 540-815-28之3
趙式明 820-657- 42
821-403- 56
1250-937- 88
趙朴儀王 宋 382-129- 17
552- 62- 19
趙圭明 473-569- 74
趙吉宋 473-168- 57
479-752-251
516-426-103
1112-269- 25
趙至趙浚 晉 256-491- 92
380-353-175
474-515- 25
503- 7- 90
505-928- 84
538-323- 69
546-671-137
933-592- 38
1398-411- 18
1406-417-359
趙匡唐 276- 43-200
400-429-539
476-121-102
546-702-138
趙臣宋 540-762-28之2
趙艮明 523-328-161
趙同原同 春秋 404-731- 45
448-190- 13
趙光蒼梧王 漢 244-785-113
535-553- 20
567- 2- 62
趙屼趙汎 宋 286-198-316
384-367- 19
397-363-340
479-355-233
493-769- 42
523-332-161
趙屼婿 宋 1126-744-166
趙夙春秋 371-395- 20
384- 18- 1
404-727- 44
472-458- 20
545-706-108
趙旭清 537-488- 58
趙向明 472- 99- 3
趙全元(趙寧人) 493-724- 40
494-315- 5
趙全元(平陽襄陵人)
545-392- 97
趙年明 523-483-170
趙仲宋 472-308- 13
趙价豫王 宋 382-125- 17
384-364- 19
趙伊明 1442- 55-附3
1460-139- 46
1475-301- 12
趙宏宋 471-754- 23
趙沄明 511-193-143
趙沖漢 478-450-197
478-633-206
558-216- 32
558-231- 32
趙沂清 529-723- 51
趙忻明 554-502-57上
趙汸元～明 301-754-282
400-579-553
458-598- 1
472-381- 16
475-570- 79
479-610-244
511-704-164
516-222- 96
676-447- 17
677-535- 49
1221-160- 附
1221-365- 附
1375- 23- 上
1376-206- 72
1439-454- 2
1459-261- 6
1471-150- 24
趙弟漢 244-884-123
趙汲清 502-687- 81
510-395-115
趙良元 494- 54- 2
趙良明 559-304-7上
趙志元 472-645- 26
537-343- 56
趙志明 1241-496- 8
趙戒漢 402-476- 11
472-765- 30
474-303- 16
477-357-166
480- 9-257
537-310- 56
559-338- 8
591-516- 41
趙甫金 1192-397- 35
趙抃宋 286-195-316
382-472- 73
384-355- 18
384-367- 19
397-361-340
449-191- 5
450- 64-上8
459-528- 31
471-585- 1
471-617- 5
471-625- 6
471-630- 7
471-659- 11
471-729- 20
471-754- 23
471-879- 41
471-906- 45
471-924- 48
471-946- 51
471-950- 52
471-971- 55
471-1017- 63
472- 85- 3
472-196- 7
472-290- 12
472-587- 24
472-961- 38
472-1014- 41
472-1041- 43
472-1067- 45
473-185- 58
473-333- 63
473-427- 67
473-503- 71
473-598- 76
473-762- 84
474- 92- 3
475-853- 94
476-657-135
479- 41-218
479-223-227
479-354-233
479-377-234
479-791-254
480-399-277
480-512-281
481- 18-291
481- 69-293
481-672-331
482-389-358
484- 95- 3
484- 96- 3
486- 49- 2
505-631- 67
510-501-118
515-264- 65
517-440-126
523-331-161
526-621-279
528-521- 31
532-691- 45
540-647- 27
559-264- 6
559-313-7上
561-570- 45
567- 54- 65
585-375- 7
588-161- 8
591-681- 47
592-618-100
708-338- 50
820-367- 33
839- 60- 5
871-893- 19
933-597- 38
1053-688- 16
1108-392- 86
1145-603- 77
1145-728- 83
1145-754- 84
1184-583- 12
1351-677-148
1356- 74- 4
1384-279-105
1418-523- 53
1437- 11- 1
1447-941- 56
1461-110- 下
1467- 26- 62
趙成趙景子 春秋 384- 18- 1

404-735- 45
933-590- 38
趙成趙長平、趙長年 漢
248-619- 8
539-349- 8
1412-126- 5
趙成宋 400-168-513
趙孝漢 252-830- 69
370-179- 17
380- 74-167
402-389- 5
402-527- 15
469-140- 15
472-199- 7
475-745- 88
511-645-162
538- 99- 64
933-592- 38
趙孝女 漢 見趙阿
趙均宋 見趙竑
趙均明 511-835-168
820-743- 44
趙均妻 明 見文淑
趙杞景王 宋 285- 38-246
382-128- 17
395-113-190
趙杞元 472-520- 22
476-518-127
540-626- 27
趙材邠王 宋 382-129- 17
趙扶妻 宋 見崔氏
趙孜宋 見宋度宗
趙見妻 明 見陳氏
趙岍宋 820-403- 34
趙岐趙嘉 漢 253-327- 94
376-935-112
384- 69- 3
402-470- 10
402-587- 20
459- 28- 2
472-456- 20
472-832- 33
475-868- 95
476-393-119
476-676-136
478-102-180
505-929- 84
533-733- 73
541-110- 31
545-127- 87
545-446- 99
554-830- 63
812-315- 4
821- 7- 45
933-592- 38
1408-479-527
趙岐金 545-217- 91
546-717-139
趙似楚王 宋 285- 37-246
382-126- 17
384-364- 19
395-112-190
趙似宋 見趙時炑
趙孚宋 285-589-287
397- 67-324
537-504- 59
趙甸趙璧雲 明～清
821-480- 58
1321-230-111
趙伾趙坯 宋 472-254- 10
492-711-3下
510-359-114
趙佑趙祐 明 300- 79-188
481- 81-294
510-456-117
545- 77- 85
559-504- 12
趙伯元 591-574- 42
趙伯明 見趙柏
趙邦趙必榮 宋 448-390- 0
趙佗漢 見趙陀
趙何唐 485-296- 43
趙伸褒王 宋 382-125- 17
384-364- 19
趙秀宋 王宗武妻 530- 3- 54
趙佖吳王、陳王 宋
285- 36-246
382-125- 17
384-364- 19
395-111-190
493-644- 35
535-557- 20
544-233- 63
趙京明 夏良勝妻、趙弘敷女
1269-795- 5
1269-853- 7
趙官明 676-236- 9
趙官妻 明 見李氏
趙沺明 1475-648- 28
趙社宋 見趙祉
趙性宋 471-1023- 64
473-478- 69
559-351- 8
591-625- 45
趙初明(麗水人) 524-169-186
趙初明(黎城人) 546-659-137
趙定漢 505-886- 79
839- 27- 3
趙定元 許有壬妻
1211-453- 64
1211-720- 0
趙定明 547- 5-141
趙庚宋 529-532- 45
趙炎宋 524-257-191
趙炎清 511-896-172
趙武趙孟、趙文子 春秋
244-173- 43
371-396- 20
375-747- 90
384- 18- 1
386-644- 6
404-731- 45
404-790- 48
448-196- 15
472-460- 20
545-710-108
550- 74-211
933-590- 38
933-591- 38
1112-644- 7
趙杰明 559-398-9上
趙松漢 591-578- 43
趙直三國 384-521- 23
趙直明 1227-184- 22
趙直妻 清 見胡氏
趙坯宋 見趙伾
趙孟春秋 見趙武
趙玭後晉 285-402-274
476-853-145
540-668- 27
趙奇宋 820-419- 34
1147-534- 50
趙陀南越王、尉佗、尉陀、趙佗
漢 244-781-113
251-227- 95
381-563-198
471-848- 37
563-597- 38
567- 9- 62
933-590- 38
1408-308-509
趙阿漢 周郁妻、趙孝女
253-627-114
475-755- 88
512-124-180
趙枋明 524-152-185
趙玫元 1200-638- 48
趙林宋 821-209- 51
趙林金 1191-337- 30
趙承漢 477-246-161
537-474- 58
趙典漢 252-675- 57
376-649-107上
402-476- 11
402-568- 19
473-430- 67
481- 74-294
559-339- 8
591-516- 41
680-668-285
933-592- 38
趙忠漢 253-516-108
380-496-129
趙忠元 480-508-281
趙忠明(遼陽人) 474-817- 44
502-282- 56
趙忠明(字行恕) 475-133- 56
493-992- 52
1245-793- 14
趙忠妻 明 474-825- 44
503- 28- 93
趙忠女 明 見趙氏
趙旺女 明 見趙氏
趙昀宋 見宋理宗
趙昌唐 270-813-151
275-375-170
396-147-265
472-897- 35
473-583- 75
478-698-210
481-581-328
528-480- 30

558-392- 36
563-634- 38
趙昌宋 592-699-106
812-471- 3
812-547- 4
813-184- 18
821-158- 50
1109-529- 27
趙昌元(字壽卿) 1206-145- 16
趙昌元 見趙阿克昌
趙昌明 472-360- 15
趙明元 473-194- 58
515-257- 65
趙明明 見趙景純
趙明妻 明 見劉氏
趙固戰國 545-253- 93
趙岩後梁 384-310- 16
趙岯妻 宋 見牛氏
趙芾宋 821-229- 51
趙昂魏 472-895- 35
478-517-200
558-303- 34
趙昂妻 魏 見王異
趙昂宋 485-500- 9
趙昂明(開州人) 554-340- 54
趙昂明(字伯顒) 676-494- 19
820-625- 41
1250-886- 84
趙昇漢 516-479-105
趙昇宋 527-587- 15
趙昇明(永清人) 505-895- 80
趙昇明(趙州人) 570-100-20下
趙昕雍王 宋 382-121- 16
384-345- 18
趙岢明 478-272-187
545-292- 94
545-328- 95
554-605- 59
趙岸明 476-113-102
545-379- 97
趙芳明 1269-402- 5
趙芬北周～隋 264-765- 46
267-481- 75
379-794-162
384-153- 8
472-896- 35
478-698-210
558-389- 36
933-593- 38
趙昉漢 547-510-160
趙昉揚王 宋 382-121- 16
384-345- 18
趙昉明 476- 80-100
趙昉清 545-199- 90
趙旻明 460-803- 86
529-619- 47
趙旻妻 明 見馬氏
趙炅宋 見宋太宗
趙昊明 563-831- 41
趙果趙初桂 宋 451- 52- 2
趙的宋 1090- 75- 14
趙和後魏 267-386- 69
趙和唐 472-253- 10
510-357-114
趙和明(白鹽井人) 483-116-379
趙和明(字達道) 483-162-382
570-123-21之1
571-551- 20
趙和妻 明 見孫氏
趙明宋 400-180-514
481-335-308
趙佶宋 見宋徽宗
趙佾成王 宋 384-364- 19
趙金明(字淮獻) 524- 35-179
1442- 50-附3
1460- 71- 43
趙金明(直隸東鹿人) 545-443- 99
趙侃金 1200-637- 48
趙侃明 483-268-392
572- 75- 28
趙牧漢 478- 99-180
493-668- 37
趙牧唐 451-467- 6
趙使戰國(趙王使使于楚者)
405-217- 70
趙延宋 476-404-119
547-202-148
趙延明 571-543- 20
趙竑趙均、趙貴和、鎭王 宋
285- 43-246
395-117-190
544-234- 63
585-161- 10
趙竑妻 明 見馮氏
趙炳趙昞 漢 253-608-112下
380-579-181
451-264- 2
453-758- 4
524-429-200
525-111-222
575-659- 40
趙炳宋 1167-229- 19
趙炳元(字彥明) 295-221-163
399-582-477
472-154- 5
472-519- 22
472-626- 25
472-826- 33
474-277- 14
474-558- 28
476-517-127
478- 92-180
496-409- 89
502-375- 63
505-898- 80
540-625- 27
545-116- 86
554-160- 51
趙炳元(字季明) 1218-312- 14
趙炳妻 明 見李氏
趙宣漢 554-744- 62
879-178-58下
趙宣妻 漢 見杜泰姬
趙宣宋 821-202- 51
趙宣妻 明 見朱氏
趙洄明 821-482- 58
趙祉信王、趙社 宋
382-121- 16
384-337- 17
趙袒宇文袒 北周 263-677- 33
267-388- 69
379-665-159
381-458-195
472-896- 35
478-198-184
478-517-200
546- 45-116
547-175-147
558-305- 34
933-593- 38
趙袒唐 275-563-189
277-135- 14
384-285- 15
396-272-275
477-452-171
537-578- 60
1408-472-526
趙袒宋 674-344-5下
趙恆唐 491-343- 2
趙恆宋 見宋眞宗
趙恆明(字志貞) 460-693- 72
481-588-328
483-116-379
529-542- 45
569-672- 19
676- 61- 2
679-651-202
趙恆明(樂平人) 547- 89-144
趙恂明 480-635-288
趙炯明 559-354- 8
趙炯妻 明 見殷氏
趙宦明 456-575- 8
趙亮明 299-591-161
472-208- 7
473-112- 54
511-359-150
515-172- 62
趙祈欽王 宋 382-121- 16
384-337- 17
趙穿春秋 404-770- 47
趙彥漢 253-603-112下
380-574-181
491-797- 6
541-103- 31
933-592- 38
趙彥宋(字公美) 484-383- 28
489-549- 43
趙彥宋(汴人) 821-233- 51
趙彥金 1190-498- 43
趙彥明(字名宇) 301-338-257
476-480-125
478-170-182
540-620- 27
545-158- 88
554-609- 59
趙彥明(趙州人) 481-212-302
483- 96-378
559-291-7上
570-116-21之1
趙洙元 474-733- 40
502-278- 55
趙洙妻 元 見許氏

十四畫 趙

趙奕元 494-414- 12
494-470- 18
820-491- 37
821-284- 53
1369-300- 6
1439-441-附2
1468-372- 18
趙度妻 清 見董氏
趙美宋 見趙贊
趙美妻 元 見王氏
趙恢明 529-719- 51
趙珏北周 見趙江
趙柄宋(謚靖惠) 285- 42-246
趙柄宋(徽宗子) 382-130- 17
趙杰元 820-530- 38
趙威女 明 見趙氏
趙珊明 481-407-313
趙咨漢 252-837- 69
370-205- 21
380- 78-167
384- 68- 3
402-423- 7
402-495- 12
469- 68- 9
472-707- 28
476-777-141
477-202-159
537-460- 58
540-661- 27
933-592- 38
趙咨吳 254-711- 2
384-608- 35
385-687- 67
472-771- 30
477-370-167
537-540- 59
趙軌隋 264-1036- 73
267-397- 70
380-204-170
384-157- 8
472-194- 7
472-518- 22
472-744- 29
475-741- 88
476-515-127
477-310-164
478-543-202
480-340-273
510-469-117
537-495- 59
540-622- 27
558-188- 31
933-593- 38
趙軌妻 明 見周氏
趙拯女 宋 見趙氏
趙括母 戰國 見趙奢妻
趙括屏季 戰國 244-510- 81
375-947- 94
384- 28- 1
404-731- 45
405-207- 69
933-591- 38
趙相宋 524-331-195
趙相明(龍州人) 302-609-319
趙相明(即墨人) 554-342- 54
趙柏趙伯 明 456-681- 11
趙胡南越王 漢 244-782-113
381-566-198
趙胡後魏 554-893- 64
趙奎宋 567- 62- 65
1467- 36- 63
趙奎明(字思義) 511-424-152
528-449- 29
趙奎明(字文瑞) 1267-648- 12
趙矜唐 274-352-106
472-765- 30
477-359-166
537-311- 56
1077-127- 11
1378-532- 60
1383-309- 27
1410-286-701
趙羾趙珝 明 299-441-150
453-219- 20
458- 27- 2
472-665- 27
474-513- 25
477- 86-153
505-634- 67
523- 35-147
537-399- 57
546-489-131
588-179- 8
676-470- 18
1240-288- 18
1442- 18-附1
1459-544- 19
趙珂明 559-298-7上
821-484- 58
趙珍明 554-340- 54
趙述金 820-482- 36
1365- 51- 2
趙柔後魏 261-711- 52
266-703- 34
379-163-148
478-486-199
558-285- 34
933-593- 38
趙柔元 295- 80-152
472- 27- 1
472- 54- 2
474-588- 30
505-783- 73
1206-634- 13
趙建明 571-550- 20
趙茂宋 285- 37-246
382-127- 17
384-376- 19
趙貞元 朱暐妻、趙景星女
1232-437- 4
趙貞明 1260-609- 17
趙貞妻 明 見杜氏
趙思宋 472-1101- 47
493-946- 51
523-169-154
537-514- 59
趙昺廣王、衛王 宋
280-628- 47
392-545- 40
528- 9- 17
趙昞漢 見趙炳
趙若元 460-480- 38
趙昱漢 253-441-103
254-158- 8
377- 41-113下
402-500- 12
540-705-28之1
趙昱隋 471-954- 52
473-522- 72
481- 86-294
548- 87-164
559-304-7上
561-552- 45
591-153- 11
592-227- 74
1077-289- 下
趙昱宋 559-528- 12
1173-347- 90
趙昭清 馬仲子妻
1475-835- 35
趙范宋 287-689-417
398-632-408
472-291- 12
473-360- 64
475-367- 67
475-640- 83
480-510-281
510-284-112
510-389-115
533-262- 55
趙苞漢 253-586-111
380-141-168
472-142- 5
472-570- 24
474-686- 37
475-363- 67
476-894-147
502-249- 53
505-650- 68
510-385-115
540-703-28之1
933-592- 38
趙苞女 明 見趙氏
趙英宋 毛滂妻、趙屼女
1123-822- 10
趙英明(字儲秀) 505-657- 68
558-294- 34
趙英明(字廷傑) 558-292- 34
趙英妻 明 見王氏
趙迪元 295- 59-151
399-424-458
472- 97- 3
474-379- 19
505-751- 72
趙迪明(宜陽人) 472-752- 29
趙迪明(字景哲) 821-368- 55
1142- 17-附1
1459-596- 22
趙禹漢 244-862-122
251-132- 90
251-675- 30
380-213-171

384- 46- 2
472-829- 33
494- 28- 3
554-917- 64
933-590- 38
1408-825-512
趙禹宋 476-670-136
趙禹明 547- 22-141
趙信漢 244-749-110
244-767-111
250-336- 55
251-626- 24
933-590- 38
趙信元(歷城人) 1206-148- 16
趙信元(奉元人) 1222-114- 6
趙信妻 元(榆次人) 見李氏
趙信妻 元(霍州人) 見李氏
趙信明 554-279- 53
趙盾趙宣子、趙宣孟 春秋
244-171- 43
371-396- 20
375-745- 90
384- 18- 1
386-635- 6
404-729- 45
448-175- 10
545-707-108
550-192-216
933-590- 38
933-591- 38
1407- 67-401
趙衍漢 539-348- 8
趙衍清 475-641- 83
510-450-117
趙律明 505-924- 83
趙胤晉 255-950- 57
趙俞清 511-793-166
趙勉明(夷陵州人) 473-302- 62
趙勉明(字兢喻) 554-519-57下
趙勉明(涇陽人) 554-526-57下
趙秋宋 1168-576- 10
趙俁燕王 宋 285- 36-246
382-126- 17
395-111-190
552- 62- 19
趙俊宋(字德進) 288-373-453
400-332-528
477-130-155
趙俊唐王 宋(神宗子)
382-125- 17
384-364- 19
趙俊明 299-313-138
趙泉晉 742- 28- 1
趙海後魏 見趙黑
趙海明 571-546- 20
趙祓明 見趙友
趙祇昌王 宋 382-121- 16
384-337- 17
趙容宋 見趙鎔
趙涓唐 270-624-137
275-256-161
396- 69-258
472- 93- 3
479-351-233
933-594- 38
趙浮妻 清 見畢氏
趙高秦 243-167- 6
244-574- 87
380-481-179
814-222- 3
820- 23- 22
趙唐宋 540-759-28之2
趙祜明 592-781- 2
趙祐漢 476-664-136
趙祐周王、趙玄祐 宋(謚悼獻)
285- 27-245
382-121- 16
384-337- 17
395-109-190
1086-486- 11
趙祐宋(字壽臣) 1118-995- 68
趙祐妻 宋 見李氏
趙祐明 見趙佑
趙祐明(長垣人) 554-258- 52
趙祚宋 400-299-524
趙旃春秋 404-770- 47
545-715-108
趙朗明 546-592-134
趙益金 291-678-122
400-223-518
472-438- 19
476- 41- 98
545-649-106
趙朔趙莊子 春秋 384- 18- 1
404-731- 45
545-709-108
933-591- 38
趙烜宋 見宋欽宗
趙訓宋 285- 40-246
395-115-190
趙旂漢 591-518- 41
趙悅明(謚節愍) 456-517- 6
趙悅明(麻城人) 533-426- 62
趙宸妻 明 見李氏
趙浚晉 見趙至
趙衰成季、原季、趙成子 春秋
244-171- 43
371-396- 20
375-744- 90
384- 18- 1
404-727- 45
448-157- 7
469-398- 47
472-459- 20
545-706-108
550-200-216
933-590- 38
933-591- 38
趙衰妻 春秋 見叔隗
趙衰妻 春秋 見趙姬
趙衷元 820-544- 39
821-323- 54
趙素金 1191-441- 38
趙泰女 元 見趙氏
趙泰明 299-588-161
475-215- 60
545-845-113
趙貢漢 540-643- 27
趙恭元(晉州人) 295-593-196
400-278-522
474-382- 19
505-852- 77
趙恭元(字思恭) 511-543-158
趙恭女 元 見趙官奴
趙恭妻 明 見劉氏
趙栻和王 宋 285- 39-246
382-129- 17
395-114-190
趙栻女 宋 見趙氏
趙栱鄆王 宋 382-129- 17
趙員明 528-450- 29
趙原趙元 元～明
493-1057- 56
511-865-170
821-314- 54
趙原明(鉅野人) 537-245- 55
趙原明(贊皇人) 545-404- 98
趙珪元(河間人) 540-660- 27
趙珪元(字君璋) 1201-672- 25
趙珪趙實喇薩哈勒圖 元(字君寶) 1206-146- 16
趙珪明(鄞縣人) 510-446-117
趙珪明(崇德人) 1229-260- 8
趙珝唐 275-563-189
277-136- 14
279-267- 42
384-285- 15
396-272-275
477-452-171
537-578- 60
1408-472-526
趙珝明 見趙玒
趙珣宋 286-284-323
397-425-345
478-670-209
674-661- 7
趙珣趙之璧 明 820-747- 44
821-456- 57
趙珣清 537-232- 54
趙哲明(字民彝) 516- 68- 89
趙哲明(字用哲) 1236-801- 13
趙哲女 明 見趙氏
趙桂元 494-345- 7
趙桂妻 清 見楊氏
趙桓宋 見宋欽宗
趙栩濟王 宋 285- 38-246
382-128- 17
395-113-190
552- 62- 19
趙桐宋 382-130- 17
趙格金 472-604- 25
趙晉女 元 見趙氏
趙晉明 554-816- 63
趙昚宋 見宋孝宗
趙書明 523-106-150
趙陞明 529-686- 50
趙珜漢 473-446- 68
559-359- 8
趙琉趙虎童 宋 451- 54- 2
趙琉明 見趙瑤
趙珮清 511-658-162
趙起北齊 263-212- 25

十四畫 趙

267-169- 55
379-465-154
505-761- 72
趙軏明 547-112-145
趙軏妻 明 見周氏
趙郡明 523-234-156
趙狦清 477- 89-153
538- 71- 63
558-414- 37
趙袁元 1202- 60- 5
趙振宋 286-283-323
397-424-345
472- 54- 2
472-913- 36
474-240- 12
478-570-203
505-732- 71
558-206- 32
趙振金 547- 58-143
趙時明 554-252- 52
559-381-9上
1458-461-448
趙時女 清 見趙氏
趙晁宋 285-135-254
396-483-299
472- 93- 3
趙恩宋 見趙嗣恩
趙晏唐 820-243- 28
趙荆宋 563-693- 39
趙剛北周 263-674- 33
267-386- 69
379-664-159
477-309-164
544-215- 62
933-593- 38
趙剛女 明 見趙氏
趙豹平陽君 戰國 405-219- 70
544-196- 62
趙朓宋 371- 3- 1
趙娥龐娥親 漢 龐子夏妻、趙安女、趙君安女、龐淯母
253-633-114
254-347- 18
381- 45-185
386-205- 78
452-108- 3
472-946- 37
478-728-212
558-570- 43
558-697- 48
1408-487-528
趙娥漢 趙萬妻 473-457- 68
481-185-300
559-457-11上
趙矩元 472-127- 4
趙倜徐王 宋 382-125- 17
384-364- 19
趙釗明 547- 74-143
趙俸明 483- 16-370
趙倫明 472-842- 33
537-213- 54
554-474-57上
趙卿元 533-310- 57
趙卿明 1283-311- 91
趙能明 456-504- 5
1250-495- 46
趙紞明 547-112-145
趙純明(字懷智) 1241-326- 1
趙純明(字朝正) 1241-856- 22
趙紓明 483-178-384
569-665- 19
趙邕後魏 262-321- 93
267-740- 92
381- 29-184
趙姬春秋 趙衰妻、晉文公女
404-763- 46
448- 22- 2
452- 78- 2
472-469- 20
趙修後魏 262-318- 93
267-739- 92
381- 27-184
趙俶明 299-300-137
472-1073- 45
479-237-227
524- 54-180
1220-341- 12
1442- 10-附1
1459-258- 5
趙淇元 821-287- 53
1207-198- 13
1367-666- 51
趙悰宋 460-292- 18
趙清明 511-584-159
546-407-128
563-803- 41
趙涯宋 515-755- 80
679-526-190
趙淮宋 288-336-450
400-192-515
451-238- 0
472-174- 6
473-360- 64
475- 18- 49
475-277- 63
475-367- 67
475-700- 86
480-510-281
492-531-13上之中
510-285-112
511-455-154
533-402- 61
1366-932- 4
趙淮妻 宋 見翠蓮
趙淮妻 宋 見綠雲
趙淮明 559-307-7上
趙商漢 538- 25- 62
趙惇宋 見宋光宗
趙惇妻 清 見董氏
趙密宋 287- 81-370
398-142-374
449-476-上12
472-437- 19
476- 41- 98
545-647-106
趙密元 1214-184- 15
趙淵宋 540-765-28之2
趙淵明(字澤明) 524-258-191
趙淵明(字廣洋) 1248-492- 23
趙章戰國 544-196- 62
趙章宋 451-226- 0
趙章明 494- 42- 3
523-216-156
趙許元 1208-598- 24
趙庸元 1197-705- 73
趙庸明 299-205-129
475-707- 86
511-413-152
563-846- 41
趙祥元 1201-591- 18
1367-836- 64
1373-191- 14
趙宲明 456-575- 8
趙淑明 周本恭妻、趙孟德女
524-663-210
1223-583- 11
趙訥唐 523- 72-149
趙訥明 476-184-106
546-669-137
676-589- 24
趙康漢 376-767-109上
477-368-167
533-738- 73
趙康唐 483- 94-378
494-152- 5
趙庾明 1442-111-附7
趙袞宋 491-254- 31
1437- 14- 1
趙球宋 493-741- 41
趙瑀金 見趙晦
趙梅金 1200-637- 48
趙埝明 見趙琬
趙陚漢 820- 33- 22
趙理妻 明 見張氏
趙基宋 1146-141- 91
趙培明 572-110- 30
趙乾明 480-127-264
趙奢馬服君 戰國 244-509- 81
371-603- 51
375-946- 94
384- 28- 1
405-205- 69
469-482- 58
472- 87- 3
505-759- 72
545-382- 97
933-590- 38
趙奢妻 戰國 趙括母
448- 34- 3
452- 84- 2
506-125- 89
547-275-152
趙規金 478-336-191
趙都漢 554-742- 62
趙埏明 559-282- 6
趙梓明 545-401- 98
趙𡒄宋 285- 40-246
395-115-190
趙彬妻 元 見朱錦哥
趙彬明(謚節愍) 456-574- 8
趙彬明(洛陽人) 480-404-277
趙彬女 明 見趙氏

趙班宋 371- 3- 1
趙珽明 302- 42-291
456-459- 4
474-306- 16
479-186-225
523-378-164
趙敔明 475-225- 61
479-452-237
511-148-142
515- 41- 58
趙捷明 515-111- 60
570-124-21之1
趙連明 523-418-166
趙通明 483-171-383
570-148-21之2
趙通清 456-339- 76
趙晦趙珻、鄭晦 金
545-420- 98
546-723-139
820-477- 36
1365-292- 9
1445-526- 40
趙晦明 564-143- 45
趙晟元 1214-135- 11
1373-278- 19
趙晟明 456-676- 11
趙崇明 1271-782- 6
趙貫北朝 933-593- 38
趙堂明 502-784- 87
趙卨宋 286-413-332
382-590- 91
384-374- 19
397-517-351
427-259- 7
472-913- 36
472-922- 36
473-536- 72
478-167-182
478-433-196
478-572-203
481-361-310
554-147- 51
558-210- 32
559-387-9上
趙野宋 286-675-352
397-722-363
趙野元 472-409- 18
510-398-115
趙野妻 元 見柳氏
趙崡明 554-850- 63
683-455- 附
820-737- 44
1442- 90-附6
1460-513- 65
趙晨宋 400-180-514
481-361-310
趙釴明 511-256-146
1442- 58-附3
1460-172- 48
趙偲越王 宋 285- 36-246
382-127- 17
384-364- 19
544-234- 63
趙貨宋 559-265- 6
趙紱明 456-585- 8
546-370-127
趙偕元 523-592-175
1469-260- 47
趙偁宋 494-321- 6
趙猛北齊 263-374- 48
267-557- 80
380- 22-165
趙絅明 554-312- 53
趙偃唐 820-210- 28
趙偉儀王 宋 382-125- 17
384-364- 19
趙偉明 540-649- 27
545-845-113
趙統明 545-192- 90
554-849- 63
趙紳女 宋 見趙氏
趙紳明(字以行) 302-145-296
479-238-227
524-135-185
趙紳明(歷城人) 540-787-28之3
545- 68- 85
趙第明 趙國眞女 1235-615-21
趙敏明(字子聰) 458- 56- 2
477-418-169
538- 66- 63
820-615- 41
821-386- 56
趙敏明(寧海人) 473-144- 56
515-150- 61
趙健明 511-307-148
545-120- 86
554-220- 52
趙造戰國 405-197- 69
趙逢宋 285-349-270
396-625-311
472-154- 5
481-153-298
505-779- 73
趙滋宋(字子深) 286-305-324
371-190- 19
397-436-345
472- 51- 2
472-662- 27
474-236- 12
474-651- 34
475-869- 95
476-222-108
476-476-125
476-913-148
477- 78-152
478-544-202
537-392- 57
540-652- 27
545-329- 95
趙滋宋(字道卿) 1122-410- 30
趙滋金 820-481- 36
821-275- 52
1191-272- 24
1365-350- 10
1445-555- 43
趙渢趙諷 金 291-710-126
400-691-566
472-557- 23
476-825-143
540-768-28之2
676-696- 29
820-478- 36
1365-123- 4
1439- 5- 0
1445-328- 21
趙斌明 558-340- 35
趙富明 483-321-396
571-547- 20
趙富妻 清 見孫氏
趙湘宋(字巨源) 286- 19-303
397-230-333
472-839- 33
478-346-191
481- 67-293
528-437- 29
545-366- 97
554-462- 56
1437- 8- 1
趙湘宋(字叔靈) 1088-399- 45
趙童明 480-209-267
533-761- 74
趙善北周 263-681- 34
267-228- 59
379-522-156
472-896- 35
476-279-111
478-517-200
535-556- 20
544-214- 62
546-167-120
552- 37- 18
558-305- 34
933-593- 38
趙善明 554-347- 54
趙翔明 546- 89-118
趙普眞定王、韓王 宋
285-155-256
371- 38- 4
382-177- 26
384-323- 17
384-331- 17
396-496-300
449- 4- 1
450- 2-上1
471-816- 32
471-913- 47
472- 32- 1
472-401- 18
472-739- 29
472-765- 30
474-175- 8
475-796- 90
505-715- 71
510-484-118
538-325- 69
552- 69- 19
674-294-4下
674-812- 17
708-324- 50
820-329- 32
933-595- 38
1437- 7- 1

趙曾唐 820-285- 30
趙曾明 1375- 38- 下
趙渾明 563-822- 41
趙溉元 472-925- 36
478-170-182
554-470- 56
趙湛明 456-682- 11
趙愉宋 見趙愔
趙渙趙同麟 元 821-319- 54
1221-696- 29
1369-340- 8
1439-443- 2
趙竦宋 820-407- 34
趙敦漢 591-577- 43
趙雲蜀漢 254-601- 6
377-260-118上
384- 75- 4
384-444- 9
459-288- 17
472- 87- 3
474-373- 19
505-746- 72
559-241- 6
933-592- 38
趙雲宋 524-156-186
趙雲明 456-618- 9
515-724- 79
趙雲妻 明 見于氏
趙琮明(瀘州人) 554-284- 53
趙琮明(字伯裕) 678-477-115
趙越宋 1127-538- 14
趙越明 559-308-7上
趙惎唐 820-213- 28
趙博漢 478-514-200
趙博明(河南人) 528-451- 29
趙博明(字德厚) 1261-721- 31
趙棫益王 宋 382-128- 17
趙閎漢 473-446- 68
559-359- 8
879-158-58上
趙巽趙潼孫 宋 451- 95- 3
趙賀宋 285-794-301
397-213-332
472-196- 7
472-661- 27
473-427- 67
475- 16- 49
476-656-135
477-208-159
481- 67-293
486- 47- 2
493-766- 42
510-281-112
537-390- 57
540-646- 27
545-116- 86
趙隇金 291-191- 81
399-143-429
474-736- 40
502-363- 62
趙琚唐 1072-258- 12
趙壹漢 253-558-110下
380-342-175
402-529- 15
471-1063- 70
472-894- 35
478-697-210
558-469- 39
933-592- 38
1078-271- 1
趙喜漢 402-567- 19
趙植唐 478-390-193
554-585- 58
趙植莘王 宋 382-129- 17
395-113-190
493-645- 35
趙植金 見趙質
趙植清 505-898- 80
趙朝春秋 404-771- 47
545-164- 89
933-590- 38
趙朝妻 明 見林淑德
趙雄宋 287-423-396
398-418-391
471-1020- 63
473-298- 62
473-434- 67
480-240-269
481-387-312
532-666- 44
559-399-9上
585-588- 23
591-115- 8
591-566- 42
趙雄女 宋 見趙氏
趙隆宋(字子漸) 286-654-350
382-675-104
397-706-362
472-897- 35
478-482-199
478-653-207
478-698-210
558-171- 31
558-393- 36
933-599- 38
趙隆宋(字夷仲) 1099-757- 13
趙登明 301-740-281
481-438-316
523-118-151
559-277- 6
趙琬元 295-577-194
400-255-521
472-1102- 47
479-286-230
523-171-154
趙琬趙埝 明(謚節愍)
456-521- 6
趙琬明(武進人) 472-262- 10
1242-744- 5
趙琦明 483- 34-371
570-112-21之1
趙琦妻 清 見韓氏
趙琥明 516- 77- 90
趙堯漢 244-632- 96
250-151- 42
384- 37- 2
1408-267-506
趙椅宋 382-130- 17
趙肅乙弗肅 北周 263-720- 37
267-396- 70
379-671-159
477-308-164
537-491- 59
933-593- 38
趙開宋 287-135-374
398-190-377
450-447-中32
473-446- 68
473-505- 71
477- 92-153
481-153-298
481-335-308
554-202- 52
559-247- 6
559-280- 6
559-391-9上
591-623- 45
趙弼元 554-468- 56
1206-397- 2
趙弼明(字輔之) 460-793- 84
529-741- 51
532-624- 43
676-134- 5
1375- 38- 下
趙弼明(字廷直) 483- 96-378
494-165- 6
570-117-21之1
趙弼明(字子良) 515-703- 79
1275-322- 15
趙彭晉 477-371-167
趙陽春秋 404-828- 51
趙琰漢 554-432- 56
趙琰後魏 262-251- 86
266-698- 34
380-117-167
547-171-147
933-593- 38
趙琳宋 493-964- 51
趙琳妻 明 見宋氏
趙森妻 明 見葉氏
趙楗宋 382-129- 17
趙棟宋 382-130- 17
趙棟妻 清 見董氏
趙棣徐王 宋 285- 39-246
382-129- 17
395-113-190
544-233- 63
趙梃宋 382-129- 17
趙臬宋 820-448- 35
趙逵吳 384- 81- 4
趙逵宋 287-231-381
398-264-382
471-1020- 63
473-434- 67
481-386-312
559-399-9上
561-571- 45
591-562- 42
592-300- 79
592-598- 99
674-845- 18
1142-189- 23

趙黑趙海、趙默 後魏　262-328- 94
　267-744- 92
　380-500-179
　472-719- 28
趙景唐　546-182-121
趙景妻 明　見黃氏
趙貴乙弗貴 北周　263-528- 16
　267-228- 59
　379-521-156
　472-896- 35
　476-280-111
　546-166-120
　552- 31- 18
　558-305- 34
趙貴明(遵化知縣)　472- 27- 1
趙貴明(灤州人)　563-924- 43
趙貴明(鎮寧州守)　571-540- 20
趙貴妻 明　見胡氏
趙峒宋　472-998- 40
　523-563-174
趙嵓趙巖 後梁　812-523- 2
　813-103- 6
　821-107- 49
趙既妻 明　見徐氏
趙鄂唐　554-904- 64
趙棠宋　473-360- 64
　480-510-281
　533-260- 55
趙棠宋　見顯化禪師
趙棠遼　474-241- 12
趙順妻 清　見張氏
趙智明(鉅鹿人)　302-154-297
　474-411- 20
　505-909- 81
趙智明(江寧人)　481-720-333
趙喬後梁　821-109- 49
趙備明　524-360-196
　821-476- 58
趙絳宋　473-737- 82
　563-696- 39
趙勝邯鄲勝、趙須子 春秋　404-771- 47
趙勝平原君 戰國　244-466- 76
　371-573- 46
　375-934- 94
　384- 27- 1
　405-220- 70

　472- 87- 3
　472-112- 4
　505-758- 72
　506-425-102
　933-590- 38
　1408-180-499
趙勝明　299-742-173
　453-157- 15
趙欽宋　559-361- 8
趙象明　511-302-148
趙逸後魏　261-701- 52
　266-698- 34
　379-159-148
　478-697-210
　558-387- 36
　933-592- 38
趙進明(翼城人)　545-782-111
趙進明(垣曲人)　547-115-145
趙逯明　301-760-282
　458-812- 6
　1267-499- 6
趙傑明(義民)　547- 80-144
趙傑明(字子奇)　1253- 14- 40
趙傑女 清　見趙氏
趙燊唐　473-583- 75
　528-480- 30
趙燊元　1221-640- 24
趙復唐　476-111-102
　545-359- 96
　820-207- 28
趙復趙成珠 宋　451- 88- 3
趙復宋　見宋汝為
趙復元　295-521-189
　400-567-552
　453-764- 1
　459-125- 8
　472- 28- 1
　473-270- 61
　474-189- 9
　479-608-244
　480-204-267
　505-928- 84
　516-126- 92
　533-200- 53
　539-506-11之2
　1201-440- 4
　1439-420-附1
趙復明(字無疾)　460-571- 57

　529-762- 53
趙復明(浙江鄞人)　540-649- 27
趙溥明　524-145-185
趙義明　554-706- 61
趙溍宋　676-314- 11
趙溫漢　252-676- 57
　370-206- 21
　376-650-107上
　402-429- 8
　472-824- 33
　481- 74-294
　481-113-296
　559-271- 6
　591-516- 41
　933-591- 38
趙溫後魏　261-701- 52
　266-698- 34
　933-592- 38
趙滔唐　820-216- 28
趙滄趙為滄 明　524-151-185
趙靖元　510-312-113
趙潤趙幡、趙曦、趙與愿 宋　285- 43-246
　395-117-190
　585-516- 17
　819-594- 20
趙潤妻 宋　見傅氏
趙亶宋　見宋欽宗
趙雍宋　473-536- 72
　559-311-7上
趙雍元　494-323- 6
　494-414- 12
　494-474- 18
　494-523- 25
　524- 33-179
　820-491- 37
　821-284- 53
　1439-441- 2
　1468-370- 18
趙雍明　529-454- 43
趙雍女 明　見趙淑端
趙裔女 劉宋　見趙安宗
趙裔宋　812-552- 4
　821-170- 50
　839- 58- 5
趙裕明　559-288-7上
趙裕妻 明　見孟氏
趙裕清　540-872-28之4

趙褆妻 明　見劉雲瓊
趙憕趙愉 宋　285- 41-246
　395-116-190
趙愷慶王、魏王 宋　285- 42-246
　395-116-190
　475-604- 81
　479-174-225
　510-434-116
　535-557- 20
趙愷妻 宋　見韋氏
趙愷明(重慶同知)　481- 71-293
趙愷明(尋甸人)　483- 16-370
　494-169- 6
　570-127-21之1
趙愷明(清水人)　545-463-100
趙準女 明　見趙氏
趙準妻 清　見何氏
趙新明(字彥銘)　452-258- 8
　472-1118- 48
　525-472-240
　676- 84- 3
　680-305-256
趙新明(字日新)　515- 35- 58
　523-261-158
趙煇趙輝 明　302- 42-291
　456-521- 6
　474-169- 8
　476-402-119
　546-609-135
趙廉宋　821-204- 51
趙廉明(慈利人)　533-294- 56
趙廉明(湖州人)　821-363- 55
趙楪妻 清　見穆氏
趙煥宋　見趙楷
趙煥明　300-704-225
　523-121-151
　540-814-28之3
趙頊宋　見宋神宗
趙頊明　1375- 27- 上
趙資女 宋　見趙氏
趙資元　481- 23-291
　559-523- 12
趙資明　554-343- 54
趙資妻 明　見段氏
趙塤明　510-481-118
　523-467-169
　563-802- 41

567-128- 67
1467-107- 65
趙載趙君琰 明 546-601-135
趙輈妻 明 見段氏
趙戣宋 1375- 13- 上
趙雷元 524-299-193
趙瑁明 458-167- 8
472-752- 29
473-738- 82
537-516- 59
趙瑝父 唐 1066-217- 20
趙椿漢王 宋 382-129- 17
395-114-190
趙楷趙煥、鄆王 宋
285- 38-246
382-128- 17
395-112-190
535-557- 20
趙楷明(龍州人) 302-609-319
趙楷明(欒亭人) 505-924- 83
趙楷明(鳳陽知縣) 510-473-117
趙楷明(字憲吾) 559-381-9上
趙楷明(字宗範) 820-595- 40
趙楃宋 382-129- 17
552- 62- 19
趙瑋宋 見宋孝宗
趙瑋清 540-866-28之4
趙瑞元 1194-261- 20
趙瑞妻 明 見張氏
趙瑜宋 285-362-270
趙瑜女 明 見趙惠果
趙輗明 476-208-107
546-202-122
趙幹唐～宋(江寧人)
812-465- 2
812-551- 4
813-135- 11
821-118- 49
趙幹宋(天水人) 1104-429- 37
趙幹明 482-559-369
569-657- 19
趙楠金 546-187-121
趙楠明 302- 16-289
479-491-239
515-388- 68
趙楫荊王 宋 382-128- 17
趙楫元 1202- 60- 5
趙楫明(山陰人) 554-220- 52
趙楫明(濟寧人) 554-258- 52
趙楞沂王 宋 285- 39--246
382-129- 17
395-114-190
趙群唐 1076-452- 上
趙瑟明 537-290- 55
趙勤漢 370-187- 18
402-410- 6
趙瑛金 547- 86-144
趙瑛明 472-721- 28
1240-586- 1
趙瑗宋 見宋孝宗
趙瑗妻 明 見李氏
趙彀元 820-533- 38
趙楗宋 552- 63- 19
趙楧宋 382-129- 17
趙達吳 254-904- 18
380-597-182
384-518- 23
386-116-72下
472-743- 29
. 477-308-164
493-1062- 56
538-357- 71
933-592- 38
趙達後魏 544-215- 62
趙達明 1234-293- 46
趙達清 456-339- 76
趙遐後魏 261-702- 52
趙槩母 宋 見高氏
趙槩宋 286-223-318
382-459- 71
384-353- 18
397-382-342
449-173- 3
450-169-上20
472-290- 12
472-401- 18
472-545- 23
472-682- 27
473- 13- 49
475-796- 90
476-657-135
476-817-143
477-129-155
479-482-239
493-699- 39
510-484-118
511-901-172
515- 81- 59
517-292-123
537-426- 58
540-647- 27
708-336- 50
933-597- 38
1089- 52- 6
1093-442- 60
1104-431- 37
1108-408- 87
1351-682-148
1356- 99- 5
1437- 13- 1
趙萬妻 漢 見趙娥
趙熙清 511-621-160
趙煦後魏 262-252- 86
趙煦宋 見宋哲宗
趙署妻 明 見張氏
趙嵩漢 554-745- 62
879-181-58下
趙嵩妻 漢 見張禮修
趙鼎母 宋 見樊氏
趙鼎宋 286-765-360
398- 25-368
449-547-下4
459-592- 35
471-625- 6
471-630- 7
471-667- 12
471-673- 13
471-722- 19
471-842- 36
471-892- 43
471-1059- 69
472-173- 6
472-466- 20
472-893- 35
472-1067- 45
473- 14- 49
473-654- 78
473-701- 80
473-738- 82
475- 69- 52
475-119- 55
476-400-119
479-224-227
481-559-327
481-582-328
481-618-329
482-144-344
482-269-350
486- 52- 2
488-423- 14
494-270- 2
510-311-113
515- 15- 57
523-149-153
524-333-195
528-481- 30
529-754- 52
544-234- 63
546-570-134
549-662-205
550-370-221
558-229- 32
563-906- 43
564-715- 59
674-342-5下
1128-767- 10
1437- 21- 2
趙鼎女 宋 見趙氏
趙鼎金(字宜之) 476-310-113
趙鼎金(字德新) 1365-272- 8
1439- 5- 附
1445-498- 37
趙鼎明 見王鼎
趙暉後周 278-388-125
趙鄖宋 480- 87-262
趙暘宋 479-561-242
516-210- 96
1437- 23- 2
趙暘妻 清 見張氏
趙葭春秋 404-794- 48
546-431-129
趙葵宋 287-685-417
398-628-408
408-980- 3
473-212- 59
473-360- 64
475-367- 67
475-700- 86
475-796- 90
480- 12-257
480-510-281
488- 14- 1

472-106- 4
474-174- 8
505-714- 71
933-595- 38
趙鳳後周 278-423-129
趙鳳元 820-492- 37
821-284- 53
趙僎唐 820-180- 27
趙銘明 558-350- 35
趙銓明 516-516-106
趙銓妻 明 見朱氏
趙銓妻 清 見陳氏
趙僴冀王 宋 382-125- 17
384-364- 19
趙綰漢 546- 2-115
675-277- 11
趙綽隋 264-912- 62
267-517- 77
379-837-163
384-154- 8
472-463- 20
476-117-102
546-259-123
933-593- 38
趙綱明 1442- 70-附4
1460-338- 55
趙維宋 544-232- 63
趙綢宋 528-474- 30
趙綸宋(字子徵) 515-104- 60
趙綸宋(字君任) 1173-148- 73
趙寬元 1214-218- 18
趙寬明(字栗夫) 472-231- 8
493-1035- 54
511-738-165
523- 44-148
676-515- 20
820-638- 41
1256-428- 28
1386-431- 45
1442- 35-附2
1459-737- 29
趙寬明(垣曲人) 505-650- 68
趙寬明(字子裕) 1243-375- 22
趙澐妻 明 見于氏
趙澍明 515-697- 78
569-672- 19
趙諒元 1196-536- 3
趙廣蜀漢 505-851- 77
趙廣宋(閬中推官) 400-180-514
481-154-298
趙廣宋(廬州人) 400-295-524
475-704- 86
趙廣宋(合肥人) 511-883-171
821-256- 52
趙廣妻 明 見章氏
趙瑩後晉 278-112- 89
279-369- 56
396-444-296
548-125-165
554-933- 64
趙瑩清 1320-727- 79
趙瑩妻 清 見劉氏
趙憬唐 270-633-138
275-147-150
384-229- 12
395-748-249
472-897- 35
478-517-200
480- 48-259
532-566- 40
558-306- 34
933-594- 38
1341-649-886
趙澄元(字子玉) 1200-564- 43
趙澄元(字公靖) 1200-770- 59
趙澄明 547- 43-142
趙潛明 1289-303- 20
1458-700-472
趙潘元 472-904- 36
558-176- 31
趙熠清 561-206-38之1
趙鄰宋 384-335- 17
趙潗宋 523-116-151
趙毅明 472-795- 31
820-587- 40
趙談漢 251-168- 93
381- 3-184
趙慶宋 1093-445- 60
趙廞晉 560-599-29下
趙慧明 302-154-297
趙璁妻 明 見從二姑
趙慤金(謚忠愍) 502-710- 82
趙慤金(字叔通) 1365-270- 8
1439- 3- 附
1445-496- 37
趙賢明 458-162- 8
477-419-169
480-243-269
537-567- 60
1297-112- 9
趙霄宋 523-625-177
1123-664- 7
趙瑾明 554-312- 53
趙增清 476-588-131
540-857-28之4
趙璋元 554-758- 62
趙瑺明 460-692- 72
趙鞏宋 451- 23- 0
524- 4-178
趙鞏元 523-500-170
528-507- 31
趙樞肅王 宋 285- 38-246
382-128- 17
395-113-190
493-644- 35
趙樞女 宋 見趙氏
趙璉元 295-576-194
400-255-521
472-291- 12
472-963- 38
475-368- 67
479- 43-218
510-286-112
511-461-154
523- 80-149
537-237- 55
趙璉明(字宗商) 528-561- 32
趙璉明(歸德人) 554-309- 53
趙璉明(字士英) 1255-412- 46
趙震梁 559-363- 8
趙霆宋 484-101- 3
820-406- 34
趙穀唐 820-272- 29
趙穀明 821-483- 58
趙趣明 302- 11-289
481-439-316
趙趣女 明 見趙氏
趙模唐 813-229- 4
820-140- 26
趙模祁王 宋 382-129- 17
544-232- 63
趙模明 1237-238- 4
趙樅宋 382-130- 17
趙遷明 676-134- 5
趙輝明 見趙煇
趙輝妻 明 見寶慶公主
趙稹趙積 宋 285-604-288
371-104- 10
382-342- 54
384-354- 18
397- 76-324
472-359- 15
472-852- 33
473-426- 67
475-607- 81
481- 67-293
493-741- 41
511-296-148
554-238- 52
559-263- 6
1090- 70- 13
1095-760- 41
趙億宋 1128-269- 27
趙儀明 570-117-21之1
趙德唐 471-842- 36
473-701- 80
482-141-344
564- 24- 44
趙德宋 473- 23- 49
515-340- 67
680-213-245
趙德明 547- 18-141
趙質趙植 金 291-721-127
401- 35-572
472-144- 5
499-429-159
1200-637- 48
趙質元 554-758- 62
趙畿明 511-351-149
趙魯明 524-258-191
趙銳清 540-860-28之4
趙緯明 523-101-150
533-210- 53
趙篯宋 515-119- 60
趙憲妻 晉 見玹何
趙諴趙誠 宋 473-297- 62
480-340-273
529-527- 45
趙諷金 見趙渢
趙熾後魏 262-329- 94
趙熼明 456-547- 7
趙澧明 1467-197- 69

趙龍明(字浴菴) 510-395-115
趙龍明(字虞臣) 1269-461- 7
趙龍女 明 見趙氏
趙禥宋 見宋度宗
趙澤妻 明 見溫氏
趙諶宋 285- 40-246
382-130- 17
395-115-190
544-233- 63
趙燁宋 1157-720- 15
趙檖清 474-411- 20
505-910- 81
趙璜金 見趙思文
趙璜明 300-190-194
472-521- 22
476-479-125
479-723-250
515-682- 78
540-619- 27
676-523- 21
趙璟元 1232-435- 4
1232-444- 5
趙璟妻 明 見李善緣
趙憙趙熹 漢 252-660- 56
370-148- 13
376-639-107上
384- 58- 3
402-379- 4
402-568- 19
472-518- 22
472-716- 28
472-769- 30
476-515-127
477-241-161
477-365-167
537-284- 55
537-535- 59
540-621- 27
933-591- 38
趙橞宋 382-130- 17
趙樾宋 382-129- 17
趙樵宋 563-710- 39
趙機宋 382-129- 17
趙機金 1200-637- 48
趙熹漢 見趙憙
趙燕戰國 405-197- 69
趙頵益王、趙仲格、魏王 宋
285- 35-246
382-125- 16
384-360- 18
395-111-190
544-234- 63
552- 63- 19
813-199- 20
813-217- 2
819-593- 20
1100-552- 53
趙頵妻 宋 見王氏
趙璚明 479-435-236
趙璠宋 480-511-281
533-262- 55
趙璠清 554-539-57下
趙整晉 見道整
趙整明 494- 55- 2
1255-625- 65
趙翰明 554-313- 53
趙璘唐 273- 92- 59
趙璘女 唐 見趙氏
趙璘妻 明 見王氏
趙璘清 1314-527- 17
趙橚元 1439-430- 1
趙橚妻 元 見岳惟德
趙肅明(字玉鉉) 494- 56- 2
546-302-125
1243-382- 23
趙肅明(雞澤人) 505-874- 78
678-453-113
趙霖後梁 見趙巖
趙霖金 821-277- 52
趙璞明 494- 57- 2
趙操唐 554-902- 64
趙樸妻 清 見楊氏
趙遹宋 286-627-348
397-685-361
472-663- 27
477- 82-152
481-373-311
478-483-199
537-396- 57
559-397-9上
趙豫明 301-739-281
472-982- 39
475-176- 59
510-348-114
523-100-150
趙葳宋 1147-536- 50
趙默北朝 933-593- 38
趙默後魏 見趙黑
趙曇宋 見趙嗣昌
趙興南越王 漢(趙嬰齊子)
244-783-113
381-566-198
趙興漢(下邳人) 253- 70- 76
370-187- 18
趙興明 494- 42- 3
494- 45- 3
趙蕤唐 273- 90- 59
471-1013- 62
473-504- 71
481-334-308
561-205-38之1
561-582- 46
591-606- 44
592-486- 91
592-528- 94
592-630-101
趙蕃宋 288-269-445
400-679-563
473- 64- 51
479-710-250
480-508-281
480-563-284
515-870- 85
676-688- 29
1147-537- 50
1155-407- 5
1170-729- 32
1363-753-224
1437- 28- 2
趙曄漢 253-535-109下
380-269-172
402-460- 10
453-752- 3
472-1069- 45
479-228-227
486-303- 14
523-595-176
675-282- 11
933-592- 38
趙曄唐 271-511-187下
趙叡宋 1147-536- 50
趙遲明 302-587-318
趙積宋 見趙稹
趙翱唐 472-894- 35
趙錦明(字元樸) 300-465-210
475-215- 60
479-242-227
510-365-114
523-311-160
571-519- 19
趙錦明(分宜人) 515-509- 72
趙錦明(字文卿) 523-232-156
1272-439- 13
趙儒明 554-664- 60
559-292-7上
1269-461- 7
趙衡明 494- 56- 2
趙緯明 302-372-308
302-373-308
趙錫宋 515-145- 61
533-262- 55
趙穆晉 493-672- 37
趙穆元 1200-639- 48
趙勳明 479-821-256
515-276- 65
564-121- 45
676-562- 23
趙蹲宋 487-141- 9
趙應明 515-222- 63
趙濬宋 472-904- 36
趙謐明 554-760- 62
676-499- 19
趙禧明(益都貢) 545-155- 88
趙禧明(字念庭) 570-141-21之2
趙禧明(字景福) 570-146-21之2
571-552- 20
趙謙漢 252-676- 57
376-650-107上
402-502- 12
481- 74-294
591-516- 41
趙謙元(趙州人) 473-673- 79
563-713- 39
趙謙元(字和之) 1200-660- 49
趙謙元(贊皇人) 505-670- 69
趙謙元(樊川人) 510-426-116
趙謙明 456-658- 11
趙謙明 見趙撝謙
趙燦妻 清 見馮氏
趙聰明 533- 90- 49
趙輿金 1192-397- 35
趙壎明 301-814-285

479-681-248
515-540- 74
1318-341- 62
趙翼後魏 261-701- 52
540-655- 27
趙隱北齊 見趙彥深
趙隱唐 271-335-178
275-500-182
384-279- 14
396-231-272
472-838- 33
478-391-193
554-753- 62
933-594- 38
趙璐明 554-313- 53
趙舉宋 485-537- 1
趙臨漢 539-350- 8
趙臨女 漢 見趙合德
趙臨女 漢 見趙飛燕
趙臨明 472-559- 23
趙檜明 524-295-193
趙韓趙京翰 明 1475-475- 20
趙璩信王、趙伯玖 宋
285- 41-246
395-115-190
493-645- 35
趙薦宋 1098-196- 24
趙幬宋 見趙詢
趙嬰趙嬰齊、樓嬰 春秋
404-731- 45
趙曙宋 見宋英宗
趙邁宋 473-528- 72
559-318-7上
趙㠓宋 484-101- 3
488-418- 14
488-419- 14
趙繁宋 481-181-300
559-284-7上
趙總妻 明 見吳賢
趙矯明 529-659- 49
趙徽遼 289-669- 97
399- 59-422
472- 34- 1
474-513- 25
505-632- 67
505-718- 71
趙縱唐 472-912- 36
558-205- 32
趙顏潤王 宋 382-125- 16
384-360- 18
趙甕明 567-410- 84
趙禮漢 469-140- 15
511-645-162
趙禮元 1218-633- 2
趙禮明(南豐人) 473-100- 53
515-837- 84
趙禮明(知膠州) 476-726-138
540-657- 27
趙禮明(來安知縣) 510-486-118
趙禮妻 明 見耿氏
趙燿明 540-816-28之3
545-101- 86
趙邃明 524-637-209
趙謨明 477-420-169
538-111- 64
趙擴宋 見宋寧宗
趙攄金 1365-310- 9
1439- 4- 附
1445- 80- 3
趙燾清 479-176-225
523-361-163
趙璧宋 1200-638- 48
趙璧金 1192-397- 35
趙璧元(字寶仁) 295-168-159
399-474-464
472-484- 21
476-260-110
476-914-148
502-272- 55
537-206- 54
546- 85-117
1201-165- 80
1204-515- 19
1207-186- 12
趙璧元(兗州人) 472-677- 27
477-124-155
趙璧元(字國寶) 1192-587- 13
趙璧明(閩縣人) 592-484- 43
趙璧明(字希和) 529-657- 49
趙璧明(字子深) 554-348- 54
554-846- 63
趙璧明(慶陽衛右所千戶)
558-454- 38
趙璧明(字國珍) 564-150- 45
趙璧明(字藺完) 570-103-21之1
趙璧妻 明 見裴氏
趙璧妻 明 見劉道堅
趙璧清 524-141-185
趙璧妻 清 見胡氏
趙彝金 546-356-126
趙彝妻 元 見許巽貞
趙彝明(虹人) 299-403-146
472-207- 7
567- 9- 62
886-145-138
趙彝明(沁州人) 472-501- 21
趙彝明(萍鄉知縣) 515-121- 60
趙顒明 571-552- 20
趙顒妻 明 見陳氏
趙瞿漢 476-158-104
547-488-159
1059-292- 7
趙瞻宋 286-529-341
382-582- 90
384-373- 19
397-617-357
450-221-上27
472-495- 21
472-644- 26
472-840- 33
473-427- 67
476-112-102
467-366-117
477- 52-151
478-123-181
478-336-191
481-418-314
537-241- 55
545-239- 92
545-367- 97
554-651- 60
559-323-7上
592-566- 96
674-285-4下
679-429-180
933-598- 38
1100- 45- 41
1118-332- 17
趙鎮宋 481-745-334
趙鎔趙容 宋 285-330-268
371-101- 10
382-224- 33
384-333- 17
472-524- 22
474-336- 17
820-334- 32
趙鎔明 473-653- 78
趙鎔妻 明 見王氏
趙簡趙坤哥 宋 451- 76- 2
趙簡元 1197-860- 92
1202- 60- 5
趙簡清 476-419-120
547- 85-144
趙瀛明 523-104-150
554-498-57上
576-654- 5
趙識宋 589-298- 1
趙譔明 458-285- 9
482-562-369
483-331-397
570-108-21之1
571-549- 20
趙瀚清 476-430-121
478-339-191
546-334-126
趙譚元 見正寶
趙璽明(字允用) 518-784-161
趙璽明(寧夏人) 558-430- 37
趙鏊明 559-374- 8
趙鏊妻 清 見張氏
趙難北朝 267-175- 55
趙瓊妻 明 見文素延
趙贊趙美 宋(字元輔)
285-129-254
371-161- 16
401-307-609
472- 33- 1
474-175- 8
478-165-182
505-715- 71
545-173- 89
554-138- 51
趙贊宋(并州人) 288-567-470
401-132-587
趙鵬金 1200-689- 52
1200-771- 59
1373-416- 26
趙鏜宋 541-106- 31
趙鏜明(全椒知縣) 510-487-118
趙鏜明(字仲聲) 523-335-161
676-581- 24
趙鏞明 546-592-134

趙鯤明 478-246-186
540-814-28之3
554-253- 52
676-336- 12
趙繹劉宋 511-787-166
趙寶明 302-610-319
趙鷺唐 271-336-178
趙瓌唐 274-105- 83
趙瓌妻 唐 見常樂公主
趙瓌女 唐 見趙皇后
趙曦荊王 宋 382-121- 16
384-345- 18
趙耀明 472- 98- 3
505-830- 75
趙耀清 477-361-166
537-322- 56
趙覺趙子覺 宋 481-121-296
561-219-38之3
592-252- 75
843-671- 下
1437- 26- 2
趙覺妻 明 見召氏
趙犨唐 275-562-189
277-133- 14
279-266- 42
384-285- 15
384-310- 16
396-271-275
472-592- 24
472-658- 27
477-451-171
537-578- 60
1383-802- 73
1408-472-526
趙鶴明(字叔鳴) 472-1027- 42
475-377- 68
479-811-255
511-208-144
515-258- 65
523-191-155
676-526- 21
678-191- 88
680-233-247
1442- 39-附2
1454-360-123
1459-796- 32
趙鶴明(遼州人) 546-333-126
趙護漢 481- 64-293
559-257- 6
趙護明 570-247- 25
趙夔漢 472- 25- 1
趙夔宋 585-780- 7
1467-151- 67
趙夔明(錦州人) 510-481-118
趙夔明(字舜臣) 524-156-186
趙霸後魏 262-275- 89
267-668- 87
380-230-171
趙顥吳王、趙仲糺 宋
285- 34-246
382-124- 16
384-360- 18
395-110-190
493-644- 35
552- 61- 19
819-593- 20
趙躋妻 清 見張氏
趙響明 564-259- 47
趙鐤妻 清 見彭氏
趙鐸明 560-602-29下
趙襲漢 554-853- 63
812- 67- 下
812-230- 9
812-720- 3
814-225- 3
820- 31- 22
趙瓘明 1269-446- 7
趙權宋(當塗人) 511-636-161
趙權宋(義烏人) 523-558-174
趙驊唐 275-156-151
477-376-167
545-359- 96
趙鑑金 291-730-128
400-361-533
476-476-125
476-697-137
趙鑑明(字克正) 476-673-136
505-676- 69
540-795-28之3
趙鑑明(河南人) 554-342- 54
趙龕唐 821- 43- 46
趙儼魏 254-419- 23
377-191-116
472-653- 27
477- 62-151
477-407-169
537-593- 60
554-103- 50
趙儼元 820-502- 37
1222-255- 14
1226-344- 17
趙麟元 494-472- 18
820-492- 37
821-284- 53
1439-441- 2
趙麟明 472-587- 24
480-243-269
540-662- 27
趙麟妻 明 見張氏
趙讙吳讙 明 1229-702- 2
1229-704- 2
1229-705- 2
趙瓚清 505-916- 81
趙孍妻 清 見萬氏
趙巖趙霖 後梁 277-135- 14
279-267- 42
趙巖後梁 見趙嵓
趙巖明(堂邑人) 472-577- 24
476-617-133
540-805-28之3
趙巖明(字維石) 524-212-188
趙讓明(肥城人) 472-527- 22
476-826-143
趙讓明(桐鄉人) 532-669- 44
趙讓女 明 見趙氏
趙曮宋 285-236-262
396-549-303
趙曮宋 見宋理宗
趙曮宋 見趙詢
趙觀金 820-481- 36
趙黶春秋 404-828- 51
趙鑾明 473-303- 62
533-211- 53
569-650- 19
趙鸞元 許有壬妻、趙世延女
820-553- 39
1213-143- 11
趙鸞明 545-402- 98
趙一元明 678-466-114
趙一亨明 456-654- 11
546-333-126
趙一岩明 558-464- 38
趙一柱清 480- 89-262
523-393-164
531- 20- 首
533-378- 60
趙一貫明 472-588- 24
540-662- 27
趙一琴妻 明 見孫氏
趙一楠妻 明 見劉氏
趙一鳳妻 明 見尤氏
趙一德元 295-603-197
400-312-526
473- 23- 49
479-487-239
518-813-162
趙一韓明 475-710- 86
511-339-149
515-249- 64
趙一韓清 554-782- 62
趙一鶴明(大名知縣)
505-693- 70
趙一鶴明(事親至孝)
547- 83-144
趙一夔明 558-455- 38
趙九成明 524-361-196
趙九成妻 清 見劉氏
趙九思明 546-205-122
趙九筵明 456-680- 11
趙九齡宋 1124-257- 19
趙三在妻 明 見司氏
趙三娘明 何公保妻
530- 93- 56
趙三聘明 546-603-135
趙三聘妻 明 見劉氏
趙三撫宋 591-250- 20
趙三薦明 456-548- 7
515-250- 64
567-358- 80
趙三麒清 546-718-139
趙士永宋 544-234- 63
趙士玉妻 清 見英氏
趙士安宋 821-213- 51
趙士屹妻 宋 見王氏
趙士亨明 460-572- 57
481-586-328
529-671- 49
趙士礿宋 1181-765- 11
趙士旴宋 489-549- 43
趙士伻宋 552- 66- 19
趙士秀明 456-597- 9
趙士攸宋 544-235- 63

趙士表宋 821-198- 51
趙士虬宋 1094-721- 78
1410-522-734
趙士伷宋 552- 63- 19
趙士宥妻 宋 見張氏
趙士洞妻 宋 見劉氏
趙士彥明 456-483- 5
趙士春明 300-759-229
475-140- 56
511-115-140
趙士型宋 552- 67- 19
趙士英清 482-563-369
570-108-21之1
趙士衎宋 821-202- 51
趙士弅宋 1093-445- 60
趙士託宋 552- 63- 19
趙士眞宋 288-353-452
400-135-511
477-409-169
537-326- 56
趙士倞宋 1100-514- 48
趙士倞妻 宋 見曹氏
趙士紘妻 宋 見高氏
趙士叟宋 485-535- 1
趙士專妻 宋 見吳氏
趙士珸宋 見趙士晤
趙士陸宋 552- 63- 19
趙士掄妻 宋 見翟氏
趙士陴宋 473-503- 71
559-315-7上
591-706- 50
趙士晤趙士珸 宋
285- 52-247
395-102-189
481-582-328
505-631- 67
趙士峼宋 285- 53-247
395-103-189
趙士偉明 1240-781- 8
趙士健宋 552- 64- 19
趙士健妻 宋 見王氏
趙士從宋 285- 31-245
趙士註妻 宋 見李氏
趙士普妻 宋 見張氏
趙士訏趙士謣 宋
400-150-512
趙士喆明 540-834-28之3
1442-114-附7
趙士超明 見蔡士超
趙士登明 511-309-148
532-637- 43
趙士隆宋 見趙士嶐
趙士隆妻 宋 見翟氏
趙士鄄宋 544-235- 63
趙士鄄妻 宋 見石氏
趙士琙妻 宋 見杜氏
趙士棖宋 552- 67- 19
趙士踆宋 288-357-452
400-153-512
趙士貴妻 明 見李氏
趙士晴宋 見趙士皘
趙士幅宋 1100-488- 45
趙士崠宋 820-401- 34
821-178- 50
趙士腆宋 813-171- 16
821-198- 51
趙士犹妻 宋 見郭氏
趙士𢘸妻 宋 見孫氏
趙士歆宋 494-268- 2
趙士遒宋 288-353-452
400-135-511
479-604-244
515-243- 64
趙士雷宋 813-171- 16
821-197- 51
趙士達明 見陳士達
趙士蔿宋 552- 67- 19
趙士戢宋 552- 66- 19
趙士園宋 544-235- 63
趙士稔宋 567- 7- 62
趙士僅宋 見呂氏
趙士雋妻 宋 見侍其氏
趙士皘趙士晴 宋
285- 54- 247
395-103-189
552- 67- 19
趙士禎明 676-647- 26
趙士端明 511-437-153
趙士說宋 552- 62- 19
趙士臧妻 宋 見王氏
趙士際明 511-310-148
趙士嗢趙令瑋 宋
1100-533- 50
趙士綏子 宋 1100-563- 54
趙士魁妻 清 見張氏
趙士寬明 302- 53-292
456-553- 7
475-777- 89
510-482-118
540-834-28之3
趙士誎妻 宋 見楊氏
趙士璭宋 1100-542- 51
趙士嶐趙士隆、趙世嶐 宋
288-353-452
400-135-511
472-197- 7
473- 86- 52
475-743- 88
479-604-244
510-471-117
515-243- 64
538- 37- 63
趙士稷妻 宋 見孫氏
趙士澧妻 宋 見李氏
趙士謣宋 見趙士訏
趙士謣明 1319-179- 14
1442- 87-附5
1460-499- 64
趙士穎宋 1100-516- 48
趙士穎妻 宋 見王氏
趙士輵宋 285- 31-245
趙士選明 480-206-267
趙士髟趙士璨 宋484-105- 3
486- 53- 2
1135-421- 38
趙士戴妻 宋 見王氏
趙士靚宋 1100-530- 50
趙士璨宋 見趙士髟
趙士薦妻 宋 見劉氏
趙士縱宋 552- 63- 19
趙士醫宋 288-353-452
400-169-513
479- 92-221
523- 97-150
趙士歸妻 宋 見馬氏
趙士穠妻 宋 見魏氏
趙士儇宋 285- 53-247
395-102-189
473-600- 76
477- 84-152
481-679-331
529-756- 52
趙士鵬女 宋 見趙氏
趙士競妻 宋 見江氏
趙士瓐宋 552- 66- 19
趙士鐃妻 宋 見李氏
趙士爚宋 1100-524- 49
趙士轔清 474-238- 12
478-771-215
483- 48-372
505-662- 68
510-302-112
523- 67-149
570-136-21之2
趙士贛宋 552- 66- 19
趙士驥明 301-511-267
456-524- 6
趙子乙妻 宋 見王氏
趙子文明 1232-401- 2
趙子札宋 567- 7- 62
趙子木宋 481-693-332
528-538- 32
趙子安明 1229- 82- 7
趙子明妻 宋 見陳氏
趙子和宋 1118-308- 16
1118-314- 16
趙子厚宋 821-244- 52
趙子建宋 1100-532- 50
趙子高女 明 見趙卯秀
趙子砥宋 285- 48-247
395- 94-188
趙子修趙逐哥 宋
448-383- 0
448-408- 0
趙子寅宋 523-170-154
趙子湞宋 285- 46-247
395- 93-188
477-561-177
515- 17- 57
趙子深明 821-372- 55
趙子晝宋 285- 48-247
395- 94-188
479-358-233
493-707- 39
524-334-195
820-406- 34
1130-331- 33
趙子崧宋 285- 47-247
395- 93-188
473-689- 80
473-784- 85
477- 84-152

477-442-171
482- 91-342
482-468-363
567-437- 86
1467-149- 67
趙子偁秀王 宋 285- 15-244
395- 97-188
819-593- 20
趙子游宋 485-502- 9
趙子童五代 407-676- 5
趙子翔妻 宋 見李氏
趙子雲宋 552- 65- 19
821-214- 51
趙子琦宋 1100-499- 46
趙子琦妻 宋 見史氏
趙子發趙麒孫 宋
451- 74- 2
趙子閔妻 宋 見范氏
趙子買宋 1100-539- 51
趙子皓宋 1100-522- 49
趙子新妻 清 見屠氏
趙子甄宋 516-469-104
趙子綸妻 宋 見王氏
趙子澄宋 592-730-108
820-420- 34
821-213- 51
趙子潚趙子瀟 宋
285- 49-247
395- 98-188
478-761-215
479- 42-218
479-351-233
481-524-326
481-582-328
484-106- 3
523- 15-146
528-441- 29
528-482- 30
趙子賤妻 漢 見韓樹南
趙子嶙宋 472-998- 40
523-116-151
趙子縉妻 宋 見林氏
趙子禧明 570-123-21之1
820-639- 41
趙子濟宋 1100-563- 54
趙子翼金 見馮子翼
趙子瀟宋 見趙子潚
趙子櫟宋 285- 48-247
395- 94-188
477-499-174
趙子櫟妻 宋 見田氏
趙子蹸宋 1137-824- 4
趙子騫妻 宋 見杜氏
趙子騫妻 宋 見高氏
趙子獻妻 宋 見呂氏
趙子覺宋 見趙覺
趙子瓔妻 宋 見安氏
趙于京清 478- 94-180
537-307- 56
趙于宣明 456-498- 5
趙于渭明 456-498- 5
趙于磐明 456-498- 5
趙于藩明 456-498- 5
趙大主明 鄭世紹妻
530- 8- 54
趙大全宋 559-281- 6
趙大伊妻 清 見晁氏
趙大亨宋 821-257- 52
趙大佑明 523-320-161
571-522- 19
676-570- 23
1282-724- 55
趙大河明 511-393-151
趙大訥趙良勝 元
452- 18- 上
523-404-165
1210-469- 17
1224-595- 下
趙大復清 511-629-161
趙大資宋 561-500- 44
趙大勳妻 明 見楊氏
趙大鯨清 569-621-18下之2
趙上交趙遠 宋 285-235-262
396-548-303
472- 32- 1
505-716- 71
558-191- 31
趙山甫宋 821-222- 51
趙千里明 538- 82- 64
趙千里明 見趙之琰
趙千里妻 明 見盧氏
趙千倉清 456-340- 76
趙千乘明 570-162-21之2
趙心抃清 481-184-300
559-411-9下
561-663- 47
趙文子春秋 見趙武
趙文正妻 明 見劉氏
趙文吾妻 明 見何氏
趙文青元 676-699- 29
趙文表北周 263-679- 33
267-391- 69
267-813- 95
379-667-159
472-896- 35
478-247-186
554-569- 58
933-593- 38
趙文昌金(字公權) 472-623- 25
546-644-136
1365-277- 8
1439- 7- 附
趙文昌金(字當時)
1365-272- 8
1439- 6- 附
1445-499- 37
趙文昌元 540-625- 27
趙文炳明 474-411- 20
476-395-119
505-758- 72
540-628- 27
545-101- 86
趙文炳妻 清 見陳氏
趙文炳妻 清 見齊氏
趙文恪唐 269-506- 57
274-163- 88
395-251-203
544-227- 63
545-557-103
趙文度宋 288-728-482
趙文度女 明 見趙氏
趙文奎明 473- 15- 49
473-303- 62
510-456-117
515- 88- 59
563-822- 41
趙文奎清 456-389- 90
趙文哲清 475-186- 59
趙文起宋 見趙惟忠
趙文振妻 明 見劉氏
趙文宿明 483- 34-371
570-113-21之1
趙文淵北周 見趙文深
趙文深趙文淵 北周
263-816- 47
267-587- 82
380-327-174
472-772- 30
477-375-157
537-545- 59
684-473- 下
814-262- 8
820-122- 25
933-594- 38
趙文博明 299-609-162
476-333-115
478-404-194
546-406-128
554-313- 53
趙文華明 302-377-308
趙文傑明 473-268- 61
494- 25- 2
532-656- 44
554-341- 54
趙文義宋 288-381-454
400-183-514
473-234- 60
480-170-266
533-352- 59
趙文煜妻 清 見馮氏
趙文煥元 528-476- 30
趙文㬮清 540-864-28之4
趙文禎明 482-289-352
趙文韶明 524-232-189
趙文榮元 1194-690- 12
趙文輝元 1201-167- 80
趙文德明 524-237-189
趙文徵清 547-564-161
趙文澤宋 472-1054- 44
524-167-186
趙文耀明 547- 88-144
趙文顯元 1206-708- 6
趙之秀妻 清 見程氏
趙之庠明 554-310- 53
趙之屏明 561-202-38之1
趙之珩清 537-570- 60
趙之符清 474-188- 9
505-805- 74
趙之琴明 554-304- 53
趙之琰趙千里 明
483-139-380
570-155-21之2

十四畫 趙

趙之傑趙宗傑 金 496-401- 88
1365-271- 8
1439- 5- 附
1445-497- 37
趙之鼎清(字潔菴) 505-816- 74
趙之鼎清(蕭山人) 524-208-188
趙之葵明 456-660- 11
511-605-160
趙之福妻 清 見李氏
趙之璉清 481-695-332
528-546- 32
趙之璞明 456-489- 5
趙之隨清 540-868-28之4
趙之韓明 545-299- 94
趙之禮宋 559-399-9上
591-566- 42
趙之璧明 見趙珣
趙之璧妻 明 見种氏
趙之璧妻 明 見魏氏
趙之璿清 546-325-125
趙之璽明 476-298-112
趙云仡明 1442-128-附8
1460-867- 94
趙不尤宋 285- 55-247
395-104-189
567-438- 86
1467-151- 67
趙不忙女 宋 見趙氏
趙不迂宋 516-209- 96
趙不佟宋 544-233- 63
趙不泯宋 528-474- 30
1142-645- 9
趙不拙宋 592-619-100
1163-416- 14
趙不拙女 宋 見趙氏
趙不流宋 486- 54- 2
趙不柔宋 524-329-195
趙不侮宋 1132-272- 51
趙不悔女 宋 見趙紫眞
趙不悔趙犬子 宋
448-379- 0
448-406- 0
485-503- 9
趙不迹宋 486- 55- 2
494-306- 5
趙不惪趙不息 宋
285- 55-247
395-104-189
479-318-232
480-540-283
481- 70-293
494-268- 2
523-185-155
591-685- 47
1164-455- 26
趙不退宋 485-534- 1
趙不息宋 見趙不惪
趙不敵趙興宗 宋 448-382- 0
448-407- 0
趙不棄宋 285- 54-247
395-103-189
484-105- 3
486- 52- 2
趙不晦宋 1153-558-102
趙不偄妻 宋 見毛氏
趙不遌妻 宋 見向氏
趙不逿宋 515-866- 85
1181-766- 11
趙不試宋 288-290-447
400-160-513
472-694- 28
477-161-157
537-264- 55
趙不愧趙椿壽 宋
448-365- 0
448-405- 0
趙不搖宋 523-149-153
趙不群宋 285- 54-247
395-103-189
476-517-127
480-635-288
540-624- 27
趙不愆宋 517-356-125
趙不熄宋 493-717- 40
趙不慢宋 529-533- 45
趙不儔宋 494-267- 2
544-233- 63
趙不獨宋 1161-638-127
趙不懕女 宋 見趙善意
趙不黯宋 515-466- 71
趙犬子宋 見趙不悔
趙王九宋 見趙自然
趙王氏趙王軾童養媳 清
477-321-164
趙王軾童養媳 清 見趙王氏
趙王撫清 456-389- 80
趙王遷戰國 見趙幽繆王
趙元文妻 清 見吳氏
趙元吉妻 清 見宋氏
趙元有明 456-578- 8
480- 89-262
529-554- 45
533-364- 60
趙元老宋 見趙孟渾
趙元份商王、趙元俊、趙德嚴
宋 285- 21-245
382-117- 15
384-330- 17
395-100-189
552- 61- 19
趙元休宋 見宋眞宗
趙元亨妻 明 見方氏
趙元佐楚王、漢王、趙德崇
宋 285- 18-245
382-116- 15
384-330- 17
395- 99-188
544-232- 63
趙元伯後魏 547- 50-143
趙元長趙長元 宋
592-717-107
812-457- 1
812-536- 3
821-143- 50
趙元叔唐 559-389-9上
趙元昊西夏 見夏景宗
趙元侃宋 見宋眞宗
趙元恪隋 264-766- 46
趙元亮唐 見趙元
趙元彥妻 清 見李氏
趙元俊宋 見趙元份
趙元扆宋 見趙惟固
趙元淑隋 264-1000- 70
266-849- 41
379-711-160
556-734- 99
趙元偓密王、韓王、鎭王 宋
285- 23-245
382-118- 15
384-330- 17
395-106-189
535-557- 20
趙元偁楚王 宋 285- 24-245
382-119- 15
384-330- 17
395-107-189
819-593- 20
趙元善元 472-718- 28
趙元殖明 見趙允殖
趙元隆元 400-281-522
482-350-356
567-364- 81
1467-182- 68
趙元陽趙宜眞、趙原陽 明
479-735-250
516-442-104
1236-447- 3
趙元傑越王、趙德和 宋
285- 22-245
382-117- 15
384-330- 17
395-106-189
493-644- 35
819-593- 20
趙元靖元 821-330- 54
趙元楷隋 264-766- 64
267-482- 75
趙元楷妻 隋 見崔氏
趙元銘明 524-213-188
趙元僖趙德明 宋
285- 20-245
382-117- 15
384-330- 17
395-100-189
趙元緒宋 1118-836- 53
趙元諒元 1206-728- 8
趙元億崇王 宋 382-120- 15
384-331- 17
395-108-189
544-233- 63
趙元禮女 唐 見趙氏
趙元鎭宋 1147-573- 54
趙元齡元 523-153-153
趙元儼周王、荊王、燕王 宋
285- 25-245
382-119- 15
384-331- 17
395-107-189
812-531- 3
819-593- 20

1088-545- 58
趙孔昭明 474-410- 20
502-288- 56
505-758- 72
545- 96- 86
1283-131- 77
趙孔超清 481-674-331
趙孔曜魏 254-516- 29
趙尹振清 476-530-128
540-847-28之4
趙天民妻 明 見魏氏
趙天泰明 554-707- 61
趙天秩明 554-849- 63
1269-423- 6
趙天雷明 541- 98- 30
趙天福明 554-708- 61
趙天澤元 517-529-128
821-298- 53
趙天澤明 561-200-38之1
趙天錫元 295- 68-151
399-429-458
472-577- 24
476-616-133
1054-687- 20
1191-327- 29
1191-337- 30
1191-410- 35
趙天錫清 505-900- 80
趙天爵元 547-100-145
趙天騏趙天麒 清
476-419-120
546-341-126
趙天麒清 見趙天騏
趙天鑑明 473-777- 84
482-523-367
567- 83- 66
1467- 58- 64
趙天麟元～明 472-559- 23
472-679- 27
515-133- 61
538-318- 69
趙天麟妻 明 見方氏
趙木仲元 1215-597- 6
趙友士趙友仁、趙良士 明
460-798- 85
529-744- 51
676-466- 17
趙友仁明 見趙友士
趙友同明 472-240- 9
493-1032- 54
511-735-165
676-484- 18
820-595- 40
1237-296- 6
1238-212- 18
1386-695- 上
1442- 25-附2
趙友益明 547- 60-143
570-150-21之2
趙友桂明 1224-598- 下
1458-158-429
趙友能明 559-275- 6
570-213- 23
趙友欽趙敬、趙緣督 元
516-470-104
479-358-233
516-470-104
524-436-201
676-360- 13
1223-372- 5
1405-740-313
趙友煥趙炎祖 宋
451- 81- 2
趙友諒明 1239-165- 38
趙友蘭元 1439-432- 1
趙及第妻 清 見左氏
趙日亨明 482-562-369
570-107-21之1
趙日昌清 547- 48-142
趙日昇妻 明 見仝氏
趙日崇明 460-692- 72
趙日新明 460-692- 72
515-124- 60
趙日榮明 515-260- 65
趙日榮清 481- 82-294
趙日爌清 476-298-112
546-371-127
趙日躋明 538-119- 64
趙中行明 475-452- 71
511-695-163
趙中孚明 1229-662- 1
趙中德妻 清 見陳氏
趙毋恤戰國 見趙襄子
趙公及宋 見趙必樘
趙公升宋 1157-239- 17
趙公旦宋 473- 96- 53
515-183- 62
趙公用妻 宋 見方靜眞
趙公育宋 1147-788- 75
趙公佐明 524-145-185
趙公佑唐 1381-574- 42
趙公邵宋 544-235- 63
趙公恃妻 宋 見郭氏
趙公矜唐 1447-382- 18
趙公茂宋 1170-255- 13
趙公祐唐 554-904- 64
592-688-105
812-482- 上
812-521- 2
821- 81- 47
趙公峴宋 528-505- 31
趙公迥宋 528-549- 32
趙公偁宋 見趙公稱
趙公斌趙韓郎 宋
448-383- 0
趙公預宋 見趙公豫
趙公楷明 528-515- 31
趙公鉉宋 544-235- 63
趙公賓妻 宋 見李洞
趙公輔宋 473- 96- 53
515-183- 62
趙公碩宋 820-420- 34
趙公稱趙公偁 宋
479-792-254
515-267- 65
趙公綱宋 481-610-329
528-491- 30
趙公諒元 554-275- 53
554-470- 56
趙公廣宋 493-748- 41
510-328-113
趙公遷宋 491-436- 6
趙公緬宋 552- 67- 19
趙公豫趙公預 宋
493-951- 51
523- 78-149
1142-194- 附
趙公衡宋 1147-754- 71
1161-564-122
趙公懋趙寧哥 宋
448-382- 0
448-407- 0
趙丹林明 821-419- 56
趙仁本唐 269-797- 81
546-459-130
趙仁孝西夏 見夏仁宗
趙仁表元 1210-716- 19
趙仁政元 473- 96- 53
515-184- 62
趙仁傑金 502-781- 87
趙仁澤南唐 510-357-114
趙仁舉元 472- 86- 3
505-670- 69
趙化成女 宋 見趙氏
趙化龍明 821-483- 58
趙介如元 516- 45- 88
趙介胄宋 559-343- 8
趙允文明 523-154-153
趙允升宋 285- 19-245
395- 99-189
544-232- 63
544-233- 63
552- 62- 19
趙允光清 475-702- 86
510-466-117
趙允言宋 285- 20-245
395- 99-189
趙允亨明 554-286- 53
趙允良定王 宋 285- 26-245
552- 61- 19
1104-441- 38
趙允成宋 395- 99-189
趙允成妻 宋 見康氏
趙允宗宋 見趙允初
趙允初趙允宗 宋
285- 26-245
1095-398- 54
趙允昂妻 明 見趙氏
趙允迪宋 285- 26-245
1104-443- 38
趙允植明 見趙允殖
趙允殖趙元殖 明456-597- 9
474-742- 40
502-714- 83
趙允弼相王 宋 285- 24-245
395-107-189
1093-417- 57
趙允誠妻 宋 見呂氏
趙允寧信安王 宋
285- 22-245
395-100-189
819-593- 20

趙允讓濮王 宋 285-27-245
382-121-16
395-101-189
1092-733-70
趙玄祐宋 見趙祐
趙玄德趙德玄 唐
554-905-64
812-487-上
812-528-2
821-124-49
趙立夫宋 494-313-5
523-345-162
趙立言唐 812-372-0
821-89-48
趙必向宋 400-196-515
趙必泋宋 451-80-2
趙必枚妻 清 見王氏
趙必洤宋 451-82-2
趙必玶宋 451-78-2
趙必㦀趙與元 宋451-77-2
趙必畊趙堅哥 宋451-84-2
趙必烇趙貴孫 宋451-82-2
趙必珩妻 清 見蔡順娘
趙必哽宋 491-302-6
趙必倆宋 451-62-2
趙必覃元 1199-146-16
趙必棍趙瑞郎 宋451-56-2
趙必揆趙成孫 宋451-82-2
趙必鼎宋 485-536-1
趙必罣宋 820-451-35
趙必暐元 460-460-36
趙必膜趙必寶 宋451-83-2
趙必漣宋 529-743-51
趙必榮宋 見趙邦
趙必槐宋 494-313-5
趙必愿宋 287-629-413
398-583-404
472-1026-42
472-1101-47
473-49-50
473-584-75
473-599-76
479-319-232
479-531-241
481-492-324
481-582-328
481-673-331
516-34-88
523-185-155
528-45-29
528-483-30
528-523-31
趙必愿妻 宋 見湯氏
趙必樘趙公及 宋451-62-2
趙必璇元 1226-465-22
趙必瞛宋 491-302-6
趙必遝趙寶壽 宋451-81-2
趙必寰宋 451-82-2
趙必瑑宋 563-690-39
564-47-44
1187-308-6
1187-311-6
趙必曅宋 529-534-45
趙必錚宋 451-62-2
趙必瀻趙保聖 宋451-76-2
趙必聰宋 451-82-2
趙必璟趙永哥 宋
451-83-2
趙必曠宋 見趙必鐄
趙必囍趙震郎 宋451-79-2
趙必寶宋 見趙必膜
趙必鏕宋 492-713-3下
趙必還趙寧哥 宋
451-53-2
趙必禴宋 517-433-126
趙必鐄趙必曠 宋451-80-2
492-713-3下
趙永姜漢 1063-228-6
1397-470-22
1407-710-467
1410-583-743
1412-489-19
趙永祚清 476-184-106
545-897-114
563-883-42
趙永哥宋 見趙必璟
趙永健明 547-64-143
趙永裔宋 1095-865-52
趙永祿明(萊蕪人)
540-789-28之3
趙永祿明(獻縣人) 554-298-53
趙永禎明 559-346-8
趙永福明 538-104-64
趙玉兒元 295-627-200
401-176-593
476-619-133
趙玉堂妻 清 見趙氏
趙玉蓮明 鄭鉉妻、趙廷蘭女
530-10-54
趙戊岊宋 1195-369-4
趙弘正妻 清 見李氏
趙弘殷宋 280-88-1
371-3-1
趙弘殷妻 宋 見杜氏
趙弘殷女 宋 見秦國大長公主
趙弘殷女 宋 見荆國大長公主
趙弘智唐 271-521-188
274-352-106
395-343-212
472-745-29
477-310-164
537-497-59
540-655-27
681-326-24
933-594-38
趙弘毅元 295-593-196
400-278-522
472-98-3
474-382-19
505-852-77
趙弘敷女 明 見趙京
趙弘燦清 478-599-204
558-379-36
趙弘覽清 559-410-9下
趙正元趙宜省 宋451-52-2
趙正倫元 472-699-28
趙正嘉妻 清 見盧氏
趙正璉妻 清 見樓氏
趙正學明 559-381-9上
趙本立明 1240-144-10
趙本道元 524-119-184
趙古則明 見趙撝謙
趙古隆宋 見趙崇墀
趙古愚明 1229-109-9
趙丕承清 474-383-19
505-852-77
趙司鉉清 561-200-38之1
趙平叔宋 511-859-169
趙可大趙伯衛、趙興郎 宋
448-382-0
1159-42-4
趙可行明 554-517-57下
趙可度宋 561-322-40
趙可教明 576-655-5
趙可溫明 1226-682-2
趙可與明 523-204-155
676-128-5
676-544-22
趙可懷明 559-510-12
趙世仍宋 1105-827-98
趙世永宋 1097-294-20
趙世安元 1206-635-13
1373-278-19
趙世安清 481-551-327
502-663-79
528-480-30
趙世光明 456-657-11
趙世灼宋 552-65-19
趙世劬宋 552-65-19
趙世劬妻 宋 見王氏
趙世法宋 544-234-63
趙世亨宋 1100-527-50
趙世表妻 宋 見柴氏
趙世昌宋 552-65-19
1093-395-54
趙世明妻 明 見李氏
趙世岳宋 1100-72-7
趙世岳妻 宋 見李氏
趙世采宋 1100-551-52
趙世延宋 1093-407-55
趙世延元 295-424-180
399-717-491
472-484-21
472-827-33
473-807-86
478-92-180
481-23-291
481-81-294
532-584-41
545-181-89
546-146-120
554-162-51
558-396-36
559-344-8
569-646-19
591-574-42
820-516-38
1202-174-13
1439-428-1
趙世延女 元 見趙鸞

趙世宣宋 1102-294- 37
趙世貞清 510-421-116
趙世英宋 1093-396- 54
趙世英元 505-926- 83
趙世英明 554-312- 53
趙世佺妻 宋 見陳氏
趙世哲妻 宋 見周氏
趙世珩明 456-631- 10
趙世恩宋 1100-502- 47
趙世恩妻 宋 見宋氏
趙世卿明 300-622-220
476-528-128
540-817-28之3
趙世清宋 285- 9-244
趙世設妻 宋 見程氏
趙世基母 清 見王氏
趙世堅宋 1088-952- 38
趙世堅妻 宋 見李氏
趙世崇宋 1093-389- 53
趙世將宋 552- 66- 19
趙世統妻 宋 見王氏
趙世雄淄王 宋 285- 9-244
趙世登宋 552- 65- 19
趙世覃妻 宋 見郭氏
趙世開信王 宋 285- 9-244
趙世貴明 456-600- 9
趙世掌宋 1100-514- 48
趙世單妻 宋 見郭氏
趙世智妻 宋 見鄭氏
趙世傑元 400-281-522
趙世復宋 1100-485- 45
趙世猷清 479-712-250
515-159- 61
趙世準成王 宋 285- 9-244
趙世礜宋 552- 63- 19
趙世祿明 1474-543- 27
趙世祿妻 清 見董氏
趙世資宋 544-234- 63
1100-494- 46
趙世瑞宋 552- 66- 19
趙世瑞妻 宋 見陳氏
趙世鼎清 511-848-168
趙世禎清 502-686- 81
趙世遠宋 552- 65- 19
趙世對妻 明 見余氏
趙世獎宋 552- 63- 19
趙世潭宋 552- 65- 19
趙世褒宋 1104-448- 38
趙世模隋 554-690- 61
趙世隆宋 見趙士隆
趙世德宋 473-360- 64
533-260- 55
趙世濂明 547- 35-142
趙世融宋 820-356- 32
1102-292- 37
趙世選趙光遠 明456-605- 9
475-330- 65
511-459-154
趙世衡宋 1102-293- 37
趙世鴻宋 552- 63- 19
趙世謐妻 宋 見安氏
趙世燮宋 552- 63- 19
趙世邁宋 1093-384- 52
趙世爵妻 清 見閻氏
趙世繁宋 1100-499- 46
趙世總宋 552- 65- 19
趙世職宋 1100-494- 46
趙世覲宋 552- 66- 19
趙世顒妻 宋 見高氏
趙世耀妻 宋 見康氏
趙世護宋 1088-929- 35
趙世顯明 529-720- 51
676-626- 26
趙巧雲明 郭憲妻
472-560- 23
趙打虎明 494-330- 6
趙充夫趙達夫 宋
1157-251- 18
趙充國漢 248-617- 8
250-551- 69
376-278-100
384- 47- 2
459-173- 11
470-414-150
471-1058- 69
472-894- 35
472-904- 36
478-696-210
539-349- 8
545-412- 98
554-380- 55
558-127- 30
558-384- 36
558-631- 46
558-716- 48
933-591- 38
1329-819- 47
1331-256- 47
1412-124- 5
1412-206- 8
趙民彥宋 288-376-453
400-133-511
480-401-277
533-396- 61
趙民望明(藁城人) 505-887- 79
趙民望明(浙江人) 547-186-148
趙民善清 540-682- 27
趙民獻明 570-137-21之2
趙以夫宋(字用甫) 481-611-329
481-693-332
528-492- 30
528-539- 32
529-446- 43
趙以夫宋(朝奉大夫安撫使)
488- 14- 1
488-478- 14
趙以敬明 473-336- 63
480-403-277
532-695- 45
趙田之宋 1123-467- 14
趙田之妻 宋 見鄭氏
趙由琟女 明 見趙宜淑
趙由鍾元 1213-152- 12
趙占龜宋 486-896- 34
524-290-193
趙申季清 475-233- 61
476-480-125
511-170-142
540-675- 27
趙申喬清 475-233- 61
477-125-155
478-771-215
480-363-275
511- 68-138
523- 68-149
532-607- 42
534-645-103
537-259- 55
趙申錫宋 561-365- 41
1354-678- 35
1381-482- 37
趙冬曦唐 276- 40-200
384-206- 11
400-428-539
472- 92- 3
505-748- 72
505-872- 78
820-169- 27
1371- 53- 附
趙令史宋 1100-532- 50
趙令安後魏 262-257- 87
趙令言父 唐 1342-394-955
趙令庇宋 813-201- 20
趙令劭妻 宋 見王氏
趙令岏宋 1100-521- 49
趙令邦宋 1094-720- 78
趙令注宋 1100-544- 52
趙令泌宋 1100-489- 45
趙令松宋 813-154- 14
821-177- 50
趙令佳宋 400-158-513
趙令岳南北朝 546-684-138
趙令音妻 宋 見鄭氏
趙令珂妻 宋 見鄭氏
趙令茗宋 1100-486- 45
趙令則唐 494-347- 7
1072-253- 12
趙令迤宋 1100-510- 48
趙令衿宋 285- 13-244
472-1041- 43
473-624- 77
477- 84-152
481-582-328
524-333-195
528-482- 30
529-757- 52
843-671- 下
1053-843- 19
趙令格宋 544-234- 63
趙令瑀妻 宋 見彭氏
趙令振妻 宋 見劉氏
趙令時妻 宋 見宋氏
趙令歲趙令襌 宋
288-290-447
400-164-513
480- 49-259
480-126-264
533-366- 60
趙令教宋 1100-526- 50
趙令教妻 宋 見郭氏
趙令時宋 285- 12-244
1110-529- 30

十四畫 趙

1384-469-122
趙令晙趙令畯 宋
821-177- 50
1118-333- 17
趙令組妻 宋 見王氏
趙令愔宋 1100-504- 47
趙令愇妻 宋 見錢氏
趙令逭宋 1100-532- 50
趙令琮宋 1100-509- 47
趙令超妻 宋 見潘氏
趙令勝後魏 261-702- 52
趙令話妻 宋 見程氏
趙令誏宋 285- 12-244
486- 53- 2
493-772- 42
528-440- 29
趙令壼宋 1100-504- 47
趙令瑋宋 見趙士晶
趙令朝宋 1100-505- 47
趙令輯宋 1104-453- 38
趙令碑宋 494-268- 2
趙令群妻 宋 見花氏
趙令瑑宋 552- 63- 19
趙令蜺妻 宋 見夏侯氏
趙令誠妻 宋 見王氏
趙令裨宋 見趙令嵗
趙令赫宋 1100-547- 52
趙令箋妻 宋 見張氏
趙令璪宋 1100-550- 52
趙令緄宋 1100-530- 50
趙令緝妻 宋 見郭氏
趙令稼妻 宋 見李氏
趙令緻宋 1100-523- 49
趙令駰宋 1100-503- 47
趙令鼒宋 1127-347- 20
趙令龜宋 1100-501- 47
趙全賽宋 1100-505- 47
趙令講妻 宋 見張氏
趙令擢宋 1100-548- 52
趙令懇宋 1100-488- 45
趙令瞿宋 1100-487- 45
趙令蕭宋 544-234- 63
趙令廮惠王 宋 285- 12-244
395- 93-188
趙令攀宋 1100-538- 51
趙令倫宋 1100-496- 46
趙令蠙宋 1099-770- 14
趙令巍宋 1100-487- 45
趙令續宋 552- 63- 19
趙令穰宋 813-200- 20
820-399- 34
821-177- 50
趙令顯妻 宋 見王氏
趙令鑠宋 1110-441- 24
趙仕禎明 820-742- 44
趙仕戩妻 宋 見薛氏
趙用光明 546-756-140
趙用賢明 300-758-229
475-138- 56
511-109-140
676-606- 25
1442- 75-附5
1458-739-476
1460-276- 52
趙仙客唐 820-146- 26
趙卯秀明 趙子高女
481-185-300
趙卯發趙昂發、趙昴發 宋
288-334-450
400-183-514
451-230- 0
472-367- 16
473-478- 69
473-504- 71
475-640- 83
479- 51-218
510-444-117
515-244- 64
523-355-163
559-315-7上
559-508- 12
1212-159- 13
趙卯發妻 宋 見雍氏
趙矢之宋 1123-466- 14
趙守約宋 567- 7- 62
趙守富妻 清 見畢氏
趙守曾妻 明 見惠氏
趙守廉明 558-403- 36
趙守節妻 宋 見魏氏
趙守福妻 清 見張氏
趙安仁宋 285-589-287
371- 68- 6
382-280- 44
384-340- 17
397- 67-324
472-748- 29
538-141- 65
820-334- 32
趙安仁遼 289-707-109
401- 86-579
趙安世金 1191-225- 20
趙安世元(知曹州) 540-671- 27
趙安世元(字言佐)
1195-562- 下
趙安邦明 538- 92- 64
趙安宗劉宋 劉翹妻、趙裔女
258- 6- 41
265-190- 11
趙安易宋 285-161-256
396-500-300
478-244-186
趙安道元 821-324- 54
趙汝回宋(大梁人) 515-266- 65
趙汝回宋(字幾道) 524- 85-182
1363-781-229
趙汝良明 1237-262- 5
趙汝成宋 494-471- 18
趙汝明妻 明 見華淑清
趙汝迕宋 524- 85-182
趙汝洄宋 487-512- 7
趙汝恂宋 494-471- 18
趙汝述宋 285- 58-247
395-106-189
491-437- 6
493-718- 40
趙汝軏宋 1181-146- 5
趙汝能宋 472-983- 39
523-434-167
趙汝笈宋 473-165- 57
515-104- 60
523-450-168
趙汝郴宋 494-348- 7
趙汝揄宋 524-261-191
趙汝偵宋 515-325- 67
趙汝造宋 481-643-330
528-507- 31
趙汝隆明 570-260- 25
趙汝弼明 592-778- 2
趙汝珽宋 451- 60- 2
趙汝馭宋 563-680- 39
趙汝逵宋 491-437- 6
趙汝勝宋 491-437- 6
趙汝詶宋 489-324- 29
趙汝廈宋 517-390-125
趙汝楫元 見趙重喜
趙汝楫妻 明 見周德貞
趙汝勣宋 472-348- 15
475-666- 84
510-452-117
趙汝楳宋 1318- 31- 34
趙汝愚宋 287-366-392
398-372-388
451- 22- 0
459-653- 38
471-715- 18
472-348- 15
472-982- 39
472-1101- 47
473- 48- 50
473- 60- 51
473-428- 67
473-568- 74
479-101-221
479-285-230
479-530-241
481- 21-291
481-492-324
481-524-326
491-118- 13
510-452-117
516- 29- 88
524-308-194
528-442- 29
559-266- 6
561-386- 41
591-685- 47
1437- 26- 2
趙汝瑩宋 523-213-156
趙汝暨宋 473- 22- 49
515-337- 67
563-669- 39
趙汝湜趙壽老 宋451- 79- 2
趙汝誼明 1467-128- 66
趙汝談宋 287-620-413
398-577-404
451- 23- 0
472-325- 14
472-968- 38
475-700- 86
479- 50-218
515- 18- 57
523-259-158

523-579-175	473-652- 78	1260-585- 15	趙伉夫宋 494-407- 12
	677-352- 32	479- 50-218	1274-588- 1	515-104- 60
	1363-820-236	479-449-237	1386-325- 41	趙自化宋 288-472-461
趙汝標宋 400-174-513	481-611-329	1442- 37-附2	401-103-581	
	479-356-233	515- 19- 57	1455-706-244	472-524- 22
	523-410-166	524- 4-178	1459-760- 30	476-524-128
趙汝靚宋 516- 31- 88	528-492- 30	趙同麟元　見趙渙	趙自立明 1229-675- 1	
趙汝澹宋 480-663-290	趙吉士清 475-576- 79	趙回老宋　見趙崇回	趙自然趙王九　宋	
	532-704- 45	476- 31- 97	趙光仁清 524-209-188	288-474-461
趙汝濂明 483- 96-378	511-292-147	趙光正清 505-910- 81	460-893- 2	
	570-118-21之1	524-306-194	趙光抃明 301-402-259	472-351- 15
趙汝廩宋 473-476- 69	545-162- 88	516-137- 92	472-370- 16	
	559-273- 6	1318-500- 77	趙光美宋　見趙廷美	475-652- 83
趙汝霖宋 820-386- 33	1475-965- 41	趙光胤唐 271-336-178	475-677- 84	
趙汝螭宋　見趙汝嶷	趙吉甫元 473-235- 60	277-487- 58	511-937-175	
趙汝嶷趙汝螭　宋	480-177-266	趙光逢後唐 271-336-178	1163-661- 45	
288-323-449	533-730- 73	277-487- 58	趙向貞明　趙志倫女	
288-324-449	趙在禮後晉 278-117- 90	279-217- 35	480-546-283	
400-180-514	279-289- 46	384-308- 16	趙全叔宋 559-344- 8	
451-224- 0	384-311- 16	401-285-607	591-572- 42	
475-608- 81	401-409-622	554-753- 62	趙全時宋 481-418-314	
478-716-211	407-665- 3	933-595- 38	559-323-7上	
511-482-155	趙百之宋 552- 64- 19	1383-772- 70	趙合德漢　漢成帝昭儀、趙臨	
558-233- 32	趙有初明 510-392-115	趙光寅唐 481-386-312	女 251-293-97下	
趙汝燨宋　見趙汝鐩	趙有道元 1027-393- 27	趙光華明　見趙孟實	448- 79- 8	
趙汝擢宋 524-252-190	趙存仁妻　明　見李氏	趙光義宋　見宋太宗	趙好德趙懿德　明	
趙汝濱宋 515-863- 85	趙存質妻　明　見唐氏	趙光裔唐 271-336-178	299-307-138	
708-1054- 97	趙匡乂宋　見宋太宗	277-487- 58	458-167- 8	
趙汝簡宋 559-286-7上	趙匡明後梁 277-160- 17	554-753- 62	472-336- 14	
趙汝議宋	396-255-274	趙光裕妻　明　見喬氏	477-418-169	
王夢龍妻	趙匡胤宋　見宋太祖	趙光輔宋 554-909- 64	537-564- 60	
1164-447- 25	趙匡義宋　見宋太宗	812-451- 1	820-566- 40	
趙汝騰宋 287-780-424	趙匡凝唐 275-533-186	812-465- 2	趙如崑明 477-543-176	
398-707-415	277-159- 17	812-535- 3	趙如瑾清 479-432-236	
473-573- 74	279-258- 41	821-144- 50	505-816- 74	
481-528-326	384-310- 16	趙光遠唐 451-466- 6	523-253-157	
529-448- 43	396-254-274	趙光遠明　見趙世選	趙仲爺宋 552- 63- 19	
676-689- 29	477-417-169	趙光濟曹王　宋 382-113- 15	趙仲考宋 1104-446- 38	
趙汝鐸妻　宋　見樓氏	480- 12-257	384-323- 17	趙仲全宋 1100-539- 51	
趙汝鐩趙汝燨　宋	533-352- 59	567- 7- 62	趙仲全妻　宋　見陳氏	
1180-242- 23	趙臣兒妻　明　見王氏	趙光贊岐王、夔王　宋	趙仲企妻　宋　見向氏	
1180-447- 41	趙而抃清 533-317- 57	382-114- 15	趙仲先宋 552- 64- 19	
1357-756- 4	趙聿之宋 288-355-452	384-323- 17	趙仲行宋 1105-826- 98	
1363-772-228	400-165-513	1086-484- 11	趙仲沃宋 552- 67- 19	
1437- 28- 2	480-401-277	趙兆麟清 532-602- 42	趙仲甫妻　宋　見魏氏	
趙汝薰宋 287-622-413	趙次起明　見趙孝先	趙夙之宋 552- 68- 19	趙仲成妻　明　見阮氏	
398-578-404	趙次誠元 1439-446- 2	趙名元清 505-899- 80	趙仲玘妻　宋　見郭氏	
451- 23- 0	趙同魯明 1256-402- 26	趙名孕明 547-116-145	趙仲防宋 552- 64- 19	
472-968- 38

趙仲糺宋　見趙顥
趙仲汩宋　見趙仲湜
趙仲炎妻　宋　見李氏
趙仲來宋　552- 63- 19
1100- 71- 7
趙仲忽宋　820-406- 34
趙仲佺宋　285- 29-245
813-170- 16
821-197- 51
趙仲肩宋　1100-509- 47
趙仲金妻　清　見張氏
趙仲侔宋　1100- 71- 7
趙仲朒宋　1100- 70- 7
趙仲洽宋　1100-484- 45
趙仲計宋　552- 66- 19
趙仲彥妻　宋　見張氏
趙仲奓妻　宋　見郭氏
趙仲革宋　1100-549- 52
趙仲癸華王　宋　552- 62- 19
趙仲科宋　1100-486- 45
趙仲俞宋　552- 66- 19
趙仲容明　821-351- 55
趙仲珣妻　宋　見夏氏
趙仲格宋　見趙頵
趙仲峭宋　552- 64- 19
趙仲郢宋　1104-447- 38
趙仲卿隋　264-1048- 74
267-388- 69
380-241-171
554-351- 54
559-279- 6
933-593- 38
趙仲奚妻　宋　見石氏
趙仲涵宋　1104-454- 38
趙仲訦妻　宋　見賈氏
趙仲寂宋　552- 66- 19
趙仲寂妻　宋　見郭氏
趙仲被宋　552- 63- 19
趙仲焉妻　宋　見武氏
趙仲雪宋　1100-529- 50
趙仲連宋　552- 67- 19
趙仲將北齊　263-287- 38
267-176- 55
379-473-154
476-523-128
814-262- 8
820-125- 25
趙仲倕宋　552- 66- 19
趙仲御郇王　宋　285- 30-245
544-232- 63
552- 62- 19
趙仲參妻　宋　見楊氏
趙仲詔宋　552- 67- 19
趙仲湜趙仲汩、儀王　宋
285- 30-245
趙仲厥宋　544-234- 63
趙仲郰宋　552- 64- 19
趙仲溫元　472-484- 21
趙仲軾妻　宋　見劉氏
趙仲塤妻　宋　見王氏
趙仲搏宋　552- 66- 19
趙仲昚妻　宋　見曹氏
趙仲遄宋　1100-520- 49
趙仲頎宋　1100- 70- 7
趙仲愈妻　宋　見郝氏
趙仲嬂宋　552- 64- 19
趙仲碩宋　552- 62- 19
567- 7- 62
趙仲綜宋　544-233- 63
趙仲僩趙仲憪　宋
813-170- 16
821-197- 51
趙仲縉宋　1100-546- 52
趙仲銑宋　552- 64- 19
趙仲僕祁王　宋　544-232- 63
趙仲戭宋　552- 64- 19
趙仲戭妻　宋　見李氏
趙仲憪宋　見趙仲僩
趙仲輗妻　宋　見王氏
趙仲輝明　546-595-134
趙仲賜宋　544-233- 63
趙仲盤宋　552- 67- 19
趙仲璑妻　宋　見張氏
趙仲擇宋　552- 64- 19
趙仲曄宋　1100-497- 46
趙仲瞞妻　宋　見康氏
趙仲謇妻　宋　見慕容氏
趙仲謙妻　宋　見蔚氏
趙仲霜宋　544-233- 63
趙仲點宋　552- 66- 19
趙仲歜趙仲歜　宋
552- 64- 19
1100-538- 51
趙仲歜宋　見趙仲歜
趙仲鍼宋　見宋神宗
趙仲偳宋　285- 31-245
趙仲禮宋　1137-175- 3
趙仲騑妻　宋　見安氏
趙仲龐宋　552- 67- 19
1105-826- 98
趙仲靡宋　1100-500- 46
趙仲韠宋　1100-496- 46
趙仲夔宋　1105-827- 98
趙仲醻妻　宋　見張氏
趙仲瓌宋　552- 66- 19
趙仲癰宋　552- 66- 19
趙行實後晉　見趙德鈞
趙行樞隋　267-533- 79
379-880-164
趙伊福清　456-340- 76
趙宏仁妻　清　見郭氏
趙宏祚明　554-765- 62
趙宏偉元　295-267-166
399-610-480
473-358- 64
475- 19- 49
480-508-281
523- 25-147
532-705- 45
1199-570- 2
趙宏智妻　清　見張氏
趙宏祺清　456-339- 76
趙宏勳妻　清　見吳氏
趙完璧明　547- 64-143
趙完璧妻　明　見李氏
趙完璧妻　清　見石氏
趙沂中宋　見趙存中
趙亨清清　476-283-111
547- 56-143
趙宋永宋～元　見趙文
趙宋安元　1208-273- 12
趙宋乾明　505-685- 69
趙良士明　見趙友士
趙良仁明　493-1057- 56
趙良玉清　546-662-137
趙良本妻　元　見戴如玉
趙良佐元　820-509- 37
821-300- 53
1209-114- 6
趙良坦宋　523-383-164
趙良玞趙良能　宋451- 78- 2
趙良坡宋　523-383-164
趙良埈宋　450- 81- 2
趙良能宋　見趙良沃
趙良淳宋　288-337-451
400-188-514
451-240- 0
472-998- 40
473- 14- 49
473- 49- 50
479-134-223
479-483-239
479-532-241
481-694-332
494-271- 2
494-314- 5
516- 41- 88
523-116-151
528-540- 32
趙良規宋　258-592-287
382-281- 44
384-340- 17
472-740- 29
477-522-175
537-351- 56
趙良茝宋　451- 79- 2
趙良弼唐　486- 43- 2
趙良弼元(字輔之)　295-165-159
399-472-464
451-643- 11
472-106- 4
474-407- 20
475- 18- 49
502-374- 63
505-675- 69
1198-734- 3
趙良弼元(字君卿)　820-541- 39
821-315- 54
趙良棟明　302- 75-293
456-611- 9
477-525-175
538- 72- 63
趙良棟清　474-337- 17
478-455-197
478-599-204
481- 28-291
482-541-368
505-642- 67
558-164- 30
558-378- 36
559-325-7下
565-656- 19

1322-604- 10
趙良華明 569-672- 19
趙良鈞宋 1197-217- 20
趙良勝元 見趙大訥
趙良進妻 明 見侯氏
趙良嗣李良嗣、馬植 宋
288-600-472
401-349-615
467-148- 67
趙良輔元 1211-374- 52
趙良銓趙保哥 宋451- 83- 2
趙良賢元 1219-527- 23
趙良震明 1228-811- 14
趙良簗元 511-521-157
趙良璧清 476- 32- 97
502-626- 77
545-162- 88
趙良顯明 1458-673-469
趙志父春秋 見趙鞅
趙志忠宋 674-616- 5
趙志科明 564-295- 47
趙志倫女 明 見趙向貞
趙志皐明 300-604-219
523-330-161
676-603- 25
1288-353- 10
1442- 73-附5
1460-347- 56
趙志業妻 明 見于氏
趙成子春秋 見趙衰
趙成老宋 見趙孟鑽
趙成侯戰國 371-400- 20
404-356- 21
趙成孫宋 見趙必揆
趙成珠宋 見趙復
趙成慶元 473-505- 71
559-392-9上
趙成龍妻 清 見董氏
趙孝先趙次起 明
524-145-185
趙孝祖唐 473-830- 87
482-537-368
569-643- 19
趙孝孫宋 287-346-390
493-1071- 57
趙孝純宋 552- 67- 19
趙孝逸隋 814-264- 8
820-125- 25
趙孝穎宋 813-169- 16
821-197- 51
趙西泰宋(幕官) 400-199-515
趙西泰趙安光老 宋(字伯亨)
451-101- 3
趙均保元 515-772- 81
趙育才宋 523-419-166
趙君安女 漢 見趙娥
趙君良清 567-164- 69
趙君貞唐 523- 96-150
趙君章妻 宋 見王和
趙君琰明 見趙載
趙君竩趙定郎 宋451- 61- 2
趙君輔明 505-913- 81
趙君壽宋 見趙宗壽
趙君錫宋 285-592-287
382-281- 44
384-340- 17
397- 68-324
472-750- 29
537-512- 59
538-103- 64
趙君錫元 1210-724- 20
趙克己宋 285- 5-244
820-358- 32
1088-548- 58
趙克己明 546-495-131
547-104-145
趙克己妻 宋 見武氏
趙克夫宋 528-550- 32
趙克友宋 552- 68- 19
趙克用明 676-758- 32
趙克戒妻 宋 見李氏
趙克壯宋 1095-883- 54
趙克告宋 552- 68- 19
趙克告妻 宋 見杜氏
趙克協宋 1095-869- 52
趙克周妻 宋 見王氏
趙克依宋 552- 65- 19
趙克柔宋 544-233- 63
趙克家宋 552- 64- 19
趙克倫宋 552- 69- 19
趙克修宋 285- 6-244
820-359- 32
趙克淳宋 552- 68- 19
趙克淳妻 宋 見李氏
趙克常妻 宋 見盧氏
趙克偕宋 552- 68- 19
趙克敦宋 1113-615- 8
趙克揚宋 544-233- 63
趙克晛宋 552- 68- 19
趙克欽明 558-311- 34
趙克溫宋 1095-866- 52
趙克裕後梁 277-146- 15
趙克勤宋 1100- 68- 7
趙克構宋 552- 68- 19
1095-867- 52
趙克暨宋 544-233- 63
趙克寬明 456-674- 11
476-419-120
趙克賢宋 1097-311- 21
趙克播宋 1095-885- 54
趙克頗宋 544-233- 63
趙克夐宋 813-119- 9
821-171- 50
趙克諶宋 552- 65- 19
趙克凝宋 1117-335- 15
趙克蕭宋 1095-868- 52
趙克懋妻 宋 見武氏
趙克繼宋 285- 5-244
683-893-下
684-489-下
820-358- 32
趙克闢宋 1097-311- 21
趙克讓元 540-634- 27
趙似老宋 見趙崇鋌
趙佑卿明 510-495-118
趙作舟清 476-701-137
540-869-28之4
趙伯圭秀王、崇王、榮陽王 宋 285- 16-244
395- 97-188
479-174-225
494-265- 1
525-396-237
535-557- 20
1153-335- 86
趙伯成金 1365-279- 8
1439- 7- 0
1445-509- 38
趙伯成元 1214-175- 15
趙伯玖宋 見趙璩
趙伯松宋 見趙伯琭
趙伯直宋 1153-581-103
趙伯明明 1229- 76- 6
趙伯忽元 545-324- 95
趙伯洙宋 1152-581- 31
趙伯茂趙高僧 宋
448-383- 0
448-408- 0
趙伯省宋 491-437- 6
趙伯英漢 見李文姬
趙伯恭元 1204-476- 14
趙伯振宋 288-368-453
400-158-513
477- 54-151
趙伯淮宋 1166-649- 11
趙伯章妻 宋 見呂氏
趙伯鹿宋 841-671-下
趙伯深宋 288-415-456
400-303-524
476-752-139
515-587- 75
1147-546- 51
1226-701- 2
趙伯符劉宋 258- 72- 46
265-291- 18
378- 44-132
488-171- 8
933-592- 38
趙伯術宋 見趙可大
趙伯琮宋 見宋孝宗
趙伯超南朝 265-1152- 80
趙伯琭趙伯松 宋
1147-781- 74
趙伯欽元 1217-793- 9
趙伯瑗趙鄭哥 宋
448-383- 0
448-408- 0
趙伯楙宋 485-534- 1
趙伯達妻 清 見馬氏
趙伯遏宋 528-491- 30
趙伯駒宋 821-210- 51
趙伯樫宋 563-694- 39
趙伯攄宋 1153-568-102
趙伯驌宋 494-310- 5
511-864-170
820-211- 51
1147-743- 70
趙伯顯元 821-291- 53
趙含玉明 538- 68- 63
趙含章唐 820-180- 27
趙希尹明 567-396- 83
1467-243- 71

趙希永宋 494-266- 1
趙希白宋 494-348- 7
趙希老明 1237-344- 7
趙希言宋 285- 51-247
395- 95-188
479- 43-218
479-352-233
479-710-250
491-437- 6
523- 79-149
趙希抃明 530-213- 61
821-455- 57
趙希呂宋 563-695- 39
趙希壯明 456-615- 9
476- 31- 97
545-159- 88
趙希倆宋 1183-163- 10
趙希怡宋 袁甫妻
1175-543- 18
趙希孟宋 559-290-7上
趙希侒宋 528-443- 29
528-506- 31
趙希洎宋 288-379-454
400-196-515
479-767-252
趙希泉妻 宋 見湯氏
趙希益宋 481-211-302
趙希訜宋 515-168- 62
趙希茝宋 487-189- 12
趙希喆宋 見趙希錧
趙希階清 479-632-245
515-851- 84
趙希循宋 515-533- 73
趙希棐宋 820-446- 35
趙希溱宋 529-738- 51
趙希愈妻 宋 見胡氏
趙希愬宋 510-425-114
趙希壁女 元 見趙與婉
趙希暨宋 523- 79-149
趙希遠宋 475-562- 79
510-425-116
趙希遠元 821-323- 54
趙希蒼宋 494-312- 5
1164-232- 11
趙希綰宋 524-335-195
趙希魁明 456-495- 5
554-719- 61
趙希槻宋 487-517- 7

趙希磐宋 472-962- 38
趙希懌宋 285- 51-247
395- 96-188
479-448-237
493-718- 40
515- 19- 57
524-340-195
528-442- 29
1153- 40- 57
1174-712- 45
趙希葦宋 491-437- 6
趙希錧趙希喆 宋
287-623-413
398-579-404
473-623- 77
481-236-303
481-719-333
523-259-158
528-550- 32
559-296- 7上
1173-152- 73
趙希樒宋 1364-529-319
1437- 30- 2
趙希夔明 505-658- 68
545-848-113
趙希衢宋 1376-538- 93
趙邦佐明 515-420- 69
趙邦杜明 480- 59-260
533- 17- 47
趙邦清明 558-422- 37
趙邦試清 477-134-155
538- 48- 63
趙利珍明 480-128-264
532-639- 43
趙伸夫宋 1157-236- 17
趙妙琉明 曾綰紳妻
530- 4- 54
趙妙惠元 孟之縉妻
524-586-207
趙妙緣明 丘琳妻530- 87- 56
趙廷玉明 1442- 31-附2
1459-691- 27
1475-224- 9
趙廷玉女 明 見趙氏
趙廷臣清 474-772- 41
475- 71- 52
478-376-192
478-770-215

480-363-275
482-541-368
483-228-390
502-619- 77
510-319-113
523- 64-149
528-466- 29
532-603- 42
554-314- 53
571-535- 19
趙廷伋明 545-786-111
趙廷松明 523-497-170
528-562- 32
趙廷美秦王、趙光美、魏王
宋 285- 2-244
382-113- 15
384-323- 17
395- 87-188
533-741- 73
552- 61- 19
趙廷珍妻 清 見鄧氏
趙廷琯明 570-164-21之2
趙廷弼妻 清 見張氏
趙廷瑚妻 清 見田氏
趙廷瑞明(字信臣) 505-777- 73
554-177- 51
趙廷瑞明(太僕寺卿)
676-212- 8
趙廷瑞明(字子龍)
1457- 52-346
趙廷暉明 447- 97- 1
趙廷標清 480-363-275
480-509-281
523-515-171
528-556- 32
532-611- 42
563-870- 42
1321- 23- 87
1321-116- 99
趙廷標妻 清 見許氏
趙廷翰宋 490-741- 73
趙廷錫清 523-180-154
趙廷隱後蜀 288-693-479
545-603-105
趙廷舉明 456-674- 11
547- 83-144
550-443-222
趙廷璧明 456-547- 7

538- 64- 63
趙廷璧妻 明 見李氏
趙廷璧妻 清 見王氏
趙廷藎清 547- 78-143
趙廷蘭女 明 見趙玉蓮
趙廷嚴明 480- 52-259
趙宗人明 456-640- 10
趙宗文趙文 明 493-1050- 55
511-673-163
676-292- 11
676-483- 18
1386-326- 41
1442- 23-附2
1459-603- 22
趙宗本宋 552- 66- 19
趙宗旦宋 285- 19-244
395- 99-189
552- 61- 19
趙宗旦妻 宋 見賈氏
趙宗史宋 552- 67- 19
趙宗史妻 宋 見宋氏
趙宗回宋 1104-445- 38
趙宗沔宋 1102-293- 37
趙宗育宋 1104-446- 38
趙宗岐明 547-106-145
趙宗彥宋 544-233- 63
趙宗述宋 544-233- 63
1105-827- 98
趙宗保新平王 宋
285- 21-245
395-100-189
552- 62- 19
趙宗祐欽王 宋 285- 29-245
趙宗祝明 456-495- 5
558-425- 37
趙宗悌宋 285- 20-245
趙宗師宋 1102-292- 37
趙宗望宋 285- 23-245
820-359- 32
1093-396- 54
趙宗訥宋 1102-291- 37
趙宗訥妻 宋 見賈氏
趙宗晟宋 285- 29-245
趙宗普明 559-407-9上
561-526- 44
趙宗博妻 宋 見郭氏
趙宗堯明 547- 44-142
趙宗肅宋 285- 22-245

趙宗閔宋 821-180- 50
趙宗景宋 285- 24-245
趙宗景妻 宋 見李氏
趙宗絳宋 493-644- 35
趙宗傑金 見趙之傑
趙宗道宋 510-478-118
1089-532- 49
趙宗楷妻 宋 見吳氏
趙宗瑗崇王 宋 1100-536- 51
趙宗萬宋 524-286-192
684-488- 下
820-344- 32
趙宗鼎宋 552- 67- 19
趙宗愈襄王 宋 285- 29-245
552- 61- 19
趙宗實宋 見宋英宗
趙宗實妻 清 見尹氏
趙宗說宋 544-233- 63
趙宗說女 宋 見趙氏
趙宗漢景王、嗣濮王 宋
285- 30-245
552- 62- 19
813-169- 16
趙宗壽趙君壽 宋
821-235- 51
趙宗壽明 302-608-319
趙宗藴宋 1093-406- 55
趙宗魯明 見趙應麟
趙宗辦妻 宋 見李氏
趙宗諤韓王 宋 285- 22-245
趙宗翰宋 544-233- 63
趙宗樸宋 285- 28-245
552- 63- 19
趙宗默宋 1093-384- 52
趙宗儒唐 271-171-167
275-156-151
384-230- 12
395-753-249
472-774- 30
477-376-167
532-569- 40
537-546- 59
933-594- 38
趙宗隱宋 552- 61- 19
趙宗顏宋 1102-291- 37
趙宗禮宋 285- 19-245
趙宗禮明 456-494- 5
558-425- 37
趙宗藎宋 1100- 69- 7
趙宗嚴宋 1093-408- 55
趙宗繼明 559-281- 6
趙宗辯宋 1105-825- 98
趙京翰明 見趙韓
趙法忭清 547- 90-144
趙法應宋 561-226-38之3
592-265- 76
趙於達明 554-519-57下
趙於巖明 456-498- 5
趙宜生明 1442- 12-附1
1459-484- 15
趙宜省宋 見趙正元
趙宜眞明 見趙元陽
趙宜淑明 全壁妻、趙由珪女
1231-407- 9
趙宜裕元 820-549- 39
趙宜祿金 見趙元
趙宜福宋 見趙寅龍
趙官奴元 趙恭女
295-593-196
474-384- 19
趙治一元 1206-634- 13
趙性魯明 820-710- 43
趙初浣明 456-638- 10
475-611- 81
趙初桂宋 見趙果
趙初暘宋 524-376-197
趙定周明 456-683- 11
趙定郎宋 見趙君竩
趙定國清 560-131- 19
趙定偉元 478-763-215
趙定僧宋 見趙彥齡
趙庚夫宋 529-727- 51
529-753- 52
674-884- 20
1180-353- 33
1180-397- 37
1357-807- 8
趙炎祖宋 見趙友煥
趙武孟唐 274- 56-123
472-945- 37
478-613-205
558-357- 35
趙武帝石虎、石季龍 後趙
256-726-106
262-348- 95
381-152-187
384-102- 5
544-171- 61
趙武義宋 400-183-514
趙武端唐 812-344- 9
821- 41- 46
趙其昌明 510-318-113
趙拔扈南朝 265-1052- 74
380-110-167
趙直菴妻 明 見張氏
趙居中元 1201-713- 29
趙居仁元 517-503-128
趙居甲清 474-589- 30
505-862- 77
趙居貞唐(北海太守)
472-587- 24
540-645- 27
趙居貞趙居眞 唐(鼓城人)
485- 72- 11
493-685- 38
趙居信元 538-152- 65
676-115- 4
趙居眞唐 見趙居貞
趙居晉明 456-631- 10
趙孟㕣趙應龍 宋451- 61- 2
趙孟至宋 680-213-245
趙孟沁元 1195-426- 8
趙孟治元 524-204-188
趙孟何宋 491-417- 5
趙孟定宋 451- 82- 2
趙孟松宋 見趙孟㮤
趙孟周明 1243-384- 23
趙孟㮤趙孟松 宋
288-386-454
400-192-515
523-384-164
趙孟奎趙儒孫 宋(字宿道)
451- 82- 2
趙孟奎宋(字文耀) 821-244- 52
趙孟柔元 1203-411- 30
趙孟若宋 487-512- 7
趙孟涔宋 451- 63- 2
趙孟祐宋 492-713-3下
趙孟淳宋 821-244- 52
趙孟堅宋 472-984- 39
479- 94-221
491-116- 13
524- 19-179
585-417- 10
820-449- 35
821-243- 52
1364-822-375
1437- 33- 2
趙孟堅女 宋 見趙氏
趙孟貫元 526-637-280
趙孟健宋 492-713-3下
趙孟啟宋 見宋度宗
趙孟渾趙元老 宋451- 83- 2
趙孟傅宋(趙與懽子)
491-417- 5
趙孟傅宋(字商弼) 524-133-185
趙孟瑒宋 見趙孟鐳
趙孟實宋 494-344- 7
趙孟實趙光華 明
524-220-189
趙孟頫宋 494-413- 12
820-449- 35
1196-755- 0
趙孟僩趙孟僴 宋472-240- 9
523-397-165
趙孟僴宋 見趙孟僩
趙孟熄趙康孫 宋450- 81- 2
趙孟適宋 見趙孟薖
趙孟㥪宋 451- 78- 2
趙孟遷清 1315-520- 31
趙孟頫元 295-333-172
399-652-485
472-519- 22
472-962- 38
472-1004- 40
476-517-127
479-143-223
494-266- 1
494-412- 12
494-474- 18
494-517- 25
494-521- 25
511-895-172
524- 33-179
540-625- 27
588-177- 8
678-156- 85
684-493- 下
820-491- 37
821-283- 53
1196-598- 附
1210- 77- 9

1241-283- 13
1241-294- 13
1284-344-162
1439-426- 1
1468-344- 18
趙孟頫妻 元 見管道昇
趙孟德女 宋 見趙淑
趙孟諮妻 清 見張氏
趙孟學明 1285-117- 1
趙孟錦宋 288-336-450
400-185-514
475-368- 67
趙孟濟宋 451-227- 0
473-126- 55
479-684-248
516-201- 95
趙孟潫宋 1195-413- 8
趙孟櫄宋 1376-539- 93
趙孟壘宋 288-386-454
400-192-515
481-116-296
523-186-155
趙孟藡趙孟適、趙孟篴 宋(字君啟) 473-194- 58
515-255- 65
567-443- 86
585-769- 5
1467-152- 67
趙孟藡宋(知建昌軍)
517-439-236
趙孟瀾趙蓉 宋 451- 60- 2
趙孟鐇趙孟瑒 宋451- 62- 2
趙孟躋元 1199-285- 30
趙孟績趙翁回 宋451- 83- 2
趙孟篴宋 見趙孟藡
趙孟鑄趙鑄哥 宋451- 77- 2
趙孟儼宋 451- 55- 2
趙孟鑽趙成老 宋451- 78- 2
趙孟籲元 820-491- 37
821-284- 53
1439-426- 1
趙奉伯妻 北齊 見傅氏
趙坤哥宋 見趙簡
趙抱一宋 288-475-461
478-251-186
趙抱淵金 554-984- 65
1445-783- 61
趙奇奉清 528-569- 32
趙長元宋 見趙元長
趙長平漢 見趙成
趙長年漢 見趙成
趙長君宋 481-389-312
趙長郎宋 見趙崇鉻
趙長卿宋 1488-432-附
趙長慶清 561-663- 47
趙東山元 564- 83- 44
趙東山妻 明 見張氏
趙東周妻 明 見張氏
趙東曦明 301-357-258
511-132-141
趙來佳女 明 見趙氏
趙來章唐 274-352-106
趙來祥清 541-101- 30
趙來憲妻 明 見李氏
趙承元金 1365-310- 9
1439- 5-附
1445- 81- 3
趙承先明 558-433- 37
趙承宗宋 382-182- 26
趙承亮宋 544-233- 63
趙承衎宋 544-233- 63
趙承訓妻 宋 見張氏
趙承將妻 清 見鄭氏
趙承裔宋 544-233- 63
趙承煦宋 382-182- 26
趙承睦宋 1088-549- 58
趙承業明 547-116-145
趙承濮宋 544-234- 63
趙承慶宋 677-193- 18
1099-745- 12
趙承操宋 1095-867- 52
趙承謙明 515-277- 65
1280-349- 81
趙承燾清 559-333-7下
趙承顯宋 544-233- 63
544-234- 63
趙忠哥宋 見趙與遴
趙忠義後蜀 554-905- 64
592-714-107
812-493-中
812-528- 2
821-124- 49
趙忠德清 456-339- 76
趙常敬女 明 見趙氏
趙尚寬宋 288- 7-426
382-731-112
384-340- 17
384-359- 18
400-350-531
459-904- 55
472-457- 20
472-749- 29
472-765- 30
472-826- 33
472-1114- 48
473-476- 69
473-503- 71
476-112-102
477-359-166
479-401-235
481-438-316
523-223-156
537-312- 56
545-367- 97
559-273- 6
559-314-7上
592-536- 94
933-599- 38
趙昌年妻 明 見熊氏
趙昌言宋 285-312-266
371- 65- 6
382-238- 36
384-332- 17
396-601-308
472-125- 4
472-495- 21
472-877- 35
474-469- 23
476-182-106
505-689- 70
532-653- 44
540-646- 27
545-873-114
546-667-137
558-191- 31
933-597- 38
趙昌甫宋 820-449- 35
趙昌齡明 547- 53-143
趙昌麟女 明 見趙琦使
趙明帝石勒、石訇 後趙
256-693-104
262-346- 95
381-122-187
384-102- 5
472-500- 21
544-170- 61
544-204- 62
趙明盛明 456-606- 9
558-438- 37
趙明道女 清 見趙蠟梅
趙明誠宋 488-409- 14
488-411- 14
494-304- 5
681-373-附
趙明誠妻 宋 見李清照
趙明遠明 1232-401- 2
趙明徵妻 清 見楊氏
趙虎童宋 見趙珫
趙昇之宋 1123-464- 14
趙昂發宋 見趙卯發
趙易知宋 491-344- 2
趙叔于妻 宋 見彭氏
趙叔友明 1229- 46- 4
趙叔充宋 285- 6-244
趙叔民妻 明 見盧津奴
趙叔式女 明 見趙郡珍
趙叔夷宋 552- 65- 19
趙叔向宋 285- 59-247
趙叔材宋 552- 68- 19
趙叔昊宋 552- 68- 19
趙叔忞宋 1123-461-147
趙叔佾宋 1123-467- 41
趙叔近宋 285- 58-247
395- 89-188
479- 92-221
523- 12-146
趙叔前宋 1123-465- 14
趙叔悲宋 1123-468- 14
趙叔峙宋 1123-463- 14
趙叔昭宋 見趙叔詹
趙叔毗宋 552- 65- 19
趙叔象妻 宋 見胡氏
趙叔旄妻 宋 見李氏
趙叔涉宋 552- 65- 19
趙叔軒宋 552- 68- 19
趙叔盎宋 821-178- 50
趙叔秐宋 1123-465- 14
趙叔納宋 1123-463- 14
趙叔寄妻 宋 見張氏
趙叔趾宋 1092-652- 60
趙叔紺宋 544-234- 63
1123-468- 14

趙叔皎宋 288-354-452
400-161-513
472-519- 22
476-517-127
540-625- 27
趙叔尊宋 1123-461- 14
趙叔琠妻 宋 見王氏
趙叔期漢 538-339- 70
1061-271-110
趙叔隆後魏 261-703- 52
趙叔棼宋 544-234- 63
趙叔揃宋 552- 68- 19
趙叔婼宋 552- 68- 19
趙叔慈妻 宋 見賈氏
趙叔頒宋 552- 65- 19
趙叔詹趙叔昭 宋
1095-870- 52
趙叔韶宋 285- 6-244
820-358- 32
趙叔廣清 524-159-186
趙叔鄭宋 1123-462- 14
趙叔樂宋 1123-460- 14
趙叔憑宋 288-354-452
400-160-513
472-740- 29
477-522-175
537-351- 56
趙叔澮宋 552- 65- 19
1123-460- 14
趙叔澾宋 1123-467- 14
趙叔蕃宋 552- 67- 19
趙叔瑠宋 1123-462- 14
趙叔賾妻 宋 見王氏
趙叔鞵宋 552- 69- 19
趙叔藻宋 552- 67- 19
1117-334- 15
趙叔儺趙淑儺 宋
813-119- 9
821-171- 50
趙叔亹宋 1095-886- 54
趙叔驍妻 宋 見方氏
趙非熊元 1200-772- 59
趙知章元 475-176- 59
510-345-114
523- 27-147
趙知微唐(衡山人) 384-261- 13
473-360- 64
480-509-281
533-259- 55
趙知微唐(九華人) 475-652- 83
趙知微唐 511-937-175
趙知微金 676-361- 13
趙知禮陳 260-644- 16
265-958- 68
378-543-145
472-895- 35
558-304- 34
814-256- 7
820-107- 24
933-592- 38
趙季良五代 1104-505- 40
趙季良元 1209-111- 6
趙季通明 299-298-137
472-1105- 47
537-267- 55
1237-403- 13
1237-419- 16
趙始成漢 244-884-123
趙受益宋 見宋仁宗
趙受益元 1196-699- 8
趙秉文金 291-539-110
383-1007- 29
399-288-442
472-431- 19
472-699- 28
474-439- 21
476-296-112
505-764- 72
545-400- 98
676-696- 29
677-454- 41
820-478- 36
821-274- 52
1040-227- 1
1191-186- 17
1191-443- 38
1365-101- 3
1439- 6- 附
1445-141- 9
趙秉正元 1214-114- 10
趙秉良妻 清 見楊氏
趙秉忠明(字季卿) 476-674-136
540-822-28之3
676-621- 25
1442- 85-附5
1460-481- 63
趙秉忠明(字藎臣) 529-745- 51
趙秉貞明 515-384- 68
趙秉倫明 540-797-28之3
趙秉常西夏 見夏惠宗
趙秉溫元 295- 52-150
399-416-457
1214-261- 22
趙秉謙清 537-443- 58
趙秉爵妻 明 見李氏
趙延乂後周 見趙延義
趙延之唐 473-475- 69
481-113-296
559-272- 6
592-246- 73
趙延吾清 561-663- 47
趙延進宋 285-372-271
371-171- 17
396-642-312
472- 85- 3
472-132- 4
472-765- 30
473-246- 60
474-370- 19
474-476- 23
477-359-166
480-287-271
505-669- 69
505-774- 73
532-676- 44
537-312- 54
545- 38- 84
趙延溥宋 285-135-254
396-483-299
474-377- 19
505-750- 72
540-652- 27
趙延義趙延乂 後周
278-437-131
279-381- 57
384-316- 16
401- 98-580
趙延義宋 559-390-9上
趙延嗣宋 1090-244- 9
1351-692-149
1408-512-532
趙延壽劉延壽 後晉
278-196- 98
279-516- 72
289-583- 76
383-755- 16
401-306-609
497- 66- 3
趙延翰宋 590-116- 14
趙延靜後周 477-123-155
趙汯夫宋 487-512- 7
趙洪遠明 547- 5-141
趙洪範明 511-240-145
趙炳然明 300-329-202
478-769-215
481-157-298
523- 53-148
545-287- 94
559-362- 8
676-571- 23
趙為仁清 456-339- 76
趙為滄明 見趙滄
趙為潛妻 明 見徐瑩
趙宣子春秋 見趙盾
趙宣之劉宋 258- 7- 41
趙宣奴妻 明 見楊氏
趙宣甫南唐 1085-120- 15
趙宣孟春秋 見趙盾
趙恂如明 564-140- 45
趙恰爾元 400-245-520
趙宦光明 475-139- 56
511-835-168
820-743- 44
1442-105-附7
1458-758-478
1460-633- 72
趙宦光妻 明 見陸卿子
趙計良妻 明 見王氏
趙亮功金 1365-263- 8
1445-480- 35
趙亮采明 540-794-28之3
趙彥文趙慶孫 宋
448-366- 0
448-405- 0
趙彥可明 472-569- 24
540-641- 27
趙彥亨元 494-473- 18
趙彥良明 569-667- 19
趙彥良妻 明 見王氏
趙彥杉宋 473- 60- 51
趙彥吶宋 287-624-413
398-580-404

十四畫 趙

473-435- 67
478-515-200
481- 80-294
559-344- 8
趙彥呐妻 宋 見楊氏
趙彥忠明 559-428-10上
趙彥恂趙謝僧 宋
448-380- 0
448-406- 0
趙彥垠宋 485-537- 1
趙彥若宋 382-386- 60
384-357- 18
472-519- 22
473-317- 62
540-624- 27
趙彥昭唐 270-118- 92
274-556-123
384-187- 10
395-448-220
470-434-152
544-226- 63
558-357- 35
933-594- 38
1371- 52- 附
1387-361- 26
趙彥佰趙彥俊 宋
1147-780- 74
趙彥俊宋 見趙彥佰
趙彥眞趙彥能 宋
493-747- 41
1163-576- 34
趙彥班宋 473-694- 80
趙彥剛明 473-144- 56
515-149- 61
趙彥秬宋 523-610-176
679-520-189
趙彥能宋 見趙彥眞
趙彥倓宋 285- 59-247
395- 90-188
475-119- 55
475-214- 60
475-366- 67
479-224-227
480- 49-259
493-706- 39
510-327-113
523-150-153
1164-411- 23
趙彥深趙隱 北齊
263-286- 38
267-175- 55
379-472-154
384-138- 7
472-523- 22
472-772- 30
476-523-128
537-545- 59
540-729-28之1
814-261- 8
820-120- 25
933-593- 38
趙彥彬宋 515-197- 63
524-252-190
趙彥敔宋 472-239- 9
趙彥通宋 491-437- 6
趙彥得妻 明 見王氏
趙彥博宋 472-1003- 40
494-407- 12
494-471- 18
趙彥堪宋 1165-372- 24
趙彥肅宋 472-1016- 41
479-380-234
523-622-177
675-409- 4
677-304- 28
趙彥弼宋 487-188- 12
491-436- 6
趙彥復明 537-411- 57
545-196- 90
676-629- 26
1442- 88-附6
1460-500- 64
趙彥道宋 1121-407- 27
趙彥傳宋 485-534- 1
趙彥逾宋 285- 60-247
395- 91-188
475-272- 63
487-141- 9
488- 13- 1
488-462- 14
491-339- 1
491-408- 5
491-436- 6
1153-299- 83
趙彥誠宋 510-493-118
趙彥端宋 473- 43- 50
515-214- 63
674-350-5下
674-845- 18
1165-340- 21
1488- 83- 附
趙彥嘉明 1229- 88- 7
趙彥遠宋 491-437- 6
趙彥綰宋 1153- 25- 56
趙彥諒宋 559-320-7上
趙彥宵宋 524-164-186
538-100- 64
趙彥衛宋 494-343- 7
趙彥橚宋 285- 60-247
395- 90-188
475-214- 60
479-402-235
481-492-324
481-719-333
482-320-354
493-718- 40
510-330-113
510-359-114
523-224-156
528-444- 29
528-550- 32
1164-414- 23
趙彥操宋 493-716- 40
趙彥衡清 530-212- 61
趙彥彌宋 529-674- 49
趙彥勵宋 473-631- 77
528-474- 30
趙彥韜宋 288-694-479
趙彥繩宋 528-522- 31
趙彥繩妻 宋 見宣氏
趙彥齡趙定僧 宋
448-380- 0
448-407- 0
趙持要宋 1181-367- 4
趙持滿唐 271-403-183
274-340-105
820-144- 26
趙拱寅宋 451-226- 0
趙威伯不詳 1061-281-111
趙威晉明 547- 5-141
趙威鞠元 1216-546- 9
趙春芳明 554-735- 61
趙春盛明 592-787- 2
趙耶利唐 839- 45- 4
趙南星明 301-118-243
458-337- 13
474-622- 32
476-335-115
505-791- 73
547-194-148
676-609- 25
820-730- 44
1292-605- 10
1312- 55- 6
1442- 76- 5
1460-375- 57
趙南圖明 1383-748-125
趙飛燕漢 漢成帝后、趙臨女
251-293-97下
448- 79- 8
839- 25- 3
1395-583- 3
趙垠祖元 1197-649- 66
趙致安元 505-695- 70
趙建郁明 460-625- 62
529-735- 51
趙建極明 301-458-263
456-498- 5
458- 66- 3
475-874- 95
538- 61- 63
545-109- 86
趙迦羅元 473-808- 86
趙茂元元 561-510- 44
趙茂松元 1207-280- 19
趙茂曾宋 494- 9- 1
494- 12- 1
494- 19- 2
554-272- 53
趙貞吉明 300-175-193
457-539- 33
481-389-312
559-402-9上
567-450- 86
676-569- 23
1287-776- 11
1442- 55-附3
1460-143- 47
1467-157- 67
趙思文趙璜、趙斯文 金
472-144- 5
505-732- 71

1040-248- 4
1191-208- 18
1200-542- 42
1365-281- 8
1439- 7- 附
1445-511- 38
趙思仁明 554-311- 53
趙思本明 472-309- 13
趙思忠木征 宋 288-862-492
趙思明元 472-879- 35
趙思益元 492-711-3下
1206-147- 16
趙思恭宋 1121-603- 7
趙思恭元 1197-644- 66
1206-617- 12
1207-598- 42
1213-353- 10
趙思恭妻 元 見焦氏
趙思淵宋 見趙師淵
趙思基明 523-137-152
趙思順元 517-484-127
趙思義明 558-429- 37
趙思溫遼 289-585- 76
399- 12-417
472-144- 5
474-277- 14
505-728- 71
1200-635- 48
趙思敬妻 清 見李氏
趙思誠宋 529-754- 52
趙思誠明 546-369-127
趙思綰後漢 278-274-109
279-346- 53
384-314- 16
401-419-622
趙若玶趙純翁 宋451- 84- 2
趙若恢宋 524-292-193
趙若原元 1221-158- 6
趙若珪宋 1170-707- 31
趙若硂趙若夔 宋451- 83- 2
趙若瑛趙若揖 宋451- 79- 2
趙若惺宋 1375- 22- 上
趙若焯宋 451- 80- 2
趙若琲趙桂翁 宋451- 62- 2
趙若琟趙若蘭 宋451- 77- 2
趙若揖宋 見趙若瑛
趙若祺宋 451- 63- 2
趙若詵趙若銑 宋
473-777- 84
482-451-362
567- 74- 65
1467- 48- 63
趙若煥宋~元 515-340- 67
1197-736- 76
趙若鈺趙若繡 宋451- 81- 2
趙若誠宋 491-304- 6
趙若銑宋 見趙若詵
趙若譧宋 491-302- 6
趙若槸宋 529-743- 51
1437- 32- 2
趙若穃元 艾宗道妻、趙時濼女 1213-768- 24
趙若魯宋 451- 83- 2
趙若磬元 1209-579-9下
趙若燭趙嗣誠 宋~元
515-503- 72
678-148- 84
趙若繡宋 見趙若鈺
趙若禴趙祖召 宋
451- 82- 2
趙若櫶宋 528-445- 29
趙若夔宋 見趙若硂
趙若蘭宋 見趙若琟
趙哇兒元 295-628-200
401-177-593
472-627- 25
474-559- 28
496-414- 89
趙昴發宋 見趙卯發
趙映斗清 505-808- 74
趙映斗妻 清 見劉氏
趙映乘清 528-556- 32
趙迪之宋 515-144- 61
趙重明明 456-665- 11
趙重琮明 558-445- 38
趙重喜趙汝楫 元
294-281-123
399-353-449
558-289- 34
趙重華明 302-158-297
483- 96-378
570-150-21之2
趙重葳宋 552- 67- 19
趙重福金 291-732-128
400-362-533
474-337- 17
477-442-171
505-665- 69
546-137-119
554-467- 56
趙皇后唐 唐中宗后、趙瓌女
269-422- 51
274- 13- 76
393-257- 71
554- 21- 48
趙胤芳妻 清 見傅氏
趙紃夫宋 479-821-256
515-269- 65
529-447- 43
趙勉之女 明 見趙氏
趙保吉宋 見李繼遷
趙保忠宋 見李繼捧
趙保哥宋 見趙良銓
趙保聖宋 見趙必瀐
趙俊後妻 明 見朱妙眞
趙食其漢 244-767-111
250-336- 55
251-626- 24
478- 94-180
554-547- 58
933-590- 38
趙高僧宋 見趙伯茂
趙祐卿明 1290-644- 88
趙祖元明 545- 93- 85
趙祖召宋 見趙若禴
趙祖仝元 473-465- 69
515-351- 67
561-210-38之2
趙祖益明 561-202-38之1
趙祖森元 1467-285- 73
趙悟眞宋 范克信妻
1170-770- 34
趙況之宋 552- 68- 19
趙訓之宋 288-354-452
400-165-513
472-292- 12
473-144- 56
475-119- 55
479-710-250
493-746- 41
510-327-113
515-144- 61
1147-558- 53
1147-635- 60
趙家珍明 547- 64-143
趙家駿清 481-212-302
546-383-127
559-533- 12
趙庭蘭明 299-337-140
473-222- 59
480- 88-262
532-623- 43
趙素臺漢 趙熙女
1061- 35- 85
1061-346-115
趙泰孫宋 見趙崇滄
趙泰甡清 479-320-232
523-197-155
540-870-28之4
趙泰臨清 569-620-18下之2
趙恭和女 宋 見趙氏
趙眞一宋 561-202-38之1
趙眞才明 456-683- 11
趙眞娘明 陳顒妻
473-646- 78
趙烈侯戰國 244-178- 43
371-400- 20
384- 7- 1
趙原陽明 見趙元陽
趙班璽清 592-779- 2
趙耆孫女 宋 見趙尊稺
趙桂枝明 511-627-161
趙桂翁宋 見趙若琲
趙起雲妻 清 見蕭氏
趙起潛明 563-910- 43
趙郡珍明 趙叔式女、趙淑式女
479-499-239
516-237- 97
趙振玉金 1191-334- 30
1191-362- 32
趙振極明 456-632- 10
趙振業明 540-841-28之4
592-778- 2
趙挺之宋 286-655-351
382-661-102
397-708-363
472-519- 22
476-671-136
540-763-28之2
820-395- 34
933-599- 38
趙挺之女 宋 見趙氏

趙破奴漢 244-768-111
250-336- 55
251-627- 24
376-167-98上
545-503-101
趙迺裕宋 819-594- 20
趙退庵明 1250-522- 48
趙時中明(字宜之) 458-164- 8
477-419-169
趙時中明(歷城人) 473-194- 58
515-257- 65
趙時中明(號翠微生)
554-874- 64
趙時用明 511-291-147
趙時吉宋 491-302- 6
趙時洮宋 451- 80- 2
趙時佐宋 1170-723- 32
趙時林趙似 宋 451- 61- 2
趙時侉宋 515-334- 67
趙時侃宋 510-312-113
511-773-166
趙時侃妻 宋 見湯氏
趙時恪宋 491-304- 6
趙時春明 300-298-200
475-873- 95
478-550-202
545- 92- 85
558-341- 35
676-560- 23
1442- 53-附3
趙時勉元 1214-210- 18
趙時勉明 511-281-147
趙時悟宋 491-302- 6
趙時堃宋 1376-539- 93
趙時栗宋 523-396-165
趙時振明 511-511-157
趙時庸宋 見趙時壄
趙時通宋 528-539- 32
1174-709- 44
趙時晦宋 511-915-173
趙時貫趙時登 宋451- 61- 2
趙時敏元 1212-473- 12
趙時逢宋 494-402- 12
494-471- 18
1147-542- 51
趙時喆宋 487-189- 12
趙時詁宋 524-271-191
趙時悳宋 451- 62- 2
趙時登宋 見趙時貫
趙時堯妻 明 見徐定瑞
趙時溱趙時寶 宋
451- 53- 2
趙時煥宋 479-654-247
481-745-334
515-168- 62
528-559- 32
趙時瑜趙梅僧 宋451- 82- 2
趙時賓宋 見趙時賞
趙時慥宋 491-302- 6
趙時遠元 1439-423-附1
趙時賢宋 1176-761- 10
趙時播宋 1195-419- 8
趙時賞趙時賓 宋
288-378-454
400-195-515
451-232- 0
472-349- 15
472-357- 15
472-395- 17
475-605- 81
475-670- 84
475-812- 91
511-488-155
528-540- 32
趙時踐宋 472-389- 17
475-822- 92
510-494-118
趙時儋宋 479-821-256
515-269- 65
趙時憲明 1260-636- 19
趙時橐宋 524-262-191
趙時壄趙時庸 宋451- 80- 2
趙時館宋 528-538- 32
趙時賚趙寶生 宋451- 82- 2
趙時齋明 676-589- 24
趙時熮宋 451- 78- 2
趙時濟明 676-112- 4
趙時濼女 元 見趙若榕
趙時寶宋 見趙時溱
趙倉唐戰國 384- 29- 1
546-434-129
趙翁回宋 見趙孟績
趙俾夫宋 1175-539- 17
趙倫之劉宋 258- 72- 46
265-291- 18
378- 43-132
475-854- 94
511-346-149
933-592- 38
趙師正宋 見趙師津
趙師召宋 451- 25- 0
趙師民宋 285-689-294
382-385- 60
384-357- 18
397-139-328
471-735- 20
472-592- 24
472-825- 33
476-670-136
478- 90-180
491-807- 6
540-752-28之2
554-239- 52
1090-281- 14
趙師旦宋 288-273-446
371-153- 15
382-717-110
384-358- 18
400-128-511
471-834- 35
471-908- 46
472-311- 13
472-1040- 43
473-712- 81
475-327- 65
479-351-233
482-183-346
511-458-154
523-198-155
563-698- 39
1099-727- 9
1105-783- 94
1351-608-141
1356-168- 8
1384-173- 95
趙師名宋 487-510- 7
趙師向宋 485-537- 1
趙師秀宋 524- 84-182
1437- 27- 2
1462-595- 84
趙師孟趙麟哥 宋
448-383- 0
448-408- 0
1167-748- 40
趙師津趙師正 宋
491-437- 6
1152-581- 31
1153-595-104
趙師鄚宋 523-604-176
趙師鄚妻 宋 見陳氏
趙師俌宋 491-437- 6
趙師禹宋 494-265- 1
趙師垂宋 494-266- 1
趙師信宋 見趙師溽
趙師宰宋 821-244- 51
趙師夏宋 473- 75- 52
515-232- 64
趙師晃宋 491-437- 6
趙師峴宋 491-436- 6
趙師晨宋 491-437- 6
趙師恕宋 523- 79-149
585-771- 5
585-776- 5
1467- 47- 63
趙師皋宋 494-325- 6
趙師望宋 1117-328- 14
趙師淵趙思淵 宋
479-289-230
523-604-176
趙師淵女 宋 見趙希恰
趙師章宋 491-436- 6
趙師虙宋 473-176- 57
515-118- 60
528-491- 30
趙師逌宋 515-1211- 61
趙師得妻 清 見劉氏
趙師雄隋 471-846- 36
473-695- 80
趙師揆濮王 宋 285- 16-244
395- 98-188
475-743- 88
494-265- 1
494-328- 6
趙師嵒宋 472-394- 17
494-265- 1
510-489-118
趙師雍宋 487-189- 12
趙師聖明 515-845- 84
趙師楷宋 529-562- 46
趙師傳宋 475-525- 77
趙師溽趙師信 宋491-437- 6
1153-595-104

趙師魯元 295-392-176
399-706-490
472- 37- 1
474-181- 8
474-305- 16
505-721- 71
趙師龍宋 1153-565-102
趙師龍妻 宋 見聞人氏
趙師璟清 479-631-245
趙師罤宋 285- 50-247
395- 95-188
821-228- 51
趙師縉宋 481-611-329
528-492- 30
趙師檟宋 288-315-449
400-135-511
481-650-330
趙師彌宋 494-265- 1
趙師舉唐 275-630-195
400-288-523
547-109-145
趙師瑑宋 528-550- 32
趙師夔宋 285- 17-244
395- 97-188
475-501- 75
479-133-223
485-503- 9
494-310- 5
510-424-116
趙師懿宋 532-717- 45
趙能容妻 清 見楊氏
趙純翁宋 見趙若玤
趙修己宋 288-465-461
401- 99-581
477- 72-152
538-353- 71
趙修祺妻 清 見普氏
趙修祿明 511-883-171
趙修儒妻 清 見王氏
趙紡夫宋 481-693-332
528-539- 32
趙殷衡五代 見孔循
趙寅龍趙宜福 宋
451-101- 3
趙庶明宋 473- 21- 49
515-306- 66
趙清貞清 475-797- 90
502-692- 87
510-488-118
趙清澗元 511-874-170
821-316- 54
趙翊之宋 1123-466- 14
趙望之妻 宋 見慕容氏
趙惟一明 1229-210- 5
趙惟吉冀王 宋 285- 10-244
395- 92-188
544-234- 63
819-593- 20
趙惟吉女 宋 見趙氏
趙惟忠趙文起 宋
285- 11-244
395- 92-188
趙惟固趙元扆 宋
285- 11-244
395- 92-188
趙惟和宋 285- 11-244
395- 92-188
820-343- 32
趙惟和妻 宋 見馮氏
趙惟則五代 407-672- 4
趙惟能宋 285- 15-244
395- 96-188
趙惟清明 473-777- 84
567- 83- 66
1467- 59- 64
趙惟敘宋 285- 15-244
395- 96-188
趙惟精明 570-165-21之2
趙惟賢元 476-333-115
趙惟憲宋 285- 15-244
395- 96-188
趙惟憲妻 宋 見和氏
趙惟寰明 676-170- 7
趙惟興明 473- 28- 49
趙訢之妻 宋 見龔氏
趙祥之宋 485-502- 9
趙率教明 301-570-271
456-420- 2
558-416- 37
趙深道元 529-671- 49
趙梁伯妻 明 見錢貞
趙淑式女 明 見趙郡珍
趙淑端明 崔復妻、趙雍女
1229-237- 6
趙淑儀元 趙夢炎女
493-1082- 57
512-458-188
趙淑儺宋 見趙叔儺
趙淑靄妻 宋 見翁氏
趙康直宋 472-325- 14
趙康孫宋 見趙孟熄
趙執中元 1209-482-8上
趙梅僧宋 見趙時瑜
趙雪濤明 570-213- 23
趙堅哥宋 見趙必岬
趙乾順西夏 見夏崇宗
趙探夫明 567- 83- 66
趙連茹妻 清 見張氏
趙連章宋 1099-726- 9
趙連璧妻 清 見王氏
趙逐仙明 558-479- 40
趙逐哥宋 見趙子修
趙將仕元 473-866- 88
483-267-392
571-540- 20
趙崇回宋(字國老) 451- 80- 2
趙崇回趙回老 宋(字希道)
451- 80- 2
趙崇忭宋 491-302- 6
趙崇佾宋 491-302- 6
趙崇祉宋 528-506- 31
趙崇度宋 679-520-189
1174-691- 43
趙崇垓宋 1181-135- 3
趙崇珅宋 451- 81- 2
趙崇侯明 515-827- 83
528-444- 29
趙崇祚後蜀 592-611-100
1489- 7-附
趙崇原宋 485-537- 1
趙崇厦宋 1467- 46- 63
趙崇規宋 485-536- 1
趙崇堂宋 1181-301- 6
趙崇悉宋 1170-706- 31
趙崇啟宋 400-180-514
趙崇滋宋 524- 85-182
趙崇湁趙泰孫 宋451- 83- 2
趙崇萃宋 528-523- 31
趙崇嵒宋 487-189- 12
趙崇復宋 491-437- 6
趙崇源宋 451-231- 0
趙崇鉘宋 1364-336-292
1437- 30- 2
趙崇榞宋 479-535-241
趙崇銘趙長郎 宋451- 62- 2
趙崇潔宋 524-273-191
趙崇賢明 475-822- 92
510-495-118
趙崇墀趙古隆 宋451- 77- 2
趙崇模宋 585-769- 5
585-775- 5
1467- 46- 63
趙崇嶓宋 473- 99- 53
515-828- 83
523-213-156
趙崇德唐 820-179- 27
趙崇鋌趙似老 宋451- 78- 2
趙崇憲宋 287-372-392
398-377-388
473- 48- 50
473- 86- 52
473-749- 83
479-449-237
479-483-239
479-531-241
479-605-244
482-348-356
516- 31- 88
567- 72- 65
585-769- 5
1174-698- 44
1467- 46- 63
趙崇衡宋 491-437- 6
趙崇禪宋 493-723- 40
708-1045- 97
趙崇謏宋 485-536- 1
趙崇磻宋 1178-788- 7
趙崇禮妻 清 見李氏
趙崇韜宋 288-693-479
401-221-597
545-603-105
趙莊子春秋 見趙朔
趙國安元 400-310-526
趙國臣妻 清 見劉氏
趙國良明 554-488-57上
趙國佐清 540-842-28之4
趙國治妻 清 見王氏
趙國忠明 300-480-211
474-822- 44
502-384- 64
趙國杜妻 清 見劉氏
趙國珍唐 270-377-115

473-476- 69
483-249-391
533-241- 54
559-273- 6
572- 70- 28
趙國祚清 474-773- 41
478-770-215
502-656- 79
523- 64-149
趙國泰妻 明 見楊氏
趙國泰清 456-339- 76
趙國眞女 明 見趙第
趙國鼎明 456-518- 6
474-169- 8
546-370-127
趙國寶元 546-337-126
趙國麟清 476-827-143
481-496-324
趙崖塊西夏 見夏景宗
趙處溫宋 524-210-188
趙野雲元 558-485- 41
趙崑山妻 清 見徐氏
趙得亨金 558-199- 31
趙得秀明 505-926- 83
趙得庚明 456-665- 11
趙得勝清 570-526-29之8
趙紹鼎清 524- 93-182
趙御封清 547- 84-144
趙彩姬明 1442-126-附8
1460-907- 98
趙參魯明 300-637-221
479-186-225
523-295-159
528-462- 29
676-724- 30
1474-518- 25
趙敏中元 523-170-154
趙啟文明 1467-135- 66
趙啟裕清 479- 58-219
趙啟新清 456-339- 76
趙啟睿清 1324-332- 31
1324-364- 33
趙從一唐 820-194- 27
趙從古妻 宋 見宋氏
趙從古女 宋 見趙道娘
趙從式宋 1101-739- 29
趙從吉明 821-372- 55
趙從東妻 明 見劉氏
趙從恪妻 宋 見米氏
趙從郁宋 544-234- 63
1088-547- 58
趙從政明 547- 72-143
趙從信宋 1093-393- 54
趙從傅妻 明 見李氏
趙從審宋 1093-387- 53
趙從質宋 1093-388- 53
趙從龍明 1285-641- 9
趙從龍妻 明 見高氏
趙從贄宋 1093-385- 52
趙從藹妻 宋 見慕容氏
趙從顯妻 明 見熊氏
趙從讜宋 552- 65- 19
趙逢龍宋 287-779-424
398-706-415
472-1088- 46
473- 60- 51
473-177- 57
473-358- 64
479-179-225
479-352-233
479-557-242
479-766-252
480- 50-259
480-508-281
481-803-338
515-197- 63
523-288-159
528-445- 29
532-704- 45
趙尊楎宋 孫叔特妻、趙耆孫女 1150-868- 47
趙渭夫宋 491-437- 6
趙善方元 1206-146- 16
趙善末妻 明 見王氏
趙善屾趙壽翁 宋 448-365- 0
448-405- 0
趙善玘宋 487-189- 12
趙善防宋 578-901- 24
趙善佐宋 460-311- 23
515-267- 65
528-505- 31
529-746- 51
532-736- 46
1146-168- 92
趙善昕宋 528-442- 29
趙善宣宋 493-748- 41
559-314-7上
趙善郊宋 1171- 92- 12
趙善珏趙鐵柱 宋448-382- 0
448-408- 0
趙善封宋 529-563- 46
趙善悊宋 523-169-154
趙善政五代 473-811- 86
494-241- 10
趙善待宋 491-436- 6
1157-233- 17
趙善俊宋 285- 57-247
395-105-189
475-699- 86
480- 49-259
481-673-331
510-463-117
515- 18- 57
532-614- 43
1147-668- 63
趙善恭趙善儀 宋 529-626- 48
1169-724- 18
趙善恕宋 485-536- 1
趙善畣宋 493-748- 41
趙善郈宋 515-866- 85
528-523- 31
趙善堅宋 451- 24- 0
473-178- 57
515-501- 72
523-185-155
1153- 40- 57
趙善悉宋 481-745-334
528-559- 32
1153-309- 83
1164-391- 21
趙善得宋 524- 85-182
趙善鄘宋 515-869- 85
563-672- 39
趙善偰宋 482- 89-342
趙善湘宋 287-624-413
398-580-404
472-174- 6
472-308- 13
472-1087- 46
479-179-225
479-319-232
488- 14- 1
488-471- 14
488-473- 14
491-432- 6
494-313- 5
510-284-112
510-371-114
523-578-175
677-375- 34
趙善發宋 1163-416- 14
趙善意宋 丘雙薦妻、趙不悳女 1180-432- 39
趙善嵩宋 528-443- 29
趙善郭宋 1171- 92- 12
趙善養宋 494-406- 12
494-471- 18
趙善儀宋 見趙善恭
趙善澤宋 見趙善擇
趙善璙宋 472-380- 16
511-271-147
1376-538- 93
趙善晉宋 523-127-152
趙善擇趙善澤 宋451-213- 9
493-714- 39
511-177-143
趙善應宋 287-366-392
398-372-388
473- 48- 50
479-530-241
516- 28- 88
524-307-194
1146-159- 92
趙善謐宋 528-442- 29
趙善臨宋 494-325- 6
趙善臨妻 宋 見王氏
趙善鄭宋 1171- 92- 12
趙善譔宋 515-146- 61
趙善譩宋 473-694- 80
563-680- 39
趙善齡宋 473-496- 70
559-300-7上
趙善纁宋 491-437- 6
趙善繼宋 473-186- 58
515-266- 65
趙善譽宋 285- 57-247
395-105-189
479-174-225
479-654-247
481-333-308

515-168- 62
1153-558-102
趙善讚宋 491-437- 6
趙渙之宋 485-534- 1
趙敦臨宋 472-1086- 46
491-395- 4
523-589-175
678-114- 80
趙雲子宋 812-535- 3
821-153- 50
趙雲甫元 523-170-154
趙雲孫清 505-893- 79
趙雲辮妻 清 見徐氏
趙雲蒸明 1442- 98-附6
1460-595- 69
趙雲蒸妻 明 見袁氏
趙雲巖元 821-303- 53
趙惠之妻 宋 見王氏
趙惠宗元 533-763- 74
趙惠果明 廖鵬妻、趙瑜女
1259-234- 17
趙惠眞宋 見趙與溥
趙賁亨元 295- 68-151
399-430-458
472-1052- 44
479-431-236
523-242-157
趙博文唐 812-354- 10
813-150- 13
821- 75- 47
趙博玄唐 820-283- 30
趙博宣唐 270-625-137
275-256-161
396- 69-258
821- 74- 47
趙撝謙趙謙、趙古則 明
301-818-285
457-740- 43
472-1072- 45
473-738- 82
479-237-227
482-266-350
523-599-176
563-839- 41
676-448- 17
683-229- 1
820-572- 40
1229-654- 附
1229-703- 2
1229-704- 2
1318-365- 64
1442- 10-附1
1459-312- 8
趙琚姐清 孫次琇妻
530- 53- 54
趙超宗後魏 261-701- 52
558-387- 36
趙期頤元 820-496- 37
1439-431- 1
趙雄飛金 1191-224- 20
趙隆美明 511-389-151
趙隆胤清 554-541-57下
趙閏使清 530- 82- 55
趙閏鳳明 480-546-283
趙間卿宋 見趙儼之
趙琦使明 趙昌麟女
530-125- 57
趙斯文金 見趙思文
趙堯裔妻 清 見張氏
趙肅侯戰國 244-180- 43
371-401- 20
404-357- 21
趙開心清 480-414-277
511-904-172
趙報之宋 552- 68- 19
趙紫眞宋 楊存中妻、趙不侮女 1135-447- 41
趙景子春秋 見趙成
趙景明宋 517-359-125
趙景和明 456-531- 6
475-822- 92
510-496-118
523-358-163
趙景和妻 清 見勞氏
趙景星女 元 見趙貞
趙景純趙明 明 515-200- 63
529-451- 43
趙景順清 456-339- 76
趙景溫金 545-181- 89
趙景緯宋 287-791-425
398-718-416
472-968- 38
472-981- 39
492-1101- 47
479- 51-218
479- 92-221
479-286-230
523-260-158
523-579-175
趙景麟明 456-637- 10
479-187-225
趙景鸞明 476-855-145
趙貴伯明 1229-219- 5
趙貴和宋 見趙竑
趙貴孫宋 見趙必烇
趙貴誠宋 見宋理宗
趙萃一明 511-857-169
趙無忌漢 545-351- 96
趙無恤戰國 見趙襄子
趙傅霖宋 494-348- 7
趙順老宋 見趙暮夫
趙順祖宋 見趙震已
趙順孫宋 493-723- 40
510-331-113
523-349-162
1209-638-10下
趙須子春秋 見趙勝
趙鈞臣宋 1128-270- 27
趙舜臣宋 1121-608- 7
趙舜舉明 676-663- 28
1442-112-附7
趙欽善明 524-232-189
趙欽湯明 546-498-131
趙象元元 1221-365- 附
1375- 18- 上
1376-206- 72
趙象乾清 528-501- 30
趙傑士明 538-114- 64
趙復性明 547- 5-141
趙進孝妻 明 見李氏
趙進美明 592-778- 2
1324-346- 32
趙進啟妻 清 見馮氏
趙集仁妻 清 見徐氏
趙媛姜漢 盛道妻
253-635-114
381- 46-185
481-353-309
559-468-11中
591-534- 41
趙義文宋 492-711-3下
趙慈景唐 274-104- 83
478-334-191
554-231- 52
趙慈景妻 唐 見長廣公主
趙愼修明 540-814-28之3
趙愼微女 宋 見趙氏
趙愼臨宋 491-436- 6
趙溫主五代 592-285- 78
趙溫其趙溫奇 唐
554-904- 64
592-689-105
812-483- 上
812-521- 2
813-102- 6
821- 89- 48
趙溫奇唐 見趙溫其
趙溫瑜宋 1092-623- 58
趙靖王明 見朱見濬
趙雍熙明 494- 41- 3
趙裕心明 547- 92-144
趙詵之宋 481-746-334
528-559- 32
趙廉孫宋 見趙與梣
趙煥文清 475-532- 77
478-339-191
511-477-155
554-350- 54
趙煥章明 523-188-155
趙運會清 537-576- 60
趙道娘宋 趙從古女
1104-456- 38
趙道震明 511-884-171
趙道興唐 269-816- 83
趙資學清 456-339- 76
趙楨國妻 明 見吳氏
趙雷澤元 517-508-128
趙聖住宋 見趙嗣逵
趙椿壽宋 見趙不愧
趙椿齡元 1201-697- 28
趙瑞郎宋 見趙必棍
趙瑞徵妻 清 見翟氏
趙達夫宋 見趙充夫
趙達夫金 547-128-146
1365-298- 9
1445-534- 41
趙萬全清 524-141-185
趙萬年宋 481-748-334
529-643- 48
1364-707-352
趙萬宗宋 1119-607- 29
趙萬卷妻 清 見唐氏

趙萬忠媳 清 見劉氏
趙萬善妻 明 見陳氏
趙睦之宋 1137-167- 3
趙嗣孝清 511-540-157
趙嗣助宋 482-142-344
趙嗣昌趙曇 宋 451- 83- 2
趙嗣英元 1219-738- 8
趙嗣恩趙恩 宋 451- 83- 2
趙嗣猛妻 清 見鄭氏
趙嗣滋妻 元 見葉徽
趙嗣詔宋 515-759- 80
趙嗣祺元 524-449-201
趙嗣椿元 1221-157- 6
趙嗣誠宋~元 見趙若燭
趙嗣樟趙寶哥 宋451- 63- 2
趙嗣逵趙聖住 宋451- 81- 2
趙嗣德母 宋 見范氏
趙嗣薦明 524-272-191
趙嵩蒞妻 清 見王氏
趙鼎臣宋 674-832- 17
趙鼎鏞妻 清 見鄭氏
趙募君妻 漢 見羋氏
趙敬忠妻 明 見蕭氏
趙敬侯戰國 371-400- 20
404-356- 21
趙敬賓明 592-778- 2
趙敬簡明 592-778- 2
趙虞佐明 554-509-57下
趙傳弼元 483- 94-378
趙傾葵明 474-822- 44
502-714- 83
趙雋之宋 493-710- 39
趙會禎明 1294-528- 12
趙解愁前蜀 592-646-102
趙鉄柱宋 見趙善珏
趙賓王宋 821-246- 52
趙亹夫宋 451- 79- 2
趙實喇元 295-245-165
趙福星清 510-296-112
趙寧哥宋 見趙必還
趙寧哥宋 見趙公懋
趙端卿金 1191-253- 22
趙端頤宋 515-752- 80
趙粹中宋 487-141- 9
491-410- 5
494-311- 5
524-317-194
1153-301- 83
1153-516- 98
趙漢鎮明 533-460- 63
趙榮祖元 559-376- 8
趙榮祖明(龍巖知縣)
473-653- 78
趙榮祖明(字紹先)
1226-682- 2
趙榮貴明 547- 52-143
趙與元宋 見趙必戫
趙與泌宋 528-475- 30
趙與忞宋 487-189- 12
趙與東宋 451- 60- 2
1437- 30- 2
趙與芮福王 宋 528- 8- 17
趙與种趙與神 宋451- 53- 2
趙與神宋 見趙與种
趙與珞宋 563-711- 39
趙與時宋 1181-367- 4
趙與旹宋 488-489- 14
493-721- 40
494-266- 1
494-409- 12
494-473- 18
1196-705- 8
1196-714- 9
趙與悆宋 1376-539- 93
趙與衮宋 820-441- 35
趙與桍趙廉孫 宋451- 63- 2
趙與琇宋 523-496-170
趙與婉元 張軫妻、趙希塈女
1209-480-8上
趙與偰宋 563-700- 39
趙與棏宋 451- 78- 2
趙與植宋 見趙與稙
趙與夐宋 473- 75- 52
515-233- 64
趙與溥趙惠眞 宋451- 82- 2
趙與葺元 1194-209- 16
趙與稙趙與植 宋
473-100- 53
515-828- 83
趙與愿宋 見趙詢
趙與銛宋 451- 79- 2
趙與慶明 524-369-197
趙與罴元 295-296-168
399-629-482
472-1104- 47
1203-371- 28
1203-427- 32
1367-670- 51
趙與楠宋 451- 61- 2
趙與霆宋 523-496-170
趙與穮宋 475-604- 81
510-435-116
趙與諰宋 451- 62- 2
趙與澤宋 494-265- 1
趙與諫宋 487-189- 12
趙與遴趙忠哥 宋
451- 63- 2
趙與懃宋 473- 60- 51
515-197- 63
821-224- 51
趙與檟宋 523-214-156
趙與檡嗣秀王 宋
288-335-450
400-192-515
451-243- 0
494-265- 1
趙與邁宋 481-114- 96
559-273- 6
趙與鐊宋 451- 60- 2
趙與簒宋 287-773-423
398-701-414
472-1003- 40
488- 14- 1
488-485- 14
493-718- 40
494-430- 13
趙與懽趙與權 宋
287-626-413
398-581-404
472-998- 40
479- 43-218
479-134-223
491-416- 5
494-343- 7
523- 18-146
567-443- 86
585-769- 5
1467-153- 67
趙與權宋 見趙與懽
趙與權元 1196-559- 5
趙輔和北齊 263-379- 49
267-690- 89
380-639-183
472-697- 28
538-355- 71
933-594- 38
趙壽老宋 見趙汝景
趙壽翁宋 見趙善岫
趙壽卿宋 見趙像之
趙熙靖明 528-530- 31
趙爾待明 592-778- 2
趙爾棨女 明 見趙維馨
趙際昌明 見趙躋昌
趙碧瀾妻 宋 524-580-206
趙嘉煒明 456-616- 9
479-246-227
481- 71-293
523-390-164
559-508- 12
1320- 80- 11
1321- 75- 94
趙嘉煥明 532-627- 43
趙嘉謨妻 清 見馬氏
趙夢仁清 515-283- 65
趙夢炎女 元 見趙淑儀
趙夢弼明 533-771- 74
趙夢雷元 1204-204- 2
趙夢麟明 456-455- 4
545-158- 88
趙鳴鳳明 559-298-7上
572-102- 30
趙鳴鳳妻 明 見劉氏
趙嘗舉女 宋 見趙氏
趙暮夫趙順老 宋451- 78- 2
趙鳳豸明 456-612- 9
477-473-173
趙鳳苞妻 清 見張氏
趙鳳儀元 472-1102- 47
472-1115- 48
479-402-235
523-225-156
676- 56- 2
820-518- 38
趙鳳翔明 570-146-21之2
趙鳳雛明 554-527-57下
趙熊昭趙熊詔 清
475-233- 61
511-771-166
趙熊詔清 見趙熊昭
趙睢兒妻 元 見安氏
趙僧巖南北朝 265-1077- 76
380-451-178

476-728-138
492-596-13下之下
540-719-28之1
趙維世清 478-637-206
趙維舒妻 清 見熊氏
趙維新明 301-793-283
趙維賢元 546-724-139
趙維寰明 524- 25-179
678-220- 91
1475-390- 16
趙維馨明 趙爾棨女
530- 9- 54
趙脃之宋 544-235- 63
趙像之趙壽卿 宋
448-366- 0
448-405- 0
515-466- 71
1161-526-119
趙遥光齊 370-526- 16
趙諒祚西夏 見夏毅宗
趙廣生清 524- 59-180
趙廣信吳 485-545- 2
485-556- 3
486-334- 15
524-412-200
1141-800- 34
趙廣漢漢 250-664- 76
376-342-101
384- 48- 2
472- 52- 2
472-640- 26
472-823- 33
474-238- 12
477- 46-151
478- 83-180
505-730- 71
506-447-102
537-340- 56
554- 92- 50
556-837-100
587- 86- 2
933-591- 38
1408-382-517
趙賡禹明 456-467- 4
趙潼孫宋 見趙巽
趙潛夫宋 487-512- 7
趙鄭哥宋 見趙伯瑗
趙鄰幾宋 288-190-439
382-751-115
400-630-557
472-555- 23
472-825- 33
476-822-143
540-748-28之2
933-600- 38
趙慶孫宋 493-712- 39
趙慶孫宋 見趙彥文
趙慶祥元 505-921- 82
趙慶逸唐 1066-201- 18
1342-394-955
趙養生妻 清 見楊氏
趙慧寶明 蘭景昌妻
547-206-149
趙賢翁宋 564-715- 59
趙賢意明 523-484-170
594-215- 7
趙樓臺宋(相州人賣畫中都)
821-253- 52
趙瑺夫宋 491-437- 6
趙樗年宋 1149-719- 16
趙璆夫宋 451- 81- 2
趙震已趙順祖 宋451- 90- 3
趙震文宋 451- 70- 2
趙震元明 1312-562- 7
趙震郎宋 見趙必[illegible]
趙履祥妻 清 見卞氏
趙履溫唐 270- 93- 91
趙質直明 1241-333- 2
趙德文宋 285- 7-244
384-323- 17
552- 62- 19
趙德玄唐 見趙玄德
趙德存宋 285- 8-244
384-323- 17
趙德异宋 見趙德彝
趙德光元 524-300-193
趙德宏明 483-162-382
494-166- 6
559-316-7上
570-123-21之1
趙德佑明 505-807- 74
趙德秀滕王 宋 285- 8-244
382-114- 15
384-323- 17
趙德林舒王 宋 285- 8-244
382-115- 15
384-323- 17
趙德昌宋 見宋眞宗
趙德明宋 見李德明
趙德明宋 見趙元僖
趙德芳秦王、楚王 宋
285- 14-244
382-115- 15
384-323- 17
395- 96-188
趙德易明 456-611- 9
趙德和宋 見趙元傑
趙德相明 1375- 30-上
趙德昭吳王、越王、燕王、魏王 宋 285- 8-244
382-114- 15
384-323- 17
395- 91-188
552- 61- 19
趙德昭宋 見李德明
趙德容明 1232-582- 5
趙德恭宋 285- 5-244
384-323- 17
544-234- 63
趙德剛明 479-527-241
515-223- 63
529-464- 43
趙德崇宋 見趙元佐
趙德隆宋 285- 6-244
384-323- 17
趙德鈞李紹斌、趙行實 後晉
278-195- 98
279-516- 72
497- 66- 3
505-630- 67
趙德鈞宋 285- 7-244
384-323- 17
820-343- 32
趙德勝明 299-253-133
453-535- 3
472-205- 7
475-752- 88
479-451-237
511-496-156
515- 32- 58
1224- 75- 17
趙德欽宋 285- 7-244
384-323- 17
544-234- 63
趙德雍宋 285- 7-244
384-323- 17
趙德齊唐 554-904- 64
812-483- 上
812-521- 2
813- 78- 2
821- 93- 48
1381-574- 42
趙德榮明 511-394-151
趙德愿宋 285- 8-244
384-323- 17
趙德潤宋 285- 7-244
384-323- 17
趙德潤妻 清 見梁氏
趙德諲唐 275-533-186
384-290- 15
396-254-274
趙德遴明 456-583- 8
523-391-164
趙德彝趙德异 宋
285- 6-244
384-323- 17
476-778-141
540-661- 27
趙德嚴宋 見趙元份
趙緫憐宋 820-475- 36
趙儁之後魏 262-330- 94
趙篋夫宋 473-177- 57
479-766-252
491-339- 1
趙徵庸明 547- 91-144
趙緣督元 見趙友欽
趙導元宋 544-235- 63
趙龍澤元 511-430-153
趙龍麟妻 清 見李氏
趙龍鱗妻 清 見李氏
趙遵夫宋 528-507- 31
趙遵頊西夏 見夏神宗
趙燕及妻 清 見劉氏
趙頤正唐 473-583- 75
趙壁雲明~清 見趙甸
趙蕙芽清 481-348-309
559-334-7下
561-649- 47

趙興宗宋 見趙不敬
趙興郎宋 見趙可大
趙興祖明 1382-438- 2
趙興清宋 515-216- 63
趙興祥金 291-303- 91
399-185-432
472-144- 5
474-277- 14
496-424- 90
趙興基明 302- 79-293
456-489- 5
475-702- 86
510-466-117
570-129-21之1
趙興運清 547-564-161
趙叡沖唐 546-266-124
趙錢兒明 劉倫妻
472-614- 25
476-734-138
趙篔翁元 473-281- 61
475-328- 65
480-127-264
511-778-166
趙耨之宋 544-235- 63
趙積謙宋 1152-583- 31
趙學書妻 明 見劉氏
趙龜頤唐 547-476-159
趙儒孫宋 見趙孟奎
趙儒琮妻 清 見任氏
趙錫嘉妻 明 見顧氏
趙賽濤明 周子文妻
1442-126-附8
趙鴻偉明 456-676- 11
481-407-313
趙源夫宋 485-536- 1
趙謝僧宋 見趙彥恂
趙應元明 1457-689-408
趙應昌明 476-856-145
趙應奎明 1278-443- 21
趙應奎清 477-134-155
537-439- 58
趙應格明 547- 34-142
趙應時明 511-637-161
趙應宿明 820-752- 44
趙應祥元 515-624- 76
趙應祥明 523-120-151
趙應啟女 明 見趙氏
趙應期明 532-698- 45
趙應運明 見趙應選
趙應榜妻 清 見丁氏
趙應震明 554-823- 63
趙應龍宋 見趙孟仚
趙應龍明(字時化)
554-509-57下
趙應龍明(字子雲)
1386-412- 44
趙應龍妻 清 見黃氏
趙應選趙應運 明(上蔡人)
456-661- 11
趙應選明(號太初) 515-489- 71
趙應璧明 456-656- 11
趙應麟趙宗魯 明
1273-281- 34
趙濬恭明 473- 45- 50
479-527-241
515-221- 63
趙濟和元 1201-486- 9
趙襄子趙毋恤、趙無恤 戰國
244-177- 43
371-398- 20
375-614- 87
375-752- 90
404-739- 45
448-280- 30
545-714-108
933-591- 38
趙懋誠趙懋賢 明456-599- 9
474-604- 31
505-863- 77
趙懋賢明 見趙懋誠
趙彌忠宋 511-851-169
趙臨大明 570-113-21之1
趙臨之宋 552- 68- 19
趙磻老宋 493-949- 51
516-213- 96
674-849- 18
趙聯卿宋 1171- 70- 9
趙聯會妻 清 見鄧氏
趙韓郎宋 見趙公珷
趙嬰齊春秋 見趙嬰
趙嬰齊南越王 漢
244-783-113
381-566-198
趙爵之宋 552- 69- 19
1123-465- 14
趙徽之宋 1123-461- 14
趙恖夫宋 493-778- 42
510-330-113
趙彝周妻 清 見黃氏
趙藏之宋 552- 68- 19
趙壘之宋 288-355-452
400-165-513
475- 70- 52
趙鎮國清 456-340- 76
趙簡子春秋 見趙鞅
趙歸眞唐 1054-560- 16
趙邈卓宋 見趙邈齪
趙邈齪趙邈卓 宋
812-466- 2
812-550- 4
813-154- 14
821-250- 52
趙麒孫宋 見趙子發
趙寵茂清 479-409-235
趙懷恩尼瑪丹怎 宋
1149-720- 16
趙懷愼明 540-832-28之3
趙懷德隴拶 宋 288-862-492
趙轔之宋 1165-306- 20
趙麗華明 1442-126-附8
1460-906- 98
趙贊夫宋 494-471- 18
趙贊化妻 清 見郭氏
趙鵬程明 540-826-28之3
趙繩祖元 545-339- 96
趙寶生宋 見趙時賽
趙寶哥宋 見趙嗣橂
趙寶壽宋 見趙必遝
趙獻可明 524-361-196
趙獻素明 567-351- 80
1467-252- 71
趙獻侯戰國 371-399- 20
趙耀奎清 477- 90-153
537-602- 60
趙繼永女 宋 見趙氏
趙繼先元 1196-325- 19
趙繼春明 456-554- 7
510-420-116
趙繼英明 528-529- 31
趙繼英清 張慶涓妻
530- 27- 54
趙繼珪宋 451- 77- 2
趙繼普清 482-563-369
570-159-21之2
趙繼隆妻 清 見孫氏
趙繼鼎明(字止安) 511-166-142
532-673- 44
趙繼鼎明(德州人) 528-464- 29
趙繼爵清 554-488-57上
趙繼鱗妻 明 見李氏
趙鶴軒明 572-166- 32
趙躋昌趙際昌 明456-554- 7
546-501-131
554-304- 53
趙蠟梅清 趙明道女
478-139-181
555-121- 68
趙懿德明 見趙好德
趙鑄哥宋 見趙孟鑄
趙儼之趙間卿 宋448-382- 0
448-407- 0
趙麟素明 524-354-196
趙麟哥宋 見趙師孟
趙鷩奴唐 561-576- 45
592-333- 80
趙顯貴明 561-206-38之1
趙體敬明 545-672-107
趙顯榮妻 清 見張氏
趙觀文唐 473-750- 83
482-349-356
567-292- 76
585-774- 6
1467-165- 68
趙觀光宋 523-373-164
1226-496- 24
趙安光老宋 見趙酉泰
趙仲設喬宋 552- 64- 19
趙孝成王太子丹 戰國
371-409- 20
384- 7- 1
404-360- 21
趙武靈王戰國 244-181- 43
371-401- 20
384- 7- 1
404-357- 21
趙武靈王后 戰國 見娃嬴
趙阿克昌趙昌、趙阿克展 元
294-280-123

399-352-449
472-906- 36
472-933- 37
558-289- 34
趙阿克展元　見趙阿克昌
趙阿克盤趙阿爾班、趙阿哥潘 元　294-280-123
399-352-449
472-906- 36
478-484-199
趙阿哥潘元　見趙阿克盤
趙阿爾班元　見趙阿克盤
趙幽繆王趙王遷　戰國
371-411- 20
384- 7- 1
404-361- 21
趙悼襄王戰國　371-411- 20
404-361- 21
趙悼襄王后　春秋　見倡后
趙國公主武清公主、嘉誠公主 唐　唐代宗女　274-115- 83
393-282- 73
554- 54- 49
趙國公主元　見伊埒
趙國公主元　見阿嘍罕必濟
趙惠文王王子何　戰國
244-186- 43
371-405- 20
384- 7- 1
404-358- 21
趙惠文王后　戰國　見威后
趙穆爾齊元　見趙玉
趙橫山和尚五代
1053-633- 15
趙實喇薩哈勒圖元　見趙珪
監伯陽後魏　505-873- 78
監居翁漢　535-553- 20
擔力克明　見徹哩克
誓正後梁　梁末帝妃、郭歸厚女
279- 79- 13
393-290- 74
晵胡春秋　405-104- 62
暨氏明　吳孟父妻
1263-240- 6
暨氏明　黃嘉賓妻 530-141- 58
暨希妻　明　見周氏
暨陶宋　529-741- 51
暨遜晉　524- 94-183
暨豔吳　254-844- 12
377-373-120
384-602- 34
385-692- 67
485-173- 23
493-861- 47
933-729- 50
暨世治清　529-688- 50
暨齊物五代　見槩齊物
暨濟物五代　見槩齊物
暨警盤清　481-679-331
529-688- 50
翟三明　456-680- 11
翟方明　494- 54- 2
554-347- 54
翟公漢　244-850-120
250-257- 50
472-829- 33
933-743- 52
933-744- 52
翟升金　1445-662- 51
翟氏晉　陶潛妻　479-610-244
翟氏唐　韓弘妻、翟良佐女
1073-628- 33
1074-480- 33
1075-425- 33
翟氏宋　沈扶妻、翟希言女
1105-840-100
翟氏宋　趙士掄妻、翟元衡女
1100-510- 48
翟氏宋　趙士隆妻、翟元弼女
1100-521-109
翟氏元　金斗輔妻、翟大成女
1224-202- 20
翟氏元　張楚材妻 480-177-266
翟氏元　潘元紹妻
493-1083- 57
1386-265- 39
翟氏明　袁亨妻　476-828-143
翟氏明　張春妻　478-351-191
翟氏明　陳士修妻 512-352-185
翟氏明　潘鑾妻　479-768-252
翟氏明　劉盛妻　506-104- 89
翟氏明　翟洪女　1278-458- 22
翟氏清　沈匡濟妻 475-188- 59
翟氏清　賈紀妻　506-172- 90
翟氏清　趙瑞徵妻 478-139-181
翟氏清　劉天祐妻 506- 34- 86
翟玉元　1206-715- 6
翟台明　532-696- 45
翟弁明　540-635- 27
翟吉妻　明　見李氏
翟言明　533-215- 53
翟亨明　473-211- 59
473-214- 59
480-614-287
533-409- 61
翟良清　541-108- 31
592-784- 2
翟昊妻　明　見王氏
翟牧漢　475-745- 88
511-693-163
翟洪女　明　見翟氏
翟炳元　538-136- 65
820-532- 38
翟宣漢　251- 21- 84
376-422-102上
675-293- 15
翟亮宋　288-359-452
400-171-513
翟垣清　547-119-145
翟政明　820-623- 41
翟思宋　486- 50- 2
翟英明　302- 26-290
481- 71-293
翟迪明　482-390-358
567- 88- 66
1467- 63- 64
翟唐瞿唐　明　300- 89-188
474-479- 23
479-175-225
505-827- 75
523-132-152
569-660- 19
翟益明　472-827- 33
554-348- 54
翟素不詳　879-171-58上
翟素婢　不詳　見青青
翟恕妻　明　見趙氏
翟祥明　494- 57- 2
翟堂妻　清　見錢氏
翟莊晉　256-531- 94
380-428- 177
479-607-244
516-113- 92
871-906- 19
933-744- 52
翟得妻　明　見張氏
翟紱宋　528-506- 31
翟善明　299-307-138
475-484- 73
511-244-145
翟湯晉　256-530- 94
370-318- 7
380-427-177
470-177-111
473- 88- 52
479-607-244
516-112- 92
518-206-142
933-744- 52
翟黃戰國　見翟璜
翟巽金　502-781- 87
翟超漢　540-629- 27
翟琰唐　812-345- 9
813- 77- 2
821- 50- 46
翟進宋　288-359-452
400-171-513
472-750- 29
538- 59- 63
翟溥明　見翟溥福
翟義漢　251- 21- 84
376-422-102上
472-737- 29
477-357-166
477-412-169
477-520-175
537-308- 56
538- 65- 63
540-666- 27
1140-173- 21
翟溫明　494- 55- 2
翟歆漢　370-208- 21
翟道晉　471-709- 17
翟軾妻　明　見趙氏
翟瑄明　511- 75-139
1250-901- 85

翟瑛明 511- 75-139
820-637- 41
翟敬明 502-286- 56
510-430-116
546-303-125
翟酺漢 253- 97- 78
376-809-110
384- 64- 3
469-592- 72
472-943- 37
473-430- 67
478-728-212
481- 74-194
558-234- 32
559-338- 8
591-513- 41
933-744- 52
翟遠南朝 544-213- 62
翟熠清 545-308- 94
翟樓周 933-743- 52
翟璋後晉 278-171- 95
翟諟元 511-567-158
翟璜翟黃 戰國 384- 29- 1
405-167- 67
546-432-129
554-621- 60
933-743- 52
翟融漢 553-223- 54
翟整明 472-127- 4
505-690- 70
翟興宋 288-358-452
400-170-513
472-750- 29
476-914-148
477-315-164
538- 58- 63
翟衡元 517-525-128
翟嬌晉 256-531- 94
933-744- 52
翟鎣明 533-295- 56
翟鵬明 300-353-204
474-278- 14
475-872- 95
477-566-177
478-454-197
505-807- 74
545- 85- 85
545-325- 95
翟龕宋 564- 48- 44
翟瓚明 476-732-138
540-804-28之3
翟觀明 482-279-351
563-841- 41
567-324- 78
1467-202- 69
翟鑾明 300-169-193
452-460- 3
476-673-136
翟三策明 456-676- 11
538- 47- 63
翟士端宋 554-869- 64
翟子英元 540-649- 27
翟大年明 1227-143- 17
翟大成女 元 見翟氏
翟方進母 漢 477-421-169
翟方進漢 251- 15-184
376-417-102上
384- 50- 2
448-293- 上
472-791- 31
472-823- 33
477-412-169
478- 84-180
537-555- 60
539-350- 8
549-322-193
554- 95- 50
675-293- 15
933-744- 52
翟文英明 821-455- 57
翟文彬元 505-733- 71
翟文簡明 563-815- 41
翟元弼女 宋 見翟氏
翟元衡女 宋 見翟氏
翟公佑明 547- 18-141
翟永昌清 545-683-107
563-894- 42
翟永固金 291-273- 89
399-161-430
474-178- 8
505-718- 71
翟可教妻 明 見孫氏
翟世有清 538-106- 64
翟世琪清 478-339-191
554-320- 53
翟守素宋 285-408-274
371-170- 17
396-669-315
472-555- 23
472-852- 34
472-961- 38
478-199-184
478-267-187
478-759-215
523- 8-146
540-747-28之2
545-399- 98
554-236- 52
1086-287- 29
翟守珣宋 288-751-484
翟汝文宋 287-103-372
398-164-375
451-152- 4
472-277- 11
472-1067- 45
475-277- 63
475-743- 88
476-657-135
478-760-215
486- 51- 2
493-936- 50
511-176-143
523- 12-146
524-328-195
540-656- 27
589-346- 5
674-347-5下
674-837- 18
820-412- 34
821-212- 51
1129-304- 附
翟汝特宋 1129-297- 10
翟汝霖宋 1170-677- 29
翟汝霖妻 宋 見周氏
翟羽翀明 456-680- 11
翟光國妻 明 見周氏
翟光鄴後周 278-419-129
279-316- 49
384-313- 16
396-432-295
476-656-135
476-860-145
554-235- 52
933-744- 52
翟良佐女 唐 見翟氏
翟志穎宋 511-925-174
翟希言女 宋 見翟氏
翟廷秀妻 清 見劉氏
翟廷楠明 546- 98-118
翟宗魯明 523-248-157
564-190- 46
567-129- 67
1286-702- 16
翟法言蜀漢或唐 554-969- 65
561-222-38之3
592-246- 75
翟法賜劉宋 258-592- 93
265-1066- 75
380-442-178
479-607-244
933-744- 52
翟卷石宋 564- 46- 44
翟居仁元 472-336- 14
475-525- 77
翟居敬元 480- 51-259
翟事心明 554-512-57下
翟東岡妻 明 見周氏
翟封荼春秋 見狄封荼
翟院深宋 812-464- 2
812-543- 4
813-134- 11
821-156- 50
翟粉兒明 樊亨妻
477-455-171
翟耆年宋 524-328-195
820-412- 34
1129-317- 附
翟起宗宋 1170-700- 30
翟師程明 547-563-161
翟師雍明 456-577- 8
545-791-111
翟國榮宋 480- 88-262
翟紹高明 564-188- 46
翟從政元 1206-715- 6
翟逢亨宋 482-116-343
564- 78- 44
翟普材隋 見翟普林
翟普林翟普材 隋

264-1031- 72
267-634- 84
380-126-167
472-681- 27
476-859-145
477-206-159
538- 95- 64
540-731-28之1
933-744- 52
翟敦仁宋 1124-247- 17
翟期古明 546-607-135
翟景陽明 494- 57- 2
翟進宗後晉 279-208- 33
384-307- 16
400-119-510
476-516-127
540-623- 27
翟溥福翟溥 明 301-735-281
473- 75- 52
473-675- 79
475-640- 83
479-579-243
515-235- 64
564-145- 45
1240-724- 7
翟夢杰明 546-609-135
547-113-145
翟夢標明 456-673- 11
546-608-135
547-113-145
翟鳳翀明 301-110-242
540-823-28之3
545-101- 86
592-779- 2
翟鳳翥翟鳳翥 清
476-403-119
479-528-241
480- 13-257
515-227- 63
517-764-134
532-605- 42
546-760-140
翟廣寒妻 清 見朱氏
翟德興元 1221-660- 26
翟靜叔宋 820-408- 34
翟繡棠明 476-402-119
502-289- 56
546-604-135
閣輔唐 933-740- 51
閣并訢不詳 933-740- 51
琨信然上古 見通班元氏
瑤姬不詳 見巫山神女
瑤里索迭金 見裕爾伯特
艷宋 516-430-103
鄢氏清 張明徵妻 478-718-211
鄢升宋 見鄢晉
鄢高明 563-836- 41
鄢晉鄢升 宋 451- 64- 2
鄢正畿明 456-546- 7
鄢廷誨明 456-577- 7
477-306-163
529-484- 43
鄢桂枝明 559-357- 8
鄢將師春秋 405- 91- 61
鄢紹勳清 456-372- 78
鄢懋卿明 302-380-308
鄢翼明清 528-558- 32
斡泰清 502-737- 84
斡不兒明 見噶布拉
斡勒忠金 見沃呼忠
斡道沖烏道沖、幹道沖 宋
472-931- 37
558-374- 36
677-454- 41
1207- 65- 4
1367-233- 18
斡勒海壽元 524-325-195
斡勒蘇布金 見沃呼忠
翠金清 施德望婢 524-571-206
翠蓮宋 趙淮妻 288-461-460
401-163-590
451-238- 0
473-341- 63
480-415-277
512- 13-177
533-657- 71
翠翹宋 820-474- 36
821-272- 52
翠鴛鴦不詳 933-649- 42
聞五代 1053-626- 15
聞一宋 1053-757- 18
聞氏元 俞新之妻 295-627-200
401-176-593
452-115- 3
479-250-228
524-634-209
聞氏明 胡晬然妻 480-140-264
聞氏清 楊天堦妻 483- 60-374
483- 71-376
聞氏清 聞昌女 481-237-303
聞昌女 清 見聞氏
聞恭聞人恭 明 1475-210- 9
聞能妻 明 見陳氏
聞淵明 300-320-202
479-183-225
523-292-159
1263-469- 2
1474-265- 12
聞祿明 473-126- 25
515-133- 61
聞韶明 515-274- 65
聞質明 472-1017- 41
聞龍聞繼龍 明 524-127-184
1442- 96-附6
1460-564- 68
1474-493- 23
聞澤明 1474-286- 13
聞一貫妻 明 見危鳳英
聞人氏宋 王克明妻
1164-264- 13
聞人氏宋 趙師龍妻、聞人穎達女 1166-673- 12
聞人宏宋 472-983- 39
524- 19-179
678-553-122
聞人炳清 524-208-188
聞人貞明 1229-205- 5
聞人益明 821-440- 57
聞人恭明 見聞恭
聞人陞清 524-208-188
聞人倣宋 524-182-187
聞人通漢 933-793- 57
聞人統漢 402-463- 10
聞人詮明 見聞人銓
聞人瑜妻 清 見沈氏
聞人銓聞人詮 明
510-393-155
523-467-169
1442- 53-附3
1460-105- 45
聞人樞元 523-581-175
聞人奭晉 479-136-223
聞人夐南朝 265-1043- 73
380-104-167
524-118-184
聞人凝五代 523- 72-149
聞子德宋 524-195-188
聞于邦明 456-658- 11
聞于階明 456-658- 11
聞世同清 456-359- 77
聞仲昌明 559-311-7上
聞良輔明 472-1004- 40
聞克明妻 明 見樊氏
聞宗時明 524-126-184
584-270- 10
聞尚元清 456-359- 77
聞金和明 528-515- 31
聞啟祥明 524- 10-178
1442- 91-附6
聞愼言明 456-658- 11
聞道立明 559-308-7上
572-102- 30
聞愛亭明 1283-698-121
聞愛亭妻 明 見姚氏
聞德猷清 456-359- 77
聞繼泰明 524-127-184
聞繼龍明 見聞龍
聞顯宗妻 明 見郭氏
聞人叔勉元 1222-441- 7
聞人通漢漢 475-423- 70
475-745- 88
511-694-163
聞人紹宗明 821-379- 55
聞人夢吉元 453-800- 4
472-1031- 42
479-327-232
523-615-176
676-702- 29
1224-347- 25
1226-510- 24
1439-442-附2
1458-173-429
聞人穎達女 宋 見聞人氏
聞喜公主漢 見劉興
障礙吳 見維祇難
障蔽魔王不詳 1053- 86- 2
摎將軍摎 戰國 384- 32- 1
摎毐嫪毐 戰國 244-543- 85

933-489- 32
摻時賢明 516- 81- 90
榜鈕清 456-166- 62
碭山王明 見朱充炯
撤吉思元 見薩奇蘇
歌里子明 見噶爾薩
歌魯歌明 見格爾根
歌羅該明 見格埒克
遠唐 1053-175- 4
遠五代(江陵人) 533-763- 74
遠五代(嗣文偃) 1053-631- 15
遠志明 458-168- 8
遠道昌宋 見袁夢冊
遠哥察兒元 1197-646- 66
遜宋 1053-652- 15
遜氏明 孫正祚妻 506- 12- 86
遜揆唐 384-289- 15
遜塔清(喜塔臘氏) 455-626- 43
遜塔清(謚忠襄) 502-581- 75
遜扎齊清 455-597- 40
遜杜棱清 454-429- 31
遜達哩遜達禮 清 474-772- 40; 502-470- 69; 502-534- 72
遜達禮清 見遜達哩
遜嘉沁清 502-747- 85
遜篤布清 454-542- 52
遜古勒岱清 502-478- 69
遜達瓜喇清 455-270- 15
蒲云宋 813-240- 6; 820-406- 34
蒲氏元 閔居正妻 475-755- 88
蒲氏元 蒲忭女 480-139-264
蒲氏元(號曰義姜) 472-100- 3
蒲氏明 李民楫妻 481-158-298
蒲氏明 梁自立妻 478-673-209
蒲氏明 楊慊妻 481-337-308
蒲氏清 周玉獻妻 480-546-283
蒲氏清 馬千乘妻 478-205-184
蒲氏清 郭釗妻 481-120-296
蒲氏清 常有魁妻 512-415-187
蒲氏清 鞏敬緝妻 558-514- 42
蒲氏清 謝廷栻妻 530- 98- 56
蒲丙蒲杞 宋 451- 92- 3
蒲忭女 元 見蒲氏
蒲序宋 843-670- 下
蒲杞宋 見蒲丙
蒲卣母 宋 見任氏
蒲卣宋 286-689-353; 397-735-364; 472-893- 35; 473-447- 68; 478-716-211; 481-157-298; 481-333-308; 558-232- 32; 559-360- 8; 591-612- 44
蒲伸宋 1090-678- 39
蒲昌漢 見滿昌
蒲芝宋 張俞妻、張愈妻 288-432-458; 547-364-155; 561-198-38之1; 591-551- 42
蒲卑周 見蜀望帝
蒲庸元 472-867- 34; 553-321- 40; 554-274- 53
蒲規宋 559-391-9上
蒲棠父 宋 1149-704- 15
蒲軾明 554-311- 53
蒲察元 見布占
蒲遮清 560-133- 19
蒲穀宋 484-386- 28
蒲遵不詳 933-113- 7
蒲機金 545-139- 87
蒲機元 545-440- 99
蒲大防宋 1113-440- 9
蒲大韶宋 843-670- 下
蒲永昇宋 592-724-108; 812-552- 4; 821-167- 50; 1381-576- 42
蒲世芳明 456-455- 4
蒲世聲妻 清 見張氏
蒲世麟妻 清 見馬氏
蒲生汶明 540-821-28之3
蒲衣子蒲伊子 上古 448- 89- 上; 547-134-146; 871-884- 19; 879-148-57下
蒲仲昭元 460-462- 36
蒲伊子上古 見蒲衣子
蒲伯震宋 見蒲震摽
蒲妙高明 559-424-10上
蒲宗孟宋 286-348-328; 382-538- 83; 384-367- 19; 397-469-348; 471-1047- 67; 472-221- 8; 472-801- 31; 473-447- 68; 481-157-298; 484- 97- 3; 493-700- 39; 510-326-113; 559-360- 8; 592-591- 98; 674-285-4下; 933-113- 7
蒲宗瑞明 480-544-283
蒲東印宋 見蒲東卯
蒲東卯蒲東印 宋 400-180-514; 451-227- 0; 481- 22-291
蒲東寅宋 451-227- 0
蒲來舉明 302- 53-292; 456-482- 5; 478-168-182; 554-306- 53; 559-396-9上; 559-526- 12
蒲昌迪清 481-185-300; 559-411-9下
蒲岩慶宋 見蒲堯章
蒲叔獻宋 473-447- 68; 559-360- 8; 591-617- 44
蒲秉捷妻 明 見周氏
蒲秉權明 480-544-283
蒲延昌後蜀 592-715-107; 812-498- 上; 812-528- 2; 821-125- 49
蒲拱壬蒲珪郎 宋451- 89- 3
蒲思訓宋 812-453- 1
蒲城伯春秋 見先且居
蒲珪郎宋 見蒲拱壬
蒲師訓後蜀 592-708-107; 812-492- 中; 812-528- 2; 821-125- 49
蒲師道宋 1090-678- 39
蒲理翰元 477- 54-151; 537-347- 56
蒲國寶宋 559-352- 8
蒲從善明 481-159-298; 561-221-38之3
蒲堯仁蒲嵒英 宋 448-368- 0; 473-143- 56; 484-390- 28; 515-146- 61; 529-442- 43
蒲堯章蒲岩慶 宋448-370- 0; 484-390- 28
蒲嵒英宋 見蒲堯仁
蒲愼密宋 1093-437- 59
蒲道源元 1209-400- 6; 1439-428-附1; 1468-519- 24
蒲道源妻 元 見何氏
蒲察琦金 見富察琦
蒲榮午蒲榮慶 宋451- 61- 2
蒲榮慶宋 見蒲榮午
蒲壽晟宋 545-369- 97; 563-683- 39
蒲鳴鳳宋 451- 87- 3
蒲肇基妻 清 見郭氏
蒲震摽蒲伯震 宋451- 67- 2
蒲凝重明 567-450- 86; 1467-123- 66
蒲擇之宋 559-365- 8
蒲察文政元 見富察文政
蒲察元衡金 1191-234- 20
蒲察紇舍金 見富察濟色
蒲察吉遜金 見富察濟色
蒲察阿里金 見富察阿里
蒲察阿林金 見富察琦
蒲察阿琳金 見富察琦
蒲察明秀金 見富察明秀
蒲察哲琳金 見富察鄭留
蒲察哲魯金 見富察鄭留

蒲察納甲女　金　見富察明秀
蒲察納申女　金　見富察明秀
蒲察納恰女　金　見富察明秀
蒲察納紳女　金　見富察明秀
蒲察納新女　金　見富察明秀
蒲察訥申女　金　見富察明秀
蒲察婁室金　見富察羅索
蒲察鼎壽金　見富察鼎壽
蒲察鄭留金　見富察鄭留
蒲察濟色金　見富察濟色
蒲餘矦茲夫　春秋　405-103- 62
蓀塔清　455-272- 15
蓀察清　455-593- 39
蓀濟清　455-129- 5
蓀布祿清(納喇氏)　455-363- 22
蓀布祿清(富察氏)　455-447- 27
蓀布祿清(李佳氏)　455-524- 33
蓀達理清(赫舍里氏)　455-202- 10
蓀達理清(伊爾根覺羅氏)　455-231- 12
蓀達理清(魯布理氏)　455-589- 39
蓀札齊鑑布清　455-462- 28
蓀札齊費揚古清　455-433- 26
夢江後漢　1052- 93- 7
夢休唐　821-102- 48
夢休宋　813-203- 20
821-264- 52
夢貞宋　820-467- 36
夢英宋　812-751- 3
820-464- 36
夢筆五代　1053-296- 7
夢龜唐　813-305- 19
820-303- 30
夢歸後蜀　820-322- 31
蓐收上古　933-722- 49
嘎哈清　455-553- 35
對秦清　456-192- 65
對親清　455- 72- 2
對喀那清　455-404- 24
對齊巴清　455-165- 7
對青阿和托清　455-637- 44
獃道僧宋　493-1104- 58
蒿氏清　董士信妻　477- 97-153
蓋唐　1053-218- 6
蓋元漢　554-890- 64
蓋公漢　244-293- 54
448- 99- 中
472-611- 25
476-727-138
491-794- 6
933-763- 53
蓋平宋　1104-484- 39
蓋昊妻　元　見楊氏
蓋岱清　455-553- 35
蓋延漢　252-559- 48
370-123- 9
376-568-105
384- 55- 3
402-364- 3
402-557- 18
472- 29- 1
478-332-191
505-709- 71
539-351- 8
554- 98- 50
933-763- 53
蓋苗元　295-486-185
399-750-495
472-133- 4
474-478- 23
475-777- 89
476-478-125
476-855-145
505-776- 73
540-634- 27
蓋淑宋　1117-176- 14
蓋都清　455- 64- 2
蓋參宋　485-533- 1
蓋寓後唐　277-469- 55
蓋新清　455-524- 33
蓋椿金　537-452- 58
蓋椿宋　491-115- 13
1169-714- 17
蓋經妻　宋　見章氏
蓋寬後魏　477-521-175
蓋餘春秋　見掩餘
蓋儁後魏　262-260- 87
384-143- 7
540-727-28之1
蓋緩明　554-277- 53
蓋霖明　537-482- 58
蓋勳漢　253-222- 88
376-873-111上
384- 68- 3
402-498- 12
402-586- 20
472-892- 35
472-944- 37
478- 85-180
478-514-200
478-741-213
554-100- 50
558-180- 31
558-405- 36
933-763- 53
蓋穆清(托謨氏)　456- 34- 52
蓋穆清(雅爾湖地方人)　456- 70- 55
蓋穆清(慶格理氏)　456-134- 59
蓋謙元　541-122- 32
蓋燿妻　明　見顧氏
蓋聶戰國　547-547-161
蓋一鶚孫一鶚　清　478-132-181
481-807-338
554-736- 61
563-890- 42
蓋大綬明　547- 23-141
蓋文炳元　491-353- 2
蓋文卿明　547- 18-141
蓋文達唐　271-538-189上
276- 10-198
384-167- 9
400-407-538
472- 91- 3
474-602- 31
505-876- 78
933-764- 53
蓋文懿唐　271-538-189上
276- 10-198
400-407-538
蓋天麟明　528-476- 30
蓋巨源唐　820-256- 29
蓋世祿清　572-105- 30
蓋恆弼明　473-387- 65
532-718- 45
蓋盈氏上古　383- 14- 3
蓋桑阿清　455-287- 16
蓋喀穆清　455-198- 10
蓋寬饒漢　250-686- 77
376-357-101
384- 48- 2
448-292- 上
469-450- 54
469-460- 55
472-129- 4
472-696- 28
477-162-157
477-559-177
506-451-102
537-444- 58
554- 93- 50
675-240- 3
933-763- 53
1355-434- 14
1408-388-517
蓋蘇文唐　271-771-199上
276-348-220
384-297- 15
407-521- 8
蒨桃宋　寇準妻　585-504- 16
蒼津班第　清　454-430- 31
蒼帝上古　見倉頡
蒼密清　455-551- 35
蒼舒上古　546-235-123
933-419- 27
蒼慈魏　384- 86- 4
蒼頡上古　見倉頡
蒼梧王漢　見趙光
睿新王清　見多爾袞
蜢蟲子明　561-218-383
蒚金　1191-435- 37
雌栗靡漢　251-257-96下
381-503-196
團氏明　鄭贊妻　473- 66- 51
479-561-242
圖巴清(烏喇特部人)　454-475- 41
圖巴清(喀爾喀部人)

454-676- 74
圖巴清(鑲藍旗人) 456-208- 66
圖罕禿干 明(宣宗時人)
496-626-106
圖罕通罕 明(世宗時人)
496-631-106
圖那清 502-735- 84
圖那妻 清 見唐氏
圖拉清(額蘇理氏) 455-687- 49
圖拉清(舒穆嚕氏) 502-474- 69
圖拉女 清 見塔塔拉氏
圖孟清 455-451- 27
圖柱清 455-564- 36
圖南清 455-582- 38
圖映明 見圓映
圖海清 455-161- 7
477-569-177
478-455-197
554-192- 51
558-163- 30
圖們清(西林覺羅氏)
474-757- 41
502-753- 85
圖們清(多羅貝勒) 500-727- 37
圖倫清 456-257- 69
圖球清(薩馬爾吉氏)
455-640- 44
圖球清(延札氏) 502-477- 69
圖梅清 455-451- 27
圖理清 456- 6- 50
圖喇越王 元 294-205-117
395-206-199
圖喇清(瓜爾佳氏) 455- 96- 3
圖喇清(輝和氏) 455-589- 39
456-147- 60
圖進清 456-379- 79
圖猷清 502-478- 69
圖澄明 見圓澄
圖賴清(瓜爾佳氏) 455- 35- 1
474-764- 41
502-461- 69
圖賴清(巴雅喇氏) 456-252- 69
圖薩清 502-758- 85
圖瞻清 502-611- 76
圖嚕廣陽王 元 294-429-134
圖類元 294-192-115
395-207-199
圖蘭清 455-334- 20
圖曬清 455-613- 42
圖卜申元 見圖卜新
圖卜新托卜喜、禿不申、圖卜申 元 294-230-119
476-819-143
478-763-215
523- 23-147
圖土倫清 455- 93- 3
圖元布清 455-244- 13
圖巴哈清 455-436- 26
圖巴海清(瓜爾佳氏)
455- 56- 1
圖巴海清(舒穆祿氏)
455-152- 6
圖巴海清(赫舍里氏)
455-202- 10
圖巴海清(納喇氏) 455-366- 22
圖巴泰清 455-680- 48
圖切陳清 455-607- 41
圖必善清 455-591- 39
圖古勒圖固勒 元
294- 49-134
399-535-472
532-585- 41
532-742- 46
圖克善清 455-170- 7
圖克禪清 456-186- 64
圖努瑚清 455-387- 23
圖性格清 456- 37- 52
圖門特清 455-467- 28
圖林帕清 455-137- 5
圖固勒元 569-536- 17
圖固勒元 見圖古勒
圖郎阿清(正藍旗人)
455-670- 47
圖郎阿清(正黃旗人)
455-671- 47
圖郎阿清(伊勒爾濟氏)
456-147- 60
圖思圖清 455-195- 9
圖哈泰清 455-129- 5
圖埒實女 元 見布爾罕
圖烈圖元(字仁卿) 515- 87- 59
圖烈圖元(字彥誠) 516-210- 96
820-540- 39
1218-640- 3
1439-433-附1
圖桑阿妻 清 見趙氏
圖們達圖們達實 元
523-187-155
1210-327- 9
圖納哈清 455-688- 49
圖章阿清 456-193- 65
圖訥赫清 454-363- 19
圖理布清 455-661- 46
圖勒愼清 455-576- 38
圖雅齊清 455-624- 43
圖斯圖清 456-271- 70
圖斯灣清 456-105- 57
圖祿蓀清 456-285- 71
圖塔哈清 455-188- 9
圖楞額清 455-222- 11
圖達理清 455-370- 23
圖赫訥清 455-605- 41
圖赫德清 455-332- 20
圖爾休清 455-694- 49
圖爾坤清 455-361- 22
圖爾哈土兒罕 明
496-630-106
圖爾哈清(馬佳氏) 455-170- 7
圖爾哈清(赫舍里氏)
455-204- 10
圖爾哈清(富察氏) 455-434- 26
圖爾泰清 455-337- 20
圖爾格清 455-125- 5
474-761- 41
502-433- 68
圖爾特清 456-174- 63
圖爾都清 454-957-117
圖爾渾清(瓜爾佳氏)
455- 67- 2
圖爾渾清(通顏覺羅氏)
455-300- 18
圖爾漢清 456-163- 62
圖爾賽清 502-501- 70
圖碧赫清 455-397- 24
圖綏武清 456-162- 62
圖墨訥清 455-133- 5
圖墨圖清 455-156- 6
圖魯什清 455-278- 16
474-760- 41
502-723- 84
圖默圖清 455-490- 30
圖盧克清 455-120- 4
圖璧楞清 456- 87- 56
圖薩理清 456- 9- 50
圖巴色楞清 496-216- 76
圖多卜鼎元 見和爾多卜丹
圖克坦氏金 完顏允恭妻、圖克坦貞女 291- 17- 64
393-340- 79
圖克坦氏金 完顏宗幹妻、圖克坦富德女、圖克坦蒲帶女
291- 5- 63
393-337- 79
圖克坦色圖克坦色哩 金
291-661-121
400-208-517
圖克坦貞圖克坦塔斯 金
291-764-132
401-503-633
圖克坦貞妻 金 見平陽長公主
圖克坦貞女 金 見圖克坦氏
圖克坦恭圖克坦舍音、圖克坦斜也 金 291-648-120
400- 68-506
544-237- 63
圖克坦恭女 金 見圖克坦皇后
圖克坦航徒丹航、徒單航、徒丹扎克繖、徒單扎克繖、圖克坦扎克繖 金 291-682-123
400-219-518
472- 51- 2
474-236- 12
502-700- 82
505-655- 68
圖克坦銘徒單銘、徒單重泰、圖克坦重泰 金 291-655-120
400- 79-506
474-471- 23
505-690- 70
圖克坦鎰徒單鎰、徒單安春、徒單愛新、圖克坦安春、圖克坦愛新 金 291-395- 99
399-229-436
459-674- 40

472-826- 33
474-872- 47
502-355- 61
676-695- 29
圖克坦繹徒單繹、徒單珠巴克、圖克坦珠巴克 金 291-652-120
502-265- 54
505-632- 67
540-625- 27
圖郎哈雅元 見托里哈雅
圖朗哈雅元 見托里哈雅
圖們色埒金 見圖們色埒默
圖們色勒金 見圖們色埒默
圖們和屯金 見圖們圖克們
圖們岱爾元 294-270-122
399-348-449
圖們達實元 見圖們達
圖們德勒土木得兒 明 496-628-106
圖爾巴哈清 455-163- 7
圖爾巴楚清 456- 36- 52
圖爾吉訥清 455-418- 25
圖爾伯申清 見圖爾伯慎
圖爾伯慎圖爾伯申 清 455-663- 46
502-473- 69
圖爾哈圖清 502-755- 85
圖爾都瑚清 455-490- 30
圖爾噶圖清 456-234- 68
圖圖爾哈元 1207-337- 23
圖卜特穆爾元 523-152-153
1209-532-9上
圖卜特穆爾元 見元文宗
圖克坦公弼徒單公弼、徒單錫里、徒單錫林、徒單錫琳、圖克坦錫里、圖克坦錫林、圖克坦錫琳 金 291-655-120
400- 78-506
472-127- 4
474-167- 8
474-471- 23
505-690- 70
圖克坦公履元 1200-772- 59
1439-422-附1
圖克坦安春金 見圖克坦鎰
圖古坦合喜金 見圖克坦喀齊喀
圖克坦色哩金 見圖克坦色
圖克坦伊都金 291-613-117
399-317-446
圖克坦克亨金 見圖克坦克寧
圖克坦克寧徒單克亨、徒單克寧、徒單習顯、徒單錫馨、圖克坦克亨、圖克坦習顯、圖克坦錫馨 金 291-312- 92
399-189-433
476-731-138
541-112- 31
圖克坦舍音金 見圖克坦恭
圖克坦思忠圖克坦寧慶 金 291-651-120
400- 77-506
圖克坦哈希金 見圖克坦喀齊喀
圖克坦重泰金 見圖克坦銘
圖克坦皇后金 完顏亮后、圖克坦恭女 291- 8- 63
393-339- 79
圖克坦皇后金 完顏允濟后 291- 22- 64
393-343- 79
圖克坦皇后金 金哀宗后、圖克坦烏凌女、圖克坦烏遜女 291- 24- 64
393-344- 79
圖克坦烏凌女 金 見圖克坦皇后
圖克坦烏登金 291-602-116
399-301-444
圖克坦烏遜女 金 見圖克坦皇后
圖克坦習顯金 見圖古坦克寧
圖克坦斜也金 見圖克坦恭
圖克坦富德女 金 見圖克坦氏
圖克坦塔斯金 見圖克坦貞
圖克坦肆喜金 291-656-120
400- 79-506
圖克坦愛新金 見圖克坦鎰
圖克坦寧慶金 見圖克坦思忠
圖克坦蒲帶女 金 見圖克坦氏
圖克坦錫里金 見圖克坦公弼
圖克坦錫林金 見圖克坦公弼
圖克坦錫琳金 見圖克坦公弼
圖克坦錫馨金 見圖克坦克寧
圖們色埒默陀滿色埒、陀滿色勒、陀滿斜烈、陀滿色埒默、圖們色埒、圖們色勒 金 291-680-122
400-219-518
474-740- 40
477-161-157
502-702- 82
圖爾坤黃占清 455-596- 40
圖摩瑚圖們妻 金 見烏庫哩氏
圖克坦札克繖金 見圖克坦航
圖克坦珠巴克金 見圖克坦繹
圖克坦珠蘇爾妻 金 見完顏和寧
圖克坦喀齊喀徒單合喜、徒單哈希、徒單喀齊喀、圖克坦合喜、圖克坦哈希 金 291-254- 87
399-152-429
472-904- 36
472-923- 36
474-870- 47
478-168-182
478-484-199
502-349- 61
554-363- 54
558-175- 31
圖們呼圖克們陀滿胡土門、圖們和屯 金 291-687-123
400-224-518
478-484-199
502-704- 82
558-176- 31
圖們呼圖克們妻 金 見烏庫哩氏
圖爾濟葉爾登清 456-210- 66
圖謨圖夸爾達清 455-332- 20
圖克坦額埒楚克金 291-762-132
401-502-633
圖克坦巴圖達爾罕女 金 見圖克坦烏爾袞都喀
圖克坦烏爾袞都喀金 完顏舒嚕妻、圖克坦巴圖達爾罕女 291- 2- 63
幕講僧明 524-361-196
蒯氏明 王守愚妻 1280-489- 92
蒯良漢 480-292-271
蒯桓晉 480-285-271
蒯恩劉宋 258- 99- 49
265-285- 17
378- 37-131
476-583-131
511-390-151
933-668- 44
蒯祥明 511-865-170
蒯通蒯徹 漢 244-602- 92
244-602- 92
250-182- 45
376- 82- 97
384- 37- 2
472- 28- 1
505-709- 71
933-668- 44
蒯得春秋 933-668- 44
蒯越漢 254-137- 6
385- 66- 5
473-300- 62
480-244-269

480-292-271
533-228- 54
蒯祺魏 480-317-272
533-391- 60
蒯廉唐 812-351- 10
812-371- 0
821- 45- 46
蒯徹漢 見蒯通
蒯鰲宋 見蒯鼇
蒯鼇蒯鰲 宋 472-359- 15
475-606- 81
511-812-167
516-216- 96
蒯敬宗唐 820-197- 27
葥翁者漢(長安善相馬者)
554-891- 64
嘛呢巴達喇清 454-551- 54
暢亨明 299-844-180
478- 92-180
523- 44-148
546-596-134
554-280- 53
暢宣明 301-736-281
478-696-210
暢悅唐 933-687- 46
暢訥元 295-318-170
538-145- 65
暢偃唐 933-687- 46
暢華明 545- 83- 85
558-314- 34
暢策清 538- 98- 64
暢詡唐 812-347- 9
821- 57- 46
暢當唐 276- 50-200
384-239- 12
400-432-539
451-433- 3
476-120-102
546-702-138
933-687- 46
暢廣明 494- 57- 2
暢璀唐 270-352-111
546-268-124
933-687- 46
暢整楊整 唐 812-347- 9
820-145- 26
821- 58- 46
暢一鵬明 476-402-119
537-251- 55
546-609-135
暢大隱宋 448-526- 14
538- 13- 61
暢明瑾唐 812-347- 9
821- 57- 46
暢泰兆清 537-472- 58
暢師文元 295-318-170
399-643-484
472-348- 15
472-774- 30
472-867- 34
475-667- 84
477-377-167
480-242-269
481- 23-291
481-154-298
481-333-308
510-453-117
538-145- 65
554-205- 52
559-247- 6
1201-443- 4
1211-353- 49
1211-645- 9
1373-331- 22
暢淳夫元 473-251- 60
533-315- 57
暢惠明齊 933-687- 46
裳衮唐 384-220- 12
471-842- 36
蓑衣仙唐 516-440-104
蒙氏元 雷沂妻 478-350-191
蒙氏明 袁文萃妻 480-639-288
蒙氏明 袁文璽妻 480-639-288
533-712- 72
蒙氏明 徐錦妻 483-321-396
蒙氏明 楊七妻 483-295-394
蒙氏清 何廣珍妻 482-227-348
蒙古清(佟佳氏) 455-319- 19
蒙古清(索多理氏) 456-192- 65
蒙色清 456-183- 64
蒙亨宋 554-911- 64
821-213- 51
蒙亨明 1248-288- 15
蒙克猛可 明 496-628-106
蒙法唐 276-413-222中
401-564-640
蒙武戰國 384- 31- 1
蒙恬秦 244-573- 88
371-634- 57
375-968- 94
384- 33- 1
405-316- 76
472-480- 21
472-904- 36
472-912- 36
554- 91- 50
558-126- 30
933- 41- 2
蒙泉元 683- 48- 2
蒙庫清 455-451- 27
蒙孫春秋 404-589- 35
蒙格清 502-611- 76
蒙寅宋 見蒙英昴
蒙衮清 454-373- 21
蒙詔明 523- 56-148
564-123- 45
蒙普明 567-399- 83
1467-197- 69
蒙惠明 563-805- 41
567-323- 78
蒙詢明 482-409-359
567-334- 79
1467-226- 70
蒙瑛明 567-395- 83
蒙潤元 524-398-199
蒙毅秦 244-574- 88
405-316- 76
蒙驁戰國 371-634- 57
384- 32- 1
933- 41- 2
蒙九錫明 456-642- 10
蒙士彥妻 明 見趙氏
蒙文熿妻 清 見張氏
蒙古台元 528-559- 32
蒙古台元 見孟古岱
蒙古岱元 見孟古岱
蒙古訥清 455-286- 16
蒙古喀金 476-818-143
蒙古綽清 455-332- 20
蒙古綱蒙古呼爾罕、蒙古呼爾根、蒙古和羅噶、蒙古胡里綱 金 291-437-102
399-249-438
474-739- 40
502-358- 61
540-614- 27
蒙古鼐清 455-636- 44
蒙古瞻清 455-246- 13
蒙世隆唐 見蒙酋龍
蒙光漸宋 567-590- 94
蒙伊圖清 502-448- 68
蒙克岱猛可歹 明 496-630-106
蒙古悌明 567-410- 84
蒙古圖忙歌禿 明 496-627-106
蒙伽異唐 見蒙鳳迦異
蒙宗遠明 482-349-356
567-111- 66
1467- 94- 65
蒙武岱清 455-169- 7
蒙阿圖清 502-485- 70
蒙承貴明 567-585- 94
蒙固台元 見孟古岱
蒙延永宋 482-408-359
567-431- 86
1467- 21- 62
蒙酋龍蒙世隆 唐 276-407-222中
401-563-640
494-219- 9
蒙英昴蒙寅 宋 451- 97- 3
蒙城王女 明 見慶陽公主
蒙格圖清(博爾濟斯氏) 456-251- 69
蒙格圖清(錫訥楚克氏) 456-257- 69
蒙格圖清(副都統) 502-609- 76
蒙格圖清(錫額禮氏) 502-758- 85
蒙陰王明 見朱帥鉀
蒙紹基明 564-123- 45
蒙景澄明 482- 78-341
564-260- 47
蒙鄂絡清 455-430- 26
蒙舜化蒙舜化貞 唐 276-415-222中
401-564-640
494-219- 9
蒙閣勸蒙夢湊、蒙苴蒙閣、蒙尋閣勸、蒙尋閣勸、蒙尋夢湊 唐 271-745-197

276-407-222中
401-563-640
蒙萝湊唐 見蒙閣勸
蒙豐祐唐 276-407-222中
401-563-640
569-536- 17
蒙歸義唐 見蒙皮邏閣
蒙勸利唐 276-407-222中
401-563-640
569-536- 17
蒙邏盛蒙邏盛炎 唐
271-743-197
401-562-640
569-535- 17
蒙古太平賀惟一 元
294-495-140
399-786-498
472-624- 25
472-841- 33
476-478-125
502-275- 55
502-277- 55
540-615- 27
546-619-135
554-414- 55
蒙古丑閭元 見蒙古綽羅
蒙古巴爾元 1196-273- 15
蒙古伊德元 見蒙古察罕
蒙古希禪蒙古輝和爾 元
1201-533- 14
蒙古岱之元 515- 27- 57
蒙古索氏清 伍達克妻
503- 34- 94
蒙古察罕河南王、蒙古伊德 元 294-237-120
399-333-448
蒙古爾岱清(鈕祜祿氏)
455-137- 5
455-659- 46
蒙古爾岱清(舒穆祿氏)
455-156- 6
蒙古爾岱清(富察氏)
455-433- 26
蒙古爾岱清(正黃旗人)
502-471- 69
蒙古綽羅蒙古丑閭 元
295-585-195
400-267-521
473-234- 60
480-170-266
533-376- 60
蒙古綽羅妻 元 見侯氏
蒙皮羅閣唐 見蒙皮邏閣
蒙皮邏閤唐 見蒙皮邏閣
蒙皮邏閣蒙歸義、蒙皮羅閣、蒙皮邏閤 唐 271-744-197
401-562-640
473-811- 86
494-219- 9
569-535- 17
蒙克薩勒猛克塞兒 明
496-628-106
蒙果爾岱清 456-145- 60
蒙果爾鐸清 456-143- 60
蒙苴蒙閣唐 見蒙閣勸
蒙格布祿清 474-849- 46
蒙異牟尋唐 271-744-197
276-401-22上
384-297- 16
401-562-640
473-812- 86
569-535- 17
蒙晟羅皮唐 見蒙盛邏皮
蒙細奴邏唐 271-743-197
401-562-640
473-811- 86
蒙盛邏皮蒙晟羅皮 唐
271-744-197
401-562-640
569-535- 17
蒙尋閣勸唐 見蒙閣勸
蒙尋閤勸唐 見蒙閣勸
蒙尋萝湊唐 見蒙閣勸
蒙舜化貞唐 見蒙舜化
蒙閣羅鳳蒙閤羅鳳、蒙閤邏鳳 唐 276-400-222上
384-297- 15
401-562-640
473-811- 86
494-219- 9
569-535- 17
570-554-29之9
蒙閤邏鳳唐 見蒙閣羅鳳
蒙閤羅鳳唐 見蒙閣羅鳳
蒙鳳迦異蒙伽異 唐
473-811- 86
蒙龍蒙盛唐 見蒙勸龍晟
蒙勸龍晟蒙龍蒙盛 唐
276-407-222中
401-563-640
569-536- 17
蒙邏盛炎唐 見蒙邏盛
蒙古呼喇珠元 294-284-123
399-539-473
蒙古呼爾罕金 見蒙古綱
蒙古呼爾根金 見蒙古綱
蒙古和羅噶金 見蒙古綱
蒙古胡里綱金 見蒙古綱
蒙古哈拉珠元 294-284-123
蒙古基巴顏清 455-110- 4
蒙古博爾歡元 見蒙古博囉罕
蒙古博羅歡元 見蒙古博囉罕
蒙古博囉罕蒙古博羅歡、蒙古博爾歡 元 1201-533- 14
1373-141- 11
蒙古齊都爾元 294-284-123
蒙古輝和爾元 見蒙古希禪
蒙古也先呼都元 見蒙古額森呼圖克
蒙古也先忽都元 見蒙古額森呼圖克
蒙古巴延守仁元
821-321- 54
蒙古濟嚕克沁元 呼圖克妻
295-626-200
401-175-593
蒙古額森呼圖克賀均、蒙古也先呼都、蒙古也先忽都 元
294-497-140
502-277- 55
546-620-135
554-415- 55
跌跌思泰唐 544-228- 63
銚猛漢 537-571- 60
銚期姚期 漢 252-579- 50
370-123- 9
376-583-106
384- 55- 3
402-371- 4
472-693- 28
472-802- 31
477-159-157
477-500-174
505-686- 70
537-572- 60
933-254- 18
箕子商 244- 81- 38
383-208- 21
404-412- 24
472-623- 25
537-357- 57
546-328-126
839- 7- 1
箕伯夏 546-328-126
箕季戰國 933- 56- 3
箕堪漢 933- 56- 3
箕鄭箕鄭父 春秋 384- 21- 1
404-705- 43
546-328-126
933- 56- 3
箕遺春秋 545-722-109
933- 56- 3
箕襄春秋 546-510-132
箕鄭父春秋 見箕鄭
蜚廉飛廉 商 243-122- 5
404-418- 24
滕王北周 見宇文逌
滕王隋 見楊詵
滕王隋 見楊瓚
滕王唐 見李元嬰
滕王唐 見李元懿
滕王宋 見趙德秀
滕王金 見完顏永蹈
滕王金 見完顏廣陽
滕王金 見劉筈
滕王明 見朱瞻塏
滕友明 559-316-7上
滕中宋 493-913- 49
494-340- 7
820-402- 34
滕氏明 王廷用妻、滕季常女
1255-753- 75
滕氏明 朱廷采妻 530-138- 58
滕氏明 陳溥妻 558-495- 42
滕氏清 王命召妻 474-779- 42
503- 33- 94
滕氏清 范文奇妻 474-194- 9
滕氏清 滕舉女 475-584- 79
滕安宋 563-688- 39

滕甫宋 見滕元發
滕育晉 480-507-281
532-701- 45
滕更戰國 405-457- 85
滕岑宋 524- 80-182
滕佐明 558-292- 34
滕含晉 255-942- 57
377-635-124下
385-572- 64
481-799-338
537-541- 59
563-611- 38
滕京宋 1104-361- 33
滕定明 299-523-156
滕杲明 821-377- 55
滕果宋 見滕茂實
滕牧吳 473-208- 59
滕牧女 吳 見滕芳蘭
滕延漢 253-511-108
476-515-127
478- 85-180
540-703-28之1
滕洙宋 1146-210- 94
1376-505- 91
滕某明(百花主人)
1457-677-407
滕昭明 458- 83- 6
477-502-174
502-283- 56
528-452- 29
537-575- 60
578-917- 25
1253- 50- 43
滕胤吳 254-917- 19
370-264- 3
377-412-120
384- 81- 4
384-607- 34
385-563- 63
472-220- 8
475-603- 81
476-665-136
485- 65- 10
486- 34- 2
491-799- 6
493-671- 37
510-321-113
523-143-153
933-438- 29
滕侯春秋 384- 10- 1
滕宬宋 493-1022- 54
511-672-163
1163-427- 24
滕浩明 524-293-193
546-491-131
滕祐明 529-616- 47
1257-110- 10
滕涉宋 488-381- 13
滕珦唐 273-112- 60
472-1028- 42
1371- 65- 附
滕員藤員 明 473-606- 76
529-615- 47
563-771- 40
滕修晉 255-942- 57
377-634-124下
385-572- 64
471-829- 34
477-370-167
481-799-338
532- 97- 27
537-541- 59
563-610- 38
567- 27- 63
933-438- 29
滕淵明(祥符人) 472-431- 19
476- 30- 97
476-222-108
545-147- 88
滕淵明(全州人) 1467-213- 70
滕康宋 287-145-375
398-196-378
449-384- 3
472-683- 27
477-130-155
537-427- 58
1128-251- 26
1128-384- 10
滕康明 529-615- 47
563-779- 40
滕庾宋 1147-328- 29
滕斌滕賓 元 480-130-264
516-225- 96
1439-426-附1
1471-299- 4
滕揖明 473-335- 63
532-693- 45
滕琛宋 480-240-269
滕蛟妻 清 見汪氏
滕鈆宋 678-142- 83
滕傑元 541-112- 31
滕愷宋 511-806-167
1145-706- 82
滕裯宋 493-1002- 53
511-435-153
滕遂唐 475-118- 55
493-739- 41
510-324-113
滕感妻 宋 見刁氏
滕塛滕蟍 宋 1375- 17- 上
1376-443- 88
滕賓元 見滕斌
滕漢明 482-208-347
563-851- 41
滕祼宋 見滕茂實
滕聚明 456-694- 12
滕遠明 821-352- 55
滕澍妻 明 見葉氏
滕毅明 299-306-138
511-178-143
1442- 5-附1
1459-250- 5
滕撫漢 252-821- 68
376-739-109上
472- 26- 1
472-590- 24
474-165- 8
475- 14- 49
475-500- 75
475-740- 88
476-664-136
491-797- 6
510-274-112
540-702-28之1
933-438- 29
滕宵明(字九臯) 458-108- 5
480-127-264
532-632- 43
1244-655- 16
滕宵明(字子沖) 529-616- 47
滕璘宋 485-534- 1
511-701-164
679-804-217
1174-729- 46
1375- 9- 上
1376-172- 69
滕蟍宋 見滕塛
滕膺宋 472-1101- 47
479-285-230
523-168-154
525-112-222
1145-718- 82
1146-101- 89
1356-774- 18
1356-775- 18
滕舉女 清 見滕氏
滕櫝騰櫝 明 570-121-21之1
676-519- 20
滕霽明 477-543-176
滕權明 見滕用亨
滕鸞明 1442- 31-附2
1459-695- 27
滕九萇明 456-608- 9
475-433- 70
滕文公春秋 404-319- 19
滕文公戰國 491-791- 6
滕文煜妻 清 見徐氏
滕文煥妻 清 見崔氏
滕元發滕甫 宋 286-406-332
382-586- 91
384-373- 19
397-512-351
450-379-中23
451-263- 2
472- 86- 3
472-545- 23
472-643- 26
472-998- 40
472-1028- 42
473-166- 57
473-267- 61
474- 92- 3
474-651- 34
475-119- 55
475-639- 83
476- 29- 97
477- 52-151
479-133-223
479-321-232
479-750-251
480-200-267
485-188- 25

493-910- 49
505-704- 70
516-197- 95
523-321-161
532-654- 44
537-241- 55
540-670- 27
541-658-35之19上
545-135- 87
589-305- 2
820-365- 33
933-438- 29
1104-663- 12
1108-430- 89
1110-555- 32
1356-206- 9
1386-231- 38
滕天成清 474-774- 41
502-766- 86
滕天綬清 502-641- 78
554-261- 52
滕中正宋 285-424-276
472-612- 25
滕用亨滕權 明 301-829-286
493-1031- 54
511-735-165
684-497- 下
820-589- 40
1240-201- 13
1318-356- 63
滕安上元 676-702- 29
1201-683- 26
1367-713- 55
1373-122- 10
滕成公春秋 404-319- 19
滕克恭明 472-664- 27
537-398- 57
676-451- 17
679-622-199
1442- 14-附1
1459-400- 12
滕伯輪騰伯輪 明460-806- 86
529-618- 47
677-618- 55
1290-633- 87
1290-669- 92
滕宗道明 516-150- 93
滕宗諒宋 286- 17-303
397-228-333
427- 59- 下
427- 61- 下
450-235-中2
471-906- 45
472-289- 12
472-749- 29
472-878- 35
472-913- 36
472-998- 40
473-315- 62
475-119- 55
475-646- 83
477-314-164
478-571-203
478-671-209
479-133-223
480-462-279
493-699- 39
494-299- 5
511-911-173
515-195- 63
523-115-151
528-537- 31
532-729- 46
537-509- 59
933-438- 29
1089-710- 13
1394-302- 1
1437- 12- 1
滕昌祐唐～五代 493-1055- 56
511-864-170
592-699-106
812-501- 下
812-529- 2
813-168- 16
820-320- 31
821-122- 49
滕芳蘭吳 孫皓后、滕牧女
254-762- 5
370-272- 4
385-480-52上
滕叔繡周 404-457- 26
滕知白宋 401- 12-569
滕季常女 明 見滕氏
滕宣公春秋 384- 10- 1
滕恬文晉 255-942- 57
滕茂實滕果、滕粿 宋
288-313-449
400-153-512
451-292- 4
472-431- 19
472-967- 38
476-334-115
479- 50-218
493-1001- 53
511-435-153
523-354-163
547-193-148
820-405- 34
1365-335- 10
1373-748- 21
1437- 20- 1
滕思勉明 472-229- 8
滕強恕宋 473-176- 57
515-119- 60
517-422-126
1178-296- 29
滕國祥清 476-702-137
540-688- 27
540-875-28之4
滕處厚宋 482-350-356
567-299- 76
1467-179- 68
滕野雲元 820-498- 37
滕紹宗明 541-113- 31
滕道軒明 524-352-196
滕運昌清 474-442- 21
505-911- 81
滕愈淛妻 明 見謝氏
滕德懋明 299-308-138
493-972- 52
511- 95-140
滕曇恭梁 260-383- 47
265-1049- 74
380-105-167
473- 20- 49
479-485-239
515-298- 66
933-438- 29
滕應元清 502-765- 86
滕隱公春秋 384- 10- 1
僚安春秋 404-725- 44
545-164- 89
僚祖春秋 933-261- 18
鳳氏明 劉淵妻、鳳傑女
1261-683- 29
鳳祥清 456-355- 77
鳳詔妻 明 見索林
鳳傑女 明 見鳳氏
鳳綱不詳 499-412-157
742- 23- 1
1059-262- 1
鳳阿克明 302-496-314
鳳朝文明 302-494-314
鳳繼祖明 302-495-314
鳳翔老尼宋 554-911- 64
熊上古 見熊羆
熊才清 482-563-369
570-159-21之2
熊才妻 清 見李氏
熊方宋 515-316- 66
676-109- 4
820-419- 34
熊元戰國 見楚考烈王
熊中明 1232-626- 6
熊化明(平番州人) 456-642- 10
熊化明(字仲龍) 515-561- 74
1313-197- 16
熊氏宋 熊安行女
1134-429- 9
1410-203-687
熊氏元 劉紹可妻
1197-442- 42
熊氏元 譚孟發妻 516-231- 97
熊氏明 方志充妻、熊傑女
1291-917- 7
熊氏明 丘雄妻 530-153- 58
熊氏明 丘咨疇妻 473-118- 54
479-664-247
熊氏明 沙成文妻 530-129- 57
熊氏明 李玫妻 1250-535- 50
熊氏明 李世芳妻 530-142- 58
熊氏明 李藎臣妻、熊正南女
302-251-303
480- 63-260
533-512- 66
熊氏明 何士弘妻 477-548-176
熊氏明 秦漢妻、熊唐澤女
1256-376- 24
熊氏明 袁子傑妻 473-237- 60
480- 95-262
熊氏明 梅紀妻 572-333- 38
熊氏明 黃寬妻 516-272- 98

熊氏明 楊文妻 1248-625- 3
熊氏明 趙昌年妻 480-487-280
熊氏明 趙從顯妻 479-632-245
熊氏明 潘濡妻、熊懷女
479-499-239
熊氏明 鄭友妻 480-253-269
熊氏明 鄧惟明妻 482-291-352
熊氏明 蔡正倫妻 533-608- 69
熊氏明 劉康妻、熊幼學女
473-285- 61
480-139-264
533-568- 68
熊氏明 劉天瑞妻 479-498-239
516-233- 97
熊氏明 劉如海妻 480-253-269
熊氏明 劉清渭妻 473-131- 55
516-271- 98
熊氏明 劉堯銓妻 481-214-302
559-462-11上
熊氏明 譚紀妻 480-300-271
熊氏明 丁以忠祖母
1273-734- 9
熊氏清 王璲妻 561-664- 47
熊氏清 甘應俊妻 479-500-239
熊氏清 洪楠妻 480-141-264
熊氏清 涂存恆妻 479-500-239
熊氏清 孫朝選妻 479-562-242
熊氏清 張應熙妻 480-566-284
熊氏清 趙遜妻 474-193- 9
506- 27- 86
熊氏清 趙維舒妻 481-439-316
熊氏清 賴逢峻妻 481-728-333
熊正明 515-548- 74
熊本宋 286-438-334
382-550- 86
397-541-353
473- 46- 50
473-464- 69
473-749- 83
473-762- 84
479-528-241
481-211-302
481-373-311
482-319-354
482-347-356
484- 97- 3
484- 98- 3
488-399- 13
516- 8- 87
554-202- 52
559-290-7上
567- 62- 65
933- 30- 1
1106-279- 38
1467- 37- 63
熊本妻 明 479-823-256
516-397-102
熊旦妻 清 見吉氏
熊禾宋 見熊鉌
熊宇明 510-350-114
熊兆宋 516- 98- 91
熊价明 571-547- 20
熊完戰國 見楚考烈王
熊汲明 532-720- 45
熊克宋 288-267-445
400-678-563
472-1067- 45
473-604- 76
479-224-227
481-677-331
523-149-153
529-607- 47
674-849- 18
933- 30- 1
熊岊明 515-775- 81
1237-383- 11
熊佑明 475-273- 63
540-793-28之3
熊炎宋 515-331- 67
熊直胡直 明 515-363- 68
679-628-200
1237-393- 12
1238-694- 24
1391-767-351
1442- 19-附1
1459-558- 19
熊直妻 明 見郭氏
熊東元 453-783- 2
479-488-239
515-345- 67
熊尚漢 473-389- 65
533-270- 56
熊卓明 473- 27- 49
515-382- 68
676-527- 21
1405-628-300
1442- 39-附2
1459-796- 32
熊昇元 1195- 81- 6
熊洪明 515-448- 70
熊炳妻 宋 見周氏
熊恆妻 明 見李氏
熊恪宋 515-327- 67
熊威妻 明 見張氏
熊春明 510-409-115
熊相明 515-482- 71
熊飛宋 482- 75-341
563-702- 39
熊玻明 478-127-181
554-762- 62
熊信明 570-140-21之2
熊信妻 明 見金氏
熊徇季徇 周 371-356- 17
熊紀明 1239- 99- 33
1242-160- 29
熊高明 529-692- 50
熊祜明 533-416- 62
熊浹明 300-240-197
452-447- 2
458-1041- 2
473- 28- 49
479-490-239
515-386- 68
熊原明 1246-502- 下
熊桂宋 533-399- 61
熊桂明 676-255- 10
676-530- 21
熊翀明 458- 93- 4
477-545-176
510-362-114
537-610- 60
556-417- 92
558-658- 47
676-511- 20
熊員清 529-695- 50
熊釗明 515-348- 67
588-322- 2
679-240-162
679-622-199
1237-598-上
熊商戰國 見楚威王
熊望唐 260- 10-154
熊望唐 260- 10-154
275-422-175
396-167-266
熊祥明 559-311-7上
熊渠周 244-122- 40
371-356- 17
熊袞唐 515-301- 66
529-684- 50
熊桴明 473-216- 59
475-450- 71
480- 58-260
481-807-338
510-404-115
533- 13- 47
563-728- 40
1289-159- 11
熊霈熊雯 明 302- 93-294
456-670- 11
480- 61-260
480-137-264
533-475- 64
熊偉明(字彥卿) 505-781- 73
熊偉明(商城人) 545-345- 96
熊焯清 559-331-7下
熊博唐 529-590- 47
熊超清 533-317- 57
熊琦明 563-814- 41
熊雯明 見熊霈
熊逵明 515-555- 74
523- 54-148
熊景明 515-377- 68
567-103- 66
1259-190- 14
1467- 74- 64
熊凱元 453-783- 2
473- 22- 49
479-488-239
515-343- 67
熊喬漢 563-606- 38
681-696- 22
熊斐妻 明 見彭氏
熊傑明 515-477- 71
559-282- 6
熊傑女 明 見熊氏
熊週明 570-212- 23
熊復元 473- 23- 49
479-488-239
515-345- 67
熊瑄明 1250-873- 83
熊瑄妻 明 見龍氏

熊楷明 1252-509- 29
熊瑞明 528-528- 31
熊概胡概 明(字元節)
299-557-159
453-250- 23
473-152- 56
479-489-239
481-804-338
515-363- 68
523- 36-147
563-739- 40
568-221-107
676-477- 18
820-593- 40
1240-281- 18
1241- 71- 4
1442- 21-附2
1459-581- 21
1467- 62- 64
熊概明(字大節) 558-178- 31
熊達明 472-174- 6
473- 27- 49
510-374-114
熊睦不詳 933- 29- 1
熊暄唐 515-300- 66
熊鼎明 302- 7-289
452-259- 8
472-520- 22
473-116- 54
478-765-215
479-659-247
515-772- 81
523- 34-147
540-616- 27
545- 65- 85
820-566- 40
1224-147- 19
1442- 6-附1
1459-417- 13
熊過明 301-849-287
481-213-302
559-372- 8
熊經明 473-283- 61
533-171- 52
熊節宋 460-419- 32
529-610- 47
679-142-152
熊鉌熊禾 宋 459-124- 7
460-468- 37
460-473- 37
473-605- 76
481-678-331
529-612- 47
676-694- 29
677-430- 39
1437- 32- 2
1468-187- 11
熊膏明 533- 80- 49
熊榮明 458-102- 4
477-545-176
熊槐戰國 見楚懷王
熊熙明 460-802- 86
529-745- 51
熊遠晉 256-186- 71
377-755-127
471-721- 19
473- 20- 49
479-485-239
515-295- 66
523-143-153
814-236- 5
820- 61- 23
933- 30- 1
熊睿妻 明 見伍氏
熊魁明 480-543-283
熊檟元 1195- 83- 6
熊檟妻 元 見余慧英
熊震明 532-673- 44
熊緯明(字文江) 301-675-277
456-463- 4
479-495-239
熊緯明(字子文) 458-171- 8
熊練明 563-738- 40
熊橫戰國 見楚頃襄王
熊遹宋 528-505- 31
熊默晉 515-296- 66
熊儐明 516-107- 91
熊縉晉 933- 30- 1
熊鴻晉 515-295- 66
熊襄南朝 265-1016- 72
380-363-176
384-122- 6
515-297- 66
933- 30- 1
熊襄宋 515-470- 71
熊鍾明 456-642- 10
熊鍊明 473- 24- 49
473-210- 59
515-367- 68
532-590- 41
熊鍈妻 明 見胡氏
熊禮明 523-155-153
熊曜唐 515-299- 66
熊繡明 300- 54-186
453-592- 13
472-127- 4
472-828- 33
473- 26- 49
473-391- 65
477-565-177
480-544-283
481-806-338
515-379- 68
533-106- 50
554-170- 51
563-722- 40
567-109- 67
1467- 87- 65
1467-476- 8
熊皦後唐～後晉 451-479- 7
674-270-4中
熊懷明 472-113- 4
473- 25- 49
474-435- 21
479-489-239
515-375- 68
熊懷女 明 見熊氏
熊鵬妻 明 見龔氏
熊繹周 371-356- 17
933- 29- 1
熊鏌明 515-559- 74
熊鶚明 528-544- 32
熊爚妻 明 見蔡氏
熊驂明 458-171- 8
472-522- 22
476-819-143
477-545-176
540-666- 27
熊蘭明 473- 28- 49
479-491-239
515-387- 68
563-730- 40
1271-818- 8
熊瓚明 563-751- 40
熊羆熊 上古 243- 53- 1
546-234-123
熊纓明 529-637- 48
熊矗妻 清 見張氏
熊觀明 472-255- 10
473- 24- 49
515-365- 68
熊讜明 554-311- 53
熊鑾明 567-317- 78
1467-203- 69
熊一定明 473-316- 62
480-614-287
515-379- 68
532-748- 46
熊一漢明 564- 93- 45
熊一瀟清 479-496-239
515-457- 70
熊卜尚妻 清 見梁氏
熊人霖明 676-175- 7
676-660- 27
熊士奇明 533-331- 58
熊士章明 533-156- 52
熊士章妻 明 見張氏
熊士傑明 561-203-38之1
熊士愷明 516-110- 91
熊士夔女 明 見熊芷姑
熊士夔女 明 見熊穎姑
熊子臣明 515-484- 71
523-249-157
熊子維明 1237-259- 5
熊大經宋 515-335- 67
熊大賓清 529-684- 50
熊方泰陳 260-638- 14
熊方慶陳 260-639- 14
熊文宣妻 清 見李氏
熊文煒明 554-311- 53
熊文煥元 1211-394- 55
熊文燦明 301-412-260
熊文舉明 475-701- 86
510-466-117
熊之龍明 570-164-21之2
熊太古熊太谷 元(字鄰初)
676-463- 17
1227-113- 13
1439-434- 1
熊太古元(善畫) 821-295- 53
熊太谷元 見熊太古
熊元節妻 明 見劉氏

熊引姑明 見能穎姑
熊引豐明 554-301- 53
熊天倫明 456-609- 9
537-321- 56
熊天琳妻 清 見邵氏
熊天瑞元～明 299-124-123
534-961-120
熊天錫宋～元 482-452-362
567-413- 84
1467-181- 68
熊日廣元 1197-666- 68
熊仁瞻唐 471-709- 17
479-579-243
516- 94- 91
1226-454- 22
1374-361- 57
熊氏駒妻 清 見李氏
熊必奎清 533-481- 64
熊永昌明 1260-606- 17
1260-704- 24
熊正宗明 529-701- 50
熊正南女 明 見熊氏
熊正筍妻 清 見王希貞
熊本誠明 473-683- 79
563-772- 40
熊召子元 515-341- 67
1208-288- 13
熊可久妻 明 見張氏
熊民懷妻 明 見焦氏
熊以淵明 523- 83-149
1236- 69- 5
熊以寧宋 460-299- 20
529-609- 47
熊叶夢明 456-658- 11
熊良輔元 400-578-553
熊幼學女 明 見熊氏
熊安生北周 263-798- 45
267-583- 82
380-323-174
474-308- 16
505-871- 78
933- 30- 1
熊安行女 宋 見熊氏
熊汝垕宋 515-339- 67
熊汝莊妻 清 見聶氏
熊汝達明 481-583-328
515-395- 69
528-486- 30
563-728- 40
熊汝霖明 301-654-276
456-441- 3
479-245-227
523-392-164
熊汝器明 515-397- 69
熊宇奇明 480- 13-257
515-429- 70
532-597- 41
熊州俊妻 清 見甘氏
熊兆珪明 533-413- 62
熊兆桂明 456-675- 11
559-519- 12
熊兆祥明 533-141- 51
熊兆鎰清 570-157-21之2
熊自得元 515-347- 67
676-225- 8
熊自誠明 1237-259- 5
熊如騏明 456-678- 11
熊仲彰明 1240-707- 7
熊仲顯宋 1184-245- 36
熊休先陳 260-637- 14
熊仕重元 515-347- 67
熊志良明 563-778- 40
熊志洛妻 清 見吳氏
熊谷眞妻 明 見魏氏
熊伯虎妻 清 見張氏
熊伯紀明 1229-556- 5
熊伯齊明 1242-350- 36
熊伯龍清 474- 95- 3
480- 93-262
505-642- 67
533-160- 52
熊希古明 481-236-303
517-624-130
559-374- 8
熊邦基明 537-279- 55
熊廷用明 515-402- 69
528-459- 29
熊廷相明 571-552- 20
熊廷弼明 301-382-259
474-818- 44
480- 59-260
510-294-112
533- 19- 47
1442- 85-附5
熊宗立明 530-213- 61
熊宗祖明 473-466- 69
熊宗義妻 明 見鄔氏
熊宗德明 505-676- 69
熊宗魯明 559-370- 8
熊宜僚春秋 405- 88- 61
473-300- 62
533-133- 51
933- 29- 1
熊奇雅女 明 見熊貴貞
熊芷姑明 熊士夔女
479-582-243
熊尚文明 676- 12- 1
676-727- 30
熊尚初明 302- 9-289
473- 24- 49
473-584- 75
479-489-239
481-583-328
515-372- 68
528-485- 30
熊明遇明 301-343-257
483-340-398
515-431- 70
523-122-151
529-757- 52
572-158- 32
680-254-250
1442- 86-附5
熊明遠妻 明 見吳氏
熊知至宋 460-419- 32
529-743- 51
熊季芳明 564- 92- 45
熊周俊妻 清 見甘氏
熊朋來元 295-534-190
400-697-567
453-793- 3
473- 23- 49
479-487-239
515-341- 67
528-446- 29
588-320- 2
684-493- 下
820-494- 37
1197-684- 71
1207-268- 18
1367-703- 54
熊所師明 533-176- 52
熊受孫熊紀善 明
516-150- 93
熊秉元明 537-258- 55
熊秉鉉清 1315-360- 16
熊迎龍清 479-750-251
熊恆順妻 明 見李氏
熊彥明宋 473-144- 56
熊彥昭宋 472-388- 17
熊彥迪明 528-448- 29
熊彥詩宋 516- 44- 88
熊彥昭宋 510-493-118
熊相文妻 清 見李氏
熊飛渭清 482-372-357
567-156- 69
熊飛源妻 清 見張氏
熊致諒明 529-636- 48
熊茂松明(高安人) 528-554- 32
熊茂松明(字汝辰) 821-454- 57
熊昭應清 523-208-155
熊則正明 533-144- 51
熊紀善明 見熊受孫
熊秋芳明 676-175- 7
熊俊臣明 570-119-21之1
熊祚延明 456-670- 11
480- 92-262
533- 33- 47
熊祚延妻 清 見李氏
熊祚蔭妻 清 見魯氏
熊眞姑明 張鱗妻
473-626- 77
熊烈姑清 熊彭年女
481-651-330
530-133- 57
熊烈獻明 456-520- 6
480- 92-262
533-365- 60
熊剛大宋 460-329- 25
529-611- 47
678-417-110
熊剛中妻 明 見劉氏
熊師旦明 559-372- 8
熊師說元 515-473- 71
熊師賢元 515-346- 67
1197-701- 73
1367-683- 52
熊惟祺清 見熊維祺
熊惟燓妻 明 見何氏
熊康之齊 515-298- 66
熊執易唐 680-168-241
933- 30- 1

熊培元明 515-451- 70
熊國俊明 456-599- 9
505-703- 70
熊動之明 559-356- 8
熊動之妻 明 見李氏
熊敏慧清 511-784-166
熊啟宇明 483- 33-371
569-663- 19
熊啟茹妻 清 見葉氏
熊富秋妻 明 見廉氏
熊渠子周 見雄渠
熊敦朴明 見熊敦樸
熊敦樸熊敦朴 明
676-606- 25
1442- 75-附5
1460-363- 56
熊雲斐妻 明 見呂氏
熊登之明 515-408- 69
熊堯德妻 明 見翁氏
熊開元明 見正志
熊開元妻 明 見徐氏
熊開楚清 475-370- 67
510-396-115
熊彭年女 清 見熊烈姑
熊景華妻 清 見萬氏
熊貴貞明 熊奇雅女
473-168- 57
479-751-251
熊鈞正元 515-344- 67
熊義山元 473-318- 62
480-615-287
533-408- 61
熊楚寶清 529-705- 50
熊萬變明 559-421-10上
熊嗣先明 480-135-264
533-370- 60
熊鼎華清 515-454- 70
熊毓貞明 530-129- 57
熊壽三明 456-684- 11
熊與和熊與龢 宋588-310- 2
820-453- 35
1365-607- 下
熊與龢宋 見熊與和
熊嘉志明 456-597- 9
熊嘉遇明 474-238- 12
熊夢松明 532-728- 46
熊夢祥元 820-540- 39
821-319- 54
1471-454- 10
熊夢弼妻 清 見唐氏
熊鳴夏明 523-194-155
熊鳴盛明 523-158- 52
熊鳴盛妻 明 見任氏
熊鳴鵠晉 515-296- 66
熊僧循不詳 933- 29- 1
熊維典嫂 明 見郝氏
熊維典清 516-110- 91
熊維傑清 478-770-215
502-663- 79
523- 63-149
熊維祺熊惟祺 清
482- 76-341
533-166- 52
563-876- 42
熊維寬明 515-418- 69
熊維藩明 456-501- 5
554-727- 61
熊慶冑宋 460-419- 32
460-420- 32
529-743- 51
熊慶澤女 明 見熊女
熊養性妻 明 見曾氏
熊履素唐 515-300- 66
熊賜履清 480- 93-262
511-890-172
533-164- 52
561-656- 47
熊賜瑱清 533-161- 52
熊德揚明 見熊德陽
熊德陽熊德揚 明
479-581-243
516-109- 91
563-807- 41
熊劍化明 510-353-114
515-421- 69
676-625- 26
熊穎姑熊引姑 明 熊士夔女
479-582-243
516-381-102
熊穎捷明 480-176-266
熊奮渭明 540-654- 27
熊曇朗陳 260-790- 35
265-1152- 80
370-573- 19
378-571-145
熊儒登熊孺登 唐
451-446- 4
515-300- 66
熊應元明 554-258- 52
熊應呂明 456-490- 5
538- 47- 63
熊應昌明 559-373- 8
熊應昌清 480-405-277
532-700- 45
熊應周宋 821-248- 52
熊應周明 477-419-169
538-111- 64
熊應祥明 475-421- 70
熊應鳳清 479-403-235
523-237-156
559-534- 12
熊應鳳妻 清 見陳氏
熊應鳳妻 清 見繆氏
熊應鵬明 456-640- 10
480-486-280
熊謇奴明 余繼妻473- 31- 49
479-498-239
516-234- 97
熊懋官明 516-181- 94
熊孺登唐 見熊儒登
熊嶽秀明 554-259- 52
熊鵬升元 1197-672- 69
熊率且比春秋 933- 29- 1
嫘祖傫祖 上古 黃帝妃、西陵氏女
243- 41- 1
383-126- 14
404-386- 23
銅川府君隋 547-551-161
銅鞮伯華春秋 見羊舌赤
銘起沈起 清 1475-797- 33
銓明 1229-343- 12
管及宋 567-435- 86
1467-174- 68
管氏宋 李光妻、管時可女
1146-154- 92
管氏明 王崇端妻 479-410-235
管氏明 吳孔暉妻 473-189- 58
管氏明 張胡妻 506- 43- 87
管氏明 張鑰妻 506- 48- 87
管氏明 劉逵妻 479-665-247
管氏明 藍恆芳妻 512-149-181
管氏清 王瑜妻 474-250- 12
506- 68- 87
管氏清 勞之芳妻 524-508-203
管氏清 盧茂妻 524-463-202
管名明 511-594-159
管仲管夷吾、管敬仲 春秋
244-349- 62
246- 3- 62
371-447- 25
375-827- 92
384- 16- 1
386-281-83下
386-596- 1
404-578- 35
448-137- 3
469-199- 23
472-198- 7
472-586- 24
472-743- 29
491-790- 6
933-586- 38
933-587- 38
1112-644- 7
1340-591-780
1407- 37-399
1408-162-497
管仲妻 春秋 488- 53- 6
512- 6-176
管印周 933-587- 38
管走明 1229-196- 4
管伸元 1196-689- 7
管伸女 元 見管道昇
管叔周 見管叔鮮
管革唐 547-499-159
管南管康 宋 451- 82- 2
管致春秋 933-587- 38
管貞明 516-171- 94
540-635- 27
管迪清 524-147-185
管浦管溥 明 1442- 49-附3
1460- 53- 42
管哲妻 明 見馬氏
管卿唐 820-182- 27
管修春秋 404-585- 35
480-249-269
532-547- 40
933-587- 38
管淳明 480-663-290
563-805- 41
管訥明 見管時敏
管康宋 見管南

管掄清 515-229- 63
管崇隋 485-331- 50
管統魏 540-644- 27
管湛宋 515-746- 80
585-769- 5
管評妻 明 見劉氏
管登明 516-176- 94
管景明 511-719-165
515-204- 63
676-555- 22
管溥明 見管浦
管輅魏 254-512- 29
380-586-182
384-522- 23
386-105-72中
469-527- 64
472-523- 22
476-520-128
511-909-173
541-103- 31
933-587- 38
管楫明 554-495-57上
554-914- 64
676-542- 22
管寧魏 254-223- 11
380-148-168
384-83- 4
384-511- 22
386- 21-69中
448-111-下
472-590- 24
472-624- 25
474-776- 42
476-664-136
491-798- 6
503- 6- 90
540-707-28之1
682-199- 2
871-892- 19
879-184-58下
933-587- 38
1112-817- 5
1192-380- 34
1340-591-780
1378-104- 0
1407-679-464
管潮明 524-236-189
管潾明 1255-730- 74
管賢妻 明 見闞氏
管瑾元 1375- 37- 下
管增明 1227-116- 14
管璋明 523-230-156
管銳宋 473-194- 58
管澤明 554-914- 64
管靜明 黎大成妻、管仁傑女
1242-168- 29
管霖明 1467- 68- 64
管邈魏 933-587- 38
管蘇春秋 933-587- 38
管鑑宋 515-744- 80
563-663- 39
管鑑妻 宋 見趙氏
管灝清 570-160-21之2
管一奏清 570-147-21之2
管一舉清 476-251-110
502-761- 86
545-306- 94
管九皋明 511-377-150
523- 90-149
管士珵妻 清 見王氏
管于奚女 春秋 見施孝叔妻
管大勳明 515-136- 61
528-515- 31
532-597- 41
680-316-257
1442- 63-附4
1460-212- 49
1474-335- 17
管仁傑女 明 見管靜
管正傳明 515-159- 61
676-657- 27
1442-107-附7
1460-651- 73
管正儀明 1442-110-附7
管民治管民智 明456-600- 9
管民智明 見管民治
管如林元 295-600-197
400-309-526
管如德元 295-244-165
399-597-479
473-283- 61
493-783- 42
515- 24- 57
523- 22-147
533- 21- 47
管良相明 302- 26-290
483-371-401
571-552- 20
管志通元 1196-301- 17
管志道明 457-509- 32
511-237-145
1282-701- 53
管邦宰明 524- 67-181
管宜武春秋 見管仲
管効忠清 475-274- 63
管叔鮮管叔 周 244- 56- 35
375- 18-77上
404-454- 26
933-586- 38
管思易明 523-452-168
管時中明 473-455- 68
559-286-7上
管時可宋 1146-154- 92
管時可女 宋 見管氏
管時敏管訥 明 473-210- 59
475-179- 59
511-759-166
533-723- 73
676-452- 17
1231-674- 附
1318-350- 63
1442- 9-附1
1459-435- 14
管師仁宋 286-666-351
382-669-103
397-717-363
472- 86- 3
472-1053- 44
473- 96- 53
474-651- 34
479-432-236
479-627-245
515-182- 62
523-348-162
管師常宋 524-272-191
管師復宋 471-801- 30
472-1053- 44
473-369- 64
524-299-193
533-347- 58
管惟乾明 563-796- 41
567-340- 79
管連姑明 475-647- 83
管道昇元 趙孟頫妻、管仲女
494-420- 13
494-518- 25
494-522- 25
820-552- 39
821-335- 54
1196-689- 7
1196-757- 0
1439-461- 2
管嗣章明 505-815- 74
管敬仲春秋 見管仲
管稚圭明 821-460- 57
管竭忠清 477- 56-151
537-252- 55
管壽昌元 1218-302- 13
管壽昌妻 元 見張氏
管維城明 456-503- 5
管學經明 510-488-118
管聲宣妻 明 見張氏
管歸眞宋 524-385-198
585-496- 15
管涔隱者唐 547-553-161
雒昂明 478-128-181
554-665- 60
雒潤清 476- 86-100
雒遵明 478-129-181
554-668- 60
雒于仁明 300-827-234
478-129-181
554-668- 60
雒汝興明 1288-637- 11
雒道人宋 472-925- 36
稱上古 404-388- 23
稱宋 821-267- 52
稱忠漢 539-349- 8
933-440- 29
稱藏北周 見耶舍崛多
僮尹漢 482-265-350
563-606- 38
僮和漢 485- 65- 10
933- 42- 2
僮种漢 見童恢
僧一五代 1053-218- 6
僧世隋 541- 88- 30
僧生晉 592-336- 81
僧那唐 533-778- 74
僧住元 400-281-522
僧伽僧會、康僧會 唐

472-209- 7
475-759- 88
475-857- 94
511-941-175
554-948- 65
558-483- 41
1052-253- 18
1053- 89- 2
1054-105- 3
1054-455- 12
1066- 25- 3
僧伽吳文祐 宋 479-798-254
516-504-105
517-219-121
僧宗齊 554-943- 65
僧林梁 493-1089- 58
591-136- 9
592-339- 81
僧尚元 524-398-199
僧昉後魏 1401-443- 33
僧旻梁 524-380-198
1054-362- 9
僧洪宋 567-468- 87
1467-532- 12
僧洵宋 1053-781- 18
僧亮劉宋 1049-332- 23
僧度北周 592-342- 81
僧威梁 812-335- 7
821- 26- 45
僧珍齊 812-331- 7
821- 23- 45
僧昭五代 407-658- 2
僧昭宋 1053-835- 19
僧苞劉宋 1050- 7- 60
僧朗梁 1054-365- 9
僧朗僧子朗 五代 554-954- 65
僧祐梁 485-559- 3
486-337- 15
1051-155- 6
1054- 76- 2
1401-338- 28
僧庫清 456-104- 57
僧涉晉 256-562- 95
380-616-182
478-144-181
554-940- 65
1054-313- 6
僧格元(西域人) 295-675-205
401-380-619
494-412- 12
僧格元(渤海人) 451-503- 1
僧格清(博爾濟吉特氏)
454-472- 40
僧格清(舒穆祿氏) 455-158- 6
僧格清(溫都氏) 456- 23- 51
僧格清(博爾濟斯氏)
456-251- 69
僧格清(巴林氏) 502-758- 85
僧珠清 456- 20- 51
僧晃唐 592-351- 82
僧淨明 524-433-200
僧密唐 1053-204- 5
僧深劉宋 742- 31- 1
僧勔後周 1401-528- 37
僧崖北周或明 見寶崖
僧衒唐 1052-343- 24
僧猗劉宋 1054-359- 8
僧善後漢 476-130-102
547-520-160
僧超後魏 547-501-159
僧弼劉宋 1401- 70- 16
僧景齊 1048-607- 23
1401-148- 19
僧喬齊 524-401-199
僧意梁 541- 88- 30
僧塞清 455-563- 36
僧道劉宋 554-943- 65
僧瑜劉宋 516-490-105
524-380-198
1050-809-115
僧羣晉 592-337- 81
僧瑗唐 493-1091- 58
1052- 50- 4
僧達唐 1052-401- 29
僧照隋 1401-552- 38
僧照後漢 1052- 93- 7
僧粲隋 見僧璨
僧稠北齊 1050-612-101
1054- 83- 2
1054-379- 9
1054-384- 10
僧會唐 見僧伽
僧遁宋 1053-404- 10
僧實北周 1050-342- 82
1054- 86- 2
僧竭唐 1052-376- 27
僧遠齊(居薛河寺) 1050- 8- 60
僧遠齊(居上定寺) 1401- 95- 17
僧銓唐 481-536-326
484-502- 34
530-196- 60
僧肇晉 478-144-181
554-941- 65
1053-244- 6
1054-328- 7
僧徹唐 1052- 81- 6
1054-578- 17
僧慶劉宋 592-440- 88
僧養梁 見僧伽婆羅
僧慧齊 1049-607- 41
僧輝清 456-293- 72
僧德清 456- 12- 50
僧緘王緘 後唐 592-376- 83
1052-316- 22
僧範北齊 1049-489- 33
僧導劉宋 1054-351- 8
僧融晉 473-306- 62
僧叡劉宋 516-486-105
879-137-57下
1050-100- 66
1054-328- 7
僧錫清 455-108- 4
僧濟晉 516-488-105
879-143-57下
僧燦隋 見僧璨
僧璩劉宋 1051-139-5下
僧璨僧粲、僧燦 隋
472-340- 14
475-540- 77
480-145-264
482-119-343
511-930-175
564-619- 56
1053- 39- 1
1054- 87- 2
1054-399- 10
1054-489- 14
1072-228- 9
1072-231- 9
1341-499-864
1344- 21- 63
1401-645- 43
僧鍾齊 541- 87- 30
僧額清(瓜爾佳氏) 455-119- 4
僧額清(兀札喇氏) 455-494- 30
僧額清(寧古塔氏) 455-604- 41
僧額清(索佳氏) 455-639- 44
僧藏唐 1052-325- 23
僧鏡劉宋 1401- 88- 16
僧馥劉宋 1401- 87- 16
僧蘇清 455-448- 27
僧辯齊 1049-740- 50
僧護梁 485-559- 3
486-337- 15
524-414-200
1049-351- 24
僧懿元太興、托跋太興、西河王、拓跋太興 後魏
261-277-19上
266-352- 17
375-454-84下
544-205- 62
僧巖齊 541- 87- 30
1401-152- 19
僧子朗五代 見僧朗
僧古埒妻 金 見完顏伊都
僧古理清(葉穆氏) 456- 52- 53
僧古理清(布尼氏) 456-108- 57
僧色克清 455-636- 44
僧伽陀饒善 北涼
1051-109-4下
僧格訥清 455-647- 45
僧訥米清 456-294- 72
僧額訥清 455- 86- 3
僧蘇克清(輝和氏) 455-589- 39
僧蘇克清(和和齊氏)
456- 85- 56
僧克巴拉元 見僧格巴拉
僧住塔禮清 455-572- 37
僧伽婆羅衆鎧、僧養 梁
1051-156- 6
僧伽跋澄衆現、跋橙 前秦
1051- 88- 3
僧伽跋摩衆鎧 劉宋
1051-129-5上
僧伽跋彌劉宋 1051-141-5下
僧伽難提漢 1053- 22- 1
1054- 32- 1
1054-273- 4
僧努巴哩元 494-345- 7
僧迦提婆衆天、提和、瞿曇僧迦提婆 晉 1051- 74- 3

1051- 89- 3
僧格巴拉僧克巴拉、魯王 元 294-212-118
僧格實哩元 400-281-522
554-164- 51
僧衮扎布清 454-387- 24
496-216- 76
僧伽跋陀羅衆賢、僧迦跋陀羅 齊 1051-152- 6
1054-359- 8
僧迦跋陀羅齊 見僧伽跋陀羅
僖叔春秋 見公子牙
僖負覊春秋 405-101- 62
僖負覊妻 春秋 448- 28- 3
僖潤甫宋 1138-884- 4
僑陳如闍耶跋摩齊 259-572- 58
維古宋 1053-758- 18
維亮唐 1052-210- 15
維則元 見惟則
維眞宋 812-540- 3
821-263- 52
維琳宋 524-404-199
維摩不詳 1053- 85- 2
維翰元 821-333- 54
維儼唐 480-616-287
維祇難障礙 吳 1051- 30-2上
1054-296- 5
箍桶翁宋 561-198-38之1
591-553- 42
算智爾威元 見索勒濟爾威
舞陽長公主漢 見劉生
臯氏宋 俞充母 1093-425- 57
鄡單縣亶、縣亶父 春秋 244-390- 67
375-656- 88
405-447- 85
405-454- 85
539-496-11之2
539-498-11之2
魁納元 見固納
魁堪清 455-270- 15
魁喀清 455-115- 4
魁凱清 455-157- 6
魁德清 455-205- 10
魁頭漢 253-727-120
381-641-200
魁天紀元 1198-148- 6
魁隗氏上古 見神農氏
肇格清 456-349- 77
肇國光清 455-388- 23
綽色清 455-554- 35
綽良清 502-478- 69
綽哈金 見寧古貞
綽哈安遠王 元(阿禪子) 294-213-118
綽哈綽海 元(伯索氏) 294-279-123
400-247-520
綽哈潮海 元(扎剌台氏) 295-590-195
400-270-521
479-483-239
515- 87- 59
綽哈炒花 明 302-764-327
綽拜清(額爾赫氏) 456-104- 57
綽拜清(巴林氏) 502-603- 76
綽海元 見綽哈
綽起清 455-195- 9
綽倫清 455-256- 14
綽納清 502-746- 85
綽通清 502-611- 76
綽琴清 456- 5- 50
綽鄂元 294-296-124
399-372-452
綽絡清 455-166- 7
綽溫明 見李賢
綽滿炒蠻 明 496-631-106
綽爾元 294-279-123
400-247-520
綽布海清 455-157- 6
綽布海清(博爾濟吉特氏) 456-209- 66
綽托倫清 455-451- 27
綽克托清(哲爾德氏) 455-682- 48
綽克托清(吳靈阿氏) 456- 88- 56
綽克托清(綽絡氏) 456-164- 62
綽克托清(把岳忒氏) 456-232- 68
綽克托清(烏朗哈濟拉默氏) 502-759- 85
綽克拖清 455-451- 27
綽克託清 502-448- 68
綽克塔清 455-158- 6
綽奇納清 455-512- 32
綽和爾元(伊埒巴爾氏) 294-347-128
399-494-467
綽和爾元(回回人) 515- 86- 59
綽和諾清 474-757- 41
502-746- 85
綽兒加明 見綽爾結
綽思圖清 455-583- 38
綽哈爾清 455-126- 5
綽啟理清 456-254- 69
綽隆額清 455-696- 49
綽達升清 502-570- 74
綽寧阿清 455-582- 38
綽爾門清 456- 62- 54
綽爾昆清 456- 10- 50
綽爾們清 502-590- 76
綽爾捫清 456-280- 71
綽爾惠清 456- 33- 52
綽爾結綽兒加 明 302-816-330
綽爾齊雛訛只 金 474-736- 40
綽爾齊元 見沙全
綽爾齊拙禿 明 496-627-106
綽爾賽清 455-386- 23
綽爾濟清 454-361- 19
綽諾布清 455-609- 41
綽哈忠翊妻 元 見王延童
綽穆通果清 455-520- 32
綽羅忠翊元 505-701- 70
綽吉我些兒明 見綽爾吉鄂則爾
綽爾吉鄂則爾綽吉我些兒 明 302-828-331
綽爾濟都勒幹元 294-272-122
399-349-449
綱成君戰國 見蔡澤
綱兵朱宋(朱姓) 821-254- 52
綺里季漢 見吳實
綸直魏 502-696- 82
嫪毐戰國 見摎毐
裴乂唐 1079-617- 55
裴化明 515-892- 86
裴氏晉 杜乂妻 478-135-181
555- 7- 66
裴氏唐 王泛妻、裴巨卿女 271-655-193
276-110-205
401-151-589
裴氏唐 李弘妻、裴居道女 270- 27- 86
544-184- 61
裴氏唐 裴翔女 1342-481-967
裴氏宋 劉滌之妻、裴珪女 1161-630-126
裴氏明 李亨妻 530-168- 59
裴氏明 趙璧妻 472-668- 27
裴氏清 王之翰妻 481-408-313
裴氏清 王廷璠妻 475- 81- 53
裴氏清 張琦妻 1316-615- 42
裴玄吳 254-791- 8
384-561- 28
385-598-65下下
475-425- 70
511-787-166
裴弘後魏 544-207- 62
裴平唐 820-214- 28
裴可明 547- 37-142
裴尼北周 263-688- 34
裴皮後魏 見裴駿
裴他妻 後魏 見辛氏
裴宇明 546-202-122
裴羽後周 278-415-128
279-380- 57
396-452-296
546-566-133
裴聿後魏 262- 46- 69
266-768- 38
546-524-132
裴回唐 1071-324- 26
裴夙後魏 262- 43- 69
266-765- 38
379-196-149
476-366-117
545-435- 99
546-253-123
裴向唐 270-366-113
275- 44-140
395-664-240
472-824- 33

476-400-119
478-334-191
545- 19- 83
546-554-133
554-233- 52
556-123- 85
裴全明 547-114-145
裴休唐 271-317-177
275-499-182
384-277- 14
396-224-272
469- 22- 3
472-676- 27
472-720- 28
473-333- 63
473-336- 63
475-603- 81
477-251-161
480-415-277
485-497- 9
485-509- 10
532-570- 40
533-742- 73
537-479- 58
544-230- 63
545- 28- 83
546-563-133
812-749- 3
813-256- 9
814-278- 10
820-260- 29
871-893- 19
933-133- 9
1053-167- 4
1054-137- 3
1054-578- 17
1061-311-112
裴休子 唐 511-924-174
裴沈唐 1061-290-112
裴良後魏 262- 44- 69
266-766- 38
379-196-149
546-528-132
裴忌陳 260-699- 25
265-832- 58
378-524-144
485- 70- 1
493-681- 37
546-524-132
933-128- 9
裴均唐(字君齊) 274-382-108
395-387-216
544-227- 63
546-563-133
裴均唐(河東人) 554-268- 53
裴抗唐 820-176- 27
裴虬唐 471-762- 24
1383-173- 14
裴佗後魏 262-266- 88
266-768- 38
380-193-170
472-462- 20
474-616- 32
476-115-102
546-527-132
933-128- 9
裴秀晉 254-422- 23
255-626- 35
377-448-121上
384- 91- 5
386-190-75下
469-398- 47
472-461- 20
476-396-119
546-516-132
677-106- 11
680-669-285
933-127- 9
1379-263- 33
裴宗五代 547-144-146
裴定宋 491-436- 6
裴炎唐 270- 35- 87
274-474-117
384-182- 10
395-473-224
469-398- 47
472-464- 20
476-398-119
540-668- 27
544-230- 63
546-545-133
933-130- 9
裴玠妻 唐 見新平公主
裴坦唐 275-501-182
384-283- 15
396-233-273
546-562-133
871-893- 19
裴邵晉 255-634- 35
546-521-132
裴玢唐 270-755-146
274-404-110
395-400-217
478-243-186
554-130- 50
裴協北周 見裴俠
裴昇唐 271-483-186下
裴昇女 不詳 見裴玄靜
裴旻唐 384-207- 11
550-194-216
裴旻明 473-606- 76
裴果北周 263-712- 36
266-775- 38
379-609-157
472-462- 20
473-496- 70
476-397-119
481-250-304
545-450- 99
546-530-132
559-299-7上
933-129- 9
裴佶唐 270-191- 98
274-605-127
395-569-232
476-399-119
478- 88-180
546-555-133
554-123- 50
820-218- 28
裴炫唐 820-192- 27
裴宣後魏 261-628- 45
266-763- 38
379-194-149
476-397-119
546-525-132
裴炯後魏 262- 69- 71
266-920- 45
379-285-150下
544-210- 62
546-526-132
裴度唐 271-202-170
275-395-173
384-249- 13
384-260- 13
384-264- 13
384-267- 14
396-135-264
448-121- 0
459-440- 26
469-398- 47
471-702- 16
471-816- 32
472- 85- 3
472-465- 20
472-642- 26
472-739- 29
476-400-119
476-911-148
477-408-169
478-243-186
480- 12-257
480-287-271
538-325- 69
544-227- 63
545- 25- 83
546-555-133
550-350-221
550-756-229
588-160- 8
820-228- 28
933-132- 9
1121- 75- 7
1371- 68- 附
1388-843-117
1394-393- 3
裴美後魏 261-628- 45
546-529-132
裴春明 533-192- 53
裴珀唐 270-766-148
275-359-169
384-248- 13
396-130-264
459-434- 26
472-465- 20
476-400-119
546-561-133
933-132- 9
裴郁唐 544-229- 63
裴政隋 264-954- 66
267-508- 77
379-829-163

384-153- 8
480-287-271
511-346-149
532-563- 40
546-748-140
563-621- 38
933-130- 9
裴述唐 820-286- 30
裴茂漢 476-396-119
546-513-132
裴胄唐 270-463-122
274-628-130
395-578-233
480- 11-257
493-686- 38
515- 9- 57
532-566- 40
546-553-133
裴迪唐 1371- 59- 附
裴迪五代 279-272- 43
384-311- 16
396-406-292
472-465- 20
546-565-133
裴迥唐 820-192- 27
裴約後魏 262- 67- 71
裴約後唐 277-448- 52
279-202- 32
384-307- 16
400-117-510
472-504- 21
476-204-107
545-335- 96
550-372-221
1383-759- 69
裴衍裴術 後魏 262- 70- 71
266-921- 45
379-286-150下
537-285- 55
544-211- 62
545-333- 96
546-449-130
裴律唐 820-224- 28
裴部晉 254-422- 23
裴俠裴協 北周 263-696- 35
266-778- 38
379-605-157
384-132- 7
448-323- 下
459-875- 53
472-462- 20
476-116-102
476-366-117
545-435- 99
546-531-132
933-129- 9
裴象後魏 262- 71- 71
裴浩唐 1342-447-962
裴唐明 564-181- 46
裴衷明 564-217- 46
裴素唐 813-299- 18
820-251- 29
裴泰唐 545-760-110
裴泰明 545-774-111
1250-478- 44
裴珪女 宋 見裴氏
裴珣唐 270-221-100
裴挹晉 377-455-121上
裴茂唐 270-370-114
275- 78-144
裴矩隋 264-972- 67
266-770- 38
269-576- 63
274-282-100
379-769-161
384-156- 8
384-171- 9
395-264-204
448-328- 下
472-463- 20
478-612-205
544-221- 62
544-229- 63
546-535-132
558-214- 32
933-129- 9
933-130- 9
裴矩女 唐 見裴淑英
裴倩唐 274-382-108
395-387-216
473- 59- 51
479-556-242
515-194- 63
546-551-133
549-306-192
1341-714-895
裴航唐 547-539-160
554-978- 65
裴脊隋 546-539-132
裴倫隋 478-481-199
558-170- 31
裴倫妻 隋 見柳氏
裴倫妻 明 見張氏
裴修後魏 261-627- 45
266-763- 38
379-193-149
476-397-119
547-108-145
裴寅唐 270-367-113
裴清唐 494-289- 4
裴祥北周 263-698- 35
266-780- 38
933-129- 9
裴祥明 546-491-131
裴惓唐(杭州刺史) 269-660- 70
472-960- 38
523- 72-149
裴惓唐(河東縣男) 544-231- 63
裴寂唐 269-499- 57
274-162- 88
384-168- 9
395-244-203
407-382- 2
469-385- 46
472-463- 20
476-118-102
544-227- 63
544-229- 63
933-130- 9
裴液妻 唐 見晉陽公主
裴深妻 唐 見閻氏
裴崇明 529-687- 50
裴莊宋 285-453-277
396-701-317
474-370- 19
478- 89-180
481-156-298
486- 46- 2
493-696- 39
510-325-113
545-405- 98
554-330- 54
559-360- 8
裴晞隋 546-750-140
裴冕唐 270-364-113
275- 42-140
384-210- 11
384-220- 12
395-662-240
472-464- 20
476-120-102
546-270-124
549-293-192
554-328- 54
933-132- 9
1341-647-885
裴冕明 528-526- 31
裴術後魏 見裴衍
裴術隋 267-513- 77
546-261-123
裴紳明(字子書) 546-309-125
裴紳明(夏縣人) 547-104-145
裴逡唐 529-653- 49
裴翔女 唐 見裴氏
裴普五代 547-144-146
裴越蜀漢 254-649- 12
546-514-132
裴巽妻 唐 見宜城公主
裴巽妻 唐 見薛國公主
裴植後魏 262- 68- 71
266-919- 45
379-284-150下
546-526-132
933-129- 9
裴開前燕 503- 8- 90
裴肅隋 264-913- 62
266-780- 38
379-867-164
476-118-102
476-277-111
482-450-362
545-317- 95
546-534-132
933-129- 9
1467- 11- 62
裴肅唐 271-317-177
275-499-182
396-224-272
486- 43- 2
523- 6-146
546-555-133
裴貴妻 明 見劉志貞

裴華妻 清 見張氏
裴智明 472-914- 36
裴絢後魏 262- 67- 71
266-919- 45
裴斐明 554-656- 60
裴復唐 1073-561- 24
1074-396- 24
1075-346- 24
1383-173- 14
裴源明 302- 4-289
482-184-346
裴詢後魏 261-627- 45
266-763- 38
379-194-149
546-528-132
裴詢妻 北魏 見太原長公主
裴煜宋 493-742- 41
515-734- 80
1106-224- 31
裴混唐 820-250- 29
裴椿明(承天人) 528-514- 31
裴椿明(貢生) 547- 59-143
裴楷晉 254-422- 23
255-632- 35
377-452-121上
384- 91- 5
472-461- 20
472-717- 28
476-396-119
537-285- 55
546-519-132
933-127- 9
裴瑜漢 476-367-117
546-246-123
裴瑜後魏 262- 69- 71
379-285-150下
546-526-132
裴瑗後魏 262- 47- 69
544-211- 62
546-448-130
裴瑑宋 471-893- 43
471-894- 43
裴遐晉 255-635- 35
377-456-121上
裴嵩後魏 262- 71- 71
裴鼎唐 486- 42- 2
裴粲後魏 262- 69- 71
266-921- 45
379-285-150下
546-526-132
裴鉞妻 明 見劉氏
裴會唐 820-175- 27
裴漼唐 270-218-100
274-625-130
384-192- 10
395-576-233
472-113- 4
476-399-119
544-228- 63
546-551-133
820-167- 27
933-131- 9
1371- 53- 0
裴說唐 451-475- 7
546-751-140
820-272- 29
1340-623-783
1371- 74- 0
裴漢北周 263-687- 34
266-777- 38
379-608-157
476-397-119
546-747-140
547-109-145
820-124- 25
933-129- 9
裴澈唐 384-284- 15
裴榮明 554-526-57下
裴墐唐 見裴瑾
裴墐妻 唐 見柳氏
裴瞉晉 255-635- 35
377-455-121上
裴鉷唐 544-231- 63
裴綰漢 546-513-132
裴綽晉 255-635- 35
546-742-140
裴綽父 唐 1342-303-943
裴綸明 533-211- 53
540-617- 27
裴綬妻 清 見張氏
裴寬北周 263-686- 34
266-776- 38
379-607-157
472-462- 20
476-397-119
546-529-132
552- 47- 19
933-129- 9
裴寬唐 270-219-100
274-626-130
384-200- 11
395-576-233
448-336- 下
472-273- 11
472-464- 20
472-738- 29
474- 90- 3
475-271- 63
476-111-102
476-399-119
477-305-163
510-369-114
537-297- 56
545-358- 96
546-550-133
554-232- 52
813-148- 13
821- 50- 46
933-131- 9
裴諗唐 275-402-173
396-140-264
544-231- 63
546-565-133
裴潛魏 254-421- 23
377-194-116
384- 85- 4
384-661- 41
472-461- 20
474-513- 25
476-248-110
476-396-119
533-734- 73
540-630- 27
546-514-132
933-127- 9
裴潤明 547- 9-141
裴潤妻 明 見范氏
裴澄唐 485- 72- 11
裴諸唐 820-257- 29
裴誼宋 427-370- 4
裴濟唐 271-224-171
274-499-118
384-252- 13
396-187-269
472-465- 20
476-400-119
480-239-269
532-664- 44
546-560-133
812-748- 3
813-254- 9
814-278- 10
820-233- 28
933-130- 9
裴穎妻 唐 見齊國公主
裴瑾裴墐 唐 472-865- 34
1076- 88- 9
1076-202- 21
1076-546- 9
1076-651- 21
1077-109- 9
1077-254- 21
裴瑾宋 546-285-124
裴增明 547-111-145
裴確唐 544-228- 63
裴樞唐 270-367-113
275- 44-140
384-288- 15
395-664-240
485-498- 9
546-565-133
933-132- 9
1076-111- 12
1076-567- 12
1077-136- 12
裴璉明 473-303- 62
480-246-269
533- 74- 49
537-210- 54
559-275- 6
559-281- 6
1240-318- 20
1242-314- 34
1374-759- 96
裴奭明 821-404- 56
裴賜明 546-605-135
裴稹唐 274-382-108
395-387-216
546-551-133
549-192-188
1072-206- 6

1342-530-972
裴頠晉 254-422- 23
255-626- 35
377-450-121上
472-461- 20
476-396-119
546-740-140
933-127- 9
裴德明 見朱德
裴畿梁 511-415-152
546-524-132
裴儁漢 254-649- 12
546-513-132
裴皞後晉 278-142- 92
279-379- 57
384-316- 16
396-451-296
472-465- 20
546-566-133
裴儆唐(河東人) 472-1084- 46
479-173-225
491-343- 2
491-652- 19
523-125-152
裴儆唐(字九思) 820-183- 27
裴憲晉 254-422- 23
255-632- 35
377-454-121上
546-520-132
933-127- 9
裴諧後魏 262- 72- 71
裴諝唐 270-499-126
274-627-130
384-221- 12
395-577-233
472-738- 29
475-868- 95
515-263- 65
537-298- 56
545-114- 86
546-552-133
812-352- 10
821- 70- 47
933-131- 9
裴澤北齊 266-765- 38
379-513-155
546-254-123
裴諶隋 547-538-160
裴遵漢 476-252-110
546-513-132
裴駰劉宋 243- 14- 附
384-112- 6
546-742-140
933-127- 9
裴輯漢 546-513-132
裴遼唐 812-372- 0
821- 89- 48
裴興晉 820- 75- 23
裴嶰明 546-736-139
裴鴻北周 263-688- 34
546-534-132
裴濟唐 549-346-193
1342-300-943
裴濟宋 286- 83-308
397-273-335
474-370- 19
474-587- 30
474-650- 34
476-400-119
478-595-204
505-670- 69
546-285-124
1102-234- 29
裴謙五代 547-143-146
裴輿晉 255-634- 35
裴璩唐 478-759-215
515-853- 85
523- 8-146
525- 55-219
裴駿裴皮 後魏 261-626- 45
266-762- 38
379-193-149
384-132- 7
472-462- 20
476-397-119
546-524-132
933-128- 9
裴嶷晉 256-756-108
381-195-188
474-687- 37
476-397-119
502-252- 53
546-521-132
933-127- 9
裴爵明 547- 61-143
裴徽魏 476-396-119
546-514-132
裴徽妻 唐 見部國公主
裴邃梁 260-244- 28
265-830- 58
378-343-140
384-118- 6
472-201- 7
472-324- 14
472-462- 20
473-747- 83
475-697- 86
478-295-188
482-346-356
510-277-112
511-346-149
532-103- 27
532-643- 43
546-522-132
554-108- 50
558-225- 32
567- 30- 63
933-128- 9
1467- 10- 62
裴邃北周 263-723- 37
476-394-119
476-397-119
545-450- 99
552- 40- 18
裴贄唐 275-502-182
384-288- 15
396-234-273
544-231- 63
546-563-133
裴颺後魏 262- 69- 71
266-920- 45
379-285-150下
546-526-132
裴邈晉 254-422- 23
820- 54- 23
裴識唐 275-401-173
396-140-264
472-877- 35
472-930- 37
478-670-209
546-565-133
558-190- 31
558-219- 32
933-133- 9
裴譚後魏 262- 66- 71
266-919- 45
379-284-150下
裴顗晉 742- 29- 1
裴顗齊 259-522- 53
546-522-132
裴羅唐 384-296- 15
裴獻隋 544-220- 62
裴蘊隋 264-970- 67
267-474- 74
379-783-162
384-156- 8
472-463- 20
476-749-138
478-295-188
540-658- 27
554-326- 54
933-130- 9
裴藻北齊 267-143- 54
379-617-157
544-220- 62
546-534-132
裴覺唐 472-964- 38
裴鑑後魏 266-765- 38
379-196-149
裴瓚晉 255-634- 35
546-520-132
933-127- 9
裴一諫明 546-500-131
裴士淹唐 515-210- 63
544-228- 63
820-176- 27
裴子良宋 473-551- 73
559-302-7上
裴子烈陳 260-612- 9
265-939- 66
378-509-144
933-128- 9
裴子通隋 476-398-119
547-109-145
裴子野梁 260-260- 30
265-506- 33
378-372-141
384-112- 6
471-625- 6
472-999- 40
479-223-227
486- 66- 3

524-311-194
546-743-140
547-108-145
933-128- 9
1401-317- 26
裴子雲唐 472-705- 28
537-274- 55
裴子煇妻 清 見李氏
裴子餘唐 274-617-129
395-586-234
472- 84- 3
474-601- 31
505-699- 70
546-547-133
933-131- 9
裴大亮宋 494-337- 7
裴大覺唐 477-542-176
裴千鈞唐 545-359- 96
裴方明劉宋 258- 81- 47
258- 82- 47
472-892- 35
裴文安隋 546-539-132
裴文晛宋 812-550- 4
821-164- 50
裴文舉北周 263-723- 37
266-780- 38
379-610-157
472-462- 20
476-394-119
476-397-119
545-450- 99
546-532-132
552- 45- 19
591-669- 47
933-129- 9
裴文顯宋 812-466- 2
裴之平梁 260-247- 28
260-699- 25
265-832- 58
378-524-144
546-523-132
933-128- 9
裴之高梁 260-246- 28
265-831- 58
378-345-140
511-415-152
546-523-132
933-128- 9
裴之悌梁 378-345-140
裴之橫河東王 梁
260-247- 28
265-832- 58
378-345-140
494-285- 3
511-495-156
544-213- 62
546-523-132
933-128- 9
1394-578- 8
1064-912- 5
1415-547-103下
裴之禮梁 260-246- 28
265-831- 58
378-344-140
546-523-132
933-128- 9
裴元瑜後魏 262- 72- 71
裴元證唐 547-554-161
裴天祐明 511-242-145
528-530- 31
裴日英明 821-379- 55
裴日章清 547- 39-142
裴仁基隋 264-1008- 70
266-781- 38
270- 9- 84
379-773-161
546-535-132
547-149-147
裴氏姥晉 524-379-198
裴玄仁漢 554-964- 65
1061-210-105
裴玄靜不詳 李言妻、裴昇女
1059-595- 上
裴弘泰唐 544-230- 63
裴正時清 533-257- 55
裴巨卿女 唐 見裴氏
裴申之唐 820-263- 29
裴守眞唐 271-522-188
274-616-129
384-187- 10
395-585-234
472- 85- 3
472-464- 20
472-892- 35
476-398-119
478-716-211
546-546-133
933-131- 9
裴守德唐 269-738- 76
裴安祖後魏 261-629- 45
266-764- 38
379-195-149
545-352- 96
547-108-145
547-142-146
933-128- 9
裴汝申明 460-813- 88
529-748- 51
裴夷直唐 275-121-148
484- 84- 3
1371- 70- 0
裴光廷唐 見裴光庭
裴庭裴光廷 唐 270- 13- 84
274-381-108
384-198- 11
395-386-216
472-1101- 47
476-399-119
546-549-133
549-275-191
544-230- 63
550-196-216
933-130- 9
1066-204- 19
1341-640-884
裴光遠唐 820-267- 29
裴仲規後魏 262- 45- 69
266-766- 38
379-197-149
545-333- 96
546-695-138
裴仲將妻 唐 見李楚媛
裴行立唐 274-617-129
395-586-234
473-748- 83
473-891- 90
476-111-102
483-697-422
545-390- 97
546-549-133
567-539- 90
585-749- 3
1467- 15- 62
裴行儉唐 270- 9- 84
274-378-108
384-180- 10
395-383-216
459-361- 22
469-398- 47
472-464- 20
476-277-111
476-398-119
483-592-414
544-229- 63
546-542-133
549-271-191
558-132- 30
812- 71- 下
812-235- 9
812-724- 3
812-743- 3
813-296- 18
814-269- 9
820-143- 26
933-130- 9
933-805- 60
1065-803- 18
1341-633-883
裴行儉妻 唐 見庫狄氏
裴成錦明 505-896- 80
裴孝仁北周 263-713- 36
476-397-119
546-530-132
933-129- 9
裴君合明 302- 51-292
456-656- 11
477-317-164
裴克諒妻 唐 見李娥
裴伷先唐 274-475-117
395-474-224
544-229- 63
546-545-133
563-630- 38
567- 38- 64
裴伯珍後魏 262- 46- 69
裴伯茂後魏 262-247- 85
266-767- 38
380-380-176
544-210- 62
546-745-140
933-128- 9
裴伯耆明 483-698-422

裴希先唐 1342-164-924
裴希度明 511-411-152
裴希度母 清 見范氏
裴希度清 545-679-107
裴希惇唐 1342-171-925
裴希稷宋 440-923-282
裴希顏唐 1081-601- 6
1342-419-958
裴邦奇明 546-757-140
1442- 96-附6
1460-567- 68
裴宗煥五代 547-144-146
裴定宗陳 546-529-132
裴定高北周 552- 46- 19
裴松之劉宋 258-251- 64
265-505- 33
378-135-134
384-112- 6
469-398- 47
472-388- 17
472-462- 20
472-738- 29
479-132-223
479-401-235
494-333- 7
523-222-156
537-295- 56
546-742-140
678-697-136
814-248- 6
820- 84- 24
933-127- 9
裴坦肅明 571-551- 20
裴居道唐 270- 28- 86
544-226- 63
546-546-133
裴居道女 唐 見裴氏
裴居敬元 472-468- 20
546-300-124
546-709-138
裴承祖明 533-241- 54
裴芬之後魏 262- 66- 71
266-919- 45
379-284-150下
535-556- 20
554-115- 50
裴叔泳宋 821-227- 51
裴叔卿北齊～隋 476-397-119
547-109-145
裴叔義後魏 262- 46- 69
540-664- 27
546-695-138
裴叔業齊 259-495- 51
262- 64- 71
266-918- 45
379-283-150下
472-462- 20
546-525-132
933-129- 9
裴叔寶妻 後魏 見夏侯氏
裴知古唐 271- 62-191
274-197- 91
554-897- 64
裴季卿唐 494-324- 6
裴延之唐 472-824- 33
裴延休唐 820-143- 26
裴延慶唐 544-229- 63
裴延魯唐 486- 45- 2
裴延儁後魏 262- 42- 69
266-765- 38
379-195-149
459-875- 53
472- 26- 1
472-462- 20
474-165- 8
476-397-119
505-628- 67
546-527-132
933-128- 9
1401-434- 32
裴延齡唐 270-598-135
275-334-167
384-234- 12
396-118-262
550-244-218
933-132- 9
裴宣明後魏 478-333-191
546-695-138
裴宣機唐 269-578- 63
裴彥臣宋 427-368- 4
裴彥先後魏 262- 66- 71
裴彥直元 517-533-128
裴南金隋 267-509- 77
裴思明明 528-526- 31
裴思義唐 544-230- 63
裴思諒唐 544-228- 63
裴思聰元 523-153-153
裴昭明齊 259-521- 53
265-506- 33
378-295-138
384-112- 6
448-318- 下
473-333- 63
473-747- 83
480-398-277
482-346-356
482-432-361
510-385-115
532-688- 64
546-742-140
567- 30- 63
933-127- 9
1467- 10- 62
裴英起北齊 263-176- 21
裴旂徵妻 清 見王氏
裴時亨金 472-127- 4
裴虔通隋 264-1170- 85
267-537- 79
379-884-164
裴師度清 511-516-157
裴章來妻 明 見劉氏
裴章美明 546-735-139
裴淑英唐 李德武妻、裴矩女
271-650-193
276-106-205
401-147-589
452- 92- 2
472-469- 20
476-404-119
547-450-158
裴訥之北齊 266-770- 38
379-484-154
538-718- 80
547-108-145
裴莊伯後魏 266-764- 38
379-195-149
546-745-140
933-128- 9
裴國楨清 505-661- 68
裴常棣唐 484- 85- 3
裴莫亨金 474- 93- 3
474-471- 23
474-601- 31
裴紹宗明 300-159-192
472-292- 12
475-492- 74
478-128-181
510-410-115
554-656- 60
裴紹芳明 545-781-111
558-185- 31
裴敦復唐 510-433-116
裴惠昭齊 齊武帝后、裴璣之女 259-241- 20
265-196- 11
373- 83- 20
544-179- 61
裴登舉清 456-366- 77
裴琰之唐 274-625-130
472-464- 20
474-434- 21
478-334-191
505-680- 69
546-542-133
554-327- 54
933-131- 9
裴景融後魏 262- 46- 69
266-767- 38
379-197-149
546-695-138
裴景顏後魏 262- 46- 69
裴景鸞北齊 476-397-119
裴虛巳妻 唐 見霍國公主
裴翛然唐 547-539-160
812-348- 9
821- 99- 48
裴道護後魏 544-207- 62
裴敬猷後魏 262- 43- 69
裴敬業隋 471-871- 40
裴敬憲後魏 262-246- 85
266-763- 38
380-379-176
472-462- 20
476-397-119
546-745-140
814-260- 8
820-118- 25
933-128- 9
裴敬彝唐 271-522-188
275-628-195
384-181- 10
400-286-523

472-464- 20
476-398-119
547-109-145
裴滿亨金 見費摩亨
裴聞義宋 564- 67- 44
裴萼霆元 515-538- 74
裴徫度清 517-793-135
裴諏之北齊 263-267- 35
266-769- 38
379-483-154
546-746-140
裴慶孫後魏 262- 45- 69
266-766- 38
379-196-149
476-393-119
545-471-100
546-528-132
裴養志明 547- 62-143
裴蔭柯清 456-366- 78
裴德谷宋 見裴德裕
裴德昌宋 見裴德裕
裴德裕裴德谷、裴德昌 宋
473-455- 68
545-335- 96
546-286-124
559-285-7上
1102-234- 29
裴德澤明 515-874- 86
裴德輿宋 1097- 98- 10
裴謁之北齊 266-775- 38
379-484-154
476-116-102
546-456-130
裴寰之唐 554-269- 53
裴謀之北齊 379-484-154
546-747-140
裴遵慶唐 270-365-113
275- 43-140
384-211- 11
384-219- 12
395-663-240
472-464- 20
476-399-119
545-237- 92
546-552-133
933-132- 9
裴璣之女 齊 見裴惠昭
裴應時明 547-105-145
裴應章明 460-812- 88
481-724-333
529-638- 48
676-605- 25
1442- 74-附5
1460-351- 56
裴禮和後魏 262- 46- 69
裴雙碩後魏 544-211- 62
裴懷古唐 271-451-185下
275-653-197
384-182- 10
400-340-530
459-885- 54
472-202- 7
472-429- 19
473-748- 83
474- 90- 3
475-749- 88
476- 26- 97
477-161-157
482-318-354
511-347-149
537-264- 55
545- 21- 83
546-529-132
567- 37- 64
1467- 13- 62
裴懷儉唐 494-318- 6
裴鏡民北周 263-688- 34
裴鏡民隋 546-261-123
裴獻伯後魏 266-764- 38
379-195-149
933-128- 9
裴耀卿唐 270-189- 98
274-603-127
384-198- 11
395-569-232
472-357- 15
472-543- 23
472-738- 29
475-603- 81
476-399-119
476-610-133
478- 87-180
510-433-116
537-350- 56
540-631- 27
541-437-35之8
544-230- 63
546-548-133
550-206-216
554-122- 50
820-164- 27
933-131- 9
1071-266- 21
1340-539-775
裴藹之後魏 262- 66- 71
裴繼芳明 545-787-111
裴鶴章明 546-735-139
裴讓之北齊 263-266- 35
266-768- 38
379-483-154
472-113- 4
474-433- 21
505-680- 69
546-746-140
933-129- 9
1395-603- 3
裴讞之北齊 263-267- 35
266-770- 38
379-484-154
546-747-140
裴牙失帖木兒明 見裴伊實特穆爾
裴伊實特穆爾裴牙失帖木兒 明 502-280- 56
僕朋漢 535-553- 20
僕人贊春秋 404-778- 48
545-699-108
僕散揆金 見璞薩揆
僕固懷恩唐 270-443-121
276-283-216上
276-459-224上
384-213- 11
384-224- 12
401-389-620
544-225- 63
552- 57- 19
僕散忠義金 見布薩忠義
僕散烏者金 見布薩忠義
僕散烏哲金 見布薩忠義
僕散渾坦金 見布薩歡塔
僕僕先生唐 472-796- 31
477-549-176
538-351- 70
徹唐 1053-438- 11
徹元 516-434-103
徹臣清 455-401- 24
徹克清(納哈塔氏) 456-168- 62
徹克清(謚文端) 474-773- 41
502-528- 72
徹辰元(台奎蘇氏) 295-604-197
400-313-526
徹辰元(千戶) 400-260-521
徹里元 見徹爾
徹空明 572-160- 32
徹侯夏 見胤
徹凌元 見徹爾
徹訥清 455-449- 27
徹爾元(永古特氏) 294-256-121
399-343-448
399-526-471
徹爾徹里、徹凌 元(謚忠肅)
294-364-130
399-505-469
451-540- 4
459-695- 42
472-413- 18
475-431- 70
478-762-215
481-492-324
493-784- 42
510-398-115
511-226-144
523- 24-147
528-447- 29
1201-539- 14
1367-782- 59
1373-146- 11
徹爾元(阿蘇特氏) 294-438-135
399-677-487
徹孔額清 455-287- 16
徹辰圖扯扯禿、扯扯土 明
496-628-106
徹伯爾金(察八兒) 477-409-169
徹伯爾元 元世祖后、阿禪女、按陳女 294-183-114
393-345- 80
452- 60- 1
徹埒克清 454-612- 65
徹哩克擔力克 明
302-763-327
徹哩克妻 明 見三娘子
徹爾布清 502-549- 73

徹穆冬清 456-266- 70
徹辰烏格金 545-338- 96
徹爾庫輝察兒可馬 宋 479-352-233
徹爾博赫清 455-366- 22
徹辰巴圖爾元 294-282-123
399-523-471
徹里帖木兒元 見徹爾特穆爾
徹伯爾和卓元 294-240-120
399-336-448
徹爾克呼木元 523-200-155
徹爾特穆爾徹里帖木兒、齊里克特穆爾 元(阿嚕威氏)
294-518-142
400- 20-500
476-916-148
523- 27-147
537-207- 54
徹爾特穆爾元(字士方)
545-461-100
549-626-204
嫫母上古 黃帝妃 404-386- 23
綬恩清 456-311- 74
綬敏清 456-354- 77
綬謙清 456-378- 79
綬楞額清 455- 66- 2
綬寧阿清 455-582- 38
綠珠梁綠珠 晉 石崇妻
482-524-367
567-472- 88
568-468-117
594-359- 2
綠雲宋 趙淮妻 288-461-460
401-163-590
451-238- 0
473-341- 63
480-415-277
512- 13-177
533-657- 71
綠衣女明 475-756- 88
512-128-180

十五畫

寬悅明 1442-121-附8
1460-849- 91
寬泰清 455-397- 24
寫竹妓宋 821-272- 52
潔實彌爾元 1197-623- 64
潯陽王梁 見蕭太心
潯陽公主唐 唐順宗女
274-116- 83
393-284- 73
554- 56- 49
潯陽公主遼 見耶律玖格
潯陽畫工十國吳 821-113- 49
諒元宋 1137-686- 26
諒輔漢 253-587-111
380-142-168
473-430- 67
481- 74-294
559-338- 8
591-519- 41
933-687- 46
諒毅戰國 405-217- 70
禡木特清(厄魯特人)
454-942-115
禡木特清(葉爾羌人)
454-958-117
廚人濮春秋 404-811- 49
廚武子春秋 見魏錡
廌公秦 243-150- 6
372-143- 4
933-262- 18
廌宣漢 933-262- 18
廣宋 1053-694- 16
廣心明 516-466-104
廣王唐 見李滩
廣王後梁 見朱全昱
廣王後晉 見石敬威
廣王宋 見趙昺
廣化明 1460-857- 91
1475-760- 32
廣印明 1442-121-附8
1460-850- 91
1475-769- 32
廣育明 1475-777- 33
廣承明 588- 10- 1
廣宣唐 1371- 77- 附
廣衍明 1475-777- 33
廣原宋 1053-346- 8
廣原明 1442-120-附8
廣恩元 541- 96- 30
廣能明 483-283-393
572-162- 32
廣修唐 1052-413- 30
廣袞清(瓜爾佳氏) 455-116- 4
廣袞清(完顏氏) 455-459- 28
廣溫金 586-185- 8
廣裕元 476-407-120
547-541-160
廣照宋 517-356-125
1137-550- 20
廣微五代 554-906- 64
廣演元 1204-603- 11
廣聞宋 588-207- 9
1185-762- 21
廣潤鏓行道 明 524-405-199
1442-121-附8
1460-850- 91
廣澄唐 1053-121- 3
廣慧宋 526- 66-261
1163-466- 20
廣敷唐 1052-289- 20
廣濟五代 1053-550- 13
廣聰明 516-498-105
廣禮明 821-488- 58
廣籍陳梁、陳昌應 明
524-187-187
677-742- 65
1442-115-附7
1475-468- 20
廣鑄元 1204-600- 11
1207-683- 49
廣川王漢 見劉文
廣川王漢 見劉去
廣川王漢 見劉越
廣川王漢 見劉齊
廣川王漢 見劉海陽
廣川王後魏 見托跋略
廣平王魏 見曹儼
廣平王後魏 見元懷
廣平王後魏 見托跋連
廣平王後魏 見托跋洛侯
廣平王北齊 見高盛
廣平王唐 見李孝慈
廣平王元 見伊實特穆爾
廣安王明 見朱祐枳
廣成子上古 472-776- 30
477-504-174
538-348- 70
558-480- 41
561-224-38之3
933-614- 39
1059-258- 1
1061-256-109
廣宗王漢 見劉萬歲
廣宗王明 見朱幼林
廣武王北齊 見高長弼
廣武王唐 見李承弘
廣昌王明 見王禮
廣昌王明 見朱濟熇
廣明王唐 見李憒
廣陵王漢 見劉胥
廣陵王漢 見劉荆
廣陵王漢 見劉延壽
廣陵王後魏 見元羽
廣陵王後魏 見元欣
廣陽王漢 見劉良
廣陽王後魏 見元嘉
廣陽王後魏 見托跋建
廣陽王元 見圖嚕
廣寧王北齊 見高孝珩
廣寧王元 見卓多
廣寧王元 見耶律楚材
廣漢王晉 見司馬廣德
廣德王漢 見劉倫
廣德王漢 見劉雲客
廣靈王明 見朱遜烒
廣陵大師唐 1052-277- 19
廣陵茶姥晉 592-192- 73
1061-351-115
廣惠道人明 572-165- 32
廣寧公主唐 程昌胤妻、蘇克貞妻、唐玄宗女 274-113- 83
393-281- 73
554- 52- 49
廣德公主唐 于琮妻、唐宣宗女 274-119- 83
393-286- 73
478-136-181
554- 59- 49
廣濟先生唐 592-273- 77
瑩玉澗宋 821-268- 52
審承宋 1053-579- 14
審忠漢 477-126-155
511-221-144
審哲五代 1053-560- 13
審配漢 253-403-100
253-446-104上

254-132- 6
377- 80-114
385- 81- 9
469-460- 55
477-163-157
1408-481-527
審食其漢 244-310- 56
250-129- 40
376- 55- 96
933-629- 41
潼泉山禪師五代 見桐泉山禪師
潮海元 見綽哈
潛玉明 524-300-193
潛眞唐 1052- 63- 5
潛翁隋 473-658- 78
481-621-329
530-201- 60
潛溟明 515-474- 71
潛瑾唐 820-300- 30
潛說友宋 493-723- 40
588-177- 8
676-224- 8
820-453- 35
澄五代 1053-322- 8
澄宋(嗣晦機) 1053-335- 8
澄宋(嗣資禪師) 1053-342- 8
澄心唐 1052-409- 29
澄方金 586-188- 8
澄忆澄圯 宋 1053-342- 8
1085-216- 28
澄圯宋 見澄忆
澄空隋 547-486-159
548-205-168
澄泗宋 1053-651- 15
澄雪胡靖 明 530-213- 61
820-761- 44
821-481- 58
澄湜宋 1053-416- 10
澄楚後周 1052-228- 16
澄照五代 1053-230- 6
澄遠宋 1053-620- 15
1054-164- 4
1054-610- 18
澄靜唐 516-427-103
澄靜五代 1053-318- 8
澄觀唐 476-337-115
524-416-200
547-529-160
554-952- 65
820-299- 30
1052- 64- 5
1054-110- 3
1054-126- 3
1054-131- 3
1054-484- 14
1054-502- 14
1054-517- 15
1054-555- 16
澄陽眞人元 558-484- 41
潤王宋 見趙顏
潘勺宋 589-323- 3
590-449- 0
潘方潘邵 宋(字規父)
288-380-454
400-192-515
451- 73- 2
479-174-225
479-407-235
523-416-166
潘方宋(字仲矩) 494-349- 7
潘文明 476-222-108
546- 99-118
554-255- 52
潘中宋 481-745-334
528-559- 32
潘中明 524-240-190
540-656- 27
潘壬宋 494-313- 5
潘仁妻 明 見蔡氏
潘仁女 明 見潘惟祥
潘氏劉宋 宋文帝淑妃
265-191- 11
373- 79- 20
潘氏宋 方天驥妻
1187-581- 7
潘氏宋 宋高宗賢妃、潘永壽女
284-881-243
393-317- 77
537-187- 53
潘氏宋 陳豫妻、潘叔齊女
1138-441- 20
潘氏宋 湯偉協妻、潘亮女
1150- 81- 10
潘氏宋 趙令超妻、潘仁矩女
1094-721- 78
潘氏元 汪琰妻 295-641-201
401-187-593
472-382- 16
475-577- 79
1376-677- 99
潘氏明 王經妻 472-594- 24
潘氏明 王家冠妻 483- 17-370
潘氏明 沈謐妻、潘巒女
1283-526-108
潘氏明 沈華區妻 479- 61-219
潘氏明 李珖妻 1289-715- 16
潘氏明 李萬妻 479-410-235
潘氏明 李郭翁妻 524-609-208
潘氏明 李曙實妻 480-254-269
潘氏明 吳質妻 472-1055- 44
479-435-236
潘氏明 吳炳用妻 524-695-211
潘氏明 余福宏妻 530-126- 57
潘氏明 何敏遜妻 480-416-277
潘氏明 金翊妻 1283-323- 92
潘氏明 洪日升妻 512- 91-179
潘氏明 施聲遠妻、潘克承女
1261-701- 30
潘氏明 高琰妻 474-778- 42
503- 30- 93
潘氏明 馬讓妻 1253-155- 48
潘氏明 孫廷佐妻 479-334-232
潘氏明 徐傑妻、潘宗女
1267-323- 36
潘氏明 許釗妻 302-227-302
479- 61-219
524-503-203
潘氏明 曹文道妻 472-685- 27
潘氏明 陸梅妻 512- 71-178
潘氏明 張鳳妻 530-108- 57
潘氏明 張大本妻 472-298- 12
475-485- 73
潘氏明 張懷相妻 479-768-252
潘氏明 張翼之妻
1312-360- 35
潘氏明 陳啟妻 473-575- 74
潘氏明 崔維邦妻 506- 9- 86
潘氏明 曾文妻 473-251- 60
潘氏明 程衡妻 564-347- 49
潘氏明 裘致中妻、潘應昌女
1442-123-附8
1460-770- 84
潘氏明 董芳妻 478-352-191
潘氏明 董廷玉妻 482-210-347
潘氏明 謝瓛妻 473-575- 74
530- 6- 54
潘氏明 戴而卓妻 512-154-181
潘氏明 聶莊妻 479-499-239
潘氏明 彭久康妻妹
475-282- 63
潘氏清 王性善妻 475- 80- 53
潘氏清 王家璽妻 506- 95- 88
潘氏清 王庶棶妻 474-249- 12
506- 59- 87
潘氏清 成宏圓妻 475-386- 68
潘氏清 李若棻妻 506- 67- 87
潘氏清 岑達觀妻 512-166-181
潘氏清 吳大申妻 480- 97-262
潘氏清 吳永泰妻 478-139-181
潘氏清 何斌妻 530-131- 57
潘氏清 胡本義妻 474-195- 9
潘氏清 唐䄙遠妻 475-799- 90
潘氏清 孫自式妻、潘文臺女
1312-379- 36
潘氏清 孫廷標妻 530-149- 58
潘氏清 袁疆妻 506- 62- 87
潘氏清 徐文采妻 475-334- 65
潘氏清 徐昌盛妻 533-705- 72
潘氏清 郭振參妻 530-120- 57
潘氏清 戚世位妻 474-194- 9
潘氏清 陳啟忠妻、潘謐女
512-488-189
潘氏清 陳嘉元妻 475- 80- 53
潘氏清 莊明揚妻 524-584-206
潘氏清 常明聰妻 503- 62- 95
潘氏清 馮亞斗妻 482- 44-340
564-377- 50
潘氏清 程大策妻 475-579- 79
潘氏清 喬可聘妻、潘叔暘女
1315-382- 18
潘氏清 楊士崇妻 530-132- 57
潘氏清 廖奇生妻 530- 28- 54
潘氏清 鄭士發妻 530- 25- 54
潘氏清 劉登舉妻 503- 64- 95
潘氏清 錢文秀妻 479-337-232
潘氏清 謝允敬妻 530-130- 57
潘氏清 謝復禎妻 530-115- 57
潘氏清 魏益妻 478-250-186
潘氏清 胡宗緒母 512- 6-176
潘氏清 潘公調女 524-646-209
潘弘潘弘道 明 302- 71-293

十五畫 潘

456-426- 2
475-330- 65
477-360-166
511-460-154
537-319- 56
潘尼晉 254-386- 21
255-915- 55
377-615-124上
385-631-66中下
469- 71- 9
477- 63-151
477-358-166
525-392-237
538-126- 65
588-442- 1
879-170-58上
933-223- 16
1370- 83- 4
1379-311- 38
1395-589- 3
潘旦明 300-340-203
475-572- 79
511-279-147
潘生潘十三 宋 524-107-183
潘江清 475-532- 77
511-801-167
潘吉明 820-594- 40
潘同明 473- 97- 53
潘夙宋 286-432-333
397-535-352
472-132- 4
472-437- 19
473-347- 63
474-477- 23
480-436-278
493-701- 39
505-775- 73
532-724- 46
545-368- 97
545-641-106
546-352-126
563-685- 39
潘耒清 475-142- 57
511-754-165
1328-363- 10
1328-366- 11
潘沆明 524-170-186
1250-494- 46
潘沂清 528-534- 31
540-870-28之4
潘亨明 676-500- 19
1442- 24-附2
1459-613- 23
潘抃元 524-167-186
潘均妻 清 見陳淑貞
潘尫春秋 405- 28- 57
533-123- 51
933-222- 16
潘辰明 299-463-152
524- 92-182
潘岏潘岏 前蜀 561-585- 46
592-646-102
潘芑唐 494-472- 18
潘岏前蜀 見潘岏
潘岐宋 820-386- 33
潘妥明 472-274- 11
潘谷宋 843-665-中
1109-134- 9
1110-414- 22
潘佑南唐 288-682-478
401-208-595
471-660- 11
472-294- 12
489-354- 31
499-425-159
674-271-4中
813-263- 11
820-317- 31
1406-450-365
潘兌宋 485-200- 27
493-934- 50
589-354- 6
590-452- 0
潘宗女 明 見潘氏
潘京晉 256-464- 90
380-172-170
473-368- 64
477-471-173
480-435-278
480-462-279
480-485-280
533-288- 56
933-223- 16
潘府明 301-770-282
457-774- 46
479-240-227
481-525-326
523-599-176
528-453- 29
680- 41-228
1455-433-219
潘泗明(晉江人) 529-673- 49
潘泗明(字德敬) 1274-350- 12
潘泗妻 明 見方氏
潘況宋 1095-705- 35
潘炎唐 271- 94-162
275-250-160
396- 63-257
潘炎元 538- 39- 63
潘武宋 460-363- 28
529-738- 51
潘奇明 1246-646- 15
潘邵宋 見潘方
潘林明 545-376- 97
潘忠明 568-183-105
1241-483- 7
潘岭清 515-138- 61
533-162- 52
潘昌明 570-213- 23
潘明妻 明 見周氏
潘芝魏 見潘勗
潘旻宋 448-525- 14
潘金明 480-437-278
潘岳晉 254-386- 21
255- 91- 55
377-611-124上
384- 93- 5
469- 71- 9
472-654- 27
472-717- 28
477- 63-151
477-241-161
538-126- 65
933-222- 16
1370- 80- 4
1379-306- 38
潘岳明 475-836- 93
511-378-150
潘枋潘公筠、潘庭堅 宋
287-790-425
398-717-416
473-572- 74
481-528-326
493-780- 42
529-448- 43
1180-449- 41
1437- 29- 2
潘洪明(字裕夫) 473-642- 78
511-228-144
528-542- 32
潘洪明(南海人) 505-701- 70
潘音元 479-236-227
524-287-192
1364-865-380
1469-440- 54
潘亮女 宋 見潘氏
潘亮明 515-171- 62
潘洙明 460-746- 77
潘奕元 1439-423- 1
潘美宋 285-192-258
371-114- 11
382-188- 27
384-326- 17
384-334- 17
396-519-301
450-668-下1
471-816- 32
472-131- 4
473-672- 79
474- 91- 3
474-476- 23
480-399-277
481-800-338
505-774- 73
532-572- 41
544-234- 63
545- 34- 84
552- 69- 19
563-649- 39
567- 46- 64
933-223- 16
1467- 20- 62
潘美女 宋 見潘皇后
潘珏宋 485-501- 9
潘珏明 480-128-264
523-190-155
532-636- 43
676-517- 20
1266-735- 7
潘柄宋 460-345- 27
473-572- 74
529-442- 43

潘相明 302-290-305
潘相妻 明 見趙氏
潘奎明 512-734-195
潘奎妻 清 見吳氏
潘珍明 300-339-203
475-572- 79
511-279-147
523-158-153
540-636- 27
676-532- 21
1269-399- 5
潘某明(自號海濱生)
1457-657-403
潘述唐 494-346- 7
潘貞明 475-836- 93
511-378-150
潘昱宋 843-668-中
潘昱明 524-193-188
潘英妻 清 見施氏
潘迪元 453-792- 3
472-134- 4
505-874- 78
676- 16- 1
676- 82- 3
680-218-246
潘俊明 563-844- 41
潘海明 563-806- 41
567-327- 78
潘容宋 820-453- 35
潘浩明 570-152-21之2
潘高明 546- 92-118
潘高清 511-777-166
潘益明 柳穆妻、潘逵女
1228-808- 14
潘浚妻 清 見李氏
潘秘吳 385-539- 61
潘庭明 564-208- 46
潘泰明 524-213-188
潘桂宋 820-448- 35
潘桂元 821-298- 53
潘振明 524-121-184
676-657- 27
潘時明 572- 76- 28
潘恩明(字子仁) 300-325-202
475-180- 59
476-918-148
477- 55-151
511-127-141
523- 53-148
537-220- 54
567-125- 67
677-597- 54
820-701- 43
1284- 40-139
1442- 51-附3
1460- 80- 44
1467-108- 65
潘恩明(合肥人) 563-854- 41
潘盎宋 473-778- 84
482-452-362
567-363- 81
1467-170- 68
潘晃唐 472-389- 17
475-822- 92
511-658-162
潘恕明 510-465-117
潘倬明 537-525- 59
潘純元 493-1074- 57
511-819-167
1471-503- 11
潘修宋 515-501- 72
潘淳宋 515-311- 66
潘翊明 515-276- 65
潘淵明(天台人) 480-201-267
潘淵明(字默之) 524- 67-181
676-735- 31
潘章明 510-482-118
潘深妻 清 見程氏
潘淑吳 吳大帝后 254-761- 5
370-260- 2
373- 60- 19
385-479-52上
潘梧明 564-291- 47
潘乾漢 472-171- 6
475-270- 63
489-598- 47
489-663- 49
510-368-114
683-267- 7
潘乾明 1289-311- 20
潘乾妻 明 見沈氏
潘逵女 明 見潘益
潘崇春秋 405- 84- 61
933-222- 16
潘畤宋 451-274- 2
473-631- 77
493-776- 42
523-479-170
528-474- 30
563-661- 39
820-415- 34
1145-578- 76
1146-197- 94
潘畤妻 宋 見李孟琰
潘常明 1467- 85- 65
潘莘宋 485-502- 9
494-472- 18
潘冕宋 564-621- 56
潘勗潘芝 魏 254-385- 21
377-171-116
385-631-66中下
潘勗明 528-530- 31
潘偶宋 288-375-453
400-134-511
潘敏明 554-338- 54
潘滋宋 460-127- 7
潘滋明 676-569- 23
潘游明 564-210- 46
潘琚元 1206-151- 16
1207-187- 12
潘喜清 455-689- 49
潘植宋 460-280- 17
529-442- 43
1168-438- 37
潘殖宋 529-743- 51
潘琴明 524- 92-182
528-477- 30
676-503- 19
潘弼元 1203-388- 29
潘弼女 元 見潘妙眞
潘琢明 524-153-185
潘琛宋 511-252-146
潘琳明 473-653- 78
481-611-329
528-493- 30
潘援明 473-585- 75
524- 92-182
1268-239- 38
潘棟明 1260-602- 17
潘貴明 515-246- 64
潘著元 見潘澤民
潘凱明 554-348- 54
潘凱清 1318-491- 76
潘萃宋 1113-621- 9
潘棠明 480-565-284
潘最漢 469- 5- 1
潘傅宋 473-177- 57
515-119- 60
潘順妻 明 見徐守貞
潘絲明 523-218-156
潘喬明 524-121-184
潘經明 479-378-234
潘傑明 510-382-115
潘集明 456-636- 10
523-392-164
潘意妻 宋 見徐國長公主
潘祺宋 489-676- 49
492-584-13下之上
511-561-158
潘溫元 1201-689- 27
潘滔晉 254-386- 21
潘靖明 473-584- 75
潘裕宋 485-287- 41
潘裕妻 明 見孫氏
潘塤明 300-343-203
472-128- 4
475-329- 65
505-691- 70
511-194-143
潘預宋 473-695- 80
482-116-343
564- 74- 44
潘楷明 524-258-191
潘瑋明 1266-734- 7
潘瑞明 572- 76- 28
潘楠明 563-837- 41
潘楫清 524-349-196
潘榆妻 明 見毛氏
潘馴清 572-107- 30
潘群宋 1098-641- 33
潘瑛明(字公玠) 1247-520- 23
潘瑛明(字玉英) 1266-733- 7
潘達明(平番州人) 456-642- 10
潘達明(字劇驂) 533-194- 53
554-343- 54
潘暄明 820-598- 40
潘葵明 516- 73- 90
潘鉞妻 明 見邢氏
潘鉞妻 明 見羅氏
潘節明 564-208- 46
潘賓明 570-503-29之8
潘實明 1250-958- 90

潘墥明 572- 76- 28
潘礼明 299-496-154
523-374-164
潘福明 540-671- 27
潘韶子 宋 1185-759- 21
潘榮元 511-807-167
1376-598-95下
潘榮明(字尊用) 299-542-157
473-656- 78
481-615-329
529-566- 46
1248-649- 4
1250-861- 82
潘榮明(竹山人) 480-320-272
潘榮妻 明 見趙氏
潘滿晉 540-622- 27
潘壽宋 484-374- 27
潘槐明(宣化人) 510-502-118
潘槐明(字廷卿) 511-688-163
潘輔明 502-383- 64
潘翥吳 254-889- 16
377-398-120
385-539- 61
潘遘宋 563-677- 39
潘遂妻 明 見黃氏
潘鳳清 505-884- 79
潘綜劉宋 258-571- 91
265-1035- 73
380- 93-167
472-1000- 40
479-136-223
524-118-184
526- 5-259
933-223- 16
潘銑明 533-470- 64
潘寬明 481-589-328
潘潢明 475-573- 79
511-281-147
523-231-156
528-456- 29
潘澍妻 明 見史氏
潘諒明 473-126- 55
潘潤明(字德夫) 457-106- 7
515-883- 86
1271- 45- 5
潘潤明(字時雨) 511-376-150
523-247-157
潘澄明 1260-513- 11
潘毅明 472-206- 7
511-418-152
潘賢明 473-477- 69
559-275- 6
潘璋吳 254-823- 10
377-360-119
384- 80- 4
384-579- 30
385-523- 58
472-570- 24
933-222- 16
潘璋明 523-482-170
559-251- 6
潘墀宋 451-396- 13
523-612-176
679-820-219
潘閬宋 371- 16- 2
447-106- 2
471-929- 49
472-294- 12
475-533- 77
479- 60-219
511-782-166
524-302-194
585-442- 12
587-428- 4
590-135- 17
674-278-4中
674-872- 20
1437- 10- 1
潘賜明 473-605- 76
1237-579- 上
潘稹明 472-329- 14
473-674- 79
潘譏明 1241-603- 12
潘錩宋 475-639- 83
510-444-117
潘鋭明 475-836- 93
511-379-150
1272-421- 12
潘緯宋 472-241- 9
潘緯明 511-809-167
820-749- 44
1442- 67-附4
1460-299- 53
潘魴明 558-479- 40
潘稷清 511-559-158
潘樂潘相貴 北齊 263-120- 15
267-130- 53
379-387-152
544-212- 62
544-216- 62
545-353- 96
546-115-119
933-223- 16
潘澤元 1201-638- 22
1367-839- 64
1373-196- 14
潘諫妻 明 見魏懿眞
潘穎明 515- 96- 59
523-475-169
潘擇元 1206-151- 16
潘選明 676-535- 21
潘蕢宋 494-472- 18
潘蕃鍾蕃 明 300- 55-186
479- 96-221
481- 24-291
510-416-116
523-272-158
564-759- 60
564-760- 60
567-107- 66
1320-732- 80
1442- 33-附2
1459-717- 28
1467- 80- 64
1475-235- 10
潘縉明 545-153- 88
潘錦清 545-202- 90
潘衡宋 524-370-197
843-668- 中
潘濤元 516-512-106
潘濬吳 254-692- 15
254-888- 16
377-396-120
384- 81- 4
384-587- 32
385-538- 61
473-208- 59
473-368- 64
480-484-280
491-106- 13
532-740- 46
533-287- 56
933-222- 16
潘儒妻 明 見熊氏
潘謙明 820-680- 42
潘聰妻 明 見傅氏
潘翼宋 524- 84-182
680-138-238
潘檉宋 524- 84-182
1364-280-286
1437- 28- 2
潘環後晉 278-156- 94
潘徽隋 264-1076- 76
267-624- 83
380-402-176
472-226- 8
475-127- 56
485-165- 22
493-1012- 54
511-669-163
933-223- 16
潘爵明 524-369-197
潘爵妻 明 見譚氏
潘績明 1258-654- 15
潘謹明 554-337- 54
潘禮明 458- 85- 4
472-684- 27
477-131-155
537-429- 58
潘禮女 明 見潘妙靜
潘燾宋 473-348- 63
480-436-278
523-478-170
532-724- 46
潘贄明 1258-189- 17
潘贄妻 明 見范宜
潘璧明 524-184-187
潘璧妻 明 見吳氏
潘璿明 821-475- 58
潘嚞元 1439-437- 1
潘彝明 517-582-130
潘闕明 1228-584- 4
1374-390- 60
1458-102-424
潘鎰明 523- 54-148
532-696- 45
潘鯁宋 677-228- 21
1115-424- 50
潘麒明 1458-128-426
潘懷明 516- 58- 89
潘鵾明 524-246-190
1475-275- 11

潘黼明 299-276-135
475-671- 84
潘罄宋 見潘希堅
潘翽唐 820-180- 27
潘鏜明 300- 80-188
511-378-150
676-527- 21
1263-542- 6
潘鏞明(字克鳴) 563-784- 40
潘鏞明(字聲遠) 1442- 98-附6
1460-592- 69
潘譢女 清 見潘氏
潘瀾妻 明 見陳氏
潘黨春秋 405- 28- 57
448-186- 12
533-124- 51
933-222- 16
潘藻明 460-730- 75
潘驂明 505-692- 70
潘鐸明 458- 92- 4
1263-471- 2
潘譿明 559-288-7上
潘巒女 明 見潘氏
潘鑑明 475-572- 79
511-280-147
545- 82- 85
567-123- 67
676-541- 22
676-551- 22
1442- 43-附3
1459-897- 38
潘驥宋 489-324- 29
潘鑾妻 明 見翟氏
潘一桂明(字無隱) 511-743-165
1442-115-附7
潘一桂明(武岡人) 533-461- 63
潘一桂清 476- 43- 98
547- 10-141
潘一鳴妻 清 見劉氏
潘一諤明 516-213- 96
潘一夔妻 明 見徐氏
潘一夔媳 明 見毛氏
潘二熼妻 清 見童氏
潘十三宋 見潘生
潘九鉉妻 清 見張氏
潘九齡明 558-376- 36
潘三娘明 陳山妻530- 9- 54
潘士吉清 511-664-162
潘士奇明 505-672- 69
潘士桂妻 明 見童氏
潘士紳明 510-503-118
潘士瑞清 見潘士端
潘士達明 680-506-278
潘士端潘士瑞 清
479-558-242
502-693- 81
515-206- 63
潘士聞明 505-693- 70
515-512- 72
潘士澄妻 清 見王氏
潘士龍宋 843-673- 下
潘士遴明 678-224- 91
潘士衡宋 843-673- 下
潘士藻明 300-826-234
457-591- 35
475-574- 79
511-287-147
523-236-156
676-626- 26
677-663- 59
1294-261-6下
潘子正明 511-379-150
511-715-164
潘子安明 533-306- 57
533-729- 73
572-110- 30
1442- 15-附1
1459-508- 17
潘子秀明 473- 16- 49
473-304- 62
1264-210- 12
潘子晃北齊 263-121- 15
267-131- 53
379-388-152
546-116-119
潘子華明 1226-716- 3
潘子璧清 517-779-135
潘大本宋 400-185-514
潘大本明 1238- 14- 1
潘大同宋 400-185-514
潘大成明 456-602- 9
523-392-164
潘大武明 483- 95-378
483-268-392
559-301-7上
572- 76- 28
潘大承明 472-369- 16
潘大復明 1442- 81-附5
1460-430- 60
潘大臺清 515-896- 86
潘大綱妻 清 見陳氏
潘大臨宋(字邠老) 471-935- 50
473-282- 61
480-130-264
533-306- 57
933-224- 16
1362-796- 77
1437- 18- 1
潘大臨宋(字舜舉) 523-224-156
524-273-191
潘山藏明 見潘聖姑
潘斗輔宋 564- 72- 44
潘文先明 456-601- 9
475-279- 63
潘文明明 564-202- 46
潘文昇妻 清 見孫氏
潘文奎明 473-222- 59
532-624- 43
1240-176- 12
1241-654- 14
潘文浩明 533- 39- 48
567- 94- 66
潘文案明 567-369- 81
潘文彩清 532-721- 45
潘文臺女 清 見潘氏
潘文饒宋 1364-280-286
潘之恆明 1442- 99-附6
1460-598- 70
潘之庠妻 明 見淩氏
潘之祥明 532-650- 43
潘之彪清 559-335-7下
潘之楫明 532-698- 45
564-274- 47
潘元小明 林祐妻530- 4- 54
潘元紹妻 元 見卞氏
潘元紹妻 元 見段氏
潘元紹妻 元 見徐氏
潘元紹妻 元 見彭氏
潘元紹妻 元 見程氏
潘元紹妻 元 見翟氏
潘元紹妻 元 見羅氏
潘尹序明 523-571-174
潘天戶清 456-358- 77
潘天民明 554-348- 54
潘天成清 1323-522- 附
潘天福清 456-358- 77
潘天與宋 451- 86- 3
潘友文宋 473-176- 57
493-749- 41
510-389-115
515-118- 60
515-198- 63
517-379-125
517-396-125
523-479-170
1171-637- 15
潘友直明 554-471-57上
潘友恭妻 宋 見王氏
潘及甫宋 475-374- 68
494-546- 28
511-794-166
潘止善明 1237-363- 10
潘日新明 528-544- 32
潘中矩明 458-101- 4
472-128- 4
474-407- 20
505-676- 69
潘公筠宋 見潘牥
潘公調女 清 見潘氏
潘仁丑宋 524-143-185
潘仁矩女 宋 見潘氏
潘仁師妻 清 見吳氏
潘允亮明 1284-46-139
潘允哲明 523-194-155
1283-693-121
1284- 46-139
潘允端明 300-326-202
1284- 46-139
潘允濟明 524-183-187
潘必卿元 524-335-195
潘永思宋 288-517-465
潘永基後魏 262-100- 72
266-937- 45
379-301-150下
933-223- 16
潘永壽女 宋 見潘氏
潘永圖明 301-208-208
458-446- 21
潘永圖清 474-169- 8
505-649- 68
潘弘道明 見潘弘
潘正夫妻 宋 見秦國大長

公主

潘本愚明 528-476- 30

564-189- 46

潘本餘明 524-198-188

潘召南妻 明 見吳伯姬

潘可大明 456-425- 2

475-526- 77

510-419-116

潘可賢明 480-319-272

潘世志妻 清 見夏氏

潘世英元 511-442-153

1215-691- 10

潘世標明 533-220- 53

潘史如妻 清 見范氏

潘仕紳明 515-485- 71

潘守仁明 456-658- 11

潘守恆金 291-755-131

401- 87-579

潘守眞宋 523-415-166

潘守器清 547-477-159

潘安仁晉 1366-785- 5

潘安固宋 524-228-189

潘汝一宋 472-296- 12

潘汝翼宋 見潘庭翼

潘至善明 515-170- 62

潘存實唐 481-614-329

529-737- 51

潘有穀妻 明 見劉氏

潘光宗清 511-871-170

潘光祖明 558-301- 34

潘名世清 482- 89-342

523-360-163

563-877- 42

568-374-113

潘自中宋 523-500-170

潘自牧宋 451-395- 13

潘自然明 524-449-201

潘好古宋 524-233-189

678-386-106

1133-386- 3

1150- 83- 10

潘好謙宋 1150-110- 12

潘好禮唐 271-458-185下

274-612-128

384-201- 11

395-592-234

472-107- 4

472-789- 31

474-437- 21

477-200-159

477-408-169

505-761- 72

537-325- 56

933-223- 16

潘好讓清 563-879- 42

潘如祿清 567-546- 91

潘仲岳妻 明 見程氏

潘仲春明 524-162-186

潘仲華元 1215-197- 2

潘仲驂明 515-112- 60

潘仲蘭明 523-237-156

潘良貴宋 287-159-376

398-207-378

449-442-上8

451-270- 2

472-1028- 42

479-322-232

479-556-242

523-323-161

674-840- 18

820-415- 34

1053-896- 20

1145-576- 76

潘良學妻 清 見劉氏

潘志伊明 300-667-223

1442- 63-附4

1460-212- 49

潘志道清 511-558-158

潘成家明 505-909- 81

潘育龍清 478-455-197

478-490-199

558-165- 30

558-320- 34

潘君南明 1410-434-721

潘君南妻 明 見吳伯姬

潘克承女 明 見潘氏

潘伯修元 523-397-165

1439-450- 2

1470-554- 17

潘伯庸明 472-369- 16

473-673- 79

511-315-148

潘伯濟明 524- 92-182

潘希古妻 元 見胡氏

潘希白宋 524- 86-182

潘希孟金 1040-250- 4

潘希明明 456-599- 9

潘希曾明 479-330-232

479-455-237

515- 50- 58

523-329-161

580-377- 23

676-531- 21

1266-811- 附

1266-815- 附

1442- 40-附2

潘希聖潘甃 宋 451- 52- 2

潘希賢元 554-470- 56

潘妙眞元 林定老妻、潘弼女

1215-720- 10

潘妙圓元 徐允讓妻

295-637-201

401-183-593

452-118- 3

460-934- 0

472-1074- 45

479-250-228

524-635-209

1228-177- 8

1229-372- 14

潘妙靜宋 蔣如晦妻、潘致祥女 1157-285- 21

潘妙靜明 陸永資妻、潘禮女

512-486-189

潘廷威明 1267-436- 3

潘廷威妻 明 見張氏

潘廷桂明 480- 57-260

533-413- 62

潘廷楠明 537-318- 56

潘宗佑元 1192-589- 13

潘宗孟宋 484-376- 27

潘宗洛清 1327-282- 13

潘宗紹明 821-369- 55

潘宗顏明 302- 31-291

474-519- 25

474-733- 40

502-293- 56

505-806- 77

潘泗菴清 1325-155- 9

潘奕三妻 明 見應氏

潘孟科明 見潘夢科

潘孟陽唐 271- 94-162

275-250-160

384-255- 13

396- 63-257

933-223- 16

潘孟溫明 1237-327- 7

潘奉先明 1229-264- 8

潘事心明 511-659-162

潘長壽明 472-1004- 40

473-784- 85

563-775- 40

567- 83- 66

1467-154- 67

潘承志妻 明 見邵氏

潘承祐南唐 473-600- 76

516-193- 95

530-396- 67

潘承畢妻 清 見劉氏

潘尚古妻 明 見范氏

潘明臣明 567-399- 83

潘明祚清 567-162- 69

潘昂霄元 472-526- 22

476-526-128

540-777-28之2

676-708- 29

676-742- 31

1482-290- 附

潘叔正宋 581-593-106

潘叔愚明 518- 74-138

潘叔暘女 清 見潘氏

潘叔齊女 宋 見潘氏

潘季馴明 300-667-223

475- 20- 49

475-325- 65

479-144-223

481-806-338

510-293-112

515- 57- 58

523-282-159

540-619- 27

563-731- 40

580-495- 34

580-601- 43

676-583- 24

1442- 60-附4

1460-191- 49

潘周伯宋 1185-759- 21

潘周嘉妻 清 見沈氏

潘秉天妻 清 見夏氏

潘延之妻 宋 見錢氏

潘冠英宋 484-389- 28

潘洵仁宋 524-167-186
潘洋發宋 511-850-169
潘彥富明 533-214- 53
潘相貴北齊 見潘樂
潘飛英宋 484-384- 28
潘致祥女 宋 見潘妙靜
潘致堯宋 1153-221- 75
潘茂名晉 473-720- 81
482-211-347
564-613- 56
潘思成明 537-290- 55
潘思忠妻 明 見王氏
潘思周妻 清 見傅五芳
潘思榘清 481-496-324
潘思聰明 572-337- 38
潘若水明 558-473- 40
潘若洙明 456-664- 11
潘若鴻明 456-664- 11
潘禹謨明 564-160- 45
潘香光唐 見道林
潘皇后宋 宋真宗后、潘美女
284-859-242
382-103- 13
384-337- 17
393-301- 75
潘衍渭清 547- 78-143
潘祖仁宋 451-267- 2
潘庭玉父 元 1202-887- 16
潘庭堅宋 見潘牥
潘庭堅明 299-276-135
452-195- 4
472-351- 15
475-671- 84
511-817-167
潘庭翼潘汝翼 宋448-390- 0
潘原明明 472-296- 12
潘原英明 545-144- 88
潘原清明 515-171- 62
潘起鵬明 523-138-152
潘時正明 472-546- 23
540-635- 27
潘時雍明 585-450- 12
592-992- 上
1229-171- 3
潘時舉宋 523-605-176
潘剛中宋 515-131- 61
潘特竦宋 1134-742- 34
潘師正唐 271-642-192
275-642-196
384-182- 10
401- 7-568
472-109- 4
474-445- 21
505-938- 85
871-908- 19
933-223- 16
1060- 45- 5
1065-573- 5
1341-382-848
1343-311- 21
潘師仲妻 宋 見朱氏
潘師質清 475-450- 71
510-405-115
潘淞涯明 1283-579-112
潘惟一宋 1176-340- 35
潘惟吉宋 472-132- 4
505-775- 73
潘惟祥明 陸士弘妻、潘仁女
1241-224- 10
潘惟賢宋 482-208-347
563-711- 39
潘惟德宋 524-233-189
潘惟學明 472-1015- 41
523-215-156
潘淑珠清 楊宗修妻
530- 42- 54
潘崇徹南漢 288-721-481
401-228-598
潘崇禮明 1260-681- 23
潘國臣明 456-493- 5
潘國俊明 456-574- 8
554-726- 61
潘得剛宋 1187-713- 5
潘得寧元 1217-170- 2
潘紹宗殷紹宗 明
1246-643- 14
潘紹宗妻 明 見金增
潘細衣唐 812-347- 9
821- 88- 48
潘敏中元 473- 44- 50
515-219- 63
潘敏修宋 484-381- 28
潘從善元 524- 64-181
潘曾紘明 477-543-176
537- 39- 48
537-221- 54
676-634- 26
1442- 92-附6
1460-529- 66
潘曾瑋明 511-186-143
潘雲翼明 820-758- 44
潘雲騰明 554-727- 61
潘雲衢明 564-291- 47
潘惠進元 1227-157- 19
潘朝佑潘朝祐 清
477- 90-153
533-394- 60
538- 43- 63
潘朝祐清 見潘朝佑
潘朝卿宋 1150-888- 49
潘登貴清 510-475-117
潘開甲清 1318-505- 77
潘景岳明 473-144- 56
515-148- 61
1241-286- 13
1242-700- 3
潘景純宋 585-759- 4
潘景煥妻 清 見孔氏
潘景愈宋 451-395- 13
潘景憲宋 451-395- 13
479-322-232
479-433-236
523-629-177
1145-647- 79
1146- 52- 87
1146-182- 93
潘景憲妻 宋 見朱氏
潘景夔宋 494-347- 7
潘順龍明 528-461- 29
潘舜光妻 清 見吳氏
潘復敏明 482- 75-341
潘源湛清 547- 79-143
潘愼修宋 285-720-296
397-160-329
473-601- 76
473-631- 77
481-551-327
494-295- 5
515-302- 66
529-489- 44
1086-463- 9
潘溫之宋 489-678- 49
潘運皞清 511-825-167
512-786-196
潘道毅唐 474-468- 23
潘聖姑潘山藏 明 孫登名妻
479- 61-219
524-456-202
潘聖惠妻 清 見陳氏
潘瑞封妻 清 見史氏
潘萬運宋 480-582-285
潘嗣冕明 567-335- 79
1467-225- 70
潘嗣魁明 570-122-21之1
潘會叔元 1212-362- 5
潘彙征宋 472-175- 6
489-682- 49
492-588-13下之上
493-748- 41
潘寧海明 511-626-161
潘際昌清 481-774-336
523-360-163
528-571- 32
潘碧山宋 516-514-106
潘夢科潘孟科 明456-607- 9
481- 71-293
潘夢旂宋 590-456- 0
潘鳴時明 460-778- 81
潘蒙正宋 1181-426- 5
潘僦菴明 1283-616-115
潘維城妻 明 見郭氏
潘維嶽明 572- 72- 28
潘肇薦妻 明 見夏氏
潘潤民明 572- 73- 28
潘澗松妻 明 見段氏
潘德元明 511-743-165
820-695- 43
1442- 66-附4
潘德全明 1229-194- 4
潘德沖元 498-465- 94
潘龍躍妻 明 見唐氏
潘澤民潘著 元 679-584-195
1215-698- 10
1439-443- 2
1467- 35- 37
潘謀世宋 1184-341- 49
潘擇師宋 1170-681- 29
潘興玉妻 明 見時氏
潘興嗣宋 473- 20- 49
515-309- 66
588-318- 2
1437- 16- 1

潘學曾明 554-520-57下
潘積善明 567-602- 95
潘積讓明 567-369- 81
1467-254- 71
潘應定元 472-984- 39
524-107-183
潘應昌女 明 見潘氏
潘應高明 1262-361- 40
潘應賓清 540-869-28之4
潘應龍明 529-522- 44
潘濟世清 571-536- 19
潘懋華明 1227-833- 4
潘檉章清 511-750-165
潘徽之明 1266-714- 6
潘燿卿妻 明 見賈氏
潘瀛選清 475-232- 61
潘麒甡清 479-135-223
523-124-151
潘羅支宋 288-854-492
401-534-637
潘鵬雲清 540-870-28之4
潘耀卿妻 明 見賈氏
潘繼先宋 820-445- 35
潘繼賢明 1258-299- 6
潘鶴齡明 524- 98-183
潘鐵僧宋 見潘觀國
潘觀國潘鐵僧 宋448-364- 0
諸氏元 王子溫妻 472-243- 9
475-187- 59
諸氏明 陶震妻、諸安之女
1242-176- 30
諸氏明 嚴起貞妻
1280-398- 85
諸氏清 姜與廉妻 524-471-202
諸氏清 陳廷禮妻 482-436-361
568-501-118
諸氏清 陳齊孟妻 482-454-362
諸仙宋 476- 48- 98
547-479-159
諸於漢 933-121- 8
933-298- 21
諸珣宋 590-445- 0
諸晉清 477-125-155
537-260- 55
諸夏明 820-678- 42
諸娥明 諸士吉女 302-211-301
479-251-228
524-635-209
諸偁明 474-471- 23
505-692- 70
524-246-190
1475-279- 11
諸勝明 1259-847- 7
1458-550-454
諸復明 456-637- 10
523-360-163
諸樊春秋 見吳王諸樊
諸質明 493-983- 52
諸儞明 472-128- 4
諸錦清 479-101-221
諸燮明 482-140-344
524- 57-180
563-795- 41
676-113- 4
諸斆明 1475-195- 8
諸觀明 473-166- 57
515-107- 60
524-259-191
諸士吉女 明 見諸娥
諸士英清 523-394-164
諸大倫明 515-177- 62
517-698-132
523-468-169
諸大綬明 676-587- 24
諸文星明 820-757- 44
821-480- 58
諸允修明 523-267-158
諸玄振清 1318-476- 74
諸永明明 511-532-157
諸弘道明 472-127- 4
537-280- 55
諸仕俊妻 元 見舒貞
諸安之女 明 見諸氏
諸有彥妻 明 見魏氏
諸純臣明 537-305- 56
諸清臣明 820-753- 44
821-473- 58
諸御鞅春秋 404-623- 38
諸景通妻 明 見張妙微
諸舜發清 511-133-141
諸嗣郢清 511-839-168
諸葛氏清 高爾鏡妻
479-411-235
諸葛平明 473-267- 61
480-200-267
532-655- 44
563-834- 41
567-304- 77
1467-188- 69
諸葛地唐 276-417-222下
諸葛沖晉 255-579- 31
諸葛沖女 晉 見諸葛婉
諸葛伯明 483- 94-378
諸葛京晉 254-590- 5
377-256-118上
547-187-148
554-265- 53
563-610- 38
諸葛尚蜀漢 254-590- 5
377-256-118上
384-506- 21
540-706-28之1
559-503- 12
諸葛昇明 545-250- 92
諸葛恪吳 254-908- 19
370-262- 3
377-405-120
384-554- 27
385-554- 63
472-551- 23
475-603- 81
488- 80- 6
510-432-116
933-782- 56
諸葛亮蜀漢 254-578- 5
377-249-118上
384- 75- 4
384-429- 7
384-429- 8
385-132- 15
447-137- 2
447-216- 10
448-306- 上
459-276- 17
469-200- 23
471-1011- 62
472-551- 23
472-767- 30
472-864- 34
473-248- 60
473-424- 67
473-806- 86
476-780-141
477-379-167
478-242-186
480-299-271
481- 14-291
482-537-368
483-219-390
489-350- 31
491-798- 6
494-147- 5
533- 85- 49
534-695-106
537- 33- 48
538-328- 69
539-501-11之2
540-706-28之1
550-532-224
550-544-224
552- 21- 18
556-357- 90
556-372- 91
558-131- 30
559-240- 6
561-335- 40
561-406- 42
561-527- 46
569-642- 19
570-577-29之10
570-656-29之13
571-513- 19
591- 12- 1
591-255- 21
591-660- 47
592-608-100
684-470- 下
812-317- 4
813-273- 13
814-231- 4
820- 44- 22
821- 9- 45
933-782- 56
1104-373- 34
1121- 57- 6
1137-631- 24
1192-377- 33
1297-670- 3
1324-749- 15
1343-750- 55
1354-484- 18
1381-273- 27

1381-448- 37
1407- 27-397
1407- 56-400
1408-452-524
1410-263-697
諸葛恢晉 256-283- 77
377-822-128
384- 99- 5
472-552- 23
472-1066- 45
476-778-141
476-781-141
479-221-227
486- 34- 2
523-143-153
933-782- 56
諸葛珏宋 460-444- 33
1181-142- 4
諸葛玫晉 255-579- 31
373- 69- 20
諸葛貞唐 820-141- 26
諸葛高宋 511-881-171
諸葛悅宋 528-442- 29
諸葛泰宋 680-270-252
諸葛原魏 254-516- 29
386-108-72中
諸葛晉元 460-462- 36
諸葛起吳 524-275-192
諸葛殷唐 1084-272- 7
諸葛寅宋 460-445- 33
諸葛埴宋 1170-725- 32
諸葛爽唐 271-386-182
275-542-187
384-286- 15
396-260-274
540-744-28之2
諸葛勗南齊 259-509- 52
265-1017- 72
380-365-176
933-782- 56
諸葛婉晉 晉武帝夫人、諸葛沖女 255-579- 31
373- 69- 20
諸葛琮漢 490-750- 74
諸葛琰宋 460-445- 33
諸葛喬蜀漢 254-590- 5
377-255-118上
384-439- 8
386- 50-70上
447-143- 2
559-242- 6
933-782- 56
諸葛塡宋 511-561-158
諸葛端元 1218-424- 17
諸葛説宋 1150-907- 51
諸葛銓晉 255-579- 31
373- 69- 20
諸葛綍吳 254-916- 19
377-411-120
諸葛賡宋 451-147- 3
諸葛誕魏 254-485- 28
377-236-117
384- 87- 4
384-685- 44
386- 68-70中
472-551- 23
491-798- 6
820- 41- 22
933-782- 56
諸葛謹吳 254-780- 7
370-253- 2
377-328-119
384- 79- 4
384-553- 27
385-516- 57
472-551- 23
475- 78- 53
476-780-141
491-798- 6
511-887-172
540-711-28之1
933-782- 56
諸葛靚吳 256-283- 77
377-237-117
476-781-141
493-1140- 60
540-711-28之1
諸葛羲明 529-673- 49
諸葛融吳 254-783- 7
377-330-119
384-554- 27
385-518- 57
485-487- 9
820- 43- 22
諸葛穎諸葛潁 隋
264-1071- 76
267-621- 83
380-399-176
489-599- 47
511-718-165
933-783- 56
1395-605- 3
諸葛潁隋 見諸葛穎
諸葛璩梁 260-440- 51
265-1085- 76
380-466-178
475-275- 63
491-801- 6
511-843-168
540-724-28之1
933-783- 56
諸葛駿明 460-647- 65
676- 5- 1
諸葛鎡宋 1170-688- 29
諸葛豐漢 250-688- 77
376-358-101
384- 50- 2
472-550- 23
476-662-136
477-559-177
491-796- 6
540-696-28之1
554- 94- 50
933-782- 56
諸葛瞻蜀漢 254-590- 5
377-255-118上
384-506- 21
386- 50-70上
447-144- 2
472-551- 23
476-780-141
481-403-313
540-706-28之1
559-502- 12
592-677-105
812-317- 4
814-231- 4
820- 44- 22
821- 9- 45
933-782- 56
1137-642- 24
諸葛鯨明 1442- 96-附6
1460-567- 68
諸葛覺唐 533-732- 73
諸壽賢明 300-782-231
511-111-140
1457-519-389
諸餘齡明 524-347-196
諸稽郢春秋 見柘稽
諸藩裕明 483- 15-370
570-127-21之1
諸葛季文宋 460-444- 33
諸葛彥章宋 1131-613- 31
諸葛建寅宋 見諸葛文庚
諸葛思禎唐 820-139- 26
諸葛鑑元唐 820-294- 30
諸葛千里宋 494-343- 7
諸葛文庚諸葛建寅 宋
451- 88- 3
諸葛元聲明 483- 17-370
570-212- 23
諸葛田中妻 元 見黃眞靜
諸葛安節宋 491-437- 6
諸葛仲文宋 1132-518- 14
諸葛仲華元 1222-432- 6
諸葛伯恒諸葛伯衡 明
494-158- 5
523-482-170
569-667- 19
諸葛伯衡明 見諸葛伯恒
諸葛廷瑞宋 529-530- 45
460-444- 33
481-585-328
528-522- 31
諸葛武仲宋 843-672- 下
諸葛直清宋 460-444- 33
諸葛長民晉 256-388- 85
377-900-129下
814-244- 6
820- 72- 23
933-782- 56
調亥清 456-302- 73
禍明德明 見禍銘德
禍庭芬清 564-298- 48
禍銘德禍明德 明
523- 82-149
564-179- 46
憍陳如梁 260-465- 54
265-1114- 78
381-574-198
翦如琰妻 清 見張氏
窮蟬上古 404-388- 23

窮桑氏上古　見少皞氏
澆或明 559-300-7上
潭王明　見朱梓
潭澄元 472-142- 5
潭鏡唐 820-300- 30
潭札理清 455- 66- 2
潭國長公主宋　王遇妻、毋宋貴妃、宋神宗女 285- 67-248
393-326- 77
潚何漢 933-721- 49
論瑀唐　見論惟貞
論弓仁唐 274-403-110
395-398-217
933-673- 45
1065-824- 19
1341-681-891
1394-738- 11
1410-168-683
論恐熱唐 271-734-196下
276-294-216下
384-295- 15
論惟明唐 556-119- 85
論惟貞論瑀　唐 274-403-110
395-398-217
論惟賢唐 1342- 42-909
論欽陵唐 276-275-216上
381-471-195
384-295- 15
廝鐸督宋 288-855-492
摩哩元 294-395-132
399-527-471
摩該元 511-358-150
摩會唐 271-789-199下
276-335-219
496-618-105
摩羅後魏 820-119- 25
摩騰漢　見攝摩騰
摩和納趙王　元 294-218-118
400- 85-507
摩拏羅漢 1053- 25- 1
1054- 37- 1
1054-284- 5
摩納倫宋　瑪哈多丹妻
292- 5- 1
393- 2- 57
摩訶末唐 271-766-198
276-395-221下
摩訶乘齊 1051-152- 6
摩鳩騰漢　見攝摩騰
摩羅惹唐 271-747-197
276-422-222下
401-565-640
摩訶迦葉迦葉波、飲光　周
1053- 10- 1
1054- 20- 1
1054-253- 3
摩羅菩提梁 812-335- 7
821- 26- 45
鄭春秋　見周襄王
鄭三妻　明　見黃氏
鄭子鄭子儀　春秋 384- 8- 1
鄭己明 299-834-180
474-278- 14
505-730- 71
558-151- 30
鄭山明 302- 16-289
鄭卞宋 1138-276- 27
鄭卞妻　宋　見盛氏
鄭方晉 256- 16- 59
375-235-80下
鄭文明 540-635- 27
鄭文女　明　見鄭玉香
鄭云母　宋　見王氏
鄭太鄭泰　漢 253-390-100
254-321- 16
377- 12-113上
377-152-115下
402-512- 14
472-653- 27
477- 61-151
537-374- 57
933-693- 47
1361-659- 34
鄭王唐　見李亮
鄭王唐　見李邈
鄭王唐　見李元禮
鄭王唐　見李元懿
鄭王後漢　見史弘肇
鄭王遼　見耶律重元
鄭王金　見完顏永功
鄭王金　見完顏永蹈
鄭王金　見完顏斡魯
鄭王金　見劉筈
鄭王元　見錦濟勒
鄭王明　見朱見湏
鄭王明　見朱祁鍈
鄭王明　見朱厚烷
鄭王明　見朱瞻埈
鄭元唐 270-754-146
545-362- 96
鄭元元(字長卿) 493-1139- 60
1439-442- 2
鄭元元(石樓人) 1216-588- 11
鄭元明 533- 77- 49
鄭友明 1272-474- 16
鄭友妻　明　見熊氏
鄭夬宋 677-206- 19
鄭壬妻　明　見盧清
鄭壬女　明　見鄭異
鄭丹唐 1371- 69- 附
鄭仁明 529-710- 50
鄭升女　明　見鄭妙淨
鄭氏北周　鄭穆女
1064-286- 10
1064-769- 16
1342-455-963
1400-183- 8
1410-478-726
1416- 91-111下
鄭氏北周　鄭茂伯女
1064-290- 10
1064-774- 16
1342-456-963
1400-185- 8
1416- 93-111下
鄭氏唐　元寬妻、鄭濟女
1080-468- 42
1342-503-969
1344-114- 70
鄭氏唐　李玄慶妻、鄭神佐女
271-657-193
276-113-205
401-154-589
472-560- 23
476-588-131
鄭氏唐　崔挹妻、鄭世基女
1065-878- 24
1342-468-965
鄭氏唐　崔景晊妻、鄭玄昇女
1341-758-900
鄭氏唐　韓會妻 477-256-161
1073-551- 23
1074-383- 23
1075-336- 23
鄭氏唐　李惟簡母 474-189- 9
鄭氏唐　李景讓母 476- 45- 98
547-227-149
鄭氏唐　鄭叔女 1072- 76- 11
鄭氏南唐　余洪敬妻、余敬洪妻
473-606- 76
481-679-331
530-137- 58
鄭氏宋　方萬妻、鄭彥輔女
1178-322- 35
鄭氏宋　王介妻 512- 4-176
530- 59- 55
鄭氏宋　何先妻 1138-162- 15
鄭氏宋　孫祖善妻、鄭續女
1158-756- 75
鄭氏宋　陳坦妻 1180-406- 37
鄭氏宋　楊應夢妻
1138- 90- 7
鄭氏宋　趙世智妻、鄭從範女
1102-297- 37
鄭氏宋　趙田之妻、鄭价女
1123-471- 14
鄭氏宋　趙令音妻、鄭佐女
1100-545- 52
鄭氏宋　趙令詷妻
1100-510- 48
鄭氏宋　歐陽觀妻、鄭德儀女
450-508-中40
479-728-250
516-279- 99
517-254-121
1102-201- 25
1102-382- 50
1351-641-145
1356-156- 7
1356-843- 4
1378-615- 63
1383-658- 58
1410-246-693
1410-526-735
1418-285- 45
1447-576- 31
1476-184- 10
鄭氏宋　蘇舜欽妻、鄭希甫女
1092-104- 14
鄭氏宋　李寬母 1164-378- 21
鄭氏宋　李覲母 1095-277- 31
鄭氏宋　林詢母 1149-884- 4

鄭氏宋 鄭八郎女 485-478- 8
1376-699-100下
鄭氏元～明 李思齊妻
472-796- 31
477-421-169
鄭氏元 皇甫瑞妻
1196-530- 3
鄭氏元 袁桷妻 1203-450- 33
1207-288- 19
鄭氏元 程趙妻 475-577- 79
鄭氏元 雷景照妻 530-143- 58
鄭氏元 吳海甥女
1217-247- 8
鄭氏元 馬振母 524-501-203
鄭氏明 山曜妻、鄭松女
479-536-241
鄭氏明 方孝孺妻 524-697-211
鄭氏明 王弼妻 477-170-157
鄭氏明 王霈妻 506-105- 89
鄭氏明 王全壽妻 480-178-266
鄭氏明 王應奎妻 524-455-202
鄭氏明 包謙妻 524-453-202
鄭氏明 朱道本妻 530- 66- 55
鄭氏明 沈一旭妻 481-726-333
鄭氏明 宋思益妻 530- 64- 55
鄭氏明 李荷妻 506- 43- 87
鄭氏明 李斐然妻 524-782-216
鄭氏明 李鶴翁妻、鄭祥女
1267-514- 6
鄭氏明 吳緒妻 530- 71- 55
鄭氏明 吳寛妻、鄭肅女
524-567-206
1268-491- 77
1272-273- 14
鄭氏明 吳士誠妻、鄭小五女
530- 64- 55
1254-590- 上
鄭氏明 吳景文妻 530-144- 58
鄭氏明 余尚春妻 530- 5- 54
鄭氏明 何道妻 472-1018- 41
479-383-234
鄭氏明 何志聰妻
559-445-11上
鄭氏明 孟景妻 472-721- 28
鄭氏明 林恆妻、鄭宗集女
530- 13- 54
鄭氏明 林仲華妻 530- 66- 55
鄭氏明 林伯量妻 530- 62- 55
1254-586- 上
鄭氏明 林承芳妻 481-560-327
530- 71- 55
鄭氏明 林庭桂妻 530- 5- 54
鄭氏明 林廉潔妻 564-344- 49
鄭氏明 明神宗貴妃
299- 22-114
鄭氏明 金添鱗妻 473- 53- 50
鄭氏明 邱伯戴妻 530- 67- 55
鄭氏明 施尚文妻 524- 51-203
鄭氏明 侯瑛妻 506-146- 90
鄭氏明 馬士昌妻 506-111- 89
鄭氏明 張世弘妻 530-162- 59
鄭氏明 張國綸妻 475-473- 72
鄭氏明 陳寛妻 1274-408- 14
鄭氏明 陳璲妻 530- 65- 55
鄭氏明 陳全之妻 530- 9- 54
鄭氏明 陳伯昌妻 530-128- 59
鄭氏明 陳洪宗妻 530- 66- 55
鄭氏明 陳嗣楚妻 530- 67- 55
鄭氏明 陳漢杜妻、鄭桂女
530-129- 57
鄭氏明 陳選士妻 530-126- 57
鄭氏明 畢彥昇妻、鄭英女
473- 89- 52
鄭氏明 曾璋妻 482-354-356
1467-265- 72
鄭氏明 黃弘妻 530-107- 57
鄭氏明 雷邦鑑妻、鄭統女
1263-106- 17
鄭氏明 楊端妻 506-107- 89
鄭氏明 楊鶚妻 533-703- 72
鄭氏明 楊鶴妻 480-488-280
鄭氏明 萬全珣妻 480-343-273
鄭氏明 葉麒妻 530- 65- 55
鄭氏明 葉孔賓妻
472-1056- 44
524-779-216
鄭氏明 葉宗仁妻 530- 67- 55
鄭氏明 葉時煥妻 530- 67- 55
鄭氏明 趙鈺妻 302-228-302
480- 95-262
533-591- 69
鄭氏明 歐陽寨妻 530- 91- 56
鄭氏明 歐陽麟妻 533-682- 71
鄭氏明 蔣誾妻 480-513-281
鄭氏明 蔡集妻 530- 17- 54
鄭氏明 蔡朝靜妻 530-106- 57
鄭氏明 劉奇妻 506- 93- 88
鄭氏明 劉越妻 480-440-278
鄭氏明 劉賢妻 480-179-266
鄭氏明 戴邦玉妻 482-145-344
鄭氏明 韓炳衡妻 478-171-182
555-102- 67
鄭氏明 顏波妻 530-106- 57
鄭氏明 闞寵妻 530-164- 59
鄭氏明 羅宗達妻 482-145-344
鄭氏明 姜芳母 1258-188- 17
鄭氏明 鄭星女 530- 87- 56
鄭氏明 鄭雄女 474-825- 44
503- 29- 93
鄭氏明 鄭介菴妹
1267-759- 4
鄭氏明 鄭守典女 530- 69- 55
鄭氏明 鄭仲宣女
1250-388- 36
鄭氏明 鄭為虹女 528-533- 31
鄭氏清 方塘妻 530- 83- 55
鄭氏清 王汝妻 530-100- 56
鄭氏清 王廷順妻 530- 37- 54
鄭氏清 王翔吉妻 530-133- 57
鄭氏清 王運正妻 478-139-181
555-121- 68
鄭氏清 王盡忠妻 478-600-204
鄭氏清 石士林妻 481- 84-294
鄭氏清 史炆妻 530- 33- 54
鄭氏清 江子盛妻 481-751-334
鄭氏清 危彬妻 481-751-334
鄭氏清 朱當銑妻 483-341-398
鄭氏清 沈瑞妻、鄭斌女
481-764-335
鄭氏清 宋焆妻 530-191- 59
鄭氏清 李士俊妻 530-117- 57
鄭氏清 李仲居妻 530- 82- 55
鄭氏清 李廷篆妻 530- 34- 54
鄭氏清 阮汝發女 530- 33- 54
鄭氏清 吳大梁妻 530-145- 58
鄭氏清 吳全五妻 530- 75- 55
鄭氏清 吳好正妻 474-194- 9
鄭氏清 吳仲舉妻 530- 82- 55
鄭氏清 吳克達妻 530- 37- 54
鄭氏清 吳壽名妻 512-347-185
鄭氏清 何貢妻 530- 23- 54
鄭氏清 林志妻 530- 81- 55
鄭氏清 林宗妻 530-115- 57
鄭氏清 林之獻妻 482-146-344
鄭氏清 林天千妻 530- 25- 54
鄭氏清 林兆質妻 530- 74- 55
鄭氏清 林邦楨妻 481-533-326
鄭氏清 林宣伯妻 530- 81- 55
鄭氏清 林國奎妻 530- 25- 54
鄭氏清 林常立妻 530- 36- 54
鄭氏清 周之翰妻 530-101- 56
鄭氏清 胡欣然妻 530-121- 57
鄭氏清 高林妻 481-775-336
鄭氏清 高應夢妻 506-162- 90
鄭氏清 馬瑜妻 512-465-188
鄭氏清 原文章妻 477-258-161
鄭氏清 徐士英妻 530-145- 58
鄭氏清 徐子壯妻 530-118- 57
鄭氏清 倪起扶妻 475-582- 79
鄭氏清 梁至良妻
1327-718- 9
鄭氏清 屠用泰妻 533-653- 70
鄭氏清 區健維貞妻
482- 50-340
鄭氏清 張鵬羽妻、鄭金女
478-600-204
558-554- 43
鄭氏清 陳文煥妻 530- 28- 54
鄭氏清 陳元秀妻 481-535-326
鄭氏清 陳弘驥妻 530- 97- 97
鄭氏清 陳世禾妻 475-814- 91
512-165-181
鄭氏清 陳起祚妻 530- 77- 55
鄭氏清 陳肇采妻 530- 38- 54
鄭氏清 陳獻琛妻 530- 26- 54
鄭氏清 崔四畏妻 506- 22- 86
鄭氏清 崔從麟妻 503- 56- 95
鄭氏清 游晏妻 530-120- 57
鄭氏清 黃璧妻 480-584-285
鄭氏清 黃咸聲妻 530- 30- 54
鄭氏清 楊樸妻 478-205-184
鄭氏清 楊天琦妻 506- 65- 87
鄭氏清 楊長壽妻 506- 62- 87
鄭氏清 楊展驥妻 530- 82- 55
鄭氏清 楊敘臣妻 475-857- 94
鄭氏清 董昌十七妻
524-654-209
鄭氏清 趙承將妻 512-289-184
鄭氏清 趙嗣猛妻 530- 32- 54
鄭氏清 趙鼎鏞妻 506- 67- 87
鄭氏清 劉憲籌妻 530- 78- 55
鄭氏清 謝燦妻 481-764-335

鄭氏清 藍旗妻 478-298-188
鄭氏清 魏承禧妻 530- 36- 54
鄭氏清 羅子珣妻 530- 81- 55
鄭氏清 羅秀吉妻 479-190-225
524-622-208
鄭氏清 邊世澤妻 506- 96- 88
鄭氏清 嚴上球妻 479-335-232
鄭氏清 嚴欽紀妻 530-115- 57
鄭氏不詳 冀絅妻 472-298- 12
鄭玄漢 252-787- 65
376-717-108
384- 70- 3
385-581-65上下
402-502- 12
402-588- 20
448-111- 下
459- 26- 2
469-207- 24
472-611- 25
476-530-128
476-702-137
476-728-138
476-789-141
491-797- 6
539-501-11之2
540-705-28之1
541-452-35之9
547-146-147
675-319- 19
677- 81- 9
680-153-239
680-154-239
871-901- 19
933-693- 47
鄭玄妻 元 見郭丑
鄭立宋 288-369-453
400-159-513
鄭立明 460-530- 49
1247- 60- 4
鄭玉元 295-593-196
400-275-522
472-381- 16
475-569- 79
511-479-155
511-703-164
676-710- 29
677-523- 48
1217-101- 附
1217-102- 附
1217-110- 附
1217-117- 附
1217-118- 附
1220-723- 8
1221-213- 2
1221-230- 3
1221-457- 9
1226-354- 17
1252-347- 20
1375- 21- 上
1376-127- 66
1439-449- 2
1455-574-233
1458-706-473
1469-304- 49
鄭玉妻 元 見何萱
鄭玉妻 元 見程氏
鄭玉明 510-428-116
529-513- 44
鄭丙宋 287-401-394
398-399-390
451- 25- 0
484-388- 28
486- 54- 2
585-765- 5
1147-691- 65
鄭弘漢(字稺卿) 250-518- 66
376-263- 99
384- 48- 2
472-549- 23
472-764- 30
472-823- 33
476-580-131
477-357-166
478- 84-180
537-307- 56
540-697-28之1
545-127- 87
933-692- 47
鄭弘漢(字巨君) 252-764- 63
370-181- 18
376-602-108
384- 61- 3
402-452- 9
402-573- 19
453-738- 2
470- 62- 96
471-908- 46
472-307- 13
472-543- 23
472-1069- 45
477-441-171
479-227-227
486-291- 14
493-668- 37
510-380-115
523-298-160
526-608-279
540-629- 27
933-693- 47
1141-798- 34
鄭弘明 523-464-169
鄭本明(昭化人) 481-159-298
561-201-38之1
561-221-38之3
鄭本明(字如淵) 821-434- 57
鄭平吳 523-198-155
鄭平宋 480-510-281
1102-277- 35
1378-538- 60
1410-323-705
鄭札吳 254-723- 2
385-695- 67
鄭札明 554-508-57下
鄭旦明 1442- 52-附3
鄭田唐 471-792- 29
鄭史唐 515-495- 72
鄭仙陳 813-294- 17
820-109- 24
鄭弁梁 515-210- 63
鄭奴元 劉貞婢 295-638-201
401-184-593
鄭安元 511-614-160
1252-347- 20
1376-397- 85
鄭安明 564-197- 46
鄭江元 295-262-166
400-245-520
鄭江清 481-531-326
529-661- 49
鄭朴明 1260-690- 23
鄭吉漢 248-620- 8
250-569- 70
376-290-100
384- 48- 2
453-735- 1
470- 62- 96
472-1069- 45
479-227-227
483-591-414
486-288- 14
523-541-173
558-235- 32
933-693- 47
1412-126- 5
鄭吉明 1289-332- 22
鄭圭宋 485-536- 1
鄭圭明 523-431-167
567-145- 68
1467-135- 66
鄭同宋 516-518-106
820-398- 34
鄭同明(閩縣人) 472-309- 13
510-383-115
鄭同明(知祁門) 472-377- 16
鄭同明(高麗人) 820-762- 44
鄭回唐 473-811- 86
494-194- 8
570-215- 23
鄭光唐 269-440- 52
276-128-206
鄭旭明(字景初) 460-491- 41
529-717- 51
570-212- 23
676- 27- 1
676-101- 3
676-466- 17
678-443-112
鄭旭明(字以升) 529-708- 50
鄭旭明(字允初) 1255-566- 60
鄭旭清 見鄭為旭
鄭名清 505-831- 75
鄭伉明 301-764-282
457- 85- 5
458-677- 3
479-357-233
523-620-177
677-589- 53
1269-173- 12
1458-350-441
鄭向宋 285-793-301
397-213-332
472-273- 11

472-661- 27
477- 77-152
480-510-281
484- 91- 3
523- 11-146
538-128- 65
1117-194- 16
鄭全妻 元 見李智貞
鄭年唐 483-685-421
1081-576- 3
1340-715-795
1408-504-531
鄭仲唐 1342-479-966
鄭价女 宋 見鄭氏
鄭行明 1269-170- 12
鄭休妻 晉 見石氏
鄭宏元 676- 3- 1
鄭灼陳 260-770- 33
265-1007- 71
380-296-173
384-122- 6
472-1028- 42
472-1041- 43
479-354-233
523-618-177
933-694- 47
鄭言唐 820-265- 29
鄭沛妻 唐 見紀國公主
鄭沛明 529-649- 48
鄭沖晉 255-596- 33
377-427-121上
386-185-75下
472-654- 27
477- 62-151
537-376- 57
933-693- 47
鄭沂明(字仲與) 472-1032- 42
820-566- 40
鄭沂明(字景元) 1244-645- 15
鄭亨明 299-402-146
453-185- 17
472-329- 14
472-480- 21
474-513- 25
475-707- 86
511-414-152
545-268- 93
886-144-138
1240-268- 17
1376-652- 97
鄭亨妻 明 見張氏
鄭良唐~宋 473- 88- 52
516-118- 92
鄭甫唐 1342-377-953
鄭杓鄭杓 元 460-455- 35
481-555-327
529-728- 51
676- 98- 3
676-708- 29
679-578-195
684-495-下
820-523- 38
鄭成明 1467-132- 66
鄭均漢 252-674- 57
370-183- 18
376-649-107上
384- 61- 3
402-395- 5
407-505- 7
448-296-上
472-550- 23
474-481- 23
476-881-146
540-701-28之1
鄭抗北齊 263-265- 34
266-841- 41
379-437-153
511-788-166
鄭克宋 1132-443- 9
鄭阮後晉 278-176- 96
鄭杕明 1442- 15-附1
1459-499- 17
鄭辰明 299-535-157
479-357-233
523-334-161
545- 66- 85
1242- 4- 24
鄭町唐 812-355- 10
821- 88- 48
鄭虬唐 820-283- 30
鄭妥明 見鄭如英
鄭谷唐 273-114- 60
451-465- 6
471-725- 19
473-178- 57
473-299- 62
479-767-252
481-158-298
515-496- 72
533-729- 73
561-209-38之2
674-268-4中
1098-832- 9
1365-510- 10
1371- 73-附
1388-569- 90
1473-592- 91
鄭甸宋 484-374- 27
鄭位明 547- 7-141
鄭位妻 明 見宋氏
鄭佐女 宋 見鄭氏
鄭佐明(字時夫) 511-281-147
676- 78- 3
679-641-201
680-236-248
鄭佐明(番禺人) 1467-123- 66
鄭佑明 473-570- 74
523-487-170
528-452- 29
鄭作明 676-553- 22
1460- 65- 43
1442- 50-附3
鄭何妻 唐 見梁國公主
鄭豸宋 589-331- 4
鄭泓妻 明 見黃氏
鄭注魚注 唐 271-194-169
275-461-179
384-272- 14
396-197-270
鄭泳明 676-311- 11
鄭定明 299-142-124
301-827-286
529-718- 51
676-450- 17
820-572- 40
1318-352- 63
1442- 9-附1
1459-379- 11
鄭放唐 472- 84- 3
505-704- 70
鄭松鄭復 宋~元 515-761- 80
680-486-271
1197-712- 74
鄭松金 540-640- 27
鄭松女 明 見鄭氏
鄭玥清 1318-507- 77
鄭青漢 見衛青
鄭坦妻 清 見侯氏
鄭杓元 見鄭杓
鄭亞唐 271-340-178
275-517-185
396-234-273
477- 71-152
563-901- 43
585-751- 3
1394-388- 3
鄭直明 1268-266- 43
鄭玠宋 482- 78-341
564- 57- 44
鄭玠妻 宋 見方氏
鄭坤明 1442- 70-附4
1460-340- 55
鄭協宋 1437- 33- 2
鄭玟清 481-784-337
鄭東元(字季明) 493-1074- 57
511-893-172
524- 86-182
1369-317- 7
1439-446- 2
1471-507- 11
鄭東元(昆陽人) 820-510- 37
鄭東明(商丘人) 472-684- 27
鄭東明(綏德衛指揮)
554-735- 61
鄭林明 523-334-161
鄭芸明 479-226-227
523-161-153
529-517- 44
鄭忠宋 460-489- 40
鄭忠元 524-279-192
鄭忠明(涇州人) 559-269- 6
鄭忠明(字以孝) 1375- 26-上
鄭尚後魏 261-762- 56
鄭旺明 1252-357- 20
鄭昌漢 250-518- 66
376-263- 99
384- 48- 2
472- 25- 1
474-165- 8
476- 26- 97
476-580-131
493-734- 41

545-127- 87
554- 94- 50
鄭昌明(靈壽人) 472- 99- 3
鄭昌明(舒城人) 523-119-151
鄭昌明(襄陵人) 545-770-111
鄭固漢 681- 41- 3
681-517- 6
681-684- 21
683-269- 7
1103-377-136
1397-593- 28
鄭明唐 384-277- 14
鄭明清 456-350- 77
鄭岩明 494- 41- 3
鄭昇宋 529-725- 51
鄭昇明 563-798- 41
鄭昂宋 484-375- 27
820-451- 35
鄭昂元 524-298-193
1216-254- 13
1459-489- 16
鄭昕唐 506-674- 69
鄭昕妻 明 見扈氏
鄭昈唐 275-256-161
396- 70-258
472-544- 22
540-651- 27
1080-466- 42
鄭昈明 529-458- 43
鄭叔女 唐 見鄭氏
鄭旻南漢 494-220- 9
鄭旻明 564-205- 46
鄭昊宋 見鄭荀
鄭昊明 564-138- 45
鄭和元 1206-173- 18
鄭和明(雲南人) 302-258-304
鄭和明(龍溪人) 473-656- 78
鄭和明(泰寧人) 529-691- 50
鄭和明(玉山人) 1232-630- 6
鄭佶明 480- 90-262
533- 24- 47
鄭金明 473-673- 79
563-739- 40
820-579- 40
鄭金女 清 見鄭氏
鄭姑清 475-383- 68
512- 54-178
鄭命明 546-604-135
鄭岳明(字汝華) 300-334-203
460-557- 54
473- 18- 49
473-212- 59
476-124-102
479-454-237
481-557-327
515- 49- 58
529-511- 44
532-594- 41
546-303-125
567-110- 67
568-206-106
676-524- 21
1257-524- 8
1260- 88- 2
1442- 38-附2
1459-785- 31
1467- 90- 65
鄭岳明(字永翰) 529-476- 43
鄭采元 493-1074- 57
511-893-172
524- 86-182
1439-446- 2
鄭采明 524-231-189
鄭延明 523-581-175
676-520- 20
1247-377- 14
1442- 37-附2
1459-767- 30
1475-230- 10
鄭洪元 1439-453- 2
1459-510- 17
1471-159- 24
鄭洪妻 明 見石勝
鄭冠唐 820-241- 28
鄭炳元 820-545- 39
鄭炳妻 明 見孫氏
鄭宣宋 843-673-下
鄭宣明 460-498- 42
523-500-170
鄭洧明 302-139-296
524-151-185
1235-644- 22
1374-712- 92
鄭洛明 300-653-222
474-244- 12
505-735- 71
545-291- 94
554-188- 51
558-159- 30
676-199- 8
1460-200- 49
1442- 62-附4
鄭恆明 1253-189- 49
鄭炯妻 明 見羅氏
鄭首鄉首 宋 530-357- 66
680-184-242
1457-620-400
鄭郊明 460-569- 56
529-732- 51
鄭亮明 460-493- 41
676-489- 19
鄭彥宋 523-490-170
鄭洙母 宋 見侯氏
鄭洙宋(字教先) 473-571- 74
529-434- 43
鄭洙宋(字宗魯) 1138- 91- 7
鄭度漢 559-406-9上
591-520- 41
鄭度唐 812-348- 9
鄭珏後唐 277-488- 58
279-356- 54
384-315- 16
401-291-607
鄭珏明 540-650- 27
鄭封明 456-528- 6
477- 89-153
538- 42- 63
鄭威明 547- 15-141
鄭珇明 472-222- 8
493-756- 41
鄭春元 1376-676- 99
鄭春明 821-379- 55
鄭垣妻 明 見鄧氏
鄭相清 483- 33-371
569-663- 19
鄭柟宋 481-614-329
529-560- 46
鄭柏明 524- 72-181
524-293-193
鄭厚宋 471-670- 13
473-632- 77
529-726- 51
674-296-4下
677-276- 25
鄭某宋(李覯表兄弟)
1095-268- 30
鄭述明 482- 89-342
482-115-343
529-506- 44
563-775- 40
鄭建明 479-431-236
523-245-157
563-777- 40
鄭茂明 482-323-354
523-105-150
529-518- 44
567-136- 68
676-122- 5
676-201- 8
1442- 61-附4
1460-195- 49
1467-126- 66
鄭昺明 1260-690- 23
鄭昺女 宋 見鄭和悟
鄭昱清 505-662- 68
515- 73- 58
533-185- 52
567-161- 69
鄭昭明(字仕賢) 529-760- 53
鄭昭明(延長人) 554-526-57下
鄭昭女 明 見鄭淑安
鄭星女 明 見鄭氏
鄭胄吳 254-723- 2
372-393- 9
385-694- 67
481-672-331
鄭胄明 1257-547- 10
鄭茆明 546-498-131
鄭英明(字伯華) 529-655- 49
鄭英明(洛南令) 554-312- 53
鄭英女 明 見鄭氏
鄭畋唐 271-340-178
275-517-185
384-283- 15
396-234-273
472-657- 27
472-852- 34
473-776- 84
477- 71-152
478-199-184
482-451-362
537-599- 60

545- 29- 83
554-134- 50
556-188- 87
561-209-38之2
567- 45- 64
674-265-4中
933-697- 47
1467-142- 67
鄭約唐 1342-431-960
鄭重明(慈谿人) 475-483- 73
510-409-115
鄭重明(字千里) 821-476- 58
鄭重清 475-216- 60
481-679-331
510-367-114
529-620- 47
鄭信明 523-228-156
鄭垕明 1244-668- 17
鄭紀漢 見鄭純
鄭紀明(字廷綱) 460-559- 55
481-556-327
529-507- 44
676-311- 11
676-504- 19
1249-858- 附
1257- 18- 2
1257-295- 26
1442- 29-附2
1459-667- 26
鄭紀明(中牟人) 545-246- 92
鄭紀妻 明 見白氏
鄭紀妻 明 見黃氏
鄭紀女 明 見鄭玉姬
鄭俠宋 286-266-321
382-765-117
397-413-344
459-558- 33
471-648- 10
471-836- 35
471-936- 50
473-571- 74
473-624- 77
473-683- 79
475- 78- 53
477-542-176
481-527-326
481-582-328
482- 78-341
484-186- 8
489-355- 31
489-368- 31
489-655- 48
511-889-172
529-436- 43
530-573- 72
563-903- 43
674-347-5下
674-824- 17
933-699- 47
1107-746- 53
1117-377- 2
1117-390- 3
1117-503- 附
1163-504- 25
1437- 14- 1
1461-481- 23
鄭泉吳 254-714- 2
370-242- 1
377-422-120
384-608- 35
385-690- 67
477-446-171
1408-483-527
鄭涇宋 451- 86- 3
鄭涓宋 843-667- 中
鄭洿明 676-454- 17
1442- 12-附1
1459-479- 15
鄭浩妻 明 見黃氏
鄭浩清 547- 11-141
鄭朗唐(字有融) 271- 47-158
271-254-173
275-310-165
384-272- 14
396-105-261
477- 70-152
494-324- 6
933-696- 47
鄭朗唐(卒於大歷十三年)
1342-386-954
鄭祐明 1410-574-742
鄭宰宋 485-536- 1
鄭衷明 460-550- 53
515-259- 65
鄭泰漢 見鄭太
鄭泰宋 494-321- 6
鄭泰明 475-708- 86
483-339-398
511-336-149
571-550- 20
鄭貢妻 清 見林氏
鄭恭明 676-565- 23
鄭員明 472-1088- 46
479-180-225
510-472-117
523-592-175
676-470- 18
1391-581-333
1442- 12-附1
1459-480- 15
1474- 49- 4
鄭烈晉 681-295- 20
681-781- 4
682-255- 5
鄭孫明 1234-236- 39
鄭珞明 473-574- 74
479-175-225
523-131-152
529-453- 43
676-478- 18
1241-597- 12
1241-804- 20
1442- 22-附2
1459-584- 21
鄭桂女 明 見鄭氏
鄭桂妻 清 見杜氏
鄭桓明 676-454- 17
676-472- 18
1375- 28- 上
1442- 17-附1
1459-526- 18
鄭桐明 1442- 15-附1
1459-500- 17
鄭格宋 528-524- 31
529-449- 43
563-671- 39
鄭晉明 1253-183- 49
鄭晉明 方剛寧妻
1376-683- 99
鄭陞明 529-671- 49
鄭鬲宋 484-377- 27
鄭郟明 529-732- 51
鄭起宋(字孟隆) 288-191-439
400-631-557
鄭起鄭震 宋(字叔起)
460-456- 35
677-386- 35
1437- 29- 2
1462-800- 98
鄭起清 529-662- 49
鄭振宋 288-376-453
400-136-511
481-553-327
529-665- 49
鄭時宋 493-898- 49
鄭時明 472-767- 30
475-709- 86
477-565-177
511-337-149
554-168- 51
558-150- 30
鄭恩明(絳州人) 547-111-145
鄭恩明(當陽人) 569-675- 19
鄭荀鄭昊 宋 1102-325- 41
鄭剛明 458-107- 5
472-545- 23
472-775- 30
540-634- 27
547- 22-141
鄭晃明 473-336- 63
511-279-147
532-695- 45
鄭虔唐 276- 77-202
384-207- 11
400-604-555
472-657- 27
472-1101- 47
477- 69-152
479-284-230
523-166-154
538-153- 65
812-371- 0
812-746- 3
813- 98- 5
814-272- 9
820-187- 27
821- 62- 47
933-697- 47
鄭特明 523-476-169
鄭恕明 299-363-142
456-696- 12
472-1088- 46

472-1105- 47
475-421- 70
479-292-230
523-399-165
524-253-190
820-583- 40
821-356- 55
886-161-139
1474-270- 13
鄭倫母 宋 見陳氏
鄭倫宋 1168-446- 38
鄭倫明 516- 53- 89
鄭師宋 見鄭應雷
鄭師明 529-708- 50
鄭卿明 559-369- 8
鄭卿妻 明 見何氏
鄭姬春秋 齊桓公夫人
404-629- 38
鄭純鄭紀 漢 469-669- 82
473-841- 87
483-136-380
494-147- 5
559-388-9上
569-673- 19
591-590- 44
鄭紓宋 1090-689- 40
1097-292- 19
鄭紓妻 宋 見李氏
鄭修後魏 262-285- 90
267-675- 88
380-475-178
554-866- 64
933-695- 47
鄭修宋 473-456- 68
473-490- 70
559-295-7上
559-364- 8
鄭寅宋 460-396- 30
529-501- 44
674-675- 7
820-447- 35
1180-365- 34
鄭淇明 554-310- 53
鄭淮宋(字巨源) 524-215-189
鄭淮宋(浦陽感德人)
524-331-195
鄭產漢 473-389- 65
480-542-283
533-103- 50
575-627- 38
879-164-58上
鄭密唐 1072-252- 12
鄭涵唐 見鄭澣
鄭淵明 524-150-185
1224-193- 20
1235-374- 12
1235-641- 22
1439-454- 2
鄭章鄭元章 唐 525-374-235
587-438- 5
鄭庸明 473- 61- 51
515-200- 63
鄭祥明 511-414-152
569-667- 19
鄭祥女 明 見鄭氏
鄭宷宋(祕書省校書郎)
287-729-420
398-666-411
鄭宷宋(字載伯) 529-643- 48
鄭深元 1224-206- 21
鄭淑明 1269-163- 11
鄭梁清 524- 48-180
鄭訥明 494- 41- 3
鄭袤晉 254-322- 16
255-755- 44
377-522-122
384- 92- 5
472-125- 4
474-433- 21
476-852-143
477- 62-151
477-199-159
516-191- 95
537-376- 57
540-667- 27
933-693- 47
鄭袤妻 晉 見曹氏
鄭球晉 255-757- 44
377-524-122
鄭球宋 484-389- 28
鄭頂北周 263-705- 36
鄭強宋 481-718-333
515-117- 60
528-548- 32
529-438- 43
鄭雪妻 清 見陳義娘
鄭培明 456-667- 11
鄭堅妻 清 見王氏
鄭都清 456-350- 77
鄭彬清 456-312- 74
鄭珽唐 812-372- 0
821- 89- 48
鄭埏清 529-679- 49
鄭逑明 515- 56- 58
鄭晦金 見趙晦
鄭晦明 1375- 24- 上
鄭異明 鄭壬女 1246-613- 11
鄭崇漢 250-691- 77
376-361-101
384- 51- 2
469-207- 24
472-611- 25
476-727-138
491-796- 6
540-697-28之1
554-626- 60
933-693- 47
鄭堂明 821-379- 55
鄭莊漢 448-289- 上
鄭莊唐 820-154- 26
鄭莊明 494- 42- 3
1269-163- 11
鄭國鄭邦 春秋 244-390- 67
375-657- 88
405-446- 85
472-547- 23
539-497-11之2
鄭國妻 明 見李氏
鄭常宇文常 北周 263-705- 36
1064-239- 9
1064-265- 10
1064-709- 14
1064-741- 15
1342-119-919
1342-336-947
1400-162- 6
1400-174- 7
1416- 63-111中
1416- 80-111下
鄭晚唐 1078-220- 4
1342-448-962
鄭冕明(字宜端) 516- 66- 89
546-365-127
鄭冕明(閩人) 559-291-7上
鄭衆漢(字仲師) 252-795- 66
370-163- 16
376-721-108
384- 59- 3
402-417- 7
402-523- 15
459- 23- 2
477- 58-151
477-245-161
478- 85-180
478-633-206
538- 19- 62
554- 99- 50
675-318- 19
933-693- 47
鄭衆漢(字季產) 253-505-108
370-197- 19
380-488-179
472-770- 30
537-572- 60
933-693- 47
鄭得明 523-404-165
鄭釭元 472- 97- 3
鄭紹元 1376-521-92上
鄭偉鄭闍提 北周 263-703- 36
266-730- 35
379-615-157
478-333-191
554-120- 50
933-694- 47
1064-260- 10
1064-722- 15
1342-329-947
1400-167- 7
1416- 77-111下
鄭統女 明 見鄭氏
鄭絅明 676-563- 23
鄭紳宋 284-875-243
393-313- 76
544-233- 63
鄭紳女 宋 見鄭皇后
鄭紳明 505-829- 75
鄭敏明 472-520- 22
540-626- 27
鄭健明 529-454- 43
鄭啟清 郭伯晲妻 530- 37- 54
鄭巢唐 451-460- 6
鄭寓唐 812-354- 10

821- 75- 47
鄭滋宋 488- 12- 1
488-439- 14
494-304- 5
鄭滋清 533-160- 52
鄭斌女 清 見鄭氏
鄭渭元～明 1224-298- 24
1229- 48- 4
1235-583- 20
鄭渭孫渭 明 676-576- 23
1442- 58-附3
1460-170- 48
鄭湩明 1257-172- 16
鄭詒宋 1105-751- 90
1384-181- 96
鄭愔南朝 933-694- 47
鄭愔唐 1371- 52- 附
1387-350- 25
鄭翔元 1197-818- 87
鄭普明(字汝德) 460-631- 63
鄭普明(漳浦人) 1467- 85- 65
鄭渾魏 254-321- 16
377-152-115下
384- 85- 4
384-645- 39
402-590- 20
459-856- 51
472-124- 4
472-194- 7
472-408- 18
472-653- 27
472-824- 33
475-741- 88
477- 62-151
477-160-157
477-471-173
478- 84-180
505-688- 70
537-375- 57
540-630- 27
545-206- 91
554-227- 52
587- 87- 2
933-693- 47
鄭惲唐 472-195- 7
鄭渶明 302-139-296
鄭湜宋 451- 22- 0
481-527-326
529-442- 43
鄭湜明 302-139-296
479-329-232
523-481-170
528-448- 29
1235-643- 22
鄭竦宋 493-646- 35
584-608- 6
鄭雲漢 487-106- 8
491-379- 4
524-195-188
鄭雲後魏 261-763- 56
鄭琮後晉 278-137- 91
鄭琮元 820-530- 38
1217- 55- 7
鄭琪妻 元 見羅妙安
鄭閎明 472-229- 8
鄭巽妻 唐 見蕭國公主
鄭琚宋 494-328- 6
523-490-170
鄭琚明 江日全妻 530- 2- 54
鄭極宋 523-199-155
鄭晳明 533-195- 53
鄭雅明 515-876- 86
鄭雄女 明 見鄭氏
鄭隆明 516- 84- 89
鄭琬明 547- 19-141
1467-227- 70
鄭覃唐 271-251-173
275-308-165
384-261- 13
384-269- 14
396-104-261
477- 70-152
683-876- 下
933-696- 47
鄭覃宋 288-370-453
400-168-513
472-1086- 46
479-177-225
523-371-164
鄭肅唐 271-304-176
275-496-182
384-274- 14
396-220-272
472-657- 27
477- 71-152
537-599- 60
545- 27- 83
933-697- 47
鄭肅女 明 見鄭氏
鄭弼明 460-561- 55
鄭陽明 474-243- 12
505-735- 71
鄭琛明 563-769- 40
鄭琰明 529-721- 51
1442- 96-附6
1460-575- 68
鄭琳明 523-132-152
529-459- 43
鄭楝妻 清 見趙氏
鄭梃明 1459-499- 17
鄭逵明 510-335-113
鄭黑劉宋 472-201- 7
511-346-149
鄭貴明 538- 92- 64
鄭嵎唐 451-458- 5
820-262- 29
鄭華明 299-363-142
456-697- 12
472-1105- 47
476-819-143
479-292-230
523-399-165
540-665- 27
886-161-139
鄭崿唐 820-208- 28
鄭棠明(字景昭) 523-624-177
鄭棠明(字叔美) 524- 72-181
676-134- 5
676-484- 18
鄭敞唐 683-281- 9
鄭菜明 505-883- 79
鄭菜妻 明 見徐氏
鄭鈜明 1374-616- 83
鄭順明 540- 66- 27
鄭鈞明 1231-331- 3
鄭智明 1227-691- 4
鄭絪唐 271- 55-159
275-314-165
384-231- 12
384-247- 13
396-110-261
472-197- 7
472-657- 27
473-672- 79
477- 70-152
537-598- 60
563-635- 38
820-218- 28
933-695- 47
933-696- 47
鄭絪後代 宋 1149-701- 15
鄭絳妻 宋 見錢氏
鄭勝明 1467- 73- 64
鄭欽元～明 524-150-185
1209-584-9下
鄭斐明 511-713-164
鄭棐妻 明 見郭氏
鄭傑明(字伯興) 533- 91- 49
鄭傑明(洪洞人) 545-778-111
鄭復宋～元 見鄭松
鄭溥宋 1138- 82- 6
1138- 89- 7
鄭溥妻 宋 見姚氏
鄭溥明 516-152- 93
鄭源明 554-313- 53
鄭義後魏 見鄭羲
鄭義元 295-262-166
400-245-520
472- 71- 2
鄭義明 564-200- 46
鄭祺明 510-480-118
515-878- 86
鄭溫鄭伊克巴圖 元
295-103-154
399-549-474
472- 97- 3
474-380- 19
505-753- 72
523- 23-147
鄭詡北周 263-692- 35
266-727- 35
379-615-157
鄭雍宋 286-542-342
382-585- 90
397-627-358
472-683- 27
537-426- 58
1134-737- 34
鄭愷晉 255-588- 32
373- 75- 20
鄭愷女 晉 見鄭阿春
鄭愷宋 1120-227- 34

鄭愷妻 清 見李氏
鄭煜明 820-574- 40
鄭煜妻 明 見李氏
鄭準唐 273-116- 20
鄭準後梁 277-157- 17
407-647- 1
鄭準宋 493-646- 35
493-1071- 57
511-892-172
鄭準明 523-194-155
676-175- 7
鄭煁妻 明 見石氏
鄭煒宋 484-387- 28
鄭滂明 537-458- 58
鄭遂明 563-829- 41
鄭煥妻 明 見張氏
鄭廉妻 唐 見李氏
鄭廉明 1268-431- 67
鄭載宋 473-568- 74
528-437- 29
鄭軾明 523- 85-149
鄭賈唐 554-233- 52
鄭損唐 538-169- 66
鄭戡宋 492-710-3下
鄭瑄明 523-109-150
鄭瑚明 571-556- 20
鄭瑁妻 明 見張氏
鄭楹明 1257-208- 19
鄭瑞妻 元 見湯氏
鄭瑜明 510-459-117
鄭群唐 1073-626- 32
1074-477- 32
1075-422- 32
1378-520- 60
1383-172- 14
1410-277-699
鄭勤漢 472-854- 34
554-226- 52
鄭瑛明 676-478- 18
鄭瑗明 481-556-327
529-730- 51
1442- 35-附2
1459-740- 29
鄭達明 480-131-264
493-760- 41
533- 89- 49
553-296- 39
676-383- 14
820-618- 41
1246-656- 16
鄭達清 456-350- 77
鄭愚唐 564- 20- 44
567- 45- 64
1467- 18- 62
鄭嗣宋 見鄭自立
鄭鼎後魏 552- 38- 18
鄭鼎鄭伊克巴圖 元
295- 97-154
399-442-460
472-457- 20
472-505- 21
476- 79-100
476-207-107
480- 50-259
545- 59- 84
546-189-121
549- 67-183
鄭鼎明 302- 27-290
481-616-329
483-249-391
529-573- 46
鄭鼎明 嚴權妻 1235-657- 22
鄭鼎妻 清 見王氏
鄭嵲明 529-656- 49
鄭敬漢 252-710- 59
376-667-107下
472-791- 31
477-412-169
538-169- 66
879-153-58上
879-154-58上
鄭敬明 564-147- 45
鄭遇唐 820-190- 27
鄭鉉唐 820-181- 27
鄭鉉元 302-139-296
1224-181- 20
鄭鉉妻 明 見郭氏
鄭鈺清 479- 93-221
523-109-150
鄭鉞鄭少偉 宋 460-449- 34
529-666- 49
1254-582- 上
鄭鉞明 554-312- 53
鄭傳唐 1376-621-96上
鄭愈元 1196-269- 15
鄭鉅明 1224-299- 24
鄭筥明 羅繹妻、鄭芹叔女
1254-484- 6
鄭詹春秋 404-849- 53
鄭僅鄭瑾 宋 286-685-353
397-732-364
472-412- 18
472-569- 24
472-913- 36
474-470- 23
475-430- 70
476-610-133
478-452-197
478-572-203
511-226-144
540-639- 27
558-210- 32
鄭會宋 515-866- 85
鄭會明 1260-690- 23
鄭節明 515-879- 86
676-257- 10
679- 58-144
鄭逾唐 812-349- 9
814-276- 10
821- 56- 46
鄭奧金 472- 86- 3
鄭演後魏 261-754- 55
552- 36- 18
鄭誠妻 隋 見崔氏
鄭誠明 453-254- 23
473-100- 53
515-836- 84
1239- 30- 28
1240-366- 23
鄭塾明 1240-150- 10
鄭福明 478-296-188
554-250- 52
鄭福妻 清 見周氏
鄭寧宋 460-396- 30
鄭寧明 545-273- 93
鄭漳明 476-698-137
529-465- 43
540-654- 27
鄭端明 1257-171- 16
鄭滿明 523-594-175
678-448-112
鄭漢明 529-750- 51
鄭榮鄭自清 宋(道士)
288-474-461
592-273- 77
鄭榮宋(字光遠) 523-489-170
鄭熙遼 820-475- 36
鄭熙明 511-525-157
鄭甄宋 484-385- 28
鄭爾清 456-174- 63
鄭戩宋(字天休) 285-656-292
382-346- 55
384-354- 18
397-115-326
472-228- 8
472-430- 19
472-643- 26
472-825- 33
472-961- 38
475-129- 56
476- 28- 97
478- 90-180
479- 41-218
484- 91- 3
485-185- 25
493-896- 49
494-324- 6
511- 90-140
523- 74-149
537-238- 55
545- 48- 84
554-141- 51
558-193- 31
589-307- 2
1088-932- 36
鄭戩宋(大梁人) 516-212- 96
鄭嘉明 524-135-185
1459-603- 22
鄭瞀春秋 楚成王夫人
448- 44- 5
533-503- 66
鄭瑶宋 451- 58- 2
鄭瑶元 820-498- 37
鄭瑶明 1246-501- 下
鄭聞宋 472-240- 9
鄭轂宋 287-451-399
398-443-394
449-383-上3
473-603- 76
481-677-331
523- 77-149
529-601- 47

1125-453- 37
1147-185- 18
1238- 53- 5
鄭榦明 1240-742- 7
1459-500- 17
鄭睿五代 524-209-188
鄭蒨宋 517-304-123
鄭鄤明 1442-103-附7
鄭綮唐 271-362-179
275-506-183
384-288- 15
396-246-273
471-918- 48
472-324- 14
472-658- 27
475-698- 86
477- 71-152
510-461-117
537-599- 60
933-697- 47
鄭鳳明 563-838- 41
鄭銘明 1223-552- 10
鄭銓宋 515-500- 72
鄭銓元 1214-212- 18
鄭僑宋 471-670- 13
473-633- 77
481-554-327
488- 13- 1
488-461- 14
528-441- 29
528-522- 31
529-500- 44
820-447- 35
鄭肇明 1376-416- 86
鄭肇妻 明 見鄒氏
鄭嫗吳 492-613- 14
鄭綺宋 288-417-456
400-305-524
452- 9-上
472-1029- 42
479-323-232
524-149-185
526-234-266
1220-426- 8
1223-564- 11
1224-379- 26
鄭綱明 1253-168- 48
鄭綱妻 明 見宋瑗果
鄭銖元 510-346-114
1224-179- 20
鄭像魏 475-703- 86
鄭賓唐 273-112- 60
813-229- 4
820-269- 29
鄭寬妻 明 見汪氏
鄭審唐 821- 68- 47
1371- 59-附
鄭潛元～明 473-573- 74
511-807-167
529-753- 52
676-453- 17
1215-587- 6
1217- 31- 4
1217-188- 3
1232- 94-附
1232- 95-附
1375- 24-上
1376-598-95下
1442- 12-附1
1459-455- 14
鄭毅明(字立之) 515-884- 86
鄭毅明(字德弘) 564-278- 47
鄭褒宋(徐州教授) 288-308-448
400-162-513
475-421- 70
鄭褒宋(惠安人) 529-670- 49
鄭褒宋(字成之) 530-372- 66
鄭慶明 彭餘璋妻 472-232- 8
475-145- 57
1246-657- 16
鄭慶妻 清 見黃荊梅
鄭頡宋 1153-318- 84
鄭賢明(晉江人) 460-586- 58
鄭賢明(新鄭知縣) 472-647- 26
鄭賢明(字顯才) 1253-145- 47
鄭霄清 529-724- 51
鄭瑾宋 見鄭僅
鄭駒明 523-592-175
1234-259- 42
鄭磊清 529-723- 51
鄭磊女 清 見鄭閨芳
鄭璋母 宋 見林氏
鄭輪明 529-649- 48
鄭樗元 820-548- 39
鄭鼒明 1241-896- 23
鄭震宋 見鄭起
鄭震妻 清 見葉氏
鄭璉唐 820-181- 27
鄭璉明 563-834- 41
鄭璉妻 清 見李氏
鄭遨後晉 見鄭雲叟
鄭遷唐 814-276- 10
820-190- 27
鄭賜明 299-452-151
460-798- 85
472- 27- 1
473-605- 76
676-483- 18
1237-600-上
鄭檕明 530-211- 61
鄭鉉妻 明 見趙玉蓮
鄭篁妻 清 見林氏
鄭儋唐 554-327- 54
1073-578- 26
1074-416- 26
1075-366- 26
1378-458- 58
1383-153- 12
1410- 39-667
鄭翩春秋 404-819- 50
鄭銳元 820-509- 37
1210-113- 10
鄭銳明 523-220-156
鄭稷唐 1342-445-962
鄭憲宋 524-143-185
鄭憲明 529-465- 43
鄭誠唐 273-112- 60
481-526-326
529-715- 51
鄭羲鄭義 後魏 261-755- 56
266-721- 35
379-172-149
384-132- 7
472-655- 27
477- 67-151
537-382- 57
541-772-35之20
544-212- 62
933-694- 47
鄭澧元 1214-235- 20
鄭龍春秋 404-787- 48
鄭澣鄭涵、鄭瀚 唐
271- 46-158
275-306-165
384-271- 14
396-102-261
472-657- 27
472-865- 34
477- 70-152
478-243-186
537-598- 60
554-134- 50
933-695- 47
1073-532- 21
1074-360- 21
1075-314- 21
鄭澤元 295-262-166
400-245-520
鄭諶宋 820-407- 34
鄭濂明(字仲德) 302-138-296
443-568- 27
472-1032- 42
479-329-232
524-218-189
1235-642- 22
鄭濂明(字師周) 511-510-157
鄭濂明(縉雲人) 524-168-186
鄭璟明 1264-214- 12
鄭璟妻 明 見林氏
鄭璣明 564-265- 47
鄭璣妻 明 見朱氏
鄭樵宋 288-152-436
400-531-548
460-137- 8
471-670- 13
473-632- 77
481-553-327
481-750-334
529-498- 44
1148-765-163
1163-552- 31
1437- 23- 2
鄭頤北齊 263-265- 34
266-841- 41
379-437-153
933-695- 47
鄭頤女 明 見鄭妙靜
鄭穎宋 472-1016- 41
523-490-170
鄭璠明 1269-164- 11
鄭疆宋 1164-283- 15
鄭閻明 676-477- 18

821-360- 55
1392- 52-370
1442- 21-附2
1459-582- 21
鄭壁明 見鄭壁
鄭璘元 1216-588- 11
鄭璘明 1241-456- 6
1241-555- 10
鄭靜元 1227-161- 19
鄭霖宋 484-389- 28
493-721- 40
523-471-169
679-146-153
鄭樸漢 見鄭子眞
鄭選明 473- 44- 50
479-527-241
515-220- 63
鄭興漢 252-792- 66
370-163- 16
376-719-108
384- 59- 3
402-401- 5
402-442- 9
402-520- 15
402-564- 19
472-651- 27
477- 58-151
477-245-161
477-526-175
538- 19- 62
554-264- 53
558-477- 40
675-293- 15
933-693- 47
鄭興唐 472-495- 21
476-182-106
547- 41-142
鄭默晉 255-756- 44
377-523-122
472-124- 4
472-655- 27
474-468- 23
477- 63-151
505-688- 70
537-377- 57
540-664- 27
933-694- 47
鄭曉明 300-280-199
475- 20- 49
479- 96-221
510-293-112
510-491-118
523-274-158
525-386-236
526-654-280
676-558- 23
678-197- 89
1442- 51-附3
1460- 81- 44
1475-285- 12
鄭暹明 473-186- 58
515-272- 65
523-511-171
鄭儔唐 812-371- 0
821- 40- 46
鄭縕宋 820-450- 35
鄭鋼唐 1340-623-783
鄭鋼明 473-145- 56
493-984- 52
鄭儒明 564-285- 47
鄭儒妻 明 見洪氏
鄭獬宋 286-256-321
382-492- 76
384-346- 18
384-362- 18
397-406-344
450-778-下15
471-780- 27
471-809- 31
473-269- 61
475-485- 73
480-203-267
484- 95- 3
523- 76-149
533- 67- 49
540-647- 27
674-283-4下
674-820- 17
933-698- 47
1363-230-133
鄭穆女 北周 見鄭氏
鄭穆宋(字閎中) 286-610-347
397-673-361
460-167- 10
471-648- 10
472-1067- 45
473-571- 74
479-223-227
481-527-326
484-186- 8
486- 49- 2
523-148-153
529-435- 43
1100-466- 43
鄭穆宋(字應和) 493-746- 41
510-328-113
鄭勳宋 473-694- 80
481-554-327
482-115-343
529-562- 44
563-701- 39
鄭勳明(字德崇) 1248-486- 23
鄭勳明(字仲賢) 1260-690- 23
鄭錄元 821-325- 54
鄭濤元 546-192-121
鄭濤妻 元 見夏邕
鄭鴻明 564-287- 47
鄭燭明 457-410- 25
鄭濬妻 宋 見陳氏
鄭謐元 524-293-193
鄭膺明 1246-610- 10
鄭禧元 820-525- 38
821-296- 53
鄭禧明 532-657- 44
鄭濟女 唐 見鄭氏
鄭濟宋 529-493- 44
鄭濟元 1216-588- 11
鄭濟明(字仲辨) 302-139-296
820-577- 40
鄭濟明(字用舟) 460-492- 41
460-529- 49
563-839- 41
676- 20- 1
676- 83- 3
鄭濟明 見江濟
鄭燧明 820-577- 40
鄭燮宋 見鄭清之
鄭檝元 1224-197- 20
鄭隱宋 288-476-462
554-869- 64
鄭翼宋 532-667- 44
鄭翼元 1216-588- 11
鄭臨宋 517-386-125
鄭勵宋 484-373- 27
鄭璩漢 370-194- 19
402-384- 4
鄭環明(字瑶夫) 472-969- 38
524-242-190
676-503- 19
鄭環明(長壽人) 554-347- 54
鄭環明(鄭麟子) 821-393- 56
鄭轂宋 529-601- 47
鄭嶼宋 1090-689- 40
鄭邁唐 814-276- 10
820-190- 27
鄭還明 523-631-177
676-293- 11
鄭嶸明 515-843- 84
鄭繇唐 270-150- 95
274- 81- 81
395- 50-184
494-288- 4
鄭績父 宋 1132-260- 50
鄭鍾清 529-660- 49
鄭鍔宋 479-188-225
487-141- 9
491-436- 6
524-316-194
678-557-123
1152-827- 53
鄭謹後魏 261-761- 56
266-729- 35
379-176-149
鄭禮吳 511-787-166
鄭禮元 1228-763- 12
鄭禮明 511- 75-139
鄭謨明 302-148-297
482-227-348
564-269- 47
564-765- 60
1272-455- 14
鄭璹宋 524-225-189
鄭騏妻 明 見劉錦雲
鄭贄妻 明 見團氏
鄭壁元 1196-269- 15
鄭壁明(字子良) 478-338-191
554-256- 52
鄭壁鄭壁 明(字伯規)
524- 97-183
1242-169- 29
鄭壁清 524-221-189
鄭豐吳 254-723- 2

385-695- 67
鄭彝元 821-304- 53
1439-443- 2
鄭薰唐 275-444-177
384-279- 14
396-183-268
933-696- 47
鄭顒明 473-112- 54
494-158- 5
523-510-171
569-649- 19
570-468-29之7
鄭鎮宋 494-325- 6
鄭鎬明 545-151- 88
鄭鎬妻 清 見張氏
鄭鎰明 1458- 39-417
鄭鎦明 528-561- 32
鄭翻隋 見鄭子飜
鄭雛北齊 266-730- 35
379-507-155
540-655- 27
鄭瀛妻 明 見黃琇
鄭贇妻 清 見陳氏
鄭竉唐 1072-247- 11
鄭瀚唐 見鄭澣
鄭璽明 1255-717- 73
鄭璽妻 明 見魏德盛
鄭鏊明 523-247-157
鄭關明 1442- 23-附2
1459-606- 22
鄭瓊後魏 263-691- 56
266-726- 35
379-175-149
鄭羆後魏 474-239- 12
505-865- 77
鄭黼宋 481-745-334
528-559- 32
鄭鯨明 1375- 31- 上
鄭鏗元 530-212- 61
821-299- 53
鄭鏗妻 明 見林氏
鄭繹明 524- 87-182
鄭寶明 302- 12-289
481-556-327
482-523-367
529-510- 44
567-111- 66
1467- 93- 65
鄭譯北周～隋 263-692- 35
264-692- 38
266-727- 35
379-776-162
384-153- 8
472-656- 27
537-382- 57
933-694- 47
鄭轙元 460-488- 40
鄭騮明 524-224-189
563-771- 40
鄭齡明 473- 65- 51
473-429- 67
515-881- 86
559-252- 6
鄭曦明 482-348-356
567- 88- 66
1467- 63- 64
鄭藻宋 284-876-243
584-618- 7
鄭嚴漢 453-731- 1
564- 2- 44
鄭籍明 564-272- 47
鄭露陳或唐 481-551-327
529-488- 44
1269-163- 11
鄭顥唐 271- 55-159
275-314-165
396-110-261
鄭顥妻 唐 見萬壽公主
鄭續女 宋 見鄭氏
鄭續妻 明 見白氏
鄭龔劉宋 489-599- 47
鄭懿後魏 261-757- 56
266-722- 35
379-173-149
933-694- 47
鄭瓘明 676- 40- 2
676-135- 5
676-432- 16
鄭瓘妻 明 見袁氏
鄭權唐 271- 98-162
275-242-159
396- 51-256
471-829- 34
564-115- 45
933-695- 47
1073-529- 21
1074-357- 21
1075-312- 21
鄭鑑宋 460-284- 17
471-670- 13
473-633- 77
529-443- 43
677-354- 32
1146- 46- 87
鄭鑑女 明 見鄭淑英
鄭儼後魏 262-324- 93
266-729- 35
381- 31-184
鄭儼妻 明 見楊氏
鄭麟明 821-393- 56
鄭瓚宋 491-437- 6
鄭瓚明 1271-821- 8
鄭瓚妻 明 見陳氏
鄭曠唐 1341-234-830
鄭瓛明 475- 75- 53
511-431-153
515- 91- 59
鄭瓛妻 明 見汪氏
鄭靈明 676-351- 13
鄭覩元 529-666- 49
鄭覩明 453-381- 9
567- 95- 66
820-612- 41
鄭鑰明 676-580- 24
鄭鑾元 1224-222- 21
鄭鑾明 481-694-332
528-543- 32
鄭驤宋(字士龍) 285-797-301
397-216-332
472-705- 28
472-748- 29
474- 92- 3
481- 68-293
537-509- 59
鄭驤宋(字潛翁) 288-301-448
400-155-513
449-343- 6
471-713- 18
472-172- 6
472-826- 33
473- 63- 51
475-272- 63
478- 91-180
478-335-191
478-483-199
479-558-242
510-370-114
515-857- 85
518-237-143
545-138- 87
554-244- 52
1146- 93- 89
1161-301-100
鄭鸞明 533-331- 58
鄭一初明 457-468- 30
482-142-344
564-203- 46
鄭一岳明 564-164- 45
鄭一信明 571-548- 20
鄭一龍明 567-129- 67
1467-107- 65
鄭一鵬明 300-389-206
481-557-327
529-515- 44
676-550- 22
鄭一鶚清 529-711- 50
鄭二格清 456-350- 77
鄭二姬春秋 楚成王夫人、文芊女 405- 81- 61
鄭二陽明 458-159- 8
480-201-267
510-295-112
532-659- 44
537-410- 57
鄭十三明 524-127-184
鄭又玄鄭家子 唐
592-207- 73
1061-294-112
鄭九琨清 482- 40-340
鄭人玫妻 明 見鍾氏
鄭八郎女 宋 見鄭氏
鄭三俊何三俊 明
301-300-254
475-645- 83
477-124-155
511-322-148
528-463- 29
537-258- 55
鄭三謨明 456-585- 8
511-486-155
鄭士元明 529-682- 50
鄭士利明 299-329-139

443- 78- 5
479-291-230
524-211-188
1235-607- 21
1457-483-387
鄭士奇明 676-635- 26
1442- 93-附6
1475-427- 18
鄭士長妻 清 見吳氏
鄭士恆元 1221-230- 3
鄭士恭鄭子恭 後魏
261-761- 56
266-722- 35
379-176-149
鄭士原明 523-472-169
1235-646- 22
鄭士發妻 清 見潘氏
鄭士達明 479-408-235
523-417-166
鄭士熙明 564-163- 45
鄭士鉉宋 493-722- 40
鄭士龍明 676-684- 28
1442-129-附8
1460-874- 94
鄭士穎鄭道生 宋
451- 90- 3
鄭士儒妻 明 見江氏
鄭士懿宋 481-748-334
529-749- 51
鄭子英明 1236-239- 下
鄭子眞鄭樸 漢 250-595- 72
380-406-177
384- 52- 2
448-103- 中
471-1036- 66
472-828- 33
472-867- 34
478- 95-180
554-862- 64
879-176-58下
933-692- 47
鄭子恭後魏 見鄭士恭
鄭子祥明 524-266-191
鄭子聃金 291-708-125
400-690-565
474-558- 28
496-398- 88
502-788- 88
1365-308- 9
1439- 3- 附
1445- 78- 3
鄭子琜妻 明 見楊氏
鄭子會妻 明 見張氏
鄭子誠明 482- 78-341
鄭子壽明 676-654- 27
鄭子儀春秋 見鄭子
鄭子儀宋 843-671- 下
鄭子聲明 1257- 4- 1
鄭子繇鄭翻 隋 266-724- 35
380-479-178
477- 67-151
547-126-146
鄭子亹子亹 春秋
244-161- 42
鄭于九妻 清 見劉氏
鄭于成明 1263- 57- 10
鄭大中元 523- 99-150
1367-722- 55
鄭大全妻 清 見俞氏
鄭大同明 676-564- 23
1442- 54-附3
1460-122- 46
鄭大車北齊 齊神武帝妃、魏孝武帝妃 266-292- 14
373-108- 20
鄭大來清 479-358-233
523-412-166
鄭大和鄭文融、鄭太和 元
295-604-197
400-313-526
472-1031- 42
479-326-232
524-217-189
526-255-266
1223-564- 11
鄭小五女 明 見鄭氏
鄭小同魏 252-790- 65
376-719-108
386- 88-71上
鄭山輝明 821-371- 55
鄭千齡宋~元 523-214-156
1217- 62- 8
1252-347- 20
1375- 20- 上
1376-408- 86
鄭心材明 523-440-167
鄭文公春秋 244-162- 42
371-383- 18
375- 46-77下
384- 8- 1
404-246- 15
鄭文公夫人 春秋 見文芊
鄭文公夫人 春秋 見江氏
鄭文公夫人 春秋 見姜氏
鄭文公夫人 春秋 見陳嬀
鄭文公夫人 春秋 見燕姞
鄭文公夫人 春秋 見蘇氏
鄭文灼妻 清 見段氏
鄭文材元 1227-165- 20
鄭文彥明 559-315-7上
鄭文茂明 480-171-266
523-501-170
532-648- 43
1283- 28- 69
鄭文英明 821-377- 55
鄭文泰元 524-217-189
1374-618- 83
鄭文卿妻 清 見黃氏
鄭文康明 493-1033- 54
511-737-165
1246-676- 附
1284-135-146
1442- 26-附2
1459-635- 24
鄭文肅妻 宋 見李氏
鄭文著明 1240-168- 11
鄭文煥妻 明 見郭氏
鄭文嗣元 295-604-197
400-313-526
479-326-232
524-217-189
526-255-266
1210-433- 15
鄭文經宋 484-381- 28
鄭文誥明 524-237-189
鄭文端元 1203-404- 30
鄭文端明 460-792- 84
529-740- 51
鄭文寬妻 後魏 見平陽公主
鄭文賢明(字宗儒) 820-711- 43
鄭文賢明(楚人) 1278-238- 5
鄭文樞明 1241-507- 8
鄭文融元 見鄭大和
鄭文霖明 529-760- 53
鄭文通宋 460-280- 17
鄭文遲宋~元 473-234- 60
480-170-266
鄭文燦明 570-162-21之2
鄭文寶宋 285-445-277
382-751-115
384-336- 17
396-695-317
471-674- 13
473-624- 77
477-560-177
481-721-333
529-632- 48
545-427- 99
554-200- 52
683-231- 2
820-334- 32
933-699- 47
1437- 8- 1
鄭文寶女 宋 見鄭信陵
鄭之文明 515-845- 84
1442- 90-附6
1460-515- 65
鄭之文清 475-576- 79
479-287-230
511-481-155
523-179-154
540-867-28之4
鄭之良明 533-177- 52
鄭之彥明 1297-132- 10
鄭之彥清 511-862-170
鄭之垣明 1457-732-412
鄭之珖明 563-810- 41
鄭之純鄭慧孫 宋 448-375- 0
鄭之鉉明 460-727- 75
529-553- 45
鄭太和元 見鄭大和
鄭元吉明 547-116-145
鄭元均唐 1076-113- 12
1076-569- 12
1077-140- 12
鄭元秀宋 820-452- 35
鄭元虎妻 清 見龔氏
鄭元美明 1256-597- 7
鄭元昭宋 285- 79-249
鄭元祐元 510-332-113
511-893-172

524- 91-182
676-712- 29
820-507- 37
1216-615- 附
1273-154- 21
1369-223- 3
1386-739- 下
1439-442- 2
1469-351- 52
鄭元素南唐 473- 76- 52
479-582-243
516-215- 96
554-869- 64
鄭元珣隋 264-693- 38
266-728- 35
379-778-162
544-222- 62
鄭元章唐 見鄭章
鄭元琮北周 264-692- 38
266-728- 35
379-777-162
544-220- 62
鄭元勛明 821-461- 57
鄭元楨妻 清 見陳氏
鄭元韶明 510-292-112
鄭元綬明 302- 79-293
456-610- 9
475-702- 86
鄭元瑾唐 480- 48-259
鄭元德北齊 263-231- 29
266-725- 35
379-507-155
鄭元勳明(字超宗) 456-635- 10
475-379- 68
511-784-166
鄭元勳明(字無功)
1297-128- 10
鄭元勳妻 清 見程氏
鄭元禮北齊 263-231- 29
266-724- 35
379-507-155
鄭元璹隋～唐 264-694- 38
269-559- 62
274-286-100
384-172- 9
395-263-204
477- 68-152
537-383- 57
933-695- 47
鄭孔庠明 524- 76-181
鄭孔信鄭明允 明
1263-112- 18
鄭孔庶明 1442- 70-附4
1460-336- 55
鄭孔貫妻 明 見祝臨姑
鄭天民宋 821-202- 51
鄭天柱妻 清 見林氏
鄭天益宋 563-677- 39
鄭天祐明 1269-163- 11
鄭天挺明 529-658- 49
鄭天標妻 清 見林氏
鄭天錫元 529-654- 49
鄭天錫妻 明 見陳孟姬
鄭天鵬明 820-673- 42
鄭天覺元 1228-429- 21
鄭天覺妻 元 見徐如珪
鄭天麟元 1376-443- 88
鄭木潤鄭安老 宋451- 59- 2
鄭友元明 510-354-114
鄭友東妻 明 見劉氏
鄭友周明 546-381-127
鄭友姐明 陳志元妻
530- 8- 54
鄭友鉉明 533-195- 53
鄭日休明(字舒軒) 523- 89-149
676-203- 8
鄭日休明(字廷德) 676-590- 24
鄭日新宋 524-365-197
鄭日新妻 明 見蕭翠鬟
鄭少偉宋 見鄭鉞
鄭少微宋 288-245-443
400-659-561
559-342- 8
591-553- 42
592-587- 98
鄭公大元 1202-252- 18
鄭公佐明 820-680- 42
鄭公明宋 484-383- 28
鄭公昱妻 明 見孫氏
鄭公逵唐 1080-467- 42
鄭公智明 299-349-141
456-695- 12
479-292-230
523-399-165
鄭公達唐 554-258- 52
鄭公誼唐 820-227- 28
鄭公憶宋 516-223- 96
鄭公顯宋 529-561- 46
鄭仁安上古 見洞浮極炎
鄭仁表唐 271-305-176
275-496-182
384-274- 14
396-221-272
933-697- 47
鄭仁規唐 271-305-176
384-274- 14
396-221-272
494-292- 4
鄭仁傑宋 1156-233- 20
鄭仁誨後周 278-377-123
279-197- 31
384-306- 16
396-390-289
472-434- 19
476- 38- 98
545-601-105
933-698- 47
鄭仁憲明 475-853- 94
510-502-118
鄭升之宋 523-620-177
鄭介夫元 472-1043- 43
479-357-233
524- 75-181
鄭介菴妹 明 見鄭氏
鄭允元明 456-467- 4
鄭允中元 476-183-106
545-887-114
鄭允先明 545-267- 93
鄭允伯後魏 261-759- 56
266-725- 35
379-175-149
鄭允端元 施伯仁妻
512- 8-176
1439-461- 2
1469-781- 68
鄭允謨唐 271- 47-158
鄭玄昇女 唐 見鄭氏
鄭玄撫明 1442- 69-附4
1460-333- 55
鄭立中宋 481-722-333
529-633- 48
鄭必明宋 484-385- 28
523-241-157
鄭必眞妻 明 見廖氏
鄭必復宋 451- 56- 2
鄭永生明 570-155-21之2
鄭永迪妻 明 見徐氏
鄭玉香明 王竚妻、鄭文女
1253-121- 46
鄭玉姬明 周禮妻、鄭紀女
530- 63- 55
1254-587- 上
鄭玉紈妻 明 見陳氏
鄭弘道明 524-267-191
鄭正規妻 明 見林氏
鄭古德清 455-263- 15
鄭本公明 300-160-192
476-282-111
546-149-120
鄭本醇妻 清 見江氏
鄭可久女 宋 見鄭如玉
鄭可復宋 529-727- 51
鄭可榮妻 清 見龍氏
鄭可學宋 460-294- 19
481-554-327
529-502- 44
鄭可簡宋 486- 51- 2
鄭可權明 545-340- 96
鄭世威明 458-1047- 2
460-512- 45
473- 18- 49
479-455-237
481-530-326
515- 54- 58
529-469- 43
676-564- 23
鄭世卿宋 820-345- 32
鄭世基女 唐 見鄭氏
鄭世紹妻 明 見趙大主
鄭世逢妻 明 見盧氏
鄭世傑妻 清 見程氏
鄭世興明 1257-172- 16
鄭世興妻 明 見劉氏
鄭世翼唐 271-560-190上
276- 57-201
400-588-554
鄭民度宋 1093-416- 56
鄭民彝宋 1093-383- 52

鄭民瞻宋 473-176- 57
515-116- 60
鄭以文元 1226-504- 24
1376-467- 89
鄭以文妻 明 見王氏
鄭以桐妻 清 見林叔蓁
鄭以偉明 301-256-251
515-894- 86
1442- 86-附5
1455-788-251
1460-492- 64
鄭以道鄭覺民 元
676-703- 29
1219-499- 21
1439-435- 1
鄭以誠明 473-605- 76
529-615- 47
鄭以澄明 1260-690- 23
鄭四端清 476-367-117
545-446- 99
鄭申之宋 460-279- 17
529-443- 43
鄭申秀宋 529-738- 51
鄭仕清明 676-752- 31
鄭仕楫妻 清 見楊氏
鄭仕鑑妻 清 見林氏
鄭丘緩春秋 545-730-109
鄭幼儒後魏 261-759- 56
266-725- 35
379-175-149
鄭守仁元 1369-386- 10
1439-457- 2
1471-643- 16
鄭守典女 明 見鄭氏
鄭守道明 460-518- 46
529-468- 43
676- 8- 1
鄭亦鄒清 529-739- 51
鄭安平宋 見鄭景平
鄭安世漢 675-318- 19
鄭安民明 302-118-295
456-583- 8
481- 71-293
483-321-396
572- 81- 28
572-336- 38
鄭安老宋 見鄭木潤
鄭安恭宋 見鄭思恭

鄭安國明 476-659-135
鄭安道宋 見鄭乾道
鄭汝舟明 510-316-113
529-517- 44
鄭汝泳宋 見鄭會龍
鄭汝招妻 清 見何氏
鄭汝昌明 1247-364- 13
鄭汝信明 529-656- 49
鄭汝弼後唐 821-111- 49
鄭汝喬明 564-294- 47
鄭汝敬明 見鄭行簡
鄭汝潔妻 明 見吳玉美
鄭汝諧宋(知武岡州)
473-348- 63
480-436-278
532-725- 46
鄭汝諧宋(字熙績) 523-626-177
鄭汝諧宋(字舜舉)
472-1054- 44
486- 54- 2
674-543- 1
鄭汝霖元 1206-173- 18
鄭汝璧明 523-574-174
545-296- 94
554-188- 51
676-604- 25
鄭朴翁宋 見鄭樸翁
鄭西廣妻 清 見江氏
鄭有位妻 清 見張仙春
鄭有開妻 清 見陳氏
鄭至果宋 529-533- 45
563-685- 39
鄭至道唐或宋 472-1101- 47
523-167-154
鄭羽儀明 456-543- 7
460-528- 48
529-722- 51
鄭而會妻 清 見吳氏
鄭夷甫宋 471-835- 35
473-712- 81
485-183- 25
493-910- 49
鄭同元明 482-143-344
鄭同夫元 1222-254- 14
鄭同昇明 1234-263- 43
鄭光系唐 480- 48-259
鄭光宙明 511-676-163
鄭光表妻 明 見陳氏

鄭光春妻 清 見葉氏
鄭光祖宋 563-692- 39
鄭光寀妻 清 見莊月杼
鄭光啟明 456-663- 11
鄭光溥明(字伯公) 554-290- 53
鄭光溥明(號一山) 592-779- 2
鄭光與明 523-172-154
鄭兆昌妻 清 見陶氏
鄭任銓妻 清 見倪氏
鄭任鑰女 清 見鄭季娟
鄭自立鄭嗣 宋 451- 67- 2
鄭自成宋 473-176- 57
鄭自怡明 529-668- 49
鄭自明宋 1150-567- 9
鄭自清宋 見鄭榮
鄭自然明 1232-642- 7
鄭自誠宋 見鄭性之
鄭自璧明 300-429-208
477- 88-153
鄭自嚴宋 481-594-328
鄭全福唐 472-383- 16
475-585- 79
479-537-241
485-410- 5
516-469-104
鄭好密妻 明 見詹氏
鄭如玉宋 張友仁妻、鄭可久女 1171- 95- 12
鄭如昇元 1234-372- 54
鄭如英鄭妥 明 1442-126-附8
1460-909- 98
鄭如理妻 宋 見伊氏
鄭如霍妻 清 見汪氏
鄭先護後魏 261-762- 56
263-703- 36
266-730- 35
379-176-149
鄭仲明後魏 261-763- 56
266-729- 35
381- 32-184
鄭仲宣女 明 見鄭氏
鄭仲涵明 1229-591- 2
鄭仲敏妻 清 見賴氏
鄭仲雄宋 472-1042- 43
鄭仲舒明 1229-451- 上
鄭仲熊宋 523-332-161
鄭仲賢元 1375- 19- 上
鄭仲衡後魏 261-760- 56
266-726- 35
379-175-149
鄭仲徽明 1241-727- 17
鄭仲禮北齊 263-374- 48
266-724- 35
379-174-149
鄭仰元明 537-258- 55
鄭行己宋 473-358- 64
鄭行簡鄭汝敬 明
523-155-153
1376-417- 86
鄭休遠唐 486- 42- 2
鄭宏圖清 545-122- 86
鄭完我母 明 見石氏
鄭完我妻 明 見王氏
鄭良士唐 451-473- 7
473-631- 77
481-551-327
529-724- 51
鄭良臣宋 484-384- 28
563-683- 39
鄭良朋宋 1175-542- 18
鄭良相明 545-782-111
鄭成大明 1268-306- 49
鄭成公春秋 244-164- 42
371-385- 18
375- 48-77下
384- 8- 1
404-250- 15
鄭成功明 592-917- 4
鄭成憲明 302-199-300
鄭孝中妻 清 見袁氏
鄭孝本唐 1342-361-951
鄭孝邕後魏 552- 35- 18
鄭孝義妻 唐 見郎國長公主
鄭孝穆宇文孝穆、宇文道邕、鄭道邕 北周 263-691- 35
266-726- 35
379-614-157
472-656- 27
477- 67-151
478-198-184
537-382- 57
544-214- 62
552- 35- 18
554-118- 50
933-694- 47

鄭育熙妻 清 見周氏
鄭君乙戰國 244-167- 42
371-390- 18
375- 50-77下
384- 9- 1
404-256- 15
鄭君老宋 見鄭君孝
鄭君孝鄭君老 宋
460-488- 40
481-748-334
529-749- 51
680-211-245
鄭君芳妻 清 見蘇氏
鄭君愛明 456-576- 8
554-720- 61
鄭君懋明 1227- 70- 8
鄭君薦鄭章公 宋451- 52- 2
鄭克己宋 524- 90-182
1363-431-170
鄭克明明 1227-843- 4
鄭克恭唐 1078-177- 15
鄭克剛明 530-211- 61
821-377- 55
鄭克修明 821-369- 55
鄭克鈞唐 276- 42-200
400-429-539
鄭克誠妻 明 見宋氏
鄭克寬宋 523-630-177
鄭克壓妻 清 見陳氏
鄭尾玉明 翁道稼妻
530- 11- 54
鄭似愚明 541-112- 31
鄭位為明 547- 7-141
鄭作肅宋 493-646- 35
493-943- 50
494-310- 5
515-145- 61
鄭伯文妻 元 見丁氏
鄭伯玉宋 529-725- 51
鄭伯行宋 485-536- 1
鄭伯和明 460-516- 46
鄭伯英宋 524-229-189
674-847- 18
1164-388- 21
鄭伯海宋 524-229-189
鄭伯起明 529-710- 50
鄭伯逵明 529-660- 49
鄭伯貴妻 明 見李氏
鄭伯義唐 1078-230- 5
鄭伯猷後魏 261-760- 56
266-725- 35
379-175-149
鄭伯嘉妻 唐 見陳性溫
鄭伯熊宋 479-405-235
523-626-177
583-712- 22
678-117- 80
1145-694- 81
鄭伯興明 523- 88-149
鄭伯謙妻 明 見蔡氏
鄭希古宋 821-214- 51
鄭希良明 1442-129-附8
鄭希甫宋 1092-107- 14
鄭希甫女 宋 見鄭氏
鄭希誠明 524-376-197
鄭希賢唐 見鄭希顏
鄭希顏鄭希賢 唐
1142-531- 6
鄭邦直明 563-837- 41
鄭邦彥宋 524- 84-182
鄭邦彥明 1235-645- 22
鄭邦相妻 明 見楊氏
鄭邦相清 479-528-241
480- 60-260
510-488-118
515-228- 63
533-147- 51
鄭邦倫宋 484-377- 27
鄭邦祥明 529-721- 51
鄭邦福明 515-892- 86
528-463- 29
569-660- 19
1442- 75-附5
1460-363- 56
鄭邦德明 523-251-157
鄭利用唐 1076-112- 12
1076-568- 12
1077-138- 12
鄭佛生元 479-581-243
516-102- 91
鄭佛先宋 見鄭國翰
鄭秀穎宋 484-380- 28
鄭妙淨明 王祥妻、鄭升女
524-707-212
1228-809- 14
鄭妙義明 李汝能妻
530- 61- 55
鄭妙靜明 徐思誠妻、鄭頤女
524-732-213
1223-587- 11
鄭廷芬宋 529-726- 51
鄭廷春明 1288-640- 11
鄭廷英明 483-281-393
554-259- 52
571-541- 20
鄭廷烋妻 明 見徐氏
鄭廷彬明 1241-476- 7
鄭廷璋明 571-548- 20
鄭廷勳妻 明 見郭氏
鄭廷櫆明 564-207- 46
鄭廷鵠明 564-230- 46
鄭廷獻妻 明 見羅氏
鄭宗仁明 505-741- 72
鄭宗化明 511-668-163
鄭宗圭清 529-722- 51
鄭宗回宋 485-533- 1
鄭宗奇妻 明 見陳氏
鄭宗周明 476- 43- 98
545-675-107
鄭宗炳妻 清 見黃氏
鄭宗禹妻 明 見李氏
鄭宗強宋 523-610-176
鄭宗集女 明 見鄭氏
鄭宗源宋 451- 95- 3
鄭宗煥清 529-577- 46
鄭宗傳宋 見鄭夢霖
鄭宗慶明 1272-454- 14
鄭宗魯妻 宋 見蔣氏
鄭宗錦明 524-267-191
鄭法七隋 812-338- 8
813- 97- 5
821- 30- 45
812-339- 8
鄭法輪隋 821- 30- 45
鄭性之鄭自誠 宋
287-717-419
398-656-410
460-279- 17
473-572- 74
481-528-326
515-119- 60
529-445- 43
鄭定公春秋 244-166- 42
371-388- 18
375- 49-77下
384- 8- 1
404-255- 15
鄭庚錫明 456-529- 6
鄭炎雲宋 1174-442- 28
鄭武子宋 1131-614- 31
鄭武公春秋 244-159- 42
371-382- 18
375- 44-77下
404-241- 15
鄭武公夫人 春秋 見武姜
鄭其畋清 533-313- 57
鄭拔祖清 567-372- 81
鄭亞保妻 清 見唐氏
鄭亞強妻 清 見梁氏
鄭居中宋 286-661-351
382-665-102
397-713-363
471-926- 49
472-663- 27
477- 82-152
537-395- 57
933-698- 47
鄭居津宋 529-753- 52
鄭居貞明 299-349-141
456-696- 12
460-492- 41
475-570- 79
529-718- 51
1376-599-95下
鄭居智宋 451- 99- 3
鄭居敬明 545-401- 98
鄭居誼元 1197-783- 82
鄭孟純明 524-377-197
鄭奉先明 456-525- 6
鄭坤玉明 陳清妻530- 18- 54
鄭抱素明 563-815- 41
鄭阿春晉 晉元帝夫人、鄭愷女 255-588- 32
370-372- 9
鄭長猷後魏 261-754- 55
鄭東白明 1442- 60-附4
1460-187- 48
鄭東海妻 明 見金氏
鄭東效妻 明 見劉氏
鄭東起鄭震龍 宋～元
460-456- 35
820-446- 35

鄭東卿宋 460-218- 14
鄭東暘明 529-667- 49
鄭承恩明 302-200-300
鄭承規唐 820-267- 29
鄭承惠妻 明 見黃楣漳
鄭承棟妻 清 見陳氏
鄭尚友明 528-465- 29
鄭尚郁妻 清 見張氏
鄭尚敬妻 明 見丁氏
鄭昌孫宋 473-544- 72
483-397-403
571-555- 20
鄭昌嗣宋 288-567-470
401-133-587
鄭昌齡宋 484-380- 28
鄭昌齡妻 元 見洪氏
鄭明允明 見鄭孔信
鄭明德明 1263-133- 24
鄭明選明 676-347- 12
676-618- 25
1442- 83-附5
1460-449- 61
鄭虎臣宋 529-708- 50
鄭芹叔女 明 見鄭莒
鄭昂霄元 1204-289- 9
1211-370- 52
鄭芳叔元 524- 41-180
鄭芝秀宋 515-866- 85
鄭芝龍明 592-917- 4
鄭叔松妻 明 見周氏
鄭叔美明 1237-274- 5
鄭叔則唐 554-129- 50
1342-265-939
鄭叔豹宋 529-716- 51
鄭叔敖唐 554-268- 53
鄭侍中宋 524- 81-182
鄭知柔宋 1141-503- 70
鄭知貞妻 清 見林氏
鄭知剛宋 484-383- 28
鄭知幾宋 820-422- 34
鄭知微宋 見鄭知徵
鄭知徵鄭知微 宋
1135-238- 23
鄭季夫宋 484-380- 28
鄭季明後魏 261-764- 56
鄭季明元 1208-278- 13
鄭季宣漢 681-865- 19
鄭季亮後魏 261-764- 56
鄭季政妻 元 見朱靜淑
鄭季娟清 鄭任鑰女
481-534-326
530- 36- 54
鄭季華母 唐 見獨孤氏
鄭和悟宋 李松妻、鄭㬎女
1157-225- 16
鄭和卿元 518-770-160
鄭金福唐 473- 53- 50
鄭制宜元 295- 99-154
399-443-460
480- 50-259
532-616- 43
545- 60- 84
546-190-121
1203-434- 32
鄭所南宋 見鄭思肖
鄭命賢妻 明 見黃氏
鄭受益後晉 278-178- 96
鄭采翁宋 523-413-166
鄭采蘩明 方召南妻
530- 66- 55
鄭秉厚明 515-190- 62
鄭延光南唐 1375- 3- 12
鄭延任明 456-517- 6
474-238- 12
505-660- 68
鄭延昌唐 275-502-182
384-288- 15
396-244-273
鄭延爵明 456-468- 4
鄭洪健後魏 261-763- 56
鄭洪猷明 564-194- 46
鄭洪範明 569-661- 19
鄭冠卿唐 482-356-356
鄭炳孫宋 481-154-298
鄭為光清 511-217-144
鄭為旭鄭旭 清 475-379- 68
511-216-144
鄭為虹明 301-674-277
456-423- 2
475-379- 68
481-674-331
511-462-154
528-533- 31
鄭為虹女 明 見鄭氏
鄭宣化明(應天人) 481-694-332
528-544- 32
鄭宣化明(字行義) 511- 82-139
676-592- 24
鄭洛書明 300-395-206
475-176- 59
510-349-114
529-514- 44
1268-474- 74
1268-709- 8
鄭彥文金 554-246- 52
鄭彥文元～明 473-429- 67
559-345- 8
561-207-38之2
571-530- 19
鄭彥圭宋 288-405-456
400-295-524
鄭彥性明 524-235-189
鄭彥初明 821-367- 55
鄭彥明妻 明 見何氏
鄭彥敏宋 484-378- 27
鄭彥棉妻 清 見劉氏
鄭彥華南唐 529-632- 48
鄭彥輔女 宋 見鄭氏
鄭彥藻唐 820-267- 29
鄭奕夫宋 679-821-219
鄭奕垣清 482-117-343
鄭拱南明 見鄭景曜
鄭春英妻 清 見林氏
鄭春熙明 524-224-189
鄭相僑清 505-900- 80
鄭柏齡明 547-168-147
鄭南升宋 482-141-344
564- 62- 44
鄭述祖北齊 261-759- 56
263-230- 29
266-724- 35
379-506-155
384-132- 7
472-543- 23
472-656- 27
472-705- 28
472-717- 28
476-576-131
477- 67-151
537-286- 55
540-631- 27
839- 43- 4
933-694- 47
鄭建中後周 480-203-267
533-732- 73
1090-689- 40
鄭建充金 291-199- 82
399-148-429
478-336-191
554-937- 64
鄭貞娘宋 481-750-334
鄭茂大宋 451- 52- 2
鄭茂休鄭茂諶 唐
271- 47-158
鄭茂伯女 北周 見鄭氏
鄭茂林明 676-175- 7
鄭茂華明 511-213-144
567-146- 68
鄭茂諶唐 見鄭茂休
鄭思永宋 460-348- 27
鄭思先明 473-569- 74
528-448- 29
鄭思忱宋 460-348- 27
528-523- 31
529-533- 45
678-142- 83
鄭思肖鄭所南 宋
460-456- 35
493-1043- 55
511-893-172
529-449- 43
588-179- 8
821-244- 52
1218-586- 1
1364-799-371
1408-609-543
1437- 33- 2
鄭思孟宋 見鄭師孟
鄭思明後魏 261-761- 56
266-729- 35
379-176-149
鄭思俊清 524-221-189
鄭思恭鄭安恭 宋
1165-314- 20
鄭思強清 481- 82-294
鄭思溫元 1206-738- 9
鄭思道明 481-551-327
528-479- 30
鄭思遠不詳 1061-272-110
鄭思毅唐 561-212-38之2
鄭思賢明 515-246- 64
鄭思魯清 515-261- 65

鄭若沖宋 524-252-190
1203-639- 48
鄭若谷宋 491-436- 6
鄭若容宋 491-436- 6
1153-314- 84
鄭若庸明 511-743-165
1442- 68-附4
1460-317- 54
鄭若晦元 1194-172- 13
鄭若曾明 511-388-151
鄭若虛宋 493-709- 39
鄭若濟妻 明 見蕭氏
鄭昭公春秋 244-161- 42
371-382- 18
375- 45-77下
384- 8- 1
404-244- 15
鄭昭先宋 460-275- 17
494-342- 7
529-444- 43
1177- 11- 1
鄭昭甫明 530-211- 61
821-360- 55
鄭昭叔宋 481-549-327
528-473- 30
鄭昭度宋 473-631- 77
鄭昭祖元 1376-391- 85
鄭畊老宋 見鄭耕老
鄭迪啟妻 清 見楊氏
鄭香孛明 見鄭懋中
鄭皇后爾朱皇后 唐 李錡妻、唐憲宗后 269-440- 52
274- 25- 77
393-268- 72
鄭皇后宋 宋徽宗后、鄭紳女
284-875-243
382-111- 14
393-313- 76
537-187- 53
鄭重光明 1254-430- 3
鄭重威明 533-214- 53
鄭信卿明 518-154-140
鄭信陵宋 鄭文寶女
1088-953- 38
鄭胤驥明 1442-100-附6
鄭保英妻 唐 見奚氏
鄭保雍唐 1090-689- 40
鄭唐卿後梁 812-524- 2
821-110- 49
鄭祖明明 533-343- 58
鄭祇德鄭秖德 唐(鄭絪子)
271- 55-159
鄭祇德唐(會稽太守)
486- 45- 2
鄭神佐女 唐 見鄭氏
鄭家子唐 見鄭又玄
鄭家櫟妻 清 見孫氏
鄭原直明 1227-788- 2
鄭原善元 1224-495- 29
鄭原隆女 明 見鄭惠貞
鄭珣瑜唐 271-251-173
275-307-165
384-230- 12
384-242- 12
396-104-261
469- 71- 9
472-657- 27
472-739- 29
477- 70-152
477-305-163
478-335-191
479-525-241
515-211- 63
537-298- 56
933-696- 47
鄭桂芳明 1229-298- 10
鄭桂清唐 820-212- 28
鄭桓公春秋 244-158- 42
371-381- 18
375- 44-77下
404-241- 15
鄭起東明 460-452- 34
鄭起烺妻 清 見余愛娥
鄭起潛宋 472-228- 8
493-646- 35
493-961- 51
鄭振光明 見鄭振先
鄭振先鄭振光 明(許州知州)
477-473-173
537-344- 56
鄭振先明(字太初) 479- 93-221
523-108-150
鄭振先明(字明初) 511-555-158
鄭振祖清 482-524-367
567-372- 81
鄭時弘妻 清 見王氏
鄭時昌金 476- 83-100
546-643-136
鄭時章明 567-140- 68
鄭時敏明 530-212- 61
821-377- 55
鄭時雍明 820-659- 42
鄭時賢明 564-224- 46
鄭時澤明 529-657- 49
鄭時濟明 547- 88-144
鄭時舉明 528-544- 32
鄭剛中宋 287- 86-370
398-148-374
451-285- 4
472-1029- 42
472-1115- 48
473-428- 67
473-713- 81
479-322-232
481- 19-291
482-187-346
523-323-161
559-266- 6
563-908- 43
591-686- 47
674-841- 18
677-271- 24
1138- 31- 1
1223-679- 14
1224-612- 下
1229- 99- 8
1363-184-124
1437- 23- 2
鄭峰頂漢 見天涯
鄭秖德唐 見鄭祇德
鄭翁歸宋 674-664- 7
鄭耕老母 宋 見林氏
鄭耕老鄭畊老 宋
523-127-152
529-498- 44
677-277- 25
1164-289- 15
鄭師尹宋 460-343- 27
鄭師仁唐 820-256- 29
鄭師孟鄭思孟 宋
460-317- 24
481-747-334
529-642- 48
678-274- 96
鄭修之母 明 見尚氏
鄭修年宋 286-662-351
397-714-363
933-699- 47
鄭修和宋 591-610- 44
鄭逢蘭明 見鄭逢蘭
鄭清之鄭燮 宋 287-636-414
398-588-405
472-1087- 46
480-340-273
491-419- 5
585-575- 22
588-173- 8
820-442- 35
1185-671- 12
1357-771- 5
1363-182-230
鄭望之宋 287-110-373
398-169-376
473- 62- 51
516-209- 96
鄭望治妻 清 見林巧玉
鄭望雲妻 明 見唐氏
鄭惇方宋 820-385- 33
鄭惇忠宋 1117-194- 16
鄭惇典明 515-124- 60
鄭惇儒宋 1117-181- 15
鄭惇儒妻 宋 見趙氏
鄭惜使清 530- 83- 55
鄭惟忠唐 270-212-100
274-610-128
384-188- 10
395-579-233
472-681- 27
477-127-155
537-423- 58
540-610- 27
鄭惟勉明 1442- 71-附4
鄭惟桓明 523-289-159
鄭惟廣明 1391-590-334
鄭惟儒明 505-906- 80
鄭惟颺清 563-882- 42
鄭章公宋 見鄭君薦
鄭棹公春秋 244-164- 42
371-385- 18
375- 48-77下
384- 8- 1
404-250- 15

鄭深道明 523-100-150
鄭淡之清 1325-665- 1
鄭淑安明 周惠吉妻、鄭昭女
1246-620- 12
鄭淑英明 陳義妻、鄭鑑女
547-207-149
鄭淑愼明 莊季妻530- 61- 55
鄭淑寧明 周權妻
1241-233- 10
鄭淑潔清 蔡顯舉妻
530-105- 57
鄭康道宋 1129-493- 28
鄭執中元 1202-847- 11
鄭梅園元 1206-305- 2
鄭埜嚴元 547-507-159
鄭乾生妻 清 見任金姐
鄭乾符子 唐 1342-180-926
鄭乾道鄭安道 宋
460-231- 15
鄭乾獎子 唐 1065-834- 20
鄭習樂妻 明 見李淑清
鄭陶孫元 295-536-190
400-698-567
472-1054- 44
523-630-177
鄭連山後魏 261-761- 56
266-729- 35
379-176-149
鄭連新妻 清 見化氏
鄭通誠唐 1080-449- 40
鄭崇雅明 547-121-145
鄭崇義唐 524-155-186
鄭崇儉明 301-418-260
476- 85-100
537-225- 54
540-628- 27
546-616-135
鄭莊公春秋 244-159- 42
371-382- 18
375- 44-77下
384- 8- 1
404-242- 15
鄭莊公夫人 春秋 見雍姞
鄭莊公夫人 春秋 見鄧曼
鄭國光清 1327-696- 8
鄭國昌明 302- 35-291
456-457- 4
474-276- 14
478-405-194
505-638- 67
545-102- 86
554-711- 61
鄭國明清 502-768- 86
鄭國相明 564-259- 47
鄭國英妻 元 見王禪
鄭國泰明 302-199-300
鄭國桐妻 清 見吳淑鳳
鄭國祥明 523-407-165
鄭國珙妻 清 見楊氏
鄭國華妻 宋 見汪處正
鄭國楨明 見鄭國禎
鄭國楨妻 清 見尹氏
鄭國聘妻 清 見林氏
鄭國禎鄭國楨 明
456-585- 8
554-714- 61
鄭國賓明 563-825- 41
572-105- 30
鄭國寧明 456-631- 10
鄭國撰妻 清 見張氏
鄭國翰鄭佛先 宋448-390- 0
鄭國器妻 清 見宋氏
鄭常貴清 456-284- 71
鄭國瀚妻 清 見曾氏
鄭處誨唐 271- 47-158
275-306-165
396-103-261
472-657- 27
477- 70-152
486- 45- 2
933-695- 47
鄭崑貞明 510-295-112
鄭崑壁清 478- 93-180
532-752- 46
545-681-107
554-318- 53
鄭崑璽清 545-682-107
鄭紹叔梁 260-126- 11
265-802- 56
370-560- 18
378-325-139
384-118- 6
472-656- 27
477- 66-151
477-407-169
515- 5- 57
537-381- 57
933-694- 47
鄭紹卿元 1220-721- 8
鄭偉然清 1314-438- 12
鄭婉娥明 1442-127-附8
鄭啟秀清 480-513-281
鄭敘都妻 清 見林氏
鄭逢元明 572- 83- 28
鄭逢辰宋 1180-380- 35
1181-296- 6
鄭逢蘭鄭逢蘭 明
481-531-326
529-482- 43
鄭從吉元 528-551- 32
鄭從道元 1222-390- 下
鄭從範女 宋 見鄭氏
鄭從讜唐 271- 47-158
275-306-165
384-283- 15
396-103-261
476- 28- 97
477- 71-152
481-800-338
537-599- 60
545- 30- 83
563-637- 38
567- 44- 64
933-695- 47
鄭棓榮唐 469- 71- 9
鄭善夫明 301-838-286
460-509- 44
481-530-326
524-339-195
529-463- 43
676-533- 21
677-565- 51
820-670- 42
821-415- 56
1269-167- 11
1269-294- 23
1442- 43-附3
1454-361-123
1457-557-395
1459-890- 37
鄭善夫妻 明 見袁氏
鄭善果隋～唐 264-1116- 80
267-730- 91
269-558- 62
274-285-100
384-172- 9
395-263-204
472-656- 27
473- 86- 52
476-576-131
477- 68-152
479-604-244
515-240- 64
537-598- 60
540-661- 27
933-143- 10
933-695- 47
鄭善儒妻 明 見林氏
鄭渾之唐 485- 84- 12
鄭敦義宋 473-684- 79
482- 77-341
563-684- 39
564- 57- 44
鄭雲叟鄭遨 後晉
278-153- 93
279-213- 34
384-307- 16
401- 10-568
472-130- 4
477-207-159
538-160- 66
554-869- 64
1383-768- 70
鄭雲逵唐 270-630-137
275-256-161
396- 70-258
477- 70-152
820-220- 28
鄭雲翼元 1194-616- 7
1197-456- 43
鄭雲鎣明 529-473- 43
鄭雲鎬明 529-659- 49
鄭惠貞明 黃儼妻、鄭原隆女
1235-660- 22
鄭惠貞元 林程母
1197-699- 72
鄭喜孜清 477-548-176
鄭朝清清 559-332-7下
鄭朝棟明 515-136- 61
571-528- 19
鄭朝新妻 清 見呂氏
鄭朝輔清 456-350- 77

鄭朝禎明 676-24-1
鄭殖菴明 1410-228-690
鄭殖菴妻 明 見伍氏
鄭雄飛宋 524-261-191
鄭隆亶南漢 494-220-9
鄭登雲明 547-46-142
鄭開極清 481-531-326
529-485-43
569-620-18下之2
鄭開端妻 明 見顧氏
鄭陽時妻 明 見林姆恩
鄭景山明 1227-120-14
鄭景平鄭安平 宋
485-199-27
493-926-50
512-724-195
589-327-4
鄭景洛清 505-902-80
鄭景洛妻 清 見趙氏
鄭景純宋 1129-550-36
鄭景淶妻 清 見吳氏
鄭景衡宋 484-387-28
鄭景曜鄭拱南 明
475-643-83
511-315-148
鄭貴濂明 528-513-31
鄭買嗣五代 473-811-86
494-220-9
鄭華原唐 821-77-47
鄭華龍清 456-350-77
鄭順卿明 1229-53-4
鄭順常明 吳可贊妻
530-110-57
鄭順菴明 1257-743-0
鄭循初明 523-84-149
1254-580-上
鄭舜臣宋 475-643-83
511-315-148
鄭舜臣明 482-372-357
523-467-169
567-134-68
1467-122-66
鄭欽陞清 563-878-42
鄭欽說唐 276-41-200
384-206-11
400-428-539
933-697-47
鄭欽瑜清 1312-383-37
鄭逸民宋 485-534-1
鄭進元元 1202-244-17
鄭進古宋 515-860-85
鄭進善明 569-648-19
鄭集命明 456-524-6
554-714-61
鄭復言明 524-43-180
鄭復初明 481-525-326
528-448-29
鄭源渙明 529-462-43
鄭滁孫元 295-536-190
400-698-567
472-1054-44
479-433-236
523-630-177
677-471-43
鄭義宗妻 唐 見盧氏
鄭義南清 456-303-73
鄭義德清 456-350-77
鄭雍言明 524-43-180
820-674-42
1241-571-11
1241-741-17
1474-272-13
鄭煌由妻 清 見林珠使
鄭裔綽唐 271-253-173
275-310-165
384-278-14
396-105-261
477-71-152
486-45-2
鄭廉仲宋 524-230-189
鄭運昌清 545-161-88
鄭道生宋 見鄭士穎
鄭道光明 821-458-57
鄭道門後魏 261-763-56
鄭道昭後魏 261-757-56
266-722-35
379-173-149
472-656-27
537-382-57
540-655-27
933-694-47
鄭道邕北周 見鄭孝穆
鄭道傳明 1442-129-附8
1460-867-94
鄭道寧明 1241-760-18
鄭祿貞清 況紹修妻
479-751-251
516-263-98
鄭祿壽妻 明 見張氏
鄭載文宋 484-376-27
鄭感民明 456-517-6
558-435-37
鄭聖儀妻 清 見林氏
鄭瑞星明 481-558-327
鄭楚白妻 清 見許氏
鄭楚瞻明 472-985-39
鄭萬戶元 524-96-183
鄭萬頃陳 260-640-14
265-911-65
375-401-83下
鄭萬鈞唐 820-157-26
鄭萬鈞妻 唐 見李華
鄭當時漢 244-849-120
250-256-50
251-671-29
376-124-97
384-46-2
448-289-上
469-77-10
472-650-27
472-787-31
477-443-171
537-576-60
933-692-47
1408-313-510
鄭當時金 676-281-10
676-420-15
鄭當時妻 明 見賀氏
鄭鼎之宋 486-414-19
524-132-185
1163-484-23
鄭鼎新宋 460-336-26
528-483-30
529-727-51
679-281-166
鄭敬玄妻 唐 見安定公主
鄭敬正妻 清 見柯氏
鄭敬祖後魏 266-724-35
379-174-149
鄭敬偉明 1268-386-61
鄭遇春明 299-235-131
511-418-152
鄭會龍鄭汝詠 宋451-91-3
鄭端義宋 471-832-34
473-712-81
鄭漢章宋 564-71-44
鄭漢徵妻 清 見許氏
鄭榮叟明 564-161-45
鄭榮組妻 清 見徐氏
鄭與言宋 451-54-2
鄭與點明 1235-656-22
鄭爾城妻 明 見梁氏
鄭爾經妻 明 見張氏
鄭爾說明 515-896-86
鄭爾壽清 479-332-232
鄭熙齊清 480-652-289
鄭碧娘清 曾合妻
530-121-57
鄭嘉猷宋 592-566-96
鄭閨芳清 陳修妻、鄭磊女
530-31-54
鄭夢周鄭夢龍、鄭夢蘭 明
676-684-28
1442-128-附8
1460-865-94
鄭夢眉明 456-583-8
481-154-298
515-811-82
559-514-12
鄭夢貞明 532-637-43
鄭夢楨明 529-476-43
820-719-43
鄭夢龍明 見鄭夢周
鄭夢霖鄭宗傳 宋451-76-2
鄭夢蘭明 見鄭夢周
鄭鳴駿清 528-9-17
鄭睿元妻 明 見俞氏
鄭鳳翽妻 明 見史氏
鄭僧保齊 485-555-3
524-131-185
鄭僖公鄭鼇公 春秋
244-165-42
371-386-18
375-48-77下
384-8-1
404-251-15
鄭維桓明 299-622-164
鄭維新明 564-185-46
鄭維嶽明 460-743-77
529-736-51
676-85-3
鄭維寶妻 元 見吳震

鄭寬中漢 251-108- 88
380-252-172
472-829- 33
478- 95-180
554-802- 63
1355-322- 11
鄭賡居明 524-171-186
鄭潛曜唐 275-628-195
384-181- 10
400-286-523
472-657- 27
477- 69-152
538-120- 64
1072-293- 17
鄭潛曜妻 唐 見臨晉公主
鄭慶雲明 529-586- 46
鄭慧孫宋 見鄭之純
鄭厲公春秋 244-161- 42
371-383- 18
375- 45-77下
384- 8- 1
404-244- 15
鄭震龍宋~元 見鄭東起
鄭敷教明 511-750-165
鄭履淳明 300-547-215
479- 97-221
523-275-158
676-590- 24
1442- 62-附4
1460-207- 49
1475-322- 13
鄭履祥明 564-212- 46
鄭履準明 1292-210- 19
鄭億年宋 286-662-351
397-714-363
933-699- 47
鄭儀孫宋 460-478- 38
529-744- 51
鄭德文隋 812-339- 8
821- 30- 45
鄭德本唐 472- 64- 2
474-304- 16
476-853-145
505-664- 69
鄭德光妻 清 見林珍潤
鄭德孚宋 530-211- 61
鄭德圭宋 288-417-456
400-305-524
524-150-185
1220-426- 8
1223-564- 11
鄭德崇明 545-150- 88
鄭德溫元 295-262-166
400-245-520
鄭德稱妻 宋 見黃氏
鄭德鄰元 1213-151- 12
鄭德璋宋 288-417-456
400-305-524
524-150-185
1209-518-8下
1223-564- 11
鄭德儀女 宋 見鄭氏
鄭德灑清 529-737- 51
鄭餘慶唐 271- 44-158
275-304-165
384-230- 12
384-247- 13
396-102-261
472-657- 27
473-700- 80
477- 70-152
537-598- 60
563-901- 43
812-748- 3
820-218- 28
933-695- 47
1076-112- 12
1076-568- 12
1077-138- 12
鄭餘慶明 479-175-225
523-133-152
529-464- 43
鄭緝綿明 456-682- 11
鄭凝之宋 288-375-453
400-134-511
493-1003- 53
511-435-153
鄭凝績唐 271-346-178
275-520-185
396-236-273
559-280- 6
鄭遵儉明 456-546- 7
鄭遵謙明 301-657-276
456-546- 7
鄭遵謙妻 明 見金氏
鄭龍光明 523-252-157
鄭龍光清 482- 89-342
523-441-167
563-877- 42
鄭龍岡元 1201-437- 3
鄭龍釆明 676-651- 27
1442-102-附7
1460-622- 71
鄭澤達妻 清 見陳如許
鄭親王清 見濟爾哈朗
鄭翰卿妻 明 見徐氏
鄭闍提北周 見鄭偉
鄭輯之後魏 261-760- 56
266-726- 35
379-175-149
鄭靜夫明 529-658- 49
鄭靜思元 1215-634- 7
鄭樸翁鄭朴翁 宋
479-407-235
524-230-189
680-277-253
1188-755- 5
鄭遹元清 510-420-116
鄭興宗宋 見鄭興裔
鄭興故唐 547- 41-142
鄭興基清 558-461- 38
鄭興裔鄭興宗 宋
288-519-465
400- 55-504
475- 18- 49
475-366- 67
478-761-215
481-492-324
493-774- 42
523- 16-146
528-441- 29
584-585- 5
1147-746- 70
鄭學淳明 見鄭學醇
鄭學陸明 523-488-170
532-620- 43
554-609- 59
鄭學醇鄭學淳 明
1442- 76-附5
1460-366- 56
鄭錫文明 523-191-155
529-462- 43
鄭穆公鄭繆公 春秋
244-163- 42
371-384- 18
375- 47-77下
384- 8- 1
404-247- 15
鄭穆公女 春秋 見夏姬
鄭鴻圖清 502-775- 86
鄭鴻澤妻 明 見詹氏
鄭應先元 1215-703- 10
鄭應朝明 524-153-185
鄭應朝清 524-221-189
鄭應新明 564-257- 47
鄭應雷鄭師 宋 451- 91- 3
鄭應輝妻 明 見廖氏
鄭應龍宋 529-633- 48
533-249- 55
鄭應瓚妻 清 見戴氏
鄭濬哲妻 明 見林氏
鄭謙亨妻 明 見李氏
鄭襄公春秋 244-163- 42
371-385- 18
375- 47-77下
384- 8- 1
404-249- 15
鄭興誦清 1475-563- 24
鄭懋中鄭香孛 明
460-575- 57
482-303-353
563-793- 41
鄭懋洵明 505-678- 69
鄭聯桂妻 明 見汪氏
鄭聲公春秋 244-167- 42
371-389- 18
375- 49-77下
384- 9- 1
404-256- 15
鄭還古唐 820-240- 28
鄭鮮之劉宋 258-246- 64
265-503- 33
370-432- 12
378-133-134
384-112- 6
472-655- 27
537-381- 57
933-694- 47
鄭繆公春秋 見鄭穆公
鄭璧夏明 585-457- 12
鄭釐公春秋 見鄭僖公
鄭覲光明 564-807- 60

鄭瞻極妻 清 見蔣氏
鄭簡公春秋 244-165- 42
371-386- 18
375- 48-77下
384- 8- 1
404-252- 15
鄭雙石明 1257-511- 7
鄭懷魁明 481-616-329
529-573- 46
鄭韜光後晉 278-144- 92
鄭瓊宋清 何正景妻
530- 28- 54
鄭黼明明 524-223-189
鄭臘兒妻 元 見康氏
鄭獻公春秋 244-166- 42
371-389- 18
375- 49-77下
384- 8- 1
404-255- 15
鄭獻英齊 垣曇深妻
265-403- 25
378-238-137
477- 92-153
492-604-13下之下
558-502- 42
鄭獻書明 456-629- 10
鄭獻翁宋 460-449- 34
鄭蘊中明 460-515- 46
529-460- 43
鄭嚴祖後魏 261-759- 56
266-723- 35
379-174-149
鄭騰雲明 529-722- 51
鄭覺民元 見鄭以道
鄭覺民妻 明 見蔣氏
鄭繻公戰國 244-167- 42
371-389- 18
375- 50-77下
404-256- 15
鄭繼之明 300-706-225
515-224- 63
533- 91- 49
鄭繼明妻 明 見常氏
鄭鶯陽清 林簡妻
530- 75- 55
鄭懿德明 陳遜勵妻
530- 61- 55
鄭巖嵩宋 524-222-189
鄭靈公春秋 244-163- 42
371-385- 18
375- 47-77下
384- 8- 1
404-249- 15
1407- 58-401
鄭纘緒清 528- 9- 17
鄭國公主義章公主 唐 張茂宗妻、唐德宗女 274-115- 83
393-283- 73
554- 55- 49
鄭國公主汾陽公主 唐 韋讓妻、唐憲宗女 274-117- 83
393-284- 73
鄭國公主遼 見耶律索克濟
鄭國公主遼 見耶律幹爾達
鄭伊克巴圖元 見鄭溫
鄭伊克巴圖元 見鄭鼎
鄭阿爾薩蘭元 1210-305- 8
鄭國大長公主宋 見秦國大長公主
鄫子不詳 933-440- 29
澓中翁漢 476-779-141
511-689-163
談氏明 文森妻、談世女
1273-250- 31
談氏明 王九章妻
1271-650- 56
談氏明 孫銓妻 480-253-269
談氏明 陶國清妻 533-700- 72
談氏明 陳爾耕妻、談承倖女
1291-509- 9
談氏明 華露妻、談悌女
1291-487- 8
談氏明 郭汝能母
1269-466- 8
談世女 明 見談氏
談田明 1268-272- 44
1268-404- 64
談田妻 明 見蔡秀
談全晉 494-277- 2
談忠唐 1340-713-795
1418-132- 40
談相明 820-711- 43
談英唐 505-918- 81
談重宋 494-472- 18
談悌女 明 見談氏
談倫明 1256-426- 8
談祥女 明 見談德容
談參明 1458-128-426
談皎唐 812-348- 9
821- 56- 46
談善妻 清 見沙氏
談愷明 511-392-151
515- 54- 58
1442- 53-附3
談愷妻 明 見屠氏
談經明 1291-485- 8
談經妻 清 見景氏
談壽明 1268-404- 64
談綸明 676-375- 14
談綱妻 明 見錢氏
談筵唐 1052- 66- 5
談戭唐 493-738- 41
談適唐 820-227- 28
談瑾明 見劉瑾
談遷清 524- 12-178
談錄明 473-364- 64
談詡明 1257-161- 15
談詡妻 明 見梁文德
談縉明 678- 18- 71
談禮清 511-516-157
談籌明 1292-189- 16
談鑰宋 1375- 34- 下
談一鳳明 567-108- 66
1467- 84- 65
談九乾清 523-447-168
569-620-18下之2
談士奇明 523-118-151
談文禮元 494-417- 12
談王道明 456-611- 9
談元茂唐 820-224- 28
談元德清 456-392- 80
談允謙妻 明 見錢淑敬
談世海妻 清 見柯氏
談自省明 511-184-143
談自伊明 820-705- 43
821-445- 57
談志學清 511-862-170
談承倖女 明 見談氏
談原靜明 韓綸妻
1268-454- 70
談時雍明 524-353-196
談德容明 皇甫汸妻、談祥女
1275-890- 57
談學廩妻 清 見胡氏
談應春明 545-156- 88
談空和尚五代 1053-445- 11
敵眞晉 381-571-198
褒王宋 見趙伸
褒姒周 周幽王后 243-106- 4
404-452- 26
448- 65- 7
554- 13- 48
933-286- 20
褒信王唐 見李璆
褒信道人宋或明 477-549-176
538-348- 70
慶五代 1053-563- 14
慶元 570-257- 25
慶山金 554-247- 52
慶王唐 見李沂
慶王唐 見李琮
慶王宋 見趙愷
慶王明 見朱台浤
慶弘漢 見慶鴻
慶甲上古 383-100- 13
慶安清 455- 90- 3
慶忌春秋 見公子慶忌
慶克春秋 404-620- 38
慶佐春秋 404-620- 38
慶虎春秋 405- 96- 62
慶季春秋 見慶封
慶舍春秋 404-620- 38
慶封慶季 春秋 375-840- 92
384- 17- 1
404-620- 38
448-248- 22
933-702- 47
慶科清 455-539- 34
慶眞宋 481-652-330
1125-339- 24
慶孫元 294-284-123
399-524-471
慶卿戰國 見荊軻
慶純漢 見賀純
慶寅春秋 405- 96- 62
慶祥宋(嗣德韶) 490-718- 70
524-387-198
1053-411- 10
慶祥宋(嗣道濳) 1053-418- 10
慶普漢 475-423- 70

475-745- 88
511-694-163
675-317- 19
慶喜周 見阿難
慶開宋 見慶閑
慶閑慶開 宋 479-735-250
1052-751- 25
1053-726- 17
1054-632- 19
1112-266- 25
慶智明 559-365- 8
慶舒清 455-435- 26
慶璁宋 1053-421-10
慶預宋 1053-596- 14
慶諸唐 480-418-277
1052-162- 12
1052-661- 5
1053-201- 5
1054-139- 3
慶澄唐 472-997- 40
523-114-151
慶鄭春秋 375-720- 90
384- 19- 1
404-697- 42
448-155- 6
545-706-108
933-702- 47
慶樂春秋 405- 96- 62
慶蕭宋 1053-410- 10
慶暹宋 1091-558- 15
慶鴻慶弘 漢 252-740- 61
253- 40- 73
376-686-107下
477-308-164
486- 32- 2
493-668- 37
523-142-153
慶顯宋 1053-600- 14
慶元王明 見朱祐椐
慶成王明 見朱愼鍾
慶成王明 見朱濟炫
慶虬之漢 554-826- 63
慶符王明 見朱友墂
慶雲王明 見朱厚燦
慶靖王明 見朱㮵
慶雲和尚五代 1053-632- 15
慶陽公主明 黃琛妻、蒙城王女 299-107-121

適醯僮尸逐侯鞮單于 漢
253-706-119
381-623-199
養心清 586-195- 9
養叔春秋 見養由基
養甥春秋 472-767- 30
537-368- 57
養奮漢 453-741- 2
482-467-363
567-290- 76
933-614- 39
1467-161- 68
養由基養叔 春秋 386-640- 6
405- 37- 58
448-190- 13
533-776- 74
933-614- 39
養彭舒梁 933-614- 39
慧唐(嗣道膺) 516-428-103
1053-554-13
慧唐(嗣懷海) 1053-141- 4
慧五代 1053-627- 15
慧宋(善晝) 821-270- 52
慧宋(嗣警玄) 1053-580- 14
慧宋(號妙湛禪師) 1116-453- 23
慧才宋 524-388-198
慧心明 483- 37-371
570-251- 25
慧方宋(號超宗) 516-444-104
1053-759-18
慧方宋(嗣心道) 1053-895- 20
慧文北齊 1054-378- 9
慧元宋 473-702- 80
482-147-344
1052-770- 29
1053-725- 17
慧木劉宋 1049-333- 23
慧日唐 1052-402- 29
慧日元 472-970- 38
479- 75-219
524-428-200
慧月宋 1053-480- 12
慧升道升 宋 1053-887- 20
1147-436- 40
慧立子立、惠立 唐
1051-221- 9
1052-232- 17
1117-623-10

慧永晉 479-612-244
516-485-105
517-169-120
517-332-124
879-135-57下
1050-698-107
慧本宋 1053-507- 12
慧可神光、姬光、惠可 陳
477-322-164
511-930-175
538-343- 70
1053- 38- 1
1054- 85- 2
1054-394- 10
1401-460- 34
慧布惠布 陳 1050-342- 82
1054- 92- 2
慧安惠安、道安 唐
480-257-269
533-762-74
1052-256- 18
1053- 56- 2
1054-111- 3
1054-448- 12
1054-455- 12
慧地惠地、劉緦 梁
260-419- 50
265-1024- 72
380-373-176
384-122- 6
472-591- 24
476-785-141
491-801- 6
511-899-172
540-723-28之1
933-453- 30
1054-371- 9
1394-696- 10
1401-326- 27
慧同宋 1053-346- 8
慧因隋 524-395-199
1050-621-102
慧安劉宋(居凌雲寺)
516-490-105
慧安劉宋(居琵琶寺)
1049-606- 41
慧光宋(號寂室禪師)
588-188- 9

慧光宋(號潛庵) 588-215- 9
慧光宋(號淨智禪師)
1053-597- 14
慧光宋(字晦庵) 1053-898- 20
慧光明 570-251- 25
慧舟宋 821-269- 52
慧印宋 1053-691- 16
1121-417- 28
慧印元 547-532-160
慧沖元 547-493-159
慧亨宋 588-274- 11
慧沐唐 1052-414- 30
慧材遼 496-426- 90
慧昷明 511-926-174
554-957- 65
慧秀明 1442-121-附8
慧宗五代 1053-268- 7
慧宗明 1458-651-467
慧宗清 570-250- 25
慧空唐 1052-127- 9
慧空宋(嗣善清) 1053-766- 18
慧空宋(字中庵) 1053-903- 20
慧沼唐 1052- 45- 4
慧初宋 567-469- 87
1053-784- 18
慧定元 1216-253- 13
慧居宋 588-248- 10
1053-412- 10
慧忠惠宗 唐(居莊嚴寺)
475- 83- 53
511-917-174
1052-280- 19
1053- 51- 2
1054-486- 14
慧忠惠忠 唐(諡大證禪師)
477-383-167
479-264-228
486-338- 15
524-416-200
1052-121- 9
1053- 74- 2
1054-119- 3
1054-479- 13
1054-493- 14
慧忠唐(俗姓陳) 1052-688- 10
1053-564- 14
慧忠宋 1053-785- 18
慧明齊 1049-403- 27

慧明唐(字元熙) 511-934-175
慧明惠明 唐(號佛川大師)
1052-371- 26
1071-846- 8
慧明唐 見道明
慧明五代 588-255- 11
1052-334- 23
慧明宋(號晦菴) 588-267- 11
慧明宋(號解空禪師)
1053-756- 18
慧明宋(居天封寺)
1163-454- 19
慧岸唐(武德間人) 592-353- 82
慧岸唐(景龍間人)
1052-253- 18
慧旻唐 547-519-160
慧果宋 1053-478- 12
慧和劉宋 1049-529- 36
慧和宋 1053-748- 17
慧始後魏 見曇始
慧命陳 524-421-200
慧洪惠洪、德洪 宋
473-169- 57
479-752-251
516-430-103
516-790- 75
674-294-4下
674-833- 17
821-265- 52
1053-749- 17
1054-198- 4
1054-660- 19
1116-475- 24
1116-563- 30
1122-520- 7
1437- 37- 2
慧炬五代 1053-558- 13
慧炬宋 1053-400- 10
慧炬明 583-796- 26
1229-250- 7
慧祖唐 1052-368- 26
慧持惠持 晉 516-485-105
517-333-124
547-505-159
561-224-38之3
592-335- 81
879-135-57下
1054- 64- 2
1054-653- 19
慧威唐 524-447-201
1052- 69- 6
慧南惠南 宋(諡普覺)
479-504-239
516-421-103
588-260- 11
820-468- 36
1052-737- 22
1053-713- 17
1054-178- 4
慧南宋(嗣元璉) 1053-483- 12
慧思惠思 陳 472-796- 31
477-549-176
480-514-281
533-785- 75
538-339- 70
1053- 89- 2
1054- 86- 2
1054-385- 10
慧省唐 1053-195- 5
慧昭唐 1052-260- 18
慧昭宋 1053-464- 11
慧苑唐 1051-235- 9
1052- 69- 6
慧則後梁 1052-224- 16
慧英金 547-526-160
1191-430- 37
慧約惠約 梁 524-430-200
1054- 77- 2
1054-365- 9
慧重劉宋 541- 87- 30
慧海隋(虞鄉人) 476-129-102
547-519-160
慧海隋(俗姓張) 1049-336- 23
慧海唐(居方廣寺) 480-515-281
533-787- 75
慧海惠海 唐(世稱大珠和尚)
524-416-200
1053-115- 3
1054-501- 14
慧海五代 1053-551- 13
慧海宋 1053-706- 16
慧朗惠朗 唐(時稱大朗)
480-418-277
1053-189- 5
1089- 82- 9
慧朗唐(居慧安寺) 524-437-201
1052-113- 8
慧朗唐(師不空) 1052- 9- 1
慧朗五代(嗣慧稜) 1053-317- 8
慧朗五代(嗣文益) 516-494-105
1053-403- 10
慧朗明 588-195- 9
慧悟唐 1052-341- 24
慧悟宋(居眞容院) 547-531-160
慧悟宋(嗣清了) 1053-600- 14
慧益劉宋 1050-809-115
慧涉唐(俗姓楊) 476-406-119
547-540-160
慧涉唐(俗姓謝) 1052-410- 29
慧浸明 1442-121-附8
慧素宋 1053-510- 12
慧泰宋 1053-686- 16
慧眞五代 1053-631- 15
慧恭晉 516-489-105
879-143-57下
慧恭隋 592-349- 81
慧恭唐 1052-168- 12
1053-266- 7
慧能惠能、盧行、盧能 唐
271-633-191
473-676- 79
473-684- 79
480-145-264
482- 80-341
482-355-356
505-933- 85
533-755- 74
564-619- 56
567-466- 87
1052-104- 8
1053- 42- 1
1054-114- 3
1054-451- 12
1054-457- 13
1054-524- 15
1071-312- 25
1076- 57- 6
1076-518- 6
1077- 76- 6
1341-517-867
1344- 24- 63
1344- 25- 63
1394-740- 11
1409-828-661
1467-527- 12
慧淳惠淳 宋 588-188- 9
1053-709- 16
慧清唐 1053-368- 9
慧淨惠淨 隋 1054-400- 10
1054-417- 11
1387-203- 11
1401-597- 40
慧寂惠寂 唐 473-179- 57
479-769-252
516-432-103
517-195-120
517-335-124
564-620- 56
588-349- 3
1052-167- 12
1053-353- 9
1054-134- 3
1054-584- 17
慧深宋(號普廣禪師)
1053-342- 8
慧深宋(嗣慶預) 1053-605- 14
慧梵元 491-121- 14
524-397-199
821-334- 54
1183-154- 10
慧球梁 554-943- 65
慧球五代 1053-310- 8
慧理惠理 晉 524-380-198
588-184- 9
1054-308- 6
慧堅五代 1053-566- 14
慧基齊 486-337- 15
524-414-200
1054- 73- 2
慧通劉宋 1401- 59- 15
慧通宋 1053-673- 16
慧崇惠崇 宋 812-549- 4
820-467- 36
821-264- 52
1437- 36- 2
慧莊唐 見慧藏
慧常明 1458- 88-421
慧偘隋 1049-551- 37
慧紹劉宋 1050-808-115
慧敏五代 1053-563- 14
慧敏元 820-551- 39
慧皎惠皎 梁 524-415-200

1051-159- 6
1054-364- 9
1401-357- 28
慧斌隋 1401-648- 43
慧善後周 1401-530- 37
慧普唐 1052-355- 25
慧雲隋 499-417-157
慧雲唐(居大林寺)
1049-670- 45
慧雲唐(居相國寺)
1052-367- 26
慧越惠越、惠遠 隋
473-696- 80
564-619- 56
1050-326- 81
慧超梁 1401-160- 20
慧超唐 1053-159- 4
慧超宋 見策眞
慧開梁 524-395-199
慧開宋 524-390-198
588-100- 5
588-238- 10
慧琳劉宋 258-650- 97
265-1121- 78
475- 82- 53
1054-344- 8
1401- 25- 13
1401-155- 19
慧琳隋 529-349- 81
慧琳唐(字抱玉) 588-268- 11
590-139- 17
1052-219- 16
慧琳唐(俗姓裴) 1052- 67- 5
慧琳宋 1053-783- 18
慧景梁 516-490-105
慧然五代 1053-434- 11
慧智齊 見玄暢
慧智唐 1051-223- 9
1052- 24- 2
慧舜宋 1053-711- 16
慧欽宋 1117-626- 10
慧源宋 1053-682- 16
慧溫宋(嗣清遠) 1053-859- 20
慧溫宋(字蘿庵) 1053-897- 20
慧愷陳 1401-418- 31
慧廉五代 1053-320- 8
慧道晉 473-524- 72
481-312-307
慧勤惠勤 宋 472-970- 38
490-723- 70
524-388-198
585-479- 14
慧達陳 1401-422- 31
慧達隋 516-491-105
517-169-120
1049-668- 45
慧達宋 1053-411- 10
慧達劉窣和 明 558-486- 41
慧照宋 1053-772- 18
慧照明 524-445-201
慧嵬晉 554-941- 65
1049-110- 8
慧圓唐 554-946- 65
慧圓宋(嗣常總) 516-495-105
1053-740- 17
慧圓宋(嗣文益) 1053-401- 10
慧嵩晉 558-481- 41
慧暉宋 524-418-200
588-204- 9
1053-602- 14
慧經明 516-453-104
慧稜唐 592-356- 82
1050-621-102
慧稜後唐 1052-175- 13
1053-277- 7
1054-595- 17
慧演唐 1052-408- 29
慧誠宋 1053-419- 10
慧韶梁 592-340- 81
1049-112- 8
慧滿唐 472-330- 14
475-715- 86
511-938-175
慧熙唐 592-372- 83
慧甄元 821-333- 54
慧聞唐(信安人) 524-435-201
1052-304- 21
慧聞惠開 唐(號惠開)
1076- 65- 7
1076-526- 7
1344- 16- 62
慧遠惠遠 晉(居東林寺)
471-745- 22
473- 90- 52
479-612-244
516-484-105
517-332-124
517-546-129
533-766- 74
547-504-159
585- 20- 2
821- 14- 45
879-130-57下
1054- 65- 2
1054-319- 7
1341-521-867
1379-386- 47
慧遠黃遷 晉(居長沙寺)
1049-402- 27
慧遠隋 547-507-159
1049-490- 33
1054-388- 10
慧遠惠遠 宋(字晦堂)
524-389-198
588-189- 9
592-424- 86
1053-835- 19
1054-207- 4
1054-680- 20
1147-437- 40
慧遠宋(嗣仁郁) 1053-642- 15
1091-529- 12
慧暠唐 592-356- 82
慧暢唐 524-403-199
慧徹五代 1053-568- 14
慧寬惠寬 唐 592-357- 82
1054-431- 12
1116-560- 30
慧寬惠寬 五代 473-626- 77
481-729-333
530-206- 60
547-492-159
1147-829- 80
慧慶劉宋 516-490-105
1049-379- 26
慧褒惠褒 唐 475-814- 91
511-940-175
慧輪五代 1053-320- 8
慧震唐(俗姓龐) 592-444- 88
1049-670- 45
慧震唐(居度門寺)
1052- 68- 6
慧皡明 588- 20- 1
慧憲宋 1053-673- 16
慧燈明 516-499-105
慧辨宋 見慧辯
慧澤宋 1053-731- 17
慧凝後魏 1052-399- 29
慧融唐 554-947- 65
1050-614-101
慧融明 511-935-175
慧靜劉宋 524-380-198
慧曇隋 1050-717-108
慧曇明 524-428-200
慧叡惠叡 劉宋 517-333-124
1401- 73- 16
慧懃宋 1053-813- 19
1054-194- 4
1054-657- 19
慧彌梁 554-944- 65
慧顏宋 1053-701- 16
慧邃宋 1053-710- 16
慧璿唐 1050-295- 79
慧豐後魏 見檀特師
慧藏隋 541- 88- 30
慧藏慧莊 唐 516-450-104
1053-119- 3
慧顒五代 1053-440- 11
1054-599- 17
慧贇宋 1053-684- 16
慧鏡隋 534-808-112
慧議劉宋 265-1121- 78
475- 82- 53
慧警唐 1052-342- 24
慧儼劉宋 265-1121- 78
475- 82- 53
慧覺隋 1401-572- 39
慧覺唐 1053-172- 4
慧覺宋(號廣照禪師)
475-800- 90
511-940-175
1053-470- 12
1054-171- 4
慧覺宋(嗣慧南) 1053-731- 17
慧辯惠辯、慧辨 宋
472-244- 9
475-192- 59
511-921-174
524-387-198
588-276- 11
1054-631- 19
1108-533- 95

1112-781- 24
慧蘭宋(自號碧落道人) 1053-505- 12
慧蘭宋(號眞懿) 1053-599- 14
慧儼唐 1052-253- 18
慧靈唐 1052-220- 16
慧靄元 496-427- 90
慧觀劉宋 1401- 83- 16
慧觀唐 1052-207- 15
慧觀宋 1053-895- 20
慧觀元 1221-688- 28
慧觀明 1238-570- 15
慧感夫人 宋 陸僧瓚女 485- 89- 12
589-328- 4
髮福漢 476-779-141
髮冠仙姑元 1192-546- 9
熱蘇唐 271-792-199下
496-623-105
頡學曾明 456-631- 10
頡利可汗唐 見咄苾
頡伽施多那都藍可汗隋 見雍虞閭
頡利俱利失薛沙多彌可汗唐 見拔灼
頡跌利施大單于立功報國可汗唐 見默啜
賣菜傭明 456-634- 10
賣薑翁漢 473-361- 64
480-514-281
533-784- 75
賣藥翁唐 554-981- 65
1059-592- 上
賣醬薛翁宋(姓薛) 481-350-309
賢漢 381-496-196
579-214- 26
賢宋 1053-790- 18
賢栗漢 253-659-116
381-556-197
494-218- 9
569-534- 17
賢蓬頭宋 516-495-105
賚尚清 455-117- 4
賚格清 455-222- 11
賚善清 455-388- 23
賚祿清 455-269- 15
賚塔清 見賴塔
賚圖清 455-388- 23
賚圖庫清 502-467- 69
賚充扎布清 454-683- 76
賚達巴顏清 455-132- 5
撫王唐 見李紘
標哈奇清 455-645- 45
穎王唐 見李僩
穎王唐 見李璬
穎王明 見朱載塱
穎容漢 253-539-109下
380-273-172
472-652- 27
477-445-171
480-299-271
533-733- 73
538- 32- 62
546-684-138
933-623- 40
穎川王北齊 見高仁儉
穎川王元 見察罕特穆爾
穎考叔春秋 404-847- 53
448-130- 1
472-649- 27
537-359- 57
933-623- 40
1408-492-529
1408-493-529
穎陰長公主漢 見劉堅
厲王前秦 見苻生
厲氏明 王思文妻 506- 32- 86
厲氏清 孔毓彪妻 476-791-141
厲玄唐 1371- 70- 附
厲光明 524- 91-182
厲汪宋 472-1029- 42
厲昇明 472-262- 10
523-246-157
1258-168- 15
厲延明 1229-687- 2
厲嫣春秋 衛莊公夫人
404-834- 52
厲溫漢 933-660- 43
厲達明 511-402-151
厲士貞清 511-784-166
厲子溫明 494-490- 20
523-421-166
厲文才唐 472-1028- 42
523-478-170
523-557-174
厲元吉元 524-287-192
厲必中明 456-600- 9
476-789-141
540-836-28之3
厲世昌清 479-248-228
524-140-185
厲汝進明 300-462-210
474-279- 14
505-730- 71
510-447-117
厲仲方厲仲詳 宋
1164-392- 22
厲仲詳宋 見厲仲方
厲孝先明 524-168-186
厲杜訥清 見勵杜訥
厲邦俊宋 1164-263- 13
厲周卿元 524-371-197
厲昭慶宋 489-696- 50
812-455- 1
812-537- 3
821-145- 50
厲溫敦漢 535-553- 20
厲夢龍宋 487-517- 7
厲歸貞唐～五代 486-905- 35
516-509-106
524-425-200
812-524- 2
813-153- 14
820-312- 31
821-110- 49
隤凱上古 見大費
隤敳上古 546-235-123
駟乞春秋 384- 23- 1
404-875- 54
駟弘春秋 384- 23- 1
駟印春秋 404-877- 54
駟赤春秋 404-560- 34
駟帶春秋 384- 23- 1
404-874- 54
駟偃春秋 384- 23- 1
404-874- 54
駟絲春秋 384- 23- 1
404-875- 54
駟鈞漢 544-199- 62
933-649- 42
駟歂駟顓 春秋 384- 23- 1
404-875- 54
448-273- 28
駟顓春秋 見駟歂
駒幾漢 544-199- 62
髯樵叟明 456-635- 10
511-441-153
鞋幫子明(以舊鞋幫百衲為衣)
554-989- 65
增忍唐 1052-373- 26
增華明 劉道開僕 511-515-157
增長菴清 533-788- 75
播韶武 554-878- 64
933-680- 45
樓氏宋 黃耕妻、樓若虛女
1171-801- 30
樓氏宋 趙汝鐸妻、樓鍔女
1164-394- 22
樓氏清 陳升紹妻 524-721-212
樓氏清 趙正璉妻 524-717-212
樓玄吳 254-924- 20
377-414-120
384- 81- 4
384-605- 34
472-411- 18
475-747- 88
486- 34- 2
511-494-156
563-897- 43
樓弁宋 491-434- 6
樓弃樓弆、樓儀 宋
820-430- 35
1152-816- 52
1152-817- 52
1153-539-100
樓弃妻 宋 見張氏
樓异宋 286-693-354
472-1086- 46
487-110- 8
491-432- 6
491-434- 6
493-704- 39
494-326- 6
523-533-172
樓光宋 491-434- 6
樓全清 1321-289-118
樓弆宋 見樓弃
樓昉宋 472-1087- 46
491-415- 5
524- 40-180
樓炤宋 287-208-380

十五畫 樓、豎、確、閭、閭

398-247-381
472-1028- 42
486- 52- 2
523-323-161
1119-340- 附
1138-136- 13
樓奎宋 1186-288- 20
樓郁宋 472-1085- 46
479-176-225
487-110- 8
491-386- 4
491-393- 4
491-433- 6
523-588-175
1153-321- 85
1153-539-100
樓英明 524-367-197
樓眞後魏 261-442- 30
樓班漢 253-721-120
381-637-200
496-587-103
樓挺明 456-462- 4
樓航宋 491-435- 6
樓淳宋 487-112- 8
1157-148- 11
樓望漢 253-538-109下
380-271-172
472-651- 27
477- 58-151
538- 20- 62
675-297- 15
933-479- 31
樓常宋 491-434- 6
樓啟明 1458-667-469
樓斌宋 523-403-165
樓琚女 宋 見樓靚之
樓登清 455-619- 42
樓鉉宋 491-436- 6
1153-197- 73
樓淮宋 820-441- 35
樓楨元 1219-337- 7
樓瑋宋 491-435- 6
樓演宋 472-981- 39
樓瑩元 1226-499- 24
樓澄明 493-1032- 54
樓潚宋 485-535- 1
樓毅後魏 261-443- 30
樓璉明 299-349-141
472-1032- 42
479-328-232
523-405-165
570-211- 23
1442- 17-附1
樓儀宋 見樓弃
樓緩戰國 384- 31- 1
933-479- 31
樓澤明 523-405-165
樓鐊宋 487-111- 8
1153-326- 85
樓璩宋 1153-322- 85
樓璩妻 宋 見汪慧通
樓嬰春秋 見趙嬰
樓鎡宋 1153-663-109
樓鍔宋(樓异孫) 491-436- 6
樓鍔宋(字巨山) 510-360-114
樓鍔女 宋 見樓氏
樓鏜宋 1153-610-105
樓鏜妻 宋 見蔣氏
樓蘊宋 524-148-185
1150- 88- 10
樓鐊宋 1153-614-105
樓護漢 251-158- 92
380-511-180
472-589- 24
540-697-28之1
554-880- 64
742- 24- 1
933-479- 31
1408-396-518
樓觀宋(台州人) 472-1104- 47
樓觀宋(錢塘人) 524-345-196
585-520- 17
821-233- 51
樓觀明 511-210-144
樓鑰宋 287-407-395
398-404-391
451- 22- 0
472-1086- 46
472-1115- 48
479-178-225
479-402-235
487-111- 8
491-341- 1
491-408- 5
491-436- 6
523-287-159
674-851- 18
820-438- 35
1152-265- 附
1157-135- 11
1284-332-161
1437- 27- 2
1462-573- 83
樓鑰叔 宋 1153-312- 84
樓一堂明 523-485-170
樓士祥明 1235-657- 22
樓士寶明 1224-256- 22
樓子惠妻 明 見胡住
樓大年宋 515- 85- 59
523-479-170
1223-528- 10
樓文貴妻 清 見盧氏
樓少虛宋 820-439- 35
樓可先妻 明 見王妙清
樓用光妻 清 見李氏
樓用孝妻 清 見吳氏
樓用意妻 清 見蔣氏
樓用聲妻 清 見王氏
樓幼瑜齊 259-537- 54
樓安文後魏 261-443- 30
552- 40- 18
樓有成元 1209-154- 8
樓光亨元 1224-276- 23
樓光亨妻 元 見婁慶
樓伏連婁伏連 後魏
261-442- 30
266-421- 20
379- 17-146
476-253-110
544-208- 62
545-128- 87
546- 7-115
933-487- 32
樓如浚元 1209-576-9下
樓希昊清 476-919-148
502-689- 81
537-227- 54
樓秀穎宋 1153-311- 83
樓廷策妻 清 見王氏
樓若虛女 宋 見樓氏
樓師默元 1194-215- 16
樓得達明 524-359-196
樓惠明樓慧明 齊
259-537- 54
265-1068- 75
380-445-178
479-321-232
524-291-193
933-479- 31
樓景明明 524-168-186
樓慧明齊 見樓惠明
樓賢材妻 清 見陳氏
樓靚之宋 石文妻、樓琚女
1153-612-105
樓懋中明 517-674-132
樓子和尚不詳(於酒樓下悟道)
1053-246- 6
豎刁春秋 見寺人貂
豎牛春秋 404-555- 34
豎亥上古 545-685-108
豎曼春秋 404-503- 30
確爾那清 455-404- 24
閭成哥明 金海媳
559-477-11中
閭豆後魏 見閭莊
閭東明 477-410-169
閭染後魏 262-215-83上
267-546- 80
380- 10-165
閭毗河東王 後魏
262-215-83上
267-545- 80
380- 10-165
544-206- 62
546- 15-115
閭莊閭豆 後魏 262-215-83上
267-545- 80
380- 10-165
546- 15-115
閭愷明 545-188- 90
閭鉦明 558-420- 37
571-523- 19
閭慶北周 544-218- 62
閭大肥後魏 261-449- 30
266-421- 20
379- 17-146
535-556- 20
閭大肥妻 後魏 見濩澤公主
閭丘卬戰國 405-241- 71
491-792- 6
閭丘沖晉 1379-330- 40

閭丘均唐 271-581-190中
482-563-369
494-192- 8
570-211- 23
592-571- 97
592-633-101
閭丘明春秋 404-606- 37
閭丘昕宋 472-1054- 44
524-272-191
閭丘師唐(姓杜) 592-245- 75
閭丘霖宋 517-345-124
閭丘嬰春秋 404-606- 37
閭丘觀宋 523-572-174
閭丘覲明 820-629- 41
1255-543- 58
1255-562- 60
閭丘方遠唐 472-340- 14
472-970- 38
475-540- 77
486-905- 35
511-931-175
524-381-198
587-437- 5
1059-608-下
1061-327-113
閭丘先生戰國 405-260- 72
閭丘孝直宋 見閭丘孝終
閭丘孝忠宋 見閭丘孝終
閭丘孝終閭丘孝直、閭丘孝忠 宋 485-198- 26
493-907- 49
511-831-168
589-341- 5
璋唐 820-298- 30
璋宋 588- 90- 4
摯上古 404- 22- 2
摯上古 見少皞氏
摯恂漢 448-108-下
472-831- 33
478-101-180
554-806- 63
556-341- 90
675-319- 19
1340-595-780
摯峻漢 448-101-中
554-861- 64
556-472- 93
871-895- 19
摯虞晉 255-860- 51
377-590-124上
384- 93- 5
472-832- 33
476-393-119
478-104-180
545-447- 99
554-833- 63
933-648- 42
1379-266- 33
摯瞻漢 556-724- 98
摯任氏女 商 見太任
摯仲氏女 商 見太任
覿斯贊戰國 546-434-129
鞏氏明 王惠妻 506-121- 89
鞏氏明 鞏永固女 506- 15- 86
鞏氏清 章應鳳妻 512-370-186
鞏氏清 曹日新妻 478-575-203
鞏氏清 陳亮妻 503- 57- 95
鞏氏清 陳良琬妻 506- 28- 86
鞏江明 547- 92-144
鞏攸漢 933-515- 34
鞏法妻 宋 見楊氏
鞏固明 554-599- 59
559-291-7上
鞏英元 1210-769- 25
鞏信宋 288-384-454
400-197-515
451-232- 0
472-204- 7
475-750- 88
511-499-156
鞏信元 295-260-166
399-606-480
鞏朔士莊伯 春秋 404-669- 41
545-728-109
933-515- 34
鞏珪明 569-669- 19
鞏庸明 821-364- 55
鞏嶸宋 1175-317- 31
1177-500- 23
鞏豐宋 451-350- 9
523-609-176
1164-403- 22
1223-522- 10
1363-744-221
1437- 26- 2
1457-545-394
鞏子固元 1210-769- 25
鞏天成清 456-373- 78
鞏永固明 299-112-121
474-186- 9
505-838- 76
鞏永固女 明 見鞏氏
鞏世傑元 1210-769- 25
鞏宏武漢 933-515- 34
鞏孝章元 1210-769- 25
鞏邦印妻 明 見郗氏
鞏尚已妻 清 見李氏
鞏尚友妻 清 見張氏
鞏延昌明 547- 81-144
鞏彥暉元 295-259-166
399-605-480
472- 55- 2
474-588- 30
505-862- 77
鞏彥榮元 295-258-166
399-605-480
鞏建豐清 478-519-200
鞏思容明 505-699- 70
鞏皇圖明 505-678- 69
鞏庭芝宋 524-331-195
鞏國柱明 558-355- 35
鞏道巖明 541- 97- 30
鞏敬緝妻 清 見蒲氏
鞏簡公周 933-515- 34
鞏顯祖元 477-201-159
醉叟明 533-799- 75
撓那清 455-582- 38
樟樹先生明 526-661-280
樗里子公孫疾、褚里疾、樗里疾 戰國 244-433- 71
371-551- 42
375-906- 93
384- 31- 1
405-272- 73
547-159-147
554-543- 58
575-328- 19
933-121- 8
933-792- 57
樗里疾戰國 見樗里子
樗里牧恭周 839- 21- 2
樞宋 1053-600- 14
擗衣仙吳(寒暑皆綴擗葉為衣) 524-445-201
鄝肹春秋 404-485- 28
933-498- 33
鄝羅春秋 404-485- 28
翟春秋 見公子翟
鼐色清 455-451- 27
鼐兒清 502-744- 85
鼐格清(他塔喇氏) 455-212- 11
502-538- 72
鼐格清(伊爾根覺羅氏) 455-274- 15
鼐格清(阿哈覺羅氏) 455-305- 18
鼐格清(納喇氏) 455-403- 24
鼐琥清 455-628- 43
鼐孟阿清 455-479- 29
鼐庫達清 455- 90- 3
鼐庸伊清 455-402- 24
鼐喀尼清 456-172- 63
鼐滿台元 見奈曼台
鼐瑪台元 見迺穆泰
鼐爾章能列占 明 496-628-106
鼐鍾阿清 455-120- 4
鼐音達理清 456-147- 60
鼐爾巴哈乃兒不花、納兒不花 明 496-626-106
496-627-106
鼐格費雅達清 455-296- 17
鄧方蜀漢 254-685- 15
481-348-309
559-304-7上
591-689- 48
鄧王魏 見曹沖
鄧王唐 見李寧
鄧王唐 見李元裕
鄧元宋 515-325- 67
鄧公鄧先 漢 244-668-101
250-247- 49
376-118- 97
471-1036- 66
472-867- 34
478-247-186
554-622- 60
879-176-58下
鄧仁妻 明 見王氏
鄧介妻 明 見易氏
鄧氏宋 周九成妻 479-664-247

鄧氏宋 陳仝妻、鄧硫女
1119-322- 31
鄧氏宋 謝天與妻 472-263- 10
475-234- 61
鄧氏元 任元善妻
1210-761- 24
鄧氏元 高翁彝妻
1207-145- 9
鄧氏元 謝文正妻
1218-298- 13
鄧氏明 王進善妻
559-458-11上
鄧氏明 甘希魯妻 473-179- 57
鄧氏明 朱守良妻 473-404- 66
480-638-288
鄧氏明 汪英妻 482-188-346
鄧氏明 李在公妻 480-513-281
鄧氏明 呂鳳亭妻 482-189-346
鄧氏明 吳大性妻 530-128- 57
鄧氏明 林泮妻 516-245- 97
鄧氏明 金寬妻、鄧先健女
1442-123-附8
1460-774- 84
鄧氏明 姜成起妻 530-130- 57
鄧氏明 夏用珩妻
1269-853- 7
鄧氏明 梅浩妻、鄧祿女
1269-797- 5
鄧氏明 陸淳妻 474-778- 42
503- 29- 93
鄧氏明 陳鼎妻 482-187-346
鄧氏明 陳大賓妻 482-239-349
564-356- 49
鄧氏明 陳廷爌妻 479-685-248
鄧氏明 陳張科妻 482-291-352
鄧氏明 翔鳳妻 1442-125-附8
鄧氏明 曾志願妻 479-824-256
鄧氏明 曾景昭妻 479-685-248
鄧氏明 黃鼎妻 512-788-196
鄧氏明 黃錫妻 482- 91-342
鄧氏明 惠汝賢妻 472-686- 27
鄧氏明 葛炎妻 530-157- 57
鄧氏明 鄭垣妻 530- 6- 54
鄧氏明 歐陽鳳妻 473-179- 57
鄧氏明 韓輔妻 530-127- 57
鄧氏明 韓一經妻 506- 70- 88
鄧氏明 鍾鼎妻 482- 91-342
鄧氏明 魏正謨妻 533-516- 66
鄧氏明 羅聘吾妻 530-130- 57
鄧氏明 嚴師訓妻 481-650-330
530-129- 57
鄧氏清 王奠妻 480-639-288
鄧氏清 汪起瀾妻 482-280-351
564-393- 50
鄧氏清 杜立善妻 506- 23- 86
鄧氏清 李雍妻 530-131- 57
鄧氏清 林正美妻 506- 25- 86
鄧氏清 易道生妻、鄧魁甫女
534-585-100
鄧氏清 周天柱妻 480-418-277
鄧氏清 俞侶賢妻 475-618- 81
512-103-179
鄧氏清 孫廷瑜妻 479-685-248
鄧氏清 許繼嶽妻 476-619-133
鄧氏清 梅國棟妻 479-634-245
鄧氏清 張修妻 530- 25- 54
鄧氏清 陳士哲妻 530-132- 57
鄧氏清 陳雲石妻 480-640-288
鄧氏清 彭國儀妻 533-704- 72
鄧氏清 舒爾傑妻 480-566-284
鄧氏清 雷電妻 480-665-290
鄧氏明～清 楊大炘妻、鄧炅女
479-634-245
516-342-100
鄧氏清 楊起龍妻 474-194- 9
鄧氏清 趙廷珍妻 503- 60- 95
鄧氏清 趙聯會妻 480-653-289
鄧氏清 樊思簡妻 482-291-352
鄧氏清 蔣元和妻 481-785-337
鄧氏清 蔣經仁妻 482-354-356
鄧氏清 戴天志妻 481-337-308
鄧氏清 嚴聖訓妻 482-291-352
鄧立宋 515-819- 83
1095-279- 31
鄧立妻 宋 見陳氏
鄧弘漢 252-526- 46
370-112- 8
376-547-105
402-410- 6
402-443- 9
535-554- 20
鄧正妻 清 見邱氏
鄧旦宋 529-764- 53
鄧用明 1277-841- 7
鄧安明 473-569- 74
528-451- 29
鄧宇元 1439-456- 2
鄧存母 元 見田氏
鄧至宋 473-433- 67
561-198-38之1
592-591- 98
鄧羽明 676- 6- 28
1442-117-附8
1460-806- 88
鄧同明 1239- 67- 31
鄧光宋 517-558-129
鄧艾鄧範 魏 254-488- 28
377-238-117
384- 87- 4
384-686- 44
386-193- 76
471-811- 31
471-819- 31
471-922- 48
472-194- 7
472-586- 24
472-771- 30
475-741- 88
477-370-167
477-407-169
533-229- 54
537-540- 59
933-688- 46
鄧任妻 明 見丁氏
鄧任妻 明 見于氏
鄧先漢 見鄧氏
鄧沿宋 1116-449- 22
鄧良蜀漢 254-680- 15
377-313-118下
933-688- 46
鄧戒宋 471-852- 37
473-689- 80
鄧均鄧坰 宋 473- 99- 53
515-827- 83
鄧材清 563-893- 42
鄧佐明 474-733- 40
502-283- 56
鄧佑南唐 515-515- 73
鄧攸晉 256-466- 90
370-309- 7
380-174-170
384- 94- 5
448-313- 上
471-595- 2
472-220- 8
472-461- 20
475-118- 55
476- 82-100
493-671- 37
510-321-113
523- 95-150
545-352- 96
545-757-110
933-689- 46
1274-690- 7
鄧玘明 301-598-273
鄧杞明(德興令) 473- 45- 50
鄧杞明(字思貞) 820-656- 42
鄧法宋 530-202- 60
鄧忞明 494- 41- 3
鄧怡後魏 261-392- 24
266-445- 21
379- 40-146
鄧宓漢 453-734- 1
564- 3- 44
鄧定明 460-492- 41
529-760- 53
鄧泳宋 515-756- 80
鄧泛漢 493-645- 35
鄧青元 1202-885- 16
鄧坰宋 見鄧均
鄧直明 1467-121- 66
鄧奉漢 370-215- 23
402-368- 3
鄧玭明 523-102-150
鄧析春秋 404-875- 54
537-361- 57
1412-230- 9
鄧奇明 473-377- 65
532-743- 46
鄧表晉 516-431-103
鄧林宋 460-284- 17
529-443- 43
1364-623-336
1437- 30- 2
鄧林鄧規善、鄧觀善 明
524-305-194
564-278- 47
585-435- 11
676-471- 18
1442- 22-附2
1459-597- 22

鄧林妻 明 見湯慧信
鄧昌宋 見鄧冠
鄧虎宋 515-752- 80
鄧昉唐 820-283- 30
鄧芝蜀漢 254-679- 15
377-312-118下
384- 77- 4
384-457- 11
385-683- 67
448-306- 上
472-771- 30
477-369-167
481- 65-293
537-539- 59
559-259- 6
571-513- 19
591-367- 30
591-666- 47
933-688- 46
鄧旻明 473-395- 66
480-635-288
533-410- 61
鄧炅女 明～清 見鄧氏
鄧周明 515-246- 64
564-240- 46
鄧佶南唐 515-515- 73
鄧岱晉 見鄧嶽
鄧岳晉 見鄧嶽
鄧秉漢 535-554- 20
鄧牧元 472-970- 38
479- 74-219
524-390-198
1439-456- 2
鄧冠鄧昌 宋 451- 54- 2
鄧洪明 567-310- 77
1467-197- 69
鄧炳明(字其文) 523-122-151
533-215- 53
鄧炳明(字子機) 564-133- 45
鄧炳妻 明 見權氏
鄧恂明 537-317- 56
鄧庠明 473-403- 66
480-637-288
533-118- 50
571-521- 19
鄧恢宋 492-713-3下
鄧珏明 473-214- 59
480- 57-260
571-527- 19
鄧咸宋 473-338- 63
533-489- 65
鄧珎妻 明 見蕭氏
鄧柞宋 529-582- 46
1181-142- 4
鄧郁梁 265-1081- 76
380-463-178
480-514-281
533-761- 74
533-784- 75
933-689- 46
鄧珍漢 539-351- 8
鄧珍金 1202-884- 16
鄧述後魏 261-392- 24
266-445- 21
379- 40-146
鄧禹漢 252-519- 46
370-110- 8
376-541-105
384- 54- 3
402-352- 2
402-518- 15
402-554- 18
459-201- 13
470-354-142
471-811- 31
472-456- 20
472-768- 30
477-362-167
537-529- 59
539-351- 8
545-349- 96
554- 97- 50
933-688- 46
1112-653- 8
鄧香漢 544-200- 62
鄧香女 漢 見鄧猛女
鄧信明 494- 41- 3
564-286- 47
鄧紀明 1247- 43- 2
鄧俊明 473- 98- 53
473-304- 62
480-247-269
481-182-300
515-188- 62
533-385- 60
鄧海金 1202-885- 16
鄧悝漢 252-526- 46
370-112- 8
376-546-105
535-554- 20
鄧訓漢 252-524- 46
370-111- 8
376-545-105
384- 54- 3
402-353- 2
472-768- 30
472-904- 36
472-943- 37
474-513- 25
477-366-167
478-450-197
478-612-205
505-626- 67
537-536- 59
545-126- 87
558-167- 31
581-434- 92
933-688- 46
1408-413-520
鄧訓女 漢 見鄧綏
鄧剡宋 見鄧光薦
鄧珙明 493-761- 41
529-459- 43
鄧城明 460-655- 67
676-597- 24
鄧眞明(字存誠) 473-214- 59
533- 6- 47
鄧眞明(息縣人) 554-250- 52
鄧原明 302-269-304
鄧烈元 515-772- 81
鄧烈明 1467-213- 70
鄧桓明 564-223- 46
鄧珩明 564-254- 47
鄧陟漢 見鄧騭
鄧根宋 472-981- 39
523- 97-150
鄧展魏 249- 8- 附
鄧展不詳 879-184-58下
鄧剛明 510-391-115
鄧豹漢 252-528- 46
370-113- 8
376-548-105
402-381- 4
鄧邕子 唐 1076- 94- 10
1076-551- 10
1077-116- 10
1342-379-953
鄧殷晉 472-194- 7
545-756-110
鄧清明(陵州人) 481-611-329
528-493- 30
鄧清明(字子眞) 567-464- 87
1467-524- 11
鄧淮明 523- 85-149
676-221- 8
1255-332- 38
鄧淮明 見鄧表臣
鄧密宋 1126-769-170
鄧淵鄧彥海 後魏 261-392- 24
266-444- 21
379- 39-146
472-880- 35
478-548-202
558-327- 35
933-689- 46
鄧淵宋 473-338- 63
533-246- 55
鄧深宋 473-338- 63
533-247- 55
鄧康漢(謚義) 252-523- 46
376-544-105
477-367-167
537-537- 59
鄧康漢(比陽侯) 535-554- 20
鄧庚宋 515-167- 62
鄧球明 564-246- 47
564-292- 47
鄧梧妻 明 見萬氏
鄧乾漢 252-523- 46
376-544-105
鄧乾妻 漢 見劉致
鄧乾清 481-214-302
鄧梓元 517-481-127
鄧硫女 宋 見鄧氏
鄧通漢(蜀郡南安人)
244-892-125
251-167- 93
251-689- 32
381- 2-184
鄧通漢(字子淵) 402-458- 10
515-292- 66
鄧堂宋 564- 56- 44

鄧崙明 473-369- 64
533-112- 50
鄧彪漢 253- 46- 74
370-181- 18
376-774-109下
402-418- 7
402-572- 19
472-770- 30
477-366-167
537-537- 59
563-605- 38
鄧勗明 559-281- 6
鄧晨漢 252-512- 45
370-130- 11
376-537-105
384- 57- 3
402-351- 2
402-553- 18
472- 83- 3
472-769- 30
472-788- 31
474-370- 19
474-650- 34
477-362-167
477-406-169
505-669- 69
537-530- 59
933-688- 46
鄧晨妻 漢 見劉元
鄧曼春秋 鄭莊公夫人
404-885- 55
鄧曼春秋 楚武王夫人
405- 80- 61
448- 27- 3
533-501- 66
鄧凰明 547-122-145
鄧絅宋 460-308- 22
鄧統漢 535-554- 20
鄧敏明 482-372-357
1467-186- 69
鄧甯宋 529-579- 46
鄧富宋 473-196- 58
516-146- 93
鄧渼明 483-340-398
494-158- 5
515-845- 84
572-158- 32
1442- 86-附5
1460-483- 63
鄧酢宋 482- 90-342
564- 58- 44
鄧雅宋 533-278- 56
鄧雅元 1222-668- 附
1222-669- 附
鄧盛漢 453-741- 2
482-452-362
545-126- 87
564- 7- 44
567-291- 76
1467-161- 68
鄧訔宋 473-624- 77
529-633- 48
鄧琬劉宋 258-498- 84
265-593- 40
370-484- 14
378-185-136
鄧琦明 554-258- 52
鄧肅宋 287-140-375
398-193-378
473-617- 77
481-647-330
529-582- 46
1136-670- 10
1363-331-150
1437- 21- 2
鄧弼元～明 556-797-100
1224-442- 28
1224-618- 下
1409-620-636
1457-660-404
鄧雱宋 479-656-247
鄧逵明 559-276- 6
鄧景明 559-528- 12
鄧貴元 567-394- 83
1467-182- 68
鄧貴明 456-641- 10
鄧凱明 570-212- 23
鄧順元 472-802- 31
537-574- 60
鄧棐宋 559-320-7上
鄧桀明 299-662-167
472-828- 33
473-100- 53
477-564-177
479-630-245
515-837- 84
517-244-121
554-207- 52
1241-779- 19
鄧逸晉 933-689- 46
鄧溥妻 明 見林氏
鄧義唐 472-429- 19
545-131- 87
鄧愷孫愷 元 1204-325- 11
鄧煜漢 402-442- 9
鄧廉妻 唐 見李氏
鄧廉宋 482-484-364
鄧廉明 1227-104- 12
鄧羨後魏 261-393- 24
544-211- 62
552- 39- 18
鄧道漢 402-456- 10
鄧祿女 明 見鄧氏
鄧戡宋 473-684- 79
564- 56- 44
鄧輈宋 515-743- 80
鄧塤母 明 見徐氏
鄧塤妻 明 見王氏
鄧瑄女 明 見鄧德恆
鄧椿元 515-351- 67
515-627- 76
鄧楷妻 清 見桑氏
鄧瑜明 472-520- 22
鄧瑜妻 明 見胡氏
鄧概明 515-549- 74
528-454- 29
528-511- 31
鄧瑗明 482- 78-341
564-245- 47
鄧遐晉 256-340- 81
377-867-129上
473-245- 60
477-447-171
480-286-271
532-674- 44
933-689- 46
鄧圓宋 見鄧之寅
鄧鼎明 1261-153- 12
鄧粲晉(長沙人) 256-352- 82
377-875-129下
407-599- 5
473-389- 65
480-406-277
533-244- 55
933-689- 46
鄧粲晉(字文豔) 515-295- 66
鄧葵明 456-654- 11
482- 78-341
564-246- 47
鄧鈜明 511-185-143
鄧愈寧河王、鄧友德 明
299-164-126
453- 15- 2
453-512- 1
472-205- 7
473-247- 60
475-855- 94
479-451-237
480- 13-257
480-290-271
480-363-275
510-427-116
511-350-149
515- 31- 58
523- 32-147
532-588- 41
1283-196- 81
1374-513- 73
鄧綏漢 漢和帝后、鄧訓女
252-181-10上
370-101- 6
373- 40- 19
402-341- 2
402-550- 18
452- 47- 1
537-183- 53
814-215- 2
819-557- 19
鄧節妻 明 見畢氏
鄧演漢 252-194-10下
373- 46- 19
535-554- 20
鄧廖春秋 933-688- 46
鄧漢明 515-408- 69
鄧槐明 533-137- 51
鄧韍明 見鄧黻
鄧瑤明 481-723-333
529-698- 50
鄧綰宋 286-364-329
382-634- 98
384-374- 19
397-479-348

471-1011- 62
561-613- 46
674-295-4下
鄧銓妻 明 見俞氏
鄧綸明 567-313- 77
鄧諒元 517-535-129
鄧澄明 515-843- 84
鄧標妻 明 見吳氏
鄧增宋 820-431- 35
鄧璋宋 533-343- 58
鄧璋明 537-218- 54
鄧輪宋 516- 98- 91
鄧璉明 563-788- 40
鄧璉妻 明 見尚氏
鄧遷明 676-562- 23
1442- 66-附4
1460-285- 53
鄧德明 456-613- 9
558-434- 37
鄧鉉明 473-304- 62
533- 78- 49
鄧魯劉宋 482-290-352
564- 12- 44
鄧魯明 564-260- 47
鄧範魏 見鄧艾
鄧皞宋 1149-714- 16
鄧澤元 1211-434- 61
鄧諫明 515-846- 84
鄧遵漢 252-528- 46
370-113- 8
376-548-105
402-422- 7
鄧熹宋 472-1054- 44
523-563-174
524-223-189
鄧頤妻 清 見黃氏
鄧穎後魏 261-392- 24
266-445- 21
379- 39-146
鄧璠唐 473-166- 57
473-176- 57
515-461- 71
鄧墻明 564-267- 47
鄧翰明 559-434-10上
鄧闓漢 252-526- 46
370-113- 8
376-547-105
402-406- 6
477-367-167
535-554- 20
鄧闓妻 漢 見耿氏
鄧靜明 梁尚志妻
473-342- 63
鄧蕃妻 漢 見劉小姬
鄧錦清 533-181- 52
鄧儒漢 402-446- 9
鄧鴻漢 252-523- 46
370-112- 8
376-544-105
鄧謙明(字少予) 302- 41-291
456-458- 4
476-480-125
480- 92-262
533-365- 60
540-628- 27
鄧謙明(資縣人) 473-436- 67
559-400-9上
鄧謙妻 明 見載氏
鄧燧鄧璲 明 476-731-138
540-786-28之3
鄧璲明 見鄧燧
鄧隱宋 812-552- 4
821-170- 50
鄧璩明 523-201-155
563-822- 41
567-312- 77
1467-199- 69
鄧黻鄧紱、蔡紱、蔡黻 明
511-675-163
1442- 49-附3
1460- 52- 42
鄧嶽鄧岳、鄧岱 晉
256-340- 81
377-866-129上
477-446-171
532- 98- 27
933-689- 46
鄧鍭明 679-671-204
鄧璧宋 567- 64- 65
1467- 37- 63
鄧顒明 299-718-172
473- 61- 51
473-684- 79
479-557-242
482- 78-341
515-201- 63
564-245- 47
鄧鎮明 561-200-38之1
鄧颺魏 254-183- 9
375-164-79下
鄧璽明 480-486-280
鄧鏞明 515-395- 69
532-625- 43
鄧鏐明 523-234-156
鄧寶晉 559-417-10上
592-190- 73
鄧騫晉 256-175- 70
377-746-126
473-337- 63
480-406-277
482- 73-341
533-244- 55
563-613- 38
933-689- 46
鄧騭鄧陟 漢 252-526- 46
370-112- 8
376-546-105
384- 54- 3
384- 63- 3
402-354- 2
472-770- 30
477-367-167
537-537- 59
933-688- 46
鄧獻後魏 261-393- 24
鄧鶴明 見鄧豁渠
鄧巍明 480-412-277
533- 98- 50
鄧躋後魏 261-394- 24
鄧襲漢 539-351- 8
鄧權明 533-779- 74
鄧鑄宋 1106-147- 22
鄧鑑明(字惟明) 473-283- 61
533-364- 60
1246-439- 9
鄧鑑明(徐聞人) 482-239-349
564-222- 46
鄧鑑妻 明 見盛氏
鄧儼後魏 261-393- 24
鄧儼金 291-374- 97
472-625- 25
474-558- 28
474-820- 44
496-395- 88
502-367- 62
鄧儼明 1283- 82- 73
鄧驛宋 529-583- 46
鄧鑛明 567-400- 83
1467-243- 71
鄧鑣明 563-786- 40
鄧讓漢 252- 46-1上
252-548- 47
370-161- 15
376-560-105
402-365- 3
563-599- 38
鄧讓明 511-648-162
1312-343- 33
鄧觀清 515-849- 84
鄧一柱妻 清 見莫氏
鄧一隆清 480-138-264
533-477- 64
鄧一儒明 510-458-117
鄧九容明 473-257- 60
鄧士元明 564-223- 46
鄧士滋清 456-352- 77
鄧士廉明 456-549- 7
鄧士楷明 515-808- 82
鄧士鉉妻 清 見詹氏
鄧士龍明 676-129- 5
鄧子元妻 清 見孫氏
鄧子茂女 元 見鄧懿惠
鄧子龍明 301-199-247
479-493-239
480-651-289
482-540-368
483-137-380
494-158- 5
515-411- 69
569-674- 19
676-641- 26
鄧于旬妻 明 見李氏
鄧于蕃明 481-783-337
528-573- 32
鄧大椿明 1232-673- 8
鄧六娘宋 鄧夢槐女
564-315- 49
鄧斗光清 516-188- 94
鄧文明明(謚節愍) 456-525- 6
鄧文明明(沙縣人) 821-408- 56
鄧文祖妻 明 見何氏
鄧文原元 295-337-172

十五畫 鄧

399-654-485
472-964- 38
472-999- 40
472-1014- 41
473-436- 67
475-562- 79
478-764-215
479- 51-218
481-406-313
493-784- 42
510-285-112
523- 25-147
559-407-9上
585-421- 11
588-177- 8
592-607- 99
677-493- 45
820-501- 37
1197-631- 64
1209-631-10下
1284-344-162
1375- 35-下
1437-426- 1
1470-171- 7
鄧文祥妻 清 見吳氏
鄧文張明 473-695- 80
482-115-343
563-783- 40
鄧文進唐 471-839- 35
473-683- 79
482- 76-341
563-638- 38
鄧文源清 533-148- 51
鄧文道明 1246-439- 9
鄧文瑞唐 515-461- 71
鄧文學明 563-759- 40
567-345- 79
鄧文懿宋 1410-195-686
鄧文鑑明 481-648-330
鄧文燮妻 明 見黃氏
鄧之和明 533-210- 53
鄧之屏明 515-110- 60
鄧之寅鄧圓 宋 451- 71- 2
鄧云衍明 1241-443- 6
鄧元功清 561-203-38之1
鄧元貞清 559-334-7下
鄧元起母 梁 480-177-266
鄧元起梁 260-121- 10
265-788- 55
370-559- 18
378-312-139
384-118- 6
473-235- 60
480-172-266
532-103- 27
533- 58- 49
933-689- 46
鄧元魁清 456-352- 77
鄧元錫明 301-795-283
457-395- 24
458-922- 8
479-630-245
515-844- 84
676-586- 24
677-615- 55
1442- 67-附4
1458-431-445
1460-297- 53
鄧天祿明(萬縣人) 456-617- 9
鄧天祿明(字壽學)
1467-229- 70
鄧天榮妻 清 見秋氏
鄧友德明 見鄧愈
鄧友龍宋 451- 24- 0
鄧日樑清 474-189- 9
鄧中立元 547-197-148
鄧中和宋 288-412-456
400-300-524
472-132- 4
474-474- 23
505-912- 81
鄧中和明 545-464-100
鄧中華妻 明 見王氏
鄧仁聲妻 明 見劉氏
鄧玄挺唐 271-571-190上
554-838- 63
鄧必昌明 564-261- 47
鄧必感明 561-200-38之1
鄧永芳清 554-318- 53
鄧永清明 456-556- 7
545-794-111
鄧玉田明 1442-128-附8
鄧弘烈明 533-242- 54
鄧正直陳 480-509-281
533-259- 55
鄧本端明 481-388-312
559-401-9上
鄧巨川元 472-239- 9
510-346-114
鄧可大妻 清 見邢氏
鄧可賢元 473-684- 79
482- 78-341
564- 81- 44
鄧可權清 481-649-330
529-588- 46
鄧世彥明 483-178-384
569-665- 19
鄧世隆唐 269-698- 73
274-314-102
395-330-210
472-697- 28
477-164-157
933-689- 46
鄧世源妻 明 見陳秋兒
鄧以和明 515-556- 74
鄧以誥明 515-410- 69
528-533- 31
532-709- 45
563-787- 40
鄧以讚明 301-793-283
457-340- 21
458-1052- 2
479-493-239
515-410- 69
676-606- 25
1294-229-6上
1442- 75-附5
1460-360- 56
鄧幼傑宋 451- 69- 2
鄧奴娘宋 郭子成妻
530-150- 58
鄧守恩宋 288-539-466
545-633-106
鄧守清明 540-820-28之3
鄧安明清 456-351- 77
鄧安道宋 533-768- 74
鄧汝明妻 清 見劉氏
鄧汝相明 515-841- 84
鄧汝南明 511-526-157
鄧汝楫明 1442- 78-附5
1460-396- 58
鄧存忠清 480-638-288
鄧存德明 458-169- 8
鄧有禎明 456-458- 4
鄧百祿明 554-313- 53
鄧再興妻 明 見吳氏
鄧考甫宋 見鄧孝甫
鄧光宗明 見鄧伯裕
鄧光祚明 510-458-117
564-177- 46
鄧光珩妻 清 見曾氏
鄧光舒明 533- 28- 47
680-255-250
鄧光遠妻 清 見羅氏
鄧光薦鄧剡 宋 473-149- 56
473-674- 79
515-611- 76
518-767-160
563-922- 43
676-693- 29
1227-297- 3
1437- 33- 2
鄧名世宋 515-750- 80
679-486-186
鄧向榮明 460-811- 88
529-637- 48
鄧向榮妻 明 見鍾氏
鄧全縉妻 清 見楊氏
鄧先健女 明 見鄧氏
鄧仲修明 1229-262- 8
鄧仲翔宋 1184-357- 50
鄧良材清 511-515-157
鄧良佐明 820-751- 44
鄧成珠清 481-699-332
529-696- 50
鄧孝先宋 1127-437- 20
鄧孝甫鄧考甫 宋
288-437-458
401- 23-570
473-113- 54
479-656-247
515-738- 80
鄧孝廉宋 473-684- 79
482- 77-341
563-687- 39
564- 56- 44
567- 66- 65
1467- 39- 63
鄧均忠元 480-615-287
鄧那米清 456-304- 73
鄧伯元唐 530-208- 60
鄧伯溫宋 427-306- 13

鄧伯裕鄧光宗 明
477-210-159
鄧希顏宋 473- 98- 53
515-817- 83
鄧希顏元 1197-756- 79
鄧邦老宋 460-308- 22
鄧廷瓚明 299-724-172
453-668- 30
473-318- 62
479-378-234
480-464-279
483-223-390
483-248-391
523-216-156
533-208- 56
563-722- 40
567-105- 66
571-518- 19
1255-789- 77
1467- 79- 64
鄧攸清晉 485- 66- 10
鄧宗孔明 1467-239- 71
鄧宗古宋 288-414-456
400-302-524
481- 78-294
鄧宗啟妻 明 見唐氏
鄧宗經明 511-909-173
鄧宗慶後魏 261-393- 24
鄧性初明 1232-697- 9
鄧亞長妻 清 見黃氏
鄧表臣鄧淮 明 1251-681- 4
鄧林材明 1467-122- 66
鄧林彩妻 明 見陳氏
鄧林喬明 559-404-9上
鄧林楠明 515-137- 61
鄧來鸞明 679-697-207
鄧承印清 456-352- 77
鄧承券明 567-354- 80
1467-253- 71
鄧承芳妻 明 見劉氏
鄧承勳唐 564- 30- 44
鄧承藩明 554-257- 52
鄧忠臣宋 473-338- 63
480-407-277
533-246- 55
674-830- 17
1104-820- 0
1437- 18- 1
鄧忠缶晉 515-296- 66
鄧忠德明 563-820- 41
鄧尚義明 528-512- 31
鄧明才明 456-677- 11
鄧明陽明 481-611-329
鄧季筠後梁 277-176- 19
鄧季綬明 528-486- 30
鄧秉恆清 479-712-250
515-160- 61
鄧秉貞明 1442- 98-附6
1460-594- 69
鄧秉修明 529-481- 43
鄧洪震明 300-544-215
482-485-364
鄧宣文北齊 742- 33- 1
鄧洵仁宋 286-366-329
384-374- 19
397-480-348
鄧洵武宋 286-366-329
382-635- 98
384-374- 19
397-480-348
472-360- 3
鄧洵侯宋 1147-355- 32
鄧洵異宋 1123-673- 7
鄧恂美五代 564- 36- 44
鄧彥文元 1217-788- 9
鄧彥海後魏 見鄧淵
鄧彥章明 511-435-153
鄧彥誠元 515-771- 81
鄧春卿宋 529-764- 53
鄧奎郎妻 明 見魏氏
鄧柔中宋 1130-570- 12
鄧柔玉明 章宗原妻
473-118- 54
鄧貞定宋 葛繹妻
479-664-247
鄧茂生元 515-831- 83
鄧茂藩妻 明 見蘇氏
鄧茂鸞清 陳一棟妻
530- 29- 54
鄧思啟明 559-302-7上
鄧思銘明 301-687-278
456-638- 10
479-631-245
鄧思謙明 482-559-369
569-657- 19
鄧思顏明 564-292- 47
鄧思壦唐 見鄧思瓘
鄧思瓘鄧思壦 唐
473-118- 54
516-453-104
鄧若水宋 288-399-455
400-142-511
472-223- 8
473-435- 67
475-143- 57
481-388-312
493-1071- 57
559-400-9上
591-571- 42
鄧約禮宋 515-825- 83
鄧胤之劉宋 515-297- 66
鄧祐甫宋 488-401- 13
鄧祖禹明 301-541-269
456-425- 2
480-135-264
533-371- 60
鄧祖勝元 299-144-124
400-281-522
473-387- 65
482-485-394
567-364- 81
1467-182- 68
鄧原岳明 301-839-286
460-521- 47
481-530-326
494-158- 5
529-479- 43
569-655- 19
1442- 84-附5
1460-469- 62
鄧桂賢元 533-322- 57
鄧起龍明 456-456- 4
鄧時俊母 元 見謝妙瑩
鄧時俊明 515-647- 77
鄧師孟明 482- 38-340
鄧清陽明 533-769- 74
鄧惟明妻 明 見熊氏
鄧惟恭唐 276-226-214
396-322-280
鄧惟善元 見鄧道恕
鄧祥龍明 482-502-365
567-331- 78
鄧崇志明 1238-108- 9
鄧崇弼清 564-307- 48
鄧崇德明 528-514- 31
564-208- 46
鄧國材明 480-508-281
532-709- 45
鄧國昇清 456-352- 77
鄧國華父 宋 1149-713- 16
鄧庭訥唐 275-529-186
396-251-274
471-775- 26
473-349- 63
480-437-278
933-689- 46
鄧得主妻 清 見甘氏
鄧得遇宋 288-346-451
400-193-515
473-336- 63
473-537- 72
480-415-277
481-362-310
482-348-356
533-742- 73
559-525- 12
567- 74- 65
585-784- 8
591-651- 46
1467-180- 68
鄧猛女梁猛女、薄猛女 漢
漢桓帝后、鄧香女
252-194-10下
370-103- 6
373- 46- 19
537-184- 53
鄧紹先妻 明 見董氏
鄧紹儒妻 清 見朱氏
鄧御夫宋 1118-938- 63
鄧啟隆明 510-440-116
鄧雲翔元 567-405- 84
1467-182- 68
鄧雲宵明 510-338-113
532-598- 41
564-154- 45
1442- 86-附5
鄧惠姑明 賴世傳妻
530-163- 59
鄧朝左明 554-299- 53
鄧朝陽元～明 473-652- 78
528-493- 30
1227-102- 12

鄧朝觀妻 明 見李氏
鄧規善明 見鄧林
鄧斯薦明 460-795- 84
鄧斯謹妻 明 見練氏
鄧弼亮宋 482- 77-341
564- 56- 44
鄧彭祖漢 511-694-163
鄧琳祥妻 明 見林氏
鄧琳樞妻 清 見饒氏
鄧森廣明 1460-745- 80
鄧景山唐 270-340-110
275- 49-141
395-697-243
476-474-125
540-742-28之2
鄧景武明 528-571- 32
鄧景福清 456-352- 77
鄧景審唐 見景審
鄧景雋宋 1130-318- 32
鄧華清妻 明 見蔡氏
鄧欽文明 1442- 96-附6
1460-576- 68
鄧進龍妻 清 見張氏
鄧試祥明 1467-190- 69
鄧溫伯宋 見鄧潤甫
鄧詳甫明 516-513-106
鄧道先宋 511-910-173
鄧道恕鄧惟善 元
1196-506- 1
鄧道樞宋 493-1107- 58
590-448- 0
鄧萬斛明 473-336- 63
532-695- 45
鄧傳之宋 1147-568- 54
1147-588- 55
鄧僉可元 1199-301- 30
鄧愈亮妻 清 見劉氏
鄧漢臣明 559-374- 8
鄧漢鼎明 570-147-21之2
鄧漢儀清 511-784-166
鄧嘉賓妻 明 見李氏
鄧嘉懋明 1238-480- 9
鄧夢槐女 宋 見鄧六娘
鄧鳳峙妻 清 見劉氏
鄧鳳梧清 481-698-332
529-694- 50
鄧蜚英宋 451- 80- 2
鄧魁甫女 清 見鄧氏
鄧魁春清 483-184-385
570-215- 23
鄧潤甫鄧溫伯 宋
286-550-343
382-627- 96
384-374- 19
384-379- 19
397-631-358
471-740- 21
473- 98- 53
479-628-245
480- 48-259
484- 96- 3
515-820- 83
1110-457- 25
1437- 14- 1
鄧標秀清 許將愈妻
479-730-250
479-812-255
鄧穎孳清 559-441-10下
鄧霆祐明 516-526-106
鄧儀弼清 456-292- 72
鄧德夫宋 1123- 85- 8
鄧德秀元 1195-415- 8
鄧德昌明 510-316-113
鄧德明劉宋 479-794-254
516-154- 94
鄧德明元 1215-706- 10
鄧德恆明 鄧瑄女
1255-666- 69
鄧德溫明 1248-121- 6
鄧盧敘吳 524-142-185
鄧蕃錫妻 明 見張氏
鄧學可元 820-546- 39
鄧學詩明 1237-393- 12
1238-261- 22
1457-694-409
鄧儒震明 564-256- 47
鄧應仁明 473-195- 58
479-811-255
515-258- 65
528-528- 31
564- 92- 45
鄧應午宋 559-315-7上
1173-285- 84
鄧應祁明 559-402-9上
鄧濟泰妻 清 見石氏
鄧豁渠鄧鶴、豁渠 明
457-507- 32
570-248- 25
1457-611-399
鄧謙亨元 517-481-127
鄧臨霄清 533-221- 53
鄧藩錫明 302- 44- 291
456-437- 3
475-279- 63
476-577-131
481-783-337
511-457-154
528-573- 32
540-636- 27
鄧覺非元 821-320- 54
鄧繼科明 567-339- 79
1467-231- 70
鄧繼曾明 300-403-207
481-389-312
559-403-9上
鄧襲爵清 538- 82- 64
鄧懿惠元 劉天麒妻、鄧子茂女 1197-816- 86
鄧麟生妻 清 見陳氏
鄧顯芳明 473-377- 65
480-565-284
鄧顯麒明 473- 29- 49
515-387- 68
676-720- 30
1271-817- 8
鄧巖忠明 301-644-276
456-543- 7
479-353-233
480-249-269
鄧靈奇後魏 261-394- 24
鄧靈珍後魏 261-393- 24
鄧觀光鄧觀孫 宋 451- 67- 2
鄧觀孫宋 見鄧觀光
鄧觀國元 1202-251- 18
鄧觀善明 見鄧林
鄧國公主宋 宋哲宗女
285- 67-248
393-326- 77
鄧國長公主沂國長公主 宋 宋神宗女 1100-553- 53
震仲澤金 見雷仲澤
穀文伯、仲孫穀、孟文伯、孟孫穀、孟孫文伯 春秋
375-704- 89
384- 13- 1
404-509- 31
穀思漢 933-721- 49
穀梁赤穀梁俶、穀梁叔 春秋
405-452- 85
539-500-11之2
675-298- 15
933-788- 56
穀梁俶春秋 見穀梁赤
穀梁淑春秋 見穀梁赤
敷成王後魏 見元坦
敷道人宋 820-468- 36
遷宋 1053-506- 12
遷努元 見齊諾
遷家訥元 1222-374- 下
遷善可汗唐 見默綴
歐氏明 任通妻 533-587- 69
歐氏清 吳英妻 530-115- 57
歐氏清 吳元吉妻 530- 76- 55
歐氏清 何良璧妻 482- 92-342
歐氏清 徐基盤妻、歐彝臣女
480-142-264
533-579- 68
歐氏清 倪可任妻 530- 24- 54
歐氏清 崔峘妻 482-391-358
歐氏清 樊明訓妻 480-546-283
歐氏清 藍可行妻 480-639-288
歐氏清 歐映女 482- 45-340
歐治明 564-263- 47
歐亮清 482-144-344
歐映女 清 見歐氏
歐信明 299-749-174
474-183- 9
474-691- 37
502-284- 56
505-808- 74
545-277- 93
567- 96- 66
歐宬歐三俊 宋 451- 66- 2
歐海宋 480-541-283
532-717- 45
533-249- 55
歐珠明 559-394-9上
歐淮明 563-795- 41
歐植明 554-734- 61
歐逵十國吳 485-499- 9
歐復元 820-527- 38
歐進妻 清 見袁氏

歐預妻 清 見王氏
歐鉦妻 明 見余氏
歐端妻 明 見蔡氏
歐慶宋 473-250- 60
480-296-271
533- 88- 49
1102-194- 24
1378-613- 63
1383-652- 58
1410-195-686
歐賢明 1251-223- 17
歐璉明 567-410- 84
歐輝明 473-656- 78
529-566- 46
歐磐明 299-657-166
475-798- 90
481-805-338
482-322-354
511-425-152
歐寶漢 473-146- 56
479-712-250
515-565- 75
歐三俊宋 見歐宬
歐士擢清 482- 78-341
564-307- 48
歐士襲妻 明 見馬氏
歐于復明 479-796-254
歐大任母 明 見孔氏
歐大任明 301-846-287
482- 38-340
564-280- 47
676-593- 24
1442- 65-附4
1460-268- 52
歐大聰明 564-263- 47
歐文通明 563-778- 40
歐必永明 480-637-288
533-409- 61
歐守忠明 1467-194- 69
歐如虹妻 明 見黃氏
歐治子春秋 453-725- 1
493-1061- 56
524-363-197
933-489- 32
歐志學明 460-564- 56
529-731- 51
676- 28- 1
678-460-114
歐希範宋 408-270- 9
歐廷琰妻 清 見林氏
歐茂仁妻 明 見胡氏
歐時雍妻 明 見田氏
歐國儁明 567-358- 80
1467-256- 71
歐善堂明 480-543-283
533-273- 56
歐普祥元 534-960-120
歐陽仁明 533- 93- 49
歐陽氏宋 文天祥妻
516-280- 99
1184-802- 21
歐陽氏宋 王邦義妻、歐陽斌女 1161-633-126
歐陽氏明 王泰妻
1241-218- 10
歐陽氏明 王敬妻、歐陽齊忠女 1239-196- 40
歐陽氏明 王佳傅妻
302-226-302
479-611-244
516-386-102
歐陽氏明 林相妻
482-188-346
564-347- 49
歐陽氏明 唐世起妻
480-416-277
歐陽氏明 莫一杜妻
480-179-266
歐陽氏明 莫希夔妻、歐陽經女 1467-272- 72
歐陽氏明 董惟嶽妻
473-361- 64
480-513-281
歐陽氏明 劉文標妻
480-440-278
533-691- 72
歐陽氏明 劉德潤妻
473-189- 58
歐陽氏明 羅篤溫妻
473-158- 56
歐陽氏清 凌基元妻
479-612-244
歐陽氏清 孫俊彥妻
479-798-254
歐陽氏清 陳詩妻
482-435-361
歐陽氏清 雷正海妻
481-390-312
歐陽玄元 295-446-182
399-728-492
453-801- 4
472-348- 15
473-316- 62
473-340- 63
473-348- 63
475-667- 84
480-410-277
480-436-278
480-463-279
510-453-117
515-502- 72
532-725- 46
533-249- 55
820-517- 38
1375- 36- 下
1439-429- 1
1468-739- 33
歐陽永元 1220-540- 10
歐陽弘明 564-173- 45
歐陽正明 1239-125- 35
1241-194- 9
1242-812- 9
歐陽旦宋 1102-563- 71
1408-743-557
歐陽旦明 299-844-180
473-156- 56
479-723-250
515-681- 78
559-252- 6
1252-299- 17
歐陽申明 532-707- 45
歐陽生漢 251-107- 88
380-251-172
472-589- 24
476-661-136
540-696-28之1
675-258- 7
933-775- 55
歐陽州明 567-346- 79
1467-246- 71
歐陽光元 820-533- 38
歐陽光明 533-107- 50
歐陽言宋 473-390- 65
533-105- 50
歐陽序明 684-501- 下
820-743- 44
歐陽汶明 473-178- 57
515-507- 72
歐陽伾唐 1408-743-557
歐陽伸明 567-312- 77
1467-198- 69
歐陽宜明 480-321-272
歐陽況明 518-791-161
歐陽初明 564-200- 46
歐陽昌明 1287-560- 25
歐陽昉明 1467- 95- 65
歐陽旻歐陽杲 宋
515-598- 76
歐陽杲宋 見歐陽旻
歐陽念明 564-268- 47
歐陽和宋 見歐陽程
歐陽和明 473-152- 56
515-661- 77
1467- 62- 64
歐陽佺唐 1408-743-557
歐陽周明 510-384-115
歐陽侁宋 460-454- 35
529-450- 43
680-221-246
歐陽恂明 473-367- 64
532-738- 46
563-799- 41
歐陽玭妻 明 見趙氏
歐陽持唐 473-166- 57
515-462- 71
歐陽春明 480-638-288
歐陽枘明 473-236- 60
480-174-266
歐陽柏明 523-194-155
歐陽建晉 255-607- 33
377-435-121上
478-332-191
494- 53- 2
554-228- 52
933-776- 55
1379-329- 40
歐陽貞明 515-504- 72
676-466- 17
1233-254- 4
歐陽昭明 533- 93- 49
歐陽重明 300-345-203
479-724-250

482-540-368
515-690- 78
1275-367- 16
歐陽信明 558-200- 31
歐陽紇陳 260-608- 9
265-935- 66
370-580- 20
378-504-144
533-244- 55
567-538- 90
933-776- 55
歐陽弁宋 515-622- 76
1147-355- 32
歐陽保明 563-826- 41
歐陽俊明 1242- 37- 25
歐陽涇元 1210-122- 10
歐陽高漢 933-775- 55
歐陽祐隋 528-480- 30
歐陽祐宋 564- 76- 44
歐陽託唐 1102-562- 71
1408-746-557
歐陽席明 1458-689-471
歐陽恭明 472-559- 23
歐陽烈明(松楊教諭)
523-248-157
歐陽烈明(字茂之) 563-809- 41
歐陽烈明(字懋之) 576-654- 5
歐陽烝清 533-196- 53
歐陽珦宋 288-305-448
400-150-512
449-326- 4
473-148- 56
479-713-250
515-584- 75
517-432-126
523- 77-149
歐陽哲明 473-153- 56
515-664- 77
537-213- 54
1241-107- 5
1241-452- 6
歐陽陡宋 1467-168- 68
歐陽迥宋 288-697-479
473-431- 67
559-340- 8
歐陽豹宋 1147-472- 44
歐陽倩唐 567-583- 94
歐陽秬唐 276- 89-203
400-615-556
529-526- 45
歐陽倫明(尚安慶公主)
299-105-121
歐陽倫明(永川人) 559-308-7上
歐陽修宋 286-229-319
382-463- 72
384-352- 18
384-361- 18
397-387-343
449-157- 2
450-195-上24
459-520- 31
471-732- 20
471-795- 29
471-900- 44
471-913- 47
472-126- 4
472-198- 7
472-587- 24
472-740- 29
472-789- 31
473-147- 56
473-246- 60
473-297- 62
474- 92- 3
475-365- 67
475-776- 89
475-796- 90
475-869- 95
476-657-135
477- 51-151
477-305-163
477-409-169
479-713-250
480-207-267
480-288-271
480-340-273
505-631- 67
510-478-118
510-484-118
515-575- 75
517-390-125
517-402-126
517-451-127
518-196-142
532-664- 44
533-732- 73
537-240- 55
538-327- 69
539-502-11之2
540-647- 27
545- 43- 84
545-437- 99
550-162-215
585- 83- 2
588-162- 8
674-281-4下
677-192- 18
708-335- 50
812-751- 3
820-349- 32
839- 59- 5
933-776- 55
1089-536- 50
1089-747- 18
1102- 6- 附
1102-343- 44
1103-599- 2
1103-600- 2
1103-601- 2
1103-602- 2
1103-603- 2
1103-612- 3
1103-628- 5
1103-805- 附
1112-263- 25
1112-273- 26
1112-768- 23
1118-349- 18
1122-466- 55
1145-420- 71
1351-690-149
1356-114- 6
1356-236- 11
1366-820- 8
1375- 32- 下
1378-630- 63
1383-325- 附
1383-528- 47
1384-652-139
1407- 65-401
1408-608-543
1418-440- 50
1437- 2- 1
1461-190- 11
歐陽修妻 宋 見胥氏
歐陽修妻 宋 見楊氏
歐陽修妻 宋 見薛氏
歐陽寅明 564-157- 45
1467- 76- 64
歐陽涵明 480-511-281
533-265- 55
歐陽淮明 1241-178- 8
1241-298- 13
歐陽淮妻 明 見陳氏
歐陽深明 528-478- 30
歐陽袞唐 273-112- 60
473-570- 74
529-715- 51
歐陽袞明 456-494- 5
558-424- 37
歐陽梧明 533-491- 65
歐陽梧女 明 見歐陽金貞
歐陽問宋 1113-428- 8
歐陽習明 1243-693- 23
歐陽郴南唐 515-571- 75
1102-562- 71
1408-746-557
歐陽彬後蜀 407-662- 3
480-510-281
533-318- 57
歐陽勔妻 明 見黎氏
歐陽通唐 271-536-189上
276- 7-198
384-183- 10
400-585-554
473-337- 63
480-406-277
533-245- 55
812-737- 3
813-250- 8
814-266- 9
820-133- 26
933-776- 55
歐陽通宋 1119-244- 22
1119-323- 31
歐陽莘明 472-127- 4
歐陽晚明 解綸妻、歐陽衡女
1236-807- 13
歐陽組妻 明 見黃氏
歐陽偃南唐 515-571- 75
1102-562- 71
1408-747-557

歐陽紳唐 1408-743-557
歐陽斌女 宋 見歐陽氏
歐陽湯明 1241-824- 21
歐陽琮唐 1102-562- 71
1408-743-557
歐陽巽宋 見歐陽守道
歐陽植明 456-609- 9
477-473-173
537-344- 56
歐陽琟唐 1071-635- 7
歐陽雅唐 1102-562- 71
1408-743-557
歐陽琦明 480-173-267
歐陽琳明 1242-151- 29
歐陽發宋 286-233-319
397-390-343
473-147- 56
511-914-173
515-578- 75
1115-411- 49
1356-212- 9
歐陽凱清 481-763-335
528-568- 32
歐陽程歐陽和 宋
473-389- 65
533-321- 57
534-945-120
歐陽棐宋 286-233-319
382-468- 72
384-353- 18
397-391-343
472-789- 31
473-147- 56
477-409-169
480-288-271
511-914-173
515-579- 75
537-326- 56
545-213- 91
933-778- 55
1102- 9- 附
1122- 70- 6
歐陽復明(謚節愍) 456-585- 8
475-432- 70
511-467-154
歐陽復明(桂陽人) 473-403- 66
473-585- 75
528-485- 30
533-117- 50
歐陽復明(字孟亨) 523-119-151
歐陽鈇宋 515-588- 75
1147-782- 74
歐陽進清 480-652-289
歐陽詢唐 271-536-189上
276- 7-198
384-176- 9
400-584-554
471-755- 23
473- 45- 50
473-337- 63
480-406-277
516-211- 96
533-244- 55
812- 64- 中
812-228- 8
812-717- 3
812-737- 3
813-249- 8
814-265- 9
820-132- 26
933-776- 55
歐陽新宋 480-415-277
歐陽煖明 554-313- 53
歐陽載宋 510-501-118
515-574- 75
1102-234- 29
1102-563- 71
1383-618- 55
1408-743-557
歐陽椿宋 515-501- 72
歐陽瑜明 301-787-283
479-725-250
515-700- 79
歐陽照明 480-320-272
533-741- 73
歐陽嵩明 481-745-334
515-693- 78
528-561- 32
歐陽嵩妻 明 見劉季姐
歐陽暉明 482- 39-340
歐陽詹唐 276- 89-203
384-240- 12
400- 64-556
471-667- 12
471-670- 13
473-585- 75
481-559-327
481-584-328
529-526- 45
547-152-147
550-351-221
674-256-4上
674-805- 16
820-237- 28
933-776- 55
1073-537- 22
1074-367- 22
1075-321- 22
1078-196- 附
1078-259- 附
1354- 82- 10
1371- 68- 附
1383-193- 16
1388-164- 58
1410-561-740
歐陽鉦明 1243-699- 23
歐陽經宋 564- 76- 44
歐陽經明 467-343- 79
1467-241- 71
歐陽經女 明 見歐陽氏
歐陽賓唐 1467-142- 67
歐陽賓宋 515-518- 73
歐陽誥明 523-192-155
1261- 78- 6
歐陽韶明 299-322-139
479-716-250
515-635- 77
歐陽塾明 515-704- 79
歐陽福明 563-851- 41
歐陽寨妻 明 見鄭氏
歐陽澈宋 288-389-455
400-139-511
473-114- 54
479-656-247
515-741- 80
517-417-126
518-236-143
1136-334- 附
1136-335- 附
1136-336- 附
1136-418- 7
1136-419- 7
1136-421- 7
1136-422- 7
1136-424- 7
1363-216-129
1437- 21- 2
歐陽榛清 567-401- 83
歐陽鳳妻 明 見鄧氏
歐陽銘明 299-338-140
476-658-135
479-717-250
515-639- 77
540-649- 27
1238-108- 9
1241-254- 11
歐陽廣南唐 515-571- 75
歐陽潮宋 460-454- 35
歐陽穎宋 見歐陽穎
歐陽賢明 1237-315- 6
1237-316- 6
1238-173- 15
1242-173- 30
歐陽閱明 518-791-161
歐陽震明 512-242-266
歐陽敷後漢 516-220- 96
歐陽輝妻 清 見譚氏
歐陽頠陳 260-607- 9
265-933- 66
378-503-144
384-121- 6
473-233- 60
473-337- 63
480-406-277
533-244- 55
563-623- 38
567-537- 90
933-776- 55
1399-731- 8
1415-593-105
歐陽儀南唐 515-571- 75
1102-562- 71
1408-743-557
歐陽德明 301-787-283
457-239- 17
458-896- 8
475-834- 93
479-725-250
510-498-118
515-699- 79
676-558- 23
1277-530- 4

1442- 51-附3
1460- 83- 44
歐陽熺明 563-815- 41
歐陽廩明 820-744- 44
821-450- 57
歐陽穎歐陽潁 宋
475-561- 79
485-500- 9
510-423-116
515-577- 75
1102-480- 61
1102-564- 71
1383-619- 55
1408-743-557
歐陽翯妻 明 見孫氏
歐陽選明 481-212-302
559-291-7上
歐陽興明 473-616- 77
528-510- 31
歐陽曄宋 473-146- 56
480-199-267
515-573- 75
1102-214- 27
1102-376- 49
1102-563- 71
1383-623- 55
1408-743-557
歐陽蹄戰國 494-261- 1
歐陽衡明 1236-798- 13
歐陽衡女 明 見歐陽晚
歐陽歙漢 253-525-109上
370-144- 13
380-262-172
402-382- 4
472-589- 24
472-788- 31
477- 47-151
477-406-169
510-273-112
537-323- 56
539-351- 8
675-260- 7
933-776- 55
歐陽謙明 473-236- 60
480- 90-262
533-190- 53
676-466- 17
歐陽懋宋 488-423- 14
1152-806- 52
歐陽懋元 1202-242- 17
歐陽璲明 456-574- 8
480-175-266
歐陽彝宋 515-598- 76
1147-522- 49
1147-787- 75
歐陽顓明 1249-399- 26
歐陽瀚明 528-452- 29
歐陽辯宋 511-914-173
歐陽闢宋 482-349-356
567-296- 76
585-777- 6
1467-172- 68
歐陽耀元 1210-151- 13
歐陽鐸明 300-341-203
475- 20- 49
479-724-250
481-525-326
481-644-330
510-292-112
515-692- 78
528-512- 31
563-743- 40
1272-422- 12
1280-547- 96
1442- 43-附3
1459-898- 38
歐陽麟妻 明 見鄭氏
歐陽讓明 494- 22- 2
歐陽觀宋 473-146- 56
473-387- 65
481-403-313
510-501-118
512-789-196
515-573- 75
517-451-127
532-715- 45
559-321-7上
591-684- 47
1351-641-145
1356-156- 7
1356-843- 4
1383-657- 58
1408-743-557
1410-245-693
1418-284- 45
1447-576- 31
1476-184- 10
歐陽觀妻 宋 見鄭氏
歐陽觀妻 明 見姚氏
歐陽釁宋 812-540- 3
821-166- 50
歐陽灤明 563-798- 41
歐陽勷明 564-239- 46
歐彝臣女 清 見歐氏
歐觀生明 564-278- 47
歐東先生明 1457- 48-345
歐陽必進明 567-124- 67
676-548- 22
歐陽一敬明 300-542-215
479-609-244
516-133- 92
歐陽八哥妻 清 見林氏
歐陽士則明 1241-114- 5
歐陽子白明 1238-564- 15
歐陽子忠明 1231-785- 2
歐陽斗南宋 515-596- 76
518-755-160
歐陽文起歐陽鱗兒 宋
448-375- 0
歐陽文壽元 1210-132- 10
歐陽元量宋 515-525- 73
歐陽中立宋 479-767-252
515-499- 72
歐陽公瑾元 1221-640- 24
歐陽允乾明 1242-203- 31
歐陽玉眞明 阮彰妻、歐陽仲昭女 1243-702- 23
歐陽以忠明 1238-209- 18
歐陽守道歐陽巽 宋
287-602-411
398-562-402
473-149- 56
479-715-250
515-602- 76
676-693- 29
1204-359- 15
歐陽次元妻 清 見胡氏
歐陽地餘漢 933-775- 55
歐陽同寅元 1210-123- 10
歐陽光祖宋 460-109- 6
529-608- 47
歐陽仲昭女 明 見歐陽玉眞
歐陽伊水清 1313-108- 9
歐陽成務宋 1161- 38- 76
歐陽杞居元 1195- 70- 6
歐陽希文妻 宋 見廖氏
歐陽邦昌宋 515-525- 73
歐陽邦基宋 1147-586- 55
歐陽東昌明 456-584- 8
483-331-397
572- 83- 28
歐陽東鳳明 300-780-231
458-446- 21
475-215- 60
480-175-266
482-433-361
510-366-114
510-394-115
567-143- 68
歐陽承第妻 元 見尤氏
歐陽尚誠明 516-129- 92
歐陽昌邦妻 宋 見嚴氏
歐陽明憲清 481-613-329
528-499- 30
歐陽金貞明 羅欽仰妻、歐陽栢女 302-217-301
480- 62-260
533-506- 66
歐陽時峻明 1241-841- 21
歐陽梅溪明 1237-213- 3
歐陽雪友宋 821-260- 52
歐陽晚香明 533-712- 72
歐陽紹慶明 1287-547- 24
歐陽斌元清 515-453- 70
歐陽巽翁元 1210-153- 13
歐陽凱士宋 529-742- 51
歐陽欽孔妻 明 見康氏
歐陽楚翁宋 821-260- 52
歐陽達老元 1211-482- 68
歐陽福祐妻 明 見朱氏
歐陽齊忠女 明 見歐陽氏
歐陽榮東妻 清 見冉氏
歐陽壽娘明 羅輯賈妻
473-158- 56
歐陽碧潭明 482-469-363
567-464- 87
1467-524- 11
歐陽夢桂妻 宋 見陸柔柔
歐陽調律明 505-685- 69
歐陽德載宋 1188-664- 4
歐陽德儀宋 1102-201- 25

1102-381- 50
1102-489- 62
歐陽龍生元 1210-172- 16
1210-176- 16
歐陽應丙元 1439-430- 1
歐陽皤然宋 1134-300- 43
歐陽獻可宋 482-290-352
564- 76- 44
歐陽顯宇明 302- 95-294
456-498- 5
480-665-290
533-402- 61
歐陽顯嘉明 515-674- 78
歐陽鱗兒宋 見歐陽文起
歐陽觀遠明 821-408- 56
麩子李明(辟穀但啖麥麩)
533-769- 74
撖舉元 1200-655- 49
撖大經明 505-888- 79
撖君錫明 302- 90-294
456-612- 9
480-243-269
546-609-135
撒巴金 見薩巴
撒里元 見薩里
撒里妻 元 見蕭氏
撒俊明 546- 90-118
554-278- 53
撒吉思元 見薩奇蘇
撥徹元 見博綽
撮米和尚明(日食米一撮)
533-758- 74
隸首不詳 933-659- 43
樊夏 見昆吾
樊才女 宋 見樊氏
樊氏唐 徐秀妻、樊季節女
1071-638- 8
樊氏唐 劉綱妻 533-792- 75
1059-288- 6
樊氏宋 王英臣妻、樊才女
1163-609- 38
樊氏宋 趙鼎母 476-404-119
樊氏明 于心齋妻
1267-517- 6
樊氏明 史勝妻 506-151- 90
樊氏明 任明妻 476-372-117
樊氏明 汪德源妻 472-753- 29
樊氏明 杜鉦妻 480-139-264
樊氏明 李耀如妻 478-351-191
樊氏明 胡恆妻 480-179-266
樊氏明 胡啟愚妻、樊惟卿女
483- 36-371
570-188- 22
樊氏明 高紹妻、樊公輔女
516-236- 97
樊氏明 高暹妻 472-313- 13
475-434- 70
樊氏明 許雲程妻 506- 83- 88
樊氏明 許喬遷妻 483-163-382
570-206- 22
樊氏明 程一模妻 533-595- 69
樊氏明 楊仲振妻
1245-786- 13
樊氏明 楊香哥妻 506- 6- 86
樊氏明 萬堯化妻 479-611-244
樊氏明 聞克明妻 481-454-318
樊氏清 王琈妻 474-196- 9
樊氏清 王棟妻 506- 20- 86
樊氏清 邱廷瑜妻 474-195- 9
樊氏清 孫自愼妻 478-139-181
樊氏清 殷秉智妻 476-869-145
樊氏清 曹新貴妻 481- 85-294
樊氏清 張璠妻 478-354-191
樊氏清 劉吉秘妻 506- 27- 86
樊氏清 樊應元女 482- 43-340
樊正吳 524-130-185
樊安漢 681- 40- 3
681-519- 6
681-673- 21
1103-376-136
1332-716- 19
1397-597- 28
1410- 19-665
樊宏漢 252-747- 62
370-131- 11
376-691-108
384- 58- 3
402-384- 4
402-425- 7
402-520- 15
472-769- 30
477-365-167
533-225- 54
537-532- 59
539-351- 8
933-188- 13
樊亨妻 明 見翟粉兒
樊均明 554-312- 53
樊育漢 554-891- 64
812-315- 4
821- 7- 45
樊伯妻 明 見吳氏
樊阿魏 254-508- 29
380-578-181
475-425- 70
511-876-170
742- 27- 1
樊明妻 清 見李氏
樊阜明 524- 92-182
676-510- 20
1442- 34-附2
1459-718- 28
樊炳元 473-387- 65
480-541-283
532-718- 45
樊亜明 1261-865- 42
樊建蜀漢 254-591- 5
377-256-118上
384-465- 12
樊茂漢 539-351- 8
樊昱女 明 見樊鳳英
樊英漢 253-599-112上
380-571-181
402-466- 10
469- 61- 8
472-770- 30
477-501-174
538-167- 66
677- 79- 8
933-188- 13
933-804- 60
樊英明 1250-484- 45
樊迪明 524-169-186
樊重漢 252-747- 62
370-131- 11
376-691-108
402-380- 4
477-362-167
533-225- 54
575-509- 29
933-188- 13
樊素唐 1080-788- 71
樊珪元 476-123-102
547- 71-143
樊姬春秋 楚莊王夫人
386-629- 5
405- 81- 61
448- 20- 2
452- 81- 2
473-304- 62
533-502- 66
839- 22- 2
樊清宋 524-333-195
樊淮漢 見樊準
樊淵元 295-600-197
400-310-526
472-177- 6
475- 74- 53
511-509-157
樊深北周 263-797- 45
267-582- 82
380-323-174
476-116-102
546-694-138
933-188- 13
樊深明 300-415-207
476-260-110
546- 93-118
676-568- 23
樊梵樊楚、桓文高 漢
252-750- 62
370-132- 11
376-693-108
402-382- 4
402-398- 5
402-429- 8
樊陵漢 554-100- 50
1063-222- 6
1407-633-459
1412-451- 18
1412-460- 18
樊崇漢 252-466- 41
370-213- 23
376-510-104
384- 56- 3
樊冕明 494- 55- 2
樊猛陳 260-755- 31
265-956- 67
378-524-144
537-544- 59
567- 5- 62
933-188- 13

樊婉清 樊晉肱女 524-535-204
樊敏漢 559-376- 8
561-311- 40
561-534- 44
591-183- 14
681-283- 18
681-575- 11
1381-631- 46
1381-791- 59
1397-663- 31
樊滋妻 宋 見蔡氏
樊盛明 554-527-57下
樊琦明 511-567-158
樊景宋 1090- 54- 11
樊勛明 1269-456- 7
樊須春秋 見樊遲
樊智唐 559-261- 6
樊復元 515-350- 67
樊義妻 明 見張氏
樊煒明 677-653- 58
樊準樊淮 漢 252-749- 62
370-132- 11
376-694-108
384- 58- 3
402-376- 4
402-421- 7
472-106- 4
472-716- 28
474- 89- 3
474-616- 32
477-241-161
477-367-167
505-674- 69
533-226- 54
537-285- 55
933-188- 13
樊準明 510-400-115
515-389- 68
樊戩明 523-136-152
樊資明 554-486-57上
樊楫元 295-265-166
400-246-520
472-577- 24
476-617-133
540-775-28之2
1213-349- 9
樊楚漢 見樊梵
樊萬元 523-630-177
樊節妻 明 見劉氏
樊賓樊王尊 宋 448-386- 0
樊榮清 547- 55-143
樊塈上古 383- 64- 9
樊遜北齊 263-345- 45
267-608- 83
380-384-176
384-143- 7
476-116-102
538-315- 69
544-220- 62
546-695-138
933-188- 13
1401-458- 34
樊瑩明 300- 54-186
453-592- 13
475-176- 59
479-357-233
510-349-114
523-334-161
545-187- 90
569-618-18下之2
569-649- 19
1261-675- 28
樊潛唐 1085-209- 27
樊調妻 漢 見梁嬺
樊毅漢 556-359- 91
556-360- 91
681-678- 21
樊毅陳 260-754- 31
265-955- 67
370-598- 20
378-523-144
477-375-167
537-544- 59
567- 5- 62
933-188- 13
樊瑾明 515-374- 68
樊樞明 456-597- 1
樊餘戰國 404-488- 29
樊澤唐 270-462-122
275-239-159
384-233- 12
396- 49-256
472-465- 20
473-246- 60
476-120-102
480- 11-257
532-568- 40
546-276-124
554-129- 50
933-189- 13
1077-654- 8
樊澥宋 524-268-191
樊融漢 538-163- 66
樊翰清 482- 34-340
563-873- 42
樊靜妻 明 見葉淑慧
樊璡妻 明 見張氏
樊遲樊須 春秋 244-387- 67
371-493- 32
375-655- 88
405-444- 85
472-547- 23
491-791- 6
539-495-11之2
樊興唐 269-508- 57
274-165- 88
395-253-203
402-423- 7
473-269- 61
480-202-267
533-199- 53
樊噲漢 243-213- 8
244-619- 95
250-138- 41
251-524- 11
376- 60- 96
384- 36- 2
472-410- 18
475-422- 70
511-219-144
535-551- 20
556-339- 90
933-188- 13
1397-198- 10
1407- 58-400
1408-265-506
樊曄漢 253-496-107
370-160- 15
380-222-171
402-420- 7
472-769- 30
475- 14- 49
476-365-117
478-514-200
537-534- 59
933-188- 13
樊衡北齊 547- 68-143
樊濬明 524- 92-182
樊曙清 559-411-9下
樊嶷清 476- 86-100
樊謹宋 480-543-283
533-403- 61
樊鎮明(字君輔) 458-165- 8
472-683- 27
523- 35-147
537-428- 58
545- 66- 85
樊鎮明(柘城人) 493-757- 41
樊儵漢 見樊鯈
樊鵬明(字少南) 458-170- 8
538-148- 65
1442- 53-附3
1460-106- 45
樊鵬明(字士南) 458-171- 8
樊鯈樊儵 漢 252-749- 62
370-132- 11
376-693-108
384- 58- 3
402-565- 19
472-705- 28
477-366-167
533-225- 54
538- 28- 62
675-297- 15
樊寶金 547- 90-144
樊繼明 473-210- 59
480- 51-259
532-617- 43
樊灃明 524-170-186
樊瓚妻 明 見劉氏
樊顯漢 370-170- 16
402-402- 6
樊讓明 558-487- 41
樊一若明 481-213-302
樊一若妻 明 見李氏
樊一蘅明 301-699-279
481-213-302
559-372- 8
樊九敖明 547- 72-143
樊士宏妻 清 見薛氏
樊士信明 456-694- 12
480-204-267

533-381-60
樊士高元 1197-768-81
樊子英明 456-615-9
樊子晉元 533-773-74
樊子蓋隋 264-915-63
267-499-76
379-820-163
384-156-8
448-328-下
472-738-29
475-703-86
477-304-163
478-634-206
482-115-343
511-333-149
537-296-56
558-218-32
563-627-38
933-188-13
樊子鵠後魏 262-191-80
267-60-49
379-349-151
472-482-21
544-210-62
546-27-115
933-188-13
樊于震明 456-639-10
樊大臨元 547-90-144
樊口女明(樊口乃地名)
480-64-260
533-513-66
樊文皎梁 480-613-287
樊文詩妻 清 見黃氏
樊之鑛清 524-159-186
樊王家明 563-791-41
樊王尊宋 見樊賓
樊天敘明 554-766-62
1293-297-17
樊天勝元 545-407-98
1191-398-34
樊中萃明 456-678-11
樊公輔女 明 見樊氏
樊化龍明 456-597-9
樊玉衝明 475-122-55
477-543-176
480-135-264
510-339-113
515-190-62
533-52-48
1457-298-370
樊玉衡明 300-815-233
480-134-264
510-487-118
533-51-58
樊正邦明 456-581-8
樊可行宋 288-410-456
400-299-524
477-452-171
樊世良妻 清 見李氏
樊用節妻 明 見陶氏
樊守仁明 480-128-264
樊守素唐 821-95-48
樊守純明 532-637-43
樊汝舟宋 451-67-2
樊汝霖樊應龍 宋(字澤霖)
451-57-2
樊汝霖宋(字澤之) 674-804-16
樊吉人明 302-45-291
456-460-4
505-858-77
樊光遠宋 472-967-38
523-259-158
678-119-81
1138-803-22
樊兆程明 475-471-72
樊自一明 300-816-233
樊自新明 545-388-97
樊仲華漢 477-365-167
樊良佐明 456-639-10
樊良樞明 515-414-69
523-90-149
676-739-31
677-682-61
1442-88-附6
1460-503-64
樊志張漢 253-603-112下
380-574-181
478-247-186
478-490-199
554-865-64
樊志張明 533-333-58
樊志應元 1200-516-40
樊伯炯明 1241-677-15
樊邦獲宋 1185-493-90
樊廷茂宋 451-100-3
樊廷桂妻 清 見張氏
樊廷槐明 456-639-10
樊廷選明 見林廷選
樊宗亮宋 843-672-下
樊宗師唐 275-240-159
396-50-256
476-121-102
476-394-119
481-403-313
538-145-65
545-455-99
546-703-138
549-331-193
679-391-177
820-236-28
933-189-13
1073-635-34
1074-489-34
1075-433-34
1355-620-21上
1378-590-62
1383-188-15
1383-189-15
1410-284-700
1447-268-10
樊於期戰國 933-188-13
樊來保明 554-717-61
樊尚璟明 515-440-70
樊昌時宋 515-319-67
樊明訓妻 清 見歐氏
樊明善明 456-675-11
559-517-12
樊叔略隋 264-1035-73
267-659-86
380-204-170
384-157-8
472-656-27
472-694-28
477-67-151
477-161-157
511-346-149
537-263-55
933-189-13
樊知古樊若水 宋
285-428-276
396-681-316
471-928-49
472-366-16
475-642-83
511-313-148
樊季節女 唐 見樊氏
樊亮信明 1267-323-36
樊彥琛妻 唐 見魏氏
樊奕珩妻 明 見鄒氏
樊咸修清 523-110-150
樊思簡妻 清 見鄧氏
樊若水宋 見樊知古
樊晉肱女 清 見樊婉
樊時新妻 清 見張氏
樊師孔明 572-108-30
樊惟卿女 明 見樊氏
樊執敬元 295-582-195
400-261-521
472-559-23
472-963-38
478-765-215
493-786-42
523-29-147
540-775-28之2
585-378-7
1221-503-13
1439-449-2
樊處約宋 558-469-39
樊得仁明 494-56-2
樊得華妻 明 見楊氏
樊敘倫清 481-213-302
559-412-9下
樊景溫宋 288-409-456
400-298-524
547-99-145
樊景麟明 473-222-59
480-88-262
532-625-43
559-349-8
樊智遷唐 473-425-67
樊進學明 547-19-141
樊鼎遇明 300-816-233
559-322-7上
樊會仁母 唐 見敬象子
樊漢炳宋 559-385-9上
樊際盛清 528-518-31
樊夢斗明 506-547-105
1312-552-7
樊鳳英明 萬尚弘妻、樊昱女
473-32-49
479-499-239
516-244-97

樊維城明 300-816-233
456-492- 5
480-136-264
523-109-150
533-371- 60
676-171- 7
樊維域清 533-182- 52
樊德雲漢 1397-467- 22
樊德華妻 明 見楊氏
樊澤達清 481-214-302
559-439-10下
樊興嗣元 1201-168- 80
樊穆仲春秋 見仲山甫
樊應元女 清 見樊氏
樊應宗明 554-347- 54
樊應龍宋 見樊汝霖
樊懋侁元 480-127-246
樊獻科明 523-574-174
528-456- 29
樊繼祖明 540-800-28之3
676-544- 22
676-719- 30
樊顯宗清 505-898- 80
樊體坤明 571-543- 20
樊觀生明 523-573-174
磔飄明 思義妻 483-140-380
閩春秋 見周惠王
履商 見湯
履癸夏 見桀
履徹唐 1065-752- 12
賞都明 496-628-106
賞琪清 456-352- 77
賞慶晉 933-688- 46
賞鐸妻 清 見王氏
賞卜塔兒明 見藏布塔爾
蔚王明 見朱厚煒
蔚氏宋 趙仲謙妻、蔚保用女
1100-490- 45
蔚宙明 546-153-120
554-344- 54
蔚春明 475-709- 86
511-338-149
蔚祚元 1201-168- 80
蔚恕元 545-218- 91
蔚能明 478-347-191
554-762- 62
蔚善妻 明 見許淑英
蔚綬明 472-329- 14
475-709- 86
511-335-149
1240-705- 7
蔚文光梁 516-418-105
蔚之煥清 480-172-266
533-378- 60
蔚昭敏宋 286-280-323
397-421-345
472- 50- 2
472- 85- 3
474-601- 31
477- 74-152
537-388- 57
蔚保用女 宋 見蔚氏
慕氏明 何禮妻 1262-422- 46
慕完元 472-709- 28
537-466- 58
1211-421- 60
慕泰梁 見募泰
慕眞何溥、何令通 南唐
472-383- 16
475-585- 79
511-934-175
516-513-106
慕喆宋 479-667-247
480-419-277
516-452-104
1052-749- 25
1053-501- 12
1054-645- 19
慕璝後魏 262-463-101
267-826- 96
381-462-195
慕天顏清 478-550-202
510-300-112
558-344- 35
慕利延後魏 262-464-101
267-827- 96
381-462-195
慕容友晉 544-204- 62
慕容氏晉 段豐妻、慕容德女
256-579- 96
381- 56-185
839- 41- 4
慕容氏前燕 托跋什翼犍妻、燕文明帝女 261-209- 13
266-278- 13
373- 96- 20
慕容氏宋 趙仲賽妻、慕容守恩女 1102-297- 37
慕容氏宋 趙望之妻、慕容彥義女 1129-659- 8
慕容氏宋 趙從藹妻、慕容德正女 1102-296- 37
慕容氏明 蕭士彥妻
482-270-350
慕容永前燕 262-356- 95
267-766- 93
544-171- 61
544-204- 62
慕容沖西燕 見燕威帝
慕容泓濟北王 西燕
262-355- 95
慕容長北周 見豆盧萇
慕容恪前燕 256-787-111
381-200-188
459-759- 46
474-686- 37
502-253- 53
506-473-103
544-204- 62
933-799- 59
慕容亮前燕 496-596-103
慕容契後魏 261-687- 50
266-517- 25
379- 68-147
慕容垂後燕 見燕武成帝
慕容恩北周 見豆盧永恩
慕容晃前燕 見燕文明帝
慕容通隋 見豆盧通
慕容雲北燕 見燕惠懿帝
慕容盛後燕 見燕昭武帝
慕容琚後魏 261-683- 50
266-516- 25
379- 67-147
544-209- 62
慕容超南燕 256-981-128
262-362- 95
267-769- 93
381-362-192
384-103- 5
384-144- 7
慕容隆後燕 496-605-104
慕容萇北周 見豆盧萇
慕容策後燕 256-932-124
慕容廆前燕 256-751-108
262-354- 95
267-765- 93
381-175-188
384-102- 5
384-144- 7
472-142- 5
474-687- 37
502-252- 53
933-799- 59
慕容楷後燕 544-204- 62
慕容勣隋 見豆盧勣
慕容遐隋 264-944- 65
474-468- 23
慕容嵩後魏 544-206- 62
慕容暐前燕 256-779-111
262-355- 95
267-765- 93
381-190-188
384-103- 5
384-144- 7
544-204- 62
慕容農後燕 496-605-104
502-253- 53
慕容會後燕 496-605-104
慕容會隋 見豆盧通
慕容毓隋 見豆盧毓
慕容⿰車夬後燕 見燕武成帝
慕容寧北周 見豆盧寧
慕容熙後燕 見燕昭文帝
慕容德女 晉 見慕容氏
慕容德南燕 見燕獻武帝
慕容儁前燕 見燕景昭帝
慕容皝前燕 見燕文明帝
慕容翰前燕 256-759-109
381-196-188
474-689- 37
502-253- 53
慕容鍾南燕 256-988-128
381-368-192
慕容鎬唐 820-263- 29
慕容歸後燕 496-606-104
慕容寶後燕 見燕惠愍帝
慕容寶女 北魏 見慕容皇后
慕容霸後燕 見燕武成帝
慕容儼北齊 263-163- 20
267-129- 53
379-379-152

474-437- 21
477-163-157
505-760- 72
544-216- 62
544-217- 62
545-354- 96
慕容讚北周 見豆盧讚
慕輿𠪗前燕 496-596-103
慕容三藏隋 264-944- 65
379-752-161
472- 30- 1
478-515-200
478-652-207
546- 38-116
563-626- 38
567- 34- 63
慕容子顒唐 552- 56- 19
慕容子眞前燕 見燕文明帝
慕容允伏隋 見伏允
慕容永恩北周 見豆盧永恩
慕容叱頭北齊 263-163- 20
慕容白曜後魏 261-683- 50
266-516- 25
379- 67-147
540-645- 27
544-206- 62
933-799- 59
慕容守恩女 宋 見慕容氏
慕容伏允隋 見伏允
慕容赤土隋 548-113-165
慕容孝幹唐 474-587- 30
慕容宗古妻 宋 見李氏
慕容延釗宋 285- 96-251
382-143- 20
384-325- 17
396-464-297
472-435- 19
476- 38- 98
532-572- 41
545-617-105
933-799- 59
慕容彥逢宋 1123-299- 附
1123-487- 附
慕容彥喜宋 1123-481- 15
慕容彥超閆彥超、閻彥超 後周 278-430-130
279-347- 53
384-314- 16
396-437-295
慕容彥羲女 宋 見慕容氏
慕容建中北齊 263-161- 20
慕容皇后北魏 魏道武帝后、慕容寶女 261-210- 13
266-279- 13
373- 96- 20
慕容眞安後魏 261-685- 50
266-517- 25
379- 68-147
慕容紹宗北齊 263-159- 20
267-127- 53
379-376-152
384-137- 7
476-256-110
545- 5- 83
546- 32-116
933-799- 59
慕容道奴唐 544-228- 63
慕容德正女 宋 見慕容氏
慕容德琛宋 285- 98-251
396-465-297
471-985- 57
472-436- 19
473-489- 70
481-234-303
532-572- 41
545-630-106
559-294-7上
慕容德豐宋 285- 97-251
371-177- 18
396-464-297
472-171- 6
478-570-203
478-595-204
510-281-112
545-629-106
554-353- 54
慕容吐谷渾晉 見吐谷渾
蔣乂蔣武 唐 270-791-149
274-654-132
384-231- 12
395-603-235
472-258- 10
511-139-142
933-612- 39
蔣山明 567-420- 85
蔣山清 456-157- 61
蔣凡明 511-514-157
蔣文宋 1185-498- 91
蔣文妻 明 見袁氏
蔣王唐 見李惲
蔣王唐 見李宗儉
蔣市蔣芾 清 482-353-356
567-360- 80
蔣元元 1221-653- 25
蔣友明 572- 76- 28
蔣氏隋 鍾騫妻 264-1119- 80
267-733- 91
381- 68-185
473-768- 84
482-435- 361
567-474- 88
1467-270- 72
蔣氏宋 丁昌期妻、蔣宇女 1127-346- 20
蔣氏宋 王鈞妻、蔣守玉女 1123-595- 12
蔣氏宋 鄭宗魯妻 1138- 87- 6
蔣氏宋 樓鐣妻、蔣琉女 1153-510-105
蔣氏宋 錢冶妻 1105-832- 99
1356-229- 10
蔣氏宋 李易母 472-263- 10
475-234- 61
512- 36-177
蔣氏宋 蔣郢女 1117-191- 16
蔣氏宋 錢公輔母 512- 3-176
蔣氏元 完顏用妻 821-335- 54
蔣氏元 吳子恭妻 295-641-201
401-187-593
1376-677- 99
蔣氏元 余闕妻 475-711- 86
蔣氏元 唐棣妻 1221-265- 3
蔣氏明 于棐妻 1285-332- 10
蔣氏明 王俊妻 472-560- 23
蔣氏明 王三仕妻 480-546-283
533-687- 71
蔣氏明 王允明妻 480-565-284
蔣氏明 孔傑儒妻 478-352-191
蔣氏明 史傳心妻 475-282- 63
蔣氏明 朱祐杬妻、蔣斆女 299- 31-115
蔣氏明 孟宗伊妻 506- 92- 88
蔣氏明 姜士進妻 302-232-302
475-282- 63
512- 45-178
蔣氏明 胡士柱妻 480-416-277
蔣氏明 姚經妻 524-454-202
蔣氏明 唐東昇妻 482-354-356
蔣氏明 唐儆純妻、蔣如京女 1292-179- 16
蔣氏明 徐迪妻 480-253-269
蔣氏明 徐伯康妻 524-727-213
蔣氏明 梁宣文妻 480-178-266
蔣氏明 張一賢妻 524-457-202
蔣氏明 張懋生妻、蔣敬軒女 1467-272- 72
蔣氏明 馮惟重妻 1291-880- 6
蔣氏明 黃智妻 477- 93-153
538-175- 67
蔣氏明 程紳妻、蔣淵女 1273-733- 9
蔣氏明 鄔應魴妻 524-625-208
蔣氏明 齊邦柱妻 506- 47- 87
蔣氏明 鄭覺民妻、蔣善孫女 1228-492- 30
1234-249- 41
蔣氏明 蕭儒妻 512- 48-178
蔣氏清 于振宗妻 477- 97-153
蔣氏清 王士推妻 480-665-290
蔣氏清 尹亮采妻 512-262-183
蔣氏清 甘濬妻 533-688- 71
蔣氏清 史可端妻、蔣如紞女 1327-303- 13
蔣氏清 汪基妻 474-573- 29
蔣氏清 汪中豪妻 477- 97-153
蔣氏清 李英妻 475-383- 68
512- 54-178
蔣氏清 李文申妻 483- 49-372
蔣氏清 李茂纓妻 477- 57-175
蔣氏清 余和讓妻 479-384-234
蔣氏清 林茂芝妻 475-538- 77
蔣氏清 唐宣仁妻 482-355-356
蔣氏清 唐鎭幾妻 482-354-356
蔣氏清 陸河妻 506- 23- 86
蔣氏清 張武愍妻 479-334-232
蔣氏清 陳大志妻 482-354-356
蔣氏清 陳得棟妻 481-533-326
蔣氏清 崔樹妻 512-474-188
蔣氏清 彭起龍妻 533-687- 71

蔣氏清 鄭瞻極妻 530- 29- 54
蔣氏清 樓用意妻 479-334-232
蔣氏清 羅萬倉妻 478-600-204
蔣氏清 酈經妻 479-254-228
蔣氏清 鮑守才母 475-617- 81
蔣氏清 龔士燕母 1318-518- 79
蔣玄元 680-299-255
1224-195- 20
蔣玄明 1239- 51- 30
蔣仕明 511-584-159
蔣生不詳 485-287- 41
蔣安明 511-523-157
蔣宇女 宋 見蔣氏
蔣宇女 明 見蔣二姑
蔣至宋 486-896- 34
523-603-176
680-175-242
蔣羽宋 524-334-195
蔣臣蔣姬胤 明 1442-112-附7
蔣兆唐 270-793-149
274-656-132
395-606-235
蔣伍宋 511-572-159
蔣伊清 475-142- 57
476-920-148
511-117-140
537-230- 54
563-870- 42
蔣沇唐 271-463-185下
274-435-112
395-426-219
472-612- 25
476-729-138
478- 87-180
540-742-28之2
554-268- 53
933-612- 39
蔣彣宋 1467- 47- 63
蔣良明 567-313- 77
569-662- 19
820-617- 41
1250-797- 76
蔣沐元 524-217-189
蔣志宋 567-394- 83
蔣孝明 1442- 59-附3
1460-176- 48
蔣防唐 472-258- 10
482-289-352
528-548- 32
563-648- 38
蔣岍明 1475-647- 27
蔣伸唐 270-793-149
274-656-132
384-278- 14
395-606-235
933-613- 39
蔣泮明 524-263-191
蔣洌唐 271-444-185上
274-351-106
蔣庚元 1213-146- 11
蔣武唐 見蔣乂
蔣杰明 516-196- 95
533-738- 73
572-109- 30
676-197- 8
820-734- 44
蔣直唐 524-375-197
蔣邵宋 452- 12- 上
1224-520- 31
蔣芸宋 524-295-193
蔣忠明 481-268-305
蔣昌清 483- 48-372
蔣明明 676-101- 3
蔣虎明 480-437-278
蔣芾宋 287-271-384
398-296-384
472-260- 10
475-223- 61
486- 53- 2
492-700-3上
492-712-3下
511-144-142
蔣芾清 見蔣市
蔣鼎北周 263-810- 47
267-695- 89
380-645-183
蔣昇明 300- 70-187
523- 47-148
563-753- 40
567-321- 78
1261- 90- 7
1467-210- 70
1467-307- 74
蔣昂女 明 見蔣賢
蔣昜元 529-744- 51
蔣杲明 1289-310- 20
蔣杲清 511-119-140
蔣果宋 1376-627-96上
蔣侑唐 559-280- 6
591-330- 26
蔣佺妻 清 見徐氏
蔣宥明 821-406- 56
蔣宣清 529-661- 49
蔣洲明 526-656-280
蔣祈宋 529-726- 51
蔣珏元 524-156-186
蔣垣清 529-486- 43
559-335-7下
蔣奎明(沅州人) 480-583-285
蔣奎明(南昌人) 493-758- 41
蔣南妻 宋 見顧氏
蔣琉宋 491-435- 6
蔣茂明 1442-112-附7
蔣昺明 540-792-28之3
554-281- 53
蔣英明 301-163-245
524-249-190
蔣係唐 270-793-149
274-655-132
395-605-235
933-613- 39
蔣信卜台、巴爾台 明(謚僖順)
299-524-156
472-155- 5
496-628-106
蔣信明(字卿實) 301-782-283
457-447- 28
458-907- 8
480-486-280
481- 25-291
533-325- 57
559-254- 6
571-527- 19
676-566- 23
1458-363-442
蔣科蔣聖傳 宋 451- 73- 2
563-696- 39
蔣科明 563-778- 40
蔣勉明 473-479- 69
蔣浤明 511-667-163
蔣宮明 511-206-144
537-246- 55
蔣容明 559-316-7上
蔣朗漢 933-611- 39
蔣訓明 1458- 63-419
蔣珙明 821-416- 56
蔣珙妻 宋 見馬氏
蔣恭劉宋 258-573- 91
265-1036- 73
380- 94-167
475-218- 61
511-549-158
933-612- 39
蔣烈明 533-274- 56
蔣珣明 1467-189- 69
蔣哲明 569-669- 19
572- 70- 28
蔣砳蔣泰孫 宋 451-100- 3
蔣晉漢 533-270- 56
567- 22- 63
蔣琉女 宋 見蔣氏
蔣恩明 563-795- 41
567-334- 79
蔣郢女 宋 見蔣氏
蔣峴宋 472-1087- 46
485-534- 1
494-343- 7
523-288-159
蔣能明 820-678- 42
蔣殷王殷 後梁 277-128- 13
279-275- 43
401-477-630
蔣淇明(知靖州) 473-395- 66
532-751- 46
蔣淇明(字瞻伯) 1475-272- 11
蔣淳明 見蔣焞
蔣清唐 271-504-187下
274-436-112
395-426-219
476-729-138
477-305-163
540-739-28之2
蔣淦明 523- 48-148
563-780- 40
567-328- 78
1271-624- 53
1467-220- 70
1467-310- 74
蔣淵女 明 見蔣氏
蔣乾明 821-463- 57
蔣陸唐 820-183- 27

蔣彬宋 534-952-120
蔣彬明(大河衛人) 511-568-158
蔣彬明(全州人) 567-329- 78
1467-222- 70
蔣捷唐 271-444-185上
274-351-106
蔣捷宋～元 472-261- 10
511-840-168
1437- 32- 2
蔣晟清 529-486- 43
蔣崇漢 402-473- 11
蔣崇元 1224-599- 下
蔣堂宋 285-743-298
352-384- 60
384-357- 18
397-175-330
472-196- 7
472-221- 8
472-258- 10
472-307- 13
472-1066- 45
473-426- 67
473-513- 71
475- 16- 49
475-222- 61
479-223-227
481- 68-293
484- 92- 3
485- 99- 14
485-189- 25
486- 48- 2
493-907- 49
511-140-142
523-148-153
545-367- 97
559-264- 6
559-309-7上
561-306- 40
589-300- 1
820-340- 32
933-613- 39
1087-346- 附
1088-424- 47
1088-954- 38
1354-829- 48
1358-752- 6
1381-610- 44
1437- 11- 1
蔣堂元 493-968- 51
511-730-165
1439-443- 2
蔣冕元 820-546- 39
蔣冕明 300-122-190
452-159- 2
452-428- 1
482-351-356
567-321- 78
676-518- 20
1442- 36-附2
1459-748- 29
1467-210- 70
蔣偕唐 270-973-149
274-656-132
395-606-235
933-613- 39
蔣偕宋 286-318-326
397-446-346
472-839- 33
478-346-191
478-670-209
554-701- 61
563-676- 39
蔣偉明 511-842-168
蔣斌蜀漢 254-672- 14
377-308-118下
533-243- 55
蔣焞蔣淳 明 482-351-356
567-344- 79
1467-238- 71
蔣善明 473- 66- 51
蔣湋宋 473-390- 65
533-492- 65
1161-486-117
蔣湛五代 524-297-193
蔣渙唐 271-444-185上
274-351-106
448-332- 下
511-551-158
1371- 62- 附
蔣琮明 302-269-304
蔣淇明 480-651-289
蔣賁宋 515-577- 75
蔣惠元 820-525- 38
蔣惠明 472-240- 9
510-347-114
516- 56- 89
1442- 13-附1
蔣壹吳 254-816- 10
377-353-119
蔣喆妻 明 見許安世
蔣超清 475-280- 63
511-776-166
1313-232- 19
蔣雄明 1376-654- 97
蔣琬蜀漢 254-671- 14
377-306-118下
384- 77- 4
384-474- 14
385-190- 22
447-192- 7
459-290- 17
471-755- 23
471-771- 25
471-966- 54
473-336- 63
473-424- 67
480-405-277
481- 14-291
481- 65-293
533-242- 55
552- 21- 18
559-244- 6
561-565- 45
591-665- 47
678-694-136
933-612- 39
蔣琬明 299-514-155
475-376- 68
523-547-173
545-276- 93
676-521- 20
676-717- 30
1253- 63- 44
1376-656- 97
蔣琰元 524-299-193
蔣琰明 524-258-191
蔣琳明 523-511-171
571-517- 19
蔣景妻 清 見戴氏
蔣貴明(字大富) 299-513-155
453-152- 14
472-944- 37
475-376- 68
479-238-227
511-396-151
523-546-173
558-150- 30
558-215- 32
559-300-7上
1376-654- 97
蔣貴明(號青山) 821-403- 56
蔣貴妻 明 見李氏
蔣荃明 534-938-119
蔣華唐 471-694- 15
蔣勛五代 524-330-195
蔣勛明 472-116- 4
蔣棨明 511-115-140
528-533- 31
563-766- 40
蔣傅宋 288-396-455
400-142-511
515-866- 85
蔣智明 563-808- 41
567-320- 78
1467-198- 69
蔣結宋 見蔣續
蔣鈖清 523-393-164
528-500- 30
蔣欽吳 254-816- 10
377-352-119
384- 80- 4
384-574- 30
385-521- 58
470-266-129
472-200- 7
472-231- 8
475-747- 88
478-758-215
511-343-149
523- 3-146
933-612- 39
蔣欽明 300- 84-188
475-135- 56
511-436-153
蔣欽妻 明 見趙氏
蔣復宋 533-322- 57
533-343- 58
蔣寘宋 1138- 89- 7
蔣義明(字志道) 533-330- 58
蔣義明(字惟忠) 1245-502- 26
蔣猷宋 286-807-363
398- 62-370

451-181- 6
472-276- 11
475-277- 63
487-119- 8
491-396- 4
511-175-143
524-316-194
1128-275- 27
1128-395- 12
1153-553-101
蔣詡漢 250-612- 72
370-207- 21
376-325-100
384- 51- 2
402-588- 20
472-543- 23
472-830- 33
476-473-125
478- 96-180
540-629- 27
554-862- 64
933-611- 39
蔣愷明 523-497-170
蔣煜宋 288-276-446
400-131-511
472-1103- 47
479-288-230
486-896- 34
523-395-165
蔣裔明 524-186-187
蔣煇明 528-544- 32
蔣稾宋 1127-345- 20
蔣項明 1245-786- 13
蔣資明(江西人) 473-395- 66
480-651-289
532-751- 46
蔣資明(化州人) 482-209-347
564-215- 46
蔣瑎宋 1128-272- 27
蔣椿女 明 見蔣滿奴
蔣瑜明 523-484-170
蔣楫明 567-413- 84
1467-185- 69
蔣瑑清 見蔣玉音
蔣達明 472-175- 6
蔣達妻 清 見王氏
蔣楰宋 491-436- 6
蔣槩宋 515-579- 75
蔣嵩漢 533-270- 56
蔣嵩唐 820-287- 30
蔣嵩明 821-436- 57
蔣圓宋 1127-813- 12
蔣暉宋 533-789- 75
567-463- 87
蔣暉朱暉 明 472-969- 38
524-174-187
585-534- 18
820-596- 40
1240-233- 15
1241-572- 11
蔣暘明 476-673-136
540-805-28之3
545-476-100
蔣敬明 452-264- 8
蔣農清 莊振猷妻 530- 27- 54
蔣鉞女 明 見蔣安開
蔣誠明 473-196- 58
473-477- 69
516-150- 93
蔣滿漢 545-205- 91
蔣輔妻 明 見馬氏
蔣照宋 1137-715- 26
蔣瑤明 300-194-194
473-299- 62
475-369- 67
479-144-223
480-243-269
510-392-115
523-282-159
532-670- 44
554-220- 52
1442- 39-附2
1459-800- 32
蔣瑶女 明 見蔡四妹
蔣瑶清 476-619-133
蔣兢明 1442- 17-附1
1459-526- 18
1475-180- 8
蔣蒔清 1475-588- 25
蔣睿明 1475-627- 27
蔣蒙明 528-531- 31
563-821- 41
蔣銘明 473-196- 58
512-787-196
516-150- 93
蔣魁明 472-678- 27
蔣綸宋 1153-553-101
蔣綱清 483-163-382
蔣廣元 295-581-195
400-260-521
479-557-242
蔣誼宋 487-189- 12
蔣誼明 523-157-153
676-333- 12
676-509- 20
蔣慶宋 見蔣卯發
蔣賢元 472-262- 10
蔣賢明(榆林人) 472-198- 7
475-744- 88
510-473-117
537-352- 56
554-708- 61
蔣賢明(武進人) 472-603- 25
540-653- 27
蔣賢明 周孟敬妻、蔣昂女
1255-644- 67
蔣槮妻 宋 見黃惟淑
蔣賙明 567-406- 84
1467-194- 69
蔣億宋 515-196- 63
517-365-125
蔣衛清 見蔣振生
蔣憲明 523-466-169
蔣龍明 821-460- 57
蔣龍妻 明 見林四娘
蔣澳明 1475-272- 11
蔣凝唐 273-115- 60
蔣璣明 481-720-333
482-434-361
528-552- 32
567-366- 81
1467-214- 70
蔣穎妻 明 見薛氏
蔣橋妻 明 見吳氏
蔣閭妻 明 見鄭氏
蔣靜宋 286-721-356
397-755-265
472-172- 6
472-259- 10
473- 43- 50
475- 69- 52
479-525-241
480-507-281
488-402- 13
511-142-142
515-213- 63
蔣興明 567-465- 87
1467-525- 11
蔣默漢 511-896-172
蔣曉宋 491-424- 5
1203-396- 29
蔣曉明 511-874-170
蔣濬明 473-585- 75
564-165- 45
蔣濟魏 254-284- 14
377-125-115上
384- 84- 4
384-637- 38
385-345- 33
475-746- 88
933-611- 39
蔣濙明 515-882- 86
528-454- 29
蔣謙妻 清 見祁氏
蔣燦宋 見蔣璨
蔣燦明 511-115-140
蔣璯宋 487-128- 8
491-399- 4
523-588-175
蔣擢清 559-331-7下
蔣舉宋 471-773- 26
567-377- 82
1467-173- 68
蔣璨蔣燦 宋 472-222- 8
475-223- 61
484-104- 3
493-707- 39
511-767-166
820-413- 34
1135-393- 37
1284-331-161
蔣薦明 456-603- 9
蔣曙唐 274-656-132
395-605-235
蔣曙明 482-351-356
515-275- 65
567-324- 78
676-527- 21
1467-215- 70
蔣禮明 511-825-167
蔣燾明 1260-767- 29
1280-170- 67

蔣璧妻 明 見陸氏
蔣璿宋 491-434- 6
蔣璿明 554-258- 52
蔣彝宋 1130-297- 30
蔣薰清 1318-487- 75
1475-533- 23
蔣顒明 523-474-169
蔣鎮唐 270-505-127
276-475-224下
401-401-621
蔣雝宋 460-138- 8
529-726- 51
蔣疇明 473-588- 75
529-535- 45
蔣穩明 528-449- 29
567-304- 77
1467-189- 69
蔣繪唐 271-444-185上
472-257- 10
蔣鏞明 523-560-174
1224-211- 21
蔣礪女 宋 見蔣季荃
蔣鶚宋 1178- 74- 8
蔣鶚妻 宋 見郭氏
蔣鐔宋 485-536- 1
蔣斆女 明 見蔣氏
蔣斆清 483-149-381
蔣夔宋 288-375-453
400-134-511
515-865- 85
蔣夔明 554-346- 54
559-322-7上
蔣顧妻 明 見劉氏
蔣續蔣結 宋 493-700- 39
蔣疊漢 370-207- 21
402-383- 4
蔣儼唐 271-448-185上
274-289-100
384-172- 9
395-345-212
472-257- 10
472-456- 20
474-777- 42
475-221- 61
476-110-102
503- 9- 90
511-139-142
545-357- 96
933-612- 39
蔣瓚明 545-191- 90
蔣顯蜀漢 254-672- 14
377-308-118下
533-243- 55
蔣驥明 452-204- 5
472-969- 38
820-611- 41
1240-304- 19
1240-401- 25
1240-893- 10
1241-259- 12
蔣一葵明 1467-134- 66
蔣一鳴宋 1467-173- 68
蔣一夔宋 1467-173- 68
蔣二姑明 邱鐸妻、蔣宇女
481-784-337
蔣九齡妻 清 見李氏
蔣三才明 523-134-152
蔣三近明 559-419-10上
蔣三畏女 明 見蔣玉貞
蔣三益明 559-419-10上
蔣三捷清 474-169- 8
502-686- 81
505-642- 67
蔣士忠明 456-632- 10
蔣士皋明 524-269-191
蔣子文漢 489-563- 44
489-598- 47
510-307-113
511-460-154
蔣子友唐 494-471- 18
蔣子成蔣子誠 明
821-363- 55
蔣子杰明 510-471-117
蔣子春宋 288-360-452
400-159-513
472-395- 17
475-811- 91
511-504-156
蔣子貢清 524-227-189
蔣子愼唐 271-444-185上
472-257- 10
蔣子誠元 511-855-169
蔣子誠明 見蔣子成
蔣子龍清 528-569- 32
蔣大士宋 533-789- 75
蔣大同元 524-218-189
蔣大德元 524-290-193
蔣山卿明 482-485-364
511-209-144
567-118- 67
1442- 46-附3
1460- 6- 40
1467-102- 65
蔣文旭明 523-385-164
蔣文旭妻 明 見孟蘊
蔣文勗妻 明 見孟蘊
蔣文惠明 1237-500- 5
蔣文煥元 523- 81-149
蔣文運清 510-378-114
蔣文懌宋 493-739- 41
蔣文藻蔣元素 明
820-635- 41
821-395- 56
1475-238- 10
蔣禮瀾清 511-539-157
蔣之奇宋 286-552-343
382-629- 97
397-634-358
471-908- 46
472- 65- 2
472-259- 10
472-801- 31
472-904- 36
473-209- 59
473-673- 79
475- 17- 49
475-222- 61
475-501- 75
477-561-177
478-483-199
480- 48-259
481-491-324
482- 33-340
484- 99- 3
492-712-3下
505-664- 69
511-141-142
523- 11-146
528-438- 29
537-333- 56
554-202- 52
558-173- 31
563-668- 39
581-487- 97
677-785- 69
820-396- 34
933-613- 39
1362-775- 74
1437- 15- 1
蔣之芳明 820-744- 44
蔣之美宋 492-712-3下
蔣之棻清 533-318- 57
蔣之棻妻 清 見黃氏
蔣之翹明～清 1460-730- 97
1475-554- 24
蔣之驎明 678-254- 94
蔣太嘉元 見蔣國光
蔣元中宋 472-1115- 48
523-625-177
蔣元和妻 清 見鄧氏
蔣元素明 見蔣文藻
蔣元振宋 473-725- 82
563-690- 39
蔣元瑛妻 明 見鍾氏
蔣元敬明 532-732- 46
蔣元龍明 820-760- 44
蔣孔昇明 1467-213- 70
蔣孔煬明 1274-398- 14
蔣予成明 511-873-170
蔣曰旦明 1467-117- 66
蔣日用唐 820-287- 30
蔣少游蔣少遊 後魏
262-302- 91
267-717- 90
380-634-183
540-726-28之1
812-336- 8
814-260- 8
820-118- 25
821- 27- 45
933-612- 39
蔣少遊後魏 見蔣少游
蔣公順宋 482-350-356
567-405- 84
1467-179- 68
蔣公頔宋 567-394- 83
1467-179- 68
蔣月鑒明 821-352- 55
蔣仁姑明 蔣希敏女
1467-260- 72
蔣允升元 1219-333- 7
1226-505- 24

蔣允汶明 676-461-17
679-155-154
680-304-256
蔣允儀明 301-11-235
458-423-19
475-229-61
511-165-142
蔣允濟宋 473-750-83
482-350-356
567-297-76
1140-698-30
1145-701-82
1467-176-68
1467-284-73
蔣玄暉唐 276-456-223下
401-331-613
蔣主孝明 820-642-41
1245-559-29
1442-28-附2
1458-36-416
1459-659-25
蔣主忠明 1459-659-25
蔣主善明 1374-398-61
蔣必勝元 494-416-12
524-192-188
蔣永洪明 460-812-88
蔣永貞女 明 見蔣淑姑
蔣永修清 480-14-257
511-167-142
532-610-42
蔣永慶明 524-224-189
蔣玉立清 1475-590-25
蔣玉泉明 821-352-55
蔣玉眞明 伍守規妻、蔣三畏女 1467-263-72
蔣玉章蔣琢 清 1475-591-25
蔣玉錫妻 清 見張氏
蔣玉麟妻 清 見喬氏
蔣弘道清 474-188-9
476-86-100
蔣正元明 523-162-153
蔣正春清 529-704-50
蔣正齋明 1229-268-8
蔣正謨妻 明 見莫氏
蔣本生清 480-545-283
蔣平階蔣雯階 明～清
524-326-195
1475-652-28
蔣世安妻 清 見華氏
蔣世珍宋 523-630-177
蔣世卿明 1283-427-100
蔣世傑元 1202-234-17
蔣世鉉明 456-682-11
559-510-12
蔣世模明 1442-98-附6
1460-590-69
蔣民瞻元 1194-647-9
蔣以化明 480-88-262
532-627-43
蔣以忠明(字子孝) 505-684-69
蔣以忠明(字伯孝) 528-460-29
蔣申中明 陸士元妻、蔣舍之女 1234-295-46
蔣用文蔣武生 明
511-783-166
1236-735-9
1237-296-6
1238-192-16
1240-191-13
1242-356-36
1374-398-61
1442-28-附2
蔣卯發蔣慶 宋 451-75-2
蔣守玉女 宋 見蔣氏
蔣守成明 511-874-170
蔣守約明 472-262-10
蔣安中宋 1238-79-7
蔣安閒明 蔣鉞女
474-624-32
蔣安義宋 491-435-6
蔣汝艾明 554-307-53
554-525-57下
蔣汝楫明 1258-683-16
蔣汝勤妻 明 見李氏
蔣吉相元 1209-535-9上
蔣存誠宋(字遂明)
472-1053-44
524-89-182
蔣存誠宋(字秉信)
1156-655-5
蔣羽化明 821-462-57
蔣同仁明 511-153-142
蔣光彥明 523-207-155
523-236-156
529-550-45
蔣名登清 1321-49-103
蔣佳徵明 302-58-292
蔣自貴妻 清 見邱氏
蔣向榮明 480-544-283
533-459-63
蔣全娘明 夏顯七妻
472-1043-43
蔣如京女 明 見蔣氏
蔣如奇明 511-769-166
517-715-133
820-737-44
蔣如紈女 清 見蔣氏
蔣如晦妻 宋 見潘妙靜
蔣仲良明 1243-711-24
蔣仲武宋 1152-815-52
蔣仲虎宋 1138-698-12
蔣行簡宋 523-494-170
1164-333-18
蔣宏道妻 清 見朱氏
蔣良珙明 570-216-23
蔣良鼎明 515-178-62
蔣良輔明 472-790-31
554-337-54
559-361-8
蔣志行宋 485-534-1
蔣志和明 821-481-58
蔣志泰妻 明 見梁氏
蔣克明元 524-192-188
蔣克恭妻 明 見成氏
蔣克恕明 1283-342-93
蔣伯良明 529-686-50
蔣伯祥元 1211-514-73
蔣伯康明 1229-83-7
蔣希孔明 532-658-44
540-815-28之3
蔣希敏女 明 見蔣仁姑
蔣邦俊明 571-552-20
蔣妙慶明 莫朝宣妻、蔣廷璉女 1467-269-72
蔣廷貴明 1250-507-47
1255-694-71
蔣廷祿明 567-386-82
蔣廷璉女 明 見蔣妙慶
蔣廷錫母 清 見曹氏
蔣廷錫清 475-143-57
511-118-140
蔣廷璧明 559-310-7上
572-86-28
蔣廷瓚蔣庭贊 明
472-134-4
473-854-88
483-221-390
537-466-58
571-523-19
蔣宗元元 1376-453-88
蔣宗明明 524-224-189
蔣宗魯明 483-383-402
569-652-19
572-86-28
蔣宗澹明 1475-405-17
蔣宗縉明 480-319-272
蔣宗簡元 523-592-175
1209-548-9上
蔣宗霸後周 491-426-5
蔣性中明 511-124-141
蔣武生明 見蔣用文
蔣松魁元 1202-220-16
蔣居仁元 472-402-18
510-485-118
蔣奇玉妻 清 見梁氏
蔣奇猷清 477-135-155
538-89-64
蔣長源宋 821-179-50
蔣東昇妻 明 見朱氏
蔣承勳明 523-476-169
蔣忠甫女 元 見蔣德新
蔣忠鳳明 515-34-58
蔣明龍元 1209-647-10下
蔣叔輿宋 1176-345-35
1176-762-10
蔣季烱明 567-347-80
1467-247-71
蔣季荃宋 李修己妻、蔣礪女
1173-319-87
蔣季誠明 567-359-80
1467-257-71
蔣周翰宋 482-350-356
1467-176-68
蔣佳徵明 456-485-5
475-853-94
482-352-356
510-503-118
567-370-81
1467-256-71
蔣舍之女 明 見蔣申中
蔣秉芳明 456-617-9
482-352-356

567-371- 81
1467-258- 71
蔣秉采蔣秉彩、蔣秉綵 明
456-517- 6
476-251-110
482-352-356
545-303- 94
567-370- 81
1467-256- 71
蔣秉彩明 見蔣秉采
蔣秉綵明 見蔣秉采
蔣延姬清 511-700-164
蔣洪樹清 479-135-223
蔣炳文宋 473-750- 83
482-350-356
1467-174- 68
蔣洽舍明 見汪共蔣
蔣恆盈明 569-663- 19
蔣恆敬女 明 見蔣淑芳
蔣奕之蔣奕芝 明
456-637- 10
511-608-160
蔣奕芝明 見蔣奕之
蔣拱寅蔣道夫 宋451- 55- 2
蔣春芳明 545-120- 86
蔣南金宋 473-777- 84
482-451-362
494-402- 12
567- 72- 65
1467- 46- 63
蔣思宸明 456-656- 11
蔣若來明 456-422- 2
511-440-153
蔣禹錫明 1475-685- 29
蔣重珍宋 287-594-411
398-556-402
458-190- 1
472-261- 10
475-224- 61
492-703-3上
492-712-3下
494-343- 7
511-145-142
蔣悌生明 460-820- 91
529-750- 51
676- 77- 3
680-228-247
蔣庭贊明 見蔣廷瓚
蔣泰孫宋 見蔣砳
蔣泰賓明 523-621-177
蔣起宗明 1232-598- 5
蔣振生蔣衛 清 475-281- 63
蔣時行明(山東人)456-682- 11
蔣時行明(全州人)480-664-290
532-708- 45
567-339- 79
蔣時芬明 529-765- 53
蔣時極明 567-356- 80
569-666- 19
蔣時慶明 524-226-189
蔣時憲宋 524-299-193
蔣時馨明 532-697- 45
蔣姬胤明 見蔣臣
蔣師文元 1375- 22- 上
蔣惟芬妻 明 見呂氏
蔣淑芳明 沈薺妻、蔣恆敬女
1255-847- 67
蔣淑姑明 蔣永貞女
481-119-296
蔣淑貞元 陳文舉妻
524-478-203
蔣康國宋 460-279- 17
529-441- 43
蔣球玉明 1275-879- 56
蔣乾昌明 456-467- 4
蔣陳錫清 478- 94-180
蔣崇仁宋 524-172-187
蔣將明唐 270-791-149
274-654-132
395-603-235
545-359- 96
933-612- 39
蔣國光蔣太嘉 元
1231-400- 9
蔣國秀妻 元 見陳道回
蔣國柱清 476-480-125
502-652- 79
540-674- 27
蔣國祚清 456-370- 78
蔣敏修宋 533-321- 57
蔣詔恭後蜀 493-870- 47
蔣善孫女 明 見蔣氏
蔣雲漢明 483- 94-378
559-353- 8
569-667- 19
蔣雲翼蔣會貞 清
1475-604- 26
蔣惠民宋 1138- 76- 5
蔣朝用明 1289-804- 2
蔣朝用妻 明 見季氏
蔣朝暘明 567-395- 83
蔣朝輔妻 明 見黃氏
蔣極世妻 明 見唐氏
蔣堯佐宋 567-393- 83
1467-179- 68
蔣雯階明～清 見蔣平階
蔣景忠明 563-803- 41
蔣貽恭十國 493-1043- 55
蔣舜民明 505-691- 70
蔣舜欽宋 477- 51-151
蔣欽緒唐 274-435-112
384-187- 10
395-425-219
472-612- 25
476-729-138
478-334-191
491-802- 6
540-737-28之2
933-612- 39
蔣試龞明 524-227-189
蔣道夫宋 見蔣拱寅
蔣道亨明 456-497- 5
480-484-280
533-404- 61
蔣感之清 511-534-157
蔣資坤明 567-347- 79
蔣資乾明 567-346- 79
1467-246- 71
蔣聖傳宋 見蔣科
蔣瑞可宋 567-378- 82
1467-180- 68
蔣圓明元 倪瓚妻
1220-264- 7
蔣敬軒女 明 見蔣氏
蔣會貞清 見蔣雲翼
蔣會龍元 1202-243- 17
蔣經任妻 清 見鄧氏
蔣節齋妻 明 見俞氏
蔣毓英清 481-762-335
502-653- 79
523- 67-149
528-567- 32
蔣愛貞明 473- 31- 49
516-247- 97
蔣福陵明 473-360- 64
533-101- 50
蔣滿奴明 戴子鼎妻、蔣椿女
1251-593- 12
蔣榮親元 1225-795- 19
蔣爾誠妻 明 見羅氏
蔣際春明 460-706- 73
蔣嘉印明 見蔣嘉應
蔣嘉應蔣嘉印 明456-588- 8
558-414- 37
蔣遠發清 533-222- 53
蔣夢龍明 511-388-151
515-175- 62
蔣鳴玉明～清 523-179-154
1315-295- 10
蔣鳴梧清 524-228-189
蔣鳴龍清 476- 80-100
523-494-170
545-201- 90
蔣維芬明 567-358- 80
1467-256- 71
蔣維城清 511-534-157
蔣維楨元 1220-710- 6
蔣維藩清 515-159- 61
蔣維藻妻 明 見唐氏
蔣蓮姑清 482-354-356
蔣德定宋 524-161-186
蔣德昌清 523-432-167
蔣德宣妻 清 見劉氏
蔣德埈清 511-534-157
蔣德新元 羅宣明妻、蔣忠甫女
475-577- 79
1223-588- 11
1374-358- 57
1376-675- 99
蔣德璟明 301-259-251
460-750- 77
481-590-328
529-553- 45
676-652- 27
1442-103-附7
1460-612- 71
蔣僑之妻 齊 見黃氏
蔣龍光清 528-502- 30
蔣遵箴明 1467-246- 71
蔣興祖宋 288-351-452
400-146-512
472-260- 10

472-644- 26
473- 43- 50
475-223- 61
477-243-161
479-525-241
511-446-153
515-214- 63
537-244- 55
933-614- 39
蔣曉山明 821-418- 56
蔣學成明 532-710- 45
567-360- 80
蔣錫朋妻 清 見方氏
蔣錫震清 1327-295- 13
蔣應仔清 475-641- 83
510-450-117
蔣應奎明 476-260-110
511-210-144
546- 92-118
蔣應泰清 477-306-163
537-307- 56
蔣應堂清 483-184-385
蔣應新宋 492-712-3下
蔣應祿清 1313-264- 21
蔣應贇清 480-545-283
蔣獻禎明 567-350- 80
1467-252- 71
蔣蘊善明 563-828- 41
567-345- 79
蔣勸善明 456-551- 7
483-268-392
505-666- 69
572- 88- 29
蔣繼周宋 523-348-162
679- 40-142
1163-582- 35
蔣繼勳明 558-413- 37
蔣鶴鳴清 523-443-167
蔡八明 456-683- 11
蔡弓漢 591-512- 41
蔡卞宋 288-597-472
382-658-101
384-379- 19
401-347-615
486- 50- 2
488-398- 13
488-399- 13
488-401- 13
494-267- 2
678-104- 79
813-268- 12
820-405- 34
1106- 14- 1
蔡亢妻 明 見李氏
蔡文明(字孚仲) 481-616-329
529-570- 46
676-141- 6
蔡文明(南靖人) 1467-107- 65
蔡王北周 見宇文兒
蔡王隋 見楊智積
蔡王唐 見李祐
蔡王唐 見李蔚
蔡王後漢 見劉信
蔡元妻 元 見王氏
蔡氏晉 羊衡母 820- 77- 23
蔡氏隋 隋文帝夫人
264-677- 36
266-302- 14
373-117- 20
蔡氏宋 王萬樞妻、蔡樗女
1170-764- 34
1174-724- 45
蔡氏宋 宋孝宗貴妃、蔡滂女
284-883-243
393-318- 77
蔡氏宋 徐賡妻 475-380- 68
512- 51-178
蔡氏宋 徐成甫妻、蔡中正女
1115-620- 36
蔡氏宋 樊滋妻、蔡邦直女
1127-541- 14
蔡氏宋 童君睨母
1149-737- 17
蔡氏元 王琪妻 295-637-201
401-184-593
472-1074- 45
479-250-228
蔡氏元 王徽讓妻 530- 89- 56
蔡氏元 黃天驥妻
1209-316- 3
蔡氏元 黃仲起弟妻
295-635-201
401-182-593
蔡氏明 王汝礪妻 506-552-105
蔡氏明 朱寧伯妻、蔡西峰女
1271-650- 56
蔡氏明 沈露妻 1289- 74- 5
蔡氏明 李喬新妻 530- 92- 56
蔡氏明 李學顏妻 524-715-212
蔡氏明 吳馴妻 479-252-228
蔡氏明 吳廷順妻 506- 94- 88
蔡氏明 吳鳳來妻 530- 94- 56
蔡氏明 何應科妻 481-650-330
530-126- 57
蔡氏明 何鶴齡妻、蔡天錫女
472-986- 39
479-101-221
524-560-205
蔡氏明 林光妻 530- 90- 56
蔡氏明 林廷光妻
472-1056- 44
蔡氏明 昌森妻 530-111- 57
蔡氏明 易會妻 1262-361- 40
蔡氏明 易鎮妻 479-535-241
蔡氏明 洪朝選妻 530- 85- 56
蔡氏明 韋元妻 530- 87- 56
蔡氏明 苗景新妻 506- 52- 87
蔡氏明 侯新建妻 477-483-173
蔡氏明 徐琮妻 481-465-319
蔡氏明 章漢妻、蔡伯珪女
482-145-344
564-342- 49
蔡氏明 章景良妻、蔡得源女
1237-382- 11
蔡氏明 郭顒仰妻、蔡明揚女
530-113- 57
蔡氏明 陸才子妻、蔡元銳女
475-235- 61
584-268- 10
蔡氏明 張顯妻 483- 35-371
蔡氏明 陳以信妻 530- 66- 55
蔡氏明 陳善慶妻 472-390- 17
蔡氏明 湯希富妻 472-686- 27
蔡氏明 黃昌妻 480-416-277
蔡氏明 葉三妻 302-228-302
蔡氏明 葉啟翼妻 530- 94- 56
蔡氏明 廖益麾妻 473-131- 55
蔡氏明 熊楡妻 530-139- 58
蔡氏明 潘仁妻 482-373-357
蔡氏明 鄭伯謙妻 530-110- 57
蔡氏明 鄧華清妻 530- 88- 56
蔡氏明 歐端妻 480-639-288
蔡氏明 劉棻妻 506- 10- 86
蔡氏明 謝日章妻 530- 88- 56
蔡氏明 韓奕妻 820-767- 44
蔡氏明 薛廷珠妻 572-114- 31
蔡氏明 蘇秉文妻 481-784-337
蔡氏明 林晟母 483-372-401
蔡氏明 蔡心元女 564-324- 49
蔡氏明 蔡容遠女 480-140-264
蔡氏清 王恕妻 474-195- 9
蔡氏清 王以玉妻 530-119- 57
蔡氏清 司寅長妻 475-284- 63
蔡氏清 李士鈐妻 479- 61-219
蔡氏清 李公弼妻 530-119- 57
蔡氏清 李明秀妻 506- 68- 87
蔡氏清 李國楨妻 479-411-235
蔡氏清 李維城妻 524-517-204
蔡氏清 吳英妻 530- 74- 55
蔡氏清 吳瓜生妻 530-101- 56
蔡氏清 吳廷訓妻 516-252- 97
蔡氏清 吳佳裕妻 474-195- 9
蔡氏清 余孟宣妻、蔡青蓮女
1321-751-171
蔡氏清 何光天妻 530-119- 57
蔡氏清 何為心妻 530-119- 57
蔡氏清 林國瑾妻、蔡寬女
530- 26- 54
蔡氏清 周方旦妻 480-141-264
蔡氏清 侯宜燕妻 512-261-183
蔡氏清 郝翔妻 482-566-369
蔡氏清 夏同霖妻 480-142-264
蔡氏清 許達妻 480-208-267
蔡氏清 許時泰妻
1327-715- 9
蔡氏清 陰萬化妻 506-138- 89
蔡氏清 陶洪元妻 479-666-247
蔡氏清 張鑄妻 530- 97- 56
蔡氏清 張謙吉妻 474-195- 9
蔡氏清 陳子永妻 530- 77- 55
蔡氏清 陳宇暉妻 530- 97- 56
蔡氏清 陳敬甫妻 482-354-356
蔡氏清 黃三妻 477-549-176
蔡氏清 黃忠妻 530- 99- 56
蔡氏清 黃彥彬妻 530- 83- 55
蔡氏清 劉長庚妻 530- 98- 56
蔡氏清 蔡孕奇女 512-472-188
蔡仍宋 820-360- 32
蔡玄漢 253-542-109下
380-273-172
385-581-65上下
472-792- 31

477-444-171
538- 32- 62
933-662- 44
蔡玉明 563-846- 41
蔡正妻 明 見康氏
蔡平明 1229-336- 12
蔡充宋 515-818- 83
528-537- 31
1098-708- 43
蔡生隋 821- 32- 45
蔡仙明 見蔡遷
蔡安妻 元 見黃妙觀
蔡羽明 301-844-287
511-740-165
676-552- 22
820-667- 42
1273-260- 32
1284-155-148
1442- 49-附3
1458-262-435
1460- 59- 43
蔡光明 458-158- 8
1288-348- 10
蔡旬妻 宋 見劉氏
蔡任妻 明 見孫氏
蔡向宋 486-898- 34
524-328-195
蔡仲周 244- 57- 35
404-307- 18
472-787- 31
933-661- 44
蔡完明 533- 24- 47
676-170- 7
蔡沆宋 460-319- 25
677-777- 69
蔡沈宋 288-111-434
293-499- 77
400-511-547
449-838- 17
459-114- 7
460-327- 25
473-604- 76
480-545-283
481-678-331
529-609- 47
539-504-11之2
678-133- 82
1174-661- 42
蔡抗宋(字子直) 286-352-328
397-472-348
472- 86- 3
472-222- 8
472-683- 27
472-893- 35
474-651- 34
475-119- 55
478-695-210
481-802-338
493-700- 39
505-704- 70
537-426- 58
563-656- 39
933-664- 44
1104-498- 40
蔡抗蔡杭 宋(字仲節)
287-733-420
398-670-411
460-320- 25
473-604- 76
481-678-331
523-185-155
529-612- 47
820-445- 35
蔡圻明 1460- 74- 43
蔡克晉 477-203-159
537-421- 58
814-234- 4
820- 56- 23
933-662- 44
蔡那劉宋 258-488- 83
蔡材宋 524-308-194
蔡系晉 485-553- 3
蔡佃宋 529-494- 44
蔡伸宋 460-188- 11
510-387-115
529-494- 44
1147-654- 62
1157-715- 14
蔡秀明 談田妻 1271-816- 8
蔡攸宋 288-599-472
382-659-101
401-348-615
蔡京唐 1467-495- 10
蔡京宋 288-593-472
382-654-101
401-343-615
427-361- 3
488-401- 13
585-333- 4
813-266- 12
820-403- 34
1054-653- 19
1112-402- 36
1112-411- 37
1112-428- 38
1437- 19- 1
蔡詔唐 1078-255- 10
蔡定宋 288-417-456
400-305-524
472-1071- 45
479-235-227
524-132-185
525- 93-220
1140-174- 21
蔡炆妻 清 見王氏
蔡雨明 1467-117- 66
蔡青宋 529-674- 49
蔡青元 1197-658- 67
蔡杭宋 見蔡抗
蔡玠宋 820-408- 34
蔡玠元 1196-315- 18
1201-166- 80
蔡東明 456-490- 5
蔡昕宋 494-347- 7
1119- 48- 10
蔡昇妻 明 見朱氏
蔡昂明(字衡仲) 475-329- 65
511-779-166
676-545- 22
1442- 45-附3
1460- 1- 40
蔡昂明(字惟中) 511-102-140
蔡芳明 676- 59- 2
678-711-137
679-634-200
蔡芝明 523-234-156
蔡叔蔡叔度 周 244- 56- 35
371-305- 12
375- 18-77上
404-307- 18
404-454- 26
933-661- 44
蔡季春秋 537-368- 57
蔡和宋 460-348- 27
529-533- 45
蔡佳清 523-394-164
蔡侃明 529-552- 45
蔡洪晉 256-495- 92
380-354-175
485-173- 23
493-862- 47
蔡洧春秋 405- 86- 61
蔡洸宋 287-351-390
398-360-387
472-273- 11
472-999- 40
473-633- 77
475-272- 63
510-371-114
524-312-194
蔡奕宋 1099-578- 12
蔡美明 475-563- 79
510-428-116
蔡枏宋 518-755-160
蔡柏宋 529-740- 51
蔡奎妻 清 見李氏
蔡拯宋 1119- 50- 10
蔡郁元 538-158- 66
蔡珍元 295-260-166
399-606-480
472-699- 28
477-167-157
537-453- 58
蔡致妻 清 見程氏
蔡貞明 周孟昇妻 530-124- 57
蔡茂漢 252-658- 56
376-638-107上
384- 58- 3
472-718- 28
477-245-161
481- 64-293
537-474- 58
591-658- 47
933-662- 44
蔡苓明 547- 86-144
蔡胄明 523-451-168
1239-220- 41
蔡約劉宋 259-462- 46
265-452- 29
378-295-138
485-490- 9
933-663- 44

蔡約妻 劉 見安吉公主
蔡衍漢 253-369-97
376-964-112
384-66-3
472-84-3
472-651-27
474-89-3
477-444-171
505-626-67
538-32-62
680-668-285
蔡迨宋 820-437-35
1163-523-28
蔡海明 479-195-225
523-131-152
529-452-43
蔡涇清 564-307-48
蔡浩明(謚烈愍) 456-490-5
538-47-63
蔡浩明(字叔清) 563-831-41
蔡高宋 481-552-327
481-744-334
528-558-32
529-725-51
530-612-73
559-513-12
1102-220-28
1356-151-7
1378-563-61
1383-634-56
1410-336-707
蔡高妻 宋 見程氏
蔡烜唐 528-520-31
蔡朗漢 541-766-35之20
1063-217-6
1397-458-22
1412-483-19
蔡祐北周 263-614-27
267-339-65
379-629-158
384-141-7
478-548-202
544-214-62
547-58-143
933-663-44
蔡祐明 460-402-59
1274-450-17
蔡訓明 1229-495-3
蔡兼漢 537-252-55
539-349-8
蔡貢妻 明 見張氏
蔡眞元 481-550-327
528-475-30
蔡烈明 301-760-282
460-601-59
481-616-329
529-568-46
蔡珪吳 477-415-169
蔡珪金 291-703-125
383-998-28
400-687-565
820-477-36
821-273-52
1365-23-1
1439-3-附
1445-225-15
蔡哲明 473-214-59
473-569-74
480-56-260
528-449-29
533-5-47
1442-8-附1
蔡格宋 460-319-25
蔡玭妻 明 見蕭榮
蔡挺宋 286-351-328
382-528-82
384-368-19
397-470-348
472-568-24
472-683-27
472-879-35
472-913-36
473-186-58
473-194-58
476-610-133
477-129-155
478-544-202
478-571-203
479-448-237
479-810-255
515-14-57
537-426-58
540-639-27
558-197-31
558-208-32
933-664-44
1104-507-40
1104-654-11
1112-278-26
蔡茲宋 460-292-18
529-647-48
蔡時明 515-479-71
蔡豹晉 256-327-81
377-854-129上
472-655-27
475-419-70
477-64-151
537-377-57
933-662-44
蔡恕明 472-99-3
蔡釗明 472-569-24
540-641-27
蔡俸明 545-403-98
蔡倫漢 253-506-108
370-199-20
380-488-179
402-429-8
453-739-2
471-759-24
471-1053-68
473-359-64
533-259-55
547-196-148
552-19-18
879-164-58上
933-662-44
蔡倫妻 明 見唐氏
蔡邕漢 253-261-90下
370-206-21
376-893-111下
384-69-3
402-429-8
402-496-12
402-513-14
402-531-15
402-544-17
402-588-20
469-5-1
471-989-58
472-653-27
475-143-57
476-827-143
477-60-151
493-1066-57
511-891-172
524-319-195
538-125-65
547-180-148
554-881-64
674-243-4上
680-672-287
683-854-上
684-466-下
812-55-中
812-218-8
812-315-4
812-707-3
814-226-3
820-32-22
821-7-45
839-29-3
933-662-44
1395-584-3
1397-484-23
蔡邕女 漢 見蔡琰
蔡姬春秋 齊桓公夫人
404-629-38
蔡寅漢 933-661-44
蔡淳元 528-493-30
蔡清許清 元 1224-315-24
蔡清明 301-759-282
453-695-35
457-770-46
458-803-6
460-595-59
473-16-49
473-588-75
479-453-237
481-587-328
515-40-58
529-536-45
539-507-11之2
676-516-20
677-549-50
1257-63-6
1257-190-18
1257-756-附
1442-35-附2
1459-742-29
蔡惇宋 674-640-6
蔡望宋 524-74-181
蔡寚宋 288-600-472

蔡淵宋(字子雍) 451-154- 4
511-560-158
蔡淵宋(字伯靜) 460-325- 25
473-604- 76
蔡淨明 葛哲妻、蔡思齊女
1246-637- 14
蔡章元 475-717- 86
511-913-173
蔡庸明 524- 55-180
蔡祥明 472-677- 27
472-852- 34
554-249- 52
1241-624- 13
蔡深元～明 516- 51- 88
545-342- 96
676- 58- 2
676-466- 17
679-600-197
蔡梅明 529-655- 49
蔡珵蔡榮 宋 448-384- 0
蔡規宋 821-183- 50
蔡琇妻 宋 見盧氏
蔡彬明(武邑人) 472- 99- 3
545- 68- 85
蔡彬明(南康人) 473-455- 68
516-150- 93
559-288-7上
蔡彬明(字清卿) 1447-127- 8
1460-911- 98
蔡彬清 524-252-190
528-470- 29
蔡通明 1250-745- 71
1458-104-424
蔡陵唐 820-263- 29
蔡晟明 545-376- 97
蔡貫妻 明 見孫氏
蔡悉明 301-786-283
475-709- 86
511-711-164
680- 46-229
蔡笠明 505-921- 82
蔡紹蔡春泗、蔡春溶、蔡紹瑾 明 456-465- 4
460-786- 83
529-677- 49
蔡偃宋 1123-587- 11
蔡斌劉宋 812-330- 6
821- 20- 45
蔡湘清 475-186- 59
蔡翔明 547- 81-144
蔡善孔善 元 1224-315- 24
蔡普北朝 263-144- 19
267-121- 53
379-371-152
蔡曾宋 515-464- 71
蔡湛父 漢 493-668- 37
蔡湛漢 505-669- 69
681-278- 17
1397-642- 30
蔡湍宋 1161-641-127
蔡湍妻 宋 見方道堅
蔡漢妻 清 見曾氏
蔡琮妻 清 見劉氏
蔡閎宋 1123-587- 11
蔡琯妻 清 見馬氏
蔡超蔡超宗 劉宋 678-648-131
蔡開宋 472-984- 39
491-118- 13
494-342- 7
523-434-167
蔡琰蔡貞姬 漢 羊衜妻、董祀妻、衛仲道妻、蔡邕女
253-635-114
381- 46-185
472-667- 27
541- 67- 29
814-216- 2
820- 37- 22
839- 31- 3
1395-584- 3
蔡款吳 254-776- 7
377-325-119
511-221-144
蔡發宋 460-319- 25
529-763- 53
820-435- 35
1145-724- 83
1252-613- 35
蔡貴明 563-816- 41
1467-132- 66
蔡華明 494- 23- 2
蔡敞明 1259-417- 4
蔡順漢 252-837- 69
370-172- 16
380- 78-167
384- 63- 3
402-395- 5
469- 85- 11
472-791- 31
477-413-169
538-109- 64
554-880- 64
879-153-58上
933-662- 44
蔡順劉宋 見蔡景玄
蔡幾明 475-526- 77
533-155- 52
蔡智明 528-560- 32
蔡結明 515-176- 62
523-176-154
蔡欽宋 1119- 49- 10
蔡集妻 明 見鄭氏
蔡溥宋 529-674- 49
蔡源宋 451- 86- 3
1238- 45- 4
蔡義蔡誼 漢 248-617- 8
250-516- 66
376-261- 99
384- 46- 2
472-718- 28
472-743- 29
477-245-161
537-473- 58
539-349- 8
675-281- 11
933-662- 44
1412-124- 5
蔡裔晉 256-288- 77
256-328- 81
377-825-128
384- 99- 5
537-377- 57
933-662- 44
蔡滂女 宋 見蔡氏
蔡運明 299-374-143
456-695- 12
479-811-255
481- 23-291
482-408-359
516-149- 93
524-325-195
1467-155- 67
蔡稟宋 1104-478- 39
蔡載宋 451-156- 4
511-773-166
蔡戡宋 479- 43-218
511-145-142
517-394-125
523- 79-149
585-767- 5
1161- 42- 76
蔡瑄明 472-468- 20
476-123-102
蔡瑁魏 254-969- 2
473-248- 60
533-228- 54
574-499- 29
879-161-58上
蔡聖陳 820-109- 24
蔡椿宋 524-156-186
蔡楫明 475-431- 70
479- 92-221
511-227-144
523-101-150
蔡瑛元 515-234- 64
蔡瑛明 563-843- 41
蔡瑗宋 481-614-329
529-559- 46
蔡睦蜀漢 533-734- 73
蔡嵩宋 479-748-251
蔡鼎明 530-212- 61
蔡賆妻 元 見王氏
蔡翛宋 288-600-472
382-660-101
401-349-615
蔡經漢 475-157- 57
485-279- 40
486-854- 30
486-904- 35
493-1096- 58
511-918-174
585-494- 15
1061-261-109
蔡經明 見張經
蔡媼宋 1181-434- 6
蔡節元 494-316- 5
蔡稜漢 253-261-90下
376-893-111下
1397-467- 22
蔡微元 473-738- 82
482-267-350
564- 83- 44

676-225- 8
蔡演元 545-242- 92
蔡漴宋 515-466- 71
蔡誠元 295-581-195
400-260-521
蔡誠明(巢縣人) 477-162-157
537-266- 55
蔡誠明(知鬱林州) 473-777- 84
567- 88- 66
1467- 58- 64
蔡誠明(字彥實) 1253-182- 49
蔡廕明 1274-394- 14
蔡禎明 554-341- 54
蔡塾宋 515- 86- 59
蔡齊宋 285-579-286
371- 71- 7
382-335- 53
384-350- 18
397- 59-313
449- 63- 5
450-242-中3
450-565-中47
472-195- 7
472-544- 23
472-587- 24
472-612- 25
475-776- 89
476-576-131
476-656-135
476-729-138
491-804- 6
510-478-118
537-507- 59
540-756-28之2
541-590-35之17
708-328- 50
1089-694- 12
1102-298- 38
1104-425- 37
1383-665- 59
蔡漸宋 1104-674- 13
蔡廓劉宋 258-175- 57
265-446- 29
378-107-134
384-111- 6
472-680- 27
477-203-159
479-482-239
515- 78- 59
537-421- 58
933-662- 44
蔡榮宋 見蔡理
蔡榮明 1467- 69- 64
蔡壽明 1241-844- 21
蔡槐元 472-175- 6
492-601-13下之下
516-522-106
蔡敏明 見鄧敏
蔡瑶女 明 見蔡三妹
蔡蒲明 見蔡雲瀚
蔡蓁明 545-463-100
蔡蒙明 482-485-364
523-233-156
567- 99- 66
1255-725- 74
1260-612- 18
1467- 75- 64
蔡鳳明 456-570- 8
蔡肇宋 288-254-444
382-762-116
384-383- 19
400-667-562
451-155- 4
472-276- 11
475-277- 63
511-773-166
523-212-156
821-175- 50
933-665- 44
1363-105-109
1437- 19- 1
蔡寬妻 明 見梁氏
蔡寬女 清 見蔡氏
蔡諒宋 460-318- 25
529-600- 47
蔡潮明 523-475-169
523-553-173
528-455- 29
571-526- 19
676-257- 10
676-533- 21
820-655- 42
1267-495- 5
蔡潤宋 489-696- 50
812-475- 3
812-551- 4
821-154- 50
蔡誼漢 見蔡義
蔡毅宋 491-436- 6
蔡撙蔡樽 梁 260-198- 21
265-452- 29
378-399-141
472-997- 40
477-205-159
479-132-223
493-679- 37
494-285- 3
523-113-151
537-422- 58
933-663- 44
蔡確宋 288-578-471
382-519- 80
384-366- 19
384-376- 19
401-334-614
427-248- 6
427-269- 9
450-797-下18
471-691- 15
471-854- 37
1363-103-108
1437- 16- 1
蔡璋金 820-477- 36
蔡槜女 宋 見蔡氏
蔡樞宋 460-188- 11
529-490- 44
蔡震蔡慶翁 宋 451- 94- 3
蔡震明 299-110-121
蔡璉明 559-307-7上
蔡模宋 460-329- 25
529-612- 47
677-380- 35
蔡模明 479-378-234
523-220-156
蔡遷蔡仙 明 299-266-134
567- 82- 66
1467- 57- 64
蔡墨春秋 見史墨
蔡質元 1220-175- 2
蔡儁北齊 263-144- 19
267-121- 53
379-371-152
546-112-119
933-663- 44
蔡劍唐 473-166- 57
515-462- 71
蔡銳明 523- 87-149
蔡範明 1273-154- 21
蔡徵蔡覽 陳 260-740- 29
265-960- 68
370-598- 20
378-545-145
477-127-155
814-256- 7
820-125- 25
933-663- 34
1410-577- 40
蔡諷漢 474-731- 40
502-248- 53
蔡諲宋 515-466- 71
蔡澤剛成君、綱成君 戰國
244-494- 79
371-593- 49
375-924- 93
384- 31- 1
405-292- 74
472- 28- 1
505-709- 71
547-145-147
933-661- 44
1408-190-500
蔡澤北周 263-615- 27
267-340- 65
379-631-158
蔡懌宋 585-760- 4
蔡凝陳 260-787- 34
265-453- 29
378-539-145
477-205-159
494-261- 1
813-248- 8
814-257- 7
820-109- 24
933-663- 44
蔡凝妻 陳 見信義公主
蔡樽梁 見蔡撙
蔡機妻 清 見金氏
蔡興明 472-208- 7
蔡蕃宋 1121-610- 8
蔡蕃明 558-455- 38
蔡遲明 472-292- 12
475-483- 73

510-409-115
533-212- 53
蔡儒明 1467-118- 66
蔡俸妻 宋 見茂德帝姬
蔡錫明 473-584- 75
481-583-328
523-289-159
528-485- 30
676-480- 18
1474-259- 12
蔡勳漢 253-261-90下
376-893-111下
478-198-184
554-264- 53
蔡勳明 546-215-122
蔡襄宋 286-243-320
382-483- 75
384-355- 18
397-397-344
449-181- 4
459-531- 31
460-186- 11
471-647- 10
471-667- 12
471-670- 13
471-673- 13
472-643- 26
472-961- 38
473-568- 74
473-583- 75
473-598- 76
473-631- 77
473-652- 78
477- 51-151
481-491-324
481-524-326
481-552-327
481-581-328
484- 94- 3
523- 75-149
528-437- 29
528-481- 30
529-490- 44
530-610- 73
537-239- 55
588-163- 8
674-283-4下
674-819- 17
684-489- 下
708-337- 50
812-742- 3
813-237- 6
820-364- 33
821-172- 50
933-663- 44
1102-277- 35
1102-384- 50
1273-153- 21
1356-134- 7
1362-746- 71
1378-554- 61
1383-597- 53
1410-317-705
1437- 12- 1
1447-594- 33
蔡懋宋 515-265- 65
820-365- 33
蔡澂明 見鄧澂
蔡薈齊 265-1077- 76
380-451-178
477- 66-151
蔡繽蔡縮 明 456-467- 4
蔡縮明 見蔡繽
蔡禮明 571-553- 20
蔡謨晉 249- 9- 附
256-278- 77
370-336- 8
377-817-128
384- 99- 5
472-220- 8
472-272- 11
472-680- 27
475-270- 63
475-419- 70
477-203-159
485- 67- 10
493-672- 37
510-275-112
523- 3-146
537-421- 58
679- 21-140
742- 29- 1
蔡璵明 554-347- 54
蔡璧清 528-470- 29
1325-781- 9
蔡璧妻 清 見吳氏
蔡璧妻 清 見陳氏
蔡顒明 568-250-108
蔡薿宋 286-697-354
397-739-364
471-903- 45
484-100- 3
484-101- 3
488-405- 13
蔡鎬宋 1164-273- 14
蔡雙明 1283-398- 98
蔡雙妻 明 見陳氏
蔡證陳 813-293- 17
蔡攜漢 1397-467- 22
蔡騶清 569-619-18下之2
蔡瓊周 1061-268-110
蔡鵬清 511-170-142
蔡鐏清 1325-797- 10
蔡鏸清 529-678- 49
蔡夔明 515-275- 65
567-320- 78
1467-205- 69
蔡覽陳 見蔡徵
蔡闢宋 491-118- 13
蔡蘭明 494- 42- 3
蔡鐵南北朝 533-771- 74
蔡襲北周 263-614- 27
267-339- 65
379-629-158
472-504- 21
544-210- 62
蔡襲唐 1340-716-795
蔡權宋 460-320- 25
蔡鑑明 1262-423- 46
蔡儼妻 明 見包氏
蔡顯明 476-726-138
540-657- 27
540-800-28之3
蔡靈明 1460- 61- 43
蔡衢宋 1147-342- 31
蔡靉黃靉 明 505-916- 81
676-565- 23
678-200- 89
1442- 57-附3
1460-126- 46
蔡一仕妻 明 見胡氏
蔡一信清 524-208-188
蔡一槐明 529-544- 45
820-702- 43
821-429- 56
蔡一橙明 460-781- 82
529-739- 51
蔡九娘元 蔡克憲女
564-317- 49
蔡九經妻 明 見許三姑
蔡人妻周(母欲令其改嫁做芣苜之詩以明志) 448- 36- 4
452-101- 3
472-685- 27
538-196- 67
蔡三玉元 陳端才妻
295-631-200
401-179-593
481-618-329
530-110- 57
蔡三妹明 褚本紀妻、蔡瑤女
482-373-357
1467-268- 72
532-620- 43
蔡士用明 532-620- 43
蔡士英清 474-824- 44
475-433- 70
479-456-237
502-637- 78
510-297-112
515- 67- 58
蔡士訓妻 明 見洪四娘
蔡士超趙士超 明456-465- 4
蔡士新周 1237-494- 5
蔡士端妻 清 見邵氏
蔡士駿清 524-208-188
蔡子仁明 511-882-171
蔡子因宋 820-403- 34
蔡子長明 533-746- 73
蔡子英明 299-140-124
458- 72- 3
472-751- 29
477-316-164
537-515- 59
1280-400- 85
蔡子難宋 1092-600- 56
1096-365- 37
蔡于穀明 676-110- 4
蔡已貞明 479-796-254
蔡大治明 524-146-185
蔡大業北周 263-827- 48
267-784- 93

381-399-193
蔡大醇宋 1170-716- 31
蔡大寶北周 263-826- 48
267-783- 93
370-567- 18
381-398-193
477-205-159
933-663- 44
蔡千秋漢 475-423- 70
475-745- 88
511-693-163
675-299- 15
蔡六一清 1325-800- 10
蔡心一明 480-582-285
蔡心元女 明 見蔡氏
蔡方平明 523-220-156
蔡方炳清 511-754-165
蔡文侯春秋 244- 58- 35
371-306- 12
375- 19-77上
384- 9- 1
404-309- 18
蔡文盛妻 明 見陳氏
蔡文傑女 明 見蔡佛娥
蔡文魁明 516-133- 92
蔡文範明 515-485- 71
676-604- 25
1442- 74-附5
1460-355- 56
蔡文績妻 清 見謝氏
蔡之升妻 明 見劉氏
蔡之筆清 511-548-158
蔡五娘清 紀四妻
530-100- 56
蔡元方宋 1125-386- 30
蔡元定宋 288-110-434
400-510-547
449-833- 17
451- 24- 0
459-108- 7
460-321- 25
473-604- 76
480-545-283
481-678-331
529-609- 47
539-508-11之2
677-797- 70
1175-766- 19
蔡元長宋 933-811- 60
蔡元貞明 529-691- 50
蔡元思宋 516-124- 92
517-506-128
蔡元珪妻 清 見蘇氏
蔡元卿宋 541-111- 31
1089-719- 14
蔡元康宋 1127-342- 19
蔡元偉明 458-819- 6
460-659- 67
460-661- 67
479-655-247
481-587-328
515-247- 64
529-541- 45
677-604- 54
蔡元鼎宋 529-558- 46
678-274- 96
蔡元際妻 明 見鄒氏
蔡元銳明 302-157-297
475-227- 61
511-554-158
584-268- 10
蔡元銳女 明 見蔡氏
蔡元導宋 473-113- 54
515-737- 80
1092-615- 57
蔡元龜宋 1123-669- 7
蔡元鐸明 511-554-158
蔡孔昭明 1227- 86- 10
蔡巴爾金 291-696-124
400-238-519
蔡天申宋 492-710-3下
蔡天奇明 516-524-106
蔡天祐明 300-288-200
458- 48- 2
472-684- 27
477-131-155
537-430- 58
545-281- 94
554-220- 52
676-534- 21
蔡天祥元 1192-507- 3
蔡天祥明 516- 81- 90
蔡天球宋 1099-594- 13
蔡天經宋 1119- 52- 10
蔡天錫女 明 見蔡氏
蔡中正女 宋 見蔡氏
蔡少卿唐 473-776- 84
482-451-362
蔡少霞唐 820-292- 30
蔡升元清 479-147-223
524- 38-179
蔡允恭隋～唐 263-827- 48
267-784- 93
271-560-190上
276- 56-201
381-399-193
384-167- 9
400-587-554
473-301- 62
480-244-269
533-310- 57
933-663- 44
蔡立大妻 明 見劉氏
蔡立先清 518-110-139
蔡立身明 678-214- 90
蔡必勝宋 523-344-162
1164-316- 17
蔡永年清 456-390- 80
蔡永忠妻 明 見王氏
蔡玉卿明 黃道周妻
530-104- 57
蔡正倫妻 明 見熊氏
蔡巨人明 456-661- 11
蔡本澄妻 明 見戴清
蔡孕奇女 清 見蔡氏
蔡平侯春秋 244- 58- 35
371-306- 12
375- 19-77上
384- 9- 1
404-311- 18
蔡可教明 532-657- 44
蔡可賢明 676-590- 24
1442- 62-附4
1460-207- 49
蔡世安明 1257-917- 5
蔡世新明 821-418- 56
蔡世遠清 481-618-329
1308-283- 58
1325-634- 附
蔡世遠妻 清 見劉氏
蔡以道女 明 見蔡妙貞
蔡以藩明 456-619- 9
481-613-329
蔡四妹明 蔡瑤女
1467-268- 72
蔡仕儲明 564-294- 47
蔡用之宋 473-167- 57
515-463- 71
蔡幼學宋 288-123-434
400-521-547
451- 23- 0
471-641- 9
472-1117- 48
479-406-235
481-492-324
523-343-162
528-443- 29
674-852- 18
820-437- 35
1164-409- 23
1172-628- 56
蔡守愚明 529-551- 45
蔡汝清妻 清 見湯氏
蔡汝揆宋(字君審) 515-470- 71
蔡汝揆宋(太平鄉人)
524- 95-183
585-399- 9
蔡汝擦宋 475-640- 83
蔡汝楠明 301-848-287
457-681- 40
472-679- 27
479-144-223
480-508-281
523-587-175
532-708- 45
676-567- 23
1442- 54-附3
1460-128- 46
蔡汝興妻 明 見俞氏
蔡西峰女 明 見蔡氏
蔡存畏明 460-593- 59
蔡存微明 460-594- 59
蔡存遠明 460-594- 59
蔡有鄰唐 684-476- 下
812-747- 3
814-274- 10
820-171- 27
蔡而烜清 481-618-329
529-576- 46
蔡而烷清 481-617-329
529-576- 46
蔡而烷妻 清 見楊氏

蔡而煜清 1325-808- 11
蔡次傳宋 528-475- 30
蔡次傳宋 528-492- 30
蔡同高清 1327-699- 8
蔡光親明 523-496-170
528-450- 29
蔡旭初清 529-696- 50
蔡如川明 460-594- 59
蔡如松宋 473-652- 78
529-737- 51
蔡如金蔡南金 唐273- 85- 59
473-590- 75
481-594-328
530-200- 60
1174-537- 34
蔡如惠明 見蔡如蕙
蔡如蕙蔡如惠 明(謚節愍)
456-582- 8
481-389-312
蔡如蕙明(字仲子) 586-153- 6
蔡仲光明 1460-748- 80
蔡仲斌明 1254-749- 2
蔡仲舒宋 480- 48-259
蔡仲遠宋 820-369- 33
蔡仲熊齊 259-398- 39
265-711- 50
378-285-138
477-204-159
蔡良輔元 1203-354- 26
蔡志仁明 529-709- 50
蔡志善妻 元 見夏守貞
蔡甫原妻 明 見范氏
蔡成樑妻 清 見孫氏
蔡孝恭宋 473-114- 54
515-746- 80
蔡君知隋 820-126- 25
蔡君澤宋 529-674- 49
蔡君讜妻 宋 見程氏
蔡克明妻 清 見嚴氏
蔡克廉明 529-541- 45
563-744- 40
676-564- 23
1409-794-657
1457-409-380
蔡克憲女 元 見蔡九娘
蔡伯玉明 1283-728-124
蔡伯俙宋 473-571- 74
529-433- 43
蔡伯珪女 明 見蔡氏
蔡伯荒周 404-307- 18
蔡伯倫宋 471-648- 10
蔡伯貫明 560-603-29下
蔡含靈清 476-920-148
505-831- 75
523-180-154
537-228- 54
蔡希周唐 475-275- 63
511-772-166
1371- 57- 附
蔡希寂唐 511-772-166
814-274- 10
820-191- 27
1371- 57- 附
蔡希舜清 516-153- 93
蔡希逸唐 820-191- 27
蔡希綜唐 820-191- 27
蔡邦玔明 1467-117- 66
蔡邦直女 宋 見蔡氏
蔡邦俊妻 明 見韓氏
蔡邦禮妻 明 見張氏
蔡佛娥明 丁鉞妻、蔡文傑女
1248-494- 23
蔡妙眞明 徐有貞妻、蔡以道女 1260-575- 15
蔡廷玉唐 275-607-193
384-238- 12
400-106-509
472- 31- 1
474-173- 8
505-833- 76
933-663- 44
蔡廷臣明 516-135- 92
523-106-150
蔡廷秀元 1218-778- 5
1439-449- 2
蔡廷瑓蔡廷棟 清
476-856-145
502-776- 86
540-681- 27
蔡廷棟清 見蔡廷瑓
蔡廷瑹明 524-162-186
蔡廷魁清 1325-709- 5
蔡廷標清 482-186-346
蔡宗周明 563-828- 41
蔡宗兗明 見葉宗兗
蔡宗禹明 460-779- 82
529-739- 51
蔡宗堯明 524- 67-181
676-571- 23
1442- 66-附4
1460-291- 53
蔡宗虞明 480-201-267
532-659- 44
蔡宗德妻 明 見楊氏
蔡官治明 676- 39- 2
蔡松年金 291-702-125
383-998- 28
400-687-565
544-237- 63
676-695- 29
820-476- 36
1365- 15- 1
1439- 1- 附
1445-100- 5
蔡其芝明 533-447- 62
蔡青蓮女 清 見蔡氏
蔡居中宋 516-146- 93
蔡居厚宋 286-720-356
397-755-365
515-739- 80
蔡長年明 1229-335- 12
蔡長注清 1325-803- 10
蔡長焞清 1327-699- 8
蔡長孺不詳 1061-269-110
蔡來信清 511-538-157
蔡承植明 533-255- 55
蔡承禧宋 515-737- 80
1092-615- 57
1110-416- 22
蔡昌登妻 清 見林氏
蔡明揚女 明 見蔡氏
蔡明遠唐 516- 5- 87
蔡芳表妻 清 見張氏
蔡叔度周 見蔡叔
蔡叔度清 1327-697- 8
蔡肱明明 456-502- 5
481-590-328
529-555- 45
蔡念成宋 528-506- 31
蔡金剛唐 812-347- 9
821- 58- 46
蔡金鵬清 477-526-175
538-121- 64
蔡延世宋 473- 99- 53
515-824- 83
蔡延壽北周 263-827- 48
267-784- 93
381-399-193
蔡延慶宋 285-580-286
382-336- 53
384-351- 18
397- 60-323
472-644- 26
472-893- 35
476-730-138
477- 52-151
478-545-202
537-241- 55
540-762-28之2
558-195- 31
1104-429- 37
蔡冠卿宋 473- 98- 53
515-818- 83
554-309- 53
蔡宣之清 524- 60-180
蔡宣侯春秋 244- 58- 35
371-305- 12
375- 18-77上
384- 9- 1
404-308 18
蔡恆衷妻 清 見張氏
蔡彥文元 1222-337- 31
蔡彥文明 1227-144- 17
蔡彥規宋 1101-863- 15
蔡彥謙妻 元 見楊氏
蔡哀侯春秋 244- 58- 35
371-305- 12
375- 18-77上
384- 9- 1
404-308- 18
蔡春泗明 見蔡紹
蔡春溶明 見蔡紹
蔡相體清 1327-699- 8
蔡南玉唐 見蔡如金
蔡南金唐 見蔡如金
蔡屛周明 511- 84-139
515-226- 63
蔡政端妻 清 見石氏
蔡致中妻 明 見馬氏
蔡貞姬漢 見蔡琰
蔡貞啟妻 清 見戴氏
蔡貞節元 朱可傳妻、蔡祥甫

女 1215-712- 10
蔡茂功妻 清 見范氏
蔡茂春明 523-219-156
蔡茂恩妻 明 見吳潔姿
蔡思充明 523-195-155
529-573- 46
蔡思和明 558-233- 32
蔡思齊女 明 見蔡淨
蔡思繩明 456-573- 8
480-298-271
533-389- 60
蔡思續明 533-238- 54
蔡若芝明 568-212-106
蔡若訥妻 宋 見楊氏
蔡昭侯春秋 244- 59- 35
371-306- 12
375- 19-77上
384- 9- 1
404-311- 18
蔡胄徵明 1475-431- 18
蔡待時宋 1164-274- 14
蔡侯齊春秋 384- 9- 1
蔡容遠女 明 見蔡氏
蔡浩然宋 515-532- 73
蔡祖庚清 475- 77- 53
511- 85-139
554-316- 53
蔡祚熹清 1325-775- 9
1325-797- 10
蔡眞眞明 朱豹妻
1289-388- 27
蔡原臣明 510-373-114
蔡原啟明 473-196- 58
516-149- 93
蔡桂芳明 820-641- 41
蔡桓侯春秋 244- 58- 35
371-305- 12
375- 18-77上
384- 9- 1
404-308- 18
蔡起麟妻 清 見王氏
蔡振先宋 529-564- 46
蔡退巖清 1325-700- 4
蔡時盛妻 清 見劉氏
蔡時新明 583-511- 9
蔡時鼎明 300-764-230
481-617-329
505-693- 70
510-457-117
523-108-150
529-571- 46
蔡純仁妻 明 見張氏
蔡純誠宋 485-534- 1
蔡清泉妻 明 見龔氏
蔡清源明 1237-323- 6
蔡惟溥明 見蔡維溥
蔡密齋妻 明 見溫嘉柔
蔡章琦清 1327-682- 7
蔡悼侯春秋 244- 58- 35
371-306- 12
375- 19-77上
384- 9- 1
404-311- 18
蔡祥甫女 元 見蔡貞節
蔡淑達清 李果珍妻
530-147- 58
蔡康娘明 楊進禔妻
530-152- 58
蔡乾庵明 533-337- 58
蔡習孚清 1325-796- 10
蔡莊侯春秋 244- 58- 35
371-306- 12
375- 19-77上
384- 9- 1
404-309- 18
蔡國用明 301-288-253
蔡國明清 456-373- 78
蔡國相清 479-794-254
515-283- 65
蔡國珍明 300-693-224
479-492-239
515-398- 68
528-460- 29
蔡國熙明 505-873- 78
554-198- 52
676-257- 10
蔡國勳明 456-597- 9
505-843- 76
蔡國襄妻 明 見呂氏
蔡得源女 明 見蔡氏
蔡紹宗明 532-698- 45
蔡紹周蔡維周 明
456-641- 10
蔡紹科明 523-475-169
569-668- 19
蔡紹謹明 見蔡紹
蔡敏榮清 502-640- 78
蔡逢甲宋 460-363- 28
529-738- 51
蔡逢時明 475-610- 81
479- 93-221
511-307-148
523- 57-148
523-107-150
676-200- 8
蔡啟元明 523-377-164
584-273- 10
蔡啟傳清 479-146-223
524- 37-179
蔡善繼明 481-584-328
528-487- 30
563-763- 40
676-625- 26
1442- 87-附5
1460-499- 64
蔡雲程明 1442- 53-附3
1460-120- 46
蔡雲瀚蔡蒲 明 516-151- 93
蔡黃卷明 460-614- 60
蔡黃裳宋 528-521- 31
554-270- 53
蔡尋眞唐 516-482-105
蔡超宗劉宋 見蔡超
蔡朝明明 456-502- 5
蔡朝綱妻 明 見譚氏
蔡朝靜妻 明 見鄭氏
蔡揚金明 537-468- 58
蔡景王隋 見楊整
蔡景玄蔡順 劉宋
258-186- 57
265-452- 29
378-114-134
蔡景武明 545-220- 91
蔡景侯春秋 244- 58- 35
371-306- 12
375- 19-77上
384- 9- 1
404-310- 18
蔡景歷陳 260-644- 16
265-959- 68
378-543-145
472-681- 27
477-205-159
482-140-344
486- 40- 2
538-132- 65
563-624- 38
813-293- 17
814-256- 7
820-106- 24
933-663- 44
蔡景默明 680- 58-230
蔡貴易明 523-135-152
529-546- 45
蔡紫泥清 1325-799- 10
蔡華甫宋 524-417-200
蔡順娘清 趙必珩妻
481-651-330
530-133- 57
蔡智榥明 524-213-188
蔡復一明 301-230-249
460-747- 77
480-319-272
481-589-328
483-226-390
529-550- 45
532-599- 41
545-102- 86
571-517- 19
1442- 85-附5
蔡復初元 460-461- 36
1227-170- 20
蔡新婺妻 清 見韓氏
蔡道成明 559-400-9上
蔡道恭梁 260-118- 10
265-786- 55
370-558- 18
378-310-139
384-118- 6
472-773- 30
477-373-167
477-407-169
537-543- 59
933-663- 44
蔡道貴齊 879-162-58上
蔡道像宋 524-385-198
蔡道憲明 302- 94-294
456-430- 2
480-404-277
481-590-328
529-554- 45
533-400- 61

676-660- 27
1325-672- 2
1442-109-附7
1460-683- 75
蔡嗣宗元 528-446- 29
蔡嗣祖明 1229-114- 9
蔡敬則漢 523-569-174
蔡遇春妻 明 見陳氏
蔡愈清明 554-188- 51
蔡愈濟明 482- 90-342
564-180- 46
蔡毓秀清 479-176-225
502-640- 78
505-809- 74
523-140-152
蔡毓榮清 482-541-368
483-228-390
565-657- 19
571-535- 19
蔡誠符清 1325-802- 10
蔡福嗣宋 451- 64- 2
蔡齊基宋 482-290-352
564- 76- 44
蔡端謹明 黃逸妻
473-589- 75
530- 86- 56
蔡榮名明 524- 67-181
蔡嘉善明 558-489- 41
蔡嘉復清 482- 76-341
563-876- 42
蔡夢祥元 511-594-159
蔡夢說宋 678-418-110
蔡夢說明 529-650- 48
蔡蒙古蔡蒙吉 宋
482-304-353
563-702- 39
蔡蒙吉宋 見蔡蒙古
蔡蒙叟宋 460-217- 14
529-716- 51
蔡維坤清 1325-779- 9
蔡維周明 見蔡紹周
蔡維溥蔡惟溥 明
473-725- 82
563-817- 41
蔡審廷宋 285-365-271
396-638-312
472-697- 28
477-165-157
537-448- 58
蔡潤宗明 460-617- 61
523- 88-149
蔡毅中明 300-565-216
458-158- 8
477-546-176
516- 85- 90
537-610- 60
676-625- 26
678-476-115
680- 50-229
1442- 86-附5
1460-492- 64
蔡慶翁宋 見蔡震
蔡霆發宋 529-671- 49
蔡履恆妻 清 見陸氏
蔡德和妻 明 見林氏
蔡德音清 范鑄妻
530-133- 57
蔡德政明 524-268-191
蔡德塘妻 清 見陳氏
蔡德榮元 1218-663- 3
蔡德器明 524-263-191
蔡德讓唐 486- 41- 2
蔡餘慶明 523-474-169
524-262-191
蔡樹瓊妻 清 見張氏
蔡興世宋 487-510- 7
蔡興宗劉宋 258-178- 57
265-446- 29
378-108-134
384-111- 6
477-204-159
478-758-215
478-759-215
479-317-232
486- 38- 2
523- 4-146
537-422- 58
933-662- 44
蔡曇智齊 265-1045- 73
380-102-167
蔡學用明 1474-485- 23
蔡學淵明 1237-323- 6
蔡穆侯春秋 見蔡繆侯
蔡應吾明 523-251-157
蔡應昌明 456-604- 9
558-435- 37
蔡應科明 481-616-329
529-571- 46
569-666- 19
蔡應齊明 554-258- 52
蔡應魁妻 明 見洪氏
蔡應龍妻 明 見張氏
蔡懋良妻 清 見張氏
蔡懋昭明 571-550- 20
蔡懋德明(字維立) 301-457-263
456-410- 1
458-261- 7
458-1067- 2
475-139- 56
475-874- 95
476-480-125
476-918-148
478-770-215
479- 44-218
479-456-237
511-439-153
515- 63- 58
523- 61-148
540-628- 27
545-107- 86
549-527-200
550-202-216
550-261-218
1315-333- 14
1320-714- 78
1442- 94-附6
1460-683- 75
蔡懋德明(長洲人) 505-639- 67
蔡懋德蔡潤 明(字懋德)
1250-511- 47
蔡彌邵宋 1171-767- 27
蔡鍾有明 515-281- 65
蔡繆侯蔡穆侯 春秋
244- 58- 35
371-305- 12
375- 18-77上
384- 9- 1
404-309- 18
蔡顒舉清 見鄭淑潔
蔡瓊藻妻 清 見周壽英
蔡獻臣明 460-682- 70
529-552- 45
蔡繼先明 1238-497- 11
蔡繼璣妻 明 見劉氏
蔡靈侯春秋 244- 58- 35
371-306- 12
375- 19-77上
384- 9- 1
404-310- 18
蔡觀惠明 460-592- 59
蔡國長公主嘉國長公主 宋
宋神宗女 1100-540- 51
1100-554- 53
賤瓊漢 933-676- 45
暴氏清 劉作楫妻
474-445- 21
暴昭明 299-358-142
456-691- 12
472-468- 20
476- 84-100
476-155-104
505-634- 67
545-771-111
886-163-139
暴斌明 547- 33-142
暴顯定陽王 北齊 263-303- 41
267-132- 53
379-404-152
544-209- 62
544-216- 62
546-116-119
547-182-148
933-679- 45
暴孟奇明 545-852-113
暴所學妻 明 見李氏
暴勝之漢 472- 64- 2
476-114-102
546-246-123
933-679- 45
暴謙貞明 545-854-113
罵人琮清 480-487-280
墨生明 821-489- 58
墨春明 545-480-100
墨格清 455-571- 37
墨娥宋 張憲妓 820-475- 36
墨翟戰國 384- 32- 1
386-276-83下
405-460- 96
472-686- 27
538-337- 70
541-102- 31
933-754- 52

1059-272- 4
墨麟明 472-841- 33
554-654- 60
墨古德清 455-464- 28
墨光顯清 456-136- 59
墨訥克清 455-271- 15
墨葉訥清 455- 54- 1
墨爾根清(瓜爾佳氏)
455- 90- 3
墨爾根清(他塔喇氏)
455-221- 11
墨爾根清(伊爾根覺羅氏)
455-240- 13
墨爾根清(完顏氏) 455-467- 28
墨爾根清(虎爾哈氏)
455-679- 48
墨爾根清(都佳氏) 456-124- 58
墨爾格德清 455-418- 25
墨爾根穆奇清 455-274- 15
墨爾根綽爾濟清503- 16- 91
瞎征邦彪籛、轄氊 宋
288-861-492
401-534-637
輝山清 502-738- 84
輝色清 456-119- 58
輝泰清 455-447- 27
輝特清 456-100- 57
輝雅清 455- 65- 2
輝塔清 456-166- 62
輝達清(鈕祜祿氏) 455-133- 5
輝達清(赫舍里氏) 455-195- 9
輝圖元 294-387-131
399-518-470
523- 21-147
輝蘭清 502-753- 85
輝和倫清 455-539- 34
輝瑚魯清 455-169- 7
輝和羅費揚古清455-136- 5
劇子戰國 244-455- 74
劇辛戰國 405-146- 65
472- 50- 2
933-747- 52
劇孟漢 244-888-124
251-156- 92
251-686- 31
380-509-180
472-743- 29
477-307-164
537-489- 59
933-747- 52
1408-335-513
劇鵬後魏 262-331- 94
267-746- 92
380-501-179
劇可久宋 285-347-270
396-625-311
472- 32- 1
474-175- 8
475-420- 70
505-715- 71
劇買奴後魏 262-331- 94
嘯父夏或周 547-475-159
1058-491- 上
1061-248-108
影克明 見伊克
影克卜明 見伊克拜
影克帖木兒明 見伊克特穆爾
蔓成然春秋 見鬬成然
蓮華唐 1052- 30- 3
蓮菴明 541-100- 30
蓮華精進勿提提犀魚 唐
1052- 29- 3
蓬球晉 1061-289-112
蓬萌漢 見逢萌
蓬池隱者唐 561-201-38之1
蓬谷道人明 554-989- 65
蓬頭道者明 483-142-380
570-258- 25
餘玄前燕 933-122- 8
餘昌隋 264-1125- 81
267-795- 94
381-412-194
餘和前燕 933-122- 8
餘映餘腆 晉 258-654- 97
265-1125- 79
381-410-194
餘崇前燕 933-122- 8
餘祭春秋 見吳王餘祭
餘腆晉 見餘映
餘慶劉宋 258-654- 97
265-1125- 79
381-411-194
餘璋隋 264-1126- 8
267-795- 94
381-412-194
餘頠晉 933-122- 8
餘澤元 493-1094- 58
1369-466- 14
1439-488- 2
餘嚴前燕 933-122- 8
箴尹克黃春秋 見鬬克黃
箴尹宜咎春秋 見鍼宜咎
耦嘉漢 933-621- 40
憩鶴山和尚五代
1053-296- 7
黎上古 545-686-108
黎氏明 見黎近
黎氏宋 宇文邦彥妻
559-444-11上
591-573- 42
黎氏宋 唐庚妻 1124-348- 4
黎氏元 吳輗妻 479-684-248
黎氏元 傅君用母 530-150- 58
黎氏明 毛瑢妻 473-319- 62
533-693- 72
黎氏明 吳彥升妻、黎友和女
473-118- 54
1251-528- 8
黎氏明 胡大斗妻 481-374-311
黎氏明 胡自聖妻 480- 97-262
黎氏明 張瑀妻 473-271- 61
黎氏明 陳濂妻 1274-415- 15
1458-697-471
黎氏明 歐陽勔妻 482- 42-340
黎氏明 阮賓母 1256-598- 7
黎氏清 李珊妻 480-639-288
533-713- 72
黎氏清 袁裔相妻 482- 44-340
黎氏清 蕭魁妻 482-291-352
黎氏清 謝子庠妻 481-338-308
黎艮明 567-384- 82
1467-220- 70
黎光藜光 明 299-309-138
482- 36-340
564-143- 45
黎志宋 473-763- 84
1467-171- 68
黎利明 302-650-321
黎秀明 676-201- 8
黎怡明 見黎恬
黎泮明 480-128-264
532-635- 43
黎忠明 473- 97- 53
515-186- 62
533-138- 51
黎昕唐 933-123- 8
黎昕明 554-347- 54
黎念明 1460-890- 95
黎和明 564-286- 47
黎斤黎久 明 515-780- 81
676-490- 19
黎恬黎怡 明 453-244- 22
473-129- 55
479-682-248
515-546- 79
676-477- 18
1239- 29- 28
1241-834- 21
黎貞明 301-823-285
564-285- 47
676-454- 17
1442- 12-附1
1459-478- 15
黎桓宋 288-796-488
黎迴唐 933-123- 8
黎宿宋 564- 71- 44
黎淳宋 見黎錞
黎淳明 299-635-164
473-318- 62
480-465-279
533-281- 56
676-503- 19
1248-637- 4
1250-471- 43
1251-338- 24
黎庸明 480- 51-259
532-618- 43
黎樟黎驥子 宋 448-363- 0
黎崇明 473-101- 53
479-630-245
515-839- 84
黎貫明 300-427-208
482- 37-340
564-157- 45
676-722- 30
黎常明 564-210- 46
黎釪明 564-288- 47
黎斌明 820-612- 41
黎雲妻 清 見李氏
黎琳明 567-386- 82
1467-242- 71

黎崱元 1121-238- 33
1471-656- 16
黎義明 559-268- 6
黎熠唐 820-235- 28
黎載元 見黎仲基
黎幹唐 270-404-118
270-410-118
275- 88-145
384-221- 12
395-706-244
471-1029- 65
473-465- 69
559-369- 8
933-123- 8
黎楚明 515-225- 63
黎嵩宋 561-209-38之2
黎粲黎希帥 明 473-116- 54
515-776- 81
黎經明 1467-204- 69
黎福明 473- 51- 50
510-375-114
516- 68- 89
1256-350- 21
黎輔妻 明 見梁氏
黎蒼胡奁 明 302-644-321
黎諒明 523-245-157
黎廣後魏 820-115- 25
黎澄明 516- 79- 90
黎磐明 482-209-347
523- 47-148
564-215- 46
567-113- 67
1467- 93- 65
黎澤女 明 見黎罕壁
黎暹明(字景升) 564-279- 47
黎暹明(蒼梧人) 567-311- 77
1467-198- 69
黎錞黎淳 宋 471-1031- 65
473-456- 68
473-513- 71
481-183-300
559-309-7上
559-364- 8
561-306- 40
591-350- 28
1098-184- 22
1110-260- 11
黎濬黎基隆 明 302-654-321
黎禧明 563-753- 40
567-311- 77
1467-199- 69
黎禧妻 明 見黃氏
黎燧唐 820-235- 28
黎聰明 567-340- 79
1467-242- 71
黎彌春秋 見犁彌
黎擴明 510-335-113
515-782- 81
676-496- 19
1442- 31-附2
1459-699- 27
黎譓明 302-657-321
黎鯨不詳 567-455- 87
黎獻明 558-295- 34
黎纁女 宋 見黎道素
黎灝黎思誠 明(字思成)
302-655-321
1442-131-附8
1460-889- 95
黎灝明(孝感人) 533-153- 52
黎士弘清 478-593-204
481-724-333
515-206- 63
529-640- 48
558-222- 32
黎士奇明 456-639- 10
黎士毅清 479-484-239
481-724-333
515-100- 59
529-640- 48
黎士翹明 532-670- 44
黎子雲宋 564- 79- 44
黎大成妻 明 見管靜
黎大觀清 480-466-279
533-287- 56
黎文明元 1197-228- 21
黎文明妻 明 見吳氏
黎元寬明～清 479-495-239
515-452- 70
黎元興唐 591- 36- 3
黎天注妻 明 見邢氏
黎天俊妻 明 見姚氏
黎天祿明 567-302- 77
1467-185- 69
黎天綱明 見黎福榮
黎友和女 明 見黎氏
黎公弁明 515-780- 81
676-498- 19
1442- 24-附2
1459-612- 23
黎公眞宋～元 472-923- 36
554-272- 53
黎立武宋～元 473-129- 55
515-534- 73
676- 46- 2
677-410- 38
679-147-153
1197-638- 65
黎永正明 564-126- 45
820-751- 44
黎永明明 533- 60- 49
黎玉田明 537-250- 55
554-525- 57下
黎弘道明 676-176- 7
黎弘業明 302- 56-292
456-443- 3
475-810- 91
482- 39-340
510-491-118
564-244- 47
黎世璜妻 清 見何氏
黎民安明 302- 61-292
456-488- 5
480-291-271
515-811- 82
黎民表明(字惟敬) 301-846-287
482- 38-340
564-279- 47
676-568- 23
820-708- 43
821-432- 57
1442- 65-附4
1460-273- 52
黎民表明(號石洲) 523-136-152
黎民衷明 564-242- 47
567-129- 67
1442- 61-附4
1460-199- 49
1467-104- 65
黎民望明 482-279-351
564-238- 46
黎民懷明 564-290- 47
820-708- 43
黎仕溫妻 明 見段氏
黎存信明 523-229-156
黎有綱明 529-702- 50
黎至忠宋 見黎龍廷
黎同吉明 564-187- 46
黎兆選不詳 567-455- 87
黎仲吉宋 473-187- 58
479-822-256
516-156- 94
1197-438- 41
黎仲基黎載 元 515-768- 81
676-706- 29
黎仲瑾元 821-317- 54
黎罕壁明 黎罕壁、崔繼勳妻、黎澤女
479-536-241
516-367-101
黎罕璧明 見黎罕壁
黎伯滚明 559-423-10上
黎伯寬明 1467-244- 71
黎伯興明 1467-118- 66
黎希帥明 見黎粲
黎布哲明 559-394-9上
黎邦佐妻 明 見王氏
黎廷瑞宋 1476-268- 1
黎廷鐸妻 清 見陳氏
黎昌期明 554-311- 53
黎季明北周 見黎景熙
黎孝聱胡一元 明
302-644-321
1248-412- 20
黎受三妻 明 見藍氏
黎秉忠妻 清 見郭氏
黎屏極明 456-680- 11
554-712- 61
黎致遠清 1327-702- 8
黎思誠明 見黎濬
黎侯子周 545-804-112
黎祖壽明 515-560- 74
黎城王明 見朱佶熇
黎商老黎貴兒 宋 448-365- 0
黎基隆明 見黎濬
黎崇宣明 564-126- 45
黎莊公夫人 周 448- 37- 4
452- 83- 2
547-292-152
黎得敘宋 559-274- 6
黎堯賓明 564-259- 47
黎堯勳明 475-483- 73

510-410-115
559-395-9上
黎彭齡妻 明 見陳氏
黎景熙黎季明 北周
263-814- 47
267-585- 82
380-326-174
384-142- 7
472- 68- 2
474-308- 16
505-885- 79
814-262- 8
820-123- 25
933-123- 8
黎景徽明 1442-131-附8
1460-889- 95
黎貴臣宋 480-409-277
黎貴兒宋 見黎商老
黎象斗明 564-141- 45
黎靖德宋(永嘉人) 528-504- 31
黎靖德宋(字共父)
1195-421- 8
黎雍熙清 483-149-381
黎道炤明 515-416- 69
黎道素宋 王宋文妻、黎纁女
1173-110- 70
黎道華宋 515-751- 80
黎遂珙明 456-464- 4
黎遂球明 456-464- 4
482- 39-340
564-126- 45
676-654- 27
677-713- 63
1442-105-附7
黎敬義唐 569-614-18下之2
黎福榮黎天綱 明
533-779- 74
黎維坦明 456-603- 9
黎維潭明 302-660-321
黎廣德明 567-419- 85
1467-201- 69
黎龍廷黎至忠 宋
288-800-488
黎遵指明 564-187- 46
黎樹聲清 479-146-223
481-551-327
523-369-163
528-479- 30
黎翰翔明 516-148- 93
黎應本明 1239- 40- 29
黎應辰明 456-642- 10
黎應時清 564-308- 48
黎應陽明 456-642- 10
黎舉德宋 523-213-156
黎驥子宋 見黎梓
儀元 1221-473- 10
儀王唐 見李璲
儀王宋 見趙朴
儀王宋 見趙偉
儀王宋 見趙仲湜
儀光唐 554-948- 65
儀成妻 漢 見謝姬
儀宴儀晏 五代 479-360-233
524-435-201
1053-329- 8
儀晏五代 見儀宴
儀泰明 472-741- 29
儀智明 299-459-152
453-576- 10
472-291- 12
472-613- 25
473-348- 63
476-731-138
480-436-278
532-726- 46
540-784-28之3
1240-705- 7
儀楚春秋 933- 67- 4
儀銘明 299-459-152
472-613- 25
476-731-138
540-790-28之3
儀兆羲清 547-119-145
儀行父春秋 405- 97- 62
儀長孺漢 547-547-161
933- 67- 4
儀封王明 見朱在鑾
質上古 見夔
德金 1204-465- 13
德一宋 473-179- 57
德心明 533-758- 74
德王唐 見李裕
德王唐 見李嶧
德王明 見朱由樞
德王明 見朱見潾
德王明 見朱厚燉
德王明 見朱祐榕
德王明 見朱翊館
德王明 見朱常潪
德王明 見朱載墱
德止宋 516-495-105
820-470- 36
821-269- 52
1053-597- 14
德正宋 821-267- 52
德用宋 1053-897- 20
德光宋 487-152- 9
516-437-103
588-190- 9
588-224- 10
1053-871- 20
1054-208- 4
1054-683- 20
1147-830- 80
德色清 456-156- 61
德林清 455-264- 15
德完清 1227-633- 下
1442-119-附8
德沛簡親王 清 454-112- 6
481-496-324
德岑宋 1121-387- 26
德住明 570-259- 25
德秀唐 524-382-198
1052-195- 14
德奇清 455-344- 21
德肯清 455-364- 22
德昌清 455-118- 4
德明宋 見德朋
德明清(鑲黃旗包衣管領下人)
456-334- 76
德明清(佟氏) 456-392- 80
德昇宋(嗣景祥) 1053-510- 12
德昇宋(字頑庵) 592-397- 84
1053-896- 20
德昂明 524-399-199
德朋德明 宋 490-724- 70
524-388-198
590-141- 17
德洪宋 567-469- 87
德洪宋 見慧洪
德彥明 1475-766- 32
德美唐 1050-644-103
德柱清 4565-319- 75
德珉明 1442-119-附8
1460-837- 90
1475-743- 31
德保清 455-404- 24
德容清 1475-786- 33
德海五代 1053-322- 8
德庫清 455-149- 6
德根清 502-591- 76
德倍清 456-289- 72
德倫五代 524-441-201
德純清 456-291- 72
德修清 524-393-198
德淳宋 1053-903- 20
德清元 1196-317- 18
德清明 482- 80-341
511-940-175
516-498-105
547-534-160
586-192- 9
676-680- 28
820-766- 44
1442-120-附8
1460-846- 91
德章宋 588-187- 9
1053-490- 12
德祥宋 585-486- 14
676-678- 28
820-763- 44
1442-118-附8
1460-829- 90
德基宋 1053-686- 16
德乾宋 1053-489- 12
德都清 455-166- 7
德勒清(富察氏) 455-451- 27
德勒清(宜特墨氏) 455-617- 42
德崇金 547-492-159
德符五代 812-530- 2
821-113- 49
德逢宋 1053-763- 18
德啟清 455-344- 21
德善清 455-489- 30
德普宋 592-380- 83
1052-771- 29
德普金 820-485- 36
1040-265- 6
1445-787- 61
德敦清 455-560- 36
德隆宋 1053-686- 16
德揚清 1320-614- 68

德然明 475-192- 59
511-922-174
德舒妻 清 見富察氏
德備清(瓜爾佳氏) 455-113- 4
德備清(佟佳氏) 455-320- 19
德勝明 1475-756- 32
德週宋 1053-765- 18
德進齊 見求那毗地
德源宋 821-267- 52
德祿清 456-187- 64
德感唐 1052- 52- 4
德楷清 547-497-159
德楚清 455- 57- 1
德嵩宋 1053-739- 17
德會宋 1053-903- 20
德愛明 561-217-38之3
德誠唐 472-244- 9
475-192- 59
491-119- 14
511-921-174
561-215-38之3
592-370- 83
1053-194- 5
1054-130- 3
德韶唐 479-437-236
486-901- 35
516-465-104
524-425-200
1052-180- 13
1052-670- 7
1053-379- 10
1054-154- 3
1054-604- 18
德福清 455-448- 27
德寧清 456-358- 77
德榮明 1442-120-附8
1460-846- 91
德赫清 455-450- 27
德聚明 586-190- 9
德睿清 547-497-159
德綜明 505-939- 85
德肇宋 見省肇
德瑩元 516-437-103
德潤清 483-142- 380
570-258- 25
德臣宋(號棲眞尊者)
473-196- 58
479-813-255
516-500-105
德賢宋(嗣守初) 1053-641- 15
德敷宋 1053-572- 14
德遵宋 1053-480- 12
德穎明 548-310-171
德興宋 1053-417- 10
德學元 517-530-128
德謙宋 524-431-200
1053-301- 8
德謙元 1054-763- 22
德聰宋 472-244- 9
475-192- 59
491-120- 14
511-921-174
德寶明 505-934- 85
德馨明 1228-727- 11
德蘊明 1475-780- 33
德饒宋 821-262- 52
德麟遼 820-476- 36
德麟元 1194- 64- 4
德山和尚五代 1053-551- 13
德什庫清 455-168- 7
德化王明 見朱理璣
德平王明 見朱胤梃
德平王明 見朱載堙
德克什清 456-304- 73
德克順清 456- 39- 52
德克德金 291-183- 81
399-101-425
德希訥清 455-117- 4
德希勒清 456-136- 59
德奇訥清 455-377- 23
德東額清 455-137- 5
德埒哩元 294-213-118
德格類清 454-210- 12
德格蘇元 見特爾格齊
德勒克清 454-415- 28
德莊王明 見朱見潾
德得尼清 455-285- 16
德啟訥清 455-397- 24
德普古清 456-122- 58
德普色清 455- 76- 2
德楞格清 455-417- 25
德楞額清 455- 49- 1
德楚庫清 455-484- 30
德葉米清 456-300- 73
德蒙額清 455-626- 43
德慶王明 見朱載封
德穆貝清 455-673- 47
德穆圖清 502-598- 76
德濟特清 500-728- 37
德木楚克清(沙克沙僧格子)
454-461- 37
德木楚克清(垂扎布子)
454-556- 55
德古爾丹元 515-270- 65
德布通格清 455-588- 39
德沁扎布清 454-635- 69
德克濟古清 455-133- 5
德呼威蘇迭里威失、德爾鄂什元 294-290-124
399-371-452
474-305- 16
德呼默色達哩默色、德呼穆蘇、德哩默色 元 295-595-196
400-276-522
473-652- 78
528-493- 30
1226-382- 18
1226-511- 24
1227-175- 21
1249-217- 13
1374-710- 91
1457- 2-341
德呼穆蘇元 見德呼默色
德哩默色元 見德呼默色
德清公主唐 唐昭宗女
274-120- 83
393-288- 74
494-261- 1
德清公主明 林岳妻、明憲宗女 299-111-121
德普特林清 455-606- 41
德普騰額清 455-563- 36
德爾秉額清 455-696- 49
德爾格斯清 456-251- 69
德爾格爾清 456-211- 66
德爾密什迭里彌實、締拉密什元 299-142-124
481-611-329
德爾博古清 456- 71- 55
德爾登額清 455-438- 26
德爾鄂什元 見德呼威蘇
德爾瑚理清 455-206- 10
德爾葛色清 455-435- 26
德爾德赫清(富察氏)
455-438- 26
德爾德赫清(叩德氏)
455-471- 29
德碩瑚爾妻 清 見拉果親氏
德穆布祿清 455-517- 32
德穆得赫清 455- 96- 3
德爾素方股清 455-128- 5
德勒克旺舒克清
454-443- 34
德勒克渥巴錫清
500-727- 37
箬笠僧明(頭戴巨笠)
572-160- 32
稽康魏～晉 見嵇康
稽紹晉 見嵇紹
稽黃秦 933-126- 8
稽粥老上單于 漢
251-184-94上
381-591-199
1408-295-508
稽穎宋 見嵇穎
稽聳宋 見嵇聳
稽巓明 505-696- 70
稽鐳明 見嵇鐳
稽古靈清 見嵇古靈
稽谷姑漢 539-349- 8
稽侯狦呼韓邪單于 漢
251-199-94上
381-605-199
稽曾筠清 見嵇曾筠
稽寶鈞梁 見嵇寶鈞
靠謙清 455-156- 6
魯大妻 明 見王氏
魯女周 839- 23- 2
魯文明 494- 25- 2
魯王漢 見劉光
魯王漢 見劉封
魯王漢 見劉晙
魯王漢 見劉餘
魯王漢 見劉興
魯王漢 見劉慶忌
魯王蜀漢 見劉永
魯王唐 見李永
魯王唐 見李宇
魯王唐 見李元忠
魯王唐 見李靈夔
魯王遼 見耶律重元

魯王金　見完彥烏哲
魯王元　見多阿克巴拉
魯王元　見阿哩雅實哩
魯王元　見僧格巴拉
魯王明　見朱檀
魯王明　見朱以派
魯王明　見朱泰堪
魯王明　見朱健杙
魯王明　見朱陽鑄
魯王明　見朱當漎
魯王明　見朱壽鏞
魯王明　見朱壽鏳
魯王明　見朱肇輝
魯王明　見朱頤坦
魯王明　見朱觀𤇥
魯氏後魏　刁思遵妻
262-309- 92
267-727- 91
381- 61-185
477- 92-153
魯氏宋　呂公著妻 475-755- 88
魯氏明　王用聘妻 302-247-303
475-813- 91
魯氏明　毛濬妻、魯鑑女
478-614-205
558-540- 43
魯氏明　李自立妻 506- 81- 88
魯氏明　吳皆藎妻 516-274- 98
魯氏明　何金鹿妻 479-383-234
魯氏明　金樞妻 1321- 43- 90
魯氏明　徐洛妻 479-358-233
524-739-213
魯氏明　陳孔傳妻 475-813- 91
魯氏明　陳友忠妻 483-119-379
魯氏明　魯宗源妹 512-496-189
魯氏清　汪天溥妻 480-416-277
魯氏清　李泰生妻、魯鑣女
533-652- 70
魯氏清　許宗洙妻、魯元璘女
530- 76- 55
魯氏清　張光紹妻 474-641- 33
506-167- 90
魯氏清　熊祚蔭妻 533-548- 67
魯玉明 554-277- 53
魯丕漢 252-647- 55
370-192- 19
376-631-107上
402-413- 6
402-568- 19
402-572- 19
472-764- 30
474-433- 21
474-468- 23
476-473-125
477-357-166
478-100-180
505-687- 70
537-308- 56
540-644- 27
554-805- 63
680-668-285
933-575- 37
魯充漢 402-567- 19
魯史明 517-723-133
魯交宋 559-406-9上
魯旭漢 554-684- 61
魯成明 567-379- 82
1467-197- 69
魯伯漢 476-661-136
魯利妻　南北朝 506-126- 89
魯秀劉宋 258-376- 74
265-591- 40
378-182-136
魯治明 821-431- 57
魯直宋 485-521- 10
魯昂明 511- 76-139
魯芝晉 256-459- 90
380-169-170
472-853- 34
475-868- 95
476-474-125
478-201-184
478-693-210
544-202- 62
545- 2- 83
554-434- 56
933-576- 37
魯炅魯景　唐 270-368-114
275-109-147
384-212- 11
395-212- 11
395-723-246
472- 31- 1
472-765- 30
473-246- 60
474-173- 8
476-910-148
477-359-166
505-713- 71
532-565- 40
537-199- 54
552- 56- 19
933-576- 37
魯祈後魏 554-866- 64
魯厚明 569-663- 19
魯軌魯象齒　劉宋 258-376- 74
265-590- 40
378-182-136
魯貞元 472-1043- 43
479-357-233
523-620-177
1439-445- 2
魯涌妻　清　見李氏
魯庫清 456- 61- 54
魯眞明 1246- 99- 4
魯恭漢 252-643- 55
370-191- 19
376-628-107上
384- 63- 3
402-421- 7
402-527- 15
402-565- 19
459-837- 50
472-641- 26
472-831- 33
476-655-135
477- 47-151
478-100-180
537-234- 55
540-644- 27
554-431- 56
933-575- 37
魯烈明 524-186-187
魯訔宋 472-983- 39
491-116- 13
524- 19-179
677-279- 25
1147-371- 34
魯峻漢 575-157- 8
681- 44- 3
681-544- 9
681-685- 21
683-247- 4
683-540- 1
1103-381-136
1397-557- 27
魯能明 453-432- 14
554-209- 52
564-167- 45
1248-507- 24
魯淵元 472-239- 9
472-1017- 41
479-380-234
510-346-114
523-413-166
676-448- 17
679-600-197
1218-785- 5
1439-453- 2
1459-300- 8
魯祥妻　清　見張氏
魯爽魯女生　劉宋 258-375- 74
265-590- 40
370-477- 14
378-181-136
472-853- 34
554-922- 64
魯莊宋 821-221- 51
魯敏明 472-339- 14
魯超清 523-471-169
563-867- 42
魯訔宋 1147-352- 32
魯肅吳 254-803- 9
370-238- 1
377-342-119
384- 79- 4
384-567- 29
385-502- 55
459-739- 45
469-133- 15
471-924- 48
472-200- 7
473-296- 62
475-747- 88
511-343-149
532-549- 40
933-576- 37
1408-458-524
魯彭明 533- 61- 49
魯景唐　見魯炅
魯㮚清 524-260-191
魯勝晉 256-524- 94

380-421-177
472-481- 21
474-515- 25
489-679- 49
492-571-13下之上
546-672-137
933-576- 37
魯欽明 301-557-270
483-227-390
545-332- 95
571-534- 19
魯瑗清 479-631-245
515-851- 84
魯頌清 505-842- 76
魯詹宋 1127-815- 12
魯經明 299-752-174
魯賓清 454-171- 9
魯論明 515-847- 84
680-329-259
680-330-259
魯毅明 481-268-305
559-301-7上
魯褒晉 256-526- 94
380-423-177
384- 94- 5
472-772- 30
477-370-167
537-542- 59
871-906- 19
933-576- 37
魯賜漢 475-423- 70
511-693-163
魯質明 524-399-199
魯璠元 533-310- 57
魯錦明 523-468-169
魯穆明 299-551-158
453-595- 14
472-1105- 47
473-569- 74
479-293-230
481-493-324
524-262-191
528-450- 29
678-444-112
679- 57-144
1240-379- 24
魯謙漢 478-481-199
558-168- 31
魯點明 533-237- 54
魯鏞唐 清 見馬氏
魯鐸明(字振之) 299-619-163
453-662- 29
458-1032- 1
473-236- 60
480-173-267
505-807- 74
533- 60- 49
676-530- 21
1442- 40-附2
1459-808- 33
魯鐸明(泌陽人) 510-494-118
魯鑑明 299-751-174
478-636-206
558-365- 35
魯鑑女 明 見魯氏
魯鑑清 533- 32- 47
魯麟明(魯鑑子) 299-751-174
魯麟明(建平知縣) 472-389- 17
魯麟明(字玉書) 558-458- 38
魯變明 554-313- 53
魯鑣清 515-180- 62
魯鑣女 明 見魯氏
魯一惠明 456-605- 9
512-786-196
魯一璠明 456-657- 11
512-786-196
魯二史周(佐密子賤)
820- 21- 22
魯士能宋 見魯仕能
魯子琳清 511-656-162
魯大宥元 480-209-267
533-760- 74
魯大誥清 558-459- 38
魯大儒清 533- 33- 47
魯女生漢 253-608-112下
380-579-181
554-968- 65
1059-310- 10
魯女生劉宋 見魯爽
魯文公春秋 244- 42- 33
371-290- 10
375- 10-77上
384- 5- 1
404-138- 8
魯文公夫人 春秋 見哀姜
魯文質明 511-885-171
魯文謐宋 524-182-187
魯之申明 456-456- 4
502-298- 56
魯之茂宋 524-350-196
821-224- 51
魯之賢明 533-175- 52
魯之璵明 301-665-277
456-530- 6
魯元璘女 清 見魯氏
魯友益宋 492-710-3下
魯仁圻清 523-393-164
554-269- 54
魯永清明 533- 39- 48
559-269- 6
魯布世清 455-268- 15
魯布善清 455-169- 7
魯可宗宋 491-116- 13
魯可為明 456-605- 9
456-657- 11
魯世任明 302- 77-293
456-444- 3
476-402-119
477- 56-151
537-348- 56
546-759-140
魯世達隋 264-1065- 75
267-597- 82
380-337-174
479- 47-218
523-577-175
933-576- 37
魯仕能魯士能 宋
480-464-279
533-279- 56
魯有開宋 288- 5-426
382-733-112
400-348-531
471-995- 59
471-1051- 68
472- 85- 3
472-113- 4
472-203- 7
472-706- 28
472-789- 30
472-866- 34
473- 74- 52
473-490- 70
474-601- 31
477-200-159
477-409-169
478-295-188
479-578-243
505-699- 70
511-358-150
515-231- 64
537-325- 56
554-240- 52
559-297-7上
933-577- 37
魯有開妻 宋 見李氏
魯仲連魯連子 戰國
244-518- 83
371-615- 54
375-878- 93
384- 27- 1
405-244- 72
472-113- 4
472-588- 24
491-793- 6
505-931- 84
933-575- 37
1408-207-501
魯仲逵隋 472-965- 38
魯仲詹明 1240-723- 7
魯志剛明 1475-519- 22
魯成公春秋 244- 43- 33
371-290- 10
375- 11-77上
404-141- 9
魯成公夫人 春秋 見定姒
魯成公夫人 春秋 見齊姜
魯成額清 456-182- 64
魯孝公周 244- 39- 33
371-289- 10
375- 9-77上
404-126- 8
魯克素倫布 清 455-173- 8
魯克蘇清 455-459- 28
魯伯能宋 472-1004- 40
524- 33-179
魯伯溶明 533- 29- 47
魯希文明 453-252- 23
魯希曾明 511-600-160
魯希聖明 558-429- 37
魯邦彥明 458- 18- 1
477-131-155

538- 3- 61
魯妙典晉 533-789- 75
魯廷彥明 537-282- 55
546-606-135
魯廷瑛妻 清 見甄氏
魯宗文明 301-558-270
456-458- 4
魯宗之晉 258-375- 74
258-376- 74
265-590- 40
378-181-136
魯宗貴宋 585-520- 17
821-229- 51
魯宗源妹 明 見魯氏
魯宗道宋 285-573-286
371- 69- 6
382-331- 18
384-350- 18
397- 54-323
449- 61- 5
450-719-下8
471-606- 3
471-1036- 66
472-202- 7
472-866- 34
472-980- 39
475-780- 89
479- 91-221
511-358-150
523- 96-150
708-328- 50
820-340- 32
933-576- 37
1088- 77- 9
魯宗顏宋 1097-310- 21
魯宗鎬妻 清 見朱如玉
魯定公春秋 244- 45- 33
371-295- 10
375- 11-77上
384- 5- 1
404-150- 9
魯定公夫人 春秋 見定姒
魯武公周 244- 39- 33
371-287- 10
375- 8-77上
404-129- 8
魯明芝清 481-454-318
559-533- 12
魯明善元 676-330- 12
魯叔寧元 1204-470- 13
魯周詢宋 見魚周詢
魯季文唐 515-515- 73
魯宣公母 春秋 見敬嬴
魯宣公春秋 244- 43- 33
371-290- 10
375- 11-77上
384- 5- 1
404-139- 8
魯宣公夫人 春秋 見穆姜
魯宣公女 春秋 見共姬
魯哀公春秋 244- 46- 33
371-296- 10
375- 5- 1
386-726- 14
404-151- 9
魯哀公夫人 春秋 公子荊母
404-566- 34
魯思顏明 533-420- 62
魯昭公母 春秋 見齊歸
魯昭公春秋 244- 44- 33
371-292- 10
375- 11-77上
384- 5- 1
404-146- 9
魯昭公夫人 春秋 見孟子
魯映昌明 456-498- 5
558-429- 37
魯城隍明 456-675- 11
559-506-123
魯班禮清 545-200- 90
魯桓公春秋 244- 40- 33
371-287- 10
375- 9-77上
384- 5- 1
404-132- 8
魯桓公夫人 春秋 見文姜
魯姬子春秋 秦寧公夫人
405-325- 76
魯悼公春秋 244- 46- 33
371-298- 10
375- 13-77上
384- 5- 1
404-153- 9
魯康祚齊 265-1043- 73
380-101-167
554-747- 62
魯頃公魯傾公 戰國
244- 47- 33
371-298- 10
375- 14-77上
384- 5- 1
404-155- 9
魯連子戰國 見魯仲連
魯崇仁元 473-616- 77
528-509- 31
魯崇志明 510-313-113
523-318-161
魯崇範南唐 473-146- 56
515-569- 75
魯國王元 見穆呼哩
魯國俊明 512-786-196
魯莊公春秋 244- 41- 33
371-288- 10
375- 9-77上
384- 5- 1
404-133- 8
魯莊公夫人 春秋 見哀姜
魯悉達陳 260-631- 13
265-949- 67
378-519-144
472-853- 34
532-560- 40
554-557- 58
933-576- 37
魯得之明 524-354-196
820-753- 44
821-478- 58
1475-511- 22
魯紹孔明 547-117-145
魯紹芳明 505-928- 84
魯啟聖清 515-849- 84
魯湣公春秋 見魯閔公
魯琪琳魯琪璘 元
494-416- 12
524- 33-179
魯琪璘元 見魯琪琳
魯惠公夫人 春秋 見孟子
魯惠公夫人 春秋 見聲子
魯陽王明 見朱安深
魯陽王明 見朱同鈮
魯閔公母 春秋 見叔姜
魯閔公魯湣公 春秋
244- 42- 33
371-289- 10
375- 10-77上
404-135- 8
魯鈍生元 1221-687- 28
魯象齒劉宋 見魯軌
魯義姑(周棄子抱姪)
448- 47- 5
452-100- 3
472-560- 23
541- 16- 29
魯聖裔明 547-116-145
魯達道妻 清 見李氏
魯傾公戰國 見魯頃公
魯演周妻 清 見黃氏
魯榮耀明 456-576- 8
魯爾碧清 455-696- 49
魯壽寧宋 1127-532- 13
魯僖公母 春秋 見成風
魯僖公魯釐公 春秋
244- 42- 33
371-289- 10
375- 10-77上
384- 5- 1
404-136- 8
魯僖公夫人 春秋 見聲姜
魯維周宋 473-358- 64
532-702- 45
魯廣達陳 260-756- 31
265-950- 67
370-598- 20
380- 56-166
472-853- 34
554-557- 58
591-702- 50
933-576- 37
魯德升妻 清 見唐氏
魯憲學明 533-238- 54
820-759- 44
821-478- 58
魯濬文明 1229- 96- 8
魯謙菴清 1314-331- 6
魯襄公春秋 244- 43- 33
371-291- 10
375- 11-77上
384- 5- 1

404-143- 9
魯襄公夫人 春秋 見敬歸
魯隱公春秋 244- 40- 33
371-287- 10
375- 9-77上
384- 5- 1
404-130- 8
魯聯芳妻 明 見鍾氏
魯釐公春秋 見魯僖公
魯耀權清 456-374- 78
魯蘇圖清 456- 25- 51
魯懿公周 244- 39- 33
371-287- 10
375- 8-77上
404-129- 8
魯二徵士漢(魯人不就徵)
448-100- 中
魯元公主漢 張敖妻、漢高祖女 554- 42- 49
魯孝義保周 448- 43- 5
魯克都理清 455-335- 20
456-136- 59
魯國公主元 見囊嘉特章
魯陽文子春秋 384- 25- 1
405- 55- 59
魯陽公主漢 見劉臣
魯嚕斯哈美元 見烏嚕嘶哈美
魯國大長公主晉國長公主 宋 石保吉妻、宋太祖女
285- 63-248
393-322- 77
544-235- 63
儋括春秋 404-480- 28
404-485- 28
儋翩春秋 404-485- 28
磐富色克 金 291-180- 80
399-124-427
盤庚商 243- 84- 3
372-105-3上
384- 3- 1
404- 58- 4
537-173- 53
544-154- 61
盤山禪師五代(第二世)
1053-230- 6
翩翩清 455-166- 7
虢王唐 見李鳳
虢王後晉 見石重英
虢仲周 404-443- 26
554-376- 55
虢叔周 404-443- 26
虢射春秋 404-697- 42
545-705-108
虢文公周 384- 12- 1
404-443- 26
554-620- 60
虢老夫春秋 404-755- 46
虢國公主唐 王承系妻、唐順宗女 274-117- 83
393-284- 73
銳峰清 1324-985- 33
銳司徒女 春秋 404-631- 38
鄱陽王劉宋 見劉休業
鄱陽王齊 見蕭鏘
鄱陽王齊 見蕭寶夤
鄱陽王梁 見蕭恢
鄱陽王陳 見陳伯山
範五代(代嗣道閑) 1053-304- 8
範五代(嗣本寂) 1053-546- 13
範泰清 456-232- 68
篇古清(諡靖定) 474-752- 40
篇古清(正藍旗人) 502-570- 74
劉一宋 674-839- 18
劉乙閩 529-754- 52
劉丁清 1325-754- 6
劉几宋 285-240-262
382-208- 30
396-551-303
472-914- 36
474-236- 12
478-404-194
478-571-203
537-510- 59
554-331- 54
558-208- 32
563-654- 39
567- 57- 65
1467- 31- 63
劉三妻 清 見趙氏
劉干劉于 明 515-640- 77
1224-221- 21
劉于明 見劉干
劉才明 299-398-145
472-207- 7
511-423-152
886-145-138
劉大明 538- 80- 64
劉山明 1259-274- 21
劉山女 明 見劉氏
劉乂唐 275-433-176
384-254- 13
396-172-267
451-437- 3
674-263-4中
933-457- 30
1082-443- 10
1344-484-100
劉卞晉 255-651- 36
377-470-121下
472-552- 23
476-821-143
933-455- 30
劉斗清 478-455-197
505-815- 74
558-163- 30
劉方漢 477-471-173
537-340- 56
539-345- 8
933-443- 30
劉方隋 264-833- 53
267-459- 73
267-815- 95
384-151- 8
379-762-161
472-833- 33
478-107-180
554-570- 58
567- 33- 63
1467- 11- 62
劉方元 1200-771- 59
劉文廣川王 漢 250-306- 53
375-112-78下
劉文妻 晉 見魏華存
劉文元 見劉聞
劉文明(字道顯) 300-478-211
546- 92-118
554-174- 51
劉文明(四川巴縣人)
472-521- 22
540-627- 27
劉文明(平陰人) 472-559- 23
劉文明(字宗華) 546- 88-118
劉文明(字彥質) 563-779- 40
劉文妻 明 見毛氏
劉太宋 1094-639- 69
劉王劉玉 漢 平邑公主、馮由妻、漢章帝女 252-201-10下
373- 52- 19
544-201- 62
劉五妻 清 見于氏
劉元河間王 漢 250-297- 53
375-106-78下
劉元漢 新野公主、鄧晨妻、劉欽女 252-513- 45
376-537-105
538-262- 68
劉元劉宋 485-311- 47
493-1116- 59
劉元元(字秉元) 295-660-203
401-120-585
498-506- 98
505-923- 83
劉元元(大都人) 472-1027- 42
523-187-155
劉元明(知邵武) 473-642- 78
劉元明(字仁甫) 528-542- 32
559-401-9上
571-523- 19
劉元明(長壽人) 559-509- 12
劉元明(字原亨) 1238-202- 17
劉元妻 明 見黃妙貞
劉巴蜀漢 254-621- 9
377-274-118上
384- 76- 4
384-450- 10
385-170- 19
447-188- 7
473-359- 64
473-389- 65
480-509-281
533-103- 50
559-243- 6
567-423- 86
592-624-101
879-164-58上
933-445- 30
劉友漢 趙幽王、淮陽王
244-272- 50
250-100- 38
375- 90-78上
劉友邵陵殤王 劉宋

258-565- 90
265-248- 14
375-297- 81
劉及明 1237- 21- 5
劉止明 505-883- 79
劉中金 676-696- 29
1365-132- 4
1439- 7-附
1445-369- 25
劉中元 1221-453- 8
劉丹漢 535-551- 20
劉仁漢 252-503- 44
370-106- 9
375-133-79上
402-344- 2
劉仁元 505-682- 69
劉仁明 見劉任
劉仁妻 明 見彭氏
劉仁妻 明 見傅氏
劉仁女 明 見劉辰秀
劉仁妻 清 見宋氏
劉升後魏 261-411- 27
266-412- 20
379- 8-146
476-179-106
劉氏漢 郭昌妻、劉普女
525-174-10上
373- 35- 19
劉氏漢 崔瑗妻 253-155- 82
376-835-110
474-641- 33
劉氏晉 劉建女 256-575- 96
381- 53-185
476-790-141
512- 3-176
劉氏劉宋 見殷氏
劉氏梁 王叔英妻、劉繪女
260-287- 33
265-588- 39
378-376-141
475-434- 70
1387-162- 2
劉氏梁 張嵊妻、劉繪女
260-287- 33
264-588- 39
378-376-141
475-434- 70
劉氏後魏 封卓妻 262-305- 92
267-723- 91
381- 58-185
472-414- 18
474-314- 16
475-434- 70
劉氏後魏 荀金龍妻
262-308- 92
267-726- 91
381- 60-185
472-528- 22
476-531-128
491-801- 6
559-477-11中
劉氏後魏 張洪祁妻
262-308- 92
267-725- 91
381- 60-185
477- 92-153
劉氏隋 劉昶女 264-1118- 80
267-732- 91
381- 67-185
477-319-164
538-251- 68
劉氏唐 李國昌妻 547-206-149
劉氏唐 李謹竹妻 503- 22- 93
劉氏唐 崔訥妻、劉延嗣女
1065-874- 23
1342-465-964
劉氏唐 田伯明伯母
555- 9- 66
劉氏唐 劉秦妹 814-217- 2
820-306- 30
劉氏[illegible] 劉峰女 683- 22- 0
劉氏唐 劉愼言女
1076-125- 13
1076-581- 13
1077-153- 13
1342-494-968
劉氏後梁 敬翔妻 277-167- 18
劉氏後唐 李克用妻
277-429- 49
279- 84- 14
393-290- 74
劉氏南唐 劉遇女
1085-138- 17
劉氏宋 王贊妻 1105-841-100
劉氏宋 王希槐妻
1189-615- 9
劉氏宋 王庭珪妻、劉瑗女
1134-319- 46
劉氏宋 王庭璋妻、劉成制女
1134-319- 46
劉氏宋 江懋相妻、劉敔女
1118-375- 19
劉氏宋 朱邦衡妻
1161-688-132
劉氏宋 朱雲孫妻 288-460-460
401-162-590
479-728-250
劉氏宋 宋高宗婉儀
284-881-243
393-317- 77
819-592- 20
劉氏宋 宋高宗貴妃、劉懋女
284-881-243
393-317- 77
585-118- 6
588- 47- 3
劉氏宋 吳蒨妻 1094-717- 78
劉氏宋 何及之妻
1135-438- 40
劉氏宋 周池妻、劉彝女
1126-766-170
劉氏宋 胡著妻、劉彌女
1161-673-131
劉氏宋 凌大淵妻 524-521-204
劉氏宋 翁福清妻 530-136- 57
劉氏宋 許益之妻、劉琚女
1096-796- 40
劉氏宋 曹覲妻 530-142- 58
劉氏宋 陳公緒妻 288-457-460
401-160-590
472-313- 13
475-473- 72
512- 73-178
541- 42- 29
劉氏宋 曾正民妻、劉伾女
1161-625-126
劉氏宋 曾光庭妻、劉義女
1147-392- 36
劉氏宋 彭雲翼妻、劉承弼女
1161-674-131
劉氏宋 楊宗閔妻
1132-236- 48
劉氏宋 趙士洞妻、劉仲逵女
1100-516- 48
劉氏宋 趙士薦妻、劉永壽女
1100-525- 49
劉氏宋 趙令振妻、劉漢卿女
1100-496- 46
劉氏宋 趙仲軾妻、劉懷安女
1100-508- 47
劉氏宋 蔡旬妻、劉昇女
530- 3- 54
劉氏宋 韓琥妻、劉鵬女
1135-439- 40
劉氏宋 鍾子友妻
1159-235- 20
劉氏宋 魏濤妻 1114-668- 16
劉氏宋 蘇舜元妻、劉達女
1108-438- 89
劉氏宋 侯延廣乳母
285-126-254
396-477-298
476-185-106
547-300-153
劉氏宋 劉安上女 473-626- 77
481-729-333
劉氏宋 劉康民女
1182-687- 4
劉氏金 完顏允恭妻
291- 19- 64
劉氏金 許古妻、劉仲洙女
291-750-130
401-169-592
474-190- 9
478-350-191
506- 2- 86
506-127- 89
555- 13- 66
劉氏元 刁茂先妻 476- 87-100
劉氏元 于國寶妻
1208-539- 17
劉氏元 王天祐妻 547-295-152
劉氏元 王蘭孫妻 480- 61-260
533-505- 66
劉氏元 安志道妻 295-640-201
401-186-593
474-190- 9
劉氏元 李五妻 295-627-200
401-176-593
476-754-139
劉氏元 李子和妻 555- 15- 66
劉氏元 呂彥能妻 295-637-201

401-183-593
472-528- 22
476-531-128
劉氏元 吳忠妻 538-220- 67
劉氏元 吳君錫妻 555- 14- 66
劉氏元 武壽妻 295-628-200
401-177-593
496-414- 89
劉氏元 曹泰財妻 474-604- 31
506-161- 90
劉氏元 張訥妻 295-640-201
401-186-593
472-842- 33
478-136-181
555- 14- 66
劉氏元 楊多爾濟妻
478-600-204
劉氏元 齊闢妻 295-640-201
401-186-593
472-753- 29
477-319-164
538-252-164
劉氏元 臺叔齡妻、臺淑齡妻
295-631-200
401-179-593
472-155- 5
474-520- 25
506-151- 90
劉氏元 韓�妻 1210-401- 13
劉氏元 鍾克俊妻 516-397-102
劉氏元 羅福與妻 481-430-315
559-479-11中
劉氏元 羅德生妻
1232-677- 8
劉氏元 嚴起妻 1194-707- 13
劉氏元 李寧孫母
1220-372- 2
劉氏元 智仲謙母
1202-183- 14
劉氏元 劉鼎女 1203-416- 31
劉氏元 魏初祖母
1198-780- 5
劉氏明 于芬妻 533-615- 69
劉氏明 于玭妻 1442-123- 8
1460-774- 84
劉氏明 方舟妻 1274-424- 15
劉氏明 方日旭妻
559-465-11中

劉氏明 王安妻 506-143- 90
538-223- 67
劉氏明 王茂妻 516-300- 99
劉氏明 王秩妻、劉公獻女
1268-438- 68
劉氏明 王雲妻、劉克讓女
472-528- 22
541- 2- 29
1241-402- 4
1245-406- 18
劉氏明 王朝妻 483-321-396
572-135- 31
劉氏明 王景妻 506- 6- 86
劉氏明 王達妻 479-796-254
劉氏明 王璉妻 472-361- 15
475-613- 81
劉氏明 王藹妻、劉鐸女
479-730-250
516-298- 99
劉氏明 王麟妻 555- 31- 66
劉氏明 王文棟妻 474-314- 17
劉氏明 王之相妻 572-124- 31
劉氏明～清 王世業妻
555- 86- 67
555-156- 68
劉氏明 王守廉妻 506- 77- 88
劉氏明 王邦潮妻、劉蘊球長女
516-292- 99
劉氏明 王居簪妻 506- 54- 87
劉氏明 王尚友妻 530-105- 57
劉氏明 王昆璿妻
559-470-11中
劉氏明 王延祚妻 555-109- 67
劉氏明 王持衡妻、李養性女
555- 60- 67
劉氏明 王思禮妻 506- 54- 87
劉氏明 王家柱妻 572-124- 31
572-345- 38
劉氏明 王時衡妻 506- 31- 86
劉氏明 王卿行妻 516-292- 99
劉氏明 王章吉妻 506- 7- 86
劉氏明 王國賜妻 538-607- 78
劉氏明 王貢德妻 506- 12- 86
劉氏明 王貽貞妻 480-300-271
533-636-271
劉氏明 王復之妻 530- 9- 54
劉氏明 王萬善妻 533-671- 71
劉氏明 王漢永妻 524-777-216

劉氏明 王夢明妻 506- 56- 87
劉氏明 王錫第妻
1280-399- 85
劉氏明 王懋德妻 555- 26- 66
劉氏明 王騰高妻 506- 52- 87
劉氏明 孔宗明妻 570-204- 22
劉氏明 孔維樸妻 555-106- 67
劉氏明 尹文光妻 480-513-281
533-670- 71
劉氏明 尹卿選妻 480-440-278
劉氏明 尹祭湯妻 555- 65- 67
劉氏明 毛明傑妻
559-453-11上
劉氏明 毛從讓妻 482-564-396
570-170- 22
劉氏明 申用休妻 506-128- 89
劉氏明 申有綱妻 512-132-180
劉氏明 史彥妻 512-240-183
劉氏明 白似玉妻 555- 57- 66
劉氏明 白延慶妻 555- 57- 66
劉氏明 江繼文妻 516-287- 99
劉氏明 伍應祖妻 570-185- 22
劉氏明 任肯堂妻 476-157-104
547-286-152
劉氏明 危寧埜妻、韋寧埜妻
480- 63-260
533-508- 66
劉氏明 朱昱妻 473-271- 61
533-613- 69
劉氏明 朱稷妻、劉忠女
1261-876- 42
劉氏明 朱之彥妻 480- 62-260
533-520- 66
劉氏明 朱孔思妻、劉宗仁女
506- 8- 86
506-553-105
劉氏明 朱永寬妻 530-163- 59
劉氏明 朱存樞妻 478-137-181
劉氏明 朱至澍妻 555- 84- 67
劉氏明 朱同璽妻
1262-400- 44
劉氏明 朱宗文妻 473-189- 58
劉氏明 朱寅奮妻 516-298- 99
劉氏明 朱崇文妻 516-398-102
劉氏明 朱國俊妻 516-297- 99
劉氏明 朱國楨妻 474-825- 44
503- 30- 93
劉氏明 朱國璿妻 516-298- 99

劉氏明 朱賓瀚妻、劉明女
560-598-29下
劉氏明 汪芳妻 473- 66- 51
479-561-242
劉氏明 辛剛妻、劉銘女
1259-199- 15
劉氏明 沈汝棟妻 530-107- 57
劉氏明 宋定妻 476-263-110
547-316-153
劉氏明 宋渥妻 538-201- 67
劉氏明 宋瑗妻 555- 37- 66
劉氏明 宋綸妻 555- 71- 67
劉氏明 宋子環妻、劉貴高女
1239-120- 34
劉氏明 宋承短妻 478-421-195
555- 56- 66
劉氏明 宋應試妻 474-444- 21
劉氏明 杜仲賢妻 547-215-149
劉氏明 杜高賓妻 481-214-302
559-461-11上
劉氏明 李介妻 473- 53- 50
479-536-241
516-364-101
劉氏明 李京妻 479-768-252
劉氏明 李坤妻 547-310-153
劉氏明 李惕妻 516-289- 99
劉氏明 李深妻 508-357- 42
劉氏明 李榮妻 555- 20- 66
劉氏明 李翠妻 478-377-192
555- 33- 66
劉氏明 李謙妻 547-272-151
劉氏明 李鑑妻 506- 7- 86
劉氏明 李九革妻 479-751-251
516-262- 98
劉氏明 李之本妻、劉梅女
302-233-302
475-782- 89
512-140-181
劉氏明 李正芳妻 555- 30- 66
劉氏明 李存紀妻 516-290- 99
劉氏明 李志寧妻 479-383-234
劉氏明 李宜瑞妻 516-398-102
劉氏明 李彥實妻 472- 39- 1
474-190- 9
506- 3- 86
劉氏明 李茂才妻 476-186-106
547-299-153
劉氏明 李堯中妻

559-474-11中
劉氏明 李萬平妻 1275-335- 15
劉氏明 李繼志妻 506- 7- 86
劉氏明 李顯芳妻 512-431-187
劉氏明 里舍兒妻 555- 21- 66
劉氏明 呂珽妻 555- 84- 67
劉氏明 呂引年妻 555- 47- 66
劉氏明 吳世昌妻、劉維吉女 1249-467- 31
劉氏明 吳谷祥妻、吳國祥妻 472-263- 10 512-240-183
劉氏明 吳進學妻 302-236-302
劉氏明 吳嘉諫妻、劉鎭女 302-244-303 479- 61-219 524-457-202
劉氏明(吳驥之妻) 482- 79-341
劉氏明 但鎧妻、劉佐女 1467-262- 72
劉氏明 何訥妻 506- 51- 87
劉氏明 何大正妻 572-130- 31
劉氏明 何青山妻 559-449-11上
劉氏明 何昌應妻 480-208-267
劉氏明 武文詔妻 477- 94-153
劉氏明 孟紹勳妻 533-510- 66
劉氏明 孟學正妻 506- 50- 87
劉氏明 邵弘祉妻 506- 51- 87
劉氏明 林守元妻 530- 65- 55
劉氏明 林須恭妻 530- 71- 55
劉氏明 林鼎新妻 524-628-208
劉氏明 明神宗妃 299- 21-114
劉氏明 呼爽妻 555- 64- 67
劉氏明 易大準妻 482-188-346
劉氏明 芮服堯妻 506- 10- 86
劉氏明 季芬妻 547-293-152
劉氏明 周足妻 479-664-247
劉氏明 周禮妻 516-287- 99
劉氏明 周遇吉妻 503- 31- 93 547-339-154
劉氏明 周養清妻、劉超邦女 1275-188- 9
劉氏明 金幼孜妻 1240-901- 10
劉氏明 邱希嵩妻 474-314- 16
劉氏明 姜振德妻 480-467-279
劉氏明 胡旻妻 516-246- 97
劉氏明 胡時化妻 506- 50- 87
劉氏明 胡時亨妻 506- 46- 87
劉氏明 胡時憲妻、劉志亨女 1255-645- 67
劉氏明 胡舜舉妻、劉輔宜女 1287-512- 26
劉氏明 胡鍾英妻 1287-570- 26
劉氏明 郁尊妻、劉玠女 1284- 60-141
劉氏明 咼懋妻 472-305- 62 480-253-269
劉氏明 咼修儀妻 480-254-269
劉氏明 范固妻 506- 10- 86
劉氏明 范浩妻 547-231-149
劉氏明 姚相妻 480-139-264
劉氏明 姚鎭妻 555- 54- 66 1269-394- 4
劉氏明 侯令邱妻 480-254-269
劉氏明 段益庫妻 547-253-151
劉氏明 高嵩妻 559-466-11中
劉氏明 高希鳳妻 452-118- 3 472-795- 31 474-778- 42 477-547-176 503- 27- 93
劉氏明 高夢軫妻 506- 72- 88
劉氏明 高薦悅妻 555- 58- 66
劉氏明 馬義妻 555- 71- 67
劉氏明 馬瓊妻 472-753- 29
劉氏明 馬鸞妻 506- 4- 86
劉氏明 馬廷實妻 473-285- 61 533-570- 68
劉氏明 馬既佶妻 481-465-319 559-467-11中
劉氏明 馬應祥妻、劉鉞女 555- 17- 66 1457-739-413
劉氏明 秦根立妻 555- 43- 66
劉氏明 孫之埕妻 541- 10- 29
劉氏明 孫丘坦妻、劉天和女 1442-126- 8
劉氏明 桂世卿妻 572-127- 31
劉氏明 郝時雍妻 506- 11- 86
劉氏明 袁希契妻 506- 48- 87
劉氏明 栗春芳妻 480-179-266
劉氏明 柴時妻 506- 70- 88
劉氏明 柴學參妻 480-179-266
劉氏明 徐著妻 559-476-11中
劉氏明 徐大美妻 559-445-11上
劉氏明 倪民恆妻 480-513-281 533-674-281
劉氏明 師恕妻 506- 57- 87
劉氏明 商仲文妻、劉太素女 1297-160- 12
劉氏明 章立鎬妻 1294-591- 15
劉氏明 章養仁妻 1294-586- 15
劉氏明 許俊妻 506- 29- 86
劉氏明 許諫妻 512-133-180
劉氏明 許世奇妻 506- 55- 87
劉氏明 郭朋妻 506- 72- 88
劉氏明 郭恂妻 506- 9- 86
劉氏明 郭賀妻 538-276- 68
劉氏明 郭文瓚妻 506- 55- 87
劉氏明 郭可權妻 1258-631- 14
劉氏明 郭孝禮妻 547-222-149
劉氏明 梁銓妻 506- 51- 87
劉氏明 梁本之妻、劉嘉善女 1241-221- 10
劉氏明 梁廷臣妻 478-297-188 555- 25- 66
劉氏明 梁雲高妻 555- 86- 67
劉氏明 曹詔妻 538-177- 67
劉氏明 曹希彬妻 570-189- 22
劉氏明 屠瑀妻 555- 87- 67
劉氏明 陶良知妻 512-241-183
劉氏明 敖相妻 483-283-393 572-127- 31
劉氏明 連健妻 477- 94-153
劉氏明 陳洪妻、劉理同女 516-293- 99 1275-191- 9
劉氏明 陳剛妻、劉宗周女 1294-550- 13
劉氏明 陳清妻 482-486-364 567-488- 88
劉氏明 陳梁妻 570-176- 22
劉氏明 陳敏妻 530- 7- 54
劉氏明 陳寬妻 478-275-187 555- 32- 66
劉氏明 陳儁妻 473-396- 66
劉氏明 陳汝忠妻 506- 8- 86
劉氏明 陳至仁妻 1294-550- 13
劉氏明 陳如金妻 564-328- 49
劉氏明 陳邦謨妻 506- 11- 86
劉氏明 陳思詩妻 480-513-281 533-670- 71
劉氏明 陳家楝妻 480- 95-262
劉氏明 陳獻章妻 506-170- 90
劉氏明 張巽妻 474-248- 12 506- 57- 87
劉氏明 張隆妻 480- 62-260 533-506- 66
劉氏明 張森妻、劉炯女 472-313- 13 475-473- 72
劉氏明 張傑妻 506-133- 89
劉氏明 張經妻 478-551-202
劉氏明 張聚妻 506- 43- 87
劉氏明 張鳳妻 533-518- 66
劉氏明 張綱妻 533-512- 66
劉氏明 張課妻 483- 98-378 570-197- 22
劉氏明 張整妻 538-265- 68
劉氏明 張燦妻 512- 40-177
劉氏明 張鶴妻 538-178- 67
劉氏明 張九鼎妻 506- 8- 86
劉氏明 張文德妻 472-485- 21
劉氏明 張世昌妻 479-633-245
劉氏明 張秉純妻 302-254-303
劉氏明 張彥明妻 547-209-149
劉氏明 張思謙妻 475-782- 89
劉氏明 張英時妻 481-592-328
劉氏明 張能信妻、劉憲寵女 302-239-302
劉氏明 張國揚妻 483-283-393 572-125- 31
劉氏明 張朝京妻 475-782- 89 512-149-181
劉氏明 張綿壽妻、劉邦教女 478-377-192 555- 89- 67
劉氏明 張應諤妻 474-248- 12 506- 56- 87
劉氏明 張孺文妻 473-102- 53 479-632-245
劉氏明 張鵬翼妻 474-443- 21
劉氏明 莊舉妻 530- 88- 56

劉氏明 婁殿妻 506- 71- 88
劉氏明 崔祥妻 506- 70- 88
劉氏明 馮友妻、劉璽女
555- 37- 66
劉氏明 馮仁妻 480-653-289
劉氏明 馮英妻 538-173- 67
劉氏明 馮光濟妻 524-617-208
劉氏明 甯惟志妻 533-674- 71
劉氏明 曾世臣妻 516-294- 99
劉氏明 湯矩妻 564-328- 49
劉氏明 湯銘妻 555- 19- 66
劉氏明 惠敬妻 555- 20- 66
劉氏明 黃旻妻 567-482- 88
劉氏明 黃佶妻 482-502-365
567-488- 88
劉氏明 黃聰妻、劉裕女
567-479- 88
劉氏明 黃運升妻 572-123- 31
劉氏明 黃萬里妻 512-131-180
劉氏明 黃麟徵妻、劉安期女
516-297- 99
劉氏明 賀諤妻 506- 57- 87
劉氏明 賀龍岡妻
1287-562- 25
劉氏明 彭琠妻 516-299- 99
劉氏明 彭謙妻 482-391-358
567-489- 88
1467-270- 72
劉氏明 彭以見妻 516-297- 99
劉氏明 彭有年妻
559-455-11上
劉氏明 彭彥士妻 516-299- 99
劉氏明 彭建夫妻 516-297- 99
劉氏明 彭球紳妻 516-296- 99
劉氏明 彭道誅妻 473-196- 58
劉氏明 彭儲粹妻 516-297- 99
劉氏明 程天佑妻 547-279-152
劉氏明 程正遇妻 480- 95-262
533-543- 67
劉氏明 程時信妻、劉美之女
559-445-11上
劉氏明 溫勉妻 1288-660- 13
劉氏明 賈定妻 1262-439- 47
劉氏明 賈濬妻 547-215-149
劉氏明 雷復亨妻
1269-433- 6
劉氏明 楊四妻 482-524-367
劉氏明 楊春妻 559-471-11中
劉氏明 楊素妻、劉彥明女
472-440- 19
547-212-149
劉氏明 楊桂妻 506- 48- 87
劉氏明 楊善妻 474-482- 23
劉氏明 楊瑄妻 572-129- 31
劉氏明 楊楠妻 478-136-181
555- 40- 66
劉氏明 楊潤妻 506- 92- 88
劉氏明 楊藩妻 570-187- 22
劉氏明 楊九經妻 506-109- 89
530-126- 57
劉氏明 楊士進妻 477-422-169
劉氏明 楊大善妻 512-321-185
劉氏明 楊天祐妻 506- 46- 87
劉氏明 楊國權妻 555- 49- 66
劉氏明 楊梨山妻、劉七星女
1274-321- 11
劉氏明 萬桂妻 506- 73- 88
劉氏明 萬廷琮妻 516-293- 99
劉氏明 董欽妻 503- 29- 93
劉氏明 董讓妻 472-604- 25
劉氏明 董以修妻、劉藩之女
533-607- 69
劉氏明 董學玘妻
524-569-206
劉氏明 葛潤妻 506- 10- 86
劉氏明 葉一蘭妻 524-764-215
劉氏明 鄒智妻 559-451-11上
劉氏明 鄒秉浩妻559-461-11上
劉氏明 鄒應昌妻 533-674- 71
劉氏明 解琮妻 547-240-150
劉氏明 趙明妻 538-178- 67
劉氏明 趙恭妻 506- 93- 88
劉氏明 趙一楠妻 476-532-128
劉氏明 趙三聘妻 506-107- 89
劉氏明 趙文正妻、趙文振妻
483- 98-378
570-195- 22
劉氏明 趙從東妻 547-306-153
劉氏明 趙鳴鳳妻 506- 55- 87
劉氏明 趙學書妻 474-624- 32
506-163- 90
劉氏明 熊元節妻、劉汝模女
1240-859- 9
劉氏明 熊剛中妻 473-607- 76
530-139- 58
劉氏明 管評妻、劉正鍪妻
516-250- 97
劉氏明 裴鉞妻 506- 7- 86
劉氏明 裴章來妻 506- 11- 86
劉氏明 潘有穀妻 480-254-269
劉氏明 鄭友東妻 473- 66- 51
劉氏明 鄭世興妻
1257-172- 16
劉氏明 鄭東效妻 572-138- 31
劉氏明 鄧仁聲妻 480-665-290
533-676- 71
劉氏明 鄧承芳妻
559-446-11上
劉氏明 蔣顧妻 572-131- 31
劉氏明 蔡之升妻 530- 94- 56
劉氏明 蔡立大妻 533-660- 71
劉氏明 蔡繼璣妻 530- 68- 55
劉氏明 劉宗舜妻 555- 98- 67
劉氏明 劉昌年妻、劉養銳女
559-469-11中
劉氏明 劉經德妻 533-672- 71
劉氏明 劉瓚祖妻 506-. 50- 87
劉氏明 衛君寵妻 547-310-153
劉氏明 樊節妻 476-185-106
547-307-153
劉氏明 樊瓚妻 547-232-149
劉氏明 霍恩妻 474-589- 30
1262-395- 43
劉氏明 冀元亨妻 480-487-280
劉氏明 盧鎔妻 512-147-181
劉氏明 盧文燦妻 476-677-136
劉氏明 盧廷瑞妻 533-615- 69
劉氏明 盧尚欽妻 506- 32- 86
517-607-130
506- 32- 86
劉氏明 蕭澂濟妻、劉遮績女
517-608-130
劉氏明 蕭懋廣妻
1241-389- 4
1243-716- 24
劉氏明 謝銘妻 533-540- 67
劉氏明 謝士珍妻 480-513-281
劉氏明 謝仲仁妻 506- 74- 88
劉氏明 濮宗濂妻、濮貴一妻
524-574-206
劉氏明 韓太初妻、韓泰初妻
302-211-301
452- 95- 2
472-100- 3
474-384- 19
506-100- 89
512-497-189
劉氏明 韓思遠妻 506- 70- 88
劉氏明 韓鼎允妻、韓鼎應妻
302-253-303
475-535- 77
512- 79-179
劉氏明 薛鑾妻、劉祐女
1267-437- 3
劉氏明 薛朝印妻 547-279-152
劉氏明 薛景尼妻、劉大中女
1292-199- 17
劉氏明 繆忠妻 570-184- 22
劉氏明 顏旦妻 516-296- 99
劉氏明 魏相妻 538-175- 67
1262-529- 58
1408-543-536
1457-738-413
劉氏明 魏瑄妻 476-678-136
劉氏明 魏嚴妻 555- 62- 67
劉氏明 魏希儒妻 567-489- 88
劉氏明 龐奎妻 506- 77- 88
劉氏明 譚自登妻 506- 54- 87
劉氏明 譚先哲妻 483-268-392
572-123- 31
劉氏明 闕文勝妻 547-232-149
劉氏明 羅立妻 530-129- 57
劉氏明 羅仁壽妻、劉與權女
1239-107- 33
劉氏明 羅正茂妻 530-129- 57
劉氏明 羅承慈妻 480- 95-262
533-592- 69
劉氏明 羅尚價妻 481-119-196
559-449-11上
劉氏明 嚴世遨妻 512-321-185
劉氏明 蘇時蘭妻 506- 55- 87
劉氏明 顧可立妻
1280-458- 89
劉氏明 王允母 1243-218- 11
劉氏明 王之賢母 572-123- 31
劉氏明 孫傳庭母
1296-317- 4
劉氏明 張世篤母 506-108- 89
劉氏明 張思孝媳 550-450-222
劉氏明 崔景榮母
1291-928- 7
劉氏明 程煜節叔母

302-253-303
劉氏明 楊用霖弟婦
518- 37-137
劉氏明 劉山女 476-734-138
劉氏明 劉玉女 302-233-302
477-422-169
538-278- 68
劉氏明 劉均女 516-233- 97
劉氏明 劉奇女 472-614- 25
劉氏明 劉清女 516-291- 99
劉氏明 劉準女 478-421-195
555- 22- 66
劉氏明 劉瑞姊 506- 43- 87
506- 57- 87
劉氏明 劉鈺女 1266-608- 10
劉氏明 劉聰女 474-191- 9
506- 7- 86
劉氏明 劉懋孫 478-137-181
劉氏明 劉蘭女 302-245-303
474-191- 9
劉氏明 劉大川女 475-756- 88
512-130-180
劉氏明 劉大文女 512-167-181
劉氏明 劉元輔女
1297-187- 14
劉氏明 劉永祚女 474-192- 9
506- 13- 86
劉氏明 劉世耀姊 533-594- 69
劉氏明 劉汝濟女 480-254-269
劉氏明 劉思文女 533-674- 71
劉氏明 劉秋佩女
559-452-11上
劉氏明 劉紹堯姪女
480- 62-260
533-507- 66
劉氏明 劉逢愷女
1291-645- 2
劉氏明 劉漢儒妹 572-147- 31
劉氏明 劉澤甫女 480-178-266
533-597- 69
劉氏明 劉蘊球次女
516-292- 99
劉氏明 顏素孫婦 302-249-303
劉氏清 丁本培妻 474-192- 9
506- 18- 86
劉氏清 丁煒宗妻 476-678-136
541- 41- 29
劉氏清 卜雍妻 506- 19- 86
劉氏清 于明傑妻 541- 10- 29
劉氏清 于騰潮妻 474-194- 9
劉氏清 亢謙妻 533-655- 70
劉氏清 文何典妻
559-494-11下
劉氏清 文昌運妻 572-123- 31
劉氏清 王訓妻 478-638-206
劉氏清 王巽妻 474-194- 9
劉氏清 王璘妻、劉玉鼎女
481- 84-294
559-482-11下
559-500-11下
劉氏清 王璽妻 503- 54- 95
劉氏清 王之相妻 547-241-150
劉氏清 王之弼妻 474-196- 9
劉氏清 王之瑛妻 476-186-106
547-310-153
劉氏清 王之翼妻 555-116- 68
劉氏清 王元良妻 474-281- 14
劉氏清 王世爵妻 503- 54- 95
劉氏清 王吉徵妻 474-385- 19
劉氏清 王兆辰妻 506- 16- 86
劉氏清 王好學妻 478-491-199
劉氏清 王男子妻 547-319-153
劉氏清 王宜振妻 541- 31- 29
劉氏清 王明相妻 512-358-185
劉氏清 王昌祚妻 547-271-151
劉氏清 王秉乾妻 555-172- 69
劉氏清 王思讓妻 506- 34- 86
劉氏清 王孫瑋妻 555-138- 68
劉氏清 王振宜妻 476-620-133
劉氏清 王師和妻、劉嵩女
559-483-11下
劉氏清 王景維妻 524-499-203
劉氏清 王嘉勳妻 530-159- 58
劉氏清 王肇京妻 541- 7- 29
劉氏清 王賡堯妻
559-485-11下
劉氏清 王德昌妻 506-171- 90
劉氏清 王樹極妻 481-187-300
559-489-11下
劉氏清 王應統妻 541- 8- 29
劉氏清 王檀林妻 506- 65- 87
劉氏清 孔傳誦妻 477-423-169
劉氏清 尹仲成妻 506- 38- 86
劉氏清 牛秉乾妻 555-183- 69
劉氏清 牛顯麟妻 476-678-136
541- 43- 29
劉氏清 毛翰妻 482-567-396
570-180- 22
劉氏清 毋進賢妻 506-171- 90
劉氏清 田資宸妻 474-193- 9
劉氏清 史永韜妻 480-597-286
劉氏清 丘之秀妻 572-128- 31
劉氏清 白瑛妻 506- 29- 86
劉氏清 白作肅妻 506- 98- 88
劉氏清 任一貴妻 477-257-161
劉氏清 任起鍹妻 475-243- 61
劉氏清 任德英妻 476-128-102
劉氏清 仵允藩妻 555-171- 69
劉氏清 仵德遠妻
559-493-11下
劉氏清 朱丕祚妻 541- 35- 29
劉氏清 朱景運妻 572-115- 31
劉氏清 朱嘉會妻 567-516- 89
劉氏清 宋權妻、劉永貽女
1323-347- 30
劉氏清 宋九思妻 503- 64- 95
劉氏清 宋文林妻 506- 17- 86
劉氏清 宋發富妻 476- 47- 98
劉氏清 杜履怡妻 474-195- 9
劉氏清 李五妻 474-341- 17
劉氏清 李林妻 506- 89- 88
劉氏清 李茂妻 474-196- 9
劉氏清 李澄妻 503- 35- 94
劉氏清 李懸妻 474-573- 29
劉氏清 李一鶚妻 555-126- 68
劉氏清 季大庫妻 506- 59- 87
劉氏清 李元芬妻 476-619-133
541- 29- 29
劉氏清 李中堅妻 547-213-149
劉氏清 李多學妻 506-113- 89
劉氏清 李自知妻 478-378-192
劉氏清 李自瓊妻 480-566-284
劉氏清 李廷棟妻 503- 57- 95
劉氏清 李廷翼妻 547-311-153
劉氏清 李宜瑋妻 482-211-347
劉氏清 李承惠妻 547-213-149
劉氏清 李為楷妻 476-374-117
劉氏清 李起元妻 572-142- 31
劉氏清 李時捷妻 530- 35- 54
劉氏清 李猶龍妻
559-487-11下
劉氏清 李遇隆妻
559-482-11下
劉氏清 李嘉會妻 503- 62- 95
劉氏清 李圖南妻、劉加隆女
541- 13- 29
劉戈清 李肇元妻 506- 21- 86
劉氏清 李簡慶妻 479-751-251
劉氏清 李繼鄴妻 533-547- 67
劉氏清 邢鳳喈妻 474-280- 14
506- 34- 86
劉氏清 車乘鳳妻 530- 99- 56
劉氏清 吳濂妻 474-252- 12
劉氏清 吳太定妻 475-649- 83
512-110-179
劉氏清 吳伯裔妻 506- 20- 86
劉氏清 吳宗聖妻 555-132- 68
劉氏清 吳起豫妻 480- 64-260
劉氏清 吳通相妻 572-137- 31
劉氏清 吳錦標妻 506- 24- 86
劉氏清 佟繼亭妻、劉雲封女
1312-362- 35
劉氏清 何永淳妻 474-196- 9
劉氏清 何維漢妻
559-487-11下
劉氏清 宗坤妻 474-196- 9
劉氏清 武坦妻 506-150- 90
劉氏清 武嶽年妻
559-482-11下
劉氏清 屈崇山妻 478-138-181
555-124- 68
劉氏清 邵瑄妻 474-280- 14
506- 34- 86
劉氏清 來淑沂妻 555-128- 68
劉氏清 林澤妻 530- 28- 54
劉氏清 林之楫妻 482-354-356
567-527- 89
劉氏清 林萬泓妻 530- 82- 55
劉氏清 林葵祿妻 530-116- 57
劉氏清 林觀養妻 482- 92-342
劉氏清 季之梅妻 475-436- 70
劉氏清 季師白妻 555-121- 68
劉氏清 周士選妻 476-755-139
劉氏清 周之德妻 474-193- 9
506- 24- 86
劉氏清 周朝榮妻 479-500-239
516-254- 97
劉氏清 洪瑄妻 483-341-398
572-138- 31
劉氏清 姜榮吉妻
559-494-11下
劉氏清 封特錫妻 477-136-155

劉氏清 胡卓妻 512-495-189
劉氏清 胡行謙妻 474-195- 9
劉氏清 胡維儁妻 479-798-254
劉氏清 柳國柱妻 503- 58- 95
劉氏清 南中行妻 474-249- 12
506- 63- 87
劉氏清 段元思妻 474-195- 9
劉氏清 芮纘夫妻 478-250-186
劉氏清 范璟妻、劉輔女
572-116- 31
劉氏清 范文明妻 506- 27- 86
劉氏清 范開明妻 482-374-357
劉氏清 范景鎭妻 480-665-290
533-679- 71
劉氏清 皇甫天湛妻
480-616-287
劉氏清 紀世淳妻 474-196- 9
劉氏清 侯鐵妻 474-779- 42
503- 53- 95
劉氏清 段作霖妻
559-483-11下
劉氏清 浦聯泗妻 483- 17-370
570-183- 22
劉氏清 高起龍妻 503- 52- 95
劉氏清 高嗣緒妻 474-521- 25
劉氏清 高維岱妻 474-193- 9
504- 22- 86
劉氏清 高膺社妻
559-488-11下
劉氏清 唐宗義妻 555-136- 68
劉氏清 秦泗衡妻 482-525-367
劉氏清 秦儒璿妻 567-521- 89
劉氏清 秦鐘岱妻 512-361-186
劉氏清 馬大倫妻 474-194- 9
劉氏清 馬文瑞妻 474-193- 9
506- 22- 86
劉氏清 馬彭齡妻 555-186- 69
劉氏清 馬穎姿妻 478-392-193
555-177- 69
劉氏清 原見田妻 547-233-149
劉氏清 孫壆妻 474-624- 32
劉氏清 孫三哲妻 555-135- 68
劉氏清 孫方先妻 533-603- 69
劉氏清 孫允貴妻、孫永貴妻
474-192- 9
506- 17- 86
劉氏清 孫治遠妻 512-359-185
劉氏清 孫順甫妻 480-441-278
劉氏清 孫藎芳妻 506- 25- 86
劉氏清 孫錫光妻 555-133- 68
劉氏清 晉家昌妻 547-249-150
劉氏清 晉淑嶠妻 547-249-150
劉氏清 郝士洪妻 503- 54- 95
劉氏清 袁銓妻 474-606- 31
劉氏清 袁大壯妻 555-137- 68
劉氏清 徐芬妻 559-499-11下
劉氏清 徐綸妻 559-493-11下
劉氏清 徐鐸妻 480-255-269
劉氏清 徐必遠妻、劉琯女
1315-377- 18
劉氏清 徐普興妻 530-147- 58
劉氏清 徐禮年妻 533-632- 70
劉氏清 倪基聖妻 474-194- 9
劉氏清 許右章妻 480-416-277
劉氏清 許承瑍妻 533-602- 69
劉氏清 許登甲妻 572-137- 31
劉氏清 郭潤妻 478-138-181
555-132- 68
劉氏清 郭如朱妻 506- 37- 86
劉氏清 郭宗儒妻 478-355-191
555-173- 69
劉氏清 郭拱璇妻 483-322-396
572-153- 31
劉氏清 郭國棟妻 474-194- 9
劉氏清 郭維甸妻 533-549- 67
劉氏清 梁之佑妻
559-488-11下
劉氏清 康朝選妻 506- 35- 86
劉氏清 梅朗三妻
1313-115- 10
劉氏清 尉諫元妻 555-139- 68
劉氏清 曹塤妻 567-526- 89
劉氏清 曹鈉妻 506- 36- 86
劉氏清 曹時忠妻 474-625- 32
劉氏清 張大妻 503- 59- 95
劉氏清 張文妻 479-537-241
劉氏清 張桐妻 474-196- 9
劉氏清 張順妻 478-355-191
555-175- 69
劉氏清 張瑛妻 506- 60- 87
劉氏清 張鳳妻 477-423-169
劉氏清 張銑妻 476-829-143
劉氏清 張嶼妻 476-591-131
劉氏清 張士弘妻 506- 28- 86
劉氏清 張文榮妻 503- 54- 95
劉氏清 張之屏妻 506- 64- 87
劉氏清 張元德妻 474-195- 9
劉氏清 張允孚妻 474-315- 16
506- 88- 88
劉氏清 張弘勛妻 506-171- 90
劉氏清 張希曾妻 476-533-128
劉氏清 張邦達妻
559-481-11下
劉氏清 張廷元妻 476- 48- 98
劉氏清 張廷珍妻 541- 51- 29
劉氏清 張廷球妻 506- 68- 87
劉氏清 張所懷妻 555-172- 69
劉氏清 張秉美妻 474-195- 9
劉氏清 張迎吉妻 476-373-117
劉氏清 張洪勳妻 475-235- 61
劉氏清 張建南妻 476-755-139
541- 58- 29
劉氏清 張俞卿妻 530- 98- 56
劉氏清 張國振妻 506- 27- 86
劉氏清 張景星妻 474-606- 31
劉氏清 張景龍妻 503- 65- 95
劉氏清 張瑞毓妻 474-194- 9
劉氏清 張壽福妻 474-193- 9
劉氏清 張愡居妻 476-532-128
劉氏清 張輝簡妻 474-194- 9
劉氏清 張德宏妻 474-196- 9
劉氏清 陳三妻 477-384-167
劉氏清 陳煌妻 476-620-133
劉氏清 陳碧妻 474-194- 9
劉氏清 陳三郎妻 530- 81- 55
劉氏清 陳士偉妻 474-779- 42
503- 51- 95
劉氏清 陳士琳妻、劉以修女
530- 33- 54
劉氏清 陳之遇妻 480-467-279
劉氏清 陳五美妻 555-160- 69
劉氏清 陳巨任妻 533-546- 67
劉氏清 陳汝新妻 541- 51- 29
劉氏清 陳壯猷妻 480-255-269
劉氏清 陳長世妻 506-151- 90
劉氏清 陳昌言妻 479-768-252
劉氏清 陳秉繼妻 475-334- 65
劉氏清 陳義明妻 474-193- 9
506- 22- 86
劉氏清 崔秀妻 478-743-213
劉氏清 崔榮妻 555-159- 69
劉氏清 崔高榮妻 503- 57- 95
劉氏清 崔繼孝妻 506- 66- 87
劉氏清 莫汝良妻 567-512- 89
劉氏清 馮章妻 530- 26- 54
劉氏清 馮淑妻 506- 66- 87
劉氏清 馮士身妻 479-334-232
劉氏清 馮慕堯妻 476-679-136
劉氏清 黃士珍妻 533-666- 71
劉氏清 黃士爆妻 530- 79- 55
劉氏清 黃承宗妻 541- 51- 29
劉氏清 黃應坤妻 506- 28- 86
劉氏清 賀正鉄妻 480-514-281
劉氏清 賀國正妻 480-584-285
劉氏清 盛治妻 506- 36- 86
劉氏清 粟說妻 477- 97-153
劉氏清 傅玥妻 474-194- 9
劉氏清 傅日仁妻 570-179- 32
劉氏清 傅華祝妻 474-193- 9
506- 22- 86
劉氏清 焦毓慶妻 476-533-128
541- 4- 29
劉氏清 程邦容妻 512-327-185
劉氏清 喬鎮妻 506-124- 89
劉氏清 喬得儒妻 506- 66- 87
劉氏清 舒勳妻 474-193- 9
劉氏清 溫廷璽妻 474-193- 9
劉氏清 楊士鱗妻 506- 17- 86
劉氏清 楊于泓妻
559-482-1 下
劉氏清 楊方勗妻 475-618 81
512-101-179
劉氏清 楊之苓妻、劉永茂女
572-119- 31
劉氏清 楊名標妻 567-532- 89
劉氏清 楊昌裕妻 527-134- 31
劉氏清 楊泉宗妻 533-548- 67
劉氏清 楊振文妻 474-590- 30
劉氏清 楊國權妻 555-186- 69
劉氏清 楊紹紀妻 533-550- 67
劉氏清 楊紹統妻 533-550- 67
劉氏清 楊裔昌妻 478-298-188
555-158- 69
劉氏清 楚產妻 480-300-271
劉氏清 萬承雋妻、劉永參女
479-500-239
劉氏清 葛篪妻 474-641- 33
劉氏清 葉士樽妻 479-562-242
劉氏清 虞堯賢妻 541- 29- 29
劉氏清 解萬有妻 506- 23- 86
劉氏清 鄒望臣妻
559-482-11下

劉氏清 齊君實妻 503- 66- 95
劉氏清 廖定國妻 572-131- 31
劉氏清 甄殿魁妻 506- 24- 86
劉氏清 趙三妻 503- 59- 95
劉氏清 趙榮妻、趙瑩妻
476-532-128
541- 9- 29
劉氏清(趙九成妻) 478-138-181
555-126- 68
劉氏清 趙映斗妻 506- 22- 86
劉氏清 趙師得妻 503- 61- 95
劉氏清 趙國臣妻 474-385- 19
劉氏清 趙國柱妻 474-195- 9
劉氏清 趙燕及妻 480-144-264
劉氏清 瞿廷秀妻 503- 60- 95
劉氏清 潘一鳴妻 476-299-112
劉氏清 潘良學妻 482-210-347
劉氏清 潘承畢妻 474-193- 9
劉氏清 鄭于九妻 474-195- 9
劉氏清 鄭彥楫妻 530- 29- 54
劉氏清 鄧汝明妻、劉焜女
482-502-365
567-526- 89
劉氏清 鄧愈亮妻 567-518- 89
劉氏清 鄧鳳峙妻 474-196- 9
劉氏清 蔣德宣妻 570-181- 22
劉氏清 蔡琮妻 474-195- 9
劉氏清 蔡世遠妻、劉伯爵妻
1325-788- 9
劉氏清 蔡時盛妻 555-115- 68
劉氏清 劉熺妻 555-162- 69
劉氏清 劉弘儒妻 506- 60- 87
劉氏清 劉和梅妻 555-189- 69
劉氏清 劉國清妻 474-827- 44
503- 65- 95
劉氏清 劉國樑妻 503- 54- 95
劉氏清 劉養吾妻 555-146- 68
劉氏清 劉繹祖妻 476- 89-100
劉氏清 霍維英妻 474-192- 9
506- 18- 86
劉氏清 駱紹高妻 530- 99- 56
劉氏清 閻俊妻 570- 179- 22
劉氏清 閻士弘妻 547-224-149
劉氏清 戰亳祖妻 474-316- 16
劉氏清 盧之斌妻 524-500-203
劉氏清 蕭翀妻 555-125- 68
劉氏清 蕭齊審妻、劉維棟女
567-512- 89
劉氏清 錢世昌妻、劉漢何女
533-649- 70
劉氏清 謝天寵妻 555-113- 68
劉氏清 謝用卿妻 567-518- 89
劉氏清 謝明善妻 474-605- 31
劉氏清 謝兼才妻 479-253-228
劉氏清 謝復淑妻 481-594-328
530- 99- 56
劉氏清 蹇炯斗妻 555-123- 68
劉氏清 韓養京妻 555-135- 68
劉氏清 薛香妻 476-755-139
劉氏清 薛應富妻 541- 40- 29
劉氏清 鍾仕妻 476-590-131
劉氏清 鍾宣妻 474-193- 9
506- 23- 86
劉氏清 顏文高妻 530- 98- 56
劉氏清 譙之琦妻、劉繼錫女
555-155- 68
劉氏清 關漢鼎妻 555-145- 68
劉氏清 羅春萬妻 572-152- 31
劉氏清 羅峰翰妻 478-601-204
劉氏清 羅朝彥妻 483-283-393
572-126- 31
劉氏清 羅貴璉妻 480-665-290
533-680- 71
劉氏清 羅鳳翥妻
559-484-11下
劉氏清 羅鵬翼妻
559-486-11下
劉氏清 蘇文林妻 478-638-206
劉氏清 僥成德妻 479-666-247
劉氏清 蘭清妻 555-183- 69
劉氏清 蘭國棟妻 478-172-182
劉氏清 蘭馥暢妻 555-184- 69
劉氏清 顧王紀妻 483- 36-371
570-188- 22
劉氏清 李元母 559-483-11下
劉氏清 吳琮母 559-487-11下
劉氏清 舒香母 1325-780- 9
劉氏清 趙萬忠媳 506- 34- 86
劉氏清 劉其仁女 541- 35- 29
劉氏清 劉始暘女 482- 43-340
劉氏清 韓振聲媳 476-790-141
劉印膠西王 漢 244-283- 52
250- 64- 35
375- 89-78上
劉介明 478-435-196
515-173- 62
554-476-57上
676-526- 21
劉允宋(字厚中) 473-702- 80
482-141-344
564- 60- 44
劉允宋(字嗣宗) 510-332-113
劉允妻 宋 見商氏
劉允明(宦官) 302-276-304
劉允明(字子允) 475-671- 84
511-327-149
劉玄漢 見漢更始帝
劉立漢 梁王 250-207- 47
375-104-78下
劉它漢 535-552- 20
劉汀明 545-442- 99
劉永漢 252-473- 42
376-515-104
384- 56- 3
劉永甘陵王、魯王 蜀漢
254-576- 4
375-178-79下
384-423- 5
385- 57-4下
560-594-29下
劉永後魏 261-753- 55
劉永宋 812-464- 2
812-543- 4
821-147- 50
劉永明(字克修) 473-196- 58
473-298- 62
479-811-255
516-150- 93
劉永明(平陽人) 523-229-156
523-571-174
劉玉漢 見劉王
劉玉劉玉眞 唐 516-414-103
劉玉明(字仲爾) 299-761-175
474-441- 21
483-223-390
505-765- 72
劉玉明(字咸栗) 300-335-203
458-1031- 1
479-722-250
515-683- 78
537-218- 54
676-528- 21
677-560- 51
1257- 54- 6
1442- 39- 2
1459-793- 32
劉王明(大同人) 554-281- 53
劉玉明(湖口人) 563-827- 41
劉玉妻 明 見龔氏
劉玉女 明 見劉氏
劉玉清(高唐人) 476-620-133
劉去廣川王 漢 250-304- 53
375-111-78下
劉丙漢 544-198- 62
劉丙宋 473-725- 82
563-691- 39
劉丙明 299-726-172
473-156- 56
479-721-250
515-681- 78
559-250- 6
571-524- 19
劉戊楚王 漢 244-272- 50
250- 68- 36
375- 71-78上
劉弘漢(字叔紀) 402-402- 6
劉弘高密王 漢(謚哀)
539-347- 8
劉弘漢(東漢時人) 820- 33- 22
劉弘晉 245-295- 15
256-110- 66
377-700-126
384- 97- 5
385-402- 43
459-295- 18
471-779- 27
472- 26- 1
472-411- 18
473-245- 60
474- 90- 3
475-748- 88
480-285-271
505-627- 67
511-344-149
532-551- 40
538-323- 69
933-446- 30
劉弘隋 264-1014- 71
267-642- 85
380- 62-166
384-157- 8
475-428- 70

481-523-326
511-464-154
540-622- 27
544-221- 62
劉弘明 676-758- 32
劉正宋(字道純) 484-375- 27
528-505- 31
劉正宋(四川制置使)
559-266- 6
劉正元 295-387-176
399-703-490
472- 71- 2
473-807- 86
474-339- 17
482-538-368
505-745- 72
569-647- 19
劉正明(字子正) 1239- 61- 30
劉正明(字以正) 1261-706- 30
劉正妻 明 見張氏
劉正清(字方若) 476-331-115
545-424- 98
554-260- 52
劉正清(新鄭人) 563-879- 42
劉正妻 清 見羅氏
劉本明(玉田人) 474-572- 29
劉本明(臨桂人) 482-351-356
567-381-356
1467-202- 69
劉本明(字維源) 524- 43-180
676-476- 18
劉石齊王 漢 539-350- 8
劉召晉 見劉劭
劉平劉曠 漢 252-829- 69
370-176- 17
380- 72-167
384- 58- 3
402-393- 5
402-444- 9
402-528- 15
402-573- 19
472-401- 18
472-410- 18
475-424- 70
475-740- 88
475-795- 90
510-483-118
511-578-159
540-666- 27
933-443- 30
劉平宋 286-307-325
371-186- 19
382-712-110
384-358- 18
397-438-346
472-660- 27
472-922- 36
473-528- 72
477- 76-152
478-166-182
481-181-300
481-373-311
538- 37- 62
554-355- 54
559-318-7上
劉平妻 宋~元 見胡氏
劉平明 545-771-111
劉平清 456-300- 73
劉可元 546-358-126
劉布明 530-211- 61
820-601- 40
劉充宋(字實之) 515-328- 67
劉充宋(字安道) 1115-414- 49
劉充明 1276- 29- 3
劉尼獨孤尼 後魏 261-444- 30
266-574- 28
379-107-147
476-253-110
546- 18-115
933-453- 30
劉旦燕王 漢(諡剌)
244-338- 60
244-341- 60
250-451- 63
375-117-78下
1412- 91- 5
劉旦漢(漢桓帝時人)
812-315- 4
821- 8- 45
劉旦宋 485-534- 1
劉田漢 535-551- 20
劉田明 476-826-143
540-798-28之3
劉冉梁 見劉歊
劉冉梁 見劉孝綽
劉甲宋 287-434-397
398-428-392
472- 70- 2
472-866- 34
473-298- 62
473-503- 71
473-523- 72
478-245-186
479-356-233
480-241-269
481- 20-291
523-333-161
532-579- 41
554-156- 51
559-314-7上
559-379-9上
561-211-38之2
591-645- 46
592-560- 96
1172-512- 45
劉外漢 1467- 2- 62
劉冬明 蕭時中妻、劉楚玉女
1238-248- 21
劉生漢 舞陽長公主、漢順帝女
252-202-10下
373- 52- 19
劉生南唐 515-569- 75
劉仕明 478-419-195
554-665- 60
567-449- 86
劉白漢 554-891- 64
812-315- 4
821- 7- 45
劉用宋 285-487-279
396-725-319
472-697- 28
477-165-157
537-449- 58
劉弁劉并 宋 515-269- 65
529-634- 48
劉弁金 474-236- 12
劉奴漢 平陽公主、馮順妻、漢明帝女 252-201-10下
373- 51- 19
544-201- 62
劉守明 546-498-131
劉安淮南王 漢(劉長子)
244-833-118
250-175- 44
251-658- 28
375- 95-78上
407-436- 4
575-545- 32
674-224-3上
839- 26- 3
1059-284- 6
1395-582- 3
劉安任城王 漢(諡貞)
253- 24- 72
375-142-79上
劉安女 漢 見劉陵
劉安唐 820-182- 27
劉安明(諡忠僖) 299-509-155
劉安明(字汝勉) 300-407-207
479-185-225
479-528-241
523-456-168
劉安明(零陵人) 472-695- 28
477-162-157
537-267- 55
劉安明(字元靜) 676-736- 31
劉安明(字宗岱) 1251-337- 24
劉安妻 明 見陳氏
劉江明(桃源人) 472-312- 13
劉江明(應天府人) 502-281- 56
劉江明(字源岷) 559-381-9上
劉江明 見劉榮
劉并宋 見劉弁
劉宇琅邪王 漢(諡夷)
250- 28- 72
375-145-79上
539-350- 8
劉宇東平王 漢(諡思)
250-723- 80
375-125-78下
539-347- 8
劉宇宋(字閎仲) 484-374- 27
劉宇宋(莆田人) 529-725- 51
劉宇明(字至大) 302-313-306
483-306-395
571-545- 20
676-383- 14
劉宇明(興安州人) 480-290-271
劉交楚王 漢(諡元)
244-271- 50
250- 67- 36
376- 70-78上

675-276- 11
劉交菑川王 漢(諡懷)
539-346- 8
劉交明 1268-408- 64
劉式宋 285-319-267
396-607-308
450-512-40中
471-741- 21
473-126- 55
515-497- 72
1095-847- 51
劉式妻 宋 見陳氏
劉共漢 535-551- 20
劉朴宋 821-234- 51
劉朴劉樸 明 820-577- 40
1236-760- 11
1408-533-535
劉吉漢 陰安公主、漢章帝女
252-201-10下
373- 52- 19
劉吉明 299-676-168
452-148- 2
1248-662- 4
劉存唐 529-752- 52
劉羽明 473-166- 57
515-107- 60
劉匡東平王 漢(劉信子)
250-726- 80
375-126-78下
539-347- 8
劉匡漢(劉茂弟) 252-505- 44
375-134-79上
535-554- 20
劉臣漢 魯陽公主
252-201-10下
373- 52- 19
劉臣明 494- 41- 3
劉异宋(字成伯) 460-170- 10
劉异宋(閩人) 1090-659- 37
劉异宋(淄川博平人)
1191-249- 22
劉次漢 平氏公主、漢明帝女
252-201-10下
373- 51- 19
劉次漢 濟北王 253-188- 85
375-153-79上
劉同元 1219-669- 4
劉同明(許州人) 472-827- 33
554-249- 52
劉同明(字伯詢) 523-190-155
劉因劉駰 元 295-326-171
399-647-485
451-685- 15
453-774- 2
459-131- 8
472- 55- 2
474-242- 12
505-869- 78
677-787- 69
1210-163- 15
1212-486- 13
1214- 89- 8
1367-222- 18
1368- 8- 1
1407-340-426
1439-421- 1
1468- 82- 5
劉因明 545-147- 88
劉光魯王 漢 244-329- 59
250-298- 53
375-106-78下
539-346- 8
劉光宋(字謙仲) 472-1101- 47
518-811-162
523-168-154
1151-259- 17
劉光宋(衢州人) 485-501- 9
劉光宋(字元輝) 511-851-169
1375- 18- 上
劉光元 515-871- 85
1197-738- 77
劉光明 1287-769- 10
劉光明 見劉華甫
劉兆晉 256-474- 91
380-279-173
472-553- 23
540-718-28之1
677-107- 11
933-447- 30
劉多濟北王 漢 539-350- 8
劉夙宋 460-143- 9
471-670- 13
473-633- 77
481-554-327
523-223-156
529-499- 44
933-468- 30
1164-310- 16
劉旭妻 明 見張氏
劉伉千乘王 漢 253-183- 85
375-149-79上
539-350- 8
劉任劉仁 明 473-214- 59
480- 56-260
533- 5- 47
劉向劉更生 漢 250- 71- 36
375- 72-78上
384- 49- 2
459- 17- 1
473-806- 86
475-424- 70
511- 61-138
675-299- 15
820- 26- 22
839- 28- 3
933-442- 30
1095-836- 49
1355-213- 8
劉自劉堯咨 宋 529-749- 51
劉全平春王 漢 253-184- 85
375-150-79上
劉全金(彭城人) 291-690-123
400-226-518
475-431- 70
511-581-159
劉全金(武陟人) 538-100- 64
劉全明 1239-218- 41
劉年清河王 漢 250-206- 47
375-102-78下
539-346- 8
劉先漢 253-465-104下
254-137- 6
385- 67- 5
劉先妻 宋 見周氏
劉先明 458-135- 6
537-595- 60
1240-294- 19
劉仲浚儀公主、王度妻、漢明帝女 漢 252-201-10下
373- 51- 19
劉仲漢(合陽侯) 552- 15- 18
劉仲晉 255-793- 45
劉仲妻 明 見林氏
劉价明 554-873- 64
劉印晉 540-714-28之1
劉行唐 484-191- 8
劉休齊 259-360- 34
265-678- 47
370-517- 16
378-260-138
814-249- 6
820- 93- 24
933-451- 30
劉休宋 見劉文甲
劉伎唐 1090-658- 37
劉宏漢 370-105- 7
劉宏漢 見漢靈帝
劉宏晉 256-252- 75
377-797-127
475-748- 88
933-446- 30
劉宏建平王 劉宋 258-339- 72
265-238- 14
375-285- 81
劉宏妻 劉宋 見周氏
劉宏母 元 見廉思蘭
劉宏明 493-759- 41
劉宏妻 明 見羅任潔
劉汴宋 484-387- 28
劉灼妻 清 見谷氏
劉沆宋 285-558-285
371- 58- 5
382-426- 66
384-348- 18
397- 46-323
450-725-8下
471-732- 20
472-336- 14
473-147- 56
473-333- 63
473-358- 64
475-525- 77
479-713-250
480-400-277
480-507-281
488-383- 13
510-413-116
515-576- 75
532-573- 41
532-702- 45
933-463- 30
劉沆清 511-631-161

劉沔唐 271- 90-161
275-386-171
384-275- 14
396-154-265
472-717- 28
476- 28- 97
476-277-111
511-399-151
537-203- 54
545- 26- 83
933-458- 30
劉言十楚 278-455-133
279-476- 66
384-318- 16
401-233-599
劉沈晉 256-447- 89
380- 35-166
472- 29- 1
474-171- 8
477-560-177
505-833- 76
554-105- 50
933-447- 30
劉沖唐 524-297-193
劉沖元 1200-772- 59
劉沂宋 1142-494- 4
劉沂元 494-323- 6
劉沂明(光州人) 456-678- 11
劉沂明(號蓮洲) 545-410- 98
劉亨元 545-460-100
劉亨明(遵化人) 472-458- 20
545-185- 90
劉亨明(祁州人) 481-719-333
劉亨明(字嘉會) 515-640- 77
676-473- 18
1236- 74- 5
1241-199- 9
1374-400- 61
劉忱齊 見劉悛
劉忱宋 384-342- 17
劉忱宋 見劉明復
劉序明 554-526-57下
劉汸清 554-858- 63
劉汶元 524-304-194
585-434- 11
1439-433- 1
1471-434- 9
劉沐宋 288-383-454
400-196-515
451-232- 0
473-149- 56
479-715-250
515-607- 76
劉汲宋 288-299-448
400-155-513
473-515- 71
476-150-104
476-914-148
477- 54-151
477-359-166
481-351-309
537-313- 56
559-524- 12
1139-286- 52
劉汲金 476-451-123
545-479-100
546-676-137
820-479- 36
1200-756- 58
1365- 52- 2
1373-432- 27
1439- 3- 附
1445-339- 22
劉良河間王 漢(謚惠)
250-297- 53
375-107-78下
459- 12- 1
劉良趙王、廣陽王 漢(字次伯)
252-502- 44
370-105- 7
375-132-79上
402-343- 2
402-551- 18
533-224- 54
劉良元 523-404-165
劉良明(劉素子) 820-578- 40
劉良明(字仲彝) 1241-814- 20
劉良明(字彥方) 1250-862- 82
劉志菑川王、濟北王 漢
244-283- 52
250-106- 38
375- 90-78上
539-345- 8
劉志漢 見漢桓帝
劉志劉思 北周 263-713- 36
552- 44- 19
544-219- 62
554-230- 52
劉志元 528-447- 29
劉志明(河內人) 494- 20- 2
554-279- 53
劉志明(字寧鄉) 546-647-136
547- 21-141
劉志明(字景仁) 1250-745- 71
1458-103-424
劉赤漢 485-346- 1
劉甫宋 466-304- 20
529-763- 53
1090-658- 37
劉甫妻 元 見李氏
劉求漢 535-554- 20
劉杙宋 見劉應辛
劉成漢 共邑公主、漢和帝女
252-201-10下
373- 52- 19
劉成元(字立甫) 1206-629- 13
1367-725- 55
劉成元(曹州人) 1210-764- 24
劉成元(字瑞卿) 1214-223- 19
劉成明 299-255-133
494-330- 6
511-496-156
523- 33-147
劉玒明 1442- 31- 2
1459-695- 27
劉孝漢 244-839-118
250-178- 44
251-666- 28
375- 98-78上
劉孝明 545-193- 90
劉均漢 511-579-159
劉均金 291-615-117
399-319-446
475-777- 89
劉均明 1242-214- 31
劉均女 明 見劉氏
劉玘後唐 277-534- 64
279-287- 45
396-414-293
473-267- 61
480-199-267
532-675- 44
537-385- 57
933-461- 30
劉玘明 524-246-190
554-259- 52
劉玘妻 明 見并氏
劉折夏 見劉昌
劉杞妻 唐 見陳氏
劉岊劉成鳳 宋 451- 87- 3
劉坊明 1280-484- 91
劉劭魏 254-388- 21
377-172-116
384- 86- 4
384-652- 40
385-378- 38
472-114- 4
474-436- 21
477- 48-151
505-888- 79
537-235- 55
679-851-222
933-444- 30
劉劭劉召、劉紹 晉
256-160- 69
377-735-126
812- 68- 下
812-231- 9
812-721- 3
814-241- 5
820- 73- 23
劉劭劉宋 258-671- 99
262-406- 97
265-228- 14
375-275- 81
488-173- 8
488-177- 8
512-841-198
劉迁宋 473-114- 54
479-657-247
515-750- 80
劉辰王辰 明(字伯靜)
299-445-150
453-143- 13
472-274- 11
472-1032- 11
473- 15- 49
475-273- 63
479-329-232
479-452-237
515- 33- 58
523-328-161

581-587-106
676-116- 5
1237-418- 16
1374-670- 88
劉辰明(字伯循) 510-374-114
劉迅唐 270-248-102
274-650-132
395-600-235
556-726- 98
933-456- 30
1072-374- 2
劉孜明(字顯孜) 299-563-159
473-154- 56
474-690- 37
479-722-250
502-282- 56
510-290-112
515-672- 78
523- 41-148
540-617- 27
683-169- 5
劉孜明(江夏人) 475-640- 83
510-447- 17
劉芑宋 515-738- 80
567- 60- 65
劉虬妻 齊 見樂氏
劉虬明 1467- 65- 64
劉壯明 1294-588- 15
劉岑漢 見劉梁
劉岑唐 559-289-7上
劉岑宋 489-681- 49
492-587-13下之上
494-266- 1
494-393- 11
494-516- 25
472-175- 6
820-418- 34
933-468- 30
1375- 33- 下
劉炌明 510-481-118
劉助唐 275-488-181
533-116- 50
933-458- 30
劉男漢 武德長公主、漢章帝女
252-201-10下
373- 52- 19
劉岐唐 528-548- 32
劉岌明 559-353- 8
1251-237- 18
劉伶晉 255-835- 49
377-574-123
384- 92- 5
386-141-73上上
469-140- 15
472-411- 18
475-747- 88
511-846-168
814-232- 4
820- 54- 23
933-446- 30
1221-561- 18
1232-692- 9
1379-266- 33
劉孚明 1243-695- 23
劉位宋 472-203- 7
475-796- 90
510-485-118
511-506-156
劉佐元 546-620-135
劉佐明(諡節愍) 456-547- 7
480-437-278
劉佐明(字時命) 478-353-233
523-202-155
劉佐明(字鳳南) 529-639- 48
劉佐明(字以道) 554-486-57上
1267-410- 2
劉佐女 明 見劉氏
劉佐清 545-800-111
劉佑漢 見劉祐
劉佑唐 472-324- 14
劉佑明 554-340- 54
劉伾女 宋 見劉氏
劉作宋 518-811-162
1210- 37- 5
劉作元 1201-166- 80
劉作明 見劉原起
劉郊劉炎 晉 254-519- 29
劉邦漢 見漢高祖
劉利漢 臨穎公主、賈建妻、漢和帝女 252-201-10下
373- 52- 19
劉伸遼 289-673- 98
399- 61-422
472- 34- 1
472-623- 25
474-177- 8
474-816- 44
502-260- 54
505-718- 71
劉伸明 515-846- 84
523- 59-148
劉兒明(字景澤) 554-293- 53
676-198- 8
676-339- 12
劉兒明(字西成) 1475-416- 18
劉刪陳 564- 17- 44
劉妍宋 547-527-160
劉似金 1200-757- 58
1373-432- 27
劉秀漢 見劉歆
劉秀漢 見漢光武帝
劉彤劉宋 258- 22- 42
265-253- 15
378- 4-131
劉廷妻 清 見郭氏
劉巡漢 544-200- 62
劉法宋 472-923- 36
554-151- 51
劉法金 843-673- 下
劉泓明 523-439-167
劉京琅邪王 漢(諡孝)
253- 28- 72
253-747- 1
402-551- 18
402-346- 2
370-109- 7
375-145-79上
539-350- 8
劉京漢(字太玄) 1059-291- 7
劉宜鎦宜 元 張亨妻、鎦均祥女 1228-234- 5
1439-461- 2
劉沼梁 260-418- 50
265-700- 49
378-379-141
933-452- 30
1394-560- 7
劉治妻 元 見趙氏
劉性元 472-357- 15
510-435-116
515-621- 76
1210-133- 11
劉泮明 576-654- 5
劉怦唐 270-711-143
276-207-212
384-241- 12
396-306-278
472- 31- 1
劉炌明(字元白) 515-177- 62
523-437-167
劉炌明(字光大) 523-377-164
528-563- 32
584-270- 10
劉祀劉微 宋 1170-740- 32
劉祁金 291-713-126
400-693-566
476-256-110
538-331- 69
593- 52- 中
546-676-137
1192-229- 20
1200-758- 58
1200-770- 59
1373-432- 27
1439-420- 1
1445-989- 72
1470- 18- 1
劉泌宋 473- 48- 50
516- 33- 88
劉初宋 473-790- 85
1467- 34- 63
劉初明 1467-116- 66
劉定山陽王 漢 244-325- 58
250-206- 47
375-103-78下
539-346- 8
劉定妻 漢 見周氏
劉定赫連定 夏 262-354- 95
267-764- 93
381-391-193
384-106- 5
558-768- 50
劉定明(知南康) 473- 76- 52
劉定明(遼陽人) 502-783- 87
劉定妻 明 見張氏
劉波晉 256-158- 69
377-734-126
488-132- 7
933-446- 30
劉波明 554-344- 54
劉放魏 254-288- 14
377-129-115上

384-676- 43
385-421- 47
933-444- 30
劉放宋(字世疎) 511-854-169
劉放宋(字儀父) 1096-375- 38
劉炎晉 見劉邠
劉炎宋(字潛夫) 460-314- 23
劉炎宋(字子宣) 523-629-177
劉庚明 545-468-100
劉武代王、梁王、淮南王 漢(諡孝) 244-321- 58
250-204- 47
375-101-78下
535-551- 20
539-346- 8
544-197- 62
1412- 89- 5
劉武城陽王 漢(諡惠)
539-345- 8
劉武淮陽王 漢(漢惠帝養子)
544-198- 62
劉武蜀漢 254-688- 15
劉武後魏 見劉虎
劉武宋 見劉若川
劉武清 456-331- 76
劉杰明 見劉傑
劉松唐 515-495- 72
劉松明 515-555- 74
劉坦梁 260-177- 19
265-720- 50
378-385-141
480-250-269
480-399-277
567- 5- 62
933-453- 30
劉坦劉吉老 宋 448-399- 0
劉坦明 1467-213- 70
劉杳梁 260-422- 50
265-701- 49
378-379-141
384-115- 6
472-523- 22
475-213- 60
476-522-128
479-223-227
486- 67- 3
523-146-153
543-724-28之1
933-452- 30
劉孚妻 元 見王可道
劉孟明 515-482- 78
676- 90- 3
劉奉妻 明 見張氏
劉玭明 503- 11- 90
515-671- 78
1249-407- 26
劉玠宋 288-353-452
400-165-513
473-334- 63
533-396- 61
劉玠女 明 見劉氏
劉幸明 見劉章
劉坪宋 見劉玶
劉坤明 545-248- 92
劉坤清 477-134-155
538- 89- 64
劉奇唐 269-517- 58
274-180- 90
384-166- 9
395-248-203
477-206-159
537-461- 58
933-454- 30
劉奇明 821-460- 57
劉奇妻 明 見鄭氏
劉奇女 明 見劉氏
劉奇妻 清 見尹氏
劉玢南漢 見漢殤帝
劉協漢 見漢獻帝
劉協北齊 見劉孟和
劉長淮南王 漢(諡厲)
244-829-118
250-170- 44
251-654- 28
375- 91-78上
劉長濟陰王 漢(諡悼)
253-132- 80
375-149-79上
539-351- 8
劉表漢 253-463-104下
254-135- 6
377- 53-113下
384- 70- 3
385- 62- 5
402-500- 12
469-182- 21
471-815- 32
472-551- 23
473-245- 60
476-582-131
480- 9-257
532-549- 40
540-706-28之1
677- 86- 9
680-669-285
933-444- 30
1063-213- 6
1397-471- 22
劉坡明 1294-571- 14
劉坡妻 明 見章淑
劉林明(武威人) 472-944- 37
478-634-206
558-218- 32
558-427- 37
劉林明(順天大興人)
540-672- 27
劉林明(字大用) 1264-553- 6
劉忠甘陵王 漢 253-188- 85
375-153-79上
劉中明(字司直) 299-866-181
453-710- 40
458-112- 5
472-666- 27
477- 87-153
537-404- 57
1267-521- 6
1458-536-453
劉忠劉世忠 明(字攄誠)
472-578- 24
523-173-154
540-790-28之3
545- 71- 85
554-188- 51
劉忠明(字良弼) 528-476- 30
劉忠明(南溪人) 559-427-10上
劉忠明(字存信) 1239- 63- 31
劉忠明(字仕達) 1242-241- 32
劉忠女 明 見劉氏
劉忠清(正白旗人) 456-332- 76
劉忠清(守南海) 563-893- 42
劉尚任城王 漢(諡孝)
253- 24- 72
375-142-79上
劉尚漢(威武將軍) 494-146- 5
劉尚菑川王 漢(諡孝)
539-346- 8
劉昌赫連折、赫連昌、劉折 夏(胡夏) 262-353- 95
267-763- 93
381-390-193
384-106- 5
384-144- 7
544-204- 62
558-768- 50
劉昌唐 270-818- 152
275-373-170
384-214- 11
384-236- 12
396-146-265
472- 50- 2
472-657- 27
472-676- 27
472-877- 35
477- 70-152
477-123-155
478-543-202
537-384- 57
558-190- 31
933-458- 30
1341-688-892
劉昌元 472-604- 25
劉昌明(字欽謨) 537-214- 54
493-1034- 54
511-737-165
676-494- 19
676-739- 31
820-622- 41
1280-627-102
1284-137-147
1284-356-163
1442- 26- 2
1459-630- 24
劉昌明～清(號瀛洲)
554-302- 53
537-412- 57
劉昌妻 明 見洪氏
劉昌妻 明 見春香
劉旺明 474-741- 40
劉明濟川王 漢 244-325- 58
250-206- 47
375-103- 78
539-346- 8

劉明元(字袞明) 516- 49- 88
1229-763- 9
劉明元(字峻明) 524- 91-182
劉明明(濮州人) 545-223- 91
劉明明(垣曲人) 547-115-145
劉明女 明 見劉氏
劉虎劉武、劉烏路孤 後魏
262-351- 95
544-204- 62
劉虎宋 475-704- 86
492-639- 14
511-412-152
劉卓明 505-814- 74
劉芹宋 472-1052- 44
523-240-157
劉盱漢 478-481-199
劉昆劉琨 漢 253-522-109上
370-167- 16
380-260-172
402-414- 6
402-444- 9
402-567- 19
459-829- 50
471-779- 27
492-129- 4
472-651- 27
472-737- 29
473-295- 62
477- 58-151
477-520-175
532-659- 44
534-849-114
538- 20- 62
675-240- 3
839- 29- 3
933-444- 30
劉昆清 483- 70-376
劉昪溫昪 唐 269-748- 77
274-359-106
395-342-212
563-917- 43
684-474-下
820-155- 26
820-172- 27
劉昪女 宋 見劉氏
劉昪明(按察司副使)
472- 99- 3
劉昪明(永新人) 473-154- 56
515-673- 78
劉昪明(湘陰縣簿) 473-335- 63
532-694- 45
劉昪明(字成之) 533-211- 53
劉昪明(字志崇) 1237-391- 11
劉昪明(江西人) 1467- 76- 64
劉昂妻 後漢 見楊氏
劉昂宋 1130-579- 12
劉昂金(字之昂) 29-712-126
383-1000- 28
400-692-566
472-438- 19
476- 41- 98
476-399- 88
505-880- 79
546-634-136
1365-127- 4
1439- 5-附
1439- 5-附
1445-361- 24
劉昂金(字次霄) 1040-245- 4
1365-282- 8
1439- 8-附
1445-513- 39
劉昂明(白水人) 472-841- 33
劉昂明(字廷舉) 569-671- 19
劉昂明(字孟頫) 676-535- 21
劉昂明(字仲高) 1239- 81- 32
劉虬齊 259-533- 54
265-717- 50
380-454-178
384-116- 6
472-773- 30
473-299- 62
477-372-167
480-250-269
533-736- 73
538-165- 66
933-452- 30
1394-544- 7
1401-144- 19
劉岡宋 見劉嘉譽
劉芳後魏 261-745- 55
266-860- 42
379-238-150上
384-133- 7
472-411- 18
475-428- 70
511-788-166
541-110- 31
684-472-下
814-260- 8
820-116- 25
劉芳宋 288-405-456
400-295-524
480-296-271
劉芳元 569-616-18下之2
1201-167- 80
劉芳明(字永錫) 473- 16- 49
564-211- 46
1467- 84- 65
劉芳劉茂 明(濟南人)
515-156- 61
劉芳明(字彌章) 516-149- 93
劉芳明(字爾聲) 554-673- 60
劉芳明(茂州人) 560-602-29下
劉芳明(字墨仙) 1475-491- 21
劉芳妻 明 見李氏
劉芳女 明 見劉慧
劉芳清 477-317-164
538-105- 64
劉昉隋 264-689- 38
267-468- 74
379-775-162
384-153- 8
劉昉宋(潮陽人) 481-235-303
劉昉宋(字方明) 567-444- 86
585-763- 5
1467-150- 67
劉昉宋(劉因高祖) 1198-664- 25
劉昉金 1040-241- 3
劉易宋 288-434-458
401- 21-570
408-669- 26
472-437- 19
476-310-113
547-137-146
劉芝明 554-770- 62
劉芝妻 明 見李氏
劉芮宋 473-387- 65
532-715- 45
1145-768- 84
1161- 92- 82
劉旻北漢 見漢世祖
劉旻劉昊 明 480-511-281
533-264- 55
劉炅母 明 見李氏
劉炅明 515-413- 69
567-143- 68
1467-133- 66
劉昊唐 471-951- 52
劉昊明 見劉旻
劉杲明 475-134- 56
1255-413- 46
劉果清 474-306- 16
476- 31- 97
476-675-136
505-667- 69
510-301-112
540-857-28之4
545-161- 88
劉竺陳 473-143- 56
515-140- 61
劉非江都易王、汝南王 漢
244-329- 59
250-298- 53
375-106-78下
488- 71- 6
劉和彭城王 漢 253-129- 80
375-147-79上
劉和晉 256-659-101
381- 94-186
劉和妻 晉 見王氏
劉和唐 476-452-123
劉和宋 1095-713- 36
劉和明(字元中) 479-725-250
1275-354- 16
劉和明(金谿人) 545-387- 97
劉侗明 533-307- 57
1442-108- 7
1460-659- 73
劉佺宋 485-535- 1
劉佺元 472-603- 25
劉制金 546-733-139
劉肥齊王 漢 244-278- 52
250- 99- 38
375- 86-78上
539-345- 8
劉岱漢 253-491-106
254-750- 4
380-165-169
385- 61- 5
469-176- 20
472-543- 24

472-603- 25
476-474-125
511-397-151
540-705-28之1
劉岱明 456-460- 4
458- 71- 3
538- 73- 63
劉侃元 見子聰
劉侃明(字正言) 480-174-266
1422- 61- 4
1442-100- 6
1460-196- 49
劉侃明(字克剛) 524-245-190
820-623- 41
1475-209- 9
劉侃明(字友倫) 1243-710- 24
劉佩前燕 496-421- 90
502-253- 53
劉岳後唐 277-559- 68
279-363- 55
384-315- 16
396-441-296
472-747- 29
537-463- 58
1383-829- 76
劉岳元 493-967- 51
511-730-165
676-702- 29
劉岳明 571-534- 19
劉采明(字與質) 473-284- 61
475-744- 88
480-133-264
533- 43- 48
534-559- 99
563-735- 40
劉采明(興山人) 480-342-273
劉攽宋 286-236-319
382-489- 76
397-392-343
471-741- 21
471-906- 45
472-198- 7
472-290- 12
472-324- 14
472-545- 23
473-127- 55
476-854-145
477-409-169
479-679-248
511-914-173
515-518- 73
532-677- 44
537-326- 56
540-669- 27
674-346-5下
674-821- 17
820-377- 33
933-464- 30
1106- 98- 14
1110-143- 3
1115-406- 48
1362-720- 64
1375- 32- 下
1394-437- 4
1437- 12- 1
劉攽弟 宋 1096-375- 38
劉秉劉宋 258-118- 51
265-209- 13
375-259- 81
475-427- 70
488-196- 8
劉秉妻 劉宋 見蕭氏
劉秉明 479- 44-218
523- 83-149
劉牧宋(字先之) 523-619-177
1105-812- 97
1356-172- 8
1384-157- 94
劉牧宋(字長民) 674-161-1上
劉延阜陵王、淮陽王 漢(諡質)
253- 25- 72
253-746- 1
372-108- 7
375-143-79上
劉延城陽王 漢(諡頃)
539-345- 8
劉延漢 見劉迎
劉迎劉延、隆慮公主 漢 耿襲妻、漢明帝女 252-201-10下
373- 51- 19
劉迎金 491-808- 6
540-769-28之2
676-695- 29
1364-755-363
1365- 74- 3
1439- 5- 附
1445-257- 17
劉欣漢 見漢哀帝
劉姝宋 1145-768- 84
劉洪漢 402-543- 17
476-779-141
540-706-28之1
劉洪明 473-270- 61
480-173-267
533-191- 53
540-635- 27
559-252- 6
571-518- 19
劉玹明 505-705- 70
1255-720- 73
劉炫隋 264-1062- 75
267-594- 82
380-335-174
384-158- 8
469-540- 66
472- 68- 2
474-309- 16
505-871- 78
678- 86- 78
劉炫明 1287-762- 9
劉炳漢 見漢沖帝
劉炳宋(字韜仲) 460-101- 6
473-187- 58
516-157- 94
680-267-252
劉炳宋(字叔文) 510-425-116
劉炳宋 見劉昺
劉炳金 291-483-106
399-268-440
472- 54- 2
474-241- 12
505-732- 71
劉炳元 558-199- 31
劉炳明 見鎦炳
劉炳妻 清 見許氏
劉為明 528-455- 29
劉宣漢 252-642- 55
376-628-107上
劉宣晉 256-660-101
381-120-186
545- 3- 83
933-447- 30
劉宣宋 288-370-453
400-175-513
478-696-210
554-361- 54
劉宣元 295-290-168
399-626-482
453-768- 1
472-239- 9
472-490- 21
476- 41- 98
478-762-215
493-783- 42
523- 22-147
545-836-113
547-155-147
1197-823- 88
1201-169- 80
1204-639- 15
1439-421- 1
劉宣明(字紹和) 473-154- 56
479-722-250
505-806- 74
505-928- 84
515-676- 78
676-497- 19
1248-633- 3
1250-531- 49
劉宣明(處州訓導) 676-177- 7
劉宣女 明 見劉隱珠
劉宥宋 472-893- 35
劉洞南唐 515-570- 75
劉洎唐 269-702- 74
274-273- 99
384-171- 9
395-317-209
407-391- 2
473-301- 62
470-382-146
480-244-269
533-207- 53
933-454- 30
1378-109- 40
劉洽唐 見劉玄佐
劉洽宋 1134-312- 45
劉音膠東王 漢 539-341- 8
劉昶晉熙王、義陽王 劉宋
258-345- 72
261-800- 59
265-240- 14
266-580- 29

375-287- 81
384-131- 7
486- 37- 2
1387-207- 12
劉衵妻 北魏 見平陽長公主
劉衵妻 北魏 見建興長公主
劉衵隋 264-1118- 80
267-732- 91
381- 67-185
477-319-164
538-251- 68
劉衵女 隋 見劉氏
劉衵明(大庾人) 532-668- 44
劉衵明(犍為人) 559-380-9上
劉恆漢 見漢文帝
劉恆明(崇禎15年卒)
456-611- 9
537-306- 56
劉恆明(嘉興人) 532-709- 45
劉恆明(宣慰司人) 572- 72- 28
劉恂新平王、新興王、劉詢 蜀漢 254-570- 3
254-577- 4
544-201- 62
560-594-29下
劉恪明 1467-116- 66
劉炤宋 285-239-262
396-550-303
劉炟漢 見漢章帝
劉烱宋 460-101- 6
劉烱明 1294-548- 13
劉烱妻 明 見沈氏
劉烱女 明 見劉氏
劉祉定陶王、城陽王、劉終 漢
252-503- 44
370-106- 7
375-133-79上
402-344- 2
533-225- 54
539-351- 8
劉亮晉 476-749-139
540-658- 27
劉亮劉宋 258- 65- 45
265-283- 17
378- 35-131
494-333- 7
511-222-144
592-190- 73
933-450- 30
劉亮侯莫陳亮、劉道德 北周
263-541- 17
267-337- 65
379-627-158
472- 89- 3
476-394-119
545-451- 99
554-119- 50
劉亮明 554-338- 54
1250-814- 78
劉亮妻 清 見艾氏
劉兗明 1268-457- 71
劉施館陶公主 漢 于永妻、漢宣帝女 250-589- 71
376-309-100
554- 43- 49
劉庠宋 286-277-322
382-589- 91
384-373- 19
397-419-344
472-412- 18
472-644- 26
472-430- 19
474- 92- 3
475-430- 70
475-869- 70
476- 29- 97
477- 52-151
481- 69-293
511-226-144
537-241- 55
540-613- 27
545- 50- 84
558-195- 31
933-466- 30
1098-170- 21
劉彥宋 588-176- 8
劉洙明(字道源) 483- 33-371
570-111- 21之1
劉洙明(貴溪人) 1245-433- 20
劉恢梁王、趙王 漢(諡共)
250-101- 38
375- 91-78上
劉恢城陽王 漢(諡戴)
539-345- 8
劉恢晉 見劉惔
劉恢南譙王 劉宋(字景度)
258-310- 68
265-224- 13
375-274- 81
劉恢劉宋(字道生) 485-552- 3
820- 74- 23
1379-348- 42
劉恢元 567-445- 86
1467-154- 67
劉度宋 494-393- 11
524- 33-179
1147-581- 55
劉度明 1260-630- 19
劉度清 524-349-196
劉奕宋 460-170- 10
529-433- 43
530-613- 73
1090-659- 37
劉美龔美 宋 284-860-242
288-494-463
382-103- 13
382-776-119
384-344- 17
393-302- 75
400- 38-502
476- 40- 98
545-633-106
559-305-7上
劉美明 559-350- 8
劉珏宋 287-178-378
398-222-379
472-1002- 40
479-141-223
494-388- 11
523-279-159
567-439- 86
1467-148- 67
劉珏明(汲縣人) 458- 60- 3
538- 54- 63
劉珏明(沔陽人) 473-236- 60
劉珏明(內江人) 483-162-382
559-526- 12
569-675- 19
劉珏明(字廷美) 493-991- 52
511-736-165
545- 68- 85
676-491- 19
820-626- 41
821-389- 56
1255-397- 44
1284-137-147
1386-345- 42
1386-672- 56
1442- 26- 2
1459-624- 24
劉珏妻 明 見蘇氏
劉封魯王 漢 539-346- 8
劉封寇封 蜀漢 254-628- 10
377-277-118上
384-466- 13
385-176- 20
447-202- 8
劉封妻 明 見高氏
劉垓明 473-236- 60
480-175-266
533- 63- 49
劉拱宋 1132-247- 49
劉拱清 456-332- 76
劉咸明 472-646- 26
515-660- 77
537-211- 54
1240-175- 12
1240-725- 7
劉咸北海王 漢 252-502- 44
375-132-79上
539-350- 8
劉春梁 見劉諒
劉春宋 1150-876- 48
劉春明(字仁仲) 300- 23-184
452-233- 6
481-116-296
559-355- 8
561-514- 44
561-528- 44
820-664- 42
劉春明(惠安人) 532-709- 45
劉春明(富平人) 540-641- 27
554-526-57下
劉春明(解州人) 547-103-145
劉柱清 456-236- 68
劉相明(成都人) 494- 24- 2
554-348- 54
劉相明(字元大) 554-291- 53
劉相妻 明 見汪氏
劉相妻 明 見黃氏

劉拯宋 286-714-356
397-752-365
475-119- 55
1131-655- 36
劉拯元 1366-671- 38
劉拯明(字以仁) 515-137- 61
劉拯明(知梓潼) 559-321-7上
劉胡濟北王 漢 539-346- 8
劉胡劉坳胡、劉黝胡 劉宋
258-511- 84
265-596- 40
370-484- 14
378-188-136
劉奎宋 515-604- 76
劉奎明(博羅人) 473-653- 78
481-612-329
528-494- 30
564-188- 46
劉奎明(字文端) 480- 90-262
劉奎明 見劉魁
劉奎清 554-739- 61
571-536- 19
劉胥廣陵王 漢 244-338- 60
250-456- 63
375-120-78下
1412- 91- 5
劉盈漢 見漢惠帝
劉盈北周 263-829- 48
劉盈明 547- 6-141
劉玶劉坪 宋 460- 98- 6
1146-166- 92
劉珂吳王 遼 278-200- 58
383-759- 17
劉珂元 1202-274- 19
劉珂明(字伯瑲) 472-135- 4
505-913- 81
劉珂明(字木佩) 473-155- 56
515-677- 78
523-190-155
528-453- 29
劉珂明(字晦雪) 473-215- 59
480- 57-260
533- 10- 47
683-151- 4
劉珂明(齊河人) 476-528-128
540-801-28之3
劉珫劉太平 金 291-379- 97
399-221-435

472-593- 24
476-671-136
540-768-28之2
劉珉齊 813-290- 16
814-261- 8
820-121- 25
劉革宋 1158-758- 76
劉柳晉 256- 55- 61
377-673-125
493-675- 37
933-466- 30
劉郁元 1200-758- 58
1201-165- 80
1373-432- 27
劉郁明 540-671- 27
劉飛唐 820-174- 27
劉珍劉寶 漢 253-554-110上
380-340-175
473-248- 60
480-292-271
533-313- 57
933-444- 30
劉珍隋 473-529- 72
481-374-311
561-215-38之3
591-203- 16
592-226- 74
劉珍妻 明 見盧氏
劉勃常山王 漢(劉舜子)
244-332- 59
250-307- 53
375-113-78下
劉勃濟北王 漢(謚貞)
250-180- 44
375- 99-78上
539-346- 8
劉勃漢(安陽侯) 552- 15- 18
劉勃宋 473-515- 71
591-643- 46
劉勃清 529-679- 49
劉某元(號自然老人)
821-327- 54
劉某元(號尚溫居士)
821-335- 54
劉某明 楊業外兄
1240-401- 25
劉政東海王 漢(謚靖)
253- 15- 72

375-137-79上
539-350- 8
劉政河間王 漢(謚惠)
253-188- 85
375-154-79上
劉政漢(沛國人) 1059-273- 4
劉政金 291-720-127
472-115- 4
474-439- 21
400-307-525
505-911- 81
劉政明(字仲理) 299-349-141
472-229- 8
475-132- 56
493-974- 52
511-435-153
886-163-139
劉政明(元氏人) 472- 99- 3
532-694- 45
劉政明(確山人) 477-418-169
538-110- 64
劉政明(字以德) 1250-485- 45
劉政女 明 見劉顯姑
劉述劉宋 265-209- 13
375-259- 81
劉述宋 286-264-321
382-507- 78
384-373- 19
397-411-344
472-1002- 40
472-114- 48
473- 86- 52
479-141-223
479-604-244
489-690- 50
494-382- 11
523-278-159
1110-247- 10
1153-175- 71
劉述金 1198-665- 25
劉致沁水公主 漢 鄧乾妻、漢明帝女 252-201-10下
373- 51- 19
544-201- 62
劉致元 547-559-161
820-495- 37
1219-688- 6
1439-432- 1

1471-361- 5
劉建江都王 漢(劉非子)
244-329- 59
250-298- 53
375-107-78下
劉建漢(劉不害子) 244-836-118
250-177- 44
375- 96-78上
劉建燕靈王 漢(謚靈)
250-101- 38
375- 91-78上
劉建千乘哀王 漢(謚哀)
253-127- 80
375-146-79上
539-351- 8
劉建菑川王 漢(謚靖)
539-346- 8
劉建女 晉 見劉氏
劉建明 515-409- 69
528-554- 32
劉貞金 547- 94-144
劉貞元(龍興人) 295-638-201
401-184-593
473- 31- 49
479-498-239
516-231- 97
劉貞元(嘉興路總管)
472-981- 39
523- 99-150
劉貞元(字廷幹) 820-522- 38
1215-705- 10
1218-681- 4
劉貞明 劉彥陽女 472-179- 6
475- 78- 53
劉貞明(字子貞) 473-125- 55
515-132- 61
劉貞婢 元 見鄭奴
劉貞妻 清 見李氏
劉茂中山王 漢(自號劉失職)
252-505- 44
375-134-79上
539-351- 8
劉茂漢(字叔盛) 252-836- 69
380- 78-167
475-425- 70
劉茂漢(字子衛) 253-575-111
370-169- 16
380-131-167

402-367- 3
472-148- 5
474-512- 25
476- 32- 98
477-526-175
505-694- 70
545-503-101
劉茂宋 494-268- 2
劉茂明(江寧人) 472-645- 26
537-348- 56
劉茂明(字本深) 477-502-174
538-112- 64
劉茂明(字時亨) 511-628-161
劉茂明(磐石衛指揮)
523-233-156
劉茂明 見劉芳
劉昞淮陽王、常山王 漢
253-132- 80
375-149-79上
535-554- 20
劉昞劉延明 後魏 261-710- 52
266-702- 34
379-162-148
472-945- 37
478-742-213
558-407- 36
677-128- 13
933-454- 30
劉昺劉炳 宋 286-718-356
397-753-365
劉昺明(壽光人) 472-594- 24
劉昺明(字晉初) 511-713-164
523-160-153
劉思北周 見劉志
劉昱劉宋 見劉宋後廢帝
劉昱宋 1122-173- 13
劉昱妻 宋 見王氏
劉昱明(武城人) 299-490-154
472-577- 24
476-899-147
537-212- 54
540-789-28之3
劉昱明(山西人) 1241-293- 13
劉昭梁 260-408- 49
265-1022- 72
380-369-176
384-122- 6
472-572- 24
540-723-28之1
933-453- 30
劉昭南唐 1195-408- 8
劉昭劉照、劉永武 元～明
515-626- 76
1236-810- 14
劉昭明(全椒人) 299-744-174
472-937- 37
475-798- 96
478-485-199
劉昭明(字仲資) 515-686- 78
劉昭明(字子輝) 528-450- 29
1241-768- 18
劉昭明(字克明) 545-845-113
劉昭明 見劉道明
劉星清(沅州人) 480-583-285
劉星明 見劉焜
劉星清(祥符人) 538- 82- 64
劉昫後晉 278-113- 89
279-359- 55
384-315- 16
401-293-607
505-714- 71
933-462- 30
1375- 31- 下
劉冑後魏 262-321- 93
267-741- 92
381- 29-184
劉峒清 554-532-57下
劉苑唐 820-241- 28
劉苞梁 260-406- 49
265-585- 39
378-397-141
475-427- 70
511-580-159
933-451- 30
劉苞明 456-675- 11
劉則漢 535-551- 20
劉英楚王 漢 253- 17- 72
253-745- 1
370-107- 7
375-138-79上
劉英漢(前趙) 漢昭武帝后、劉殷女 256-576- 96
381- 53-185
547-405-156
劉英元 505-920- 82
劉英明(諡烈愍) 456-491- 5
483-250-391
537-331- 56
572- 74- 28
劉英明(寶坻人) 472- 37- 1
472-431- 19
476-331-115
505-798- 74
545-421- 98
劉英明(崇明人) 502-292- 56
劉英明(字邦彥) 524- 1-178
524-277-192
585-464- 13
1253-158- 48
1442- 28- 2
1459-655- 25
劉英明(遠安令) 532-669- 64
劉英明(字中美) 1241-852- 22
劉英明(永平遷安人)
1250-499- 46
劉英妻 明 見彭亞光
劉英清 558-459- 38
劉是明 見劉定國
劉迪明 472-559- 23
554-220- 52
劉迥劉迴 唐 270-248-102
274-649-132
395-600-235
479-710-250
933-456- 30
1342-311-944
劉迥明 523-120-151
劉禹宋 1113-227- 22
劉約宋 484-376- 27
劉約明 540-795-28之3
劉香濟南王 漢 253- 19- 72
375-139-79上
539-350- 8
劉信漢(羹頡侯) 244-271- 50
250- 68- 36
375- 70-78上
劉信漢(嚴鄉侯) 250-726- 80
375-126-78下
539-347- 8
劉信蔡王 後漢 278-242-105
279-111- 18
395- 84-187
546- 66-117
劉信金 1200-729- 55
劉信元(字仲寬) 547-111-145
劉信元(金鄉人) 1214-254- 21
劉信妻 元 見耿氏
劉信明(直隸魏縣人)
472-678- 27
537-258- 55
劉信明(鳳陽人) 482- 75-341
563-773- 40
劉信明(重慶人) 559-352- 8
劉信明(字明節) 528-452- 29
567-100- 66
劉垕宋 460-435- 33
529-612- 47
678-407-108
劉科明 456-599- 9
劉衎下邳王 漢 253-130- 80
370-109- 7
375-148-79上
402-346- 2
劉衎劉宋 258- 22- 42
劉衎宋 529-559- 46
563-686- 39
劉衎漢 見漢平帝
劉胤晉 256-328- 81
377-855-129上
472-612- 25
479-481-239
491-799- 6
515- 78- 59
933-447- 30
劉胤前趙 256-686-103
381-116-186
劉胤元 493-725- 40
劉弇宋 288-257-444
400-670-562
473-147- 56
479-713-250
515-581- 75
559-306-7上
1119- 64- 附
1119-336- 附
1119-337- 附
1147-582- 55
1363- 1- 95
1437- 19- 1
劉俞金 1445-460- 34
劉紆漢 252-833- 69
380- 75-167

475-424- 70
劉紓梁 472-174- 6
劉紀明(秦安人) 558-397- 36
劉紀明(邛州人) 559-388-9上
劉紀明(字憲明) 1248-612- 3
劉奐南唐 475-749- 88
劉保修武長公主 漢 漢和帝女 252-201-10下
373- 52- 19
劉保漢 見漢順帝
劉俁宋(字碩翁) 475-175- 59
487-120- 8
510-344-114
523-448-168
劉俁宋(字德容) 1198-664- 25
劉俊明(知光澤) 473-642- 78
劉俊明(字君佐) 474-640- 33
476-917-148
481-694-332
505-831- 75
528-542- 32
537-217- 54
1259-572- 5
劉俊明(饒陽人) 505-831- 75
劉俊明(博平人) 540-801-28之3
劉俊明(淮安人) 545-146- 88
劉俊明(保安人) 554-768- 62
劉俊明(字廷偉) 821-393- 56
劉俊明(泰和人) 1237-321- 6
劉俊明(字憲偉) 1242-856- 10
劉俊女 明 見劉安貞
劉俊女 明 見劉美玉
劉迫唐 545-475-100
劉泉明(安應占) 515-691- 78
劉泉明(常熟人) 523-218-156
劉宬宋 1180-376- 35
劉海金 295-588-195
400-269-521
476- 41- 98
496-402- 88
545-649-106
劉海明(開平人) 505-696- 70
505-860- 77
劉海明(字會川) 538-237- 54
劉海明(字用涵) 1256-405- 26
劉訒明 300-320-202
676-548- 22
劉祇東海懿王 漢 253- 16- 72
375-137-79上
539-350- 8
劉祇劉宋 258-116- 51
劉容琅邪王 漢 253- 29- 72
375-146-79上
539-350- 8
劉容元 294-424-134
399-546-474
472-113- 4
472-946- 37
473- 14- 49
474-435- 21
478-654-207
505-682- 69
劉容明 458-124- 5
劉容清 554-780- 62
劉涇宋 288-245-443
382-761-116
384-383- 19
400-659-561
427-365- 4
478-418-195
481- 79-294
554-242- 52
591-553- 42
592-525- 94
592-726-108
674-219-3上
820-383- 33
821-194- 51
劉涇明 458- 10- 1
537-483- 58
545- 93- 85
554-252- 52
劉浩宋 554-912- 64
821-208- 51
劉浩明 1245-530- 27
劉浩清 474-825- 44
482-467-363
502-768- 86
567-157- 69
568-377-113
劉高隋 472-409- 18
475-419- 70
510-397-115
劉悟唐 271- 88-161
276-232-214
384-263- 13
396-325-280
1394-319- 1
劉悝勃海王、癭陶王 漢
253-183- 85
375-150-79上
劉烜明(安仁人) 482-226-348
563-814- 41
劉烜明(黃岡諭) 532-637- 43
劉祜漢 見漢安帝
劉祐劉佑、劉裕 漢
253-365- 97
370-202- 21
376-960-112
384- 66- 3
402-441- 9
402-469- 10
472- 52- 2
472- 87- 3
472-543- 23
474-239- 12
475- 14- 49
476-881-146
476-365-117
477-303-163
505-730- 31
505-795- 73
523- 3-146
537-192- 54
540-630- 27
545-350- 96
680-668-285
933-443- 30
劉祐漢 見漢安帝
劉祐隋 264-1100- 78
267-703- 89
380-655-183
472-656- 27
477- 67-151
538-363- 71
劉祐妻 宋 見馬氏
劉祐妻 宋 見錢氏
劉祐明(字篤卿) 540-803-28之3
劉祐明(字淑修) 545-296- 94
劉祐女 明 見劉氏
劉祐清 554-777- 62
劉朔宋 460-143- 9
471-670- 13
528-441- 29
528-499- 44
1153-318- 84
1159-248- 13
1164-310- 16
1164-343- 18
劉益宋 見劉益之
劉益元 528-484- 30
劉益明 473-153- 56
515-668- 78
1241-844- 21
1244-656- 16
劉宰宋 287-478-401
398-466-395
451-214- 9
472-173- 6
472-277- 11
475-277- 63
475-483- 73
480-241-269
493-777- 42
511-686-163
532-666- 44
676-688- 29
1437- 27- 2
1462-710- 92
劉宰妻 宋 見梁氏
劉宰妻 宋 見陶氏
劉浙明 540-803-28之3
劉許梁 260-442- 51
265-704- 49
380-462-178
384-116- 6
476-522-128
933-452- 30
劉訓漢 370-207- 21
402-411- 6
劉訓後唐 277-513- 61
472-465- 20
546-617-135
547- 69-143
劉訓明(字子伊) 458-161- 8
537-568- 60
劉訓明(字忠言) 473-283- 61
475-273- 63
480-131-264
510-374-114
533- 38- 48
劉悅明(保定人) 456-600- 9

劉悅明(江陵人) 533-212- 53
劉悅女 明 見劉桂
劉悌妻 明 見常氏
劉祕宋 494-348- 7
劉宋妻 明 見舒氏
劉浚明 515-451- 70
劉悛劉忱 齊 259-380- 37
265-582- 39
378-249-138
384-113- 6
473-366- 64
475-427- 70
480-482-280
511-579-159
532-734- 46
933-451- 30
劉泰宋 288-373-453
400-170-513
475-743- 88
劉泰元 1197-746- 78
劉泰明(淄川人) 452-257- 8
劉泰明(徐州人) 472-413- 18
劉泰明(號蒙齋) 523-272-158
820-623- 41
1247-562- 25
1475-209- 9
劉泰明(字士亨) 524- 7-178
585-458- 13
1442- 32- 2
1459-701- 27
劉泰明(鄜人) 533-101- 50
劉泰明(號友松) 1271-626- 53
劉秦唐 820-194- 27
劉秦妹 唐 見劉氏
劉素明 820-578- 40
劉珙宋 287-287-386
398-311-385
450-821-22下
460- 97- 6
471-755- 23
472-173- 6
473- 14- 49
473-334- 63
473-603- 76
475- 70- 52
479-352-233
479-448-237
480-401-277
481-677-331
488- 13- 1
488-458- 14
492-563-13下之上
510-311-113
515- 17- 57
523-199-155
529-605- 47
532-575- 41
820-427- 35
1146- 43- 87
1146- 71- 88
1146-217- 94
1146-316- 97
劉珙明 533-173- 52
劉城明(字廷高) 473- 51- 50
516- 66- 89
554-188- 51
劉城明(字伯宗) 475-645- 83
511-854-169
1442-114- 7
劉彧劉宋 見宋明帝
劉彧金 1439- 3- 附
劉彧明 494- 42- 3
劉恭六安王、江陵王、彭城王、鉅鹿王、靈壽王 漢
253-128- 80
370-109- 7
375-147-79上
402-346- 2
476-820-143
劉恭漢 見劉梁
劉恭明(字政亨) 511-790-166
劉恭龍恭 明(字允恭)
1242- 73- 26
劉恭明(字大受) 1274-391- 14
劉恭妻 明 見文氏
劉眞明(合肥人) 505-634- 67
劉眞明(廬州人) 537-210- 54
劉眞妻 明 見陳氏
劉栻明 456-658- 11
劉烈隋 264-925- 63
267-505- 76
379-826-163
劉砥宋 460-172- 10
460-173- 10
529-442- 43
劉原晉 476-336-117
545-352- 96
劉孫元 295-638-201
401-184-593
473- 31- 49
479-498-239
516-231- 97
劉珪宋 1135-451- 41
劉珪明(興平人) 545-440- 99
劉珪明(字公瑞) 1247-545- 24
1475-240- 10
劉珝劉翊 明 299-675-168
452-183- 3
453-709- 40
472-594- 24
476-672-136
540-790-28之3
676-495- 19
820-630- 41
1375- 39- 下
1442- 26- 2
1459-635- 24
劉珣明(城武人) 456-629- 10
劉珣明(字道章) 1236-774- 12
劉珣女 明 見劉氏
劉堉明 458-171- 8
劉堉妻 清 見何氏
劉哲劉操、劉元英 唐～五代
505-934- 85
530-205- 60
547-512-160
547-527-160
554-982- 65
1284-291-158
劉哲明 515-688- 78
劉桂明 夏德威妻、劉悅女
1246-650- 15
劉桓漢 402-357- 3
劉柏妻 清 見王氏
劉桐明(字鳳儀) 515-683- 78
523-230-156
劉桐明(字良材) 523-192-155
劉格宋(東光人) 1092-581- 54
劉格宋(字道純) 1345-582- 0
劉格明(字豫誠) 564-158- 45
劉格明(字正之) 1267-668- 12
劉格妻 明 見李氏
劉晉明(南海人) 456-499- 5
劉晉明(昌國人) 524-126-184
584-266- 10
劉珩明 473-599- 76
528-528- 31
劉耽漢 820- 25- 22
劉耽晉 256- 55- 61
377-673-125
477-371-167
537-541- 59
933-446- 30
劉耽明 554-310- 53
劉起妻 清 見王氏
劉捍後梁 277-181- 20
279-125- 21
384-299- 16
396-335-281
933-459- 30
劉翀明(字文翔) 476-370-117
546-494-131
劉翀明(威清衛百戶)
483-268-392
571-532- 19
劉翀明(字士鳳) 515-693- 78
劉陟南漢 見漢高祖
劉珠明(字福井) 533-312- 57
劉珠明(字子明) 1271- 48- 5
劉珠妻 明 見周氏
劉耿清 511-559-158
劉振明(夔州府檢枝)
494- 42- 3
劉振明(字自我) 511-814-167
劉挺明 820-655- 42
1261-160- 12
劉校明 300-110-189
458- 59- 3
477-481-173
538- 70- 63
劉根漢 253-611-112下
380-581-181
478-143-181
480-514-281
484- 17- 中
524-440-201
538-361- 71
554-967- 65
1059-300- 8
劉迺唐 270-826-153
275-609-193
384-238- 12

400-108-509
472-746- 29
538- 57- 63
963-459- 30
劉夏春秋 見劉定公
劉夏明 515-634- 77
劉展唐 488-320- 12
劉茲妻 明 見盧氏
劉恩金 1214-253- 21
劉恩元 295-257-166
399-604-480
472-116- 4
473-513- 71
474-440- 21
505-765- 72
559-310-7上
劉恩明 510-393-115
劉崀宋 472-1052- 44
523-242-157
劉荀宋 515-529- 73
1147-629- 59
劉晏唐 270-465-123
275-135-149
384-219- 12
384-234- 12
395-740-248
448-338- 下
471-994- 59
471-1007- 61
472-554- 23
472-824- 33
472-851- 34
472-912- 36
472-960- 38
473-476- 69
474-475- 23
475- 15- 49
476-366-117
476-860-145
476-911-148
477-242-161
478- 87-180
481-438-316
493-764- 42
505-771- 73
510-278-112
523- 5-146
533-739- 73
537-200- 54
540-741-28之2
545-436- 99
554-124- 50
559-273- 6
581-450- 93
591-695- 49
933-456- 30
1090-657- 37
劉晏宋 288-375-453
288-643-475
400-134-511
472-1016- 41
479-379-234
523-412-166
劉晏妻 明 見朱氏
劉荊廣陵王 漢 253- 26- 72
370-108- 7
375-143-79上
劉晃齊王 漢 252-500- 44
375-130-79上
539-350- 8
劉晃唐 564-681- 59
劉哻明(萬州人) 473-616- 77
528-511- 31
劉哻明(字子儀) 515-483- 71
劉郢楚王、劉郢客 漢
244-272- 50
250- 68- 36
375- 70-78上
劉剛明(泰和人) 523-173-154
劉剛明(字養浩) 524- 73-181
1229- 77- 6
劉剛明(巴縣人) 1256-398- 25
劉剛妻 明 見姬氏
劉峰女 唐 見劉氏
劉蚡春秋 見劉文公
劉虔上黨王、劉璩 蜀漢
254-570- 3
254-577- 4
544-201- 62
560-594-29下
劉虔妻 清 見朱氏
劉迴唐 見劉迥
劉峻劉法武 梁 260-414- 50
265-699- 49
378-378-141
384-115- 6
451-253- 1
469-527- 64
476-522-128
479-333-232
524-330-195
540-722-28之1
933-452- 90
1387-155- 9
1394-559- 7
1395-597- 3
1399-531- 12
1401-322- 27
1406-134-328
1416-315- 94
劉峻明 1283-440-101
劉豹漢 535-551- 20
劉烏隋 812-340- 8
821- 31- 45
劉徐明 1232-688- 9
劉恕宋 288-252-444
382-567-87下
384-372- 19
400-665-562
449-287- 14
450-491-38中
471-710- 17
472-106- 4
473- 76- 52
473-167- 57
479-578-243
479-748-251
482- 74-341
505-674- 69
515-463- 71
545-175- 89
567-432- 86
585-755- 4
674-381- 1
674-600- 4
708-344- 50
933-465- 30
1094-627- 68
1100-423- 38
1110-145- 3
1112-205- 18
1113-233- 23
1115-354- 41
1118-347- 18
1345-567- 0
1345-571- 0
1345-573- 0
1467-144- 67
劉恕妻 元 見趙氏
劉恕明(字寬仁) 1251-222- 17
劉娥漢(前趙) 漢昭武帝后、劉殷女 256-575- 96
381- 53-185
547-405-156
劉紘明 1261-167- 13
劉矩漢 253-489-106
380-164-169
459-851- 51
472-410- 18
472-641- 26
475-425- 70
477- 48-151
511-220-144
537-235- 55
933-444- 30
劉矩明 472-134- 4
505-875- 78
劉倌明 554-486-57上
劉航宋 286-574-345
382-612- 94
397-648-359
472-132- 4
472-677- 27
474-477- 23
475-742- 88
477-123-155
481- 69-293
505-775- 73
537-254- 55
劉航妻 宋 見石氏
劉釗明(全椒人) 558-145- 30
558-177- 31
劉釗明(字德機) 1250-953- 90
劉俸明 676-174- 7
劉倬宋 451-138- 2
劉倫劉瑜、廣德王 漢
250-303- 53
375-110-78下
485-346- 1
劉倫明 476-855-145
554-496-57上
劉倫妻 明 見趙錢兒

劉卿明 554-527-57下
劉卿妻 明 見張氏
劉邕蜀漢 254-688- 15
劉邕劉宋 258- 22- 42
265-253- 15
378- 4-131
933-449- 30
劉姬獲嘉長公主 漢 馮柱妻、漢明帝女 252-201-10下
373- 51- 19
劉純宋 460-100- 6
481-693-332
528-507- 31
528-539- 32
529-612- 47
1174-524- 33
劉純明(歷城人) 545-146- 88
劉純明(字宗厚) 554-913- 64
劉修陽翟長公主 漢 漢桓帝女
252-202-10下
373- 52- 19
劉脩漢(字伯麟) 681-538- 8
1397-618- 29
劉乘清河哀王 漢 250-307- 53
375-113-78下
539-346- 8
劉适宋 545-138- 87
劉秩唐 270-248-102
274-649-132
395-600-235
933-456- 30
劉秩明 472-409- 18
475-449- 71
493-755- 41
510-402-115
515-354- 68
676-453- 17
1442- 10- 1
1459-453- 14
劉候明 523-624-177
劉殷晉 256-436- 88
380- 87-167
384-101- 5
472-432- 19
476-310-113
546-372-127
554-746- 62
933-447- 30
劉殷妻 晉 見張氏
劉殷女 漢(前趙) 見劉英
劉殷女 漢(前趙) 見劉娥
劉般漢 252-833- 69
370-175- 17
380- 75-167
384- 60- 3
402-401- 5
475-424- 70
511-220-144
558-475- 40
933-443- 30
劉寅明(字敬甫) 480-174-269
劉寅明(字拱辰) 483-140-380
546-725-139
570-217- 23
劉寅明(字彥亮) 516-151- 93
劉寅明(孝子) 547- 95-144
劉寅明(雒南人) 554-678- 60
劉寅明(雙流人) 559-419-10上
劉添女 明 見劉貞一
劉淳吳 見劉惇
劉淳明(南陽人) 299-298-137
劉淳明(中部人) 554-678- 60
劉清宋 561-223-38之3
劉清明(鳳陽人) 473-335- 63
532-693- 45
劉清明(字廉夫) 511-368-150
1241-656- 14
1242-241- 32
劉清明(字本澄) 523-230-156
劉清明(壽張人) 545-408- 98
劉清明(益都人) 572-158- 32
劉清明(字宗潔) 1246-434- 9
劉清妻 明 見郭妙明
劉清女 明 見劉氏
劉淮宋 460-299- 20
劉淮明(睢州人) 458-172- 8
劉淮明(字濬之) 546-407-128
劉淮明(蒲州人) 547- 73-143
劉淮明(字榆林) 554-180- 51
劉淮明(知徐聞縣) 563-829- 41
劉淮妻 明 見李氏
劉淮妻 明 見翁氏
劉淮清 540-850-28之4
劉產宋 488-396- 13
劉翊漢 253-587-111
370-206- 21
380-142-168
402-502- 12
472-652- 27
477-476-173
537-584- 60
933-444- 30
劉翊唐 820-154- 26
劉翊劉珣 宋 288-288-447
400-148-512
472- 86- 3
474-371- 19
505-631- 67
劉翊明 見劉珝
劉商泗水思王 漢 244-333- 59
250-307- 53
375-114-78下
539-347- 8
劉商唐(字子夏) 451-488- 8
475-387- 68
494-437- 13
511-789-166
674-426- 2
812-353- 10
812-371- 0
821- 72- 47
1059-600- 中
1061-324-113
1339-726-713
1371- 65- 附
劉商唐(定州人) 505-940- 85
劉惇劉淳 吳 254-904- 18
380-597-182
384- 81- 4
384-519- 23
386-116-72下
476-521-128
492-613- 14
516-201- 95
933-445- 30
劉焴明 1293-745- 5
劉眷後魏 261-374- 23
劉寄膠東王 漢 244-332- 59
250-306- 53
375-113-78下
539-346- 8
劉淵漢(前趙) 見漢光文帝
劉淵元(東平齊河人)
295- 74-152
399-397-455
劉淵元(字學海) 677-483- 44
劉淵元(字仲廣) 1201-169- 80
劉淵明(安肅人) 472-603- 25
476-697-137
540-653- 27
劉淵明(臨桂人) 473-751- 83
1467-187- 69
劉淵明(字伯廣) 533-312- 57
820-612- 41
劉淵明(字以靜) 1261-683- 29
劉淵妻 明 見鳳氏
劉淵清 570-100-20下
劉章齊王、太原王 漢(謚哀)
252-500- 44
375-130-79上
402-343- 2
472-543- 23
539-350- 8
540-663- 27
544-200- 62
劉章城陽王 漢(謚景)
244-278- 52
250-101- 38
375- 86-78上
384- 38- 2
539-345- 8
劉章高密王 漢(謚頃)
539-347- 8
劉章宋(字文孺) 287-353-390
398-362-387
471-630- 7
472-1042- 43
479-356-233
523-332-161
1153-243- 77
劉章宋(字徽之) 515-583- 75
1134-313- 45
劉章劉九龍、劉渭、劉於菟 金
1318-226- 51
劉章劉幸 明 473- 76- 52
515-236- 64
劉竟中山王、清河王 漢
250-726- 80
375-126-78下
劉訥明 561-199-38之1
劉庸明(知射洪) 473-504- 71
劉庸明(字仲和) 1236-203- 4

劉祥漢 見劉辯
劉祥蜀漢 254-621- 9
377-274-118上
385-170- 19
533-104- 50
劉祥齊 259-375- 36
765-254- 15
370-518- 16
378-280-138
563-897- 43
933-450- 30
劉祥劉休徵 北周 263-773- 42
267-409- 70
379-682-159
劉祥元 見劉仲祥
劉祥明(監利人) 473-303- 62
480-247-269
劉祥明(清江人) 679-629-200
劉祥明(字瑞初) 821-367- 55
劉祥明 劉廷茂女
1266-737- 7
劉祥妻 明 見黄氏
劉寂妻 唐 見侯碎金
劉宋宋(字宏道) 813-120- 9
劉宋宋(字道源) 821-171- 50
劉宋元 515- 86- 59
劉深明(臨汾人) 472- 66- 2
474-306- 16
505-665- 69
劉深明(知宜興) 473-653- 78
劉梁漢(字季少) 252-506- 44
370-106- 7
375-135-79上
劉梁劉岑、劉恭 漢(字曼山)
253-561-110下
254-380- 21
380-343-175
385-639-669下上
472- 50- 2
474-234- 12
476-882-146
505-653- 68
540-704-28之1
933-444- 30
劉淑城陽王 漢(諡懷)
253-190- 85
375-155-79上
539-351- 8
劉淑漢(字仲承) 253-361- 97
376-958-112
384- 68- 3
402-488- 12
474-307- 16
505-737- 72
680-668-285
933-443- 30
劉淑宋 491-346- 2
劉淑明 518- 98-138
劉訥晉(字令言) 256-160- 69
377-735-126
472-411- 18
511-787-166
933-446- 30
劉訥晉(字行仁) 814-242- 6
820- 73- 23
劉訥宋 821-222- 51
劉訥金 見劉勳
劉衮隋 812-338- 8
劉衮後周 278-436-131
劉旋明 456-555- 7
劉惔母 晉 見任氏
劉惔劉恢 晉 254-519- 29
256-252- 75
370-334- 8
377-797-127
384- 99- 5
472-191- 6
472-201- 7
475- 68- 52
475-748- 88
488-127- 7
510-308-113
511-344-149
814-237- 5
820- 69- 23
933-446- 30
劉康山陽王、定陶王、濟陽王
漢(諡共) 250-726- 80
375-126-78下
539-347- 8
劉康濟南王 漢(諡安)
253- 18- 72
253-745- 1
370-107- 7
375-139-79上
539-350- 8
劉康妻 漢 見丁氏
劉康明 564-197- 46
劉康妻 明 見熊氏
劉烶明 529-639- 48
劉球明 299-599-162
452-249- 6
453-336- 5
453-604- 17
473-153- 56
479-720-250
515-664- 77
676-479- 18
1243-406- 附
1254-338- 10
1275-302- 13
1374-192- 44
1374-761- 96
1442- 22- 2
1459-591- 21
劉珹明 1271- 43- 5
劉焉中山王、馮翊王 漢(諡簡)
253- 27- 72
253-747- 1
370-108- 7
375-145-79上
552- 17- 18
劉焉漢(字君郎) 253-468-105
254-547- 1
377- 55-113下
384- 70- 3
480-172-266
533-188- 53
560-599-29下
933-445- 30
劉梅明 554-366- 54
劉梅妻 明 見吳氏
劉梅女 明 見劉氏
劉梅清 505-905- 80
劉理甘陵王 漢 253-188- 85
375-153-79上
539-350- 8
劉理梁王、安平王 蜀漢
254-577- 4
375-178-79下
384-423- 5
552- 21- 18
560-594-29下
劉理宋 480-581-285
劉理元 537-279- 55
1200-791- 61
劉理明 820-578- 40
劉培元 1220-524- 8
劉培妻 清 見甄氏
劉埴唐 820-230- 28
劉基北海王 漢 539-350- 8
劉基吳 254-752- 4
377-317-119
384-544- 26
385- 61- 5
472-603- 25
476-699-137
劉基宋 見劉夢辟
劉基明 299-183-128
443- 2- 1
452-221- 6
453- 76- 7
453-516- 2
472-1055- 44
479-433-236
515-106- 60
523-349-162
526- 19-259
585-378- 7
588-180- 8
676-444- 17
679-624-199
820-561- 40
1225-479- 20
1225-485- 20
1225-487- 20
1225-488- 20
1280-622-102
1283-240- 85
1373-754- 21
1374-405- 62
1442- 4-附1
1455-326-210
1459-201- 3
劉堅潁陰長公主 漢 漢桓帝女
252-202-10下
373- 52- 19
劉堅宋 821-208- 51
劉堅元 1214-242- 20
劉堅妻 元 見謝氏
劉堅明 473-428- 67
481-418-314

559-323-7上
劉埜明 515-644- 77
1237-369- 11
劉乾趙王 漢 252-503- 44
375-132-79上
劉乾明(字仲坤) 505-883- 79
劉乾明(靖江人) 511-152-142
劉晝北齊 263-335- 44
267-576- 81
380-318-174
384-142- 7
505-870- 78
1401-460- 34
劉現宋 529-641- 48
劉規明(巴縣人) 480-128-264
559-354- 8
1467-156- 67
1467- 77- 64
劉規明(字應乾) 532-634- 43
1250-946- 89
劉都後唐 見王都
劉梓唐 480-181-266
劉梓明 511-594-159
劉棿漢 244-332- 59
250-307- 53
375-113-78下
劉陶劉偉 漢 253-205- 87
376-861-111上
384- 67- 3
402-543- 17
402-571- 19
459-255- 15
472-653- 27
472-764- 30
477-357-166
477-407-169
477-475-173
478- 85-180
537-309- 56
537-582- 60
554-100- 50
820- 33- 22
933-443- 30
劉陶晉 254-284- 14
377-125-115上
384-637- 38
386- 59-70中
劉陶明 567-125- 67
劉彬明(字素彬) 515-681- 78
563-794- 41
劉彬明(字宗文) 1407-378-429
1454-166-101
劉勔劉宋 258-537- 86
265-581- 39
370-486- 14
378-180-136
384-113- 6
472-411- 18
473-783- 85
475-427- 70
482-183-346
482-467-363
511-464-154
563-616- 38
567- 30- 63
933-451- 30
1467- 10- 62
劉教明(字見川) 505-684- 69
515-701- 79
劉教明(字道夫) 515-687- 78
567-127- 67
679-833-221
1467-112- 66
劉採妻 清 見何氏
劉掞宋 515-827- 83
1195-410- 8
劉捷清 1326-844- 8
劉授膠東王 漢 539-347- 8
劉爽漢 244-839-118
250-178- 44
251-666- 28
375- 98-78上
劉爽梁 486- 64- 3
劉敔宋 1106-208- 29
劉敔女 宋 見劉氏
劉敔明(泰和人) 567-112- 67
1467- 93- 65
劉敔明(字中和) 676-517- 20
劉張漢 252-500- 44
375-130- 79
劉通魏王 宋 284-860-242
288-494-463
382-776-119
400- 38-502
545-630-106
劉通女 宋 見劉皇后
劉通元(字仲達) 295- 73-152
399-396- 45
472-526- 22
476-526-128
劉通元(譙縣人) 295-608-197
400-316-526
472-204- 7
475-780- 89
511-651-162
劉通明(諸城人) 456-684- 11
540-836-28之3
劉通明(字季顯) 1241-564- 10
劉通妻 明 見翁氏
劉通清 456-386- 80
劉陵劉安安 漢 244-833-118
250-175- 44
375- 95-78上
劉陵漢(字孟高) 402-454- 9
473-143- 56
515-139- 61
515-290- 66
劉晟南漢 見漢中宗
劉晟明(山陽人) 511-458-154
劉晟明(字孔昭) 558-315- 34
劉異妻 唐 見安平公主
劉異宋 494-325- 6
劉累夏 404-401- 24
547-544-161
933-441- 30
劉崇任城王 漢(諡節)
253- 25- 72
375-143-79上
劉崇漢(劉敞子) 402-443- 9
劉崇北漢 見漢世祖
劉崇明 1236-802- 13
1410-382-714
劉崧宋 494-393- 11
933-468- 30
劉崧劉楚 明 299-302-137
453-125- 12
453-545- 5
472- 27- 1
473-150- 56
474- 94- 3
479-716-250
505-634- 67
515-632- 77
517-559-129
676-446- 17
821-344- 55
1232-700- 9
1237-214- 3
1238-108- 9
1242-374- 36
1405-621-300
1442- 6- 1
1459-241- 5
劉莊漢 見漢明帝
劉常唐 473-600- 76
529-684- 50
劉常宋(金陵人) 813-193- 19
821-161- 50
劉常宋(字子中) 1099-604- 14
劉莘明 516- 63- 89
劉茝明(涪州人) 559-355- 8
劉茝明(字文季) 570-214- 23
劉茝明 見劉蒞
劉畢漢 489-598- 47
劉冕宋 1130-576- 12
劉晞後晉 278-199- 98
劉晞宋 482-350-356
567-419- 85
585-777- 6
1467-176- 68
劉崑明 559-289-7上
劉崑明 見劉三吾
劉崑清(字隱之) 479-496-239
482-560-369
515-456- 70
劉崑清(巴州人) 481-158-298
559-533- 12
劉崑清(字玉巖) 569-680- 19
劉崑妻 清 見張氏
劉崙明 475-709- 86
511-338-149
1442- 58- 3
1460-172- 48
劉彪晉 255-793- 46
377-547-123
475-372- 68
劉彪明 493-760- 41
劉彪清 570-113-21之1
劉莫元 見劉士能
劉晨漢 472-1106- 47
485-556- 3
524-412-200

劉衆漢 535-551- 20
劉跂宋 674-828- 17
劉偲明 558-338- 35
劉得平原哀王 漢 539-351- 8
劉終淄川王 漢 252-504- 44
375-134-79上
539-350- 8
劉終漢 見劉祉
劉偘明 516-513-106
劉偁宋 476-656-135
劉偁清 478-405-194
554-737- 61
劉紹晉 見劉劭
劉紹廬陵王 劉宋 258-217- 61
265-216- 13
375-266- 81
488-174- 8
劉紹明(瑞州人) 472-646- 26
537-279- 55
劉紹明(字繼芳) 494- 22- 2
554-282- 53
劉紹明 見劉子
劉釪明 299-601-162
473-155- 56
515-677- 78
523- 42-148
528-452- 29
569-650- 19
1249-473- 31
劉偉漢 見劉陶
劉偉明(朝邑人) 494- 57- 2
545-148- 88
547-524-160
554-988- 65
劉偉明(關中人) 1458- 78-420
1458- 80-420
劉偉清 479-403-235
523-237-156
劉統明 456-531- 6
劉統妻 清 見趙氏
劉紳妻 清 見范氏
劉參代王、太原王 漢(謚孝)
244-321- 58
250-206- 47
375-102-78下
544-197- 62
劉參漢(南鄉侯) 252-507- 44
375-136-79上
劉敘宋 528-548- 32
劉敏漢 252-506- 44
劉敏蜀漢 254-672- 14
384-475- 14
385-192- 22
473-389- 65
533-271- 56
559-242- 6
820- 45- 22
劉敏劉玉出干、劉烏楚肯、劉謌楚肯 元 295- 82-153
399-433-459
472-154- 5
474-517- 25
505-780- 73
821-288- 53
1191-308- 28
劉敏明(字好學) 299-309-138
474-311- 16
505-904- 80
537-517- 59
劉敏明(知道州) 473-387- 65
532-719- 45
劉敏明(字孟功) 493-1049- 55
820-577- 40
劉敏明(與倭寇戰之)
523-234-156
劉敏明(直隸大興人)
545-147- 88
劉敏妻 明 見揭氏
劉啟漢 見漢景帝
劉啟母 明 見楊氏
劉健元 295-588-195
400-269-521
劉健明 299-855-181
452-151- 2
453-621- 19
458- 36- 2
472-753- 29
477-316-164
537-519- 59
劉逖北齊 263-350- 45
266-865- 42
380-386-176
511-788-166
820-121- 25
1395-603- 3
劉滋唐 270-619-136
274-649-132
384-227- 12
395-599-235
933-456- 30
劉滋宋 460-100- 6
473-615- 77
481-642-330
528-504- 31
529-592- 47
1146-120- 90
劉滋金 546-634-136
劉滋明 821-459- 57
劉滋清 569-620-18下之2
劉滋妻 清 見徐氏
劉渢齊 265-1044- 73
380-101-167
472-772- 30
477-373-167
538- 64- 6
933-453- 30
1152-262- 79
劉就漢 535-551- 20
539-345- 8
劉斌前燕 496-383- 87
劉斌劉宋(吳郡太守)
493-676- 37
劉斌劉宋(有詩黍離圖傳於代)
812-329- 6
821- 19- 45
劉斌隋 264-1080- 76
267-625- 83
380-403-176
劉斌宋 288-409-456
400-298-524
472- 95- 3
474-653- 34
劉斌元 295- 79-152
399-420-457
472-526- 22
476-526-128
540-776-28之2
劉斌明(崇明人) 474-817- 44
502-281- 56
劉斌明(長治人) 547- 35-142
劉馮隋 1401-590- 40
劉尊瑯邪王 漢 253- 29- 72
375-146-79上
539-350- 8
劉富漢 250- 69- 36
375- 71-78上
劉富宋 564- 39- 44
劉富明 540-803-28之3
劉富妻 明 見李氏
劉湘明 1475-295- 12
劉渭宋(象山人) 487-120- 8
劉渭宋(六合人) 533-745- 73
劉渭金 1200-757- 58
1373-432- 27
劉渭金 見劉章
劉童漢 535-551- 20
劉童明 473-605- 76
483-200-388
569-676- 19
劉詞後周 278-381-124
279-324- 50
384-313- 16
396-435-295
505-773- 73
532-570- 40
劉詔唐 820-177- 27
劉詔明 302-324-306
劉焞宋 473-516- 71
559-385-9上
585-767- 5
劉翔明(字虛谷) 515-546- 74
676- 27- 1
678-444-112
劉翔明(鄄城人) 540-796-28之3
劉翔妻 清 見楊氏
劉善明(泰安州人) 483-306-395
571-544- 20
劉曾劉秀發 宋 451-100- 3
劉曾清 478-133-181
554-540-57下
劉普北海王 漢 252-502- 44
375-132-79上
539-350- 8
劉普女 漢 見劉氏
劉渾武昌王 劉宋 258-447- 79
265-240- 14
375-289- 82
劉湛劉宋(字弘仁) 258-313- 69
265-528- 35
370-442- 12
378-149-135
384-112- 6

472-194- 7
472-394- 17
472-772- 30
473-143- 56
475-809- 91
510-488-118
515-140- 61
537-542- 59
933-451- 30
劉湛宋 481-385-312
劉湛明 563-790- 41
564-826- 60
567-305- 77
1467-191- 69
劉湍妻 後漢 見李氏
劉焯隋 264-1061- 75
267-593- 82
380-334-174
384-158- 8
472- 91- 3
474-602- 31
474-641- 33
505-875- 78
678- 85- 78
683-858- 上
劉焜妻 清 見高氏
劉焜女 清 見劉氏
劉渤宋 559-383-9上
劉渤妻 明 見王氏
劉湧明 472-504- 21
劉湯清河王、劉陽 漢
250-206- 47
375-102-78下
539-346- 8
劉寔劉實 晉 255-719- 41
377-496-122
384- 91- 5
472-523- 22
472-570- 24
476-521-128
540-713-28之1
933-445- 30
劉渠明(諡烈愍) 301-566-271
456-455- 4
502-298- 76
劉渠明(字清甫) 571-519- 19
劉湜宋 286- 40-304
397-245-333
472-412- 18
473-672- 79
475- 69- 52
475-429- 70
478- 89-180
481-153-298
488-386- 13
511-225-144
554-239- 52
563-667- 39
劉湜明 472-696- 28
劉渙魏 254-280- 14
377-121-115上
劉渙宋(字仲章) 286-303-324
397-435-345
472- 53- 2
472-106- 4
472-126- 4
472-602- 25
474-236- 12
474-241- 12
474-470- 23
476-429-121
476-697-137
505-655- 68
505-732- 71
540-652- 27
545-136- 87
674-655- 7
933-463- 30
劉渙劉煥 宋(字凝之)
288-252-444
382-567-87下
400-665-562
471-710- 17
471-734- 20
472-196- 7
473- 76- 52
473-167- 57
479-582-243
510-477-118
515-463- 71
517-420-126
517-431-126
585- 35- 3
1094-630- 68
1112-205- 18
1115-354- 41
1345-567- 0
1345-572- 0
1345-575- 0
劉渙宋(字孟潛) 460-171- 10
529-759- 53
劉渙宋(典遼州) 545-383- 97
劉渙妻 宋 見錢氏
劉渙金 見劉煥
劉渙鎦渙 元 524-325-195
1391-612-338
1439-445- 2
1459-464- 15
劉渙劉煥 明 473- 45- 50
473-303- 62
479-527-241
515-222- 63
533-212- 53
劉竧宋 見劉翊
劉敦宋 517-338-124
劉雲東平王 漢 250-725- 80
375-126-78下
539-347- 8
劉雲唐 820-225- 28
劉琮漢 254-136- 6
377- 54-113下
385- 65- 5
劉琮西河王 蜀漢 544-201- 62
560-594-29下
劉琮宋(字粹老) 515-584- 75
劉琮宋(廬陵人) 821-185- 50
劉琮女 宋 見劉孟溫
劉琮元 540-777-28之2
劉琮明(金華人) 473-195- 58
515-258- 65
523-561-174
劉琮明(任丘丞) 494- 23- 2
劉琮明(字公贊) 1475-234- 10
劉琪元 510-485-118
劉琪妻 清 見李氏
劉琪妻 清 見張氏
劉惠武安公主 漢 宋稜妻、漢明帝女 252-201-10下
373- 51- 19
劉惠漢 505-795- 73
劉惠明(掌金山衛事)
472-240- 9
劉惠明(思州人) 483-340-398
劉惠妻 明 見居氏
劉博任城王 漢 253- 25- 72
375-143-79上
劉越廣川王 漢(諡惠)
244-332- 59
250-304- 53
375-111-78下
485-346- 1
劉越漢(仙人) 516-479-105
劉越宋 286- 18-303
397-229-333
472-132- 4
474-477- 23
477-472-173
477-542-176
505-775- 73
558-194- 31
558-207- 32
劉越妻 明 見孫氏
劉越妻 明 見鄭氏
劉賁宋 516- 99- 91
劉撝金 472-483- 21
546-676-137
1200-756- 58
1373-432- 27
劉閎齊王 漢(諡懷)
244-337- 60
244-340- 60
250-451- 63
375-116-78下
539-347- 8
1412- 91- 5
劉閎漢(吳郡王) 583-797- 26
劉賀昌邑哀王 漢(諡哀)
250-457- 63
375-121-78下
539-347- 8
劉賀泗水王 漢(諡戴)
539-347- 8
劉巽宋 288-476-462
劉隅明 540-806-28之3
1263-473- 2
1442- 51- 3
1460- 85- 44
劉琯明(諡節愍) 456-550- 7
483-250-391
572- 87- 29
劉琯明(海陽人) 567-101- 66
1467- 77- 64

劉琯女 清 見劉氏
劉琚女 宋 見劉氏
劉琚元 1219-741- 8
劉琚明 567-308- 77
1467-195- 69
劉超晉 256-181- 70
370-314- 7
377-751-126
384- 98- 5
472-171- 6
472-552- 23
475- 68- 52
475-212- 60
476-782-141
489-598- 47
489-663- 49
491-799- 6
494-262- 1
510-308-113
540-715-28之1
684-532- 3
814-235- 5
820- 59- 23
933-447- 30
劉超明 302-389-308
劉喜代王 漢(字仲)
244-272- 50
539-348- 8
544-197- 62
劉喜城陽王、淮南王 漢(謚共)
244-282- 52
250-104- 38
375- 88-78上
539-345- 8
劉喜齊王 漢(謚頃)
252-500- 44
375-131-79上
539-350- 8
劉喜劉嘉 漢(字共仲)
252-593- 51
370-127- 10
376-593-106
劉喜漢(葉平侯) 535-551- 20
劉喜漢(觀津侯) 539-351- 8
劉植漢 252-593- 51
370-127- 10
376-593-106
384- 56- 3
474-602- 31
505-783- 73
劉植元 559-397-9上
劉朝明 302-292-305
劉盛明 541-112- 31
劉盛妻 明 見翟氏
劉雄魏 681-298- 20
劉雄宇文雄 北周 263-645- 29
267-347- 66
379-636- 58
472-905- 36
478-487-199
558-412- 37
劉雄金 472-149- 5
劉雄明 299-761-175
481- 24-291
511-498-156
劉雄妻 明 見何氏
劉隆漢 252-602- 52
370-124- 10
376-599-106
384- 56- 3
402-372- 4
472-769- 30
477-363-167
537-534- 59
539-351- 8
567- 19- 63
933-442- 30
劉隆漢 見漢殤帝
劉隆明(廬陵人) 472-394- 17
510-490-118
劉隆明(字尚文) 473- 89- 52
516-127- 92
劉隆明(字守庸) 481-722-333
529-635- 48
劉隆明(字大昌) 523-376-164
584-267- 10
劉閏宋 288-410-456
400-299-524
劉⿱癶言隋 263-350- 45
劉⿱癶言宋 484-381- 28
劉登濟北王 漢 253-188- 85
375-153-79上
539-350- 8
劉登清 456-332- 76
劉登妻 清 見賈氏
劉琬漢 253- 16- 72
375-137-79上
539-350- 8
劉琬明 561-203-38之1
劉琬妻 明 見葉氏
劉琦漢 254-136- 6
377- 54-113下
385- 65- 5
劉琦宋 286-266-321
382-509- 78
397-412-344
384-373- 19
472-359- 15
472-1052- 44
475-607- 81
477-359-166
511-296-148
523-240-157
劉琦宋 見劉錡
劉琦張琦 元 295-611-198
400-318-526
473-317- 62
480-407-277
480-464-279
劉琦明(字廷珍) 300-385-206
478-419-195
503- 11- 90
554-663- 60
劉琦明(沙縣人) 821-408- 56
劉琥宋 1161-489-117
劉琨漢 見劉昆
劉琨晉 256- 58- 62
370-291- 5
377-673-125
384- 97- 5
469-512- 62
472- 88- 3
472-429- 19
474-373- 19
475-868- 95
505-627- 67
505-747- 72
544-203- 62
545- 3- 83
814-234- 4
820- 55- 23
839- 39- 4
933-446- 30
1370- 83- 4
1379-332- 41
1395-589- 3
劉琨清 456-331- 76
劉堯妻 明 見顏氏
劉堪鎦堪 元 820-532- 38
1221-599- 21
1439-448- 附
1475- 98- 4
劉堪妻 明 見胡氏
劉揮明 483-200-388
570-125-21之1
劉揖梁懷王 漢 250-206- 47
375-103-78下
535-551- 20
劉軻唐 473-683- 79
482- 76-341
511-789-166
516-214- 96
518-122-140
518-123-140
564- 31- 44
679-391-177
680- 76-230
劉弻明 523-174-154
劉開河間王 漢 253-188- 85
375-153-79上
402-552- 18
劉開元 516-525-106
劉開妻 元 見張氏
劉肅東海王 漢 253- 16- 72
370-106- 7
375-137-79上
402-344- 2
539-350- 8
劉肅宋 1142-494- 4
劉肅元(字才卿) 295-178-160
399-555-475
451-625- 10
472-116- 4
474-372- 19
474-407- 20
474-439- 21
477-409-169
505-633- 67
505-764- 72
677-460- 42
1201-192- 82
劉肅元(字子威) 1439-442- 2

劉肅明(知黃州) 473-211- 59
劉肅明(字敬之) 559-380-9上
劉軫唐 820-196- 27
劉陽漢 見漢明帝
劉陽漢 見劉湯
劉陽魏 511-579-159
劉陽明(字一舒) 457-305- 19
458-905- 8
475-421- 70
479-725-250
510-400-115
515-701- 79
劉陽明(太原人) 547- 5-141
劉雯元 515-628- 76
劉琛宋 529-759- 53
劉琛明 554-818- 63
劉琛妻 明 見林氏
劉琢金 1445-677- 52
劉琢明(知弋陽) 515-200- 63
劉琢明(字玉伯) 537-247- 55
劉琰蜀漢 254-635- 10
377-283-118下
384-470- 13
385-178- 20
447-189- 7
559-292-7上
933-445- 30
劉琰明(字廷榮) 482-115-343
563-784- 40
劉琰明(襄陵人) 547- 15-141
劉琰明(宜川人) 554-818- 63
劉琰明(衡陽人) 1467- 84- 65
劉琰清 479-457-237
515- 74- 58
劉琰妻 清 見陳氏
劉琳妻 明 見張氏
劉逵唐 481-523-326
528-436- 29
劉逵宋 286-665-351
382-667-103
397-715-363
473-269- 61
480-203-267
481-585-328
529-529- 45
484-100- 3
533- 67- 49
劉逵明 458-166- 8
472-665- 27
477-453-171
537-579- 60
劉逵妻 明 見管氏
劉敢漢 488- 71- 6
489-598- 47
劉堧元 820-528- 38
1439-446- 2
劉軼漢 253-522-109上
370-167- 16
380-261-172
459-830- 50
538- 20- 62
劉揆宋 1170-567- 21
劉棟唐 541- 89- 30
劉棟宋 523-169-154
劉棟明 523-309-160
676-542- 22
1442- 45- 3
劉閔明 302-166-298
460-558- 55
481-557-327
511-668-163
529-511- 44
680- 48-229
1249-814- 9
1263- 96- 16
劉發長沙王 漢 244-331- 59
250-303- 53
375-110-78下
567- 2- 62
劉發宋 484-384- 28
劉買梁王 漢 244-324- 58
375-103-78下
539-346- 8
劉景定陶王、信都王 漢(定陶王) 250-726- 80
375-125-78下
劉景城陽王 漢(諡孝)
539-345- 8
劉景宋 482-356-356
567-460- 87
585-781- 7
1467-516- 11
劉景遼 289-624- 86
399- 21-418
472- 70- 2
474-311- 16
505-740- 72
劉景不詳 1061-288-112
劉貴北齊 263-146- 19
267-121- 53
379-371-152
544-210- 62
545-547-103
劉貴明 483-340-398
571-549- 20
劉貴妻 明 見葛妙聰
劉著女 北魏 見劉皇后
劉著金 1365- 44- 2
1439- 2- 附
1445-123- 7
劉凱宋 484-385- 28
劉凱明(字少川) 532-732- 46
567-338- 79
劉凱明(字原舉) 1242-851- 10
劉華女 漢 見劉瑶英
劉華明(江西人) 545-402- 98
劉華明(字世美) 1258-778- 8
劉晛唐 270-248-102
274-648-132
384-202- 11
395-599-235
933-456- 30
劉晫妻 清 見趙氏
劉鄂宋 515-598- 76
劉單唐 821- 68- 47
劉單子 唐 821- 95- 48
劉嵒明 537-249- 55
劉棠劉鐘眞 宋(字仲美)
448-385- 0
劉棠宋(字君美) 473-654- 78
529-751- 51
劉敞漢 252-503- 44
370-106- 7
375-133-79上
402-344- 2
533-224- 54
劉敞晉 591- 69- 5
劉敞宋(字原父) 286-234-319
382-488- 76
384-369- 19
397-391-343
449-184- 4
450-466-344
459- 52- 3
471-741- 21
472-290- 12
472-545- 23
472-789- 31
472-826- 33
473-127- 55
475-365- 67
476-817-143
478- 90-180
479-678-248
510-387-115
515-517- 73
537-325- 56
540-669- 27
554-146- 51
587-718- 17
674-281-4下
678-688-135
681-440- 0
684-490- 下
708-337- 50
820-365- 33
933-463- 30
1096-339- 35
1102-280- 35
1102-383- 50
1106- 91- 13
1362-638- 51
1375- 32- 下
1378-542- 61
1383-600- 53
1410-308-704
1437- 12- 1
劉敞從兄 宋 1095-705- 35
劉萇樂成王 漢 253-129- 80
370-109- 7
375-148-79上
劉萇妻 漢 見董氏
劉棻漢 820- 27- 22
劉棻梁 480-435-278
劉棻妻 明 見蔡氏
劉逴明 458-172- 8
1442- 76- 5
劉晙魯文王 漢 539-346- 8
劉最漢 535-553- 20
劉最明 300-404-207
479-660-247
515-790- 82

529-757- 52
劉蛟明 572-108- 30
劉愬妻 清 見紀氏
劉然明 511-881-171
劉順漢 252-506- 44
375-135-79上
402-552- 18
475-834- 93
510-497-118
539-351- 8
劉順金 1218-584- 1
劉順元(字子謙) 524-167-186
劉順元(和尚) 820-551- 39
劉順明(字惟理) 528-561- 32
劉順明(厭次人) 532-731- 46
劉順明(字孝夫) 554-846- 63
劉順明 楊伯成妻、劉均助女
1240-258- 16
劉鈞陳王 漢 253-127- 80
375-146-79上
劉鈞唐 820-213- 28
劉鈞北漢 見漢睿宗
劉鈞宋(字子平) 516-157- 94
劉鈞宋(開封人) 538- 37- 63
劉鈞明(定興縣縣丞)
494- 41- 3
劉鈞明(姚安所人)
570-120-21之1
劉筈曹王、滕王、鄭王 金
291-158- 78
399-111-426
劉智晉 255-723- 41
377-497-122
472-570- 24
476-521-128
540-713-28之1
933-445- 30
劉智元 1201-703- 28
1367-679- 52
劉智明 472-458- 20
476-395-119
545-462-100
劉智妻 明 見艾氏
劉喬晉 256- 55- 61
377-672-125
384- 93- 5
472-772- 30
477-370-167
537-540- 59
933-446- 30
劉喬劉宋 1063-767- 3
1415- 65- 85
1410-511-731
劉喬明 473-156- 56
515-679- 78
523-119-151
1250-838- 80
劉皓明 529-699- 50
劉循明 1239- 46- 29
劉絅宋 484-375- 27
劉絢宋 288- 24-428
400-461-543
448-472- 8
449-712- 6
472- 96- 3
472-489- 21
476-150-104
478- 91-180
479-355-233
523-618-177
538- 12- 61
545-213- 91
674-176-1下
劉絢明 1271- 50- 5
劉舜常山憲王 漢 244-332- 59
250-307- 53
375-113-78下
劉銃明 299-675-168
476-672-136
676-599- 24
劉舒宋 476- 78-100
545-475-100
劉甝明 545-480-100
劉備蜀漢 見漢昭烈帝
劉鈁妻 明 見董氏
劉勝中山王 漢(諡靖)
244-331- 59
250-301- 53
375-109-78下
劉勝平原王 漢(諡懷)
253-190- 85
370-110- 7
375-155-79上
402-347- 2
539-351- 8
劉勝漢(朝陽侯) 535-551- 20
劉勝明 1467- 77- 64
劉欽淮陽王 漢 250-719- 80
375-124-78下
489-598- 47
535-551- 20
劉欽女 漢 見劉元
劉欽安邑王 晉 544-204- 62
劉欽宋 515-609- 76
劉欽元 554-758- 62
劉欽明(字子時) 460-102- 6
劉欽明(鄧州人) 494- 23- 2
劉欽明(館陶人) 545-480-100
劉策明 301-204-248
505-659- 68
劉斐妻 清 見彭氏
劉傑元(號萊山) 472-604- 25
劉傑元(尹陽縣令) 472-741- 29
劉傑元(金谿人) 473-116- 54
515-770- 81
537-301- 56
劉傑元(字漢卿) 1201-166- 80
劉傑明(知唐縣) 472- 51- 2
劉傑明(字仁傑) 479-319-232
516- 65- 89
523-189-155
劉傑劉杰 明(字季俊)
524- 21-179
1247-542- 24
1475-207- 9
劉傑明(江陵人) 533-210- 53
劉傑明(榆林人) 554-369- 54
劉傑明(字士英) 554-477-57上
劉傑明(兵科給事中)
569-617-18下之2
劉傑明(臨汾人) 569-664- 19
劉傑明(字漢卿) 1278-449- 22
劉傑妻 明 見陳氏
劉進妻 漢 見王翁須
劉進金 1218-584- 1
劉進妻 金 見董氏
劉進明(崇禎16年卒)
456-612- 9
劉進明(字文升) 458-157- 8
472-795- 31
538-122- 64
劉進明(知建寧) 473-641- 78
劉進明(成都人) 559-348- 8
劉進明(義勇) 584-272- 10
劉進明(善畫魚) 821-408- 56
劉進妻 明 見包氏
劉復漢 252-502- 44
375-132-79上
劉復五代 546-723-139
劉復明 473-641- 78
劉桀宋~元 見劉應李
劉桀明(江西安成人)
820-658- 42
劉桀明(字世信) 1267-333- 36
劉桀清 478-247-186
540-871-28之4
劉象唐 1142-531- 6
劉象明 481-745-334
528-561- 32
劉觚明 1241-163- 8
劉溱明 546-306-125
劉溥宋 1104-668- 12
劉溥明 301-829-286
475-133- 56
493-1032- 54
511-736-165
676-501- 19
1318-357- 63
1386-470- 46
1386-668- 56
1442- 28- 2
1459-656- 25
劉溥妻 清 見王氏
劉源唐 270-713-143
478-433-196
劉源宋(遂寧人) 471-992- 59
473-490- 70
559-295-7上
劉源宋(字叔清) 475-528- 77
511-472-155
劉源金 476-893-147
劉源元(中牟人) 295-612-198
400-318-526
477- 85-152
538- 79- 64
劉巨川元 1197-718- 74
劉源元(奉詔使緬國)
569-616-18下之2
劉源明(字大本) 558-295- 34
劉源明(陽江人) 564-211- 46
劉源明 見劉本源
劉滁宋 1142-493- 4

劉意下邳王 漢 253-130- 80
375-148-79上
劉愼妻 明 見張氏
劉愼妻 清 見郎氏
劉熉妻 清 見郭氏
劉鷹明 524- 91-182
558-474- 40
676-482- 18
1442- 19- 1
1459-559- 19
劉祺清 483-228-390
571-557- 20
劉義代王、清河王、劉毅 漢(諡剛) 244-322- 58
250-206- 47
375-102-78下
539-346- 8
劉義城陽王 漢(諡敬)
539-345- 8
劉義女 宋 見劉氏
劉義金 547- 86-144
劉義元 1214-254- 21
劉義明 510-313-113
劉溶元 472-225- 10
475-214- 60
510-361-114
劉溶妻 清 見趙氏
劉溫明 540-792-28之3
劉滄唐 1365-443- 5
1371- 72- 附
劉滄明 1467- 77- 64
劉靖魏(諡景) 254-295- 15
377-133-115下
385-401- 43
472-411- 18
474- 89- 3
475-697- 86
475-747- 88
511-342-149
537-193- 54
933- 44- 30
劉靖魏(字文恭) 1398-468- 20
劉靖宋(郃陽縣人) 554-754- 62
劉靖宋(四川人) 561-609- 46
劉詡宋 484-383- 28
劉詡明 見劉子輔
劉詢漢 見漢宣帝
劉詢蜀漢 見劉恂
劉詮宋 484-385- 28
劉雍明 473-623- 77
481-719-333
528-551- 32
劉雍妻 清 見連氏
劉愷漢 252-833- 69
370-175- 17
380- 77-167
384- 63- 3
402-526- 15
475-424- 70
511-220-144
511-579-159
675-263- 7
680-668-285
933-443- 30
劉愷宜陽王 劉宋 258-311- 68
265-224- 13
375-274- 81
劉愷明(字承華) 505-812- 74
576-643- 4
劉愷明(字伯和) 511-368-150
劉煋劉星 明 456-486- 5
477- 89-153
538- 42- 63
劉煌妻 清 見杜氏
劉裕漢 見劉祐
劉裕劉宋 見宋武帝
劉裕女 明 見劉氏
劉滓宋 475-366- 67
劉準劉宋 見宋順帝
劉準宋 524-283-192
劉準明 302-148-297
474-410- 20
505-909- 81
劉準女 明 見劉氏
劉詳宋 484-389- 28
劉詵宋 288-256-444
400-669-562
473-571- 74
481-527-326
529-437- 43
劉詵元 295-538-190
400-699-567
473- 50-150
479-716-250
515-614- 76
1195-207- 附
1195-210- 附
1210-120- 10
1439-434- 1
1458- 67-419
1470-475- 15
劉鄗南唐 1085-130- 16
劉鄗元 1373-432- 27
劉煇劉輝 宋 473- 62- 51
485-519- 10
515-855- 85
674-819- 17
1099-754- 13
劉煇明 538-354- 71
劉煒宋 494-349- 7
劉煒明 299-632-164
479-182-225
481-804-338
523-290-159
563-737- 40
劉煓漢 見劉太公
劉滂宋 523-402-165
1128-266- 27
1128-403- 12
1223-522- 10
劉滂明 523-293-159
1261-584- 20
劉溓齊 265-1044- 73
380-101-167
劉歆劉秀 漢(字子駿)
250- 88- 36
375- 83-78上
384- 52- 2
475-424- 70
511-786-166
675-318- 19
933-442- 30
劉歆漢(字細君) 252-593- 51
376-593-106
370-127- 10
劉歆宋 678-144- 83
劉歆明 559-291-7上
劉裒劉宋 258- 23- 42
劉煖泗水王 漢 250-307- 53
375-114-78下
劉煥劉嗣明 宋(字章仲)
448-391- 0
484-390- 28
劉煥宋 見劉渙
劉煥劉渙 金 291-728-128
400-359-533
459-919- 56
474-166- 8
474-557- 28
474-653- 34
474-688- 37
496-373- 86
502-263- 54
505-665- 69
505-797- 73
545-407- 98
劉煥明(睢州人) 477-202-159
劉煥明(贛榆人) 511-593-159
劉煥明(字孟章) 515-639- 77
劉煥明(眞定藁城人)
683-125- 2
劉煥明(字士拯) 1238- 91- 8
劉煥明 見劉渙
劉煥妻 明 見任氏
劉煥妻 明 見李氏
劉煥清 547- 77-143
劉運元 1206-375- 附
1206-376- 附
劉道明 546- 89-118
劉遂趙王 漢 244-272- 50
250-100- 38
375- 91-78上
劉祿宋 472-894- 35
劉祿明(字惟學) 476-528-128
540-811-28之3
劉祿明 見劉子敏
劉廉妻 明 見杜氏
劉羨東海王 漢(劉祇子)
253- 16- 72
375-137-79上
539-350- 8
劉羨陳王、西平王、廣平王 漢(諡敬) 253-127- 80
375-146-79上
385- 59- 5
535-554- 20
劉瑀劉宋 258- 22- 42
265-254- 15
378- 5-131
384-109- 6
494-279- 3
933-450- 30

劉瑀明 494-159- 5
505-812- 74
545- 75- 85
569-679- 19
578-917- 25
683-204- 7
劉瑀妻 明 見陳氏
劉戴漢(前趙) 見漢昭武帝
劉截宋 285-244-262
396-554-303
472- 32- 1
505-879- 79
581-458- 94
劉賈荊王 漢 244-274- 51
250- 56- 35
375- 62-78上
劉賈漢(栒侯) 552- 15- 18
劉頍金 291-160- 78
劉戩明 561-200-38之1
劉損劉宋 258- 70- 45
265-284- 17
378- 36-131
475-118- 55
485- 67- 10
493-676- 37
511-222-144
523- 70-149
933-450- 30
劉楨劉禎 魏 253-561-110下
254-379- 21
380-348-175
384- 84- 4
384-651- 40
385-639-66下上
469-105- 13
472-551- 23
476-820-143
540-707-28之1
678-345-101
879-169-58上
1379-203- 26
1395-587- 3
劉楨劉宋 493-676- 37
劉楨元 見劉貞
劉楨明 299-131-123
1207-105- 6
劉感唐 271-487-187上
275-577-191
384-175- 9
400- 89-508
472-853- 34
472-877- 35
478-669-209
554-693- 61
558-188- 31
劉頊明 554-311- 53
劉隗晉 256-156- 69
370-296- 5
377-732-126
384- 98- 5
472-411- 18
511-221-144
933-446- 30
劉瑄明 533-347- 58
劉瑄女 明 見劉德順
劉瑄女 明 見劉德彝
劉聖漢 544-197- 62
劉塙明 457-614- 36
劉塔清 456-238- 68
劉搢清 511-364-150
劉椿宋 563-696- 39
劉楷明 456-659- 11
480-248-269
533-219- 53
劉楷清 475-612- 81
511-313-148
劉楷清 葉方藹妻 530-37- 54
劉楹妻 清 見孫氏
劉瑋金 291-352- 95
399-205-434
477-200-159
502-367- 62
545-372- 97
劉瑞明 300- 25-184
458-1031- 1
473-436- 67
481-388-312
523- 47-148
559-401-9上
劉瑞姊 明 見劉氏
劉瑜漢 253-211- 87
376-865-111上
384- 67- 3
470-222-123
472-293- 12
475-371- 68
511-460-154
劉瑜劉宋 258-568- 91
265-1032- 73
380- 91-167
472-395- 17
475-810- 91
511-656-162
933-453- 30
劉瑜金 291-719-127
400-307-525
476-752-139
劉瑜明(南昌人) 472-718- 28
473-790- 85
537-288- 55
1467- 58- 64
劉瑜明(字尚美) 820-620- 41
821-378- 55
劉馴妻 明 見徐氏
劉楫妻 元 見趙氏
劉楫明 529-687- 50
劉幹蜀漢 384-462- 12
劉幹北周 263-542- 17
267-337- 65
379-627-158
552- 46- 19
劉幹劉榦 宋 473-233- 60
480-170-266
劉幹宋(汶陽人) 494- 19- 2
554-272- 53
劉幹明 458- 75- 4
472-222- 8
472-721- 28
475-121- 55
493-758- 41
510-334-113
537-482- 58
劉群晉 256- 66- 62
377-677-125
933-446- 30
劉勤漢 534-942-120
劉勤明 554-760- 62
劉瑛明(息縣人) 473-299- 62
532-669- 44
劉瑛明(邳州人) 511-583-159
劉瑛妻 明 見竺氏
劉瑑唐 271-326-177
384-277- 14
396-226-272
477- 71-152
537-385- 57
545- 29- 83
938-458- 30
劉瑗宋 813-142- 12
820-406- 34
821-255- 52
劉瑗女 宋 見劉氏
劉楗清 474-188- 9
479-457-237
480- 14-257
505-725- 71
515- 69- 58
劉楚明 見劉崧
劉楚清 567-163- 69
劉達宋 471-668- 12
劉達女 宋 見劉氏
劉達明(字達夫) 554-342- 54
劉達明(安仲通) 1247-567- 26
劉達明～清(字未齋)
537-470- 58
劉達清(正黃旗人) 456-331- 76
劉遐晉 256-339- 81
377-866-129上
474-436- 21
505-759- 72
540-622- 27
933-447- 30
劉遐妻 晉 見邵氏
劉遐劉宋 258-119- 51
265-210- 13
375-260- 81
劉槩宋 1090-233- 8
劉槩明(濟寧人) 299-841-180
475-744- 88
510-472-117
劉槩明(字平甫) 473-270- 61
480-173-267
533-377- 60
劉彙唐 270-248-102
274-648-132
395-600-235
劉萬妻 明 見童氏
劉照唐 1065-170- 15
劉照宋 1146-120- 90
劉照元 1202-274- 19
劉照元～明 見劉昭
劉煦明 545-783-111

554-288- 53
劉煦妻 清 見李氏
劉愚宋 288-448-459
401- 32-571
473-315- 62
479-356-233
480-241-269
480-613-287
523-619-177
532-747- 46
1164-387- 21
劉愚妻 宋 見徐氏
劉睦北海王、劉穆 漢
252-501- 44
370-105- 7
375-131-79上
402-347- 2
402-551- 18
533-224- 54
539-350- 8
814-217- 2
819-558- 19
劉暄齊 259-435- 42
265-679- 47
378-262-138
933-451- 30
劉嵩後魏 266-408- 20
379- 4-146
劉嵩新興王 劉宋 258-566- 90
265-248- 14
375-297- 81
544-213- 62
劉嵩明 460-571- 57
劉嵩女 清 見劉氏
劉萼金 291-158- 78
劉萼明 1259-215- 16
劉鼎後漢 278-266-108
劉鼎宋 524- 74-181
劉鼎元(字子鉉) 518- 34-136
劉鼎元(字漢寶) 1202-273- 19
劉鼎女 元 見劉氏
劉鼎明(東寧衛人) 474-741- 40
502-782- 87
劉鼎明(字伯銘) 523-535-172
劉鼎明(富順人) 537-306- 56
劉鼎明(字士器) 1241-520- 9
劉鼎清 1325-295- 附
劉暉後魏 見劉輝
劉暐宋 482- 77-341
564- 57- 44
劉暐明 523-435-167
劉蛻唐 273-112- 60
473-302- 62
480-245-269
480-406-277
481-337-308
533-311- 57
561-212-38之2
591-360- 29
劉葵明 554-183- 51
劉敬婁敬 漢 244-652- 99
250-162- 43
251-546- 15
376- 77- 96
384- 37- 2
472-588- 24
476-660-136
491-794- 6
540-690-28之1
587- 84- 2
933-441- 30
933-487- 32
劉敬明(知建昌府) 473- 97- 53
劉敬明(字謙之) 481-723-333
529-698- 50
劉敬明(蠡縣人) 505-901- 80
劉敬明(字子欽) 515-655- 77
567-447- 86
1374-736- 94
1467-156- 67
劉敬明(字思恭) 528-527- 31
473-599- 76
1240-177- 12
劉敬明(武岡州人) 533-109- 50
劉敬明(字孟直) 1241-480- 7
劉敬妻 清 見王氏
劉虞漢 253-433-103
254-153- 8
377- 35-113下
384- 69- 3
402-472- 11
402-542- 17
402-595- 21
472- 26- 1
472-551- 23
474- 89- 3
476-609-133
476-780-141
499-412-157
505-626- 67
540-707-28之1
933-443- 30
劉粲漢(前趙) 見漢隱帝
劉粲妻 清 見胡氏
劉遇漢 544-198- 62
劉遇女 南唐 見劉氏
劉遇宋 285-208-260
396-532-302
474-338- 17
505-744- 72
劉遇金 1040-252- 5
1190-489- 41
劉遇明 554-347- 54
劉過宋 493-1070- 57
511-892-172
515-600- 76
683- 55- 3
1232-418- 3
1364-559-325
1386-388- 44
1437- 27- 2
劉過元 1210-118- 10
劉鉉劉鋐 明(字宗器)
299-615-163
452-243- 6
453-371- 8
472-230- 8
475-133- 56
493-983- 52
511-674-163
676-479- 18
820-625- 41
1244-623- 13
1255-389- 44
1280-544- 96
1284-131-146
1386-274- 39
1442- 22- 2
1459-585- 21
劉鉉劉鎔(六安人) 456-664- 11
劉鉉明(江陵令) 532-671- 44
劉鉉明(咸寧人) 545-149- 88
劉鉉明(字鼎貫) 1242- 26- 24
劉鉉妻 明 見汪守貞
劉鉉妻 明 見陸氏
劉鈺明(懷寧人) 472-339- 14
劉鈺明(字世美) 480- 90-262
510-362-114
533-191- 53
劉鈺女 明 見劉氏
劉鉞明(字仗德) 299-601-162
528-527- 31
劉鉞明(知建寧府) 473-599- 76
劉鉞明(撫寧人) 545-246- 92
劉鉞明(字廷威) 558-313- 34
劉鉞女 明 見劉氏
劉鉞女 明 見劉若蘭
劉頌晉 255-782- 46
377-544-123
384- 92- 5
492-293- 12
475-372- 68
475-741- 88
510-468-117
511-200-144
537-285- 55
933-445- 30
劉傳宋 見劉定國
劉傳元 1214-172- 14
劉傳明(蔚州人) 505-696- 70
505-860- 77
劉傳明(字良習) 820-717- 43
821-440- 57
劉頎妻 宋 見段氏
劉愈宋 524-229-189
1159-556- 34
1164-327- 17
劉愈清 511-570-158
劉紘清 569-619-18下之2
劉鉦明 554-875- 64
劉鈿明 546-647-136
劉筠宋 286- 48-305
371-134- 14
382-298- 47
384-343- 17
397-252-334
472-132- 4
472-324- 14
472-765- 30
474-476- 23
475-698- 86
476-610-133

505-774-73
510-461-117
511-913-173
537-312-56
540-639-27
674-277-4中
820-333-32
933-462-30
1362-577-38
1437-9-1
劉箏後魏 261-753-55
劉僅明 558-350-35
劉會金 476-333-115
546-404-128
劉會明(字嘉會) 475-836-93
511-506-156
劉會明(字望海) 523-163-153
529-549-45
676-173-7
劉會明(字子潄) 1239-217-41
1242-297-34
劉經明(順天人) 476-30-97
545-148-88
劉經明(北平都司) 505-634-67
劉經明(甘肅僉事) 510-383-115
劉經明(字引之) 511-228-144
劉經劉綸 明(字子綸)
1219-741-8
1232-251-5
劉經明(字順常) 1241-678-15
1442-25-2
1459-623-24
劉經明(焉陵人) 1467-121-66
劉經妻 明 見張氏
劉經妻 清 見王氏
劉節明 482-539-368
516-151-93
518-160-140
523-49-148
559-253-6
569-652-19
676-534-21
820-689-43
劉規明 523-157-153
劉毓明 1250-378-35
1255-701-72
劉犍後魏 261-374-23
劉微唐 485-72-11
劉微宋 見劉祀
劉微金 1365-289-8
1439-10-附
1445-521-39
劉遁宋 473-739-82
564-623-56
劉綎明 301-185-247
456-408-1
474-692-37
478-485-199
479-494-239
481-26-291
483-137-380
483-225-390
494-157-5
502-293-56
515-932-70
569-674-19
571-533-19
588-325-2
劉賓妻 清 見皮氏
劉實晉 見劉寔
劉實明 299-591-161
453-269-24
453-631-22
472-1027-42
473-153-56
479-319-232
479-721-250
482-89-342
515-667-78
523-189-155
563-776-40
676-70-3
676-100-3
679-629-200
820-611-41
劉演晉 256-67-62
377-678-125
476-474-125
933-446-30
劉演元 1224-297-24
1226-487-23
1258-172-429
劉演明 524-246-190
劉誠元 1197-640-65
劉誠妻 元 見張氏
劉誠明(字則明) 505-873-78
676-4-1
劉誠明(字伯實) 516-103-91
劉誠明(字敬之) 1249-447-30
劉誨宋 472-962-38
523-78-149
劉廙魏 254-386-21
377-171-116
384-84-4
384-652-40
385-649-66下上
472-771-30
477-370-167
538-143-65
814-230-4
820-40-22
933-444-30
劉禎魏 見劉楨
劉楨明 472-134-4
劉誥女 宋 見劉善敬
劉誥明 1467-123-66
劉誥清 554-793-62
劉韶隋 554-691-61
劉韶明 見劉季篪
劉熇明 510-473-117
劉福漢(粵人) 453-732-1
劉福漢(海常侯) 539-345-8
劉福留福 宋 285-412-275
371-166-17
396-670-315
472-50-2
472-113-4
472-311-13
474-235-12
475-429-70
505-630-67
511-225-144
劉福元(劉熙載父) 472-431-19
545-400-98
劉福元(蕭人) 511-581-159
劉福元(吉水人) 515-624-76
劉福元(字孟介) 1208-290-13
劉福明(字宗慶) 472-208-7
511-352-149
劉福明(建安人) 473-606-76
劉福明(重慶人) 474-337-17
505-636-67
劉福明(江都縣主簿)
494-42-3
劉福明(巴縣人) 559-509-12
劉福姑 明 見周氏
劉福妻 明 見賀氏
劉禋明 302-78-293
456-571-8
477-306-163
478-420-195
537-306-56
554-718-61
劉禋妻 清 見張氏
劉寧元 1217-753-6
劉寧明(字世安) 299-752-174
475-329-65
476-249-110
545-276-93
劉寧明(容城人) 505-901-80
劉寧明(汶上人) 540-785-28之3
劉寧明(吉水人) 559-270-6
劉寧妻 清 見李氏
劉慞明(字永濟) 478-489-199
558-297-34
劉漳明(贛縣人) 516-529-106
劉滸明 1255-712-73
劉漸明(清源庠生) 547-6-141
劉漸明(字進夫) 558-300-34
劉滬宋 286-304-324
371-193-19
382-392-61
384-357-18
397-436-345
472-878-35
474-240-12
478-544-202
558-194-31
劉寧宋 843-666-中
劉端膠西于王 漢 244-330-59
250-300-53
375-108-78下
539-346-8
劉端明(字季莊) 473-24-49
479-489-239
515-362-68
676-473-18
劉端明(寧鄉人) 473-340-63
533-452-63
545-890-114
554-339-54
劉端明(吳橋人) 505-904-80

十五畫 劉

劉端明(泗州人) 524-318-194
劉端女 明 見劉恭儉
劉齊廣川王 漢 244-332- 59
250-304- 53
375-111-78下
劉齊明 479-711-250
劉齊清 511-771-166
1326-843- 8
劉說漢 535-551- 20
劉瘉漢 見劉倫
劉粹晉 256-252- 75
377-797-127
475-748- 88
933-446- 30
劉粹劉宋 258- 66- 45
265-283- 17
378- 35-131
384-110- 6
472-274- 11
472-411- 18
475-426- 70
475-697- 86
480- 11-257
511-222-144
532-556- 40
933-450- 30
劉粹後魏 261-751- 55
劉粹明 472-741- 29
劉漢晉 254-519- 29
劉漢明(平魯衛人) 476-282-111
546-150-120
劉漢明(完縣人) 476-430-121
545-388- 97
劉漢明(揭陽人) 480-403-277
劉漢明(夷陵人) 533-487- 64
劉漢明(字天章) 570-138-21之2
劉漢妻 明 見張氏
劉漢妻 清 見吳氏
劉澈宋 1147-589- 55
劉歊劉冉 梁 260-442- 51
265-702- 49
380-461-178
384-116- 6
476-522-128
540-724-28之1
933-452- 30
劉慥妻 宋 見周氏
劉榮臨江閔王 漢 244-329- 59
250-297- 53
375-106-78下
554- 26- 48
劉榮劉江 明(謚忠武)
299-508-155
472-312- 13
474-690- 37
475-432- 70
511-400-151
1240-289- 17
劉榮明(洪洞人) 545-779-111
劉榮明(霍州人) 545-780-111
劉禔妻 明 見沈氏
劉瑄劉纘 劉宋 265-589- 39
378-253-138
511-876-170
812-332- 7
814-251- 6
820- 95- 24
821- 20- 45
933-451- 30
1379-602- 72
劉壽齊王 漢(謚懿)
244-281- 52
250-105- 38
375- 89-78上
539-345- 8
劉壽琅邪王 漢(謚共)
253- 29- 72
375-146-79上
539-350- 8
劉壽濟北王 漢(謚惠)
253-188- 85
375-153-79上
539-350- 8
劉壽不詳 879-163-58上
劉熙漢 453-745- 3
563-914- 43
567-422- 86
1467-137- 67
劉熙妻 元 見袁氏
劉熙明(鹿邑人) 456-679- 11
477-133-155
538- 87- 64
劉熙明(字和皞) 1262-416- 45
劉熙明 見劉孟雍
劉甄明 472-594- 24
劉甄妻 清 見李氏
劉酺漢 253-128- 80
370-109- 7
375-147-79上
劉輔漢(河間宗室) 250-690- 77
376-360-101
384- 50- 2
472- 66- 2
474-307- 16
505-737- 72
506-456-102
554- 34- 48
933-442- 30
1355-247- 9
劉輔沛獻王、中山王 漢(謚獻)
253- 16- 72
253-744- 1
402-344- 2
402-551- 18
370-106- 7
375-137-79上
552- 17- 18
680-148-239
劉輔女 清 見劉氏
劉摭明 456-549- 7
劉摶晉 540-645- 27
劉愿宋(天水人) 471-1058- 69
472-897- 35
1293-340- 19
劉愿宋(字恭叔) 515-465- 71
劉碩平原王 漢 539-351- 8
劉碩元 295-584-195
400-266-521
480- 51-259
533-359- 60
533-399- 61
劉臧梁 263-770- 42
劉戩宋 1119-321- 31
劉戩明 299-550-158
473-156- 56
479-723-250
515-680- 78
676-512- 20
1256-416- 27
劉頔唐 556-121- 85
1079-621- 56
劉臺明(字子畏) 300-751-229
479-726-250
515-711- 79
567-451- 86
1467-158- 67
劉臺明(江西人) 566-231- 42
劉臺妻 明 見王氏
劉嘉王嘉、燕王 漢(燕王)
250-455- 63
375-120-78下
劉嘉漢中王 漢(字孝孫)
252-506- 44
375-135-79上
533-225- 54
535-554- 20
552- 17- 18
劉嘉漢 見劉喜
劉碣妻 清 見趙氏
劉瑤安定王 蜀漢
560-594-29下
劉瑤妻 明 見高氏
劉瑤女 明 見劉葡萄
劉瑤清 547- 40-142
劉墉宋 1150-104- 12
劉髦明 473-152- 56
515-658- 77
1241- 87- 4
1242-102- 27
劉榦宋 見劉幹
劉聞劉文、鎦聞 元
515-620- 76
518- 29-136
676-711- 29
1439-433- 1
1471-436- 9
劉聚明 299-517-155
472-134- 4
劉瑴梁 260-345- 41
265-713- 50
378-383-141
523-166-154
933-452- 30
劉幹明 1262-390- 43
劉遜明(字時讓) 299-843-180
473-348- 63
479-402-235
479-723-250
515-678- 78
523-229-156
532-726- 46
559-301-7上

劉遜明(知盩厔縣) 472-827- 33
劉遜清 547- 25-141
劉蒜清河王 漢 253-187- 85
375-152-79上
劉蒼東平憲王 漢 253- 19- 72
370-107- 7
375-140-79上
384- 60- 3
402-345- 2
402-552- 18
407-436- 4
459-224- 14
539-350- 8
劉蒼明 820-642- 41
1263-513- 5
劉睿唐 820-177- 27
劉蒿後漢 見漢高祖
劉蒿宋 494-328- 6
劉暟清 477-125-155
537-260- 55
劉菑劉茝 明 300- 77-188
479-320-230
481-116-296
523-191-155
1458-554-454
劉暢梁節王、汝南王 漢
253-130- 80
375-148-79上
535-554- 20
劉蒙宋(字子明) 286-402-331
397-508-350
472-525- 22
472-766- 30
476-752-139
477-359-166
537-313- 56
540-764-28之2
劉蒙劉九哥 宋(字養正)
448-384- 0
劉蒙宋(字資深) 473-113- 54
515-738- 80
567- 60- 65
585-758- 4
劉蒙宋(揚州通判) 510-387-115
劉鳳明(字子威) 511-742-165
676-578- 24
1442- 59- 3
1460-174- 48
劉鳳明(字景儀) 524-183-187
劉鳳妻 明 見顧氏
劉熊漢 511-199-144
683-258- 6
1397-607- 32
劉嫖館陶公主 漢 陳午妻、漢文帝女 250-498- 65
376-248- 99
554- 42- 49
劉綜泗水勤王 漢 539-347- 8
劉綜宋 285-449-277
396-698-317
472-289- 12
472-430- 19
472-466- 20
475-364- 67
475-698- 86
476- 28- 97
476-122-102
476-912-148
478-452-197
510-461-117
537-204- 54
540-612- 27
545- 41- 84
546-286-124
558-136- 30
559-266- 6
劉綡明 559-356- 8
劉銘明 567- 89- 66
1467- 63- 64
劉銘女 明 見劉氏
劉銓宋(字子平) 460-102- 6
劉銓宋(字全之) 523-494-170
1151-632- 29
劉銓宋(字眞儒) 821-206- 51
劉銓明(江浦人) 511-513-157
劉銓明(字世衡) 678-447-112
劉稱齊 見劉瓛
劉稱明 1261-166- 13
劉僑明(字東鄉) 480-135-264
劉僑明(武平人) 529-700- 50
劉縉漢 544-197- 62
劉縉宋 511-430-153
劉緋明 505-896- 80
劉維明 533- 5- 47
劉肇漢 見漢和帝
劉肇明 571-540- 20
劉魁明(字煥吾) 300-446-209
457-308- 19
458-906- 8
477- 55-151
479-725-250
515-692- 78
537-345- 56
564-763- 60
676-596- 24
1442- 67- 4
1460-298- 53
劉魁明(字景星) 480-246-269
533- 75- 49
劉魁劉奎(字士元) 493-789- 42
510-405-115
540-792-28之3
683-204- 7
劉魁明(知潮州府) 564-826- 60
劉綽漢 473-389- 65
533-270- 56
劉綽宋 491-345- 2
劉綱漢 516-480-105
1059-288- 6
劉綱吳 479-193-225
486- 68- 3
486-334- 15
524-405-199
1141-799- 34
劉綱妻 唐 見樊氏
劉綱宋 484-374- 27
劉綱明(字正峰) 300-831-234
481-362-310
559-388-9上
劉綱明(字之紀) 301-741-281
458- 27- 2
478-573-203
515- 89- 59
537-595- 60
554-276- 53
558-211- 32
1250-845- 81
劉綱明(青州所千戶)
559-300-7上
劉綱明(麻城人) 563-752- 40
劉綯明 1467-118- 66
劉綸明 見劉經
劉綸明 533-111- 50
劉銖後漢 278-258-107
279-192- 30
384-305- 16
396-387-288
劉榘宋 485-534- 1
488- 14- 1
488-467- 14
劉槃明 1260-130- 6
劉徹漢 見漢武帝
劉綬劉緩、酈邑公主 漢 陰豐妻、漢光武帝女 252-200-10下
373- 51- 19
劉綬明 545-409- 98
劉綎明 554-876- 64
劉寬濟北王 漢(劉胡子)
250-180- 44
375- 99-78上
劉寬漢(字文饒) 252-649- 55
370-204- 21
375-633-107上
402-423- 7
402-485- 11
402-527- 15
402-576- 19
459-852- 51
472-765- 30
472-832- 33
477-357-166
478-340-191
537-309- 56
540-660- 27
554-428- 56
681-570- 11
681-677- 21
682-239- 4
933-443- 30
1061-279-111
1103-369-135
1397-523- 25
1397-657- 31
劉寬高密王 漢(謚懷)
539-347- 8
劉寬隋 475-428- 70
劉寬明(綏德衛人) 478-434-196
劉寬明(號心古先生)
478-613-205
558-357- 35
劉寬明(知程鄉) 563-793- 41
劉寬妻 明 見童氏

劉潔後魏 261-424- 28
266-507- 25
397- 58-147
384-130- 7
劉潔明 劉彥陽女 472-179- 6
475- 78- 53
劉潔明(知貴州) 472-367- 16
劉潔明(字清之) 545-845-113
劉潔明(沁源人) 546-338-126
554-279- 53
劉潔妻 明 見李氏
劉澍元 1192-561- 4
劉潢晉 256-252- 75
377-797-127
475-748- 88
933-446- 30
劉諒劉春 梁 260-287- 37
265-588- 39
378-376-141
933-451- 30
劉諒明 533- 8- 47
劉賡宋 491-345- 2
劉賡元 295-361-174
399-669-486
472-116- 4
474-440- 21
505-889- 79
820-494- 37
1207-248- 17
1367-870- 66
1439-427- 1
劉廣汝陽長公主 漢 漢順帝女
252-202-10下
373- 52- 19
劉廣沛王 漢 253- 17- 72
375-138-119上
劉廣濟南悼王 漢 539-350- 8
劉廣明(羅田人) 473-283- 61
480-131-264
533-369- 60
劉廣明(字若深) 516-173- 94
劉廣明(字元博) 821-483- 58
劉憬明 472-666- 27
劉瑩明 511-253-146
劉潼唐 275-140-149
395-742-248
472-825- 33
474-475- 23
505-773- 73
545-209- 91
554-329- 54
559-246- 6
933-457- 30
劉潛梁(字孝儀) 260-351- 41
265-588- 39
378-376-141
475-427- 70
479-284-230
511-788-166
523-166-154
933-451- 30
1387-149- 8
1394-471- 5
1395-597- 3
1401-321- 27
劉潛梁(赤城郡宋)472-1100- 47
劉潛宋 288-225-442
382-755-115
400-649-560
472-556- 23
472-602- 25
540-751-28之2
劉潛元 473-387- 65
480-541-283
532-718- 45
劉潛明 516-176- 94
劉潛妻 明 見胡氏
劉潮明(字主信) 515-686- 78
劉潮明 陳康妻 516-288- 99
劉潮明(字文淵) 546-494-131
劉潮明(榆林人) 554-365- 54
劉潤元 472-106- 4
472-626- 25
505-675- 69
1191-692- 6
劉潤明 1442- 95- 6
1460-558- 67
劉潤妻 明 見廉氏
劉澗妻 明 見胡寧貞
劉潺明 458- 84- 4
472-700- 28
537-455- 58
劉澄梁 265-999- 71
380-288-173
劉澄明 564-209- 46
劉誼明 558-299- 34
劉誼宋(字宜翁) 472-1002- 40
482-319-354
494-380- 11
494-437- 13
523-278-159
567- 62- 65
585-757- 4
1467- 36- 63
劉誼宋(長寧人) 592-730-108
劉憘劉宋 1061- 36- 85
1061-277-110
劉熠明 676-574- 23
1442- 66- 4
1460-292- 53
1475-308- 13
劉潭妻 明 見朱氏
劉禕廬江王、廬陵王 劉宋
258-444- 79
265-239- 14
375-287- 81
486- 37- 2
劉禕北齊 263-269- 35
劉毅漢 253-553-110上
380-340-175
476-663-136
933-444- 30
劉毅漢 見劉義
劉毅晉(字仲雄) 255-767- 45
377-534-123
384- 92- 5
472-458- 20
472-611- 25
476- 76-100
476-728-138
491-799- 6
537-195- 54
540-712-28之1
547-160-147
933-445- 30
劉毅晉(字希樂) 256-384- 85
370-394- 10
377-897-129下
384-100- 5
472-274- 11
472-788- 31
475-281- 63
475-363- 67
476-474-125
511-397-151
933-446- 30
劉毅明(鳳陽人) 518-776-161
劉毅明(武昌人) 559-303-7上
劉適明 1242-855- 10
劉誕竟陵王 劉宋 258-436- 79
262-408- 97
265-235- 14
375-283- 82
486- 37- 2
512-842-198
劉褒漢 812-315- 4
821- 8- 45
劉褒宋 529-742- 51
劉慶六安王 漢(劉寄子)
250-306- 53
375-113-78下
539-347- 8
劉慶清河孝王 漢(諡孝)
253-184- 85
370-109- 7
375-150-79上
402-347- 2
539-350- 8
劉慶妻 漢 見左小娥
劉慶元 523-170-154
劉慶明 533-415- 62
劉慶妻 明 見馮氏
劉歊孔歊 晉 486-349- 16
494-276- 2
814-238- 5
820- 74- 23
933-510- 34
劉歊後魏 261-751- 55
266-865- 42
379-244-150上
劉慧朱宣妻、劉芳女 明
483-251-391
572-114- 31
劉賢膠東王 漢(諡哀)
539-347- 8
劉賢漢(臨河侯) 544-191- 62
552- 15- 63
劉賢明 554-310- 53
劉賢妻 明 見鄭氏
劉賢妻 清 見張氏
劉憝元 1210-315- 8
劉憝明 300-336-203

515-707- 79
523-105-150
劉穎宋 見劉穎
劉勰劉宋 258-117- 51
494-279- 3
劉勰梁 見慧地
劉駕唐 451-458- 5
1371- 71- 附
1388-480- 81
劉霄晉 478- 85-180
劉瑾長沙王 劉宋 258-116- 51
劉瑾宋 286-423-333
397-527-352
515-578- 75
劉瑾元 473-150- 56
479-716-250
515-619- 76
678-430-111
劉瑾談瑾 明(興平人)
302-270-304
410-443- 95
443-161- 9
554- 86- 49
劉瑾明(知文安) 472- 27- 1
劉瑾明(澠池人) 472-752- 29
537-517- 59
劉駟明 見劉宗道
劉醇明 458-166- 8
472-666- 27
538-129- 65
676-373- 14
676-466- 17
劉韐宋 見劉韐
劉確宋 460-303- 20
劉韐劉韐 宋 288-278-446
382-723-111
383-849- 5
400-151-512
449-318- 3
460- 94- 6
471-660- 11
472- 86- 3
472-894- 35
472-904- 36
472-1067- 45
473- 13- 49
473-603- 76
474-371- 19
478-484-199
479-224-227
481-676-331
486- 51- 2
486-271- 13
505-670- 69
515- 82- 59
523-148-153
529-598- 47
554-202- 52
558-174- 31
558-229- 32
933-467- 30
1141-788- 32
1181-766- 11
劉霈清 482-352-356
567-373- 81
劉璋蜀漢 254-549- 1
377- 56-113下
377-260-118上
933-445- 30
劉璋妻 金 見樂氏
劉璋明(字廷信) 481-648-330
523- 42-148
529- 58- 46
676-503- 19
1257-204- 19
劉璋明(字尚德) 505-676- 69
554-486-57上
劉璋明(字仲綸) 1240-376- 24
劉璋明(字公策) 1247-551- 25
劉摯宋 286-512-340
382-576- 89
384-370- 19
384-378- 19
397-604-356
449-263- 12
450-764-13下
471-759- 24
471-780- 27
471-854- 38
471-926- 49
471-935- 50
472- 70- 2
472-127- 4
472-394- 17
472-677- 27
473-713- 81
474-311- 16
474-601- 31
475-809- 91
480-507-281
482-187-346
505-699- 70
505-740- 72
532-630- 43
537-255- 55
540-647- 27
541-111- 31
563-904- 43
674-342-5下
674-825- 17
708-343- 50
820-375- 33
933-465- 30
1099-445- 附
1110-154- 3
1362-595- 41
1394-438- 4
劉摯金 546-676-137
劉樞金 291-471-105
399-169-431
545-264- 93
劉鄩後梁 277-203- 23
279-128- 22
384-299- 16
396-337-282
933-460- 30
1383-714- 64
劉鼐妻 明 見丁氏
劉震宋 1098-706- 43
劉震元 1192-563- 11
劉震明(字道亨) 473-156- 56
515-679- 78
676-511- 20
1255-770- 76
劉震明(字伯威) 545-147- 88
劉霆宋 567-298- 76
1467-176- 68
劉璇清 474-442- 21
476-417-120
480-319-272
505-856- 77
533-392- 60
545-396- 97
劉璇妻 清 見夏氏
劉璉明(字孟藻) 299-187-128
453- 82- 7
479-433-236
1233-349- 附
1391-580-332
1442- 13- 1
劉璉明(大興人) 299-537-157
劉璉明(字廷璉) 472-178- 6
493-982- 52
505-634- 67
511- 96-140
劉璉明(字廷美) 482-372-357
516- 75- 90
567-107- 66
1467- 84- 65
劉穀明 515-636- 77
劉奭漢 見漢元帝
劉輮漢 402-396- 5
劉敷明 473-154- 56
515-673- 78
劉遷漢 244-833-118
250-176- 44
375- 95-78上
劉遷明 545-394- 97
554-669- 60
劉模後魏 261-670- 48
266-629- 31
379-132-148
475-782- 89
510-477-118
劉模明 564-101- 45
678- 21- 71
劉履明 472-1072- 45
524-288-192
1439-454- 2
劉蔚唐 820-255- 29
劉幟隋 472-641- 26
477- 49-151
537-347- 56
劉嶠宋 494-393- 11
933-468- 30
1128-235- 25
劉輝劉暉 後魏 261-803- 59
266-582- 29
375-289- 81
劉輝宋 見劉煇
劉輝遼 289-694-104
400-685-564

劉輝元 472-239- 9
475-176- 59
510-346-114
523-151-153
1215-688- 10
1221-419- 5
劉龍西漢 535-551- 20
劉賜衡山王 漢 244-839-118
250-178- 44
251-666- 28
375- 98-78上
552- 15- 18
劉賜漢(字子琴) 252-505- 44
375-134-79上
402-552- 18
533-225- 54
劉餘淮陽王、魯王 漢
244-329- 59
250-298- 53
375-106-78下
539-346- 8
劉鋐明 見劉鋐
劉領劉頜 宋 460- 99- 6
529-607- 47
劉稹唐 271- 90-161
276-234-214
384-276- 14
396-327-280
劉稽明 1475-191- 8
劉儀明 554-291- 53
劉儀妻 明 見李氏
劉僎妻 後漢 見李氏
劉儉漢 253- 16- 72
375-137-79上
劉質明 554-311- 53
劉德河間王 漢(謚獻)
244-328- 59
250-296- 53
375-105-78下
407-436- 4
459- 12- 1
469-540- 66
506-443-102
506-710-114
劉德漢(字路叔) 250- 70- 36
375- 71-78上
475-423- 70
478- 84-180
554- 93- 50
劉德晉 742- 29- 1
劉德廬陵王 劉宋 258-217- 61
劉德元 295-605-197
400-314-526
472-841- 33
478-125-181
554-757- 62
劉德明(字咸服) 523-236-156
劉德明(直隸人) 558-229- 32
劉德妻 明 見左氏
劉德清 456-331- 76
劉畿明 523-234-156
676-177- 7
1280-544- 96
劉翩劉宋 見劉翽
劉儁明(字子士) 299-490-154
453-585- 12
473-302- 62
480-246-269
533-384- 60
劉儁明(永新人) 515-667- 78
劉銳宋 288-324-449
400-180-514
451-224- 0
472-894- 35
478-716-211
558-233- 32
劉銳明(字伯剛) 481-783-337
529-650- 48
劉銳明(字蓄之) 1442- 68- 4
1460-308- 54
1475-264- 11
劉皡後周 278-432-131
劉緯蜀漢 見劉闡
劉緯元 295- 31-149
399-399-455
劉瑋妻 明 見祝氏
劉魴阜陵王 漢 253- 25- 72
375-143-79上
劉餗唐 270-248-102
274-649-132
395-600-235
933-456- 30
劉儆明 1255-616- 64
劉樂漢(安陽侯) 535-551- 20
劉樂漢(持裝侯) 535-552- 20
劉徵明 456-455- 4
劉緩漢 見劉綬
劉緩梁 265-1022- 72
380-370-176
933-453- 30
劉憲唐 271-576-190中
276- 69-202
400-598-555
477-127-155
933-459- 30
1371- 52- 附
1387-358- 26
劉憲明(靈石人) 302-153-297
476- 85-100
547- 17-141
劉憲明(字廷試) 473-341- 63
480-411-277
510-455-117
533- 97- 50
劉憲明(字君式) 506-550-105
劉憲明(字伯正) 554-296- 53
劉憲明(知奉化) 558-313- 34
劉諷漢 472-668- 27
538-349- 70
1061-280-111
劉諷宋 471-951- 52
劉憑漢 554-965- 65
劉憑明 821-370- 55
劉熾妻 明 見楊氏
劉熑妻 清 見劉氏
劉甯明 515-790- 82
676-546- 22
劉雍唐 270-713-143
275-126-148
395-734-247
478-694-210
933-456- 30
劉龍隋 264-986- 68
267-120- 53
267-720- 90
379-370-152
380-660-183
812-338- 8
劉龍明 545-847-113
550-125-213
676-529- 21
678-249- 94
680-311-256
1442- 39- 2
1459-800- 32
劉澣明 559-371- 8
劉澤琅邪王、燕王 漢
244-275- 51
250- 57- 35
375- 63-78上
539-348- 8
劉澤宋 820-365- 33
劉澤金 1365-284- 8
劉澤妻 元 見解氏
劉澤明(平陰人) 472-695- 28
537-267- 55
劉澤明(守冀寧道) 545- 78- 85
劉澤明(守惠民) 554-492-57上
劉澤明(鄠縣人) 559-298-7上
559-303-7上
559-308-7上
劉澤妻 明 見傅氏
劉辨漢 見劉辯
劉諶北地王 蜀漢 384-424- 5
386- 50-70上
560-594-29下
劉諶宋 1121- 77- 8
劉諤宋 481-549-327
528-473- 30
劉諤元 515-618- 76
劉諭明 1241-591- 11
1255-618- 64
劉懌後魏 261-750- 55
266-865- 42
379-244-100上
475-428- 70
劉燁宋 285-240-262
382-207- 30
384-342- 17
396-551-303
545-459-100
1090- 64- 13
劉濂明(字濬伯) 474-604- 31
505-785- 73
676- 6- 1
劉濂明(臨清人) 540-794-28之3
劉濂妻 明 見馬氏
劉澳明 1442- 95- 6
1460-558- 67
劉諫宋 1118-975- 66
劉慄漢 820- 36- 22
劉遵漢 544-201- 62

劉遵劉宋 258-122-51
511-402-151
劉遵梁 260-350-41
265-585-39
378-377-141
475-427-70
511-788-166
933-451-30
1387-153-9
1394-830-1
1395-597-3
劉遵宋 487-120-8
劉遵元 505-886-79
劉璜明 1242-55-25
劉璟明(字仲璟) 299-187-128
456-692-12
472-1055-44
479-434-236
505-695-70
523-421-166
676-472-18
1236-210-附
1442-17-1
1459-523-18
劉璟明(字德輝) 458-158-8
537-403-57
劉璟明(武陵人) 473-369-64
533-289-56
劉璣金(字仲璋) 291-378-97
399-221-435
540-768-28之2
581-510-99
劉璣金(咸平人) 505-670-69
劉璣明(字用齊) 472-842-33
473-87-52
473-359-64
515-107-60
532-707-45
545-188-90
554-485-57上
劉璣明(白水人) 554-665-60
劉熹魏 575-481-27
劉融元 821-289-53
劉頤明 523-82-149
劉橫菑川孝王 漢 539-346-8
劉機晉 488-97-7
劉機明(大興人) 299-537-157
劉機明(咸寧人) 476-79-100
劉機明(浙江巡撫) 676-200-8
劉機妻 清 見李氏
劉穎蜀漢 384-515-22
劉穎宋 287-516-404
398-501-398
472-173-6
472-1042-43
473-86-52
473-334-63
475-120-55
475-272-63
475-366-67
475-743-88
479-356-233
479-605-244
480-401-277
486-55-2
493-773-42
515-244-64
523-333-161
532-691-45
567-440-86
585-767-5
1164-365-20
510-344-113
劉穎明(平原人) 472-741-29
537-304-56
劉穎明(字時季) 515-790-82
523-202-155
567-117-67
568-33-98
劉臻東海王 漢 253-16-72
375-137-79上
539-350-8
劉臻妻 晉 見陳氏
劉臻隋 264-1069-76
267-621-83
380-397-176
384-158-8
472-201-7
475-748-88
511-821-167
1387-191-11
劉閼臨江王 漢 244-329-59
250-297-53
375-106-78下
劉璚明 676-475-18
劉璠晉 475-748-88
477-358-166
劉璠北周 263-770-42
267-407-70
379-681-159
384-142-7
472-411-18
475-372-68
478-514-200
511-788-166
544-220-62
劉駰元 見劉因
劉整魏 475-703-86
劉整唐 812-354-10
821-68-47
劉整宋 見邵整
劉整元 295-190-161
401-316-611
472-774-30
537-547-59
劉整明 546-361-127
劉翰宋(臨津人) 288-470-461
401-102-581
劉翰宋(字武子) 1364-435-305
1437-26-2
劉噩女 明 見劉二娘
劉擅宋 484-373-27
劉彊東海王 漢 253-14-72
370-106-7
375-136-79上
402-344-2
539-350-8
劉靜明 302-154-297
479-726-250
劉霖宋 473-528-72
481-116-296
559-509-12
561-212-38之2
561-472-43
591-625-45
劉霖元 453-792-3
473-150-56
515-624-76
676-317-11
劉璞晉 814-243-6
820-74-23
劉璞劉宋 812-330-6
821-19-45
劉璞明 476-674-136
476-788-141
478-93-180
540-822-28之3
554-294-53
劉璞清 538-116-64
劉璡齊 259-398-39
265-711-50
370-519-16
378-285-138
472-201-7
475-748-88
511-713-164
933-452-30
劉據漢(謚戾) 250-448-63
375-114-78下
554-26-48
劉據漢(大司農) 402-466-10
劉據琅耶王 漢(謚安)
539-350-8
劉據妻 漢 見史良娣
劉操唐 見劉哲
劉操妻 元 見龍琇
劉樸明 479-181-225
523-373-164
劉樸明 見劉朴
劉樸妻 明 見司氏
劉豫宋 288-636-475
291-152-77
383-1011-31
401-484-631
491-782-5
1365-300-9
1439-2-附
1445-57-1
劉豫孫宋 821-261-52
1191-468-40
劉隨宋 285-728-297
397-165-330
471-974-55
472-682-27
477-208-159
481-67-293
545-174-89
559-265-6
567-432-86
591-684-47
1087-669-34
劉賚唐 271-605-190下

275-447-178
384-271- 14
396-190-265
459-455- 27
471-861- 38
472- 31- 1
473-757- 83
474-174- 8
482-371-357
499-158-135
505-714- 71
567-429- 86
568-252-108
933-458- 30
1361-803- 2
1467-141- 67
劉蕙妻 清 見李氏
劉曇妻 明 555- 49- 66
劉冀宋(字伯廣) 529-624- 48
劉冀宋(字堯京) 1134-315- 46
劉鷴宋 見劉鷴
劉興中山王、信都王 漢(謚孝)
250-726- 80
375-127-78下
劉興聞喜公主 漢 漢和帝女
252-201-10下
373- 52- 19
544-201- 62
劉興魯王、北海王 漢(謚靖)
252-501- 44
370-105- 7
375-131-79上
402-343- 2
402-551- 18
472-737- 29
477-521-175
533-224- 54
537-294- 56
537-348- 56
539-350- 8
劉興妻 漢 見衛氏
劉興妻 明 見王氏
劉興女 明 見劉貴姐
劉與清 505-902- 80
劉蕃元 476-672-136
劉蕃妻 清 見方氏
劉盧宋 見劉漢傳
劉曈宋 494-472- 18
劉蕘明 505-683- 69
劉曉明 301-790-283
457-308- 19
479-725-250
515-701- 79
劉曄魏 254-280- 14
377-121-115上
384- 83- 4
384-636- 38
385-341- 33
472-200- 7
511-342-149
933-444- 30
劉曄宋 528-559- 32
劉鄴唐 271-331-177
275-505-183
384-279- 14
396-231-272
472-176- 6
475- 73- 53
489-675- 49
492-580-13下之上
511-430-153
933-459- 30
劉遺菑川王 漢 539-346- 8
劉暾晉 255-773- 45
377-537-123
384- 92- 5
472-612- 25
476-728-138
540-712-28之1
545-127- 87
933-445- 30
劉遲唐 275-140-149
395-742-248
474-475- 23
476-180-106
505-771- 73
545-237- 92
563-642- 38
933-457- 30
1090-658- 37
劉頷宋 見劉頷
劉篤明 554-773- 62
劉頵梁 見劉顯
劉頵妻 元 見段氏
劉儞南唐 516-202- 95
劉績劉宋 見劉瑱
劉錯濟南王 漢 253- 19- 72
375-139-79上
539-350- 8
劉翱唐 529-756- 52
劉翱明 554-311- 53
劉縉明(字大紳) 678-190- 88
劉縉明(字一紳) 1280-469- 90
劉縚梁 260-408- 49
265-1022- 72
380-370-176
933-453- 30
劉錦元 戴暄妻、劉天麒女
1210-377- 11
劉錦明 523- 53-148
554-252- 52
劉錡劉琦 宋 287- 16-366
398- 88-372
449-610-10下
459-618- 36
472-197- 7
472-897- 35
472-935- 37
475- 18- 49
475-699- 86
475-777- 89
478-549-202
480-240-269
480-401-277
493-770- 42
558-182- 31
558-394- 36
劉儒漢 253-372- 97
376-966-112
384- 68- 3
402-460- 10
402-482- 11
472-570- 24
476-611-133
540-704-28之1
933-443- 30
劉儒明 554-820- 63
劉獬宋 515-589- 75
劉獬女 宋 見劉氏
劉衡漢(謚懷) 253- 27- 72
375-145-79上
劉衡漢(字元宰) 681-282- 18
681-624- 17
682-200- 2
1397-659- 31
劉衡宋 484-381- 28
劉錫元 1366-1046- 9
劉錫妻 明 見張氏
劉勳漢 253-474-105
254-245- 12
劉勳劉訥 金 538-331- 69
546-676-137
1040-242- 3
1365-235- 7
1445-449- 33
劉勳明(通州人) 511-594-159
劉勳明(字紹功) 529-514- 44
劉勳明(字建伯) 533- 61- 49
545-118- 86
劉穆漢 見劉睦
劉穆妻 劉宋 見江氏
劉穆明 545-782-111
劉鋹劉保興、劉繼興、衛王 南漢 278-482-135
279-468- 65
288-713-481
371-122- 12
382-162- 23
384-318- 16
384-329- 17
401-226-598
408- 18- 1
劉錄明(字廷純) 460-680- 69
劉錄明(字景賢) 523-231-156
1268-467- 33
劉錄妻 明 見趙氏
劉歙泗水王 漢 252-504- 44
375-134-79上
539-350- 8
劉儗宋 見劉仙倫
劉賽清 見郎賽
劉濱明 541-107- 31
劉濤宋(字德潤) 285-242-262
396-552-302
472-412- 18
475-429- 70
511-224-144
劉濤宋(字普公) 820-399- 34
劉濤金 1365-131- 4
1439- 7- 附
1445-368- 25
劉鴻渤海王、樂安王 漢

253-183- 85
375-149-79上
539-350- 8
劉鴻明(字雲表) 515-681- 78
1261-109- 8
劉鴻明(雲南人) 559-282- 6
劉濬始興王 劉宋 258-679- 99
265-233- 14
375-280- 81
488-170- 8
劉濬元 295-588- 195
400-269-521
472-751- 29
481-525-326
528-447- 29
538- 59- 63
545-653-106
劉濬明(臨川人) 472-457- 20
476- 79-100
545-186- 90
劉濬明(字士哲) 515-778- 81
劉濬明(上津人) 533-239- 54
劉濬明(新淦人) 540-641- 27
劉濬明(德平人) 545-154- 88
劉濬妻 清 見范氏
劉謐明(羅山人) 472-521- 22
540-627- 27
劉謐明(字成戊) 515-474- 71
劉禧始建王 劉宋 258-566- 90
265-248- 14
375-297- 81
567- 3- 62
劉濟唐 270-712-143
276-207-212
384-259- 13
396-307-278
506-634-109
1344- 94- 68
劉濟元(字仲源) 494-328- 6
523-186-155
1209-480-8上
劉濟元(字巨川) 1200-729- 55
1201-166- 80
劉濟元(字濟川) 1207-204- 13
劉濟明(字汝楫) 300-154-192
474-184- 9
478-454-197
505-797- 73
劉濟明(郟縣人) 458-164- 8
477-502-174
538-112- 64
554-251- 52
劉濟明(字時用) 516- 66- 89
劉濞吳王 漢 244-705-106
250- 58- 35
251-570- 19
375- 64-78上
488- 71- 6
493-643- 35
劉禪蜀漢 見漢後主
劉濠元 299-183-128
479-433-236
524-234-189
劉濼妻 清 見王氏
劉濛唐 275-140-149
274-475- 23
505-772- 73
933-457- 36
劉濩元 524-304-194
1471-322- 4
劉謙唐 見劉知謙
劉謙宋(堂邑人) 285-421-275
472-575- 24
476-614-133
劉謙宋(字漢宗) 286-283-323
397-424-345
472-878- 35
477- 78-152
478-403-194
537-388- 57
554-239- 52
558-194- 31
劉謙宋(昌國縣大夫)
491-664- 19
劉謙金 821-278- 52
劉謙元 1201-167- 80
劉謙明(長汀人) 473-625- 77
劉謙明(祥符人) 479-402-235
劉謙明(字自牧) 523-228-156
劉謙明(字惟恭) 524-134-185
劉燮劉宋 258-346- 72
265-240- 14
488-200- 8
488-203- 8
劉襄齊王 漢 謚哀
244-278- 52
250-101- 38
375- 86-78上
539-345- 8
劉襄梁王、劉讓 漢(謚平)
244-324- 58
250-206- 47
375-103-78下
劉襄妻 明 見高氏
劉燧明 見張緒
劉燧妻 明 見孫文貞
劉燦明(甘州衛人) 456-613- 9
劉燦明(浙江人) 515-150- 61
劉興晉 256- 66- 62
377-678-125
505-747- 72
544-203- 62
820- 55- 23
933-446- 30
劉聰漢(前趙) 見漢昭武帝
劉聰明(字守愚) 505-800- 74
劉聰明(字達夫) 554-486-57上
劉聰女 明 見劉氏
劉壎元 515-831- 83
1195-412- 8
1197-688- 71
1439-420- 1
1470- 66- 3
劉壎妻 元 見傅氏
劉櫝妻 明 見李氏
劉檝明 820-574- 40
劉懋後魏 261-752- 55
266-867- 42
379-244-150上
475-428- 70
511-788-166
814-260- 8
820-117- 25
劉懋宋 460-101- 6
529-607- 47
679-798-216
1145-762- 84
劉懋女 宋 見劉氏
劉懋明(永平人) 473-177- 57
515-124- 60
劉懋明(字勉之) 473-303- 62
480-247-269
533-211- 53
劉懋明(字養衷) 554-677- 60
劉懋孫 明 見劉氏
劉翼漢 253-189- 85
375-154-79上
劉翼妻 漢 見匽明
劉翼晉 472-201- 7
473-358- 64
480-507-281
511-506-156
532-701- 45
劉翼宋(劉評事) 554-909- 64
821-207- 51
劉翼宋(字鼉父) 1364-207-272
1437- 29- 2
劉翼明 494- 21- 2
劉隱南漢 278-480-135
279-464- 65
288-713-481
384-318- 17
401-222-598
473-713- 81
473-767- 84
567- 12- 62
劉隱劉穩 明 473-361- 64
533-266- 55
676- 7- 1
676-258- 10
1287-520- 22
劉闃宋 286-650-350
397-704-362
472-612- 25
474-601- 31
476-730-138
540-757-28之2
劉舉明 476-223-108
劉舉清 456-331- 76
劉罄唐 812-371- 0
821- 89- 48
劉鼒清 554-799- 62
劉孺梁 260-349- 41
265-584- 39
378-376-141
475-213- 60
475-427- 70
510-356-114
511-788-166
933-451- 30
劉璲明 473-283- 61
515- 92- 59

533- 39- 48
劉璩蜀漢 見劉虔
劉璨明(知萬安) 473-144- 56
劉璨明(臨川人) 515-787- 81
559-322-7上
劉環梁 264-907- 62
267-409- 70
379-839-163
劉環宋 561-212-38之2
劉環明 545-775-111
劉璪宋 1134-321- 46
劉駿泗水王 漢 539-347- 8
劉駿劉宋 見宋孝武帝
劉幬清 475-232- 61
511-168-142
劉黻劉黼 宋 287-524-405
398-507-398
472-1084- 46
472-1118- 48
473-195- 58
479-174-225
479-406-235
479-812-255
494-328- 6
516-223- 96
523-416-166
676-693- 29
678- 11- 71
1182-641- 附
1364-753-362
劉黻劉黼 明 473-361- 64
480-511-281
533-101- 50
676- 5- 1
676-100- 3
677-584- 53
劉嬰漢(劉顯子) 384- 51- 2
554- 6- 48
劉嬰漢(利鄉侯) 539-345- 8
552- 15- 18
劉瞻唐 473-404- 66
533-797- 75
564-616- 56
1059-600- 中
1061-325-113
劉曙明 456-531- 6
475-140- 56
511-532-157

676-662- 27
1442-112- 7
1460- 77- 78
劉點明 1276-733- 10
劉邁晉 256-388- 85
377-900-129下
511-464-154
劉邁明 821-459- 57
劉嶷元 見劉黑馬
劉爵明 821-460- 57
劉繇漢 253-490-106
254-750- 4
377-316-119
384-544- 26
385- 60- 5
402-594- 21
469-176- 20
472-603- 25
488- 75- 6
540-707-28之1
933-445- 30
劉縯齊王 漢 252-498- 44
370-104- 7
375-129-79上
384- 57- 3
402-343- 2
473-248- 60
480-292-271
533-223- 54
539-350- 8
劉績元 538-142- 65
劉績明(字用熙) 473-215- 59
533-302- 57
676- 59- 2
676-524- 21
劉績明(字孟熙) 524-288-192
1318-347- 63
1391-613-338
1442- 23- 2
1459-602- 22
劉總晉 255-774- 45
377-539-123
劉總唐 270-713-143
276-208-212
384-259- 13
384-263- 13
396-307-278
劉鍇宋 285-425-276

396-680-316
540-755-28之2
劉鍇明 473-154- 56
515-670- 78
劉鍾劉宋 258-100- 49
265-286- 17
378- 38-131
475-426- 70
488-158- 7
511-398-151
933-450- 30
劉鍾明(烏程人) 515-249- 64
劉鍾明(鄖縣人) 533-240- 54
劉儲明 569-659- 19
劉鍔元 1219-730- 8
劉鯿晉 256-530- 94
380-427-177
540-715-28之1
劉優漢 473-389- 65
533-270- 56
劉徽明 302-327-306
劉縱唐 546-630-136
劉顏宋 288- 85-432
371-151- 15
382-589- 91
400-443-541
472-412- 18
472-544- 23
475-430- 70
476-881-146
511-694-163
540-633- 27
劉竩宋 561-609- 46
劉謹明 302-143-296
479-237-227
524-134-185
570-211- 23
1320-706- 77
劉禮楚王 漢 244-272- 50
250- 69- 36
375- 71-78上
劉禮明(字希文) 472-666- 27
537-589- 60
劉禮明(知涉縣) 472-695- 28
劉禮明(詹同文之徒)
1232-659- 7
劉璹明 528-561- 32
劉璵明 676-181- 7

劉贄宋 1119-328- 32
劉贄明 537-522- 59
劉燾宋 494-383- 11
494-516- 25
524- 32-179
820-385- 33
劉燾明(安慶人) 473-335- 63
480-403-277
532-693- 45
劉燾明(字尚載) 473-757- 83
511-253-146
523-100-150
554-249- 52
1467- 58- 64
劉燾明(號帶川) 505-820- 74
1291-833- 4
劉燾明(字仁甫) 523- 54-148
528-457- 29
劉擴明 570-126-21之1
劉璧元(忻州人) 545-407- 98
劉璧元(字君用) 1192-563- 11
劉璧明(謐烈愍) 456-577- 8
477-420-169
538- 67- 63
劉璧明(廬陵人) 473-653- 78
515-678- 78
528-494- 30
劉璧明(金谿人) 515-777- 81
劉璧明(長洲人) 523-193-155
劉璧明(鳳陽人) 569-660- 19
劉璧明(雅州人) 569-668- 19
劉璧明(壽光人) 569-676- 19
劉璿蜀漢 254-577- 4
375-178-79下
384-423- 5
劉璿明 572-108- 30
劉豐北齊 263-221- 27
267-120- 53
379-370-152
476- 77-100
545-450- 99
劉翹妻 劉宋 見趙安宗
劉翹妻 劉宋 見蕭文壽
劉彝宋(字執中) 286-438-334
382-552- 86
384-374- 19
397-541-353
460-174- 10

471-648- 10
472-308- 13
473-186- 58
473-248- 60
473-477- 69
473-571- 74
473-640- 78
475-471- 72
479-430-236
479-792-254
481-526-326
482-347-356
484-186- 8
510-407-115
515-265- 65
523-240-157
528-538- 32
529-434- 43
561-209-38之2
581-478- 96
585-760- 4
678-269- 95
劉彝女 宋 見劉氏
劉彝明(鹽山人) 494- 20- 2
劉彝劉懿 明(字仲良)
1237-216- 3
1238-185- 16
1242-163- 29
劉闐明 511-847-168
劉闐妻 明 見蕭氏
劉顓宋 484-380- 28
劉藎明 515-506- 72
劉瞻唐 271-325-177
275-487-181
384-281- 14
396-214-271
473-402- 66
473-674- 79
480-636-288
482-183-346
482-290-352
533-116- 50
545- 29- 83
564- 28- 44
564-616- 56
567-212- 76
933-458- 30
劉瞻金 511-823-167
676-695- 29
1365- 54- 2
1439- 3- 附
劉曜漢 681-582- 11
1397-671- 32
劉曜前趙 256-678-103
381-108-186
384-102- 5
814-234- 4
819-562- 19
劉蟠宋 285-425-276
396-680-316
472-524- 22
476-752-139
540-747-28之2
劉韙劉石麟 宋 448-387- 0
劉鎮劉阿崧 宋(字子山)
448-360- 0
472-1117- 48
523-494-170
528-559- 32
劉鎮(字叔安) 564- 73- 44
劉鎮明 567- 83- 66
劉鎮妻 明 見徐氏
劉鎮女 明 見劉氏
劉鎔明 見劉鉉
劉鎬明 302-141-296
479-718-250
515-652- 77
1241-186- 9
劉鎰明 475-834- 93
476-518-127
505-699- 70
510-498-118
537-565- 60
劉簡明(字以忠) 482-116-343
564-247- 47
劉簡明(新興人) 564-210- 46
劉鯉明 1242-234- 32
劉鯉妻 明 見袁菊
劉邈漢 253- 29- 72
375-146-79上
539-350- 8
劉邈梁 1395-597- 3
劉馥魏 254-294- 15
377-132-115下
384- 84- 4
385-401- 43
471-918- 48
472-324- 14
472-411- 18
472-716- 28
472-737- 28
475- 14- 49
475-500- 75
475-697- 86
475-746- 88
510-274-112
511-342-149
933-444- 30
劉馥明 1246-442- 9
劉瀛妻 清 見許氏
劉贇後漢 278-243-105
279-110- 18
395- 85-187
1383-707- 63
劉贇宋 288-473-461
劉贇元 505-733- 71
劉麒明(御史) 473- 75- 52
劉麒明(閩縣人) 515-235- 64
劉類魏 254-299- 15
385-404- 43
劉爆明 820-581- 40
劉寵陳王 漢(謚愍)
253-127- 80
375-146-79上
385- 59- 5
402-518- 15
劉寵劉伏胡、千乘王、樂安王
漢(謚夷) 253-183- 85
375-149-79上
539-350- 8
劉寵漢(字祖榮) 253-490-106
254-750- 4
380-165-169
384- 66- 3
402-529- 15
402-478- 11
402-574- 19
459-850- 51
469-176- 20
471-625- 6
472-518- 22
472-603- 25
472-1066- 45
473- 12- 49
476-515-127
476-698-137
479-221-227
479-481-239
486- 33- 2
491-797- 6
515- 76- 59
523-142-153
540-704-28之1
933-444- 30
劉寵漢(字世順) 483-219-390
559-405-9上
591-508- 41
劉寵漢(平陸侯) 539-348- 8
劉瀚明 475-133- 56
511- 99-140
1250-923- 87
劉龐漢 559-258- 6
591-660- 47
劉瓆漢 253-348- 96
376-951-112
402-488- 12
472-429- 19
472-570- 24
476- 26- 97
476-520-128
540-704-28之1
545-126- 87
劉璽明(字廷守) 475- 76- 53
511- 79-139
515- 49- 58
劉璽明(廣昌伯) 544-251- 63
劉璽明(字廷玉) 545-276- 93
劉璽明(宜川人) 554-818- 63
劉璽明(字廷節) 1293-294- 17
劉璽女 明 見劉氏
劉璽清 479-135-223
523-124-151
554-532-57下
559-327-7下
劉璽妻 清 見白氏
劉疆唐 527-582- 15
劉韞劉宋 258-117- 51
265-209- 12
375-259- 81
494-279- 3
劉韞宋 460- 95- 6
529-742- 51

劉霦清 505-815- 74
劉瓊閩 530-602- 73
劉曠漢 見劉平
劉曠隋 264-1041- 73
267-662- 86
380-208-170
459-878- 53
472-106- 4
472-586- 24
472-641- 26
474-406- 20
477-472-173
505-674- 69
537-341- 56
劉疇晉 256-160- 69
377-735-126
384- 98- 5
472-411- 18
475-426- 70
933-446- 30
劉黼宋 見劉黻
劉黼元 537-244- 55
劉黼明 見劉黻
劉顗劉宋 258-117- 51
劉顗隋 263-350- 45
814-258- 7
820-125- 25
劉翽南陽王、劉翽、隨陽王 劉宋 258-566- 90
265-248- 14
375-297- 81
535-555- 20
劉翾明 554-310- 53
559-402-9上
劉贊武陵王 劉宋 258-461- 80
265-248- 14
375-297- 81
劉贊唐 270-620-136
274-649-132
395-600-235
472-376- 16
475-561- 79
485-495- 9
510-422-116
933-456- 30
劉贊後唐 277-561- 68
279-181- 28
384-304- 16
396-373-285
472-131- 4
474-476- 23
505-773- 73
547-153-147
933-460- 30
劉贊前蜀 559-305-7上
591-691- 48
821-123- 49
劉贊宋 812-546- 4
劉贊明 511-302-148
523-175-154
劉穩明 見劉隱
劉鵬宋 472-239- 9
473-187- 58
475-175- 59
479-822-256
510-344-114
516-159- 94
517-713-133
劉鵬女 宋 見劉氏
劉鵬明(字南夫) 480-205-267
533-435- 62
劉鵬明(上虞人) 821-408- 56
劉鵬妻 明 見盧氏
劉繪齊 259-481- 48
265-585- 39
378-252-138
475-427- 70
814-251- 6
820- 95- 24
933-451- 30
1379-601- 72
1395-594- 3
劉繪女 梁(王叔英妻) 見劉氏
劉繪女 梁(張嵊妻) 見劉氏
劉繪女 梁 見劉令嫺
劉繪唐 814-277- 10
820-191- 27
劉繪宋 485-533- 1
劉繪明 300-430-208
458-157- 8
477-545-176
481-114-296
538-154- 65
559-277- 6
1458-292-436
1442- 56- 3
1460-149- 47
劉繪妻 明 見胡氏
劉鏡宋 460-287- 18
劉鏞唐 820-267- 29
劉鏞元 545-142- 87
546-378-127
劉鏞明 474-410- 20
劉繹明 476-334-115
477-201-159
546-408-128
1269-444- 67
劉繹明 見劉鐸
劉邊元 460-477- 37
529-744- 51
1439-423- 1
1471-279- 2
劉寶漢 見劉珍
劉寶晉 249- 8- 附
劉寶宋 473-317- 62
480-466-279
533-277- 56
533-745- 73
劉寶元 1198-544- 8
劉騫晉 見陳騫
劉瀹宋 見劉爚
劉瀹妻 明 見胡滿貞
劉瀾明 537-405- 57
劉瀾清 477-523-175
劉龑南漢 見漢高祖
劉礪宋 460-172- 10
460-173- 10
529-442- 43
劉鷲後魏 261-751- 55
266-865- 42
379-244-150上
劉闡劉緯 蜀漢 254-550- 1
劉闡太原王 晉 544-204- 62
劉瓌漢 252-505- 44
375-134-79上
劉瓌晉 見劉瓌之
劉瓌宋 473-536- 72
劉黨樂成王、重熹王 漢
253-129- 80
370-109- 7
375-147-79上
814-217- 2
819-558- 19
劉髆昌邑王 漢 250-457- 63
375-121-78下
539-347- 8
劉鶚劉鴞 宋 515-572- 75
1085-234- 30
劉鶚元 515-618- 76
517-590-130
518-817-162
563-717- 39
1206-362- 附
1206-372- 附
1206-374- 附
1206-375- 附
1237-300- 6
劉鶚女 明 見劉順慶
劉耀宋 821-234- 51
劉蘊妻 宋 見董氏
劉藻後魏 262- 54- 70
266-930- 45
379-294-150下
478-693-210
554-112- 50
558-224- 32
劉藻宋(懷安縣人) 460-171- 10
460-173- 10
劉藻宋(字昭信) 484-385- 28
529-441- 43
1148-771-164
劉藻宋(字廷潔) 515-266- 65
563-687- 39
劉藻明 554-310- 53
559-349- 8
劉藻妻 清 見陳氏
劉嚴漢 524-428-200
劉嚴妻 元 見揭氏
劉籌妻 元 見徐妙靜
劉纂吳 820- 43- 22
劉纂北齊 見劉叔宗
劉騰後魏 262-335- 94
267-748- 92
380-503-179
劉鰓漢 535-551- 20
劉鐔明 1241-685- 15
劉鐁清 479-766-252
515-127- 60
劉繼明 554-601- 59
劉繼妻 明 見李氏
劉斆明 676- 21- 1

678-188- 88
劉辯劉祥、劉辨 漢
253-211- 87
376-865-111上
402-483- 11
劉辯漢 見漢少帝
劉爚劉瀹、劉鑰 宋
287-479-401
398-468-395
459-116- 7
460-338- 27
473-604- 76
473-712- 81
478-761-215
479-526-241
481-524-326
481-678-331
481-719-333
481-802-338
482-184-346
493-775- 42
515-215- 63
523- 16-146
528-443- 21
528-550- 32
529-608- 47
563-662- 39
676-688- 29
677-340- 31
678-403-108
1157-493- 20
1174-636- 41
1363-576-194
1437- 26- 2
劉爚妻 清 見蕭氏
劉護妻 清 見孟秋姑
劉夔宋 285-744-298
397-176-330
460-167- 10
472-544- 23
473-333- 63
473-601- 76
476-817-143
480-400-277
481-675-331
482- 32-340
515- 13- 57
529-593- 47
532-573- 41
540-670- 27
563-667- 39
劉夔明(字舜弼) 545-847-113
676-543- 22
676-720- 30
1271-578- 49
劉夔明(綿竹人) 559-408-9上
劉夔清 554-799- 62
劉驁漢 見漢成帝
劉覽梁 260-350- 41
265-584- 39
378-377-141
475-427- 70
482- 74-341
511-579-159
563-620- 38
933-451- 30
劉闢唐 270-666-140
275-231-158
384-258- 13
401-401-621
560-600-29下
1340-624-783
劉顥劉宋 258-117- 51
494-279- 3
劉囂楚王 漢 250-723- 80
375-125-78下
劉躋晉 255-723- 41
劉躋江夏王 劉宋 486- 38- 2
劉躍元 676-700- 29
劉蘭後魏 262-235- 84
267-567- 81
380-310-174
384-142- 7
472- 89- 3
474-637- 33
505-875- 78
劉蘭唐 269-650- 69
274-222- 94
395-295-207
劉蘭明(知揚州) 472-292- 12
劉蘭明(清澗人) 554-678- 60
劉蘭女 明 見劉氏
劉續安平王 漢 253-130- 80
375-148-79上
劉鐸金 676-696- 29
365-233- 7
1439- 8- 附
1445-447- 32
劉鐸元(劉傑子) 472-604- 25
劉鐸元(劉義子) 1194-460- 4
劉鐸劉繹 明(字洞初)
301-169-245
458-224- 4
510-394-115
515-718- 79
676-634- 26
劉鐸明(知長泰縣) 473-653- 78
劉鐸妻 明 見胡氏
劉鐸女 明 見劉氏
劉鐸妻 清 見閻氏
劉襲劉宋 258-117- 51
265-209- 13
375-259- 13
劉龔漢 252-716-60上
376-670-107下
554-803- 63
劉龔南漢 見漢高祖
劉懿明 見劉彝
劉權隋 264-924- 63
267-504- 76
379-826-163
473-671- 79
475-118- 55
475-428- 70
482- 32-340
485- 71- 11
493-683- 37
511-222-144
563-627- 38
劉權唐 820-250- 29
劉權明 1442- 98- 6
1460-590- 69
劉權妻 明 見韓氏
劉霽梁 260-389- 47
265-701- 49
380-106-167
476-522-128
479- 91-221
523- 96-150
540-724-28之1
933-452- 30
劉驎晉 933-447- 30
劉鑄元(字季治) 494-417- 12
劉鑄元(字禹卿) 1217-787- 9
劉鑄明 528-572- 32
劉鑑宋 460-102- 6
劉鑑宋~元 1437- 31- 2
1470- 58- 2
劉鑑明(孝子) 547-102-145
劉鑑明(以畫驢名) 821-392- 56
劉鑑明(劉球從子)
1243-699- 23
劉鑑明(字守輝) 1267-409- 2
劉鑑妻 明 見張氏
劉儼宋 1147-588- 55
劉儼元 1373-432- 27
劉儼明(字宣化) 299-464-152
452-239- 6
453-372- 8
453-658- 28
473-154- 56
479-721-250
515-674- 78
676-492- 19
1242- 17- 24
1244-626- 14
1442- 26- 2
劉儼明(字若思) 511-695-163
劉儼明(字敬思) 524- 7-178
676-448- 17
1442- 9- 1
1459-300- 8
劉儼明(字敬先) 524-183-187
524-310-194
劉麟金 288-637-475
291-153- 77
383-1012- 31
401-484-631
劉麟明 300-194-194
474- 94- 3
475- 75- 53
478- 92-180
479-148-223
479-226-227
494-158- 5
511- 77-139
512-719-195
516- 76- 90
523-157-153
524-314-195
554-213- 52
676-528- 21

820-689- 43
1264-317- 附
1264-461- 12
1264-464- 12
1264-467- 12
1264-470- 12
1264-471- 12
1442- 39- 2
1457-675-407
1459-792- 32
劉麟妻 明 見吳氏
劉瓚前燕 503- 9- 90
劉瓚明(新鄉人) 476-819-143
劉瓚明(清苑人) 540-660- 27
545-221- 91
劉瓚妻 明 見王氏
劉鬷齊 265-712- 50
378-382-141
481-523-326
劉顯濟南王 漢 539-350- 8
劉顯劉頙 梁 260-336- 40
265-712- 50
378-382-141
472-201- 7
475-748- 88
511-821-167
933-452- 30
劉顯劉醜伐 後魏 261-374- 23
266-407- 20
379- 4-146
劉顯宋(字微之) 473-147- 56
515-580- 75
劉顯宋(無錫人) 821-208- 51
劉顯明(南昌人) 300-503-212
479-492-239
481- 25-291
515-405- 69
559-255- 6
劉顯明(豐城人) 472-325- 14
475-701- 86
510-464-117
515-367- 68
劉顯女 明 見劉妙靜
劉贇宋 1147-523- 49
劉巘齊 見劉瓛
劉巖南漢 見漢高祖
劉礦明 511-584-159
劉纆漢 488- 72- 6
489-598- 47
劉纓明 473-367- 64
511-101-140
515-552- 74
528-453- 29
532-738- 46
540-635- 27
559-252- 6
1255-416- 46
1273-193- 26
1284-143-147
1386-329- 41
劉鑠南平王 劉宋 258-337- 72
265-235- 14
375-282- 82
488-176- 8
814-218- 2
819-563- 19
1379-459- 55
1395-591- 3
劉讓漢 820- 33- 22
劉讓漢 見劉襄
劉讓元 538- 91- 64
劉讓明(吉水人) 483-162-382
510-480-118
569-675- 19
劉讓明(朝邑人) 494- 55- 2
554-678- 60
劉讓清 475-612- 81
511-484-155
劉瓛劉稱、劉巘、劉阿稱 齊
259-396- 39
265-709- 50
370-519- 16
378-283-138
384-116- 6
472-201- 7
475-748- 88
489-357- 3
489-680- 49
492-381- 9
492-569-13下之上
511-713-164
677-773- 68
933-452- 30
1394-468- 5
劉瓛妻 齊 見王氏
劉瓛明 563-843- 41
劉靈梁 820-104- 24
劉靈明 彭原復妻、劉本直女
516-283- 99
1241- 4- 1
1242-294- 34
劉衢明 473- 78- 52
516-105- 91
劉觀明(雄縣人) 299-456-151
472-982- 39
劉觀明(字崇觀) 301-767-282
458-758- 5
479-721-250
515-671- 78
劉觀明(知金壇) 472-274- 11
劉觀明(字士賓) 473-1058- 56
511-865-170
劉觀明(保定人) 545-145- 88
劉觀明(平度州人) 510-375-114
545-463-100
劉觀明(字子瀾) 1259-204- 15
劉纘漢 見漢質帝
劉鑰宋 見劉爚
劉鑰明 515-260- 65
劉驥宋 527-734- 51
劉驥元 1201-169- 80
劉讜宋 1140-363- 6
劉鸞明 472-128- 4
505-691- 70
554-602- 59
劉鸞妻 明 見黃氏
劉鸞妻 清 見丁氏
劉一止宋 287-183-378
398-226-379
472-1003- 40
479-142-223
494-392- 11
523-279-159
1132-285- 54
1165-374- 22
1363-234-134
劉一中明 554-283- 53
劉一企劉一驥 明
1394-131-497
劉一松明 456-528- 6
505-839- 76
劉一佺明 545-249- 92
劉一春明 1275-310- 14
劉一春妻 明 見彭氏
劉一相明(長山人)
540-818-28之3
545-345- 96
545-468-100
劉一相明(字惟衡)
1297-106- 9
劉一飛元 1204-322- 11
劉一清宋 1189-575- 3
劉一清明 545-341- 96
劉一貫明 515-205- 63
劉一焜明 301- 79-240
479-769-215
515-419- 69
523- 58-148
676-619- 25
820-734- 44
1442- 83- 5
1460-460- 62
劉一貴妻 明 見張氏
劉一蛟清 474-279- 14
505-900- 80
劉一煜明 301- 79-240
劉一鳴明 554-343- 54
劉一燝明 301- 79-240
458-399- 18
479-493-239
515-425- 70
588-326- 2
1460-476- 63
1442- 84- 5
劉一儒明 300-612-220
480-342-273
533- 79- 49
676-589- 24
劉一燦明 528-532- 31
劉一臨明 511-195-143
劉一爌明 515-420- 69
劉一驥明 見劉一企
劉二娘明 劉矗女
564-329- 49
劉二輔妻 明 見王氏
劉十二宋 見劉安士
劉七星女 明 見劉氏
劉又大清 480-255-269
劉九光明 511-363-150
劉九成明 1240-742- 7
劉九郎五代 812-442- 0
劉九容明 554-527-57下

劉九哥宋 見劉蒙
劉九卿明 456-581- 8
劉九菴明 見明玄
劉九經明 554-678- 60
劉九韶明 554-606- 59
劉九龍金 見劉章
劉九嶷清 515-492- 71
劉九禮清 510-441-116
劉九疇明 483-117-379
570-153-21之2
劉八郎元 547-524-160
劉八娘元 530- 3- 54
劉人傑宋 1167-770- 73
劉人儼明 456-672- 11
劉三才明 554-527-57下
劉三元明 545-895-114
劉三元清 537-227- 54
劉三宅明 523-235-156
劉三光清 538- 88- 64
劉三戒宋 517-382-125
劉三吾劉崑、劉如孫、劉昆孫 明 299-292-137
452-190- 4
453-102- 9
453-551- 5
480-410-277
482-353-356
533-250- 55
567-445- 86
676-445- 17
1375- 37- 下
1442- 7- 附
1457-269-368
1459-236- 4
1467-154- 67
劉三畏宋 487-510- 7
劉三畏明 483-248-391
劉三重妻 明 見馮氏
劉三重妻 清 見魏氏
劉三俊清 547- 28-141
劉三娘梁 見劉令嫺
劉三章清 505-819- 74
528-557- 32
劉三善妻 明 見胡氏
劉三策明 302-119-295
456-487- 5
481-385-312
516- 89- 90
559-529- 12
劉三傑宋 451- 24- 0
劉三復唐 271-331-177
275-505-183
396-231-272
492-580-13下之上
684-484- 下
820-254- 29
劉三達齊 265-720- 50
378-385-141
480-251-269
劉三嘏遼 289-624- 86
399- 43-420
劉三嘏妻 遼 見耶律巴格
劉三德清 456-331- 76
劉三顧明 554-218- 52
劉士斗明 302-119-295
456-499- 5
475-450- 71
481- 71-293
482- 39-340
510-405-115
559-507- 12
564-244- 47
劉士元明 300- 92-188
559-348- 8
571-519- 19
劉士元妻 清 見王氏
劉士弘明(寧鄉人) 547- 44-142
劉士弘明 1241-252- 11
1457-693-409
劉士先宋 843-672- 下
劉士名明 523-179-154
劉士亨元 1211-448- 63
劉士壯清 1315-373- 17
劉士杰明 456-488- 5
劉士奇明 482- 37-340
564-134- 45
567-119- 67
1442- 47- 3
1467-110- 66
劉士忠明 554-671- 60
580-599- 43
劉士昌妻 清 見徐氏
劉士冠清 476-698-137
540-687- 27
劉士美清 456-386- 80
劉士昭劉士超 宋
288-386-454
400-195-515
473-149- 56
475-780- 89
479-716-250
515-608- 76
劉士英宋 288-358-452
400-147-512
472-1115- 48
476- 29- 97
479-141-223
479-401-235
493-1081- 57
494-387- 11
523-367-163
525-159-225
劉士英妻 宋 見陳氏
劉士英清 554-369- 54
劉士俊明 456-616- 9
劉士俊妻 清 見冀氏
劉士涇唐 270-819-152
275-374-170
396-147-265
933-458- 30
劉士原明 472- 37- 1
505-798- 74
劉士哲明 1241-616- 12
劉士恕妻 明 見陳氏
劉士能劉莫 元 1220-546- 11
劉士野宋 485-536- 1
劉士崑妻 見傅氏
劉士偲宋 1164-327- 17
劉士登明 532-727- 46
劉士逵明 479-185-225
559-277- 6
劉士凱明 見劉士愷
劉士傑明 524-159-186
劉士義元 540-777-28之2
劉士愷劉士凱 明
456-676- 11
劉士廉明 456-631- 10
劉士禎明
1227- 82- 9
劉士楷清 529-663- 49
劉士瑜妻 清 見曹氏
劉士瑗明 523-107-150
1283- 19- 68
劉士傳劉仕傳 明
473-641- 78
564- 88- 45
劉士雋隋 見劉士儁
劉士楨明 515-721- 79
劉士寧唐 270-732-145
276-225-214
384-241- 12
396-321-280
劉士鳳明 456-672- 11
劉士鳳妻 清 見任氏
劉士寬明 570-248- 25
劉士璉明(遼東人) 545-198- 90
劉士璉明(字翼明)
554-517-57下
劉士模妻 清 見伍氏
劉士儁劉士雋、劉仕儁 隋
264-1030- 72
267-634- 84
380-126-167
472-411- 18
475-428- 70
511-580-159
劉士燝明 見劉士璟
劉士龍隋 477-523-175
劉士龍明 554-850- 63
劉士璟劉士燝 明
302- 44-291
456-523- 6
502-715- 83
510-408-115
劉士鴻妻 明 見周性
劉士臨妻 清 見湯氏
劉士麟明 554-476-57上
劉士驥明 540-824-28之3
676-629- 26
1442- 88- 6
劉子山漢 681-871- 20
劉子亢邵陵王 劉宋
258-460- 80
265-247- 14
375-296- 81
劉子仁永嘉王 劉宋
258-459- 80
265-247- 14
375-296- 81
493-677- 37
劉子玄劉知幾 唐
270-244-102

十五畫 劉

274-646-132
384-201- 11
395-597-235
471-920- 48
472-412- 18
475-429- 70
477-311-164
511-789-166
537-274- 55
933-455- 30
1394-590- 8
劉子立明 515-481- 71
677-656- 58
劉子正清 505-819- 74
劉子平元 472-775- 30
538-107- 64
劉子羽齊王 劉宋
258-460- 80
265-247- 14
375-296- 81
劉子羽宋 287- 82-370
398-143-374
449-628-12下
450-837-23下
450-841-23下
459-622- 37
460- 95- 6
471-667- 12
471-673- 13
471-863- 39
471-1036- 66
472-273- 11
472-866- 34
473-583- 75
473-603- 76
473-777- 84
475-272- 63
475-639- 83
478-244-186
481- 19-291
481-591-328
481-582-328
481-618-329
481-677-331
528-482- 30
529-602- 47
554-153- 51
567-441- 86
591-706- 50
933-468- 30
1146- 59- 88
1167-721- 37
1467-151- 67
劉子杜妻 清 見王氏
劉子壯清 480-137-264
533- 56- 48
534-580-100
劉子青元 1225-241- 9
劉子青明 1265-761- 28
劉子直妻 元 見陳氏
劉子孟淮南王 劉宋
258-460- 80
265-247- 14
375-295- 81
劉子玠宋 460-172- 10
529-654- 49
劉子尚豫章王 劉宋
258-455- 80
265-246- 14
375-295- 81
486- 37- 2
488-181- 8
488-182- 8
488-185- 8
488-186- 8
劉子明北周 263-714- 36
劉子明妻 清 見程氏
劉子昂元 1204-351- 14
劉子昇明 1229-760- 9
劉子房劉宋 258-456- 80
265-247- 14
375-296- 81
486- 38- 2
劉子彥女 明 見劉辰年
劉子春明 480-341-273
劉子南漢 478-638-206
劉子俊宋 288-383-454
400-196-515
479-715-250
515-608- 76
563-706- 39
劉子眞始安王 劉宋
258-460- 80
265-247- 14
375-296- 81
494-278- 3
567- 3- 62
劉子珪明 1241-649- 14
劉子晉宋 460-303- 20
劉子皋唐 820-175- 27
劉子師南海王 劉宋
258-461- 80
265-248- 14
375-297- 81
劉子純宋 1147-529- 49
劉子翊隋 264-1021- 71
267-644- 85
380- 65-166
472-411- 18
475-428- 70
478- 86-180
511-465-154
554-266- 53
劉子章清 572-101- 30
劉子都明 558-414- 37
劉子陵北周 263-714- 36
劉子敏劉祿 明 473-569- 74
515-649- 77
528-449- 29
1242-299- 34
劉子翔妻 宋 見朱氏
劉子雲晉陵王 劉宋
258-461- 80
265-247- 14
375-297- 81
劉子肅明 515-375- 68
劉子貴清 456-331- 76
劉子虛宋 515-325- 67
劉子華明 540-649- 27
劉子勛晉安王 劉宋
258-455- 80
265-246- 14
375-295- 81
528- 3- 17
劉子欽明 676-475- 18
1241-632- 13
劉子項歷陽王、臨海王 劉宋
258-457- 80
265-247- 14
375-296- 81
494-278- 3
494-323- 6
劉子嗣東平王 劉宋
258-461- 80
265-248- 14
375-297- 81
劉子業劉宋 見宋前廢帝
劉子實劉子寶 明
547- 95-144
劉子誠明 554-821- 63
劉子彰明(字子彰)
1236-776- 12
劉子榮明 532-709- 45
劉子輔劉詡 明 299-492-154
453-300- 2
453-583- 2
473-152- 56
473-153- 56
479-720-250
515-664- 77
523- 36-147
563-850- 41
1238-264- 22
劉子與劉子興 明
523-176-154
564-198- 46
劉子澄宋 515-604- 76
1357-735- 2
1437- 28- 2
劉子厲明 515-686- 78
523-102-150
劉子霄淮陽王 劉宋
258-461- 80
265-248- 14
375-297- 81
劉子摯春秋 見劉獻
劉子翟宋 288-108-434
400-482-545
449-758- 11
459- 88- 5
460-104- 6
471-660- 11
471-670- 13
473-603- 76
473-631- 77
481-549-327
481-677-331
528-473- 30
529-603- 47
674-842- 18
820-416- 34
1145-676- 81

1145-759- 84
1146-104- 90
1207-513- 36
1410-204-687
1437- 23- 2
1462- 27- 53
劉子翬妻 宋 見陸氏
劉子憲劉紹 明 515-835- 84
518-774-160
1229-494- 3
1442- 10- 1
1459-259- 5
劉子誠明 505-668- 69
554-522-57下
676- 23- 1
劉子寰宋 460-299- 20
529-743- 51
劉子興明 見劉子與
劉子謙妻 明 見黃氏
劉子翼唐 270- 36- 87
274-476-117
395-475-224
472-257- 10
511-551-158
劉子翼宋 460- 97- 6
528-505- 31
529-603- 47
劉子薦宋 288-379-454
400-193-515
473-111- 54
473-149- 56
479-654-247
479-716-250
482-320-354
482-371-357
515-608- 76
567- 74- 65
585-784- 8
1195- 56- 4
1467- 48- 63
劉子邁宋 480-402-277
劉子禮宋 1146- 53- 87
劉子麒明 563-817- 41
劉子寶明 見劉子實
劉子鸞始平王、新安王 劉宋
258-457- 80
265-247- 14
375-296- 81
485-347- 1
493-677- 37
劉于生妻 清 見倪氏
劉于台明 505-926- 83
劉于屔妻 清 見李氏
劉才邵宋 287-751-422
398-684-413
472-801- 31
473-148- 56
473-652- 78
479-714-250
481-610-329
515-586- 75
528-490- 30
537-333- 56
676-687- 29
1130-403- 附
1130-405- 附
1147-566- 54
1161-110- 84
1161-450-115
劉大千清 515-849- 89
劉大川明 510-317-113
劉大川女 明 見劉氏
劉大文明 510-384-115
劉大文女 明 見劉氏
劉大中宋 472-296- 12
472-1052- 44
511-205-144
劉大中女 明 見劉氏
劉大有宋(襄陽人) 451-100- 3
劉大有宋(字處謙) 515-590- 73
1161-628-126
劉大同宋 1161-662-130
劉大年明 302- 41-291
456-523- 6
479-631-245
515-847- 84
劉大成宋 1147-787- 75
劉大武明(字靖予)
540-819-28之3
劉大武明(江陵人) 545-225- 91
劉大武明(襄垣人) 545-854-113
558-201- 31
劉大直明 571-519- 19
劉大昌明 561-199-38之1
劉大受明 545-120- 86
劉大音元 524-218-189
1224-265- 23
1410-254-694
劉大俊妻 明 見金氏
劉大廈明 299-877-182
453-675- 31
472-309- 13
472-521- 22
472-964- 38
473-318- 62
476-479-125
476-917-148
478-767-215
480-465-279
481-805-338
505-636- 67
523- 44-148
528-453- 29
533-281- 56
540-618- 27
545-278- 93
558-479- 40
561-441- 43
563-722- 40
567-106- 66
580-350- 27
580-363- 22
676-506- 19
820-652- 42
1257-209- 19
1257-305- 27
1258-170- 15
1283-287- 89
1442- 30- 2
1459-684- 26
1467- 79- 64
劉大倫明(太倉人) 523-221-156
劉大倫明(黃岡人)
1275-842- 52
劉大師唐 472-209- 7
劉大彬元 524-390-198
劉大通金 545-241- 92
劉大猷明(字克敬) 515-450- 70
劉大猷明(文縣人) 558-403- 36
劉大煥妻 明 見彭氏
劉大經明(知大同) 494- 42- 3
劉大經明(石屏人)
570-128-21之1
劉大節妻 明 見許氏
劉大賓清 456-331- 76
劉大寧明 505-869- 78
劉大縉明 569-659- 19
劉大濟明 456-657- 11
511-502-156
劉大聲宋 1171-789- 28
劉大禮妻 宋 見陳氏
劉大謨明 458-118- 5
502-287- 56
523- 48-148
537-406- 57
545- 91- 85
554-312- 53
559-254- 6
676-539- 22
劉大觀明 554-476-57上
劉小民成安公主 漢 漢明帝女 252-201-10下
373- 52- 19
劉小件清 喬國恩妻
547-262-151
劉小迎樂平公主 漢 漢明帝女 252-201-10下
373- 52- 19
劉小桂明 478-350-191
555- 34- 66
1269-488- 8
劉小珠清 林仲蔚妻
530- 53- 54
劉小姬平皋公主 漢 鄧蕃妻、漢明帝女 252-201-10下
373- 51- 19
劉上達妻 清 見苑氏
劉山松妻 明 見吳氏
劉乞歸後魏 266-408- 20
379- 4-146
544-209- 62
劉千斤明 534-961-120
劉六指妻 明 見馬氏
劉六符遼 289-624- 86
383-762- 18
399- 42-420
劉心泰妻 清 見徐氏
劉心乾明 538- 82- 64
劉亢湼晉 505-695- 70
劉斗鳳鏐斗鳳 元
1214-405- 4
1229-764- 9

劉斗鳳妻 明 見朱則中
劉方平唐 273-113- 60
451-482- 8
812-351- 10
821- 54- 46
1371- 62- 附
劉方至清 476-733-138
479-226-227
523-164-153
540-865-28之4
劉方叔宋 1151-261- 17
劉方興明 515-703- 79
1287-563- 25
1467-114- 66
劉方瀛元 524-423-200
劉文元明 533-474- 64
劉文公劉蚡 春秋
404-467- 27
448-263- 26
劉文正元 1222-243- 12
劉文正妻 明 見譚氏
劉文甲劉休 宋 451- 65- 2
劉文光明 515-484- 71
劉文孝清 456-331- 76
劉文伯宋 460-230- 15
劉文秀清 560-604-29下
劉文炳元 1193-538- 24
劉文炳母 明 見杜氏
劉文炳明 302-200-300
474-186- 9
475-473- 72
505-838- 76
511-470-154
劉文炳妻 明 見王氏
劉文宣清 456-300- 73
劉文亮清 474-693- 37
474-818- 44
502-311- 57
劉文彥妻 宋 見顯德帝姬
劉文郁明 554-733- 61
劉文建妻 清 見孫氏
劉文星妻 清 見周氏
劉文英唐 545- 17- 83
劉文起唐 269-504- 57
劉文卿明 515-843- 84
676-618- 25
劉文祥明 533-284- 56
劉文淑明 黃應發妻
472-1119- 48
524-763-215
1228-582- 4
1240-235- 15
劉文通宋 812-476- 3
812-551- 4
821-158- 50
劉文莊明(字寅中) 537-219- 54
劉文莊明(正定人) 545-146- 88
劉文紹明 515-706- 78
528-554- 32
劉文敏明 301-790-283
457-296- 19
458-904- 8
479-725-250
515-695- 78
517-716-133
劉文斌妻 明 見葉妙貞
劉文善妻 清 見張氏
劉文惠宋 812-473- 3
812-547- 4
821-148- 50
劉文惠清 456-332- 76
劉文登妻 清 見李氏
劉文萃明 476-700-137
劉文復明 1237-226- 3
1242-393- 37
劉文靖唐 1054-403- 11
劉文試明 511-653-162
劉文義妻 明 見楊氏
劉文裕宋 288-492-463
400- 37-502
478-694-210
劉文煥明(廣濟人) 302-142-296
480-131-264
533-484- 64
劉文煥明(字世英) 474-279- 14
505-899- 80
劉文煥明(字德徵)
1269-403- 5
劉文瑞元 524-222-189
1213-138- 11
劉文瑞明 564-168- 45
劉文達妻 清 見葉氏
劉文暘明 460-568- 56
劉文標妻 明 見歐陽氏
劉文蔚明 456-524- 6
474-604- 31
505-863- 77
劉文輝明 533-484- 64
劉文質宋 286-302-324
472- 53- 2
474-240- 12
476-330-115
478-267-187
478-570-203
505-732- 71
545-417- 98
1092-104- 14
1118-958- 65
劉文質元 515-344- 67
1223-542- 10
劉文徵明 570-107-21之1
570-597-29之11
劉文龍劉文寵 明
475-483- 73
510-409-115
劉文靜唐 269-502- 57
274-158- 88
384-168- 9
395-242-203
472-834- 33
478-389-193
494- 33- 3
545-130- 87
554-574- 58
933-454- 30
劉文曄後魏 261-594- 43
266-785- 39
379-199-149
劉文濟宋 1090-658- 37
劉文耀明 302-200-300
456-460- 4
劉文禮宋 1180-446- 41
劉文禮妻 宋 見方氏
劉文曜明 540-813-28之3
劉文寵明 見劉文龍
劉文耀明 456-609- 9
477- 89-153
538- 42- 63
劉文顥後魏 261-596- 43
劉之文清 572-112- 30
劉之甲妻 清 見倪氏
劉立申妻 清 見張氏
劉之宏唐 271-540-189上
劉之亨梁 260-339- 40
265-720- 50
378-385-141
384-116- 6
473-296- 62
477-374-167
480-251-269
533-206- 53
933-452- 30
劉之玩妻 清 見項氏
劉之奇唐 821- 69- 47
劉之芹妻 明 見楊氏
劉之屏清 474-246- 12
476-367-117
505-848- 76
545-445- 99
劉之勃劉之渤 明
301-463-263
456-431- 2
478-204-184
481- 27-291
554-732- 61
559-507- 12
劉之章唐 821- 88- 48
劉之渤明 見劉之勃
劉之華宋 493-712- 39
劉之源清 502-618- 77
劉之瑄明 456-659- 11
511-607-160
劉之鳳明 301-333-256
477- 89-153
537-401- 57
劉之綸明 301-433-261
456-420- 2
481-213-302
559-519- 12
劉之綸妻 明 見楊氏
劉之範明 569-671- 19
劉之遴梁 260-338- 40
265-718- 50
378-383-141
384-116- 6
473-296- 62
477-374-167
480-251-269
533-205- 53
538-144- 65
933-452- 30
1394-558- 7

1401-323- 27
劉之翰妻 明 見李氏
劉之謙明 456-543- 7
劉之藩明 523-236-156
劉之蘭明 456-468- 4
483-282-393
572- 77- 28
劉之蘭妻 清 見尤氏
劉不盈明 505-814- 74
劉不息明 540-815-28之3
劉不疑漢 535-551- 20
539-345- 8
劉不識濟陰王 漢
244-325- 58
250-206- 47
375-103-78下
539-346- 8
劉太公劉煓、劉執嘉 漢
243-210- 8
933-441- 30
劉太平金 見劉琉
劉太后明 明光宗賢妃
299- 23-114
劉太沖唐 475-606- 81
511-811-167
劉太初宋 820-344- 32
劉太為宋 547- 99-145
劉太素女 明 見劉氏
劉太眞唐 270-626-137
276- 86-203
384-239- 12
400-611-556
472-358- 15
475-606- 81
493-738- 41
510-323-113
511-811-167
518- 7-136
933-459- 30
1072-547- 下
1339-638-702
1371- 64- 附
劉太清明 476-866-145
劉五福妻 清 見李氏
劉五緯明 475-215- 60
559-374- 8
劉元化明 540-825-28之3
劉元亨宋 516-145- 93
劉元成宋 820-403- 34
劉元伯明 456-556- 7
480-319-272
533-392- 60
劉元杰元 516-169- 94
劉元昌清 554-784- 62
劉元芳清 477-202-159
537-283- 55
劉元和唐 479-583-243
劉元相明 563-841- 41
567-346- 79
1467-245- 71
1467-463- 71
劉元珍明 300-791-231
457-1063- 60
458-440- 21
458-948- 9
475-228- 61
511-162-142
劉元貞明 476- 84-100
547- 14-141
劉元英唐 見劉哲
劉元海漢(前趙) 見漢光文帝
劉元高宋 473-167- 57
515-467- 71
劉元孫後魏 261-753- 55
劉元振宋 460-101- 6
529-685- 50
1146-120- 90
劉元振元 295- 30-149
399-399-455
472-526- 22
劉元剛宋 515-604- 76
678-148- 84
680- 21-226
劉元皐妻 清 見胡氏
劉元卿明 301-796-283
457-345- 21
479-726-250
515-713- 79
677-640- 57
1294-240-6上
1442- 76- 5
劉元規金 1040-256- 5
劉元凱明 559-361- 8
劉元進隋 264-1002- 70
266-850- 41
379-711-160
劉元靖唐 473-217- 59
480- 67-260
533-749- 74
劉元靖明 456-526- 6
劉元瑜宋 286- 38-304
397-244-333
473-246- 60
473-333- 63
474- 91- 3
480-288-271
480-400-277
532-676- 44
532-689- 45
劉元賓宋 516-514-106
劉元端妻 清 見陳氏
劉元輔女 明 見劉氏
劉元輔妻 清 見吳氏
劉元慧清 505-822- 75
劉元震明 300-768-230
474-312- 16
505-742- 72
1442- 75- 5
劉元澣明 見劉元瀚
劉元霖明 300-768-230
474-312- 16
劉元默宋 1146-193- 93
劉元默妻 宋 見丁氏
劉元勳母 清 見李氏
劉元勳清 475-875- 95
478-132-181
545-113- 86
554-536-57下
劉元禮元 295- 31-149
399-400-455
472-526- 22
劉元譔元 515-623- 76
劉元瀚劉元澣 明
523- 89-149
583-723- 22
劉元鏜妻 清 見朱氏
劉元鏜妻 清 見吳氏
劉孔仁明 564-216- 46
劉孔安妻 明 見龍氏
劉孔宗明 473-587- 75
529-535- 45
劉孔和明 1442-114- 7
劉孔當明 515-716- 79
劉孔暉明 302- 73-293
456-487- 5
477- 56-151
478-348-191
480-439-278
533-405- 61
534-568- 99
537-346- 56
劉尹之唐 544-230- 63
劉天民母 明 見瞿氏
劉天民明 510-473-117
540-803-28之3
1272-114- 10
1442- 46- 3
1460- 16- 40
劉天池清 537-485- 58
劉天光妻 清 見賈氏
劉天孚元 295-566-193
400-248-520
472-134- 4
472-569- 24
472-645- 28
474-479- 23
476-113-102
476-611-133
477-473-173
505-858- 77
537-343- 56
545-374- 97
1367-214- 17
1373-474- 30
劉天河明 見劉天和
劉天和劉天河 明
300-293-200
472-999- 40
473-284- 61
475-273- 63
476-918-148
477-566-177
478-453-197
479-134-223
480-132-264
510-376-114
523-119-151
533- 41- 48
534-556- 99
540-619- 27
554-176- 51

558-155- 30
1280-406- 86
1457-506-388
劉天和女 明 見劉氏
劉天祐元(清江人) 515-539- 74
劉天祐元(字祐之)
1219-522- 23
劉天祐妻 清 見翟氏
劉天眞清 516-189- 94
劉天起金 291-637-119
399-320-446
劉天敔明 538-115- 64
劉天然明 564-292- 47
劉天祿妻 清 見崔氏
劉天瑞妻 元 見王氏
劉天瑞妻 明 見熊氏
劉天福清 456-378- 79
482-485-364
劉天榮妻 清 見張氏
劉天熙明 529-687- 50
劉天與明 505-659- 68
劉天錫明 1240-709- 7
劉天爵明 547- 97-144
劉天爵清 559-331-7下
劉天麒妻 元 見鄧懿惠
劉天麒女 元 見劉錦
劉天麒明 300-104-189
482-351-356
567-326- 78
572-156- 32
1467-218- 70
劉天衢明 480-134-264
533-174- 52
554-220- 52
劉友仁明(合肥人) 475-705- 86
511-491-156
劉友仁明(字是成)
1274-417- 15
1458-695-471
劉友光清 533-256- 55
劉友益宋 473-149- 56
515-612- 76
1208-289- 13
劉友梧妻 元 見朱氏
劉友諒元 472-127- 4
537-278- 55
劉友德明 478-170-182
劉友謙明 1236- 77- 5
劉日材明 515-404- 69
554-220- 52
劉日佺明 456-638- 10
516-182- 94
劉日俊明 554-517-57下
劉日晏清 476-371-117
547-107-145
劉日梧明 505-639- 67
515-436- 70
劉日寧明 300-561-216
479-493-239
515-414- 69
劉日銳清 554-777- 62
劉日升明(字扶生) 515-715- 79
676-613- 25
劉日升明(河間人) 820-598- 40
劉日乾明 567-340- 79
1467-228- 70
劉日陽清 1313-212- 17
劉日義清 510-450-117
劉日新明 524-371-197
劉日襄清 533-362- 60
567-150- 69
劉日懋妻 明 見彭氏
劉日曜清 511-610-160
劉日曦明 516-136- 92
劉中立明 476-528-128
劉中生清 456-331- 76
劉中孚元 482- 89-342
515-629- 76
563-714- 39
1439-444- 2
劉中孚明 見劉中敷
劉中宮劉宋 517-531-128
劉中叟宋 1437- 16- 1
劉中敷劉中孚 明
299-536-157
472- 38- 1
472-520- 22
474-183- 9
505-799- 74
537-246- 55
540-617- 27
886-142-138
劉中禮涅陽公主 漢 竇固妻
、漢光武帝女 252-200-10下
373- 51- 19
劉中藻吳中藻 明
301-656-276
456-465- 4
481-750-334
529-647- 48
劉少翁晉 554-971- 65
劉少逸宋 485-185- 25
493-1020- 54
511-727-165
劉公升金 見劉公弁
劉公允明 523-236-156
劉公弁劉公升 金472- 51- 2
505-655- 68
劉公昇妻 清 見吳氏
劉公彥宋(字彥輔) 451-205- 8
510-371-114
劉公彥宋(字君俞)
1121- 79- 8
劉公泰明 515-480- 71
劉公特劉廷俊 宋
448-378- 0
484-390- 28
劉公漾妻 明 見郭氏
劉公寬妻 元 見侯氏
劉公謹明 1247- 384- 15
劉公濟唐 1076-111- 12
1076-567- 12
1077-136- 12
劉公翼妻 元 見蕭氏
劉公舉清 505-903- 80
劉公獻女 明 見劉氏
劉公鐸明 1241-651- 14
劉月江明 456-678- 11
劉月珠明 劉仕泰女
1259-250- 18
劉仁之後魏 262-202- 81
266-408- 20
379- 4-146
814-261- 8
820-119- 25
933-453- 30
劉仁本元~明 299-130-123
524- 64-181
676-712- 29
820-532- 38
1215-585- 6
1439-451- 2
1460-802- 87
劉仁宅明 473- 87- 52
479-605-244
480-464-279
515-246- 64
533-280- 56
567- 92- 66
1250-465- 43
1467- 66- 64
劉仁安唐 472-794- 31
劉仁存妻 明 見王氏
劉仁次女 明 見劉辰秀
劉仁杞吳越 494-294- 4
劉仁軌唐 270- 1- 84
274-375-108
384-179- 10
395-380-216
407-544- 10
472-656- 27
474-688- 37
478- 87-180
478-199-184
477- 69-152
483-684-421
502-257- 53
537-383-57
540-645- 27
554-327- 54
814-267- 9
820-143- 26
933-455- 30
劉仁恭唐 276-214-212
278-478-135
279-243- 39
384-290- 15
396-313-278
396-397-290
劉仁軏唐 409- 5- 1
劉仁恩隋 264-773- 46
267-491- 75
379-804-162
472-568- 24
476-609-133
540-637- 27
劉仁師唐 472-825- 33
478- 88-180
511-223-144
553-267- 39
554-269- 53
1077-336- 2

1343-306- 21
1409-738-650
劉仁智元 540-626- 27
劉仁壽明 1232-247- 5
劉仁瞻南唐 見劉仁贍
劉仁譓宋 475-852- 94
劉仁願唐 270- 2- 84
274-375-108
395-381-216
劉仁贍劉仁瞻、越王、衛王
南唐 278-425-129
279-202- 32
384-307- 16
401-206-595
471-922- 48
472-195- 7
472-412- 18
475-429- 70
479-765-252
492-528-13上之中
510-281-112
511-465-154
515-114- 60
532-570- 40
933-461- 30
1085- 70- 9
1383-760- 69
1408-465-525
劉仁贍妻 南唐 見薛氏
劉仁霸宋 480-613-287
劉午道劉德之 宋451- 59- 2
劉化光明 456-629- 10
劉化源宋 288-374-453
400-332-528
472-852- 34
478-124-181
554-704- 61
劉介之明 561-402- 42
劉介齡明 528-564- 32
劉允文宋 821-250- 52
劉允中元 554-469- 56
劉允中明(字叔彝) 515-479- 71
劉允中明(字允中)
1236-800- 13
1458-629-466
劉允升妻 明 見隋氏
劉允迪宋 473- 64- 51
515-865- 85
1145-654- 80
劉允浩明 456-463- 4
劉允恭陳 472-960- 38
523- 71-149
劉允恭宋 1165-328- 20
劉允章唐 270-827-153
275-249-160
384-279- 14
396- 61-257
933-457- 30
劉允寬明 547-103-145
劉允濟唐 271-574-190中
276- 67-202
384-190- 10
400-596-555
472-745- 29
477-310-164
538-139- 65
540-645- 27
820-151- 26
933-459- 30
劉允濟宋 528-506- 31
劉允謙清 477-443-171
511-353-149
537-339- 56
劉玄平北齊 814-262- 8
820-121- 25
劉玄佐母 唐 474-481- 23
劉玄佐劉洽 唐 270-731-145
276-224-214
384-241- 12
396-321-280
472-676- 27
476-475-125
505-772- 73
540-610- 27
劉玄明唐 820-153- 26
劉玄明齊 265-985- 70
380-183-170
472-171- 6
472-1066- 45
479-222-227
486- 63- 3
511-380-150
523-145-153
933-453- 30
劉玄意妻 唐 見南平公主
劉玄靜唐 585- 7- 0
劉立之宋(字斯立) 515-516- 73
1095-858- 51
1102-227- 29
1378-536- 60
1383-625- 28
劉立之宋(字宗禮) 448-524- 14
劉立之妻 宋 見王氏
劉立言宋 493-741- 41
510-325-113
1097-101- 10
劉立娘明 張子志妻
530-126- 57
劉半千宋 1092-666- 62
劉必弘明 1250-379- 35
劉必甲妻 清 見李氏
劉必成宋 493-965- 51
1181-147- 5
劉必泰清 529-669- 49
劉必紹明 505-696- 70
劉必達明(謚烈愍) 456-498- 5
545-251- 92
554-729- 61
劉必達明(字士徵) 533-195- 53
劉必達明 見徐必達
劉必榮明 473-349- 63
480-438-278
533-275- 56
劉必賢明 511-368-150
劉必顯明 540-834-28之3
劉必顯清 540-854-28之4
劉永一宋 288-453-459
400-331-528
472-466- 20
476-369-117
547- 99-145
1094-640- 69
1351- 31- 87
劉永之元 515-538- 74
1439-454- 2
1471- 74- 22
820-570- 40
1238-113- 10
1318-362- 64
1459-301- 8
劉永仁妻 清 見吳氏
劉永年宋(字君錫) 288-496-463
400- 39-502
476-330-115
477-522-175
478-671-209
545-418- 98
545-640-106
812-532- 3
813-193- 19
821-161- 50
劉永年宋(字昌齡)
1407-436-436
劉永亨清 554-615- 59
劉永成明 559-288-7上
劉永武元~明 見劉昭
劉永忠元 559-281- 6
劉永昌明 456-584- 8
475-330- 65
546-105-118
劉永昌清 505-906- 80
劉永茂女 清 見劉氏
劉永祚明(字叔遠) 302- 96-294
456-544- 7
475-230- 61
482-502-365
511-450-153
劉永祚明(遼州人) 456-655- 11
劉永祚女 明 見劉氏
劉永祚妻 清 見傅氏
劉永清明 473-303- 62
473-674- 79
533- 74- 49
563-732- 40
1241-680- 15
劉永基明 523-469-169
劉永常晉 533-766- 74
劉永參女 清 見劉氏
劉永貽女 清 見劉氏
劉永業北齊 見獨孤永業
劉永誠明(劉聚父) 302-264-304
劉永誠明(清豐人)
1246-449- 10
劉永壽女 宋 見劉氏
劉永寬明 523-215-156
劉永澄明 457-1055- 60
475-378- 68
511-692-163
1292-652- 11
1458-437-446
劉永慶清 479-811-255
516-154- 93

劉永賢明 1240-235- 15
劉永輝妻 明 見翁氏
劉永錫宋 476-221-108
476-309-113
劉永錫明～清 474-480- 23
505-922- 82
676-659- 27
1442-109- 7
1460-663- 73
劉永錫妻 清 見曾氏
劉永豐明 523-123-151
劉玉汝元 1439-445- 2
劉玉金妻 清 見吳氏
劉玉秀劉宋 劉義康女
258-304- 68
265-219- 13
375-269- 81
516-278- 99
劉玉武妻 明 見嚴氏
劉玉科妻 清 見沈氏
劉玉眞唐 見劉玉
劉玉鼎女 清 見劉氏
劉玉蘭明 計偉妻
473- 89- 52
479-611-244
516-384-102
劉去非後唐 見王保義
劉弘化明 480-412-277
533- 99- 50
545-151- 88
劉弘功妻 明 見蕭氏
劉弘度清 569-680- 19
劉弘祚清 515-452- 70
563-889- 42
劉弘基唐 269-514- 58
274-178- 90
384-165- 9
395-246-203
472-456- 20
472-834- 33
478-109-181
547-188-148
554-576- 58
556-340- 90
933-454- 30
1340-554-776
劉弘規唐 1079-275- 6
劉弘略元 1218-502- 6
劉弘道明 554-678- 60
劉弘遠妻 明 見徐氏
劉弘儒妻 清 見劉氏
劉弘寶明 460-756- 77
529-549- 45
劉正夫宋 286-659-351
382-665-102
397-711-363
472-1042- 43
479-355-233
813-269- 12
820-395- 34
933-466- 30
劉正臣唐 見劉客奴
劉正亨明 515-556- 74
523-235-156
劉正彥宋 288-642-475
401-488-631
劉正蒙明 511-816-167
劉正寬明 554-311- 53
劉正龍妻 清 見郭三妹
劉正鏊女 明 見劉氏
劉源元(字巨川) 545-181- 89
劉巨公女 漢 見劉泰英
劉巨容唐 275-532-186
384-285- 15
396-253-274
511-399-151
933-459- 30
劉巨敖唐 476- 45- 98
547-152-147
劉巨麟唐 473-671- 79
劉古心宋 821-249- 52
劉古臣元 1195-165- 2
劉本仁元 1221-676- 27
劉本用明 532-625- 43
劉本直女 明 見劉靈
劉本和明 1232-595- 5
劉本善清 554-737- 61
劉本源劉源 明 456-600- 9
劉本道明 511-148-142
劉本德唐 533-749- 74
劉本靜明 1241-562- 10
劉石泉明 1277-588- 7
劉石峯明 517-716-133
劉石齡清 511-757-165
1318- 98- 39
劉石麟宋 見劉韙
劉司信女 明 見劉秋喜
劉加隆女 清 見劉氏
劉孕昌明 517-721-133
劉平伯宋 515-464- 71
劉可立妻 清 見于氏
劉可仕宋 1186-556- 7
劉可任元 477- 54-151
537-347- 56
劉可成明 570-247- 25
劉可成清 570-252- 25
劉可足明 見劉可廷
劉可廷劉可足 明
456-628- 10
劉可法明 458-171- 8
劉可訓明 301-223-249
481- 26-291
483-228-390
559-256- 6
561-457- 43
劉可軒宋 821-245- 52
劉可鈞妻 清 見戴氏
劉可儒妻 明 見李氏
劉世元明 481- 81-294
劉世光明 477-443-171
511-195-143
676-163- 7
劉世亨劉多爾台、劉塔塔兒
元 295- 83-153
821-288- 53
劉世亨劉世享 明
475-605- 81
510-439-116
515-795- 82
1280-564- 97
劉世豸清 505-817- 74
563-875- 42
劉世治明 545-304- 94
劉世享明 見劉世亨
劉世忠明 見劉忠
劉世昌宋 515-165- 62
劉世明後魏 261-753- 55
劉世芳明 456-527- 6
478-836- 93
511-506-156
劉世威清 456-386- 80
劉世南宋 460-172- 10
529-442- 43
劉世珍明 821-461- 57
劉世則妻 明 見田氏
劉世英元 295- 54-150
399-417-457
472-626- 25
474-821- 44
502-372- 63
545- 59- 84
劉世英明(洛陽人) 472-751- 29
537-516- 59
劉世英明(以文學名於世)
533-338- 58
劉世恩清 456-378- 79
劉世修宋 529-759- 53
劉世清北齊 263-155- 20
劉世曹明 523-135-152
劉世埏明 524-248-190
劉世教明 524- 24-179
676-624- 25
820-736- 44
1442- 86- 5
1460-490- 63
劉世曾明 559-357- 8
劉世超宋 見劉士昭
劉世隆妻 明 見田氏
劉世揚明 300-398-206
481-530-326
529-466- 43
劉世傑明 541-113- 31
劉世祿妻 清 見李氏
劉世達妻 清 見王氏
劉世鼎元 1198-544- 8
劉世經明 558-448- 38
劉世經妻 清 見李氏
劉世榮妻 明 見任氏
劉世輔明 505-830- 75
劉世徹隋 264-925- 63
267-505- 76
379-827-163
劉世熀清 482-560-369
劉世賢元 1218-685- 4
劉世賞明 559-358- 8
劉世蔭清 456-378- 79
劉世嵲妻 明 見李氏
劉世龍劉義節 唐
269-505- 57
274-164- 88
395-253-203
545-557-103

劉世龍明 300-411-207
479-184-225
523-294-159
劉世澤清 554-789- 62
劉世學明 820-752- 44
劉世儒明 821-437- 57
劉世勳明 456-465- 4
劉世勳清 554-740- 61
劉世濟劉沙卜珠丹 元
295- 83-153
劉世鵾明 820-761- 44
劉世耀姊 明 見劉氏
劉世讓唐 269-649- 69
274-221- 94
384-169- 9
395-294-207
545- 20- 83
545-414- 98
554-578- 58
933-454- 30
劉民先宋 460- 93- 6
529-684- 50
劉民悅明 533- 17- 47
劉民瞻清 476-417-120
502-641- 78
劉民覺宋 460- 94- 6
1134-427- 9
劉弗之漢 見漢昭帝
劉弗陵漢 見漢昭帝
劉功甫宋 516-203- 95
劉以文明 533-171- 52
545-340- 96
劉以仁明 571-545- 20
劉以平明 546-318-125
劉以守明 545-302- 94
劉以忠元 538- 51- 63
劉以修妻 清 見劉氏
劉以森明 515-720- 29
劉以楷明 456-629- 10
540-835-28之3
劉以輔元 1218-505- 6
劉以禮明 493-1049- 55
511-733-165
劉以勸妻 清 見夏氏
劉由孫元 1229-766- 9
劉四姐清 503- 33- 94
劉四科明 478-297-188
545-226- 91
554-669- 60
劉四端遼 399- 43-420
劉四端妻 遼 見耶律必實
劉冉定妻 明 見傅氏
劉申錫明(應山人) 456-671- 11
480-206-267
劉申錫明(字爾受) 480- 92-262
劉令猷宋 1147-351- 32
劉令嫺劉三娘 梁 徐悱妻、劉繪女 260-287- 33
265-588- 39
378-376-141
475-434- 70
674-854- 19
1371- 79- 附
1394-788- 12
劉生花女 清 見劉俊姐
劉生芳妻 明 見俞氏
劉仕泰女 明 見劉月珠
劉仕傑明 473-641- 78
劉仕傳明 見劉士傳
劉仕貆明 299-335-140
482-266-350
515-640- 77
676-464- 17
1243-706- 24
劉仕雋隋 見劉士雋
劉仕龍宋 523-403-165
劉仕瞻明 515-435- 70
劉仔肩明 516- 54- 89
1442- 14- 1
1459-486- 16
劉白雲唐 511-727-174
533-767- 74
劉仝子宋 451-244- 0
1458-148-428
劉仝子妻 宋 見林氏
劉仙客明 1232-586- 5
劉仙倫劉儗 宋 1364-258-283
1437- 27- 2
劉用世元 1210-386- 12
劉用辰宋 1170-688- 29
劉用戡妻 明 見王氏
劉用熙明 1263-327- 2
劉幼發宋 451- 92- 3
劉幼學明 563-761- 40
567-355- 80
劉奴眞後魏 261-374- 23
劉守中明 456-678- 11
劉守仁明 545-786-111
劉守安妻 清 見王氏
劉守光後唐 278-475-135
279-243- 39
384-309- 16
396-397-290
1383-792- 72
劉守良明 511-594-159
576-653- 5
劉守法清 554-781- 62
劉守奇清 554-781- 62
劉守度明 456-683- 11
劉守悌唐 269-660- 70
劉守眞唐 516-514-106
劉守倉明 538- 87- 64
劉守清北漢 820-323- 31
劉守富清 554-781- 62
劉守發妻 清 見吳氏
劉守喬劉守嶠 明515- 97- 59
533-140- 51
劉守蒙妻 明 見毛珏龍
劉守緒明 473- 18- 49
479-484-239
480- 58-260
515- 94- 59
533-140- 51
劉守嶠明 見劉守喬
劉守謙唐 529-590- 47
劉守讓元 1209-481-8上
劉安士劉十二 宋448-372- 0
劉安上宋 479-403-235
523-625-177
674-835- 18
1124- 50- 附
1437- 19- 1
劉安上女 宋 見劉氏
劉安仁元 1197- 64- 65
劉安正宋 1124-252- 18
劉安世泗水王 漢539-347- 8
劉安世宋(字器之) 286-574-345
382-612- 94
384-380- 19
397-648-359
449-266- 12
450-807-19下
471-747- 22
471-795- 29
471-811- 31
471-836- 35
471-843- 36
471-882- 42
472-132- 4
472-677- 27
472-740- 29
472-789- 31
473-194- 58
473-299- 62
473-683- 79
473-701- 80
474-434- 21
474-477- 23
477-409-169
479-810-255
480-487-280
482- 78-341
482-305-353
505-670- 69
505-776- 73
515-254- 65
524-323-195
533-737- 73
538-316- 69
545-214- 91
563-903- 43
674-354-5下
708-343- 50
820-375- 33
1145-678- 81
1247- 46- 3
劉安世宋(字世臣) 473-148- 56
515-592- 75
478-115- 80
1134-310- 45
1161-492-118
劉安世元 474-622- 32
505-916- 81
劉安民妻 宋 見徐氏
劉安仲妻 明 見陳氏
劉安行明 533-237- 54
537-305- 56
劉安貞明 顧達源妻、劉俊女
1256-407- 26
劉安國永安王 晉
544-204- 62
劉安國清 456-332- 76

劉安期女 明 見劉氏
劉安雅宋 473-700- 80
482-303-353
563-684- 39
劉安菴妻 明 見孔氏
劉安道明 1241-569- 11
劉安鼎明 572- 88- 29
劉安節宋 448-499- 11
471-640- 9
472-1116- 48
473- 43- 50
475-604- 81
479-403-235
510-433-116
515-213- 63
523-625-177
674-831- 17
1124-110- 4
劉安德妻 元 見方柔則
劉安禮宋 1124- 37- 4
劉江東宋 516-528-106
劉汝大妻 明 見王妙慶
劉汝舟宋(字端父) 524-283-192
劉汝舟宋(興化軍司法)
528-473- 30
劉汝良妻 清 見張氏
劉汝松明 1442- 52- 3
1460- 93- 44
劉汝林明 480-486-280
劉汝為妻 明 見馬氏
劉汝教明 505-884- 79
劉汝登明 505-696- 70
劉汝弼元 517-462-127
劉汝順明(清江人) 483-358-400
515-557- 74
571-552- 20
劉汝靖明(字安之)
1266-417- 8
劉汝楫明 572-107- 30
劉汝鳳清 511-629-161
劉汝模女 明 見劉氏
劉汝德女 清 見劉梅兒
劉汝霖妻 宋 見李氏
劉汝翱明 563-817- 41
劉汝濟女 明 見劉氏
劉汝懋明 529-681- 50
劉汝翼宋 479-654-247
劉汝翼金 1191-249- 22
劉宇亮明 301-284-253
559-408-9上
劉宇烈明 301-213-248
572-157- 32
劉宇揚明 554-217- 52
劉宇廣清 480-298-271
劉式之劉宋 258- 22- 42
265-254- 15
378- 4-131
493-676- 37
933-450- 30
劉共祐妻 清 見李氏
劉吉老宋 見劉坦
劉吉祕妻 清 見樊氏
劉百五宋 1180-371- 34
劉百順妻 清 見王氏
劉在中宋 515-586- 75
劉在明後漢 278-248-106
劉在朝明 533-312- 57
劉有才清 456-386- 80
劉有光清 476-431-121
547- 82-144
劉有年明 472-348- 15
473-377- 65
480-583-285
482-564-369
533-115- 50
570-211- 23
678-646-130
1249-380- 24
劉有成清 476-659-135
502-633- 77
劉有定元 460-457- 35
529-728- 51
820-529- 38
劉有長妻 明 見留氏
劉有恆清 476-348-116
547- 25-141
劉有源明 528-450- 29
劉有源明~清 511-309-148
1313-238- 19
劉有誠明 546-669-137
劉有綸明 546-756-140
劉有慶宋 1366-982- 3
1439-435- 1
劉有德妻 清 見白氏
劉有學明 547-111-145
劉存仁明 567-330- 78
1467-223- 70
劉存仁妻 明 見王氏
劉存善明 1243-350- 20
劉存義明 523-105-150
533-237- 54
劉存德明 510-350-114
劉至貞王守中妻 明
524-763-215
劉丞直明 見劉宗弼
劉夷父新野王 劉宋
258-354- 72
265-243- 14
375-292- 81
劉次玉明 王教保妻
516-299- 99
劉次昌漢 見劉次景
劉次莊宋 479-684-248
516-200- 95
820-398- 34
劉次景劉次昌、齊王 漢
244-281- 52
250-105- 38
375- 89-78上
539-345- 8
劉同升明 300-563-216
458-475- 24
479-728-250
515-723- 79
680-261-251
1442-109- 7
1460-712- 77
劉同哥宋 451-224- 0
劉光已妻 清 見南氏
劉光大明 559-436-10上
劉光文明 554-821- 63
劉光元明 見朱光先
劉光升明 554-665- 60
劉光世鄜王 宋 287- 66-369
398-131-374
449-582-7下
472-347- 15
472-924- 36
488- 27- 3
488-423- 14
523- 13-146
554-936- 64
劉光世妻 宋 見向氏
劉光世宋 見意眞
劉光旭清 547- 11-141
劉光先明(直隸人) 302- 44-291
478-419-195
554-345- 54
劉光先明(謚烈愍) 456-495- 5
554-368- 54
劉光先明(謚節愍) 456-523- 6
劉光秀妻 清 見陳氏
劉光宗宋 1160-487- 45
劉光昱明 1313-277- 23
劉光祐劉光裕 明456-613- 9
劉光祖宋 287-437-397
398-431-392
451- 22- 0
473-257- 60
473-434- 67
473-455- 68
473-503- 71
480-321-272
481- 80-294
481-333-308
524-312-194
533-741- 73
559-286-7上
559-296-7上
559-310-7上
559-315-7上
559-343- 8
591-567- 42
592-600- 99
674-893- 21
676-690- 29
677-347- 32
1174-675- 43
劉光祖清 456-378- 79
劉光祚明 301-537-269
456-426- 2
478-273-187
545-250- 92
554-715- 61
劉光殷宋 見劉廷讓
劉光國明 537-568- 60
劉光期唐 472-543- 23
540-632- 27
540-664- 27
劉光弼清 502-677- 80
劉光揚清 511-882-171
劉光復明 479-226-227

511-322-148
523-163-153
劉光義宋 571-514- 19
劉光裕明 見劉光祐
劉光裕清 505-899- 80
劉光業明 567-390- 82
劉光遠明(杞縣人) 545-193- 90
劉光遠明(安縣人)
559-436-10上
劉光遠妻 明 見李氏
劉光蒲明 547-123-145
劉光毅宋 見劉廷讓
劉光震明 515-723- 79
劉光濟明 473- 19- 49
479-455-237
511-156-142
515- 55- 58
1283-721-123
劉光謙金 472-625- 25
502-791- 88
1365-284- 8
1439- 8- 附
1445-516- 39
劉光燦妻 明 見李氏
劉光薦明 547-116-145
劉光謨明 475-644- 83
511-322-148
劉兆元明(字叔縉) 564-192- 46
劉兆元明(字德資)
1289-342- 23
劉兆元妻 明 見賈氏
劉兆桂明 571-547- 20
劉兆錡妻 清 見姚氏
劉兆麒清 480- 14-257
532-606- 42
劉兆曦妻 清 見李氏
劉兆鐫妻 清 見謝氏
劉名世宋 515-754- 80
劉名言明 456-599- 9
505-703- 70
505-846- 76
劉名弼明 569-670- 19
劉名揚明 456-619- 9
537-335- 56
劉名標清 540-681- 27
劉名翰清 554-798- 62
劉伏玘明 546- 95-118
劉伏胡漢 見劉寵

劉任平漢 544-198- 62
劉任原明 545-220- 91
劉自化明 554-508-57下
劉自安明 456-604- 9
劉自忠妻 明 見李氏
劉自明清 456-331- 76
劉自竑清 511-196-143
劉自重田自重 明
456-631- 10
劉自重妻 明 見楊氏
劉自唐妻 清 見胡氏
劉自城元 1207-615- 43
劉自晉明 505-908- 81
劉自強明 458- 49- 2
510-315-113
537-406- 57
劉自義妻 明 見李氏
劉自靖明 511-569-158
劉自新明 1245-415- 19
劉全諒劉逸淮 唐
270-736-145
275-155-151
395-752-249
933-457- 30
劉好德元 545-339- 96
546-405-128
劉好禮元 295-275-167
399-616-481
472- 52- 2
472-587- 24
472-664- 27
473-315- 62
477- 84-152
537-397- 57
劉如昌清 479-811-255
516-153- 93
劉如海妻 明 見熊氏
劉如孫明 見劉三吾
劉如晏清 475-422- 70
劉如意趙王 漢 243-235- 9
250-100- 38
375- 90-78上
劉如愚宋 460-304- 20
529-742- 51
劉如漢清 481-117-296
559-410-9下
劉如鎖清 456-331- 76
劉年光妻 清 見魏氏

劉先四妻 明 見易氏
劉先春明 515-807- 82
劉竹繼妻 明 見趙氏
劉仲尹金 472-625- 25
502-789- 88
676-695- 29
1040-244- 4
1365- 71- 3
1439- 4- 附
1445-231- 15
劉仲仁元 494-417- 12
劉仲安妻 明 見王氏
劉仲光宋 1152-581- 31
1164-234- 12
1164-275- 14
1171-779- 28
劉仲先宋 821-214- 51
劉仲亨妻 元 見田氏
劉仲武宋 286-649-350
382-674-104
397-702-362
472-879- 35
472-897- 35
472-937- 37
478-482-199
478-653-207
478-671-209
478-699-210
558-172- 31
558-196- 31
558-393- 36
劉仲芝妻 明 見吳二娘
劉仲金清 502-671- 80
劉仲始漢 554-865- 64
劉仲宣元 1210- 68- 8
劉仲洙金 291-376- 97
399-220-435
472- 51- 2
474- 93- 3
474-179- 8
474-236- 12
474-651- 34
476-726-138
505-655- 68
505-705- 70
505-719- 71
545-265- 93
581-509- 99

劉仲洙女 金 見劉氏
劉仲威陳 260-658- 18
265-720- 50
378-385-141
劉仲高明 1241- 94- 5
劉仲恭元 1218-521- 8
劉仲原明 547- 43-142
劉仲珩明 820-610- 41
劉仲時明 571-553- 20
劉仲倫妻 明 見王菊英
劉仲修金 1191-114- 10
劉仲修明 493-760- 41
劉仲淵宋 491-433- 6
劉仲祥劉祥 元(字仲祥)
505-920- 82
劉仲祥元(臨汾人)
1200-703- 53
劉仲堅妻 明 見蕭氏
劉仲啟明 1237-417- 16
劉仲傑金 472-645- 26
537-343- 56
1439- 6- 附
1445-675- 52
劉仲道劉宋 486- 67- 3
劉仲廉明 473-214- 59
533- 6- 47
劉仲廉明 見劉仲濂
劉仲戢明 1237-315- 6
劉仲聖妻 清 見巫氏
劉仲達元 481-181-300
559-286-7上
劉仲誨金 291-159- 78
399-111-426
472- 34- 1
474-178- 8
545-181- 89
545-265- 93
劉仲戩明 1237-315- 6
1241-703- 16
劉仲遠女 宋 見劉氏
劉仲質明 299-286-136
452-124- 1
473-178- 57
479-767-252
515-503- 72
劉仲憲元 1468-482- 23
劉仲濂劉仲廉 明
472-1053- 44

523-244-157
劉仲禮明 511-443-153
劉仲懷宋 524-365-197
821-186- 50
劉仲寶元 526-152-263
劉仲鐔明 1237-324- 6
劉仲顯女 明 見劉素能
劉行本隋 264-907- 62
267-409- 70
384-152- 8
379-839-163
472-411- 18
475-428- 70
478- 86-180
511-222-144
554-884- 64
劉行臣唐 812-347- 9
821- 43- 46
劉行全唐 529-653- 49
劉行易明 563-819- 41
劉行政明 483-358-400
571-552- 20
劉行舉唐 472-201- 7
511-428-152
劉休元劉宋 528- 9- 17
劉休仁始安王、建安王 劉宋
258-347- 72
265-241- 14
375-289- 81
528- 10- 17
劉休茂海陵王 劉宋
258-448- 79
265-243- 14
375-292- 81
814-218- 2
819-563- 19
劉休若巴陵王 劉宋
258-354- 72
265-245- 14
375-293- 81
486- 38- 2
494-278- 3
劉休祐山陽王、晉平王 劉宋
258-352- 72
265-242- 14
375-291- 81
528- 3- 17
劉休倩東平王、臨慶王 劉宋
258-354- 72
265-243- 14
375-292- 81
567- 3- 62
劉休業鄱陽王 劉宋
258-354- 72
265-243- 14
375-292- 81
劉休賓後魏 261-593- 43
266-784- 39
379-198-149
劉休範桂陽王、順陽王 劉宋
258-449- 79
265-244- 14
375-292- 81
488-193- 8
劉休徵北周 見劉祥
劉宏烈明 456-554- 7
劉宏遇清 474-774- 41
475-875- 95
502-667- 80
545-112- 86
劉宏緒明 456-523- 6
476-587-131
劉宏德清 502-692- 81
劉宏譽清 554-798- 62
劉言史唐 457-440- 4
505-889- 79
533-314- 57
563-919- 43
1083-182- 4
1371- 68- 附
1410-152-680
劉完素金 291-755-131
401-113-584
472- 71- 2
474-311- 16
505-925- 83
1374-220- 47
劉牢之晉 256-373- 84
258- 84- 47
370-382- 10
377-889-129下
384-100- 5
472-411- 18
475-270- 63
478-758-215
485- 66- 10
486- 35- 2
488-144- 7
493-764- 42
511-397-151
523- 4-146
933-447- 30
劉沈如妻 清 見趙氏
劉沅祖元 528-525- 31
劉沛先清 559-410-9下
劉沛然妻 明 見李氏
劉沂春明 481-531-326
529-483- 43
676-172- 7
劉辛一妻 明 見張氏
劉辛二妻 明 見謝氏
劉亨安元 295- 54-150
399-417-457
474-558- 28
496-407- 89
劉良用元 1204-199- 2
劉良臣明 546-493-131
劉良臣清 478-613-205
劉良佐明 456-570- 8
劉良佐清 558-426- 37
劉良竑明 456-638- 10
劉良珅妻 明 見王氏
劉良恭女 宋 見劉貴靜
劉良翊明 456-638- 10
劉良寀明 533-212- 53
劉良弼明 515-393- 69
劉良弼妻 明 見廖氏
劉志方明 515-479- 71
劉志行元 473-777- 84
567- 76- 65
1467- 53- 63
劉志亨女 明 見劉氏
劉志明明 564-294- 47
劉志貞元 1200-709- 53
劉志貞明 裴貴妻、劉呼喇圖女、劉忽魯禿女 474-778- 42
503- 28- 93
劉志浩妻 明 見華氏
劉志桓清 456-101- 57
劉志清明 479-490-239
劉志淵金 476-130-102
547-516-160
劉志堅金 541- 92- 30
劉志堅元 541- 95- 30
劉志敏唐 見劉智敏
劉志道明 537-404- 57
劉志實元 1200-750- 57
劉志壽明 821-419- 56
劉志嬌明 王良粹妻
473-158- 56
516-290- 99
劉志選明 302-323-306
劉志學宋 460-442- 33
劉志儒妻 清 見姚氏
劉志衡明 1236- 72- 5
劉赤塘五代 547-191-148
劉成立妻 清 見張氏
劉成名妻 清 見胡氏
劉成男漢 冠軍長公主、漢順帝女 252-202-10下
373- 52- 19
劉成治明 301-635-275
456-530- 6
480- 92-262
劉成制女 宋 見劉氏
劉成美明 1442- 95- 6
1460-548- 67
劉成柱妻 清 見祖氏
劉成貴清 456-332- 76
劉成業妻 清 見馬氏
劉成漢明 4980- 60-260
劉成鳳宋 見劉岊
劉成德明 502-286- 56
劉成憲妻 明 見黃氏
劉成穆劉嘉壽 明
559-345- 8
1442- 66- 4
1460-288- 53
劉孝全宋 451-221- 0
劉孝先梁 260-352- 41
265-588- 39
378-376-141
1387-153- 9
劉孝忠宋 288-404-456
400-295-524
472-435- 19
476- 39- 98
547- 4-141
劉孝思明 570-213- 23
劉孝述宋 1127-788- 10
劉孝威梁 260-352- 41
265-588- 39

378-376-141
511-788-166
1387-150- 9
1395-597- 3
1401-322- 27
劉孝祖宋 1161- 14- 73
劉孝恭漢 1340-552-776
劉孝孫梁 265-844- 59
378-404-141
472-411- 18
劉孝孫唐 269-688- 72
274-309-102
384-168- 9
395-326-210
533-207- 53
1371- 49- 附
劉孝師唐 812-343- 9
821- 40- 46
劉孝勝梁 260-351- 41
265-588- 39
378-376-141
1395-597- 3
劉孝誠宋 473-465- 69
591-653- 46
劉孝綽劉冉 梁 260-284- 33
265-586- 39
378-374-141
384-113- 6
475-427- 70
511-787-166
674-854- 19
814-255- 7
820- 99- 24
933-451- 30
1387-147- 8
1394-560- 7
1395-597- 3
1401-320- 27
劉孝慶劉法鳳 梁
260-414- 50
265-699- 49
378-379-141
516- 5- 87
劉孝標宋 471-1002- 60
劉均立明 1237-590- 上
劉均助女 明 見劉順
劉均美明 524-173-187
585-540- 19
劉君良唐 271-519-188
275-627-195
384-175- 9
400-284-523
472- 68- 2
474-638- 33
505-917- 81
933-459- 30
劉君素唐 568-230-107
劉君培明 302- 51-292
456-655- 11
477-317-164
劉君賢元 516-168- 94
劉玘臣明 547- 5-141
劉克孔清 510-499-118
劉克正明 564-281- 47
1460-360- 56
1442- 75- 5
劉克正清 456-386- 80
劉克孝明 537-404- 57
劉克定清 554-798- 62
劉克昌妻 明 見馮氏
劉克明唐 276-148-208
384-265- 13
401- 52-575
劉克念清 554-799- 62
劉克家清 505-896- 80
劉克剛宋 460-147- 9
563-680- 39
劉克莊從母 宋 見陳氏
劉克莊宋 460-145- 9
473-633- 77
528-523- 31
529-727- 51
563-665- 39
676-689- 29
820-445- 35
1180- 2- 附
1285-779- 23
1247- 50- 3
1364-465-311
1437- 29- 2
1462-644- 89
劉克莊妻 宋 見林節
劉克莊妻 清 見王氏
劉克復元 472-239- 9
劉克勤明(莊浪人) 505-698- 70
545-299- 94
劉克勤明(新繁人) 559-350- 8
劉克暉元 1227-171- 21
劉克敬元 472-569- 24
劉克遜宋 460-146- 9
528-540- 32
563-683- 39
1180-376- 35
劉克寬母 明 見胡氏
劉克蔭清 456-331- 16
劉克學明 559-505- 12
劉克齋宋 1189-590- 4
劉克讓女 明 見劉氏
劉更生漢 見劉向
劉辰年明 曾勝淳妻、劉子彥
女 1238-201- 17
劉辰秀明 劉仁女、劉仁次女
482-435-361
483-349-399
567-486- 88
572-139- 31
劉辰翁宋 473-149- 56
479-716-250
515-612- 76
1437- 32- 2
1471-260- 1
劉辰翁元 1197-772- 81
劉呈芳妻 明 見趙氏
劉呈瑞明 564-807- 60
劉壯國清 511-364-150
劉見川明 1287-566- 26
劉吳龍清 479-497-239
劉似之妻 元 見徐柔嘉
劉似鰲明 545-156- 88
劉住兒金 820-482- 36
劉佐聖明 481-454-318
559-518- 12
劉佐臨妻 明 見胡氏
劉佐臨清 511-364-150
劉作民明 477-124-155
劉作沛明 483-200-388
569-676- 19
劉伯川明(字東之) 515-876- 86
劉伯川明(泰和人)
1238-553- 14
劉伯川妻 明 見徐氏
劉伯文宋 515-610- 76
劉伯玉宋 516-482-105
劉伯正宋 287-722-419
398-660-410
473- 48- 50
479-531-241
516- 33- 88
523- 17-146
劉伯生明 533-155- 52
劉伯吉明 301-736-281
475-421- 70
劉伯完明 515-643- 77
劉伯序明 1227-139- 17
劉伯希元 821-301- 53
劉伯林元 295- 28-149
399-398-455
472-526- 22
476-525-128
545-266- 93
劉伯昂元 1238-519- 12
劉伯春妻 明 見張氏
劉伯英唐 473-559- 73
473-748- 83
486- 41- 2
劉伯泉宋 1189-578- 3
劉伯桓宋 530-213- 61
劉伯芻唐 270-827-153
275-248-160
396- 61-257
684-483- 下
820-233- 28
933-457- 30
劉伯淵元 515-199- 63
劉伯淵明 1442- 76- 5
1460-365- 56
劉伯莊唐 271-540-189上
276- 13-198
400-409-538
511-789-166
820-141- 26
933-459- 30
劉伯傑元 1203-374- 28
劉伯詢明 676-175- 7
劉伯塤明 1241-440- 6
劉伯愚明 456-665- 11
538- 47- 63
劉伯熙宋 1192-395- 35
劉伯熙元 821-290- 53
劉伯熊宋 1164-235- 12
劉伯潮明 676-216- 8
劉伯摯宋 1092-582- 54

劉伯龍劉宋 265-284- 17
378- 36-131
劉伯諶宋 511-702-164
劉伯曉宋 523-150-153
劉伯燮明 480-205-267
533-155- 52
534-879-115
569-655- 19
劉伯謙明 見劉伯駼
劉伯爵女 清 見劉氏
劉伯寵劉宋 471-801- 30
劉伯駼劉伯謙 明
302- 77-293
456-570- 8
477-443-171
505-849- 76
537-339- 56
劉伯麟漢 681- 44- 3
681-692- 22
1103-380-136
劉含章妻 清 見王氏
劉含輝明 554-524-57下
劉希文明 302- 24-290
480-466-279
481-212-302
533-406- 61
劉希仁宋 460-147- 9
劉希仁女 明 見劉錦娘
劉希旦劉駿郎 宋448-401- 0
劉希夷劉庭芝 唐
271-574-190中
451-414- 1
538-148- 65
1371- 50-附
1472- 49- 2
劉希孟明 545-444- 99
劉希岳宋 473-658- 78
481-621-329
530-201- 60
劉希晏妻 清 見李氏
劉希深宋 1180-437- 40
劉希逖南唐 1195-407- 8
劉希曾明 547- 61-143
劉希堯明 533-486- 64
劉希福明 1260-626- 18
劉希賢元 523-592-175
劉希賢明 472-1068- 45
511-300-148
523-158-153
劉希龍妻 元 見李妙靜
劉希暹唐 271-427-184
劉希顏金 472- 96- 3
劉希簡明 300-397-206
481- 81-294
554-310- 53
劉邦永明 564-624- 56
劉邦正明 511-626-161
劉邦光宋 523-479-170
1150-101- 11
劉邦采劉邦寀 明
301-790-283
457-301- 19
458-906- 8
479-725-250
515-709- 79
523-106-150
528-563- 32
676- 7- 1
劉邦彥明 1247-373- 14
劉邦紀明 見王邦紀
劉邦寀明 見劉邦采
劉邦教女 明 見劉氏
劉邦禎明 554-496-57上
劉邦徵明 483-294-394
567-143- 68
571-544- 20
1467-133- 66
劉邦遵清 456-332- 76
劉邦翰宋 480-483-280
劉邦翰妻 宋 見郭氏
劉利用明 472-1041- 43
523-200-155
劉秀之劉宋 258-463- 81
265-255- 15
370-482- 14
378- 5-131
459-866- 52
475- 68- 52
475-275- 63
478-242-186
480-286-271
481- 15-291
488-182- 8
489-599- 47
492-709-3下
494-333- 7
510-309-113
532-675- 44
554-108- 50
559-259- 6
591-668- 47
933-450- 30
劉秀發宋 見劉曾
劉妙靜明 王栗齋妻、劉顯女
1261-712- 30
劉廷石明 456-657- 11
511-501-156
劉廷可妻 明 見李氏
劉廷式宋 476-657-135
491-806- 6
516-221- 96
劉廷臣明 545-783-111
劉廷直劉廷眞、劉庭直、劉建直 宋 515-592- 75
1134-317- 46
1161- 24- 74
1161-567-122
1161-634-126
劉廷祉清 474-520- 25
505-862- 77
劉廷相妻 明 見方氏
劉廷茂女 明 見劉祥
劉廷俊宋 見劉公特
劉廷祚明 563-787- 40
劉廷訓明 302- 40-291
456-458- 4
474-306- 16
505-835- 76
505-666- 69
劉廷眞宋 見劉廷直
劉廷眞妻 宋 見向范
劉廷恩妻 清 見朱氏
劉廷梅明 510-429-116
515-406- 69
1283-774-127
劉廷敕明 821-420- 56
劉廷焜明 460-757- 77
劉廷弼妻 明 見李氏
劉廷傑明 456-428- 2
478-434-196
554-368- 54
554-727- 61
劉廷瑚明 554-601- 59
劉作楫妻 清 見暴氏
劉廷嗣唐 475-271- 63
劉廷傳明 456-657- 11
511-501-156
1315-556- 34
劉廷賓明 515-155- 61
劉廷誥明 523-456-168
劉廷標明 302-123-295
456-551- 7
481-724-333
483-137-380
569-682- 19
劉廷璋妻 明 見王氏
劉廷璋妻 明 見田氏
劉廷璋妻 清 見王氏
劉廷樞明 483-138-380
劉廷儀明 545-344- 96
1467- 60- 64
劉廷徵明 554-307- 53
劉廷龍明 564-246- 47
劉廷諫明 505-724- 71
劉廷翰宋 285-210-260
396-534-302
472-658- 27
477- 72-152
537-386- 57
劉廷興妻 明 見陳氏
劉廷舉明(字巨塘) 515-124- 60
劉廷舉明(字國賓) 529-710- 50
劉廷舉明(遊擊都司守備)
571-553- 20
劉廷謨明 554-527-57下
劉廷篁明 515-689- 78
571-522- 19
劉廷獻妻 明 見許氏
劉廷夔明 456-429- 2
劉廷蘭劉庭蘭 明
300-798-232
529-572- 46
1283-767-127
1292-217- 20
劉廷瓚明 475-369- 67
510-392-115
劉廷讓劉光毅、劉光殷 宋
285-197-259
382-149- 20
384-326- 17
396-524-302
474-175- 8

933-462- 30
劉廷讓元 295-608-197
400-316-526
472-627- 25
474-559- 28
496-413- 89
502-782- 87
1212-517- 15
劉廷鑾清 511-817-167
劉宗元女 宋 見劉皇后
劉宗仁明(大名縣人)
472-135- 4
劉宗仁明(茌平人)
540-801-28之3
劉宗仁明(號靜山)
1241-174- 8
劉宗仁妻 明 見王琺
劉宗仁女 明 見劉氏
劉宗古宋 821-215- 51
劉宗臣明 483-282-393
572- 93- 29
劉宗向明 456-631- 10
劉宗伋明 1291-932- 7
劉宗沛清 559-329-7下
劉宗武劉宋 511-571-159
劉宗武明 567-341- 79
1467-233- 70
劉宗周明 301-306-255
456-411- 1
457-1078- 62
458-304- 11
458-967- 10
474-168- 8
477-378-167
479-243-227
523-388-164
523-602-176
676-628- 26
677-679- 61
1294-551- 13
1320-698- 76
1442- 87- 5
1460-698- 76
劉宗周妻 明 見章氏
劉宗周妻 明 見劉氏
劉宗岱母 明 見茹氏
劉宗牧妻 明 見李氏
劉宗海元 821-318- 54
劉宗釜明 533-487- 64
劉宗祥明 533-179- 52
劉宗現妻 清 見李氏
劉宗敏明 1252-197- 11
劉宗啟明 1232-586- 5
劉宗弼劉丞直、劉承直 明
478-765-215
479-795-254
516-170- 94
523- 34-147
1442- 6-附1
1459-297- 8
劉宗貴明 563-803- 41
劉宗舜妻 明 見劉氏
劉宗源宋 480-408-277
劉宗道宋 821-184- 50
劉宗道劉駟 明(字宗道)
460-769- 79
473-655- 78
481-615-329
529-564- 46
679-155-154
1442- 7- 1
1459-417- 13
劉宗道明(三原人) 554-987- 65
劉宗道妻 明 見李氏
劉宗嗣明 456-422- 2
474-238- 12
劉宗說元 1210-108- 10
劉宗榮元 1323-546- 1
劉宗慶明 1242-153- 29
劉宗樞清 528-519- 31
劉宗德妻 明 見陸氏
劉宗禮劉祀禮 明(上蔡人)
456-665- 11
劉宗禮明(大名人) 476-819-143
554-311- 53
劉宗權元 511-628- 76
劉法武梁 見劉峻
劉法鳳梁 見劉孝慶
劉於菟金 見劉章
劉宜之妻 宋 見徐氏
劉宜中元 1237-213- 3
劉宜正明 1374-650- 86
劉宜正妻 明 見曾德柔
劉空碧明 516-438-103
劉泗源明 480-321-272
劉治邦妻 明 見蘇氏
劉治國清 515-286- 65
劉性善明 1241-322- 1
劉性傳明 523-546-173
劉祀禮明 見劉宗禮
劉初平宋 1095-703- 35
劉定之明 299-781-176
452-182- 3
453-335- 5
453-597- 15
473-154- 56
479-721-250
676-490- 19
677-543- 49
515-670- 78
1375- 39- 下
1442- 25- 2
1459-624- 24
劉定夫宋 460-303- 20
劉定公劉夏 春秋
404-467- 27
448-212- 17
537-358- 57
劉定民妻 明 見曹氏
劉定昌明 515-236- 64
劉定國燕王 漢 244-276- 51
250- 58- 35
375- 64-78上
劉定國宋(字靖菴) 563-710- 39
劉定國宋(字伯于)
1096-376- 38
劉定國劉傳 明 (字平仲)
1127-829- 13
劉定國明(諡烈愍) 302- 52-292
456-482- 5
480-341-273
533-393- 60
劉定國劉是 明(字去非)
510-487-118
515-418- 69
劉定國清 510-342-113
劉定遠清 533-417- 62
劉武元清 479-456-237
502-659- 79
515- 66- 58
劉武臣明 571-544- 20
劉武周唐 269-477- 55
274-144- 86
384-177- 9
395-226-201
407-508- 7
548-629-181
劉武周明 483-306-395
劉武英後魏 261-804- 59
劉武聚明 456-632- 10
劉其仁女 清 見劉氏
劉其忠明 529-574- 46
劉其遠明 540-822-28之3
劉其德明 456-502- 5
554-717- 61
劉松老宋 820-407- 34
821-195- 51
劉松年宋 524-344-196
585-517- 17
821-223- 51
劉松泉明 511-875-170
劉青藜清(字奉若) 476-419-120
547- 84-144
劉青藜清(襄城人) 538-118- 64
劉坦之宋 494-401- 12
劉坦翁不詳 494-524- 25
劉招孫明 456-408- 1
劉直內元 528-446- 29
劉居士隋 264-1118- 80
劉居仁明 547-563-161
劉居正宋 820-350- 32
1092-580- 54
劉居信明 528-509- 31
劉居敬元 295-606-197
400-314-526
474-182- 8
劉孟丑妻 清 見李氏
劉孟池妻 明 見王氏
劉孟虎宋 529- 77- 34
劉孟和劉協 北齊
263-174- 21
266-639- 31
379-387-152
劉孟純明 676-758- 32
劉孟清明 1240-205- 14
劉孟淵妻 明 見郭琉
劉孟紘妻 清 見商氏
劉孟溫宋 劉琮女
1185-761- 21
劉孟雍劉熙 明 301-734-281
473-653- 78
481-611-329

515-356- 68
528-493- 30
劉孟雷明 510-448-117
劉孟節宋 491-806- 6
540-763-28之2
劉孟璜明 1237-279- 5
1237-409- 15
劉孟錡明(劉孟鞠) 456-465- 4
劉孟鞠明 見劉孟錡
劉孟鐸明 1239-424- 55
1241-662- 14
劉門年妻 清 見陸九姑
劉奉世宋 286-237-319
382-490- 76
384-369- 19
397-393-343
473-127- 55
473-402- 66
479-679-248
505-705- 70
515-520- 73
533-746- 73
545-478-100
567-439- 86
劉奉林周 524-420-200
劉事義元 472-520- 22
1192-563- 11
劉奇旦明 1291-642- 2
劉奇臣妻 明 見田氏
劉阿祖唐 821- 88- 48
劉阿崧宋 見劉鎮
劉阿稱齊 見劉瓛
劉屈氂漢 250-508- 66
376-255- 99
384- 46- 2
554- 33- 48
933-442- 30
劉坳胡劉宋 見劉胡
劉長文後魏 261-753- 55
劉長仁魏 254-515- 29
劉長生劉宋 見劉凝之
劉長年劉宋 見劉凝之
劉長言金 1365-302- 9
1439- 3- 附
1445- 62- 1
劉長吾明 1239- 91- 33
劉長治明 505-914- 81
劉長庚明 456-667- 11
554-724- 61
556-524- 94
劉長庚妻 明 見雷氏
劉長庚妻 清 見蔡氏
劉長春明 676-375- 14
劉長卿妻 漢 見桓氏
劉長卿唐 273-111- 60
451-425- 2
471-792- 29
474-310- 16
480-199-267
505-885- 79
516-211- 96
563-900- 43
674-250-4上
1365-480- 7
1371- 61- 附
1388- 10- 48
1472-553- 34
劉長歷宋 567-438- 86
1467-150- 67
劉長謙明 1240-190- 13
1240-709- 7
劉長孺宋 288-374-453
400-172-513
472-840- 33
476-610-133
478-124-181
540-640- 27
554-704- 61
劉東旭明 547- 74-143
劉東明妻 明 見張氏
劉東星明 300-674-223
475- 20- 49
476-208-107
510-294-112
532-598- 41
546-205-122
580-564- 40
1457-516-389
劉東陽明 475-176- 59
510-351-114
劉東陽妻 明 見高氏
劉林甫唐 269-792- 81
476-859-145
540-734-28之2
544-230- 63
劉林徵明 559-272- 6
劉承宗宋 288-492-463
472-108- 4
474-235- 12
505-654- 68
劉承宗明 1291-464- 8
劉承宗妻 明 見何氏
劉承直明 見劉宗弼
劉承事元 472-677- 27
劉承忠元 505-121- 49
劉承祐後漢 見漢隱帝
劉承祖明 1241-802- 20
劉承訓魏王 後漢
278-242-105
279-110- 18
395- 85- 18
546- 66-117
劉承家妻 清 見楊氏
劉承烈明 533-307- 57
劉承珪宋 見劉承規
劉承恩妻 明 見喬松
劉承恩清 475-711- 86
劉承規劉承珪 宋
288-527-466
382-782-120
384-336- 17
401- 65-576
475-327- 65
劉承健妻 明 見楊氏
劉承詔宋 524-202-188
劉承雲明 547-112-145
劉承弼宋 517-390-125
1147-550- 52
1161- 21- 74
1161- 81- 81
劉承弼女 宋 見劉氏
劉承鈞北漢 見漢睿宗
劉承雍唐 820-288- 30
劉承嗣宋 549-121-185
劉承漢明 456-672- 11
劉承範明 537-319- 56
劉承選清 456-332- 76
劉承學明 554-258- 52
劉承勳陳王 後漢
278-242-105
279-110- 18
395- 85-187
546- 66-117
劉承譔清 480- 93-262
533-379- 60
劉承纓明 554-606- 59
劉忠貞妻 明 見魏氏
劉忠恕宋 843-672- 下
劉忠順宋 1097-304- 21
劉忠嗣明 302-113-295
474-245- 12
505-846- 76
劉忠嗣妻 明 見毛氏
劉忠器明 473-112- 54
524-259-191
劉忠翼劉清潭 唐
270-410-118
劉典生清 474-411- 20
劉尚文元 1195-165- 2
劉尚文妻 明 見李氏
劉尚之宋 1138-879- 4
劉尚志明 511-257-146
劉尚坦明 1241-729- 17
劉尚忠明 545-891-114
劉尚忠妻 明 見吳氏
劉尚信清 537-469- 58
劉尚哲明 1242-736- 4
劉尚彩清 456-101- 57
劉尚義母 明 見朱氏
劉尚義明 545-893-114
676-571- 23
劉尚綸明 559-368- 8
劉尚質元 476-394-119
545-461-100
546-645-136
劉尚德明 572-105- 30
劉尚禮明 554-310- 53
劉旺子清 見閻西來
劉昌臣清 478-770-215
523- 65-149
533-114- 50
劉昌年妻 明 見劉氏
劉昌言宋 285-320-267
371-101- 10
382-240- 36
384-333- 17
396-607-308
473-586- 75
481-584-328
529-526- 45
劉昌言清 475-331- 65
511-198-143

567-155- 69
1315-408- 20
劉昌叔明 821-408- 56
劉昌祚宋 286-633-349
382-542- 84
384-375- 19
397-689-362
472- 96- 3
472-879- 35
474-378- 19
478-167-182
478-545-202
478-716-211
505-751- 72
554-359- 54
558-197- 31
933-464- 30
劉昌祚明(字延熙) 505-883- 79
劉昌祚明(武進人) 515-280- 65
517-732-133
劉昌裔唐 270-810-151
275-369-170
384-236- 12
396-144-265
476-911-148
477-441-171
537-337- 56
545-576-104
549-330-193
559-317-7上
933-457- 30
1073-581- 27
1073-600- 29
1074-419- 27
1074-442- 29
1075-370- 27
1075-392- 29
1383-160- 13
劉昌嗣花昌嗣 後漢
473-337- 63
480-406-277
480-512-281
533-245- 55
劉昌魯唐 473-719- 21
482-207-347
563-648- 38
劉昌應明 456-549- 7
482-562-369

570-127-21之1
劉明仲宋 821-182- 50
劉明孝明 528-533- 31
劉明東明 533-266- 55
劉明善元 505-682- 69
劉明復劉忱 宋 821-178- 50
劉明道元 515-628- 76
劉明遠明 456-666- 11
劉明德元 516-168- 94
劉明德明 572-166- 32
劉昆孫明 見劉三吾
劉昇祚清 480-564-284
533-407- 61
545-896-114
劉昂霄金 546-687-138
1040-240- 3
1191-261- 23
1224-486- 29
1365-243- 7
1374-742- 95
1439- 11- 附
1445-460- 34
1458-711-473
劉芳世明 456-663- 11
劉芳名明 456-663- 11
劉芳名清 478-599-204
558-163- 30
558-378- 36
劉芳奕明 302- 69-293
456-558- 7
458- 71- 3
538- 60- 63
劉芳烈妻 清 見虞氏
劉芳教妻 清 見李氏
劉芳喆清 505-898- 80
劉芳節明 533-217- 53
1442- 85- 5
劉芳遠宋 515-605- 76
563-701- 39
劉芳遠明 456-600- 9
511-505-156
劉芳遠妻 明 見王氏
劉芳聲明 見劉芳馨
劉芳聲妻 明 見吳氏
劉芳聲妻 明 見許氏
劉芳聲清(字何實) 511-196-143
劉芳聲清(字振垣) 540-684- 27
劉芳聲清(字茂遠)

540-846-28之4
劉芳馨劉芳聲 明456-493- 5
劉芳躅清 505-830- 75
劉芳藹清 475-612- 81
劉芳譽明 505-685- 69
劉芳顯明 511-626-161
劉易從唐 269-748- 77
274-359-106
384-174- 9
395-342-212
475-419- 70
481- 66-293
511-580-159
劉易從明 537-469- 58
劉叔文宋 460-287- 18
460-303- 20
劉叔宗劉纂 北齊
263-175- 21
266-639- 31
379-387-152
劉叔奎妻 清 見朱氏
劉叔毖明 473-376- 65
480-563-284
515-657- 77
532-742- 46
1283-495- 10
劉叔雅明 821-459- 57
劉叔智宋 529-534- 45
劉叔熙元 518- 26-136
劉叔寶宋 559-264- 6
591-685- 47
劉叔龕明 515-720- 79
劉果實清 1325-417- 12
劉知己宋 484-381- 28
劉知柔唐 270-244-102
276- 58-201
400-589-554
511-223-144
933-459- 30
1066- 35- 5
1341-756-900
劉知信宋 288-491-463
400- 36-502
472-108- 4
474-650- 34
484- 87- 3
488-372- 13
545- 38- 84

劉知俊後梁 277-125- 13
279-277- 44
384-311- 16
396-408-292
933-461- 30
劉知幾唐 見劉子玄
劉知過宋 524- 61-181
劉知微明 505-810- 74
劉知遠後漢 見漢高祖
劉知謙劉謙 唐 275-575-190
278-480-135
384-292- 15
537-563- 60
563-643- 38
567- 12- 62
1467- 19- 62
劉季文宋 460-303- 20
劉季之劉宋 258-441- 7
劉季姐明 歐陽嵩妻
516-291- 99
劉季述唐 276-154-208
384-289- 15
401- 56-575
劉季眞唐 269-496- 56
274-157- 87
384-178- 9
395-240-202
劉季眞明 1241-488- 7
劉季孫宋 382-714-110
494-544- 28
515-213- 63
545-479-100
548-191-167
674-875- 20
933-467- 30
1106-265- 36
1107-826- 58
1108- 45- 63
1109-245- 13
1110-476- 28
1437- 18- 1
劉季清明 473- 25- 49
515-370- 68
劉季連梁 260-182- 20
265-213- 13
375-264- 81
560-600-29下
劉季崇明 528-511- 31

劉季道明 515-642- 77
劉季篪劉韶 明 299-445-150
453-218- 20
453-572- 9
477-563-177
479-238-227
523-463-169
554-207- 52
1238-238- 20
1374-662- 87
1442- 13- 1
劉季裴劉蔡驥 宋448-159- 0
484-390- 28
529-641- 48
677-277- 25
劉季體明 480-171-266
劉和仲宋 288-253-444
劉和叔宋 1113-238- 23
1345-583- 0
劉和姐明 高世才妻
530- 10- 54
劉和梅妻 清 見劉氏
劉和積妻 明 見袁氏
劉佳胤明 301-463-263
456-499- 5
劉佺瑾妻 清 見林氏
劉全住妻 明 見常氏
劉金柱清 474-246- 12
505-694- 70
505-847- 76
劉金綸明 529-700- 50
劉始恢清 511-198-143
劉始暘女 清 見劉氏
劉侃遠妻 清 見王氏
劉岳申元 295-538-190
400-699-567
473-150- 56
479-716-250
515-619- 76
676-708- 29
1204-173- 附
劉岳申妻 元 見鄒氏
劉受二元 479-609-244
516-127- 92
劉受書明 510-448-117
劉采春唐 1371- 79- 附
劉秉文元 472-795- 31
537-564- 60
劉秉仁唐 515-241- 64
劉秉仁明(唐縣人) 505-844- 76
劉秉仁明(字思孝) 510-363-114
劉秉仁明(字子元) 572- 72- 28
劉秉直元 295-559-192
400-374-534
472-706- 28
477-201-159
537-279- 55
劉秉忠元 見子聰
劉秉恕元 295-134-157
399-456-462
472-108- 4
474-409- 20
476-726-138
505-757- 72
515-471- 71
540-656- 27
545-181- 89
1439-419- 1
1468-239- 12
劉秉乾妻 清 見陶氏
劉秉善宋 1198-664- 25
劉秉鈞元 541-112- 31
劉秉鈞妻 清 見郎氏
劉秉監劉秉鑑 明
457-306- 19
479-722-250
515-695- 78
563-792- 41
劉秉寬明 547- 6-141
劉秉德金 見劉國寶
劉秉錄明 533-333- 58
劉秉璧妻 明 見陳氏
劉秉鐸妻 清 見王氏
劉秉權清 481-808-338
502-647- 78
563-863- 42
劉秉鑑明 見劉秉監
劉依仁元 545-219- 91
劉延世宋 821-180- 50
劉延宇妻 宋 見趙氏
劉延年劉宋 485-347- 1
劉延明後魏 見劉昞
劉延朗後唐 277-570- 69
279-166- 27
396-363-284
384-303- 16
1383-741- 67
劉延唐清 480-176-266
533-196- 53
劉延祐唐 271-564-190上
276- 57-201
384-176- 9
400-588-554
472-412- 18
475-428- 70
478- 87-180
511-223-144
554-327- 54
933-459- 30
劉延孫劉宋 258-433- 78
265-289- 17
370-482- 14
378- 42-131
475-426- 70
494-279- 3
511-221-144
933-451- 30
劉延景唐 269-748- 77
274-359-106
395-342-212
933-455- 30
劉延景女 唐 見劉皇后
劉延皓後唐 277-570- 69
劉延嗣唐 269-748- 77
274-359-106
395-342-212
475-428- 70
511-223-144
劉延嗣女 唐 見劉氏
劉延傳明 475-781- 89
劉延壽楚王、廣陵王 漢
250- 69- 36
375- 71- 78
劉延壽後晉 見趙延壽
劉延慶宋 286-736-357
382-693-107
397-768-366
472-924- 36
478-169-182
478-418-195
554-936- 64
劉延齡明 559-436-10上
569-668- 19
劉延齡妻 明 見曹氏
劉延讚明 472-1015- 41
劉近安妻 清 見蕭氏
劉近寬明 547-103-145
劉欣之漢 見漢哀帝
劉洪甲明 533-429- 62
劉洪度南漢 見漢殤帝
劉洪度清 480-138-264
533-374- 60
劉洪恩明 456-526- 6
劉洪啟明 456-531- 6
538- 67- 63
劉洪道貴王 南漢567- 7- 62
劉洪道宋 473-758- 83
567-437- 86
1467-150- 67
劉洪照宜王 南漢567- 7- 62
劉洪熙南漢 見漢中宗
劉洪徽北齊 544-217- 62
劉洪謨明 515-434- 70
523- 90-149
676- 43- 2
679-221-161
劉冠南明 483-281-393
571-541- 20
劉炳文明 533-144- 51
劉為鐸妻 清 見張氏
劉客奴劉正臣 唐
275-155-151
395-752-249
820-193- 27
劉宣彥晉 528- 3- 17
劉洞誠元 516-441-104
劉洵直宋 493-711- 39
529-665- 49
劉洛垂後魏 見劉庫仁
劉恆之漢 見漢文帝
劉恆性妻 明 見張氏
劉恆耀清 547- 27-141
劉宧成明 515-260- 65
劉亮采明(歷城人) 537-249- 55
劉亮宋明(字德嚴)
1475-451- 19
劉前徽妻 明 見郝氏
劉彥文元 1201-704- 28
1367-680- 52
劉彥良妻 明 見張淑柔
劉彥宗金 291-157- 78
399-110-426

505-718- 71
劉彥直唐 494-324- 6
劉彥奇宋 1142-647- 9
劉彥明元 820-533- 38
劉彥明女 明 見劉氏
劉彥和宋 484-380- 28
劉彥飛明 472-1027- 42
523-189-155
劉彥昺明 見鎦炳
劉彥昭明 1232-605- 5
劉彥約宋 480-483-380
劉彥恭元 1210-155- 13
劉彥振明 676- 90- 3
劉彥修宋 1053-883- 20
劉彥偉明 1283-561- 15
劉彥琮後唐 277-514- 61
劉彥登宋 515-588- 75
585-764- 5
劉彥弼宋 1134-306- 44
劉彥陽妻 明 見孫氏
劉彥陽女 明 見劉貞
劉彥陽女 明 見劉潔
劉彥齊梁 812-523- 2
821-108- 49
劉彥廣唐 1061-287-112
劉彥適南宋 585-763- 5
劉彥璋明 1227-105- 12
劉彥濟明 1236-690- 7
劉美之女 明 見劉氏
劉美玉劉俊女 明
472-578- 24
476-619-133
劉珏孫宋 見劉師中
劉持中元 540-781-28之2
1214-254- 21
劉持志元 1218-521- 8
劉持盈元 1218-521- 8
劉拱辰妻 明 見王氏
劉拱宸明 532-623- 43
劉春和明 547- 82-144
劉春菜明 533-344- 58
劉春龍不詳 1061-346-115
劉軌思北齊 263-334- 44
267-575- 81
380-317-174
505-871- 78
540-720-28之1
劉相如宋 523-533-172
劉厚南宋 472-1087- 46
523-449-168
劉奎耀明 545-153- 88
劉盈之漢 見漢惠帝
劉南甫宋 515-613- 76
劉南呂明 533-304- 57
劉南雄妻 明 見王氏
劉南嵐明 1288-679- 16
劉南嵐妻 明 見李氏
劉南鵬宋 515-601- 76
劉郁武明 1239-249- 43
劉飛漢明 456-602- 9
567-372- 81
劉珍娘明 周長清妻
479-730-250
劉政會唐 269-516- 58
274-179- 90
384-166- 9
395-247-203
472-708- 28
477-206-159
537-461- 58
545- 19- 83
933-454- 30
1340-553-776
劉述古唐 1073-492- 17
1074-314- 17
1075-273- 17
1355-435- 14
劉述倫明 1261-177- 13
劉致一宋 491-437- 6
劉致中明 554-220- 52
劉致思宋 820-431- 35
劉致端宋 1146-123- 91
劉建直宋 見劉廷直
劉建德長沙王 漢
250-303- 53
375-110-78下
劉建鋒唐 275-568-190
384-290- 15
933-459- 30
劉建勳妻 清 見馬氏
劉茂中劉茂忠 南唐
473-146- 56
515-572- 75
劉茂忠南唐 見劉茂中
劉茂威後唐 見劉皇后
劉茂惠明 周貞妻
533-518- 66
劉茂復唐 384-256- 13
472-194- 7
劉茂源妻 清 見楊氏
劉茂道父 唐 1341-749- 899
劉茂實宋 1134-291- 41
1134-302- 43
劉茂德唐 821- 43- 46
劉貞一明 程仲仁妻、劉添女
1242- 70- 26
劉貞亮唐 見俱文珍
劉思文女 明 見劉氏
劉思中妻 明 見吳氏
劉思立唐 271-576-190
276- 69-202
400-598-555
劉思考劉宋 486- 37- 2
劉思成清 456-332- 76
劉思忌齊 472-765- 30
477-358-166
537-310- 56
劉思孝元 537-334- 56
劉思明元 541-112- 31
劉思信女 明 見劉秋喜
劉思祖後魏 261-751- 55
劉思祖明 1442-113- 7
劉思問明 515- 57- 58
537-484- 58
劉思善明 483-194-387
劉思琦元 478-419-195
劉思智陳 見劉師知
劉思舜清 456-332- 76
劉思逸後魏 262-340- 94
267-750- 92
380-506-179
劉思義宋 821-218- 51
劉思敬劉哈巴爾圖 元(諡忠肅)
295- 80-152
399-420-457
476-526-128
479-450-237
515- 23- 57
540-776-28之2
劉思敬元(延安宜君人)
295-615-198
400-321-526
472-925- 36
554-758- 62
劉思敬元(號眞空子)
516-441-104
劉思敬清 511-721-165
677-756- 67
劉思誨明 479-796-254
516-180- 94
劉思齊元 1201- 24- 66
劉思賢明 473-304- 62
480-247-269
533- 77- 49
559-276- 6
劉思澤明 456-665- 11
劉思縉妻 明 見張氏
劉思禮唐 269-506- 57
274-164- 88
395-253-203
劉思禮元 473-615- 77
528-508- 31
劉若川劉武 宋 1147-341- 31
劉若水元 820-528- 38
劉若宜清 475-532- 77
511-850-169
劉若金明 533- 64- 49
劉若宰明 511-700-164
劉若時明 456-683- 11
劉若寓妻 明 見吳氏
劉若虛唐 451-416- 1
劉若虛宋 460-169- 10
481-526-326
529-433- 43
530-612- 73
1090-657- 37
劉若虛明 592-778- 2
劉若愚明 302-299-305
劉星毓妻 明 見柴氏
劉若鼐清 545-803-111
559-329-7下
劉若蘭明 劉鉞女
474-314- 16
劉昭文明 516-152- 93
劉昭父元 1217-572- 2
劉昭平明 1319-788-353
劉昭先明 473-144- 56
515-149- 61
劉昭禹南唐 472-1028- 42
524- 69-181
劉苑華明 何藻妻1442-124- 8
劉則海元 1220-384- 3

劉則禮元 1217-759- 6
劉幽求唐 270-163- 97
274-525-121
384-192- 10
395-505-227
472- 92- 3
473-713- 81
474-638- 33
482-187-346
494- 54- 2
505-794- 73
554-346- 54
563-899- 43
567-427- 86
933-455- 30
劉英臣宋 1134-291- 41
劉英契元 1206-755- 11
1206-773- 12
劉英傑妻 宋 見吳氏
劉映洙明 515-514- 72
劉迪簡明 473-178- 57
515-503- 72
676-463- 17
679-192-158
劉係宗齊 259-549- 56
265-1098- 77
381- 14-184
472-176- 6
475-669- 84
489-673- 49
492-577-13下之上
511- 71-139
812-331- 7
814-250- 6
820- 94- 24
821- 20- 45
933-453- 30
劉禹錫唐 271- 74-160
275-347-168
384-243- 12
396-127-263
471-595- 2
471-800- 30
471-850- 37
471-926- 49
471-985- 57
472- 92- 3
472-220- 8
472-394- 17
473-366- 64
474-653- 34
475-119- 55
475-809- 91
475-429- 70
480-482-280
481-234-303
482-289-352
485- 72- 11
493-690- 38
505-894- 79
510-324-113
511-789-166
532-735- 46
559-293-7上
563-647- 38
588-159- 8
591-695- 49
674-258-4上
677-154- 14
812-748- 3
820-230- 28
933-457- 30
1077-584- 9
1365-386- 1
1371- 66- 附
1388-133- 56
1394-483- 5
1472-620- 38
劉禹錫宋 515-591- 75
劉狩燕漢 567- 2- 62
劉垂寶明 515-721- 79
劉重玉妻 清 見王氏
劉重約唐 820-284- 30
劉重進劉晏僧 宋
285-222-261
劉重誨明 1297-119- 10
劉重慶明 540-826-28之3
劉信甫元 511-572-159
劉皇后北魏 魏道武帝后、劉眷女 261-210- 13
266-279- 13
373- 96- 20
劉皇后唐 唐睿宗后、劉延景女 269-426- 51
274- 15- 76
393-261- 72
劉皇后後唐 唐末帝后、劉茂威女 277-431- 49
279-100- 16
393-294- 74
544-184- 61
劉皇后後唐 唐莊宗后
277-430- 49
279- 85- 14
393-291- 74
1383-699- 63
劉皇后後周 周世宗后
279-115- 20
278-368-121
393-298- 74
劉皇后宋 宋眞宗后、劉通女
284-860-242
382-103- 13
384-337- 17
393-302- 75
560-592-29下
劉皇后宋 宋哲宗后
284-875-243
382-111- 14
384-376- 19
393-313- 76
劉皇后宋 宋徽宗后、劉宗元女 284-878-243
382-111- 14
393-315- 76
劉皇后宋 宋徽宗后
284-878-243
382-111- 14
393-314- 76
819-592- 20
劉盆子漢 252-465- 41
370-213- 23
376-509-104
402-348- 2
537- 65- 49
劉紅夫館陶公主 漢 韓光妻、漢光武帝女 252-200-10下
373- 51- 19
劉胤之唐 271-564-190上
276- 57-201
400-588-554
474-601- 31
475-428- 70
933-459- 30
劉胤昌明 480-128-264
515-177- 62
532-638- 43
676-629- 26
1442- 89- 6
1460-504- 64
劉胤祖劉宋 812-330- 6
821- 19- 45
劉衍祚明 545-194- 90
劉衍禰妻 清 見魏氏
劉衎漢 見漢平帝
劉紀明宋 1130-572- 12
劉勉之宋 288-445-459
401- 30-571
449-761- 11
459- 87- 5
460-109- 6
471-660- 11
473-603- 76
481-677-331
529-605- 47
1144-103- 38
1146-120- 90
劉秋佩女 明 見劉氏
劉秋喜明 任國卿妻、劉司信女、劉思信女 478-490-199
558-498- 42
劉侯仁後魏 262-259- 87
267-639- 85
380- 59-166
劉侯圭宋 484-386- 28
劉侯亞宋 484-377- 27
劉保興南漢 見劉鋹
劉保勳宋 285-423-276
396-679-316
472-747- 29
477-313-164
481-234-303
488-369- 13
538- 57- 63
545- 38- 84
劉俊民宋 484-382- 28
劉俊初明 533-340- 58
劉俊姐清 劉生花女
474-521- 25
劉俊烈妻 明 見李氏
劉海陽廣川王 漢
250-306- 53

375-112-78下
劉海賓唐 275-175-153
396- 4-251
511-223-144
933-457- 30
1342-348-949
劉海蟾宋 538-338- 70
472-709- 28
劉海寶北齊 263-175- 21
劉涓子劉宋 742- 32- 1
劉浩然妻 明 見陳氏
劉高尚晉 564-614- 56
劉高尚宋 541- 91- 30
1141-353- 50
劉高慈妻 清 見羅氏
劉唐老宋 384-342- 17
劉唐稽宋 494-396- 11
劉祖衍元 524-231-189
劉祖修明 533-346- 58
劉祖勝元 480-541-283
533-403- 61
劉祖滿明 564-320- 49
劉祖謙金 473-370-117
546-487-131
1040-250- 4
1365-170- 5
1439- 8-附
1445-406- 29
劉祚永清 505-879- 80
劉祚昌明 456-676- 11
劉益之劉益 宋(字益之)
821-203-51中
劉益之宋(字仲益)
1170-671- 28
劉益謙元 472-766- 30
537-314- 56
1373-477- 30
劉庫仁劉洛垂 後魏
261-373- 23
266-407- 20
379- 3-146
384-129- 7
933-453- 30
劉神藻唐 552- 53- 19
劉效祖明 505-802- 74
676-197- 8
676-584- 24
1442- 60- 4
1460-189- 49
劉庭玉岳母 元 見馬氏
劉庭式宋 288-450-459
382-765-117
400-329-528
472-525- 22
476-524-128
540-759-28之2
933-466- 30
1108-510- 93
劉庭老宋 1161-697-132
劉庭直宋 見劉廷直
劉庭芝唐 見劉希夷
劉庭琦唐 820-170- 27
劉庭揚劉慶哥 宋448-400- 0
劉庭蘭明 見劉廷蘭
劉庭蘭妻 明 見林氏
劉兼濟宋 286-310-325
397-440-346
472- 51- 2
474-236- 12
478-544-202
480-288-271
505-654- 68
537-391- 57
劉泰亨元 528-541- 32
劉泰瑛漢 楊相妻、劉巨公女
555- 4- 66
879-181-58下
劉素能明 彭至朴妻、劉仲顯女 1255-654- 68
劉恭儉明 尹爽妻、劉端女
1277-563- 6
劉恭璞不詳 楊子拒妻、劉懿公女 879-158-58上
劉恭獻明 472-645- 26
477-442-171
537-338- 56
劉桃符後魏 262-179- 79
267- 10- 46
379-318-151
劉砥中清 547- 28-141
劉眞兒妻 明 見甯氏
劉眞道劉宋 258- 81- 47
265-282- 17
378- 34-131
479- 40-218
511-398-151
523- 70-149
933-450- 30
劉原性明 1242-117- 27
劉原起劉作 明 821-451- 57
劉原弼明 458-171- 8
538- 40- 63
劉原熊明 523-422-166
劉桂平元 517-470-127
劉桂姐清 476-621-133
劉桓公春秋 404-467- 27
劉栖楚唐 271- 8-154
275-418-175
384-265- 13
396-158-266
472- 93- 3
554-131- 50
567-429- 86
933-458- 30
1467-141- 67
劉眘虛唐 479-485-239
515-298- 66
劉晉仲妻 明 見尹紐榮
劉晉嘯妻 明 見馬氏
劉起元妻 清 見徐氏
劉起世宋 460-147- 9
劉起沛妻 清 見孟氏
劉起宗明 479-353-233
481-117-296
510-438-116
523-204-155
劉起昌元 559-320-7上
劉起晦宋 460-147- 9
1164-343- 18
劉起雲妻 清 見胡氏
劉起鳳明 538- 81- 64
劉起鳳清 538- 56- 63
劉起鳳妻 清 見齊氏
劉袁芳明 564-221- 46
劉振之明 302- 72-293
456-426- 2
477- 56-151
479-187-225
523-378-164
537-250- 55
676-657- 27
1442-107- 7
1460-682- 75
劉振世明 302- 71-293
456-558- 7
477-360-166
537-321- 56
劉振益明 554-311- 53
劉振孫明 456-671- 11
480-176-266
533-478- 64
劉振時清 511-540-157
劉振穀妻 清 見錢氏
劉時中明(字大本) 558-342- 35
劉時中明(字伯庸)
1442- 98- 6
1460-593- 69
劉時升宋 484-381- 28
劉時明元 1197-767- 80
劉時明妻 元 見黃德順
劉時省明 1242-264- 33
劉時伭妻 清 見徐氏
劉時俊明 510-339-113
1319-182- 15
劉時美元 505-699- 70
劉時習元 515-832- 83
劉時雍明 1467- 78- 64
劉時道妻 清 見張氏
劉時達明 554-505-57上
559-289-7上
劉時遠清 533-298- 56
劉時蓀明 554-760- 62
劉時暢明 511-648-162
劉時豫元 1192-588- 13
劉時舉明 483-349-399
572- 84- 28
1467-113- 66
劉時寵明 302- 51-292
456-665- 11
477-420-169
劉時敷明 559-401-9上
676-506- 19
1254- 82- 3
1257-211- 19
劉恩廣清 477-481-173
538-117- 64
劉恩澤明 302- 71-293
477-453-171
劉晏僧宋 見劉重進
劉剛中宋 460-314- 23
481-697-332
529-627- 48

532-622- 43
劉郢容漢 見劉郢
劉虔之劉宋 258-106- 50
265-289- 17
378- 41-131
劉豹子後魏 見劉務桓
劉矩宗清 523-237-156
554-533-57下
劉倩玉元 1439-445- 2
劉耕孫元 295-584-195
400-266-521
472-377- 16
473-340- 63
475-605- 81
480-410-277
480-663-290
510-435-116
523-214-156
532-704- 45
533-399- 61
676-711- 29
1224-215- 21
劉倚友宋 523-419-166
劉師尹宋(字伯任) 473-623- 77
481-719-333
528-549- 32
1140-512- 18
劉師尹宋(字堯咨) 515-469- 71
劉師中劉玨孫 宋451- 96- 3
劉師立唐 269-507- 57
274-164- 88
395-252-203
554-121- 50
933-454- 30
劉師古明 456-618- 9
540-833-28之3
劉師邵明 1442- 30- 2
劉師知劉思智、劉師智 陳
260-647- 16
265-962- 68
378-546-145
933-453- 30
劉師服唐 1378-343- 53
劉師亮宋 484-385- 28
劉師勇宋 288-343-451
400-201-515
475-704- 86
511-491-156
1218-607- 2
劉師基妻 明 見金氏
劉師智陳 見劉師知
劉師道宋 286- 34-304
397-241-333
472-273- 11
472-659- 27
472-981- 39
473-233- 60
473-333- 63
477- 95-152
479- 91-221
480- 87-262
480-399-277
481- 67-293
505-890- 79
510-370-114
523- 9-146
523- 96-150
532-689- 45
劉師愈宋 1118-958- 65
劉師穎明 473-216- 59
533- 15- 47
劉師贄宋 484-387- 28
劉師嚴宋 1121- 73- 7
劉卿月宋 515- 85- 59
劉純佑清 456-332- 76
劉純陽明 見劉繩陽
劉純熙明 1460-736- 79
劉修己明 479-712-250
劉娘子宋(看經劉娘子)
585-299- 2
劉娘子宋(尚食劉娘子)
585-300- 2
劉納言唐 271-540-189上
276- 14-198
劉淳叟宋 460-303- 20
劉淳道明 676-380- 14
劉清之宋 288-156-437
400-534-548
449-811- 14
459-911- 55
472-1014- 41
473-128- 55
473-165- 57
473-209- 59
473-358- 64
479-377-234
479-680-248
479-710-250
480- 49-259
480-507-281
515-526- 73
517-360-125
523-213-156
532-615- 43
532-703- 45
820-435- 35
821-220- 51
1146- 52- 87
1220-430- 9
劉清渭妻 明 見熊氏
劉清漣清 505-905- 80
劉清漣妻 清 見王氏
劉清澈妻 明 見邵氏
劉清徹妻 明 見邵氏
劉清潭唐 見劉忠翼
劉添元明 1237-289- 5
劉淮夫宋 1121-447- 32
劉望之魏 245-386- 21
劉望之宋 473-529- 72
559-397-9上
592-599- 99
劉望之明 559-402-9上
571-526- 19
劉庶績妻 明 見劉氏
劉惟一元 820-523- 38
劉惟恂明 505-901- 80
劉惟輔宋 288-356-452
400-169-513
472-881- 35
472-904- 36
478-484-199
558-175- 31
558-419- 37
劉惟謙明 見劉惟讓
劉惟簡宋 288-549-467
劉惟贊明 533-275- 56
劉惟馨明 456-585- 8
劉惟讓劉惟謙 明
299-309-138
劉寄奴劉宋 見宋武帝
劉混康宋 472-264- 10
475-243- 61
511-923-174
劉淵甫明 540-800-28之3
劉淵然明 302-184-299
473-189- 58
479-798-254
511-928-174
516-503-105
570-247- 25
1241-427- 5
劉章壽妻 清 見徐氏
劉率性明 1242- 26- 24
劉率性妻 明 見張月
劉庸道明 1232-222- 3
劉庸禮明 1237-337- 7
劉祥南宋 451-100- 32
劉祥道唐 269-794- 81
274-355-106
384-179- 10
395-368-214
469-450- 54
472-572- 24
476-859-145
540-737-28之2
933-454- 30
劉淑明漢 472- 66- 2
劉淑相明 473-284- 61
533-172- 52
劉淑貞宋 474-443- 21
劉淑貞元 506-127- 89
劉淑貞明 宋欽妻
302-545-316
劉淑唐明 515-719- 79
劉淑眞明 黄縉妻530- 7- 54
劉淑新元 1197-791- 83
劉淑端清 曹秉乾妻
530- 35- 54
劉淑賢明 羅文忠妻
516-288- 99
劉淑聲明 見劉淑罄
劉淑罄劉淑聲 明 李岳妻
473-575- 74
530- 4- 54
劉康乂唐 277-191- 21
540-656- 27
劉康夫宋 460-170- 10
460-173- 10
473-571- 74
484-187- 8
529-436- 43
1117-415- 4

1119-331- 32
劉康公王季子　春秋
375-670- 89
384- 12- 1
404-465- 27
448-184- 12
537-358- 57
933-441- 30
劉康民明 1240-783- 8
劉康民女　宋　見劉氏
劉康祉明 524- 88-182
劉康祖劉宋 258-106- 50
265-288- 17
378- 40-131
475-426- 70
511-464-154
933-450- 30
劉執中元 1197-706- 73
劉執玉妻　明　見張氏
劉執嘉漢　見劉太公
劉梅兒清　劉汝德女
476-186-106
547-302-153
劉強學宋 517-397-126
1174-733- 46
劉雪艇元 1204-184- 1
劉理同妻　明　見劉氏
劉理順明 301-496-266
458- 69- 3
458-282- 9
458-1067- 2
477- 89-153
538- 41- 63
676-659- 27
1442-108- 7
1460-687- 75
劉理順妻　明　見李氏
劉培陽清 554-530-57下
劉習之明 1241-664- 14
劉習恭妻　明　見江氏
劉務桓劉豹子　後魏
262-351- 95
劉務耕明 1237-234- 4
劉連登妻　清　見曹氏
劉連璧明 570-141-21之2
劉通平膠東王　漢 539-347- 8
劉晟基清 483-195-387
劉將孫元 1439-423- 1
1471-264- 1
劉將閭齊王　漢 244-281- 52
250-104- 38
375- 89-78上
539-345- 8
劉崇文明(號杉菴) 546-735-139
劉崇文明(湖廣人) 559-282- 6
劉崇文妻　明　見程氏
劉崇之宋 460- 99- 6
529-609- 47
劉崇明明 1229-207- 5
劉崇俊南唐 472-311- 13
1085- 84- 11
劉崇望唐 271-363-179
274-180- 90
384-166- 9
396-242-273
472-708- 28
477-207-159
537-462- 58
933-454- 30
劉崇會明 456-504- 5
537-348- 56
劉崇魯唐 271-364-179
274-181- 90
396-243-273
477-207-159
933-454- 30
劉崇龜唐 271-363-179
274-181- 90
396-243-273
477-207-159
481-800-338
537-462- 58
545- 31- 83
563-638- 38
820-268- 29
933-454- 30
劉崇謨唐 271-365-179
劉崇讚後周 279-203- 32
933-461- 30
劉貫詞唐 485-300- 45
493-1117- 59
劉貫道元 821-287- 53
劉莊孫元 1235-368- 12
1203-380- 28
1455-582-234
劉國正妻　清　見沈氏
劉國用宋 821-183- 50
劉國印妻　清　見郭氏
劉國佐妻　明　見張氏
劉國忠妻　明　見艾氏
劉國忠媳　明　見韓氏
劉國美妻　元　見林愈娘
劉國柱妻　清　見張氏
劉國珍妻　元　見吳卿吉
劉國軒清 528- 10- 17
劉國能明 301-544-269
456-487- 5
537-320- 56
554-715- 61
劉國清妻　清　見劉氏
劉國祥妻　清　見沈氏
劉國登明 456-599- 9
劉國棟明 456-494- 5
456-613- 9
558-425- 37
劉國棟妻　清　見王氏
劉國鈞宋 484-382- 28
劉國傑劉二巴圖、劉二巴圖爾　元 295-203-162
399-570-476
482-485-364
483-220-390
502-376- 63
532-583- 41
567- 76- 65
571-515- 19
1210-310- 8
1211-343- 48
1467- 52- 63
劉國楨清 476-519-127
540-683- 27
劉國瑞宋 528-547- 32
劉國會明 533-494- 65
劉國賓明 523-400-165
劉國寧清 502-631- 77
532-641- 43
劉國銘明 554-527-57下
劉國標妻　清　見劉氏
劉國興清 481-584-328
528-488- 30
劉國勳清 456-332- 76
劉國檄明 456-678- 11
劉國獻清 511-218-144
劉國鎭宋 484-380- 28
劉國璽明 456-654- 11
劉國藩明 572- 75- 28
劉國鏞明 554-610- 59
劉國寶劉秉德、劉壽郎　金
472- 54- 2
1198-565- 25
劉常泰明 554-990- 65
劉常進唐 517-272-122
劉處中宋 549-121-185
劉處玄金 541- 93- 30
547-513-160
劉處靜唐 479-437-236
524-446-201
劉處讓晉 278-160- 94
279-302- 47
384-312- 16
396-422-294
933-461- 30
劉野夫宋 472-595- 24
476-680-136
541- 91- 30
劉晨言遼 502-260- 54
劉崍基妻　清　見孟氏
劉得仁唐 451-454- 5
674-265-4中
1371- 70- 附
劉得仁明 547- 43-142
劉得本宋 516-475-105
劉得成妻　明　見李氏
劉得紫清 1327-821- 15
劉得新元 472-677- 27
劉得遇宋 451-245- 0
劉得寧清 505-906- 80
劉終古菑川王　漢
250-106- 38
375- 90-78上
539-346- 8
劉紹仁明 563-830- 41
劉紹可妻　元　見熊氏
劉紹功明 1260- 92- 2
劉紹先宋 472-789- 31
劉紹先明 533-262- 55
劉紹宗宋 1160-487- 45
劉紹宗明(武城人) 545-481-100
劉紹宗明(絳州人) 547-115-145
劉紹恤劉紹卹　明(安樂人)
523- 89-149
676-605- 25

劉紹恤明(浙江人) 545-248- 92
劉紹珍後魏 262- 55- 70
266-930- 45
379-294-150下
劉紹卹明 見劉紹恤
劉紹祖劉宋 812-330- 6
821- 19- 45
劉紹祖元 505-675- 69
劉紹卿明 1274-603- 2
劉紹能宋 286-646-350
397-700-362
472-924- 36
478-169-182
554-358- 54
劉紹堯姪女 明 見劉氏
劉紹榮宋 481- 18-291
559-503- 12
591-679- 47
劉紹箕明 533-416- 62
1278-467- 23
劉紹璇明 505-828- 75
劉細奴妻 明 見伍氏
劉細娘明 陳肇崗妻
530- 95- 56
劉偉甫宋 1180-436- 40
劉統勳清 476-676-136
1308-287- 58
劉殺鬼北齊 812-337- 8
821- 28- 45
劉敏士宋 523-563-174
劉敏才女 宋 見劉德靚
劉敏之明 571-548- 20
劉敏元晉 256-451- 89
380- 38-166
476-728-138
491-799- 6
540-714-28之1
933-447- 30
劉敏中元 295-407-178
399-696-490
472-526- 22
474-817- 44
476-526-128
502-275- 55
540-777-28之2
676-701- 29
1206- 3- 附
劉敏行金 291-727-128
400-358-533
472-144- 5
474-277- 14
474-434- 21
476-204-107
505-681- 69
505-729- 71
545-337- 96
劉敏叔元 821-299- 53
劉敏寬明 476-370-117
477-306-163
546-499-131
554-183- 51
劉逢愷明 515-700- 79
523-134-152
劉逢愷女 明 見劉氏
劉啟之漢 見漢景帝
劉啟先明 456-644- 11
546-334-126
劉啟宗明 559-355- 8
劉啟東明 510-315-113
554-253- 52
劉啟和清 533-298- 56
559-333-7下
劉啟雲清 456-386- 80
劉啟銘清 564-303- 48
劉敘寰清 1315-518- 31
1315-519- 31
劉從一唐 270-489-125
274-356-106
395-369-214
劉從竹元 529-654- 49
劉從效南唐 1085- 48- 6
劉從政唐 1344- 60- 65
劉從政明 533- 37- 48
劉從益金 291-713-126
400-692-566
472-766- 30
476-259-110
477-359-166
537-314- 56
546-676-137
676-696- 29
1190-208- 12
1200-757- 58
1439- 10- 附
1365-201- 6
1445-301- 20
1373-432- 27
劉從愷元 1209-758- 58
1373-432- 27
劉從遠妻 宋 見唐氏
劉從鳳明 533-416- 62
劉從廣宋 288-496-463
400- 38-502
474-434- 21
474-406- 20
494-270- 2
545-640-106
劉從儉明 561-217-38之3
劉從德宋 588-495-463
545-634-106
劉從龍清 481-558-327
529-524- 44
劉從諫唐 271- 89-161
276-233-214
384-273- 14
384-276- 14
396-326-280
劉從謙金 545-370- 97
劉寓生明 473-304- 62
553- 77- 49
劉馮姐清 張敏妻
481-620-329
530-120- 57
劉尊殷清 529-663- 49
劉尊德元 821-302- 53
劉渭龍清 481-559-327
529-525- 44
劉惺如妻 明 見李氏
劉善長 明 見行徹
劉善明齊 259-314- 28
265-705- 49
378-242-137
475-363- 67
476-522-128
540-719-28之1
933-452- 30
1410-153- 19
劉善敬宋 飽濂妻、劉誥女
1164-328- 17
劉善經隋 264-1080- 76
267-625- 83
380-403-176
472- 68- 2
474-309- 16
505-885- 79
劉曾巡妻 清 見朱氏
劉曾森宋 1188-669- 4
劉渾孫清 533-196- 53
劉渴侯後魏 262-258- 87
267-638- 85
380- 58-166
510-397-115
劉渤然明 554-313- 53
劉敦信明 1238-515- 12
劉敦實妻 宋 見王氏
劉敦儒唐 271-513-187下
274-649-132
395-600-235
933-456- 30
劉哀然宋 564- 45- 44
劉琮玉明 516- 59- 89
劉雲客廣德王 漢
250-303- 53
375-110- 78
485-346- 1
劉雲封女 清 見劉氏
劉雲崖妻 清 見龍氏
劉雲瓊明 趙祖妻
1442-125- 8
劉黃老晉 256-161- 69
377-735-126
475-426- 70
劉黃裳明 300-430-208
458-157- 8
537-609- 60
676-615- 25
820-732- 44
1442- 81- 5
劉惠恆清 1315-354- 16
劉惠端齊 齊明帝后、劉景猷女
259-242- 20
265-198- 11
373- 85- 20
劉黃中宋 1117-322- 13
劉貢卿明 537-410- 57
劉博古南漢 1467- 20- 62
劉撝謙明 481-154-298
537-256- 55
559-281- 6

劉雄飛宋 408-984- 3
475-743- 88
劉雄鳴漢 254-167- 8
385-117- 11
劉超邦女 明 見劉氏
劉超鳳清 538- 48- 63
劉朝印妻 清 見俞氏
劉朝佑清 477- 91-153
538- 82- 69
劉清宗元 515-106- 60
劉清奉清 456-331- 76
劉朝美宋 592-660-103
劉朝卿明 456-600- 9
劉朝瑞元 1199-186- 19
劉朝噩明 515-718- 79
劉朝麒明 545-467-100
558-298- 34
劉朝繪明 554-299- 53
劉雅老宋 見劉應老
劉登仕清 533-430- 62
劉登科清 456-332- 76
474-775- 41
479-287-230
502-777- 86
523-180-154
劉登科妻 清 見賈氏
劉登第明 547- 16-141
劉登舉妻 清 見段氏
劉登舉妻 清 見潘氏
劉隆端元 1210-125- 10
劉琦莊唐 493-739- 41
劉琨之劉宋 258-127- 55
265-213- 13
375-263- 81
475-426- 70
劉堯夫宋 471-738- 21
515-749- 80
劉堯年宋 471-1032- 65
473-464- 69
559-290-7上
劉堯咨宋 見劉自
劉堯珍明 456-467- 4
劉堯卿明 505-883- 79
劉堯章明 460-568- 56
劉堯誨明 480-664-290
533-101- 50
567-139- 68
劉堯銓妻 明 見熊氏
劉斯陛明 515-420- 69
515-450- 70
劉斯𡋯明 481-613-329
劉斯得明 1232-612- 6
劉斯潔明 474-589- 30
505-783- 73
劉開文清 480-291-271
533-394- 60
劉開明東平王 漢539-347- 8
劉開基妻 清 見趙氏
劉開熙妻 明 見孫氏
劉弼主妻 明 見陳氏
劉弼賢妻 清 見高氏
劉彭祖趙王 漢 244-330- 59
250-300- 53
375-108-78下
劉彭壽元 679-571-194
劉彭離濟東王 漢
244-325- 58
250-206- 47
375-103-78下
539-346- 8
劉揚祖宋 523-372-164
劉琛沔明 515- 89- 59
劉揆度妻 明 見馮氏
劉黑馬劉嶷、劉哈瑪爾 元
295- 29-149
399-398-455
472-526- 22
476-525-128
545- 59- 84
559-286-7上
劉黑闥唐 269-480- 55
274-146- 86
384-177- 9
395-29-201
劉景文宋 545-406- 98
劉景元元 550-416-222
劉景石元 1202-279- 20
劉景宇明 559-372- 8
劉景先唐 見劉齊賢
劉景松清 456-332- 76
劉景昕梁 265-1053- 74
380-111-167
劉景洪唐 371- 58- 5
479-712-250
515-571- 75
劉景昭明 見劉景韶
劉景素建平王 劉宋
258-340- 72
265-238- 14
375-285- 81
494-278- 3
1394-332- 1
劉景寅明 559-371- 8
劉景從妻 清 見陳氏
劉景雲清 505-832- 75
554-222- 52
劉景猷女 齊 見劉惠端
劉景廉唐 820-182- 27
劉景瑗明 456-640- 10
529-757- 52
劉景韶劉景昭 明475- 20- 49
480- 58-260
533- 15- 47
1283-352- 94
劉景漢清 480-597-286
劉景曜明 見劉景耀
劉景耀劉景曜 明
505-639- 67
537-525- 59
劉景鶴漢 592-224- 74
劉景巖後晉 279-307- 47
396-426-294
554-932- 64
劉貴文妻 明 見朱季貞
劉貴姐明 劉興女
478-437-196
555-110- 67
劉貴姐清 劉進福女
474-444- 21
劉貴炳明 511-882-171
劉貴高女 明 見劉氏
劉貴靜宋 胡晞齊妻、劉良恭
女 1193-204- 29
劉虛白宋 511-861-170
劉虛谷宋 516-482-105
劉貽慶宋 1101-668- 12
劉華江妻 明 見周氏
劉華甫劉光 明 473- 26- 49
515-370- 68
劉華延陽安長公主 漢 伏完
妻、漢桓帝女 252-202-10下
373- 52- 19
劉無忌齊王 漢 539-350- 8
劉傅漢宋 見劉溥漢
劉順之明 510-400-115
劉順貞明 伍希憲妻
473-157- 56
516-287- 99
劉順慶明 饒伯振妻、劉鶚女
473-118- 54
516-285- 99
劉智才妻 明 見閔氏
劉智容齊 齊高帝后、劉壽之
女 259-240- 20
265-196- 11
373- 83- 20
劉智敏劉志敏 唐812-347- 7
821- 58- 46
劉智遠隋 見李密
劉程之劉澄之 晉
516-217- 96
517-333-124
879-140-57下
1054-321- 7
劉喬杶明 見劉喬柢
劉喬柢劉喬杶 明
456-486- 5
劉喬齡妻 明 見霍氏
劉舜卿劉舜欽 宋
286-638-349
382-543- 84
384-375- 19
397-694-362
472- 51- 2
472-430- 19
472-879- 35
472-904- 36
473-476- 69
474-236- 12
476-330-115
477- 81-152
478-482-199
481-114-296
537-395- 57
545-419- 98
551-195- 31
558-173- 31
559-274- 6
933-464- 30
劉舜欽宋 見劉舜卿
劉舜濬清 480-484-280
532-739- 46

567-359- 80
劉創業妻 清 見王氏
劉勝義清 505-903- 80
劉飲水金 547-537-160
劉欽旦唐 820-157- 26
劉欽向妻 清 見伍氏
劉欽命明 528-496- 30
劉欽鄰清(字鄰臣) 479-750-251
515-493- 71
劉欽鄰清(字江屏) 475-379- 68
482-433-361
511-463-154
567-157- 69
劉欽謨妻 明 見李柔
劉逸淮唐 見劉全諒
劉進行宋 516-210- 96
劉進孝清 558-436- 37
劉進超妻 後周 見董氏
劉進喜唐 1254-404- 11
劉進朝妻 明 見齊氏
劉進朝妻 清 見王氏
劉進福女 清 見劉貴姐
劉象亨清 563-892- 42
劉象賢清 533-452- 63
劉象震清 482- 34-340
563-872- 42
劉象震妻 清 見余氏
劉象麒明 571-553- 20
劉復亨元 295- 74-152
劉復初明 545-226- 91
554-508-57下
劉復初女 明 見劉壽貞
劉復禮明(山海衛人)
545-296- 94
劉復禮明(安邑人) 547-101-145
劉溥漢劉傅漢 宋473- 75- 52
515-233- 64
劉源泓妻 清 見喬氏
劉源長清 511-570-158
1321- 76- 94
劉源清明(字汝澄) 300-291-200
473- 18- 49
476-826-143
479-484-239
505-637- 67
515- 94- 59
540-804-28之3
545-283- 94
劉源清明(諡節愍) 302- 44-291
456-521- 6
劉源深清 537-471- 58
劉源崑妻 清 見王氏
劉源湛清 477-210-159
537-471- 58
540-676- 27
劉源潔妻 明 見張氏
劉源澄明 456-672- 11
480-439-278
劉源澄妻 明 見莫氏
劉源濬清 537-471- 58
劉祺昌妻 清 見柳氏
劉祺勇清 456-331- 76
劉愼行遼 289-624- 86
399- 42-420
474-311- 16
472- 70- 2
505-740- 72
劉愼言女 唐 見劉氏
劉愼徽唐 820-286- 30
劉義王武陽長公主 漢 梁松妻、漢光武帝女252-200-10下
373- 51- 19
劉義宗劉宋 258-118- 51
265-209- 13
375-259- 81
劉義季衡陽王 劉宋
258-226- 61
265-224- 13
375-274- 81
480-238-269
532-556- 40
劉義欣長沙王 劉宋
258-116- 51
265-209- 13
375-259- 81
475- 14- 49
510-276-112
劉義宣南譙王、竟陵王 劉宋
258-304- 68
265-221- 13
375-272- 81
488-163- 8
488-167- 8
488-175- 8
488-180- 8
512-842-198
劉義宣女 劉宋 見殷氏
劉義眞廬陵王 劉宋
258-213- 61
265-215- 13
375-265- 81
488-161- 8
488-162- 8
劉義恭江夏王 劉宋
258-217- 61
265-219- 13
375-269- 81
488-169- 8
488-181- 8
532- 98- 27
1379-458- 55
1395-591- 3
劉義康彭城王 劉宋
258-298- 68
365-216- 13
375-266- 81
488-167- 8
488-169- 8
劉義康妻 劉宋 見謝氏
劉義康女 劉宋 見劉玉秀
劉義國明 456-674- 11
劉義符劉宋 見宋少帝
劉義隆劉宋 見宋文帝
劉義華妻 清 見王氏
劉義節唐 見劉世龍
劉義賓劉宋 258-119- 51
265-211- 13
375-260- 81
劉義綦劉宋 258-119- 51
265-211- 13
375-260- 81
劉義慶臨川王 劉宋
258-123- 51
265-212- 13
375-262- 81
475- 68- 52
475-426- 76
480-238-269
488-167- 8
1379-459- 55
劉義融劉宋 258-117 - 51
265-209- 13
375-259- 81
劉溫良清 533-490- 65
劉溫伯宋 484-374- 27
劉溫叟宋 277-560- 68
285-238-262
382-207- 30
384-328- 17
396-549-303
472-747- 29
537-502- 59
820-331- 32
933-462- 30
劉溫羡晉 見溫羡
劉靖之宋 1146-375- 98
1167-749- 40
劉靖共宋 1132-519- 14
劉清寰清 559-334-7下
劉煜侖妻 清 見張氏
劉窣和明 見慧達
劉新國清 476-750-139
476-754-139
540-854-28之4
劉新第清 505-897- 80
劉煥然清 558-446- 38
劉運昇明 483-358-400
劉運惇清 554-788- 62
劉運應妻 清 見林氏
劉道立明 554-211- 52
劉道永宋 見虞道永
劉道弘明 1458- 59-418
劉道民劉宋 見宋孝武帝
劉道民劉宋 見劉穆之
劉道生明 見羅道生
劉道存劉宋 258- 81- 47
255-281- 17
378- 33-131
劉道合唐 271-643-192
275-642-196
384-182-100
劉道亨明 474-244- 12
505-813- 74
劉道成晉 516-413-103
劉道孚明 498-597-105
劉道秀元 472- 57- 2
474-253- 12
505-935- 85
劉道明劉昭 明(安岳人)
561-227-38之3
劉道明明(青州壽光人)
1229-258- 7

劉道貞明 559-525- 12
劉道眞劉宋(彭城人)
472-864- 34
478-242-186
劉道眞劉宋(錢塘令)
472-960- 38
劉道原宋 1114-631- 12
1114-676- 17
劉道產劉宋 258-261- 65
265-289- 17
378- 41-131
473-245- 60
475-426- 70
480-286-271
492-709-3下
511-221-144
532-674- 64
554-107- 50
933-450- 30
劉道祥唐 544-230- 63
劉道堅明 趙壁妻
1271-658- 57
劉道規臨川王 劉宋
258-119- 51
265-211- 13
370-392- 10
375-260- 81
473-209- 59
473-296- 62
475-426- 70
480-238-269
532-555- 40
劉道偉漢 554-969- 65
1061-271-110
劉道斌後魏 262-179- 79
267- 12- 46
379-320-151
477-521-175
554-114- 50
劉道隆劉宋 258- 66- 45
265-283- 17
378- 35-131
劉道開僕 明 見增華
劉道源清 511-871-170
劉道遠明 456-554- 7
劉道憐長沙王 劉宋
258-114- 51
265-208- 13
375-258- 81
532- 98- 27
劉道德北周 見劉亮
劉道錫劉宋 258-262- 65
523- 71-149
劉道濟劉宋 258- 67- 45
265-284- 17
378- 36-131
933-450- 30
劉遂清後晉 278-176- 96
279-130- 22
396-339-282
476-516-127
540-746-28之2
劉遂雍後梁 279-129- 22
396-338-282
劉載永明 516-175- 94
劉聖基妻 明 見李氏
劉楷南明 554-346- 54
劉楫濟明 545-924- 98
劉辟彊漢 250- 69- 36
375- 71-78上
475-423- 70
劉達夫宋 460-171- 10
484-374- 27
529-759- 53
劉楚才妻 清 見余氏
劉楚玉女 明 見劉冬
劉楚先明 480-247-269
533- 79- 49
534-571- 99
劉楚坦明 533- 64- 49
劉楚蘭元 515-625- 76
1232-670- 8
劉萬歲廣宗王 漢
253-190- 85
劉萬歲廣宗王 漢
253-190- 85
375-155-79上
劉葡萄劉瑤女 明506- 43- 87
劉當可母 宋 見王氏
劉當可宋 288-324-449
400-180-514
451-224- 0
481- 71-293
劉睦之劉宋 258-598- 93
劉嗣京妻 清 見李氏
劉嗣奇清 538- 85- 64
劉嗣昌妻 明 見張氏
劉嗣明宋 286-721-356
劉嗣明宋 見劉煥
劉嗣美清 475-875- 95
477- 90-153
537-416- 57
545-112- 86
劉嗣理清 477-443-171
劉嗣彬後梁 277-127- 13
劉圓僧明 476-310-113
546-378-127
劉嵩高明 538- 40- 63
劉鼎文明 533- 72- 49
劉鼎甲明 456-638- 10
劉鼎臣宋 515-583- 75
劉鼎臣明 483-137-380
567-675- 19
劉鼎孫宋 288-344-451
400-200-515
473-302- 62
480-246-269
533-383- 60
563-710- 39
劉鼎貫明 1241-733- 17
劉鼎新明 482-561-369
570-108-21之1
劉敬之明 561-402- 42
劉敬先劉敬秀、盧陵王 劉宋
258-217- 61
劉敬秀劉宋 見劉敬先
劉敬叔劉宋 470-222-123
劉敬和唐 472-587- 24
540-645- 27
劉敬宣晉 256-376- 84
258- 84- 47
265-279- 17
370-397- 10
378- 30-131
384-110- 6
472-411- 18
475-426- 70
479-446-237
515- 4- 57
933-447- 30
劉虞夔明 546-690-138
549-489-199
676-123- 5
1442- 75- 5
1460-361- 56
劉業廣明 515-726- 79
劉業興後魏 262-260- 87
劉愈奇清 523-124-151
劉貉永宋 515-612- 76
劉會昌明 456-630- 10
505-847- 76
劉經臣宋 1053-687- 16
劉經德妻 明 見劉氏
劉毓俊妻 清 見楊氏
劉毓桂清 540-854-28之4
劉毓琦妻 清 見趙氏
劉毓璲妻 清 見沈氏
劉誠之宋 515-532- 72
劉福成明 570-212- 23
劉福壽妻 明 見魏氏
劉福銀妻 清 見李氏
劉福穎明 456-609- 9
劉寧止宋 287-184-378
398-227-379
479-142-223
494-392- 11
510-370-114
523-279-159
劉齊賢劉景先 唐
269-794- 81
274-356-106
384-179- 10
395-369-214
472-456- 20
472-572- 29
476- 77-100
476-859-145
540-738-28之2
545-171- 89
劉端夫唐 270-827-153
劉端習女 明 見劉氏
劉禕之唐 270- 36- 87
274-476-117
384-183- 10
395-475-224
470- 30- 92
472-257- 10
475-221- 61
511-766-166
933-455- 30
1387-290- 21
劉彰本明 456-600- 9

554-730- 61
劉漢中清 1321-177-105
劉漢臣元 505-656- 68
劉漢臣明(赤城人) 456-599- 9
505-861- 77
劉漢臣明(夏縣人) 547-104-145
劉漢宏唐 275-572-190
384-286- 15
396-275-275
486- 45- 2
劉漢何女 清 見劉氏
劉漢佩妻 清 見王氏
劉漢客清 554-855- 63
劉漢英明 456-666- 11
劉漢卿宋 821-250- 52
劉漢卿女 宋 見劉氏
劉漢卿元 見呼圖克特穆爾
劉漢卿清 476- 86-100
545-798-111
劉漢弼宋 287-546-406
398-522-398
472-1072- 45
479-235-227
493-779- 42
523-304-160
劉漢傑清 505-649- 69
劉漢裔清 547- 48-142
劉漢鼎妻 明 見張氏
劉漢鼎清 476-419-120
劉漢傳劉盧 宋 451- 59- 2
528-524- 31
劉漢儀宋 1209-328- 4
劉漢儀明 456-629- 10
劉漢儒明～清 進士
505-803- 74
559-256- 6
劉漢儒妹 明 見劉氏
劉漢儒清 474-410- 20
505-910- 81
劉滌之宋 見裴氏
劉榮男吳興長公主 劉宋 王偃妻、宋武帝女 494-260- 1
劉榮叔宋 480-409-277
劉榮祖劉宋 258- 65- 45
265-283- 17
378- 35-131
511-398-151
劉榮祖元 505-701- 70
劉榮嗣明 505-766- 72
540-620- 27
676-633- 26
1442- 92- 6
1460-528- 66
劉榮覲元 1217-730- 4
劉與裕清 538- 90- 64
劉與權女 明 見劉氏
劉壽之女 齊 見劉智容
劉壽仁明 516-179- 94
劉壽昌妻 明 見楊氏
劉壽郎金 見劉國寶
劉壽貞明 盧春妻、劉復初女
547-415-157
劉壽暹妻 明 見陳氏
劉熙古宋 285-255-263
371- 61- 6
382-213- 31
384-324- 17
396-562-304
472-681- 27
472-892- 27
473-425- 67
477-128-155
478-694-210
481- 66-293
537-424- 58
540-646- 27
558-226- 32
559-262- 6
1354-670- 34
1381-472- 37
劉熙祚明 302- 96-294
456-429- 2
475-230- 61
511-450-153
533-402- 61
劉熙載元 472-431- 19
545-400- 98
劉輔宜妻 明 見劉氏
劉爾甲妻 明 見楊氏
劉爾完明 554-770- 62
劉爾牧明 540-810-28之3
676-579- 24
1442- 59- 3
1460-176- 48
劉爾客妻 明 見李氏
劉爾極妻 清 見李氏
劉爾璽明 478-420-195
554-773- 62
劉爾懽清 554-858- 63
劉際亨清 559-334-7下
劉嘉成宋 494-337- 7
劉嘉善女 明 見劉氏
劉嘉雄女 明 見劉賽姑
劉嘉猷清 479-662-247
481-526-326
515-814- 82
528-467- 29
劉嘉遇明 540-827-28之3
劉嘉會明 1242-708- 3
劉嘉績明 511-737-165
820-622- 41
1386-319- 41
劉嘉壽明 見劉成穆
劉嘉爵妻 明 見李氏
劉嘉謨明 541-107- 31
劉嘉譽劉岡 宋 460-172- 10
劉瑞姊清 黃克佚妻
530- 41- 54
劉瑤英漢 劉華女 479-825-256
516-501-105
劉翠哥元 李仲義妻
295-638-201
401-184-593
472- 38- 1
474-190- 9
506- 2- 86
劉聞大元 820-518- 38
劉聞慰齊 見劉懷慰
劉遠先明 1458-683-470
劉遠逵妻 清 見薛氏
劉夢生元 1197-663- 68
劉夢良宋 821-211- 51
劉夢求宋 524-376-197
劉夢松宋 812-473- 3
812-547- 4
813-202- 20
821-148- 50
劉夢松明 541-107- 31
劉夢松妻 明 見高氏
劉夢桂明 533-238- 54
劉夢祥明(虞城人) 477-133-155
537-439- 58
劉夢祥明(定海衛人)
523-376-164
584-268- 10
劉夢祥妻 明 見龐氏
劉夢陽明 554-300- 53
劉夢說元 1197-787- 83
劉夢熊明 475-421- 70
劉夢熊妻 清 見周氏
劉夢龍清 456-332- 76
劉夢應宋 676-314- 11
劉夢騂劉基 宋 451- 64- 2
劉夢驥宋 480-614-287
劉鳴岐清 529-670- 49
劉鳴珂清 554-796- 62
劉鳴皋妻 清 見連氏
劉鳴鳳妻 清 見杜氏
劉鳴鸞妻 明 見李氏
劉對生妻 明 見李氏
劉圖南元 1213-154- 12
劉蒙正宋 285-256-263
396-562-304
477-128-155
537-425- 58
劉蒙正元 1210-114- 10
劉蒙叟宋 285-256-263
396-563-304
472-681- 27
538-132- 65
劉蒙慶宋 451-213- 9
1170-740- 32
劉鳳池明(溧水人) 456-634- 10
劉鳳池明(渭南人) 554-605- 59
劉鳳岐明 554-765- 62
劉鳳朝明 546-496-131
劉鳳鳴明 547-123-145
劉鳳鳴妻 清 見杜氏
劉鳳儀明 545-847-113
1250-808- 77
劉鳳儀妻 明 見張玉姑
劉僧利後魏 261-753- 55
劉僧副齊 259-318- 28
265-707- 49
378-245-137
劉緒岱清 478-377-192
554-788- 62
劉維仁明 511-311-148
劉維吉女 明 見劉氏
劉維芳明 1241-553- 10
劉維岳宋 1147-457- 42

劉維楝女 清 見劉氏
劉維潘妻 清 見王氏
劉維蕙明 456-599- 9
劉維綸明 478-435-196
554-476-57上
劉肇基明 301-585-272
456-422- 2
474-743- 40
502-717- 83
劉綺莊唐 472-220- 8
485- 84- 12
589-299- 1
劉綱招宋 511-428-152
劉徹之漢 見漢武帝
劉寬夫唐 270-827-153
275-248-160
384-265- 13
396- 61-257
820-233- 28
933-457- 30
劉廣才妻 清 見楊氏
劉廣之元 821-303- 53
劉廣國清 476-205-107
482-452-362
533-196- 53
545-347- 96
567-153- 69
劉廣置漢 535-551- 20
劉廣業清 479-728-250
劉廣業妻 清 見袁氏
劉廣德齊 265-720- 50
378-385-141
485-493- 9
劉廣衡明 453-309- 3
473-153- 56
479-720-250
515-665- 77
517-571-129
523- 40-148
528-451- 29
554-166- 51
1241-104- 5
1241-811- 20
1242- 14- 24
1244-662- 17
劉審交後漢 278-245-106
279-312- 48
384-313- 16
396-429-295
472- 32- 1
477-498-174
480-287-271
505-714- 71
532-675- 44
537-333- 56
540-646- 27
933-461- 30
劉審禮唐 269-747- 77
274-358-106
384-174- 9
395-342-212
475-428- 70
511-580-159
933-454- 30
劉審瓊宋 285-410-274
472- 33- 1
473-333- 63
480-399-277
505-716- 71
532-688- 44
545- 36- 84
劉潤貞明 許宗慶妻
479-824-256
516-400-102
劉潤姑清 陳少韓妻
481-785-337
劉澄之晉 見劉程之
劉澄甫明 540-799-28之3
劉澄洞唐 820-287- 30
劉調羹明 537-597- 60
劉鄭兒唐 見劉薰蘭
劉適中宋 1101-212- 4
劉慶八妻 明 見馮氏
劉慶忌魯王 漢 539-346- 8
劉慶昌元 1214-242- 20
劉慶昌妻 元 見馬氏
劉慶祐金 502-781- 87
劉慶孫宋 492-710-3下
劉慶哥宋 見劉庭揚
劉慶遠明 456-637- 10
劉養大妻 明 見陳氏
劉養心明 456-631- 10
劉養心妻 明 見李氏
劉養吾妻 清 見劉氏
劉養直明 572-155- 32
劉養恬妻 明 見易氏
劉養貞明 532-627- 43
559-525- 12
劉養微明 533-333- 58
劉養蒙元 1229-376- 14
1232-688- 9
劉養德清 476-125-102
547- 77-143
劉養德妻 清 見馬氏
劉養鋭女 明 見劉氏
劉慧珍元 曾必榮妻
1197-728- 75
劉慧斐梁 260-441- 51
265-1085- 76
380-466-178
475-427- 70
479-610-244
511-847-168
516-218- 96
814-255- 7
820-103- 24
933-453- 30
劉慧鏡梁 265-1085- 76
380-466-178
933-453- 30
劉醇驥清 480-138-264
533-307- 57
534-576-100
劉隥隆明 547-115-145
劉震孫宋 494-314- 5
820-452- 35
劉震孫宋 見劉應炳
劉震龍清 475-668- 84
510-460-117
劉璇興南漢 567- 7- 62
劉敷仁明 533-303- 57
劉奭之漢 見漢元帝
劉履中宋 821-206- 51
劉履泰元 480-409-277
劉履謙元 545-461-100
劉蔭樞清 479-457-237
482-541-368
515- 73- 58
554-540-57下
565-657- 19
劉蔚祖劉宋 258- 81- 47
265-281- 17
378- 33-131
劉蔚泰妻 清 見李氏
劉蔡驥宋 見劉季裴
劉餘佑劉餘祐 明
510-318-113
545-197- 90
劉餘芳明 547-122-145
劉餘祐明 見劉餘佑
劉餘清清 511-700-164
劉餘慶宋 494-473- 18
劉餘慶父 明 1242-286- 33
劉餘澤清 505-897- 80
劉餘謨妻 明 見阮氏
劉億衷妻 明 見李氏
劉儀恕清 476-751-139
540-682- 27
劉儀鳳宋 287-343-389
398-354-387
473-455- 68
481-335-308
559-285-7上
559-392-9上
591-255- 21
592-597- 99
1437- 24- 2
劉緜祚劉錦祚 明
302- 96-294
475-230- 61
479-712-250
511-450-153
515-159- 61
劉德之宋 見劉午道
劉德仁金 295-651-202
401-126-585
474-342- 17
505-937- 85
541- 93- 30
1224-456- 28
劉德仁元 502-711- 83
劉德升後漢 見劉德昇
劉德弘清 474-169- 8
505-649- 68
劉德弘妻 清 見王氏
劉德本漢 473-217- 59
516-480-105
劉德本明 456-640- 10
483-139-380
570-131-21之1
劉德言宋 473-146- 56
515-572- 75

劉德劭元 524-449-201
劉德秀宋 451- 24- 0
473- 22- 49
劉德昇劉德升 漢812- 58- 中
812-221- 8
812-710- 3
814-226- 3
820- 34- 22
劉德芳清(正紅旗人)
476-611-133
540-679- 27
劉德芳清(字純菴) 481- 29-291
502-648- 78
559-326-7上
劉德和元 505-900- 80
劉德威唐 269-746- 77
274-358-106
384-174- 9
395-341-212
472-412- 18
473-425- 67
475-428- 70
481-403-313
511-223-144
545- 20- 83
559-321-7上
933-454- 30
劉德照妻 明 見李氏
劉德泉元(杞縣人)
295-601-197
400-310-506
477- 84-152
538- 79- 64
劉德泉元(洛陽人)
1214-243- 20
劉德原元 517-469-129
劉德淵元(字道濟) 505-887- 79
506-661-110
1200-798- 61
1367-731- 56
劉德淵元(字仲淵) 821-294- 53
劉德淵元(洛陽人)
1214-243- 20
劉德基金 291-667-121
400-213-517
474-179- 8
505-834- 76
劉德健清 567-164- 69
劉德順明 楊輅妻、劉瑄女
1247-538- 24
劉德智元 1210-367- 11
1376-407- 86
劉德溥妻 清 見魏氏
劉德溫元 295-393-176
399-706-490
472- 36- 1
472-142- 5
474-167- 8
474-181- 8
474-275- 14
505-650- 68
505-721- 71
劉德新元 545-407- 98
劉德鳳妻 清 見周氏
劉德潤明 529-688- 50
劉德潤妻 明 見歐陽氏
劉德靚宋 胡銓妻、劉敏才女
1134-296- 42
劉德禮宋 1161-518-119
劉德彝明 張洪妻、劉瑄女
1247-547- 25
劉德願劉宋 258- 64- 45
265-282- 17
378- 34-131
劉稽古妻 明 見侯氏
劉魯生明 545-195- 90
劉皜然明 554-772- 62
劉虢瑞宋 473- 99- 53
515-825- 83
劉衛辰夏(胡夏) 262-351- 95
267-762- 93
384-144- 7
劉憲章明 511-166-142
劉憲寵明 458-358- 14
479-186-225
678-475-115
劉憲寵女 明 見劉氏
劉憲籌妻 清 見鄭氏
劉羲仲宋 471-710- 17
473- 77- 52
473-167- 57
493-703- 39
515-464- 71
劉羲叟宋 288- 88-432
371-151- 15
382-420- 65
400-445-541
450-494- 38
450-717- 7
472-505- 21
476-206-107
546-685-138
549-120-185
933-463- 30
劉澮然宋 524- 90-182
劉龍光明 592-778- 2
劉龍光清 511-533-157
1318-479- 74
1323-684- 3
劉龍洲清 554-778- 62
劉澤久清 477-481-173
538- 70- 63
劉澤民明 479-431-236
515-504- 72
523-244-157
劉澤甫女 明 見劉氏
劉澤長明 456-663- 11
劉澤厚明 474-313- 16
481-373-311
505-849- 76
559-534- 12
劉澤清明 301-604-273
劉澤深明 505-638- 67
537-409- 57
劉澤溥清 545-112- 86
劉澤嗣清 475- 71- 52
510-320-113
劉澤遠妻 宋 見解氏
劉澤霖清 478-246-186
554-349- 54
劉凝之劉長生、劉長年 劉宋
258-592- 93
265-1066- 75
370-491- 14
380-443-178
473-300- 62
473-359- 64
480-244-269
480-512-281
533- 73- 49
533- 74- 73
933-453- 30
劉凝之妻 劉宋 見郭氏
劉凝之宋 1114-631- 12
1145-656- 80
劉遵古唐 820-240- 28
劉遵考劉宋 258-126- 51
265-213- 13
375-263- 81
488-181- 8
494-279- 3
劉遵憲明 505-778- 73
1442- 88- 6
劉頭春後魏 379- 4-146
劉樹藝唐 269-504- 57
劉橘菴妻 明 見郭妙清
劉奮庸明 300-550-215
537-520- 59
545- 96- 86
劉選勝清 510-301-112
劉冀之曹泰妻 元
1218-726- 4
劉曇淨梁 260-387- 47
265-1085- 76
380-107-167
475-427- 70
485-399- 4
511-580-159
933-453- 30
劉興邦妻 明 見趙氏
劉興居濟北王 漢
244-283- 52
250-101- 38
375- 86-78上
472-602- 25
劉興祖宋 821-247- 52
劉興祖明 540-783-28之3
劉興祖妻 清 見關氏
劉興哥金 291-686-123
400-228-518
478-203-184
554-706- 61
劉興漢明 533-798- 75
劉興學明 528-515- 31
劉器之金 821-278- 52
劉器之元或明 474-183- 9
505-894- 80
劉遺民南北朝 511-847-168
511-910-168
劉龜年宋 480-483-280
515-525- 73
1146-106- 90

劉龜從宋	492-710-3下
劉學古宋	460- 99- 6
劉學朱明	515-699- 79
劉學良妻 明	見莊八兒
劉學坦清	505-686- 69
劉學倫明	567-388- 82
劉學雅宋	460- 99- 6
	1168-679- 39
劉學裘宋	460- 99- 6
劉學箕宋	460- 99- 6
	1363-824-238
	1437- 28- 2
劉學禮明	558-317- 34
劉錦祚明	見劉繇祚
劉錦娘明 陳潤妻、劉希仁女	479-665-247
劉錦娘明 蕭廷美妻	1261- 18- 13
劉錦雲明 鄭騏妻	473- 66- 51
	1269-167- 11
劉儒義妻 清	見溫氏
劉錫玄劉錫鉉 明	301-224-249
	483-225-390
	570-529- 19
	676-630- 26
劉錫侯妻 清	見曾氏
劉錫鉉明	見劉錫玄
劉穆之劉道民 劉宋	258- 18- 42
	265-250- 15
	370-398- 10
	378- 1-131
	384-109- 6
	472-171- 6
	472-274- 11
	472-591- 24
	475-274- 63
	476-782-141
	488-157- 7
	491-801- 6
	510-308-113
	511-899-172
	535-556- 20
	540-717-28之1
	814-245- 6
	820- 83- 24
	933-448- 30
	1398-640- 8
	1414- 40- 64
劉賽姑明 劉嘉雄女	481-337-308
劉鴻訓明	301-248-251
	458-405- 18
	540-827-28之3
	1297-116- 10
劉鴻慶清	533-481- 64
劉鴻儒母 明	見趙氏
劉鴻儒清	505-808- 74
劉應元明(徐州人)	511-847-168
劉應元明(字筠喬)	677-701- 62
劉應中清	480-564-284
	505-823- 75
	532-744- 66
劉應正清	456-386- 80
劉應甲明	511-608-160
劉應老劉雅老 宋	451- 74- 2
	491-302- 6
劉應問明	480-175-266
劉應全清	505-897- 80
劉應辛劉杙 宋	451- 68- 2
劉應李劉槃 宋～元	460-102- 6
	460-476- 6
	529-743- 51
	676-315- 11
	676-420- 15
劉應辰明	559-388-9上
劉應炎宋	511- 73-139
劉應奇明	545-345- 96
劉應炳劉震孫 宋	451- 77- 2
劉應迪明	1442-108- 7
	1460-652- 73
劉應科明	546-608-135
	554-299- 53
	554-311- 53
劉應科清	571-536- 19
劉應秋明	300-563-216
	479-727-250
	515-715- 79
	676-614- 25
	678-215- 90
	1458-523-451
	1442- 79- 5
	1460-415- 59
劉應時宋	524-283-192
	1161-104- 83
劉應時明	545-784-111
	1442- 60- 4
劉應峰明	473- 19- 49
	515- 95- 59
	533-254- 55
劉應期明	524- 48-180
	1442-114- 7
劉應期妻 明	見吳氏
劉應隆妻 清	見金氏
劉應登宋	515-610- 76
劉應景妻 明	見邱氏
劉應蛟妻 清	見胡氏
劉應試劉應馴 明	456-465- 4
劉應雷明	510-316-113
劉應遇明	533- 29- 47
	554-216- 52
劉應節明	300-612-220
	476-732-138
	537-289- 55
	540-812-28之3
	582- 4-118
劉應賓妻 清	見耿氏
劉應誠宋	515-613- 76
劉應箕明	559-355- 8
劉應鳳宋	1437- 31- 2
劉應鳳妻 清	見李氏
劉應熊明	515-124- 60
	558-316- 34
劉應魁明	480-635-288
劉應馴明	見劉應試
劉應樞元	515-539- 74
劉應震妻 元	見范氏
劉應龍宋	287-789-425
	398-716-416
	473- 14- 49
	473- 44- 50
	473-167- 57
	473-673- 79
	479-449-237
	979-654-247
	479-748-251
	481-802-338
	515-468- 71
	563-665- 39
劉應龍明(邵陽人)	533-110- 50
劉應龍明(都督僉事)	571-553- 20
劉應龍明(字明吾)	821-437- 57
劉應龍妻 明	見王氏
劉應龜元	472-1031- 42
	523-613-176
	676-702- 29
	1209-317- 3
	1209-402- 6
	1439-423- 1
劉應禧妻 明	見羅氏
劉應聲清	456-332- 76
劉應舉清	502-764- 86
劉應麒劉應麟 明	516- 84- 90
	1457-517-389
劉應麒妻 宋	見郝氏
劉應蘭妻 清	見雷氏
劉濟仁妻 明	見呂氏
劉濟物唐	820-154- 26
劉濟寬清	511-364-150
劉濬源明	505-652- 68
劉謙之劉宋	258-106- 50
	265-289- 17
	563-614- 38
	933-450- 30
劉謙亨明	1227- 95- 11
劉襄治清	570-100-20下
劉聰奇妻 清	見魏氏
劉醜伐後魏	見劉顯
劉懋武明	569-665- 19
劉懋美清	483- 70-376
	569-680- 19
劉懋夏清	533-221- 53
劉懋資清 陳肇祉妻、劉燿藜女	530- 30- 54
劉懋德清	545-200- 90
劉懋藻清	482-353-356
	567-392- 82
劉懋勛明	456-614- 9
劉彌正宋	460-144- 9
	529-499- 44
	1164-369- 20
劉彌正妻 宋	見方氏
劉彌正妻 宋	見林氏
劉彌邵宋	460-145- 9
	529-499- 44
	1180-250- 24
	1180-375- 35
	1180-437- 40

十五畫 劉

劉彌昂明 1240-734- 7
1242-767- 6
劉隱珠明 周珪妻、劉宣女
516-294- 99
劉聲遠明 473-340- 63
473-490-110
533-251- 55
559-297-7上
劉聯捷妻 清 見陰氏
劉聯驄明 564-258- 47
劉韓弢宋 1127-339- 19
劉孺之唐 820-210- 28
劉環翁元 1209-537-9上
劉駿郎宋 見劉希旦
劉黝胡劉宋 見劉胡
劉鍾聲清 456-331- 76
劉儲秀明 554-662- 60
676-546- 22
1293-302- 17
1442- 45- 3
1460- 2- 40
劉穉孫明 820-674- 42
劉徽伯妻 清 見黃氏
劉徽柔金 291-287- 90
399-172-431
472- 34- 1
472-457- 20
474-178- 8
476- 78-100
505-718- 71
545-177- 89
劉獲孫元 533-496- 65
劉謹身明 558-222- 32
劉禮泰妻 清 見朱氏
劉禮劉淯陽公主 漢 郭璜妻、漢光武帝女 252-200-10下
373- 51- 19
劉燿藜女 清 見劉懋資
劉燿萑妻 清 見楊氏
劉燾孫元 295-584-195
400-266-521
473-358- 64
480-508-281
533-402- 61
1226-444- 21
劉璧星妻 清 見彭氏
劉璿璣明 456-611- 9
劉翹名明 456-669- 11
劉覲文明(字叔熙) 511-184-143
537-335- 56
劉覲文明(字太翼) 533-159- 52
劉覲光妻 清 見李氏
劉騊駼漢 252-502- 44
375-132-79上
402-472- 11
劉藏器唐 271-564-190上
276- 58-201
400-589-554
472-412- 18
475-429- 70
511-223-144
933-459- 30
劉薰蘭劉鄭兒 唐
1079- 72- 11
劉薩何晉 見竺慧達
劉薩訶晉 見竺慧達
劉曜如妻 清 見茹氏
劉鎮之劉宋 258- 70- 45
475-426- 70
劉鎮道劉宋 554-107- 50
劉鎮藩明 301-464-263
456-582- 8
571-535- 19
劉鎮寶清 483- 70-376
479-610-244
516-142- 92
569-680- 19
劉鵠翔明 676-577- 24
劉簡之劉宋 258-106- 50
265-289- 17
378- 40-131
511-221-144
933-450- 30
劉鯉江妻 明 見劉順娥
劉歸美宋 1121-401- 27
劉雙峰明 1455-454-221
劉懷之晉 523-222-156
劉懷之劉宋 258- 67- 45
劉懷安女 宋 見劉氏
劉懷志清 505-918- 81
劉懷忠宋 554-701- 61
劉懷珍齊 259-301- 27
265-697- 49
370-511- 15
378-240-137
384-115- 6
476-522-128
532-557- 40
540-721-28之1
933-452- 30
劉懷則齊 265-1043- 73
380-100-167
933-453- 30
劉懷信唐 820-175- 27
劉懷胤齊 265-1043- 73
380-100-167
511-550-158
933-453- 30
劉懷恩母 明 見張氏
劉懷肅劉宋 258- 80- 47
265-281- 17
378- 33-131
475-426- 70
511-398-151
532-556- 40
933-450- 30
劉懷慎劉宋 258- 64- 45
265-282- 17
378- 34-131
472-408- 18
475-426- 70
933-450- 30
劉懷義明 505-895- 80
劉懷敬劉宋 258- 81- 47
265-282- 17
378- 33-131
486- 36- 2
933-450- 30
劉懷慰劉聞慰 齊 259-521- 53
265-700- 49
378-242-137
384-115- 6
475- 68- 52
510-309-113
540-721-28之1
933-452- 30
劉羅辰後魏 262-213-83上
266-407- 20
379- 4-146
544-207- 62
劉贊元妻 清 見段氏
劉鵬翀明 540-793-28之3
劉嬾窩宋 516-514-106
劉繩武宋 1232-670- 8
劉繩陽劉純陽 明
547- 15-141
劉繹祖妻 清 見劉氏
劉邋遢明 533-750- 74
劉瓌之劉瓌 晉 684-471-下
814-243- 6
820- 70- 23
劉齡之唐 473-672- 79
563-628- 38
劉獻之後魏 262-233- 84
267-566- 81
380-309-174
384-142- 7
474-637- 33
505-876- 78
540-726-28之1
劉獻公劉子摯 春秋
404-467- 27
劉耀卿宋 537-506- 59
劉光樞邕王 南漢 567- 7- 62
劉藩之女 明 見劉氏
劉蘊球長女 明 見劉氏
劉蘊球次女 明 見劉氏
劉騰鳳清 505-886- 79
劉鐘眞宋 見劉棠
劉繼大明 475-754- 88
劉繼文明 511-353-149
523- 56-148
劉繼文妻 明 483- 98-578
劉繼元何繼元 北漢
279-503- 70
288-722-482
371-120- 12
382-166- 23
384-319- 16
384-330- 17
384-336- 17
401-258-603
544-175- 61
550-168-215
劉繼仁明 472- 38- 1
472-522- 22
劉繼先元 505-670- 69
劉繼宗明 572- 91- 29
劉繼昌元 473-854- 88
483-219-390
571-514- 19
劉繼昌妻 明 見周氏

劉繼祖明(諡節愍) 456-527- 6
475-472- 72
劉繼祖明(字大秀) 511-646-162
劉繼祖明(成都中衛)
559-505- 12
劉繼祖妻 明 見戴氏
劉繼祖清 558-418- 37
劉繼祖妻 清 見徐氏
劉繼祐清 528-572- 32
劉繼恩薛繼恩 北漢
279-503- 70
288-724-482
384-319- 16
401-258-603
408- 53- 2
544-174- 61
劉繼業妻 宋 見折氏
劉繼業妻 明 見于氏
劉繼業妻 明 見蕭氏
劉繼魁妻 明 見安氏
劉繼興南漢 見劉鋹
劉繼錫女 清 見劉氏
劉繼勳後晉 278-178- 96
劉繼勳宋 821-181- 50
劉繼禮明 532-650- 43
劉鶴年明 559-355- 8
劉鶴翔明 529-720- 51
劉鶴齡明 563-836- 41
劉驁之漢 見漢成帝
劉蠡升後魏 267-835- 96
381-658-200
劉躍龍明 456-492- 5
558-416- 37
劉蘭生清 511-629-161
劉蘭芝漢 焦仲卿妻
475-711- 86
512- 76-179
劉蘭所明 1236-691- 7
劉蘭孫明 533-492- 65
劉鐵磨宋 524-436-201
劉懿之唐 270- 37- 87
劉懿文元 479-684-248
劉懿公女 不詳 見劉恭樸
劉懿宗妻 清 見南氏
劉懿眞晉 516-413-103
劉驎之劉麟之 晉
256-532- 94
380-429-177
407-599- 5
471-709- 17
477-371-167
480-249-269
538-164- 66
871-891- 19
劉麟之晉 見劉驎之
劉麟生妻 明 見嚴氏
劉麟長明 529-553- 45
劉麟瑞元 515-831- 83
1439-424- 1
1470- 69- 3
劉麟應明 515-600- 77
劉瓚祖妻 明 見劉氏
劉顯孜明 1245-484- 24
劉顯姑明 劉政女
567-495- 88
1467-271- 72
劉顯清妻 明 見許氏
劉顯謨清 532-510- 42
劉體仁明(內江人) 480- 52-259
劉體仁明(字元卿) 559-270- 6
劉體仁妻 明 見孟氏
劉體仁清 475-781- 89
511-824-167
劉體安清 480-486-280
533-114- 50
劉體乾明 300-533-214
474-185- 9
505-724- 71
劉體乾妻 明 見高氏
劉體乾妻 清 見趙氏
劉鱗長明 460-757- 77
劉靈助後魏 262-295- 91
267-684- 89
380-626-183
505-923- 83
544-208- 62
劉靈哲齊 259-304- 27
265-698- 49
378-242-137
540-719-28之1
933-452- 30
劉靈遺劉宋 258-511- 84
劉觀光明 532-599- 41
劉觀孚明 1253-140- 47
劉觀孚妻 明 見王氏
劉觀瀾清 506-653- 68
劉二巴圖元 見劉國傑
劉小蠻子明 456-487- 5
劉玉出干元 見劉敏
劉多爾台元 見劉世享
劉呼喇圖女 明 見劉志貞
劉拱辰子宋 524-375-197
劉忽魯禿女 明 見劉志貞
劉哈瑪爾元 見劉黑馬
劉烏楚肯元 見劉敏
劉烏路孤後魏 見劉虎
劉悉勿祈後魏 262-351- 95
劉塔塔兒元 見劉世亨
劉諤楚肯元 見劉敏
劉閼陋頭後魏 262-351- 95
劉二巴圖爾元 見劉國傑
劉沙卜珠丹元 見劉世濟
劉哈巴爾圖元 見劉思敬
劉哈喇布哈元 294-505-141
295-516-188
400- 23-500
劉哈喇巴圖爾劉哈喇巴圖魯、劉哈喇鄂托齊、劉哈喇鄂拓克齊、劉察罕鄂拓克齊 元
295-305-169
399-634-483
476-123-102
546-298-124
劉哈喇巴圖魯元 見劉哈喇巴圖爾
劉哈喇鄂托齊元 見劉哈喇巴圖爾
劉哈喇鄂拓克齊元 見劉哈喇巴圖爾
劉察罕鄂拓克齊元 見劉哈喇巴圖爾
衛山漢 535-553- 20
衛山周 839- 21- 2
衛心明 546-204-122
衛王後魏 見托跋儀
衛王北周 見宇文直
衛王唐 見李佖
衛王唐 見李灌
衛王唐 見李玄霸
衛王漢 見劉鋹
衛王南唐 見劉仁贍
衛王宋 見吳益
衛王宋 見趙昺
衛王金 見完彥永蹈
衛王明 見朱瞻埏
衛氏漢 劉興妻、衛子豪女
251-302-97下
372-234-5下
衛氏晉 衛瓘女 476-372-117
547-429-147
衛氏明 馮登妻 506- 76- 88
衛玄隋 264-923- 63
267-503- 76
379-825-163
384-156- 8
478- 86-180
481-385-312
537-496- 59
552- 46- 19
554-120- 50
591-537- 42
591-671- 47
933-658- 43
衛平春秋 244-914-128
衛平漢 1061- 33- 85
衛包唐 554-853- 63
684-479- 下
813-216- 2
814-274- 10
820-189- 27
衛安元 1206-195- 20
衛羽漢 402-524- 15
衛伉漢 244-765-111
250-328- 55
251-624- 24
933-658- 43
衛价宋 491-115- 13
衛宏漢 253-535-109下
380-269-172
472-199- 7
476-779-141
491-797- 6
511-689-163
540-700-28之1
675-275- 11
814-224- 3
820- 28- 22
933-658- 43
衛沈漢 742- 27- 1
衛沂宋 1169-723- 18
衛邦明 1255-696- 71
衛芊唐 821- 89- 48

十五畫 衛

衛秀唐 820-208- 28
衛京晉 472-680- 27
衛武夷叔、叔武 春秋 404-836- 52
衛松宋 821-257- 52
衛青鄭青 漢 244-268- 49
244-757-111
250-326- 55
251-617- 24
376-160-98上
384- 44- 2
469-363- 43
472-461- 20
476- 81-100
535-553- 20
544-199- 62
545-740-110
558-126- 30
933-658- 43
1297-668- 3
1297-669- 3
1360-610- 38
1408-301-509
衛青妻 漢 見陽信公主
衛青明 299-759-175
472-242- 9
472-587- 24
475-179- 59
478-550-202
511-390-151
540-616- 27
1240-292- 18
衛玠晉 255-644- 36
370-288- 5
377-464-121下
384- 91- 5
386-164-73下下
472-461- 20
476-368-117
489-536- 43
516-191- 95
546-727-139
589-201- 上
820- 50- 23
933-658- 43
衛協晉 812-318- 5
813- 96- 5
821- 9- 45
衛昇宋 821-247- 52
衛宣晉 820- 50- 23
衛恆晉 255-637- 36
377-460-121下
384- 91- 5
476-368-117
546-727-139
683-856- 上
684-527- 2
812- 60- 中
812-224- 8
812-713- 3
813-275- 13
814-232- 4
820- 50- 23
933-658- 43
衛洙唐 271- 55-159
275-296-164
396- 72-258
衛洙妻 唐 見臨眞公主
衛奕宋 1121-72- 7
衛述明 472-521- 22
546-302-125
衛英明 472-521- 22
476- 84-100
537-248- 55
540-627- 27
545-774-111
550-201-216
衛信漢 244-678-103
250-201- 46
376- 94- 97
545-502-101
衛信明 559-375- 8
衛涇宋 472-228- 8
475-131- 56
491-115- 13
493-646- 35
493-955- 51
511- 93-140
523-271-158
683-170- 5
1177- 53- 2
1289-271- 17
1385-370- 15
1385-372- 15
衛涇女 宋 見衛安娘
衛浩明 493-974- 52
衛庭晉 820- 50- 23
衛泰清 455-467- 28
衛眞元 1206-196- 20
衛桓妻 元 見王覺善
衛郡明 511-640-161
衛展晉 255-644- 36
377-465-121下
546-442-129
衛茲魏 254-407- 22
377-183-116
385-384- 39
477-126-155
537-420- 58
衛密漢 812- 58- 中
812-710- 3
812-221- 8
衛培元 511-729-165
524- 20-179
676-706- 29
衛常蜀漢 481- 65-293
559-258- 6
衛冕明 564-260- 47
衛術明 540-660- 27
衛健明 476-180-106
545-244- 92
衛逖唐 472-257- 10
511-391-151
547-150-147
1082-564- 上
衛湜宋 475-131- 56
493-957- 51
511-672-163
523-580-175
679- 43-142
衛琮妻 明 見葉氏
衛雄後魏 261-372- 23
266-406- 20
379- 2-146
544-204- 62
衛登漢 539-349- 8
衛琦清 1316-670- 46
衛琦妻 清 見賈氏
衛琛元 1206-196- 20
衛逵清 480-298-271
衛鈞明 546-312-125
衛象明 1371- 64- 附
衛傑明 494- 54- 2
衛源明 473- 24- 49
衛靖明 493-1052- 55
820-610- 41
821-372- 55
衛廉明 546-317-125
衛道明 537-550- 59
衛瑛明 1259-569- 5
衛鉉隋 559-319-7上
衛鈿明 546-313-125
衛颯漢 253-481-106
370-160- 15
380-158-169
402-403- 6
402-525- 15
459-827- 50
471-766- 25
471-774- 26
472-718- 28
473-357- 64
473-401- 66
477-202-159
477-471-173
480-506-281
482- 73-341
532-700- 45
537-474- 58
563-604- 38
933-658- 43
衛福漢 253-575-111
380-132-168
衛齊清 455- 36- 1
474-759- 41
502-431- 68
衛滿秦 472- 28- 1
衛鞅戰國 見商鞅
衛蒿衛麟徵 清 546-650-136
衛綰漢 244-678-103
250-200- 46
376- 94- 97
384- 40- 2
472-432- 19
476- 32- 98
505-663- 69
539-349- 8
545-501-101
547-547-161
933-658- 43
衛廣漢 473-806- 86
衛賢南唐 554-908- 64

812-441- 0
812-529- 2
813-113- 8
821-116- 49
衛穎明 見衛穎
衛駒後燕 496-605-104
衛璋明 1268-395- 63
衛賜春秋 見端木賜
衛憲唐 812-371- 0
821- 75- 47
衛融北漢 288-727-482
401-259-603
衛穎衛頴 明 299-759-175
511-390-151
1250-865- 82
1261-667- 28
衛臻魏 254-406- 22
377-183-116
384- 86- 4
384-642- 39
385-384- 39
472-680- 27
477-126-155
537-420- 58
820- 39- 22
933-658- 43
衛整明 1239-157- 37
衛操後魏 261-370- 23
266-405- 20
379- 2-146
384-129- 7
472-481- 21
544-203- 62
546- 3-115
546-384-127
933-658- 43
衛樸宋 511-874-170
衛樸妻 宋 見周艮
衛衡漢 554-862- 64
879-176-58下
衛鴻清 554-790- 62
衛謙宋 472-242- 9
511-542-158
衛翼宋 1170-718- 31
衛璪晉 255-644- 36
377-646-121下
546-442-129
820- 50- 23
933-658- 43
衛覬魏 254-384- 21
377-170-116
384- 84- 4
384-652- 40
385-652-66下上
472-461- 20
476-367-117
546-439-129
554-101- 50
812- 67- 下
812-231- 9
812-720- 3
814-229- 4
820- 39- 22
933-658- 43
衛闐宋 1169-712- 17
衛瓊元 1206-195- 20
衛藻宋 491-115- 13
1169-726- 18
衛鏻明 546-313-125
衛繼張繼 蜀漢 254-692- 15
377-315-118下
384- 77- 4
385-209- 24
469-627- 77
473-533- 72
481-290-306
559-376- 8
591-548- 43
衛蘭明 572- 76- 28
衛瓘晉 254-386- 21
255-637- 36
377-457-121下
384- 91- 5
472- 26- 1
472-142- 5
472-461- 20
474- 90- 3
476-368-117
476-474-125
505-627- 67
540-644- 27
546-440-129
684-527- 2
812- 55- 中
812-219- 8
812-708- 3
814-232- 4
820- 50- 23
933-658- 43
衛瓘女 晉 見衛氏
衛瓚明 1261-843- 41
衛鑠晉 李矩妻 682- 8- 1
684-553- 5
812- 60- 中
812-224- 8
812-713- 3
814-216- 2
820- 77- 23
衛一鳳明 476-208-107
510-317-113
546-207-122
549-524-200
衛一鳳妻 明 見楊氏
衛九鼎元 821-298- 53
衛九錫明 547-104-145
衛士安妻 明 見張淑清
衛子夫漢 漢武帝后
244-266- 49
251-277-97上
373- 8- 19
544-177- 61
衛子剛明 546-710-138
衛子豪女 漢 見衛氏
衛大垣妻 清 見馬氏
衛大訓清 547- 77-143
衛大經唐 271-640-192
275-640-196
384-189- 10
401- 5-568
476-369-117
547-141-146
547-553-161
933-658- 43
衛上達宋 見衛仲達
衛方厚妻 唐 見程氏
衛文公春秋 244- 73- 37
371-317- 14
775- 23-77上
384- 8- 1
404-213- 13
衛之玄唐 1073-602- 30
1074-444- 30
1075-394- 30
1378-526- 60
1383-169- 14
衛元君戰國 244- 77- 37
371-323- 14
375- 25-77上
404-224- 13
衛元表唐 547- 99-145
衛元凱元 546-689-138
衛元嵩北周 263-818- 47
267-696- 89
380-646-183
481- 76-294
592-192- 73
592-502- 91
1054-385- 10
1401-496- 36
衛引嘉清 478-349-191
554-790- 62
衛天民明 547- 64-143
衛中立唐 1073-602- 30
1074-444- 30
1075-394- 30
1378-526- 60
1383-169- 14
衛中行兒 唐 1378-526- 60
1383-169- 14
衛中行唐 1074-311- 17
1075-270- 17
衛中夏妻 清 見王氏
衛公佐宋 511-541-158
524-182-187
衛仁近衛近仁 元
820-527- 38
1218-781- 5
1221-439- 7
1369-387- 10
1439-451- 2
1471-528- 12
衛介石宋 484-387- 28
衛立鼎清 1316-635- 44
衛弘嘉妻 清 見李氏
衛正心清 547- 65-143
衛正固明 537-250- 55
衛可徵明 820-741- 44
衛出公春秋 244- 75- 37
371-321- 14
375- 24-77上
384- 8- 1
404-221- 13

衛出公夫人 春秋 見夏氏
衛令望明 見魏令望
衛生額清 455-248-13
衛台揆清 481-763-335
528-567-32
545-802-111
衛台瑞清 532-753-46
545-797-111
衛安娘宋 衛涇女
1169-734-18
衛共伯周 244-71-37
375-22-77上
衛次公唐 271-54-159
275-295-164
384-243-12
396-72-258
472-465-20
476-120-102
477-522-175
546-277-124
839-50-4
933-658-43
衛光遠宋 821-216-51
衛先範明 554-521-57下
衛仲道妻 漢 見蔡琰
衛仲達衛上達 宋
491-115-13
衛成公春秋 244-73-37
371-318-14
375-23-77上
384-8-1
404-213-13
衛均執元 533-329-58
1217-530-2
衛孝則隋 264-924-63
267-504-76
379-826-163
衛吾良明 547-63-143
衛君角戰國 244-77-37
371-324-14
375-26-77上
384-8-1
404-224-13
衛君寵妻 明 見劉氏
衛伯玉唐 270-379-115
275-50-141
395-698-243
477-521-175
544-228-63
933-658-43
衛希相明 547-22-141
衛希道宋 1104-704-15
衛廷珪妻 明 見孫氏
衛廷憲明 546-216-122
衛廷鑒清 547-26-141
衛宜信明 547-113-145
衛定公春秋 244-74-37
371-318-14
375-23-77上
404-215-13
384-8-1
404-215-13
衛定公夫人 春秋 見定姜
衛定公夫人 春秋 見敬姒
衛武公春秋 244-71-37
371-316-14
375-22-77上
404-210-13
537-362-57
衛居實宋 472-922-36
衛枝蘭妻 清 見廖氏
衛承芳明 300-638-221
481-430-315
523-235-156
559-409-9上
676-605-25
衛承慶金 1365-243-7
1445-458-33
衛叔卿漢 478-358-191
554-966-65
1059-264-2
衛季敏宋 1169-722-18
衛周尹明~清 見衛周印
衛周印衛周尹 明~清
476-86-100
523-196-155
545-795-111
衛周祚清 476-86-100
545-795-111
衛近仁元 見衛仁近
衛宣公春秋 244-72-37
371-316-14
375-22-77上
384-8-1
404-211-13
衛宣公夫人 春秋
538-228-67
衛宣公夫人 春秋 見宣姜
衛既翕清 547-77-143
衛既齊清 476-125-102
546-326-125
衛昭王隋 見楊爽
衛佋瑗清 547-564-161
衛胤文明 458-260-7
554-734-61
衛庭芝明 546-713-138
衛秦翰清 554-538-57下
559-332-7下
衛桓公春秋 244-72-37
371-316-14
375-22-77上
384-8-1
404-210-13
衛桓公夫人 春秋 見夷姜
衛時春明 475-183-59
505-839-76
511-444-153
衛時敏宋 1169-722-18
衛時敏妻 宋 見沈氏
衛悼公春秋 244-76-37
371-323-14
375-25-77上
404-224-13
衛康叔康叔、康叔封 周
244-70-37
371-315-14
375-21-77上
404-207-13
404-455-26
衛執蒲清 478-349-191
554-681-60
衛頃侯周 244-70-37
371-315-14
375-22-77上
404-209-13
衛莊公春秋(名楊) 244-71-37
371-316-14
375-22-77上
404-210-13
衛莊公春秋(名蒯聵)
244-76-37
371-322-14
375-25-77上
384-8-1
404-222-13
1090-177-0
衛莊公夫人 春秋 見莊姜
衛莊公夫人 春秋 見厲嬀
衛莊公夫人 春秋 見戴嬀
衛國王金 見完顏烏色
衛紹王金 見完顏永濟
衛紹芳清 546-325-125
559-327-7下
571-535-19
衛紹欽宋 288-538-466
401-70-576
衛富益宋 475-178-59
494-432-13
511-837-168
523-581-175
677-418-38
衛惠公春秋 244-72-37
371-317-14
375-23-77上
384-8-1
404-211-13
衛登強明 547-112-145
衛景山宋 1090-66-13
衛景瑗明 301-460-263
456-445-3
458-257-7
476-251-110
478-348-191
545-304-94
554-728-61
衛無忌唐 271-652-193
276-107-205
401-148-589
472-469-20
476-372-117
547-434-157
衛楨固明 456-499-5
458-258-7
554-731-61
衛嗣君戰國 244-77-37
371-323-14
375-25-77上
404-224-13
衛敬瑜妻 梁 見王氏
衛寨桑清 456-224-67
衛殤公春秋 244-74-37
371-319-14

375- 24-77上
404-216- 13
384- 8- 1
衛膚敏宋 287-175-378
398-220-379
449-406-上5
472-241- 9
475-178- 59
491-115- 13
511-122-141
933-659- 43
1128-232- 25
1128-390- 11
衛德辰元 820-527- 38
衛德嘉元 511-542-158
1221-662- 26
1226-480- 23
衛穆公春秋 244- 74- 37
371-318- 14
375- 23-77上
384- 8- 1
404-215- 13
衛襄公春秋 244- 74- 37
371-320- 14
375- 24-77上
384- 8- 1
404-218- 13
衛襄公夫人 春秋 見宣姜
衛襄公夫人 春秋 見婤姶
衛戴公春秋 244- 73- 37
371-317- 14
375- 23-77上
404-212- 13
衛藎臣清 554-790- 62
衛獻公春秋 244- 74- 37
371-318- 14
375- 23-77上
384- 8- 1
404-216- 13
衛懿公春秋 244- 73- 37
371-317- 14
375- 23-77上
384- 8- 1
404-212- 13
衛懿公女 春秋 見許穆公夫人
衛麟徵清 見衛蒿
衛靈公春秋 244- 74- 37
371-320- 14
375- 24-77上
384- 8- 1
386-708- 12
404-219- 13
衛靈公夫人 春秋 見南子
衛宗二順周 538-229- 67
衛國公主唐 豆盧建妻、楊說妻、唐玄宗女 274-112- 83
393-280- 73
衛國公主同昌公主 唐 韋保衡妻、唐懿宗女 274-120- 83
393-287- 73
554- 59- 49
衛國大長公主宋 見清裕
締拉密什元 見德爾密什
編珠清 502-729- 84
編育意漢 見編肓意
編肓意編育意 漢
253-612-112下
380-582-181
膠鬲商 404-415- 24
933-265- 19
膠倉聊倉 漢 505-888- 79
933-261- 18
膠西王漢 見劉卬
膠西王漢 見劉端
膠西王唐 見李孝義
膠東王漢 見劉音
膠東王漢 見劉寄
膠東王漢 見劉授
膠東王漢 見劉賢
膠東王漢 見劉通平
膠東王漢 見李道彥
稷上古 見后稷
稷山王明 見朱佶焆
稷丘君漢 538-339- 70
541- 84- 30
839- 26- 3
1058-498- 上
1061-251-108
儂琳明 302-484-313
儂瓊明 302-484-313
儂文舉明 302-483-313
儂日新宋 288-894-495
儂仕祥明 302-484-313
儂仕獬明 302-484-313
儂存祿宋 288-892-495
儂全福宋 288-892-495
401-571-640
儂全福妻 宋 見阿儂
儂宗旦宋 288-894-495
401-571-640
儂郎金明 302-483-313
儂郎舉明 302-483-313
儂貞佑明 302-483-313
儂夏卿妻 宋 見阿儂
儂添壽明 302-484-313
儂紹湯明 302-484-313
儂智高宋 288-892-495
371-203- 20
401-571-640
567-586- 94
儂當道宋 288-892-495
儂應祖明 302-483-313
樂丁春秋 545-723-109
樂己漢 554-628- 60
樂才宋 1149-723- 16
樂氏晉 庾袞妻 477-92-153
樂氏齊 劉虬妻 480-252-269
樂氏宋 陳見素妻、樂黃裳女 1105-834- 99
樂氏金 劉璋妻、樂玠女 1190-635- 8
樂氏明 沈自充妻 533-542- 67
樂氏明 李洪嗣妻 482-453-362
樂氏清 彭錦妻 479-768-252
樂史宋 286- 62-306
371-134- 14
382-753-115
384-336- 17
397-260-334
471-738- 21
473-112- 54
478-759-215
479-655-247
481-385-312
515-732- 80
523- 9-146
933-725- 50
樂羊戰國 405-167- 67
472- 83- 3
546-432-129
933-724- 50
樂良明 301-818-285
676-458- 17
1229-279- 9
樂材宋 1173-112- 70
樂呂春秋 見樂舉
樂伯春秋 405-37- 58
933-723- 50
樂京宋 286-402-331
397-508-350
472-644- 26
473-302- 62
477-473-173
480-245-269
537-342- 56
樂祁樂祁犁 春秋 404-801- 49
448-260- 25
537-367- 57
933-723- 50
樂松漢 見藥崧
樂枅明 524-124-184
1232-215- 2
1408-536-535
樂叔漢 933-724- 50
樂舍春秋 404-801- 49
樂欣春秋 見樂欬
樂恢漢 253- 40- 73
370-194- 19
376-769-109上
384- 61- 3
402-411- 6
402-526- 15
402-579- 20
472-832- 33
476-371-117
478- 99-180
547-187-148
554-627- 60
933-724- 50
樂玠女 金 見樂氏
樂俊漢 472-640- 26
477- 47-151
537-234- 55
樂欬樂欣 春秋 244-390- 67
375-657- 88
405-446- 85
539-497-11之2
樂哥明 529-682- 50
樂茷春秋 404-803- 49
樂峻唐 812-372- 0
821- 89- 48

樂純明 529-741- 51
樂乘戰國 244-503- 80
405-149- 65
933-724- 50
樂章明 1467-200- 69
樂得春秋 404-803- 49
樂訑明 533-274- 56
樂喜司城子罕 春秋
375-819- 91
384- 21- 1
386-641- 6
404-800- 49
448-211- 17
448-286- 上
537-366- 57
933-517- 34
933-723- 50
樂閒戰國 244-503- 80
375-942- 94
405-149- 65
933-724- 50
樂逵妻 清 見饒氏
樂凱晉 255-754- 43
377-522-122
樂備宋 493-949- 51
590-458- 0
樂集明 1238- 94- 8
樂進魏 254-330- 17
377-157-115下
384- 84- 4
384-678- 44
472-570- 24
476-857-145
540-708-28之1
544-201- 62
933-724- 50
樂溷春秋 404-803- 49
樂裔春秋 933-723- 50
樂詳漢～魏 253-540-109下
254-320- 16
380-275-172
385-593-65下上
476-114-102
546-693-138
679-346-173
樂運北周 263-750- 40
267-290- 62
379-566-156
384-141- 7
472-568- 24
472-824- 33
476-609-133
477-376-167
478- 86-180
537-545- 59
540-727-28之1
554-325- 54
933-724- 50
樂預齊 259-544- 55
265-1046- 73
380-103-167
475-270- 63
480-250-269
533-204- 53
933-724- 50
樂葵明 1287-569- 26
樂頌明 569-659- 19
樂韶宋 533-321- 57
樂輓春秋 404-801- 49
樂遜北周 263-799- 45
267-584- 82
380-325-174
384-142- 7
472-462- 20
472-765- 30
476-116-102
477-358-166
537-311- 56
546-696-138
933-724- 50
樂肇晉 255-754- 43
377-522-122
樂綝魏 254-330- 17
377-158-115下
472-570- 24
933-724- 50
樂廣晉 255-752- 43
377-521-122
384- 91- 5
386-160-73下下
472-124- 4
472-738- 29
472-772- 30
477-304-163
477-370-167
505-688- 70
533-204- 53
537-194- 54
537-541- 59
552- 45- 19
814-233- 4
820- 53- 23
933-724- 50
樂毅戰國 244-500- 80
371-597- 50
375-939- 94
384- 30- 1
405-146- 65
469-505- 51
472- 50- 2
472- 87- 3
476-431-121
505-625- 67
505-746- 72
933-724- 50
1340-592-780
1407- 66-401
樂宵春秋 404-725- 44
472-500- 21
545-390- 97
樂徵春秋 545-722-109
樂頤樂頤之 齊 259-544- 55
265-1046- 73
370-528- 16
380-102-167
472-772- 30
477-372-167
480-250-269
533-439- 62
538-106- 64
933-724- 50
樂靜元 戴德潤妻
1216- 71- 5
樂靜明 561-228-38之3
樂豫春秋 404-800- 49
933-723- 50
樂叡明 473-211- 59
樂舉樂呂 春秋 404-800- 49
樂徽明 475-853- 94
510-471-117
樂謨晉 255-754- 43
377-522-122
485- 67- 10
493-672- 37
樂鑣明 515-693- 78
樂藹梁 260-180- 19
265-805- 56
378-329-139
472-773- 30
473-366- 64
477-374-167
480-250-269
480-482-280
532-734- 46
533-205- 53
537-544- 59
933-724- 50
樂護明 510-437-116
樂夔宋 564- 65- 44
樂轡春秋 404-800- 49
樂韺明 472-128- 4
505-692- 70
515-786- 81
676-533- 21
樂瓚明(潞州人) 472-325- 14
475-701- 86
510-463-117
樂瓚明(陽城人) 510-471-117
樂又令清 1318-506- 77
樂士宣宋 813-197- 19
821-256- 52
樂子長不詳 1059-264- 2
樂子雲齊 265-806- 56
378-330-139
480-239-269
533-383- 60
538- 62- 63
樂大心春秋 404-817- 50
樂大成妻 明 見胡氏
樂大原元 524-197-188
樂大章宋 1176-822- 6
樂大韺明 821-414- 56
樂山寶女 唐 見沖淑眞人
樂山寶女 唐 見沖惠眞人
樂文元明 529-683- 50
樂文解明 460-791- 84
515-155- 61
樂王鮒樂桓子 春秋
404-780- 48
545-724-109
樂少寂唐 271-379-181
樂正克戰國 405-456- 85

539-498-11之2
933-723- 50
樂平王晉 見司馬延祚
樂平王北齊 見高仁邕
樂平王後魏 見元丕
樂平王後魏 見元最
樂平王明 見朱沖烋
樂安王漢 見劉鴻
樂安王漢 見劉寵
樂安王晉 見司馬鑒
樂安王北齊 見高勱
樂安王後魏 見托跋範
樂安王明 見朱栱欏
樂汝剛明 473-388- 65
532-720- 45
樂羊子妻 漢 253-631-114
381- 43-185
452-107- 3
472-685- 27
477-318-164
538-250- 68
樂臣公戰國 244-504- 80
448- 99- 中
樂如璋明 460-791- 84
樂仲韞明 1238- 94- 8
樂朱鉏春秋 404-801- 49
樂良王梁 見蕭大圜
樂良王後魏 見托跋萬壽
樂成王漢 見劉萇
樂成王漢 見劉黨
樂均用宋~元 476-672-136
1253-172- 49
樂法才梁 260-181- 19
265-806- 56
378-330-139
477-375-167
480-251-269
510-309-113
533-205- 53
537-544- 59
933-724- 50
樂法藏梁 260-181- 19
265-806- 56
378-330-139
樂祁犁春秋 見樂祁
樂長子漢 見樂正子長
樂長治漢 1061-281-111
樂昌王明 見朱聰涓
樂朋龜唐 273-115- 60
樂彥瑋唐 269-797- 81
274-275- 99
395-318-209
樂彥禎唐 271-379-181
276-184-210
384-285- 15
396-288-276
505-857- 77
樂思晦唐 267-797- 81
397-318-209
樂思齊元 1201-166- 80
樂浪王後魏 見托跋萬壽
樂桓子春秋 見樂王鮒
樂許國妻 宋 見黃氏
樂陵王魏 見曹茂
樂陵王北周 見高百年
樂陵王後魏 見托跋胡兒
樂陵王明 見朱泰舉
樂從訓唐 271-379-181
樂雲程清 560-105- 19
樂黃目宋 286- 62-306
371-134- 14
382-753-115
384-336- 17
397-260-334
472-642- 26
473-112- 54
473-280- 61
473-333- 63
477- 50-151
515-732- 80
532-689- 45
537-237- 55
933-725- 50
樂黃裳女 宋 見樂氏
樂喜聞樂嘉聞 宋
473-491- 70
561-206-38之1
樂舜賓明 515-134- 61
樂象乾明 1245-749- 11
樂道融晉 256-453- 89
380- 40-166
472-349- 15
475-669- 84
489-598- 47
489-670- 49
492-576-13下之上
511-487-155
533-352- 59
樂雷發宋 480-543-283
533-105- 50
676-690- 29
1364-769-366
1437- 30- 2
樂照緯宋 492-711-3下
樂韶鳳明 299-289-136
452-203- 5
453-547- 5
472-403- 18
475-798- 90
511-825-167
1442- 5- 1
樂嘉聞宋 見樂喜聞
樂德順元 鄒明善妻
1197-492- 47
樂頤之齊 見樂頤
樂濟眾藥濟眾 明
456-552- 7
476-430-121
546-334-126
樂繼同明 515-423- 69
樂繼能宋 567- 47- 64
1467- 21- 62
樂正子長樂長子 漢
511-930-175
541- 85- 30
樂正子春春秋 405-452- 85
539-640-11之6
1408-493-529
樂平公主漢 見劉小迎
樂平公主唐 唐昭宗女
274-121- 83
393-288- 74
544-231- 63
樂昌公主陳 徐德言妻、陳宣帝女 494-261- 1
樂城公主唐 薛履謙妻、唐玄宗女 274-113- 83
393-281- 73
樂清樵夫明 299-374-143
456-698- 12
479-408-235
徵崇李崇 吳 254-792- 8
377-334-119
385-598-65下下
486-304- 14
523-596-176
933-440- 29
徵側漢 253-652-116
567-580- 94
徵貳漢 詩索妻 253-652-116
567-580- 94
練氏明 鄧斯謹妻 530-130- 57
練安明 見練子寧
練耒宋 見練來
練定宋 493-703- 39
練崈宋 510-433-116
練來練耒 宋 529-741- 51
練高明 1442- 7- 1
1459-451- 14
練高妻 明 見郭巽貞
練埴明 見練則成
練達明 475-449- 71
510-403-115
練僖明 見練禧
練綱明 299-631-164
453-635- 23
493-992- 52
練綺明 518- 79-138
1443-232- 47
練魯元~明 524- 91-182
676-462- 17
1439-454- 2
練寯閩 章仔鈞妻 481-679-331
530-135- 58
1224- 56- 16
1224-510- 30
練禧練僖 明 473-129- 55
515-539- 74
練纓明 529-753- 52
練子寧練安 明 299-349-141
456-690- 12
473-129- 55
479-682-248
515-544- 74
517-147-119
517-686-132
676-470- 18
886-149-139
1235- 37- 附
1235- 38- 附
1442- 16-附1
1443-232- 47

1459-516- 18
練大亨明 456-696- 12
練天與妻 明 見張氏
練廷和清 481-723-333
練廷相明 529-700- 50
練則成練塤 明 493-992- 52
練國是明 見練國事
練國事練國是 明
301-415-260
458-171- 8
458-411- 18
475-325- 65
477-132-155
477-567-177
537-435- 58
554-185- 51
567-451- 86
練萼華練震孫 宋451- 64- 2
練震孫宋 見練萼華
練錦標妻 明 見賴氏
緹縈淳于緹縈 漢 淳于意女
243-253- 10
244-691-105
448- 63- 6
452- 88- 2
472-594- 24
476-676-136
491-795- 6
541- 38- 29
縑玉漢 477- 92-153
縑仙姑縑僊姑 唐
473-342- 63
480-418-277
533-781- 75
567-458- 87
1061-351-115
1467-512- 11
縑西山妻 明 見周氏
縑長弓元 1222- 49- 6
縑僊姑唐 見縑仙姑
線縉清 476-856-145
477-411-169
502-631- 77
540-680- 27
線國安清 482-323-354
502-645- 78
567-149- 69
線補袞明 474-823- 44
502-289- 56
線庫魯克布哈元
554-468- 56
緣密宋 1053-617- 15
緣勝宋 1053-404- 10
緣槩宋 820-466- 36
緣德宋 479-612-244
516-493-105
1052-180- 13
1052-675- 8
1053-345- 8
緣觀宋 1053-570- 14

十 六 畫

嬴公漢 476-820-143
540-693-28之1
嬴通國戰國 560-594-29下
羲上古 545-686-108
933- 68- 4
羲仲上古 404-390- 23
545-685-108
羲伯上古 546-234-123
羲叔上古 404-390- 23
545-685-108
羲和上古 嚳妻 404-389- 23
羲寂宋 見義寂
羲蒼先生明 1290-600- 83
糗宗漢 933-621- 40
澧王宋 見趙師揆
潞王唐 見李賢
潞王遼 見耶律宗懿
潞王金 見完顏永德
潞王金 見完顏宗本
潞王金 見完顏宗堯
潞王金 見張浩
潞王明 見朱翊鏐
潞成王明 見朱遜炉
潞國公主宋 宋柳宗女
544-235- 63
澹交宋 1053-672- 16
澹雪清 516-425-103
澹權五代 1053-550- 13
澹鱗唐 見啖鱗
澹彥珍唐 見啖彥珍
澹臺滅明春秋 244-385- 67
246- 26- 67
371-490- 32
375-653- 88
386-732- 14
405-438- 85
471-596- 2
472-547- 23
493-1065- 57
511-891-172
516-190- 95
539-493-11之2
933-781- 55
澹臺敬伯漢 453-745- 3
龍上古 404-396- 23
龍明 821-490- 58
龍子龍叔、龍穆 戰國
207-334- 3
933- 40- 2
龍文明 473-155- 56
515-678- 78
1242- 20- 24
龍升宋 821-236- 51
龍氏元 左幼白妻 516-281- 99
1219-740- 8
龍氏明 李大元妻 479-149-223
524-594-207
龍氏明 施堯心妻 482-565-369
龍氏明 梁謐妻 564-346- 49
龍氏明 溫同海妻
1240-806- 8
龍氏明 熊瑄妻、龍壽女
1250-873- 83
龍氏明 劉孔安妻 480-440-278
龍氏清 李正恭妻 481- 85-294
龍氏清 高位妻 480-416-277
龍氏清 程逢泰妻 480-142-264
龍氏清 鄒惺妻 481-312-307
龍氏清 鄭可榮妻 533-583- 68
龍氏清 劉雲崖妻 479-730-250
龍氏清 羅貴華妻 480-665-290
龍正明 558-471- 39
龍且秦 933- 40- 2
龍丘漢 493-1037- 55
龍光明(字沖虛) 515-696- 78
676-555- 22
1275-371- 16
1410-386-715
龍光明(長沙衛人) 533-255- 55
龍光明(階州人) 558-402- 36
龍見明 572- 91- 29
龍伯明 515-682- 78
523-131-152
龍雨明 533-435- 62
龍居明 1238-219- 18
1241-725- 17
龍芹妻 明 見尹金貞
龍昇妻 明 見李氏
龍叔戰國 見龍子
龍施明 570-106-21之1
龍相明 558-212- 32
龍飛明 456-603- 9
龍述漢 471-770- 25
473-386- 65
478- 98-180
480-285-271
480-539-283
532-712- 45
534-817-112
554-743- 62
933- 40- 2
1161- 5- 72
龍述漢 1061- 34- 85
龍昭明 1242-219- 31
龍映明 511-799-167
龍俊明 472-546- 23
540-635- 27
龍泉明 1467-217- 70
龍涌明 見龍湧
龍恭明 見劉恭
龍翊明 518-794-161
龍晉明 472-378- 16
475-121- 55
475-563- 79
493-761- 41
510-403-115
510-428-116
龍峻五代 1053-231- 6
龍留夏 546-425-129
龍旌明 302- 23-290
482-559-369
569-678- 19
龍淵宋 812-539- 3
龍淵明 473-784- 85
567-302- 77
1467-189- 69
龍章宋 554-910- 64
812-466- 2

812-539- 3
821-159- 50
龍祥宋 821-219- 51
龍琇元 劉操妻、龍孟敬女
516-281- 99
1219-755- 10
龍彪明 567-366- 81
龍敏後漢 278-265-108
279-373- 56
384-316- 16
396-448-296
933- 40- 2
龍敏明 564-241- 47
龍湧龍涌 明 475-530- 77
511-601-160
龍琰明 533-113- 50
龍華元 1200-235- 19
龍淼宋 515-604- 76
龍勝秦 見龍樹
龍源明 475-708- 86
511-336-149
龍溪五代 1053-240- 6
龍遂明 515-706- 79
528-496- 3
571-529- 19
1283-613-115
龍瑄明 511-829-168
515-504- 72
1261-623- 22
1442- 27-附2
龍粲明 1241-175- 8
龍誥明 473-341- 63
480-411-277
510-464-117
515-174- 62
533-253- 55
龍壽女 明 見龍氏
龍睿明 見龍璿
龍鳳明 554-527-57下
龍潭宋 547-479-159
548-214-168
龍憐晉 皮京妻 256-574- 96
381- 52-185
480-252-269
龍儀明 515-505- 72
554-313- 53
龍德漢 839- 27- 3
龍樹龍勝 秦 1053- 19- 1
1054- 29- 1
1054-268- 4
龍霓明 515-505- 72
龍霖清 480-583-285
龍興五代 1053-231- 6
龍興明 480- 88-262
龍穆戰國 見龍子
龍膺明 533-113- 50
545-100- 86
676-612- 25
1442- 78-附5
1460-397- 58
龍駿明 1241-581- 11
龍璿龍睿 明 563-788- 40
567-326- 78
1467-223- 70
龍歸明 563-778- 40
567-306- 77
1467-195- 69
龍韜明(曲江人) 482-451-362
528-451- 29
567-100- 66
1467- 77- 64
龍韜明(字君略) 567-304- 77
1467-190- 69
龍騰明 1467-189- 69
龍鐔明 479-767-252
515-505- 72
523- 34-147
545- 65- 85
820-584- 40
龍鐲宋 554-258- 52
龍顯宋 821-160- 50
龍巖元 820-552- 39
龍士通明 515-507- 72
龍子甲明 475-531- 77
龍大有明 533-253- 55
龍大淵宋 288-572-470
401-137-587
龍上登明 483- 60-374
龍文光明 301-463-263
456-446- 3
481- 27-291
482-373-357
515-261- 65
517-749-133
559-507- 12
567-370- 81
677-707- 63
龍文明明 540-658- 27
龍之虬龍之明 明456-443- 3
515-724- 79
568-713-127
龍之明明 見龍之虬
龍之繩清 482- 34-340
533-221- 53
龍孔陽元 1221-389- 2
龍孔蒸明 456-640- 10
480-414-277
龍天端明 567-323- 78
龍天衢妻 明 見洪氏
龍仁夫元 295-538-190
400-699-567
473-150- 56
473-282- 61
479-716-250
480-139-264
511-908-173
515-616- 76
533-727- 73
677-467- 43
1204-336- 12
1318-129- 42
1439-434- 1
龍升之宋 515-602- 76
龍永陞清 456-368- 78
龍未央不詳 933- 40- 2
龍丘高不詳 839- 20- 2
龍丘萇漢 453-744- 2
472-1041- 43
479-354-233
511-830-168
524-294-193
龍用良明 1240-196- 13
龍在天清 480-298-271
龍在田明 301-561-270
456-603- 9
龍在淵妻 明 見李氏
龍存仁明 528-560- 32
龍光庭元 515-625- 76
龍志海明 1243-692- 23
龍求兒明 534-962-120
龍均用妻 元 見陳氏
龍伯冠清 533-490- 65
龍王翁金 821-278- 52
龍居德妻 明 見羅氏
龍孟敬女 元 見龍琇
龍昌期宋 481-386-312
559-398-9上
592-581- 98
677-170- 16
1100-659- 11
龍彥鶚明 1242-168- 29
龍美英元 1197-677- 70
龍起化妻 明 見張氏
龍起雷明 572- 84- 28
龍起澐宋 475-533- 77
龍起潛明 456-603- 9
龍起範妻 清 見李氏
龍時吟明 1467-255- 71
龍剛明妻 清 見戴氏
龍添德明 1240-791- 8
龍國正明 571-553- 20
龍國祿明 567-350- 80
1467-251- 71
龍得雲清 456-368- 78
龍從雲元 見龍雲從
龍翔宵明 483- 95-378
533-113- 50
569-668- 19
571-537- 20
龍雲從龍從雲 元
515-621- 76
1222-468- 11
1439-444- 2
龍陽君戰國 405-195- 68
龍景亨明 533-138- 51
龍景昭宋 288-694-479
473-491- 70
481-236-303
559-373- 8
龍景華明 見龐景華
龍勝奴晉 474-574- 29
龍復理明 523-193-155
龍新明明 456-676- 11
龍遇奇明 515-717- 79
523-195-155
554-184- 51
龍嘉震明 456-545- 7
515-725- 79
龍廣寒元 524-304-194
龍養坤明 見尤養鯤
龍震翁宋 515-611- 76
龍德化明 820-747- 44

龍德孚明 533-113- 50
龍奮河明 523-251-157
572-101- 30
龍應貴妻 清 見范氏
龍應鼎明 475-531- 77
龍顏近妻 清 見陳氏
龍騰雲妻 清 見黃氏
龍鱗錦清 559-332-7下
龍山和尚唐 480-418-277
533-790- 75
1053-132- 3
龍血禪師唐 554-949- 65
龍泉和尚五代 1053-566- 14
龍穴山和尚五代
1053-569- 14
諳達俺答 明 302-756-327
諳達默色特穆爾元
294-292-124
謰五代 1053-557- 13
謰五代 1053-627- 15
諝三命宋 493-1094- 58
589-347- 5
諾內清 454-481- 42
諾岷清 545-114- 86
諾海耶海 元(字德卿)
493-753- 41
820-504- 37
諾海元(蒙古人)
569-616-18下之2
571-516- 19
諾海清(博爾濟吉特氏)
454-880-106
諾每清(瓜爾佳氏) 455-115- 4
諾庫清 455-283- 16
諾密清 456-283- 71
諾捫清 454-477- 41
諾敏妻 清 見鈕祜祿氏
諾察清 455-204- 10
諾錫清 455-375- 23
諾驅宋 288-903-496
401-553-639
諾木齊清 456-251- 69
諾木圖清(完顏氏) 455-462- 28
諾木圖清(洽特氏) 456-258- 69
諾木圖清(正藍旗滿洲人)
502-568- 74
諾永鄂清 455- 89- 3
諾和齊清 456- 65- 54
諾音泰清 455-270- 15
諾音推清 455-415- 25
諾曷鉢烏地也拔勒豆可汗 唐
271-756-198
276-374-221上
諾海齊元 294-438-135
399-677-487
諾敏多清 455-478- 29
諾爾布元 元世祖后、仙童女
294-185-114
393-346- 80
諾爾布清(僧格子) 454-472- 40
諾爾布清(博爾濟吉特氏)
454-626- 68
諾爾布清(兀札喇氏)
455-494- 30
諾爾布清(把岳忒氏)
456-231- 68
諾爾節元 294-276-123
399-350-449
諾穆齊清(舒穆祿氏)
455-158- 6
諾穆齊清(他塔喇氏)
455-222- 11
諾穆齊清(費莫氏) 455-637- 44
諾穆齊清(庫布特氏)
456-239- 68
諾穆齊清(正黃旗滿洲人)
502-471- 69
諾穆圖清 455-494- 30
諾穆賴清 456-218- 67
諾穆璽清 456-271- 70
諾米徹沉清 456-244- 68
諾音托和清 455-433- 25
諾恩珠瑚清 455-301- 18
諾爾巴哈清 455-302- 18
諾爾布爾清 455-305- 18
諾穆達理清 455- 96- 3
諾延溫都謙諾延溫都伊德 金
291-220- 84
399-138-428
諾爾布扎布清(德沁扎布子)
454-637- 69
諾爾布扎布清(博爾濟吉特氏)
454-670- 73
諾爾布林沁清 500-726- 37
諾爾布班第清 454-605- 64
諾爾布達史清 456-232- 68
諾顏和碩齊清 454-813- 93
諾門額爾合圖清
496-219- 76
諾延溫都伊德金 見諾延溫都謙
諾延溫都思忠諾延溫都伊里布 金 291-218- 84
399-137-428
544-237- 63
諾延溫都烏達努延溫騰烏達、耨盌溫敦兀帶 金
291-221- 84
399-138-428
474-689- 37
496-371- 86
502-264- 54
諾爾布札木素清
496-217- 76
諾爾布敦多布清
500-727- 37
諾爾布敦多克清
500-727- 37
諾延溫都伊里布金 見諾延溫都思忠
謂芳宋 1053-498- 12
磨勘宋 488-467- 14
磨延啜葛勒可汗 唐
276-301-217上
磨延啜妻 唐 見蕭國公主
燈五代 1053-236- 6
燈宋 1053-697- 16
窺基唐 547-529-160
554-948- 65
1052- 39- 4
1054-104- 3
1054-432- 11
1054-446- 11
辨明 1252-494- 28
辨才唐 1052-217- 16
辨才唐 見辯才
親依陳 見拘羅那他
親達瑚清 455-667- 47
澤王唐 見李上金
澤王金 見赫舍哩執中
澤龕宋 486-903- 35
524-427-200
澤國公主金 富拉塔妻、金世宗女 544-238- 63
澤國公主金(明昌四年封)
544-238- 63
諶氏宋 楊奉直妻 524-501-203
諶氏明 黃裳妻 481-353-309
諶仲漢 見湛重
諶軻妻 明 見蕭氏
諶重漢 見湛重
諶祐宋 515-827- 83
諶烓妻 明 見么氏
諶烓妻 明 見陳氏
諶禮吳 515-293- 66
諶文學清 572- 75- 28
諶日昇妻 清 見陳氏
諶吉臣明 302- 89-294
456-496- 5
479-495-239
480-201-267
515-442- 70
533-381- 60
諶名臣明 515-452- 70
諶賤生明 473-644- 78
559-249- 6
謁渙漢 471-1001- 60
473-478- 69
481-115-296
559-351- 8
謁只里元 見伊奇哩
諤班清 454-477- 41
諤師宋 820-466- 36
諤都岱元 294-314-126
399-476-465
諤勒哲鄂勒哲 元(諡忠憲)
294-372-130
399-509-469
451-531- 3
571-516- 19
諤勒哲元(字世傑)
1369-552- 6
諤勒哲元(字蘭谷)
1439-442- 2
諤卜都拉元 1218-502- 6
諤格德依元 見元太宗
諤都瑪勒元 400-265-521
諤勒哲圖巴圖爾、完者拔都、旺扎勒圖、鄂勒哲圖、鄂勒哲巴圖 元 294-384-131
399-517-470
472-1084- 46

475-368- 67
523- 22-147
1202- 66- 6
諤勒哲圖元 510-399-115
諤勒哲呼圖克鄂勒哲呼圖克 元 元惠宗后、博囉特穆爾女
294-188-114
393-350- 80
諭宋 1053-740- 17
諭立元 1192-501- 3
寰中唐 516-476-105
524-383-198
588- 37- 2
588-241- 10
1052-156- 12
1053-138- 4
1054-135- 3
1054-573- 17
寰普唐 1052-157- 12
1053-227- 6
澡先唐 見藻光
激章漢 933-753- 52
諫忠漢 933-675- 45
廩辛商 537-174- 53
廩君先秦 見巴務相
廪春秋 見楚子廪
燉煌王唐 見李承宷
遵古五代 1053-230- 6
遵式宋 486-901- 35
490-720- 70
524-388-198
585-478- 14
588-232- 10
1054-167- 4
1054-169- 4
1054-618- 18
1091-552- 15
1437- 36- 2
遵誨後晉 1052-389- 28
遵璞宋 1053-875- 20
頭陀唐 1052-414- 30
頭曼漢 244-740-110
251-179-94上
頭須里鳧 春秋 404-781- 48
545-720-108
熹戰國 見周烈王
融濟唐 1052-193- 14
賴士清 454-119- 7
賴厷蜀漢 384-464- 12
447-195- 7
480-542-283
533-271- 56
賴氏宋 李尚質妻 473-625- 77
賴氏元 陳文秀妻
1197-660- 68
賴氏明 吳紅保妻 481-725-333
賴氏明 張召妻 530-162- 59
賴氏明 陳樂妻 1274-446- 17
賴氏明 曾友文妻 473-158- 56
賴氏明 曾立清妻 479-824-256
賴氏明 黃鉞妻 530-163- 59
賴氏明 黃中立妻 530-125- 57
賴氏明 黃萬金妻 482-305-353
賴氏明 練錦標妻 530-125- 54
賴氏明 羅歷生妻 479-824-256
賴氏明 龔朝士妻 479-824-256
賴氏清 李永芳妻 530-133- 57
賴氏清 李爾文妻 481-727-333
賴氏清 吳上賢妻 482- 51-340
賴氏清 周有仕妻 481-727-333
賴氏清 張可表妻 481-651-330
530-133- 57
賴氏清 張昌任妻 530-132- 57
賴氏清 陳羽龍妻 530-132- 57
賴氏清 鄭仲敏妻 481-729-333
賴氏清 謝瑩妻 482-119-343
賴氏清 羅世綬妻 530-132- 57
賴生元 481-722-333
529-697- 50
賴全妻 清 見葉氏
賴先漢 933-668- 44
賴先明 460-809- 87
481-723-333
529-636- 48
578-928- 25
683-142- 3
賴色清 455-404- 24
賴良明 1318-237- 52
賴垓明 460-751- 77
賴英明(任邱人) 545-188- 90
賴英明(江西人) 569-662- 19
賴祐明 460-812- 88
賴庫清 455-306- 18
賴恭蜀漢 384-464- 12
533-271- 56
賴陞清 529-576- 46
賴恩明 525- 52-219
賴都清 455-361- 22
賴紱宋 473-624- 77
529-633- 48
賴巽明 473-100- 53
473-807- 86
515-837- 84
569-649- 19
賴晰明 1242-269- 33
賴棐唐 473-187- 58
516-155- 94
賴塞清 456-253- 69
賴雍賴繼瑾、賴繼謹 明
456-465- 4
460-786- 83
529-677- 49
賴塔清(伊爾根覺羅氏)
455-272- 15
賴塔賚塔 清(那木都魯氏)
455-339- 21
502-497- 70
賴塔清(章佳氏) 455-598- 40
賴塔清(泰楚魯氏) 455-628- 43
賴瑛明 473-100- 53
515-837- 84
賴達清(兆佳氏) 455-502- 31
賴達清(賽密勒氏) 455-558- 36
賴鼐清 455-580- 38
賴豫明 529-682- 50
賴應清 1327-700- 8
賴禮明 473-196- 58
494- 19- 2
516-150- 93
554-313- 53
賴鎮明 483- 94-378
569-667- 19
賴鏡清 564-624- 56
賴護清 502-589- 76
賴灝妻 清 見彭氏
賴一相明 529-700- 50
賴一德清 529-706- 50
賴子英明 516-149- 93
賴大成妻 清 見陳氏
賴大雅賴天耀 明456-614- 9
480-405-277
533-400- 61
賴心台清 482-143-344
賴文雅唐 820-279- 30
賴文璧妻 明 見胡負貞
賴之冕明 518-798-161
賴五十妻 明 見莊氏
賴元仲妻 宋 見葉氏
賴元爵妻 明 見陳氏
賴天向女 清 見賴媧娘
賴天柱妻 清 見王氏
賴天耀明 見賴大雅
賴允治妻 清 見戴氏
賴世隆明 481-722-333
529-635- 48
676-489- 19
賴世傳妻 明 見鄧惠姑
賴世澄清 529-704- 50
賴用賢清 529-705- 50
賴守正妻 清 見簡氏
賴汝楫元 1199-304- 31
賴汝遷明 821-457- 57
賴汝霖明 676-178- 7
賴仲元妻 宋 見李氏
賴君選明 456-619- 9
賴伯玉宋 1184-599- 13
賴伯玉妻 明 見莊氏
賴伯英妻 明 見李氏
賴承謙妻 明 見趙氏
賴尚珠妻 明 見郭氏
賴南叔妻 明 見蕭氏
賴思智明 481-723-333
529-699- 50
賴思養明 456-619- 9
481-724-333
529-701- 50
賴原俗明 見賴原裕
賴原裕賴原俗 明
472-520- 22
540-626- 27
賴孫盛妻 明 見陳菊香
賴添貴明 676-476- 18
1239- 37- 28
賴都瑚清 455- 55- 1
賴國龍妻 明 見韓氏
賴紹宗妻 明 見張氏
賴啟娘明 張懋妻
530-124- 57
賴逢峻妻 清 見熊氏
賴華祖明 456-502- 5
481-724-333
529-639- 48

賴媧娘清　張士習妻、賴天向女　530-122- 57
1327-709- 9
賴進德明　676-757- 32
賴祿孫元　295-601-197
400-310-526
473-625- 77
481-722-333
529-697- 50
賴道慈元　張文孫妻　530- 4- 54
1223-579- 11
賴聖謨明　529-588- 46
賴達哈清　502-538- 72
賴達諱妻　清　見廖氏
賴萬耀明(謚節愍)　456-578- 8
賴萬耀明(字天熙)　564-179- 46
賴愈秀明　523-137-152
賴賓國明　524-369-197
賴福興明　564-195- 46
賴榮華明　529-638- 48
賴碧漢清　455-155- 6
賴嘉謨明　483-321-396
572-158- 32
賴幕布清　454-200- 11
賴維嶽明　460-813- 88
529-748- 51
賴線娘明　王守厚妻　530-124- 57
賴繼瑾明　見賴雍
賴繼謹明　見賴雍
賴盧渾都督清　455-130- 5
燕王漢　見劉旦
燕王漢　見劉建
燕王漢　見劉嘉
燕王漢　見劉澤
燕王漢　見劉定國
燕王漢　見盧綰
燕王魏　見曹宇
燕王後魏　見托跋譚
燕王隋　見楊倓
燕王唐　見李忠
燕王唐　見李祐
燕王唐　見李靈夔
燕王宋　見趙俁
燕王宋　見趙元儼
燕王宋　見趙德昭
燕尹後魏　見俟斗
燕氏明　胡養沖妻　480-488- 280
燕氏清　葉可興妻　474-194- 9
燕伋燕級　春秋　244-390- 67
375-656- 88
405-446- 85
539-497-11之2
554-376- 55
1293-327- 1
燕邠漢　554-745- 62
879-181-58下
燕忠明　474-184- 9
505-800- 74
554-211- 52
燕度宋　285-742-298
397-175-330
472-126- 4
472-556- 23
477- 52-151
477-200-159
528-438- 29
537-238- 55
540-755-28之2
燕英宋　見燕瑛
燕姞春秋　鄭文公夫人　404-885- 55
燕泰清　456-120- 58
燕倉漢　248-616- 8
539-349- 8
933-242- 17
1412-123- 5
燕姬春秋　齊景公夫人　404-630-38
燕級春秋　見燕伋
燕都後魏　見俟斗
燕崇北朝　505-890- 79
燕善明　516-130- 92
532-737- 46
燕勞隋　384-158- 8
燕雲明　476- 30- 97
476-151-104
545-220- 91
燕肅宋　285-741-298
382-380- 60
384-357- 18
397-174-330
471-1013- 62
472-196- 7
472-546- 23
472-592- 24
472-677- 27
472-1084- 46
473-503- 71
473-535- 72
476-862-145
478-199-184
479-173-225
481-361-310
486- 47- 2
491-345- 2
491-807- 6
523-126-152
540-750-28之2
559-311-7上
559-313-7上
585-756- 4
591-692- 48
812-532- 3
813-136- 11
821-161- 50
933-242- 17
1437- 9- 1
燕貴宋　見燕文貴
燕瑛燕英　宋　285-743-298
476-862-145
540-765-28之2
燕瑗漢　933-242- 17
燕達宋　286-635-349
382-541- 84
384-374- 19
397-691-362
477- 80-152
478-167-182
478-418-195
537-394- 57
554-359- 54
933-243- 17
燕筠五代　812-524- 2
813- 82- 3
821-133- 49
燕寧金　291-634-118
399-312-445
476-778-141
540-614- 27
燕榮隋　264-1047- 74
267-670- 87
380-240-171
556-838-100
933-242- 17
燕壽明　472-174- 6
554-526-57下
燕鳳後魏　261-376- 24
266-425- 21
379- 19-146
384-129- 7
472-481- 21
476-252-110
544-208- 62
546-672-137
933-242- 17
燕噲戰國　見燕王噲
燕濟漢　見戴孟
燕鐸妻　清　見郭氏
燕士俊清　524-103-183
燕子獻北齊　263-264- 34
266-840- 41
379-437-153
燕文成妻　清　見周氏
燕文公戰國　244- 51- 34
371-302- 11
375- 15-77上
384- 9- 1
404-343- 20
燕文季宋　見燕文貴
燕文貴燕貴、燕文季　宋
494-520- 25
812-460- 1
812-463- 2
812-475- 3
812-543- 4
821-151- 50
燕王喜戰國　244- 53- 34
371-303- 11
375- 17-77上
384- 10- 1
404-345- 20
燕王噲燕噲　戰國　244- 52- 34
371-302- 11
375- 15-77上
384- 9- 1
404-343- 20
燕公楠燕賽音囊嘉特　元
295-355-173
399-665-486

473- 77- 52	384-145- 7	燕國公主咸安公主 唐 頓莫	樵枯子元 821-334- 54
479-580-243	496-607-104	賀妻、唐德宗女 393-283- 73	機聰宋 1053-580- 14
516-101- 91	燕文明帝慕容晃、慕容皝、慕	554- 55- 49	穎宋 820-467- 36
532-584- 41	容元眞 前燕 256-759-109	燕國公主遼 見即律魯爾	穎王唐 見李璬
1202-296- 21	262-354- 95	古	穎郡王清 見阿達禮
1439-422- 1	267-765- 93	燕惠愍帝慕容寶 後燕	穎親王清 見薩哈璘
燕召公周 見召公奭	381-179-188	256-931-124	黇唐 1053-440- 11
燕有臺明 559-509- 12	384-103- 5	262-360- 95	臻五代 1053-624- 15
燕孝王戰國 375- 16-77上	384-144- 7	267-768- 93	臻明 1227-603- 中
燕帖木妻 元 見托克托懷	496-593-103	381-322-191	闞氏漢 478-614-205
氏	933-799- 59	384-103- 5	闞伯上古 404-397- 23
燕易王戰國 371-302- 11	燕文明帝女 前燕 見慕容	384-144- 7	霍弋霍戈 蜀漢 254-639- 11
375- 15-77上	氏	496-599-104	377-285-118下
404-343- 20	燕武成王戰國 371-303- 11	燕惠懿帝高雲、慕容雲 北燕	384-478- 15
燕威帝慕容沖 西燕	375- 16-77上	256-941-124	447-191- 7
262-355- 95	404-344- 20	381-330-191	483- 15-370
燕若沖宋 472-766- 30	燕武成帝慕容垂、慕容皶、慕	496-604-104	483-136-380
477-359-166	容霸 後燕 256-921-123	燕景昭帝慕容儁 前燕	494-149- 5
537-313- 56	262-358- 95	256-776-110	533- 73- 49
燕昭王戰國 244- 53- 34	267-766- 93	262-355- 95	567- 24- 63
371-302- 11	381-313-191	267-765- 93	569-673- 19
375- 16-77上	384-103- 5	381-184-188	933-738- 51
384- 9- 1	384-144- 7	384-103- 5	霍山漢 248-617- 8
404-344- 20	496-596-103	384-144- 7	539-349- 8
燕堅龍宋 532-717- 45	933-799- 59	496-595-103	1412-124- 5
燕莊公春秋 244- 50- 34	燕武成帝后 後燕 見段元	燕獻武帝慕容德 南燕	霍戈蜀漢 見霍弋
371-301- 11	妃	256-971-127	霍王唐 見李元軌
375- 14-77上	燕昭文帝慕容熙 後燕	262-362- 95	霍王金 見完顏從彝
燕惠王戰國 244- 53- 34	256-939-134	267-769- 93	霍氏宋 竇從謙妻、霍瀛女
371-303- 11	262-361- 95	381-355-192	1170-664- 28
375- 16-77上	267-769- 93	384-103- 5	霍氏宋 李伯玉母
384- 9- 1	381-328-191	384-144- 7	1178-330- 35
404-344- 20	384-103- 5	燕獻武帝后 南燕 見段季	霍氏金 曹元妻 1191-324- 29
燕惠公春秋 244- 51- 34	496-603-104	妃	霍氏元 曹時晉妻、霍仲皋女
404-341- 20	燕昭成帝馮弘、馮文通 北燕	燕賽音囊嘉特元 見燕公	1221-398- 3
燕欽融唐 271-498-187上	262-396- 97	楠	霍氏元 曹時復母
477-472-173	267-772- 93	燕舒國大長公主宋 郭獻卿	1221-397- 3
燕遺民明 533-329- 58	381-342-191	妻、宋仁宗女 285- 66-248	霍氏明 成德妻 506- 14- 86
1459-699- 27	384-105- 5	393-325- 77	霍氏明 邵汝德妻 506- 84- 88
燕釐公戰國 371-302- 11	384-145- 7	樹王五代(草衣木食)	霍氏明 曹妙兒妻 47-443- 21
燕簡公春秋 371-301- 11	496-609-104	541- 90- 30	506-135- 89
384- 9- 1	燕昭武帝慕容盛 後燕	樹洛干戊寅可汗 晉	霍氏明 張銓妻 547-361-155
燕文成帝馮跋、馮乞直伐 北	256-934-124	256-588- 97	霍氏明 陳良玉妻
燕 256-952-125	262-361- 95	381-461-195	1271-618- 52
262-396- 97	267-768- 93	橫龍宋 1053-300- 8	霍氏明 賀誥妻 506- 57- 87
267-771- 93	381-325-191	橫山烈女清 479-297-230	霍氏明 劉喬齡妻 506- 80- 88
381-339-191	384-103- 5	橫山烈婦明 477-422-169	霍氏清 宋敞妻 506-125- 89
384-105- 5	496-601-104	樵青神五代 494-241- 10	霍氏清 李炬妻 506-125- 89

霍氏清 李色明妻 474-605- 31
霍氏清 麥章斐妻 482- 46-340
霍氏清 馮夢蓮妻 482- 43-340
霍氏清 霍維華女
1324-338- 32
霍玉明 505-909- 81
霍安元 1198-773- 5
霍存後梁 277-187- 21
279-123- 21
396-334-281
472-114- 4
474-437- 21
505-762- 72
霍匡漢 546-384-127
霍光漢 250-532- 68
376-265-100
384- 43- 2
384- 46- 2
459-165- 11
469-378- 46
472-461- 20
476- 81-100
539-349- 8
545-745-110
550- 71-211
550-200-216
933-738- 51
1407- 46-399
1407- 52-399
1408-358-515
1412-122- 5
霍光妻 漢 448- 76- 8
霍光女 漢 見霍成君
霍任明 564-255- 47
霍汲隋 546-749-140
霍伯春秋 見先且居
霍宗明 478-420-195
554-708- 61
霍性魏 478-404-194
霍奇明 554-346- 54
霍岱明 1291-934- 7
霍洞宋 1437- 20- 1
霍思妻 明 見劉氏
霍原晉 256-525- 94
380-422-177
472- 29- 1
474-171- 8
499- 97-130
499- 98-130
505-919- 82
933-738- 51
霍珪宋 1196-266- 15
霍恩明 302- 11-289
474-589- 30
477-410-169
505-862- 77
537-328- 56
538-661- 79
545-441- 99
1263-395- 43
1273-638- 7
1458-597-462
霍峻蜀漢 254-639- 11
377-285-118下
384- 76- 4
384-478- 15
447-191- 7
471-968- 54
473-300- 62
473-503- 71
480-244-269
481-152-298
533- 73- 49
559-312-7上
591-702- 50
933-738- 51
霍倫清 455-582- 38
霍造宋 721-246- 52
霍球明 473-585- 75
霍通妻 明 見林氏
霍莘明 546-669-137
霍雲漢 248-618- 8
1412-125- 5
霍傑明 564-289- 47
霍瑄明 299-705-171
476-248-110
478-203-184
545-270- 93
554-707- 61
霍暐宋 564- 71- 44
霍嵩宋 1196-266- 15
霍雋梁 見霍儁
霍榮妻 元 見段氏
霍榮明(字時秀) 482-453-362
567-397- 83
1467-220- 70
霍榮明(盩厔人) 554-678- 60
霍箎宋 451-136- 2
511-773-166
霍毅明 472-457- 20
476-451-123
545-480-100
霍樟明 547- 83-144
霍儁霍雋 梁 475-363- 67
510-385-115
霍龍秦 564-612- 56
霍諝漢 253-103- 78
376-813-110
384- 64- 3
472-696- 28
472-904- 36
477-163-157
478-481-199
537-444- 58
558-168- 31
933-738- 51
霍融漢 402-580- 20
霍冀明 476-184-106
545-894-114
558-158- 30
霍勷清 510-342-113
霍鍈明 476-282-111
546-153-120
549-521-200
霍瀛女 宋 見霍氏
霍韜明 300-235-197
452-446- 2
457-906- 53
482- 37-340
564- 97- 45
676-545- 22
1442- 45-附3
1457-510-388
1460- 1- 40
霍鵬明 505-822- 75
676-139- 5
霍蠡宋 523-223-156
霍瓚妻 明 見張氏
霍一柟明 547- 61-143
霍士建妻 清 見卜氏
霍子衡明 301-690-278
456-466- 4
482- 39-340
563-830- 41
564-244- 47
霍大備宋 492-710-3下
霍山王唐 見李璡
霍文玉明 478-434-196
554-293- 53
霍文諫妻 明 見李氏
霍之琯清 476-282-111
546-154-120
霍元鎭元 821-299- 53
霍去病漢 244-760-111
244-767-111
250-329- 55
251-620- 24
376-162-98上
384- 44- 2
469-363- 43
472-461- 20
472-904- 36
476- 81-100
505-625- 67
535-553- 20
545-742-110
550-341-221
933-738- 51
1408-301-509
霍仙鳴唐 271-427-184
276-137-207
384-240- 12
401- 47-574
霍守忠明 505-909- 81
霍守典明 476-418-120
546-339-126
霍安國宋 288-285-447
382-723-111
400-150-512
472-717- 28
477-243-161
537-287- 55
霍安道元 505-682- 69
霍汝弼宋 494-268- 2
霍仲皋女 元 見霍氏
霍志眞元 1200-795- 61
霍成君漢 漢宣帝后、霍光女
251-285-97上
霍叔處周 見叔處
霍彥威李紹眞 後唐
277-530- 64
279-290- 46

384-311- 16
396-414-293
505-762- 72
554-135- 50
霍彥深元 1206- 63- 8
霍若邴明 564-290- 47
霍時雨元 523-225-156
霍惟德明 574- 37-142
霍肅郎元 1196-266- 15
霍集斯清 454-947-116
500-747- 38
霍愼行妻 清 見時氏
霍祿科清 524-103-183
霍羨資明 1283- 37- 70
霍瑞啟妻 清 見谷氏
霍端友宋 286-696-354
397-739-364
472-259- 10
472-644- 26
477-442-171
511-143-142
537-338- 56
1135-455- 42
霍與瑕明 300-240-197
482-485-364
523-135-152
564-105- 45
567-136- 68
1467-122- 66
霍維英妻 清 見劉氏
霍維華明 302-328-306
霍維華女 清 見霍氏
霍維藎明 537-319- 56
545-100- 86
霍德行明 505-904- 80
霍應芑明 見霍應芷
霍應芷霍應芑 明456-466- 4
霍應荃明 456-466- 4
霍應陽明 564-107- 45
霍應蘭明 456-466- 4
霍鍾英妻 明 見鮑氏
霍鎮東明 564-107- 45
霍鎮芳明 554-311- 53
霍耀卿妻 元 見尹氏
霍騰蛟明 481-746-334
528-564- 32
霍繼宗明 559-407-9上
霍顯才妻 清 見郭氏
霍顯卿妻 元 見楊氏
霍山和尚唐 1053-364- 9
霍里子高漢 839- 20- 2
霍國公主唐 裴虛已妻、唐睿宗女 544-231- 63
霍什克伯克清 500-747- 38
駱元明 524-199-188
駱牙母 陳 479- 60-219
駱牙駱文牙 陳 260-685- 22
265-946- 67
378-515-144
472-965- 38
473-111- 54
479- 47-218
479-654-247
494-329- 6
515-165- 62
523-505-171
933-739- 51
駱升明 559-506- 12
駱氏宋 駱寧女 1131-649- 35
駱氏元 程遠妻 1197-704- 73
駱氏元 李正開妻 480- 96-262
駱氏明 吳英妻、駱志榮女 1259-255- 19
駱氏略氏 明 余鳳儀妻 473-305- 62
480-253-269
533-627- 70
駱氏明 徐得一妻 530-123- 57
駱氏明 畢如妻 1239-100- 33
駱氏清 王與肅妻 541- 58- 29
駱氏清 吳日仁妻 474-195- 9
駱氏清 張焗妻 530- 99- 56
駱氏清 張友科妻 478-490-199
駱申漢 478-339-191
554-546- 58
駱俊漢 254-846- 12
385- 59- 5
402-501- 12
472-1027- 42
477-441-171
479-320-232
523-478-170
933-739- 51
駱俊明 511-858-169
駱峻唐 1081-599- 6
1342-449-962
駱統吳 254-846- 12
377-374-120
384- 80- 4
384-590- 32
470- 74- 97
472-324- 14
472-996- 40
472-1069- 45
479-131-223
479-320-232
494-331- 7
523-556-174
933-739- 51
駱敏明 516-130- 92
駱斌明 564-188- 46
駱超妻 北齊 見陸令萱
駱森明 478-126-181
駱寧女 宋 見駱氏
駱瑋明 1280-473- 90
駱簡劉宋 814-248- 6
820- 90- 24
駱驤明 1475-329- 13
駱士昇明 456-682- 11
駱士憤清 475-836- 93
511-661-162
駱文牙陳 見駱牙
駱文吾妻 明 見車氏
駱文盛明 524- 35-179
676-569- 23
1442- 56-附3
1460-149- 47
駱文蔚宋 820-331- 32
駱之塤清 482-435-361
駱元光唐 見李元諒
駱元亮唐 933-543- 35
駱天驤元 554-872- 64
駱日升明 481- 26-291
529-550- 45
駱永聰明 554-527-57下
駱世華宋 473-544- 72
483-396-403
572- 87- 28
駱用卿明 1442- 44-附3
1459-907- 38
駱光裕妻 清 見吳氏
駱兆運明 564-264- 47
駱志榮女 明 見駱氏
駱克稠妻 清 見林氏
駱佛喜妻 清 見周氏
駱廷用明 564-294- 47
駱其驊妻 清 見張氏
駱雨禾明 見駱雲程
駱松祥明 560-602-29下
駱奉先唐 276-135-207
384-223- 12
554- 84- 49
駱季友宋 1153-617-106
駱秉韶明 559-270- 6
駱則民明 1243-580- 12
駱則敬明 1229-664- 1
駱則誠明 1229-123- 1
駱效忠明 564-270- 47
駱秘道梁 494-422- 13
駱惟儼明 1467-115- 66
駱問禮明 300-546-215
479-243-227
676-591- 24
駱務整唐 496-620-105
駱紹高妻 清 見劉氏
駱從宇明 524-251-190
駱雲程駱雨禾 明 1442-115-附7
1460-673- 74
1475-510- 22
524-720-212
駱堯知明 564-260- 47
駱提婆北齊 見穆提婆
駱象賢明 524- 56-180
駱復旦清 1321-108- 98
駱道弘妻 清 見洪氏
駱嗣恩後唐 見李嗣恩
駱賓王唐 271-571-190上
276- 63-201
384-190- 10
400-593-554
451-255- 1
451-412- 1
470- 74- 97
472-1028- 42
472-1101- 47
479-321-232
494- 16- 2
524- 69-181
554-346- 54
588-157- 8
674-247-4上

933-739- 51
1065-524- 附
1290-647- 89
1366-803- 7
1371- 49- 附
1394-366- 2
駱與京妻 宋 見李氏
駱維持清 511-515-157
駱興周明 558-445- 38
駱駸曾明 528-531- 31
駱鍾麟駱鐘麟 清
475-216- 60
478- 93-180
510-368-114
523-431-167
554-317- 53
駱繩先明 524-101-183
駱鐘麟清 見駱鍾麟
墻焯清 572- 92- 29
墻鼎清 474-306- 16
505-667- 69
翰雲清 502-515- 71
橋中叟周(隱於大橘中)
561-226-38之3
橋仁漢 477-126-155
511-694-163
橋玄漢 253-140- 81
254- 14- 1
376-827-110
402-516- 14
402-590- 20
472-737- 29
474-686- 37
477-126-155
478-514-200
478-693-210
502-250- 53
511-907-173
537-420- 58
545-311- 95
558-181- 31
933-259- 18
1063-200- 5
1063-201- 5
1397-443- 21
1412-460- 19
1412-462- 19
橋瑁漢 254- 16- 1
476-474-125
540-667- 27
橋庇子庸戰國 見橋疵子庸
橋疵子庸橋庇子庸 戰國
405-451- 85
酴酴尊者梁 493-1089- 58
511-918-174
歷村唐 1053-438- 11
歷成王明 見朱厚爋
歷陽王劉宋 見劉子項
奮泰清 455-200- 10
奮揚不詳 933-670- 44
闍夜多漢 1053- 23- 1
1054- 35- 1
1054-279- 4
闍那屈多隋 554-944- 65
闍那耶舍藏稱、勝名 北周
1051-174- 7
闍那崛多志德 北周
1051-175- 7
1051-181- 7
1054-398- 10
閻山妻 清 見李氏
閻氏晉 張天錫妻 256-577- 96
381- 55-185
閻氏唐 裴深妻、閻伯璵女
1342-478-966
閻氏宋 晁端本妻、閻德基女
1118-999- 68
閻氏明 王化龍妻 506- 50- 87
閻氏明 王廷輔妻 481-158-298
閻氏明 王養蒙妻 558-536- 43
閻氏明 仇鶴妻、閻素女
1266-616- 10
閻氏明 曲溥妻 472-604- 25
閻氏明 任世威妻 478-351-191
閻氏明 李浩妻 472-686- 27
閻氏明 李本生妻 506- 4- 86
閻氏明 李齊芳妻 506-145- 90
閻氏明 林鳳妻 570-205- 22
閻氏明 周仁學妻 478-136-181
閻氏明 許守禮妻 506- 14- 86
閻氏明 高笏妻 474-384- 19
閻氏清 王大涵妻 474-385- 19
閻氏清 毋知前妻 477-527-175
閻氏清 李重賞妻 477-484-173
閻氏清 李貫斗妻 506- 65- 87
閻氏清 紀成妻 478-551-202
閻氏清 師若瑛妻 506- 65- 87
閻氏清 楊均妻 474-194- 9
閻氏清 楊發坦妻 506-165- 90
閻氏清 董懇妻 506- 61- 87
閻氏清 趙世爵妻 477-213-159
閻氏清 劉鐸妻 477-504-174
閻氏清 閻德明女 506- 67- 87
閻玉元 472- 86- 3
505-705- 70
閻本明 474-570- 29
505-635- 67
554-477-57上
閻平宋 400-168-513
閻宇蜀漢 254-666- 13
384-486- 16
385-188- 21
閻宇明(字大敌) 554-657- 60
閻宇明(字大方) 1253- 71- 44
閻仲宋 821-217- 51
閻价明 554-658- 60
閻行閻艷 魏 254-302- 15
385- 73- 8
閻宏元 1201-709- 29
閻完元 505-695- 70
閻沂元 1201-166- 80
閻亨明 546-362-127
閻没閻明 春秋 404-711- 43
545-723-109
閻育明 545-440- 99
閻防唐 451-422- 2
閻佐明 554-657- 60
閻秀明 494- 42- 3
閻玟清 見閻玫
閻玫閻玟 清 482-451-362
567-152- 69
閻表明 547- 8-141
閻忠金 400-238-519
472-133- 4
472-467- 20
477-209-159
閻明春秋 見閻没
閻明明 547- 88-144
閻昇明 545-245- 92
閻芝明 547- 88-144
閻威清 528-471- 29
閻瑫清 475-421-70
510-402-115
閻珍閻輪 金 1191-329- 29
閻毗隋 264-983- 68
267-271- 61
379-840-163
384-157- 8
546-124-119
554-574- 58
812-338- 8
814-263- 8
820-126- 25
821- 32- 45
933-502- 33
閻信後魏 478-697-210
閻衍金 547- 82-144
閻俊妻 清 見劉氏
閻浩妻 明 見李氏
閻素女 明 見閻氏
閻城宋 400-145-512
閻珪明 546-597-134
閻俸明 536-512- 43
閻倬明 545-465-100
1266-399- 7
閻倫明 458-149- 7
477-545-176
閻姬漢 漢安帝后、閻暢女
252-189-10下
373- 43- 19
537-183- 53
閻密金 476-420-120
547-522-160
閻宋唐 476-129-102
517-198-120
547-510-160
閻敖春秋 933-502- 33
閻莊明 545-421- 98
閻野明 540-803-28之3
閻從元 472-741- 29
477-306-163
537-301- 56
閻斌明 475-744- 88
510-492-117
閻曾晉 473-368- 64
533-287- 56
閻詠金 見閻長言
閻閎明 476-899-147
483- 35-371
540-805-28之3
570-213-213
676-549- 22

閻琛元 1214-213- 18
閻順明 302- 17-289
547- 16-141
閻欽明 554-493-57上
閻象宋 472-221- 8
493-695- 39
510-324-113
1102-157- 20
1383-579- 51
閻復元 295-183-160
399-559-475
472-577- 24
476-617-133
476-828-143
540-777-28之2
541-112- 31
546-761-140
1203-360- 27
1394-324- 1
1439-421- 1
閻進北周 263-567- 20
267-270- 61
933-502- 33
閻進宋 288-314-449
400-164-513
477- 84-152
547-176-147
閻溥明 554-498-57上
閻祺明 456-678- 11
477-210-159
538- 97- 64
閻義清 456-355- 77
閻溫魏 254-347- 18
380- 30-166
384- 84- 4
384-681- 44
472-895- 35
478-697-210
558-437- 37
933-502- 33
閻溫宋 1096-800- 40
閻詢宋 286-424-333
397-527-352
472-854- 34
475-869- 95
476-112-102
478-202-184
545- 49- 84
554-463- 56
閻瑀祖 宋 1122-409- 30
閻瑀元 1201-688- 27
閻瑜唐 473-175- 57
515-113- 60
閻路妻 宋 見楊氏
閻篙閻鬲 明 472-827- 33
478- 92-180
554-276- 53
閻鼎晉 256- 38- 60
377-662-125
478-697-210
558-387- 36
933-502- 33
閻鼎閻調鼎 明(諡節愍)
456-523- 6
閻鼎明(平南縣薄)1467-156- 67
閻鈺妻 明 見李氏
閻雋清 547-119-145
閻察明 476-297-112
546-360-127
閻嘉春秋 933-502- 33
閻蓋宋 1118-998- 68
閻睿明 523- 48-148
545-666-107
1268-471- 73
閻鬲明 見閻嵩
閻暢漢 535-554- 20
閻暢女 漢 見閻姬
閻寬明 503- 11- 90
540-789-28之3
閻慶北周 263-567- 20
267-270- 61
379-549-156
472-912- 36
476-280-111
478-569-203
544-219- 62
546-122-119
552- 43- 19
933-502- 33
1064-148- 6
1394-354- 2
閻璋清 502-633- 77
532-752- 46
閻輪金 見閻珍
閻鼐明 505-806- 74
閻慮漢 見閻憲
閻德晉 476-781-141
閻憲閻慮 漢 471-966- 54
473-424- 67
481-403-313
554-432- 56
559-321-7上
591-660- 47
879-180-58下
閻親明 547-102-145
閻樸明 546-637-136
549-473-198
閻樸清 511-847-168
閻縉明 1267-532- 7
閻禮明 554-346- 54
閻職春秋 404-618- 38
933-502- 33
閻顒宋 1096-767- 36
閻璽明 546-719-139
閻寶後唐 277-495- 59
279-279- 44
396-410-292
472-555- 23
540-745-28之2
閻鐸明 523-201-155
閻顯金 546-353-126
閻灝宋 1096-800- 40
閻讓唐 見閻立德
閻艷魏 見閻行
閻纘晉 255-819- 48
377-561-123
380-592-182
384- 92- 5
469-693- 86
473-455- 68
481-182-300
559-363- 8
591-601- 44
933-502- 33
閻驤元 821-324- 54
閻驤明 554-477-57上
閻一德宋 1152-583- 31
1177-589- 27
閻士弘妻 清 見劉氏
閻士安宋 538-361- 71
812-473- 3
812-549- 4
813-203- 20
821-169- 50
閻士良宋 382-784-120
閻士和唐(字伯均) 276- 80-202
閻士和唐(烏程人) 524- 32-179
閻士樟清 546-417-128
閻士選明(諡節愍) 456-574- 8
477-255-161
538- 56- 63
閻士選明(江都人) 476-698-137
480-128-264
528-544- 32
532-638- 43
閻子能明 1240-825- 9
閻大祥明 511-594-159
閻大綸明 545-673-107
閻文應宋 288-553-468
382-784-120
384-360- 18
401- 72-577
閻文靈明 554-365- 54
閻元明後魏 262-253- 86
267-629- 84
380-118-167
476-368-117
547- 98-145
933-502- 33
閻巴格清 456-355- 77
閻明新宋 286- 98-309
397-283-335
472-202- 7
478-570-203
511-347-149
閻公述妻 明 見南氏
閻公貞金 291-376- 97
472- 35- 1
474-179- 8
505-719- 71
閻公驥妻 宋 見高氏
閻玄靜唐 821- 43- 46
閻立本唐 269-749- 77
274-288-100
384-172- 9
395-345-212
516-208- 96
554-896- 64
812-341- 9
812-365- 0
813- 72- 1
820-139- 26

821- 37- 46
933-503- 33
閻立德閻讓 唐 269-748- 77
274-288-100
384-172- 9
395-344-212
472-834- 3
478-111-181
554-895- 64
812-341- 9
812-365- 0
813- 72- 3
821- 37- 46
933-503- 33
閻弘魯後周 278-431-130
閻正叔明 554-873- 64
閻巨源唐 270-813-151
556-122- 85
閻世科明 545-675-107
1442- 88-附6
1460-504- 64
閻充國宋 1104-690- 14
閻生斗閻生斗 明
302- 38-291
456-517- 6
474-514- 25
505-697- 70
545-794-111
閻生白明 456-611- 9
閻丘均唐 271-581-190中
閻用之唐 274-289-100
395-345-212
554-641- 60
1072-250- 12
1342-351-949
閻用和宋 400-299-524
閻守恭宋 286-282-323
371-185- 19
472-437- 19
474-477- 23
476- 40- 98
505-931- 84
545- 48- 84
545-639-106
閻守義明 456-634- 10
閻守瑞清 547-118-145
閻汝坤明 1457-519-389
閻汝梅明 511-575-159

閻吉兆清 547- 30-141
閻有貴明 481-454-318
閻西來閻西來、劉旺子 清
476-348-116
547- 27-141
閻次于宋 821-221- 51
閻次平宋 821-221- 51
閻光祖明 505-677- 69
閻光遠後晉 820-314- 31
閻如玉明 456-683- 11
閻仲宇明(字仲夫) 546-409-128
閻仲宇明(字泰甫)
554-481-57上
閻仲實明 554-481-57上
676-511- 20
閻仲禮妻 明 見王氏
閻宏皓妻 清 見蕭氏
閻成儒清 456-355- 77
閻伯璵唐 533-168- 52
閻伯璵女 唐 見閻氏
閻邦重明 546-367-127
閻邦重妻 清 見董氏
閻邦計妻 清 見薛氏
閻邦寧明 554-311- 53
閻廷謨清 537-528- 59
閻性聖明 537-611- 60
閻長言閻詠 金 472-576- 24
476-616-133
540-769-28之2
1365-312- 9
1439- 7- 0
1445- 85- 3
閻東嶺明 1247-381- 14
閻承詔妻 清 見李氏
閻承翰宋 288-529-466
401- 65-576
474-235- 12
505-654- 68
閻忠國關忠國 明456-615- 9
閻知微唐 274-289-100
395-345-212
閻彥昭閻產昭 宋
489-677- 49
492-585-13下之上
閻彥超後周 見慕容彥超
閻思光隋 812-340- 8
821- 32- 45
閻思義明 547- 17-141

閻思學明 547- 23-141
閻思聰明 456-655- 11
閻若璩閻若璩 清
475-331- 65
476- 44- 98
511-690-163
546-639-136
1324-987- 33
閻則先唐 274-289-100
閻禹錫明 301-756-282
457- 24- 1
458- 5- 1
458-652- 2
472-127- 4
474-471- 23
477-316-164
538- 14- 61
547-202-148
676-493- 19
閻衍緒妻 清 見解氏
閻祚茂閻祚茂 清
474-481- 23
505-913- 81
閻祚盛閻祚盛 清
474-481- 23
505-913- 81
閻馬兒明 511-582-159
閻晉卿後漢 278-256-107
閻起山明 1273-228- 29
閻師孟宋 1118-964- 65
閻產昭宋 見閻彥昭
閻紹慶清 475-177- 59
510-354-114
閻善先明 456-678- 11
閻雲望明 546-496-131
閻朝隱唐 271-582-190中
276- 69-202
384-190- 10
400-597-555
1387-356- 25
閻堯年明 545-445- 99
554-310- 53
閻復朝妻 清 見朱氏
閻進隸宋 547-176-147
閻愼行明 456-599- 9
閻殿魁妻 清 見齊氏
閻鼎吉元 1201-707- 29
1367-678- 52

閻敬之唐 475-271- 63
510-370-114
閻毓律清 515-160- 61
閻福玉閻福玉 清
476-676-136
479-287-230
523-180-154
540-875-28之4
閻齊偉清 456-355- 77
閻與道宋 492-911-3下
閻爾梅清 511-791-166
閻夢夔閻夢夔、閻學夔 明
456-581- 8
476-331-115
477-132-155
538- 45- 63
545-424- 98
閻鳴泰明 302-331-306
閻鳴陽明 558-457- 38
閻蒼舒宋 554-273- 53
820-408- 34
閻調化明 456-552- 7
554-367- 54
閻調鼐明 見閻鼎
閻慶胤閻慶胤 後魏
262- 74- 71
262-264- 88
266-923- 45
267-651- 86
379-287-150下
380-192-170
545-405- 98
554-230- 52
933-503- 33
閻閻淳清 477- 91-153
537-416- 57
閻德中元 545-183- 89
閻德明女 清 見閻氏
閻德基女 宋 見閻氏
閻德基婢 宋 見齊氏
閻澤赤漢 535-552- 20
閻興邦清 474-238- 12
505-661- 68
閻學夔明 見閻夢夔
閻錫爵清 569-620-18下之2
閻應元明 301-669-277
456-422- 2
475-216- 60

505-840- 76
閻應儒明 558-455- 38
閻濟美唐 271-466-185下
275-244-159
384-253- 13
396- 53-256
472-273- 11
473-567- 74
486- 43- 2
493-764- 42
523- 6-146
528-435- 29
閻懋官明 474-742- 40
502-288- 56
閻翼經妻 明 見楊氏
閻環奇妻 清 見李玉姐
閻懷珍清 546-759-140
閻繩祖妻 清 見張氏
閻寶奎元 1234-274- 43
閻顯卿元 1210-452- 16
彊華疆華 漢 402-555- 18
933-419- 27
彊震宋 400-174-513
彊霓疆霓 宋 288-361-452
400-174-513
472-914- 36
478-572-203
彊瞻漢 535-552- 20
靜周 見周宣王
靜宋 1053-751- 17
靜己宋 820-465- 36
靜之唐 554-947- 65
靜挺明~清 見淨挺
靜梵宋 493-1092- 58
靜琬唐 505-933- 85
靜萬宋 820-469- 36
靜賓宋 821-268- 52
靜慧元 820-550- 39
靜藹北周 1050-814-115
1054-389- 10
1401-529- 37
靜覺唐 533-797- 75
靜鑑明 533-758- 74
靜維精妻 清 見陳氏
靜樂公主唐 唐武宗女
544-231- 63
靜樂公主唐 見獨孤氏
靜樂公主明 明神宗女
544-251- 63
璘五代 1053-628- 15
璘沁清 454-414- 28
輸波迦羅唐 見善無畏
擇仁宋 812-545- 4
821-263- 52
擇言宋 1053-778- 18
擇明宋 1053-849- 19
擇要宋 1053-669- 16
擇崇宋 1053-782- 18
璞散撒金 見璞薩揆
璞薩揆僕散揆、璞散撒 金
476-278-111
476-914-148
478-484-199
璞散忠義金 見璞薩忠義
璞薩安貞金 476-476-125
璞薩忠義璞散忠義 金
476-330-115
476-610-133
瓢清 456-320- 75
操唐 1053-161- 4
操琬明 516- 56- 89
操昇之宋 1182-613- 40
操昇之妻 宋 見葉純貞
操時賢明 505-692- 70
操貴持元 516-523-106
1197-800- 85
樸成宋 480-651-289
遼王明 見朱植
遼王明 見朱恩鑡
遼東清(納喇氏) 455-376- 23
遼東清(富察氏) 455-449- 27
遼山王明 見朱幼壂
遼太宗耶律德光、耶律耀屈之
278-496-137
279-515- 72
289- 37- 3
384-671- 2
384-320- 16
392-556- 41
遼太宗后 見蕭溫
遼太宗女 見耶律魯爾古
遼太祖耶律億、耶律安巴堅、
耶律阿保機 278-493-137
279-511- 72
289- 22- 1
381-674-200
383-665- 1
384-320- 16
392-549- 41
819-594- 20
遼太祖后 見舒嚕平
遼太祖女 見耶律質古
遼仁宗耶律伊立 西遼
289-199- 30
遼世宗耶律阮、耶律烏雲
279-522- 73
289- 60- 5
392-567- 42
遼世宗后 見甄皇后
遼世宗后 見蕭蘇克濟
遼世宗女 見耶律觀音
遼世宗女 見耶律和克坦
遼東王晉 見司馬定國
遼宣宗耶律淳 北遼
289-196- 30
395-136-192
544-235- 63
遼景宗耶律賢 289- 72- 8
383-697- 6
392-573- 42
遼景宗后 見蕭綽
遼景宗女 見耶律碩格
遼景宗女 見耶律長壽女
遼景宗女 見耶律延壽女
遼景宗女 見耶律觀音女
遼道宗耶律洪基 289-147- 21
383-718- 9
392-616- 45
819-595- 20
遼道宗惠妃 見蕭塔斯
遼道宗后 見蕭觀音
遼道宗女 見耶律吉里
遼道宗女 見耶律特哩
遼道宗女 見耶律索克濟
遼聖宗耶律隆緒 289- 80- 10
371-195- 20
383-704- 8
392-579- 43
819-595- 20
遼聖宗后 見蕭訥木錦
遼聖宗后 見蕭菩薩格
遼聖宗女 見耶律巴格
遼聖宗女 見耶律必實
遼聖宗女 見耶律玖格
遼聖宗女 見耶律長壽
遼聖宗女 見耶律陶格
遼聖宗女 見耶律舒古
遼聖宗女 見耶律達年
遼聖宗女 見耶律楚巴
遼聖宗女 見耶律實格
遼聖宗女 見耶律燕格
遼聖宗女 見耶律賽格
遼聖宗女 見耶律伊木沁
遼聖宗女 見耶律斡爾達
遼德宗耶律達實 西遼
289-198- 30
遼興宗耶律宗眞 289-130- 18
371-196- 20
392-605- 45
遼興宗后 見蕭托哩
遼興宗妃 見蕭徽察
遼興宗女 見耶律巴沁
遼穆宗耶律璟、耶律述律、耶
律舒嚕 279-523- 73
289- 63- 6
384-320- 16
392-568- 42
遼穆宗后 見蕭皇后
遼天祚帝耶律延禧
289-173- 27
392-635- 46
819-595- 20
遼天祚帝妃 見蕭色色
遼天祚帝元妃 見蕭貴格
遼天祚帝德妃 見蕭實古
遼天祚帝后 見蕭多囉羅
遼天祚帝女 見耶律伊林
遲任商 933- 70- 4
遲成清 456-194- 65
遲烜清 537-307- 56
遲超晉 933- 70- 4
遲資清 456-100- 57
遲熇清 559-333-7下
遲大魁清 510-421-116
遲日巽清 476-367-117
502-639- 78
545-445- 99
遲維坤清 476-611-133
502-640- 78
540-685- 27
遲維城清(正白旗人)
528-469- 29

遲維城清(廣寧人) 554-320- 53
遲變龍清 502-766- 86
515- 66- 58
豫王宋 見趙价
豫王金 見完顏永成
豫王金 見完顏希尹
豫王元 見剌特納實哩
豫王元 見阿喇特納實哩
豫讓戰國 244-547- 86
371-641- 59
380-516-180
404-792- 48
406-353- 18
406-598- 6
472-489- 21
505-930- 84
506-330- 98
545-804-112
933-655- 43
1407- 60-401
1408-214-502
豫章王劉宋 見劉子尚
豫章王齊 見蕭嶷
豫章王梁 見蕭綜
豫章王陳 見陳叔英
豫章王唐 見李亶
豫章烈妻 清 475-674- 84
豫親王清 見多鐸
豫章術者五代 516-509-106
隨王晉 見司馬整
隨何漢 933- 67- 4
隨季春秋 見士會
隨遜清 455- 51- 1
隨蓀清(正白旗人) 502-501- 70
隨蓀清(正藍旗人) 502-569- 74
隨憲漢 544-200- 62
隨贇明 479-766-252
隨巴圖清 455-639- 44
隨武子春秋 見士會
隨清娛漢 555- 2- 66
隨陽王劉宋 見劉翽
隨瑚祿清 455-546- 35
隨國公主遼 見耶律燕格
默啜阿史那默啜、頡跌利施大單于立功報國可汗、遷善可汗 唐 271-668-194上
276-253-215上
384-294- 15
401-523-636
默然明 483- 49-372
570-252- 25
默色斯元 見莽吉蘇
默們圖清 454-869-103
默納克清 見格哷爾
默勒齊元 見末赤
默棘連毗伽可汗 唐 271-672-194上
276-256-215上
384-294- 15
默爾格孟禿歌 明 496-625-106
默爾根元 295- 57-151
515-120- 60
默獨角不詳 592-240- 75
默色都哩元 528-493- 30
默爾古思邁里古斯 元 479-225-227
頻暢漢 933-169- 11
縣成懸成 春秋 244-390- 67
375-656- 88
405-446- 85
472-547- 23
539-497-11之2
933-676- 45
縣芝漢 933-676- 45
縣亶春秋 見鄔單
縣默吳 933-676- 45
縣賁父春秋 404-505- 30
縣亶父春秋 見鄔單
曇宋 524-448-201
曇一唐 526-213-265
1052-200- 14
1054-488- 14
1344- 16- 62
1345-128- 17
曇光晉 見帛僧光
曇旭明 524-445-201
曇休唐 1052-383- 27
曇秀宋 1053-731- 17
曇玩宋 1053-840- 19
曇玭唐 1341-500-864
1410-148-679
曇林唐 813-233- 5
820-304- 30
曇果漢 1051- 19- 1
曇始惠始、慧始 後魏
262-877- 114
541- 88- 30
547-501-159
554-944- 65
1049-604- 41
1054- 69- 2
1054-347- 8
曇延隋 472-470- 20
476-129-102
547-518-160
1049-489- 33
1054-392- 10
1401-587- 40
1401-642- 43
曇恆晉 516-486-105
547-486-159
879-137-57下
曇彥晉 486-131- 7
486-338- 15
曇降南朝 486-337- 15
曇俗梁 1065-175- 16
曇素宋 821-264- 52
曇貞唐(俗姓陳) 1052-142- 10
曇貞唐(號大證) 1341-485-862
曇振宋 1053-697- 16
曇邕晉 516-488-105
554-942- 65
879-142-57下
1050-699-107
1054- 62- 2
曇清唐 1052-213- 15
曇清宋 533-790- 75
1053-765- 18
曇密宋 588-206- 9
1053-904- 20
曇域後梁 820-320- 31
1052-417- 30
曇捷隋 534-808-112
曇晟唐 1052-150- 11
1053-192- 5
1054-131- 3
1054-558- 16
曇晦明 533-751- 74
曇崇後周 1401-466- 35
曇常劉宋 517-333-124
曇馮齊 592-405- 85
曇賁宋 1053-787- 18
曇超齊 479- 74-219
524-380-198
588-241- 10
1050-293- 79
1054-354- 8
曇隆劉宋 1048-600- 23
曇景齊 1051-154- 6
曇雀晉 478-655-207
曇華宋 1053-883- 20
1054-212- 4
1054-674- 20
曇順劉宋 516-486-105
517-333-124
879-137-57下
曇斐齊 485-559- 3
486-337- 15
524-414-200
1401-361- 28
曇詢隋 554-945- 65
1050-600-100
曇詵劉宋 516-487-105
517-333-124
879-138-57下
曇瑞明 1232-388- 1
曇瑗梁 1401-368- 29
曇照唐 1053-154- 4
曇榮齊 547-491-159
曇遠劉宋 1049-334- 23
曇廣宋 1053-587- 14
曇潛宋 見道潛
曇摩法 晉 1051- 78- 3
曇穎宋 見曇穎
曇璀唐 1052-110- 8
1053- 51- 2
曇遷劉宋 475-619- 81
曇遷隋 1401-642- 43
曇輝青陽白玉 劉宋 1049-458- 31
曇諦魏 見曇無諦
曇穎曇穎 宋 511-925-174
1052-762- 37
1053-478- 12
1054-176- 4
1054-625- 18
曇霍晉 256-565- 95
380-619-182
558-481- 41
曇噩元 524-410-199
1442-118-附8

曇學晉 486-337- 15
曇謏明 564-622- 56
曇翼晉 486-337- 15
516-498-105
524-380-198
879-142-57下
曇璲唐 476- 90-100
547-487-159
曇邃晉 1049-544- 37
曇藏唐(嗣道一) 480-515-281
1052-147- 11
1053-126- 3
曇藏唐(居會昌寺) 554-945- 65
曇曜後魏 547-501-159
1051-161- 6
曇覺惠覺 後魏 1051-161- 6
曇蘭晉 486-900- 35
曇懿宋 588-241- 10
1053-873- 20
曇鑑劉宋 1401- 69- 15
曇觀隋 541- 89- 30
曇鸞後魏 476-337-115
547-528-160
1049-111- 8
1401-303- 26
曇無成劉宋 554-943- 65
曇無竭北燕 見法勇
曇無竭唐 472- 40- 1
474-196- 9
505-933- 85
曇無諦法實、曇諦 魏
1051- 28- 1
曇無讖法豐、曇摩懺、曇謨讖 晉 558-481- 41
1051-110-4下
1054-336- 7
曇摩持法海、法惠 前秦
1051- 88- 3
曇摩蜱法愛 前秦
1051- 89- 3
曇摩懺晉 見曇無讖
曇謨最後魏 1054-366- 9
曇謨讖晉 見曇無讖
曇柯迦羅法時 魏
1051- 27- 1
曇摩拙叉隋 812-340- 8
821- 33- 45
曇摩流支法希、法樂 後魏
1051-162- 6
曇摩耶舍法稱 後秦
1051-104-4下
曇摩迦羅魏 1054-299- 5
曇摩密多法秀 劉宋
1051-121-5上
曇摩難提法喜 後秦
1051- 89- 3
曇摩伽陀耶舍法生稱 齊
1051-152- 6
戰兢漢 933-676- 45
戰亳祖妻 明 見劉氏
戰德淳宋 821-204- 51
興王蜀漢 見劉恂
興王唐 見李佋
興王明 見朱祐杬
興古五代 1053-241- 6
興安明 302-260-340
興同元 1215-606- 6
興光唐 276-359-220
興兆清 454-184- 10
興宗明 570-256- 25
572-160- 32
興相清 455-580- 38
興國明 561-220-38之3
興順宋 1053-637- 15
興道宋 1053-785- 18
興愛清 455-551- 35
興徹明 570-255- 25
興鼐清 502-531- 72
興譽宋 1053-601- 14
興平王明 見朱尚烆
興尼壁清 456-304- 73
興安女明(興安乃地名)
302-220-301
興光襲唐 384-297- 15
興色爾清 456-177- 63
興平和尚唐 1053-131- 3
興信公主唐 見齊國公主
興昔亡可汗唐 見彌射
冀王唐 見李綝
冀王宋 見趙偲
冀王宋 見趙惟吉
冀氏明 李大經妻 506- 8- 86
冀氏明 隗好詩妻 474-589- 30
506- 54- 87
506-159- 90
冀氏明 龐景川妻 506- 51- 87
冀氏清 侯玉山妻 474-250- 12
冀氏清 孫國基妻 474-521- 25
冀氏清 劉士俊妻 476-829-143
冀孚明 820-711- 43
冀芮春秋 見郤芮
冀重唐 273- 82- 59
冀缺春秋 見郤缺
冀國明 505-677- 69
冀絅妻 明 見鄭氏
冀凱明 472-684- 27
537-428- 58
冀欽妻 明 見周氏
冀傑明 505-722- 71
544-251- 63
冀進明 554-311- 53
冀雋北周 見冀儁
冀儁冀雋 北周 263-810- 47
267-587- 82
380-327-174
476- 35- 98
544-215- 62
547-551-161
552- 39- 18
814-262- 8
820-122- 25
933-642- 42
冀練明 見冀鍊
冀霖清 559-333-7下
冀鍊冀練 明 476-673-136
540-811-28之3
554-286- 53
冀體明 300-771-230
冀九經明 540-801-28之3
冀三聘明 547-121-145
冀上之宋 820-451- 35
冀元亨明 300-207-195
457-453- 28
480-486-280
533-325- 57
冀元亨妻 明 見劉氏
冀守謙明 537-468- 58
冀加錫清 505-826- 75
冀孟曾明 476-430-121
545-389- 97
冀禹錫金 291-609-116
400-226-518
472-625- 25
474-558- 28
496-401- 88
502-708- 82
820-482- 36
1040-234- 2
1365-220- 6
1439- 10- 0
1445-432- 31
冀寧王元 見特穆爾達實
黔夫戰國 472-408- 18
491-791- 6
黔敖春秋 404-614- 37
933-498- 33
黔婁妻 戰國 448- 23- 2
452- 99- 3
879-171-58上
黔婁子戰國 249-812- 30
472-588- 24
491-792- 6
黔寧王明 見沐英
黔婁先生周 386-735- 14
448- 98- 中
871-889- 19
盧氏不詳 505-127- 49
盧六不詳 473-758- 83
567-462- 87
盧元金 1365-280- 8
1439- 7- 0
1445-510- 38
盧元元 1200-687- 52
1373-406- 26
盧中明(字守正) 533- 8- 47
盧中明(字思誠) 1235-634- 23
盧內後魏 261-492- 34
266-511- 25
379- 63-147
盧氏周(周之良醫) 742- 23- 1
盧氏北齊 齊武成帝嬪
266-295- 14
盧氏隋 李士謙妻 474-189- 9
474-624- 32
506-163- 90
盧氏隋 元務光母
264-1120- 80
267-733- 91
381- 68-185
474-189- 9
499-416-157
506- 1- 86

盧氏唐 李拯妻 276-113-205
401-155-589
盧氏唐 房玄齡妻 276-106-205
401-148-589
476-676-136
541- 3- 29
盧氏唐 柳鎮妻 1076-110- 12
1076-118- 13
1076-566- 12
1076-574- 13
1077-146- 13
1342-499-969
盧氏唐 唐充妻、盧貽女
1073-645- 35
1074-498- 35
1075-443- 35
盧氏唐 馬暢妻、盧徹女
1073-593- 28
1074-434- 28
1075-385- 28
盧氏唐 崔徵妻 1342-484-967
盧氏唐 崔繪妻、盧獻女
271-654-193
276-109-205
401-150-589
474-189- 9
506- 2- 86
盧氏唐 鄭義崇妻、盧彥衡女
271-652-193
276-107-205
401-148-589
474-189- 9
499-422-158
506- 1- 86
盧氏唐 狄仁傑姨 477-319-164
547-206-149
盧氏唐 崔玄暐母 474-641- 33
506- 40- 87
盧氏唐 盧侑女 1342-493-968
盧氏唐 盧隨女 1342-493-968
盧氏宋 吳源妻 480-177-266
盧氏宋 徐漢英妻、盧經女
1165-370- 22
盧氏宋 黃世規妻、盧建隆女
1114-667- 16
盧氏宋 葛次仲妻
1127-556- 15
盧氏宋 趙克常妻、盧炳女
1095-872- 52
盧氏宋 蔡琇妻 530- 58- 55
1102-289- 36
盧氏宋 盧之翰女
1102-484- 61
盧氏元 王義妻 401-178-593
盧氏明 王杰妻 481-185-300
盧氏明 王昇妻 1242-129- 28
盧氏明 王瀚妻 302-249-303
盧氏明 李淳妻 479-333-232
盧氏明 岑瑄妻 482-414-360
盧氏明 吳璧良妻 480- 63-260
盧氏明 佟欽妻 477-547-176
盧氏明 何信妻 1262-425- 46
盧氏蘆氏 明 東欽妻
483- 36-371
570-479-29之7
盧氏明 林德隆妻、盧仁壽女
1242-293- 34
盧氏明 金源妻 472-209- 7
盧氏明 徐來儀妻 474-573- 29
506- 9- 86
盧氏明 張佩妻 472-528- 22
盧氏明 張鴻妻 506- 72- 88
盧氏明 張其猷妻 475-782- 89
盧氏明 陳瑞妻 480-252-269
盧氏明 陳文閑妻 530-106- 57
盧氏明 崔斗之妻 506- 11- 86
盧氏明 馮紹綱妻 479-632-245
盧氏明 黃應考妻 530- 93- 56
盧氏明 黃鶴仙妻 482- 41-340
盧氏明 路守庫妻 506-145- 90
盧氏明 葉迎妻 479-383-234
盧氏明 趙千里妻 477- 94-153
538-181- 67
盧氏明 鄭世逢妻 482-118-343
盧氏明 劉珍妻 683- 73- 4
盧氏明 劉茲妻 481-214-302
盧氏明 劉鵬妻 473-285- 61
480-139-264
盧氏明 謝龍宮妻 481-726-333
盧氏明 盧文烈女 512-464-188
盧氏清 王侯助妻 530- 32- 54
盧氏清 全人妻 479- 62-219
524-458-202
盧氏清 李建龍妻 503- 35- 94
盧氏清 步之俊妻 481-269-305
盧氏清 何士逢妻 482-525-367
盧氏清 周大順妻 475-283- 63
盧氏清 洪鼎乾妻 530-131- 57
盧氏清 段偉妻 477-212-159
盧氏清 郭凌漢妻 482- 92-342
盧氏清 張瑛妻 481-120-296
盧氏清 張守身妻 506- 16- 86
盧氏清 張欸光妻 530-119- 57
盧氏清 曾履僑妻 530-117- 57
盧氏清 楊勝儒妻 483-349-399
盧氏清 趙正嘉妻 478-718-211
盧氏清 樓文貴妻 524-716-212
盧氏清 濮陽起鳳妻
475-824- 92
盧氏清 薛受益妻
1327-714- 9
盧氏清 竇瑀妻 547-362-155
盧氏清 蘇士英妻 474-195- 9
盧氏清 郭凌漢母 482- 92-342
盧氏清 盧伯芳女 482- 43-340
盧玄後魏 261-641- 47
266-593- 30
379-111-148
384-131- 7
472- 30- 1
474-471- 8
505-711- 71
814-259- 8
933- 73- 5
盧宁明 515-277- 65
盧充唐 820-286- 30
盧充不詳 499-417-158
盧生秦 473-350- 62
480-441-278
533-789- 75
盧仝唐 275-432-176
384-254- 13
396-172-267
451-848- 8
472-720- 28
472-746- 29
477-251-161
477-318-164
538-138- 65
674-263-4中
933- 77- 5
1371- 68- 附
1473- 17- 52
盧弁唐 812-372- 0
821- 89- 8
盧并唐 471-1020- 63
盧亘元 1439-427- 1
1470-201- 8
盧匡唐 820-259- 29
盧同後魏 262-133- 76
266-607- 30
379-119-148
474-171- 8
933- 74- 5
盧同唐 1342-429-960
盧光北周 263-795- 45
266-613- 30
379-585-157
554-118- 50
933- 74- 5
盧全周 1059-277- 4
盧全後魏 見盧仲宣
盧行唐 見慧能
盧亨明 476-753-139
盧志晉 255-759- 44
377-526-122
472-693- 28
474-170- 8
505-710- 71
820- 55- 23
盧志明 511-866-170
676-374- 14
676-375- 14
1255-507- 55
盧甫妻 唐 見李氏
盧孝妻 元 見祝月英
盧杞唐 270-594-135
276-451-223下
384-226- 12
401-327-613
1061-308-112
1096-679- 21
盧宜清 1321-180-106
盧泗清 528-573- 32
盧定明 1467-114- 66
盧坦唐 270-831-153
275-243-159
384-253- 13
396- 52-256
459-894- 54
472-357- 15
472-746- 29

473-503- 71
475-500- 75
477-312-164
481- 17-291
510-279-112
537-501- 59
559-312-7上
1078-162- 12
1078-182- 16
1340-691-792
盧坦盧垣 明 473- 97- 53
515-186- 62
盧奇明 533-493- 65
盧忠明 510-455-117
盧卓盧皐 唐 821- 83- 47
盧昪元 1221-444- 7
盧芳代王 漢 252-478- 42
370-214- 23
376-520-104
384- 57- 3
402-508- 12
544-200- 62
548-624-181
558-765- 50
盧芝金 291-628-118
546-297-124
盧果明 1292-203- 18
盧果妻 明 見趙氏
盧和清 1327-701- 8
盧侑女 唐 見盧氏
盧侗宋 473-701- 80
482-141-344
564- 60- 44
1090-541- 25
盧岳唐 1342-267-939
盧皐唐 見盧卓
盧秉宋 286-405-331
397-511-350
427-237- 5
472-879- 35
478-545-202
485-186- 25
493-898- 49
494-304- 5
494-385- 11
510-282-112
510-484-118
511-386-151
523-528-172
558-196- 31
1437- 14- 1
盧炳女 宋 見盧氏
盧炳清 570-136-21之2
盧洵金 546-687-138
1365-283- 8
1439- 8-附
1445-514- 39
盧袒後魏 261-647- 47
266-599- 30
379-115-148
384-131- 7
472- 30- 1
盧袒金 1191-274- 24
盧恆晉 448-307-上
盧奕唐 271-503-187下
275-593-191
384-203- 11
400- 95-508
477-206-159
477-305-163
478- 87-180
538- 53- 63
554-267- 53
933- 76- 5
盧度齊 259-532- 54
265-1073- 75
380-447-178
516-439-104
564- 13- 44
589- 41- 1
盧珏宋 1437- 31- 2
盧春妻 明 見劉壽貞
盧柟明 301-851-287
477-210-159
538-137- 65
1280-371- 83
1289-889-附
1408-566-538
1442- 65-附4
1460-265- 52
盧奎宋 460- 21- 1
473-642- 78
529-746- 51
盧革宋 286-404-331
397-511-350
472-1002- 40
473-783- 85
475-604- 81
479-141-223
482-467-363
485-186- 25
493-898- 49
494-266- 1
494-385- 11
494-471- 18
523-444-168
528-438- 29
563-656- 39
567- 54- 65
589-310- 2
1467- 27- 62
盧郁宋 見盧榕
盧珍唐 821- 95- 48
盧勇北齊 263-189- 22
266-615- 30
379-120-148
545- 5- 83
933- 74- 5
盧政宋 286-634-349
382-541- 84
384-358- 18
397-690-362
472-437- 19
476- 41- 98
546-643-106
933- 78- 5
盧柔北周 263-669- 32
266-603- 30
379-605-157
933- 74- 5
盧建妻 明 見許氏
盧茂明 558-221- 32
盧茂妻 清 見管氏
盧昭元~明 1369-407- 12
1442- 11-附1
盧英明 479-287-230
523-174-154
559-347- 8
盧英清 529-707- 50
盧迴明 299-351-141
456-695- 12
479-292-230
523-399-165
886-163-139
盧信元 554-258- 52
盧信明 472-1105- 47
盧信明 見盧祥
盧垕明 820-612- 41
盧奐唐 270-182- 98
274-581-126
395-547-231
448-334-下
472-253- 10
472-738- 29
473-672- 79
477-521-175
482- 32-340
537-350- 56
563-632- 38
933- 75- 5
盧俊妻 遼 見耶律碩格
盧涇唐 484- 85- 3
盧浮晉 255-759- 44
933- 73- 5
盧浩唐 820-283- 30
盧浩元 524- 6-178
盧庫清 455-234- 12
盧穿妻 明 見李妙惠
盧原明 1442-115-附7
1460-665- 74
盧恭明 476-518-127
盧珪明 683-147- 4
盧桐宋 567-405- 84
1467-434- 5
盧格明 515-202- 63
524- 73-181
676-321- 12
676-515- 20
1255-295- 35
1442- 35-附2
1459-738- 29
盧耽唐 559-247- 6
591-678- 47
盧耽吳 564-613- 56
1061-272-110
盧耿唐 820-208- 28
盧振唐 517-267-122
盧振明 456-694- 12
886-163-139
盧晏後魏 814-259- 8
盧郢梁 489-675- 49
盧郢宋 472-176- 6

511-718-165
盧峴宋 1342-430-960
盧虔唐 270-552-132
473-233- 60
盧特唐 528-444- 29
盧航宋 488-403- 13
488-405- 13
1053-786- 18
盧能唐 見慧能
盧秩明 515-547- 74
盧秩妻 明 見嚴氏
盧倣唐 820-225-428
盧殷唐 1073-564- 25
1074-399- 25
1075-350- 25
1383-185- 15
盧翊明 472-231- 8
473-126- 55
473-807- 86
481- 25-291
511-103-140
515-134- 61
559-253- 6
盧商唐 271-305-176
275-496-182
384-276- 14
396-221-272
485- 72- 11
493-691- 38
510-324-113
盧清明 1245-557- 29
盧清明 鄭王妻、盧壽女
1246-606- 10
盧清妻 明 見吳氏
盧淵盧伯源、盧陽烏 後魏
261-642- 47
266-594- 30
379-112-148
474-171- 8
814-261- 8
820-116- 25
盧淵明 473- 24- 49
515-360- 68
1237-614- 上
盧章宋 821-204- 51
盧祥唐 472-765- 30
477-359-166
537-311- 56
盧祥元 472-981- 39
盧祥明(房山人) 472- 37- 1
505-798- 74
盧祥盧信 明(字中和)
482- 36-340
545-376- 97
554-188- 51
564-147- 45
676-493- 19
盧庸金 291-311- 92
399-223-435
478-452-197
478-573-203
1445-666- 51
盧深明 567-447- 86
盧梁明 1268-462- 72
盧球宋 494-388- 11
盧埕唐 1340-623-783
盧曹北齊 266-639- 31
379-387-152
384-131- 7
盧習宋 1135-430- 39
盧規唐 820-180- 27
盧琇後魏 379-119-148
盧彬明 554-475-57上
盧珽晉 255-759- 44
933- 73- 5
盧敖秦 541- 84- 30
933- 72- 5
盧逕唐 820-257- 29
盧陵唐 472-464- 20
476-400-119
546-751-140
盧崇後魏 261-653- 47
379-118-148
盧崇宋 523-168-154
盧勗明 523-215-156
盧紱妻 明 見楊氏
盧猛明 524-169-186
盧偃後燕 820- 78- 23
盧統後魏 261-493- 34
266-511- 25
379- 63-147
盧紳明 478-128-181
554-497-57上
盧敏後魏 261-646- 47
266-598- 30
379-115-148
盧俁清 531- 20- 首
533-379- 60
554-320- 53
盧滋明 515-546- 74
盧斌宋 286- 80-308
371-171- 17
397-271-335
472-659- 27
477- 72-152
478-335-191
481-332-308
537-386- 57
554-353- 54
820-330- 32
盧渥唐 1083-507- 4
盧渭明 301-617-274
456-635- 10
475-140- 56
盧翔明 559-276- 6
盧曾後梁 277-214- 24
盧渙唐 485-494- 9
盧賁晉 472-717- 28
盧賁隋 264-696- 38
266-613- 30
379-852-164
384-153- 8
477-242-161
537-196- 54
933- 74- 5
盧植漢 253-323- 94
254-408- 22
376-934-112
402-543- 17
402-591- 20
459- 24- 2
469-563- 69
472- 29- 1
472-194- 6
474-170- 8
474-433- 21
475-696- 86
475-760- 88
505-709- 71
510-460-117
675-320- 19
933- 72- 5
盧登明 547- 18-141
盧琦元 295-558-192
400-373-534
459-929- 56
460-461- 36
473-587- 75
481-586-328
481-773-336
528-570- 32
529-535- 45
1214-689- 附
1214-754- 附
1214-755- 附
1214-757- 附
1439-441- 4
1469-325- 50
盧琦妻 元 見陳懿
盧琦清 524-244-190
盧琦妻 清 見田氏
盧棡明 1260-635- 19
盧琰宋 286- 71-307
397-265-335
472-524- 22
474- 91- 3
476-524-128
545- 41- 84
盧逵明 516-181- 94
盧景元 1210-443- 15
盧菁清 481-649-330
529-684- 50
盧貽唐 1073-640- 34
1074-494- 34
1075-439- 34
盧貽妻 唐 見苗氏
盧貽女 唐 見盧氏
盧華妻 元 見徐妙安
盧貯妻 明 見夏氏
盧鈞唐 271-316-177
275-497-182
384-275- 14
384-278- 14
396-221-272
448-344- 下
471-829- 34
472-739- 29
472-838- 33
473-672- 79
478-121-181
480- 12-257
480-287-271

481-800-338
537-203- 54
545- 28- 83
545-263- 93
554-133- 50
554-458- 56
563-636- 38
567- 43- 64
933- 76- 5
1061-293-112
盧程後唐 277-551- 67
279-174- 28
396-368-285
933- 77- 5
盧循盧元龍 晉 256-647-100
370-392- 10
377-950-130
814-245- 6
820- 72- 23
盧絳南唐 473-178- 57
475-271- 63
510-281-112
515-496- 72
盧勝明 1240-853- 9
盧欽晉 254-410- 22
255-758- 44
377-526-122
448-307-上
472- 29- 1
474-170- 8
505-710- 71
535-555- 20
933- 73- 5
盧欽明 460-798- 85
盧斐北齊 263-370- 47
266-609- 30
380-237-171
盧象唐 273-111- 60
451-423- 2
1077-440- 19
1339-728-713
1371- 58-附
1387-499- 37
盧復明 524-348-196
盧溥後魏 261-653- 47
379-118-148
盧源元 515-105- 60
盧愼元 1201-167-191
盧義明 524-270-191
盧雍盧廷佐 明(字廷佐)
472-178- 6
475- 75- 53
511- 75-139
523- 43-148
532-591- 41
676-255- 10
1251-342- 24
盧雍明(字師邵) 493-1011- 53
676-543- 22
1258-617- 13
1442- 45-附3
1459-920- 39
盧雍女 明 見盧允貞
盧愷隋 263-670- 32
264-849- 56
266-604- 30
379-861-164
384-152- 8
472- 30- 1
474-172- 8
505-712- 71
933- 74- 5
盧煥明 545-118- 86
盧項唐 545-208- 91
盧瑀明 299-839-180
523-454-168
盧甚唐 270-499-126
盧損後周 278-414-128
396-442-296
盧瑄明 540-805-28之3
盧楷明 524-220-189
盧瑞明 1467- 69- 64
盧瑸妻 明 見陳氏
盧幹宋 486- 47- 2
盧羣唐 270-670-140
275-115-147
395-727-246
472- 31- 1
474-173- 8
479-447-237
505-713- 71
515- 8- 57
933- 76- 5
1076-111- 12
1076-568- 12
1077-137- 12
盧瑛明 820-611- 41
821-373- 55
盧梗明 523-106-150
盧楚隋 264-1020- 71
267-644- 85
380- 65-166
472- 31- 1
474-173- 8
505-833- 76
933- 75- 5
盧楚宋 484-373- 27
盧煦明 1273-282- 35
盧暉唐 472-125- 4
盧暉宋 475-853- 94
盧敬明 524-124-184
盧粲唐 271-550-189下
276- 21-199
400-414-538
472- 31- 1
474-173- 8
505-713- 71
盧鉉唐 271-481-186下
274-677-134
盧鉞明 547- 51-143
盧綋清 533-182- 52
盧詹後晉 278-150- 93
盧經宋 820-345- 32
盧經女 宋 見盧氏
盧經明 529-575- 46
盧毓魏 254-410- 22
377-184-116
384- 86- 4
384-642- 39
472- 29- 1
472-112- 4
472-194- 7
472-676- 27
474-170- 8
477-122-155
505-710- 71
510-477-118
537-253- 55
933- 73- 5
1361-543- 10
盧察宋(字隱之) 1090- 93- 16
盧察宋(字潛夫) 1135-430- 39
盧禎宋 見盧稹
盧熉妻 明 見張氏
盧滎妻 明 見祝氏
盧壽女 明 見盧清
盧熙明 299-339-140
477-124-155
493-971- 52
511- 95-140
820-571- 40
1232-437- 4
盧熙清 554-784- 62
569-620-18下之2
盧榕盧郁 484-380- 28
529-439- 43
盧閣明 547- 22-141
盧蒲妻 清 見何氏
盧睿明 523-328-161
523-561-174
545-269- 93
盧僎唐 276- 42-200
1371- 52-附
盧熊明 299-339-140
472-229- 8
475-132- 56
476-576-131
493-971- 52
511-734-165
540-634- 27
676-453- 17
820-571- 40
1273-150- 21
1442- 8-附1
1459-448- 14
盧綰燕王 漢 244-610- 93
250- 51- 34
376- 33- 95
384- 37- 2
472-410- 18
552- 15- 18
820- 23- 22
933- 72- 5
盧肇唐 273-115- 60
471-725- 19
473-177- 57
479-767-252
485-497- 9
515-495- 72
583-661- 19
674-338-5下
820-265- 29

盧綸唐 276- 89-203
384-239- 12
400-614-556
472-464- 20
476-120-102
479-535-241
516-211- 96
546-701-138
674-254-4上
933- 76- 5
1365-452- 5
1371- 63- 附
1388- 97- 52
1472-687- 42
盧綸明 564-159- 45
盧徹女 唐 見盧氏
盧寬唐 見豆盧寬
盧澐明 676-601- 24
1442- 71-附4
1460-902- 97
1474-480- 23
盧廣虞廣 梁 260-400- 48
265-1002- 71
380-291-173
499-415-157
505-878- 79
933- 94- 6
盧潛北齊 263-314- 42
266-601- 30
379-486-154
384-131- 7
472- 30- 1
475-741- 88
505-711- 71
510-277-112
933- 73- 5
盧潛唐 820-230- 28
盧潘唐 472-324- 14
485-497- 9
盧誕盧恭祖 北周
263-795- 45
266-615- 30
379-121-148
474-172- 8
505-879- 79
933- 74- 5
盧慧唐 533-790- 75
盧播魏 1413- 10- 34
盧霈唐 1081-602- 6
1342-450-962
1410-491-728
盧摯元 472- 36- 1
505-880- 79
820-495- 37
1439-424- 1
1471-289- 3
盧稹盧禎、盧縝 宋
288-209-441
400-641-559
479- 48-218
523-577-175
盧億宋 285-265-264
371- 38- 4
382-213- 31
396-569-305
472-720- 28
476-816-143
477- 49-151
477-251-161
537-480- 58
933- 78- 5
盧質後晉 278-147- 93
279-369- 56
384-315- 16
396-445-296
547-125-147
933- 77- 5
盧徵唐 270-753-146
275-139-149
盧導後晉 278-143- 92
279-357- 54
384-315- 16
396-440-295
472- 32- 1
505-714- 71
933- 77- 5
盧諮宋 1091-388- 35
盧辨北周 見盧辯
盧諶晉 254-410- 22
255-761- 44
377-528-122
469-563- 69
503- 8- 90
505-878- 79
814-234- 4
820- 78- 23
933- 73- 5
1370- 86- 4
1379-334- 41
盧璟唐 820-211- 28
盧璣金 291-127- 75
盧璣明 523-631-177
547-183-148
676-293- 11
盧璣清 511-262-146
盧穎唐 820-230- 28
盧翰明(字邦臣) 473- 78- 52
516-104- 91
盧翰明(字子羽) 511-360-150
盧璘明 563-800- 41
盧靜後魏 379-120-148
盧操唐 547- 12-141
盧豫清 476-727-138
540-684- 27
盧隨女 唐 見盧氏
盧蕙明 511-194-143
523- 55-148
盧蕙妻 明 見甯氏
盧縝宋 見盧稹
盧儒明 511-739-165
820-627- 41
1442- 8-附1
1459-693- 27
盧鴻盧鴻一 唐 271-639-192
275-641-196
384-204- 11
401- 6-568
451-482- 8
469-563- 69
472- 31- 1
477-311-164
505-919- 82
538-324- 69
684-476- 下
812-348- 9
812-746- 3
813-123- 10
814-272- 9
820-169- 27
821- 52- 46
933- 76- 5
1130-159- 16
1388-829-116
盧鴻宋 524-370-197
盧鴻明 516-173- 94
678-282- 97
盧濬明 480-128-264
532-634- 43
盧禧明 1264-544- 5
盧謙明 302- 54-292
456-484- 5
475-710- 86
511-493-156
515-204- 63
盧襄宋 488-407- 13
494-309- 5
1437- 20- 1
盧襄明 511-743-165
1273-278- 34
1442- 52-附3
1460- 94- 44
盧燦清 479-354-233
502-626- 77
523-208-155
盧聰妻 明 見朱氏
盧醜後魏 262-230- 84
267-565- 81
380-307-174
472-143- 5
474-819- 44
496-387- 87
505-868- 78
933- 75- 5
盧隱宋 491-433- 6
盧璥唐 1378-528- 60
1383-184- 15
盧璥子 唐 1073-570- 25
1074-406- 25
1075-358- 25
盧點宋 1145-764- 84
盧邁唐 270-620-136
275-150-150
384-230- 12
395-749-249
472-746- 29
539-500- 59
1342-538-973
盧鍾明 676-201- 8
盧禮元 523- 99-150
盧璧明 511-667-163
676-245- 9
676-596- 24

盧頵元 1215-590- 6
盧頵妻 清 見葉氏
盧瞻宋 473-587- 75
盧鎮元 493-755- 41
510-332-113
盧鎔妻 明 見劉氏
盧繡明 554-312- 53
盧邈後燕 820- 78- 23
盧邈唐 515-496- 72
盧爌明 547-121-145
盧懷明 540-802-28之3
盧瓊唐 485-498- 9
盧瓊明 300-385-206
516- 78- 90
盧鏜明 300-497-212
478-769-215
523- 52-148
525- 83-220
盧寶宋 821-273- 52
盧獻唐 472-865- 34
盧獻女 唐 見盧氏
盧蘇明 302-595-318
盧辯盧辨 北周 263-594- 24
266-610- 30
379-582-157
384-131- 7
472- 30- 1
474-172- 8
505-712- 71
933- 74- 5
盧攜唐 271-346-178
275-515-184
384-283- 15
396-238-273
820-268- 29
盧鑑宋 286-323-326
371-184- 19
397-449-346
472-177- 6
472-877- 35
478-417-195
478-543-202
481-153-298
511- 72-139
554-355- 54
558-193- 31
盧瓚明 472-679- 27
盧顯明 524-124-184
盧覲後魏 262-246- 85
266-605- 30
380-379-176
505-879- 79
933- 74- 5
盧觀元 511-732-165
683- 69- 4
1232-426- 4
盧覲妻 元 見王蕙
盧一松明 460-812- 88
529-639- 48
盧一誠明 460-520- 47
529-477- 43
680-322-258
盧二舅唐 475-387- 68
1061-309-112
盧三重明 505-891- 79
盧士弘宋 286-429-333
397-532-352
472-865- 34
473-673- 79
477-408-169
478-244-186
481- 69-293
481-235-303
482- 32-340
537-326- 56
554-240- 52
563-667- 39
盧士弘妻 明 見尼氏
盧士年唐 820-242- 28
盧士行唐 明 見陳氏
盧士克清 456-389- 80
盧士宗盧文宗 宋
286-382-330
397-493-349
476-670-136
540-647- 27
盧士玫唐 271- 99-162
275-116-147
395-728-246
556-120- 85
盧士彥後魏 379-114-148
盧士達明 511-532-157
盧士叡唐 275-579-191
400- 90-508
474-304- 16
554-693- 61
盧士邃北齊 263-315- 42
266-602- 30
盧士瓊唐 1078-178- 15
1342-410-957
盧子文宋 473-387- 65
532-716- 45
盧子玉明 1264-544- 5
盧子材宋 491-437- 6
盧大本明 529-683- 50
盧大受明 456-606- 9
480-439-278
533-369- 60
533-405- 61
盧大雅明 1460-806- 88
盧大經宋 1150- 97- 11
盧大翼隋 見盧太翼
盧方常明 472-752- 29
盧方慶唐 274-516-120
盧文正宋 486- 46- 2
488-371- 13
盧文甫後魏 261-652- 47
379-117-148
盧文秀唐 554-309- 53
盧文宗宋 見盧士宗
盧文政盧文政 明
473-214- 59
480- 57-260
533-302- 57
676-138- 5
盧文紀後周 278-403-127
279-360- 55
384-315- 16
401-293-607
546-283-124
933- 77- 5
盧文烈女 明 見盧氏
盧文偉北齊 263-187- 22
266-606- 30
379-118-148
474-165- 8
499- 86-129
505-711- 71
544-212- 62
933- 74- 5
盧文進後晉 278-186- 97
279-309- 48
383-760- 18
384-312- 16
396-427-295
545-210- 91
933- 77- 5
盧文燦妻 明 見劉氏
盧文翼後魏 261-652- 47
379-117-148
盧之苓明 478-436-196
盧之斌妻 清 見劉氏
盧之煥宋 474-434- 21
盧之翰宋 285-444-277
396-694-317
472- 53- 2
472-113- 4
476-912-148
505-681- 69
505-732- 71
581-464- 95
盧之翰女 宋 見盧氏
盧太翼章仇翼、章仇太翼、盧大翼 隋 264-1094- 78
267-699- 89
380-651-183
472- 68- 2
474-309- 16
476-335-115
477-169-157
505-925- 83
538-319- 69
547-192-148
盧五合妻 明 見周氏
盧元昌清 511-763-166
盧元明後魏 261-651- 47
266-600- 30
379-116-148
474-172- 8
933- 73- 5
盧元亮宋 480-408-277
盧元貞明 456-658- 11
盧元卿唐 820-294- 30
盧元卿明 559-518- 12
盧元輔唐 270-598-135
275-593-191
400- 95-508
477-207-159
484- 86- 3
545-455- 99
933- 76- 5
盧元緝後魏 261-651- 47

266-601- 30
379-117-148
盧元龍晉 見盧循
盧元禮妻 後魏 見李宗
盧元禮唐 499-421-158
盧巴海清 455-229- 12
盧天祐明 529-542- 45
盧天祥元 473- 60- 51
515-198- 63
盧天樹妻 清 見高氏
盧友竹明 505-880- 79
545-121- 86
554-259- 52
盧友傑妻 明 見曹氏
盧中敏唐 820-284- 30
盧少長唐 812-372- 0
821- 89- 48
盧公弼明 1442-129-附8
1460-872- 94
盧公順北齊 263-316- 42
547-149-147
盧公端明 1264-544- 5
盧仁老宋 見盧廷直
盧仁壽女 明 見盧氏
盧化鼇明 529-574- 46
盧允貞明 倪文岳妻、盧雍女
472-179- 6
821-490- 58
1251-325- 23
盧立亮明 1296-602- 1
盧立魁明 545-440- 99
盧宁忠明 457-920- 54
盧它父漢 535-552- 20
盧必陞清 479- 58-219
524-104-183
1325-770- 9
盧永恩唐 1342-166-925
盧玉潤明 523- 83-149
1241-728- 17
盧弘止盧弘正 唐
271-112-163
275-441-177
384-272- 14
396-181-268
475-420- 70
546-280-124
盧弘宣唐 275-657-197
400-344-530
481- 17-291
505-629- 67
559-272- 6
591-704- 50
820-253- 29
盧弘正唐 見盧弘止
盧正巳唐 1342-294-942
盧正山後魏 379-115-148
盧正通後魏 261-646- 47
379-114-148
盧可久明 301-785-283
479-330-232
盧可兆明 554-311- 53
盧世宏宋 472-789- 31
盧世亮宋 516-147- 93
盧世淮明～清 476-530-128
1324-359- 33
盧世豪宋 473-187- 58
516-157- 94
盧世榮元 295-286-168
295-671-205
401-378-619
盧充耜明 820-571- 40
盧幼平唐 494-289- 4
1072-433- 4
盧守懃宋 288-544-467
盧安世明 301-223-249
456-584- 8
481-212-302
483-228-390
483-372-401
559-518- 12
572-105- 30
盧安邦宋 460-231- 15
盧安期唐 820-266- 29
盧汝舟宋 473-195- 58
516-146- 93
盧汝弼唐 271-114-163
275-442-177
277-507- 60
279-178- 28
396-182-268
396-372-285
546-705-138
813-235- 6
820-313- 31
盧汝鵾明 515-561- 74
盧宅仁明 482-186-346
564-209- 46
盧有常明 537-516- 59
盧臣中宋 見盧臣忠
盧臣忠盧臣中 宋
472-379- 16
485-455- 7
511-478-155
1142-521- 6
1376-104- 64
盧臣客北齊 263-317- 42
盧光世南唐 529-578- 46
盧光前宋 484-373- 27
盧光啟唐 275-502-182
384-289- 15
396-244-273
盧光稠後梁 275-576-190
279-256- 41
384-310- 16
396-404-291
473-195- 58
479-794-254
516-145- 93
933- 77- 5
盧兆鳴清 567-403- 83
盧兆龍明 515-138- 61
盧兆璜妻 清 見趙氏
盧多遜宋 285-265-264
371- 38- 4
382-213- 31
384-324- 17
384-331- 17
396-569-305
450-683-下3
472-720- 28
537-480- 58
933- 78- 5
1437- 7- 1
盧名臣清 560-604-29下
盧自烈唐 820-241- 28
盧自勸唐 820-181- 27
盧全嗣唐 820-182- 27
盧全鼎明 1247-376- 14
盧如金唐 528-489- 30
盧如鼎明 456-671- 11
533-373- 60
1312-313- 30
盧如鼎妻 明 見羅氏
盧仲田明 見盧仲佃
盧仲良妻 明 見湯展娥
盧仲佃盧仲田 明
481-583-328
481-745-334
523-483-170
528-486- 30
528-563- 32
盧仲宣盧全、盧金才 後魏
266-605- 30
380-379-176
933- 74- 5
盧仲章元 1222-269- 16
盧仲義後魏 379-118-148
盧仲璠宋 524-448-201
盧行簡父 唐 1383-184- 15
1410-451-723
盧宏引明 476-727-138
盧亨嗣金 291-127- 75
502-780- 87
盧志善女 明 見盧妙定
盧志賢元 511-859-169
盧赤松唐 269-791- 81
盧甫立明 529-683- 50
盧成功羅成功 明
302- 35-291
456-517- 6
482-186-346
564-251- 47
盧成甫明 1245-520- 27
盧成甫妻 明 見包妙音
盧孝孫宋(字新之) 515-865- 85
680-271-252
盧孝孫宋(閬縣人) 529-716- 51
盧孝孫妻 宋 見郭正順
盧孝儉金 291-311- 92
399-178-431
474-817- 44
476- 30- 97
502-264- 54
505-779- 73
545-139- 87
盧克治元 473-222- 59
480- 88-262
493-751- 41
510-331-113
523- 24-147
532-623- 43
1209-484-8上

盧克忠金 291-725-128
400-356-533
472-923-36
474-556-28
474-737-40
478-418-195
496-373-86
502-364-62
554-157-51
盧克素清 455-450-27
盧岐嶷明 481-616-329
529-569-46
676-579-24
盧佐元唐 820-239-28
盧伯子明 534-242-84
盧伯芳女 清 見盧氏
盧伯源後魏 見盧淵
盧何生明 510-373-114
盧妙定明 謝維貞妻、盧志善女 1260-640-19
盧廷玉元 400-265-521
盧廷佐明 見盧雍
盧廷直盧仁老 宋 451-90-3
盧廷昌唐 485-498-9
盧廷瑞妻 明 見劉氏
盧廷綱明 1236-238-下
盧廷選明 460-567-56
529-520-44
678-219-91
盧廷器明 476-674-136
盧宗文元 564-80-44
盧宗回唐 564-19-44
盧宗原宋 485-501-9
510-424-116
盧宗哲明 476-528-128
盧宗道北齊 263-189-22
266-607-30
379-119-148
499-87-129
盧宗邁宋 473-196-58
516-147-93
盧法原宋 287-169-377
398-216-379
472-866-34
478-452-197
479-141-223
481-20-291
493-900-49
494-388-11
494-473-18
511-387-151
523-528-172
554-152-51
盧於陵唐 1073-640-34
1074-494-34
1075-494-34
盧定谷明 526-96-262
盧武賢元 1200-771-59
盧邵義宋 564-72-44
盧阿賡清 482-48-340
盧東牧明 821-394-56
盧東美唐 493-739-41
510-323-113
1073-558-24
1074-393-24
1075-344-24
1378-516-60
1383-175-14
1410-451-723
1447-256-9
盧承欽明 302-326-306
盧承業唐 269-791-81
395-367-214
盧承慶唐 269-791-81
274-354-106
384-173-9
395-367-214
469-563-69
472-31-1
474-173-8
478-86-180
505-712-71
933-75-5
盧承德清 528-518-31
盧承禮唐 494-318-6
盧尚之後魏 261-652-47
379-117-148
盧尚祖唐 384-170-9
盧尚欽妻 明 見劉氏
盧尚義妻 清 見梁氏
盧昌衡隋 263-315-42
264-862-57
266-597-30
379-860-163
384-151-8
472-30-1
472-409-18
474-172-8
475-419-70
499-415-157
505-712-71
510-278-112
814-263-8
820-125-25
933-73-5
盧明安元 1217-243-8
盧明諏明 300-770-230
479-295-230
523-320-161
盧叔仁北周 263-795-45
379-121-148
盧叔武北齊 見盧叔彪
盧叔彪盧叔武 北齊 263-316-42
266-605-30
379-509-155
933-74-5
盧知原宋 287-169-377
398-215-379
472-1003-40
479-141-223
479-401-235
479-448-237
484-103-3
485-519-10
486-898-34
493-899-49
494-387-11
494-473-18
511-387-151
515-183-62
523-528-172
盧知猷唐 271-114-163
275-441-177
479-525-241
546-705-138
812-749-3
813-257-10
814-279-10
820-268-29
933-76-5
盧佳娘明 李廣妻 302-212-301
481-532-326
盧金才後魏 見盧仲宣
盧金蘭唐 1079-72-11
盧秉安明 515-835-84
563-751-40
盧秉擢宋 589-332-4
盧延讓唐 451-475-7
592-617-100
674-272-4中
盧洪春明 300-821-234
479-331-232
523-330-161
盧津奴明 趙叔民妻 472-1106-47
524-687-211
盧彥六盧勝童 宋 448-366-0
盧彥文元 1222-471-11
盧彥仁宋 494-388-11
盧彥昭元 820-539-39
盧彥倫金 291-126-75
399-107-426
544-237-63
盧彥卿隋 379-114-148
505-879-79
盧彥德宋 523-499-170
盧彥衡女 唐 見盧氏
盧度世後魏 261-641-47
266-594-30
379-112-148
476-609-133
933-73-5
盧拱極明 554-850-63
盧威仲元 1201-432-3
盧春魁妻 明 見李氏
盧眉娘唐 564-615-56
1061-357-116
盧建隆女 宋 見盧氏
盧思道隋 263-315-42
264-858-57
266-595-30
379-859-164
384-151-8
469-563-69
472-30-1
474-172-8
499-415-157
505-879-79
933-73-5

1065-842- 21
1341-696-893
1387-192- 11
1394-361- 2
1395-604- 3
1401-586- 4
盧若虛唐 274-555-123
盧若騰明 460-752- 77
523- 61-148
529-555- 45
盧星燦妻 清 見徐氏
盧重玄唐 820-176- 27
盧祖尚唐 269-648- 69
274-220- 94
395-294-207
472-171- 6
472-194- 7
477-544-176
510-309-113
933- 75- 5
盧祖皋宋 524- 84-182
1166-637- 10
1437- 27- 2
盧益修元 821-330- 54
盧泰卿唐 1340- 78-726
盧恭祖北周 見盧誕
盧恭道北齊 263-188- 22
266-606- 30
379-118-148
933- 74- 5
盧員賜妻 明 見陳氏
盧原朴明 456-695- 12
盧原質明 299-349-141
456-695- 12
479-292-230
523-399-165
886-163-139
盧耿麒明 見盧耿麟
盧耿麟盧耿麒 明
505-807- 74
505-882- 79
盧時升清 1316-693- 47
盧時泰清 476-283-111
547- 56-143
盧覓民宋 524-216-189
盧師道元 821-302- 53
盧倣麟明 567-400- 83
盧望回唐 475-742- 88
盧惟清妻 唐 見徐氏
盧乾元清 533-304- 57
盧副鴆晉 496-383- 87
盧勒义五代 267-758- 92
盧陵王劉宋 見劉禕
盧崇勳明 594-216- 7
盧莊之北齊 263-315- 42
盧莊道唐 554-326- 54
盧國器妻 明 見李氏
盧常師唐 1061-311-112
盧紹之齊 259-556- 57
盧紹德明 456-663- 11
盧從史唐 270-552-132
275- 52-141
384-258- 13
396-702-243
933- 76- 5
盧從愿唐 270-215-100
274-619-129
384-192- 10
384-200- 11
395-580-233
472-697- 28
472-789- 31
477-165-157
477-408-169
537-325- 56
537-446- 58
545-436- 99
933- 75- 5
1371- 55- 附
盧啟臣金 1365-280- 8
盧童子晉 541- 87- 30
盧善觀妻 唐 見李惠日
盧湯敬清 456-371- 78
盧朝陽明 821-408- 56
盧朝棟明 559-278- 6
572-105- 30
盧朝鼎清 529-663- 49
盧堯臣明 533- 54- 48
盧彭祖明 493-971- 52
盧陽烏後魏 見盧淵
盧景宣元 1219-668- 4
盧景亮唐 275-294-164
384-232- 12
384-255- 13
396- 71-258
472- 31- 1
474-174- 8
480-239-269
505-713- 71
933- 76- 5
1076-112- 12
1076-568- 12
1077-139- 12
1371- 66- 附
盧景春明 821-355- 55
盧景裕後魏 262-240- 84
266-609- 30
379-120-148
474-172- 8
476- 44- 98
499- 86-129
505-867- 78
547-147-147
587- 13- 1
677-129- 13
933- 74- 5
盧景璋妻 北齊 見爾朱氏
盧順之唐 567-430- 86
1467-142- 67
盧順之宋 564- 72- 44
盧順密後晉 278-169- 95
盧傳世明 456-658- 11
盧勝童宋 見盧彥文
盧象同明 301-433-261
456-639- 10
盧象先宋 821-249- 53
盧象昇明 301-428-261
456-409- 1
458-232- 5
474-472- 23
475-230- 61
475-874- 95
480-319-272
505-638- 67
511-166-142
511-449-153
532-600- 41
545-303- 94
537-223- 54
盧象晉明 301-432-261
475-230- 61
盧象觀明 301-432-261
456-439- 3
458-238- 5
475-231- 61
511-449-153
盧試榮明 475-777- 89
510-480-118
盧義僖後魏 261-646- 47
266-598- 30
379-115-148
474-171- 8
505-711- 71
盧慎微宋 491-432- 6
盧溫柔明 常友妻
477-455-171
盧詢祖北齊 263-188- 22
266-606- 30
379-488-154
505-879- 79
933- 74- 5
盧運昌清 540-853-28之4
盧運熙清 554-786- 62
盧道亮後魏 379-114-148
盧道約後魏 261-646- 47
379-114-148
盧道悅清 540-864-28之4
盧道虔後魏 261-654- 47
266-597- 30
379-114-148
盧道虔妻 後魏 見元氏
盧道清明 1241-719- 16
盧道將後魏 261-644- 47
266-595- 30
379-113-148
474-165- 8
474-171- 8
933- 73- 5
盧道侃後魏 379-114-148
盧道裕後魏 261-645- 47
266-597- 30
379-114-148
558-187- 31
盧道寧宋 821-210- 51
盧載蘋妻 清 見謝氏
盧塔克清 456- 4- 50
盧楞伽盧稜伽、盧稜迦 唐
554-901- 64
812-345- 9
812-371- 0
812-484- 上
813- 78- 2

821- 48- 46
盧楚傑明 533-336- 58
盧萬里宋 451- 73- 2
盧照鄰唐 271-567-190上
276- 63-201
684-190- 10
400-593-554
451-412- 1
469-563- 69
472- 31- 1
474-173- 8
477- 92-153
505-879- 79
554-885- 64
674-247-4上
674-798- 16
933- 76- 5
1065-438- 2
1371- 49- 附
1387-269- 19
1394-635- 9
盧嗣立唐 472-367- 16
511-815-167
盧嗣業唐 271-114-163
盧傳第妻 清 見李氏
盧傳禮唐 820-250- 29
盧愈奇清 477-454-177
盧節閔北齊 933- 74- 5
盧毓粹虞毓粹 清
505-828- 75
523- 93-149
盧稜伽唐 見盧楞伽
盧稜迦唐 見盧楞伽
盧福安明 516- 60- 89
盧齊卿唐 269-792- 81
274-355-106
395-367-214
554-327- 54
盧端智元 528-476- 30
盧榮甫妻 元 見王氏
盧熙裕北齊 263-316- 42
379-115-148
盧爾悌清 533-430- 62
盧遜之北齊 263-316- 42
盧蒲癸春秋 404-627- 38
933- 72- 5
盧蒲嫳春秋 404-627- 38
盧夢暘明 676-574- 23
盧僧孺元 1232-422- 4
1232-432- 4
盧維屏明 510-440-116
537-221- 54
盧維楨盧維禎 明
529-571- 46
676-605- 25
盧維禎明 見盧維楨
盧肇治清 510-421-116
盧養蒙妻 明 見高氏
盧震初妻 明 見袁氏
盧履冰唐 276- 38-200
384-205- 11
400-425-539
505-867- 78
盧罷師漢 535-552- 20
盧德元元 1198-777- 5
盧魯元後魏 261-492- 34
266-510- 25
379- 62-147
472-143- 5
474-818- 44
496-384- 87
502-315- 58
505-727- 71
535-556- 20
814-259- 8
820-115- 25
933- 73- 5
盧龍雲明 564-108- 45
571-528- 19
盧龍雲妻 清 見徐氏
盧蕭筵清 456-389- 80
盧遺仁唐 547- 3-141
盧鴛鳴妻 明 見杜氏
盧學古明 302- 90-294
456-492- 5
480-171-266
533-376- 60
546-503-131
盧鴻一唐 見盧鴻
盧應時宋 528-559- 32
盧應詰明 547-104-145
盧應瑜明 460-793- 84
盧懋文妻 清 見王氏
盧懋瑛妻 清 見黄氏
盧懋鼎明 456-498- 5
盧藏用唐 270-140- 94
274-554-123
384-192- 10
395-447-221
469-563- 69
472- 31- 1
505-712- 71
554-853- 63
684-474- 下
812- 72- 下
812-236- 9
812-725- 3
812-744- 3
814-271- 9
820-151- 26
839- 48- 4
933- 75- 5
1371- 50- 附
盧簡方唐 275-498-182
545-263- 93
盧簡求唐 271-113-163
275-442-177
384-272- 14
396-182-268
476- 28- 97
478-670-209
485- 72- 11
493-691- 38
545- 28- 83
546-280-124
820-258- 29
盧簡能唐 271-112-163
384-272- 14
396-181-268
448-120- 0
546-280-124
盧簡辭唐 271-111-163
275-441-177
384-272- 14
396-181-268
476-121-102
546-704-138
933- 76- 5
盧懷仁北齊 263-315- 42
266-595- 30
379-114-148
474-171- 8
盧懷忠宋 285-403-274
396-666-315
472- 70- 2
473-297- 62
474-310- 16
480-239-269
505-740- 72
532-664- 44
盧懷慎唐 270-179- 98
274-579-126
384-196- 11
395-545-231
469- 68- 9
472-130- 4
477-206-159
537-463- 58
681-337- 26
933- 75- 5
盧懷道北齊 263-189- 22
266-607- 30
379-119-148
盧繼伯妻 清 見楊氏
盧繼芳明 547-116-145
盧襄秀唐 274-516-120
盧觀象明 456-544- 7
479-796-254
盧浦就魁春秋 404-627- 38
器弩悉弄唐 276-275-216上
噲參不詳 933-669- 44
圜悟元 586-189- 9
蕘山和尚唐 516-472-104
蕭山宋 529-740- 51
蕭山明 510-437-116
蕭川明 1287-514- 22
蕭文遼 289-697-105
400-354-532
472- 51- 2
474-587- 30
505-697- 70
蕭太梁 見蕭泰
蕭王魏 見曹熊
蕭引陳 260-682- 21
265-297- 18
378-540-145
510-309-113
511-138-142
563-916- 43
814-257- 7
820-108- 24
933-249- 18

蕭中明 1243-223- 11
蕭中妻 明 見張氏
蕭介梁 260-347- 41
265-296- 18
378-418-141
473-682- 79
475-220- 61
482- 74-341
493-737- 41
511-138-142
563-621- 38
933-249- 18
蕭氏妻 唐 見郜國公主
蕭氏劉宋 劉秉妻、蕭思話女
475-434- 70
蕭氏唐 韋雍妻 271-656-193
276-113-205
401-154-589
474-189- 9
499-422-158
506- 2- 86
蕭氏唐 殷踐猷妻、蕭興宗女
1071-651- 10
蕭氏唐 楊含妻、蕭歷女
276-112-205
401-154-589
479-663-247
561-309-100
蕭氏唐 蕭衡女 1342-476-966
蕭氏宋 王季安妻、蕭桂女
1161-653-128
蕭氏宋 袁友正妻 480- 61-260
蕭氏宋 廖竦妻、蕭勝女
1142-444- 11
蕭氏金 史詐妻 291-633-118
399-311-445
蕭氏金 金太祖崇妃
291- 4- 63
393-336- 79
蕭氏元 杜原妻 472-700- 28
蕭氏元 韋邕妻 476-790-141
蕭氏元 黃福妻 479-409-235
蕭氏元 楊用霖妻 479-729-250
518- 37-137
蕭氏元 廖師奭妻
1213-360- 11
蕭氏元 撒里妻、薩里妻
401-177-593
496-414- 89
蕭氏元 劉公翼妻 295-637-201
401-183-593
472-528- 22
476-531-138
蕭氏元 王履謙媳 401-187-593
蕭氏明 王尹妻 516-287- 99
蕭氏明 王杙妻、蕭其訓女
1287-378- 12
蕭氏明 王古平妻、蕭恕翁女
1239-204- 40
蕭氏明 尹奐妻、蕭德晉女
1244-676- 18
蕭氏明 尹元正妻 477-482-173
蕭氏明 甘倖爵妻 481-119-296
蕭氏明 任敬説妻
1242-205- 31
蕭氏明 朱養正妻 480-440-278
蕭氏明 李英妻 1239- 97- 33
蕭氏明 范有才妻 506- 52- 87
蕭氏明 侯瓚妻 506- 52- 87
蕭氏明 高如斗妻 506- 93- 88
蕭氏明 馬之驄妻、蕭雲舉女
482-486-364
蕭氏明 夏永慶妻 530-127- 57
蕭氏明 郭彥清妻
1258-631- 14
蕭氏明 郭處曷妻 516-395-102
蕭氏明 梁大安妻 506- 49- 87
蕭氏明 張必美妻 475-711- 86
蕭氏明 張彥忱妻、蕭自敏女
1239-193- 40
蕭氏明 張雲鶚妻 506- 31- 86
蕭氏明 張榮一妻 473-168- 57
479-750-251
蕭氏明 張鳳翼妻 506- 6- 86
蕭氏明 陳桂芳妻、蕭文隆女
1242-250- 32
蕭氏明 崔鎰妻 506- 8- 86
蕭氏明 曾瑛妻 517-640-131
蕭氏明 黃正色妻、蕭愷女
1276-432- 10
蕭氏明 揭瓊芳妻 530-129- 57
蕭氏明 趙敬忠妻 472-361- 15
蕭氏明 鄭若濟妻 530- 70- 55
蕭氏明 鄧琭妻 473-157- 56
蕭氏明 劉頤妻 473-179- 57
蕭氏明 劉弘功妻 480-440-278
533-691- 72
蕭氏明 劉仲堅妻 517-560-129
1237-218- 3
蕭氏明 劉繼業妻 506- 52- 87
蕭氏明 諶珂妻 479-499-239
516-240- 97
蕭氏明 賴南叔妻 302-249-303
479-729-250
516-298- 99
蕭氏明 戴景禎妻 530-161- 59
蕭氏明 顏有為妻 473-157- 56
蕭氏明 蘇忠妻 530- 92- 56
蕭氏明 郭廷用母
1270- 58- 4
蕭氏明 蕭伯政女 472-469- 20
蕭氏明 蕭思敬女 482- 42-340
蕭氏清 王自寧妻 483- 36-371
蕭氏清 王明揚妻 506- 61- 87
蕭氏清 毛鍾秀妻 506- 37- 86
蕭氏清 吉謙妻 506- 37- 86
蕭氏清 伍其清妻 530-133- 57
蕭氏清 李師泌妻 479-686-248
蕭氏清 姚士偉妻 533-549- 67
蕭氏清 涂文舉妻 479-500-239
516-254- 97
蕭氏清 馬良驥妻 478-729-212
蕭氏清 郝又賢妻 506- 37- 86
蕭氏清 張亨妻 506- 67- 87
蕭氏清 張紱妻 482- 79-341
蕭氏清 張蘭妻 480-514-281
蕭氏清 黃連生妻 480-653-289
蕭氏清 鄒逢生妻 480-514-281
蕭氏清 趙起雲妻 503- 65- 95
蕭氏清 劉熗妻 506- 26- 86
蕭氏清 劉近安妻、蕭萬選女
1327-314- 15
蕭氏清 閻宏皓妻 475-714- 86
蕭氏清 謝光藜妻 479-798-254
蕭氏清 謝遇颶妻 479-734-250
蕭氏清 蕭黨女 506- 59- 87
蕭匡清 蕭舜行女
1313-280- 22
蕭允陳 260-681- 21
265-296- 18
378-540-145
475-221- 61
511-446-153
554-885- 64
933-249- 18
蕭立梁 472-257- 10
511-766-166
蕭玉金 291-137- 76
401-144-588
蕭正唐 820-213- 28
蕭正明 見蕭伯辰
蕭可明 見蕭時中
蕭由漢 250-708- 78
376-388-102上
472-877- 35
476-852-145
478-669-209
480-198-267
540-697-28之1
545-125- 87
554-382- 55
558-186- 31
蕭史春秋 516-411-103
554-963- 65
574-333- 18
1058-497- 上
蕭史妻 春秋 見弄玉
蕭生元 見蕭彝翁
蕭用明 1242- 69- 26
蕭犯宋 471-999- 60
蕭幼明 郭彥輝妻、蕭同善女
1242-276- 33
蕭守妻 清 見李氏
蕭朴恆王、韓王 遼
289-602- 80
399- 33-419
502-325- 59
544-236- 63
蕭吉隋 264-1097- 78
267-700- 89
380-652-183
蕭存唐 276- 79-202
400-606-555
475-221- 61
479-610-244
485- 84- 12
493-738- 41
516-220- 96
1074-212- 10
1075-180- 10
1342-285-941
蕭宏臨川王 梁 260-200- 22

265-732- 51
375-355-83上
384-117- 6
488-226- 10
488-231- 10
488-233- 10
488-235- 10
488-236- 10
蕭宏明 1246-444- 9
蕭完明 821-405- 56
蕭序梁 260-304- 35
蕭成明 564-273- 47
蕭育漢 250-707- 78
376-387-102上
472- 83- 3
472-518- 22
472-830- 33
473-295- 62
476-815-143
480-237-269
540-697-28之1
554-382- 55
933-249- 18
478- 95-180
蕭杞宋 515-500- 72
蕭杞宋 見蕭櫸
蕭里宋 528-483- 30
529-737- 51
蕭岑北周 263-826- 48
267-783- 93
381-398-193
493-644- 35
1395-604- 3
蕭岐明(字尚仁) 299-322-139
473-150- 56
479-717-250
515-641- 77
676- 77- 3
676-463- 17
680-228-247
1236- 51- 4
1237-356- 9
1238-281- 24
1313-198- 16
1442- 12-附1
1459-503- 17
蕭岐明(吉永人) 473-348- 63
480-436-278
532-725- 46
蕭岌北周 263-826- 48
267-783- 93
381-398-193
蕭佐宋 515-579- 75
528-548- 32
蕭何漢 243-211- 8
244-285- 53
250-108- 39
251-474- 3
376- 39- 96
384- 36- 2
459-145- 9
469-127- 15
471-823- 33
472-410- 18
475-422- 70
511-218-144
535-551- 20
814-222- 3
820- 23- 22
933-248- 18
1397-198- 10
1408-224-503
蕭何妻 漢 475-434- 70
蕭秀安成王 梁 260-202- 22
265-739- 52
375-360-83上
473- 86- 52
473-296- 62
475- 14- 49
475-219- 61
475-270- 63
479-446-237
480- 48-259
480-238-269
510-276-112
515- 5- 57
532-558- 40
1394-334- 1
1399-445- 9
蕭宗女 明 見蕭蘭徵
蕭宗清 456-352- 77
蕭注宋 286-440-334
397-543-353
471-833- 35
472-913- 36
473-127- 55
473-338- 63
473-672- 79
473-749- 83
473-790- 85
479-679-248
478-571-203
482- 32-340
482-347-356
482-484-364
515-519- 73
533-245- 55
588-209- 32
563-671- 39
567- 62- 65
1467- 32- 63
蕭定張誕 唐 271-462-185下
274-301-101
384-231- 12
400-342-530
472-273- 11
473- 59- 51
473-175- 57
475-271- 63
479-377-234
479-765-252
493-685- 38
494-289- 4
510-370-114
515-113- 60
523-211-156
537-350- 56
554-450- 56
蕭放北齊 263-256- 33
266-588- 29
375-365-83上
475- 73- 53
812-337- 8
821- 27- 45
933-250- 18
蕭拔明 473-359- 64
蕭杰元 見舒嚕杰
蕭直唐(判官) 270-255-102
蕭直唐(字正仲) 1072-245- 11
蕭奇明 1240-713- 7
蕭奇妻 明 見江柔
蕭柿明 559-404-9上
蕭玠妻宋 見葉氏
蕭忠明 473-318- 62
533-294- 56
蕭昌梁 260-219- 24
265-725- 51
375-349-83上
蕭旺明 1248-410- 20
蕭明梁 263-254- 33
265-730- 51
蕭固宋 473-127- 55
473-748- 83
482-319-354
515-518- 73
567- 55- 65
585-755- 4
1105-782- 94
1384-153- 93
1467- 27- 62
蕭尚明 1241-758- 18
蕭昕唐 270-750-146
275-239-159
384-221- 12
396- 49-256
448-120- 0
469- 22- 3
472-746- 29
477-312-164
537-500- 59
820-206- 28
933-252- 18
1388-831-116
蕭昂梁 260-219- 24
265-726- 51
375-349-83上
494-284- 3
511-138-142
蕭昪明 533- 37- 48
蕭卓女 劉宋 見蕭文壽
蕭易宋 451- 96- 3
蕭芳明 480- 93-262
蕭芮唐 515-141- 61
蕭叔蕭最大心 春秋
404-810- 49
蕭金明 1241-222- 10
1242-105- 27
蕭房女 遼 見蕭色色
蕭服宋 286-615-348
397-676-361
473-148- 56
473-165- 57

475-525- 77
479-713-250
479-747-251
510-414-116
515-580- 75
1147-512- 48
1147-526- 49
蕭采元 1197-766- 80
蕭欣北周 263-830- 48
蕭為梁 260-352- 41
蕭炳元 514-106- 31
蕭竑宋 528-438- 29
蕭洵宋 1105-779- 93
蕭洽蕭恰 梁 260-348- 41
265-295- 18
378-418-141
475-220- 61
479-284-230
510-369-114
511-138-142
523-166-154
540-723-28之1
933-249- 18
蕭恆清 479-712-250
515-160- 61
554-524-57下
559-334-7下
蕭恪梁 265-742- 52
375-364-83上
475-219- 61
488-258- 10
蕭恪明(字存道) 1242- 43- 25
蕭恪明(字象夔) 1275-358- 16
蕭恰梁見蕭洽
蕭衵明 1227-178- 21
蕭亮梁 265-749- 52
375-371-83上
蕭亮明 515-552- 74
蕭亮清 481- 82-294
481-783-337
528-573- 32
559-532- 12
蕭恢鄱陽王 梁 260-207- 22
265-744- 52
375-365-83上
475-219- 61
481- 15-291
532-558- 40
蕭愧唐 554-232- 52
蕭彥蕭超業 後魏 262-331- 94
蕭彥明 300-734-227
457-409- 25
475-610- 81
482-540-368
511-306-148
563-726- 40
567-141- 68
569-654- 19
1467-483- 8
蕭拱蕭達年鄂博 金
291-202- 82
蕭咸漢 250-708- 78
376-388-102上
472-193- 7
476-365-117
478-612-205
540-697-28之1
545-349- 96
554-382- 55
558-214- 32
蕭春明 511-511-157
蕭奎明 1255-771- 76
蕭相妻 明 見李氏
蕭柳遼 289-621- 85
399- 31-419
502-259- 54
蕭柯明 1261-156- 12
蕭柯妻 明 見王恩珠
蕭勃梁 265-725- 51
375-349-83上
475-220- 61
1467- 10- 62
蕭昱梁 260-219- 24
265-726- 51
375-726- 51
375-349-83上
472-253- 10
475-213- 60
510-356-114
蕭昱明 472-1073- 45
476-726-138
523-466-169
蕭胄宋 384-379- 19
蕭映臨川王 齊 259-365- 35
265-625- 43
375-320- 82
488-206- 9
523- 4-146
814-218- 2
819-564- 19
1399-415- 8
1415-158- 87
蕭映梁 見蕭暎
蕭映宋 515-518- 73
蕭垕元 1195-167- 2
蕭俛母 唐 見韋氏
蕭俛唐 271-242-172
274-298-101
384-260- 13
396-116-261
475-222- 61
820-249- 29
933-251- 18
蕭律宋 515-516- 73
528-548- 32
563-670- 39
蕭紀武陵王 梁 260-485- 55
265-765- 53
375-387-83下
486- 39- 2
560-600-29下
569-643- 19
1394-554- 7
1395-595- 3
蕭祓明 480-663-290
532-706- 45
蕭祓女 明 見蕭愛
蕭浩宋 1178- 66- 7
蕭祜蕭祐 唐 271-183-168
275-366-169
396-135-264
812-354- 10
820-234- 28
821- 78- 47
839- 50- 4
1092-756- 72
蕭祐唐 見蕭祜
蕭祇北齊 263-255- 33
265-744- 52
266-588- 29
375-365-83上
486- 39- 2
544-213- 62
933-250- 18
蕭朗梁 265-729- 51
375-353-83上
蕭悅唐 812-355- 10
812-372- 10
813-159- 15
821- 80- 47
1343-229- 17
1436-187- 76
蕭泰蕭太 梁 265-747- 52
266-587- 29
375-369-83上
933-250- 18
1064-267- 10
1064-750- 15
1342-340-948
1400-177- 7
1416- 81-111下
蕭恭梁 260-206- 22
265-743- 52
375-364-83上
475-219- 61
蕭恭金 291-195- 82
399-145-429
蕭貢金 291-474-105
383-1001- 28
399-235-437
472-840- 33
478-124-181
554-653- 60
676-109- 4
1040-249- 4
1365-154- 5
1439- 6- 附
1445-385- 27
蕭原明 481-648-330
529-585- 46
蕭珝元 538-101- 64
蕭晉元 1232-681- 8
蕭桂女 宋 見蕭氏
蕭桐妻 明 見牛氏
蕭格遼 289-722-113
401-497-632
蕭挹梁 820-102- 24
蕭起唐 820-264- 29
蕭狆明 559-401-9上
1467- 80- 64
蕭狆明 見蕭鵬舉
蕭狆妻 明 見郭氏

蕭珊妻 清 見劉氏
蕭陟宋 1089-201- 20
蕭振宋 287-214-380
398-251-381
472-117- 48
473-427- 67
479-133-223
479-285-230
479-318-232
479-404-235
479-556-242
481- 20-291
494-306- 5
515-195- 63
523-494-170
559-266- 6
蕭珠元 1220-526- 8
蕭退北齊 263-256- 33
266-589- 29
375-369-83上
933-250- 18
蕭衍梁 見梁武帝
蕭科清 456-352- 77
蕭茲清(王氏) 456-319- 75
蕭茲清(李氏) 456-321- 75
蕭晽南朝 486- 66- 3
蕭晅明 299-298-137
473-153- 56
515-675- 78
1241-134- 6
1241- 820- 20
1242- 11- 24
蕭晃長沙王 齊 259-366- 35
265-625- 43
375-320- 82
蕭特梁 260-306- 35
265-624- 42
814-252- 7
820- 98- 24
蕭恕元 1201-481- 8
蕭能女 明 見蕭秀清
蕭紑齊 見蕭緬
蕭修梁 265-746- 52
375-368-83上
475-220- 61
478-242-186
511-550-158
532-559- 40
蕭倣唐 271-245-172
274-299-101
384-283- 15
396-117-261
448-330- 下
472-125- 4
475-222- 61
481-800-338
554-459- 56
563-637- 38
567- 43- 64
933-251- 18
1467- 13- 62
蕭俶唐 271-244-172
486- 44- 2
蕭寅元 528-541- 32
1236-794- 13
1374-646- 85
蕭淮明 482-351-356
567-331- 78
1467-220- 70
1467-307- 74
蕭翊明 820-708- 43
蕭密陳 260-683- 21
265-299- 18
蕭淵宋 492-710-3下
蕭許宋 1147-512- 48
1161-643-127
蕭章明 554-313- 53
蕭寀明 572- 95- 29
蕭庾明 479-796-254
516-177- 94
蕭珹明 1261-175- 13
蕭執明 299-301-137
479-717-250
515-637- 77
517-539-129
1223-503- 9
1442- 10-附1
蕭頃後唐 277-493- 58
蕭堅梁 260-258- 29
265-765- 53
375-386-83下
475-219- 61
819-566- 19
蕭推梁 260-204- 22
265-741- 52
375-362-83上
485- 70- 10
493-680- 37
蕭基明 515-714- 79
523- 60-148
蕭乾陳 260-675- 21
265-621- 42
375-317- 82
528-519- 31
814-257- 7
820-108- 24
蕭勔梁 265-725- 51
375-349-83上
475-220- 61
蕭琅隋 472-586- 24
476-656-135
540-645- 27
蕭授明 299-651-166
480-464-279
483-221-390
571-531- 19
蕭異明 473-154- 56
蕭貫宋 288-226-442
400-649-560
479-678-248
515-516- 73
540-613- 27
蕭莊梁 265-776- 54
蕭常明 1240-748- 7
241-544- 10
242- 89- 26
蕭晞梁 485-503- 10
蕭晚明 515-689- 78
1275-307- 14
蕭晚明 見蕭其坤
蕭崑明 460-599- 59
481-648-330
529-586- 46
蕭彪漢 370-209- 21
蕭偲明 456-526- 6
554-730- 61
蕭魚明 533-177- 52
蕭偉南平王 梁 260-205- 22
265-741- 52
375-363-83上
475-219- 61
蕭偉明 480-413-277
蕭統梁 260-102- 8
265-752- 53
370-556- 18
375-374-83下
384-117- 6
489-353- 31
489-612- 48
533-739- 73
588-362- 3
819-566- 19
1054-371- 9
1394-349- 2
1395-594- 3
1401-223- 22
蕭敏梁 485-491- 9
蕭從宋 515-520- 73
1447-200- 19
蕭啟明 473-153- 56
515-667- 78
1243-310- 17
蕭健明 見蕭鍵
蕭斌劉宋 258-432- 78
蕭斌明(通政管易州柴廠)
494- 55- 2
蕭斌明(字會文) 1236- 49- 4
蕭富明 505-899- 80
蕭愃宋 1126-727-164
蕭慨北齊 263-256- 33
266-589- 29
814-263- 8
820-121- 25
933-250- 18
蕭渤宋 471-852- 37
482- 89-342
515-580- 75
563-677- 39
蕭湊唐 812-372- 0
蕭敦明 563-839- 41
蕭琮梁 見梁靖帝
蕭撝北周 263-764- 42
266-589- 29
375-362-83上
480-317-272
814-263- 8
820-124- 25
933-250- 18
1387-214- 12
1395-603- 3
蕭賁梁(字文奐) 265-639- 44
375-333- 82

511-872-170
812-333- 7
814-254- 7
820-102- 24
821- 25- 45
1395-601- 3
蕭貢梁(字世文) 265-737- 51
375-360-83上
蕭貢唐 478-334-191
554-232- 52
蕭貢妻 明 見徐氏
蕭惠遼 289-650- 93
400- 64-505
蕭惠妻 遼 見耶律伊木沁
蕭惠女 遼 見蕭觀音
蕭賀宋 515-516- 73
蕭雄宋 473-684- 79
564- 56- 44
蕭雅宋(樂昌人) 482- 77-341
564- 56- 44
蕭雅宋(字汝正) 515-145- 61
蕭雅明 1262-437- 47
蕭盛明(通州判官) 472-292- 12
蕭盛明(陽武人) 477-255-161
510-409-115
538- 80- 64
蕭登元 820-549- 39
蕭琦明 523-164-153
564-778- 40
蕭肅蕭善感 宋 448-367- 0
蕭開劉宋 見蕭惠開
蕭琛梁 260-234- 26
265-298- 18
378-415-141
475-220- 61
494-285- 3
511-138-142
523-133-151
933-250- 18
1401-242- 23
蕭琛明 821-418- 56
蕭琳明 571-542- 20
蕭棟梁 265-756- 53
375-378-83下
蕭棟明 482-184-346
563-806- 41
567-342- 79
蕭森唐(下闕一字) 820-214- 28

蕭逵宋 473-128- 55
蕭逵妻 元 見李氏
蕭逵明 533-155- 52
蕭⿰犭朱明 518-201-142
蕭景梁 260-217- 24
265-723- 51
375-346-83上
475-219- 61
384-117- 6
472-1114- 47
479-461-235
480-169-266
480-286-271
488-233- 10
488-234- 10
510-276-112
511-138-142
523- 4-146
532-558- 40
蕭貴妻 明 見胡靜
蕭凱後魏 261-812- 59
蕭華唐 270-199- 99
274-296-101
384-211- 11
395-568-232
554-581- 58
820-164- 27
1371- 59- 附
蕭崱宋 515-533- 73
820-445- 35
蕭幾梁 260-352- 41
265-604- 41
375-302- 82
485-491- 9
511-765-166
523-210-156
814-252- 7
820-102- 24
蕭鈞齊 265-600- 41
375-299- 82
814-218- 2
819-564- 19
蕭鈞唐 269-575- 63
274-295-101
384-181- 10
395-566-232
511-139-142
554-635- 60

933-251- 18
1065-844- 21
蕭智明 545-275- 93
蕭循梁 472-865- 34
554-108- 50
蕭結唐 820-287- 30
蕭結南唐 473-387- 65
515-569- 75
532-715- 45
蕭飭宋 1161-661-130
蕭勝女 宋 見蕭氏
蕭欽妻 明 見羅孝珠
蕭象桂陽王 梁 260-215- 23
265-731- 51
375-355-83上
475-220- 61
532-102- 27
蕭傑唐 271-244-172
蕭傑明(洪武間人) 571-540- 20
蕭傑明(字世英) 1287-559- 25
蕭傑女 明 見蕭閏莊
蕭傑妻 清 見陳氏
蕭進明 1241-584- 11
蕭復唐 270-490-125
274-296-101
384-226- 12
395-568-232
471-702- 16
472-253- 10
472-366- 16
472-824- 33
475-221- 61
475-639- 83
478-334-191
485-495- 9
510-442-117
554-232- 52
554-642- 60
933-251- 18
蕭寘唐 384-280- 14
蕭溱唐 821- 89- 48
蕭義元 493-726- 40
蕭義明 473-178- 57
515-507- 72
蕭猷梁 265-729- 51
375-352-83上
蕭慈明 820-660- 42
蕭該北周～隋 267-592- 82

264-1059- 75
380-332-174
475-221- 61
544-221- 62
蕭詩清 見蕭中素
蕭溫遼 遼太宗后、蕭延思女、蕭舒嚕女、蕭實魯女
289-556- 71
383-743- 13
393-330- 78
蕭愷梁 260-304- 35
265-622- 42
蕭愷女 明 見蕭氏
蕭裕蕭揚珠 金 291-744-129
401-143-588
蕭雍明 300-735-227
蕭詮子 唐 1342-407-957
蕭詵唐 933-251- 18
蕭誄齊 265-609- 41
蕭廉明 1238-198- 17
蕭瑀梁～唐 269-571- 63
274-293-101
384-164- 9
401-280-606
471-1059- 69
472-738- 29
472-865- 34
485-347- 1
511-139-142
537-198- 54
545-170- 89
554-230- 52
554-632- 60
558-225- 32
820-133- 26
933-251- 18
1054-418- 11
1340-555-776
蕭資宋 288-385-454
400-197-515
515-612- 76
563-706- 39
564-826- 60
蕭資明 1238- 57- 30
蕭塤明 559-275- 6
564- 89- 45
蕭瑄明 1245-562- 29
蕭榔後梁 491-768- 4

蕭幹蕭庫哩布 遼 497- 74- 4
蕭肆金 291-737-129
401-414-588
蕭瑞元 1204-325- 11
蕭瑞明 511-302-148
蕭楚宋 473-147- 56
479-713-250
515-583- 75
674-569- 3
1137- 42- 5
蕭達元 537-279- 55
蕭照宋 585-516- 17
821-215- 51
蕭愚明 1242-846- 10
蕭嗣梁 260-209- 22
265-746- 52
375-367-83上
蕭嵩唐 270-197- 99
274-295-101
384-197- 11
395-566-232
475-221- 61
478-451-197
554-581- 58
558-134- 30
820-164- 27
933-251- 18
1371- 55- 附
蕭鼎明(字伯鉉) 523-230-156
564-198- 46
蕭鼎明(高陸人) 554-678- 60
蕭暘明 528-514- 31
蕭暎蕭映 梁 265-749- 52
375-371-83上
472-997- 40
475-219- 61
494-284- 3
494-323- 6
蕭業長沙王 梁 260-212- 23
265-727- 51
375-351-83上
475-220- 61
480-362-275
532-101- 27
蕭遇唐 1121- 75- 7
蕭敬明(孝陸衛淨軍)
302-268-304
蕭敬明(南平人) 820-762- 44

蕭鉉河東王 齊 259-370- 35
265-632- 43
375-327- 82
544-213- 62
蕭鉉明 538-117- 64
蕭鉉明(字叔仲) 1242-165- 29
蕭鈐明 1256-590- 6
蕭鉅蕭藏 隋 264-1110- 79
蕭詧梁 見梁宣帝
蕭經明 1241-227- 10
蕭覘宋 529-757- 52
蕭愛明 惲巍妻、蕭祓女
1259-205- 15
蕭察明 554-220- 52
蕭誠唐 812-746- 3
814-273- 10
820-171- 27
蕭禎明 473-155- 56
515-674- 78
554-170- 51
1250-892- 84
1255-778- 77
蕭窩妻 遼 見耶律巴沁
蕭詔梁 265-729- 51
375-352-83上
蕭韶明 545-184- 90
559-288-7上
蕭韶妻 明 見何氏
蕭韶清 559-412-9下
蕭福明(監察御史) 473-112- 54
蕭福明(字九疇) 529-744- 51
蕭漢明 301-455-263
456-429- 2
479-631-245
480-171-266
515-846- 84
533-376- 60
534-854-114
蕭榮明 蔡玭妻 530-125- 57
蕭慥梁 265-731- 51
375-355-83上
蕭綦漢 472-701- 28
477-171-157
538-338- 70
蕭頴明 493-1029- 54
蕭壽明 533-201- 53
1228-573- 3
蕭壽明 蕭以吾女、王伯貞妻

1242-152- 29
蕭榛元 1199-317- 32
蕭搏蕭鵬傳 元 820-528- 38
821-316- 54
蕭碩宋 1167-229- 19
蕭愿後周 278-414-128
蕭誓妻 明 見黃氏
蕭斡遼(字博迪) 289-617- 84
399- 29-419
蕭斡遼(烏哩特部) 400-334-529
蕭遘唐 271-351-179
274-301-101
384-284- 15
396-239-273
473-477- 69
476-126-102
547-189-148
554-643- 60
813-226- 4
820-268- 29
933-251- 18
蕭遠明 821-477- 58
蕭遜遼 400- 59-505
蕭遜明 533-331- 58
蕭暠宋成王 齊 259-368- 35
265-627- 43
375-322- 82
蕭暢衡陽王 梁 260-215- 23
265-731- 51
375-354-83上
蕭鳳齊 259-454- 45
蕭鳳宋 843-672- 下
蕭綜蕭贊、蕭纘、蕭讚、蕭綠覺、豫章王 梁 260-484- 55
261-812- 59
265-757- 53
266-587- 29
375-379-83下
544-207- 62
587- 15- 2
933-250- 18
1387-207- 12
1395-602- 3
蕭綜妻後魏 見壽陽長公主
蕭僖明 1287-760- 9
蕭僴宋 1161-661-130
蕭緒明 676-256- 10
蕭維宋 564- 56- 44

蕭銑唐 269-484- 56
274-150- 87
384-177- 9
395-231-202
蕭魁妻 清 見黎氏
蕭綽遼 遼景宗后、蕭守興女、蕭思溫女 289-556- 71
383-744- 13
393-331- 78
蕭綱梁 見梁簡文帝
蕭綱晉安王 北齊
528- 3- 17
蕭綸邵陵王 梁 260-254- 29
265-761- 53
375-384-83下
486- 39- 2
488-240- 10
532-102- 27
535-555- 20
684-472- 下
814-219- 2
819-566- 19
1394-718- 11
1395-595- 3
1401-237- 22
蕭寬明 472-545- 23
473-152- 56
473-210- 59
515-656- 77
532-589- 41
540-634- 27
571-523- 19
1241-638- 13
蕭廣明 546-682-137
蕭廣女 明 見蕭妙華
蕭憬唐 494-318- 6
蕭諒唐 820-172- 27
蕭審唐 493-739- 41
蕭澄明 821-355- 55
蕭誼唐 485- 72- 11
蕭毅齊 259-388- 38
蕭談北朝 933-251- 18
蕭誕齊 259-432- 42
265-609- 41
蕭慤北齊 263-357- 45
1387-211- 12
1395-603- 3
蕭璁明 見蕭聰

十六畫 蕭

蕭確梁 260-258-29
265-764-53
375-386-83下
814-252-7
819-566-19
蕭璒明 564-206-46
蕭樟明 563-806-41
蕭翟明 518-201-142
1241-164-8
蕭璆明 473-377-65
480-565-284
533-115-50
蕭震清 529-485-43
蕭璉妻 遼 見耶律玖格
蕭敷永陽王 梁 260-215-23
265-731-51
375-354-83上
480-199-267
511-138-142
蕭穀明 528-463-29
蕭履元 1232-681-8
蕭獥明 518-201-142
1242-247-32
蕭寮北周 263-826-142
267-782-93
381-398-193
蕭鄲唐 820-222-28
蕭銶晉熙王 齊 259-370-35
265-632-43
375-327-82
蕭質明(清江人) 515-552-74
蕭質明(字謙明) 820-575-40
1232-248-5
蕭儀明 515-779-81
676-478-18
蕭德遼 289-664-96
399-55-421
蕭盤蕭磐 宋 482-451-362
529-437-43
567-65-65
1467-38-63
蕭磐宋 見蕭盤
蕭緬安陸王、蕭紆 齊
259-457-45
265-604-41
375-302-82
475-118-55
480-286-271
485-69-10
493-678-37
510-322-113
511-137-142
532-100-27
1329-1016-59
1331-530-59
1394-709-11
1399-410-8
1415-152-87
蕭銳南平王 齊 259-370-35
265-631-43
375-326-82
528-9-17
蕭銳妻 269-575-63
蕭銳妻 唐 見襄城公主
蕭鋒江夏王、蕭闍梨 齊
259-370-35
265-630-43
375-325-82
475-219-61
532-100-27
814-218-2
819-564-19
蕭範梁 260-209-22
265-745-52
375-366-83上
蕭諮梁 265-746-52
375-367-83上
475-220-61
511-446-153
蕭憺始興王 梁 260-209-22
265-748-52
375-269-83上
473-296-62
475-219-61
480-238-269
481-15-291
532-559-40
蕭澥宋 1357-913-15
蕭諶齊 259-431-42
265-608-41
375-306-82
蕭諤宋 473-126-55
515-516-73
蕭廩唐 271-246-172
274-299-101
396-118-261
475-222-61
554-134-50
554-460-56
563-637-38
蕭廩明 300-731-227
477-567-177
478-769-215
479-726-250
515-704-79
523-56-148
554-199-52
676-723-30
蕭遵妻 宋 見詹氏
蕭遵明 見蕭用道
蕭機安成王 梁 260-204-22
265-741-52
375-362-83上
486-39-2
蕭融桂陽王 梁 260-215-23
265-731-51
375-354-83上
1415-268-91
蕭穎宋 515-591-75
蕭歷女 唐 見蕭氏
蕭奮漢 476-579-131
蕭翰後晉 278-199-98
蕭翰蕭迪里 遼 289-719-113
383-752-15
401-492-632
蕭璘元 1196-281-16
蕭靜梁 260-207-22
265-744-52
375-365-83上
475-219-61
蕭選明 505-800-74
554-280-53
蕭蕡女 宋 見李氏
蕭默妻 遼 見耶律索克濟
蕭曄武陵王 齊 259-367-35
265-626-43
375-321-82
486-38-2
523-145-153
814-218-2
819-564-19
蕭曄梁 375-371-83上
475-213-60
475-220-61
510-356-114
蕭鄴唐 275-496-182
396-226-272
蕭僖明 見嚴明莊
蕭儒妻 明 見蔣氏
蕭衡妻 唐 見新昌公主
蕭衡女 唐 見蕭氏
蕭渢元 1197-793-84
蕭應梁 375-384-83下
蕭應明 1238-188-16
蕭膺唐 529-715-51
蕭濟陳 260-741-30
265-975-69
378-556-145
479-40-218
510-277-112
523-71-149
933-250-18
蕭濟北周 263-766-42
266-590-29
蕭燧蕭亨兒 宋 287-282-385
398-306-384
448-358-0
448-404-0
472-1026-42
472-1014-41
473-127-55
475-120-55
479-319-232
479-377-234
479-679-248
493-712-39
515-523-73
523-213-156
567-439-86
1147-713-67
1467-150-67
蕭謙明 1256-421-27
蕭聰蕭璁 明 473-153-56
515-668-78
1241-98-5
蕭隱梁 485-492-9
蕭翼唐 682-55-下
682-85-下
820-139-26
1371-49-附
蕭翼明 472-106-4
505-678-69

515-670- 78
蕭勵梁 265-724- 51
375-348-83上
475-220- 61
475-603- 81
479-482-239
481-799-338
511-138-142
515- 79- 59
563-619- 38
蕭駿梁 265-729- 51
375-353-83上
820-102- 24
蕭環宋 515-588- 75
蕭犍明 518-201-142
蕭覬宋 見蕭顗
蕭嶷豫章王 齊 259-248- 22
265-613- 42
375-310- 82
475-218- 61
480-238-269
488-207- 9
488-210- 9
494-334- 7
511-138-142
532-557- 40
1415-154- 87
蕭嶷妻 齊 見庾氏
蕭鎡明 299-668-168
452-180- 3
473-153- 56
515-666- 78
676-488- 19
1241-451- 6
1248-173- 9
1442- 25-附2
1459-619- 24
蕭繇漢 540-666- 27
蕭績南唐王 梁 260-252- 29
265-759- 53
375-382-83下
蕭嬌妻 梁 見羊淑褘
蕭鍵蕭健 明 456-672- 11
蕭顏宋 1167-219- 18
蕭巘遼 505-655- 66
蕭禮明 1254-184- 4
蕭謨明 572- 71- 28
蕭賾齊 見齊武帝
蕭璿唐 556-114- 85
蕭藏隋 見蕭鉅
蕭簡劉宋 258-433- 78
蕭瀜遼 821-273- 52
蕭寵明 473-624- 77
蕭𣂏元 295-529-189
400-572-552
453-777- 2
472-841- 33
478-125-181
554-814- 63
679-260-264
1206-378- 附
1206-660- 附
1214- 64- 5
1214- 92- 8
1293-343- 19
蕭顗唐 545-235- 92
蕭顗蕭覬 宋(字子莊)
460- 21- 1
481-677-331
529-601- 47
蕭顗宋(子景仁) 1167-225- 19
蕭曠明 301-722-280
456-467- 4
蕭鷗明 1266-622- 10
蕭鏘鄱陽王 齊 259-368- 35
265-627- 43
375-322- 82
488-210- 9
蕭贊梁 見蕭綜
蕭贊明 456-672- 11
蕭鵬明 494- 56- 2
554-526-57下
559-298-7上
蕭鏗宜都王 齊 259-370- 35
265-631- 43
375-326- 82
472-347- 15
532-100- 27
蕭繹梁 見梁元帝
蕭寶北周 266-589- 29
933-250- 18
蕭瓌明 1241-517- 9
蕭黨女 清 見蕭氏
蕭勸梁 265-725- 51
375-349-83上
475-220- 61
蕭藻蕭淵藻 梁 260-214- 23
265-738- 51
375-351-83上
475-220- 61
510-369-114
511-445-153
蕭籌明 1287-749- 9
蕭騰妻 明 見陳氏
蕭籍明 558-403- 36
蕭斆齊 265-608- 41
蕭灌唐 1065-843- 21
1341-717-895
蕭夔明 528-453- 29
蕭露妻 明 見李氏
蕭譽河東王 梁 260-487- 55
265-756- 53
375-379-83下
544-213- 62
蕭櫸蕭杞 宋 451- 57- 2
蕭韡宋 528-439- 29
529-559- 46
蕭巋梁 見梁明帝
蕭續廬陵王 梁 260-254- 29
265-760- 53
375-383-83下
486- 39- 2
蕭懿長沙王 梁 260-212- 23
265-726- 51
375-350-83上
475-219- 61
478-242-186
511-445-153
554-108- 50
1415-157- 87
蕭瓘唐 269-576- 63
559-272- 6
蕭歡梁 265-755- 53
375-378-83下
蕭鑑始興王 齊 259-369- 35
265-628- 43
375-323- 82
475-218- 61
481- 15-291
819-564- 19
蕭鑑明 1250-946- 89
蕭儼南唐 473-146- 56
479-712-250
515-568- 75
蕭儼明(莆田人) 529-668- 49
蕭儼明(陝西涇縣人)
545-467-100
蕭儼明(字艮之) 559-401-9上
571-523- 19
676-493- 19
676-745- 31
蕭麟宋 515-602- 76
蕭欒明 1241-110- 5
1386-464- 46
蕭瓚南唐 515-570- 75
蕭顯明(字文明) 474-278- 14
505-807- 74
523-202-155
571-540- 20
572-156- 32
676-512- 20
820-634- 41
1250-926- 87
蕭顯明(字思允) 529-645- 48
蕭巖北周 263-826- 48
267-782- 93
381-398-193
蕭巖明 1238-211- 18
蕭鑠桂陽王 齊 259-369- 35
265-628- 43
375-323- 82
蕭讓元 472-721- 28
537-481- 58
蕭瓛北周～隋 263-826- 48
264-1110- 79
267-783- 93
381-398-193
485-331- 50
493-682- 37
蕭纘梁 見蕭綜
蕭讚梁 見蕭綜
蕭鑾明 482-142-344
564-200- 46
567- 91- 66
1467- 67- 64
蕭鸞齊 見齊明帝
蕭鸞明 569-662- 19
蕭一中明(黃岡人) 473-284- 61
蕭一中明(字執夫) 480-466-279
515-188- 62
蕭丁泰明 533-156- 52
蕭九成明 567-310- 77

1467-197- 69
蕭九卿明 1293-303- 17
蕭九淵父 明 1242-235- 32
蕭九萬明 475-176- 59
510-347-114
515-356- 68
523-155-153
蕭九賢明 516-529-106
蕭乂理梁 265-760- 53
375-383-83下
蕭士行明 1236-107- 6
蕭士彥妻 明 見慕容氏
蕭士美明 533-725- 73
蕭士信明 821-365- 55
蕭士益明 1239-212- 41
蕭士清妻 明 見丁氏
蕭士斌元 516-168- 943
蕭士煥清 480-439-278
蕭士資元 1197-730- 76
蕭士瑋明 515-725- 79
676-652- 27
1442-103-附7
1460-617- 71
蕭士熙清 533-320- 57
蕭士贇元 473-188- 58
479-822-256
蕭子文西陽王 齊
259-417- 40
265-645- 44
375-338- 82
蕭子正明 1236- 75- 5
蕭子安宋 1237-308- 6
蕭子罕南海王 齊
259-417- 40
265-644- 44
375-337- 82
蕭子良竟陵王 齊
259-404- 40
265-636- 44
375-330- 82
475-219- 61
479-222-227
486- 38- 2
488-211- 9
523- 4-146
532-100- 27
814-219- 2
819-565- 19
1329-1027- 60
1331-547- 11
1379-565- 66
1394-547- 7
1399-380- 6
1401- 95- 17
1408-715-555
1415-268- 91
1240-809- 8
蕭子居妻 清 見林氏
蕭子長宋 1113-618- 9
蕭子明西陽王 齊
259-416- 40
265-644- 44
375-337- 82
蕭子岳臨賀王 齊
259-419- 40
265-645- 44
375-338- 82
567- 4- 62
蕭子恪梁 260-300- 35
265-619- 42
375-315- 82
485- 69- 10
493-678- 37
蕭子珉永陽王 齊
259-454- 45
蕭子建湘東王 齊
259-418- 40
265-646- 44
375-339- 82
蕭子貞邵陵王 齊
259-417- 40
265-645- 44
375-338- 82
493-678- 37
蕭子眞建安王 齊
259-416- 40
265-643- 44
375-337- 82
528- 10- 17
蕭子晉齊 259-366- 35
494-282- 3
蕭子夏南郡王 齊
259-418- 40
265-646- 44
375-339- 82
蕭子峻衡陽王 齊
259-418- 40
265-645- 44
375-338- 82
蕭子倫巴陵王 齊
259-417- 40
265-644- 44
375-337- 82
蕭子卿廬陵王 齊
259-411- 40
265-640- 44
375-333- 82
蕭子游齊 259-366- 35
蕭子雲梁 260-304- 35
265-623- 42
375-318- 82
475-220- 61
479-654-247
479-686-248
511-872-170
516-435-103
812- 63- 中
812-227- 8
812-716- 3
813-292- 17
814-252- 7
820- 97- 24
1387-144- 8
1395-596- 3
蕭子雲宋 561-205-38之1
591-632- 46
592-607- 99
蕭子隆齊 259-416- 40
265-643- 44
375-336- 82
蕭子琳南康王 齊
259-418- 40
265-645- 44
375-338- 82
蕭子廉齊 259-258- 22
265-619- 42
375-315- 82
蕭子道元 1242-136- 28
蕭子暉梁 260-306- 35
265-624- 42
1387-145- 8
蕭子敬安陸王 齊
259-414- 40
265-641- 44
375-334- 82
蕭子敬明 1237-267- 5
蕭子範梁 260-302- 35
265-620- 42
375-317- 82
511-765-166
540-723-28之1
1387-173- 8
1395-596- 3
蕭子操齊 259-258- 22
265-620- 42
375-316- 82
493-678- 37
蕭子懋晉安王 齊
259-414- 40
265-642- 44
375-335- 82
475-219- 61
528- 3- 17
蕭子鵬明 515-548- 74
676-506- 19
1442- 30-附2
1459-688- 27
蕭子寶隋 263-766- 42
蕭子響齊 259-412- 40
265-640- 44
375-333- 82
蕭子顯梁 260-303- 35
265-621- 42
375-318- 82
475-220- 61
494-284- 3
511-766-166
540-723-28之1
1387-144- 8
1395-596- 3
1399-579- 14
1401-314- 26
蕭于京明 821-365- 55
蕭于喬蕭予喬 明
821-365- 55
1237-421- 16
1242-364- 36
蕭兀納遼 見蕭烏納
蕭弓手唐 533-785- 75
蕭大心尋陽王、潯陽王 梁
260-362- 44
265-772- 54

375-392-83下
蕭大臣妻 清 見王氏
蕭大同梁 1414-584-82下
蕭大亨明 540-813-28之3
545-151-88
蕭大成桂陽王 梁
265-774-54
375-394-83下
蕭大成明 456-572-8
477-525-175
蕭大昕義安王 梁
260-365-44
265-775-54
375-394-83下
蕭大威武寧王 梁
260-365-44
265-774-54
375-394-83下
488-253-10
蕭大封汝南王 梁
265-774-54
375-394-83下
535-555-20
蕭大春安陸王 梁
260-364-44
265-774-54
375-393-83下
486-40-2
493-681-37
蕭大訓梁 265-774-54
375-394-83下
蕭大球建中王 梁
260-365-44
265-744-54
375-394-83下
蕭大連梁 260-364-44
265-733-54
375-393-83下
486-39-2
812-333-7
蕭大莊新興王 梁
260-364-44
265-744-54
375-394-83下
544-213-62
蕭大雅梁 260-364-44
265-774-54
375-394-83下
蕭大款臨川王 梁
265-773-54
375-393-83下
蕭大鈞西陽王 梁
260-365-44
265-774-54
375-394-83下
488-253-10
蕭大賓明 533-213-53
蕭大摯綏建王 梁
260-365-44
265-775-54
375-395-83下
蕭大德宋 1186-552-7
蕭大圜樂良王 梁
263-767-42
265-775-54
266-590-29
375-395-83下
384-131-7
554-883-64
933-250-18
1394-798-12
蕭大器梁 260-106-8
265-772-54
370-556-18
375-391-83下
蕭大臨南海王 梁
260-363-44
265-773-54
375-393-83下
485-70-10
493-681-37
蕭上達明 515-250-64
蕭方矩蕭元良 梁260-106-8
265-776-54
370-557-18
375-397-83下
蕭方略始安王 梁
265-777-54
375-397-83下
567-4-62
蕭方等梁 260-365-44
265-775-54
375-396-83下
812-333-7
蕭方智梁 見梁敬帝
蕭方諸梁 260-366-44
265-776-54
375-397-83下
蕭文明明 515-553-74
蕭文美妻 清 見陳氏
蕭文南清 529-705-50
蕭文孫元 510-445-117
515-621-76
蕭文起妻 清 見王氏
蕭文清明 474-237-12
505-658-68
515-706-79
蕭文超清 534-641-103
蕭文隆女 明 見蕭氏
蕭文琰梁 265-844-59
475-219-61
511-765-166
蕭文壽劉宋 劉翹妻、蕭卓女
258-7-41
265-190-11
蕭文輝明 1240-747-7
蕭之芬妻 明 見伍氏
蕭之美宋 1167-219-18
蕭之美妻 宋 見黃德方
蕭之敏宋 516-96-91
528-522-31
1145-628-78
1147-364-33
蕭不敏明 515-660-77
蕭不敏妻 明 見周氏
蕭太虛宋 821-260-52
蕭元永元 1226-684-2
蕭元良梁 見蕭方矩
蕭元岡明 482-279-351
563-841-41
蕭元岡明 見蕭元綱
蕭元春妻 明 見李氏
蕭元皎唐 820-178-27
蕭元瑞妻 清 見林氏
蕭元綱蕭元岡 明
479-378-234
523-220-156
蕭元簡衡陽王 梁
260-215-23
486-39-2
523-146-153
蕭扎拉蕭札拉 遼
289-701-106
400-333-529
503-2-89
蕭匹勒女 遼 見蕭織察
蕭予喬明 見蕭于喬
蕭引之明 1237-322-6
1237-359-9
蕭孔沖五代 460-1091-5
527-583-15
蕭孔資明 1261-101-7
蕭巴拉蕭把拉 遼
289-633-88
399-40-420
蕭巴爾遼 289-665-96
399-55-421
蕭天任宋 518-780-161
蕭天祐明 1236-778-12
1410-215-688
1458-563-456
蕭友楠妻 明 見史氏
蕭友轔清 456-352-77
蕭尺木明 見蕭從雲
蕭日高明 456-586-8
482-434-361
567-370-81
蕭日賓明 820-612-41
蕭中素蕭詩 清 511-839-168
蕭公伯明 516-516-106
821-408-56
蕭公望明 1238-108-9
蕭公餉宋 1113-230-23
蕭仁傑宋 1178-66-7
蕭仁實明 1237-256-5
蕭仁壽明 1239-141-36
蕭月潭元 821-331-54
蕭化基宋 1105-803-96
蕭允初梁 260-348-41
蕭玄度齊 見齊明帝
蕭玄輔明 1237-407-14
蕭立夫元 1197-733-76
蕭立南唐 1072-262-13
1339-630-701
蕭立等宋 516-166-94
蕭立業明 480-52-259
532-619-43
571-548-20
蕭立敬明 1241-702-16
蕭必明明 1227-131-15
蕭必強宋 524-234-189
蕭必塔蕭昌裔 遼

289-634- 88
399- 40-420
蕭必魯女 遼 見蕭織察
蕭必簡宋 1167-222- 18
蕭永芃清 481- 72-293
559-328-7下
蕭永秀明 473-186- 58
蕭永泰明 473-644- 78
529-630- 48
蕭永祺蕭富里、蕭薄烈 金
291-705-125
400-688-565
820-479- 36
蕭玉振妻 明 見張氏
蕭玉藻清 505-903- 80
蕭弘略宋 556-722- 98
蕭弘魯明 528-497- 30
563-836- 41
蕭正仁梁 260-202- 22
265-734- 51
375-375-83上
494-284- 3
蕭正立梁 265-737- 51
375-360-83上
蕭正表後魏 261-813- 59
265-737- 51
266-588- 29
375-360-83上
933-250- 18
蕭正則梁 265-737- 51
375-359-83上
蕭正信梁 265-737- 51
375-360-83上
蕭正義梁 265-734- 51
375-357-83上
蕭正德臨賀王 梁
260-487- 55
265-735- 51
375-358-83上
488-241- 10
493-680- 37
567- 4- 62
蕭丕拉妻 遼 見耶律燕格
蕭平仲隋 1341-345-843
1400-390- 8
蕭布固晉王 遼 544-236- 63
蕭布達遼 289-647- 92
399- 50-421
蕭世京宋 515-579- 75
563-657- 39
蕭世怡北周 263-766- 42
蕭世昌元 1196-293- 17
1211-371- 52
蕭世廉陳 260-753- 31
265-953- 67
378-522-144
933-250- 18
蕭世榮妻 明 見胡氏
蕭世賢明 479- 93-221
511-254-146
523-104-150
1268-274- 44
蕭世範宋 515-579- 75
563-678- 39
蕭札拉遼 見蕭扎拉
蕭可才妻 明 見張氏
蕭以吾女 明 見蕭壽
蕭以裕明 480-243-269
483-171-383
515-559- 74
532-672- 44
569-666- 19
蕭以德明 821-365- 55
蕭以德妻 明 見郭氏
蕭申叟元 1204-310- 10
蕭申祿元 1195- 83- 6
蕭令臣唐 820-154- 26
蕭用道蕭遵 明 299-298-137
515-649- 77
567- 87- 66
1238-180- 15
1242-308- 34
1313-199- 16
1467- 61- 64
蕭用道子 明 1242- 11- 24
蕭守中金 820-484- 36
蕭守中明 1482- 90- 342
564-180- 46
蕭守身明 537-483- 58
蕭守興蕭烏爾古 遼
383-753- 15
蕭守與女 遼 見蕭綽
蕭安中宋 1226-684- 2
蕭安札蕭纙古 遼
383-753- 15
蕭汝士宋 515-574- 75
蕭汝六妻 明 見陳氏
蕭汝芳明 554-293- 53
蕭汝為宋 515-576- 75
1119-325- 31
蕭汝諧宋 515-574- 75
蕭有貞妻 清 見趙氏
蕭至忠唐 270-118- 92
274-552-123
384-186- 10
395-445-221
472-456- 20
476- 77-100
545-171- 89
933-252- 18
蕭托果遼 289-617- 84
399- 29-419
蕭托和女 遼 見蕭訥木錦
蕭托哩蕭塔喇 遼 遼興宗后、蕭孝穆女 289-558- 71
383-747- 13
393-332- 78
蕭托雲遼 289-652- 93
400- 64-505
蕭托雲妻 遼 見耶律賽格
蕭托輝遼 289-642- 90
399- 52-421
蕭同善元 515-148- 61
515-624- 76
蕭光甫明 1255-304- 36
蕭多卜妻 遼 見耶律伊木沁
蕭自成蕭從吾 明
518-201-142
1232-206- 2
蕭自敏女 明 見蕭氏
蕭自誠明 1238-530- 13
蕭企昭清 533-161- 52
蕭如松明 559-404-9上
蕭如春妻 元 見王氏
蕭如愚元 1204-324- 11
蕭口潛明 1241-897- 23
蕭如龍明 456-596- 9
蕭如薫明 301- 67-239
478-170-182
478-596-204
554-606- 59
558-221- 32
蕭如薫妻 明 見楊氏
蕭仲宣蕭伊里布 金
291-202- 82
401-311-610
476-150-104
476-277-111
545-215- 91
545-323- 95
蕭仲恭蕭珠嚕準 金
291-201- 82
401-310-610
蕭仲清明 1241-447- 6
蕭仲堅元 1194-590- 6
蕭仲謙女 明 見蕭繼柔
蕭仲齡明 1242-300- 34
蕭仲齡妻 明 見張玉
蕭色色蕭色哩 遼 遼天祚帝妃、蕭房女 289-559- 71
383-748- 13
393-333- 78
蕭色遼 見蕭色色
蕭行美不詳 473-237- 60
蕭行遠妻 明 見孫氏
蕭伊實蕭伊蘇 遼
289-684-101
399- 66-422
蕭伊遜遼 見蕭意辛
蕭伊蘇遼 見蕭伊實
蕭宏鄺妻 清 見李氏
蕭罕扎遼 289-648- 92
399- 52-421
蕭罕都蕭痕篤 遼
289-573- 74
399- 5-417
蕭亨兒宋 見蕭燧
蕭宋珍妻 宋 見林玉融
蕭沃聶妻 遼 見耶律巴沁
蕭良有明 480- 91-262
533- 25- 47
679-375-205
蕭良童唐 820-213- 28
蕭良幹明 457-409- 25
475-610- 81
511-310-148
蕭良譽明 510-439-116
528-463- 29
533- 26- 47
1457-517-389
蕭赤斧齊 259-389- 38

265-605- 41
370-519- 16
375-303- 82
472-960- 38
479- 40-218
480-286-271
511-137-142
523- 71-149
蕭志仁元 515-619- 76
蕭志沖王志沖 金
1190-492- 42
蕭志祥明 1241-442- 6
蕭吾幼明 1237-341- 7
1239-128- 35
蕭孝友蕭辰瑠、豐國王 遼
289-629- 87
400- 63-505
544-236- 63
蕭孝先晉王 遼 289-628- 87
401-496-632
544-236- 63
蕭孝先妻 遼 見耶律楚巴
蕭孝忠遼 289-605- 81
400- 62-505
蕭孝忠妻 遼 見耶律舒古
蕭孝穆齊王、蕭辰陸 遼
289-627- 87
383-753- 15
400- 61-505
472-623- 25
474-732- 40
502-259- 54
544-236- 63
蕭孝穆女 遼 見蕭托哩
蕭孝孺宋 見蕭南式
蕭孝儼梁 260-213- 23
265-728- 51
375-351-83上
475-220- 61
511-766-166
蕭孛菫女 遼 見蕭額勒本
蕭君弼元 見蕭家古岱
蕭克有妻 元 見周氏
蕭克良明 515-554- 74
蕭克初妻 明 見胡淑貞
蕭克昌清 481-746-334
蕭克翁元 473-129- 55
515-539- 74
蕭把拉遼 見蕭巴拉
蕭辰陸遼 見蕭孝穆
蕭辰瑠遼 見蕭孝友
蕭貝勒女 遼 見蕭額勒本
蕭見理梁 265-737- 51
375-359-83上
蕭伯辰蕭正 明 474-635- 33
505-702- 70
515-541- 74
571-540- 20
1240-715- 7
1240-765- 8
1240-802- 8
1240-831- 9
1241-764- 18
蕭伯政女 明 見蕭氏
蕭伯剛明 472-842- 33
545- 68- 85
蕭伯淵明 1240-793- 8
蕭伯游永陽王 梁
260-215- 23
486- 39- 2
蕭伯儀宋 528-504- 31
蕭伯鯤明 568-157-103
蕭希甫後唐 277-580- 71
279-180- 28
384-303- 16
396-373-285
933-252- 18
蕭希曾明 1241-388- 4
蕭秀清明 蕭能女
482-188-346
蕭秀蘭明 蕭時滔女
1287-754- 9
蕭妙華明 羅玥妻、蕭廣女
1287-557- 25
蕭廷宣明 481-612-329
528-496- 30
蕭廷美妻 明 見蕭錦娘
蕭廷傑明 554-253- 52
蕭廷達明 473-235- 60
532-648- 43
蕭廷滿明 533-413- 62
蕭廷對明 515-721- 79
569-662- 19
蕭廷選明 480-171-266
蕭宗大元 1199-262- 28
蕭宗甫宋 1137- 43- 5
蕭宗禹妻 明 見龔氏
蕭宗保清 456-352- 77
蕭宗魯明 1241-714- 16
蕭宗顏宋 484-386- 28
蕭法身齊 見蕭昭業
蕭怡昺明 529-480- 43
蕭效用明或清 480- 94-262
533-488- 64
蕭定所妻 清 見張氏
蕭定所妻 清 見曾氏
蕭定基宋(知黎州) 471-979- 56
473-551- 73
559-302-7上
蕭定基宋(字守一) 473-146- 56
515-573- 75
567- 52- 65
1105-738- 89
1147-512- 48
1236-759- 11
蕭炎亨元 1199-316- 32
蕭其坤蕭晚 明 1287-574- 26
蕭其訓女 明 見蕭氏
蕭其陶女 明 見蕭重闕
蕭坦之齊 259-433- 42
265-609- 41
370-521- 16
375-308- 82
488-216- 9
蕭坷褒妻 元 見曾氏
蕭居壽李居壽 元
295-652-202
401-127-585
1200-630- 47
蕭孟景明 678-192- 88
1273-742- 10
1454-212-106
蕭奉先遼 289-685-102
383-763- 19
400- 66-505
蕭奇烈妻 明 見林氏
蕭奇照妻 明 見林氏
蕭奇勳明 515-224- 63
蕭抱珍金 295-652-202
蕭阿拉蕭阿剌 遼
289-641- 90
400- 63-505
474-688- 37
502-260- 54
蕭阿剌遼 見蕭阿拉
蕭長夫宋 460-283- 17
1174-414- 27
蕭長懋齊 259-244- 21
265-634- 44
375-327- 82
488-207- 9
蕭長懋妻 齊 見王寶明
蕭來鳳明(商城人) 456-663- 11
蕭來鳳明(字舜儀) 460-793- 84
蕭來鳳妻 明 見倪氏
蕭來鳳妻 明 見黃氏
蕭來鸞清(南昌人) 480-582-285
蕭來鸞清(號青令) 481-645-330
515-728- 79
528-518- 31
蕭東鑑妻 明 見劉氏
蕭承之齊 259- 13- 1
265- 71- 4
554-228- 52
蕭承之妻 齊 見陳道止
蕭承命明 515-556- 74
蕭馭運明 456-679- 11
蕭尚之梁 260-217- 24
265-723- 51
蕭明哲宋 288-385-454
400-197-515
451-232- 0
479-716-250
515-607- 76
564-826- 60
蕭明基齊 見蕭寶義
蕭明賢齊 見蕭寶卷
蕭昌裔遼 見蕭必塔
蕭固善女 明 見蕭幼
蕭卓泌遼 耶律耨里思妻
289-555- 71
蕭昇孫元 1204-235- 5
蕭呼敦遼 399- 66-422
蕭呼蘇妻 遼 見耶律巴沁
蕭芝忠不詳 879-184-58下
蕭果巴遼 399- 55-421
蕭果濟妻 遼 見耶律實格
蕭叔明明 1241-138-28
蕭叔獻宋 1098-212-27
蕭和克遼 289-677- 99
400-203-516
蕭和卓遼 289-606- 81

399- 35-419
蕭和斯遼 389-594- 78
399- 19-418
蕭和鼎明 1241-466- 7
蕭和節宋 1226-683- 2
蕭知璠女 遼 見蕭皇后
蕭命官明 515-719- 79
蕭所耕明 1241- 39- 2
蕭近高明 301-108-242
479-727-250
515-717- 79
蕭延思遼 383-752- 15
蕭延思女 遼 見蕭溫
蕭延慶唐 820-242- 28
蕭洞然妻 明 見牛氏
蕭恆德遼 289-634- 88
400- 61-505
蕭恆德妻 遼 見即律延壽女
蕭奕輔明 523- 60-148
528-555- 32
564-155- 45
蕭頁嚕遼 見蕭雅魯
蕭南式蕭孝孺 宋448-397- 0
蕭建世漢 1412-126- 5
蕭建功宋 473-127- 55
515-522- 73
蕭癸發元 1197-663- 68
蕭思柔明 1239-167- 38
蕭思溫遼 289-594- 78
蕭思溫女 遼 見蕭綽
蕭思話劉宋 258-428- 78
265-291- 18
370-481- 14
378- 44-132
384-110- 6
472-256- 10
472-864- 34
374-209- 59
475-218- 61
478-242-186
488-179- 8
511-390-151
554-107- 50
812- 69- 下
812-233- 9
812-722- 3
813-220- 3
814-246- 6
820- 86- 24
839- 42- 4
933-249- 18
蕭思話女 劉宋 見蕭氏
蕭思敬明 1241-596- 12
蕭思敬女 明 見蕭氏
蕭哈里遼 289-594- 78
400- 59-505
蕭哈里妻 遼 見耶律伊木沁
蕭省身明 299-584-161
473-152- 56
479-720-250
515-657- 77
537-211- 54
蕭星拱清 483- 65-375
蕭昭文海陵王 齊259- 55- 5
262-421- 98
265- 94- 5
384-114- 6
485-347- 1
589-185- 上
蕭昭文后 齊 見王韶明
蕭昭秀巴陵王 齊
259-491- 50
265-646- 44
375-339- 82
蕭昭胄齊 259-411- 40
265-639- 44
375-332- 82
蕭昭粲桂易王 齊
259-492- 50
265-646- 44
375-339- 82
蕭昭業蕭法身、鬱林王 齊
259- 51- 4
262-419- 98
565- 91- 5
370-501- 15
372-564- 12
284-114- 6
589-185- 上
814-211- 1
819-564- 19
1399-156- 7
蕭昭茉妃 齊 見何婧英
蕭則善明 1241-719- 16
蕭迪里遼(字尼嚕古)
289-632- 88
399- 39-420
蕭迪里遼(字國寧) 289-658- 95
399- 51-421
蕭迪里遼 見蕭翰
蕭禹臣明 533-254- 55
蕭重望明 483-321-396
572- 81- 28
蕭重熙明 460-819- 90
蕭重熾妻 清 見姜氏
蕭重闕明 楊紹祖妻、蕭其陶女 1287-751- 9
蕭皇后隋 隋煬帝后、梁明帝女 264-677- 36
266-302- 14
373-118- 20
蕭皇后唐 唐穆宗后
269-441- 52
374- 25- 77
393-269- 72
蕭皇后遼 遼穆宗后、蕭知璠女 289-556- 71
383-744- 13
393-331- 78
蕭拜住元 見蕭拜珠
蕭拜珠蕭拜住 元
295-420-179
399-715-491
474-651- 34
502-713- 83
蕭海中金 見蕭懷忠
蕭唐卿妻 宋 見彭氏
蕭神努妻 遼 見耶律碩格
蕭家芝清 477-256-161
537-486- 58
蕭泰登元 515-622- 76
567- 77- 65
1202-225- 16
1203-455- 34
1226-684- 2
1367-669- 51
1439-425- 1
蕭素颯蕭蘇色 遼
289-659- 95
399- 54-421
蕭原吉明 515-842- 84
蕭原豫明 見蕭與恭
蕭貢才妻 明 見顏鍠
蕭起元清 475-216- 60
510-367-114
523- 63-149
蕭致中明 554-345- 54
蕭珠展晉王 遼 289-645- 91
399- 49-421
544-236- 63
蕭昕素梁 260-450- 52
265-294- 18
378-418-141
475-220- 61
511-839-168
933-249- 18
蕭時中蕭可 明(字時中)
473-152- 56
515-660- 77
蕭時中明(號斗陽) 515-224- 63
蕭時中妻 明 見劉冬
蕭時玉妻 明 見梁文英
蕭時亨不詳 567-455- 87
蕭時芳明 572- 80- 28
蕭時滔女 明 見秀蘭
蕭時顯明 456-549- 7
483- 97-378
569-681- 19
蕭烏延女 遼 見蕭菩薩格
蕭烏頁遼 289-648- 92
399- 51-421
蕭烏納蕭兀納 遼
289-671- 98
399- 68-422
502-261- 54
蕭特烈遼 289-725-114
蕭特默遼 289-626- 86
399- 41-420
蕭特默妻 遼 見耶律特哩
蕭恕翁女 明 見蕭氏
蕭師文妻 明 見張氏
蕭望之漢 250-699- 78
376-381-102上
384- 50- 2
459-188- 12
469-191- 22
472-518- 22
472-550- 23
472-828- 33
476-515-127

476-580-131
478- 84-180
491-795- 6
525- 13-217
540-695-28之1
554-381- 55
675-579- 11
933-248- 18
蕭惟明唐 1342-404-956
蕭惟信遼 289-664- 96
399- 55-421
蕭惟清宋 1147-431- 40
蕭惟豫清 540-857-28之4
1325-297- 0
蕭惟學妻 明 見袁氏
蕭淵藻梁 見蕭藻
蕭淨興金 505-938- 85
蕭訛里遼 見蕭霑勒本
蕭祥嘉元 1208-277- 13
蕭深藻梁 475-270- 63
蕭康泰明 1239-232- 42
1238-491- 10
蕭痕篤遼 見蕭罕都
蕭被遠妻 明 見劉氏
蕭排押遼 見蕭巴雅爾
蕭乾元明 300- 83-188
515-686- 78
528-529- 31
蕭都哩妻 遼 見耶律和克坦
蕭通理梁 265-760- 53
375-383-83下
蕭崇之梁 260-217- 24
265-723- 51
479-317-232
523-182-155
蕭崇業明 483- 34-371
570-112-21之1
蕭崇勳元 1220-527- 8
蕭國梁宋 471-648- 10
473-572- 74
蕭國寶元 1439-426- 1
1468-208- 11
蕭常格遼 289-610- 82
蕭常格女 遼 見蕭實古
蕭莘夫妻 明 見曾掌珠
蕭得周元 821-331- 54
蕭逢辰宋 479-715-250
1226-683- 2
蕭逢泰妻 清 見石氏
蕭從吾明 見蕭自成
蕭從道元 1210-228- 3
蕭富里金 見蕭永祺
蕭善感宋 見蕭肅
蕭善齋元 820-549- 39
蕭雲山明 572-163- 32
蕭雲高明 1240-882- 10
蕭雲從蕭尺木 明
475-672- 84
511-818-167
512-774-196
蕭雲龍明 1237-412- 16
蕭雲舉明(字允升) 482-486-364
567-416- 84
1467-250- 71
蕭雲舉明(南昌人) 563-820- 41
蕭雲舉明(建昌人)
1241-545- 10
蕭雲舉女 明 見蕭氏
蕭惠休齊 259-467- 46
265-295- 18
378-264-138
494-284- 3
933-249- 18
蕭惠明劉宋 258-432- 78
265-294- 18
378- 47-132
494-280- 3
933-249- 18
蕭惠朗齊 259-467- 46
378-264-138
蕭惠基齊 259-466- 46
265-295- 18
378-263-138
475-219- 61
511-137-142
814-250- 6
820- 93- 24
933-249- 18
蕭惠開蕭開、蕭慧開
258-542- 87
265-292- 18
370-486- 14
378- 45-137
469-192- 22
475-218- 61
933-249- 18
蕭博勒女 遼 見蕭額勒本
蕭博諾遼 289-629- 87
399- 41-420
蕭雅魯蕭頁嚕 遼
289-651- 93
399- 51-421
蕭朝賞明 1287-473- 26
蕭超業後魏 見蕭彥
蕭閏莊明 有直妻、蕭傑女
1287-757- 9
蕭揚珠金 見蕭裕
蕭楊祿妻 遼 見耶律陶格
蕭陽阿遼 見蕭揚阿克
蕭貴孫元 1195-166- 2
蕭貴格遼 遼天祚帝元妃
289-559- 71
393-333- 78
蕭景先蕭道先 齊
259-387- 38
265-604- 41
375-303- 82
488-209- 9
蕭景茂蕭景懋 元
295-567-193
400-249-520
473-655- 78
481-615-329
529-674- 49
蕭景訓明 532-671- 44
蕭景時明 570-158-21之2
蕭景腆明 475-122- 55
481-587-328
510-338-113
529-545- 45
蕭景鳳元 472-775- 30
538-107- 64
蕭景憲劉宋 594-249- 11
蕭景懋元 見蕭景茂
蕭貽朔明 564-202- 46
蕭貽孫元 1195- 71- 6
蕭華善遼 289-626- 86
399- 41-420
蕭順之梁 265-109- 6
493-678- 37
蕭順之妻 梁 見張尚柔
蕭舜行女 清 見蕭氏
蕭舒嚕女 遼 見蕭溫
蕭象烈明 515-715- 79
571-524- 19
蕭源之劉宋 475-218- 61
蕭意章遼 耶律奴妻、耶律努妻、蕭托斯和女 289-704-107
401-166-591
503- 23- 93
蕭裔介妻 清 見侯氏
蕭煥有元 518-241-143
蕭道生始安王 齊
259-454- 45
265-601- 41
370-526- 16
375-300- 82
567- 4- 62
蕭道先齊 見蕭景先
蕭道成齊 見齊高帝
蕭道甫妻 元 見羅氏
蕭道拉遼 289-647- 92
399- 62-422
蕭道度衡陽王 齊
259-453- 45
265-600- 41
370-526- 16
375-299- 82
蕭道輔金 1200-498- 39
蕭道熙韓道熙 金
1200-623- 47
蕭道壽元 295-599-197
400-309-526
472-841- 33
478-125-181
554-756- 62
蕭道賜劉宋 265-723- 51
蕭塔拉遼 401-500-632
蕭塔拉女 遼 見蕭伊木沁
蕭塔斯遼 遼道宗惠妃
289-558- 71
393-332- 78
蕭塔喇遼 見蕭托哩
蕭極初元 516-168- 94
蕭雷龍宋 288-382-454
400-195-515
473-100- 53
479-629-245
515-828- 83
蕭聖觀元 1237-656- 10
242-136- 28

蕭酬斡遼 見蕭綽哈
蕭瑞蛟妻 明 見沈氏
蕭達林遼 289-619- 85
399- 29-419
蕭達魯遼(字達年) 289-569- 73
400- 58-505
蕭達魯蕭敵魯 遼(太和宮分人)
503- 14- 91
蕭萬奇清 480-665-290
533-402- 61
563-894- 42
蕭萬斛明 523-134-152
蕭萬選女 清 見蕭氏
蕭嗣立明 564-125- 45
蕭嗣業唐 269-576- 63
274-295-101
蕭圓正梁 265-767- 53
374-388-83下
蕭圓肅北周 263-767- 42
266-590- 29
375-388- 83
478- 86-180
933-250- 18
蕭圓照梁 265-767- 53
375-388-83下
蕭敬中明 559-308-72上
蕭頌聖明 456-580- 8
480-129-264
533-269- 60
蕭會理梁 265-759- 53
375-382-83下
蕭綏蘭遼 耶律中妻
289-704-107
401-167-591
474-777- 42
502-697- 82
503- 23- 93
蕭實古遼 遼天祚帝德妃、蕭常格女 289-559- 71
393-333- 78
蕭實沙遼 見蕭錫沙
蕭實袞妻 遼 見耶律魯爾古
蕭實喇妻 遼 見耶律觀音
蕭實魯女 遼 見蕭溫
蕭實嚕妻 遼 見耶律質古
蕭福可明 1232-647- 7
蕭齊審妻 清 見劉氏

蕭端仁元 1242-165- 29
蕭端升明 563-840- 41
蕭端岳明 820-751- 44
蕭端蒙明 564-283- 47
676-576- 23
蕭漢中元 453-787- 3
蕭漢傑敖拉漢傑 金
1191-118- 10
蕭榮先妻 清 見田氏
蕭輔道元 295-652-202
401-126-585
蕭與恭蕭原豫 明
1232-658- 7
1241-359- 3
蕭熙載清 476-371-117
547-107-145
蕭嘉迪妻 明 見廖氏
蕭嘉祐明 473-768- 84
567- 89- 66
1467- 64- 64
蕭嘉聞妻 明 見羅氏
蕭翠鬟明 鄭日新妻
530- 71- 55
蕭蒲烈金 見蕭永祺
蕭夢得元 1224-323- 24
蕭鳴申明 524-108-150
蕭鳴邦明 515-554- 74
蕭鳴盛明 529-619- 47
676-175- 7
蕭鳴鳳明 300-419-208
475- 20- 49
479-241-227
523-600-176
676-545- 22
1458-387-444
蕭鳴霄明 480- 93-262
533-473- 64
蕭鳳來明 511-459-154
蕭僧珍劉宋 472-307- 13
510-381-115
蕭維芹妻 明 見朱氏
蕭維禎明 473-153- 56
515-668- 78
蕭綽哈蕭酬斡 遼
289-680-100
399- 64-422
502-697- 82
蕭綽納蕭綽諾 295-420-179
399-715-491
蕭綽鄂妻 遼 見耶律特哩
蕭綽諾元 見蕭綽納
蕭遙光始安王 齊
259-455- 45
265-602- 41
375-300- 82
488-214- 9
488-271- 9
蕭遙昌齊 259-456- 45
蕭遙欣齊 259-456- 45
265-603- 41
375-302- 82
1415-271- 91
蕭摩訶陳 260-750- 31
265-951- 67
370-597- 20
378-519-144
472-257- 10
473-111- 54
475-221- 61
511-391-151
515-165- 62
933-250- 18
蕭澂濟妻 明 見劉氏
蕭毅中明 533- 80- 49
蕭敵魯遼 見蕭達魯
蕭適用宋 517-337-124
蕭慶眞宋 1125-339- 24
蕭慧開劉宋 見蕭惠開
蕭頴胄齊 見蕭穎胄
蕭摹之劉宋 510-308-113
蕭德言唐 271-539-189上
276- 11-198
384-182- 10
400-586-554
475-221- 61
511-766-166
540-736-28之2
554-808- 63
933-252- 18
蕭德孫元 1197-758- 79
蕭德晉女 明 見蕭氏
蕭德藻宋 494-342- 7
524-312-194
529-716- 51
674-848- 18
1318- 60- 36

蕭稷臣宋 484-387- 28
蕭緣覺梁 見蕭綜
蕭龍光妻 清 見雷氏
蕭龍兒齊 見齊武帝
蕭穎士唐 271-596-190下
276- 78-202
384-207- 11
400-605-555
471-604- 3
475- 78- 53
475-221- 61
476-866-145
477-421-169
541-111- 31
674-250-4上
674-802- 16
820-169- 27
933-252- 18
1072-356- 1
1072-373- 1
1339-627-701
1371- 60- 附
1387-678- 46
1405-656-303
1472-316- 18
蕭穎胄蕭頴胄 齊
259-389- 38
260-114- 10
265-605- 41
370-519- 16
375-304- 82
479-376-234
485-489- 9
510-422-116
523-210-156
蕭穎達梁 260-114- 10
265-607- 41
370-558- 18
375-306- 82
蕭闍梨齊 見蕭鋒
蕭靜之唐 541- 89- 30
蕭興宗女 唐 見蕭氏
蕭興相妻 清 見毛氏
蕭噶拉女 遼 見蕭多囉羅
蕭暹之明 1237-230- 4
蕭叡明齊 259-544- 55
265-1040- 73
380- 98-167

475-219- 61
511-550-158
933-250- 18
蕭積善妻 元 見何氏
蕭學儀明 563-819- 41
蕭衡良妻 明 見黄氏
蕭錫莎蕭實沙 遼
289-711-110
401-372-618
蕭應正妻 清 見林氏
蕭應宮明 511-389-151
554-216- 52
蕭應鳳妻 明 見馮氏
蕭懋烈明 456-605- 9
481-724-333
529-637- 48
蕭懋廣妻 明 見劉氏
蕭膽鳳明 676-323- 12
蕭徽聲清 529-707- 50
蕭繅古遼 見蕭安札
蕭繅古遼 見蕭安札
蕭繅古妻 遼 見耶律長壽
蕭霑里遼 見蕭額勒本
蕭燾夫宋 288-383-454
400-196-515
451-232- 0
479-715-250
515-607- 76
蕭彝翁蕭生 元 479-716-250
515-623- 76
517-554-129
1218-531- 10
蕭薩巴齊王 遼 289-628- 87
400- 63-505
蕭薩巴妻 遼 見耶律巴沁
蕭薩滿遼 289-647- 92
399- 62-422
蕭雙古妻 遼 見耶律達年
蕭織察遼 遼興宗妃、蕭匹勒女、蕭必魯女 289-558- 71
393-332- 78
蕭懷忠蕭海呼 金
291-301- 91
399-181-432
蕭懷素唐 820-153- 26
蕭鵬漢明 1242-826- 9
蕭鵬搏元 見蕭博
蕭鵬舉蕭翀 明 493-729- 40
515-645- 77
517-538-129
817-539-129
518-201-142
540-616- 27
1232-206- 2
1237-309- 6
1237-370- 11
1237-415- 16
1238-195-176
1241- 72- 4
1241-110- 5
1442- 10-附1
1459-450- 14
蕭寶玄江夏王 齊
259-492- 50
265-646- 44
375-340- 82
蕭寶攸邵陵王、蕭寶修 齊
259-494- 50
265-647- 44
375-345- 82
528- 9- 17
蕭寶卷東昏侯、蕭明賢 齊
259- 66- 7
262-422- 98
265- 99- 5
384-114- 6
589-185- 上
蕭寶卷后 齊 見褚令璩
蕭寶貞桂陽王 齊259-494- 50
265-647- 44
375-345- 82
蕭寶晊齊 259-458- 45
蕭寶修齊 見蕭寶攸
蕭寶寅齊 見蕭寶夤
蕭寶源廬陵王 齊
259-493- 50
265-647- 44
375-340- 82
蕭寶義巴陵王、晉安王、蕭明基 齊 259-492- 50
265-646- 44
375-339- 82
488-215- 9
488-218- 9
528- 3- 17
567- 4- 62
蕭寶嵩晉熙王 齊
259-494- 50
265-647- 44
375-345- 82
蕭寶夤鄱陽王、蕭寶寅 齊
259-493- 50
261-804- 59
265-647- 44
266-582- 29
375-340- 82
384-131- 7
528- 3- 17
蕭寶融齊 見齊和帝
蕭蘇色蕭蘇克薩、蘭陵王 遼
289-676- 99
400-203-516
545-264- 93
蕭蘇色遼 見蕭素颯
蕭繼上清 564-303- 48
蕭繼元明 480-137-264
533-424- 62
蕭繼先遼 289-595- 78
400- 60-505
蕭繼先妻 遼 見耶律觀音女
蕭繼芃明 533-424- 62
蕭繼柔明 郭彥常妻、蕭仲謙女 1238-622- 19
蕭繼寵妻 明 見謝氏
蕭露茂明 456-682- 11
蕭露豐明 456-682- 11
480-466-279
蕭蘭徵明 史鑑妻、蕭宗女
1259-859- 8
蕭體元明 505-677- 69
蕭體仁妻 明 見張氏
蕭巖孫元 1199-314- 32
蕭巖壽遼 289-675- 99
400-202-516
蕭靈鈞齊 486- 39- 2
蕭靈護唐 516-440-104
567-457- 87
1467-511- 11
蕭鬬將齊 見齊高帝
蕭觀音遼 遼道宗后、蕭惠女
289-558- 71
383-747- 13
393-332- 78
819-595- 0
蕭驤彥明 533-158- 52
蕭巴雅爾蕭排押 遼
289-633- 88
400- 60-505
474-688- 37
502-259- 54
蕭巴雅爾妻 遼 見耶律長壽女
蕭托卜嘉遼 289-677- 99
400- 64-505
蕭托卜嘉遼 見蕭烏納
蕭托卜嘉妻 遼 見耶律吉里
蕭托斯和遼 289-683-101
399- 65-422
蕭托斯和女 遼 見蕭意辛
蕭同叔子蕭同姪子 春秋 齊惠公夫人 404-629- 38
蕭同姪子春秋 見蕭同叔子
蕭多囉倫遼 見蕭囉羅
蕭多囉羅蕭多囉倫 遼 遼天祚帝后、蕭噶拉女
289-559- 71
383-748- 13
393-333- 78
蕭伊木沁遼 耶律撒剌的妻、蕭塔拉女 289-555- 71
蕭伊里布金 見蕭仲宣
蕭伊勒希遼 耶律薩剌德妻
289-555- 71
蕭伊德濟蕭移敵蹇 遼
502-261- 54
蕭罕嘉努蕭韓家奴 遼(字固寧)
289-664- 96
399- 54-421
502-330- 59
蕭罕嘉努遼(字糾堅)
289-689-103
400-681-564
502-786- 88
蕭阿古齊遼 289-569- 73
400- 59-505
蕭阿古齊女 遼 見蕭蘇克濟
蕭阿固齊女 遼 見蕭蘇克濟
蕭阿嚕岱遼 289-655- 94

399- 52-421
蕭旺嘉努金 291-190- 81
399-142-429
蕭呼都克遼(字哈準隱)
289-684-101
蕭呼都克蕭呼圖克 遼(字伊遜)
289-723-114
401-498-632
蕭呼圖克遼 見蕭呼都克
蕭呼圖克妻 遼 見耶律伊木沁
蕭叔大心春秋 見蕭叔
蕭約音努遼 289-665- 96
399- 55-421
蕭庫哩布遼 見蕭幹
蕭珠嚕準金 見蕭仲恭
蕭特古斯遼 289-715-111
401-374-618
蕭烏爾古遼 見蕭守興
蕭訥木錦遼 遼聖宗后、蕭托和女 289-557- 71
383-746- 13
393-331- 78
蕭都勒斡遼 289-652- 93
400-334-529
蕭國公主一國公主 唐鄭巽妻、薛康衡妻、磨延啜妻、唐肅宗女 274-113- 83
393-281- 73
554- 52- 49
蕭國魯卜妻 西遼 見耶律博克碩寬
蕭移敵蹇遼 見蕭伊德濟
蕭普爾布蕭普爾普、蕭蒲离不 遼 289-701-106
400-334-529
503- 3- 89
蕭普爾普遼 見蕭普爾布
蕭揚阿克蕭楊阿 遼
289-610- 82
399- 56-421
399- 64-422
474-587- 30
505-697- 70
蕭菩薩格遼 遼聖宗后、蕭烏延女 289-557- 71
393-331- 78
蕭鄂爾多遼 耶律匀德實妻
289-555- 71
蕭慈實努遼 289-651- 93
400- 66-505
蕭塔喇台蕭德勒岱 遼(字札林) 289-680-100
399- 63-422
蕭塔喇台蕭德勒岱 遼(約尼溫汗宮分人) 289-714-111
401-373-618
蕭塔喇台蕭德勒岱 遼(字和爾沁) 289-724-114
401-498-632
蕭塔喇噶遼(字雄隱)
289-622- 85
399- 39-420
蕭塔喇噶遼(字托實)
289-642- 90
399- 18-418
蕭達嚕噶遼 289-714-111
401-373-618
蕭蒲离不遼 見蕭普爾布
蕭蒙古岱蕭君弼 元
1206-138- 16
蕭德勒岱遼(字和爾沁) 見蕭塔喇台
蕭德勒岱遼(約尼溫汗宮分人) 見蕭塔喇台
蕭德勒岱遼(字札林) 見蕭塔喇台
蕭韓家奴遼 見蕭罕嘉努
蕭額哩頁遼 289-713-111
401-372-618
蕭額哩頁妻 遼 見耶律斡爾達
蕭額哩頁遼 見蕭額勒本
蕭客勒本遼 耶律朮者妻、耶律珠展妻、蕭孛堇女、蕭貝勒女、蕭博勒女 289-704-107
401-166-591
474-777- 42
503- 23- 93
蕭額圖琿遼 289-714-111
401-373-618
蕭藥師努遼 289-645- 91
399- 49-421
蕭蘇克濟蕭薩哈勒齊 遼 遼世宗后、蕭阿古齊女、蕭阿固齊女 289-556- 71
393-330- 78
蕭蘇克薩遼 見蕭蘇色
蕭觀音努遼 289-620- 85
399- 30-419
蕭達年鄂博金 見蕭拱
蕭薩哈勒齊遼 見蕭蘇克濟
蕭阿拉克巴圖爾元 見舒穆嚕阿拉克巴圖爾
曉明 1458-648-467
曉了唐 564-620- 56
1053- 64- 2
曉方唐 498-746-117
586-179- 8
曉月宋 1053-491- 12
1091-535- 12
曉宗明 561-221-38之3
曉初宋 541- 92- 30
曉津宋 1053-735- 17
曉純宋 1053-735- 17
曉通宋 1053-692- 16
曉菴明 821-488- 58
曉舜宋 1053-654- 15
曉欽宋 1053-506- 12
曉愚宋 1053-475- 12
曉榮宋 524-442-201
1053-410- 10
曉遠晉 516-468-104
曉聰宋 1052-690- 11
1053-644- 15
1089- 86- 9
曉巒楚巒 前蜀 820-320- 31
噶亙清 454-684- 76
噶尼清 502-601- 76
噶奴清 455-217- 11
噶住清 455-271- 15
噶努清 456- 93- 56
噶法清 455-285- 16
噶珊元 473-367- 64
噶哈清(瓜爾佳氏鑲白旗人)
455- 56- 1
噶哈清(五世孫英遜)
455-107- 4
噶哈清(五世孫塞弼圖)
455-115- 4
噶哈清(伊爾根覺羅氏正藍旗人)
455-226- 12
噶哈清(伊爾根覺羅氏正黃旗佛阿拉地方人) 455-255- 14
噶哈清(伊爾根覺羅氏正黃旗界凡地方人) 455-263- 15
噶哈清(伊爾根覺羅氏鑲藍旗人)
455-271- 15
噶哈清(舒舒覺羅氏)
455-285- 16
噶哈清(佟佳氏) 455-327- 20
噶哈清(巴雅拉氏) 455-577- 38
噶哈清(章佳氏) 455-598- 40
噶哈清(拖活絡氏) 455-696- 49
噶哈清(訥迪氏) 456-148- 60
噶拜清 455- 90- 3
噶掄幹欒 元 478-636-206
噶隆清 560-186- 21
噶琨清 455- 88- 3
噶鈕清 456-191- 65
噶舒清 455-573- 37
噶漢清 455-450- 27
噶蓋清 455-241- 13
噶蘇清 456- 34- 52
噶什賢清 455-364- 22
噶布拉斡不完 明
496-626-106
噶布拉清(扎庫塔氏)
455-561- 36
502-501- 70
噶布拉清(布賽氏) 456- 46- 53
噶布拉清(富色勒氏)
456-137- 59
噶布拉清(富察氏) 502-744- 85
噶布碩清 502-754- 85
噶克達清 455-661- 46
噶胡逵清 456-511- 50
噶哈納清 456-353- 77
噶哈善清 455-137- 5
噶哈達清 456-166- 62
噶哈穆清 455-523- 33
噶海齊哈克齊、哈海赤 元
295-583-195
400-261-521
479-793-254
515-270- 65
1232-695- 9
噶庫納清 455-556- 36
噶崇阿清 455- 54- 1
噶喀善清 455-296- 17
噶瑚理清 455-569- 37

噶塔布清 455-303- 18
噶達渾清(郭絡羅氏) 455-512- 32
噶達渾清(鄂卓氏) 455-657- 46
噶達渾清(殷佳氏) 456-134- 59
噶達渾清(正紅旗人) 474-767- 41
502-511- 71
噶達爾郭朵兒 元 481-550-327
噶齊哈清 455-272- 15
噶爾舟清 456-268- 70
噶爾玖噶爾糾 清 455-536- 34
502-553- 73
噶爾糾清 見噶爾玖
噶爾晉清 455-504- 31
噶爾珠清(納喇氏) 455-387- 23
噶爾珠清(正白旗人) 502-501- 70
噶爾桑清 496-219- 76
噶爾納清 455-343- 21
噶爾弼清 454-364- 19
噶爾瑪(遜杜陵從子) 454-432- 32
496-217- 76
噶爾瑪清(素塞長子) 454-455- 36
噶爾圖清(伊爾根覺羅氏) 455-247- 13
456-117- 58
噶爾圖清(富察氏) 455-451- 27
噶爾圖清(克穆楚特氏) 456-280- 71
噶爾圖清(烏拉哈濟爾默氏) 502-605- 76
噶爾圖清(滿州人) 559-326-7下
噶爾賽清 455-466- 28
噶爾藏清 496-216- 76
噶爾薩歌里子 明 496-627-106
噶爾薩清 455-554- 35
噶瑪拉晉王、梁王 元 294-197-115
395-212-200
544-238- 63
569-536- 17
噶瑪拉妻 元 見布延徹爾額實
噶瑪拉明 見葛爾麻
噶噶穆清 455-528- 33
噶濟納清 455-116- 4
噶克珠理清 455-292- 17
噶岱默特清 454-971-120
500-747- 38
噶哈察鸞清 455-121- 5
噶納武爾清 456-176- 63
噶普塔喀清 455-581- 38
噶瑪拉丹喇嘛丹 元 1211-364- 51
噶爾哈尼清 456-176- 63
噶爾哈圖清 502-448- 68
噶達渾碩色清 455-248- 13
噶瑪拉實理元 569-616-18下之2
噶爾丹達什清 454-763- 86
噶爾瑪色旺清 454-447- 35
噶哈善哈思瑚清 455-232- 12
噶爾丹達爾扎清 454-627- 68
噶爾旦多爾濟清 454-512- 47
噶爾馬葉爾登清 456-206- 66
噶爾馬瑣諾木清 456-212- 66
噶爾噶圖穆圖清 455-332- 20
噶爾藏多爾濟清 500-726- 37
鄴二清 456-325- 75
鄴王後魏 見元樹
鄴王唐 見羅紹威
鄴風漢 933-766- 53
蕩山春秋 見蕩澤
蕩色清 456-291- 72
蕩虺春秋 404-808- 49
蕩澤蕩山 春秋 404-808- 49
蕩子婦明 1457-756-414
蕩陰王明 見朱芝垝
蕩音諸春秋 404-808- 49
瞞成春秋 見司徒瞞成
遺則惟則 唐 486-901- 35
524-424-200
554-951- 65
820-302- 30
1052-135- 10
1053- 53- 2
遺多浮陁難提後魏 見邪奢
錢一宋 見錢乙
錢乙錢一 宋 288-479-462
401-106-582
476-824-143
541-106- 31
1121-598- 7
1351-708-150
1408-513-532
錢儿宋 494-406- 12
錢山明 511-368-150
515- 42- 58
錢文宋 472-984- 39
524-245-190
錢文明 676-506- 19
1442- 31-附2
1459-693- 27
錢木明 1258-691- 16
錢中明 1253-202- 50
錢仁明 561-205-38之1
錢氏宋 句龍櫟妻 1149-735- 17
錢氏宋 沈巽之妻、錢詠女 1132-251- 50
錢氏宋 辛棄疾妻 820-474- 36
錢氏宋 李兒妻、錢秀女 1100-426- 38
錢氏宋 張升卿妻、錢彥遠女 1092-669- 62
錢氏宋 趙令愇妻、錢景祥女 1100-511- 48
錢氏宋 潘延之妻 1099-767- 14
錢氏宋 鄭絳妻、錢承女 493-1080- 57
512-458-188
1130-314- 32
錢氏宋 劉祐妻 1164-418- 23
錢氏宋 劉渙妻、錢穆女 1098-724- 45
1345-582- 0
1356-231- 10
錢氏宋 錢允德女 1088-582- 60
錢氏宋 錢象輿女 1102-296- 37
錢氏元 錢子順妹 472-985- 39
錢氏明 王任用妻 1280-502- 93
錢氏明 李大韶妻 524-595-207
錢氏明 何承宗妻 483-307-395
錢氏明 胡原妻 493-1083- 57
錢氏明 唐吉會妻 480-416-277
錢氏明 孫鏞妻、錢應揚女 1297-157- 12
錢氏明 孫孟恕妻、錢廣女 1250-948- 89
錢氏明 陸茂妻、陸茂才妻 493-1084- 57
512- 23-177
錢氏明 張綖妻 475-282- 63
錢氏明 張廷潤妻 1260-645- 20
錢氏明 張彥明妻 479-251-228
錢氏明 張羅彥妻 474-248- 12
506- 57- 87
錢氏明 華椿枝妻 1291-537- 9
錢氏明 傅與霖妻 524-457-202
錢氏明 張子允妻、錢國寶女 1239-202- 40
錢氏明 鄒翃妻、錢孟深女 1258-631- 14
錢氏明 談綱妻 1258-623- 13
錢氏明 應源妻 479-251-228
錢氏明 顏希顏妻 1283-747-104
錢氏明 顧啟明妻、錢翥女 1268-461- 72
錢氏明 錢泳女 479-410-235
錢氏明 錢用昭女 1255-407- 45
錢氏明 錢汝吉女 481-337-308
錢氏清 方生妻 512-329-185
錢氏清 王紹妻 512- 43-177
錢氏清 李鏡妻 1318-468- 73
錢氏清 吳亮妻 482-210-347
錢氏清 何廷柱妻 482-486-364
錢氏清 邵煒妻 474-194- 9
錢氏清 屈尚志妻 506- 24- 86
錢氏清 姚孔鈵妻 512-327-185

錢氏清 陳爾飛妻 524-487-203
錢氏清 程國祥妻 479-105-221
錢氏清 翟堂妻 506- 30- 86
錢氏清 劉振穀妻 512-217-182
錢立明 475-667- 84
510-457-117
523-430-167
1467-126- 66
錢玉明 1264-182- 10
錢木明 505-683- 69
523-436-167
錢丕宋 288-709-480
錢仕明 523-204-155
錢安明 見錢靜能
錢江清 479-821-256
515-282- 65
523-520-171
錢冰宋 523- 77-149
錢圭妻 明 見張氏
錢舟戰國 933-237- 17
錢旭明 563-770- 40
錢仲明 820-712- 43
錢宏明 523-263-158
676-539- 22
錢冶宋 見錢治
錢治妻宋 見蔣氏
錢完明 524-192-188
1255-704- 72
錢沛唐 526-614-279
錢沂明 見錢甦
錢序明 821-462- 57
錢忱宋 288-516-465
400- 53-504
486-897- 34
錢沐元 1221-598- 21
錢即宋 286-213-317
397- 37-341
449-311- 2
472-259- 10
472-913- 36
472-923- 36
472-1014- 41
478-168-182
478-418-195
478-572-203
479- 50-218
479-377-234
511-141-142
523-256-158
545-138- 87
554-150- 51
554-243- 52
558-209- 32
1125-413- 33
錢岐明 1374-770- 97
錢岐妻 明 見宋氏
錢佐吳越 見吳越成宗
錢佃宋 493-938- 50
677-366- 34
錢秀女 宋 見錢氏
錢法妻 明 見史氏
錢府明 見錢允治
錢治錢冶 宋 475-482- 73
1102-196- 25
1378-606- 63
錢治元 1220- 72- 3
錢性明 472-337- 14
473- 61- 51
515-200- 63
錢泮明 302- 20-290
475-137- 56
511-437-153
1273-275- 33
錢泳女 明 見錢氏
錢奉明 1251-299- 22
錢林漢 472-999- 40
524-310-194
錢承女 宋 見錢氏
錢芹明(字繼忠) 299-363-142
493-972- 52
511-833-168
錢芹明(字懋文) 676-573- 23
1475-307- 13
錢岡明 1251-312- 22
錢昆宋 286-208-317
371-135- 13
382-306- 48
384-343- 17
472-642- 26
477-492-173
537-341- 56
820-337- 32
821-150- 50
933-239- 17
錢昕明 473-299- 62
473-388- 65
480-242-269
錢易宋 286-208-317
371-135- 14
382-306- 48
384-343- 17
397-373-341
471-585- 1
471-712- 18
472-966- 38
480-126- 264
524- 52-180
532-629- 43
674-873- 20
820-337- 32
821-150- 50
933-239- 17
1147-152- 16
1153-203- 74
錢和明 1255-710- 72
錢侒吳越 821-130- 49
錢岳元 1439-443- 2
錢受妻 宋 見呂氏
錢秉宋 494- 19- 2
錢洪明 511-738-165
1442- 30-附2
1459-689- 27
錢珏明 524- 43-180
錢封清 524-106-183
1321-151-103
錢拱妻 清 見林氏
錢咸漢 494-262- 1
錢春明 300-785-231
475-230- 61
505-659- 68
511-163-142
錢珊明 559-268- 6
錢相宋 472-261- 10
錢奎元 492-711-3下
錢珍妻 元 見顧氏
錢珍明(謚節愍) 456-519- 6
錢珍明(思南人) 572-166- 32
錢述明 1237-497- 5
錢貞明 趙梁伯妻 1258-276- 4
錢昱宋 288-710-480
526-615-279
812-749- 3
820-337- 32
821-150- 50
錢迪明 493-1008- 53
511-522-157
錢信宋 見錢儼
錢信妻 明 見高氏
錢科明 524-175-187
錢奐明 523-453-168
567- 92- 66
1467- 66- 64
1474-277- 13
錢俁宋 493-938- 50
511-672-163
677-277- 25
1151-879- 12
錢海妻 明 見許氏
錢浩明 523-156-153
錢祐南北朝 524-364-197
錢祖明 821-405- 56
錢唐明 399-320-139
479-180-225
523-593-175
錢朗唐 473- 33- 49
479-503-239
516-415-103
524-395-199
1059-606- 中
錢益宋 563-692- 39
564- 46- 44
錢益明 524-347-196
錢宰明 299-301-137
472-1073- 45
479-237-227
524- 55-180
錢宰明 676-448- 17
1318-348- 63
1442- 9-附1
1459-305- 8
錢貢明(號滄州) 821-456- 57
錢貢明(字時庸) 1442- 62-附4
1460-209- 49
錢栴明 676-658- 27
1442-108-附7
1460-723- 78
錢珝唐 275-434-177
396-177-268
451-426- 2
494-376- 10
494-470- 18

1394-398- 3
錢桓明 511-238-145
559-256- 6
錢陛清 511-593-159
錢陞明 1475-426- 18
錢起唐 271-184-168
684-239- 12
400-614-556
451-425- 2
472-1002- 40
479-140-223
494-375- 10
524- 32-179
674-252-4上
1371- 62- 附
1388- 1- 47
1472-572- 35
錢振宋 493-741- 41
錢時宋 287-557-407
398-528-400
472-1016- 41
479-380-234
511-701-164
516-210- 96
523-622-177
676-690- 29
1257-841- 3
1257-876- 4
1375- 13- 上
1376-180- 70
1437- 29- 2
錢時妻 明 見孫氏
錢恩明 1268-423- 66
錢倧吳越 278-461-133
279-484- 67
401-240-600
523-507-171
錢倧妻 吳越 見江氏
錢恕明 559-315-7上
錢能明 302-268-304
494-244- 10
錢俶錢弘俶 吳越 278-461-133
279-484- 67
288-699-480
371-117- 12
382-169- 24
384-319- 16
384-329- 17
384-336- 17
401-240-600
408- 47- 2
451- 11- 0
523-507-171
547-153-147
585-288- 1
812-749- 3
813-307- 19
819-581- 19
933-237- 17
錢淇父 宋 1384-156- 93
錢淳妻 明 見曹氏
錢清明(字公清) 475-643- 83
511-485-155
錢清明(字伯清) 1248-491- 23
1258-768- 7
錢產秦 933-237- 17
錢訪妻 宋 見吳氏
錢深明 1226-865- 6
錢淑明 華津妻 1258-648- 15
錢衮宋 1096-771- 37
錢晦宋 286-208-317
397-372-341
476-112-102
錢晦妻 宋 見李氏
錢偡吳越 472-997- 40
494-265- 1
494-267- 2
494-294- 4
錢紳明 493-1032- 54
511-736-165
1442- 19-附1
錢敏明 472-329- 14
473-281- 61
511-640-161
532-632- 43
錢愃明 1255-739- 74
錢渙明 1237-224- 3
1237-362- 10
錢詠女 宋 見錢氏
錢博後漢 453-760- 4
錢博明 511-760-166
820-631- 41
錢琦錢錡 明 472-985- 39
515-135- 61
523-436-167
676-540- 22
1442- 44-附3
1459-906- 38
1475-256- 11
錢弼宋 451-138- 2
1170-746- 33
錢棅明 676-660- 27
1475-491- 21
錢棅妻 明 見陳氏
錢揆宋 541-111- 31
錢逵陳 590-135- 17
錢逵明 493-106- 54
511-731-165
820-567- 40
1439-453- 2
錢甦錢沂 明 493-1030- 54
錢貴明(海洲人) 302-193-300
472-312- 13
511-241-145
錢貴明(峨嵋人) 482-559-369
559-380-9上
569-659- 19
錢貴明(字元卿) 676- 5- 1
1273-244- 30
錢鄖明 見錢士馨
錢華明 820-624- 41
錢棻明 1442-111-附7
1475-509- 22
錢鈛明 見錢鉞
錢釬妻 明 見唐氏
錢鈞明 1475-167- 7
錢欽妻 明 見茅氏
錢策明 483-248-391
571-537- 20
錢棐清 1475-598- 26
錢腴明 1256-403- 26
錢傑宋 517-343-124
錢復明 821-358- 55
錢進明 820-629- 41
1267-324- 36
錢溥明 452-207- 5
475-179- 59
511-760-166
559-250- 6
588-182- 8
820-631- 41
1241-118- 6
1375- 39- 下
錢澍明 532-694- 45
錢愷明 1255-580- 61
錢輅明 473-569- 74
528-485- 30
錢瑞妻 元 見章德禎
錢瑞明 559-287-7上
錢楞清 479- 99-221
481-645-330
523-365-163
528-517- 31
錢瑛妻 元 見張氏
錢瑛明(字可大) 302-140-296
479-716-250
515-635- 77
1237-397- 12
1374-396- 61
1457-652-403
錢瑛明(字良玉) 493-1059- 56
1242-195- 30
1386-371- 39
錢槩明 1258-783- 8
錢萱明 1475-306- 13
錢暄宋 286-208-317
397-372-341
472-1101- 47
479-285-230
515-166- 62
錢暄妻 宋 見胡氏
錢鉞錢鈛 明 477-410-169
523-428-167
537-328- 56
540-618- 27
571-518- 19
錢會明 1252-427- 24
錢節唐 486- 41- 2
錢節宋 1115-645- 39
錢福明(大興人) 474-184- 9
505-895- 80
錢福明(字與謙) 475-180- 59
511-760-166
676-524- 21
678-191- 88
1261-600- 21
1442- 38-附2
1459-778- 31
錢寧明 302-354-307
410-476- 97
1409-549-624
錢廓錢擴 宋 1171-771- 27

1171-786- 28
錢榮明 576-653- 5
錢熙宋 288-206-440
400-639-558
473-586- 75
481-584-328
529-734- 51
820-342- 32
錢熙明 1475-504- 22
錢墌宋 485-534- 1
錢戩宋 472-177- 6
489-677- 49
492-584-13下之上
511-561-158
錢榞妻 明 見華氏
錢蒿女 明 見錢氏
錢榦明 見錢習禮
錢遜明(字謙伯) 524- 55-180
676-462- 17
676-483- 18
1442- 23-附2
1459-604- 22
錢遜明(字叔謙) 1255-723- 73
錢徹明 1274-617- 3
錢寬明 511-738-165
錢寬明 見錢德洪
錢澍妻 清 見柳氏
錢廣晉 472-256- 10
494-262- 1
494-355- 8
錢廣女 明 見錢氏
錢潤明(字惟霖) 820-679- 42
錢潤明(字孟潤) 1258-568- 10
錢毅唐 814-268- 9
820-139- 26
錢褒宋 529-670- 49
錢撫宋 1178- 69- 8
錢勰宋 286-212-317
382-307- 48
397-375-341
451- 14- 0
472-367- 16
472-644- 26
477- 53-151
479- 49-218
486- 50- 2
493-743- 41
523-256-158
537-240- 55
820-382- 33
933-240- 17
1110-444- 24
1126-749-167
1437- 16- 1
錢增清 511-240-145
錢樞明 1232-245- 5
錢閱宋 見錢震午
錢震明 1248-641- 4
錢穀明 511-741-165
820-668- 42
821-413- 56
1275-839- 51
1280-382- 84
1442- 69-附4
1460-326- 55
錢參明 1475-306- 13
錢億宋 472-1084- 46
491-344- 2
491-465- 7
491-659- 19
錢儇後唐 472-1114- 48
錢儇宋 820-332- 32
錢諷宋 1318-142- 43
錢澤明 524-219-189
錢霍清 524- 59-180
錢璠宋 523-133-152
錢肅明 494-418- 12
511-896-172
1442- 13-附1
錢璡明 524-198-188
錢選宋～元 472-1004- 40
479-143-223
524- 33-179
524-356-196
585-520- 17
820-496- 37
821-285- 53
1221-210- 2
1437- 31- 2
1470- 55- 2
錢選清 511-802-167
錢適宋 286-715-356
397-752-365
427-356- 3
451-276- 3
452- 21- 0
472-1028- 42
479-321-232
錢豫宋 485-502- 9
錢默明 1475-504- 22
錢曄明 1442- 24-附2
1459-615- 23
錢業明 511-246-145
528-529- 31
567-121- 67
676-234- 9
676-257- 10
1442- 55-附3
1460-133- 46
1467- 98- 65
錢錞明 302- 21-290
473-236- 60
475-215- 60
480-174-266
510-365-114
533-377- 60
錢學明 523-120-151
676-751- 31
錢錡明 見錢琦
錢嵒錢嵒 宋 511-407-152
523-566-174
525-147-224
1376-626-96上
錢穆女 宋 見錢氏
錢穆明 1242-860- 10
錢錄明 511-246-145
錢濤清 511-796-166
錢鴻清 1475-607- 26
錢濬明(字好善) 1237-372- 11
錢濬明(字盃濬) 1250-808- 77
錢燮宋 1141-495- 70
錢檟明 515- 61- 58
錢彌晉 494-262- 1
錢鍪宋 451- 25- 0
錢嵒宋 見錢嵒
錢璨明 1280-540- 95
錢點明 1475-506- 22
錢薇明 300-431-208
479- 96-221
523-274-158
676-261- 10
676-567- 23
1442- 55-附3
1460-140- 46
1475-298- 12
錢鍈明 1241-234- 10
錢徽唐(字蔚章) 271-184-168
275-434-177
374-252- 13
384-261- 13
396-126-268
448-342- 下
473- 86- 52
473-248- 60
479-140-223
479-604-244
480-299-271
494-376- 10
515-241- 64
533-739- 73
933-237- 17
1073-665- 38
1074-522- 38
1075-465- 38
錢徽唐(字文美) 1340-624-783
錢禮明 676-176- 7
錢擴宋 見錢廓
錢璧元 1439-434- 1
錢鎮明 523-587-175
1442- 62-附4
1460-202- 49
1458-426-445
錢瓆清 540-686- 27
錢璽妻 明 見嚴氏
錢顗宋 286-266-321
382-509- 78
384-373- 19
397-412-344
472-259- 10
475-223- 61
479- 41-218
479-101-221
479-133-223
479-351-233
479-792-254
491-109- 13
492-698-3上
492-712-3下
494-338- 7
511-141-142
515-265- 65
524-307-194

錢顗弟 宋 492-708-3上
錢鏢後梁 494-294- 4
錢贊宋 1171-771- 27
錢贊妻 宋 見金氏
錢鯨明 523-376-164
錢鏐吳越 見吳越太祖
錢寶明 511-874-170
820-713- 43
1253- 78- 43
錢瀾明 523- 87-149
576-653- 5
錢藻宋 286-211-317
382-308- 48
397-375-341
451- 13- 0
471-632- 7
472-223- 8
472-395- 17
472-1026- 42
477- 53-151
479- 49-218
493-917- 49
511-825-167
523- 96-150
524- 3-178
933-240- 17
1098-698- 42
1110-143- 3
1351-612-142
1356-185- 9
1386-262- 39
錢藻明 511-247-145
錢翬宋 523-566-174
525-147-224
1376-626-96上
錢鏵吳越 491-344- 2
821-150- 50
錢鐸明(字振之) 475-485- 73
511-246-145
563-800- 41
1467-106- 65
錢鐸明(臨汾人) 554-348- 54
錢瓘王五代 491-344- 2
錢儼唐 見志鴻
錢儼錢信 宋 288-710-480
494-269- 2
494-294- 4
674-615- 5
錢瓚明 472-367- 16
510-447-117
1474-281- 13
錢籥明 1475-308- 13
錢讓漢(字德高) 494-262- 1
494-352- 8
525-398-237
錢讓漢(吳興人) 524-191-188
錢一本明 300-783-231
457-1029- 59
458-443- 21
458-938- 9
475-228- 61
511-682-163
515-157- 61
677-662- 59
錢一鶚明 545-404- 98
錢九五元 524-439-201
錢九隴唐 269-508- 57
274-165- 88
395-253-203
472-257- 10
472-1002- 40
479-140-223
494-264- 1
511-391-151
523-527-172
544-226- 63
錢人瑋明 456-658- 11
錢士升明 301-251-251
523-277-158
1442- 92-附6
1460-528- 66
1475-413- 18
錢士用明 456-602- 9
錢士晉明 301-252-251
1297-138- 11
錢士蕡明 1475-646- 27
錢士雄隋 264-931- 64
錢士揚清 511-516-157
錢士貴明 510-318-113
511-131-141
錢士復明 1240-219- 14
錢士馨錢馭 明 524- 27-179
1475-538- 23
錢士鰲明 481-746-334
524- 10-178
528-564- 32
錢子順妹 元 見錢氏
錢子義明 676-467- 17
錢大用明 456-605- 9
錢大用妻 明 見莊氏
錢大通元 517-460-127
錢大復明 476-698-137
511-679-163
680-321-258
錢大椿宋 1437- 31- 2
錢千秋明 1442-102-附7
1460-623- 71
1475-440- 19
錢文子錢文季 宋
472-1117- 48
678-408-109
678-409-109
1318-162- 45
錢文秀妻 清 見潘氏
錢文奉吳越 485- 73- 11
493-693- 38
錢文林明 529-702- 50
錢文季宋 見錢文子
錢文洲明 524-213-188
錢文卿宋 472-1116- 48
524-164-186
錢文通妻 明 見莊氏
錢文敏宋 285-294-266
396-588-307
473-528- 72
477-161-157
481-373-311
554-309- 53
錢文龍明 456-638- 10
錢文薦明 676-630- 26
1442- 90-附6
1460-513- 65
錢之望宋 472-260- 10
511-392-151
1164-344- 18
933-242- 17
錢之選明 511-527-157
錢元珠五代 491-344- 2
錢元英宋 見錢周材
錢元珦五代 491-344- 2
錢元善明 1442- 50-附3
1460- 69- 43
錢元弼五代 472-980- 39
錢元道明 511-606-160
錢元鼎明 1442- 67-附4
1460-302- 53
錢元璙吳越 485- 73- 11
484- 40- 下
493-693- 38
523-508-171
錢元懿五代 472-1026- 42
錢元瓘吳越 見吳越世宗
錢天挺明 515-558- 74
錢天錫明 554-220- 52
678-479-116
錢木之宋 487-189- 12
錢四孃宋 530- 2- 54
錢中庸宋 493-746- 41
錢中諧清 475-142- 57
511-752-165
錢公良明 517-662-131
錢公清明 1226-219- 10
錢公暄明 1229-278- 9
錢公輔母 宋 見蔣氏
錢公輔宋 286-258-321
397-407-344
472-258- 10
472-388- 17
472-1084- 46
475-223- 61
475-796- 90
475-821- 92
479-174-225
488-391- 13
491-345- 2
510-493-118
511-140-142
523-126-152
820-370- 36
錢月齡明 1394-277-506
1442-117-附8
1460-807- 88
錢仁夫明 511-739-165
676-529- 21
820-654- 42
821-402- 56
1261-875- 42
錢仁熙吳越 821-130- 49
821-150- 50
錢允一明 1227-130- 15
錢允治錢府 明 1442- 99-附6
1460-596- 70

錢允昇明 見錢仲益
錢允益明 見錢仲益
錢允德女 宋 見錢氏
錢永善明 821-364- 55
錢弘卿吳越 820-323- 31
錢弘佐吳越 見吳越成宗
錢弘俶吳越 見錢俶
錢弘俶妃 吳越 見孫太真
錢弘業清 528-517- 31
錢弘儔吳越 525-356-235
錢弘儀吳越 820-323- 31
錢古訓明 473-653- 78
523-546-173
528-493- 30
569-617-18下之2
錢本中明 472-262- 10
473-144- 56
511-146-142
錢本弟明 523-174-154
錢本忠明 301-733-281
479-711-250
515-150- 61
錢可久明 511-849-169
524-306-194
錢可及唐 494-376- 10
494-471- 18
錢可復唐 271-186-168
494-376- 10
494-471- 18
錢世用妻 明 見莊氏
錢世昌妻 清 見劉氏
錢世恩妻 明 見鄒氏
錢世清妻 明 見徐氏
錢世清清 505-643- 67
錢世梁妻 明 見司馬氏
錢世莊明 821-394- 56
錢世雄宋 494-347- 7
1125-352- 25
錢世貴明 523-164-153
錢世端妻 明 見惠氏
錢世熹清 475-856- 94
511-826-167
錢以方明 1231-364- 6
錢以良元 1221- 48- 1
錢以塏清 476-451-123
錢申叟錢淵龍 宋
515-609- 76
錢用士明 見錢用壬
錢用壬錢用士 明
299-282-136
475-823- 92
511-714-164
1442- 6-附1
1459-251- 5
錢用昭女 明 見錢氏
錢仙芝宋 485-500- 9
錢守成明 510-366-114
錢守俊宋 285-494-280
371-167- 17
396-730-319
472-574- 24
476-861-145
540-747-28之2
錢守廉明 537-569- 60
554-188- 51
錢守讓宋 288-707-480
錢安國宋 1173-113- 70
錢安道宋 1197-406- 38
錢汝吉女 明 見錢氏
錢汝明明 1242-316- 34
錢汝誠清 479-100-229
錢汝賢明 1229-550- 5
錢有威明 511-744-165
錢百川明 1442- 37-附2
1459-768- 30
錢同文明 457-509- 32
523-582-175
錢同文清 524-190-187
錢同愛明 511-742-165
1273-272- 33
1386-432- 45
1458-270-435
錢光甫錢光普 宋
821-232- 51
錢光泰清 528-500- 30
錢光普宋 見錢光甫
錢光弼元 511-227-144
錢光繡清 1475-967- 41
錢兆元明 532-637- 43
錢全袞明 472-242- 9
511-838-168
錢好德明 1241-262- 12
錢如一元 1221-459- 9
錢如京明 475-529- 77
511-254-146
錢先芝宋 494-347- 7
錢仲益錢允昇、錢允益 明
511-768-166
676-467- 17
1442- 19-附1
錢仲基宋 523-167-154
錢仲鼎元 493-1074- 57
1437- 32- 2
錢仲選明 523-458-168
錢行所妻 明 見卞氏
錢行道明 見廣潤
錢良右錢良佑、錢良祐 元
472-229- 8
820-522- 38
1209-544-9上
1273-158- 22
1439-434- 1
1471-402- 8
錢良臣宋 472-241- 9
488- 13- 1
488-460- 14
491-115- 13
511-122-141
錢良佑元 見錢良右
錢良胤妻 明 見袁九淑
錢良祐元 見錢良右
錢良傅妻 明 見陶安壼
錢良輔明 511-547-158
錢志泗清 515-286- 65
523-393-164
錢孝循明 1240-178- 12
錢均用妻 明 見王氏
錢均羽明 821-354- 55
錢吾仁明 524-112-183
錢吾德明 528-545- 32
錢君用元 821-324- 54
錢伯什明 820-746- 44
錢伯言宋 484-102- 3
820-409- 34
錢伯常妻 明 見董氏
錢伯源子 明 1242-854- 10
錢伯鉉妻 明 見張善慶
錢伯舉元 1221-408- 4
錢含芬妻 清 見程氏
錢希言明 1442-101-附6
錢邦芑明 572-156- 32
820-760- 44
錢邦彥明 1284-172-150
錢邦偁明 569-662- 19
錢邦偉明 515-204- 63
錢宗哲宋 1091-363- 32
錢宗顯元 528-570- 32
錢法裕清 476-114-102
502-775- 86
523-360-163
545-381- 97
錢官保妻 明 見孫氏
錢孟深女 明 見錢氏
錢孟溥明 1245-743- 10
錢孟源妻 明 見濮貞
錢孟滸明 1386-436- 45
錢長卿宋 485-534- 1
錢承宗明 302-193-300
錢承宗妻 明 見張萬玉
錢承望明 524-194-188
錢承德明 559-308-7上
820-664- 42
錢尚絅明 1229-218- 5
錢明相明 1442-100-附6
錢明逸宋 286-210-317
382-307- 48
397-374-341
472-289- 12
472-643- 26
472-893- 35
537-238- 55
820-354- 32
933-240- 17
錢芳標清 511-764-166
1318- 72- 37
錢易直宋 見錢敬直
錢叔昂明 821-354- 55
錢周材宋 472-177- 6
489-548- 43
489-677- 49
492-585-13下之上
511-773-166
錢金甫清 475-185- 59
511-764-166
1318- 76- 37
錢受祺清 554-223- 52
677-757- 67
錢秉元明 569-666- 19
錢秉淵明 1239-108- 34
錢秉鐙妻 明 見方氏
錢延年宋 491-345- 2
錢延慶劉宋 258-576- 91

265-1039- 73
380- 96-167
524-117-184
933-237- 17
錢服通宋 821-214- 51
錢彥遠宋 286-209-317
371-135- 14
382-307- 48
397-373-341
451- 12- 0
475-271- 63
523-256-158
933-240- 17
1092-558- 52
錢彥遠女 宋 見錢氏
錢春沂明 511-591-159
錢春林妻 明 見顧氏
錢南金明 1229-172- 3
錢茂律明 554-250- 52
錢若水宋 285-294-266
371- 97- 9
382-233- 35
384-341- 17
396-588-307
449- 20- 2
450-706-下6
459-793- 48
471-1011- 62
472-748- 29
472-825- 33
477-313-164
478-335-191
537-505- 59
545- 40- 84
554-330- 54
559-317-7上
708-325- 50
933-240- 17
1086-457- 9
1115-381- 45
1437- 8- 1
錢若沖宋 285-298-266
錢若愚明 554-313- 53
錢昭序宋 288-711-480
820-323- 31
錢昭度宋 288-711-480
錢禹卿宋 523-510-171
1118-955- 65
錢皇后明 明英宗后
299- 9-113
錢紀功明 456-609- 9
錢羔羊宋 1117-627- 10
錢浩翁宋 511-509-157
錢祚徵明 302- 69-293
456-558- 7
476-732-138
477-499-174
537-335- 56
540-828-28之3
錢家寶明 567-365- 81
錢眞孫宋 451- 73- 2
錢原濬明 511-874-170
錢晉錫清 511-240-145
錢弱梁清 1325-683- 2
錢起之唐 494-470- 18
錢時俊明 676- 63- 2
679-685-206
錢時敏宋 489-547- 43
492-584-13下之上
錢師仁宋 480- 49-259
錢師益宋 568- 30- 98
錢修元妻 清 見王氏
錢惟治宋 288-707-480
401-242-600
491-344- 2
523-509-171
812-749- 3
820-336- 32
933-238- 17
1117-597- 7
錢惟周宋 492-710-3下
錢惟渲宋 933-238- 17
錢惟善錢維善 元～明
301-810-285
472-240- 9
475-186- 59
479- 52-218
511-895-172
524- 6-178
585-445- 12
676-712- 29
820-539- 39
1220-340- 12
1273-152- 21
1318-360- 64
1439-451- 2
1469-628- 62
錢惟溍宋 933-238- 17
錢惟演宋 286-207-317
371-117- 12
382-170- 24
384-329- 17
384-353- 18
397-371-341
472-647- 26
472-966- 38
473-267- 61
479- 48-218
524- 3-178
538-316- 69
820-337- 32
933-239- 17
1153-412- 92
1437- 9- 1
錢惟慶明 511-544-158
1239-231- 42
錢惟濬宋 288-706-480
382-170- 24
384-329- 17
401-241-600
523-509-171
933-238- 17
錢惟濟宋 288-709-480
476-394-119
545-458-100
933-238- 17
1437- 9- 1
錢惟灝宋 933-238- 17
錢淵龍宋 見錢申叟
錢淑潤明 鄒秉衷、錢應機女
1258-772- 7
錢執中妻 清 見竇氏
錢培枝明 1280-453- 89
錢陸燦清 511-751-165
錢習容明 1237-227- 3
錢習禮錢幹、錢榦 明
299-464-152
452-206- 5
453-657- 28
473-152- 56
479-720-250
515-660- 77
676-476- 18
820-614- 41
1240-176- 12
1242- 29- 24
1242-387- 37
1242-403- 37
1284-355-163
1374-564- 78
1442- 21-附2
1459-580- 21
錢陳羣清 479-100-221
517-808-135
1308-293- 59
錢晦仲妻 宋 見徐氏
錢國用元 1221-210- 2
錢國用明 547- 21-141
錢國琦清 474-408- 20
505-679- 69
錢國養唐 812-344- 9
812-371- 0
821- 55- 46
錢國寶女 明 見錢氏
錢紹隆清 559-331-7下
錢啟忠明 523-594-175
錢造父宋 1149-722- 16
錢善道元 1210-763- 24
錢博學明 474-635- 33
錢喜起明 524-244-190
錢朝彥宋 1147-813- 78
錢朝彥明 523-431-167
錢朝陽明 1232-638- 7
錢堯卿宋 524-229-189
1164-197- 9
錢肅潤明 678-232- 92
1460-747- 80
錢肅樂明 301-656-276
456-441- 3
479-186-225
510-405-115
523-458-168
529-753- 52
錢景明明 1232-446- 5
錢景持宋 473-367- 64
480-483-280
532-736- 46
錢景春清 456-369- 78
錢景祥女 宋 見錢氏
錢景諶宋 286-211-317
397-375-341
524-238-190

錢景臻妻 宋 見秦魯國大長公主
錢貽範宋 475-175- 59
510-343-113
820-359- 32
錢斐章妻 清 見邢氏
錢象先宋 286-383-330
397-493-349
472-228- 8
475-130- 56
485-188- 25
491-344- 2
493-967- 49
511-671-163
1104-514- 40
錢象坤明 301-254-251
479-243-227
523-313-160
錢象祖宋 451- 24- 0
473- 60- 51
488- 13- 1
488-463- 14
494-266- 1
517-403-126
588-177- 8
錢象乾明 564-219- 46
錢象輿女 宋 見錢氏
錢復亨明 676-483- 18
1442- 23-附2
1459-605- 22
錢慎菴明 1261-685- 29
錢慎菴妻 明 見徐氏
錢道戢陳 260-685- 22
265-946- 67
378-515-144
472-1001- 40
479-139-223
494-264- 1
494-287- 3
523-527-172
563-625- 38
933-237- 17
錢道寧明 528-510- 31
錢塘王陳 見陳恬
錢瑞修宋 見錢時敏
錢萬中宋 1151-268- 17
錢萬里明 1475-693- 29
錢萬善明 1291-513- 9
錢萬選明(右玉人) 546-153-120
錢萬選明(字紹行) 564-283- 47
錢嗣聖妻 明 見趙氏
錢敬直錢易直 宋 524- 85-182
1164-342- 18
錢敬忠明 524-127-184
錢敬淑明 談允謙妻 1442-125-附8
1460-787- 85
錢過庭金 821-275- 52
錢傳瑛錢傳鍇 吳越 820-323- 31
錢傳鍇吳越 見錢傳瑛
錢傳璀吳越 見吳越世宗
錢節用明 480-128-264
錢賓國明 511-563-158
錢福安明 1467-155- 67
錢端回宋 821-212- 51
錢端義妻 宋 見李氏
錢端禮宋 287-276-385
398-301-384
472-968- 38
484-106- 3
486- 53- 2
486-897- 34
1053-891- 20
1153-412- 92
錢爾復明 1475-709- 29
錢嘉倫清 481-645-330
523-423-166
528-516- 31
錢嘉徵明 528-533- 31
676-651- 27
1442-102-附7
1460-624- 71
1475-440- 19
錢聞善宋 485-537- 1
錢聞詩宋 515-232- 64
錢夢松明 532-737- 46
錢夢皋明 537-305- 56
錢夢鼇明 537-249- 55
錢維善元~明 見錢惟善
錢綸光清 524-114-183
錢廣居清 505-668- 69
錢養士明 456-678- 11
538- 56- 63
錢養廉明 523-430-167
錢樻初清 1318-525- 80
錢震午錢閎 宋 451- 60- 2
錢億年宋 451-277- 3
錢德洪錢寬 明 301-784-283
457-162- 11
458-898- 8
479-241-227
510-338-113
516-204- 95
523-601-176
676-568- 23
錢樂嘉妻 清 見馬氏
錢龍珍明 524- 24-179
錢龍祥妻 元 見羅靖
錢龍錫明 301-249-251
458-408- 18
475-183- 59
511-130-141
676-629- 26
1318-367- 64
1442- 89-附6
1460-508- 65
錢靜能錢安 明 676-483- 18
1442- 23-附2
1459-601- 22
1474- 52- 4
錢興祖元 524-133-185
1196-538- 3
錢積中明 533- 92- 49
567-146- 68
錢學孔明 523-329-161
錢勳吾明 456-610- 9
537-321- 56
錢應元明 510-488-118
錢應金明 1460-703- 76
1475-501- 22
錢應孫宋 1188-754- 5
錢應晉明 676-610- 25
1442- 77- 5
1460-577- 68
1475-356- 15
錢應曾明 1475-356- 15
錢應揚女 明 見錢氏
錢應機女 明 見錢淑潤
錢濟民明 558-440- 37
錢謙亨明 456-464- 4
錢謙貞明 1442-100-附6
錢聯珍顧聯珍 清 511-538-157
錢識道清 456-369- 78
錢繼美明 456-558- 7
錢繼科明 524-111-183
錢繼振明 1475-505- 22
錢繼章明 1475-488- 21
錢繼登明 677-689- 61
1475-414- 18
錢顯祖宋 487-189- 12
錢顯光宋 485-536- 1
錢觀復宋 472-388- 17
493-938- 50
494-326- 6
679-787-215
1132-268- 51
錢觀復妻 宋 見徐氏
錢四十二宋 524-107-183
耨克清 456-232- 68
耨埒元 294-352-129
399-496-468
耨德清 456-243- 68
耨盌溫敦兀帶金 見諾延溫都烏達
積玉清 455-526- 33
積德貝清 456- 70- 55
積蘭泰清 456-283- 71
積克黨阿清 455-420- 25
縢撫漢 475-696- 86
獨吉氏金 見通吉氏
獨孤氏唐 李濤妻 1342-478-966
獨孤氏靜樂公主 唐 李懷秀妻 544-232- 63
獨孤氏唐 鄭季華母 1072-236- 10
獨孤及唐 275-261-162
384-221- 12
396- 79-259
451-427- 2
471-614- 4
471-913- 47
471-924- 48
471-928- 49
472-194- 7
472-253- 10
472-336- 14
472-746- 29
473- 96- 53

475-213- 60
475-524- 77
477-312-164
479-133-223
494-336- 7
510-357-114
510-412-116
515-181- 62
523-113-151
537-500- 59
674-253-4上
839- 49- 4
932-780- 55
1072-312-附
1072-314-附
1339-636-702
1339-642-703
1342-160-924
1342-532-972
1343-798- 58
1365-490- 8
1371- 61-附
1387-704- 46
1410-190-685
獨孤及妻 唐 見韋氏
獨孤正唐 1342-434-960
獨孤丕唐 1072-235- 10
獨孤尼後魏 見劉尼
獨孤申唐 1078- 65- 1
獨孤陁隋 264-1107- 79
267-264- 61
380- 24-165
552- 38- 68
獨孤庠唐 275-263-162
396- 80-259
獨孤郁唐 271-183-168
275-263-162
396- 79-259
472-746- 29
537-501- 59
933-780- 55
1073-598- 29
1074-440- 29
1075-390- 29
獨孤郁妻 唐 見權氏
獨孤信北周 263-529- 16
267-261- 61
379-543-156
384-140- 7
472-482- 21
472-892- 35
476-280-111
478-694-210
546-172-121
558-225- 32
933-780- 55
獨弧信女 北周 見獨孤皇后
獨孤信女 隋 見獨孤伽羅
獨弧信唐 477-524-175
獨孤朗唐 271-184-168
275-262-162
396- 80-259
472-746- 29
537-500- 59
1078-132- 7
1078-173- 14
1078-181- 16
獨孤峻唐 486- 42- 2
獨孤敏隋 見高熲
獨孤善北周 263-532- 16
267-264- 61
380- 24-165
546-124-119
552- 32- 18
552- 33- 18
獨孤盛隋 264-1019- 71
267-461- 73
380- 65-166
384-157- 8
546-125-119
933-780- 55
獨孤楷隋 264-845- 55
267-461- 73
379-764-161
481- 15-291
535-556- 20
545- 10- 83
559-245- 6
933-780- 55
獨孤萬唐 1072-236- 10
獨孤賓北周 見高賓
獨孤憕唐 1072-235- 10
獨孤稽後魏 1072-233- 10
獨孤熲清 見高熲
獨孤穎女 唐 見獨孤皇后
獨孤嶼唐 484- 85- 3
494-318- 6
1072-238- 10
1342-284-941
獨孤藏後魏 544-214- 62
獨孤羅北周～隋 263-532- 16
264-1106- 79
267-263- 61
380- 23-165
546-123-119
933-780- 55
獨孤永業劉永業 北齊
263-309- 41
267-135- 53
379-407-152
384-137- 7
472- 90- 3
477-304-163
537-197- 54
933-780- 55
獨孤申叔唐 546-705-138
550- 90-212
1074-369- 22
1075-323- 22
1076-102- 11
1076-211- 22
1076-559- 11
1076-659- 22
1342-328-946
1383-316- 28
1410-257-695
1447-231- 7
獨孤如願北周 見獨孤信
獨孤伽羅隋 隋文帝后、獨孤信女 264-675- 36
266-300- 14
373-115- 20
537-185- 53
544-181- 61
獨孤韋八唐 1072-238- 10
1342-445-962
獨孤皇后北周 周明帝后、獨孤信女 263-470- 9
266-298- 14
554-181- 61
獨孤皇后唐 唐代宗后、獨孤穎女 269-436- 52
274- 22- 77
393-265- 72
獨孤師仁乳母 唐 見王蘭英
獨孤問俗唐 494-288- 4
獨孤開遠隋 264-1107- 79
267-264- 61
獨孤景雲北周 544-219- 62
獨孤賓庭唐 1072-233- 10
1342-509-970
獨孤賓庭妻 唐 見長孫氏
獨孤樂善明 1241- 83- 4
1242-787- 7
獨孤懷恩唐 271-400-183
276-115-206
400- 25-501
獨傲仙女宋(傲氏與嫂獨孤氏) 567-459- 87
獨吉千家奴女 金 見通吉氏
獨吉察雅努女 金 見通吉氏
獨孤標和尚不詳 473-237- 60
鴟夷子春秋 見范蠡
鴟夷子皮春秋 見范蠡
館陶王明 見朱當漗
館陶公主漢 見劉施
館陶公主漢 見劉嫖
館陶公主漢 見劉紅夫
學成唐 533-800- 75
學喜唐 見實叉難陀
學聖清 456-370- 78
學蘊明 570-256- 25
學圃文人不詳 1221-687- 28
龜山和尚五代 1053-319- 8
雕延年漢 933-261- 18
雕陶莫皋復株絫若鞮單于 漢 381-610-199
錡華漢 933-518- 34
錡嵩不詳 933-518- 34
錦台什清 474-851- 46
錦濟勒巴圖爾、鄭王 元 294-472-138
399-774-497
1206-643- 14
1373-284- 19
鮑乙宋 511-613-160
鮑三妻 明 見胡氏
鮑元晉 476-158-104

鮑丹漢 254-243- 12
鮑氏宋 侯正臣妻、鮑輌女
1117-189- 16
鮑氏宋 張昭式妻、鮑從周女
1117-190- 16
鮑氏明 王鑑妻、鮑芝女
1291-408- 7
鮑氏明 任良貴妻 516-321-100
鮑氏明 汪應宿妻
1408-571-538
鮑氏明 黃俌妻、鮑恩女
1272-233- 9
鮑氏明 霍鍾英妻 483-269-392
鮑氏清 王興路妻 479-297-230
鮑氏清 張易升妻 475-236- 61
鮑氏清 黃介瑞妻 479-336-232
鮑氏清 華秀妻 512-261-183
鮑氏清 楊子仁妻 533-525- 66
鮑永漢 252-704- 59
370-150- 14
376-663-107下
384- 58- 3
402-391- 5
402-560- 18
469-378- 45
472-171- 6
472-394- 17
472-490- 21
475- 14- 49
476-152-104
477-559-177
488- 73- 6
510-273-112
523- 2-146
540-629- 27
544-200- 62
545-810-112
554- 99- 50
933-600- 38
1408-415-520
鮑正梁 265-884- 62
378-454-142
933-600- 38
鮑由包愼由 宋 288-245-443
382-762-116
400-659-561
472-1054- 44
479-432-236
524- 89-182
567-436- 86
674-832- 17
820-406- 34
1128-152- 17
1437- 19- 1
1467-147- 67
鮑出魏 254-349- 18
385-363- 35
478-103-180
554-746- 62
1408-486-528
鮑老宋 529-689- 50
鮑旭明 473-211- 59
480- 51-259
532-617- 43
鮑宏隋 264-953- 66
267-511- 77
379-832-163
472-554- 23
476-786-141
540-731-28之1
544-219- 62
544-221- 62
933-601- 38
鮑防唐 270-747-146
275-238-159
396- 48-256
470-377-145
480-296-271
515- 8- 57
528-435- 29
533-234- 54
1341-727-896
1365-420- 3
1371- 61- 附
1410- 25-666
鮑怡妻 清 見段氏
鮑昂漢 376-665-107下
476-152-104
547- 31-142
鮑芝女 明 見鮑氏
鮑叔春秋 見鮑叔牙
鮑叔元 821-303- 53
鮑周元 1217- 57- 7
鮑姑晉 葛洪妻、鮑靚女
547-489-159
1061-345-115
鮑牧春秋 404-622- 38
鮑洪明 456-603- 9
483- 97-378
鮑宣漢 250-608- 72
367-322-100
384- 51- 2
459-198- 12
469-334- 65
472- 66- 2
474-337- 17
476-156-104
477-559-177
491-797- 6
505-743- 72
505-850- 76
540-698-28之1
545-810-112
554- 97- 50
675-261- 7
933-600- 38
鮑宣妻 漢 見桓少君
鮑洵宋 821-208- 51
鮑恂明 299-295-137
452-125- 1
472-984- 39
479- 95-221
523-581-175
676-445- 17
1220-341- 12
1229-156- 2
1391-679-343
1442- 5-附1
1459-225- 4
鮑洋宋 821-208- 51
鮑恢漢 478- 98-180
554-428- 56
933-600- 38
鮑威妻 明 見任氏
鮑革春秋 見宋文公
鮑陋晉(鎭白帝城) 471-985- 57
559-293-7上
鮑陋晉(海鹽令) 523- 95-150
鮑癸春秋 545-728-109
鮑昱漢 252-706- 59
370-151- 14
376-664-107下
384- 61- 3
402-364- 3
402-561- 18
472-504- 21
472-764- 30
472-788- 31
476-152-104
476-203-107
477-357-166
477-406-166
537-308- 56
545-333- 96
545-812-112
554- 99- 50
933-600- 38
鮑昱宋 516- 17- 87
鮑昭劉宋 見鮑照
鮑信漢～魏 253-443-104上
254-243- 12
377- 99-115上
384- 83- 4
386- 86-71上
476-820-143
540-705-28之1
鮑泉梁 260-265- 30
265-882- 62
378-453-142
469-192- 22
472-310- 13
933-600- 38
鮑起明 1239-229- 42
鮑恩女 明 見鮑氏
鮑時明 472-431- 19
545- 70- 85
鮑剛宋 524- 89-182
鮑釗明 1442-113-附7
鮑倫明 524-126-184
鮑牽鮑莊子 春秋 384- 16- 1
404-578- 35
鮑訪唐 473-250- 60
鮑深元 1252-632- 36
1375- 23- 上
鮑國鮑文子 春秋 404-578- 35
448-193- 14
933-600- 38
鮑彪宋 524- 90-182
鮑琪妻 元 見吳息
鮑越明 511-569-158
鮑琚宋 516- 20- 87
鮑琦明 474-471- 23

505-691- 70
鮑軻宋(工部員外郎)
491-345- 2
鮑軻宋(永嘉人) 494-297- 5
鮑軻女 宋 見鮑氏
鮑弼明 1262-416- 45
1410-398-716
鮑琢宋 475-607- 81
511-482-155
鮑勛魏 254-242- 12
377- 99-115上
384- 85- 4
384-659- 41
386- 85-71上
472-523- 22
476-820-143
540-709-28之1
933-600- 38
鮑幾梁 378-453-142
鮑喬鮑九萬 宋 448-386- 0
鮑溶唐 451-444- 4
674-262-4中
1371- 69- 附
1388-844-117
鮑雍宋 524-143-185
鮑廉宋 479-678-248
515-132- 61
523-420-166
鮑椿明 1376-447- 88
鮑楠明 676-517- 20
1442- 35-附2
1459-745- 29
鮑照鮑昭 劉宋 258-124- 51
265-213- 13
375-263- 81
469-191- 22
471-684- 14
475-118- 55
480-138-264
489-599- 47
493-736- 41
511-899-172
533-726- 73
534-859-114
540-718-28之1
546-655-137
674-245-4上
1063-564- 附
1232-583- 5
1366-795- 6
1379-499- 60
1394-593- 8
1395-592- 3
1401- 46- 15
鮑當宋 491-344- 2
494-297- 5
鮑當妻 宋 見陳氏
鮑敬宋 524-365-197
鮑遇元 516-199- 95
鮑寧明 511-852-169
1375- 30- 上
1376-607-95下
鮑遜宋 481-745-334
528-551- 32
鮑蓋晉 524-406-199
鮑潚宋 494-311- 5
1164-299- 16
鮑潚妻 宋 見劉善敬
鮑靚晉 256-553- 95
380-607-182
472-668- 27
511-929-174
538-335- 70
541- 86- 30
547-489-159
564-613- 56
933-600- 38
1061- 37- 85
1061-239-106
1061-345-115
鮑靚女 晉 見鮑姑
鮑輗宋 1365-604- 下
1366-948- 6
鮑澤明 479-408-235
523- 48-166
鮑德漢 252-707- 59
376-665-107下
402-528- 15
472-764- 30
476-152-104
477-357-166
537-308- 56
545-813-112
933-600- 38
鮑德明(字秉仁) 475-708- 86
511-337-149
鮑德明(字子愼) 558-233- 32
鮑頫明 1375- 26- 上
1376-600-95下
鮑龍妻 明 見倪氏
鮑機梁 267-511- 77
鮑靛漢 505-936- 85
鮑興元 476-526-128
540-782-28之2
541-593-35之17
鮑璨明 1376-447- 88
鮑駿漢 475-745- 88
鮑麒明 678-190- 88
鮑韜清 537-336- 56
鮑蘇妻 周 見女宗
鮑疊漢 683-237- 3
鮑瓚明 1268-287- 46
鮑九萬宋 見鮑喬
鮑子春魏 254-513- 29
鮑子壽元 1375- 17- 上
鮑文子春秋 見鮑國
鮑文弘明 516- 89- 90
鮑之良女 明 見鮑賽賽
鮑之奇清 523-423-166
563-890- 42
鮑之祥明 515-179- 62
鮑元康元 1217- 63- 8
1376-465- 89
鮑元鳳元 511-614-160
1221-355- 7
鮑友龍宋 528-445- 29
鮑仁濟明 524- 66-181
676-483- 18
1442- 23-附2
1459-602- 22
鮑化龍清 540-853-28之4
鮑允亨明 1262-529- 58
鮑弘仁清 510-482-118
鮑正姑清 黃百壽妻
512- 95-179
鮑令暉齊 547-287-152
1379-543- 64
1394-541- 7
鮑守才母 清 見蔣氏
鮑安行鮑棣郎 宋448-371- 0
鮑同仁元 676-390- 14
鮑同孫宋 451- 95- 3
鮑光年明 1268-385- 61
鮑光義明 511-855-169
鮑行卿梁 265-884- 62
378-454-142
933-600- 38
鮑光澤元 524-277-192
1226-447- 21
1457-548-394
鮑良規明 510-377-114
鮑君福五代 472-1071- 45
479-233-227
494-293- 4
523-545-173
鮑君徽唐 唐德宗妃
1371- 79- 附
1388-784-112
鮑希軾妻 明 見吳氏
鮑希顏明 547- 37-142
鮑邦志明 511-628-161
鮑宗岩元 1224- 8- 15
鮑宗師宋 1097-310- 21
鮑宗燦妻 清 見周氏
鮑宗巖宋 288-418-456
400-305-524
1376-121- 66
鮑亞之宋 491-345- 2
鮑長暄北齊 263-334- 44
鮑東萊明 540-809-28之3
鮑承先清 546-105-118
鮑承蔭明 545-851-113
鮑尚絅元 1221-199- 2
鮑尚褧妻 明 見宋禮玉
鮑叔牙鮑叔 春秋
244-349- 62
384- 16- 1
386-615- 3
404-575- 35
448-136- 3
472-586- 24
491-790- 6
933-600- 38
鮑叔用妻 不詳 見俞氏
鮑叔陽漢 474-522- 25
1061- 34- 85
鮑叔廉宋 523-416-166
鮑季詳北齊 263-334- 44
267-575- 81
380-317-174
505-872- 78
540- 73-28之1

933-601- 38
鮑容卿南朝 265-884- 62
933-600- 38
鮑洗孫宋 見鮑慎履
鮑思美元 1222-422- 4
鮑若雨宋 448-524- 14
523-625-177
鮑俊德宋 1153-557-101
鮑原禮明 821-351- 55
鮑修讓五代 523-545-173
鮑莊子春秋 見鮑牽
鮑婉娘宋 479-409-235
鮑從周女 宋 見鮑氏
鮑啟登妻 明 見楊氏
鮑雲鳳明 540-809-28之3
鮑雲龍元 1193-515- 23
1375- 18- 上
1376-444- 88
鮑棣郎宋 見鮑安行
鮑象賢明 300-261-198
482-540-368
511-282-147
554-188- 51
569-652- 19
鮑復昌清 537-292- 55
鮑慎履鮑洗孫 宋
448-374- 0
鮑道明明 523- 57-148
554-199- 52
571-519- 19
鮑瑞生母 清 見王氏
鮑敬叔周 933-600- 38
鮑嫆娘宋 479-409-235
鮑粹然宋 481-719-333
528-550- 32
1174-742- 46
鮑壽孫宋 475-569- 79
1375- 17- 上
1376-121- 66
鮑際明明 511-163-142
鮑廣父周 405-104- 62
鮑魯卿元 1217- 56- 7
鮑應選明 1475-435- 18
鮑應舉妻 清 見許氏
鮑應鰲明 475-575- 79
511-288-147
676-238- 9
鮑賽賽明 鮑之良女
480-565-284
鮑獻書明 505-706- 70
鮑夔生清 516-226- 96
衡方漢 541-768-35之20
681- 43- 3
681-532- 8
681-696- 22
683-256- 5
1103-379-136
1397-610- 29
衡王唐 見李紉
衡王唐 見李憺
衡王明 見朱允熞
衡王明 見朱祐楎
衡王明 見朱翊鏤
衡氏清 唐建極妻
481-250-304
衡立漢 681-588- 12
1397-677- 32
衡佐元 1203-339- 25
衡岳明 458- 74- 4
473- 97- 53
477-418-169
478-573-203
479-627-245
482-140-344
515-186- 62
537-565- 60
554-249- 52
563-792- 41
1249-471- 31
1467- 67- 64
衡塾宋 480-462-279
衡毅漢 453-760- 4
482-452-362
564- 7- 44
567-362- 81
衡鏞明 558-453- 38
衡士鑑妻 清 見曹氏
衡山王漢 見吳芮
衡山王漢 見劉賜
衡久榮清 456-369- 78
衡方厚妻 唐 見程氏
衡有德清 456-369- 78
衡陽王劉宋 見劉義季
衡陽王齊 見蕭子峻
衡陽王齊 見蕭道度
衡陽王梁 見蕭暢
衡陽王梁 見蕭元簡
衡陽王陳 見陳昌
衡陽王陳 見陳伯信
衡陽王明 見朱寵淹
錫光漢 471-1051- 68
472-867- 34
483-696-422
558-385- 36
567- 18- 63
933-753- 52
錫罕清(瓜爾佳氏) 455- 78- 2
錫罕清(棟鄂氏) 474-772- 41
502-733- 84
錫克清 455-336- 20
錫里元 294-535-143
400-265-521
錫佛清 502-735- 84
錫來清 455-187- 9
錫保清 順承親王 454-153- 8
錫泰清 456-232- 68
錫倫清 456-139- 59
錫理清 456- 63- 54
錫都元 1210-304- 8
錫勒習爾 唐 496-623-105
錫常清 456-145- 60
錫登金 474-167- 8
錫琳清 455-526- 33
錫牌明 572-165- 32
錫魯清 455-578- 38
錫賴清 502-533- 72
錫禧清 455-120- 4
錫類明 511- 99-140
錫馨金 291- 45- 67
399- 71-423
錫卜臣清 502-530- 72
錫巴喀清 456- 9- 50
錫巴禮清 455-472- 29
錫本額清 456- 12- 50
錫占暉金 476-831-138
錫里巴元 294-408-133
399-540-473
錫邦阿清 544-180- 8
錫拉布清 455-538- 34
錫東額清 455-216- 1
錫珠蘭清 456-110- 57
錫特庫清(赫舍里氏)
455-188- 9
錫特庫清(喜塔臘氏)
455-625- 43
錫特庫清(佟佳氏) 474-771- 41
502-567- 74
502-577- 75
錫特訥清 455- 71- 2
錫倫住清 455-647- 45
錫納海清 502-581- 75
錫勒達清 481- 29-291
錫務尼清 456-177- 63
錫喇巴清 455-170- 7
錫喇布清 474-755- 41
錫達理清 502-500- 70
錫壽子不詳 933-753- 52
錫爾門清 455- 65- 2
錫爾岱清 455-505- 31
錫爾度清 502-536- 72
錫爾哈清 456-164- 62
錫爾祜清 456-105- 57
錫爾泰清(納喇氏) 455-386- 23
錫爾泰清(富察氏) 455-449- 27
錫爾泰清(錫罕弟) 502-733- 84
錫爾登清 455-269- 15
錫爾騰清 456-123- 58
錫圖克清 456- 10- 50
錫圖庫清 502-494- 70
錫圖琥清 455-519- 32
錫墨訥清 455-157- 6
錫伯爾圖清 455-272- 15
錫哩堪布元 見錫琳甘布
錫特佛柱清 455-137- 5
錫理德克清 456-258- 69
錫普克尼清 455-489- 30
錫琳甘卜元 見錫琳甘布
錫琳甘布錫哩堪布、錫琳甘卜、錫琳幹布、錫琳巴圖爾 元
294-270-122
399-348-449
1202-376- 25
錫琳幹布元 見錫琳甘布
錫喇巴哈爕理布哈、爕理溥化 元 475-700- 86
1208-230- 9
錫塔爾海元 見薛塔喇海
錫爾塔齊清 456-167- 62
錫默阿里斜卯阿里 金
291-173- 80
399-102-425
502-345- 61

錫默愛實金 291-591-114
399-315-446
錫布推哈坦清 454-523- 50
錫克特勒氏西克忒克勒氏 清 達里虎妻 1321- 21- 86
錫哈巴克什清 455-162- 7
錫特烏哩氏清 色木特庫妻
503- 72- 96
錫琳巴圖爾元 見錫琳甘布
錫琳愛魯克元 294-271-122
399-348-449
錫喇奇塔特清 456-237- 68
錫喇普囊蘇清 456-256- 69
穆乙後魏 見穆乙九
穆尤清 456- 33- 52
穆屯清 455-549- 35
穆丹清 455-490- 30
穆氏後魏 拓跋嘉妻
266-344- 16
375-448-84上
穆氏宋 吳磐妻、穆之武女
1118-953- 65
穆氏宋 柳承贊妻
1085-334- 14
1351-582-139
1410-297-703
穆氏宋 蘇茂母 1149-731- 17
穆氏明 李天祚妻 506- 34- 86
穆氏明 閔應華妻 570-204- 22
穆氏明 湯橋妻 506- 92- 88
穆氏清 夏錫智妻 480-256-269
穆氏清 趙燦妻 506- 38- 86
穆氏清 韓才妻 474-521- 25
穆正明 676- 90- 3
穆生漢 476-578-131
540-691-28之1
675-276- 11
穆臣清 475-874- 95
545-113- 86
穆良後魏 261-419- 27
穆伯春秋 見公孫敖
穆虎清 502-743- 85
穆叔春秋 見叔孫豹
穆姜繆姜 春秋 魯宣公夫人
404-565- 34
448- 68- 7
穆亮後魏 261-412- 27
266-412- 20
379- 8-146
476- 76-100
476-255-110
546- 23-115
穆相明 473- 17- 49
515- 45- 58
540-662- 27
554-496-57上
676- 79- 3
680-237-248
穆建後魏 261-412- 27
穆衍後魏 544-211- 62
穆衍宋 286-417-332
397-522-351
472-458- 20
472-720- 28
476-122-102
477-253-161
478-404-194
537-480- 58
546-292-124
547-189-148
554-272- 53
558-174- 31
穆庫清 455- 71- 2
穆泰穆石洛 後魏 261-409- 27
266-411- 20
379- 6-146
552- 34- 18
穆眞後魏 261-409- 27
266-411- 20
379- 6-146
穆珣宋 486- 49- 2
穆起清 455- 56- 1
穆員唐 271- 13-155
275-277-163
396- 91-260
538-138- 65
933-716- 49
1073-539- 22
1074-369- 22
1075-323- 22
1394-667- 10
穆姬春秋 秦穆公夫人、晉獻公女
405-325- 76
448- 20- 2
555- 2- 66
穆修宋 288-224-442
382-737-113
384-344- 17
400-648-560
472-556- 23
472-790- 31
476-823-143
511-911-173
538-147- 65
538-719- 80
540-751-28之2
674-813- 17
933-716- 49
1087- 28- 附
1092-116- 15
1098-828- 8
1351-509-132
1410-566-741
1437- 10- 1
穆崇後魏 261-408- 27
266-410- 20
379- 6-146
544-206- 62
546- 7-115
933-715- 49
穆紹後魏 261-415- 27
266- 41- 1
379- 9-146
476-255-110
546- 26-115
穆組清 456- 10- 50
穆敦後魏 552- 38- 18
穆敦清 456- 50- 53
穆登清 455- 89- 3
穆開宋 見穆擯祖
穆弼後魏 261-417- 27
266-414- 20
379- 10-146
穆肅隋 528-547- 32
穆森清 456-371- 78
穆舒清 455- 48- 1
穆煒明 510-366-114
穆瑚清 455-567- 37
穆楚清 456-187- 64
穆賓宋 540-748-28之2
541-111- 31
541-115- 32
穆福清 502-504- 70
穆寧唐 271- 11-155
275-275-163
384-212- 11
396- 89-260
469-444- 53
472- 64- 2
472-720- 28
474-304- 16
474-336- 17
477-250-161
505-667- 69
532-566- 40
537-478- 58
933-716- 49
1342-303-943
穆端宋 540-751-28之2
穆彰清 454-425- 30
穆漢清 455-365- 22
穆榮妻 明 見武氏
穆壽後魏 261-410- 27
266-411- 20
379- 7-146
546- 16-115
穆熊後魏 見穆羆
穆徹元 294-379-131
399-514-470
穆璋父 宋 1149-718- 16
穆翟宋 1121-612- 8
穆鼐清(瓜爾佳氏) 455- 75- 2
穆鼐清(任佐領) 502-755- 85
穆賞唐 271- 13-155
275-277-163
396- 91-260
933-716- 49
穆質唐 271- 13-155
275-277-163
396- 91-260
933-716- 49
1076-111- 12
1076-567- 12
1077-136- 12
穆嬴春秋 晉襄公夫人
404-762- 46
547-236-150
穆翰後魏 261-417- 27
266-414- 20
379- 10-146
546- 14-115

穆翰清 455-152- 6
穆濟清 456-106- 57
穆覬後魏 見穆顗
穆膳清 455-626- 43
穆羆穆熊 後魏 261-411- 27
266-412- 20
379- 8-146
476-179-106
545-233- 92
穆顗穆覬 後魏 261-417- 27
266-414- 20
379- 10-146
546- 14-115
552- 38- 18
穆贊唐 271- 13-155
275-277-163
395- 90-260
479-525-241
510-280-112
515-211- 63
933-716- 49
1076-111- 12
1076-567- 12
1077-136- 12
穆蘇元 532-718- 45
穆鐸清 455-661- 46
穆鑊後魏 261-418- 27
穆觀後魏 261-410- 27
266-411- 20
379- 7-146
476-253-110
546- 12-115
933-715- 49
穆乙九穆乙 後魏
261-409- 27
266-411- 20
379- 6-146
穆三益清 478-574-203
穆子容後魏 261-410- 27
266-411- 20
379- 7-146
546-674-137
穆子琳後魏 261-418- 27
穆子蘭妻 清 見吳氏
穆文熙明 505-890- 79
676-590- 24
1442- 62-附4
1460-208- 49
穆文武女 宋 見穆氏
穆孔昭明 483- 97-378
570-215- 23
穆孔暉明 301-783-283
457-455- 29
458-902- 8
476-617-133
540-798-28之3
676-534- 21
677-564- 51
678-191- 88
1458-313-438
穆天顏明 533- 53- 48
穆立泰妻 清 見趙氏
穆石洛後魏 見穆泰
穆平城後魏 379- 10-146
穆平國後魏 379- 8-146
穆世傑明 515-174- 62
554-494-57上
穆生輝清 480-320-272
533-393- 60
546-107-118
穆安國後魏 552- 39- 18
穆光胤明 676-641- 26
820-748- 44
穆多侯後魏 261-417- 27
266-414- 20
379- 10-146
546- 20-115
穆伏干後魏 379- 8-146
穆朱琥清 455-272- 15
穆成額清(伊爾根覺羅氏)
455-241- 13
穆成額清(納喇氏) 455-388- 23
穆成額清(兀札喇氏)
455-485- 30
穆成額清(伊拉理氏)
455-672- 47
穆成額清(葛佳喇氏)
456-173- 63
穆成額清(鄂岳氏) 502-513- 71
穆君虞唐 820-285- 30
穆克訥清 455-282- 16
穆克登清(兆佳氏) 455-504- 31
穆克登清(吳札庫氏)
455-525- 34
穆克圖清 455-616- 42
穆克譚清 455-477- 29
474-757- 41
502-752- 85
穆邪利北齊 齊後主后
263- 77- 9
266-296- 14
373-111- 20
穆伯智後魏 261-410- 27
穆秀之宋 1189-309- 2
穆廷栻清 505-810- 74
510-305-112
穆孟姬春秋 叔孫僑如女
404-630- 38
穆奇常清 456-194- 65
穆呼哩木華黎、魯國王 元(謚忠武) 294-221-119
399-322-447
451-501- 1
472-623- 25
496-374- 86
502-270- 55
548-404-174
1054-758- 22
穆呼哩元(謚武毅) 294-238-120
399-334-448
穆如廉清 455- 86- 3
穆如楞清 455-136- 5
穆相國後魏 261-416- 27
552- 33- 18
穆剌慥金 見伊喇慥
穆若愚唐 1342-446-962
穆哈納清 455-625- 43
穆哈連清(舒穆祿氏)
455-156- 6
穆哈連清(羅山地方人)
455-168- 7
穆哈連清(他塔喇氏)
455-218- 11
穆哈連清(富察氏) 455-414- 25
穆哈連清(戴佳氏) 455-479- 29
穆哈連清(費莫氏) 455-637- 44
穆哈連清(齊佳氏) 455-641- 44
穆哈達清(瓜爾佳氏)
455- 68- 2
穆哈達清(馬佳地方人)
455-166- 7
穆哈達清(舒舒覺羅氏)
455-285- 16
穆香郎明 547-564-161
561-564-161
穆淩阿清 455-519- 32
穆原鼎元 1217-741- 4
穆珠瑚清 455-270- 15
穆修己唐 821- 54- 46
穆納昆清 502-478- 69
穆深之宋 1149-718- 16
穆訥克清 456-125- 58
穆理瑪清(瓜爾佳氏)
455- 38- 1
穆理瑪清(舒舒覺羅氏)
455-287- 16
穆逐留後魏 見穆遂留
穆陳實明 1283-778-128
穆國棟妻 清 見李氏
穆從墨清 540-680- 27
穆甯中明 554-296- 53
穆雅那清 455-195- 9
穆隆額清 455-331- 20
穆提婆駱提婆 北齊
263-386- 50
267-754- 92
381- 35-184
穆喀理清 456-104- 57
穆喇渾清 455-539- 34
穆進泰清 455-304- 18
穆道子宋 1087- 28- 下
穆遂留穆逐留 後魏
261-409- 27
266-411- 20
379- 6-146
穆瑚納清 455-433- 26
穆楞額清 455-449- 27
穆楚魯清 455-512- 32
穆達祿清 455-552- 35
穆達禪清 455-366- 22
穆當阿清(他塔喇氏)
455-219- 11
穆當阿清(富察氏) 455-431- 26
穆當額清 456-101- 57
穆演祖宋 見穆擯祖
穆擯祖穆開、穆演祖 宋
451- 90- 3
480-508-281
1367-382- 31
穆爾那清 455- 86- 3
穆爾岱卯打 明 496-628-106
穆爾岱清 455-190- 9

穆爾祜清 454-185- 10
502-424- 67
穆爾善清 455-363- 22
穆爾塔清 456- 33- 52
穆爾察清 455-343- 21
穆爾謨清 475-472- 72
502-688- 81
510-408-115
穆爾薩迷兒咱 明
496-628-106
穆圖庫清 456- 52- 53
穆圖善清 455-317- 19
穆維乾清 505-882- 79
穆維頤妻 清 見張氏
穆魯青清 456-120- 58
穆錫屯清 455-460- 28
穆醜善後魏 261-418- 27
266-415- 20
379- 11-146
穆禮堪清 456- 61- 54
穆禮瑪清 456-153- 61
穆鵬錫妻 清 見董氏
穆什頁庫妻 元 馬速忽妻
481-532-326
穆克登額清(鑲紅旗人)
455- 70- 2
穆克登額清(正紅旗人)
455- 90- 3
穆克楚庫清 456- 70- 55
穆延摶多金 見穆延盡忠
穆延盡忠穆延摶多、穆延托恩多 金 291-419-101
399-244-438
554-247- 52
穆爾哈齊清 454-158- 9
474-752- 40
502-418- 67
穆奇納噶哈清 455-234- 12
穆延托恩多金 見穆延盡忠
穆延薩克達抹撚史扢搭 金
291-328- 93
399-232-436
503- 15- 91
穆穆理德特赫清
455-486- 30

十七畫

賽色清 455-504- 31
賽理清 455-119- 44
賽都清 455-480- 29
賽華清 455-110- 4
賽資妻 清 見陳氏
賽達清 455-492- 30
502-503- 70
賽漢清 455-205- 10
賽圖清(納喇氏) 455-385- 23
賽圖清(烏蘇氏) 455-568- 37
賽瑋清 540-864-28之4
賽寶清 455-514- 32
賽玉紘清 540-863-28之4
賽布琥清 455-387- 23
賽枝大清 483- 70-376
540-876-28之4
569-680- 19
賽音布清 455-696- 49
賽珠瑚清 455-215- 11
賽隆阿清 455-650- 45
賽弼圖清 502-730- 84
賽喀那清 456- 46- 53
賽碧喀清 455-673- 47
賽碧漢清 455-157- 6
賽濟圖清 456-252- 69
賽壁漢清 456- 17- 51
賽因不花元 見賽音布哈
賽音布哈賽因不花 元(息州人) 477-544-176
賽音布哈元(興元路勸農使)
554-205- 52
賽音三布祿清 456- 61- 54
賽音巴彥岱清 456-217- 67
賽典赤贍思丁元 見賽音諤德齊沙木斯鼎
賽音弼理克圖清
454-935-113
賽典只兒贍思丁元 見賽音諤德齊沙木斯鼎
賽音達齊扎斯丁元 見賽音諤德齊沙木斯鼎
賽音迪延齊沙木斯鼎元 見賽音諤德齊沙木斯鼎
賽音諤德齊沙木斯鼎烏馬兒、烏瑪喇、達音齊札斯丁、賽典只兒贍思丁、賽典赤贍思丁、賽音迪延齊沙木斯迪音、賽音迪延齊沙木斯鼎、賽音達齊扎斯丁、賽音諤德齊沙木思迪音、薩達克齊沙木斯迪音 元 294-301-125
399-360-450
473-807- 86
474- 93- 3
477-562-177
481- 22-291
482-538-368
494-152- 5
554-160- 51
569-644- 19
570-543-29之9
1196-502- 1
1201-192- 82
賽音迪延齊沙木斯迪音 見賽音諤德齊沙木斯鼎
賽音諤德齊沙木思迪音元 見賽音諤德齊沙木斯鼎
鴻安漢 561-197-38之1
鴻休唐 1052-327- 23
鴻究唐 1053-370- 9
鴻莒五代 524-441-201
1052-358- 25
鴻楚五代 524-441-201
1052-357- 25
鴻蒙夏 546-234-123
鴻聊魋春秋 見鴻騮魋
鴻騮魋鴻聊魋 春秋
933- 43- 2
鴻和特穆爾并王、嘉王 元
544-238- 63
濕叔周 見隰叔
謝万晉 377-841-128
謝方妻 宋 見黃氏
謝文明 478-297-188
554-484-57上
謝丰明 676-582- 24
謝氏吳 吳大帝夫人、謝贇女
254-759- 5
385-478-52上
謝氏劉宋 孔琳妻 814-217- 2
820- 91- 24
謝氏劉宋 劉義康妻、謝晦女
265-310- 19
謝氏宋 王用之妻
1098-729- 45
1356-234- 10
謝氏宋 李科妻 288-457-460
401-159-590
482- 91-342
謝氏宋 胥茂諶妻、謝景初女
1113-437- 8
謝氏宋 梅堯臣妻、謝濤女
1102-284- 36
1351-598-141
1356-228- 10
1378-599- 62
1383-644- 57
1410-455-724
謝氏宋 黃庭堅妻、謝景初女
1482-416- 3
謝氏宋 譚文初妻、謝立女
820-473- 36
821-272- 52
1117-411- 4
謝氏元 沈度一妻
493-1082- 57
謝氏元 宋敬先妻 401-177-593
496-414- 89
謝氏元 陳思名妻 530- 86- 56
謝氏元 張紹大妻 524-681-211
謝氏元 劉堅妻 1214-242- 20
謝氏元 鍾子茂妻 473-196- 58
479-812-255
謝氏明 方永進妻、謝子敬女
1242- 96- 27
謝氏明 王承重妻
1232-672- 8
謝氏明 王佩玉妻 477-135-155
謝氏明 孔椿妻、謝舍零女
475-332- 65
1293-724- 4
謝氏明 丘鏘妻 472-1106- 47
謝氏明 朱文盛妻 482-524-367
1467-274- 72
謝氏明 朱國材妻 530-158- 58
謝氏明 宋仲庸妻 472-264- 10
謝氏明 李時育妻 479-562-242
謝氏明 李鍾元妻 533-588- 69
謝氏明 吳達妻 506- 3- 86
謝氏明 吳東周妻 530- 67- 55
謝氏明 吳昌祚妻 302-248-303

475-673- 84
512-114-180
謝氏明 林玖妻 1274-421- 15
謝氏明 林用進妻 481-532-326
謝氏明 林尚實妻、謝遜女
1257-168- 16
謝氏明 林朝卿妻 530-139- 58
謝氏明 林景元妻 561-476- 43
謝氏明 周光烈妻、謝廷策女
476-532-128
謝氏明 邱澍妻 481-725-333
謝氏明 段二妻 472-414- 18
475-434- 70
謝氏明 孫彬妻 570-168- 22
謝氏明 陸德芳妻
1260-646- 20
謝氏明 張化龍妻 558-518- 42
謝氏明 張啟忠妻 506- 55- 87
謝氏明 馮三謨妻 506- 77- 88
謝氏明 曾志聖妻 479-824-256
謝氏明 黃佩妻 482-118-343
謝氏明 黃祐妻 480- 63-260
謝氏明 黃琮妻 530- 88- 56
謝氏明 黃廷瑛妻 530-166- 59
謝氏明 黃華南妻 530- 93- 56
謝氏明 喻應鶴妻 481-118-296
559-449-11上
謝氏明 楊俊妻 516-237- 97
謝氏明 楊太芳妻 506- 33- 86
謝氏明 葉芊妻 479-824-256
516-406-102
謝氏明 鄒永太妻、鄒永泰妻
482- 91-342
564-337- 49
1223-584- 11
謝氏明 鄒承恩妻 483-373-401
謝氏明 滕愈潮妻 482-354-356
謝氏明 劉辛二妻 473-189- 58
謝氏明 蕭繼寵妻 530-127- 57
謝氏明 韓海羅妻
1297-149- 12
謝氏明 魏瑤妻 475-782- 89
512-143-181
謝氏明 魏夔一妻 480- 63-260
謝氏明 謝榮女 1467-267- 72
謝氏清 方祖純妻 530- 75- 55
謝氏清 方富宇妻 530- 75- 55
謝氏清 方爾豐妻 530- 80- 55
謝氏清 王穀妻 506- 68- 87
謝氏清 王中憲妻 512-452-187
謝氏清 王思美妻 530- 29- 54
謝氏清 田而助妻 506-169- 90
謝氏清 白三妻 475-857- 94
謝氏清 任明翰妻 476-532-128
謝氏清 朱還淳妻 475-674- 84
謝氏清 沈光僑妻 524-614-208
謝氏清 李得興妻 503- 67- 95
謝氏清 李毓英妻 482-469-363
謝氏清 李聯芳妻 478-298-188
謝氏清 吳元陽妻 530-139- 58
謝氏清 吳守鳳妻 480-665-290
謝氏清 吳肇熹妻 530- 32- 54
謝氏清 林標侃妻 530- 38- 54
謝氏清 周應揚妻 481- 85-294
謝氏清 高登舉妻 503- 34- 94
謝氏清 商洛妻 506- 69- 87
謝氏清 許秉哲妻 480-322-272
謝氏清 康椿妻 530-118- 57
謝氏清 張瑞河妻 481-728-333
謝氏清 張體義妻 475-435- 70
謝氏清 陳綬添妻 530-119- 57
謝氏清 曾文煌妻 479-732-250
謝氏清 黃化治妻 530-148- 58
謝氏清 楊鍾蘁妻 482-145-344
謝氏清 鄒岱妻 483- 36-371
570-188- 22
謝氏清 蔡文績妻 530- 38- 54
謝氏清 劉兆鏋妻 530- 26- 54
謝氏清 盧載蘋妻 479-436-236
謝氏清 藍繡妻 481-680-331
530-148- 58
謝氏清 魏晉階妻 512-424-187
謝氏清 蘇繼洵妻 482-391-358
謝氏清 鐘意浩妻 482-306-353
謝氏清 顧旭妻 512-200-182
謝氏清 龔行妻 475-284- 63
512- 46-178
謝氏清 謝桂女 512-122-180
謝氏清 謝亦昇女 482- 45-340
謝玄晉 256-307- 79
370-369- 9
377-838-128
384- 99- 5
459-322- 19
471-900- 44
472-288- 12
472-1070- 45
475-363- 67
476-474-125
477-447-171
485-551- 3
486-298- 14
486- 35- 2
489-352- 31
489-599- 47
510-275-112
524-320-195
540-630- 27
933-681- 46
謝立女 宋 見謝氏
謝弘明 460-601- 59
謝石晉 256-312- 79
370-369- 9
377-842-128
472-1068- 45
477-447-171
933-682- 46
謝石宋 561-572- 45
謝正清 570-114-21之1
謝丕明 1442- 40-附2
1459-815- 33
謝札劉宋 265-333- 20
378-408-141
933-684- 46
謝用明 302-150-297
475-572- 79
511-619-160
謝安漢 475-424- 70
511-397-151
謝安晉 256-301- 79
370-364- 9
377-833-128
384- 99- 5
459-319- 19
471-604- 3
471-611- 4
471-779- 27
471-900- 44
472-288- 12
472-655- 27
472-996- 40
472-1068- 45
473-296- 62
473-333- 63
475- 14- 49
475-363- 67
477-447-171
479-131-223
479-249-228
486-297- 14
488-136- 7
488-138- 7
489-352- 31
489-598- 47
489-625- 48
494-274- 2
510-275-112
511-887-172
524-320-195
537-380- 57
585-230- 16
588-446- 2
812- 61- 中
812-225- 8
812-714- 3
813-243- 7
814-238- 5
820- 68- 23
821- 11- 45
839- 38- 4
933-681- 46
1130-190- 19
1141-793- 33
1375-566- 44
謝江明 458- 17- 1
537-521- 59
676-581- 24
謝宇明(禮部祠祭司員外郎)
820-630- 41
謝宇明(字伯寬) 821-372- 55
謝宇明(化州人) 1467- 78- 64
謝在明 510-392-115
謝向晉 469- 77- 10
謝旭清 511-558-158
謝全宋 592-576- 98
謝伋宋 486-897- 34
524-328-195
538-147- 65
1164-241- 12
謝宏明 1253-166- 48
謝沈晉 256-352- 82
377-875-129下

479-230-227
486-304- 14
494-333- 7
523-596-176
678- 81- 77
933-682- 46
謝忱明 523-482-170
謝成明(字德用) 299-244-132
511-420-152
523-244-157
謝成明(字仲美) 821-481- 58
謝杞明 567-146- 68
謝玖晉 晉惠帝夫人
255-583- 31
373- 72- 20
謝岐陳 260-650- 16
265-964- 68
378-547-145
486- 64- 3
933-684- 46
謝孚宋 1137-697- 26
謝孚明 472-351- 15
511-328-149
554-206- 52
謝佑謝祐 明(字天錫)
457-127- 9
564-287- 47
謝佑謝祐 明(字廷佐)
511-600-160
545- 71- 85
1245-504- 26
謝佃明 見謝天申
謝兒明 478- 93-180
謝豸明 546-303-125
554-252- 52
謝泌宋(字宗源) 286- 51-306
397-253-334
471-699- 16
472-378- 16
473-567- 74
475-565- 79
481-523-326
485-433- 6
494-297- 5
511-265-147
528-437- 29
534-948-120
1142-522- 6
1375- 4- 上
1376-278- 77
謝泌宋(上猶人) 510-147- 93
謝泌妻 宋 見侯氏
謝定妻 明 見住氏
謝炎宋 288-209-441
400-641-559
472-983- 39
473-315- 62
479- 94-221
493-874- 48
511-727-165
524- 19-179
謝炎元 1202-268- 19
謝杰明 300-736-227
479-455-237
515- 58- 58
529-477- 43
676-609- 25
676-757- 32
1460-377- 57
謝奉晉 486-297- 14
563-612- 38
謝東宋 843-673-下
謝表明(順天人) 505-920- 82
謝表明(南寧人) 570-144-21之2
謝林明 676- 90- 3
820-579- 40
1442- 13-附1
1459-501- 17
謝承吳 254-759- 5
479-229-227
493-670- 37
524- 49-180
謝忠明(上虞人) 545-144- 88
謝忠明(祁門人) 1263-550- 6
謝尚晉 256-300- 79
377-831-128
384- 99- 5
448-310-上
471-691- 15
472-347- 15
472-394- 17
473-208- 59
477-446-171
480- 11-257
489-598- 47
532-554- 40
537-379- 57
813-280- 15
814-238- 5
820- 68- 23
933-681- 46
1379-342- 42
1395-590- 3
謝芷謝圓 宋 448-380- 0
謝明宋 482-267-350
564- 70- 44
謝芾元 見謝黻
謝芘謝驥兒 宋 448-398- 0
謝昪宋(資州人) 471-994- 59
473-491- 70
481-430-315
561-213-38之2
謝昪宋(杭人) 821-231- 51
謝昪明 299-353-141
456-697- 12
511-466-154
886-163-139
謝芳妻 明 見倪氏
謝旻明 505-824- 75
謝金宋 559-390-9上
謝服漢 見射咸
謝洪宋(武宣人) 473-758- 83
482-468-363
567-412- 84
1467-175- 68
謝洪宋(字範卿) 529-726- 51
謝洪宋(字申父) 1197-249- 24
謝宣清 529-662- 49
謝宣妻 清 見葉球
謝恂南朝 265-312- 19
933-682- 46
謝恂明 472-1102- 47
523-173-154
謝祖明 473- 87- 52
480-131-264
515-246- 64
517-591-130
謝祖妻 清 見陳氏
謝炯明 529-668- 49
謝彥孫彥 明 453- 53- 5
謝奕晉 256-306- 79
370-340- 8
377-838-128
384- 99- 5
471-779- 27
477-447-171
485-533- 1
485-550- 3
486- 65- 3
523-143-153
813-242- 7
814-238- 5
820- 68- 23
933-681- 46
謝奕女 晉 見謝道韞
謝柱明 見謝玉柱
謝相明 515-792- 82
謝珊明 523-202-155
謝春明 李遹道妻、謝克敬女
1259-187- 14
謝郁妻 明 見吳氏
謝南明 524-231-189
謝述劉宋 258-133- 52
265-313- 19
378- 59-132
477-448-171
494-280- 3
523-111-151
933-683- 46
謝貞漢 254-759- 5
謝貞陳 260-761- 32
265-1055- 74
380-115-167
477-451-171
563-916- 43
814-256- 7
820-109- 24
謝貞明 沈鎡妻 1268-402- 63
1268-496- 78
謝茂宋 516-145- 93
謝茂明 524-198-188
謝省明 473-348- 63
480-437-278
523-473-169
532-726- 46
676-500- 19
1459-649- 25
謝英宋 480-408-277
533-341- 58
謝約齊 812-332- 7
821- 18- 45
謝重晉 256-312- 79

謝胐梁 260-156- 15
265-329- 20
378-405-141
477-449-171
494-283- 3
933-684- 46
1394-300- 1
1410-512-731
1415-157- 87
謝胤明 1250-500- 46
謝紀妻 明 見李氏
謝俊唐 479-794-254
516-155- 94
謝海明(字文淵) 480-511-281
533-454- 62
謝海明(字汝涵) 1242-268- 33
謝海妻 清 見徐氏
謝涇明 1242- 54- 25
謝朗晉 256-312- 79
377-842-128
477-447-171
485-553- 3
933-682- 46
謝益清 456-353- 77
謝祐明(字天錫) 見謝佑
謝祐明(字廷佐) 見謝佑
謝祜妻 明 見蘇氏
謝恭明(字文字) 532-633- 43
謝恭明(宜都人) 533-210- 53
謝恭明(字元功) 1442- 9- 1
1459-507- 17
謝哲陳 260-675- 21
265-331- 20
378-406-141
477-451-171
933-684- 46
謝珪元 516-101- 91
謝桂女 清 見謝氏
謝晉謝縉 明 493-1059- 56
511-738-165
518- 72-138
1385- 49- 2
1442- 22-附2
1459-595- 22
謝晉明 見謝孔淵
謝陛明 511-852-169
謝階清 1324-355- 32
謝珥明 見謝應嶽
謝珫明 511-180-143
謝恩晉 256-311- 79
謝恩明(衡陽人) 533-264- 55
謝恩明(號簡菴老人) 1256-419- 27
謝員明 見謝圓
謝峴宋 517-391-125
謝朓謝眺 齊 259-473- 47
265-314- 19
370-524- 16
378-269-138
384-110- 6
471-691- 15
471-754- 23
472-349- 15
472-357- 15
472-655- 77
473-333- 63
475-603- 81
475-673- 84
477-449-171
510-432-116
674-246-4上
812- 70- 下
812-233- 9
812-723- 3
814-251- 6
820- 94- 24
933-683- 46
1370-156- 8
1379-577- 68
1395-593- 3
謝息春秋 404-553- 33
謝恕晉 483- 15-370
483-219-390
483-249-391
494-160- 6
570-109-21之1
572- 69- 28
謝矩明 524-126-184
1442- 23-附2
1459-607- 22
1474- 67- 4
謝皋宋 288-377-453
400-136-511
477- 83-152
538- 39- 63
謝躬漢 252-554- 48
252-555- 48
謝姬漢 儀成妻 591-581- 43
謝純劉宋 258-132- 52
265-313- 19
378- 59-132
933-683- 46
謝悰宋 427-238- 5
謝淳宋 288-376-453
400-133-511
480-408-277
謝望唐 529-621- 48
謝密劉宋 見謝弘微
謝混晉 256-306- 79
370-394- 10
377-837-128
384- 99- 5
477-448-171
933-681- 46
1370- 91- 4
1379-375- 46
謝淵吳 254-859- 13
385-534- 60
謝淵宋 284-883-243
謝淵明 554-348- 54
謝庸明 473-479- 69
559-353- 8
1242-847- 10
謝章明 820-582- 40
謝深明 511-564-158
謝訥明 480-511-281
533-265- 55
謝袞明 見謝子襄
謝球明 301-665-277
456-636- 10
謝理元 1222-496- 14
謝理明 511-710-164
謝堅明 523-179-154
謝基清 456-303- 73
謝乾明 1250-477- 44
謝乾妻 明 見趙氏
謝雩宋 1153-655-109
謝彬明 529-569- 46
謝彬清 524-349- 46
謝教明 523-429-167
謝晦劉宋 258- 46- 44
265-307- 19
378- 53-132
384-110- 6
814-246- 6
820- 87- 24
933-682- 46
1379-529- 63
謝晦女 劉宋 見謝氏
謝眺齊 見謝朓
謝莊劉宋 258-523- 85
265-326- 20
370-485- 14
384-110- 6
469- 77- 10
477-449-171
493-677- 37
812-329- 6
814-246- 6
820- 88- 24
821- 18- 45
839- 41- 4
933-683- 46
1366-794- 6
1395-591- 3
謝莊明 1241-640- 13
謝堂宋 493-720- 40
821-202- 51
謝常明 511-833-168
1442- 15-附1
1459-506- 17
謝勗吳 485- 65- 10
謝偉妻 清 見張氏
謝偃唐 271-561-190上
276- 56-201
384-176- 9
400-587-554
472-708- 28
477-206-159
538-136- 65
933-684- 46
謝彩明 丁七郎妻、謝彬吾女
1475-809- 34
謝逢清 479-187-225
523-380-164
謝斌明 473-112- 54
謝詔明 510-481-118
謝詗宋 481-695-332
515-167- 62
529-622- 48
謝愔宋 1113-591- 6

謝渭明 523-539-172
謝湖明 1467- 84- 65
謝湯妻 明 見汪氏
謝湜宋 471-1030- 65
559-342- 8
謝琪元 1212-502- 14
謝惠明 563-852- 41
謝巽女 吳 見謝氏
謝琯明 456-573- 8
483-117-379
570-130-21之1
謝琚明(字仲玉) 529-456- 43
謝琚明(字德潤) 546-710-138
1242-125- 28
謝琚明(字伯珍) 1254-404- 2
謝超明 529-699- 50
謝階明 515-551- 74
謝登清 456-391- 80
謝琦妻 清 見曾氏
謝肅明 472-1073- 45
473-569- 74
479-237-227
524- 55-180
528-449- 29
676-446- 17
820-571- 40
1318-347- 63
1442- 7-附1
1459-444- 14
謝弼漢 253-213- 87
376-867-111上
384- 68- 3
402-498- 12
472-570- 24
474-472- 23
476-857-145
505-769- 73
540-704-28之1
933-681- 46
謝琰晉 256-305- 79
377-836-128
477-448-171
486- 35- 2
523-380-164
523-543-173
933-681- 46
謝琰明 545-401- 98
謝琰清 540-872-28之4
謝琛明(林知縣) 472-695- 28
謝琛明(上饒知縣) 473- 61- 51
謝琛明(字德溫) 523-191-155
謝琳宋 487-189- 12
1197-249- 24
謝發晉 820- 75- 23
謝景吳 254-776- 7
254-868- 14
384-537- 25
479-481-239
515- 77- 59
謝貴明 299-360-142
456-692- 12
474-167- 8
886-162-139
謝貴妻 清 見韓氏
謝晛宋 286-691-354
397-736-364
472-801- 31
477-452-171
537-333- 56
538- 69- 63
謝勛清 524-104-183
謝絮女 唐 見謝小娥
謝鈞元 1221-448- 8
謝皓宋 481-695-332
529-623- 48
545-459-100
謝翛唐 481-614-329
謝絢晉 384- 99- 5
933-682- 46
謝絳宋 285-700-295
371-138- 14
382-406- 64
384-357- 18
397-146-328
450-365-中21
451- 12- 0
472-254- 10
472-765- 30
472-967- 38
475-776- 89
477-359-166
479- 48-218
485-184- 25
493-874- 48
511-727-165
523-256-158
537-312- 56
589-318- 3
1090-101- 17
1090-570- 28
1102-206- 26
1102-374- 49
1103-627- 4
1105-744- 90
1356-163- 8
1378-556- 61
1384-123- 91
1386-711- 上
1437- 12- 1
1447-580- 32
謝絳妻 宋 見高氏
謝絳妻 宋 見夏侯氏
謝勝晉 486- 67- 3
謝欽妻 清 見吳氏
謝欽妻 清 見葛善清
謝傑南漢 482-207-347
謝逸宋 471-738- 21
473-113- 54
479-656-247
515-739- 80
1122-611- 10
1122-613- 10
1146-144- 91
1362-533- 30
1437- 18- 1
謝復明 301-763-282
457- 85- 5
458-677- 3
475-572- 79
479-498-239
511-705-164
516-196- 95
1442- 38-附2
1459-776- 30
謝源宋 481-693-332
515-746- 80
528-538- 32
1146-144- 91
謝溥明 481-720-333
528-552- 32
謝該漢 253-540-109下
380-273-172
385-579-65上下
472-771- 30
480-292-271
533-313- 57
538- 29- 62
933-681- 46
1063-234- 0
謝慈吳 見射慈
謝詢晉 493-735- 41
謝靖陳 260-762- 32
謝雍明 473-642- 78
謝愷明 523-483-170
謝裕劉宋 見謝景仁
謝煥元 516-169- 94
1226-464- 22
謝廉明 564-196- 46
謝瑀明 529-457- 43
謝瑄妻 清 見陳氏
謝瑜明 300-459-210
479-242-227
523-310-160
559-254- 6
1320-676- 74
謝楚唐 820-242- 28
謝達宋 1171-779- 28
謝萬晉 256-311- 79
384- 99- 5
472-788- 31
477-447-171
485-553- 3
489-598- 47
494-274- 2
677-781- 69
813-244- 7
814-238- 5
820- 68- 23
933-682- 46
謝圓宋 見謝芷
謝圓謝員 明 524-126-184
558-473- 40
676-462- 17
謝朏南朝 933-683- 46
謝暉元 524-317-194
820-494- 37
謝敬明 516-129- 92
謝鉉妻 明 見牛氏
謝稚劉宋 679-854-223
812-323- 5
813- 97- 5
821- 18- 45

謝會明 1255-381- 43
1386-435- 45
1386-675- 56
1442- 29-附2
謝飶宋 683-893- 下
謝微謝徵 梁 260-424- 50
265-313- 19
378-409-141
477-450-171
933-682- 46
1395-598- 3
謝微謝徵、謝徽 宋
1090-674- 39
謝海劉宋 532- 99- 27
謝韶晉 256-311- 79
謝福明 524-237-189
謝誥明 546-495-131
謝寧明 571-551- 20
謝端元 295-452-182
399-733-493
473-300- 62
473-335- 63
473-505- 71
480-252-269
480-402-277
481-336-308
532-692- 45
533-737- 73
559-392-9上
1214-151- 13
1439-429- 1
謝端明 吳孟高妻
1253- 87- 45
謝榮女 明 見謝氏
謝甄漢 253-377- 98
377- 3-113上
545-507-101
謝熙漢 510-500-118
謝赫齊 812-331- 7
821- 21- 45
謝榛明 301-851-287
476-156-104
477-899-147
538-319- 69
547-165-147
1324-305- 29
1442- 64-附4
1460-253- 51
謝輔明 473-117- 54
515-780- 81
謝碧妻 明 見羅氏
謝瑶明 473- 97- 53
謝䚝陳 260-676- 21
265-333- 20
378-408-141
563-916- 43
814-257- 7
820-107- 24
933-684- 46
謝遜女 明 見謝氏
謝睿明 529-456- 43
謝翯明 554-347- 54
謝鳳晉 525- 79-220
謝鳳宋 484-385- 28
謝綜劉宋 258-134- 52
814-247- 6
820- 85- 24
謝銘妻 明 見劉氏
謝銓五代 524-286-192
謝僖明 1260-631- 19
謝僑劉宋 265-333- 20
378-408-141
933-684- 46
謝緒宋 479- 51-218
523-355-163
525- 25-217
537- 4- 48
謝肇唐 473-187- 58
473-195- 58
473-776- 84
482-451-362
516-144- 93
563-640- 38
567- 46- 64
1467- 19- 62
謝魁明 516-176- 94
謝綱明 473-318- 62
533-282- 56
謝椠妻 清 見李氏
謝綬明(字朝章) 472-578- 24
523- 46-148
540-794-28之3
545-277- 93
謝綬明(字維章) 473-117- 54
515-782- 81
554-209- 52
567-101- 66
謝澍妻 明 見陳氏
謝廣明 302-158-297
475-574- 79
1263-550- 6
1457-730-412
謝廣明 見謝原廣
謝瑩明 523-464-169
523-547-173
謝瑩妻 清 見賴氏
謝潛宋(字致虛) 481-693-332
528-537- 32
529-633- 48
謝潛宋(金堂人) 559-343- 8
謝潤明 511-276-147
謝竭梁 528-519- 31
謝瑾明 676-476- 18
1442- 21-附2
1459-579- 21
1474- 55- 4
謝鼐清 455-234- 12
謝震明 554-527-57下
謝璉明(字君實) 301-211-248
456-587- 8
480-248-269
533-218- 53
謝璉明(字重器) 460-771- 80
473-655- 78
481-615-329
529-656- 46
1240-165- 11
謝璉明(上虞人) 554-346- 54
謝敷晉 256-537- 94
380-434-177
479-230-227
485-550- 3
486-312- 14
486-347- 16
524-285-192
814-244- 6
820- 73- 23
933-682- 46
1141-793- 33
謝遷明 299-860-181
453-710- 40
472-1073- 45
479-239-227
523-306-160
585-231- 16
676-512- 20
820-650- 42
1284-357-163
1320-673- 74
1442- 34-附2
1459-731- 29
謝模宋 見謝鴻
謝履宋 820-450- 35
謝章妻 明 見蔡氏
謝賜妻 宋 見廖氏
謝磐宋 515-521- 73
謝緯劉宋 258-134- 52
謝緯妻 劉宋 見長城公主
謝緝明 473-117- 54
515-785- 81
523-246-157
謝徵梁 見謝微
謝徵宋 見謝微
謝憲明(字汝慎) 564-292- 47
676- 6- 1
謝憲明(字良翰) 1242-185- 30
謝澹劉宋 265-311- 19
378- 57-132
477-448-171
933-682- 46
謝澤宋 567-412- 84
謝澤明(字時用) 299-664-167
479-239-227
523-384-164
謝澤明(字商霖) 564-214- 46
謝諤宋 287-336-389
398-349-387
471-725- 19
473-111- 54
473-128- 55
473-176- 57
479-654-247
479-680-248
479-710-250
479-766-252
515-524- 73
528-483- 30
678-129- 81
820-434- 35
1147-726- 68
1161-556-121
1163-504- 25

1363-466-178
謝諫妻 明 見陳氏
謝諼梁 378-406-141
472-1026- 42
523-182-155
933-684- 46
謝遴明 511-841-168
1442-108-附7
1460-655- 73
謝璟齊 933-682- 46
謝璣清 511-830-168
謝臻明 529-586- 46
謝輶晉 486- 36- 2
謝靜晉 814-244- 6
820- 73- 23
謝璡宋 511-702-164
1220-719- 8
謝樸明 1467-116- 66
謝默元 547-128-146
謝蕡明 460-517- 46
529-466- 43
676-121- 5
676-552- 22
1442- 48-附3
1460- 47- 42
謝遲漢 483-219-390
483-249-391
571-513- 19
謝翺宋～元(字皋羽)
460-489- 40
479-382-234
481-748-334
524-337-195
529-644- 48
585-388- 8
679-542-191
1189-547- 3
1196-540- 4
1223-534- 10
1229-108- 9
1374-354- 57
1374-381- 59
1408-525-534
1410-515-733
1437- 33- 2
1462-804- 99
謝翺宋(字皋父) 1189-511- 0
謝縉明 1255-706- 72
謝縉明 見謝晉
謝勳宋 585-759- 4
謝鴻謝模 宋 448-365- 0
謝濤宋 285-700-295
397-146-328
450-509-中40
472-544- 23
473-426- 67
476-854-145
480- 48-259
481- 66-293
481-332-308
484- 45- 下
485-183- 25
485-500- 9
486- 47- 2
493-873- 48
511- 90-140
523-425-167
532-614- 43
540-669- 27
559-264- 6
589-299- 1
1089-678- 11
1090- 56- 12
1098-104- 14
1102-486- 62
1319-171- 14
1354-790- 45
謝濤女 宋 見謝氏
謝燭明 533- 27- 47
謝濬宋 528-505- 31
謝濬明 見謝承舉
謝謙明(山東章邱人)
545-188- 90
謝謙明(羅城人) 567-317- 78
謝謙清 482-144-344
謝熑明 473-645- 78
529-629- 48
謝燦妻 清 見鄭氏
謝聰妻 明 見楊氏
謝檜劉宋 見謝瞻
謝舉梁 260-313- 37
265-332- 20
378-407-141
472-220- 8
472-253- 10
475-118- 55
477-450-171
485- 69- 10
485-505- 10
493-680- 37
510-323-113
523- 71-149
933-684- 46
謝環謝廷循 明 524-376-197
821-375- 55
1237-222- 3
1237-576- 上
1237-593- 上
1238-421- 4
1241-354- 2
1241-686- 15
謝黻謝芾 元 吳履妻、胡履妻
479-333-232
524-703-212
1223-591- 11
1226-490- 23
1374-624- 83
謝嶽明 1232-602- 5
謝瞳後梁 277-180- 20
謝邁謝幼槃 宋 515-739- 80
1122-613- 附
1146-144- 91
1362-537- 31
謝績明 524- 66-181
1246-454- 10
1458-179-430
謝鍾宋 見謝枋得
謝徽宋 見謝微
謝徽明 301-815-285
493-1025- 54
511-733-165
676-447- 17
1442- 9- 1
1459-277- 6
謝璿明 529-618- 47
謝璿明 見謝承舉
謝騋元 1218-304- 13
謝瞻謝檜 劉宋 258-169- 56
265-310- 19
370-431- 12
378- 56-132
469- 77- 10
477-448-171
494-280- 3
933-682- 46
1370-134- 7
1379-493- 59
謝颺女 劉宋 見謝梵境
謝邈晉 256-313- 79
370-378- 10
377-843-128
472-997- 40
477-448-171
479-132-223
494-274- 2
523-111-151
523-381-164
933-682- 46
謝譓梁 265-331- 20
378-406-141
933-684- 46
謝瀚明 524-127-184
1312-392- 38
謝璽明 546-408-128
謝瓊明 676-508- 20
謝黼宋 529-624- 48
謝黼妻 明 見李氏
謝鵬明 554-310- 53
謝鏞明 558-233- 32
謝鯤晉 255-836- 49
377-575-123
384- 92- 5
386-162-73下下
472-654- 27
477-446-171
479-481-239
515- 77- 59
537-378- 57
933-681- 46
謝寶五代 524-408-199
謝騫明 473-653- 78
481-612-329
523- 41-148
528-494- 30
謝鶚妻 明 見陳氏
謝藺梁 260-389- 47
265-1054- 74
380-112-167
477-450-171
933-684- 46
謝耀明 476-675-136
謝藻晉 486-348- 16

814-240- 5
820- 74- 23
謝澧明 1467-115- 66
謝礜宋 460-230- 15
529-605- 47
1145-575- 76
謝礜明 476-658-135
謝覽梁 260-158- 15
265-332- 20
378-406-141
472-997- 40
477-450-171
479-132-223
485-490- 9
494-284- 3
523-112-151
933-684- 46
謝瞻劉宋 258-170- 56
265-311- 19
378- 57-132
477-448-171
933-682- 46
謝顥齊 259-440- 43
265-331- 20
378-270-138
謝蘭明(字與德) 476-334-115
546-409-128
554-179- 51
謝蘭明(參議) 556-455- 93
謝鐸明 299-618-163
453-693- 35
458-774- 5
472-1106- 47
479-293-230
523-607-176
676-505- 19
820-653- 42
1250-848- 81
1442- 29-附2
1458-504-450
1459-683- 26
謝儼陳 260-676- 21
謝儼清 570-160-21之2
謝鑠清 480- 53-259
532-621- 43
謝麟宋 286-386-330
397-496-349
473-297- 62
473-376- 65
473-602- 76
473-749- 83
479-792-254
480-240-269
480-563-284
480-581-285
481-676-331
482-347-356
482-390-358
488-399- 13
515-265- 65
529-595- 47
532-664- 44
532-741- 46
567- 64- 65
1467- 37- 63
謝麟明(字秀瑞) 473-168- 57
479-749-251
515-480- 71
謝麟明(字應文) 546-710-138
謝顯元 821-294- 53
謝顯明 511-706-164
謝巖晉 812-323- 5
謝纓明 529-700- 50
謝瀹齊 259-440- 43
265-331- 20
370-521- 16
378-270-138
479-132-223
494-283- 3
523-112-151
謝讓元 295-389-176
399-704-490
472- 66- 2
472-664- 27
474-305- 16
477-480-173
567- 77- 65
1467- 52- 63
謝獻妻 明 見潘氏
謝鑰宋 460-489- 40
529-708- 50
1408-525-534
謝讚明 456-640- 10
謝驥明 475-525- 77
謝一魯元 295-583-195
400-266-521
480-409-277
謝一夔王一夔 明
299-642-165
452-210- 5
453-433- 14
473- 25- 49
479-489-239
515-368- 68
676-503- 19
1249-328- 20
謝二娘清 李樂只妻
530-120- 57
謝九成明 511-818-167
676-112- 4
謝九鳳清 456-353- 77
謝八娘明 江光彩妻
530-108- 57
謝人騏妻 清 見方氏
謝三秀明 572-107- 30
676-642- 26
1442- 95-附6
1460-549- 67
謝三祝清 524-105-183
謝三淑明 魏柱國妻
480- 64-260
謝三詔明 554-313- 53
謝士元明 299-723-172
453-485- 21
473- 97- 53
473- 61- 51
479-627-245
481- 24-291
481-529-326
515-187- 62
517-607-130
529-457- 43
676-500- 19
1248-667- 4
1257-272- 24
1259-242- 18
謝士珍妻 明 見劉氏
謝士貞明 511-714-164
謝士章明 516-177- 94
563-764- 40
謝士毅明 472-982- 39
謝士夔宋 1467-180- 68
567-413- 84
謝子木明 515-149- 61
謝子良明 1232-689- 9
謝子良妻 明 見伊氏
謝子庠妻 清 見黎氏
謝子強宋 563-664- 39
謝子敬女 明 見謝氏
謝子德明 821-372- 55
謝子龍元 820-522- 38
謝子襄謝衮 明 301-733-281
472-1053- 44
479-431-236
479-682-248
515-544- 74
523-244-157
謝于宣明 479-187-225
523-378-164
謝于道清 523-459-168
569-657- 19
謝大亨宋 484-389- 28
謝大昌宋 821-250- 52
謝小娥唐 段居貞妻、謝絮女
276-112-205
401-153-589
473- 30- 49
473-130- 55
479-498-239
516-228- 97
謝上選明 572- 74- 28
謝斗元元 1196-709- 8
謝方明劉宋 258-149- 53
265-316- 19
378- 60-132
384-110- 6
472-1070- 45
477-448-171
479-222-227
486- 36- 2
510-308-113
523-144-153
814-246- 6
820- 85- 24
933-683- 46
謝方叔宋 287-693-417
398-635-408
473-435- 67
559-408-9上
謝方琦清 511-771-166
謝文正妻 元 見鄧氏

謝文正明 533-265- 55
謝文昌明(四川人) 554-313- 53
謝文昌明(號東山)
1475-196- 8
謝文洊清 515-849- 84
謝文祥明 480-511-281
533-265- 55
1254- 86- 3
謝文彬明 559-298-7上
謝文節五代 286- 96-309
473-570- 74
謝文蔚元 537-453- 58
謝文龍宋 529-735- 51
謝文龍宋 見謝雲之
謝文錦明 533-218- 53
謝文寶明 460-809- 87
謝文瓘宋 286-691-354
397-735-364
472-662- 27
477-452-171
537-579- 60
540-633- 27
謝文瓚妻 明 見陳氏
謝之艮宋 516-217- 96
謝五孃明 1442-126-附8
1460-788- 85
謝元初元 1227-109- 13
謝元卿南北朝 524-414-200
謝元超唐 472-272- 11
475-271- 63
510-369-114
謝元學妻 明 見李氏
謝元禮宋 515-829- 83
謝元瀛清 564-301- 48
謝孔淵謝晉 明 1460-746- 80
謝天正清 570-142-21之2
謝天民宋 528-473- 30
謝天申謝佃 宋 448-525- 14
523-625-177
謝天申明 563-843- 41
謝天吉元 546-297-124
謝天地宋(人問其姓名但云謝天地) 533-767- 74
謝天佑元 1228-785- 13
謝天命明 567-389- 82
1467-256- 71
謝天祐清 482-468-363
567-373- 81
謝天祥明 473-360- 64
謝天畢宋 見謝見斗
謝天游清 530-211- 61
謝天與妻 宋 見鄧氏
謝天慶清 564-300- 48
謝天駒明 529-761- 53
謝天駒妻 清 見彭氏
謝天錫宋~元 523-100-150
1196-707- 8
謝天寵妻 清 見劉氏
謝日昇明 1467-252- 71
謝少南明 1442- 55-附3
1460-138- 46
1467-108- 65
謝公旦宋(字清父) 473-115- 54
515-755- 80
528-443- 29
1197-249- 24
謝公旦宋(臨川人) 528-539- 32
謝升孫宋 515-828- 83
謝升卿宋 見陳日叟
謝升賢宋 529-503- 44
謝介夫明 529-658- 49
謝允昌宋 516-146- 93
謝允椿妻 明 見葉氏
謝允敬妻 清 見潘氏
謝必昌元 563-715- 39
謝必賢明 533-263- 55
謝永昇妻 清 見葉長姐
謝永昂妻 明 見黃氏
謝玉柱謝柱 明 529-634- 48
謝玉梅明 謝安國女
480-441-278
謝玉華明 曹世興妻
302-237-302
482- 41-340
謝弘水妻 清 見王氏
謝弘微謝密 劉宋
258-188- 58
265-324- 20
378- 64-132
384-110- 6
477-448-171
933-683- 46
謝本眞元 1217- 45- 5
謝正卿元 1206- 14- 1
謝正蒙明 480-614-287
謝可賢明 529-701- 50
謝世基劉宋 258- 55- 44
265-310- 19
謝世源妻 明 見堯氏
謝世麟明 511-619-160
謝申之明 533-240- 54
謝白生清 570-136-21之2
謝台卿明 678-473-115
謝用和明 1252-524- 30
謝用卿妻 清 見劉氏
謝用賓宋 533-272- 56
謝用賓妻 明 見魏氏
謝包京清 477-244-161
524-233-189
537-252- 55
謝幼安明 456-670- 11
480-248-269
謝幼槃宋 見謝薖
謝亦昇女 清 見謝氏
謝安國女 明 見謝玉梅
謝安富元 1212-500- 14
謝汝言明 1467-224- 70
謝汝明明 821-373- 55
謝汝韶明 515-225- 63
529-474- 43
676-588- 24
謝汝儀明 481-493-324
523-293-159
528-457- 29
676-546- 22
謝存仁明 511-289-147
謝存憲妻 明 見趙氏
謝存儒明 473-216- 59
515- 95- 59
533- 14- 47
554-220- 52
謝有大明 529-554- 45
謝有立明 473-777- 84
1467- 63- 64
謝夸吾漢 402-450- 9
謝匡策南唐 1085- 49- 6
謝夷吾漢 253-595-112上
380-568-181
453-750- 3
470- 62- 96
472-105- 4
474-616- 32
476-815-143
479-227-227
480- 9-257
486-340- 15
493-667- 37
505-673- 69
524-363-197
532-547- 40
540-663- 27
933-681- 46
1412-266- 11
謝次魯宋 451- 87- 3
謝光惠清 529-694- 50
謝光藜妻 清 見蕭氏
謝兆申明 1442- 99-附6
1460-600- 70
謝兆熊妻 清 見汪氏
謝名臣明 572- 90- 29
謝名選母 清 見李氏
謝名選清 482-143-344
564-309- 48
謝自強妻 明 見姚氏
謝自湛妻 清 見彭氏
謝自然唐 473-457- 68
481-188-300
486-904- 35
524-422-200
561-222-38之3
591-342- 27
591-349- 28
592-260- 76
820-292- 30
1059-593- 上
謝如尚明 478-338-191
謝如珂明 456-673- 11
533-492- 65
謝如晦清 564-300- 48
謝如意宋 473-615- 77
473-643- 78
528-504- 31
謝仲仁明(三山人) 517-600-130
謝仲仁明(容縣人) 567-419- 85
謝仲仁妻 明 見劉氏
謝仲初六朝 473-179- 57
479-769-252
516-425-103
謝仲和元 821-317- 54
謝仲規宋 492-710-3下
謝仲進元 1200-786- 60
謝仲溫元 295-308-169

399-636-483
474-407- 20
475-368- 67
532-583- 41
546-146-120
554-467- 56
謝亨宋明 謝嘉謩女
530- 16- 54
謝良佐宋 288- 24-428
400-462-543
447-258- 1
448-481- 9
449-718- 7
459- 73- 5
471-808- 31
472-794- 31
472-893- 35
473-267- 61
477-417-169
478-695-210
480-200-267
486-600- 4
534-692-106
538- 16- 61
538-615- 78
538-649- 79
558-228- 32
1145-541- 75
1145-655- 80
1164-208- 10
1356-684- 8
1356-685- 8
謝良琦明 505-658- 68
謝良弼妻 唐 見王氏
謝良翰宋 484-373- 27
謝成之元 1206-669- 2
謝志望明 523-387-164
謝志發清 511-757-165
謝君用妻 明 見王氏
謝君惠明 529-587- 46
567-144- 68
1467-135- 66
謝君福妻 明 見許氏
謝君錫明 481-745-334
482-143-344
528-563- 32
564-249- 47
謝君績元 821-318- 54
謝克仁宋 529-746- 51
謝克家宋 486-897- 34
523-168-154
謝克敬女 明 見謝春
謝克聚妻 清 見林氏
謝克銘明 820-613- 41
謝見斗謝天畢 宋451- 69- 2
謝見性妻 清 見趙氏
謝佑之元 821-297- 53
謝伯宜宋 481-614-329
494-338- 7
529-674- 49
謝伯林宋 559-300-7上
謝伯英元 1217-560- 1
謝伯琰元 1202-192- 14
謝伯景宋 529-734- 51
謝伯誠元 821-319- 54
謝伯衡明 529-681- 50
謝希孟宋 585-509- 16
謝希孟宋 陳安國妻
529-734- 51
530- 84- 56
674-885- 20
1102-329- 42
1437- 39- 2
謝邦協清 481-698-332
529-696- 50
謝邦彥宋(字朝美) 484-382- 28
謝邦彥宋(浦城知縣)
528-522- 31
謝妙瑩元 鄧時俊母
1197-696- 72
謝廷柱明 529-457- 43
529-463- 43
676-368- 13
676-530- 21
1442- 40-附2
1459-805- 32
謝廷訓明(晉江人) 479-606-244
515-249- 64
謝廷訓明(會稽人) 528-571- 32
謝廷栻妻 清 見蒲氏
謝廷桂明 476-124-102
510-362-114
546-303-125
謝廷茝謝廷蒞 明
480- 88-262
532-625- 43
謝廷詔明 559-319-7上
謝廷詔謝庭詔 清
532-754- 46
564-301- 48
謝廷范明 見謝廷蒞
謝廷最妻 明 見陳氏
謝廷循明 見謝環
謝廷策妻 明 見謝氏
謝廷策清 563-879- 42
謝廷瑞明 563-831- 41
謝廷賓清 480-321-272
533-482- 64
謝廷輔明 547- 76-143
謝廷蒞謝廷范 明
300-414-207
481-213-302
570-215- 23
謝廷蒞明 見謝廷茝
謝廷諒明 300-816-233
515-801- 82
謝廷輝明 1249-172- 10
謝廷舉明 528-562- 32
謝廷謨清 523-361-163
謝廷簡明 676-637- 26
謝廷讚明 300-816-233
479-661-247
515-801- 82
676-624- 25
678-220- 91
謝宗可元 1469-148- 42
謝宗陽明 570-154-21之2
謝宗齊明 564-173- 45
謝宜翁宋~元 1228-785- 13
謝定住謝定柱 明
302-144-296
474-589- 30
479-630-245
505-915- 81
547- 51-143
謝定柱明 見謝定住
謝炎午謝餘僧 宋451- 71- 2
謝昔臣宋 516-527-106
謝直菴明 1250-822- 79
謝奇擧明 533-194- 53
謝奇齡明 547- 74-143
謝阿蠻唐 554-900- 64
謝枋得母 宋 見桂氏
謝枋得謝鍾 宋 287-801-425
398-724-416
451- 53- 2
451-247- 0
459-671- 39
473- 64- 51
473-212- 59
473-600- 76
475- 70- 52
475-711- 86
479-559-242
481-679-331
497-841- 60
511-913-173
515-867- 85
529-756- 52
533-722- 73
820-448- 35
1184-902- 5
1184-904- 5
1184-905- 5
1184-911- 5
1237-648- 下
1366-940- 5
1367-878- 67
1437- 32- 2
謝枋得妻 宋 見李氏
謝長艮明 516-179- 94
謝東山明 559-395-9上
1442- 58-附3
1460-169- 48
謝東陽明 481-157-298
謝承仕謝承任 明456-586- 8
480-414-277
533-401- 61
謝承任明 見謝承仕
謝承宗清 456-353- 77
謝承坤妻 清 見陳氏
謝承恩清 456-353- 77
謝承擧謝濬、謝璿 明
511-719-165
820-675- 42
1263-530- 5
1442- 49-附3
1460- 62- 43
謝承擧妻 明 見湯氏
謝明英清 567-411- 84
謝明善妻 清 見劉氏
謝明登明 456-640- 10

謝明德明 481-612-329
528-496- 30
謝昌元宋～元 491-422- 5
524-318-194
謝昌永妻 清 見李氏
謝昌言宋 1090- 74- 14
謝昌寓劉宋 265-1043- 73
380-101-167
563-618- 38
謝昌熾妻 清 見王氏
謝叔方唐 271-491-187上
275-578-191
554-442- 56
謝旻禧清 559-335-7下
謝季康宋 1099-752- 12
謝周卿宋 528-550- 32
謝舍雩女 明 見謝氏
謝采伯宋 510-425-116
謝秉中明 559-346- 8
謝秉鉉明 483-178-384
570-215- 23
謝秉德明 561-205-38之1
謝彥明明 1227-625- 中
謝彥章後梁 277-151- 16
279-138- 23
384-300- 16
396-344-282
477-479-173
謝彥達明 1260-690- 23
謝美中宋 484-386- 28
謝厚廣妻 明 見嚴氏
謝茂希宋 473-195- 58
謝茂昌明 821-453- 57
謝茂實明 494- 24- 2
554-341- 54
謝茂德宋 516-515-106
謝思木謝思本 明
473-654- 78
533-454- 63
謝思本明 見謝思木
謝思申明 533-322- 57
謝思明妻 元 見趙氏
謝思道明 554-526-57下
謝思聖宋 515-819- 83
謝英輔元 481-722-333
529-634- 48
謝皇后宋 宋孝宗后
284-882-243
393-318- 77
452- 60- 1
585-299- 2
謝重燕妻 清 見楊氏
謝俊民元 1375- 22- 上
謝俊陛妻 清 見趙氏
謝宴朝妻 清 見耿氏
謝祖悌清 523-470-169
528-534- 31
謝兼才妻 清 見劉氏
謝庭芝元 820-530- 38
821-295- 53
謝庭詔清 見謝廷詔
謝泰交清 524-128-184
1312-352- 34
謝泰宗明 676-659- 27
1312-354- 34
1318- 68- 36
1323-752- 5
1442-109- 7
謝泰來妻 清 見金氏
謝泰履清 524-200-188
謝原廣謝廣 明 1256- 25- 2
謝桂芳明 529-745- 51
謝起宗宋 529-735- 51
謝陟明宋 516-166- 94
謝時臣明 821-430- 57
1458- 56-418
謝時鳴明 505-909- 81
謝卿材宋 515-166- 62
謝師稷宋 493-716- 40
510-329-113
529-627- 48
謝師嚴明 510-365-114
謝乘運宋 451- 96- 3
謝淳培明 456-670- 11
480- 60-260
533-364- 60
謝惟士宋 475-698- 86
510-461-117
謝深甫宋 287-403-394
398-401-390
472-222- 8
472-1052- 44
472-1104- 47
475- 18- 49
479-224-227
479-289-230
479-431-236
493-747- 41
523-315-161
585-230- 16
585-576- 22
謝淑秀元 許楙妻、謝進修女
1218-633- 2
謝梵境劉宋 宋順帝后、謝颺女 258- 17- 41
265-195- 11
537-185- 53
謝彬吾女 明 見謝彩
謝陳常清 546-717-139
謝崇禮吳越 485- 85- 12
493-766- 42
謝晟孫宋～元 494-323- 6
1209-513-8下
謝國光宋 475-178- 59
511-837-168
524-279-192
謝國柱妻 清 見于氏
謝國梗清 572-158- 32
謝國鳳妻 清 見黃氏
謝國樞清 529-696- 50
謝國龍清 456-353- 77
謝處信元 472-308- 13
510-381-115
謝崑玉姊 清 見謝義姊
謝得申明 570-109-21之1
謝得原明 1240-345- 22
謝得龍妻 清 見何氏
謝紹仁清 481-695-332
謝紹芳明 523- 89-149
謝紹舉清 564-300- 48
謝啟敏妻 清 見江氏
謝啟翰明 567-416- 84
1467-253- 71
謝善勛梁 380-375-176
820-103- 24
謝渠伯女 宋 見謝道清
謝雲之謝文龍 宋451-101- 3
謝雲使清 楊晉妻530- 25- 54
謝惠連劉宋 258-151- 53
265-317- 19
378- 61-132
384-110- 6
469- 77- 10
477-448-171
486-307- 14
524- 50-180
674-246-4上
674-854- 19
812-332- 7
814-246- 6
820- 85- 24
821- 18- 45
933-683- 48
1366-792- 6
1379-495- 59
1395-592- 3
謝超宗齊 259-372- 36
265-320- 19
370-517- 16
378-267-138
384-110- 6
477-449-171
492-620- 14
933-683- 46
1395-594- 3
謝朝用明 505-824- 75
謝朝宣明 554-487-57上
676-736- 31
謝朝紀明 567-348- 80
謝朝恩妻 清 見李氏
謝朝爵明 563-828- 41
謝朝議宋 588-176- 8
謝登之明 480-466-279
謝登輔妻 明 見李氏
謝堯仁宋 516-207- 95
謝彭年妻 明 見李氏
謝景仁謝裕 劉宋
258-131- 52
265-311- 19
378- 57-132
384-110- 6
472-655- 27
477-448-171
537-380- 57
933-682- 46
謝景平宋 493-875- 48
1105-803- 96
1106-116- 16
1384-147- 93
謝景回宋 493-875- 48
1105-823- 98
1386-712- 上

謝景行妻 明 見姜氏
謝景初宋 472-967-38
479-223-227
486-67-3
493-875-48
518-741-160
523-425-167
1104-676-13
謝景初女 宋(胥茂諶妻) 見謝氏
謝景初女 宋(黃庭堅妻) 見謝氏
謝景溫宋 285-703-295
427-250-7
486-49-2
524-4-178
1106-171-25
謝黑兒妻 明 見梅氏
謝傅堯妻 明 見曹氏
謝傅顯明 546-500-131
謝幾卿梁 260-418-50
265-321-19
378-408-141
384-110-6
477-450-171
489-599-47
933-683-46
謝舜賓宋 1137-689-26
謝勝華妻 明 見朱氏
謝進言清 456-353-77
謝進修女 元 見謝淑秀
謝象超清 481-645-330
528-518-31
謝復淑妻 清 見劉氏
謝復禎妻 清 見潘氏
謝義臣清 529-706-50
謝義姊清 謝崑玉姊 530-23-54
謝義韶五代 530-208-60
謝溫良明 524-144-185
謝運開清 564-301-48
謝道士唐 820-140-26
謝道清宋 宋理宗后、謝渠伯女 284-886-243
393-320-77
585-307-2
謝道韞晉 王凝之妻、謝奕女 256-573-96
381-51-185
472-667-27
476-790-141
486-316-14
524-648-209
538-171-67
814-217-2
820-77-23
1379-388-47
謝道齡明 821-460-57
謝聖伊清 529-695-50
謝瑞姿明 莊信妻 530-85-56
謝楚材妻 清 見吳二娘
謝萬榴明 516-180-94
謝睦歡元 295-308-169
546-146-120
554-596-59
謝葛恢晉 489-598-47
謝遇颸妻 清 見蕭氏
謝雋伯元 1439-439-1
謝賓舉明 821-407-56
謝漢章宋 1188-667-4
1197-313-29
謝碧桃明 孫承恩妻 1271-670-58
謝嘉譽女 明 見謝亨宋
謝夢生宋 494-314-5
謝夢連明 1442-115-附7
1460-669-74
謝圖南五代 528-8-17
謝維貞妻 明 見盧妙定
謝維夏妻 清 見吳氏
謝肇元明 480-413-277
533-100-50
謝肇淛明 301-839-286
481-530-326
529-478-43
540-642-27
569-654-19
576-570-附
576-655-5
676-620-25
820-740-44
1442-84-附5
1460-462-62
謝渠伯宋 485-534-1
謝慧卿宋 561-594-46
謝敷經宋 1356-722-12
謝履恭妻 清 見李氏
謝餘僧宋 見謝炎午
謝德貞清 林元雯妻 530-35-54
謝德富元 見通辨
謝德琛妻 明 見金氏
謝德溥明 515-807-82
謝德敬清 李宗泓妻 530-35-54
謝德權宋 286-96-309
397-282-335
473-570-74
477-560-177
481-526-326
481-801-338
529-433-43
554-354-54
謝憲子宋 480-87-262
謝龍文明 515-99-59
謝龍羽唐 569-535-17
謝龍宮妻 明 見盧氏
謝諤昌清 1323-785-5
謝燕昌清 1316-665-46
謝璠伯晉 814-240-5
820-75-23
謝翰南妻 明 見孟氏
謝錫川妻 清 見張慎娘
謝錫賢明 533-277-56
謝錫璠明 456-642-10
謝應元明 563-836-41
謝應京妻 明 見陳氏
謝應昇妻 明 見韓氏
謝應昇妻 明 見魏氏
謝應芳明 301-753-282
472-262-10
475-224-61
493-1074-57
511-681-163
1278-303-13
1251-600-0
1439-454-2
1459-388-12
1471-109-23
謝應祚妻 明 見陳氏
謝應時妻 明 見馬氏
謝應祥明 515-718-79
523-107-150
謝應革明 564-234-46
謝應瑞宋 481-586-328
謝應誥妻 清 見俞氏
謝應璜清 480-60-260
515-180-62
533-147-51
謝應舉清 476-31-97
545-161-88
謝應嶽謝珥 明 1275-339-15
謝懋俊妻 清 見吳氏
謝舉廉宋 515-520-73
1161-556-121
謝孺子劉宋 265-312-19
378-58-132
477-449-171
933-682-46
謝黻奴元 吳德基妻
1232-679-8
謝徽明宋 398-726-416
480-170-266
515-867-85
謝顏教明 537-590-60
謝禮卿明 1232-601-5
謝禮敬明 529-698-50
謝鎭之劉宋 1401-51-15
謝鵬舉明 533-141-51
謝繩正明 1240-719-7
謝獻恂清 529-703-50
謝繼昭明 478-699-210
謝譽卿明 見許譽卿
謝體仁明 572-91-29
謝靈運劉宋 258-275-67
265-317-19
378-57-132
378-61-132
384-110-6
469-77-10
471-625-6
471-640-9
471-725-19
471-738-21
471-740-21
472-1070-45
472-1100-47
472-1114-48
473-96-53
473-110-54
479-401-235

479-654-247
485-554- 3
486-306- 14
486-347- 16
515-164- 62
517-259-122
524- 50-180
588-156- 8
812- 62- 中
812-226- 8
812-715- 3
813-290- 16
814-246- 6
820- 84- 4
821- 18- 45
879-144-57下
933-683- 46
1071-677- 14
1370-112- 6
1379-474- 57
1395-591- 3

謝驥兒宋 見謝芘

謝十九娘元 徐人妻 516-391-102

縻岩妻 明 見侯氏

縻仲華女 明 見縻曹婢

縻曹婢明 王文珍妻、縻仲華女 481-651-330
530-128- 57

應之南唐 813-264- 11
820-318- 31
1092-758- 72

應夫宋 1053-678- 16

應氏宋 章俁妻 479-333-232

應氏明 丁亮妻 1242- 76- 26

應氏明 孫季益妻 479-297-230

應氏明 潘奕三妻 512-444-187

應氏清 洪成六妻 479-666-247

應氏清 胡定隆妻 479-190-225

應巨明 524-213-188

應召明 1290-676- 92

應用南唐 820-318- 31

應在元 820-524- 38

應先唐 524-148-185
526-296-268

應疕漢 535-553- 20

應良明 301-784-283
479-294-230

523-319-161
545- 79- 85

應志漢 402-583- 20

應甫宋 585-538- 19

應劭漢 249- 8- 附
253-100- 78
254-379- 21
370-194- 19
376-811-110
384- 70- 3
402-428- 8
402-530- 15
402-587- 20
472-518- 22
472-792- 31
476-816-143
477-445-171
505-932- 84
538-149- 65
540-663- 27
674-393- 2
933-437- 29

應余魏 254- 94- 4
385-304- 30
477-358-166
879-159-58上

應佐明 523-159-153

應定不詳 473-626- 77

應杰清 524-221-189

應奉漢 253- 99- 78
254-379- 21
370-194- 19
376-810-110
384- 66- 3
402-479- 11
402-543- 17
469- 85- 11
472-651- 21
473-366- 64
477-444-171
480-482-280
532-733- 66
538-149- 65
572-106- 30
933-437- 29

應典明 301-785-283
479-330-232
523-617-176

應昌明 524-147-185
1269-165- 11

應洙宋 1157-275- 20

應貞魏 254-381- 21
256-486- 92
380-351-175
385-648-66下上
477-446-171
538-149- 65
933-437- 29
1379-263- 33

應垕宋 515-751- 80

應俊宋 515-105- 60

應悅宋 533-790- 75
1053-503- 12

應眞唐 516-442-104
1053- 78- 2

應眞宋 1053-636- 15

應恕宋 486-898- 34
523-629-177

應能明 532-738- 46

應修清 524-221-189

應臬明 524- 47-180
1442- 97-附6
1460-587- 69
1474-504- 24

應埜宋 491-302- 6

應乾宋 1053-737- 17

應彬宋 485-534- 1

應彪唐 491-343- 2
523-125-152

應普元 1209-645-10下

應普妻 元 見胡氏

應琚明 472-695- 28
537-267- 55

應期明 581-670-113

應傃宋 491-302- 6
491-303- 6
494-349- 7

應順漢 253- 99- 78
370-194- 19
376-810-110
402-528- 15
472-651- 27
477-444-171

應源妻 明 見錢氏

應愼漢 402-522- 15

應靖唐 591-355- 28

應塡明 523-500-170

應瑒魏 254-379- 21
384- 84- 4
384-651- 40
385-639-66下上
402-532- 15
469- 85- 11
472-654- 27
477-445-171
538-149- 65
933-437- 29
1370- 41- 2
1379-206- 27
1394-534- 7
1395-587- 3

應圓宋 1053-704- 16

應詹晉 256-169- 70
370-317- 7
377-741-126
472-220- 8
472-655- 27
473- 86- 52
473-314- 62
477-446-171
479-446-237
480-613-287
485- 66- 10
488-109- 7
493-672- 37
515- 3- 57
532-551- 40
537-576- 60
567- 3- 62
814-236- 5
820- 61- 23
933-437- 29

應誠明 1227-839- 4

應端宋 588-257- 11
1053-764- 18

應鳳宋 515-610- 76

應綱明 524-152-185
676- 71- 3
680- 41-228

應誕晉 256-172- 70

應璋明 458-789- 5
523-617-176
676- 21- 1
678-192- 88

應龍上古	404-383- 23
應龍明	473-367- 64
	480-484-280
應融漢	475-696- 86
	510-460-117
應檟明	475-872- 95
	479-434-236
	480- 13-257
	482-322-354
	510-363-114
	523-351-162
	567-125- 67
	1467- 98- 65
應璩魏	254-381- 21
	380-351-175
	385-648-66下上
	469- 90- 11
	477-445-171
	538-149- 65
	820- 41- 22
	933-437- 29
	1394-524- 7
應曜漢	538-167- 66
應寶明	567-421- 85
應鏞宋	472-1029- 42
	678-140- 83
應儵宋	287-730-420
	398-666-411
	472-1087- 46
	479-178-225
	491-304- 6
	491-420- 5
	524- 40-180
應顥明	473-211- 59
	523-567-174
	532-590- 41
應瓚明	524- 67-181
應子澤明	1240-717- 7
應大桂明	523-476-169
應大猷明	523-554-173
應文虎元	524- 63-181
應允中元	523-398-165
應本仁元	524-197-188
應本泉明	515-278- 65
應用翔明	515-782- 81
應安道宋	493-704- 39
應存魯明	523-476-169
應夷節唐	472-796- 31

應仲珍元	477-424-169
	486-905- 35
	524-422-200
	538-348- 70
應仲珍元	1222-470- 11
應仲張明	1232-611- 6
應君玉元	1229-233- 6
應伯和明	473-234- 60
	480-170-266
	532-646- 43
應廷育明	524- 73-181
	676-229- 9
	679-163-155
應宗祥明	524- 66-181
應孟明宋	287-754-422
	398-686-413
	472-1029- 42
	473-749- 83
	479-323-232
	482-348-356
	493-775- 42
	515-216- 63
	523-325-161
	528-442- 29
	567- 71- 65
	1467- 45- 63
應承完明	1237-399- 12
應尚琦妻清	見羅氏
應昌士明	456-577- 8
	478-168-182
	478-516-200
	479-295-230
	523-401-165
	558-186- 31
應明德明	479- 55-218
	524-175-187
應叔原明	1227-698- 5
應知項唐	見應智項
應為謙清	見應撝謙
應泰之宋	485-536- 1
應城王明	見朱睦㮮
應時盛明	301-458-263
	456-431- 2
	474-742- 40
	479-187-225
	502-716- 83
	523-378-164
	545-110- 86

應純之宋	472-308- 13
	479-323-232
	510-381-115
	523-402-165
應惟貞明 徐光大妻	
	1232- 61- 0
應翔孫宋	491-432- 6
應雲鷟明	524- 45-180
應撝謙應為謙 清	
	479- 58-219
	523-580-175
	677-747- 66
	1325-188- 12
應朝卿明	523-320-161
	528-532- 31
	571-522- 19
應智項應知項 唐	
	473-166- 57
	473-175- 57
	515-460- 71
應舜臣宋	473- 62- 51
	515-854- 85
應象翁元	1439-428- 1
應溫遠明	524-134-185
應瑞孫宋	1187-444- 12
應節嚴宋	1188-756- 5
應聞禮元	1225-241- 9
應震伯宋	1185-502- 91
應履平應履祥 明	
	299-585-161
	473-367- 64
	473-584- 75
	479-181-225
	480-484-280
	481-774-336
	483-222-390
	523-451-168
	528-570- 32
	532-737- 46
	676-474- 18
應履祥明	見應履平
應戀之宋	1164-306- 16
應戀之妻 宋	見林氏
應翼孫宋	491-302- 6
應彌明宋	487-517- 7
應懷眞明	524-235-189
應覺翁元	524- 91-182
應天和尚唐	1053-363- 9

燭庸春秋	見公子燭庸
燭過行人燭過 春秋	
	404-786- 48
	545-725-109
燭之武春秋	375-807- 91
	384- 24- 1
	472-649- 27
	537-359- 57
	933-721- 49
睿宗儒唐	592-296- 79
豁渠明	見鄧豁渠
濯纓子母 明	見顧氏
禧果明	472-604- 25
	541- 97- 30
禧補宋	1053-590- 14
營伯周	933-429- 28
營道婦宋(營道乃地名)	
	534-958-120
濟唐	1053-190- 5
濟明	820-764- 44
濟山清	502-732- 84
濟火濟濟火 蜀漢 483-249-391	
	571-552- 20
濟王唐	見李環
濟王宋	見趙竑
濟必元	820-499- 37
濟占清	455-468- 28
濟伯清	456-100- 57
濟明清	455- 78- 2
濟度簡親王 清 454-108- 6	
濟哈清	456-153- 61
濟深明	1475-781- 33
濟勒清	455- 79- 2
濟教清	1312-389- 37
濟斐明	見弘覺
濟農明	302-756-327
濟賴清	456-232- 68
濟禮清	456-303- 73
濟川王漢	見劉明
濟什哈濟什喀 清	
	474-766- 41
	502-470- 69
濟什喀清	見濟什哈
濟古尼清	456-290- 72
濟北王漢	見劉次
濟北王漢	見劉多
濟北王漢	見劉志
濟北王漢	見劉胡

濟北王漢 見劉勃
濟北王漢 見劉登
濟北王漢 見劉壽
濟北王漢 見劉寬
濟北王漢 見劉興居
濟北王西燕 見慕容泓
濟伯格元 569-616-18下之2
濟拉密清 456-101- 57
濟拉蓀清 456- 63- 54
濟東王漢 見劉彭離
濟南王漢 見劉香
濟南王漢 見劉康
濟南王漢 見劉廣
濟南王漢 見劉錯
濟南王漢 見劉顯
濟南王晉 見司馬周
濟南王晉 見司馬遂
濟南王後魏 見元麗
濟格尼清 456-279- 71
濟陰王漢 見劉長
濟陰王漢 見劉不識
濟陰王後魏 見托跋小新成
濟理哈清 455-645- 45
濟普古清 455-489- 30
濟普喀清 455-285- 16
濟雅泰清 456-232- 68
濟陽王漢 見劉康
濟陽王魏 見曹玹
濟陽王明 見朱垐
濟寧王元 見曼濟台
濟寧王明 見朱祐棏
濟爾海清 455-437- 26
濟爾圖清 456-270- 70
濟穆庫清 455-590- 39
濟穆圖清 455-365- 22
濟濟火蜀漢 見濟火
濟蘭太清 455-377- 23
濟古爾台元 1210-303- 8
濟延布哈元 294-285-123
399-525-471
濟納彌達清 454-684- 76
濟普都理清 456- 21- 51
濟瑚博賴清 456-279- 71
濟農實克伊納克實章 元
299-143-124
400-281-522
濟爾哈朗鄭親王 清
454-102- 6
474-747- 40
502-392- 65
濟爾密喜清 456-300- 73
濟爾噶台元 820-516- 38
濟爾噶朗元 294-440-135
濟蘇和爾元 294-350-129
濟克濟扎布清 454-762- 85
濟雅穆爾丹吉雅摩迪音 元
523-129-152
1439-454- 2
1469-657- 63
濟克濟特扎布清
496-216- 76
齋山清 456- 70- 55
齋色清 455-434- 26
齋松清 455-528- 33
齋堪清(黃佳氏) 455-531- 33
齋堪清(謚宣獻) 474-743- 40
502-389- 65
齋齊清 456- 69- 55
齋桑阿清 455-268- 15
譌友晉 見祇多蜜
禪玉清 502-477- 69
禪丕清 455-230- 12
禪布清 455-511- 32
禪保妻 清 見馬佳氏
禪惠宋 見禪慧
禪弼清 455-504- 31
禪楚清(薩克達氏) 455-549- 35
禪楚禪徹 清(瓜爾佳氏)
502-477- 69
502-479- 69
禪徹清 見禪楚
禪慧禪惠 宋 473-533- 72
481-291-306
561-223-38之3
592-412- 85
592-544- 95
禪德唐 592-363- 82
1080-787- 71
1340-645-786
禪禪清 455-278- 16
禪扎堪清 456- 11- 50
禪布祿清 455-476- 29
禪都理清 455-462- 28
禪都喀清 455-418- 25
禪察都都清 455-623- 43
蹇氏明 王伯英妻 473-466- 6
蹇石漢 933-589- 38
蹇叔春秋 243-127- 5
405-264- 73
472-851- 34
511- 61-138
933-589- 38
蹇英明 676-489- 19
蹇重戰國 546-432-129
蹇俊妻 明 見李氏
蹇義蹇瑢 明 299-432-149
443- 22- 2
453-193- 18
453-565- 8
473-479- 69
481-116-296
559-353- 8
561-258- 39
561-400- 42
820-586- 40
1238-223- 19
1240-283- 18
1242-323- 35
1242-324- 35
1374-654- 86
1458-446-447
蹇達明 510-418-116
545-403- 98
1442- 62-附4
1460-206- 49
蹇瑢明 見蹇義
蹇賢明 473-479- 69
559-353- 8
蹇駒蹇桂孫 宋 448-362- 0
蹇霆明 559-353- 8
蹇龍妻 明 見陳氏
蹇彝宋 288-323-449
400-180-514
472-867- 34
473-505- 71
478-295-188
481-336-308
554-335- 54
559-526- 12
591-617- 44
蹇譽宋 288-369-453
400-159-513
蹇蘭漢 933-589- 38
蹇文卿妻 明 見李氏
蹇永叔宋 288-323-449
400-180-514
蹇序辰宋 286-370-329
382-637- 98
397-484-348
493-703- 39
蹇垧福宋 591-653- 46
蹇君章宋 1173-178- 75
蹇來亨明 558-402- 36
蹇周輔宋 286-369-329
382-637- 98
384-374- 19
397-483-348
473-432- 67
559-342- 8
蹇炯斗妻 清 見劉氏
蹇拱辰宋 1054-637- 19
蹇桂孫宋 見蹇駒
蹇逢吉清 478-204-184
554-784- 62
蹇尊品五代 592-492- 91
蹇遇泰明 456-502- 5
558-438- 37
蹇維之宋 288-323-449
400-180-514
481-104-298
554-335- 54
591-617- 44
濛谿和尚唐 1053-127- 3
濩澤公主後魏 閭大肥妻
544-212- 62
濮王唐 見李泰
濮王唐 見李澤
濮王宋 見趙允讓
濮垣宋 528-506- 31
濮貞明 費德妻 516-238- 97
濮貞明 錢孟源妻、濮文忞女
1261-727- 31
濮英明 299-258-133
472-944- 37
475-707- 86
478- 92-180
511-492-156
558-218- 32
濮眞明 453-542- 4
濮淙清 1475-617- 26
濮詔明 472-351- 15
濮琰明 1250-904- 85

濮琰妻 明 見鄒賽貞
濮棨明 511-656-162
濮澄清 511-883-171
濮瑾濮陽瑾 明 511-376-150
540-635- 27
濮璵明 299-259-133
濮鏞明 676-375- 14
濮鑑元 524-183-187
1196-719- 9
濮文忞女 明 見濮貞
濮中玉明 515-157- 61
523-122-151
濮仕通妻 明 見關氏
濮有宏明 見濮有容
濮有容濮有宏 明
456-497- 5
479-382-234
480-201-267
523-414-166
濮宗元妻 清 見胡氏
濮宗達明 570-164-21之2
濮宗誨妻 明 見劉氏
濮彥璧明 1249-170- 10
濮惟璋明 1467-255- 71
濮陽王晉 見司馬允
濮陽王晉 見司馬臧
濮陽王後魏(字子和) 見元順
濮陽王後魏(字敬叔) 見元順
濮陽氏清 王仲妻、濮陽梅女
475-824- 92
濮陽涞明 511-715-164
679- 66-145
濮陽梅女 清 見濮陽氏
濮陽瑾明 見濮瑾
濮陽興吳 254-922- 19
370-272- 4
377-413-120
384- 81- 4
486- 34- 2
486- 68- 3
濮陽興唐 820-283- 30
濮貴一妻 明 見劉氏
濮道興劉宋 812-330- 6
821- 20- 45
濮萬年劉宋 812-330- 6
821- 20- 45
濮應瑞明 528-544- 32
濮陽起鳳妻 清 見盧氏
謙唐 485-481- 8
511-934-175
1053-551- 13
1142-532- 6
謙明 1231-461- 0
407-683- 5
謙郡王清 見瓦克達
縻正妻 明 見張正
縻竺蜀漢 見糜竺
縻弇宋 見糜弇
縻溧宋 見糜溧
縻犇宋 見糜犇
縻師旦宋 見糜師旦
縻豬哥宋 見糜師旦
糜芳蜀漢 254-692- 15
384-453- 11
933- 54- 3
糜竺縻竺 蜀漢 254-614- 8
377-268-118上
384- 75- 4
384-453- 11
472-310- 13
511-241-145
540-707-28之1
559-242- 6
933- 54- 3
糜威蜀漢 933- 54- 3
糜信魏 679-346-173
679-347-173
933- 54- 3
糜弇縻弇 宋 475-131- 56
493-960- 51
494-314- 5
515-184- 62
523-426-167
708-1018- 95
708-1024- 96
糜豹漢 493-669- 37
糜溧縻溧 宋 475-131- 56
493-957- 51
511- 94-140
糜照蜀漢 933- 54- 3
糜犇縻犇 宋 475-131- 56
493-646- 35
493-959- 51
糜宗伯明 821-407- 56
糜師旦縻師旦、縻豬哥、糜豬哥 宋 448-379- 0
448-406- 0
451- 24- 0
493-957- 51
590-457- 0
糜昺之宋 933- 54- 3
糜豬哥宋 見糜師旦
襄王唐 見李琮
襄王唐 見李僙
襄王唐 見李執中
襄王宋 見趙宗愈
襄王明 見朱厚熲
襄王明 見朱祐材
襄王明 見朱瞻墡
襄王明 見朱瞻墡
襄仲春秋 見公子遂
襄遂春秋 見公子遂
襄塔妻 清 見瓜爾佳氏
襄楷漢 252-729-60下
376-678-107下
384- 67- 3
472-522- 22
476-520-128
540-703-28之1
933-418- 27
襄邑王唐 見李神符
襄邑王明 見朱祁鋥
襄垣王明 見朱遜爗
襄城王北齊 見高淯
襄陰王明 見朱奇瀴
襄陵王明 見朱沖烌
襄陽王晉 見司馬尚
襄陽王晉 見司馬範
襄樂王北齊 見高顯國
襄城公主唐 姜簡妻、蕭銳妻、唐太宗女 274-105- 83
393-274- 73
554- 46- 49
襄城公主唐 見臨眞公主
襄陽公主唐 張克禮妻、唐順宗女 274-116- 83
393-284- 73
554- 56- 49
燮周 見周夷王
燮玄圃元 1439-424-附1
456-312- 74
燮理布哈元 見錫喇巴哈
燮理溥化元 見錫喇巴哈
戴丁宋 1164-445- 25
戴才明 505-745- 72
554-180- 51
558-158- 30
1291-876- 6
戴川妻 清 見張氏
戴亢明 529-467- 43
戴天明 456-668- 11
558-416- 37
戴中明 473-282- 61
480-128-264
515-548- 74
532-633- 43
559-303-7上
戴仁明(號無懷先生)
483- 96-378
483-306-395
570-117-21之1
571-544- 20
戴仁明(字以德) 683-204- 7
戴氏漢 李公謀妻
493-1078- 57
512- 18-177
戴氏漢 戴良女 477-421-169
戴氏劉宋 陳南妻 482- 41-340
戴氏劉宋 戴顒女 485-204- 27
戴氏宋 丁世雄妻
1164-326- 17
戴氏宋 高公亮妻、戴朴女
1166-670- 12
1166-676- 12
戴氏宋 袁文妻、戴冕女
1157-290- 21
戴氏宋 許德之妻、戴通女
1130-313- 32
戴氏宋 戴奎女 1098-739- 46
戴氏元 舒弘妻、戴玉甫女
1217-593- 3
戴氏明 王用極妻 302-247-303
475-813- 91
戴氏明 朱鐸妻 530-110- 57
戴氏明 汪世衡妻 472-340- 14
475-533- 77
戴氏明 李文妻 483- 17-370
戴氏明 李紳妻 516-331-100
戴氏明 李廷仰妻 530-108- 57
戴氏明 吳良質妻 530- 66- 55
戴氏明 何廷傑妻
472-1017- 41

戴氏明 林道相妻 530- 61- 55
戴氏明 林德華妻
1257- 39- 5
戴氏明 邱孔文妻 481-619-329
戴氏明 胡東谷妻 480-178-266
戴氏明 查爾瑩妻 475-282- 63
戴氏明 張莘妻 1280-466- 90
戴氏明 張淵妻 530-106- 57
戴氏明 陳璽妻 506- 44- 87
陳氏明 陳世傑妻 483-251-391
戴氏明 陳所思妻 479-334-232
戴氏明 陳耀奎妻 530- 93- 56
戴氏明 曾長治妻 512-150-181
戴氏明 黃爵妻 480-639-288
533-711- 72
戴氏明 鄧謙妻 473- 53- 50
戴氏明 劉繼祖妻 506- 45- 87
戴氏明 戴文進女 821-490- 58
戴氏明 戴夢賢女 475-578- 79
戴氏清 方端衡妻 530- 80- 55
戴氏清 汪二蛟妻 479-359-233
戴氏清 李寅陽妻 512-442-187
戴氏清 吳錫妻 479- 62-219
524-475-202
1321-106- 98
戴氏清 林元仰妻 530-118- 57
戴氏清 林佳楝妻、戴嘉祉女
530- 76- 55
戴氏清 易之妻 480-616-287
戴氏清 易之孔妻 480-597-286
戴氏清 胡炊妻 474-196- 9
戴氏清 夏來鳳妻 475-435- 70
512-297-184
戴氏清 徐輔世妻 474-194- 9
戴氏清 商之輅妻 506- 69- 87
戴氏清 張翼妻 479-150-223
524-586-206
戴氏清 陳表妻 506- 30- 86
戴氏清 黃德明妻 479-751-251
戴氏清 焦澄清妻 483- 99-378
戴氏清 鄭應瓚妻 479-410-235
戴氏清 蔣景妻 475-284- 63
戴氏清 蔡貞啟妻 530- 81- 55
戴氏清 劉可鈞妻 480- 98-262
戴氏清 龍剛明妻 480-488-280
戴氏清 賴允治妻 530-132- 57
戴氏清 羅奇翠妻 570-191- 22
戴正元 523-153-153
戴巧明 汪希聖妻 524-754-214
戴用明 473-402- 66
480-635-288
532-749- 46
戴弁明 473- 50- 50
516- 62- 89
563-737- 40
1242-242- 32
戴安明 515-633- 77
戴朴宋 1166-670- 12
戴朴女 宋 見戴氏
戴圭明 523-594-175
戴羽元 473- 89- 52
479-609-244
516-126- 92
戴幵明 524-219-189
戴旭明 511-328-149
戴伋唐 820-195- 27
戴宏漢 476-582-131
540-701-28之1
558-234- 32
戴完明 511-256-146
戴亨宋 472-1104- 47
523-605-176
戴良漢 253-622-113
380-412-177
402-467- 10
472-792- 31
477-413-169
480-207-267
538-165- 66
879-153-58上
933-666- 44
戴良女 漢 見戴氏
戴良元～明(字叔能)
301-811-285
472-1031- 42
479-188-225
479-327-232
524- 71-181
676-712- 29
679-618-199
1219-256- 附
1219-606- 30
1238-116- 10
1318-346- 63
1439-451- 2
1471- 1- 20
戴良元(南城人) 515-832- 83
戴良妻 元 見李氏
戴良妻 元 見趙氏
戴良女 元 見戴鳳
戴杞元 1205-281- 9
1376-448- 88
戴辰明 476-438-122
戴泓明 456-636- 10
戴初明 511-826-167
戴松宋 516- 23- 87
戴孟燕濟 漢 533-765- 74
554-967- 65
1061-275-110
戴玠明 473-584- 75
戴忠清 456-356- 77
戴昌元 475-525- 77
戴昀明 529-568- 46
戴昂明 511-352-149
戴杲清 511-658-162
戴和妻 明 見俞氏
戴和妻 明 見高氏
戴侗宋 677-380- 35
820-451- 35
戴金明 473-222- 59
480- 90-262
533- 22- 47
559-254- 6
571-525- 19
戴佩清 559-331-7下
戴冠明(字仲鶡) 300-104-189
458-170- 8
479-724-250
515-697- 78
528-513- 31
538-147- 65
563-911- 43
676-539- 22
1442- 44-附3
1459-902- 38
戴冠明(字章甫) 475-134- 56
511-739-165
676-216- 8
676-535- 21
1273-210- 27
1274-583- 1
1442- 37-附2
1455-371-213
1457-556-395
1459-770- 30
戴宣明 515- 44- 58
戴炯元 1375- 19- 上
戴洋晉 256-544- 95
370-332- 8
380-599-182
479-136-223
492-598-13下之下
524-355-196
933-667- 44
戴封漢 253-581-111
380-137-168
402-459- 10
472-641- 26
474-650- 34
476-581-131
477-441-171
537-337- 56
540-702-28之1
933-667- 44
戴威晉 491-115- 13
戴珊明 300- 12-183
453-685- 33
472-174- 6
472-964- 38
473- 51- 50
473-212- 59
475- 19- 49
477-565-177
479-533-241
480-318-272
510-290-112
516- 67- 89
523- 44-148
528-453- 29
532-591- 41
554-210- 52
820-653- 42
1250-925- 87
戴相宋 479-405-235
戴厚宋 680-196-243
1153-630-107
戴奎女 宋 見戴氏
戴奎明 676-453- 17
1442- 12-附1
1459-461- 14
戴柳清 455-246- 13
戴述宋 472-1116- 48

十七畫 戴

523-625-177
1123-670- 7
戴昺宋 1178-683- 附
1364-791-370
1437- 29- 2
1462-793- 97
戴胄唐 269-655- 70
274-271- 99
384-171- 9
395-315-209
407-373- 2
472-697- 28
477-164-157
537-445- 58
933-667- 44
戴冑元 1224-229- 21
戴重明 511-825-167
676-663- 28
1442-112-附7
戴侯元 545-439- 99
戴俛明 529-668- 49
戴泉明 821-374- 55
戴浩明 473-388- 65
476-893-147
478-516-200
482-238-349
523-452-168
532-719- 45
558-184- 31
563-821- 41
1391-591-334
1474-274- 13
戴高妻 清 見戍氏
戴涉漢 545-205- 91
戴宸明 482-373-357
戴泰明 1274-597- 2
戴珙明 458-169- 8
537-518- 59
戴恭唐 486-312- 14
524-132-185
戴城明 532-617- 43
戴晉明 524-280-192
821-484- 58
戴栩宋 523-627-177
680-206-244
戴栒明 見戴杏芳
戴書明 473-215- 59
533- 10- 47
戴振戴王僧 宋 448-377- 0
戴挺宋 528-551- 32
戴恩明 523- 48-148
1271-591- 50
戴晏清 511-658-162
戴哻戴冔 明 300- 12-183
479- 92-221
523-100-150
676-471- 18
1250-818- 78
戴冔明 528-543- 32
戴冔明 見戴哻
戴釗明 1291-644- 2
戴淳元 821-296- 53
戴清明 蔡本澄妻 302-231-302
481-560-327
530- 62- 55
1254-585- 上
戴焴元 511-614-160
1375- 19- 上
戴淵晉 見戴若思
戴祥明 676-544- 22
1271-820- 8
戴珵元 524-150-185
1224-228- 21
戴乾明 1460-340- 55
戴都明 483-115-379
569-671- 19
戴都清(鈕赫勒氏) 455-659- 46
戴都李獻祖 清(正黃旗)
502-629- 77
戴琇明 529-568- 46
戴勃晉 485-550- 3
812-324- 5
821- 14- 45
839- 40- 4
戴通女 宋 見戴氏
戴通女 明 見戴妙貴
戴崇漢 376-398-102上
475-745- 88
511-693-163
戴野漢 539-348- 8
戴冕女 宋 見戴氏
戴笠明 820-760- 44
戴笠清 475-142- 57
511-836-168
戴偃五代 407-663- 3
戴敏宋 820-431- 35
1153-231- 76
1356-767- 17
1437- 26- 2
1462-731- 94
戴敏明 473-377- 65
505-698- 70
511-278-147
532-743- 46
戴就漢 253-585-111
380-140-168
453-748- 3
479-228-227
486-308- 14
493-668- 37
524-201-188
933-667- 44
戴富妻 明 見徐氏
戴焥清 529-679- 49
戴雲宋 530-209- 60
戴雲明 821-462- 57
戴惡春秋 933-666- 44
戴琬宋 821-201- 51
戴琥妻 元 見金氏
戴琥明 473- 51- 50
479-225-227
516- 66- 89
523-158-153
戴肅明 475-449- 71
戴琰明 476-881-146
537-519- 59
540-635- 27
戴逵晉 256-538- 94
370-368- 9
380-434-177
384- 94- 5
469-100- 12
471-625- 6
472-201- 7
472-1068- 45
475-143- 57
475-748- 88
479-249-228
485-549- 3
486-313- 14
493-1066- 57
511-857-169
524-320-195
812-323- 5
814-240- 5
820- 73- 23
821- 13- 45
839- 39- 4
933-667- 44
1049-348- 24
1141-793- 33
戴逵北周 1401-471- 35
戴暄妻 元 見劉錦
戴華明 524-113-183
戴嵦唐 820-182- 27
戴順明 523-227-156
戴嬀春秋 衛莊公夫人
404-834- 52
戴智明 473-112- 54
戴欽明(字時亮) 482-372-357
567-331- 78
1442- 46-附3
1460- 18- 40
1467-221- 70
1467-454- 6
戴欽明(莆田人) 529-668- 49
戴欽明(綏德人) 554-611- 59
戴進明 524-348-196
585-529- 17
821-374- 55
戴愼明 1242-787- 7
戴溶宋 843-673- 下
戴熠元 1375- 19- 上
戴新明(山東人) 473-807- 86
523-172-154
戴新明(字浴日) 511-308-148
戴溪宋 288-123-434
400-521-547
472-1117- 48
479-405-235
523-627-177
戴聖漢 459- 20- 1
538- 22- 62
675-317- 19
933-666- 44
戴蜀齊 812-331- 7
821- 22- 45
戴暄元 1219-338- 7
戴暄女 元 見戴如玉
戴嵩唐 812-354- 10
812-370- 0
813-150- 13

821- 76- 47
戴鼎妻 明 見許燦英
戴鉉明 472-382- 16
戴鉦妻 清 見涂氏
戴筠唐 479-377-234
523-212-156
戴經宋 1147-807- 77
戴經明(字孟常) 524- 21-179
820-654- 42
戴經明(字伯常) 676-596- 24
1289-377- 26
戴遂晉 523-543-173
戴賓漢 511-693-163
戴賓明 533-211- 53
戴察唐 1078-302- 1
戴韶明 523-174-154
戴豪明 523-474-169
1250-794- 76
1458-187-430
戴暨明 見戴鱀
戴瑤明 540-653- 27
戴睿明 475- 75- 53
戴蒙明 1239- 89- 32
戴鳳元 張琪妻、戴良女
1219-528- 23
戴鳳明 456-641- 10
戴銘妻 元 見倪宜弟
戴銓明 524-273-191
戴銑明(字寶之) 300- 80-188
475-572- 79
511-278-147
676-528- 21
1442- 39-附2
1459-797- 32
戴銑明(字子聲) 564-152- 45
戴綸明(高密人) 299-598-162
476-732-138
540-788-28之3
戴綸明(字經邦) 533-170- 52
戴綬明 511-855-169
戴審明 1242-734- 4
1242-817- 9
1243-682- 22
戴澄明 540-642- 27
戴瑾明 456-677- 11
480-137-264
533-476- 64
戴樟宋 491-437- 6
戴樞妻 明 見萬氏
戴震明 456-619- 9
567-372- 81
戴璉明(字廷獻) 473- 51- 56
516- 73- 90
戴璉明(字尚重) 1260-752- 28
戴璉明(南海人) 1442- 26-附2
1459-625- 24
戴德漢 477-126-155
538- 22- 62
541-109- 31
675-317- 19
933-666- 44
戴德明 473-210- 59
戴憑漢 253-524-109上
370-167- 16
380-262-172
402-396- 5
402-446- 9
469- 85- 11
472-791- 31
477-412-169
538- 30 -62
680-667-285
933-666- 44
戴熼明 529-573- 46
戴熺明 563-801- 41
戴濂明 523-501-170
戴澳明 676-632- 26
戴遵漢 253-622-113
380-412-177
477-413-169
537-555- 60
933-666- 44
戴璜明 477-419-169
戴璣清 481-618-329
529-576- 46
1312-554- 7
戴融宋 472-998- 40
523-114-151
戴機宋 1152-615-106
戴璠元 1217-576- 2
戴興宋 285-477-279
472-659- 27
474-370- 19
477- 73-152
537-387- 57
戴嶧唐 812-354- 10
813-150- 13
821- 76- 47
戴縉明(字冠卿) 821-460- 57
戴縉明(南海人) 1442- 33-附2
1459-716- 28
戴儒宋 512-770-196
戴錫元 見戴天錫
戴濬明 529-458- 43
戴濬妻 明 見王氏
戴膺明 529-719- 51
戴濼妻 元 見袁氏
戴謙唐 472-429- 19
476- 27- 97
545-132- 87
戴翼宋 515-255- 65
戴縱清 559-330-7下
戴禮漢 402-448- 9
戴燿明 1291-626- 1
戴謨宋 492-713-3下
戴璹元～明 516- 55- 89
1242-364- 36
戴璧明 572- 82- 28
戴顒漢 472-223- 8
戴顒劉宋 258-587- 93
265-1065- 75
370-491- 14
380-441-178
384-123- 6
470- 57- 96
472-1015- 41
475-143- 57
475-281- 63
475-748- 88
485-163- 22
485-550- 3
486-313- 14
493-1066- 57
511-857-169
524-285-192
812-324- 5
814-240- 5
820- 84- 24
821- 17- 45
839- 40- 4
933-667- 44
1141-794- 33
戴顒女 劉宋 見戴氏
戴簡唐 473-337- 63
480-406-277
533-340- 58
戴邈晉 256-164- 69
377-738-126
475-372- 68
511-200-144
933-667- 44
戴鯨明 524- 46-180
1474-248- 11
戴鵬明 472-1068- 45
523-154-153
戴鏜明 528-564- 32
戴鱀戴暨 明 475-872- 95
482-322-354
523-293-159
545- 81- 85
676-548- 22
1442- 47-附3
1460- 26- 41
1474-188- 8
戴騮明 528-528- 31
戴耀明 529-566- 46
戴覺清 482- 40-340
戴繼明 540-807-28之3
戴護唐 1376-625-96上
戴巏明 1442- 70-附4
1460-335- 55
戴鰲明 483- 15-370
494-158- 5
569-660- 19
1474-296- 14
戴鷙明 524-199-188
581-689-115
戴麟明 545-772-111
戴顯明 676-174- 7
戴纓明 821-483- 58
戴灝明 1442- 89- 6
1460-578- 68
戴鑾明 523-247-157
戴一松明 537-408- 57
戴九玄明 515-490- 71
676-629- 26
1442- 89-附6
戴三元明 511-624-161
戴士垚戴士堯 元
820-541- 39
1224-231- 21
戴士堯元 見戴士垚

戴士衡明 300-832-234
481-558-327
529-520- 44
563-913- 43
戴子玉元 1208-533- 16
戴子鼎妻 明 見將滿奴
戴大用清 524-116-183
戴大受清 524-306-194
戴大斌妻 清 見王氏
戴大聖妻 清 見王氏
戴大賓明 481-557-327
529-730- 51
戴上賓妻 清 見張氏
戴千齡唐 820-215- 28
戴文昱妻 明 見莊妙清
戴文進女 明 見戴氏
戴文璧元 523- 26-147
戴之邵宋(字才美) 473-148- 56
515-597- 76
戴之邵宋(廬陵人) 473-729- 82
482-238-349
563-694- 39
戴之聘明 567-355- 80
1467-255- 71
戴之藩明 456-635- 10
511-463-154
戴火仙漢(修道成陽精畢露夜照山中) 524-445-201
戴不勝戰國 933-666- 44
戴王僧宋 見戴振
戴五姐清 戴進寶女
506- 66- 87
戴元益唐 472-1015- 41
479-379-234
524-160-186
戴元祥唐 474-433- 21
戴元歆元 541- 95- 30
戴元禮明 見戴思恭
戴天志妻 清 見鄧氏
戴天資明 570-113-21之1
戴天錫戴錫 元 1195-509- 上
1439-425- 1
戴天錫妻 明 見胡氏
戴天驥宋 492-713-3下
戴日宣宋 1157-257- 19
戴日強明 523- 91-149
戴日輝宋 492-713-3下
戴永祥清 456-356- 77
戴玉甫女 元 見戴氏
戴弘烈清 559-328-7下
戴正傑清 524-221-189
戴本昇明 473-318- 62
533-294- 56
戴司顏唐 451-474- 7
戴世爵明 456-526- 6
戴四娘明 陳伯惠妻
530- 4- 54
戴安仲明 1474-271- 13
戴安國明 1227-128- 15
戴汝聽妻 清 見黃氏
戴至德戴志德 唐
269-657- 70
274-273- 99
384-171- 9
395-317-209
933-667- 44
戴有祺清 511-764-166
戴而卓妻 明 見潘氏
戴同吉明 472-963- 38
523- 37-147
1240-226- 15
戴光啟明 545-673-107
戴光遠元 511-543-158
524-182-187
戴兆箕清 511-537-157
戴名振清 540-864-28之4
戴自成明 475-564- 79
510-430-116
533-158- 52
戴如玉元 趙良本妻、戴暄女
1219-600- 29
戴仲明明 456-546- 7
戴仲若晉 533-720- 73
戴仲英明 534-238- 84
戴仲庸元 1217-566- 2
戴仲德元 821-304- 53
戴休顏唐 270-720-144
275-205-156
396- 23-253
472-931- 37
478-270-187
552- 54- 19
554-126- 50
558-372- 36
933-668- 44
戴良瑄明 456-614- 9
533-360- 60
戴良齊宋 523-605-176
679- 45-142
680-564-278
戴志道明 1229- 52- 4
戴志德唐 見戴至德
戴成之元 524-204-188
戴杏芳戴栒 明 524- 68-181
戴君用明 493-1010- 53
511-522-157
戴君恩明 480-615-287
680-110-235
戴君德明 456-665- 11
511-475-155
戴克敬妻 明 見吳悊
戴辰所明 546-419-128
戴伯鸞漢 538-110- 64
戴希賢明 472-741- 29
537-303- 56
戴希灝明 473-841- 87
483-137-380
567-339- 79
569-674- 19
戴邦玉妻 明 見鄭氏
戴佛夫宋 1176-767- 10
戴妙貴明 董雄妻、戴通女
1261-726- 31
戴廷對明 456-554- 7
戴宗灼妻 清 見李氏
戴宗泗妻 明 見林氏
戴宗璠明 524- 88-182
戴宗瓛明 524- 88-182
戴法興劉宋 258-602- 94
265-1090- 77
370-492- 14
381- 7-184
384-123- 6
戴表元元 295-535-190
400-697-567
472-962- 38
472-1088- 46
479-180-225
524- 41-180
585-434- 11
1194- 5- 附
1194- 6- 附
1203-377- 28
1284-344-162
1375- 35- 下
1405-687-307
1439-423- 1
1455-573-233
1468-144- 8
戴長汎明 1460-738- 79
1475-563- 24
戴東旻明 523-568-174
戴尚志明 515-110- 60
523-469-169
戴昌運清 533-220- 53
戴明聖明 567-355- 80
戴明寶劉宋 258-602- 94
258-603- 94
265-1091- 77
381- 8-184
戴叔倫唐 275- 71-143
395-688-242
451-440- 4
471-738- 21
472-276- 11
472-1026- 42
473- 45- 50
473-111- 54
473-776- 84
475-275- 63
479-654-247
482-450-362
511-173-143
515-166- 62
523-183-155
567- 40- 64
568-287-109
674-260-4中
820-221- 28
933-667- 44
1285-216- 6
1342-369-952
1365-454- 5
1371- 65- 附
1388-280- 65
1467- 15- 62
戴叔豪宋 1163-475- 21
戴岳渶明 1475-512- 22
戴秉中宋 1164-422- 23
戴秉器宋 524-210-188
戴延壽劉宋 820- 90- 24
戴為轂清 511-622-160

戴冠易明 1460-741- 80
戴彥信戴原敬 明
524-145-185
戴彥信妻 明 見沈氏
戴彥衡宋 843-670- 下
戴厚甫宋 524-343-196
戴盈之不詳 933-666- 44
戴貞妹明 戴嘉茂女
479-334-232
戴思忠明 見戴思恭
戴思明明 533-414- 62
戴思恭戴元禮、戴思忠、戴原禮 明 302-177-299
472-1032- 42
524-371-197
1374-648- 85
1458- 45-417
戴思訥清 511-578-159
戴思遠後唐 277-532- 64
戴省甄唐 485-233- 31
戴若冰宋 1176-765- 10
戴若思戴淵 晉 256-163- 69
370-298- 5
377-737-126
384- 98- 5
472-293- 12
475-372- 68
489-598- 47
511-200-144
533-720- 73
820- 59- 23
933-667- 44
戴哈尼清 456-291- 72
戴重席唐 812-354- 10
821- 87- 48
戴勉齋元 1199-312- 32
戴祐姐明 丘孔文妻
530-110- 57
戴泰一明 472-394- 17
510-490-118
戴原性明 1237-313- 6
戴原敬明 見戴彥信
戴原禮明 見戴思恭
戴真學清 481-783-337
523-423-166
528-573- 32
戴耆顯明 676-629- 26
1442- 89-附6
1460-505- 64
戴起源妻 清 見梁氏
戴振河清 523-447-168
戴時才元 524-325-195
戴時弁明 524-263-191
戴時宗明 481-616-329
529-568- 46
676-546- 22
戴時雍明 483-171-383
516- 81- 90
569-666- 19
戴師愈宋 516- 96- 91
戴翊羽宋 1147-807- 77
戴章甫明(夏津人) 456-629- 10
戴章甫明(號以吾) 554-295- 53
戴琇姐明 戴震雷女
530- 68- 55
戴崇禮妻 明 見董氏
戴國忠宋 480-296-271
533- 88- 49
1410-195-686
戴國柱明 475-421- 70
523-379-164
戴國詔妻 清 見張氏
戴國興妻 清 見王氏
戴紹印明 511-421-152
戴啟祥明 524-162-186
戴善行元 1218-698- 4
戴雲龍清 456-356- 77
戴朝恩明 528-515- 31
戴景文明 480- 90-262
戴景明明 1442- 97-附6
1460-589- 69
戴景禎明 529-699- 50
戴景禎妻 明 見蕭氏
戴華明元 1218-518- 8
戴華淩清 533-430- 62
戴幾先戴慧孫 宋
448-383- 0
492-702-3上
492-712-3下
戴舜年清 475-280- 63
511-565-158
戴象彪妻 清 見胡氏
戴進寶女 清 見戴五姐
戴復古宋 524- 62-181
1153-231- 76
1215-589- 6
1356-767- 17
1357-999- 23
1364-209-273
1437- 29- 2
1462-732- 95
戴復古妻 元 516-230- 97
戴裕津妻 明 見趙氏
戴新喜明 479-665-247
戴運昌明 545-677-107
戴道安元 1203-423- 31
戴道成宋 821-260- 52
戴道純宋 1053-765- 18
戴道顯元 524-290-193
戴聖欽妻 清 見張氏
戴楚望明 1289- 19- 2
1289- 20- 2
戴達先宋 492-702-3上
492-712-3下
戴嗣安妻 明 見徐氏
戴會川明 1271-734- 4
戴節英明 方旭伯妻
530- 62- 55
戴嘉祉女 清 見戴氏
戴嘉茂女 明 見戴貞妹
戴嘉猷明 482-238-349
523-120-151
563-823- 41
676-562- 23
戴夢桂明 540-808-28之3
戴夢賢女 明 見戴氏
戴夢麟明 524- 91-182
戴夢巘清 1327-866- 20
戴鳳翔明 554-347- 54
戴僧靜齊 259-331- 30
265-662- 46
370-513- 15
378-228-137
479-231-227
523-544-173
933-667- 44
戴慶炣宋 287-735-420
492-1117- 48
戴慶祖明 472-178- 6
戴慧孫宋 見戴幾先
戴震雷明 515-227- 63
529-523- 44
戴震雷女 明 見戴琇姐
戴德文元 473-719- 81
戴德祐妻 明 見項氏
戴德潤妻 元 見樂靜
戴德孺明 300-287-200
473-126- 55
479-294-230
479-678-248
515-134- 61
523-553-173
戴德彝明 299-353-141
456-697- 12
479-181-225
523-373-164
886-151-139
戴奮翼明 456-660- 11
511-467-154
戴龜朋宋 1164-422- 23
戴儘娘明 涂賢賓妻
1257-913- 5
戴應牧宋 492-713-3下
戴繼元宋 525- 68-220
戴顯甫宋 524-182-187
聰宋(嗣慧堅) 1053-572- 14
聰宋(嗣懷感) 1053-576- 14
聰宋(嗣法秀) 1053-693- 16
鞠氏明 吳喬妻 474-589- 30
鞠氏清 王應琳妻 481-215-302
鞠氏清 龔鼎妻 481-430-315
鞠允晉 見麴允
鞠杲宋 473-720- 81
482-208-347
564- 66- 44
鞠珍明 505-694- 70
鞠恩明 541- 97- 30
鞠躬明 472-679- 27
537-258- 55
鞠常宋 288-197-440
400-635-558
476-729-138
540-746-28之2
1086-296- 30
鞠詠宋 285-727-297
397-164-330
472-661- 27
477- 76-152
479- 41-218
479-556-242
523- 72-149
537-391- 57

鞠閎漢 933-718- 49
鞠鉞明 540-802-28之3
鞠語春秋 405-451- 85
鞠嘉漢 933-718- 49
鞠譚漢 933-718- 49
鞠巖宋 1186-553- 7
鞠以和妻 明 見楊氏
鞠仲謀宋 288-197-440
481-523-326
528-436- 29
1086-296- 30
鞠志元元 533-324- 57
鞠思謙明 540-835-28之3
鞠思讓明 456-524- 6
554-303- 53
鞠眞卿宋 472-221- 8
486- 49- 2
493-700- 39
鞠處信唐 820-153- 26
鞠嗣復宋 288-366-453
400-130-511
472-376- 16
475-561- 79
479- 50-218
510-424-116
523-354-163
鞠鳴秋明 456-634- 10
540-834-28之3
鞠養睿妻 明 見黃氏
醜奴後魏 262-493-103
381-649-200
輿夏 見予
輿呼都而尸道皋若鞮單于 漢
381-619-199
輿珎後魏 933-122- 8
擦實明 見察實
懋清(正白旗人) 455-519- 32
懋清(正黃旗人) 456- 10- 50
懋績清 455-696- 49
緊扈周 見周共王
翼明(姓缺) 533- 74- 49
翼王唐 見李綰
翼王金 見完顏呼蘭
翼奉漢 250-648- 75
376-371-101
384- 49- 2
472-310- 13
475-424- 70
511-693-163
675-279- 11
933-752- 52
翼城王明 見朱當澐
彌大宋 545- 53- 84
彌山清 456- 22- 51
彌仁夏 546-424-129
彌玉明 1240-795- 8
彌光宋 1053-865- 20
彌陀唐 1054-519- 15
彌射阿史那彌射、奚利邲咄陸可汗、興昔亡可汗 唐
271-681-194下
276-266-215下
彌子瑕彭封彌子 春秋
386-707- 12
404-845- 52
933- 69- 4
彌什克清 454-612- 65
彌陀山唐 見寂友
彌哈齊清 455-516- 32
彌俄突後魏 381-656-200
彌遮迦周 1053- 15- 1
1054- 24- 1
1054-259- 3
隰叔濕叔 周 404-446- 26
547-159-147
隰朋春秋 404-585- 35
491-790- 6
933-763- 53
隰鉏春秋 404-586- 35
隰靈周 933-763- 53
隰川王明 見朱遜爕
隱峰唐 481-700-332
530-205- 60
547-530-160
1052-306- 21
1053-124- 3
1054-525- 15
隱微五代 1053-304- 8
隱蕃吳 933-585- 38
隱邏漢 402-446- 9
隱太子春秋 見世子有
轄拉清 456- 25- 51
轄瑚清 455-420- 25
轄整宋 見瞎征
檀萬氏尸逐鞮單于 漢
253-712-119
381-628-199
檀子戰國 491-791- 6
檀弓戰國 405-452- 85
檀伯春秋 見曼伯
檀固宋 472-368- 16
475-642- 83
511-314-148
檀郁明 475-529- 77
511-600-160
524-109-183
檀昭明 482-227-348
564-251- 47
檀拜清 456-269- 70
檀祇劉宋 258- 88- 47
265-266- 15
378- 15-131
540-718-28之1
933-218- 15
檀珪劉宋 265-265- 15
378- 15-131
933-218- 15
1394-540- 7
檀起齊 469-182- 21
檀章唐 812-372- 0
821- 89- 48
檀斌晉 540-717-28之1
檀渙宋 1167-190- 15
檀超齊 259-507- 52
265-1016- 72
370-526- 16
380-363-176
384-122- 6
472-553- 23
476-882-146
540-720-28之1
933-218- 15
1063-767- 3
1410-511-731
1415- 65- 85
檀凱明 475- 71- 52
475-643- 83
483-339-398
511-316-148
571-550- 20
檀韶劉宋 258- 62- 45
265-265- 15
378- 14-131
535-556- 20
933-218- 15
檀翥北周 263-732- 38
267-405- 70
379-679-159
554-883- 64
933-218- 15
檀敷漢 253-372- 97
376-966-112
385- 62- 5
402-495- 12
469-182- 21
472-549- 23
476-582-131
540-704-28之1
680-668-285
933-217- 15
檀臻南朝 933-218- 15
檀讓元 510-373-114
檀觀明 475-643- 83
511-316-148
檀之堅妻 明 見高氏
檀之槐檀之櫆 明
302-160-297
456-657- 11
511-653-162
檀之櫆明 見檀之槐
檀天齡妻 明 見張氏
檀石槐漢 381-640-200
檀光閭明 456-628- 10
505-853- 77
檀宗益宋 511-314-148
檀和之劉宋 258-644- 96
265-1112- 78
380-181-170
563-615- 38
567- 29- 63
594-249- 11
檀時師後魏 見檀特師
檀特師惠豐、慧豐、檀時師 後魏 267-686- 89
380-628-183
547-540-160
558-480- 41
1052-249- 18
檀智敏唐 812-344- 9
812-371- 0
821- 40- 46
檀道濟劉宋 258- 42- 43

265-264- 15
378- 13-131
384-109- 5
470- 3- 89
472-275- 11
472-288- 12
472-553- 23
473- 86- 52
475-275- 63
476-882-146
479-446-237
480-613-287
489-599- 47
510-276-112
511-899-172
515- 5- 57
532- 99- 27
532-745- 46
537-112- 51
540-718-28之1
933-217- 15
933-218- 15
檀道濟妻 劉宋 見向氏
檀道鸞齊 265-1016- 72
380-364-176
933-218- 15
檀憑之晉 256-391- 85
370-384- 10
377-903-129下
476-583-131
511-899-172
540-717-28之1
933-217- 15
檀濟尼清 456-294- 72
臨息上古 見承
臨川王晉 見司馬郁
臨川王晉 見司馬寶
臨川王劉宋 見劉義慶
臨川王劉宋 見劉道規
臨川王齊 見蕭映
臨川王梁 見蕭宏
臨川王梁 見蕭大款
臨安王明 見朱勤烷
臨江王漢 見共敖
臨江王漢 見劉榮
臨江王漢 見劉閼
臨汾王元 見和爾齊賈
臨汾王明 見朱沖烱
臨孝恭隋 264-1100- 78
267-703- 89
380-655-183
478-108-180
554-894- 64
臨洮王後魏 見元愉
臨朐王明 見朱厚爔
臨泉王明 見朱美塎
臨海王劉宋 見劉子頊
臨海王陳 見陳叔顯
臨清王明 見朱載壉
臨淮王晉 見司馬臧
臨淮王後魏 見托跋他
臨淮王後魏 見托跋譚
臨淮王唐 見李光弼
臨湍王明 見朱同鈞
臨賀王齊 見蕭子岳
臨賀王梁 見蕭正德
臨賀王陳 見陳叔敖
臨菑王明 見朱域
臨漳王明 見朱祁鋆
臨潼王明 見朱公銘
臨慶王劉宋 見劉休倩
臨川公主唐 周道務妻、唐太宗女 274-106- 83
554- 46- 49
812-743- 3
814-217- 2
819-577- 19
臨安公主梁 梁武帝女
494-261- 1
臨安公主明 李祺妻、明太祖女 299-104-121
臨海公主遼 見耶律長壽
臨眞公主襄城公主 唐 衛洙妻、唐憲宗女 274-117- 83
393-285- 73
554- 57- 49
臨眞公主唐 薛釗妻、唐德宗女 274-115- 83
393-283- 73
臨晉公主唐 郭潛曜妻、鄭潛曜妻、唐玄宗女 274-112- 83
393-280- 73
544-231- 63
臨潁公主漢 見劉利
麯祥明 見麴祥
麯信陵唐 471-928- 49
472-336- 14
聲子春秋 見公孫歸生
聲子春秋 魯惠公夫人
404-563- 34
聲伯春秋 見公孫嬰齊
聲姜聖姜 春秋 魯僖公夫人
404-564- 34
聲孟子春秋 齊頃公夫人
404-630- 38
聲孟子春秋 齊靈公夫人
448- 70- 7
擊竹子不詳(擊竹行乞)
592-215- 73
韓士明 546-496-131
韓才妻 清 見穆氏
韓川宋 286-608-347
397-672-361
472-750- 29
477-525-175
537-605- 60
韓方明 821-440- 57
韓文元 524-345-196
韓文明(字貫道) 300- 40-186
453-678- 31
472-468- 20
472-647- 26
473-211- 59
476- 84-100
480- 13-257
505-671- 69
537-217- 54
545-775-111
549-247-190
549-470-198
550-201-216
550-260-218
676-509- 20
1257- 72- 7
1316-613- 42
1442- 33-附2
1459-716- 28
韓文明(字貫通) 505-811- 74
532-592- 41
韓文明(芮城人) 546-491-131
韓文清 474-169- 8
505-649- 68
554-531-57下
韓王漢 見韓信
韓王唐 見李迥
韓王唐 見李元嘉
韓王後晉 見石敬暉
韓王後周 見郭誠
韓王宋 見石曦
韓王宋 見趙普
韓王宋 見趙元偓
韓王宋 見趙宗諤
韓王遼 見蕭朴
韓王明 見朱松
韓王明 見朱旭櫏
韓友晉 256-549- 95
380-603-182
475-703- 86
511-883-171
韓中金 505-869- 78
韓中元 1214-142- 12
韓仁漢 1397-630- 29
韓仁元 1200-778- 60
1206- 39- 5
韓介明 510-394-115
540-818-28之3
韓氏玄漢 漢更始帝夫人
448- 81- 8
韓氏漢 朱序母 477-379-167
韓氏晉 山濤妻 477-256-161
韓氏北齊 齊神武帝妃
266-292- 14
373-108- 20
544-181- 61
韓氏唐 柳公綽妻、韓皋女
478-135-181
韓氏後唐 唐莊宗淑妃
277-430- 49
279- 87- 14
韓氏宋 呂祖謙妻、韓元吉女
1150- 86- 10
韓氏宋 韓汝翼姪女
1150-871- 47
韓氏元 王宇妻 1200-651- 49
1200-809- 62
韓氏元 田庫庫妻
1206-108- 13
韓氏元 徐忠甫妻、韓禋女
1203-416- 31
韓氏元 張正蒙妻、韓性女
295-637-201
401-184-593

460-933- 0
472-1074- 45
479-250-228
524-635-209
韓氏元 賈增順妻 1198-654- 22
韓氏元 亢起鳳媳 477-526-175
韓氏元 韓良可女 482-269-350
564-317- 49
韓氏明 弋諫妻 483-140-380
韓氏明 王顒妻 1258-184- 17
韓氏明 石邦彥妻 506- 54- 87
韓氏明 牟應綬妻 483-268-392
韓氏明 朱子明妻 524-601-207
韓氏明 李浣妻 506- 33- 86
韓氏明 李眞妻 506- 3- 86
韓氏明 李化龍妻 512- 63-178
韓氏明 李孟佐妻 480-440-278
韓氏明 李祖庚妻 506- 53- 87
韓氏明 邢穩妻 506-129- 89
韓氏明 邢嘉遇妻 474-192- 9
506- 15- 86
韓氏明 林洓妻 506- 72- 88
韓氏明 林森妻 561-476- 43
韓氏明 周雨妻 508-357- 42
韓氏明 范思道妻 506-128- 89
韓氏明 苑時藎妻 506- 11- 86
韓氏明 高世勳妻 506- 32- 86
韓氏明 袁勛妻、韓俊女
1267-331- 36
韓氏明 徐於海妻 530-105- 57
韓氏明 張伊智妻 547-290-152
韓氏明 張宏思妻 524-659-210
韓氏明 陳抶妻 1283-439-101
韓氏明 陳國華妻 530-105- 57
韓氏明 黃中色妻 480-300-271
韓氏明 焦慶延妻 506- 33- 86
韓氏明 程問之妻 506- 52- 87
韓氏明 程應登妻 547-281-152
韓氏明 溫以厲妻 477-422-169
韓氏明 甄莆妻 478-490-199
韓氏明 蔡邦俊妻 506- 42- 87
韓氏明 劉權妻 506- 76- 88
韓氏明 賴國寵妻 506- 75- 88
韓氏明 謝應昇妻 482-269-350
韓氏明 顧玘妻、韓勇女
1250-898- 85
韓氏明 宋愈亨媳 302-250-303
韓氏明 吳寬祖母
1255-533- 57
韓氏元 雲謙母 1202-196- 15
韓氏明 劉國忠媳 506- 13- 86
韓氏明 韓策女 474-444- 21
韓氏明 韓禮女 475-782- 89
512-142-181
韓氏清 田飛妻 474-655- 34
韓氏清 任先型妻 483-397-403
韓氏清 朱元傑妻 506- 27- 86
韓氏清 李鄺妻 506- 25- 86
韓氏清 李天用妻 503- 55- 95
韓氏清 李常青妻 476-679-136
韓氏清 李興魁妻 478-729-212
韓氏清 周助妻 530-117- 57
韓氏清 周潤妻 530- 41- 54
韓氏清 高國祥妻 478-437-196
韓氏清 馬淑援妻 476-373-117
韓氏清 孫兆麟妻 478-614-205
韓氏清 孫緝淵妻 477- 96-153
韓氏清 郭宏毅妻 478-140-181
韓氏清 張燾妻 482-118-343
韓氏清 張鑌妻 474-193- 9
韓氏清 張景齡妻 477-320-164
韓氏清 張嘉士妻 555-113- 68
韓氏清 湯守仁妻 478-575-203
韓氏清 葉介臣妻 474-195- 9
韓氏清 榮袞妻 555-125- 68
韓氏清 趙琦妻 474-779- 42
503- 57- 95
韓氏清 蔡新麥妻 479-150-223
韓氏清 謝貴妻 477-213-159
韓氏清 范從賢媳 503- 46- 94
韓立妻 元 見金氏
韓立明 559-308-7上
572-100- 30
韓必唐～五代 479-153-223
494-422- 13
524-403-199
韓永元 1214-205- 17
韓永明(謚節愍) 299-353-141
456-697- 12
476- 84-100
523-411-166
545-772-111
554-706- 61
886-155-139
韓永明(字景修) 1475-189- 8
韓玉金 291-541-110
383-1003- 28
399-289-442
472- 35- 1
472-699- 28
472-852- 34
474-179- 8
477-167-157
537-451- 58
554-335- 54
1040-254- 5
1365-277- 8
1439- 7- 附
1445-506- 38
韓玉明 820-691- 43
1262-418- 46
韓弘晉 540-667- 27
韓弘唐 271- 25-156
275-235-158
384-257- 13
396- 46-255
448-119- 0
472-130- 4
472-676- 27
474-475- 23
505-772- 73
537-200- 54
545-362- 96
933-212- 15
1073-620- 32
1074-470- 32
1075-416- 32
1343-778- 57
1418- 39- 36
韓弘妻 唐 見翟氏
韓弘明 529-454- 43
韓正明 563-736- 40
韓丕宋 285-711-296
397-153-329
472-195- 7
472-839- 33
473-358- 64
478-346-191
480-507-281
532-702- 45
537-286- 55
554-842- 63
1437- 8- 1
韓充韓璀 唐 271- 26-156
275-236-158
384-262- 13
396- 47-255
472-676- 27
474-475- 23
476-912-148
505-772- 73
537-202- 54
933-212- 15
韓尼清 456-291- 72
韓甲宋 1173-134- 72
韓生漢 505-867- 78
韓生不詳 567-454- 86
韓夷韓詒 明 493-1058- 56
1240-207- 14
1240-738- 7
韓因元 295-574-194
400-252-520
472-664- 27
477- 85-152
韓光妻 漢 見劉紅夫
韓旭明 821-476- 58
韓好唐 周況妻、韓俞女
1073-644- 35
1074-497- 35
1075-441- 35
韓竹清 511-827-167
韓价明 563-830- 41
韓休唐 270-187- 98
274-590-126
384-198- 11
395-555-231
459-378- 23
472-739- 29
472-836- 33
477-521-175
478-114-181
537-349- 56
554-639- 60
933-211- 15
933-805- 60
1371- 55- 附
韓沖元 1214-139- 12
韓快妻 清 見李氏
韓志明 505-806- 74
韓求韓虬 五代 812-436- 0
812-526- 2

813- 92- 4
821-111- 49
韓成女 元 見韓娥
韓成明 453-542- 4
475-855- 94
511-496-156
韓成清(鑲黃旗人) 456-311- 74
韓成清(陝西人) 559-326-7下
韓均後魏 261-691- 51
266-749- 37
379-182-149
540-645- 27
933-209- 15
韓抗唐 820-264- 29
韓孜明 559-366- 8
韓昆妻 明 見左氏
韓虬五代 見韓求
韓岌唐 1073-643- 35
1074-496- 35
1075-441- 35
韓孚妻 元 見黃妙權
韓伯母 晉 見殷氏
韓伯晉 256-253- 75
370-358- 9
377-798-127
384- 99- 5
459- 32- 2
472-655- 27
477-478-173
511-650-162
515- 78- 59
538-151- 65
677-781- 69
933-208- 15
韓邦晉 254-427- 24
韓利妻 清 見李氏
韓秀後魏 261-587- 42
266-553- 27
379- 93-147
472-143- 5
474-557- 28
496-384- 87
505-727- 71
505-882- 79
540-645- 27
933-209- 15
韓法明 見王法
韓京宋(河南人) 473-694- 80
482-115-343
563-679- 39
韓京宋(字世京) 533-260- 55
韓注韓註 唐 471-792- 29
473-317- 62
480-466-279
韓治宋 384-379- 19
韓治妻 宋 見文氏
韓治明 820-754- 44
韓性元 295-538-190
400-574-553
453-786- 3
472-1072- 45
479-236-227
523-599-176
678-176- 86
1209-519-8下
1273-152- 21
1439-433- 1
1470-543- 16
韓性女 元 見韓氏
韓性明 524-197-188
1228-496- 30
韓定明 505-895- 80
820-618- 41
韓青宋 288-357-452
400-170-513
478-483-199
韓青明 475-798- 90
韓坤明 1269-410- 5
韓拙宋 821-199- 51
韓奇妻 清 見郎氏
韓玞明 683-156- 4
韓昌明 547-560-161
韓明北周 552- 45- 19
韓明宋 473-490- 70
481-236-303
韓明明 517-604-130
528-454- 29
韓固春秋 545-398- 98
933-207- 15
韓卓漢 370-205- 21
402-540- 17
402-587- 20
韓昇元 476-452-123
545-479-100
韓昉金 291-701-125
400-686-565
472- 34- 1
474-177- 8
498-430- 90
韓果北周 263-613- 27
267-339- 65
379-629-158
476-281-111
544-213- 62
545-317- 95
545-353- 96
545-354- 96
546-171-121
552- 32- 18
554-120- 50
554-701- 61
933-209- 15
韓非戰國 244-356- 63
246- 5- 63
371-501- 33
375-658- 88
384-. 30- 1
386-284-83下
405-474- 86
472-650- 27
537-372- 57
933-207- 15
1360-608- 38
韓岳明 1272-436- 13
韓牧漢 511-379-150
韓佽唐 270-232-101
274-491-118
395-487-225
473-748- 83
482-318-354
554-447- 56
567- 41- 64
933-211- 15
1467- 17- 62
韓洪隋 264-823- 52
267-374- 68
379-720-160
539-494- 59
546-537-132
韓洪唐 270-188- 98
274-591-126
554-697- 61
韓炳韓岳郎 宋 448-370- 0
韓宣魏 254-423- 23
377-197-117
474-337- 17
505-743- 72
540-637- 27
韓洄唐 270-524-129
274-595-126
384-234- 12
395-559-231
472-837- 33
472-1014- 41
478-117-181
479-377-234
515- 8- 57
523-211-156
554-451- 56
933-212- 15
1342-540-973
韓洽明 511-676-163
韓恆晉 256-777-110
381-198-188
474-687- 37
496-418- 90
502-252- 53
933-209- 15
韓恬宋 1089-529- 49
韓姜漢 尹讓妻、尹仲讓妻
481-214-302
591-581- 43
韓穿春秋 545-728-109
933-207- 15
韓洙後唐 278-446-132
韓奕元(字仲山) 1213-128- 10
韓奕元(婺源人) 1221-450- 8
韓奕明(字公望) 472-229- 8
475-132- 56
493-1047- 55
511-833-168
524-314-194
676-451- 17
1229-397- 1
1229-404- 1
1240-211- 14
1442- 14-附1
1459-409- 12
1220-341- 12
韓奕明(字大之) 558-353- 35
韓奕妻 明 見蔡氏
韓奕清 478-270-187

十七畫 韓

554-350- 54
韓威漢 376-348-101
1408-386-517
韓威明 494- 57- 2
韓春明 533-237- 54
韓相明(青城人) 476-753-139
韓相明(晉州人) 480- 52-259
韓軌北齊 263-119- 15
267-148- 54
379-392-152
544-209- 62
545-353- 96
546-116-119
558-225- 32
933-209- 15
1400- 44- 3
1415-664-109
韓軌妻 元 見邢氏
韓郁明 299-375-143
韓屏宋 1221-651- 25
韓勇女 明 見韓氏
韓琉宋 1089-497- 46
韓政元 1203-459- 34
韓政明(字敏道) 299-218-130
458-171- 8
477-130-155
1227-173- 21
韓政明(黎城人) 1242-682- 2
韓建郭建 後梁 277-140- 15
279-250- 40
384-291- 15
384-310- 16
396-401-291
554-235- 52
933-214- 15
1083-519- 6
韓建元 472-336- 14
475-525- 77
508-311- 41
510-415-116
1214-396- 3
韓茂後魏 261-690- 51
266-749- 37
379-181-149
472-880- 35
478-548-202
544-211- 62
558-327- 35
933-209- 15
韓貞明 457-518- 32
475-377- 68
511-692-163
韓昱明 1244-675- 18
韓昱妻 明 見徐氏
韓昭漢 370-201- 20
韓昭宋(許昌人) 476-150-104
545-214- 91
韓昭宋(字用晦) 486-897- 34
524-327-195
549-583-202
韓范明 546-208-122
韓范妻 明 見楊氏
韓范清 477- 89-153
537-413- 57
韓則隋 267-513- 77
554-326- 54
韓英明 1269-420- 6
韓英妻 明 見陳氏
韓迪妻 明 見楊氏
韓約韓重華 唐 275-467-179
396-200-270
473-369- 64
476-277-111
480-485-280
533-288- 56
545-115- 86
1073-531- 21
1074-358- 21
1075-313- 21
韓約元 472-801- 31
494-345- 7
523-117-151
537-334- 56
1221-615- 23
韓約明 472- 27- 1
472-255- 10
韓重春秋 485-308- 47
韓重唐 569-615-18下之2
韓重明 476-402-119
546-597-134
韓信楚王、齊王 漢
243-201- 7
244-596- 92
250- 37- 34
251-521- 10
376- 22- 95
384- 36- 2
470-231-124
471-900- 44
471-908- 46
472-310- 13
475-326- 65
508-287- 40
511-189-143
550-433-222
550-491-223
550-514-224
550-534-224
933-207- 15
1360-611- 38
1397-199- 10
1408-252-505
韓信韓王 漢 244-607- 93
250- 33- 33
376- 20- 95
384- 38- 2
544-197- 62
933-207- 15
韓科明 546-605-135
韓弁妻 唐 見韋氏
韓俞漢 538-112- 64
韓俞女 唐 見韓好
韓紃韓訓 宋 473-695- 80
480-614-287
532-947- 46
563-908- 43
韓俊宋 528-491- 30
韓俊金 545-215- 91
韓俊明 482-268-350
564-235- 46
韓俊女 明 見韓氏
韓浦宋 820-330- 32
韓海唐 1073-620- 32
1074-470- 32
1075-416- 32
韓浩魏 254-171- 9
377- 70-114
477-246-161
537-475- 58
韓浩唐 554-697- 61
韓浩宋 288-304-448
400-158-513
472-610- 25
472-698- 28
476-726-138
477-166-157
538- 49- 63
540-656- 27
韓浩元 472-480- 21
476-249-110
545-266- 93
546- 86-117
韓唐明(太谷人) 545-669-107
韓唐明(穎州人) 554-348- 54
韓祐宋 821-218- 51
韓宰晉 496-383- 87
韓訓宋 見韓紃
韓宸明 559-269- 6
韓浚明 510-404-115
韓泰唐 275-347-168
396-126-263
472-1014- 41
473-652- 78
481-610-329
528-490- 30
韓珙妻 明 見李氏
韓恭明 563-853- 41
韓耆後魏 261-690- 51
韓翃唐 276- 89-203
400-614-556
451-426- 2
472-774- 30
477-376-167
538-145- 65
556-790-100
674-253-4上
933-214- 15
1371- 62- 附
1388- 59- 50
1394-396- 3
1472-680- 41
韓陞妻 清 見楊氏
韓珩漢 254-133- 6
474-515- 25
476-252-110
546- 3-115
547-132-146
韓起韓宣子 春秋 244-213- 45
371-427- 22
375-781- 90
384- 18- 1
404-717- 44

448-212- 17
469-398- 47
472-460- 20
546-509-132
933-207- 15
韓珠明 473-726- 82
482-227-348
564-216- 46
韓振宋 515-129- 61
韓退宋 288-429-457
401- 18-569
476-400-119
547-144-146
韓晏漢 523-478-170
韓畕明 1475-625- 27
韓迥宋 471-874- 40
473-768- 84
482-434-361
567-418- 85
1467-171- 68
韓豹隋 見韓擒
韓念明 559-397-9上
韓恕明 1268-459- 71
韓恕妻 明 見顧氏
韓娥韓關保 元 馬復宗妻、韓成女 561-469- 43
1381-718- 51
韓矩元 1200-792- 41
韓倉戰國 405-224- 70
韓倬清 547-121-145
韓倫宋 285- 95-251
396-462-297
韓倫明 494- 56- 2
554-479- 57
1269-452- 7
韓皋唐 270-522-129
274-594-126
395-559-231
478-119-181
484- 86- 3
494-269- 2
554-451- 56
933-211- 15
1076- 51- 5
韓皋女 唐 見韓氏
韓能元 見韓君垕
韓能明 546-363-127
韓殷明 564-115- 45

韓淵女 元 見韓妙靜
韓章妻 明 見孟氏
韓祥宋 473- 64- 51
韓祥明 554-347- 54
韓康韓恬休 漢 253-621-113
380-411-177
448-107- 下
472-832- 33
478-102-180
554-864- 64
742- 27- 1
871-898- 19
933-208- 15
韓球宋 494-347- 7
1089-496- 46
韓球妻 宋 見李氏
韓理清 540-852-28之4
韓書宋 485-536- 1
韓軏妻 明 見李氏
韓務後魏 261-587- 42
266-553- 27
379- 94-147
933-209- 15
韓連妻 明 見呂氏
韓通後周 288-743-484
400-120-510
472-435- 19
476- 38- 98
505-630- 67
545-601-105
韓晦宋 485-534- 1
韓崇漢 402-446- 9
韓常金 383-997- 27
505-719- 71
韓常明 1234-302- 47
韓衆周 見韓終
韓跂宋 1124-250- 18
韓終韓衆 周 547-509-160
韓偓唐 275-508-183
384-289- 15
396-247-273
451-473- 7
471-667- 12
472-838- 33
473-570- 74
473-585- 75
478-122-181
481-591-328

529-752- 52
545-363- 96
554-647- 60
674-268-4中
674-620- 5
813-258- 10
820-271- 29
933-214- 15
1083-549- 附
1083-580- 附
1365-403- 2
1371- 73- 附
1388-637- 96
1437-617- 93
韓紹明 479-145-223
481-746-334
523-446-168
528-462- 29
528-564- 32
韓偉明(字仲英) 472-1118- 48
523-496-170
537-212- 54
545-117- 86
韓偉明(崞縣人) 545-244- 92
韓紳明 533-428- 62
韓敏妻 明 見賈氏
韓斌明 502-285- 56
韓富三國 472-143- 5
韓富妻 明 見李氏
韓湘韓湘子 唐 451-488- 8
476-420-120
538-340- 70
547-521-160
韓註唐 見韓注
韓詔妻 清 見賈氏
韓詒明 見韓夷
韓善元 505-665- 69
韓曾妻 清 見王氏
韓渾唐 554-697- 61
韓惲後晉 278-145- 92
韓渙元 511-190-143
韓渙女 元 見韓惟秀
韓雲清 456-291- 72
韓琮唐 273-114- 60
451-447- 4
1371- 71- 附
1388-854-117
韓越劉宋 1061-275-110

韓琚宋 473-281- 61
477-306-163
532-629- 43
1089-497- 46
1090- 91- 16
韓椎北周 384-141- 7
韓盛北周 263-685- 34
554-689- 61
韓盛唐 554-258- 52
韓雄宇文雄 北周 263-778- 43
267-372- 68
379-639-158
379-656-159
472-744- 29
537-492- 59
546-532-132
933-210- 15
韓雅清 560-133- 19
韓階晉 256-452- 89
380- 39-166
480-406-277
533-244- 55
933-209- 15
韓隆明 472-339- 14
528-510- 31
韓登明 547- 15-141
韓登明 見韓璒
韓琬唐 274-426-112
384-180- 10
384-200- 11
395-419-219
537-546- 59
933-210- 15
韓琦宋 286-131-312
382-443- 69
384-349- 18
384-361- 19
384-364- 19
397-318-338
449-125- 1
450- 6-上1
450-569-中48
459-503- 30
471-900- 44
471-906- 45
471-935- 50
471-1054- 68
472- 85- 3

472-126- 4
472-430- 19
472-519- 22
472-544- 23
472-643- 26
472-677- 27
472-698- 28
472-825- 33
472-866- 34
472-878- 35
472-893- 35
472-922- 36
474-470- 23
474-651- 34
475-365- 67
476- 28- 97
476-516-127
476-817-143
477-166-157
477-560-177
478-695-210
480-138-264
481- 18-291
505-631- 67
510-387-115
533-726- 73
537- 59- 49
537-449- 58
540-624- 27
540-669- 27
545- 43- 84
554-142- 51
556-728- 98
558-137- 30
558-227- 32
559-264- 6
591-685- 47
708-335- 50
820-346- 32
933-215- 15
1094-646- 71
1135-703- 7
1350-802- 78
1378-412- 56
1437- 11- 1
1461- 53- 3
韓琦妻 宋 見范氏
韓琦妻 宋 見崔氏
韓琥宋 1363-453-175
1437- 28- 2
韓琥妻 宋 見劉氏
韓覃唐 820-157- 26
韓肅妻 元 見楊氏
韓弼明(字汝良) 515- 94- 59
韓弼明(字良佑) 554-288- 53
韓弼明(字藎臣) 1249-150- 9
韓軫唐 820-197- 27
韓陽明 473-211- 59
532-590- 41
1238-548- 14
韓揆漢 559-406-9上
591-519- 41
韓棱韓稜 漢 253- 65- 75
370-191- 19
376-786-109下
384- 62- 3
402-372- 4
469- 54- 7
472-770- 30
475-418- 70
477-357-166
477-366-167
508-301- 40
510-396-115
537-537- 59
554-264- 53
933-208- 15
韓棟妻 清 見張氏
韓森妻 明 見楊氏
韓厥韓獻子 春秋 244-212- 45
371-427- 22
375-779- 90
384- 18- 1
404-715- 44
404-790- 48
448-171- 10
472-460- 20
546-507-132
933-207- 15
韓貴明 1245-778- 13
韓凱明 554-310- 53
韓菼清 475-142- 57
511-753-165
1318-441- 71
韓順漢 448-103- 中
韓須春秋 404-719- 44
韓鈞妻 清 見姚氏
韓智明 540-795-28之3
676-523- 21
韓絳宋 286-182-315
382-361- 58
384-364- 19
397-351-340
449-248- 10
450- 82-上10
472-126- 4
472-430- 19
472-661- 27
472-740- 29
472-913- 36
473-427- 67
474- 92- 3
474-470- 23
475- 16- 49
478-571-203
477- 79-152
481- 68-293
505-689- 70
537-394- 57
558-208- 32
559-264- 6
561-310- 40
708-341- 50
820-367- 33
933-215- 15
1104-695- 15
1110-199- 7
1113-901- 23
1437- 14- 1
韓策明 578-959- 25
1282-860- 65
韓策女 明 見韓氏
韓裴明 523-245-157
韓棱漢 見韓棱
韓傑明 1250-923- 87
韓復宋 1113-225- 22
韓溥宋 288-196-440
382-751-115
384-335- 17
400-635-558
478-122-181
554-842- 63
韓詩明 1442- 66-附4
1460-293- 53
韓詩清 554-854- 63
韓補宋 494-344- 7
515-865- 85
820-441- 35
韓愼唐 1076-104- 11
1076-560- 11
1077-128- 11
1342-432-960
韓義唐 1350-802- 78
韓義明 559-361- 8
韓溫明 472-905- 36
韓雍明(字永熙) 299-805-178
453-458- 17
453-609- 17
472- 38- 1
472-230- 8
472-963- 38
473- 16- 49
475-133- 56
476-249-110
479-452-237
481-804-338
482-321-354
493-988- 52
505-722- 71
511-387-151
515- 37- 58
523- 41-148
563-721- 40
567- 98- 66
676-493- 19
820-631- 41
1245-491- 25
1247- 81- 6
1275-810- 47
1284-136-147
1284-356-163
1386-286- 39
1442- 26-附2
1459-628- 24
1467- 73- 64
韓雍明(字陶宇) 547- 38-142
韓雍妻 明 見金氏
韓愷宋 1089-506- 46
韓滉唐 270-519-129
274-591-126
384-214- 11
384-222- 12

384-234- 12
395-556-231
471-994- 59
472-272- 11
472-836- 33
473-489- 70
475- 15- 49
475-271- 63
478-117-181
478-759-215
486- 43- 2
488-322- 12
493-687- 38
510-279-112
523- 6-146
544-227- 63
554-450- 56
559-323-7上
812-354- 10
812-368- 0
812-747- 3
813-102- 6
814-276- 10
820-216- 28
821- 70- 47
839- 49- 4
933-211- 15
1072-558- 下
1342-535-973
韓準宋 511-466-154
528-448- 29
1217-215- 5
1439-449- 2
韓[illegible]宋 484-389- 28
韓滂唐 1073-644- 35
1074-497- 35
1075-442- 35
韓歆漢 252-656- 56
370-144- 13
376-636-107上
384- 58- 3
472-769- 30
477-364-167
537-534- 59
933-208- 15
韓廉明(字守清) 523-466-169
韓廉明(字仲廉) 821-351- 55
1375- 27- 上
韓道宋 540-661- 27
韓遂漢 385- 71- 8
韓遂宋 488-369- 13
488-370- 13
韓楓明 456-630- 10
505-847- 76
韓瑄宋 1089-497- 46
韓楷明(字以正) 533- 11- 47
韓楷明(山東人) 554-310- 53
韓楫明 546-316-125
1288-341- 10
韓幹唐 554-899- 64
812-349- 9
812-366- 0
813-148- 13
821- 64- 47
韓瑒明 547- 61-143
韓瑗唐 269-787- 80
274-344-105
384-179- 10
395-355-213
472-834- 33
478-111-181
554-635- 60
820-240- 28
933-210- 15
韓萬春秋 404-715- 44
546-507-132
933-207- 15
韓當吳 254-815- 10
377-352-119
384- 80- 4
384-573- 30
474-276- 14
479-525-241
489-598- 47
505-726- 71
515-207- 63
933-208- 15
韓嗣元 547- 86-144
韓嵩漢 254-137- 6
385- 66- 5
477-369-167
韓嵩妻 唐 見王霞卿
韓鼎明(字廷器) 302-315-306
558-351- 35
576-653- 5
576-717- 8
576-721- 8
676-230- 9
676-515- 20
韓鼎明(字廷陳) 524-126-184
韓敬明 301- 23-236
524- 36-179
1442- 90- 6
1460-514- 65
韓敬妻 清 見許氏
韓鈺明 572- 76- 28
韓禽隋 見韓擒
韓愈唐 271- 65-160
275-424-176
384-232- 12
384-254- 13
384-261- 13
396-169-267
451-434- 3
459- 41- 3
471-725- 19
471-779- 27
471-841- 36
471-842- 36
471-850- 37
471-867- 39
472-642- 26
472-720- 28
472-739- 29
472-825- 33
473-176- 57
473-297- 62
473-672- 79
473-700- 80
475-419- 70
475-612- 81
477-250-161
477-305-163
478- 88-180
479-765-252
480-239-269
482-140-344
482-289-352
506-397-100
510-397-115
511-910-173
515-114- 60
517-300-123
517-404-126
532-664- 44
533-746- 73
537-478- 58
538-595- 78
539-502-11之2
550-181-215
550-388-221
554-131- 50
563-641- 38
564-676- 59
564-693- 59
674-256-4上
681-433- 0
812-748- 3
820-228- 28
933-213- 15
1054-530- 15
1054-532- 15
1073-248- 10
1073-733- 附
1075- 13- 附
1078- 94- 6
1078- 97- 6
1078-153- 11
1098-824- 7
1123-151- 16
1178-512- 5
1342-565-976
1344-102- 69
1354- 58- 8
1366-813- 7
1370-207- 13
1371- 67- 附
1383- 18- 附
1388-150- 57
1408-674-551
1410- 55-670
1418- 92- 38
1418-441- 50
1447-412- 20
1472-753- 46
韓愈女 唐 見韓女挐
韓[illegible]妻 元 見劉氏
韓會唐 473-682- 79
482- 74-341
563-639- 38
1076-111- 12
1076-567- 12

1077-137- 12
韓會妻 唐 見鄭氏
韓經宋 564- 71- 44
韓節明 511-460-154
韓翂清 511-534-157
1315-293- 10
韓察唐 491-343- 2
523-125-152
韓演漢 253- 66- 75
376-787-109下
402-528- 15
475-603- 81
537-537- 59
韓禎明 472-527- 22
韓韶漢 253-300- 92
376-920-111下
384- 69- 3
459-845- 51
472-518- 22
472-652- 27
472-771- 30
476-816-143
477-368-167
537-538- 59
540-663- 27
933-208- 15
韓[illegible]女 元 見妙德
韓福漢 448-101- 中
474-169- 8
499-411-157
505-894- 80
韓福明(字德夫) 302-316-306
472-127- 4
474-471- 23
505-690- 70
537-281- 55
554-484-57上
1266-388- 6
韓福明(山東人) 558-184- 31
韓禋女 元 見韓氏
韓寧明 540-635- 27
韓寧妻 明 見孫氏
韓齊明 554-284- 53
韓說漢(封龍頟侯) 244-767-111
251-626- 24
453-732- 1
539-349- 8
933-207- 15

韓說漢(字叔儒) 253-604-112下
380-574-181
453-752- 3
479-228-227
486-340- 15
524-364-197
680-673-287
820- 33- 22
933-208- 15
韓說漢(領弄棟蜻蛉諸縣)
569-671- 19
韓彰明 545-658-107
韓榮金 511-884-171
韓榮元 476-753-139
韓慥宋 524-344-196
585-536- 19
韓壽晉 254-427- 24
255-709- 40
496-421- 90
502-314- 58
韓輔妻 明 見鄧氏
韓熙明 540-627- 27
1255-602- 63
韓瑨韓璨 宋 1118-301- 16
1118-385- 20
韓構宋 1083-495- 46
韓暨魏 254-426- 24
377-196-117
385-388- 41
472-771- 30
477-370-167
477-503-174
537-540- 59
879-159-58上
933-208- 15
韓瑤妻 漢 見賈氏
韓境宋 820-446- 35
韓遜後梁 278-446-132
279-252- 40
396-403-291
933-214- 15
韓睿明 554-278- 53
韓蒙元 1209-161- 9
韓鳳北齊 263-387- 50
267-757- 92
381- 38-184
韓嫣漢 244-609- 93
244-893-125

251-168- 93
251-689- 32
381- 3-184
韓綜吳 254-815- 10
377-352-119
韓綜宋 286-182-315
382-360- 58
397-350-340
472-126- 4
472-661- 27
474-470- 23
505-689- 70
537-389- 57
1104-473- 39
韓維宋 286-184-315
382-362- 58
384-371- 19
384-378- 19
397-353-340
449-249- 10
450-790-下17
472-661- 27
472-801- 31
473-248- 60
477- 80-152
480-299-271
532-677- 44
533-740- 73
537-394- 57
674-428- 2
708-341- 50
820-367- 33
933-811- 60
1106- 73- 10
1375- 32- 下
1437- 14- 1
1461-326- 17
韓銑明 523-386-164
韓篪妻 清 見龐氏
韓綱宋 286-181-315
397-350-340
韓綱明(千戶) 523-376-164
584-268- 10
韓綱明(字正夫) 678-208- 90
韓綸明 523-246-157
1268-453- 70
韓綸妻 明 見談原靜
韓綬明 554-526-57下

韓寬妻 元 見丁氏
韓澍元 1200-787- 60
韓澄唐 564- 30- 44
韓褐戰國 405-162- 66
韓毅北齊 814-261- 8
820-120- 25
韓褒北周 263-718- 37
267-395- 70
379-670-159
384-142- 7
472-744- 29
476-450-123
478- 86-180
478-634-206
537-492- 59
545-474-100
552- 32- 18
554-117- 50
933-209- 15
韓賢北齊 263-145- 19
267-122- 53
379-371-152
544-210- 62
544-217- 62
546-114-119
933-209- 15
韓慰明 554-313- 53
韓璀唐 見韓充
韓駒宋 288-265-445
400-677-563
471-935- 50
471-961- 53
473- 13- 49
473-281- 61
473-434- 67
477-482-173
479-663-247
481-386-312
516-205- 95
559-399- 9上
591-644- 46
592-594- 99
674-293-4下
674-838- 18
820-397- 34
933-216- 15
1381-796- 59
1437- 20- 1

1461-688- 33
韓醇明 456-558- 7
477-360-166
537-319- 56
韓增漢 250- 35- 33
376- 22- 95
韓確宋 1089-505- 46
韓璆五代 1089-494- 46
韓震唐 475-524- 77
510-413-116
韓震明 554-281- 53
韓奭明 493-1058- 56
1240- 30- 2
韓蔚晉 254-427- 24
韓儀唐 275-508-183
396-248-273
554-648- 60
韓億宋 286-180-315
371- 73- 7
382-359- 58
384-351- 18
397-349-340
449- 73- 6
450-722-下8
471-1053- 68
472- 95- 3
472-125- 4
472-647- 26
472-866- 34
473-426- 67
476-656-135
477- 76-152
477-123-155
477-161-157
477-441-171
478-244-186
481- 68-293
512-781-196
523- 9-146
538-332- 69
540-647- 27
554-238- 52
559-263- 6
561-310- 40
561-363- 40
591-682- 47
708-329- 50
1104-421- 37
1104-458- 39
1354-679- 35
1381-483- 37
韓德五代 547- 32-142
韓德清 456-349- 77
韓憑戰國 469-121- 14
韓憑妻 戰國 見息氏
韓澮明 456-501- 5
477-473-173
韓諤元～明 1221-461- 9
1226-314- 15
1229-287- 9
韓凝明 493-1058- 56
1229-115- 9
1458-627-466
韓璜宋 567-438- 86
1467-151- 67
韓璟明 473-335- 63
480-403-277
532-694- 45
韓融漢 253-300- 92
376-920-111下
韓融韓勵 唐 1082-303- 3
韓擒韓豹、韓禽、韓擒虎 隋
264-821- 52
267-373- 68
379-718-160
384-151- 8
469- 22- 3
472-463- 20
472-744- 29
475-697- 86
481-152-298
505-929- 84
537-494- 59
546-536-132
559-279- 6
933-210- 15
韓瓚元 1201-169- 80
韓璒韓登 明 502-286- 56
505-812- 74
559-254- 6
韓璠宋 820-408- 34
韓整漢 493-669- 37
韓擇元 295-530-189
400-572-552
453-779- 2
472-841- 33
478-125-181
554-815- 63
1293-346- 19
韓霖明(字雨公) 546-757-140
韓霖明(富順人) 554-346- 54
韓遼唐 554-267- 53
678- 88-180
韓選明 558-431- 37
韓默明 456-636- 10
511-463-154
韓曉宋 473-536- 72
韓曉清 481-584-328
528-488- 30
韓翬唐 275-347-168
韓縝宋 286-187-315
382-365- 58
384-368- 19
384-376- 19
397-356-340
450-813-下20
471-1054- 68
472-661- 27
472-740- 29
477- 80-152
537-394- 57
554-238- 52
820-367- 33
1112-401- 36
1112-403- 36
1112-409- 37
1112-417- 37
1437- 14- 1
韓縉明 558-311- 34
韓錦明 472-491- 21
476-155-104
547- 35-142
韓畾宋 484-387- 28
韓衡唐 1076-113- 12
1076-569- 12
1077-140- 12
韓衡明 554-347- 54
韓錫金 291-373- 97
472- 65- 2
474-305- 16
505-719- 71
1365-277- 8
韓勳妻 清 見趙氏
韓謐賈謐 晉 254-427- 24
255-709- 40
377-486-121下
384- 91- 5
386-184-75下
879-169-58上
韓謙元 476-180-106
545-242- 92
韓謙明 558-301- 34
韓襄春秋 404-719- 44
933-207- 15
韓襄明 1255-569- 60
1260-596- 16
1386-353- 42
1458- 47-417
韓懋明 561-211-38之2
561-227-38之3
韓翼明 505-824- 75
韓璯晉 933-208- 15
韓擢明 564-192- 46
韓勵唐 見韓融
韓璩宋(字子徽) 285-457-277
1089-499- 46
韓璩宋(知忠州) 481-438-316
559-274- 6
韓璩妻 宋 見陳氏
韓嬰漢 244-856-121
251-113- 88
380-255-172
472- 28- 1
474-169- 8
499-413- 57
505-867- 78
535-552- 20
675-281- 11
677- 57- 5
933-207- 15
韓覬妻 隋 見于茂德
韓嶷唐 812-351- 10
821- 87- 48
韓績晉 256-530- 94
380-427-177
472-983- 39
475-372- 68
479- 93-221
491-108- 13
511-845-168
524-279-192
933-209- 15

韓瀆妻 宋 見楊氏
韓謹宋 563-658- 39
679-406-108
韓禮女 明 見韓氏
韓璹宋 286-383-330
397-494-349
472- 85- 3
472-126- 4
472-643- 26
472-708- 28
474-470- 23
474-651- 34
477- 52-151
477-208-159
481-333-308
505-689- 70
537-464- 58
韓璹妻 宋 見陳氏
韓璪宋 見韓琩
韓璵清 474-587- 30
505-643- 67
韓燾明 523-191-155
韓贄宋 286-403-331
397-509-350
472- 65- 2
472-525- 22
472-740- 29
474- 92- 3
476-524-128
537-300- 56
韓璧宋 473-737- 82
473-762- 84
482-390-358
563-696- 39
567- 70- 65
1145-637- 79
1467- 44- 63
韓璧明 474-407- 20
505-676- 69
韓豐唐 1076-229- 25
1076-675- 25
韓薰明 545-444- 99
554-527-57下
韓瞻唐 1082-342- 5
韓鎬明 478-767-215
523- 44-148
韓簡春秋 371-427- 22
404-715- 44
448-159- 7
546-507-132
韓簡唐 271-378-181
276-184-210
384-285- 15
396-288-276
韓邈宋 479-483-239
韓馥漢 254- 15- 1
韓識明 456-680- 11
554-713- 61
韓爌明 301- 82-240
458-391- 17
476-125-102
546-319-125
548-618-180
韓龐戰國 545-724-109
韓璽明 472-208- 7
511-359-150
韓曠宋 1091-569- 16
韓鵬明 505-895- 80
韓鏞元 295-484-185
399-749-495
472-526- 22
473- 44- 50
476-526-128
478-764-215
479-527-241
493-785- 42
494-271- 2
515-218- 63
523- 27-147
540-779-28之2
1439-440- 2
韓繹妻 宋 見范氏
韓騫漢 933-207- 15
韓黯宋 1158-752- 75
韓鐸金 291-163- 78
韓鐸明 547- 95-144
550-231-217
韓瓘宋 472-962- 38
523- 97-150
韓權元 540-774-28之2
韓瓚明 546-602-135
554-287- 53
韓覲魏 254-467- 27
377-225-117
474-170- 8
韓覲明 299-648-166
473-750- 83
475-855- 94
482-321-354
483-221-390
511-420-152
567- 84- 66
571-531- 19
1467- 62- 64
韓一光明 511- 84-139
韓一良明 301-359-258
537-250- 55
韓一經妻 明 見鄧氏
韓一歐清 547- 54-143
韓一蘇清 476-261-110
547- 54-143
韓一麟明 456-617- 9
558-413- 37
韓乂賓唐 1089-492- 46
1089-494- 46
韓三星妻 清 見丁氏
韓士文明 554-347- 54
韓士奇明 見韓士琦
韓士英明 473-317- 62
480-463-279
532-732- 46
559-366- 8
571-524- 19
韓士修清 481-374-311
559-442-10下
韓士望清 528-534- 31
韓士章清 547- 92-144
韓士琦韓士奇 明476-333-115
546-405-128
554-208- 52
1253-177- 49
韓士陽妻 明 見黃妙寧
韓子中元 547- 41-142
韓子升宋 1189-316- 3
韓子充明 517-656-131
韓子羽春秋 404-719- 44
韓子名明 547- 7-141
韓子祁明 524-248-190
676-610- 25
1442- 77- 5
1460-382- 57
1475-357- 15
韓子高陳 260-671- 20
265-961- 68
378-525-144
523-544-173
933-209- 15
韓子煜明 1227- 90- 10
韓子熙後魏 261-816- 60
266-801- 40
379-206-149
496-386- 87
韓子誕隋 547- 2-141
韓大敏唐 395-555-231
554-639- 60
韓大賓明 456-586- 8
481-374-311
韓大寧韓仁和 宋448-371- 0
473- 64- 51
515-863- 85
韓上桂明 456-529- 6
482- 38-340
564-124- 45
1442- 84- 5
韓女挐唐 1073-645- 35
1074-498- 35
1075-443- 35
1355-630-21上
1383-190- 15
1410-514-733
韓千秋漢 538- 69- 63
540-621- 27
韓心淵元 538- 51- 63
韓方川妻 清 見吳氏
韓方明唐 820-222- 28
韓文汪唐 546-700-138
韓文昇明 511-653-162
韓文炳妻 明 見汪氏
韓文星清 478-134-181
韓文侯戰國 371-428- 22
375- 59-77下
384- 7- 1
韓文卿明 554-259- 52
韓文鏡清 554-528-57下
韓文寶明 545-145- 88
韓之珅明 547- 38-142
韓之偉妻 明 見邢氏
韓不信韓簡子 春秋
371-428- 22
404-720- 44
545-722-109
韓不疑金 291-542-110

韓太初妻 明 見劉氏
韓太湖明 505-938- 85
韓王安戰國 244-218- 45
371-432- 22
375- 61-77下
384- 7- 1
韓元仕明 540-806-28之3
1296-544- 1
韓元吉宋 471-659- 11
471-713- 18
473- 62- 51
516-209- 96
524-313-194
528-521- 31
674-843- 18
677-785- 69
820-417- 69
1363-372-160
1437- 25- 2
韓元吉女 宋 見韓氏
韓元亨明 456-639- 10
563-855- 41
韓元朗清 511-401-151
韓元修宋 485-534- 1
韓元善元 295-474-184
472-664- 27
473-712- 81
477-453-171
482-184-346
537-397- 57
563-716- 39
韓元傑宋 511-912-173
韓元龍宋 511-299-148
523-169-154
韓元龍妻 宋 見張法善
韓元禮宋 524-317-194
韓天民妻 明 見李氏
韓天德妻 明 見王氏
韓天麟元 1200-737- 56
韓友直元 494-418- 12
韓友范明(字一成) 456-585- 8
476-439-122
546-420-128
韓友范明(岢嵐人) 547- 8-141
韓日宣明 547- 38-142
韓日曦明 456-656- 11
韓日纘明 564-193- 46
韓中孚宋 589-311- 2
韓中佐明 456-658- 11
韓公武唐 271- 26-156
275-236-158
396- 47-255
505-772- 73
933-212- 15
韓公彥宋 1089-503- 46
韓公彥妻 宋 見張氏
韓公恕金 291-676-122
400-221-518
韓公裔宋 287-202-379
398-240-380
472-664- 27
477- 84-152
524-335-195
537-396- 57
韓公麟元 821-293- 53
1214-265- 22
韓仁和宋 見韓大寧
韓介玉元 821-322- 54
韓允忠韓君雄 唐
271-378-181
276-184-210
384-281- 14
384-285- 15
396-288-276
韓允恭宋 285- 92-250
韓允熙明 517-571-129
韓必顯明 554-313- 53
韓永廕清 511-588-159
韓永德宋 491-437- 6
韓永齡明 538-693- 79
1267-530- 7
1410-550-739
韓玉父宋 林子安妻
1437- 39- 2
韓玉汝妻 宋 見程氏
韓玉岡妻 明 見徐氏
韓弘濟妻 清 見李氏
韓正彥宋 475-119- 55
485- 85- 12
493-742- 41
510-326-113
589-361- 6
韓正彥妻 宋 見王氏
韓正國清 456-350- 77
韓本中明 1226-204- 9
韓本常明 1238-547- 14
韓加爵明 見韓嘉爵
韓孕緒明 547- 20-141
韓可立明 1231-330- 3
韓可精清 478-358-191
554-992- 65
韓可興明 571-546- 20
韓世忠宋 286-808-364
398- 63-371
449-572-下6
450- 97-上13
459-613- 36
471-900- 44
471-908- 46
471-910- 46
472-290- 12
472-924- 36
473-334- 63
475-272- 63
475-324- 65
475-853- 94
476-854-145
478-169-182
478-760-215
480-362-275
481-491-324
493-509- 29
494-268- 2
510-282-112
515- 16- 57
517-417-126
523- 13-146
532-575- 41
540-633- 27
554-411- 55
585-375- 7
683-172- 5
820-414- 34
1284-331-161
1385-346- 14
1386-241- 38
韓世忠妻 宋 見梁氏
韓世英妻 清 見王氏
韓世能明 300-557-216
511-109-140
676-605- 25
1442- 74- 5
1460-352- 56
韓世清宋 473-281- 61
480-126-264
532-631- 43
韓世琦清 541-456-35之19下
韓世諤隋 264-823- 52
267-374- 68
韓北城清 554-350- 54
韓令坤宋 285- 95-251
382-135- 19
384-325- 17
396-462-297
472- 85- 3
472-697- 28
474-370- 19
477-165-157
505-630- 67
537-447- 58
538- 90- 64
933-214- 15
韓生礒妻 明 見王氏
韓用可宋 1127-325- 18
韓仙君唐 476- 90-100
547-482-159
韓守中元 472-645- 26
537-245- 55
韓守英宋 288-541-467
545-417- 98
韓守益明 533-312- 57
1442- 8- 1
1459-257- 5
韓守愚明 558-352- 35
韓安國漢 244-724-108
250-287- 52
251-585- 21
376-145-98上
384- 45- 2
469- 94- 12
472-680- 27
477-125-155
537-419- 58
545-309- 95
933-208- 15
韓汝美妻 明 見陳五妹
韓汝弼元 472-504- 21
545-339- 96
韓汝楫元 1228-781- 13
韓汝嘉金 1365-264- 8
1439- 4-附
1445-488- 36

韓汝翼姪女 宋 見韓氏
韓西華不詳 1061-346-115
韓有明清 456-350- 77
韓存寶宋 1356-245- 11
韓至清唐 見韓志清
韓老成唐 1073-552- 23
1074-384- 23
1075-337- 23
韓匡嗣遼 289-575- 74
399- 7-417
韓列侯韓烈侯 戰國
244-213- 45
371-428- 22
375- 58-77下
384- 7- 1
韓同卿宋 284-884-243
472-698- 28
477-167-157
537-451- 58
韓同卿女 宋 見韓皇后
韓光甫元 516- 46- 88
韓光表明 545-150- 88
韓光祖明 302- 53-292
456-656- 11
475-781- 89
511-501-156
韓光祐明 533- 92- 49
韓光曉清 1316-613- 42
韓光曙明 532-599- 41
韓任甫明 571-543- 20
韓全義唐 271- 99-162
275- 51-141
384-238- 12
395-701-243
韓全誨唐 276-156-208
384-289- 15
401- 57-575
韓企先金 291-162- 78
399-113-426
472- 34- 1
474-177- 8
505-718- 71
505-729- 71
韓如琰明 見韓如璜
韓如愈明 475-378- 68
511-215-144
韓如璋元 1221-651- 25
韓如璜韓如琰 明456-466- 4
韓仲文元 472-113- 4
韓仲良唐 269-787- 80
395-355-213
554-443- 56
933-210- 15
韓仲恭北周 263-685- 34
韓仲卿唐 271- 65-160
275-424-176
396-169-267
473-209- 59
480- 48-259
532-613- 43
1066-425- 29
1066-753- 30
韓仲彬元 546-404-128
韓仲通宋 484-105- 3
488- 13- 1
488-443- 14
韓仲暉元 472-545- 23
476-576-131
540-633- 27
韓仲龍宋 1221-651- 25
韓仰斗明 546-690-138
韓印勳明 456-618- 9
546-324-125
韓伊哷遼 見韓延徽
韓宏謨明 511-545-158
韓亨甫元 546-591-134
韓良可女 元 見韓氏
韓志和唐 554-903- 64
韓志清韓至清 唐
518-206-142
684-479- 下
820-188- 27
821- 68- 47
韓志聰明 571-555- 20
韓孝先宋 554-258- 52
韓孝標明 481-748-334
韓杍材唐 見韓梓材
韓君臺韓能 元 1234-276- 45
韓君雄唐 見韓允忠
韓克忠明 472-559- 23
537-210- 54
540-785-28之3
韓克昌元 1192-585- 13
1367-721- 55
韓克儉妻 明 見李氏
韓肖胄宋 287-193-379
398-234-380
472-698- 28
472-1068- 45
477-166-157
479-249-228
486- 52- 2
524-323-195
537-450- 58
1124-221- 13
韓似雍明 456-580- 8
韓伯承明 1237-260- 5
韓伯俞漢 472-680- 27
477-126-155
韓伯高漢 505-872- 78
韓伯通唐 812-345- 9
韓伯達唐 812-372- 0
821- 89- 48
韓伯器妻 明 見王妙安
韓希仁明 554-511-57下
韓希孟宋 賈瓊妻
288-462-460
401-164-590
452-114- 3
473-319- 62
480-300-271
480-466-279
533-694- 72
1229-104- 8
1468-258- 14
韓希龍明 505-706- 70
韓邦仁妻 明 見許氏
韓邦光宋 515-145- 61
517-344-124
韓邦奇明 300-309-201
457- 54- 3
458-751- 4
472-842- 33
475-872- 95
478-347-191
478-768-215
494- 55- 2
523- 49-148
554-417- 55
580-393- 25
585-382- 7
676-540- 22
677-570- 52
1293-365- 20
1442- 43-附3
1459-898- 38
韓邦彥明 494- 56- 2
1269-489- 8
韓邦問明 472-309- 13
473-251- 60
523-306-160
533- 90- 49
1249-188- 11
韓邦靖明 300-310-201
476-250-110
478-347-191
494- 55- 2
545-283- 94
554-661- 60
676-539- 22
1269-479- 8
1276- 21- 2
1293-366- 20
1442- 43-附3
1459-899- 38
韓邦靖妻 明 見屈氏
韓邦達明 1269-455- 7
韓邦憲明(字子成) 479-353-233
511- 79-139
523-206-155
韓邦憲明(號紫陽)
1276- 20- 2
韓秀昇唐 560-601-29下
韓秀弼唐 820-212- 28
韓秀實唐 820-212- 28
韓秀實明 499-438-160
821-376- 55
韓秀榮唐 820-212- 28
韓妙靜元 朱居仁妻、韓淵女
1215-744- 10
韓廷珍明 見韓延珍
韓廷彧明 568-250-108
韓廷學明 554-527-57下
韓廷錫明 529-722- 51
韓宗武宋 286-189-315
397-357-340
474-305- 16
475- 17- 49
477- 82-152
韓宗彥宋 286-182-315
476-913-148
韓宗恕妻 宋 見陳氏

韓宗師宋 186-184-315
397-353-340
韓宗堯明 473-402- 66
564-115- 45
韓宗道宋(成都路轉運判官)
481- 69-293
559-265- 6
591-685- 47
韓宗道宋(字持正) 484- 98- 3
韓宗道宋(司農少卿)
491-346- 2
韓宗道妻 宋 見聶氏
韓宗魏宋 1092-119- 16
韓宜可明 299-321-139
479-237-227
479-452-237
482- 35-371
494-170- 6
515- 32- 58
523-305-160
545- 65- 85
570-213- 23
1442- 7-附1
1459-254- 5
韓恬休漢 見韓康
韓定國清 456-349- 79
韓定策明 456-656- 11
韓定辭唐 933-216- 15
1089-493- 46
1089-494- 46
韓武子戰國 244-213- 45
371-428- 22
375- 58-77下
韓直彥宋 1089-501- 46
韓居仁元 1211-359- 50
韓坤業清 474-279- 14
505-899- 80
韓阿買唐 820-288- 30
韓林兒明 299-118-122
韓東明明 302-115-295
456-526- 6
505-847- 76
554-257- 52
韓承直元 1194-640- 9
韓承宣明 456-520- 6
540-628- 27
541-755-35之19下
546-324-125
韓承宣媳 清 見何氏
韓忠彥宋 286-137-312
382-448- 69
384-379- 19
397-323-338
450-594-中50
459-576- 34
472- 65- 2
472-546- 23
472-698- 28
477-166-157
477-256-161
505-705- 70
537-450- 58
1122-190- 15
1394-443- 4
韓忠彥妻 宋 見呂氏
韓尚亮清 475-433- 70
511-468-154
韓昌有妻 清 見李氏
韓昌先清 502-662- 79
523-164-153
韓昌辭唐 1089-493- 46
韓易夫宋 1113-440- 9
韓叔陽明 523-218-156
韓叔椒春秋 404-719- 44
韓叔禽春秋 404-719- 44
韓念祖後魏 545-206- 91
韓知古遼 289-575- 74
399- 7-417
472- 34- 1
474-571- 29
505-729- 71
韓和尚清 456-350- 77
韓金聲明 456-558- 7
韓制心遼 見耶律制心
韓肫仁明 546-213-122
547- 61-143
韓侂胄宋 288-623-474
401-362-617
585-338- 4
821-232- 51
韓岳郎宋 見韓炳
韓秉文明 532-634- 43
韓秉仁妻 明 見郭氏
韓延之晉～後魏 255-673- 37
261-542- 38
266-546- 27
375-208-80上
472-772- 30
477-371-167
537-542- 59
933-209- 15
1387-207- 12
韓延年漢 472-650- 27
538- 69- 63
韓延珍韓廷珍 明
456-631- 10
韓延壽漢 250-672- 76
376-346-101
384- 48- 2
459-817- 49
472- 29- 1
472-124- 4
472-640- 26
472-823- 33
474-169- 8
474-467- 23
477- 46-151
477-441-171
478- 84-180
505-686- 70
505-709- 71
506-449-102
537-340- 56
540-666- 27
554-424- 56
933-208- 15
1408-386-517
韓延徽韓伊呣、韓實喇 遼
279-514- 72
289-573- 74
383-754- 16
399- 5-417
472- 34- 1
474-177- 8
505-717- 71
韓冠卿宋 475-273- 63
韓洪珍明 558-222- 32
韓洪鼎明 456-559- 7
481-373-311
韓洪謨妻 明 見張氏
韓炳衡妻 明 見鄭氏
韓宣子春秋 見韓起
韓洞性明 見韓原洞
韓彥之宋 480- 49-259
韓彥古宋 472-222- 8
493-715- 40
510-329-113
554-467- 56
韓彥直韓檀僧 宋
286-817-364
398- 72-371
448-381- 0
448-407- 0
472-924- 36
473- 86- 52
473-209- 59
475- 18- 49
478-169-182
479-604-244
515-243- 64
523-224-156
532-579- 41
554-466- 56
820-414- 34
韓彥章明 533- 89- 49
韓彥超明 456-636- 10
韓彥端宋 820-421- 34
韓彥質宋 472-981- 39
523- 98-150
韓哀侯戰國 244-213- 45
371-428- 22
375- 59-77下
384- 7- 1
404-346- 21
韓相國隋 264-999- 70
韓政甫明 567- 82- 66
1467- 59- 64
韓致用明 1229-265- 8
韓建業北齊 263-152- 19
267-124- 53
379-374-152
544-216- 62
544-218- 62
韓茂榮清 559-437-10下
韓恩彥唐 274-425-112
384-180- 10
395-418-219
448-333- 下
472-429- 19
472-647- 26
472-774- 30
473-280- 61

十七畫 韓

473-425- 67
475- 26- 97
476-323- 65
477-376-167
481- 16-291
537-545- 59
545- 21- 83
559-261- 6
567-426- 86
569-643- 19
933-210- 15
1467-139- 67
韓思恭元 1221-651- 25
韓思貴妻 明 見邊氏
韓思復唐 270-231-101
274-489-118
384-193- 10
395-485-225
448-334- 下
472-401- 18
472-835- 33
473-246- 60
475-796- 90
478-113-181
478-243-186
480-287-271
510-483-118
532-675- 44
545-454- 99
554-447- 56
933-210- 15
韓思齊明 547- 91-144
韓思遠妻 明 見劉氏
韓若拙宋 821-201- 51
韓若愚元 295-391-176
399-705-490
472- 55- 2
474-242- 12
505-734- 71
韓昭侯戰國 244-214- 45
371-429- 22
375- 59-77下
384- 7- 1
404-347- 21
韓係伯齊 259-541- 55
265-1042- 73
380-104-167
533-487- 64
879-162-58上
933-209- 15
韓禹疇妻 清 見唐氏
韓皇后宋 宋寧宗后、韓同卿女 284-884-243
393-319- 77
537-188- 53
韓重華唐 見韓約
韓重贇宋 285- 91-250
382-151- 21
384-326- 17
396-459-297
472-697- 128
477-165-157
537-448- 58
933-214- 15
韓信同元 453-799- 4
460-487- 40
473-660- 78
481-748-334
529-750- 51
678-172- 86
1364-717-355
1439-431- 1
韓保正宋 288-691-479
545-818-112
韓海羅妻 明 見謝氏
韓海羅妻 明 見鍾氏
韓浚夫宋 1113-440- 9
韓泰初妻 明 見劉氏
韓泰僉唐 564-681- 59
韓原洞韓洞性 明
456-627- 10
505-842- 76
韓原相妻 明 見王氏
韓原相媳 明 見呂氏
韓原善明 510-338-113
韓原潔妻 明 見王氏
韓烈侯戰國 見韓列侯
韓孫受明 532-599- 41
韓晉明北齊 263-120- 15
267-149- 54
379-393-152
546-120-119
933-209- 15
韓晉卿宋 288- 9-426
400-352-531
472-196- 7
472-593- 24
472-825- 33
472-980- 39
472-1084- 46
475-743- 88
476-671-136
478-335-191
478-760-215
523- 11-146
540-761-28之2
554-243- 52
韓珠琥清 455- 79- 2
韓振聲媳 清 見劉氏
韓時中明 472-1053- 44
523-244-157
韓時懋妻 明 見成氏
韓師孔宋 484-388- 28
韓師德唐 275-531-186
396-252-274
韓純玉明 1460-743- 80
韓純彥妻 宋 見孫氏
韓惟秀元 耶律養正妻、韓渙女 472-313- 13
475-331- 65
1223-584- 11
韓惟忠宋 450-514-中41
韓康子戰國 371-428- 22
546-614-135
韓梓材韓杍材 唐 812-748- 3
820-235- 28
韓教遠明 547-495-159
韓崇訓宋 285- 91-250
371-100- 10
382-152- 21
396-460-297
477-165-157
537-448- 58
554-236- 52
韓崇業宋 285- 92-250
396-461-297
韓崇福明 510-351-114
韓崇樸清 1316-661- 45
韓國士明 559-527- 12
韓國元清 478-717-211
558-418- 37
韓國昌唐 541-780-35之20
韓國宰妻 清 見李氏
韓國華宋 285-456-277
396-702-317
472-697- 28
473-583- 75
477-166-157
481-581-328
528-481- 30
537-449- 58
545-211- 91
593- 51- 中
1089-494- 46
1090- 89- 16
1102-447- 58
韓國華妻 宋 見胡氏
韓國璽明～清 540-830-28之3
540-840-28之4
韓國藩明(字价人) 482-184-346
563-807- 41
韓國藩明(鷹揚衛人)
528-545- 32
韓國寶元 523-170-154
韓野雲明 483-252-391
572-161- 32
韓崑旭妻 明 見董氏
韓得禮妻 明 見高氏
韓紹宗明 494- 55- 2
554-482-57上
1293-365- 20
1458-451-447
韓紹芳遼 289-574- 74
399- 6-417
474-177- 8
韓紹淹明 見韓紹源
韓紹勛遼 289-574- 74
399- 6-417
474-177- 8
502-260- 54
505-834- 76
韓紹源韓紹淹 明
456-631- 10
韓紹曄元 821-294- 53
韓偉昇宋 843-667- 中
韓偉遠唐 533-798- 75
韓紳卿唐 1073-643- 35
1074-496- 35
1075-441- 35
韓從益金 472-699- 28
537-453- 58
韓從訓後梁 277-142- 15

韓敏道明 1230-324- 5
韓啟芳清 476-125-102
547- 77-143
韓游瓌韓遊瓌 唐
270-723-144
275-208-156
384-237- 12
396- 26-253
472-912- 36
472-930- 37
545-320- 95
554-125- 50
556-392- 91
558-205- 32
558-371- 36
933-212- 15
韓湘子唐 見韓湘
韓超然明 476-451-123
545-480-100
韓期維明 554-527-57下
韓朝用妻 清 見卞氏
韓朝江明 554-527-57下
韓朝宗唐 274-490-118
384-193- 10
395-486-225
471-780- 27
473-246- 60
473-297- 62
478-113-181
479-482-239
480-239-269
494-318- 6
515- 80- 59
532-663- 44
554-447- 56
933-211- 15
933-213- 15
韓朝花明 547- 6-141
韓朝貢明 545-433- 99
韓登第妻 明 見高氏
韓堯言宋 1087- 23- 下
韓斯維明 676-346- 12
韓發已明 538-117- 64
韓景之劉宋 486- 67- 3
韓景昌妻 明 見陳氏
韓景昪明 821-455- 57
韓景芳明 554-304- 53
韓景侯戰國 244-213- 45
371-428- 22
375- 58-77下
384- 7- 1
韓景翃妻 明 見李氏
韓景晦元 481-611-329
528-493- 30
韓景陽唐 820-155- 26
韓景融宋 1089-497- 46
韓無忌公族穆子 春秋
384- 18- 1
404-717- 44
546-508-132
933-207- 15
韓無斁明 547-117-145
韓象起父 清 1318-462- 73
韓進通後唐 見李嗣昭
韓義賓唐 1375- 31- 下
韓亶奴宋 1089-530- 49
韓遊瓌唐 見韓游瓌
韓道兒明 547- 42-142
韓道政唐 820-140- 26
韓道揚明 540-788-28之3
韓道熙金 見蕭道熙
韓資讓遼 289-575- 74
399- 6-417
韓楚漢清 455-284- 16
韓達業隋 544-220- 62
韓達魯遼 見耶律達魯
韓萬善清 476-203-108
547- 57-143
韓萬福妻 清 見崔氏
韓萬鍾明 533-307- 57
韓嗣昭後唐 見李嗣昭
韓鼎允妻 明 見劉氏
韓鼎新明 456-531- 6
475-378- 68
511-462-154
523- 92-149
韓鼎應妻 明 見劉氏
韓鼎籓清 505-902- 80
韓遇春妻 明 見高氏
韓實喇遼 見韓延徽
韓齊申唐 820-251- 29
韓齊理清 456-292- 72
韓粹彥宋 1124-242- 17
1124-342- 4
韓熙載南唐 288-680-478
384-317- 16
401-206-595
407-682- 5
472-612- 25
491-804- 6
511-888-172
674-271-4中
684-487- 下
814-280- 10
820-316- 31
821-114- 49
1085-122- 15
1085-160- 20
韓與玉元 820-530- 38
韓愿胄宋 485-535- 1
韓嘉彥妻 宋 見唐國長公主
韓嘉會明 480-403-277
480-664-290
532-708- 45
554-310- 53
韓嘉爵韓加爵 明 456-482- 5
558-435- 37
韓夢臣元 1219-727- 8
韓鳴金明 563-840- 41
564-191- 46
韓鳴鳳明 564-263- 47
韓鳴鸞明 564-263- 47
韓蒼雪妻 明 見黃惠端
韓僧壽隋 264-823- 52
267-374- 68
379-719-160
537-494- 59
546-538-132
韓廣叔宋 471-994- 59
559-295-7上
韓慶民遼 291-749-130
474-816- 44
502-261- 54
韓慶民妻 遼 291-749-130
401-167-591
474-825- 44
503- 23- 93
韓養京妻 清 見劉氏
韓履祥明 524-351-196
1475-172- 7
韓嶢夫宋 1113-440- 9
韓德昌遼 見耶律隆運
韓德威遼 見耶律德威
韓德源遼 289-575- 74
399- 7-417
韓德樞遼 289-574- 74
399- 6-417
472-142- 5
474-275- 14
505-632- 67
韓德凝韓應凝 遼
289-576- 74
399- 8-417
472-623- 25
474-816- 44
502-259- 54
韓德輿北周 263-685- 34
韓德讓遼 見耶律隆運
韓謂性妻 明 見王氏
韓凝禮唐 547-553-161
韓擒虎隋 見韓擒
韓樹南漢 趙子賤妻
515- 5- 66
879-183-58下
韓擇木唐 684-476- 下
812-740- 3
812-747- 3
814-273- 9
820-170- 27
韓興宗後魏 261-816- 60
496-385- 87
韓頹當漢 609-609- 93
韓應元明 545-296- 94
韓應良明 572-104- 30
韓應庚明 505-808- 74
韓應庚妻 明 見楊氏
韓應春明 505-651- 68
韓應奎明 541-108- 31
韓應琦妻 清 見周氏
韓應震清 475-532- 77
511-477-155
韓應龍明 456-573- 8
480-298-271
533-389- 60
韓應凝遼 見韓德凝
韓應籥妻 明 見孔氏
韓襄王戰國 244-215- 45
371-430- 22
375- 60-77下
384- 7- 1
404-347- 21

韓翼甫宋 1209-519-8下
韓檀僧宋 見韓彥直
韓聯甲清 560-94-19
韓鍾英妻 明 見徐氏
韓顏賞清 456-350-77
韓禮仲元 524-211-188
韓釐王戰國 371-431-22
375-61-77下
384-7-1
404-347-21
韓醫婦明 547-562-161
韓藎光清 477-56-151
505-816-74
537-252-55
韓簡子春秋 見韓不信
韓麒麟後魏 261-815-60
266-800-40
379-205-149
384-133-7
459-870-53
472-143-5
472-518-22
474-557-28
476-515-127
496-385-87
505-727-71
506-482-103
540-622-27
933-209-15
韓懷明梁 260-387-47
265-1052-74
380-110-167
480-250-269
533-439-62
547-32-142
933-209-15
韓懷信唐 820-154-26
韓璽聖清 478-405-194
554-739-61
韓闢保元 見韓娥
韓寶業北齊 263-388-50
267-758-92
韓獻子春秋 見韓厥
韓獻策明 511-363-150
韓繼伯北周 552-45-19
韓繼宗妻 明 見雷氏
韓繼忠妻 清 見齊氏
韓繼學明 1227-92-11
韓蘭英劉宋 373-84-20
485-204-27
493-1079-57
512-7-176
820-96-24
韓鐵珠宋 408-935-1
韓續祖明 547-24-141
韓懿侯戰國 244-213-45
371-429-22
375-59-77下
384-7-1
404-346-21
韓顯宗後魏 261-819-60
226-802-40
379-207-149
384-133-7
472-143-5
496-385-87
韓顯符宋 288-468-461
401-101-581
韓靈珍妻 齊 見卓氏
韓靈珍北魏 540-727-28之1
韓靈敏齊 259-541-55
265-1044-73
380-101-167
479-231-227
485-555-3
524-131-185
韓觀國宋 515-867-85
韓伯惠王戰國 見韓桓惠王
韓宣惠王戰國 244-214-45
371-429-22
375-59-77下
384-7-1
404-347-21
韓桓惠王韓伯惠王 戰國
244-217-45
371-431-22
375-61-77下
384-7-1
404-348-21
韓國公主唐安公主 唐 唐德宗女 274-115-83
393-283-73
554-55-49
韓國公主宋 見保慈崇祐大師
韓魏國大長公主宋 張敦禮妻、宋英宗女 285-67-248
393-325-77
孺悲春秋 405-448-85
933-657-43
勵靜宋 494-471-18
勵杜訥厲杜訥 清
505-746-72
474-340-17
勵廷儀清 474-340-17
505-746-72
霞穆岱清 456-101-57
璩氏明 田杲妻 506-6-86
璩綸明 567-407-84
1467-78-64
璩之璞明 820-744-44
821-450-57
璩宏基明 456-585-8
476-278-111
璩伯綵明 524-157-186
璩美斯清 537-488-58
璩嗣經明 見王嗣經
璩鎮海明 473-15-49
515-89-59
559-298-7上
環氏晉 孫彥妻 524-511-203
環泉周 933-233-16
環淵戰國 244-454-74
384-32-1
405-467-86
環濟晉 933-233-16
環饒漢 933-233-16
轅固漢 見轅固生
轅買春秋 405-94-62
轅頗春秋 405-94-62
轅僑春秋 405-94-62
轅選春秋 405-94-62
轅豐漢 554-264-53
轅固生轅固 漢 244-855-121
251-112-88
380-254-172
384-43-2
472-589-24
476-661-136
491-794-6
540-691-28之1
675-279-11
933-189-13
轅終古漢 453-732-1
479-45-218
523-502-171
933-187-13
轅濤塗春秋 405-93-61
933-187-13
薄氏唐 鄒待徵妻、鄒待證妻、薄自牧女 271-655-193
276-110-205
401-151-589
472-263-10
475-234-61
1072-354-1
薄氏明 沈程妻、沈承妻
475-454-71
512-10-176
1460-777-84
薄昭漢 535-553-20
547-196-148
薄淳明 572-85-28
薄塵唐 1052-43-4
薄疑周 404-785-48
933-740-51
薄太后漢 漢高祖姬
251-273-97上
244-262-49
544-177-61
1408-223-503
薄匡宇明 456-554-7
薄自牧女 唐 見薄氏
薄良珥清 547-93-144
薄彥徽明 300-82-188
476-42-98
545-666-107
薄胥堂居耆單于 漢
251-203-94下
薄皇后漢 漢景帝后
251-275-97上
薄猛女漢 見鄧猛女
薄紹之劉宋 812-62-中
812-226-8
812-715-3
813-290-16
814-246-6
820-86-24
薄布特勒乙毗沙鉢羅葉護可汗 唐 271-679-194下
戲陽速春秋 404-846-52
蟒吉圖清 482-485-364

563-885- 42
567-158- 69
568-497-118
螺浮尊者劉宋 511-937-175
嶽彥高明 見高岳
點指師點點師 宋(與人接必指點而言) 592-410- 85
1052-319- 22
點點師宋 見點指師
購色清 456- 7- 50
嬰子春秋 齊景公夫人 404-630- 38
蹋頓漢 381-637-200
496-587-103
薊王明 見朱載壇
薊達漢 見薊子訓
薊潯妻 不詳 見戚逍遥
薊子訓薊達 漢 253-610-112下
380-580-181
472-754- 29
476-870-145
477-484-173
486-333- 15
554-970- 65
1059-293- 7
1141-799- 34
薊子調漢 933-659- 43
薛己明 676-376- 14
薛方漢 250-612- 72
376-325-100
384- 52- 2
472-589- 24
476-662-136
491-797- 6
薛太妻 明 見李氏
薛王唐 見李業
薛王後唐 見李存禮
薛王金 見完顏永德
薛公漢 244-593- 91
薛丹唐 1076-113- 12
1076-569- 12
1077-140- 12
薛仁明 821-420- 56
薛氏晉 張天錫妻 256-577- 96
381- 55-185
薛氏北齊 齊文宣帝嬪 266-294- 14
薛氏唐 韋安石妻 270-111- 92
薛氏唐 薛永沖女、薛承沖女 1065-591- 6
1342-464-964
1410-269-698
薛氏唐 薛道衡女 547-381-155
薛氏南唐 劉仁贍妻 475-331- 65
512- 48-178
薛氏宋 方大鏞妻 530- 60- 55
薛氏宋 林坊妻 481-560-327
530- 59- 55
薛氏宋 胡序妻、薛徽言女 1164-297- 15
薛氏宋 趙仕戩妻 1130-575- 12
薛氏宋 歐陽修妻、薛奎女 1112-263- 25
薛氏宋 蘇協妻 481-337-308
薛氏宋 句龍廷俊岳母 1149-734- 17
薛氏宋 黃思問岳母 1098-732- 45
薛氏明 王五妻 472-414- 18
薛氏明 王高妻 506- 72- 88
薛氏明 王三聘妻 478-351-191
555- 91- 67
薛氏明 牛桓妻、薛本女 1267-662- 12
薛氏明 李煥妻 478-352-191
薛氏明 林以聰妻 530- 7- 54
薛氏明 周弁妻、薛彥清女 1246-603- 10
薛氏明 周汝麟妻 483-251-391
薛氏明 徐澄宇妻、薛甲女 1291-492- 8
薛氏明 倪文斯妻、薛均序女 1239-193- 40
薛氏明 陸華妻 483- 35-371
薛氏明 陳所見妻 477-526-175
薛氏明 陳原友妻 472-298- 12
薛氏明 黃永齡妻 530- 63- 55
薛氏明 蔣穎妻 473-396- 66
480-652-289
薛氏明 薛孟女 1283-608-114
薛氏明 薛清女 506- 42- 87
薛氏清 王撰今妻 512-471-188
薛氏清 朱卯妻 480-300-271
薛氏清 宋犖妻、薛虹駕女 1323-359- 31
薛氏清 李亮妻 474-386- 19
薛氏清 周大柱妻 512-297-184
薛氏清 洪道亨妻 530- 97- 56
薛氏清 高登錦妻 530- 39- 54
薛氏清 殷允文妻 512-259-183
薛氏清 張登渭妻 530- 31- 54
薛氏清 陳其誠妻 478-355-191
555-167- 68
薛氏清 馮自壽妻 478-205-184
薛氏清 馮繼冉妻 475-235- 61
薛氏清 傅文鳳妻、薛道生女 477-257-161
1327-711- 9
薛氏清 雷物正妻 478-421-195
薛氏清 樊士宏妻 478-357-191
薛氏清 劉遠逵妻 524-643-209
薛氏清 閻邦計妻 478-354-191
薛玄元 677-462- 42
1202-102- 9
薛本女 明 見薛氏
薛召宋 484-385- 28
薛平唐 270-475-124
274-415-111
395-409-218
476-399-119
476-475-125
476-912-148
477-498-174
540-611- 27
546-554-133
681-369- 30
933-579- 53
薛平明 559-288-7上
薛田宋 285-786-301
397-208-332
472-466- 20
473-426- 67
476-122-102
481- 67-293
546-289-124
559-263- 6
591-681- 47
薛甲明 457-418- 25
511-155-142
517-641-131
517-667-131
1283-870-135
1442- 54- 3
1458-389-444
1460-123- 46
薛甲女 明 見薛氏
薛包漢 370-199- 20
380- 72-167
469- 85- 11
472-792- 31
477-413-169
538-110- 64
薛字唐 薛紹女 1065-857- 22
1342-231-933
1410-176-683
薛安宋 843-667- 中
薛式宋 見紫賢
薛戎唐 271- 19-155
275-296-164
384-233- 12
384-252- 13
396- 72-258
472-253- 10
472-465- 20
472-1040- 43
472-1066- 45
475-233- 61
476-121-102
478-759-215
481-491-324
486- 44- 2
494-291- 4
511-897-172
523- 6-146
546-278-124
933-759- 53
1073-626- 32
1074-478- 32
1075-423- 32
1079-608- 53
1383-165- 13
薛回隋 264-944- 65
薛同唐 494-318- 6
薛收唐 269-691- 73
274-257- 98
379-856-164
384-166- 9
395-310-209
459- 37- 3

472-463- 20
476-118-102
544-229- 63
546-261-123
933-757- 53
1387-203- 11
薛向宋 286-357-328
382-533- 82
384-368- 19
397-475-348
472-466- 20
472-923- 36
474-470- 23
475- 17- 49
476-122-102
477-560-177
478-404-194
478-418-195
505-704- 70
515- 13- 57
523- 11-146
532-654- 44
545-115- 86
546-290-124
554-238- 52
933-761- 53
薛沂元 1202-102- 9
薛亨明 545- 96- 86
554-511-57下
薛良明 477-542-176
537-454- 56
薛志宋 821-203- 51
821-473- 58
薛抃唐 485-498- 9
薛均明 480-131-264
510-313-113
533-170- 52
薛抗宋 523-169-153
薛伾唐 270-755-146
556-123- 85
薛邦春秋 見鄭國
薛京宋 460-418- 32
薛治元 554-309- 53
薛治明 680-239-248
1474-256- 11
薛放唐 271- 19-155
275-296-164
384-260- 13
396- 73-258
476-121-102
546-704-138
933-759- 53
薛武元～明 528-448- 29
1217-174- 2
1217-240- 7
薛拔後魏 見薛初古拔
薛直漢 879-155-58上
薛孟元 見薛觀
薛孟女 明 見薛氏
薛昌唐 472- 39- 1
474-196- 9
505-933- 85
薛昆明 547- 75-143
薛昂宋 286-672-352
397-720-363
488-404- 13
1106-311- 42
薛岡明 524- 48-180
1442- 99- 6
1460-609- 70
薛芳明(長山知縣) 472-521- 22
薛芳明(韓城人) 554-669- 60
薛和後魏 261-582- 42
薛周宋 1096-355- 36
薛金明 511-152-142
567-112- 67
薛侃明(字尚謙) 300-408-207
457-468- 30
458-900- 8
473-702- 80
479- 60-219
482-142-344
524-305-194
564-203- 46
薛侃明(滎河人) 537-290- 55
546-306-125
薛岳妻 清 見馬氏
薛牧唐 469-385- 46
薛宣漢 251- 1- 83
376-409-102上
384- 51- 2
448-292- 上
459-824- 49
472-194- 7
472-550- 23
472-602- 25
472-640- 26
472-823- 33
475-852- 94
476-724-138
476-779-141
477- 46-151
478- 84-180
510- 5- 99
510-500-118
537-234- 55
539-350- 8
540-696-28之1
554- 95- 50
933-755- 53
薛宣妻 漢 見敬武長公主
薛宥唐 820-225- 28
薛洽宋 524-229-189
薛衵妻 元 見倪瑞貞
薛奕宋 473-632- 77
529-493- 44
薛玨唐 271-463-185下
275- 70-143
384-232- 12
395-687-242
448-337- 下
472-307- 13
472-465- 20
472-824- 33
475-323- 65
476-120-102
478- 88-180
480-340-273
546-276-124
554-269- 53
933-759- 53
薛奎宋 285-575-286
371- 71- 7
382-332- 53
384-350- 18
397- 55-323
449- 62- 5
450-356-中20
471-670- 13
471-946- 51
471-1056- 69
472-289- 12
472-466- 20
472-866- 34
472-877- 35
472-893- 35
472-922- 36
473-426- 67
473-630- 77
475- 16- 49
476-400-119
476-451-123
477- 50-151
478-166-182
478-544-202
478-695-210
481- 18-291
481- 67-293
481-549-327
510-282-112
528-473- 30
545-478-100
546-568-134
549-375-194
554-146- 51
558-192- 31
558-227- 32
559-263- 6
708-328- 50
820-348- 32
933-760- 53
1088-349- 40
1102-194- 24
1102-208- 26
1102-342- 44
1102-375- 44
1383-603- 53
1447-582- 32
1112-263- 25
550-252-218
薛奎女 宋 見薛氏
薛革唐 476-121-102
486- 43- 2
薛郁明 472- 56- 2
薛茂明 1229-434- 0
薛貞明 546-754-140
1243-378- 22
薛昱唐 473-583- 75
481-581-327
528-480- 30
薛昭唐 559-312-7上
薛胄北周～隋 263-699- 35

264-852- 56
266-737- 36
267-518- 77
379-865-164
384-153- 8
472-543- 23
476-117-102
476-576-131
477-161-157
478-341-191
480-169-266
537-264- 55
540-631- 27
546-698-138
554-438- 56
933-756- 53
薛苹唐 271-466-185下
275-295-164
384-252- 13
396- 72-258
472-465- 20
475-271- 63
477-522-175
478-759-215
523- 7-146
544-228- 63
546-272-124
933-759- 53
薛苞不詳 879-154-58上
薛英宋 472-694- 28
薛英明 1260-590- 16
薛映宋 286- 49-305
382-287- 45
384-334- 17
397-252-334
471-585- 1
472-172- 6
472-430- 19
472-739- 29
472-961- 38
473-432- 67
475- 68- 52
479- 41-218
481- 77-294
484- 88- 3
488-376- 13
488-377- 13
510-310-113
523- 73-149
537-264- 55
545- 41- 84
546-706-138
559-341- 8
820-340- 32
933-760- 53
1437- 9- 1
薛俅宋 1104-641- 10
薛約唐 275-621-194
薛香妻 清 見劉氏
薛信元 545-439- 99
薛衍後魏 261-614- 44
薛胤後魏 261-580- 42
266-735- 36
379-178-149
476-366-117
545-434- 99
546-250-123
薛勉元 1197-771- 81
1203-405- 30
薛侯春秋 384- 10- 1
薛俊明(字尚哲) 564-203- 46
薛俊明(定海人) 676-210- 8
薛容宋 843-667-中
薛高宋 524-298-193
薛益明 676-655- 27
薛悌魏 254-405- 22
薛兼晉 254-797- 8
256-155- 68
370-303- 6
377-732-126
472-175- 6
472-349- 15
475- 72- 53
475-668- 84
489-598- 47
511- 69-139
535-555- 20
933-755- 53
薛素明 見薛素素
薛泰明 554-347- 54
薛珝薛翊 吳 254-795- 8
385-528- 60
薛珩明 1475-695- 29
薛起妻 清 見張氏
薛振唐 見薛元超
薛夏魏 254-265- 13
380-275-172
385-648-66下上
470-414-150
478-517-200
558-386- 36
薛峻宋 1171-220- 附
薛迴北周 544-218- 62
薛釗妻 唐 見臨眞公主
薛卿唐 494-318- 6
薛能唐 451-456- 5
546-667-137
559-305-7上
591-691- 48
592-613-100
674-266-4中
1365-440- 4
1371- 71-附
1388-526- 85
1473-450- 82
薛能明 1244-643- 15
薛邕唐 485-359- 1
485-495- 9
820-221- 28
薛純唐 見薛純陀
薛惇漢 402-467- 10
薛淵薛深、薛道淵、薛道深 齊
259-330- 30
265-593- 40
370-512- 15
378-245-137
546-249-123
933-755- 53
薛章明(字上達) 538-121- 64
薛章明(字大章) 820-602- 40
薛祥明 299-312- 138
472-329- 14
475-324- 65
475-706- 86
511-335-149
523-100-150
581-585-106
薛深齊 見薛淵
薛訥唐 270-128- 93
274-413-111
384-197- 11
395-408-218
472-904- 36
476-399-119
478- 87-180
545- 23- 83
546-546-133
554-267- 53
558-170- 30
933-758- 53
薛強薛疆 後魏 266-733- 36
379-176-149
476-115-102
546-248-123
933-756- 53
薛理明 540-788-28之3
薛埴宋 451-100- 3
薛通明 524-199-188
薛崇唐 476-475-125
540-612- 27
薛貫明 547- 15-141
薛彪後魏 505-782- 73
薛峽宋 見薛嵎
薛清女 明 見薛氏
薛翊吳 見薛珝
薛培宋 見薛文龍
薛紱宋 473-524- 72
592-488- 91
薛紹妻 唐 見太平公主
薛紹女 唐 見薛字
薛紹宋 1164-349- 19
薛逢唐 271-615-190下
276- 93-203
384-279- 14
400-619-556
451-454- 5
471-1050- 68
473-445- 68
546-705-138
559-280- 6
591-704- 50
674-265-4中
820-259- 29
1061-298-112
1365-398- 2
1371- 70- 附
1388-624- 94
薛從唐 274-415-111
395-409-218
472-568- 24
476-180-106
476-853-145

540-668- 27
545-236- 92
546-554-133
933-759- 53
薛從明 547- 15-141
薛斌薛托歡 明 299-522-156
472- 38- 1
505-722- 71
薛富明 1245-503- 26
薛湖北朝 266-739- 36
379-178-149
476-115-102
546-250-123
933-756- 53
薛善北周 263-700- 35
266-744- 36
379-619-157
476-110-102
478-333-191
544-215- 62
546-254-123
547- 67-143
554-196- 52
933-756- 53
薛曾明 529-473- 43
薛溉宋 516-217- 96
薛琮漢 1467- 5- 62
薛琪宋(宣撫司隊官)
288-357-452
400-171-513
薛琪宋(古田令) 528-436- 29
薛雲後魏 547-137-146
薛雲明 1250-803- 77
薛惠薛蕙 明 300-144-191
457-908- 53
458-172- 8
475-781- 89
511-823-167
676-545- 22
1272-122- 附
1272-125- 附
1272-127- 附
1276-405- 10
1442- 46-附3
1458-376-442
1460- 9- 40
薛巽妻 唐 見崔瑗
薛霄妻 明 見梁氏

薛超宋 285-418-275
396-676-315
476-430-121
545-322- 95
546- 69-117
546-330-126
薛植元 820-511- 37
薛登薛謙光 唐 270-224-101
274-429-112
384-188- 10
395-421-219
472-257- 10
475-221- 61
511-139-142
933-759- 53
薛開宋 523-570-174
薛弼宋 287-211-380
398-249-381
472-1116- 48
473-568- 74
479-404-235
480-240-269
481-524-326
515-266- 65
523-569-174
528-440- 29
532-576- 41
1164-394- 22
薛琡北齊 263-216- 26
266-513- 25
379-430-153
472-481- 21
933-756- 53
薛提後魏 261-489- 33
266-574- 28
379-108-147
544-207- 62
545-538-103
933-756- 53
薛貴薛托和齊 明 299-522-156
472- 38- 1
505-722- 71
薛貴明 見薛賓
薛嵎薛峡 宋 451- 88- 3
1364-282-287
1437- 30- 2
薛嵒明 見薛巖
薛粵唐 270-475-124

274-415-111
546-553-133
薛舒唐 544-230- 63
549-299-192
1342-157-924
薛勝後唐 546-705-138
薛欽明 1442- 66- 4
1460-290- 53
薛媛薛瑗 唐 南楚材妻
512- 7-176
820-307- 30
821-102- 48
薛寘北周 263-730- 38
266-746- 36
379-621-157
472-462- 20
476-116-102
546-697-138
552- 46- 19
933-757- 53
薛寘宋 480-508-281
491-303- 6
524- 40-180
薛溥清 505-841- 76
薛慎北周 263-701- 35
266-745- 36
379-620-157
459-876- 53
472-765- 30
476-116-102
477-358-166
537-311- 56
546-697-138
814-263- 8
820-124- 25
933-756- 53
薛慎明 301-736-281
472-520- 22
476-518-127
540-627- 27
薛義明 494- 57- 2
薛溶宋 524-167-186
1224-223- 21
薛溫北周 266-744- 36
379-856-164
476-117-102
820-124- 25
薛溫唐 510-280-112

薛溫宋 472-966- 38
590-135- 17
薛靖宋 491-435- 6
薛裔後魏 261-581- 42
266-735- 36
379-178-149
薛裕北周 263-699- 35
266-737- 36
379-619-157
546-256-123
554-438- 56
薛㻞明 545-152- 88
薛祿明 299-507-155
453-171- 16
472-154- 5
472-613- 25
474-513- 25
476-731-138
540-788-28之3
886-142-138
1238-145- 12
1374-543- 76
薛瑄明 301-755-282
452-178- 3
453-361- 7
453-612- 18
457- 15- 1
458- 3- 1
458-621- 2
472-468- 20
472-520- 22
473-210- 59
476-401-119
476-478-125
480- 13-257
532-589- 41
538-317- 69
539-507-11之2
540-617- 27
546-592-134
549- 68-183
549-250-190
550-161-215
550-162-215
676-479- 18
1244-614- 13
1292-601- 10
1442- 22-附2

1458-344-441
1459-586- 21
薛極宋 287-714-419
398-653-410
472-261- 10
492-705-3上
523-224-156
薛瑗唐 見薛媛
薛達後魏 261-830- 61
552- 34- 18
薛睦宋 1102-193- 24
薛暄女 清 見薛齊宋
薛嵩唐 270-474-124
274-414-111
395-408-218
544-225- 63
546-553-133
933-758- 53
薛嵩家青衣 唐 見紅線
薛鼎唐 554-327- 54
薛暉北周 263-828- 48
薛鄖女 唐 見薛濤
薛敬明(字思恭) 524-165-186
薛敬明(字原理) 676-453- 17
1442- 12-附1
1459-461- 14
薛業唐 518- 3-136
547-134-146
薛鉉明 511-589-159
薛筠宋 1096-354- 36
薛僅唐 476-149-104
476-210-107
545-207- 91
547-185-148
549-283-191
薛賓薛貴 明 476-370-117
546-489-131
薛塾宋 1102-191- 24
1102-483- 61
1235- 19- 上
1378-613- 63
1383-650- 58
1410-197-686
1458-664-469
薛福明(汾西人) 547- 21-141
薛福明(字伯福) 1242- 23- 24
薛齊唐 547- 69-143
薛端宇文端、薛沙陁 北周
263-698- 35
266-735- 36
379-617-157
476-116-102
477-408-169
478-341-191
544-218- 62
546-255-123
554-438- 56
933-756- 53
薛漢漢 253-534-109下
370-178- 17
380-268-172
402-405- 6
472-651- 27
476-655-135
477-443-171
538- 32- 62
540-643- 27
675-282- 11
678-338-100
933-755- 53
薛漢元 494-519- 25
524- 87-182
820-511- 37
1439-428- 1
1470-548- 17
薛榮元 554-470- 56
薛壽後魏 544-207- 62
薛槐宋 484-385- 28
薛愿唐 271-506-187下
275-606-193
400-106-509
472-642- 26
476-119-102
477-472-173
537-341- 56
546-268-124
薛暨明 1460-740- 80
薛瑤妻 明 見寇氏
薛遘宋 484-376- 27
薛遠明 472-329- 14
475-709- 86
482-267-350
511-337-149
564-225- 46
580-334- 19
1248-644- 4
1256-349- 21
1375- 39- 下
1467- 73- 64
薛蓁明 476-251-110
薛綜吳 254-793- 8
377-334-119
384- 79- 4
384-561- 28
385-525- 60
472-200- 7
473-725- 82
475-747- 88
511-343-149
563-610- 38
567-424- 86
933-755- 53
1467-137- 67
薛銑妻 清 見黃氏
薛肇唐 516-481-105
薛綱唐 544-230- 63
薛綱明 524- 56-180
676-506- 19
薛綸明 546- 94-118
554-292- 53
薛綬薛壽童 明 299-522-156
474-183- 9
505-834- 76
薛寬妻 明 見牛氏
薛澐清 529-484- 43
薛瑩吳 254-795- 8
377-337-119
384-561- 28
385-528- 60
475-747- 88
511-820-167
933-755- 53
薛瑩唐 484- 85- 3
薛潮明 572- 76- 28
薛憕北周 263-729- 38
266-746- 36
379-621-157
472-462- 20
476-117-102
480-299-271
533-739- 73
546-252-123
552- 37- 18
933-757- 53
薛慶宋 288-368-453
400-168-513
472-290- 12
475-366- 67
薛播唐 270-746-146
275-239-159
396- 49-256
476-120-102
494- 16- 2
546-272-124
554-267- 53
933-759- 53
薛震北齊 263-162- 20
267-129- 53
薛儀宋 549-369-194
554-144- 51
1094-703- 77
薛德明 倪隆妻 530- 6- 54
薛魯明 546-302-125
薛銳宋 484-375- 27
薛範後魏 544-212- 62
薛稷唐 269-693- 73
274-258- 98
384-192- 10
395-311-209
471-699- 16
472-463- 20
475-561- 79
476-119-102
485-425- 5
510-422-116
544-226- 63
546-700-138
550-734-229
684-548- 4
812- 72- 下
812-236- 9
812-346- 9
812-367- 0
812-505- 下
812-725- 3
813-157- 15
814-268- 9
821- 44- 46
890-149- 26
933-758- 53
1371- 52- 附
1387-299- 21

薛儆妻 唐 見郎國長公主
薛徵明 480-130-264
薛緩宋 559-379-9上
薛辨後魏 見薛辯
薛濂明 456-525- 6
薛璟明 554-346- 54
薛融後晉 278-151- 93
279-372- 56
396-446-296
472-495- 21
476-482-106
545-867-113
薛燕妻 清 見洪氏
薛頤唐 271-621-191
276-100-204
401- 94-580
472-130- 4
477-213-159
薛彊後魏 見薛強
薛璘明 472-611- 25
540-657- 27
546-594-134
薛據唐 451-420- 2
533-311- 57
1472-195- 12
薛據宋 524- 85-182
708-1019- 95
薛蕙明 見薛惠
薛曇後魏 544-209- 62
薛興晉 476-115-102
544-203- 62
546-247-123
薛嵮宋 487-189- 12
薛穆明 820-579- 40
821-346- 55
薛濤晉 546-247-123
薛濤唐 薛鄖女 451-493- 8
590-438- 0
591- 27- 2
592-617-100
674-273-4中
674-870- 19
813-260- 10
820-307- 30
1332-342- 附
1332-352- 附
1371- 80- 附
1388-803-113
1473-745- 99
薛燭春秋 405- 38- 58
453-727- 1
541-102- 31
薛謇唐 549-334-193
1077-340- 3
1342-102-917
1410- 53-669
薛濬隋 264-1028- 72
266-738- 36
380-124-167
384-157- 8
478-341-191
544-219- 62
547- 68-143
554-750- 62
933-756- 63
薛膺唐 275-295-164
396- 72-258
薛聰後魏 261-582- 42
266-739- 36
379-179-149
384-132- 7
472-462- 20
472-518- 22
476-115-102
476-515-127
540-622- 27
546-250-123
933-756- 53
薛檜後魏 554-215- 62
薛舉唐 269-472- 55
274-140- 86
384-177- 9
395-222-201
407-508- 7
472-905- 36
558-768- 50
薛孺隋 264-868- 57
266-744- 36
379-856-164
474-433- 21
475-363- 67
477-472-173
546-256-123
薛璨薛端駒 宋 448-380- 0
529-726- 51
薛儦妻 清 見曾氏
薛績明 820-580- 40
821-368- 55
薛顏宋 285-762-299
382-730-112
384-343- 17
397-188-331
472-172- 6
472-466- 20
472-922- 36
473-489- 70
475- 69- 52
476-122-102
477-560-177
481-235-303
481-801-338
484- 89- 3
488-378- 13
510-310-113
545-366- 97
546-287-124
554-200- 52
559-294-7上
1096-354- 36
薛謹後魏 261-579- 42
266-734- 36
379-177-149
476-115-102
545-352- 96
546-249-123
933-756- 53
薛禮唐 見薛仁貴
薛曜唐 820-152- 26
薛鎡宋 485-536- 1
薛鎔清 529-723- 51
薛鎰明 1272-122- 附
薛鎧明 676-384- 14
薛馥北周 544-218- 62
薛贇明 472-135- 4
薛贇妻 明 見劉氏
薛瓊妻 宋 見方氏
薛顗唐 274-106- 83
544-230- 63
薛繪唐 1077-340- 3
薛轂妻 元 見馬瑞香
薛獻唐 505-704- 70
薛嚴宋 473-496- 70
559-300-7上
薛辯薛辨 後魏 261-579- 42
266-733- 36
379-176-149
472-462- 20
476-115-102
478-332-191
544-208- 62
544-209- 62
546-249-123
554-109- 50
933-756- 53
薛巒後魏 261-830- 61
薛瓘唐 274-106- 83
薛瓘妻 唐 見城陽公主
薛鑄唐 494-346- 7
薛穰明 820-636- 41
1474-230- 11
薛顯明 299-228-131
475-431- 70
511-400-151
515- 31- 58
563-910- 43
薛巖薛嵒 明 458- 55- 3
472-274- 11
472-752- 29
510-373-114
538- 72- 63
567-446- 86
1467-156- 67
薛觀薛孟 元 524-197-188
676-705- 29
薛驥明 473-145- 56
545-189- 90
薛鸞宋 529-666- 49
1188-675- 4
薛一經明 1467-120- 66
薛一鶚明 301-517-267
456-518- 6
474-245- 12
505-845- 76
546-497-131
薛九齡宋 473-464- 69
559-290-7上
薛人鳳清 479-248-228
481-236-303
523-394-164
559-533- 12
薛三才明 479-186-225
523-296-159

1442- 81- 5
1460-427- 60
薛三戒 明 456-669- 11
薛三省 明 523-296-159
677-679- 61
薛士通 唐 274-429-112
511-391-151
544-229- 63
薛士傑 明 537-485- 54
538-608- 78
薛士銘 明 1246-435- 9
薛子義 明 529-675- 49
薛大中 明 554-676- 60
薛大亨 明 559-275- 6
薛大武妻 清 見王寧
薛大昉 明 545-185- 90
薛大梁 明 559-269- 6
572-102- 30
薛大猷 元 472-699- 28
538- 24- 62
680-297-255
薛大義 明 529-677- 49
薛大楹 明 473- 18- 49
薛大鼎 唐 271-441-185上
275-651-197
384-175- 9
400-338-530
459-883- 54
472- 64- 2
472-463- 20
472-865- 34
474-336- 17
476-118-102
478-243-186
505-667- 69
532-565- 40
540-658- 27
546-265-124
933-759- 53
薛大觀 明 456-641- 10
482-562-369
570-127-21之1
薛方士 隋 546-699-138
薛方彥 元 1213-766- 24
薛文周 明 540-658- 27
554-677- 60
薛文炳 明 1442- 95- 6
1460-552- 67
1475-343- 14
薛文炳妻 明 見白氏
薛文珪 明 1228-165- 8
薛文清 明 550-111-213
薛文勝 明 473-554- 73
481-250-303
559-300-7上
薛文龍 薛培 宋 451- 91- 3
薛文舉 明 1229-323- 11
薛文曜 元 478-337-191
薛文耀妻 清 見顧氏
薛之光妻 清 見田氏
薛之佐 清 475-702- 86
510-467-117
薛之奇 明 532-710- 45
554-784- 62
薛之翰 明 456-641- 10
薛元亮 宋 1147-487- 46
薛元超 薛振 唐 269-692- 73
274-258- 98
384-167- 9
384-180- 10
395-311-209
473- 43- 50
476-119-102
546-266-124
549-184-188
933-757- 53
1065-277- 10
1342-516-971
1371- 49- 附
薛元瑛妻 清 見湯氏
薛元鼎 宋 526-628-279
529-499- 44
薛元敬 唐 269-692- 73
274-258- 98
384-167- 9
395-311-209
472-463- 20
476-119-102
546-699-138
933-758- 53
1387-203- 11
薛元賞 唐 275-658-197
384-275- 14
400-344-530
472-825- 33
475-420- 70
478- 89-180
554-133- 50
587- 88- 2
薛元穎 北齊 263-162- 20
476-116-102
薛元曖 唐 545-236- 92
薛元曖妻 唐 見林氏
薛引隆 清 545-228- 91
薛天生 齊 265-1043- 73
380-100-167
511-550-158
933-756- 53
薛天定 元 480-130-264
533-169- 52
薛天華 明 460-674- 69
529-544- 45
薛友諒 元 538- 27- 62
薛少尹 唐 533-779- 74
薛公采 宋 516-205- 95
薛公達 唐 554-329- 54
1073-562- 24
1074-396- 24
1075-347- 24
1378-524- 60
1383-182- 15
1410-280-700
薛公應 明 460-825- 92
薛仁杲 唐 269-474- 55
274-140- 86
384-177- 9
395-222-201
薛仁貴 薛禮 唐 269-812- 83
274-411-111
384-181- 10
395-405-218
471-869- 40
472-429- 19
472-464- 20
472-623- 25
473-757- 83
474-687- 37
476-398-119
483-592-414
502-255- 53
544-228- 63
545-415- 98
546-540-133
558-132- 30
567-425- 86
681- 82- 6
933-758- 53
1467-138- 67
薛仁貴妻 唐 見柳氏
薛仁輔 宋 479-535-241
516-212- 96
薛仁德 五代 524-182-187
薛仁謙 後周 278-413-128
薛化光 宋 547-556-161
薛允文 元 676- 88- 3
薛玄同 唐 馮徽妻
1061-359-116
薛玄微 金 541- 92- 30
薛玄曦 元 547-516-160
550-818-230
820-548- 39
1439-456- 2
1471-193- 25
薛半斤 宋 529-674- 49
薛必光 明 524-166-186
薛必慶 元 1226-488- 23
薛永中妻 清 見王氏
薛永沖女 唐 見薛氏
薛永譽 明 456-654- 11
478-435-196
554-711- 61
薛玉瑄 明 楊文厚妻
530-124- 57
薛正平 明 見薛更生
薛正言 明 537-210- 54
薛正圓 金 1196-192- 10
薛可光 宋 見薛可先
薛可生 薛可光 宋
472-866- 34
554-273- 53
薛世雄 隋 264-944- 65
267-506- 76
379-828-163
546-256-123
554-573- 58
558-409- 36
563-627- 38
933-757- 53
薛世瑞 清 479-712-250
515-159- 61
薛功溥妻 清 見楊氏
薛令之 唐 473-660- 78

481-746-334
529-640- 48
薛用弱唐 273- 92- 59
薛用溥妻 明 見葉從介
薛守元唐 547-494-159
薛安都劉宋 258-552- 88
261-829- 61
265-591- 40
266-783- 39
370-488- 14
378-183-136
384-113- 6
472-462- 20
532-642- 43
544-206- 62
933-755- 53
薛有年清 511-559-158
薛有祿清 560-134- 19
薛存貴五代 813-306- 19
820-324- 31
薛存義唐 471-770- 25
473-386- 65
480-540-283
薛存誠唐 270-829-153
275-267-162
384-252- 13
396- 84-259
472-465- 20
476-121-102
546-289-124
933-759- 53
1371- 67- 附
薛存慶唐 275- 71-143
395-688-242
546-277-124
933-759- 53
薛匡倫妻 明 見邵氏
薛托歡明 見薛斌
薛兆乾明 302-452-311
薛自昌明 456-485- 5
511-450-153
薛自勉唐 484- 85- 3
薛如芳妻 清 見嵇氏
薛如鑑元 524-351-196
薛仲邕母 宋 見曹氏
薛仲章元 1210-709- 18
薛沙陁北周 見薛端
薛良史唐 820-195- 27
薛良朋宋 484-107- 3
485-502- 9
523- 78-149
1150-883- 49
薛良能元 524-144-185
薛良孺宋 820-356- 32
1102-269- 34
薛良顯宋 288-377-453
400-133-511
472-1116- 48
479-404-235
523-415-166
薛志貞明 李維勤妻
524-609-208
薛志勤後唐 277-466- 55
545-867-113
薛志廣明 483-201-388
薛志學明 567-140- 68
薛孝通後魏 261-582- 42
266-740- 36
379-179-149
384-132- 7
476-115-102
544-209- 62
544-219- 62
546-251-123
552- 39- 18
933-756- 53
薛均序女 明 見薛氏
薛克元明 564-191- 46
薛克構唐 275-651-197
546-265-124
薛更生薛正平 明
680- 59-230
薛見心元 1222- 49- 6
薛伯宗劉宋 380-621-182
742- 31- 1
薛伯英宋 1218-668- 3
薛伯高唐 471-762- 24
473-387- 65
480-540-283
532-714- 45
1076-113- 12
1076-569- 12
1077-140- 12
薛伯康明 529-658- 49
薛伯陽唐 269-693- 73
274-258- 98
544-228- 63
薛伯陽妻 唐 見李華莊
薛希昌唐 820-224- 28
薛希璉明 505-635- 67
510-289-112
523-350-162
薛利和宋 529-490- 44
563-686- 39
薛廷玉明 524-138-185
薛廷老唐 270-830-153
275-268-162
384-264- 13
396- 85-259
448-121- 0
545-363- 96
546-280-124
933-759- 53
薛廷珪唐 271-615-190下
276- 94-203
277-558- 68
476-122-102
546-282-124
薛廷珠妻 明 見蔡氏
薛廷寵明 529-469- 43
676-721- 30
薛宗州妻 清 見楊氏
薛宗鎧明 300-441-209
481-674-331
482-142-344
528-530- 31
564-249- 47
薛直夫宋 482-238-349
523-495-170
563-694- 39
薛直孺宋 1102-224- 28
1102-376- 49
1383-641- 57
1410-455-724
薛居中金 537-452- 58
1191-445- 38
薛居正宋 285-261-264
371- 37- 4
382-210- 31
384-324- 17
384-331- 17
396-566-305
450-683-下3
471-801- 30
472-642- 26
472-658- 27
473-366- 64
477- 72-152
480-483-280
532-735- 46
薛居州戰國 537-367- 57
933-755- 53
薛居信元 475-562- 79
510-427-116
薛居實薛居寶 宋487-127- 8
491-404- 4
1153-393- 90
薛居寶宋 見薛居實
薛抱素清 537-485- 58
薛阿檀唐 545- 31- 83
薛長孺宋 494-320- 6
1102-268- 34
薛長瑜後魏 554-117- 50
薛東海明 546-670-137
薛來貞妻 明 見宋氏
薛承沖女 唐 見薛氏
薛承教明 545-469-100
薛孤延北齊 263-150- 19
267-125- 53
379-374-152
546- 32-116
933-757- 53
薛尚功宋 820-411- 34
薛尚智妻 明 見修氏
薛尚賢明 457-467- 30
薛昌容唐 820-152- 26
薛昌圖宋 1121- 80- 8
薛明益明 820-749- 44
薛明道元 676-705- 29
薛虎手薛彪子 後魏
261-611- 44
266-513- 25
379- 65-147
384-130- 7
472-481- 21
476-254-110
544-206- 62
546- 10-115
933-756- 53
薛易簡唐 839- 51- 4
薛叔似宋 287-433-397
398-428-392

451- 22- 0
472-1117- 48
479-406-235
523-343-162
528-442- 29
薛季良宋 529-504- 44
薛季昌唐 480-515-281
547-511-160
585- 6- 0
薛季宣宋 288-115-434
400-514-547
479-134-223
479-405-235
494-311- 5
523-343-162
532-666- 44
546-293-124
674-568- 3
679-493-187
820-443- 35
1150- 88- 10
1150-897- 51
1153-303- 83
1159-575- 35
1437- 25- 2
1462-531- 80
薛季昶唐 271-450-185上
274-516-120
395-498-226
474- 90- 3
476-399-119
545-235- 92
546-547-133
554-122- 50
567-426- 86
1467-141- 67
薛季卿宋 1093-436- 59
薛知仁隋 546-699-138
薛朋龜宋 487-127- 8
491-404- 4
491-435- 6
523-448-168
薛金姐明 嚴士貞妻
530- 72- 55
薛佩玉清 476-371-117
546-504-131
薛所本清 474-617- 32
505-702- 70
薛所習清 478-376-192
554-259- 52
薛所蘊清 537-485- 58
薛受益妻 清 見盧氏
薛延年元 676- 88- 3
1206-408- 3
薛近洙明 540-827-28之3
薛洪亮清 456-368- 78
薛洪祚後魏 見薛初古拔
薛為學明 511-149-142
薛彥清女 明 見薛氏
薛彥晦宋 821-210- 51
薛彥博宋 480-635-288
薛彥暉元 1200-544- 42
薛柱斗清 505-643- 67
薛厚倫妻 明 見南氏
薛茂卿唐 545-209- 91
薛昭緯唐 270-380-153
546-705-138
薛虹駕女 清 見薛氏
薛英集後魏 261-581- 42
薛英賢清 547- 79-143
薛信辰清 475-232- 61
511-168-142
薛保遜薛傑遜 唐
270-830-153
1082-308- 4
薛悅之明 676-522- 20
薛兼訓唐 486- 43- 2
薛素素薛素 明 820-770- 44
821-493- 58
1318-262- 54
1442-127- 8
1460-909- 98
1475-820- 34
薛眞度後魏 261-831- 61
266-784- 39
379-198-149
532-560- 40
544-209- 62
544-210- 62
546-252-123
552- 28- 18
薛原義明 540-635- 27
薛泰來妻 清 見林氏
薛起鳳清 476-151-104
481-212-302
545-229- 91
554-528-57下
559-331-7下
薛振龍唐 515-210- 63
薛特立宋 524-164-186
薛師仁宋 487-517- 7
薛師石宋 524- 85-182
820-439- 35
1171-206- 附
1364-691-350
1437- 28- 2
薛師武宋 487-189- 12
薛純孝金 401- 36-572
547- 70-143
547-135-146
薛純陀薛純 唐 681-325- 24
684-473- 下
814-268- 9
820-137- 26
薛修義薛循義 北齊
263-161- 20
267-128- 53
379-378-152
544-209- 62
544-216- 62
546-523-123
薛惟吉宋 285-262-264
396-567-305
477- 74-152
薛章憲明 511-841-168
1442- 37-附2
1455-674-242
1459-773- 30
薛慶衡妻 唐 見蕭國公主
薛執中妻 元 見儲氏
薛理常明 523-190-155
薛培生妻 清 見孫氏
薛堅石唐 507- 45- 64
薛務增唐 477-542-176
薛教民明 1292-606- 10
薛陳偉清 537-413- 57
薛崇禮明 511-640-161
薛崇譽南漢 288-720-481
473-683- 79
482- 77-341
薛國正明 456-680- 11
558-417- 37
薛國用明 301-381-259
薛國柱明 545-159- 88
554-523-57下
薛國華明 456-495- 5
薛國蕙明 456-495- 5
554-712- 61
薛國觀明 301-285-253
薛常生明 524-257-191
薛野䐗薛野豬 後魏
261-611- 44
379- 65-147
544-207- 62
薛野豬後魏 見薛野䐗
薛彪子後魏 見薛虎子
薛得中明 473-348- 63
532-725- 46
554-526-57下
薛紹宣明 571-553- 20
薛紹彭宋 546-706-138
820-395- 34
1284-331-161
薛朝印妻 明 見劉氏
薛揚祖宋 487-127- 8
491-404- 4
1157-246- 18
薛景文明 472-569- 24
薛景尼妻 明 見劉氏
薛景仲元 1210-727- 20
薛景先唐 472-851- 34
554-309- 53
薛景晦唐 473-387- 65
薛貽矩後梁 277-163- 18
279-218- 35
384-308- 16
401-285-607
813-234- 5
820-312- 31
1383-772- 70
薛無隱唐 1071-344- 28
薛智高宋 486- 46- 2
薛循義北齊 見薛修義
薛結桑元 295- 56-151
399-422-458
薛舜俞宋 473-587- 75
529-532- 45
677-404- 37
薛舜庸宋 528-443- 29
薛傑遜唐 見薛保遜
薛道生女 清 見薛氏
薛道次後魏 544-209- 62

薛道光宋　見紫賢
薛道紀元　547-503-159
薛道原宋　見紫賢
薛道淵齊　見薛淵
薛道深齊　見薛淵
薛道源宋　見紫賢
薛道實隋　544-220- 62
薛道銘明　1242- 23- 24
薛道標薛道撝　後魏
261-830- 61
378-185-136
薛道撝後魏　見薛道標
薛道衡隋　264-863- 57
266-742- 36
379-854-164
384-151- 8
472-463- 20
473-246- 60
476-117-102
480-287-271
532-563- 40
546-257-123
564-675- 59
591-245- 20
813-221- 3
820-125- 25
933-756- 53
1387-194- 11
1395-604- 3
1401-587- 40
薛道衡女　唐　見薛氏
薛楚玉唐　544-230- 63
薛達頭後魏　261-611- 44
379- 65-147
薛萬均薛萬鈞　唐
267-507- 76
267-646- 69
274-218- 94
384-169- 9
395-291-207
472-945- 37
478-110-181
544-226- 63
554-578- 58
558-410- 36
933-757- 53
薛萬述唐　267-507- 76
薛萬淑唐　267-507- 76
269-647- 69
274-219- 94
薛萬鈞唐　見薛萬均
薛萬備唐　267-507- 76
269-646- 69
274-220- 94
554-578- 58
薛萬徹唐　267-507- 76
269-647- 69
274-104- 83
274-219- 94
384-169- 9
395-292-207
476-110-102
545-357- 96
547-196-148
554- 75- 49
558-410- 36
933-757- 53
薛萬徹妻　唐　見丹陽公主
薛嗣昌宋　286-359-328
545-116- 86
546-293-124
933-761- 53
薛鼎臣清　511-197-143
薛敬之明　301-757-282
457- 29- 1
458-656- 2
476-250-110
478-126-181
545-277- 93
554-817- 63
676- 88- 3
676-295- 11
679- 59-144
1293-356- 20
薛敬孟明　529-722- 51
薛齊宋清　張夔妻、薛暄女
530-149- 58
薛端駒宋　見薛璨
薛壽仁後魏　544-213- 62
薛壽童明　見薛綬
薛與之妻　宋　見余氏
薛綦隆明　505-660- 68
薛爾昌清　554-790- 62
薛碩明後魏　544-209- 62
薛嘉族北齊　263-162- 20
267-129- 53
薛聞孫元　676-705- 29
薛聞禮明　302- 88-294
456-498- 5
475-230- 61
480- 89-262
511-451-153
533-364- 60
薛夢雷明　523-206-155
529-476- 43
1442- 75- 5
1460-363- 56
薛鳳子後魏　261-581- 42
薛鳳章妻　明　見張氏
薛鳳鳴清　545-799-111
薛魁祥元　524-298-193
薛廣德漢　250-589- 71
376-309-100
384- 49- 2
472-198- 7
475-745- 88
511-341-149
675-278- 11
933-755- 53
薛廣譽妻　清　見李氏
薛論道明　505-814- 74
薛毅夫明　1226-203- 9
1439-457- 2
薛慶之後魏　261-581- 42
266-735- 36
379-178-149
薛敷政明　511-393-151
薛敷教明　300-788-231
457-1057- 60
458-438- 21
458-948- 9
475-228- 61
477-543-176
511-160-142
1292-649- 11
薛履謙妻　唐　見樂城公主
薛儀老宋　480- 50-259
薛德音隋　264-869- 57
266-744- 36
546-699-138
1387-203- 11
薛遵彥後魏　544-209- 62
薛奮生清　537-485- 58
薛蕙英明　512- 8-176
1471-228- 26
薛曇尚後魏　261-614- 44
薛曇慶後魏　261-614- 44
薛曇寶後魏　261-614- 44
薛學閔明　511-747-165
薛龜從宋　494-327- 6
薛應吉清　529-706- 50
薛應玢明　302- 99-294
456-576- 8
475-321- 61
478-200-184
511-452-153
薛應奎明　554-312- 53
薛應旂明　300-788-231
457-417- 25
475-227- 61
478-769-215
511-681-163
523- 54-148
554-214- 52
676-169- 7
676-571- 23
1442- 56- 3
1460-150- 47
薛應祥明　537-484- 58
薛應富妻　清　見劉氏
薛應登明　517-641-131
薛應發宋　492-713-3下
薛應詰妻　清　見范氏
薛應聘明　528-556- 32
薛應齡明　456-607- 9
537-320- 56
薛應鐘明　1467-132- 66
薛謙光唐　見薛登
薛襄公春秋　404-325- 19
薛彌充元　529-728- 51
薛聯臣妻　清　見陸氏
薛徽言宋　287-156-376
398-205-378
472-1116- 48
473-401- 66
479-404-235
523-341-162
532-749- 46
1159-527-333
薛徽言女　宋　見薛氏
薛懷吉後魏　261-832- 61
266-784- 39

379-198-149
薛懷奇明 545-155-88
薛懷義馮小寶 唐
271-412-183
274-9-76
薛懷儁後魏 261-833-61
544-212-62
薛懷樸後魏 544-212-62
薛懷讓宋 285-128-254
472-435-19
545-605-105
薛獻公春秋 404-325-19
薛獻珠清 560-91-19
薛騰蛟明 476-151-104
545-225-91
554-500-57上
676-22-1
薛繼先金 291-722-127
401-36-572
472-742-29
538-327-69
547-70-143
547-135-146
1365-320-9
1439-12-附
1445-687-53
薛繼茂明 483-139-380
570-122-21之1
570-258-25
571-522-19
薛繼恩北漢 見劉繼恩
薛繼賢明 473-496-70
559-300-7上
薛蘭英明 512-8-176
1471-228-26
薛驎駒後魏 261-581-42
266-735-36
379-178-149
薛托和齊明 見薛貴
薛車輅拔後魏 見薛初古拔
薛車轂拔後魏 見薛初古拔
薛初古拔薛拔、薛洪祚、薛車輅拔、薛車轂拔 後魏
261-580-42
266-734-36
379-177-149
476-115-102
544-206-62
544-207-62
546-249-123
554-883-64
薛初古拔妻 北魏 見西河長公主
薛哈勒罕元 見薛塔喇海
薛國公主唐 王守一妻、裴巽妻、唐睿宗女 274-111-83
393-279-73
薛塔剌海元 見薛塔喇海
薛塔喇海錫塔爾海、薛哈勒罕、薛塔剌海 元 295-56-151
399-421-458
474-180-8
505-720-71
薛肆嘉努元 295-56-151
399-422-458
豳王唐 見李鳳
豳王金 見完顏永成
豳王金 見完顏永德
豳王金 見完顏宗固
豳王金 見完顏訛魯朵
豳王元 見出伯
邁三清 455-133-5
邁色清 455-569-37
邁涂清 455-421-25
邁哈清 455-467-28
邁格妻 元 見耶律氏
邁格清 502-751-85
邁珠元(蒙古人) 563-718-39
邁珠元(諡文簡) 1210-311-8
邁堪清(佟佳氏) 455-321-19
邁堪清(伊拉理氏) 455-671-47
邁堪清(薩察氏) 456-100-57
邁喀清 455-268-15
邁圖清(瓜爾佳氏) 455-118-4
邁圖清(赫舍里氏) 455-194-9
邁圖清(他塔喇氏) 455-222-11
邁圖清(伊爾根覺羅氏)
455-256-14
邁圖清(舒舒覺羅氏)
455-287-16
邁圖清(佟佳氏) 455-335-20
邁圖清(正藍旗人) 455-388-23
邁圖清(富察氏) 455-421-25
邁圖清(把爾達氏) 455-692-49
邁圖清(正黃旗人) 502-732-84
邁蘭清(那木都魯氏)
455-343-21
邁蘭清(完顏氏) 455-462-28
邁蘭清(額哲特氏) 456-271-70
邁什克清 502-584-75
邁佟阿清 455-85-3
邁思哈清 502-539-72
邁珠罕女 元 見巴罕
邁珠罕女 元 見蘇喀達喇
邁密泰清 455-387-23
邁斯哈清 455-306-18
邁瑪理清 456-99-57
邁圖渾清 455-366-22
邁里古斯元 見默爾古思
懇清 455-398-24
鍼巫鍼季 春秋 933-505-33
鍼虎春秋 472-853-34
鍼季春秋 見鍼巫
鍼宜咎箴尹宜咎 春秋
405-42-58
405-94-62
繁人春秋 547-546-161
繁羽春秋 545-723-109
繁欽魏 254-380-21
385-647-66下上
469-54-7
477-61-151
538-151-65
933-296-21
1379-211-27
1395-587-3
繁興漢 933-296-21
繁仲皇漢 879-161-58上
繁昌王明 見朱見濅
繁延壽漢 933-296-21
繁師元隋 547-200-148
總印唐 1053-123-3
總持院老僧宋 820-471-36
谿父不詳 1058-501-下
1061-253-108
鍾千明 564-134-45
鍾仁妻 清 見師氏
鍾氏明 包有榮妻
480-513-281
鍾氏明 朱亮妻 1247-554-25
鍾氏明 李附鳳妻 478-614-205
鍾氏明 呂麒妻 1283-494-105
鍾氏明 吳廷輿妻 530-108-57
鍾氏明 林廷振妻 530-5-54
鍾氏明 孫景雲妻、鍾欽禮女
473-66-51
479-561-242
517-606-130
524-672-210
鍾氏明 袁松峰妻
1410-469-725
鍾氏明 徐榮妻 506-91-88
鍾氏明 陸安妻 493-1084-57
512-20-177
鍾氏明 陶鏞妻 302-218-301
472-340-14
475-533-77
512-318-185
鍾氏明 陳積祿妻 482-188-346
鍾氏明 鄭人玫妻 480-488-280
鍾氏明 鄧向榮妻 481-726-333
530-167-59
鍾氏明 蔣元瑛妻 524-568-206
鍾氏明 魯聯芳妻 477-421-169
鍾氏明 韓海羅妻
1297-149-10
鍾氏明 繆一元妻 475-856-94
鍾氏明 魏英妻 1258-285-5
鍾氏明 魏淮妻 1267-822-7
1267-832-8
鍾氏明 鍾淳女 512-169-181
鍾氏清 車安妻 479-252-228
524-645-209
鍾氏清 何士兆妻 567-528-89
鍾氏清 夏漢章妻 481-727-333
鍾氏清 徐日迪妻 480-97-262
533-552-67
鍾氏清 許時盛妻、鍾重華女
1327-715-9
鍾氏清 張瑞鱗妻 481-727-333
530-172-59
鍾氏清 鄒永福妻 482-306-353
鍾氏清 顏德妻 530-97-56
鍾氏清 鍾廷秀女 482-469-363
鍾古清(兀札喇氏) 455-485-30
鍾古清(舒舒覺羅氏)
502-749-85
鍾仕妻 清 見劉氏
鍾安清 455-231-12
鍾宅宋 452-9-上
524-149-185
1224-519-31

十七畫 鍾

鍾同明 299-602-162
453-397- 11
453-630- 21
473-154- 56
479-722-250
515-669- 78
1457-633-401
鍾旭明 1241-590- 11
鍾宏宋 679-819-219
鍾沔明 523-233-156
鍾快明 820-754- 44
821-470- 58
鍾成明 475-671- 84
鍾孝明 529-701- 50
鍾甬明 473- 25- 49
515-363- 68
鍾岏梁 260-411- 49
265-1023- 72
933- 39- 2
鍾伷宋 473-188- 58
479-794-254
516-159- 94
鍾炘明 515-511- 72
鍾定明 1475-711- 29
鍾昌明 528-462- 29
1457-519-389
1467-123- 66
鍾昇妻 明 見沈妙智
鍾芳鐘芳 明 482-268-350
564-237- 46
676-541- 22
1467-103- 65
鍾岳宋 516-163- 94
鍾宣妻 清 見劉氏
鍾音明 1242-109- 27
鍾亮明(宜城人) 476-855-145
540-671- 27
鍾亮明(字起晦) 1236-110- 6
1237-351- 8
1241-475- 7
1375- 38- 下
鍾亮妻 明 見王氏
鍾亮妻 明 見吳氏
鍾柔元 479-795-254
516-168- 94
1224-274- 23
鍾建春秋 933- 38- 2
鍾建漢 933- 39- 2
鍾英明 563-835- 41
567-325- 78
1467-203- 69
鍾律元 1218-784- 5
鍾海明 1475-224- 9
鍾海妻 明 見顧氏
鍾浩明 529-689- 50
鍾朗清 523-441-167
鍾泰清 456-104- 57
鍾城明(當塗人) 472-351- 15
鍾成明(字文獻) 524-271-191
鍾夏明 1475-314- 13
鍾振明(肅州指揮使)
558-235- 32
鍾振明(字玉甫) 559-308-7上
564-218- 46
鍾恕元 516-169- 94
鍾恕明(南陽人) 545-442- 99
鍾恕明(字勉仁) 1257-198- 18
鍾紐明 510-439-116
515-707- 29
鍾卿明 515-248- 64
564-152- 45
1467-102- 65
鍾寅宋 515-610- 76
鍾淳女 明 見鍾氏
鍾祥明(成化癸卯舉人)
572- 78- 28
鍾祥明(字舉善) 1242- 80- 26
1242-177- 30
鍾梁明 479- 96-221
523-436-167
676-545- 22
1442--46- 3
1460- 17- 40
1475-264- 11
鍾雪明 821-392- 56
鍾接漢 933- 38- 2
鍾晟明 見陳晟
鍾勗明 472-1088- 46
563-750- 40
鍾馗唐 1242-382- 37
鍾啟鍾諫 明 1475-535- 23
鍾湘明 473-215- 59
473-654- 78
480- 57-260
481-612-329
528-495- 30
533- 10- 47
鍾惺明 301-867-288
480-175-266
533-309- 57
821-470- 58
1312-843- 11
1442- 90- 6
鍾惠明 楊萬泉妻、鍾盟鷗女
1237-388- 11
鍾雅晉 256-182- 70
377-752-126
384- 98- 5
472-654- 27
475-603- 81
477-441-171
477-478-173
510-432-116
538- 69- 63
933- 39- 2
鍾弼明 820-575- 40
鍾琰晉 王渾妻、鍾徽女
256-570- 96
381- 48-185
477-482-173
547-205-149
933- 39- 2
鍾華明 564-133- 45
鍾傅宋 286-623-348
397-682-361
473- 47- 50
478-483-199
516- 12- 87
820-397- 34
鍾順明 473-234- 60
532-646- 43
564-127- 45
鍾程明 559-289-7上
鍾皓漢 253-301- 92
254-248- 13
376-920-111下
384- 65- 3
386- 10-69上
459-845- 51
469- 54- 7
472-652- 27
477-475-173
933- 39- 2
1397-684- 32
鍾棐宋 516-158- 94
1108-474- 91
1351-512-132
1410-568-741
鍾復明 1242- 80- 26
鍾道明 482-304-353
鍾輅唐 1371- 70- 附
鍾瑛明 564-284- 47
鍾鼎宋 473-196- 58
516-146- 93
鍾鼎明(字公鉉) 1240-160- 11
鍾鼎明(字梅城) 1475-530- 23
鍾鼎妻 明 見鄧氏
鍾過元 515-615- 76
鍾鉉明 559-291-7上
鍾傳唐 275-571-190
277-157- 17
279-258- 41
384-292- 15
384-310- 16
396-275-275
407-647- 1
473-166- 57
473-178- 57
515-461- 71
563-637- 38
588-316- 2
933- 39- 2
鍾會魏 254-494- 28
377-243-117
384- 87- 4
384-639- 39
469- 54- 7
469-444- 53
560-599-29下
677- 93- 10
684-468- 下
812- 60- 中
812-223- 8
812-712- 3
814-229- 4
820- 38- 22
933- 39- 2
鍾毓鐘毓 魏 254-252- 13
377-105-115上
384- 86- 4
384-639- 39
472-653- 27

476-474-125
477-477-173
537-585- 60
540-644- 27
933- 39- 2
鍾誌明 530-211- 61
820-601- 40
鍾誠明 1243-715- 24
鍾韶明(字大韶) 528-528- 31
鍾韶明(字九成) 1237-408- 15
鍾與元～明 1236-110- 6
1237-350- 8
鍾嘉晉 見鍾離嘉
鍾蒨南唐 479-497-239
516-193- 95
鍾諒明 515-680- 78
鍾潛明 見梁潛
鍾毅魏 820- 38- 22
鍾瑾鍾覲 漢 253-301- 92
254-248- 13
376-920-111下
386- 10-69上
933- 39- 2
鍾震宋 480-409-277
533-316- 57
567-443- 86
585-111- 5
1177-182- 7
鍾震元 1208-590- 23
鍾璇宋 493-1043- 55
511-832-168
鍾儀春秋 405- 35- 58
448-192- 14
533-125- 51
839- 16- 2
933- 38- 2
933- 39- 2
鍾質明 528-511- 31
鍾僑宋 511-632-161
鍾憲齊 1379-607- 72
鍾諫明 見鍾啟
鍾穎宋 1170-719- 31
鍾磐明 516-170- 94
鍾興漢 253-537-109下
380-271-172
472-791- 31
477-443-171
538- 30- 62
675-297- 15
933- 39- 2
鍾蕃明 見潘蕃
鍾曉明(字景暘) 564-132- 45
鍾曉明(字人雅) 1442-116- 7
鍾鴻明 529-637- 48
鍾禧明 585-436- 11
鍾濟明 511-856-169
鍾輿魏 820- 42- 22
鍾壎清 529-705- 50
鍾隱五代 524-368-197
812-440- 0
812-525- 2
813-162- 16
821-118- 49
鍾嶼梁 260-411- 49
265-1023- 72
933- 39- 2
鍾嶽明 529-699- 50
鍾嶸梁 260-409- 49
265-1022- 72
380-370-176
384-122- 6
477-478-173
538-152- 65
933- 39- 2
1394-633- 9
鍾繇魏 254-248- 13
254-423- 23
377-102-115上
384- 83- 4
384-638- 39
472-653- 27
477-476-173
537-585- 60
544-202- 62
545-164- 89
554-101- 50
558-131- 30
684-468- 下
812- 55- 中
812-218- 8
812-707- 3
813-220- 3
814-229- 4
820- 38- 22
933- 39- 2
鍾繇妻 魏 見張昌蒲
鍾鍵明 1475-431- 18
鍾徽女 晉 見鍾琰
鍾禮明 820-659- 42
821-406- 56
鍾謨南唐 524- 52-180
529-741- 51
529-756- 52
530-396- 67
556-743- 99
鍾覲漢 見鍾瑾
鍾鎰明 563-849- 41
鍾譔明 516-179- 94
鍾鯨明 563-805- 41
鍾鏜宋 472-368- 16
511-314-148
鍾騫妻 隋 見蔣氏
鍾闡宋 485-537- 1
鍾鐸明 1250-798- 76
鍾權宋 513-307- 19
鍾鑑明 546-202-122
鍾顯明 594-215- 7
鍾一元明 481-765-336
528-562- 32
鍾一貫明 533-194- 53
鍾三姐明 楊應鈞妻
530-114- 57
鍾士昌明 570-261- 25
821-474- 58
鍾士槐妻 清 見梅氏
鍾子友妻 宋 見劉氏
鍾子茂妻 元 見謝氏
鍾子英明 456-676- 11
559-528- 12
鍾子期春秋 839- 17- 2
鍾子鴻宋 1181-187- 12
鍾大延明 524-361-196
鍾大咸明 528-463- 29
鍾大章明 572- 78- 28
鍾大賓明 510-447-117
鍾大器清 482-453-362
鍾山懸明 516-436-103
鍾文秀宋 812-539- 3
821-169- 50
鍾文珎鍾本然 宋451- 56- 2
鍾文傑明 563-748- 40
鍾文興元 1201-714- 29
1367-681- 52
鍾元捷明 456-619- 9
鍾元華清 456-388- 80
鍾元鼎宋 487-189- 12
鍾元德清 456-123- 58
鍾元龍元 529-681- 50
鍾天爵明 529-637- 48
567-119- 67
鍾友諒明 472-377- 16
472-431- 19
476-309-113
510-427-116
鍾仁卿宋 1175-321- 31
鍾化民明 300-738-227
476-918-148
479- 55-218
481-584-328
523-266-158
537-220- 54
677-660- 59
鍾允章五代 564- 33- 44
鍾允謙明 564-238- 46
鍾正甫宋 473-369- 64
533-288- 56
鍾正章清 533-325- 57
鍾本然宋 見鍾文珎
鍾世美宋 427-246- 6
鍾世祚妻 明 見明氏
鍾世盛明 564-223- 46
鍾世瑄妻 明 見邱氏
鍾叶吉清 529-705- 50
鍾代英明 1475-452- 19
鍾宇淳明 523-249-157
鍾再烈妻 清 見王氏
鍾有倫妻 明 見胡氏
鍾有章五代 564- 33- 44
鍾有陽清 456-387- 80
鍾有量清 456-388- 80
鍾有諒明 545-408- 98
鍾有德清 456-388- 80
鍾羽正明 301-102-241
540-818-28之3
676-613- 25
鍾匡時唐 384-292- 15
鍾全慕唐 528-548- 32
鍾竹有妻 清 見何氏
鍾行旦明 567-452- 86
1467-158- 67
鍾志遠明 533-498- 65
鍾成管清 456-371- 78

鍾育瑤妻 清 見曾氏
鍾克俊宋 516-167- 94
鍾克俊妻 元 見劉氏
鍾尾娘明 胡士麒妻
530-113- 57
鍾作霖宋 516-147- 93
鍾希賢鍾希顏 明456-556- 7
474-442- 21
475-330- 65
505-855- 77
金希顏明 見鍾希賢
鍾妙節明 黃雲齊妻
479-751-251
鍾廷方元 1232-671- 8
鍾廷秀女 清 見鍾氏
鍾廷翰吳越 494-347- 7
524-311-194
鍾廷鸞明 529-698- 50
鍾宗之齊 812-331- 7
821- 22- 45
鍾庚陽明 678-212- 90
1442- 74- 5
1460-356- 56
1475-339- 14
鍾武瑞明 523-251-157
鍾其碩明 456-487- 5
477-360-166
537-319- 56
558-438- 37
鍾松養妻 清 見馮氏
鍾尚端明 821-442- 57
鍾明亮元 1195-485- 13
鍾明傑明 821-437- 57
鍾季文唐 491-344- 2
鍾季玉鐘季玉 宋
288-380-454
400-192-515
473- 49- 50
473- 96-53
479-532-241
479-627-245
475-766-252
481-679-331
516- 37- 88
529-756- 52
鍾和宇清 529-704- 50
鍾炤之宋 516- 29- 88
鍾亮沂妻 明 見張氏
鍾南金宋 1156-232- 20
鍾茂先明 456-494- 5
554-726- 61
鍾重華女 清 見鍾氏
鍾香五妻 清 見羅氏
鍾皇后南唐 唐元宗后、鍾泰章女 1058- 68- 9
鍾俊卿宋 1175-321- 31
鍾祖述明 524-185-187
鍾祖保明 1475-386- 16
鍾泰章唐 515-212- 63
鍾泰章女 南唐 見鍾皇后
鍾原英妻 明 見郭氏
鍾耆德元 460-455- 35
529-717- 51
鍾桂毓妻 清 見袁氏
鍾特立宋 516-147- 93
鍾師紹唐 813-103- 6
821- 94- 48
鍾師薦明 515-440- 70
鍾淵映清 1315-626- 40
1318- 92- 38
1475-635- 27
鍾將之鍾鳳哥 宋448-368- 0
451-173- 5
1170-694- 30
鍾國義清 476-820-143
540-684- 27
鍾紹安宋 528-551- 32
鍾紹京唐 270-164- 97
274-526-121
384-192- 10
395-506-227
470-153-108
471-950- 52
473-187- 58
479-794-254
516-154- 94
814-270- 9
820-150- 26
1242-370- 36
鍾紹京妻 唐 見許氏
鍾逢臣明 567-406- 84
鍾逢耀妻 清 見黃氏
鍾啟明明 524-186-187
鍾善經明 481-550-327
482- 37-340
564-134- 45
鍾湛靈明 554-259- 52
鍾雲祥明 564-257- 47
鍾雲捷明 456-619- 9
鍾雲瑞明 532-594- 41
564-151- 45
1272-446- 13
鍾朝格妻 清 見黃氏
鍾開祚清 見孔氏
鍾景辰母 明 見沈氏
鍾景音明 524-187-187
鍾景星明 564-289- 47
鍾無瑕清 511-312-148
鍾欽禮女 明 見鍾氏
鍾運捷明 456-619- 9
529-702- 50
鍾萬五明 533-795- 75
鍾萬春明 528-544- 32
鍾萬鎰明 537-269- 55
鍾盟鷗女 明 見鍾惠
鍾鼎臣明 456-542- 7
482- 38-340
564-172- 45
鍾鼎孳妻 清 見吳氏
鍾實可元 1232-685- 9
鍾夢豹清 476-451-123
545-482-100
鍾鳴陛明 511-775-166
678-219- 91
鍾鳴遠明 524-184-187
鍾鳴謙明 456-644- 11
鍾鳳哥宋 見鍾將之
鍾震國明 564-224- 46
鍾震陽明 511-311-148
鍾欽立清 1475-557- 24
鍾德壽妻 清 見林氏
鍾應奇明 483-138-380
鍾應僑宋 1175-328- 32
鍾應璧妻 明 見衷氏
鍾應麟元 1220-524- 8
鍾應麟明 559-405-9上
鍾彌皋妻 明 見徐觀娘
鍾彌綸明 1241-446- 6
鍾離松鍾離法松 宋
448-375- 0
473-631- 77
481-549-327
528-474- 30
鍾離牧吳 254-884- 15
377-395-120
384- 81- 4
384-591- 32
471-828- 34
472-1069- 45
473-366-629
473-671- 79
479-228-227
480-482-280
482- 32-340
486-293- 14
523-543-173
532-734- 46
563-609- 38
鍾離春戰國 齊宣王后
448- 59- 6
452- 71- 2
472-560- 23
491-793- 6
鍾離昧漢 933- 38- 2
鍾離徇吳 254-886- 15
486-309- 14
523-380-164
鍾離意漢 253- 7- 71
370-177- 17
376-759-109上
384- 59- 3
402-399- 5
402-446- 9
402-563- 19
448-299- 上
453-742- 2
459-721- 44
470- 62- 96
472-543- 23
472-568- 24
472-1069- 45
475- 68- 52
475-118- 55
476-575-131
479-227-227
486-289- 14
493-666- 37
510-321-113
523-298-160
540-629- 27
1274-690- 7
鍾離嘉鍾嘉 晉 479-503-239

516-412-103
鍾離瑾宋 285-762-299
397-190-331
472-327- 14
473-426- 67
475-704- 86
478-760-215
481- 68-293
493-768- 42
511-334-149
515-242- 64
523- 10-146
559-263- 6
鍾離簡漢 547-512-160
554-969- 65
鍾離權漢 478-144-181
547-512-160
554-969- 65
820-291- 30
1473-752-100
鍾繼元明 523-583-175
676-358- 13
鍾鶴齡明 1475-393- 17
鍾蘭芳明 許敏妻524-479-203
鍾離法松宋 見鍾離松
鍾離景伯宋 820-372- 33
矯氏周(周之良醫) 742- 23- 1
矯愼漢 見喬愼
黏本盛清 569-620-18下之2
鮭陽鴻漢 933-126- 8
儲才明 見儲可求
儲氏元 薛執中妻 475-234- 61
儲氏明 王德華妻 472-278- 11
儲氏朱氏 明 丘宏妻
473-102- 53
479-633-245
儲氏明 成學妻、儲巏女
1460-771- 84
儲氏明 喬鏜妻、儲筠女
1283-481-104
儲氏清 史雲程妻 475-241- 61
儲用宋 460-292- 18
528-523- 31
儲老漢 933-121- 8
儲泳宋 475-177- 59
511-837-168
儲欣清 475-233- 61
511-771-166
儲洵明 473-235- 60
511-209-144
532-648- 43
儲珊明 511-360-150
儲曾清 475-232- 61
511-168-142
515-160- 61
儲裱宋 475-178- 59
儲筠女 明 見儲氏
儲福明 456-698- 12
474-182- 9
475-225- 61
505-834- 76
511-448-153
儲福妻 明 見范氏
儲維明 533-298- 56
572-105- 30
儲懋明 472-278- 11
儲擢宋 563-694- 39
儲巏儲瓘 明 301-832-286
453-660- 28
458-1029- 1
472-297- 12
475-376- 68
511-207-144
512-751-195
676-516- 20
820-663- 42
1263-540- 6
1442- 35- 2
1459-743- 29
儲巏女 明 見儲氏
儲鐵明 676-258- 10
儲瓘明 見儲巏
儲權唐 820-250- 29
儲士顯妻 清 見王氏
儲大有宋 821-246- 52
儲大伯漢 546-246-123
儲方慶清 475-233- 61
476- 32- 97
545-163- 88
儲可求儲才 明 676-464- 17
儲仙舟唐 487-187- 12
儲至俊明 545-481-100
儲至謨明 480-652-289
483-282-393
533-410- 61
571-543- 20
儲光羲唐 273- 82- 59
451-417- 1
472-276- 11
476-584-131
511-772-166
674-249-4上
674-856- 19
933-121- 8
1371- 58- 附
1472-287- 17
儲企范元 540-662- 27
儲仲文明 1250-754- 71
1263-540- 6
儲伯陽唐 820-158- 26
儲昌祚明 511-161-142
528-532- 31
儲惟賢明 1229-397- 1
儲惟德明 1229-397- 1
儲惇敘宋 481-745-334
528-559- 32
儲嗣宗唐 451-459- 6
儲福疇明 1442-110- 7
儲顯祚明 511-165-142
縮高戰國 405-218- 70
537-371- 57
穉孟懿春秋 見夷孟思
鮮氏清 楊天申妻 481-120-296
鮮弘明 559-512- 12
鮮原解原 明 472-894- 35
473-493- 70
559-370- 8
鮮冕明 545-442- 99
鮮于可金 1365- 39- 2
1445-118- 7
鮮于向唐 見鮮于仲通
鮮于侁宋 286-564-344
382-598- 92
384-373- 19
397-642-359
450-393-24中
450-624-53中
471-699- 16
471-1039- 66
471-1047- 67
472-376- 16
473-297- 62
473-427- 67
473-447- 68
475-365- 67
475-561- 79
476-476-125
476-913-148
478- 90-180
480-240-269
481- 19-291
481-156-298
481-403-313
485-414- 5
532-664- 44
554-333- 54
559-321-7上
559-360- 8
591-610- 44
592-590- 98
674-285-4下
677-211- 19
820-384- 33
933-784- 56
1112-206- 18
1112-465- 41
1115-615- 35
1172-454- 39
1437- 15- 1
鮮于亮晉 496-418- 90
鮮于晉唐 見李叔明
鮮于紹唐 545-453- 99
鮮于渭宋 451-226- 0
鮮于溥金 1365-294- 9
1439- 4- 附
1445-529- 40
鮮于端元 820-493- 37
鮮于樞元 472- 37- 1
472-964- 38
505-880- 79
524-303-194
585-424- 11
820-493- 37
1210-480- 18
1242-372- 36
1284-344-162
1439-425- 1
1470-124- 6
鮮于德妻 清 見文氏
鮮于懷宋 592-576- 98
674-277-4中
鮮大年宋 559-343- 8

十七畫 鮮、繆、斂、優

591-572- 42
鮮卑準元 295-253-165
鮮卑誠元 295-253-165
鮮延年明 見解延年
鮮洪範宋 592-589- 98
鮮思明晉 933-247- 17
鮮于士迪隋 1071-626- 6
鮮于士簡隋 1071-626- 6
鮮于文宗齊 265-1041- 73
380- 98-167
474-172- 8
505-894- 80
933-784- 56
鮮于文英齊 265-1041- 73
380- 98-167
474-189- 9
506- 1- 86
鮮于天一宋 559-360- 8
鮮于去矜元 820-493- 37
鮮于世榮北齊 263-306- 41
267-135- 53
379-407-152
384-137- 7
472- 30- 1
474-172- 8
505-833- 76
535-556- 20
544-211- 62
544-217- 62
933-784- 56
鮮于令徵唐 1071-626- 6
鮮于仲通鮮于向、嚴向、嚴仲通 唐 270-463-122
275-112-147
395-726-246
471-1047- 67
472-824- 33
473-447- 68
554-123- 50
559-359- 50
591-606- 44
1071-626- 6
1071-663- 13
鮮于叔明唐 見李叔明
鮮于寶業北齊 263-306- 41
鮮卑仲吉元 295-253-165
繆氏明 王虎妻、繆家女 1276-436- 10
繆氏清 葉長青妻 481-751-334
繆氏清 熊應鳳妻 524-476-202
繆生漢 476-578-131
繆白明 570-103-21之1
繆忌漢 384- 46- 2
繆肜漢 253-583-111
380-138-168
472-651- 27
477- 48-151
477-474-173
478-490-199
538-116- 64
933-710- 48
繆彤清 511-753-165
繆佚元 821-315- 54
繆泮明 529-710- 50
繆泳繆永謀 清 1318- 70- 36
繆忠妻 明 見劉氏
繆侃元 511-731-165
820-526- 38
繆姜春秋 見穆姜
繆貞元 684-495-下
820-526- 38
繆昭妻 宋 見王氏
繆胤晉 256- 32- 60
377-657-125
933-710- 48
繆家女 明 見繆氏
繆烈宋 460-490- 40
529-749- 51
679-528-190
繆釜妻 明 見張氏
繆倫元 524-304-194
1218-646- 3
繆冕明 528-562- 32
繆斐漢 254-390- 21
254-997- 3
469-191- 22
繆廉明 524-198-188
繆瑜宋 516-164- 94
繆播晉 256- 31- 60
377-657-125
472-552- 23
476-583-131
491-799- 6
540-714-28之1
933-710- 48
繆榑明 299-842-180
475-278- 63
479-319-232
511-180-143
523-190-155
676-175- 7
繆嶔明 511-575-159
繆穆繆無咎 元 515-766- 81
1197-694- 72
繆燧清 523-140-152
繆爟明 1227-601-中
繆襲魏 254-390- 21
385-652-66下上
476-582-131
476-780-141
1395-587- 3
繆鑑元 1439-426- 1
1471-325- 4
繆一元妻 明 見鍾氏
繆一鳳明 676-572- 23
繆九鳳明 523- 92-149
繆士珦明 456-369- 10
繆土琳妻 清 見黃氏
繆士傑明 564-163- 45
繆大亨明 299-264-134
472-205- 7
472-274- 11
472-291- 12
475-369- 67
511-350-149
繆文昺明 529-709- 50
繆文龍明 532-671- 64
572- 85- 28
繆元德宋 473-111- 54
515-169- 62
517-434-126
繆夫秩明 511-530-157
繆主一宋 472-1118- 48
523-628-177
677-475- 43
繆永謀清 見繆泳
繆以正清 483- 16-370
570-145-21之2
繆仲公宋 1167-237- 19
繆良玉明 572- 85- 28
繆志和清 564-297- 48
繆希亮明 511-563-158
繆希雍明 302-182-299
511-867-170
繆宗周明 483- 33-371
570-111-21之1
繆昌期明 301-158-245
458-217- 4
475-228- 61
511-164-142
677-685- 61
1442- 91- 6
1460-523- 65
繆昌運妻 明 見譚氏
繆施渾清 455-311- 19
繆悅道明 511-663-162
繆師伋明～清 1318-454- 72
1442-116- 7
1460-677- 74
繆師愈唐 820-279- 30
繆國維明 511-112-140
523-236-156
571-525- 19
繆朝宗宋 451-232- 0
475-328- 65
511-458-154
繆無咎元 見繆穆
繆慧隆清 1315-314- 12
繆鴻業清 502-784- 87
斂方後秦 933-636- 41
斂岐後秦 933-636- 41
斂憲後秦 933-636- 41
優才清 456-366- 78
優孟戰國 244-896-126
251-701- 34
371-649- 60
380-524-180
386-638- 6
933-478- 31
1408-337-513
優施春秋 404-777- 48
優旃秦 244-897-126
251-702- 34
371-652- 60
380-525-180
405-322- 76
933-478- 31
1408-337-513
優陞清 456-233- 68
優曇元 511-925-174
優波崛多周 見優波毱多
優波毱多優波崛多、鄔波毱多

周 1053- 13- 1
1054- 23- 1
1054-257- 3
徽五代 1053-632- 15
徽宋 1053-786- 18
徽王明 見朱見沛
徽王明 見朱厚爝
獲獨步丁元 見和爾多卜丹
獲嘉長公主漢 見劉姬
縱氏明 何湖妻 475-434- 70
縱日升明 511-468-154
縱四通明 456-660- 11
511-468-154
繅勒噶元 294-216-118
400- 83-507
繅勒噶嗒納元 拖雷妻
294-200-116

十八畫

額貝清(鑲白旗人) 455-287- 16
額貝清(正紅旗人) 502-738- 84
額昇清 455-119- 4
額敏清 454-890-108
500-746- 38
額森埜僊 元(瑭古特人)
472-677- 27
477-124-155
額森元(唐古人) 505-665- 69
額森元(延祐6年卒)
1214-177- 15
額森也先 明 302-751-327
302-772-328
額森清(赫舍里氏) 455-204- 10
額森清(納喇氏) 455-356- 22
額森清(富察氏) 455-451- 27
額森清(卓爾和親氏)
456-267- 70
額森清(烏雅氏) 474-765- 41
502-468- 69
額塞清(納喇氏) 455-361- 22
502-742- 58
額塞清(博爾濟克氏)
456-254- 69
額楚清(富察氏) 455-416- 25
額楚清(鑲黃旗人)
475- 21- 49
510-298-112
額滿清 455- 57- 1
額對清 502-590- 76
額魁清 455-451- 27
額樓清 455-580- 38
額德清(納喇氏) 455-396- 24
額德清(黃佳氏) 455-531- 33
額德清(完顏氏) 502-748- 85
額什圖清 455-230- 12
額古德清 455-151- 6
額布根清 454-845- 98
額亦都清 455-123- 5
502-429- 68
額西騰清 455- 51- 1
額色尹清 454-956-117
500-747- 38
額色理清 456-290- 72
額色赫清 474-772- 41
502-527- 72
額克沁清 455-268- 15
額克秦清 455-468- 28
額克順清 456-256- 69
額克楚清 455-463- 28
額古親清 454-199- 11
額宜色清 456-137- 59
額宜都清 1298-653- 34
額宜圖清(鈕祜祿氏)
455-137- 5
額宜圖清(郭爾羅特氏)
456-219- 67
額林沁清 496-217- 76
額柏恆清 456- 91- 56
額柏根清 455-473- 29
額思特清 455-305- 18
額庫訥清 455- 85- 3
額埒春妻 元 見囊嘉特章
額埒春女 元 見實哩達喇
額哲勒漢 456- 33- 52
額哩頁金(咸平路庫特呼河人)
291-204- 82
額哩頁訛里也 金(契丹人)
291-661-121
400-208-517
502-699- 82
額倫特清 477-569-177
480- 14-257
480-364-275
533-355- 59
額能額清 455-365- 22
額納伸清 1304-260- 64
額普錦清 455- 56- 1
額盛額清 455-187- 9
額斯倫元 294-278-123
294-387-131
399-518-470
額斯赫清 456-251- 69
額琳沁額琳沁巴勒 元(諡忠定)
294-429-134
532-585-141
額琳沁烏克紳、烏魯斯 元(字仲弘) 523-187-155
1214-676- 19
1226-332- 16
額琳沁元(鄖縣監簿)
532-683- 44
額琳沁元(察納子)
1209-616-10上
額琳沁清(博爾濟吉特氏)
454-494- 44
額琳沁清(博貝子) 454-601- 63
額森圖清 456-239- 68
額森鼐元 1467-154- 67
額進泰清 455- 57- 1
額瑚德清 455- 76- 2
額齊布清(呼訥赫地方人)
455-243- 13
額齊布清(淳爾蘇地方人)
455-270- 15
額齊布清(錫克特理氏)
455-537- 34
額爾社清 456-292- 72
額爾金清 455-305- 18
額爾岱清 502-597- 76
額爾春清 455-539- 34
額爾格清 456-265- 70
額爾特清(完顏氏) 455-468- 28
額爾特清(伊拉哩氏)
502-583- 75
額爾訥清 455-365- 22
額爾袞清 474-743- 40
502-388- 15
額爾森清 455-580- 38
額爾欽清 455-256- 14
額爾塞清 455-206- 10
額爾楚清 455-344- 21
額爾赫清(赫舍里氏)
455-194- 9
額爾赫清(佟佳氏) 455-336- 20
額爾蓀清 456-255- 69
額爾德清 502-436- 68
額爾錦清 456-104- 57
額爾濟清 455-364- 22
額赫納清 455-414- 25
額赫訥清(馬佳氏) 455-166- 7
額赫訥清(赫舍里氏)
455-206- 10
額赫訥清(伊拉理氏)
455-673- 47
額赫楚清 455-600- 40
額赫圖清 455-415- 25
額赫禮清 455- 74- 2
額圖理清 455-625- 43
額圖瑚清 456-143- 60
額圖琿金 291-183- 81
399-101-425
額圖楞清 456-123- 58
額滕格清 456- 63- 54
額墨根清 454-685- 76
額徵庫清 456- 13- 50
額璘臣清 454-488- 43
額璘沁清 454-680- 75
額穆蘇漢 456-253- 69
額濟音清 454-368- 20
額濟訥清 455-318- 19
額禮肯清 455-376- 23
額禮懇清 455-666- 47
額聶赫清 456-116- 58
額蘇倫元 505-144- 50
額布格德清 456-255- 69
額克楚尼清 455-388- 23
額貝都拉清 454-888-108
額宜德什清 455-505- 31
額依都理清 455-448- 27
額延哈雅元 523-243-157
額哲布哈元 545-439- 99
額勒克圖清 456-271- 70
額敏和卓清 454-909-110
500-746- 38
額普通阿清 455-188- 9
額博爾特清 456-280- 71
額森布哈曾祖母 元 見塔掄王姑
額森布哈也先不花、鄂森布哈

元(諡文貞) 294-428-134
399-548-474
476-915-148
482-538-368
532-585- 41
537-207- 54
569-646- 19
額森布哈元(奈曼台子)
294-484-139
額森布哈野仙普化 元(四川廉訪副使) 481- 23-291
559-247- 6
額森布哈元(字彥楨)
1218-768- 5
額森托干明 見金忠
額森托音元 1217- 52- 6
額森孟克清 496-218- 76
額森博貝元 294-279-123
額森鼐爾葉仙鼎 元
294-406-133
399-538-473
479-450-237
515- 23- 57
額森德濟元 孫庭蘭妻、阿勒呼木女 1220-371- 2
額爾本格清 455-332- 20
額爾吉納元 見額爾吉訥
額爾吉訥也兒吉尼、額爾吉納、額爾濟訥 元 482-321-354
567- 78- 65
1201-677- 26
1467- 53- 63
額爾吉訥清(錫克特理氏)
455-538- 34
額爾吉訥清(蒙鄂索氏)
456- 99- 57
額爾何圖清 455-205- 10
額爾松格清 456-105- 57
額爾松袞清 455-663- 46
額爾格圖清 455-404- 24
額爾得尼清 見額爾德尼
額爾黑圖清 569-619-18下之2
額爾赫圖清 456- 39- 52
額爾赫濟清 455-116- 4
額爾碧赫清 455- 70- 2
額爾德尼清(博爾濟吉特氏)
454-578- 60
額爾德尼清(諡文成)
455-185- 9
474-764- 41
502-455- 69
額爾德尼清(納喇氏)
455-387- 23
額爾德尼額爾得尼 清(固山貝子) 496-217- 76
500-725- 37
額爾德穆清 455-396- 24
額爾濟格清 456-205- 66
額爾濟訥元 見額爾吉訥
額爾濟訥清 455-591- 39
額爾濟赫清 455-145- 6
額爾濟圖清(范佳氏)
456-166- 62
額爾濟圖清(沙喇圖魯騰氏)
456-255- 69
額爾濟圖清(巴林氏)
502-606- 76
額赫布祿清 455- 95- 3
額赫尼堪清 455-119- 4
額穆琥訥清 455-646- 45
額蘇爾氏清 班濟妻
503- 84- 96
額騰格爾清 456-268- 70
額琳沁巴勒元 見琳沁巴勒
額琳沁巴勒元 見額琳沁
額琳特穆爾元 294-292-124
額琳齊岱青清 502-600- 76
額森呼圖克也先忽都、額爾森圖克 元 特穆爾巴哈妻、特穆爾布哈妻、鐵木兒不花妻
295-636-201
401-183-593
496-415- 89
額森特穆爾元(博爾歡子)
294-260-121
1202-168- 13
額森特穆爾元(滿濟勒噶台子)
294-479-138
820-516- 38
額森特穆爾雲南王 元(和克齊子) 569-536- 17
額爾克沙喇清 454-649- 70
額爾森圖克元 見額森呼圖克
額爾德木圖清 496-217- 76
額爾德蒙格清 455-120- 4
額爾德錫爾清 454-893-108
額赫岱精阿清 455-366- 22
額赫理薩滿清 455-131- 5
額赫愛達漢清 455-109- 4
額圖庫巴顏清 455-321- 19
額墨根渥巴清 500-729- 37
額素勒勒巴克清 455-128- 5
額勒格爾珠爾清 見額爾格爾珠爾
額琳沁多爾濟清
454-651- 70
額爾格勒珠爾清 見額爾格爾珠爾
額爾格爾珠爾額勒格爾珠爾、額爾格勒珠爾 清
456-207- 66
502-474- 69
502-595- 76
額爾格德光袞清
455-217- 11
額爾德尼袞布清
454-616- 66
額爾魯克布哈元
474-237- 12
額璘沁多爾濟清
454-513- 47
額默根烏巴什清
454-863-102
額爾德布鄂齊爾清
496-217- 76
額爾德尼額爾克托克托鼐清 454-750- 83
顏子春秋 見顏回
顏方漢 511-780-166
顏元春秋 539-630-11之6
顏木明 480-205-267
533- 69- 49
676-547- 22
顏氏唐 殷敬仲妻 477-454-171
顏氏唐 顏眞卿姑
1071-691- 16
顏氏明 孔聞訓妻、顏弘素女
541-597-35之17
顏氏明 汪範妻 530-105- 57
顏氏明 李希直妻
1283-605-114
顏氏明 胡湛妻 506- 55- 87
顏氏明 郁體乾妻、顏吉女
1283-518-107
顏氏明 孫助妻 1316-648- 45
顏氏明 徐廣繼妻
472-1032- 42
顏氏明 郭天祚妻 480-343-273
533-647- 70
顏氏明 黃應運妻 302-249-303
顏氏明 劉堯妻 479-729-250
顏氏清 林日暄妻 530-120- 57
顏氏清 張文輝妻
475-189- 59
顏丙宋～元 530-202- 60
顏布清 455-512- 32
顏旦妻 明 見劉氏
顏池明 539-630-11之6
顏吉女 明 見顏氏
顏羽春秋 933-227- 16
顏回顏子、顏淵 春秋
244-377- 67
246- 20- 67
371-478- 32
375-646- 88
386-265-83上
405-404- 83
448- 94- 上
472-547- 23
498- 70- 67
539-484-11之2
562- 15- 1
839- 9- 1
871-887- 19
879-152-57下
933-227- 16
1449-298- 15
顏旭妻 清 見謝氏
顏辛春秋 見顏幸
顏良漢 472- 87- 3
顏防唐 494-290- 4
820-205- 28
顏乎宋 485-199- 27
493-929- 50
589-334- 4
顏含晉 256-435- 88
380- 86-167
384-101- 5
459-863- 52
472-220- 8

472-552- 23
472-1026- 42
475-118- 55
497-222- 227
479-317-232
484- 43- 下
485- 65- 10
486- 68- 3
489-536- 43
489-611- 48
491-799- 6
492-521-13上之中
510-322-113
511-888-172
523-181-155
539-630-11之6
540-712-28之1
871-894- 19
933-227- 16
顏何春秋 244-390- 67
375-657- 88
405-446- 85
539-498-11之2
顏宗明 564- 88- 45
821-388- 56
顏刻春秋 見顏高
顏波妻 明 見鄭氏
顏庚顏涿聚、顏濁鄒 春秋
404-605- 37
405-451- 85
933-227- 16
顏幸顏辛 春秋 244-389- 67
375-656- 88
405-445- 85
472-548- 23
539-496-11之2
顏邵劉宋 258-416- 77
顏協梁 260-429- 50
263-749- 40
265-1026- 72
380-374-176
472-553- 23
476-785-141
511-863-170
540-719-28之1
814-255- 7
820-102- 24
933-228- 16
顏昌明 1260-591- 16
顏芝秦 505-870- 78
顏岱清(瓜爾佳氏) 455-115- 4
顏岱清(納喇氏) 455-386- 23
顏岱清(富察氏) 455-433- 26
顏岱清(李佳氏) 455-524- 33
顏岱清(哲爾德氏) 455-682- 48
顏佩明 1264-561- 7
顏宣明 510-455-117
顏度宋 472-998- 40
493-646- 35
493-946- 51
494-310- 5
523-116-151
561-367- 41
590-458- 0
顏悏明 見桑阿
顏玳清 455-293- 17
顏春妻 明 見俞氏
顏珀明 見顧珀
顏相春秋 見顏祖
顏奎元 1211-404- 57
顏柳春秋 404-508- 30
顏剋春秋 見顏高
顏英元 494- 54- 2
顏衎宋 285-346-270
396-624-311
472-555- 23
476-585-131
476-656-135
顏高顏刻、顏剋、顏產 春秋
244-389- 67
371-495- 32
375-656- 88
405-447- 85
472-547- 23
539-496-11之2
933-227- 16
顏祖顏相 春秋 244-390- 67
375-656- 88
405-447- 85
539-496-11之2
顏素明 511-699-164
顏素孫婦 明 見劉氏
顏泰清(瓜爾佳氏) 455- 96- 3
顏泰清(馬佳氏) 455-169- 7
顏泰清(伊爾根覺羅氏)
455-273- 15
顏眞明 1467- 60- 64
顏格宋 見顏太來
顏晉春秋 404-605- 37
顏晃陳 260-779- 34
265-1027- 72
380-376-176
472-554- 23
476-786-141
933-228- 16
顏峻劉宋 見顏竣
顏特清 455-215- 11
顏烏漢 453-754- 4
471-632- 7
472-1027- 42
479-320-232
524-148-185
526-295-268
顏倩梁 820-104- 24
顏殷漢 539-630-11之6
顏清明 528-560- 32
顏產春秋 見顏高
顏淵春秋 見顏回
顏率戰國 404-490- 29
顏規吳越 485-294- 43
顏琇明 見顧琇
顏異漢 539-630-11之6
540-692-28之1
顏敏清 475-641- 83
1321- 60- 92
顏渾明 511-261-146
顏測劉宋 見顏惻
顏旒宋 494-411- 12
494-472- 18
顏惻顏測 劉宋 258-366- 73
378-145-135
顏愉元 見顏瑜
顏竣顏峻 劉宋 258-397- 75
265-515- 34
370-478- 14
378-142-135
384-112- 6
486- 37- 2
488-181- 8
814-247- 6
820- 88- 24
933-228- 16
1379-536- 63
1395-592- 3
顏歆春秋 539-630-11之6
顏盛魏 539-630-11之6
顏隆明 529-649- 48
1241-361- 3
顏琦明 517-646-131
顏凱漢 539-630-11之6
顏順明 554-313- 53
顏鈞明 457-506- 32
顏欽魏 539-630-11之6
顏斐魏 254-323- 16
377-153-115下
385-415- 44
472-824- 33
478- 85-180
540-710-28之1
554-227- 52
顏復宋 286-607-347
382-748-114
384-359- 18
397-671-361
472-556- 23
476-585-131
479-101-221
511-790-166
524-308-194
539-630-11之6
540-763-28之2
820-384- 33
933-230- 16
1110-275- 12
顏逸宋 494-343- 7
顏詡宋 288-416-456
479-713-250
400-304-524
515-569- 75
820-317- 31
顏遂妻 明 見胡氏
顏戣宋 482-266-350
顏瑄明 676-510- 20
1442- 33-附2
1459-717- 28
顏瑜顏愉 元 295-575-194
400-253-520
472-559- 23
476- 30- 97
476-586-131
540-782-28之2
545-142- 87

顏禎明 1283-585-112
顏慥宋 529-737- 51
顏碩唐 270-517-128
顏髦晉 539-630-11之6
540-729-28之1
顏鳴春秋 933-227- 16
顏幘唐 493-738- 41
顏頒唐 820-204- 28
顏篪明 559-297-7上
顏褒宋 530-418- 67
820-359- 32
顏懲顧懲 明 524- 43-180
820-580- 40
顏賢明 481-583-328
528-484- 30
顏標唐 479-525-241
515-212- 63
顏駟漢 493-665- 37
顏璋明 1255-582- 61
顏槦宋 563-684- 39
顏璉明 564-195- 46
顏輝元 524-373-197
821-304- 53
顏儉春秋 539-630-11之6
顏德妻 清 見鍾氏
顏銳明 558-299- 34
顏稷唐 820-263- 29
顏隸漢 539-630-11之6
顏澤明 483-306-395
571-544- 20
顏頵唐 270-517-128
820-204- 28
933-230- 16
顏噲春秋 244-390- 67
375-657- 88
405-446- 85
472-547- 23
539-497-11之2
顏曄明 680-312-256
顏錫清(瓜爾佳氏) 455- 78- 2
顏錫清(納喇氏) 455-403- 24
顏燭春秋 386-660- 8
顏濟女 明 見顏妙定
顏繇春秋 見顏無繇
顏斶戰國 405-238- 71
448- 98- 中
顏鍠明 蕭貢才妻 473-618- 77
530-123- 57
顏顒唐 820-205- 28
顏簡妻 明 見伍氏
顏願明 554-346- 54
顏疇清 456-267- 70
顏蠋戰國 472-588- 24
491-793- 6
顏顗唐 820-205- 28
顏鯨明 300-433-208
457-919- 53
476-918-148
479-185-225
480- 13-257
523-295-159
532-596- 41
1294-234-6上
顏籀唐 見顏師古
顏寶明 473-713- 81
482-184-346
563-803- 41
顏議明 539-630-11之6
顏瓌明 見顏伯瑋
顏籒唐 見顏師古
顏斆清 481-212-302
559-331-7下
顏夔明 1241-870- 22
顏顥唐 493-738- 41
顏鐸明 515-707- 79
顏鑰明 515-707- 79
顏三台妻 清 見吳氏
顏士正清 515-725- 79
顏士基清 539-630-11之6
顏士塤清 539-630-11之6
顏于彝妻 清 見覃氏
顏文姜戰國 472-594- 24
顏文威五代 539-630-11之6
顏文高妻 清 見劉氏
顏文選明 475-610- 81
511-309-148
532-619- 43
顏之推北齊 263-351- 45
267-612- 83
380-390-176
384-143- 7
469-200- 23
476-786-141
478-134-181
539-630-11之6
540-731-28之1
544-219- 62
814-263- 8
820-121- 25
933-228- 16
1387-212- 12
1395-603- 3
顏之僕春秋 244-390- 67
375-656- 88
405-446- 85
472-547- 23
539-497-11之2
顏之儀北周 263-749- 40
267-613- 83
380-391-176
476-786-141
544-220- 62
554-834- 63
933-228- 16
顏太初宋 288-234-442
382-748-114
400-653-560
472-412- 18
475-430- 70
476-112-102
511-790-166
540-748-28之2
545-367- 97
933-230- 16
1094-634- 69
1107-482- 34
顏太來顏格 宋 451- 74- 2
顏太和明 1237-274- 5
顏元孫唐 472-194- 7
814-271- 9
820-138- 26
顏扎庫清 456- 74- 55
顏引武唐 933-230- 16
顏日愉明 302- 70-293
456-426- 2
477- 56-151
477-360-166
478-546-202
479-244-227
523-389-164
537-320- 56
558-202- 31
顏中和顏發祥 清 1315-592- 36
顏公袞宋 482-303-353
529-564- 46
563-701- 39
顏公輔明 559-316-7上
顏公鉉明 539-630-11之6
顏允宗明 539-630-11之6
顏允南唐 540-739-28之2
814-276- 10
820-204- 28
顏允祚明 539-630-11之6
顏允臧唐 540-739-28之2
顏弘式唐 270-517-128
顏弘素女 明 見顏氏
顏世用元 540-779-28之2
顏布祿清(瓜爾佳氏) 455-116- 4
顏布祿清(正藍旗人) 455-154- 6
顏布祿清(鑲紅旗人) 455-157- 6
顏布祿清(馬佳氏) 455-166- 7
顏布祿清(鑲藍旗人) 455-245- 13
顏布祿清(正黃旗人) 455-247- 13
顏布祿清(正藍旗包衣人) 455-274- 15
顏布祿清(李佳氏) 455-529- 33
顏布祿清(薩克達氏) 455-551- 35
顏布祿清(伊拉理氏) 455-673- 47
顏以達元 1467-181- 68
顏安樂漢 251-114- 88
380-257-172
476-579-131
491-796- 6
540-693-28之1
675-296- 15
顏汝勛宋 820-438- 35
顏有為明 456-692- 12
顏有為妻 明 見蕭氏
顏有意唐 820-138- 26

顏光旿清 511-366-150
顏光敏清 1318-484- 75
顏光猷清 476-588-131
顏光魯明 539-630-11之6
顏光魯妻 明 見丘氏
顏光斅清 478-771-215
523- 68-149
540-871-28之4
541-796-35之20
1318-429- 70
1324-343- 32
顏旭卿唐 820-204- 28
顏名魯妻 清 見王氏
顏仲昌宋 539-630-11之6
顏仲和明 473-790- 85
1467-188- 69
顏仲德元 505-675- 69
顏志邦明 567-140- 68
1467-130- 66
顏孝初宋 530-418- 67
顏見遠齊 263-749- 40
472-553- 23
476-785-141
491-801- 6
511-430-153
539-630-11之6
540-721-28之1
顏伯貞明 539-630-11之6
顏伯瑋顏瓌 明 299-362-142
453-130- 12
456-692- 12
472-409- 18
473-151- 56
475-421- 70
479-718-250
515-651- 77
886-158-139
顏伯璟清 1314-433- 12
1318-453- 72
顏希孔宋 479-608-244
516-126- 92
顏希仁明 539-630-11之6
顏希惠明 301-803-284
顏妙定明 盛起東妻、顏濟女
1239-206- 40
顏廷榘明 529-751- 51
顏廷魁妻 清 見馮氏
顏宗魯明 558-467- 39
顏直之宋 590-458- 0
820-438- 35
821-222- 51
顏奇宿清 481-774-336
顏杲卿唐 271-504-187下
275-595-192
384-214- 11
400- 97-509
459-384- 23
469-200- 23
471-1017- 63
472- 85- 3
472-554- 23
473-503- 71
474-370- 19
476-787-141
481-332-308
505-669- 69
540-739-28之2
541-776-35之20
554-695- 61
559-312-7上
591-703- 50
933-229- 16
顏佩芳清 1475-838- 35
顏佩韋明 301-160-245
顏延之劉宋 258-358- 73
265-512- 34
370-477- 14
378-139-135
384-112- 6
469-200- 23
471-640- 9
471-858- 38
472-553- 23
472-1114- 47
473-747- 83
476-784-141
479-401-235
482-346-356
482-432-361
491-801- 6
540-719-28之1
567- 28- 63
568-273-109
589- 74- 0
814-247- 6
820- 88- 24
933-228- 16
1366-791- 6
1370-139- 7
1379-464- 56
1394-645- 9
1395-591- 3
1401- 45- 15
1467- 10- 62
顏洪範明 510-352-114
顏炳之劉宋 820- 87- 4
顏春卿唐 275-597-192
400- 99-509
476-787-141
481- 66-293
933-229- 16
顏相時唐 269-696- 73
276- 5-198
384-167- 9
400-583-554
554-808- 63
顏思魯隋 539-630-11之6
1071-687- 16
顏昭甫唐 814-267- 9
820-138- 26
1071-687- 16
顏則孔明 302- 75-293
456-571- 8
477-125-155
537-259- 55
540-829-28之3
顏重德明 539-630-11之6
顏胤紹明 302- 41-291
456-421- 2
474-306- 16
476-587-131
505-666- 69
540-832-28之3
顏俊彥明 1442-106- 7
1460-646- 73
1475-480- 20
顏泉明唐 271-505-187下
275-597-192
384-214- 11
400- 98-509
473-425- 67
478-116-181
481- 66-293
540-740-28之2
547-151-147
559-260- 6
933-229- 16
顏容舒明 563-785- 40
顏容暄明 302- 54-292
510-474-117
顏容端明 528-487- 30
564-195- 46
顏唐臣宋 529-674- 49
顏眞卿姑 唐 見顏氏
顏眞卿顏羨門子 唐
270-512-128
275-175-153
384-211- 11
384-220- 12
396- 5-251
459-385- 23
471-611- 4
471-694- 15
471-684- 14
471-715- 18
471-732- 20
471-740- 21
471-795- 29
471-1039- 66
471-1049- 68
472-171- 6
472-357- 15
472-519- 22
472-554- 23
472-997- 40
473- 43- 50
473-111- 54
473-143- 56
473-297- 62
473-454- 68
475- 14- 49
476-111-102
476-516-127
476-787-141
478-266-187
478-334-191
479-133-223
479-525-241
479-654-247
479-710-250
480-340-273
481-180-300

488-318- 12
488-319- 12
489-353- 31
491-802- 6
494-289- 4
510-278-112
515-165- 62
517-309-123
517-569-129
518-230-143
523-353-163
537-198- 54
540-739-28之2
545-320- 95
554-401- 55
559-279- 6
559-284-7上
591-702- 50
674-250-4上
683-695- 0
812-733- 3
813-222- 3
814-276- 10
820-203- 28
933-229- 16
933-806- 60
1071-697- 附
1071-706- 附
1071-717- 附
1098-524- 18
1116-130- 7
1121- 24- 3
1130-124- 12
1241-395- 4
1354-216- 27
1356-340- 16
1371- 61- 附
1387-682- 46
1409- 31-564
1418-524- 53
1447-937- 56
顏耆仲宋 472-254- 10
529-563- 46
顏珠渾清 455-287- 16
顏珠瑚清(伊爾根覺羅氏)
455-271- 15
顏珠瑚清(納喇氏) 455-365- 22
顏振仲宋 529-563- 46
顏晁榮妻 明 見盛氏
顏耕道元 533-345- 58
820-543- 39
顏師古顏籀、顏籕 唐
269-695- 73
276- 4-198
384-176- 9
400-582-554
407-496- 7
472-554- 23
476-786-141
480-287-271
491-802- 6
539-630-11之6
540-736-28之2
554-808- 63
814-267- 9
933-228- 16
1387-247- 15
顏師伯劉宋 258-416- 77
265-518- 34
370-480- 14
378-145-135
488-186- 8
933-228- 16
1379-536- 63
1395-592- 3
顏師魯宋 287-337-389
398-350-387
459-910- 55
473-568- 74
473-584- 75
473-654- 78
478-760-215
481-524-326
481-582-328
481-614-329
493-773- 42
523- 16-146
528-441- 29
529-561- 46
顏惟臣元 1229-177- 3
顏惟貞唐 683-351- 20
814-271- 9
820-138- 26
1071-686- 16
顏涿聚春秋 見顏庚
顏崇敷清 539-630-11之6
顏紹統明 539-630-11之6
顏紹緒清 539-630-11之6
顏紹範妻 清 見孔氏
顏欲章明 523-177-154
顏敏德宋 529-561- 46
顏從祖明 539-630-11之6
顏游泰唐 見顏游秦
顏游秦顏遊秦、顏游泰 唐
269-696- 73
276- 6-198
400-583-554
473-725- 82
482-225-348
554-808- 63
563-645- 38
顏博文宋 821-199- 51
1147-824- 80
顏惡頭北齊 267-687- 89
380-628-183
顏堯揆清 475-702- 86
510-467-117
顏斯理宋 515-607- 76
顏發祥清 見顏中和
顏無繇顏繇 春秋 244-386- 67
246- 27- 67
371-491- 32
375-654- 88
405-444- 85
472-547- 23
539-508-11之2
顏筆仙宋(鬻筆遇仙)
472-298- 12
475-388- 68
511-927-174
顏欽明清 481-374-311
561-206-38之1
顏靖之晉 539-630-11之6
顏祿壽明 472-358- 15
510-436-116
顏遊秦唐 見顏游秦
顏塔海清 455-114- 4
顏勤禮唐 814-267- 9
820-138- 26
1071-687- 16
顏達理清 455-336- 20
顏達龍元 533-312- 57
顏嗣慎明 539-630-11之6
顏鼎受清 678-496-118
1475-614- 26
顏畹思清 1475-838- 35
顏蓀尼清 456-290- 72
顏圖喀清 455- 86- 3
顏鳳麒妻 清 見喻氏
顏肇先明 539-630-11之6
顏廣仙清 456-372- 78
顏德福清 455-583- 38
顏濁鄒春秋 見顏庚
顏頤仲宋 529-563- 46
顏頤壽明 300-385-206
473-318- 62
533-283- 56
537-335- 56
554-198- 52
558-153- 30
567-107- 66
顏應祐元 481-586-328
529-671- 49
顏應焱宋 480-409-277
533-399- 61
顏懋衡清 539-630-11之6
顏翼祖清 533-198- 53
顏曜卿唐 820-204- 28
顏懷正清 539-630-11之6
顏懷禩清 539-631-11之6
顏騰之晉 539-630-11之6
820- 87- 24
顏繼祖明 301-207-248
顏繼齡明 529-687- 50
顏懿姬春秋 齊靈公夫人
404-630- 38
顏讎由春秋 505-768- 73
顏羨門子唐 見顏眞卿
顏盞門都金 見延扎們都
顏達爾漢清 455- 71- 2
濬王金 見完顏永成
濬王金 見完顏永德
濬王明 見朱模
濬王明 見朱幼㙉
濬王明 見朱恬烄
濬王明 見朱胤栘
濬王明 見朱理堯
濬王明 見朱詮鉌
濬揚清 456-235- 68
謹宋 1053-402- 10
禮宋 1053-786- 18
禮孔春秋 933-520- 34

禮古清 455-468- 28
禮布清 456-194- 65
禮至春秋 933-520- 34
禮宗唐 524-416-200
1052- 62- 5
禮敦武功郡王 清 474-743- 40
502-387- 65
禮蓀清 455-190- 9
禮賢漢 933-520- 34
禮震漢 402-455- 9
476-520-128
540-700-28之1
675-261- 7
933-520- 34
禮塔爾清(博爾濟吉特氏)
454-531- 51
禮塔爾清(達什納木扎勒子)
454-769- 87
禮當阿清 455-222- 11
禮親王清 見代善
禮薩納清 455-421- 25
禮谷理札秦清 455-463- 28
謳陽春秋 405-143- 64
453-725- 1
諱毒尼漢 544-199- 62
鄺才明 523-216-156
鄺文明 564- 91- 45
鄺氏明 于謂妻 506- 77- 88
鄺氏明 杜彥祥妻 480-665-290
鄺氏明 張紹妻 506- 75- 88
鄺氏明 張斯文妻 506- 75- 88
鄺海明 820-643- 41
鄺埜明 299-661-167
453-340- 5
453-584- 12
472-174- 6
472-827- 33
473-403- 66
477-563-177
480-637-288
510-313-113
533-409- 61
554-208- 52
558-145- 30
1241-148- 7
1374-562- 78
鄺僊晉 564-614- 56
鄺璠明 505-818- 74
515-109- 60
517-631-131
523-191-155
676-329- 12
683-118- 1
683-140- 1
683-150- 1
683-180- 1
683-183- 1
1260-570- 14
1386-478- 47
鄺璽明 533-347- 58
鄺露明 482- 39-340
564-282- 47
820-761- 44
鄺子輔明 480-637-288
533-117- 50
鄺曰廣明 302- 61-292
456-488- 5
480-291-271
482- 39- 340
533-389- 60
564-244- 47
鄺世彥明 480-664-290
533-267- 55
鄺宏毅妻 清 見張氏
鄺作成元 515-628- 76
鄺孟珏明 545-393- 97
鄺抱義妻 明 見何氏
鄺彥譽明 480-664-290
523- 41-148
533-263- 55
鄺清隱明 482- 38-340
鄺逢明明 456-488- 5
鄺逢泰明 456-488- 5
鄺觀政明 1255-738- 74
謨式清 455-396- 24
謨克清 455-601- 40
謨廷清 455-560- 36
謨岱清 456-272- 70
謨庫清 455-166- 7
謨泰清 456-231- 68
謨敏清 456- 91- 56
謨喜清 455-115- 4
謨絡清(伊爾根覺羅氏)
455-243- 13
謨絡清(舒舒覺羅氏)
455-286- 16
謨絡清(納喇氏) 455-364- 22
謨諾清 455-636- 44
謨錫清 455- 88- 3
謨檀清 456-283- 71
謨譚清 456-255- 69
謨克托清 455-120- 4
謨克圖清 456-187- 64
謨希納清 456- 72- 55
謨林察清 456-145- 60
謨和托清(李佳氏) 455-527- 33
謨和托清(把岳忒氏)
456-232- 68
謨和理清 456-216- 67
謨和善清 455-320- 19
謨和絡清 455-120- 4
謨們圖清 500-729- 37
謨清阿清 455-616- 42
謨斯泰清 455-332- 20
謨瑚祿清 455-449- 27
謨齊尼清 456-295- 72
謨爾渾清(伊爾根覺羅氏)
455-273- 15
謨爾渾清(舒舒覺羅氏)
455-286- 16
謨爾渾清(正白旗人)
455-373- 23
謨爾渾清(鑲白旗人)
455-403- 24
謨爾渾清(兆佳氏) 455-505- 31
謨爾渾清(兆達爾幹氏)
456-284- 71
謨綽海清 456-118- 58
謨秦格爾根清 455- 48- 1
燾眞王桂 明 王錫爵女
1283-139- 78
贄宋(姓缺) 486- 46- 2
職洪漢 933-754- 52
職南金唐 933-754- 52
職馬祿丁女 明 見月娥
轉明唐 1049-551- 37
檳明(姓名不全) 533-339- 58
檮戭上古 546-235-123
檮樹唐(寄衣鉢檮樹中)
480-418-277
璧桑阿清 455-397- 24
璧赫德清 455-680- 48
璧爾圖理清 455-645- 45
璧耀和齊清 456-145- 60
闔公梁 592-277- 78
璿唐 1052-236- 17
騅甥春秋 472-767- 30
537-368- 57
933- 71- 4
騅歂春秋 933- 71- 4
豐五代 1053-628- 15
豐干封干 唐 486-900- 35
524-423-200
1052-272- 19
1053- 89- 2
1054-102- 3
1065- 31- 附
豐王魏 見曹昂
豐王魏 見曹琬
豐王唐 見李祁
豐王唐 見李珙
豐王金 見完顏宗美
豐王金 見完顏宗峻
豐王金 見完顏烏里
豐本不詳 1374-382- 59
豐有宋 494-348- 7
豐至宋 491-436- 6
豐色清 455-505- 31
豐坊豐道生 明 300-142-191
676-558- 23
677-599- 54
820-691- 43
1442- 52- 3
1460- 96- 44
1474-300- 14
豐治宋 523-383-164
豐卷春秋 933- 41- 2
豐阿清 455-329- 20
豐果清 455-108- 4
豐施春秋 384- 24- 1
404-878- 54
933- 41- 2
豐衍春秋 933- 41- 2
豐庫清 456-377- 79
豐紳清 455-448- 27
豐達清 502-730- 84
豐熙明 300-142-191
479-183-225
481-618-329
523-292-159
529-753- 52
676-529- 21

1263-248- 8
1272-450- 14
1474-264- 12
豐慶明 473- 89- 52
479-182-225
479-609-244
516-130- 92
523-289-159
676- 3- 1
豐稷宋 286-260-321
382-616- 94
384-373- 19
384-382- 19
397-408-344
449-302- 1
472-172- 6
472-196- 7
472-1015- 41
472-1086- 46
472-1102- 47
473-246- 60
473-599- 76
475-471- 72
479-176-225
479-296-230
479-382-234
480-288-271
481-679-331
484- 98- 3
486- 50- 2
487-115- 8
491-341- 1
491-392- 4
491-433- 6
494-303- 5
523-284-159
526-140-263
529-756- 52
532-676- 64
537-241- 55
820-396- 34
933- 41- 2
1145-584- 76
1249-813- 9
1482-421- 3
豐點春秋 933- 41- 2
豐爵明 559-375- 8
豐謨宋 1141-586- 7
1145-585- 76
豐匹訥清 455-605- 41
豐正暹清 見酆正暹
豐安常宋 491-434- 6
豐存芳宋 523-383-164
豐有孚宋 451-126- 1
豐有俊宋 491-437- 6
510-389-115
524-196-188
1180-354- 33
豐有章宋 451-126- 1
豐寅初明 523-289-159
676- 3- 1
豐訥亨簡親王 清454-115- 6
豐訥赫清 455-447- 27
豐國王遼 見蕭孝友
豐國正清 456-183- 64
豐越人明 1442-100- 6
1474-490- 23
豐盛額清(伊爾根覺羅氏)
455-231- 12
豐盛額清(呼倫覺羅氏)
455-303- 18
豐道生明 見豐坊
豐興祖宋 821-231- 51
豐應元明 1442-100- 6
1474-497- 23
豐化和尚五代 1053-551- 13
豐安公主陳 留貞臣妻、陳文帝女 494-261- 1
豐德寺和尚五代
1053-367- 9
翹徵唐 820-296- 30
盩豔後秦 933- 69- 4
醢僮尸逐侯鞮單于 漢 見適
醫和春秋 380-552-181
405-321- 76
448-257- 24
554-889- 64
742- 23- 1
醫竘春秋 554-889- 64
742- 23- 1
醫緩春秋 380-552-181
405-321- 76
554-889- 64
742- 23- 1
闔閭春秋 見吳王闔閭
闔廬春秋 見吳王闔閭
騎劫戰國 933-649- 42
騎牛者五代 524-291-193
騎龍鳴漢 馮伯昌孫
1058-500- 下
1061-252-108
聶山宋 見聶昌
聶友吳 254-917- 19
384-557- 27
385-563- 63
479-485-239
482-266-350
515-293- 66
563-609- 38
933-765- 53
聶氏宋 戴妻、聶震女
472-439- 19
476-185-106
1100-470- 43
聶氏宋 韓宗道妻
1096-382- 39
聶氏明 王璇妻 1269-464- 8
聶氏明 李如璋妻 530-156- 58
聶氏明 何本容妻 473-102- 53
479-633-245
聶氏明 胡魁妻 516-236- 97
聶氏明 郭由謙妻 479-665-247
聶氏明 黃珂妻、聶新女
1270- 83- 8
聶氏明 羅文繡妻、聶庭鳳女
480-513-281
聶氏清 476-678-136
541- 44- 29
聶氏清 李賢相妻 477-455-177
聶氏清 林鳳任妻 530-132- 57
聶氏清 張晉毓妻 533-717- 72
聶氏清 常文樸妻 483- 49-372
570-191- 22
聶氏清 童鶴年妻 480-488-280
聶氏清 黃珮妻 475-837- 93
聶氏清 熊汝莊妻 479-685-248
聶尼清 456-295- 72
聶仕明 515-551- 74
聶宏清 554-778- 62
聶良漢 933-765- 53
聶武明 533-193- 53
554-292- 53
聶松梁 812-335- 7
821- 26- 45
聶尚漢 933-765- 53
聶昌聶山 宋 286-683-353
382-700-108
397-730-364
473-113- 54
479-656-247
515-740- 80
933-765- 53
1134-292- 42
聶昪清 529-684- 50
聶芳清 481-698-332
529-631- 483
聶炳元 295-583-195
400-266-521
473-214- 59
473-234- 60
473-348- 63
480- 56-260
480-170-266
480-436-278
532-725- 46
533-375- 60
聶度清 456-146- 60
聶相明 554-339- 54
聶政姊戰國 見聶榮
聶政戰國 244-548- 86
371-642- 59
380-517-180
472-718- 28
537-372- 57
548-623-181
839- 21- 2
933-765- 53
1408-214-502
聶英宋 559-379-9上
聶珙明 515-480- 71
聶埒泥禮 唐 496-622-105
聶珪元 472-438- 19
476-297-112
546-356-126
聶豹明 300-322-202
554-214- 52
457-249- 17
475-176- 59
478-338-191
479-724-250
510-349-114

515-694- 78
528-456- 29
545-191- 90
676-549- 22
679-209-159
1268-222- 36
1458-395-444
聶淳元 1199-286- 30
聶莊明 1227- 96- 11
聶莊妻 明 見潘氏
聶曼明 510-464-117
聶詔明 569-658- 19
聶雲宋 511-636-161
聶壹漢 546-108-119
933-765- 53
聶源清 475-702- 86
510-467-117
聶嫈戰國 見聶榮
聶新女 明 見聶氏
聶禁明 456-616- 9
聶鼎妻 明 見姚氏
聶鉉明 299-300-137
515-541- 74
676-470- 18
聶禎元 1200-760- 58
聶榮聶嫈 戰國 聶政姊
244-550- 86
448- 74- 8
472-721- 28
538-236- 67
聶遜明 見聶好謙
聶熊後趙 933-765- 53
聶銖宋 515-830- 83
1241-407- 5
聶瑩明(方技) 524-377-197
聶瑩明(嘉靖壬辰修邑令)
676-170- 7
聶賢明 300-385-206
480-290-271
481-116-296
559-354- 8
569-651- 19
聶樓清 456-295- 72
聶震女 宋 見聶氏
聶震明 472-527- 22
聶鋐明 1467-133- 66
聶璜明 515-551- 74
聶遼魏 見張遼
聶濟聶天聲 元 1199-286- 30
聶嶼後唐 277-590- 73
聶嘉聶癸孫 宋 451- 76- 2
1193-195- 28
聶寵明 511-886-171
聶蟾宋 524- 62-181
聶鑑明 1278-444- 21
聶士貞清 475-744- 88
510-475-117
聶士偉妻 明 見吳玉貞
聶子述宋 473- 99- 53
515-825- 83
517-692-132
1177-169- 6
聶大年明 301-829-286
479-659-247
515-779- 81
523- 84-149
585-437- 11
588-181- 8
676-501- 19
820-622- 41
821-388- 56
1242-261- 33
1254-829- 6
1374-679- 88
1442- 28-附2
1459-655- 25
聶大姑清 張大傑妻
480-467-279
聶心湯明 479- 44-218
515-559- 74
523- 90-149
聶斗月元 1197-685- 71
聶文進後漢 278-257-107
279-194- 30
384-305- 16
396-388-288
545-601-105
聶元濟明 481-449-317
515-389- 68
559-277- 6
聶天章元 546-637-136
聶天聲元 見聶濟
聶天驥金 291-600-115
399-317-446
472-438- 19
476-333-115
546-403-128
1040-255- 5
1191-247- 21
聶天驥女 金 見聶舜英
聶古柏元 1471-312- 4
聶世卿妻 宋 見王氏
聶世潤明 554-346- 54
聶以道元 515-620- 76
1204-286- 8
聶用乂明 473-641- 78
聶守中明 558-179- 31
聶守眞元 1439-456-附2
聶汝器明 559-381-9上
聶夷中唐 273-114- 60
451-463- 6
546-705-138
554-346- 54
556-706- 98
1371- 72- 附
1388-685-101
聶同文明 1442- 8- 1
聶好謙聶遜 明 473- 24- 49
515-365- 68
聶如斌明 515-369- 68
523-101-150
聶良杞明 515-798- 82
聶克塞清 454-196- 11
聶希甫妻 元 見耶律氏
聶邦晟明 456-640- 10
聶邦憲明 547- 75-143
聶妙眞明 473-118- 54
479-664-247
聶廷鳳明 533-491- 65
聶廷璧明(字祖雍) 510-352-114
聶廷璧明(字子雍) 515-796- 82
聶空山元 821-299- 53
聶武仲母 宋 見王氏
聶松額清 455- 76- 2
聶長卿宋 485-533- 1
聶承遠晉 1051- 62-2下
聶尚恆明 515-558- 74
聶昌孫宋 見聶端權
聶冠卿宋 285-687-294
397-137-328
471-699- 16
472-378- 16
475-565- 79
485-439- 6
511-805-167
1375- 4- 上
1376-552-94上
聶相鼎明 533-435- 62
聶厚載宋(知秀州) 472-981- 39
523- 97-150
聶厚載宋(彰信軍節度推官)
492-710-3下
聶致堯宋 473-349- 63
480-438-278
聶癸孫宋 見聶嘉
聶茂卿妻 元 見解氏
聶侯服女 宋 見聶維清
聶浩初明 1227- 79- 9
聶庭鳳妻 明 見聶氏
聶時秀清 474-572- 29
聶師道唐～五代 472-383- 16
475-585- 79
485-476- 8
511-934-175
533-785- 75
1059-609- 下
1061-327-113
1142-533- 6
1376-693-100上
聶惟賢明 480-652-289
聶乾嶽妻 明 見嚴氏
聶崇義宋 288- 62-431
382-735-113
384-335- 17
400-622-557
472-747- 29
477-313-164
538- 26- 62
聶國翰清 481-559-327
529-525- 44
聶紹元南唐 485-477- 8
1142-535- 6
1376-693-100上
聶紹昌明 510-353-114
聶從政元 473- 97- 53
515-185- 62
聶啟厚明 1292-206- 18
聶雲翰明 510-339-113
聶舜英金 張伯豪妻、聶天驥女
219-752-130
476-335-115
538-172- 67

547-415-157
1191-282- 25
1367-664- 51
1410-374-713
聶勝公清 456-381- 79
聶復孫元 1202-261- 18
聶道眞晉 1051- 63-2下
聶萬衿妻 明 見陳氏
聶端冕妻 明 見丁氏
聶端權聶昌孫 宋448-398- 0
聶爾蘇清 456-116- 58
聶維清宋 王道昌妻、聶侯服女 1193-206- 29
聶慶龍聶戴孫 宋451- 93- 3
聶興詔明 480-439-278
聶應井清 479-579-243
515-238- 64
聶應德明 571-553- 20
聶戴孫宋 見聶慶龍
聶禮弼清 456-290- 72
聶攀姑明 李雲漢妻 530-155- 58
聶繩昌明 481-213-302
聶顯華妻 明 見王氏
彝肅宋 1053-647- 15
覆盆庵主唐 1053-439- 11
慶船和尚宋 1053-403- 10
闕氏明 華炯妻 闕公澍女 1458-656-468
闕氏明 管賢妻 472-298- 12
475-381- 68
闕清明 458-169- 8
闕章明 1261-684- 29
闕鼎明 1261-684- 29
闕禮闕禮 宋 288-564-469
401- 85-578
闕璿明 1261-684- 29
闕寵妻 明 見鄭氏
闕士琦明 532-639- 43
闕元保妻 清 見趙氏
闕公則南北朝 516-489-105
879-143-57下
闕公澍女 明 見闕氏
闕達設闕達可汗、吐烏過 拔闕可汗 唐 271-677-194下
381-671-200
闕門慶忌漢 476-578-131
476-724-138

540-691-28之1
闕達可汗唐 見闕達設
薦福寺老僧唐 1052-296- 20
藏唐(號降魔) 1052-116- 8
1053- 58- 2
藏唐(嗣慶諸) 1053-218- 6
藏五代 1053-241- 6
藏用唐 1052-211- 15
藏用宋 1053-331- 8
藏知唐 820-305- 30
藏奐唐 472-244- 9
475-192- 59
491-119- 14
491-610- 17
524-407-199
1052-158- 12
藏廙唐 524-435-201
1052-161- 12
藏稱北周 見闍那耶舍
藏嶼五代 1053-560- 13
藏布塔爾賞卜塔兒 明 302-813-330
藤員明 見滕員
蟲進漢 933- 43- 2
蟲達漢 539-348- 8
顓和周 933-248- 17
1059-277- 4
顓臾上古 933-248- 17
顓孫春秋 405- 97- 62
顓頊高陽氏 上古 243- 42- 1
371-212- 2
372- 85- 2
383-145- 17
404- 21- 2
506-623-108
539-337- 8
560-590-29下
814-208- 1
819-555- 19
933-248- 17
顓孫師春秋 244-384- 67
246- 26- 67
371-488- 32
375-653- 88
405-434- 85
472-650- 27
539-491-11之2
539-633-11之6

839- 9- 1
顓孫佑聖清 515-161- 61
顓孫誠道清 539-634-11之6
瞿氏隋～唐 黃元仙妻 473-378- 65
480-566-284
516-413-103
533-795- 75
瞿氏明 張璣妻 472-243- 9
475-187- 59
瞿氏明 陳璋妻 481-120-296
481-440-316
瞿氏明 1290- 99- 16
瞿氏明 劉天民母 1283-516-107
瞿氏清 吳允焞妻 524-500-203
瞿氏清 周朝柱妻 512-236-183
瞿氏清 李天馥母 1322-679- 12
瞿宏明 563-924- 43
瞿罕明 301-863-288
482-266-350
563-838- 41
瞿亨明 473-316- 62
瞿佑瞿祐 明 472-968- 38
524- 6-178
537-246- 55
585-453- 12
676-482- 18
679-626-199
1391-895-362
1442- 22-附2
1459-592- 22
瞿居漢 561-224-38之3
瞿昂清 570-136-21之2
瞿杲明 821-405- 56
瞿信明 1232-434- 4
瞿俊明 473-112- 54
481-805-338
493-1036- 54
511-100-140
515-172- 62
563-742- 40
瞿唐明 見翟唐
瞿祐明 見瞿佑
瞿素吳 479-409-235
瞿佣唐 820-283- 30
瞿能明 299-361-142

456-691- 12
475-708- 86
511-492-156
瞿通明 472-328- 14
511-414-152
瞿晟明 474-435- 21
505-684- 69
533- 46- 48
瞿莊晉 933-120- 8
瞿莊明 511-733-165
1442- 7- 1
瞿崙明 1268-414- 65
瞿參唐 820-243- 28
瞿肅宋 400-299-524
479-628-245
瞿智瞿榮智 元 821-321- 54
1369-411- 12
1439-443- 2
1471-591- 15
瞿瑅妻 清 見吳氏
瞿霆明 1268-388- 62
瞿稷明 見瞿汝稷
瞿爵妻 明 見朱氏
瞿鶱明 456-523- 6
511-444-153
瞿乃慎清 510-483-118
瞿九思明 301-862-288
480-134-264
533- 49- 48
676- 23- 1
676-639- 26
678-213- 90
680-248-249
瞿士達明 537-222- 54
瞿大成明 533-728- 73
瞿元肅宋 515-829- 83
瞿令主唐 683- 16- 0
瞿令問唐 見瞿令聞
瞿令聞瞿令問 唐 814-277- 10
820-211- 28
瞿汝臣明 820-677- 42
821-418- 56
瞿汝誠明 1295-137- 11
瞿汝說明 300-555-216
475-137- 56
532-599- 41
678-476-115

瞿汝稷瞿稷 明 300-555-216
475-137- 56
480-564-284
532-744- 46
676-636- 26
679-224-161
1442- 94- 6
1457- 63-347
1460-543- 67
瞿式耜明 301-723-280
456-413- 1
475-140- 56
482-323-354
511-114-140
515-158- 61
568-499-118
1442- 93- 6
1460-720- 78
瞿光位明 511-547-158
瞿君武漢 481-353-309
瞿伯庭唐 見瞿柏廷
瞿宗吉明 1455-635-238
瞿昌文清 511-533-157
瞿柏廷瞿伯庭 唐
473-378- 65
480-488-280
533-795- 75
534-654-104
1341-180-822
瞿若檝妻 清 見許氏
瞿純仁明 511-748-165
瞿景淳明 300-555-216
475-137- 56
511-745-165
676-577- 24
1280-355- 82
1284-174-150
1442- 58- 3
1460-171- 48
瞿景鴻宋 400-295-524
480-408-277
瞿叔文妻 明 見李氏
瞿嗣興明 475-132- 56
493-1008- 53
511-522-157
1223-576- 11
1224-240- 22
1235-597- 21
1386-403- 44
瞿榮智元 見瞿智
瞿鳳翥清 見翟鳳翥
瞿慧貞元 范琦妻
1218-706- 4
瞿霆發元 511-123-141
523- 27-147
瞿應頔清 480-565-284
瞿繼祖明 533-341- 58
瞿懿元元 1218-829- 7
瞿硎先生晉(居瞿硎山)
256-537- 94
380-433-177
472-358- 15
475-612- 81
493-626- 34
511-853-169
瞿曇僧迦提婆晉 見僧迦提婆
瞻岱清 455-345- 21
瞻思扎實、瞻思 元
453-783- 2
472- 98- 3
472-981- 39
474-381- 19
477-563-177
478-764-215
493-786- 42
505-753- 72
676-704- 29
677-503- 45
瞻拜清 455- 57- 1
瞻泰清(伊爾根覺羅氏)
455-269- 15
瞻泰清(舒舒覺羅氏)
455-285- 16
瞻丕理清 455- 67- 2
瞻布祿清 455-549- 35
瞻巴圖爾元 見張巴圖
藍山明 見藍仁
藍仁藍山 明 301-820-285
529-744- 51
1442- 7- 1
1459-403- 12
藍氏明 邢思明妻 570-184- 22
藍氏明 吳欽藩妻 482-145-344
藍氏明 黎受三妻 473-319- 62
藍氏明 見蘭氏
藍氏清 包集球妻 530-173- 59
藍氏清 吳伯欐妻 482-146-344
藍氏清 段文璣妻 481-728-333
藍氏清 唐美烜妻 482-436-361
藍氏清 黃鼎甲妻 482-119-343
藍氏清 楊平妻 481-619-329
530-120- 57
藍玉明 299-241-132
1283-238- 84
藍田明 300-394-206
476-732-138
540-806-28之3
676-558- 23
藍丞宋 515-143- 61
藍光元～明 460-457- 35
515-770- 81
528-448- 29
529-450- 43
藍忠明 537-215- 54
567-540- 90
藍忠清 1327-671- 7
藍奎宋 482-304-353
564- 75- 44
藍郁明 511-193-143
523-102-150
藍拜清 474-769- 41
502-577- 75
藍珪宋 288-561-469
401- 83-578
藍純明 1275-355- 16
藍淦明 479-605-244
480-651-289
515-247- 64
532-752- 46
藍章明 472-614- 25
472-828- 33
476-732-138
540-794-28之3
545- 76- 85
554-172- 51
藍深清 540-865-28之4
藍理清 1327-672- 7
藍勗明 1236-793- 13
藍斌清 1327-859- 20
藍斌妻 清 見許氏
藍旐妻 清 見鄭氏
藍雲明 545-432- 99
藍智明 301-820-285
529-744- 51
1229-845- 1
1442- 7- 1
1459-445- 14
藍喬唐～宋 473-696- 80
482-119-343
564-616- 56
藍瑞明 540-650- 27
藍瑜明 821-352- 55
藍瑛明 524-348-196
592-1011-下
821-479- 58
藍碧明 483-178-384
570-147-21之2
藍臺明 456-575- 8
477-547-176
藍潤清 476-733-138
540-845-28之4
藍燦妻 清 見袁氏
藍璧明 515-481- 71
藍繡妻 清 見謝氏
藍馥明 510-502-118
藍子貞明 1236-774- 12
藍子眞明 515-644- 77
藍文豹明 821-439- 57
藍元震宋 288-542-467
藍尹亹春秋 533-128- 51
藍玉仲宋 516-514-106
藍本和明 1263-486- 3
藍可行妻 清 見歐氏
藍可望妻 清 見歐氏
藍田玉明 302-360-307
藍安石宋 288-562-469
藍仲晦元 820-541- 39
藍廷珍清 528-568- 32
1327-686- 8
藍廷瑞明 560-602-29下
藍初蕙清 見藍繼善
藍尚質明 476-296-112
545-403- 98
藍明娘明 黃祥獬妻
481-593-328
530- 94- 56
藍采和唐 472-209- 7
475-759- 88
511-938-175
1059-586-上
1061-313-113

十八畫 藍、薩

藍恆芳妻 明 見管氏
藍思繼明 540-831-28之3
藍陳斌妻 清 見許氏
藍補袞明 571-553-20
藍道行明 302-360-307
藍鼎元清 1325-677-2
藍鳳暘妻 明 見羅氏
藍銘瑜妻 清 見黃氏
藍銘璽林銘璽 清 1327-670-7
482-144-344
藍銀娘清 481-751-334
藍增之妻 明 見倪氏
藍繼宗宋 288-541-467
401-71-577
藍繼善藍初蕙 清 1327-856-20
藍田公主後魏 見上庸公主
藍縷道人明 541-98-30
薩巴撒巴 金 291-658-121
400-206-517
薩氏清 陳天成妻 483-119-379
薩里撒里 元 475-18-49
薩里妻 元 見蕭氏
薩里清 454-974-120
薩努清 455-636-44
薩岱清 455-180-8
薩哈清 502-741-85
薩拜清 502-603-76
薩海清 455-361-22
薩納清 456-63-54
薩堅宋 548-126-165
薩琅明 529-656-49
1239-43-29
1240-384-24
薩旒清 455-157-6
薩敦元 294-471-138
薩琦明 299-615-163
460-493-41
473-574-74
481-529-326
529-455-43
薩琥清 455-263-15
薩弼清(謚懷愍) 454-188-10
薩弼清(玉圖墨氏) 456-166-62
薩喇清(瓦理氏) 456-92-56
薩喇清(蘇尼特氏) 456-279-71
薩喇清(江吉氏) 456-281-71
薩祿清 455-466-28
薩葛唐 496-618-105
薩齊清 455-56-1
薩滿元 294-230-119
薩嘉後唐 見李紹威
薩賚清 456-175-63
薩魯清 502-538-72
薩題元 見布哈爾
薩天璟明 570-161-21之2
薩天錫元 473-268-61
475-533-77
480-94-262
511-908-178
533-725-73
550-819-230
676-704-29
薩木哈清(正黃旗人) 455-50-1
薩木哈清(正藍旗人) 455-120-4
薩必罕清 502-751-85
薩布蘇清 502-306-57
薩守貞宋 547-494-159
薩米達清 455-579-38
薩克素清 455-115-4
薩克達金 291-46-67
399-72-423
薩克察清(薩克達氏) 455-552-35
薩克察清(賽密勒氏) 455-558-36
薩克察清(錫塔拉氏) 502-504-70
薩克錫清 456-63-54
薩克蘇元 見薩奇蘇
薩克蘇清 455-216-11
薩法喇元 見贊布凌
薩拉爾清 500-726-37
薩奇納清 456-57-54
薩奇蘇撒吉思、撒吉思、薩克蘇、薩濟蘇 元 294-414-134
399-532-472
474-689-37
476-477-125
476-658-135
502-271-55
540-614-27
1367-921-70
薩郎阿清(鈕祜祿氏) 455-136-5
薩朗阿清(吳雅氏) 455-476-29
薩郎阿清(烏顏齊氏) 456-177-63
薩哈布清 455-667-47
薩哈亮清 455-450-27
薩哈泰清 456-6-50
薩哈連清 455-505-31
薩哈連清(鑲白旗包衣人) 455-90-3
薩哈連清(正藍旗人) 455-96-3
薩哈連清(吳扎庫氏) 455-535-34
薩哈連清(巴雅拉氏) 455-578-38
薩哈連清(虎爾哈氏) 455-678-48
薩哈連清(湯務氏) 456-36-52
薩哈連清(喀爾拉氏) 456-53-53
薩哈連清(旌額禮氏) 502-478-69
薩哈廉清(正黃旗人) 455-52-1
薩哈廉清(正白旗人) 455-90-3
薩哈廉清(伊爾根覺羅氏) 455-248-13
薩哈廉清(阿哈覺羅氏) 455-305-18
薩哈廉清(納喇氏) 455-397-24
薩哈達清 455-365-22
薩哈璉清 455-693-49
薩哈璘穎親王 清 454-121-7
474-749-40
502-411-66
薩哈禪清 456-157-61
薩朗阿清 455-156-6
薩素喀清 502-747-85
薩晉布清 456-109-57
薩珠瑚清 455-192-9
薩清額清 455-228-12
薩密達清 456-24-51
薩都拉元 510-373-114
524-304-194
546-724-139
550-420-222
820-528-38
1212-591-1
1439-431-1
1468-748-34
薩勒扎沙里質 金 完顏阿林妻、完顏阿鄰妻
291-749-130
474-875-47
503-24-93
薩弼圖清(赫舍里氏) 455-203-10
薩弼圖清(他塔喇氏) 455-212-11
474-770-41
502-492-70
薩喇布清 455-85-3
薩進泰清 455-487-30
薩楞塔清 455-490-30
薩楚喀清 455-637-44
薩齊庫清 455-546-35
薩滿岱清 456-13-50
薩滿達清 456-266-70
薩瑪拉清 455-217-11
薩瑪第清 454-483-42
薩爾布清 456-177-63
薩爾那清 455-118-4
薩爾奇清 456-75-55
薩爾泰清(鑲紅旗人) 455-57-1
薩爾泰清(正黃旗人) 455-118-4
薩爾泰清(溫都氏) 456-21-51
502-751-85
薩爾泰清(羅佳氏) 456-107-57
薩爾泰清(鑲白旗人) 456-126-58
薩爾納清 455-273-15
薩爾都清(伊拉理氏) 455-668-47
薩爾都清(錫墨勒氏) 456-100-57
薩爾普清 455-414-25
薩爾堪清 456-76-55
薩爾瑪清 455-96-3
薩爾圖清(瓜爾佳氏) 455-90-3
薩爾圖清(伊爾根覺羅氏)

455-273- 15
薩爾圖清(舒舒覺羅氏)
455-285- 16
薩爾圖清(完顏氏) 455-463- 28
薩爾錫清 455- 73- 2
薩爾禪清 455-449- 27
薩碧圖清 455-393- 24
薩蒲西清 455-573- 37
薩綸錫清 483-118-379
570-162-21之2
薩德彌元 515-185- 62
薩諾那清 455-117- 4
薩錫圖清 456-270- 70
薩穆扎清 454-452- 36
454-453- 36
薩穆札清 456-175- 63
薩穆占清 455-598- 40
薩穆吉清 456-300- 73
薩穆典清 455-593- 39
薩穆岱清 456-237- 68
薩穆哈清(正紅旗人)
455- 66- 2
薩穆哈清(正黃旗人)
455- 89- 3
薩穆哈清(馬佳氏) 455-170- 7
薩穆哈清(赫舍里氏)
455-195- 9
薩穆哈清(正白旗包衣人)
455-376- 23
薩穆哈清(鑲紅旗人)
455-404- 24
薩穆哈清(富察氏) 455-414- 25
薩穆哈清(吳雅氏) 455-474- 29
薩穆哈清(兆佳氏) 455-505- 31
薩穆哈清(顏扎氏) 455-514- 32
薩穆哈清(薩克達氏)
455-553- 35
薩穆哈清(溫都氏) 456- 22- 51
薩穆哈清(額諸氏) 456-185- 64
薩穆哈清(鄂卓氏) 456-241- 68
薩穆棣清 455-120- 4
薩穆察清 455-227- 12
薩穆鼐清 456-153- 61
薩穆禪清 455-228- 12
薩穆懇清 455-661- 46
薩穆蘇清 455-670- 47
薩濟蘇元 見薩奇蘇
薩璧納清 456- 35- 52
薩璧圖清 455-623- 43
薩璧翰清 474-770- 41
502-561- 74
薩薩理清 455- 67- 2
薩蘇喀清(瓜爾佳氏)
455- 66- 2
薩蘇喀清(鑲紅旗滿洲人)
502-546- 73
薩蘭泰清 455-518- 32
薩木什喀清 455-315- 19
薩木丕勒清 496-218- 76
薩木哈圖清(舒舒覺羅氏)
455-286- 16
薩木哈圖清(正藍旗滿洲人)
502-568- 74
薩木濟特清 454-679- 75
薩克什哈清 455-244- 13
薩克里阿清 455-524- 33
薩克達理清 455-363- 22
薩克薩哈清(赫舍里氏)
455-205- 10
薩克薩哈清(兀札喇氏)
455-494- 30
薩克薩哈清(烏蘇氏)
455-573- 37
薩克薩哈清(拖活絡氏)
455-694- 49
薩哈多齊清 455-128- 5
薩哈勒酌金 見薩哈勒安禮
薩爾巴哈清 455-248- 13
薩爾吉那清 455-636- 44
薩爾佳達清 455-341- 21
薩爾格達清 455-490- 30
薩爾機達清 455-490- 30
薩蒲察哈清 455-568- 37
薩穆什喀清(鑲黃旗加哈地方人)
455-319- 19
薩穆什喀清(正白旗滿洲人)
502-481- 70
薩穆哈那清 455- 70- 2
薩穆哈理清 456-117- 58
薩穆哈圖清(鈕祜祿氏)
455-127- 5
薩穆哈圖清(正白旗人)
455-310- 19
薩穆哈圖清(正紅旗人)
455-332- 20
薩穆哈圖清(納喇氏)
455-363- 22
薩穆哈圖清(富察氏)
455-438- 26
薩穆哈圖清(烏蘇氏)
455-571- 37
薩穆達理清 455- 69- 2
薩題勒密元 517-446-127
薩木丹巴勒元 569-647- 19
薩木哈巴顏清 455- 75- 2
薩奇森布哈元 294-272-122
399-349-449
薩哈勒安禮薩哈勒酌 金
505-857- 77
薩題勒密什元 480-242-269
薩達克齊沙木斯迪音元
見賽音謂德齊沙木斯鼎
嚚瞀上古 1061-169-101
壘勒清 455-656- 46
蟜極上古 933-262- 18
醫楊明(姓楊以鬻醫為業)
1250-746- 71
1458-104-424
藐姑射山神人上古
547-481-159
薳居春秋 405- 86- 61
薳固春秋 405- 8- 56
薳洩春秋 405- 7- 56
薳射春秋 405- 7- 56
薳章蔿章 春秋 405- 1- 56
933-517- 34
薳掩蔿掩 春秋 384- 25- 1
405- 6- 56
533-126- 51
933-517- 34
薳越春秋 405- 8- 56
薳罷春秋 405- 7- 56
533-127- 51
547-156-147
933-517- 34
薳子馮蔿馮、蔿子馮、薳子憑
375-858- 92
384- 25- 1
405- 5- 56
533-126- 51
933- 71- 4
933-517- 34
薳呂臣春秋 405- 1- 56
薳啟彊薳啟疆 春秋
375-854- 92
384- 25- 1
405- 6- 56
448-237- 20
533-128- 51
薳啟疆春秋 見薳啟彊
叢帝開明氏、鼈靈 戰國
560-593-29下
1354-654- 32
1381-459- 37
叢恕明 820-718- 43
叢貴妻 明 見甄氏
叢蘭明 300- 36-185
475-872- 95
476-700-137
540-795-28之3
1320-795- 82
鎭王宋 見趙竑
鎭王宋 見趙元偓
鎭澄明 1442-120- 8
鎭平王明 見朱有熿
鎭南王元 見特穆爾布哈
鎭康王明 見朱恬焯
鎭陽王元 見史天澤
鎭遠王元 見托里特穆爾
鎖守貴妻 明 見烏氏
鎖青縉清 537-527- 59
鎖懋堅宋 585-588- 23
鵠和鳳妻 明 見崔氏
魏二明 512-762-196
魏几宋 460-135- 8
魏乞妻 明 見柳氏
魏王秦 見魏咎
魏王後秦 見姚襄
魏王唐 見李佾
魏王唐 見李泰
魏王唐 見李靈夔
魏王後唐 見李繼岌
魏王後漢 見劉承訓
魏王宋 見趙愷
魏王宋 見趙頵
魏王宋 見趙廷美
魏王宋 見趙德昭
魏王宋 見劉通
魏王遼 見即律宗懿
魏方明 1267-824- 7
魏元明 299-833-180

472-578- 24
476-865-145
540-791-28之3
魏仁妻 明 見楊氏
魏氏周 密康公母 448- 27- 3
魏氏梁 王神念妻 378-458-142
492-604-13下之下
547-220-149
魏氏後魏 王椿妻、魏悅女
267-738- 92
魏氏唐 宋庭瑜妻、魏克己女
271-654-193
魏氏唐 樊彥琛妻 271-653-193
276-108-205
401-149-589
452-111- 3
472-297- 12
475-380- 68
512- 51-178
魏氏宋 沈紘妻、魏居中女
1105-835- 99
1356-229- 10
1384-177- 95
魏氏宋 張沔妻、魏羽女
1097-104- 10
魏氏宋 費文妻、魏昭遹女
1098-212- 27
魏氏宋 趙士穠妻、魏孝祥女
1100-493- 46
魏氏宋 趙守節妻、魏昭吉女
1093-390- 53
魏氏宋 趙仲甫妻、魏昭文女
1104-451- 38
魏氏明 文載道妻 558-492- 42
魏氏明 王結妻 506-142- 90
魏氏明 王世從妻 478-405-194
魏氏明 王紹春妻 558-491- 42
魏氏明 仝勝妻 506-153- 90
魏氏明 伊端妻 472-179- 6
魏氏明 朱試妻、魏體咸女
477-155-171
魏氏明 李剛妻、魏贇女
472-414- 18
475-434- 70
魏氏明 吳與點妻
1312-560- 7
魏氏明 周鏞妻 473-305- 62
480-252-269
魏氏明 柳大節妻 506- 70- 88
魏氏明 皇甫信妻 483- 17-370
570-183- 22
魏氏明 段整妻 472-668- 27
魏氏明 郝廷表妻 506- 5- 86
魏氏明 夏槩妻、魏璧女
1289-327- 21
魏氏明 時文璧妻
472-1043- 43
魏氏明 馮端栱妻、魏洪基女
1312-872- 12
魏氏明 楊承明妻 506-134- 89
魏氏明 葛登林妻 506-154- 90
魏氏明 葉維青妻 479-499-239
516-241- 97
魏氏明 趙節妻 481-408-313
魏氏明 趙天民妻 506- 46- 87
魏氏明 熊谷眞妻 473-284- 61
魏氏明 諸有彥妻、魏希明女
1283-599-113
魏氏明 鄧奎郎妻 530-125- 57
魏氏明 劉忠貞妻、魏體坤女
477-455-171
魏氏明 劉福壽妻 481-214-302
魏氏明 謝用賓妻、魏體泰女
477-455-171
魏氏明 謝應昇妻 530-124- 57
魏氏明 歸有絖妻、魏庠女
1289-371- 25
魏氏明 邊維翰妻 506-108- 89
魏氏明 賈衡母 1278-463- 23
魏氏明 魏尚元女 481-118-296
魏氏清 安守貴妻 474-194- 9
魏氏清 朱大峰妻 476-829-143
魏氏清 李應兒妻 476-678-136
541- 41- 29
魏氏清 呂正德妻 506- 39- 86
魏氏清 休瑞儀妻 530- 31- 54
魏氏清 侯翊聖妻 506-169- 90
魏氏清 高光猷妻
1312-871- 12
魏氏清 高爾信妻
1326-848- 8
魏氏清 馬瑜妻 478-392-193
魏氏清 倪廷珹妻 474-315- 16
魏氏清 陳九齡妻 479-635-245
魏氏清 黃顯妻 530-107- 57
魏氏清 黃來聘妻 506- 65- 87
魏氏清 楊國璋妻 506- 16- 86
魏氏清 廖應機妻 480- 66-260
魏氏清 趙之璧妻 478-519-200
魏氏清 劉三重妻 480-141-264
魏氏清 劉年光妻 530- 31- 54
魏氏清 劉衍禰妻 474-196- 9
魏氏清 劉德溥妻 476-264-110
547-324-153
魏氏清 劉聰奇妻 506- 66- 87
魏氏清 龐國棟妻 474-249- 12
506- 67- 87
魏氏清 顧大成妻 506- 65- 87
魏氏清 魏有祿女 478-519-200
魏玄北周 263-780- 43
379-639-158
267-350- 66
933-644- 42
魏永唐 820-284- 30
魏戊春秋 404-725- 44
448-286- 上
545-123- 87
魏弘明 472-678- 27
魏本明 523-226-156
魏丕宋 285-360-270
371-173- 18
396-635-311
472-125- 4
472-698- 28
474-468- 23
477-165-157
480-288-271
532-676- 44
537-448- 58
魏加戰國 546-436-129
魏冉穰侯 戰國 244-441- 72
371-557- 43
375-911- 93
384- 31- 1
405-279- 74
933-643- 42
1360-609- 38
魏亥晉 見魏該
魏安明 1474-554- 28
魏羽宋 285-318-266
396-606-308
472-378- 16
484- 87- 3
485-430- 6
505-664- 69
511-265-147
1142-528- 6
1376-323- 80
魏羽女 宋 見魏氏
魏收後魏 262-507-104
263-274- 37
267-184- 56
379-493-155
384-138- 7
496-491- 59
472- 90- 3
474-374- 19
505-886- 79
933-644- 42
1387-210- 12
1395-603- 3
1401-462- 34
魏全金 291-661-121
400-210-517
472-204- 7
魏全明 511-574-159
魏仲元 1196-316- 18
魏沖明(字叔子) 1442-100- 6
魏沖明(字道用) 1442-107- 7
1460-647- 73
魏成漢 370-208- 21
魏成妻 元 見周氏
魏杞宋 287-278-385
398-302-384
472-203- 7
475-604- 81
475-750- 88
487-139- 9
491-406- 5
491-436- 6
493-714- 39
510-435-116
511-349-149
524-317-194
1153-164- 70
1153-315- 84
魏劭漢 476-520-128
魏邦妻 明 見王氏
魏宗明 472-1085- 46
523-131-152
魏忞明 547- 88-144
魏治明 1264-214- 12

魏怡明 592-820- 4
592-821- 4
1282-443- 34
魏泌宋 515-268- 65
魏初祖母 元 見劉氏
魏初元 295-234-164
399-591-478
472-484- 21
474-517- 25
505-780- 73
546-677-137
676-698- 29
1201-168- 80
1214- 60- 5
1439-421- 1
魏矼宋 287-157-376
398-205-378
471-927- 49
472-395- 17
475-811- 91
511-372-150
524-334-195
魏坤清 524- 28-179
1318-503- 77
魏忠明 472-403- 18
511-367-150
537-302- 56
魏尚漢(槐里人) 384- 40- 2
472-480- 21
472-829- 33
476-248-111
476-276-111
478- 94-180
545-254- 93
554-546- 58
魏尚漢(圉人) 879-155-58上
魏昌明 1255-724- 73
魏岠宋 485-534- 1
魏卓明 515-834- 84
魏昇明 529-667- 49
魏果明 529-712- 50
魏咎魏王 244-586- 90
384- 38- 2
544-197- 62
魏延蜀漢 254-635- 10
377-283-118下
384- 76- 4
384-471- 13
447-196- 7
471-1036- 66
472-864- 34
533-228- 54
552- 21- 18
554-102- 50
933-644- 42
魏炳明 456-604- 9
魏宣妻 明 見岳氏
魏洧明 1267-825- 7
魏恬唐 274-478-117
魏恪宋 460-303- 20
魏恪明 301-738-281
魏庠明 1267-823- 7
1289-277- 18
魏庠女 明 見魏氏
魏彥後魏 267-195- 56
379-306-150下
魏相呂相、呂宣子 春秋
384- 21- 1
404-721- 44
469-398- 47
472-460- 20
933-643- 42
魏相漢 244-636- 96
248-618- 8
250-631- 74
376-335-101
384- 47- 2
459-183- 12
469-114- 13
472-171- 6
472-549- 23
472-737- 29
472-829- 33
475- 14- 49
476-857-145
477-303-163
478- 83-180
478-758-215
510-273-112
523- 2-146
537-293- 56
540-694-28之1
554-263- 53
554-376- 55
933-643- 42
1355-203- 7
1412- 94- 5
1412-125- 5
魏相妻 明 見劉氏
魏奎明 1267-823- 7
1267-835- 8
魏勃漢 244-280- 52
250-103- 38
375- 87-78上
魏政明 571-554- 20
魏貞明 511-497-156
魏英明(字士華) 515- 45- 58
523-535-172
559-252- 6
676-515- 20
魏英明(榆次人) 552- 77- 19
魏英妻 明 見鍾氏
魏英清 533-169- 52
魏迪妻 明 見戈氏
魏信元(歸安尹) 472-999- 40
494-344- 7
523-117-151
魏信元(字誠之) 1206-197- 20
魏信明 494- 23- 2
魏勉明 473-151- 56
魏保元 524-165-186
魏浤明 533-415- 62
魏浩明(武功縣人) 494- 40- 3
魏浩明(號龍巖先生)
554-846- 63
魏涇明 1267-832- 8
魏朗漢 253-366- 97
376-961-112
384- 66- 3
402-490- 12
453-747- 3
472-716- 28
472-1069- 45
475-418- 70
477-241-161
477-454-171
479-228-227
486-290- 14
510-396-115
523-299-160
537-285- 55
563-602- 38
567- 22- 63
680-668-285
879-156-58上
魏益妻 清 見潘氏
魏悅後魏 262-506-104
267-184- 56
魏悅女 後魏 見魏氏
魏浚晉 256- 79- 63
377-689-125
472-552- 23
477-304-163
540-714-28之1
554-685- 61
933-644- 42
魏庭妻 明 見蘇氏
魏泰宋 471-816- 32
473-250- 60
533-315- 57
674-235-3下
674-290-4下
1113-913- 26
魏泰明 559-277- 6
魏恭明 537-304- 56
545-658-107
魏班清 455- 64- 2
魏珪元 見魏笏
魏珪妻 元 見高氏
魏哲唐 503-328-114
814-271- 9
820-175- 27
1065-256- 8
1342- 17-906
1410-178-684
魏桓漢 253-158- 83
376-840-110
472-696- 28
477-414-169
538-165- 66
魏翀明 見芮翀
魏校明 301-769-282
457- 86- 6
458-844- 7
475-135- 56
481-806-338
511- 67-138
563-743- 40
820-690- 43
1284-158-148
1458-390-444
魏豹漢 244-586- 90

250- 30- 33
251-509- 9
384- 38- 2
376- 18- 95
548-623-181
魏釗魏顯義 後魏
267-195- 56
379-305-150下
472- 89- 3
474-374- 19
505-747- 72
933-644- 42
魏能宋 285-480-279
396-721-319
472-555- 23
540-752-28之2
魏純明 1243-222- 11
1457-580-397
魏笏魏珪 元 1198-775- 5
魏清宋 1089-208- 20
魏清明 458- 31- 2
472-665- 27
537-595- 60
559-253- 6
魏淮妻 明 見鍾氏
魏淳後魏 267-194- 56
379-305-150下
474-374- 19
魏章戰國 384- 31- 1
魏祥明(沁源人) 476-418-120
546-338-126
魏祥明(蕪湖人) 511-637-161
魏祥明(榆林參將) 554-366- 54
魏祥魏際瑞 清 516-186- 94
魏庚唐 820-264- 29
魏彬明 302-276-304
魏彬妻 清 見洪氏
魏通宋 1118-958- 65
魏崇唐 820-283- 30
魏野宋 288-427-457
371- 16- 2
382-771-118
384-344- 17
401- 16-569
472-748- 29
477-525-175
538-169- 66
674-278-4中
708-333- 50
1087-351- 附
1362-464- 19
1439- 10- 1
魏冕明 299-370-143
456-696- 12
479-718-250
515-644- 77
886-154-139
魏偁明 524- 43-180
676-134- 5
676-520- 20
1391-595-335
1442- 37-附2
1459-773- 30
1474- 92- 6
魏紹宋 485-436- 6
1114-665- 16
1482-412- 3
魏偃後魏 267-194- 56
379-305-150下
魏統妻 明 見王氏
魏紳明 472-560- 23
476-587-131
540-794-28之3
魏敏明 458-156- 8
472-752- 29
477-316-164
538-103- 64
魏啟明 1253-123- 46
魏斌明 528-454- 29
魏富明 460-777- 81
472- 28- 1
473-656- 78
481-616-329
505-636- 67
523- 43-148
529-567- 46
魏詔明 533- 19- 47
魏琯妻 明 見劉氏
魏琚唐 545-208- 91
魏喬宋 1123-589- 1
魏隆唐 472-278- 11
511-924-174
魏琦金 1040-255- 5
魏琰宋 286- 17-303
397-228-333
472-196- 7
475-742- 88
477-441-171
485-533- 1
488-388- 13
510-469-117
魏琰清 540-871-28之4
魏琳李琳 明 1267-820- 7
1267-831- 8
魏閑宋 382-771-118
450-495-中38
538-169- 66
933-548- 35
1087-351- 附
1094-715- 78
魏景宋 1115-556- 25
魏貴妻 元 見周氏
魏菁清 515-850- 84
魏華唐 814-269- 9
820-133- 26
魏鈞元 1198-776- 5
魏舒魏獻子 春秋
371-414- 21
375-777- 90
384- 19- 1
404-725- 44
448-231- 19
546-240-123
933-643- 42
魏舒晉 255-715- 41
377-493-122
384- 91- 5
469-182- 21
472-551- 23
477- 48-151
540-712-28之1
933-644- 42
魏舒女 晉 見魏華存
魏絳魏昭子、魏莊子 春秋
244-199- 44
371-414- 21
375-775- 90
384- 19- 1
404-723- 44
448-202- 16
472-460- 20
546-239-123
933-643- 42
魏勝宋 287- 51-368
398-119-373
449-487-上13
472-311- 13
475-324- 65
475-431- 70
475-471- 72
508-278- 39
511-466-154
魏棨明 473- 28- 49
473-570- 74
515-383- 68
528-455- 29
魏源明 299-573-160
453-236- 22
473- 78- 52
477-563-177
479-581-243
479-629-243
516-104- 91
537-212- 54
545-269- 93
554-165- 51
1241-140- 7
1242-809- 9
魏溥妻 後魏 見房氏
魏該魏亥 晉 256-79- 63
377-689-125
477-358-166
540-715-28之1
554-685- 61
933-644- 42
魏溶明 559-288-7上
魏愷北齊 263-194- 23
267-200- 56
379-503-155
魏煜妻 清 見黃氏
魏歆漢 262-506-104
267-184- 56
魏煥明 473-341- 63
480-412-277
533-254- 55
魏埴明 567-302- 17
1467-186- 69
魏載唐 681- 81- 5
1103-412-139
魏瑆明 540-831-28之3
魏椿宋 460-300- 20
魏極明 1323-645- 2

魏楷明 1475-276- 11
魏勤後魏 544-208- 62
魏瑛明 547- 84-144
魏瑗隋 820-127- 25
魏達明 538- 97- 69
1267-823- 7
魏萬魏顥 唐 546-751-140
550-346-221
1371- 57- 附
魏歲明 見魏箴
魏敬明 見魏以敬
魏鈺明 482-304-353
魏經明 494- 45- 3
魏演宋 492-710-3下
魏誠明 523-100-150
魏寧北齊 263-380- 49
267-692- 89
380-640-183
505-926- 83
魏說明 533-144- 51
魏滌宋 1114-671- 16
魏熙妻 明 見李氏
魏愿女 元 見魏德璦
魏臺妻 清 見史氏
魏瑶妻 明 見謝氏
魏裳明 473-216- 59
533- 14- 47
676-582- 24
1280-360- 82
1442- 65- 4
1460-261- 52
魏賑遼 見慈智
魏滕吳 254-904- 18
380-596-182
384-518- 23
479-228-227
515-207- 63
524-256-191
魏鳳明 1267-826- 7
魏餉北朝 267-200- 56
379-503-155
魏銘明 533-138- 51
魏銘妻 明 見黃氏
魏僖魏禧 宋 471-980- 56
559-300-7上
魏綸宋 1113-173- 18
魏綸明 559-268- 6
魏廣明 547- 46-142
魏儈隋 384-154- 8
魏頡令狐文子 春秋
384- 19- 1
404-722- 44
933-643- 42
魏增妻 明 見李氏
魏璋明 537-403- 57
魏蕭明 1267-824- 7
魏震宋 286- 92-309
魏震妻 清 見王氏
魏模唐 400-406- 538
魏箴魏歲 明 456-612- 9
546-341-126
魏質後魏 267-194- 56
379-305-150下
474-374- 19
505-851- 77
魏徵唐 269-664- 71
274-242- 97
384-163- 9
395-300-208
407-369- 2
446-161- 附
447- 56- 上
459-342- 21
472- 91- 3
474-375- 19
505-748- 72
506-318- 97
506-483-103
547-201-148
550-196-216
677-139- 14
820-133- 26
933-645- 42
1089-344- 23
1340-552-776
1371- 48- 附
1387-247- 15
1394-758- 11
1418-527- 53
1447-893- 54
魏憲魏道護 宋(字昭度)
448-388- 0
魏憲宋(字令則) 485-200- 27
493-645- 35
493-939- 50
511-728-165
589-345- 5
1127-510- 12
魏諷漢 384-506- 21
魏澹北齊～隋 263-194- 23
264-871- 58
267-197- 56
379-812-162
384-138- 7
472- 91- 3
474-374- 19
505-886- 79
933-644- 42
1387-196- 11
魏澤明 475- 74- 53
479-286-230
511-509-157
523-179-154
1442- 17-附1
1459-535- 18
魏遵明 540-802-28之3
魏璣明 547- 74-143
魏璣明 雷烇妻 473-607- 76
530-138- 58
魏璠金～元 295-234-164
408-938- 1
472-484- 21
505-779- 73
546- 84-117
1198-775- 5
1201-201- 82
1218-804- 6
魏璘遼 289-706-108
401-112-583
魏璞唐 511-839-168
魏樸明 532-655- 44
魏豫妻 明 見葉氏
魏默明(字本純) 473- 26- 49
515-380- 68
魏默明(字仲英) 1242-223- 31
魏縝明 1280-481- 91
魏縝妻 明 見嚴氏
魏錡呂錡、廚武子 春秋
384- 21- 1
404-720- 44
545-716-108
933-643- 42
魏衡妻 唐 見王氏
魏衡宋 487-510- 7
魏錕明 558-355- 35
魏濤宋 476-576-131
1114-665- 16
魏濤妻 宋 見劉氏
魏應漢 253-532-109下
370-175- 17
380-267-172
402-397- 5
469-182- 21
472-550- 23
476-881-146
540-701-28之1
545-205- 91
675-278- 11
933-643- 42
魏濬明 460-807- 86
529-619- 47
677-680- 61
1442- 88- 6
1460-502- 64
魏禧宋 見魏僖
魏禧清(字凝叔) 511-904-172
魏禧清(字冰叔) 516-187- 94
魏濠明 529-469- 43
魏燮宋 821-212- 51
魏懋宋 515-265- 65
529-602- 47
魏顆春秋 404-722- 44
472-460- 20
545-716-108
933-643- 42
魏鍾明 1267-821- 7
1267-832- 8
魏鍾妻 明 見王氏
魏禮元 472- 71- 2
魏禮清 516-187- 94
1313-106- 9
魏擴妻 明 見李氏
魏璧女 明 見魏氏
魏璧清 1475-957- 41
魏璿明 1267-822- 7
魏顒元 821-324- 54
魏謩唐 271-300-176
274-251- 97
384-271- 14
384-277- 14
396-212-271
469-491- 59

472- 93- 3
474-376- 19
505-749- 72
545-238- 92
554-645- 60
820-261- 29
933-646- 42
魏鎬清 505-694- 70
505-859- 77
魏麒妻 明 見周氏
魏寵妻 明 見何氏
魏瀚明 559-307-7上
563-821- 41
魏譚漢 370-179- 17
380- 74-167
476-663-136
魏勷清 478-485-199
魏璽明(字廷寶) 474- 41- 3
494- 44- 3
魏璽明(慶陽人) 558-422- 37
魏顗晉 486- 63- 3
魏鏡明 523-376-164
584-267- 10
魏鏞明 1267-821- 7
1267-831- 8
魏嚴妻 明 見劉氏
魏犨魏武子 春秋 371-413- 21
375-775- 90
384- 19- 1
404-720- 44
448-159- 7
545-715-108
933-643- 42
魏鏷明 494- 45- 3
魏霸漢 252-648- 55
370-193- 19
376-632-107上
384- 62- 3
402-406- 6
472-105- 4
472-550- 23
474-616- 32
476-857-145
505-673- 69
540-701-28之1
933-643- 42
魏顥唐 見魏萬
魏鰲明 546-338-126
魏瓘宋 286- 16-303
397-277-333
472-203- 7
472-297- 16
472-642- 26
473-297- 62
473-672- 79
473-757- 83
475-565- 79
477- 50-151
480-240-269
480-507-281
482- 32-340
482-319-354
485-435- 6
486- 48- 2
511-266-147
537-238- 55
563-652- 39
567- 52- 65
1113-244- 24
1376-326- 80
1467- 23- 62
魏鑑明(左參政) 528-448- 29
魏鑑明(江夏人) 569-663- 19
魏觀魏已孫 明 299-334-140
452-234- 6
472-222- 8
473-214- 59
475-121- 55
480- 56-260
493-727- 40
510-332-113
533- 5- 47
559-251- 6
676-446- 17
683- 96- 1
1229-394- 1
1229-406- 2
1374-193- 44
1442- 6- 1
1459-237- 4
魏鬢女 明 見魏氏
魏驥明 299-550-158
453-380- 9
453-595- 14
458-612- 1
458-1023- 1
472-1073- 45
475-176- 59
479-238-227
510-347-114
523-305-160
526-644-280
676-476- 18
820-614- 41
1241-127- 6
1242-385- 37
1284-355-163
1320-652- 73
1375- 38- 下
1442- 21-附2
1459-577- 21
魏鸞後魏 267-197- 56
379-306-150下
魏一恭明 473-635- 77
515- 52- 58
523-231-156
529-516- 44
563-792- 41
567-125- 67
1467-101- 65
魏一隅魏一愚 元
592-1023-下
1221-666- 26
魏一愚元 見魏一隅
魏一經妻 清 見馮氏
魏一鰲清 474-247- 12
魏二翁宋 472-578- 24
541- 91- 30
魏了翁宋 288-164-437
400-541-549
459-119- 7
471-807- 31
471-977- 56
472-223- 8
473- 87- 52
473-395- 66
473-428- 67
473-513- 71
473-528- 72
473-537- 72
480-652-289
481- 21-291
481- 71-293
481-309-307
481-333-308
481-348-309
481-362-310
481-373-311
493-1072- 57
511-892-172
515-244- 64
523-151-153
528-444- 29
533-747- 73
539-505-11之2
559-267- 6
559-307-7上
559-310-7上
559-315-7上
559-318-7上
559-387-9上
561-502- 44
561-507- 44
591-649- 46
592-601- 99
677-356- 33
680-201-244
683-179- 5
683-183- 5
684-492- 下
820-441- 35
1177- 83- 3
1178-420- 3
1284-332-161
1364-108-259
1367-371- 30
1385-349- 14
1394-523- 6
1437- 28- 2
魏人仰妻 明 見周氏
魏士前明 533-195- 53
魏士茂明 533-336- 58
魏士謙清 529-713- 50
魏子平金 291-274- 89
399-161-430
474-516- 25
505-779- 73
魏子建後魏 262-506-104
267-184- 56
379-303-150下
474-374- 19
478-242-186

505-747- 72
554-115- 50
933-644- 42
魏子貞宋 1198-974- 5
魏已孫明 見魏觀
魏大中明 301-143-244
458-211- 3
479- 98-221
523-363-163
676-634- 26
1442- 92- 6
1460-531- 66
1475-409- 17
魏大本明 537-458- 58
魏大用明 510-487-118
533- 91- 49
魏大名宋 1137-711- 26
魏大成明 505-892- 79
魏大信妻 明 見任氏
魏大賢明 505-912- 81
魏方升妻 清 見李氏
魏方泰清 479-632-245
482-541-368
515-852- 84
魏文昌元 476-158-104
547-559-161
魏文昌明 480-464-279
魏文昌妻 明 見甘元秀
魏文昇隋 559-312-7上
魏文弢清 529-688- 50
魏文帝曹丕 254- 45- 2
384- 85- 4
384-619- 36
537-177- 53
814-209- 1
819-558- 19
1370- 21- 2
1379-166- 22
1395-585- 3
1405-516-290
魏文帝后 見郭女王
魏文帝后 見甄洛
魏文帝元寶炬、托跋寶炬、拓跋寶炬 北魏 261-368- 22
266-113- 5
384-128- 7
554- 7- 48
魏文帝后 西魏 見乙弗皇后
魏文帝后 西魏 見郁久閭皇后
魏文帝女 北周 見元胡摩
魏文侯戰國 244-199- 44
371-415- 21
375- 51-77下
384- 7- 1
404-349- 21
405-451- 85
546-241-123
550- 75-211
550-406-222
魏文翁宋 473-537- 72
481-362-310
559-387-9上
592-601- 99
679-234-162
1173-249- 81
魏文[illegible]明 529-472- 43
1442- 58- 3
1460-174- 48
魏文煥清 529-688- 50
魏文瑞明 481-783-337
528-572- 32
567-367- 81
1467-238- 71
魏之克明 821-452- 57
魏之樞妻 清 見王氏
魏之憲清 476-184-106
547- 48-142
魏之璜明 820-750- 44
821-452- 57
1442- 98- 6
1460-591- 69
魏之翹明 1323-645- 2
魏不害漢 477- 46-151
魏王假戰國 244-210- 44
371-425- 21
375- 58-77下
魏元平漢 1397-647- 30
魏元忠魏眞宰 唐 270- 84- 90
270-103- 92
274-532-122
384-184- 10
395-511-228
469- 94- 12
472-681- 27
472-738- 29
472-930- 37
477-127-155
482-183-346
537-296- 56
537-423- 58
545- 22- 83
563-644- 38
820-147- 26
933-646- 42
1371- 51- 附
魏天良妻 清 見吳氏
魏天祐宋 680-275-253
1173-119- 71
魏天驥明 821-359- 55
魏木蘭隋 472-685- 27
475-782- 89
505-129- 49
506- 40- 87
512-139-181
537- 14- 48
538-197- 67
魏中立元 295-590-195
400-271-521
473- 44- 50
476-526-128
479-527-241
515-219- 63
540-781-28之2
魏少游魏少遊 唐 270-378-115
275- 50-141
395-698-243
472-107- 4
472-824- 33
473- 13- 49
477-521-175
478- 87-180
515- 8- 57
554-124- 50
933-646- 42
魏少遊唐 見魏少游
魏公韓明 533-179- 52
545-198- 90
魏仁夫明 1240-189- 13
魏仁浦魏仁溥 宋 285- 77-249
371- 36- 4
382-133- 18
384-323- 17
401-298-608
450-682-下3
472-708- 28
477-207-159
537-463- 58
933-646- 42
魏仁溥宋 見魏仁浦
魏允元元 見魏德元
魏允中明 300-798-232
474-480- 23
505-777- 73
1282- 7- 1
1292-219- 20
1442- 79- 5
1460-277- 52
魏以升母 明 見陳氏
魏允孚唐 474-480- 23
魏允枚清 1475-580- 25
魏允枘明 1475-679- 29
魏允貞明 300-796-232
474-480- 23
475-874- 95
505-777- 73
545- 99- 86
676-611- 25
1291-826- 3
1442- 77- 5
1460-389- 58
魏允桓清 1475-617- 26
魏允晛明 456-580- 8
魏玄同唐 270- 38- 87
274-477-117
384-183- 10
395-476-224
469-491- 59
474-375- 19
505-748- 72
933-646- 42
魏必復元 820-510- 37
1439-428-附1
魏必興明 478- 92-180
554-258- 52
魏弘政明 523-221-156
魏弘簡唐 1076- 85- 9
1076-543- 9

1077-105- 9
1342-315-944
魏正蒙妻 明 見李氏
魏正儒妻 清 見蘇氏
魏正謨妻 明 見鄧氏
魏世吉清 473-738- 82
魏世傑清 516-188- 94
魏以敬魏敬 明 821-369- 55
魏以繼明 456-673- 11
476-419-120
547- 84-144
魏含望衛令望 明
302- 73-293
456-426- 2
476-418-120
477-443-171
537-251- 55
546-340-126
魏守恭明 569-679- 19
魏守恭妻 明 見胡氏
魏亦永妻 明 見林玉美
魏亦彥妻 元 見廖氏
魏安仁妻 明 見時氏
魏安石宋 1181-255- 2
魏安行宋 472-402- 18
482-227-348
510-485-118
516- 18- 87
517-344-124
563-908- 43
魏有本明 523-309-160
676-255- 10
676-552- 22
魏有祿女 清 見魏氏
魏光國明 515-803- 82
魏光遠明 456-609- 9
魏光緒明 476-418-120
546-340-126
魏兆鳳明 516-182- 94
魏如友明 456-678- 11
魏名雯清 547- 85-144
魏仲禮明 1267-838- 8
魏仲犀唐 820-193- 27
魏仲遠魏壽延 明
526- 87-261
1318-237- 52
魏行可宋 288-314-449
400-162-513
473-603- 76
481-677-331
529-604- 47
1145-726- 83
魏行節明 1267-838- 8
魏行聞明 456-584- 8
538- 52- 63
魏宏遠明 456-572- 8
魏完眞明 456-662- 11
魏亨中宋 523-410-166
魏宋直宋 820-451- 35
魏宋德女 明 見魏懿眞
魏良用妻 清 見董氏
魏良臣宋 472-177- 6
472-359- 15
486- 53- 2
492-583-13下之上
511- 73-139
1148-766-163
魏良政明 301-790-283
457-321- 19
479-491-239
515-394- 68
魏良弼明 300-400-206
457-320- 19
473- 29- 49
479-431-236
479-491-239
515-393- 69
523-248-157
魏良槐明 554-517-57下
魏良器明 301-791-283
457-321- 19
479-491-239
515-394- 69
魏志寧明 1256-458- 31
魏成子公子成、公孫臣季 戰國
384- 29- 1
405-188- 68
546-432-129
魏成忠明 523-136-152
魏成郎宋 見魏師遜
魏孝友宋 481-677-331
529-603- 47
魏手孝祥女 宋 見魏氏
魏孝楞明 511-513-157
魏君祥明 510-427-116
魏克己女 唐 見魏氏
魏克家明 456-519- 6
474-246- 12
505-845- 76
魏克愚宋 472-377- 16
510-425-116
820-441- 35
魏呈潤明 301-355-258
481-617-329
529-576- 46
魏見威妻 清 見賈氏
魏谷才明 473-569- 74
魏谷倚唐 472-429- 19
魏伯泰明 1238-703- 25
魏伯陽漢 472-232- 8
475-157- 57
479-264-228
485-283- 40
486-333- 15
493-1097- 58
511-918-174
524-412-200
674-424- 2
677- 87- 9
1059-265- 2
1061-258-109
1141-798- 34
魏希古明 523- 88-149
魏希明明 1289-368- 25
魏希明女 明 見魏氏
魏希哲明 473-165- 57
515-107- 60
魏希儒妻 明 見劉氏
魏邦直明 1292-664- 11
魏廷式宋 286- 70-307
397-264-335
472-108- 4
473-333- 63
474-623- 32
480-399-277
505-763- 72
532-689- 45
532-735- 46
567- 49- 64
1467- 22- 62
魏廷相明 477-410-169
魏廷珮明 1249-184- 1
魏廷薦明 1460-732- 79
1475- 36- 23
魏廷謨清 533-330- 58
魏宗訥魏崇訥 宋
1114-690- 16
1482-413- 3
魏宗欽妻 明 見丘氏
魏宗衡清 533-317- 57
魏武子春秋 見魏犨
魏武帝女 漢 見曹節
魏武帝曹操、曹吉利
254- 13- 1
372-327- 7
384- 82- 4
384-613- 36
385-217- 25
469-140- 15
538-694- 79
812- 59-中
812-222- 8
812-711- 3
814-209- 1
819-558- 19
1370- 20- 2
1395-585- 3
1412-541- 23
魏武帝后 見卞皇后
魏武侯戰國 244-201- 44
371-417- 21
375- 52-77下
384- 7- 1
404-351- 21
546-242-123
魏其隆清 456-390- 80
魏居中女 宋 見魏氏
魏阿張元 499-434-159
魏長賢北齊 267-195- 56
379-500-155
384-138- 7
505-747- 72
933-644- 42
魏承祖後魏 262- 73- 71
魏承勳明 588-414- 37
魏承禧妻 清 見鄭氏
魏忠彬清 456-359- 77
魏忠賢李進忠 明
302-292-305
561-447- 43
魏尚元女 明 見魏氏

魏尚賢明 456-574- 8
538- 71- 63
魏明昌清 529-663- 49
魏明帝曹叡 254- 65- 3
372-349- 7
384- 85- 4
384-621- 36
537-177- 53
魏明帝后 見毛皇后
魏明帝后 見郭皇后
魏明朗北齊 263-193- 23
魏明孫宋 見魏和孫
魏明德明 472-1053- 44
523-244-157
魏明德清 528-501- 30
魏叔介宋 1165-350- 21
魏叔琬唐 820-133- 26
魏叔瑜唐 274-251- 97
812-744- 3
814-269- 9
820-133- 26
933-646- 42
1065-832- 20
1342-138-921
魏知古唐 270-177- 98
274-578-126
384-192- 10
395-544-231
469-523- 63
472- 92- 3
474-639- 33
505-794- 73
545-171- 89
933-646- 42
1371- 51- 附
魏季姐明 477-257-161
魏季景後魏 267-197- 56
379-306-150下
472- 89- 3
505-886- 79
933-644- 42
魏季蕃明 515-389- 68
魏和孫魏明孫 宋
1173-114- 70
魏秉孝明 554-657- 60
魏洪基女 明 見魏氏
魏為圻清 1328-359- 10
魏彥玄隋 264-873- 58
魏彥明宋 288-357-452
400-160-513
478-168-182
538- 39- 63
554-334- 54
魏彥卿北齊 263-194- 23
魏哀王戰國 244-204- 44
371-420- 21
375- 54-77下
384- 7- 1
404-353- 21
魏咸信 285- 79-249
382-133- 18
472-125- 4
472-544- 23
472-708- 28
533-464- 58
540-668- 27
1087-285- 29
魏咸信妻 宋 見陳國大長公主
魏咸熙宋 285- 79-249
472-708- 28
537-463- 58
魏持衡明 456-557- 7
477- 89-153
538- 71- 63
魏柱國妻 明 見謝三淑
魏相如北齊 263-193- 23
267-200- 56
379-503-155
魏柏祥明～清 505-876- 78
1312-882- 13
魏南鄭清 1323-646- 2
魏思廉金～元 1198-774- 5
魏若寬妻 清 見涂氏
魏昭子春秋 見魏絳
魏昭文女 宋 見魏氏
魏昭王春秋 244-205- 44
371-421- 21
375- 55-77下
404-353- 21
384- 7- 1
魏昭吉女 宋 見魏氏
魏昭侃宋 1087-289- 29
魏昭亮宋 285- 80-249
537-464- 58
1087-289- 29
魏昭迺女 宋 見魏氏
魏昭乘明 537-469- 58
魏皇后後唐 唐明宗后
277-431- 49
279- 92- 15
393-293- 74
魏益德北周 263-828- 48
267-784- 93
381-399-193
533-233- 54
魏庭郁妻 元 見陳寧
魏庭昭妻 清 見楊氏
魏恭子劉宋 475-426- 70
魏恭帝元郭、元廓 西魏
266-116- 5
384-129- 7
554- 7- 48
魏恭帝后 西魏 見若干皇后
魏眞宰唐 見魏元忠
魏桓子春秋 371-415- 21
魏桓帝后 北魏 見祁皇后
魏栖梧唐 820-179- 27
魏晉封明 533-158- 52
魏晉封妻 明 見吳氏
魏晉孫唐 812-351- 10
821- 45- 46
魏晉階妻 清 見謝氏
魏珩如明 533- 18- 47
魏起元明 456-632- 10
魏珠瑚清 455-269- 15
魏挺之宋 見魏掞之
魏時光明 302- 57-292
456-486- 5
479-495-239
480-128-264
515-448- 70
533-368- 60
魏時亮明 300-633-221
479-492-239
515-396- 69
1294-227-6上
1442- 62- 4
1460-200- 49
魏時敏明 529-730- 51
676-506- 19
821-403- 56
1254-381- 2
1442- 31-附2
1459-696- 27
魏時應明 515-436- 70
528-532- 31
676- 63- 2
679-683-205
魏師貞明 456-460- 4
505-859- 77
魏師遜魏成郎 宋 448-366- 0
魏純甫宋 1173-139- 72
魏純粹明 505-831- 75
魏惟紫清 554-778- 62
魏淵淵明 554-876- 64
魏康太宋 484-385- 28
魏都梁明 456-481- 5
546-340-126
魏掞之魏挺之 宋
288-448-459
401- 33-571
449-808- 14
460- 47- 3
471-661- 11
473-604- 76
481-678-331
529-607- 47
1145-647- 79
1145-668- 80
1146-124- 91
1158-168- 20
1167-753- 40
魏崇治明 456-602- 9
569-681- 19
魏崇訥宋 見魏宗訥
魏莊子春秋 見魏絳
魏國才妻 明 見程氏
魏國仕清 480-597-286
魏國忠妻 清 見高氏
魏國柱明 456-580- 8
554-724- 61
魏國梁宋 563-671- 39
魏國輔明 456-608- 9
537-306- 56
魏國輔妻 清 見祝氏
魏處直明 479-319-232
523-188-155
魏曼多魏蔓多、魏襄子
371-415- 21
404-726- 44

魏得禮明 529-698- 50
魏紹開元 554-470- 56
魏從恕元 473-267- 61
532-655- 44
魏善人清 456-360- 77
魏善調妻 明 見吳氏
魏詠之晉 256-392- 85
377-904-129下
485- 65- 10
493-675- 37
532-555- 40
540-716-28之1
933-644- 42
魏雲中明 476-418-120
546-329-126
魏雲章妻 明 見林氏
魏雲瑞元 820-541- 39
1224-224- 21
魏雲瑞妻 元 見宋秀英
魏雲鼎妻 明 見陳氏
魏惠王梁惠王 戰國
244-201- 44
371-418- 21
375- 52-77下
384- 7- 1
404-351- 21
546-242-123
魏朝宗明 545-673-107
554-313- 53
魏雄飛宋 1173-107- 70
魏閏宋清 翁應霨妻
530- 43- 54
魏登高明 547- 94-144
魏隆甫妻 明 見張氏
魏景琦明 456-572- 8
538- 45- 63
魏景義北朝 267-200- 56
魏景襄明 456-572- 8
魏景禮北朝 267-200- 56
魏華存晉 劉文妻、魏舒女
480-514-281
516-440-104
524-421-200
533-784- 75
541- 86- 30
820- 76- 23
1071-641- 9
1236-445- 3
魏無忌公子無忌、信陵君 戰國
244-473- 77
371-576- 47
375-948- 94
384- 27- 1
405-190- 68
472-650- 27
537-370- 57
1408-185-499
魏舜元宋 1098-829- 8
魏象先明 1410-447-722
魏象樞清 474- 95- 3
474-519- 25
505-642- 67
505-781- 73
506-655-109
506-712-114
1316-625- 44
魏溫仁齊 479-231-227
524-201-188
魏溫甫元 676- 96- 3
魏裔介清 474-623- 32
505-792- 73
魏裔訥清 505-831- 75
魏裔訥妻 清 見李氏
魏裔愨清 505-916- 81
魏新之宋 523-623-177
677-414- 38
1437- 31-附2
魏道明金 472- 54- 2
505-891- 79
1365-266- 8
1439- 4- 附
1445-491- 36
魏道純明 1267-822- 7
魏道微南北朝 524-414-200
魏道護宋 見魏憲
魏煥明明 676-197- 8
魏資善明 524-204-188
魏萬侯清 474-775- 41
479-403-235
502-777- 80
523-238-156
魏萬理唐 820-212- 28
魏敬仲北齊 263-193- 23
267-200- 56
魏敬益元 295-614-198
400-320-526
474-242- 12
505-900- 80
820-517- 38
魏業懋妻 明或清 見齊氏
魏傳弓唐 274-388-109
474-409- 20
505-757- 72
魏齊卿漢 554-629- 60
魏端夫宋 1127-159- 8
魏端意宋 黃之純妻
1173-275- 83
魏漢津宋 288-481-462
401-108-582
481- 86-294
592-501- 91
魏赫訥清 455-188- 9
魏壽延明 見魏仲遠
魏壽孫妻 明 見章聰
魏壽餘春秋 545-727-109
魏輔甫妻 明 見董氏
魏摶霄金 1365-129- 4
1439- 8- 附
1445-363- 24
魏爾直妻 明 見張氏
魏爾顯妻 明 見臧氏
魏際瑞清 見魏祥
魏際熙妻 清 見汪氏
魏嘉善妻 清 見周氏
魏翥國清 482-541-368
569-678- 19
魏夢斗元 460-477- 37
魏鳴朝明 481-784-337
529-650- 48
魏維燦明 456-572- 8
魏廣微明 302-317-306
魏慶之元 460-480- 38
魏廢帝元欽 西魏266-116- 5
384-128- 7
554- 7-48
魏廢帝后 西魏 見宇文皇后
魏養蒙明 537-523- 59
魏穀實母 明 見周氏
魏履祥明 456-572- 8
魏蔓多春秋 見魏曼多
魏德元魏允元 元
1198-775- 5
1201-684- 26
1367-719- 55
1373-128- 10
魏德元妻 元 見高氏
魏德剛元 592-1007- 下
魏德深隋 264-1042- 73
267-663- 86
380-209-170
384-157- 8
459-881- 53
472-125- 4
472-568- 24
476-609-133
505-688- 70
505-756- 72
540-637- 27
933-645- 42
魏德盛明 鄭璽妻
524-479-203
魏德義母 元 見段氏
魏德瑷胡德瑷 元 張允恭妻、魏愿女
1215-713- 10
魏澤厚妻 清 見李氏
魏選奇明 456-674- 11
魏興祖宋 485-537- 1
魏學泂明 301-145-244
479- 98-221
524-112-183
676-654- 27
1442-105- 7
1460-626- 72
1475-447- 19
魏學洙明 524-113-183
1475-508- 22
魏學洙妻 清 見江進姑
魏學思明 554-606- 59
魏學張明 476-659-135
魏學曾明 300-742-228
478-128-181
502-290- 56
554-605- 59
558-159- 30
676-586- 24
820-700- 43
1288-336- 10
魏學渠清 523-441-167
559-336-7下
1475-568- 25
魏學銓妻 清 見吳氏

魏學徵 明	476-367-117	魏權中 明	546-340-126	魏安承王 戰國 見魏安釐王	266-105- 5
	545-249- 92		554-306- 53	魏安釐王 魏安承王 戰國	384-128- 7
	545-444- 99	魏麟生 清	529-696- 50		384-128- 7
魏學濂 明	301-146-244	魏顯義 後魏 見魏釗			537-178- 53
	479- 98-221	魏體仁 清	474-481- 23		371-422- 21
	676-661- 27		505-913- 81	魏孝莊帝 后 北魏~北齊 見爾朱英娥	375- 55-77下
	1442-111- 7	魏體坤 女 明 見魏氏			384- 7- 1
魏學禮 明	511-745-165	魏體明 明	529-475- 43		404-354- 21
	676-594- 24	魏體咸 女 明 見魏氏		魏孝文帝 元宏、托跋宏、拓跋宏 北魏	魏孝靜帝 東魏 元善見
	1442- 59- 3	魏體泰 女 明 見魏氏			261-196- 12
	1460-302- 53	魏靈育 劉宋 見玄高		259-555- 57	266-117- 5
魏錫祚 明	545-251- 92	魏饗雲 劉宋	483- 16-370	261-102-7上下	384-129- 7
魏應仲 宋	460-300- 20	魏文成帝 乳母 北魏 見常氏		266- 68- 3	493-644- 35
魏謙吉 明	473- 18- 49			372-705-15下	537-179- 53
	505-791- 73	魏文成帝 托跋濬、拓拔濬、拓跋濬 北魏		384-126- 7	1401-431- 32
	515- 55- 58		261- 88- 5	537-178- 53	魏孝靜帝 后 東魏 見高皇后
	676- 61- 2		266- 59- 2	544-156- 61	魏明元帝 托跋嗣、拓拔嗣、拓跋嗣、託跋嗣 北魏
	679-651-202		384-125- 7	1196-190- 10	
魏襄子 春秋 見魏曼多			544-156- 61	1401-427- 32	258-614- 95
魏襄王 戰國	244-203- 44		1401-426- 32	魏孝文帝 后 北魏 見林皇后	261- 53- 3
	371-419- 21	魏文成帝 后 北魏 見李皇后			266- 40- 1
	375- 52-77下	魏文成帝 后 北魏 見馮皇后		魏孝文帝 后 北魏 見高皇后	372-660-15上
	384- 7- 1				384-124- 7
	404-353- 21	魏文成帝 女 北魏 見平陽長公主		魏孝文帝 后 北魏(廢為庶人) 見馮皇后	544-155- 61
魏槐祥 清	474-623- 32			魏孝文帝 后 北魏(諡幽皇后) 見馮皇后	魏明元帝 后 北魏 見杜皇后
	505-864- 77	魏文成帝 女 北魏 見建興長公主		魏孝文帝 女 北魏 見西河長公主	魏明元帝 后 北魏 見姚皇后
魏鎔中 清	537-527- 59			魏孝武帝 元修、托跋修 北魏	魏宣武帝 元恪 北魏
魏雙鳳 清	479-484-239	魏太武帝 保母 北魏 見竇氏		261-187- 11	259-564- 57
	505-823- 75			266-110- 5	261-136- 8
	515-101- 59	魏太武帝 托跋燾、拓拔燾、拓跋燾、託跋燾 北魏		372-725-15下	266- 90- 4
魏獻子 春秋 見魏舒			258-619- 95	384-128- 7	372-712-15下
魏藻德 明	301-291-253		259-553- 57	537-179- 53	384-127- 7
魏繼雲 清	505-896- 80		261- 63-4上	554- 7- 48	537-178- 53
魏繼盛 明	545-343- 96		266- 47- 2	544-205- 62	1401-430- 32
魏繼隆 金	545-338- 96		372-677-15上	魏孝武帝 后 北魏 見高皇后	魏宣武帝 后 北魏 見于皇后
魏繼標 妻 明 見提氏			384-125- 7	魏孝武帝 妃 北齊 見鄭大車	魏宣武帝 婕妤 北魏 見李氏
魏爕一 妻 明 見謝氏			544-155- 61	魏孝明帝 元詡 北魏	魏宣武帝 后 北魏 見胡皇后
魏蘭根 北齊	263-192- 23		819-568- 19	261-152- 9	魏宣武帝 后 北魏 見高皇后
	267-199- 56		1401-425- 32	266- 97- 4	魏宣武帝 女 北魏 見太原長公主
	379-502-155		1401-425- 32	384-127- 7	魏前廢帝 元恭、托跋恭 北魏
	472- 90- 3	魏太武帝 后 北魏 見賀皇后		537-178- 53	261-182- 11
	474-374- 19			魏孝明帝 后 北魏 見胡皇后	266-108- 5
	478-198-184	魏太武帝 后 北魏 見赫連皇后		魏孝莊帝 元子攸 北魏	
	505-747- 72			261-172- 10	
	554-115- 50	魏太武帝 女 北魏 見拓跋氏			
	933-644- 42				
魏懿眞 明 潘諫妻、魏宗德女	1260-602- 17

384-128- 7
537-179- 53
魏後廢帝元朗 北魏
261-186- 11
266-109- 5
384-128- 7
魏國公主義陽公主 唐 王士平妻 274-115- 83
393-283- 73
554- 55- 49
魏國公主遼 見耶律巴沁
魏國公主遼 見耶律伊木沁
魏國公主遼 見耶律觀音女
魏惠獻王女 宋 見趙氏
魏景湣王魏景愍王 戰國
244-210- 44
371-425- 21
375- 58-77下
384- 7- 1
404-354- 21
魏景愍王戰國 見魏景湣王
魏道武帝托跋珪、拓跋珪、託跋開 北魏 258-614- 95
259-553- 57
261- 37- 2
266- 31- 1
372-651-15上
384-124- 7
544-155- 61
1401-425- 32
魏道武帝后 北魏 見慕容皇后
魏道武帝后 北魏 見劉皇后
魏獻文帝托跋弘、拓拔弘、拓跋弘 北魏 259-555- 57
261- 96- 6
266- 64- 2
384-126- 7
544-156- 61
1401-427- 32
魏獻文帝后 北魏 見李皇后
魏獻文帝女 北魏 見常山公主
魏公主乳母 戰國 448- 49- 5

547-426-157
魏賽音布哈元 545-330- 95
魏國大長公主宋 王詵妻、宋英宗女 285- 66-248
393-325-277
819-594- 20
魏國大長公主宋 王承衍妻、宋太祖女 285- 63-248
393-322- 77
魏楚國大長公主宋 王師約妻、宋英宗女 285- 66-248
393-325- 77
繇伯繇 上古 243- 61- 2
383-212- 22
404-399- 23
544-149- 61
繇妻 上古 見女志
雞骨禪師晉 592-336- 81
鎬王金 見完顏永中
鎦宜元 見劉宜
鎦炳劉炳、劉彥昺、鎦彥昺 明
301-811-285
479-533-241
516- 59- 89
676-451- 17
1229-767- 9
1229-769- 附
1442- 8- 1
1459-411- 13
鎦某樗隱先生 明
1228-303- 2
鎦恕明 820-578- 40
鎦渙元 見劉渙
鎦堪元 見劉堪
鎦聞元 見劉聞
鎦斗鳳元 見劉斗鳳
鎦有開宋 494-341- 7
鎦均祥女 元 見劉宜
鎦彥昺明 見鎦炳
鎦堯輔元 821-302- 53
簡唐 1053-266- 7
簡五代 1053-322- 8
簡上清 481-117-296
505-679- 69
559-410-9下
簡方明 515-480- 71
簡文妻 明 見李氏
簡文女 明 見簡元

簡王唐 見李遘
簡王明 見朱由櫸
簡元明 簡文女 1467-267- 72
簡氏明 安應袍妻 483-332-397
簡氏明 高維遠妻 480-342-273
簡氏清 敖廷揉妻 479-686-248
簡氏清 賴守正妻 481-726-333
簡生元 821-327- 54
簡佐明 515-552- 74
簡狄上古 有戎氏女、有娀氏女
448- 9- 1
452- 41- 1
簡直明 564-268- 47
簡迪明 515-504- 72
簡皋夏 見皋
簡卿漢 933-588- 38
簡啟女 明 見簡祥貞
簡詔明 821-436- 57
簡登元 483-396-403
簡絳宋 1092-553- 52
簡詢妻 明 見張氏
簡雍蜀漢 254-615- 8
377-269-118上
384- 75- 4
384-453- 11
472- 29- 1
474-170- 8
505-709- 71
559-243- 6
933-588- 38
簡霄明 515-551- 74
676-546- 22
1442- 46-附3
1460- 2- 40
簡閱明 523-203-155
簡籍明 510-393-115
559-357- 8
簡文會五代 564- 33- 44
簡天碧元 821-330- 54
簡中陽明 533-750- 74
簡仁瑞明 302- 99- 294
456-575- 8
478-546-202
481-311-307
554-345- 54
558-203- 31
簡弘正唐 271-112-163
簡正理元 515-537- 74

簡世傑宋 480- 49-259
515-323- 67
1161-667-130
簡而可明 456-553- 7
480-252-269
480-342-273
533-385- 60
簡而廉明 533-461- 63
簡如英明 483-171-383
簡成書明 456-643- 10
簡克己宋 564- 77- 44
簡祖英明 564-143- 45
簡原輔明 558-233- 32
簡祥貞明 鄒濟泰妻、簡啟女
473-131- 55
479-684-248
516-271- 98
簡國寧明 478-434-196
554-313- 53
572-104- 30
簡紹芳明 561-556- 45
簡雲顛明 564-617- 56
簡欽文明 515-561- 74
簡實理元 1206-595- 9
簡履道明 見傅同元
簡親王清 見神保住
簡親王清 見雅布
簡親王清 見雅爾江阿
簡親王清 見喇布
簡親王清 見德沛
簡親王清 見濟度
簡親王清 見豐訥亨
簡應時明 572-107- 30
簡懋爵明 515-559- 74
簡繼芳明 515-509- 72
雛訛只金 見綽爾齊
鼫與戰國 見越王鼫與
繒賀漢 544-198- 62
933-440- 29
鐔丞蜀漢 933-499- 33
鐔政漢 933-499- 33
鐔顯漢 933-499- 33
歸宋 1053-327- 8
歸仁五代 1053-553- 13
歸氏明 王三接妻
1283-621-115
歸正明 1289-370- 25
歸正妻 明 見周桂

歸本五代	1053-293- 7	歸漢明	524-174-187		1284-179-150	雙漸宋	472-327- 14

※ 表格以原文欄位呈現如下：

歸本五代　1053-293- 7
歸均明　見古裕
歸南唐　564-620- 56
歸省宋　1053-457- 11
歸昭明　456-635- 10
歸則宋　1053-425- 10
歸信五代　1053-242- 6
歸珧唐　472-960- 38
　　479- 41-218
　　523- 72-149
歸眞宋　511-923-174
歸格明　見歸于德
歸庵明　1232-202- 1
歸喜宋　1053-579- 14
歸登唐　270-787-149
　　275-291-164
　　384-231- 12
　　396- 67-258
　　472-227- 8
　　475-128- 56
　　485-167- 22
　　493-865- 47
　　511- 89-140
　　684-483- 下
　　812-748- 3
　　820-217- 28
　　933-124- 8
　　1394-317- 1
歸義金　821-279- 52
歸椿明　1289-301- 19
歸暘元　295-492-186
　　399-754-495
　　472-197- 7
　　472-458- 20
　　472-664- 27
　　475-777- 89
　　476-372-117
　　476-916-148
　　477- 85-152
　　510-479-118
　　537-397- 57
　　545- 60- 84
　　547-197-148
歸鉞明　302-152-297
　　475-452- 71
　　511-527-157
　　1289-372- 26
　　1408-576-539

歸漢明　524-174-187
歸鳳明　1289-395- 28
歸稱唐　820-285- 30
歸融唐　270-788-149
　　275-292-164
　　384-272- 14
　　396- 67-258
　　472-227- 8
　　475-129- 56
　　485-167- 22
　　493-865- 47
　　511- 90-140
　　684-485- 下
　　820-258- 29
　　933-125- 8
歸靜宋　1053-450- 11
歸曉宋　1053-569- 14
歸儒明　494- 55- 2
歸嶼後梁　1052- 86- 7
歸璿明　1289-395- 28
歸繡明　302-152-397
　　475-452- 71
　　511-527-157
　　1289-372- 26
　　1408-576-539
歸藹後唐　277-561- 68
　　493-866- 47
歸三老明　1458-150-428
歸子慕明　301-856-287
　　475-138- 56
　　676-618- 25
　　1292-603- 10
　　1442- 83- 5
　　1457-616-400
　　1460-455- 61
歸于德歸格　明 1289-338- 23
　　1458-700-472
歸之甲明　456-637- 10
歸允肅清　475-143- 57
　　511-118-140
歸百泉明　1283-780-128
歸百泉妻　明　見郁氏
歸有光明　301-855-287
　　475-138- 56
　　479-135-223
　　505-677- 69
　　511-675-163
　　523-121-151

　　1284-179-150
　　1442- 63- 4
　　1454-358-123
　　1460-214- 49
歸有光妻　明　見王氏
歸有光妻　明　見魏氏
歸有貞明　511-528-157
歸罕仁宋　494-323- 6
歸吳山明　見吳歸山
歸宗敬唐　見歸崇敬
歸昌世明　820-753- 44
　　821-471- 58
　　1442-114- 7
歸眞子宋　567-460- 87
歸淑芬明　高陽妻
　　1475-824- 34
歸崇敬歸宗敬　唐
　　270-784-149
　　275-289-164
　　384-221- 12
　　396- 66-258
　　448-341- 下
　　472-227- 8
　　475-128- 56
　　485-167- 22
　　493-864- 47
　　511- 89-140
　　515-211- 63
　　933-124- 8
歸善王明　見朱當沍
歸善世妻　明　見陳氏
歸聖脈清　511-536-157
歸德王明　見朱載壦
歸翺孫明　1289-334- 22
　　1410-518-733
歸藏氏上古　見黃帝
鄾上古　見夒
獵驕靡漢　381-500-196
繞朝春秋　405-268- 73
繡枕明　561-216-383
繡君賓漢　933-710- 48
繡衣女子明　480-254-269
雙氏明　張梁妻、雙堅女
　　516-265- 98
雙虎金　見爽和
雙堅女　明　見雙氏
雙堅清　455-529- 33
雙華妻　宋　見邢氏

雙漸宋　472-327- 14
　　475-704- 86
　　511-334-149
雙德清　569-619-18下之2
雙士恪唐　484- 85- 3
雙子符唐　933- 51- 3
雙思貞唐　820-179- 27
雙泰眞南北朝　533-434- 62
雙襲祖唐　533-785- 75
遜佶烈後唐　見唐明宗
徹寶珠元　見三寶珠

十 九 畫

瀛宋　1053-321- 8
瀛王金　見完顏瓌
瀛王金　見完顏從憲
識道人晉　見惠式道人
譙王晉　見司馬承
譙王晉　見司馬恬
譙王晉　見司馬遜
譙王晉　見司馬尚之
譙王晉　見司馬無忌
譙王後趙　見石世
譙王北周　見宇文儉
譙王唐　見李元名
譙王唐　見李重福
譙玄漢　253-573-111
　　380-129-168
　　471-1023- 64
　　473-446- 68
　　473-478- 69
　　481-155-298
　　559-351- 8
　　559-511- 12
　　591-309- 24
　　591-588- 44
　　933-260- 18
譙本五代　592-332- 80
譙同蜀漢　254-655- 12
　　377-298-118下
　　559-363- 8
　　591-600- 44
　　933-260- 18
譙秀晉　254-655- 12
　　256-530- 94
　　380-427-177

385-209- 24
471-1018- 63
481-155-298
561-201-38之1
591-343- 27
591-602- 44
933-260- 18
1082-122-1下
1394-338- 2
譙定宋 288-444-459
401- 29-571
471-974- 55
471-1004- 61
473-478- 69
481- 82-294
481-115-296
561-200-38之1
591- 85- 6
591-624- 45
592-488- 91
677-231- 21
1162-345- 19
1163-503- 25
譙忠明 494- 40- 3
譙明明 559-386-9上
569-649- 19
譙周蜀漢 254-651- 12
377-294-118下
384- 76- 4
384-500- 19
447-197- 7
471-1018- 63
473-455- 68
481-155-298
559-363- 8
591-599- 44
679-755-211
820- 45- 22
933-260- 18
譙春宋 1173-115- 70
譙岍漢 254-651- 12
譙袗清 480-487-280
533-499- 65
譙敏漢 681-573- 11
681-683- 21
1397-453- 21
譙隆漢 469-696- 86
471-1047- 67
473-446- 68
559-359- 8
591-588- 44
933-260- 18
譙登晉 481-156-298
559-515- 12
591-403- 44
譙筌譙寶子 宋 448-389- 0
譙瑛漢 559-424-10上
譙熙蜀漢 559-363- 8
譙縱晉 256-649-100
370-396- 10
377-951-130
560-599-29下
譙謨明 533-345- 58
譙之奇妻 清 見劉氏
譙田龍明 480- 52-259
譙令憲宋 933-260- 18
1174-705- 44
譙仕雄明 554-313- 53
譙仲午宋 680-101-235
1173-192- 76
譙孟龍明 473- 18- 49
515- 95- 59
譙秉彝明 554-312- 53
譙南薰宋 471-1026- 64
譙熙載宋 288-577-470
401-139-587
譙寶子宋 見譙筌
禰衡漢 253-569-110下
254-198- 10
380-345-175
384- 71- 3
385-625-66上下
402-502- 12
409-527- 64
472-522- 22
476-520-128
477-481-173
480- 61-260
491-798- 6
533-720- 73
540-706-28之1
933-520- 34
1063-233- 0
1361-635- 29
1366-776- 4
1412-509- 21
懶牧金 476-312-113
547-526-160
懶翁李任義 明 554-959- 65
懶殘唐 473-361- 64
480-515-281
533-786- 75
證五代 1053-553- 13
證覺五代 1053-241- 6
龐方清 456-380- 79
龐公漢 見龐德公
龐氏宋 陳琪妻、龐籍女
1114-673- 16
1118-949- 64
龐氏宋 陳孝常妻、龐大同女
1121-618- 8
龐氏宋 李大年母
1149-730- 17
龐氏明 李景年妻 506-135- 89
龐氏明 袁三才妻 480- 95-262
533-537- 67
龐氏明 楊翀妻 555- 40- 66
1293-298- 17
龐氏明 廖琮妻 506- 11- 86
龐氏明 劉夢祥妻 477-170-157
龐氏清 王璇妻 477-549-176
龐氏清 芮苾妻 483-202-388
龐氏清 陳仁道妻 482-525-367
龐氏清 楊元浩妻 482-525-367
龐氏清 韓箎妻 506- 66- 87
龐玉唐 486- 40- 2
523- 5-146
554-578- 58
龐守龐岩郎 宋 448-371- 0
龐安明 523-100-150
龐伉晉 540-651- 27
龐行姜詩妻、龐盛女 漢
253-627-114
381- 42-185
481- 82-294
559-476-11中
591-511- 41
933-316- 23
龐宏龐肱 蜀漢 254-606- 7
377-263-118上
384-447- 10
473-475- 69
481-113-296
559-271- 6
591-664- 47
龐佃妻 明 見王氏
龐伸妻 清 見王氏
龐泮明 299-845-180
472-1106- 47
476-917-148
479-294-230
523-474-169
676-517- 20
1257-820- 3
1258-304- 7
1458-457-448
1467- 80- 64
龐杰明(龍泉人) 572- 83- 28
龐杰明(陸川人) 1467-213- 70
龐松明 483- 15-370
龐林妻 魏 見習氏
龐林蜀漢 254-606- 7
龐芝漢 482-537-368
569-641- 19
龐肱蜀漢 見龐宏
龐奎妻 明 見劉氏
龐迪魏 478-104-180
554-433- 56
龐迪金 291-295- 91
399-182-432
472-826- 33
472-904- 36
472-914- 36
472-924- 36
476-914-148
478-169-182
478-240-184
478-484-199
478-572-203
554-595- 59
558-176- 31
558-210- 32
龐淯母 漢 見趙娥
龐淯魏 254-346- 18
380- 29-166
384-681- 44
470-434-152
472-944- 37
478-728-212
558-404- 36
933- 50- 3
龐涓戰國 244-365- 65

546-436-129
龐恭周 933- 49- 3
龐桐妻 明 見王氏
龐晃隋 264-810- 50
267-487- 75
379-801-162
384-154- 8
554-571- 58
933- 50- 3
龐能明 1268-437- 68
龐清明 476-418-120
546-337-126
龐珵明 1255-574- 61
龐堅唐 271-507-187下
275-606-193
384-215- 11
400-105-509
472-642- 26
472-836- 33
477-472-173
478-116-181
537-341- 56
554-696- 61
933- 50- 3
龐統蜀漢 254-605- 7
377-262-118上
384- 75- 4
384-446- 10
447-186- 7
471-816- 32
473-249- 60
473-357- 64
480-292-271
532-701- 45
533- 86- 49
559-241- 6
590-486- 2
591-664- 47
879-160-58上
933- 50- 3
龐參漢 253-136- 81
370-199- 20
376-824-110
384- 63- 3
402-586- 20
472-743- 29
472-892- 35
474-731- 40
477-308-164
478-450-197
478-514-200
502-249- 53
537-490- 59
558-168- 31
558-180- 31
933- 49- 3
龐敘明 820-609- 41
1239-156- 37
龐敏宋 471-732- 20
515-142- 61
龐從後梁 見龐師古
龐渙晉 254-1017- 5
473-248- 60
480-293-271
533-339- 58
龐詠元 1201-435- 3
龐悳龐德 魏 254-345- 18
380- 28-166
384- 84- 4
384-680- 44
472-895- 35
478-516-200
558-414- 37
933- 50- 3
龐盛女 漢 見龐行
龐雄漢 376-805-109下
473-456- 68
481-115-296
559-363- 8
龐琦龐鳴祖 宋 451- 72- 2
龐森元 482-524-367
567-300- 76
1467-181- 68
龐萌漢 252-474- 42
370-215- 23
384- 56- 3
933- 49- 3
龐源妻 明 見王氏
龐詢明 482-559-369
569-658- 19
龐瑜明 302- 52-292
456-482- 5
478-672-209
480-248-269
533-386- 60
龐嵩明 301-745-281
475- 71- 52
510-315-113
564-101- 45
569-660- 19
龐敬明 473-281- 61
532-633- 43
龐愈龐大倪 宋 448-394- 0
龐經明 567-320- 78
1467-205- 69
龐愛清 456-136- 59
龐漢金 1365-287- 8
1439- 12- 附
1445-520- 39
龐輔明 554-310- 53
龐瑽明 528-453- 29
564- 91- 45
龐德魏 見龐悳
龐篔隋 820-127- 25
龐遵元 295-602-197
400-311-526
472-144- 5
474-278- 14
505-911- 81
龐穎清 567-359- 80
龐穎妻 清 見李氏
龐樹後魏 262- 80- 71
龐整金 547- 70-143
龐樸宋～元 494-433- 13
龐遺晉 483- 95-378
494-160- 6
570-115-21之1
龐濬唐 485-494- 9
龐贊明 567-420- 85
1467-182- 68
龐蘊唐 473-248- 60
480-301-271
533-767- 74
534-859-114
588-342- 3
1053-133- 3
1054-124- 3
1054-518- 15
龐嚴唐 271-157-166
274-331-104
395-362-214
472-201- 7
511-821-167
933- 50- 3
龐藉宋 286-116-311
371- 57- 5
382-422- 66
384-348- 18
397-298-337
449- 89- 8
450-181-22上
450-260-6中
471-606- 3
471-659- 11
471-713- 18
471-741- 21
471-934- 50
472-430- 19
472-544- 23
472-643- 26
472-825- 33
472-922- 36
473- 62- 51
473-281- 61
473-598- 76
476-657-135
476-817-143
477- 50-151
478-166-182
479- 91-221
479-677-248
494-298- 5
505-704- 70
515-129- 61
523- 96-150
528-437- 29
540-757-28之2
554-141- 51
708-331- 50
820-348- 32
933- 50- 3
1093-354- 48
1094-688- 76
1181-765- 11
龐籍女 宋 見龐氏
龐鑄金 291-714-126
472-625- 25
474-740- 40
502-791- 88
820-480- 36
821-275- 52
1040-246- 4

1365-159- 5
1439- 7- 附
1445-387- 27
龐一德明 532-619- 43
676-610- 25
1442- 77- 5
1460-382- 57
龐人統明 567-410- 84
龐士正明 1227- 98- 11
龐子夏漢 見趙娥
龐大同女 宋 見龐氏
龐大治妻 明 見陶氏
龐大倪宋 見龐愈
龐山民蜀漢 254-604- 7
254-1017- 5
386- 18-69中
480-293-271
533-339- 58
龐文遠明 1237-422- 16
龐太初明 524- 36-179
龐太棫清 1316-672- 46
龐元魯宋 1094-711- 78
龐天祐宋 288-409-456
400-298-524
473-302- 62
480-245-269
533-440- 62
龐天錫清 見陳天錫
龐友諒明 1255-698- 71
龐公孫宋 見龐恭孫
龐仁顯宋 820-454- 35
龐玉振妻 清 見范氏
龐巨昭唐 567- 46- 64
龐古善清 455-227- 12
龐安仁宋 511-680-163
龐安時宋 288-478-462
401-105-582
480-130-264
533-773- 74
1115-409- 49
龐同善唐 474-688- 37
502-256- 53
龐孝泰唐 473-778- 84
482-523-367
567-362- 81
1467-164- 68
龐希睿明 567-400- 83
1467-257- 71
龐秀之劉宋(河南人)
258-433- 78
龐秀之劉宋(江州刺史)
814-248- 6
820- 90- 24
龐長壽隋 267-488- 75
龐承寵明 523- 91-149
563-792- 41
龐尚廉明 546-607-135
龐尚鴻明(字少襄) 564-213- 46
龐尚鴻明(字昆成) 676-639- 26
676-723- 30
龐尚鵬明 300-726-227
478-769-215
481-494-324
482- 38-340
515-224- 63
523- 54-148
525- 30-217
525-160-225
528-461- 29
564-104- 45
676-586- 24
1442- 61- 4
1458-512-450
1460-193- 49
龐昌胤明 301-665-277
456-531- 6
510-449-117
龐明敘明 1237-423- 16
龐岩郎宋 見龐守
龐秉綱妻 明 見勞氏
龐彥海宋 288-324-449
400-181-514
481-236-303
龐貞素唐 486- 42- 2
龐負圖妻 清 見陸氏
龐恭孫漢 559-271- 6
龐恭孫龐公孫、龐孫恭 宋
286-118-311
397-300-337
473-408- 66
480-353-274
483-320-396
532-685- 44
571-546- 20
龐孫恭宋 見龐恭孫
龐弱翁明 1237-362- 10
龐振舒明 1237-362- 10
龐時雍明 300-792-231
510-377-114
540-821-28之3
龐娥親漢 見趙娥
龐師古龐從 後梁
277-187- 21
279-121- 21
384-299- 16
396-332-281
474-476- 23
505-773- 73
933- 50- 3
龐卿惲唐 269-509- 57
274-165- 88
395-254-203
545-557-103
龐寅孫宋 484-100- 3
龐惟方明 472-1102- 47
523-172-154
554-474-57上
龐鹿門明 533-775- 74
龐崇穆宋 見龐從穆
龐國棟妻 清 見魏氏
龐從穆龐崇穆 宋
812-465- 2
812-544- 4
821-160- 50
龐景川妻 明 見冀氏
龐景忠明 564-807- 60
龐景華龍景華 明475- 74- 53
511-511-157
1245-566- 29
龐塞凱清 456-293- 72
龐鳴祖宋 見龐琦
龐蒼鷹北齊 545-547-103
龐維則清 564-308- 48
龐履溫唐 472- 84- 3
龐德公龐公 漢 253-624-113
254-604- 7
386- 17-69中
448-112- 下
470-376-145
471-816- 32
473-248- 60
480-292-271
533-339- 58
871-902- 19
879-160-58上
933- 49- 3
龐德俊妻 清 見王氏
龐應賓明 480-201-267
532-658- 44
龐謙孺宋 674-843- 18
1165-357- 22
盧坦明 見盧坦
盧花明 567-546- 91
盧俗匡俗、匡裕、匡續 周
471-709- 17
471-703- 17
511-930-175
516-479-105
575-652- 39
933-406- 26
1061-271-110
1202-170- 13
盧文政明 見盧文政
盧江王劉宋 見劉褘
盧江王唐 見李瑗
盧江王明 見朱載堙
盧陵王劉宋 見劉紹
盧陵王劉宋 見劉德
盧陵王劉宋 見劉義眞
盧陵王劉宋 見劉敬先
盧陵王齊 見蕭子卿
盧陵王齊 見蕭寶源
盧陵王梁 見蕭續
盧陵王陳 見陳伯仁
盧陵君戰國 405-222- 70
盧戢黎春秋 405- 36- 58
533-349- 59
盧山護國和尚五代
1053-632- 15
靡伯靡 夏 404-401- 24
537-357- 57
546-424-129
靡常晉 殷仲孫妻、常仲山女
591-533- 41
離明周 1059-276- 4
離班漢 933- 68- 4
離婁戰國 933- 68- 4
離常之漢 933- 68- 4
譚五代 1053-564- 14
譚友妻 元 見董淑貞
譚氏宋 吳琪妻 288-456-460
401-159-590

473-684- 79
482- 79-341
譚氏元 譚仲悅女 482- 41-340
譚氏明 方存業妻 302-236-302
譚氏明 王道夫妻 482- 42-340
譚氏明 王道純妻 480-416-277
譚氏明 江一珍妻 475-614- 81
譚氏明 明仁宗貴妃、譚福女
532- 88- 26
譚代明 周室妻 1283-549-109
譚氏明 周笏妻 480-487-280
譚氏明 金震祚妻 480-343-273
譚氏明 徐灝妻 475-647- 83
譚氏明 徐夔妻 480-178-266
譚氏明 陳稷妻 1256-414- 26
1257-542- 10
譚氏明 傅志華妻 473-102- 53
516-331-100
譚氏明 程邦翰妻 516-247- 97
譚氏明 潘爵妻 482-280-351
譚氏明 蔡朝綱妻 482-188-346
譚氏明 劉文正妻 478-204-184
譚氏明 繆昌運妻 570-183- 22
譚氏明 譚光旦女 482-118-343
譚氏清 史有邦妻 474-412- 20
譚氏清 向學孜妻 480-180-266
譚氏清 宋雲德妻 481-237-303
譚氏清 李修妻 483- 36-371
譚氏清 周友善妻 480-513-281
譚氏清 陳之鸞妻 533-705- 72
譚氏清 歐陽輝妻 533-693- 72
譚氏清 譚永韜妻 480-353-274
譚氏清 羅興恒妻 480-513-281
譚必宋 473-684- 79
482- 77-341
482-484-364
563-699- 39
564- 69- 44
567- 64- 65
1467- 37- 63
譚玉金 見譚處端
譚弘妻 明 見沈氏
譚弘清 560-604-29下
譚布清 455-145- 6
502-461- 69
譚申宋 473-338- 63
515-102- 60
533-246- 55
譚安明 563-803- 41
譚完明 480-175-266
533-193- 53
譚甫明 1250-534- 50
譚虬明 567-144- 68
1467-133- 66
譚邠唐 820-263- 29
譚秀明 523-102-150
譚空唐 1053-437- 11
譚青明 479-630-245
譚忠唐 472- 26- 1
546-564-133
1081-574- 3
1344-475-100
1409-606-634
譚忠明 886-145-138
譚明明 528-511- 31
譚昇明 570-139-21之2
譚易妻 清 見苻氏
譚金劉宋 258-487- 83
265-596- 40
378--189-136
370-483- 14
譚侁宋 564- 57- 44
譚洪明 1467- 79- 64
譚宣明 559-395-9上
譚炤譚季哥 宋 448-377- 0
譚珂明 533-264- 55
譚珉明 559-275- 6
譚拜清 474-770- 41
502-488- 70
譚衍明 554-275- 53
譚俞清 456-367- 78
譚紀明 559-432-10上
譚高明 564-292- 47
譚祐明(字湘涯) 533-477- 64
譚祐明(字元助) 1261-569- 19
譚記妻 明 見態氏
譚畝女 宋 見譚幼玉
譚泰清 455-144- 6
譚珣妻 清見馮氏
譚珮妻 清 見馬氏
譚狆明 821-438- 57
譚恩明 456-606- 9
譚峭南唐 475- 83- 53
477-322-164
480-515-281
524-395-199
554-981- 65
1059-614- 下
1061-333-113
1473-753-100
譚倫明 559-366- 8
563-791- 41
譚清明 516-151- 93
譚淵明 299-395-145
472-403- 18
886-138-138
886-145-138
511-504-156
1256-265- 12
譚章 1128-281- 28
譚章明 545-407- 98
譚掞宋 564- 55- 44
585-757- 4
譚皎唐 812-731- 0
譚啟明 528-462- 29
554-312- 53
譚凱宋 564- 77- 44
譚絲明 456-523- 6
譚棨明 554-220- 52
559-353- 8
譚復元 1199-311- 32
譚溥明(昌邑人) 472-613- 25
544-220- 52
譚溥明(北直人) 532-686- 44
譚溥明(銅梁人) 554-259- 52
譚詮明 473-257- 60
譚雍宋 485-533- 1
譚煥宋 473-689- 80
564- 57- 44
譚塤妻 唐 見毛氏
譚瑄清 479-558-242
515-206- 63
譚瑋明 516-151- 93
譚瑛明 1253-146- 47
譚照明 511-526-157
譚遇妻 元 見夏淑明
譚福女 明 見譚氏
譚瑱陳 482- 90-342
564- 17- 44
譚維明 559-433-10上
譚綺宋 515-501- 72
譚綸明 300-642-222
474- 94- 3
478-768-215
479-287-230
479-660-247
481-493-324
505-637- 67
515-793- 82
523- 55-148
528-458- 29
567-132- 68
678-203- 89
1458-486-449
譚綬明 505-657- 68
譚廣明 299-511-155
453-437- 15
472- 51- 2
472-154- 5
474-513- 25
475-278- 63
505-634- 67
511-394-151
545-267- 93
1242-742- 5
譚澄元 295-280-167
295-547-191
400-364-534
472-154- 5
472-431- 19
472-718- 28
472-741- 29
473-559- 73
474-517- 25
476- 30- 97
477-243-161
481-268-305
483-219-390
505-780- 73
537-288- 55
545-141- 87
559-301-7上
1201-653- 24
譚適元 見譚立之
譚賢漢 476- 32- 98
547-126-146
譚闓明 559-399-9上
譚璋明 1271-416- 31
譚篆妻 宋 見青陽氏
譚篆清 533-197- 53
譚默明 510-394-115
577- 47- 2

譚學明 533-336- 58
譚縉明 515-203- 63
譚錦明 554-347- 54
譚翼明 479-811-255
516-149- 93
567-446- 86
1467-155- 67
譚聯晉 494-277- 2
譚藩唐 820-205- 28
譚顯漢 見鐔顯
譚讓明 523-202-155
譚纘明 559-395-9上
譚一召明 300-780-231
譚三謨明 456-602- 9
譚子宜唐 見譚阿宜
譚子發明 533-251- 55
譚大中明 1291-477- 8
譚大中妻 明 見李氏
譚大初譚太初 明
300-312-201
473- 18- 49
479-455-237
482- 90-342
515- 53- 58
564-181- 46
567-126- 67
676-574- 23
譚大寧明 564-212- 46
567-138- 68
譚六經清 482- 40-340
564-305- 48
譚方子宋 見譚方平
譚方平譚方子 宋451- 57- 2
譚文化明 456-583- 8
譚文用妻 清 見傅氏
譚文佑明 見譚文祐
譚文初妻 宋 見謝氏
譚文祐譚文佑 明
480-437-278
532-728- 46
譚文煥妻 明 見陸氏
譚之晉妻 明 見向氏
譚太初明 見譚大初
譚五倫妻 清 見耿氏
譚元方明 533- 64- 49
譚元亮明 533-195- 53
譚元春明 301-867-288
480-175-266
533-309- 57
1312-844- 11
1442-105- 7
1460-625- 71
譚元禮明 479-135-223
523-123-151
譚孔言明 523-248-157
譚孔昭明 456-672- 11
譚夫吾春秋吳 386-680- 9
493-793- 43
譚友直宋 563-693- 39
譚公道宋 482-119-343
譚公壽宋 見譚宋約
譚介維妻 清 見楊氏
譚立之譚適 元 1197-817- 87
譚永壽明 533-496- 65
譚永錫妻 清見王氏
譚永韜妻 清 見譚氏
譚玉瑞明 533-253- 55
譚弘寶齊 265-1045- 73
380-105-167
933-504- 33
譚正賓明 480-342-273
533-483- 64
譚本仁妻 明 見姚氏
譚世勣宋 286-732-357
382-710-109
397-764-366
473-338- 63
473-401- 66
480-407-277
533-246- 55
677-239- 22
933-504- 33
1457-268-368
譚世榮妻 清 見王氏
譚世遠宋 1147-586- 55
譚世選宋 533-246- 55
1147-587- 55
譚仕演明 567-449- 86
1467-156- 67
譚幼玉宋 程瀨妻、譚畝女
1184-350- 50
譚守約譚公壽 宋
448-400- 0
譚守眞明 483-308-395
572-163- 32
譚安暉明 533-496- 65
譚安榮宋～元 1228-789- 13
1229-113- 9
譚汝試明 567-387- 82
譚汝翼宋 560-602-29下
譚吉先宋 1161-680-131
譚吉先妻 宋 見左氏
譚吉璁清 478-270-187
523-521-171
554-349- 54
1318-493- 76
1475-624- 27
譚有得明 473-360- 64
533-263- 55
譚有臨妻 明 見郭氏
譚光旦女 明 見譚氏
譚自登妻 明 見劉氏
譚全播後梁 279-256- 41
396-404-291
516-145- 93
933- 77- 5
譚先哲明 456-467- 4
483-268-392
572- 88- 29
譚先哲妻 明 見劉氏
譚仲說女 元 見譚氏
譚志用妻 清 見李氏
譚克修元 1201-657- 24
譚克睿妻 清 見馬氏
譚孚光宋 1147-759- 72
譚伯生妻 清 見陳氏
譚希思明 300-629-221
533- 99- 50
譚廷輔明 676-213- 8
譚宗良妻 明 見梁氏
譚宗祥清 482- 91-342
譚性教明 476-827-143
537-344- 56
譚孟發妻 元 見熊氏
譚阿宜譚子宜 唐591-110- 8
592-205- 73
譚忠義妻 明 見黃氏
譚昌言明 474-373- 19
505-672- 69
523-439-167
676-625- 26
1318-240- 52
1442- 87- 5
1460-499- 64
1475-392- 17
譚叔卿女 明 見譚淑英
譚季哥宋 見譚炤
譚季蕭宋 821-249- 52
譚知古宋 1137-691- 26
譚知言宋 1161- 36- 75
譚知柔宋 451-204- 8
472-277- 11
511-773-166
譚知禮宋 1137-169- 3
譚延美宋 285-415-274
371-167- 17
396-673-315
472-574- 24
476-860-145
540-749-28之2
545-417- 98
譚彥才妻 宋 見王蔡
譚貞良明 1442-111- 7
1475-503- 22
譚貞和明 1442-114- 7
1460-673- 74
1475-500- 22
譚貞竑明 1442-114- 7
1460-674- 74
譚貞默明 524- 25-179
譚思敬明(湘潭人) 456-672- 11
480-414-277
譚思敬明(巴東人) 480-341-273
523-156-153
533-241- 54
譚思敬明(知大竹) 481-181-300
559-287-7上
譚若驥明 1232-610- 6
譚昭寶宋 533-316- 57
譚朗然明 480-353-274
譚振萃清 480-512-281
譚清海明 1442- 96- 6
1460-564- 68
譚清敘元 1221-405- 3
譚清遠明 456-672- 11
譚惟寅宋 471-832- 34
473-714- 81
482-185-346
482-451-362
524-335-195
564- 75- 44
567- 73- 65

679-137-152
1467- 48- 63
譚淑英明 譚叔卿女
483-282-393
譚陳堯妻 清 見官氏
譚國政明 538- 68- 63
譚處瑞金 見譚處端
譚處端譚玉、譚處瑞 金
541- 93- 30
547-513-160
820-485- 36
1439- 13- 附
1445-775- 61
1471-181- 25
譚紹先宋 1147-794- 75
譚啟宗宋 510-416-116
譚從簡清 476-251-110
505-809- 74
545-307- 94
譚朝士妻 清 見曹氏
譚登仕明 546-759-140
譚紫霄南唐 473- 79- 52
473-590- 75
479-583-243
481-594-328
492-601-13下之下
530-200- 60
譚景星元 295-606-197
400-315-526
譚景悅明 456-672- 11
譚景倉清 456-367- 78
譚舜典明 564-268- 47
譚進頗十國楚 480-509-281
533-454- 63
譚道生明 559-315-7上
譚資榮元 295-279-167
472-154- 5
477-243-161
545-141- 87
譚聖言明 456-616- 9
537-321- 56
譚聖謨明 568-214-106
譚經濟明 517-742-133
譚端伯宋 480-409-277
533-398- 61
譚壽海明 564-238- 46
1467- 63- 64
譚夢燕妻 清 見胡氏
譚鳳貞清 533-162- 52
譚敷惠妻 明 見李氏
譚德化明 480- 92-262
533-472- 64
譚德化妻 明 見楊氏
譚德溥清 483-340-398
572- 90- 29
譚應辰元 1228-797- 14
譚應春明 547-102-145
譚應奎明 523-155-153
譚應發元 1211-393- 55
譚瓊英清 533-320- 57
譚繼宗明 547- 21-141
譚繼統明 570-112-21之1
譚顯姑明 482-453-362
譚觀光宋 515-579- 75
癡海宋(性多癡) 524-448-201
癡呆子明 505-934- 85
懷一唐(居楞伽寺)1052-279- 19
懷一唐(居雲門寺)1061-297-112
懷三清 502-746- 85
懷王唐 見李洽
懷王唐 見李敏
懷仁唐(居弘福寺) 812-739- 3
813-261- 11
820-295- 30
懷仁唐(居隆興寺) 820-299- 30
1072-393- 2
1341-480-862
懷玉唐(號高玉禪師)
486-900- 35
524-421-200
1052-346- 24
懷玉唐(俗姓許) 1052-374- 26
懷丙宋 288-478-462
401-105-582
472-101- 3
472-843- 33
474-387- 19
505-937- 85
547-557-161
懷吉宋 1053-686- 16
懷志宋(嗣克文) 524-432-200
1052-783- 0
1053-751- 17
懷志宋(嗣省念) 1053-463- 11
懷佑唐 1053-218- 6
懷秀宋 1053-722- 17
懷空唐(俗姓梁) 592-447- 88
1052-291- 20
懷空唐(俗姓商) 1052-407- 29
懷空明 561-216-38之3
懷忠唐 1053-226- 6
懷岳唐 1053-289- 7
懷岳五代 1053-549- 13
懷宥宋 1053-655- 15
懷政唐 1053-164- 4
懷則宋 820-470- 36
懷迪唐 1051-237- 9
1052- 28- 3
懷信唐 1052-276- 19
懷信元 524-410-199
懷海唐 481-536-326
516-419-103
1052-140- 10
1053- 98- 3
1054-125- 3
1054-521- 15
懷祐唐 516-476-105
懷朗明 1475-784- 33
懷悅明 676-745- 31
1459- 696- 27
1475-208- 9
懷素唐(字藏眞) 473-392- 65
480-418-277
533-782- 75
684-559- 5
812-739- 3
813-301- 19
814-279- 10
820-296- 30
懷素唐(俗姓范) 1051-221- 9
1052-188- 14
懷素宋 1163-452- 19
懷班清 455-170- 7
懷恩明 302-264-304
懷清宋 1053-646- 15
懷祥宋 588-242- 10
1053-666- 16
懷深宋 589-353- 6
820-551- 39
1053-704- 16
懷書五代 1053-242- 6
懷敍吳 933-152- 11
懷敏宋 1113-427- 8
懷渭明 524-392-198
676-678- 28
1442-118- 8
1460-826- 89
懷惲唐(號隆闡大法師)
683-320- 15
懷惲唐(善草書) 820-298- 30
懷惲五代 1053-548- 13
懷義宋 1053-704- 16
懷義不詳 472-370- 16
懷道唐 1052-280- 19
懷感唐 1052- 68- 6
懷感宋 1053-573- 14
懷暉唐 554-951- 65
1052-134- 10
1053-114- 3
1341-509-866
1344- 38- 64
懷遠唐 1052- 58- 5
懷澄宋 1053-646- 15
懷賢宋 516-494-105
524-443-201
820-465- 36
1053-499- 12
1115-621- 36
懷瑾明 1442-119- 8
1460-839- 90
懷璉宋 481-621-329
516-494-105
524-408-199
526- 57-260
530-201- 60
1052-722- 18
1053-655- 15
1054-173- 4
1054-622- 18
1356-323- 15
1437- 37- 2
懷德宋 1052-337- 23
懷嬴辰嬴 春秋 晉文公夫人、晉懷公夫人、秦穆公女
404-762- 46
448- 44- 5
452- 80- 2
懷濬唐 592-434- 87
820-302- 30
1052-314- 22
懷顯宋 490-722- 70
590-140- 17

懷讓唐 480-515-281
533-786- 75
554-950- 65
1052-118- 9
1053- 94- 3
1054-118- 3
1054-473- 13
1344- 14- 62
懷讓明 1442-119- 8
1460-836- 90
懷仁王明 見朱遜焴
懷安王明 見朱厚熑
懷惠王明 見朱由模
懷慶王明 見朱載堡
懷閭公元 502-271- 55
懷應聘明 1475-676- 28
懷仁可汗唐 見骨力裴羅
懷慶公主明 王寧妻、明太祖女 299-106-121
麴允鞠允 晉 256-448- 89
380- 36-166
558-412- 37
933-718- 49
麴珍北齊 263-151- 19
267-124- 53
379-373-152
933-718- 49
麴昭唐 276-372-221上
麴信唐 493-867- 47
麴庭唐 812-355- 10
812-372- 0
821- 88- 48
麴祥麯祥、麴元貴 明
302-145-296
474-278- 14
505-898- 80
511-896-172
麴堅後魏 381-515-196
麴紹北齊 267-689- 89
380-638-183
538-363- 71
麴嘉後魏 262-468-101
264-1142- 83
267-843- 97
381-515-196
麴文泰唐 271-752-198
276-370-221上
381-516-196
384-297- 15
579-255- 29
麴元貴明 見麴祥
麴伯雅隋 264-1143- 83
381-516-196
麴信陵唐 451-434- 3
475-524- 77
510-413-116
674-256-4上
麴崇裕唐 276-372-221上
麴智盛唐 276-371-221上
麴聖卿漢 253-612-112下
380-582-181
顛吉春秋 見顛頡
顛僧宋 487-149- 9
顛僧清 503- 20- 92
顛頡顛吉 春秋 404-699- 42
933-246- 17
顛和尚清 554-959- 65
561-218-38之3
顛倒李明(夜倒掛於樹)
541- 99- 30
願昭宋 1053-415- 10
願菴明 821-489- 58
願誠唐 1052-386- 27
願齊五代 524-441-201
1053-408- 10
難生周 見脇
難陀喜 唐 592-369- 83
1052-287- 20
韜光唐 524-383-198
588-112- 5
588-186- 9
韜智宋 561-223-38之3
韜賚清 454-575- 59
隴王元 見火郎撒
隴王元 見忽剌出
隴撈宋 見趙懷德
隴政明 302-436-311
隴壽明 302-436-311
隴澄明 見安堯臣
隴西王北齊 見高紹廉
隴西王唐 見李博乂
隴西王明 見李貞
彊華漢 見彊華
彊劍春秋 933-419- 27
彊霓宋 見彊霓
彊釋之漢 933-419- 27
彊梁婁至眞喜 晉
1051- 53-2下
麗潤清 伍盛大妻 482- 50-340
關山明 474-514- 25
505-696- 70
546- 95-118
關氏唐 常修妻 820-307- 30
關氏明 濮仕通妻、關景旻女
1457-740-413
關氏清 劉興祖妻 503- 52- 95
關仝關同、關童、關穜 後梁
554-907- 64
812-440- 0
812-525- 2
813-126- 10
821-108- 49
關羽蜀漢 254-595- 6
384- 75- 4
384-441- 9
385-153- 16
459-285- 17
469-385- 46
471-815- 32
472- 28- 1
472-461- 20
473-245- 60
505-927- 84
533-351- 59
546-438-129
549-503-199
550-107-212
550-541-224
550-140-214
550-197-216
550-220-216
550-450-222
559-240- 6
564-781- 60
588-359- 3
933-231- 16
1192-371- 33
關同後梁 見關仝
關杞宋 585-758- 4
820-398- 34
關住清 455-601- 40
關注宋 479- 50-218
523-578-175
674-842- 18
關沼宋 585-444- 12
關並漢 554-427- 56
關坤妻 明 見安氏
關東清 455- 78- 2
關忠明(獲嘉人) 474-733- 40
502-280- 56
關忠明(魏縣人) 532-669- 44
關思關九思 明 524-357-196
821-443- 57
關保元 545-219- 91
549-418-196
關朗後魏 547-141-146
674-159-1上
677-129- 13
關珪宋 843-667- 中
關琇清 554-318- 53
關敏明 473-675- 79
563-848- 41
關童後梁 見關仝
關靖魏 254-156- 8
546-437-129
關瑜明 505-701- 70
關嶠宋 1175-548- 18
關嶠妻 宋 見郭氏
關福妻 明 見李氏
關齊清 455-467- 28
關瑱宋 843-667- 中
關播唐 270-536-130
275-151-151
384-226- 12
395-750-249
472-708- 28
475-796- 90
510-483-118
537-462- 58
933-231- 16
關鞏妻 清 見馬氏
關魯妻 宋 見傅氏
關操唐 820-195- 27
關興蜀漢 254-597- 6
377-258-118上
384-442- 9
385-155- 16
447-189- 7
546-439-129
933-231- 16
關穜後梁 見關仝
關禮宋 見闞禮

關寶後唐 384-310- 16
關驥明 510-487-118
564-110- 45
關九思明 見關思
關于衮妻 清 見文氏
關大生明 524-176- 1
關大宗明 524-194-188
關大忠明 456-603- 9
關大節明 561-206-38之1
關文若妻 清 見李城哥
關文振明 516- 83- 90
關文勝妻 明 見劉氏
關永傑明 302- 74-293
456-427- 2
476-919-148
477- 55-151
478-518-200
537-222- 54
558-416- 37
關可誠明 528-560- 32
564-182- 46
關世傑元 545-338- 96
549-629-204
關令尹喜 周 547-536-160
關良微妻 清 見夏氏
關廷訪明 554-311- 53
關枇杷魏 820- 38- 22
關忠國明 見閻忠國
關彥長妻 宋 見愼氏
關相宸妻 清 見李氏
關盼盼唐 張建封妻
512- 59-178
538-263- 68
1371- 79- 附
關耆孫宋 561-534- 44
591-260- 21
關康之劉宋 258-598- 93
259-532- 54
265-1067- 75
380-444-178
475-275- 63
511-843-168
547-130-146
563-618- 38
678-354-102
933-231- 16
關陳謨妻 明 見呂氏
關朝臣明 547- 17-141
關景仁宋 820-398- 34
關景仁妻 宋 見周琬
關景旻女 明 見關氏
關景暉宋 1118-665- 34
關景暉妻 宋 見曾氏
關祺稢明 564-255- 47
關漢卿金 546-733-139
關漢鼎妻 清 見劉氏
關輔宗妻 明 見彭氏
關維翰明 456-603- 9
570-130-21之1
關德聚元 1214-243- 20
關龍逢夏 404-401- 24
472-458- 20
538- 72- 63
546-425-129
550-243-218
550-272-219
933-231- 16
1343-730- 53
關鎭南明 567-385- 82
關寶顒後魏 546-345-126
瓊宋 1053-778- 18
瓊明 1229-166- 2
瓊王唐 見李悅
瓊王唐 見李祥
瓊華眞人唐 華陽公主、唐代宗女 274-114- 83
393-282- 73
554- 54- 49
鬷蔑然明 春秋 404-606- 37
404-880- 54
448-234- 19
537-361- 57
933- 33- 1
鬷聲姬春秋 齊靈公夫人
404-630- 38
藜光明 見黎光
藕花社僧不詳 1442-122- 8
曠唐 1053-188- 5
曠氏明 曠如轍女
1255-640- 66
曠奎元 1200-284- 23
曠昭明 456-544- 7
曠懷父元 1219-729- 8
曠驥明 1294-265-6下
曠如轍女 明 見曠氏
曠作成元 1219-732- 8
曠作楫元 1220-382- 3
曠彥溫明 515-221- 63
曠鳴鸞明 510-377-114
515-719- 79
曠維禎妻 元 見曾氏
疇無餘春秋 405-143- 64
453-725- 1
藩泰清 455- 79- 2
藩臬明 494-158- 5
藩楚清 455-517- 32
藩嚮蕃嚮 漢 476-582-131
540-704-28之1
羅元元 820-522- 38
羅屯清 455-218- 11
羅友晉 473-249- 60
480-294-271
533-230- 54
563-612- 38
羅丹金 400-240-519
羅丹雲南王 元 569-536- 17
羅丹清 456- 8- 50
羅仁元 1204-315- 10
羅仁明 1242- 56- 25
羅仁妻 明 見楊氏
羅仁女 明 見羅妙法
羅什清(伊爾根覺羅氏)
455-271- 15
羅什清(伊拉理氏) 455-673- 47
羅什清(鑲黃旗人) 502-589- 76
羅斤後魏 261-606- 44
266-421- 20
379- 16-146
546- 7-115
933-294- 21
羅氏晉 羅均用女 480-487-280
羅氏劉宋 宗炳妻 480-252-269
羅氏北周 長孫瑕妻、羅恒女
1400-186- 8
羅氏北周 羅協女
1064-291-777
1342-458-963
1416- 94-111下
羅氏宋 李寧妻、羅易直女
1118-971- 66
羅氏宋 張維妻 530-123- 57
羅氏宋 陳世卿妻
1105-838-100
羅氏宋 楊萬里妻 516-279- 99
518-764-140
羅氏宋 張士佺母
1146-115- 90
羅氏元 皮一薦妻
1197-693- 72
羅氏元 潘元紹妻
493-1083- 57
1386-265- 39
羅氏元 蕭道甫妻 479-729-250
羅氏元 孔思則母
1197-742- 77
羅氏明 丁恒信妻、羅永濟女
1251-655- 2
羅氏明 王悅妻 481-374-311
羅氏明 王瑞妻 480-178-266
羅氏明 王用器妻 480-416-277
羅氏明 尹鳳岐妻、羅宏達女
1242-224- 31
羅氏明 木青妻 483-163-382
570-208- 22
羅氏明 李芬妻 506- 36- 86
羅氏明 李禹妻 506- 78- 88
羅氏明 李明哲妻 481-158-298
羅氏明 李敬吾妻、羅溢女
1293-754- 5
羅氏明 呂若履妻 473-189- 58
羅氏明 呂源甫妻 473-625- 77
羅氏明 林向翰妻 530-129- 57
羅氏明 高龍妻 503- 30- 93
羅氏明 梁天峻妻 475-486- 73
羅氏明 曹道妻 473-342- 63
羅氏明 張柏菴妻、羅孟旭女
1261-179- 13
羅氏明 符賓妻 483-321-396
羅氏明 童釋卿妻
1235-615- 21
羅氏明 曾周易 479-729-250
羅氏明 黃思位妻 482- 79-341
羅氏明 黃思綱妻 530- 68- 55
羅氏明 楊珙妻 530- 5- 54
羅氏明 鄒雙崖妻
1294-216- 5下
羅氏明(潘鉞妻) 480-253-269
羅氏明(鄭炯妻) 506- 42- 87
羅氏明(鄭廷獻妻) 506- 32- 86
羅氏明 蔣爾誠妻 480-441-278
羅氏明 劉應禧妻 481-390-312
羅氏明 龍居德妻 482-373-357

482-486-364
羅氏明 盧如鼎妻、羅繡軒女 1312-370- 36
羅氏明 蕭嘉聞妻 473-131- 55
羅氏明 謝碧妻 479-796-254
516-401-102
羅氏明 藍鳳陽妻 479-796-254
羅氏明 嚴循閑妻 480-467-279
533-696- 72
羅氏明 1274-436- 16
羅氏明 羅瑚女 480- 95-262
羅氏清 左浩成妻 506- 63- 87
羅氏清 艾教民妻 503- 35- 94
羅氏清 朱天華妻 480-666-290
羅氏清 朱壽朋妻 482- 91-342
羅氏清 杜文倫妻 478-491-199
羅氏清 李家驤妻 481-727-333
羅氏清 邢日都妻 481-651-330
530-131- 57
羅氏清 吳自充妻 1314-406- 10
羅氏清 吳伯良妻 506- 23- 86
羅氏清 周溶妻 481-728-333
羅氏清 周奇祿妻 481- 84-294
羅民清 周報子妻 481-727-333
羅氏清 唐德焯妻 483-119-379
羅氏清 孫會隆妻 475-756- 88
512-136-180
羅氏清 梁貢妻 478-250-186
羅氏清 曹振失妻 479-501-239
羅氏清 張永祥妻 481-449-317
羅氏清 張桂芳妻 480-208-267
羅氏清 陳所養妻 483-119-379
570-201- 22
羅氏清 陳聖敬妻 482-436-361
羅氏清 程仲庸妻 479-730-250
羅氏清 鄧光遠妻 530-130- 57
羅氏清 劉正妻 479-685-248
羅氏清 劉高慈妻 530-131- 57
羅氏清 應尚琦妻 479-298-230
羅氏清 鍾香五妻 479-730-250
羅立妻 明 見劉氏
羅汀妻 元 見何氏
羅玉明(武進知縣) 505-651- 68
羅玉明(西充人) 559-369- 8
羅玉妻 明 見周氏
羅弘漢 482-317-354
563-598- 38
567- 18- 63
1467- 2- 62
羅弘明 1259-198- 15
羅弘妻 明 見朱氏
羅本宋 585-626- 25
590-430- 8
羅由宋 400-180-514
451-225- 0
羅田明 476-395-119
545-466-100
羅旦妻 明 見張氏
羅安明 473-341- 63
480-411-277
533- 97- 50
559-252- 6
羅江明 482-561-369
515-189- 62
570-104-21之1
羅江妻 明 見李氏
羅存宋 813-143- 12
821-255- 52
羅存明 1242-181- 30
羅托清(馬佳氏) 455-166- 7
羅托清(溫都氏) 456- 23- 51
羅色清 456- 51- 53
羅色清 456-205- 66
羅仲晉 見羅尚
羅良元 481-611-329
481-722-333
528- 10- 17
528-492- 30
529-634- 48
羅良妻 元 見陳德金
羅良明 1283- 14- 68
羅玘羅紀 明 301-831-286
473-101- 53
479-630-245
515-840- 84
676-518- 20
820-654- 42
1269-1016- 14
1442- 36- 2
1459-750- 29
羅圻明 456-627- 10
羅克明 483-161-382
570-125-21之1
羅虬唐 451-471- 7
1473-655- 94
羅佑明 554-483-57上
羅含晉 256-506- 92
370-334- 8
380-357-175
384- 94- 5
384-101- 5
473-299- 62
473-359- 64
480-238-269
480-509-281
516-199- 95
525-392-237
533-259- 55
533-735- 73
534-942-120
588-441- 1
933-293- 21
羅兒明 512-497-189
羅秀晉 567-456- 87
1467-510- 11
羅京明 1241-679- 15
1242-272- 33
羅京妻 明 見張氏
羅京清 505-653- 68
羅性羅子理 明 299-337-140
478-134-181
479-717-250
515-637- 77
554-887- 64
676-465- 17
820-574- 40
1238-108- 9
1238-263- 22
1374-393- 60
羅河羅伯崇 明 1237-411- 16
1242-154- 29
羅泌宋 479-714-250
515-594- 76
羅拖清 455-669- 47
羅阿元 400-258-521
羅協女 北周 見羅氏
羅林羅承季 宋 451- 60- 2
羅尚羅仲 晉 255-941- 57
377-634-124下
473-249- 60
933-293- 21
羅昌明(字祖昌) 1239- 83- 32
羅昌明(字文程) 1250-538- 50
羅明明(南昌人) 302- 11-289
473- 29- 49
473-446- 68
481-154-298
515-383- 68
羅明明(字元亮) 473-117- 54
515-782- 81
567-101- 66
羅明明(字文昭) 478-453-197
481-648-330
529-586- 46
554-210- 52
558-153- 30
羅明妻 明 見洪氏
羅昇宋 473-179- 57
479-769-252
516-431-103
羅昇宋 見羅雷發
羅昇明 1253-371- 60
羅昕明 564-117- 45
679-632-200
羅朋元 1197-811- 86
1439-433- 1
羅周明 1391-632-340
羅岱明 456-556- 7
羅岱清(鈕祜祿氏) 455-134- 5
羅岱清(佟佳氏) 455-312- 19
羅岱清(兆佳氏) 455-503- 31
羅岱清(伊拉理氏) 455-673- 47
羅岱清(孟氏) 456-304- 73
羅肦羅盻 漢 820- 36- 22
羅牧清 516-529-106
羅洪明 524-255-190
羅袒明 1240-841- 9
羅恆女 北周 見羅氏
羅恢明 見羅師程
羅拱明 511-190-143
羅威漢 402-540- 17
453-753- 4
473-675- 79
564- 8- 44
879-165-58上
879-183-58下
羅威唐 見羅紹威
羅珊明 481-644-330
528-513- 31
羅垚元 1202-284- 20
羅拯宋 286-391-331

397-500-350
472-603- 27
473-523- 72
473-640- 78
475- 17- 49
477- 79-152
481-309-307
481-491-324
481-549-327
523- 96-150
528-438- 29
537-393- 57
558-229- 32
559-306-7上
591-691- 48
羅奎明 554-511-57下
羅郁晉 533-788- 75
羅某宋(號赤腳) 592-218- 73
羅柔明 676-523- 21
羅盻漢 見羅肦
羅信明 472-174- 6
羅科清 455-511- 32
羅衍漢 473-429- 67
559-502- 12
591-508- 41
羅紀明 見羅玘
羅勉明 480- 88-262
532-624- 43
羅俊明(安福人) 299-607-162
羅俊明(扶溝人) 472-666- 27
羅俊明(字承彥) 473-154- 56
515-673- 78
559-250- 6
563-776- 40
羅俊明 見羅埈
羅容明 559-303-7上
羅涓唐 820-252- 29
羅高明 1261-159- 12
羅高妻 明 見郭氏
羅託清 483-228-390
571-535- 19
羅訓漢 533-342- 58
羅祝宋 460-216- 13
529-747- 51
羅素明 821-438- 57
羅泰明 460-498- 42
529-655- 49
529-719- 51
1240-372- 23
1391-812-356
羅泰清 456-269- 70
羅彧宋 471-674- 13
473-624- 77
481-721-333
516-121- 92
529-632- 48
羅烈宋 460-216- 13
529-633- 48
羅珝妻 明 見蕭妙華
羅珦唐 275-654-197
384-222- 12
400-342-530
472-195- 7
472-326- 14
472-825- 33
475-698- 86
478- 88-180
479-233-227
486-303- 14
510-461-117
511-334-149
523-461-169
554-124- 50
933-294- 21
羅珦明 482-348-356
567-103- 66
570-110-21之1
1467-775- 64
羅起清 455-117- 4
羅珠漢 515-289- 66
羅埈羅俊 明 456-627- 10
羅晏宋 473-448- 68
481-159-298
561-221-38之3
592-264- 76
羅紘明 1391-631-340
羅倩女 晉 見貢羅
羅倫明 299-816-179
453-462- 18
453-645- 25
457-754- 45
458-777- 5
473-156- 56
479-722-250
481-583-328
515-678- 78
528-485- 30
676-508- 20
677-547- 50
820-633- 41
1246-123- 4
1249-158- 9
1254-660- 4
1259-449- 3
1259-451- 3
1272-451- 14
1408-538-535
1442- 33- 2
1457-581-397
1459-706- 28
羅能明 523- 84-149
羅修明 529-702- 50
羅章妻 明 見李妙容
羅袍明 571-553-20
羅淑妻 清 見范氏
羅袞唐 273-113- 60
羅埧明 554-312- 53
羅理明 821-367- 55
羅理清 502-756- 85
羅基清 481-649-330
529-684- 50
羅規明 523-200-155
羅乾明 1467-118- 66
羅乾妻 清 見張氏
羅研梁 265-789- 55
378-313-139
481- 76-294
559-340- 8
591-537- 42
933-293- 21
羅彬明 537-290- 55
羅埰明 456-627- 10
羅通明 299-576-160
453-578- 10
473-152- 56
479-720-250
515-661- 77
559-249- 6
1240-145- 10
羅晟宋 515-601- 76
羅貫後唐 277-582- 71
羅紱宋 1161-624-126
羅紳明(字尚訓) 482-226-348
515-506- 72
563-851- 41
羅紳明(海康人) 564-220- 46
羅敏清 456-354- 77
羅富明 1259-216- 16
羅善明 515-678- 78
554-220- 52
羅曾元 1210-130- 10
羅敦後魏 261-607- 44
羅撝妻 明 見胡氏
羅雅明 821-361- 55
羅閏明 473-587- 75
羅琦清 502-479- 69
羅琥明 473-340- 63
480-411-277
533- 97- 50
537-317- 56
820-623- 41
1250-791- 76
羅椅羅天驥 宋 451- 55- 2
515-610- 76
1357-826- 9
1437- 31- 2
羅琛明 571-555- 20
羅提後魏 261-607- 44
羅貴明 1241-213- 10
羅華清 563-892- 42
羅淼唐 515-301- 66
515-567- 75
羅順明 563-788- 40
羅鈞明 1275-343- 15
羅喬宋 505-935- 85
羅循明 472-309- 13
510-376-114
510-383-115
515-687- 78
554-490-57上
1287-527- 23
羅循妻 明 見李氏
羅結後魏 261-606- 44
266-420- 20
379- 16-146
476-254-110
546- 7-115
933-293- 21
羅鐵明 515-842- 84
羅象漢 933-293- 21
羅傑明(大昌人) 456-681- 11
羅傑明(南昌人) 563-835- 41

羅復宋 472-368- 16
511-484-155
羅復明 472-679- 27
羅源明 1241-213- 10
1241-253- 11
羅義明 458-157- 8
537-517- 59
546- 87-118
羅溢女 明 見羅氏
羅靖隋 682-223- 3
羅靖元 錢龍祥妻
1226-491- 23
羅詢妻 明 見党氏
羅裔明 1467- 94- 65
羅愷妻 明 見孫氏
羅煒宋 1147-588- 55
羅道妻 明 見朱氏
羅瑚女 明 見羅氏
羅椿宋 515-597- 76
羅輅明(字質甫) 515- 93- 59
羅輅明(字木夫) 820-714- 43
1275-344- 15
羅瑋明 1258-319- 7
羅楫明 554-526-57下
羅幹明 481-745-334
羅照明 559-513- 12
羅愚宋 515-757- 80
羅嵩明 1467- 86- 65
羅鼎明 571-541- 20
羅暉漢 554-853- 63
812- 67- 下
812-230- 9
812-720- 3
814-225- 3
820- 31- 22
羅畸宋 471-913- 47
529-740- 51
羅敬明 1237-367- 10
羅睺唐 511-924-174
羅頌宋 1142-545- 附
1375- 9- 上
1376-373- 84
羅頎明 524-288-192
676-321- 12
1375- 9- 上
1391-633-340
1442- 30- 2
羅愈明 533-276- 56
羅經明(字大常) 473- 26- 49
515-380- 68
羅經明(上杭人) 473-625- 77
羅察清(伊爾根覺羅氏)
455-274- 15
羅察清(納喇氏) 455-397- 24
羅察清(完顏氏) 455-462- 28
羅浩清 480- 94-262
533-162- 52
羅福明 559-287-7上
羅寧明 567-309- 77
羅端明(鄧州人) 545-190- 90
羅端明(字坤泰) 1240-208- 14
1242-765- 6
羅漢明 567-107- 66
1467- 72- 64
羅滿清 456- 60- 54
羅榮明 529-461- 43
羅榮妻 明 見林氏
羅熙明 554-312- 53
羅戩宋 471-994- 59
473-491- 70
481-429-315
559-409-9上
羅遜宋 820-373- 33
羅睿明 558-293- 34
羅裳宋 515-524- 73
羅鳳明(字子文) 511- 78-139
571-545- 20
676-332- 12
1261- 72- 5
1263-490- 3
羅鳳明(字汝文) 1254-761- 2
羅銘明 523-228-156
羅銓明 472-312- 13
511-191-143
1239-145- 36
1241-749- 18
羅僑明 300-103-189
457-776- 46
479-287-230
479-723-250
515-684- 78
523-175-154
563-753- 40
676-296- 11
1275-304- 13
羅箎明 473- 25- 49
473-210- 59
515-369- 68
532-590- 41
676-494- 19
羅綺明(字尚絅) 299-578-160
458- 33- 2
472-700- 28
474-441- 21
478-596-204
481-464-319
505-765- 72
559-300-7上
591-392- 31
羅綺明(字憲章) 472- 52- 2
505-698- 70
羅緄明 532-697- 45
羅綱明(餘姚人) 545-387- 97
羅綱明(巴陵人) 559-298-7上
羅綱妻 明 見李氏
羅綠後蜀 820-321- 31
羅潮明 545-194- 90
羅澄明(興寧人) 564-248- 47
羅澄明(字齊淵) 1239- 62- 30
羅適宋 472-290- 12
472-1103- 47
475-365- 67
479-288-230
523-471-169
540-670- 27
674-824- 17
1115-638- 38
1356-343- 16
羅賢明(泰興知縣) 472-292- 12
羅賢明(蓬溪人) 510-409-115
554-340- 54
559-526- 12
羅賢明(字大用) 545-665-107
羅璋明 302-153-297
481-336-308
羅鞏宋 516- 27- 88
羅輝元 見羅明遠
羅輝明 1241-554- 10
羅儀明 563-766- 40
羅質明 559-311-7上
羅憲晉 254-639- 11
255-941- 57
377-633-124下
384-479- 15
385-190- 21
473-249- 60
473-489- 70
480-293-271
481-234-303
533-230- 54
559-292-7上
933-293- 21
羅諭明 554-250- 52
羅遵唐 1077-310- 3
羅璟明 299-465- 40
473-155- 56
515-674- 78
528-452- 29
676-508- 19
820-652- 42
1250-927- 87
1261-115- 8
羅璟妻 清 見陳氏
羅璣明 563-830-41
羅横唐～後梁 見羅隱
羅機清 455-216- 11
羅穎南唐 515-301- 66
羅翰明 532-634- 43
羅璞明 515-688- 78
571-546- 20
羅蕭明 見羅汝敬
羅鄴唐 451-470- 7
1365-451- 5
1371- 73- 附
羅縉明 540-785-28之3
羅錦明 545-403- 98
羅錦妻 清 見盛氏
羅衡漢 591-518- 41
羅衡後魏 561-608- 44
羅衡明 1246-453- 10
羅鴻明 676-137- 5
羅濬宋 515-591- 75
羅濟明 1242-137- 28
羅隱羅横 後梁 277-216- 24
278-459-133
407-647- 1
451- 10- 0
451-469- 7
471-585- 1
472-367- 16
472-966- 38
475-533- 77

475-613- 81
475-645- 83
479- 48-218
481-158-298
494-422- 13
511-908-173
524- 3-178
561-209-38之2
585-442- 12
590-135- 17
674-272-4中
674-810- 16
813-262- 11
820-322- 31
933-294- 21
1365-484- 8
1371- 73- 0
1388-556- 89
1394-499- 6
1473-584- 91
羅隱宋 567-461- 87
羅舉妻 明 見張氏
羅環明 482-485-364
483- 15-370
528-512- 31
567-108- 66
569-660- 19
1467- 85- 65
羅點宋 287-382-393
398-384-389
471-738- 21
473-115- 54
478-761-215
479-657-247
493-776- 42
510-283-112
515-752- 80
523- 17-146
1157-153- 12
羅爵明 482-502-365
1467- 85- 65
羅鎡明 480-615-287
羅績明 821-408- 56
羅篪明 見萬月娘
羅鍊明 533-772- 74
羅諶明 1242- 18- 24
羅璪明 1239-127- 35
羅燾明 676-520- 20
1442- 37- 2
1459-768- 30
羅璧元 295-257-166
399-604-480
472-239- 9
472-277- 11
472-325- 14
481-803-338
502-272- 55
511-178-143
581-514- 99
1202-284- 20
羅璧清 202-551- 73
羅彝明(號性菴) 515-509- 72
羅彝明(字性常) 1275-189- 9
羅薩清 455-371- 23
羅鎬妻 清 見吳氏
羅簡明 見羅汝敬
羅爌明 478-168-182
545-678-107
554-303- 53
羅懷漢 933-293- 21
羅願宋 287-214-380
398-251-381
472-380- 16
475-568- 79
480- 49-259
511-805-167
515-267- 65
532-614- 43
680-138-141
1142-549-附
1217- 22- 3
1221-295- 5
1226-148- 7
1363-657-207
1375- 9-上
1367-567-94下
1437- 23- 2
1455-320-210
羅韜南唐 515-568- 75
羅瓊明 528-458- 29
羅藝唐 269-494- 56
274-203- 92
384-178- 9
395-240-202
554-924- 64
933-294- 21
羅疇宋 472-402- 18
羅鵾明 511-583-159
羅黼明 820-679- 42
羅鏞明 567-110- 67
1467- 93- 65
羅鵬明 1287-792- 11
羅繹從思 明 1254-483- 6
羅繹妻 明 見鄭莒
羅獻晉 591-694- 49
羅鐸清 455-591- 39
羅鐩明 1467-117- 66
羅鑑明 473-341- 63
533- 97- 50
羅鱗明 820-622- 41
羅讓唐 271-530-188
275-655-197
384-222- 12
271-530-188
275-655-197
384-222- 12
400-342-530
486-311- 14
524-202-188
528-436- 29
820-234- 28
933-294- 21
羅觀明(字彥彬) 472-274- 11
515-362- 68
510-374-114
羅觀明(桐廬人) 472-1017- 41
羅觀明(梧州知府) 473-777- 84
1467- 63- 64
羅一理宋 515-334- 67
羅一貫明 301-566-271
456-420- 2
474-693- 37
478-613-205
502-297- 56
558-424- 37
羅一鶴妻 明 見陰氏
羅一鸑明 563-823- 41
羅二酉妻 清 見蘇氏
羅卜藏羅布藏 清(袞公子)
454-404- 26
496-218- 76
羅卜藏羅布藏 清(鄂齊爾子)
454-432- 32
496-217- 76
羅卜藏羅布藏 清(袞布伊勒登子)
454-437- 33
496-219- 76
羅卜藏清(博爾濟吉特氏)
454-576- 60
羅卜藏清(伊克明安氏)
454-848- 99
羅九有明 570-134-21之2
羅九鼎明 559-354- 8
羅人琮清 478-339-191
533-115- 50
554-318- 53
羅三才明 456-640- 10
羅士友宋 515-597- 76
820-440- 35
羅士正妻 清 見孫氏
羅士信唐 271-488-187上
275-580-190
384-175- 9
400- 91-508
474-434- 21
476-523-128
491-801- 6
505-628- 67
540-735-28之2
541-122- 32
545-453- 99
羅士程妻 唐 見吳氏
羅士綸妻 明 見陳氏
羅士毅清 479-496-239
515-456- 70
羅士質清 529-707- 50
羅子芳明 1467- 86- 65
羅子理明 見羅性
羅子理女 明 見羅靜端
羅子珣妻 清 見鄭氏
羅子實明 1232-657- 7
羅子宁明 456-629- 10
羅才徵清 532-752- 46
羅大已元 1220-539- 10
羅大任明～清 515-450- 70
1312-831- 10
羅大美清 476-881-146
540-679- 27
羅大奎明 532-710- 45
羅大紘明 300-809-233
457-382- 23
479-727-250

515-715- 79
677-665- 59
羅大經宋 567-443- 86
676- 15- 1
羅大魁明 564-263- 47
羅大器明 570-107-21之1
羅大爵明 456-582- 8
羅小川明 821-353- 55
羅上行宋 515-587- 75
1161-570-122
羅上達宋 1161-624-126
羅山王明 見朱有燂
羅心樸明 524-318-194
羅斗南羅保叔 宋451- 72- 2
羅方眞唐 820-287- 30
羅方遠唐 1061-304-112
羅文光清 567-164- 69
羅文佑晉 511-933-175
羅文忠妻 明 見劉淑賢
羅文英明 537-409- 57
羅文俊明 554-256- 52
羅文振明 1241-749- 18
羅文姬唐 羅元幹女
473- 31- 49
516-228- 97
羅文祥明 1275-349- 16
羅文袞明 533-276- 56
羅文現清 502-641- 78
537-226- 54
羅文靖明 528-487- 30
羅文煥元 1211-438- 62
羅文瑞明 820-742- 44
羅文瑜清 476-519-127
502-641- 78
540-678- 27
羅文節元 1220-538- 10
1224-140- 19
羅文鳳宋 564- 77- 44
羅文魁明 456-606- 9
羅文舉清 481-725-333
529-640- 48
563-892- 42
567-157- 69
羅文繡妻 明 見聶氏
羅文耀明 456-524- 6
羅之紀宋 515-468- 71
677-364- 33
羅太無元 526-636-280
羅王峰晉 547-536-160
羅元方妻 明 見萬氏
羅元幹女 唐 見羅文姬
羅元慶羅光慶 明456-605- 9
羅孔德元 1221-144- 5
羅尹凱明 480-412-277
羅天文妻 明 見洪氏
羅天西宋 515-470- 71
羅天祐明 481-215-302
561-222-38之3
592-274- 77
羅天驥宋 見羅椅
羅日生明 554-347- 54
羅中元明 559-514- 12
羅中權妻 明 見余氏
羅公升宋 515-614- 76
676-700- 29
1437- 35- 2
羅公任明 1236-240- 下
羅公弼宋 1124-654- 30
羅公遠唐 473-217- 59
481- 86-294
537- 61- 49
561-215-38之3
592-200- 73
1061-303-112
羅公器明 1240-770- 8
羅公願明 452-264- 8
羅仁昊妻 明 見李氏
羅仁節南唐 515-301- 66
羅仁壽妻 明 見劉氏
羅仁儉南唐 515-301- 66
羅介圭宋 1175-322- 31
羅立言唐 271-201-169
275-467-179
396-200-270
472-358- 15
475-606- 81
511-295-148
羅立賢妻 清 見周氏
羅必元宋 287-661-415
398-609-406
473- 22- 49
473- 44- 50
479-487-239
479-526-241
479-654-247
479-792-254
515-330- 67
528-443- 29
528-551- 32
羅必顯清 511-515-157
羅永高明 533-461- 63
羅永陞清 456-312- 74
羅永新明 476-451-123
羅永濟女 明 見羅氏
羅弘信羅宗弁 唐
271-379-181
276-185-210
277-130- 14
279-238- 39
384-290- 15
396-289-276
472-130- 4
505-773- 73
羅正茂妻 明 見劉氏
羅正楷妻 清 見陳碧芝
羅本通明 1257-224- 20
羅可錦明 480-439-278
羅世守明 559-407-9上
羅世亨明 1238-189- 16
羅世昌妻 清 見梁氏
羅世泰清 456-355- 77
羅世華元 524-197-188
1219-517- 23
羅世傑明 456-627- 10
羅世綬妻 清 見賴氏
羅世濟明 456-604- 9
478-297-188
554-728- 61
羅世禮明 529-700- 50
羅布扎清 500-726- 37
羅布藏清(袞布子) 見羅卜藏
羅布藏清(袞伊勒登子) 見羅卜藏
羅布藏清(鄂齊爾子) 見羅卜藏
羅次明明 515-633- 77
1236-705- 8
1374-651- 86
羅以禮明 299-588-161
478- 92-180
523-156-153
533-263- 55
羅仕儒明 483-372-401
572- 90- 29
羅仕顯元 563-718- 39
羅用俊明 473-156- 56
1261-187- 14
羅用俊女 明 見羅考珠
羅用敬明 523-122-151
羅卯成元 1193-724- 36
羅奴娘明 胡環卿妻、羅遜卿女 1251-593- 12
羅守成宋 473-725- 82
羅安邦明 456-556- 7
羅安強宋 1130-571- 12
羅安道明 1242-233- 32
羅汝文明 821-369- 55
羅汝元明 515-435- 70
羅汝成元 511-798-167
羅汝芳明 301-786-283
457-543- 34
479-630-245
510-418-116
511-903-172
515-843- 84
546-655- 19
680- 45-229
820-699- 43
1249-251-6上
1442- 59- 3
1457- 44-345
1458-384-444
羅汝楫宋 287-213-380
398-250-381
472-379- 16
485-459- 7
1158-767- 77
1226-148- 7
1375- 6- 上
羅汝楫妻 宋 見俞氏
羅汝敬羅簡、羅蕭 明
299-303-137
473-151- 56
479-719-250
493-788- 42
510-289-112
515-657- 77
554-198- 52
558-146- 30
1240-210- 14
1242-826- 9
1374-610- 82

羅汝錫母 元 見袁氏
羅衣輕遼 289-707-109
401-140-588
羅在堂妻 清 見馬氏
羅存敬明 1229-244- 7
羅有容宋 451- 97- 3
羅托渾清 455-687- 49
羅考珠明 蕭欽妻、羅用俊女
1261-190- 14
羅次丙元 1220-537- 10
羅光慶明 見羅元慶
羅多理清(烏喇地方人)
455-248- 13
羅多理清(鑲黃旗人)
455-272- 15
羅多理清(納喇氏) 455-366- 22
羅多理清(富察氏) 455-450- 27
羅多理清(佟佳氏) 502-736- 84
羅多渾清 502-517- 71
羅多理清 502-755- 85
羅伏龍明 456-534- 6
479-534-241
516- 90- 90
羅兆昌明 456-499- 5
羅兆桂明 456-499- 5
羅兆熊清 529-706- 50
羅兆鶴明 456-499- 5
羅名土明 474-635- 33
羅仕潔明 劉宏妻、羅欽順女
1261-191- 14
羅向辰明 528-459- 29
羅全略宋 515-599- 76
1161-632-126
羅企生母 晉 見胡氏
羅企生晉 256-457- 89
380- 44-166
384-101- 5
407-602- 5
473- 20- 49
479-485-239
480-238-269
515-296- 60
532-661- 44
933-293- 21
羅如松宋 1161-630-126
羅如墉明 299-664-167
473-154- 56
479-721-250
515-671- 78
1374-692- 90
羅仲風明 564-248- 47
羅仲矩明 1237-392- 12
羅仲深明 1239-165- 38
羅仲通宋 821-235- 51
羅仲舒宋 523-449-168
羅仲點明 1475-407- 17
羅伊利後魏 261-607- 44
540-630- 27
羅宏烈妻 清 見伍氏
羅宏達女 明 見羅氏
羅沛澤明 1254-396- 2
羅辛叔妻 明 見張氏
羅亨信明 299-711-172
453-353- 7
473-675- 79
474-513- 25
482- 36-340
505-635- 67
523- 36-147
545-268- 93
564-144- 45
1242-260- 33
1248-175- 9
羅沐八妻 明 見李氏
羅良臣妻 宋 見趙氏
羅良沛明 559-511- 12
羅良弼宋 515-596- 76
1147-137- 15
羅良會清 482- 40-340
羅良禎明 554-310- 53
羅志仁元 515-536- 74
676-703- 29
羅志沖宋 473-478- 69
559-351- 8
羅成功明 見盧成功
羅孝芬宋 473-317- 62
533-323- 57
羅均用女 晉 見羅氏
羅育萬妻 清 見楊氏
羅君文宋 400-180-514
451-225- 0
羅君友明 515-473- 71
羅克忠妻 見張氏
羅克索清 455-625- 43
羅克從妻 清 見王氏
羅克開宋 473-176- 57
515-600- 76
1164-416- 23
羅克端清 455-593- 39
羅劭京唐 271-530-188
羅劭權唐 271-530-188
羅似臣宋 1375- 12-上
羅伯崇明 見羅河
羅伯啟明 1227- 83- 9
羅伯壽元 1232-676- 8
羅希奭唐 271-482-186下
276-169-209
400-380-535
820-194- 27
羅佛童明 529-686- 50
羅秀吉妻 清 見鄭氏
羅秀姑明 482-188-346
564-347- 49
羅妙安元 鄭琪妻
295-638-201
401-185-593
473- 66- 51
479-561-242
516-346-101
羅妙法明 羅仁女473- 66- 51
羅妙應明 湯琳妻530- 8- 54
羅廷玉元 1209-426-7上
羅廷唯明 559-354- 8
羅廷勝妻 清 見馬氏
羅廷賢明 572- 82- 28
羅廷璠明 483-116-379
569-671- 19
羅廷璠妻 清 見楊氏
羅廷寶明 570-141-21之2
羅宗弁唐 見羅弘信
羅宗達妻 明 見鄭氏
羅宗禮明 1227- 92- 11
羅宜元妻 明 見朱氏
羅宓明明 533-491- 65
羅其鼎明 533-292- 56
羅其綸明 480-412-277
533-255- 55
羅青霄明 481-613-329
528-496- 30
559-356- 8
羅居通宋 288-404-456
400-294-524
473-431- 67
481- 77-294
554-346- 54
羅孟旭女 明 見羅氏
羅孟郊宋 471-848- 37
473-695- 80
482-304-353
515-305- 66
564- 59- 44
羅孟春明 529-700- 50
羅孟棫宋 515-534- 73
羅孟載明 1240-880- 10
羅孟敬明 1236- 93- 5
羅坤泰明 472-389- 17
510-494-118
羅拖理清 455- 95- 3
羅奇杰明 1467-257- 71
羅奇翠妻 清 見戴氏
羅阿奴後魏 261-607- 44
羅阿妹妻 清 見黃氏
羅長康宋 515-501- 72
羅承之宋 473-447- 68
559-512- 12
羅承季宋 見羅林
羅承富明 571-553- 20
羅承慈妻 明 見劉氏
羅承寵明 571-553- 20
羅孤峰明 1261- 93- 7
羅尚友宋 515-500- 72
羅尚忠明 511-322-148
515-237- 64
523-108-150
羅尚義宋 1161-629-126
羅尚賓明 481-724-333
529-639- 48
羅尚賢明 533-463- 63
羅尚價妻 明 見劉氏
羅昌齡明 676-176- 7
羅明昇清 475-274- 63
510-379-114
羅明祖明 529-588- 46
676-658- 27
羅明遠羅輝 元 473-150- 56
515-627- 76
羅明賢明 572- 81- 28
羅明諭明 533-159- 52
羅明寰妻 清 見吳氏
羅易直女 宋 見羅氏
羅叔韶宋 487-512- 7
487-516- 7

羅知悌宋 524-344-196
羅季清宋 708-1021- 95
羅周敬後晉 278-137- 91
279-240- 39
396-395-290
羅秉忠科爾羅頌占 明
299-529-156
羅秉厚妻 明 見曾氏
羅延齡明 683-220- 8
羅洪先明 301-787-283
457-261- 18
458-908- 8
479-725-250
515-700- 79
533-725- 73
533-744- 73
676-563- 23
820-693- 43
1287-527- 23
1442- 53- 3
1460-116- 46
羅為賡清 479-135-223
481-185-300
523-124-151
559-411-9下
羅宣明妻 元 見蔣德新
羅洛科清 502-735- 84
羅洛渾衍禧郡王 清(謚介)
454-143- 8
502-415- 66
羅洛渾清(伊爾根覺羅氏)
455-239- 13
羅彥山明 1275-345- 15
羅彥輔宋 472-350- 15
475-639- 83
510-443-117
511-325-149
515-243- 64
1120-615- 48
羅彥瓌宋 285- 93-250
396-461-297
472-436- 19
545-615-105
羅拱辰明 528-498- 30
594-214- 7
羅拱明妻 明 見何氏
羅春萬妻 清 見劉氏
羅南星清 529-588- 46
羅致恭宋 1096-774- 37
羅致福晉 473-285- 61
480-145-264
533-753- 74
羅茂英明 473-457- 68
559-365- 8
羅思成明 1239-126- 35
羅思哈清 455-336- 20
羅思敬元 517-517-128
羅思遠唐 276-104-204
401- 97-580
480- 67-260
533-749- 74
羅貞吉明 1240-751- 7
羅若川元 821-299- 53
羅信佳明 524- 44-180
羅科鐸平郡王 清 454-144- 8
羅勉學明 1241-807- 20
羅保叔宋 見羅斗南
羅俊士明 456-575- 8
羅俊民明 570-139-21之2
羅俊傑明 456-575- 8
558-424- 37
羅素月明 1442-126- 8
1460-860- 92
羅素珠明 張在魯妻
516-238- 97
羅晉用明 515-636- 77
羅振文元 1220-370- 2
羅時可元 524-150-185
羅時周明 567-446- 86
1467-154- 67
羅恩柔明 陳果妻、羅楚材女
1238-250- 21
羅峰翰妻 清 見劉氏
羅師程羅恢 明 515-649- 77
676-484- 18
1374-682- 89
羅耕隱明 1269-955- 11
羅修大明 1251-735- 8
羅修齡明 1241-348- 2
羅惟遠妻 明 見曾氏
羅章袞妻 清 見杜氏
羅郭佐宋~元 473-720- 81
482-209-347
563-711- 39
羅鹿齡明 820-699- 43
羅通微唐 472-470- 20
476-129-102
547-510-160
554-973- 65
羅崇之後魏 547-510-160
羅崇本明 473-153- 56
羅國相妻 清 見李氏
羅國珍明 570-250- 25
羅國楨明 456-629- 11
羅國賢明 572- 81- 28
羅國瓛妻 宋 見林昭珽
羅國巘明 見羅國瓛
羅國瓛羅國巘 明
302-123-295
456-424- 2
481-311-307
569-677- 19
羅處約宋 288-203-440
382-753-115
384-336- 17
400-638-558
473-431- 67
481- 77-294
493-740- 41
559-340- 8
591-539- 42
592-577- 98
933-294- 21
1086-183- 19
1437- 8- 1
羅得鴻明 456-604- 9
554-728- 61
羅紹尹妻 明 見李氏
羅紹威長沙王、鄴王、羅咸 唐
271-380-181
276-186-210
277-130- 14
279-238- 39
384-290- 15
384-309- 16
396-394-290
505-773- 73
814-280- 10
820-311- 31
933-294- 21
1383-788- 72
羅從彥宋 288- 31-428
400-467-543
458-183- 1
459- 85- 5
460- 50- 4
460- 59- 4
473-617- 77
481-646-330
482-115-343
515-318- 67
524-324-195
529-582- 46
539-503-11之2
563-682- 39
678-373-105
680- 90-234
1135-644-附
1135-758- 14
1135-764- 15
1135-777- 17
1363-702-212
1437- 23- 2
羅曾魯元 511-906-172
羅雲逵清 511-323-148
羅惠孺元 1197-539- 54
羅博文宋 460- 91- 5
473-617- 77
529-584- 46
1138-805- 22
1146-342- 97
羅博圖清 456- 35- 52
羅黃裳明 480-201-267
532-657- 44
564-211- 46
567-139- 68
1467-127- 66
羅朝彥妻 清 見劉氏
羅朝國明 515-424- 69
羅朝貴明 480-545-283
533-744- 73
羅開滿宋 515-129- 61
羅開養妻 清 見邱氏
羅開禮宋 480-436-278
515-609- 76
1251-761- 11
羅景泐清 474-570- 29
505-653- 68
羅景泰明 1242- 38- 25
羅景泰妻 明 見范氏
羅景莊元 515-625- 76
羅景鳴明 517-587-129

羅貴華妻 清 見龍氏
羅貴璉妻 清 見劉氏
羅華衮明 510-366-114
羅愉義明 300-567-216
480-413-277
533-100- 50
677-686- 61
羅無競宋 680-187-243
1137- 49- 5
羅無競妻 宋 見朱氏
羅勝光宋 821-258- 52
羅欽仰妻 明 見歐陽全貞
羅欽忠明 1261-187- 14
羅欽堯妻 清 見李氏
羅欽順明 301-760-282
457-779- 47
458-821- 7
479-723-250
515-685- 78
539-507-11之2
820-688- 43
1272-299- 2
1292-602- 10
羅欽順女 明 見羅任潔
羅欽德明 515-686- 78
676-529- 21
羅棐恭宋 515-590- 75
679-465-184
羅復仁明 299-302-137
452-225- 6
473-150- 56
479-716-250
515-631- 77
1236-758- 11
羅義明宋 529-680- 50
羅塞翁吳越 493-1055- 56
524-342-196
812-523- 2
813-152- 14
821-131- 49
羅道生劉道生 明
1237-304- 6
1239- 57- 30
1242-187-30
羅道珍後魏 262- 81- 71
羅道琮唐 271-541-189上
276- 14-198
400-409-538
546-266-124
933-294- 21
羅雷發羅昇 宋 451- 68- 2
羅瑞卿清 林永章妻
530- 26- 54
羅瑞梓妻 清 見曹氏
羅聘吾妻 明 見鄧氏
羅達哈清 455-120- 4
羅楚材女 明 見羅思柔
羅萬一妻 明 見李氏
羅萬化明 524-260-191
676-603- 25
1442- 73- 5
1460-347- 56
羅萬里明 564-255- 47
羅萬倉清 478-599-204
481-763-335
528-569- 32
558-436- 37
羅萬倉妻 清 見蔣氏
羅萬國清 524-104-183
羅萬程明 528-461- 29
羅萬象唐 524-296-193
1059-601-中
1061-325-113
羅萬象明(字光大) 480-171-266
510-503-118
515-410- 69
532-650- 43
羅萬象明(興寧增廣生)
564-263- 47
羅萬象明(字惟一) 820-749- 44
羅萬策明 533-765- 74
羅萬鵬明 572- 81- 28
羅萬藻明 301-869-288
479-662-247
515-808- 82
羅敬甫元 473-694- 80
羅虞臣明 300-412-207
564-279- 47
676-322- 12
羅鉉生妻 清 見朱氏
羅經詩清 456-355- 77
羅賓王明 676-633- 26
1442- 92- 6
1460-526- 65
羅誠之元 1222-663- 7
羅誠輔明 511-851-169
羅福興妻 元 見劉氏
羅漢章妻 清 見黃氏
羅漢鼎妻 明 見喻氏
羅榮祖宋 511-851-169
羅與之宋 1364-169-268
1437- 30- 2
羅壽甫元 1210-710- 18
羅熙明宋 516-445-104
羅爾吉清 455-133- 5
羅爾機清 455-165- 7
羅爾蘇清 455-136- 5
羅遜卿女 明 見羅奴娘
羅夢先妻 明 見周氏
羅夢傅明 1287-791- 11
羅鳴序清 483-282-393
571-543- 20
羅蒙正元 563-716- 39
564- 80- 44
1439-447- 2
1471-567- 14
羅鳳翔明 554-181- 51
羅鳳翥妻 清 見劉氏
羅鳳翱明 546-312-125
羅銘鼎明 456-499- 5
570-126-21之1
羅銘鼎母 清 見段氏
羅維先明 456-675- 11
559-521- 12
羅維藩宋 515-600- 76
678-386-106
1161-648-128
羅審理宋 515-580- 75
羅潤玄明 676-465- 17
羅賢英妻 明 見楊氏
羅慕菴清 511-876-170
羅輝莊清 林充漢妻
530- 32- 54
羅賜祥明 511-321-148
羅儀範明 1241-628- 13
羅德方明 1280-394- 85
羅德生元 1232-676- 8
羅德生妻 元 見劉氏
羅憲汶清 515-452- 70
羅憲凱明 510-448-117
515-414- 69
羅尊甫妻 清 見黃氏
羅樹聲明 559-270- 6
羅歷生妻 明 見賴氏
羅靜嵩明 康彥英妻、羅子理女 1239-200- 40
羅興恆妻 清 見譚氏
羅興堯妻 清 見林氏
羅篤良妻 明 見袁蘭秀
羅篤溫妻 明 見歐陽氏
羅學伊明 564-181- 46
羅穆岱清 455-609- 41
羅歙德明 676-333- 12
羅應祥明 481-407-313
羅應選明 456-583- 8
475-330- 65
533-406- 61
羅應鶴明 511-285-147
532-637- 43
羅濟全清 456-355- 77
羅懋官妻 清 見侯氏
羅隱之宋 554-869- 64
羅薦可宋 472-290- 12
473-617- 77
515-103- 60
529-581- 46
羅徽娘明 郭善仁妻
1261-189- 14
羅聽漢妻 清 見郭氏
羅繡軒女 明 見羅氏
羅繡錦清 474-773- 41
502-658- 79
羅懷表妻 宋 見章氏
羅韞匱妻 明 見歐陽壽娘
羅麗宸清 482-208-347
502-691- 81
563-880- 42
羅羅密清 455-694- 49
羅鵬翼妻 清 見劉氏
羅寶芳清 房大猷妻
478-406-194
羅繼宗明 563-829- 41
羅鑄夫宋 564- 77- 44
羅觀泰元 1232-588- 5
羅五十三妻 元 見貴格
羅克什納清 455-266- 15
羅金都都清 455-331- 20
羅睺羅多漢 1053- 21- 1
1054-272- 4
1054- 31- 1
羅漢和尚唐 1053-175- 4
羅漢和尚宋 1053-640- 15

羅禮穆都清 455-219- 11
羅卜藏車璘清 454-666- 72
羅卜藏袞布清 454-355- 18
羅卜藏喇什清 454-369- 20
羅卜藏察罕清 454-758- 84
羅色和碩齊清 456-205- 66
羅卜藏多爾濟清 454-715- 80
羅卜藏色布騰清 454-762- 85
羅卜藏車布登羅布藏車布登 清 454-385- 23
496-216- 76
羅卜藏達爾扎清 454-762- 85
羅卜藏錫喇布羅布藏什拉布 清 454-405- 26
496-218- 76
羅布藏什拉布清 見羅卜藏錫喇布
羅布藏車布登清 見羅卜藏車布登
羅布藏達穆巴清 496-217- 76
羅布藏噶爾桑嘉穆錯清 560-173- 21
藥科明 547-123-145
藥崧欒松 漢 253- 9- 71
376-761-109上
402-521- 15
469-444- 53
472-718- 28
472-764- 30
477-246-161
537-308- 56
933-740- 51
藥僧元 見岳索
藥子昂唐 545- 15- 83
藥元福宋 285-132-254
371-155- 16
396-481-299
472-435- 19
476- 38- 98
545-604-105
藥彥稠後唐 277-547- 66
279-171- 27
396-366-284
藥濟衆明 見樂濟衆
藥縱之後唐 277-581- 71
藥羅葛靈唐 見靈
蹶由公子蹶由 春秋 405-123- 63
485-148- 20
493-791- 43
耨里思唐 見努爾蘇
贊五代 1053-634- 15
贊王魏 見曹協
贊元宋 524-432-200
1052-760- 27
1053-486- 12
1054-638- 19
贊婆唐 271-705-196上
384-295- 15
贊寧宋 472-298- 12
492-719- 70
524-403-199
585-477- 14
588-245- 10
1054-163- 4
1054-609- 18
1086-196- 20
1437- 37- 2
贊布淩薩法喇 元 特穆爾布哈妻、阿爾彬女 492-608-13下之下
1206-648- 14
贊陀崛哆唐 483-164-382
570-259- 25
犢子漢 477-171-151
538-337- 70
1058-499- 下
1061-252-108
犢氏清 周光祚妻 476-373-117
鏗古訥清 455-286- 16
辭碓唐 1053-372- 9
鏡明 588-226- 10
鏡文明 572-163- 32
鏡中明 483- 18-370
570-250- 25
鏡塘元 821-333- 54
鏡臺翁隋 陳後主子 529-758- 52
鏡鍠唐 592-374- 83
邊卬春秋 404-810- 49
933-243- 17
邊氏宋 孫沔妻、邊調女 1117-192- 16
邊氏宋 袁燮妻、邊友益女 1157-293- 21
邊氏宋 陸珪妻、邊調女 1117-196- 16
邊氏明 宋文禮妻 506- 47- 87
邊氏明 孫之萍妻 506- 56- 87
邊氏明 韓思貴妻 506- 70- 88
邊氏清 王三錫妻 506- 64- 87
邊氏清 范九疇妻 506- 18- 86
邊永明 505-817- 74
1253-372- 60
邊沂宋 485-536- 1
邊伯春秋 404-485- 28
933-243- 17
邊定元 820-524- 38
邊武元 554-913- 64
820-524- 38
821-297- 53
邊昌元 680-303-255
邊昇明 458- 55- 3
477- 86-153
538- 71- 63
邊周清 456-368- 78
邊恢宋 491-437- 6
1157-216- 16
邊南清 456-302- 73
邊貢明 301-837-286
472-528- 22
473-299- 62
476-527-128
480-243-269
532-670- 44
540-796-28 之3
676-528- 21
1442- 42- 3
1459-868- 36
邊珝宋 285-353-270
396-628-311
472-289- 12
472-739- 29
472-839- 33
475-482- 73
478-346-191
481-801-338
537-299- 56
554-460- 56
567- 49- 64
1467- 21- 62
邊珣宋 493-701- 39
1117-167- 14
邊倣宋 485- 85- 12
493-741- 41
邊習明 1442- 70- 4
1460-338- 55
邊通明 1240-864- 9
邊肅宋 285-784-301
397-206-332
472-106- 4
474-406- 20
476-862-145
505-674- 69
540-754-28之2
1117-167- 14
邊傑明 540-662- 27
邊溥清 505-898- 80
邊靖明 472- 56- 2
474-243- 12
505-901- 80
邊詢明 478-338-191
554-214- 52
邊裕宋 493-925- 50
494-325- 6
邊祿清 456-368- 78
邊楷妻 清 見周氏
邊節明 1262-404- 44
1264-221- 12
邊節妻 明 見董金
邊遁明 570-253- 25
邊實明 533-741- 73
邊韶漢 253-557-110上
380-341-175
402-580- 20
469- 5- 1
471-1043- 67
472-652- 27
477- 59-151
481-407-313
538-124- 65
559-405-9上
933-243- 17
邊寧明(字定之) 538-153- 65
邊寧明(歷城人) 1264-218- 12
邊榮劉宋 378-174-136
邊鳳漢 472-652- 27
537-374- 57

邊鳳五代 491-803- 6
邊調宋 1117-167- 14
邊調女 宋(孫沔妻) 見邊氏
邊調女 宋(陸珪妻) 見邊氏
邊毅明 515-555- 79
1275-362- 16
邊輪明 559-522- 12
邊蔚後周 278-417-128
554-330- 54
邊賦明 1264-240- 14
邊億明 505-818- 74
邊魯邊魯生 元 820-529- 38
821-320- 54
1218-809- 6
1439-443- 2
邊憲明(知淮安府) 472-309- 13
邊憲明(字汝成) 505-741- 72
邊勳清 479-683-248
515-564- 74
邊鎬南唐 511-383-151
515-114- 60
534-949-120
933-243- 17
邊寵妻 明 見張氏
邊鏞明 505-741- 72
邊鐸明 494- 20- 2
邊讓漢 253-563-110下
380-343-175
477- 61-151
538-125- 65
933-243- 17
1063-186- 3
1412-427- 18
邊鸞唐 812-354- 10
812-370- 10
813-158- 15
821- 76- 47
邊士斌清 483-340-398
邊大變清 476- 31- 97
545-161- 88
邊文進明 821-364- 55
邊元鼎金 546-680-137
554-844- 63
1365- 61- 2
1439- 2- 附
1445-350- 23
邊元勳金 546-680-137
1365-261- 8
1439- 2- 附
1445-479- 35
邊友益女 宋 見邊氏
邊友誠宋 1157-279- 20
邊正卿元 1201-166- 80
邊世澤妻 清 見鄭氏
邊用和子 宋 1157-280- 20
邊有猷明 510-366-114
554-255- 52
邊光範宋 285-244-262
396-553-303
476- 39- 98
480-287-271
532-676- 44
545-607-105
邊邦傑元 1201-168- 80
邊居義宋 見邊居誼
邊居誼邊居義 宋
288-329-450
400-183-514
451-230- 0
473-269- 61
480-204-267
533-375- 60
邊孟屯明 821-365- 55
邊知白宋 485-201- 27
493-925- 50
493-1122- 59
511-434-153
邊知章宋 493-1002- 53
511-434-153
邊洞玄唐 472-101- 3
474-606- 31
499- 83-129
505-939- 85
1061-354-116
邊胡蚩妻 清 見李氏
邊若岱妻 清 見李氏
邊純德宋 見邊惇德
邊惇德邊純德 宋
493-925- 50
511-729-165
邊貫道遼 546-680-137
邊國鏡妻 清 見楊氏
邊雲遇邊釋孫 宋451- 53- 2
邊景元宋 493-925- 50
邊楚芳邊楚祥 明
821-364- 55
邊楚祥明 見邊楚芳
邊楚善明 821-364- 55
邊維垣明 559-349- 8
邊維翰妻 明 見魏氏
邊魯生元 見邊魯
邊鎭元宋 1189-329- 3
邊歸讜宋 285-237-262
472- 32- 1
505-715- 71
邊釋孫宋 見邊雲遇
邋遢仙明 511-935-175
繳氏清 王晉芳妻
506- 18- 86
繳氏清 李嬴妻 474-315- 16

二十畫

寶隋 472-101- 3
474-387- 19
505-937- 85
寶金 472-701- 28
474-445- 21
寶方明 533-793- 75
寶月宋(居白華岩) 516-451-104
寶月宋(居乾明院)1118-400- 20
寶月元 1369-467- 14
寶月明 570-255- 25
寶安宋 472-986- 39
479-108-221
491-119- 13
524-397-199
1052-416- 30
寶如清 541-101- 30
寶印宋 524-389-198
588-223- 10
592-412- 85
1053-894- 20
1054-209- 4
1163-622- 40
寶印明 547-534-160
寶色清 456-147- 60
寶林劉宋 1401- 76- 16
寶明明 1442-119-附8
1406-839- 90
寶金明 472-843- 33
478-393-193
547-532-160
554-956- 65
821-487- 58
寶亮梁 1054-350- 8
1401-167- 20
寶柱清 455-570- 37
寶珍宋 585-780- 7
寶象北周 592-441- 88
寶海北周 592-441- 88
寶格元 523- 30-147
寶茲清 455-529- 33
寶峰唐 1053-257- 7
寶倫宋 516-472-104
寶修唐 1052-135- 10
寶情宋 1053-478- 12
寶淵梁 592-441- 88
寶通唐 1053-187- 5
1054-128- 3
寶通元 295-579-194
400-257-521
寶通元 見寶童
寶唱梁 1051-157- 6
寶崖僧崖 北周或明
473-437- 67
481-121-296
561-220-38之3
592-428- 87
1050-810-115
寶童寶通 元 473-144- 56
515-148- 61
寶雲劉宋 1051-124-5上
寶雲唐 1053-123- 3
寶逵寶達 齊 490-719- 70
524-381-198
538-796- 26
585-476- 14
588-184- 9
1052-306- 21
寶貴隋 1051-187- 7
1401-645- 43
寶掌周～唐 479-337-232
480-145-264
486-338- 15
524-380-198
533-753- 74
588-276- 11
1053- 92- 2
1054-104- 3
寶菴明 570-255- 25

寶勝五代 1053-340- 8
寶意後魏 見勒那摩提
寶達齊 見寶逵
寶誌保誌 梁 265-1084- 76
380-622-182
472-180- 6
472-906- 36
475- 82- 53
478-491-199
492-594-13下之下
511-916-174
533-770- 74
547-541-160
558-482- 41
589-255- 下
589-231- 下
820-106- 24
1049-607- 41
1053- 87- 2
1054- 71- 2
1054-351- 8
1054-354- 8
1054-360- 9
1116-560- 30
1395-599- 3
1401-304- 26
1401-363- 29
1415-307- 93
寶徹唐 1053-112- 3
寶綠宋 1089- 76- 8
1089- 85- 9
寶燈明 541-100- 30
寶曇宋 487-153- 9
寶暹唐 1052- 19- 2
寶積唐 586-175- 8
1053-111- 3
1054-507- 14
寶瓊陳 1054-384- 10
寶瓊唐 592-355- 82
1050-158- 69
寶馨清戒 宋 1107-188- 11
寶嚴元 1054-768- 22
寶覺宋 821-264- 52
寶坻王明 見朱勤炬
寶思惟阿你眞那 唐
1051-226- 9
1052- 27- 3
寶豐王明 見朱充炕
寶脫禿花元 295-733-210
寶華和尚宋 1053-635- 15
寶壽和尚五代(居寶壽院為第二世) 1053-443- 11
寶慶公主明 趙輝妻、明太祖女 299-107-121
寶貝墨爾根清 455-502- 31
寶蓋山和尚五代 1053-540- 13
騫氏明 騫九思女 478-391-193
555- 55- 66
騫包秦 933-247- 17
騫彊晉 933-247- 17
騫綸前梁 933-247- 17
騫瑨明 545-408- 98
騫九思女 明 見騫氏
竇卞宋 286-379-330
397-490-349
472- 85- 3
472-557- 23
472-643- 26
474-635- 33
476-864-145
477- 52-151
477-499-174
505-702- 70
537-240- 55
540-760-28之2
竇氏漢 漢順帝貴人、竇章女 370-102- 6
402-342- 2
554- 17- 48
竇氏北魏 魏太武帝保母 261-211- 13
266-279- 13
373- 97- 20
竇氏後魏 拓拔力微妻、竇賓女 261-209- 13
266-277- 13
373- 95- 20
竇氏唐 竇孝諶女 1342-471-965
竇氏元 陳昇之母 1093-668- 20
竇氏元 吳世際妻 479-251-228
竇氏明 張國士妻 477-257-161
竇氏明 王一寧母 1239-198- 40
竇氏清 王九官妻 506- 17- 86
竇氏清 匡餘年妻 482-210-347
竇氏清 吳之奮妻 474-341- 17
竇氏清 范海妻 474-315- 16
506- 87- 88
竇氏清 張玘妻 506- 23- 86
竇氏清 錢執中妻 506-150- 90
竇允晉 256-462- 90
380-171-170
448-312- 上
472-693- 28
474-433- 21
478-104-180
478-652-207
537-262- 55
554-434- 56
竇本元 478-337-191
竇平唐 471-829- 34
竇申唐 270-617-136
275- 97-145
395-711-244
竇牟唐 271- 17-155
275-418-175
396-157-266
451-431- 3
478-118-181
1073-629- 33
1074-481- 33
1075-425- 33
1332-362- 2
1365-424- 3
1371- 66- 附
1378-521- 60
1383-182- 15
1383-183- 15
竇良女 唐 見竇桂娘
竇成明 456-665- 11
508-313- 41
559-508- 12
竇抗隋～唐 264-703- 39
267-267- 61
269-552- 61
274-229- 95
384-170- 9
395-259-204
474- 90- 3
478-109-181
546- 43-116
554- 74- 49
681-316- 23
933-708- 48
竇克宋 494-338- 7
竇豸清 474-313- 16
505-849- 76
竇妙竇妙華 漢 漢桓帝后、竇武女 252-194-10下
373- 47- 19
554- 17- 48
竇武漢 253-381- 99
377- 5-113上
384- 68- 3
402-483- 11
402-586- 20
459-263- 16
472-832- 33
478-102-180
544-200- 62
552- 19- 18
554- 68- 49
933-707- 48
竇武妹 漢 見竇瓊英
竇武女 漢 見竇妙
竇明明 546-338-126
554-252- 52
竇固漢 252-616- 53
370-128- 10
376-609-106
384- 57- 3
384- 60- 3
402-405- 6
478- 99-180
554- 65- 49
558-236- 32
933-707- 48
竇固妻 漢 見劉中禮
竇和明 1241-812- 20
竇庠唐 271- 17-155
275-418-175
396-157-266
451-432- 3
1074- 51- 2
1075- 58- 2
1332-370- 4
1371- 66- 附
竇威唐 269-550- 61
274-227- 95

384-170- 9
395-258-204
472-853- 34
478-109-181
547-200-148
554- 74- 49
933-708- 48
竇軌唐 269-551- 61
274-228- 95
384-170- 9
395-258-204
472-853- 34
478-694-210
537-296- 56
554-576- 58
559-260- 6
933-708- 48
竇茂明 515-110- 60
竇衎唐 269-553- 61
274-230- 95
395-260-204
竇胤明 683-151- 4
竇益晉 540-715-28之1
竇益宋 288-410-456
400-299-524
476-822-143
竇泰北齊 263-115- 15
267-144- 54
379-388-152
546-113-119
933-707- 48
竇恭北周 263-650- 30
267-267- 61
379-547-156
竇珣唐 552- 59- 19
竇桂明 1467-244- 71
竇琄唐 見竇希瓘
竇章漢 252-622- 53
370-129- 10
384- 57- 3
478-101-180
554- 68- 49
933-707- 48
竇章女 漢 見竇氏
竇祥明 559-276- 6
559-297-7上
竇常唐 271- 17-155
275-418-175
396-157-266
451-431- 3
475-380- 68
511-902-172
1332-358- 1
1365-423- 3
1371- 66- 附
竇偁宋 285-254-263
371- 61- 6
382-206- 30
384-338- 17
396-560-304
449- 14- 1
450-719-下8
472-676- 27
474-175- 8
477- 50-151
933-709- 48
竇紹漢 552- 19- 18
竇參唐 270-615-136
275- 96-145
384-228- 12
395-710-244
532-663- 44
554-928- 64
933-708- 48
1371- 65- 附
竇善後魏 263-648- 30
264-702- 39
267-267- 61
379-752-161
竇惲唐 269-551- 61
竇琮唐 269-552- 61
274-229- 95
384-170- 9
395-259-204
552- 54- 19
554-577- 58
竇琰唐 472-610- 25
476-725-138
540-656- 27
竇逵唐 269-554- 61
274-230- 95
395-260-204
竇景漢 252-620- 53
376-612-106
竇傑元 見竇默
竇集北周 544-218- 62
竇臮唐 814-277- 10
820-191- 27
竇滔前秦 1063-531- 附
1379-391- 48
竇滔妻 前秦 見蘇蕙
竇瑀妻 清 見趙氏
竇瑀妻 清 見盧氏
竇群唐 271- 16-155
275-417-175
384-253- 13
396-156-266
451-431- 3
511-897-172
554-840- 63
567-429- 86
820-233- 28
1332-366- 3
竇瑗後魏 262-266- 88
267-652- 86
380-193-170
472-143- 5
474-433- 21
474-650- 34
474-735- 40
502-317- 58
505-674- 69
505-704- 70
505-727- 71
544-212- 62
933-708- 48
竇節唐 820-145- 26
竇賓女 後魏 見竇氏
竇漢唐 482-183-346
563-643- 38
竇榮元 1214-225- 19
竇輔漢 480-545-283
554- 69- 49
567-422- 86
竇兢唐 274-388-109
395-442-221
554-926- 64
559-313-7上
1065-230- 5
竇遜五代～宋 285-250-263
474-570- 29
竇蒙唐 814-277- 10
820-191- 27
竇潤明 511-369-150
竇潏唐 472-366- 16
475-639- 83
510-443-117
竇誼漢 561-211-38之2
竇毅北周 263-650- 30
267-268- 61
379-547-156
476-257-110
478-106-180
544-219- 62
546- 47-116
554- 73- 49
竇毅女 唐 見竇皇后
竇誕唐 269-554- 61
274-230- 95
395-260-204
554- 75- 49
竇慶隋 264-703- 39
267-268- 61
379-753-161
546- 43-116
554- 74- 49
814-263- 8
820-126- 55
竇賢北周 263-651- 30
267-268- 61
379-548-156
480-318-272
546- 48-116
竇瑾後魏 261-634- 46
266-544- 27
379- 88-147
476-858-145
554-109- 50
933-707- 48
竇璋元 1206-696- 5
竇鞏唐 271- 17-155
275-418-175
396-157-266
451-432- 3
820-233- 28
1332-374- 5
1371- 66- 附
竇儀宋 285-250-263
371- 61- 6
382-204- 30
384-328- 17
396-558-304

449- 13- 1
450-719-下8
472- 33- 1
472-401- 18
472-717- 28
474-175- 8
499- 85-129
505-715- 71
537-286- 55
708-325- 50
933-708- 48
竇憲漢 252-617- 53
370-128- 10
376-610-106
384- 57- 3
402-406- 6
402-542- 17
472-831- 33
554- 66- 49
933-707- 48
竇憲隋 264-703- 39
267-267- 61
379-753-161
552- 48- 19
竇熾紇豆陵熾 北周
263-648- 30
267-265- 61
379-545-156
384-140- 7
476-257-110
478-106-180
478-669-209
535-556- 20
544-213- 62
544-214- 62
546- 41-116
552- 37- 18
554-563- 58
558-187- 31
竇熾女 北周 見紇豆陵含生
竇遵後魏 261-635- 46
266-545- 27
379- 89-147
814-259- 8
820-118- 25
竇融漢 252-609- 53
370-128- 10
376-604-106
384- 57- 3
402-394- 5
471-922- 48
472-830- 33
472-943- 37
478- 96-180
478-612-205
554- 64- 49
933-707- 48
竇靜唐 269-553- 61
274-230- 95
384-170- 9
395-260-204
472-429- 19
476- 26- 97
478-111-181
545- 20- 83
546-459-130
554-443- 56
933-708- 48
竇璡隋 264-703- 39
267-268- 61
269-554- 61
274-230- 95
395-261-204
546- 43-116
554- 74- 49
814-263- 8
820-126- 25
820-135- 26
竇默竇傑 元 295-156-158
399-467-463
451-596- 8
453-767- 1
459-130- 8
472-116- 4
474-439- 21
474-481- 23
505-765- 72
505-873- 78
506-592-107
533-725- 73
竇覦唐 271-417-183
竇勳女 漢 見竇皇后
竇濟清 456-238- 68
竇嬰漢 244-714-107
250-280- 52
251-578- 20
376-139-98上
384- 45- 2
469-518- 63
472- 87- 3
474-602- 31
505-783- 73
539-349- 8
554- 60- 49
933-706- 48
1360-609- 38
1408-284-507
竇鍔妻 唐 見昌樂公主
竇織女 北周 見紇豆陵含生
竇瓌漢 252-620- 53
376-612-106
552- 19- 18
竇犨春秋 545-495-101
549-601-203
竇儼唐 473- 43- 50
515-210- 63
1201-397-100
竇儼宋 285-252-263
371- 62- 6
382-205- 30
384-328- 17
396-560-304
449- 14- 1
450-719-下8
472- 33- 1
474-175- 8
839- 56- 5
933-709- 48
竇儼妻 明 見高氏
竇士範清 475-564- 79
510-431-116
竇子明漢(陵陽令) 472-366- 16
475-639- 83
竇子明竇伯玉 漢或晉(止陵陽山) 475-619- 81
511-935-175
竇子明唐 554-981- 65
561-223-38之3
592-197- 73
竇子偁明 475-710- 86
478-769-215
481-584-328
511-338-149
523- 60-148
528-487- 30
532-598- 41
竇大任清 537-441- 58
竇文場唐 271-427-184
276-137-207
384-240- 12
401- 47-574
竇永澄明 302- 32-291
456-515- 6
竇弘果唐 812-345- 9
821- 43- 46
竇可進明 456-502- 5
竇可權清 537-487- 58
1316-633- 44
竇世英清 476-210-107
547- 67-143
竇汝器明 456-613- 9
554-723- 61
竇存亮唐 563-918- 43
竇光儀明 456-580- 8
554-721- 61
竇如珂明 547- 64-143
竇如珠明 538- 4- 61
竇仲女唐 見竇仲娘
竇仲娘竇仲女 唐
271-655-193
276-110-205
401-151-589
555- 10- 66
竇行沖元 1214-224- 19
竇孝慈唐 269-554- 61
395-260-204
竇孝諶唐 269-554- 61
271-402-183
395-260-204
554- 77- 49
竇孝諶女 唐 見竇氏
竇孝諶女 唐 見竇皇后
竇克良妻 唐 見壽昌公主
竇克勤清 477-134-155
537-323- 56
538- 6- 61
竇谷曙明 559-275- 6
竇伯女唐 見竇伯娘
竇伯元唐 486- 62- 3
竇伯娘竇伯女 唐271-655-193

276-110-205
401-151-589
555- 10- 66
竇含生北周 見紇豆陵含生
竇希玠唐 269-554- 61
395-260-204
竇希球唐 271-402-183
1341-769-902
竇希瑊唐 271-402-183
552- 55- 19
1341-761-901
竇希瓘竇瑰 唐 271-402-183
552- 55- 19
554- 77- 49
竇妙善竇善惠 明 姜榮妻
302-221-301
472-1074- 45
474-191- 9
479-251-228
479-750-251
506- 7- 86
517-235-121
524-668-210
1320-708- 77
竇妙華漢 見竇妙
竇廷琬後唐 277-597- 74
竇奉節唐 269-552- 61
274-229- 95
395-259-204
竇長君漢 251-274- 97
373- 5- 19
505-783- 73
竇明遇清 476-209-107
546-222-122
竇易直唐 271-173-167
275-157-151
384-263- 13
384-267- 14
395-753-249
472-838- 33
475-271- 63
488-323- 12
523- 7-146
544-228- 63
554-458- 56
820-249- 29
933-708- 48
竇叔向唐 271- 16-155
273-111- 60
275-417-175
396-156-266
451-431- 3
472-171- 6
510-309-113
554-840- 63
1371- 63- 附
1388-839-117
竇季安唐 494-288- 4
竇周餘唐 271- 17-155
1378-521- 60
竇洪景隋 544-221- 62
竇建德唐 269-464- 54
274-134- 85
384-177- 9
395-217-201
407-377- 2
469-485- 58
竇貞固宋 285-229-262
472-838- 33
554-934- 64
674-608- 4
竇思仁唐 552- 58- 19
竇禹鈞宋 285-250-263
396-558-304
472- 32- 1
474-175- 8
505-714- 71
506-307- 97
933-708- 48
1089-790- 4
竇皇后漢 漢文帝后
244-263- 49
251-274-97上
373- 5- 19
1408-223-503
竇皇后漢 漢章帝后、竇勳女
252-180-10上
373- 39- 19
554- 16- 48
819-557- 19
竇皇后唐 唐高祖后、竇毅女
269-417- 51
274- 2- 76
393-248- 71
452- 52- 1
554- 20- 48
819-574- 19
竇皇后唐 唐睿宗后、竇孝諶女
269-426- 51
274- 15- 76
393-261- 72
554- 21- 48
竇保住妻 清 見苗氏
竇神寶宋 288-522-466
401- 62-576
545- 37- 84
竇桂娘唐 李希烈妻、竇良女
1081-578- 3
1340-727-796
1408-503-531
竇師綸唐 273- 99- 59
812-351- 10
821- 38- 46
竇惟遠明 676-748- 31
竇紹仁明 572- 74- 28
竇從一唐 見竇懷貞
竇從周宋 451- 72- 5
472-277- 11
511-686-163
竇從謙妻 宋 見霍氏
竇啟光明 456-630- 10
540-833-28之3
竇善惠明 見竇妙善
竇斯在清 546-231-122
554-322- 53
竇景庸竇景融 遼
289-668- 97
399- 58-422
472-149- 5
474-513- 25
474-557- 28
474-819- 44
496-393- 88
502-331- 59
505-632- 67
竇景融遼 見竇景庸
竇舜卿宋 286-632-349
397-688-362
472-698- 28
477-166-157
478-268-187
480-563-284
537-450- 58
540-647- 27
554-358- 54
竇道源明 533-275- 56
竇敬遠唐 544-229- 63
竇榮定隋 264-702- 39
267-267- 61
274-229- 95
379-752-161
384-153- 8
472-833- 33
476-258-110
478-107-180
546- 43-116
552- 40- 18
554- 73- 49
竇夢徵後唐 277-560- 68
竇僧演後魏 814-259- 8
竇維輅明 456-577- 8
537-271- 55
竇維鍌唐 271-402-183
554- 78- 49
竇廣國漢 244-264- 49
251-274- 97
373- 5- 19
554- 60- 49
1408-223-503
竇德玄唐 271-401-183
274-231- 95
395-261-204
554-444- 56
竇德明唐 271-400-183
274-231- 93
395-261-204
554-576- 58
竇懷貞竇從一 唐
271-401-183
274-387-109
384-192- 10
395-441-221
486- 41- 2
554-925- 64
竇懷悊妻 唐 見李淑
竇瓊英漢 竇武妹
1061-346-115
竇繼祖元 1206-696- 5
竇觀光清 570-143-21之2
騷屯布魯清 455-638- 44
礪宋(姓缺) 486- 46- 2
闡明 1232-224- 3

闡化王明 見吉喇實巴勒戩藏巴勒藏布
騶丑越繇王 漢 244-788-114
251-233- 95
381-434-194
528- 2- 17
騶忌戰國 見鄒忌
騶衍戰國 見鄒衍
騶郢漢 528- 2- 17
騶搖東海王、東甌王 漢
244-787-114
251-232- 95
381-433-194
384- 10- 1
528- 2- 17
騶奭戰國 244-454- 74
371-506- 34
375-666- 88
384- 32- 1
405-467- 86
騶無諸閩越王、閩粵王 漢
244-787-114
251-232- 95
381-433-194
528- 2- 17
騶餘善東越王 漢
244-788-114
251-233- 95
381-434-194
528- 2- 17
瓌唐 821-102- 48
瓌省宋 524-442-201
1053-417- 10
壤父席老師 上古(堯時人擊壤於道) 404-397- 23
448- 89- 上
547-129-146
871-884- 19
879-147-57下
壤駟赤穰駟赤 春秋
244-389- 67
375-656- 88
405-447- 85
472-829- 33
539-496-11之2
554-376- 55
558-382- 36
1293-327- 附
攘那跋陀羅北周
1051-173- 7
闞止春秋 404-623- 38
闞仁明 570-261- 25
闞氏清 王路妻 480- 65-260
533-527- 66
闞爽後魏 267-843- 97
381-514-196
闞傑明 505-808- 74
闞稜唐 269-489- 56
274-200- 92
395-234-202
486- 41- 2
933-711- 48
闞燔五代 491-344- 2
闞澤吳 254-792- 8
323-254- 2
377-334-119
384- 79- 4
385-598-65下下
470- 63- 96
472-1085- 46
479-228-227
486-304- 14
487-107- 8
491-379- 4
523-596-176
879-156-58上
933-711- 48
1054-42- 1
1054-297- 5
闞駰後魏 261-710- 52
266-702- 34
379-162-148
478-742-213
558-407- 36
677-128- 13
933-711- 48
闞文興元 473-652- 78
481-611-329
528-492- 30
闞文興妻 元 見王醜醜
闞相辰妻 清 見李氏
闞道寧宋 547-527-160
黨氏清 王爾麟妻 478-250-186
黨氏清 閆延選妻 478-172-182
黨色清(富察氏) 455-451- 27
黨色清(寧古塔氏) 455-606- 41
黨忠明 545-147- 88
554-852- 63
黨威明 見党威
黨淑清 455-235- 12
黨理明 見党理
黨湛清 478-349-191
554-824- 63
黨傑明 見党傑
黨進宋 見党進
黨楚清 455-344- 21
黨爵明 見党爵
黨額清 455-554- 35
黨文明妻 明 見葛氏
黨以平明 見党以平
黨光嗣宋 見党光嗣
黨全湖明 456-683- 1
黨仲和元 1201-168- 80
黨仲昇宋 480- 89-262
533-363- 60
黨宗仁明 571-549- 20
黨物禮清 569-618-18下之2
黨國虎清 見党國虎
黨還醇党還醇 明
302- 36-291
456-457- 4
474-168- 8
554-711- 61
黨懷英金 見党懷英
獻唐 820-301- 30
獻則戰國 933-674- 45
獻蘊五代 1053-556- 13
獻魚者戰國(獻魚予楚王)
405- 79- 61
黥布英布、九江王、淮南王 漢
244-590- 91
250- 47- 34
376- 30- 95
384- 36- 2
471-922- 48
472-326- 14
475-834- 93
511-427-152
933-425- 28
黥季夏 546-423-129
懸成春秋 見縣成
曦朗宋 1053-643- 15
鶡冠子周(以鶡為冠)
405-470- 86
475-437- 70
674-221-3上
1117-143- 11
耀五代 1053-628- 15
耀色清 455-246- 13
耀珠元(輝和爾人) 294-417-134
399-534-472
耀珠元(謚懿靖) 1206-131- 15
耀珠清 455-286- 16
耀塞清 456-284- 71
耀藍清 455-150- 6
耀德尼清 456-119- 58
耀普托諾清 455- 91- 3
耀柰巴圖魯清 456-218- 67
藺氏宋 藺宗道女
1122-407-169
藺氏明 周基妻 477-422-169
藺氏明 明太祖宮女
1244-671- 18
藺氏清 李國柱妻 478-250-186
藺泗清 554-616- 59
藺芳明 299-472-153
472-468- 20
473-145- 56
476-370-117
479-711-250
515-150- 61
546-489-131
581-594-106
藺亮隋 475-564- 79
1266-863- 6
1376-613-96上
藺剛明 570-154-21之2
藺澄明 537-403- 57
藺靜齋 見藺靜文
藺之粹藺挺粹 明
456-662- 11
藺世一金 1445-675- 52
藺民孚明 505-697- 70
藺完馥明 546-662- 11
藺沖虛唐 561-219-38之3
藺位卿明 見藺衛卿
藺宗道女 宋 見藺氏
藺相如戰國 244-506- 81
371-601- 51
375-943- 94
384- 28- 1
405-202- 69

469-482- 58
472- 87- 3
472-460- 20
505-758- 72
506-428-102
545-497-101
550- 76-211
550- 78-211
550-292-219
933-669- 44
1408-201-500
藺相裔明 456-662- 11
藺起龍明 456-616- 9
537-321- 56
藺挺粹明 見藺之粹
藺剛中明 301-458-263
456-580- 8
475-874- 95
540-832-28之3
545-103- 86
藺敏修宋 473-524- 72
559-379-9上
592-501- 91
679-796-216
藺從善明 452-197- 4
458-109- 5
472-700- 28
545-146- 28
559-286-7上
1241-506- 8
藺普整明 545-431- 99
藺養直明 554-527-57下
藺衛卿藺位卿 明
456-632- 10
藺靜文藺靜 齊 820- 95- 24
藺獻徵清 1315-404- 20
蘆氏明見盧氏
蘆深夫蘆潭孫 宋451- 92- 3
蘆潭孫宋 見蘆深夫
蘊五代 1053-555- 13
蘊良宋 1053-489- 12
蘊空明 524-400-199
蘊能運能 吳越 812-552- 4
821-131- 49
蘊能宋 592-419- 86
1053-778- 18
蘊著顯親王 清 454- 98- 5
蘊聞宋 1053-877- 20
蘊聰宋(居靈隱寺) 588-187- 9
蘊聰宋(號慈照禪師)
1053-460- 11
蘊觀宋 1053-665- 16
警玄宋 見警延
警秀清 570-258- 25
警延警玄 宋 480-181-266
1052-700- 13
1053-574- 14
1054-616- 18
贍思元 見贍思
藹奐晉 933-668- 44
藹苦蓋可汗後魏 見郁久閭斛律
蘄王唐 見李緝
蘄王後周 見郭熙誨
蘄王明 見朱瞻垠
蘄先宋 1166-365- 29
蘄用古元 545-439- 99
蘄麟衍明 456-616- 9
蘄麟振明 456-616- 9
蠕蠕公主北齊 見郁久閭氏
藻宋 1053-606- 14
藻光澡先 唐 471-659- 11
473-607- 76
481-680-331
1053- 92- 2
蘇子春秋 933-100- 7
蘇大明 1375- 30- 上
1442- 31-附2
1459-692- 27
蘇大妻 清 見李氏
蘇山清 455-463- 28
蘇六妻 明 見屈氏
蘇丑明 1376-489- 90
蘇扎清 455-599- 40
蘇丹清 502-744- 85
蘇升蘇九師 宋 448-400- 0
529-750- 51
蘇氏春秋 鄭文公夫人
404-885- 55
蘇氏宋 王東美妻
1112-776- 24
蘇氏宋 張挺卿妻
1092-668- 62
蘇氏宋 曾悟母 1140-305- 5
蘇氏元 武用妻 295-632-201
401-180-593
472-100- 3
474-383- 19
506-100- 89
蘇氏明 王湘妻 524-688-211
蘇氏明 王大景妻 530-111- 57
蘇氏明 朱鉢妻 479-768-252
蘇氏明 宋楨妻 506-105- 89
蘇氏明 李名奕妻 570-175- 22
蘇氏明 吳文淵妻 506- 51- 87
蘇氏明 武志賢妻 472-440- 19
蘇氏明 林興妻 482- 42-340
蘇氏明 高鳳妻 474-778- 42
503- 30- 93
蘇氏明 高得林妻、蘇英女
1256-594- 7
蘇氏明 柴廷美妻
1250-860- 82
蘇氏明 曹綬妻 1289-357- 24
蘇氏明 堵鴻妻、蘇良弼女
1291-482- 8
蘇氏明 張寅妻 482-187-346
蘇氏明 陳琦妻 530-138- 58
蘇氏明 陳汝賢妻 530-106- 57
蘇氏明 萬盛年妻 475-187- 59
蘇氏明 鄧茂藩妻 481-784-337
蘇氏明 劉珏妻 506- 76- 88
蘇氏明 劉治邦妻 481-158-298
蘇氏明 謝祐妻 512-372-186
蘇氏明 魏庭妻 1254-338- 10
蘇氏明 蘇敏女 1255-672- 69
蘇氏清 于宗禹妻 474-193- 9
蘇氏清 王允祚妻 474-194- 9
蘇氏清 史可傳妻 482-354-356
蘇氏清 牟𥟖妻 558-499- 42
蘇氏清 朱天瑞妻 530- 80- 55
蘇氏清 李忍妻 530-120- 57
蘇氏清 李琮妻 506- 65- 87
蘇氏清 李緒妻 512-111-179
蘇氏清 李國榮妻 482-567-369
蘇氏清 周強鼎妻 482-189-346
蘇氏清 胡日熙妻 482-502-365
蘇氏清 馬儲秀妻 506- 67- 87
蘇氏清 許璠妻 506-125- 89
蘇氏清 連浩妻 477- 95-153
蘇氏清 張友益妻 506-114- 89
蘇氏清 張光琪妻 474-194- 9
蘇氏清 張偉如妻 530- 99- 56
蘇氏清 陳汝瑾妻 482-454-362
蘇氏清 陳存若妻 481-775-336
蘇氏清 黃兼倩妻 482- 43-340
蘇氏清 賈遠妻 547-261-151
蘇氏清 楊朝棟妻 483- 99-378
蘇氏清 董其事妻 478-422-195
蘇氏清 鄭君芳妻 478-139-181
蘇氏清 蔡元珪妻、蘇國蘭女
530- 97- 56
蘇氏清 魏正儒妻 483-185-385
蘇氏清 羅二酉妻 482-454-362
蘇氏清 蘇應生女 564-372- 50
蘇氏清 龔自成妻 475-538- 77
512- 83-179
蘇朮明 1467-229- 70
蘇正明(字秉貞) 301-830-286
524- 7-178
1247-519- 23
1442- 28-附2
1458-180-430
1459-659- 25
蘇正明(太和人) 570-100-20下
蘇丕宋 472-593- 24
476-671-136
491-806- 6
540-760-28之2
蘇平明 301-830-286
479- 53-218
524- 7-178
1391-902-363
1442- 28-附2
1459-658- 25
蘇民明(字利見) 529-543- 45
蘇民明(陝西人) 476- 30- 97
545-149- 88
558-399- 36
1268-502- 79
蘇民妻 明 見王氏
蘇代戰國 244-414- 69
405-339- 77
蘇弁唐 271-552-189下
274-320-103
384-234- 12
395-333-211
478-390-193
494- 36- 3
554-454- 56
674-628- 5
933-102- 7

1076-113- 12
1076-569- 12
1077-140- 12
蘇色妻 金 見完顏蘇呼和卓
蘇色清 455-436- 26
蘇完清 455-434- 26
蘇沂宋 820-384- 33
蘇序宋 450-504-中39
1098-709- 43
1104-953- 14
1108-455- 90
1356-193- 9
1408-748-557
1447-956- 57
蘇良宋 451- 70- 2
蘇孝明 494- 20- 2
554-313- 53
蘇均唐 494- 37- 3
蘇育明 538-159- 66
蘇車金 1191-273- 24
蘇克元(謚忠襄) 294-294-124
399-371-452
545-266- 93
蘇克速哥、蘇赫 元(呼嚕古爾子) 294-377-131
399-512-470
483-220-390
蘇妙唐 481-581-328
494- 37- 3
528-480- 30
564- 19- 44
蘇宗清 456-357- 77
蘇法清 455-613- 42
502-567- 74
蘇京宋 451-157- 4
510-370-114
蘇忞明 473-395- 66
480-651-289
533-409- 61
567-309- 77
1467-195- 69
蘇武漢 250-319- 54
376-156-98上
384- 43- 2
459-162- 10
472-829- 33
478- 94-180
494- 28- 3
554-683- 61
933-101- 7
蘇武北周 見蘇武周
蘇松明 532-636- 43
蘇雨明 820-629- 41
蘇眞明 1442- 28-附2
1459-659- 25
蘇玭宋 820-437- 35
1163-612- 39
蘇坤明 見蘇伯厚
蘇協後魏 494- 30- 3
蘇協宋 285-298-266
471-961- 53
蘇協妻 宋 見薛氏
蘇林商 554-962- 65
蘇林漢 1061-200-104
蘇林魏 249- 8- 附
254-390- 21
385-652-66下上
477- 62-151
538- 21- 62
679-851-222
820- 40- 22
蘇林宋 451-317- 7
485-536- 1
蘇兩明 534-846-113
蘇忠妻 明 見蕭氏
蘇旺明 508-370- 42
511-663-162
蘇昌漢 539-349- 8
544-200- 62
蘇昇明 456-643- 10
蘇芳明 570-100-20下
蘇昂唐 494- 37- 3
蘇旻明 508-370- 42
511-663-162
蘇杲宋 1104-953- 14
1408-748-557
蘇和清 455-582- 38
蘇岱清 455-687- 49
蘇侃齊 259-318- 28
265-675- 47
378-257-138
472- 88- 3
494-334- 7
933-101- 7
蘇洪明(安平人) 472- 99- 3
蘇洪明(南陽人) 545-440- 99
蘇為宋 471-651- 10
473-640- 78
481-693-332
528-537- 32
蘇宣明 1276- 28- 3
蘇洵宋 288-238-443
382-743-114
384-359- 18
400-655-561
408-669- 26
449-122- 10
450-521-中42
471-958- 53
473-514- 71
481-350-309
516-224- 96
559-382-9上
561-518- 44
591-628- 45
674-283-4下
674-821- 17
708-334- 50
820-354- 32
933-105- 7
1098-691- 41
1102-271- 34
1103-127-110
1104-486- 39
1104-976-附上
1104-978-附上
1104-979-附上
1104-984-附下
1351-511-132
1351-596-140
1356-147- 7
1362-738- 70
1378-591- 62
1383-632- 56
1384-300-106
1384-303- 附
1410-338-707
1410-570-741
1437- 12- 1
1447-592- 32
蘇洵妻 宋 見程氏
蘇洵女 宋 見蘇小妹
蘇洵明 楊靖菴妻、蘇竹坡女
1268-434- 68
蘇恆元 1214-250- 21
蘇炤宋 511-844-168
蘇洹明 529-745- 51
蘇洲明 820-711- 43
蘇洸宋 563-686- 39
567- 69- 65
1467- 44- 63
蘇亮北周 263-726- 38
267-309- 63
379-301-150下
478-389-193
494- 31- 3
554-834- 63
933-102- 7
蘇庠宋 288-445-459
451-158- 4
471-710- 17
473-317- 62
480-615-287
516-216- 96
533-326- 57
674-835- 18
820-417- 34
1437- 18- 1
蘇庠明 見蘇伯厚
蘇奕唐 494- 37- 3
蘇奕明 538- 92- 64
蘇美明 1467-224- 70
蘇玹明 554-312- 53
蘇威妻 北周 見新興公主
蘇威隋 263-592- 23
264-724- 41
267-304- 63
379-713-160
384-150- 8
472-834- 33
478-389-193
494- 32- 3
540-631- 27
547-191-148
554-923- 64
933-101- 7
蘇厚宋 見蘇德載
蘇盈唐 494- 37- 3
蘇建漢 244-767-111
250-319- 54
251-626- 24

376-156-98上
494- 28- 3
554-546- 58
933-100- 7
蘇建吳 820- 43- 22
蘇茂漢 252-463- 41
370-214- 23
376-508-104
蘇茂母 宋 見穆氏
蘇茂妻 明 見唐氏
蘇昞宋 288- 25-428
400-462-543
448-481- 9
449-717- 6
472-840- 33
478-391-193
479-535-241
494- 37- 3
516-212- 96
554-813- 63
1293-337- 19
蘇昱明 545-464-100
蘇昭明 473-304- 62
480-247- 69
533-480- 64
蘇則魏 254-310- 16
377-143-115下
384- 85- 4
384-676- 43
385-412- 44
472-832- 33
472-904- 36
478-389-193
478-481-199
494- 30- 3
554-388- 55
558-168- 31
558-234- 32
933-101- 7
蘇英女 明 見蘇氏
蘇迥清 540-863-28之4
蘇拜清(諡勤僖) 455-105- 4
474-766- 41
502-486- 70
蘇拜清(舒穆祿氏) 455-156- 6
蘇俊清 476-899-147
540-867-28之4
蘇追宋 286-493-338
397-590-355
蘇浩明 545-440- 99
蘇祐後魏 494- 30- 3
蘇祐唐 473-513- 71
559-382-9上
591-587- 43
1104-952- 14
1408-748-557
蘇祐明 476-866-145
510-337-113
545- 87- 85
676-562- 23
1442- 52-附3
1460- 98- 45
蘇朗清 502-596- 76
蘇淜清 482-185-346
蘇悌妻 宋 見惟久
蘇庭明 554-311- 53
蘇秦戰國 244-401- 69
371-526- 40
375-881- 93
384- 28- 1
405-328- 77
407-497- 7
472-743- 29
537-371- 57
554-878- 64
820- 21- 22
933-100- 7
蘇烈齊 259-319- 28
蘇烈唐 見蘇定方
蘇班漢 554-853- 63
820- 32- 22
蘇班清 502-585- 75
蘇珦妻 明 見曹氏
蘇珦唐 270-210-100
274-607-128
384-188- 10
395-572-233
472-835- 33
478-112-181
554-637- 60
933-104- 7
蘇耆宋 491-345- 2
494-337- 7
820-333- 32
1092-100- 14
蘇耆妻 宋 見王氏
蘇哲隋 見蘇夔
蘇格清 455-195- 9
蘇晉唐 270-211-100
274-608-128
384-188- 10
395-573-233
472-125- 4
472-194- 7
510-500-118
554-838- 63
933-104- 7
1371- 54- 附
1387-392- 30
蘇耽漢 473-404- 66
480-640-288
516-474-105
533-796- 75
575-644- 39
1061-274-110
蘇埣明 見蘇伯厚
蘇恩明 563-729- 40
676-541- 22
蘇峴宋 1165-351- 21
蘇虔唐 494- 37- 3
蘇峻晉 256-643-100
370-313- 7
377-946-130
384-101- 5
488-116- 7
蘇峻清 515-283- 65
蘇娥漢 482-175-346
蘇卿明 1289-383- 26
蘇純漢 252-741- 61
376-686-107下
459-843- 51
478-100-180
494- 29- 3
蘇純明 480-411-277
蘇叟宋 1092-103- 14
蘇納蘇訥 清 455-353- 22
474-768- 41
502-484- 70
蘇章漢 252-741- 61
376-686-107下
384- 52- 2
384- 64- 3
402-475- 11
459-843- 51
472- 84- 3
472-307- 13
472-832- 33
474- 89- 3
475-418- 70
478-101-180
491-797- 6
494- 29- 3
505-626- 67
545-126- 87
554-628- 60
933-101- 7
蘇章明 479-534-241
516- 73- 90
528-511- 31
蘇竟漢 252-713-60上
370-169- 16
376-668-107下
384- 58- 3
402-385- 4
474-512- 25
478- 97-180
494- 29- 3
545-256- 93
554-803- 63
933-101- 7
蘇祥明 820-440- 57
蘇寀宋 286-393-331
397-502-350
472-698- 28
474-439- 21
481-153-298
505-764- 72
540-632- 27
558-232- 32
蘇淑後魏 262-270- 88
267-653- 86
380-195-170
476-749-139
477- 48-151
537-346- 56
540-658- 27
933-102- 7
蘇袞唐 271-553-189下
蘇袞宋 523- 96-150
蘇訥清 見蘇納
蘇理明 570-211- 23
蘇堅宋(字伯周) 494-543- 28

1110-513- 29
蘇堅宋(蘇焯子) 821-225- 51
蘇琇明 1262-424- 46
蘇勒清 455-615- 42
蘇彬宋 485-535- 1
蘇彬明 480-485-280
蘇掖宋 494-327- 6
蘇陵漢 820- 33- 22
蘇冕唐 271-553-189下
274-320-103
395-334-211
蘇勗唐 270- 60- 88
274-571-125
384-167- 9
395-538-230
494- 34- 3
554- 76- 49
蘇符宋 1136-278- 15
蘇偉元 1197-636- 65
蘇紳宋 285-680-294
371-135- 14
382-407- 64
384-357- 18
397-133-328
471-668- 12
473-257- 60
473-586- 75
475-380- 68
481-585-328
482-390-358
492-710-3下
529-527- 45
567- 52- 65
933-105- 7
1467- 24- 62
蘇紳妻 宋 見陳氏
蘇敏明 472-325- 14
475-700- 86
510-413-117
蘇敏女 明 見蘇氏
蘇敏清 455-137- 5
蘇偀妻 清 見方氏
蘇從春秋 533-349- 58
蘇斌妻 清 見馬氏
蘇湖明 479- 44-218
523- 89-149
567-136- 68
1467-123- 66
蘇湄清 538- 82- 64
蘇湛後魏～北周 261-624- 45
263-727- 38
267-310- 63
379-302-150下
478-389-193
494- 31- 3
554-687- 61
933-102- 7
蘇焯宋 821-221- 51
蘇愉魏 254-312- 16
377-145-115下
472-853- 34
494- 30- 3
554-388- 55
蘇渙唐 273-113- 60
451-429- 3
1371- 64- 附
蘇渙宋 1112-260- 25
蘇竦宋 529-737- 51
蘇雲唐 494- 37- 3
蘇植北周 552- 46- 19
蘇植宋 473-455- 68
559-286-7上
蘇雅清 455-246- 13
蘇隆元 570-161-21之2
蘇琛唐 494- 37- 3
蘇琰明 529-543- 45
蘇琳明 479-225-227
523-156-153
蘇發妻 唐 見壽安公主
蘇喀清 456- 48- 53
蘇嵋清 563-872- 42
蘇順漢 253-554-110上
380-340-175
478-101-180
554-830- 63
933-101- 7
蘇智明 508-370- 42
511-663-162
蘇循後唐 277-507- 60
279-218- 35
384-308- 16
401-285-607
1383-773- 70
蘇欽宋 529-647- 48
蘇策宋 451-316- 7
蘇斐清 502-572- 74
蘇復明 493-1059- 56
820-603- 40
821-362- 55
蘇進明 554-312- 53
蘇源明 532-707- 45
蘇源妻 明 見石氏
蘇詡宋 485-534- 1
蘇亶唐 494- 37- 3
蘇滉宋 482-237-349
蘇詵唐 270- 60- 88
274-570-125
395-537-230
475-419- 70
478-390-193
494- 35- 3
554-446- 56
684-475- 下
814-274- 10
820-166- 27
蘇祿車鼻施啜蘇祿、忠順可汗
唐 271-683-194下
276-268-215下
蘇軾宋 286-482-338
382-600-93上
384-371- 19
397-581-355
408-627- 25
449-240- 9
450-397-中26
459-564- 33
471-585- 1
471-611- 4
471-614- 4
471-771- 26
471-836- 35
471-846- 36
471-867- 39
471-871- 40
471-890- 43
471-894- 43
471-900- 44
471-935- 50
471-958- 53
472- 86- 3
472-256- 10
472-740- 29
472-961- 38
473-281- 61
473-514- 71
473-695- 80
473-738- 82
474-651- 34
475-233- 61
475-365- 67
475-420- 70
475-776- 89
476-657-135
477- 52-151
477-547-176
478-200-184
479- 42-218
479-133-223
480-138-264
481-350-309
482-117-343
482-227-348
482-268-350
484- 97- 3
494-300- 5
494-472- 18
505-705- 70
508-264- 39
510-387-115
510-398-115
510-478-118
511-897-172
516-197- 95
523- 76-149
532-629- 43
537-242- 55
540-652- 27
554-332- 54
559-383-9上
561-209-38之2
561-211-38之2
561-257- 39
561-564- 45
561-597- 46
563-903- 43
564-727- 59
567-433- 86
588-164- 8
591-629-145
592-487- 91
592-489- 91
592-501- 91

592-510- 92
592-525- 94
592-544- 94
592-583- 98
674-287-4下
674-821- 17
677-213- 19
708-341- 50
820-377- 33
821-173- 50
933-105- 7
1053-741- 17
1054-639- 19
1107- 7- 附
1107- 19- 附
1107- 28- 附
1110- 66- 附
1110- 78- 附
1110- 87- 附
1111- 4- 附
1112-754- 21
1112-759- 22
1118-349- 18
1241-285- 13
1268-374- 60
1284-331-161
1366-821- 8
1375- 32- 下
1381-610- 44
1384-397- 附
1408-760-559
1437- 15- 1
1461-394- 20
1467-145- 67
蘇軾妻 宋 見王弗
蘇軾妻 宋 見王朝雲
蘇預唐 見蘇源明
蘇椿賀蘭椿 北周
263-593- 23
267-309- 63
379-582-157
494- 32- 3
552- 35- 18
554-562- 58
蘇椿金 291-550-111
400-230-518
472-133- 4
505-857- 77
蘇楷後唐 277-508- 60
279-218- 35
401-285-607
蘇楫明 570- 99-20下
蘇幹唐 270- 60- 88
274-571-125
395-538-230
472-125- 4
474-468- 23
478-390-193
494- 35- 3
505-688- 70
540-638- 27
554-446- 56
蘇勤明 472-313- 13
475-329- 65
蘇照元 460-481- 38
821-352- 55
蘇葵明 473- 16- 49
515- 40- 58
517-611-130
559-252- 6
564-131- 45
676-519- 20
1442- 36-附2
1459-751- 29
蘇敬明 見蘇仲簡
蘇過宋 286-493-338
397-570-355
473-515- 71
477-482-173
481-118-296
481-350-309
538-332- 69
545-138- 87
559-383-9上
561-209-38之2
591-632- 46
592-502- 91
592-587- 98
674-829- 17
679-839-221
820-378- 33
821-174- 50
1107- 7- 附
1110- 76- 附
1118-393- 20
1366-827- 8
1437- 19- 1
蘇頌宋 286-518-340
382-578- 89
384-378- 19
397-609-356
447-257- 1
449-260- 11
450-429-中30
451-156- 4
460-195- 12
460-199- 12
471-604- 3
471-632- 7
471-668- 12
471-684- 14
472-172- 6
472-196- 7
472-275- 11
472-677- 27
472-961- 38
472-1026- 42
473-586- 75
475- 69- 52
475-276- 63
475-743- 88
475-776- 89
477-123-155
479- 42-218
479-318-232
481-585-328
484- 96- 3
492-561-13下之上
510-310-113
510-478-118
511-174-143
523- 75-149
529-528- 45
537-237- 55
537-255- 55
674-824- 17
708-343- 50
820-376- 33
933-105- 7
1101-380- 3
1121-504- 38
1121-511- 39
1128-371- 8
1145-594- 77
1251-611- 0
1356-127- 6
1362-526- 58
1437- 17- 1
蘇頌孫女 宋 見妙總
蘇鉦明 820-619- 41
821-387- 56
蘇稚後魏 494- 30- 3
蘇節明 570-100-20下
蘇實宋 559-263- 6
591- 64- 5
蘇誠元 1207-216- 14
蘇福明 473-702- 80
564-283- 47
蘇誦宋 451-317- 7
蘇榮唐 471-1013- 62
473-503- 71
559-312-7上
591-357- 29
蘇壽宋 485-500- 9
486- 47- 2
523-147-153
蘇赫元 見蘇克
蘇赫清(納喇氏) 455-362- 22
蘇赫清(裕瑚魯氏) 455-662- 46
蘇嘉宋 451-156- 4
蘇瑑妻 宋 見孫氏
蘇遜妻 宋 見黃氏
蘇銓明 473-757- 83
482-371-357
567- 82- 66
蘇綰唐 494- 37- 3
蘇綱明 1255-740- 74
蘇綽北周 263-584- 23
267-296- 63
379-574-157
384-141- 7
459-332- 20
472-833- 33
478-389-193
494- 31- 3
552- 38- 18
554-391- 55
933-101- 7
蘇檠明 494- 54- 2
554-312- 53
蘇潢明 676-592- 24
1442- 64-附4

二十畫 蘇

蘇廣明 1249-848- 12
蘇澄唐 494- 37- 3
蘇澄宋 1104-701- 15
蘇潤明 567-312- 77
1467-199- 69
蘇賚清(舒舒覺羅氏)
455-287- 16
蘇賚清(黃佳氏) 455-531- 33
蘇厲戰國 244-413- 69
405-339- 77
蘇駉宋 485-533- 1
蘇震唐 274-570-125
395-537-230
494- 36- 3
545-454- 99
552- 56- 19
554-697- 61
蘇億清 478-349-191
蘇德明 511-583-159
蘇緘宋 288-274-446
382-718-110
384-359- 18
400-129-511
460-198- 12
471-866- 39
473- 96- 53
473-111- 54
473-586- 75
473-672- 79
473-682- 79
473-725- 82
473-762- 84
473-790- 85
477- 51-151
481-585-328
482- 33-340
482- 74-341
482-225-348
482-484-364
515-167- 62
515-183- 62
529-527- 45
563-699- 39
567- 61- 65
568-264-108
933-107- 7
1467- 33- 63
蘇澹明 1442- 64-附4

1460-237- 50
蘇憻唐 494- 37- 3
蘇澣唐 567-428- 86
568-293-110
585-749- 3
1467-139-67
蘇澥宋 843-665- 中
蘇諤宋 451-316- 7
蘇濂明 1442- 64-附4
1460-237- 50
蘇璜明 554-254- 52
蘇熹妻 宋 見辛媛
蘇整明 559-298-7上
蘇遲宋 451-316- 7
472-1026- 42
479-318-232
524-331-195
蘇隨宋 529-761- 53
蘇蕙前秦 竇滔妻、蘇道賢女、
蘇道質女 256-578- 96
381- 55-185
472-842- 33
478-135-181
494- 39- 3
555- 6- 66
933-101- 7
1063-531- 附
1351-796- 1
1379-391- 48
1409-202-585
蘇興明 570-136-21之2
蘇曉後晉 820-314- 31
蘇曉宋 285-349-270
396-626-311
494- 37- 3
554-935- 64
蘇頲唐 270- 58- 88
274-568-125
384-196- 11
395-535-230
448-120- 0
459-779- 77
472-836- 33
473-425- 67
478-390-193
481- 16-291
494- 35- 3
494-346- 7

547-196-148
554-397- 55
559-260- 6
591-672- 47
674-247-4上
820-166- 27
933-103- 7
1065-749- 11
1371- 53- 附
1387-373- 28
1394-315- 1
1472-143- 8
蘇錫明 1258-271- 4
蘇濬明 460-680- 70
523- 59-148
529-736- 51
554-215- 52
676-611- 25
1442- 78-附5
1460-392- 58
蘇濟元 472-357- 15
475-605- 81
510-435-116
蘇謙漢 494- 29- 3
554-745- 62
蘇檢唐 275-502-182
384-289- 15
396-245-273
494- 37- 3
蘇環唐 見蘇瓌
蘇嬰唐 820-177- 27
蘇邁宋 286-493-338
397-590-355
482- 74-341
515-213- 63
563-676- 39
820-378- 33
蘇顏唐 494- 37- 3
蘇轍宋 286-495-339
382-607-93下
384-371- 19
384-378- 19
397-590-355
449-245- 9
450-136-下11
459-571- 33
471-699- 16
471-735- 20

471-771- 25
471-887- 42
471-958- 53
472-126- 4
472-376- 16
472-519- 22
472-647- 26
472-740- 29
473-165- 57
473-166- 57
473-388- 65
473-514- 71
473-695- 80
473-730- 82
475-561- 79
476-517-127
477-482-173
479-747-251
480-466-279
481-350-309
482-117-343
482-239-349
485-419- 5
494-472- 18
510-423-116
515-102- 60
517-438-126
538-332- 69
540-624- 27
559-383-9上
563-904- 43
564-727- 59
588-165- 8
591-630- 45
592-586- 98
674-288-4下
674-821- 17
677-214- 19
708-341- 50
820-378- 33
933-106- 7
1053-759- 18
1112-681- 12
1366-824- 8
1375- 32- 下
1384-720- 附
1437- 15- 1
蘇鏜明 820-619- 41

蘇鎰蘇鑑 明 676-484- 18
1241-841- 21
蘇簡宋 451-316- 7
蘇邈唐 559-299-7上
蘇馥明 朱宗海妻、蘇元禮女
1246-638- 14
蘇繫唐 494- 37- 3
蘇鏊明 558-358- 35
蘇隴明 1289-281- 18
蘇瓊北齊 263-362- 46
267-655- 86
380-200-170
384-143- 7
459-874- 53
472- 90- 3
472-568- 24
474-637- 33
475-419- 70
476-609-133
505-793- 73
510-277-112
540-637- 27
545-129- 87
933-102- 7
蘇瓊明 456-426- 2
475-645- 83
481-373-311
511-486-155
559-528- 12
676-659- 27
1442-109-附7
1460-694- 75
蘇顗宋 1092-666- 62
蘇藩清 478-275-187
蘇籀宋 451-319- 7
1437- 23- 2
蘇鏡明 見蘇仲簡
蘇繹宋 1092-665- 62
蘇寶劉宋 265-339- 21
378- 73-132
蘇寶元 1227-160- 19
蘇瓌蘇環 唐 270- 57- 88
274-567-125
384-186- 10
384-192- 10
395-534-230
472-288- 12
472-376- 16
475-364- 67
475-560- 79
478-334-191
478-390-193
485-494- 9
494- 35- 3
510-422-116
554-396- 55
933-103- 7
1065-809- 18
1341-629-883
1371- 51- 附
1387-363- 26
蘇獻唐 494- 37- 3
蘇鶚唐 273- 92- 59
494- 37- 3
674-230-3下
蘇鏸明 529-568- 46
蘇騰漢 545-752-110
蘇繼宋 1089-193- 19
蘇夔蘇哲 隋 264-728- 41
267-308- 63
379-717-160
494- 33- 3
554-835- 63
933-102- 7
蘇夔妻 清 見孫氏
蘇譽宋 見蘇直方
蘇攜宋 451-157- 4
1128-227- 25
1128-399- 12
蘇韡明 563-770- 40
蘇蘭妻 明 見董氏
蘇權宋 529-726- 51
蘇鑑明 見楊肇
蘇鑑明 見蘇鎰
蘇瓚明 472- 71- 2
493-758- 41
505-817- 74
蘇籥唐 472-239- 9
510-343-114
蘇讓北周 263-727- 38
267-310- 63
379-303-150下
494- 31- 3
554-438- 56
蘇九師宋 見蘇升
蘇三娘明 530-114- 57
蘇士英妻 清 見盧氏
蘇士俊清 570-151-21之2
蘇士學妻 明 見李氏
蘇子正宋 288-275-446
400-130-511
蘇子元宋 288-275-446
400-130-511
1467- 36- 63
蘇子明宋 288-275-446
400-130-511
蘇子訓漢 524-401-199
蘇才美妻 清 見李氏
蘇大有清 483-229-390
571-536- 19
蘇大年元 見蘇昌齡
蘇大成明 480-243-269
516-181- 94
532-671- 44
蘇大雅宋 820-366- 33
蘇大璋宋 460-219- 14
529-444- 43
蘇小妹宋 程之才妻、蘇洵女
592-656-103
蘇小娟宋 585-511- 16
590-420- 8
蘇方元妻 清 見賀氏
蘇文本宋 528-443- 29
蘇文林妻 清 見劉氏
蘇文達漢 570-210- 23
蘇文蔚明 541-112- 31
蘇文龍蘇歐行 宋451- 58- 2
蘇文舉唐 820-146- 26
蘇之中清 540-852-28之4
蘇太古宋 820-445- 35
1186-280- 20
蘇太初元 564- 83- 44
蘇不韋漢 252-742- 61
376-687-107下
472-832- 33
478-102-180
494- 30- 3
554-745- 62
933-101- 7
蘇元老宋 286-504-339
382-763-116
397-598-355
473-515- 71
481- 70-293
481-350-309
591-632- 46
592-587- 98
674-830- 17
933-108- 7
蘇元老金 1207-216- 14
蘇元芳明 529-675- 49
蘇元朗隋 564-614- 56
蘇元善明 1225-794- 19
蘇元遠妻 清 見陳氏
蘇元龍宋 821-226- 51
蘇元禮女 明 見蘇馥
蘇扎理清 455-300- 18
蘇巴哈清 455-285- 16
蘇巴海清(鈕祜祿氏)
455-136- 5
蘇巴海清(正黃旗人)
455-361- 22
蘇巴海清(鑲白旗人)
455-379- 23
蘇巴海清(章佳氏) 455-601- 40
蘇巴泰清(納喇氏) 455-396- 24
蘇巴泰清(嵩佳氏) 455-616- 42
蘇巴泰清(瓜爾佳氏)
502-476- 69
蘇巴濟清 456-300- 73
蘇天民元 1439-442- 2
蘇天福清 547- 66-143
蘇天爵元 295-464-183
399-739-493
472- 98- 3
472-962- 38
474- 94- 3
474-381- 19
478-765-215
493-786- 42
505-753- 72
506-508-103
506-324- 97
523- 29-147
532-586- 41
593- 33- 上
820-518- 38
1211-509- 72
1221-205- 2
1221-206- 2
1221-207- 2
1221-316- 5

1439-440- 2
1470-577- 18
蘇木代蘇穆代 清
479-403-235
523-238-156
蘇友龍元 494-559- 29
523-480-170
523-560-174
1224-183- 20
1226-455- 22
蘇日祥清 476- 44- 98
547- 10-141
蘇日朝唐 566-250- 42
蘇升階明 456-654- 11
蘇瓦顏清(伊爾根覺羅氏)
455-246- 13
蘇瓦顏清(顏扎氏) 455-516- 32
蘇瓦顏清(薩克達氏)
455-546- 35
蘇瓦顏清(喜塔臘氏)
455-625- 43
蘇弘名清 570-114-21之1
蘇弘祖清 502-645- 78
515- 68- 58
528-480- 30
蘇弘濟妻 清 見李氏
蘇正二妻 明 見邵氏
蘇正和漢 478-633-206
558-216- 32
蘇加誠清 547- 27-141
蘇可教妻 明 見胡氏
蘇世長唐 269-716- 75
274-318-103
384-166- 9
395-332-211
472-834- 33
478-390-193
494- 34- 3
554-633- 60
933-102- 7
蘇世讓明 676-684- 28
1442-129-附8
1460-873- 94
蘇札庫清 455-395- 24
蘇布特河南王、雪不台、速不台 元 294-249-121
399-339-448
451-515- 2
1200-667- 50
蘇布理清 455-119- 4
蘇布圖清 454-190- 10
蘇民生明 570-142-21之2
蘇民牧明 554-286- 53
蘇民望明 494- 57- 2
523-248-157
蘇民望妻 明 見凌氏
蘇尼失阿史那蘇尼失 唐
270-323-109
蘇四國明 547-122-145
蘇仕評唐 566-250- 42
1467- 19- 62
蘇仕潤明 529-545- 45
蘇用賓明 1227- 96- 11
蘇幼安元 523-410-166
蘇守一明 529-550- 45
蘇守正明 483- 94-378
569-667- 19
蘇守義妻 明 見齊氏
蘇守業妻 明 見傅氏
蘇安上宋 1095-701- 35
蘇安世宋 450-442-中31
567-432- 86
585-753- 4
1089- 26- 3
1105-769- 92
1106-250- 34
1351-604-141
1356-166- 8
1378-568- 61
1384-136- 92
1401-346-708
1418-333- 47
1447-973- 58
1467- 35- 63
蘇安恒唐 271-495-187上
274-428-112
384-187- 10
395-420-219
472- 91- 3
474-603- 31
505-784- 73
933-103- 7
蘇安靜宋 427-297- 10
蘇汝霖清(字潤生) 475-645- 83
511-324-148
蘇汝霖清(金谿人) 479-662-247
蘇宇庶明 515-177- 62
蘇州俊明 545-789-111
554-302- 53
蘇在鎔宋 1173-302- 86
蘇有根妻 明 見高氏
蘇有德清 456-357- 77
蘇至卿明 563-842- 41
蘇光誨宋 460-195- 12
蘇兆人明 456-456- 7
蘇名傑清 538-115- 64
540-687- 27
蘇仲芳唐 475-606- 81
511-623-161
蘇竹坡女 明 見蘇洵
蘇仲善妻 明 見周氏
蘇仲質宋 460-442- 33
蘇仲簡蘇敬、蘇鏡 明
460-798- 85
529-744- 51
676-466- 17
蘇休奕唐 820-146- 26
蘇宏祖清 477-169-157
蘇宏謨清 480-405-277
502-663- 79
532-699- 45
蘇完拜清 502-554- 73
蘇完顏清 455-493- 30
蘇沙羅隋 264-771- 46
267-491- 75
379-805-162
554-569- 58
蘇宋傑妻 宋 見王氏
蘇良貞明 456-616- 9
482-409-359
567-372- 81
蘇良弼女 明 見蘇氏
蘇良嗣唐 269-718- 75
274-319-103
384-183- 10
395-333-211
472-835- 33
473-296- 62
478-390-193
480-239-269
494- 34- 3
532-662- 44
554-633- 60
933-102- 7
蘇良輔明 456-616- 9
蘇志皋明 480-403-277
1442- 55-附3
1460-130- 46
蘇志道元 295-464-183
399-739-493
495-464-183
593- 33- 上
1207-218- 15
1211-335- 47
1367-700- 54
蘇志懷明 567-365- 81
蘇成性明 456-573- 8
540-835-28之3
蘇成德清 456-357- 77
蘇成額清 455-304- 18
蘇孝慈隋 264-770- 46
267-491- 75
379-805-162
384-152- 8
472-853- 34
477-358-166
478-201-184
479-482-239
515- 80- 59
554-440- 56
567- 32- 63
933-102- 7
蘇克札清 455-662- 46
蘇克貞妻 唐 見廣寧公主
蘇克繖梁王 元 294-198-115
569-536- 17
蘇伯材宋 529-529- 45
563-674- 39
蘇伯厚蘇坤、蘇庠、蘇垶 明
460-798- 85
529-744- 51
676-482- 18
820-587- 40
821-361- 55
1442- 19-附1
1459-556- 19
蘇伯衡明 301-810-285
452-260- 8
472-1032- 42
479-328-232
524- 72-181
676-446- 17

1229-102- 8
1442- 4-附1
1459-254- 5
蘇希益妻 明 見陳氏
蘇希栻明 460-684- 70
蘇希塔清 455-512- 32
蘇利涉宋 288-552-468
蘇廷琮妻 清 見徐氏
蘇廷榮明 524-236-189
蘇廷龍明 563-760- 40
蘇宗芑清 511-540-157
蘇定方蘇烈 唐 269-809- 83
274-409-111
384-181- 10
395-403-218
472- 91- 3
472-623- 25
474-602- 31
474-688- 37
483-592-414
483-684-421
502-257- 53
505-784- 73
554-579- 58
933-103- 7
蘇定武宋 820-388- 33
蘇泳成宋 1109-404- 20
1110-265- 11
蘇庚申明 460-746- 77
蘇武功北漢 820-323- 31
蘇武周蘇武 北周
264-770- 46
267-491- 75
379-805-162
蘇拉岱清 502-474- 69
蘇拉鼎清 456-134- 59
蘇直方蘇譽 宋 451- 57- 2
蘇直溫宋 288-275-446
400-130-511
蘇奇英清 474-411- 20
505-910- 81
蘇忠先元 570-247- 25
蘇尚元宋 480-652-289
蘇尚功不詳 592-308- 79
蘇昌齡蘇大年 元472- 98- 3
472-293- 12
505-887- 79
820-547- 39
821-328- 54
1220-340- 12
1221-666- 26
1204-360- 15
1439-450- 2
蘇明阿清 455-284- 16
蘇易簡宋 285-298-266
371- 63- 6
382-232- 35
384-331- 17
384-332- 17
396-590-307
450-716-下7
471-968- 54
471-1013- 62
472-172- 6
472-765- 30
473-504- 71
477-359-166
481-334-308
537-312- 56
559-390-9上
591-609- 44
592-577- 98
592-666-104
820-333- 32
933-104- 7
蘇味道唐 270-134- 94
274-448-114
384-184- 10
395-436-221
469-498- 60
471-958- 53
471-1050- 68
472-824- 33
473-425- 67
473-512- 71
474-375- 19
481-348-309
505-887- 79
554-346- 54
559-260- 6
559-309-7上
933-103- 7
1104-950- 14
1371- 50- 附
蘇忿生周 554-422- 56
933-100- 7
蘇季雅明 821-378- 55
蘇和臣清 455-632- 44
蘇和鷟清 524-140-185
蘇金鉉清 540-859-28之4
蘇秉文妻 明 見蔡氏
蘇秉彝明 559-403-9上
蘇炳額清 455-111- 4
蘇彥伯唐 494- 37- 3
蘇彥伯妻 唐 見長寧公主
蘇咸熙宋 1089-194- 19
蘇柏和清 455-680- 48
蘇柏赫清 455-433- 26
蘇奎章明 302-144-296
559-427-10上
蘇眉山明 820-747- 44
蘇致中明 820-629- 41
821-362- 55
蘇茂杓蘇茂均 明456-570- 8
481-590-328
529-552- 45
蘇茂均明 見蘇茂杓
蘇茂相明 460-747- 77
523- 59-148
537-269- 55
1442- 83-附5
1457-528-391
1460-461-62
蘇思忠唐 821- 58- 46
蘇思恭宋 460-363- 28
蘇思勗唐 見楊思勗
蘇思誠元 1228-810- 14
蘇若川明 820-692- 43
蘇禹珪後周 278-407-127
476-668-136
蘇保衡金 291-272- 89
399-160-430
472-484- 21
476-259-110
546- 79-117
554-197- 52
蘇俊大清 505-871- 78
蘇海鎭明 569-676- 19
570-100-20下
蘇祚灝妻 清 見甘氏
蘇庫努清 455-606- 41
蘇庫納清 456-125- 58
蘇恭則明 564-178- 46
567- 86- 66
1467- 62- 64
蘇恭讓明 299-337-140
473-222- 59
480- 88-262
532-623- 43
蘇泰亨清 567-421- 85
蘇眞定妻 元 見陳氏
蘇振文宋 561-205-38之1
1173-290- 84
蘇挺健妻 清 見粟氏
蘇時秀明 1467-218- 70
蘇時雨明 456-517- 6
蘇時霔明 458-163- 8
537-468- 58
蘇時蘭妻 明 見劉氏
蘇時麟明 511-592-159
蘇峻大清 479-794-254
蘇師旦宋 493-1137- 60
585-342- 4
蘇師德宋 493-709- 39
1165-323- 20
蘇納海清(謚襄愍)
569-618-18下之2
1322-578- 9
蘇納海清(兵部郎中)
569-619-18下之2
蘇密納清 455- 28- 11
蘇都納清 455-640- 44
蘇勒特清 502-571- 74
蘇務寂唐 494- 37- 3
蘇崇阿清(伊爾根覺羅氏)
455-270- 15
蘇崇阿清(納喇氏) 455-364- 22
蘇國台宋 460-345- 27
蘇國蘭宋 460-451- 34
蘇國蘭女 清 見蘇氏
蘇崑生清 1312- 48- 5
蘇紹威宋 481-775-336
蘇敏善清 456-390- 80
蘇從善明 472-999- 40
523-117-151
蘇逢吉後漢 278-262-108
279-188- 30
396-383-288
554-933- 64
933-104- 7
蘇就大清 505-650- 69
505-904- 80

554-317- 53
蘇善卿元 1217-249- 8
蘇翔鳳清 511-754-165
蘇普庫清 456-100- 57
蘇雲卿宋 288-443-459
401- 28-571
473- 19- 49
473-434- 67
479-498-239
481- 79-294
516-195- 95
517-564-129
561-199-38之1
588-324- 2
591-562- 42
592-660-103
1234-332- 50
1408-522-533
1437- 23- 2
蘇惠和明 473-257- 60
480-318-272
532-683- 44
蘇博海清 455- 57- 1
蘇朝陽明 482-372-357
529-548- 45
567-141- 68
蘇朝傳明 530-212- 61
蘇景和明 532-626- 43
蘇景暐宋 676-694- 29
蘇景瑞宋 451- 70- 2
蘇景瞻宋 451-245- 0
蘇舜元宋 288-232-442
382-756-115
400-652-560
559-391-9上
592-580- 98
820-353- 32
1090-670- 39
1106-388- 50
1437- 12- 1
蘇舜元妻 宋 見劉氏
蘇舜卿宋 見蘇舜欽
蘇舜欽蘇舜卿 宋
288-226-442
371- 64- 6
382-755-115
384-359- 18
400-650-560
450-486-中37
471-596- 2
472-223- 8
473-504- 71
475-143- 57
481-335-308
493-1068- 57
494-319- 6
505-689- 70
511-891-172
559-391-9上
587-674- 14
589-296- 1
592-578- 98
592-579- 98
674-283-4下
674-816- 17
812-741- 3
813-265- 12
820-353- 32
933-107- 7
1102-249- 31
1102-324- 41
1102-377- 49
1351-592-140
1356-143- 7
1356-840- 4
1375- 32- 下
1378-348- 53
1378-593- 62
1383-630- 56
1405-671-305
1410-325-706
1437- 12- 1
1447-468- 24
1461- 65- 4
蘇舜欽妻 宋 見杜氏
蘇舜欽妻 宋 見鄭氏
蘇源明蘇預 唐 276- 80-202
384-216- 11
400-607-555
472-546- 20
472-836- 33
476-816-143
478-390-193
494- 36- 3
541-110- 31
554-840- 63
820-187- 27
蘇祿克清 502-602- 76
蘇道賢女 前秦 見蘇蕙
蘇道質女 前秦 見蘇蕙
蘇塏人元 820-508- 37
蘇聘娘清 530-101- 56
蘇達道明 456-637- 10
蘇萬元明 456-654- 11
蘇萬姓明 515-225- 63
蘇萬春妻 明 見李氏
蘇萬傑明 523-469-169
蘇嗣之母 金 見白氏
蘇鼎實明 460-679- 69
529-736- 51
蘇會嘉妻 明 見陳氏
蘇經西明 570-160-21之2
蘇寧阿清 455-252- 14
蘇廖鎔明 481-550-327
528-477- 30
蘇漢臣宋 821-216- 51
蘇榮祖元 1207-216- 14
1367-737- 56
蘇壽元元 679-580-195
蘇壽興後魏 544-212- 62
蘇赫臣清 455-547- 35
蘇赫泰清 455- 98- 3
蘇赫訥清 455-512- 32
蘇赫德清 455-180- 8
蘇爾台元 294-437-135
399-677-487
蘇爾吉清 455-614- 42
蘇爾泰清 456-101- 57
蘇爾修清 502-729- 84
蘇爾都清(瓜爾佳氏)
455- 46- 1
蘇爾都清(他塔喇氏)
455-216- 11
蘇爾都清(伊拉理氏)
455-669- 47
蘇爾通清 456-183- 64
蘇爾德清 502-570- 74
蘇爾邁清 見蘇嚕邁
蘇際隆妻 明 見嚴氏
蘇夢蛟明 554-311- 53
559-530- 12
蘇夢暘明 302- 23-290
482-560-369
494-159- 5
529-479- 43
569-678- 19
蘇蒙額清 456-285- 71
蘇魁吾妻 清 見吳氏
蘇廣淵宋 288-275-446
400-130-511
蘇潛龍明 1458- 46-417
蘇澄隱宋 288-473-461
371- 16- 2
382-769-118
384-336- 17
401-103-581
472-101- 3
474-387- 19
505-937- 85
蘇慶文宋 288-415-456
400-303-524
476-370-117
547-100-145
1094-640- 69
蘇賚滿清 500-746- 38
蘇歐行宋 見蘇文龍
蘇踐言唐 269-718- 75
274-320-103
395-333-211
494- 37- 3
蘇德恆清 455-468- 28
蘇德祥宋 485-499- 9
蘇德載蘇厚 宋 451- 53- 2
蘇德馨明 483-117-379
570-152-21之2
蘇劉義宋 451-245- 0
475-643- 83
511-485-155
563-708- 39
蘇穆代清 見蘇木代
蘇穆實清 455- 89- 3
蘇穆圖清 456-270- 70
蘇鴻節妻 明 見曾氏
蘇應生女 清 見蘇氏
蘇懋祉明 460-684- 70
蘇彌納清 455-656- 46
蘇總龜宋 679-797-116
蘇嚕邁蘇爾邁 清
455-613- 42
474-762- 41
502-558- 74
蘇韙國唐 494- 37- 3

蘇耀素元 472- 27- 1
蘇蘇庫清 455-573- 37
蘇繼洵妻 清 見謝氏
蘇繼歐明 301-170-245
458- 64- 3
477-481-173
蘇霸海清 455-357- 22
蘇顯祖宋 821-225- 51
蘇靈芝唐 556-689- 98
813-260- 10
820-172- 27
蘇觀生明 301-693-278
蘇巴納林清 455-365- 22
蘇瓦雅圖清 455-269- 15
蘇克素瑚清 455-529- 33
蘇克桑阿清 455-266- 15
蘇克圖理清 455-534- 34
蘇克徹爾元 見素克察理
蘇克蘇客清 455-582- 38
蘇伯吉利上古 383-150- 17
蘇陀室利金 476-337-115
547-531-160
1054-666- 20
蘇肯徹爾元 294-228-119
399-327-447
蘇敏都都清 455-318- 19
蘇喀巴拉元 元英宗后
294-186-114
393-349- 80
蘇喀達哩元 見蘇喀達喇
蘇喀達喇蘇喀達理 元 元泰定帝妃、滿濟勒噶女、邁珠罕女 294-186-114
393-349- 80
蘇喀實哩元 元武宗后、哈爾吉女 294-186-114
393-348- 80
蘇溪和尚唐 1053-158- 4
蘇爾東阿清 455-439- 26
蘇爾威汗唐 見李懷秀
蘇爾都瑚清 456- 32- 52
蘇爾通阿清 455-550- 35
蘇爾噶汗元 納克妻、元太宗女 393-351- 80
蘇爾呼圖克元 294-213-118
400- 81-507
蘇囊阿墨爾根清
455-284- 16
蘇爾約蘇圖和琳元
294-426-134
399-547-474
嚴唐 1053-268- 7
嚴五代 1053-547- 13
嚴元明 524-348-196
嚴中明 576-654- 5
嚴升明 299-548-158
473-455- 68
473-490- 70
475-671- 84
511-327-149
1240-899- 10
嚴氏宋 周行逢妻 480-487-280
533-699- 72
嚴氏宋 張稷妻、嚴士元女
1121-492- 37
嚴氏宋 張次元妻、嚴孟堅女
1121-498- 37
嚴氏宋 歐陽昌邦妻
479-684-248
516-268- 98
嚴氏元 胡達觀妻
1220-435- 9
嚴氏元 彭似孫妻
1206-703- 5
嚴氏明 王俊妻 483-118-379
嚴氏明 仲純妻 475-473- 72
嚴氏明 林安居妻 530-129- 57
嚴氏明 胡祖與妻
1241- 12- 1
嚴氏明 高永妻 506-151- 90
嚴氏明 陳泰妻、嚴復女
1268-439- 68
嚴氏明 黃時訓妻、嚴孟端女
473-113- 55
嚴氏明 劉玉武妻
1239-202- 40
嚴氏明 劉麟生妻 530-129- 57
嚴氏明 盧秩妻 516-273- 98
嚴氏明 錢璽妻 475-282- 63
嚴氏明 謝原廣妻
1256- 25- 2
嚴氏明 聶乾嶽妻 530-124- 57
嚴氏明 魏縝妻 1280-481- 91
嚴氏明 蘇際隆妻 530- 68- 55
嚴氏清 毛晉妻、嚴枬女
1318-519- 79
嚴氏清 汪興妻 475-539- 77
嚴氏清 武理妻 483-172-383
嚴氏清 胡贊驁妻 482- 46-340
嚴氏清 夏之華妻 481-408-313
嚴氏清 柴際洛妻、嚴長發女
524-499-203
1321-232-112
嚴氏清 徐浤妻 479-103-221
1475-621- 26
嚴氏清 張淵妻 479-151-223
嚴氏清 蔡克明妻 530- 32- 54
嚴介宋 1095-213- 25
嚴永五代 524-297-193
嚴正明(字廷瑞) 533- 22- 47
嚴正明(字守正) 564-210- 46
嚴本唐 561-205-38之1
嚴本明 299-447-150
475-225- 61
511-147-142
嚴用明 554-310- 53
嚴安漢 250-478-64下
251-635- 25
376-237- 99
384- 45- 2
472-589- 24
476-661-136
491-795- 6
540-692-28之1
933-500- 33
嚴安唐 271-481-186下
嚴安明 561-208-38之2
嚴安妻 明 見李氏
嚴圭明 1238-462- 8
嚴羽宋 460-484- 39
481-697-332
529-746- 51
1363-757-225
1437- 29- 2
嚴光莊光、莊遵、嚴遵 漢
253-618-113
370-172- 16
380-409-177
402-365- 3
448-105- 下
451- 4- 0
453-736- 2
470- 57- 96
471-616- 5
472-1015- 41
472-1069- 45
476-676-136
479-227-227
479-382-234
486-289- 14
489-350- 31
489-598- 47
489-678- 49
492-570-13下之上
524-284-192
537-138- 52
538-163- 66
541-109- 31
871-896- 19
933-499- 33
1128-159- 18
1128-362- 6
1141-789- 33
1340-590-780
1343-727- 53
1345-127- 17
1348-578- 7
1348-584- 8
1348-586- 8
1407- 67-401
1408-441-522
嚴光陳 529-652- 49
嚴向唐 271-630-191
276-102-204
嚴向唐 見鮮于仲通
嚴沆清 479- 57-219
523-269-158
592-1005- 上
嚴沂妻 金 見康氏
嚴沂元 1210-763- 24
嚴亨明 481- 71-293
567-402- 83
嚴咸劉宋 265-1037- 73
嚴忌莊忌 漢 479- 93-221
485-150- 20
493-795- 43
524- 18-179
嚴玘明 1239-183- 39
嚴杞嚴祀 明 472-827- 33
494- 19- 2
545-220- 91
554-275- 53

嚴助漢 250-462-64上
376-227- 99
384- 45- 2
453-733- 1
470- 22- 91
471-596- 2
471-625- 6
472-220- 8
472-982- 39
475-124- 56
484- 12- 上
485-150- 20
486- 31- 2
493-795- 43
511-722-165
524- 18-179
933-500- 33
嚴秀明 480-564-284
533-495- 65
嚴宗宋 516-165- 94
嚴怡明 1442- 68-附4
1460-305- 53
嚴祁妻 唐 見齊國公主
嚴祀明 見嚴杞
嚴武唐 270-389-117
274-623-129
384-222- 12
395-583-233
471-945- 51
471-968- 54
471-1050- 68
472-836- 33
473-425- 67
481- 16-291
554-640- 60
559-245- 6
591-673- 47
933-501- 33
1371- 60- 附
1381-241- 24
1387-680- 46
嚴武宋 564- 76- 44
嚴杰明 524-251-190
嚴松元 1225-794- 19
嚴青嚴清 漢～晉
470- 63- 96
472-1075- 45
486-335- 15
524-413-200
1059-292- 7
1141-804- 34
嚴柟女 清 見嚴氏
嚴芸明 820-679- 42
嚴昇明 559-286-7上
559-297-7上
嚴杲唐 812-351- 10
821- 42- 46
嚴季後魏 262-258- 87
267-638- 85
380- 59-166
嚴宣宋 見嚴政
嚴洤明 529-507- 44
1249-844- 12
嚴津清 524- 12-178
嚴度元 1210-306- 8
嚴相明 482-186-346
嚴垣明 474-518- 25
嚴[illegible]嚴保嗣 唐 1077-428- 17
嚴政唐 820-153- 26
嚴貞明 473-234- 60
532-646- 43
1442- 21-附2
1459-576- 20
1475-185- 8
嚴苞魏 254-265- 13
380-274-172
嚴迪明 510-313-113
嚴侶元 524-296-193
1221-657- 26
1410-375-713
嚴衍明 511-792-166
820-756- 44
嚴俊唐 540-651- 27
嚴俊明 572-156- 32
嚴高晉 473-567- 74
481-523-326
528-435- 29
嚴烜明 523- 36-147
529-454- 43
嚴悅女 明 見嚴明莊
嚴浚唐 見嚴挺之
嚴泰明 476-184-106
545-891-114
嚴泰妻 明 見周氏
嚴恭陳 1049-380- 26
嚴恭元(字子安) 1195-529- 上
嚴恭元(字景安) 1222-379- 下
嚴恭明 523-262-158
嚴栻明 477-411-169
511-107-140
537-332- 56
嚴晉唐 見李叔明
嚴起妻 元 見劉氏
嚴訔明 1475-667- 28
嚴郢唐 275- 94-145
384-232- 12
395-709-244
472-837- 33
478- 88-180
478-343-191
532-663- 44
554-124- 50
1076-110- 12
1076-566- 12
1077-135- 12
嚴晃宋 511-509-157
嚴峻唐 1052-199- 14
嚴倖明 見金倖
嚴卿晉 256-551- 95
380-606-182
486-341- 15
524-364-197
嚴寅宋 516-147- 93
嚴清漢～晉 見嚴青
嚴清明 300-682-224
474-234- 12
481- 25-291
481-212-302
482-561-369
494-169- 6
505-658- 68
559-254- 6
559-292-7上
570-105-21之1
570-646-29之12
571-520- 19
嚴翊漢 見嚴詡
嚴望漢 475-745- 88
540-663- 27
嚴惟明 820-679- 42
嚴訢漢 494-331- 7
681-774- 3
1397-682- 32
嚴庸妻 明 見袁氏
嚴訥明 300-172-193
475-137- 56
511-107-140
676-575- 23
679-652-202
820-688- 43
1282-743- 57
1283-792-129
1284-175-150
1442- 57-附3
1460-165- 48
嚴珵妻 明 見祁守清
嚴琇明 楊士奇妻
1238-245- 21
嚴珽宋 533-279- 56
嚴敕明 524- 11-178
嚴授漢 253-575-111
380-132-168
474-170- 8
嚴通明 460-528- 48
529-722- 51
嚴彪明 516- 68- 89
嚴第嚴公弟 宋 448-389- 0
嚴敏明 547- 43-142
嚴從唐 674-251-4上
嚴滋宋 515-751- 80
嚴尊漢(字君平) 見嚴遵
嚴尊漢(字王思) 見嚴遵
嚴富明 見年富
嚴焞明 1442-114-附7
1460-677- 74
嚴煇唐 451-449- 5
524- 32-179
嚴渡明 524- 12-178
嚴琯清 533- 32- 47
嚴琥明 481-236-303
559-374- 8
嚴肅宋(字成之) 473-194- 58
515-253- 65
嚴肅宋(字左方) 515-613- 76
1208-269- 12
嚴景明 1245-548- 28
嚴畯吳 254-791- 8
377-333-119
384- 79- 4
384-560- 28
385-597-65下下
472-411- 18

475-425- 70
511-694-163
933-500- 33
嚴勝明 571-539- 20
嚴象漢 254-198- 10
385-314- 31
554-831- 63
嚴傑明 559-289-7上
嚴復女 明 見嚴氏
嚴義明 524-194-188
嚴詡嚴翊 漢 250-696- 77
376-365-101
402-452- 9
477- 47-151
嚴煒明 1442-114-附7
嚴祿明 523-486-170
1239- 94- 33
嚴煥宋~元 511-731-165
820-420- 34
嚴瑀嚴敏僧 宋 448-377- 0
493-713- 39
嚴楨明 473-270- 61
嚴瑄元 1439-442- 2
嚴瑜元 472-677- 27
嚴幹魏 254-423- 23
384-640- 39
385-593-65下上
478-340-191
544-201- 62
545-351- 96
554-832- 63
嚴愚明 1241-202- 9
嚴嵩明 302-373-308
452-462- 4
568-106-101
676-532- 21
1263-456- 1
1268-302- 49
1442- 41-附2
1459-824- 33
嚴鼎明 1475-198- 8
嚴敬明 559-367- 8
嚴粲宋 460-140- 8
481-697-332
529-746- 51
1364-582-329
1437- 29- 2
嚴紘明 511- 77-139
嚴節明 540-653- 27
嚴稜後魏 261-590- 43
266-548- 27
552- 33- 18
554-436- 56
嚴賓明 473- 97- 53
820-675- 42
821-414- 56
嚴實元 295- 22-148
399-394-455
451-556- 6
472-526- 22
472-545- 23
476-477-125
476-525-128
476-818-143
540-772-28之2
1191-283- 26
1191-287- 26
嚴誠明 1245-571- 30
嚴福明 1239-152- 37
嚴端元 楊遠妻、嚴繹女
1232-674- 8
嚴端明 524-125-184
1474- 77- 5
嚴澈唐 274-624-129
嚴鳳明 515-123 - 60
523-586-175
嚴鳳從女 明 見嚴四英
嚴維唐 273-113- 60
451-429- 3
486-307- 14
524- 51-180
1371- 63- 附
1388-114- 53
嚴銑明 511-591-159
嚴綬唐 270-749-146
274-623-129
384-234- 12
384-256- 13
395-584-233
473-297- 62
476- 27- 97
478-344-191
545- 19- 83
552- 57- 19
554-452- 56
933-501- 33
1079-618- 55
嚴寬明 511-182-143
523- 87-149
嚴澍明 820-688- 43
嚴澂明 528-544- 32
嚴毅明 473-569- 74
528-449- 29
嚴褒宋 484-383- 28
嚴慶元 1204-316- 10
嚴璋妻 明 見何老妹
嚴震唐 270-395-117
275-234-158
384-236- 12
396- 45-255
471-1056- 69
472-865- 34
473-504- 71
478-243-186
481-334-308
532-108- 27
552- 54- 19
554-127- 50
559-390-9上
591-607- 44
933-501- 33
嚴震嚴宣 宋 515-578- 75
嚴震明 524-109-183
嚴德明 299-259-133
475-753- 88
511-489-155
523- 82-149
525- 26-217
585-172- 10
嚴銶明 516-175- 94
嚴稼明 1261- 20- 2
嚴憲晉 杜有道妻 256-569- 96
381- 48-185
386-208- 78
472-842- 33
478-135-181
555- 6- 66
933-500- 33
嚴澤明(字道溥) 820-688- 43
嚴澤明(字濟民) 1245-787- 13
嚴遵莊尊、莊遵、莊君平、嚴尊、嚴君平 漢(字君平)
250-595- 72
380-406-177
384- 51- 2
448-102- 中
471-946- 51
471-966- 54
471-977- 56
473-429- 67
473-536- 72
473-575- 74
481- 72-294
510-274-112
530-196- 60
561-204-38之1
561-209-38之2
561-305- 40
561-565- 45
591-502- 41
677- 77- 8
871-896- 19
1088-424- 47
1340-590-780
1354-828- 48
1381-609- 44
嚴遵嚴尊 漢(字王思)
473-446- 68
510-274-112
554-264- 53
559-359- 8
591-620- 45
嚴遵漢 見嚴光
嚴頤明 472-337- 14
嚴頭宋 見嚴桂發
嚴璞明 1242-216- 31
嚴璡明 533-304- 57
嚴蕊宋 820-475- 36
嚴嶟妻 清 見楊氏
嚴龜唐 273-103- 59
嚴勳清 1475-613- 26
嚴濟明 820-688- 43
嚴燦妻 清 見顧氏
嚴霜明 545-893-114
554-286- 53
嚴臨清 1475-618- 26
嚴舉漢 473-478- 69
559-417-10上
681-817- 11
嚴鍧宋 533-324- 57
嚴顏蜀漢 384-507- 21
471-1007- 61

473-445- 68
473-475- 69
481-113-296
559-508- 12
591-233- 19
嚴謨唐 568- 27- 98
嚴豐漢 402-441- 9
516-507-106
嚴譔唐 見嚴善思
嚴麒清 479-149-223
嚴璽明 558-428- 37
嚴繹女 元 見嚴端
嚴礪唐 270-397-117
275- 83-144
395-702-243
471-1056- 69
472-865- 34
478-243-186
556-389- 91
559-390-9上
嚴覺明 456-483- 5
475-701- 86
479-146-223
510-466-117
523-369-163
嚴顥宋 515-579- 75
563-681- 39
嚴續南唐 511-902-172
嚴權妻 明 見鄭鼎
嚴觀明 678-258- 94
嚴驥明 1267-640- 12
嚴一忠妻 清 見張氏
嚴一敬妻 明 見姜氏
嚴一鵬明 511-158-142
1442- 77-附5
1460-386- 58
嚴二如清 529-684- 50
嚴九巒妻 明 見高氏
嚴士元唐 564-681- 59
1342-309-944
嚴士元女 宋 見嚴氏
嚴士直妻 清 見沈氏
嚴士貞元 見嚴士眞
嚴士貞妻 明 見薛金姐
嚴士則唐 554-978- 65
嚴士眞嚴士貞 元
480- 56-260
533-329- 58
嚴士毅妻 明 見費妙清
嚴子成元 524-351-196
嚴子敏明 見嚴震直
嚴子順漢 681-817- 11
嚴大紀明 524-242-190
嚴大猷宋 473-448- 68
559-361- 8
561-201-38之1
592-605- 99
676-690- 29
嚴大節明 524-251-190
嚴大寬明 456-596- 9
嚴大臨妻 明 見張氏
嚴上球妻 清 見鄭氏
嚴心標妻 清 見楊氏
嚴方塘明 533-330- 58
嚴文昌妻 明 見張氏
嚴之恆妻 明 見陳氏
嚴元晏明 1237-320- 6
1237-413- 16
1241-173- 8
嚴元齡明 1241-173- 8
嚴天祥明 545-467-100
554-503-57上
1269-453- 7
1458-693-471
嚴公弟宋 見嚴第
嚴永濬明 473-318- 62
478- 92-180
480-465-279
533-283- 56
554-251- 52
676-513- 20
嚴正中明 456-587- 8
嚴正邦明 524-251-190
嚴正度妻 明 見施氏
嚴正矩清 479- 44-218
523- 92-149
533- 32- 47
嚴可富妻 明 見高氏
嚴世父宋 見嚴時亨
嚴世期劉宋 258-571- 91
265-1034- 73
380- 97-167
479-230-227
524-201-188
933-501- 33
嚴世遨妻 明 見劉氏
嚴世蕃明 302-377-308
嚴以作妻 三國 見傅氏
嚴以容妻 清 見楊氏
嚴四英明 嚴鳳從女
524-587-207
嚴用文明 1274-587- 1
嚴用父元 1197-808- 86
嚴幼玉後魏 見嚴稚玉
嚴守正清 533-481- 64
嚴安之唐 271-481-186下
嚴有芑明 456-483- 5
524-121-184
嚴有秋妻 清 見阮氏
嚴有穀清 524-122-184
嚴有翼宋 528-505- 31
嚴而泰明 516- 85- 90
嚴艮老宋 451- 56- 2
嚴自泰清 481-649-330
529-588- 46
嚴合龍嚴定哥 宋451- 73- 2
嚴仲春妻 清 見王氏
嚴仲通唐 見鮮于仲通
嚴仲毅元 515-120- 60
517-501-128
嚴君平漢 見嚴遵
嚴君教明 515-561- 74
嚴克長明 456-658- 11
嚴防禦宋 524-343-196
嚴我斯清 479-146-223
524- 37-179
嚴希孟宋 511-594-159
嚴佛調浮調 漢 1051- 18- 1
嚴秀珠明 567-606- 95
嚴妙眞明 王璉妻、嚴富八女
1261-722- 31
嚴廷鈇妻 清 見孫嫊
嚴廷瓚清 479-146-223
524-121-184
嚴宗旦明 1237-235- 4
1239-250- 43
嚴宗儒元 530-214- 61
嚴定眞明 1239- 59- 30
嚴定哥宋 見嚴合龍
嚴武子吳 492-612- 14
嚴武順明 524-177-187
嚴孟堅女 宋 見嚴氏
嚴孟端女 明 見嚴氏
嚴孟衡明 515-506- 72
523- 37-147
1241-788- 19
1241-845- 21
嚴協廣妻 清 見陳氏
嚴長發女 清 見嚴氏
嚴承直元 554-309- 53
嚴承範明 533-324- 57
嚴忠信元 510-471-117
嚴忠嗣元 295- 24-148
399-396-455
嚴忠翰元 見嚴忠濟
嚴忠濟嚴忠翰 元
295- 24-148
399-395-455
476-477-125
476-818-143
540-774-28之2
嚴尚達明 1240-871- 10
嚴昌文唐 559-390-9上
嚴昌裔宋 533-321- 57
嚴明初明 1232-647- 7
嚴明莊明 蕭僖妻、嚴悅女
1287-761- 9
嚴卓如明 460-782- 82
嚴叔明唐 見李叔明
嚴姒祖明 593-399-7下
嚴季實唐 276-141-207
嚴和濟明 460-782- 82
嚴始欣後魏 262-472-101
嚴所安明 1240-577- 1
嚴延年母 漢 448- 77- 8
452- 88- 2
472-313- 13
475-434- 70
476-789-141
512- 2-176
嚴延年漢 251-139- 90
380-218-171
384- 49- 2
472-310- 13
472-737- 29
812- 66- 下
812-229- 9
812-719- 3
814-223- 3
820- 25- 22
933-500- 33
1408-394-518

嚴炳文明 1229-313- 11
嚴彥博宋 515-586- 75
嚴美韋宋 537- 59- 49
嚴思義宋 473-114- 54
515-747- 80
嚴思義明 1237-299- 6
嚴迪聰明 532-632- 43
嚴保嗣唐 見嚴峜
嚴宮方清 511-880-171
嚴容暄明 475-744- 88
嚴桂發嚴頭 宋 451- 67- 2
嚴起恆明 301-705-279
456-443- 3
479-245-227
523-392-164
563-749- 40
567-452- 86
1467-158- 67
嚴起貞妻 明 見諸氏
嚴致堯宋 515-595- 76
1147-808- 77
嚴挺之嚴浚 唐 270-203- 99
274-621-129
384-201- 11
395-582-233
471-995- 59
472-113- 4
472-429- 19
472-568- 24
472-602- 25
475-213- 60
476- 27- 97
476-853-145
478-343-191
540-668- 27
545-132- 87
545-454- 99
554-640- 60
559-293-7上
820-165- 27
933-501- 33
1054-471- 13
嚴時亨嚴世父 宋
473-129- 55
515-529- 73
嚴時泰明 483-137-380
494-158- 5
569-674- 19
1442- 51-附3
嚴剛中宋 288-326-449
400-174-513
嚴師尹明 1239-190- 39
嚴師訓妻 明 見鄧氏
嚴寅賓清 564-310- 48
嚴惟中女 明 見嚴寶使
嚴淑虞清 564-308- 48
嚴執中宋 515-586- 75
嚴國望明 1297-580- 6
嚴得福清 456-392- 80
嚴紹宗明 1442-116-附7
1460-674- 74
嚴紹賢明 456-631- 10
嚴敏僧宋 見嚴瑀
嚴啟隆清 1318-137- 42
嚴從簡明 524-247-190
嚴富八女 明 見嚴妙真
嚴善思嚴譔 唐 270-231-101
271-628-191
275-235-158
276-101-204
384-190- 10
401- 96-580
472-835- 33
478-342-191
494- 54- 2
554-897- 64
1269-453- 7
嚴曾采妻 清 見吳氏
嚴曾業清 474-306- 16
505-667- 69
540- 6- 27
嚴雲京明 515-511- 72
嚴堯用明 515-510- 72
嚴植之梁 260-396- 48
265-999- 71
380-288-173
384-122- 6
473-301- 62
479-765-252
480-341-273
533- 93- 49
679-856-223
933-500- 33
嚴彭祖漢 251-114- 88
380-256-172
472-310- 13
475-423- 70
511-693-163
675-296- 15
933-500- 33
嚴景愛明 529-677- 49
嚴循閑妻 明 見羅氏
嚴欽紀妻 清 見鄭氏
嚴象祖宋 515-747- 80
嚴煥文明 1229-313- 11
嚴損之唐 1072-246- 11
1342-282-941
嚴聖訓妻 清 見鄧氏
嚴照郎唐 820-288- 30
嚴虞惇清 511-118-140
嚴稚玉嚴幼玉 後魏
261-590- 43
266-548- 27
嚴實英明 559-308-7上
嚴壽逸元 1197-244- 23
嚴爾琮明 676-662- 27
嚴鳳姑明 郭于襄妻
482-118-343
嚴維楨明 1227-842- 4
嚴調御明 524- 11-178
820-759- 44
嚴震直嚴子敏 明
299-450-151
472-1009- 40
479-143-223
523-281-159
567- 86- 66
676-446- 17
1255-386- 43
1442- 8-附1
1459-252- 5
1467- 56- 64
嚴儀煌妻 清 見朱氏
嚴德明明 見嚴德珉
嚴德珉嚴德明 明
299-311-138
567-445- 86
1467-441- 6
嚴德峻明 528-450- 29
嚴樂善明 524-352-196
嚴緺娘明 施子言妻
530- 68- 55
嚴遵美唐 276-140-207
384-289- 15
401- 49-574
嚴遵試明 482- 75-341
515-281- 65
563-774- 40
567-349- 80
嚴聞綸清 524-188-187
嚴靜山元 533-329- 58
嚴應恩明 564-139- 45
嚴應祥明 547- 7-141
嚴應雷元 494-418- 12
嚴麒姑清 盛世瑞妻
524-583-206
嚴繩孫清 475-233- 61
511-770-166
1318-498- 76
嚴寶使明 嚴惟中女
530-128- 57
嚴繼先明 1241-626- 13
嚴瓘夫妻 唐 見愼三史
嚴顯忠妻 明 見黃氏
嚴觀民明 559-297-7上
釋仁宋 524-375-197
釋允元 820-550- 39
釋用元 821-334- 54
釋仙北齊 820-122- 25
釋安元 1221-442- 7
釋定元 820-551- 39
釋知明 820-765- 44
釋亮元 821-334- 54
釋述隋 820-128- 25
釋迦周 見釋迦牟尼
釋海元 821-333- 54
釋訓元 1221-467- 10
釋特隋 820-128- 25
釋逞唐 592-353- 82
釋蓮元 821-333- 54
釋禪張初俊 明 570-249- 25
釋徽唐 821-102- 48
釋曠唐 820-296- 30
釋迦牟尼釋迦 周
262-874-114
1053- 5- 1
1054- 17- 1
1054-225- 1
覺五代 1053-633- 15
覺宋(居東山) 1053-842- 19
覺宋(居佛照寺) 1053-842- 19
覺宋(居天封寺) 1053-842- 19

覺了清 1315-397- 20
覺心宋 592-732-108
821-266- 52
覺氏清 陶鷺妻 474-192- 9
506- 22- 86
覺同明 547-503-159
820-764- 44
覺名晉 見佛馱耶舍
覺先宋 1116-466- 24
覺色清 455-501- 31
覺定後魏 見佛陀扇多
覺阿宋 588-190- 9
1053-892- 20
覺來明 480- 68-260
533-751- 74
覺林宋 1116-564- 30
覺明晉 見佛馱耶舍
覺岸元 479-154-223
524-405-199
覺哈清 455-550- 35
覺胤唐 473-808- 86
570-247- 25
覺救唐 見佛陀多羅
覺善清(佟佳氏) 455-316- 19
覺善清(諡敏勇) 474-768- 41
502-507- 71
覺善唐 見實叉難陀
覺軻五代 1053-416- 10
覺然宋 1053-706- 16
覺暉唐 1054-578- 17
覺愛唐 見達摩流支
覺壽劉宋 見佛陀
覺壽明 561-227-38之3
覺稱晉 見佛馱耶舍
覺稱宋 1054-166- 4
覺澄明 547-533-160
1442-119-附8
覺慶元 472-244- 9
475-192- 59
524-410-199
覺賢劉宋 見佛馱跋陀羅
覺徵明 588- 71- 4
覺曇明 511-929-174
覺禪清 456-122- 58
覺鎧北涼 見浮陀跋摩
覺譽清 475-243- 11
511-924-174
覺護唐 見佛陀波利
覺和托清(鈕祜祿氏) 455-133- 5
覺和托清(赫舍里氏) 455-195- 9
覺和托清(鄂卓氏) 455-658- 46
覺和托清(敖拉氏) 456-107- 57
覺和託清(佟佳氏) 455-332- 20
覺和託清(佑祜魯氏) 456- 8- 50
覺齊那清 455-157- 6
覺爾多清 455-552- 35
覺羅氏清 烏河諾妻 503- 34- 94
覺羅氏清 義思哈妻 503- 34- 94
覺羅洛清 1322-620- 10
覺庵道人宋 1053-844- 19
覺羅色埒清 474-768- 41
502-435- 68
覺羅阿賴清 502-726- 84
覺羅果科清 502-528- 72
覺羅郎球清 474-773- 41
502-565- 74
覺羅拜山清 474-756- 41
502-722- 84
覺羅科賚清 502-755- 85
覺羅殷泰清 569-619-18下之2
覺羅雅賚清 502-479- 69
覺羅喀愷清 502-475- 69
覺羅華顯清 477-569-177
554-193- 51
覺羅雍貴清 502-736- 84
覺羅滿保清 528-471- 29
覺羅圖蘭清 502-516- 71
覺羅肇班清 502-554- 73
覺羅謨海清 502-753- 85
覺羅巴哈納清 474-771- 41
502-527- 72
覺羅阿克善清 474-769- 41
502-728- 84
覺羅頁穆濟清 502-584- 75
覺羅鄂博惠清 502-748- 85
覺羅碩爾昆清 502-730- 84
覺羅瑭古善清 502-504- 70
覺羅噶思哈清 502-754- 85
覺羅巴雅爾圖清 502-732- 84
鄭般春秋 404-797- 49
繼成宋 1053-507- 12
1054-196- 4
繼忠宋 1054-182- 19
繼昌宋 1053-735- 17
繼倫宋 1052- 96- 7
繼超宋 1053-504- 12
繼達宋 1053-334- 8
繼達明 541- 97- 30
繼肇宋 812-545- 4
821-262- 52
繼徹唐 1053-371- 9
繼曉明 302-350-307
繼聰元 1204-610- 12
繼顒五代 460-1162- 0
繼鵬宋 1053-651- 15
繼往絶可汗唐 見步眞
繼往絶可汗唐 見斛瑟羅
飂叔安廖叔安 上古 933-709- 48
鏸明(姓闕) 515-112- 60
纂子山菴主五代 1053-634- 15
騰果清 455-625- 43
騰柱清 456-100- 57
騰格清 455-337- 20
騰球清 455-696- 49
騰撫漢 933-440- 29
騰德清 455- 89- 3
騰檳明 見滕檳
騰吉斯元 294-471-138
騰那弼清 456-292- 72
騰伯輪明 見滕伯輪
騰機思清 454-451- 36
騰機特清 454-452- 36
騰奇靈格清 455-695- 49
觸龍觸讐 戰國 375-622- 87
405-196- 69
觸讐戰國 見觸龍
鐘芳明 見鍾芳
鐘陞清 456-358- 77
鐘毓魏 見鍾毓
鐘德清 456-268- 70
鐘士璠妻 清 見楊氏
鐘季玉宋 見鍾季玉
鐘格尼清 456-300- 73
鐘意浩妻 清 見謝氏
鐘繼祖漢 456-267- 70
嚳夋、高辛氏、逡 上古
243- 42- 1
372- 86- 2
383-156- 18
404- 22- 2
537-171- 53
814-208- 1
819-555- 19
嚳妃 上古 404-389- 23
嚳妻 上古 見羲和
籃純明 473-304- 62
籍建漢 370-202- 20
402-427- 7
籍泰春秋 404-709- 43
籍偃籍游 春秋 404-708- 43
545-721-108
籍游春秋 見籍偃
籍談春秋 404-709- 43
448-255- 24
籍孺漢(名籍) 244-892-125
籍少公籍少翁 漢
244-889-124
251-157- 92
494- 54- 2
547- 67-143
籍少翁漢 見籍少公
饒氏宋 吳寶信妻 475-613- 81
饒氏明 李占熺妻、饒完白女
533-514- 66
饒氏明 何志崇妻、饒可久女
480-207-267
533-612- 69
饒氏明 黃繪妻 479-632-245
饒氏明 楊汝釆妻 530-126- 57
饒氏清 江正任妻 479-612-244
饒氏清 周永盛妻 483-269-392
饒氏清 鄧琳樞妻 530-132- 57
饒氏清 樂逵妻 479-667-247
饒介元 493-1075- 57
515-770- 81
820-547- 39
1220-340- 12
1236-824- 15
1284-346-162
1439-450- 2
1460-794- 87
饒安明 515-778- 81
554-208- 52
饒助吳 933-261- 18

饒孚明 572- 81- 28
饒位明 300-768-230
饒伸明 300-767-230
479-493-239
515-423- 69
676- 10- 1
饒京明 456-579- 8
480-136-264
533-372- 60
饒泗明 479-353-233
523-202-155
饒松宋 481-652-330
530-202- 60
饒典妻 清 見梅氏
饒威漢 933-261- 18
饒相明 517-657-131
饒政明 480-200-267
511-253-146
532-656- 44
饒烈明 515-784- 81
饒陞明 515-847- 84
饒娥唐 276-110-205
401-151-589
473- 52- 50
479-535-241
516-356-101
517-183-120
682-533- 2
1076- 52- 5
1076-514- 5
1077- 70- 5
1378-505- 59
1410-151-680
饒清明 1249-212- 12
饒晞明 473-100- 53
515-836- 84
1241-674- 15
饒偘明 515-777- 81
饒偉妻 宋 見呂氏
饒斌漢 933-261- 18
饒詒清 533-473- 64
饒善北涼 見僧伽陀
饒琮明 533-202- 53
饒植妻 清 見李兆喜
饒景五代 523- 8-146
饒欽明 511-276-147
569-663- 19
676-504- 19
饒腴妻 宋 見何師蘊
饒溥明 1269-722- 1
饒瑄明 見饒文璧
饒幹宋 460-314- 23
473-643- 78
饒鼎明 見饒鼐
饒節宋 見如璧
饒鼐饒鼎 明 456-573- 8
475-611- 81
511-483-155
饒餘明 456-637- 10
饒魯宋 473- 49- 50
479-532-241
516- 40- 88
676-692- 29
饒勳陳勳 明 456-521- 6
饒禮明 473-100- 53
515-837- 84
537-213- 54
1241-582- 11
饒謨明 456-642- 10
饒彝明 567-447- 86
1467-156- 67
饒鑒元 1197-484- 46
饒觀明 559-291-7上
饒九卿明 545-228- 91
饒子鼎妻 清 見李氏
饒子儀宋 473-113- 54
515-742- 80
饒上祝妻 明 見龔菊娘
饒文璧饒瑄 明 515-789- 82
饒元珙明 456-548- 7
515-449- 70
饒元瑄明 515-440- 70
饒天爵明 559-270- 6
饒允中明 529-692- 50
饒允泰妻 明 見廖氏
饒可久明 302- 57-292
456-555- 7
480-206-267
533-382- 60
饒可久女 明 見饒氏
饒世淳明 456-679- 11
529-694- 50
饒安世妻 明 見金氏
饒宇枏明 456-548- 7
饒宇棨妻 明 見張氏
饒仲高妻 明 見黃季貞
饒完白女 明 見饒氏
饒成德妻 清 見劉氏
饒克明宋 460-314- 23
饒孚哲妻 明 見曹氏
饒伯振妻 明 見劉順慶
饒伯純明 473-477- 69
饒希闢妻 清 見李氏
饒廷直唐或宋(尸解)
473-103- 53
479-635-245
516-453-104
饒廷直宋(字朝弼) 515-826- 83
1178-753- 5
饒宗良清 511-629-161
饒宗魯元 515-766- 81
饒宗魯妻 元 見周得清
饒其彥清 481-724-333
529-704- 50
饒承教明 533-415- 62
饒昌齡宋 1095-275- 31
饒虎臣宋 287-735-420
472-360- 15
饒秉鑑明 473-101- 53
482-184-346
482-226-348
515-837- 84
563-813- 41
676- 59- 2
676-493- 19
679-630-200
1249-470- 31
饒延年宋 473-114- 54
515-753- 80
饒洞天宋 516-448-104
饒政望明 473-268- 61
532-656- 44
饒思明明 1275-350- 16
饒思明妻 明 見孫節
饒思鄒明 515-560- 79
饒思聰明 515-554- 79
饒若騏明 533-415- 62
饒若驥明 533-415- 62
饒祖堯宋 515-754- 80
饒崇秩清 481-746-334
528-565- 32
饒紹德妻 清 見朱氏
饒敏學宋 480-581-285
532-741- 46
饒陽王明 見朱成鋈
饒景暉明 515-417- 69
饒景暘明 528-555- 32
饒景曜明 515-424- 69
523- 57-148
饒道亨南北朝 533-781- 75
饒鳳詔明 515-555- 74
饒鳳儀明 515-555- 79
饒應子宋 473-115- 54
515-757- 80
饒應元清 475- 71- 52
510-319-113
饒應孫宋 473- 96- 53
515-184- 62
饒應龍宋 515-757- 80
饒應舉元 1208-277- 13
饒夔中妻 明 見張氏
饒懷英宋 1123-176- 19
饒懿貞明 吳彥紀妻
1239-251- 43
饒餘郡王清 見阿巴泰
鐔宏宋 812-547- 4
821-159- 50
鐔承蜀漢 481-334-308
591-601- 44
鐔顯譚顯 漢 469-669- 82
472-788- 31
481-334-308
537-191- 54
559-388-9上
591-512- 41

二十一畫

鶴尚清 455-668- 47
鶴席清 456- 24- 51
鶴善清 455-157- 6
456-111- 57
鶴壽金 291-661-121
鶴勒那漢 1053- 26- 1
1054- 39- 1
1054-294- 5
鶴衣道人五代(噀衣為鶴)
524-447-201
癩和尚明 533-763- 74
竈保妻 清 見瓜爾佳氏
灃王唐 見李惲

灌宋 1053-702- 16
灌夫漢 244-717-107
250-283- 52
251-580- 20
384- 45- 2
472-650- 27
477-474-173
537-591- 60
554-879- 64
933-673- 45
1360-609- 38
1408-284-507
灌孟張孟 漢 244-717-107
灌頂陳 486-900- 35
524-423-200
1401-640- 43
灌嬰漢 243-241- 9
244-626- 95
250-144- 41
251-529- 11
376- 65- 96
384- 36- 2
472-470- 21
472-680- 27
473- 86- 52
477-125-155
479-446-237
515- 1- 57
523- 2-146
537-419- 58
547-183-148
552- 16- 18
933-673- 45
1397-199- 10
灌州靈巖和尚五代
1053-306- 8
懽宋 1053-767- 18
辯宋(嗣師戒) 1053-647- 15
辯宋(嗣杲禪師) 1053-775- 18
辯宋(嗣法泰) 1053-889- 20
辯才辨才 唐 486-348- 16
682- 85- 3
820-295- 30
821-100- 48
1371- 77- 附
辯才弟子 唐 820-304- 30
辯女周(陳國採桑之女)
448- 74- 8
辯秀唐 1052-206- 15
辯隆宋 1053-416- 10
辯實宋 1053-419- 10
護留魏 496-589-103
護遼晉 381-645-200
夔質、鄭 上古 404-396- 23
545-686-108
546-233-123
夔宋 1053-740- 17
夔王唐 見李滋
夔王後晉 見石重進
夔王宋 見趙光贊
夔王唐 見完顏永升
夔安後趙 933- 70- 4
夔逸後秦 933- 70- 4
夔騰後燕 933- 70- 4
驃傍唐 569-535- 17
霸栩不詳 933-685- 46
霸顏清 456-301- 73
霸城王吳 見孫秀
露平漢 933-657- 43
露筋女唐(筋盡露而死)
475-380- 68
512- 51-178
酆王北周 見宇文貞
酆王唐 見李元亨
酆氏明 沈鉉妻 524-501-203
酆氏明 李允臧妻、酆巽亨女
517-570-129
1241-336- 2
酆氏清 李祚襄妻 512-328-185
酆叔周 404-457- 26
酆大慶妻 清 見焦氏
酆之馨明 533-342- 58
酆去奢唐 472-1043- 43
479-360-233
524-434-201
1059-592- 上
1061-320-113
酆正遲豐正遲 清
480-138-264
533-184- 52
酆巽亨女 明 見酆氏
酆都道士元 501-216-38之3
592-252- 75
齧缺上古 448- 87- 上
879-146-57下
933-762- 53
覽心亭婦人明 480-179-266
攝叔春秋 405- 37- 58
攝圖伊利俱盧設莫何始波羅可汗、沙鉢畧 隋 264-1152- 84
267-883- 99
381-663-200
攝摩騰竺葉摩騰、迦葉摩騰、摩騰、摩嵣騰 漢
472-754- 29
538-341- 70
547-528-160
820- 37- 22
1051- 5- 1
闢拉金 完顏亮女使
291- 12- 63
欀駟赤春秋 見壤駟赤
顥暹宋 1053-421- 10
顥鑒灝鑑 五代 480-468-279
1053-619- 15
顥彬茂宋 820-467- 36
纍祖不詳 933- 71- 4
纍彪晉 933- 71- 4
歸玉崖元 533-723- 73
蘭公晉 541- 86- 30
蘭氏後魏 托跋沙漠汗妻
261-209- 13
蘭氏藍氏、孫道升妻 明
302-253-303
475-382- 68
蘭布敬謹親王 清 454-119- 7
蘭汗後魏 262-360- 95
蘭如清 476-187-106
547-497-159
蘭泗清 478-133-181
蘭芳明 299-472-153
蘭勃前燕 496-597-103
蘭茂明 482-560-369
494-168- 6
570-158-21之2
570-511-29之8
蘭英明 474-741- 40
502-782- 87
蘭清妻 清 見劉氏
蘭欽梁 260-276- 32
265-867- 61
378-443-142
480-507-281
554-108- 50
563-619- 38
933-217- 15
蘭達清 456-127- 58
蘭輔明 510-382-115
蘭碧清 455-506- 31
蘭廣漢 933-217- 15
蘭之香妻 清 見李氏
蘭以権明 見蘭以權
蘭以權蘭以権 明
473-251- 60
480-297-271
533-235- 54
546-669-137
567- 81- 66
1442- 6-附1
1467- 56- 64
蘭完植明 537-524- 59
蘭沖虛唐 473-479- 69
481-121-296
蘭陵王北齊 見高長恭
蘭陵王遼 見蕭蘇色
蘭國棟妻 清 見劉氏
蘭從學妻 清 見苗氏
蘭朝海清 547- 55-143
蘭景昌妻 明 見趙慧寶
蘭道立明 559-303-7上
蘭夢登宋 451- 97- 3
蘭興洛隋 見蘭興浴
蘭興浴蘭興洛 隋
264-950- 65
267-528- 78
蘭馥暢妻 清 見劉氏
蘭公和尚元 554-913- 64
蘭陵公主隋 見楊阿五
蘭陵公主唐 見李淑
蘧正漢 933-118- 8
蘧瑗蘧伯玉 春秋 375-811- 91
384- 22- 1
386-703- 12
404-828- 51
448-193- 14
472-707- 28
505-708- 71
537-364- 57
539-492-11之2
933-118- 8
蘧瑗南唐 515-854- 85
蘧伯玉春秋 見蘧瑗

蘧昌老宋 1163-523- 28
蘧富獵春秋 933-118- 8
蘧道愍齊 812-331- 7
821- 22- 45
蘧德威宋 1188-759- 5
曩罕弄明 思外法妻、罕揲法女 302-528-315
曩秉彝加台 元 473-317- 62
533-746- 73
鐵木女 明 見原氏
鐵氏明 鐵金玄女 1391-913-364
鐵峻妻 清 見馬氏
鐵連元 見達蘭
鐵鉉明 299-357-142
453-121- 11
456-690- 12
458- 53- 3
472-520- 22
476-478-125
477-378-167
538- 63- 63
538-662- 79
540-616- 27
886-153-139
鐵閭元 1439-430- 1
鐵鋭明 456-639- 10
鐵九思明 見陳九思
鐵令義清 456-302- 73
鐵邦有清 456-373- 78
鐵季祖妻 清 見姜氏
鐵金玄女 明 見鐵氏
鐵哥朮元 見特爾格齊
鐵笛仙明(操鐵笛) 533-796- 75
鐵道人清(性喜鐵) 483- 50-372
570-252- 25
鐵福安明 567-447- 86
鐵範金清 502-784- 87
鐵驪王金 見和勒博
鐵馬大仙漢 558-480- 41
鐵索山主不詳 1053-246- 6
鐵木兒不花妻 元 見玉蓮
鐵木兒不花妻 元 見額森呼圖克
顧方宋 451-150- 3
475-277- 63
491-588- 15
511-175-143
523-126-152
525- 84-220
顧文明 460-542- 52
顧氏宋 林美中妻、顧師顏女 1180-413- 38
顧氏宋 蔣南妻 1173-145- 73
顧氏元 錢珍妻 475-144- 57
顧氏明 王嶔妻 512- 10-176
顧氏明 王少渠妻 1274-359- 12
顧氏明 王可大妻、顧潛女 1283-732-124
顧氏明 王世業妻、顧履方女 1280-513- 93
顧氏明 王時暘妻 1280-471- 90
顧氏明 王望道妻、顧可賢女 1277-843- 7
顧氏明 史瑋妻 1263-527- 5
顧氏明 朱祚妻 481-750-334
顧氏明 朱端禧妻、顧鼎臣女 1289-323- 21
1456-584-325
顧氏明 朱漢雲妻 472-298- 12
顧氏明 沈紹慶妻、顧濟女 1289-314- 21
顧氏明 宋承慶妻 516-240- 97
顧氏明 吳子孝妻、顧餘祥女 1275-866- 55
顧氏明 邵鍾瑗妻 506- 57- 87
顧氏明 周象吉妻 506- 27- 86
顧氏明 馬馭雯妻 506- 23- 86
顧氏明 郝禮元妻 506- 14- 86
顧氏明 夏子昭妻、顧輔辰女 1236-206- 4
顧氏明 徐黼妻、顧振宗女 1268-449- 70
1271-468- 35
顧氏明 翁經妻、顧暹女 1271-602- 51
顧氏明 章漸妻 1294-547- 13
顧氏明 康仲和妻 506-107- 89
顧氏明 曹逵妻 1280-426- 87
顧氏顏氏 明 陳雍妻 482- 42-340
564-327- 49
顧氏明 黃龍妻 475-187- 59
顧氏明 華守方妻、顧廷秀女 1255-641- 66
顧氏明 趙錫嘉妻 1297-579- 6
顧氏明 蓋燿妻 476-677-136
顧氏明 鄭開端妻 530- 67- 55
顧氏明 劉鳳妻、顧春女 1283-508-106
顧氏明 錢春林妻、顧伯和女 1277-844- 7
顧氏明 韓恕妻、顧澄女 1268-460- 71
顧氏明 鍾海妻 1272-276- 14
顧氏明 濯纓了母 1287- 94- 12
顧氏明 顧茂儉妹 512- 8-176
1442-123-附8
1460-774- 84
顧氏清 李應妻 1315-384- 18
顧氏清 李永茂妻 506- 24- 86
顧氏清 李永觀妻 480-144-264
顧氏清 吳金妻 479-297-230
顧氏清 吳轍妻 530- 80- 55
顧氏清 林振光妻 530- 82- 55
顧氏清 林時慶妻 530- 79- 55
顧氏清 邱永侯妻 479-102-221
顧氏清 秦中威妻 512-467-188
顧氏清 孫上元妻 483-308-395
顧氏清 時超仲妻 475-856- 94
顧氏清 鹿曉妻 506- 65- 87
顧氏清 張世基妻 474-194- 9
顧氏清 張明誠妻 506-158- 90
顧氏清 馮明臣妻 524-496-203
顧氏清 黃棠妻 530- 79- 55
顧氏清 薛文耀妻、顧如賢女 547-340-154
顧氏清 嚴燦妻 475-145- 57
顧玄唐 820-257- 29
顧立明 523-245-157
顧圤明 1460-729- 79
顧正明 524-246-190
顧左明 1261-582- 20
顧旦明 456-583- 8
523-391-164
顧生唐 485-294- 43
493-1054- 56
511-863-170
821- 96- 48
1409-189-583
顧仔清 569-621-18下之2
顧安元 820-508- 37
821-295- 53
1284-345-162
1439-443- 2
顧同明 見顧鼎臣
顧朱明 1442-111-附7
1475-508- 22
顧宏妻 清 見唐氏
顧汴明 540-803-28之3
顧言明(字尚實) 511-161-142
523-137-152
554-199- 52
顧言明(字子行) 523-513-171
顧言妻 明 見張氏
顧言清 511-689-163
顧汧清 537-230- 54
顧亨明 820-710- 43
顧忻宋 288-407-456
400-297-524
472-295- 12
475-484- 93
511-594-159
顧成明 299-384-144
453-167- 16
472-296- 12
473-854- 88
475-375- 68
483-221-390
511-396-151
511-409-152
532-588- 41
544-251- 63
571-530- 19
886-141-138
886-144-138
1239- 8- 26
1240-814- 9
1467- 98- 65
顧玒明 302-349-307
顧玘明 1250-898- 85
顧玘妻 明 見韓氏
顧囦明 821-355- 55
顧佐明(字禮卿) 299-546-158
453-215- 20
453-588- 13
458-107- 5
472-174- 6

二十一畫 顧

472-666- 27
472-879- 35
473- 15- 49
475- 71- 52
477-453-171
479-452-237
510-313-113
515- 33- 58
537-400- 57
549-147-186
558-200- 31
559-249- 6
顧佐明(字良弼) 300- 43-186
475-872- 95
511-352-149
545- 74- 85
1256-365- 23
顧佖顧泌 明 473- 18- 49
479-484-239
515- 94- 59
559-348- 8
顧況唐 270-535-130
451-487- 8
472-983- 39
479- 94-221
491-116- 13
493-1019- 54
511-726-165
524- 19-179
674-254-4上
674-858- 19
812-353- 10
820-221- 28
821- 73- 47
1072-511- 附
1078- 76- 2
1371- 64- 附
1388-116- 54
1405-660-303
1472-705- 43
顧泌明 見顧佖
顧初不詳 493-1045- 55
顧泳元 1272-236- 10
顧奉後漢 453-738- 2
顧邵吳 254-779- 7
377-326-119
384-552- 27
459-743- 45
459-857- 51
472-224- 8
473- 13- 49
475-124- 56
479-481-239
485-169- 23
493-827- 45
511- 86-140
515- 76- 59
顧協梁 260-262- 30
265-877- 62
378-451-142
384-119- 6
472-225- 8
475-127- 56
485-162- 22
485-294- 43
493-1039- 55
493-1053- 56
511-724-165
933-654- 43
顧協明 1442- 15-附1
1459-503- 17
顧承吳 254-780- 7
377-327-119
472-224- 8
485-169- 23
493-828- 45
511-385-151
933-653- 43
顧承妻 吳 見張氏
顧昌晉 489-598- 47
顧昌明(字德輝) 493-991- 52
顧昌明(鑷工) 524-110-183
顧岡宋 524-270-191
顧昂明 524-184-187
顧芳明 1246-614- 11
顧昉清 511-872-170
顧杲明 456-634- 10
511-769-166
820-760- 44
1442-115-附7
顧和晉 256-358- 83
377-877-129下
384-100- 5
472-224- 8
475- 68- 52
475-125- 56
485-170- 23
493-831- 45
511- 87-140
933-654- 43
顧恂明 1250-920- 87
顧亮宋 821-217- 51
顧亮明 676-435- 16
顧亮清 559-330-7下
顧美明 1257-910- 5
顧春妻 明 見俞氏
顧春女 明 見顧氏
顧珀顏珀 明 460-647- 65
481- 25-291
481-587-328
510-490-118
515- 50- 58
529-537- 45
559-254- 6
顧奎宋 451-209- 9
511-686-163
顧奎明 537-344- 56
顧珍明 456-546- 7
顧勇明 483-267-392
494-158- 5
571-531- 19
顧茂明 1246-638- 14
顧苓清 511-836-168
顧禺顧顒 晉 485-170- 23
493-830- 45
顧昺明 528-513- 31
顧英明 1268-396- 63
顧信元 820-502- 37
顧信明 472-274- 11
顧胤唐 269-699- 73
274-314-102
395-331-210
顧彖唐 1077-588- 10
1410-231-691
顧俊明(字廷秀) 472-546- 23
540-635- 27
1251-302- 22
顧俊明(字時雍) 1253- 54- 43
顧祕顧秘 晉 485- 66- 10
488- 96- 7
493-830- 45
494-272- 2
511-385-151
523-110-151
顧悌吳 254-778- 7
377-327-119
385-514- 57
485-169- 23
493-1004- 53
511-517-157
顧宸清 475-231- 61
511-769-166
顧彧明 1442- 6-附1
顧珣宋 288-363-452
400-138-511
顧珣明 493-1035- 54
顧珣妻 明 見楊氏
顧珊明 523-536-172
顧時明 299-226-131
453- 47- 5
475-752- 88
511-418-152
537-209- 54
559-248- 6
1374-509- 72
顧剛妻 明 見周氏
顧紘明 顧咸建女 512-459-188
顧能明 474-741- 40
502-381- 64
顧純明 473-166- 57
515-108- 60
顧秘晉 見顧祕
顧寅明 821-367- 55
顧淳明 511-526-157
顧清明 300- 24-184
472-243- 9
475-180- 59
511-125-141
676-524- 21
820-688- 43
1271-629- 54
1442- 38-附2
1459-781- 31
顧清妻 明 見張淑正
顧深元 見顧文琛
顧堅明 572- 71- 28
顧培明 見顧起元
顧埴清 1315-344- 14
顧問明 480-133-264
523- 55-148
533- 44- 48
顧問明(來安知縣) 510-487-118

顧問明(字去疑) 1475-531- 23
顧琇顏琇 明 302-141-296
475-132- 56
493-1008- 53
511-523-157
顧彬明 1233-688- 6
顧彪隋 264-1065- 75
267-597- 82
380-337-174
472-965- 38
479- 47-218
485-162- 22
523-577-175
590-135- 17
顧衆晉 256-267- 76
377-809-128
472-224- 8
473- 43- 50
475-125- 56
485-170- 23
485-328- 50
493-830- 45
494-272- 2
511-385-151
515-208- 63
523- 3-146
933-654- 43
顧紳劉宋 511-781-166
顧敏明 511-544-158
顧逢宋 493-1023- 54
1437- 32- 2
顧逖元 1439-444- 2
顧斌明(鳳陽人) 473-653- 78
481-612-329
528-494- 30
顧斌明(字德章) 480-635-288
1271-594- 50
顧斌明 529-552- 45
顧游元 820-533- 38
顧雲唐 273-116- 60
472-367- 16
475-641- 83
494-423- 13
511-815-167
524-311-194
1394-498- 6
顧琮唐 274-314-102
顧越陳 260-772- 33
265-1009- 71
380-298-173
472-965- 38
479- 47-218
511-891-172
523-577-175
590-135- 17
820-108- 24
933-654- 43
顧巽明(字順中) 493-979- 52
511-673-163
1254-285- 34
顧巽明(字與權) 515- 34- 58
523-452-168
540-616- 27
顧超明 1460-747- 80
顧雄明 511-244-145
顧登明 476-395-119
545-462-100
顧琛母 劉宋 見孔氏
顧琛劉宋 258-465- 81
265-534- 35
370-482- 14
378-154-135
384-112- 6
472-224- 8
475-126- 56
485- 68- 10
485-161- 22
493-833- 45
494-281- 3
511- 88-140
933-654- 43
顧琳明 821-351- 55
顧逵顧達 元 821-296- 53
顧閔明 569-670- 19
572-103- 30
顧景明 456-500- 5
顧鈴明 1467-125- 66
顧喬科球、農達理 清
455-252- 14
顧溱妻 清 見沈氏
顧溥明 299-386-144
475-376- 68
483-223-390
511-396-151
顧源明 820-707- 43
821-433- 57
顧猷明 1442-106-附7
1460-636- 72
1475-403- 17
顧雍吳 254-777- 7
370-243- 1
377-325-119
384- 79- 4
384-552- 27
459-742- 45
472-224- 8
472-297- 12
472-324- 14
472-1066- 45
475-124- 56
475-270- 63
475-697- 86
479-221-227
485-169- 23
486- 33- 2
486- 68- 3
493-827- 45
511- 62-138
523-142-153
839- 37- 3
933-653- 43
顧雍清 528-573- 32
顧煜清 475-232- 61
511-168-142
1313-276- 22
顧愷明 1272-260- 13
顧詳明 473-623- 77
顧祿顧天祿 明 511-759-166
676-454- 17
684-496- 下
820-568- 40
821-345- 55
1318-350- 63
1391-540-328
1405-626-300
1442- 10-附1
1459-477- 15
顧遂明 479-241-227
523-309-160
567-120- 67
顧瑛明 見顧德輝
顧達元 見顧逵
顧達明(字存道) 511-193-143
顧達明(常熟人) 537-335- 56
顧愚元 508-232- 38
1289-255- 16
1457-274-368
顧盟元 1471-523- 12
顧園明 1229-693- 2
1458-628-466
顧暘明 1242-769- 6
顧敬明 558-467- 39
顧敬明 俞璉妻、顧璘女
1263-612- 0
1263-613- 0
顧經明 1233-688- 6
顧節明(嘉興人) 482- 75-341
563-773- 40
顧節明(字公節) 1258-680- 16
顧福明 511-100-140
1250-806- 77
顧齊清 455-229- 12
顧端明 820-750- 44
821-455- 57
顧榮晉 254-778- 7
256-141- 68
370-287- 5
377-724-126
384- 98- 5
470- 23- 91
472-224- 8
475-125- 56
485-170- 23
488- 97- 7
493-829- 45
511- 87-140
538-323- 69
814-236- 5
820- 59- 23
839- 37- 3
879-170-58上
933-653- 43
1386-350- 14
顧輔元 1222-270- 17
顧槐明 511-604-160
顧碩明 479-292-230
545-242- 92
1229-378- 14
顧愿劉宋 258-472- 81
493-835- 45
511-723-165
顧瑢明 1271-588- 50

顧瑶唐 820-281- 30
顧瑶明 820-714- 43
顧聞明 820-693- 43
1442- 66-附4
1460-283- 53
顧璟明 301-837-286
475- 76- 53
476-918-148
511- 79-139
676-545- 22
820-670- 42
1442- 46-附3
1460- 15- 40
顧聚明 1283-317- 91
1292-205- 18
顧聚妻 明 見徐氏
顧蕒明(海鹽人) 524- 22-179
顧蕒明(字子期) 1475-307- 13
顧晫顧睢 明 511- 97-140
515-273- 65
1255-285- 34
1255-762- 76
顧蒙唐 677-789- 70
顧態明 524-109-183
顧綜漢 475-124- 56
484- 40- 下
493-827- 45
511-669-163
顧緒宋 288-363-452
400-138-511
顧緇明 顧咸受女 512-459-188
顧綽南朝 933-654- 43
顧綸明 559-291-7上
1261-851- 41
顧寬明 511-525-157
顧諒明 1231-453- 附
顧潛明 511-104-140
676-528- 21
顧潛女 明 見顧氏
顧潤元 524- 41-180
顧澄明 1268-398- 63
顧澄妻 明 見陸素蘭
顧澄妻 明 見楊氏
顧澄女 明 見顧氏
顧樞明 458-198- 2
顧鼐清 455-163- 7
顧震明 1255-708- 72
顧璇明 572-110- 30
821-407- 56
顧璉妻 清 見郝氏
顧睢明 見顧睢
顧睢妻 明 見鄒氏
顧輝明 481-720-333
528-554- 32
顧鋐明 458-285- 9
顧磐明 511-795-166
顧澑清 511-539-157
1328-360- 10
顧澣顧顯童 宋 448-396- 0
顧燁妻 明 見梅氏
顧寰明 299-386-144
475-376- 68
511-209-144
1467-100- 65
顧頤明 302- 35-291
456-515- 6
476-675-136
540-822-28之3
顧樵清 511-868-170
1460-745- 80
顧翰明 821-391- 56
顧璘明 301-837-286
472-1102- 47
475- 75- 53
477- 55-151
479-287-230
482-349-356
511-719-165
523- 49-148
537-248- 55
545- 79- 85
567-112- 67
568-155-103
676-527- 21
820-670- 42
1263-171- 附
1273-109- 16
1273-264- 32
1284-156-148
1386-426- 45
1442- 43-附3
1458-263-435
1459-881- 37
1467- 92- 65
顧璘女 明 見顧敬
顧樸明 559-308-7上
顧隨妻 明 見沈氏
顧興清 456-357- 77
顧暹女 明 見顧氏
顧學明 1283-328- 92
1292-224- 21
顧翺漢 493-1004- 53
511-517-157
524-129-185
顧衡元 見顧元臣
顧錫唐 515-210- 63
顧穆吳 485-169- 23
顧禧宋 485-101- 14
485-163- 22
493-1046- 55
511-832-168
589-352- 6
1110- 63- 附
顧濟明 300-422-208
475-136- 56
511-233-144
顧濟女 明 見顧氏
顧謙明(貢士) 820-640- 41
顧謙明(字叔謙) 1242- 72- 26
顧謏明 821-450- 57
顧襄宋 485-163- 22
589-327- 4
顧臨宋 286-566-344
397-643-359
472-1071- 45
479-234-227
479-535-241
485-501- 9
486-324- 15
516-212- 96
523-301-160
678- 97- 79
1110-462- 25
1119-523- 22
顧璦明 653-754- 40
顧邁劉宋 493-837- 45
顧薇明 524-112-183
顧徽吳 254-778- 7
385-687- 67
472-224- 8
475-124- 56
485-169- 23
493-828- 45
顧禮明 493-1049- 55
1227-134- 16
顧闕明 533- 44- 48
顧鎔元 1224- 54- 16
顧譚吳 254-779- 7
377-327-119
384-553- 27
470- 22- 91
472-224- 8
475-125- 56
485-169- 23
493-828- 45
567-424- 86
933-653- 43
顧瓊明(字宗善) 1241-583- 11
顧瓊明(字良玉) 1250-934- 88
1261-671- 28
顧瓊妻 明 見陸氏
顧鏞清 563-868- 42
顧藻清 1318-436- 70
顧聰明 821-461- 57
顧黯齊 479- 46-218
485-161- 22
493-1045- 55
524-275-192
顧蘭明 朱怡晚妻、顧思賢女
1255-656- 68
顧蘭明 1269-379- 4
顧蘭明 1273-216- 27
1274-600- 2
顧蘭妻 明 見周氏
顧蘭清 524-105-183
顧鐸明 476-673-136
523-159-153
540-805-28之3
顧聽明 511-867-170
820-756- 44
顧鰲顧鼇 清 475-141- 57
511-534-157
顧權宋 493-1024- 54
511-730-165
683- 70- 4
1232-431- 4
顧歡齊 259-525- 54
265-1069- 75
380-446-178
384-123- 6
451- 7- 0
471-585- 1

472-965- 38
479- 46-218
479-296-230
485-161- 22
485-557- 3
486-342- 15
523-577-175
590-135- 17
677-120- 12
742- 32- 1
933-654- 43
1141-802- 34
1358-750- 6
1379-607- 72
1401- 48- 15
顧儼明 511- 74-139
1245-518- 27
顧顯晉 見顧禺
顧顯明 1250-795- 76
1261-670- 28
顧巖宋 494-472- 18
顧龕清 見顧鰲
顧觀元 676-707- 29
1439-444- 2
顧九思明 511-110-140
顧人龍明 302-121-295
456-603- 9
483-251-391
572- 88- 29
顧人龍妻 明 見李氏
顧士掄妻 明 見許氏
顧士琦明 528-532- 31
顧士傑明 511-553-158
顧士達妻 清 見張氏
顧子喬梁 485-161- 22
顧大元明 456-603- 9
顧大中宋 813-107- 7
821-146- 50
顧大申清 475-185- 59
511-134-141
顧大成妻 清 見魏氏
顧大武明 475-139- 56
1442-100-附6
顧大典明 820-718- 43
821-445- 57
1442- 74-附5
1460-356- 56
顧大章明(字伯欽) 301-148-244
458-214- 3
475-139- 56
481-584-328
511-438-153
554-220- 52
1442- 89-附6
1460-510- 65
顧大章明(字天和) 505-880- 79
顧大棟妻 明 見華氏
顧大猷明 1442- 94-附6
顧大韶明 301-148-244
458-214- 3
475-139- 56
511-748-165
676-637- 26
顧大觀清 524-102-183
顧斗英明 676-637- 26
1442- 94-附6
顧文安妻 明 見俞如瓊
顧文秀妻 明 見王氏
顧文宣女 後漢 見顧昭君
顧文昱明 見顧光遠
顧文英明 820-769- 44
顧文淵明 1442- 50-附3
1460- 74- 43
顧文敘明 821-371- 55
顧文琛元(字伯玉)
592-1001- 上
1194-143- 11
顧文琛顧深 元(字淵伯)
1439-430- 1
顧文煜明 見顧光遠
顧文榮明 1239-182- 39
顧文嘉妻 明 見楊靖娥
顧文潛明 1247- 31- 2
顧王紀妻 清 見劉氏
顧王家明 456-490- 5
477-499-174
479- 56-218
523-358-163
顧元臣顧衡 元 1439-451- 2
顧元朗清 見顧天朗
顧元規妻 清 見姚氏
顧元慶明 511-835-168
820-675- 42
1442- 71-附4
1458-279-436
顧元龍宋 494-472- 18
顧予咸清 511-116-140
顧天祐明 570-105-21之1
顧天朗顧元朗 清
511-535-157
1322-660- 12
顧天埈明 511-746-165
676-619- 25
顧天敘明 511-437-153
顧天逵明 456-547- 7
顧天祿明 見顧祿
顧天遴明 456-547- 7
顧天錫清 1313-258- 20
顧中孚明 515-175- 62
顧中和清 511-533-157
顧少連唐 275-263-162
384-231- 12
396- 80-259
472-227- 8
472-738- 29
472-824- 33
475-128- 56
477-305-163
478- 88-180
485-163- 22
493-645- 35
493-837- 45
511- 90-140
537-298- 56
554-130- 50
933-655- 43
1342-112-918
顧仁效明 821-418- 56
顧仁壽子 元 1229-354- 13
顧仁冀宋 590-135- 17
顧允元明 528-532- 31
顧允成明 300-781-231
457-1049- 60
458-198- 2
458-947- 9
475-228- 61
511-159-142
676-616- 25
677-664- 59
1292-238- 22
1292-685- 11
顧永蔭清 456-357- 77
顧玉文宋 524-143-185
1224- 54- 16
顧玉潔明 475-235- 61
顧正心明 511-547-158
顧正之元 821-288- 53
顧正誼明 676-641- 26
821-443- 57
顧可久明 511-153-142
820-672- 42
1272-429- 12
1275-844- 52
1442- 46-附3
1460- 5- 40
顧可立明 1280-458- 89
顧可立妻 明 見劉氏
顧可賢女 明 見顧氏
顧可學明 302-362-307
1275-873- 56
顧世竣妻 清 見何氏
顧以安清 1325-419- 12
顧四明明 505-658- 68
顧四郎子 元
492-524-13上之中
511-509-157
顧仕成明 524-169-186
顧仕隆明 299-386-144
475-376- 68
511-209-144
顧用卿宋 487-517- 7
顧亥生妻 清 見王氏
顧汝玉明 1283- 2- 67
顧汝美宋 487-188- 12
顧汝隆明 1457-681-407
顧汝楫妻 清 見章氏
顧汝學明 676-626- 26
顧汝鐸明 564-270- 47
顧存仁明 300-438-209
475-452- 71
511-233-145
523-159-153
1278-409- 19
1283-807-130
1284-171-149
1442- 55-附3
1460-130- 46
顧存仁妻 明 見盛氏
顧存志妻 清 見賈氏
顧存儒清 511-537-157
顧有孝清 511-752-165
顧同吉妻 明 見王氏

顧同應明 1442- 99-附6
1460-609- 70
顧光祖明 540-828-28之3
顧光遠顧文昱、顧文煜 明
475-451- 71
479-711-250
515-148- 61
563-731- 40
1237-379- 11
1374-673- 88
1442- 11- 1
顧光寶南北朝 493-1053- 56
顧兆吉妻 清 見何李奴
顧自成明 1292-235- 21
顧全武吳越 479-233-227
523-545-173
顧如萍清 523- 65-149
533-160- 52
顧如賢女 清 見顧氏
顧仲仁元 1194-663- 11
顧仲英明 1229-147- 1
顧仲禮明 472- 56- 2
474-182- 9
505-895- 80
顧宏鈇女 明 見顧惜寶
顧孝淵明 820-578- 40
顧君立宋 1180-369- 34
顧玘徵明 678-508-119
1442-113-附7
1460-677- 74
1475-518- 22
顧更生顧起綸 明
1283-594-113
1467-115- 66
顧見龍清 1314-398- 10
顧伯和女 明 見顧氏
顧伯高元 821-324- 54
顧伯常明 1243-390- 23
顧伯揆清 524-178-187
顧伯謙明 511-822-167
顧希甫宋 471-852- 37
顧希顏明 1283-474-104
顧希顏妻 明 見錢氏
顧妙眞明 曹度妻、顧叔臧女
1268-417- 65
顧廷秀女 明 見顧氏
顧廷芳妻 清 見朱氏
顧廷對明 479- 93-221
523-105-150
676-171- 7
顧廷錡清 511-533-157
顧宗孟明 511-114-140
523-138-152
顧宗堯明 456-546- 7
顧性成明 1291-535- 9
1292-229- 21
1292-231- 21
顧性成妻 明 見陸氏
顧炎武清 475-141- 57
511-676-163
1324-985- 33
顧其仁明 559-506- 12
顧其言明 475-184- 59
顧其志明 511-109-140
523-121-151
554-183- 51
576-654- 5
676-607- 25
顧其康清 511-848-168
顧其國明 511-114-140
顧孟林明 1442- 98-附6
1460-595- 69
顧孟喬明 460-544- 52
顧阿英明 見顧德輝
顧阿瑛明 見顧德輝
顧長卿元 460-458- 35
529-728- 51
顧東遂清 456-290- 72
顧承官妻 吳 見張氏
顧昌言齊 494-334- 7
顧昌衍齊 265-1040- 73
380- 98-167
493-1005- 53
933-654- 43
顧昌祚清 511-136-141
顧明姑清 479-383-234
顧明傑明 1475-666- 28
顧明楫明 456-640- 10
505-840- 76
顧明楫妻 明 506- 15- 86
顧虎頭晉 見顧愷之
顧叔臧女 明 見顧妙眞
顧叔潤明 821-372- 55
顧非熊唐 273-114- 60
451-487- 8
493-1019- 54
524- 19-179
1371- 69- 附
顧知言宋 1224- 54- 16
顧季蘩清 524-576-206
顧周卿宋 1224- 54- 16
顧佩錕妻 清 見沈氏
顧秉謙明 302-317-306
顧洪祝宋 812-537- 3
821-149- 50
顧郎阿清 455-525- 33
顧彥夫明 676-541- 22
1442- 49-附3
1460- 54- 42
顧彥良明 1245-145- 4
顧彥成宋 524-203-188
顧彥朗唐 275-536-186
384-285- 15
396-256-274
546-127-119
顧彥章明 1241-859- 22
顧彥逢元 546-719-139
顧彥暉顏彥暉 唐
275-536-186
384-285- 15
396-256-274
471-1013- 62
473-503- 71
546-127-119
591-704- 50
顧奕芬清 480-509-281
顧咸正明 456-547- 7
511-442-153
554-346- 54
676-658- 27
1442-108-附7
1460-717- 78
顧咸和母 明 見查氏
顧咸受明 456-636- 10
511-442-153
1442-105-附7
1460-708- 76
顧咸受女 明 見顧緇
顧咸建明 301-644-276
456-439- 3
479- 44-218
511-442-153
523- 92-149
1442-111-附7
1460-697- 76
顧咸建女 明 見顧紘
顧胡圖清 455-311- 19
顧茂儉妹 明 見顧氏
顧貞觀清 511-771-166
顧思孝元 545-400- 98
顧思敏明 473-631- 77
顧思源妻 明 見張氏
顧思敬明 481-550-327
528-476- 30
顧思遠梁 475-748- 88
顧思賢女 明 見顧蘭
顧若璞明 黃茂梧妻
1442-125-附8
1460-783- 85
顧昭君後漢 沈伯陽妻、顧文宣女 493-1078- 57
顧胤光明 1442- 93-附6
顧勉學妻 清 見馬氏
顧祖辰明 821-431- 57
1442-100-附6
顧祖榮清 524-244-190
顧訓之漢 493-1005- 53
511-517-157
顧悅之晉 256-287- 77
377-825-128
511-549-158
933-654- 43
顧悅履清 524- 17-178
顧泰眞明 524-444-201
顧眞傳宋 492-713-3下
顧起元明(字鄰初) 511-668-163
678-476-115
1442- 85-附5
顧起元明(字起元) 820-659- 42
821-407- 56
顧起東妻 見華氏
顧起經明 677-631- 56
1283-635-116
顧起經妻 明 見盛氏
顧起綸明 見顧更生
顧振宗女 明 見顧氏
顧振宗妻 清 見鄒氏
顧時啟明 821-462- 57
顧豹文清 479- 58-219
524- 14-178
顧娟娟明 1442-127-附8
1460-913- 98

顧師邕唐 275-468-179
396-200-270
493-837- 45
顧師勝明 302- 4-289
481-310-307
顧師顏宋 821-231- 51
顧師顏女 宋 見顧氏
顧修期晉 493-735- 41
顧納岱清 502-722- 84
顧商卿宋 1224- 54- 16
顧惜寶明 顧宏鈇女
479-297-230
524-695-211
顧惟敬明 493-984- 52
顧惟誠妻 明 見吳馨
顧章志明 300-423-208
475-136- 56
511-235-145
1283-824-131
1284-181-150
顧執中明 523-214-156
顧國紳明 見顧國縉
顧國琬清 511-796-166
顧國輔明 511- 82-139
顧國縉顧國紳 明456-438- 3
511-443-153
顧國寶明 523-109-150
顧野王陳 260-743- 30
265-974- 69
370-585- 20
378-555-145
384-121- 6
470- 99-101
471-596- 2
471-659- 11
472-241- 9
472-983- 39
473-599- 76
475-127- 56
485-161- 22
491-115- 13
493-1017- 54
511-677-163
524-330-195
529-755- 52
587- 58- 0
812-336- 8
813-204- 20
814-256- 7
820-107- 24
821- 26- 45
933-654- 43
1394-656- 10
1395-600- 3
顧紹芳明 475-136- 56
1442- 77-附5
1460-390- 58
顧紹孫唐 813-227- 4
820-280- 30
顧紹俶明 559-349- 8
顧紹履明 559-349- 8
顧從義明 511-871-170
820-714- 43
1458-640-466
顧從龍明 456-642- 10
顧從禮明 820-718- 43
1283-532-108
顧啟明明 1289-374- 26
顧啟明妻 明 見錢氏
顧啟賢清 511-536-157
顧逢源妻 明 見劉安貞
顧善有明 821-472- 58
顧曾唯明 523-193-155
1442- 61-附4
1460-194- 49
顧雲程明 511-110-140
523-109-150
顧雲鳳明 559-317-7上
顧雲鴻明 511-748-165
1442- 86-附5
顧惠胤齊 259-532- 54
顧閎中十國～宋 813-107- 7
821-114- 49
顧賀泰妻 明 見席氏
顧雄午宋 492-713-3下
顧開雍明 1442-116-附7
顧揚阿清 455-272- 15
顧景秀劉宋 812-329- 6
821- 16- 45
顧景星清 480-138-264
533-307- 57
顧景祚清 524-178-187
顧凱之晉 見顧愷之
顧凱之劉宋 見顧覬之
顧順升明 511-529-157
顧舜臣明 528-553- 32
顧復幾宋 1130-320- 32
顧義先宋 1157-266- 19
顧愷之顧虎頭、顧凱之 晉
256-507- 92
370-348- 8
380-358-175
384-101- 5
470- 30- 92
471-614- 4
471-625- 6
472-256- 10
472-1066- 45
475-218- 61
492-696-3上
511-765-166
678-240- 93
812-319- 5
813- 69- 1
814-244- 6
820- 72- 23
821- 11- 45
933-654- 43
1379-348- 42
顧愷之劉宋 見顧覬之
顧祿古清(寶濟氏) 456-251- 69
顧祿古清(巴雅喇氏)
456-252- 69
顧道含清 511-796-166
顧道昇明 591-388- 31
顧聖之清 見顧聖少
顧聖之清 511-868-170
顧聖少顧聖之 明
1442- 68-附4
1460-318- 54
顧楞泰清 456-144- 60
顧愚翁元 1216-252- 13
顧嗣立清 511-756-165
顧嗣協清 563-874- 42
顧嗣胤唐 485-163- 22
顧鼎臣顧同 明 300-171-193
475-135- 56
511-105-140
676-532- 21
678-282- 97
820-687- 43
1268-507- 80
1284-157-148
1289-182- 12
1442- 40-附2
1459-814- 33
顧鼎臣女 明 見顧氏
顧鼎鉉明 456-661- 11
顧鼎銓清 523-432-167
顧誠奢唐 814-274- 10
820-171- 27
顧寧阿清 455-271- 15
顧榮章明 1258-649- 15
顧輔辰女 明 見顧氏
顧際明明 1475-373- 16
顧夢川明 511-745-165
顧夢圭明 511-107-140
1289- 17- 2
1289-329- 22
1442- 52-附3
1460- 87- 44
顧夢游清 1313-207- 17
顧夢麟明 511-792-166
678-4[illegible]-117
1315-562-[illegible]4
1442-114-附[illegible]
顧夢麟明 見顧應祥
顧暠之齊 259-443- 43
378-213-137
顧圖阿清 511-785-166
顧維寰明 456-632- 10
511-441-153
顧肇迹明 456-525- 6
顧肇祥妻 清 見王氏
顧澄先明 820-745- 44
顧慶恩明 569-663- 19
821-445- 57
顧養魯母 明 見徐氏
顧養謙明 475-485- 73
511-247-145
1282-461- 35
顧震宇明 676-175- 7
顧履方明 1273-257- 31
顧履方妻 明 見梁氏
顧履方女 明 見顧氏
顧履中明 820-740- 44
顧蔗庵妻 明 見杜氏
顧餘祥女 明 見顧氏
顧德王元 524-183-187
顧德育明 820-703- 43
顧德輝顧瑛、顧阿英、顧阿瑛
明 301-819-285

475-131- 56
479-101-221
493-1027- 54
511-731-165
524-309-194
676-712- 29
683- 66- 4
820-538- 39
1221-440- 7
1232-264- 1
1232-428- 4
1273-152- 21
1369- 17- 2
1439-451- 2
1469-660- 64
顧德謙顏德謙 十國～宋
489-696- 50
812-537- 3
813- 91- 4
821-118- 49
顧德藩唐 523-183-155
顧憲之齊 259-464- 46
260-447- 52
265-537- 35
378-296-138
384-113- 6
448-319- 下
472-171- 6
472-225- 8
473-358- 64
475- 68- 52
475-126- 56
479-222-227
479-482-239
480-507-281
485-161- 22
486- 38- 2
489-599- 47
493-835- 45
511- 88-140
515- 78- 59
523-145-153
532-701- 45
933-654- 43
顧憲成明 300-778-231
457-985- 58
458-194- 2
458-927- 9
475-227- 61
479-431-236
511- 67-138
523-249-157
676-612- 25
679-216-160
1292-669- 11
1294-238-6上
1457-518-389
顧凝遠明 511-750-165
821-479- 58
顧興祖明 299-385-144
567-540- 90
1467- 98- 65
顧興裔宋 821-229- 51
顧學仁明 523-218-156
顧錫疇明 300-570-216
456-545- 7
458-323- 12
475-140- 56
511-114-140
524-339-195
676-635- 26
1442- 93-附6
1460-536- 66
顧應文明 821-377- 55
顧應元妻 明 見房氏
顧應祥顧夢麟 明
457-199- 14
479-527-241
482-540-368
494-158- 5
515- 50- 58
523-282-159
569-652- 19
676-534- 21
820-690- 43
1280-410- 86
1442- 40-附2
1458-473-449
1459-815- 33
顧應夵宋 400-188-514
顧應暘明 511-162-142
顧應歷明 1312-298- 29
顧謙服明 523- 91-149
顧懋宏妻 明 見朱柔英
顧懋懋明 524- 12-178
顧聯珍清 見錢聯珍
顧駿之劉宋 812-329- 6
821- 18- 45
顧覬之顧凱之、顧愷之 劉宋
258-466- 81
265-536- 35
370-482- 14
378-156-135
384-113- 6
472-224- 8
475-125- 56
479-222-227
485- 68- 10
485-161- 22
486- 37- 2
486- 64- 3
493-834- 45
494-333- 7
511- 87-140
523-144-153
532-557- 40
933-654- 43
顧繩貽明 456-583- 8
511-440-153
顧寶光顧寶先 齊
493-1053- 56
511-862-170
812-327- 6
814-250- 6
820- 93- 24
821- 16- 45
顧寶先齊 見顧寶光
顧懿德明 821-471- 58
顧顯仁明 505-658- 68
顧顯童宋 見顧澣
顧巖壽元 494-328- 6
511-178-143
顧魯古英清 456-283- 71
續牙上古 404-399- 23
933-718- 49
續法清 見成法
續空唐 見鑑空
續咸晉 256-477- 91
380-281-173
472-490- 21
476-152-104
546-655-137
續鳳明 476- 84-100
547- 14-141
續慧妻 明 見胡氏
續相如漢 539-399- 8
續執中元 545-768-110
續蒙勳明 523-574-174
續簡伯春秋 見狐鞫居
纏子不詳 933-247- 17
鐸宋 516-510-106
鐸政漢 933-740- 51
鐸博清 456-251- 69
鐸椒戰國 533-134- 51
933-740- 51
鐸鳴春秋 545-495-101
鐸鼐清 456-282- 71
鐸松鄂清 456-251- 69
鐸遏寇春秋 404-708- 43
545-732-109
933-740- 51
鐸爾吉清 456- 58- 54
鐸爾濟清 456-256- 69
鐸錫鑑清 455-591- 39

二十二畫

龔尹龔黃壽 宋 448-368- 0
龔夬宋 286-593-346
382-650-100
397-661-360
472- 70- 2
472-113- 4
473-720- 81
474-311- 16
480-321- 72
482-209-347
505-740- 72
529-623- 48
533-741- 73
563-905- 43
567-436- 86
933- 37- 2
龔氏宋 吳京妻、龔宗諤女
1138-443- 20
龔氏宋 趙訢之妻、龔威女
1123-469- 14
龔氏宋 龔用罔女
1123-595- 12
龔氏宋 龔愼儀女
481-699-332

龔氏元 王敏學妻
1207-617- 43
龔氏明 王陞妻 1274-403- 14
龔氏明 王愔妻 1280-511- 93
龔氏明 沈梁妻、龔滄菴女
1268-470- 73
龔氏明 李昌叔妻 480-615-287
龔氏明 吳穀妻 1258-781- 8
龔氏明 尚公達妻 480-254-269
龔氏明 馬大慶妻 473-223- 59
龔氏明 陳榛妻 479-252-228
龔氏明 馮如集妻 480-140-264
龔氏明 舒英妻 483-321-396
龔氏明 熊鵬妻 479-685-248
龔氏明 蔡清泉妻 530-139- 58
龔氏明 劉玉妻 302-219-301
475-234- 61
龔氏明 蕭宗禹妻 480-178-266
龔氏明 王世貞伯母
1280-395- 85
龔氏明 龔澄女 1467-264- 72
龔氏清 王士元妻 480- 66-260
龔氏清 辛克嶷妻 478-637-206
龔氏清 項金妻 479-500-239
龔氏清 鄭元虎妻 530-146- 58
龔氏清 張國憲弟婦
475-758- 88
龔父宋 545-134- 87
龔弘明 472-231- 8
475-451- 71
476-577-131
511-231-145
676-429- 16
1269-162- 11
1284-145-147
龔石吳 515-294- 66
龔生宋 523-383-164
龔吉宋 821-209- 51
龔行妻 清 見謝氏
龔沆妻 清 見馮氏
龔沅明 473-606- 76
龔亨明 515-552- 74
龔壯晉 256-529- 94
380-426-177
481-156-298
559-363- 8
591-602- 44
933- 37- 2
龔秀女 明 見龔存兒
龔河妻 明 見秦清
龔況宋 485-187- 25
493-873- 48
589-341- 5
1437- 19- 1
龔松明 529-710- 50
龔昇宋 1237-677- 下
龔芬明 見龔棻
龔芝明 537-318- 56
龔舍漢 250-605- 72
376-319-100
384- 51- 2
469-127- 15
472-410- 18
475-424- 70
511-694-163
675-278- 11
933- 36- 2
龔炯明 820-580- 40
龔祈劉宋 258-592- 93
265-1067- 75
380-444-178
480-485-280
933- 37- 2
龔美宋 見劉美
龔咸女 宋 見龔氏
龔垍宋 529-665- 49
龔英宋 482-373-357
龔勉明 678-212- 90
1292-137- 10
1442- 74-附5
1460-354- 56
龔俊妻 清 見李氏
龔浩明 473- 27- 49
515-379- 68
龔益元 柯允中妻、龔尉安女
530- 86- 56
龔剡宋 460-317- 24
529-643- 48
龔泰明 299-370-143
456-693- 12
472-1032- 42
479-328-232
523-405-165
525-128-223
886-152-139
1240-848- 9
龔原宋 286-688-353
382-749-114
384-383- 19
397-734-364
472-1053- 44
473-654- 78
479-432-236
484- 99- 3
511-914-173
523-629-177
677-219- 20
933- 37- 2
1121-415- 28
龔恕明 559-510- 12
龔紘妻 明 見夏翠
龔翊元 515-537- 74
龔翊明 456-698- 12
龔球明 528-528- 31
龔理明 511- 97-140
龔堅周 933- 36- 2
龔埏明 511-746-165
龔晟明 533- 8- 47
龔敏清 483- 97-378
570-151-21之2
龔韜唐 1081-602- 6
1410-454-723
龔開宋 475-328- 65
493-1073- 57
511-845-168
526-148-263
684-492- 下
820-449- 35
821-244- 52
龔肅元 見龔璛
龔貴明 473-606- 76
龔棻龔芬 明 456-545- 7
龔程宋 485-187- 25
493-872- 48
589-325- 3
1437- 17- 1
龔勝漢 250-605- 72
376-319-100
384- 51- 2
469-127- 15
472-410- 18
475-424- 70
478-332-191
511-464-154
554-264- 53
675-261- 7
933- 36- 2
龔策清 1315-410- 20
龔進明 545-342- 96
龔源元 張仁妻 530- 86- 56
龔詡王大章 明 475-132- 56
493-1048- 55
511-436-153
676-473- 18
1236-263- 附
1442- 17-附1
1459-534- 18
龔雍元 529-629- 48
龔愷明 300-454-209
475-181- 59
511-128-141
523-134-152
龔新明 456-558- 7
477-360-166
479-495-239
537-321- 56
龔滂龔貴郎 宋 448-364- 0
523-169-154
龔祿蜀漢 254-690- 15
481-182-300
龔道明 529-750- 51
龔遂漢 251-125- 89
380-156-169
384- 49- 2
402-478- 11
459-811- 49
472- 64- 2
472-549- 23
474-335- 17
476-579-131
476-749-139
505-667- 69
540-658- 27
540-693-28之1
933- 37- 2
龔遂龔璲 明 564-114- 45
567- 94- 66
1467- 72- 64
龔煥元 515-343- 67
龔塤明 563-805- 41
龔椿宋 510-425-116
龔極宋 529-622- 48

龔瑜妻 清 見高氏
龔楫宋 288-360-452
400-159-513
472-395- 17
475-813- 91
511-504-156
523-420-166
龔瑛妻 清 見李氏
龔鼎明 472-767- 30
龔鼎妻 清 見鞠氏
龔詧明 1236-263-附
龔詧妻 明 見王氏
龔端宋 473-167- 57
479-748-251
515-465- 71
龔敳妻 明 見許氏
龔箎明 見龔篪
龔寬漢 812-315- 4
821- 7- 45
龔澐明 676-484- 18
龔諒明 302- 20-290
540-628- 27
龔調漢 469-693- 86
龔潮明 480-583-285
龔潤妻 明 見陳氏
龔澄女 明 見龔氏
龔潗宋 493-751- 41
龔賢明 1240-310- 20
1242-174- 30
1243-663- 20
龔賢明~清 511-862-170
1460-741- 80
龔瑾元 523-355-163
龔犖明 676-674- 28
1460-791- 86
龔輝明 523-310-160
676-722- 30
龔穎劉宋 258-567- 91
265-1032- 73
380- 50-166
473-504- 71
481-334-308
559-389-9上
591-603- 44
820-453- 35
933- 37- 2
龔穎宋 529-622- 48
龔穎明 528-561- 32
龔璛龔肅 元 493-1073- 57
676-702- 29
820-499- 37
1209-495-8上
1439-423- 1
1470- 40- 2
龔曇明 524-153-185
龔錞明 478-376-192
554-256- 52
龔錡明 529-615- 47
676-488- 19
820-619- 41
龔篪龔箎 明 473-778- 84
567-305- 77
1241-854- 22
1245- 89- 3
1467-190- 69
龔謙明 511-207-144
龔輿宋 473-339- 63
480-408-277
523- 16-146
533-247- 55
龔璲明 見龔遂
龔璲明 見龔鐩
龔彝明 523-138-152
龔識宋 485-184- 25
493-872- 48
龔斆明(鉛山人) 299-295-137
473- 64- 51
515-874- 86
676-465- 17
龔斆明(字時敏) 529-629- 48
龔鐩龔璲 明 473- 23- 49
479-489-239
481- 23-291
515-360- 68
559-249- 6
563-745- 40
567- 88- 66
1238-448- 6
龔巖明 480- 88-262
532-624- 43
龔觀元 820-527- 38
龔一極明 529-692- 50
龔一夔明 559-369- 8
龔三益明 511-162-142
龔三級明 559-358- 8
龔士燕母 清 見蔣氏
龔士驤明 524- 73-181
1442-106-附7
1460-647- 73
龔子敬明 523-406-165
龔大壯宋 286-594-346
477-256-161
龔大明宋 587-448- 5
龔大惠清 480-342-273
533-450- 62
龔大器明 533-214- 53
龔大鵬明 529-693- 50
龔上策明 529-693- 50
龔文殊元 564-718- 59
龔之安明 456-559- 7
480-615-287
龔元祥明 302- 54-292
456-483- 5
475-140- 56
475-834- 93
510-499-118
511-439-153
龔元嘉晉 256-539- 94
龔天申明 480-615-287
523-221-156
533-116- 50
龔天瑞元 1197-813-86
龔友福元 472-795- 31
538-154- 65
1439-450- 2
龔日升龔日昇 宋
518- 18-136
1184-593- 13
龔日昇宋 見龔日升
龔日新元 515-341- 67
1208-269- 12
龔玄之晉 256-539- 94
380-434-177
473-368- 64
480-485-280
533-346- 58
933- 37- 2
龔永吉明 523-561-174
820-610- 40
1241-626- 13
龔永貞明 456-678- 11
龔玉節明 529-677- 49
龔可立明 475-452- 71
龔可正明 302-157-297
龔可佩明 302-359-307
龔可學明 1280-298- 77
龔世仰明 523-488-170
龔世忠妻 明 見朱氏
龔世遠清 480-565-284
龔冬生宋 見龔席珍
龔用罔女 宋 見龔氏
龔用卿明 529-468- 43
676-560- 23
1442- 52- 3
1460- 97- 45
龔用圓董用圓、龔用圓 明
456-601- 9
1442-102- 7
1460-706- 76
龔守安唐 李處道妻、龔宗元女 493-1080- 57
512- 7-176
589-332- 4
龔守愚明 676-268- 10
龔安全明 見龔全安
龔存兒明 龔秀女
477-135-155
龔有成明 481-612-329
511-236-145
515-279- 65
528-497- 30
龔兆奎妻 明 見楊氏
龔名安元 528-484- 30
龔自立妻 宋 見張氏
龔自成妻 清 見蘇氏
龔仲泰明 456-586- 8
515-451- 70
龔仲陽不詳 1061-268-110
龔仲賢明 529-690- 50
龔全安龔安全 明299-663-167
523-385-164
龔行修宋 487-188- 12
576- 34- 下
龔沖霄明 572- 82- 28
龔宋元宋 見龔宗元
龔良傅明 473-216- 59
533- 15- 47
龔克孝清 564-308- 48
龔克和妻 清 見馬荃
龔作梅明 302-159-297
456-666- 11
477-453-171

龔伯寧明 473-166- 57
473-215- 59
480- 57-260
515-108- 60
533- 7- 47
龔希魯元 1221-399- 3
龔廷祥明 301-635-275
456-531- 6
458-300- 10
475-231- 61
511-451-153
龔廷賓明 523-250-157
龔廷歷清 511-770-166
龔廷諫妻 清 見王氏
龔廷擢清 528-546- 32
龔廷獻明 515-808- 82
龔宗元女 唐 見龔守安
龔宗元龔宋元 宋
475-451- 71
485- 99- 14
485-187- 25
493-872- 48
511-231-145
589-304- 2
1437- 12- 1
龔宗諤女 宋 見龔氏
龔定之宋 529-747- 51
龔其裕清 515-161- 61
龔孟舒陳 260-772- 33
265-1010- 71
380-299-173
472-1028- 42
479-321-232
523-608-176
933- 37- 2
龔孟夔宋~元 515-759- 80
1197-726- 75
1202-318- 22
1437- 31- 2
龔來富明 477-545-176
龔承先明 523-220-156
龔尚升明 515-447- 70
龔明之宋 485-201- 27
493-1007- 53
511-519-157
589-362- 6
龔念遂明 456-419- 2
龔佳育清 478-516-200
558-186- 31
1323-796- 6
龔秉德明 1442- 58-附3
1460-169- 48
龔炳衡明 302- 54-292
456-483- 5
龔南雲明 1289-333- 22
龔茂良宋 287-284-385
398-308-384
471-670- 13
473- 14- 49
473-598- 76
473-633- 77
473-673- 79
479-448-237
481-553-327
481-582-328
481-802-338
482- 79-341
515- 17- 57
529-497- 44
563-660- 39
674-880- 20
933- 38- 2
1145-710- 82
1151-592- 26
龔茂宗元 1213-359- 11
龔思賢妻 明 見李氏
龔則敬明 480-177-266
龔則榮明 1240-166- 11
龔席珍龔冬生 宋451- 69- 2
龔原平劉宋 591-603- 44
龔原善明 1226-132- 6
龔起鳳明 477- 55-151
511-236-145
龔振秀清 529-695- 50
龔尉安女 元 見龔益
龔崇堯明 524-158-186
龔國瑄明 456-616- 9
483-307-395
572- 80- 28
龔翔麟清 524- 17-178
龔敦頤宋 見龔頤正
龔雲致明 529-549- 45
龔黃壽宋 見龔尹
龔朝上妻 明 見賴氏
龔朝典明 594-216- 7
龔朝傑明 570-113-21之1
龔菊娘明 饒上祝妻
530-158- 58
龔景才唐 493-1010- 53
511-519-157
龔貴郎宋 見龔滂
龔貴巽清 481-698-332
529-694- 50
龔然勝明 474-183- 9
505-895- 80
龔愼儀宋 473-642- 78
481-695-332
485-499- 9
529-621- 48
龔愼儀女 宋 見龔氏
龔婁兒宋 524- 96-183
龔道立明 511-160-142
515- 60- 58
528-531- 31
龔道源元 515-344- 67
龔遂榮明 505-722- 71
511-459-154
龔萬祿明 302- 25-290
456-503- 5
481-212-302
龔鼎臣宋 286-609-347
397-672-361
472-557- 23
473-454- 68
475- 16- 49
476-823-143
481-181-300
488-389- 13
540-756-28之2
559-285-7上
591-705- 50
677-188- 17
1099-586- 13
1121-582- 6
龔鼎孚清 511-820-167
龔鼎孳清 475-710- 86
511-820-167
532-639- 43
龔業新明 458-151- 7
龔業煥明 456-678- 11
458- 71- 3
龔遇遲清 533-326- 57
龔齊褒宋 1149-694- 15
龔漢臣明 563-837- 41
572-105- 30
龔爾昌妻 清 見朱氏
龔夢良龔夢奴 宋448-385- 0
1142-653- 9
龔夢虬妻 明 見何氏
龔葢卿龔盍卿 宋
473-360- 64
480-510-281
533-260- 55
龔澄樞宋 288-720-481
401-228-598
龔霆松宋 680-277-253
龔輝祖妻 清 見楊氏
龔德莊宋 1116-483- 25
龔締勝妻 清 見李氏
龔澮菴女 明 見龔氏
龔頤正龔敦頤 宋
493-1021- 54
524- 90-182
590-452- 0
674-604- 4
龔錫爵明 511-237-145
龔應之宋 1226-132- 6
龔應奴宋 見龔夢良
龔應龍明 571-535- 19
龔應霖清 476-181-106
545-252- 92
564-303- 48
龔懋熙明 561-200-38之1
龔懋賢明 559-403-9上
龔懋澤明 456-555- 7
龔鎭和明 482- 78-341
龔耀卿妻 明 見高氏
龔繼祖明 1236-436- 3
讀徹明 570-250- 25
1442-122-附8
1460-854- 91
讀禮清 570-257- 25
癭陶王漢 見劉悝
襲彪明 1278-444- 21
襲勖明 540-815-28之3
676-642- 26
1278-394- 18
1442- 95-附6
1460-547- 67
襲勗妻 明 見景氏
襲用圓明 見龔用圓
襲眞子唐 820-289- 30

龔盍卿宋 見龔蓋卿
鰲拜清 455- 37- 1
懿横後秦 933-649- 42
懿德眞人元 533-761- 74
驕戰國 見周安王
鑒五代 1053-631- 15
鑒宋 1053-576- 14
鑒布清 455- 94- 3
鑒聿宋 1102-326- 42
鑒宗唐 524-403-199
588-221- 10
1052-160- 12
1053-156- 4
鑒洪唐 1053-204- 5
鑒拜清 455-246- 13
鑒眞唐 1052-198- 14
鑒韶宋 1053-658- 15
權宋 588-214- 9
權氏唐 獨孤郁妻、權德輿女
1342-486-967
權氏唐 權伋成女
1342-494-968
權氏明 石華如妻 478-717-211
權氏明 明成祖賢妃
299- 6-113
權氏明 鄧炳妻 530- 88- 56
權立唐 493-739- 41
權安明 571-542- 20
權宇明 511-582-159
權武隋 264-947- 65
267-523- 78
379-871-164
472-896- 35
473-748- 83
567- 33- 63
933-244- 17
1079- 48- 9
1467- 11- 62
權近權晉 明 676-684- 28
680-265-251
1318-239- 52
1442-128-附8
1460-866- 94
權度宋 567-418- 85
權威唐 474-468- 23
權胤唐 見權徹
權晉明 見權近
權倫明 511-582-159
權皋唐 270-774-148
275-618-194
384-204- 11
384-215- 11
400-324-527
472-275- 11
472-868- 34
475-275- 63
479-497-239
511-900-172
516-192- 95
558-391- 36
933-245- 17
1072-412- 3
1342-511-970
1344-106- 69
1410-230-691
權皋妻 唐 見李氏
權隼唐 1342-403-956
權達唐(字逢吉) 494-336- 7
523-114-151
權達唐(天水略陽人)
1342-430-960
權會北齊 263-337- 44
267-578- 81
380-320-174
384-142- 7
474-308- 16
505-870- 78
677-131- 13
933-244- 17
權徹權胤 唐 1072-223- 8
1342-184-927
權審唐 820-230- 28
權毅妻 唐 見義陽公主
權穎唐 518- 4-136
權濟明 1262-394- 43
權翼晉 558-386- 36
權璩唐 270-777-148
275-317-165
396-111-261
475-276- 63
558-391- 36
559-279- 6
820-234- 28
權謹明 302-144-296
452-139- 1
472-413- 18
475-432- 70
511-582-159
權擎明 1442-129- 附8
1460-869- 94
權瓌唐 820-158- 26
權士安明 554-473-57上
權弘壽唐 271-447-185上
395-344-212
權本時明 558-466- 38
權世魁妻 清 見王氏
權安節宋 516-124- 92
權有方唐 1342-424-959
權同休唐 1061-291-112
權自挹唐 1342-287-941
權伋成女 唐 見權氏
權邦彥宋 287-424-396
398-419-391
449-364-上1
472- 70- 2
472-173- 6
475- 69- 52
505-740- 72
820-413- 34
1161-598-124
權秉中權秉忠 元
545-843-113
1202-313- 22
1206-674- 2
權秉忠元 見權秉中
權若訥唐 485-498- 9
權執中元 545-842-113
權景宣北周 263-632- 28
267-275- 61
379-552-156
472-896- 35
480-199-267
532-562- 40
558-388- 36
933-244- 17
權景運北周 384-140- 7
權景魁明 1269-436- 6
權景魁妻 明 見党氏
權義興唐 518- 5-136
權楚璧唐 271-447-185上
274-288-100
權萬紀唐 271-447-185上
274-287-100
384-172- 9
395-343-212
540-623- 27
544-230- 63
554-634- 60
933-244- 17
權德輿唐 270-774-148
275-315-165
384-231- 12
384-248- 13
396-110-261
451-433- 3
470-414-150
472-275- 11
472-868- 34
475-276- 63
511-900-172
552- 58- 19
558-391- 36
558-642- 47
674-260-4中
674-803- 16
933-245- 17
1072-798- 附
1073-606- 30
1074-449- 30
1075-399- 30
1339-673-707
1365-488- 8
1371- 66- 附
1378-456- 58
1383-151- 12
1388-288- 66
1410- 37-667
1447-252- 8
1473- 94- 57
權德輿女 唐 見權氏
權懷恩唐 271-447-185上
274-287-100
384-172- 9
395-344-212
478-112-181
505-674- 69
554-445- 56
933-244- 17
權繼武明 571-531- 19
權襄慶北周 267-523- 78
鄺氏宋 宋仲妻、鄺仲隱女
1113-433- 8

酈炎漢 253-567-110下
380-344-175
469-563- 69
505-878- 79
933-748- 52
1370- 19- 1
酈炌漢 544-199- 62
酈商漢 244-623- 95
250-141- 41
251-527- 11
376- 63- 96
384- 37- 2
472-650- 27
477- 57-151
537-373- 57
547-169-147
558-180- 31
933-748- 52
1397-198- 10
酈寄漢 243-241- 9
244-624- 95
250-142- 41
933-748- 52
酈惲後魏 261-586- 42
266-553- 27
379- 93-147
547-160-147
酈經妻 清 見蔣氏
酈範酈記祖 後魏
261-584- 42
266-551- 27
379- 92-147
505-711- 71
535-556- 20
544-212- 62
552- 34- 18
933-748- 52
酈瓊金 291-163- 79
379-113-426
酈權金 676-696- 29
1365-138- 4
1439- 6- 附
1445-376- 26
酈元眞明 524-367-197
酈引昌清 479-248-228
523-393-164
酈仲隱女 宋 見酈氏
酈均用元 533-469- 64
酈君積明 547- 91- 44
酈希誠元 295-651-202
401-126-585
476- 91-100
505-939- 85
547-485-159
酈食其漢 243-216- 8
244-639- 97
250-156- 43
251-537- 13
376- 72- 96
384- 37- 2
469- 5- 1
472-650- 27
477- 57-101
537-373- 57
933-748- 52
1408-270-506
酈記祖後魏 見酈範
酈道元後魏 262-277- 89
266-552- 27
380-231-171
384-131- 7
472- 30- 1
472- 84- 3
472-765- 30
474-171- 8
477-498-174
537-333- 56
554-115- 50
674-204-2下
933-748- 52
酈道約後魏 261-586- 42
266-553- 27
379- 93-147
537-333- 56
933-748- 52
酈道愼後魏 261-586- 42
266-553- 27
379- 93-147
933-748- 52
酈邑公主漢 見劉綬
鬻子周 見鬻熊
鬻姒春秋 齊景公夫人
404-630- 38
鬻拳春秋 405- 34- 58
448-145- 4
533-122- 51
933-721- 49
鬻熊鬻子 周 405-458- 86
533-121- 51
933-721- 49
1117-144- 11
鬻履道人宋(擕草履一雙索金五兩) 483-349-399
572-164- 32
囊氏春秋 375-860- 92
384- 26- 1
405- 48- 59
448-261- 25
933-419- 27
1095-733- 39
囊努清 456-120- 58
囊阿清 455-552- 35
囊機清 455-604- 41
囊錦清 455- 99- 3
囊古齊清 502-449- 68
囊果禮清 455-450- 27
囊弼紫清 456-304- 73
囊嘉岱元 560-602-29 下
囊嘉特元(奈曼人) 294-379-131
399-514-470
囊嘉特元(謚忠愍) 294-442-136
399-680-488
1206-122- 15
囊知牙斯烏珠留若鞮單于 漢
251-209-94下
381-611-199
囊達爾吉清 455-451- 27
囊嘉特章魯國公主 元 曼濟臺妻、額埒春妻、元世祖女
393-351- 80
疊卜泰元 475-810- 91
510-489-118
歡喜周 見阿難
歡喜唐(未嘗有慍色)
1052-405- 29
歡娛兒明 見呼圖哩
錢鏗上古 見彭祖
鱄諸春秋 見鱄設諸
鱄設諸專諸、鱄諸 春秋
244-546- 86
371-640- 59
405-114- 63
933-248- 17
1408-214-502
鑑宋 1053-790- 18
鑑空齊佐、齊君房、續空 唐
485-289- 42
493-1090- 58
524-383-198
585-476- 14
588-185- 9
1052-293- 20
鑑源唐 592-361- 82
1052-207- 15
羅茷羅筏 春秋 545-731-109
933-753- 52
羅筏春秋 見羅茷
龕晉 381-645-200
鄺授不詳 933-219- 15
穰侯戰國 見魏冉

二十三畫

戀祕漢 933-676- 45
癰疽春秋 404-845- 52
欒大漢 243-270- 12
384- 46- 2
欒大妻 漢 見當利公主
欒巴漢 253-204- 87
376-860-111上
384- 67- 3
469-450- 54
471-946- 51
472-129- 4
472-408- 18
473- 12- 49
473-357- 64
473-401- 66
475-740- 88
477-163-157
479-481-239
480-634-288
481- 85-294
483-136-380
515- 75- 59
517-205-120
532-701- 45
537- 17- 48
563-605- 38
592-175- 71
933-218- 15

1059-282- 5
1061- 35- 85
1061-266-109
1207-584- 41
欒氏金 相琪妻 291-750-130
472-614- 25
476-733-138
欒氏明 王時進妻 506-134- 89
欒布漢 244-661-100
250- 96- 37
251-552- 16
376- 37- 95
384- 37- 2
492-679- 27
474-165- 8
477-125-155
537-571- 60
539-349- 8
933-218- 15
1360-609- 38
1408-277-507
欒成欒共子、欒共叔 春秋
384- 21- 1
404-640- 39
545-689-108
欒枝欒貞子 春秋
384- 21- 1
404-640- 39
472-459- 20
545-689-108
欒糾欒卞糾 春秋 384- 21- 1
404-643- 39
545-733-109
欒施子旗 春秋 384- 17- 1
404-610- 37
欒盈欒逞、欒懷子 春秋
384- 21- 1
404-641- 39
933-218- 15
欒盾春秋 404-640- 39
欒書欒武子 春秋
375-772- 90
384- 21- 1
404-771- 47
448-187- 12
545-690-108
933-218- 15
欒恕明 571-548- 20
欒逞春秋 見欒盈
欒惠明 524-158-186
欒提呼揭單于 漢
251-203-94下
欒智元 569-616-18下之2
欒瑄明 476-732-138
540-787-28之3
欒賓春秋 384- 21- 1
404-640- 39
545-689-108
欒誥明 592-781- 2
欒說漢 535-552- 20
欒鳳妻 元 見王氏
欒鳳明 299-251-133
479-225-227
511-461-154
523-154-153
欒魴春秋 404-642- 39
欒樂春秋 404-642- 39
欒濛唐 476-750-139
欒鍼春秋 375-775- 90
404-640- 39
545-691-108
欒黶欒桓子 春秋 384- 21- 1
404-640- 39
545-690-108
933-218- 15
欒卞糾春秋 見欒糾
欒之昂元 1202-378- 25
欒世英明 472-207- 7
欒弗忌春秋 404-643- 39
545-731-109
欒汝翼元 540-649- 27
欒共子春秋 見欒成
欒共叔春秋 見欒成
欒行言明 592-778- 2
欒京廬春秋 404-643- 39
545-730-109
欒武子春秋 見欒書
欒尚約明 1442- 60-附4
1460-191- 49
欒貞子春秋 見欒枝
欒桓子春秋 見欒黶
欒崇吉宋 285-455-277
472-659- 27
477-208-159
479-482-239
515- 81- 59
537-389- 57
540-646- 27
欒景初明 1475-419- 18
欒養重清 474-411- 20
505-910- 81
欒懷子春秋 見欒盈
欒氏子雅春秋 見公孫竈
囏周 見周懿王
顯宋(居西堂) 516-504-105
顯宋(嗣克勤) 1053-842- 19
顯月元 496-427- 90
顯示元 588-276- 11
顯如宋 592-390- 84
1053-579- 14
顯宗宋 1053-499- 12
顯明宋 1053-683- 16
顯殊宋 1053-659- 15
顯欽宋 1053-481- 12
顯萬宋 1437- 38- 2
顯嵩宋 473-479- 69
481-121-296
561-219-38之3
592-436- 87
顯端宋 1053-492- 12
顯親王清 見蘊著
顯化禪師趙棠 宋
472-561- 23
1104-410- 36
1104-505- 40
1107-530- 38
顯德帝姬宋 劉文彥妻、宋徽宗女 285- 69-248
393-328- 77
顯德初酒狂後周 820-315- 31
蘿牕宋 821-268- 52
蠱氏明 蠱士榮女 481-119-296
559-449-11上
蠱達漢 1397-199- 10
蠱士榮女 明 見蠱氏
體唐 1072-429- 4
體明宋 1053-681- 16
體柔宋 1053-422- 10
體淳宋 1053-704- 16
體謙宋 1089- 60- 7
巖宋 1053-690- 16
巖俊宋 1052-393- 28
1053-230- 6
巖元元明 533-793- 75
巖下老人漢 516-214- 96
鑛宋 1052-321- 22
鑪全春秋 見鑪金
鱗朱春秋 404-815- 50
933-170- 11
鱗矔春秋 見鱗矔
鱗矔鱗矔 春秋 404-808- 49
933-170- 11

二十四畫

灝宋 1053-888- 20
灝鑑五代 見顥鑒
讓唐 1053-119- 3
讓明 588-118- 5
蠶女上古 592-169- 71
蠶業氏春秋 見蜀王
靈呂靈、藥羅葛靈 唐
271-697-195
靈一唐(居雲門寺) 451-491- 8
479-264-228
486-339- 15
524-416-200
靈一唐(居宜豐寺)1052-202- 15
1072-225- 9
1341-497-864
1371- 77- 附
1473-704- 98
靈山元 1212-586- 1
靈山明 480-209-267
533-761- 74
靈迅唐 820-305- 30
靈坦唐 1052-132- 10
1344- 40- 64
靈侃宋 1053-683- 16
靈幽唐 1052-356- 25
靈保元 1218-758- 5
靈彖唐 1052-147- 11
靈祐唐(諡大圓禪師)
480-418-277
486-900- 35
524-383-198
530-208- 60
533-782- 75
1052-155- 11
1053-348- 9
1054-134- 3

1054-566- 16
1344- 27- 63
靈祐唐(字楷) 1079- 68- 11
靈訓唐 1053-157- 4
靈著唐 592-360- 82
1052-119- 9
靈粤唐 1052-193- 14
靈該唐 813-311- 20
820-302- 30
靈裕隋 1401-551- 38
靈運唐 683-301- 12
靈運宋 1053-580- 14
靈瑞唐 1053-373- 9
靈幹隋 1049-352- 24
1050-700-107
靈照五代 588-247- 10
1052-177- 13
1053-284- 7
靈照宋 516-504-105
靈澈靈徹 唐 472-1075- 45
485-559- 3
486-339- 15
494-422- 13
516-492-105
524-416-200
1052-209- 15
1054-122- 3
1077-443- 19
1339-729-713
1345-165- 20
1371- 77- 附
1388-740-106
1473-706- 98
靈輒春秋 404-759- 46
472-459- 20
545-727-109
547- 11-141
靈遠後魏 267-685- 89
380-627-183
靈睿唐 592-442- 88
靈睿清 524-428-200
靈徹唐 見靈澈
靈潤唐 476-129-102
547-519-160
靈澄宋 590-142- 17
1053-637- 15
靈慧張仁節 唐 1122-284- 7
靈辨後魏 476-337-115
547-528-160
靈默唐 524-430-200
1052-136- 10
1053-110- 3
靈辯唐 1052- 43- 4
靈歸唐 1052-356- 25
靈鑒宋 1053-404- 10
靈龕唐 592-402- 85
1053-242- 6
靈觀唐 1053-167- 4
靈子眞不詳 1061-270-110
靈川王明 見朱詮鉌
靈不緩春秋 404-809- 49
靈丘王明 見朱仕壈
靈丘王明 見朱美堣
靈丘王明 見朱遜烇
靈昌王唐 見李榮
靈姑浮春秋 405-143- 64
靈源姑金 541- 93- 30
靈壽王漢 見劉恭
靈壽光漢 478-206-184
554-968- 65
1059-291- 7
1061- 46- 86
靈應侯上古(堯時神醫)
547-544-161
靈丘公主明 明神宗女
544-251- 63
靈泉院和尚宋 1053-454- 11
龕山道人宋(住龕頭山)
567-460- 87
靄翠明 473-855- 88
571-552- 20
靄翠妻 明 見奢香
鬬且春秋 384- 26- 1
405- 11- 56
533-128- 51
鬬辛春秋 448-265- 26
533-349- 59
鬬克春秋 405- 84- 61
鬬祁春秋 405- 11- 56
鬬勃春秋 405- 11- 56
鬬班春秋 405- 11- 56
933-710- 48
鬬般春秋 405- 10- 56
448-144- 4
鬬梧春秋 405- 10- 56
鬬椒子越椒、越椒 春秋
384- 25- 1
405- 85- 61
鬬廉春秋 405- 10- 56
533-122- 51
鬬子文春秋 375-843- 92
448-287- 上
鬬成然蔓成然 春秋
405- 86- 61
鬬克黄箴尹克黄 春秋
384- 25- 1
405- 10- 56
480-201-267
533-349- 59
鬬伯比春秋 375-842- 92
384- 24- 1
405- 9- 56
448-134- 2
533-122- 51
鬬宜申春秋 405- 84- 61
鬬御彊春秋 405- 10- 56
鬬穀於菟子文、令尹子文 春秋 384- 24- 1
386-605- 2
405- 9- 56
448-143- 4
471-808- 31
480-201-267
533-348- 58
933-710- 48
鼈令上古 591-142- 11
鼈靈戰國 見叢帝
鑪金鑪金 春秋 405- 54- 59
933-656- 43

二 十 五 畫

觀宋 588-215- 9
觀公明～清 541-101- 30
觀白明 1442-119-附8
觀行明 見觀衡
觀志五代 1053-565- 14
觀宗唐 683- 7- 0
觀音沈務華、沈婺華 陳 陳後主后、沈君理女 261-591- 7
265-205- 12
370-596- 20
373- 90- 20
494-260- 1
814-215- 2
819-566- 19
1401-388- 30
觀洋漢 933-673- 45
觀保清 455- 71- 2
觀起春秋 405- 21- 57
933-673- 45
觀扈五觀 夏 404-403- 24
觀從春秋 405- 86- 61
觀衡觀行 明 516-477-105
533-791- 75
1475-969- 41
觀瞻春秋 405- 21- 57
觀丁父春秋 405- 19- 57
觀世音馬郎婦 唐
1054-126- 3
1054-528- 15
觀音努妻 元 見布延德濟
觀射父春秋 384- 25- 1
405- 19- 57
448-252- 23
533-129- 51
觀齊肯清 456-380- 79
觀德王隋 見楊雄
觀音和尚五代 1053-628- 15
觀音和尚宋 1053-708- 16
觀閭元賓元 820-540- 39
1218-750- 5
觀閭用賓元 1218-785- 5

二 十 六 畫

讚南北朝 381-416-194

二 十 七 畫

鑾宋 1053-775- 18
鑾清 455-301- 18

二 十 八 畫

豔豔宋 任才仲妻
821-272- 52
驪兜上古 404-399- 23

二十九畫

驪戎女 春秋 見驪姬
驪姬 春秋 晉獻公夫人、驪戎女 375- 29-77下
404-760- 46
448- 67- 7
驪山老母 唐 478-144-181
鬱于 裕雲 唐 271-791-199下
496-621-105
鬱蘭 晉 381-645-200
鬱林王 齊 見蕭昭業
鬱林王 唐 見李恪
鬱持樂 唐 見智嚴

三十畫

爨深 爨琛 晉 473-830- 87
483- 15-370
483-268-392
494-150- 5
571-539- 20
933-674- 45
爨習 蜀漢 482-560-369
494-160- 6
570-109-21之1
爨雲 後魏 473-830- 87
569-535- 17
爨肅 漢 933-674- 45
爨琛 晉 見爨深
爨頠 蜀 933-674- 45
爨襄 戰國 546-436-129
爨率子 唐 820-290- 30
爨龍顏 劉宋 473-830- 87
483- 16-370
569-535- 17
爨歸王 唐 473-830- 87
569-643- 19

四庫全書索引叢刊之三

四庫全書傳記資料索引

（全二冊）

精裝本基本定價八十元正
平裝本基本定價七十元正

主編者 中華文化復興運動推行委員會
四庫全書索引編纂小組

召集人：陳奇祿

副召集人：昌彼得　王壽南

總編輯：昌彼得

副總編輯：吳哲夫　莊芳榮

編輯：陳仕華　闞愷蒂　羅蓉　王秀雲
陳麗香　許素華　柯金木　唐復光
曾素貞　謝寶蓮　劉碧貞

發行人 張連生

印刷及發行所 臺灣商務印書館股份有限公司

登記證：局版臺業字第 0836 號
臺北市 10036 重慶南路 1 段 37 號
郵政劃撥：0000165—1 號
電話：(02) 3116118
傳真：(02) 3710274

中華民國八十年六月初版

ISBN 957-05-0281-9（套：精裝）
ISBN 957-05-0282-7（套：平裝）